KB174919

Second Edition

외과학

Textbook of Surgery

THE KOREAN SURGICAL SOCIETY

대한외과학회

외과학 *Second Edition*

첫째판 1쇄 발행 | 2011년 1월 20일
첫째판 2쇄 발행 | 2012년 6월 20일
둘째판 1쇄 인쇄 | 2017년 4월 25일
둘째판 1쇄 발행 | 2017년 5월 10일

지 은 이 대한외과학회
발 행 인 장주연
출 판 기 획 김선근
편집디자인 박은정
표지디자인 김재욱
일 러 스 트 김경렬, 유학영, 서은정, 진승우
발 행 처 군자출판사(주)
등록 제 4-139호(1991. 6. 24)
본사 (10881) **파주출판단지** 경기도 파주시 회동길 338(서패동 474-1)
전화 (031) 943-1888 팩스 (031) 955-9545
홈페이지 | www.koonja.co.kr

ISBN 979-11-5955-200-7

정가 200,000원

Second Edition

외과학

Textbook of Surgery

THE KOREAN SURGICAL SOCIETY

발간사 (發刊辭)

대한외과학회는 올해로 창립 70주년을 맞이하게 되었습니다. 그 동안 많은 원로 회원님들과 선후배 회원님들의 눈부신 활약으로 대한외과학회는 국민 건강을 수호하고 증진시키기 위해 큰 기여를 하였으며 학문적으로도 국내외에 괄목할 만한 업적을 성취하고 있습니다.

과거 1969년 장기려 박사님 등 우리나라 외과 선구자들에 의해 우리말 첫 외과학 교과서인 "외과학각론"이 출간되었고, 이어서 1973년에는 "외과학총론"이 출간 되었습니다. 1987년에는 김진복 교수님을 대표저자로 "최신외과학"이라는 교과서가 출간되었고 1995년에는 개정판을 출판 하였습니다.

그 이후에는 시대적으로 분과학회들이 발전하면서 세부분야에 대한 교과서는 많은 책들이 발간 되었으나 학생들과 전공의들을 위한 외과학 전분야를 다루는 교과서는 상당기간 발간되지 않았습니다. 그만큼 각 분야가 다루는 학문의 범위와 깊이가 확대되고 깊어진 것도 외과학 교과서를 발간하기 어렵게 된 이유라고 생각합니다. 마침내 대한외과학회는 우리나라 외과의 대표 지침서가 필요하고 그 교과서를 학회가 중심이 되어 발간을 해야 되겠다는 인식을 하고 각고의 노력 끝에 2011년 교과서 '외과학' 초판의 출판 결실을 맺게 되었습니다.

최근 외과학 분야는 하루가 다르게 발전하고 있습니다. 복강경 및 로봇 수술이 개복수술을 빠르게 대치하고 있고, 간이식 등 이식분야를 비롯한 많은 분야에서는 점점 더 고도의 수술 기법이 개발되고 있습니다. 또한 새로운 치료법의 개발, 내시경, 초음파 및 비수술적 혈관 질환 치료 등은 외과의사가 주도하는 형태로 변화하고 있습니다. 따라서 대한외과학회에서는 이러한 변화에 대응하기 위해서 2년여의 준비기간과 집필을 통해 외과학 교과서 개정판을 출판하게 되었습니다.

초판 출판 이후에 교과서 내용에 대하여 많은 분들이 비판적인 의견을 주시기도 하셨습니다. 지적한 문제점들을 최대한 수정, 보완하고자 노력하였습니다. 아직도 교과서에 미흡한 부분이 있으리라 생각됩니다만 이 책을 읽으시는 외과학회 회원 여러분들은 주인의식을 가지고 부족한 부분이 있으면 많은 조언을 부탁 드립니다.

외과학의 최신 지식을 담은 이번 개정판은 의과대학 학생, 외과 전공의, 전임의를 비롯한 모든 외과 전문의들과 외과학 정보를 필요로 하는 모든 타과 의료인들에게 하나의 지침서가 될 것을 확신합니다. 학생을 포함한 젊은 의학도들은 이 책을 읽고 외과의사로서의 꿈을 키우시기 바랍니다.

그 동안 교과서출판위원회를 앞장서서 이끌어 주신 이문수 위원장님과 실무를 책임지고 매진해 주신 출판위원회 위원 및 그리고 각 분야별 많은 저자 분들의 노고에 감사 드립니다.

2017년 3월 1일

대한외과학회 회 장 **김 선 회**

대한외과학회 이사장 **서 경 석**

서 문 (序 文)

대한외과학회 창립 70주년을 기념하는 해에 외과학 교과서 개정판을 발간하게 되어 매우 뜻깊게 생각합니다. 지난 2011년 약 2년간의 각고의 노력으로 대한외과학회에서 집필한 한글판 외과학 교과서 초판이 발간된 이후 외과학 교과서는 외과학회 회원과 전공의 뿐만 아니라 의과대학생에 이르기까지 외과를 공부하고 연구하는 모든 분들에게 가장 전문적이고 정확한 지침서가 되었습니다.

최근 외과질환의 진단과 치료방법의 발달 및 새로운 수술법의 개발, 외과영역의 확장 등으로 외과학 교과서 개정의 필요성이 절실하게 대두되었습니다. 교과서편찬위원회에서는 2015년부터 개정판의 체계적인 집필을 위해 저자선정, 목차 및 집필방향 등을 확정하고 신시경종(愼始敬終)의 자세로 본격적인 개정판 집필을 시작하였습니다.

초판에 비해 증편된 개정판은 총론 17장, 각론 8장으로 구성하였습니다. 임상에서 그 중요성이 증대되고 있는 외과적 대사와 영양을 분리된 장으로 확대하였으며, 외과 초음파학 영역 또한 새로운 장으로 신설하였습니다. 뿐만 아니라 위 내시경, 대장 내시경 영역을 새롭게 소제목으로 편성하여 외과 술기의 최신 흐름을 반영하였습니다. 더욱 전문화되고 세분된 학문적 요구에 부합하기 위하여 각 분야에서 뛰어난 연구업적을 지니신 전문가들을 편찬위원과 각 분과학회로부터 추천받아 초판에 비해 확대된 총 126분의 저자가 참여하였습니다. 모든 저자들의 열정적인 집필은 물론 이번 개정판에 새롭게 참여하신 저자들의 의욕적이고 적극적인 집필로 인해 좀 더 진취적이고 완성도 높은 개정판을 발간하게 되었습니다.

외과학 교과서 개정판은 국내 학회 발간 교과서 중 최초로 디지털 도서인 e-Book을 곧이어 출간할 계획입니다. 두툼한 책을 들고 다니지 않더라도 휴대전화나 태블릿 PC 등 진보된 매체를 통해 언제 어디서나 외과학 교과서의 본문은 물론 그림, 사진, 테이블 등을 더욱 선명하고 쉽게 볼 수 있는 유익한 매개체가 될 것입니다. 성공적인 e-Book 발간은 대한외과학회의 창조적인 새로운 발자취로 선명히 기록될 것입니다.

외과의 영역은 매우 방대하고 또한 그 발전속도가 빨라 이 한 권의 책으로 외과의 모든 영역을 총망라하기에는 어려움이 있었지만 초판 교과서 출간 당시의 그 취지를 계승 발전시키고자 하는 사명감으로 지혜를 모아 최선을 다하였습니다. 중요한 일일수록 속도보다는 방향이 중요하듯이 이번 개정판이 추후 더 나은 방향의 제 3판, 제 4판 외과학 교과서의 초석이 되고 방향성을 제시할 수 있는 나침반이 되기를 소망합니다.

외과학 교과서 개정판 출간을 위해 격려와 지원을 아끼지 않으신 이사장님, 회장님과 이사님들께 감사드립니다. 또한 오랜 기간 출간을 위해 함께 최선을 다해 주신 교과서편찬위원회 위원님, 녹록치 않은 일정에도 옥고(玉稿)를 보내주신 저자분들, 그리고 이 모든 결실을 하나의 서적으로 완성해 주신 군자출판사 관계자분들에게도 고마움을 전합니다. 더불어 박시제중(博施濟衆)의 숭고한 뜻을 되새기며, 외과의사의 손길을 필요로 하는 이 땅의 모든 환자분들께 이 교과서를 헌정합니다.

2017년 3월 1일

대한외과학회 교과서편찬위원회

위원장 **이 문 수**

집필진 (執筆陣)

대한외과학회 교과서편찬위원

■ 위원장
이문수

■ 간　사
손명원

■ 위　원 (가나다 순)
김민찬, 김순일, 김창남, 백무준, 손병호, 이선일, 이태승, 정기욱, 정치영, 정호영, 주종우, 한석주

집필진 (가나다 순)

강구정 계명대 동산병원 외과
강희준 한림대 동탄성심병원 외과
권태원 울산대 서울아산병원 외과
김경수 가톨릭대 서울성모병원 가정의학과
김남규 연세대 세브란스병원 외과
김덕우 서울대 분당서울대병원 외과
김동구 가톨릭대 서울성모병원 외과
김동익 성균관대 삼성서울병원 외과
김동헌 부산대 의과대학 외과
김명수 연세대 세브란스병원 이식외과
김민찬 동아대 동아대병원 외과
김선한 고려대 안암병원 외과
김선회 서울대 서울대병원 외과
김성용 순천향대 천안병원 외과
김성주 성균관대 삼성서울병원 외과
김성철 울산대 서울아산병원 외과
김송철 울산대 서울아산병원 외과
김순일 연세대 세브란스병원 외과
김영욱 성균관대 삼성서울병원 외과
김영진 전남대 화순병원 외과
김용진 순천향대 서울병원 외과
김이수 한림대 성심병원 외과
김익용 연세대 원주의과대학 외과
김재황 영남대 영남대병원 외과
김정수 가톨릭대 의정부성모병원 외과
김종훈 전북대 전북대병원 외과
김진조 가톨릭대 인천성모병원 외과
김진천 울산대 서울아산병원 외과
김창남 을지대 을지대병원 외과
김형철 순천향대 부천병원 외과
김형태 계명대 동산병원 외과
김홍진 영남대 영남대병원 외과
남기현 연세대 의과대학 외과
노동영 서울대 서울대병원 외과
노성훈 연세대 세브란스병원 외과
노우철 원자력병원 외과
류승완 계명대 동산병원 외과
민상일 서울대 서울대병원 외과
민영돈 조선대 조선대병원 외과
박경미 인제대 상계백병원 병리과
박규주 서울대 서울대병원 외과
박상재 국립암센터 간암센터

박용검 중앙대 중앙대병원 외과
박웅채 건국대 충주병원 외과
박인자 울산대 서울아산병원 외과
박정수 연세대 강남세브란스병원 외과
박조현 가톨릭대 서울성모병원 외과
박해린 차의대 강남차병원 외과
박호철 경희대 강동경희대병원 외과
배재문 성균관대 삼성서울병원 외과
배정원 고려대 의과대학 외과
백승언 고신대 고신대병원 외과
백승혁 연세대 강남세브란스병원 외과
서경석 서울대 서울대병원 외과
서영진 가톨릭대 성빈센트병원 외과
설지영 충남대 충남대병원 외과
소병준 원광대 원광대병원 외과
소의영 아주대 아주대병원 외과
손대경 국립암센터 외과
손병호 울산대 서울아산병원 외과
손수상 계명대 동산병원 외과
송교영 가톨릭대 의정부성모병원 외과
양한광 서울대 서울대병원 외과
오상훈 인제대 부산백병원 외과
오세정 가톨릭대 인천성모병원 외과
왕희정 아주대 아주대병원 외과
유승범 서울대 서울대병원 외과
유완식 경북대 칠곡병원 외과
유항종 한국원자력의학원 원자력병원 외과
유희철 전북대 전북대병원 외과
윤동섭 연세대 세브란스병원 외과
윤상섭 가톨릭대 서울성모병원 외과
윤여규 강남베드로병원 외과
윤정한 전남대 화순병원 외과
윤지섭 성균관대 강북삼성병원 외과
이광만 원광대 원광대병원 외과
이국종 아주대 아주대병원 외과
이규언 서울대 서울대병원 외과
이남준 서울대 의과대학 외과
이명덕 가톨릭대 서울성모병원 외과
이문수 순천향대 천안병원 외과
이봉화 한림대 성심병원 외과
이석구 성균관대 삼성서울병원 외과
이승규 울산대 서울아산병원 외과
이승아 차의대 분당차병원 외과
이영돈 가천대 길병원 외과
이영주 울산대 서울아산병원 외과
이우정 연세대 세브란스병원 외과
이은정 대항병원 외과
이재담 울산대 의과대학 인문사회의학 교실
이재범 대항병원 외과
이태승 서울대 분당서울대병원 외과
임석병 울산대 서울아산병원 외과
임철완 순천향대 부천병원 외과
전해명 가톨릭대 의정부성모병원 외과
전호경 성균관대 강북삼성병원 외과
정 민 가천대 길병원 외과
정상설 차의대 분당차병원 외과
정상영 전남대 전남대병원 외과
정승용 서울대 서울대병원 외과
정재호 연세대 세브란스병원 외과
정 준 연세대 강남세브란스병원 외과
조세헌 동아대 동아대병원 외과
조영업 연세대 신촌세브란스병원 외과
조원현 계명대 동산병원 외과
조재원 성균관대 삼성서울병원 외과
조진현 경희대 강동경희대병원 외과
조항주 가톨릭대 의정부성모병원 외과
최동욱 성균관대 삼성서울병원 외과
최두호 성균관대 삼성서울병원 방사선 종양학과
최성호 성균관대 삼성서울병원 외과
최승훈 연세대 강남세브란스병원 외과
최윤백 청병원 외과
최재운 충북대 충북대병원 외과
하종원 서울대 서울대병원 외과
한덕종 울산대 서울아산병원 외과
한상욱 아주대 아주대병원 외과
한석주 연세대 세브란스병원 외과
한호성 서울대 분당서울대병원 외과
허경열 순천향대 서울병원 외과
허정욱 성균관대 삼성서울병원 외과
허 준 한림대 한강성심병원 외과
홍석경 울산대 서울아산병원 외과
홍석준 울산대 서울아산병원 외과
홍순찬 경상대 경상대병원 외과
홍 정 아주대 아주대병원 외과

목 차 (目 次)

1 총 론

Chapter 03 간, 담도계, 췌장, 비장

Chapter 04 유방

Chapter 05 갑상선, 부갑상선, 부신

SECTION 01

총론

Chapter 01

외과의 역사

History of surgery

I 서론

과학적 사고가 아직 뿌리를 내리지 못하고 있던 시기 의학이라는 학문을 대표하는 분야는 내과학이었다. 동서양을 막론하고 이론을 중시한 내과는 극히 부분적인 관찰과 부족한 지식으로 모든 질병을 해석하려는 무리한 노력의 결과 엉뚱하고 현실과 동떨어진 철학적 사고에 좌우된 점이 많았다. 그러나 외과적 처치, 특히 응급한 목적으로 시행하여야만 하는 시술에 있어서는 그런 허구에 찬 이론이 간섭할 여지가 없었다. 외과는 비록 이론적인 포장이 미비하고 현학적인 철학을 배경에 두지는 않았지만 현실적 필요성에 근거하여 발전을 거듭해온 의학이었다고 할 수 있다. 이는 외과가 인류의 직접적이고 화급한 요구에 의해 시술되어 왔고, 그 결과가 바로 확정되는 실사구시적인 의학이기 때문이었다. 인류의 오랜 경험이 녹아 있는 고대의학의 응급시술 분야가 그 좋은 예인데, 현대의학의 잣대로 보더라도 놀라울 정도로 발전해 있었다. 즉 전투나 사고 때문에 생긴 부상에 대한 시술, 혹은 난산으로 위험에 처한 산모에 대한 제왕절개 시술 등은 인류의 경험이 축적되면서 이미 상당한 수준에 도달해 있었다고 볼 수 있다.

그러나 응급이 아닌 선택적 시술 분야의 외과는 출혈, 통증, 감염과 같은 여러 장애와 기초의학 지식의 결핍으로 근대에 이르기까지 답보 상태를 벗어나지 못하고 있었다. 이러한 외과의 한계를 극복할 수 있게 만든 것은 해부학, 마취, 세균학 등 외과와 관련된 다른 의학 분야의 지식들이었다. 르네상스 시대의 해부학 발전, 19세기 중반의 마취법 발명, 19세기 후반의 세균학 발전과 감염 예방책의 등장은 근대 외과학 확립 과정의 이정표가 되는 사건들이었다.

오늘날 외과는 20세기 이후의 과학기술 발전과 맞물리며 눈부신 성취를 이룩해가는 실용 학문이 되었다. 이 장에서는 고대로부터 현대에 이르는 외과학의 진보를 19세기 중반 이후 외과의 급격한 발전을 가능케 한 혁명적인 사건들을 중심으로 살펴보기로 한다.

II 선사시대와 원시외과

원시의료에서도 전쟁이나 사고로 외과적 처치를 필요

로 하는 환자가 있었으리라고 추정되나 사체의 해부, 제왕절개, 사지절단술 등은 오직 종교적, 주술적 이유로 시행되었으므로 해부학적 지식이나 실질적인 외과치료기술의 축적은 전혀 이루어지지 않았다. 특수한 예로 우간다의 부족들이 시행해왔던 제왕절개술을 들 수 있는데 그들은 산모와 신생아 모두 건강한 상태를 유지할 수 있을 정도로 높은 수준의 기술을 가지고 있었다. 그러나 이 경우에도 실제로 어느 정도 외과적 기술이 발달한 사회에서 병행하여 발전되는 수술인 사지의 절단술은 전혀 시행되지 않고 있었다.

원시의료에서 외과 수술이 시행되었음을 보여주는 또 하나의 예는 천두술trephining이다. 유럽의 신석기 유물이나 페루의 2000년 전 유물에서 발견되는 구멍 난 두개골들은 원시시대에 시행된 뇌수술이라는 점에서 많은 사람들의 관심을 끌어왔고 그 해석이 구구하였다. 이러한 두개골들에 대한 설명은 현재까지도 크게 두 가지로 나뉘어져 있는데 두통이나 간질을 앓는 환자의 머리에 들어온 악령을 쫓아내기 위해서 행해진 원시적, 종교적 수술의 결과라는 학설과 외상 등에 의한 두개골 손상 후의 뇌압을 감소시키기 위해 시행되었다는 학설이 그것이다.

III 고대문명의 외과

1. 이집트

이집트의 의학은 19세기 말에 발견된 여러 의학 파피루스를 연구함으로써 알 수 있는데 기원 전 1600년경에 쓰인 에드윈 스미스 파피루스는 이집트 의학에 관한 가장 유익한 자료 중 하나다. 진단법, 진찰법, 증례 진단과 예후, 치료법의 순서로 기술되어 있는 이 파피루스는 주로 두개골 손상에 관련된 48개 증례로 이루어져 있으며 흉부에서 끝나고 있는데 수술에 관해서는 최소한의 기록밖에 없다. 즉 창상치료, 봉합, 부목 등에 대한 서술은 있으나 수술용 칼이나 천두술에 관한 기록은 없다. 또 당시에는 회복이 불가능한 환자에 대한 진료거부가 가능하였던 것을 알려주는 내용을 담고 있기도 하다.

이집트인들은 종교적 이유에서 청결을 강조하였고 독특한 장의 풍습에 따라 많은 미라를 만들었으나 미라 제작 과정에 계층별 분업이 엄격하게 이루어졌기 때문에 종합적인 인체해부학 지식은 매우 빈약하였다. 의료 종사자는 의사, 마법사, 외과 의사로 구분되어 있었으며 궁정에서 일하던 의사들은 관리나 신관들과 함께 상류 성직자 계급에 속했다.

2. 메소포타미아

메소포타미아 문명은 다량의 점토 판을 남겼으므로 기원전 3000년경 수메르 제국의 의사가 사용하던 도장이나 함무라비 법전의 문장에서 당시의 의료상황을 추측할 수 있다. 함무라비 법전은 기원전 약 2250년에 만들어진 세계에서 가장 오래된 법전으로, '농양을 째고 눈이 나으면 은 10세켈을 받고 환자가 노예일 경우는 그 주인으로부터 2세켈을 받는다. 그러나 환자를 죽게 하거나 눈이 멀게 되면 의사의 두 손을 자른다'는 눈 주위에 생긴 농양 치료에 관한 기술이 포함되어 있는데, 이 부분은 역사상 최초의 의료과실에 관한 배상 및 처벌에 관한 규정으로 처벌이 가혹한 것은 '이에는 이, 눈에는 눈'으로 상대의 손해를 보상한다는 상해에 대한 처벌 규정과 형평을 이루고 있으며 외과 수술 여부를 신중하게 판단하여야 한다는 교훈을 담고 있다고 볼 수 있다.

바빌로니아에는 귀족, 서민, 노예의 세 가지 계급으로 신분이 나뉘어져 있었으며 의사, 마법사, 점쟁이, 외과의들이 모두 귀족 계급 즉 성직자 계급에 속했다.

3. 인도

인도에서는 다른 고대문명에 비해 외과가 특히 발전했던 것으로 알려져 있다. 인도 의학의 외과 처치에 쓰였던 기술에는 절개, 절제, 소파, 탐침, 침구, 추출, 분비촉진 또는 배농, 봉합 등이 있었으며 스페큘럼, 부지, 후크 등의 다양한 수술기구와 붕대가 사용되었다. 외과 의사들은 지혈을 위해 혈관을 불에 달군 인두로 지지는 소작술을 사용하였고 부식연고에 의한 화학외과술도 시행하였으며 마취를 위해 포도주와 최면술을 사용하였다.

인도에서는 귀나 코를 절단하는 형벌이 많았기 때문에 절단 후의 수복수술이 많이 시행되었다. 여기서 축적된 성형외과학적 지식은 중세에 유럽으로 전해져서 르네상스 시대에 이탈리아의 성형외과에 영향을 미쳤다. 그 밖에도 백내장, 결석, 창자의 봉합, 파편의 제거 등에 관한 외과 기술이 발달하였으며 화상의 정도를 4도로 구분하였고, 창상, 골절, 탈구 등의 치료법도 뛰어난 점이 있었다. 산부인과 분야에서는 아들을 낳는 방법, 임신의 증세, 임신 중의 식이요법, 분만 시 태위 이상 등을 다룬 문헌이 전해져 온다.

Ⅳ 그리스-로마의 외과

1. 그리스

고대문명의 의료 중에서는 그리스의 의학이 현대의학과 가장 가까운 성격을 가진 의학이었다. 현재 사용되고 있는 수많은 그리스어로 된 의학 용어는 현대의학에 끼친 그리스 의학의 영향을 말해주고 있다. 그리스의 의학은 철학의 영향을 많이 받았는데 특히 엠페도클레스의 4원소설은 히포크라테스 학파, 아리스토텔레스, 갈레노스에 의해 발전하여 중세의 의학에까지 영향을 미쳤으며 방혈(피를 뽑는 치료법. 사혈이라고도 함), 구토와 같은 배출법의 이론적 뒷받침이 되었다.

그리스 의학의 중심적 역할을 한 히포크라테스의 업적을 집대성한 「히포크라테스 전집」은 기원 전 3세기 알렉산드리아에서 편집된 50–70권에 달하는 의학 전집으로 기원 전 480년에서 380년 사이에 여러 사람에 의해 쓰인 책들이다. 히포크라테스는 자연은 스스로 낫는 힘이 있으므로 치료는 주로 식이요법을 사용하도록 권장하였고, 축농증의 절개술이나 천두술 등과 같은 외과적 수술은 최후의 보조 수단이라고 생각하였다. 히포크라테스 전집의 운동과 외과에 관한 내용으로는 「골절」, 의학서로서는 드물게 그림이 첨부되어 있는 「관절」, 이들을 간략하게 합쳐 놓은 「정복술의 기구들」 등이 남아 있다. 전쟁과 관련된 외과 책으로 「두부손상」이 있으며 그 밖에도 「치질」, 「치루」, 또 스케치가 포함된 「외과」라는 저술도 포함하고 있다. 산부인과와 관련해서는 산과와 부인과를 망라하면서 임상 관찰과 증례, 과학적 이론과 전통적 미신이 섞여 기술되어 있는 두 권으로 된 「부인의 질병」과, 「불임여성」, 「여성의 성질」 등이 있다. 그러나 히포크라테스 시대의 외과나 해부학 분야는 큰 발전이 없었다.

2. 알렉산드리아

기원 전 3세기에 그리스 의학의 중심은 알렉산드리아로 옮겨갔다. 유클리드나 아르키메데스와 같은 학자들에 의해 수학과 실용적 기술이 발전하였던 초기 알렉산드리아 시대에는 인체 해부가 허용되었다. 이 시기의 의학자로는 기원 전 300년경 활약한 헤로필로스가 있는데 그는 '가장 훌륭한 의사는 가능한 것과 불가능한 것을 구별할 줄 아는 자이다.' 라는 말을 남겼으며, 눈, 혈관, 뇌, 생식기관에 관한 해부학적 업적이 뛰어나 소장이 시작되는 부위를 '십이지장duodenum'이라고 명명한 것으로 알려져 있다. 그는 다양한 약제를 사용하여 치료하였고 방혈법이나 외과, 산과 등에도 관심이 많았다.

또 기원 전 330–250년경에 활약했던 에라시스트라토스는 감각신경과 운동신경을 구분하여 서술하는 등 뇌, 소뇌, 혈관의 해부에 업적을 남겼다. 이 시대에 같은 증상은 같은 방법으로 치료하여야 한다고 주장한 헤라클리데스, 필리노스, 세라피온, 글라우키아스 등은 관념적인 철학적 사고에 반대하고 스스로의 관찰을 기초로 경험에 의해 약물 등으로 치료하였는데 이들의 영향으로 증상학, 약리학, 외과 등의 분야가 발전하였다. 시체해부를 허용한 알렉산드리아에서는 특히 해부학이 발달하였고 그 영향으로 외과학이 발달하여 내과와 분리되기 시작하였다.

3. 로마

기원 전 3세기경부터 그리스 의사들이 노예로 또는 자유인의 신분으로 로마로 옮겨오기 시작하자 기존의 로마의 의학은 더 앞서 있었던 그리스 의학에 주도권을 내어주게 되었다. 로마의 의학서를 대표하는 켈수스의 백과사전적 의학 책은 알렉산드리아 의사들의 지식을 수집하여 편집한 것으로서 히포크라테스의 영향을 받았으나 외과, 백내장 수술, 피부과에 관한 저술도 훌륭하였다. 그의 저술인 「의학」의 마지막 부분인 제 4권은 식이요법 및 외과적 수술로 고칠 수 있는 병들을 다루고 있는데 유명한 염증의 네 가지 고전적 징후rubor, dolor, color, tumor도 여기에서 기술하고 있다.

로마의 대표적 의학자로는 히포크라테스의 의학을 이어 받아 중세 이후까지 지속된 의학의 체계를 확립한 갈레노스를 들지 않을 수 없다. 젊은 시절 특히 골학이 발달했었다고 알려진 알렉산드리아에서 해부학을 공부한 그는 기원 후 157년에 고향 페르가몬으로 돌아와 검투사 담당 의사가 되었는데 외과, 스포츠의학, 식이요법을 전문으로 하였다고 한다. 그는 여러 의학파들의 의견을 통합한 해부학자이며 생리학자였는데 의학을 과학으로 만든 최초의 의사였다고 할 수 있다. 그는 원숭이와 돼지를 해부하여 뼈나 근육에 관한 지식이 많았으며 감각신경과 운동신경의 차이점, 반회신경과 음성, 뇌의 연수와 호흡, 동맥과 혈액의 관계 등을 실험적으로 증명하였고, 요관을 묶는 실험으로 소변의 생성 부위를 추정하기도 하였다. 또 「능력에 관하여」, 「부분의 용도에 관하여」 등의 저술을 통해 생리학 이론을 확립하였고, 「병든 부분에 관하여」라는 저술에서는 장애를 일으킨 기능과 그것에 관여하는 기관을 고찰함으로써 고체병리학 발전의 기초를 이룩한 인물이기도 했다.

V 중세의 외과와 이발외과의

중세에는 교회권력에 의해 갈레노스의 의학이론이 아리스토텔레스의 철학과 함께 절대적인 권위로 받아들여져 르네상스 시대까지 의학의 흐름을 주도하였다. 중세의 서양의학은 시대별로 승려가 주도하던 초기의 수도원의학부터 중기 아랍의학, 그리고 대학이 주도한 후기 스콜라의학으로 구분하는데 승려가 대부분이었던 중세 초기의 의사들은 내과와 외과를 구별하지 않았었지만 1163년 '교회는 유혈을 보아서는 안 된다'는 투르 종교회의 결정에 따라 의사가 외과를 다룰 수 없게 되었다. 그 후 외과는 이발사, 목욕탕 주인, 망나니 등의 무자격자들에게 맡겨지게 되었고 이들에 의해 방혈법과 같은 치료 방법이 널리 퍼졌다.

중기 아랍의학의 근본은 그리스의학에서 비롯되었다. 이 시기에 비잔틴에서 추방된 기독교도들이 그리스의 저술을 아랍어로 번역하였으며 그리스, 인도 등지로부터 전해진 의학을 발전시켜 나갔기 때문이었다. 그러나 중세 아랍의학에서는 고전적 권위에 집착하여 해부를 혐오하고 외과를 경멸하는 경향이 있었다. 외과 치료의 면에서는 상처가 낫는 과정에서 약간의 화농이 필수적이라는 갈레노스의 생리적 화농설을 신봉하였으며, 상처를 열로 지지는 소작법을 애호하였다.

중세 후기 스콜라의학을 주도하게 되는 유럽의 대학에서는 약 200년간에 걸쳐 인체 해부가 시행되고 있었지만 교수는 갈레노스의 해부서를 읽기만 하고 조수가 거기에 맞추어 형식적인 해부를 하였으므로 해부학 지식의 발전은 미미하였다.

한편 중세 초기 의학의 중심이었던 살레르노나 몽펠리에 의학교에서는 내과와 외과의 차별이 존재하지 않았다. 또 북이탈리아의 대학들은 설립 당시부터 외과가 정규과목으로 개설되어 있었다. 그런데 대학에서 정규교육을 받은 외과 의사보다 도제식 교육으로 배출되는 학식 수준이 낮은 외과 의사들의 수가 많아지자 갈수록 내과와 외과를 차별하려는 움직임이 강화되었다. 결국 13세기 중엽 파리 의과대학이 외과학과 임상실제의학을 교과목에서 제외하기에 이르렀고 13세기말까지 유럽의 다른 대학들도 이를 본받게 되었다.

외과 의사들은 이에 대항하여 13세기 중엽에 조합을 결성하고 자체적으로 의사를 양성하였는데 이 학교 출신의 의사들은 진료소에 청, 홍, 백색의 나선무늬를 붙여 간판으로 사용하였다. 그러나 내과 의사들은 대학에 낮은 수준의 외과 의사를 양성하는 속성 과정을 설치하여 더욱 많은 수의 외과 의사를 배출함으로써 외과의 권위를 끌어내리는데 성공하였다. 이 시기에 정식 대학교육을 받지 않고 이발이나 수염 다듬는 일과 더불어 방혈이나 발치 등과 같은 간단한 외과적 처치를 겸하던 하급 의사들을 이발외과의Barber Surgeon라고 부른다. 이들은 처음에 청, 백색의 나선무늬 간판을 자신들의 상징으로 사용하다가 후일 정규 대학을 졸업한 외과 의사들과 같은 청, 홍, 백색의 간판을 사용하였다. 양성과정에서의 이러한 차별은 18세기 초 파리 의과대학에 다시 외과가 개설된 이후 해소되기 시작하였다. 결과적으로 대부분의 나라에서 외과에 대한 차별이 사라지는 것은 18세기 중엽 이후의 일이었다.

VI 르네상스의 외과

르네상스 의학의 중심이 된 것은 해부학이었다. 현대 해부학의 아버지로 불리는 안드레아스 베살리우스, 유스타키안 튜브, 부신, 흉선, 눈의 외전신경 등을 기술한 유스타키우스, 베살리우스의 제자이며 여성 생식기, 귀의 반규관 등을 기술한 팔로피우스, 팔로피우스의 제자이자 윌리엄 하비의 스승으로 태생학을 연구하였으며 정맥판에 관해서 기술한 파브리치우스 등 파도바 대학의 해부학자들과 신경해부학, 폐결핵의 결절 등에 관해 연구한 파리 대학의 실비우스 등이 새로운 해부학과 그에 따른 외과적 해부학surgical anatomy의 발전을 이끌었다.

실제 임상 의료의 면에서 르네상스를 대표할만한 외과 의사는 파레였다. 프랑스 하층 서민계급 출신인 파레는 어려서 이발사 의사의 도제로 들어가 수업을 받은 후 파리 오텔 드외 병원의 외과 의사가 되었다. 그는 1536년 군의로 참전하여 당시의 교황청 시의가 주장하던 총상에 끓인 기름을 붓는 관행적 치료가 보통의 치료보다 나쁜 결과를 초래한다는 사실을 알아냈다. 또 1552년에는 부상자의 사지 절단수술 시 동맥으로부터의 출혈을 지혈하는 방법으로 당시에 널리 사용되던 상처 부위를 불로 지지는 소작법 대신 혈관을 실로 묶는 결찰법을 재도입하여 외과의 가장 본질적인 장애였던 출혈 문제를 해결하였다. 그는 라틴어를 모르는 이발사 출신으로서는 처음으로 1557년 상 콤, 즉 성 코스마 대학의 교수가 되었다. 파레는 일생 동안 20회의 전쟁에 참가하며 용감하고 성공적인 일생을 살았다. 드 기스 공작이 두부창상을 완치시켜 준 것에 대하여 감사의 뜻을 표하자 '나는 다만 붕대를 감았을 뿐 낫게 하신 것은 하느님이십니다(Je le pansais, Dieu le guérit)'라고 한 말은 그의 겸손한 인격을 잘 나타내고 있다.

그는 파리 대학 교수였던 실비우스의 권유를 받아 1545년에 처음으로 총상 치료에 관한 책을 썼는데, 이를 포함한 프랑스어로 된 그의 저술은 20권에 달한다. 파레의 외과해부학 책은 학문적으로 특히 새로운 것은 아니었지만 외과 의사들에게 도움이 되는 국소해부에 관해 실질적이고, 구체적으로 기술하고 있는 것이 특징이었다. 그는 또 베살리우스의 해부학 책을 본떠 그림이 들어 있는 책도 저술하였으며 치료법의 이론적 근거로는 프랑스어로 번역되어 있던 갈레노스의 저서를 참조하였다. 이같은 파레의 업적에 의해 중세의 외과학은 비약적으로 발전하였다. 그는 산과에 태아회전술을 재도입하고 조산부들이 담당하던 산과를 의학의 한 분야로 편입시킨 인물이기도 했다.

르네상스 시대에 이루어진 그 밖의 외과적 업적으로는 프랑코에 의한 탈장, 결석, 백내장 수술 방법 개선, 타글리아코찌의 코 성형술이 유명하다.

VII 르네상스 이후 18세기까지의 외과

18세기 전반까지, 즉 16, 17세기 상업의 발전과 18세기 농업 및 산업혁명 사이의 시기에는 눈에 띄는 과학적 발견이 드물었다. 이러한 상황은 의학에서도 마찬가지였는데 17세기의 외과학 역시 별로 발전이 없었다. 한 가지 특기할만한 것은 이 시기에 산과가 의학으로 편입되었다는 점이다. 이전까지 조산원이 주된 역할을 했던 산과는 점차 의학(외과)의 분야에 속하게 되었으며 네덜란드의 데벤터와 프랑스의 모리소 등이 산과 의사로 이름을 떨쳤다. 모리소는 난관 임신과 분만할 때 치골이 분리된다는 종래의 학설이 사실이 아님을 밝히는 업적을 남겼다.

18세기 전반 프랑스에서는 펠릭스가 루이 14세의 치루 anal fistula를 성공적으로 수술하여 완쾌시킴으로써(그는 당국이 납치하다시피 데려온 가난한 치루 환자들을 대상으로 삼아 6개월 동안 연습을 한 후에 왕을 수술하였다.) 외과의 지위가 상승하였으며, 1731년에는 왕립외과학회가 파리에 설립되었다. 이를 계기로 프랑스에서는 외과적 해부학이 발달하게 되었으며 당시 활약한 의사로는 암 수술에서의 임파선 절제를 최초로 시행한 프티가 있었다. 포샤르는 1728년 치의학에 관한 저서인 「외과적 치과의사」를 발표하였으며, 1720년 파리에서 최초의 조산학 교육시설이 설립되었다. 이 시기 영국에서 외과를 발전시키는데 공헌한 헌터는 과학자, 외과 의사 겸 병리해부학자로 명성을 날렸으며 포샤르의 책을 소개하여 영국의 치의학을 확립하는데도 기여하였다.

VIII 19세기 전반의 외과

산업의 발전에 따른 자본주의의 발전 및 민주주의와 국가주의 발달을 배경으로 19세기에 의학은 과학적 의학으로 거듭나게 되었다. 이 시기에는 무엇보다도 부검 autopsy이 많이 행해졌고 임상적 관찰이 중요하게 여겨졌기 때문에 이 시대를 임상의학의 시대라고 부른다. 19세기 전반 세계의 의학 발전을 주도한 파리에서는 혁명 이후 외과 의사와 내과 의사 사이의 차별이 없어지고 모두 같은 의사로 통일되었는데 나폴레옹 전쟁에 따른 군진의학을 포함, 주로 사지절단술을 내용으로 하는 외과가 발전하였다.

파리 임상학파의 영향을 받은 더블린 학파에는 전완부의 골절인 콜리스 골절을 기술한 외과의 콜리스가 있었다. 영국에서도 임상학파의 발전과 외과의 발전이 일치하는 경향을 보였으며 빈에서도 신 빈 학파라고 불리는 의학자들이 새로운 임상의학을 발전시켰다. 이 학파의 가장 큰 업적은 스코다와 로키탄스키의 제자로 1846년에 빈의 제1 산과 병동의 조수가 된 헝가리 출신 의사 젬멜바이스에 의해 이루어지게 되는데 그는 당시까지 산모들의 건강에 중대한 위협이 되던 질병인 산욕열의 진정한 원인이 눈에 보이지 않는 전염성 물질임을 밝혀내었다.

19세기 전반은 의학 역사상 가장 활발한 발전이 있었던 시기였으나 연구실이나 실험실이 없는 병원만으로는 충분한 의학교육이나 연구가 이루어질 수 없었고 질병의 병인론적 측면에서도 단지 병리해부학적 국소화만으로는 설명할 수 없는 부분이 남게 되었다. 그럼에도 불구하고 외과에는 상당한 진전이 있어 유럽 전역에서 해부학에 정통한 냉철하고, 빠르고, 손재주가 있는 우수한 외과 의사들이 대거 등장하였으며 주로 사지의 절단술이 이루어졌다. 그러나 과학적 기초지식이 부족하였던 당시에는 수술 전후의 처치가 불비하였다. 예를 들면 수술 후에 식이요법으로 식사를 제한하고, 방혈요법을 시행하는 등 현재의 시점에서 볼 때 환자에 도움을 주기는커녕 해로운 처치들이 일상적으로 시행되었고, 세균 감염이라는 개념도 없었으므로 아무리 간단한 수술을 받은 환자라도 수일 후에 패혈증으로 사망하기 일쑤였다. 따라서 복부나 흉부를 여는 것은 곧 죽음을 뜻했다.

이 시기의 영국에는 "이상적인 외과 의사는 아폴로의 뇌, 라이온의 심장, 밝은 눈, 그리고 여성의 손을 가져야 한다"는 말을 남긴 존 벨, 뛰어난 기술로 유명했던 해부학자 겸 외과 의사 리스턴, 임상의사이면서 개를 사용한 실험외과의 선구자였던 쿠퍼 이외에도 사임, 브로디 등이 유명하였다. 독일에서는 사체를 사용한 실험외과의 원조 랑겐벡을 비롯 성형외과 수술의 대가였던 뒤펜바흐, 폰 그라페 등이, 미국에서는 최초의 난소종양 수술을 성공시킨 맥도웰, 방광질루 수술을 성공시킨 심즈 등이, 프랑스에서는 리스프랑, 델페슈, 뒤퓌트랑, 벨포, 넬라톤 등이 활약하였다.

Ⅸ 19세기 중반의 외과 혁명

르네상스 시대 파레의 결찰법에 의해 외과 수술에서 출혈의 문제가 해결되었다고는 하나, 수술 시 통증의 문제, 그리고 창상감염의 문제는 수백 년이 지나도록 아직 외과가 넘기 어려운 커다란 장애로 남아 있었다. 이 두 가지 장애가 19세기 중반 우연히도 동시에 해결을 보게 되는데 마취법과 방부법의 발견이 그것이다. 마취는 미국이라는 실용주의 국가에서 나타난 임기응변적 상상력을 가진 일단의 치과의사들에 의해, 세균감염은 파스퇴르와 코흐 등에 의한 세균학의 발전과 이 개념을 수술 현장에 도입한 리스터라는 영국 외과 의사에 의해 해결을 보게 되었다. 일부 의학사가들은 이 두 사건을 포함한 극적인 외과의 발전 경과를 '19세기 중반 외과학의 혁명'이라고 부른다.

1. 통증의 극복

1) 고대의 마취법

고대로부터 외과는 꼭 필요한 응급수술로서 존재해왔다. 신석기 시대 두개골에 뚫린 원형의 구멍이나, 아직도 원시적인 생활을 영위하고 있는 오지의 부족들에서 이루어지는 사지 절단이나 제왕절개를 포함한 다양한 처치는 외과가 역사시대 이전부터 존재해 왔다는 것을 나타내고 있다. 학자들은 역사적으로 외과의 발전을 가로막아온 장애로 출혈, 통증, 감염의 세 가지를 드는데, 고대의 외과에서도 통증은 가장 큰 장애 중의 하나였다.

고대 외과의들도 환자의 고통을 줄이려 노력하지 아니한 것은 아니었다. 아즈텍 사람들은 선인장의 일종(향정신 작용을 가진 메스칼린 성분을 포함하고 있다고 한다)을, 중국에서는 하시슈로 알려진 인도 대마를, 로마의 디오스코리데스는 나팔꽃을 넣어 빚은 와인을, 중세 살레르노의 니콜라는 최면제를 묻힌 해면을 사용하여 통증을 완화시키려고 하였다. 고대 아시리아에서는 어린이의 할례를 행할 때 양쪽 경동맥을 압박하여 의식을 잃게 만드는 위험한 방법을 쓰기도 했다.

결과적으로 현대적인 마취가 발명되기 전까지는 알코올과 아편이 전 세계적으로 가장 많이 쓰였던 통증 완화의 수단이었다. 그러나 이 방법들 역시 깊은 심도의 마취를 유도할 수 없었기 때문에 통증 없는 수술이라는 목표에는 멀리 미치지 못하였다.

2) 근대의학에서 통증 완화를 위해 동원된 수단들

19세기까지만 해도 의사로부터 수술을 해야 한다는 선고를 받으면 수술 시의 고통이 두려워서 집에 돌아가 자살해버리는 환자가 있었을 정도로, 수술 시의 통증은 외과 의사들이 극복하지 못하던 커다란 장벽이었다. 1800년대 전반에 지어진 근대적 병원의 수술실이 꼭대기 층에 있었던 것도 환자의 비명이 밖으로 새어나가 입원 환자들이 공포에 떨지 않도록 하기 위해서였다.

마취제로는 앞서 말한 것처럼 아편이 자주 사용되었는데 일반적으로 아편의 용량이나 복용 시기는 환자가 결정하였고, 수술 한 시간 전부터 복용하는 것이 보통이었다. 따라서 아편의 부작용으로 구토를 하는 환자가 많았고 과량을 복용하여 사망하는 경우도 있었다. 수술 전에 독한 술을 먹이는 경우도 있었으나 깊은 마취가 불가능했고 최면술도 사용되었지만 수술이 가능한 최면 상태에 들어가려면 엄청나게 긴 시간이 필요했다(심지어 24시간 이상 걸리는 환자도 있었다). 또 압박대로 혈류를 정지시켜 손발이 저린 상태로 만들어 수술하거나, 얼음을 사용하여 감각을 무디게 만든 후에 사지를 절단하는 수술 방법도 사용되었으나 큰 효과가 없었다. 1820년대에서 1830년대에 걸쳐서는 피를 많이 뽑아 기절시킨 다음 수술하는 방법이 크게 유행하기도 했다.

수술 풍경도 요즘과 달랐는데, 원형 강의실의 관람객들 앞에서 수술이 이루어졌으며, 주로 의자가 수술대로 사용되었고, 심도 있는 마취가 불가능했기 때문에 의사는 자신의 귀에 귀마개를 하여 환자의 비명을 듣지 않으려 애썼고, 건장한 조수들이 환자의 신체를 꼭 누르고 있는 동안 최대한 정확하고 빠르게 시술을 하면서 큰 소리로 환자를 야단치는 듯 격려하는 것이 보통이었다.

그러므로 당시에는 의사가 환자에게 수술 시 겪을 고통에 대해 거짓말을 하는 것이 윤리적인 행동이었다. 19세기 세계 최고의 권위자였던 프랑스의 외과교수 벨포는 "환자에게 고통을 경험하는 시간이나 고통의 정도에 관해서, 또는 수술 시에 일어날 수 있는 위험에 대해서 환자에게 거짓말을 하는 것이 외과 의사의 의무"라고 학생들에게 가르쳤다.

3) 소기 가스(아산화질소) 마취의 등장과 실패

최초로 마취에 사용된 약제는 아산화질소였다. 이 가스는 1772년 영국의 프리스틀리가 발견(산소를 발견한 신학자 겸 역사가)했는데 흡입하면 웃음이 나오도록 기분이 좋아진다고 해서 소기, 즉 웃음가스로 알려져 있었다. 미국의 치과 의사 호레이스 웰즈는 이 가스를 마신 사람이 무릎을 다치고도 고통을 느끼지 않는 것에 착안하여 이 가스로 통증 없이 자신의 충치를 뽑는데 성공하였다. 그는 몇 달 동안 자신의 치과에서 이 가스를 써본 후 마취 효과를 확인하였고 하버드의 외과 교수 존 워렌과 만나 소기를 수술에 써볼 수 있도록 허락을 받았다. 그러나 관중들 앞에서 환자의 이를 뽑는 보스턴에서의 데몬스트레이션은 실패로 끝났다.

4) 에틸 에텔 마취의 성공

마취 심도가 얕은 소기에 비해 효과가 강력한 또 하나의 마취제 에틸 에텔은 이미 14세기 중반에 발견되어 있었던 약물이었다. 1760년대에 에텔을 성병치료에 시험적으로 사용한 의사가 있었으며, 1820년대의 의학 교과서는 이 약물이 경련을 멈추게 하는데 사용할 수 있다고 기술하고 있다. 에텔 역시 19세기에는 소기 가스처럼 환각을 즐기기 위한 약물로 알려져 있었다. 조지아의 크로포드 롱은 1842년 에텔 마취 하에 목덜미의 낭종, 발가락 절단 등의 작은 수술에 성공하였으나 공식적으로 발표하지는 않았다. 그는 아마도 환각제를 사용하는 것이 자신의 명예에 누가 될 것이라고 생각했던 것 같다.

한편 웰즈의 제자였던 몰턴은 보스턴의 의사 겸 화학자 잭슨으로부터 에텔에 관한 화학적 지식을 습득하고 1846년 9월 신문기자 입회 하에 에텔 마취 후 발치에 성공하였다. 매사추세츠 종합병원의 외과 의사로 워렌의 조수였던 비겔로우는 신문을 보고 몰턴을 찾아가 에텔 발치 실험을 참관하고 워렌에게 소개하였다. 1846년 10월 16일, 하버드의 워렌이 애벗이라는 페인트공의 목에 생긴 종양을 몰턴의 에텔 마취 하에 절제하였다.

5) 클로로포름과 전신마취의 확산

에텔 마취는 빠르게 유럽의 의료계로 퍼져나갔다. 최초의 에텔 마취로부터 두 달 후인 1846년 12월에는 파리에서, 그보다 4일 후에는 런던에서 마취가 시행되었다. 그러나 자극적인 냄새를 가진 에텔은 구토를 유발하기 쉽고 인화성이 강하다는 문제가 있었다. 이런 단점을 극복한 또 하나의 마취제 클로로포름은 이듬해에 영국에서 도입되었다.

1831년에 이미 합성되어 있었던 이 약은 값이 싸며 인화성이 없고 소량으로 확실한 효과가 있었으며 냄새도 역하지 않았다. 클로로포름은 다른 휘발성 화합물 중에도 마취제가 있을 것이라 추측한 에든버러의 심프슨이 각종 약품을 하나씩 흡입해보다 알아낸 것이었다.

클로로포름은 너무 많은 양을 투여하면 사망할 위험이 있었지만 효과가 빨리 나타났으므로 특히 군대에서 환영을 받았다. 군의들은 손가락이 마비되어 총을 쏠 수가 없다는 병사들의 꾀병을 밝혀내는데도 이 약을 썼다. 이 시기의 의사들은 간단한 수술에는 에텔을, 오랜 시간이 걸리거나 좀 더 깊은 마취 상태가 필요할 때에는 클로로포름을 썼는데 두 약품을 적당히 섞어서 사용한 경우도 있었다.

한편, 마취가 "여성은 출산의 고통을 느껴야만 한다"는 성경말씀에 위배되는 행위라고 주장하는 종교계 때문에 산부인과 분야에서는 도입이 늦어지고 있었다. 전신마취의 위험성을 강조하던 영국 의학 잡지 '란셋'도 이즈음 정상분만일 경우에는 절대로 클로로포름을 사용하지 말도록 권고하고 있었다. 그러나 1853년 빅토리아 여왕이 레오폴드 왕자를 출산할 때에 마취를 해달라고 주치의들에게 요구하자 세계 최초의 마취 전문의사로 기록될 스노우가 여왕의 마취에 클로로포름을 사용하였고, 그 결과 산과 마취와 관련한 종교적 논란은 종지부를 찍었다. 이 뉴스는 클로로포름의 이름을 세계에 널리 전하는 결과를 낳았다. 클로로포름은 1929년 좀 더 효과적이고 안전한 마취약인 사이클로프로팬이 개발될 때까지 세계에서 가장 많이 쓰인 마취제였다.

6) 마취법의 개량

워렌이 에텔 마취법을 그리스어로 무감각을 뜻하는 anesthesia로 명명한 이래 마취법은 개량을 거듭하였다. 초기에는 클로로포름을 손수건에 적셔 코에 대어 마취하는 방법이 유행하다가 1850년대에 원추형 에텔흡입기가 등장하였고, 1868년에 아산화질소용 고압용기가 개발되어 좀 더 안전한 마취가 가능해졌다. 그 후 약한 마취제를 간헐적으로 투여하여 마취심도 유지를 가능케 하는 방법도 도입되고, 19세기 말부터는 마취 중 환자의 호흡, 맥박, 혈압 등을 자세히 관찰하기 시작하면서 마취 전문가가 등장하였다. 마취제의 개발도 꾸준히 이어져 1929년 최초의 현대적 마취약 사이클로프로팬이 개발되었고 1956년에는 할로테인이 사용되기 시작하였다. 최근에는 보다 안전하고 효과가 있는 새로운 마취 약물의 개발에 힘입어 흡입을 통한 마취보다 정맥으로 투여하는 약물을 사용하는 마취가 늘고 있는 추세다.

2. 방부법의 발견

1) 마취법 발명 이후의 외과

마취의 발명은 외과 의사들로 하여금 지금까지 엄두도 내지 못했던 신체 부위의 수술을 가능하게 만들었다. 각국의 진취적인 의사들이 아직 아무도 도전하지 못하던 부위의 수술을 시작하였는데 최초로 시도된 것이 복강 내 장기에 대한 수술이었다. 가장 많이 수술의 대상이 되었던 장기는 1809년 미국의 맥도웰이 성공적으로 적출한 바 있는 난소였는데, 1855년 런던의 웰즈, 1862년 에든버러의 케이스, 슈트라스부르의 퀘바르가, 1864년에는 파리의 페안이 난소종양 제거수술에 성공하였다. 이후 자궁적출, 위, 장 등의 수술도 열광적으로 시도되었으나 수술 사망률이 50%에서 70%에 달했다.

예를 들면 퀘바르의 난소종양 293례 중 최초의 100례는 29%, 다음 100례는 32%, 다음 93례는 15%나 사망하였다. 같은 시기 영국의 웰즈는 800례 중 27%, 빌로트는 40%, 넬라톤은 55%의 사망률을 기록하고 있었다. 한편 직관적으로 끓인 물과 솜, 실을 썼고 절개와 조작을 최소한으로 억제했던 테이트는 불과 3.3%의 사망률로 우수한 성적을 올렸다.

세균감염의 개념이 없었던 이 시기에는 병원에서는 수술을 하지 말 것(빌로트와 넬라톤은 감염이 잘 일어나던 큰 병원에서 수술을 했었다), 수술 전에 손을 씻을 것, 청결한 기구를 사용할 것, 상처에 손을 직접 대지 말고 기구의 끝 부분으로 수술할 것, 수술 후 드레인을 박을 것 등의 경험적인 아이디어가 여러 곳에서 응용되고 있었으나 수술 후 사망의 명확한 이유를 알지 못하는 상태가 지속되고 있었다.

2) 방부법의 발견

19세기 중반에는 출산 후 임산부가 열병으로 사망하는 산욕열이 산과 영역의 주요 질환 중의 하나였다. 미국의 홈즈는 1846년 보스턴의학회에서 이 병이 전염성이며 의사가 감염의 매개자가 될 수 있으므로 산욕열 환자를 진찰한 후에는 염소수(표백용 차아염소산)로 손을 씻고 옷을 갈아 입어야 한다고 주장하였다. 그러나 이 가설을 실증적으로 증명해 보인 것은 빈의 젬멜바이스였다.

빈의 산과 병동은 의과대학생의 실습을 위한 제1병동과 조산부들의 양성을 위한 제2병동으로 이루어져 있었는데 산욕열에 의한 산모의 사망률은 두 병동이 판이하게 달랐다. 즉 조산부들이 환자를 돌보는 제2병동의 임산부 사망률은 3% 정도였는데 비하여 제1병동은 평균 10%의 사망률을 기록하고 있었다. 젬멜바이스는 이러한 차이가 부검 실습실에서 바로 산과 병동으로 가 강의를 듣고 내진을 하는 학생들의 깨끗하지 않은 손에 의해 산욕열이 전파되기 때문이라고 추측하였다. 그 후 산과 증례를 진찰할 때에는 누구든 염화칼슘 용액으로 손을 씻도록 한 젬멜바이스의 노력은 제1산과 병동의 사망률을 그 해에 9.92%에서 3.8%로 그 다음 해에는 1.27%까지 감소시키는 놀라운 성과를 거두었다.

자신의 견해에 동의하지 않는 산과 의사들은 살인을 하는 것과 마찬가지라며 맹렬하게 비난하던 젬멜바이스는 빈을 떠나 고향 부다페스트로 자리를 옮겼고, 1861년에는 대표적인 업적인 「산욕열의 원인, 개념 및 치료에 관하여」를 발표하였다. 그러나 매우 난삽한 문장으로 된 이 저술은 당시의 의학계에 별 영향을 미치지 못했고 그의 업적은 세월과 더불어 잊혀지고 말았다.

한편 1860년대 중반까지의 파스퇴르의 발효에 관한 연구로 세균의 개념이 정착되기 시작하면서 수술 후 감염이 세균에 의한 것일 가능성이 대두되었다. 영국 글래스고 병원의 외과 의사였던 리스터는 1864년 파스퇴르의 연구를 듣고 수술 후 감염을 예방할 수 있는 방법을 고안하였다. 그는 세균이 공기 중에도 있을 수 있기 때문에 상처에 닿는 공기를 여과하여, 당시는 germ이라고 불리던, 세균이 들어가지 못하게 하면 창상감염을 예방할 수 있다고 생각하였다.

그는 석탄산으로 소독하는 방법을 고안하여 1865년 마차에 깔려 다친 11세 소년의 다리 복합골절을 절단하지 않고 치료하는데 성공하였다. 대부분의 의사들이 개방골절을 일으킨 사지는 무조건 절단해야 한다고 믿고 있던 당시 이 수술결과는 대단히 만족스러운 것이었다. 그는 1867년에 석탄산 20배 희석액을 사용한 방부법을 발표하고, 같은 해 방부법에 의해 염전을 일으킨 탈장과 하지의 절단 증례 모두 화농없이 완치되었다고 학회 석상에서 공표하였다.

리스터는 1870년 1월, 방부법 이전의 사지절단술은 35례 중 16례, 즉 45%의 사망률을 보인데 비하여 방부법 사용 후에는 40례 중 6례, 즉 사망률이 15%로 감소한 것을 통계로 보여주었다. 여기에 포함된 사망 증례 중에서도 상처에 감염이 생긴 것은 1례에 불과한, 대단히 우수한 치료 성적이었다. 그 후 이탈리아의 보치니, 독일의 폴크만에 이어 빈의 빌로트가 방부법을 받아들였고 프랑스의 샹피오넬은 비교적 늦은 편인 1875년에 이를 도입하였다.

3) 리스터의 방부법

문헌에 나타난 리스터 시대의 방부법 수술 풍경은 다음과 같았다.

"마취는 외과 의사의 책임 하에 이루어졌지만 언제 환자의 손이 수술 부위에 나타날지, 아니면 반대로 환자의 호흡이 정지할지 몰랐다. 또 당시는 아직 무영등이 없었으므로 수술실의 조명은 어둡고 시야가 좁았다. 평상복을 입은 채 수술하던 시기였으므로 의사들은 소매를 팔꿈치 위로 걷어 올린 후 비누로 손을 씻은 뒤 오랫동안 석탄산(페놀)에 담갔는데 수술실 내의 다른 모든 조수들도 똑같이 손을 소독하였다. 페안이 처음 사용한 것으로 알려진 목에서 끈을 묶는 에이프런을 착용하는 의사도 있었다. 일단 수술이 시작되면 수술 시야 전체에 석탄산의 분무가 시작되었는데 이로 인해 시야는 더욱 어두워지고, 눈은 따갑고, 기침이 났다. 수술실 곳곳에 석탄산이 든 용기를 놓아두어 기구나 솜, 봉합사 등을 담가서 사용하였고, 집도의도 틈만 나면 석탄산 용액에 손을 담갔다. 그 결과 외과 의사의 손은 빨갛게 되고 때로 따가워지며 습진이 생기는 수도 있었다."

수술 방법도 확립되지 않은 시기에, 수술 부위의 해부

에도 그리 익숙하지 않은 상황에서 수술을 해야 했던 이 시기의 외과 의사들에게는 강하고 냉정한 성격, 뛰어난 손재주 등이 요구되었으며 이런 분위기 속에서 목소리가 크고 규율이 엄한 외과의 전통이 싹트게 되었다.

방부법의 확산과 더불어 수술성적은 향상되어갔으나 페놀을 분무하는 번거로운 절차는 1877년 독일의 베르크만이 무균법을 처음 도입하고, 1878년 파스퇴르가 섭씨 130도에서 150도로 모든 수술 기구를 소독할 것을 제안함으로써 개선되었다. 1886년 테리옹, 테리에, 독일의 심멜부쉬, 베르크만, 미국의 홀스테드 등이 섭씨 160도 건열 또는 2-3기압에 섭씨 130도의 고압증기멸균법을 시작함으로써 리스터의 방부법은 멸균소독법으로 대체되었다.

X 리스터 이후의 외과

상처부위를 소독하는 방부법을 개발한 리스터와 외상에 합병되는 6종류의 세균을 동정, 배양하여 그 병리 소견을 발표한 코흐의 업적에 의해 드디어 "정상적으로 상처가 낫는 중간 과정에서 화농 단계가 꼭 필요하다"는 갈레노스의 생리적 화농설이 부정되었다. 리스터의 방부법은 무균적 수술법으로 발전하였다.

환자에게 고통을 덜 주고 수술을 하기 위한 마취법의 발달 역시 외과의 발전에 큰 영향을 주었다. 마취법은 급속하게 전 세계로 전파되었으며 1878년에는 최초의 기관내 삽관 마취가 시행되었고 1884년에는 콜러에 의해 안과에 코카인을 사용한 국소마취가, 1891년에는 퀸케가 코카인 척추마취를 도입하였다.

무균법, 마취법의 발달과 수술에 필요한 여러 기구들의 발명이 한꺼번에 이루어지면서 외과 의사들은 이전까지는 손대지 못하던 새로운 수술에 도전하기 시작했으며, 19세기 중반 이후부터 20세기 초반까지, 역사가들이 흔히 "외과 의사들의 세기"로 불리는 시대가 시작되었다. 외과의 어떠한 장애도 궁극적으로는 해결할 수 있을 것이라는 믿음에 바탕을 둔 외과적 낙관주의가 의학계를 풍미하였고 20세기 초반까지 외과 의사들은 시대의 영웅으로 대접을 받았다.

사체를 이용하여 20가지가 넘는 새로운 수술법을 고안한 담도외과의 선구자 랑겐벡의 제자로 유럽의 다른 경쟁자들보다 한 발 앞서 리스터의 무균법을 받아들인 빈의 빌로트는 복부외과를 개척한 인물이었다. 그는 1872년에 식도절제술을, 1881년에 유문절제술을, 1878년에는 소장절제술을 처음으로 시행하였으며 그의 제자 웰플러는 1881년에 위-장문합술을 시행하였다. 또 스위스의 크렌라인은 1885년에, 미국의 몰턴은 1887년 급성충수염을 진단하고 충수절제술에 성공하였으며 하이델베르크의 지몬이 1869년 신장절제술을, 심즈가 1878년 담낭절제술을 시행하였다. 영국의 맥웨이나 호슬리는 뇌와 척수의 종양 수술을, 티르쉬는 피부이식수술을 시작하여 근대 성형외과를 개혁하였다. 미쿨리츠는 위와 관절 수술을 크게 발전시켰으며 최초로 수술 중에 면으로 만든 장갑을 착용하였는데 이것은 감염을 방지하기 위해서가 아니라 기구를 미끄러지지 않게 잡기 위해서였다. 이 면장갑은 곧 고무장갑으로 대체되었다. 최초의 고무장갑은 미국의 홀스테드가 1889년 소독약 때문에 피부염이 생긴 간호사를 위해 개발하였다. 독일의 베르크만은 수술용 고무장갑의 특허를 받았다.

지혈 수단도 발전하였는데 근대적인 지혈겸자는 1862년 알자스의 퀘바르와 파리의 페안이 개발하였다. 이들은 유럽에서 처음으로 난소절제술을 시행한 외과 의사들이었는데 페안은 1879년 처음으로 위암을 절제하였다. 최초로 1,000례의 난소절제술을 시행한 것으로 이름을 날린 런던의 웰즈 역시 1874년 리스턴의 겸자와 뒤펜바흐의 불독겸자를 응용한 새로운 지혈겸자를 개발하였으며 부인과 수술의 모든 면에서 개척자라고 할 수 있는 테이트는 웰즈보다 더 많은 난소절제술에 성공하였다. 이들에 의한 난소절제술의 성공은 복부외과의 발전에 크게 공헌하였다. 한편 루게는 1878년 동결절편생검frozen biopsy을 처음으로 시행하여 수술 현장에서 조직의 병리 소견을 직접 확인할 수 있게 되었다.

의학교육의 면에서 새로운 외과의사 양성 체계를 확립하여 오늘날과 같은 외과의 전통을 확립하는데 공헌한 것은 존스홉킨스 병원의 홀스테드였다. 그는 전공 교육을 받는 의사들이 연차가 올라가면서 더 많은 책임을 지며 고년차로 갈수록 수가 적어지는 경쟁 체계를 도입하였다. 또 빠르고 과감히 병소를 절제하는 전통적인 우악스러운 수술법 대신 베른의 코헤르에게서 유래한 부드럽고 정확한 해부학적 수술 기법을 미국에 도입하고, 단지 질병을 도려내는 개념으로 시행되던 수술을 정상적인 생리기능을 수복하기 위한 개념의 수술로 발전시켜 후학들에게 전수하였다.

XI 외과의 전문화

역사적으로 특정한 의학 영역의 전문화는 전문분야의 창설에 이은 부속병원에서의 전문 과목 개설, 대학에서의 강좌 개설, 학회의 결성 및 전문 잡지의 창간 등의 순서로 이루어졌다. 환자를 빼앗기게 된 기존의 의사들은 좁은 분야만 전공으로 삼는 의사들은 옛날의 '결석제거사stone-cutter'나 돌팔이 '안과 기사oculist'처럼 의료의 질을 떨어뜨리는 결과를 가져온다고 반대하였지만 대중들의 지지에 힘입은 의학의 전문화는 지속적으로 진행되었고 외과도 예외는 아니었다.

복부보다 발전이 늦었던 폐장외과는 1882년 기흉법을 도입한 폴라니니와, 미쿨리츠의 제자로 최초로 음압 챔버 안에서의 흉곽수술을 시도한 자우어브루흐 및 양압호흡법에 의한 개흉수술을 고안한 브라우어 등의 업적에 의해 새로운 전문 과목으로 성립되었고 그로스, 그래푸르트 및 블래일록 등이 활약한 심장외과가 1940년 폐장외과와 통합되어 흉부외과가 되었다. 릴리하이는 1952년부터 개심술을 시도하였고 그의 제자 버나드는 1967년 최초로 심장을 이식하여 환자를 17일간 생존시키는 데 성공하였다.

신경외과는 뇌의 기능에 관한 근대적인 개념이 축적되면서 발전하였다. 생존해있는 환자에서 최초로 뇌종양을 진단하고 수술을 시행한 것은 영국의 베네트였는데 1884년의 일이었다. 호슬리는 1887년 척추종양을 절제하는 데 성공하였고 맥퀴언은 1879년에 뇌경막의 종양을 적출하는데 성공하였다. 이 분야는 후일 쿠싱과 댄디 등의 활약에 의해 분과로 독립하게 되었다.

1849년 가이병원의 애디슨이 부신의 질병에 대해 보고한 이후 탄생한 내분비학 분야에서 외과 의사들이 최초로 수술을 시도한 장기는 갑상선이었다. 갑상선의 부분절제는 1791년에 파리의 드소가, 전적술은 파리의 카바레가 1850년에 최초로 성공하였다. 독일의 지크는 1867년에 전적술에 의해 발생한 갑상선 기능저하증을 최초로 보고하였다. 그러나 근대적인 갑상선 수술의 진정한 개척자는 베른의 코헤르였다. 코헤르는 1878년에 갑상선적출에 처음으로 성공하였는데 1917년 사망할 때까지 2,000례 이상의 수술을 시행하였다.

19세기 초에 시작된 산과의 발전은 미국이 주도하였다. 1809년 12월 에든버러 출신의 미국 의사 맥도웰이 최초의 난소절제술을 시행하였고 사우스캐롤라이나의 심즈는 1852년 당시 부인과 영역에서 가장 어려운 문제였던 방광-질루vesico-vaginal fistula의 수술에 성공하였다. 테이트는 난관임신의 절제술과 자궁절제술을 시행하였는데 1878년에 프로인트가 그의 자궁절제법을 크게 개선하였다. 1876년에는 포로가, 1882년에는 생거가 제왕절개술을 개선하였고, 크레데가 출산 후의 태반제거법을 도입하였으며 신생아의 눈에 질산은을 점안하는 방법을 고안하여 유아의 임질성 안염과 그에 따른 실명을 방지하였다.

정형외과와 물리요법은 계몽주의의 영향, 즉 장애를 가진 어린이들에 대한 인도주의적 관심에서 비롯되었다. 1741년 안드리는 정형외과학orthopedics이라는 표현을 처음 사용하였는데 1780년 스위스의 베넬이 장애 어린이를 위한 연구소를 창설하였으며 1851년 베렌트는 베를린에 정형외과 연구소를 설립하였고 1851년에는 벨기에의 마티센이 석고를 골절의 고정에 사용하기 시작하였다. 1875년에서 1900년 사이에 세계 각국의 의과대학 부속병원에 정형외과가 개설되었고 마사지와 체조를 포함하는 물리치료도 이 시기에 부활하였다.

안과는 18세기 말까지 무면허 의사들이 취급하던 분야였으나 1748년 다비엘에 의한 백내장 수술법의 개선과 영의 빛의 굴절에 관한 연구가 19세기 초반 안과의 전문화를 가능케 하였다. 1805년 영국에 최초의 안과 전문병원이 개설되었으며 1812년 베어가 빈 대학에서 최초의 안과학 교수가 되었다. 1820년에는 뉴욕에도 안과 병원이 개설되었다. 안과학은 1851년 헬름홀츠의 검안경 발명과 던더스의 빛의 굴절에 관한 연구 등에 의해 학문적으로도 깊이를 더하게 되었으며 그레페는 사시, 녹내장 등의 수술에 성공하여 근대 안과학을 창시하였다. 1860년대에는 각 대학에 안과학 강좌가, 1870년대에는 대학 병원들에 안과 외래가 개설되었고 1884년에 콜러가 안과 수술에 국소마취를 도입하였다.

원래 안과와 같이 취급되었던 이과는 안과에서 독립하여 후두과학, 비과학과 통합되었다. 1841년 호프만이 고안한 중앙에 구멍이 뚫린 거울은 아담 폴리처가 널리 보급하여 이비인후과 의사들의 상징인 액대요면경이 되었다. 1860년대에 독일에서 개설되기 시작한 이과학 강좌들은 전 유럽으로 퍼졌고 더블린의 와일드와 슈바르체 등이 수술법을 발전시켰다. 후두경은 1854년 가르시아가 개발하여 1857년 빈의 튀르크, 1858년 빈의 체르마크 등이 개량하고 검사법을 보급하였으며 1873년에 뉴욕에서 후두학회가 창립되었다. 기관지경 검사법은 1898년 마인츠의 킬리안이 도입하였고 1900년 미국의 잭슨이 개량하였다.

비뇨기과의 분야에서는 1824년 파리에서 방광쇄석기가 도입되었고 1876년 빈의 니체가 방광경을 발명하였다. 전립선비대증의 수술은 1890년대 이탈리아의 보티니와 미국의 풀러가 시작하였으며 이 수술을 표준화하고 널리 전파한 것은 뉴욕의 프레이어였다.

성형외과는 가장 늦게 분화한 전문분야 중의 하나였는데 뉴질랜드 출신의 영국 의사였던 길리스가, 참호전으로 안면에 손상을 입는 일이 많았던 세계 제1차대전 부상자들을 위해, 새로운 피부이식술과 안면성형 수술법을 확립한 것이 토대가 되었다. 그의 뒤를 이은 맥킨도우 역시 2차대전 중 화상을 입은 군인들의 손상을 회복시키기 위해 노력하였는데 이들의 업적에 의해 오늘날의 성형외과는 재건외과의 개념을 포함하는 전문분과로 발전하였다.

한편 수술에 동반되는 출혈을 보충하는 주요 수단인 수혈법의 발달은 외과 수술의 안전성을 높이는데 크게 기여하였다. 빈 출신의 란트슈타이너는 1901년 ABO식 혈액형을, 1940년에는 Rh식 혈액형을 발견하여 안전하게 혈액을 수혈할 수 있는 방법을 확립하였다.

XII 외과의 새로운 진보와 장기이식

현대의 외과는 눈부신 과학기술의 발전에 힘입어 지금껏 손대기 어려웠던 영역의 수술을 점차 가능하게 만들고 있을 뿐 아니라, 병든 부분을 떼어내는 절제술에 더해서 정상 기능을 가지도록 장기나 조직을 재생하는 재건 및 수복술로 발전하고 있다. 또 면역학의 발전과 새로운 면역억제제의 발명에 따라 병든 인체 장기를 타인의 새로운 장기로 교환하는 이식 수술도 활발하게 시행되고 있다.

예를 들면 쿠싱은 생애 약 2,000례의 뇌종양 수술을 시행하였는데 이전까지 50%에 달했던 뇌종양 수술의 사망률을 8%까지 감소시켰다. 그 후 수술법의 개량에 따라 뇌수술 사망률은 지금도 감소 중에 있으며 예전에는 수술을 할 수 없었던 동맥류나 동정맥기형과 같은 뇌혈관병변도 치료가 가능하게 되었다.

한편 캐럴이 혈관봉합법을 확립하여 장기이식의 가능성을 동물실험으로 증명한 데에 이어 메다워가 거절반응의 원리를 밝힘으로써 장기이식의 토대가 정립되었다. 1960년대에 머레이, 햄버거, 슈토르쩨 등이 시작한 신장이식 수술을 시작으로 장기이식의 시대가 열렸으며, 1963년 스타즐이 최초로 시도하고 1967년 이후 장기생존이 가능해진 간이식, 1967년에 남아프리카공화국의 바나드에 의해 시행된 심장이식 등에 의해 모든 장기가 이식의 대상이 될 수 있다는 것이 알려졌다. 현재는 심장, 간장, 신장 이외에도 각막, 연골, 폐, 췌장, 내분비샘, 위, 비장, 소장 등의 이식이 이루어지고 있다.

장기이식은 심장이 멎는 순간이 일반적인 사망의 기준이었던 의료 관행에 변화를 가져왔다. 하버드 대학이 1968년에 최초로 독자적인 뇌사판정에 관한 기준을 정한 것을 계기로 1974년에는 미국에서 뇌사가 법률로 인정되었다. 이는 이식수술에 필요한 장기 공급량을 늘리는 데 크게 기여하였다.

현대 외과의 진보에는 광학 관련 기술의 발전이 또 하나의 중요한 요소로 작용하였는데 20세기 중반 도입된 수술용 현미경은 초기에는 이비인후과 이소골 수술을 개선하는데 사용되다가 안과의 인공수정체삽입술이나 피부이식편 이식을 위한 미세혈관 봉합, 사지접합수술 등으로 그 용도가 확장되었다.

물리학자였던 홉킨스에 의해 개발된 굴절 가능한 내시경은 처음에는 위내시경으로 응용되다가 수술용 복강경으로 발전하였다. 복강경 수술은 부인과 영역에서 주로 시작되었는데 시험관 아기 시술의 성공은 그 좋은 예라고 할 수 있다. 1980년대에는 복강경을 사용한 담낭절제술이 확립되었고 위나 대장 부위의 수술을 포함하여 갈수록 그 적용범위가 확장되는 추세에 있다. 또 정형외과, 이비인후과, 비뇨기과 등의 분야에서도 내시경을 이용한 수술법이 도입되어 응용범위를 넓혀가고 있다.

최근에는 로봇이나 컴퓨터를 사용하는 새로운 수술방법들도 속속 개발되고 있어 여기에 어울리는 외과 수술법의 진보는 당분간 지속될 것으로 보인다.

XIII 결어

1874년 런던 유니버시티 칼리지의 외과 교수 에릭센은 "복강, 흉강, 두개강은 영원히 닫혀져 있을 것이다. 앞으로도 현명하고 인간적인 외과 의사가 이런 공간을 침범하는 일은 없을 것이다"라고 예언하였다. 그러나 그로부터 20년도 지나지 않아 외과 의사들은 위와 장, 폐를 절제하는데 성공하고 뇌에 생긴 종양을 절제하였다. 이러한 발전의 많은 부분은 19세기 중반에 일어난 마취법과 방부법의 발명이라는 외과학의 혁명적인 개선에 힘입은 것이었다.

현대의 외과는 이처럼 과학기술의 발전에 동반되어 발전해가고 있으며 정밀한 기계와 기구의 개발로 인해 외과와 내과의 경계가 모호해지는 상황도 곳곳에서 나타나고 있다. 한편으로는 신약의 개발에 따른 화학요법의 발달로 예전에는 외과수술의 대상이었던 질병의 내과적 치료가 가능해지는 경우도 증가하고 있다.

"내과 의사는 63-65세쯤에 은퇴하는 것이 좋다면서, 외과 의사는 60세에 은퇴하는 것이 좋다고 생각하는 이유는 무엇일까요? 제 생각에는 외과 의사들의 손가락이 내과 의사들의 뇌혈관보다 조금 먼저 굳어져버리기 때문인 것 같습니다. 그렇지만 전에도 말했듯이, 저는 언젠가 수술이 외과의 업무 중 가장 작은 부분이 되어, 양손이 없는 사람이 어딘가의 외과 의사로 임명되는 것을 보고 싶습니다..."

미국의 신경외과를 정립한 쿠싱은 지인에게 보낸 편지에서 이같이 쓰고 있지만, 오늘날의 과학 발전의 속도로 보면 그의 예언이 이루어지는 날이 그리 머지않았을지도 모른다.

외과가 원시시대부터 존재해왔고 경험적인 기술을 다루는 한편으로 과학적 진리를 추구하는 양면성을 가진 학문이라는 점을 인정한다면, 외과라는 학문과 기술의 기초를 이룩하는데 공헌한 역사상의 위대한 의사들과 그들의 연구에 기여한 수많은 환자들로부터 현대의 인류가 엄청난 은혜를 입고 있는 것만은 분명한 사실이다.

요약

외과는 현학적인 철학을 배경에 두지는 않았지만 현실적 필요성에 근거하여 발전을 거듭하였다. 이는 외과가 인류의 직접적이고 화급한 요구에 의해 시술되어 왔고, 또 그 결과가 바로 확정되는 실사구시적인 분야이기 때문이었다.

그러나 선택적 시술이라는 분야의 외과는 출혈, 통증, 감염과 같은 여러 장애와 기초의학 지식의 결핍으로 근대에 이르기까지 답보 상태를 유지하고 있었다. 이러한 외과의 한계를 극복할 수 있게 만든 것은 해부학, 마취, 세균학의 발전이었다. 르네상스 시대의 해부학 발전, 19세기 중반의 마취법 발명, 19세기 후반의 세균학 발전과 감염 예방책 발명은 오래된 외과의 장애를 극복하게 해준 이정표가 되는 사건들이었다.

각종 장애를 극복한 오늘날 외과는 20세기 이후의 과학기술 발전과 맞물리며 눈부신 성취를 이룩해가는 학문으로 거듭나고 있다. 이 장에서는 고대로부터 현대에 이르는 외과학의 진보를 시대별로, 그리고 19세기 중반 이후 외과의 급격한 발전을 가능케 한 혁명적인 사건들을 중심으로 살펴보았다. 그리고 마취와 방부법 이후의 외과의 발전 역시 시대별로 살펴보면서 각 분야의 전문화 과정과 장기이식으로 대표되는 현대 외과의 진보에 관해 고찰하였다.

참고문헌

1. 이재담. 간추린 의학의 역사, 광연재 2005.
2. 이재담. 의학의 역사, 광연재 2003.
3. Ackerknecht, Erwin H. A short history of medicine, The Johns Hopkins University Press 1982.
4. Caroline Hannaway and Ann La Berge. Constructing Paris Medicine, Amsterdam-Atlanta, GA 1998.
5. Claude d'Allaines. Histoire De La Chirurgie, Presses Universitaires de France 1984.
6. Frank Gonzalez-Crussi. A Short History of Medicine, Random House 2007.
7. Garrison, Fielding H. An introduction to the history of medicine, Saunders 1929.
8. Jacalyn Duffin 저, 신좌섭 역. History of Medicine: A Scandalously Short Introduction (한국어판 제목 : 의학의 역사), 사이언스북스 2006.
9. Julie M. Fenster. Ether Day, HarperCollins Publishers, Inc. 2001.
10. Kenneth M. Ludmerer. Learning to Heal, the Development of American Medical Education, Johns Hopkins University Press 1996.
11. Logan Clendening. Source Book of Medical History. Dover Publications, Inc. 1960.
12. Owen H. & Sarah D. Wangensteen. The Rise of Surgery. From Emperic Craft to Scientific Discipline, University of Minnesota Press, Minneapolis 1978.
13. Roy Porter. The greatest benefit to mankind, HarperCollins 1998.
14. Sherwin B. Nuland. Doctors, The Biography of Medicine, New York: Knopf. 1988.
15. Shryock, Richard H. The development of modern medicine, Hafner 1969 .
16. Stanley J. Reiser. Medicine and The Reign of Technology. Cambridge University Press 1978.
17. William J. Bishop. The Early History of Surgery, Barnes & Noble Books 1995.

Chapter 02

외과 영역의 분자 유전학

General molecular genetics in surgery

I 분자 세포생물학의 기초

1. DNA, RNA, 단백질

1) DNA 구성 및 구조

DNA의 분자구조는 1953년 미국의 James D. Watson과 영국의 Francis H. C. Crick에 의해 해명되었는데, 이 구조는 이중나선 구조로서, 기다란 사슬 두 가닥이 새끼줄처럼 꼬여 있다. 다른 고등동물과 마찬가지로 인간에 있어서 DNA 분자는 2번 탄소에 수소만 결합되어 있는 디옥시리보오스라는 5탄당, 인산 및 질소염기로 구성된 뉴클레오티드nucleotides라는 동일한 단위들이 반복되어 선상배열을 하고 있는데 DNA에는 아데닌adenine (A), 구아닌guanine (G), 시토신cytosine (C) 및 티민thymine (T)이라는 4개의 서로 다른 염기들이 존재한다. 두개의 선상배열 가닥은 4개의 염기들 중에 아데닌과 구아닌은 이중 고리구조를 가지고 있는 퓨린purine염기이며, 다른 2개는 단일 고리구조를 가지고 있는 피리미딘pyrimidine염기로 이들 염기쌍 간의 약한 결합에 의해 2중 나선구조를 이룬다. 구아닌염기는 시토신염기와 3중 수소결합을 하며, 아데닌염기는 티민염기와 2중 수소결합을 한다. 이런 염기쌍끼리의 결합을 DNA의 상보성이라고 부른다. 이러한 상보성은 DNA의 정보저장, 복제, 전사 등에 기여한다. 한 개체의 유전자의 총 염기서열을 말하는 게놈genom의 크기는 이런 염기쌍들의 조합수에 의하여 결정되는데 인간유전체는 대략 30억 염기쌍으로 이루어져 있다. 당과 인산의 골격을 따라 배열된 염기들의 특별한 순서를 DNA 서열sequence이라고 하는데, 이러한 DNA의 서열이 특정 생명체의 고유한 형질이 나타나도록 만드는 정확한 유전명령을 내리게 된다.

세포는 분열할 때마다 두 개의 딸세포로 나누어지고, 유전체는 2배가 되는데 인간이나 고등생물에 있어서 이 과정은 핵 내에서 일어난다. 세포 분열 중 DNA 분자는 두 개의 가닥이 풀리고 염기쌍들간의 약한 결합이 끊어지면서 두 개의 가닥이 분리되고, 각각의 가닥은 DNA 중합효소에 의해 상보적으로 결합할 수 있는 뉴클레오티드들 사이에 공유결합을 만들어 새로운 나선구조를 합성한다. 이 때 새롭게 형성되는 가닥은 반드시 5'방향에서 3'방향으로 합성된다. DNA 중합효소 복합체가 인식할 수 있는 특정 부위가 DNA상에 존재하므로, DNA 복제는 DNA의 특별한 부위들에서 시작한다. 각각의 딸세포는 1개의 기존 DNA와 1개의 새로운 DNA 가닥을 받게 된다.

2) RNA 구조

유전정보를 실행하는 것은 단백질이다. 아미노산이라는 재료를 쌓아 단백질을 만드는데 단백질의 생산공장은 핵의 외부 즉, 세포질에 있는 리보솜이라는 과립모양의 세포 소기관이다. 세포 내에서 유전암호를 가지고 있고 그 암호로 단백질 제조 명령을 내리는 건 DNA지만, 핵 안의 DNA로부터 그 명령을 받아 정보를 세포질까지 전달하는 배달부가 있어야 한다. 그리고 단백질 합성의 재료인 아미노산을 운반해 주는 운송 담당도 필요하다. 이러한 역할을 담당하는 것이 RNA이다. 리보핵산이라고도 하는 RNA 역시 DNA와 마찬가지로 핵산이지만 핵산의 단위물질인 뉴클레오티드가 DNA와는 다르게 2번 탄소에 OH^-가 결합되어 있는 리보오스라는 5탄당, 염기, 인산으로 결합되어 있는 물질이다. RNA를 구성하는 뉴클레오티드의 4가지 염기는 아데닌(A), 구아닌(G), 시토신(C), 우라실(U)로, DNA가 가진 T 대신 U을 가지고 있다. DNA가 두 개의 사슬로 된 것과는 달리 RNA는 한 개의 사슬이다.

세포 내에서 단백질 합성에 관여하는 RNA는 분자 구조와 생물학적 기능에 따라 세 가지 종류로 구분할 수 있으며 전령 RNAmessenger RNA (mRNA), 운반 RNAtransport RNA (tRNA) 및 리보솜 RNAribosome RNA (rRNA) 3종류가 있다. mRNA는 이름 그대로 DNA의 정보를 세포질까지 전달하는 것이 임무이다. tRNA는 아미노산을 리보솜으로 운반하고 아미노산을 연결하여 단백질로 만드는 작용을 한다. rRNA는 단백질과 협력하여 리보솜을 만든다. DNA는 단백질을 만드는 정보를 가진 엑손Exon과 정보를 가지고 있지 않은 인트론Intron으로 나뉜다. 이러한 DNA의 정보를 청사진으로 인화해 RNA polymerase라는 효소에 의해 mRNA를 완성시키는 것을 전사transcription라고 한다. 이 과정을 통해 만들어진 mRNA는 아직 미완성된 형태이다. 이후 DNA의 내용을 그대로 복사한 RNA에서 불필요한 인트론 부분을 없애고 엑손들만을 연결하여 mRNA를 만든다. 이 과정을 스플라이싱Splicing이라고 부른다. 전사된 mRNA는 즉시 핵공을 빠져나가 핵 밖으로 나간다. rRNA는 그 기능은 아직 분명하지 않으나 리보솜이라고 하는 세포 내 입자를 구성하여 그 곳에서 단백질 합성이 일어나게 한다. mRNA 가닥에는 두 개의 구슬 모양으로 된 여러 개의 리보솜이 매달려 있다. tRNA는 세포질 속의 아미노산을 리보솜까지 운반하여 단백질이 합성되게 하는 역할을 한다.

mRNA에 있는 3개의 염기로 구성된 배열을 코돈codon이라고 한다(그림 2-1). 복잡한 클로버 모양의 tRNA의 일부에는 mRNA의 코돈에 대응하는 3개의 염기가 있다. 이것도 상보적인 염기 배열로서 mRNA의 AAA라는 코돈에 대하여는 tRNA의 UUU라는 염기 배열만이 대응한다. 이것을 안티코돈anticodon이라고 한다. tRNA는 안티코돈이 AGA라면 이에 대응하여 결정되는 세린serine이라는 아미노산을 가져온다. 단백질을 구성하는 아미노산에는 20종이 있는데, 이 20종의 아미노산 각각에 대한 tRNA가 있어서 한 가지 tRNA는 반드시 한 가지 아미노산과 결합하여 리보솜으로 운반한다. 이렇게 해서 mRNA가 가져온 정보를 아미노산으로 치환하는 과정을 번역translation이라고 한다.

역전사reverse transcription는 반대로 RNA를 틀로 사용하여 DNA를 만드는 과정이다. 여기에 작용하는 효소를 역전사효소reverse transcriptase 또는 RNA 의존성 DNA 중합효소 RNA dependent DNA polymerase라고 한다. 주로 RNA를 유전정보로 사용하는 레트로바이러스retrovirus가 세포에 침투한 후 자신의 RNA를 DNA로 바꾸는데 이용한다.

DNA와 RNA의 차이점을 정리하자면 다음과 같다. (1) DNA와 RNA를 구성하고 있는 5탄당이 다르다. RNA인 경우 리보오스라는 5탄당이, DNA 경우에는 디옥시리보오스라는 5탄당이 염기에 연결되어 있다. 리보오스의 결합은 화학적으로 매우 불안정하며 물속에서 가수분해를 잘 일으킨다. 그러므로 RNA는 DNA에 비하여 안정성이 많이 결여되어 있다. (2) RNA에는 티민 대신 우라실이 염

두 번째 염기

첫 번째 염기	U		C		A		G	
U	UUU	Phenyl–alanine	UCU	Serine	UAU	Trypsine	UGU	Cysteine
	UUC		UCC		UAC		UGC	
	UUA	Leucine	UCA		UAA	종료 codon	UGA	종료 codon
	UUG		UCG		UAG		UGG	Tryptophan
C	CUU	Leucine	CCU	Proline	CAU	Histidine	CGU	Arginine
	CUC		CCC		CAC		CGC	
	CUA		CCA		CAA	Glutamine	CGA	
	CUG		CCG		CAG		CGG	
A	AUU	Isoleucine	ACU	Threonine	AAU	Asparagine	AGU	Serine
	AUC		ACC		AAC		AGC	
	AUA		ACA		AAA	Lysine	AGA	Arginine
	AUG*	Methionine	ACG		AAG		AGG	
G	GUU	Valine	GCU	Alanine	GAU	Aspartic acid	GGU	Glycine
	GUC		GCC		GAC		GGC	
	GUA		GCA		GAA	Glutamic acid	GGA	
	GUG		GCG		GAG		GGG	

AUG* = Methionine, 시작 codon

그림 2-1 **표준 유전암호.** 각각의 유전암호는 3개의 염기로 구성되며, 단백질 합성에서 메티오닌인 AUG가 시작코돈으로 작용하며, 종료코돈은 UAA, UAG, UGA 들이다.

기로 이용되고 있다. (3) DNA 경우에는 핵산이 쌍가닥으로 존재하여 이중나선 구조를 이루고 있으나, RNA는 핵산이 외가닥으로 존재하고 있다. (4) DNA에는 인트론 부분이 있으나 RNA에는 인트론 부분이 없다.

2. 유전자 발현 조절

유전자 발현gene expression이란 유전자가 RNA로 전사되고 다시 단백질로 번역되는 과정을 말한다. 유전자 발현은 시기 및 장기에 따라 정확하게 조절되며, 외부조건 변화에 신속하게 대응이 필요한 경우나 개체 유지에 필요한 발생과정과 분화과정 중에도 체계적이고 역동적으로 조절된다. 유전자 발현의 조절은 다양한 기전에 의해 일어나며, 크게 발현을 억제시키는 기전과 발현을 촉진시키는 기전, 두 가지 방향으로 조절된다.

1) 원핵세포의 유전자 조절

(1) 세균의 오페론

세균에는 인트론이 없기 때문에 일련의 유전자들이 하나의 프로모터promoter에 의해 한 가닥의 mRNA로 전사가 가능하다. 이러한 일련의 유전자 집단을 오페론operon이라고 하며 이들 집단에서 만들어진 단일 mRNA를 폴리시스토론 mRNApolycystronic mRNA라고 한다. 이 mRNA로 부터 대부분의 단백질이 형성되며 그림 2-2는 세균의 대표적 오페론인 LAC 오페론의 구조도이다. 오페론을 구성하는 여러 유전자들은 일반적으로 일련의 대사과정에 관여하는 효소들을 코드하기 때문에 매우 경제적으로 조절 기전이 가능하게 한다. 오페론에는 유도성inducible과 억제성repressible 오페론 두 종류가 있다.

오페론의 유전자 발현은 프로모터에 결합하여 전사를 조절하는 조절단백질에 의해 조절된다. 조절단백질은 조절유전자에 의해 암호화되며 조절 인자의 종류는 RNA 중합효소가 프로모터에 결합하는 것을 방해하는 억제인자repressor와 RNA 중합효소가 쉽게 프로모터와 결합하게 하여 전사를 촉진하는 활성인자activator가 있다.

세균의 어떤 대사관련 유전자는 오페론의 배열을 취하지 않고 여러 부위로 관련 유전자들이 흩어져 있는 경우가 있다. 예를 들어 대장균의 아르기닌 합성 관련 유전자

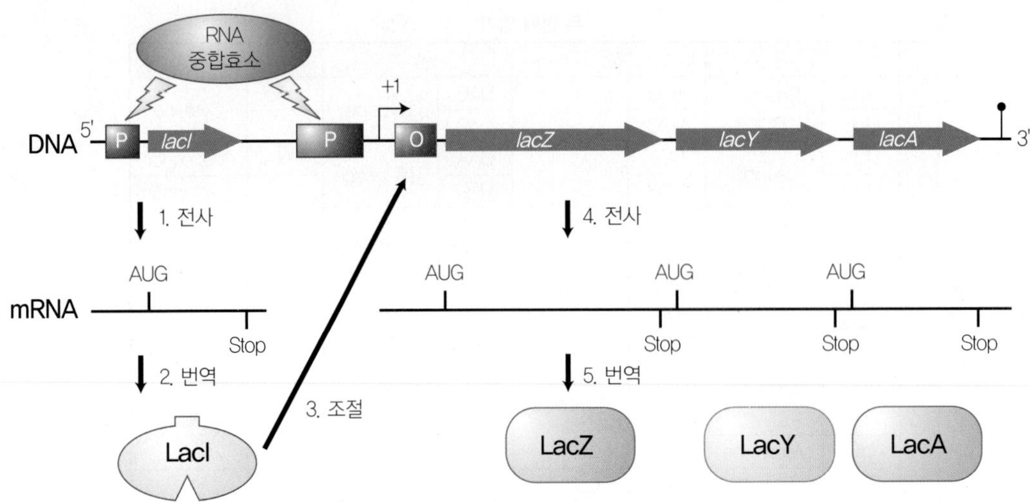

그림 2-2 대장균의 lac 오페론. Lac 오페론은 락토오스의 운반과 대사에 필요한 구조유전자 [lacZ (B-갈락토시다아제), lacY (락토스 퍼미아제), lacA (티오갈락토시다아제 아세틸트렌스퍼라제)]와 조절요소[lacI (lac 오페론 억제자), operator(O), promoter(P)]로 구성되어 진다. 성장배지 속에 포도당이 있는 경우에는 억제자로 작용하는 조절인자 LacI가 operator에 결합하여 lac mRNA의 전사가 억제된다. 포도당의 농도가 낮은 경우에는 발현 유도체가 억제자와 결합하여 operator부분으로의 결합을 억제하여 lac mRNA의 전사가 촉진된다.

들인 arg 유전자들은 하나의 억제 인자에 의해 전사가 억제된다. 이런 유전자를 레귤론regulon이라고 한다.

(2) 전사 조절 물질

대사산물들은 유전자의 발현을 조절할 수 있다. 대사산물에 의해 유전자들의 발현이 억제되는 것을 대사산물 억제작용이라고 한다. 예를 들면 박테리아 배지에 포도당이 존재하면 다른 당들이 존재하더라도 포도당이 고갈될 때까지 다른 당을 이용하는 효소들의 합성이 억제된다. 포도당이 고갈되면 환상아데노신인산 cAMP의 합성이 급격히 증가되며 긴급신호를 알려주게 된다. 또한 포도당이 있다고 하더라도 cAMP가 존재하는 경우 유도에 대한 억제현상이 일어나지 않는다. 즉 cAMP는 대사산물 억제작용을 극복하게 하는 기능을 가지며 여러 유전자들의 전사를 촉진시키는 작용을 하며, cAMP 결합단백질cAMP binding protein (CAP)에 의해서 전사가 조절된다.

포도당이 있으면 젖당이 있어도 lac 오페론의 전사가 거의 일어나지 않지만 포도당이 고갈되고 젖당이 있으면 lac 오페론의 억제인자 기능은 차단되고 CAP과 cAMP 복합체에 의해 전사가 촉진된다. 즉 lac 오페론은 cAMP-CAP 복합체에 의해 양성 조절되고 lac 억제인자에 의해 음성 조절된다. cAMP-CAP 복합체는 lac 프로모터에 결합하여 DNA가 90도 이상 구부러지게 되며 RNA 중합효소 결합부위가 노출되게 한다.

(3) 전사조절 단백질들의 활성 조절

전사조절 단백질의 조절 방식에는 전사조절 단백질이 계속 생성되며 효과기effector와 결합에 의해 활성이 조절되는 지속적 생산 방법, 생성물질의 존재여부에 의해서 발현이 조절되는 자기조절적 방법과 조절 단백질의 활성이 합성단계에서 조절되는 것이 아니라 만들어진 후 조절되는 활성/불활성 전환에 의한 방법이 있다.

(4) 번역 단계에서의 유전자 발현 조절

mRNA가 만들어지더라도 이 mRNA로부터 만들어질 단백질의 농도가 높은 경우 번역이 안 되는 경우도 있다. 예를 들어 리보솜 단백질 합성속도는 세포증식이 빠를수록 증가되는데 이 단백질이 다량으로 존재하는 경우 이 단백질을 만들어내는 mRNA는 번역되지 않게 된다.

2) 진핵세포의 유전자 조절

진핵세포의 유전자 조절은 원핵세포와 달리 더 복잡하게 얽혀있다. 외부환경 변화에 즉각 대응을 하는 원핵생물과는 달리 진핵생물은 비교적 안정된 외부환경을 가지고 있기 때문에 외부환경 변화보다는 분화발생 과정 중의 정확한 시기에 적절한 양의 유전자가 발현되도록 조절되어야 한다. 원핵생물은 지속적으로 증식하는 경향을 가지기 때문에 자신이 가지고 있는 모든 유전자들을 적절히 발현시켜 생존하는 것에 비해, 진핵생물은 분화 단계에 필요한 특정 유전자만 세포들 사이의 정보전달 및 상호작용에 의한 밀접하고 유기적인 연관성에 의해 조절된다.

원핵생물과 마찬가지로 진핵생물도 전사단계의 조절이 빈번하고 높은 비중으로 일어나지만 진핵생물의 유전자 발현은 염색체의 유전자로부터 세포질에서의 단백질 합성까지 많은 단계를 거치기 때문에 더 복잡하고 다단계 조절 작용이 일어난다. 진핵세포의 염색체는 DNA 이중가닥에 히스톤 단백질이 결합되어 뉴클레오솜을 형성하며 이들이 응축되어 30nm의 염색질 섬유chromatin fiber가 되어 다시 응축되어 염색체를 만들게 된다.

진핵세포의 유전자에서 합성된 RNA는 5' 말단에 캡 형성이 일어나고 3' 말단에 폴리 A가 첨가되어 1차 RNA 전사체로 된다. 다음 단계로 인트론이 제거되는 RNA 스플라이싱을 거쳐 mRNA가 형성된다. 이 mRNA는 핵공을 통해 세포질로 이동되어 리보솜과 결합하여 단백질이 합성되는 것이다. 형성된 단백질은 효소, 구조 단백질, 호르몬, 성장인자로써의 기능을 담당하며 정상적인 분화와 발생과정, 세포 기능과 세포 소멸에 관여한다.

진핵세포는 약 5,000 종류의 서로 다른 폴리펩티드를 합성하는데 세포 크기, 형태, 내부 구조들은 공통적으로 가지고 있는 단백질의 양적인 차이에 의해 결정되며, 약 100 종류의 폴리펩티드가 조직 또는 세포 특유 단백질을 형성하여 세포 각각의 고유한 특성을 나타내게 한다. 이들 소수의 특징적인 단백질들은 분화와 발생과정 같은 단계에서 매우 중요하다.

(1) 전사 단계에서의 유전자 발현 조절

전사단계 조절에 관여하는 주 물질은 호르몬과 성장인자 이다. 호르몬은 직접 세포내부로 들어가거나 세포표면 수용체와 결합하여 신호를 전달하기도 한다. 이러한 물질들 외에도 세포 간의 직접적인 접촉에 의한 조절도 일어난다. 전사조절에 중요한 역할을 하는 DNA 서열들은 전사시작 부위보다 상부에 위치한다. 이들 DNA 서열들을 전사조절 DNA 요소 또는 반응요소라고 하며 열 충격, 외부 신호물질, 중금속에 의해 특정 유전자들의 전사가 차단되거나 활성화된다.

(2) DNA 수준에서의 유전자 발현 조절

DNA의 결실, 증폭, 재배열 등을 통해 유전자 발현이 조절될 수 있다. DNA 결실은 주로 포유류 적혈구의 발생과정에서 볼 수 있다. 적혈구의 전구세포인 적혈구 모세포가 분열하면서 하나는 간세포로 잔존하고 다른 하나는 적혈구로 분화되는데 이 과정에서 핵이 상실된다. 따라서 글로빈 단백질의 합성은 이미 전사된 mRNA에 의해 일어난다. 리보솜 등의 세포 내 성분들이 없어져서 단백질 합성은 중지되고 헤모글로빈 단백질이 가득 차게 된다. DNA 증폭의 대표적인 예는 초파리의 침샘세포에서 볼 수 있다. 복제된 DNA가 분리되지 않고 서로 연결되어 다배체의 거대염색체가 형성된다. 특정 유전자의 증폭이 아닌 전체 염색체의 증폭이다. DNA 재배열에 의해 전사조절부위에 있던 전사억제 요소가 제거되거나 혹은 전사에 필요한 프로모터 요소와 유전자가 결합되어 전사가 증가될 수가 있다. 진핵세포의 염색질 중에 전사가 활발하게 일어나는 부위는 낮은 메틸화, 히스톤의 변형 등이 많이 일어나 있다. 또한 DNase I에 대한 감수성도 증가된다. DNase I에 의한 감수성이 높은 부위를 DNase I hypersensitive site라고 한다. 이 부위는 뉴클레오솜이 없는 구조이기 때문에 전사조절 단백질 또는 RNA 중합효소가 쉽게 접근하여 전사가 증가된다.

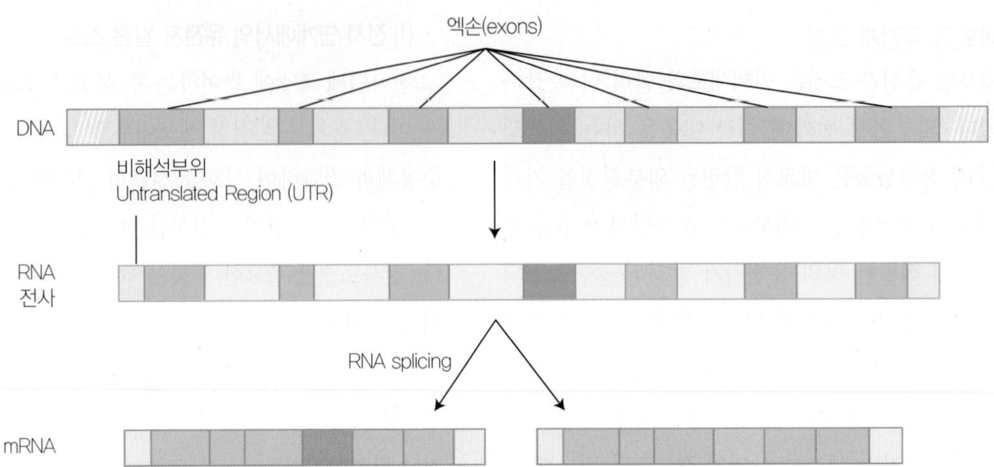

그림 2-3 진핵세포에서 전사 및 선택적 스플라이싱. 진핵세포의 유전자는 단백질을 암호화하는 엑손과 단백질로 읽혀지지 않는 인트론으로 구성되어 진다. 핵에서 전사된 RNA(일차 전사체, RNA transcript)는 그대로 해독에 사용되지 않고, RNA 스플라이싱에 의해 같은 RNA 전사물에서 두 가지 이상의 서로 다른 mRNA를 만들어낸다.

(3) 전사 후 단계에서의 유전자 발현 조절

같은 유전자일지라도 선택적인 스플라이싱이 일어나 다른 mRNA들과 다른 단백질이 만들어 질 수 있다(그림 2-3). 이러한 예는 초파리의 발생 초기 단계 또는 성 결정에 관여하는 유전자로부터 포유동물의 근육수축이나 신경작용에 관여하는 유전자까지 많이 알려져 있다. 이러한 선택적 스플라이싱이 일어나는 mRNA의 종류는 크게 3가지로 나눌 수 있다. 5' 말단이 다른 경우에는 다른 종류의 프로모터가 존재하여 프로모터에 따라 5' 말단이 다른 mRNA가 생성된다. 3' 말단에 폴리 A가 첨가되는 반응이 다른 경우 분해 정도가 달라지기 때문에 스플라이싱도 달라질 수 있다. 5' 말단과 3' 말단은 동일하나 중간이 다른 경우에는 조직 특이성 스플라이싱 인자가 관여하는 것으로 알려져 있다.

(4) RNA수송 조절

핵 안에서 생성된 mRNA는 단백질 합성을 위해 세포질로 수송되어야 한다. 이것은 핵공을 통해 일어나며 에너지가 소모되는 능동적 과정이다. 이 수송 과정에서 조절도 가능하다. 먼저 mRNA의 3' 말단에 대한 여러 가지 구조적 변형, 첨가 반응에 의해 RNA 안정성을 통한 조절이 존재하며, 특별한 경우이기는 하나 번역 단계에서의 조절이 존재한다. 대표적인 예가 수정란에서 발견되는데 미수정란이 정자에 의해 수정되면 단백질 합성이 수정란에 이미 존재하고 있는 모계 RNA에 의해 일어난다. 이는 양적뿐만 아니라 질적인 변화도 수반한다. 이는 번역 단계에서의 조절에 의해 단백질 생성이 달라진 것으로 보인다. 열 충격을 주었을 때 이미 존재하고 있던 세포 RNA 번역은 억제되기도 하며 헤모글로빈 합성에 필요한 헴 인자의 존재 유무에 따라 적혈구 세포에서 글로빈 mRNA의 번역과 철성분의 존재 여부에 따라 철 결합단백질인 페리틴 mRNA의 번역이 조절되기도 한다.

3. 인간 유전체

유전체genome란 한 개체에 존재하는 유전자들의 집합을 의미한다. 인간 유전체는 30억 개 염기쌍의 DNA 서열로 구성되었고 약 25,000에서 30,000개의 유전자를 가지고 있으며 개인 간에 99.9%에서 동일하다. 대략 3백만 개의 단일 염기 DNA 차이가 발견되었고 이를 단일 염기 다형성이라고 하며 여러 질환과의 감수성 연구가 활발히 진행 중이다. 2003년도의 인간유전체연구사업의 완성으로 유전 물질을 연구하는 유전체학이 더욱 발전하게 되었으며 의학에서도 유전자의 발현과 유전자의 변이와 여러 질환과의 관계를 더욱 이해할 수 있게 되었고 이를 의료에 응용함으로써 유전체의학이라는 새로운 분야가 탄생하게 되었다.

단백체학proteomics은 단백질 구조, 발현, 상호 작용을 연구하는 학문이다. 많은 단백질 정보를 보유하는 데이터베이스가 있지만 대표적인 것으로는 UniProt (http://www.uniprot.org/)이 있다. 이들 데이터베이스를 통해 새로운 단백질을 기존 단백질과 비교하여 기능을 예측하고 분할된 형태를 찾고, 번역 후 변화 등을 추정할 수 있다. 단백체학을 연구하기 위한 방법으로는 2차원 젤전기영동, 질량분광법, 단백질 마이크로어레이 등이 있다.

인간의 질병을 대상으로 유전체학 및 단백체학적 접근은 질환의 발생과정을 이해할 수 있을 뿐 아니라 질환의 조기 진단 및 치료에 효과적으로 광범위하게 응용할 수 있게 될 것으로 예견된다. 예를 들어 장기, 세포, 세포 내 구조에서 단백질의 변화나 복합체 등의 발견은 질병의 진단을 위한 도구로 이용할 수 있고 더 나아가 특정 단백질에 의해 초래된 기능의 변화를 알게 되면 효과적인 치료 목표를 설정할 수 있게 되어 새로운 치료제의 개발뿐 아니라 치료효과의 판정, 약물의 독성판정 등에 유용하게 이용할 수 있다.

4. 세포주기 및 사멸

세포 주기는 조직의 항상성을 유지하기 위한 중요한 기전이다. 세포 주기는 G1(DNA 합성전의 첫 번째 휴지기), S (DNA 복제가 일어나는 시기), G2(유사분열 전의 2번째 휴지기), M(유사분열 시기) 4단계로 이루어져 있다. 일주기가 끝난 후 세포는 첫번째 휴지기에 들어가 대기하는데 분열 신호가 전달되면 다시 DNA 복제 및 분열을 시작한다. 사이클린 의존 키나제cyclin dependent kinase (CDK) 효소들에 의해 세포 주기는 진행된다. 사이클린은 세포 주기 동안에 가변적으로 발현되는데 이들은 CDK 활성에 필요하며 CDK와 복합체를 이룬다. 사이클린 A/CDK1과 사이클린 B/CDK1은 유사분열 시기를 진행시키며, 사이클린 D/CDK4/6는 초기 G1 단계에, 사이클린E/CDK2는 후기 G1 단계를 진행시킨다. 또한 세포 주기 진행을 조절하기 위해 CDK를 억제하는 CDK 억제자들이 있다. 세포주기 조절은 신호전달경로 및 유전자 발현과 관련되어 있다. M과 S주기는 외부자극에 의해 거의 영향을 받지 않지만 휴지기는 다음 단계로 진행할 것인가를 결정하는 시기이기 때문에 신호전달경로를 통한 신호나 특정 유전자의 발현에 의해 조절이 되고 있다.

세포 주기 조절과 함께 세포의 항상성을 유지하기 위한 과정으로 세포사멸apoptosis이 있다. 정상 조직은 필요 없는 세포들, 즉 임무가 끝났거나, 손상되었거나, 잘못 증식된 세포들을 사멸하게 한다. 이러한 세포사멸은 사멸 수용체 신호(Fas 혹은 TNF 등), 성장 인자의 결핍, DNA 손상, 스트레스 신호 등의 생리적인 자극에 대한 반응이며 사멸 수용체 및 미토콘드리아 경로를 통해 이루어진다. 세포사멸의 조절에도 순조절 기능과 역조절 기능을 갖는 물질들이 관여하여, 서로 엄격하게 통제되어 조절되고 있지만 이 조절기능이 훼손된 경우 암이나 다른 질환의 발생이 가능하다.

5. 신호전달경로

유전자 발현을 조절하는 중요한 경로는 신호전달경로이다. 신호전달경로는 세포 표면에서 시작되어 연속적으로 세포 내 물질의 활성화를 거쳐 핵에 전달된다. 특정 단백질끼리 반응을 조절하는 것이 신호전달경로의 공통된 현상이다. 전달경로에는 필수적으로 중요 전달 단백질의 구조를 변화시킬 수 있는 단백질 키나제와 인산분해효소를 포함하고 있다. 상위 전달물질에 의한 변화 혹은 결합에 의해 하위 효과기effector들이 구조적 변화를 일으키게 되고 결국 기능 변화로 연결된다. 세포표면의 신호는 세포 내 단백질로 전달되어 핵에 이르러 DNA 결합이나 전사인자를 변화시켜 신호에 따라 유전자를 발현하거나 억제시킨다.

신호전달경로는 수용체의 성격에 따라 여러 그룹으로 나눠진다. 스테로이드 호르몬, 갑상선 호르몬, 비타민 D 등의 소수성 신호전달 물질은 세포막을 투과하여 각각의 선택적인 세포질 수용체 단백질과 반응하게 된다. 반면에 대부분의 세포 외 신호전달 물질은 세포막에 존재하는 수용체와 결합하여 반응을 한다. 세포막 수용체는 transmitter-gated ion channel, G-protein receptor, enzyme-linked receptor 등의 3가지로 대별된다.

II 분자생물학적 연구방법

1. DNA 클로닝

재조합 DNA 기술은 유전공학에 의해 인위적으로 특정한 유전형질을 갖는 유전자를 다른 생물의 DNA에 결합시켜 유전자를 삽입하거나 제거하는 조작을 통해 새로운 재조합 DNA를 만드는 과정이다. 순수한 DNA 조각은 세균에서 재조합 DNA를 생산할 수 있도록 세균파지 DNA나 플라스미드 DNA에 주입할 수 있다. 이러한 방법으로 DNA는 재조합되고, 증폭되어 세포나 개체의 기능을 조절하는데 이용할 수 있다. DNA 클로닝 기술은 DNA 분석의 기초 기술이 되며 이를 이용하여 인간 유전체 연구사업을 완성할 수 있었다. 실험 과정을 요약하자면 먼저 벡터 플라스미드 DNA 제한 효소를 이용하여 넣고자 하는 DNA 조각과 절단 부위가 부합되도록 자른다. 벡터와 DNA 조각을 DNA 연결효소를 이용하여 in vitro 상에서 접합시킨다. 최종적으로 연결한 DNA를 competent host bacteria에 주입한다. 주입 방법으로 칼슘/열 쇼크 또는 전기천공법을 이용한다. 이렇게 하여 증폭된 DNA는 이입, 유전자 치료, 형질 전환 생쥐, 유전자 결손 생쥐 등에 이용된다.

2. 핵산 및 단백질 검출

1) 서던 블로팅

서던 블로팅Southern Blot Hybridization은 1975년에 E.M. Southern에 의해 고안된 DNA 해석법으로 고안자의 이름을 따서 Southern blot로 명명되었다. 처음에는 클로닝한 DNA의 제한효소 지도의 작성에 이용되었지만 차츰 기술이 개량됨에 따라 진핵세포의 유전체 해석에도 응용되고 있다. 우선 실험방법은 먼저 DNA 시료를 제한효소로 처리하고 제한효소로 절단된 DNA 단편을 아가로스젤 전기영동에 의해 각각 다른 크기로 분획한다. 다음 단계로 분획된 DNA 단편을 젤로부터 여과지상에 복사를 해서 복사판을 만든다. 이 복사하는 조작을 블로팅 또는 전달이라고 부른다. 목적하는 유전자를 검출하기 위해서 표식된 표지자를 첨가하면 여과지상에서 표지자와 상보적인 염기배열을 가진 DNA 단편과 하이브리드가 형성된다. 하이브리드는 서로 기원이 다른 DNA-DNA 또는 RNA-RNA가 결합된 상태를 말하며 이를 이용하여 실험하는 방법을 혼성화hybridization라고 한다. 마지막으로 표식된 표지자와 하이브리드를 형성한 DNA 단편을 autoradiography법을 이용하여 검출한다.

2) 노던 블로팅

노던 블로팅Northern Blot Hybridization은 1977년 Stark에 의해 아가로스젤 전기영동으로 분획한 RNA를 여과지에 옮기는 방법으로 개발되었다. 이 방법은 DNA에 대한 서던 블로팅과 대비시켜 노던 블로팅으로 부르게 되었다. 노던 블로팅은 기본적으로는 서던 블로팅과 동일하나, RNA를 전기영동한 후 여과지상에 고정하여 DNA를 탐침으로 하여 RNA를 검출한다. 또 다르게는 RNA 블로팅이라고도 한다. 그러나 RNA는 이차구조를 만들기 쉽기 때문에 젤 상에서 변성된 상태로 전기영동을 시행한다. 이 방법에 의해 RNA의 크기나 발현량을 측정할 수 있어 mRNA의 발현이 어느 정도인가를 알 수 있는 RNA의 정성적, 정량적 측정수단으로 주로 이용된다.

3) 웨스턴 블로팅

웨스턴 블로팅Western Blot과 면역염색법immuno-staining이 결합된 방법으로 면역블로팅Immunoblot이라고도 불리는데, 여러 단백질의 혼합물로부터 특정 단백질을 찾아내는 기법이다. 찾고자 하는 단백질에 대한 항체를 사용하여 항원-항체 반응을 일으킴으로써 특정 단백질의 존재여부를 밝혀낸다. 여러 단백질을 Sodium dodecyl-sulfate (SDS), urea 또는 2-mercaptoethanol과 같은 환원제로 용해시킨 후 SDS-polyacrylamide gel 전기영동한 후 꾸마시 색소Coomassie briliant blue로 염색하여 전기영동으로 분리된 단백질 띠를 확인하거나 니트로셀룰로스 또는 나일론 막에 옮긴 후 단백질이 옮겨진 막에서 특정 항체에 대한 항원(단백질)을 찾아내는 기법이다. 이때 사용하는 항체에 방사성동위원소, 특정 효소(예; alkaine phosphatase, horseradishperoxidase 등), 또는 형광물질(예; fluorescein isothiocyanate, FITC)을 결합시킨 것을 이용함으로써 찾고자 하는 단백질을 가시화 할 수 있다.

4) 면역침강법

면역침강법immunoprecipitation (IP)은 현재 널리 사용되고 있는 면역화학적 기술 중 하나로써 항원과 항체 반응을 이용하여, 용액으로부터 항원 또는 항원과 친화성을 가진 물질을 특이적으로 분리하는 기술이다. 이 방법으로 항원의 분자량 결정, 단백질의 상호작용 연구, 특정 효소 활성의 측정, 단백질의 전사 후 변화와 단백질의 양과 존재유무 등을 규명할 수 있다. 면역침강법은 원하는 특정 단백질 항원에 대항하는 항체와 세포나 조직에서 추출한 단백질을 혼합하여 표적 항원과 면역복합체를 형성하게 한다. 다음 단계에서 면역 복합체를 단백 A또는 단백 G가 붙어있는 구슬에 결합시킨다. 여기서 단백질, 항체와 단백 A 또는 단백 G가 복합체를 형성하는 과정을 침강이라 한다. 면역침강법으로 얻어진 복합체에서 단백 A 또는 G에 의해 침강되지 않은 단백질들은 세정으로 제거하며, 최종적으로 원하는 면역 복합체(항원과 항체)를 단백 A, G로부터 분리하여 SDS-PAGE나 웨스턴 블로팅을 통해 특정 항체에 대한 항원을 분리할 수 있다. 이 방법을 이용하여 미량으로 존재하여 탐지하기 어려운 소량의 단백질도 10,000배까지 농축하여 탐지할 수 있다.

5) 복합면역침강법

복합면역침강법Co-IP은 단백질의 상호작용을 알아보기 위한 대표적인 실험 방법이다. Co-IP는 기본적으로 면역침강법과 같은 방법이나 non-denaturing 조건에서 실시하여야 한다. Co-IP는 특정 항체에 의해 침전되는 항원을 그 항원과 상호 결합 단백질까지 함께 침전시키는 방법이다. 예를 들어 특정 단백질(A)과 결합하는 다른 단백질을 X라 하면 특정 단백질에 대한 항체를 넣어주었을 때 A/X/A-항체의 복합침전물을 얻을 수 있는데 이 침전물을 SDS-PAGE나 웨스턴 블로팅으로 X를 검출하면 A와 X는 결합체를 생성하고, 기능상으로 상호작용을 하고 있음을 알 수 있다(그림 2-4).

6) 크로마틴 면역침강법

크로마틴 면역침강법chromatin immunoprecipitation (ChIP)은 단백질이 어느 유전자DNA 부위에 결합하는지를 알아보는 방법으로, 단백질과 DNA를 결합시킨 후 이를 면역침강법으로 정제하여 최종적으로 특정 단백질이 결합하는 DNA 단편을 얻을 수 있으며, 단백질과 DNA의 상호작용 및 전사인자 연구에 주로 이용한다. 이 방법은 먼저 포름알데하이드로 단백질과 DNA를 결합시킨 후, 세포를 파괴하고 DNA를 잘게 단편화하고 찾고자 하는 단백질을 인식하는 항체를 반응시킨 후 단백 A혹은 G 구슬에 결합시켜 항체만을 분리한다. 이때 항체에 결합하는 목적 단백질과 DNA의 결합체가 분리된다. 여기에서 목적 단백질로부터 DNA만을 분리 정제한 후 찾고자 하는 유전자의 프로모터 주변에서 길잡이primer를 디자인하여 중합효소 연쇄반응을 수행하거나, ChIP on Chip 또는 ChIP on sequence 기법을 이용하여 DNA를 동정할 수 있는 실험방법이다. 만약 어떤 전사인자(단백질)가 A라고 하는

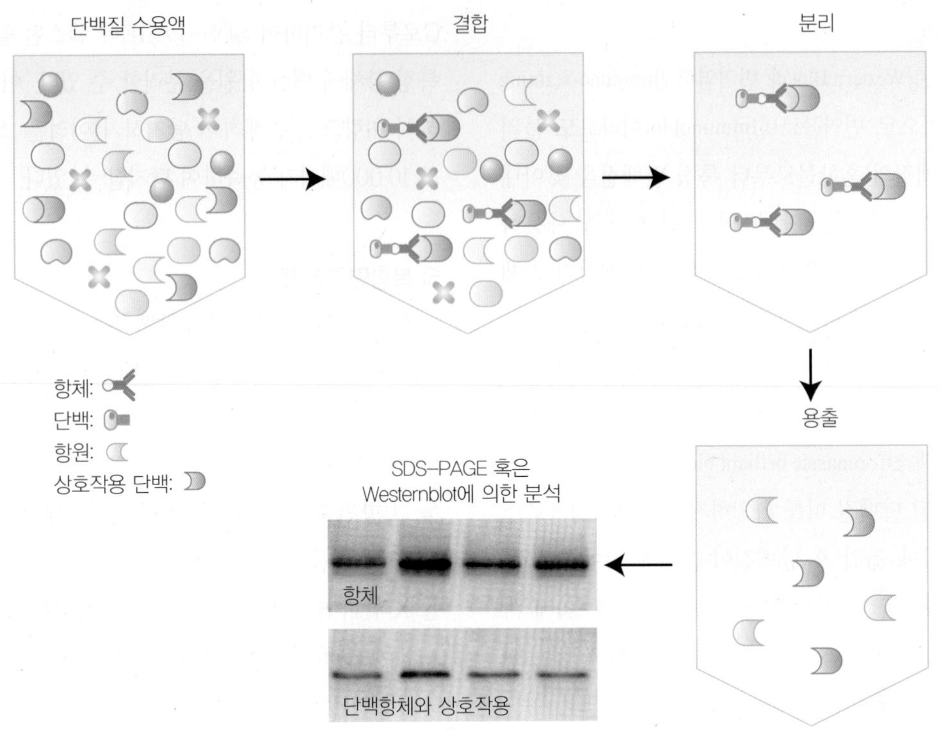

그림 2-4 복합면역침강법. 수용액상에서 항원과 항체반응을 이용하여 특정 단백질과 상호작용을 하는 목적 단백질을 동시에 분리하는 방법이며, 분리된 목적 단백질은 SDS-PAGE나 Western blot를 통하여 단백질의 동정과 정량이 가능하다.

유전자의 프로모터에 결합한다면, 위의 과정을 거쳐 대부분의 DNA는 제거되고 A 유전자 프로모터 부위는 남게 된다. A 유전자 프로모터에 결합하는 길잡이를 이용하여 중합효소 연쇄반응을 수행하여 원하는 프로모터 구역을 얻을 수 있다. ChIP는 연구하고자 하는 유전자 부근의 크로마틴의 상태에 대한 정보를 얻기 위해 사용되기도 한다. 핵에 있는 DNA는 크로마틴의 주요 단백질인 히스톤에 의해 감겨서 크로마틴의 기본구조가 된다. 이렇게 형성된 크로마틴의 일차적 기능은 거대분자인 DNA의 부피를 줄이고 유사분열을 하도록 하고 DNA 손상을 막고, DNA 복제를 통제하는 것이다. 뿐만 아니라, 유전자 발현 정도도 히스톤의 메틸화 혹은 아세틸화된 상태에 따라 조절한다. 그래서 아세틸화 히스톤에 대한 항체를 이용하면 보고자 하는 유전자 주변의 크로마틴 상태에 대한 정보를 얻을 수 있다. 또한 특정 환경조건이나 약물처리 후, 혹은 특정 세포에서 크로마틴 상태에 따라 발현 정도가 조절되는 유전자의 정보를 ChIP를 이용하여 얻을 수도 있다(그림 2-5).

7) 중합효소 연쇄반응

중합효소 연쇄반응기법Polymerase Chain Reaction (PCR)은 특정 DNA 부위를 특이적으로 반복 합성하여 시험관 내에서 원하는 DNA 분자를 증폭시키는 방법으로써, 아주 적은 양의 DNA를 이용하여 많은 양의 DNA 합성이 가능하게 하는 방법이다. 즉 유전체 DNA와 같은 아주 큰 DNA로부터 원하는 DNA 부분만을 선택적으로 증폭시킨 후 일반적으로 사용되는 agarosegel이나 polyacryl-amide gel 상에서 뚜렷하게 보이는 밴드로 가시화 할 수 있다. 중합효소 연쇄반응은 표지자 제작, 적은 양의 mRNA로 부터 특정 cDNA 클로닝, DNA 서열 분석, 돌연변이 검사, 병원성 바이러스 및 박테리아 검출, 유전자 풋프린팅, 특정 부위 변이유전자 제작 등 여러 가지 분자

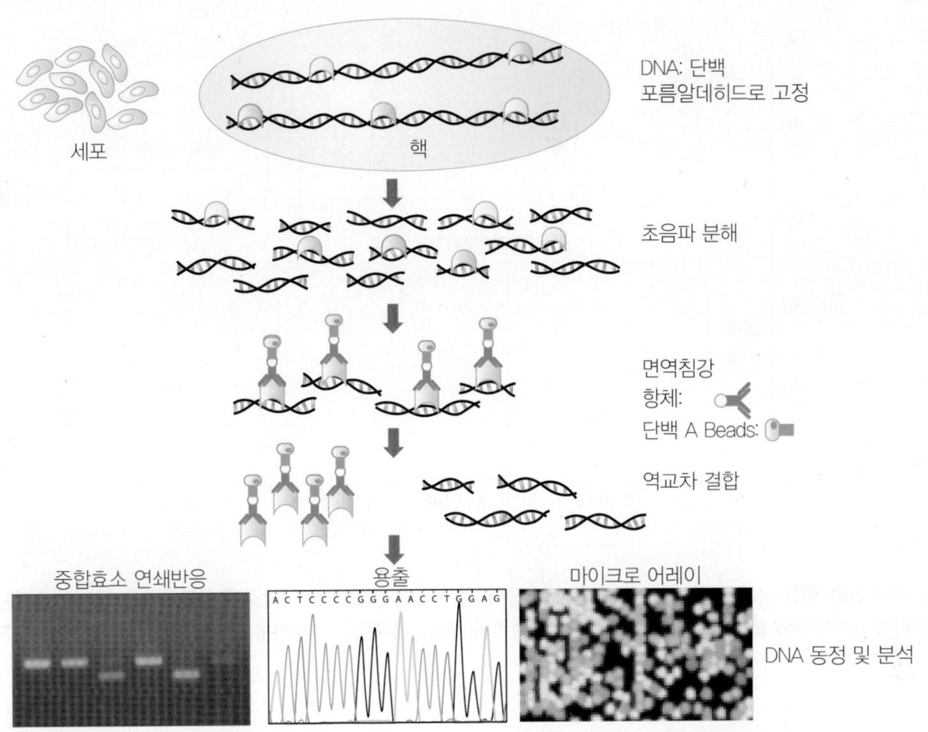

그림 2-5 **크로마틴 면역침강법.** 특정 유전체와 결합하는 단백질을 분리하거나, 특정 단백질이 결합되는 유전체 부위를 분리하는 방법이다. 단백질과 DNA의 결합을 포름알데하이드로 고정시키고, 이후 면역침강법으로 단백질-DNA의 결합체를 분리하여 최종적으로 DNA를 얻게 된다. 이로부터 얻어진 DNA는 중합효소 연쇄반응, 염기서열 결정, 마이크로어레이를 통하여 동정되어 지며, 단백질과 DNA의 전사조절의 규명에 주로 이용된다.

생물학적 실험 및 의학 연구에 응용할 수 있다.

(1) 중합효소 연쇄반응 조건 및 단계

중합효소 연쇄반응은 변성-결합-합성의 세 단계를 1주기로 하여 보통 25-35회 정도 반복 시행한다. 한편, 5kb 이상을 증폭시키거나 특이성이 높은 산물을 얻기 위해 변성-신장(결합과 신장을 동시에 실시)으로 이루어지는 Shuttle PCR을 수행할 수도 있다. 중합효소 연쇄반응 증폭효율에 영향을 미치는 요인으로는 각 단계의 반응온도와 시간, 주기수, 반응액 조성(주형 DNA, dNTP 농도, Mg^{2+} 농도 등), 길잡이 설계, DNA 중합효소 종류 등이 있고, 또한 몇 가지 반응첨가물(DMSO, 비이온계면활성제, 글리세롤) 등에 따라 반응촉진효과가 나타나는 경우가 있다. DNA 변성denaturation 단계에서는 double strand DNA (dsDNA)를 90-96℃로 가열하여 single strand DNA (ssDNA)로 분리시킨다. 높은 온도일수록 ssDNA로 잘 이행되지만 너무 온도를 높이거나 처리시간을 지나치게 늘리면 내열성 DNA 중합효소라 해도 활성도가 감소할 수 있으므로 보통 94℃를 이용한다. 주기 처음 단계에서는 약 5분간 시간을 주어 확실하게 DNA를 변성시켜야 한다. 길잡이 결합annealing 단계에서 결합온도는 G와 C는 세 군데에서 수소결합이 일어나고, A와 T는 두 군데에서 결합이 일어나므로 G+C 비율에 따라 결정하여야 한다. 주로 50-65℃에서 진행되며, 결합온도를 높이면 primer-주형 DNA의 잘못된 반응이 감소되어 반응 특이성이 높아진다. 그러나 혼합 primer 또는 mismatch를 갖는 primer를 사용할 경우는 37-45℃까지 결합온도를 낮출 필요가 있다. DNA 신장polymerization 단계는 70-74℃에서 시행하며 원하는 중합효소 연쇄반응 산물의 크기가 크거나 반응요소의 농도가 낮을 때에는 시간을 연

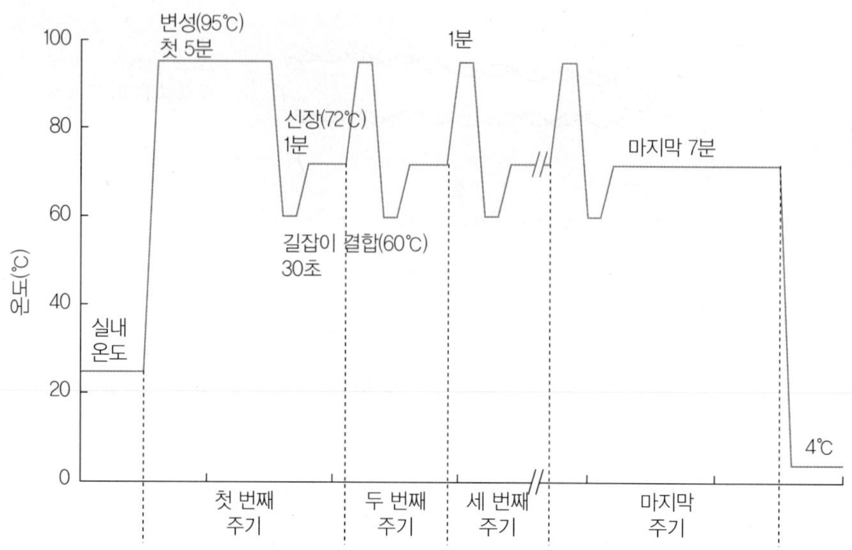

그림 2-6 PCR 반응 설정. PCR은 일반적으로 열변성, 길잡이 결합, 신장반응의 삼 단계로 구성되어진다. 반응의 첫 주기에서 약 5분간의 변성시간을 주어 확실하게 DNA를 변성시키며, 25-30회의 최종반응 후에 신장반응이 추가되며, 마지막에는 4℃로 보존하도록 구성되어진다.

장시키는 것이 좋다. Taq DNA 중합효소는 보통 1분에 2,000−4,000 뉴클레오티드를 합성할 수 있으므로 원하는 중합효소 연쇄반응 산물의 크기 1kb마다 1분 정도 설정하면 충분히 반응이 일어날 수 있다. 주기가 계속되면서 효소 활성이 감소할 수 있고 DNA 산물은 점점 많이 존재하게 되므로 주기 후반부에는 반응시간을 조금씩 늘려가는 것도 좋은 방법의 하나이며, 마지막 주기에는 10분 정도의 시간을 설정하여 효소의 활성이 충분히 발휘되도록 한다(그림 2-6).

(2) 중합효소 연쇄반응의 응용

중합효소 연쇄반응 방법을 응용하면 새로운 여러 가지 기술개발이 가능하며, 새로 개발된 방법이 소개되는 Nucleic acid research와 같은 잡지에는 중합효소 연쇄반응을 응용한 새로운 실험방법이 지속적으로 발표되고 있다. 많이 사용되는 방법 중에는 RT−PCR (reverse transcriptase PCR), SSCP (single strand conformation polymorphism), RACE (rapid amplification of cDNA ends), ISPCR (in situ PCR) 등이 있다.

가. 역전사 중합효소 연쇄반응

특정 부위 RNA를 주형template으로 하여 이에 상응하는 cDNA (complementary DNA)를 합성한 다음 중합효소 연쇄반응 증폭을 시행하는 기술이다. 실험과정은 역전사효소reverse transcriptase를 이용하여 RNA로부터 cDNA를 제조하는 과정과 제작된 cDNA를 이용하여 특정부위를 증폭시키는 과정으로 나뉘어진다. 이 방법은 노던 블로팅과 같은 방법을 통해 가능하던 RNA 정성 및 정량분석보다 실험방법이 더욱 간단할 뿐 아니라 유전자의 염기서열 결정이 가능하기 때문에 주로 mRNA의 염기서열 및 전사량을 연구할 때 쓰인다. 염기서열이 알려진 유전자의 경우 역전사중합효소연쇄반응Reverse Transcriptase Polymerase Chain Reaction (RT-PCR)을 통해서 전체길이의 cDNA를 간단하게 합성하여 클로닝 할 수도 있다.

나. 실시간 중합효소 연쇄반응

Real−time PCR은 중합효소 연쇄반응의 증폭과정 중에 발색되는 형광색소의 양을 실시간 별로 측정하여 정량하는 방법이다. 길잡이 외에도 특이 표지자가 필요하며, thermal cycler와 분광 형광 광도계를 일체화한 장치가

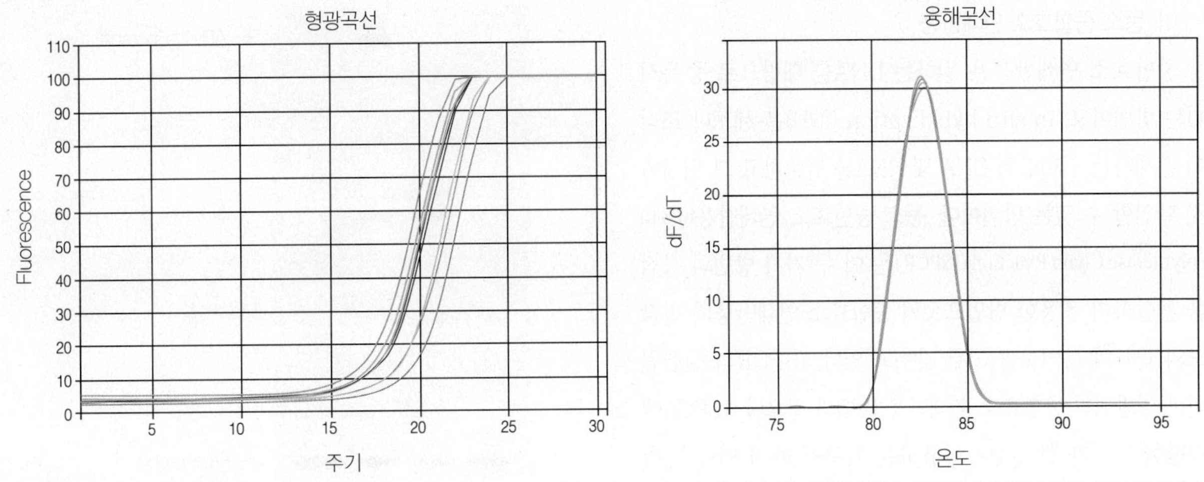

그림 2-7 실시간 중합효소 연쇄반응 결과. PCR 증폭산물을 정량, 정성하는 방법으로 형광색소를 이용하여 일반적인 PCR로는 구분이 어려운 정량적인 차이를 구분할 수 있으며, 또한 융해곡선 Melt curve 분석을 통하여 정성적인 분석이 가능하다.

필요하다. 중합효소 연쇄반응이 진행되는 동안 형광물질을 이용하여 매 주기마다 진행상황을 실시간 모니터링 함으로써 초기 시료에 포함되어 있는 표적 유전자의 양을 측정할 수 있다. 중합효소 연쇄반응의 증폭량을 실시간으로 확인하면서 해석하고, 전기영동이 필요없이 신속하게 정량할 수 있다는 장점을 가지고 있다(그림 2-7).

다. 단일가닥구조다형성

어떤 입자들의 전기장 내에서의 이동속도는 입자의 크기와 형태에 영향을 받는다. Single strand DNA는 non-denaturing 조건하에서 분자 내의 상호작용에 의하여 2차 구조를 형성하게 되는데 이 2차 구조는 DNA의 염기서열에 의해 결정된다. 그러므로 DNA 염기서열 중 하나의 염기서열의 변화(점돌연변이, 결실 또는 삽입)는 전기영동에서 분리 속도에 영향을 받으므로 이동 거리에 차이가 발생하게 된다. 이와 같은 원리를 바탕으로 1989년 Orita 등에 의하여 고안된 단일가닥구조다형성Single Strand Conformation Polymorphism (SSCP)은 유전자의 돌연변이를 검색하는 유용한 도구로서 사용되고 있다.

라. cDNA 말단증폭

cDNA를 클로닝하기 위해서는 cDNA library를 검색하는 방법이 현재 가장 일반적이지만, cDNA 말단증폭 Rapid Amplification of cDNA Ends (RACE)으로 처음 검색을 하여 찾아낸 클론은 대개 전체 cDNA의 일부이며 계속 반복하여 검색하여야만 전체 cDNA를 얻어낼 수 있다. 그러나 이런 과정은 많은 시간과 노력이 소모되는 작업이며 cDNA library에 미량으로 존재하는 유전자의 경우에는 검색이 힘들 수도 있다. 또한 시작 코돈부터 말단 코돈까지 Open Reading Frame (ORF)을 완전히 결정한 경우에도 cDNA의 5'과 3'–끝의 non-codingregion (UTR) 일부는 library 검색에서 얻기가 어렵다. 이러한 문제를 해결하고자, 1988년 Frohmann 등에 의해 RACE이 개발되었다. 이 방법은 알려져 있는 cDNA의 일부 염기서열에서 유전자 특이적인 primer를 합성하고 중합효소 연쇄반응을 통해 5' 혹은 3'–end까지 DNA를 증폭하는 것이다. 3'–RACE에서는 mRNA의 3'–end에 존재하는 poly (A) tail이 존재하므로 down stream primer로 oligo-(dT) primer를 사용할 수 있다. 반면, 5'–RACE의 경우는 유전자 특이적인 primer로 합성한 첫 번째 단일가락 cDNA의 끝에 terminal deoxynucleotidyl–transferase (TdT)를 사용하여 poly (A) 혹은 poly (C) tail을 인위적으로 만들어 주어야만 한다.

마. 동소 중합효소 연쇄반응

중합효소 연쇄반응은 원하는 DNA를 대량으로 증폭시키는 방법이고, in situ hybidization (ISH)은 세포나 조직에 존재하는 극미량의 DNA 및 RNA를 검출하고 그 위치까지 확인할 수 있는 방법이다. 동소 중합효소 연쇄반응In Situ Polymerase Chain Reaction (ISPCR)은 이 두 가지 방법의 장점을 혼합하여 응용한 방법으로써 중합효소 연쇄반응의 민감도와 ISH의 특이도를 고루 갖추고 있다. ISPCR의 실험원리는 일반적인 중합효소 연쇄반응 방법과 같으나, ISPCR에 적합한 기구가 필요하며 사용하는 기구에 따라 반응 시키는 방법들이 다양하게 제시되어 있다.

8) 전기이동 기동성교대분석

단백질–DNA, 단백질–RNA 상호작용 연구에 쓰이는 기술로 단백질이 DNA나 RNA의 특정 서열과 결합할 능력이 있을 때 (1) 방사능 동위원소로 DNA나 RNA를 표지하고, (2) 단백질과 반응시킨 뒤, (3) polyacrylamide gel을 이용하여 전기영동을 하고, (4) 젤을 말려, (5) 필름에서 밴드를 만들어 단백질이 DNA나 RNA에 결합하는지를 알아보는 실험이다(Electro mobility Shift Assay, EMASA). 특정 핵 단백질과 결합하는 DNA 혹은 RNA(약 20개 정도의핵산으로 분자량은 2–3kDa 정도로 작음)에 동위원소(주로 32P를 많이 사용함)를 부착하여 표지자로 사용한다. 전기영동후 제일 아래 유리된 표지자 위치에 나타난다. 그러나 작은 분자량의 표지자에 특정 단백질이 결합된 경우 단백질은 분자량이 크기 때문에 밴드의 위치가 이동하게 된다(그림 2-8, AP-1). 또한 단백질의 항체까지 결합된 경우(항체+전사인자+표지자) 분자량은 더 커질 것이다(supershift). 그러나 반응시 동위원소가 결합되지 않은 표지자(핵산)를 과량 반응시키면(cold excess), AP–1 위치에 단백이 존재하더라도 밴드는 보이지 않을 것이다. 특이한 결합임을 증명하기 위해 supershift 혹은 cold excess 표지자를 사용한다.

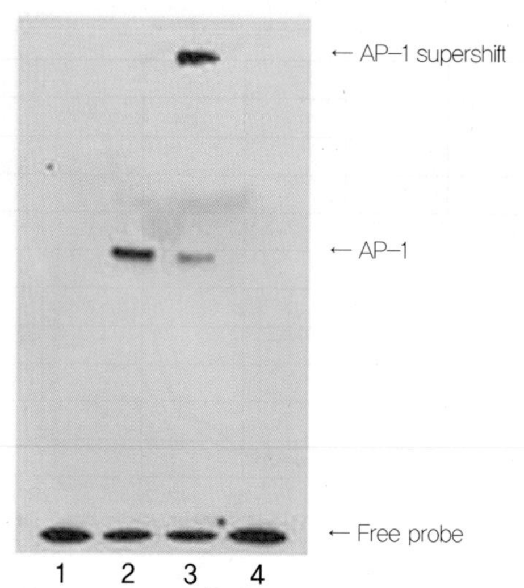

그림 2-8 자기 방사법으로 검출한 EMSA 결과

9) 프로모터 CpG 섬의 메틸화

염기서열이 변화하지 않는 상태에서, 특별한 기전에 의해 유전자의 발현 양상이 변하고, 이러한 유전자 발현의 변화가 자손세포에게 유전되는 현상이 후생유전학epigenetics이라 한다. 인간에서의 DNA 메틸화는 시토신이 구아노신의 5' 위치에 있을 때만 일어난다. 그러므로 그냥 시토신 메틸화라기보다는 구아노신과의 관계를 함께 나타내어 CpG 메틸화라는 용어를 주로 사용한다. 유전체 전체의 약 5%를 차지하는 유전자 부위에서 CpG 핵산은 상대적으로 매우 드물게 분포하며, 있더라도 주로 프로모터 부위에 몰려있다. 전체 유전자 프로모터의 약 절반 가량에서 연속되는 CpG 핵산들을 갖고 있는데, CpG 염기들이 반복되는 모양이 외딴 섬을 이루고 있는 것처럼 보여 이를 CpG islands라고 한다. 프로모터 CpG 섬의 메틸화Promoter CpG islands methylation는 종양억제유전자가 그 기능을 잃어버리는 여러 가지 기전 중에 중요한 한 가지이기도 하다. 프로모터 CpG islands의 메틸화가 유전자 발현을 억제하는 기전은 지금도 계속 밝혀지고 있는데 메틸화가 뉴클레오솜nucleosome을 폐쇄적인 구조를 갖게 하여 프로모터에 전사인자가 접근할 수 없도록 하여 결과적으로 유전자 발현이 억제된다고 한다.

프로모터 CpG islands의 메틸화에 의한 유전자 불활

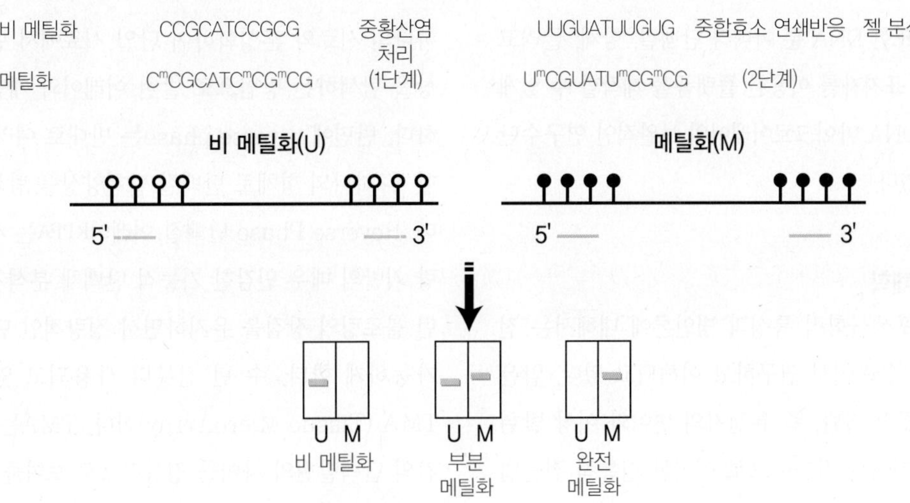

그림 2-9 **메틸화 특이 중합효소 연쇄반응에 의한 메틸화 검사방법**

성화는 인체에서 발생하는 거의 모든 종류의 암종에서 보고되고 있다. 이러한 CpG islands의 메틸화 정보를 종양의 진단이나 치료 과정의 모니터, 예후 추정 등의 목적으로 이용하려는 시도들이 이루어지고 있다. 또한 메틸화가 전 암단계나 비교적 초기의 암에서 일어나는 점에 착안하여 혈청, 객담, 기관지 세정액, 체강액, 뇨 등을 이용하여 암을 초기에 발견하려는 노력도 진행되고 있다. 후생유전적 변화는 가변적이기 때문에 임상적인 관점에서 암종세포의 메틸화는 종양의 치료 측면에서 큰 기대를 불러 일으키고 있는데 실제로 탈메틸화를 일으키는 5-deoxy-azacytidine 등이 임상시험 단계에 오르고 있다.

프로모터 CpG islands의 메틸화를 검출하는 가장 고전적인 방법은 메틸화 특이 중합효소 연쇄반응Methylation-Specific PCR (MSP)이다. 이 중 가닥의 DNA를 열변성시켜 단일가닥으로 만든 후, 중황산염으로 처리하면 메틸화가 없는 시토신은 우라실로 변하는 반면, 메틸화된 시토신은 변화되지 않는다. 메틸화가 된 경우와 메틸화가 되어있지 않는 염기서열을 중황산염으로 처리한 후 PCR로 증폭하여 구분하는 방법이다. 이 방법은 PCR 후, 젤전기영동을 하여 메틸화 유무를 판정하기 때문에 음성 및 양성의 판독만이 가능하다(그림 2-9). 최근에는 실시간 PCR 방법을 이용하여 메틸화 정도를 정양적으로 판정하는 방법들이 개발되었다.

10) DNA 마이크로어레이

마이크로어레이 기술은 수 천 개 혹은 수 만 개의 probe를 부착시킨 작은 크기의 플랫폼platform을 제작하여 동시에 한 번의 실험으로 수 만 개까지 물질의 변화를 비교할 수 있는 기술이다. DNA 마이크로어레이는 1980년대부터 개념이 발전하기 시작된 기술로 특정 probe와 광섬유를 결합시켜 이를 microarray로 사용한 경우 probe를 특정 tag을 붙여 hybridization 한 다음 flow cytometry로 그 probe의 위치와 양을 측정하는 게 대표적인 예다. 이 마이크로어레이 기술은 초기부터 DNA 표지자를 이용하여 유전자 발현의 양적인 변화를 연구하는데 이용되어왔기 때문에 DNA 마이크로어레이가 마이크로어레이의 대명사처럼 사용되고 있다. 현재는 모든 유전자의 정보의 확보와 DNA 칩 기술의 발전으로 세포 속에 발현되는 대량의 유전자 발현을 동시에 측정할 수 있다. 다양한 조건 하에서 대량의 유전자 발현을 동시에 모니터링 할 수 있고 세포 속에서 일어나는 다양한 유전자 발현의 경로를 이해하는데 매우 효과적이어서 적용분야가 초기 암종들의 유전자 발현양상의 연구에서 현재는 발생학, 분자생물학, 생화학 등의 기초연구, 질환의 진단 및 예후 측정, 신약 개발 등의 여러 분야로 확산되고 있다. 또한 DNA 뿐 아니라 단백질, 항체, 글리코겐, 조직, RNAi 표지자를 이용한 플랫폼을 제작할 수 있게 되었고 이들을 DNA 마이크로어레이의 보완적인 연구수단으로 이용하고 있다.

11) 기능적 단백체학

암세포의 세포생물학적 특성과 병인론에 대해서는 전통적으로 DNA 수준에서 연구하고 이해되고 있다. 암은 궁극적으로 유전적 질환, 즉 유전자의 변이와 이상 발현 조절 때문에 야기되는 질환이므로 이러한 전통적 접근법이 암과 관련한 유전적 변이에 대한 많은 정보를 제공한 것은 사실이다. 그러나 궁극적으로 암세포의 형질을 결정하는 것은 유전자 발현의 최종 산물인 단백질과 세포 내 신호전달망signal transduction network의 활성화/비활성화가 생물학적으로 중요하기 때문에 DNA 염기서열에 대한 정보와 전사 단계에서 mRNA의 발현양상만으로 암세포의 분자생물학적 특성을 이해하는데는 한계가 있다. 더구나 대부분의 생물학적 유효분자와 진단용 표지자 역시 단백질이며 단백체proteome는 전사체transcriptome에 비해 훨씬 다양하고 복잡한 전사 후 변형을 거치므로 유전체 혹은 전사체 단계에서 단백질의 발현 양이나 특히 전사 후 변형에 대한 정보를 얻는 것은 불가능하다. 따라서 최근에 암세포 내 단백체에 대한 분석이 시도되고 있으며 다양한 기술을 이용하여 암특이적 단백질 발현양상을 발굴하고 분석하려는 연구가 이루어지고 있다.

현재 연구되고 있는 단백체 기술로는 2차원 전기 영동법, 질량분석법 및 효소면역 측정법 들이 있지만 이러한 방법들은 상당한 양의 시료를 요하며 실제 많은 경우 임상적으로 획득이 어렵다는 단점이 있다. 또한 일단 특정 단백질을 분리하였다 하더라도 분리한 단백질의 특성과 생물학적인 기능을 규명해야 하는 문제가 있다. 이러한 단점들을 극복하기 위하여 다양한 단백질 마이크로어레이 기술이 연구개발 중에 있다. 단백질 마이크로어레이는 크게 forward phase와 reverse phase로 구분할 수 있다. Forward phase는 다양한 항체들을 기질 위에 인화하고 하나의 시료와 혼성화하여 단일 시료에서 단백질 발현양상을 탐색하는 방법으로 발현 어레이와 개념적으로 동일하다. 반면에 reverse phase는 반대로 여러 시료를 인화한 후 하나의 항체로 단백질 발현양상을 탐색하는 방식이다. Reverse Phase 단백질 어레이RPPA는 새로운 고처리량 기반의 매우 민감한 기능적 단백체 분석기법으로 웨스턴 블로팅의 장점을 유지하면서 정량적인 단백질 분석을 가능하게 한다. 수 년 전부터 사용되고 있는 RPPA가 TMA (Tissue MicroArray)이다. TMA는 다양한 샘플 간의 단백발현의 차이를 정상적으로 보여줄 뿐 아니라 단백질의 세포 내 위치에 대한 정보도 제공한다. 그러나 TMA에 이용되는 종양조직의 이질성으로 인해 주관적인 계량수치와 정상적인 정보만이 활용 가능하다. 이러한 문제점을 인식하고 세포 내 단백발현을 좀 더 정량적이고 객관적인 방법으로 평가하기 위한 노력으로 균질화된 시료를 이용한 방법을 개발하게 되었다. RPPA는 특히 암세포의 성장에 중요한 신호전달경로, 세포사멸 및 생존, 세포 주기, 세포 이동, 신생혈관생성 및 전이와 연관된 단백분자들의 발현 및 활성화 상태에 대한 대규모의 복합적인 정보를 분석 가능한 새로운 기능적 단백체 분석기법이다. RPPA는 적은 양의 단백시료를 이용하여 동시에 수많은 조직에서 단백질의 상대적인 발현양을 측정할 수 있으므로 특히 미세 침흡인 조직검사와 같이 검체의 양이 적은 경우에도 적용이 가능하다.

12) DNA 염기서열 결정법

생화학적 방법을 사용해 DNA 염기서열을 결정하는 과정을 염기서열 결정법DNA sequencing이라고 한다. 염기특이적 화학분해를 이용하는 맥삼-길버트법Maxam-Gilbert method(화학법)과, DNA 중합효소에 의한 수선합성을 이용하는 생거법Sanger method(효소법)이 있으며, 원리는 모두 1975-1977년에 발표되었다. 맥삼-길버트법을 이용한 DNA 염기서열 결정법은 일정한 양의 특정 DNA 절편을 잘라 단일 가닥으로 분리하여 분리한 DNA의 5'-end의 인산기에 P32 동위원소를 붙인 후 특정 염기만 자르는

chemical를 첨가한 다음 폴리아크릴아미드젤 전기영동을 한 후 방사선자동사진법을 통하여 얻은 이미지를 분석하여 염기서열에 대한 정보를 얻는다. 생거법을 이용한 DNA 염기서열 결정법은 염기 서열을 알고자 하는 특정 DNA 단일 가닥을 얻은 후, 이 단일 가닥 DNA를 주형으로 프라이머, DNA 중합효소, 4종류 dNTP (dATP, dTTP, dGTP, dCTP), ddNTP (ddATP, ddTTP, ddGTP, ddCTP)를 넣어 DNA 복제가 일어나게 한다. 새로운 DNA 가닥이 합성될 때 dNTP 대신 ddNTP가 결합하면 DNA 합성이 멈추고, 말단에 형광 물질로 표지된 ddNTP가 붙은 다양한 길이의 DNA 조각이 생긴다. 새로 합성된 DNA 조각을 전기영동하면 길이에 따라 DNA 조각이 나열된다.

13) 차세대 염기서열 분석

차세대 염기서열 분석next generation sequencing은 유전체의 염기서열의 고속 분석 방법이며 High-throughput sequencing, Massive parallel sequencing 또는 Second-generation sequencing이라고도 불린다. NGS는 연구목적과 적용 분야에 따라 다를 수 있고, 기본적으로는 기존의 효소적인 염기서열 분석법을 기반으로 DNA 서열을 형광 물질로 표지된 ddNTP와 함께 증폭을 하고 형광 검출기를 이용해 DNA 조각 말단의 형광 표식 등을 카메라로 찍어 이미지 처리를 하는 과정을 거쳐 염기를 읽어 내지만, 기존과 달리 많은 수의 DNA조각을 병렬로 처리할 수 있게 되었다. 이러한 NGS 기법의 도입과 발전으로 유전체 분석에 필요한 비용이 급격히 낮아져 많은 분야에서 다양하게 사용되고 있다. 또한, NGS는 다양한 응용분석이 가능하여 염기서열 분석 외에도 유전자 발현분석, transcriptome 분석, epigenetics 분석, metagenome 분석 등이 하나의 분석기에서 가능한 장점이 있어 다양한 연구목적에 효율적으로 적용될 수 있게 되었다. 염기서열 분석 기술뿐 아니라 생산되는 방대한 데이터를 처리하는 기술도 같이 발전하여 코딩영역만 해독하는 exome sequencing, 유전자 발현변화를 볼 수 있는 transcriptome sequencing, 질병의 진행 여부 등 환경변화에 따른 메틸화 정도를 알 수 있는 methylation sequencing 등등, 연구를 넘어서 암진단에까지 이용되고 있다

3. 세포배양 및 세포 핵산전달

1900년대 초 Harrison과 Carrel 등에 의해 시작된 세포배양은 이제 분자생물학, 세포생물학, 의학을 비롯한 많은 분야의 실험자들에게 없어서는 안 될 기본적인 실험 기법이 되었다. 확립된 세포주 외에도 원발 조직이나 기관 등을 배양하는 경우도 있으며, 이들을 모두 포함하여 조직배양이라고 한다. 세포배양을 하기 위해서는 배양실을 따로 마련하고 무균상자 및 세포배양기 등 고가의 장비들을 갖추어야 하며 이런 시설들을 청결하게 유지해야 하는 어려움이 있다. 이러한 어려움에도 불구하고 수많은 연구자들이 세포배양을 이용하는 이유는 무엇보다도 in vivo modeling이 용이하기 때문일 것이다. 여기에서는 동물세포 배양과 transfection에 대해 설명하고자 한다.

1) 배양액 제조

세포배양용 배양액은 액체상태로 판매되는 것을 이용하며 사정에 따라 분말 형태로 판매되는 것을 이용할 수도 있다. 대표적인 배양액 중 하나인 DMEM (Dulbecco's Modified Eagle Medium)은 10% bovine fetal serum과 세포의 오염을 방지하기 위해 100U/mL penicillin과 100μg/mL streptomycin의 항생제를 첨가하여 제조한다.

2) 세포 평판배양

세포주는 보관 용기에 담겨 얼어있는 상태로 드라이아이스와 함께 포장되어 배달되는데, 이를 추천하는 배양액에 분주하여 배양을 시작한다. 적절한 혈청, 항생제 및 그 밖의 성분을 첨가한 최종 배양액을 제조하고 사용하기 30분 전에 미리 37℃ 수조에 담가 두어 배양액의 온도를 37℃가 되게 준비한다. 세포주 보관 튜브를 부유 고정장치에 끼우거나 뚜껑 부분을 손으로 잡고 37℃ 수조에 담

가서 녹인다. 녹기 시작하면 즉시 꺼내어 세포배양 실험대 안에서 배양용기에 배양액을 넣고, 피펫을 이용하여 튜브 속의 내용물을 옮기고 분주한다. 배양기에 넣고, 다음날 아침 현미경으로 관찰하여 세포들이 바닥에 붙어있음을 확인하고 새로운 배양액으로 바꾸어준다.

3) 세포유지

바닥에 붙어있는 세포들은 분열을 하여 서서히 자라며, 성장속도는 세포주의 종류에 따라 다르다. 세포의 성장에 필요한 영양소 및 성장인자 등은 배양액으로부터 공급 받으므로, 2내지 3일 간격으로 새로운 배양액으로 바꾸어 주어야 하고, 적당한 시간 간격을 두고 세포들을 떼어 여러 개의 배양 용기에 나누어 다시 키우는 분주를 한다. 세포주 종류에 따라 차이가 있지만 대략 1주일 간격으로 분주를 하는 것이 일반적이다. 분주 도중 한 배양 용기에서 다른 배양 용기로 옮긴 횟수를 분주 횟수라는 용어로 나타내며 분주 횟수가 너무 여러 번 지난 세포는 본래의 성질을 잃어버리는 경우가 있으므로 실험에 사용하지 않는 것이 좋다.

4) 세포저장

분주를 반복하다 보면 세포가 본래의 성질을 잃거나 감염되는 경우가 있다. 이때는 미리 저장해 놓았던 세포를 꺼내어 다시 분주하고 배양해야 한다. 또한 구입한 세포주나 특별한 목적을 가지고 제조한 안정된 세포주 등을 다음에 다시 실험하기 위해서도 세포들을 저장해 두는 과정은 매우 중요하다. 저장하는 세포들은 반드시 건강한 상태로 자라고 있던 것이어야 한다. 세포를 장기간 보관하기 위해서는 흔히 초저온 저장법cryogenic storage을 사용한다. 130℃ 이하의 저온이 유지되는 냉동고에 세포를 보관하는 방법으로, 대개 액체 질소 탱크를 주로 사용한다. 냉동 조작 중 급격한 동결에 의한 세포의 손상을 최소화하기 위해 DMSO나 글리세롤 등의 냉동 안정제를 반드시 첨가해주어야 한다. DMSO는 최종 부피의 5-10%, 글리세롤은 최종 부피의 5-15%가 되도록 첨가하는데 적정 사용량은 세포주에 따라 다르다.

5) 형질주입

배양 중인 세포 내로 외부 DNA를 유입시켜 세포의 유전형질을 변이되도록 하는 것을 transfection이라 한다. DNA는 음전하 분자이고 세포막 또한 음전하를 가지므로, DNA를 세포속으로, 더구나 핵 속으로까지 유입시키는 것은 여러 가지 특별한 시약을 통한 방법을 사용하여야 한다. DNA를 세포 내로 유입시키는 방법은 화학적, 물리적, 바이러스를 이용해 3가지로 분류할 수 있다. 화학적 방법으로는 calcium-phosphate, DEAE-dextran, Lipofectin 등, 양전하의 리포솜 등이 DNA를 포장하는 시약으로 사용된다. 물리적 방법으로는 전기충격, 유전자총 등이 이용되며, 그 밖에 바이러스를 이용한 방법으로써 아데노바이러스나 레트로바이러스의 유전체에 원하는 DNA를 클로닝 삽입하여 세포에 감염시키는 방법도 많이 사용되고 있다. 각각의 방법은 저마다 장점과 단점이 있으므로 실험 목적에 잘 맞는 방법을 선택하여야 할 것이다.

4. 유전자 조작

유전적으로 조작된 생쥐는 유전자의 기능과 조절을 연구하기 위한 매우 강력한 연구 기법으로 특정 유전자가 포유류의 발생에 어떻게 영향을 미치나, 인간의 질환과의 관계는 어떻게 연관되나 등에 폭넓게 이용되어 왔다. 연구용 유전자 조작 생쥐 모델로는 유전자결손 생쥐와 형질전환 생쥐가 있다. 또한 인간의 체세포 혹은 배아 줄기 세포에서 유전자 조작을 통해 인간 세포의 조절망을 훨씬 정확히 이해할 수 있다. 이들 모두에서 DNA 재조합 기술은 필수적인 실험 기술이다.

1) 형질전환 생쥐

형질전환 생쥐transgenic mice라고 불리는 돌연변이 실험쥐는 외래 유전자를 염색체 안에 부가적으로 갖는 쥐를 말한다. 따라서 유전자를 첨가적으로 얻음으로써 생기는 기능gain-of-function을 보는데 유리한 방법이다. 암 연구에 있어서는 암 유전자의 기능과 암 전이 과정을 보는데 유리하다. 또한 우성형질 음성 돌연변이 쥐를 만듦으로써 해당 유전자의 기능이 억제되었을 때 나타나는 현상을 연구할 수 있다. 흔히 쓰이는 방법은 분화 전능성totipotent 1 세포기의 수정란에 외부 DNA를 미세침을 통하여 주입하는 것이다. 이 경우 유입된 유전자가 염색체에 성공적으로 삽입되면 태어나는 새끼는 모든 세포에 유입된 유전자를 갖게 되므로 형질전환 동물을 만들 수 있다. 우선, 원하는 관심 유전자가 쥐의 수정란에서 발현될 수 있도록 promoter–gene–polyA tail을 포함하는 구조를 만든다. 고나도트로핀을 주사하여 과 배란된 쥐에서 난소를 절개하여 꺼낸 수정란에 만들 구조를 미세침으로 집어넣는다. 주입할 때는 주로 수컷 전핵에 하는데 단지 수컷 전핵이 암컷 전핵보다 커서 주입하기 좋기 때문이다. 주입한 수정란을 대리모 쥐에 착상시킨다. 쥐의 임신 기간(19일)이 지나고 새끼 쥐들이 태어나면 꼬리를 조금 잘라 DNA를 추출한 후 서던 블로팅, PCR 등의 방법을 이용하여 형질 전환된 쥐를 검색한다. 과정에 실패가 없었다면 원하는 형질전환 생쥐를 만드는 데 3주가 소요된다고 볼 수 있다. 다음 이 형질전환 생쥐를 원하는 생쥐 스트레인 strain으로 교배를 통하여 옮길 수 있다.

2) 유전자결손 생쥐

생쥐 배아줄기세포에서 상동재조합homologous recombination을 이용한 유전자 재조합으로 관심 유전자를 잘라내거나 변이시킴으로써 돌연변이 쥐를 만들 수 있다. 쥐의 배아줄기세포는 배발생 과정 중 주머니 배blastocyst의 내측 세포 덩어리inner cell mass에서 분리하여 만들어졌다. 배아줄기세포는 주머니 배에 주입 시 전분화능을 가지므로 배아줄기세포를 배양하여 유전자 조작을 한 후 주머니 배에 주입하고 이를 다시 대리모에 착상시키면 유전자 조작된 생쥐를 만들 수 있다. 생쥐 배아줄기세포는 낮은 빈도이긴 하지만 상동 염기서열 간에 유전자 재조합이 이루어지는 상동 재조합이 일어난다. 배아줄기세포에서의 상동 재조합을 이용하여 특정 유전자의 제거 혹은 변형이 가능한데 이를 유전자 표적법이라 부른다. 유전자 표적 방법은 상동 염색체상의 두 대립인자의 유전자를 모두 조작하는 것이므로 여기서 생기는 생쥐는 자손도 마찬가지로 조작된 유전자의 대립형을 가지므로 몇 세대를 교배해도 같은 자손이 나올 수 있어 유전학적 연구가 가능하다. 상동재조합은 그리 효율이 높지 않지만 생쥐 배아 안에서는 상동 염기서열간이 아닌 곳에서도 무작위 재조합이 일어나기도 하므로 원하는 곳에서만 상동재조합이 일어난 배아줄기 클론을 고르기 위하여 양성선택과 음성선택 방법을 사용한다. 선택이 끝난 배아줄기 클론(129/SvJ, white coat color)은 DNA를 추출하여 서던, PCR 등으로 제대로 상동재조합이 일어난 클론을 고른다. 이를 교배 후 3일되는 암컷(C57BL/6 black coat color)으로부터 주머니 배를 얻어내고 주머니 배 공간에 주입한다. 배아줄기세포가 주입된 주머니 배를 대리모에 착상시키면 가죽색깔이 다양한 키메라chimaera 새끼들이 태어난다. 키메라를 C57BL/6mouse와 교배하여 다갈색agouti color을 갖는 새끼가 태어나면 이것이 원하는 상동염색체 돌연변이 형질이다. 이 새끼들을 다른 스트레인으로 옮기고 싶으면 계속 역교배하면 된다. PCR, 서던 블로팅 등으로 돌연변이를 확인해야 함은 물론이다. 유전자 표적 방법으로 유전자결손 생쥐를 만들 때 걸릴 시간은 모든 것이 제대로 수행되었을 경우 보통 1년 정도 걸린다. 암의 발생을 연구함에 있어서 유전자 표적을 이용한 유전자결손 전략은 특히 암 억제 유전자들의 기능을 연구하는데 유용하게 쓰였다. 암 억제 유전자란 그 기능이 없어졌을 때 암 발생의 원인이 되는 열성 대립형이므로 그 유전자를 없앴을 때 나타나는 현상을 보는 유전자결손 생쥐 시스템이 적합하다고 할 수 있다. 유전자결손 생쥐가 만들어지면 우선 보아야 할 것들은 먼저 종양이 생겼는지, 발생단계의 이상은 없는지, 생쥐가 가임능력이 있는지 각 기관들을 병리학적으로 관찰해 보는 것이 필수적이다. 유전자결손 생쥐에서 분리한 세포들은 유용한 분자세포 생물학적 실험 도구가 될 것이므로 이 세포들로부터 세포 주기 조절 기전,

세포자멸 기전, DNA 복구기전 등을 조사하여 유전체 안정성을 검사하는 데 쓸 수 있다.

3) siRNA를 이용한 돌연변이 생쥐

최근 하등 동물에서 유전학 연구에 많이 쓰인 RNA 간섭기술이 포유동물에서도 가능하다는 것이 밝혀졌다. 포유동물에서는 duplex RNA가 형성되었을 때 PKR에 의한 interferon gamma 반응으로 세포가 다 죽는 것으로 알려져 있었는데 19-21nt의 짧은 hairpin duplex RNA는 PKR을 활성화시키지 않고target RNA가 잘려나가게 함으로써 RNA 간섭이 가능하다고 보고되었다. 이 small interfering RNA (siRNA)는 생쥐를 만드는 데 사용될 수 있다. 관심 유전자의 발현을 억제할 수 있는 gene silencing siRNA를 만들 수 있도록 벡터를 조작한 후 이를 생쥐에 주입 시 시간이 많이 걸리는 상동재조합 대신 형질전환기법으로 짧은 시간 안에 knock-down mouse를 만들 수 있다. 자손 대대로 이 transgene을 전달하여 유전학적 연구를 하고 싶다면 lentiviral 벡터를 이용하여 transgenic을 만드는 것이 좋을 것이다. Oncoretrovirus와 달리 lentivirus는 통합된 게놈에서 다시 빠져 나오지 않음으로 유전자 연구가 가능하여 마치 현재의 유전자결손 생쥐와 같이 쓰일 수도 있을 것이다.

4) siRNA

siRNA는 말 그대로 작은 간섭 RNA로써, 일반적으로 19-21뉴클레오티드 길이를 가진 작은 RNA 분자이다. 이 siRNA는 long double strand RNA 분자들이 dicer라는 효소에 의해서 잘려서 생겨나며, 이 작은 분자들은 특정 유전자의 mRNA 염기서열과 특이적으로 상보 결합할 수 있는 특징을 가지며, 상보적으로 결합하는 mRNA의 분해 번역 억제의 기작을 가진다. 이 siRNA는 일반적으로 외인성을 가지며, 이점을 이용하여 특정 유전자의 knock-out 또는 knock-down에 많이 사용된다. 현재까지, 인간 세포에서 siRNA을 성격을 가진 endogenous RNAmolecules은 발견되지는 않았다. 하지만, 인간 세포에서도 siRNA 관련 메커니즘과 비슷한 기작을 가지며, 그것에 관련된 물질인 microRNAs (miRNA)가 존재한다. siRNA가 발견되면서 나타나는 기작의 중요성은 microRNA와 함께 증가되고 있는 실정이며, 특히 siRNA는 miRNA의 관련기작 연구 및 표적 유전자 탐색의 연구 과정과는 달리 siRNA 관련 메커니즘을 하나의 도구로서 이용하거나, 응용하는 연구로 나아가고 있다. 예를 들면, 암 세포에 있어서 특정 유전자의 성질을 파악하기 위해서 그 유전자가 없을 때 나타나는 결과들과 그 유전자가 과발현되었을 때 나타나는 결과들을 기본적으로 연구해야 하는 과정에 있어, 전자에 관하여 knock-out mouse의 단점을 극복할 수 있는 훌륭한 실험 기법으로서 현재 각광받고 있는 분야이다. 현재 siRNA를 제조하는 방법은 크게 *in vitro*에서 siRNA를 직접 합성한 뒤, transfection 과정을 거쳐 세포 안으로 도입시키는 방법과 siRNA가 세포 안에서 발현되도록 제조된 siRNA 발현 벡터 또는 PCR-derived siRNA expression cassette를 세포 안으로 transfection 또는 infection시켜 *in vivo* 상태로 생산하는 두 가지로 나누어 질 수 있다. 이들 방법들은 각각 나름대로의 장단점을 가지고 있으며 연구자가 어떤 방법으로 siRNA를 제조하고 세포 또는 동물 모델로 도입하느냐 하는 결정은 실험의 목적 및 표적 유전자 산물의 세포생물학적 기능에 따라 달라질 수 있다. 현재 RNAi를 유도하기 위해 사용되는 siRNA 제조 방법은 다음 5가지가 주로 사용되고 있으며 다음과 같다. (1) RNA oligonucleotide의 화학적합성, (2) *in vitro* 전사를 이용한 small RNA의 합성, (3) *in vitro* 전사에 의해 합성된 long dsRNA의 Rnase III family enzyme (e.g. Dicer, RNAse III)을 이용한 절단, (4) siRNA expression plasmid나 viral vector의 세포 내 전달을 통한 발현, (5) PCR derived siRNA expression cassette의 세포 내 전달을 통한 발현 방법들이다.

요약

현대 생물학의 연구 목표는 분자의 기능과 성질을 규명하고 정상 혹은 질병이 있는 상황에서 세포 내, 세포 간, 장기 및 개체 내에서 어떤 기능을 하는가를 이해하는데 목표를 두고 있다. 최근 반세기 간에 이루어진 연구 기술(DNA 재조합 기술, 중합효소 연쇄반응 기술, 인간유전체 연구사업의 완성 등)들의 비약적인 발달의 결과로 대사경로, 유전자 발현, 세포 신호전달경로, 장기 발생에 대한 분자생물학 연구가 활발히 진척되었으며, 이를 토대로 우리는 질환의 발생에 대하여 전반적인 지식과 이해를 얻게 되었으며 또한 이를 응용하여 새로운 치료법을 도입할 수도 있게 되었다. 외과 영역에서도 예외는 아니며 최근 여러 가지 치료 전략에 응용되고 있다. 예를 들어 가족성 암과 관련된 유전자의 발굴은 암이 치명적으로 발생되기 전에 장기를 예방적으로 절제하는 이론적 근거를 제시하였으며 수술 등의 손상과 관련된 물질 혹은 신호 전달계의 연구는 최소 침습 수술에 대한 장점을 더욱 부각시킬 수 있었으며 현재 활발히 연구되어지고 있는 유전자 치료는 향후에 암 수술 후 보조적 치료로 다른 항암화학요법이나 방사선 치료를 보완할 수도 있을 것이다. 이 때문에 분자생물학 원리와 기법을 이해하는 것은 외과 의사로서 앞으로 갖추어야 할 필수 항목으로 생각되며 이 분야의 연구에 적극적으로 참여하고 특정 질환의 동물 모델을 개발하거나 실제 환자에 새로운 진단 및 치료 방법을 도입하는 연구 등에 선도적 역할을 하여야 한다.

참고문헌

1. Alwine JC, Kemp DJ, Stark GR. Method for detection of specific RNAsin agarose gels by transfer to diazobenzyloxymethyl-paper and hybridization with DNA probes. Proc Natl Acad Sci USA 1977;74:5350-5354.
2. Aparicio O, Geisberg JV, Struhl K et al. Chromatin immunoprecipitation for determining the association of proteins with specific genomic sequences in vivo: Current Protocols in Cell Biology. New Jersey: Willey press 2004.
3. Benjamin L eds. Genes VIII. New York: Oxford University Press 2004.
4. Botsford JL, Harman JG. Cyclic AMP in prokaryotes. Microbiol Rev 1992;56:100-122.
5. Burnette WN. Western blotting: electrophoretic transfer of proteins from sodium dodecyl sulfate-polyacrylamide gels to unmodified nitrocellulose and radiographic detection with antibody andradioiodinated protein A. Analytical Biochemistry 1981;112:195-203.
6. Butler M eds. Animal Cell Culture and Technology. 2nd ed. London, UK: Taylor & Francis 2004.
7. Butler M, Dawson M, eds. Cell culture. Oxford, UK: Blackwellscientfic publications 1992.
8. Davis DR, Cohen GH. Interaction of protein antigens with antibodies. Proc Nat Acd USA 1996;93:7-12.
9. Duffy MJ, Napieralski R, Martens JW, et al. Methylated genes as new cancer biomarkers. Eur J Cancer 2009;45:335-346.
10. Elbashir SM, Lendeckel W, Tuschl T. RNA interference is mediated by 21- and 22- nucleotide RNAs. Genes Dev 2001;15:188-200.
11. Esteller M. Relevance of DNA methylation in the management of cancer. Lancet Oncol 2003;4:351-358.
12. Fackler MJ, McVeigh M, Mehrotra J, et al. Quantitative multiplex methylation-specific PCR assay for the detection of promoter hypermethylation in multiple genes in breast cancer. Cancer Res 2004;64:4442-4452.
13. Faustino NA, Cooper TA. Pre-mRNA splicing and human disease. Genes Dev 2003;17:419-437.
14. Fire A, Xu S, Montgomery MK, et al. Potent and specific genetic interference by double-stranded RNA in Caenorhabditis elegans. Nature 1998;391:806-811.
15. Gilbert W, Muller-Hill B. Isolation of the lac repressor. Proc Nat Acd USA 1967;56:1891-1898.
16. Gilbert W, Muller-Hill B. The lac operator in DNA. Pro Nat. Acd USA 1967;58:2145-2421.
17. Hamilton A, Baulcombe D. A species of small antisense RNA in posttranscriptional gene silencing in plants. Science 1999;286:950-952.

18. Hannon GJ. RNA interference. Nature 2002;418:244-251.
19. Hatzis P, Talianidis I. Dynamics of enhancer-promoter communication during differentiation-induced gene activation. Mol Cell 2002;10:1467-1477.
20. Herman JG, Graff JR, Myöhänen S, et al. Methylation-specific PCR: a novel PCR assay for methylation status of CpG islands. Proc Natl Acad Sci USA 1996;93:9821-9826.
21. Jones PA, Baylin SB. The epigenomics of cancer. Cell 2007;128:683-692.
22. Joseph S, David WR eds. Molecular Cloning: A Laboratory Manual. 3rd ed. New York: Cold Spring Harbor Laboratory Press, 2001.
23. Juan SB, Esteban CD, Timothy AS. Immunoprecipitation. New Jersey: Willey press 1999.
24. Juan SB, Mary D, Joe BH, et al, eds. Short protocols in Cell Biology. New Jersey: Willey press 2004.
25. Kagan J, Srivastava S, Barker PE, et al. Towards clinical application of methylated DNA sequences as cancer biomarkers: A Joint NCI's EDRN and NIST Workshop on Standards, Methods, Assays, Reagents and Tools. Cancer Res 2007;67:4545-4549.
26. Laird PW. The power and the promise of DNA methylation markers. Nat Rev Cancer 2003;3:253-266.
27. Liebler DC. Identifying protein-protein interactions and protein complexes: Introduction to Proteomics, Tools for the New Biology. New Jersey: Humana Press 2002.
28. Malacinski G eds. Essentials of Molecular Biology. 4th ed. Massachusetts: Jones & Bartlett 2003.
29. Moazed D, Noller HF. Intermediate states in the movement of tRNA in the ribosome. Nature 1989;342:142-148.
30. Momparler RL. Cancer epigenetics. Oncogene 2003;22:6479-6483.
31. Nolan T, Hands RE, Bustin SA. Quantification of mRNA using realtime RT-PCR. Nat Protoc 2006;1:1559-1582.
32. Paddison P, Caudy A, Bernstein E, et al. Short hairpin RNAs (shRNAs) induce sequence-specific silencing in mammalian cells. Genes Dev 2002;16:948-958.
33. Rychlik W, Spencer WJ, Rhoads RE. Optimization of the annealing temperature for DNA amplification in vitro. Nucleic Acids Res 1990;18:6409-6412.
34. Sharp PA. Split genes and RNA splicing. Cell 1994;77:805-815.
35. Southern EM. Detection of specific sequences among DNA fragments separated by gel electrophoresis. J Mol Biol 1975;98:503-517.
36. Stanley RM, John EC, David F, eds. Microbial Genetics. 2nd ed. Massachusetts: Jones & Bartlett 1994.
37. Tuschl T. RNA interference and small interfering RNAs. Chembiochem 2001;2:239-245.
38. Watson JD, Crick FHC. A structure for DNA. Nature 1953:171:737-738.
39. Zamore PD, Ancient pathways programmed by small RNAs. Science 2002;296:1265-1269.

Chapter 03

외과 종양학

Surgical oncology

인구가 고령화됨에 따라 종양학은 외과 분야의 큰 부분을 차지하게 되었으며, 외과 의사는 고형암의 초기진단과 치료에 책임이 있으며 종양 역학, 발생학, 병기결정, 자연사 등에 관한 지식은 적절한 수술적 치료를 위해서 필요할 뿐만 아니라 정확한 초기 평가를 위해 필수적이다. 현대의 암 치료는 외과의와 종양 내과의, 방사선 종양의, 재건성형의, 병리학자, 영상의학자, 일차 진료의 등을 포함하는 다학제적 진료로 이루어진다. 외과의는 적절한 치료계획을 세우고 다학제팀을 잘 조율해나가기 위해 보조요법에 익숙해질 필요가 있다. 최근 분자생물학의 약진은 의학 발전에 크게 기여하고 있다. 새로운 지식과 새로운 예측인자, 예후인자 등이 신속하게 임상적으로 적용되고 있으므로 외과의는 분자생물학적 지식을 습득하여 이를 해석할 줄 알아야 한다.

I 역학

1. 암 역학의 기본 원칙

종양 역학은 암 질환 발생에 관한 인과적 관계를 추구하는 학문으로, 이로부터 얻어진 학문적 지식을 암 질환 관리, 특히 암 예방에 활용하고자 하는 것이다. 암의 발생은 유전적, 경제적, 환경적인 차이로 인해 지역별로 매우 다르게 나타나기 때문에 생활습관과 관련되는 요인이나 생활환경적 요인과 암 질환 발생과의 인과적 관계를 추론하는데 많은 노력이 경주되고 있다. 암 질환에 대한 역학적 접근은 크게 두 단계로 나눌 수 있는데 그 중 하나는 인구 집단 내의 질병, 병적 상태, 사망 등의 규모와 분포에 대해 기술하는 기술역학적 접근이고, 또 하나는 요인과 발생과의 관계를 파악하고자 하는 분석역학적 접근이다.

기술역학에 자주 언급되는 용어 중에 기간발생률은 보통 단위 기간 동안 인구 10만명 당 새로이 발생되는 증례수를 말하고, 사망률은 단위 기간에 인구 10만명 당 발생하는 사망 수를 말한다. 발생률과 사망률 자료는 보통 암 등록을 통해 입수하게 되며, 암 등록을 하고 있지 않은 국가에서는 사망률 자료가 발생률을 추론하기 위해 이용되지만 정확도가 떨어진다. 기술역학적 연구는 암 발생과 사망률의 경향을 연구하여 암의 병인에 대한 이해도를 높여주었으며 특정 암의 치료뿐 아니라 예방과 선별검사의 발전에도 기여하였다.

분석역학에 해당하는 연구의 방법은 크게 전향성 연구인 코호트 연구와 후향성 연구인 환자 대조군 연구가 있다. 코호트 연구는 연구하고자 하는 질병이 발생하기 전에 연구 대상에 대하여 위험 요인으로 의심되는 요인을 조사해 놓고 장기간 관찰한 후 이들 중에서 발생한 질병과 의심되는 요인의 상관성을 비교위험도relative risk로 제시하는 연구이다. 1보다 큰 비교위험도는 요인으로 인해 병의 발생을 늘리게 되는 위험을 표시하며 1보다 작은 비교위험도는 요인으로 인한 보호 효과를 의미한다. 환자 대조군 연구는 질환군과 비질환군에서 질병의 원인 또는 위험 요인이 과거에 노출된 분율을 비교함으로써 질병 유무와 요인간의 상관관계를 교차비odd ratio로 제시한다.

2. 암 발생과 사망률의 세계적인 통계

2012년 통계에 의하면 전 세계적으로 1,400만 명의 새로운 암 환자가 진단되었고 820만 명이 암으로 사망하였으며 암종별 새로 발생한 환자 수와 사망한 환자 수는 표 3-1에 요약하였다. 가장 호발하는 5대 암은 남자의 경우 폐, 전립선, 결장-직장암, 위암, 간암의 순이며 여자의 경우 유방암, 결장-직장암, 자궁 경부암, 폐암, 위암 순이다. 흔히 호발하는 암들도 지역마다 발생률이 현저히 다른데, 이는 인종 차이를 포함한 유전적인 차이, 환경적인 차이와 식생활의 차이에 기인한다. 사망률 또한 같은 암종이라도 나라별 차이가 큰데, 그 이유로는 발생률의 차이뿐 아니라 암 진단 후 생존율에서 차이를 보이기 때문이며, 생존율은 치료의 방법에 영향 받기도 하고 암 선별검사 차이로 인한 진단 당시의 병기에 영향을 받는다. 예를 들면 위암의 경우 5년 생존율이 미국이나 캐나다에 비해 한국이나 일본이 월등히 좋은데 그 이유로 호발하는 암으로 선별검사의 발달로 조기에 진단되는 환자가 많으며 다빈도 질환으로 치료의 경험이 축적되었기 때문이다.

1) 위암

2012년에 95만 명(전체 발생환자 6.8%)의 새로운 환자가 진단되었고 72만 명(전체 사망환자의 8.8%)이 사망하였다. 위암의 발생률은 식생활 요인으로 인한 발생 위험도가 달라짐에 따라 지역간에 현저한 차이를 보이는데 염장식품을 많이 섭취하는 지역에서 높아지고 야채나 과일을 많이 섭취하는 지역에서는 낮아지며, 위암 발생에 중요한 요인으로 생각되는 *Helicobacter pylori* 균의 감염률에 따라 달라진다. 위암 환자의 70% 이상이 개발도상국에서 발생하였고 절반의 경우가 동부아시아(주로 중국)에서 발생하였다. 연령별 표준화 발생률은 남자가 여자보다 두 배 높아 북부아프리카 남자의 경우 10만 명당 4.3명, 동부아시아 남자의 경우 35.4명, 북부아프리카 여자의 경우 2.7명, 동부아시아 여자의 경우 13.8명 발생하였다. 위암은 암 사망률이 두 번째로 높은 질환이나 음식의 저장, 보존 기술의 발달과 *H. pylori* 유병률의 감소로 다행스럽게도 점차 그 발생률과 사망률이 감소하는 추세이다.

2) 유방암

유방암은 여성암 중 가장 높은 발생률을 보이고 대부분의 나라에서 전반적인 증가 추세를 보이고 있다. 연령별 표준화 발생률은 동부아시아에서 10만 명당 27.0명, 서부 유럽에서는 10만 명당 91.1명으로 지역적인 차이가 크며 주로 선진국(일본은 제외)에서 많이 발생한다. 유방암이 유전자 변이와 연관성이 있기는 하지만 전체 유방암에서 유전성 유방암이 차지하는 비율은 약 5-10% 정도이므로 유방암 발생의 지역적인 차이는 유전자 변이의 차이라기보다는 출산 인자, 식습관, 비만, 신체 활동, 알코올 섭취 등의 다른 환경의 차이라고 추정된다. 유방암의 사망률은 비교적 낮은 편(10만 명당 6-19명)이나 여전히 여성암 사망의 가장 빈번한 원인이다.

3) 결장-직장암

대장암의 발생률은 지역에 따라 25배 가량 차이가 나는데 개발도상국에서 낮게 발생하며 선진국에서 높게 발생한다. 북미, 호주, 뉴질랜드, 서유럽, 일본 남성에서 높은 발생률을 보이며 북아프리카, 남미, 아시아 지역에서

표 3-1. 세계 남녀 암 표준화 발생률, 사망률(GLOBOCAN 2012, International Agency for Research on Cancer)

암	유병률			사망률		
	환자수	%	ASR*	환자수	%	ASR*
입술, 구강	300,373	2.1	4.0	145,353	1.8	1.9
코 인두	86,691	0.6	1.2	50,831	0.6	0.7
기타 인두	14,238	1.0	1.9	96,105	1.2	1.3
식도	455,784	3.2	5.9	400,169	4.9	5.0
위	951,594	6.8	12.1	723,073	8.8	8.9
결장 직장	1,360,602	9.7	17.2	693,933	8.5	8.4
간	782,451	5.6	10.1	745,533	9.1	9.5
담낭	178,101	1.3	2.2	142,823	1.7	1.7
췌장	337,872	2.4	4.2	330,391	4.0	4.1
후두	156,877	1.1	2.1	83,376	1.0	1.1
폐	1,824,701	13.0	23.1	1,589,925	19.4	19.7
흑색종	232,130	1.7	3.0	55,488	0.7	0.7
카포지 육종	44,247	0.3	0.6	26,974	0.3	0.3
유방	1,671,149	11.9	43.1	521,907	6.4	12.9
자궁경부	527,624	3.8	14.0	265,672	3.2	6.8
자궁체	319,605	2.3	8.3	76,160	0.9	1.8
난소	238,719	1.7	6.1	151,917	1.9	3.8
전립선	1,094,916	7.8	30.7	307,481	3.7	7.8
고환	55,266	0.4	1.5	10,351	0.1	0.3
신장	337,860	2.4	4.4	143,406	1.7	1.8
방광	429,793	3.1	5.3	165,084	2.0	1.9
뇌, 신경	256,213	1.8	3.4	189,382	2.3	2.5
갑상선	298,102	2.1	4.0	39,771	0.5	0.5
호치킨스 림프종	65,950	0.5	0.9	25,469	0.3	0.3
비호친킨스 림프종	385,741	2.7	5.1	199,670	2.4	2.5
다발성골수종	114,251	0.8	1.5	80,019	1.0	1.0
백혈병	351,965	2.5	4.7	265,471	3.2	3.4
전체 암	14,067,894	100.0	182.0	8,201,575	100.0	102.4

* ASR : age standardization rate

낮은 발생률은 나타낸다. 이런 지역적 차이는 주로 동물성 지방, 육류, 식이 섬유 섭취와 같은 환경적인 요인의 때문이라 추정된다.

4) 간암

대장암과 대조적으로 간암의 85%는 개발도상국에서 발생하며 전체적인 간암의 발생률은 남자에서 여자보다 두 배 더 높다. 간암의 호발 지역은 동부아시아, 동남아시아, 중부아프리카, 서부아프리카이며 남유럽을 제외한 선진국에서는 낮은 발생률을 보인다. 간암은 발생률에 비해 높은 사망률을 보이는 암으로 2012년에 74만 명이 간암으로 사망하여 세계적으로 두번째로 높은 암 사망의 원인이다. 간암의 위험인자로는 B형, C형 간염바이러스의 감염, 아플라톡신이 포함된 음식의 섭취라고 생각되며 B형 간염 백신 접종의 세계적인 확산으로 최근에는 발생률이 감소하는 경향을 보인다.

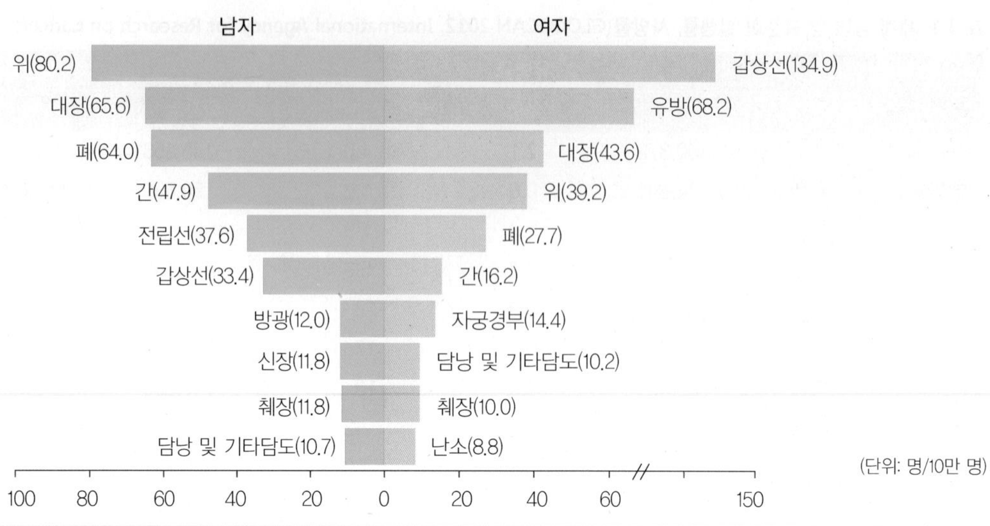

그림 3-1 **2013년도 성별 10대 암 조발생률(국가 암 정보센터 자료)**

3. 암 발생과 사망률의 국내 현황

2013년 국내 새로 발생한 암 환자는 225,343명으로 암 발생 추세는 2011년도(324.2명/10만 명) 이후 2012년도의 암 발생률(322.3명/10만 명)과 2013년도의 암 발생률(311.6명/10만 명)은 연속적으로 감소추세를 보이고 있으나 연령표준화 발생률은 1999년 10만 명당 219.9명에서 2013년 10만 명당 311.6명으로 증가하여 연평균 3.3%의 증가를 보였다. 암종별 발생현황을 보면 2013년 가장 많이 발생한 암은 갑상선암이었으며, 이어서 위암, 대장암, 폐암, 유방암, 간암, 전립선암의 순으로 많이 발생하는 것으로 나타났다. 남자의 경우 위암, 대장암, 폐암, 간암, 전립선암 순이었으며, 여자의 경우 갑상선암, 유방암, 대장암, 위암, 폐암 순이었다(그림 3-1). 모든 암의 연령군별 발생률을 보면, 50대 초반까지는 여자의 암 발생률이 더 높다가, 후반부터 남자의 암 발생률이 더 높아지는 것으로 보였다. 주요 암종별 연령군별 발생률을 살펴보면, 남자의 경우 44세까지는 갑상선암이, 50세-69세까지는 위암이, 70세 이후에는 폐암이 가장 많이 발생하였으며, 여자의 경우 69세까지는 갑상선암이, 70세 이후에는 대장암이 가장 많이 발생하였다. 남녀 전체 주요 암의 연간변화율은 1999년 이래로 갑상선암(21.2%), 전립선암(11.8%), 유방암(5.6%), 대장암(4.6%) 순으로 증가하였으며, 자궁경부암(−3.9%)과 간암(−2.1%)의 연간 변화율은 감소한 것으로 나타났다. 2014년에 암으로 사망한 사람은 총 76,611명으로 전체 사망자의 28.6%가 암으로 사망하였고 사망률이 가장 높은 암종은 폐암(전체 암 사망자의 22.8%인 17,440명)이었으며, 다음으로는 간암(15.1%), 위암(11.6%), 대장암(11.0%), 췌장암(6.7%) 순이었다.

요약

일반적인 암의 발생률은 지역적으로 매우 다양한데 이것은 인종과 소수민족의 차이를 포함하는 유전자의 차이가 부분적으로 기여할 것이라 생각되지만, 환경과 식이, 그 외 다양한 잠재 인자들의 차이도 영향을 미쳤을 것이다. 따라서, 지역적, 국제적 데이터베이스의 설립은 암의 병인에 대한 우리 이해의 개선과, 세계 암 예방을 위한 목표 전략의 개시를 도울 것이며, 암 사망률과 5년 암 생존율의 검토는 향후 치료를 위한 지침을 확립하는 데 도움이 될 수 있다.

II 종양 생물학

정상적인 세포는 성장과 증식이 엄격하게 조절되는 것과 대조적으로 암 세포는 여러 유전자 변화를 통해 조절되지 않고 성장과 증식을 한다. 정상 세포에서 암 세포로 변환되어 악성종양으로 성장하기 위해서는 성장 신호의 자급self-sufficiency in growth signal, 성장 억제 신호의 불응insensitive to growth inhibitory signal, 세포 자연사 회피evasion of apoptosis, 무제한 복제 능력limitless replication, 혈관생성, 침윤과 전이, 에너지 대사의 변화reprograming of energy metabolism, 면역 파괴의 회피evading immune destruction 등의 세포 생리학적 변화가 필요하다(그림 3-2).

1. 암 개시

암 발생의 시작은 하나의 세포 내에서 종양유전자의 기능획득이나 종양억제유전자의 기능손실을 통해 일어나며 유전적 변이가 축적될수록 공격적인 생물학적 특성이 증가한다. 일반적으로 종양은 단일 세포 또는 클론에서 시작되지만, 때로는 특정 장기의 다수의 세포에서 유전적

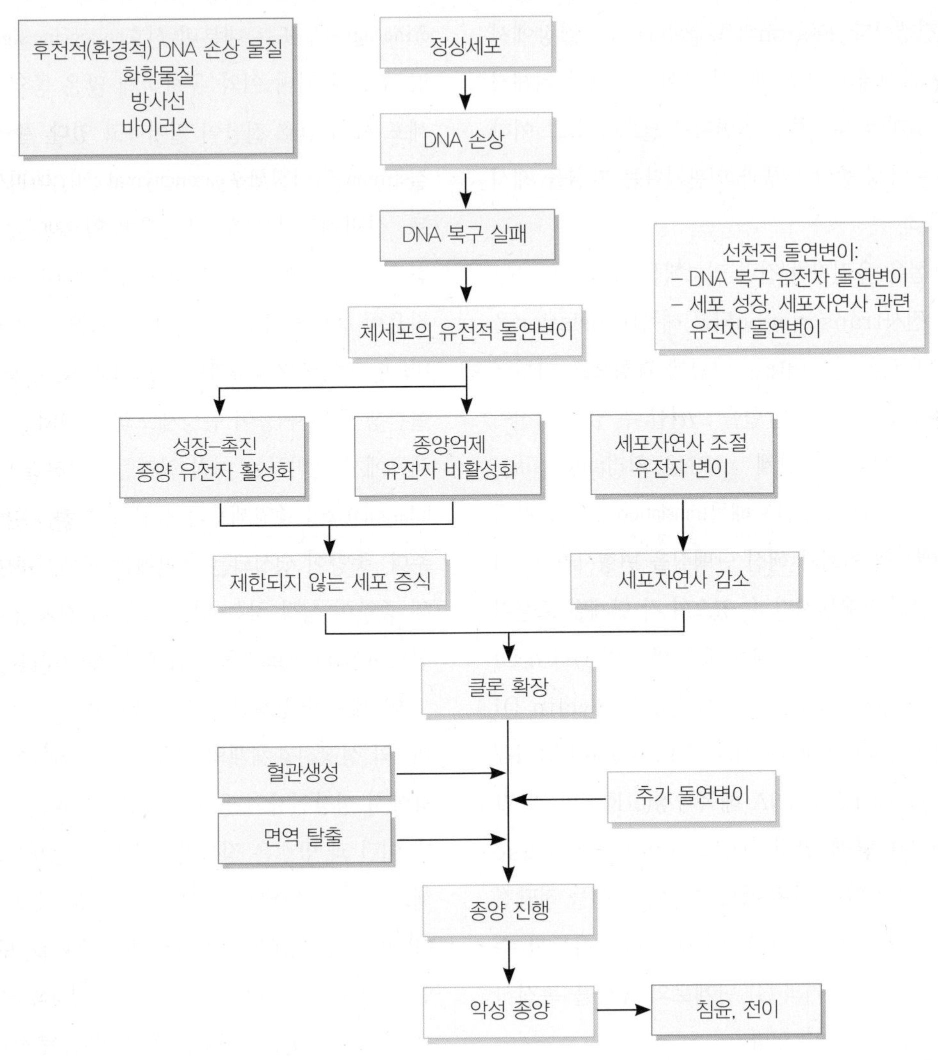

그림 3-2 **암세포의 분자생물학적 특징과 종양의 발생 과정**

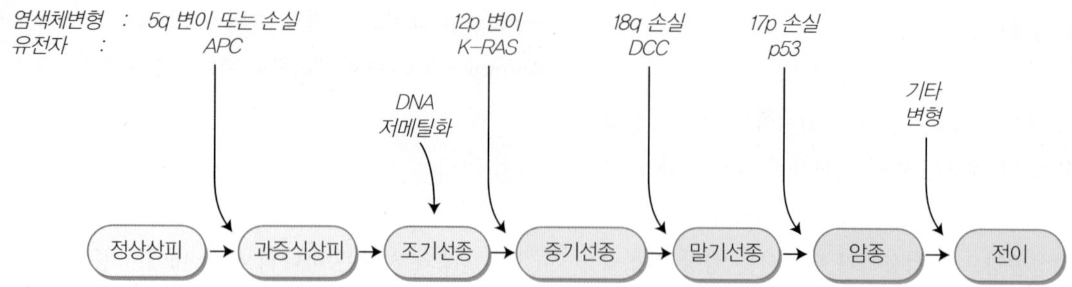

그림 3-3 **Fearon, Vogelstein의 결장직장암 발생 모델**

변이가 일어남으로써 다수의 정상세포가 악성 잠재력을 얻게 되는 경우도 있는데 이를 필드 효과field effect라고 한다. 다수의 종양들은 양성 병변, 제자리암종을 거쳐 침윤성암종으로 진행한다. Fearon과 Vogelstein은 결장에서의 종양 발생 과정에 대한 모델에서 암이 발생하기 위해서는 적어도 4-5개의 유전자 돌연변이가 필요하며 그 이하의 돌연변이는 양성 종양 발생과 연관된다는 가설을 제시하였다(그림 3-3).

유전자 발현은 유전자가 전령 리보핵산messenger RNA (mRNA)으로 전사transcription되고 해독translation을 통해 기능 단백질을 만들어내는 다단계 과정으로 이루어져 있으며 각각의 과정에서 발현을 조절할 수 있는 기전이 있다. 유전자 단계, 전사 단계, mRNA 처리processing, mRNA 안정성stability, mRNA 해독translation 또는 단백질 안정성 수준에서의 변화가 핵심 단백질을 변형시키고, 이로 인해 종양발생을 유발시킬 수 있으며 각 단계별 조절기능이 있다. 예를 들면, cyclin D1 단백 발현은 cyclin D1 mRNA 전사과정(Ras/Raf 신호전달경로), cyclin D1 mRNA 안정성(phosphoinositide-13 kinase PI3-K/Akt 경로), cyclin D1 mRNA 해독과정(eIF4E의 과 발현), cyclin D1 단백 안정성(glycogen synthase kinase-3β 활성화)의 각 수준에서 조절된다. 이들 전달경로 중의 어떠한 변화가 cyclin D1의 과 발현을 유도할 수 있고 이로 인해 세포 주기의 G1 단계로의 통과를 촉진시켜 세포분열을 진행시킬 수 있다.

2. 성장신호의 자급

정상조직 내에 있는 세포는 주로 주변 분비 신호paracrine signals, 또는 내분비 신호endocrine signals를 통해 성장 조절이 되며 이와 유사하게 많은 종양에서도 세포와 세포 사이 신호 전달이 일어나고 있다. 종양세포 주위 간질stroma은 실질세포parenchymal cell, 내피세포, 섬유모세포, 상피세포 등으로 구성되어 있으며 종양세포 주위로 림프구, 비만세포, 대식세포, 다핵형세포 등의 면역세포의 침윤이 동반되기도 한다. 이들 종양 주변 세포들에서 분비되는 성장인자, 사이토카인cytokine, 케모카인chemokine 혈관생성 인자 등이 종양세포의 성장을 촉진시키고 종양세포에서 분비하는 여러 인자들 또한 세포외기질extracellular matrix이 종양세포가 성장하기 좋은 환경으로 만들어 준다. 종양이 생성되는 초기에는 주로 주변분비 신호에 의해 종양이 성장 하는 반면 종양이 진행될수록 자가 분비 신호autocrine signals에 의한 성장 두드러진다.

암 세포가 성장신호의 자급능력을 갖기 위해서는 세포 내-외 성장신호체계의 변화가 동반되어야 한다. 많은 종양에서 성장인자 수용체가 과발현 되어 있는 경우가 많은데 이런 과 발현은 정상적으로 낮은 농도의 성장인자로는 세포증식이 일어나지 않는 경우에도 세포증식을 유발한다. 또한 성장인자 수용체의 구조적인 변화를 통해 성장인자 비의존성 신호를 유도함으로써 지속적인 증식을 일으키기도 한다. 그 예로는 유방암과 다른 상피기원 암에서 인간표피성장인자 수용체Human Epidermal growth factor

Receptor 2 (HER2)와 표피성장인자 수용체Epidermal Growth Factor Receptor (EGFR)의 과 발현이 관찰되는 것을 들 수 있다.

암 세포는 염기성 섬유모세포성장인자basic Fibroblast Growth Factor (bFGF), 혈소판유래성장인자Platelet-Derived Growth Factor (PDGF), 전환성장인자Transforming Growth Factor-β (TGF-β) 등의 분비를 통해 세포외기질을 포함한 기질환경의 변화를 유도한다. Collagens, fibronectins, laminins, vitronectins과 같은 세포외기질 구성 요소들은 둘 또는 그 이상의 수용체에 결합하거나 또는 다른 세포외기질 분자에 결합할 수 있다. 기질 분자 수용체matrix molecule receptor의 상호작용에 의한 신호는 세포를 활동 상태의 세포 주기로 들어가도록 영향을 미칠 수 있으며 암세포는 integrins, heparin sulfate proteoglycans과 같은 세포외기질 수용체를 활성화시켜 성장신호를 전달하기도 한다.

성장신호의 자급능력을 얻는 가장 복잡한 기전은 세포 내 신호전달체계의 변화에 의해서 일어나는데 KRAS에 활성화 변이가 일어나는 경우처럼 많은 종양유전자들은 상부 조절자의 자극없이도 정상 성장 신호를 모방하거나 분열신호를 유도하기도 한다.

3. 성장억제신호의 불응

정상적인 세포 주기는 네 단계로 나누어진다(그림 3-4). S기 동안 세포는 유전 물질의 복제물을 생성하고, M기 동안 세포 구성 성분이 두 개의 딸세포로 나눠어지게 된다. G1기와 G2기는 각각 S기와 M기의 완성을 준비하는 단계이다. 세포 분열이 종료되면 G0기로 불리는 정지기 또는 종말분화terminal differentiation 상태로 진입하게 된다. 세포주기에서 다음 단계로 진행은 cyclin 단백질들과 이에 결합하는 Cyclin-Dependent Kinases (CDKs)의 작용에 의해 결정된다. 이들 단백질들은 종양억제유전자나 종양유전자와 같은 다른 단백질들에 의해 조절되어 억제 또는 촉진 신호를 나타낸다. 세포 주기 조절에 있어서

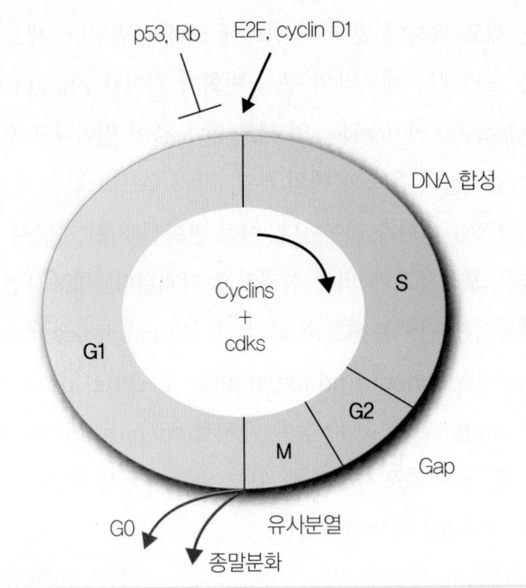

그림 3-4 **정상 세포 주기**

중요한 확인지점은 G1에서 S기로 넘어가는 전환부에 있으며 p53, retinoblastoma (Rb) gene과 같은 종양억제유전자 들은 G1에서 S로 전환을 억제하는 반면 cyclin D1, E2F와 같은 종양유전자들은 전환을 촉진시킨다(그림 3-4). 세포 분열은 촉진신호와 억제신호에 의해 엄격하게 조절되는 과정이나 암세포는 흔히 외부 신호에 대한 반응으로 증식을 유발시키는 신호전달 경로의 변화를 보인다. 세포주기 단백, 성장인자, 세포 내 신호 전달 단백, 핵전사 인자 발현의 돌연변이 또는 변질은 세포 주기를 정상적으로 조절하는 체계를 방해하고 결국 통제 불능의 세포 성장과 증식을 유발시킬 수 있다. 예를 들어 cyclin D1과 E, CDK 4와 6의 과 발현과 Cyclin Dependent Kinase Inhibitors (CDKI)인 INK4A, INK4B, KIP1의 결손 등의 변화는 세포 주기의 이상조절을 유발하므로 세포 주기 조절과정은 암 발생 기전의 중요한 부분 중 하나이다.

4. 세포자연사의 회피

세포자연사apoptosis는 유전적으로 계획된 세포의 제거 과정이다. 암 세포가 성장하기 위해서는 종양의 증식은 증가하고 세포자연사는 감소해야만 가능하다. 세포자연사

는 세포 괴사와 몇 가지 변화에 의해 구별된다. 세포자연사 초기에는 세포막의 구성 변화가 일어나 phosphatidylserine 잔기residues의 세포 외 노출이 일어나고 후기에는 염색질의 응축과 핵의 분열, 막의 수포화 같은 핵의 형태학적인 변화가 일어난다. 이런 변화를 거친 자연사 세포들은 포식세포에 의해 삼켜지고 파괴된다. 세포자연사의 작동기는 단백분해효소 군의 하나인 caspases (cysteine-dependent and aspartate-directed proteases)로 caspase 8, 9, 10 등은 개시자 caspases로 caspase 3, 6, 7은 세포자연사를 위한 파괴기능을 하는 실행자 caspases로서 역할을 한다.

세포가 사멸에 이르는 경로는 Fas, TNF 수용체의 활성화로부터 caspase의 활성화까지 잘 알려져 있는데 이 과정에서 중요하게 작용하는 단백질 중의 하나가 Bcl계 단백질이다. Bcl2는 미토콘드리아 경로를 방해하여 암을 발생시킨다고 알려져 있다. 두 개의 주요한 세포자연사 신호전달 경로는 미토콘드리아 경로mitochondrial pathway와 사멸수용체 경로death receptor pathway이다. 미토콘드리아 경로는 내인성 경로로 사멸은 미토콘드리아로부터 cytochrome c가 분비되어 일어난다. 효소복합체로부터의 cytochrome c, procaspase 9, Apoptotic protease-activating factor-1 (Apaf-1)는 apoptosome이라고 불리며 이들은 작동 caspase를 활성화하는 역할을 한다. 미토콘드리아 내에는 이와 더불어 Smac/DIABLO와 같은 전세포자연사 단백proapoptotic protein도 존재한다. 미토콘드리아 경로는 DNA 손상이나 활성화 산소, 생존인자의 억제 등에 의해 자극되며 미토콘드리아막의 투과성이 세포자연사 경로가 진행할 것인지를 결정한다. Bcl-2 단백질의 활동성이 미토콘드리아막의 투과성을 조절하게 된다. 성장인자는 proapoptotic BAD를 불활성화시키는 PI3K/Akt 경로를 통해 생존 신호전달을 촉진하는데 이러한 성장인자의 철수는 인산화되지 않은 BAD의 신호에 의해 세포자연사 과정을 촉진시킨다. Hsp70과 Hsp27 등의 열쇼크 단백질heat shock protein은 미토콘드리아로부터의 cytochrome c 분비를 억제하거나 apoptosome 복합체 형성을 억제하여 세포자연사 경로의 진행을 막는다. 두 번째 주요 경로인 사멸수용체 경로는 외인성 경로라고도 한다. Fas/APO1/CD95, Tumor Necrosis Factor Receptor 1 (TNFR1), KILL-ER/DR5와 같은 세포 표면 사멸수용체들은 각각 그들의 리간드인 FasL, TNF, TRAIL과 결합하게 되면 사멸유도 신호전달 복합체Death-Inducing Signaling Complex (DISC)를 형성하게 된다. 이 사멸유도 신호전달 복합체에서 procaspase 8, procaspase 10이 분해되어 활성화된 개시 caspase를 생성한다. 사멸수용체 경로는 세포 표면에서 Fas (DcR3)와 TRAIL (TRID, TRUNDD)에 대한 유인수용체decoy receptor의 발현에 의해 조절되는데 이러한 유인수용체는 사멸수용체와 밀접한 연관이 있지만 기능적 사멸 도메인을 가지고 있지 않기 때문에 사멸수용체와 결합하게 되지만 사멸신호를 전달하지는 못한다. 또 다른 조절 그룹인 FADD-like interleukin-1 protease inhibitory proteins (FILPs)는 caspase 8과 상동체를 가지며 DISC와 결합하여 caspase 8의 활성을 억제한다. 마지막으로, Inhibitors of apoptosis proteins (IAPs)는 caspase 3의 활성을 억제하고 사멸 수용체와 미토콘드리아 경로를 모두 조절할 수 있는 능력을 가지고 있으며 XIAP (hILP, MIHA, and ILP-1), cIAP1(MIHB and HIAP2), cIAP2(HIAP1, MIHC, and API2), NAIP, ML-IAP, ILP2, livin (KIAP), apollon, surviving 등이 여기에 속한다. NF-κB는 다른 항세포자연사 특이 단백질인 A20과 Mn-SOD와 같은 cIAP1과 cIAP2의 활성화를 통해 자연사에 대한 세포 저항성을 유도한다.

인체 암에서 세포자연사 프로그램의 변이에는 Fas와 TRAIL 유인수용체 발현의 증가, 항세포자연사 Bcl-2 발현의 증가, IAP연관 단백인 survivin 발현의 증가, c-FLIP 발현의 증가, Bax, caspase 8, APAF1, 사멸수용체 CD95, TRAIL-R1, TRAIL-R2의 변이 또는 억제, p53 경로의 변화, 성장인자와 성장인자 수용체의 과발현, PI3-K/Akt 생존경로의 활성화 등이 포함된다.

5. 무제한 복제 능력

정상세포는 한정된 복제 능력을 가지고 있어 세포가 복제를 통해 특정 수에 도달하게 되면 성장이 중단되는데 이를 노화senescence라고 한다. 줄기세포나, 활성화된 림프구, 생식세포를 제외하면 정상적인 세포는 제한된 복제 잠재력을 가지고 있으며 완전히 분화된 세포들은 복제 잠재력을 가지지 않는다. 복제 수는 염색체 끝부분에 짧은 여섯 개의 염기쌍이 수천 개 반복되는 부분인 끝분절telomeres에 의해 조절되며 끝분절은 염색체의 말단과 말단이 융합되는 것을 막는다. 각각의 DNA가 복제될 때 끝분절 DNA의 50-100개의 염기쌍의 소실이 일어난다. 성공적인 복제 주기를 통해 점차적으로 짧아진 끝분절은 염색체 DNA의 말단부를 보호하는 능력을 상실한다. 결정적인 길이가 형성되어 보호되지 못한 염색체 말단은 말단과 말단의 융합을 일으켜 핵형karyotype 혼란이 일어나고 이런 세포들은 불가피하게 죽게 된다. 끝분절의 감소는 끝분절 DNA를 연장시키는 끝분절효소telomerase에 의해 억제된다. 끝분절효소는 주로 배아 발단기와 성인 줄기세포에서 활성도가 높은데 많은 종양세포에서 끝분절효소의 활성도 또한 높아 끝분절 길이를 결정적인 길이 이상으로 유지 함으로써 종양세포는 무제한 증식 능력과 불멸의 능력을 획득하게 된다.

6. 혈관생성

혈관생성은 기존에 있던 혈관에 새로운 신생혈관이 발생하는 현상으로 종양의 성장과 전이에 필수적인 과정이다. 종양은 혈관생성 과정에서 내피세포에서 섬유모세포성장인자Fibroblast Growth Factor (FGF), 혈소판유래성장인자Platelet-Derived Growth Factor (PDGF), 인슐린유사성장인자Insulin-like Growth Factor (IGF)와 같은 몇몇 성장인자를 분비한다. 모세혈관 주위의 기저막과 기질이 주로 uPA의 작용에 의해 단백분해되어 파괴되고 내피세포는 최초에 단단한 cord 형태에서 파괴된 기질로 이동하여 맥관 형태를 형성하게 된다. 이후 각각의 말단부가 결합하여 기저막으로 둘러싸인 네트워크 형태의 혈관망을 형성하게 된다.

혈관생성은 종양세포, 내피세포, 기질세포, 염증세포 등 다양한 세포에서 분비되는 인자들에 의해 조절된다. 그 중에서 가장 많이 연구되어 있는 혈관내피성장인자Vascular Endothelial Growth Factor (VEGF) 그룹은 6개의 성장인자(VEGF-A, VEGF-B, VEGF-C, VEGF-D, VEGF-E, placental growth factor)와 3개의 혈관내피성장인자 수용체(VEGFR1 또는 Flt-1, VEGFR2 또는 KDR/FLK-1, VEGFR3 또는 FLT4)로 구성되어 있다. VEGF는 저산소증이나 다른 성장인자 또는 EGF, PDGF, TNF-α, TGF-β, interleukin-1β와 같은 cytokine들에 의해 유도되어 혈관의 투과성을 증가시키고, 내피세포의 증식과 맥관형성 및 단백분해 효소에 의한 내피세포의 합성을 유도하는 작용을 한다. 또한, 혈관확장 역할을 하는 산화질소에 작용하고 내피의 생존인자로 작용하여 혈관의 구조를 보호하는 역할을 함으로써 혈류에도 영향을 미친다. 새로운 림프관의 증식 및 생성 또한 VEGF 그룹에 의해서 조절되는 것으로 생각되며, 림프 세포의 신호전달은 VEGFR3에 의해서 조절되는 것으로 생각된다. VEGF-C와 D의 실험연구에서 종양의 림프혈관생성 및 림프관과 림프절을 통한 직접 전이를 유도한다는 사실이 증명되었다.

PDGF-A, B, C, D 또한 혈관생성에 매우 중요한 역할을 하고 있다. 이들은 직접 내피세포 증식을 유도하지는 않지만, VEGF발현과 평활근세포를 자극하고, 주변분비효과를 통한 내피세포 생존을 촉진시킨다. Angiotensin-1, 2 (Ang-1, 2)는 혈관의 성숙을 조절하는 인자로 생각되며, 이들은 둘 다 내피 수용체인 Tie-2에 결합하지만 Ang-1의 결합만이 신호전달 체계를 활성화시킬 수 있고, Ang-2는 Ang-1에 대한 길항 작용을 한다. Ang-1은 혈관의 안정화와 재생을 유도할 수 있고, Ang-2는 VEGF의 유도를 통해 Ang-1을 억제하여 혈관의 불안정화를 유도하고 혈관생성 신호에 반응하는 내피세포를 생성하여 혈관생성을 촉진하는 역할을 한다. 따라서, 종양의 혈관생성 능력은 이러한 여러 인자들 간의 균형에 의해 결정된다.

7. 침윤

암 세포의 특징 중의 하나는 정상 주변 조직으로 침윤하는 것이다. 기저막basement membrane을 침투하지 않고 기저막 상부에 놓여있는 악성세포로 구성된 종양을 상피내암 이라고 부르고 기저 세포막을 침범하여 주변 간질로 침투한 악성 세포로 이루어진 종양을 침윤성암 이라고 부른다. 침윤 능력은 고착adhesion, 운동성 개시, 세포외기질 단백분해의 변화에 의해 일어난다.

정상 세포에서 세포와 세포 사이의 고착은 세포 표면 단백들의 상호작용에 의해 일어나는데 E-cadherin, P-cadherin, N-cadherin과 같은 칼슘 고착 분자들이 세포 간의 결속 능력을 강화시켜 침윤을 억제하는 것으로 생각된다. 암 세포가 침윤된 조직의 기저 기질을 뚫고 부착하게 되면 이주migration가 일어난다. 종양 세포 수용체 integrin에 의해 fibronectin, laminin, collagen과 같은 세포외기질의 당단백에 부착이 일어나게 되는데 이러한 integrin은 세포외기질 분자에 대한 이형다중 수용체 heterodimeric receptor를 형성하는 당단백의 일종이다. Integrin은 적어도 25개의 α, β로 이루어진 서로 다른 쌍을 만들어 낼 수 있으며, 각 쌍은 특정 리간드에 적합하게 구성되어 있다(예를 들면 αvβ 1은 fibronectin에 선택적으로 결합한다). 또한, integrin은 세포의 형태, 생존, 증식, 유전자 전사, 이주에 영향을 미치는 세포환경에 연관된 분자 신호를 연계하는 역할도 한다.

세포의 운동성은 세포를 운동 가능 상태로 전환시켜주는 운동인자와 연관이 있으며 운동인자에는 자가분비 운동인자autocrine motility factor, autotaxin, 분사 인자scatter factor (hepatocyte growth factor로도 알려짐), TGF-α, EGF, insulin-like growth factor 등이 있다.

Serine, cysteine, asparagine 단백분해효소와 matrix metalloproteinases (MMPs) 등이 모두 암 침윤 과정에 중요한 역할을 담당한다. Urokinase와 tissue plasminogen activators (uPA and tPA)와 같은 serine 단백분해효소는 plasminogen을 plasmin으로 전환시키고, plasmin은 fibrin, fibronectin, laminin, proteoglycan을 포함한 몇몇 세포외기질 구성요소를 분해하고 MMP-1, MMP-3, MMP-9를 활성화시킨다. uPA는 tPA보다 암 침윤과 전이에 더 밀접하게 연관되어 있으며 조직에서는 plasminogen activator inhibitor를 만들어 내 plasminogen activator의 활동성을 저해한다.

Matrix metalloproteinases는 metal-dependent endopeptidase의 일종으로 활성화된 MMPs는 다양한 세포외기질을 붕괴시키는데 많은 종류의 암에서 MMPs의 활성도가 증가해 있다. 몇몇 종류의 MMPs는 종양세포에서 발현되고 몇몇은 종양의 간질에서 발현된다. 실험모델을 통해 MMPs는 암세포의 성장, 이동, 침윤, 혈관생성, 전이 등을 증가시켜 암의 진행을 촉진하는 것으로 밝혀졌다. MMPs의 이런 역할은 세포외기질의 구조적 요소뿐 아니라 성장인자 전구물질, 성장인자 결합단백질, 체포부착분자, 다른 단백분해효소 등을 분열시킴으로써 일어난다.

8. 전이

전이는 원발암이 혈행성 또는 림프성으로 원발부 이외의 장소로 이동하는 현상으로 몇 가지 단계를 거쳐 이루어진다(그림 3-5). 먼저, 원발암이 림프 및 혈액 순환계로 접근이 이루어지고 이후 순환계로 암세포가 파종이 되어 생존하게 된 후, 새로운 장기 또는 조직으로 혈관외 유출이 이루어지며, 새로운 조직에서의 생존을 위해 혈관형성이 이루어지고 성장을 시작하는 과정을 거치게 된다. 이것이 다단계 전이과정의 가설이고 또 다른 가설은 애초에 종양의 전이능력이 유전적으로 결정되어 있다는 가설로 실험연구에 따르면 암세포주에서 전이능력에 따라 서로 다른 유전자 발현을 보이기 때문에 유전자 발현분석을 통해 원발암의 전이능력을 예측할 수 있다는 설명이다. 또한 종양의 전이과정 중에 몇몇 종양의 경우는 장기 특이

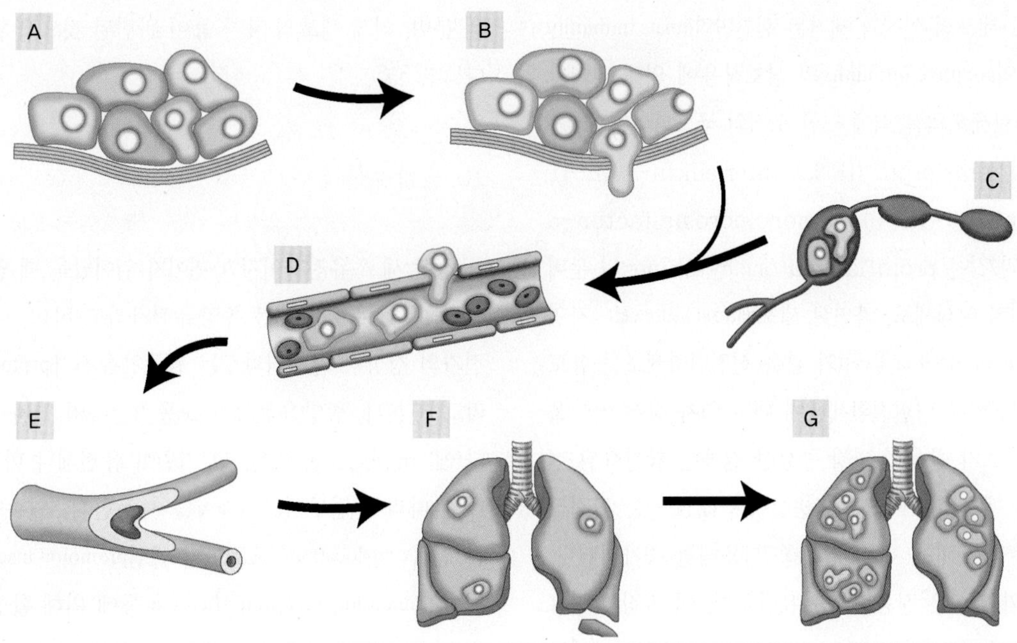

그림 3-5 암 전이 과정. A) 상피내암, B) 종양경계의 침윤, C) 림프계 통한 전파, D) 순환계 통한 이동, E) 외향성 정체(Arrest extraversion), F) 잠재된 세포의 미세전이, G) 지속적인 증식, 혈관 신생

성을 가지게 되는데 이에 대한 설명으로 종양 별로 서로 다른 혈액순환 형태를 꼽을 수 있는데 연구 결과 66%의 장기별 특이도를 가지는 전이형태가 이러한 혈행 방향 이론으로 설명될 수 있다. 또 다른 가설 중 하나는 종자-토양 이론seed and soil theory으로 이 가설에 따르면, 세포의 특정 장기에서의 성장 효율성이 새로운 미세환경에서의 암세포 생물학적 적합성에 따라 결정된다는 것이다. 이러한 암세포의 특정 위치에서의 성장능력은 암세포 고유의 형태와, 장기의 고유 형태에 영향을 받으며 암세포와 미세환경에의 상호작용에 의존한다. 지금까지 밝혀진 많은 종양유전자는 단순히 악성화 과정에만 관여하는 것이 아니라 전이과정에도 관여하고 있으며 또한, 전이과정에는 전이억제유전자의 손실도 포함되어 있다. 전이억제유전자는 원발종양의 성장에는 영향을 미치지 않으면서 전이를 억제하는 작용을 한다.

9. 면역 감시와 면역 회피

숙주의 방어 체계가 없으면 악성전환의 빈도가 높을 수 있다는 생각은 1900년대 초기부터 있었고 1970년대 Burnet에 의해 면역감시immunosurveillance라는 용어로 소개되었다. 진화하는 동안 T 림프구 매개 면역력의 발달은 형질전환된 세포의 제거에 특성화되며 신체는 지속적으로 형질전환된 세포들을 감시한다는 가설이다. 이후 실험을 통해 면역 억제된 마우스에서 T 림프구 매개 면역이 바이러스에 의해 유도된 종양의 발생을 막는 다는 것을 보여주었지만 면역감시에 대한 결론을 지을 증거는 보여주지 못했다. 2000년대에 들어서면서 유전자 제거 생쥐를 이용한 동물 실험을 통해서 화학물질 유도 종양과 자발성 종양에서 암세포 면역감시가 존재한다는 것이 입증 되었고 종양 면역감시에 B, T 세포, 자연살 세포, 자연살 T 세포, 인터페론, 퍼포린 등이 중요한 역할을 하는 것으로 밝혀졌다.

면역적격immunocompetent 숙주에서 지속적인 면역체계의 압박은 종양의 면역성의 변화를 유발하여 정상 면역체계와 종양세포 사이에서 제거elimination, 평형equilibrium, 탈출escape의 세 단계의 면역편집immunoediting을 통해 종양의 진화와 성장과정을 일으킨다.

형질전환세포의 인식과 제거는 선천면역innate immunity과 적응면역adaptive immunity의 상호작용에 의해 일어난다. 형질전환세포의 증식에 의한 조직의 국소파괴는 chemokine과 interferons (IFNs), interleukin-1 (IL-1), interleukin-6 (IL-6), tumor necrosis factor-α (TNF-α)과 같은 proinflammatory cytokines의 분비를 촉진 시켜 대식세포, 자연살 세포natural killer cell, 자연살 T 세포natural killer T cell와 같은 선천면역세포를 유도한다. 선천면역은 형질전환세포에 대한 일차 방어 역할을 하는데 이 초기 반응의 가장 중요한 결과는 활성화된 선천면역세포에 의한 IFN-γ의 생성이며 IFN-γ는 직접적으로 항종양 효과를 나타내고 종양 용해를 증가시킨다. 종양항원의 인식은 적응면역을 유발한다. 이 과정의 중요한 요소는 수지상세포dendritic cell과 같은 항원제시세포 antigen-presenting cell에 의한 종양 항원의 섭취이다. 수지상세포는 종양이 배액 되는 림프절로 이동하여 T 림프구와 B 림프구를 자극한다. 적응면역 반응이 선천면역과 함께 종양에 대한 이차 방어역할을 함으로써 종양을 완전히 제거 할 수 있다. 하지만 이런 제거반응이 항상 일어나는 것은 아니며 항종양 면역이 높은 면역원성을 가지는 종양세포는 제거하지만 면역원성이 낮은 종양세포로 변종 된 종양세포는 간과하여 종양성장과 종양제거 상태가 균형을 이루고 있는 평형상태를 유지할 수도 있다. 시간이 지날 수록 종양세포의 유전적 불안정성과 유전적 불균질성이 면역체계가 인식할 수 없는 변종을 생기게 하여 종양매개 면역 억제 기전을 통해 면역체계로부터 살아남게 되고 이 시기를 탈출단계라고 부른다.

종양이 면역체계의 제거로부터 회피 할 수 있는 기전으로 숙주 관련 인자, 종양 관련 인자, 또는 두 가지가 복합적으로 작용 한다. 숙주 관련 인자로는 치료와 관련된 면역억제, 선천성 또는 후천성 면역 결핍, 노화 등이 있으며 종양 관련 회피 기전으로는 주요조직적합복합체Major Histocompatibility Complex (MHC) 대립유전자의 소실, 항원제시능력의 감소, T세포 인식에 필요한 동반자극 분자의 발현 감소, TGF-β, IL-10과 같은 면역억제 인자의 분비, 억제 세포의 자극 등이 관련된 것으로 알려져 있다(그림 3-6).

10. 종양유전자

정상 세포 유전자이지만 변이가 일어났을 때 암을 유발시킬 수 있는 유전자를 종양유전자라고 하며, 이러한 유전자의 정상적 카운터파트는 원종양유전자protooncogene 라고 부른다. 종양유전자는 보통 3글자의 약자로 표현한다(예; myc, ras). 또한, 그 기원이 유전체냐 바이러스이냐에 따라서 접두어로 c나 v를 사용한다. 원종양유전자는 전좌translocation, 프로모터 삽입promotor insertion, 돌연변이mutation, 증폭amplification 등에 의해 활성화 되거나 과발현될 수 있으며, 현재까지 100개 이상의 종양유전자가 밝혀졌다.

종양유전자는 기능에 따라 성장인자, 성장인자 수용체, 세포내 신호전달 분자, 핵 전사인자, 세포 성장과 증식을 조절하는 분자 들로 나눌 수 있다. 성장인자는 어디에나 있는 단백질로 세포에서 생산되고 분비되어 자기자신 또는 인접한 세포의 특정 세포 표면 수용체에 결합하여 세포의 증식을 촉진하며, 지속적인 성장인자의 과발현은 통제되지 않는 자가자극을 통해 종양세포로의 전환을 유발한다. 성장인자 수용체는 과발현이나 돌연변이를 일으켜 낮은 성장인자의 농도에서도 활성화되기도 한다. 성장인자와 유사분열촉진제mitogens의 성장촉진 효과는 수용체 후 신호전달 분자를 통해 가능하게 하며 이런 분자들을 통한 세포의 외부에서 내부로의 성장신호는 핵 내에서 세포주기와 DNA 전사를 시작하게 한다. 세포신호 분자, 세포주기 분자, 전사 인자의 비정상적인 발현이나 활성화는 종양으로 형질변이에 중요한 역할을 한다.

1) 성장인자

Sis와 hst가 대표적인 성장인자 관련 종양유전자로 sis는 원숭이 육종 바이러스의 종양유전자이며 혈소판유래성장인자 PDGF의 B사슬 유전자이다. PDGF는 혈병

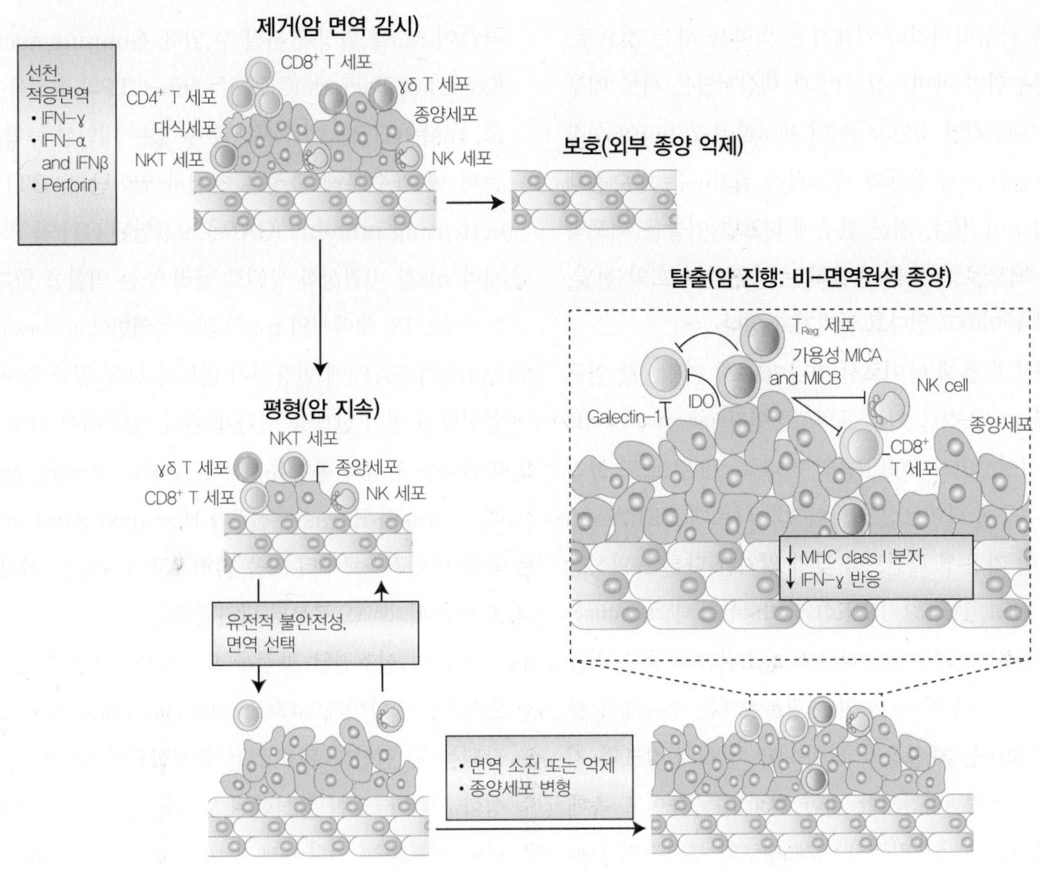

그림 3-6 면역편집. (IFN, 인터페론; NKT, 자연살T; NK, 자연살; TReg ,CD4+CD25+ 조절 T; IDO, indoleamine 2,3-dioxygenase; MIC, MHC-class-I-polypeptide-related sequence; MHC, 주요조직적합복합체)

형성시 혈소판으로부터 유리되는 성장인자로 주변세포 특히 섬유모세포의 성장을 촉진하며 A사슬과 B사슬로 이루어져 있다. Hst는 사람의 위암에서 유전자 이입에 의해 발견된 종양유전자로서 염기성 섬유모세포성장인자 basic FGF의 유전자이다. 이 외에 상피세포 성장인자와 이와 유사한 TGF-α가 종양유전자로 작용할 수 있다는 것이 알려져 있으며, 그 외 여러 섬유모세포 성장인자도 종양유전자로 알려져 있다. 세포의 성장인자는 세포막에 있는 수용체와 결합하여 수용체를 활성화하고 활성화 수용체로부터 성장신호가 세포내로 전달된다. 성장신호가 세포내로 전달되는 가장 중요한 경로는 Ras- Raf- MEK-MARK 경로이며, 최근에 또 다른 경로인 glycogen synthase kinase 3 (GSK3)와 APC 및 β카테닌 경로가 암 발생에 중요하다는 사실이 알려졌다. 종양유전자인 APC가 β카테닌의 분해를 촉진하여 세포 내 농도를 낮게 유지하는 것으로 알려졌으며 β카테닌에 변이가 생겨 세포 내 농도가 높게 유지되면 세포를 암으로 변형시킬 수 있다고 보고되었다. 따라서, β카테닌도 종양유전자일 가능성이 높다고 할 수 있다.

2) 성장인자 수용체

성장인자 수용체의 대부분은 단백질 활성화 효소이며 이들 중 일부는 종양유전자이다.

단백질에 인산기를 옮겨주는 효소들인 단백질 키나아제kinase는 인산이 옮겨지는 아미노산에 따라 타이로신 키나아제와 세린/트레오닌 키나아제로 나눌 수 있으며, 단백질 타이로신 활성화 효소계 종양유전자들은 자기 자신 또는 다른 단백질의 타이로신에 인산기를 옮겨주어 단백질의 기능을 활성화하거나 저해하는 역할을 하는 것으로, 효소 활성부위의 아미노산 서열과 핵산서열은 서로 매우 유사하다. 대표적인 것이 src이며 세포막에 위치하여 성장인자와 결합하는 수용체와 세포질에 위치하는 비수용체 효소로 나누어 진다. 최근 연구에 따르면 이들은 세포막으로부터 핵으로 신호를 전달하는 과정의 신호의 전달, 증폭 등에 관여하고 있다고 알려지고 있다.

성장인자 수용체 타이로신 키나아제 중 가장 잘 연구된 것이 c-erbB-2로 이는 표피성장인자epidermal growth factor, 표피성장인자 EGFR군의 하나로 HER2로도 불린다. 다른 수용체 타이로신 키나아제와 다르게 HER2/neu는 직접적인 가용성 리간드를 갖지 않지만 다른 표피성장인자 군(HER1, HER3, HER4)과 이형복합체heterodimer를 형성하는 선호되는 파트너로써 신호전달의 중요 역할을 담당한다. HER2/neu와의 이형복합체는 수용체를 분해 시키기 보다는 재활용을 강화하고, 신호의 강도와 지속기간을 늘리며, 리간드에 대한 친화도를 높이고 촉매작용을 촉진시켜 세포자멸사 억제 경로와 분열촉진 경로를 활성화 시킨다.

이 외에 섬유모세포성장인자 수용체(FGFR), 혈소판유래성장인자 수용체(PDGFR), 간세포성장인자 수용체(HGFR), 신경세포성장인자 수용체(NGFR)도 종양유전자로 밝혀졌으며 다른 성장인자인 CSF-1의 세포수용체로 알려져 있다. 세린/트레오닌 키나아제에 속하는 암유전자로는 mos, raf, abl 등이 있으며, 이들 또한 세포내의 신호전달에 관여하고 있다고 알려져 있다.

3) 세포 내 신호전달 분자

대표적인 ras계 유전자인 H-ras, K-ras, N-ras가 GTP 결합 단백질로 Rho계 단백이다.

N-ras, H-ras, K-ras는 각각 1, 11, 12번 염색체에 위치하며, 거의 유사한 아미노산 배열의 21kDa 단백을 암호화한다.

수용체 혹은 비수용체 타이로신 키나아제, G 단백 연관 수용체, 인테그린integrin 등의 다양한 세포질외 신호 자극들이 ras를 활성화 시킬 수 있다. Guanine nucleotide Exchange Factors (GEFs)는 ras-GTP의 형성을 자극하고, ras는 GTP를 가수분해할 수 있는 내인성 능력을 가지는데 이 가수분해 과정은 천천히 일어난다. GTP ase-activating proteins (GAPs)는 결합된 GTP를 가수분해시켜 ras를 비활성화 상태로 돌려 놓는 역할을 한다. 아미노산 12, 13, 61에서의 ras의 과오돌연변이missense mutation는 ras가 GAPs에 반응하지 않도록 하여 결국 영구적으로 활성화된 변이 단백을 만들게 된다. 인체에서 가장 빈번히 발견되는 활성화 종양유전자가 H-ras, K-ras, N-ras이며, H-ras와 K-ras 유전자가 Harvey와 Kirsten에 의해 육종 바이러스로부터 처음 밝혀졌고 N-ras는 신경모세포종neuroblastoma으로부터 발견되었다.

Ras의 신호전달 과정을 요약하면, 하행경로는 세린-트레오닌 키나아제Raf Serine-threonine kinase Raf에 의해 시작되는데, 인산화 된 Raf는 활성화되어 MEK 1, 2를 활성화 시킨다. 또한 활성화된 MEK 1, 2는 인산화 되어 세포외 신호조절 키나아제 1, 2extracellular signal-regulated kinase 1, 2 (ERK 1, 2) 또는 다른 이름인 Mitogen-Activated Protein Kinase (MAPK)를 활성화시키고 ERK는 전사 인자의 ETS군을 인산화 시켜 D형 cyclin과 같은 세포주기 조절 단백을 발현시켜 세포를 세포주기의 G1 기로 진행시키게 된다. Ras에 의해 활성화되는 두번째 경로는 PI3-K로 이는 생존 신호체계의 중요한 요소로 p27에 의한 세포정지에 의해 유도된다. 세번째는 ras 연관 Ral 단백들로 이는 PI3-K/Akt 경로를 따라 p27에 의한 세포정지를 촉진하는 forkhead transcription을 억제하는 역할을 한다. 또한, ras는 ras와 연결되어 protein kinase C (PKC)를 활성화 시키고 칼슘을 동원하는 포스포리파제 C 와도 결합한다. 동시에 ras 신호전달 경로는 cyclin D1과 같은 세포주기 조절자를 유도하거나 p27과 같은 세포주기 억제자를 방해하거나, PI3-K/Akt 경로를 통한 생존 신호체계를 강화함으로써 달성되는 증식을 증가시킴으로써 악성 변성을 촉진한다.

Ras 유전자의 p21 단백질은 공유결합된 팔미트산에

의해 세포막의 안쪽에 연관되어 있게 되며, p21은 성장인자 수용체가 활성화 된 후 세포내로 신호가 전달되는 과정에서 Grb와 Sos를 통해 활성화 신호를 전달 받은 후 Raf를 활성화하는 신호전달의 중간 전달자이다. Smg의 활성은 이들이 가진 GTP 분해효소의 활성을 조절하는 인자에 의해 조절을 받는데 이들 조절인자의 이상이 암으로 이어질 수 있다. Rho는 세포 구조물과 원형질막의 구조를 조절하는 단백질로 아직까지 Rho가 ras처럼 직접적인 종양유전자라는 증거는 없다. 그러나 림프종에서 발견된 Dbl은 Rho에 결합한 GTP/GDP 교환인자로 만일 결함이 생기면 GTP/GDP 교환을 하지 못해 결과적으로는 Rho가 활성화되고 세포를 악성화시키게 된다.

4) 핵 전사 인자

다음은 핵에서 발견되는 핵단백질을 만드는 유전자들로 전사촉진 인자들이다. 대표적인 것이 myc 유전자로 버킷 림프종Burkitt's lymphoma에서 전좌되는 8번 염색체에 위치한다. C–myc, L–myc, N–myc 등 세 myc 종양유전자는 여러 인체 암 조직이나 암세포주에서 증폭되어 있음이 알려져 왔다. 유방암, 결장암, 자궁 경부암, 폐 소세포암, 골육종, 흑색종, 골수성 백혈병 등 많은 암에서 이러한 myc의 증가되거나 통제되지 않는 발현이 발견된다.

C–myc 단백질은 핵에 존재하며, 복선 또는 단선 DNA와 결합하는 능력을 가지고 있고 유전자의 전사를 촉진하는 것으로 알려져 있다. 전사조절인자 중 일부는 성장인자 등의 자극에 의해 유도되는데 c–fos나 c–jun 등이 여기에 속한다. C–myc 유전자는 Max라 불리는 파트너 단백질과 이형 복합체를 구성하는 다양한 그룹의 유전자의 전사과정 조절에 관여한다. C–myc의 주요한 생물학적 기능 중의 하나는 세포주기의 진행이다. 유사분열 촉진제나 혈장의 자극이 있으면 세포외 성장인자가 없이도 c–myc은 빠르게 증가하여 세포가 세포주기에 진입하게 된다. 또한 c–myc은 리소좀 단백과 다양한 해독 시작 인자translation initiation factor의 전사에 의해 이루어지는 단백 합성 경로를 활성화시켜 세포성장을 촉진시키는 역할도 하고, 세포가 다양한 형태로 분화하는 것을 억제하는 역할도 한다. 흥미로운 사실은 c–myc은 다양한 세포자연사 자극apoptotic stimuli에 세포를 감작시키는 기능도 있어 연구 별로 c–myc이 종양에 있어 좋은 예후인자로 밝혀지기도 하고 다른 연구에서는 나쁜 예후인자로 밝혀지는 등 유전적 배경에 따라 다른 기능을 가진 것으로 보인다.

11. 상피-간엽 전환

상피–간엽 전환Epithelial-Mesenchymal Transition (EMT)은 상피 세포가 극성과 세포간 부착능력을 소실하고 이동성과 침윤성을 보이는 간엽세포로 변화하는 과정이다. EMT는 정상적인 발생과정에서 중배엽 형성이나 신경관형성에 필수적인 과정이며 상처 치유나 기관 섬유화, 전이의 시작 단계에서도 관찰된다. E–cadherin의 소실이 EMT 과정의 기본적인 사건으로 Snail, Twist, Slug, Zeb 1, Zeb 2 등의 전사 인자의 직접 또는 간접적인 영향을 받아 E–cadherin 유전자 발현의 억제를 통해 일어난다. 암세포의 침윤과 전이 과정 동안 현저한 형성성plasticity이 필요하기 때문에 EMT는 침윤, 혈관내유출, 혈관외유출시 필요한 과정이라고 생각되고 암세포의 원격장기로 이동 후 성장을 하기 위해서는 반대 과정인 간엽–상피 전환이 필요하다고 제안되고 있다.

요약

암은 조절되지 않는 계속적인 세포증식에 의해 형성된 변형된 세포의 집단이다. 정상 세포에서 암 세포로 변환되어 악성종양으로 성장하기 위해서는 성장 신호의 자급self-sufficiency in growth signal, 성장 억제 신호의 불응insensitive to growth inhibitory signal, 세포 자연사 회피evasion of apoptosis, 무제한 복제 능력limitless replication의 획득, 면역 파괴의 회피evading immune destruction 등의 세포 생리학적 변화가 필요하다. 종양유전자는 유전자의 발현이 정상세포의 암 변형과 밀접한 관련이 있다고 알려진 유전자들로 지금까지 알려진 종양유전자들은 기능에 따라 성장인자, 성장인자 수용체, 세포 내 신호전달 분자, 핵 전사인자, 세포 성장과 증식을 조절하는 분자들로 나눌 수 있다. 악성 세포는 주위 정상 조직으로 침윤하는 능력을 가지고 있으며, 종양의 성장과 전이에 필수적인 과정으로 혈관을 신생한다. 전이는 원발암이 혈행성 또는 림프성으로 원발부 이외의 장소로 이동하는 현상으로 다단계 전이과정의 가설과 애초에 종양의 전이능력이 유전적으로 결정되어 있다는 가설 두 가지가 모두 전이과정에 관여할 것으로 생각되고 있다.

III 종양 형성

1. 암 유전학

악성변환malignant transformation이란 정상 세포에서 과도한 성장을 보이는 비정상 세포로의 변화를 말한다. 이러한 변화의 대부분은 유전자 변이에 의해 발생하고, 종양유전자의 기능의 활성화 또는 종양억제유전자의 기능 감소와 관련이 있다. 1988년 Vogelstein이 발표한 대장암에서 종양 발생의 다단계 모델을 보면, 종양유전자와 종양억제유전자는 직접적으로 암 발생에 관여하고 있는 것을 알 수 있다(그림 3-2).

부모로부터 유전되어 신체의 모든 세포에서 나타나는 유전자 변이를 생식세포 또는 체질성 변이라고 한다. 반면에, 체세포 변이는 비 유전적 변이로 후천적으로 나타난다. 대부분 암과 관련이 있는 것은 체세포 변이이며, 방사선, 화학 약품 또는 만성 염증 형태 등의 발암 물질에 대한 노출에 의한 것이라고 할 수 있다. 종양은 발생 형태에 따라서 유전적hereditary 또는 산발적sporadic 종양으로 분류할 수 있다. 유전적 종양은 생식세포의 변이에 의한 결과이며 대부분 증후군의 형태를 보인다. 반면에 악성 종양으로 진단받은 환자가 유전적인 소인을 가지지 않았으나 체세포에서 유전자 변이를 보이면 산발적 종양이라고 할 수 있다. 비록 임상적으로는 유전적 종양 증후군이 드물지만, 이를 바탕으로 유전적 연구를 통하여 일반적인 암 행태를 연구하는데 좋은 단서를 제공 받을 수 있다. 현재까지 종양과 관련된 30여가지 이상의 상염색체 우성 유전의 형태를 보이는 유전자가 발견되었다(표 3-2). 이러한 유전적 성질을 보이는 유전자의 대부분은 암을 억제하는 기능을 가진 암 억제 유전자tumor suppressor gene이다.

유전적 종양에서 나타나는 생식세포 변이는 우발적 암에서 나타나는 체세포 변이와 종종 비슷한 형태를 보이게 된다. p53은 종양에서 가장 일반적으로 변이를 보이는 유전자이고, 유전이 되면 임상적으로 Li-Fraumeni 증후군을 초래한다. 가족성 선종성 용종증은 생식세포에 APC 유전자 변이가 나타나고, 산발적 형태의 대장암 중에 80% 이상에서 같은 유전자의 체세포 변이가 관찰된다. 또한, ret 종양유전자 변이는 수질성 갑상선암Medullary Thyroid Cancer (MTCs)의 가족성 형태에서 보이며, 산발적 MTCs의 약 50%에서 체세포 변이를 보인다. 하지만, 유

표 3-2. 유전성 암과 관련된 유전자

증후군	유전자(위치)	관련된 암
Familial adenomatous polyposis (FAP)	APC (17q21)	결장직장 선종과암, 십이지장/위 종양, 데스모이드종양,
		수질아세포종, 골종양
Juvenile polyposis coli	BMPRIA (10q21-q22)	위장간계 소아폴립, 위장관/결장직장 악성종양
Breast/ovarian syndrome	BRCA 1 (17q21)	유방암, 난소암, 대장암, 전립선암
Breast/ovarian syndrome	BRCA 2 (13q12.3)	유방암, 난소암, 대장암, 전립선암, 담낭/담관암, 췌장암, 위암,
		흑색종
Familial melanoma	p16, CDK4 (9p21, 12q14)	흑색종, 췌장암, 이형성 모반
Hereditary diffuse gastric cancer	CDH1 (16q22)	위암
Li-Fraumeni and hereditary breast cancer	hCHK2 (22q12.1)	유방암, 결합조직 육종, 뇌종양
Hereditary nonpolyposis colorectal cancer	hMLH1 (3p21), hMSH2 (2p22-21), hMSH6 (2p16), hPMS1 (2q31-33), hPMS2 (7p22)	결장직장암, 자궁내막암, 비뇨기계 이행세포암, 위/소장/난소/췌장암
Multiple endocrine neoplasia type 1	MEN1 (11q13)	췌장 섬세포암, 부갑상선 과형성증, 뇌하수체 선종
Hereditary papillary renal cell carcinoma	MET (7q31)	신장암
Neurofibromatosis type 1	NF1 (17q11)	신경섬유종, 신경섬유육종, 급성백혈병, 뇌종양
Neurofibromatosis type 2	NF2 (22q12)	청각신경종, 뇌막암, 신경아교종, 뇌실막종
Nevoid basal cell carcinoma	PTC (9q22.3)	기저세포암
Cowden disease	PTEN (10q23.3)	유방암, 갑상선암, 자궁내막암
Retinoblastoma	Rb (13q14)	망막모세포종, 육종, 흑색종, 뇌/뇌막암
Multiple endocrine neoplasia type 2	RET (10q11.2)	갑상선 수질암, 갈색세포종, 부갑상선 과형성증
Hereditary paraganglioma and pheochromocytoma	SDHB (1p363.1-p351) SDHC (q21), SDHD (11q23)	부신경절종, 갈색세포종
Juvenile polyposis coli	SMAD4/DPC4 (18q21.1)	위장간계 소아폴립, 위장관/결장직장 악성종양
Peutz-Jeghers syndrome	STK11 (19p13.3)	위장관계 악성종양, 유방암, 고환암, 췌장암, 피부와 점막의 양성 흑색침착
Li-Fraumeni syndrome	p53 (17p13)	유방암, 결합조직 육종, 골육종, 뇌종양, 부신피질종양, 윌름 종양, 유방 엽상종양, 췌장암, 백혈병, 신경모세포아종
Tuberous sclerosis	RSC1 (9q34), TSC2 (q16p13)	다발성과오종, 신장세포종, 별아교세포종
von Hippel-Lindau disease	VHL (3p25)	신장세포종, 망막/중심 신경계 혈관모세포종, 갈색세포종
Wilms'tumor	WT (11p13)	윌름 종양, 무홍채증, 비뇨생식기계 기형, 정신지체

전되는 모든 유전자 변이가 완전하게 발현penetrance되는 것은 아니다. FAP에서 대장암과 다발성 내분비 종양 MEN-2에서 MTC는 대부분 완전한 발현율을 보이지만, 신경섬유종증neurofibromatosis에서 갈색세포종pheochromocytoma의 발현율은 50% 미만이다. 또한, 같은 증후군에서 다른 임상적 특징으로 발현되기도 한다. 결국, 변이 유전자의 발현을 결정하고 있는 인자는 아직까지 불명확하다고 할 수 있다.

유전적 종양은 발현 특징에 있어서 산발적암과 몇가지 차이를 보인다. 임상적으로 일반적인 발병연령보다 일찍 발생한 암, 양측성bilateral 질병인 경우, 다발성 일차성 암의 존재, 흔하지 않은 성별에서의 암 발생(예; 남성에서의 유방암), 친인척에서 비슷한 암의 발생, 정신지체나 피부 병변을 동반한 암 등의 임상적 증상이 나타날 경우에는 유전성 종양을 의심해봐야 한다.

1) 유전성 망막모세포종

망막모세포종retinoblastoma은 여러 발암관련 유전자 중 첫 번째로 복제cloned 되었던 RB1이라는 종양억제 유전자에 의해서 발생한 종양으로 종양 유전학의 역사에서 중요한 종양이다. 대부분의 증례에서 7세 전후에 진단이 되지만, 양측성인 경우는 생후 1년 안에 진단된다. 망막모세포종은 육종, 흑색종과 중심 신경계의 종양을 포함하는 안구 외extraocular 악성 종양과 관련된 경우가 많으며, 안구에만 국한되어 있는 경우에는 비교적 높은 치료 성적(95% 이상 치료 가능)을 보이지만 안구 외 증상이 발생하면 사망 가능성이 증가한다. 유전적 형태와 산발적 형태의 발현이 뚜렷하게 구분이 되며, 약 40%에서 생식세포 변이를 동반하고 있다. Knudson 등은 망막모세포종을 가지고 있는 부모의 일부 아이들에서 종양이 발생하지 않는 현상을 발견하였다. 이런 현상을 바탕으로 '암 발생에 있어서 생식세포 변이가 반드시 필요하지만 충분조건은 아니다' 라고 주장하였으며, 따라서 암이 발생하지 않은 아이들은 생식세포 변이를 가지고 있는 RB1 유전자 보균자carrier의 의미를 가진다고 하였다. 그는 이러한 임상적 배경을 가지고 망막모세포종 발생과정에 있어서 2-hit 이론two-hit theory을 제시하면서 어떤 기전에 의해서건 종양억제유전자에 있는 두 대립유전자의 기능이 모두 소실된 후에야 종양이 발생하게 된다고 주장하였다. 이때 발생 가능한 유전자 변이는 점 변이point mutation, 염색체 소실chromosomal deletion에 의한 대립유전자allele의 소실, 이형접합의 소실Loss of Heterozygosity (LOH), 유전자 침묵gene silencing 등이 있다. 이는 다음에 설명할 후생학적 유전의 메틸화와도 연관성이 있다.

RB1에 의해 만들어진 RB 단백질은 세포 주기와 분화, 세포사멸 과정에 있어서 중요한 조절 단백질이며, 유전자 변이는 망막모세포의 분화과정에 있어서 기능상실을 유도하는 결과를 보인다. 세포 주기에서 E2F 전사 인자는 RB 유전자의 발현을 조절하며, 반대로 RB 단백질은 E2F 전사 인자를 역으로 조절한다. RB 단백질이 E2F 전사 과정을 조절하는 과정에서 CDK4와 CDK6에 의한 인산화가 중요한 역할을 하며, CDK의 활성화는 D형 cyclin D1, D2, D3과 CDK 억제제인 INK4 집단 p15, p16, p18, p19에 의하여 조절된다. 이러한 과정은 다른 종류의 암에서도 종종 확인되고 있다.

2) Li-Fraumeni 증후군

1969년, Li와 Fraumeni는 조기에 발생하는 유방암, 연조직의 육종, 뇌종양, 부신피질 종양과 백혈병 등 여러 가지 종양을 포함하고 있는 새로운 가족성 종양 증후군을 보고하였다. 50-70%의 Li-Fraumeni 증후군의 혈연에서 p53 단백질 생성과 관련이 있는 TP53 유전자 변이를 보인다. 유방암, 연조직의 육종, 골육종, 뇌종양, 부신피질 종양, 윌름종양Wilms tumor 등은 생식세포의 p53 변이와 강한 상관관계를 가지고 있다. 이 증후군은 상염색체 우성 유전을 보이며, 30세 이전에 약 50%의 발현율을 보이면서 대부분 45세 이전에 발병 또는 진단 된다. 환자는 방사선에 대한 감수성이 증가되며, 방사선 조사에 의해서 새로운 부위에 악성 종양이 발생할 수 있다. p53 유전자는 인간의 종양 발생에 있어서 가장 많이 알려진 유전자로서 세포사멸을 유도하여 세포 주기를 조절하는 단백질로 방사선, 항암제, 산성화, 성장인자 결핍, 저산소증 등으로 인한 스트레스 환경에 반응하는 과정에 관여하여 스트레스 환경이 조성될 경우 세포사멸을 유도한다. p53 단백질의 전사 표적transcriptional target으로는 p21/WAF1, mdm2, IGF 결합 단백질 3, GADD45, 14-3-3 시그마 인자 등이 포함된다.

TP53 변이를 보이지 않는 혈연에서는 다른 유전자 이상이 보고되었다. 직접적으로 p53을 인산화시키는 역할을 하는 세포주기 감시 효소 유전자인 hChk2의 변이가 대표적이다. hChk2는 p53을 직접적으로 인산화시키며 결과적으로 p53의 조절 능력에 관여한다고 볼 수 있다. 결국, 이러한 hChk2 유전자 역시 p53과 마찬가지로 종양억제 유전자의 역할을 하는 것으로 설명할 수 있다. Li-Fraumeni 증후군의 1.4%에서 hChk2의 변이가 관찰되며, 가족력이 있는 유방암 환자에서는 3.1%까지 상승한다. 양측성 유방암 환자에 있어서 편측성 유방암 환자에 비해서 6배 정도 흔하게 hChk2의 변이가 관찰된다. 이는 유전적 유방암에 있어서 hChk2의 변이가 일부 관여하는 것으로 해석할 수 있다. 하지만, hChk2의 변이는 산발적 유방암에서는 아주 드물게 관찰된다.

3) BRCA1와 BRCA2

전체 유방암 환자 중에 약 5-10%는 유전적 원인으로 진단된다. 40세 이전에 진단된 유방암 환자들 중에 약 10-15%에서 BRCA1과 BRCA2 유전자 변이가 발견된다. 생식세포에서 BRCA1과 BRCA2 유전자 변이를 가지는 경우에 70세까지 유방암이 발현될 가능성은 약 80-88%이며, 유전자에 따라서 또 다른 부위의 암 발현율 차이를 보인다. 대부분 난소암의 발생에서 차이를 보이며, BRCA1의 경우에 60%이고, BRCA2의 경우에 27% 정도이다. 반면 전체 난소암 중에는 약 5%에서 BRCA1 생식세포 변이를 보인다. 남자에 있어서는 BRCA2 유전자의 변이가 있을 경우에 전립선 암의 발생가능성이 증가한다. 또한, BRCA2 유전자의 변이로 인하여 유방암과 난소암 이외에도 담낭암, 담관암, 췌장암, 위암, 흑색종 등이 발생할 수 있다. BRCA1 유전자는 208KDa의 유전자로 17번 염색체의 장완(17q21)에 위치해 있으며, 약 100,000개 이상의 핵산으로 이루어진 큰 유전자며, 250개 이상의 다른 변이들이 보고되었다. BRCA2 유전자는 384KDa의 유전자로 13번 염색체의 장완(13q21.3)에 위치해 있으며 약 100개 이상의 변이를 보인다. BRCA1의 변이의 대부분은 잘려진 단백질을 생산하는 프레임시프트frameshift 또는 nonsense 변이다. BRCA1과 BRCA2는 종양 억제유전자로서 작용하며, DNA 손상 회복, 유전자 발현의 조절과 세포 주기 제어에서 중요한 역할을 가진다. 하지만, 두 유전자는 서로 다른 표현형을 나타낸다. BRCA1과 관련된 유방암에서는 일반적인 유방암에 비해서 분열횟수 mitotic count가 많고 임파선 침범이 흔하게 나타나지만, BRCA2와 관련된 유방암에서는 분열횟수가 적게 나타난다. 또한 BRCA1과 관련된 유방암에서는 에스트로겐 수용체Estrogen Receptor (ER)가 음성인 경우가 흔하지만, BRCA2와 관련된 유방암에서는 에스트로겐 수용체가 양성인 경우가 흔하게 나타난다.

4) 가족성 선종성 용종증

가족성 선종성 용종증Familial Adenomatous Polyposis (FAP)은 전체 대장암의 1%에서 나타난다. 염색체 5q21에 위치하는 APC 유전자 변이에 기인하며 상염색체 우성 유전의 특징을 보인다. 발현율은 상당히 높아서 변이를 보이는 경우에 90% 이상에서 대장암이 발생한다. 임상적으로 결장에 1,000개 이상의 선종성 폴립이 발생한다. 최초로 혈연관계에서 확인된 FAP는 Lockhart-Mummery에 의해 1925년에 기술되었다. 일반적으로 20-30대에 대장 용종이 진단되고, 육안적 또는 현미경적으로도 산발적 선종성 용종과 감별할 수 없으며, 산발적 용종과 비슷한 악성 전환율을 보인다. 치료하지 않은 경우에 있어서 산발적 대장암의 호발 연령보다 약 30년 빠른 35-40세에 대장암으로 진행된다.

FAP의 대장 외 증상으로는 상부위장관 용종, 데스모이드 종양desmoid tumor(15%)과 갑상선암(1-2%) 등이 나타난다. 70세까지 90%의 환자에서 위와 십이지장 유두관 주변의 십이지장 용종이 발견되며, 이후에 발생하는 십이지장 선암은 전이성 대장암과 데스모이드 종양에 이어서 3번째로 흔한 사망원인이 된다. 데스모이드 종양은 복부 또는 복벽 내에 발생하는 침윤성 섬유종증이며, FAP 환자는 일반인에 비해서 데스모이드 종양이 발생할 비교위험도가 850배 높다.

가족성 선종성 용종증의 후보유전자인 APC 유전자는 1987년에 처음 발견되었고, 1991년에 처음으로 복제되었다. 300kd 단백질로 여러 가지 세포형에서 발견되며, 주요 기능은 유착부착 단백질을 생성하는 역할을 하면서 세포의 유착과 이동에 관여한다. 또한, 단백질 복합체의 일부로서 b-catenin의 인산화와 분해를 조절하는 Wnt 경로에 의해 조정된다. 따라서, APC의 변이가 보이면 b-catenin은 인산화되지 못하고 세포질에 축적되며 전사인자의 일종인 Tcf 집단과 결합하게 되고, 결과적으로 세포의 증식, 이동, 분화와 세포사멸에 관련되는 여러 가지 유전자의 발현에 영향을 준다. APC 유전자의 변이는 대장암 발생과정의 초기 과정에 관여하는 것으로 밝혀졌다. 현재까지 700개 이상의 질환에서 APC 유전자 변이가 발견되었으며, 가장 흔한 변이로는 프레임시프트frameshift 변이(70%), nonsense 변이(68%), 거대 결손large defect(2%) 등이다. 대부분의 변이는 엑손exon 15번의 5' 끝에 위치한 변이 집단 부위mutation cluster region라고 불리는 곳에서 발견된다. APC 유전자의 변이 위치는 표현형을 결정하는 것에 있어서 중요한 역할을 한다. 코돈codon 976과 1067번 사이의 변이는 십이지장 선종의 발현을 3-4배 정도 증가시킨다. 반면에, 망막색소상피의 선천성 비대Congenital Hypertrophy of the Retinal Pigment Epithelium (CHRPE)는 코돈 463과 1387번 사이의 변이와 관련이 있다. 특히, Gardner 증후군은 코돈 1403과 1578번 사이의 변이와 관련이 있고, 대장암과 더불어 아래턱뼈 또는 머리뼈의 골종, 표피 낭종과 다발성 피부와 연조직 종양, 특히 데스모이드 종양과 갑상선 종양이 동반되는 것이 특징이다.

FAP와 다른 형태를 보이는 MYH 연관 용종증MYH-Associated Polyposis (MAP)은 최근에 보고 되었으며, MutY 동족 유전자의 돌연변이를 보이는 유전 증후군이다. FAP와 비슷한 대장암 발병률을 가지고 있으나, 상염색체 열성 유전을 하는 것이 차이점이다. 임상적 발현형태에 있어서는 대장암 발생 연령이 50대라는 약간의 차이는 있지만 APC에 의한 대장암과 차이가 없다. 용종은 결장 전체에서 발견되며, 우측과 좌측결장에서 조금 더 많이 발생한다. 대장 외 증상으로 유방암(18%)과 상부위장관 용종을 보인다. MYH 유전자는 산화성 손상oxidative damage에 대한 이차적 변이를 방지하는 기전에 중요한 역할을 하는 BER 경로base excision repair pathway에 관여하는 DNA 당화효소glycosylase를 코딩하고 있다. MAP 환자에서는 Y165C와 G382D의 변이가 80% 이상에서 발견되며, 발현율은 50% 이상이다. MYH 유전자의 생식세포 변이를 동반한 동형 또는 이형 접합체는 대장암의 발생률을 93배 정도 증가 시킨다. 변이는 염색체의 세포 분열 과정의 부적절한 집합misaggregation을 가속화 시켜서 염색체의 불안정성을 유도하며 이러한 현상은 이수성aneuploidy을 야기시키고, FAP 또는 MAP와 연관된 종양에서 발암현상의 초기 단계에 해당된다. MYH 유전자 변이를 보이는 용종의 경우에 FAP 용종에 비해서 이수성을 가질 확률이 2배 정도 증가한다.

5) 유전성 비용종증 대장암

유전성 비용종증 대장암Hereditary Nonpolyposis Colorectal Cancer (HNPCC)은 Lynch 증후군으로 알려져 있으며 모든 대장암에서 5-10%를 차지한다. hMSH2, hMLH1, hMSH6, hPMS1, hPMS2 등의 DNA 복제실수교정유전자mismatch repair gene의 변이에 의해서 발생하며, 발현율이 높고 상염색체 우성 유전의 형태를 보인다. 원래 Lynch에 의해 기술될 때, 혈연에서의 발생을 두 가지로 분류하였다. 첫 번째 형태 Type I는 대장암만 발현되는 형태로서 대부분 44세 이전에 발병하며 다발성 대장암과 대장암의 전이성 병변이 나타난다. 두 번째 형태 Type II는 대장 외 증상까지 나타나는 형태로서 대장암 이외에도 자궁내막암, 요관과 신장의 이행성 세포 종양Transitional Cell Carcinoma (TCC), 위암, 소장암, 난소암, 췌장암 등이 발생한다. HNPCC의 전형적인 임상적 발현형은 우측 결장암이 주로 나타나며 70%에서 비만곡부 이전 부위에서 발생하고 비교적 젊은 연령(40대 중반)에서 나타나며, 다른 부위에 다른 종류의 악성종양이나 전이성 병변이 있을 가능성을 높다. 특히, 자궁내막과 난소에서 악성 종양이 발생한다. 비록 대장암이 발생할 확률이 산발적 대장암의 발생 비율과 비슷하지만, HNPCC 세포의 유전자 변이의 비율이 정상 세포에 비해서 2–3배 높기 때문에 종양의 성장이 가속화된다. 전형적인 산발적 종양의 경우에 선종에서 악성종양까지 진행이 8–10년 정도 소요되지만, HNPCC의 경우에 있어서는 악성종양으로 진행되기까지 2–3년 정도 소요된다. DNA 복제실수교정유전자의 변이는 현미부수체 불안정성 Microsatellite Instability (MSI)을 초래한다. 현미부수체는 짧은 DNA 염기 배열이 반복된 부위이다. 이 부위가 복제되는 동안, DNA 중합 효소 복합체의 손실slippage이 일어 날 수 있고 염기 배열이 과하거나 부족한 자가닥daughter strand의 생성을 초래할 수 있다. HNPCC에서 가장 대표적으로 변이를 보이는 복제실수교정유전자인 *hMSH2human mutS homologue 2*와 *hMLH1 human mutL homologue 1*의 변이는 약 2/3 증례에서 발견된다. hMSH6 변이는 약 10% 정도에서 확인이 되고, 또 다른 복제실수교정유전자인 *hPMS1human postmeiotic segretation 1*과 *hPMS2human postmeiotic segretation 2*의 변이 역시 관찰 된다. 참고로, 산발적인 대장암에서도 약 15%에서 현미부수체 불안정성이 관찰되지만, 이는 HNPCC에서 보이는 변이에 의한 결과와 다르게 hMLH1 유전자의 메틸화 methylation에 의한 결과이다.

6) Von Hippel–Lindau 증후군

매우 드문 증후군으로 상염색체 우성 유전의 성질을 보이며, 다발성 장기에서 혈관발달이 과도한 종양을 특징으로 하는 증후군이다. 망막과 중심 신경계의 혈관모세포종hemangioblstoma, 투명세포 신세포암clear cell renal cell cancer으로 진행되는 신낭종renal cyst과 갈색세포종pheochromocytoma이 나타난다. 이 증후군은 VHL 유전자 변이에 의한 결과이다. 발현율은 65세까지 90%이며 평균 발병나이는 약 26세 정도이다. 이 증후군에서 VHL 유전자의 역할이 발견된 이후, 이 같은 유전자의 변이는 대다수의 산발적 투명세포 신세포암에서 발견되었다. VHL 유전자의 산물인 pVHL 단백질은 종양 억제인자의 기능을 하며, 저산소증에 대한 세포의 반응 기전의 일부를 담당한다. 세포 주변의 저산소 환경에서는 저산소증 유도성 인자인 *HIF-1hypoxia inducible factor-1*와 HIF-2가 세포대사, 혈관형성, 적혈구 조혈작용, 세포 증식 등과 관련된 유전자를 조절하며, pVHL 단백질은 산소 의존성 단백질 분해를 위해 HIF의 아단위subunit를 표적으로 한다. 결과적으로, pVHL 단백질 결핍은 세포 내 산소의 농도와 관계없이 HIF 복합체의 세포 내 축적을 유도하며, HIF 전사활동의 증가를 야기시키며 VEGF, GULT-1와 erythropoietin으로 대표되는 HIF 표적 유전자의 상승작용을 야기한다. 또한, pVHL 단백질은 ECM 교체와 미세관 안정성microtubule stability을 조절하는 역할에 관여하기도 한다.

7) Cowden 질환

암 억제 유전자인 PTEN (phosphatase and tensin homologue deleted on chromosome 10)의 체세포 소실 somatic deletion이나 돌연변이가 신경아종glioma이나 유방암, 전립선암과 신장암 세포주 등에서 발견되었다. PTEN은 Cowden 질환이나 다발성 과오종 증후군multiple hamartoma syndrome에서 상염색체성 우성 유전에 대한 감수성 유전자로서 확인되었다. Cowden 질환은 유방암과 갑상선암의 발병률 증가와 관련이 있다. 유방암은 유전자 변이를 보이는 여성에서 25–50%에서 발병되며, 갑상선암의 경우에는 3–10%에서 발병한다. PTEN 변이는 Cowden 질환 가족들 중에서 81%에서 발견되며, 악성 유방암과 관련성을 보인다. PTEN 변이의 43%는 PTPase의 중심 영역을 포함하고 있는 5번 엑손에서 발견된다. PTEN은 403개의 아미노산으로 구성된 PTPase (tyrosine phosphatase)를 코딩하고 있으며, 세포의 성장과 생존을 조절하는 PI3K 신호전달 과정을 억제하는 역할을 한다. 결과적으로 PTEN 변이는 PI3K 신호전달 과정의 지속적인 활성을 야기한다.

8) 유전성 악성 흑색종

P16은 INK4A, CDKN1, CDKN2A, 또는 MTS-1이라고 인식되던 유전자로 암 억제 기능을 가진 유전자이다. P16은 CDK4, CDK6과 결합하여 Rb 인산화와 세포 주기 진행에 필요한 CDK4-6/cyclin D 복합체의 촉매작용을 억제한다. 임상적으로 유전적 P16 변이가 있을 경우에 흑색종이나 췌장암의 발생가능성이 증가한다. P16 유전자의 점 변이, 기폭제 메틸화promoter hypermethylation, 소실 등으로 인한 산발적 종양 발생과도 연관성을 보인다. 이와 관련된 종양에는 췌장암, 식도암, 두경부암, 위암, 유방암, 대장암, 흑색종이 있다.

9) 유전성 미만성 위암

E-cadherin은 세포 유착에 관여하는 물질로서 정상적인 세포 구조와 상피세포 기능을 유지하는 기능을 한다. 유전적 미만성 위암hereditary diffuse gastric cancer은 상염색체 우성 유전의 성격을 보이며, E-cadherin 유전자인 CDH1의 생식세포 변이를 보인다. CDH1 변이가 있을 경우에 위암의 발생 가능성이 70-80%까지 증가한다. 또한, 우발적인 난소암, 자궁내막암, 유방암, 갑상선암과도 연관성이 있다. 특히, 미만성 위암과 소엽상 유방암lobular breast carcinoma에서 CDH1 변이가 자주 관찰된다. 하지만, 미만성 위암에서는 엑손의 도약skipping에 의한 프래임 소실frame deletion이 흔하고 소엽상 유방암에서는 미완성의 정지 코돈stop codon 생성이 빈번하게 관찰된다.

10) 제1형 다발성 내분비 종양

제1형 다발성 내분비 종양Multiple Endocrine Neoplasm Type I (MEN 1)은 부갑상선기능항진증을 동반한 부갑상선의 종양췌장, 췌장 섬세포islet cell 종양과 뇌하수체의 종양을 동반하며 상염색체성 우성 유전을 보이는 증후군이다. 증례에 따라서는 지방종, 부신과 갑상선의 선종, 피부의 맥관섬유종과 카시노이드종양 등이 나타나기도 한다. 염색체 11q13에 위치하는 MEN 1이라고 불리는 종양억제 유전자의 변이가 관찰되며, 약 80%에서 menin이라고 하는 단백질의 기능 손상이 나타난다. Menin은 MEN 1 유전자로부터 생성되는 최종 단백질로 핵에서 주로 발견되는 67kd 단백질로서 여러 다른 단백질과 결합하여 전사 과정, DNA 교정과 세포 골격의 형성에 관여한다. menin 이외에 JunD와 같은 많은 후보 물질이 제안되었지만, 어느 것도 아직 MEN1 종양 발생에서의 관련성을 충분히 설명하지 못하고 있다.

11) 제2형 다발성 내분비 종양

갑상선수질암Medullary Thyroid Cancer (MTC)은 모든 제2형 다발성 내분비 종양Multiple Endocrine Neoplasm Type 2(MEN 2)에서 발견된다. MEN 2는 두 가지로 분류할 수 있다. MEN 2A는 MTC 이외에 갈색세포종(50%)과 부갑상선기능항진증(25%)을 동반하며, MEN 2B는 MTC와 갈색세포종 이외에 혀, 입술과 결막하 점막의 신경종, 위장관 신경절 신경종증, Marfanoid 신체 체질Marfanoid body habit을 동반한다. MEN 2B의 대부분의 원인은 자발적으로 발생한 ret 유전자 변이의 결과이다.

MEN 2A과 2B형 모두 염색체 10q11에 위치하는 ret이라는 원발암유전자의 생식세포 변이에 의해서 발생한다. 이 유전자는 경막 티로신 키나아제transmembrane tyrosine kinase 수용체를 코딩하고 있으며, 갑상선의 C 세포, 부신의 수질성 세포와 자율 신경절 세포를 포함하여 신경 내분비 세포와 신경 세포에서 다양하게 발견된다. 일단 변이가 발생하면, 수용체는 p38/MAPK와 JNK 경로로 대표되는 여러 세포 내 신호전달경로에 관여하게 된다.

12) 유전성 암과 조직 특이성

유전적 성격을 보이는 암 유전자에 대한 연구 결과들이 많이 보고되었지만, 조직 특이성에 대한 의문은 풀리지 않은 상태이다. 한 유전자의 변이가 우발적 종양의 경우에는 여러 조직의 암에서 나타나지만, 유전적 암의 경우에 있어서는 특정 부위의 암만 발생한다. 예를 들면, 여러 산발적 종양에서 P53의 변이가 관찰되지만, 유전적 P53 변이를 보이는 환자에서는 산발적 종양처럼 다양한 형태의 종양이 나타나는 것이 아니라 특정 종양만 나타난다. 즉, 임상적으로 표현형에 차이를 보이게 된다.

2. 암 후생학

후생학적 유전epigenetic inheritance은 염기서열의 변화와 재조합 등의 구조가 변하지 않은 상태에서 유전자의 기능이 변하며, 이러한 변화가 유전되는 현상이라고 할 수 있다. 후생학이란 바로 이러한 현상, 즉 DNA 염기서열의 변화(돌연변이) 없이 유전자의 기능 변화가 일어나고 유전되는 모든 것을 말하며 상호 관련성이 있는 3개의 주요한 과정을 중심으로 진행된다. 이는 DNA 메틸화, 유전체 각인genomic imprinting과 히스톤 단백질 수정histone modification이며, 현재 후생학적 과정과 암의 발생과의 연관성에 대한 연구가 활발하게 진행 중이다.

후생학적 변화 중에 가장 널리 알려진 것은 CpG 디뉴클레오타이드dinucleotides의 사이토신cytosine 메틸화다. 인간의 유전자에는 핵산 A나 T에 비하여 C나 G가 상대적으로 적게 분포한다. C와 G가 나란히 연결된 CpG 핵산은 유전자에서 기능이 알려지지 않은 서열 부위에 존재하는 경우가 대부분인데, 일반적으로 핵산 C에 메틸기가 결합되어 있는 상태로 존재한다. 전체 유전자의 promoter 부위에 연속되는 CpG 핵산들이 나타나는데, CpG 염기들이 반복되는 모양이 외딴 섬을 이루고 있는 것처럼 보여서 CpG islands라 부른다. CpG 섬CpG island (CGI)은 일반적으로 정상 세포에서 메틸화가 되지 않은 CpG 디뉴클레오타이드 덩어리를 포함하고 있는 DNA의 한 부분으로 약 1kb 스트레치 stretch를 가지는 부분이며, 유전자의 5-말단 근처에 위치한다. 유전자 promoter 부위의 CpG islands에 메틸기가 결합하면, mRNA 전사가 방해를 받아서 유전자 발현이 억제된다. 이렇게 메틸화된 세포가 증식 과정에서 DNA를 복제할 때, DNA methyl transferase (DNMT) -현재까지 5종류의 DNMT (DNMT1, DNMT2, DNMT3a, DNMT3b, DNMT3L)가 발견되었다.-는 DNA 주형의 CpG 핵산에 결합되어 있는 메틸기를 인지하고, 새로 합성되는 DNA 가닥 내의 CpG 핵산에도 메틸기를 더해 주게 된다. 이러한 방식으로 메틸화 상태는 딸 세포에게 대대로 전달될 수 있다. 결국 메틸화에 의해 특정 유전자의 발현이 억제되는 양상이 염기서열의 변화 없이 메틸화 상태의 전달만으로 자손 세대에 유전되는 것이다.

CGI 기폭제CGI promoter의 메틸화는 유전자와 관련된 염색질 구조의 폐쇄와 전사 소실과 관련이 있다. 이러한 변화는 발암현상에서 흔한 과정으로 지목되고 있다. 예를 들면 CDKN2A, Rb, VHL과 BRCA1과 같은 종양억제유전자는 CGI 기폭제의 과메틸화에 의해 기능이 억제된다. CpG island 과메틸화는 종양억제유전자가 그 기능을 잃어버리는 여러 기전 중에 중요한 한 가지이다. 과메틸화 과정은 1971년 Knudson이 발표한 2-hit 이론이 바탕이 된다. 이에 따르면 어떤 기전에 의하건 종양억제유전자의 두 대립유전자의 기능이 모두 소실된 연후에야 종양이 발생하게 된다. 가장 일반적인 예는 한쪽 대립유전자에 점돌연변이가 발생하고, 다른 쪽 대립유전자에서는 DNA 조각이 절단되어 사라지는 것이다. 이 상태에서 PCR을 했을 때 관찰되는 현상이 이형접합자소실loss of heterozygosity 이다. 즉 시간적 차이가 있더라도, 돌연변이와 LOH 라는 두 가지 사건이 하나의 종양억제유전자에서 일어난 이후에 그 유전자의 기능이 소실되는 것이다. 종양억제유전자의 기능이 DNA 메틸화에 의해 억제되는 방식은 다양하다. 각각의 allele에서 돌연변이와 메틸화가 발생하는 경우, 각각의 대립유전자에서 메틸화와 대립유전자 결손이 나타나는 경우, 그리고 양쪽 대립유전자 모두에서 메틸화가 일어나는 경우(과메틸화) 등에서 Knudson의 2-hit 이론이 성립된다(그림 3-7).

이와는 반대로, 저메틸화가 진행되어 있는 유전자에서는 전사기능이 증가되는 현상도 보고되었다. 예를 들면, CpG 기폭제 탈메틸화demethylation는 위암에서 cyclin D2와 maspin의 과발현을 초래하는 것으로 보인다. 저메틸화는 두 가지 과정을 통하여 암의 발생을 유발한다. 첫 번째는 앞서 언급한 탈메틸화를 통한 유전자의 활성화이다.

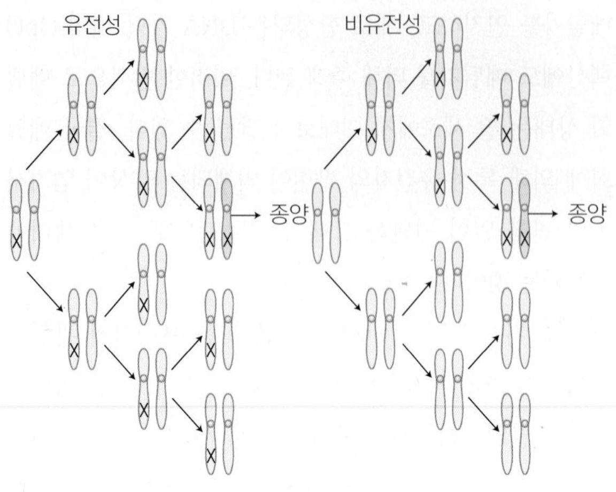

그림 3-7 **Knudson. 돌연변이와 암. 2-hit 이론**

두 번째는 염색체 불안정성의 유발 기전과 관련이 있다. 암세포는 대부분 정상 세포와 다른 수의 염색체들을 가지고 있으며, 하나의 종양 내에서도 세포들마다 염색체의 수와 구조가 다르다. 이를 이수성aneuploidy이라 하고, 이러한 현상은 염색체 불안정성 때문에 발생한다. 정상 상태에서는 DNA의 단순 반복 서열이 많은 중심체centromere 부위는 과메틸화 되어 있지만, 탈메틸화로 인하여 염색질구조가 느슨해지면, 유전자 재조합에 이상이 생겨서 염색체 절단, 전위, 역전, 증폭 등의 현상이 일어나기 쉬워지는 상태인 염색체 불안정성이 유발될 수 있다. 다시 말하면, DNA 저메틸화는 유전체의 불안정성과 관련되어 있다. 메틸화의 손실은 특히 중심체주변 위성 염기서열pericentromeric satellite sequence에서 심하게 나타난다. 일반적으로 난소암이나 유방암 환자의 1번과 16번 염색체의 중심체주변 부위에서 변곡점breakpoint을 형성하여 균형이 없는 염색체 전좌translocation를 보인다.

유전체 각인genomic imprinting은 생식자 발생gametogenesis 과정에서 부모의 특정한 대립유전자가 자손에게 과도하게 발현되는 경우를 말한다. 이 과정 역시 메틸화와 연관되어 있다. 세포핵 내에 유전자는 부모로부터 물려받은 2개의 대립유전자로 존재한다. 대부분의 유전자에서는 이 두 대립유전자가 모두 발현될 수 있다. 그런데 특정의 인간 유전자에서는 한쪽 대립유전자의 발현이 메틸화에 의해 억제되어 있고, 이 억제 양상이 딸 세포로 유전된다. 이런 현상을 유전체 각인이라고 한다. 하지만, 기폭제가 탈메틸화되어 두 개의 대립유전자가 동시에 발현되는 현상이 나타나는데, 이러한 현상을 각인의 소실loss of imprinting이라 한다. 윌름종양의 경우에 있어서 각인의 소실은 병리학적으로 IGF2의 쌍대립 유전자bialleic의 발현을 유도하며, 상보적으로 각인된 H19 유전자의 과메틸화와 동시에 일어난다. 이러한 두 가지 현상은 종양에서 조기에 발생하는 유전자 이상으로 생각할 수 있고, 후생적 변화의 문지기gatekeeper 역할을 한다고 말할 수 있다.

또한, CGI 메틸화는 DNA 기폭제 부위로의 전사인자의 진입을 억제하여 전사작용의 침묵silencing을 유도하는 염색질 구조와 관련이 있다. 아세틸화, 메틸화 또는 인산화 등으로 나타나는 히스톤 단백질 수정histone modification은 염색질 구조의 압축에서 중요한 역할을 한다. 히스톤 단백질 말단에 위치한 라이신 잔류부lysine residue에 아세틸화가 증가하면 전체적인 전하charge가 변하게 되어 구조의 변형이 일어나게 된다. 이런 변형된 구조를 통하여 여러 전사인자와 전사 활성화 단백질들이 유입되고 활성화되면서 유전자들의 발현이 시작된다. 일반적으로 히스톤 단백질 변형은 Histone Acetyltransferase (HAT), Histone Deacetylase (HDAC) 또는 Histone Metyl-Transferase (HMT)에 의해서 조절된다. 암세포에서 이러한 효소들의 활성도가 증가하면 정상세포에 비해서 히스톤 단백질 변형이 증가된다. 예를 들면, 암 세포주에서 Trichostatin A (TSA)와 같은 HDAC 억제제를 처리하여 아세틸화를 증가시키면 이전에 휴면상태의 암 억제 유전자들의 기능이 활성화되어 세포사멸이 증가하여 암 억제 효과가 있는 것으로 밝혀졌다. 최근에 발표된 대장암 분야의 연구결과를 보면, DNA 과메틸화와 히스톤 단백질 수정은 유전자 침묵에 가장 중요한 원인으로 작용한다. 하지만, 현재까지는 충분한 연구결과들이 없기 때문에 앞으로 이 부분에 대한 연구 결과를 더 지켜봐야 할 필요성이 있다.

마지막으로, 후생학적 원인의 가장 큰 특징은 가역적이

표 3-3. IRCA 그룹 1 화학적 발암물질

화학물질	발생가능한 암
Aflatoxins	간암
Arsenic	피부암
Benzene	백혈병
Benzidine	방광암
Beryllium	폐암
Cadmium	폐암
Chinese-style salted fish	비인두 악성종양
Chlorambucil	백혈병
Chromium [VI] compounds	폐암
Coal tar	피부암, 고환암
Cyclophosphamide	방광암, 백혈병
Diethylstilbestrol (DES)	질과 자궁경부의 clear cell adenocarcinoma
Ethylene oxide	백혈병, 악성 림프종
Estrogen replacement therapy	자궁내막암, 유방암
Nickel	폐암, 비암
Tamoxifen	자궁내막암
Vinyl chloride	간의 혈관육종, 간세포암, 뇌종양, 폐암, 조혈모세포계 악성암
TCDD (2,3,7,8-tetrachlorodibenzo-para-dioxin)	결합조직 육종
Tobacco products in smokeless	구강암
Tobacco smoke	폐암, 구강암, 인두암, 후두암, 식도 편평상피암, 췌장암, 방광암, 간암, 신장세포암, 자궁경부암, 백혈병

라는 것이다. 비록 세포주를 이용한 실험 결과이지만, DNMT 또는 HDAC 억제제 등을 이용하여 세포의 정상화를 유도 할 수 있다는 결과들이 발표되고 있다. 이외에도 DNA의 염기서열을 그대로 둔 채 유전자 발현만을 조절하는 것을 이용하는 시도들이 많이 진행되고 있다. 하지만, 정상적으로 억제 되어 있던 유전자들이 인위적인 메틸화 조절로 인하여 활성화되는 결과에 대해서는 앞으로 더 연구가 필요하다.

3. 발암물질

최초로 발암물질Carcinogens로 규명된 것은 흡연으로, 1761년에 John hill은 비암nasal cancer과 비성 흡연tobacco snuff과의 연관성을 규명하였다. 현재는 약 60-90%의 종양이 환경적 요인과 연관성이 있을 것으로 보고 있다. 종양 생성에 영향을 줄 수 있는 모든 물질을 발암물질이라고 할 수 있으며, 그 종류는 화학적, 물리적 또는 생물학적 물질 등이 있다. 발암물질의 분류는 역학적epidemiologic 연구, 동물 모형과 단기 변이 유발 시험에 의거하여 5가지로 나눌 수 있다. 그룹 1은 이미 인간에게 증명이 된 발암 물질을 포함한다(표 3-3). 그룹 2A는 인간에게 발암물질로서 작용할 수 있는 가능성이 있는 물질로서, 인간에서는 증거가 불충분하지만 동물 실험에서는 발암물질로서 증명이 된 물질이다. 그룹 2B 카테고리는 2A와 비슷하게 인간에게 발암물질로서 작용할 수 있는 가능성이 있는 물질이지만 동물 실험에서도 증거가 약간 불충분한 물질이다. 그룹 3에 포함되는 물질은 인간과 동물 실험에서도 부적절한 증거를 가지고 있는 물질이다. 그룹 4 병인은 인체에는 발암물질이 아닌 것으로 알려진 물질이다.

1) 화학물질

발암작용을 일으키는 화학물질은 구조와 기능에 따라서 분류할 수 있고, 자연물질과 합성물질로도 분류할 수 있다. 모든 화학물질은 다음 2가지 카테고리로 분류가 가능하다. 첫 번째로 직접적으로 작용하는 직접 발암성 화학물질, 두 번째로 발암물질로 작용하기 위해서 인체에서 화학적 전환을 필요로 하는 간접 발암성 화학물질로 분류가 가능하다. 후자의 경우는 전발암물질procarcinogen로 부르기도 하며, 화학적 전환이라는 간접반응은 효소가 필요가 없으며, 화학 발암제와 DNA 사이에서 공유결합을 통한 부가물의 생성을 유도한다.

대부분의 화학적 발암물질은 원인 인자로서 역할을 하기 위해서는 적절한 대사과정을 거쳐야 한다. 이러한 대사과정에서 가장 중요한 과정은 사이토크롬 P-450 의존성 일산화 효소에 의한 과정이며, 이 효소는 전발암물질의 활성화에 있어서 반드시 필요한 것이기 때문에 개인의 감수성을 결정하는 가장 중요한 요인으로 이 효소를 코딩하고 있는 유전자의 다형성polymorphism을 주장하고 있다. 하지만, 이외에도 나이, 성별과 영양상태도 발암 물질의 대사과정으로 인한 악성 종양을 유발 과정에 영향을 미친다.

DNA는 화학적 발암물질의 일차적 표적이다. 특정 화합물이 변이를 유발할 수 있는 정도를 변이원성 잠재성mutagenic potential이라고 한다. 에임즈Ames 검사는 변이원성 잠재성을 평가하기 위해 가장 일반적인 방법으로, 살모넬라 티피뮤리움균 *bacterium salmonella typhimurium*에서 변이를 일으키는 정도를 가지고 측정한다. 대부분 알려져 있는 화학적 발암물질은 에임즈 검사에서 양성 점수positive score를 가지고 있으므로 선별검사에 주로 사용한다. 하지만, 생체 외 환경에서 변이원성 잠재성을 가지고 있다고 해서 생체 내에서도 같은 효과를 보인다고 할 수는 없다. 모든 화학적 발암물질에서 각각의 특정한 단일 변이를 보이지는 않지만 그 복합물에 의한 특징적인 DNA 변화를 확인할 수는 있다. 예를 들면, 아플라톡신 B1aflatoxin B1의 경우에 있어서 TP53 유전자의 코돈 249에서 G:C → T:A 전환transconversion을 야기시킨다(249ser p53 변이). 아플라톡신 B1의 농도가 높은 환경에 노출된 개체의 경우에는 간암의 발생이 증가하며, 이러한 변이는 B형 간염 등에 의한 간세포암에서는 드물게 관찰된다.

일부 화학물질의 발암성은 그 자체로서는 발암성을 가지지 않고 있는 기폭제promoters라고 불리는 다른 물질에 의해서 활성화되기도 한다. 이러한 물질에는 포볼 에스테르phorbol ester, 호르몬과 페놀 등이 포함된다. 기본적인 성질은 세포 분화를 증가키는 기능을 하며 다양한 다른 조절 경로를 통하여 기능을 나타낸다. 궁극적인 결과는 변이가 시작된 세포의 클론의 복제가 증가되는 것이다.

2) 방사선 관련 발암과정

인간에게 악성 변화를 일으키는 방사선 중 가장 중요한 형태는 자외선Ultraviolet (UV)과 전리 방사선Ionizing Radiation (IR)이다. 후자가 여러 가지 암의 발생에 영향을 주는 반면에, 전자는 주로 피부암의 원인이 되고 있다. 방사선에 의한 발암현상은 일반적으로 노출 시기와 임상적 증상 발현 사이에 긴 잠복기가 있다. 방사선에 의한 암 발생 과정은 대부분 암 억제 유전자의 불활성화에서 기인한다. 이러한 과정에서 방사선이 직접 관여하는 과정이 많지만, 간접적으로 관여하는 과정도 있다. 방사선에 노출된 세포에서 분비되는 사이토카인cytokine이나 다른 분비 물질이 활성 산소 분비를 자극하고, 이 활성 산소가 세포 간극gap junction을 통하여 주변 세포에 영향을 미쳐서 발암현상을 일으키기도 한다(Bystander 효과).

UV 방사선은 편평세포암, 기저세포암과 악성 흑색종의 위험요인이다. 위험의 정도는 UV 광선의 형태, 노출 강도에 따라서 다르며 개개인의 피부에 함유된 멜라닌의 양에 따라서 다르다. 전자 스펙트럼의 UV 부분은 3개의 파장

범위로 나눠진다. - UVA(320-400nm), UVB (280-320nm)와 UVC (200-280nm) 이중, UVB가 가장 중요하다. 물론, UVC도 변이를 일으킬 수 있는 형태지만 대부분 오존층에 의해 여과된다. UVB의 발암 과정은 DNA에서 피리미딘 이량체pyrimidine dimer의 생성에 의한 것이며, 이러한 손상은 뉴클레오티드 절제 복구Nucleotide Excision Repair (NER) 경로에 의해 복구될 수 있다. 태양광에 과도한 노출이 있을 경우에, NER 경로의 수용력이 한계에 도달하고 일부 DNA 손상은 수리되지 않는 상태로 계속 복제된다. 상염색체 열성 유전의 형태를 보이는 색소성 피부건조증Xeroderma pigmentosa 환자는 극단적인 광선감수성을 보이며 피부암에 대하여 정상인 보다 2,000배 증가된 위험도를 보이며, 이런 환자에서 NER과 관련되는 유전자 변이를 보인다.

전리 방사선은 전자 X선, g선과 a 입자, b 입자, 양자, 중성자형태를 포함한다. 전리 방사선은 발암 물질이기도 하고 치료 방법으로 사용되기도 한다. 저용량 방사선 노출은 개개인에 따라서 암 발생의 위험성을 증가시키지만, 고용량 방사선 노출은 암의 발생은 늦추거나 억제한다. 전리 방사선은 조직에 대한 다양한 효과를 가지고 있으며, 세포와 주변환경에 빠르고 전반적이며 지속적인 영향을 미친다. 방사선에 의한 염증은 조직의 반응성 산소 또는 질소의 생산을 초래한다. 이러한 염증성 물질에 장기적인 노출은 실질 세포parenchymal cell에서 게놈의 불안정성을 초래할 수 있으며, 염색체 이상과 유전자 변이를 일으킨다. 한 예로, 히로시마와 나가사키의 원폭투하 후의 생존자에게서 평균 7년 후에 백혈병이 발생하기 시작하였으며, 유방, 결장, 갑상선, 폐의 암 발생 또한 증가했다. 또 다른 예로, 유년기의 경부와 목의 방사선 조사는 성인에서 갑상선암 발생과 관련이 있다.

조직학적으로 보면 방사선에 취약성을 드러내는 조직이 존재한다. 가장 취약한 조직은 조혈세포계이다. 방사선에 노출이 될 경우에 백혈병(만성 림프구성 백혈병은 제외)이 유발될 수 있고, 그 다음으로 취약성을 드러내는 기관이 갑상선이다. 유방, 폐와 침샘은 중간의 카테고리에 있으며, 피부, 뼈와 위장관은 비교적 방사선에 저항력이 있다.

3) 감염성 발암물질

감염성 인자는 직접적인 전환을 야기하거나, 세포 주기 체크포인트cell cycle checkpoint 또는 DNA 수복repair, 사이토카인cytokines이나 성장인자의 발현을 방해하는 종양유전자의 발현, 면역계의 변성을 통하여 암의 발생을 증가시킨다.

(1) 바이러스성 발암물질

인간에게 발생하는 악성 종양 중의 약 15%는 바이러스에 의해서 발생한다. 이러한 악성 종양의 대부분은 인간 유두종 바이러스Human Papilloma Virus (HPV)에 의한 자궁경부암과 B형 간염 바이러스Hepatitis B Virus (HBV)나 C형 간염 바이러스Hepatitis C Virus (HCV)에 의한 간암이다. 바이러스성 발암물질은 하나 이상의 종양유전자를 유전자 전달감염transfection 시키는 직접적인 과정과, 유전자를 전달하지 않는 간접적인 과정으로 나뉘어 진다. 일단 감염된 바이러스는 장기적이고 지속적으로 세포에 영향을 준다(표 3-4).

가. 작은 DNA 종양 바이러스

작은 DNA 종양 바이러스small DNA tumor virus는 불완전한 유전자로 인하여, 바이러스성 유전자를 복제하기 위해서는 숙주 세포host cell를 이용해야 한다. 대표적인 바이러스는 인간 유두종 바이러스이다. 바이러스가 코딩된 비구조적 단백질Virus-encoded nonstructural protein은 휴지기 세포를 S-기S-phase로 들어가도록 하는 효소를 유도하여 바이러스성 DNA 복제를 시작한다. 세포의 종양 억제인자 단백질인 p53과 pRb와 바이러스성 종양단백질의 결합은 숙주 세포에서 작은 DNA 종양 바이러스의 활성에 기본이 되는 구조다. 예를 들면, 인간 유두종 바이러스의 E6 종양단백질은 p53과 복합체를 형성한다.

표 3-4. 발암성 바이러스

바이러스	발생가능한 암
Epstein-Barr virus	Burkitt's lymphoma , Hodgkin's disease, Immunosuppression-related lymphoma Sinonasal angiocentric T-cell lymphoma, Nasopharyngeal carcinoma
B형 간염 바이러스	Hepatocellular carcinoma
C형 간염 바이러스	Hepatocellular carcinoma, Non-Hodgkin's lymphoma
인간유두종바이러스(16, 18형)	Cervical cancer, Anal cancer
Human T-cell lymphotropic viruses	Adult T-cell leukemia/lymphoma
Human immunodeficiency virus-1	Kaposi's sarcoma

나. B형 간염 바이러스, DNA 바이러스

B형 간염 바이러스로 인한 간암의 발병에는 여러 복잡한 과정이 존재한다. 지속적인 바이러스 감염에 의한 만성 간 손상은 괴사, 염증과 간세포 재생을 유도한다. 따라서 반복되는 간세포 재생의 과정에 있어서 변이의 가능성이 증가하며, 결과적으로 세포 변환transformation에 가장 중요한 원인이 되는 고정화된 DNA 변이와 염색체 재배열을 유도한다. 이와 동시에 섬유증fibrosis은 정상적인 소엽lobule의 구조를 붕괴시키고, 세포-세포와 세포-세포 외기질 상호작용을 변화시킨다. 이외에, HBV X 단백질HBx protein도 잠재적 바이러스성 종양단백질의 역할을 하며, 전사 인자로서 바이러스 또는 세포의 기폭제 promoter로서 작용한다. HBV X 단백질은 세포질과 미토콘드리아에서 신호 형질도입 경로signal transduction pathway에 영향을 주며, p53과 결합하여 p53과 관련된 과정을 억제한다. HBV에 관련된 간암의 90%에서 숙주 유전자에 HBV DNA의 결합이 발견되며, 만성 바이러스 감염의 초기에 일어나는 것으로 확인되었으나, 삽입된 부위는 일정하지 않다.

다. RNA 바이러스 인간 T-세포 임파구성 바이러스 1, C형 간염 바이러스

바이러스 감염 이후, 단일 가닥 RNAsingle-stranded RNA 바이러스의 유전자는 이중 가닥 DNA로 변화된 다음에 세포의 염색체 DNA에 결합된다. 이러한 역바이러스 Retroviral 감염은 영구적으로 지속된다. 종양성 역바이러스는 유사분열 촉진의 신호와 성장 제어에 관여하는 종양유전자를 생성시킨다(표 3-5). 이런 원발암유전자에는 단백질 키나아제, G 단백질, 성장 인자와 전사 인자 등이 있다. 반면에 종양유전자를 소유하지 않는 역바이러스는 세포의 유전자에 통합되는 과정에서 종양을 초래할 수 있다. 만약 이러한 과정이 정상 세포의 원발암 유전자에서 발생하게 되면 발암유전자의 활성화가 시작된다.

라. C형 간염 바이러스

HCV에 의한 간암의 발생은 염증과 세포 재생의 과정과 연관된 만성적인 간세포의 손상에 의한 간접적인 결과로 볼 수 있다. HCV 중심core 단백질과 NS3 단백질은 cyclin 의존성 억제제 p21WAF1의 발현을 조정하고, p53의 활동에 영향을 준다.

(2) 나선형유문세균

나선형유문세균 *Helicobacter Pylori (H. pylori)* 감염은 위암의 발생에 있어서 가장 중요한 위험요인 중의 하나이다. 현재까지 *H. pylori*에 의한 암의 발생 과정은 명확하게 밝혀지지 않았지만, 만성적인 염증의 유발이 악성 종양 발생에 중요한 원인으로 작용하는 것으로 보인다. 위장에서는 위산이라는 산의 분비로 인하여 특별한 미세 환경이 형성되고 이 과정에서 IL-1b라는 물질이 산 분비의 억제 작용을 한다. 이 IL-1b과 IL-1b의 수용체를 코딩하고 있

표 3-5. 종양유전자를 포함하고 있는 종양성 역바이러스

바이러스	종양유전자	숙주	생성 단백질
Abelson murine leukemia virus	abl	mouse	Tyrosine kinase
ST feline sarcoma virus	fes	cat	Tyrosine kinase
Fujinami sarcoma virus	fps	chicken	Tyrosine kinase
Rous sarcoma virus	src	chicken	Tyrosine kinase
Avian erythroblastosis virus	erbB	chicken	Epidermal growth factor receptor
McDonough feline sarcoma virus	fms	cat	colony-stimulating factor receptor
Hardy-Zuckerman-4 feline sarcoma virus	kit	cat	Stem cell factor receptor
Avian myelocytoma virus	mil	chicken	Serine/threonine kinase
Moloney murine sarcoma virus	mos	mouse	Serine/threonine kinase
Murine sarcoma virus 3611	raf	mouse	Serine/threonine kinase
Simian sarcoma virus	sis	monkey	Platelet-derived growth factor
Harvey murine sarcoma virus	H-ras	rat	GDP/GTP binding
Kirsten murine sarcoma virus	K-ras	rat	GDP/GTP binding
Avian erythroblastosis virus	erbA	chicken	Transcription factor (thyroid hormone receptor)
Avian myeloblastosis virus E26	ets	chicken	Transcription factor
FBJ osteosarcoma virus	fos	mouse	Transcription factor (AP1 component)
Avian sarcoma virus-17	jun	chicken	Transcription factor (AP1 component)
Avian myeloblastosis virus	myb	chicken	Transcription factor
MC29 myelocytoma virus	myc	chicken	Transcription factor (NF-kB family)

는 유전자의 다형성이 위암의 발생과 관련이 있다. 이외에도 *H. pylori*의 세포독소 관련 항원Acytotoxin-associated antigen A (cagA) 유전자를 운반하는 과정 역시 위암의 발생과 관련이 있는 것으로 생각된다.

4) 만성 염증

감염을 동반하지 않은 만성 염증은 발암 과정과 상당한 연관성을 가지고 있다. 예를 들면 궤양성대장염 환자에서의 대장암 발생 위험성 증가와 만성 궤양 Marjolin 환자에서 피부의 편평세포암의 발생 등이 있다. 하지만, 이에 대한 명확한 과정 역시 아직 밝혀지지 않았다. 궤양성대장염 환자에서의 대장암 발생 위험성 증가에 대한 과정을 보면, 두 가지 경로를 통하여 암 발생에 관여하는 것으로 보인다. 상피세포가 궤양으로 인하여 장내 물질에 노출이 되며, 장내 세균총들은 대식세포의 NF-kB 경로를 활성화시키고, 그 결과로 인하여 직접적으로 변이된 상피세포의 성장을 유도하는 프로스타글란딘prostaglandin, 케모카인chemokine, 인터루킨interleukin 등의 염증관련물질의 생성이 증가된다. 이와는 독립적으로, 장내 세균총들이 직접적으로 변이된 세포의 toll-like 수용체 TLRs를 통하여 NF-kB 경로를 활성화시키는 과정도 존재한다.

요약

암 발생과정(발암과정)은 여러 가지 원인과 기전에 의해서 복잡하게 맞물려 돌아간다. 정상 세포에서 악성 세포로의 변환은 정상 세포에 비하여 과도한 성장을 보이는 세포로의 변환과 증식을 의미하며, 원인은 크게 유전적인 원인, 후생학적 원인, 발암 물질에 의한 원인으로 분류 할 수 있다. 유전적 원인의 대부분은 유전자 범위에서 발생하고, 종양유전자의 기능의 활성화 또는 종양억제유전자의 기능 감소와 관련이 있다. 하지만, 유전자 변이를 가지고 있더라도 암이 발생하지 않은 경우도 있으며, 같은 조직에 발생하는 종양에 있어서도 우발적 종양과 차이를 보이고 있기 때문에 단지 유전적 원인에 의해서만 암이 발생한다고 할 수 없다. 후생학적 원인은 DNA 메틸화, 유전체 각인 또는 히스톤 단백질 수정이라는 현상으로 설명할 수 있으며, DNA 염기서열의 변화 없이 발현이 조절될 뿐만 아니라 유전된다. 이러한 후생학적 인자들의 가장 큰 특징은 가역적이라는 것이다. 마지막으로, 환경적 원인인 발암물질에 의한 발암과정이 있다. 현재는 약 60-90%의 종양이 환경적 요인과 연관성이 있을 것으로 보고 있다. 종양 생성에 영향을 줄 수 있는 모든 물질을 발암물질이라고 할 수 있으며, 그 종류는 화학적, 물리적(방사선) 또는 생물학적 물질(바이러스, 세균, 염증반응) 등이 있다. 하지만, 발암물질에 대한 폭로 이외에도 나이, 성별과 영양상태도 발암 물질의 대사과정으로 인한 악성 종양의 유발 과정에 영향을 미친다.

IV 종양표지자

종양표지자는 암 또는 암이 아닌 양성질환이 있는 상태에서 암세포나 다른 세포에 의해 생성되는 물질이다. 대부분의 종양표지자들은 단백질이며 암세포뿐만 아니라 정상세포에서도 만들어지지만, 암이 있는 경우 훨씬 많은 양이 만들어지게 된다. 하지만 최근에는 종양의 진단에 도움이 되는 세포학적, 생화학적, 분자생물학적, 유전적 변화의 지표를 통틀어서 넓은 의미로 종양표지자라는 용어를 사용한다.

종양표지자는

1) 진단적일 수도 있고, 양성과 악성종양을 감별할 수 있으며,
2) 암세포의 양과 관련될 수도 있으며,
3) 환자의 병기를 더 세밀히 분류하는데 이용될 수도 있고,
4) 이의 유무 및 수치의 변화에 따라 예후인자로 이용될 수 있고,
5) 치료방법의 선택 및 치료반응의 예측의 지표로 이용될 수 있다.

이상적인 종양표지자는 세 가지 특성을 갖고 있어야 하는데, 이는

1) 특정한 종양에 국한되어 발현되어야 하고
2) 측정을 위한 시료의 채집이 용이해야 하며
3) 측정 자체가 재현성이 높고, 신속하며 비싸지 않아야 한다는 것이다.

현재까지는 어떤 암에서도 이 모든 조건을 충족시키는 표지자는 없다.

현재 암의 치료에 대한 반응 평가, 예후 판정 등에는 종양표지자가 많이 이용되고 있다. 반면에 증상이 없는 조기암을 발견하기 위한 선별적 검사에 이용하기 위해서는 높은 민감도sensitivity와 특이도specificity를 필요로 하는데 아직 이를 충분히 만족시키는 종양표지자는 없다.

종양표지자는 여러 기준에 따라 분류할 수 있는데, 가

표 3-6. 종양표지자의 분류

단백질종양표지자	
종양특이적 표지자	CEA, CA 19-9, CA 125
조직특이적 표지자	PSA , Alpha-fetoprotein, CA 15.3, h CG
유전자 기반표지자	
Single-nucleotide polymorphisms (SNPs)	
DNA copy number의 변화	
현미부수체 불안정성Microsatellite instability	
염색체 전위translocations	
후생유전학적 변화(DNA 메틸화 등)	
과발현 및 저발현 전사체 cDNA microarray	
조절 RNA (micro-RNA 등)	
기타 표지자	
순환 종양 세포 Circulating tumor cells	

CEA: Carcinoembryonic antigen, PSA: Prostate specific antigen, hCG: human chorionic godadotropin

장 일반적인 단백질 종양표지자는 암 특이적cancer-specific 표지자, 조직 특이적tissue-specific 표지자로 세분할 수 있고, 유전자 기반 종양표지자에는 유전학적 돌연변이, 후생유전학적 변화epigenetic changes, 유전자칩 cDNA microarray 등이 포함되며, 순환종양세포도 종양표지자의 하나로 분류될 수 있다(표 3-6).

이러한 모든 변화들이 일반적으로 종양조직 자체에서는 발견될 수 있다. 그러나 임상적으로는 혈액이나 소변 등 체액에서 발견되는 종양표지자가 큰 가치를 갖고 있는데 이는 분석을 위해 반복적으로 쉽게 채취할 수 있으므로 병의 진행, 재발, 전이나 치료에의 반응 등 종양의 임상적 관리를 가능하게 해주기 때문이다.

현재 임상적으로 많이 이용되고 있는 종양표지자들을 표 3-7에 열거해 보았다.

1. 단백질 종양표지자

단백질은 첫 번째로 입증되고 이용된 종양표지자이므로 고전적 종양표지자라고도 한다. 이는 보통 암 환자의 혈청, 소변, 분비액 또는 조직에 정상치보다 더 높은 농도로 측정되는데 암세포 자체에서 생성되거나 암세포에 대한 신체의 반응으로 생성된다. 그러나 수십 년간 연구되고 있음에도 불구하고 임상적으로 이용되는 것은 몇 가지가 안 된다. 일반적으로 사용되고 있는 것들도 민감도 및 특이도가 떨어지는데 문제가 있다.

일반적으로 혈장이나 혈청 내 종양표지자의 농도는 종양의 부하와 관련이 있는데 이는 종양이 진행하면서 이로부터 종양표지자가 배출되기 때문이다.

1) 암태아성 항원

암태아성 항원Carcinoembryonic Antigen (CEA)은 가장 많이 연구된 종양표지자로 주로 결장 및 직장암 환자에서 임상적으로 이용되고 있다. 그러나 결장직장암 이외에도 유방암, 폐암, 난소암, 전립선암, 간암, 췌장암, 위암 등 많은 암에서 높은 수치를 보이는 경우가 많이 관찰되고 있다.

CEA는 암태아성단백질oncofetal protein로 태아시기에는 정상적으로 존재하나 건강한 성인에서는 매우 낮은 농도로 존재하게 된다. 구조적으로는 200kd의 분자량을 갖고

표 3-7. 현재 이용되고 있는 주요 종양표지자

종양표지자	암	분석대상	사용목적
ALK gene rearrangements and overexpression	비소세포성폐암 미분화 대세포 림프종	종양조직	치료의 결정 및 예후
Alpha-feroprotein (AFP)	간암 생식세포암	혈액	간암의 진단과 치료반응 판정 생식세포암의 병기, 예후 및 치료반응 평가
Beta-2-microglobulin (B2M)	다발성골수종 만성림프종	혈액, 소변, 뇌척수액	예후결정 및 치료반응 평가
Beta-human chorionic gonadotropin (Beta-hCG)	Choriocarcinoma 생식세포종	소변, 혈액	병기, 예후, 치료반응 평가

종양표지자	암	분석대상	사용목적
BRCA1 and BRCA2 gene mutation	난소암	혈액	특정 표적치료의 적절성 평가
BCR-ABL fusion gene (Philadelphia chromosome)	만성골수성림프종, 급성림프종	혈액, 골수	진단확인, 표적치료에 대한 반응 예측, 질병상태 추적관리
BRAF V600 mutations	피부흑색종, 결장직장암	종양조직	특정 표적치료 대상환자 선택
C-kit/CD117	위장관기질종양, 점막흑색종	종양조직	진단 및 치료결정
CA15-3/CA27.29	유방암	혈액	치료에 대한 반응 및 재발여부 판정
CA19-9	췌장암, 담낭암, 담관암, 위암	혈액	치료에 대한 반응 평가
CA-125	난소암	혈액	진단, 치료에 대한 반응 및 재발여부 판정
Calcitonin	갑상선수질암	혈액	진단, 치료에 대한 반응 및 재발여부 판정
Carcinoembryonic antigen (CEA)	결장직장암	혈액	치료에 대한 반응 및 재발여부 판정
CD20	비호지킨림프종	혈액	특정 표적치료의 적절성 평가
Chromogranin A (CgA)	신경내분비종양	혈액	진단, 치료에 대한 반응 및 재발여부 판정
Chromosomes 3, 7, 17 and 9p21	방광암	소변	종양재발의 추적관찰
Circulating tumor cells of epithelial origin (CELLSEARCH®)	전이성유방암, 전립선암, 결장직장암	혈액	임상적결정 및 예후판정
Cytokeratin fragment 21-1	폐암	혈액	종양재발의 추적관찰
EGFR gene mutation analysis	비소세포폐암	종양조직	치료와 예후 판정
Estrogen receptor (ER)/progesterone receptor (PR)	유방암	종양조직	호르몬치료와 특정 표적치료의 적정성 판정
Fibrin/fibrinogen	방광암	소변	병의 진행과 치료에 대한 반응 추적관찰
HE4	난소암	혈액	치료 계획, 병의 진행 판정, 재발에 대한 추적관찰
HER2/neu gene amplification or protein overexpression	유방암, 위암	종양조직	특정 표적치료의 적정성 평가
Immunoglobulins	다발성 골수종, Waldenstroem macroglobulinemia	혈액, 소변	진단, 치료에 대한 반응 및 재발여부 판정
KRAS gene mutation analysis	결장직장암, 비소세포폐암	종양조직	특정 표적치료의 적정성 평가
Lactate dehydrogenase	생식세포종, 림프종, 백혈병, 흑색종, 신경아세포종	혈액	병기, 예후, 치료에 대한 반응 평가
Neuron-specific enolase (NSE)	소세포폐암, 신경아세포종	혈액	진단과 치료에 대한 반응 평가
Nuclear matrix protein 22	방광암	소변	치료에 대한 반응 추적관찰
Programmed death ligand 1 (PD-L1)	비소세포폐암	종양조직	특정 표적치료의 적정성 평가
Prostate-specific antigen (PSA)	전립선암	혈액	진단, 치료에 대한 반응 및 재발여부 판정
Thyroglobulin	갑상선암	혈액	치료에 대한 반응 및 재발여부 판정
Urokinase plasminogen activator (uPA) and plasminogen activator inhibitor (PAI-1)	유방암	종양조직	종양의 악성도 결정 및 치료방법 결정
5-Protein signature (OVA1®)	난소암	혈액	난소암 의심 시 수술 전 종양 평가
21-Gene signature (Oncotype DX®)	유방암	종양조직	재발위험 평가
70-Gene signature (Mammaprint®)	유방암	종양조직	재발위험 평가

있는 당단백질로 정상 장상피세포의 장내강쪽 세포막에 위치하는 glycocalyx의 구성요소이다. 이는 immuno-globulin gene superfamily와 연관된 큰 단백질군에 속한다. 분자 자체는 혈액 내로 분비되나 위, 소장, 담관의 점액에서도 발견된다. 정확한 기능은 알려져 있지는 않지만 세포접합과 관련이 있는 것으로 보이며 세포외 기질에 고정의 소실에 기인하여 세포자멸사를 저해하는 것으로 알려져 있다.

(1) 검사

면역분석키트를 이용하여 혈청 CEA 수치를 신속하고 재현성이 높고, 비교적 저렴하게 측정할 수 있다. 정상 혈청 농도는 2.5ng/mL 이하이고, 2.5에서 5.0ng/mL까지는 경계치, 5.0ng/mL 이상은 높아진 것으로 판정한다. 염증성 장질환, 췌장염, 간경변증, 만성폐쇄성폐질환과 같은 양성질환이나 흡연자에서 경계치 정도의 상승을 보일 수 있다.

(2) 선별검사

CEA는 조기 병변에 있어서 민감도가 낮기 때문에 선별검사로는 유용성이 떨어진다. 국소적 질환에 있어 5%에서 40%의 환자에서만 상승된 수치를 보인다.

(3) 예후

CEA 수치의 상승은 종양부하의 정도를 반영한다. CEA 상승 정도는 병기의 증가와 관련이 있으므로 CEA 수치는 예후와의 관련성을 보인다. 수술 전 혈청 CEA는 독립적인 예후인자이며 수치가 높을수록 예후가 나쁘게 나타나는데, 환자를 절제가능성과 국소적 종양 침윤도에 따라 계층화한 후에도 같은 결과를 보인다. 수술 전 CEA 혈중농도가 높을 경우에 정상인 경우에 비해 5년 생존율이 유의하게 낮다. 또한 수술 전 높았던 CEA 혈중농도가 수술 후 정상화 된 경우에는 5년 생존율이 높아진다. 그리고 수술 전 CEA 혈중농도가 높을 경우에 정상인 경우에 비해 재발률이 높다.

(4) 추적관찰

CEA는 암이 재발된 환자를 관리하는데 가장 많이 이용된다. CEA는 간전이나 복막후부 전이에 있어 가장 민감하고 국소전이, 폐전이, 복막전이에 있어서는 상대적으로 민감도가 떨어진다. 결장직장암이 재발된 환자의 약 75%에서 증상이 발현되기 전에 혈청 CEA의 상승을 보인다. 그러나 CEA 상승의 형태나 정도가 국소적 재발과 원격전이를 구별하는 데에는 도움이 되지 않는다. CEA 상승은 일과성일 수도 있기 때문에 그 추세를 확실히 알기 위해서는 반복적인 측정이 필요하다. CEA의 상승추세가 확인되면 신속히 병의 재발여부 확인을 위한 검사를 시행해야 한다.

CEA는 종양부하를 반영하기 때문에 전이암 환자에 있어 항암제 치료의 반응을 관리하는데 유용하다. 5-FU 항암치료를 받고 있는 전이성 결장직장암 환자에서 CEA 수치가 높은 것은 나쁜 예후와 진행에 관련된 독립적 예후인자이다. 진행된 암 환자에서 항암제 치료 중에 CEA 수치가 떨어지는 환자는 수치에 변화가 없거나 상승하는 환자에 비해 유의하게 생존기간이 길다.

또한 결장직장암의 간전이시에 전이암의 절제술 후 측정한 CEA 혈청농도는 완전하고 성공적인 수술을 예측할 수 있는 지표로 이용될 수 있다. 최근에는 결장직장암의 간전이시에 고주파절제술Radiofrequency Ablation (RFA)이 치료법으로 많이 이용되고 있다. 이 경우에는 시술 직후에는 상당수의 환자에서 CEA 수치가 오르고 이후 서서히 하강하게 되므로 잔류암의 가능성을 평가하기 위해서는 수 개월이 지나야 한다.

2) 알파태아단백

알파태아단백α-Fetoprotein (AFP)은 간세포암의 진단과 관리에 이용된다. 이는 암태아성단백질로 700kd의 분자량을 갖고 있는 하나의 사슬로 구성된 폴리펩티드로 이루어져 있다. 태아 때에는 그 수치가 높다가 출생 후 급격히 떨어지며, 임신 중에는 증가하게 된다. AFP는 간세포나 내배엽에서 유래된 위장조직에서 생성된다.

(1) 검사

AFP는 효소결합면역분석법이나 방사성면역분석법키트로 측정한다. 건강한 임신하지 않은 성인의 정상 상한치는 25ng/mL이다. 간세포암 환자의 10-20%에서는 AFP가 측정되지 않는다. 비정상피종성non-semonomatous 고환암에서도 AFP는 상승하므로 이 경우에도 종양표지자로 유용성을 갖는다. 위암이나 췌장암 환자의 20%, 결장직장암이나 폐암환자의 5% 정도에서도 혈청 AFP 수치가 유의하게 상승한다(>5ng/mL). 간염이나 염증성 장질환, 간경변증에서도 수치가 상승하기도 한다.

(2) 선별검사

혈청AFP는 간세포암 환자를 선별하는데 가장 유용한 종양표지자이다. 임상시험에서 정상인과 간세포암 환자를 구별하는 기각값cutoff value으로 혈청농도 20ng/mL를 가장 많이 사용한다. 그러나 인종에 따라 기각값의 차이를 보인다는 연구결과들도 보고되어 있다.

AFP는 25%에서 75%의 민감도, 76%에서 94%의 특이도, 9%에서 50%의 양성 예측치를 보인다. 하지만 선택한 기각값에 따라 민감도와 특이도는 다양하게 나타난다. 즉 기각값을 20ng/mL로 하면 민감도는 30%, 특이도는 87%가 되나, 기각값을 100과 400ng/mL로 높이면 민감도는 72%에서 56%, 특이도는 70%에서 94%로 다양한 값을 보인다.

AFP와 초음파검사를 같이 병행하면 선별검사로서의 효율성이 향상된다. 1,125명의 C형간염 환자를 대상으로 한 조사연구에서 AFP만 검사한 경우 75%, 초음파 검사만 시행한 경우 87%의 민감도를 보였으나 두 검사를 결합했을 때에는 100%의 민감도를 보였다고 보고하였다.

(3) 예후

AFP 농도가 400ng/mL 이상인 경우 종양의 크기가 크거나, 양측 간엽 모두를 침범하거나, 광범형massive 또는 미만형diffuse type이거나 문맥혈전증portal vein thrombosis 소견을 보이는 경우가 많다. 결과적으로 AFP는 병기와 예후와 관련성을 보여주고 있다. AFP 배가시간doubling time으로 나타내어지는 증가속도 또한 나쁜 예후와 관련성을 보인다.

(4) 추적관찰

AFP는 종양의 절제나 제거 후 감소하게 된다. 완전 절제 후 AFP 수치는 감소하여 10ng/mL 미만으로 유지되어야 한다. 간세포암 환자에서 수술 전 AFP 수치가 100ng/mL 이상이고 수술 후 20ng/mL 미만으로 떨어지지 않은 경우 수술 후 1년 이내 조기재발을 강력히 의심해야 한다는 연구결과도 있다.

수술 후 AFP 수치가 정상화된 후 연속적인 혈청 추적검사상 수치가 상승되는 소견은 재발을 나타내는 가장 확실한 지표이다. 이런 환자의 34%에서 이는 제일 먼저 측정되는 이상소견이다. 그렇지만 AFP 수치의 상승을 보였던 간세포암 환자 중 일부에서는 수술 후 AFP 수치가 재발을 발견하는데 도움이 되지 않는 경우도 있다. 재발되었음에도 불구하고 AFP 수치의 상승이 없는 경우도 많기 때문이다.

AFP 수치는 효과적인 화학요법에 반응하여 보통 감소하게 된다. 따라서 AFP 관리를 통해 효과가 없고 독성의 가능성이 높은 화학요법의 지속적인 사용을 피할 수 있다.

3) Carbohydrate Antigen 19-9

Carbohydrate Antigen 19-9CA 19-9는 췌장암의 혈청 종양표지자로 널리 사용되고 있다. 그러나 일반적으로 치료에 대한 반응을 관리하는데 그 사용이 국한되고 있으며 진단적인 표지자로는 이용되고 있지 않다. CA 19-9는 췌장암세포 표면에 발현되는 뮤신형 당단백질로 생쥐모델의 대장암 세포주에 대한 단세포군 항체에 의해 처음 검출되었다. CA 19-9 항원 결정기epitope는 정상적으로 담도 내에 존재한다. 급성이나 만성의 담도 질환에서 CA 19-9 혈청 수치는 상승할 수 있다.

(1) 검사

CA 19-9는 면역분석법으로 검출되며 건강한 성인의 정상 상한치는 37U/mL이다. 췌장암의 진단에 있어서 CA 19-9의 민감도는 67%에서 92%, 특이도는 68%에서 92%에 이른다.

진단적인 표지자로서의 CA 19-9의 이용은 여러 가지 면에서 제약이 있다. 첫째로, 전 인구의 10%에 이르는 Lewis 혈액형 음성인 경우에 CA 19-9를 생성하지 못하므로 이 경우 혈청 표지자로서 이용될 수 없다. 둘째로, 양성 담도 질환 환자에서 수치가 400U/mL까지 상승할 수 있고 87%에서 70U/mL 이상의 혈중농도를 보인다. 급성 또는 만성 췌장염 환자의 상당수에서 또한 수치가 상승한다. 셋째로, 췌장암 이외에 담도암(95%), 위암(5%), 대장암(15%), 간세포암(7%), 폐암(13%)을 포함한 다른 암 환자에서도 CA 19-9가 상승한다. 결장직장암 환자에서 CA 19-9 수치는 CEA 수치 측정에 더해 임상적으로 유용한 정보를 주지는 못한다.

(2) 선별검사

CA 19-9는 조기질환에 있어서 민감도가 떨어지기 때문에 선별검사로는 유용하지 않다. 그러나 수치가 높아짐에 따라 췌장암의 진단은 더 정확하게 된다. 기각값을 100U/mL로 하면 많은 연구에서 민감도는 60%에서 84% 정도이나 특이도는 95% 이상이 된다. 1,000U/mL 이상의 수치를 보이면 거의 췌장암이라고 진단할 수 있다.

CA 19-9는 양성 담도질환에서도 흔히 상승하므로 악성 원위부 총수담관 협착과 양성 협착을 감별하는 데에는 도움이 되지 않는다.

(3) 예후

혈청에서 CA 19-9가 높게 측정되는 췌장암 환자에서 그 수치는 종양부하와 관련성을 보인다. 예를 들면 수치가 높을수록 병기가 높게 되고, 절제 불가능한 환자의 95% 이상에서 1,000U/mL 이상의 수치를 보인다. 근치적 절제술을 받은 환자에서 CA 19-9 수치가 정상으로 돌아온 환자는 수치가 떨어졌으나 정상까지는 이르지 못한 환자에 비해 높은 생존율을 보인다.

몇몇 후향적 연구와 췌장절제술 후 보조적 방사선화학요법을 시행한 한 전향적 연구에서 수술 후 CA 19-9 수치가 180U/mL 이상인 경우 180U/mL 미만인 경우 보다 의미 있게 나쁜 생존율을 보여, 예후지표로서 유용함을 보여주었다.

(4) 추적관찰

CA 19-9의 연속적인 측정은 치료에 대한 반응을 관리하는데 이용된다. 근치적 절제 후 CA 19-9의 상승은 임상적 또는 CT 소견상 재발 소견이 발견되는 것에 비해 2내지 9개월 선행하는 것으로 보고되고 있다. 절제 불가능하거나 전이성 암환자의 경우 화학요법 후 CA 19-9 수치가 떨어지지 않는 경우 치료반응이 나쁘다는 것을 반영한다. 그러나 어느 경우도 대체할 수 있는 효과적인 치료법이 없으므로 CA 19-9의 연속적인 측정의 유용성에는 한계가 있다.

4) Prostate-Specific Antigen

Prostate-Specific Antigen (PSA)는 전립선 상피세포와 요도주위 샘periurethral gland의 상피세포에서 생성되어 분비되는 33kd의 분자량을 갖고 있는 serine 단백질분해효소이다. 이는 사정 후 정액에 형성된 젤gel을 분해하여 정자의 방출을 가능하게 하는 기능을 한다. 정상상태에서는 소량의 PSA만이 혈류 내로 새어 들어가게 된다. 그러나 양성전립선비대증(BPH) 환자에서와 같이 전립선이 커지거나 해부학적 구조의 변형이 생길 경우 혈청 PSA 수치는 상승하게 된다. 따라서 PSA는 전립선암에 특이적인 표지자라기 보다는 조직-특이적인 표지자로 여겨진다. 근치적 전립선절제술을 받은 환자들이나 여성에서는 PSA가 검출되지 않는다.

(1) 검사

PSA는 면역분석법으로 검출되며 BPH 이외에도 전립

선염, 전립선마사지, 전립선 생검, 직장수지검사 후에도 혈청 PSA 수치는 높아질 수 있다. 초기 연구에서 정상 상한치는 4ng/mL로 정했고 10ng/mL 이상인 경우 암을 의심하고 4에서 10ng/mL 까지를 경계치로 하였다. 그 이래로 PSA의 정상 상한치는 연령이 증가함에 따라 상승한다는 사실이 확인되었다. 40에서 49세의 남자에서는 상한치가 2.5ng/mL이고, 50에서 59세에서는 3.5ng/mL, 60에서 69세에서는 4.5ng/mL, 79세 이상에서는 6.5ng/mL가 상한치이다. 정상 60세 남자에서 PSA는 1년에 0.04ng/mL씩 상승한다.

환자의 나이를 기준으로 PSA 수치가 정상 상한치 이상이나 10ng/mL 미만인 경우, 전립선 부피와 시간에 상대적으로 PSA를 표시하는 것이 암과 양성질환을 구분하는데 도움이 된다. PSA 밀도density는 전립선 부피에 대한 PSA의 비로 정의되는데, 전립선 부피는 경직장 초음파검사나 MRI로 측정된다. PSA 밀도가 높을수록 양성전립선비대증보다는 암의 가능성이 높은데 이는 전립선암의 g당 분비하는 PSA의 양이 정상 전립선 조직에서 분비하는 양에 비에 현저히 많기 때문이다.

PSA가 4에서 10ng/mL의 범위에 있을 경우 전체 PSA에 대한 유리 PSA의 비free to total PSA 또한 전립선암의 진단의 특이성을 높여준다. PSA 속도velocity 또는 PSA 경사slope는 시간에 따른 PSA 농도의 변화속도이다. 초기 수치가 4.0ng/mL 미만인 사람에서 PSA 경사가 0.75ng/mL/yr 이상이면 유의하다고 보며, 초기 수치가 4.0ng/mL 이상인 환자에서 PSA 경사가 0.4ng/mL/yr 이상이면 유의하다고 본다.

(2) 선별검사

PSA는 전립선암의 조기발견과 진단을 가능하게 해주기 때문에 전립선암 선별검사로서 널리 이용되고 있다. 선별검사로 많은 전립선암의 조기발견이 이루어지고 있다. 그러나 이에 대한 논란도 많은데, 대규모 다기관 연구결과에 따라 혈청농도 4ng/mL 이상일 경우에 전립선 생검이 권장되는데, 임상적으로 의미있는 전립선암 환자의 20%에서 50%에서는 혈청농도가 4ng/mL 미만이라고 보고되고 있다.

반면에 과잉진단의 위험에 대한 관심도 점점 더 높아지고 있다. 부검결과에 따르면 40대의 55%, 60대의 64%에서 전립선암이 발견된다. 이는 상당수의 암이 환자에게 치명적이지 않다는 것을 의미한다. 선별검사로 발견된 암환자 중 치료를 받지 않을 경우 단지 8명 중 1명에서만 암으로 인해 사망할 것으로 예측되고 있다.

(3) 치료에 대한 반응평가

수술적 절제 후 PSA 수치는 2-3주 지나면 정상화되는 것으로 예상된다. 근치적 전립선절제술 6개월 후에도 PSA 수치가 상승되어있는 환자들은 결국 재발하게 된다. 이에 비해 방사선 치료 후, 3-5개월 후에야 PSA 수치가 정상화된다. 그렇지만 방사선 치료 후에도 PSA 수치가 정상화되지 않을 경우 이 또한 재발이 예상된다. 혈청 PSA 수치의 상승은 보통 국소적 재발이나 원격전이의 첫 번째 증후이다. 병이 많이 진행된 환자에서 전신적 치료에 대한 반응을 관리하는 데에도 PSA 수치가 이용된다.

5) Carbohydrate Antigen 125

Carbohydrate Antigen 125CA 125는 당단백 암 항원에 있는 탄수화물 항원결정기이다. 이는 태아에 존재하며 복막, 늑막, 심낭, 양막amnion 등 체강상피coelomic epithelium 유래의 조직에 존재한다. 건강한 성인에서 CA 125는 나팔관, 자궁내막, 자궁경관내막endocervix의 상피에서 면역조직화학염색에 의해 발견된다. 그러나 성인이나 태아의 난소상피에서는 CA 125가 발현되지 않는다.

(1) 검사

CA 125는 면역분석법으로 측정되며 건강한 성인의 정상 상한치는 35U/mL이다. 난소암 환자의 80%에서 수치의 상승이 관찰된다. 난소종양 환자에 있어서 CA 125의 상승은 악성종양에 대해 75%의 민감도와 약 90%의 특이도를 보인다.

나팔관암, 자궁내막암, 자궁경부암 뿐만 아니라 췌장암, 대장암, 폐암, 간암 등의 비부인과암 환자의 상당수에서도 CA 125가 높게 측정되며 자궁내막증, 선근증adenomyosis, 자궁근종, 골반염, 간경변증, 복수 등의 양성 질환에서도 CA 125 수치의 상승을 보일 수 있다. CA 19-9가 췌장암 환자에서 그러듯이 CA 125는 그 자체가 진단적이라기 보다는 진단에 보조적 역할을 한다.

(2) 선별검사

불행히도 CA 125는 임상적으로 발견될 수 있는 조기 난소암 환자 중 약 50%에서만 기준치 보다 높은 값을 보인다. 따라서 선별검사 시 CA 125와 같이 측정할 종양표지자에 대한 연구들이 있어왔는데 이 중 HE4 Human epididymis protein 4와 mesothellin 등이 현재 가장 각광을 받고 있다.

또한 특이도가 낮기 때문에 CA 125 하나만으로는 난소암의 선별검사 수단으로는 유용하지 않다. 영국 자궁암 선별검사 공동연구에서 폐경후 여성에서 CA 125의 유용성에 대해서 평가를 하였는데, 이 연구에서 CA 125 수치에 의해 고위험군으로 분류된 여성들은 경질식transvaginal 초음파검사로 선별검사를 추가적으로 시행하도록 하였다.

(3) 예후

진단 시에 CA 125의 수치가 상승되어 있는 환자들은 수치가 정상치였던 환자들에 비해 예후가 나쁘다. CA 125의 절대치가 암 병기와 분명한 관련성을 보이는 것은 아니지만, 병기가 진행함에 따라 CA 125 수치가 높아진 환자의 비율이 높아지게 된다. 1기 환자의 50%, 2기 환자의 70%, 3기 환자의 90%, 4기 환자의 98%에서 CA 125 수치의 상승을 보인다.

(4) 치료에 대한 반응평가

CA 125는 병의 경과를 관리하는데 도움이 된다. 치료에 부분적이나 완전한 반응을 보일 경우 95% 이상의 환자에서 CA 125 수치의 감소를 보인다.

부인암 인터그룹Gynecologic Cancer Intergroup (GCIG)에 의해 받아들여져 현재 사용되고 있는 분류에 따르면 영상의학적인 재발 소견 없이 적어도 1개월 간격 이상으로 연속 측정된 2번의 CA 125 수치가 정상화되었을 때 완전관해라고 정의하고, 적어도 1개월 간격 이상으로 연속 측정된 2번의 CA 125 수치가 50% 감소하였을 때 부분관해라고 정의하며, 처음 측정치보다 CA 125 수치가 2배 이상 증가하였을 때 진행성 질환으로 정의하였다.

CA 125 수치의 상승은 재발과 관련성을 보이며 임상적, 영상의학적인 재발 소견에 평균 3개월 정도 선행하여 나타난다. CA 125의 상승이 재관찰 개복술second-look laparotomy의 지표로 이용될 경우 약 90% 정도에서 재발 소견이 발견된다.

복수에서의 CA 125 수치는 혈청치보다 더 민감할 수 있다. 따라서 치료 중 혈청 CA 125 수치가 정상화된 환자에서는 복수 CA 125 수치가 잔류암 유무를 감별하는데 더 좋은 지표가 될 수 있다. 복수 CA 125의 정상 상한치는 200U/mL이다.

6) 기타 단백질 종양표지자

이외에도 여러 종류의 암에서 다양한 표지자들이 선별검사, 예후예측, 치료방법의 선택 및 치료반응의 예측의 지표로 현재 이용되고 있다.

유방암에서는 에스트로겐 수용체, 프로게스테론 수용체, HER2/neu가 예후예측과 호르몬 치료와 Trastuzumab (Herceptin; Genentech, South San Francisco, Calif)을 이용한 면역치료를 선택하기 위한 지표로 현재 이용되고 있다. BRCA 1은 유방암 화학치료반응을 예측하는 지표로서의 가능성을 인정받고 있다. CA 15-3은 Hilkens, Kafe 등에 의해 개발된 2개의 monoclonal 항체(115D8, DF3)로 인식되는 유방암 관련 항원으로서 사람의 유즙지방구 막 등에 존재한다. 115D8은 유지방구 피막상의 당단백 MAM-6을, DF3은 유방암 간장 전이 병소의 막 성분을 각기 면역원으로 한 항체이며, 유방암에서는 모든 조직형의 세포에 반응한다고 보고되어 있다.

CA 15-3은 조직 악성화에 따라 세포 파괴로 혈중에 방출된다고 추정되는데, 원발성 및 초기 유방암의 양성율은 낮고 오히려 재발 유방암이나 전이성 유방암에서 혈중치의 상승이 심한 점에서 재발-전이 검출에 유용한 표지자라고 생각된다. CA 15-3의 혈중 농도는 유방암의 수술 및 치료 후의 경과 판정으로도 많이 이용되고 있다.

비정상피종성nonseminomatous 고환암은 배아암종embryonal carcinoma, 융모막암종choriocarcinoma, 난황막종양yolk sac tumors을 포함한 몇 가지 다른 조직형으로 이루어져 있다. 따라서 표지자의 발현은 주된 조직형에 의해 결정될 수 있다.

비정상피종성 고환 생식세포암으로 확진된 환자의 약 50%에서 혈청 HCG의 상승을 보이고, 60%에서 AFP의 상승을 보인다. 90%의 환자에서 둘 중 하나의 상승소견을 보인다. 이 두 표지자 모두의 측정이 매우 중요한데, 이 종양들의 거의 절반의 경우 둘 중 한 물질만을 분비하기 때문이다. 표지자 양성률이 높기도 하지만 고환암이 없는 환자에서 HCG나 AFP의 혈청치가 상승하는 위양성인 경우는 매우 드물다. 고환에 종양이 있으면서 AFP나 HCG 수치의 상승을 보이면 확진은 아니라도 고환암의 가능성이 매우 높다. 고환에 종양의 증거가 없는 40세 이하의 젊은 남성에서 이 표지자 등의 상승을 보이면 고환 외 생식세포암의 가능성이 있다.

위암에 대해서는 아직 특이적인 표지자가 없어 CEA나 CA 19-9가 근치적 위절제수술 후 재발예측의 지표로 사용되고 있고 수용성 혈청 E-cadherin이 재발을 조기 예측하는데 유용하다는 연구결과도 보고되어 있다. 또한 종양조직의 HER2/neu 단백질 과 발현이나 DNA 유전자 증폭이 Trastuzumab을 이용한 면역치료를 선택하기 위한 지표로 현재 이용되고 있다.

2. 유전자 기반 종양표지자

1) 유전자 돌연변이

암 유전자, 종양억제유전자와 틀린 짝 수복유전자mismatch repair gene들의 특정 돌연변이가 생물표지자biomarker로 이용될 수 있다. 이러한 돌연변이는 MEN 2의 ret 원형암유전자와 가족성 선종성 용종증Familial Adenomatous Polyposis (FAP)에서의 APC 유전자와 같이 생식세포 돌연변이germline mutation 일 수도 있고, 다양한 종양에서의 p53 돌연변이와 같이 체세포 돌연변이somatic mutation 일 수도 있다.

특정 단일염기 다형성single-nucleotide polymorphism은 특정 암의 발생률의 증가와 연관되어 있음이 입증되어 왔다.

유방암 환자에서 종양 조직 내 21개 유전자의 발현을 기초로 원격재발의 가능성을 예측하는 알고리즘이 상용화 되어 있고, 현재는 70개 유전자를 이용한 검사도 상용화 되어있다.

2) 현미부수체 불안정성

현미부수체 불안정성Microsatellite Instability (MSI)이라고 불리는 단순 반복되는 microsatellite 서열 내 길이의 변화를 특징으로 하는 유전적 불안정성은 Lynch 증후군(유전성비용종성대장암HNPCC) 환자의 선별에 유용한 표지자이다. 고빈도 MSI (MSI-H)는 결장직장암, 위암, 자궁내막암 등의 일부에서도 관찰되는데 이 경우 hMLH1 유전자의 promoter 부위의 과 메틸화와 연관을 보인다.

MSI-H는 특징적인 암 발생과정을 시사하는데, 이는 유전성 암이든 산발성 암이든 상관 없이 MSI-H 양성 암이 MSI-H 음성 암과 비교하여 유전자형과 표현형에서 많은 차이점을 보이기 때문이다. 이들 암에서의 MSI 양상에 대한 분석은 예후지표나 항암화학요법에 대한 반응의 예측지표로 이용될 수 있을 것으로 보인다.

3) 염색체 이상

Bcr-abl 암 유전자를 만드는 9:22 염색체 전위와 같은 염색체 이상도 유용한 생물표지자이다. 또한 일배체형haplotype 평가는 전립선암, 유방암, 폐암과 대장암을 포함한 수종의 암에 있어서의 감수성을 예측할 수 있음을 보여 왔다.

4) 유전자칩

일반적으로 유전자칩이라 불리는 c-DNA microarray는 고속 분석 기술이 가능해지면서 전 세계적 mRNA 발현의 네트워크 하에서 발견되어 오고 있다. 이러한 microarray들을 이용하면 한 번의 실험으로 30,000에서 40,000개의 인간 유전자들의 발현을 측정할 수 있다. 통계적인 모델을 이용하여 이 자료들로부터 병의 상태를 가장 잘 구분할 수 있는 유전자 지문fingerprints이라 불리는 유전자군의 선택이 가능해진다.

예를 들면 유방암에서 전에는 인지되지 않았던 생존율의 차이와 연관성을 보이는 분자적 아형들을 입증하기 위해서, 또는 선행화학요법의 결과를 예측하기 위한 다양한 연구들에서 세포들의 유전자 발현 프로필이 이용되고 있다. 폐암과 대장암에서 항암화학요법제의 임상적 반응을 예측하기 위하여 약물대사에 관련된 유전자들의 발현치가 이용되어 왔다. 위암 등 다른 암들에서도 이와 비슷한 방법이 많이 적용되고 있다. 그러나 이러한 분석법들이 일상진료에 이용될 수 있기까지는 아직 광범위한 다기관적 입증단계가 필요하다.

5) 후생유전학적 변화

후생유전학epigenetics은 DNA 서열의 변화가 수반되지 않으면서 유전되는 유전자 발현의 변화들을 말한다. 이는 일반적으로 두 가지로 분류할 수 있는데 하나는 DNA 메틸화methylation이고 다른 하나는 histone modifications이다.

후생 유전적epigenetic 변화를 검사하는 것은 아직 초기 발견 단계이므로 임상적으로 적용되기에는 시기상조이다. 그러나 여러 가지 이유로 큰 가능성을 보여주고 있다.

첫째로, 이상 메틸화aberrant methylation에 대한 DNA 분석은 점돌연변이에 대한 분석보다 더 쉽고 민감하다.

둘째로, 종양 특이적 DNA 메틸화 패턴은 혈액 내의 종양 기원의 유리 DNA와 관내강 내에 배출된 상피 종양 세포에서 발견될 수 있다. 이렇게 검체를 얻기가 수월하기 때문에 암의 발견 및 관리에 드는 노력을 절감시켜 줄 수 있다.

셋째로, DNA 메틸화 특성은 RNA나 대부분의 단백질에 비해 화학적으로나 생물학적으로 더 안정적이다. 결과적으로 이들은 다양한 생물학적 검체에서 더 신빙성 있게 검출된다.

메틸화 생물학적 표지자에 대한 연구는 유방암, 식도암, 위암, 결장직장암, 전립선암을 포함한 다양한 암에 대해 이루어져 오고 있다. DNA를 얻는 검체로는 혈장/혈청, 소변, 가래, 타액 등을 이용한다. 많은 일반적인 관찰결과들이 보고되고 있다. 방광암에서 소변을 이용하는 것처럼, DNA를 얻는데 특정한 표적이 되는 검체를 이용하는 것이 혈청이나 혈장을 이용하는 것에 비해 임상적으로 더 높은 민감도를 보여준다. 반면에 종양 특이적 표지자가 혈장이나 혈청에서 검출시의 특이도는 극도로 높아 거의 100%에 가깝다.

대부분 유전자의 과메틸화hypermethylation는 건강한 개인에서는 거의 발견되지 않는다. 또한 대부분의 메틸화가 암의 발생과정에서 일어나기 때문에 암에 특이적이다. DNA 메틸화 분석을 전립선암에서의 PSA와 같이 민감도는 높으나 특이도가 낮은 기존 선별검사와 같이 시행하면 보완이 될 것으로 보인다. 이 연구들에서 메틸화 표적물의 패널을 이용하면 분석법의 임상적인 민감도를 향상시키게 된다.

종양억제유전자들의 과 메틸화가 암전구병변pre-malignant lesions에서 흔히 발견되는데 이는 후생유전적 변화가 암 발생 초기에 일어난다는 가설과 잘 부합한다. 비정상적 후생 유전적 유전자의 비 활성화는 발암과정 도중 어느 때나 일어날 수 있지만, 전환transformation 과정의 초기에 가장 빈번히 발생하는 것으로 보인다.

암 전단계 증식성 대장 상피세포들을 포함하는 비정상적 창자움aberrant crypt 부위에, Wnt 신호전달체계의 비정상적 활성화에 관련된 유전자의 프로모터promoter 부위에 비정상적 메틸화가 발생함이 입증되었다. 따라서 조직학적으로 정상인 세포에서의 비정상적인 메틸화 양상의 발견은 암 발생 위험도를 평가하는 유용한 표지자로 대두될 수 있다.

특정 유전자의 메틸화는 종양의 생물학적 특성과 연관될 수 있다. DNA 메틸화 표지자와 화학요법에 대한 반응 간의 연관성에 대해 많은 연구결과들이 보고되고 있다.

유방암에서 메틸화 양상과 호르몬 수용체의 상태와의 관련성에 대한 연구에서 ESR1 유전자와 PGR 유전자의 메틸화가 각각 progesterone과 estrogen 수용체 상태에 대한 가장 좋은 예측인자라는 것이 밝혀졌다. 더욱이 ESR1 메틸화는 tamoxifen 치료를 받은 환자들의 임상적 반응의 예측수단으로 호르몬 수용체 상태보다 더 좋은 지표이다. E-cadherin 프로모터 등과 같은 각각의 메틸화 표지자들 또한 유방암 전이와 관련되어 있음이 보고되고 있다.

일반적으로 유전자들 조합들의 비정상적인 메틸화는 나쁜 예후와 연관되어 있다. 반면에 메틸화의 상실은 발암과정에서의 중요한 과정으로서 점차 인식되고 있다. 저메틸화된hypomethylated CpG island들은 근처의 유전자들의 활성화와 연관을 보이는 것으로 알려져 왔다. 예를 들면, 암/고환 항원 CAGE의 프로모터 부위의 저메틸화는 유전자의 발현을 증가시키는데 위암의 전구병변에서도 발견된다. 이렇게 아래쪽 유전자들을 활성화시키는 저메틸화된 프로모터의 비슷한 예들은 대장암, 췌장암, 간암, 자궁암, 폐암과 자궁경부암 등 많은 다른 암들에서 발견되고 있다.

난소암 발생기전에 대한 연구에서 중심절centromeric과 중심절 주위 위성DNA juxtacentromeric satellite DNA의 저메틸화가 진행된 병기나 고도의 종양에서 증가되며, 강한 저메틸화는 나쁜 예후를 나타내는 독립적 표지자임이 발견되었다. 더욱이 유전체genome 전반에 걸친 저메틸화가 암세포들에서 발견되고 있으며 이는 유전체의 불안정성을 초래한다.

과메틸화와 저메틸화를 모두 검사하여 얻은 DNA 메틸화 프로필은 각각의 프로필만으로 얻는 것보다 훨씬 더 많은 종양의 특성에 대한 통찰력을 제공해줄 것으로 보인다.

3. 생물지표 프로테오믹스

프로테오믹스proteomics는 유전체에 의해 발현되는 모든 단백질들을 연구하는 학문이다. 궁극적으로 유전적 돌연변이는 단백질 단계에서 표현되며 단백질 기능의 이상과 병든 세포와 그들의 미세환경과의 신호전달과정에 이상을 초래한다. 질병과정의 실행은 단백질 기능의 변화를 통해 나타난다. 단백질 종양표지자들은 종양세포나 종양과 숙주의 경계로부터 순환계로 분비되는 나노몰 단위의 농도를 가진 미량으로 존재하는 단백질들로 생각되고 있다. 이 단백질들을 검출하여 측정하면 암의 임상적 행태에 대한 정보를 얻을 수 있다.

하지만 수십 년간의 노력에도 불구하고 대부분의 암에서 진단 및 추적관리를 위한 임상적 이용에 필요한 민감도와 특이도를 충족시키는 단일 종양표지자는 발견되고 있지 않다. 이는 환자간 암세포의 분자적인 이질성heterogeneity 때문으로 생각되고 있는데 수십 수백 개의 단백질과 펩타이드 패널들을 이용한 검사법을 이용하여 이를 극복하려는 시도가 행해지고 있다.

질량분석법mass spectrometry 기술을 이용한 프로테오믹 프로파일링proteomic profiling은 단백질 농도에 따라 복잡한 이온 피크의 지문을 생성하는데, 이는 질병의 상태와 연관성을 보인다. 난소암, 유방암, 전립선암, 췌장암 등에서 혈장이나 혈청, 소변, 췌장액 등의 검체들을 이용한 많은 연구들이 이들 암에 대한 생물학적 표지자의 발견과 조기진단을 위해 이 기법이 유용하다는 사실을 입증해 왔다. 특정 질환에 대해 재현 가능한 단백질 서명을 확립한다면 현재 사용하고 있는 생물학적 표지자보다는 훨씬 높은 진단적 민감도와 특이도를 얻을 수 있는 가능성을 가질 것이다.

당장은 이 기술들이 일상적인 임상적 이용이 되기에는 시기상조이다. 이 기술들의 가장 주요한 역할은 단백질 생물학적 표지자를 발견하는 것이다. 이 과정을 통해 발견된 표지자 후보들은 특정 항체를 개발한 후에 표준적인 면역측정법에 의해 검증받을 수 있다. 또한 antibody

표 3-8. 생물학적 표지자와 생물학적 표적치료제

암	생물학적 표지자	치료제
유방암	에스트로겐 수용체/프로게스테론 수용체	Tamoxifen/aromatase inhibitors
유방암	HER2/neu	Trastuzumab/Lapatinib
대장암, 비소세포성폐암	VEGF	Bevacizumab
림프종	CD 20	Rituximab
만성골수성백혈병(CML)	bcr-abl	Imatinib
위장관기질종양(GIST)	c-kit	Imatinib/Sunitinib
비소세포성폐암	EGFR	Gefitinib
비소세포성폐암, 췌장암	EGFR	Erlotinib

microarray 기법을 이용하면 동시에 수백 개의 단백질 발현을 분석할 수 있다. 이렇게 발견된 표지자 후보들은 Western blotting이나 면역조직화학염색법 등을 이용하여 검증을 받게 되며, 기능적 분석 등을 통해 임상적인 유용성을 평가받게 된다.

4. 순환종양세포

암 특이적인 표지자들이 병이 진단되기 이전에 순환계에서 발견되는 이유는 아직도 확실하지는 않다. 일부 종양세포는 죽으면서 그 내용물을 순환계에 방출할 수도 있다. 반면에 일부 종양세포는 원발 부위를 떠나 순환계에 존재할 수도 있는데, 이 과정은 암 세포 전이의 중요 과정이다. 순환종양세포circulating tumor cells를 측정하는 방법에 최근 많은 발전이 있었다. 암 세포 표면에는 새로운 단백질이 존재한다. 이 새로운 단백질들에 대한 항체도 생산되어 있지만 순환종양세포를 정제하는 과정이 어렵다. 하지만 대부분의 종양세포들은 상피세포로부터 유래되었고 상피세포는 순환계에는 정상적으로 존재하지 않으므로 상피세포 표지자를 이용하여 종양세포를 정제할 수 있다. 따라서 적절한 항체로 도포된 기질 사이를 부드럽고 천천히 세포들이 흘러 지나갈 수 있게 하는 새로운 기술이 도입되면서 이 드문 순환종양세포들을 포획하여 검사할 수 있게 되었다. 이러한 기술이 도입은 종양의 조기진단과 치료방법 결정 및 예후판정에 큰 도움이 될 것으로 기대된다.

분명히 미래에는 암 환자의 임상적 치료에 있어 생물학적 표지자의 이용이 훨씬 더 많아질 것이 너무나도 확실하다. 생물학적 표지자의 발현은 생물학적 표적치료제를 투여 받을 환자들을 결정하는데 기존의 병기분류법과는 무관하게 점점 더 많이 이용되고 있다(표 3-8).

앞으로 다른 형태들의 종양표지자들의 조합을 포함한 종양표지자들의 조합이 개발되어 병기 분류에 포함될 것으로 기대된다. 또한 생물학적 또는 다른 형태의 치료에 대한 반응을 예측하는데 종양표지자의 역할이 더욱 중요한 위치를 차지할 것이다.

요약

종양의 진단에 도움이 되는 세포학적, 생화학적, 분자생물학적, 유전적 변화의 지표를 통틀어 종양표지자라 하는데 이는 단백질, 유전학적 돌연변이, 후생유전학적 변화epigenetic changes 등으로 크게 분류할 수 있다. 이 단원에서는 단백질 종양표지자중 임상적으로 가장 많이 이용되는 CEA, Alpha-fetoprotein, CA 19-9, PSA, CA 125 등에 대해 선별검사, 예후, 환자관리 면으로 분류하여 기술하였고 유전학적 돌연변이와 microarray를 이용한 RNA-based 표지자 분석법 등을 간단하게 언급하였다. 또한 향후 종양표지자로서의 큰 역할이 예상되는 후생유전학적 변화의 잠재적인 가능성을 살펴보았고 새로운 종양표지자를 발견하는 방법론으로서의 프로테오믹스를 소개하였다. 또한 순환종양세포의 개요 및 이에 대한 검사법을 간략히 소개하였다.

향후 암 환자의 임상적 치료에 있어 생물학적 표지자의 이용이 훨씬 더 많아질 것이 확실하다. 여러 다른 형태들의 종양표지자들의 조합을 포함한 종양표지자들의 조합이 개발되어 병기 분류에 포함될 것으로 기대되며, 또한 생물학적 또는 다른 형태의 치료에 대한 반응을 예측하는데 종양표지자의 역할이 더욱 중요한 위치를 차지할 것이다.

참고문헌

[I. 역학]

1. 2013 국가암정보센터 통계자료.
2. Siegel R, Naishadham D, Jemal A. Cancer statics, 2013. CA Cancer J Clin. 2013;63:11-30.
3. Thun MJ, DeLancey JO, Center MM, et al The global burden of cancer: Priorities for prevention. Carcinogenesis 2010;31:100-110.
4. Torre LA, Bray F, Siegel RL, et al. Global cancer statistics, 2012. CA Cancer J Clin. 2015;65:87-108.

[II. 종양 생물학]

1. Ahmad SA, Liu W, Jung YD, et al. The effects of angiopoietin-1 and -2 on tumor growth and angiogenesis in human colon cancer. Cancer Res 2001;1255-1259.
2. Arcila ME, Chaft JE, Nafa K, et al. Prevalence, clinicopathologic associations, and molecular spectrum of ERBB2 (HER2) tyrosine kinase mutations in lung adenocarcinomas. 2012;18:4910-4918.
3. Burkhart DL, Sage J Cellular mechanisms of tumour suppression by the retinoblastoma gene. Nat Rev Cancer 2008;8:671-682.
4. Cavallaro U, Christofori G Cell adhesion and signalling by cadherins and Ig-CAMs in cancer. Nat Rev Cancer 2004;4:118-132.
5. Corn PG, El-Deiry WS. Derangement of growth and differentiation control in oncogenesis. Bioessays 2002;4:83-90.
6. De Craene B, Berx G. Regulatory networks defining EMT during cancer initiation and progression. Nat Rev Cancer. 2013;13:97-110.
7. Dunn GP, Old LJ, Schreiber RD The immunobiology of cancer immunosurveillance and immunoediting. Immunity 2004;21:137-148.
8. Folkman J Angiogenesis. Annu Rev Med 2006;57:1-18.
9. Hanahan D, Folkman J Patterns and emerging mechanisms of the angiogenic switch during tumorigenesis. Cell 1996;86:353-364.
10. Hanahan D, Weinberg RA The hallmarks of cancer. Cell 2000;100:57-70.
11. Hood JD, Cheresh DA. Role of integrins in cell invasion and migration. Nat Rev Cancer 2002;2:91-100.
12. Janes SM, Watt FM: New roles for integrins in squamous-cell carcinoma. Nat Rev Cancer 2006;6:175-183.
13. Kaplan RN, Riba RD, Zacharoulis S, et al. VEGFR1-positive haematopoietic bone marrow progenitors initiate the premetastatic niche. Nature 2005;438:820-827.
14. Kerr JF, Wyllie AH, Currie AR Apoptosis: A basic biological phenomenon with wide-ranging implications in tissue kinetics. Br J Cancer 1972;26:239-257.
15. Kim R, Tanabe K, Uchida Y, et al. Current status of the molecular mechanisms of anticancer drug-induced apoptosis. The contribution of molecular-level analysis to cancer chemotherapy. Cancer Chemother Pharmacol 2002;50:343-352.
16. Korsmeyer SJ Chromosomal translocations in lymphoid malignancies reveal novel proto-oncogenes. Annu Rev Immunol 1992;10:785-807, 1992.
17. Makrilia N, Kollias A, Manolopoulos L, et al. Cell adhesion molecules:role and clinical significance in cancer. Cancer Invest

2009;27:1023-1037.

18. Naumov GN, Folkman J, Straume O Tumor dormancy due to failure of angiogenesis: Role of the microenvironment. Clin Exp Metastasis 2009;26:51-60.
19. Okada H, Mak TW Pathways of apoptotic and non-apoptotic death in tumour cells. Nat Rev Cancer 2004;4:592-603.
20. Pages F, Galon J, Dieu-Nosjean MC, et al. Immune infiltration in human tumors: A prognostic factor that should not be ignored. Oncogene 2010;29:1093-1102.
21. Roberts WK, Deluca IJ, Thomas A, et al. Patients with lung cancer and paraneoplastic Hu syndrome harbor HuD-specific type 2 CD8+ T cells. J Clin Invest 2009;119:2042-2051.
22. Schechter AL, Stern DF, Vaidyanathan L, et al. The neu oncogene: An erb-B-related gene encoding a 185,000-Mr tumour antigen. Nature 1984;312:513-516.
23. Shin JS, Hong A, Solomon MJ, et al. The role of telomeres and telomerase in the pathology of human cancer and aging. Pathology 2006;38:103-113.
24. Stacker SA, Achen MG, Jussila L et al. lymphangiogenesis and cancer metastasis. Nat Rev Cancer. 2002;2:573-583.
25. Zhou BB, Zhang H, Damelin M, et al. Tumour-initiating cells:Challenges and opportunities for anticancer drug discovery. Nat Rev Drug Discov 2009;8:806-823.
26. Zlotnik A Chemokines and cancer. Int J Cancer 2006;119:2026-2029.

[III. 종양 형성]

1. 강재희, 이길연, 이기형 등. 산발성 대장암에서 hMLH1/hMSH2의 발현 양상과 임상적 의의. 대한대장항문학회지 2001;17:38-46.
2. 권정현, 배시현. 바이러스성 간염 - 국내 C형 간염의 현황과 임상상. 대한소화기학회지 2008;51:360-367.
3. 김광일, 박성혜, 한선애 등. 위암에서 E-cadherin과 b-catenin 발현과 유전자 돌연변이에 관한 연구. 대한위암학회지 2001;1:202-209.
4. 김신선, 정헌, 전해명 등. 위암에서의 p21Waf1/Cip1 and p27Kip1 단백 발현. 대한위암학회지 2006;6:36-42.
5. 김정수, 배자성, 김기환 등. Clinical Analysis of PTEN, p53 and Her-2/neu Expressions in Thyroid Cancers. 대한암학회지 2001;33:433-437.
6. 김종우. 대장암에서의 상유전적 변이 및 Loss of Imprinting. 대한대장항문학회지 2005;21:181-90.
7. 김태유. Cancer Epigenetics: 개념과 임상적 응용. 대한췌담도학회지 2004;9:20-28.
8. 박능화, 정영화. B형 간염바이러스 관련 간세포암종의 발암기전. 대한간학회지 2007;13:320-340.
9. 박영의, 최영희, 최경찬 등. 위암에서 p21/WAF1/CIP1, p27/KIP1과 p57/KIP2 단백질의 발현에 관한 연구. 대한암학회지 2000;32:457-466.
10. 박우찬, 전해명, 장석균 등. 인체 대장-직장암에서 쌍-중합효소 연쇄반응 및 전기영동법에 의한 K-ras 암유전자 codon 12의 점돌연변이. 대한외과학회지 1993;44:1-10.
11. 박재갑, 김일진. 유전성 대장암. 대한소화기학회지 2005;45:78-87.
12. 백광현, 전규영. 궤양성대장염에 관한 임상적 고찰. 대한외과학회지 1988;35:507-510.
13. 서광선, 나선영, 김헌수 등. Mutational and Loss of Heterozygosity Analysis of the p53 and PTEN Tumor Suppressor Genes in Breast Carcinoma. 대한병리학회지 2005;39:313-319.
14. 성기영, 전경화, 전해명 등. 위암에서 P16 및 hMLH1 유전자의 메틸화. 대한위암학회지 2005;5:228-237.
15. 신기남, 양석균, 명승제 등. 유전 의심성 비용종증 대장암의 빈도와 임상적 특성. 대한내과학회지 2001;60:507-513.
16. 신동일, 이경근, 이관수 등. B형 간염 동반 원발성 간암 환자에서의 CYP2D6와 NAT2 다형 현상에 관한 연구. 대한외과학회지 2002;62:150-156.
17. 이상달, 최상용. 간암세포에서 간염 바이러스 X 단백질의 전사 조절에 대한 Retinoblastoma(Rb) 종양억제 단백질의 역할. 대한외과학회지 1999;56:319-325.
18. 이진선, 오태정, 김제룡 등. 유방암 환자에서 종양억제유전자 DNA 메틸화의 특성. 대한외과학회지 2007;73:277-84.
19. 장동경. 암 에피지네틱스. 대한소화기학회지 2004;44:1-12.
20. 장선희, 문병인, 서현숙 등. Loss of PTEN Expression in Breast Cancers. 대한병리학회지 2005;39:236-241.
21. 전해명, 채병주, 송교영 등. 위암에서의 p14ARF, p16INK4a, p53, pRb 단백 발현. 대한외과학회지 2004;67:100-105.
22. 전해명, 허윤정, 조현민 등. P53 Codon 72 Polymorphism의 위암의 예민도. 대한외과학회지 2005;69:24-30.
23. 정헌, 안창혁, 김기환 등. 유방암에서 종양억제 유전자의 메틸화에 관한 임상연구. 대한외과학회지 2006;70:253-266.
24. Ahn SH, Hwang UK, Kwak BS, et al. Prevalence of BRCA1 and BRCA2 Mutations in Korean Breast Cancer Patients. J Korean Med Sci. 2004;19:269-274.
25. Alsanea O, Clark OH. Familial thyroid cancer. Curr Opin Oncol 2001;13:44.
26. Berx G, Becker KF, Hofler H, et al. Mutations of the human E-cadherin CDH1 gene. Hum Mutat 1998;12:226.
27. Berx G, Van Roy F. The E-cadherin/catenin complex: An important gatekeeper in breast cancer tumorigenesis and malignant progression. Breast Cancer Res 2001;3:289.
28. Birch JM, Alston RD, McNally RJ, et al. Relative frequency and morphology of cancers in carriers of germline TP53 mutations. Oncogene 2001;20:4621.
29. Butel JS. Viral carcinogenesis: Revelation of molecular mechanisms and etiology of human disease. Carcinogenesis 2000;21:405.
30. Cantley LC, Neel BG. New insights into tumor suppression: PTEN suppresses tumor formation by restraining the phosphoinositide 3-kinase/AKT pathway. Proc Natl Acad Sci USA 1999;96:4240.
31. Classon M, Harlow E. The retinoblastoma tumour suppressor in

development and cancer. Nat Rev Cancer 2002;2:910.

32. DiCiommo D, Gallie BL, Bremner R. Retinoblastoma: The disease, gene and protein provide critical leads to understand cancer. Semin Cancer Biol 2000;10:255.
33. El-Serag HB. Hepatocellular carcinoma and hepatitis C in the United States. Hepatology 2002;36:S74.
34. Eng C. Will the real Cowden syndrome please stand up: Revised diagnostic criteria. J Med Genet 2000;37:828.
35. Esteller M. Relevance of DNA methylation in the management of cancer. Lancet Oncol 2003;4:351-358.
36. Fearnhead NS, Britton MP, Bodmer WF. The ABC of APC. Hum Mol Genet 2001;10:721.
37. Feinberg AP, Tycko B. The history of cancer epigenetics. Nat Rev Cancer 2004;4:143-153.
38. Fisher DE. The p53 tumor suppressor: Critical regulator of life and death in cancer. Apoptosis 2001;6:7.
39. Fitzgerald RC, Caldas C. E-cadherin mutations and hereditary gastric cancer: prevention by resection- Dig Dis 2002;20:23.
40. Goss KH, Groden J. Biology of the adenomatous polyposis coli tumor suppressor. J Clin Oncol 2000;18:1967.
41. Grady WM, Markowitz SD. Genetic and epigenetic alterations in colon cancer. Annu Rev Genomics Hum Genet 2002;3:101-128.
42. Gruber SB, Kohlmann W. The genetics of hereditary non-polyposis colorectal cancer. J Natl Comprehensive Cancer Network 2003;1:137.
43. Hake SB, Xiao A, Allis CD. Linking the epigenetic'language' of covalent histone modifications to cancer. Br J Cancer 2004;90:761-769.
44. Hall J, Angele S. Radiation, DNA damage and cancer. Mol Med Today 1999:5:157.
45. Harbour JW, Dean DC. Rb function in cell-cycle regulation and apoptosis. Nat Cell Biol 2000;2:E65.
46. Hedenfalk I, Duggan D, Chen Y, et al. Gene-expression profiles in hereditary breast cancer. N Engl J Med 2001;344:539.
47. Herman JG, Baylin SB. Gene silencing in cancer in association with promoter hypermethylation. N Engl J Med 2003;349:2042-2054.
48. http://monographs.iarc.fr/monoeval/grlist.html: Lists of IARC Evaluations, 2002, International Agency for Research on Cancer IARC.
49. Ingvarsson S, Sigbjornsdottir BI, Huiping C, et al. Mutation analysis of the CHK2 gene in breast carcinoma and other cancers. Breast Cancer Res 2002;4:R4.
50. Issa JP, Baylin SB. Epigenetics and human disease. Nat Med 1996;2:281-282.
51. Jones PA, Laird PW. Cancer epigenetics comes of age. Nat Genet 1999;21:163-167.
52. King MC, Wieand S, Hale K, et al. Tamoxifen and breast cancer incidence among women with inherited mutations in BRCA1 and BRCA2: National Surgical Adjuvant Breast and Bowel Project NSABP-P1 Breast Cancer Prevention Trial. JAMA 2001;286:2251.
53. Knudson AG. Cancer genetics through a personal retrospectroscope.Genes Chromosomes Cancer 2003;38:288-291.
54. Knudson AG. Two genetic hits more or less to cancer. Nat Rev Cancer 2001;1:157-162.
55. Lee JS, Collins KM, Brown AL, et al. hCds1-mediated phosphorylation of BRCA1 regulates the DNA damage response. Nature 2000;404:201.
56. Lee SB, Kim SH, Bell DW, et al. Destabilization of CHK2 by a missense mutation associated with Li-Fraumeni syndrome. Cancer Res 2001;61:8062.
57. Lehnert BE, Goodwin EH, Deshpande A. Extracellular factors following exposure to alpha particles can cause sister chromatid exchanges in normal human cells. Cancer Res 1997;57:2164.
58. Little JB. Radiation carcinogenesis. Carcinogenesis 2000;21:397.
59. Liu Y, West SC. Distinct functions of BRCA1 and BRCA2 in double-strand break repair. Breast Cancer Res 2002;4:9.
60. Loman N, Johannsson O, Kristoffersson U, et al. Family history of breast and ovarian cancers and BRCA1 and BRCA2 mutations in a population-based series of early-onset breast cancer. J Natl Cancer Inst 2001;93:1215.
61. Marsh DJ, Coulon V, Lunetta KL, et al. Mutation spectrum and genotype-phenotype analyses in Cowden disease and Bannayan-Zonana syndrome, two hamartoma syndromes with germline PTEN mutation. Hum Mol Genet 1998;7:507.
62. Momparler RL. Cancer epigenetics. Oncogene 2003;22:6479-6483.
63. Nevins JR. The Rb/E2F pathway and cancer. Hum Mol Genet 2001;10:699.
64. Park J, Song SH, Kim TY, et al. Aberrant methylation of integrin alpha4 gene in human gastric cancer cells. Oncogene 2004;23:3474-3480.
65. Rabe C, Cheng B, Caselmann WH. Molecular mechanisms of hepatitis B virus-associated liver cancer. Dig Dis 2001;19:279.
66. Redmond DE Jr. Tobacco and cancer: the first clinical report, 1761. N Engl J Med 1970;282:18.
67. Rocco JW, Sidransky D. p16MTS-1/CDKN2/INK4a in cancer progression. Exp Cell Res 2001;264:42.
68. Sarasin A. The molecular pathways of ultraviolet-induced carcinogenesis. Mutat Res 1999;428:5.
69. Sieber OM, Tomlinson IP, Lamlum H. The adenomatous polyposis coli APC tumour suppressor-genetics, function and disease. Mol Med Today 2000;6:462.
70. Timblin CR, Jannsen-Heininger Y, Mossman BT. Physical agents in human carcinogenesis, in Coleman WB, Tsongalis GJ eds: The Molecular Basis of Human Cancer. Totowa, NJ: Humana Press, 2002.

71. Tobias DH, Eng C, McCurdy LD, et al. Founder BRCA 1 and 2 mutations among a consecutive series of Ashkenazi Jewish ovarian cancer patients. Gynecol Oncol 2000;78:148.
72. Toyota M, Issa JP. CpG island methylator phenotypes in aging and cancer. Semin Cancer Biol 1999;9:349-357.
73. Vahteristo P, Bartkova J, Eerola H, et al. A CHEK2 genetic variant contributing to a substantial fraction of familial breast cancer. Am J Hum Genet 2002;71:432.
74. van der Harst E, de Krijger RR, Bruining HA, et al. Prognostic value of RET proto-oncogene point mutations in malignant and benign, sporadic phaeochromocytomas. Int J Cancer 1998;9:537.
75. Venkitaraman AR. Cancer susceptibility and the functions of BRCA1 and BRCA2. Cell 2002;108:171.
76. Verma M, Srivastava S. Epigenetics in cancer: implications for early detection and prevention. Lancet Oncol 2002;3:755-763.
77. Vogelstein B, Fearon ER, Hamilton SR, et al. Genetic alterations during colorectal-tumor development. N Engl J Med 1988;319:525-532.

[IV. 종양표지자]

1. Ali SM, Carney WP, Esteva FJ et al. Serum HER-2/neu and relative resistance to trastuzumab-based therapy in patients with metastatic breast cancer. Cancer 2008;113:1294-1301.
2. Andersen MR, Goff BA, Lowe KA et al. Combining a symptoms index with CA 125 to improve detection of ovarian cancer. Cancer 2008 ;113(3):484-489.
3. Berger AC, Garcia M Jr, Hoffman JP et al. Postresection CA 19-9 predicts overall survival in patients with pancreatic cancer treated with adjuvant chemoradiation: a prospective validation by RTOG 9704. J Clin Oncol 2008;26(36): 5918-5922.
4. Bigbee W, Herberman RB. Tumor markers and immunodiagnosis. In: Bast RC Jr., Kufe DW, Pollock RE, et al., editors. Cancer Medicine. 6th ed. Hamilton, Ontario, Canada: BC Decker Inc., 2003.
5. Chan AO, Chu KM, Lam SK et al. Early prediction of tumor recurrence after curative resection of gastric carcinoma by measuring soluble e-cadherin. Cancer 2005;104:740-746.
6. Das P, Skibber JM, Rodriguez-Bigas MA et al. Predictors of tumor response and downstaging in patients who receive preoperative chemoradiation for rectal cancer. Cancer 2007;109:1750-1755.
7. Drapkin R, von Horsten HH, Lin Y et al. Human epididymis protein 4 (HE4) is a secreted glycoprotein that is overexpressed by serous and endometrioid ovarian carcinomas. Cancer Res 2005;65:2162-2169.
8. Ghanamah M, Berber E, Siperstein A. Pattern of carcinoembryonic antigen drop after laparoscopic radiofrequency ablation of liver metastasis from colorectal carcinoma. Cancer 2006;107:149-153.
9. Hegi ME, Diserens AC, Gorlia T et al. MGMT gene silencing and benefit from temozolomide in glioblastoma. N Engl J Med 2005;352:997-1003.
10. Hellstrom I, Raycraft J, Kanan S et al. Mesothelin variant 1 is released from tumor cells as a diagnostic marker. Cancer Epidemiol Biomarkers Prev. 2006;15:1014-1020.
11. Hernandez J, Thompson IM. Prostate-specific antigen: a review of the validation of the most commonly used cancer biomarker. Cancer 2004;101(5):894-904.
12. Imai K, Yamanoto H. Carcinogenesis and microsatellite instability: the interrelationship between genetics and epigenetics. Carcinogenesis 2008;29(4):673-680.
13. James CR, Quinn JE, Mullan PB et al. BRCA1, a potential predictive biomarker in the treatment of breast cancer. The Oncologist 2007;12:142-150.
14. Lee JS, Thorgeirsson SS. Comparative and integrative functional genomics of HCC. Oncogene 2006;25(27):3801.
15. Lopez J, Percharde M, Coley HM et al. The context and potential of epigenetics in oncology. British J Cancer 2009;100:571-577.
16. Montgomery RC, Hoffman JP, Riley LB et al. Prediction of recurrence and survival by post-resection CA 19-9 values in patients with adenocarcinoma of the pancreas. Ann Surg Oncol 1997;4:551-556.
17. Moss EL, Hollingworth J, Reynolds TM. The role of CA125 in clinical practice. J Clin Pathol 2005;58:308-312.
18. Nagrath S, Sequist LV, Maheswaran S, et al. Isolation of rare circulating tumor cells in cancer patients by microchip technology. Nature 2007;450(7173):1235.
19. Oussoultzoglou E, Rosso E, Fuchshuber P et al. Perioperative carcinoembryonic antigen measurements to predict curability after liver resection for colorectal metastases. Arch Surg 2008;143(12):1150-1158.
20. Smith L, Lind MJ, Welham KJ et al. Cancer proteomics and its application to discovery of therapy response markers in human cancer. Cancer 2006;107(2):232-241.
21. Sreekumar A, Nyati MK, Varambally S et al. Profiling of cancer cells using protein microarrays: discovery of novel radiation=regulated proteins. Cancer Res 2001;61:7585-7593.
22. Tangkijvanich P, Anukulkarnkusol N, Suwangool P et al. Clinical characteristics and prognosis of hepatocellular carcinoma; analysis based on serum alpha-fetoprotein levels. J Clin Gastroenterol 2000;31:302-308.
23. Yang N, Coukos G, Zhang L. MicroRNA epigenetic alterations in human cancer: One step forward in diagnosis and treatment. Int J Cancer 2008;122:963-968

Chapter 04

수액과 전해질

Fluid and electrolyte

 수액

1. 체액

체액은 체질량의 50-60%를 차지한다. 정상 성인 남성의 경우 체질량의 약 60%가 체액이고 여성의 경우 약 50%가 체액으로 이루어져 있다. 체액의 양을 계산할 때, 비만의 경우 10-20% 하향 조정이 필요하고 영양불량일 때 10% 정도를 상향 조정해야 한다. 남성의 경우 60%의 체액 중 세포 내 수분이 40%이고 세포 외 수분이 20%이다. 세포 외 수분은 혈장에 5%와 간질에 15%로 분포한다. 예를 들면, 70kg 정상 성인 남자의 경우 세포 내 수분의 양은 28,000mL, 세포 외 수분의 양은 14,000mL이며 혈장 3,500mL, 간질 10,500mL이다. 60kg의 정상 성인 여자의 경우 세포 내 수분의 양은 20,000mL, 세포 외 수분의 양은 10,000mL이며 혈장 2,500mL, 간질 7,500mL이다. 세포 내액의 주된 이온은 칼륨, 마그네슘, 인산염, 음전하 단백질이고 세포 외액의 주된 이온은 나트륨, 클로라이드, 바이카보네이트이다. 세포 내외 간의 농도 차는 세포막에 위치한 Adenosine Triphosphate (ATP)에 의한 나트륨-칼륨 펌프에 의하여 유지된다. 물은 자유롭게 확산 가능하여 모든 구역에 고루 분포한다. 세포 내외의 수분 분포를 결정하는 것은 삼투압이다. 삼투압 osmolality이란 수분[용액] 중에 녹아 있는 물질[용질]의 분자 수에 의하여 결정된다. 세포막과 같은 반투막으로 가로 막혀 있는 경우 반투막을 통과하지 않는 용질의 분자 수로 결정되는 삼투압을 특히 유효삼투압 tonicity이라고 한다. 즉 유효삼투압이란 용매를 움직일 수 있는 용질들의 농도를 말한다. 혈장 삼투압plasma osmolality은 아래와 같이 구할 수 있다.

> Posm(mOsm/L) = 2×[Na^+(mmol/L)+K^+(mmol/L)] +BUN(mg/dL)/2.8+Glucose(mg/dL)/18
> (정상 Posm: 290-310mOsm/L)

수분 내 전해질의 생리적 활동은 단위 용적 내 분자 수(millimoles per liter, mmol/L), 전하 수(milliequivalents per liter, mEq/L), 삼투압에 관여하는 이온 수(milliosmoles per liter, mOsm/L)에 의하여 결정된다. 'Equivalent, Eq'는 원자량atomic weight (g)을 원자가valence로 나눈 것으로서, 예를 들면 나트륨과 같은 1가

표 4-1. 체액의 구성

체액	Na^+	Cl^-	K^+	HCO_3^-	평균일생산량(mL)
땀	50	40	5	0	다양
침	60	15	26	50	1,500
위액	60-100	100	10	0	1,500-2,500
십이지장액	130	90	5	0-10	300-2,000
담즙	145	100	5	15	100-800
췌장액	140	75	5	115	100-800
회장	140	100	2-8	30	100-9,000
설사	120	90	25	45	다양

이온은 1mmol이 1mEq가 되지만 마그네슘과 같은 2가 이온은 1mmol은 2mEq가 된다.

2. 체액의 변화

체액 균형의 장애는 크게 용적volume, 농도concentration, 조성composition의 장애로 나뉜다. 용적의 장애가 있을 때 여러가지 증상 및 징후가 나타난다. 외과 환자에 있어서 용적 손실의 대표적인 경우는 위장관을 통한 소실이다(표 4-1). 이들 장애는 동시에 발생하기도 하지만 각자 고유의 기전을 가지므로 개별적인 교정이 필요하다. 용적의 조절에 관여하는 중요한 수용체로서 삼투수용체osmoreceptor와 압수용체baroreceptor가 있다.

II 전해질

1. 나트륨

정상 성인의 1일 NaCl 소모량은 3-5g(130-217mEq/일)이고 신장에서 주로 균형을 조절한다. 나트륨sodium (Na^+)의 정상치는 135-145mEq/L이다. 나트륨은 땀, 소변, 위장관 분비물로 배설된다. 나트륨은 혈장 삼투압에 중요한 영향을 준다.

1) 저나트륨혈증(그림 4-1)

원인에 따라 등장성isotonic, 고장성hypertonic, 저장성hypotonic 저나트륨혈증으로 분류할 수 있다. 등장성 저나트륨혈증은 고지혈증이나 고단백혈증에 의하여 혈장 부피가 늘어나 혈장 나트륨의 농도가 줄어들면서 나타난다. 또한 등장성 글루코스, 만니톨, 글리세린 수액 주입에 의하여 일시적으로 저나트륨혈증이 생길 수도 있다. 고장성 저나트륨혈증은 고혈당이 일시적으로 세포 내 수분을 세포 외로 이동시켜 발생하거나 혹은 고장성 글루코스, 만니톨, 글리세린 수액 주입 등에 의하여 저나트륨혈증이 발생할 수 있다. 저장성 저나트륨혈증은 여러가지 상황에서 발생할 수 있는데, 먼저 저혈량성hypovolemic, 즉 외과 환자에서 나트륨 함유가 많은 수분의 소실인 위장관, 피부 또는 폐로부터의 소실이 있을 때 불충분한 용량의 D5W, 0.45% NaCl 등의 저장성 수액으로 보충할 경우 생길 수 있다. 다음으로 과혈량성hypervolemic, 즉 심부전, 간경변, 신증 등에 의한 부종에 의하여 순환혈액량의 감소가 일어나면 신장에서 나트륨과 수분의 저류를 일으킨다. 이로 인해 상대적으로 수분의 저류가 많을 때 저나트륨혈증이 생긴다. 끝으로 정상혈량성isovolemic 저나트륨혈증이 다음과 같은 경우에 있을 수 있다. 신부전이 있는 상태에서 수분의 과다 섭취 또는 저장성 수액의 과다 주입이 있을 때 즉 수분 중독intoxication에서 생긴다. 또한 위장관으로부터의 칼륨 소실 또는 이뇨제에 의한 칼륨 소실

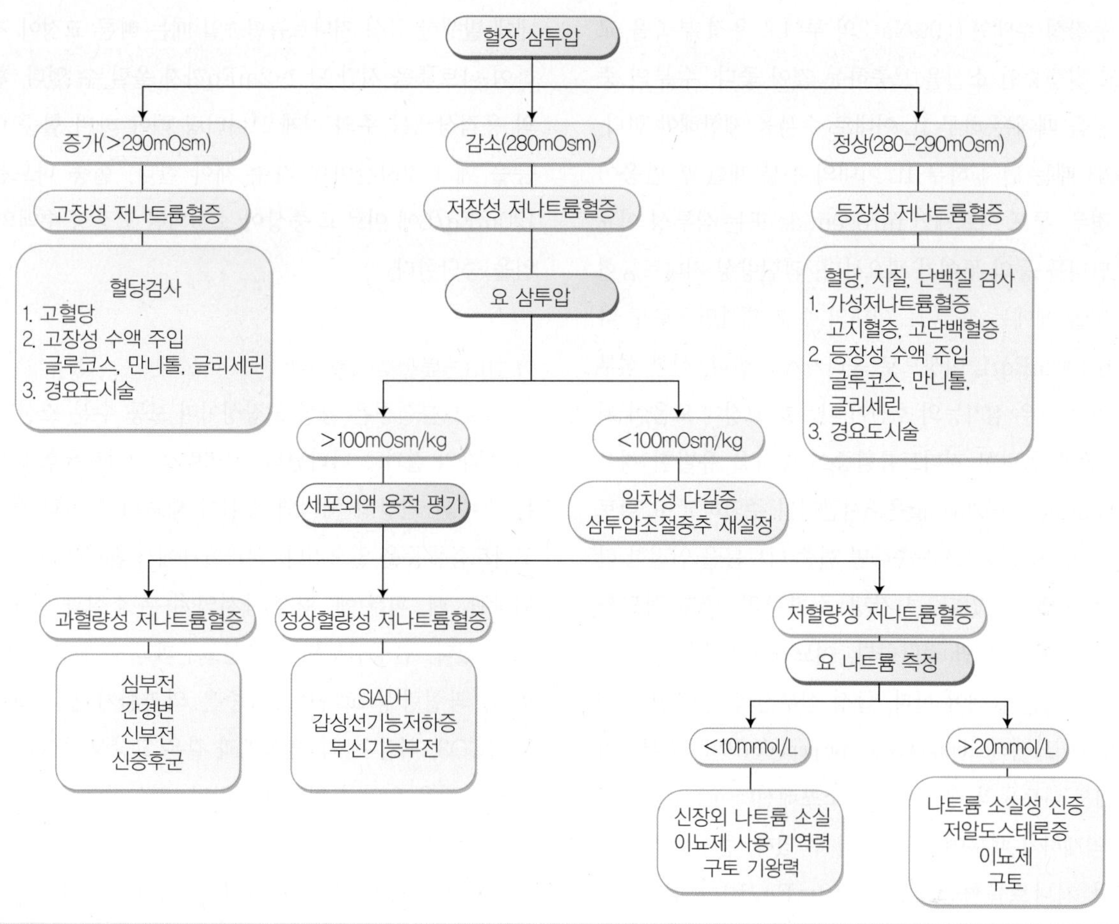

그림 4-1 저나트륨혈증의 감별진단

이 있을 때 세포의 양이온들의 교환에 의하여 정상혈량성 저나트륨혈증이 올 수 있다. 결핵이나 간경변 등 만성질환에 의하여 삼투압조절중추가 정상인 285mOsm/L에서 하향 조정될 때 생길 수도 있다. 항이뇨 호르몬 부적절 분비 증후군syndrome of inappropriate antidiuretic hormone (SIADH)은 저혈장삼투압(<280mOsm/kg), 저나트륨혈증(<135mmol/L), 소변량 감소 및 농축뇨(>100mOsm/kg), 요 나트륨 증가(>20mEq/L), 임상적 정상혈량을 특징으로 하는 질환이다. SIADH에서 저나트륨혈증이 동반된다. SIADH의 주 원인으로 무기폐, 농흉, 기흉, 폐부전 등과 같은 폐질환, 외상, 뇌수막염, 종양, 지주막하 출혈 등과 같은 중추신경계 질환, 사이클로포스파마이드, 시스플라틴, 비스테로이드성 소염제 등의 약제, 소세포 폐암에서의 이소성 ADH 생성 등이 있다. 마지막으로 경요도 수술 중 많은 양의 글리세린, 소비톨, 만니톨 수액으로 관주irrigation 할 때 이들이 흡수되면서 저나트륨혈증을 유발할 수 있다(transurethral resection syndrome).

저나트륨혈증의 주 증상은 신경학적 증상이며 저삼투압증에 의해 나타난다. Posm의 감소는 세포 내로의 수분의 유입을 일으키며 세포의 부피를 증가시키고 뇌부종을 유발시킨다. 증상으로 무기력, 혼미, 구역, 구토, 경련, 혼수 등이 있다. 증상은 저나트륨혈증의 진행정도 및 속도와 관련이 있다. 만성 저나트륨혈증은 혈중 나트륨이 110-120mEq/L 이하로 떨어져도 무증상인 경우가 흔하다. 반대로 급격한 감소가 있을 경우 120-130mEq/L에도 증상이 발현될 수가 있다.

등장성 또는 고장성 저나트륨혈증을 교정할 때에는 기저질환을 같이 치료해야 하며, 저혈량성 저나트륨혈증 때에는 등장성 수액인 0.9%NaCl의 투여로 용적 부족을 교정하고 진행중인 소실을 보충하는 것이 좋다. 수분의 중독이 있을 때에는 하루 1L 이내로 수분을 제한해야 한다. SIADH 때는 먼저 하루 1L 이내의 수분 제한 후 반응이 없을 경우, 루프 이뇨제인 furosemide 또는 삼투성 이뇨제인 만니톨 등의 투여가 필요하다. 과혈량성 저나트륨혈증이 있을 때에는 하루 1L 이내의 수분 제한만으로도 나트륨이 130mEq/L 이상으로 올라가기도 한다. 심한 심부전이 있는 경우 심기능의 호전이 나트륨 교정에 도움이 된다. 부종을 동반한 저나트륨혈증이 증상을 유발한 경우 furosemide 20-200mg을 6시간마다 주입하고 요 나트륨 손실을 3% NaCl로 보충하면 혈중 나트륨을 안전한 단계까지 올릴 수 있다. 시간당 소변량의 25% 정도를 3%NaCl로 보충하면 적당하다. 이뇨제 투여없이 고장성 수액의 투여는 금해야 한다. 급성 심부전의 경우 합성 뇌성나트륨이뇨펩티드brain natriuretic peptide (BNP)의 투여가 신장에서 나트륨의 재흡수와 바소프레신vasopressin의 영향을 억제하기 때문에 도움이 될 수 있다. 증상이 있거나 심각한 저나트륨혈증(Na^+ <110mEq/L)이 있을 때, 3%NaCl 고장성 수액이 필요하다. 혈중 나트륨을 대략 120mEq/L까지 교정해야 한다. 3%NaCl의 양은 나트륨 부족을 계산하여 투여한다.

> 나트륨 부족(mEq) = 0.60×체중(kg)×[120−측정한 혈중 Na^+(mEq/L)]
> (3%NaCl 1L는 513mEq Na^+을 공급)

Furosemide 20-200mg을 6시간마다 주입하면 3%NaCl 주입의 효과를 높일 수 있다. 저나트륨혈증을 교정할 때 중심성 뇌교 수초용해증central pontine demyelination이 생길 수 있다. 위험 인자에 대해서는 의견이 분분하지만 저나트륨혈증이 48시간 이상 만성화되는 것과 교정 속도는 관련이 있다고 한다. 혈중 나트륨을 24시간 내에 12mEq/L 이상 올려서는 안 된다. 즉 교정 시 혈중 나트륨을 시간 당 0.5mEq 이하로 올려야 한다. 48시간 이내에 발생한 급성 저나트륨혈증일 때는 빠른 교정이 가능하여 나트륨을 시간 당 1-2mEq까지 올릴 수 있다. 환자의 용적상태를 주의 깊게 모니터링 해야 하며 혈중 나트륨을 매 1-2시간마다 자주 재야 한다. 혈중 나트륨이 120mEq/L에 이르고 증상이 소실되면 고장성 수액의 주입을 중단한다.

2) 고나트륨혈증(그림 4-2)

고나트륨혈증은 항상 고장성이며 보통 수분 소실과 용질 과다의 결과로 나타난다. 저혈량성 고나트륨혈증 때에는 순수한 저장성 체액의 소실이 세포외 부피의 감소와 고나트륨혈증을 일으킨다. 외과환자에서 흔한 원인으로는 위장관, 폐, 피부(예; 화상)에서의 수분 소실과 이뇨작용 등이 있다. 만성신부전과 부분뇨관폐쇄도 원인이 될 수 있다. 과혈량성 고나트륨혈증은 외과환자에서 대부분 NaHCO3, 식염수, 약, 영양액과 같은 고장성 수액의 정맥주입과 같은 의인성 원인에 의한다. 정상혈량성 고나트륨혈증은 요수분의 소실이 계속되면서 피부와 호흡기로부터의 증발성 소실이 같이 동반될 때 생길 수 있는데, 열이 없는 환자에게 하루 약 750mL의 D5W과 같은 무전해질 수액의 보충을 필요로 한다. 이러한 저장성 소실을 등장성 수액으로 적절히 보충하지 못할 때, 입원해 있는 외과환자에서 가장 흔하게 정상혈량성 고나트륨혈증이 생긴다. 요붕증Diabetes Insipidus (DI)은 저장성 뇨(요 삼투압농도 <200mOsm/ kg 또는 비중 <1.005)와 높은 혈장 삼투압농도(>287mOsm/ kg)를 동반한 다뇨와 다갈증이 특징이다. 중추성 요붕증은 뇌하수체에서 ADH의 분비장애로 생기며 두부 손상이나 뇌하수체절제술 후에 볼 수 있다. 또한 두개강내 종양, 감염, 혈관질환, 저산소증, 약물(예; 클로니딘, 페니사이클린)에 의해 생기기도 한다. 신성 요붕증은 정상 분비된 ADH에 대한 신장의 무반응에 의한다. 가족성 또는 약물(예; 리튬, 데메클로사이클린, 메톡시플루레인, 글립뷰라이드)에 의하거나 또는 저칼륨혈증, 고칼슘혈증 또는 내인성 신질환에 의하여 생길 수 있다. 중추성과 신성의 구별은 임상적으로 또는 탈수검사

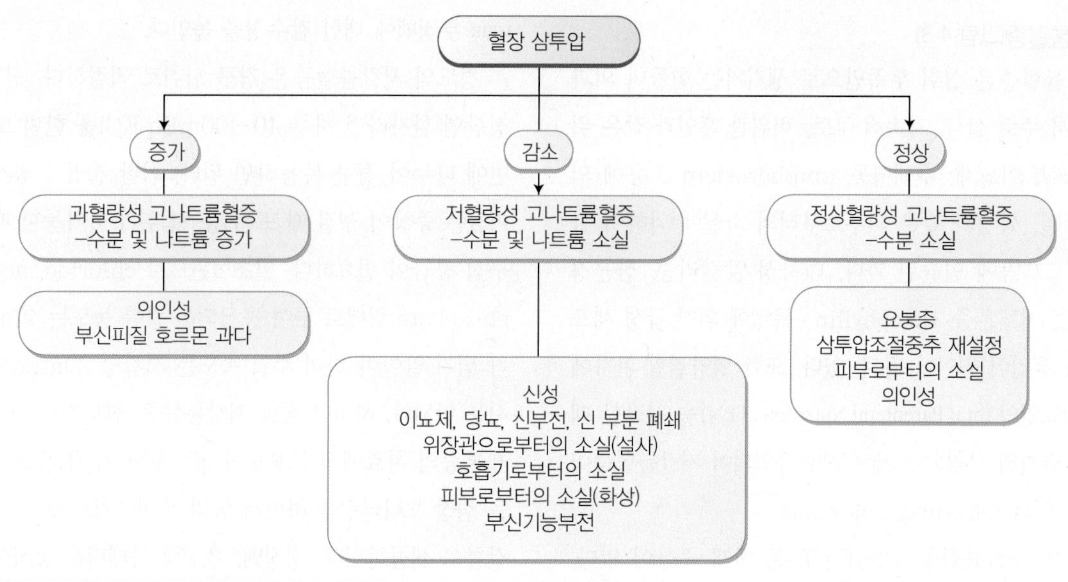

그림 4-2 고나트륨혈증의 감별진단

에 의하여 가능하다. 고나트륨혈증의 원인으로 두부 손상 후 높아진 두개강 내압과 뇌부종을 조절하기 위하여 의도적으로 고장성 수액을 투여하여 고나트륨혈증을 유발할 수 있다.

신경계 증상이 흔하고 이는 무기력, 약화, 안절부절함으로 시작하며 연축fasciculation, 경련, 혼수, 비가역적 신경손상까지 진행될 수 있다.

고나트륨혈증과 관련된 수분 결핍은 다음의 공식으로 측정된다.

> 수분 부족(L)
> = 0.60×체중(kg)×[(혈중 Na^+ in mEq/L/140)−1]

고나트륨혈증의 급격한 교정은 뇌부종과 영구적 신경손상을 유발할 수 있다. 따라서 첫 24시간 동안 반 정도를 교정하며 나머지는 2–3일에 걸쳐 교정하도록 한다. 연속적인 나트륨 측정이 필요하다. 수분 부족의 보충으로 경구 섭취가 가능하다. 경구섭취가 불가능할 때 D5W나 D5/0.45%NaCl 등으로 대체할 수 있다. 실제 수분 소실뿐만 아니라 불감성 손실 및 뇨량도 보충해야 한다. 중추성 요붕증 일때에는 desmopressin acetate를 투여하며, 신성 요붕증 일때에는 원인이 되는 약물을 제거하고 전해질 불균형을 교정해야 한다. 효과가 없을 시 염섭취를 제한하고 thiazide계 이뇨제인 hydrochlorothiazide 50–100mg/day를 경구투여한다.

2. 칼륨

칼륨potassium (K^+)은 주된 세포내 양이온이며 2% 정도만이 세포외에 존재한다. 정상 혈중 칼륨치는 3.3–4.9mEq/L이다. 약 50–100mEq 정도를 하루에 섭취하고 흡수한다. 90%가 신장을 통하여 배출되며 나머지는 변으로 제거된다. 칼륨의 가장 중요한 대사가 신장의 집합관collecting duct에서 일어나며 이곳에서 칼륨을 얼마나 배출하였는지 알아보기 위해서 경세관 칼륨 농도차transtubular potassium gradient (TTKG)를 구해야 한다.

> TTKG = (urine K^+/plasma K^+)/(urine Osm/plasma Osm) (정상치: 6–8)

1) 저칼륨혈증(그림 4-3)

저칼륨혈증은 섭취 부족만으로 생기기는 힘들며 외과 환자에서 주로 설사, 지속적 구토, 비위관 흡인과 같은 위장관 소실, 이뇨제, 수액이동, amphotericin B 등에 의한 신소실, 화상과 같은 피부로부터의 소실에 의하여 잘 생긴다. 그 밖에 인슐린 과다, 대사성 알칼리증, 심근경색, 섬망, 저체온증, theophylline 독성에 의한 급성 세포내 칼륨 유입이 원인이 될 수 있다. 또한 영양결핍 환자에게 총정맥영양Total Parenteral Nutrition (TPN)을 시작할 때 칼륨이 급격히 분열되는 세포들에 유입되어 저칼륨혈증이 생길 수 있다(refeeding syndrome).

경도의 저칼륨혈증(>3mEq/L)은 대개 증상이 없다. 증상은 심한 칼륨 저하(<3mEq/L)가 있을 때 발현되며 주로 심혈관계에서 나타난다. 초기 심전도에서 전위, T파 강하, 현저한 U파가 나타난다. 심한 결핍은 재진입reentrant 부정맥에 대한 감수성을 높인다.

경도의 저칼륨혈증은 경구 섭취로 적절하다. 신기능이 정상인 환자라면 하루 40–100mEq KCl을 한번 또는 두 번에 나누어 경구 복용하면 된다. 심한 결핍이 있거나 의미있는 증상이 생길 때 또는 경구섭취가 불가능할 때 비경구적 공급이 필요하다. 말초혈관으로 chloride, acetate, phosphate 형태로 투여 공급되는 칼륨 농도는 40mEq/L가 넘지 말아야 하며 주입 속도는 시간당 20mEq를 넘어서는 안된다. 하지만 심한 저칼륨혈증, 심부정맥, 당뇨병성 케톤증의 치료에서 고농도인 60–80mEq/L정도의 칼륨을 심장 모니터링을 하면서 빨리 투여하기도 한다. 고농도 칼륨을 쇄골하정맥, 경정맥, 우심방 카테터를 통하여 주입하는 것은 심독성을 유발할 수 있으므로 피해야 한다. 저마그네슘혈증이 자주 저칼륨혈증과 동반되므로 일반적으로 같이 교정을 해주어야 한다.

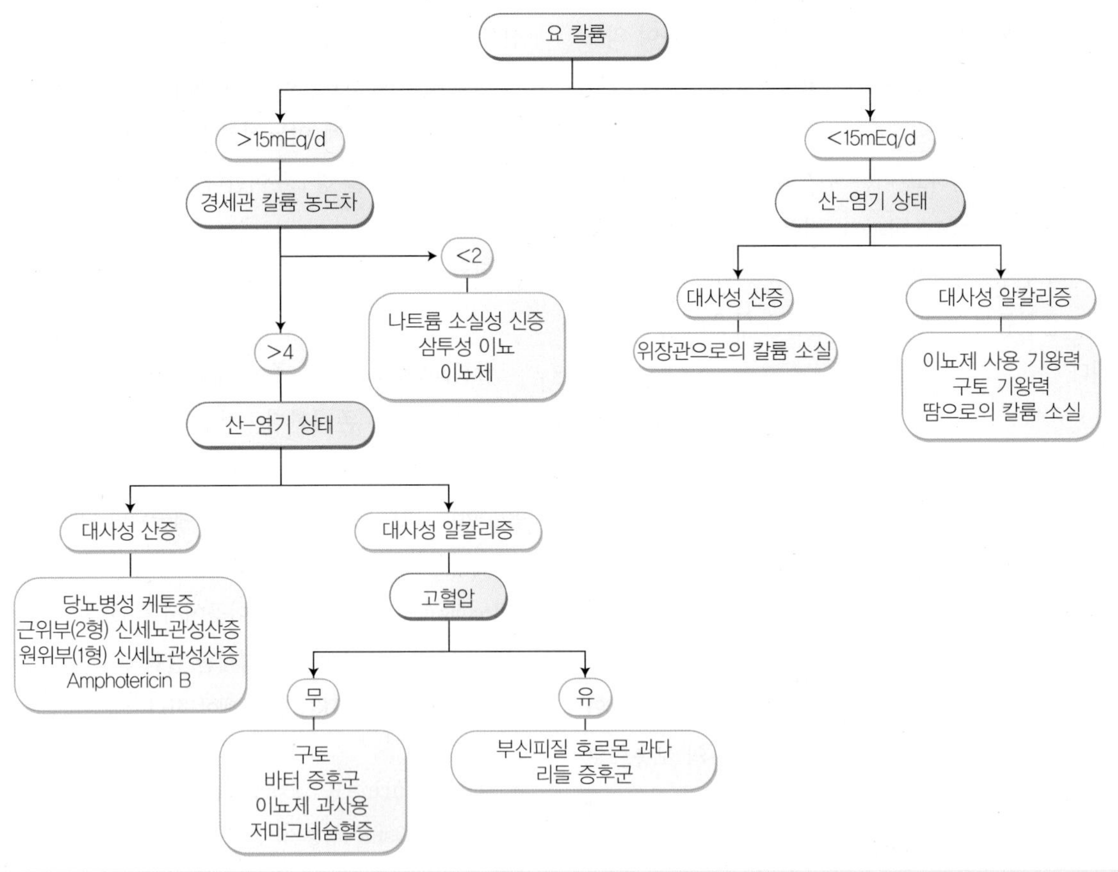

그림 4-3 **저칼륨혈증의 감별진단**

2) 고칼륨혈증(그림 4-4)

고칼륨혈증은 전체 칼륨량이 정상이거나 증가할 때 일어날 수 있다. 가성고칼륨혈증pseudohyperkalemia은 응고과정에서 백혈구와 혈소판에서 칼륨이 유출될 때 검사실에서 나타나는 비정상 소견을 의미한다. 또한 교액성 상지 환자에서 용혈 또는 정맥절개로 가성고칼륨혈증이 있을 수 있다. 인슐린 결핍, 베타 교감신경 수용체 차단, 급성 산증, 횡문근변성, 항암치료 후 세포 융해, 디지털리스 중독, 허혈성 사지의 재관류, succinylcholine 주입 등에 의하여 세포 내에서 세포 외로의 칼륨의 비정상 재분배가 생길 수 있다.

경도의 고칼륨혈증(K^+=5–6mEq/L)일 때는 보통 증상이 없다. 의미있는 고칼륨혈증(K^+>6.5mEq/L)의 증상은 주로 심전도의 비정상 소견인 T파의 대칭성 정점, P파 전압의 감소, QRS 확장 등으로 나타난다. 만일 치료되지 않아 심한 고칼륨혈증이 되면 결국 sinusoidal 심전도 형태를 유발한다.

경도의 고칼륨혈증(K^+=5–6mEq/L)은 일일 칼륨 섭취의 감소와 루프 이뇨제 furosemide의 사용으로 호전될 수 있다. 칼륨의 항상성을 방해할 수 있는 비 선택성 베타 교감성 길항제, ACE 차단제, 칼륨 보존성 이뇨제, 비스테로이드성 소염제 등과 같은 약물을 중단해야 한다. 중증 고칼륨혈증(K^+>6.5mEq/L) 때에는, 임시적 처치로 칼륨을 세포 외에서 세포 내로 이동시킨다. 1mmol/kg 또는 8.4% $NaHCO_3$ 1–2 앰플을 3–5분 동안 정맥 주사하며 심전도 이상이 지속되면 10–15분 후에 반복한다. 덱스트로스 0.5g/kg와 속효성 인슐린 0.3 단위/dextrose (g)를 주입하면 일시적으로 혈중 칼륨을 낮출 수 있다. 평상 시 용량은 25g 덱스트로스 및 속효성 인슐린 6–10 단위를 한번에 정맥 주사한다. 베타 작용제를 흡입(예; albuterol sulfate, 0.5% solution 2–4mL(10–20mg), nebulizer)할 경우 2시간 정도의 작용시간을 가지며 칼륨을 낮춘다. 심박수와 혈압의 약간의 증가가 있을 수 있으므로 심혈관 질환을 가진 환자들에게 주의가 필요하다. 디지털리스 투

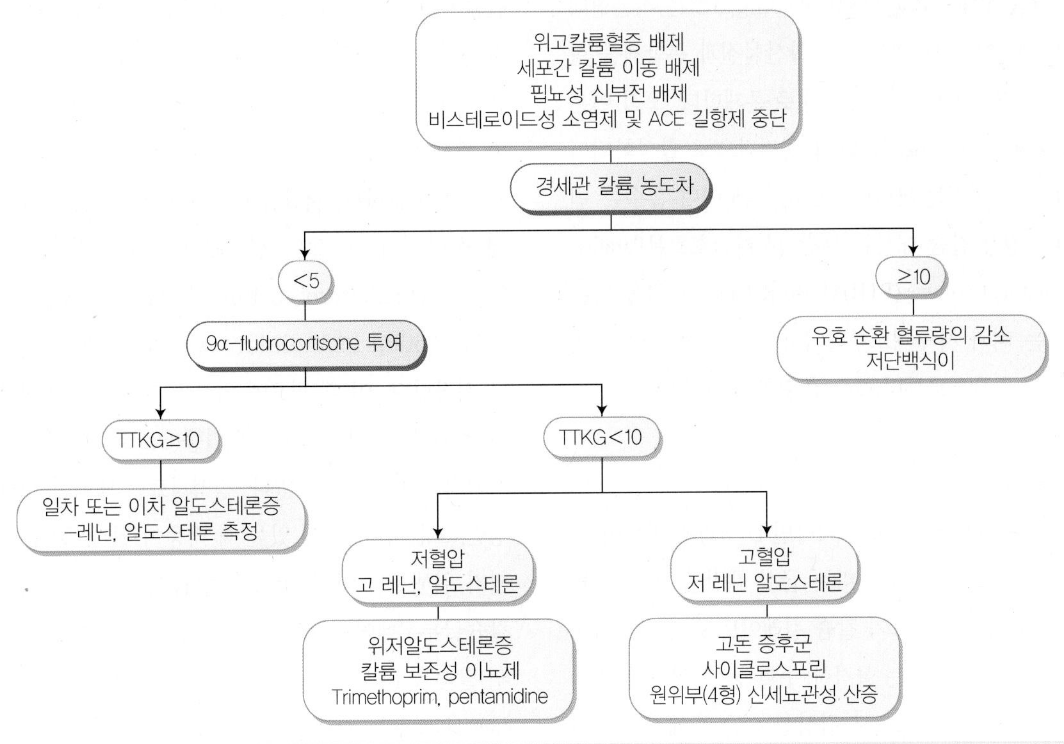

그림 4-4 고칼륨혈증의 감별진단

약을 받지 않고 있는 환자에게, 심각한 심전도의 변화가 있을 때 10% 칼슘 gluconate 5-10mL를 2분에 걸쳐 주입하면 칼슘이 심근을 안정화시킨다. 치료적 처치로서 칼륨 배설을 증가시켜 전체 칼륨량을 감소시키는 다음과 같은 방법이 쓰인다. 나트륨-칼륨 교환 resin인 sodium polystyrene sulfonate (kayexalate)를 경구 투여하는데, 20-50g resin을 20% sorbitol 100-200mL에 타서 4시간 간격으로 투여한다. 50g resin을 70% sorbitol 50mL와 100-200mL 물에 타서 1-2시간 간격으로 시작하여 6시간 간격으로 관장할 수도 있다. 투여 2-4시간 후 혈중 칼륨의 감소가 온다. 칼륨의 신배출을 증가시키기 위하여 신기능이 정상인 환자에게 0.9% NaCl과 루프이뇨제 furosemide 20-100mg를 주입할 수 있다. 중증, 불응성, 치명적인 고칼륨혈증의 확실한 치료로 투석을 할 수 있다.

3. 칼슘

혈중 칼슘calcium (Ca^{2+}) (8.9-10.3mg/dL)은 이온형태(45%), 단백결합형태(40%), 자유확산물질과 복합체를 형성한 형태(15%)와 같이 3가지 형태로 존재한다. 오직 이온화된 칼슘(4.6-5.1mg/dL)만이 생리적으로 활성화되어 있다. 일 칼슘 섭취는 500-1000mg 정도이며 흡수는 변이가 크다. 정상 칼슘 대사는 부갑상선자극호르몬Parathyroid stimulating hormone (PTH)과 비타민 D의 조절을 받는다. PTH는 뼈와 사구체로부터의 칼슘 흡수를 조장하며 비타민 D는 소장으로부터 칼슘 흡수를 증가시킨다.

1) 저칼슘혈증

칼슘 격리sequestration 또는 비타민 D 결핍에 의하여 저칼슘혈증이 생긴다. 칼슘 격리는 급성 췌장염, 횡문근융해증, 사이트레이트citrate가 칼슘 킬레이트 화합물calcium chelator로 작용하게 되는 급격한 수혈 등에 의하여 생길 수 있다. 갑상선 수술 또는 부갑상선 수술 후에 일시적인 저칼슘혈증이 발생할 수 있다. 음식 섭취 영양소 중에 비타민 D가 부족하여 저칼슘혈증을 유발하기도 한다. 마그네슘 부족에 의하여 저칼슘혈증이 생길 수 있는데 마그네슘 부족은 동시에 PTH 분비 및 기능의 장애를 유발한다. HCO_3^-의 급속 정맥주입 또는 과환기에 의한 급성 염기증이 이온화 칼슘의 급격한 감소를 일으켜 혈중 칼슘은 정상인데도 임상적으로 저칼슘혈증을 일으킬 수 있다. 혈중 칼슘의 40%가 알부민에 붙어 있기 때문에 저알부민혈증이 총 혈중 칼슘을 의미있게 감소시킬 수 있다. 혈중 알부민 1g/dL의 감소가 약 0.8mg/dL의 칼슘 저하를 가져온다. 하지만 이온화 칼슘은 알부민 수치의 영향을 받지 않는다. 따라서 저칼슘혈증의 진단은 총 칼슘치가 아니라 이온화 칼슘을 근거로 하여야 한다.

주 증상은 강직tetany이며 Chvostek's sign으로 증명될 수 있다. 또한 입주위 마비증상과 저림증상 등을 호소하기도 한다. 또한 심전도 상에 QT 간격 지연과 심실성 부정맥과도 연관이 있다.

경구적 치료로서 경구용 칼슘염인 칼슘카보네이트calcium carbonate와 칼슘글루코네이트calcium gluconate가 있다. 칼슘카보네이트 1,250mg tablet은 500mg 칼슘을 공급하며 칼슘글루코네이트 1,000mg tablet은 90mg의 칼슘을 제공한다. 칼슘치가 7.6mg/dL 이상인 만성 저칼슘혈증 환자에게는 하루 1,000-2,000mg의 칼슘을 공급하는 것으로 충분하다. 저칼슘혈증이 더 심해지면 칼슘염과 함께 비타민 D를 같이 섭취해야 한다. 일 치료량으로 50,000IU calciferol, 0.4mg dihydrotachysterol, 또는 0.25-0.50ug 1,25-dihidroxyvitamin D3의 경구 투여로 시작한다. 이 후 필요에 의하여 투여량을 조절한다. 무증상 환자들, 경도의 저칼슘혈증(Ca 6-7mg/dL)일 때는 정맥치료가 필요하지 않다. 정맥치료는 명백한 강직, 후두경련, 또는 간질 등이 있을 때 적응이 된다. 강직을 중지시키기 위해서는 약 200mg의 칼슘이 필요하다. 먼저 10% 칼슘글루코네이트 10-20mL을 10분에 걸쳐 정맥 주사한 후 칼슘을 1-2mg/kg/hr로 주입한다. 칼슘클로라이드calcium chloride는 칼슘글루코네이트에 비해 칼슘을 3배 이상 함유하고 있다. 10% 칼슘클로라이드 10mL 앰플은 칼슘

272mg을 포함하고 있는 반면 10% 칼슘글루코네이트 10mL 앰플은 단지 칼슘 90mg을 함유하고 있다. 혈중 칼슘치는 6-12시간 후 보통 정상화되며 이 때 유지 속도를 0.3-0.5mg/kg/h로 줄일 수 있다. 치료 중 칼슘 수치를 자주 확인해야 하며 이와 더불어 마그네슘, 인, 칼륨 수치를 같이 조사하고 필요 시 보충해야 한다. 디지털리스 복용 중인 환자에게는 디지털리스 독성을 증강시킬 수 있으므로 칼슘의 투여에 신중해야 한다. 일단 칼슘 수치가 정상화되면 경구치료로 전환할 수 있다.

2) 고칼슘혈증

암, 부갑상선기능항진증, 갑상선기능항진증, 비타민 D 중독증, 거동하지 못하는 상태, 장기적인 TPN의 사용, thiazide계 이뇨제, 육아종성 질환 등에서 생길 수 있다. 고칼슘혈증에도 불구하고 PTH 수치가 높다면 부갑상선기능항진증을 시사한다.

경도의 고칼슘혈증(Ca<12mg/dL)은 일반적으로 증상이 없다. 부갑상선항진증에서의 고칼슘혈증은 간혹 전형적인 부갑상선골질환과 신석증으로 나타난다. 중증 고칼슘혈증의 증상으로는 정신상태의 변화, 전신쇠약증, 탈수, 마비성 장폐쇄증, 구역, 구토, 심한 변비가 있다. 또한 심전도 상의 QT 간격 단축과 부정맥을 유발할 수 있다.

치료는 증상의 중증도에 따라 달라진다. 경도의 고칼슘혈증(<12mg/dL)에서는 칼슘 섭취제한과 기저질환의 치료로 호전된다. 용적 부족이 있다면 교정하고 비타민 D, 칼슘 제제, thiazide계 이뇨제를 중단한다. 보다 중증의 고칼슘혈증은 다음과 같은 처치를 요한다. 0.9% NaCl와 루프 이뇨제로 빨리 고칼슘혈증을 교정할 수 있다. 정상 심혈관계 및 신장의 기능이 정상인 환자에서 시간당 250-500mL의 0.9%NaCl과 furosemide 20mg을 4-6시간 마다 정맥 주입한다. 이후에 투여 속도와 양을 소변량이 200-300mL/h로 유지되도록 조절한다. 혈중 마그네슘, 인, 칼륨 수치를 관찰하고 필요시 보충한다. 20mEq KCl과 8-16mEq (1-2g) MgSO4을 각 1L 수액에 포함시키면 저칼륨혈증과 저마그네슘혈증을 막을 수 있다. 위 치료로 24시간에 걸쳐 2g의 칼슘을 줄일 수 있다. 칼시토Pamidronate disodium은 암과 관련하여 나타나는 고칼슘혈증의 치료에 적절한 수분공급과 더불어 유용하다. 중등도의 고칼슘혈증(12-13.5mg/dL)에는 pamidronate 60mg을 1L의 0.45%NaCl, 0.9%NaCl, 또는 D5W에 희석하여 24시간에 걸쳐 주입한다. 중증의 고칼슘혈증에는 90mg의 pamidromate를 투여한다. 만일 고칼슘혈증이 재발한다면 7일 후에 같은 양을 다시 투여할 수 있다. 중등도의 신장애가 있는 환자에서의 pamidronate 투여의 안정성은 확립되지 않았다. 암과 관련된 고칼슘혈증의 치료에 plicamycin 25ug/kg을 1L의 0.9%NaCl이나 D5W에 희석하여 3-4일 동안 매일 4-6시간에 걸쳐 주입할 수 있다. 작용 시작은 1-2일 사이이며 1주일간 지속된다.

4. 수액 요법

1) 결정질 용액

나트륨을 주 삼투압 조절인자로 하는 용액을 일컫는다. 비교적 가격이 저렴하고 용적 팽창, 유지용액, 전해질 불균형의 교정에 유용하게 사용된다. Lactated Ringer's solution, 0.9% NaCl과 같은 등장성 결정질 용액crystalloid은 세포 외 구역에 고루 분포하여 1시간 후 총 투여량의 25%만이 혈관 내에 남아있게 된다. Lactated Ringer's solution은 세포외액과 유사하다. HCO_3^- 전구체를 공급하여 위장관 소실과 세포외액의 부족을 보충하는데 유용하다. 일반적으로 lactated Ringer's solution과 0.9% NaCl은 서로 교환투여가 가능하다. 그러나 고칼륨혈증, 고칼슘혈증, 저나트륨혈증, 저클로라이드혈증, 또는 대사성 염기증에는 0.9% NaCl이 더 좋다. 고장성 식염수는 단독 또는 덱스트란과 같은 교질용액colloid과 함께 쇼크나 화상환자의 소생을 위한 수액요법으로 관심을 끌어 왔다. 부작용으로는 고나트륨혈증, 고삼투압증, 고클로라이드혈증, 저칼륨혈증, 빠른 주입으로 인한 중심성 뇌교 수초용해증 등이 생길 가능성이 있다. D5W, 0.45% NaCl

과 같은 저장성 용액은 몸 전체에 고루 분포되어 혈관 내에는 주입된 양의 10%만이 남게되므로 용적 팽창을 위해서는 사용하지 않고 순수한 수분 결핍에 사용된다.

2) 교질용액

혈관 내에 남을 수 있는 고분자량 물질을 포함한 수액을 말한다. 소생을 위하여 일찍 교질용액colloid을 사용하면 조직관류의 빠른 회복을 가능하게 하고 소생에 필요한 전체 수액량을 줄일 수 있다. 하지만 아직, 용적 팽창을 위하여 교질용액이 결정질 용액에 비해 항상 우수하다는 것을 입증하지는 못하였기 때문에 비싼 교질용액을 저혈량성 쇼크에서 일차적으로 사용하는 것에 대해서는 의견이 분분하다. 화상과 복막염과 같이 혈관 내 단백의 소실이 증가하여 교질삼투압이 낮은 경우에 결정질 용액으로 혈장 용적을 유지하는데 실패한 경우에는 교질용액이 적응된다. 알부민 제제는 처음에는 혈관 내에 분포하지만 결국에는 세포외액 구역에 두루 분포하게 된다. 25% 알부민 100mL와 5% 알부민 500mL 제제는 혈관 내 용적을 같은 양만큼 증가시킨다. 25% 알부민은 부종이 있는 환자에서 간질액을 혈관 내로 이동시키기 위하여 사용될 수 있다. 알부민 투여는 신중해야 하며 적절한 교질삼투압(혈청 알부민>2.5mg/dL, 총 단백>5mg/dL)을 가진 환자, 간경변이나 신증후군 같은 만성질환을 가지고 있는 환자에서 혈중 알부민을 높이기 위하여 사용하거나 또는 영양지원의 자원으로 사용하는 것은 적응증이 되지 못한다. 덱스트란dextran은 합성 글루코스 중합체로서 주로 신장으로 배설된다. 40-kD와 70-kD 덱스트란 제제가 있다. 부작용으로는 신부전, 삼투성 이뇨, 응고장애가 생길 수 있으며, 혈중 글루코스 및 단백의 증가나 혈액 교차시험에서 간섭현상 등에 의하여 검사수치의 이상 등이 발생할 수 있다. 현재는 부작용으로 거의 사용하지 않는다. 헤타스타치hydroxyethyl starch, hetastarch는 글리코겐과 유사한 합성분자물질로서 6% 용액으로 사용되고 있다. 헤타스타치는 5% 알부민처럼 주입된 양과 동일하게 또는 더 많이 혈관 내 용적을 증가시킨다. 알부민보다 가격이 저렴하고 덱스트란보다 부작용이 적다. 헥스텐드hextend는 최근에 미국식품의약품안전청 승인을 받은 제제로서 6% 헤타스타치, 조절된 전해질, 락테이트 완충제, 생리적인 글루코스양을 포함하고 있다. 헤타스타치보다 헥스텐드는 더 유용한 응고관련 성상, 저항원성, 항산화 특성을 지니고 있다고 보인다. 적응증으로는 출혈, 외상, 패혈증, 화상으로 인한 쇼크에서 혈장용적의 팽창을 위한 제제로 사용한다. 삼투성 이뇨작용에 의하여 급격한 소변량의 증가가 동반되는 것이 특징이므로 이를 적절한 말초조직의 관류가 일어나고 있는 것으로 잘못 해석하지 말아야 한다. 간과 신장을 통하여 배설되며 신장애가 있는 환자에서는 특히 초기에 용적 과다가 되기 쉽고 반복적인 투여로 헤타스타치의 조직 내 축적이 일어나게 된다. 이러한 환자에서는 초기에 헤타스타치로 용적의 소생이 이루어지면 이후 알부민이나 결정질용액와 같은 다른 용적 팽창제로 유지요법을 해야 한다. 사용 시 검사실 소견의 이상이 있을 수 있는데, 췌장 기능의 변화없이 혈청 아밀라제가 약 2배 정도의 증가될 수 있다. 6% 헤타스타치의 적정 용량은 30-60g (500-1,000mL)으로 하루 1.2g/kg (20mL/kg) 또는 90g(1,500mL)을 초과해서는 안된다. 출혈성 쇼크에서는 1.2g/kg/h (20mL/kg/h)의 속도로 주입한다. 화상 또는 패혈증 쇼크 환자에서는 일반적으로 더 느린 속도로 주입한다. 심한 신장애(CCr<10mL/m)가 있는 환자에게는 초기 용량은 같이 들어갈 수 있지만 이 후 용량은 50-75% 감량하여야 한다.

3) 수액요법의 원칙

정상 성인은 하루 평균 2,000-2,500mL의 수분을 소비한다. 이 중 약 1,000-1,500mL가 소변으로, 250mL가 대변으로 배설된다. 이화작용의 대사 산물을 배설하는데 필요한 최소 소변량은 약 800mL이다. 이 밖에 약 750mL의 불감성insensible 수분소실이 피부와 호흡기를 통하여 일어난다. 불감성 소실은 과대사, 발열, 과호흡이 있을 때 증가한다.

수액요법 시에는 소변량이 0.5-1mL/kg/h로 유지되도

표 4-2. 산 염기 장애의 분류

	일차성 변화	이차성(보상) 변화	예상되는 보상의 정도
대사성 산증	↓ HCO_3^-	↓ PCO_2	$PCO_2=1.5\times HCO_3^-+8$
대사성 염기증	↑ HCO_3^-	↑ PCO_2	$PCO_2=0.7\times HCO_3^-+21$
호흡성 산증	↑ PCO_2	↑ HCO_3^-	급성ΔpH=(PCO_2－40)×0.008 만성ΔpH=(PCO_2－40)×0.003
호흡성 염기증	↓ PCO_2	↓ HCO_3^-	급성ΔpH=(40PCO_2)×0.008 만성ΔpH=(40PCO_2)×0.017

록 수액의 주입 속도를 유지한다. 유지요법에 사용되는 수액양은 체중에 기초하여 계산한다. 즉, 0-10kg는 100mL/kg, 11-20kg는 1,000mL+50mL/kg, 20kg 초과는 1,500mL+20mL/kg로 계산한다. 유지 요법의 수액에는 일반적으로 나트륨 1-2mEq/kg/d, 칼륨 0.5-1mEq/kg/d을 포함해야 한다. 수술 전에 존재하는 용적과 전해질 이상은 가능한 수술 전에 교정하여야 한다. 수술 중 수액요법은 수술 전의 결핍과 진행중인 소실을 같이 보충해 주어야 한다. 수술 중 소실은 수술시간 동안 유지요법을 위한 수액과 출혈 및 제 3구역third-space 소실이 포함된다. 급성 출혈은 출혈량의 3-4배의 결정질 용액으로 보충하거나 동일한 양의 교질용액이나 혈액으로 보충할 수 있다. 수술 중 불감성 소실이나 3구역으로의 소실은 창상절개 크기, 조직 손상의 정도, 절제의 범위 등에 따라 달라지며 lactated Ringer's solution으로 적절한 용적을 공급하면 된다. 서혜부탈장 교정수술과 같은 소절개를 통한 경도의 조직 손상의 경우 3구역으로의 소실은 약 1-3mL/kg/h, 에스결장절제술과 같은 중절개를 통한 중등도 조직손상은 약 3-7mL/kg/h, 췌십이지장절제술과 같은 대절개를 통한 광범위한 조직 손상을 동반하는 경우에는 9-11mL/kg/h 이상이 생긴다. 수술 후 수액요법을 위해서는 환자를 주의 깊게 평가를 해야 한다. 세포외액의 수술 부위로의 격리는 수술 후 12시간 이상 지속될 수 있다. 소변량을 잘 관찰하여 0.5-1mL/kg/h 정도로 유지할 수 있도록 혈관 내 용적을 보충해 주어야 한다. 비위관이나 위루를 통한 위장관 소실이 250mL/d를 넘으면 동일한 용량의 결정질 용액으로 보충해준다. 제3구역으로의 수분 이동은 수술 후 2-3일에 일어난다. 수술 후 수분의 이동을 예견하면서 환자의 용적상태를 평가하여 과혈량이 되지 않도록 하고 필요 시 이뇨제를 고려한다.

5. 산-염기 장애

1) 대사성 산증

대사성 산증은 일차적인 원인으로 HCO_3^-가 감소하여 생긴 산증이다. 대사성 산증의 원인으로는 산의 증가 또는 HCO_3^-의 소실이 있다. 산 염기 이상은 anion gap (AG)을 계산하여 봄으로써 좀 더 쉽게 규명할 수 있다. 즉, AG=Na^+－(Cl^-+HCO_3^-)로서 이는 정상치의 12±4mEq/L이며 대사성 산증의 감별 진단과 경과 관찰에 중요하게 이용될 수 있다. 높은 AG의 원인은 몸 속에 산이 생성되거나 많아져서 음이온이 증가하여 발생하는 것으로서 젖산혈증, 케톤산증, 신부전 등이 있다. 정상 AG에서는 혈장 Cl^-이 높고 주로 설사나 신세뇨관 산증이 있다. Osmolar gap (OG=measured Osm－(2×plasma Na^++glucose/18+BUN/2.8)의 정상치는 10mOsm/kg 정도로 15-20 이상이면 비정상적인 삼투성 물질의 존재를 시사하여 메탄올이나 에틸렌글리콜 등의 중독에 의한 대사성 산증을 의심해 볼 수 있다. 산증의 조절은 호흡기계에서 CO_2를 배출하거나 신장에서 요를 산성화시켜서 이루어진다. 요의 산성화는 근위 세뇨관에서 HCO_3^-의 재흡수와 집합관에서 H+의 배설을 통한다. 대사성 산증의 치료는 심한 산혈증을 완화시키고 발병기전을 역전시켜 계속적인 산증의 발생을 막는데 목적이 있다. 원인이 되는 질환의 치료에 중점을 두어야 하며 염기를 이용한 치료는 pH가 7.2 이하로 심한 경우, 계속적으로 산이 형성될 때, 그리고 체내에서 HCO_3^-로 대사될 수 없는 음이온들이 축적되는 경우에 실시한다. 투여할 HCO_3^-량의 계산은 L당 부족한 HCO_3^-에 HCO_3^-분포 용적을 곱하면 얻을 수 있다.

2) 대사성 염기증

Cl^- 반응성 염기증은 소변의 Cl^-의 배설량이 10mEq/L 이하로서 대부분의 경우 체액의 소실로 인한 경우가 많다. 이는 치료의 원인이 되는 질환을 치료하고, Cl^-의 부족은 NaCl 정제나 심한 체액의 손실이 있는 경우 식염수를 정맥주사 하도록 한다. 이때 칼륨도 보충해서 저칼륨혈증을 교정하도록 한다. 체액 소실이 없고 신기능이 정상일 경우는 acetazolamide 250–500mg을 투여해도 된다. 심한 염기증(pH>7.55)이나 수액을 줄 수 없는 경우는 산을 투여해야 하는데 투여량은 0.5×체중×(measured HCO_3^- −desired HCO_3^-)로 반을 12시간에 걸쳐서 주고 나머지 반은 24시간에 걸쳐서 주도록 한다. Cl^- 저항성 염기증은 매우 드물며 이의 치료원칙은 원인 질환의 치료가 최우선이 된다.

3) 호흡성 산증

동맥혈 가스 분석에서 pH가 감소되어 있고 PCO_2가 상승되어 있는 경우에 혼합형의 산 염기 장애를 배제하면 진단할 수 있다. 염기의 투여는 환자에게 해가 되므로 하지않고 무엇보다도 환자의 환기를 개선시켜주는 것이 선행 치료이다.

4) 호흡성 염기증

폐환기가 급격히 증가하면 동맥혈 내의 PCO_2가 감소되고 pH가 급성으로 증가된다. 호흡성 염기증은 원인이 되는 질환의 치료가 우선이며 pH가 7.5 이상이 아니면 염기증 자체를 치료할 필요는 없다.

5) 혼합성 산염기 장애

산염기 장애가 있을 때 보상유무를 판별하여 혼합성 산염기 장애가 있는지 판단한다.

요약

수액과 전해질 균형은 외과 환자의 치료에 있어서 중요한 부분이다. 외상과 패혈증 뿐만 아니라 수술 전, 수술 중, 수술 후에도 수액과 전해질 조성의 변화가 일어나므로, 체액의 구성, 전해질 조성·농도의 변화, 흔한 대사성 교란, 소생을 위한 수액 등을 이해하는 것이 중요하다. 외과 수술에 반응하여 혈류가 유지되고 각 기관과 세포가 제 기능을 발휘할 수 있도록 하기 위해서 수액과 전해질 균형이 필수적이다. 체액의 구성을 잘 알아야 각 질환별로 체액의 병적인 이동을 이해할 수 있는데, 대부분의 급성 외과적 질환은 체액의 손실이나 재배치가 동반된다. 결과적으로 등장성 수액의 주입이 초기의 가장 흔한 수액요법이지만 항상 농도와 조성의 변화에 주의해야 한다. 전해질 중에 혈중 나트륨의 농도 변화가 세포 기능에 큰 영향을 줄 수 있는데 이는 세포 내 공간과 세포 외 공간 사이에 수분의 이동을 일으키기 때문이다. 수액과 전해질 치료에 있어서 산-염기 균형을 위한 호흡성 및 대사성 요소의 적절한 보상이 중요하고, 또한 신경학적 질환, 영양불량, 급성 신부전, 암 등과 같은 기저질환의 고려가 필요하다.

참고문헌

1. Adrogué HJ, Lederer ED, Suki WN, et al. Determinants of plasma potassium in diabetic ketoacidosis. Medicine 1986;65:163-172.
2. Adrogué HJ, Madias NE. Hypernatremia. N Engl J Med 2000;342:1493-1499.
3. Aloia JF, Vaswani A, Flaster E, et al. Relationship of body water compartment to age, race and fat-free mass. J Lab Clin Med 1998;132:483-490.
4. Boldt J, Haisch G, Suttner S, et al. Effects of a new modified, balanced hydroxyethyl starch preparation (Hextend) on measures of coagulation. Br J Anaesth 2002;89:722-728.
5. Bourque CW, Oliet SHR. Osmoreceptors in the central nervous system. Annu Rev Physiol 1997;59:601-619.
6. Cruz DN, Perazella MA. Biochemical aberrations in a dialysis patient following parathyroidectomy. Am J Kidney Dis 1997;29:759-762.
7. De Jonge E, Levi M. Effects of different plasma substitutes on blood coagulation: A comparative review. Crit Care Med 2001;29:1261-1267.
8. Dunlay RW, Camp MA, Allon M, et al. Calcitriol in prolonged hypocalcemia due to tumor lysis syndrome. Ann Intern Med 1989;110:162-164.
9. Fisken FA, Heath DA, Somers S, et al. Hypercalcemia in hospital patients: Clinical and diagnostic aspects. Lancet 1981;1:202-207.
10. Gan TJ, Bennett-Guerrero E, Phillips-Bute B, et al. Hextend, a physiologically balanced plasma expander for large volume use in major surgery: A randomized phase III clinical trial. Anesth Analg 1999;88:992-998.
11. Gauthier PM, Szerlip HM. Metabolic acidosis in the intensive care unit. Crit Care Clin 2002;18:289-308.
12. Kapoor M, Chan G. Malignancy and renal disease. Crit Care Clin 2001;17:571-598.
13. Kobrin SM, Goldfarb S. Magnesium deficiency. Semin Nephrol 1990;10:525-535.
14. Laffey JG, Kavanagh BP. Hypocapnia. N Engl J Med 2002;347:43-53.
15. Laureno R, Karp BI. Myelinolysis after correction of hyponatremia. Ann Intern Med 1997;126:57-62.
16. Lucas CE. The water of life: A century of confusion. J Am Coll Surg 2001;192:86-93.
17. Marino PL. The ICU Book, 2nd ed. Baltimore: Williams & Wilkins 1998.
18. Miller M. Syndromes of excess antidiuretic hormone release. Crit Care Clin 2001;17:11-23.
19. Ober KP. Endocrine crises: Diabetes insipidus. Crit Care Clin 1991;7:109-125.
20. Roberts JS, Bratton SL. Colloid volume expanders: Problems, pitfalls, and possibilities. Drugs 1998;55:621-630.
21. Schortgen F, Lacherade JC, Bruneel F, et al. Effects of hydroxyethyl-starch and gelatin on renal function in severe sepsis: A multicenter randomized study. Lancet 2001;357:911-916.
22. Shackford SR. Effects of small-volume resuscitation on intracranial pressure and related cerebral variables. J Trauma 1997;42:S48-53.
23. Stauss HM. Baroreceptor reflex function. Am J Physiol Regul Integr Comp Physiol 2002;283:R284.
24. Wade CE, Kramer GC, Grady JJ, et al. Efficacy of 7.5% saline and 6% dextran-70 in treating trauma: A meta-analysis of controlled clinical studies. Surgery 1997;122:609-616.
25. Wahr JA, Parks R, Boisvert D, et al. Preoperative serum potassium levels and perioperative outcomes in cardiac surgery patients. Multicenter Study of Perioperative Ischemia Research Group. JAMA 1999;281:2203-2210.
26. Wray CJ, Mayes T, Khoury J, et al. The 2002 Moyer Award. Metabolic effects of vitamin D on serum calcium, magnesium, and phosphorus in pediatric burn patients. J Burn Care Rehabil 2002;23:416-423.

Chapter 05

생리적 감시

Physiologic monitoring

생리적 감시란 환자 치료에 도움을 받기 위해 여러 가지 생리적 지표의 변화를 감시하는 활동이다. 따라서, 임상적 판단이 어렵고, 환자의 치료 결과에 중대한 차이를 가져올 수 있는 상황 즉 생리적으로 큰 변화를 겪는 중환자나 수술 환자에서 일상적으로 이용되고 있다. 생리적 감시를 통해 환자 상태를 적절하게 판단할 수 있다면, 상태 악화를 미리 예측하거나 일찍 발견할 수 있어, 적절한 시간에 적절한 방법으로 대처할 수 있다. 또 이러한 임상적 판단에 근거하여 새로운 치료를 시도할 때 그 효과를 가늠하고 적정성을 평가할 수도 있으며, 특정 질환에서는 진단이나 예후의 추정에도 도움을 준다.

생리적 감시는 오래전부터 의사의 시각, 청각, 촉각 등의 감각에 의존해 왔으며, 그 중요성은 현재에도 줄어들지 않았다. 활력징후(체온, 맥박, 혈압, 호흡수)의 측정은 가장 간단한 환자 감시의 방법이지만, 이를 바탕으로 임상 판단을 내리기에는 많은 제한점이 있다. 최근에는 현대적인 전자 장비의 힘을 빌려 보다 객관적이고, 정확하며, 재현성이 높은 자료를 얻을 수 있게 되어 임상적 판단에 큰 도움을 받고 있다. 적정한 환자 감시를 위해서는 감시 장비가 측정할 수 있는 지표와 올바른 측정을 위한 장비의 보정 방법과 측정 방법을 숙지해야 한다. 감시 장비의 정확도는 측정값이 실제 값에 얼마나 근사하는가의 정도를 나타내고, 정밀도는 계측 값이 얼마나 재현 가능한가 하는 것을 나타낸다. 정확도는 떨어지더라도, 정밀도가 높은 감시 장비는 보정이 가능하지만, 정밀도가 떨어지는 장비는 개선할 수 없다. 현재까지 한 가지 방법으로 조직이나 기관의 상태를 반영하고 이를 통해 치료 결과를 개선할 수 있는 이상적인 지표는 발견되지 않았다. 따라서 여러 가지 장비를 이용하여 생리적 감시를 시행하게 되고, 이러한 자료들을 단순화하여 수치나 그래프로 표현함으로써 일상적인 환자 감시를 편리하게 해 주었다. 그러나 그 이면에 오류가 발생할 잠재적 위험이 있는 것도 사실이다. 이런 복잡한 현대적 장비들은 몇 가지 중대한 가정을 전제로 특정 지표를 산출하게 되는데, 이 가정이 현실적으로 지켜지지 않을 수 있고, 방대한 양의 자료를 처리하면서 필연적으로 자료 일부를 걸러내고, 변환하여 가다듬고 단순화하기 때문에 오류가 발생할 수 있다. 따라서 최신의 감시 장비를 잘 운용하기 위해서는 이들 장비의 측정 원리(가정)나 잠재적 오류의 가능성에 대하여도 숙지할 필요가 있다.

생리적 감시는 크게 심혈관계 감시와, 호흡 감시, 신기능 감시, 신경학적 감시 등으로 나눌 수 있는데, 여기에서는 각각의 생리적 감시의 방법과 그 적용, 제한점에 대하여 살펴보고자 한다

I 심혈관계(혈류역학적) 감시

심혈관계 감시의 주 목표는 적절한 조직 관류와 산소운반을 확인하여 정상 세포 기능을 유지하게 하는 것이다. 현재 여러 종류의 감시 장비를 통해 산소운반에 영향을 주는 여러 요인 즉 심박출량, 산소함량, 환기, 동맥관류압, 혈관내용적 등에 대한 감시가 가능해졌다.

심박출량은 산소운반의 주요 결정 인자로, 전부하preload, 수축력, 후부하afterload에 의해 결정된다. 전부하란 다음 수축기 직전에 심실근조직이 신장되는 것을 말한다. 전부하는 심실의 확장기말용적End-Diastolic Volume (EDV)에 의해 결정된다. 우심실의 경우 중심정맥압이 확장기말압력에 근사하며, 좌심실의 경우에는 폐동맥폐쇄압Pulmonary Artery Occlusion Pressure (PAOP)이 이에 근사한다. 임상에서 종종 확장기말용적 대신 확장기말압력을 사용하지만, 확장기말압력은 용적 뿐 아니라 심실의 순응도도 관계한다. 심실순응도는 여러 가지 약제나 병적 조건에 따라 달라질 수 있다. 확장기말압력과 진성 전부하는 선형함수 관계가 아니라 지수함수 관계이다. 후부하는 수축기가 시작될 때 심근섬유가 짧아지는 것에 대한 저항력으로, 심실내 압력, 심실벽의 두께, 심실의 반경과 구조 등 여러 요인과 관련이 있다. 그러나 이런 요인들은 임상적측정이 어려워, 후부하는 보통 전신혈관저항Systemic Vascular Resistance (SVR)으로 가늠한다. 전신혈관저항은 평균동맥압을 심박출량으로 나누어 구할 수 있다. 수축력은 심근의 수축 상태를 나타낸다. 전부하와 후부하가 일정한 상태에서 심실 수축력이 증가하면 수축력이 증가했다고 말할 수 있지만, 거의 모든 임상 지표가 전부하나 후부하에 어느 정도 의존하고 있기 때문 정량화하기가 매우 어렵다.

초기 소생술에 반응하지 않는 환자에서 심박출량을 알 수 있다면 이후의 치료를 결정하는 데 큰 도움을 받을 수 있다. 그러나 활력징후나 임상적 진찰만으로 이를 정확하게 평가하기는 어렵다. 그래서 여러 가지 방법들이 고안되어 활용되고 있지만, 모든 방법이 고유의 제한점을 가지고 있다. 현재 심박출량을 기준으로 한 어떤 치료도 결과를 개선했다는 증거가 없고, 심박출량은 정상값이 아니라 신체의 대사 요구량을 충족하느냐 못하느냐가 중요하다.

비침습적 또는 침습적 방법의 선택은 환자의 혈류역학적 상태에 따라 결정되는데, 혈류역학적으로 불안정한 환자에서는 침습적 방법이 선호된다. 심혈관계의 평가에 있어 현재의 어떤 감시 장비도 단독으로는 충분하지 않으며, 여러 장비에서 얻은 종합적인 자료가 가장 유용하게 사용될 수 있다.

1. 동맥압

생존을 위해서는 인체 각 장기의 적정한 관류를 유지하는 것이 필수적이다. 장기의 관류는 대사요구량과 관류압에 의존하는데, 관류압은 다시 국소적인 혈관의 입력교류저항input impedance과 심박출량에 의존한다. 정상 상태에서 조직 관류는 구심성 혈관의 α아드레날린 긴장에 따라 자율 조절되는데, 뇌와 심장에는 α아드레날린 수용체가 거의 없어 오직 관류압에 의존해 유지한다. 현재 장기의 관류압을 직접 측정하는 방법은 없고, 흔히 동맥압을 측정하는 것으로 대신하고 있다. 그러나 여기에는 정맥압과 모세혈관 저항이 일정하다는 전제가 있어야 한다. 과거 혈압이 심박출량을 대변하는 것으로 여겨 정상 혈압이면 심박출량과 조직 관류가 정상이라고 잘못 판단하는 경우가 종종 있었으나, 동맥혈의 압력은 심박출량과 혈관의 입력교류저항의 복잡한 상호 관계에 의해 결정된다.

혈압은 사지에 띠를 둘러 간접적으로 측정하는 비침습적 방법과 동맥내 카테터를 거치하여 직접 측정하는 침습적 방법이 있다. 침습적 방법은 정확하고 지속적인 자료를

얻을 수 있고, 혈액 표본을 얻을 수 있는 장점이 있으나 시술에 의한 심각한 합병증의 가능성이 있어 일상적으로 사용하지는 않는다.

1) 비침습적 측정

비침습적 방법에는 수동 또는 자동 측정법이 있는데, 수동 측정법은 사지에 띠를 두르고 압력을 증가시켜 혈류를 차단한 뒤 띠의 압력을 낮추면서 혈류가 재개되는 것과 압력을 측정하는 방법이다. 이때, 띠가 사지에 비해 너무 좁으면 혈압이 실제보다 증가할 수 있으므로, 띠의 너비는 사지 둘레의 40% 정도가 되어야 한다. 혈류 재개를 아는 방법으로 청진을 통해 Korotkoff 음을 듣는 것, 띠 주머니 속의 압력 변화로 발생하는 진동을 감지하는 것, 그리고 띠의 원위부에서 맥박을 감지하는 도플러 청진기와 맥박산소측정기를 사용하는 방법 등이 있다. 자동 측정법으로는 띠 주머니 속의 압력 변화를 나타내는 진동을 감지하는 방법, 압전계piezoelectric crystal를 이용하는 방법, 광혈량측정법Photoplethysmography (PPG)을 이용하는 방법 등이 있다. 대부분 침습적 결과와 유사하지만, 일부 환자에서는 차이가 크게 날 수 있다고 보고되어 단독 사용에는 제한이 있다.

2) 침습적 측정

동맥압의 직접 측정은 동맥내 카테터를 설치하고 액체를 채운 튜브로 외부 변환기에 연결하여 시행한다. 변환된 신호는 전기적으로 증폭되어 화면에 파형으로 표시되며, 수축기압과 이완기압 뿐만 아니라 평균 동맥압도 수치로 계산되어 나타낼 수 있다. 중환자에서 동맥혈 카테터를 일상적으로 설치할 필요는 없지만, 혈류역학적으로 불안정한 경우, 심혈관 작용약물의 보정이 필요한 경우, 심박출량의 감시가 필요한 경우, 자주 동맥혈 채취가 필요한 경우 등에서는 유용할 수 있다. 동맥혈 카테터를 가장 흔히 설치하는 부위는 요동맥과 대퇴동맥인데, 상완동맥, 액와동맥, 발등동맥 등도 사용할 수도 있다. 하지만, 상완동맥과 발등동맥은 측부순환이 없어 혈전이 발생하는 경우 심각한 허혈성 장애가 발생할 수 있으므로 가급적 피하는 것이 좋다.

동맥혈 카테터의 설치는 합병증을 수반할 수 있다. Scheer 등이 19,000례의 요동맥 카테터를 분석한 결과, 카테터 삽입과 관련한 합병증으로는 일시적인 폐쇄(19.7%)와 혈종(14.4%)이 가장 흔했고, 심각한 허혈성 장애나 패혈증, 가성동맥류 형성 등의 합병증은 1% 미만이었다. 이들은 3,900례의 대퇴동맥 카테터도 분석하였는데, 일시적인 폐쇄가 2%, 혈종 6%, 심각한 허혈성 장애가 0.02% 미만이었다. 카테터 관련 패혈증의 빈도는 대퇴동맥에서 높았지만, 전체적인 발생률은 낮았다. 카테터 원위부의 허혈을 예방을 위해서는 시술 전에 카테터를 거치할 손목 동맥을 손가락으로 누른 뒤, 도플러 청진기를 이용하여 손바닥으로의 관류를 확인하는 변형된 Allen 검사를 시행하는 것이 좋다. 혈전증은 굵은 카테터를 사용하거나 장시간 거치했을 때 잘 생기는데, 이를 방지하기 위해서는 20G 이하의 카테터로 가능한 짧은 기간 사용하여야 한다. 드물지만 치명적인 공기 또는 혈전으로 인한 두개내 역행성 색전형성이 발생할 수 있으므로, 공기가 들어가지 않게 하고 튜브 내 최소의 액체(5mL 이하)를 넣어 사용하는 것이 좋다.

침습적 방법으로 측정한 혈압의 적정성은 튜브의 순응도, 변환기막의 면적과 순응도 등에 의해 좌우된다. 카테터 위치에 따라 측정되는 동맥압에 차이가 날 수 있는데, 대동맥에 비해 보다 원위부의 동맥에서는 수축기압이 더 높고, 이완기압은 더 낮은 경향이 있다. 순응도에 따라 측정한 수축기압이나 이완기압이 변할 수 있지만, 평균 동맥압은 일정하므로, 임상적인 결정은 평균 동맥압의 변화에 따르는 것이 좋다. 평균 동맥압은 전체 심장 주기에 걸친 장기의 평균 관류압으로, 작은 혈관의 수축이나 혈류가 저하된 상태에서도 정확도가 유지되어 중환자에서 조직 관류압을 더 잘 대변한다. 대부분의 장기는 평균 동맥압이 65-120mmHg 범위 내에서 자율조절을 통해 조직 관류를 유지한다. 평균 동맥압이 60mmHg 미만으로 떨어지면 자율조절이 실패하고 조직 관류는 관류압에 의해 결정되게 된다. 동맥압이 정상이라도 혈류역학적으로 불안정할 수는 있지만, 평균 동맥압이 60mmHg 미만으로 떨어지면 항상 병적인 상태를 의심해야 한다. 그러나 현재로서는 중환자에서 평균 동맥압을 65mmHg 이상으로 유지하는 것이 도움된다는 증거는 없다.

2. 심전도

연속적인 심전도 감시는 중환자나 수술 환자에서 널리 쓰이고 있는데, 심장 기능에 문제가 있는 경우 특히 유용하다. 쇼크나 패혈증 환자에서 심장의 리듬장애는 심근으로 가는 산소 공급의 장애 또는 심혈관계 작용 약제들에 의해 유발될 수 있는데, 조기에 발견하면 이로 인한 심각한 합병증을 줄일 수 있다. 컴퓨터 소프트웨어를 이용하여 ST-분절의 분석을 연속적으로 시행하는 방법은 인공호흡기를 떼는 과정에 있는 환자에서 무증상의 심허혈을 발견하는데 도움이 된다.

심근 허혈이 의심되는 경우 12유도 심전도로 3유도에 더해서 추가의 정보를 얻을 수 있는데, 연속적인 12유도 심전도 감시는 고위험군 환자에서 수술 전후 감시의 표준이 되어가고 있다. 혈관 외과 환자를 대상으로 한 연구에서 환자의 20.5%에서 일시적인 심근 허혈을 찾아낼 수 있었는데, 특히 전흉부precordial 유도 V4가 도움되었다.

3. 중심정맥압

중심정맥압은 경정맥 또는 쇄골하정맥을 통해 우심방 가까이에 카테터를 위치하고, 호기말에 측정한 압력이다. 전통적으로는 중심정맥압이 우심방 압력을 대변하고, 이것을 통해 우심실의 확장기말 압력을 추정하고 궁극적으로는 우심실의 확장기말 용적(전부하)을 추정할 수 있다고 여겨 왔다. 중심정맥압의 정상 범위는 4-6mmHg이다. 그러나 중심정맥압으로 혈관 내 용적이나 전부하를 추정하는 데는 몇 가지 문제점이 있다. 우선 중심정맥압의 결정에는 삼첨판 질환, 심낭 질환, 우심실 기능 이상, 부정맥, 심근질환, 폐혈관질환, 양압환기에 따른 흉강내압의 변화 등 여러 가지 생리적 해부학적 요인이 관여한다. 다음으로, 참고치의 설정에 관한 것인데, 영점을 어떻게 잡느냐에 따라 측정 결과가 크게 달라질 수 있다. 혈관 내 용적과 심박출량의 관계는 Starling 곡선을 따르는데, 불행하게도 정적인 중심정맥압의 측정으로는 환자가 현재 이 곡선의 어느 부분에 위치하고 있는지를 알지 못한다. 따라서 정적 중심정맥압 측정으로는 수액 요법에 대한 심박출량의 변화를 예측하기 어렵다. 그러나 이런 제한점에도 불구하고, 중심정맥압의 측정은 응급상황, 특히 혈압상승 치료가 필요한 환자에서 여전히 유용하다.

4. 폐동맥 카테터

병상에서 폐동맥 카테터를 삽입하는 시술은 1970년에 소개되었다. 초기에 Swan-Ganz 카테터는 심인성 쇼크와 다른 원인의 급성 심장 질환에서 주로 사용되었으나 점차 그 적용 범위를 넓혀왔다. 1996년까지 전 세계적으로 폐동맥 카테터가 보급되었지만, 그 유용성에 대한 명확한 자료는 드물다.

폐동맥 카테터는 보통 경정맥이나 쇄골하정맥을 이용하여 설치하는데, 오른쪽 경정맥을 이용하면 우심실로의 경로가 직선에 가깝고, 동맥을 뚫은 경우에도 쉽게 눌러줄 수 있어 합병증을 최소화할 수 있다. 그러나 폐쇄 드레싱을 유지하기 어렵다는 단점이 있다. 비만하거나 부종이 심하여 경정맥을 찾기 어려운 경우에는 초음파를 이용하면 도움을 받을 수 있다. 쇄골하정맥의 경우에는 비교적 일정한 해부학적 위치를 유지하고 있고 드레싱이 용이한 장점이 있다.

폐동맥 카테터를 통해 얻는 혈류역학적 정보는 매우 많다. 중심정맥압(CVP), 폐동맥압(PAP), 폐동맥폐쇄압(폐동맥쐐기압) (PAOP), 혼합정맥혈의 혈색소분별포화도(SvO_2), 심박출량(QT) 등은 기본적인 폐동맥 카테터로 직접 측정이 가능하며, 부가장비를 이용하면 혼합정맥혈의 혈색소분별포화도(산소함량)와 심박출량을 연속 측정할 수 있으며 우심실박출률(RVEF)을 측정할 수 있다. 이렇게 측정한 지표를 이용하여 일회박출량(SV), 전신혈관저항(SVR), 폐혈관저항(PVR), 우심실확장기말용적(RVEDV), (전신)산소운반(DO_2), (전신)산소소모(VO_2), (전신)산소추출률(ER), 분별폐정맥혼합(션트율)fractional pulmonary venous admixture QS/QT등을 계산할 수 있다.

폐동맥 카테터를 통해 얻은 자료를 이용 혈류역학 지표를 산출하는 공식과 정상 성인에서의 정상치를 표 5-1, 표 5-2에 각각 표시하였다.

1) 심박출량

폐동맥 카테터를 이용한 심박출량 측정은 열희석법을 이용하는데, 기존의 방법에 비해 간단하고, 정확하며, 반복 측정이 가능하다. 심박출량(QT)은 Stewart-Hamilton 방정식으로 계산할 수 있다. QT =[V×(TB−TI)×K1×K2]×∫TB(t)dt. (V: 지시약의 부피, TB: 혈액의 온도(심부체온), TI: 지시약의 온도, K1: 열원에 대한 상수, K2: 죽은 공간(사강), 카테터를 경유하면서 생기는 열 손실, 지시약의 주입 속도 등을 반영하는 경험적으로 도출된 상수, ∫TB(t)dt: 시간-농도 곡선 하방의 면적) 일반적으로 열희석법을 통한 심박출량의 측정은 매우 정확하지만, 낮은 값일 경우에는 과대평가되는 경향이 있다. 또 체온의 변화나 호흡 주기에 따라 측정값이 차이를 보일 수 있으므로, 2-3회 호흡 주기와 무관하게 무작위로 시행하여 평균값을 취하는 것이 일반적이다. 지시약으로는 찬 용액을 사용하는 것이 TB-TI 차이를 크게 해서 신호대잡음 비율을 높이지만, 지시약의 온도 유지가 어려워 많은 경우에 상온의 식염수나 5% 포도당 용액을 사용한다. 최근에는 지시약 대신 작은 필라멘트를 카테터 끝에 부착하여 열을 발생함으로써 심박출량을 연속적으로 측정할 수 있는 방법이 개발되어 사용되고 있으나, 가격 때문에 보편적 사용은 어려운 실정이며, 충분한 임상 자료가 축적되어 있지 않다.

2) 혼합정맥혈의 산소함량(혼합정맥혈의 혈색소분별포화도)

Fick 방정식은 QT = VO_2/(CaO_2−CvO_2)로 CaO_2는 동맥혈의 산소함량, CvO_2는 혼합정맥혈의 산소함량이다. 실제로 CvO_2 = CaO_2−VO_2/QT로 용존산소량이 동맥혈과 혼합정맥혈의 산소함량에 기여하는 바가 매우 적어 무시

표 5-1. 폐동맥 카테터를 이용하여 얻은 자료를 이용하여 혈류역학적 지표를 산출하는 공식

심박출지수(L/min·m²)=심박출량(L/min)/체표면적(m²)
일회박출량(mL)=심박출량/심박수(/min)
전신혈관저항(dyne·sec/cm⁵)=[{평균동맥압(mmHg)−평균중심정맥압(mmHg)}×80]/심박출량
전신혈관저항지수(dyne·sec/cm⁵·m²)=[(평균동맥압−평균중심정맥압)×80]/심박출지수
폐혈관저항(dyne·sec/cm⁵)=[(평균폐동맥압−폐동맥폐쇄압)×80]/심박출량
폐혈관저항지수(dyne·sec/cm⁵·m²)=(평균폐동맥압−폐동맥폐쇄압)×80]/심박출지수
우심실확장기말용적(mL)=전신혈관저항/우심실박출률
전신산소운반(mL/min·m²)=심박출지수×동맥산소함량(mL/dL)×10
전신산소소모(mL/min·m²)=심박출지수×[동맥산소함량−혼합정맥산소함량(mL/dL)]×10
동맥산소함량=[1.36×혈색소농도(g/dL)×동맥혈색소포화분율]+(0.003+동맥산소분압)
혼합정맥산소함량=[1.36×혈색소농도×혼합정맥혈의 혈색소분별포화도]+[0.003+혼합정맥(폐동맥) 산소분압]
분별폐정맥혼합(션트율)=[폐말단모세혈산소함량(mL/dL)−동맥산소함량]/(폐말단모세혈산소함량−혼합정맥산소함량)
폐말단모세혈산소함량=(1.36×혈색소농도)+(0.003+폐포산소분압)
폐포산소분압=[흡기산소분획농도×{기압(mmHg)−수증기압(보통 47mmHg)}]−동맥혈이산화탄소분압/{호흡지수(보통 0.8)}

Cv_{O2}: 중심정맥산소분압, CVP: 평균중심정맥압, D_{O2}: 전신산소운반, PAOP: 폐동맥폐쇄(쐐기)압, PVR: 폐혈관저항, PVRI: 폐혈관저항지수, Q_S/Q_T: 분별폐정맥혼합(션트율); Q_T: 심박출량, Q_T*: 체표면적에 따른 심박출량(심박출지수), RVEDV: 우심실확장기말용적, RVEF: 우심실박출률, SV: 일회박출량, SVI: 박출량지수, Sv_{O2}: 혼합정맥혈의 혈색소분별포화도, SVR: 전신혈관저항, SVRI: 전신혈관저항지수, V_{O2}: 전신산소소모, Ca_{O2}: 동맥산소함량, Cv_{O2}: 혼합정맥산소함량, Sa_{O2}: 동맥혈색소포화분율, Pa_{O2}: 동맥혈산소분압, Pv_{O2}: 혼합정맥(폐동맥) 산소분압, Cc_{O2}: 폐말단모세혈산소함량, PA_{O2}: 폐포산소분압, Fi_{O2}: 흡기산소분획농도, PB: 기압(mmHg), PH_{O2}: 수증기압(mmHg), Pa_{CO2}: 동맥혈이산화탄소분압, RQ: 호흡지수

표 5-2. 정상 성인에서 혈류역학적 지표의 정상 범위

전혈류역학적 지표	정상 범위
평균중심정맥압	0-6mmHg
우심실수축압	20-30mmHg
우심실확장기압	0-6mmHg
폐동맥폐쇄(쐐기)압	6-12mmHg
수축기동맥압	100-130mmHg
확장기동맥압	60-90mmHg
평균종맥압	75-100mmHg
심박출량	4-6L/min
심박출지수	2.5-3.5L/min·m²
일회박출량	40-80mL
전신혈관저항	800-1,400dyne·sec/cm⁵
전시혈관저항지수	1500-2,400dyne·sec/cm⁵·m²
폐혈관저항	100-150dyne·sec/cm⁵
폐혈관저항지수	200-400dyne·sec/cm⁵·m²
동맥산소함량	16-22mL/dL
중심정맥산소분압	-15mL 02dL blood
전신산소운반	400-460mL/min·m²
전신산소소모	115-165mL/min·m²

Ca_{O2}: 동맥산소함량, Cv_{O2}: 중심정맥산소분압, CVP: 평균중심정맥압, D_{O2}: 전신산소운반, MAP: 평균동맥압, PAOP: 폐동맥폐쇄(쐐기)압, PVR: 폐혈관저항, PVRI: 폐혈관저항지수, Q_T: 심박출량, Q_T*: 체표면적에 따른 심박출량(심박출지수), SV: 일회박출량, SVI: 박출량지수, SVRI: 전신혈관저항지수, V_{O2}: 전신산소소모

한다고 가정하면, $SvO_2 = SaO_2 - VO_2/(QT \times Hgb \times 1.36)$으로 다시 쓸 수 있는데, SaO_2는 동맥혈색소포화분율, SvO_2는 혼합정맥혈의 산소함량, Hgb은 혈색소 농도이다. 따라서 혼합정맥혈의 산소함량은 (전신)산소소모VO_2(즉 대사율), 심박출량, 동맥혈색소포화분율, 혈색소 농도의 함수이다. 즉 산소소모가 증가하는 간질 또는 발열, 심박출량이 감소하는 심부전이나 저혈량증, 동맥혈색소포화분율이 감소하는 폐질환, 혈색소가 감소하는 빈혈 등의 조건에서는 혼합정맥혈의 산소함량이 감소한다. 최근의 폐동맥 카테터에는 반사분광광도법을 이용하여 혈색소포화도를 측정할 수 있는 다섯 번째 채널이 추가되어 혼합정맥혈의 혈색소분별포화(산소함량)를 연속 측정할 수 있다. 이렇게 측정된 값은 기존의 방식과 비교할 만하지만, 중환자의 치료 결과에서 유의한 도움을 준다는 보고는 거의 없다. 심장수술을 한 3,265명을 대상으로 한 최근의 전향적 연구에서도 새로운 카테터는 혈액가스분석과 심박출량 측정의 횟수를 줄여주기는 하지만 치료 결과에는 큰 효과를 미치지 못하였다. 따라서 비용-효과 면에서 아직은 일상적 적용이 권고되지 않는다. 한편, 여러 조건에서 우심실이나 상대정맥의 산소포화도 즉 중심정맥산소함량$SCvO_2$은 혼합정맥혈의 산소함량과 밀접한 관계를 가진다. 중심정맥산소함량은 폐동맥 카테터가 아닌 일반적인 중심정맥 카테터로 측정이 가능하므로, 덜 침습적이고 쉽게 관찰 가능하고, 반사분광 광도법을 이용하면 연속 측정도 가능해 쇼크 환자의 초기소생에 도움을 줄 것으로 기대된다.

3) 우심실 박출률

박출률ejection fraction (EF)은 (EDV−ESV)/EDV로 계산하는데, EDV는 확장기말 용적, ESV는 수축기말 용적이다. 박출률은 박출기 심근의 수축력을 나타낸다. 폐동맥 카테터와 열희석법을 이용하여 우심실 박출률을 구할 수 있는데, 이 방법으로 구한 값은 다른 방법으로 구한 값과 비교적 잘 부합되지만, 보통 방사선핵종 심장도검사 radionuclide cardiography로 구한 값보다는 낮다. 일회박출량Stroke Volume (SV)은 EDV−ESV로 계산한다. 좌심실의 일회박출량 LVSV은 심박출량을 심장박동수로 나눈 값이다. 좌심실과 우심실의 일회박출량은 같으므로 우심실 박출률과 심박출량, 심장박동수를 측정하면 우심실의 확장기말 용적을 알 수 있다.

우심실 박출률 측정의 의의를 알기 위한 여러 연구가 진행되었는데, 한 연구에서는 패혈증, 출혈성 쇼크, 급성호흡곤란증후군(ARDS) 환자의 93%에서 우심실 박출률의 측정이 환자의 치료 경과를 바꾸지 못했다. 그러나 전부하가 낮음에도 불구하고 폐동맥폐쇄압이 높은 복부구획증후군 환자에서 유용하였다 보고하였다. 다른 보고에서는 소생술 단계의 처음 24시간 동안 10L 이상의 수액이

필요했던 46명의 외상 환자에서 우심실 용적의 측정이 폐동맥압 측정보다 심박출량과의 상관성이 높았다고 하였다. 그러나 아직 추가로 우심실 박출률을 측정하는 것이 기존의 폐동맥 카테터를 이용한 측정 지표에 비해 환자의 치료 결과를 개선하였다는 보고는 드물다. 따라서 현 시점에서 일상적 사용을 권하기는 어렵다.

4) 폐동맥압 측정이 치료 결과에 미치는 영향

폐동맥 카테터를 중환자에게 사용하는 이유 중 하나는 심박출량과 전신산소운반 정도를 최적화하기 위해서이다. 그러나 최적의 심박출량을 어떻게 구하는 가는 어려운 문제이다. Bland 등이 생존자와 사망자의 광범위한 혈류역학적 자료와 산소운반에 관한 자료를 비교하여 제안한 것에 따르면, 혈류역학적 소생술의 목표는 심박출량 4.5L/m^2, 전신산소운반 600mL/min/m^{2}이었다. 이 결과를 바탕으로 과연 이런 목표지향 소생술이 기존의 소생술보다 유용한지를 알아보기 위한 다수의 무작위 임상시험이 시행되었지만, 치료 결과를 개선한다는 보고와 그렇지 않다는 보고가 모두 있으며 메타분석에서는 중환자 사망률을 유의하게 감소시키지 못하였다. 따라서 현 시점에서 이러한 목표지향적 소생술은 추천되지 않는다.

직관적으로는 심장의 활동도가 떨어지고, 주요 장기의 관류가 부적절한 고위험군의 환자 일부에서 폐동맥 카테터의 사용이 치료 결과를 개선해 줄 것이지만, 이를 지지하는 증거는 부족한 형편이며 왜 그런지도 아직은 설명이 어렵다. 완전하지는 않지만, Connors는 몇 가지 가능성을 제시하고 있는데, 먼저 카테터 삽입과 관련된 심각한 합병증 즉, 부정맥 발생이나 패혈증, 혈전증, 폐동맥 파열 등이 유용성을 상쇄시킬 만큼 치료 결과에 악영향을 줄 수 있다는 것이다. 다음으로 폐동맥 카테터의 사용으로 얻는 정보가 부정확해서 잘못된 치료 방향을 제시할 수도 있다는 것이고 마지막으로 측정이 정확하더라도 이를 해석하는데 오류가 발생할 수 있다는 것이다.

5. 심박출량을 추정하는 최소침습 방법

폐동맥 카테터의 유용성과 위험 요소, 비용 등을 고려할 때, 오래전부터 보다 덜 침습적이면서도 혈류역학 지표를 감시할 수 있는 새로운 방법의 필요성이 대두되어 왔다. 이런 새로운 방법들은 중환자 치료에서 생리적 감시를 개선해 주고 있지만 아직 폐동맥 카테터의 이용을 대치할 정도는 아니다.

1) 경식도 도플러

경식도 도플러는 하행대동맥의 적혈구에 반사되어 오는 초음파의 빈도 변화를 측정하여 심박출량을 결정하는 방법이다. 시간당 혈류속도와 대동맥 단면적의 합산을 통해 일회박출량을 계산한다. 대동맥의 단면적은 M모드의 초음파를 이용하여 계산하거나 환자의 나이와 체질량지수를 이용한 알고리듬을 통해 정한다. 일회박출량을 얻으면 여기에 맥박수를 곱하여 심박출량을 구한다. 이 외에도 경식도 도플러는 전부하와 수축력을 추정하는데도 도움을 준다.

경식도 도플러의 제한점으로는 우선 측정 기구의 위치를 자주 바꾸어야 한다는 것이다. 비위관처럼 기구를 삽입하고 검사자가 위치를 조정해야 하는데, 바른 위치를 잡기 위해서는 숙련된 기술이 필요하고, 환자가 움직이면 다시 위치를 잡아야 한다. 다음으로는 심박출량 계산의 기저에 있는 주요 가정이 현실과 거리가 멀 수 있다는 것이다. 대동맥을 실린더 모양으로 가정하는데 실제로 대동맥은 동적으로 변화하고 맥압이나 순응도에 따라 단면적이 달라진다. 또 하행대동맥의 안정적인 혈류를 가정하고 있지만, 빈맥이나 빈혈을 유발하는 질환 또는 대동맥 판막 질환의 경우 혈류 속도를 측정하는데 영향을 줄 수 있다. 이런 제한점에도 불구하고 열희석법과 비교할만하다는 보고가 있지만, 중환자에서 일상적으로 사용하기에는 아직도 더 많은 증거가 필요하다.

2) 교류저항 심장도검사

교류저항 심장도검사impedance cardiography는 저 전압의 전류를 목으로부터 흉곽으로 흐르게 한 뒤, 흉강의 혈량을 반영하는 저항의 변화를 측정하여 심박출량을 결정하는 방법이다. 열희석법과 비교적 상관관계가 높지만, 피부 전극의 부착과 관련된 오류나 흉강 내 혈량을 증가시키는 조건이 결과를 왜곡시킬 수 있다. 중환자에서 흉강 내 혈량을 증가시키는 조건으로는 폐부종, 늑막삼출, 폐좌상, 급성호흡곤란증후군, 흉벽 부종등이 있다. 부정맥이 있는 경우도 정확도를 떨어뜨린다. 이 방법은 비침습적이고 연속적으로 심박출량을 측정할 수 있으며, 사용을 위한 교육이 비교적 간단한 장점이 있다. 그러나 여러 보고에서 측정된 심박출량을 임상적 결정에 이용하기에는 신뢰도가 충분히 높지 않고, 열희석법이나 심실혈관조영술 같은 표준 방법과의 일치도도 낮았다. 교류저항 심장도검사는 좌심실 박출률을 구하는데도 이용될 수 있으나 방사핵 심실조영술의 결과와 일치도가 낮다. 따라서 현 시점에서 교류저항 심장도검사는 중환자의 혈류역학을 감시하는데 추천할 수 없다.

3) 맥박윤곽분석

맥박윤곽분석pulse contour analysis은 Wesseling 등이 처음 기술한 방법으로 심박출량을 측정할 수 있는 가장 비침습적이고 매력적인 방법의 하나로, 일회박출량을 맥박 단위로 측정한다. 동맥의 기계적인 특성과 일회박출량에 따라 동맥 파형의 모양이 결정된다. 저항, 순응도, 교류 저항 등의 지표는 초기에 환자의 연령과 성별에 기초하여 계산해내고, 표준 심박출량을 참조하여 보정한다. 이렇게 측정한 심박출량은 폐동맥 카테터를 이용하여 측정한 값과 정확도면에서도 비교할 만하며, 후자가 심장을 경유하는데 비교하면 훨씬 비침습적이다. 온라인 압력파형 분석을 이용하여 일회박출량, 심박출량, 전신혈관저항을 컴퓨터로 계산하고, 심근 수축력과 수축기 동맥압 상승률 dP/dT을 추정할 수 있다. 광혈량측정법을 이용하여 동맥압을 측정하면 완전히 비침습적인 방법으로 변환시킬 수도 있다. 이 방법의 제한점은 중환자에서 혈류역학적 상태가 변화함에 따라 잦은 재보정이 필요하다는 점과 여러 가정을 전제로 동맥의 순응도를 결정하였으나 실제로 중환자에서 동맥 긴장이 빠르게 변화할 수 있다는 것이다. 이런 이유로 혈류역학적으로 불안정한 중환자에서는 아직 그 유용성이 입증되지 못했다.

4) 부분이산화탄소재호흡

부분이산화탄소재호흡partial carbon dioxide rebreathing은 Fick의 원리를 사용하여 비침습적으로 심박출량을 측정한다. 간헐적으로 재호흡 밸브를 통해 인공호흡기 내의 사강dead space을 변화시켜 이산화탄소 생성(V_{CO2})과 호흡말기의 이산화탄소(ET_{CO2}) 변화를 측정하고 이를 Fick의 변형 방정식($QT = V_{CO2}/ET_{CO2}$)을 이용하여 심박출량을 구한다. 그러나 폐 내부에 션트가 있거나 혈류역학적으로 불안정한 경우에는 이 방법이 부정확할 수 있다. 연속적으로 맥박산소측정과 흡입산소농도를 측정하면 션트 비율을 추정하여 심박출량을 보정할 수 있다. 일부 보고에서는 이 방법이 열희석법으로 측정한 심박출량에 비해 정확도가 떨어진다고 하지만, 비교할 만하다는 보고도 있다.

5) 경식도 심초음파

경식도 심초음파transesophageal echocardiography (TEE)는 수술장에서 시작되어 중환자 관리로 적용이 확대되는 중인데, 대부분 진정되어 있고 기도 확보를 위해 기관삽관이 되어 있는 환자에서 사용된다. 이 방법을 이용하면 심실용적, 박출률, 심박출량 등을 포함한 좌심실 우심실의 전반적인 기능을 평가할 수 있고, 심장 벽의 부분적인 운동이상이나 심장막 삼출, 심장눌림증 등을 쉽게 확인할 수 있다. 도플러를 사용하면 심방충만압을 추정할 수 있으나 상당한 훈련과 기술이 필요하다.

6. 전부하 반응성의 평가

중환자 치료에서 수액 요법은 반드시 필요한 치료의 한

부분이다. 수액 요법을 통해 심박출량을 증가시키고 동맥압을 회복시켜 주요 기관으로 적절한 양의 산소를 공급하게 된다. 중환자의 절반 정도는 수액 요법 단독으로도 치료 효과를 볼 수 있다. 최근까지도 혈관 내 용적 상태를 평가하기 위해 중심정맥압이나 폐동맥폐쇄압과 같은 정적인 방법이 주로 이용되어 왔으나, 이들 지표는 궁극적인 목표인 좌심실확장기말용적과 상관관계가 적다. 중심정맥압이나 폐동맥폐쇄압이 극단적으로 높거나 낮은 경우에는 의미가 있겠지만, 대부분의 중간 단계(5-20mmHg)에서는 큰 의미가 없으며, 일회박출량과도 관련이 적다. 심초음파로 좌심실확장기말용적을 측정할 수 있으나, 시행하는 사람의 기술에 의존하는 바가 크고, 좌심실확장기말용적 단독 측정은 전부하 변화에 따른 혈류역학적 반응을 예측하는데 도움이 되지 않는다. 최근에는 다양한 동적 측정 방법들이 소개되어 수액 요법과 관련된 임상적 결정을 도와주고 있다.

동적 측정에는 수축기압변이Systolic Pressure Variation (SPV), 맥압변이Pulse Pressure Variation (PPV), 일회박출량변이Stroke Volume Variation (SVV) 등이 있다. 비록 이들의 측정이 주로 정상 심장 리듬을 가지며 진정되어 있고, 기계적 환기를 받고 있는 환자에서 시행되기는 했지만, 전반적인 혈관내 용적을 평가하고 수액 요법의 반응성을 예측하는데 있어 기존의 정적인 측정보다 우수했다. 이들 동적 지표들은 흉막강 압력의 변화가 좌심실기능에 미치는 영향을 이용한 것으로, 양압 호흡에서는 흉막강 압력의 증가로 폐실질로부터 좌심실로의 혈류가 증가하고 일시적으로 좌심실 박출량이 증가한다. 동시에 양압 호흡은 오른쪽 심장으로의 정맥혈 귀환을 감소시켜 약간의 시간차를 두고 좌심실 박출량을 감소시킨다. 이런 반응은 저혈량을 보이는 환자에서 과장되어 나타나게 된다. 수축기압변이, 맥압변이, 일회박출량변이는 각각 수축기압, 맥압, 일회박출량의 변화량 중에서 흡기 동안의 최대값과 호기 동안의 최소값의 차이를 말한다. 수축기압변이, 맥압변이, 일회박출량변이가 13% 이상이면 높은 감별도와 민감도로 수액 요법에 반응을 보일 가능성이 높은 저혈량 상태를 예측할 수 있다. 그러나 일회호흡량이 변하거나 부정맥이 있는 환자에서는 부정확하다. 동적 측정은 자발 호흡이 있는 환자에서는 적용이 어려운데, 흉막강 압력의 변화가 양압 환기를 하는 환자와 반대이고, 일정하지 않기 때문이다.

7. 조직 관류의 감시

산소공급과, 환기, 평균 동맥압, 혈관 내 용적을 개선하여도 여전히 조직의 관류 저하와 저산소증이 남아있을 수 있다. 혈청 젖산이나, 중심정맥 산소포화도는 전반적인 조직의 저산소증을 대변할 수 있지만, 특정 기관이나 부위의 저산소증을 나타내주지는 못한다. 국소적 조직 저산소증의 지표는 대부분 임상적용의 초기 단계이지만, 매우 유망한 감시 방법이며 현재, 위장관 점막의 이산화탄소분압측정, 직각편광분광법Orthogonal Polarization Spectroscopy (OPS), 근적외선분광법Near-Infrared Spectroscopy (NIRS) 등이 있다.

1) 혈청 젖산

젖산은 무산소대사의 부산물이다. 젖산의 증가는 피브루산염의 과잉생산, 피브루산 탈수소효소의 억제, 간 대사 장애 등의 다른 원인도 있으나, 대부분 조직의 저산소증에 의해 발생한다. 정상 수치는 2mmol/L 미만으로, 4mmol/L을 초과하면 환자 예후가 나빠지는 경우와 깊은 관련성을 가진다. 증가된 젖산 농도가 정상 수준으로 돌아오는 데 걸린 시간, 즉 젖산제거시간lactate clearance time은 단순 젖산 농도보다 더 중요한 의미를 가질 수 있다. 여러 연구에서 젖산제거시간이 환자의 사망률과 밀접한 상관관계가 있으며 48시간을 초과하는 경우에는 감염, 장기부전, 사망의 빈도가 증가한다고 보고하고 있다. 정맥혈과 동맥혈의 젖산 농도는 밀접한 상관관계가 있어 둘 중 어느 하나로 계속 검사하여 변화를 관찰할 수 있다.

2) 중심정맥산소포화도

혼합정맥혈의 산소포화도는 산소 공급을 조직 저산소

증으로 측정하는 방법이다. 폐동맥 카테터를 이용하여 체순환으로부터 폐동맥으로 귀환하는 정맥혈의 산소분압을 측정한다. 혼합정맥혈의 산소포화도는 동맥혈 산소포화도, 혈색소 농도, 심박출량, 조직의 산소소모에 의해 결정되며, 정상 범위는 70–75%이다. 이 수치가 60% 미만이면 유산소대사의 장애를 의미하며 50% 미만이면 무산소대사를 의미한다. 폐동맥카테터가 설치되지 않은 상황에서는 중심정맥산소함량(SCVO₂)이 이를 대신할 수 있다. 중심정맥산소포화도는 상대정맥과 우심방이 만나는 지점 근처의 정맥혈 산소포화도로서 산소 소모가 상대적으로 적은 하지로부터 오는 정맥혈이 반영되지 않아, 정상 성인에서 혼합정맥혈의 산소함량보다 3–5% 정도 낮다. 중심정맥산소포화도가 65% 미만이면 유산소대사의 장애가 지속되고 있음을 의미하고, 80%를 초과하는 경우는 적절한 산소 운반을 의미하기보다 산소소모 장애를 수반하는 세포기능이상을 의미하는 경우가 많다. 대표적인 예로는 후기 패혈성 쇼크와 심혈관계 기능 이상이 있다.

3) 위장관 점막의 이산화탄소분압

관류저하나 산소운반의 장애가 발생하면 순환 재분포가 이루어지는데, 이 때 피부나 위장관으로 가는 혈류가 다른 주요 장기로 션트되는 현상이 발생한다. 산소공급이 정상화되더라도 피부나 위장관의 관류는 제일 마지막에 회복되므로, 소생술의 성공 여부를 판정하는 데 이용된다. 심박출량이나, 전신산소공급, 산소소모 등은 세포 수준의 산소공급과 사립체 기능을 평가하는 데는 큰 도움이 되지 못한다. 무산소 대사에서는 ADP가 ATP로 인산화되면서 발생하는 양성자proton의 축적이 불가피하다. 따라서 조직의 pH가 산성이 아니라면, 조직의 혈류나 산소운반의 정확한 수치를 모르더라도 현재의 혈류나 산소 운반이 세포 수준의 대사요구를 충족시키고 있다고 말할 수 있다. 반대로 조직의 pH가 산성이라면 관류가 부적절함을 나타낸다. 이런 이유로 Fiddian-Green 등은 중환자에서 위장이나 S 결장에서 조직의 PCO_2를 측정한 후 점막 pH (pHi)를 추정하면 위장관 관류를 감시할 수 있다고 제안하였다. 임상에서 측정한 점막의 이산화탄소분압 PCO_{2muc}은 Henderson-Hasselbalch 공식 pHi = log([HCO_3^-]muc /0.03×PCO_2muc)을 이용하여 점막pH (pHi)의 추정에 이용된다. [HCO_3^-]muc는 점막의 중탄산염 농도로, 직접 측정할 수 없어 동맥혈의의 중탄산염 농도 [HCO_3^-]art를 대신 적용하게 된다. 정상 상태에서 [HCO_3^-]muc가 [HCO_3^-]art와 근사하지만, 비정상 상태에서는 이런 가정이 틀리게 된다. 예를 들어 장점막으로 가는 혈류량이 감소하는 경우, 조직의 HCO_3^-가 무산소대사의 결과 발생하는 양성자를 적정하는데 사용되어 줄어들지만, 전신 순환으로부터 새롭게 보충되는 양이 적기 때문에 [HCO_3^-]muc가 [HCO_3^-]art보다 적게 된다. 따라서 이때 추정한 pHi는 실제보다 조직의 산성도를 적게 반영하게 된다. 또 다른 문제는 측정된 PCO_2muc의 의미에 관한 것이다. 항정상태에서 PCO_2muc는 세포간질로 들어오고 나가는 이산화탄소의 균형 상태를 반영한다. 세포간질로 확산되어 들어오는 이산화탄소는 동맥혈로부터 오거나, 유산소 대사의 결과로 발생하거나, 무산소 대사 결과 생기는 양성자를 적정하는 과정에서 발생한다. 간질의 이산화탄소는 정맥으로 확산되어 빠져나간다. 장점막 혈류량이 감소하면 정맥으로의 이산화탄소 배출이 줄어들고, 무산소 대사가 시작되면 양성자 적정으로 이산화탄소 생성이 증가하여 PCO_2muc가 증가한다. 그런데 조직의 관류저하와 무관한 조건에서도 pHi가 변할 수 있다. 고탄산혈증의 경우처럼 동맥혈 내 이산화탄소 분압이 높거나, 당뇨병성 케톤산증이나 중탄산나트륨의 투여로 인한 알칼리혈증 등에서처럼[HCO_3^-]art가 변화하여 pHi가 달라질 수 있다. 이런 이유로 조직의 이산화탄소 분압 측정법은 신뢰도가 떨어질 수 있다.

모든 조직에서 관류 저하는 PCO_2, pH의 변화를 초래하지만, 특히 위장관 그중에서도 위장 점막의 변화를 관찰하는 데는 몇 가지 이유가 있다. 현실적으로 중환자에서 비위관 삽입은 여러 가지 목적으로 흔히 시행되고 있어 거부감이 적고 쇼크 환자의 순환 재배치를 고려할 때 위장관이 가장 먼저 관류가 줄어드는 곳이며 다발성 장기부전으로 가는 원동력을 제공하는 기관이기 때문이다. 그러나 위가 pHi 측정의 가장 이상적인 장소는 아니다. 측정에 방해되는 위산을 억제하기 위해 투약이 필요하고, 경장 영양 공급을 중단해야 하는 단점이 있다. 이런 여러 가지 문제점에도 불구하고, 위 pHi 측정은 여러 유형의 중환자에서 치료 성적을 예측하는데 매우 믿을 만한 지표이다. 내시경을 통해 레이저도플러유속측정법으로 위점막의 혈류를 측정한 연구에서 위점막의 산성화는 관류저하와 밀접한 관계를 보였다. 대동맥 수술을 받은 환자에서 대장점막의 pHi가 낮은 경우 과장된 염증반응을 보였다. Gutierrez 등이 내과계 중환자실 환자를 대상으로 한 전향적 무작위 다기관 연구의 결과, 소생술의 종결 목표를 기존의 혈류 역학적 기준과 달리 위 pHi를 적정하는 것으로 하였을 때 30일 생존률이 더 높았다. Ivatury 등이 57명의 외상 환자를 두 군으로 나누어 한 군에서는 위 pHi가 7.30이 되도록 하고, 다른 군에서는 전신 산소 운반 지수가 600mL/min/m^2, 전신 산소 소비 지수가 150mL/min/m^2이 되도록 소생술을 시행하였다. 두 군간에 사망률의 유의한 차이는 관찰할 수 없었으나, 위 pHi를 정상화하는 데 실패한 환자는 사망률이 매우 높았고, 정상화된 환자는 낮았다(54% vs. 7%).

중환자에서 조직의 PCO_2를 감시하는 것은 앞으로 더욱 중요해질 것이다. 직접 측정할 수 있는 PCO_2가 간접적으로 계산되는 pHi보다 더 유용하기 때문이다. 나아가서 전신적인 고탄산혈증 또는 저탄산혈증의 잠재적 교란 효과를 배제하기 위해, 조직의 PCO_2와 동맥혈의 PCO_2 사이의 차이를 살펴보면 훨씬 더 유용한 정보를 얻을 수 있다.

4) 직각편광분광법

직각편광분광법은 편광을 이용하여 미세순환을 직접 시각화하는 방법으로, 혈색소가 편광을 흡수하여 실시간으로 영상으로 보여준다. 이 영상을 통해 측정한 기능적 모세혈관 밀도는 조직 관류의 민감한 지표이며, 이를 이용하여 산소 운반을 간접적으로 측정할 수 있다. 현재까지 구강, 설하, 직장, 질의 점막에서 적용되었는데, 환자의 움직임이나 침 등의 분비물에 의한 측정 오류가 있어 현재는 주로 연구용으로 사용되고 있다.

5) 근적외선분광법

근적외선분광법은 빛의 투과 원리를 이용하여 혈색소 농도 산소포화도, 및 사이토크롬cytochrome aa3를 측정하는 것이다. 사이토크롬 aa3는 전자전달계의 마지막 수용체로 세포 산소소모의 90%를 차지한다. 조직 저산소증이 지속되면 사이토크롬 aa3가 환원상태로 남아서 근적외선분광법에 감지되게 된다. 이 방법은 주로 골격근의 관류를 평가하는데 사용되나, 아직 빛의 산란에 의한 신호 교란, 자료 해석이나 참고치 설정의 문제 등 풀어야 할 과제를 안고 있다.

II 호흡 감시

기계적 환기는 집중 관리를 받는 환자의 표상과 같다. 호흡 감시는 이런 환자에서 산소공급과 환기의 적정성 평가나, 인공호흡기를 떼는 과정에 도움을 주며, 기계적 환기나 호흡부전의 부작용을 발견할 수 있게 해준다. 호흡 감시의 지표로는 가스교환, 신경근활동, 호흡 역학, 환자의 호흡 활동 등이 포함된다.

1. 산소 운반

심혈관계와 호흡계의 주목적은 산소를 조직으로 공급하는 것이다. 산소 운반은 동맥혈 산소분압보다는 혈색소의 산소포화도(SaO_2)에 더 의존하며, 심박출량과 혈색소에도 의존한다. 혈액 내 용존산소는 동맥혈 산소분압에 비례하여 증가하지만, 산소 운반에 미치는 영향은 미미하다.

기계적 환기를 시행 받고 있는 환자에서 혈색소의 산소포화도는 평균기도내압, 흡입산소농도(FiO_2), 혼합정맥혈 산소함량에 의존한다. 따라서 혈색소의 산소포화도가 매우 낮으면 호기말양압(PEEP) 또는 흡기시간을 늘려 평균기도내압을 증가시키거나, 흡입산소농도를 1.0까지 올려 개선할 수 있다. 혼합정맥혈 산소함량은 혈색소 농도나 심박출량을 증가시키고, 근이완제를 투여하거나 진정시키는 등의 방법으로 조직에서의 산소 이용을 줄여서 개선할 수 있다.

2. 동맥혈

동맥혈가스는 오랫동안 호흡부전 환자나 기계적 환기가 필요한 환자에서 호흡 감시의 표준이었다. 이 외에도 심박출량의 감소, 패혈증, 신부전, 심한 외상, 약물 부작용 또는 과량 투여, 의식 장애 등으로 유발되는 산-염기 불균형을 발견하는 데도 유용하다. 동맥혈가스로 pH, PO_2, PCO_2, HCO_3^- 농도를 분석하고, 염기부족을 계산해 낼 수 있다. 필요하면 일산화탄소혈색소carboxyhemoglobin 또는 메트혈색소methemoglobin를 측정할 수 있다. 최근에는 불필요한 동맥혈가스 분석을 줄이는 경향이다. 대부분의 수술 환자에서 통상적으로 이루어지는 기계적 환기를 떼는 과정은 동맥혈가스 측정없이도 가능하다. 아직 대부분의 환자에서 동맥혈을 채취하여 동맥혈가스를 분석하지만, 최근에는 동맥 카테터에 생체감지기를 장착하여 연속적인 측정이 가능하게 되었다. 이 두 가지 방법의 정확도는 비교한 여러 연구에서 높은 일치도를 보여주었다. 연속적 측정은 혈액 손실이 없고, 빠르게 결과를 얻을 수 있지만, 값이 비싸 널리 채택되고 있지는 않다.

3. 기도내압

흡기말에 측정한 최고기도내압(Ppeak)은 일회호흡량tidal volume, 기도저항, 폐/흉벽의 순응도, 최고흡기류peak inspiratory flow와 함수 관계에 있다. 편평기기도내압plateau airway pressure (Pplateau)은 흡기말 호기밸브가 닫혀 있는 상태로 흡입한 공기가 폐에 갇혀 있는 상태에서 측정한 압력으로 기도저항과는 무관하나, 일회호흡량과 폐/흉벽의 순응도와 관련이 있다. 기계적 환기 시에는 매 호흡마다 최고기도내압을 감시하여 미리 설정한 역치를 넘어서면 경보를 울리게 설정할 수 있다. 편평기기도내압은 규칙적이기보다 간헐적으로 측정하는데, 흡기말에 인공호흡기의 호기를 막고 기류가 없는 상태에서 측정한다. 최고 및 편평기기도내압이 모두 증가되고, 일회호흡량이 과도하지 않다면 폐/흉벽의 순응도가 문제가 된다. 이런 문제의 흔한 원인으로는 기흉, 무기폐, 폐부종, 폐렴, 급성호흡곤란증후군, 흉벽 또는 횡격막의 능동수축, 복부 팽만, 또는 기관지연축이나 불충분한 호기시간일 때 발생할 수 있는 내재 호기말양압intrinsic PEEP 등이 있다. 최고기도내압이 증가하고 편평기기도내압이 비교적 정상이라면, 기도저항이 증가하는 것이 문제이다. 여기에는 기관지연축이나 기관내관의 구경이 작거나, 꺾이거나, 막힌 경우 등이 해당된다. 최고기도내압이 낮은 경우에도 경보가 울리는 데 환자와 인공호흡기가 분리될 경우에 대비한 것이다.

인공호흡기에 의한 폐손상Ventilator-Induced Lung Injury (VILI)은 중환자 치료에서 확립된 개념으로, 과도한 압력으로 폐실질에 압력손상을 유발하여 급성호흡곤란증후군에서 볼 수 있는 미만성 폐포 손상이나 기흉을 초래할 수 있고, 정맥 회귀를 막아 심박출량을 저해할 수 있다. 새로운 전략을 통해 인공호흡기에 의한 폐손상을 줄인 대표적인 예로는 급성호흡곤란증후군이 있다. 대규모 다기관 무작위 임상 연구의 결과, 급성호흡곤란증후군 환자에서 편평기기도내압을 30cm H_2O 미만으로 제한하고, 일회호흡량을 이상체중의 6mL/Kg 미만으로 제한하였을 때, 일회호흡량을 12mL/Kg로 한 경우에 비해 28일 사망률을 22% 감소시켰다. 이에 따라 현재는 이 방법이 급성호흡곤란증후군의 호흡 치료의 표준이 되었다.

4. 산소 측정

발광다이오드와 감지기를 이용하면 동맥혈 산소포화도를 비침습적이면서 연속적으로 측정할 수 있다. 맥박산소측정pulse oximetry은 660nm, 940nm의 두 가지 파장의 빛을 이용하여, 광원과 감지기 사이에 있는 혈류 성분을 분석한다. 산화혈색소와 탈산소혈색소는 서로 다른 파장의 빛을 흡수하는데, 이런 차이를 이용하여 혈색소의 산소포화도를 구할 수 있다. 정상 환경에서는 일산화탄소혈색소나 메트혈색소를 무시할 수 있다. 그러나 일산화탄소혈색소가 증가하면 이를 산화혈색소로 오인하여 산소포화도가 높게 표시되며, 메트혈색소가 심하게 증가한 경우에는 실제 값에 관계없이 산소포화도가 85%로 표시될 수 있다. 맥박산소측정법의 정확도는 산소포화도가 92% 미만에서는 감소하기 시작하며 85% 미만에서는 신뢰할 수 없게 된다.

입원 환자의 동맥혈 산소 불포화의 빈도와 치료 결과를 평가한 연구는 다수가 있는데, Bowton 등은 입원 24시간 내에 저산소증(5분간 SaO_2 90%)을 겪은 내과 환자가 그렇지 않은 환자에 비해 사망률이 3배인 것을 보고하였다. 임상적 타당성, 편이성, 비침습성, 경제성 등을 고려하여, 맥박산소측정은 호흡기계 질환, 기관삽관 환자, 진정 또는 마취하의 외과환자에서 일상적으로 시행하는 감시방법이 되고 있다. 맥박산소측정은 특히 기계적 환기를 시행하거나 떼는 경우에 흡입산소농도, 호기말양압을 조절하는데 매우 유용하다. 중환자에서 맥박산소측정이 널리 사용됨에 따라 동맥혈가스 분석의 필요성은 감소하고 있다.

5. 이산화탄소 측정

이산화탄소분압 측정capnometry은 호흡주기를 통해 기도의 PCO_2를 측정하는 것이다. 건강한 사람에서 호흡말이산화탄소분압($PETCO_2$)은 동맥혈이산화탄소분압보다 약 1–5mmHg 낮다. 따라서 호흡말이산화탄소분압을 이용하면 동맥혈가스 검사없이 동맥혈이산화탄소분압을 추정할 수 있다. 그러나 병적 조건에서는 이런 추정이 어려울 수 있다.

이산화탄소분압 측정은 기관삽관을 확인해 주고, 기도유지와 환기, 인공호흡기의 조작, 심폐기능 등을 지속적으로 평가하게 해준다. 이산화탄소분압 측정 감지기는 인공호흡기 순환회로 내부나 측부에 둘 수 있다. 감지기를 측부에 두는 경우 가볍고 사용이 쉬운 반면 가스를 채집하는 가는 관이 분비물이나 응축된 물로 막혀 정확한 측정을 방해할 수 있다. 내부에 감지기를 두는 경우는 부피가 커지고 무거워지지만 이런 위험은 적다. 현재 전신마취하의 수술 환자 또는 일부 중환자실 환자에서 연속적인 이산화탄소분압측정이 이루어지고 있는데 몇 가지 상황에서는 즉각적인 감지가 가능하다. 예를 들어 갑자기 호흡말이산화탄소분압($PETCO_2$)이 감소하면, 감지기가 있는 관이 분비물 등으로 막힌 경우이거나 기도 연결이상, 인공호흡기의 기능이상 또는 심박출량이 현저히 떨어진 경우를 의심해 보아야 한다. 따라서 기도 확보가 되어 있고, 인공호흡기가 잘 작동하고 있다면 심정지, 광범위한 폐색전증, 심인성 쇼크 등을 의심해야 한다. 과다호흡이나 폐색전증과 같이 사강이 증가하는 경우에는 호흡말이산화탄소분압이 지속적으로 낮을 수 있다. 분당환기량이 감소하거나, 대사률이 증가하면 호기말이산화탄소분압이 증가한다.

6. 기계적 환기를 중단할 수 있는 지표

기계적 환기는 여러 가지 합병증을 유발할 수 있으므로, 필요성이 없어지면 가능한 한 빨리 중단하는 것이 좋다. 기계적 환기의 위험에 노출된 시간을 최소화하기 위해서는 호흡 부전의 원인을 발견하고 치료하는 것이 급선무이며 기계적 환기를 중단할 수 있는 적절한 시기를 아는 것이 중요하다. 과거에는 점진적으로 기계적 환기 의존을 줄여가는 데 중점을 두었으며, 이를 개선하기 위해 많은 연구자들이 노력하였으나 아직 기계적 환기를 중단할 수 있는 완전한 지표를 찾지는 못했다.

호흡일work of breathing은 환자가 자발적인 호흡을 할 수 있는지를 보는데 중요한데, 작업량이 환자의 생리적 능력을 넘어서면 결국에는 자발 호흡이 실패한다. 기계적 환기 시의 호흡일은 폐/흉벽의 순응도와 기도저항에 따라 발생하는 생리적인 것과 기관내관과 기계적 환기 순환회로에 대한 저항으로 발생하는 것의 합이다. 호흡일의 측정은 휴대용 장비를 이용하여 측정하며, 식도풍선카테터를 이용하여 흉막내압을 측정한다. 생리적인 호흡일은 정상에서 0.5-0.6J/L 정도인데, 이 값이 0.8J/L 미만이면 기계적 환기를 중단할 수 있다. 그러나 현재는 거의 사용되지 않고 있다.

다른 방법으로는 최대흡기기도내압maximal Inspiratory airway Pressure (PImax) 다른 말로 음성흡기력Negative Inspired Force (NIF)을 측정할 수 있는데, 전반적인 흡기 근육 강도와 신경근 통합성을 평가한다. 이는 호기가 끝나고 환자가 폐쇄된 기도에 대항하여 최대한의 흡기 노력을 기울일 때 측정한다. 인공호흡기를 뗄 때, 이 값이 $-30cmH_2O$ 보다 낮으면 성공할 가능성이 많고, $-20cmH_2O$ 보다 크면 실패할 가능성이 많다. 그러나 Yang 등의 연구에서 보듯이 이 방법을 단독으로 사용하는 것은 예측률이 낮아 큰 도움이 되지 못한다.

환자의 호흡충동은 호기가 시작된 0.1초 후의 구강폐쇄압mouth occlusion pressure P0.1을 측정하여 평가할 수 있다. 압력보조 인공호흡기에 의존하고 있는 환자에서 이 값은 호흡일과 상관도가 높다(r=0.87). 이 값이 증가되어 있으면 인공호흡기를 뗄 가능성이 적다는 연구 결과가 있기는 하지만, 측정을 위해서는 별도의 장비가 필요해 실제 임상에서의 제한적으로 사용되고 있다.

가쁘고 얕은 호흡은 인공호흡기를 떼는 환자에서 흔히 보이는 소견인데, 일회호흡량(VT)에 대한 호흡수(f)의 비율(f:VT)로 정량화할 수 있다. 1분간 T-연결관을 이용한 호흡을 했을 때 이 값이 60-105 정도이면 성공적으로 기계적 환기를 중단할 가능성이 높다는 연구들이 있으나, 음성예측률이 낮다는 보고도 있다. 진정시킨 환자에서는 호흡충동이 감소해 호흡수를 줄여주기 때문에 오류를 범할 수 있다. 아직 장시간 인공호흡기에 의존한 환자에서는 평가가 이루어져 있지 않다.

이상의 여러 지표는 단독 사용 시 기계적 환기 중단 가능성을 예측하는 데 제한점이 있었다. 이런 단점을 극복하기 위해 여러 지표를 통합한 새로운 지표를 제안하게 되었는데, CROP지수가 그 대표적인 예로 합리적인 평가를 도와준다. CROP 지수는 순응도Compliance (Crs), 호흡수Rate (f), 산소공급Oxygenation, 최대흡기기도내압 Pressure (PImax) 등의 네 가지 지수를 통합하여 다음의 공식으로 구하는데, PAO_2는 폐포산소분압이다. CROP index= dynamic Crs×PImax×(PaO_2/PAO_2)/f. 한 연구에서 CROP지수가 13보다 클 때, 인공호흡기를 성공적으로 뗄 수 있다는 가정을 검증한 결과, 민감도 0.81, 특이도 0.57, 양성예측률 0.71, 음성예측률 0.7이었다. 호흡 부전의 원인을 교정하고, 혈류역학을 안정화하면서 이런 통합 지표를 사용하는 것이 현재 기계적 환기를 중단하는 가장 좋은 전략이다.

III 신기능 감시

1. 소변배출량

도뇨관을 통한 소변배출량은 신장 관류의 지표로 일반적으로 성인에서는 0.5mL/kg/hr, 신생아나 영아에서는 1-2mL/kg/hr를 정상으로 본다. 핍뇨oliguria는 저혈압, 혈량 감소, 심박출량 저하 등으로 인한 신동맥의 부적절한 관류나 신장 자체의 기능 이상을 의미할 수 있다. 그러나 소변배출량이 정상이라고 해서 신부전의 가능성이 없다고 말할 수는 없다. 수술 전과 후에 비교적 장시간 동안 핍뇨를 보이는 것은 급성 신장 손상의 중요한 소견이나, 수술 중 핍뇨의 경우에는 반드시 그렇다고 보기 어렵다. 왜냐하면, 신장 손상 외에도 여러 가지 다른 요인으로 소변배출량이 감소할 수 있기 때문이다. 소변배출량에 상관없이 소변이 나오는 것은 일단 신장으로 혈류가 가고 있음을 의미한다. 실제로 외상환자와 심혈관계 수술을 받은 환자를 대상으로 한 다수의 연구에서 소변배출량과 신장 손 상의 조직학적 증거, 사구체여과율(GFR), 크레아티닌 청소율 등과 상관관계가 없었다.

2. 방광내압

복부구획증후군의 3징후는 핍뇨와 최고기도내압 그리고 복강내압의 상승이다. 이는 복부대동맥류 파열로 수술 받은 환자에서 처음 기술되었는데, 복강 내 장기의 부종으로 복강내압이 상승하고, 증가된 복압이 정맥이나 미세 혈관의 압력을 초과하게 되면 신장이나 다른 복강 내 장기의 관류가 저하된다. 복부구획증후군의 진단은 임상적 소견으로 이루어지지만, 복강내압을 측정하여 확인할 수 있다. 원칙적으로 복강내압은 복강내에 카테터를 두고 측정하여야 하지만, 실제로는 요로를 통해 방광내압을 측정하여 추정하는 방법을 흔히 사용하고 있다. 도뇨관을 통해 방광에 50-100mL의 생리식염수를 넣고, 튜브를 변환기에 연결하여 방관내압을 측정한다. 대부분의 경우 방광내압이 20-25mmHg를 초과하면 복부구획증후군을 확진할 수 있다. 특수한 카테터를 이용하여 위나 하대정맥의 압력을 측정하는 방법도 드물게 사용된다.

IV 신경계 감시

수술 후 남아있는 신경근 차단제는 저산소증에 대한 화학수용체의 민감도를 낮추고, 후두와 상부 식도의 기능 장애를 초래하며 기도를 유지하지 못하게 하고 호흡기계 합병증의 위험을 증대시킬 수 있다. 실제 임상에서 객관적인 신경근계 감시없이 수술 후 신경근 차단제의 작용이 완전히 종료되었다고 확신하는 것은 매우 힘들다.

신경학적 감시는 세심한 임상적 관찰과 뇌파도, 유발전위, 근적외선 분광법 등의 고도로 기술적인 비침습적 감시기구의 도움이 필요하다. 경우에 따라서는 두개내압의 측정을 위해 침습적 카테터 삽입이 필요하기도 하다. 급성 신경학적 황폐deterioration는 중환자실 입원의 주요 원인 중 하나이며, 외상, 종양, 감염, 뇌전증, 혈관 이상, 뇌졸중, 저산소증, 기타 여러 가지 대사이상에 의해 발생할 수 있다. 중환자실 의사와 간호사는 세심한 신경학적 검사를 주기적으로 시행할 수 있어야 한다.

1. 두개내압

뇌는 단단한 골격 내에 위치하므로 뇌부종이나 종괴가 생기면 두개내압Intracranial Pressure (ICP)이 상승한다. 두개내압의 감시는 심한 외상성 뇌손상 환자로 Glasgow 혼수척도 8 이상이면서 CT 스캔 이상 소견을 보이거나 CT 스캔에서는 이상 소견이 없지만 연령이 40세를 초과하는 경우, 일측 또는 양측 운동 동작motor posturing, 90mmHg 미만의 수축기혈압을 보이는 경우 중 2개 이상의 소견을 보이는 경우에 추천된다. 이 외에도 혼수나 신경학적 황폐를 수반하는 급성지주막하출혈, 뇌실내 혈액을 수반한 두개내 출혈, 허혈성 중간대뇌동맥 뇌졸중, 혼수를 동반한 전격성 간염, CT 스캔에서 뇌부종 또는 이와 동반된 허혈, 무산소증의 소견이 있는 경우에도 두개내압 감시가 필요하다. 두개내압 감시의 목표는 뇌관류압Cerebral Perfusion Pressure (CPP)이 적절한지를 확인하는 것이다. 뇌관류압은 평균 동맥압에서 두개내압을 뺀 차이이다(CPP = MAP−ICP).

두개내압을 측정하는 방법은 두 가지가 있는데, 먼저 수액을 충전한 카테터를 뇌실 등에 삽입하고 이를 외부 압력변환기에 연결하는 방식이 있고, 압력변환기를 직접 두개 내에 두는 방식이 있다. 후자의 경우에는 오직 두개내압을 측정하는 목적으로만 사용이 가능하나, 전자의 경우에는 두개내압 측정 외에도 뇌척수액의 배액을 통해 두개내압을 낮추거나, 검사용 시료를 채취할 수 있는 장점이 있다. 또한, 뇌실조루술 카테터 설치는 감염 5%, 출혈 1.4%, 카테터 기능장애 6.3-10.5% 기타 위치 이상 등 시술과 관련된 합병증이 낮아, 현재 심한 외상성 뇌손상 환자에서 두개내압 감시의 표준이 되고 있다.

두개내압 감시의 목적은 뇌관류와 뇌기능에 장애를 초래할 수 있는 두개내압의 상승을 감지하는 것이다. 외상성 뇌손상 환자에서 두개내압이 20mmHg 이상이면 경과가 나쁠 가능성이 많으나, 두개내압을 낮추었을 때 임상

경과가 호전되었다는 보고는 매우 적었다. Eisenberg 등의 무작위 이중맹검 연구 결과에서, 두개내압을 두개절제를 시행하지 않은 경우 25mmHg 미만으로, 두개절제를 시행한 경우 15mmHg 미만으로 유지한 경우에 예후가 더 좋았다. 뇌관류압이 저하된 환자의 치료 방침은 평균 동맥압을 높이거나 두개내압을 감소시키는 것이다. 뇌관류압을 70mmHg 이상으로 유지하도록 권하고 있지만, 증거 기반은 약하다.

2. 뇌파도와 유발전위

뇌파도Electroencephalogram (EEG)는 전반적인 신경학적 전기활동도를 감시하며, 유발전위는 이런 통상의 뇌파도가 발견할 수 없는 경로를 감시할 수 있게 한다. 연속뇌파도(CEEG)감시는 중환자실에서 특히 의식장애가 있는 환자에서 대뇌피질의 활동을 계속 평가할 수 있게 해 준다. 이 외에도 연속뇌파도는 뇌전증지속증status epilepticus의 치료 결과를 감시하거나 뇌허혈의 초기 변화를 감지하고, 고용량barbiturate 요법에서 진정 수준을 조정하는 데도 도움을 준다. 체감각유발전위와 뇌간유발전위는 뇌파도에 비해 진정제 투여의 영향을 적게 받는다. 유발전위 검사는 대사성 또는 독성 혼수에서 뇌간의 병변 여부를 알아보는데 유용하며 손상 후 혼수의 예후를 추정하는 데도 이용된다. 최근 뇌파도 감시에 Bispectral index (BIS)가 도입되어 진정제 투약 수준 결정에 이용되고 있다. BIS는 5,000회 이상의 뇌파도를 통해 경험적 통계적으로 도출된 방법으로, 0(isoelectric EEG)부터 100(완전 각성상태)까지 숫자가 주어진다. 일반적으로 신경학적 검사를 통해 진정제 투약 수준을 결정하지만, 수술장에서 지속적으로 환자의 마취 심도를 감시하는 데도 BIS를 이용한다. BIS를 사용하면 수술 중 마취제 사용을 줄일 수 있고, 일찍 각성시키고 마취상태로부터 빨리 회복시킬 수 있다.

BIS는 개정된 진정-초조 척도sedation-agitation scale를 이용하여 중환자실 환자의 진정 수준을 감시하는 데도 이용되고있다.

3. 경두개 도플러초음파

경두개 도플러Transcranial Doppler (TCD)는 뇌혈류역학을 평가하는 비침습적 방법이다. 이 방법으로 측정한 전방 또는 중간 대뇌동맥 혈류속도는 지주막하 출혈 후의 뇌혈관연축을 진단하는 데 매우 유용하다. Qureshi 등은 동맥류에 의한 지주막하 출혈 환자에서 경두개 도플러로 측정한 평균 유속의 감소는 증상을 보이는 뇌혈관연축의 독립적 예측인자라고 하였다. 그러나 경두개 도플러는 뇌혈류를 직접 측정하는 것이 아니라 혈관의 직경이 일정하다는 가정하에 추정할 뿐이다. 일부에서 경두개 도플러를 두개내압 측정에 이용하기도 하지만 현재 이런 목적으로 추천하지는 않는다. 경두개 도플러는 뇌사자 판정에 도움을 줄 수 있으며, 특히 중추신경계 억제제나 대사성 뇌병증을 앓고 있는 환자에서 도움이 된다.

요약

중환자에서 진단과 치료의 지연은 곧바로 유병률과 사망률의 증가로 이어질 수 있다. 전통적인 임상의의 직관과 신체검사가 여전히 중요하지만, 환자의 치료 성적을 극대화하기 위해서는 발달된 여러 가지 생리적 감시 기구를 활용하여 객관적 자료를 확보하고 이를 활용하는 것이 좋다. 적정한 환자 감시를 위해서는 감시 장비가 측정할 수 있는 지표와 올바른 측정을 위한 장비의 보정 방법과 측정 방법을 숙지해야 한다. 또한, 각 감시 장비의 측정 원리나 기본적 가정, 자료 처리에서의 잠재적 오류의 가능성에 대하여도 숙지할 필요가 있다. 끝으로 한 가지 방법으로 조직이나 기관의 상태를 확인하고 이를 치 료 결과 개선에 활용할 수 있는 이상적인 지표는 아직 발견되지 않았으므로, 상호 보완적인 여러 자료를 비교 통합하여 판단하는 것이 중대한 과실을 방지하는 전략임을 주지하여야 한다.

참고문헌

1. Alberti A, Gallo F, Fongaro A. et al. P0.1 is a useful parameter in setting the level of pressure support ventilation. Intensive Care Med 1995;21:547-553.
2. Alia I, Esteban A, Gordo F, et al. A randomized and controlled trial of the effect of treatment aimed at maximizing oxygen delivery in patients with severe sepsis or septic shock. Chest 1999;115:453-461.
3. Antonelli M, Levy M, Andrews PJ, et al. Hemodynamic monitoring in shock and implications for management. International Consensus Conference, Paris, France, 27-28 April 2006. Intensive Care Med 2007;33:575-590.
4. Beaulieu Y. Bedside echocardiography in the assessment of the critically ill. Crit Care Med 2007;35:S235-249.
5. Bender JS, Smith-Meek MA. Jones CE. Routine pulmonary artery catheterization does not reduce morbidity and mortality of elective vascular surgery: Results of a prospective, randomized trial. Ann Surg 1997;226:229-237.
6. Bishop MH, Shoemaker WC. Appel PL, et al. Prospective, randomized trial of survivor values of cardiac index, oxygen delivery, and oxygen consumption as resuscitative endpoints in severe trauma. J Trauma 1995;38:780-787.
7. Capdevila XJ, Perrigault PF, Perey PJ, et al. Occlusion pressure and its ratio to maximum inspiratory pressure are useful predictors for successful extubation following T-piece weaning trial. Chest 1995;108:482-489.
8. Chaney JC, Derdak S. Minimally invasive hemodynamic monitoring for the intensivist: current and emerging technology. Crit Care Med 2002;30(10):2338-2345.
9. Clements FM, Harpole DH, Quill T, et al. Estimation of left ventricular volume and ejection fraction by two-dimensional transoesophageal echocardiography: Comparison of short axis imaging and simultaneous radionuclide angiography. Br J Anaesth 1990;64:331-336.
10. Connors AF Jr, Speroff T, Dawson NV, et al. The effectiveness of right heart catheterization in the initial care of critically-ill patients. JAMA 1996;276:889-897.
11. Denys BG, Uretsky BF, Reddy PS. Ultrasound-assisted cannulation of the internal jugular vein. A prospective comparison to the external landmark-guided technique. Circulation 1993;87:1557-1562.
12. Elizalde JI, Hernandez C, Llach J, et al. Gastric intramucosal acidosis in mechanically ventilated patients: Role of mucosal blood flow. Crit Care Med 1998;26:827-832.
13. Epstein RH, Bartkowski RR, Huffnagle S. Continuous noninvasive finger blood pressure during controlled hypotension. Anesthesiology 1991;75:796-803.
14. Fink MP. Intestinal epithelial hyperpermeability: Update on the pathogenesis of gut mucosal barrier dysfunction in critical illness. Curr Opin Crit Care 2003;9:143-151.
15. Fleming A, Bishop M, Shoemaker W, et al. Prospective trial of supranormal values as goals of resuscitation in severe trauma. Arch Surg 1992;127:1175-1181.
16. Gattinoni L, Brazzi L, Pelosi P, et al. A trial of goal-oriented hemodynamic therapy in critically-ill patients. J Engl J Med 1995;333:1025-1032.
17. Gnaegi A, Feihl F, Perret C. Intensive care physicians' insufficient knowledge of right-heart catheterization at the bedside: Time to

act? Crit Care Med 1997;25:213-220.

18. Gutierrez G, Palizas F, Doglio G, et al. Gastric intramucosal pH as a therapeutic index of tissue oxygenation in critically-ill patients. Lancet 1992;339:195-199.

19. Hayes MA, Timmins AC, Yau EHS, et al. Elevation of systemic oxygen delivery in the treatment of critically-ill patients. J Engl J Med 1994;330:1717-1722.

20. Heyland DK, Cook DJ, King D, et al. Maximizing of oxygen delivery in critically-ill patients: A methodologic appraisal of the evidence. Crit Care Med 1996;24:517-524.

21. Hirschl MM, Binder M. Gwechenberger M, et al. Noninvasive assessment of cardiac output in critically-ill patients by analysis of the finger blood pressure waveform. Crit Care Med 1997;25:1909-1914.

22. Ivatury RR, Simon RJ, Islam S, et al. A prospective randomized study of end points of resuscitation after major trauma: Global oxygen transport indices versus organ-specific gastric mucosal pH. J Am Colltransport indices versus organ-specific gastric mucosal pH. J Am Coll Surg 1996;183:145-154.

23. Juul N, Morris GF, Marshall SB, et al. Intracranial hypertension and cerebral perfusion pressure: Influence on neurological deterioration and outcome in severe head injury. The Executive Committee of the International Selfotel trial. J Neurosurg 2000;92:196-234.

24. Kron IL, Harman PK, Nolan SP. The measurement of intra-abdominal pressure as a criterion for abdominal reexploration. Ann Surg 1984;199:28-30.

25. Landensberg G, Mosseri M, Wolf Y, et al. Perioperative myocardial ischemia and infarction: Identification by continuous 12-lead electrocardiogram with online ST-segment monitoring. Anesthesiology 2002;96:264-270.

26. Lee KH, Hui KP, Chan TB, et al. Rapid shallow breathing (frequencytidal volume ratio) did not predict extubation outcome. Chest 1994;105:540-543.

27. London MJ, Moritz TE, Henderson WG, et al. Standard versus fiberoptic pulmonary artery catheterization for cardiac surgery in the Department of Veterans Affairs: A prospective, observational, multicenter analysis. Anesthesiology 2003;96:860-870.

28. Maclntyre NR, Cook DJ, Guyatt GH. Evidence-based guidelines for weaning and discontinuing ventilatory support: A collective task force facilitated by the American College of Chest Physicians; the American Association for Respiratory Care; and the American College of Critical Care Medicine. Chest 2001;12O:375S-396S.

29. McCormick P, Stewart M, Goetting M, et al. Noninvasive cerebral optical spectroscopy for monitoring cerebral oxygen delivery and hemodynamics. Crit Care Med 1999;19:89-97.

30. McNelis J, Marini CP, Jurkiewicz A, et al. Prolonged lactate clearance is associated with increased mortality in the surgical intensive care unit. Am J Surg 2001;182:481-485.

31. Mermel LA, Maki DG. Infectious complications of Swan-Ganz pulmonary artery catheters. Pathogenesis, epidemiology, prevention, and management. Am J Respir Crit Care Med 1994;149:1020-1036.

32. Mihaljevic T, von Segesser LK, Tonz M, et al. Continuous versus bolus thermodilution cardiac output measurements-a comparative study. Crit Care Med 1995;23:944-949.

33. Miles DS, Gotshall RW, Quinones JD, et al. Impedance cardiography fails to measure accurately left ventricular ejection fraction. Crit Care Med 1990;18:221-228.

34. Miller PR, Kincaid EH, Meredith JW, et al. Threshold values of intramucosal pH and mucosal-arterial CO2 gap during shock resuscitation. J Trauma 1998;45:868-872.

35. Perel A. The value of functional hemodynamic parameters in hemodynamic monitoring of ventilated patients. Anaesthesist 2003;52:1003-1004.

36. Pinsky MR, Payen D. Functional hemodynamic monitoring. Crit Care 2005;9:566-572.

37. Pinsky MR. Hemodynamic evaluation and monitoring in the ICU. Chest 2007;132:2020-2029.

38. Polanco PM, Pinsky MR. Practical issues of hemodynamic monitoring at the bedside. Surg Clin North Am 2006;86:1431-1456.

39. Qureshi Al, Sung GY, Razumovsky AY, et al. Early identification of patients at risk for symptomatic vasospasm after aneurysmal subarachnoid hemorrhage. Crit Care Med 2000;28:984-990.

40. Rivers E, Nguyen B, Havstad S, et al. Early goal-directed therapy in the treatment of severe sepsis and septic shock. N Engl J Med 2001;345:1368-1377.

41. Rivers EP, Anders DS, Powell D. Central venous oxygen saturation monitoring in the critically-ill patient. Curr Opin Crit Care 2003;7:204-211.

42. Sandham JD, Hull RD, Brant RF, et al. A randomized, controlled trial of the use of pulmonary-artery catheters in high-risk surgical patients J Engl J MEd 2003;348:5-14.

43. Scheer B, Perel A, Pfeiffer UJ. Clinical review: complications and risk factors of peripheral arterial catheters used for haemodynamic monitoring in anaesthesia and intensive care medicine. Crit Care 2002;6:199-204.

44. Schlichtig R, Mehta N, Gayowski TJP. Tissue-arterial PCO2 difference is a better marker of ischemia than intramural pH (pHi). J Crit Care 1996;11:51-56.

45. Shoemaker WC, Appel PL, Kram HB, et al. Prospective trial of supranormal values of survivors as therapeutic goals in high-risk surgical patients. Chest 1988;94:1176-1186.

46. Shoemaker WC, Belzberg H, Wo CC, et al. Multicenter study of noninvasive monitoring systems as alternatives to invasive moni-

toring of acutely ill emergency patients. Chest 1998;114:1643-1652.

47. Sigl JC, Chamoun NG. An introduction to bispectral analysis for the electroencephalogram. J Clin Monit 1994;10:392-404.

48. Smith MD, MacPhail B, Harrison MR, et al. Value and limitations of transesophageal echocardiography in determination of left ventricular volumes and ejection fraction. J Am Coll Cardiol 1992;19:1213-1222.

49. Soong CV, Halliday MI, Barclay GR, et al. Intramucosal acidosis and systemic host response in abdominal aortic aneurysm surgery. Crit Care Med 1997;25:1472-1479.

50. Swan HJC, Ganz W, Forrester J, et al. Catheterization of the heart in man with use of a flow-directed balloon-tipped catheter. a J Engl J MEd 1970;283:447-451.

51. Tatevossian RG, Wo CC, Velmahos GC, et al. Transcutaneous oxygen and CO2 as early warning of tissue hypoxia and hemodynamic shock in critically ill emergency patients. Crit Care Med 2000;28:2248-2253.

52. The Acute Respiratory Distress Syndrome Network. Ventilation with lower tidal volumes as compared with traditional tidal volumes for acute lung injury and the acute respiratory distress syndrome. The Acute Respiratory Distress Syndrome Network. a J Engl J MEd 2000;342:1301-1308.

53. The Brain Trauma Foundation. The American Association of Neurological Surgeons. The Joint Section on Neurotrauma and Critical Care: Indications for intracranial pressure monitoring. J Neurotrauma 2000;17:479-491.

54. Van Heerden PV, Baker S, Lim SI, et al. Clinical evaluation of the noninvasive cardiac output (NICO) monitor in the intensive care unit. Anaesth Intensive Care 2000;28:427-430.

55. Vincent JL, Weil MH. Fluid challenge revisited. Crit Care Med 2006;34:1333-1337.

56. Weil MH, Nakagawa Y, Tang W, et al. Sublingual capnometry: A new noninvasive measurement for diagnosis and quantitation of severity of circulatory shock. Crit Care Med 1999;27:1225-1229.

57. Yang KL, Tobin MJ. A prospective study of indexes predicting the outcome of trials of weaning from mechanical ventilation. J Engl J MEd 1991;324:1445-1450.

58. Zion MM, Balkin J, Rosenmann D, et al. Use of pulmonary artery catheters in patients with acute myocardial infarction. Analysis of experience in 5841 patients in the SPRINT Registry. Chest 1990;98:1331-1335.

Chapter 06

외과적 대사와 영양

Surgical metabolism and nutrition

I 외과적 대사

수술 혹은 외상 후의 초기 대사작용은 총 체내 에너지 소비량과 뇨중 질소 배출량을 줄이는 방향으로 일어난다. 손상을 받은 환자에서 소생기 동안에는 손상 받은 조직의 복구와 생체 중요 기관의 기능을 유지하는 대사작용이 일어나며, 회복기에는 대사율과 산소소모량의 증가 및 면역체계 활성과 같은 신체 항상성을 복구하기 위한 여러 기능들이 작동된다. 외과 환자에서의 올바른 대사 및 영양 지원은 단백질 대사, 탄수화물 대사, 지방 대사의 다양한 변화를 이해함으로써 가능하다.

1. 금식 중 대사

비 스트레스성 금식 상태 동안의 대사는 신체대사 변화의 기초 자료를 제공하며, 급성 손상 및 중증 병태에서의 대사 변화와 비교하는데 이용될 수 있다(그림 6-1). 건강한 성인이 기초 대사를 유지하기 위해서는 탄수화물, 지방, 단백질을 원료로 하여 약 22-25kcal/kg/day의 열량이 필요하지만, 화상환자와 같이 심한 스트레스 상황에서는 40kcal/kg/day의 높은 열량이 필요하다.

건강한 성인이 단기간 금식하는 경우의 주 연료는 체내 지방이다(표 6-1). 정상 성인의 체내에는 탄수화물이 당원의 형태로 300-400g 가량 저장되어 있는데, 이 중 75-100g은 간에 저장되어 있고, 200-250g은 골격근, 심장근, 평활근에 저장되어 있다. 근육 내에 저장되어 있는 당원은 글루코스-6-포스파타제가 부족해서 전신적으로는 사용되어지지 않고 근육 세포에 필요한 에너지를 공급하는데 사용되므로, 금식 상태에서는 간에 저장된 당원이 급속히 고갈되어 16시간 이내에 혈당은 떨어지게 된다. 금식 동안 건강한 70kg의 성인은 신경세포, 백혈구, 적혈구 그리고 신 수질과 같이 포도당을 의무적으로 사용하는 세포의 대사를 위해 하루에 180g의 포도당을 사용한다.

글루 카곤, 노르에피네프린, 바소프레신 그리고 안지오텐신 II가 금식 중 저장된 당원의 이용(당원분해작용)을 촉진한다.

간의 포도당신합성의 전구체로는 알라닌, 글루타민과 같은 아미노산과 락틱산, 글리세롤이 포함된다. 골격근, 적혈구, 백혈구 내에서 당분해로 락틱산이 분비된다. 포도당신합성 과정에서 락틱산과 피루브산의 재순환 과정을

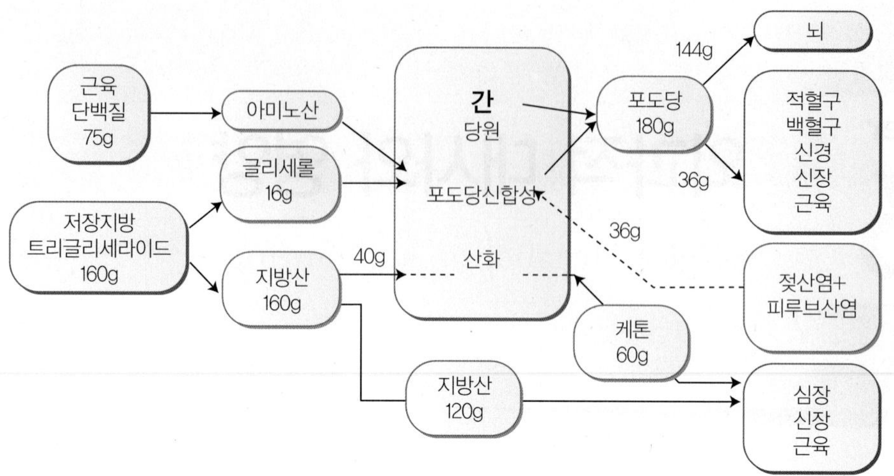

그림 6-1 **70kg 성인 남성의 단기간의 금식 동안의 체내 연료의 사용.** 근육 내 단백질 및 저장 지방이 주 에너지원이다.

표 6-1. 70kg 성인 남성의 체내 연료

	질량(kg)	에너지(kcal)	일일 소비량
수분 및 미네랄	49	0	0
지방	15	140,000	78.0
단백질	6	24,000	13.0
당원	0.2	800	0.4
총계	70.2	164,800	91.4

Cori 순환이라 하며, 금식 중 혈장 포도당의 40%를 제공한다(그림 6-2). 단기간 금식 동안에는 골격근에서 공급되는 락틱산만으로는 전신의 포도당 요구량을 충족시킬 수 없기 때문에 상당량의 단백질이 파괴되며(70kg 성인에서 하루에 75g) 파괴된 단백질은 간에서의 포도당신합성에 필요한 아미노산을 공급한다. 이러한 금식 중의 단백분해작용은 인슐린 분비가 줄고 코티졸 분비가 늘어나기 때문에 발생하며 뇨중 질소분비량은 평소의 7–10g/day에서 30g/day 이상 증가한다. 이러한 단백분해작용은 주로 골격근에서 일어나나 고형장기에서도 일어날 수 있다.

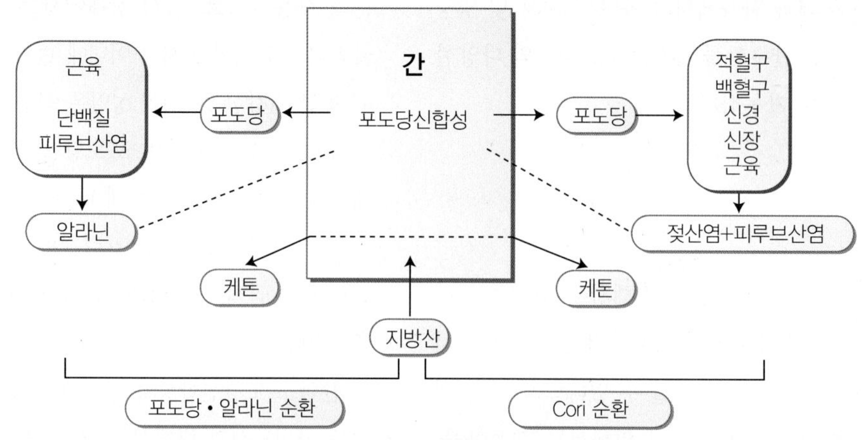

그림 6-2 간 내에서의 포도당신합성은 Cori 순환에 의하여 말초조직의 젖산염과 피루브산염을 이용하여 이루어진다. 근육 내 알라닌 또한 포도당신합성의 전구체로서 이용되며, 금식동안에 에너지원은 지방산이다.

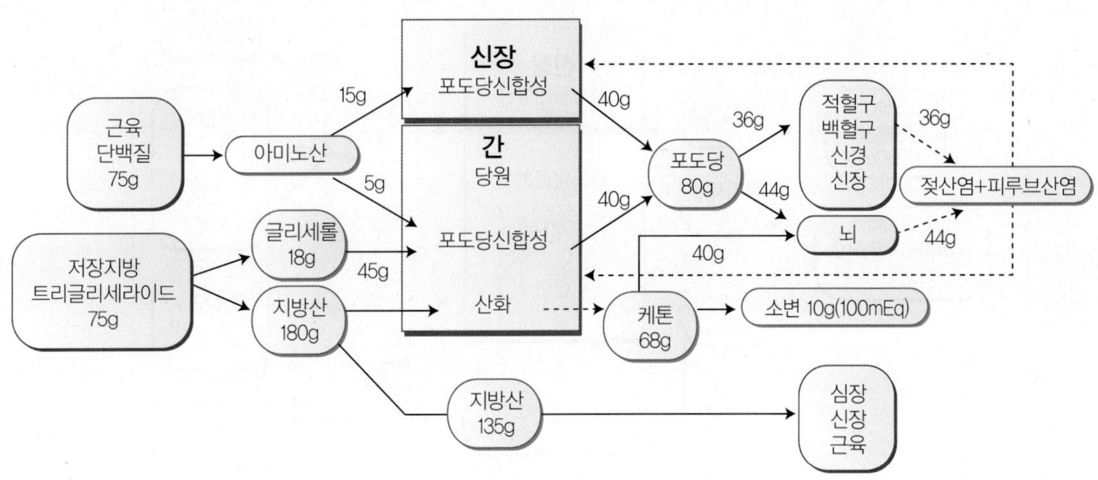

그림 6-3 **70kg 성인 남성의 장기간 금식 동안의 체내 연료의 사용.** 장기간 금식 시 간 내 저장된 당원은 감소하며 에너지원으로 단백분해작용이 일어난다. 뇌는 에너지원으로서 케톤을 이용한다. 이 시점에서 신장은 제일 중요한 포도당신합성 장소이다.

장기간 금식에서는 단백분해작용이 억제되어 단백질 감소량이 하루 대략 20g까지 줄어 들며 요중 질소 분비는 하루 2–5g으로 안정화된다(그림 6-3).

단백 분해량이 감소한다는 것은 주요 장기들(뇌, 심근, 골격근, 신장피질)이 금식에 적응했다는 것을 반영하며, 중요 연료 공급원으로 지방분해를 통해 생성된 케톤체를 사용하기 때문이다. 뇌의 경우 금식 2일째부터 케톤체를 중요 에너지원으로 사용하며 이는 점점 증가하여 24일 즈음 주요 에너지원이 된다. 금식 동안 포도당신합성을 위한 아미노산의 탈아민화 증가로 신장을 통한 암모늄 이온배출은 증가한다. 신장은 글루타민과 글루타메이트를 이용하여 포도당신합성을 하며 체내 당분 생산의 ½까지 가능한 장기금식 시의 주요 에너지 생성원이 될 수 있다.

조직 내에 저장된 지방은 금식 중 칼로리 소비량의 40%까지 제공한다. 기본적인 효소 및 근육의 작용(포도당신합성, 신경전달, 심근수축 등) 에너지 요구량은 지방조직의 트리글리세리드를 이용함으로써 충족된다. 휴식 혹은 금식 중인 70kg 성인에서 대략 160g 유리지방산과 글리세롤이 지방세포 조직에서 동원될 수 있다. 유리지방산 분비는 순환 글루카곤과 카테콜아민의 증가, 혈중 인슐린 농도감소에 의해 자극된다. 케톤체와 같은 유리지방산은 심장, 신장(피질), 근육, 간에서 에너지원으로 사용된다. 저장된 지방을 에너지원으로 이용함으로써 포도당분해, 포도당신합성, 단백분해가 감소한다. 또한 케톤체는 피루브산 가수분해효소를 억제해 포도당 이용을 줄여준다.

2. 손상 후 대사

손상 혹은 감염은 비 스트레스성 금식에서의 대사와는 다른 신경내분비, 면역학적 반응을 유도한다(그림 6-4). 대사 소비량은 손상의 심한 정도와 직접적으로 비례하며 중증 감염 및 화상의 경우 가장 높다(그림 6-5). 에너지 소비 증가는 부분적으로 교감신경 활성화와 카테콜아민 분비로 일어나며 건강한 사람에서 카테콜아민 투여 시 유도될 수 있다. 스트레스 상황에서의 주에너지원은 지방이므로 손상 시의 지방대사를 가장 먼저 알아보자.

3. 손상 후 지방대사

지방은 손상된 환자에서 단순히 단백질 이화작용을 최소화하기 위한 비 단백질, 비 탄수화물 에너지원이 아니다. 지방의 대사는 세포막의 구조적 보존과 전신 염증 상

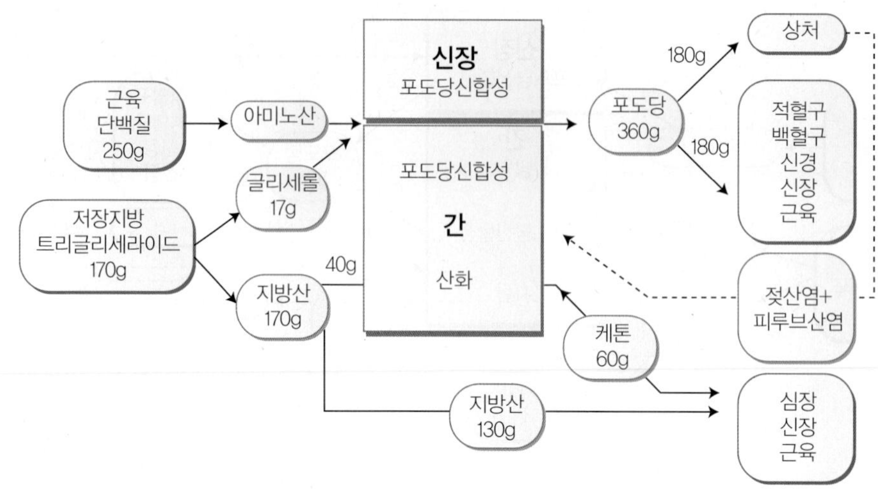

그림 6-4 **외상 후 연료의 사용.** 급성 손상 시 분해대사의 지표로 질소의 손실이 촉진되고, 에너지원의 대체가 일어난다. 이 시기 주 에너지원은 지방이다.

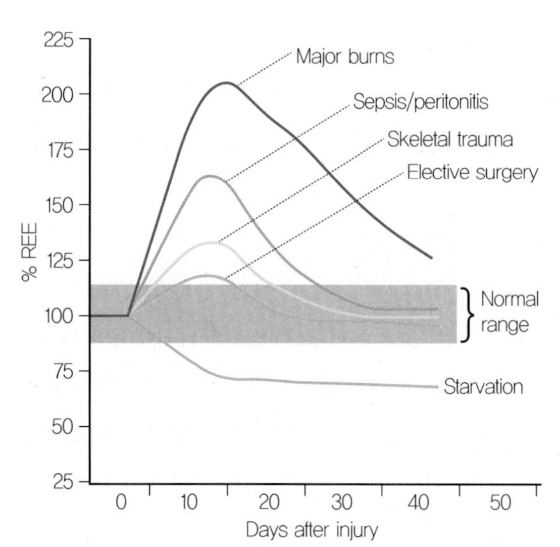

그림 6-5 **손상 정도에 따른 기초대사량(기초 에너지 소비, REE)**
음영으로 표시된 부위는 정상상태의 기초대사량

태에서의 면역 반응에 중요한 역할을 한다. 체내 지방은 triglyceride 형태이며 손상 후 또는 중증병태동안 주요 에너지원이다. 지방분해는 주로 카테콜라민 호르몬의 자극으로 일어나며, 지방분해를 일으키는 트리글리세리드 지방분해효소는 이러한 자극에 민감하다. 지방분해를 일으키는 다른 자극으로는 부신피질 자극 호르몬, 갑상선 호르몬, 코티졸, 글루카곤, 성장호르몬 분비, 인슐린 분비 감소 등이 있다.

4. 지방의 흡수

비록 그 과정이 충분히 이해되진 않았으나 중증병태 또는 손상 시 지방조직은 유리지방산과 글리세롤 형태로 에너지원을 제공한다. 지방 1g 산화 시 9kcal의 에너지가 발생한다. 간에서 탄수화물이나 아미노산으로부터 트리글리세리드로 합성할 수도 있으나, 트리글리세리드의 대부분은 식이 등 외부에서 얻어진다.

긴 사슬 트리글리세리드는 일반적으로 이런 에스테르화를 통해 chylomicron형태로 림프계를 거쳐 체내순환에 들어간다. 짧은 사슬 지방산은 바로 장관순환에 진입하며 알부민에 의해 간으로 운반된다. 간세포들은 스트레스 상태에서 유리지방산을 에너지원으로 사용하고, 식이 섭취시 인지질과 트리글리세리드를 합성할 수 있다(그림 6-6).

근육이나 심장같은 전신조직은 모세혈관내피 표면에서 lipoprotein lipase를 이용해 chylomicron과 트리글리세리드를 가수분해하여 에너지원으로 사용한다. 외상이나

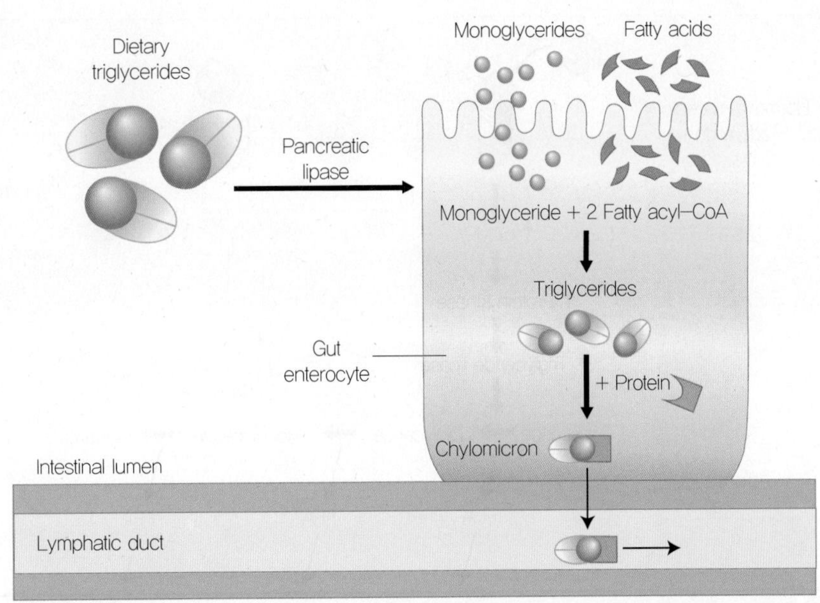

그림 6-6 소장융모 내부의 췌장 지방분해효소는 트리글리세리드를 모노글리세리드와 지방산으로 가수분해한다. 이들은 장세포로 쉽게 확산되고 다시 트리글리세리드로 에스테르화한다. 재합성된 트리글리세리드는 운반 단백질과 결합하여 chylomicron을 형성하며 이는 림프계를 통해 운반된다. 탄소원자 10개 이내의 짧은 트리글리세리드는 이러한 과정을 우회하여 문맥계로 직접 들어가 간으로 운반될 수 있다.

패혈증 상태에서는 지방조직과 근육 모두에서 lipoprotein lipase의 활성이 억제되는데 이는 주로 TNF에 의한 것이다.

5. 지방 분해와 지방산 산화

에너지 요구 시기에는 지방으로부터 동원된 유리 지방산이 사용된다. 이는 호르몬들(카테콜아민, 갑상선 호르몬, 성장호르몬, 글루카톤, 부신피질자극 호르몬)이 cAMP 경로를 통해 트리글리세리드 지방분해효소에 영향을 줘서 일어난다(그림 6-7).

지방조직에서, 트리글리세리드 지방분해 효소가 트리글리세리드를 유리지방산과 글리세롤로 가수분해한다. 유리지방산은 모세혈관계로 들어가며 알부민에 의해서 연료원으로 사용할 조직(골격근,심장)으로 수송된다. 인슐린은 지방분해를 억제할 뿐 아니라 세포 내 glycerol-3-phosphate와 지방단백 리파아제 활성을 증폭하여 트리 글리세리드 합성을 촉진시킨다.

글리세롤을 에너지원으로 사용하려면 조직 글리세롤 인산화효소가 필요하며 이는 간과 신장에 풍부하다. 유리지방산은 세포질 내에서 acyl-CoA와 결합하여 흡수된다. fatty acyl-CoA는 카르니틴 운반체를 통해 미토콘드리아 외막에서 내막으로 운반된다(그림 6-8).

중간사슬 트리글리세리드는 6-12개의 탄소로 구성되어 카르니틴 운반체 없이 미토콘드리아막을 쉽게 통과한다. 그래서 긴 사슬 트리글리세리드보다 더 효율적으로 산화되며 장관외영양의 지방주입 시 흔히 발생하는 면역세포나 망상내피계 지방 침착이 훨씬 적다. 그러나 동물연구 결과 중간 사슬 트리글리세리드만 사용할 시 대사요구량의 증가 및 필수지방산의 결핍이 일어날 수 있다.

미토콘드리아 내에서 fatty acyl-CoA는 B-산화를 겪어 acetyl-CoA를 생산한다. 각 acetyl-CoA분자는 이어서 tricarboxylic acid (TCA) 주기로 들어가 추가로 산화되어 12개의 ATP, 이산화탄소, 물을 생성한다. 과다한 acetyl CoA 분자들은 케톤형성의 전구체가 된다. 포도당 대사와 달리 지방산 산화는 상대적으로 적게 소모하고 이

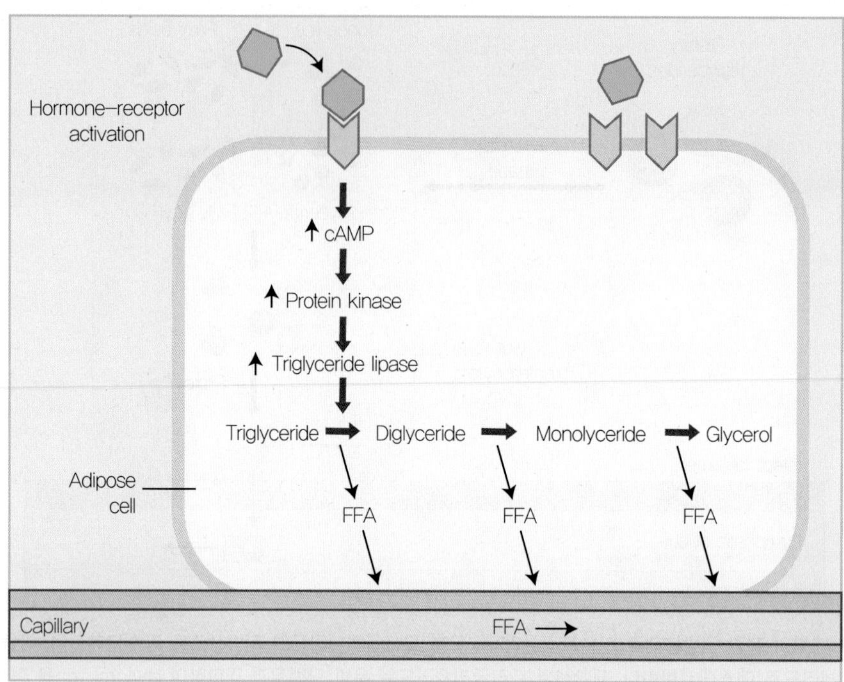

그림 6-7 지방조직에서 지방의 호르몬 자극에 의한 지방세포의 트리글리세리드 지방분해효소 활성화는 cyclic adenosine monophosphate (cAMP)를 통해 일어난다. 트리글리세리드들은 연속적으로 가수분해되며 각 단계마다 유리지방산을 생성한다. 이 유리지방산들은 모세혈관 말단으로 쉽게 확산되어 운반된다. 글리세롤 인산화효소가 있는 조직은 글리세롤-3-인산을 형성하여 글리세롤을 연로로 사용할 수 있다. 글리세롤-3-인산은 유리지방산과 에스테르화하여 트리글리세리드를 형성할 수도 있고 신장과 간에서 포도당신합성의 전구체로 사용될 수도 있다. 골격근과 지방세포는 글리세롤인산화 효소가 적어 글리세롤을 에너지원으로 사용하지 못한다.

산화탄소 또한 적게 생산한다. 이는 반응을 위해 소모된 산소와 생성된 이산화탄소의 비로 정량적으로 나타낼 수 있으며, 이를 호흡률Respiration Quotient (RQ)라 한다. RQ 0.7은 연료로 지방산 산화가 더 많음을 시사하며, 반면에 RQ 1은 탄수화물 산화가 많음을 의미한다. RQ 0.85는 지방산과 포도당의 산화량이 동일함을 시사한다.

6. 케톤형성

탄수화물의 고갈로 acetyl–CoA가 TCA 주기로 들어오는 것이 느려지면 이차적으로 TCA 중간산물과 효소 활성도 또한 고갈된다. 금식 동안 증가한 지방분해와 줄어든 전신의 탄수화물 가용성은 과다한 acetyl–CoA를 간에서 케톤을 형성시킨다. 간을 제외한 나머지 조직들은 케톤을 에너지원으로 사용가능하다. 케톤산증은 간 외 조직의 케톤 사용보다 간에서 케톤 생산이 과다한 상태이다. 케톤형성 비율은 손상의 중증도에 반비례한다. 주요 손상, 심한 쇼크 그리고 패혈증은 인슐린 분비 증가 그리고 유리지방산의 빠른 조직 산화에 의해 케톤형성을 감소시킨다. 작은 손상이나 감염은 혈장 유리지방산 그리고 케톤 형성을 조금 상승시키는 경향이 있다.

7. 탄수화물대사

장관으로 섭취한 탄수화물은 췌장과 장의 효소를 이용, 탄수화물 복합체에서 이합체로 분해 후 주로 소장에서 소화된다. 장내 미세융모의 이당류 분해효소(sucrase, lactase, maltase)는 탄수화물 복합체를 육탄당으로 분해하며 이는 장점막 내로 운반된다.

포도당과 갈락토오스는 주로 나트륨 펌프와 연계한 에

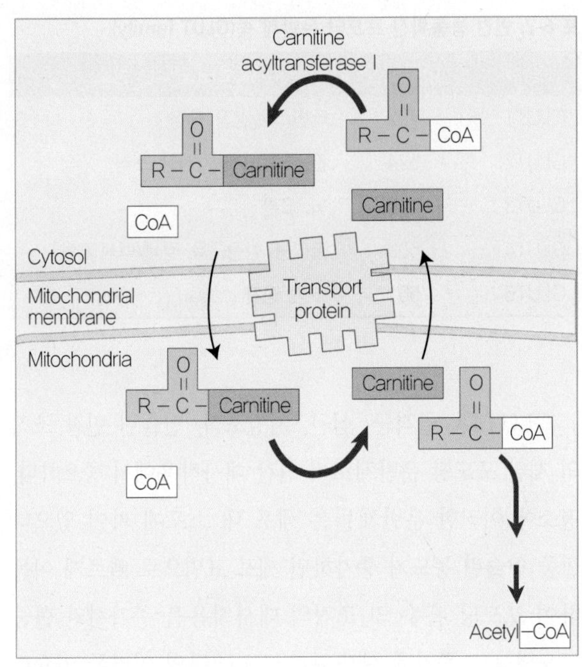

그림 6-8 세포 내부에서 유리지방산들은 CoA와 fatty acyl-conenzyme A (CoA)를 형성한다. Fatty acyl-CoA는 미토콘드리아 내막을 통과할 수 없어 운반체로 카르니틴이 필요하다(카르니틴 운반체). 일단 미토콘드리아 내부로 들어가면 카르니틴은 분리되어 fatty acyl-CoA 형태로 돌아간다. 카르니틴 분자는 세포질내로 다시 운반되어 재사용되며 fatty acyl-CoA는 B산화를 통해 acetyl-CoA를 형성, TCA cycle로 들어간다. R은 acyl-CoA의 acyl기를 나타낸다.

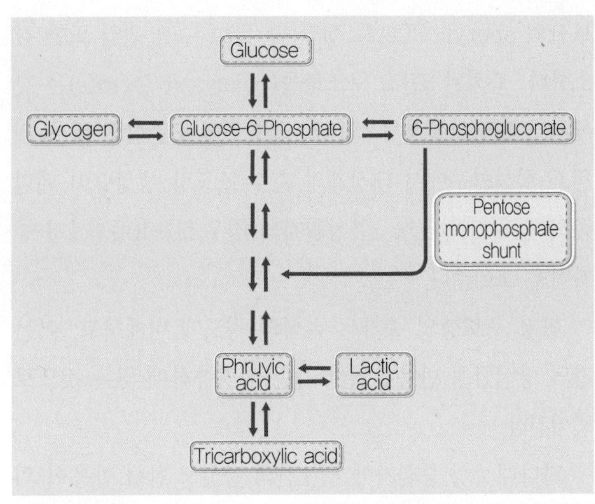

그림 6-9 펜토오즈 1인산염 경로 또는 피루빈산 분해를 통한 포도당 이화작용을 간략화한 도식. 포도당 6인산염은 포도당 대사에서 중요한 교차로가 된다.

너지 의존성 능동수송에 의해 흡수되며, 과당fructose은 농도 의존성 촉진확산에 의해 일어난다. 외인성 만니톨mannitol 처럼 과당과 갈락토오스는 인슐린 반응을 일으키지 않는다. 금식하는 사람에서 소량의 과당정맥투여 시 질소는 보존되나 손상에서 이의 임상적 유용성은 아직 증명되지 않았다.

1g 탄수화물의 산화는 4kcal를 내지만, 비경구 영양에서처럼 복용된 당음료는 단지 3.4kcal/g을 제공한다. 금식 시 포도당 생산은 저장된 단백질의 소비로 일어난다. 그래서, 수술환자에 있어 포도당 공급의 제일 중요한 목적은 근육 파괴를 최소화하는데 있다. 소량의 포도당(대략 50g/d)을 외부에서 공급 하면, TCA 주기에서 지방이용을 촉진하고, 케톤화를 줄인다.

건강한 사람의 금식과 달리 패혈증과 외상환자에서는 외부에서 포도당을 공급하더라도 포도당신합성을 위한 단백 분해를 완전히 억제하지 못하는데, 이는 스트레스 상황에서 다른 호르몬과 전염증proinflammatory 매개체가 단백 분해에 큰 영향을 미치며 이로 인한 어느 정도의 근육파괴는 피할 수 없다.

그러나, 인슐린을 공급하면, 심한 스트레스에서 골격근에서 단백 합성을 촉진 하고, 간세포의 단백 분해를 억제한다. 또한 인슐린은 근육세포의 RNA 합성에서 핵산의 필수전구체 흡수를 촉진한다.

세포 내에서 포도당은 인산화되어 glucose-6-phosphate를 형성한다. 이는 포도당신합성 동안 중화될 수도 있고 포도당원분해 동안 이화될 수도 있다. 포도당 이화작용은 pyruvate나 lactate로 분열되거나 pentose로의 탈탄산반응을 통해 일어난다(그림 6-9).

호흡률 1.0 이상을 나타나는 과량의 포도당 공급은 당뇨glucosuria, 발열, 지방화를 일으킬 수 있으며, 폐기능이 저하된 환자에게 유해할 수 있는 이산화탄소 생성을 증가시킨다. 이는 또한 면역저하 및 감염위험성을 증가시킨다.

손상과 심한 감염은 인슐린 저항을 초래하고 말초 당내성 상태를 유발한다. 이는 손상에 따른 골격근의 피루브산 탈수 소효소 활성도를 감소시키고, 이에 따라 피루브산의 acetyl-COA로 전환 및 TCA 주기 진입 또한 감소한다. 축적된 3탄소 구조물들(pyruvate, lactate)은 간에서 포도당신합성에 쓰인다. 국소조직 도관삽입 및 동위원소 희석연구에서 내장계의 순수 포도당 생성량이 패혈증의 경우 50-60%, 화상환자의 경우 50-100%까지 증가함을 보여준다.

혈청 포도당의 증가는 손상의 정도에 비례하고, 이는 간의 당신합성 반응은 글루카곤의 영향하에 있는 것으로 믿어진다.

과다대사성 중환자에서는 간의 당신생 합성 반응이 외인성이나 과도한 포도당 공급에 의해서도 억제되지 않고 지속된다. 알라닌과 글루타민 이화작용으로 주로 일어나는 간의 당신 생합성은 포도당 운반 신경계, 상처 및 적혈구와 같은 조직의 에너지원을 공급한다. 증가된 포도당은 또한 염증성 조직과 세균침투조직의 백혈구에 필요한 에너지를 제공한다. 포도당은 카테콜아민에 의해 골격근이나 지방조직과 같이 비필수적인 장기들을 우회한다.

8. 탄수화물 운반 및 신호전달

소수성 세포막은 친수성 포도당분자에 상대적으로 비투과적이다. 사람의 체내에는 2종류의 세포막 포도당 운반체가 있는데 농도에 의한 촉진확산포도당운반체(GLUTs)와 능동수성에 의해 농도를 역행하여 포도당을 운반하는 나트륨/포도당 이차능동확산계(SGLT)가 있다(표 6-2).

GLUT1은 인간적혈구에 가장 높게 발현되며 혈액의 포도당운반능력을 향상시킨다. 몇몇 다른 조직에도 발현되나 간과 골격근에서 가장 발현도가 낮다. GLUT1은 혈액-뇌장벽의 내피의 본질적 요소인 주요 GLUT 동형 단백질로 뇌의 포도당 확보에서 중요한 역할을 한다.

GLUT2는 간세포의 주요 포도당 운반체이다. GLUT2는 식이 및 금식상태에서의 포도당 섭취와 분비에 중요하다. GLUT3는 뇌의 신경조직에 많이 발현되며 신경의 포도당 흡수에 중요하다

표 6-2. 인간 능동확산 포도당 운반체 족(GLUT family)

종류	아미노산	주로 표현되는 장소
GLUT1	492	태반, 뇌, 신장, 대장
GLUT2	524	간, 췌장 B세포, 신장, 소장
GLUT3	496	뇌, 고환
GLUT4	509	골격근, 심장근육, 갈색/백색 지방
GLUT5	501	소장, 정자

GLUT4는 골격근, 심근, 지방조직, 인슐린 민감 조직의 제일 포도당 운반체로써 인간 대사작용에서 중요하다. 평소에 이러한 운반체들은 세포 내 소포에 싸여 있으나 혈중 인슐린 농도가 증가하면 세포 표면으로 빠르게 이동하여 포도당 흡수 및 조직의 대사작용을 증가시켜 혈중 포도당농도 증가를 예방한다. GLUT4의 이러한 인슐린 매개 원형질막 이동에 결함이 있을 경우 말초인슐린저항이 유발된다. 그러므로 GLUT4는 신체혈당항상성 조절에서 중요한 역할을 한다.

GLUT5는 몇몇 조직에서 발견되나 공장에 가장 많이 발현된다. 이는 어느 정도의 포도당 운반능력을 가지나 주요 기능은 과당 운반체이다.

SGLT는 장표피와 신세뇨관 근위부에서 발견되는 또다른 포도당 운반체계로서 나트륨과 포도당을 세포내로 운반하는데 이 운반체에 대한 포도당의 친화성은 나트륨 이온이 붙이면 증가한다. SGLT1은 소장 장세포의 미세융모에 흔하며 장내강의 포도당 흡수의 주된 매개체다. 또한 장내강의 SGLT1은 삼투흡수를 통해 장 내 수분보유량을 늘려준다. SGLT1과 SGLT2 모두 신세뇨관 근위부의 포도당흡수에 연관된다.

9. 단백질과 아미노산 대사

건강한 젊은 성인에서 평균 단백질 섭취량은 하루 80-120g정도로 단백질 6g 당 대략 1g의 질소가 생성된다. 단백질 1g은 대략 4kcal의 에너지를 생성하며 이는 탄수화물대사로 생성되는 양과 비슷하다. 손상 후 글루코

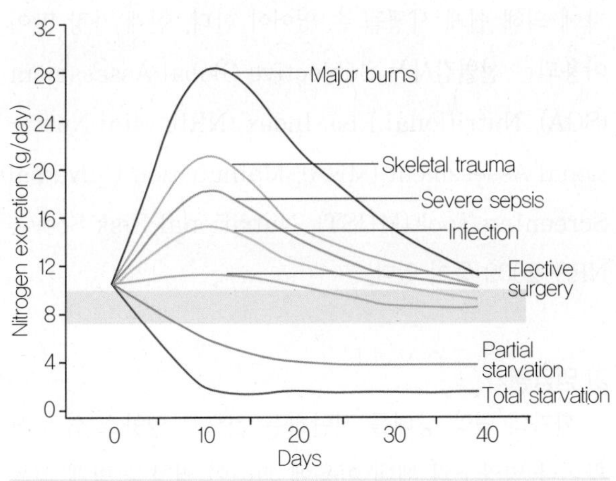

그림 6-10 **손상 정도가 질소 소모에 미치는 영향**

콜티코이드에 의한 최초의 전신 단백분해는 요중 질소 배출량을 하루 30g 이상으로 증가시키고 이는 대략 하루 1.5%의 실질체중 감소와 일치한다.

이론적으로 손상된 사람에서 10일간 영양공급이 없을 시 15%의 실질체중이 감소한다. 그러므로 아미노산은 장기간의 에너지 저장원으로는 부적합하다. 실제로 25%에서 30%의 과도한 단백질 부족시 생명을 위협할 수 있다. 손상 후 단백질 이화작용은 포도당신합성 및 급성기 단백질 합성의 재료를 제공한다.

단백질 합성 및 이화작용의 순 변화량은 손상의 정도 및 기간과 일치한다(그림 6-10). 정규수술과 작은 손상은 적은 단백합성과 중등도의 단백분해를 야기한다. 심한 외상, 화상, 패혈증은 단백질 이화작용의 증가와 관계있다. 요중 질소의 증가와 음성 질소균형은 손상 후 초기에 발견될 수 있으며 7일째 최고치에 달한다. 이러한 단백질 이화상태는 3–7주까지 지속될 수 있다. 환자의 이전 신체상태와 나이는 손상 및 패혈증 이후의 단백분해 정도에 영향을 미친다. 근육세포 내 유비퀴틴–프로테아솜 체계 활성화는 급성손상시 단백분해의 주요 경로 중 하나이다. 이 반응은 조직 저산소증, 산증, 인슐린 저항, 글루코콜티코이드 증가에 의해 약화될 수 있다.

요약

단기간의 금식시에는 필요한 열량이 축적된 체내지방으로부터 공급된다. 장기간의 금식시는 단백 분해를 방지하기 위해 뇌의 주 에너지원이 포도당에서 케톤체로 대체된다.

손상 후에는 스테로이드, 카테콜라민, 글루카곤 및 시이토카인의 증가에 의해 혈당, 지방 및 단백질 분해가 촉진된다. 단백질 소실은 신체장기 기능 및 면역 기능저하를 초래하며, 이러한 작용을 억제하는 인슐린 분비는 억제된다.

Ⅱ 외과환자에서의 영양지원

1. 서론

병원에 입원하는 환자의 약 20-50%에서 영양실조malnutrition가 있으며, 재원기간이 길어질수록 환자의 영양 상태는 악화된다는 보고도 있다. 이는 여러 가지 검사 과정에서의 금식과 채혈, 병원급식 자체가 입맛에 맞지 않으며, 암 등의 질환으로 인해 맛에 대한 감각이 변화되기 때문으로 알려진다. 영양실조가 있는 환자는 감염 등 합병증의 빈도를 증가시키며, 재원기간의 연장, 의료비 증가에도 직접적인 영향을 미치는 동시에, 수술 사망률도 증가시키는 것으로 보고되고 있다. 외과환자에서 영양지원의 목표는 질병이나 수상에 따르는 이화작용을 예방하거나 반전시키는 것이다. 여러 가지 중요한 생물학적 지표들이 영양치료제들의 효과를 측정하기 위해 사용되고 있지만 외과환자에서 영양지원의 궁극적인 유효성은 임상결과와 기능의 회복에 맞추어져야 한다. 따라서 영양문제가 있는 환자에서는 먼저 영양선별검사 및 영양평가를 통하여 영양실조 환자를 찾아낸 다음 영양지원을 결정하고, 영양요구량을 산정한 후, 어떤 경로로 지원할 것인지, 지원된 영양소들이 체내에서 잘 이용되는지 합병증 발생이 있는지 모니터하는 순서로 접근하여야 한다.

2. 영양선별검사와 영양평가

환자의 영양결핍 또는 영양과다를 결정하거나 영양요구량을 예측하기 위해서 먼저 영양선별검사nutritional screening를 시행하여 영양문제가 있는 환자를 찾아낸 다음 이들 환자를 대상으로 종합적인 영양평가nutritional assessment가 시행되어야 한다. 따라서 영양평가는 영양치료과정의 첫 단계라고 할 수 있다.

1) 영양선별검사

영양선별검사는 단순하고 효과적이며 병원의 의료종사자에 의해 쉽게 시행될 수 있어야 한다. 현재 가장 많이 이용되는 선별검사는 Subjective Global Assessment (SGA), Nutritional Risk Index (NRI), Mini Nutritional Assessment (MNA), Malnutrition Universal Screening Tool (MUST), Nutritional Risk Score, NRS-2002 등이 있다.

2) 영양평가

환자의 영양 상태를 진단하는 것으로 영양소 섭취 상황이나 영양소의 체내 이용에 의하여 영향을 받게 되는 일련의 건강과 관련된 요소를 중심으로, 환자의 임상진단, 식사섭취량, 소변이나 혈액의 생화학적 분석 및 신체계측을 통한 자료 등 다양한 정보를 서로 연관 지어 현재 환자의 영양 및 건강 상태에 대하여 진단을 내리고 문제점을 분석, 해석하는 일련의 과정이다. 임상적으로 주관적 및 객관적 지표를 통하여 환자의 영양 상태를 평가하게 된다. 주관적인 지표에는 의학적 및 영양학적 병력이 포함되며, 객관적 지표에는 신체검사, 인체계측anthropometric measure, 체성분검사 및 생화학적 검사(소변 및 혈액검사) 등이 포함된다.

(1) 병력

의학적 병력에는 급성 및 만성 질환, 투약, 수술 및 다른 치료(항암화학요법, 면역억제요법 등) 유무를 포함하며, 영양학적 병력에는 식욕, 체중, 식사량, 배변 습관, 활동도, 음식에 대한 알레르기 및 경구보충 등의 변화를 포함한다.

(2) 신체검사

신체검사는 영양 상태를 평가하는데 우수한 도구 중 하나이며 근육과 체지방의 감소, 각 기관의 기능장애 및 피부, 체모 혹은 신경근육 기관들의 미세한 기능변화까지도 알아내어 실질적으로 영양실조에 걸려 있거나 곧 걸릴 가능성이 있는 환자를 알아내게 된다.

표 6-3. 체중변화에 따른 평가

	표준체중 백분율(%IBW) (현재체중/표준체중) X 100	평소체중 백분율(%UBW) (현재체중/평소체중) X 100
경도 영양실조	80-90%	85-95%
중등도 영양실조	70-79%	75-84%
고도 영양실조	0-69%	0-74%

IBW=ideal body weight, UBW=usual body weight

체중감소 백분율(%weight loss) : (평소체중-현재체중)/평소체중 X 100

기간	유의한 체중감소(%)	심한 체중감소(%)
1주	1-2	>2
1개월	5	>5
3개월	7.5	>7.5
6개월	10	>10

(3) 인체계측지표

인체 각 부위의 크기를 측정하고 이를 비교하여 영양 상태를 판정하는 방법으로 다른 방법에 비하여 간단하고 안전하며 환자에게 비교적 불편을 주지 않는다. 표준화된 방법으로 측정 자료가 면밀, 정확하며 장기적인 영양 상태를 잘 반영할 뿐만 아니라 경제적이므로 영양평가 방법 중 가장 널리 쓰이는 방법이다.

가. 체중

체중측정 및 변화는 간단하면서도 가장 좋은 영양평가 방법 중 하나이다. 최근의 체중감소 정도는 영양결핍의 정도를 잘 반영한다. 체중에는 현재 체중actual body weight, 평소 체중usual body weight, 이상 체중ideal body weight 등이 있으며, 그 정도에 따라 영양실조 정도를 진단한다(표 6-3).

나. 신체질량지수

신체질량지수Body Mass Index (BMI)는 신장과 체중을 이용하여 계산한 평가지표로 원래는 비만도 측정에 이용되었으나 영양평가에도 이용된다(표 6-4).

신체질량지수 = 체중(kg)/신장(m^2)

표 6-4. 신체질량지수에 따른 분류

신체질량지수	분류
>30	비만-2등급
25-29.9	비만-1등급
23-24.9	과체중
18.5-22.9	정상
17-18.4	영양실조-1등급
16-16.9	영양실조-2등급
<16	영양실조-3등급

대한비만학회, 아시아-태평양지역 지침

다. 피부주름두께

피부주름두께skinfold thickness는 체지방량을 산정하는 방법 중 가장 많이 쓰이는 방법으로, 그 이론적 근거는 체지방의 약 50% 정도는 피하에 분포되므로 피하지방 두께를 측정하여 체지방량을 간접적으로 평가하는 방법이다. 여러 부위에서 측정할 수 있으나 이중 상완삼두근 피부주름두께triceps skinfold thickness (TSF) 측정이 가장 많이 사용된다. 단기간에 급격하게 변화하는 중환자의 영양 상태는 적절하게 반영하지 못하며 한 환자에 대해 장기간에 걸쳐 연속적으로 측정 비교하는 것이 의의가 있다.

라. 상완 둘레

상완 둘레midarm circumference (MAC)는 근육질량을 추정하는데 사용되며, 근육질량의 크기는 체단백 측정지표가 되므로 환자의 체단백질 결핍 판정 시 사용된다.

상완근육둘레midarm muscle circumference (MAMC) = MAC (cm) − π X TSF (cm)
MAC=midarm circumference,
TSF=triceps skinfold thickness

(4) 생화학적 측정

가. 내장단백

혈청단백 중 간에서 합성되는 단백을 측정하는 것으로, 전통적으로 영양실조의 지표로 사용되어 왔으며 이 중 음성 급성기단백은 알부민(반감기 20일), 트란스페린(반감기 8–10일), 프리알부민(반감기 2일) 및 레티놀 결합단백(반감기 12시간) 등이 있으며 급만성 질환 시 감소되고, 양성 급성기단백인 C–반응성 단백은 증가되므로, 반감기에 따라 급성 및 만성 영양상태 변화에 이용된다.

나. 크레아티닌-신장 지수

크레아티닌creatinine은 식이와 근육의 단백 크레아티닌의 최종 대사물질로 비교적 일정하게 소변으로 배설되므로 체단백 측정에 사용되나 검사가 복잡하여 실제 임상에서는 잘 이용되지 않는다.

다. 면역능 검사

영양실조는 면역억제와 관련이 있으므로 영양실조 시 면역능을 검사하여야 하며 총림프구수와 지연성 과민반응 검사가 있다.

(5) 체성분 검사

인체를 구성하는 성분을 정확히 검사하면 영양평가의 정확성을 기할 수 있으며 Hydrodensitometry, Dual–energy X–ray absorptiometry, CT, MRI, Total body potassium counting, Neutron activation analysis 및 Isotope dilution technique 등의 방법이 있다.

(6) 영양실조의 진단과 예후평가

영양평가에는 위와 같이 여러 가지 지표들이 이용되나, 이러한 지표들 중 하나 또는 고정된 조합으로 환자의 영양 상태를 정확히 평가하는 데는 부정확하다 할 수 있으므로 환자의 영양상태 평가와 함께 환자의 스트레스 정도 및 질환의 자연 경과 등을 함께 이해하여야 영양지원이 필요한 환자를 알아낼 수 있다. 영양실조의 진단에도 여러 가지 분류가 있으며 대부분은 경도, 중등도 및 고도로 판정되는 분류를 사용하나, 다른 방법으로 열량은 부족하지 않으나 단백이 부족한 급성 영양실조인 단백열량 부족증kwashiorkor과 열량과 단백이 모두 부족한 만성 영양실조인 영양소모증marasmus으로 분류하기도 하지만 실제 임상에서는 두 가지의 혼합형이 많으므로 잘 사용되지 않는다. 또한 여러 가지 지표를 이용하여 환자의 예후를 예견하는 지수들이 보고되었으며, 그 중 대표적인 것이 예후영양지수Prognostic Nutritional Index (PNI)이다.

(7) 영양지원의 시기

영양평가를 시행하여 정상 혹은 경도의 영양실조가 있고 스트레스 정도가 낮으며 금식이 약 7일 이내로 예상되면 특별한 영양지원을 하지 않아도 환자가 견딜 수 있으나, 7–14일 이상의 금식이 예상되면 영양지원을 시작하여야 한다. 영양평가 결과 중등도 이상의 영양실조가 있다고 판정되면 환자에 맞는 특별한 영양지원을 즉시 시작하여야 한다.

3. 영양지원의 목표와 영양요구량

1) 영양지원의 목표

영양지원의 궁극적인 목표는 임상결과를 향상시키는데 있으며, 이를 달성하기 위해서 두 가지의 다른 이론적 근거를 기초로 한다. 하나는 기아에 의한 합병증(감염, 사망 등)을 예방하기 위한 것이며, 다른 하나는 특별한 질환의 과정에서 이 질환과 관련된 영양적 혹은 대사적 결핍을 교정해 줌으로써 임상결과를 좋게 하는 것이다. 그러므로 영양지원은 대사과다 환자에서는 체중감소와 체단백 분해 정도를 줄이고, 먹지 못하는 환자에서는 체중과 지방 뺀체중lean body mass을 유지하며, 영양실조 환자에서는 체중증가와 동화작용을 달성하는 것이다.

2) 영양 요구량

인체는 매일 다량영양소macronutrient(탄수화물, 단백 및 지방)와 소량영양소micronutrient(비타민 및 미량원소)를 수분과 함께 지원받아야 하며, 다량영양소는 인체에 필요한 에너지, 구조 및 기능을 담당하며 소량영양소는 세포, 대사 및 구조성분의 조절에 필수적이다. 영양 요구량은 나이, 성별 및 키에 따라 달라지며 그 외 질병상태에 따라 달라진다.

(1) 에너지와 단백지원의 중요성

수술 등의 스트레스 환자에서 에너지 소비량을 외부에서 충족시켜 주는 궁극적인 목적은 체내의 구조 단백이나 기능성 단백이 연료로 사용되는 것을 최소화하는데 있다. 즉 영양지원에 있어서 적절한 칼로리의 지원 없이 아미노산을 투여하면 아미노산이 단백질 합성에 이용되지 못하고 칼로리원으로 소모되므로 이를 예방하는데 있다. 일반적으로 비단백 칼로리 대 질소 비율을 100-150:1 정도의 비율로 지원해야 열량원은 칼로리로 쓰이며 단백은 단백합성으로 이용되는데, 이는 질소 1g(단백질로는 6.25g)을 투여할 때 100-150Kcal를 포도당이나 지방으로 지원한다는 뜻이고 간부전(200:1), 신부전(300-400:1) 및 패혈증(80-100:1) 등 상황에 따라서 다른 비율로 적용되어야 한다.

(2) 에너지 요구량 구성요소

인체가 소모하는 에너지는 칼로리로 측정되며 여러 가지 구성요소로 이루어져 있다. 기초대사율Basal Metabolic Rate (BMR)은 인체가 12시간 이상 금식 및 휴식 시에 정상적인 기능을 수행하는데 필요한 에너지를 말하며, 이는 휴식은 하되 금식하지 않는 안정대사율Resting Energy Expenditure (REE)과 혼용되나 엄격하게 말하면 다르며 REE가 BMR보다 약 10% 높다. 식품의 열효율thermal effect of food은 영양소의 소화, 흡수 및 저장에 필요한 에너지를 말하며 전체 에너지의 약 10%를 차지한다. 그 외에도 소변과 대변으로 소실되는 에너지, 인체의 활동에 필요한 에너지, 새로운 조직 생성에 소모되는 에너지(일반적으로 체중 1Kg 당 5Kcal), 비정상적 혹은 스트레스 상태에서 이를 극복하기 위해 사용되는 에너지 등이 인체가 소모하는 에너지이며, 이상의 모든 구성요소를 합쳐 총 에너지 요구량Total Energy Expenditure (TEE)이라 한다.

(3) 에너지 요구량을 구하는 방법

가. 간접열량측정기를 이용하는 방법

간접열량측정기indirect calorimetry는 호흡가스교환에서 소비되는 산소량과 생성되는 이산화탄소량을 측정함으로써 비교적 정확한 에너지 소비량을 구할 수 있으며, 특히 중환자에서 유용하게 사용되나, 이 측정법은 안정대사율 측정이므로 총에너지요구량 측정을 위해서는 적절한 활동인자를 적용하여야 하며 값 비싼 장비 및 인력 등이 필요하므로 우리나라 실정에는 비효율적이라 할 수 있다.

나. Harris-Benedict 공식

사람의 에너지 요구량은 체중, 키 및 나이에 따라 다르며 이것을 공식화하여 보고한 이 후 현재까지 임상에서 유용하게 이용되고 있다. 이 공식은 건강한 성인을 대상으로 한 것이며 기초대사량Basal Energy Expenditure (BEE) 측정이므로 총 에너지 요구량을 계산하기 위해서는 활동인자와 스트레스 인자를 보정해 주어야 한다(표 6-5). 남자와 여자에서 각각 구하는 공식은 다음과 같다.

BEE(남자)=66.47+13.75(W)+5.0(H)-6.76(A) 칼로리/일
BEE(여자)=655.1+9.56(W)+1.85(H)-4.68(A) 칼로리/일
W=체중(Kg), H=키(cm), A=나이(년)

표 6-5. 총 에너지 소모량 산정을 위한 활동인자와 손상인자

활동정도	활동인자	손상정도		손상인자
병상에 누워 지냄	1.2	수술	소수술	1.1
			대수술	1.2
		감염	경증	1.2
			중증	1.4
보행가능	1.3	외상	골절외상	1.3
			복합외상	1.4
		화상	체표면적 40%	1.5
			체표면적 100%	2.0

외상이나 패혈증 후에는 에너지 요구가 증가되어 계산된 에너지 소모보다 훨씬 더 큰 비단백 칼로리를 필요로 하는데, 보통 수상 정도에 따라 계산된 칼로리보다 1.2-2.0배의 비단백 칼로리를 부가적으로 지원하여야 하며, 그 이상 지원하는 것은 적절하지 않다.

다. 기타

그 외 Ireton-Jones 공식 등이 임상에서 이용되고 있으며, 통상적으로 단순하게 스트레스의 정도에 따라 하루 체중 1kg 당 25-30Kcal를 공급하는 방법도 많이 이용되고 있다.

(4) 에너지원

에너지 요구량 중에서 단백으로 공급되는 칼로리를 제외한 칼로리는 주로 탄수화물과 지방으로 공급된다. 탄수화물은 여러 가지 종류가 있으나 정맥영양시는 포도당을, 경장영양시는 전분 및 포도당 중합체를 많이 사용한다. 하루 7mg/kg(평균 5mg/kg/min)가 초과되지 않게 공급하여야 한다. 모든 칼로리 요구량을 포도당으로만 공급한다면 고혈당, 고 삼투압성 혼수, 삼투성 이뇨, 간 효소치의 상승, 그리고 필수 지방산 결핍증 등의 심각한 부작용을 초래한다.

지방은 에너지가 풍부하며, 지용성 비타민의 흡수를 촉진하며, 세포막과 호르몬의 중요 성분이다. 지방은 포화 및 불포화(단일 및 고도) 지방산, 인지질 및 콜레스테롤로 구성되며, 이중 오메가-3 및 오메가-6 불포화 지방산이 필수 지방산이며 체내에서 합성되지 않으므로 전체 필요 칼로리의 1-2%를 외부에서 공급해 주어야 필수 지방산 결핍증을 방지할 수 있다. 지방은 2.5mg/kg/day를 초과하지 않게 공급하여야 한다. 과다한 지방 공급 역시 문제를 일으킬 수 있으며, 저산소증, 호중구 기능 부전, 그리고 대식세포의 탐식능 저하 등 면역능의 저하를 가중시키게 되므로 비단백 칼로리는 탄수화물과 지방을 함께 지원하는 것이 좋다.

영양지원 시 탄수화물과 지방의 비율은 정맥영양에는 비단백 칼로리의 70-85%는 탄수화물, 15-30%는 지방유제로 지원하며, 경장영양에는 비단백 칼로리의 65-80%는 탄수화물로, 20-35%는 지방으로 지원하는 것이 일반적인 권장사항이지만 환자의 스트레스 상태에 따라 비율을 조정하여 주는 것이 좋다.

(5) 단백 요구량

영양 권장량에 따르면 단백 요구량은 정상 성인에서는 0.8g/kg/day이며 스트레스 정도에 따라 1.2-2.0g/kg/day까지 증가되며, 단백 요구량의 25-30%는 필수아미노산으로 지원하여야 한다(표 6-6). 그러나 신부전 및 말기 간질환 환자에서는 단백 공급을 제한하여야 한다. 최근 글루타민glutamin과 아르지닌arginine 같은 특별한 아미노산 등이 개발되어 특수한 임상 상황에서 사용되고 있다.

(6) 수분 요구량

성인에서 수분요구량은 보통 25-35mL/kg/day 혹은 에너지 소비 1Kcal 당 1-1.5mL이다. 그러나 환자마다 섭취량과 배설량 및 불감상실량을 계산하여 공급하여야 한다.

(7) 전해질 요구량

건강한 성인의 하루 전해질 요구량은 다음과 같다(표 6-7).

표 6-6. 영양목표

	정상 또는 중증도 영양실조	약한 스트레스	중간 스트레스	심한 스트레스
비단백 칼로리:질소 비율	150:1	150:1	120:1	90-120:1
아미노산(g/kg/day)	1.0	1.2	1.5	2.0
칼로리(Kcal/kg/day)	25-30	25-30	30	30-35

표 6-7. 성인에서 경장 및 정맥영양 시 전해질의 하루 필요량

	경장영양	정맥영양
나트륨	500mg(22mEq)	1-2mEq/kg
칼륨	2g(51mEq)	1-2mEq/kg
염소	750mg(21mEq)	산-염기 평형유지에 필요한 양
아세트산염	-	산-염기 평형유지에 필요한 양
칼슘	1200mg(60mEq)	10-15mEq
마그네슘	420mg(35mEq)	8-20mEq
인	700mg(23mmol)	20-40mmol

(8) 비타민 및 무기질 요구량

비타민 및 무기질 요구량은 경장영양 시는 영양 권장량을, 정맥영양 시는 FDA 권장량을 따른다. 술 후 합병증이 없는 보통 환자에서는 비타민과 필수 미량원소의 요구량은 쉽게 충족될 수 있다. 그러므로 수술 전 결핍이 없으면 비타민은 반드시 공급하지 않아도 된다. 그러나 성분영양식elemental diet 혹은 정맥영양에 의존하는 환자들은 가능한 최대의 비타민과 무기질 공급을 필요로 한다. 일반적으로 상업성 경장영양식에는 다양한 양의 필수 무기질과 비타민을 함유하므로 식이 또는 보충투여에 의해 충분히 대치될 수 있다. 또한 많은 비타민 제제들이 정맥 혹은 근육주사로 이용할 수 있으나, 이들 중 일부는 비타민 K, 비타민 B12, 엽산 등을 포함하고 있지 않다. 정맥 보충용 필수 무기질 제품들도 이용이 가능하다.

3) 과영양

과영양overfeeding은 수액이 과잉 공급된 중환자나 비만 환자에서 기초에너지 요구량을 계산할 때 실제 몸무게를 사용하여 에너지 요구량을 과대평가함으로써 발생하게 된다. 또한 에너지 요구량을 계산하기 위해 간접열량계를 사용할 때 호흡기가 부착된 중환자에서는 기초에너지 요구량이 10-15% 과잉 계산되기도 한다. 이러한 경우에는 손상 전 기록이나 가족들로부터 평소 체중을 알아내어 사용하는 것이 좋다. 과영양은 산소 소모량 증가, 이산화탄소 생산의 증가, 호흡기 부착 기간의 연장, 지방간, 백혈구 기능 억제, 고혈당 및 감염의 위험을 증가시키므로 환자의 임상경과를 악화시킨다.

4. 영양지원방법

영양지원이 결정되고 영양요구량이 결정되면 어떤 경로로 지원할 것인지 결정하여야 하며, 영양지원 경로에는 경장영양 및 정맥영양의 두 가지 방법이 있다. 일반적으로 장기능이 있는 경우 경구섭취가 가능하면 경구로, 경구섭취가 불가능하면 경관급식을, 장기능이 없는 경우 정맥영양을 시행하는데 예상 기간이 7일 이내인 경우에는 말초정맥을, 7-14일 이상인 경우는 중심정맥을 통한 정맥영양 지원을 시행하게 된다.

5. 경장영양

1) 경장영양의 이론적인 근거

경장영양enteral nutrition은 일반적으로 정맥영양parenteral nutrition보다 선호되는데, 이는 저비용과 정맥접근과 관련된 위험 요인들 때문이다. 그러나 더 중요한 고려사항은 위장관을 사용하지 않았을 때 나타날 수 있는 결과들이며, 여기에는 분비성 IgA 생산 및 사이토카인 생산의 감소, 세균의 과도증식, 점막 방어 기전의 변화가 포함된다. 여러 실험모델에서 경장영양지원 시 정맥영양 혹은 영양지원을 하지 않는 것에 비해 장점막 위축을 감소시킨다는 것이 증명되었다.

예정된 수술을 받는 환자들에 있어 경장영양의 이점은 수술 전 영양 상태와 연관을 보인다. 위장관 수술 환자의 술 후 경장 및 정맥영양을 비교한 연구에서 경장영양시 감염성 합병증과 급성기 단백 생산의 감소를 입증하였다. 그러나 충분한 영양상태(알부민>4g/dL)의 위장관 수술 환자들의 전향적 무작위시험에서는 수술 후 경장영양을 받은 환자와 정맥 수액요법을 받은 환자에서 임상결과와 합병증에서 차이를 보이지 않았다. 중환자 또는 손상 환자에서 경장영양의 이점들이 더욱더 명확하다. 중환자를 포함하는 메타분석 연구에서는 정맥영양을 받은 환자에 비해 경장영양을 받은 환자에서 감염성 합병증이 44% 감소함을 보여주었다. 심한 복부 및 흉부 외상 환자에서의 전향적 무작위시험 연구를 보면 음식을 공급받지 못하거나 정맥영양을 시행 받은 환자들에 비해 조기경장영양을 시행한 환자들에서 감염성 합병증이 뚜렷이 감소하는 것을 보여주고 있다. 중환자에서도 조기경장영양이 소장에서 탄수화물 흡수의 향상, 인공호흡기 사용 기간의 단축 및 집중치료 기간의 단축을 증명되었다.

요약하면 경장영양이 외상, 화상, 대수술 및 급성 췌장염 등 대부분의 중환자에서 더 선호되고 있으며, 혈역학적으로 안정되고 장기능이 있는 중환자에서 조기경장영양이 표준치료로 권고되고 있다. 영양실조가 없는 건강한 환자에서는 술 후 약 10일까지 수액요법만 시행하는 부분금식으로도 심각한 단백질 분해대사 없이 견딜 수 있으나, 수술 전 영양실조가 확인된 환자에서는 조기에 영양지원이 이루어져야 한다.

경장영양의 시작은 적절한 소생resuscitation 후에 바로 시작되어야 한다. 장음의 여부와 가스나 대변의 배설은 경장영양 시작의 절대적인 필수조건이 아니며, 위마비가 있는 경우는 유문 후방으로 영양공급을 하여야 한다. 투여 후 4-6시간 내 200mL 이상의 위잔류가 있거나 복부팽만이 있는 경우는 투여를 중단하거나 투여 속도를 조절하여야 한다. 또한 위마비가 있는 폐쇄성 두부 손상 환자와 같은 특별한 환자에서는 소장경관급식과 동시에 위감압을 시행하는 것이 좋다. 장절제 환자 혹은 하루 500mL 이하의 저배출 장피누공 환자에서는 경장영양 시행을 보류하는 것에 대한 증거는 없으며, 실제 최근 연구에 따르면 위장관 수술 24시간 내에 조기경장급식은 문합부위누출에 미치는 영향이 없음을 보여주었다. 또한 짧은 창자증후군이나 흡수장애가 있는 환자에서도 경장영양이 제공되어야 하며, 이때는 정맥을 통하여 필요한 칼로리, 필수 무기질 및 비타민 등이 보충되어야 한다.

2) 저열량 경장영양

중환자 또는 손상 환자에서는 대사과다로 인하여 안정에너지요구량(REE)이 증가되어 있다. 에너지 요구량을 예측하는 여러 가지 방법이 있지만 중환자에서 25-30Kcal/kg 정도의 칼로리량이 권고되고 있다. 칼로리 공급의 목표는 환자의 에너지 요구량에 맞춰 공급함으로써 지방뺀 체중의 소실을 예방하는 것이다. 그러나 최근에는 칼로리 제한caloric restriction의 개념이 대두되고 있다. 칼로리 제한의 배경에는 미토콘드리아 자유라디칼 생성mitochondrial free radical generation, 형질막 산화환원계plasma membrane redox system 및 인슐린감수성insulin sensitivity 등의 개념에서 세포 기능이 호전되는 이점이 있다는 것이다. 단일 기관, 무작위시험에서 중환자에게 저열량 영양공급이 목표열량을 공급하는 것에 비해 사망률 및 이환율이 낮다고 보고하였으나, 다기관 연구의 부족으로 현재의 지침은 이를 권고하고 있지 않다.

3) 경장영양액

중환자에 있어 경장영양액의 결정에는 여러 가지 인자들이 관여하나 환자에게 가장 적합한 것이 무엇인가라는 임상적 판단이 중요하다. 또한 위장관의 기능 상태가 사용될 경장영양액의 종류를 결정하게 된다. 손상이 없는 완전한 위장관 기능을 가진 환자는 복합 용액을 소화시킬 수 있으나, 장기간 위장관을 통한 급식을 받지 않던 환자는 복합 탄수화물에 내성이 적다. 표준 경장영양액을 소화시키지 못하는 환자들에게는 펩타이드와 중간사슬중성지방으로 구성된 영양액의 사용으로 위장관 불내성을 감소시킬 수 있다. 염증성 장질환이나 짧은창자증후군과 같은 흡수장애를 가진 환자에서는 가수분해된 단백식으로 흡수를 향상시킬 수 있다. 경장영양액에 수용성 섬유질을 추가함으로써 설사로 고생하는 환자들에게 도움을 줄 수도 있다.

경장영양액 선택에 영향을 미치는 다른 요소에는 장기의 기능장애 정도(신장, 폐, 간 혹은 위장관), 최적의 기능과 치유에 필요한 영양소 및 제품의 비용도 포함된다. 대부분 영양지원위원회에서는 각 병원에서 가장 흔하게 접하는 질병에 대한 비용 효과가 큰 경장영양액을 개발해 사용하고 있다.

수술과 외상은 면역계에 영향을 미쳐 상당한 염증반응을 유발한다. 면역영양치료immunonutrition로 일컬어지는 면역조절영양소immune-modulating nutrients의 공급은 면역반응을 지원하여 감염 위험을 낮추기 위한 방법 중 하나이다. 현재 글루타민, 아르지닌 및 오메가-3 지방산이 많이 연구되고 있다.

(1) 면역영양제

가. 글루타민

글루타민은 인체에서 가장 풍부한 아미노산이며, 세포 내 유리 아미노산의 약 2/3를 차지한다. 이 중 75%는 골격근 내에 분포한다. 건강한 사람에서 글루타민은 골격근과 폐에서 합성되므로 비 필수 아미노산으로 여겨진다. 글루타민은 세포분열시 뉴클레오티드의 합성을 위한 필수적인 물질이고 장세포를 위한 주연료로 공급된다. 또한 림프구와 대식세포와 같은 면역세포를 위한 중요한 연료이며, 세포 내 항산화제인 글루타티온glutathione의 전구물질이기도 하다. 패혈증과 같은 스트레스 상황 또는 암환자에서 말초 글루타민 저장량은 급격히 감소되며, 우선적으로 내장 장기나 종양을 위한 연료로 전환된다. 이러한 상황은 클루타민이 결핍된 환경을 조성하며 결과적으로 장세포나 면역세포를 기아상태로 만든다. 패혈증에서 글루타민 공급이 면역세포와 장세포의 기능을 보존하고 질소균형을 맞춰줄 수 있다고 하나, 그 임상결과는 환자의 상황에 따라 많이 달라진다.

나. 아르지닌

아르지닌 역시 건강한 사람에서는 필수 아미노산은 아니지만 동물실험에서 면역증강, 상처치유, 생존증가를 보이고 있다. 심한 스트레스 상황에서 아르지닌을 보충하여 주었을 때의 이득은 다양하다. 중환자와 악성종양으로 수술을 받은 환자들의 임상실험에서 아르지닌의 경구투여는 질소저류와 단백질 합성을 유도하는 것으로 나타났다. 몇몇 연구에서는 면역세포의 기능 향상도 보고하였다. 하지만 아르지닌의 임상적 효용은 아직 연구 중에 있다.

다. 오메가-3 지방산

오메가-3 불포화지방산(카놀라유 또는 어유)은 세포막에서 오메가-6 지방산을 대치함으로써, 이론적으로는 프로스타글란딘 생산으로 발생하는 염증반응을 감소시킨다. 따라서 오메가-6 대 오메가-3 지방산의 비율을 감소시키는데 많은 관심을 기울이고 있다.

(2) 저잔류 등장 영양액

대부분 1.0Kcal/mL의 칼로리 농도를 가지며, 일일 요구량을 충족시키기 위해서는 약 1,500-1,800mL가 필요하다. 기본적인 탄수화물, 단백, 전해질, 물, 지방 및 지용성 비타민을 제공하며 비 단백 칼로리 대 질소 비율이 150:1로 표준이다. 이 용액은 섬유질을 포함하지 않아 최소한의 잔류물을 남기며, 대개 정상적인 위장관 기능을 가진 안정적인 환자에서 표준 영양액 또는 처음 사용되는 영양액으로 고려된다.

(3) 섬유질 함유 등장 영양액

이 영양액은 주로 두유에서 만들어진 수용성 및 불수용성 섬유질을 포함한다. 생리적으로, 섬유질이 포함된 영양액은 포함되지 않은 영양액에 비해 장 통과 시간을 지연시키고 설사의 빈도를 감소시킨다. 섬유질은 췌장 지질분해효소 활동을 자극시키고, 장내 세균에 의해 짧은 사슬 지방산으로 분해되어 대장세포의 주 연료로 사용된다. 최근 백혈구에서 짧은 사슬 지방산 수용체들의 발현이 보고되었는데, 이는 대장의 미생물군집microbiome에 의한 섬유질의 발효가 간접적으로 면역세포기능을 조절하는 것을 시사한다.

(4) 면역강화 영양액

면역강화 영양액은 면역장기 또는 고형장기의 기능을 증가시키는 목적의 특이 영양소(글루타민, 아르지닌, 오메가-3 지방산, 뉴클레오티드 등)로 강화된 영양액이다. 몇몇 연구들에서, 이들 물질 중 하나 또는 여러 가지가 첨가된 영양액이 수술 합병증을 줄이고 임상결과를 향상시킨다고 제안하고 있지만, 다른 연구들에서는 동일한 결과를 보이고 있지 않다.

(5) 칼로리 농축 영양액

이 영양액이 표준영양액과 다른 점은 같은 용량에서 더 많은 칼로리를 가진다는 것이다. 대부분 이런 종류의 상품은 1.5-2kcal/mL를 제공하므로, 수액의 제한이 필요한 환자들에서 사용된다. 또한, 이러한 영양액은 표준영양액보다 더 높은 삼투압을 가지므로 위 내 급식에 적합하다.

(6) 고단백 영양액

등장 영양액과 비등장 영양액의 혼합으로 만들어지며 고단백이 요구되는 중환자나 외상환자에서 사용이 제안되고, 비 단백 칼로리 대 질소 비율이 80-120:1이다.

(7) 성분 영양액

성분 영양액은 소화하기 쉽게 가공된 영양소들을 포함하며 작은 펩타이드 형태의 단백질을 제공한다. 복합 탄수화물은 제한되며, 지방 함유량은 중간 사슬 중성지방 및 긴 사슬 중성지방의 형태로 소량 공급된다. 성분영양액의 장점은 흡수가 쉽다는 것이지만, 지방과 연관된 비타민 및 미량원소가 부족하여 일차 영양소 공급원으로 장기간 사용은 제한된다. 삼투압이 높아 중환자에서는 희석시키거나 천천히 투여하는 것이 필요하다. 이 영양액은 주로 흡수장애, 장기능 장애 및 췌장염환자에서 사용되어 왔으나, 표준영양액에 비해 가격이 비싸다.

(8) 신부전 영양액

신부전 영양액의 이점은 일일 칼로리 요구량에 맞는 낮은 수액량 및 칼륨, 인, 마그네슘 농도이다. 이 영양액은 거의 필수 아미노산 만을 포함하며, 높은 비단백 칼로리 대 질소 비율을 가지고 있다. 하지만 미량원소나 비타민은 포함하고 있지 않다.

(9) 폐부전 영양액

폐부전 영양액은 탄수화물 성분의 감소에 상응하여, 지방 함유량이 전체 칼로리의 50%까지 증가되어 있으며, 폐부전 환자에서 이산화탄소 발생을 감소시켜 호흡 부담을 경감시키는 것이 목적이다.

(10) 간부전 영양액

간부전 영양액에서 단백질의 약 50%는 분지사슬 아미노산이다(류신, 이소류신, 발린). 이 영양액의 목표는 방향성 아미노산을 감소시키고 분지사슬 아미노산을 증가시켜 간부전 환자에서 뇌병증을 반전시키는 것이다. 그러나 임상연구에서 유효성이 증명되지 않았기 때문에 사용에는 논란이 있다. 말기 간질환 환자에서 단백섭취 제한을 피해야 하는데, 이는 이러한 환자들은 이환율과 사망률을 증가시킬 수 있는 심각한 단백-에너지 영양실조가 있기 때문이다.

4) 경장영양 지원을 위한 접근법

경장영양을 위해 장 접근에 여러 가지 방법들이 있다.

(1) 코장 영양관

코위 경관급식nasogastric feeding은 흡인의 위험을 최소화하기 위해 의식이 있고 후두반사가 있는 환자에게서 사용되어야 한다. 코공장 경관급식nasojejunal feeding은 폐렴을 포함한 폐합병증은 적으나 유문을 통과시키는데 많은 노력이 필요하다. 코위관 삽입 시 눈가림방법으로 어림집아 하게 되면 위치선정이 잘못될 수 있고, 공기주입 및 청진으로도 적절한 위치 확인이 부정확하므로 방사선적 확인이 항상 필요하다. 코장관을 소장으로 잘 통과시키기 위하여 위장운동촉진제 사용, 오른쪽 옆으로 누운 자세, 위통기법, 관굽힘 및 시계방향 회전 등 여러 가지 방법이 사용되나, 성공률은 20% 미만으로 낮다. 투시검사 유도하 유문통과 삽관 성공률은 90% 이상이며 이 중 절반 이상에서 공장에 위치하게 된다. 내시경 유도하 유문통과 삽관도 높은 성공률을 보이지만, 표준 위십이지장경을 사용하여 급식관을 십이지장 제2부 아래로 넘기는 것은 성공적이지 못하다. 소장경관급식은 코위관 경관급식 보다 영양액 운반을 더 신뢰할 수 있으며, 흡인성 폐렴의 위험도도 코위관 경관급식보다 25% 감소시킬 수 있다. 코장경관급식의 단점은 관막힘, 관꼬임, 부주의로 인한 관이탈 및 관제거 등이 있다. 또한, 30일 이상 코장경관급식이 필요할 때는 경피적 경로로 전환시켜야 한다.

(2) 경피적 내시경 위조루술

경피적 내시경 위조루술Percutaneous Endoscopic Gastrostomy (PEG)의 가장 흔한 적응증은 연하장애, 입인두 혹은 식도폐쇄증 및 심한 얼굴 외상 등이며, 이 외 칼로리 보충, 수액공급 혹은 빈번한 약물 투여를 필요로 하는 쇠약한 환자에서도 흔히 사용된다. 또한, 수동적 위감압이 필요한 환자에게도 사용된다. PEG의 상대적 금기증은 복수, 응고장애, 위정맥류, 위종양 및 복벽에 관을 넣을 적당한 장소가 없는 사람들이다. 대부분 관의 크기는 18-28F이며 12-24개월까지 사용 가능하다. PEG관 설치 후 수 시간 내에 사용해도 된다는 많은 보고가 있으나, 위가 복막에 유착되는 시간을 위해 사용 전 24시간 동안 배액주머니에 PEG관을 연결해서 수동적 감압을 시키는 것이 관행이다. 만약 내시경이 가능하지 않거나 PEG설치에 기술적인 문제가 있다면 우선 코위관으로 위에 공기를 주입한 후 투시경 유도 하에 중재적 방사선 시술로 시도해 볼 수 있다. 만약 이것 또한 성공적이지 못하다면 최소침습법으로 수술적 위조루술을 고려할 수 있으며, 수술을 계획할 경우 영양지원을 위해 소장에 직접 연결하는 것을 고려하는 것이 바람직하다. 비록 PEG관이 영양소 운반을 증가시키고, 간호를 용이하게 하고, 코위관에 비해 우수하지만, 환자 중 3%에서 상처감염, 괴사성근막염, 복막염, 흡인, 누출, 관이탈, 장천공, 장누공, 출혈 및 흡인성 폐렴과 같은 심각한 합병증이 유발될 수 있다. 또한, 심각한 위마비나 위출구 폐쇄가 있는 환자에서는 PEG관을 통한 급식은 위험하며, 이때는 PEG관은 감압을 위해 사용하고 PEG관을 통해 유문 후 급식을 하는 방법으로 전환시켜야 한다.

(3) 경피적 내시경 위조루-공장조루술과 직접 경피적 내시경 공장조루술

급속주입 위급식gastric bolus feeding이 더 생리적이지만, 급속주입을 견딜 수 없거나 흡인 위험이 큰 환자는 유문 후 급식이 시행되어야 하며 이에는 경피적 내시경 위조루-공장조루술Percutaneous Endoscopic Gastrostomy-Jejunostomy (PEG-J) 및 집접 경피적 내시경 공장조루술Direct Percutaneous Endoscopic Jejunostomy (DPEJ)이 있다. PEG-J 방법은 9-12F 크기의 관을 원래 있던 PEG관을 통해 유문을 지나 십이지장으로 통과시키며, 이때 내시경이나 투시검사 유도 하에 시행된다. 장기간 사용 시 PEG-J관의 기능장애(관의 위역행, 관꼬임, 관막힘)가 50% 이상 되는 것으로 보고되고 있다. DPEJ 방법은 PEG관 설치와 같은 기술을 사용하나, 공장까지 도달할 수 있는 장내시경이 필요하다. DPEJ관 기능장애는 PEG-J관 기능장애보다 적으며 꼬임이나 막힘은 더 큰 직경의 카테터로 바꾸면 대부분 막을 수 있다. 적당한 공장 위치를 찾는 데에 복잡한 내시경 기술이 필요하기 때문에 DPEJ관 설치 성공률은 다양하다. 내시경적 방법이 가능하지 않으면, 수술적 공장조루술이 더 적절하다.

(4) 수술적 위조루술과 공장조루술

복합적인 복부 혹은 외상 수술을 시행하는 환자에게는 개복 시 위나 소장에 직접적인 접근이 가능하므로, 수술 중에 수술 후 영양지원을 위한 경로를 생각해야 한다. 급식용 공장조루술의 절대적 금기는 하부 장폐쇄 뿐이며, 상대적 금기는 심한 장부종, 방사선 장염, 염증성 장질환, 복수, 중증 면역결핍증 및 장허혈 등이 있다. 복부팽만과 경련이 조기 경장영양의 흔한 부작용이며, 그 외 경장영양 불내성의 결과로 호흡기능장애가 보고되었으나 일시적 급식중단 후 낮은 속도로 재개하면 대부분 교정된다. 창자벽 공기낭증pneumatosis intestinalis과 소장괴사는 흔한 것은 아니지만, 공장경관급식을 받는 환자에서는 심각한 문제이며 경장영양액의 고삼투압, 세균 과도증식, 발효 및 대사분해산물의 축적 등의 요인이 제시되고 있다. 잘 알려진 병태생리는 장팽만과 이에 따른 장관벽관류 감소로 생각되며, 위험요인으로는 심장성 및 순환성 쇼크, 혈압 상승제 사용, 당뇨 및 만성폐쇄성폐질환 등이 있다. 그러므로 중환자에서 경장영양은 적절한 소생이 이루어지고 난 다음에 시행되어야 하며, 대안으로는 표준경장영양액을 희석하거나, 목표한 투여속도까지 천천히 진행시키거나, 위장관에서 소화가 덜 필요한 저삼투성 단량체 영양액 등이 성공적으로 사용되어 왔다.

6. 정맥영양

정맥영양parenteral nutrition은 탄수화물, 단백질, 지방 및 다른 필요 영양소를 함유한 고삼투압의 영양액을 끝이 하대정맥에 삽입된 카테터를 통해 지속적으로 주입하는 것이다. 최대의 효용성을 얻기 위해서는 칼로리와 단백질 비율이 적절하여야 하며(질소 1g 당 100-150kcal), 탄수화물과 단백질이 동시에 주입되어야 한다. 칼로리 원과 단백 원을 다른 시간에 주입하면 질소 이용이 상당히 감소하게 된다. 정맥영양은 기초 칼로리와 질소 요구량보다 더 많이 줄 수도 있고, 또한 여러 가지 임상적 상황에서 성장과 발달, 양성 질소평형 및 체중증가에 매우 성공적이라고 증명되었다. 수술 전후 정맥영양에 관한 임상시험과 메타분석의 결과를 보면 중등도 이상의 영양실조를 가진 외과 환자에서 수술 전 영양지원이 유효하다고 보여주고 있다. 중환자에서 경장영양으로 대치할 수 있는 짧은 기간(7일 미만)에 정맥영양을 시행할 경우는 오히려 감염성 합병증이 높아질 수 있다. 심한 외상 후 정맥영양도 경장영양에 비해 감염위험의 빈도가 더 높다. 또한 여러 임상연구에서 장을 완전히 쉬게 하는 정맥영양은 항원자극에 대한 스트레스 호르몬과 염증성 매개 반응이 증가하는 것을 입증하였으나, 정맥영양이 영양지원을 전혀 하지 않는 경우보다는 낮은 감염성 합병증을 보였다. 암환자에서도 정맥영양은 임상반응, 생존률 연장 및 항암화학요법의 부작용 개선시키는데 이점을 보이지 않으며, 감염성 합병증은 증가시키는 것으로 보고되고 있다.

1) 정맥영양의 이론적 근거

정맥영양의 중요한 적응증은 영양실조, 패혈증, 수술 또는 심한 외상환자 들에서 급식의 방법으로 위장관을 이용할 수 없는 경우이며, 때로는 부적절한 경구섭취에 대한 보충제로도 사용된다. 심각한 영양실조를 가진 환자에서, 정맥영양은 질소평형을 빠르게 호전 시킬 수 있으며 이로서 면역기능을 증강시킬 수 있다. 수술 후 정맥영양의 일상적인 사용은 임상적 이점을 보이지 못하며, 오히려 합병증을 증가 시키는 것으로 보여진다. 정맥영양의 가장 기본적인 목표는 경장영양과 마찬가지로 환자에게 충분한 칼로리와 단백을 공급함으로써 조직재생을 촉진시키고 지방뺀체중의 보존 및 성장을 유지하는데 있다. 정맥영양의 적응 환자로는 ① 아주 심한 위장관 기형을 가진 신생아(기관지식도루, 복벽파열증, 배꼽탈장, 심한 장폐쇄증), ② 장기능 부전으로 자라지 못하는 유아(짧은창자증후군, 흡수장애, 효소결핍, 태변장폐쇄증, 특발성 설사), ③ 성인에서 광범위 소장절제로 인한 짧은창자증후군(결장 혹은 돌막창자판막이 없는 경우 100cm 미만 또는 결장 혹은 돌막창자판막이 있는 경우 50cm 미만), ④ 내장루, 장결장루, 장방광루, 혹은 하루 500mL 이상의 고배출량을 가진 장피루 환자, ⑤ 수술(7-10일 이상), 다발성 손상, 복부외상 후 장기간 마비성 장폐쇄가 있는 환자, ⑥ 장길이는 정상이나 스프루, 저단백혈증, 효소 또는 췌장기능저하, 국소장염, 궤양성대장염 등으로 인해 2차로 흡수장애가 있는 환자, ⑦ 기능성 위장관질환자(뇌혈관 사고 후 발생한 식도운동이상증, 특발성 설사, 심인성 구토, 신경성 식욕부진), ⑧ 흡수장애가 있는 육아종대장염, 궤양성 대장염, 결핵성 장염 등, ⑨ 암환자에서 심한 영양실조로 성공적인 치료방법을 사용하지 못하는 경우, ⑩ 경관급식이 실패한 환자, ⑪ 5일 이상 과대사 상태인 중환자 또는 경장영양을 시행할 수 없는 환자 등이다. 정맥영양의 금기 환자는 ① 환자치료를 위한 특별한 목적이 없거나, 의미 있는 삶을 연장할 수 없는 죽음을 앞둔 환자, ② 혈역학적으로 불안정하거나 심한 대사성 장애(고혈당증, 질소혈증, 뇌병증, 고삼투질 상태, 수분 및 전해질 불균형)로 정맥영양 시행 전 이를 교정해야 하는 환자, ③ 경구섭취 혹은 경장영양이 가능한 환자, ④ 영양상태가 좋은 환자, ⑤ 소장의 길이가 8cm 미만으로 실제로 정맥영양을 장기간 시행하더라도 충분히 적응할 수 없는 유아, ⑥ 불가역적 뇌기능 소실된 환자 등이다.

2) 정맥영양의 종류

정맥영양지원에는 중심정맥영양과 말초정맥영양의 두 가지 방법이 있다.

(1) 중심정맥영양

중심정맥영양Total Parenteral Nutrition (TPN)은 환자에게 필요한 모든 영양소를 공급하기 위해 직경이 큰 정맥으로 접근이 필요하다. 포도당 농도가 높으며(15-20%), 모든 다량영양소와 소량영양소를 공급할 수 있다.

(2) 말초정맥영양

말초정맥영양Peripheral Parenteral Nutrition (PPN)은 말초정맥을 통해 이루어지는 정맥영양으로 저삼투압 용액을 (포도당 농도 5-10%, 단백질 농도 3%) 사용해야 하므로, 심한 영양실조 환자에서는 사용이 적절하지 않으며 대개 2주 이내의 단기간 사용을 원칙으로 하며, 중심정맥을 사용할 수 없거나 영양보충이 필요한 경우만 시행한다.

3) 정맥영양의 개시

정맥영양의 기본 용액에는 최종적으로 15-25%의 포도당과 3-5%의 아마노산이 포함된다. 용액은 항상 영양소의 성분용액과 전달 장치를 포함하는 용기에서 무균적으로 조제되어야 하며, 층류후드laminar flow hoods 하에서 조제함으로써 세균감염의 빈도를 줄일 수 있고, 반드시 적절한 질 관리를 통해 감염 합병증을 줄이는 것이 필수적이다.

전해질과 아미노산 공급 시 수분과 전해질 소실경로, 신기능, 대사율, 심기능 및 환자의 질환 상태를 고려하여야 한다. 비타민 결핍증을 예방하기 위하여 정맥용 비타민 제제를 추가하여야 하며 비타민 K는 상업적 정맥용 비타민 제제에 포함되지 않으므로 주당 보충하여야 한다. 장기간 지방유제 없이 정맥영양을 시행 시 필수 지방산 결핍증이 발생할 수 있으며, 임상적으로 건조 비늘성 피부염, 모탈락 등의 증상이 나타난다. 이를 예방하기 위해 전체 칼로리의 10-15%를 지방유제로 정기적으로 공급해야 한다. 또한, 장기간 정맥영양 시 필수 미량원소를 반드시 추가하여야 결핍증을 예방할 수 있으며, 상업제제들이 많이 출시되어 있다. 중요 미량원소 결핍증을 보면 아연결핍 시 습진 모양의 발진이, 구리 결핍 시 소적혈구 빈혈, 크롬결핍 시 당불내성이 발생하나 장기간의 정맥영양을 받는 환자를 제외하고는 드물게 발생하며, 이러한 문제들은 상업성 미량원소제제의 보충으로 미연에 방지할 수 있다.

수액과 질소 허용량에 관해서는, 일반적으로 정맥영양액을 2-3일에 걸쳐 서서히 증가시켜 목표한 주입량에 도달하게 한다. 인슐린은 당부하를 안전하게 하기 위해 추가

표 6-8. 성인에서 정맥영양지원 시 모니터링

지표	기본	중환자	일반환자
간기능, 칼슘, 마그네슘, 인	(+)	2-3회/주	1회/주
전해질, 혈액요소질소, 크레아티닌	(+)	매일	1-2회/주
혈청 중성지방	(+)	1회/주	1회/주
전체혈구계산	(+)	1회/주	1회/주
프로트롬빈시간, 부분트롬보플라스틴시간	(+)	1회/주	1회/주
혈당	3회/일	3회/일	3회/일
체중	(+)	매일	2-3회/주
섭취 배설량	매일	매일	매일
질소평형	필요 시	필요 시	필요 시
간접열량측정기	필요 시	필요 시	필요 시

로 보충시킬 수 있으며, 지속적으로 수액소실이 많은 환자에서는 추가적인 수분 및 전해질의 주입이 필요하다. 수분 및 전해질 이상, 산염기 불균형 및 패혈증 등의 합병증 발생에 대하여 주의 깊게 환자를 감시하여야 하고 활력징후, 소변 배출량 및 체중도 정기적으로 측정하여, 영양액의 용량과 성분을 조절하여야 한다(표 6-8).

소변 혹은 모세혈관 혈당치는 매 6시간마다 측정하고, 혈청 혈당치는 첫 수일간은 매일 측정하며 그 후는 적절한 간격으로 시행한다. 정맥영양 개시 후 첫 수일간은 상대적으로 당불내성이 올 수 있다. 고혈당 혹은 당뇨가 지속되면 용액 내 포도당 농도를 낮추거나, 주입속도를 줄이거나, 인슐린을 용액에 추가한다. 정맥영양 개시 후 발생하는 혈당수치의 상승은 보통 일시적이며, 췌장에서 포도당 용액의 주입에 따라 인슐린 분비를 증가시키게 된다. 당뇨병 환자에서는 추가적인 인슐린 투여가 요구된다.

칼륨은 양성질소평형 달성 및 결핍된 세포 내 저장량을 보충하는데 필수적이다. 다량의 포도당을 주입하게 되면 칼륨 이온이 세포 외에서 세포 내로 이동하기 때문에 결과적으로 저칼륨혈증, 대사성 알칼리증 및 포도당 이용의 저하 등이 발생하게 되므로 많게는 하루 240mEq의 칼륨 이온이 요구되기도 한다. 저칼륨혈증은 당뇨를 일으키기도 하는데 이때는 인슐린 투여보다 칼륨을 보충하여야 하므로, 인슐린을 주기 전에 혈청 칼륨치를 먼저 검사하여 저칼륨혈증이 악화되는 것을 막아야 한다.

인슐린 의존 당뇨 환자들은 정맥영양지원 시 혈당치의 변동이 심하므로 프로토콜에 의한 인슐린 치료가 요구된다. 또한 포도당 칼로리의 일부를 지방유제로 대체하면 이러한 문제들을 완화시킬 수 있다.

콩기름 또는 홍화유로부터 만들어진 지방유제가 필수지방산 결핍증 예방을 위해 널리 사용되고 있다. 필수지방산 결핍증을 예방하기 위해서는 20% 지방유제 500mL를 일주일에 1–3번 주입하는 것으로 충분하지만, 추가적인 칼로리 공급을 위하여 매일 지방유제를 투여하는 것이 일반적이다. 탄수화물, 단백질 및 지방 등 3가지를 한 번에 혼합하여 24시간동안 일정한 속도로 투여하는 방법이 많이 사용되고 있다. 지방을 일정한 속도로 주입하게 되면, 지방의 이용을 증가시킬 수 있으며 그물내피계 기능reticuloendothelial function 저하를 감소시킬 수 있다는 이점이 있다.

4) 정맥 내 접근 방법

정맥영양 공급 시 중심정맥으로의 접근이 필요하다. 일시적 또는 단기간 사용을 위한 혈관 접근은 쇄골하정맥 또는 내경정맥 내에 16gauge 경피 카테터를 삽입하는 방법이 있다. 장기간 또는 재가정맥영양home parenteral nutrition을 위한 영구적인 혈관 접근은 피하에 심을 수 있는 포트가 달린 긴 카테터를 사용하는 방법이 있다.

5) 정맥영양의 합병증

(1) 기술적 합병증

장기간 정맥영양 시 흔하고 심각한 합병증 중 하나는 중심정맥 카테터의 오염으로 인한 패혈증이다. 중심정맥관 관련 혈류 감염central line-associated bloodstream infection은 세균이 카테터를 통한 혈행성 파종의 결과로 발생한다. 전신적 패혈증의 초기 징후 중 하나는 특별한 문제없이 정맥영양을 유지해 오던 환자에서 갑작스런 당불내성이 나타나는 것이다. 즉, 당불내성이 나타나거나, 명확한 원인 없이 38.5℃ 이상의 고열이 나타나면 감염 원인에 대한 조사가 필요하다. 열이 지속된다면 카테터를 제거하고 균 배양을 실시해야 한다. 카테터가 발열의 원인일 경우 카테터의 제거로 신속히 열이 내리게 된다.

다내강 카테터multilumen catheter의 사용은 많은 카테터 처치와 사용으로 감염의 위험을 높일 수 있다. 카테터 감염률이 가장 높은 부위는 대퇴정맥이며, 다음으로는 내경정맥이고 가장 낮은 부위는 쇄골하정맥이다. 카테터 삽입 기간이 3일 이내라면 감염의 위험은 거의 없으나, 3-7일 사이는 감염률이 3-5%, 7일 이상인 경우에는 5-10%에서 카테터 감염의 위험이 있다. 카테터 삽입 부위를 단단히 부착하여 장벽을 잘 유지하면 감염의 위험을 낮출 수 있다.

그 외 카테터 삽입으로 인한 합병증은 기흉, 혈흉, 쇄골하동맥손상, 흉관손상, 부정맥, 공기색전증, 카테터 색전증 및 심장천공 등이 있다. 이러한 합병증은 적절한 기법으로 카테터를 삽입하면 피할 수 있다. 게다가 초음파 유도 하에서 중심정맥삽관을 시행하면, 실패율과 합병증 발생률을 낮출 수 있다고 보고되고 있다.

(2) 대사성 합병증

고혈당은 고장성의 영양액이 너무 빠른 속도로 주입되거나 당내성의 장애를 가진 환자에서 발생할 수 있다. 이는 잠복성 당뇨환자나 심한 수술 스트레스 또는 외상 환자에서도 흔한 합병증이다. 치료는 전해질 불균형의 교정을 포함한 수액요법과 인슐린을 주입하는 것이다. 이런 합병증은 매일 수액량 평형, 혈당치 및 혈청 전해질의 모니터링으로 예방할 수 있다. 정맥영양을 시행하는 환자들에게 과영양지원을 하지 않는 것이 강조되고 있다. 과영양지원을 받는 영양실조 환자에서 이산화탄소 저류와 호흡부전을 야기할 수 있다. 과영양지원은 지방간 및 글리코겐 축적과도 관련이 있으며, 장기간 정맥영양을 받는 환자에서 담즙정체와 담석생성이 흔히 발생한다. 많은 환자에서 혈청 아미노전이효소, 알칼리인산분해효소 및 빌리루빈의 일시적인 이상이 나타날 수 있으나, 7-14일 이상 지속되는 경우에는 다른 원인을 고려하여야 한다.

(3) 장위축

장내 자극의 결핍은 장점막 위축, 융모 길이의 감소, 세균의 과도증식, 림프조직의 축소, 면역글로불린A의 생성 감소 및 장면역력 저하 등과 관계가 있다. 세균전위bacterial translocation는 동물실험에서는 증명되었으나, 이러한 변화에 대한 임상적 영향은 명확히 알려져 있지 않다. 이러한 변화를 막을 수 있는 가장 효과적인 방법은 적은 양이라도 경장영양지원을 하는 것이므로, 정맥영양이 필요한 환자라도 소량의 경장영양을 시행하는 것이 적절하다.

요약

병원에 입원하는 환자의 약 20-50%에서 영양실조가 있으며 이는 수술 후 합병증 증가, 재원기간의 연장 및 수술 사망률의 증가와 관련이 있다. 영양선별검사 및 영양평가를 통하여 영양실조 환자를 찾아낸 다음 영양지원을 결정하고 영양요구량을 산정한 후, 어떤 경로로 지원할 것인지, 지원된 영양소들이 체내에 잘 이용되는지, 합병증 발생이 있는지 모니터하는 순서로 접근하여야 한다.

참고문헌

[II. 외과환자에서의 영양지원]

1. Abunnaja S, Cuviello A, Sanchez JA. Enteral and parenteral nutrition in the perioperative period: state of art. Nutrients 2013;5:608-623.
2. Arabi YM, Tamim HM, Dhar GS, et al. permissive underfeeding and intensive insulin therapy in critically ill patients: a randomized controlled trial. Am J Clin Nutr 2011;93:569-577.
3. ASPEN Board of Directions and the Clinical Guideline Task Force. Guidelines for the use of parenteral and enteral nutrition in adult and pediatric patients. JPEN 2002;26:1SA-138SA.
4. Bankhead R, Boullata J, Brantley S, et al. Enteral nutrition practice recommendations. JPEN 2009;33:122-167.
5. Bistrian BR, Blackburn GL, Vitale J, et al. Prevalence of malnutrition in general medical hospital. JAMA 1976;235:1567-1570.
6. Brooks AD, Hochwald SN, Heslin MJ, et al. Intestinal permeability after early postoperative enteral nutrition in patients with upper gastrointestinal malignamcy. JPEN 1999:23:75-79.
7. Btaiche IF. Branched-chain amino acids inpatient with hepatic encephalopathy. Nutr Clin Pract 2003;18:97-100.
8. Canadian Clinical Practice Guideline. Enteral Feeding Guideline. 2013. Available at: http://www.criticalcarenutrition.com.
9. Chernoff R. normal aging, nutrition assessment, and clinical practice. Nutr Clin Pract 2003;18:12-20.
10. DiSario JA, Baskin WN, Brown RD, et al. Endoscopic approaches to enteral nutritional support. Gastrointest Endosc 2002;55:901-908.
11. Exner R, Taman이 D, Goetzinger P, et al. Perioperative GLY-GLN infusion diminishes the surgery-induced period of immunosuppression: accelerated restoration of the lipopolysaccharide-stimulated tumor necrosis factor-alpha response. Ann Surg 2006;237:110-115.
12. Heslin MJ, Brennan MF. Advances in perioperative nutrition: cancer. World J Surg 2000;24:1477-1485.
13. Heslin MJ, Latkany L, Leung D, et al. A prospective, randomized trial of early enteral feeding after resection of upper gastrointestinal malignancy. Ann Surg 1997;226:567-577.
14. Heyland DK, Drover JW, Dhaliwal R, et al. Optimizing the benefits and minimizing the risks of enteral nutrition in the critically ill: role of small bowel feeding. JPEN 2002;26:S51-S55.
15. Luiking YC, Ten Have GA, Wolfe RR, et al. Arginine de novo and nitric oxide production in disease state. Am J Physiol Endocrinol Metab 2012;303:E1177-E1189.
16. Maecken T, Grau T. Ultrasound imaging in vascular access. Crit Care Med 2007;35:S178-S185.
17. Marik PE, Flemmer M. Immunonutrition in the surgical patient. Minerva Anestesiol 2012;78:336-342.
18. Mermel LA, Allon M, Bouza E, et al. Clinical practice guidelines for the diagnosis and management of intravascular catheter-related infection: 2009 update by the Infectious Diseases Society of America. Clin Infect Dis 2009;49:1-45.
19. Patton KM, Aranda-Michel J. Nutritional aspects in liver disease and liver transplantation. Nutr Clin Pract 2002;17:332-340.
20. Pontes-Arruda A, Martins LF, de Lima SM, et al. Enteral nutrition with eicosapentaenoic acid, gamma-linolenic acid and antioxidants in the early treatment of sepsis: results from a multicenter, prospective, randomized, double-blinded, controlled study: the INTERSEPT study. Crit Care 2011;15:R144.
21. Scolapio JS. Methods for decreasing risk of aspiration pneumonia in critically ill patients. JPEN 2002;26:S58-S61.
22. Vanek VW. Ins and outs of enteral access: Part 2 - long-term access: esophagostomy and gastrostomy. Nutr Clin Pract 2003;18:50-74.

Chapter 07

손상에 대한 전신반응

Systemic response to injury

I 개요

손상이나 감염에 대한 염증반응은 병원균 연관성 또는 손상 연관성 물질이 국소적 또는 전신적으로 분비됨으로써 발생되며, 이러한 과정은 항상성을 회복하는데 필요한 필수물질의 이동과정과 유사한 신호전달 과정을 통해 이루어진다. 숙주의 경한 손상은 국소적 염증반응을 유발하는데, 일시적이고 대개의 경우에서 유익하게 작용한다. 그러나 주요 손상은 증폭된 반응을 일으켜 전신적 염증, 원격장기 손상을 일으키고 심한 손상환자에서는 30%에 달하는 장기부전을 일으킬 수 있다. 이러한 주제는 전신성 염증 반응이 패혈증과 심한 외상 모두의 주요 특징이므로 매우 중요하다. 심각한 패혈증과 외상의 치료와 중재를 발전시키기 위해서 국소 및 전신적 염증 반응을 조절하는 복잡한 경로를 이해할 필요가 있다.

이번 장에서는 손상유도성 염증반응의 수용성, 세포성 반응기, 신호들의 인지, 전달 그리고 조정과정 및 면역반응에 대해 알아보고자 한다.

II 세포손상의 탐지

1. 손상관련분자패턴군 매개 손상 탐지

외상성 손상은 선천적 면역체계를 활성화시켜 전신 염증반응을 일으켜 손상은 줄이고 항상성을 회복시키도록 유도한다. 손상에 대한 반응은 일반적으로 2개의 과정으로 나눠진다. 첫째, 리간드lgand의 선천적 면역 기전 인식으로 야기되는 급성 전염증proinflammatory 단계 둘째, 전염증 단계를 조절하는 항염증 단계, 정상적인 상황에서 이러한 조율된 반응으로 체내 항상성이 유지된다.

외상에 대한 전신염증반응의 정도는 손상의 중증도와 비례하고 이를 통해 이후 발생하는 장기 기능부전과 치명률을 예측할 수 있다.

전신성염증반응증후군(SIRS)은 심장 박동수, 호흡수, 혈압, 체온 조절, 면역세포 활성화 등 전신적 염증에 대한 숙주의 표현형 및 대사성 반응으로 표현되는 것이 특징적이다(표 7-1). 이러한 반응의 원인이 되는 미생물을 알아내고자 하는 많은 노력이 있었으나, 현재 손상에 따르는 전신 염증반응은 무균성이라는 것이 널리 받아들여지고 있

표 7-1. 감염(infection)과 전신성 염증반응 증후군(SIRS)의 임상 양상

용어	정의
감염(Infection)	손상 원인으로 미생물이 동정된 경우
전신성 염증반응 증후군(SIRS)	다음 기준 중 2가지 이상을 충족하는 경우: - 체온 ≥38℃(100.4℉) 또는 ≤ 36℃(96.8℉) - 심박수 ≥90회/분 - 호흡수 ≥20회/분, $PaCO_2$≤ 32mmHg 또는 기계 환기 - 백혈구수 ≥12,000/uL 또는 ≤ 4,000/uL 또는 ≥10% 밴드 형태
패혈증(Sepsis)	감염균이 동정된 경우 + SIRS
중증 패혈증(Severe sepsis)	패혈증+장기 부전
패혈성 쇼크(septic shock)	패혈증+심혈관 부전(혈압상승제 필요)

$PaCO_2$: 동맥혈 내 이산화탄소 분압

다. 비록 무균성 반응 기전에 대해서는 잘 알려져 있지 않지만, 허혈성 쇼크와 소생과정에서와 같은 조직 손상이나 세포 스트레스의 결과로 발생하는 내인성 물질로 인해서 나타나는 결과로 보인다.

알라민alarmins이나 손상관련분자패턴Damage-Associated Molecular Patterns (DAMPs) 등의 반응기들은 병원체관련분자패턴Pathogen-Associated Molecular Patterns (PAMPs) 등과 함께 세포표면이나 세포 내에 위치한 세포 수용체와 반응한다.

손상성 DAMPs는 구조적으로 다양한 내인성 물질로 면역학적 활성을 가진다. 다수의 괴사된 또는 손상된 세포에서 수동적으로 분비되거나 스트레스 받은 세포에서 과다조절되거나 과잉분비됨으로서 능동적으로 분비하는 DAMPs들이 있다(표 7-2). 일단 세포 외부로 나오면, DAMPs는 항원표출세포를 활성화하고 모집할 뿐 아니라 선천성 면역세포의 활성화를 촉진시켜, 숙주 방어에 관여한다.

표 7-2. Damage-associated molecular patterns (DAMPs)와 수용체들

DAMP 물질	수용체
HMGB1	TLRs (2,4,9), RAGE
Heat shock proteins	TLR2, TLR4, CD40, CD14
S100 protein	RAGE
Mitochondrial DNA	TLR9
Hyaluronan	TLR2, TLR4, CD44
Biglycan	TLR2, TLR4
Formyl peptides (mitochondrial)	Formyl peptide receptor 1
IL-1α	IL-1 receptor

HMGB1 = high-mobility group protein B1; IL = interleukin; RAGE = receptor for advanced glycosylation end products; TLK = toll-like receptor.

1) High-Mobility Group Protein B1

가장 잘 알려진 손상 연관성 염증반응에 관여하는 DAMP로써 수상 후 30분 이내에 순환계로 빠르게 분비된다. HMGB1 신호체계를 통해서 수지상세포 또는 대식세포/단핵세포에서 사이토카인cytokine이나 케모카인chemokine 분비, 호중구 활성화, 투과성 증가 등의 표피세포 장막 기능 변화, 혈소판 표면의 전응혈기능 증가 등의 다양한 전염증반응이 발생하게 된다. 손상에 이어 나타나는 인체 내의 HMGB1의 수준은 손상 중증도, 보체 활성화와 관계가 있고 TNF 등의 순환 염증 매개체의 증가와 관계된다.

2) 손상 매개 염증 반응에서 미토콘드리아 DAMP의 역할

미토콘드리아 단백이나 DNA는 괴사나 세포 스트레스에 대한 염증반응을 촉발함으로써 DAMPs로 작용할 수 있다. 특히 손상된 미토콘드리아에서 분비된 미토콘드리아 DNA는 세포 스트레스에 반응하는 세포질 신호 복합체인 대식구 염증조절복합체inflammasome의 활성화에 관여한다.

3) DAMP로 작용하는 세포 외 기질 물질

최근 조직 손상에 이은 TLR-매개 염증반응에서 세포

외 기질 물질의 역할이 제시되고 있다. Proteoglycan, glycosaminoglycan, fibronectin 등의 세포 외 기질 물질은 DAMP/TLR 상호반응에서 주요 역할을 한다.

2. DAMPs: 패턴 인지 수용체 리간드

손상에 따른 염증반응은 병원체에 노출되었을 경우와 유사하게 발생한다. 세포 표면과 세포질의 수용체는 미생물 감염에 반응하는 선천성 면역 반응을 매개하게 되고 이는 무균성 염증 반응에도 관여한다. 손상된 세포와 세포 부산물을 알아내는데에 중요한 역할을 하는 수용체는 패턴인지수용체Pattern Recognition Receptor (PRRs)군에 속한다. 이러한 수용체에는 PAMPs, TLR (Toll-like receptors), CLR (Calicium-dependent Lectin Receptors) 등이 포함된다.

III 중추신경계의 염증조절

중추신경계는 염증 반응을 지휘하는 중요한 역할을 수행한다. 중추신경계는 신경호르몬과 내분비적 신호를 통하여 다양한 장기에 영향을 미친다. DAMPs와 염증 관련 물질은 여러 경로를 통해 중추신경계에 자극 신호를 보냄으로써 중추신경계가 염증을 감지한다. 수용성 염증신호물질이 손상을 통해 약해진 혈액뇌장벽을 직접 통과하여 전달되거나, 염증 자극이 직접 뇌내피세포에 위치한 수용체와 상호작용하여 전염증 매개체를 분비하기도 한다.

조직 손상 및 염증 신호는 구심성 신호 경로에 의하여 중추신경계에 인지된다. 중추신경계는 말초 염증 자극에도 신경 세포와 순환상의 경로를 통하여 반응하기도 한다. 염증 매개 물질들은 중추신경계 수용체를 활성화 시켜서 발열과 식욕 부진과 같은 신체적 반응을 일으킨다. 미주 신경은 중추신경계로 들어가는 자극을 조정하는데 큰 영향을 미치는 것으로 알려져 있다.

1. 손상에 대한 신경 내분비 반응

외상성 손상은 뇌에서 복잡한 신경내분비 신호전달이 작동되도록 해서 면역 방어기전을 증강시키고 필수에너지와 구조 필요성을 만족시킬 수 있도록 필요 물질들을 이동시킨다. 숙주의 반응을 조절하는 두 가지 주요 신경내분비 경로는 글루코코티코이드glucocorticoid를 분비하는 시상하부-뇌하수체-부신 축과 카테콜아민catecholamine, 에피네프린epinephrine, 노프에피네프린norepinephrine을 분비하는 전신신경계이다.

실제로 시상하부-뇌하수체-부신 축의 모든 호르몬(표 7-3) 이 손상과 스트레스에 대한 생리적 반응에 영향을 미치지만, 여기에서는 염증 반응과 임상적 효과에 직접적 영향을 미치는 호르몬들에 대하여 살펴 보고자 한다.

표 7-3. 시상하부, 뇌하수체 및 자율시스템에 의하여 조절되는 호르몬

시상하부 조절 (Hypothalamic Regulation)	부신 피질 자극호르몬 방출호르몬 갑상선 자극호르몬 방출호르몬 성장 호르몬 방출호르몬 황체 형성호르몬 방출호르몬
전방 뇌하수체 조절 (Anterior Pituitary Regulation)	부신 피질 자극호르몬 코티솔 갑상선 자극호르몬 티록신 트리이오도티오닌 성장 호르몬 성선 자극호르몬 성 호르몬 인슐린 유사 성장 인자 소마토스타틴 프로락틴 엔도르핀
후방 뇌하수체 조절 (posterior Pituitary Regulation)	바소프레신 옥시토신
자율시스템 (Autonomic System)	노르에피네프린 에피네프린 알도스테론
레닌-안지오텐신 시스템 (Renin-Angiotensin System)	인슐린 글루카곤 엔케팔린

1) 부신 피질 자극 호르몬

부신 피질 자극 호르몬Adrenocorticotropic Hormone (ACTH)은 전방 뇌하수체에 의하여 분비된 폴리펩티드 호르몬으로서, 부신의 속상대zona fasciculata에 존재하는 수용체와 결합하여 코티솔 분비를 조절한다. ACTH는 건강한 사람에서 일주기성circadian 간격으로 분비되나, 스트레스 상황에서는 손상의 정도에 따라 그 분비량이 증가한다. ACTH 분비에 있어서 몇 가지 중요한 자극으로 부신 피질 자극 호르몬 방출 호르몬corticotrophin-releasing hormone, 통증, 불안, 바소프레신, 안지오텐신 II, 콜레시스토키닌, 혈관 작용성 위장관 폴리펩티드, 카테콜아민, 그리고 전염증성 사이토카인 등이 있다. 부신의 속상대 안에서 ACTH 신호는 글루코코티코이드를 생산하는 세포내 경로를 활성화 시키는데, 과도한 ACTH 자극 상황은 부신 피질 비후hypertrophy를 초래한다.

2) 코티솔과 글루코코티코이드

코티솔은 ACTH에 대한 반응으로 부신 피질에서 분비되는 글루코코티코이드 스테로이드 호르몬이다. 코티솔 분비는 스트레스 기간 동안 증가되며, 일부 질병 과정에서 만성적으로 상승하기도 한다. 예를 들어 화상 환자에서 4주간 상승된 수치를 보일 수 있다.

대사적으로 코티솔은 글루카곤과 에피네프린의 작용을 강화시켜 고혈당을 일으키는 기능을 가지고 있다. 코티솔은 간에 작용하여 글리코겐 합성을 감소시키는 반면에 당신생gluconeogenesis을 증가시킨다. 골격근에서 코티솔은 단백질과 아미노산 분해를 촉진하며 젖산 분비에 관여하는데, 순차적으로 이러한 물질들은 간의 당신생 과정에 사용된다. 지방 조직에서 코티솔은 유리 지방산, 트리글리세리드, 글리세롤의 분비를 자극하여 순환 에너지원을 늘리는 기능을 한다. 상처 치유 또한 약화되는데, 이는 코티솔이 상처에서 Transforming Growth Factor beta (TGF-β)와 Insulin-like Growth Factor I (IGF-I)의 변형을 감소시키는 것에 기인한다. 이 효과는 비타민 A 투여로 부분적으로 개선될 수 있다.

부신기능저하증은 혈중 코티솔과 알도스테론의 부족으로 인하여 나타나는 임상 증후군이다. 고전적으로 부신기능저하증은 수술과 같은 스트레스 상황에서 외인성 스테로이드 투여로 인하여 위축된 부신을 지닌 환자에서 나타난다. 이러한 환자들은 그 결과로서 빈맥, 저혈압, 허약, 구역, 구토 그리고 발열 등의 증상을 보인다. 치명적 질병의 경우 손상의 정도에 맞추어 적절한 코티솔 농도에 이르지 못하는 상대적 부신기능저하증이 발생할 수 있다. 부신 기능 저하증은 임상 검사 소견에서 당신생 감소로 인한 저혈당, 신장의 나트륨 재흡수 장애로 인한 저나트륨혈증, 칼륨 배출 장애로 인한 고칼륨혈증 등을 보인다. 진단적 검사로서 기본 코티솔 농도와 ACTH 자극 코티솔 농도를 측정하는데, 부신 기능 저하증에서 정상보다 낮은 수치를 나타낸다. 치료 방법은 논쟁의 여지가 있으나, 저용량 스테로이드 보충요법이 포함된다.

글루코코티코이드는 면역억제적 특성을 지니고 있어서 장기 이식에서처럼 필요한 경우 사용되고 있다. 글루코코티코이드 투여와 관련된 면역력 변화로는 흉선 퇴화, T-세포와 자연살해세포 기능 저하에 의한 세포성 면역 반응의 감소, T 림프구 아체발생blastogenesis, 혼합 림프구 반응, 이식편 대 숙주 병(GVHD), 지연성 과민반응 등이 있다. 게다가 글루코코티코이드는 유착 분자의 발현을 억제하여 백혈구의 염증 발생 장소로의 이동을 저해한다. 단핵구monocyte에서 글루코코티코이드는 화학 주성과 포식 기능은 유지시키나 세포 내 살상 기능을 억제시키고, 호중성구neutrophil에서는 포식 기능은 유지시키지만 과산화 반응성과 화학주성은 저해한다. 패혈성 쇼크, 외상, 관상동맥 우회술과 같은 저관류hypoperfusion의 임상적 상황에서 글루코코티코이드 투여는 염증 반응의 약화와 관련되어 있다.

3) 대식세포 이동 억제 요소

대식세포 이동 억제 요소Macrophage Migration-Inhibiting Factor (MIF)는 신경 호르몬의 일종으로 전방 뇌하수체와 대식세포, T 림프구 의 세포 내 기질에서 저장되고 분비되는 전염증 사이토카인이다. MIF는 코티솔의 항염증 효과를 전환시키는 역조절 매개 물질이다. 스트레스 상황, 고코티솔혈증, 면역억제 상황에서 MIF는 코티솔이 면역세포를 억제하는 것을 방지하여 외부 병원체에 대한 면역 활성을 증가시키는 효과를 보인다.

4) 성장 호르몬과 인슐린 유사 성장인자

성장 호르몬Growth homones (GH)은 뇌하수체에서 분비되는 신경 호르몬으로 대사 및 면역 조절에 관여한다. 성장 호르몬은 단백질 합성과 인슐린 저항성을 증진시키며 저장 지방의 이동을 활성화시킨다. 성장 호르몬 분비는 시상하부의 성장 호르몬–분비 호르몬(GHRH)에 의해 증가되고, somatostatin에 의하여 감소한다. 성장 호르몬은 우선적으로 GH 수용체에 직접적으로 영향을 미치고 이차적으로 간에서의 IGF-I 합성을 향상시킨다. IGF는 다양한 IGF 결합 단백과 결합하여 순환하는데, 단백질 합성 및 지질 합성 등의 동화작용의 효과를 나타낸다. 간에서 IGF는 단백질 합성과 글리코겐 합성을 촉진시키고, 지방 조직에서는 포도당 섭취와 지질 이용을 증가시키며, 골격근에서는 포도당 섭취와 단백질 합성을 조정한다.

치명적 질병 상태는 후천적 성장 호르몬 저항성과 관련되어 있으며 IGF 수치의 감소를 야기한다. 이러한 효과는 부분적으로 치명적 질병 상태에서 전반적인 이화작용으로 표현된다. 게다가 성장 호르몬은 리소좀의 과산화물의 생산을 증가시켜 면역세포의 포식 작용을 향상시킨다. 성장 호르몬은 또한 T 세포의 증식을 증가시키는 기능이 있다. 치명적 질병 상태에서 외인성 성장 호르몬 투여가 연구되어 왔으나 사망률 증가, 기계 호흡기 의존성 증가, 감염에 대한 취약성 등 좋지 않은 결과와 관련되어 있다. 이러한 결과가 초래된 기전은 명확하지 않으나, 성장 호르몬 유발 인슐린 저항성과 고혈당증이 기여한다고 볼 수 있다.

5) 카테콜라민

카테콜라민catecholamines은 부신 수질의 크롬 친화성 세포에서 분비되는 호르몬으로 중추신경계에서 신경 전달 물질로서 기능을 한다. 가장 흔한 카테콜라민은 에피네프린, 노르에피네피린, 도파민인데 이들은 대사와 면역 조절 및 혈관 활성에 영향을 준다. 심한 손상 후 혈장 내 카테콜라민 수치는 3-4배 정도 증가하여 정상 수치로 돌아오기 까지 24-48시간 동안 지속된다.

카테콜라민은 알파와 베타 수용체 모두에 작용하는데, 이들 수용체는 혈관 내피세포, 면역세포, 근육 세포, 지방 조직, 간세포 등 여러 종류의 세포에 넓게 분포되어 있다. 에피네프린은 말초 조직에서 지질 분해와 단백 분해에 작용하고, 간에서는 당신생과 글리코겐 분해를 통하여 이화상태catabolic state와 고혈당을 유발한다. 게다가 에피네프린은 골격근에서 인슐린 저항성을 증가시킨다. 카테콜라민은 또한 갑상선 호르몬, 부갑상선 호르몬과 레닌 분비를 증가시키지만, 알도스테론의 분비는 억제한다.

에피네프린은 또한 면역세포의 베타2 수용의 활성화를 통하여 면역 조정 특성을 보인다. 에피네프린은 TNF, IL (interleukine)-1, IL-6 등의 염증성 사이토카인의 분비를 억제시키는 반면에, 항염증 매개 물질인 IL-10의 분비는 향상시킨다. 코티솔과 유사하게 에피네프린은 호중구 증가증과 림프구 증가증을 잘 일으킨다. 패혈성 쇼크 환자에서 카테콜라민의 면역 중재 후유증은 이미 명확하게 알려져 있다.

카테콜라민은 심장의 산소 요구도 증가, 혈관 수축, 심박출량 증가 등 여러가지 혈역학적 효과를 나타낸다. 카테콜라민은 패혈성 쇼크 기간 동안 전신적 저혈압을 치료하기 위하여 사용된다. 카테콜라민에 의하여 증가된 심장 스트레스 때문에, 수술 도중 베타 차단제를 사용하는 것 같은 심장 보호 전략을 사용하는 것이 심장 관련 사망을 감소시키는데 유익한 효과를 보인다.

6) 알도스테론

알도스테론aldosterone은 부신 피질의 구상대zona glomerulosa에서 분비되는 무기질 코티코이드이다. 알도스테론은 신장 원위 세뇨관의 무기질 코티코이드 수용체에 작용하여 나트륨을 재흡수하고 칼륨과 수소이온을 배설시키는 기능을 함으로 혈관 내의 용적을 증가시킨다. 알도스테론 분비는 ACTH, 안지오텐신 II, 줄어든 혈관내 용적, 고칼륨혈증 등에 의하여 촉진된다. 알도스테론 결핍은 저혈압과 고칼륨혈증으로 나타나고, 반면에 과다는 부종, 고혈압, 저칼륨혈증 그리고 대사성 알칼리증 등으로 나타난다.

7) 인슐린

고혈당증과 인슐린insulin 저항성은 치명적 질병 상태의 특징으로 카테콜라민, 코티솔, 글루카곤, 성장 호르몬과 같은 순환 물질의 이화 작용 효과에 기인한다. 인슐린은 췌장의 랑게르한스 섬에서 분비된다. 인슐린은 간내 글리코겐 합성, 당분해, 말초 포도당 섭취, 지질 합성, 단백질 합성 등의 전체 동화작용에 관여한다.

치명적 질병 상태에서의 고혈당증은 면역 억제 효과를 보이는데, 면역 글로불린 항체의 당화glycosylation, 식세포 활동의 감소, 단핵구의 호흡 폭발반응 등에 기인하며 이로 인하여 감염의 위험도가 증가하게 된다. 고혈당증에 대한 인슐린 치료는 바람직하다고 알려져 있고, 사망률을 줄이고 감염에 의한 합병증을 감소시키는 효과가 보고되었다. 그러나, 과도한 혈당 조절로 인한 위험한 합병증인 저혈당증이 발생하지 않도록 세심한 주의가 요구된다. 치명적 질병 상태의 환자에서 요구되는 이상적인 혈당 범위는 이미 결정되었다.

2. 콜린성 항염증 경로

미주 신경은 위장관 운동 향상, 맥박수 감소, 염증 조절 등으로 체내 항상성 유지에 관여한다. 이 경로의 중추부는 신경계에 의해 조절되는 미주 신경의 항염증 경로로 이해되고 있다. 부교감신경계 활성은 우선적으로 신경 전달 물질인 아세티콜린을 통해 미주 신경으로 원심성 신호를 보낸다. 이러한 신경성 항염증 경로는 염증 자극에 대한 빠른 반응을 일으키고, Tumor Necrosis Factor (TNF)와 같은 전염증 매개 물질의 조기 분비에 대한 조절을 가능하게 한다. 전신적 염증이 있을 때, 미주 신경의 활동은 사이토카인cytokine 활성을 억제하고 췌장염, 허혈과 재관류, 출혈성 쇼크와 같은 질병 진행 과정에서 손상을 줄이는 역할을 수행한다. 이러한 활동은 우선적으로 조직 대식세포tissue macrophage와 같은 염증 매개 세포의 니코틴성 아세틸콜린 수용체를 통하여 이루어진다. 더군다나 미주 신경 절단술을 받은 환자에서 스트레스 상황에서 염증 반응이 많이 일어나는 것이 관찰된다. 특별히 면역 세포의 니코틴성 아세틸콜린 수용체를 활성화시키는 니코틴nicotine은 동물 실험 모델에서 내독소혈증endotoxemia 후 사이토카인 분비를 감소시키는 것이 보고된 바 있다.

IV 세포스트레스 반응

1. 반응성 산소 및 산화 스트레스 반응

반응성 산소Reative Oxygen Species (ROS)는 짝없는 외부 궤도 전자unpaired outer orbit electron의 출현으로 인한 고반응성의 작은 분자이다. 이들은 숙주 세포 및 침입 병원균 모두에게 불포화 지방산의 산화를 통해 세포 손상을 일으킬 수 있다.

산소 라디칼은 혐기성 과정 및 산소 대사 생산물에 의해서 만들어지는 것으로 산소, superoxide, hydrogen peroxide, hydroxyl radical이 여기에 포함되며, 반응성 산소ROS 생산의 주 부위는 미토콘드리아 전자 전달, 페록시좀 지방산 대사, 사이토크롬 P-450 반응, 식세포phahocytic cell의 호흡성 파열이 포함된다. 숙주 세포는 superoxide dismutase, catalase, glutathione peroxidase와 같은 내적 항산화물질endogenous anatioxidants의 활성을 통해 반응성 산소ROS로 인한 손상으로부터 보호된다. 정상적인 생리 상태에서 반응성 산소는 항산화효소antioxidative enzyme에 의해 조절되지만, 스트레스 혹은 허혈성 손상이 있을 때 효소의 제거 메커니즘이 소진되어 반응성

산소(ROS)의 불균형적 생산물로 인한 재관류 손상을 받게 된다.

2. 열 쇼크 단백

열 쇼크 단백Heat Shock protein (HSPs)은 화상, 염증, 감염과 같은 자극 시에 발현이 증가되는 세포 내 단백 중 하나로서 protein folding 및 단백 표적과 같은 많은 생리적 과정에 관계 한다. 열 쇼크 단백은 열 쇼크 전사 인자에 의한 유전자 유도에 의해서 만들어 진다. 열 쇼크 단백은 자가 단백 및 외부 단백에 결합 하여 세균성 DNA와 세포내 독성과 같은 리간드ligand의 세포 내 수행원 역할을 한다. 열 쇼크 단백은 외상성 자극으로 인한 해로운 효과로부터 세포를 보호하며, 면역 체계를 발휘하게 하는 것으로 추측되고 있다.

3. 세포사멸

세포사멸Apoptosis (통제된 세포의 죽음)은 염증반응없이 대식세포, 중성구, 림프구와 같은 세포들이 노쇠하거나 기능을 하지 않을 때 제거하는 에너지 의존적인 계획적인 기전이다. 이와 반대로 세포 괴사는 면역 체계의 활성화와 염증 반응의 결과로 세포내 물질들이 분비되는 비정상적인 과정이다. 전신 염증 반응은 활성화된 면역 세포에 대해 세포사멸의 신호전달을 조절한다. 이러한 활성화된 면역 세포는 작동 세포를 잃고 전신 염증 반응을 일으키게 된다.

세포사멸은 주로 두 가지 경로를 통하여 진행된다. 외인성 경로와 내인성 경로이다. 외인성 경로는 죽음 수용체(예; Fas, TNFR)와의 결합을 통하여 활성화 되고, 이러한 결합으로 Fas-associated death domain protein을 모으게 되고, 결과적으로 caspase 3를 활성화시키게 된다. 활성화되게 되면, caspase들이 핵 DNA의 계획적인 조각화를 매개하기 때문에 caspase가 세포사멸 신호전달의 작동자가 된다. 내인성 경로는 미토콘드리아 막 투과성에 영향을 미치는 protein mediator(예; Bcl-2, Bcl-2-associated death promoter, Bcl-2-associated X protein, Bim)를 통하여 진행된다. 미토콘드리아 막의 투과성이 증가하게 되면 caspase 3를 활성화시키고, 세포사멸을 야기하게 하는 mitochondrial cytochrome C를 방출하게 된다. 이러한 두 가지 경로는 완전하게 서로 자율적인 방법으로 기능하지는 않는다. 왜냐하면 내인성, 외인성 경로의 매개체들간에 상호 작용 및 교차 반응을 하기 때문이다. 세포사멸은 apoptosis protein의 억제인자, regulatory caspase (예; caspases 1, 8, 10)와 같은 몇 가지 조절 인자들에 의해 조절된다.

패혈증 동안에 발생하는 세포사멸은 후천성 면역 반응의 궁극적인 능력에 영향을 미치는 것으로 생각된다. 쥐 모델에서 복막 패혈증이 발생했을 때 림프구의 세포사멸이 증가하게 되면 사망률이 증가하게 되는데, 이는 IFN-γ의 분비가 감소하기 때문으로 생각된다. 패혈증으로 사망한 환자들을 부검하여 분석해 보았을 때, 림프구의 세포사멸을 증가되어 있는 반면 대식세포의 세포사멸에는 별 영향이 없는 것으로 보였다. 임상실험 결과에서는 림프구 결핍 정도와 패혈증의 질환의 중증도와 관련이 있는 것으로 관찰되었다. 이에 추가하여 대식세포에 의하여 사멸된 세포를 포식하게 되면, 항 염증 중재자인 IL-10 등이 분비되어 패혈증 중에 면역 억제를 심화시킨다. 중성구의 세포사멸은 TNF, IL-1, IL-3, IL-6, GM-CSF, INF-γ 등과 같은 염증 부산물에 의해 억제된다. 세포사멸에서 이러한 지체는 노쇠한 세포의 제거가 지연되는 것처럼 중성구에서의 자유 라디칼 분비를 통한 이차 손상을 지속시키거나 악화시킬 것으로 생각된다.

4. 자가포식작용

정상적인 상황에서, 세포는 프로테오솜 분해로 처리하기에는 너무 큰 손상된 소기관이나 잔해군을 처리할 방법이 필요하다. 스트레스 반응으로 발생하는 자가포식작용을 통해 이런 청소기능을 하게 된다. 자가포식작용autophagy의 과정은 파고포어phagophore라는 분리막으로 세포질과 소기관을 흡입하고 이 때 파고포어의 양 끝이 융합되어 자가포식소체autophagosome를 형성한다. 이후 자가포식소체는 용해소체lysosome와 융합되어 자가용해소체autolysosome를 만들어 분해된다. 이 과정은 다수의 자가포식 특이 유전자와 mTOR에 의해 조절된다.자가포식작용은 정상 세포과정이나 저산소증이나 세포에너지가 저하된 상태에서는 추가적인 영양소나 에너지를 생산하고자 하는 목적으로 유도된다. 자가포식이 유도되면 유산소호흡에서 해당으로 전환되고 자가포식소체의 세포성분이 에너지기질로 가수분해되게 된다.

또한 자가포식작용이 면역반응에도 중요한 역할을 한다는 주장이 제기되고 있다.

5. 괴사작용

세포괴사는 허혈, 염증, 또는 손상 등 극심한 세포 스트레스를 유발하는 외부 자극에 노출되어 생체세포 내에서 발생하는 조기 비조절성 세포 사멸이다.

괴사가 되면 세포막의 견고함이 소실되고 세포질내용물이 누출되어 세포가 붕괴되지만, 세포핵은 유지된다. 최근에는 수용체와 상호작용하는 단백질 촉매 효소Receptor-Interacting Protein Kinase (RIPK) 복합체가 관여하는 과정을 통해 발생하는 괴사를 괴사작용necroptosis이라 정의는데 이는 TNF 또는 TLR 매개 신호 등 특정한 자극에 반응하여 발생한다.

V 염증의 매개체

1. 사이토카인

사이토카인cytokines은 내재적 및 적응성 면역 반응에서 필수 적인 신호 복합 단백의 하나로서 세포 이동, DNA 복제, 세포 전환, 면역세포 증식과 같은 광범위하고도 연쇄적인 세포 반응을 매개한다. 신체의 손상 및 감염된 부위에서 사이토카인의 국소적인 기능은 미생물의 침입을 박멸하고 상처 치유를 촉진시키는 역할을 하지만, 염증성 자극에 의해 과장된 염증전단계 사이토카인 반응은 혈동학적 불안정(예; 패혈성 쇼크)과 대사 혼란(예; 근육 소진)을 야기 시킬 수 있다.

염증 전단계 반응에 영향을 주는 항염증사이토카인도 분비가 되고 이러한 항염증 매개체들 역시 면역세포 기능 부전과 숙주 면역 억제를 일으킨다. 염증 자극 후에 사이토카인 신호체계는 반대 영향의 변동 및 상대 조절 균형에 의해 나타나게 된다.

1) 종양 괴사 인자

종양 괴사 인자Tumor Necorosis Factor (TNF)는 주로 복막과 내장 조직에 많이 분포되어 있는 대식세포, 단핵구, T세포 등에 의해서 합성이 되며, TNF의 반감기가 비록 짧지만 TNF는 많은 대사와 면역조절활성을 유도한다. TNF는 이화 작용 및 인슐린 저항을 증가시켜서 근육의 쇠약과 cachexia를 야기 하고, 간 문맥 순환을 통한 아미노산의 재분배에 영향을 줄 뿐 아니라, 응고 활성, 세포 이동, 대식세포의 식세포 작용 등을 매개하고 부착 분자, prostaglandin E2, 혈소판 활성 요소, Glucocorticoid, Eicosanoid등의 발현을 증가시키는 역할도 한다.

TNF 수용체TNFRs는 TNFR-1, TNFR-2 두 개의 아류형으로 구성되어 있다. TNFR-1은 대부분의 조직에서 발현되고 proteolytic caspase에 의해서 세포사멸apoptosis을 매개 하며, TNFR-2는 주로 면역 세포에서 발현 하여 NF-κB를 활성화 시키고 염증 신호를 증폭시키는 역할을 한다. TNFRs는 세포막과 수용성의 두 형태로 존재하는데, 손상 및 감염과 같은 염증성 자극이 있을 때, TNFRs는 세포막에서 분리가 되어 수용성의 형태가 되고, 이러한 수용성 TNFRs는 TNF에 대한 친화력을 가지나 transmembrane TNFR의 활성을 경쟁적으로 제한하게 되어 염증을 조절하게 된다.

2) Interleukin-1

Interleukin-1 (IL-1)은 IL-1α, IL-1β 두 개의 아류형으로 나뉘어지고, IL-1α는 주로 세포막과 관련있고 세포 접촉을 통해 기능을 하게 된다. IL-1β는 주로 수용성의 형태로 존재하고 TNF와 마찬가지로 염증 작용을 매개하는 역할을 하며 주로 단핵구, 대식세포, 내피 세포, 섬유아세포, 상피 세포 등에서 합성이 된다. IL-1은 TNF, IL-2, interferon-γ (INF-γ), 외부 병원체 등과 같은 염증성 자극에 반응하여 분비가 되고, inflammasome의 형성이 필요하다. 고농도의 IL-1 혹은 TNF는 혈동학적인 손상과 관련이 있고 저농도의 IL-1와 TNF을 같이 사용하면 상승 작용의 효과로 인하여 고농도의 IL-1, TNF를 각각 사용할 때와 같은 효과를 유도할 수 있다. IL-1은 내적 발열 물질로서 prostaglandin을 활성화시키고 시상하부에 작용하여 발열 반응을 매개하게 된다.

IL-1은 염증성 자극에 반응하여 분비되고 IL-1 결합부위에 경쟁적 작용을 하는 내적 IL-1 수용체 길항제에 의해 자가 조절이 된다. IL-1은 IL-1R1, IL-1R2 두 개의 수용체형이 있으며 IL-1R1은 광범위하게 발현되어 염증 신호를 매개하고 IL-1R2는 세포막에서 분리되어 수용체의 형태로 작용하게 되고 IL-1 활성을 조절하는 역할도 수행한다.

3) Interleukin-2

Interleukin-2 (IL-2)는 Il-1에 의해 상향 조정이 되고 주로 T림프구 증식과 분화, 면역 글로블린 생성, 장벽 유지의 촉매자로서의 역할을 한다. IL-2는 백혈구에서 발현되는 IL-2수용체에 결합하게 되고 10분 이하의 비교적 짧은 반감기 때문에 급성 손상시에는 발견되지 않을 수 있다. IL-2수용체를 막으면 면역억제 효과가 일어나게 되어 약리학적으로 장기 이식의 약제로 사용 될 수 있다. 심한 손상 혹은 수혈 시에 관찰되는 약화된 IL-2의 발현은 수술 받은 환자에게서 면역 저하 상태를 일으키는 원인이 될 수 있다.

4) Interleukin-6

Interleukin-6 (IL-6)는 내독소, TNF, IL-1 등에 의해 대식세포에서 분비가 된다. IL-6는 패혈성 쇼크와 같은 스트레스 기간동안 발현이 증가하게 되며 손상 후 60분이 지나면 발견이 되고 4-6시간 사이에 최고 수치에 이르게 되며 약 10일 동안 지속이 된다. IL-6의 최고 수치는 수술중 받은 손상의 정도에 비례하며 TNF, IL-1을 억제하여 염증 작용에서 역조절counterreulation의 효과를 나타낸다. 또한 TNF 수용체 및 IL-1 수용체 길항제의 분비를 촉진시켜 cortisol의 분비를 자극하며 복강 내 패혈증이 있는 환자의 사망율은 IL-6의 높은 혈중 농도와도 관련이 있다.

5) Interleukin-10

Interleukin-10 (IL-10)는 주로 단핵구monocyte에서 합성되는 항염증 사이토카인이지만 다른 림프구에서 분비가 되기도 한다. IL-10는 전신 염증이 있을때 발현이 증가하게 되고 TNF, IL-1 등에 의해서 분비가 촉진된다. IL-10는 TNF, IL-1과 같은 염증 전단계 사이토카인을 억제하고 부분적으로는 NF-κB을 하향 조정하여 염증 단계의 음성 되먹이 작용을 한다. 염증의 실험모델에서 IL-10을 중화하였을 때 TNF의 생성과 사망률이 증가 하였으나 반대로 IL-10를 복구하였을때는 TNF 수치 및 사망률 감소하게 되는 결과를 보였였고, 외상 손상 후 사망률과 질환의 심한 정도는 IL-10의 혈중 농도의 증가와 관련이 있었다. 패혈증에서 IL-10는 면역 세포의 억제 및 anergy를 유도하여 면역 저하 상태를 야기하는 것으로 예상되고 있다.

6) Interleukin-12

Interleukin-12 (IL-12)는 세포매개성 면역의 조절자로 알려져 있으며 단핵구, 대식세포, 중성구, dendritic cell과 같은 활성화된 식세포에서 분비되며 패혈증에서 발현이 증가된다. IL-12는 림프구를 자극하여 IFN-γ와 IL-18의 분비를 증가시키고 자연살해세포natural killer cell

(NK 세포) 세포독성과 helper T 세포의 분화를 촉진시킨다. IL-12는 IL-10에 의해 분비가 억제되며 IL-12이 결핍시에는 neurtophil에서 식세포 작용을 억제하게 된다. 염증의 실험모델에서 IL-12의 중성화는 쥐의 생존율 증가의 결과를 보였으나 복강 내 패혈증의 cecal ligation, puncture 모델에서 IL-12의 봉쇄는 사망률의 증가와 관련 있었다. 최근의 복강 내 패혈증에 관한 연구에서 사망률과 IL-12는 아무런 관련이 없음이 보고 되었으나 IL-12을 제거한 쥐실험에서 세균수가 증가하고 염증 사이토카인의 분비가 증가하는 것으로 미루어 보아 IL-12는 항세균반응에 기여하는 것으로 생각되어 진다. IL-12을 주입한 침팬지 실험에서 IFN-γ, IL-10, TNFR, IL-1 수용체 길항제와 같은 물질의 분비가 증가하는 것이 확인되었고 IFN-γ섬유용해와 응고작용을 증가시키는 작용도 있다. 염증 전단계반응 및 항염증 경로 활성화 기능이 있다는 근거에도 불구하고 대부분의 실험에서는 IFN-γ가 전체적으로 염증 전 단계 반응에 기여하는 것으로 보고되고 있다.

7) Interleukin-18

Interleukin-18 (IL-18)는 전에는 INF-γ 유도인자였고, 대식세포에서 주로 합성이 되며 IL-18와 IL-18수용체 복합체는 IL-1 의 superfamily 중 하나이며 IL-1처럼 내독소, TNF, IL-1, IL-6과 같은 염증 자극에 반응하여 대식세포에서 분비되며 패혈증 때 그 수치가 증가한다. IL-18는 myeloid differentiation primary reponse gene(88)(MyD88) 의존성 경로를 통하여 NF-κB를 활성화시켜 염증전단계 매개체를 분비하게 된다. IL-18조절은 특별한 내적길항제인 IL-18-결합 단백(IL-18BP)에 의해 이루어 지며, 바이러스 피부 병원체인 molluscum contagiosum은 IL-18을 중화시켜 염증반응을 억제하는 IL-18BP와 유사한 단백질을 분비한다. IL-18과IL-12는 서로 상승작용을 하여 T세포에서 INF-γ를 분비하며, 전신염증의 murine 모델에서 IL-18의 중화는 치명적인 내독소혈증을 감소시키고 세포 내 부착 단백-1을 증가 시켰다. 흥미롭게도 전신 염증의 쥐과의 모델에서 IL-18을 봉쇄하였더니 좌심실기능부전이 회복되었고 이것은 IL-18이 패혈증 쇼크에서 혈동학적인 효능이 있음을 보여 주는 것이다.

8) Interferons

Interferons은 수용성 매개체로서 감염된 세포의 특별한 항바이러스 유전자를 활성화시켜 바이러스 증식을 억제하는 것으로 알려져 있으며, 수용체의 특이성에 의해 두 개의 아형으로 구분이 된다. 제1형 Interferons은 INF-α, INF-β, IFN-ω로 구성되어 있고 이들은 구조적으로 연관 되어 있고 모두 동일한 INF-α 수용체에 결합한다. 제1형 Interferons는 바이러스 항원, 이중나사 DNA, 세균, 종양 세포, LPS등과 같은 자극에 반응하여 발현이 되고 class I MHC 의 발현과 수지상세포dendritic cell의 성숙을 유도하여 적응성adaptive 면역반응에 영향을 주게 된다. 배양 세포나 In vivo에서 INF-α, INF-β 역시 NK 세포의 세포독성 증가로 인하여 면역 반응을 활성화 시키며, 쥐과의 모델에서 INF-α 수용체의 결핍은 바이러스 감염의 감수성을 증가시키고 LPS유도 치명율을 감소 시켰다. 더군다나 제1형 Interferons은 C형 간염과 다발성 경화증 환자의 치료제로 연구되고 있다.

INF-γ로 인하여 IL-12, IL-18의 수치가 증가되는 수많은 생리학적 효과가 보고되고 있으며 INF-γ는 세균 항원, IL-2, IL-12, IL-18 등에 대한 반응으로 T림프구, NK 세포, antigen presenting cell 등에 의해 분비되는 제2형 Interferon이다. INF-γ는 IL-12, IL-18의 분비를 촉진하고 IL-4, IL-10, 글루코코르티코이드는 INF-γ를 억제 하는 기능을 가진다. INF-γ가 수용체에 결합하여 Janus kinase/Signal Trasducer and Activator of Transcription (JAK/STAT) 경로를 활성화시키며, INF-γ는 대식세포를 자극하여 식세포 작용과 살균 작용, 산소 라디칼의 분비를 증가시킨다. INF-γ는 대식세포를 매개하여 큰 수술 및 외상 받은 환자에서 급성 폐 손상을 일으킬수도 있다. INF-γ가 감소하면 바이러스와 세균에 대한 감수성이 증가하게 되고 Monokine Induced INF-γ (MIG), macrophage inflammatory protein 1-alpha, 1-beta와 같은 chemoattractant의 상향 조정을 통해 염증 부위로 면역세포들을 이동시키는 기능을 할 뿐 아니라, T 세포에서 helper T 세포 아형 1로 분화시키고, B cell isotype을 면역글로불린 G로 전환 시키기도 한다.

9) Granulocyte-Macrophage Colony-Stimulating Factor

Granulocyte-Macrophage Colony-Stimulating Factor (GM-CSF)는 이름에서 암시하듯이, 과립구와 단핵구를 골수 줄기 세포로부터 상향 조정시킨다. GM-CSF의 혈중 농도는 낮아서 측정할 수 없지만 TNF와 같은 염증성 자극에 반응하여 빠르게 증가한다. 염증성 자극에 대한 반응으로 GM-CSF는 과립구와 단핵구 사멸화 모두를 억제하고, 대식세포의 사이토카인 분비를 증가 시키며, 단핵구의 세포독성과 중성구 superoxide의 분비를 증가 시킨다. 면역억제 환자에서 진균 감염의 치료제로서 GM-CSF은 그 효과가 입증되었다. GM-CSF 봉쇄는 폐포의 대식세포활성과 NF-κB의 강도를 감소시키는 것으로 밝혀져 GM-CSF가 급성 폐손상을 가중시키는 효과가 있을 것이라고 추측이 된다. GM-CSF은 정상 염증 사이토카인 반응에서 백혈구의 성숙과 회복을 촉진하는데 중요한 역할을 하여 상처 치유에 있어서도 효과적일 것이라고 추측 된다.

10) High Mobility Group Box 1

High Mobility Group Box 1 (HMGB1)은 DNA 전사요소로서 DNA에 조절단백복합체가 결합하는 것을 촉진하며 대식세포, NK 세포, enterocyte에서 주로 분비가 된다. 내독소, TNF, INF-γ등은 HMGB1의 분비를 촉진시키고 HMGB1의 혈중 농도 증가는 사망률의 증가와 관련이 있으며 단핵구로부터 TNF의 분비를 촉진시키기 때문에 사이토카인 유사 활성의 기능이 있다. HMGB1의 혈중 농도 증가는 16시간에 최고치에 도달하며 30시간 동안 지속되어 다른 염증 매개체에 비해 다소 지연되는 경향이 있다. 이러한 반응은 급성 염증 매개체인 TNF가 1-2시간에 혈중농도 최고치에 도달하여 12시간동안 지속되는 것과는 대조적이다. 더구나 HMGB1 봉쇄는 사망률의 감소와 밀접한 관련이 있었다.

HMGB1는 괴사성 세포에서 수동적으로 분비가 되고 HMGB1 자체 혹은 다른 분자와의 결합을 통해서 조직손상후 염증을 조절 하는 기능을 가지고 있다. HMGB1는 수용체에 결합하여 NF-κB를 활성화시켜 염증 전단계 반응을 일으킨다. 임상 실험에서 전신성 염증, 출혈성 쇽, 췌장염, 심근경색, 큰 수술 후에 HMGB1의 혈중 농도가 증가 되는 것이 밝혀 졌다.

2. Eicosanoids

Eicosanoids는 주로 phospholipids arachidonic acid (eicosatetraenoic acid)의 산화에 의해서 생성이 되고 prostaglandin, prostacyclin, hydroxyl-eicosatetrae-noic aces (HETEs), thromboxan, leukotrien과 같은 하위 집단으로 구성되어 있다. Phospholipid에서 arachi-donic acid의 합성을 위해서는 phospholipase A2의 효소 활성이 필요하다. 모든 prostaglandin과 thromboxane은 COX 경로에 의해 만들어지며, lipoxygenase 경로는 leukotrien과 HETE를 만들어 낸다. Eicosanoids는 세포 내에 저장되지 않고 허혈성 손상, 직접적인 조직손상, 세포 내 독성 물질(lipopolysacchride), norepinephrine, vasopressin, angiotensin II, bradykinin, serotonin, acetylcholine, cytokine, histamine과 같은 수많은 자극에 의해 빠르게 생성된다. Eicosanoids 경로 활성 역시 chomotaxis와 nuclear factor κB (NF-κB)의 활성을 억제하는 항염증 복합 리포신anti-inflammatory comound lipoxin을 생성한다. Glucocorticoid, NSAIDs, leukotriene inhibitor 등은 Eicosanoids 경로의 마지막 생성물을 막는 역할을 한다.

Eicosanoids는 신경 전달, 혈관 운동 조절, 면역세포

표 7-4. Eicosanoids의 자극과 억제 기능

장기/ 기능	자극 물질	억제 물질
췌장		
당-자극 인슐린 분비	12-HPETE	PGE_2
글루카곤 분비	PGD_2, PGE_2	
간		
글루카곤-자극 당 생성	PGE_2	
지방		
호르몬-자극 지질분해	PGE_2	
골조직		
재흡수	PGE_2, PGE-m, 6-K-PGE_1, $PGF_{1\alpha}$, PGI_2	
뇌하수체		
프로락틴	PGE_1	
황체형성 호르몬	PGE_1, PGE_2, 5-HETE	
갑상선자극 호르몬	PGA_1, PGB_1, PGE_1	
성장 호르몬	PGE_1	
부갑상선		
부갑상선 호르몬	PGE_2	PGF_2
폐		
기관지 수축	$PGE_{2\alpha}$$TXA_2$, LTC_4, LTD_4, LTE_4	PGE_2
신장		
레닌 분비 자극	PGE_2, PGI_2	
위장관계		
세포보호 효과	PGE_2	
면역체계		
림프구 활성 억제	PGE_2	
혈액체계		
혈소판 응집	TXA_2	PGI_2

5-HETE=5-hydroxyeicosatetraenoic acid; 12-HPETE=12-hydroxyperoxyeicosatetraenoic; 6-K- PGE_1 =6-keto-prostaglandin E_1; LT=leukotriene; PG=prostaglandin; PGE-m=13,14-dihydro-15-keto-PGE_2 (major urine metabolite of PGE_2); TXA_2=thromboxane A_2

조절과 같은 광범위한 생리학적 역할을 한다(표 7-4). Eicosanoids는 급성 폐 손상, 췌장염, 신부전 같은 주로 숙주에게 해를 주는 염증 전단계 반응를 일으킨다. Leukotrien은 백혈구 부착, 중성구 활성, 기관지 수축, 혈관 수축, 모세혈관 누출 등에 관계된 강력한 매개체이다. 패혈증에 대한 실험적 모델에서는 Eicosanoids 생성을 억제하는 이득이 있었으나 패혈증의 임상 실험에서는 NSAIDs가 사망률을 낮추지 못하였다.

Eicosanoids는 몇 개의 대사적 효과도 있다. Cyclooxygenase 경로의 생성물은 췌장 β 세포세포의 인슐린 분비를 억제하는 반면, lipoxygenase 경로의 생성물은 췌장 β 세포의 활성을 촉진한다. Prostaglandin E2와 같은 prostaglandin은 간의 수용기에 결합하거나 호르몬 자극 지질분해를 억제를 통해 당생성을 억제 한다.

지방산 대사물은 염증 매개체와 염증반응의 중요한 부분으로서 기능을 한다. 앞에서 논의되었듯이 Eicosanoids도 염증 신호체계에 관여 하지만 식이 오메가-3 혹은 오메가-6 역시 염증반응에 관여한다. Eicosanoids는 주로 다음의 2개의 경로를 통해 생성된다: (1) Archidonic acid(오메가-6 지방산)과 (2) Eicosapentaenoic acid(오메가-3 지방산). 많은 지질 제품은 콩을 원료로 하거나 오메가-6 지방산으로 구성되어 있다. 오메가-3이나 오메가-6 지방산으로 만들어진 영양 보조제들은 염증 반응을 의미있게 조절할 수 있다. 왜냐하면 오메가-6은 downstream mediator 생산의 증가와 관련 있기 때문이다. 오메가-3 지방산은 NF-κB의 활성화, 간의 Kupffer세포에서 분비되는 TNF, 백혈구의 부착과 이동 등을 억제하는 특별한 항 염증효과를 가지고 있다. 이러한 오메가-3의 항 염증효과는 사람과 동물 실험 모두에서 류마티스 관절염, 건선, 루프스와 같은 만성 자가 면역 질환에 효능 있음이 밝혀졌다. 패혈증의 실험 모델에서 오메가-3 지방산은 염증을 억제하고, 체중 감소를 개선하였고 소장의 관류와 장벽 보호를 증가시켰다. 인체 연구에서 오메가-3 보충제는 TNF 생성, interleukin-1β, interleukin-6를 감소시켰다. 수술 받은 환자를 대상으로 한 연구에서 수술 전 오메가-3 지방산은 인공 호흡기 사용과 재원 일수, 사망률을 감소시키는 결과를 보여 주었다.

3. Kallikrein-kinin system

Kallikrein-kinin 체계는 염증, 혈압 조절, 응고 작용,

통증 반응과 관련 있는 단백 단체 중 하나이다. Prekallikrein은 응고 단계에서 역할을 하는 Hageman요소, trypsin, plasmin, factor XI, kaolin, glass surface, 콜라겐과 같은 자극에 의해서 활성화 된다. 고분자 질량의 kininogen은 간에서 생성되고 kallikrein에 의해 대사되어 bradykinin으로 바뀐다.

Kinin은 혈관 확장, 모세혈관 투과도 증가, 조직 부종, 통증 과정 활성화, 당 생성의 억제, 기관지 수축의 증가 등의 생리학적 과정을 매개 할 뿐 아니라, 신혈관 확장을 증가시키고 신관류압을 감소시킨다. 신관류의 감소는 Renin-Angiotensin-Aldosterone 체계를 활성화시키고, 이것은 Nephron을 활성화하여 나트륨 재흡수와 이로 인한 혈관 내 부피를 증가시킨다.

그람 음성 세균혈증, 저혈압, 출혈, 내독소 혈증, 조직 손상시에 Bradykinin과 Kallikrein의 수치가 증가하게 되고 이러한 매개체의 수치 증가 정도는 환자 사망률의 증가와 관련이 있다. 임상적 실험에서 그램 음성 패혈증의 환자에게 Bradykinin 길항제는 어느 정도의 효능이 있었다.

4. Serotonin

Serotonin은 Tryptophan에서 만들어지는 Monoamine 신경전달물질(5-hydroxytryptamine)로서 장관의 Enterochromaffin 세포, 혈소판, 신경계의 neuron 등에 의해 합성이 된다. 이러한 신경 전달 물질들은 혈관 수축, 기관지 수축, 혈소판 응집을 자극할 뿐 아니라, nonadrenergic cyclic adenosine monophosphate (cAMP) 경로를 통해 심장 수축을 증가시킨다. Serotonin 수용체는 신경계, 장관, 단핵구에 위치하고 있으며, Ex vivo 연구에서 serotoin 수용체 봉쇄는 TNF와 Interleukin-1의 생성을 감소시켰다. Serotonin은 손상 부위에서 주로 혈소판에 의해 분비가 되지만 염증 조절에서 그 역할은 아직 명확히 규정되지 않았다.

5. Histamine

Histamine은 아미노산인 Histidine의 decarboxylation에 의해 합성이 되며 신경절, 피부, 위점막, 비만세포, 호염기구, 혈소판 등에 저장이 되어 있다가 빠르게 분비된다. Histamine 수용체(H)는 4개의 아류형으로 나뉘어 지며 각각 다양한 생리학적 역할을 한다. H1 결합은 혈관 확장, 기관지 수축, 장의 운동, 심근 수축을 매개하고, H2 결합은 위 벽세포에서 산의 분비를 자극한다. H3는 presynaptic histamine-contaning nerve ending에 위치하여 Histamine분비의 downregulation을 일으키며, H4는 주로 골수, 호산구, mast cell에서 발현된다. 출혈성 쇼크, 외상, 열 손상, 내독소혈증, 패혈증 등에서 Histamine의 분비가 증가하게 된다.

VI 손상에 대한 세포반응

1. G단백과 결합하는 수용체들

G단백 결합 수용체들G-Protein Receptors (GPRs)은 세포막에 존재하는 수용체들 중에서 하나의 거대군이다. 이 수용체는 여러 종류의 리간드(예; 에피네프린, 브래디키닌, 류코트리엔)와 결합하면서, 염증 반응 동안에 신호전달의 조절에 관여한다. 세포 밖에 존재하는 리간드가 G단백 결합 수용체와 결합하게 되면 구조적인 변화를 일으켜 관련된 단백들을 활성화시키게 된다. G-단백에 의해 조절되는 두 가지 대표적인 이차전령은 cAMP와 세포질 망상 구조에서 분비되는 칼슘이다. 세포 내 cAMP가 증가하게 되면 protein kinase A와 같은 세포 내 세포전달 조절자의 활동에 의해서 유전자 전사를 활성화시킨다. 세포 내 칼슘이 증가되면 세포 내 세포전달 조절자인 인지질분해효소 C phospholipase C를 활성화시키고, 이는 다음 단계에 연속적 활성화 단계를 작동시키게 된다. GPRs는 또한 리간드와 결합하여 protein kinase C를 활성화시키는데

이는 다음 단계에서 다른 전사 인자로 알려져 있는 NF-κB를 자극한다.

2. 리간드 관문 이온 채널

리간드 관문 이온 채널Ligand-Gated Ion Channesls (LGICs)은 세포막에 존재하는 수용체로 이온들(예를 들면, 나트륨, 칼슘, 칼륨, 염소 이온)의 빠른 유입을 허용하게 하는 수용체로 주로 신경전달 물질의 신호전달의 조절에 관여한다. 리간드가 LGICs과 결합하면 화학적 신호를 전기적 신호로 효과적으로 변화하게 된다. 이 수용체의 원형에 해당하는 수용체는 nicotinic acetylcholine 수용체이다.

3. 타이로신 카이네이즈 수용체

타이로신 카이네이즈 수용체Receptor Tyrosine Kinases (RTKs)는 세포막에 존재하는 수용체로서 platelet-derived growth factor, insulin-like growth factor, epidermal growth factor, vascular endothelial growth factor 등을 포함하는 몇 가지 성장인자들의 세포 신호전달에 관여한다. 리간드가 수용체와 결합하면 주변 수용체와 이량체dimerize를 이루면서 자가 인산화auto-phosphorylation되어 이차 신호 전달 분자(예를들면, phospholipase C)를 보충한다. 활성화된 타이로신 카이네이즈 수용체는 세포 분화뿐만 아니라 유전자의 전사에 중요한 역할을 하고, 많은 종류의 종양의 성장에 영향을 미칠 것으로 생각된다.

4. Janus Kinase/Signal Transducer and Activator of Transcription Signaling

Janus kinase (JAK)는 타이로신 카이네이즈 수용체군으로 IFN-γ, IL-6, IL-10, IL-12, IL-13 등의 사이토카인들의 신호 전달을 매개한다. JAK와 사이토카인이 결합하거나 리간드가 결합을 하면 이량체를 이루게 되고, 활성화된 JAK는 Signal Transducer and Activator of Transcription (STAT) 분자들을 모으고, 인산화 시킨다. 활성화된 STAT 단백들이 다시 이량체를 이루고, 이는 핵내로 이동하여 목표 유전자의 전사를 조절하게 된다. STAT-DNA 결합은 사이토카인과의 결합이 이루어진 후 수 분 내에 관찰되는 것은 흥미로운 사실이다. JAK/STAT 체계는 세포막부터 핵 내로 연결되는 빠른 신호전달 체계이다. JAK/STAT 체계는 길항 단백의 상호작용이나 STAT를 핵 밖으로 이동시키는 인산가수분해효소phosphatase의 활동에 의해 억제된다.

5. Suppressors of Cytokine Signaling

Suppressors of Cytokine Signaling (SOCS) 분자들은 JAK/STAT 체계를 하향 조절함으로써 음성 되먹임으로 기능하는 사이토카인에 의해 유도되는 단백 종류이다. SOCS는 부분적으로는 JAK와 결합함으로써 억제 효과를 발휘하여 STAT와 경쟁한다. SOCS의 결핍은 염증 반응을 일으키는 사이토카인과 성장호르몬에 의한 자극들에 세포 과민반응을 일으키게 한다. 쥐 모델에서 SOCS를 제거시키면 IFN-γ 신호전달이 조절되지 않아 사망에 이르는 결과를 일으키는 것은 흥미로운 사실이다. 이 신호체계는 대식세포에서 SOCS-3를 통하여 STAT-3를 억제함으로써 IL-6에 대한 반응을 약화시킨 예에서 부각되었다.

6. Mitogen-Activated Protein Kinases (MAPKs)

MAPK를 통하여 매개되는 경로는 염증 신호체계, 세포 분화와 사멸을 조절하는 작용을 한다. MAPK 체계는 인산화를 매개하는 일련의 단계에 관여하여 c-Jun N-terminal kinase (JNK), Extracellular signal Regulated protein Kinase (ERK), p38 kinase 등과 같은 downstream effecter들을 활성화시킨다. MAPK

체계의 매개자들이 탈인산화 되면서 그들의 기능을 방해한다. 활성화된 JNK는 c-Jun을 인산화시킨다. c-Jun은 이량체를 형성하면서 transcription factor, activated protein 1을 형성한다. MAP/ERK Kinase Kinase (MEKK) 단백은 protein kinase, ubiquitin ligase, 그리고 MAPK 체계를 하향 조절하는 등의 기능을 가지고 있다. JNK는 TNF와 IL-1에 의해 활성화되며 세포 사멸을 조절한다. JNK를 약물로 차단했을 경우 폐 손상을 감소시키고, 허혈/재관류 모델에서 분비되는 TNF와 IL-1을 감소시켜준다. p38 kinase는 내독소, 바이러스, IL-1, IL-2, IL-7, IL-17, IL-18, TNF와 반응하여 활성화된다. p38의 비 활성화는 흉선 T 세포의 분화의 중요한 단계이므로 면역세포 발달에 중요한 역할을 담당한다. 이러한 MAPK와 같은 형태들은 독립적으로 기능하지는 않지만 염증반응에 영향을 미치는 중요한 반작용과 보조신호전달에 관여한다.

7. Nuclear Factor κB (NF-κB)

NF-κB는 염증 자극 후에 발현되는 유전 산물들을 조절하는데 중심적인 역할을 하는 전사 인자이다. NF-κB는 p50과 p65라는 2개에 작은 폴리펩티드으로 이루어져 있다. NF-κB는 inhibitor of κB (I-κB)와 결합한 상태로 세포질 기질cytosol 안에 활성화되지 않은 상태로 존재한다. TNF, IL-1 혹은 내독소와 같은 염증 자극 물질에 반응하여 세포내에서 매개하는 인산화의 과정이 일어나게 되면 I-κB가 분리되면서 NF-κB가 분비되게 된다. 분비된 NF-κB는 핵 안으로 이동하여 유전자 발현을 촉진한다. 또한 I-κB 유전자 발현을 자극하여 음성 되먹임 조절을 하게 된다. 예를 들면, 충수염이 발생했을 때 처음 염증의 심한 정도에 따라 NF-κB의 활성도가 증가하게 되고, 충수절제술 후 염증 반응이 감소되는 것과 동시에 수술 후 18시간 이내에 정상 수준으로 회복하게 된다.

8. Toll-Like Receptors (TLRs) and CD14

선천성 면역 체계는 미생물 항원이나 LPS 같은 Pathogen-Associated Molecular Patterns (PAMPs)에 반응한다. TLRs는 선천성 면역 체계의 작동자로 기능을 하는 PAMPs에 의해 활성화되는 PAMPs를 인지하는 수용체의 한 종류로서 IL-1의 superfamily에 해당한다. 면역 세포가 LPS를 인식하는 것은 주로 TLR4에 의해 매개된다. LPS-binding protein는 CD14/TLR4 결합체로 LPS를 동반하는 역할을 하는데, CD14/TLR4 결합체는 MAPK, NF-κB, 사이토카인에 의한 유전자 발현 등을 활성화시키는 역할을 한다. TLR4와 대조적으로 TLR2가 lipoprotein, lipopeptide, peptidoglycan을 포함하는 그람 양성균과 포도상 구균 종류에서 나오는 phenol-solution modulin으로부터 만들어지는 PAMPs를 인식하게 된다. TLR의 단일 염기 변이에 의해 기능을 상실하는 것이 중환자에서 감염의 위험을 증가시키는 것과 관련된다는 것은 흥미로운 사실이다. 다중 리간드에 대한 수용체이기 때문에 TLRs는 스트레스나 손상 중에 분비되는 몸 안에서 생성되는 세포 부산물인 DAMPs와도 결합을 한다. DAMPs에는 HMGB1, heat shock protein, hyaluronic acid등이 포함된다. DAMPs에 의해 선천성 면역이 활성화되면 손상 부위로 염증 세포들을 모으도록 자극하게 되고, 전염증신호pro-inflammatory signaling를 매개하게 된다.

VII 손상반응의 전사 및 번역조절

많은 유전자 발현의 조절은 DNA가 전사되는 시점과 전령 RNA 및 그 부산물이 발현되는지 여부에 의해 이루어진다. 이러한 전령 RNA 전사는 또한 다음과 같은 조절 방법에 의하여 조절된다. (가) splicing, 전령 RNA를 절단하고 인트론 염기 서열을 제거하는 단계, (나) capping, 전령 RNA의 5' 말단 부분이 exonuclease에 의하여 분해되지 않도록 변경되는 단계, (다) polyadenylated tail의 추가(전령 RNA에 비암호화 씨퀀스를 추가하는 것), 효과적으로 전사의 반감기를 연장시키는 단계. 한번 핵 밖으로 나오면 전령 RNA는 비 활성화되거나 단백질로 번역된다. 많은 단백 생산물들 또한 특별한 기능을 위해서 혹은 트래피킹trafficking을 위해서 더 변형된다.

유전자 발현은 전사 인자들과 보조 활성제(즉, 조절 단백)의 협동 운동에 의하여 좌우되는데, 이러한 인자들은 표적 유전자의 upstream에 위치한 프로모터 영역이라고 알려진 매우 특별한 DNA 씨퀀스와 결합한다. DNA의 enhancer 씨퀀스는 유전자 발현을 매개하는 반면 repressor 씨퀀스는 비암호화 영역으로 단백과 결합하여 유전자 발현을 방해한다. 전신 염증 반응 동안에 사이토카인 유전자 발현의 조절이 임상적인 표현형에 깊은 영향을 미칠 것으로 생각되기 때문에 전사 인자transcription factor가 매우 중요하다.

VIII 세포매개 염증반응

1. 혈소판

혈소판은 미토콘드리아와 염증신호전달 및 응고역할의 매개체를 가지는 무핵구조체nonnucleated structure이다. 혈소판은 골수의 거핵구megakaryocytes에서 생성된다. 혈소판은 지혈반응에서 매우 중요한 역할을 하고 노출된 콜라젠을 포함하는 여러 인자들에 의해서 활성화된다. 손상부위에서 활성화된 혈소판은 호중구neutrophils와 단핵구monocytes에 대한 화학유도체로 작용하는 염증 매개체를 분비한다. 손상이 발생한지 3시간 이내에 혈관내피를 통해 혈소판과 호중구가 이동을 시작하며 세로토닌serotonin 분비, 혈소판 활성인자, 프로스타글란딘 E_2에 의해서 반응이 증대된다. 혈소판은 eicosanoid의 중요한 원료이자 혈관활성화 매개체이다. 패혈증 반응의 특징은 그 기전이 불명확하고 여러 요인에 의해 발생하지만 혈소판감소증을 포함하고, NSAIDs와 같은 약제는 COX를 차단하여 혈소판 기능을 저해하는 작용을 한다.

2. 림프구와 T세포 면역

림프구는 B세포, T세포, NK세포로 구성되는 순환 면역세포이다. 면역 반응의 매개체로서 T 림프구는 상처부위로 모인다. 도움 T 림프구(helper T lymphocyte)는 크게 T_H1과 T_H2의 두 가지로 나뉜다. T_H1 세포는 세포 면역반응을 주로 일으키고 INF-γ, IL-2, IL-12 등을 분비하는 반면, T_H2 세포는 체액 반응을 일으키고 IL-4, IL-5, IL-9, IL-10, IL-13을 분비한다. T_H1 활성화는 세균에 대한 방어에 주축인 반면에 심한 외상과 패혈증으로 야기된 치명적 질환에서는 T_H2 반응이 우세하다. 화상에서는 T조절세포가 T세포 반응을 저해하는 TGF-β의 분비를 통해 T세포 억제를 시킨다. 아르기닌이 T세포 증식 및 수용체 작용에 꼭 필요한 물질이므로 영양소 섭취는 T세포 반응에 중요하다.

3. 호산구

호산구eosinophils는 기생충에 대한 면역 작용을 주로하는 면역세포이다. 호산구는 면역 감시에 중요한 폐와 소화기에 주로 존재하고, IL-3, IL-5, GM-CSF, chemoattractants, 혈소판 활성인자에 의해서 활성화된다. 호산구의 활성화는 반응성 산소, histamine, peroxidase와 같은 독성 매개체를 분비할 수 있다.

4. 비만세포

비만세포mast cell는 조직에 존재하므로 주로 상처반응에서 중요한 역할을 한다. 비만세포에서 분비된 TNF는 호중구를 불러들이고 병원체를 제거하는데 결정적으로 작용한다. 비만세포는 또한 allergen에 대한 과민성 반응에서 중요한 역할을 하는 것으로 알려져 있다. Allergen과의 반응, 감염, 외상에 의한 자극으로 활성된 비만세포는 혈관을 확장시키고 혈관의 투과성을 높이며 면역세포를 모이게 하는 histamine, cytokine, eicosanoids, protease, chemokine을 분비한다. 비만세포는 IL-3, IL-4, IL-5, IL-6, IL-10, IL-13, IL-14의 분비를 통한 면역반응에서 동시신호전달 체계의 작용세포로 중요할 뿐 아니라 대식세포macrophage의 이동을 저해하는 인자이다.

5. 단핵구

단핵구monocytes는 혈류에 순환하는 단핵식세포mononuclear phagocyte이고 대식세포, 용골세포osteoclast, 수지상세포dendritic cell로의 분화가 가능하다. 대식세포는 병원체를 포식하고 염증 매개체를 분비하며 사멸세포를 제거하는 기전을 통해 염증과 감염에 대한 면역반응의 주된 활동 세포로 작용한다. 인간에서 임상적 및 실험적으로 단핵구의 감소와 호중구 TNFR 발현이 전신적 염증반응 동안에 관찰된다. 임상적 패혈증에서 심한 패혈증으로 사망하는 환자는 단핵구 표면의 TNFR 발현이 감소되어 있으나 생존하는 환자는 정상 또는 거의 정상 수준을 보인다. 울혈성 심부전 환자에서도 단핵구 표면의 TNFR 발현이 감소되어 있는 것이 관찰된다. 실험모델에서 내독성endotoxin은 쥐의 대식세포에서 거의 25%에 달하는 cytokine과 chemokine과 반응하는 1,000개 이상의 유전자를 조절하는 것을 보였다. 패혈증 시 대식세포는 표현형 재프로그램화phenotypic reprogramming를 진행하는데 이것은 패혈증시 숙주의 면역손상에 기여하는 인간 백혈구 항체 DR의 감소로 나타난다.

6. 호중구

호중구는 감염 및 손상부위에서 가정 먼저 반응하는 세포이고, 급성 염증의 강력한 매개체이다. 상처 부위에서 분비되는 화학유인chemotatic 매개체는 호중구가 혈관내피에 부착되고 상처조직으로 연관된 세포가 이동하도록 유도한다. 호중구는 반감기가 4시간에서 10시간 정도로 짧은 순환 면역세포이다. TNF, IL-1, 병원체와 같은 염증 자극에 의해 활성화되면 호중구는 포식작용, 분해효소분비, 다량의 반응성 독성 산소 물질을 발생할 수 있다.

IX 내피 매개 손상

1. 혈관 내피

생리적인 조건하에서 혈관내피vascular endothelium는 heparin sulfate, dermatan sulfate, tissue factor pathway inhibitor, protein S, thrombomodulin, plaminogen, tissue plasminogen activator의 생성과 세포 표면 발현을 통해 항응고 작용을 가진다. 내피세포는 또한 순환세포들이 조직이동을 조절하는 장벽으로 작용한다. 패혈증시 내피세포는 미세혈전증 및 장기손상을 일으키는 항응고인자의 생산을 감소시키는 전응고procoagulant 상태로의 이동으로 나타난다.

2. 호중구-내피 상호작용

감염에 대한 조절된 염증 반응은 호중구와 다른 면역세포의 염증조직으로의 이동을 촉진시키는데 혈관 투과성을 증가시키고 chemoattractant와 다른 세포 표면에 작용하는 selectin과 같은 내피 유착 인자를 통해서 이루어진다. 지속적인 호중구 활성화와 매개체 분비는 독성 산소대사물과 조직 기저세포막을 분해하는 리소좀효소의 생산을 통해서 조직 손상을 일으킬 수 있는데 이런 반응은 미세혈관 혈전증과 myeloperoxidase의 활성화를 초래한다. chemokine, thrombin, IL-1, histamine, TNF에 의한 염증 자극의 반응에서 혈관 내피는 유착 물질인 P-selectin의 표면 발현을 증가시키는데 이 P-selectin은 10분에서 20분 이내에 관찰되고 호중구의 순환을 매개한다. 그러나 2시간 이후에는 세포 표면에서 E-selectin을 발현시킨다. L-selectin과 P-selectin glycoprotein ligand-1 (PSGL-1)은 단핵구-단핵구간, 단핵구-내피 간 유착 활성의 85% 이상을 담당한다. 내피의 selectin은 표적된 면역세포의 이동을 촉진하는 백혈구의 순환을 매개하는 백혈구 selectin (PSGL-1, L-selectin)과 상호작용을 한다. 또한 PSGL-1과 L-selectin 결합이 추가적인 백혈구의 연결을 촉진하는 이차적인 백혈구-백혈구 간 상호작용에서 중요한 역할을 한다. 백혈구 순환에서 발견되는 각각의 selectin 중에서 개별되는 특성이 있음에도 불구하고 효과적으로 작용하는 순환물질은 상당부분에서 기능적으로 중복된다.

3. 일산화질소

일산화질소nitric oxide는 혈관 평활근에 작용하는 내피 관련 혈관확장 인자로 잘 알려져 있고, 혈관의 긴장도를 생리적 및 병리적으로 조절하는데 중요한 역할을 한다. 정상 혈관 평활근의 이완은 지속적인 일산화질소의 유출과 연속적인 수용성 quanylyl cyclase의 활성화에 의해서 유지된다. 일산화질소는 또한 혈소판의 유착과 응집을 감소시켜 미세혈전증을 감소시킬 수 있다. 일산화질소는 세포막을 쉽게 통과할 수 있고 반감기가 수초로 짧으며 아질산염nitrite과 질산염nitrate로 산화된다. 일산화질소는 내피 세포에 의해서 지속적으로 발현되는데, 유도된 일산화질소 생성효소inducible NO Synthase (NOS)는 정상적으로 발현되지 않으며 염증 반응에 의해 과발현되어 일산화질소의 생성을 증가시킨다. 증가된 일산화질소는 패혈성 쇼크, TNF, IL-1, IL-2, 출혈반응에서 검출이 가능하다. 일산화질소는 패혈성 쇼크에서 저혈압을 매개하지만 임상적인 비선택적 일산화질소 생성효소 억제물질은 장기부전과 치명율을 증가시키는 것으로 알려져 있다.

4. Prostacyclin

Prostacyclin은 eicosanoid의 한 부류이고 내피세포에 의해서 주로 분비된다. Prostacyclin은 효과적인 혈관확장제이고 혈소판 응집을 억제한다. 전신적인 염증 반응시 내피의 prostacyclin 발현은 감소하고, 결과적으로 내피는 전응집상태procoagulant profile를 보이게 된다. 패혈증시 prostacyclin 치료는 cAMP 의존 경로를 통하여 cytokine, 성장인자, 유착 물질의 농도를 감소시킨다. 임상연구에서 prostacyclin 주입은 심박출을 증가시키고, 내장혈류를 증가시키며 평균 동맥압의 저하없이 산소의 공급과 소모를 증가시키는 것으로 알려져 있다. 그러나 광범위한 prostacyclin 치료에 앞서 추가적인 연구가 권장된다.

5. Endothelin

Endothelin (ET)은 강력한 혈관 수축제이며 ET-1, ET-2, ET-3의 3가지로 구성된다. ET는 38개의 아미노산 전구물질에서 파생된 21개의 아미노산 펩티드이다. ET-1은 주로 내피세포에서 생성되며 가장 강력한 내인성 혈관수축제이고 angiotensin II 보다 10배 이상 강력한 것으로 예측된다. ET의 분비는 저혈압, LPS, 손상, thrombin, TGF-β, IL-1, angiotensin II, vasopressin, catecholamine, 무산소증에 의해서 증가된다. ET는 주로 내피세포의 abluminal 측에서 주로 분비되고 세포내 저장량은 거의 없어서 ET 생성 시 혈장 내의 증가가 매우 두드러진다. 혈장 내 ET의 반감기는 4-7분 이내이고 이것은 전사수준transcriptional level에서 ET 분비가 주로 조절되는 것을 의미한다. 3개의 ET 수용체(ET_A, ET_B, ET_C)가 확인되며 G 단백 수용체 결합 기전에 의해서 작용한다. ET_B 수용체는 일산화질소와 prostacyclin 생산의 증가와 관련이 있고 되먹임 기전으로 작용할 수 있다. 심방 ET_A 수용체의 활성화는 수축력증가inotropy와 심박수증가chronotropy와 관련이 있다. ET-1 주입은 폐혈관저항을 증가시키고 폐부종과 관련이 있으며 패혈증시 폐의 이상소견을 일으킬 수 있다. ET는 일산화탄소와 결합하여 낮은 농도로 혈관 긴장도를 조절한다. 하지만 농도가 증가되면 정상 혈류와 혈액분배를 변화시키고 조직으로의 산소 공급을 중재할 수 있다. 또한 증가된 혈장 내 ET 농도는 중대한 외상 이후, 대수술 후, 심인성 및 패혈성 쇼크 환자에서와 같은 심한 손상에 비례하여 증가한다.

6. 혈소판 활성인자

또 다른 내피 파생물인 혈소판 활성인자Platelet-Activating Factor (PAF)는 정상 생리적 상태에서는 거의 발현이 안 되며 세포막의 자연 인지질 구성물로 이루어져 있다. 혈소판 활성인자는 급성 염증 시에 호중구, 혈소판, 비만세포, 단핵구에 의해서 분비되어 내피세포의 외부에서 발현된다. 혈소판 활성인자는 추가적으로 호중구와 혈소판을 활성화시키고 혈관 투과성을 증대시킨다. 혈소판 활성인자 수용체의 길항제는 실험적으로 허혈과 재관류 손상의 효과를 완화시키는 것으로 알려져 있다. 인간의 패혈증은 내인성 혈소판 활성인자의 억제제인 PAF-acetylhydrolase의 농도 감소와 관련이 있고, 실제 PAF-acetylhydrolase를 투여한 환자에서 다발성 장기부전과 치명율이 일부 감소한 것을 보였다.

7. 심방 나트륨이뇨 펩티드

심방 나트륨이뇨 펩티드Atrial Natriuretic Peptides (ANP)는 심방조직에서 주로 분비되지만 내장, 신장, 뇌, 부신, 내피에서도 생성되고, 혈관 확장 뿐만 아니라 수분과 전해질의 분비를 촉진한다. 심방 나트륨이뇨 펩티드는 강력한 알도스테론 분비의 길항제이고 나트륨의 재흡수를 억제한다. 심방 나트륨이뇨 펩티드가 급성 신부전이나 초기 급성 세관 괴사를 되돌린다는 몇몇 실험 증거가 있다.

요약

외과 환자를 진료함에 있어 거의 대부분 손상으로 인한 전신반응을 접하게 되며, 이들은 또한 감염에 취약한 상황에 처하게 된다. 손상 또는 감염에 대한 전신반응은 세포신호, 세포이동, 매개물질 분비 등 다양한 경로로 나타나게 된다. 이런 전신반응은 생물학적 방어반응으로 경한 경우 일시적이고 해를 끼치지 않지만, 주요 손상은 전신적 염증 및 원격장기 손상과 관계되고, 일부 장기부전까지 초래할 수 있다. 따라서 환자의 예후 향상을 위해 손상 및 감염에 대한 전신반응에 대한 효과적인 치료가 필요하며 이를 위해 손상에 대한 전신반응에 관여하는 경로를 이해할 필요가 있다.

이번 장에서는 손상과 관련된 세포성, 신경성, 호르몬성 반응과 전달 그리고 조정과정 및 면역반응에 대해 기술하였다.

참고문헌

1. Borovikova LV, Ivanova S, Zhang M et al. Vagus nerve stimulation attenuates the systemic inflammatory response to endotoxin. Nature. 2000;405(6785):458-462.
2. Darwiche SS, Pfeifer R, Menzel C et al. Inducible nitric oxide synthase contributes to immune dysfunction following trauma. Shock. 2012;38(5):499-507.
3. Dichlberger A, Kovanen PT, Schneider WJ. Mast cells: from lipid droplets to lipid mediators. Clin Sci (Lond). 2013;125(3):121-130.
4. Foster SL, Medzhitov R. Gene-specific control of the TLR-induced inflammatory response. Clin Immunol. 2009;130(1):7-15.
5. Fung A, Vizcaychipi M, Lloyd D, Wan Y, Ma D. Central nervous system inflammation in disease related conditions: mechanistic prospects. Brain Res. 2012;1446:144-155.
6. Gallo PM, Gallucci S. The dendritic cell response to classic, emerging, and homeostatic danger signals. Implications for autoimmunity. Front Immunol. 2013;4:138.
7. Haimovich B, Reddell MT, Calvano JE et al. A novel model of common Toll-like receptor 4- and injury-induced transcriptional themes in human leukocytes. Crit Care. 2010;14(5):R177.
8. Kaczmarek A, Vandenabeele P, Krysko DV. Necroptosis: the release of damage-associated molecular patterns and its physiological relevance. Immunity. 2013;38(2):209-223.
9. Latz E, Xiao TS, Stutz A. Activation and regulation of the inflammasomes. Nat Rev Immunol. 2013;13(6):397-411.
10. Ley K, Laudanna C, Cybulsky MI, Nourshargh S. Getting to the site of inflammation: the leukocyte adhesion cascade updated. Nat Rev Immunol. 2007;7(9):678-689.
11. Manson J, Thiemermann C, Brohi K. Trauma alarmins as activators of damage-induced inflammation. Br J Surg. 2012;99(Suppl 1):12-20.
12. Minei JP, Cuschieri J, Sperry J et al. The changing pattern and implications of multiple organ failure after blunt injury with hemorrhagic shock. Crit Care Med. 2012;40(4):1129-1135.
13. Nicodeme E, Jeffrey KL, Schaefer U et al. Suppression of inflammation by a synthetic histone mimic. Nature. 2010;468(7327):1119-1123.
14. O'Mahony L, Akdis M, Akdis CA. Regulation of the immune response and inflammation by histamine and histamine receptors. J Allergy Clin Immunol. 2011;128(6):1153-1162.
15. Ott J, Hiesgen C, Mayer K. Lipids in critical care medicine. Prostaglandins Leukot Essent Fatty Acids. 2011;85(5):267-273.
16. Piechota M, Banach M, Irzmanski R et al. Plasma endothelin-1 levels in septic patients. J Intensive Care Med. 2007;22(4):232-239.
17. Pugin J. How tissue injury alarms the immune system and causes a systemic inflammatory response syndrome. Ann Intensive Care. 2012;2(1):27.
18. Qian C, Cao X. Regulation of Toll-like receptor signaling pathways in innate immune responses. Ann N Y Acad Sci. 2013;1283:67-74.
19. Saxena P, Thompson P, d'Udekem Y, Konstantinov IE. Kallikrein-kinin system: a surgical perspective in post-aprotinin era. J Surg Res. 2011;167(1):70-77.
20. Sillesen M, Johansson PI, Rasmussen LS et al. Platelet activation and dysfunction in a large-animal model of traumatic brain injury and hemorrhage. J Trauma Acute Care Surg. 2013;74(5):1252-1259.
21. Silverman MN, Sternberg EM. Glucocorticoid regulation of inflammation and its functional correlates: from HPA axis to glucocorticoid receptor dysfunction. Ann N Y Acad Sci. 2012;1261:55-63.
22. Van den Berghe G. How does blood glucose control with insulin save lives in intensive care? J Clin Invest. 2004;114(9):1187-1195.
23. Vignali DA, Kuchroo VK. IL-12 family cytokines: immunological playmakers. Nat Immunol. 2012;13(8):722-728.
24. Zardi EM, Zardi DM, Dobrina A, Afeltra A. Prostacyclin in sepsis: a systematic review. Prostaglandins Other Lipid Mediat. 2007;83(1-2):1-24.
25. Zhang MJ, Spite M. Resolvins: anti-inflammatory and proresolving mediators derived from omega-3 polyunsaturated fatty acids. Annu Rev Nutr. 2012;32:203-227.
26. Zhang Q, Raoof M, Chen Y et al. Circulating mitochondrial DAMPs cause inflammatory responses to injury. Nature. 2010;464(7285):104-107.

Chapter 08

외과 감염

Surgical infection

I 역사적 배경

감염에 대한 치료는 유사이래 외과 의사의 시술에서 필수 요소였음에도 불구하고 멸균과 소독에 대한 개념을 확립한 19세기 중반에야 외과감염의 실체에 접근하게 되었다.

멸균, 소독, 장갑 등을 이용한 무균법이 없는 극히 불결한 환경에서 수술이 시행되고 항생제도 없었던 과거의 외과역사는 감염증과의 투쟁의 역사였다고 해도 과언이 아니다. 19세기중반 Morton에 의해 마취법의 도입과 함께 멸균, 소독 및 장갑이용 등의 무균법이 도입된 후에야 수술 후 감염으로 인한 높은 합병증과 사망률을 줄였으며 여러 수술의 발전이 가능하게 되었다. 최근까지도 수술 창상과 관련된 염증은 예외라기보다는 거의 대부분에서 문제가 되었다. 사실, 효과적인 감염예방과 치료방법은 지난 수십년 전부터 가능하게 되었다.

19세기의 의사와 연구자들에 의해 많은 발견으로 외과감염의 발병원인에 대한 이해, 예방 및 치료가 가능하게 되었다. 1846년 헝가리 의사 Ignaz Semmelweis는 오스트리아 비엔나 대학병원에 근무하면서 대학병원에서 출산한 경우 산파에 의한 출산보다 산욕열로 인한 사망률이 높다(1/11 vs. 1/29)는 사실을 알게 되었다. 또한 교육병동에 도착하기 전에 출산한 여성들의 사망률이 미미할 정도로 낮았다는 사실도 알게 되었다. 산욕열로 인하여 사망한 여성을 부검하는 동안 수술용 메스로 절개한 산모의 심한 감염으로 사망한 여성은 꼭 같은 병변이 발생한 사실을 알아냈다. 그는 산욕열은 이 병으로 죽어가는 환자의 부패물이 의학도나 부검의사의 검진 손가락에 의하여 부검실에서 병동으로 전염되어서 일어나는 것이라고 추측하였다. 또한 산파에 의해 출산한 여성들의 사망률이 낮은 것은 산파들이 부검에 참여하지 않았기 때문임을 알게 되었다. 산모들의 구세주가 된 그는 이 발견으로 열정에 불타서 병동으로 들어가는 모든 의료진은 병동으로 들어가기 전에 염소액으로 손을 깨끗이 씻도록 출입 문에 경고문을 써 붙여 놓았다. 단순한 손 씻기 행위로 산욕열로 인한 사망률을 1.5%까지 낮추었다. 1861년 그는 그의 단순한 행위에 의한 치료 기록을 논문으로 발표했지만 불행히도 그 이론은 그 시대의 권위자들에 의해 받아들여지지 않았다. 의학계의 무관심에 의한 좌절을 맛본 그는 유럽에서 유명한 산부인과 의사들에게 공개편지를 쓰기 시작하였고 마침내 정신이상 증세를 보여 보호소에 맡겨진 얼마 후에 그는 세상을 떠나게 되었다. 그의 성취는 루이 파스퇴르의 세균이론이 나온 이후에야 인정받게 되었다.

루이 파스퇴르Louis Pasteur는 19세기 말 세균이론으로 현대 미생물학의 뼈대를 세웠다. 그는 누에에서 감염물질을 규명한 실험을 한 후 사람에게로 확대했다. 그는 접촉에 의한 질병은 숙주에겐 외부침입자인 미생물에 의하여 일어난다는 원리를 밝히게 되었다. 이 원리를 이용하여 포도주 양조기술에 필수적인 소독기법을 발전시켰고 또한 질병의 원인이 되는 몇 가지 박테리아 즉 포도상구균과 폐렴구균을 분리해내기도 했다.

외과감염의 역사에서 조셉 리스터Joseph Lister를 빼놓을 수 없다. 포도주 거래상의 아들이었던 그는 1859년 왕립 글래스고우 병원의 외과교수가 되었다. 그의 초기 임상 경험에서 절단수술을 한 환자의 50%가 넘는 환자가 수술 후 감염으로 사망하였다. 그는 파스퇴르의 세균이론을 듣고 하수구의 악취정화재로 사용되던 석탄산 용액으로 소독하는 실험을 했다. 그는 복합골절환자 12명에 대해 석탄산으로 소독 드레싱하여 실험한 결과를 1867년 영국의 사협회지에 처음으로 발표하였다. 그 보고서에 10명은 절단을 하지 않고 회복되었고 1명은 절단후 회복, 1명은 상처와 무관하게 사망하였다. 초기의 저항에도 불구하고 그의 소독법은 전유럽으로 급속히 수용 전파되었다.

1978–1880 로버트 코흐Robert Koch가 독일 월스타인(Wollstein) 지역 보건소장으로 있을 때 그 지역은 안쓰락스Anthrax 유행지역이었다. 그는 과학기관이나 학계와는 접촉도 없이 집에서 실험하면서 *Bacillus anthracis* 배양기법을 개발했으며 건강한 동물이 안쓰락스에 걸리도록 했다. 여기서 그는 미생물과 특정질환의 연관성에 관한 다섯가지 이론을 추론했다. 1) 특정 병에 걸린 모든 동물에서는 의심되는 병원균이 분리되어야 하고 건강한 동물에서는 검출되지 않아야 한다. 2) 특정 질병은 그 병에 걸린 모든 동물에게 감염되어 있고 건강한 동물에는 없다. 3) 병에 걸린 동물에서는 의심스런 병원균이 발견되고 배양에서 자라야 한다. 4) 의심스런 병원균의 배양에서 얻은 세포는 건강한 동물에게 병을 일으켜야 한다. 5) 새롭게 병에 걸린 동물에서 병원균이 추출되어야 하고 그것은 이전 동물에서 일어난 균과 같은 균이어야 한다. 그는 같은 기법으로 콜레라와 결핵균을 검출해 냈다.

감염원을 제거함으로써 치료한 복강 내 수술은 충수돌기 제거수술이었다. 이 수술은 뉴욕의과대학의 Charles McBurney에 의해 처음으로 시도되었다. 치사율이 높은 질병으로 인식되었던 충수돌기염의 치료로 충수돌기 제거술은 1902년 영국의 왕인 Edward VII세의 즉위식 때문에 유명해졌는데 이는 Edward VII세가 Frederick Treves경에게 충수돌기절제술을 받아야 함으로서 즉위식이 연기되었기 때문이다. 왕은 충수돌기절제술이 절실히 필요한 상황이었지만 "나는 왕관을 받아야 한다."라며 병원에 가는 것을 강력히 반대했다. 그러나 Treves는 "수술을 안 하시면 즉위식이 아닌 장례식이 될 것입니다."라고 강경하게 설득했고 왕은 Treves의 권유를 받아들여 수술을 받고 살게 되었다.

20세기 중반 항생제 발견으로 수술 후 감염을 제어할 수 있는 새로운 무기를 현대 외과 의사의 손에 안겨주게 되었다. 알렉산더 플레밍 경Sir Alexander Flemming은 제 1차 세계대전 때 영국군의 군의관으로 복무 후 혈액의 항박테리아 및 살균작용에 관한 연구를 계속했다. 1928년에 인플루엔자 바이러스를 연구하다가 배양기에 포도상 구균이 배양되었는데 곰팡이(*Penicillium nonatum*)가 자란 주변에는 세균이 자라지 않은 것을 알게 되었다. 그는 곰팡이에서 항생물질을 추출하는 뜻하지 않은 행운을 얻었고 그 물질을 penicillin이라고 명명하였다. 이 첫 항생제 발견 후 수백 가지의 항생물질의 개발로 이어졌고 수술상처 감염방지를 위한 예방적 항생제 사용과 치명적인 세균감염의 치료에 강력한 무기로 자리매김하게 되었다.

많은 항생제의 개발과 동시에 임상 미생물학도 함께 발전하였다. 혐기성 세균들을 포함한 많은 새로운 미생물들이 발견되었다. 수술 중 외과 의사가 접하게 되는 피부의 표재성균, 위장관 그리고 그 외 신체의 여러 부위에 있는 세균들을 분리해내게 되었다. 그러나 이러한 미생물들이,

특히 혐기성 세균, 공생하는 것인지 아니면 병을 일으키는 것인지에 대한 것은 아직 불분명하다. 여러 외과 의사들의 초기 임상경험을 바탕으로 연구자들은 호기성균과 혐기성 세균은 상호 상승 효과를 일으켜 연부조직과 복강 내에 심각한 감염을 일으킬 수 있다는 것을 알아냈다. 그리하여 원래 정상적으로 신체 내에 존재하던 비 병원성 미생물들이 무균의 장소로 퍼지면 병원성이 된다는 사실과 대부분의 수술 감염이 다양한 균들에 의해 이루어진다는 사실은 중요한 개념이 되었고 이 개념은 임상의와 과학자들에 의해 지난 수십 년간 널리 알려지게 되었다. 이 이론들은 여러 미생물 실험실에서 천공된 장기 또는 괴사성 충수돌기염에 의한 복강 내 감염 수술 시 취한 시료 배양에서 동일한 호기성 세균과, 혐기성 세균들이 언제나 발견된다는 사실을 바탕으로 확립되었다.

여러 임상 시험들에 의해 이러한 감염병에 대한 최적의 치료는 원인 병소를 제거함과 동시에 두 가지 병원균을 제어하는 항생제를 투여하는 것이라는 여러 증거들을 확보하게 되었다. 세균감염에 대해 여러 가지 사이토카인들이 분비되어 일어나는 신체반응에 대한 이해의 폭이 넓어지면서 이 반응을 조절하는 여러 가지 치료법 개발이 가능하게 되었다. 그러나 아직도 감염으로 인한 다장기부전증을 예방하고 치료하는 것이 현대 중환자와 외과감염병 치료의 주된 과제 중 하나로 남아 있다.

II 감염의 발병기전

1. 숙주의 방어기전

포유류 숙주는 체내에 다수의 방어기전을 가지고 있는데 이는 세균의 침입을 막고, 체내에서 세균이 증식하는 것을 제한하고, 이미 침입한 세균을 박멸하는 역할이다. 이러한 방어기전은 다양한 구성요소가 모여 하나의 기능을 할 수 있게 통합하며, 침입하는 세균에 매우 효율적으로 대처할 수 있는 고도로 통제된 시스템이다. 조직학적 단계에서 작용하는 지역 특이적 방어 기전뿐 아니라 혈류와 림프 안에 존재하여 몸 속을 자유롭게 순환하는 시스템도 포함한다. 전신의 방어 시스템은 항상 감염 부위로 모이게 되는데, 이는 몸의 무균 부위에 세균이 침입하자마자 일어나는 과정이다. 이러한 방어기전을 구성하는 요소에 교란상태가 오면 즉, 면역 억제된 환자, 만성 질병, 화상 등과 같은 환자에서는 감염에 대한 저항능력에 좋지 않은 결과를 가져올 수 있다. 포유류 숙주 내로의 세균의 침입을 상피나 점막(호흡기, 위장관, 비뇨기계통의) 표면을 포함하는 몇 개의 장벽이 막게 된다. 그러나 장벽은 물리적으로만 세균의 침입을 막는 것이 아니다. 숙주의 장벽 세포는 세균의 증식이나 침입을 막는 물질을 분비할 수도 있다. 또한, 체내에 서식하거나 공생하는 세균(정상 세균총, 상재 세균총 등)은 물리적으로 표면에 붙어 특히 유해한 세균의 침입을 막을 수도 있다.

가장 튼튼한 물리적 장벽은 외피나 피부다. 상피 표면으로 이루어진 물리적인 장벽 이외에도 피부는 상재하는 세균총이 있어 정상적으로 존재하지 않는 세균의 부착과 침입을 막는다. 피지선이 분비하는 화학물질과 상피세포의 지속적인 탈락 등에 의해서도 세균의 침입이 방해받게 된다. 피부의 상재 세균총은 *Corynebacterium*과 *Propionibacterium* 뿐 만 아니고 주로 그람양성 호기성 세균인 *Staphylococcus*와 *Streptococcus*를 포함한다. 위의 세균과 함께 *Enterococcus faecalis, faecium, Escherichia coli*와 그 외의 *Enterobacteriaceae, Candida albicans*와 같은 yeast도 배꼽 아래 신체에서 발견될 수 있다. 피부질환에서 피부 상재 세균총의 과증식에 의해 방어 장벽이 무너질 때 이 세균들이 침입한다.

호흡기 계통은 정상적 조건 하에서 원위부 기관지와 폐포의 무균 상태를 유지할 수 있게 하는 몇 가지의 방어기전을 가진다. 상기도에서 분비되는 점액은 세균을 포함한 큰 입자들을 포획한다. 이 점액은 그 다음에 섬모가 있는 상피세포에 의해 상기도와 구강인두로 넘어가고, 여기서 점액은 기침을 통해 제거된다. 더 작은 물질은 하기도 까지 도달하게 되는데 여기서 폐포의 대식세포에 의해 잡아 먹히게 된다. 이러한 숙주의 방어기전을 저해하는 상황이 발생할 경우 기관지염이나 폐렴을 일으키게 된다. 건강한 사람의 비뇨기계, 담도계, 췌관, 하기도에는 상재세균총이 존재하지 않는데 여러 질환, 예를 들어 종양, 염증, 돌, 이물 등에 의해 방어장벽이 영향을 받을 경우나 외부로부터 세균이 침입할 경우 세균이 내부로 들어와 일을 벌이게 된다. 한편, 위장관의 많은 부분에는 여러 가지 세균이 발견되는데, 특히 구강인두와 원위부 결·직장에서 많이 발견된다.

구강인두에서 발견된 같은 세균이 위장관 전체에서 발견될 것으로 생각할 수도 있지만 그렇지는 않다. 왜냐하면, 이런 세균을 섭취한 후 초기 소화과정에서 위액이 강산이며 위의 움직임이 적은 환경에서 대부분의 세균은 죽기 때문이다. 따라서 위점막에는 소수 세균만이 존재하며 (10^2–10^3 CFU/mL, colony forming unit) 세균 수는 위의 산성도를 약하게 하는 약제나 질환에 의해 증가하게 된다. 위장에서 죽지 않은 세균은 소장에 들어가게 되는데 여기서 세균의 증식이 일어나 말단부회장에서는 10^5–10^8 CFU/mL정도에 이르게 된다.

대장은 상대적으로 산소가 적고 움직임이 적은 환경이어서 세균이 기하급수적으로 증식하여 가장 많은 상재세균총이 자라게 된다. 원위부 결·직장에서는 혐기성 세균이 호기성 세균보다 100배나 많아지고 대변에는 약 10^{11}–10^{12} CFU/g개가 존재하게 된다. 많은 수의 통성(facultative, 산소의 유무에 관계없이 살 수 있는), 혐기성 세균(*Bacteroides fragilis, distasonis, thetaiotaomicron, Bifidobacterium, Clostridium, Eubacterium, Fusobacterium, Lactobacillus, Peptostreptococcus*)과 그보다 적은 수의 호기성 세균들(*Escherichia coli*, Enterobacteria 계통인 *Enterococcus faecalis, faecium, Candida albicans*와 그 외 *Candida* spp) 이 존재한다. 흥미롭게도, 이런 광범위하고 특징적인 세균총의 집락정착 저항성은 *Salmonella, Shigella, Vibrio* 등 다른 장 질환을 일으키는 해로운 세균의 침입을 효과적으로 막기도 하지만 만약 위장관에 천공이 일어날 경우 감염의 첫 번째 원인이 되기도 한다. 이러한 세균들 중 복강 내 감염에서 주로 보이는 세균의 종이 몇 가지로 한정적이라는 것은 매우 흥미로운 사실이다.

세균이 무균상태의 장기(흉강, 복강) 조직에 침투하면 부가적인 방어기전이 이러한 세균의 활동을 막거나 제거하기 위해 작용하게 된다. 우선 손상의 종류에 따라 몇 개의 선천적이고 상대적으로 비특이적인 방어기전이 작용하여 세균과 함께 조직파편, 괴사조직, 이물질 등을 포함한 감염병소를 제거한다. 이런 방어기전은 조직 자체를 포함한 물리적장벽과 세균의 성장에 필수적인 철을 공급하는 lactoferrin, transferrin 등의 단백질을 포함하여 제거하기 때문에 결과적으로 세균의 성장을 저해한다. 부가적으로, 염증세포의 삼출액 안의 파이브리노겐은 파이브린으로 합성되는 과정에서 많은 세균을 잡아둘 수 있다. 복강 내에는 횡격막의 펌프기능을 포함하여 특이한 방어기전이 있는데 횡격막 아래에 있는 특이 구조stomata를 통해 세균을 포함한 복막액이 복강으로부터 방출되게 된다. 또한, 복부의 '문지기'라 불리는 장막에도 세균이 포획되어 감염을 방지하게 된다. 이 과정과 파이브린 포획에 의해 복강 내 농양이 만들어진다.

세균은 체내에 침입 즉시 대부분의 조직 안에 있는 방어기전을 만나게 된다. 이런 방어기전에는 상재하는 대식세포와 낮은 농도의 보체complement 단백질과 면역 글로불린이 있다. 대식세포에서의 반응은 침입 세균에 반응하는 게놈기억인지 수용기에 의해 시작된다. 이 수용기는 외부물질에 노출될 때 세균의 병원체관련분자형태Pathogen-Associated Molecular Patterns (PAMPs)와 내재성 위험관련분자형태Danger-Associated Molecular Patterns (DAMPs)를 인지하게 된다. TLRs (Toll-like receptors)는 병원체신호에서 중요한 역할을 하는 PAMP의 잘 알려진 한 예이다. 조직 대식세포는 위에 열거된 과정에 반응하여 많은 물질을 분비하는데 이 중 몇 개는 숙주 방어 기전 중 세포 단계에서의 조절을 담당하는 것으로 알려져 있으며 이로 인하여 염증세포를 자극하여 증식이 일어나고 대식세포에서 사이토카인 생성이 증가된다. TNF (Tumor Necrosis

Factor), IL-1β, IL-6&8, IFN-γ 등의 분비가 조직 내에서 일어난다. 이 반응는 숙주의 방어기능과 전신순환 정도에 달려있다. 동시에 TNF binding protein, 사이토카인 수용기 길항 항체, 반염증 사이토카인(IL-4 and IL-10) 분비 등의 반대 반응도 시작된다.

세균에 대한 이러한 1차 방어기전의 작용은 세균의 옵소닌화(C1q, C3bi, IgFc), 탐식작용 그리고 세포 외 및 세포 내 세균의 파괴가 일어난다. 동시에 직접 세균에 붙거나 IgM>IgG를 통해 보체 기전이 활성화되고 여러 가지 보체(C3a, C4a, C5a)가 분비되어 혈관의 투과성을 현저히 증가시킨다. 세균의 세포벽에서 나온 물질과 세균의 탐식작용 중에 백혈구에서 분비된 다양한 효소 또한 이 기전을 촉진시킨다.

동시에, 혈류에서 다형핵백혈구(PMNs)를 끌어 모으는 물질이 분비된다. 이런 물질에는 C5a, 세균 세포벽의 N-formyl-methionine기를 가지는 peptide, 대식세포가 분비하는 IL-8과 같은 사이토카인 등이 있다. 이런 과정은 숙주에서 초기 감염된 부위로 염증반응 액을 흘러들어오게 하고 다수의 PMN이 혈관 외로 유출되게 하는데, 수분 내로 시작되어 수 시간 혹은 수일 만에 최대의 반응이 일어난다. 반응 정도와 결과는 대개 몇 가지 요소와 관련되어 있다. (1) 초기 세균의 수, (2) 방어기전에 의한 세균의 격퇴와 증식 정도 (3) 세균의 독성, (4) 방어기전의 효력 등이다. 방어기전의 효력과 관련하여 방어기전의 다양한 요소 중 어느 것이라도 약하게 하는 약제나 질환은 더 빠르고 심각한 염증으로 진행될 수 있다.

2. 정의

세균의 침입과 숙주 방어기전의 상호 작용으로 몇 가지 결과가 일어날 수 있다. (1) 박멸 (2) 억제-종종 만성 감염의 지표가 되는 화농을 일으킬 수 있다(피부와 연부조직의 종기, 농양). (3) 국소감염(봉와직염, 림프관염, 심한 연부조직 감염), (4) 전신감염 등이다. 당연히, 전신적 감염은 국소적 단계에서의 방어기전이 제대로 작동하지 않았음을 의미하고 임상적으로 이환율과 사망률이 높아진다. 심각한 국소감염과 동시에 전신적 감염이 있을 때 질환이 더 악화되는 것은 드문 일이 아니다. 만성 농양은 간헐적인 배농이나 균혈증 후에 일어날 수도 있다.

감염infection의 정의: 조직이나 혈류에서 세균을 확인할 수 있고 이에 따라 염증 반응이 일어나는 것으로 정의할 수 있다. 조직 등의 감염 부위에서는 발적rubor, 통증dolor, 열감calor, 부종tumor이 흔히 발견될 수 있다. 방어기전이 정상인 건강한 사람에서 대부분 감염은 국소적 증상과 함께 체온의 상승, 백혈구 수의 증가, 빈맥, 빈호흡 등과 같은 전신증상을 일으킨다. 위에 언급된 이러한 전신증상을 전신염증반응증후군Systemic Inflammatory Response Syndrome (SIRS)이라고 한다.

SIRS는 감염과 함께 췌장염, 다발성 외상, 종양, 수혈반응을 포함한 다양한 질환에 의해 일어날 수 있다(그림 8-1). SIRS는 감염뿐 아니라 여러 가지 질병, 즉 췌장염, 다발성외상, 악성종양, 수혈반응 등에 의해서도 일어날 수 있다. 이로 인해 열, 빠른 맥박, 빠른 호흡, 기타 여러 가지 증상이 있을 수 있다(표 8-1).

감염에 의해 일어난 SIRS를 패혈증sepsis이라 부른다. 이는 세균에 노출됨으로써 방출되는 염증유발 매개물의 일련의 과정에 의해 일어난다. 이런 물질에는 그람음성 세

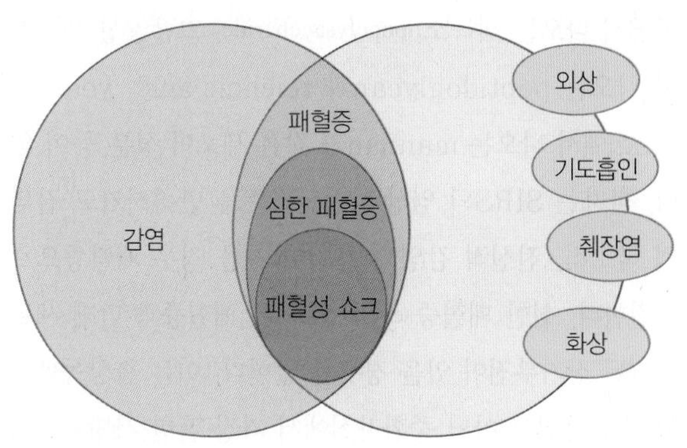

그림 8-1 감염과 SIRS와의 상관관계. 패혈증은 감염과 SIRS 두 가지 공존하는 상태이며 외상이나 이물질 흡인 등도 SIRS를 일으킬 수 있다. 심한 패혈증과 패혈성 쇼크도 패혈증의 일종이다.

표 8-1. 전신염증반응 증후군의 기준(Criteria for SIRS)

일반
열(core temp >38.3°C) 저체온(core temp <36°C) 심박동 >90bpm 빠른 호흡
신경증상
심한 부종 혹은 수분과다(>20mL/kg over 24h) 당뇨병이 아니면서 고혈당
염증수치
백혈구 증가(WBC >12,000) 백혈구 감소(WBC <4,000) 호중구 증가(bandemia) (>10% band forms) 혈장 C-reactive protein 정상 수치의 >2s.d. 혈장 procalcitonin 정상 수치의 >2s.d.
혈역동학
동맥저혈압(SBP <90mmHg, MAP <70, or SBP decrease >40mmHg)
장기기능변화
동맥혈 산소분압 급성 핍뇨 크레아티닌 증가 응고장애 장마비 혈소판 감소 고 빌리루빈 혈증
조직관류변화
젖산 과다 모세혈관 혈류감소

균에서 나오는 내독소lipopolysaccharide, 그람양성 세균에서 나오는 peptidoglycan과 teichoic acid, yeast와 fungi에서 나오는 mannan과 같은 세포벽 성분 등이 있다. 환자는 SIRS의 임상적 진단기준을 만족시키고 감염의 국소적, 전신적 감염의 근원이 있을 경우 패혈증으로 발전한다. 심한 패혈증severe sepsis은 패혈증과 함께 새로 발병된 장기부전이 있을 경우를 말한다. 이는 관상동맥질환 중환자실이 아닌 중환자실에서 가장 흔한 사망원인인데, 미국에서 매년 20만 명 이상의 사망자를 낸다. 임상적 진단기준에 따라, 패혈증을 앓는 환자가 인공호흡기를 필요로 하고, 충분한 수액공급에도 반응이 없는 빈뇨가 있거나 혈관수축제 투여가 필요할 정도의 저혈압이 있는 환자는 심한 패혈증을 일으킬 가능성이 높은 것으로 생각해야 한다. 패혈성 쇼크는 다른 원인이 밝혀지지 않은 채 충분한 수액 공급에도 불구하고 지속되는 동맥 저혈압(수축기 혈압<90mmHg)이 있는 급성 순환부전 상태이다. 이는 감염의 가장 심각한 형태이며 심한 패혈증환자의 40%에서 발생하며 사망률이 30-66%에 이른다.

임상의사들은 쇽의 정도를 새로 개발된 분류 체계를 통하여 치료를 향상시켜온 반면, 패혈증 강도의 분류는 걸음마 수준이다. 분류의 어려움은 패혈증을 일으키는 환자의 다양성에 기인한다. 각환자의 기저질환과 패혈증을 일으킨 원인이 다를뿐 아니라 연령도 각기 다르기 때문에 삼을 기준이 어려운 것이다. 분류의 한 기준은 기저질환, 감염, 반응 및 신체장기부전predisposition, infection, response and organ failure (PIRO)이다. 이 분류는 종양학에 쓰이는 TNM 병기에서 착안한 것이다. 이 분류체계를 이용한 임상시험으로 이 개념의 유효성을 입증했다.

III 감염균의 미생물학

외과 환자에 있어서 감염을 유발하는 공통적 병원체는 표 8-2에 표시되어 있다.

1. 세균

세균bacteria은 외과적 감염의 대다수를 차지한다. 특별한 종들은 그람염색이나 특정한 배지에서 자라는 양상으로 판단한다. 그람염색은 색깔로 세균의 분류를 빨리 할 수 있는 중요한 방법이다. 이 색깔은 세균의 세포벽이 염색되는 특성과 관련있다. 그람양성균은 파란색으로 염색되고 그람음성균은 붉게 염색된다. 세균은 추가적인 특성들에 의해 분류되는데, 형태(구균과 간균), 분리패턴(단독균, 쌍구균, 포도상구균), 고리형태(연쇄구균), 포자의 유무나 위치에 따라 분류되기도 한다.

표 8-2. 외과 환자에서의 일반적인 병원균

Gram-positive aerobic cocci *Staphylococcus aureus* *Staphylococcus epidermidis* *Streptococcus pyogenes* *Streptococcus pneumoniae* *Enterococcus faecium, E. faecalis*
Gram-negative aerobic bacilli *Escherichia coli* *Haemophilus influenzae* *Klebsiella pneumoniae* *Proteus mirabilis* *Enterobacter cloacae, E. aerogenes* *Serratia marcescens* *Acinetobacter calcoaceticus* *Citrobacter freundii* *Pseudomonas aeruginosa* *Xanthomonas maltophilia*
Anaerobes *Gram-positive* *Clostridium difficile* *Clostridium perfringens, C. tetani, C. septicum* *Peptostreptococcus spp.* *Gram-negative* *Bacteroides fragilis* *Fusobacterium spp.*
Other bacteria *Mycobacterium avium-intracellulare* *Mycobacterium tuberculosis* *Nocardia asteroides* *Legionella pneumophila* *Listeria monocytogenes*
Fungi *Aspergillus fumigatus, A. niger, A. terreus, A. flavus* *Blastomyces dermatitidis* *Candida albicans* *Candida glabrata, C. paropsilosis, C. krusei* *Coccidiodes immitis* *Cryptococcus neoformans* *Histoplasma capsulatum* *Mucor/Rhizopus*
Viruses Cytomegalovirus Epstein-Barr virus Hepatitis A, B, C viruses Herpes simplex virus Human immunodeficiency virus Varicella zoster virus

외과 환자에서 주로 감염을 유발하는 그람양성 균들에는 호기성 피부상재균(*Staphylococcus aureus, S.epidermis, Streptococcus pyogenes*)과 *Enterococcus faecalis*와 *faecium*과 같은 장내세균들이 있다. 호기성 피부상재균은 수술창상 감염의 많은 부분을 차지하고, 단독 혹은 다른 병원체들과 함께 감염을 일으키기도 한다. 장구균은 면역결핍성 환자나 만성질환자들에게 병원 내 감염(요로감염이나 패혈증)을 유발한다. 외과 환자들에게 감염을 유발하는 그람음성균 병원체들은 아주 많다. 외과 의사들이 관심을 가지는 그람음성균 대부분은 *Enterobacteriaceae*종으로 *E.coli, Klebsiella pneumoniae, Serratia macescens, Enterobacter, Citrobacter, Acinetobacter*들이 있다. 그 외 다른 그람음성 간균은 *Pseudomonas* 종(*Pseudomonas aeruginosa, fluorescens*)과 Xanthomonas 종이 있다.

혐기성 세균은 산소에 반응 대사를 하는 과산화수소 분해효소(catalase)를 생성하지 못하기 때문에 공기 중에서 살기 어렵다. 혐기성 세균들은 사람의 몸 대부분 장소에 있으며 특정장소의 감염을 유발한다. 예를 들어 *Propionibacterium acne*나 그 종들은 피부 상재균이며 감염성 여드름을 유발한다. 위에서 언급한 것처럼 혐기성균의 대부분은 구강 내나 대장과 직장에 분포되어 있다. *Mycobacterium tuberculosis* 때문에 생긴 감염은 17-18세기 유럽의 인구 4분의 1을 사망하게 한 가장 중요한 원인이었다. 19-20세기에 들어서 흉부의 외과적 수술이 심각한 호흡기 질병에 자주 시행되었지만 현재 선진국에서는 아주 드물어졌다. 이 세균 뿐 아니라 관련된 세균들(*M avium-intracellulae*와 *M leprae*)은 항산성 간균(*acid-fast bacilli*)으로 알려져 있다. 다른 항산성 간균으로 *Norcardia*종도 있다. 이런 세균들은 전형적으로 서서히 자라며, 비록 DNA에 기초한 분석으로 빨리 발견해 낼 수도 있지만, 때때로 배양 시 몇 주에서 몇 달이 걸리기도 한다.

표 8-3. 항진균제와 그 특징

항진균제	장점	단점
Amphotericin B	Broad-spectrum, inexpensive	신장독성, premeds, 정맥투여 제재 뿐
Liposomal Amphotericin B	Broad-spectrum	고가격, 정맥투여제재 뿐, 신장독성
Azoles		
Fluconazole	IV and PO availability	좁은 항균 스펙트럼, 약물상호작용(+)
Itraconazole	IV and PO availability	좁은 항균 스펙트럼, CSF 통과 불가 약물상호작용(+), 심근수축력 저하
Posaconazole	Broad-spectrum, zygomycete activity	경구제재 뿐
Voriconazole	IV and PO availability, broad-spectrum	정맥투여 희석액 축적되어 신장부전 시력저하
Echinocandins		
Anidulafungin, caspofungin, micafungin	Broad-spectrum	정맥투여제재분, 뇌세포까지 도달불가

2. 진균

진균fungus은 전형적으로 특별한 염색 방법인 KOH, 인디아 잉크, 메테나민 실버, Giemsa 염색을 통해 증명된다. 첫 진균동정은 특수배지에서 자라는 균의 가지가 나오는 형태나 염색된 가검물 혹은 배양에서 격막 등을 보고 진단하기도 한다. 최종진단은 세균과 마찬가지로 특수배지에서 자라는 양상과 각기 다른 온도에서 배양여부 등을 통해서 진단되기도 한다. 외과 의사와 관련있는 진균은 수술 환자들에서 원내감염을 유발하는 진균(*Candida albicans* 류)과 드물게 심각한 연부조직감염을 유발하는 진균(*Mucor, Rhizopus, Absidia*)과 면역결핍 환자들에게 기회감염을 유발하는 진균(*Aspergillus fumigatus, niger, terreus, Blastomyces dermatutudus, Coccidioides immitis, Cryptococcus neoformans*) 등이 있다. 현재 이용되는 항진균제 목록은 표와 같다(표 8-3).

3. 바이러스

바이러스viruses는 크기도 작고 세포 안에서 자라기 때문에 배양이 어렵고 임상적으로 결정을 내리기 위한 시점보다 시간이 많이 걸린다. 이 전에는 바이러스성 감염은 간접적으로 확인되었다. 기술적인 발전으로 PCR과 같은 방법을 사용하여 바이러스의 DNA나 RNA를 검출하여 확인할 수 있다. 진균감염과 마찬가지로 외과환자의 바이러스감염은 장기 이식 후 면역억제 치료를 받는 면역결핍 환자에게서 잘 일어난다. 잘 일어나는 바이러스는 *adenovirus, cytomegalovirus, Epstein-Barr virus, herpes simplex virus, varicella zoster virus* 등이 있다. 외과의사들은 스스로 HIV 바이러스 뿐만 아니라 B, C형 간염 바이러스의 임상양상을 잘 알고 있어야 한다.

IV 외과감염의 예방과 치료

1. 기본원리

외과 의사나 수술실 환경 등 외부인자와 환자의 내부 세균을 감소시키기 위한 방법을 예방이라고 하고 그 방법에는 기계적, 화학적, 항생제 이용 혹은 이런 방법들을 혼용하는 것 등이 있다. 위에서 언급한 대로 피부에 존재하는 표재성 세균과 다른 장벽 표면은 외상, 화상이나 정규

수술이나 응급수술 중에 몸에 침범할 수 있는 병원체의 자원이 될 수 있다. 이러한 이유로 수술실에서 일하는 사람들은 손과 팔을 항균액을 사용하여 잘 씻고 수술 중에도 무균기법을 이용한다. 수술예정부위 피부절개 전에 피부를 청결하게 씻은 후 소독액으로 잘 닦아야 한다.

필요하다면 털을 제거하기도 하는데 이 때 면도기보다는 클리퍼로 하는 것이 좋다. 면도기에 의한 작은 손상부위가 있으면 피부미생물들의 성장을 촉진시킨다. 이런 기법을 이용함으로서 피부표재성 미생물의 양을 감소시키는 것은 분명하며 이런 방법의 응용과 감염률의 감소의 연관성이 증명되진 않았지만 소독요법과 무균기법의 사용 전에 비해 감염률은 현저히 낮아졌기 때문에 대단히 중요하다.

이러한 기법은 세균을 감소시키지만 외과의사의 손이나 환자의 피부나 표면을 살균시킬 수는 없다. 그러므로 피부를 통해 연부조직, 몸 안이나 위장관 속으로 들어가는 것은 미생물의 오염 정도와 관계가 있다. 이러한 이유로 대장절제와 같은 병원체의 오염을 많이 유발할 수 있는 수술이나 인공판막, 이식술 같은 수술은 여러 종류의 감염이 동시에 이뤄질 수 있으므로 항생제요법이 반드시 필요하다.

2. 감염근원의 제어

외과적 감염질환 치료에서 우선하는 법칙은 화농물질을 배농하고 감염된 조직들이나 괴사조직, 감염부위의 이물질을 제거해서 기존원인을 교정하고 감염원인을 개선하는 것이다. 농양과 같이 화농성 액체는 경피적 드레인을 넣어 제거하거나 수술적 절개로 배액해야 한다. 장천공과 같은 진행성 오염원이나 괴사성 연부조직 감염과 같은 공격적이고 빠르게 퍼지는 감염이 있을 경우에는 오염원과 감염된 조직을 제거하고 감염의 일차적인 원인을 제거해 주는 등 적절한 수술적 처치가 필요하다. 물론 항생제 등 다른 치료법들이 필수불가결하지만 외과적 감염의 치료와 궁극적 치료결과를 놓고 볼 때 효율적인 수술적 처치에 부수적인 것이다. 아주 드물게 항생제 투여만으로 심한 외과적 감염이 치료될 수도 있지만 오염원이 지속된다면 항생제만으로는 결코 치료될 수 없다. 또한, 진단이 잘못되었거나 추가적인 진단검사를 위해 절개배농 조치가 늦어져서 높은 이환율과 가끔은 사망도 동반되는 일이 반복적으로 있어왔다.

3. 적절한 항생제의 사용

항생제의 분류, 작용기전, 항균범위에 대해서는 표 8-4에 기술되어 있다.

예방적 항생제 사용prophylaxis이란 조직이나 체강 내로 침입하는 미생물의 수를 줄이기 위해 수술 전에 항생제를 투여하는 것을 말한다. 항생제 선택은 숙주미생물총에 관한 정보에 근거하여 수술 부위에 흔한 미생물의 종류에 따라서 선택한다. 예를 들면, 대장 절제술을 시행할 예정인 환자는 표재성균, 호기성균 및 혐기성 균에 항균작용이 있는 항생제를 선택해야 한다(표 8-5).

예방적 항생제사용은 꼭 필요한 수술을 할 경우 정의대로 수술 전이나 수술 중 투여에 국한하고 대부분 1회 용량의 항생제를 투여한다. 그러나 복잡한 수술이나 수술시간이 항생제 반감기 이상으로 긴 경우에는 추가용량을 투여해야 한다. 수술 후 항생제 투여가 부가적 잇점이 있다는 증거는 없기에 가급적 투여하지 않아야 한다. 그 이유는 두 가지, 비용발생과 항생제 내성유발문제다.

1) 경험적 치료

경험적 치료empirical therapy는 이미 가지고 있는 병의 진행 과정상 외과적 감염의 위험이 높을 때, 예를 들면 충수돌기염의 파열, 술 전 장세척이 불충분하거나 술 전 장세척을 하지 않고 수술 중 대장천공이 일어나서 심각하게 오염된 경우 등에서 항생제를 투여하는 것을 의미한다. 술 중 소견에서 감염위험이 높을 경우 항생제를 투여하게 된다면 예방적 투여와 시험적 투여로 구분할 수는 없다. 잠재적인 감염요인이 발견된 경우나 심한 패혈증이나 패

표 8-4. 항생제

ANTIBIOTIC CLASS, GENERIC NAME	TRADE NAME	MECHANISM OF ACTION	S. PYOGENES	MSSA	MRSA	S. EPIDERMIDIS	ENTERO-COCCUS
Penicillins		Cell wall synthesis inhibitors (bind penicillin-binding protein)					
Penicillin G			1	0	0	0	+/-
Nafcillin	Nallpen, Unipen		1	1	0	+/-	0
Piperacillin	Pipracil		1	0	0	0	+/-
Penicillin/beta lactamase inhibitor combinations		Cell wall synthesis inhibitors/ beta lactamase inhibitors					
Ampicillin-sulbactam	Unasyn		1	1	0	+/-	1
Ticarcillin-clavulanate	Timentin		1	1	0	+/-	+/-
Piperacillin-tazobactam	Zosyn		1	1	0	1	+/-
First-generation cephalosporins		Cell wall synthesis inhibitors (bind penicillin-binding protein)					
Cefazolin, cephalexin	Ancef, Keflex		1	1	0	+/-	0
Second-generation cephalosporins		Cell wall synthesis inhibitors (bind penicillin-binding protein)					
Cefoxitin	Mefoxin		1	1	0	+/-	0
Cefotetan	Cefotan		1	1	0	+/-	0
Cefuroxime	Ceftin		1	1	0	+/-	0
Third- and fourth-generation cephalosporins		Cell wall synthesis inhibitors (bind penicillin-binding protein)					
Ceftriaxone	Rocephin		1	1	0	+/-	0
Ceftazidime	Fortaz		1	+/-	0	+/-	0
Cefepime	Maxipime		1	1	0	+/-	0
Cefotaxime	Cefotaxime		1	1	0	+/-	0
Ceftaroline	Teflaro		1	1	1	1	0
Carbapenems		Cell wall synthesis inhibitors (bind penicillin-binding protein)					
Imipenem-cilastatin	Primaxin		1	1	0	1	+/-
Meropenem	Merrem		1	1	0	1	0
Ertapenem	Invanz		1	1	0	1	0
Aztreonam	Azactam		0	0	0	0	0
Aminoglycosides		Alteration of cell membrane, binding and inhibition of 30S ribosomal unit					
Gentamicin			0	1	0	+/-	1
Tobramycin, amikacin			0	1	0	+/-	0

표 8-4. 항생제(계속)

ANTIBIOTIC CLASS, GENERIC NAME	TRADE NAME	MECHANISM OF ACTION	S. PYOGENES	MSSA	MRSA	S. EPIDERMIDIS	ENTERO-COCCUS
Fluoroquinolones		Inhibit topoisomerase II and IV (DNA synthesis inhibition)					
Ciprofloxacin	Cipro		+/-	1	0	1	0
Levofloxacin	Levaquin		1	1	0	1	0
Glycopeptides		Cell wall synthesis inhibition (peptidoglycan synthesis inhibition)					
Vancomycin	Vancocin		1	1	1	1	1
Quinupristin-Dalfopristin	Synercid	Inhibits 2 sites on 50S ribosome (protein synthesis inhibition)	1	1	1	1	1
Linezolid	Zyvox	Inhibits 50S ribosomal activity (protein synthesis inhibition)	1	1	1	1	1
Daptomycin	Cubicin	Binds bacterial membrane, results in depolarization, lysis	1	1	1	1	1
Rifampin		Inhibits DNA-dependent RNA polymerase	1	1	1	1	+/-
Clindamycin	Cleocin	Inhibits 50S ribosomal activity (protein synthesis inhibition)	1	1	0	0	0
Metronidazole	Flagyl	Production of toxic intermediates (free radical production)	0	0	0	0	0
Macrolides		Inhibit 50S ribosomal activity (protein synthesis inhibition)					
Erythromycin			1	+/-	0	+/-	0
Azithromycin	Zithromax		1	1	0	0	0
Clarithromycin	Biaxin		1	1	0	0	0
Trimethoprim-sulfamethoxazole	Bactrim, Septra	Inhibits sequential steps of folate metabolism	+/-	1	0	+/-	0
Tetracyclines		Bind 30S ribosomal unit (protein synthesis inhibition)					
Minocycline	Minocin		1	1	0	0	0
Doxycycline	Vibromycin		1	+/-	0	0	0
Tigacycline	Tygacil	1	1	1	1	1	1

E coli = Escherichia coli; MRSA = methicillin-resistant Staphylococcus aureus; MSSA = methicillin-sensitive Staphylococcus aureus; P aeruginosa = Pseudomonas aeruginosa; S epidermidis = Staphylococcus epidermidis; S pyogenes = Streptococcus pyogenes; VRE = vancomycin-resistant enterococcus.

1 = Reliable activity; +/- = variable activity; 0 = no activity

혈성 쇼크가 있는 중환자에게도 경험적 항생제 사용은 적용된다.

경험적 치료는 미생물학적 정보와 환자의 호전 상태 등을 종합해서 가능한 한 최대로 짧게(3-5일) 사용해야 한다.

마찬가지로, 경험적 치료는 예방적 치료뿐만 아니라 때론 확진된 감염치료와도 구분하지 못한다. 외과 환자들에게 있어서 항생제 선택은 미생물 동정 결과에 달려있는데

표 8-5. 예방적 항생제 사용

SITE	ANTIBIOTIC	ALTERNATIVE (E.G., PENICILLIN ALLERGIC)
심혈관 수술	Cefazolin, cefuroxime	Vancomycin, clindamycin
위장관 & 십이지장(비 폐쇄)	Cefazolin	Clindamycin or vancomycin + aminoglycoside or aztreonam or fluoroquinolone
담관수술(개복, 복강경 고위험군)	Cefazolin, cefoxitin, cefotetan, ceftriaxone, ampicillin-sulbactam,	Clindamycin or vancomycin + aminoglycoside or aztreonam or fluoroquinolone Metronidazole + aminoglycoside or fluoroquinolone
담관수술(복강경 저위험)	None	none
급성 충수염(비 합병증)	Cefoxitin, cefotetan, cefazolin + metronidazole	Clindamycin + aminoglycoside or aztreonam or fluoroquinolone Metronidazole + aminoglycoside or flouroquinolone
대장항문, 폐쇄성 소장	Cefazolin or ceftriaxone plus metronidazole, Ertapenem, cefoxitin, cefotetan, ampicillin-sulbactam	Clindamycin + aminoglycoside or aztreonam or fluoroquinolone, metronidazole + aminoglycoside or fluoroquinolone
뇌경부(청결오염)	Cefazolin or cefuroxime + metronidazole, ampicillin-sulbactam	clindamycin
뇌경부	Cefazolin	Clindamycin, Vancomycin
정형외과	Cefazolin, ceftriaxone	Clindamycin, Vancomycin
유방, 탈장	Cefazolin	Clindamycin, Vancomycin

단일미생물 감염이냐 복수미생물 감염이냐에 따라서도 달라진다. 단일균주에 의한 감염은 대개 수술 후에 발생하는 병원 내 감염으로 요로감염, 폐렴, 균혈증 등이 있다. 이런 환자들에게서 국소 감염의 증거, 예를 들면 흉부 X-ray 상 침윤소견과 기관지-폐포 분비물의 그람염색 양성소견과 함께 패혈증의 증거가 발견되면 반드시 경험적 항생제 치료를 시작해야 한다. 적절한 항생제 치료는 단계적 축소법de-escalation으로 해야 한다. 즉, 초기에는 세균을 광범위하게 잡는broad spectrum 항생제를 투여하고, 나중에는 환자의 반응과 세균 동정결과에 따라 좁게 간다. 초기 약제의 선택은 균동정 결과에 달려있고 기관별 혹은 센터별 감수성결과에 따라서도 달리 선택할 수도 있다. 적절한 항생제선택은 대단히 중요하다. 왜냐하면 그렇지 못했을 경우 환자 사망률이 심각하게 높을 수 있기 때문이다. 감염치료에 있어서 결정적으로 중요한 요소는 가검물을 적절히 체취해야 하며 24-72시간 안에 배양결과와 감수성결과를 확인해서 가장 적합한 약제를 선택할 수 있도록 하는 것이다. 환자의 임상적 소견들을 면밀히 모니터링해야 하고 일단계 치료가 끝난 후에도, 요로감염인 경우 요배양검사 같은, 추가 검사를 시행할 필요가 있다. 중복미생물감염의 일차적 치료는 감염의 근원을 제거하는 것이지만 항생제도 중요한 역할을 한다. 이런 환자들에서는 초기 감염부위에 있던 많은 종류의 균들 중 몇몇 균만 우세하게 나타나므로 균 배양결과는 그다지 중요하지 않다. 그래서 배양정보에만 기초해서 항생제 처방을 수정해서는 안 되며 오히려 환자의 임상적 소견이 더 중요하다고 볼 수 있다. 예를 들면 파열된 충수돌기염으로 충수돌기제거수술 환자나 장천공으로 장 절제술을 받은 환자에게는 호기성균과 혐기성 균에 약효가 있는 항생제를 3-5일 정도 투여해야 한다. 장기능이 회복된다면 정맥투여 항생제대신 경구제재로 바꾸는 것이 안전하고 조기퇴원에 도움된다. 복강내 감염치료에 효과적인 항생제선택에 관하여 최근 수십년간 시행한 임상시험에서 호기성 및 혐기성 세균을 잡는 항생제들은 매우 유사한 결과를 보여주었다. 치

료실패 예들은 항생제 선택문제보다는 효과적인 감염요인 제거에 문제가 있었다.

2) 투여기간

항생제 투여기간은 항생제 처방 때 결정해야 한다. 전술했듯이 예방적 항생제는 절개전 1회투여가 원칙이며 경험적 치료는 3-5일 투여하고, 국소 혹은 전신감염이 나타나지 않으면 더 일찍 중단해야 한다. 사실 배양에서 세균이 자라지 않는 중환자에서 경험적 항생제 장기 투여는 사망률 증가와 관련있기에, 감염이 증명되지 않았을 때 항생제투여 중단이 더욱 강조된다.

단일세균감염치료 가이드라인:
상기도감염 3-5일, 폐렴 7-10일, 균혈증 7-14일

치료기간은 이와 같으며 이보다 오래 사용할 경우 치료개선에 도움되지 않으며 내성균에 의한 중복감염위험만 증가시킨다. 감염 시에 혈청 procalcitonin을 측정하고 모니터링 함으로서 치유율을 감소시키지 않고 항생제 조기중단에 도움이 된다고도 한다. 골수염, 심내막염, 장기간 거치해 두어야 하는 인공장치삽입에 대한 항생제 치료는 단독 혹은 복합요법으로 6-12주 동안 지속해야하기도 한다.

항생제는 실험실에서 감염부위나 혈액에서 배양된 균주 10^5 CFU/mL를 배지에 접종하여 살균되는 최소억제농도에 근거하여 선택한다. 항생제 선택은 감수성이 가장 예민하면서도 독성이 가장 적으며, 값싼 항생제를 고려해야 하며, 이 중 감수성을 가장 중요하게 고려하여야 한다. 중증 또는 재발성 감염은 두 가지 이상의 항생제의 사용이 필요하기도 한데, 특히 다제내성균에 의한 감염으로 감수성이 강하지 않은 제한된 약제를 선택할 수밖에 없을 때는 더욱 그렇다. 종종 정맥주사로 1-2주간 투여 후 경구투여로 전환하여 치료를 완료하기도 한다. 이런 방법은 임상적 호전이 보이고 경구투여로 충분한 혈중 농도를 유지할 수 있을 때만 가능하다.

복합균주에 의한 감염의 치료에서 항생제 투여 기간에 대한 연구의 대부분은 복막염 환자에 초점을 맞추고 있다. 광범위한 오염이 없는 천공성 위장관 손상의 경우 12-24시간의 항생제 투여로 만족할 만한 결과를 얻을 수 있다. 천공성이나 괴사성 충수염의 경우 3-5일, 위장관의 천공이 중등도의 오염을 일으킨 경우 5-7일, 복강 내 오염이 심하거나 면역 억제치료를 받고 있는 환자에서는 7-14일간의 항생제 치료가 필요하다. 그러나 항생제 사용의 기간보다도 효과적인 감염원 억제에 대한 외과의사의 노력이 더 중요하게 작용한다는 것을 잊지 말아야 한다.

중증 복강 내 감염의 치료에서 백혈구 증가가 없어지고, 말초혈액도말에서 밴드형태의 다형핵백혈구가 없고, 38.5℃ 이상의 발열이 없으면 감염이 완전히 박멸된 것에 가깝다고 할 수 있어 항생제 치료를 중단할 수 있다. 하지만, 이러한 요소들 중 하나 이상 존재한다고 반드시 항생제 치료를 지속 또는 변경하여야 하는 것은 아니다. 오히려 복강 이 외의 감염원이나 복강 내 감염이 남아있거나 지속하는 요인이 없는지 찾아 적절한 조치를 해야 한다.

3) 알러지

항생제 처방 이전에 항생제에 대한 알러지 여부를 꼭 확인해야 한다. 특정 항생제에 대한 알러지 반응의 기왕력이 없는지 확인하되 환자가 알러지라고 하는 것이 두드러기나, 기관지 경련 등 실제 알러지 반응이었는지 물어보아야 한다. 환자들이 스스로 알러지 반응이라고 하는 것이 실제로는 소화불량이나 구역질 등 진정한 알러지 반응이 아닌 경우도 많기 때문이다. 페니실린 알러지는 비교적 흔한 편이어서 저자에 따라 0.7%에서 10%까지 보고하고 있다. 페니실린에 대해 심각한 알러지 반응을 보인 환자에 대해서는 교차반응성을 보일 수 있는 beta-lactam계 약제를 피하는 것이 적절하지만, beta-lactam계 중에서도 carbapenem은 교차반응성이 높지만 cephalosporin계는 5-7% 정도로 낮으며 monobactam제에서는 극히 드물거나 거의 없다.

특정 약제에 대해, 아나필락시스와 같은 심각한 알러지 반응을 보인 경우 그 계통의 약제는 모두 피해야 하지

만 그 약제 외에 대안이 없는 경우는 예외적이다. 일부 센터에서는 특정 약제의 주사가 심각한 알러지 반응을 일으키는지 여부를 알아보기 위해 희석된 약제를 피내주사로 검사하기도 한다. 이러한 방법이 페니실린 알러지가 있다고 알려진 환자에서 이를 대체하기 위한 vancomycin 사용을 16%까지나 줄여 주었다. 그러나 다른 약제로 변경해서 사용하는 것이 훨씬 손쉽기에 이런 검사방법을 사용하는 곳은 드물다. 알러지 반응을 보인 항생제를 써야만 하는 경우에 점차 용량을 높여 탈감작시키는 방법도 고려할 수 있다.

3) 항생제 오남용

항생제 오남용misuse은 입원 환자나 외래 환자에 만연해 있는데, 이는 경제적인 측면과 아울러 약제의 독성이나 알러지 같은 부작용, *Clostritium difficile* 대장염과 같은 새로운 감염의 발생, 그리고 다제내성균주의 출현과 같은 복잡한 문제를 일으킬 수 있다. 이러한 문제들은 약제 사용량과 직접적인 연관성을 보인다. 미국의 경우 1년에 200억불이 항생제 비용으로 지출되고 있고 "super-bugs"라 불리는 몇몇 제한적인 항생제에만 감수성을 보이는 균주의 출현 등이 사회 문제가 되고 있다. 예방적 항생제는 수술적 처치를 하는 동안만 사용하고, 명백한 기준에 맞지 않으면 예방적 목적에서 경험적 치료용법으로의 전환하지 않으며, 항생제 사용기간을 처음 사용할 때부터 정해두고, 임상적으로나 세균학적 검사에서 감염의 증거가 없으면 즉시 투여를 중단하고, 가능한 항생제 사용 기간을 단기간으로 제한해야 한다. 드레인이나 튜브를 거치한 경우 장기간 항생제 사용의 효과는 입증되지 않았다.

V 외과 환자에서 중요한 감염

1. 수술부위 감염

수술부위 감염Surgical Site Infection (SSI)은 수술 수행 중 외과 의사에 의해 노출된 조직이나, 장기 혹은 공간에 일어난 감염을 말한다.

수술부위 감염은 절개부위, 조직/공간감염으로 분류되는데 전자는 피부나 피하지방등 표재성 감염과 심부감염으로 나눈다. 이것은 세가지 인자 즉, 1) 수술 중 상처부위에 세균오염 정도, 2) 수술시간, 3) 당뇨, 영양상태, 비만, 면역 기능억제, 기저질환 등과 관련이 있다(표 8-6).

수술창 감염은 수술 당시 세균오염 정도에 따라 분류를 한다(표 8-7).

- 1급(**청결창상**): 감염이 없었던 창상, 표재성 균만이 상처감염기회가 있었고 장내세균에 오염되지 않은 경우, 1급-D; 1급창상이나 장치, 인공막이나 인공밸브 삽입의 경우
- 2급(**청결오염창상**): 호흡기, 소화기 및 비뇨기 등의 장기 등에 상재하는 균에 오염되었으나 내용물이 흘러나오지 않게 조심해서 열었을 때 정규 대장직장 수술은 2급으로 분류되나 감염율이 9–25%로 높다. 수술이 직장 공간으로 들어갈 때 감염율은 특히 높다.
- 3급(**오염창상**): 사고로 발생한 상처에서 조기에 창상으로 세균이 오염된 경우나, 장 내용물이 다량으로 누출되었을 때 또는 염증이 있는 조직을 절개했을 때
- 4급(**불결오염창상**): 치료가 지연된 외상에서 괴사조직이 있고 농양이 있는 감염 또는 장이 천공되어 고도의 감염이 있을 때를 의미한다.

수술창상 감염은 숙주에서 창상발생 초기 세균오염정도에 영향받으며 1급오염의 경우는 표재성균에만 감염되지만 대장수술 등의 2급 창상의 경우 표재성균과 장내세균 혹은 두가지균에 오염될 수 있다.

미국에서는 수술 후 30일 동안 창상감염 감시를 시행하도록 요구하고 있다. 감염감시로 창상감염에 대해 많이 알게 되었고 또한 창상감염률을 낮추었다. 이것은 감시로 엄격히 관찰하면서 적절한 처치기준을 따랐기 때문이리라

표 8-6. 수술창상 감염 고위험인자

환자인자
고령
면역억제
비만
당뇨병
만성염증
영양실조
흡연
신부전
말초혈관질환
빈혈
방사선
만성피부질환
세균보균상태
최근 수술
국소인자
복강경 수술보다는 개복수술
피부전처치 부족
수술기구감염
부적절한 예방적 항생제투여
장시간 수술
국소조직괴사
수혈
산소부족, 저온
세균인자
병원장기입원(원내감염 위험)
독소분비
제거불능(예; 캡슐형성)

생각한다.

창상감염은 이환률과 사망률뿐 아니라 의료비, 환자만족도 등과 밀접히 관련이 있다. 그러기에 외과 의사는 창상감염을 방지하기 위하여 전술한 감염관리 원칙에 따라 적절한 처치를 위해 부단히 노력해야 한다. 또한 수술종류에 따라 적절한 예방적 항생제 투여도 소홀히 하지 않아야 한다. 즉 1급-D, 2,3&4급 창상에 대해 수술 직전에 1회용량의 항생제 투여가 권장된다. 청결창상에까지 예방적 항생제를 투여할 필요는 없지만 인공장치를 삽입하는 수술에서는 1회 용량의 예방적 항생제를 투여해야 한다.

수술창상의 술 후 처치도 창상감염에 영향을 미친다.

표 8-7. 오염정도에 따라 분류한 수술창상의 종류와 예상 감염율

창상 분류	수술예	예상감염률
청결 창상(class I)	탈장수술, 유방조직검사	1-2%
청결오염 창상(class II)	담낭절제술, 대장을 제외한 위장관 수술	2.1-9.5%
청결오염 창상(class II)	대장직장수술	4-14%
오염 창상	복부 관통 총상, 넓은 부위의 조직손상, 장폐색에 대한 장루형성술	3.4-13.2%
불결창상(class IV)	천공성 게실염, 괴사성 연부조직 감염	3.1-12.8%

건강했던 환자에서 1, 2급 창상은 일차봉합하지만 3-4급 창상은 감염율이 25%에서 최고 50%까지 발생할 수 있다. 그러기에 오염창상의 경우 2차 봉합 혹은 지연 1차 봉합을 위하여 창상을 열어두는 것이 좋다.

창상감염을 줄이기 위하여 최근에는 더 많은 노력을 기울이고 있다. 고혈당이 백혈구의 기능에 악영향을 미친다는 연구결과가 보고되었다. 한 환자에서 각기 다른 여러 수술을 받은 경우 고혈당이 있다면 창상감염률이 높다는 보고도 있다. 그래서 창상감염을 줄이기 위하여 술 후 혈당을 적절하게 유지하도록 권장하고 있다. 체온과 산소농도가 창상감염과 관련있다는 연구도 있다. 즉 저체온과 저산소증은 창상 감염률을 높인다. 좀 다른 결과를 보여주는 보고도 있지만 수술 중 저체온과 저산소증은 방지해야 한다.

절개 창상 감염의 효과적인 치료는 항생제 투여없이 절개배농으로도 충분하다. 항생제는 심한 봉와직염이나 전신감염 증후군이 있을 때 투여한다. 열어놓은 상처는 매일 2회 드레싱하면서 자연봉합되도록 기다린다. 국소적으로 항생제투여나 소독은 잘 낫지 않는 복합 감염에서는 효과있다는 보고도 있지만 입증되지는 않았다. 전향적 연구결과가 없지만 진공보조 봉합법은 크고 복잡한 개방창상에 적용하고 있으며 특히 드레싱하기가 난처한 부위에 적용할 수도 있다. 상처감염환자나 장기입원 환자에게서는 다제내성균에 의한 감염률이 높아지고 있기에 상처부위 세균배양도 고려해야 한다.

2. 복강 내 감염

복강 내 세균의 오염을 복막염 또는 복강 내 감염이라고 하며 원인에 따라 분류한다. 1차 세균성 복막염은 무균상태의 복강 내에 혈행성, 멀리 떨어진 곳으로부터의 감염, 또는 직접적인 감염을 통한 세균의 침입 때 발생하며 이러한 과정은 복강 내 많은 양의 복수가 저류된 환자나 신부전 때문에 복막투석을 받고 있는 환자에서 더 흔히 나타난다. 이와 같은 감염은 한 종류의 세균에 의한 것이며 거의 수술적 처치를 요하지 않는다. 진단은 상기 위험 인자를 인지하고 진찰 소견에서 광범위한 압통, 복부 강직, 복부 X-선 검사에서 기복pneumoperitoneum이 없고, 100WBCs/mL 이상, 그리고 복수를 천자해서 그람염색 상 세균의 확인으로 가능하다. 복막투석하는 환자의 경우 흔히 그람 양성균이 발견된다. 그 외의 경우 다른 많은 균들이 발견될 수 있지만, *E. coli, K pneumonia, pneumococci* 등이 흔한 원인 균이다. 치료는 세균에 잘 듣는 항생제를 2–3주간 투여한다. 재발되는 감염에 대한 효과적인 치료를 위해서는 복강투석관, 복막-정맥 관류장치 등을 제거할 필요도 있다.

2차 세균성 복막염은 복강 내 장기의 천공 또는 심한 염증과 감염으로 인한 복강내 오염으로 발생하며 충수돌기염, 소화관의 천공, 게실염 등이 여기에 속한다. 효과적인 치료는 이환된 장기를 잘라내고 괴사조직이나 감염된 조직을 절제하며 호기성 및 혐기성 균에 대한 항생제를 투여한다. 왜냐하면, 대부분 환자에서 시험적 개복술 전에는 정확한 진단이 어렵고 이환된 형태 대부분이 많은 균주를 함유하고 있는 대장 천공이기 때문이다. 단일 항생제이든 복수의 항생제이든 광범위한 작용이 있는 것을 사용하며 환자의 장 운동이 돌아오면 경구적으로 투여한다. 감염근원을 제어하고 항생제를 투여하면 사망률을 5–6%까지 낮출 수 있으나 근원을 제어하지 못하면 사망률은 40% 이상까지 도달한다. 지난 수십 년간 효과적인 감염원 통제와 적합한 항생제에 대한 효과는 약 70–90%였다. 표준 치료에 실패한 환자는 복강 내 농양, 위-장관 문합부 누출로 술 후 복막염 또는 3차 혹은 지속적 복막염으로 진행된다.

3차 복막염은 아직 완전하게 밝혀지지 않았는데, 복강 내 면역 체계가 초기의 2차 세균 감염을 효과적으로 제거하지 못하는 면역 저하된 환자에서 흔히 일어난다. *Enterococcus faecalis*와 *faecium, Staphylococcus epidermidis, Candida albicans, Enterococcus faecalis*와 *faecium, Staphylococcus epidermidis, C. albicans* 및 *Pseudomonas aeruginosa* 등의 세균이 확인되며 주로 여러 개가 같이 나타나는데, 환자의 면역 저하와 함께 초기 항생제 치료에 반응하지 않는 세균이 우세하게 된다. 불행히도, 효과적인 항생제 치료에도 불구하고 이러한 감염은 50%를 초과하는 사망률을 보인다. 과거에는, 복강 내 농양은 외과적 재수술과 배액이 필수였으나 대부분 농양은 복부 CT로 효과적으로 진단되고 경피적 배액술로 배액한다. 외과적 처치는 다발성 농양이 있거나 중요한 장기 근처에 농양이 있어 경피적 배액술이 위험한 환자, 지속적인 감염원(장관 누출 등)이 확인된 환자에게서만 시행한다. 항생제 치료의 필요성과 카테터 배액장치의 설치 기간을 제시하는 정확한 지침은 아직 확립되지 않았으나 호기성 및 혐기성 세균이 의심될 때 항생제의 단기 사용(3–7일)이 적당하다고 보며, 대부분의 의사들은 복강 내 감염이 완화되고 배액량이 10–20mL/d 이하이고, 감염원이 있다는 증거가 보이지 않고, 환자의 상태가 호전될 때까지 배액 카테터를 그대로 둔다.

3. 특정 장기 감염

간농양은 미국에서는 10만 명의 입원환자 당 약 15명이 발생하는 드문 질환이다. 화농성 농양은 간농양의 약 80%를 차지하는데, 나머지 20%에서는 기생충에 의한 농양과 진균에 의한 농양이 동등한 비율로 발생한다. 과거에 화농성 간농양은 치료되지 않은 맹장염 또는 게실염으로 발생한 문맥염pylephlebitis에 기인한 경우가 많았으나 오늘날에는 다양한 질병을 치료할 목적으로 담관에 대한 조작을 하는 것이 더 흔한 원인이 되었는데, 거의 50%의 환자에서 원인 확인이 어렵다. 가장 흔한 호기성 세균은 *E.coli, K. pneumoniae* 및 다른 *enteric bacili, enterococci* 및 *Pseudomonas spp.*이고 가장 흔한 혐기성 세균은 *Bacteroides spp. anaerobic streptococci* 와 *Fusobacterium spp.*이다. *Candida albicans*와 다른 유사한 yeast가 진균성 간농양의 대다수를 일으키는 원인이 된다. 작고(<1cm), 다발성 농양은 샘플을 채취하여 배양하고, 4-6주간 항생제 치료를 시행한다. 더 큰 농양은 경피적 배액장치를 꼭 삽입해야 하며 항생제 치료와 배액장치 제거는 위에 언급된 것과 비슷하다. 비장 농양은 매우 드물며 유사한 방식으로 치료한다. 재발하는 간농양이나 비장 농양은 수술적 처치를 할 수도 있는데, 간농양은 unroofing과 조대술marsupialization을 시행하고, 비장 농양에서는 비장 절제술을 시행한다.

이차적 췌장 감염(예를 들면, 감염된 췌장 괴사 또는 췌장 농양)은 대략 10-15%의 환자에서 발생하며 심각한 출혈성 췌장염으로 발전한다. 이에 대한 외과적 처치는 Bradley와 Allen에 의해 시작되었는데, 감염된 췌장 괴사에 대한 반복적인 췌장 괴사조직제거가 환자상태의 현저한 호전을 가져온다는 것을 보고했다. 현재 심한 급성 췌장염 환자에 대한 처치는 역동적 조영증강 CT를 통해 병기와 괴사 범위를 결정하고 예후산정 시스템으로 예후를 예측도 포함한다. 현저한 췌장 괴사(grade>C)로 불안정한 증세(빈뇨, 저산소증, 대량수액요법)를 보인 환자의 경우 중환자실에서 면밀한 모니터링을 해야하며 신장기능이 재개되면 췌장 국소 합병증을 확인하기 위하여 재차 조영증강 복부 CT도 촬영해봐야 한다.

최근 변화된 처치로는 췌장괴사부위 감염방지를 위하여 사용된 예방적 항생제 투여를 배제해 왔다는 것이다. 비공장관nasojejunal feeding tube 삽입에 의한 조기 장관 영양액 투여는 박테리아의 장관내 이동을 줄여 췌장괴사부위감염 빈도를 줄여왔다.

이차췌장감염은 전심염증증후군(열감, 백혈구 증다, 장기기능부전)이 개선되지 않을 때, 또는 처음에는 회복을 보이다가 2-3주후에 패혈증이 발생하는 환자에서는 이차췌장감염을 의심해보아야 한다. CT 유도하에 췌장저부에서 액체를 취하여 그람 염색과 세균배양을 하면 매우 유익하다. 이 액체에서 그람 양성균이 동정되거나 복부 CT 스캔상 췌장 내에 공기음영이 보인다면 수술적 처치를 고려해야 한다.

개복하 괴사부위제거는, 생명을 구하긴 하지만, 이환율 증가및 입원기간이 연장될 수 있다. 감염괴사조직제거로 치료결과 개선에 영향을 미쳐오긴 했지만 외과적 손상양을 줄이려는 노력은 다양한 최소침습적 시술을 개발하도록 유도했다. 즉 내시경적, 복강경적 접근법이 그 예이다. 새로운 기술 사용의 유용성에 관한 전향적 연구는 아직 드물다. 많은 시술에 흔히 따른 중요한 개념은 외과적 시술을 가능한 늦게 시도하는 것이다. 왜냐하면 발병 첫 2주내에 시술이 가해졌을 때 사망율이 높다는 여러 연구가 있다.

이 시술에 내시경적 접근으로 임상시험한 보고는 많이 있는데 사망률 5%와 합병증 30%를 기록하고 있다. 대부분의 보고자들은 반복적인 내시경적 괴사조직 제거를 요했으며 평균 4회 시술이 요구되었다. 복강경시술로 성공적인 괴사조직 제거술을 보고했는데 반복시술이 어렵고 상당한 경험과 기술이 요구된다. 65명 시술에서 6%의 사망률을 기록했다. 또한 괴사조직 제거술은 많은 보고자들은 등 뒤쪽으로 접근이 우수하다고 보고했다. 발병 후 가능한 4주 후까지 이 시술을 지연시키기까지 했다. 환자들은 경위적transgastric 혹은 후복막 접근법을 시행했다. 환자가 72시간 이상까지 개선되지 않으면 비디오보조 후복막 접근법으로 드레인 관을 확장하여 괴사조직 제거술을 시행하고 생리식염수로 세척까지도 했다.

만약 적응증이 된다면 반복제거술도 시행한다. 감염성 췌장괴사조직 제거술은 최소침습시술이 개복 시술 때보다 좋은 결과를 보여주였다. 그러나 좋은 결과를 얻기 위해서는 경험많은 다학제 팀, 즉 중재시술 영상의학, 소화기내과, 외과 및 기타 의사들의 협력을 바탕으로 좋은 결과를 얻을 수 있다. 성공적인 시술을 위하여 중요한 개념은 면밀한 술 전 계획, 액체저류가 충분히 성숙될 때까지 기다릴 것, 필요하다면 대부분의 괴사조직이 제거될 때까지 반복시술 등을 포함한다.

4. 피부 및 연부조직의 감염

이러한 감염은 외과적 처치의 필요유무에 따라서 분류할 수 있다. 예를 들면, 봉와직염cellulitis, 단독erysipelas 및 임파관염과 같은 피부나 피부 구조물 감염은 국소 감염원의 위치가 밝혀져야 하지만 항생제만으로도 효과적으로 치료될 수 있다. 일반적으로 원인이 되는 그람 양성 세균에 효과 있는 항생제가 사용된다. 종창이나 종기는 저절로 배액되거나 혹은 절개 배농이 필요하기도 한다. 항생제는 현저한 봉와직염이 발생하거나 봉와직염이 외과적 배액 후에도 속히 호전되지 않는 경우에 사용한다. 급격히 진행하는 연부 조직 감염은 드물며 진단하기 어렵고, 즉시 외과적 처치와 함께 항생제를 투여해야 한다. 적절한 절개배농과 항생제 치료 후에도 낫지 않는 경우 지역사회 유발 MRSA (Methicillin Resistant *Staphylococcus aureus*)감염을 의심해봐야 한다. 이런 경우 더 과감한 외과적 절개배농과 항생제 교체도 고려해봐야 한다.

진단을 포함한 절개배농 및 항생제 치료에 잘 반응하지 않는 지독한 연부조직 감염은 드물다. 치료에 반응하지 않을 경우 사망률은 매우 높으며(80-100%) 빨리 발견해서 처치하더라도 현재 사망률은 약 16-24%에 이른다. 과거 이 질환의 분류와 용어는 혼용되어 사용되었으며 그 중에는 Meleney's synergist gangrene, 급속히 확산되는 봉와직염, 가스괴저gas gangrene, 괴사성 근막염necrotizing fasciitis 등이 있다. 오늘날에는 병이 침범한 연부 조직층(예를 들면, 피부 및 표층 연부 조직, 심부 연부 조직 및 근육)과 원인균에 따라 구별되어 명명되고 있다. 이와 같은 형태의 감염에 위험한 환자는 고령자, 면역억제, 당뇨, 말초혈관질환 또는 이런 인자들을 합병하고 있는 경우다. 이러한 숙주인자들 중 흔히 위협이 되는 것은 근막에 혈액공급 장애이다. 여기에 외부에서 세균이 침입한다면 결과는 매우 좋지 않을 수 있다. 과거 저명한 임상적 소견을 보이면 초기에 진단이 가능하다. 환자들은 가끔 분명한 원인 없이 패혈증후군sepsis syndrome이나 패혈성 쇼크로 발전하는데 놀랄만한 일은 아니다. 사지, 회음부 그리고 몸통 순으로 흔히 침범한다. 피부에 작은 열상 또는 동sinus이 있어 여기에서 회색의 혼탁한 화농성 분비물이 있는지 또는 피부의 변화, 수포, 염발음성crepitus이 있는지 주의 깊게 검사한다. 환자들은 감염부위에 통증을 호소하기도 하는데 그 강도는 이학적소견과 비례하지 않을 경우가 있다. 이와 같은 소견이 있으면 즉각적인 수술적 처치 즉 감염이 의심되는 조직을 노출시켜 직접 관찰하고 병소부위는 완전히 절제한다. 방사선 검사는 진단이 확실하지 않은 환자에게서만 시행해야 하며 이는 가끔 수술적 처치를 지연시키거나 정보에 혼선을 줄 수도 있기 때문이다. 불행하게도 감염조직의 수술적 절제가 절단술이나 미관손상을 초래할 수 있다. 그러나 불완전한 조치는 높은 이환율 및 사망률과 관계가 있다. 처치 중 조직액을 취하여 그람염색을 해야 하며, 그람양성과 그람음성, 호기성 및 혐기성세균에 대한 항생제(Vancomycin+Carbapenem)와 함께 *Clostridium*을 치료하기 위한 고용량의 수용성 페니실린G(16,000,000– 20,000,000U/d)를 투여한다. 이러한 감염의 대략 50%는 다수의 세균에 의한 복합감염인데 나머지는 *Pseudomonas aeruginosa, Clostridium perfringens*, 또는 *Streptococcus pyogenes* 등의 단일균에 의한 것이다.

복합감염에서 원인이 되는 세균은 그람 양성구균이 더 흔히 관찰된다는 것 이외에는 2차 세균성 복막염과 유사하다. 대부분 환자는 수술실로 다시 보내져 감염의 진행여부를 확인해야 하며, 만약 그렇다면, 감염된 조직의 추가 절제를 시행해야 한다. 배양과 민감도 검사 결과에 따라, 특히 단일균에 의한 연부 조직 감염에서는 항생제를 교체할 수도 있다. 가스를 생산하는 세균(예; *Clostridium perfringens*)에 감염된 환자에겐 고압산소치료가 사용될 수도 있지만 효용가치에 관해서는 그 증거가 불충분하다.

5. 술 후 병원 내 감염

외과 환자는 술 후 수술창상감염, 요로감염, 폐렴 및 균혈증을 포함하는 다양한 병원 내 감염이 일어나기 쉽다. 수술창상감염은 이미 언급하였고, 그 나머지는 각각 도뇨관, 산소환기 장치, 그리고 정맥과 동맥내 장치삽입 등과 관련있다.

술 후 발생하는 요로감염은 소변검사상 백혈구나 세균이 검출되거나, leukocyte esterase(백혈구가 분비하는 효소)가 양성이거나, 이들이 복합적으로 존재할 때 의심해 봐야 한다. 진단은 증상이 있는 환자에서 세균이 $>10^4$ CFU/mL 이상 존재하거나 증상이 없을 경우 10^5 CFU/mL 이상이면 진단된다. 소변에서 높은 수치로 검출된 세균(*E. cloi, K. pneumonia*)에 대해 항생제 단일 요법을 3-5일간 사용한다. 초기 치료는 그람염색에 따라 항생제를 사용하지만 세균배양과 감수성 검사결과에 따라 항생제를 바꾼다. 수술 후 환자가 움직일 수 있으면 도뇨관은 되도록 빨리, 일반적으로 1-2일 후에 제거해야 한다.

장기간의 인공호흡장치를 달고 있으면 폐렴 발생빈도가 높아진다. 이런 환자들은 대개 항생제 내성균에 감염 가능성이 높아 대개 보통의 지역발생 폐렴보다 중독하며 더 높은 사망률을 보여준다. 폐렴진단은 화농성 객담, 백혈구 증가, 발열, 가슴 엑스선 촬영사진 이상소견-폐경화 등의 소견으로 확진된다. 위 임상소견 중 두 가지 이상과 엑스선 이상소견이 있다면 폐렴가능성이 아주 높다. 외과 환자에서 인공호흡장치는 산소포화도와 자발호흡 능력을 근거로 하여 가능한 빨리 떼도록 해야 한다. 장기간 인공호흡장치를 사용하면 원내세균에 의한 폐렴빈도가 높아지기 때문이다.

입원환자에겐 거치해 놓은 수액주입 카테터와 관련된 감염이 흔하다. 많은 외과적 수술은 복잡하기 때문에 생리적 감시, 혈관내 장치, 약물투여, 비경구 영양투여 등을 위해 이런 장치들 사용요구가 증가되어 왔다. 미국에서는 해마다 삽입된 몇 백만 개의 카테터 중 약 25%는 세균이 증식하고, 약 5%는 균혈증과 연관성을 보고하고 있다. 장기간의 삽입, 응급상황에서의 삽입, 비무균성 환경에서의 조작, 다관강multilumen 카테터의 사용은 감염 위험을 증가시킨다. 혈관 내 카테터 감염이 생기는 많은 환자에서 증상이 없고, 종종 혈액내 백혈구 수치가 증가한다. 중심정맥관 삽관 때 최선을 다해 주의하고 chlorhexidine으로 충분히 소독하면 감염율을 줄일 수 있다. 말초에서 중심정맥으로 카테터를 거치했을 때 쇄골하정맥이나 경정맥 카테터 삽입때와 비슷한 빈도의 감염율을 보고했다. 정맥카테터감염은 많은 경우 증상이 없고 단지 백혈구 증가만 있는 경우가 많다. 말초 혈관에서 채취된 혈액과 카테터에서 얻어진 혈액 배양결과 동일한 세균이 발견되면 카테터 감염의 의심을 할 수 있다. 피부로부터 뚜렷한 화농성 물질이 보이거나, 어떤 세균에 의해서든 심한 패혈증이 발생하거나, 그람 음성 호기성 세균이나 진균에 의한 균혈증이 있을 경우 카테터를 제거해야 한다. *Staphylococcus epidermidis*와 같은 낮은 독성의 세균에 의한 카테터 감염은 항생제를 14-21일 사용했을 때 환자의 약 50-60%에서 효과적으로 치료된다. 항생제가 도포된 카테터를 사용하거나 정맥주입부에 chlorhexidine 스폰지를 사용함으로서 세균성장을 줄일 수 있다. 어떤 종류의 혈관내 장치라도 그 거치 필요성에 대해 깊이 고려하여 결정하고 일단 거치했다면 감염방지를 위해 주도면밀하게 관리하며 가능한 한 빨리 제거한다. 카테터 감염에 대한 예방적 항생제나 항진균제 사용은 효용이 없으며 금기이다.

6. 패혈증

패혈증sepsis에 대한 치료는 과거 10여년 동안 엄청나게 발전했으며 사망률이 30% 이하로 떨어졌다. 이처럼 사망률의 개선에 미친 두 가지 요인은 새로운 치료로 결과를 향상시키려는 무작위 전향적 연구와 패혈증 환자에게 적용하는 치료방법의 개선이라 할 수 있다. 치료권고사항을 개발한 다학제 그룹은 근거위주의 치료전략을 바탕으로 한 치료 가이드라인을 2013년 발표했다(표 8-8).

심한 패혈증 소견을 보이는 환자들은 중심정맥압

표 8-8. 패혈증에 대한 성공적인 처치 캠페인 가이드라인

초기평가와 감염문제

- 초기 구제처치: 저혈압과 젖산축적환자의 구제치료는 CVP 8-12mmHg, 중앙동맥압 ≥ 65mmHg, 뇨량 ≥0.5mL/kg/h, 혼합정맥산소포화도 65%
- 구제처치의 목표는 상승한 젖산의 정상수치로 회복
- 진단: 항생제 투여전에 미생물배양하나 항생제투여를 늦추지 말것. 진균감염 의심환자에서는 신속히 항원검사. 감염원을 찾기 위하여 신속히 영상촬영 할것
- 항생제 치료: 가능한 조기에 항생제 정맥투여: 심한 패혈증이나 패혈성 쇼크를 인지한 후 한 시간 이내 조치. 추정되는 감염원까지 도달할 수 있는 광범위 작용 항생제를 투여하고 매일 재평가하여 적절하게 낮은 항생제로 교체. 대부분의 감염에 대해서는 7-10일간 항생제 투여후 중단하고 감염을 찾지 못했다해도 중단한다.
- 감염원 제거: 가능한 신속히 감염원을 찾고 초기 구제치료후 곧 바로 원인제거처치. 잠재적인 원이이 되는 혈관내 장치들을 제거
- 감염예방: 선택적으로 구강 및 소화기 오염제거

혈역학적 지지 및 부가적 치료

- 수액치료: 전해질 용액으로 구제치료, 용량 1000mL, 목표 CVP 8-12mmHg
- 혈압상승 심장박동증강제 투여: 평균동맥압 ≥65 mmHg, 중심정맥으로 norepinephrine 투여가 제일선 조치. 신장손상방지 위해 dopamine 투여는 피할것. 혈압상승제 투여를 요하는 환자에겐 동맥내 카테터 삽입. 패혈성 쇼크 치료를 위해서 phenylephrine 투여는 추천되지 않는다. 심근기능 부전때 dobutamine 투여가 바람직하다. 정상이하의 cardiac index 를 목표로 해서는 안된다.
- 스테로이드: 수액치료나 혈압상승제 투여에 반응하지 않는 저혈압의 경우엔 정맥 hydrocortisone (dose ≤300mg/d) 투여를 고려

기타 지지 요법

- 혈액제재: 적혈구 투여는 hemoglobin <7.0g/dL 때 고려
- 인공호흡기: 급성 폐손상 환자의 경우 초기tidal volume 목표 6mL/kg/BW, plateau pressure of ≤30cm H_2O. 폐 공기꺼지지 않도록 호기말 양압유지. 인공호흡기 떼기 위한 가능성을 평가하기 위하여 떼는(weaning) 프로토콜 사용. 통상적인 모니터링위해 폐동맥 카테터는 적응이 되지 않는다.
- 진정: 최소한의 진정제 사용
- 혈당조절: 최고 혈당 목표치 180mg/dL 를 위해 프로토콜화하여 접근
- 예방: 스트레스성 궤양 방지를 위하여 프로톤 펌프 억제재나 H2 차단제 투여, 심부정맥 혈전 등 방지를 위하여 저용양 혹은 저분자 헤파린 사용
- 지지요법의 한계: 환자와 가족과 함께 치료전략을 토의하며 기대치를 상호 인지할 수 있도록 의견을 교환한다.

8-12mmHg, 평균 동맥압≥65mmHg, 요량≥0.5mL/kg/h를 목표로 회생을 위한 수액치료를 해야 한다. 이 조치가 적어도 3시간 이상 늦어진 경우 그 결과가 좋지 않았다. 이 조치를 위해서는 미리 중심정맥관을 삽입해두어야 한다.

많은 연구결과들은 심한 패혈증 혹은 병원내 감염의 발생 환자에서 조기 경험적 항생제의 중요성을 보여주었다. 이 치료는 가장 가능성이 높은 세균에 대한 광범위한 항균작용을 가진 항생제를 조기에 시작해야 한다. 왜냐하면 조기에 적절한 치료로 사망률은 현저히 감소했고 적절한 항생제 투여가 늦어졌을 때 사망률이 증가하였다. 기관별 혹은 병동별 항생제 민감도에 대한 사전정보는 병원내 감염환자에 대한 적절한 항생제 선택에 매우 중요하다. 적절한 곳에서 가검물을 취하여 배양하고 나서 항생제 치료시작을 늦추지 않아야 한다. 그래야 미생물 배양결과를 보고 적절한 항생제로 조정할 수 있다.

부가적으로, 패혈증의 근원을 찾아 치료하는 것이 패혈증환자의 치료결과 개선에 열쇠가 되었다. 복강내 농양, 괴사성 연부조직 감염, 기타 감염에 대해 지연 치료는 사망률을 증가시켰다. 전술한 바와 같이, 단 한가지 예외는 감염이 일어난 괴사성 췌장염이다.

최근 다기관에서 시도된 연구에서 패혈성 쇼크의 치료를 위하여 혈관수축제vasopressor와 심근수축 강화제inotropes에 대해 평가가 있었다.

패혈증에 의한 저혈압 치료에 있어서 현재의 제 일선의 치료약제는 norepinephrine이다. 평균 동맥압 뿐 아니라 정맥산소포화도, 혈장 젖산lactate 농도 등의 변수 들을 근거로 적절하게 주입해야 혈압상승제 유도 관류부족 위험

을 줄일 수 있다. 최근 폐동맥 카테터 삽입에 의한 모니터링의 효용가치에 관한 몇 개의 무작위 연구 들에서 그 잇점을 보여주지 못하여 사용이 급격히 감소해 왔다.

심한 패혈증이나 패혈성 쇼크 환자의 치료에 여러 가지 부수적인 치료법이 사용되고 있다. 저용량의 콜티코 스테로이드 치료(hydrocortisone ≤ 300mg/day)가 수액과 혈압상승제에 반응않는 심한 패혈증에 사용될 수 있다. 그러나 최근 무작위연구에서는 생존율 개선은 보여주지 못했다. 패혈증으로 인한 급성 폐손상 환자의 인공호흡기 세팅에서 일회 호흡량 6mL/kg 이하, 폐동맥압(plateau pr.) 30cm H_2O 이하로 유지해야 한다. 적혈구 수혈은 헤모글로빈 7gm/dL 이하로 떨어질 때 해야 하지만, 심한 관상동맥 질환의 경우나, 출혈이 지속될 경우 혹은 심한 산소부족 증 등에서는 적혈구 수혈을 아낄 필요가 없다.

1) 내성균

페니실린은 1940년대에 처음 소개되어 임상적으로 널리 사용해 왔다. 그러나 일 년만에 포도상 구균의 첫 내성균이 발견되었다. 항생제 내성을 일으키는 두 가지 인자가 있다. 첫째, 특정 항생제의 효과를 저지하는 세균에 타고난 유전적 요소가 있다. 예를 들어 어떤 세균이 특정 항생제의 작용기전에 필수적인 수용기를 가지고 있지 않다면 그 항생제는 이 세균에 효과적이지 않을 것이다. 좋은 예가 페니실린과 그람 음성균인데, 이 세균은 페니실린 수용단백질을 가지고 있지 않다. 둘째, 항생제 선택과 관련된 요소다. 특정 항생제에 과도하게 노출되면 그 항생제에 내성균이 증식하도록 만든다. 이것은 오늘날 세상에서, 사람, 동물 그리고 식물들에 매년 수백만 킬로그램을 투여하면서 발생해 왔다. 이 것은 모든 종류의 항생제에 해당된다. 항생제 내성 균 제압에 엄청난 비용이 들 뿐 아니라, 내성균 감염관련 사망률도 상당히 증가하고 있다.

항생제 내성 기전도 다양한데 다음 세가지 중 하나다. 특정세균에 대해 타고난 저항성, 유전자 돌연변이나 염색체에서 유전자 구조변화 혹은 염색체 외에 트랜스포존 transposon이나 플라즈미드에 의한 유전물질 매개에 의하여 일어날 수 있다. 유전자 변이로 인한 저항성은 다음과 같은 기전에 의해 일어난다. 목표부위 변형, 투과성 감소, 대사우회, 다약제 유입 억제풀림현상 등이다. 플라즈미드나 트랜스 옵손 매개에 의한 유전자변형은 약물 비활성화, 약제 유입시스템의 증가, 목표부위 변형, 및 대사 우회기전에 의하여 일어난다.

외과의사에게 관심을 끄는 몇 가지 내성균이 있다. MRSA는 다제 항생제 치료를 받는 만성 환자들에 있어서 병원 감염으로 발생한다. 그러나 MRSA 최근 균종은 질환에 대한 위험요인이 없이 지역 환자에서 흔히 나타난다.

이런 세균종은 〈*Panton-Valentin leukocidin*〉으로 알려진 독을 생산하며 흔히 투여되는 예방적 항생제에 저항성이 있기 때문에 외과수술창 감염의 높은 비중을 차지하고 있다. ESBL (extended spectrum β-lactamase)을 생산하는 *Enterobacteraceae* 균종은 지리적으로 국소에 발생하며 흔하지 않은데, 지난 10년간 훨씬 더 흔하고 널리 퍼졌다. 이 균종은 특히 *Klebsiella*나 *E. coli* 기종이며 플라즈미드 매개 β-lactamase 생산을 유발한다. 흔한 플라즈미드는 많은 다른 항생제들에도 내성을 가지고 있다. 흔한 ESBL 검사실 소견은 1, 2, 3세대 세팔로스포린에는 감수성이 예민하며 다른 항생제에 대해서는 내성을 가지고 있다. 불행히도 표면적으로는 예민한 항생제 사용은 급격히 내성을 유발하여 항생제 치료에 실패에 이르게 한다. 이 경우에 적절한 항생제는 카르베페넴carbapenem이다. 과거에는 저독성으로 생각되었던 *Enterococcus*가 *E faecium*와 *E faecalis*에 의한 감염은 점차적으로 독성이 증가해 왔다. 특히 면역결핍환자에게 더하다. 지난 10년 동안 VRE (*vancomycin-resistant Enterococcus*) 균종이 증가했다. 이 내성은 vanA 유전자에 의한 트랜옵손 매개에 의하여 일어나며 *E faecium* 균종에서 흔하다. 이 경우 실제적인 우려는 *S aureus*와 중복감염된 환자의 *S aureus* 균주에서도 내성유전자가 전해져 있는 경우다.

7. 혈인성 병원체

*Human Immunodeficiency Virus (HIV)*가 환자에서 외과의사로의 감염위험은 낮다. 2011년 5월 직업과 관련된 HIV 감염에서 회복된 6예 보고 이후 1999년 이후 현재까지 더 이상의 감염보고는 없었다. 12월 31일까지 질병 관리예방센터(CDC)에 보고된 총 469,850개의 HIV 케이스 중 가능한 직업적 노출로 인한 HIV 혈청전환이 일어난 외과의사는 6례였다. 직업적으로 HIV 감염위험이 높은 의료 종사자 그룹(n=200)에서 외과의사는 낮은 위험 집단 중 하나였다(간호사 59례, 비외과의에서 18례에 비교). 환자에서 의료종사자로 HIV의 감염은 일반적인 주의사항을 지킬 경우 최소화될 수 있다. (1) 혈액이나 체액과의 접촉이 예상될 경우 의무적으로 보호 장비를 착용할 것, (2) 혈액 또는 체액과의 접촉 직후 손과 다른 피부 접촉면 씻기, (3) 뾰족한 의료 기구의 사용과 폐기 전후에 취급 주의 등이다.

HIV 노출 후 예방조치는 HIV에 직업적으로 노출 가능성이 있는 의료 종사자에서 감염 위험을 현저하게 줄였다. 가장 효과적인 예방 치료를 위해서 몇 시간 안에 사후 노출 예방조치를 시작해야 한다. HIV 양성인 환자와 확실하게 접촉이 있었던 의료종사자에게는 2-3개의 약제로 치료를 시작한다. 만일 환자의 HIV 상태가 불명확한 경우, 특히 환자가 HIV 감염 위험성이 높은 경우에는 HIV 테스트가 시행되는 동안 사후 노출 예방조치를 취하는 것이 권장된다.

스코틀랜드의 글래스고에서 연간 산출된 위험도는 사후 노출 예방조치를 하지 않았을 경우 외과의사 20만 명 중 1명, 접촉 후 예방조치를 취했을 경우 천만 명당 1명 정도로 낮은 것으로 보고하고 있다. B형 간염 바이러스HBV는 오직 사람에만 영향을 미치는 DNA 바이러스이다. HBV 1차 감염은 일반적으로 저절로 치유되나 만성 보균자 상태로 진행할 수도 있다. 만성적으로 감염된 환자의 대략 30%가 만성 간 질환이나 간세포성 종양으로 인해 사망한다. 외과의사뿐 아니라 다른 의료 종사자도 감염 고 위험군이므로 HBV 백신을 맞아야 한다. 미국에서 어린이들에게는 통상적으로 백신이 접종된다. 이 백신이 매년 HBV의 새로운 발병사례를 현저히 감소시키는데 기여했으며 1980년대에 약 25만 예에서 2001년에 약 7만8천 예로 감소했다. 사후 노출 치료에서 B형 간염 면역 글로불린HBIG이 HBV 감염에서 약 75%의 예방 효과를 나타낸다. 이전에 non-A, non-B 간염이라 알려진 C형 간염 바이러스HCV는 1980년대 후반에 처음 발견된 RNA flavivirus이다. 이 바이러스는 사람과 침팬지에서만 감염되며 감염된 환자의 75-80%에서 만성 보균 상태로 진행하며 만성 감염 환자의 4분의 3에서 만성 간 질환이 발생한다. 1980년대부터는 매년 새로운 감염 발생수가 감소하고 있으며 다행히 HCV 바이러스는 직업적 노출을 통해서는 잘 감염되지 않으며 주사바늘을 통한 우연한 사고 후 혈청 변환률이 대략 2%인 것으로 보고되고 있다.

지금까지, HCV 감염 예방 백신은 아직 개발되지 않았다. 주사바늘로 인한 상해 후 HCV 면역 글로불린을 이용해 침팬지에 행한 실험적 연구는 이 치료가 노출 후에 혈청 변환을 예방한다는 것을 증명하지 못했다. 희망적인 것은 근년에 만성 C형 간염의 치료는 눈부시게 빠른 속도로 발전해 왔다. 특히 인터페론을 사용하지 않고 경구용 직접작용 항바이러스제direct acting antivirals (DAA)만 복용하여도 90% 이상의 높은 치료율을 얻을 수 있어 바야흐로 HCV 를 정복하는 시대가 도래하였다. 약제들은 작용부위마다 각각 특징적인 장점과 단점을 가지고 있어서 주로 작용부위가 다른 2가지 이상의 DAA를 병합투여하거나 치료가 어려운 환자에서는 리바비린을 추가로 투여하여 12주 또는 24주로 치료하여 치료종결 6개월째 혈청 내 바이러스가 검출되지 않는 지속적 바이러스 반응Sustained Virologic Response (SVR)율 90%를 얻게 되었다.

요약

패혈증은 감염자체와 숙주반응 두 가지로 구성되며 임상양상은 패혈증(감염+전신신체반응), 심한 패혈증(신체기관 장해), 패혈성 쇼크(혈압상승제를 요하는 저혈압)로 나타난다. 패혈증 환자는 체계적인 처치, 즉 즉각적인 소생술, 항생제치료 및 원인제거 등으로 회복될 수 있다. 원인 제거가 수술과 관련된 염증치료에 가장 중요하다. 감염 혹은 괴사조직은 배농 혹은 제거되어야 한다. 적절한 원인제거가 늦어지면 나쁜 결과를 초래한다.

수술에 대한 적절한 예방적 항생제 사용원리는 다음과 같다. 1) 수술창에 흔히 있는 미생물에 잘 반응하는 항생제를 선택한다. 2) 수술위한 절개 30분전에 항생제를 투여해야 한다. 3) 수술시간이 긴 경우 항생제의 반감기를 고려하여 조직에 적절한 수치가 유지될 수 있도록 재투여한다. 4) 수술 후 일상적인 예방적 항생제투여는 24시간이상 지속되지 않아야 한다.

심한 감염 치료를 위한 항생제를 사용할 때, 다음과 같은 몇 가지 원칙이 있다. 1) 가능한 감염원을 찾는다. 2) 감염원의 원인균에 효과적인 항생제를 선택한다. 3) 적절한 항생제 투여가 늦어지면 사망률이 높기 때문에 광범위작용 항생제를 신속히 투여하는 것이 매우 중요하다. 4) 가능하다면 조기에 세균을 배양하여 항생제를 교체해야 한다. 5) 3일 후에도 감염원인을 찾지 못한다면 환자의 임상경과를 보고 치료한다. 6)적절한 기간 항생제를 투여했다면 중단해야 한다.

수술창 감염은 적절한 사전 조치로 빈도를 줄일 수 있다. 즉 항생제 투여 시점이 적절해야 하고, 수술 전·후 체온과 혈당을 적절히 유지해야 하며, 적절한 수술상처관리를 해야 한다. 괴사성 연부조직감염이 있는 경우 감염원을 조기 발견하고 더 이상의 감염 흔적이 없을 때까지 반복해서라도 적절한 제거가 이루어져야 한다.

HIV나 다른 감염이 혈액이나 체액을 통하여 환자에서 건강한 의료인에게 전달될 수 있기에 주도 면밀한 주의를 기울여야 한다. 즉, 보호장구를 이용하며 혈액이나 체액을 다룰 때 감염을 대비하여 접촉이 있었던 손과 피부 표면을 세척하고 뾰족한 기구사용 시 각별한 주의를 기울이며 사용 후 적절히 폐기해야 한다.

참고문헌

1. Aarts MA, Brun-Buisson C, Cook DJ et al. Antibiotic management of suspected nosocomial ICU-acquired infection: does prolonged empiric therapy improve outcome? Intensive Care Med. 2007;33(8):1369-1378.
2. AASLD/IDSA HCV guidance Panel. Hepatitis C guidance: AASLD-IDSA recommendations for testing, managing, and treating adults infected with hepatitis C virus. Hepatology 2015;62:932-54.
3. Alexander JW, Solomkin JS, Edwards MJ. Updated recommendations for control of surgical site infections. Ann Surg. 2011;253(6):1082-1093.
4. Altemeier WA. Manual of Control of Infection in Surgical Patients. Chicago: American College of Surgeons Press: 1976:1.
5. Ata A, Lee J, Bestle SL et al. Postoperative hyperglycemia and surgical site infection in general surgery patients. Arch Surg. 2010;145(9):858-864.
6. Bartlett JG. Intra-abdominal sepsis. Med Clin North Am. 1995;79:599-617.
7. Basoli A, Chirletti P, Cirino E et al. A prospective, double-blind, multicenter, randomized trial comparing ertapenem 3 vs >or=5 days in community-acquired intraabdominal infection. J Gastrointest Surg. 2008;12(3):592-600.
8. Bradley EL III, Allen K. A prospective longitudinal study of observation versus surgical intervention in the management of necrotizing pancreatitis. Am J Surg. 1991;161:19.
9. Bratzler DW, Dellinger EP, Olson KM et al. Clinical practice guidelines for antimicrobial prophylaxis in surgery. Am J Health Syst Pharm. 70:195-283.
10. Bratzler DW, Houck PM. Surgical Infection Prevention Guidelines Writers Workgroup, et al. Antimicrobial prophylaxis for surgery: an advisory statement from the National Surgical Infection Prevention Project. Clin Infect Dis. 2004;38:1706-1715.

11. Broom JK, Krishnasamy R, Hawley CM et al. A randomised controlled trial of Heparin versus EthAnol Lock THerapY for the prevention of Catheter Associated infecTion in Haemodialysis patients - the HEALTHY-CATH trial. BMC Nephrol.2012;13:146.
12. Brunicardi FC. Schwartz's Principles of Surgery. New York, McGraw Hill Education; 2015.
13. Calfee DP. Methicillin-resistant Staphylococcus aureus and vancomycin-resistant enterococci, and other Gram-positives in healthcare. Curr Opin Infect Dis.2012;25(4):385-394.
14. Charbonney E, Nathens AB. Severe acute pancreatitis: a review. Surg Infect (Larchmt). 2008;9(6):573-578.
15. Chromik AM, Meiser A, Hölling J et al. Identification of patients at risk for development of tertiary peritonitis on a surgical intensive care unit. J Gastrointest Surg. 2009;13(7):1358-1367.
16. Cima R, Dankbar E, Lovely J et al. Colorectal surgery surgical site infection reduction program: a national surgical quality improvement program-driven multidisciplinary single-institution experience. J Am Coll Surg. 2013;216(1):23-33.
17. DeClercq E. Cidofovir in the treatment of poxvirus infections. Antiviral Res 2002;55:1-13 .
18. Dellinger RP, Levy MM, Rhodes A et al. Surviving sepsis campaign: international guidelines for management of severe sepsis and septic shock: 2012. Crit Care Med. 580-637.
19. Dreiher J, Almog Y, Sprung CL et al. Temporal trends in patient characteristics and survival of intensive care admissions with sepsis: a multicenter analysis. Crit Care Med. 2012;40(3):855-860.
20. Dunn DL. Autochthonous microflora of the gastrointestinal tract. Perspect Colon Rectal Surg. 1990;2:105-119.
21. Dunn DL. The biological rationale. In: Schein M, Marshall JC, eds. Source Control: A Guide to the Management of Surgical Infections. New York: Springer-Verlag: 2003:9.
22. Duttaroy DD, Jitendra J, Duttaroy B et al. Management strategy for dirty abdominal incisions: primary or delayed primary closure? A randomized trial. Surg Infect (Larchmt). 2009:10(2):129-136.
23. F. Charles Brunicardi et al. Schwartz's Principles of Surgery 10th ed. New York: McGraw Hill Education; .
24. Fink D, Soares R, Matthews JB, Alverdy JC. History, goals, and technique of laparoscopic pancreatic necrosectomy. J Gastrointest Surg. 2011;15(7):1092-1097.
25. Freeman ML, Werner J, van Santvoort HC et al. Interventions for necrotizing pancreatitis: summary of a multidisciplinary consensus conference. Pancreas.2012;41(8):1176- .
26. Galán JC, González-Candelas F, Rolain JM, Cantón R. Antibiotics as selectors and accelerators of diversity in the mechanisms of resistance: from the resistome to genetic plasticity in the β-lactamases world. Front Microbiol. 2013;4:9.
27. George ME, Rueth NM, Skarda DE et al. Hyperbaric oxygen does not improve outcome in patients with necrotizing soft tissue infection. Surg Infect (Larchmt).2009;10(1):21-28.
28. Goldberg D, Johnston J, Cameron S et al. Risk of HIV transmission from patients to surgeons in the era of post-exposure prophylaxis. J Hosp Infect. 2000;44:99-105.
29. Greif R, Akca O, Horn EP et al. Supplemental perioperative oxygen to reduce the incidence of wound infection. N Engl J Med. 2000;342:161-167.
30. Grubbs BC, Statz CL, Johnson EM et al. Salvage therapy of open, infected surgical wounds: a retrospective review using Techni-Care. Surg Infect. 2000;1:109-114.
31. Han JH, Nachamkin I, Zaoutis TE et al. Risk factors for gastrointestinal tract colonization with extended-spectrum β-lactamase (ESBL)-producing Escherichia coli and Klebsiella species in hospitalized patients. Infect Control Hosp Epidemiol.2012;33(12):1242-1245.
32. Hillier S, Roberts Z, Dunstan F et al. Prior antibiotics and risk of antibiotic-resistant community-acquired urinary tract infection: a case-control study. J Antimicrob Chemother. 92-99.
33. Howell MD, Talmor D, Schuetz P et al. Proof of principle: the predisposition, infection, response, organ failure sepsis staging system. Crit Care Med. Feb;39(2):322-327.
34. Inglesby TV, Dennis DT, Henderson DA et al. Plague as a biological weapon; medical and public health management. Working group on civilian biodefense. JAMA2000;283:2281-2290.
35. Inglesby TV, O'Toole T, Henderson DA et al. Anthrax as a biological weapon, updated recommendations for management. JAMA. 2002;287:2236-2252.
36. Kao LS, Lew DF, Arab SN et al. Local variations in the epidemiology, microbiology, and outcome of necrotizing soft-tissue infections: a multicenter study. Am J Surg. Aug;202(2):139-145.
37. Klompas M. Does this patient have ventilator-associated pneumonia? JAMA. 11;297(14):1583-1593.
38. Kobayashi M, Mohri Y, Inoue Y, Miki C, Kusunoki M. Continuous follow-up of surgical site infections for days after colorectal surgery. World J Surg.2008;32:1142-1146.
39. Konishi T, Watanabe T, Kishimoto J, Nagawa H. Elective colon and rectal surgery differ in risk factors for wound infection: results of prospective surveillance. Ann Surg.2006;244:758-763.
40. Kumar A. Optimizing antimicrobial therapy in sepsis and septic shock. Crit Care Clin. 2009;25(4):733-751.
41. Levy MM, Fink MP, Marshall JC et al. SCCM/ESICM/ACCP/ATS/SIS International Sepsis Definitions Conference. Crit Care Med. Apr;31(4):1250-1256.
42. MacCannell T, Laramie AK, Gomaa A, Perz JF. Occupational exposure of health care personnel to hepatitis B and hepatitis C: prevention and surveillance strategies.Clin Liver Dis. 2010;14(1):23-36.

43. Marr KA, Sexton DJ, Conlon PJ et al. Catheter-related bacteremia and outcome of attempted catheter salvage in patients undergoing hemodialysis. Ann Intern Med.1997;127:275.
44. Martone WJ, Nichols RL. Recognition, prevention, surveillance, and management of surgical site infections: introduction to the problem and symposium overview. Clin Infect Dis. 2001;33:S67-S68.
45. Mazuski JE, Sawyer RG, Nathens AB et al. The Surgical Infection Society guidelines on antimicrobial therapy for intra-abdominal infections: an executive summary. Surg Infect (Larchmt). 2002;3(3):161-173.
46. McManus LM, Bloodworth RC, Prihoda TJ et al. Agonist-dependent failure of neutrophil function in diabetes correlates with extent of hyperglycemia. J Leukoc Biol.2001;70:395-404.
47. Meeks DW, Lally KP, Carrick MM et al. Compliance with guidelines to prevent surgical site infections: as simple as 1-2-3? Am J Surg. 2011;201(1):76-83.
48. Meleney F. Bacterial synergism in disease processes with confirmation of synergistic bacterial etiology of certain types of progressive gangrene of the abdominal wall. Ann Surg. 1931;94:961-981.
49. Miller LG, McKinnell JA, Vollmer ME, Spellberg B. Impact of methicillin-resistant Staphylococcus aureus prevalence among S. aureus isolates on surgical site infection risk after coronary artery bypass surgery. Infect Control Hosp Epidemiol.2011;32(4):342-350.
50. Moore LJ, Moore FA. Epidemiology of sepsis in surgical patients. Surg Clin North Am. Dec;92(6):1425-1443.
51. Murphy SL, Xu Jiaquan, Kochanek KD. Deaths: preliminary data for 2010. National Vital Statistics Reports. 60(4):1-52.
52. Nguyen HB, Van Ginkel C, Batech M, Banta J, Corbett SW. Comparison of predisposition, insult/infection, response, and organ dysfunction, Acute physiology and chronic health evaluation II, and mortality in emergency department sepsis in patients meeting criteria for early goal-directed therapy and the severe sepsis resuscitation bundle. J Crit Care. Aug;27(4):362-369.
53. Nuland SB. The Doctors' Plague: Germs, Childbed Fever, and the Strange Story of Ignaz Semmelweis. New York: WW Norton & Co.: 2003:1.
54. O'Grady NP, Alexander M, Burns LA et al. Guidelines for the prevention of intravascular catheter-related infections. Clin Infect Dis. 52(9): e162-e193.
55. Osler W. The Evolution of Modern Medicine. New Haven, CT: Yale University Press: 1913:1.
56. Otero RM, Nguyen HB, Huang DT et al. Early goal-directed therapy in severe sepsis and septic shock revisited: Concepts, controversies, and contemporary findings. Chest. Nov;130(5)1579-1595.
57. Pang TC, Fung T, Samra J et al. Pyogenic liver abscess: an audit of years' experience. World J Gastroenterol. 2011;17(12):1622-1630.
58. Park M, Markus P, Matesic D, Li JT. Safety and effectiveness of a preoperative allergy clinic in decreasing vancomycin use in patients with a history of penicillin allergy. Ann Allergy Asthma Immunol. 2006;97:681-687.
59. Pieracci FM, Barie PS. Management of severe sepsis of abdominal origin. Scand J Surg. 2007;96(3):184-196.
60. Riaz OJ, Malhotra AK, Aboutanos MB et al. Bronchoalveolar lavage in the diagnosis of ventilator-associated pneumonia: to quantitate or not, that is the question. Am Surg.2011;77(3):297-303.
61. Richards JE, Kauffmann RM, Obremskey WT, May AK. Stress-induced hyperglycemia as a risk factor for surgical-site infection in nondiabetic orthopedic trauma patients admitted to the intensive care unit. J Orthop Trauma. 2013;27(1):16-21.
62. Roberts DJ, Zygun DA, Grendar J et al. Negative-pressure wound therapy for critically ill adults with open abdominal wounds: a systematic review. J Trauma Acute Care Surg. 2012;73(3):629- .
63. Romano A, Viola M, Guéant-Rodriguez RM et al. Imipenem in patients with immediate hypersensitivity to penicillins. N Engl J Med. 2006;354(26):2835-2837.
64. Rosenberger LH, Politano AD, Sawyer RG. The surgical care improvement project and prevention of post-operative infection, including surgical site infection. Surg Infect (Larchmt). 2011;12(3):163-10.1089/sur.2010.083.
65. Russell PK, Gronvall GK. U.S. medical countermeasure development since a long way yet to go. Biosecur Bioterror. Mar;10(1):66-76.
66. Rutkow E. Appendicitis: The quintessential American surgical disease. Arch Surg.133:1024.
67. Safdar N, Maki DG. Risk of catheter-related bloodstream infection with peripherally inserted central venous catheters used in hospitalized patients. Chest. Aug128(2);489-495.
68. Schuetz P, Müller B, Christ-Crain M et al. Procalcitonin to initiate or discontinue antibiotics in acute respiratory tract infections. Cochrane Database Syst Rev. 9:CD007498.
69. Scott II RD. The direct medical costs of healthcare-associated infections in U.S. hospitals and the benefits of prevention. 2009. http://www.cdc.gov/HAI/pdfs/hai/Scott_CostPaper.pdf, Accessed March 2013.
70. Smith BP, Fox N, Fakhro A et al. "SCIP766"ping antibiotic prophylaxis guidelines in trauma: The consequences of noncompliance. J Trauma Acute Care Surg. 2012;73(2):452-456.
71. Solomkin JS, Dellinger EP, Christou NV et al. Results of a multicenter trial comparing imipenem/cilastatin to tobramycin/clindamycin for intra-abdominal infections. Ann Surg. 1990;212:581-591.
72. Solomkin JS, Mazuski JE, Baron EJ et al. Infectious Diseases Society of America: Guidelines for the selection of anti-infective

agents for complicated intra-abdominal infections. Clin Infect Dis. 2003;37:997-1005.

73. Solomkin JS, Meakins JL Jr., Allo MD et al. Antibiotic trials in intra-abdominal infections: a critical evaluation of study design and outcome reporting. Ann Surg.1984;200:29-39.

74. Solomkin JS, Yellin AE, Rotstein OD et al. Protocol Study Group. Ertapenem versus piperacillin/tazobactam in the treatment of complicated intraabdominal infections: results of a double-blind, randomized comparative phase III trial. Ann Surg.2003;237:235-245.

75. Stone HH, Bourneuf AA, Stinson LD. Reliability of criteria for predicting persistent or recurrent sepsis. Arch Surg. 1985;120:17-20.

76. van Santvoort HC, Bakker OJ, Bollen TL et al. A Conservative and Minimally Invasive Approach to Necrotizing Pancreatitis Improves Outcome. Gastroenterology.2011;141(4):1254-1263.71.

77. van Santvoort HC, Besselink MG, Bakker OJ et al. A step-up approach or open necrosectomy for necrotizing pancreatitis. N Engl J Med.2010;362(16):1491-1502.

78. Wangensteen OH, Wangensteen SD. Germ theory of infection and disease. In: Wangensteen OH, Wangensteen SD: The Rise of Surgery: From Empiric Craft to Scientific Discipline. Minneapolis: University of Minnesota Press: 1978:387.

79. Weiss CA 3rd, Statz CL, Dahms RA et al. Six years of surgical wound infection surveillance at a tertiary care center: review of the microbiologic and epidemiological aspects of 20,wounds. Arch Surg. 1999;134:1041-1048.

80. Wysocki AP, McKay CJ, Carter CR. Infected pancreatic necrosis: minimizing the cut.ANZ J Surg. 2010;80(1-2):58-70.

81. Zahar JR, Timsit JF, Garrouste-Orgeas M et al. Outcomes in severe sepsis and patients with septic shock: pathogen species and infection sites are not associated with mortality. Crit Care Med. 2011;39(8):1886-1895.

Chapter 09

외상과 쇼크

Trauma and shock

I 외상

1. 서론

외상이란 신체 외부로부터의 에너지 변화에 의해 신체가 자체 복원력 이상으로 손상을 받은 것을 의미한다. 역사적으로 볼 때 외상은 인류가 처음으로 출현한 이래 가장 먼저 만나게 된 생명을 위협하는 주요 원인들 중 하나였으며 외상치료의 발전은 각각의 사회에서 배경에 따라 다양하게 발전되어 왔으나 그 발전 과정에는 많은 희생이 있어왔다. 현대사회에서도 외상은 여전히 40대 이전의 가장 흔한 사망원인 중 하나이며 한국에서도 전체 연령 군을 포함한 사망원인에 있어서 악성 신생물, 순환기계 질환과 함께 3대 사망원인을 차지하고 있다. 사망의 외인에 속하는 항목으로는 운수사고, 추락, 익사, 연기 불 및 불꽃에 노출, 유독성물질에 의한 불의의 중독 및 노출, 고의적 자해, 가해, 모든 기타 외인이 있다.

20세기 들어와 쇼크의 생리현상 및 수액과 혈액을 이용한 소생술의 중요성에 대한 이해와 항생제의 개발, 수술 기법의 발달 등으로 인하여 외상학의 급속한 발전이 이루어 졌다. 국내에서 외상의 대부분의 원인은 둔상blunt trauma으로서 광범위한 신체 부위가 큰 압력을 받아 파열되는 것이 주요 기전으로서 전형적 고위험군인 다발성 외상 환자들이다. 이는 자상이나 총상과는 달리 광범위한 신체 부위에 대량 손상을 가져오면서 패혈증, 다발성 장기 기능 부전 등과 같은 합병증을 초래하게 되며 환자의 치료과정에 매우 많은 전문 임상과목의 의사가 필요할 뿐만 아니라 치료 후의 예후도 좋지 않은 특징을 가지고 있다. 이와 같은 어려운 중증외상환자를 치료하기 위하여 선진국에서는 이미 1960년대부터 체계적인 외상센터 건립 및 관련된 외상외과를 전공하는 인력이 양성되기 시작하였으며 이러한 노력들로 인하여 외상체계가 잘 정비되어 있는 지역에서는 외상환자의 예방 가능한 사망률을 1%대로 낮추는 좋은 결과를 만들어 가고 있다. 한국에서는 보건복지부 주도로 17개의 권역외상센터를 지정해나가고 있는 중이며, 그 중 일부가 개소하여 진료를 시작하였다. 아직 외국과 비교하여 예방가능사망률preventable death rate이 매우 높은 것이 사실이나 점차 많은 외상센터가 개소를 하고 외상에 관심 있는 외과의사들이 늘어가고 있는 실정이므로 점차 개선되어 갈 것으로 전망된다.

2. 외상 환자의 초기 사정 및 치료

1) 일차조사

외상 환자의 치료는 수상직후 사고현장에서 구급대원으로부터 시작되어 재활의학과 의사의 치료로 마무리된다. 중증외상환자의 급성기 치료에 세계적으로 표준이 되고 있는 지침인 ATLS (Advanced Trauma Life Support) 지침서는 미국 외과학회의 외상분과American College of Surgeons Committee on Trauma (ACSCOT) 에서 만들어 진 것으로서 많은 국가에서 이를 기준으로 삼고 있다. 초기치료는 일차 조사primary survey, 소생술, 이차 조사secondary survey, 진단적 평가 및 근치 과정 등으로 구성되며 보기에는 순차적으로 이루어지는 것처럼 보이지만 실제 치료 현장에서는 동시에 이루어지는 경우가 많다. 이러한 과정은 생명에 가장 큰 위험이 될 수 있는 상황을 찾아내는 동시에 치료가 이루어지면서 시작되고 이러한 초기치료과정을 ATLS 지침에서는 "일차조사Primary Survey"나 "ABCDEs (Airway maintenance with cervical spine protection, Breathing and ventilation, Circulation with hemorrhage control, Disability: Neurologic status, Exposure/Environmental control: completely undress the patient, but prevent hypothermia)"로 표기하고 있다.

일차조사에서는 각 과정에서 발견된 문제점들의 원인을 찾으려는 노력보다는 생명유지를 위한 치료가 우선 되어야 하며 중요한 순서인 기도확보, 호흡 및 순환 유지를 동시 다발적이면서도 순차적으로 진행하여 각 단계의 문제점을 해결하여야 다음단계로 진행할 수 있다. 이러한 과정들이 끝나고 나면 이차 조사과정이 이루어지게 되는데 일차조사과정보다 훨씬 세밀하게 환자의 "머리 끝부터 발끝까지head-to-toe or top-to-toe"검사를 시행하며 필요한 도관을 삽입하거나 감시장치monitoring devices들을 설치하는 것이 포함된다.

(1) 기도유지

기도airway를 확보하는 것은 일차조사 과정 중 가장 중요한 과정이며 이에 대한 평가를 가장 우선으로 시행해야 한다. 기도폐쇄의 징후는 이물 및 기도폐쇄를 일으킬 수 있는 악안면 및 기도 및 후두 골절을 확인함으로써 평가할 수 있다. 턱을 들어올리거나Chin lift 아래턱을 밀쳐 올려서Jaw thrust 기도를 확보해야 한다(그림 9-1).

환자가 의식이 명료하면서 정상적인 목소리를 내는 경우에는 대부분의 경우 기도가 문제되는 경우가 없지만 경부에 관통손상을 입은 경우나 자상을 입은 후 혈종이 커지는 경우, 구강이나 비강, 인후 등에 화상을 입은 경우, 경부에 심한 피하기종이 있는 경우나 안면부에 골절이 있는 경우 및 구강을 포함한 기도 부위에 출혈이 있는 경우에는 기도 폐색이 저명하지 않은 경우라도 즉시 기도 삽

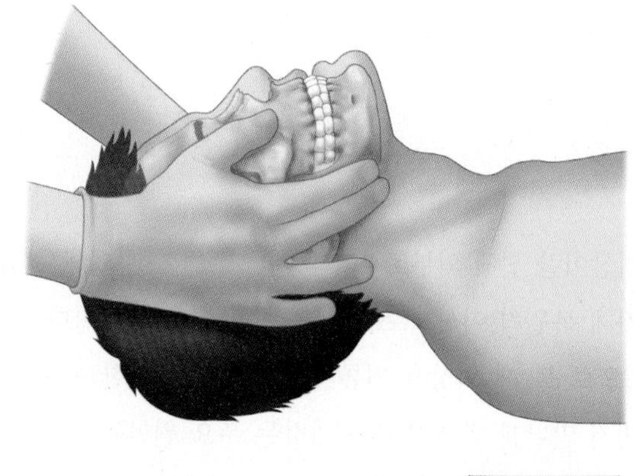

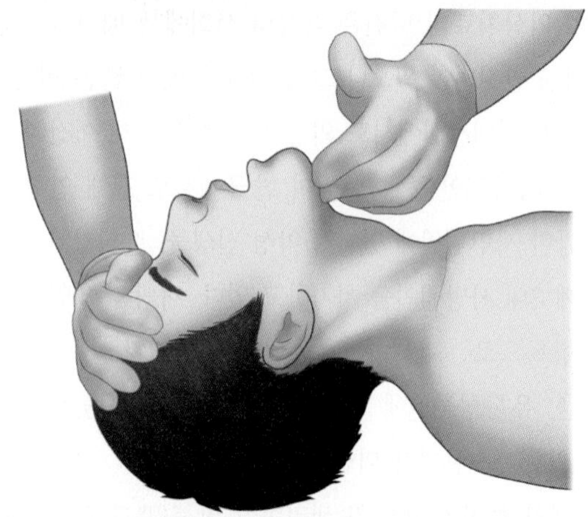

그림 9-1 턱을 들어올리거나(Chin lift) 아래턱을 밀쳐 올려서(Jaw thrust) 기도를 확보해야 한다.

관을 고려해야 한다. 구강 내 혈액이나 구토물 뿐 아니라 뒤로 쳐져 있는 혀tongue 등도 기도 폐색의 원인임을 주의하여야 하며 앞서 말한 구강 및 상부 기도 내 흡인suction 도 반드시 고려해야 한다. 어떠한 이유든지 의식이 나빠지는 것은 기도 삽관을 필요로 하는 가장 흔한 이유가 되며 그 원인을 찾기 이전에 기도 삽관을 조기에 시행하여야 한다.

이와 동시에 모든 둔상 환자는 경추 손상이 없음을 완전히 확인하기 전까지는 경추 고정을 유지하여야 해야 하며 과도한 신전 또는 굴곡 회전시키는 조작은 피해야 한다. 또한 경추 고정대를 제거할 경우 의료진 중 한 명이 경추 수기 고정inline immobilization techniques을 시행해야 한다. 다발성 외상 환자 중 특히 의식이 이상이 있거나 쇄골 상부로의 손상이 있는 환자는 경추 손상이 있는 것으로 간주해야 한다(그림 9-2, 3).

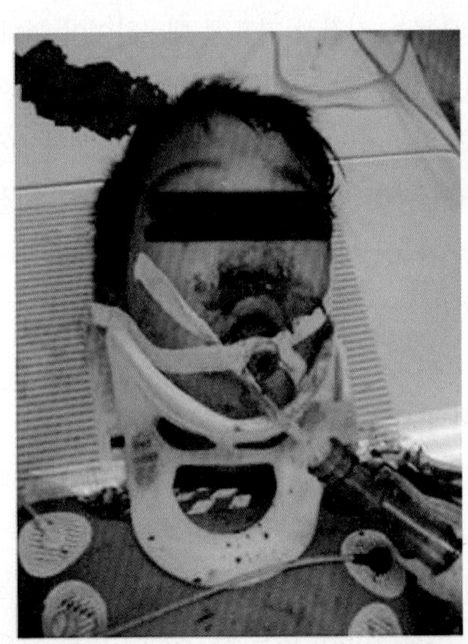

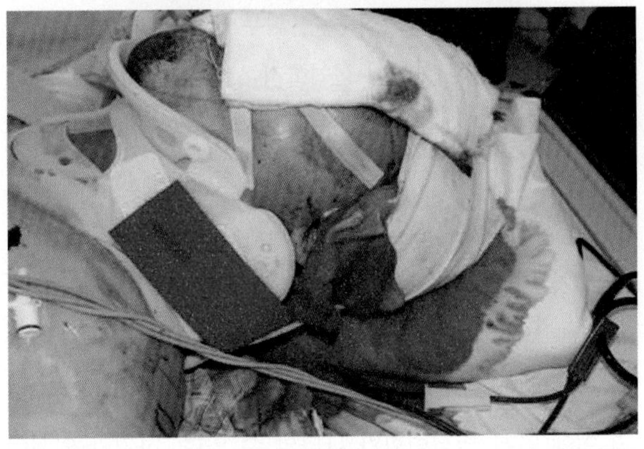

그림 9-2 소아용과 어른용 Philadelphia 경추 고정보호대

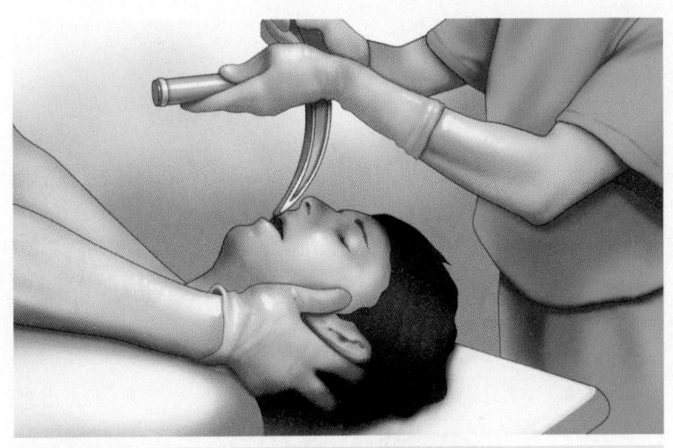

그림 9-3 기관삽관 시 시행하는 경추 수기 고정

기도 삽관의 방법으로는 가장 많이 사용되는 구기도삽관orotracheal intubation 이외에도 비기도삽관nasotracheal intubation과 기타 수술적 방법들이 있다. 비기도삽관은 경추손상이 매우 심하여 전신마비가 매우 우려되는 경우 등에 제한적으로 사용될 수 있으나 그 활용도는 매우 제한적이며 가능하면 경추를 충분히 고정한 상태에서 구기도 삽관을 시도하는 것이 좋다.

응급 상황에서 수술적 기도 확보술은 통상적인 기도 삽관술에 실패한 경우나 안면부에 심한 손상을 가진 환자에게 시행되며 윤상갑상연골절개술cricothyroidotomy이 추천된다(그림 9-4). 윤상갑상연골절개술은 피부에서 매우 가까이 위치하고 있는 기도부위인 윤상갑상막 부위를 절개하여 절개부위를 통하여 삽관을 하는 방법으로서 응급 상황에서 사용될 수 있으나 직경 6mm 이상의 관을 삽관하기 어렵고 12세 미만의 소아 환자의 경우 윤상연골 손상으로 인하여 기도 협착이 올 수 있으므로 조심해야 한다. 이 방법 이외에도 대구경의 바늘을 윤상갑상선막을 통해 기도에 꽂아서 강한 압력으로 산소를 공급하는 방법 등도 있으나 이산화탄소가 체내에 농축되는 것을 막지는 못하며 30분 이상 지속하긴 어렵다.

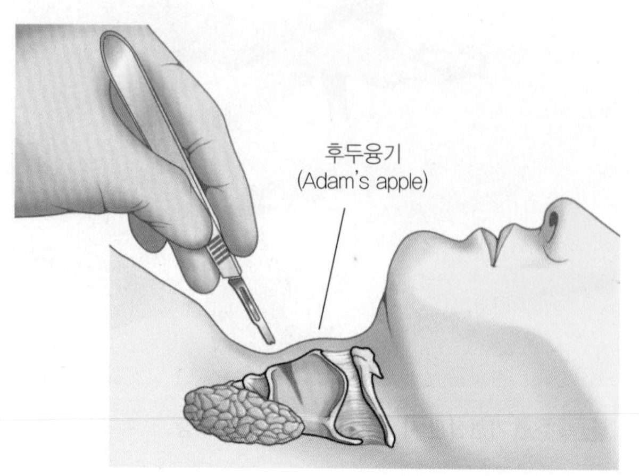

그림 9-4 윤상갑상연골절개술

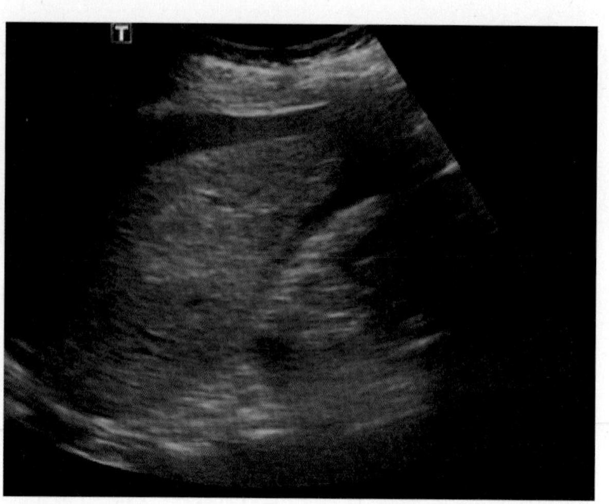

그림 9-5 간주변부의 출혈을 보여주는 FAST 소견

(2) 호흡

일단 기도가 확보되고 나면 충분한 산소 공급과 환기ventilation가 이루어져야 하는데 기도가 충분히 확보되었음에도 불충분한 환기가 의심되는 상황이라면 폐, 흉벽, 횡격막 등의 이상이 있음을 인지하고 긴장성 기흉, 개방성 기흉, 폐좌상이나 동요흉Flail chest 등을 의심하여야 한다. 우선 환자의 가슴 부위를 적절히 노출 시켜야 하며 시진, 청진, 촉진 등과 같은 이학적 검사와 단순 흉부촬영만으로도 진단될 수 있다. 특히 자발성 호흡breathing을 잘하고 있는 환자에게서도 피하기종subcutaneous emphysema이나 경정맥의 팽대, 기도의 편측 치우침tracheal deviation, 저혈압, 호흡음 소실 등의 소견이 확인되면 긴장성 기흉 등을 의심하여야 하며 단순 흉부촬영 이전에 흉관 삽관을 고려하여야 한다. 단순 기흉이나 혈흉, 늑골골절, 폐좌상 등은 환기장애를 덜 일으키고 보통 이차조사 과정에서 확인한다.

개방성 흉부손상으로 인한 기흉은 흉벽의 전층을 소실한 경우 발생할 수 있는데, 특히 상처의 직경이 기도보다 큰 경우 호흡운동으로 인한 공기유입이 정상기도를 통해서 폐로 들어가기보다는 상처를 통하여 다량의 공기가 흉강 내로 유입되어 개방성 기흉이 발생한다. 응급처치로는 개방된 상처부위를 테이프 등을 이용하여 폐쇄occlusive dressing하는 것이며 반드시 폐쇄성 흉관삽관술closed tube thoracostomy를 동시에 시행하여 잔존 기흉을 제거하고, 발생할 지 모르는 긴장성 기흉에 대비하여야 한다. 동요흉flail chest은 인접한 늑골이 3개이상 두군데 이상에서 골절이 발생한 경우에 나타날 수 있으며 이런 상태에서 더욱 주의를 요하는 것은 환자가 폐실질 자체에 매우 심한 손상을 입었을 가능성이 높다는 것 이며 기관지bronchus 손상 등의 동반을 생각해야 한다.

(3) 순환과 지혈

기도확보와 적절한 환기가 이루어 지고 난 이후에는 순환circulation에 대한 고려가 있어야 한다. 이때는 혈액량, 심박출량과 출혈에 대한 부분을 고려해야 한다. 외상후의 저혈압은 다른 원인이 없는 한 출혈에 의한 것을 우선적으로 고려해야 하며 의식수준, 피부색깔, 맥박 등을 평가요소로 활용하여 환자의 혈역학적 상태에 대해 빠르고 정확한 평가가 필요하다. 잠재적인 출혈 부위로 가슴, 복부 및 후복막, 골반, 장골long bone 등이 있으며 FAST (Focused Assessment with Sonography for Trauma)가 흉강 및 복강의 출혈을 감별 하는데 도움이 된다(그림 9-5).

순환 혈액량이 감소하면서 뇌혈류 공급이 감소하게 되면 이에 따른 의식변화가 나타날 수 있다. 하지만 의식이 명료하다고 해서 상당량의 출혈이 없을 것이라고 간과해서는 안되기 때문에 주의를 요한다. 강하고 느리고 규칙적인 맥박은 혈역학적으로 정상적임을 추측할 수 있고 빠르고 약한 맥박은 저혈량성 쇼크의 한 징후 중의 하나이나 다른 원인으로도 발생할 수 있다. 간단하게 환자가 내원한 즉시 확인할 수 있는 대략적인 혈압은 맥을 짚어봄으로써 알 수 있는데 대부분의 경우 수축기 혈압이 60mmHg인 경우 경동맥carotid artery에서 맥을 느낄 수 있으며, 70mmHg인 경우에서는 대퇴동맥femoral artery에서, 80mmHg인 경우 손목의 요골동맥radial artery에서 촉지할 수 있다.

외부 출혈에 대한 처치로는 일단 손으로 압박manual compression하는 것과 압박대tourniquets를 사용하여 지혈하는 것이 권장된다. 하지만 압박대는 심한 출혈에서 실패할 수 있으므로 주의를 요하며 시야가 확보되지 않은 상태에서 겸자 등을 이용한 혈관 결찰blind clamping은 권장되지 않는데 특히 신경 손상 등을 유발할 위험이 높다. 두부, 경부, 흉부, 서혜부 및 사지에 발생한 관통손상의 경우 상처를 통하여 장갑을 착용한 상태에서 손가락을 넣어 압박하여 지혈하는 방법은 여전히 매우 유용하게 쓰일 수 있으며 이렇게 상처를 압박한 상태에서 가능한 최단시간 내에 환자를 수술실로 이송하여 근치 수술을 시도해야 한다.

혈압이 떨어지기 이전에 가장 빨리 나타나는 쇼크의 증후로는 빈맥이 있다. 그러나 운동선수와 같이 환자가 평소에 매우 건강하던 사람이거나 베타 차단제beta-blocking agent 등을 복용하고 있던 심혈관계 질환자는 빈맥이 잘 나타나지 않을 수 있으며, 소아의 경우에는 심한 혈액 손실시 오히려 서맥bradycardia이 나타나기도 하기 때문에 빈맥이나 혈압뿐 아니라 빠른 호흡tachypnea, 의식변화, 식은땀, 소변량의 감소 및 창백 등과 같은 모든 생체 징후에 주의 하여야 한다. 특히 의식변화가 있는 경우 두개강 내 손상 등을 먼저 의심할 수 있으나, 순환부전에 따른 산소 공급부족으로 인한 증상일 가능성도 높다. 소변량은 비교적 신뢰할 만한 장기순환organ perfusion에 대한 지표로서 도뇨관Foley catheter을 삽입하여 시간당 배출되는 양을 측정하여야 한다. 어른의 경우 최소 0.5mL/kg/hr의 양은 나와야 하며 신장기능이 미숙한 어린이의 경우 1mL/kg/hr, 1세 미만 영아의 경우에는 2mL/kg/hr 이상이 배출되는 것이 순환부족 치료의 지표로서 사용될 수 있다.

16게이지gauge 이상의 대구경 바늘을 이용하여 2개 이상의 말초혈관을 확보하고, 혈관 확보 과정에서 수혈용 혈액 준비나 검사 등에 필요한 혈액을 채취함과 동시에 등장성 전해질 용액을 빠른 속도로 주입한다. 최초 수액 요법으로 성인의 경우 등장성 생리식염수나 링거액Ringer's lactate과 같은 등장성 전해질 용액을 최소 1L 이상 주입하고 소아의 경우 체중에 맞는 링거액을 20mL/kg의 용량으로 주입한다. 이후 환자의 신체 활력징후 등을 관찰해 가면서 계속적인 수액 투여와 필요 시 수혈을 시작한다. 다음 단계로 경정맥이나 쇄골하정맥을 통해 중심정맥에 대구경 정맥관을 삽입하는 경향이 있으나 이러한 술식은 급박한 상황에서 생명을 살리기 위한 다른 술기를 하는데 방해가 될 수 있음을 인지하고 있어야 한다.

최근 들어 급격한 과학기술의 발전으로 인하여 많은 의료장비의 성능개선이 이루어져 왔으며 특히 고속수액주입기Rapid Infusion System (RIS)의 등장으로 인하여 1분만에 700mL 이상의 혈액 및 수액주입이 가능하게 됨에 따라서 적절한 수술적 치료만 뒷받침되어 준다면 출혈성 쇼크 자체로 환자의 생명을 잃는 경우가 크게 줄어들었다. 따라서 외과 의사는 적절한 수액 투여경로를 확보한 후 이러한 장비를 적절히 이용하여 환자가 순환부전만으로 사망하는 것을 막아내야 할 것이다.

(4) 신경학적 장애

신속한 신경학적 평가는 일차조사 마지막에 시행하게 되며 의식의 정도, 동공크기 및 반응성, 운동과 감각에 대한 평가 및 척수손상 수준 및 신경학적 편향 징후 등을 빠른 시간 내에 파악해야 한다. 의식 평가에 가장 보편적으로 사용되는 것은 글라스고우혼수 척도Glasgow Coma Scale (GCS)로서(표 9-1) 아무 반응이 없는 경우 최소값인 3점에서부터 정상반응을 보이는 15점 사이에서 평가가 이

표 9-1. Glasgow Coma Scale

개안반응(Eye opening response)	
자발적으로 눈을 뜬다.	4
불러서 눈을 뜬다.	3
통증자극에 눈을 뜬다.	2
전혀 눈을 뜨지 않는다.	1
언어반응(Verbal response)	
지남력이 있다.	5
대화가 혼돈되어 있다.	4
용어사용이 잘못되어 있다.	3
이해불명의 말을 한다.	2
전혀 반응이 없다.	1
운동반응(Best motor response)	
지시에 따라 움직인다.	6
통증부위를 가리킨다.	5
통증자극을 적극적으로 피하려는 반응을 한다.	4
이상 굴곡반응	3
이상 신전반응	2
반응이 없다.	1

루어진다. GCS 15점 미만인 경우는 대뇌 혈류 및 산소공급의 부족으로 인한 것일 수 있으므로 의식이 저하된 경우 산소화 및 환기 순환에 대한 재빠른 재평가가 필요하다. 또한 저혈당이나 알코올, 약물 등에 의한 의식저하도 발생 가능하지만 진단과정에서 이런 원인들이 제외되고도 다른 원인이 밝혀지지 않을 때까지는 의식저하의 원인을 외상성 뇌손상을 항상 염두해 두어야 한다.

GCS는 13–14는 경미한 손상minor injury, 9–12는 중등도 손상moderate injury, 8점 이하는 심각한 손상을 의심해야 하는 상황에 해당한다.

두부손상의 경우 뇌 전산화 단층촬영brain CT은 응급상황에서 두개강 내 압력이 증가하는 원인이나 뇌 부종 등을 비교적 빠르고 간단하게 확인할수 있는 방법이기 때문에 두부 손상으로 인한 혼수상태의 환자가 내원한 경우 경추를 고정하면서 기도 삽관 후에 기도와 활력징후가 안정적일 경우 바로 뇌 CT 촬영을 시행하는 것이 매우 중요하다. CT 촬영 이전에라도 귀나 코를 통해서 뇌 척수액이 유출되는지 여부를 확인해야 하며 뇌 기저골 골절인 경우 너구리 눈 징후raccoon eye sign 등이 있거나 측두골의

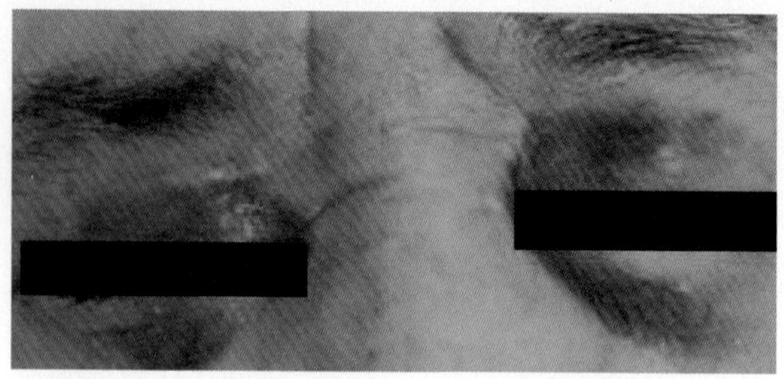

그림 9-6 **뇌 기저골 골절에서 나타나는 너구리 눈 징후**

유양돌기mastoid of temporal bone에 변색소견Battle's sign이 있을 수 있으므로 주의를 요한다(그림 9-6).

(5) 노출

신경학적인 평가까지 이루어지고 나면 최대한 빨리 전신을 탈의시켜서 발견하지 못한 외상의 흔적을 찾아야 한다. 열상이나 멍뿐만이 아니고 피부 속에 묻혀 있는 이물질 등은 발견하기 어려울 수 있으며 특히 폐쇄성 골절유무를 반드시 확인해야 한다. 환자가 혈역학적으로 안정되어 있으면서 기도가 확보된 후에는 환자를 옆으로 돌려서 log rolling 등 부위와 흉추, 요추 등을 확인하며, 특히 혈종이나 압통의 여부를 확인하기 위하여 손가락으로 직접 눌러가면서 확인한다. 이때 반드시 한 사람은 환자의 머리쪽에서 경추 수기 고정in line mobilization을 통하여 경추 손상을 방지하여야 한다. 또한 서혜부, 액와부, 회음부와 같이 겉에서 볼 때 손상 여부를 확인하기 어려운 부위를 면밀히 확인한다. 이런 과정 후에는 따뜻한 담요 등으로 환자를 다시 덮어주어 저체온증hypothermia에 빠지는 것을 방지한다. 이러한 과정들은 이차 조사와 밀접하게 연관되어 있으며 연달아 이어져야 한다.

2) 이차조사

일단 환자의 생명에 직접적인 영향을 미치는 손상들에 대한 일차조사가 끝난 이후에는 연달아서 이차조사secondary survey를 시작하게 된다. 이차조사는 환자의 전신에 대한 조사를 시행하는 것을 기본으로 하며 일차조사 과정보다 훨씬 세밀하게 환자의 머리끝부터 발끝까지 검사

를 시행하는 것이며 모든 활력 징후에 대한 재평가를 포함하는 완전한 병력 청취 및 신체검사를 시행한다. 중증 외상환자는 특히 등이나 회음부와 같이 잘 보이지 않는 간과되기 쉬운 부위에 손상을 가지고 있으면서도 표현할 수 없는 경우가 많으므로 매우 주의하여야 한다.

직장수지검사digital rectal examination를 시행 하여 항문 괄약근의 긴장도anal sphincter tone, 혈흔, 천공여부 및 전립샘의 위치 이상 등을 확인해야 한다. 도뇨관Foley catheter을 삽입하여 방광을 감압시키면서 검사용 소변을 채취하고 소변량을 측정한다. 전립샘의 위치가 비정상적이거나 요도구에 혈흔이 있거나 회음부 혈종이 관찰되는 것과 같이 요관손상이 의심되는 환자들에게는 도뇨관을 삽관하기 전에 역행성 요도조영술urethrography을 시행한다. 도뇨관 삽입에 실패하는 경우에는 경피적 치골상부 방광배액술percutaneous suprapubic cystostomy을 시행한다. 경비위관 삽입은 위 내용물에 의한 호흡기 폐색 및 흡인 등을 막기 위해서 필요한 경우가 많으며 특히 혈흔이 발견되는 경우 상부위장관 손상을 의심할 수 있다.

최대한 빠른 시간 내에 객관적인 진단결과를 유도해 내기 위해서는 흉부촬영chest AP, 경추 측면촬영C-spine lateral 및 골반촬영pelvis AP 등이 환자를 이송하지 않고 침상에서 즉시 이루어져야 한다. 특히 이 검사들에서 발견되는 이상들은 환자의 생명이나 향후 초래될 수 있는 영구적인 장애에 직접적인 영향을 미칠 수 있고 최소한 환자의 앞으로의 검사 방향이나 치료 시행 시에 조심할 점을 파악하는데 매우 필수적이다. 2차 조사시행 중 혈역학적 불안정성이 다시 발생하면 다시 1차 조사과정을 반복할 수 있다.

3. 외상 환자의 각 부위별 처치

사고기전과 일차조사, 이차조사 과정 등을 통하여 밝혀진 손상에 대해 좀 더 정밀한 진단적 검사와 치료가 이루어지기 시작해야 한다. 특히 검사과정 중에 반드시 외과의사는 환자와 함께 있어서 갑자기 변할 수 있는 환자의 의식상태나 호흡 및 혈역학적인 불안정성에 대비하고 즉각적으로 대응하거나 검사와 치료 진행 계획을 수정할 수 있어야 한다. 특히 세분화된 각 전문 임상과적인 진단적 검사와 치료가 이루어 지는 동안에는 각 분야의 임상과 전문의들이 자신들의 전문 영역에만 몰입하여 환자의 전신상황에 대한 통찰이 부족한 것이 현실임을 정확히 이해하여 이때 환자를 책임지는 외과 의사는 환자의 주치의로서의 역할과 각 전문 임상과의 치료과정에 대한 조정자coordinator로서의 역할을 해야 하는 것이 중요하다. 이러한 이유로 선진국에서는 외상외과 의사trauma surgeon들이 외과의 세부 전문임상과목 의사로 오래 전부터 배출되고 있음은 주지의 사실이다. 본 장에서는 주로 외상을 입은 장기에 대한 수술적 치료 과정에 있어서 주의할 점과 복부영역 손상에 대한 진단 및 치료과정에 대하여 다루고 기타 타 장기 손상에 대해서는 대략적인 개괄만 소개하기로 한다.

1) 손상통제수술

손상통제damage control의 기본 개념은 영국이 세계의 대양을 지배하던 시대에 영국 해군에서 나온 개념으로서 대양 한복판에서 적 함선과 교전이 있은 경우 손상된 함선을 제한된 물자와 인력만으로 완전히 수리하지 않고 일단은 응급조치로서 간단히 방수처리 등과 같이 함선이 침몰하는 것만 막은 후 가장 가까운 항구로 회항한 뒤에 근본적인 수리를 하는 것을 의미한다. 이러한 개념은 현재까지 이어져 내려오고 있으며 해군뿐 아니라 각종 선박을 이용하는 상선업계에서도 이용되고 있다. 외과적 개념으로서의 손상통제도 역시 함선에서의 경우와 마찬가지로 환자가 외상으로 인하여 매우 위중한 상태일 경우 무리하여 근치수술까지 진행하지 않고 제일 생명에 위급한 상황만 통제 한 이후에 중환자실에서의 집중 치료를 통해서 환자의 상태를 호전시킨 후 다시 수술을 시행하여 근치수술을 하는 것을 의미한다. 이것은 마치 함선에서 일단 침몰만 막는 응급조치를 취한 이후에 다시 항구로 회항하여 완전히 수리하는 것과 마찬가지인 것이다.

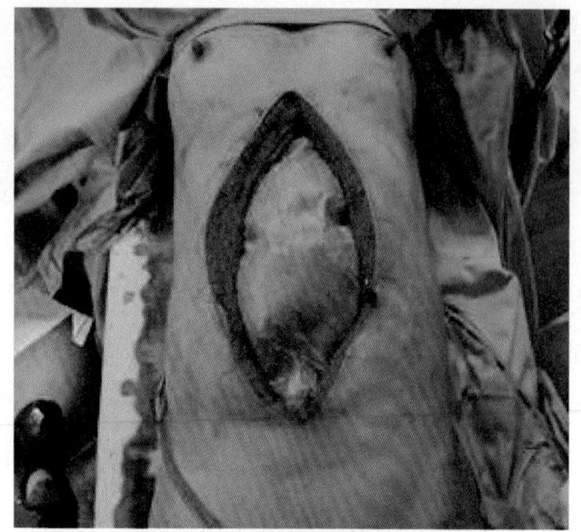

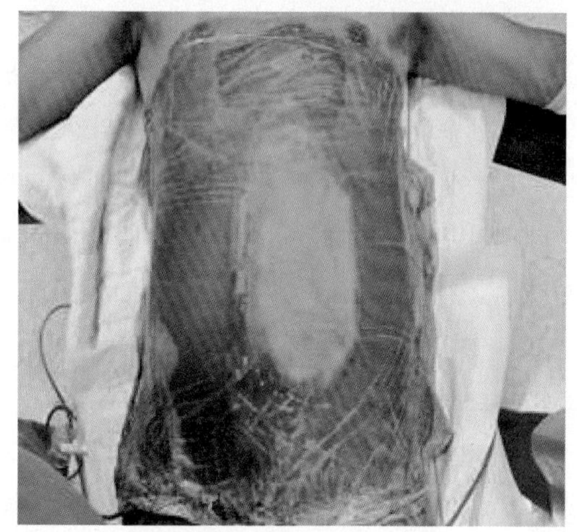

그림 9-7 임시복벽봉합

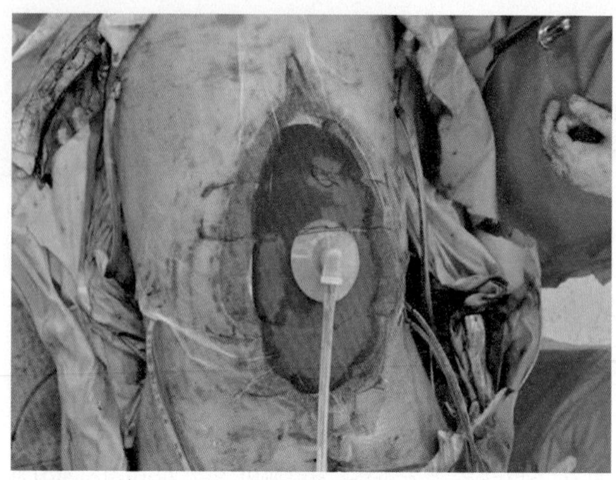

그림 9-8 음압장치를 이용한 임시복벽봉합

외상 환자를 수술하는 외과 의사는 수술 시작 전에 충분한 사전검사 및 처치를 시행하는 일반 정규수술과는 매우 다른 상황을 맞이하게 된다. 환자는 수술 전에 충분한 검사 및 처치를 받지 못한 채 수술실에 들어오게 되며 외과의사 또한 불충분한 진단적 검사 결과나 의학적 소견만 가지고 수술을 시작해야 한다. 따라서 수술의 목표는 당장 생명에 가장 위급한 상황을 교정하는 것에 주안점을 두어야 하며 이것은 종양 발생부위 및 전이 가능성이 높은 임파선까지 한번의 수술로 완전 절제를 추구하는 암수술과 같은 정규 수술과는 다른 개념이 필요하다. 또한 손상된 장기에 대한 광범위 절제는 가능한 한 지양되어야 하며 장기절제 등은 최소한으로 진행하는 것이 좋고 병원 내원 당시뿐 아니라 수술 중에도 저체온증hypothermia을 동반한 쇼크상태와 산혈증acidosis이 지속되는 경우가 많기 때문에 최대한 빨리 수술을 마치고 임시복벽봉합을 시행 후 중환자실에서 환자를 회복시킨 후에 재건수술까지 포함된 재수술planned reoperation을 시행하는 것이 좋다(그림 9-7, 8).

이러한 수술방법은 생명이 극도로 위중한 중증 외상환자를 수술하는 외과의사뿐 아니라 마취통증의학과 의료진에도 수술과 마취에 따른 부담을 줄일 수 있는 매우 유용한 방법으로서 손상통제 수술을 통해서 일단 환자의 생명을 구한 후 수술시간 단축을 위해 환부의 영구 봉합이나 손상부위의 재건과 같은 술식은 중환자실에서의 보존적 치료를 통하여 추후 환자의 상태가 호전된 이후에 시행하는 것이다. 이와 같은 개념은 신체 일부분에만 해당되는 것이 아니고 복부에서 사지에 이르기 까지 신체 어느 곳에 대한 외상에도 고려되어야 하며, 충분한 수술 전 검사를 시행하고 환자가 안정된 상태에서 시행되는 대부분의 정규 일반수술의 경우와는 전혀 다른 상황이라는 것에 유의하여야 한다. 요약하면 중증 외상 환자에게서 시행되는 손상통제수술에서 가장 중요한 개념은 최단시간 내에 생명과 직결되는 손상에 대해서만 수술적으로 해결한 후 환자 상태가 호전된 이후 다시 근치수술을 하는 것이다.

2) 두부손상

뇌 컴퓨터 전산화 단층촬영은 GCS 점수가 14점 미만을 보이는 모든 두부외상 환자에게서 시행되어야 한다. 어떠한 형태의 두개강 내 출혈이나 뇌 좌상, 미만성 축삭손상diffuse axonal injury 등의 뇌 손상이 있는 경우라면 환자는 반드시 중환자실에 입원해야 한다. 환자가 CT 상 비정상적인 소견이 있으면서 GCS 점수가 8점 이하인 경우라면 특수 장비를 이용하여 두개강 내 압력Intracranial Pressure (ICP)을 측정해야 하며, ICP가 20mmHg 이상으로 지속적으로 증가하는 경우는 수술적 감압술을 고려하여야 한다.

이러한 두부외상환자의 치료에 있어서 치료법은 적절한 수술적 치료와 함께 철저한 보존적 치료요법이 중요하다. 치료 목적은 두개강 내 혈류를 개선하는데 초점이 맞추어져야 하며 뇌 환류 압력Cerebral Perfusion Pressure (CPP)이 8세 미만의 환아에서는 적어도 50mmHg 이상으로, 8세 이상의 환아나 성인에서는 60-80mmHg 정도로 맞추어 져야 한다. 60mmHg에도 못 미치는 CPP는 매우 나쁜 예후를 가져오게 되며 이를 막기 위해서는 충분한 수액의 투여와 함께 승압제의 투여가 필요하며 최악의 경우 α길항제를 투여하는 것도 고려하여야 한다. 또한 두개강 내 압력에 대한 지속적인 관찰도 매우 중요한데 만약 ICP가 비정상적으로 상승하는 경우는 삼투압성 이뇨작용osmotic diuresis을 나타내는 mannitol을 적극적으로 투여하면서 수술적 치료까지도 고려하여야 하며 최대 4-6시간마다 반복해서 투여하더라도 반드시 ICP를 낮추어야 한다.

적절한 환기를 통해서 동맥혈 산소포화도를 95% 이상으로 유지하고 초기에 $PaCO_2$를 35-40mmHg 정도로 유지하는 것은 손상된 뇌 조직이 허혈성 손상을 추가로 입는 것을 최대한 방지하는데 매우 중요하다. $PaCO_2$를 25mmHg 이하로 유지하게 되면 뇌 혈관수축을 유발하게 되어 뇌의 허혈성 손상이 더욱 심해질 수 있다.

"소아는 외상에 취약하다"는 통상적인 생각과는 달리, 어떤 두부 손상의 경우에는 소아 환아들이 어른 뇌 손상환자들의 경우보다 뇌압 상승의 정도가 적고 적절한 치료가 이루어질 경우, 직접 손상을 입은 조직의 주위 변연부가 회복되는 경우가 많으며, 전반적으로 재활치료를 통하여 매우 좋은 회복양상을 보이는 경우가 많다. 이는 소아 연령 환아들의 뇌 신경조직이 아직 추가로 발달할 여지가 있기 때문인 것으로 생각되고 있다. 소아 환아에게 있어서 외상성 뇌 손상은 여러 단계의 신체 내 상호작용을 촉발시키면서 뇌 혈류 감소와 뇌 실질의 물리적인 변형을 유발하게 된다. 또 체온이 상승하게 되면 뇌 신경조직에서 산소요구량이 증가하며 2차적인 뇌 손상의 주요 요인이 된다. 따라서 35.5-36℃ 정도로 약간의 저 체온mild hypothermia을 유도하는 것이 환아의 예후에 좋다는 보고가 많이 있으며 특히 38℃ 이상의 고열이 있는 경우는 acetaminophen등의 반복 투여와 차가운 담요 등을 이용하여 적극적으로 체온을 낮추어 주어야만 한다.

3) 경부, 관통 손상

경부 관통 손상neck and penetrating neck injury 환자들의 효율적인 진단과 치료를 위해서는 손상 부위에 대한 간략한 분류를 적용한다. 기준이 되는 표면 지표로 윤상연골 cricoid cartilage과 하악골각mandible angle을 이용하며 부위를 3곳으로 나눈다(그림 9-9).

자창 등으로 인한 관통손상에 의해 넓은목근platysma muscle이 사진에서와 같이 열린 상태라면 일단은 수술 exploration을 고려하여야 한다(그림 9-10). 그러나 각각의 경우에 따라서 수술의 시점은 달라질 수 있다. 즉시 수술을 진행하여야 하는 경우로는 혈역학적으로 불안정한 경우인 zone I, zone III 손상이거나, 혈역학적으로 안정적이더라도 zone II 손상인 경우에는 즉시 수술을 시행하는 것이 좋다. 그러나 혈역학적으로 안정적인 zone I 이나 zone III 손상의 경우에는 혈관 조영술이나 식도-위 내시경, 바륨 조영술, CT 등의 검사 후 수술을 진행하는 것이 권장된다.

이외에도 경부 둔상 등으로 인한 손상의 경우에는 반드시 경추손상여부와 척수신경 손상에 따른 신경학적 이

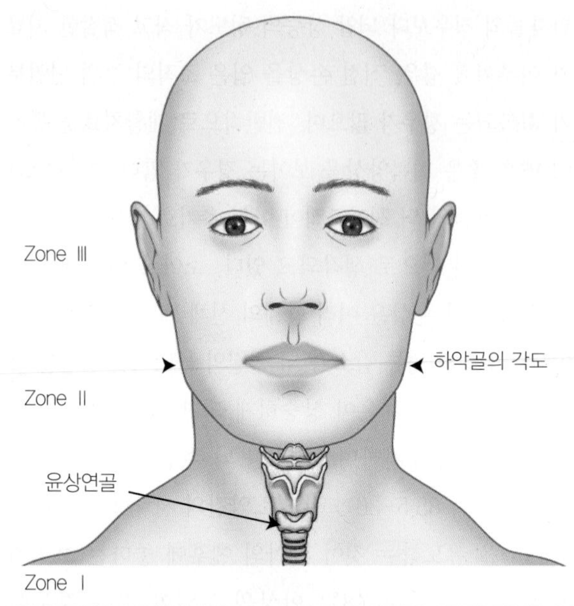

그림 9-9 경부 손상의 해부학적 지표

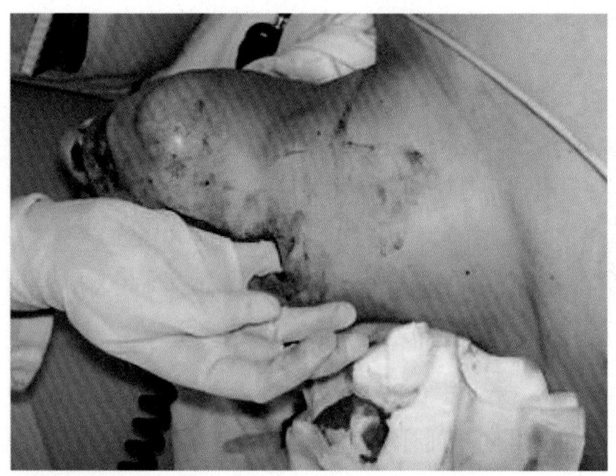

그림 9-10 넓은 목근을 관통한 자창의 이학적 소견

상 여부를 확인해야 하며 확실히 확인될 때까지는 경추 보호대를 착용해야 한다.

4) 심장, 대혈관 손상

(1) 심장손상

외상성 심장 손상에 대한 유병률에 대해서는 잘 알려져 있지 않다. 총기 사고로 사망하는 경우에 약 10% 정도에서 심장 손상과 관련되어 있다는 보고가 있으며 관통상을 가진 환자의 약 6% 정도만이 살아서 병원에 도착한다고 알려져 있다. 관통상에 의한 심장 손상 부위는 우심실이 앞쪽에 위치하는 해부학적인 특징 때문에 가장 많은 빈도를 차지하며 이어서 좌심실, 우심방, 좌심방 순으로 나타난다. 둔상에 의한 심장 손상은 증상이 없는 부정맥부터 심장의 파열까지 매우 다양한 형태로 나타난다. 이 중 가장 흔한 것은 우리가 흔히 심장 타박상cardiac contusion으로 불리는 손상이다. 하지만 심근 타박상은 명확한 진단 기준이 없으며 용어의 모호함으로 인하여 많은 논란이 되고 있다. 그렇기 때문에 둔상에 의한 심장 손상은 심장 중격 파열, 심부전, 부정맥 등의 특정한 손상명을 쓰는 것을 권장한다.

관통상에 의한 심장 손상은 많은 경우에 있어서 심낭 압전으로 나타난다. 이러한 관통손상으로 인한 심낭 안의 출혈은 50–100mL 정도의 작은 양에서도 심낭 압전의 임상적 증상을 나타낼 수 있다. 심낭 압전은 고전적으로 Beck의 삼징후Beck's triad로 불리는 심음의 감소, 저혈압, 그리고 경정맥의 확장 등의 소견이 나타날 수 있지만 급성 외상 환자에서는 이러한 소견들이 잘 나타나지 않으며 또한 응급실 환경에서 이런 증상들을 인지하는 것은 어려운 일이다(그림 9-11).

둔상에 의한 심장 손상으로 심장 중격 파열, 심부전, 심장 외벽의 파열, 관상동맥 혈전증, 부정맥, 건삭의 파열 또는 유두근의 파열 등이 나타날 수 있다. 심장 외벽의 파열이 발생한 환자의 대다수는 병원에 살아서 도착하지 못한다. 심방 파열인 경우는 심실 파열보다 빈도는 적지만 증상의 발현이 지연되거나 서서히 나타날 수 있다. 우심방의 파열은 둔상으로 인한 심장 외벽 파열의 약 10% 정도에서 나타나며 좌심방은 이보다 더 적게 나타난다고 알려져 있다. 심장 중격의 파열이나 판막의 기능부전은 초기에 증상이 없다가 뒤늦게 심부전의 증상들이 나타날 수 있다. 부정맥 또한 둔상에 인한 심장 손상의 매우 흔한 증상들이다. 조기심실수축이 가장 흔하며 심실성 빈맥, 심실 세동, 발작성 심실상성 빈맥 등이 나타날 수 있다. 이런 증상들은 보통 손상 후 약 24–48시간 이내에 발생한

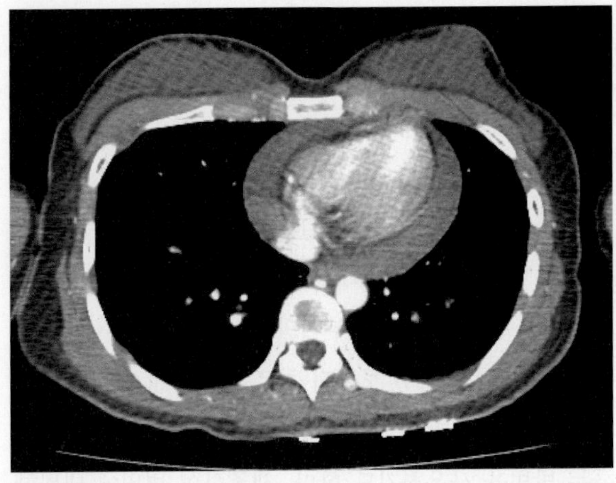

그림 9-11 혈심낭의 전산화단층촬영 소견

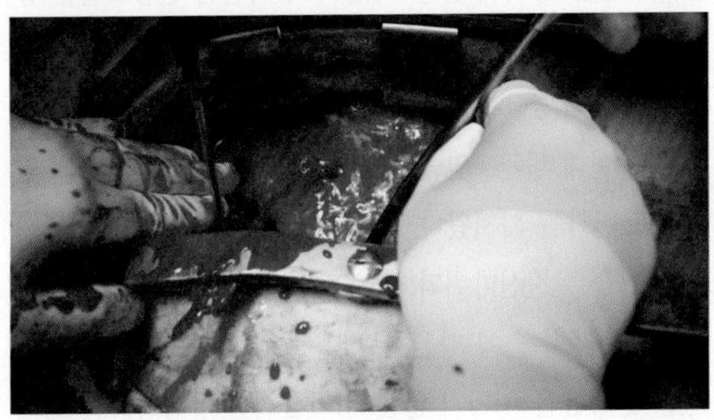

그림 9-12 관통상에 의한 우심실 파열

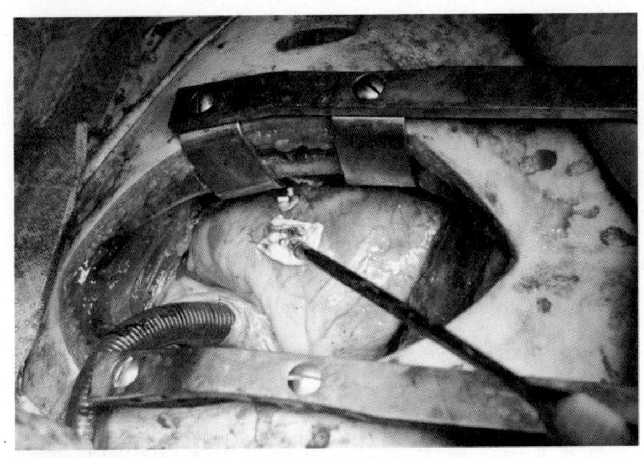

그림 9-13 우심실 파열의 봉합

다(그림 9-12, 13).

심장 손상이 의심이 되는 환자에서 초기 평가는 ATLS (Advanced Trauma Life Support)에 따라서 시행을 하

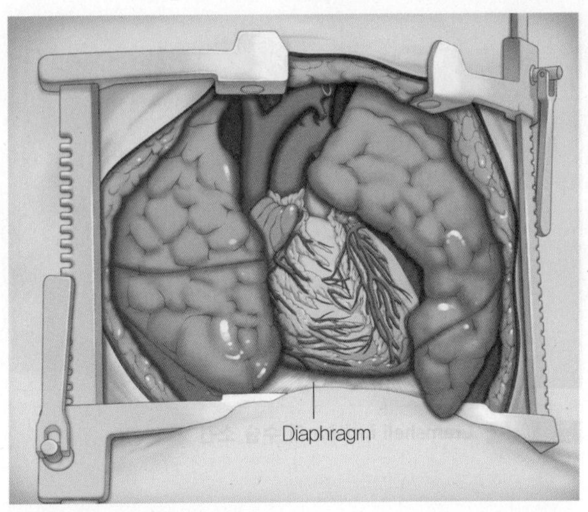

그림 9-14 Cramshell incision

며 심전도, FAST (Focused Assessment with Sonography for Trauma), 심초음파 등이 진단에 도움이 될 수 있다. 일반적으로 많이 사용하는 심장효소수치들의 측정은 심장 손상을 평가하는데 유용성이 많이 떨어진다.

혈역학적으로 불안정한 환자의 경우에 FAST 상에서 심낭 압전 소견이 관찰된다면 빠른 수술적 치료가 필요하다. 만약 수술을 빠르게 할 수 없는 상황이라면 심낭천자술이 일시적인 감압을 위하여 도움이 될 수 있지만 이 경우에도 빠른 수술적인 치료가 필요하다. 수술적 접근법은 전개흉술anterior thoracotomy 또는 정중 흉골절개술median sternotomy이 사용된다. 혈역학적으로 불안정한 환자에서는 보통 좌측전방측면 개흉술left anterolateral thoracotomy를 시행하여 필요에 따라서 흉골을 가로질러 오른쪽 흉강까지 연장하는 접근법을 사용한다(Cramshell incision)(그림 9-14, 15). 이런 접근법은 오른쪽 흉강과 오른쪽 심방으로의 접근을 더욱 용이하게 한다.

(2) 흉부 대동맥 손상

외상에 의한 심장 손상과 밀접한 연관이 있으며 많은 경우 동반되어 나타난다. 특히 교통사고로 인한 흉부 대동맥 손상의 경우 유병률은 1% 미만이지만 사망률은 전체 교통사고 사망의 약 16% 정도를 차지한다. 외상성 흉

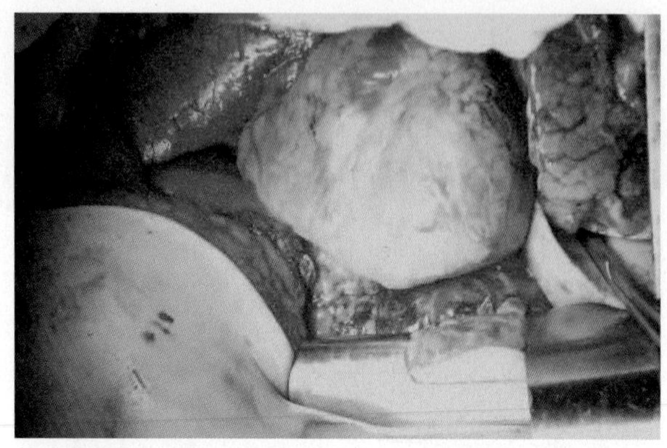

그림 9-15 Cramshell incision의 수술 소견

부 대동맥 손상 환자의 약 80%는 현장에서 사망하며 생존하여 병원에 후송되는 환자의 24시간 생존율은 50% 이하로 매우 치명적이다. 또한 흉부 대동맥 손상의 약 3분의 1정도가 다른 장기와의 동반 손상으로 인하여 초기에 간과되어 뒤늦게 진단된다.

단순흉부촬영상에서는 종격동의 넓이가 증가되어 있거나 흉부대동맥궁 음영의 소실이 관찰되는 경우에 대동맥 손상을 의심해야 한다. 환자가 혈역학적으로 불안정하다면 침대에서 또는 수술방에서 사용이 용이한 경식도초음파가 도움이 된다. 혈역학적으로 안정적이라면 조영제를 사용한 흉부전산화단층촬영으로 진단을 할 수 있다.

외상성 흉부 대동맥 손상 환자의 치료에 대한 과거 수십년 간의 대처는 빠른 진단과 응급 수술을 통한 손상 동맥의 복구였다. 초기에는 대동맥을 직접 결찰한 후 손상 부위를 직접 봉합하거나 손상 부위가 넓은 경우 이식편 graft을 부착하는 수술을 시행하였으나 대동맥의 결찰로 척수에 분지하는 혈류의 장애를 야기하여 하반신 마비와 같은 합병증을 초래하기도 하였다.

1970년대 중반 이후 심폐 바이패스cardiopulmonary bypass과 같은 수술기법의 발달로 인해 개흉술 및 개복술을 통한 대동맥 수술은 하반신 마비와 같은 합병증의 발생을 낮추었고 또한 심폐 바이패스로 인한 체온강하 등이 척수를 보호하는 효과도 보였다. 이러한 기술적인 개선이 있었지만 응급 수술에 따른 사망률과 주요 합병증은 여전히 높게 보고되고 있다. 가장 큰 원인은 대부분의 흉부 대동맥 손상 환자가 다른 장기와의 동반 손상이 많아 수술 자체의 위험성이 크고 그로 인한 수술 후 합병증이 많다는 데 있다. 또한 수술 시에 사용하는 항응고제는 타 손상 부위의 출혈을 가중시킬 수 있으며 흉부 대동맥 손상의 수술 시에는 한쪽 폐로만 환기를 해야 하기 때문에 저산소증으로 인한 허혈 부위의 손상이 심화될 수 있다. 최근에는 가능하다면 보존적 치료를 통하여 대동맥 손상의 치료 시기를 늦추어 안정성을 확보한 후 수술을 시행하는 방법을 사용하기도 한다. 생존하여 병원에 내원한 흉부 대동맥 손상 환자의 경우 조기 수술을 시행한 환자군보다 혈압 강하제 등을 사용하여 적절한 혈압조절을 통한 보존적인 치료를 한 환자군에서 사망률과 합병증이 낮은 결과를 보였다는 보고들이 있다.

1990년대 혈관조영술의 발전은 근치적 치료 방법에 있어서도 변화를 가져왔다. 혈관조영술을 통한 혈관내 스텐트 삽입술은 전신마취와 항응고제의 사용을 필요로 하지 않음으로써 수술에 따른 부작용을 낮출 수 있으며 동반 손상에 영향을 미치지 않는 비침습적인 방법이라는 점에서 외상성 흉부 대동맥 손상 환자의 치료 방법으로서 그 역할이 커지고 있다. 혈관내 수술을 통한 방법은 기존의 수술적인 치료에 비하여 단기와 중기 추적관찰 상에서는 사망률과 여러 합병증 발생률 등에서 좋은 결과를 보이고 있다. 하지만 스텐트와 관련된 합병증의 증가와 장기적인 성적의 불확실함 등으로 인하여 좀 더 많은 연구가 필요할 것으로 생각된다(그림 9-16).

5) 폐, 흉곽손상

(1) 외상성 혈흉과 기흉

외상에 의한 흉부 손상은 매우 흔하게 발생한다. 모든 외상 환자의 약 8% 정도에서 둔상에 의한 흉부 손상을 보이며 약 7% 정도에서 관통상에 의한 흉부 손상이 나타난다. 흉부 외상 환자의 대다수는 비수술적인 방법을 통하여 치료될 수 있다. 흉부 외상 환자의 약 18-40% 정도는 오직 흉관삽입술만으로 치료할 수 있다. 개흉술을 통

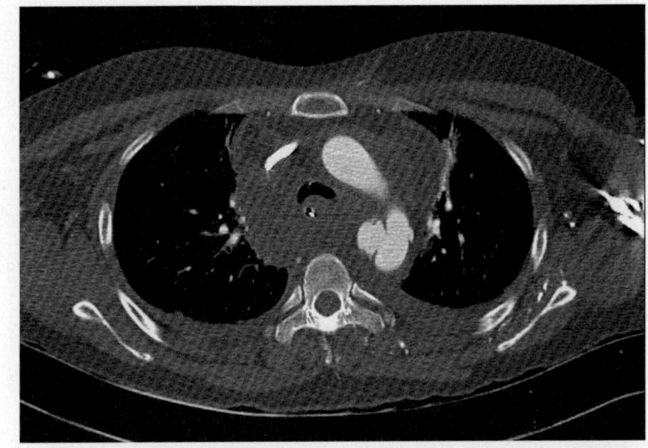

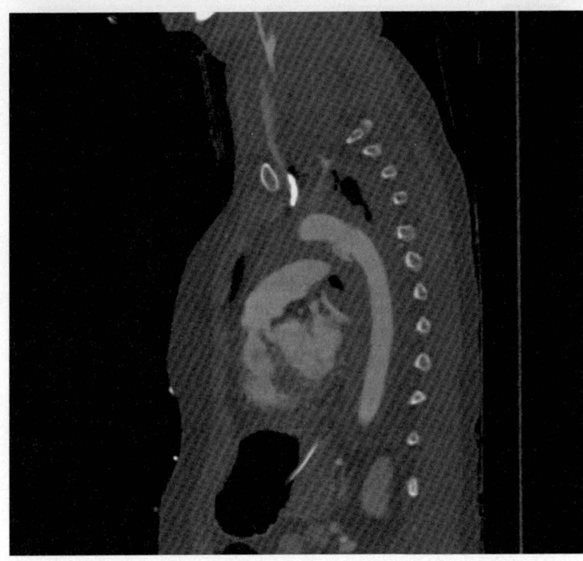

그림 9-16 **외상성 대동맥 손상의 컴퓨터단층촬영 소견**

한 수술적 치료는 약 3-9% 정도만이 필요하다. 심지어 칼에 의한 관통상은 약 14%만이 수술적인 치료를 요하며 총기에 의한 흉부 손상도 15-20%만이 수술적인 치료를 요한다.

이학적 검사는 흉부 손상을 진단하는 것에 많은 도움을 줄 수 있다. 경정맥의 확장, 기관의 편위, 피하 기종, 흉벽의 불안정, 호흡음의 감소, 심음의 감소 등은 흉부 외상을 진단하는 데 중요한 소견들이다. 특히 피하 기종의 존재와 호흡음의 감소는 기흉이나 혈흉을 시사하는 매우 중요한 소견들이다. 혈역학적으로 불안정한 환자에서 이러한 소견을 보인다면 영상의학적인 확인을 하기 전에 즉시 흉관삽입을 시행하여야 한다.

대량의 혈흉이 보일 경우 수술적 치료의 적응증이 된다. 일반적으로 흉관 삽입 직후에 1,500mL 이상의 출혈을 보이거나 3시간 동안 시간당 200-250mL 이상의 출혈이 보일 경우 수술적인 치료의 적응증이 된다. 이외에도 출혈로 인하여 혈역학적인 불안정성이 나타나는 경우에도 적극적으로 개흉수술을 고려해야 한다.

대량의 공기 누출도 수술적인 치료의 적응증이 될 수 있다. 호흡의 모든 과정에서 공기 누출이 존재하면서 흉관이 삽입되었는데도 불구하고 대량의 공기 누출로 인하여 폐의 완전한 확장이 안되거나 호흡량의 감소로 인하여 환기를 어렵게 하는 경우에는 기관기관지의 심한 손상을 의미하는 것이므로 수술적인 치료를 고려할 수 있다.

(2) 횡격막 파열

횡격막 손상은 외상 환자의 약 1% 이하에서 발생하는 흔하지 않은 손상이다. 횡격막 손상은 보통 다른 흉부 장기나 복부 장기와 관련되어 나타난다. 횡격막 손상은 영상의학적인 검사로 진단이 힘들기 때문에 생명을 위협할 수 있는 복부 장기의 탈장과 조임 등의 증상과 관련되어 뒤늦게 진단되는 경우도 있다.

횡격막은 관통상에 의하여 관통 되거나 둔상에 의한 급격한 복강 내압의 증가로 인하여 파열이 일어난다. 둔상에 의한 횡격막의 파열이 관통상으로 인한 것보다 보통 크기가 더 크다. 관통상에 의한 파열은 작은 크기로 인하여 진단을 놓치기가 쉽다. 초기에는 증상이 없는 경우가 많다. 손상된 횡격막 파열 부위는 시간이 지날수록 점점 더 커지는 경향이 있으며 커지는 부위로 복부 장기의 탈장 등이 일어난다. 이러한 현상은 좌측 부위에서 더 발생하며 우측 부위는 간이 장의 탈장을 막아주므로 안정적으로 유지되는 경우가 많다.

흉부단순촬영에서 위나 복부 장기들이 흉강 내로 올라오는 소견이 관찰되거나 횡격막의 상승 등이 관찰될 경우에 횡격막 손상을 의심할 수 있다. 흉부 CT도 횡격막 손상의 진단에 있어서 많은 도움을 줄 수 있다(그림 9-17).

모든 횡격막 파열은 수술적인 치료를 요한다. 하지만

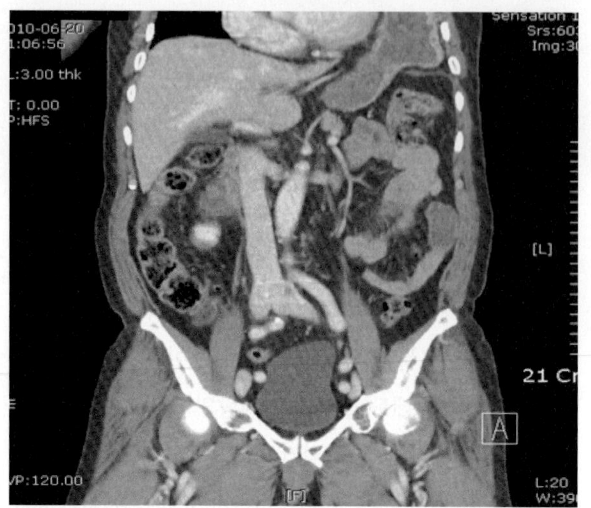

그림 9-17 좌상복부에 발생한 횡격막 파열의 영상소견

우측의 작은 파열은 간에 의한 압전으로 인하여 탈장 등의 합병증이 예방되는 경우가 있어서 경과 관찰을 하기도 한다. 수술적인 치료는 보통 복부를 통하여 접근한다. 많은 경우 복부 장기의 손상을 동반하기 때문에 복부를 통하여 손상을 확인하고 치료를 시행한다. 증상이 없고 안정적인 환자의 경우에 영상학적인 진단이 명확하지는 않지만 의심이 되는 경우 흉강경이나 복강경을 통한 최소침습 수술을 시행하여 진단과 치료를 동시에 시행할 수 있다(그림 9-18).

6) 복부손상

외상 이후 혈역학적으로 불안정한 환자에서 흉부와 골반 X-ray 검사가 정상이며 뚜렷한 외부로의 출혈 증거가 보이지 않는다면, 복강 내 출혈을 강하게 의심해 보아야 한다. 특히 복부 둔상으로 인한 간이나 비장의 파열은 대량의 복강 내 출혈을 초래하며, 급격히 환자의 상태를 악화시킬 수 있다. 이러한 복강 내 대량 출혈에 대한 빠른 처치는 환자의 생존에 직접적으로 연관이 되어 있기 때문에, 복부 이외의 여러 신체 부위의 손상이 동반된 다발성 외상 환자에서도 복강 내 출혈에 대한 처치는 최우선적으로 고려되어야 한다. 초기 평가 과정에서 복부의 손상은 크게 두 가지 가능성을 염두 해 두고 평가하게 되는데, 그 중 한가지는 앞서 말한 고형장기 혹은 혈관 손상으로 인한 출혈 가능성 평가이고, 다른 한가지는 위장관 파열로 인한 복강 내 오염 가능성 평가이다.

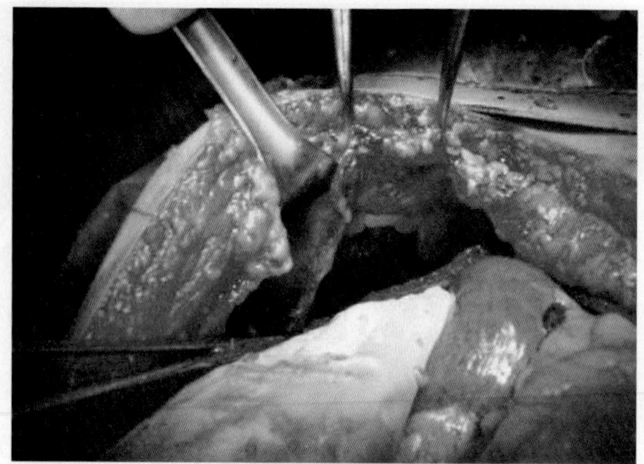

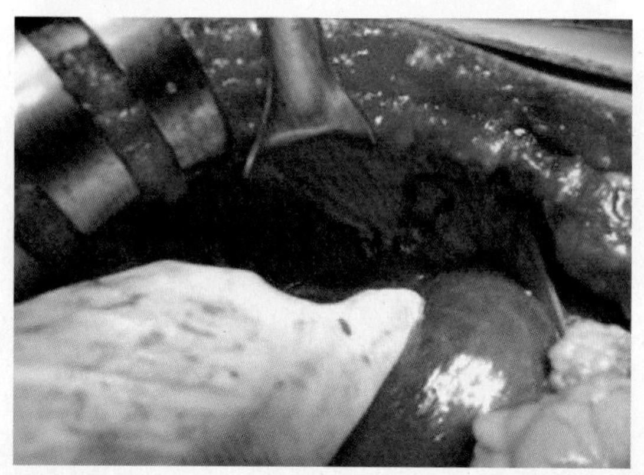

그림 9-18 우상복부의 횡격막 파열의 수술 소견과 봉합

1970년대 이후 복부 전산화 단층촬영과 복부 초음파 등의 영상의학 장비의 발달로 인하여 외과의사들이 점차 복부 외상환자의 진단 및 치료 방침을 정하는데 있어서 영상의학장비를 이용한 검사에 많이 의존하게 되었으며 손상의 정도를 비교적 정확하게 진단할 수 있게 됨에 따라서 수술을 통하지 않고 보존적 치료만으로 환자를 치료하는 경우가 증가하게 되었다. 특히 국내 복부 외상의 절대 다수를 차지하는 둔상으로 인한 복강내 장기 손상의 경우 중재적 방사선학적 시술까지 발달함에 따라서 간이나 비장과 같은 고형장기손상의 경우에는 보존적 요법만으로 치료하는 경우가 많아 개복수술을 피함에 따라서 동반된 위장관 손상의 진단에 있어서 비 개복에 따른 어

려움을 겪는 경우가 많아지고 있으며 최근 들어서는 복부 관통손상에 대한 보존적 치료방침까지 대두되고 있어서 오히려 위장관 손상에 대한 치료 방침에는 많은 혼란이 일어나고 있는 것이 사실이다. 그러나 이러한 혼란에도 불구하고 위나 소장 및 대장의 손상에 대한 가장 적절한 치료는 수술적 방법을 통한 치료이며, 손상 시점으로부터 얼마나 빨리, 적절한 수술적 치료를 행하였느냐가 환자의 예후를 결정하는 가장 중요한 요소이다.

특히 십이지장 손상의 경우 치명적으로서 높은 사망률을 보이며 췌장 및 담도계의 동반손상이 많이 발생하므로 고도의 주의를 요한다. 십이지장 손상의 합병증은 흔하게 발생하며 보고에 따라서는 60% 이상의 합병증 발생을 보고하고 있으며 환자의 생명이 극도로 위험하게 된다. 복강 내 위치한 다른 장기와는 달리 십이지장의 대부분은 후복막강의 중심부 깊은 곳에 위치하기 때문에 주위의 여러 기관과 조직으로 둘러싸여 있어 손상이 발생한 경우에는 진단이 매우 어렵다. 특히 비 특이적인 이학적 소견을 보이는 경우가 많으며, 복부 외상환자에게 시행되는 FAST (Focused Assessment Sonography in Trauma)의 경우 복강 내 혈액 저류 등으로 찾아 복강 내 장기 손상에 대한 진단은 가능하나, 십이지장과 같은 후복막강 내 장기의 손상에 대해서는 진단이 어렵다. 이러한 진단상의 어려움이 환자의 적절한 수술적 치료를 지연시키고 합병증 발생률을 증가시키며 결국 환자의 사망까지도 초래하게 되는 최악의 상황을 초래할 수 있다.

(1) 손상의 기전

복부의 손상은 보통 둔상과 관통상으로 나뉜다. 국내에서 관통상은 대부분 칼이나 날카로운 물체에 의해 일어난 자상이며, 드물게 총상도 있다. 둔상에 의한 복부 손상은 외부로 나타나는 손상의 흔적이 거의 없어 환자 평가 시 쉽게 발견하기 어려우며, 신체의 다른 부위 손상을 동반하는 경우가 많기 때문에 사망률이 높을 수 있음을 주의해야 한다. 복부의 둔상은 복부에 대한 직접적인 압박으로 인해 발생하며, 복강 내 장기를 파열시키거나 혈관을 손상시킬 뿐 아니라 척추와 골반 같은 골격계를 파괴함으로써 대량 출혈을 일으킨다. 흔하진 않지만 복부의 총상은 수술실에서 치료하는 것이 원칙이다. 복부에 총상을 입은 환자들의 사망률은 매우 높은데 이는 총상의 경우 복강내 장기의 손상이 매우 광범위하기 때문에 자상에 비해 사망률이 훨씬 높다. 복부의 자상에 의한 사망률은 약 1–2% 정도로 비교적 낮은 편이다. 칼로 간이나 비장과 같은 주요장기나 혈관을 찌르지 않는 한 환자는 현장에서 초기에 쇼크 증상을 나타내지 않는 경우가 많다. 그러나 이러한 환자들이 불과 몇 시간 후에 생명이 위험할 정도의 복막염을 일으킬 수 있으며 대량 출혈을 동반하기도 하므로 복부에 자상을 입은 환자는 병원에서 주의 깊게 진찰을 받아야 한다. 또한 흉기가 관통하면서 혈관 등을 누르고 있는 경우도 많으므로 이를 제거하는 시점은 수술실에서 완전히 수술준비를 마친 이후에 개복하면서 하는 것이 좋다(그림 9-19). 관통한 흉기가 신체의 어느 부위를 통과했는지는 외견상의 상처의 위치만으로는 알 수 없다. 흉부의 자상은 복부를, 반대로 복부의 자상은 흉부를 관통했을 수도 있으며 여러 장기를 통과했을 수도 있다. 가장 주의할 점은 복강 내 출혈과 이로 인한 출혈성 쇼크이다.

둔상에 의한 손상 기전은 복벽을 밀고 들어오는 큰 압력에 의하여 간이나 신장과 같은 고형장기가 파열되거나

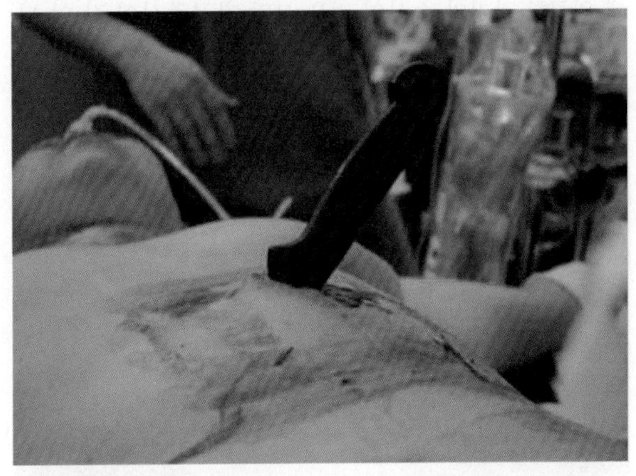

그림 9-19 복부 자상의 경우 환자는 생존한 상태로 병원까지 호송되는 경우가 많다. 수술실에서 수술 준비를 마친 이후 흉기를 제거하는 것이 좋다.

장관이 척추와 같은 비교적 단단한 신체 구조물 사이에 끼어서 발생하는 압착손상crushing injury과, 위장관 내 내용물 등이 저류되어 있는 상황에서 압착에 의해 장관 내 압력이 증가함에 따라 폭발하듯이 터져버리는 파열blow-out로 유발될 수 있다. 이 중에서 파열손상은 일반적인 공복시 보다는 다량의 음식물 섭취 후나 장관 내 공기가 많이 차 있는 경우에 발생할 수 있는 손상 기전이다. 드물게는 하임리히 방법Heimlich maneuver을 잘못 사용했을 경우에 발생 하기도 할 정도로 다량의 음식물 섭취 이후 위장관은 과도한 압력에 취약하다.

위장의 경우 매우 잘 발달되어 있는 여러 층의 근육으로 보호받고 있어 매우 신축성이 좋기 때문에 위장의 천공을 일으키는 흔한 원인은 자상으로 인한 관통손상이며 파열이나 압착으로 인한 천공은 비교적 드문 편이다. 그러나 천공이 발생시에는 위 내용물 유출로 인한 전체 복강 내 감염을 유발하여 매우 심각한 상황을 초래하게 된다(그림 9-20). 십이지장은 바로 뒤에 위치한 척추 때문에 복부 전면에서 전달되는 압력에 대해서 복벽과 척추 사이에 끼어있는 형태를 취하게 되므로 압착으로 인한 천공이나 파열 또한 발생하기 쉬우며, 후복막강 주위 장기에 의해 고정되어 있기 때문에 날카로운 흉기로 인한 자상 시에 주위로 미끄러지지 않고 고정된 위치에서 그대로 관통될 수 있는 해부학적인 특성을 가진다. 이와 같이 후복막강에 위치한 장기의 손상인 경우 복막 자극증상이 잘 안 나타나는 경우가 많으므로 진단이 어려운 경우가 많다. 특히 복강 내 장기가 파열될 정도의 손상을 가져온 복부 둔상의 경우에는 다른 장기에도 동반된 손상이 있을 수 있음을 매우 유의하여야 한다.

교통사고는 복부 둔상의 가장 흔한 원인이다. 좌석 벨트는 두부와 흉부의 심각한 손상을 막아 교통사고 환자의 생존률을 올리는데 큰 역할을 하지만, 충돌 시 벨트와 척추 사이에 췌장과 장관이 끼어 손상을 받게 되는 경우가 있다. 특히 환자의 신체 표면에 좌석벨트로 인한 찰과상이 보이는 것을 좌석벨트 반흔seat belt sign 이라고 하는데 이것은 체간부의 정면에서부터 뒤쪽으로 매우 큰 압력이 신체에 미친 것을 의미하며 이러한 상황까지 발생된 경우에는 복강 내 장기 손상이 크게 증가하는 것으로 보고되고 있다(그림 9-21). 더욱 심한 경우에는 이러한 압력이 척추에 까지 도달하여 척추의 수평골절Chance-type fracture이 발생하기도 하는데, 이러한 골절은 좌석벨트의 착용시 발생하는 교통사고와 매우 밀접한 연관이 있으므로 Lap Seat-Belt Fracture라고도 한다(그림 9-22). 이런 척추골절 환자들의 경우에는 좌석벨트에 의해 매우 큰 압력이 복벽 앞에서부터 뒤쪽으로 전달되는 것으로서, 팽만된 장관이나 췌장은 3번 요추의 전방에 위치하게 되므로 매우 심각한 손상이 동반될 가능성이 높으므로 고도의 주의를 요한다.

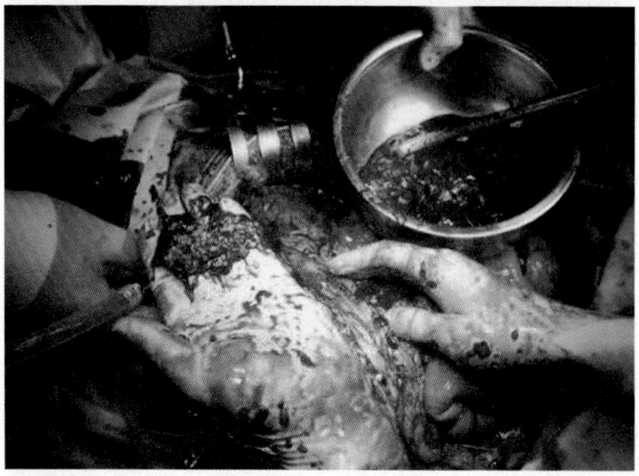

그림 9-20 식사직후 발생한 위장관 천공

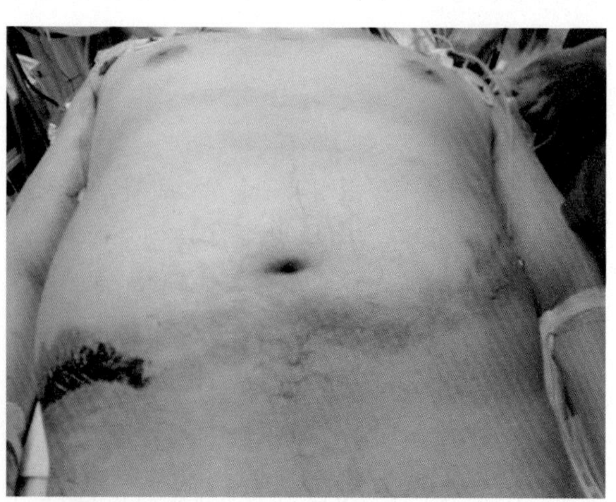

그림 9-21 안전띠 반흔의 한 예

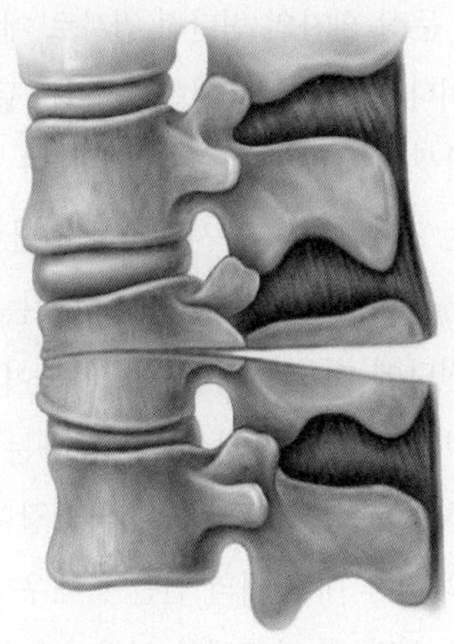

그림 9-22 척추의 수평골절(Lap Seat-Belt Fracture)

또 자전거로 인한 작은 사고로 인해서도 심각한 복부 손상을 입을 수 있는데 특히 자전거 등의 핸들에 복부가 부딪칠 경우 기전이나 초기 조사를 통해서는 쉽게 짐작할 수 없는 큰 손상을 입는 경우가 있기에 주의해야 한다. 스포츠 손상은 특히 비장과 신장의 손상을 주는 경우가 많다. 낙하와 스포츠는 어린이의 복부 손상의 가장 빈번한 손상 기전이다. 복부 손상은 아이 학대로 인한 경우일 수도 있으며, 외상성 뇌 손상에 이어 아이 학대로 인한 사망의 두 번째 흔한 이유이다.

(2) 진단

발생한 사고의 종류, 환자에게 가해진 충격의 정도 및 방향 등과 같은 정보를 아는 것은 진단에 중요한 기초자료가 된다. 외과 의사는 외상 환자의 손상과 관련된 주위 환경에 대해 파악함으로써, 복부외상의 가능성에 대한 정보를 얻을 수 있다. 부상자가 움직이지 않는 물체에 충돌했거나 폭발에 의한 힘이 복부 내 장기로 전달되어 파열될 가능성이 있는지, 자동차 사고 시 부상자가 좌석벨트를 착용했는지 여부 등은 복부장기의 손상을 추측할 수 있는 정보이다.

또한 자상의 경우에는 대부분 이학적 검사상 흉기로 인한 외부 상처만 확인이 가능할 뿐 신체 내에서의 실제 흉기가 지나간 방향을 확인하는 것이 어려운 경우가 많다. 예를 들어 환자가 칼에 의하여 좌측 흉부 아래 부위를 찔렸다면 폐 실질의 손상뿐 아니라 횡격막 손상과 함께 상부 위장관 및 간, 담도계의 손상을 주의해야 한다. 이는 신체에 들어온 칼의 방향에 따라서 매우 광범위한 장기 손상이 있을 수 있다는 것을 의미한다. 최근 들어 복부 자상의 수술적 치료 방침에 대해서 복막자극증상이 없어서 직접적인 위장관 천공이 없을 가능성이 높고 계속적으로 환자에 대한 집중 관찰이 가능한 병원 환경 등의 특수한 상황 하에서는 일부 보존적인 치료를 권장하기도 하나 수상 초기에 천공 사실을 발견하지 못하고 보존적 치료를 함에 따라 수술이 늦어질 경우 매우 위험할 수 있다는 것을 주의해야 한다. 또한 자상의 경우에는 동시에 신체 여러 곳에 다발성으로 발생하는 경향이 높으므로 알고 있는 자상의 위치 이외에도 다른 곳에 특히 등 뒷쪽에 추가적인 손상이 있는지를 확인해야 한다.

위장 천공의 경우 강산성을 띤 위 내용물이 복강 내로 유출되어 복막 자극 증상을 유발하게 된다. 또한 경비관을 통한 혈액의 유출이나 단순 방사선 촬영상 보이는 복강 내 유리기체도 진단에 도움을 줄 수 있지만 이런 현상들이 모든 환자에게서 나타나는 것은 아니며, 이런 소견들이 없다고 해서 위장 천공을 배제할 수도 없다. 특히 후복막강 장기 파열의 경우에는 임상증상이 더욱 비특이적인 경우가 많아 단지 경미한 요통만을 호소하거나 거의 통증이 없는 경우도 있으며 단순 촬영상에서도 후복막강 내에 소량의 유리기체가 보일 수도 있으나 대부분은 앞쪽을 지나가는 횡행결장transverse colon 등의 정상적인 공기음영과 겹쳐 보이기 때문에 식별하기 어려운 경우가 많다. 이 밖에도 보일 수 있는 척추 측만 소견spine scoliosis이나 대요근psoas muscle의 우측 경계가 잘 안 보이는 것과 같은 소견들 역시 주의해야 한다.

진단적 복강 내 세척술diagnostic peritoneal lavage은 복강 내 출혈 및 위장관 천공의 진단 시 도움을 줄 수는 있으나 후복막강 장기손상의 진단에는 크게 도움이 되지 않는다. 특히 진단적 복강 내 세척술을 시행하게 되는 많은 경우가 비특이적인 이학적 검사소견 등으로 인하여 진단이 어려운 경우, 확진을 내리고 개복수술 여부를 결정하기 위해서 시행하게 되는데, 복강 내 장 파열의 경우에는 수상 초기부터 비교적 저명한 복막자극증상을 보이거나 영상의학적 검사 소견만으로도 진단이 용이하여 진단적 복강 내 세척술이 필요하지 않은 경우가 많고, 후복막강 내의 장기손상 시에 시행할 경우 오히려 위 음성false negative 소견을 보임에 따라서 진단에 혼란을 초래할 수도 있다.

외상 환자에 대한 초음파 술기 중 하나인 FAST (Focused Assessment Sonography in Trauma)는 미국외과학회the American College of Surgeons에서 외상환자에 대한 외과의사의 일차, 이차 평가의 일환으로 기본 술기로 포함시켜 두고 있다. FAST는 외상환자에 대한 빠른 평가를 위해 개발된 방법으로 심낭과 복강 내 유리된 체액을 찾기 위한 검사이다. 검사는 빠른 시간 내에 순서대로 심낭 내부와, 앙와위에서 복강 내 가장 낮은 위치인 우상복부의 모리슨낭Morison's pouch, 좌상복부의 비장 주위 그리고 골반 안쪽의 방광 주위에서 액체의 유무를 찾는다. 일반적으로 초음파는 검사의 특성상 재현성이 떨어지며, 검사자의 숙련도에 따라 정확도가 차이가 날 수 있지만, FAST는 정해진 위치에서 단지 체액이나 출혈 유무 만을 찾을 것을 요구하는 술기로서 비교적 숙달하기 쉽고 검사자의 숙련도가 정확도에 영향을 덜 받는 것으로 알려져 있다. FAST는 빠르고 신뢰도가 높으며, 비침습적이기 때문에 혈역학적으로 불안정한 환자의 복부 내 출혈의 가능성을 그 자리에서 바로 평가하는데 적합하다. 환자의 이학적 상태와 FAST의 소견에 따라 외과의는 복부 전산화 단층촬영 등의 추가 검사 없이 수술을 바로 결정해 환자의 생존에 무엇보다 결정적인 시간을 절약할 수 있다. FAST 이외에도 초음파 검사는 간이나 비장, 담도 계 등의 복부 내 고형장기의 손상을 발견하고 정도를 평가하는데 도움이 될 수 있다. 그러나 췌장 및 내강장기Hollow Viscus Organ의 손상 평가에는 제한이 있으며, 검사자의 숙련도에 영향을 받을 수 있어 복부 전산화 단층촬영에 비해 제한적으로 사용되는 편이다.

복부 전산화 단층촬영은 혈역학적으로 비교적 안정되어 있는 복부 둔상 환자의 진단적 검사로 매우 흔하게 사용되는 검사이다. 특히 복부 전면이 아닌, 등이나 옆구리 쪽으로부터 발생한 자상의 경우에도 환자가 혈역학적으로 안정되어 있는 경우 수술 전 시행하면 진단에 많은 도움을 줄 수 있다. 복부 초음파검사 등이 가지는 후복막강 내 장기손상의 진단에 대한 어려움으로 인하여 장기의 위치에 관계없이 비교적 정확한 영상을 제공하는 복부 전산화 단층촬영은 장관 손상 환자뿐 아니라 방광이나 췌장, 신장과 같은 후복막강 내 장기의 진단에 매우 유용하다. 다만 십이지장은 췌장 및 담도계와 연결되어 있으며 중요한 혈관들의 교차점이고 전, 후로는 대장과 신장 및 비뇨기 계통이 위치하게 되므로 복잡한 주위 기관과 감별하여 손상 여부를 판단하는 것이 매우 중요하지만 복부 전산화 단층촬영으로도 확진이 어려운 경우가 많다. 따라서 복부 둔상으로 인하여 위, 십이지장 손상이 의심되는 환자에게 복부 전산화 단층촬영을 시행하는 경우에는 가능한 한 반드시 혈관조영제를 사용해야 하고 환자 상황에 따라 경구 조영제를 사용하는 것도 고려하여야 한다. 일부에서는 경구조영제만을 이용한 상부위장관 조영술을 통해서 십이지장 혈종을 진단하기도 하나 이때 나타나는 특징적 소견이 전체 환자의 25% 정도에서만 나타나며, 이러한 환자의 경우 췌장손상이 동반될 위험도 20% 정도에 달하는 것으로 보고되고 있어 이러한 동반손상을 동시에 확인하기 위해서도 복부 전산화 단층촬영은 가장 적절한 진단적 도구 중 하나이다. 이때 사용되는 경구 조영제는 처음에는 수용성 조영제를 사용한 후 특별히 확인되는 천공이 없는 경우 바륨barium까지 사용하면 진단에 많은 도움을 받을 수 있어 특히 십이지장 혈종과 십이지장 천공을 감별 진단하여 치료방법을 결정하는데 매우 중요한 단서를 제공할 수 있으나 실제 임상상황에서는 어려운 경우가 많아 혈관조영제 만이라도 사용하는 것이 권장된다. 이러한 복부 전산화 단층촬영에도 불구하고 실제 임상상황에서는 십이지장 손상에 대한 위음성false negative 결과로 인한 진단의 어려움에 대한 보고를 많이 하고 있다는 점을 고려해서 초기 검사결과상 보존적 치료 대상으로 결정이 난

이후에도 환자의 임상경과에 대한 주의 깊은 관찰과 상황 악화시 추적 검사가 반드시 요망된다. 환자의 상부위장관 폐색 증상이 수일 내 호전되지 않을 경우에도 수상일로부터 5–7일마다 상부위장관 조영술이나 복부 전산화 단층 촬영을 통해 추적 관찰함을 고려할 수 있다.

복부 전산화 단층 촬영이 가지는 여러가 진단적 장점에도 불구하고, 출혈이 진행되고 있는 환자에서 촬영을 하느라 즉각적인 수술적 치료가 지연될 수 있다는 점은 반드시 고려대상이 되어야 한다. 많은 경우 복부 전산화 단층 촬영을 시행하는 공간은 외상 소생trauma resuscitation 시에 적합하지 않다. 혈역학적으 로 불안정한 환자의 치료에 있어서 이미 수술적인 치료가 불가피 함에도 복부 전산화 단층 촬영을 위해 환자를 위험에 빠트리는 우를 범해서는 안된다.

(3) 치료

외상으로 인한 복부 내 장기 손상이 확인된 환자는 빠른 시간 내에 다음 치료 방침을 정해야 한다. 장관의 천공이 없이 혈종만 있는 경우나 고형장기 손상 시에는 경비위관 삽관을 통한 위장관 감압술과 필요 시 혈관 내 조영술을 이용한 색전술 등을 포함하는 보존적 치료요법만으로 호전될 수 있으나, 발생할 수 있는 지연성 파열 및 출혈 등에 대한 고도의 주의를 요한다(그림 9-23). 특히 검사상 확인되는 천공이 있는 경우는 빠른 시간 내에 적절한 수술적 치료가 필요하다.

수술의 최우선의 목표는 출혈을 막는 것이다. 술기의 성공은 얼마나 빨리 복강 내 출혈 부위에 도달해서 얼마나 효과적으로 지혈을 하는지에 달려있다. 이것 이외의 다른 모든 것들은 부가적이며, 지혈이 성공한 후에야 다른 손상 특히 장관의 파열 등을 탐색한 후 복구를 시도한다. 다발성 외상환자의 경우 종종 여러 부위의 다양한 손상으로 인해 개복 수술이 늦어지는 경우가 많다. 그러나 조절되지 않는 복강 내 출혈로 인해 쇼크가 발생한 환자가 개복 수술의 적응증에 해당한다면, 환자를 수술장으로 옮긴 후 외과의가 출혈부위를 확인 하는 것보다 더 중요하거나 시급한 일은 없다.

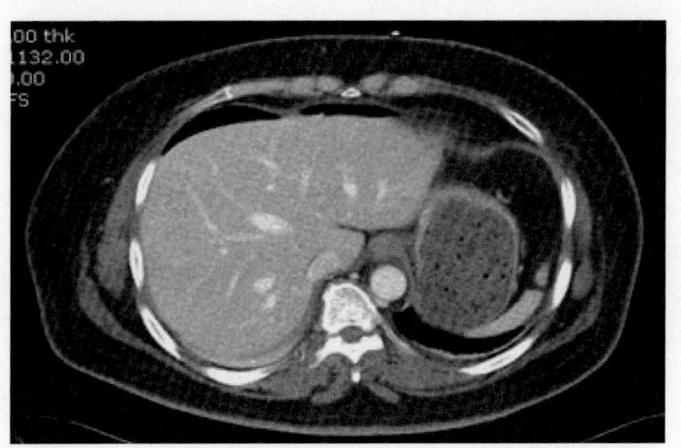

그림 9-23 골반골 및 경비골 골절환자에서 다음날 나타난 지연성 소장천공

혈역학적으로 불안정한 환자를 외상 소생실trauma resuscitation room에서 수술장으로 옮긴 후 지혈에 이르기까지의 시간은 이후 환자의 예후에 있어서 결정적인 영향을 미친다. 그렇기 때문에 이 과정에는 의사, 간호사 및 이송을 담당한 보조직원에 이르기까지 잘 훈련된 외상 처치 팀의 신속 정확함이 무엇보다 중요하다. 특히 환자가 수술장에 들어온 후 외과의에 의해 피부 절개가 이루어지기까지의 수술 준비 기간은 매우 위험한 순간으로 여겨진다. 이 기간 동안 환자는 지속되고 있는 출혈은 간과된 채 기계적으로 수술 준비가 이루어지고 있거나, 불안정한 혈역학적 상태로 인해 불필요한 술기들이 추가적으로 이루어 지는 경우가 많으며, 이는 오히려 지혈에 이르기 까지 시간을 지체시키는 주된 원인이 되고 있다. 경험있는 외과의는 이 시간을 최대한 단축하는 동시에 환자의 자세 및 필수적인 준비 상황을 판단해 직접 지시한다. 예상되는 수술 범위 및 준비물을 간호사에게 미리 알려 주고, 환자의 혈역학적 상황 변화를 환자 곁에서 직접 체크하고 필수적인 필요한 조치에 대해 마취의와 상의한다. 저체온이 있는 환자의 경우 수술장 온도를 가능한 올린 상태에서 수술을 시행하는 것이 좋다.

복부외상 환자의 수술에 있어서 가장 적합한 개복방법으로는 긴정중절개long midline incision가 주로 사용되나 횡행절개transverse incision이나 역 T자형 절개inverted T incision 등을 경우에 맞게 사용한다. 외상의 부위 및 정도에 따라 차이는 있으나, 기본적으로는 피부 절개 이후 출혈 부위에 대한 시야를 확보하고 거즈나 손가락 혹은 적합한 도구로 임시적인 지혈을 시도한다. 임시적인 지혈에 성공한 이후에는 지혈 부위를 포함한 복강 내 탐색술을 시행하고, 최종적인 근치수술definitive repair를 시도 할 지, 혹은 손상 통제술Damage control을 시행할 지 결정한다. 손상 통제술은 임시적인 방법을 이용해서 빠르게 지혈하거나 누출된 장내용물을 수습하고 파열 부위를 막은 후 임시 복벽 봉합temporary abdominal closure을 시행하는 것을 말한다. 만약 환자가 혈역학적으로 안정된 상태를 보일 경우 완전한 재건수술까지 시행할 수 있다. 자상의 경우 임상적 소견상 천공이 저명하지 않고 환자가 혈역학적으로 매우 안정되어 있는 경우 복강경 시술을 통한 진단 및 치료를 할 수도 있다. 특히 흉기 관통부위가 좌상복부이면서 복막자극 증상이 없는 경우에 유용하며 작은 천공이면서 장관 내용물의 유출이 거의 없는 경우는 개복을 하지 않고 일차 봉합술 까지도 시행할 수 있다. 그러나 이러한 시술은 시술자의 숙련도에 따라 매우 큰 결과의 차이를 보이며 특히 후복막강에 대한 접근이 쉽지 않고 다른 복강 내 장기 손상 전체를 확인하는데 어려울 수 있으며 특히 둔상의 경우 복강내 장관 부종이 심한 경우에는 시행하기 힘든 단점이 있다.

가. 복부구획증후군

구획증후군compartment syndrome이란 근막과 같이 탄력이 적으면서 해부학적 구조물을 지지하고 있어 팽창을 할 수 없는 조직으로 일정 부위가 둘러싸인 구획compartment 내에 출혈이나 부종 등의 원인으로 인해서 압력이 증가하여 구획 내 혈류공급이 장애를 받는 현상이다. 이것은 특정 임상과에서만 사용되는 특별한 개념이 아닌 일반적인 정의임에도 불구하고 가장 흔하게는 사지 골절 등으로 인한 출혈 등으로 나타나는 경우가 많아 정형외과적인 개념으로 많이 받아들여졌던 것이 현실이다. 그러나 전술한 바와 같이 구획증후군이란 신체의 일정 구획 어느 부위에서든 어떠한 이유로든 국소압력이 증가하면서 속발되는 혈류공급 장애를 통칭하는 개념으로서 근막 및 피부로 둘러싸여 있어 무한정 팽창될 수 없는 복부에도 적용되는 개념이다. 이러한 복부구획증후군은 외상성혈복강이나 다발성 손상을 받은 후 손상 부위에 대한 수술을 잘 마친 이후에도 환자가 다양한 경로를 통하여 보이게 되는 합병증으로 결국 다장기 기능부전multi-organ failure을 보이며 사망하게 되는 주요 원인이 된다. 복부구획증후군은 크게 복강 내 장기손상으로 인하여 발생하는 원발성primary 복부구획증후군과 직접적인 복강 내 장기손상이 없음에도 발생하는 이차성secondary 복부구획증후군으로 나눌 수 있다. 이차성 복부구획증후군은 흉부 손상뿐 아니라 사지 손상 및 외상 후 패혈증post-injury sepsis, 척추나 골반골절로 인한 후 복막강 출혈, 쇼크에 대한 치료로서 행하여 지는 대량의 수액투여 등으로 인한 복부 내 장기의 부종 등에 기인한다(그림 9-24). 복강 내 압력이 증가하는 것을 알기 위한 가장 쉬운 방법으로는 환자의 방광 내 압력을 측정하는 것이다. 도뇨관을 삽입한 상태에서 측정하게 되므로 도뇨관을 통하여 방광 내에 다시 25mL 정도의 생리식염수를 넣은 후 도뇨관을 들어 올려서 식염수의 높이를 직접 측정하면 cmH_2O의 단위로 압력 값을 구할 수 있으며(그림 9-25) 특수 제작된 기구 등을 이용하여 mmHg의 단위로 압력을 구할 수도 있다. 직접 압력을 측정하기 위해 복강 내 기구transducer를 삽입하여 측정 할 수도 있으나 복강 내 압력측정이 필요한 경우는 이미 장관부종 등이 심한 경우가 많아 기구를 삽입하면서 장기 손상을 줄 수 있어 주의를 요한다. 이 밖에도 간접적으로 복강 내 압력을 측정하는 방법으로서 경비위관을 통해서 위 안의 압력intra-gastric pressure을 측정 할 수도 있다(표 9-2).

과도하게 증가된 복강 내 압력은 다양한 장기의 기능에 영향을 미치게 된다(그림 9-26). 특히 4단계(Grade IV) 이상의 중증 환자인 경우 복강 내 각 장기로 가는 혈류공급이 차단되게 됨에 따라서 발생하는 다양한 합병증들이 나타난다. 신장혈류공급 감소로 인한 신부전, 간 혈류 감소에 따른 간기능부전, 하대정맥을 압박하는 것에 따른

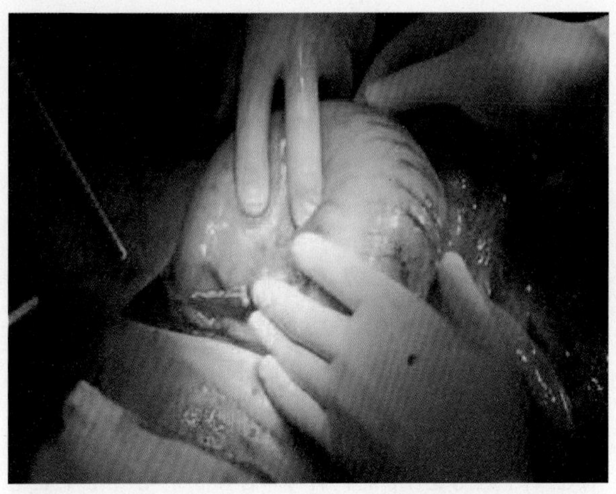

그림 9-24 우측 슬와동맥손상으로 인한 대량출혈 환자에서 다량의 수액 및 수혈 후 발생한 2차성 복부구획증후군(다량의 복수 및 심한 장부종 소견)

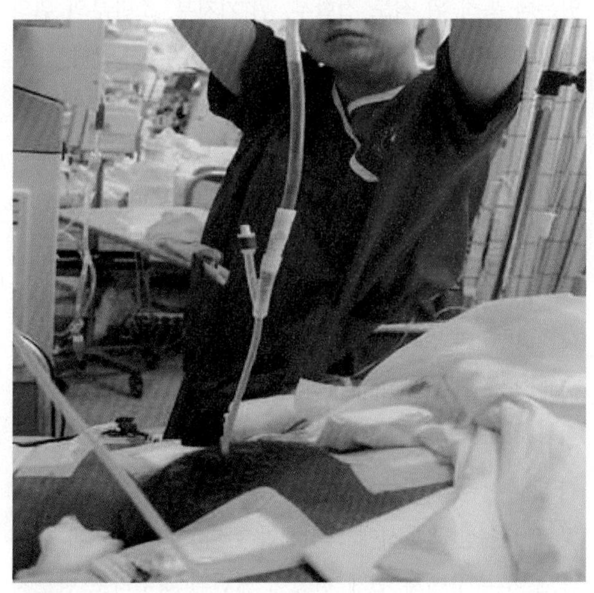

그림 9-25 **도뇨관을 직접 들어올려서 복압을 측정하는 방법**

표 9-2. 복강내압의 분류

등급(grade)	mmHg
I	12-15
II	16-20
III	21-25
IV	>25

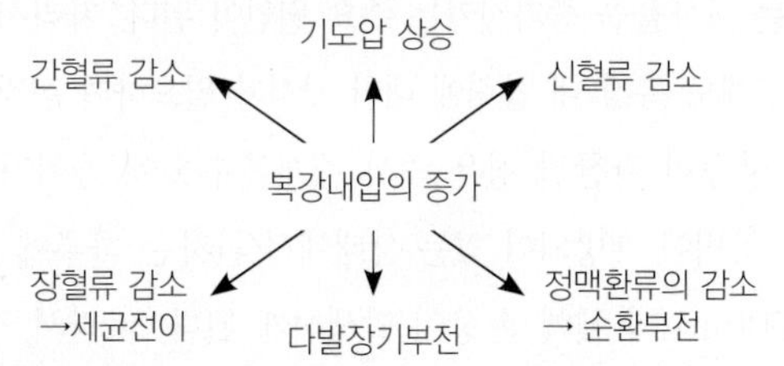

그림 9-26 **증가된 복압이 여러 장기에 미치는 영향**

전신 순환 부전증, 장으로 가는 혈류 차단에 따른 장점막의 손상으로 인한 장내세균들의 전신 감염증 등과 같은 다 장기 기능부전이 발생하게 되며 결국 환자는 사망하게 된다. 이 외에도 횡격막을 밀어 올리게 되어 흉곽 내 압력intra-thoracic pressure을 증가시키게 되어 기도 내 압력증가, 폐 탄성감소, 폐동맥 고혈압 및 중심정맥압 상승과 같이 심폐기능 전반에 악영향을 미치게 된다. 따라서 4단계 이상의 중증 복부구획증후군 환자인 경우 외상으로 인한 복강 내 개별 장기 손상이 없는 경우라고 하더라도 빠른 감압술decompression이 필요하게 된다. 4단계 이상의 복부구획증후군환자인 경우 사망률은 감압술의 시행 여부와 직접적인 연관관계를 가지게 되는데 복부구획증후군을 보이는 환자군 자체가 워낙 중증인 경우가 대부분인 관계로 곧장 감압술을 시행하더라도 사망률이 60%에 이르지만 감압술이 지연된 환자군의 경우에는 70% 이상의 사망률을 보이며 감압이 시행되지 않는 경우에는 이론적으로 환자의 복강 내 다 장기 기능 부전으로 인하여 환자의 생존을 기대하기 어렵다.

감압술은 복부구획증후군의 원인에 따라 크게 두 가지 방법으로 이루어질 수 있는데 주로 명백한 복강 내 저류액의 증가 등으로 인한 경우에는 초음파 하 경피적 배액술percutaneous drainage을 시행할 수 있으며, 장관부종이나 후복막강 내 심한 혈종 등으로 인한 복강 내 압력증가가 의심되는 상황에서는 개복수술을 통한 감압술을 시행한 후 복벽을 완전히 봉합하지 않은 상태temporary abdominal Closure에서 단계적 복벽 봉합술staged abdominal repairs (STARs) 이용하여 추후 영구 봉합permanent closure하여야 한다. 일시적 복벽 봉합에 사용되는 기구들로는 거즈, 비닐, 클립towel clip, 메쉬mesh 및 반투명접착비닐 등이 쓰일 수 있으며 상황에 따라 다양하게 활용 가능하고 가장 중요한 점은 복강 내 압력을 제거하면서 개방창을 통한 감염을 막고 개방된 복벽을 통한 장관의 이탈을 막는 것이다. 주의하여야 할 것은 복벽이 크게 개방되어 있는 상황에서도 환자는 복부구획증후군에 다시 빠질 수도 있으며 이는 치사율을 증가시키는 주요 원인이 된다. 따라서 수술 이후에도 복강 내 압력에 대한 감시가 필요하며 심각한 압력 상승이 관찰될 경우 즉시 재개복수술에 들어가야 한다. 복벽이 개방되어 있는 상태에서 환자는 하루에 500–2,500mL의 체액 손상이 발생하게 된다. 따라서 적절한 수액 보충이 이루어 져야 한다.

환자가 충분히 회복되고 손상된 장기에 대한 근치수술이 완전히 종료된 이후에는 가능하면 조기에 복벽을 영구봉합하여야 한다. 이때 사용되는 복벽 봉합의 방법에는 여러 가지 다양한 수술 기법이 사용될 수 있는데 특히 재수술 시에 닫혀지지 않는 근막 결손부위를 인공근막prosthetic mesh을 이용하여 재건하는 방법을 많이 이용해 왔다. 이외에도 개방된 복부창 위에 피부이식split-thickness skin graft을 하여 일단 덮어 놓은 후, 9개월에서 12개월 이후에 다시 복벽 탈장incisional hernia에 대한 수술을 시행하는 방법도 많이 쓰여왔다. 그러나 피부이식 부위의 취약함으로 인한 복벽 파열이나 장피누공enterocutaneous fistula 등은 주요 합병증이다. 최근에 많이 쓰이고 있는 VAC(Vacuum–Assisted Device)장비의 사용은 복벽 영구봉합에 큰 전기를 가져왔다. VAC 장비의 사용으로 인해서 다량의 복강 내 삼출액을 보이는 개복상태의 환자 치료에 많은 편리함을 가져 왔으며 적절한 근막의 긴장을 유지하면서 매 48시간 마다 재수술을 시행 함으로서 근막의 위축으로 인해서 복벽의 영구 봉합이 힘들었던 기존의 방법에 비하여 복벽의 영구 봉합을 매우 용이하게 하고 있다.

이렇듯 개복상태로 복벽을 유지하는데 따른 여러 가지 어려움과 단계적 복벽 봉합술 이후에도 발생할 수 있는 여러 가지 합병증에도 불구하고 손상통제수술을 시행하는 것과 복부구획증후군을 막는 것은 복부외상환자의 생존율을 높이는데 매우 중요하다.

나. 위장 손상의 치료

수술 전 혹은 수술 중 경비위관을 삽입 후 위장 내 감압을 시행할 경우 시야 확보에 유리하다. 개복수술 시 혈역학적으로 안정되어 있는 환자에 한해서 역 Trendelenburg씨 체위reverse Trendelenburg position를 취하면 위 근위부손상뿐 아니라 위식도접합부나 횡격막이 손상된 환자의 경우에도 좋은 시야를 확보할 수 있다. 피부 절개 이후 위장을 노출 시킨 이후 주위 조직 및 장기로부터 박리하여야 좋은 시야를 확보하고 수술을 용이하게 할 수 있는데 특히 위 식도 접합부, 위 기저부, 소만부와 위의 후벽에 발생한 손상은 접근하기 어려운 경우가 많다. 소만부 쪽이 손상된 환자를 수술할 때는 박리 시 미주신경 및 주요 혈관을 다치지 않게 주의하여야 하며, 위 기저부나 위 식도 접합부가 손상된 경우 짧은 위 동맥short gastric artery들을 결찰 하고 박리 해 주어야 접근할 수 있는데 이때 비장이 손상되지 않게 주의하여야 한다. 위의 후벽은 위 결장 인대gastrocolic ligament를 박리하면 볼 수 있는데 이때 중간 결장 동맥middle colic artery이 손상되지 않게 주의하여야 한다. 특히 위의 후벽은 자상으로 인해서 위의 전벽에 천공이 있을 시 반드시 확인해야 하며 십이지장 및 췌장손상도 동시에 확인해야 한다. 위의 전벽과 같이 잘 보이는 곳에서 쉽게 천공이 발견된 경우라도 반드시 다른 천공 여부를 확인 하는 것이 중요한데 자상뿐만 아니라 둔상으로 인한 파열에서도 여러 곳의 손상이 동시에 있을 수 있기 때문이다. 따라서 한곳의 천공을 확인한 후에도 위의 후벽, 위 기저부, 소만 및 대만부를 반드시 포함하여 위 전체를 확인하는 것이 필수적이다. 천공을 찾지 못하는 경우 복강 내에 등장성 생리식염수를 많이 채우고 수술 전 삽입되어 있는 경비위관을 통하여 다량의 공기를 넣은 후 위를 생리식염수 속에 충분히 담구어 공기가 새는 곳을 찾는 것도 유용한 방법이다.

위장손상의 정도에 따라서 치료방침도 달라진다. 완전한 천공을 동반하지 않은 위벽 내 혈종만 있는 경우는 대부분의 경우 혈종 제거 후 일차봉합술을 하는 것으로 충분하다. 천공의 크기가 작고 주위 조직의 손상이 크지 않을 때에는 일차봉합술로 충분한데 이는 위장이 충분한 혈류 공급을 받기 때문에 상처치유가 매우 좋은 장기 중 하나이기 때문이다. 위 식도 접합부나 위 유문부가 손상된 경우에는 수술 후 협착이 일어날 가능성이 높으며 특히 유문부는 봉합 시 유문부 성형술을 하여주는 것이 좋다. 손상 부위가 광범위 하거나 봉합이 마땅치 못할 경우 손상부위를 포함한 위 절제수술이 필요할 수 있으며 이러한 경우 위 재건은 Billroth씨 방법을 주로 이용하는데 Billroth type I 이나 Billroth type II의 재건 방법을 사용할 지의 여부는 특히 십이지장 손상 여부에 밀접하게 연관된다. 드물게는 위전절제술이 필요하기도 하며 이때는 Roux-en-Y 식도 공장 문합술이 필요하다.

만약 횡격막 손상과 위장관 파열이 함께 발생하였다면, 위장관의 내용물이 흉강을 오염시켰을 가능성이 있다. 대부분의 경우 손상된 위장관을 복구한 후 흉강 내 세척을 시행하는 것으로 충분 할 수 있으며, 필요 시 횡격막을 봉합하기 전에 흉관을 삽입하기도 한다. 만약 오염이 심각하거나, 여러가지 이후로 수술이 지연되었다면, 드물게 별개의 개흉술이 필요할 수 있다.

다. 십이지장 손상의 치료

십이지장은 위치상 주변 주요 장기와 가까이 있어 단독 손상이 드물며 주변장기 손상과 동반되어 있을 경우 사망률이 올라가기 때문에 주변 장기 손상을 파악하는 것이 중요하다. 십이지장의 손상 정도에 따라 치료의 방법이 결정되며 반드시 췌장 및 담도 계 손상유무를 확인하여야 한다.

① 십이지장 혈종

십이지장의 둔상으로 발생한 십이지장 혈종duodenal hematoma은 30% 이상의 환자에서 수상 후 48시간 이후에 진단되기도 하는데 혈종으로 인해 점차 장관 부종이 심해지면서 상부위장관 폐색 증상이 나타나기도 한다. 수술을 필요로 하지 않는 경우 경비위관 삽관을 통한 상부위장관 감압술, 경정맥 영양 보급과 같은 보존적 치료로 호전되면 3주내 대부분의 혈종은 흡수된다. 그러나 완전 폐색 증상이 2주일을 넘어가는 경우에는 수상 후 협착, 십이지장 천공, 동반된 췌장의 두부 손상 등을 의심하여야 하며 수술적 치료를 고려해야 한다. 수술을 시행하는 경우 혈종 제거술을 시행할 수 있으며 십이지장 내강이 열리지 않도록 주의하여야 한다. 일반적으로 보존적 치료만을 시행 받는 십이지장 혈종 환자는 회복에 많은 시간이 필요하며 10% 이상의 환자들은 결국 수술적 치료를 필요로 하게 되므로 많은 주의를 요한다.

다른 복부장기 손상을 수술 중 우연히 십이지장 혈종을 발견하게 되면 Kocher씨 술식을 이용하여 충분히 시야를 확보한 후 천공 여부를 확인하는 것이 중요하다. 이 과정 중에 일부 장막 하 혈종은 제거되게 되지만, 혈종을 완전히 제거하기 위해서 장막을 더 절개하는 것에 대해서는 아직 논란의 여지가 있으며 이렇게 혈종을 제거하는 과정에서 약해져 있는 십이지장벽이 완전히 파열될 수 있다는 의견도 있는 등 명확한 기준은 없는 상태이다. 이러한 환자의 경우 비교적 긴 기간 동안의 금식 및 위장관 감압술이 필요하게 되므로 수술 중 급양공장루feeding jejunostomy를 만들어 놓으면 도움이 될 수 있다.

② 십이지장 파열

모든 외과 의사가 가장 어렵게 생각하는 응급상황 중 하나가 십이지장 파열일 것이다. 특히 복부 둔상으로 인한 십이지장 파열은 십이지장 손상뿐 아니라 담도계 손상이 동반되는 경우가 많아 치명적인 결과를 가져올 수 있다.

전체 십이지장 천공의 80% 정도는 일차 봉합술로 치료가 가능하며 내강이 좁아지지 않도록 횡으로 봉합하는 것이 선호된다. 경우에 따라 봉합부위를 그물막 등으로 보완해 줄 수도 있다. 드물게 췌장 쪽 십이지장의 손상이 있을 경우 십이지장 절개술을 통하여 안쪽에서 십이지장을 봉합하는 경우도 있다. 그러나 나머지 20% 정도는 매우 복잡한 술식이 요구되는데 이런 심한 손상의 경우에 많은 합병증과 사망을 일으키게 된다.

십이지장이 절단된 경우, 절단 부위에 대한 변연절제술을 시행한 후 단단 문합술을 시행할 수 있다. 이때 장력이 없이 문합 되도록 주위 조직을 적절히 박리하여야 한다(그림 9-27). 그러나 박리를 충분히 할 수 없어 문합 예정 부위에 장력이 강하게 작용하거나 바터 팽대부ampulla of Vater 근처 인 경우 절단된 근위부에는 공장을 이용한 Roux-en-Y 문합술을 시행하고 절단 원위부는 봉합하는 것이 좋다. 십이지장 손상과 함께 췌장 손상이 동반되어 있는 경우 십이지장 봉합 이후 위유문부봉합술pyloric exclusion을 시행하며 때때로 경장영양을 위하여 공장조루술jejunostomy을 같이 시행한다. 바터 팽대부나 원위부 총담관의 손상, 췌십이지장 부위의 심한 손상은 주요장기 손상과 동반되어 있는 경우가 많으므로 손상 통제 수술 시행 후 나중에 확정 수술을 시행한다. 이러한 외상환자에게 시행하는 췌십이지장 절제술은 수술 시 많은 문합을 하는 것에 따른 합병증을 유발하므로 가능하면 피하는 것이 좋으나 다른 수술법이 없는 경우 시행한다.

관을 이용한 십이지장루tube duodenostomy는 단독으로 뿐 아니라 이상과 같은 모든 술식에 병행해서 쓰일 수 있다. 이 술식을 이용하는 주요 목적은 십이지장 내 감압이며 관이 신체 밖으로 나오는 위치는 십이지장과 가까운 복벽을 이용할 수도 있고 공장까지 관을 연장한 후 공장으로부터 관이 나오게 하는 방법 등도 있다. 많은 연구 결과에 의하면 이러한 십이지장 감압술이 10-20%에 달하던 십이지장 누공 발생률을 매우 유의한 수준까지 낮추어 줄 수 있으며 환자의 사망률까지도 낮추어 준다고 보고하고 있으나 논란도 많은 현실이다. 따라서 공식과도 같이 정해진 수술방법을 모든 환자에게 일반적으로 적용하기 어려운 만큼 개별 환자의 상황에 따라 상기 수술법들을 적절히 사용하는 것이 중요하다.

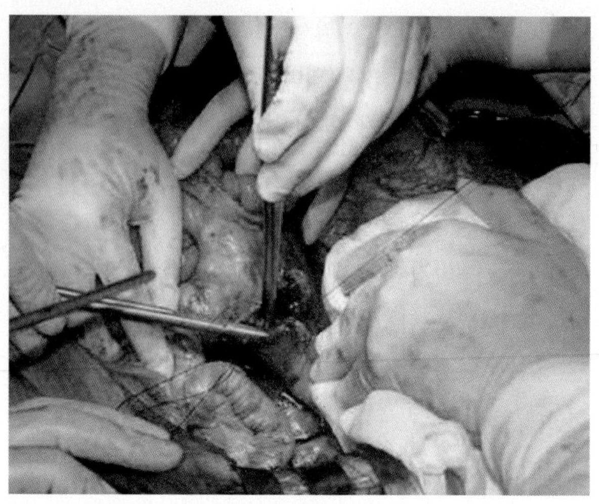

그림 9-27 완전히 절단된 십이지장 3부를 단단 문합술을 통해 봉합하는 모습

라. 췌장손상

후복막강 깊이 천추골의 바로 앞에서 대혈관들과 같이 위치하는 췌장은 손상시에 치명적인 결과를 초래할 수 있다. 이는 외상환자에게 수술적 어려움뿐 아니라 수술 후 회복기에도 다양한 부작용과 합병증을 초래할 수 있으며 췌장 손상은 주위에 위치하는 간, 담도계 손상이나 대혈관 손상, 십이지장 손상 등과 같이 나타나는 경우가 많다. 따라서 수술적 치료도 십이지장 손상에서의 수술적 기법과 많은 공통점을 가지고 있다(그림 9-28).

둔상에 의하여 발생하는 췌장의 절단 손상pancreatic fracture은 두부와 체부 사이에 흔하게 발생한다. 췌장 손상은 초기에는 큰 이상이 없이 보이다가도 수상 후 수주에서 수개월 이후 가성낭종pseudocyst이 발생하여 복통 등을 주소로 응급실에 내원하는 경우도 있다. 환자의 생존을 위해서는 조기 진단과 적절한 치료가 필수적이며 초음파 검사나 진단적 복강 세척술 등으로는 진단이 불가능한 경우가 많으므로 CT 촬영이 중요하다. 특히 이학적 검사와 문진상에서 요통을 동반한 복통이 있거나 손상 기전이 후복막강내 장기 손상을 의심하게 한다면 조기에 CT를 촬영하여야 한다. 그러나 CT만으로 담관 및 췌관 손상을 진단하기 어려우므로 추가 검사가 필요할 수 있다. 흔히 시행되는 혈청 내 amylase 농도는 췌장손상의 정도를 예

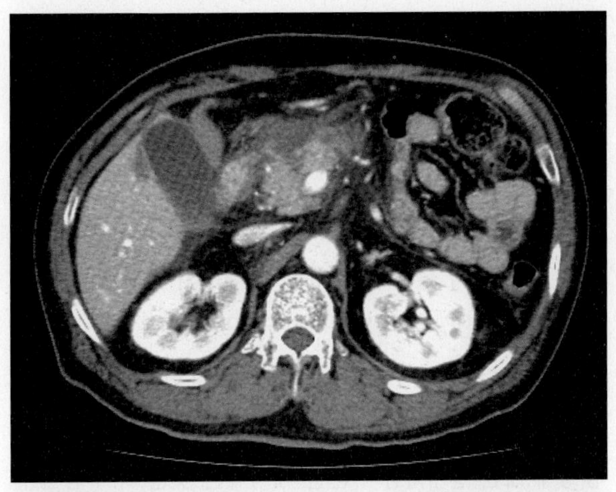

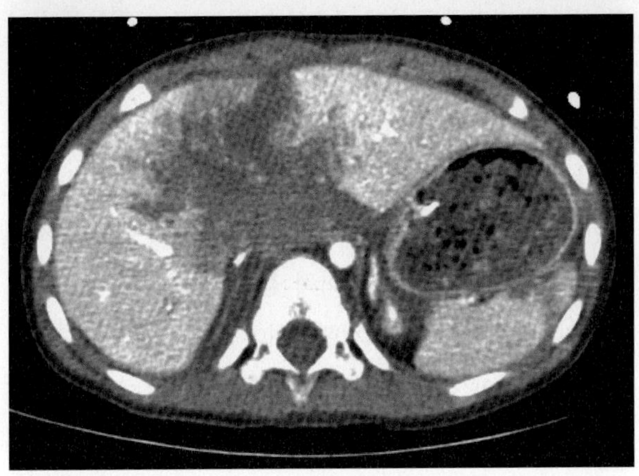

그림 9-28 **췌장두부손상 및 주변부의 출혈**

측하는 데는 도움이 되지 않으나 상승 시에는 주의가 요망된다.

치료 방침은 손상부위의 위치와 총담관 및 췌관의 손상 여부에 따라서 주로 결정된다. 담관 및 췌관의 파열이 동반되지는 않은 췌장손상의 경우 대부분 보존적 치료만으로 좋아질 수 있으며 동반장기 손상이 있어서 개복을 한 경우라도 절제까지 하지 않고 주위에 충분한 배액관을 위치시키는 것 만으로도 적절한 치료를 할 수 있다. 다만 췌장 손상의 경우 위장폐색이 동반되는 경우가 흔하므로 도관 공장조루술을 고려해 보아야 한다. 반면 췌관의 손상이 있는 경우는 수술적 절제가 필요한 경우가 많다.

수술 중 췌관의 손상여부를 확인할 수 있는 방법으로는 직접 손상된 췌장실질을 열어서 확인하는 방법이나 십이지장을 열어서 췌관에 튜브를 넣고 조영제를 이용하여 췌관조영술operative pancreatography을 시행하는 것 등을 시도할 수 있다. 가장 간단한 방법으로는 총간담관common hepatic duct를 차단하고 담낭으로 조영제를 집어넣어 담췌관조영술cholangiopancreatography을 시행할 수 있다. 또 다른 방법으로는 환자의 수술 중 내시경을 이용한 역행성 췌관조영술endoscopic retrograde pancreatography을 시행할 수도 있으나 응급수술을 시행하는 상황에서 쉽지 않아 손상 통제 수술 후 재 수술 이전에 환자의 상태가 안정되어 있는 상황에서 시행하는 것도 좋은 방법이다.

췌관손상을 동반한 췌장체부나 미부의 손상에서는 췌장미부절제술distal pancreatectomy을 시행하며 대부분의 환자에서 췌장미부절제술은 내분비 또는 외분비 기능에 영향을 주지 않는다. 이때 췌관은 가능하면 선택적으로 결찰하던가 직선 스테이플러linear stapler를 사용하고, 기구 사용이 제한되는 경우 췌장 전층을 비흡습성 봉합사로 매트리스 봉합을 할 수도 있다. 췌장의 85%–90% 절제는 췌장기능부전으로 인한 1형 당뇨병 등의 내분비적 이상을 초래할 수 있으므로 췌장기능의 평가를 시행하여야 한다. 환자의 상태가 매우 안정적이면서 가능한 많은 췌장실질을 보존해야 할 경우에는 손상 부위의 원위부 췌장에 대한 췌장공장문합술pancreaticojejunostomy이나 위췌장문합술pancreaticogastrostomy을 시행할 수도 있다.

췌장두부손상인 경우 총담관까지 손상을 받을 수 있다는 점이 매우 어렵다. 췌장두부실질 속으로 지나가는 총담관 손상을 확인하는 방법으로는 수술 중 담낭을 손으로 짜듯이 압박하여 췌두부가 담즙으로 물드는 것bile staining을 확인하거나 앞서 설명한 조영술을 이용할 수 있다. 치료로는 원위부 총담관을 결찰 후 근위부 총담관에 대한 Roux-en-Y 담관공장문합술을 시행한다. 췌두부 췌관까지 손상되어 있는 경우도 Roux-en-Y 췌장공장문합술을 시행하는 것이 권장된다. 이렇듯 십이지장 손상에서와 마찬가지로 췌두부 악성종양 시 흔히 시행되는 췌십이지장 절제술Whipple's operation을 췌두부손상 환자에게서 가능한 시행하지 않는 것은 많은 문합술이 필요한 췌십이장 절제술이 혈역학적으로 불한하고 주위의 많은 동반장기의 손상을 가지고 있는 외상 환자에게 시행하였을 때 좋지 않은 예후를 보이기 때문이다. 따라서 췌장두부 손상이 있더라도 총담관이나 췌관에 명백한 파열이 관찰되지 않는 경우에는 무리한 절제술을 시행하지 말고 배액술만 시행한 다음 추후 결과를 관찰하는 것이 권장된다. 그럼에도 췌장두부의 심한 복합손상 시에는 선택 가능한 한가지의 수술적 방법으로 췌십이지장 절제술을 고려해 볼 수 있다.

십이지장 손상에서와 같이 위유문부봉합술pyloric exclusion을 동시에 시행하는 것은 합병증을 예방하는데 도움이 된다. 별도의 수술창을 만들어서 안쪽에서부터 유문부를 봉합할 수도 있으나 직선 스테이플러를 사용해서 빠르고 확실하게 시행할 수도 있다. 이때 미주신경절제술을 꼭 시행할 필요는 없다.

췌장손상 후에는 보존적 치료만을 한 경우나 수술을 시행한 후에도 많은 합병증들이 기다리고 있다. 이 중 췌장액의 유출로 인한 주위 조직과 혈관들의 손상으로 이어질 경우 치명적일 수 있으며 췌장누공이나 가성낭종 등도 흔한 합병증이다. 가성낭종이나 복강 내 농양과 같은 합병증은 경피적 배액술을 통하여 치료할 수 있으며, 내시경적 역행성 췌관조영술을 이용하여 췌관손상의 정도와 위치를 확인하고 Vater씨 유문부의 절제술을 시행하여 췌관 내 압력을 감압시키거나 스텐트 등의 췌장액 유출을 줄이는 방법이 있으니 적극적으로 고려하는 것이 좋다.

마. 간손상

간은 복부 내 가장 큰 장기로서 이런 이유 때문에 복부 둔상 뿐 아니라 상복부 및 흉부 아래쪽의 자상 시 손상되기 쉽다. 간손상의 정도를 객관적으로 나타내기 위하여 위 표와 같은 손상등급표injury scale가 흔히 적용되고 있으나 이것이 환자의 보존적 치료 가능성과 수술적 치료 가능성에 대한 절대적인 기준을 제시하는 것은 아니다. 수술적 치료의 결정에서 가장 중요한 판단 기준은 혈역학적 안정성 여부이다. 그러나 일반적으로 수술적 치료가 이루어지는 경우는 III단계 이상의 외상인 경우가 많다(표 9-3).

간은 재생력이 뛰어나므로 가능하면 보존적 치료를 시도한다. 환자는 반드시 중환자실에 입원되어야 하며 지속적인 혈역학적인 감시와 이학적 검사 및 혈액검사, 필요시 영상의학적 추적검사를 시행하여야 한다. 그러나 수술을 꼭 시행하여야 하는 경우로서는 혈역학적으로 불안정할 경우, 동시에 발생한 비장손상, 보존적 치료에도 불구하고 출혈 등과 같은 문제가 지속되는 경우 등이 있다. 특히 중재적 방사선학적 시술의 급격한 발달에 따라서 많은 외과의사들이 너무 수술적 치료에 보수적인 경향을 취하는 경우가 많아지고 있으나 중재적 방사선학적 시술도 결국은

표 9-3. 간 손상정도 분류표

단계	손상 정도
I	혈종 : 피막하, 표면적 10% 이하 열상 : 피막손상, 실질 깊이 1cm 이하
II	혈종 : 피막하, 표면적 10-50% ; 실질 내 반경 10cm 이하 열상 : 실질 깊이 1-3cm, 10cm 이하의 길이
III	혈종 : 피막하, 표면적 50% 이상이거나 증가하는 경우 ; 실질 내 혹은 피막하 혈종이 파열된 경우 ; 실질 내 반경 10cm 이상이거나 증가하는 경우 열상 : 실질 깊이 3cm 이상
IV	열상 : 실질파열이 간의 25-75%를 차지하거나 한 엽의 Couinaud 분절이 3개 이하 손상된 경우
V	열상 : 실질파열이 간의 75% 이상이거나 한 엽의 Couinaud 분절이 3개 이상 손상된 경우 혈관성 : 간옆 정맥의 손상(예; 간후방대정맥, 간정맥)
VI	혈관성 : 간박리

외과 의사의 뒷받침이 있어야 가능하다는 점을 유념하여야 한다.

간의 수술적 치료는 매우 어려운 경우가 많은데 특히 간 뒤쪽의 하대정맥 손상이나 간으로 유입되는 문맥부위의 압착손상은 치명적이며 이러한 경우는 보존적 치료법의 한 방법인 동맥혈관 색전술 등을 이용한 지혈요법도 효과가 없다. 수술은 간 절제수술이 목표가 되어서는 안되며 지혈에 충실하고 괴사 조직만을 제거한 후 적절한 배액술을 실시하는 것을 목표로 한다. 특히 가장 고전적이면서도 유용한 술기는 거즈 등을 이용한 압박packing 요법이 있으며 상복부까지 내려와 있는 늑골들을 이용하면 더욱 압박효과를 높일 수 있다. Pringle 술식Pringle maneuver은 간문맥부위portal triad를 겸자 등으로 일시적으로 막아두는 것으로 간동맥 및 간문맥으로부터의 지혈에는 효과적으로 사용될 수 있으나 간대정맥retrohepatic vena cava의 출혈에는 효과가 없으며 역설적으로 Pringle 술식을 시행하였는데도 심한 출혈이 계속된다면 이는 간정맥으로부터의 출혈을 의심하여야 한다.

간문맥부위 혈관의 파열은 매우 위험한 상황이므로 최대한 빨리 파악되어야 한다. 통상적으로 긴급한 상황에서는 총간동맥common hepatic artery을 결찰하더라도 측부 동맥collateral artery들이 있는 간의 특성상 수술 후 큰 문제가 없을 수 있으나 주간동맥proper hepatic artery는 꼭 재건되어야 한다.

대량 간손상 시에는 조직손상으로부터 나오는 출혈 뿐 아니라 간기능 부전이나 저체온에 따른 응고 이상증이 초래되기 때문에 환자의 출혈 경향이 급격히 증가한다. 또한 초기 치료로 인하여 급성 출혈이 멎은 상태에서도 언제든지 지연성 출혈이 발생할 수 있다. 따라서 주요 혈관에서부터 나오는 심한 출혈은 혈관을 결찰하고 파열된 간 조직에 대한 절제 및 봉합술 등을 시행한 후에도 계속되는 미세출혈oozing은 거즈 등을 이용한 압박술을 적절히 사용하여 조절하는 것이 좋다. 손상통제수술시에 간으로부터의 출혈을 줄이기 위하여 넣어 놓은 거즈는 추후 단계적 복벽 봉합술을 시행하는 도중에 더 이상의 출혈이 없

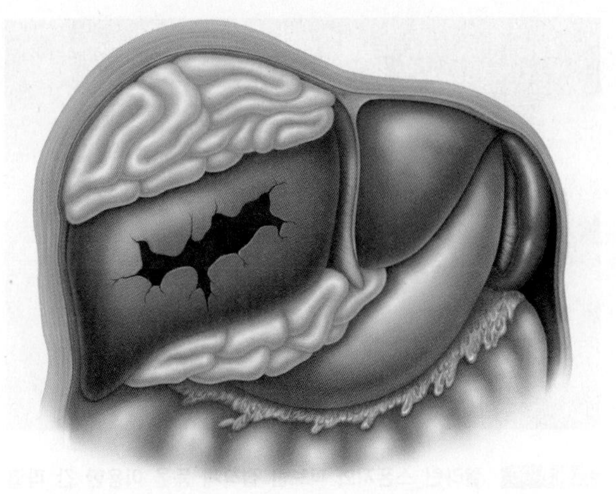

그림 9-29 간주변부를 샌드위치형태로 거즈충전하는 손상통제수술

음을 확인한 후 제거할 수 있으며, 일차수술 시 모든 출혈을 다 막기 위하여 무리하게 수술시간을 길게 하는 것은 환자의 예후에 나쁜 영향을 미치게 된다. 전술한 바와 같이 일차적인 손상통제수술을 마친 후 중환자실에서 혈역학적인 안정성 등을 확보한 후 재수술을 시행하는 것이 좋다(그림 9-29). 다시 재수술을 시행하는 시기는 다른 장기의 경우에서와 같이 통상적으로 첫 번째 수술 후 혈역학적으로 안정을 보이게 되고 산혈증 등이 교정되는 24시간에서 48시간 정도에 이루어 지게 되지만 급격한 혈색소 수치의 하강이나 일시적 복벽 봉합술을 통해서 볼 수 있는 복강 내 출혈 양상이 심해지는 소견 등이 보이면 계속적인 심한 출혈을 시사하는 소견이니 즉시 재 개복술을 실시하는 것이 좋다.

이렇듯 간손상으로 인한 출혈을 지혈하는 방법은 여러 가지가 있을 수 있는데 작은 열상인 경우는 비교적 쉽게 지혈할 수 있다. 방법으로는 손상부위를 직접 압박하면서 전기소작기나 아르곤 레이저argon beam coagulator 사용과 함께 콜라겐microcrystalline collagen, Thrombin이 첨가된 젤라틴 스폰지thrombin-soaked gelatin foam sponge, 피브린 접착제fibrin glue 등을 이용한 국소적인 지혈요법들이 쓰일 수 있다(그림 9-30). 간실질에 대한 봉합술도 효과적인 지혈술 이다. 매우 큰 특수바늘이 부착되어 있는 0번 크로믹봉합사1-0chromic suture를 이용한 간 봉합술도 유용한

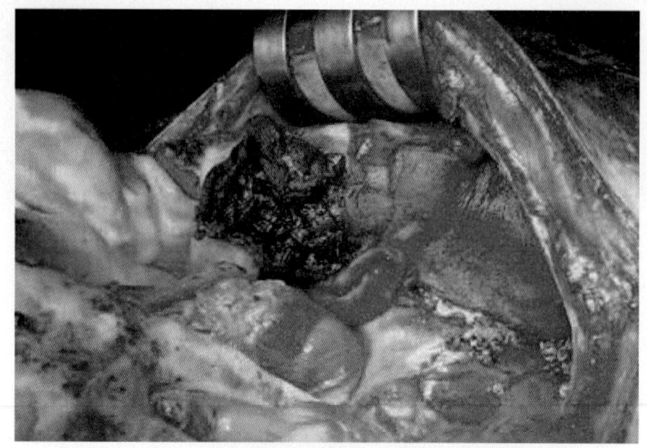

그림 9-30 **젤라틴 스폰지와 피브린 접착제 등을 이용한 간 파열 절단면에 대한 지혈술**

방법이긴 하지만 간표면liver capsule을 손상시킬 수 있으며 간실질의 괴사를 초래할 수도 있으므로 사용에 매우 주의를 요한다. 그러나 이러한 파열된 간실질을 적당한 압력으로 봉합함으로써 얻을 수 있는 지혈효과는 실제로 파괴된 간 절단면에 대한 혈관결찰을 통해서 얻어지는 지혈효과보다 더욱 효과적일 수 있다. 정도가 심하지 않은 열상에서 사용되는 연속봉합술running suture은 간열상을 치료하는데 유용한 술식이긴 하지만 깊은 열상인 경우에는 사용하기 힘든 단점이 있다. 이 외에도 심하게 파열된 실질을 포함한 간엽 절제술 등의 절제수술을 시행하는 것도 주요 목적은 지혈을 돕고 괴사된 실질만을 제거하는 목적이 되어야 하며 간종양에서와 같이 절제 자체가 목적이 되는 것은 지양되어야 한다.

간손상 환자에서 담낭을 절제하여야 하는 경우가 많은데 특히 담낭에 직접적인 손상을 받은 경우나 담낭과 간이 붙어있는 부위의 손상이나 우간동맥right hepatic artery 등의 혈관 결찰이 이루어진 경우에는 반드시 절제해 내는 것이 좋다. 담도계의 손상에서도 출혈이 올 수 있으며 이는 내시경적으로 치료가 어려운 경우가 많고 손상이 있고 수주 이후에도 출혈이나 담관누공biliary fistula 등이 발생할 수도 있다. 총담관에 작은 크기의 천공만이 있는 경우에는 파열된 부위를 통하여 T자형 관T-tube을 넣어 압력을 낮출 수 있으며 이 외에도 T 자형 관은 담도 손상에서 유용하게 쓰일 수 있다. 총담관을 포함한 담도계가 심하게 손상되고 조직의 유실이 심한 경우에는 소장을 이용한 Roux-en-Y 담관공장문합술choledochojejunostomy을 시행하는 것을 적극 고려해야 하지만 일반적인 담관암의 수술에서와는 달리 담관의 직경이 매우 작고 주위 조직의 상태가 좋지 않은 상태에서 외상환자에게 시행하여야 하는 본 술식은 고도의 주의를 요한다. 심한 간손상의 경우 응급 수술의 상황에서 간내담관 손상에 대해서 만족스러운 재건을 하기는 매우 어려우며 손상통제수술의 개념에 따라서 외부 배액술external drainage을 먼저 시행한 다음 환자의 상태에 따라 추후 재건 수술을 시행하는 것이 권장된다. 특히 다른쪽 담관에는 손상이 없다면 손상된 쪽의 담관을 결찰할 수 있다는 점도 도움을 줄 수 있다.

바. 비장손상

손상기전은 둔상이나 관통손상이 모두 가능하지만 비장은 둔상으로 인한 복강내 출혈의 대표적인 장기 중 하나이며 특히 흉부 아래쪽의 둔상과 연관되는 경우가 많다.

간에서와 같이 비장손상의 정도를 객관적으로 나타내기 위하여 손상등급 분류표가 적용되고 있으나 이것이 환자의 보존적 치료 가능성과 수술적 치료 가능성에 대한 절대적인 기준을 제시하는 것은 아니다. 그러나 일반적으로 수술적 치료가 이루어 지는 경우는 적어도 grade II 이상의 외상인 경우가 많다(표 9-4).

최근 들어 간손상 에서와 마찬가지로 비장손상에서도 혈관색전술 등을 이용한 보존적 치료법이 많이 발달되었으나 비장은 간과는 달리 수상 후 지연성 출혈을 하거나 지연성 파열을 보이는 경우가 수주 이후에도 나타날 수 있어 주의하여야 하고 보존적 치료의 남용과 그에 따른 출혈로 인해 20–30%의 환자들이 결국은 비장적출술을 시행 받고 있다는 보고들이 있다. 이것은 수상 후 보존적 치료를 시행한 후 48시간이 경과하면 대부분의 경우에서 더 이상의 지연성 출혈이나 지연성 파열을 보이는 경우가 적은 간 손상과는 많이 다르므로 고도의 주의를 요한다. 특히 비장은 간에 비해서는 재생이 되는 능력이 적고 면

표 9-4. 비장 손상정도 분류표

단계	손상 정도
I	혈종 : 피막하, 표면적 10% 이하 열상 : 피막손상, 실질 깊이 1cm 이하
II	혈종 : 피막하, 표면적 10-50%, 실질 내 반경 5cm 이하 열상 : 실질 깊이 1-3cm이고 기둥 혈관(trabecular vessel) 손상이 없는 경우
III	혈종 : 피막하, 표면적 50% 이상이거나 증가하는 경우, 실질 내 혹은 피막하 혈종이 파열된 경우, 실질 내 반경 5cm 이상이거나 증가하는 경우 열상 : 실질 깊이 3cm 이상이거나 기둥 혈관(trabecular vessel) 손상이 동반된 경우
IV	열상 : 분엽이나 비문부의 혈관 손상을 동반하여 비장으로의 주요 맥관이 절제(devascularized)된 경우(비장의 25% 이상)
V	열상 : 완전히 해체된 비장 혈관성 : 비문부(hilar) 혈관 손상으로 비장으로의 맥관이 완전히 절제(devascularized)된 경우

역기능에 관여하는 역할이 있으나 성인에게는 큰 영향을 미치지 않는 경우가 많아서, 문부hilum의 손상이 있는 경우이거나, 정상소견을 보이는 비장이 50% 미만인 경우, 장관손상과 같이 동반된 다른 장기의 손상이 의심되는 경우이거나, 계속적인 출혈소견이 있으면서 혈역학적인 안정성을 확보하기 위하여 하루에 40mL/kg 이상의 수혈이 요구되는 경우라면 적극적으로 수술을 시행하여야 한다.

소아의 경우 비장손상 후 지연성 출혈의 발생율이 성인에 비해 낮아 비수술적 치료를 고려해 볼 수 있다. 소아는 일반적인 손상 기전이 성인과 달라 비장 단독 손상인 경우가 많다. 해부학적으로 소아는 성인에 비해 비장의 피막이 두꺼우며 비장의 실질이 단단하다. 또한 소아 비장 손상의 방향이 비장 내 동맥의 주행과 수평인 경우가 많아 손상의 크기에 비해 출혈양이 적은 특성이 있다(그림 9-32). 소아는 성인에 비해 출혈에 대한 생리적 보상작용이 우수하며 대부분의 경우에서 기저질환이 없다. 마지막으로 소아는 성인보다 비장절제 후 심각한 면역학적 후유증이 발생할 위험성이 높다. 이러한 특성으로 인해 소아의 비장손상에 대하여 비수술적 치료의 성공률이 성인보다 높은 것으로 알려져 있으며 적극적으로 고려해 볼 수 있다.

비장손상의 수술적 치료로는 대부분의 경우에 비장적출수술을 시행하게 되나 적출수술 후 발생할 수 있는 중요한 합병증으로서 전격성 비장적출술 후 패혈증overwhelming postsplenectomy sepsis은 특히 소아환자들에게서 고도의 주의를 요한다. 비장적출수술을 받은 환아가 고열 등을 동반한 패혈증 증세로 응급실에 내원한다면 우선적으로 의심해야 하며, 보고에 따라서는 50% 정도의 치사율을 보이기도 한다. 주된 원인 균주로서는 캡슐에 싸여 있는 그람 양성균G(+) encapsulated organism들로서 S. pneumoniae가 가장 흔하고 H. Influenzae type b나 N. meningitidis등이 있으며, 비장 적출수술로 인하여 혈행성으로 전파되는 균주를 제거하지 못하게 되고, T 임파구 자체의 수가 감소하며 혈중 IgM과 같은 immunoglobulin 양의 감소와 항체 반응의 감소된다. 이런 상황을 막기 위하여는 정규수술의 경우에는 백신(vaccina-

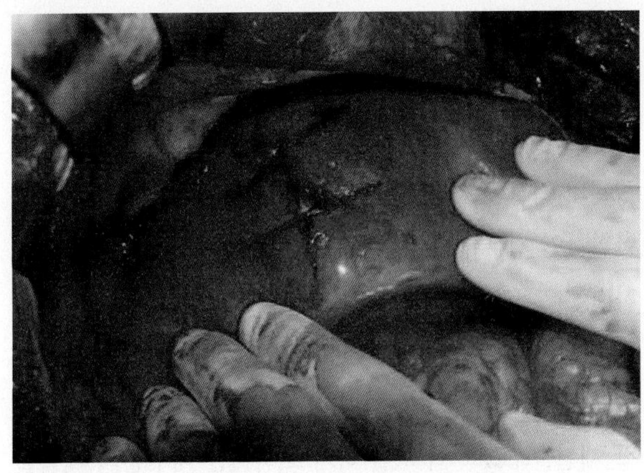

그림 9-31 0번 크로믹 봉합사를 이용한 파열된 간 실질에 대한 봉합술

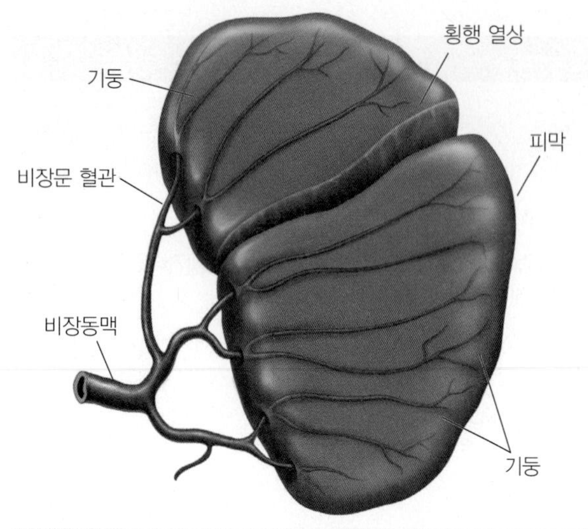

그림 9-32 **비장 내 동맥 주행과 수평한 소아 비장 손상**

tion) 접종이 권장되나 응급 수술인 경우에는 예방적 항생제의 적절한 사용과 함께 수술 후 백신 접종, 그리고 소아환자인 경우 경구용 항생제의 적절한 사용이 매우 중요하다.

이러한 합병증을 예방하기 위해서 비장 적출술을 시행하지 않고 매쉬mesh 등과 지혈제, 봉합술 등을 이용한 비장 재건술splenic repair을 하기도 하지만 대부분의 개복술을 하는 상황이 비장의 대량 손상일 경우가 많아 제한적이다. 이 이외에도 비장 문부를 제외한 비장 말단의 손상에서 제한적으로 부분비장절제술partial splenectomy를 시행하기도 하지만 간에서와 마찬가지로 전기소작기와 지혈제 등을 이용해서 절단면에 대한 충분한 지혈이 이루어져야 한다. 특히 비장 문부의 손상이거나 비장 자체의 손상이 grade II 정도로서 심하지 않은 상태에서도 환자의 상태가 매우 불안정하거나 응고이상증을 보이거나 동반된 장기 손상이 있는 경우에는 적출수술을 하는 것이 권장된다. 최근에는 소아환자인 경우 적출된 비장을 대망greater omentum에 싸 넣고 고정시키는 자가비장이식술이 권장되기도 한다.

사. 소장손상

우리나라의 경우 소장 천공의 원인은 복부 둔상 74%, 복부 자상 10%로 복부 외상에 의한 경우가 85%, 그 외 기타 질환에 의한 경우가 13%이다. 또한 개복술을 시행한 복부 외상 환자 중 장관 손상에 의한 범발성 복막염의 원인은 복부 둔상이 79%, 복부 관통상이 21%이며, 외상에 의한 장관 손상 중 복부 둔상에 의한 경우가 그렇지 않은 경우에 비해 많다고 보고 되었다. 복부 둔상은 기전에 따라 복부 내 장기의 손상 부위가 다르며, 이중 소장 천공은 1-5% 이내로 보고되고 있으나 다른 장기와 동반 손상도 많이 관찰된다.

소장 천공의 임상양상은 비 특이적일 수도 있으므로 초기에 정확한 진단이 어려울 수 있다. 특히 천공이 큰그물막greater omentum에 의해 즉시 덮어지면 임상적인 증상이나 징후가 수상 후 시간이 경과한 후에 점진적으로 나타날 수 있다. 이러한 경우 손상 부위 안에서 염증 반응이 지속적으로 진행되어 복막 유착, 국소 농양, 완전 또는 불완전 장폐색 등을 유발할 수 있다. 또한 장간막 혈종은 장으로 가는 혈류 공급에 장애를 일으켜서 이에 따른 장관벽의 괴사 및 장파열을 발생시킬 수 있으므로 수상 초기에 주의 깊은 병력청취와 이학적 검사가 중요하다. 복부의 시진에서 찰과상, 반상출혈 등은 복부에 상당한 힘이 가해졌다는 유용한 단서를 제공할 수 있고, 하복부를 가로지르는 안전띠 반흔seatbelt sign의 존재도 복막손상을 의심할 수 있는 지표가 된다.

복부의 촉진 시 반발 압통은 많은 경우에서 개복수술을 고려야 할 적응증으로 이용된다. 또한 하복부를 포함한 다발성 손상을 동반한 경우, 직장수지검사를 통한 직장 긴장성rectal tone 측정과 혈액, 촉지되는 골조각, 및 전립선의 위치에 대한 확인도 이학적 검사에 포함되어야 한다.

복부 단순 엑스선 촬영은 많은 소견들을 나타낼 수 있으나, 외상환자에서는 제한적 정보만을 제공하는 경우가 많다. 특히, 소장천공을 가진 환자도 유리공기free air 음영은 장 천공 환자의 20% 미만에서만이 보일 수 있는 제약이 있다. 초음파는 가장 비침습적이며, 빠르고 이동이 용이하다는 장점을 가지며, 고형기관 손장 중 간이나 비장, 콩팥의 손상은 비교적 정확한 진단이 가능하다. 장천공의 급성기인 경우, 복강 내 저류액 및 비정상적 공기음영, 비후되거나 불규칙한 장관 벽 등으로 알 수 있으며, 지연성 장천공인 경우, 지방층과 농양에 둘러싸인 장벽의 분절성 비후가 나타날 때 강력히 의심할 수 있다. 그러나 작은 크기의 장관의 천공 시 출혈이나 저류액의 양이 적은 경우가 많아 장손상을 인지하기 어렵다. 전산화 단층 촬영의 경우 정맥을 통한 조영제 주입을 이용한 촬영 방법이 매우 중요하게 이용되고 있으며, 환자가 혈역학적으로 안정되어 있어야 한다는 어려움이 있으나 복강 내 유리된 공기음영이나 장과 장간막의 분리 분절의 비후 및 복강 내 지방의 이상음영 등이 손상을 시사하는 징후이다. 진단적 복강 내 세척술은 복부 소견과 상관없이 복강 내 손상을 유발할 수 있는 충분한 힘이 가해진 모든 환자에서 적응이 된다. 이 검사법은 간단하고 정확하여 고전적으로 많이 이용되어 왔다. 하지만 침습적이며, 다른 고형장기의 손상에 대한 평가가 어렵고, 복강 내 협착을 동반한 과거 복부 둔상, 심한 장폐색 등에서는 상대적으로 금기시되는 경우가 많다. 복강 내 세척술의 지표로 적혈구와 백혈구 수치, Alkaline Phosphatase (ALP) 및 아밀라제 등을 이용한다. 각각의 양성판단 기준으로는 적혈구는 $100,000-200,000/mm^3$ 이상, 백혈구는 $500cell/mm^3$ 이상, 혈청수치보다 비 정상적으로 높게 측정되는 아밀라제 및 빌리루빈total bilirubin의 조합 등이다.

진단적 술기의 발전과 다양함에도 불구하고, 소장천공의 진단은 수상 초기에 시행한 검사들이 위음성false negative으로 나올 가능성이 많아 지연되거나 놓치는 경우가 흔하여 치료의 적절한 시기를 정하기 어렵고 이는 곧 환자의 높은 사망률과 관련된다. Haim 등은 수상 초기에 시행한 방사선학적 검사와 심지어 진단적 복강내 세척술이 음성으로 나올 수 있으므로 진통제를 요구하는 복부 둔상 환자에서는 최소 48시간의 외과적 관찰이 필요하다고 강조하였다. 또한 의식이 없는 경우, 이학적 검사가 매우 제한적이므로 초기 응급실에서 시행한 진단적 복강 내 세척술이 음성이라도 48시간 정도의 관찰 이후에도 환자의 상태가 나쁜 경우에는 개복수술abdominal exploration을 시행해야 한다고 제안하였다. 실제로 소장에 발생한 작은 천공만으로도 진단이 늦어진 경우에는 환자의 상태가 급격히 나빠지게 되므로 고도의 주의를 요한다(그림 9-33).

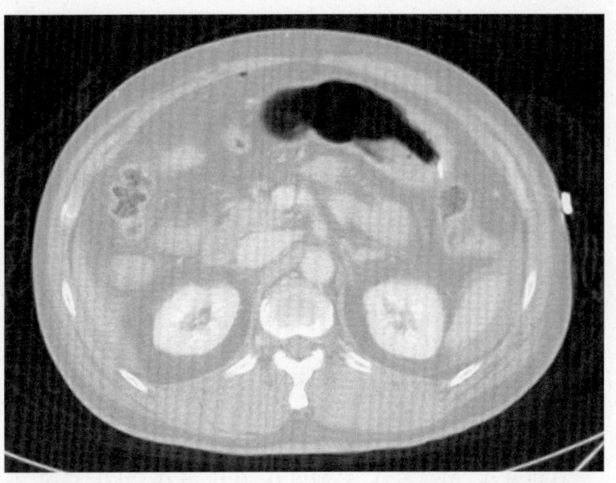

그림 9-33 하지절단손상으로 응급수술을 시행한 환자에서 6시간 후 발생한 복통에 대한 평가를 위해 촬영한 복부전산화 단층 촬영상 보이는 기복증(free air)

아. 대장 및 직장손상

둔상이나 관통손상 모두에서 대장 및 직장 손상colon and rectum Injury이 가능하며, 특히 압력의 증가만으로 발생하는 대장파열blow out rupture은 가장 내경이 큰 맹장부위에서 잘 나타난다고 하지만 중요한 요소는 손상을 받는 부위이다. 대장 손상 시에는 일반 복부촬영에서도 대량의 유리기체free air가 보일 수 있으며 대장 안에는 많은 세균이 있는 변이 차 있다는 점이 중요한 고려 대상이어서, 수상 당시에는 출혈이 적어 혈역학적으로 안정적이라고 하더라도 조기에 적절한 수술적 치료가 이루어지지 않는다면 패혈증으로 사망하게 된다. 또한 해부학적으로는 상행결장과 하행결장의 혈류 공급이 달라진다는 것도 대량 손상 시 혈관의 연관손상과 같이 고려하여야 할 점이다.

모든 대장파열의 기본적인 치료방침은 수술이며 수술방법의 취사선택은 파열부위와 범위, 환자상태, 수상 후 수술까지 지연된 시간, 변으로 인한 오염의 정도 등에 따라 깊이 고려하여 결정하여야 한다. 특히 환자의 혈역학적인 상태는 수술방법을 선택하는데 매우 중요한데 혈역학적으로 매우 불안정한 경우에 무리하여 일차봉합술을 시행하는 것은 위험하다. 이러한 경우에는 수상부위의 일차봉합술을 시행하더라도 그보다 근위부 대장이나 회장에 대해서 인공항문조성술을 시행하는 것이 좋으며 추후 재건수술을 하는 것이 권장된다. 또한 분변의 대량 오염으로 인한 감염의 예방에 주의해야 하며 골반이나 척추와 같은 주위 골격의 동반손상 및 분변오염이 있는 경우는 골수염이 올 수 있음을 주의하여 이에 대한 예방 또한 중요하다.

상행결장, 횡행결장, 하행결장, S자 결장, 직장 등의 수술적 치료 방법에 대하여는 수술 소견이 매우 중요한 결정 요소가 되며 특히 어느 부위의 손상이건 인공항문을 만들어 주는 수술을 통해 더 이상 손상부위의 분변오염을 막는 것은 매우 중요하다. 손상된 부위에 따라 대장원위부 및 직장의 경우에는 하트만씨 술식Hartmann's operation을 이용하거나 루프장루술loop colostomy, loop ileostomy을 적용할 수 있다. 특히 하트만씨 술식을 적용할 경우 추후 재건수술을 염두에 두고 원위부를 충분히 남기는 것이 좋다(그림 9-34). 이 이외에도 직접적인 대장 파열이 없는 경우에라도 대량 골반골 골절이나 회음부의 심한 연부조직 손상만으로도 인공항문 술식을 시행해 주어야 하는 경우가 있다.

손상 후의 합병증도 대부분 분변오염과 관계된 것들이

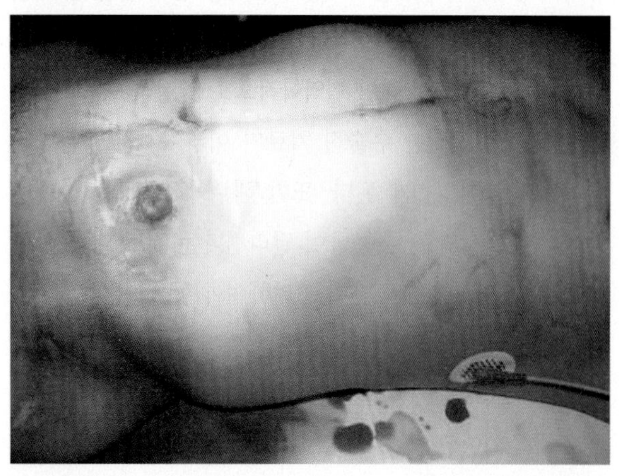

그림 9-34 하트만씨 술식을 시행한 수개월 후에 재건수술을 준비하는 모습

많은데 예를 들면 복강 내 농양, 장피누공, 상처감염 및 장루개구부 합병증stomal complication 들이 있다. 이들 중 농양 등은 경피적 배액술 등을 이용한 보존적 치료를 통해 치료할 수 있으나 장피누공 등에서는 장기간의 경정맥 영양요법을 필요로 할 수도 있다. 장루개구부 합병증들로는 개구 부위 장의 괴사나 협착, 폐색 및 탈출증 등이 있을 수 있으므로 계속적인 주의를 요한다.

결론적으로 대장, 직장손상의 경우에서는 모든 경우에서 일차 봉합수술을 포함한 절제 후 재건수술을 해 주는 것을 추구하기 보다는 일단 생명의 보전을 위한 인공항문조성술을 염두에 두는 것이 필요하며, 인공항문조성술은 대장 및 직장 주위의 어느 부위에 대한 연관손상이 있더라도 필수적으로 고려하여야 한다.

자. 후복막강 내 장기손상

후복막강 내 장기손상retroperitoneal injury을 진단하기 위해 흔히 사용되는 영상의학적 진단방법으로는 CT, 초음파, 경정맥신우조영술Intravenous Pyleogram (IVP), 방광조영술, 혈관조영술 등이 있으며 이중 초음파는 후복막강 손상에 대해 좋은 영상을 얻기 어려운 경우가 많다. CT는 일상적으로 많이 사용되고 있으나 환자의 손상기전이나 이학적 검사소견, 기타 다른 검사를 통해 얻은 소견에서 조금이라도 후복막강의 손상이 의심되는 상황이라면 적극적으로 모든 검사방법을 동원하는 것이 중요하다. 많은 경우 심한 복부 외상환자들의 개복시에 후복막강의 손상을 관찰할 수 있음을 항상 염두에 두어야 한다. 후복막강 손상에 대한 진단이 어려운 점은 손상 시에도 증상이 늦게 나타나는 경우가 많고 또한 혈종 등이 발생할 경우 복강 내 혈액이 고여서 복강 내 장기손상에 의한 혈복강으로 쉽게 오진을 할 수 있다는 것이다. 복강 내 장기손상으로 인한 혈복강의 경우 개복 수술을 통한 치료를 시행하는 경우가 많아 실제 후복막강 내 장기손상 환자의 치료방침을 결정하는데 크게 혼란을 줄 수 있다. 따라서 같은 복부라고 생각될 수도 있지만 복강 내와 후복막강의 손상의 차이를 정확히 알고 감별진단에 주의하여야 하며 후복막강의 장기에 손상을 줄 정도의 큰 압력이 복부에 가해진 환자라면 복강 내 장기의 손상에 대해서도 주의를 기울여야 한다.

후복막강 손상의 많은 경우에서 보존적 치료에 의존하는 경우가 많은데 이것은 혈종 등에 의하여 발생하는 자체적인 압력만으로 지혈 및 보존적 치료가 가능한 경우가 많기 때문이다. 그러나 정확한 진단이 매우 중요한 이유는 후복막강 장기인 췌장, 십이지장, 복부대동맥, 하대정맥등의 손상 시에는 개복수술을 통하여 후복막강으로 진입하여 수술적 치료를 하여 주어야 하며 신장 손상의 경우 등도 계속적인 출혈이 있다면 적출 수술이 필요한 경우가 많기 때문이다. 후복막강의 손상 시 많은 외과 의사들이 개복 수술을 꺼리는 경우는 개복 할 경우 압력이 감소하게 되어 지혈이 안되거나 혈종이나 부종 등으로 복강 내 공간이 없어지게 되어 수술 후 복벽을 닫지 못하고 수술을 마치는 경우가 발생하는 것을 지나치게 두려워 하기 때문이다. 이러한 주요 원인으로는 출혈 자체가 어떤 한 부분이나 장기로부터 나는 것이 아니라 광범위한 영역 전체에서 흘러나올 뿐 아니라, 속발된 쇼크 등의 상황으로 인해서 환자의 출혈성 경향이 증가된다는 것에 있으나 이러한 상황일수록 수술적 치료를 시행하는 경우에는 손상통제수술의 개념에 준하여 치료하는 것이 중요하다.

① 신장손상

환자의 전면에서 가해진 큰 충격에 의하여 신장 손상이 왔다면 신장 앞에 위치하는 여러 가지 장기인 대장, 십이지장, 소장 등의 장관이나 간이나 비장 등의 손상에 대하여도 반드시 고려해야 하고 신정맥과 신동맥의 손상 및 복부의 대 혈관 손상에 대해 반드시 고려해야 한다. 조영제를 사용한 CT는 신장손상을 진단하는 일차적 영상검사이다. 혈관조영술은 신장동맥 손상이 의심되는 환자에서 CT와 함께 진단에 이용될 수 있으며, 색전이나 스텐트 삽입을 바로 시행할 수 있다. 응급실이나 수술실에서 경정맥신우조영술(IV pyelogram)은 외상환자에서 그 활용성이 제한적이나 대략적인 해부학적 손상정도와 손상되지 않은 반대측 신장에 대한 정보를 줄 수 있다.

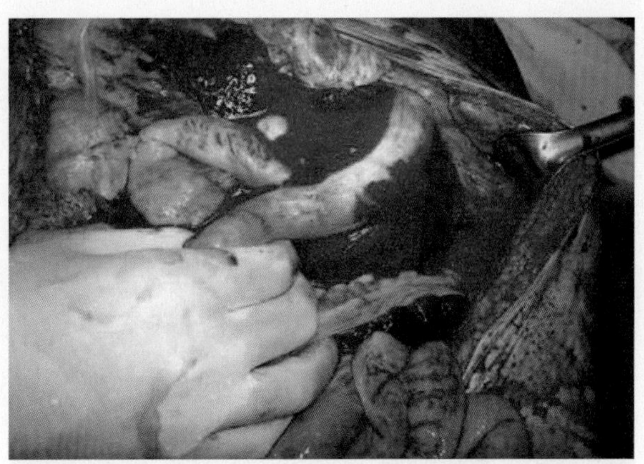

그림 9-35 좌측 신장손상시 접근하는 Mattox 술식의 예

혈역학적으로 불안정한성을 유발하는 신장손상, 완전히 파열된 신장shatterd kidney이나, 신문renal hilum의 박리avulsion로 인한 신장의 맥관절제devascularization 등이 발생한 경우 수술적 적응증이 된다(그림 9-35).

② 방광손상, 요도손상

중증 외상환자의 내원 시에는 환자의 혈역학적 상태를 알기 위한 조치로 내원 초기에 요관 삽입을 하게 되는데 이때 요도 손상을 간과하게 되면 요관 주위조직에 대한 손상을 초래할 뿐 아니라 방광손상에서와 마찬가지로 환자의 수액치료에 잘못된 정보를 가지게 되므로 매우 주의하여야 한다. 요관손상 등을 의심할 수 있는 소견으로서는 요도입구에 보이는 혈흔, 회음부 손상, 고환 혈종, 골반골 전방부위의 대량 골절, 직장수지검사상 전립선 위치의 이상이나 다른 골반강 내 장기의 손상소견 등이 있고 이때는 요관 삽관 이전에 역행성 요도조영술retrograde cystourethrogram을 시행 하여야 한다. 방광이나 요도손상의 치료는 손상의 정도에 따라서 보존적인 방법과 수술적 방법을 모두 고려할 수 있다.

③ 골반골 손상

골반골 골절은 분류에 따라 다르긴 하지만 기본적으로 1,500mL 이상의 대량 출혈을 초래할 수 있기 때문에 그

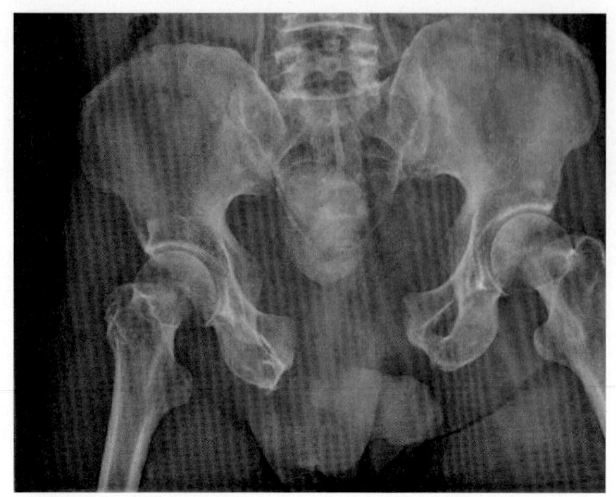

그림 9-36 대량출혈을 유발할 수 있는 전후방 압박손상 기전의 골반골 골절

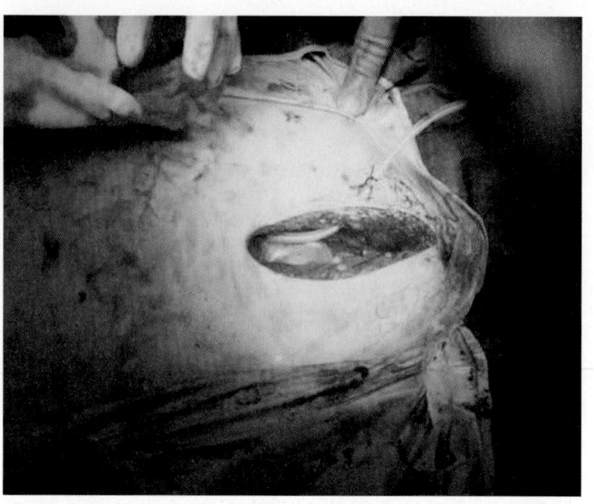

그림 9-37 하복부 정중 절개 후 시행한 골반강내 거즈 충전술

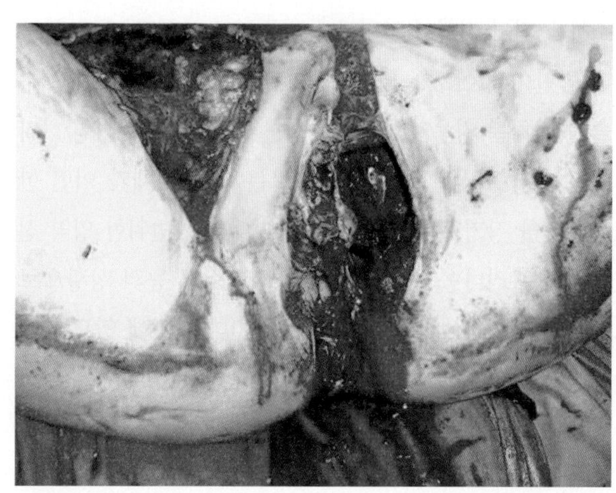

그림 9-38 광범위한 회음부 및 생식기의 손상을 동반한 개방성 골반골

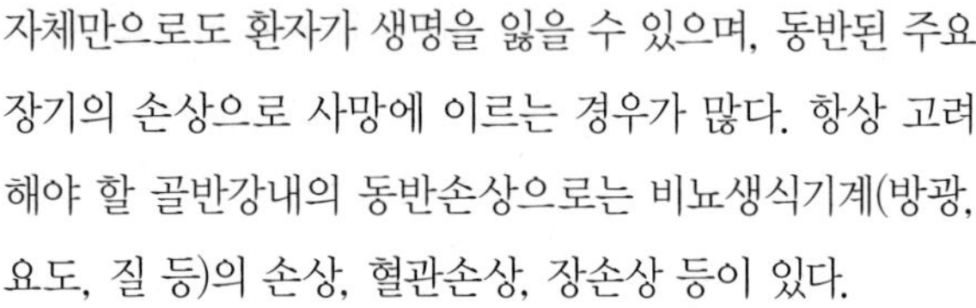

자체만으로도 환자가 생명을 잃을 수 있으며, 동반된 주요 장기의 손상으로 사망에 이르는 경우가 많다. 항상 고려해야 할 골반강내의 동반손상으로는 비뇨생식기계(방광, 요도, 질 등)의 손상, 혈관손상, 장손상 등이 있다.

골반골 골절은 그 손상기전에 따라 크게 측면 압박 손상lateral compression, 전후방 압박손상antero-posterior compression, 수직 전단 손상vertical shear으로 분류한다(Young and Burgess classification).

골반골 골절로 인하여 발생하는 출혈은 대부분 천골앞 정맥총presacral venous plexus과 골절면으로부터 기인한다. 주요 동맥에서의 출혈은 10% 미만이다. 따라서 출혈에 대한 초기조치의 핵심은 외고정 장치나 골반골 C-clamp를 활용하여 응급으로 골반환pelvic ring을 정복 및 안정시켜 골반강 부피를 줄여 지혈을 시도하는 것이다. 이러한 조치로 골절면의 움직임을 제한하여 이차적인 출혈 및 통증을 감소시킬 수 있다. 하지만 이러한 조치가 응급실이나 응급수술로 이루어지지 못하는 경우가 많기 때문에 침상천과 클램프를 이용한 외압박이나 상품화된 골반띠pelvic binder를 고관절의 대전자greater trochanter를 중심으로 둘러 외압박을 시행할 수 있다(그림 9-36). 다만 골반강 부피가 증가하지 않는 측면압박형태의 골절의 경우 골절을 악화시킬 수 있어 시행하지 않는 것이 좋다. 이러한 조치와 수혈과 수액 등의 조치에도 혈역학적 불안정성이 지속된다면 동맥에서의 출혈을 의심하여 혈관조영술 시행을 고려해야 한다. 보다 최근에는 하복부 정중 절개나 Pfannestiel 절개선을 넣고 골반강 내에 거즈충전을 통해 동맥 및 정맥 출혈을 압박지혈하는 방법이 혈관조영술만큼 효과적인 것으로 보고되고 있다(그림 9-37). 이러한 방법은 외고정장치 같은 골반강 용적을 줄이는 방법과 함께 시행하였을 때 좀 더 효과적이다. 복강 내 장기의 동반손상이 의심되는 경우 개복수술을 시행해야 하며, 필요에 따라 출혈이 의심되는 골반골 쪽의 내장골 동맥 결찰술, 골반강 내 거즈충전술 등을 시행할 수 있다. 또한 대량 골반골 골절시 나타날 수 있는 외장골동맥external iliac artery의 손상과 같은 경우에는 수술적 치료로서 재건수술을 시행하여야 동측 하지로 가는 혈류를 확보하여 하지 절단을 막을 수 있다. 개방성 골반골 골절open pelvic bone fracture나 회음부의 광범위한 손상이 발생한 경우는 인공항문조성술을 통하여 분변에 의한 상처 부위의 추가 오염을 막고 조기에 괴사조직을 적절히 제거하여 주는 것이 중요하다(그림 9-38).

무엇보다도 골반골 손상은 응급의학과, 외상외과, 정형외과, 중재영상의학과 의사가 조기에 치료방향을 상의하고 협진하는 것이 중요하다.

요약

외상은 인류가 처음으로 출현한 이래 가장 먼저 만나게 된 생명을 위협하는 주요 원인들 중 하나였으며 현대사회에서도 외상은 여전히 40대 이전의 가장 흔한 사망원인 중 하나이다. 한국에서도 전체 연령 군을 포함한 사망원인에 있어서 악성 신생물 질환, 순환기계 질환 등과 함께 3대 사망원인을 차지하고 있다.

외상학이란 결코 복부영역에만 국한된 복강 내 장기손상에 대한 수술적 치료만을 담당하고 있는 학문 영역이 아니며 손상 당한 환자의 생명을 구하기 위한 가장 핵심 조치들을 취한 후 머리끝에서 발끝까지 환자를 평가하고 치료하며 타 임상과와 협력하여 치료계획을 수립하는 조정자로서의 역할을 배우고 연구하는 학분 분야이다. 중증외상환자를 치료하기 위하여 선진국에서는 이미 1960년대부터 체계적인 외상센터 건립 및 관련된 외상외과를 전공하는 인력이 양성되기 시작하였으며 이러한 노력들로 인하여 외상체계가 잘 정비되어 있는 지역에서의 외상으로 인한 예방 가능한 사망률을 1%대로 낮추는 좋은 결과를 만들어 가고 있다.

이제는 한국의 외과 의사들도 한국의 현실을 잘 이해하여 국가 안전망 차원에서 시급하게 정비되어야 할 외상외과 분야에 많은 노력을 기울여 국내 외상환자 치료 체계를 정립 하여야 할 것이다. 본 장에서는 외상외과분야에 대한 주요 임상적 지식을 전함으로서 중증 외상환자 치료체계에 있어서 핵심을 이루는 외과의사의 역할을 논하였다.

II 쇼크

쇼크는 조직으로의 불충분한 저관류 상태를 통칭한다. 그러나 좀 더 구체적으로 말하자면 세포단위에서 정상적인 대사가 일어나기 위해서 꼭 필수적인 산소와 영양소가 필요한데 쇼크는 이 중 산소부족으로 인해 발생하는 세포기능이상 더 나아가서는 조직, 장기 기능이상의 상태를 일컫는다. 조직으로의 저관류가 산소부족으로 해석되는 이유는 조직으로의 산소는 혈류를 통해 전달되기 때문이다. 하지만 쇼크의 원인 및 병태생리에 따라 치료 및 예후가 달라지므로 이를 이해하는 것이 중요하다.

1. 역사적 배경

쇼크는 Hippocrates와 Galen이 최초로 "post-traumatic syndrome"을 기술한 것이 기원이며, 1737년에 프랑스 외과의사 LeDran이 "choc"을 "중대한 충격 혹은 동요"의 의미로 처음 사용하였다. 그리고 1867년에 Edwin

Morris가 이 용어를 "폭력적인 손상이나 폭력적인 정신적 감정에 의해 동물에게 나타나는 괴이한 효과"라고 정의를 재정립한 이후 널리 사용하게 되었다.

이후에 Claude Bernard가 유기체는 내부환경을 파괴하고자 하는 외부의 자극으로부터 내부환경의 항상성을 유지하고자 노력한다는 사실을 밝혔으며, Walter B. Cannon는 이를 항상성homeostasis이라고 개념을 구체화하였다. 더불어 항상성이 파괴되면 장기 혹은 세포의 기능부전이 초래되고 이는 임상적으로는 쇼크의 형태로 나타난다고 설명함으로써 쇼크에 대한 이해를 하는데 큰 공헌을 하였다. 또한 Cannon은 제1차 세계대전을 겪으면서 쇼크의 시작은 신경조절능력의 상실로 인한 혈관확장으로 저혈압이 초래되고, 이차적으로 조직에서 분비된 독소toxin에 의해 모세혈관투과성이 증가되면서 지속된다고 주장하였다.

1930년도에 Alfred Blalock은 단지 독소에 의한 것뿐만 아니라 다량의 출혈로도 심박출량이 감소되어 쇼크상태를 초래할 수 있다는 사실을 밝혔으며, 1934년에는 쇼크를 저혈량성 쇼크, 혈관성 쇼크, 심인성 쇼크, 신경성 쇼크로 분류하였다. 1949년에 Carl Wiggers는 출혈성 쇼크 모델을 통해 장기간 쇼크가 지속되면 결국 비가역적 순환부전이 초래된다는 것을 밝혔으며, 이때부터 쇼크는 저혈압과 같은 의미로 사용되면서 쇼크 치료의 일차목표는 수액공급을 통한 소생술로 자리잡게 되었다.

이후에 19세기에 들어 외상 외에도 아나필락시스 쇼크anaphylactic shock와 심인성 쇼크cardiogenic shock 등의 다양한 종류의 쇼크를 입증하였다.

2. 병태생리

1) 신경호르몬 반응

(1) 신경반응

쇼크가 발생하면 신체의 구심신호체계를 통해 신호를 감지한 후 이것을 중추신경계로 전달하고 이 신호는 신체 여러 곳으로 전달되어 반사적 보상 작용이 일어난다. 쇼크에 반사적으로 반응하는 신체적 보상작용은 혈장량을 늘리고, 말초의 관류와 조직으로의 산소전달을 유지시킴으로써 우리 신체의 항상성을 유지하고자 하는 것들이다. 다음과 같은 일련의 반사작용을 유발하는 신체적 신호는 순환 혈장량의 감소, 통증, 저산소증, 고탄산증, 산혈증, 감염, 체온의 변화, 저혈당 등이 있다. 예를 들면, 통증이 발생하면 척수시상로spinothalamic track를 따라 시상하부 하수체부신계hypothalamic-pituitary-adrenal axis와 자율신경계를 활성화시키고 부신 수질의 교감신경을 자극하여 카테콜라민을 분비하도록 하는 것들이다.

신체에서 쇼크를 인지하는 구심신호체계는 압력수용체baroreceptor와 화학수용체chemoreceptor가 있다. 압력수용체는 쇼크를 인지하는 중추적인 구심신호체계 역할을 한다. 심장의 심방에 위치한 압력수용체는 우심방의 압력과 팽창감을 감지하여 소량의 출혈과 경증의 쇼크에도 반응하며, 동맥궁과 경동맥체에 있는 압력 수용체는 동맥벽의 압력과 팽창감을 인지하여 주로 다량의 혈장량 손실이 있거나 저혈압이 심한 쇼크를 인지한다. 압력수용체가 쇼크를 인지하면 자율신경계가 활성화되어 뇌간의 혈관운동센터의 교감신경을 통해 말초혈관을 수축함으로써 보상작용이 나타난다.

화학수용체는 주로 대동맥과 경동맥체에 있으며 혈중 산소장력, 수소이온농도(H^+), 이산화탄소 혈중 농도 변화를 인지한다. 화학수용체가 쇼크를 인지하면 관상동맥을 확장시키고, 심박동수를 낮추며, 내장과 골격근으로 들어가는 혈관을 수축시킴으로써 이를 보상하고자 한다.

(2) 호르몬 반응

쇼크 시 활성화되는 주요 호르몬 반응은 시상하부-뇌하수체-부신축hypothalamic-pituitary-adrenal axis이다. 시상하부가 자극되면 corticotrophin-releasing hormone을 분비하며, 이는 뇌하수체에서 부신피질자극호르몬ACTH의 분비를, 또 최종적으로 부신수질에서 코티솔을 분비하도록 자극한다. 코티솔은 에피네프린, 글루카곤과 함께 상승작용을 통해 이화상태를 유도하며, 당신생와 인슐린 저항성을 증가시켜 고혈당을 발생시킨다. 또한 근육에서 단백질과 지방을 분해시켜 생성된 대사산물을 이용하여 간에서 당신생에 필요한 기질로 사용한다. 신장에서는 수분과 나트륨을 저류시켜 수분이 배출되는 것을 막는다. 따라서 혈장량이 감소된 상태에서 부신피질자극 호르몬은 일반적인 음성 되먹이기 억제negative feedback inhibition기전에 의한 조절을 받지 않고 코티솔 농도와 무관하게 지속적으로 분비되어 코티솔을 항상 높은 농도로 유지한다.

레닌-안지오텐신계renin-angiotensin system도 쇼크 시 활성화된다. 신장동맥 관류의 감소, 베타아드레날린의 감소, 그리고 신세관의 나트륨 농도 증가 등의 자극을 통해 사구체엽세포juxtaglomerular cell에서 레닌의 분비를 자극한다. 레닌은 안지오텐시노겐에서 안지오텐신 I으로의 변환을 촉매한다. 그리고 안지오텐신 I은 폐에서 안지오텐신 전환효소ACE에 의해 안지오텐신 II로 변환된다. 안지오텐신 I의 기능은 잘 알려져 있지 않으나, 안지오텐신 II는 내장과 골격근으로 가는 혈관을 수축시키는 강력한 기능이 있으며 또한 알도스테론, 부신피질자극호르몬, 항이뇨호르몬의 분비를 자극한다. 알도스테론은 신단원nephrone에서 나트륨을 재흡수하여 결과적으로 수분의 유출을 막는 작용을 한다.

혈량 저하 상태, 순환 혈장량이나 압력수용체의 변화, 혈장 삼투압 변화 등은 뇌하수체에서 항이뇨 호르몬의 분비를 유도한다. 그리고 에피네프린, 안지오텐신 II, 통증, 고혈당도 항이뇨 호르몬의 생성을 촉진시키는 원인이 된다. 쇼크의 급성기에 항이뇨 호르몬의 농도는 일반적으로 1주일 정도 상승되어 있으나, 손상의 정도와 혈역학적 변화가 심각할수록 장기간 지속되기도 한다. 항이뇨 호르몬의 작용기전은 원위세관과 집합관에서 수분의 투과성을 올려 수분과 나트륨이 빠져 나가지 않도록 하여 혈장량을 유지하는 것이다. 그 밖에도 알기닌 바소프레신arginine vasopressin인 항이뇨 호르몬은 강력한 내장혈관 수축제로서 내장으로의 혈류를 다른 장기로 전환시켜 장허혈을 초래하거나 쇼크상태에서 장관 점막의 방어기전을 깨뜨리기도 한다. 그리고 항이뇨 호르몬은 내독소나 염증반응으로 파생된 사이토카인cytokine 등에 의해 직접적으로 분비되기도 한다.

2) 심혈관 반응

대부분 쇼크는 순환기 부전을 동반하며, 이는 전부하preload, 후부하afterload, 심수축력cardiac contractility 간의 상호 균형이 깨지면서 나타난다.

(1) 전부하

심근이 정지 상태에서 수축 전(이완기 말) 근육의 길이를 늘리는데 걸리는 힘을 전부하라고 하며, 이는 근육이 수축하는데 필요한 원동력이 된다. 심장에서 전부하는 정맥환류를 통해 이루어지는 심실의 확장기말 심실벽의 장력을 말하며 심박출량을 조절하는 주요한 인자 중 하나이다. 심실의 전부하가 증가하면 심수축력이 증가하나 어느 한도를 넘어가면 심추축력 증가에는 한계가 있다. 쇼크가 발생하면 신체 내에서는 정맥의 평활근육을 수축하여 얇은 정맥벽의 탄성반동elastic recoil 작용을 통해 정맥 환류량을 증가시켜 보상하고자 한다. 출혈성 혹은 저혈량성 쇼크는 전부하의 감소로 인해 발생하는 대표적인 예이다(그림 9-39).

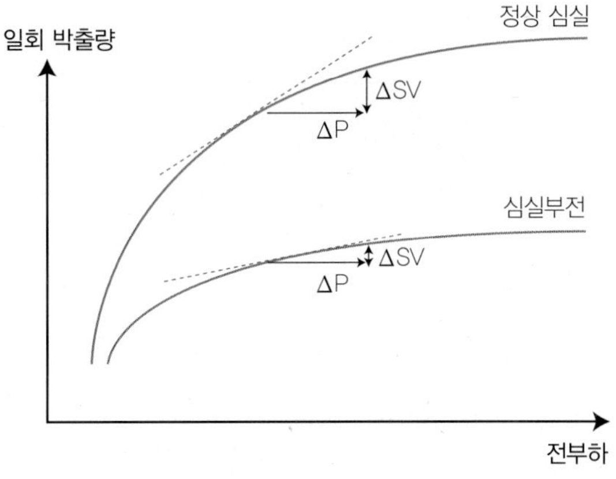

그림 9-39 Starling-Frank Curve. 심실의 전부하와 심장의 일회 박출량의 관계를 나타낸 그림이다. 심장의 전부하가 증가(ΔP)됨에 따라 심장의 일회 박출량(ΔSV)이 증가한다. 또한 증가되는 정도는 심실의 기능에 따라 달라진다.

(2) 심수축력

심수축력은 심근을 수축시키는 내부의 힘으로서 조직 관류를 유지하는데 중요한 결정인자이다. 심수축력은 일회 박출량과 심박동수에 의해 결정된다. Frank-Starling 곡선은 전부하에 따른 일회 박출량의 변화를 나타낸 것이다. 그림 9-39에서 보듯이 어느 정도까지는 전부하가 증가됨에 따라 심장의 일회 박출량이 증가되는 것을 알 수 있다(전부하 반응preload responsness). 따라서 쇼크 상태에서는 수액요법을 통해 적절한 전부하를 유지하여 일회 박출량을 정상으로 환원시켜야 하며, 이것이 쇼크 시 수액요법을 일차적으로 시행하는 이유이다. 그러나 심장자체의 질환으로 인해 심근의 탄성이 감소된 경우, 중환자의 경우, 부정맥이 있는 경우, 심장판막에 이상이 있는 경우에는 Starling-Frank 곡선이 변화됨을 유념한다.

(3) 후부하

후부하는 심실이 수축하는 동안 극복해야 하는 저항의 힘, 즉 혈관의 저항력이다. 후부하의 주원인은 심근 수축에 영향을 주는 전신혈관 저항값이다. 세동맥 긴장도는 심실부하, 동맥압, 전신적 혈류의 분포에 영향을 미친다. 후부하가 심하게 감소되면(예; 패혈성 쇼크) 동맥압 감소로 인한 쇼크가 발생하여 장기로의 관류가 감소되고, 반대로 후부하가 과도하게 증가되면 심박출량을 저하시킬 수 있다. 따라서 정상심장에서 후부하가 감소되면 신체 내부에서는 전부하를 증가시켜 심장에서의 일회 박출량stroke volume을 유지하려는 보상반응이 일어나게 된다.

3) 면역 및 염증 반응

(1) 염증반응

쇼크가 발생하면 염증반응과 항염증 반응에 관련된 많은 매개체들이 동시에 활성화된다. 이들의 기능이 밝혀지면서 치료적으로 이용하기 위한 많은 시도들이 진행되고 있다. 염증반응의 항진은 염증반응을 일으키는 매개체들 즉, 염증반응 사이토카인, 보체인자complement factors, 응고계coagulation system, 급성기 단백acute phase protein 등이 활성화되어 전신적 염증 반응 증후군Systemic Inflammatory Response Syndrome (SIRS)을 일으킨다.

쇼크가 발생하면 염증반응과 동시에 항염증 반응이 동시에 활성화된다. 그림 9-40에서와 같이 두 개의 서로 상반된 반응이 동시에 활성화되어 균형을 유지하게 되면 회복이 가능하다. 그러나 초기에 염증반응이 과하게 활성화되면 조기에 다발성 장기 부전으로 급격히 진행할 수 있으며, 반대로 항염증반응이 과하게 활성화되면 면역저하로 인한 감염이나 패혈증 악화로 다발성 장기 부전이 진행될

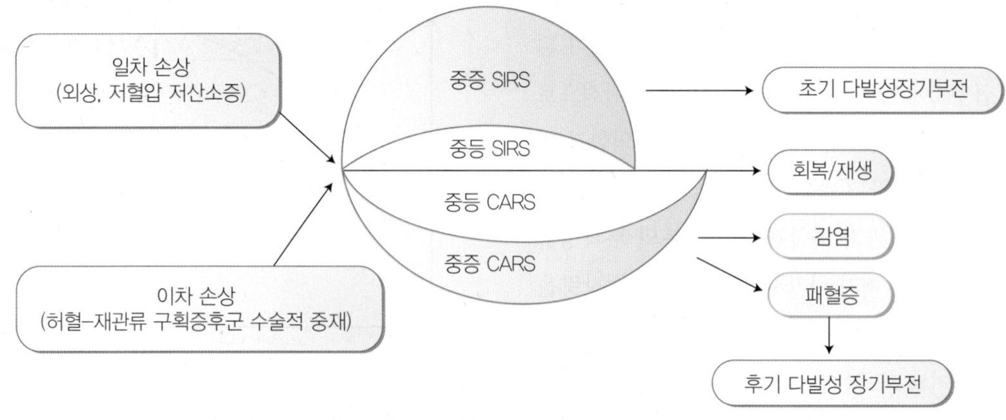

그림 9-40 손상 후 다발성 장기부전. 전신적 염증 반응 증후군(Systemic inflammatory response syndrome:SIRS)과 보상성 항염증 반응 증후군(Compensatory anti-inflammatory response syndrome:CARS)의 균형이 깨어질 때 조기 혹은 후기 다발성 장기부전으로 인한 사망이 초래된다.

가능성이 높아진다.

(2) 사이토카인

쇼크가 발생하면 숙주의 면역반응으로 많은 매개체들이 활성화된다. 이 중 일부는 그 역할이 규명된 것도 있지만 아직 많은 것들이 밝혀지지 않았으며, 이중 잘 알려진 것 중 대표적인 것들 중심으로 언급하겠다.

TNF-α는 손상 후 조기에 발현되는 사이토카인Cytokine 중 하나이다. 반감기도 90분 이하로 짧으며 이것은 다른 중성구와 단핵구를 불러모으고 혈관을 확장시키고 응고계를 발현시킨다. IL-1β 는 TNF와 비슷한 작용을 하며 반감기는 6분 정도로 매우 짧다. 주로 측방 촉진paracrine의 형태로 주위 세포에 영향을 미친다. TNF-α와 함께 다른 사이토카인인 IL-2, IL-4, IL-6, IL-8, GM-CSF와 IFN-γ등을 불러 모은다. IL-6는 출혈성 쇼크나, 외상, 수술 후 주로 상승한다. IL-6의 상승 정도는 쇼크 시 사망률과 비례하는 것으로 알려져 있으며 폐포 손상시 증가하며, 특히 간세포에서 급성기 단백acute phase protein 합성을 유도한다. IL-10는 항염증 사이토카인으로 면역억제의 특성을 가지며 감염의 감수성을 증가시킨다. 마찬가지로 쇼크 시 상승한다.

4) 세포 대사 반응

쇼크 시 세포의 손상 정도는 쇼크의 심각성과 세포의 기저 상태에 따라 보상, 기능부전, 사망 등의 다양한 결과로 나타난다. 세포 내 산소호흡장치인 미토콘드리아의 산화적 인산화oxidative phophorylation는 조직으로의 산소전달이 부족할 때 쉽게 손상 받는다. 따라서 조직 내에 산소가 부족하면 산화적 인산화 반응이 원활하지 않아 ATP의 생성이 감소되거나 중단되고, 이로 인해 세포의 기능과 외형이 변화되어 기능부전 되거나 혹은 사멸되게 된다.

호기대사 시에는 당 분해의 최종산물인 피루브산염pyruvate이 크렙스 주기Krebs cycle에서 대사과정을 거쳐 ATP를 생성한다. 그러나 혐기대사 시에는 피루브산염이 젖산염으로 전환되며, 산소 없이 ATP가 생성되는 혐기성 당 분해 과정은 산소를 이용한 ATP생성에 비해 효율성이 현격히 감소된다. 또한 혐기성 당 분해 시 축적되는 젖산은 대사성 산증을 발생시키며 이는 세포기능 저하를 촉진시키는 원인이 된다. 대사성 산증은 세포 효소의 활동성을 저하시키고, 유전자 발현을 변화시키며, 세포의 대사경로를 변환시켜 세포막의 이온교환 특히, Ca^{2+}을 저해시킴으로써 Ca^{2+}를 통한 세포 신호에 의한 효소의 기능과 세포의 기능을 저하시킨다.

3. 쇼크의 분류

1) 출혈성 쇼크 혹은 저혈량성 쇼크

(1) 병태생리

외과에서 가장 흔한 쇼크의 원인은 저혈량성 쇼크 중 출혈성 쇼크이다. 어떤 이유로든 혈장량이 급격히 감소된 경우 심실의 전부하가 감소되어 이완기 심실 충만압이 감소되고 이로 인해 심박출량과 일회 박출량이 감소된다. 심장의 압력수용체에 의해 감지되는 압력이 낮아지면 교감신경계가 항진되어 빈맥과 혈관수축을 유발한다. 따라서 초기에는 혈관수축이 원활하게 일어나면서 보상을 하나, 출혈량이 심각하게 많거나 장기간 지속되는 경우 보상작용이 충분히 따라가지 못해 쇼크가 발생하게 된다. 출혈은 역동적인 과정으로 단순 실혈량을 수액 및 혈액으로 소생술을 시행할 지라도 실혈량이 많거나 출혈시간이 장기화되면 다량의 출혈에 따른 염증매개체에 의한 전신적 염증반응에서부터 다발성 장기부전으로 인한 사망에까지 이를 수 있다.

출혈에 대한 신체 내 보상작용으로는 혈액에서의 산소를 최대한 뽑아내어 조직으로의 산소전달을 최대화하고, 한편으로는 피부나 근육, 신장으로 가는 혈류를 신경계와 심장계로 전환시켜 주요조직으로의 혈류량을 늘이기 위한 노력들이 있다. 단, 베타 차단제등의 약물을 복용하던 환자는 보상기전 중 하나인 빈맥이 나타나지 않거나, 혹은 젊은 환자의 경우 보상작용이 충분히 일어나 쇼크가 심해질 때까지 혈압이 유지될 수 있으므로 유의하여야 한다.

표 9-5. 쇼크의 종류에 따른 혈역학적 변화

	중심정맥압	심박출량	전신혈관저항	혼합정맥산소포화도
저혈량성	↓↓	↓↓	↑	↓
심인성	↑↑	↓↓	↑	↓
패혈성				
초기	정상 혹은 ↑	↑	↓	↓
후기	정상	↓	↓	↓

표 9-6. 출혈의 정도에 따른 임상적 변화

	Class I	Class II	Class III	Class IV
Blood loss(mL) (%)	<750 <15	750-1,500 15-30	1,500-2,000 >30-40	>2,000 >40
Heart rate(beats/min)	<100	>100	>120	>140
Systolic blood pressure	Normal	Normal	Decreased	Decreased
Pulse pressure	Normal	Decreased	Decreased	Decreased
Capillary refill	Delayed	Delayed	Delayed	Delayed
Respiratory rate(beats/min)	14-20	20-30	30-40	>35
Urine output(mL/h)	>30	20-30	5-15	Minimal
Mental status	Slightly anxious	Anxious	Confused	Confused and lethargic

그러나 이것이 장기간 지속되면 결국 젖산 혈증이 진행되고 조직의 기능이 점차 감소되어 불가역적인 쇼크 및 장기부전으로 진행된다(표 9-5).

(2) 진단

가장 중요한 것은 출혈성 혹은 저혈량성 쇼크를 조기에 발견하고 그 원인을 찾아 근본적인 해결을 하는 것이다. 증상으로는 안절부절함, 흥분, 의식의 변화, 호흡곤란 등이 있으며 이학적 검사로는 빈호흡, 창백, 빈맥, 맥압 감소, 소변량 감소, 혈관수축에 의해 모세혈관충만 감소 등이 있다. 표 9-6에서와 같이 임상적 양상만으로도 어느 정도 출혈량을 짐작할 수 있다. 특히 저혈압은 이미 중증의 저혈량 상태임을 의미하므로 헤모글로빈 수치 등 임상화학검사에 의존하여 치료결정이 지연되서는 안된다.

환자의 병력청취를 통해 출혈의 원인 및 출혈량을 추측한다. 외상환자의 경우는 외상기전에 따라 손상부위를 찾는다. 외부에서는 보이지 않으나 대량출혈이 가능한 신체 부위는 흉강, 복강, 후복강, 골반강, 사지 등이 있다. 이를 조기에 신속하게 진단하는 방법은 단순 흉부 X선, 단순 골반 X선, FAST (Focust Abdominal Sonography for Trauma)등이 있다. 술 후 환자가 출혈성 쇼크가 발생하면 수술부위의 출혈을 우선적으로 확인하고, 그 외에도 최근 수술이나 외상없이 출혈이 발생한 경우 자연 출혈부위(위염, 궤양성 질환, 동맥류), 동반된 출혈성 질환(폰 빌레브란드병 von Willebrand, 혈우병, 간경화, 만성 신부전), 그리고 출혈성 경향과 관련된 투약력(쿠마딘, 헤파린, 저분자량 헤파린) 등을 확인한다.

(3) 치료

저혈량성 쇼크에서 가장 중요한 것은 출혈부위나 혈량 감소의 원인을 찾아 근본적인 원인을 제거하는 것이다. 쇼크를 일으킬만한 체액 손실 혹은 출혈이 있는지 확인하여야 한다. 대량의 체액소실은 심한 설사, 다량의 장루배액, 복수 등에 의해서나 나타날 수 있으므로 병력청취와 이학적 검사를 통해 원인을 찾을 수 있다. 특히 외과 환자의 경우 적극적인 수액요법에도 불구하고 쇼크를 보이는 경우에는 활동적인 출혈이 있음을 감지하고 적극적으로 출혈의 원인을 찾으려고 노력하여야 한다.

궁극적인 지혈술이 이루어지기 전에는 소생술에도 불구하고 쇼크가 회복되기 어렵기 때문이다. 출혈량과 지속시간이 심각한 경우에는 원발 부위 출혈과 상관없이 저혈압, 저체온, 조직 산증, 응고장애 등이 발생하여 치료에도 불구하고 약물이나 수액에 반응하지 않고 상태가 악화되어 사망에 이를 수 있다. 따라서 보상단계를 넘은 중증 출혈인 경우에는 가능한 최단시간 내에 수액요법 및 수혈을 통한 혈장량 회복 뿐만 아니라 쇼크에 대한 근본적인 원인을 교정하기 위한 지혈술을 시도하여야 한다. 대량 출혈에 의한 쇼크인 경우 소생술은 일반수액보다는 혈액을 통해 시행하여야 하며 혈장제제를 동시에 투여하여 혈액응고 장애를 함께 교정하여야 하며 신선냉동혈장:혈소판:농축적혈구는 동일비율로 투여한다.

초기평가에서 지혈이 이루어지기까지 소생술이 시행되어야 한다. 일반적인 소생술은 혈액, 수액, 및 약물을 통해 조직 및 주요 장기에 관류를 충분히 유지하여 기능을 보전시키는 것을 목표로 하지만 지혈술이 이루어지지 않은 상태에서 소생술을 통해 과도하게 혈압을 상승시키게 되면 손상된 혈관의 관류압이 상승하거나, 형성된 혈전을 떨어뜨려 오히려 출혈량이 가중되는 결과를 초래할 수 있다. 또한 과도한 수액 및 약물의 투여는 혈액응고장애, 폐부종, 복강구획증후군, 사지 및 장 허혈 등의 부작용을 초래한다. 따라서 과다출혈에 의한 쇼크의 경우 신속한(1시간 이내) 지혈술이 이루어지기까지는 소생술의 목표를 비교적 낮게 유지하는데 이를 저혈압성 소생술hypotensive resuscitation이라고 한다. 저혈압성 소생술의 목표는 수축기 혈압 70–90mmHg, 의식이 유지되는 정도, 요골동맥이 촉진되는 것을 임상에서 목표로 한다. 단, 저혈압성 소생술은 신속한 지혈술이 전제되어 있는 환자에서 선택적으로 시행되어야 하는데 외상성 뇌손상을 동반한 환자 및 지혈술까지 지연되는 경우(병원의 치료여건이 여의치 않거나, 타병원으로의 전원)에는 저혈압성 소생술을 적응증이 되지 않으며 적극적으로 관류가 유지될 정도로 소생술을 유지한다. 저혈압성 소생술은 기존의 충분한 소생술 후 지혈술을 시행하는 것에서 진일보한 치료개념으로 적극적 지혈술이 소생술보다 우선 시 되었을 때 향상된 치료성적을 기대할 수 있으며 저혈압성 소생술이 실혈양을 줄일 수 있다는 많은 연구에서 비롯되었다.

2) 패혈성 쇼크

패혈성 쇼크는 패혈증septicemia, 균혈증bacteremia 등으로 혼용되어 사용되다가 최근 2017년에 패혈증을 감염에 의한 숙주반응으로 심각한 장기부전이 초래된 것으로 정의하였다. 일반적으로 패혈증의 사망률은 30–50%에 이르는 것으로 보고되고 있다. 수십 년간 중환자의 치료발전과 함께 다양한 치료들을 2012년부터 4년마다 Surviving Sepsis Campaign Guideline (www.survivingsepsis.org)을 갱신하면서 근거 중심의 치료지침을 제시하고 있다.

(1) 병태생리

패혈증이란 감염에 대한 신체 내에 방어기전으로 전신적 염증 반응 증후군이 발생하는 것을 말한다. 전신적 염증반응을 유발하는 원인인 병원균은 물론 그람 음성균의 내독소나 균의 구성성분(외독소, 펩티도글리칸, 세균의 DNA와 RNA) 혹은 균에서 파생된 것 등이 포함된다.

전신적인 염증반응이 발생하면 거대세포macrophage가 자극되어 TNF-α, IL-1β와 같은 사이토카인이 배출된다. 사이토카인은 또다시 이차적 매개체 즉 혈소판 활성 인자Platelet-activating factor, 유도 가능한 산화질소 합성효소iNOS에 의한 산화질소NO를 파생시키며, 내피세포에서는 류코트리엔leukotrienes, 프로스타글란딘 등을 분비한다. 또한 응고 연쇄작용이 촉진되어 전신적 미세혈관 혈전이 발생되며, 세포자멸사apoptosis 등의 반응들이 다발적으로 확산된다. 이와 같은 반응들은 물론 외부에서 유입된 감염원으로부터 신체를 보호하기 위한 방어기전이기도 하지만 이와 같은 일련 반응이 과잉 발생되면 전신혈관저항 감소로 인한 저혈압이나 미세혈관혈전으로 인한 장기부전 등을 유도하여 다발성 장기부전으로 사망에 이르기도 한다.

(2) 진단

병력청취나 이학적 검사 등을 통해 패혈증의 원인을 진단하는 것이 정확하고 확실한 방법이지만, 환자의 상태가 여의치 않아 병력청취가 불가능한 경우 일지라도 임상적으로 패혈증이 의심된다면 지체하지 말고 치료를 시작하여야 한다. 감염이 의심되나 이를 뒷받침하는 미생물 배양검사, 임상혈액검사, 방사선 검사에서 확진이 되지 않는 경우라도 패혈성 쇼크에 준한 신속한 치료를 시작하여야 한다.

가. 병력청취

병력청취는 패혈증을 진단하고 감염의 원인을 규명하는 데 큰 도움이 된다. 일반적인 증상은 발열, 오한, 전신쇠약감, 피곤, 의식저하, 흥분, 오심 등이 있으나, 고령, 면역력이 저하된 환자, 면역 억제제를 투여하는 환자, 만성질환자 들은 증상이 무디게 나타나거나 나타나지 않는 경우가 종종 있으므로 유의하여야 한다.

발열은 패혈증 때 분비된 사이토카인 IL–1β가 뇌하수체에 작용해서 발열을 보이는데 오히려 저체온이 발생하는 것은 심박출량이 감소되면서 나타나는 것으로 예후가 더욱 좋지 않다. 의식은 안절부절 하거나 흥분하는 경우가 많으나 고령의 환자에서는 오히려 의식저하나 혼돈의 형태로 나타나기도 한다. 과호흡은 패혈증 초기에 연수medulla의 호흡중추에 작용해서 나타나는 것이며 대사성 산증에 의한 보상작용으로 나타나는 것만은 아니다.

나. 이학적 검사

이학적 검사에서 가장 중요한 핵심은 환자의 혈역학적 안정화 여부 확인과 함께 감염원을 찾는 것이다. 기도확보 여부, 호흡상태, 생체징후 및 말초순환상태를 우선적으로 파악한다. 조직의 저관류를 반영하는 증상으로는 피부의 얼룩덜룩함, 창백함, 발한, 모세혈관 재충전의 결여 등이 있다. 패혈증의 초기에는 일반적으로 심박출량이 정상이거나 보상작용으로 인해 오히려 증가된다. 따라서 급성기에는 아파 보이면서 홍조를 띠고 중독된 듯한 모습이며 모세혈관 재충전도 정상이다. 그러나 패혈증이 지속되면 혈관이 확장되고 혈압이 떨어지면서 중심정맥압이 감소된다.

감염의 가장 흔한 부위는 호흡기계, 복강, 요로계, 그리고 연부조직 순이다. 더불어 중환자들에서는 카테터 관련 감염을 반드시 고려하여야 한다. 감염부위와 관련된 증상을 이학적 검사를 통해 확인한다.

다. 기타 검사

임상화학검사는 패혈증의 심각성과 장기부전 정도를 반영한다. 패혈증의 중증도는 백혈구수치, 혈소판 검사와 혈액응고검사, 젖산 검사, C–반응 단백질(CRP) 등을 통해 알 수 있으며, 파종성혈관내응고증후군을 동반한 경우에는 트롬빈 III, 섬유소원fibrinogen, D–이중체D-dimer 등을 통해서 확인한다. 그 밖에 장기부전을 반영하는 검사들은 PaO_2/FiO_2, plateletes, bilirubin, Glasgow coma scale, creatinine 등이 있다.

영상 검사는 감염 부위를 확진하기 위하여 단순 흉부 X선, 컴퓨터 단층촬영, 초음파 검사들을 시행한다.

(3) 치료

가. 초기소생술

패혈증은 저관류에 의해 발생하는 전신산소요구량과 산소공급간의 불균형으로 인해 유발된 조직 저산소증으로 다발성 장기부전을 초래하여 사망에 이르게 된다. 따라서 패혈증 발생시 체계적인 접근 전략을 세워야 한다. 쇼크가 발견되면 가능한 빠른 시간 내에 소생술을 시행하는 것이 그 무엇보다 중요하다. 우선적으로 수액요법을 시행하는데 쇼크 발견 후 초기 3시간 내에 정질용액crystalloid 30mL/kg을 투여한다. 수액요법이 혈역학적 호전이 있다고 판단되는 경우 추가적으로 수액을 투여할 수 있다. 일반적으로 평균동맥압 65mmHg를 목표로 수액요법과 함께 혈압상승제를 투여하는데 환자가 평소에 고혈압이나 저혈압이 있는 경우는 환자에 적절한 관류압을 다시 설정한다. 소생술 시행 시 조직관류 여부를 판단하기 위해 혈중 젖산농도를 반복적으로 측정하는 것이 도움이 될 수 있다.

나. 항생제 투여 및 감염관리

패혈증 쇼크 환자는 가능한 빠른 시간 내에 적합한 항생제를 투여하여야 한다. 최근 보고에 의하면 환자의 원인균에 적절한 항생제가 쇼크 발생 이후 1시간 이내에 투여된 군에서는 생존율이 79.9%에 이르며 그 이후 매 시간마다 평균 7.6%씩의 생존율이 꾸준히 감소한다고 보고하였다. 따라서 패혈성 쇼크에서 적절한 항생제의 신속한 투여는 빠져서는 안 될 중요한 치료 중 하나이다. 여기서 적절한 항생제란 환자의 원인균에 적합한 항생제를 의미하므로 쇼크를 동반한 중증 패혈증 시에는 일차적으로 광범위 항생제를 사용한다. 그람음성 및 양성균은 물론 필요하다면 항진균제를 포함한다. 경험적 항생제의 투여 시기는 가능한 빠른 시간 내에 투입하여야 하며 차후에 미생물 배양검사 결과가 나오면 배양검사에 적절한 항생제로 재조정한다. 무분별하게 광범위 항생제를 장기간 사용하면 항생제 내성균이 증식되고, 항생제의 부작용이 발생할 뿐만 아니라 항생제 관련 대장염 등의 부작용이 나타날 수 있다.

항생제 투여와 함께 중요한 것은 미생물 배양검사를 시행하는 것이다. 혈액에서는 물론 의심되는 감염부위로부터 적절한 체액을 채취하여 미생물 배양검사를 시행한다.

또한 패혈증의 원인이 된 감염원의 제거를 위해서 필요하다면 중재적 방법 혹은 외과적 방법을 동원하여 적극적으로 제거를 시도한다. 궁극적인 감염원의 제거 없이는 항생제만으로 치료하는 데는 한계가 있기 마련이다(예; 괴사성 근막염, 장괴사, 복막염).

다. 스테로이드 사용

패혈증에서의 스테로이드 사용에 대해서는 많은 시간 동안 논쟁의 한가운데에서 사용여부와 투여량에 대한 연구들이 이루어져 왔다. 중증 패혈증 시 부신부전adrenal insufficiency이나 글루코코르티코이드 수용체 저항 증가에 의한 상대적 부신부전relative adrenal insufficiency이 나타날 수 있다. 임상적으로 수액요법이나 혈관수축제에 반응하지 않는 저혈압환자에게서 사용해 볼 있다. ACTH 자극검사나 코티졸의 혈중 농도를 통해 상대적 부신 부전을 진단하기도 하나 필수조건은 아니므로 의심되는 경우에는 검사에 의존하지 않고 스테로이드를 사용한다. 그러나 쇼크를 동반하지 않는 경우나 혈압이 회복된 경우에는 중지하거나 가급적 사용을 자제하도록 권고한다. 사용용량은 하이드로코르티존hydrocortisone을 200mg/d 이하로 하며 면역억제 효과를 보이는 과용량의 사용은 피해야 한다. 아직은 연구들이 패혈증에서 스테로이드 사용에 대해 일관되게 생존율을 증가시키지 않으며, 오히려 감염의 위험이 증가되므로 모든 패혈증 환자에서 스테로이드를 사용하는 것 보다는 임상적으로 상대적 부신부전이 의심되는 환자에서 선택적으로 투여하는 것이 바람직하겠다.

라. 기타 지지요법

패혈증환자에서 기계환기를 적용 시에는 일회호흡량은 6mL/kg로 설정하고 고원압plateau pressure는 30cmH$_2$O 이하로 유지하여 기계환기로 인한 폐손상을 최대화하도록 한다. 또한 폐허탈을 막기 위해 충분한 호기말양압을 사용한다.

패혈증 환자 특히 기계환기를 적용하는 경우 지속 혹은 간헐적으로 진정제를 적용한다. 그러나 과도한 진정제 투여는 섬망을 증가시키고 기계환기 적용일 및 중환자 재원일수를 증가시키는 주원인이 되므로 진정정도를 측정하면서 가능한 가볍게 진정을 유지하도록 한다. 근이완제의 경우 심한 호흡곤란 혹은 복부구획증후군이 있는 경우에는 흉벽 및 복부 유순도를 향상시키고 호흡부조화를 최소화하고 호흡일을 줄여 산소소모량을 줄일 수 있으나 장기사용은 근육병증 및 신경병증이 발생할 수 있으므로 제한적으로 사용하여야 한다.

중환자의 혈당조절목표는 180mg/d 이하를 목표로 한다. 혈당조절이 되지 않는 환자의 경우 사망률 및 감염률, 급성신손상, 기계환기적용일수, 중환자실 재원일수 등이 유의있게 높은 것으로 나타났다. 최근에는 혈당이 변동이 심한 경우의 환자가 더욱 예후가 안 좋은 것으로 알려져 있어 철저한 혈당유지의 필요성이 부각되고 있다. 따라서 잘 짜여진 프로토콜 하에 의료진이 혈당조절의 중요성을 가지고 조절하는 것이 중요하겠다.

신대체요법은 지속적 신대체요법이 간헐적신대체요법보다 패혈증의 치료 면에서 더 우월하지는 않지만 혈역학적으로 안정하게 신대치기능을 유지할 수 있다는 장점이 있다. 중탄산나트륨은 pH가 7.15 이하인 경우가 아니고서는 환자의 예후에 영향을 미치지 않으므로 사용을 권고하지 않는다.

3) 심인성 쇼크

심장의 펌프기능 이상으로 조직으로의 관류가 감소되거나 조직에 저산소증이 발생하는 것을 통괄하여 일컫는다. 혈역학적 기준으로는 심장박출 지수cardiac index가 $2.2L/min/m^2$이면서 저혈압(수축기 혈압 90mmHg 이하)이 30분 이상 지속되고 폐동맥 쐐기압이 15mmHg이상인 경우를 말한다. 원인으로는 심장 자체의 펌프기능이 감소된 경우로 급성 심근경색, 우심실 경색이 있으며 그 밖에 심근경색과 관련되어 기계적 결함이 동반된 경우로 급성 승모판부전, 심실 중격동 결손 등이 포함된다. 또 다른 심인성 쇼크의 원인으로는 심근병증cardiomyopathy, 패혈증에 동반된 심근억제 등이 있으며 흔한 원인들은(표 9-7)에 열거하였다.

심인성 쇼크cardiogenic shock의 사망률은 50–80%에 이르며 가장 흔한 원인은 광범위한 심근경색에 의한 경우나 좌심실 부전이 동반된 환자에게서 새로운 심근경색이 발생한 경우이며, 이 경우에는 대부분 급성 심근경색 이후 24시간 이내에 쇼크를 동반한다. 그리고 급성 심근경색 환자에서 심인성 쇼크를 동반하는 경우는 5–10%에 이른다.

표 9-7. 심인성 쇼크의 원인들

급성 심근경색
- 펌프 부전
- 기계적 결함
· 급성 승모판 역류(acute mitral regurgitation)
· 심실중격결함(ventricular septal defect)
· 좌심실벽파열(free wall rupture)
· 심막압전(Pericardial tamponade)
- 우심실 경색
기타 원인
- 말기의 심근병증(end-stage cardiomyopathy)
- 심근염(myocarditis)
- 중증의 심근타박상(myocardial contusion)
- 장기간의 심폐순환
- 패혈증이 동반된 심근억제
- 좌심실 유출 폐쇄
· 대동맥 협착(aortic stenosis)
· 폐쇄비대심장근육병증(Hypertrophic obstructive cardiomyopathy)
- 좌심실 충만의 폐쇄
· 승모판 협착(Mitral stenosis)
· 좌심방(Left atrial myxoma)
- 급성 승모판 역류(Acute mitral regurgitation)
- 급성 대동맥판 역류(Acute aortic regurgitation)

심근경색가 환자가 쇼크를 동반한 경우는 혈역학적 안정화와 함께 은폐된 조직의 저관류를 조기에 발견하여 적극적인 치료를 시행하여야 사망률의 감소를 기대할 수 있다. 따라서 신속한 평가, 충분한 소생술을 통해 조기에 심장의 잔여심근의 기능을 회복시키는 것이 가장 중요하다.

(1) 진단

심인성 쇼크의 원인을 규명할 때에는 심인성 외에 쇼크를 일으킬 수 있는 원인인 출혈, 패혈증, 폐색전증, 대동맥박리 등을 먼저 감별하여야 한다. 특히 다발성 외상환자의 경우에는 둔상에 의한 심근손상이 의심되는 환자라 할지라도 동반된 출혈에 의한 것이 아님을 철저히 배제한 후 심인성 쇼크로 진단한다. 심인성 쇼크에서 볼 수 있는 특징적 병력과 이학적 검사를 통해 진단에 도움을 얻을 수 있다. 심인성 쇼크를 시사하는 소견으로는 의식의 변화, 경정맥의 팽창, 심음의 강도변화, 부정맥의 유무, 잡음murmur의 유무와 위치 등이 있다. 검사로는 심전도나 심초음파 검사, 단순 흉부 X선, 동맥혈가스분석, 심장효소cardiac enzyme 등이 이를 뒷받침 해준다.

(2) 치료

가. 일반적 치료

심인성 쇼크의 일차치료는 혈역학적 안정화이다. 심장 문제에 대한 최종적인 치료를 하기 위해서는 쇼크의 일반적인 소생술을 통하여 환자의 상태를 안정하게 유지하여야 한다. 필요한 경우 기도유지와 호흡을 보조하여 호흡의 부하를 낮추면서 충분한 산소화를 통해 심근으로의 산소를 충분히 전달되도록 한다. 수액요법은 신중하게 모니터링하며 전부하를 유지하도록 하나 면밀한 검사를 통해 수액이 과부하되는 것을 방지한다. 저마그네슘 혈증이나 저칼륨 혈증과 같은 전해질 이상도 교정해 주며 진통제로 통증을 조절하여 안정을 취하도록 한다. 의미있는 부정맥이나 심근차단은 부정맥약, 조율pacing, 혹은 심장율동전환cardioversion을 통해 조절한다. 심근경색과 관련된 심인성 쇼크 환자는 심장 전문의의 자문을 얻어 조기에 최종적인 치료 계획을 함께 세우도록 한다.

나. 약물치료

심한 심기능 부전을 동반한 경우는 약물적 치료를 필요로 하게 된다.

① 도파민

도파민은 용량에 따라 β1(심장자극), β2(혈관확장), α(혈관수축)의 수용체에 각각 작용을 한다. 심인성 쇼크에서는 주로 저용량을 사용하는데 이는 저용량에서는 심인성 쇼크에서 요구되는 β수용체에 주로 작용하기 때문이다. 그러나 도파민의 사용과 관련되어 발생하는 빈맥이나 말초저항의 상승은 심근 허혈을 오히려 악화시킬 수 있으므로 주의한다.

② 도부타민

도부타민은 β1수용체에 작용하여 심박출량을 증가시키나, β2 수용체에 작용하여 말초 혈관을 확장시켜 오히려 저혈압이 발생할 수 있다. 따라서 심인성 쇼크 시 사용할 때에는 혈장량 증가로 전부하를 충분히 유지시킨 후 사용한다.

③ 대동맥 내 기구 펌프

대동맥 내 기구 펌프Intra Aortic Balloon Pump (IABP)는 일시적으로 사용하는 심장의 보조적 기구로서 후부하를 줄이고 이완기 관상동맥관류압을 유지시켜 심박출량을 증가시킨다. 특히 심장의 수축촉진제와는 달리 심근의 산소요구량을 증가시키지는 않으므로 선호된다. IABP는 심인성 쇼크에서 사용되며 설치가 간편하여 의료진이 작동하는데 익숙하다면 중환자실에서 쉽게 사용이 가능하다.

④ 급성심근경색의 치료

심인성 쇼크가 급성 심근경색에 의한 것이라도 초기에는 쇼크에 준하여 일차치료를 시행한다. 위의 치료들을 통해 환자가 안정화된 이후에는 급성 심근경색에 적합한 치료를 결정한다. 최종치료는 심장 전문의와 함께 상의하여 신중하게 시행하여야 하며 경피적 경혈관 관상동맥 확장술Percutaneous Transluminal Coronary Angioplasty (PTCA), 혈전용해술thrombolysis등이 있으며 항응고제, 아스피린의, ACE inhibitor, 그리고 β 차단제 등이 있다. 치료는 환자의 심근경색의 정도와 기저상태에 맞추어 결정한다.

4) 신경성 쇼크

(1) 병태생리

신경학적으로 손상을 받은 환자들은 그 자체로 인해 쇼크가 발생할 수 있는데 대부분은 경추 6번째 이상의 척추에 손상이 있을 때 가장 흔하며 기전은 척수손상으로 인해 교감신경 통로가 끊기면서 발생한다. 기전은 다음의 3가지로 설명한다.

첫 번째 혈관 확장성 신경성쇼크vasodilatory neurogenic

shock로 척수손상으로 인해 교감신경 통로가 끊기면서 그에 따른 말초혈관의 긴장도 조절능력이 상실되면서 발생한다. 혈관운동성의 긴장도가 감소되면 혈장 보유량vascular capacitance이 증가되면서 정맥 환류가 감소되고 심박출량이 감소하게 된다. 두 번째 기전은 심장에 작용하는 교감신경 조절이상으로 박동수 증가 및 심박출량을 증가시키는 정상적인 기능이 소실되면서 쇼크가 초래된다. 마지막으로 부신 수질에서 교감신경계 조절이 안되어 카테콜라민을 분비하는데 장애가 발생하는 것이다.

그러나 일반적으로 신경학적 손상이 동반된 외상환자에서 쇼크가 발생했을 때 모든 기질적인 원인이 배제된 이후에 신경성 쇼크를 의심하여야 한다. 왜냐하면 척수손상의 외상환자는 다발성 외상이 동반된 경우가 많으므로 다른 원인의 쇼크를 감별하여야 한다. 한 연구에 의하면 신경손상을 동반한 외상환자의 쇼크원인 중 74%는 외상에 의한 출혈성 쇼크였으며 순수한 신경성 쇼크는 7%에 불과하였다.

(2) 진단

전형적인 증상은 저혈압, 서맥(교감신경계에 의한 보상작용이 일어나지 못하므로), 따뜻한 사지(혈관수축이 일어나지 못하므로) 그리고 척수손상을 시사하는 운동 혹은 감각이상 증상 과 함께 방사선학적으로 척추체의 골절이 입증된 경우이다. 외상환자에서 일어날 수 있는 출혈성 쇼크와는 달리 저혈압과 함께 빈맥이 아닌 서맥이 온다는 것이 특징적이다.

쇼크의 정도는 물론 신경손상의 심각성과 함께 환자의 기저 심혈관계 기능에 의해 좌우된다.

(3) 치료

기도와 호흡을 충분히 유지한 후 수액요법을 통한 소생술을 시행한다. 대부분의 환자들은 충분한 수액요법으로 혈장량을 증가시켜주는 것만으로도 쇼크에서 회복한다. 그러나 일부 환자에서는 혈관수축제를 포함한 혈압상승제의 투여를 필요로 한다. 이 때 주로 사용하는 혈압상승제로는 가능한 혈관수축작용을 가지는 도파민, 노르에피네프린, 페닐에프린등의 α-작용제를 사용한다.

이전에도 언급했다시피 다발성 외상환자에서 쇼크가 출혈에 의한 것이 아님을 반드시 배제한 후에 신경성 쇼크에 준한 치료를 한다. 치료는 평균 동맥압을 충분히 올려 척수로의 관류를 최적화하여 척수에 이차 손상이 일어나지 않도록 하는데 있다.

4. 목표 및 치료의 평가

쇼크의 최종적인 치료목적은 조직으로 충분한 관류와 산소를 유지하는 것이다. 쇼크가 발생했을 때 신속하고 적절한 처치가 이뤄지면 의식이 회복되고, 혈압이 정상으로 환원되며 소변량이 증가하는 등의 임상적 호전이 나타난다. 이것을 "보상된 쇼크compensated shock"라고 한다. 그러나 쇼크환자 중 정상혈압을 회복되었다 하더라도 80-85% 환자에서는 부분적인 조직의 저관류가 한동안 지속될 수 있으므로 조직의 저관류를 반영하는 지표인 젖산, 혼합정맥산소포화도 등을 활용하여 치료에 대한 평가를 하여야 한다. 조직의 저관류 상태가 지속되면 세포단계에서 혐기대사가 이뤄지고 이로 인해 조직산성화, 장기부전이 그리고 심각한 경우에는 다발성장기부전에 의한 사망으로 이어지게 되기 때문이다. 따라서 쇼크를 치료할 때 소생술에 대한 평가는 혈압 등의 전신적인 평가는 물론 조직의 관류 정도를 정확히 평가하는 것은 매우 중요하다. 감시장치로서 이상적인 조건은 독립적이고, 비침습적이며, 언제든지 사용가능하고 안전하고 경제적인 것이다. 아직까지는 독립적인 검사로서 이 모든 것을 충족하는 단일 감시방법은 없다. 그러나 여러가지의 감시결과를 바탕으로 임상양상에 따라 해석한다면 가장 정확하게 환자상태를 평가할 수 있다. 따라서 조직관류 여부를 평가할 수 있는 여러가지 감시방법의 특성과 임상적 의미를 알아보고자 한다.

1) 기본적인 혈역학적 감시

가장 기본적인 방법들로는 비침습적 혈압측정, 심전도, 소변량 등이 포함된다. 정확한 혈압을 측정하는 것은 그 중 가장 중요하다. 그러나 부정맥이나 말초혈관질환, 낮은 맥압pulse pressure 등의 조건에서는 원래보다 혈압이 낮게 측정될 수 있다. 추가적 정보가 필요하다면 침습적 방법들을 고려하여야 한다.

2) 침습적 혈역학적 감시

침습적 감시장치는 지속적으로 정량화된 정보를 제공한다. 그러나 중환자의 다양한 임상상황은 잘못된 정보를 보여주는 경우가 종종 발생할 수 있다. 따라서 감시장치를 통해 얻은 정보들을 임상상황에 맞추어 주위 깊게 해석하면 쇼크의 치료에 유용하게 이용될 수 있지만, 잘못 전달된 정보를 그대로 이용하는 경우 그릇된 치료적 판단을 할 수도 있다. 따라서 감시장치를 통해 얻은 정보들은 절대적 수치를 그대로 이용하기 보다는 임상적 상황에 맞추어 신중하게 해석하여야 한다.

(1) 동맥압

동맥 내 압력을 연속적으로 측정하는 감시장치이다. 이를 통해 수축기 혈압, 이완기 혈압, 평균 동맥압, 맥압, 수축기압 변동 등을 측정할 수 있다.

압력과 더불어 파형 등을 통해 많은 정보들을 얻을 수 있다. 수축기 혈압은 좌심실의 수축력, 유류, 말초혈관 저항성, 동맥벽의 팽창성의 정도에 따라 달라질 수 있다. 따라서 측정하는 동맥의 위치에 따라 그 수치가 변할 수 있다. 중심동맥과 비교하여 말초동맥에서 혈압을 재면 수축기압이 높으며 맥압이 크고 파형은 좁아 결과적으로 평균압은 유사하다. 그러나 과량의 혈압 상승제를 사용하는 경우는 오히려 말초동맥보다 중심동맥의 혈압이 높게 측정된다.

수축압 변동은 호흡에 따라 수축기 혈압이 변하는 폭을 말하며 수축압 변동이 10mmHg 이상인 경우에는 저혈량 상태임을 반영하며 쇼크시 수액요법에 반응한다는 것을 시사한다.

(2) 중심정맥압

중심 정맥관을 통해 우심방 압력을 감시한다. 전신순환으로부터 귀환하는 우심방의 압력이 일반적으로는 우심실의 전부하는 물론 좌심실의 전부하를 반영한다고 간주하고 임상에서 많이 사용하였다. 그러나 중환자의 경우 전부하를 평가하는 방법을 현재는 권고하지 않고 있다.

그러나 중심정맥압은 아직도 폐동맥압 감시보다 비침습적이고 저렴한 방법으로, 우측심장의 혈역학적 상황과 혈관용적상태에 대한 유일한 정보를 제공해 준다.

3) 산소전달능

Shoemaker 등에 의해 “supranormal oxygen rescucitation(최상의 산소 소생술)”에 대한 연구가 시행되었다. 조직으로의 산소전달에 필요한 인자들을 최대한으로 교정하여 소생술의 치료효과를 극대화하자는 개념이다. 조직으로의 산소전달에 기여하는 인자로는 Fick의 공식에 따라 산소전달(DO_2)은 600mL/minute/m^2 이상, 심장지표(CI)는 4.5L/min/m^2 이상, 그리고 산소소모지표는 170mL/minute/m^2 이상을 유지하는 것을 목표로 한다. 이들 지표를 통해 쇼크의 소생술을 시행하였을 때 사망률을 급격히 낮췄다고 보고하였다.

Fick의 공식은 아래와 같다.

$$DO_2(\text{mL/minute/m}^2)=(CaO_2)\times(CI)\times(10)$$
$$CaO_2=[(Hb)\times(SaO_2)\times(1.34)]+[(PaO_2)\times(0.001)]$$

그러나 그 이후의 후속 연구에 따르면 산소전달 중 심장지수를 정상이상으로 극대화하거나 혼합 정맥혈포화도를 정상 이상으로 올렸다고 해서 사망률이 감소하지는 않았다. 따라서 산소전달능은 치료의 목표로 사용하지 않으며 치료에도 불구하고 산소전달이나 심장지수가 호전 되지 않는 고령환자나 중환자들은 치료결과가 나쁠 것이라고 예측하는 예후인자로서는 의미가 있을 것이라고 보고하고 있다.

4) 젖산

대사과정 중 산소가 부족하게 되면 피루브산염pyruvate이 젖산 탈수소효소lactate dehydrogenase에 의해 젖산으로 전환되면서 발생한다. 이때 발생한 젖산은 전신순환을 타고 돌다가 50%는 간에서 30%는 신장에서 대사되어 없어진다. 대부분은 쇼크와 같은 저산소 상태에서 젖산산증lactic acidosis이 발생하나, 그 외에도 간기능이 심하게 저하되는 급성기에 젖산이 적절히 대사되지 못하는 경우에도 젖산혈증이 발생하는 것을 볼 수 있다.

일반적으로 젖산혈증은 조직에서의 산소 부족 정도를 반영하며, 이를 통해 쇼크의 중증도가 얼마나 지속되었는지를 알 수 있는 자료이다. 쇼크의 예후지표로서 초기에 젖산농도도 중요하지만 치료의 경과와 함께 젖산의 변화 추세를 보는 것이 더욱 정확한 것으로 알려져 있다. 한 연구에서 젖산이 쇼크발생 후 24시간 내에 정상으로 환원되면 사망률이 10% 이내이며, 24시간에서 48시간 내에 정상으로 회복되면 사망률은 25%, 48시간이 지나도 정상으로 환원되지 않으면 사망률이 80% 이상이 된다고 보고하고 있다.

5) 염기부족

염기 부족은 1L의 전혈을 37℃에서 O_2가 완전 포화되어 있으며 PCO_2가 40mmHg인 조건에서 pH 7.4로 유지하는데 필요한 염기의 양이다. 동맥혈에서 채혈하여 검사하며 간편하고 쉽게 측정이 가능하다. 특히 외상환자의 경우 내원 24시간 이내의 염기부족의 추세에 따라 사망률을 예측할 수 있다. 혈청 내 중탄산염의 정도가 pH, anion gap, 젖산 혈중 농도등보다 대사성 산증과 사망률을 예측하는 인자로서 더욱 정확한 것으로 보고된 바 있다.

6) Gastric tonometry

젖산과 염기부족이 전반적이 조직의 산성화 및 저관류를 반영하는 것이라면 특정한 조직에서의 관류 정도를 평가하는 방법들도 있다. 조직에 따라 혈류량이 차이가 있어 일부 조직에서만 여전히 저관류가 유지되는 경우가 있다. Gastric tonometry는 위장관계의 관류상태를 감시하는 장치이다. 특수하게 제조된 비위관을 통해 위장관에서의 CO_2를 잰 후, 혈청과 HCO_3^-가 위장관과 농도가 같다고 가정을 하면 Henderson-Hesselbalch식을 통해 pH를 구하는 것이 가능하다. 정상적으로는 위장관의 pH가 7.3이상이지만, 조직으로의 산소공급이 줄어들면 pH는 7.3이하가 된다. 이를 통해 위장관으로의 관류정도를 예측한다. 마찬가지로 소생술과 함께 수치가 정상적으로 돌아온다면 좋은 예후를 반영하나 이것이 반드시 소생술의 최종 목표로 사용되는 것은 적절치 않다.

7) 근적외선분광분석법

근적외선분광분석법near infrared spectroscopy는 비침습적 조직산소화의 정도를 측정하는 감시장치이다. 산화혈색소와 전체 혈색소의 비율(StO_2)을 새끼두덩hypothenar 위치에서 전자기복사선 중 650-1,100nm 대역의 분역에 있는 분자의 진동에너지를 통해 측정된 빛의 흡수와 반사를 통하여 측정하게 된다. 새끼두덩에 장치를 위치하고 StO_2을 측정하면 정상인의 경우에는 87±6%정도로 측정되며 쇼크 상태에서는 이보다 감소하고 적절한 소생술과 함께 증가된다. 75%를 치료적 목표로 여긴다. 민감도와 특이도에 대해서는 아직 구체적인 연구가 되지 않았으며 간편성, 연속성, 비침습성이 가장 큰 장점이나 임상적 결과가 제한적이고 단지와 근육의 거리에 따라 차이를 보일 수 있다.

5. 치료

1) 수액요법

모든 종류의 쇼크에서 일차적인 치료방법은 수액요법으로 혈장량을 보충해 주는 것이다. 수액요법은 모든 종류의 쇼크에서 모두 필요로 한다.

수액요법의 목표를 기존에는 중심정맥압 8-12mmHg,

폐동맥쐐기압 12-15mmHg 등 일정수치에static measurement 도달여부로 하였으나, 최근에는 수액투여에 따른 혈역학적 개선여부로 판단dynamic measurement하는 것이 좀 더 효과적으로 알려져 있다. 수액요법으로 일회박출량이 증가여부를 확인하는 것으로 예를 들면, 다리거상법passive leg raises, 수액투여와 함께 일회박출량 증가여부, 또는 간접적으로 양압호흡에 따른 수축동맥압, 맥압, 일회박출량의 변화여부를 통해 수액요법의 효과를 판단하기도 한다.

수액 요법시의 수액의 종류에 대해서는 아직 논란의 여지가 많으며, 수액의 종류보다는 목표치까지 혈장량을 충분히 유지하여 조직의 관류를 유지시키도록 하는 것이 더욱 중요하다.

쇼크 시 수액요법을 할 때에는 일반적으로 30분 내에 정질용액은 1L, 교질용액은 300-500mL 정도를 투여한다. 수액요법의 필요량은 환자의 중증도와 그에 따른 혈장부족량에 따라 서로 다르다. 따라서 생리학적 지표를 감시하면서 여러 차례 반복 시행하여야 하나 수액요법을 통해 심실 충만압이 증가함에도 불구하고 혈역학적 호전이 없을 시에는 추가적인 수액요법은 신중히 고려하여 결정한다. 불필요한 과잉의 수액요법은 심박출량을 더 이상 증가시키지 않을 뿐만 아니라, 오히려 폐부종으로 인해 산소포화도를 감소시키고 복압을 증가시키는 등의 좋지 않은 결과를 초래할 수 있으므로 주의하여야 한다. 따라서 수액요법을 시행할 때에는 흉부청진과 함께 산소포화도를 지속적으로 감시하여야 한다.

수액요법 시에는 정질용액crystalloid와 교질용액colloid 혹은 혈액제재를 사용할 수 있다. 정질용액은 링거 젖산용액이나 생리식염수 등이 있으며 교질용액으로는 hetastarch, albumin, 그리고 최근에는 거의 사용하지 않는 gelatin 등이 있다.

쇼크 시에는 혈장량을 회복하는 것과 함께 산소전달능력을 유지하기 위해 농축적혈구를 투여하여야 한다. 성인의 경우에는 7.0-9.0g/dL 유지하도록 한다. 특히 출혈이 있거나 빈혈을 동반한 경우에는 반드시 9.0g/dL 이상유지하도록 한다.

2) 약물학적 치료

쇼크 시 가장 흔히 사용하는 약물은 카테콜라민 계열이다. 이들은 수액에도 반응하지 않는 쇼크상태에서 평균동맥압을 올리기 위해 사용하는 약물이다. 그 밖에도 저혈압 없이 지속되는 쇼크상태에 조직으로의 관류를 유지하기 위해 여러 가지 약물들을 사용한다. 그에 대한 설명은 아래와 같다.

(1) 혈압 상승제

일반적으로 각 장기로의 관류압은 쇼크가 발생하면 주요 장기의 혈류량을 유지하기 위해 자동 조절된다. 그러나 쇼크가 심각하여 스스로의 보상작용만으로 유지가 되지 않을 시는 약물의 투여가 필요하게 된다.

가. 도파민

오랜 기간 동안 쇼크의 소생술 시 사용되어 온 약물이다. 용량에 따라 α, β 도파민 수용체에 작용한다. 0-5ug/kg/min은 신장용량 renal-dose이라 하여 도파민 수용체에 작용하여 신장과 장간막으로 가는 혈관을 확장시켜 소변량을 증가시키기 위해 널리 사용되어 왔다. 그러나 최근에는 궁극적으로 신장의 기능을 호전시키지 못하고 사망률 향상에는 영향을 미치지 못하여 현재는 사용하지 않도록 권고하고 있다. 5-10ug/kg/min의 용량에서는 β수용체에 작용을 하여 수축촉진제와 강심제의 효과를 보인다. 고용량인 10-20ug/kg/min에서는 α수용체에 작용하여 순수한 혈관수축제로서의 역할을 한다.

이제까지는 주로 쇼크의 일차 약물요법으로 많이 사용하였으나, 노르에피네프린과 비교하여 심박동수를 많이 상승시키고, 심인성 쇼크에서 심부전이 동반된 경우에는 도파민이 오히려 사망률을 높일 수 있다고도 보고 된 바 있다. 그러나 아직도 도파민은 쇼크에서 노르에피네프린과 함께 일차약제로 사용한다.

나. 노르에피네프린

스트레스에 반응하여 신경절 이후 아드레날린 신경에

서 분비된다. 이는 강력한 α-아드레날린 효과를 보이며 β1의 효과는 그리 크지 않다. α-아드레날린 효과에 의해 혈관을 수축시키는데 수축기는 물론 이완기 혈압이 상승하고, 정맥 내의 혈류가 심장 내로 환류되어 이완기 심실 충만압이 증가된다. β-아드레날린 효과에 의해 심수축력이 증가되고 일회 박출량이 증가되더라도 혈관수축에 의한 후부하가 증가되므로 그 증가는 미비하다.

노르에피네프린은 비교적 안전하고 쉽게 그 효과를 측정할 수 있어 패혈증 쇼크의 치료의 일선을 담당한다. 그 밖에도 일시적인 심인성 쇼크나 분배성 쇼크에서 유용하게 사용된다.

다. 에피네프린

부신수질에서 분비되는 생리적 아드레날린 호르몬 중의 하나로 강력한 카테콜라민이다. α1-수용체에 작용하여 강력한 동맥, 정맥혈관의 수축을 담당하며, 이는 지엽적으로 일부 장관이나 신장으로의 혈류량을 감소시키기도 한다. β 수용체에도 작용하여 심박동수를 증가시키고 심수축력도 증가시킨다. 노르에피네프린과는 달리 β2 수용체에 작용하여 혈관확장 효과를 일부 보여 이완기 혈압의 상승은 크지 않다. 따라서 평균 동맥압 증가효과는 노르에피네프린에 미치지 못한다. 에피네프린은 주로 도파민이나 노르에프네프린에도 반응하지 않는 쇼크에서 사용한다.

또한 β2수용체와 결합하여 비만세포mast cell의 효과를 감소시킴으로 아나필락시스 쇼크에도 사용된다.

라. 페닐에프린

순수한 α-수용체에 작용하여 혈관 수축제로서의 역할을 한다. 따라서 빈맥을 동반한 분배성 쇼크에서 사용되곤 한다. 전신혈관저항의 증가로 인해 심장기능의 저하를 일으켜 흔히 사용되지는 않으며, 특히 산모의 경우 비교적 다른 혈압 상승제보다 부작용이 적어 사용된다.

(2) 수축촉진제

수축촉진제inotropic agent는 심장의 수축력을 증가시켜 심박출량을 증가시키는 역할을 한다. 좌심실 부전의 원인은 매우 다양하다. 심장기능이 저하된 경우에 수축촉진제를 사용하는 것이 도움이 되기는 하겠지만 이를 통해 생존율이 증가한다는 보고는 없었다. 따라서 원인질환이 교정될 때까지 한시적으로 사용한다.

가. 도부타민

β1, β2 수용체에 작용하여 심장의 수축력을 높이나, β2의 혈관확장능력이 제한적으로 있어 혈압이 증가되지는 않는다. 오히려 심박동이 증가되면서 혈압이 떨어지기도 한다. 패혈증 쇼크에서도 심장기능이 저하된 환자의 경우에는 도부타민의 투여가 치료에 도움을 줄 수 있으나 이전의 supranormal oxygen rescucitation에 준한 무분별한 사용은 권고하지 않는다.

나. 아이소프로테레놀

순수한 β 수용체에 작용하는 심장 수축촉진제이다. β1, β2 수용체에 모두 작용하여 심장수축력과 박동수는 늘리지만, β2 수용체에 작용하여 혈관확장을 유발하므로 혈압이 올라가지는 않는다. 따라서 심박출량은 증가하나 혈류가 분배되는 효과는 많지 않다.

심장 수축력의 증가로 인해 산소소비량은 증가하나 이완기 혈압이 증가되지 않아 심근허혈이 동반될 수도 있다.

다. 밀리논

합성된 Phosphodiesterase III inhibitor이다. 심장과 말초 혈관 평활근에서 cyclic AMP의 대사를 차단하여 심근수축력을 증가시키고 말초의 동맥과 정맥을 확장시킨다. 결과적으로 전부하를 감소시키기도 하나 후부하를 감소시키므로 심근부하는 감소된다.

그러나 저혈압이 동반된 환자에서는 이 약제를 사용하면서 급작스럽게 혈압이 떨어질 수 있다. 따라서 제한된 경우의 심부전 환자에서 사용한다.

(3) 기타 약제

가. 바소프레신

혈관 수축제뿐만 아니라 항이뇨 효과를 기대하며 사용한다. 혈관의 V1 수용체에 작용하여 수축을 유발한다. 특히 패혈성 쇼크에서는 일산화탄소에 의한 혈관확장이 일어나므로 카테콜라민에 대한 저항성이 증가된다. 일부 연구에서 출혈성 쇼크와 패혈증 쇼크 시에 바소프레신도 감소된 것으로 보고되고 있어 호르몬의 대치요법으로도 사용하기도 한다.

현재 바소프레신은 패혈증 쇼크의 경우 0.03μ/min까지 투여할 수 있으며 이를 통해 노르에피네프린의 용량을 감소시킬 수 있다.

요약

쇼크는 오랜 기간 동안 단순한 저혈압 상태로 간주하여 왔으나, 최근 들어서는 개념이 좀더 포괄적으로 확대되어 산소와 영양소가 조직이나 세포로 충분히 전달되지 않아 기능이 저하되는 상태로 정의한다. 비록 혈압이 정상이라 하더라도 일부 조직으로의 은폐된 저관류와 세포의 기능저하가 있을 수 있으므로, 쇼크를 단지 저혈압으로 간주하는 것은 적절치 않다.

쇼크의 초기단계에의 조직과 세포의 손상은 가역적으로 회복이 가능할 수 있으나, 손상이 장기화 된다면 비가역적인 상태가 되어 결국 다발성 장기부전으로 인한 사망으로 진행하게 된다.

쇼크의 임상양상은 원인질환, 기저질환 그리고 손상된 조직의 관류 정도에 따라 다양한 형태로 나타난다. 그러나 쇼크의 치료 근간은 기도를 유지하고, 혈장량을 정상적으로 보존시키며, 조직관류를 유지하면서 원인질환에 대한 근본적인 치료를 하는 것이다.

참고문헌

[I. 외상]

1. 김연우, 정용식, 김욱환 등. 중증외상환자에서 mesh를 이용한 일시적 수술창 봉합의 경험. 대한외상학회지 2005;18:70-78.
2. 백경원, 송현종, 이국종 등. 아동의 가정 내 손상에 영향을 미치는 요인. 대한외상학회지 2004;17:99-107.
3. 유동걸, 손영길, 조해창 등. 장관 손상으로 확진된 범발성 복막염에 대한 임상 고찰. 대한 외상 학회지 2001;14:1-5.
4. 이국종, 김재용, 이강현 등. 중증외상센터 설립방안. 대한외상학회지 2005;18:1-16.
5. 이국종. 외과의사 관점에서 외상전문의의 필요성과 과제. 대한외상학회지 2008;21:1-7.
6. 이성찬. 복부외상으로 인한 응급상황의 임상분석. 대한 외상 학회지 2000;13:98-102.
7. 정구영, 김준식, 김윤. 외상치료에서의 문제점과 예방가능한 사망. 대한응급의학회지 2001;12:45-56.
8. 정지윤, 백경원, 이국종 등. 교통사고로 인한 중증손상 환자에 대한 분석. 대한외상학회지 2004;17:139-148.
9. 차수현, 정용식, 원제환 등. 외상성 대량 간 손상 환자에서 수술 후 간동맥 색전술의 유용성. 대한외상학회지 2006;19:59-66.
10. Asensio JA, Berne JD, Demetriades D, et al. One hundred five penetrating cardiac injuries: a 2-year prospective evaluation. J Trauma 1998; 44:1073.
11. Biffl WL, Cothren CC, Brasel KJ, et al: A prospective observational multicenter study of the optimal management of patients with anterior abdominal stab wounds. J Trauma 64:250, 2008.
12. Brownstein M, Bunting T, Meyer A, et al. Diagnosis and management of blunt small bowel injury.: A survey of the membership of the American Association for the Surgery of Truama. J Trauma 2000;48:402-407.
13. Brunicardi FC, Andersen DK, Hunter JG, eds. Principles of Surgery. 9th ed. New York: McGraw-Hill 2009.
14. Campbell NC, Thomsen SR, Murkart DJ, et al. Review of 1198 cases of penetrating cardiac trauma. Br J surg. 1997;84:1737.
15. Collins JN, Cole FJ, Weireter LJ, et al. The usefulness of serum troponin levels in evaluating cardiac injury. Am Surg 2001;

67:821.
16. Cothren CC, Osborn PM, Moore EE, et al: Preperitoneal pelvic packing for hemodynamically unstable pelvic fractures: A paradigm shift. J Trauma 2007;62:834-842.
17. Davies DA, Fecteau A, Himidan S, etal. What's the incidence of delayed splenic bleeding in children after blunt trauma? An institutional experience and review of the literature. J Trauma. 2009;67:573-577.
18. De Maria E, Gaddi O, Navazio A, et al. Right atrial free wall rupture after blunt chest trauma. J Cardiovasc Med (Hagerstown) 2007; 8:946.
19. Demetriades D, Hadjizacharia P. Constantinou C, et al. Selective nonoperative management of penetrating abdominal solid organ injuries. Ann Surg 2006;244:620-628.
20. Demetriades D, Velmahos GC, Scalea TM, et al. Blunt traumatic thoracic aortic injuries: early or delayed repair--results of an American Association for the Surgery of Trauma prospective study. J Trauma. 2009 Apr;66(4):967-73.
21. Demetriades D, Velmahos GC, Scalea TM, et al. Diagnosis and treatment of blunt thoracic aortic injuries: changing perspectives. J Trauma. 2008 Jun;64(6):1415-8.
22. Demetriades D, Velmahos GC, Scalea TM, et al. Operative repair or endovascular stent graft in blunt traumatic thoracic aortic injuries: results of an American Association for the Surgery of Trauma Multicenter Study. J Trauma. 2008 Mar;64(3):561-70.
23. Demetriades D, Velmahos GC. Penetrating injuries of the chest: indications for operation. Scand J Surg. 2002;91(1):41-5.
24. Dolich MO, McKenney MG, Varela JE, et al. 2,576 ultrasounds for blunt abdominal trauma. J Trauma 2001;50:108-112.
25. Fabian TC, Richardson JD, Croce MA, et al. Prospective study of blunt aortic injury: Multicenter trial of the American Association for the Surgery of Trauma. J Trauma 1997;42:374-380.
26. Feliciano DV, Cruse PA, Mattox KL, et al. Delayed diagnosis of injuries to the diaphragm after penetrating wounds. J Trauma 1988; 28:1135.
27. Feliciano DV, Mattox KL, Moore EE, eds. Trauma. 7th ed. New York: McGraw-Hill 2013.
28. Fernandez V, Mestres G, Maeso J, et al. Endovascular treatment of traumatic thoracic aortic injuries: short- and medium-term Follow-up. Ann Vasc Surg. 2010 Feb;24(2):160-6.
29. Gunay C, Cingoz F, Kuralay E, et al. Surgical challenges for urgent approach in penetrating heart injuries. Heart Surg Forum 2007; 10:E473.
30. Jackson L, Stewart A. Best evidence topic report. Use of troponin for the diagnosis of myocardial contusion after blunt chest trauma. Emerg Med J 2005; 22:193.
31. Juan A. Asensio,Donald D. Trunkey. Current Therapy of Trauma and Surgical Critical Care, 2nd ed. Philadelpia: Elsevier; 2016.
32. Karmy-Jones R, Jurkovich GJ. Blunt chest trauma. Curr Probl Surg 2004; 41:211.
33. Kashuk JL, Moore EE, Sauaia A, et al. Postinjury life-threatening coagulopathy: Is 1:1 the answer? J Trauma 2008;65:261-270.
34. Kish G, Kozloff L, Joseph WL, Adkins PC. Indications for early thoracotomy in the management of chest trauma. Ann Thorac Surg 1976; 22:23.
35. Kozar RA, Moore FA, Cothren CC, et al. Risk factors for hepatic morbidity following nonoperative management: Multicenter study. Arch Surg 2006;141:451-459.
36. Malhatra AK, Fabian TC, Croce MA, et al. Blunt hepatic injury: A paradigm shift from operative to nonoperative management m the 1990s. Ann Surg 2000;231:804-813.
37. Malhotra AK, Fabian TC, Katsis SB, et al. Blunt bowel and mesenteric injuries: The role of screening computed tomography. J Trauma 2000;48:991-1000.
38. McIntyre LK, SchiffM, Jurkovich GJ. Failure of nonoperative management of splenic injuries: Causes and consequences. Arch Surg 2005;140:563-569.
39. Meredith JW, Hoth JJ. Thoracic trauma: when and how to intervene. Surg Clin North Am 2007; 87:95.
40. Moore EE. Staged laparotomy for the hypothermia, acidosis, and coagulopathy syndrome. Am J Surg 1996;172:405-410.
41. National Trauma Data Base. American College of Surgeons 2000-2004.
42. Ochsner MG, Knudson MM, Pachter HL, et al. Significance of minimal or no intraperitoneal fluid visible on CT scan associated with blunt liver and splenic injuries: A multicenter analysis. J Trauma 2000;49:505-510.
43. Sabiston DC, Townsend CM, Beauchamp RD, eds. 19th ed. Philadelphia: Saunders 2012.
44. The American College of Emergency Physicians, eds. Emergency Medicine, 6th ed. New York: McGraw-Hill 2004.
45. The American College of Surgeons. Advanced Trauma Life Support. 9th ed. Chicago: American College of Surgeons, 2012.
46. Upadhyaya P, Simpson JS. Splenic trauma in children. J Am Coll Surg. 1968;126:781.
47. Wall MJ Jr, Mattox KL, Chen CD, Baldwin JC. Acute management of complex cardiac injuries. J trauma. 1997;42:905.
48. Zantut L, Ivatury R, Smith R, et al. Diagnostic and therapeutic laparoscopy for penetrating abdominal trauma: A multicenter experience. J Trauma 1997;42:825-829.

[II. 쇼크]

1. Abou-Khalil B, Scalea TM, Trooskin SZ, et al. Hemodynamic responses to shock in young trauma patients:Need for invasive monitoring. Crit Care Med 1994;22:633.
2. Abramson D, Scalea TM, Hitchcock R, et al. Lactate clearance

and survival following injury. J Trauma 1993;35:584.

3. Abramson D, Scalea TM, Hitchcock R, et al. Lactate clearance and survival following injury. J Trauma. 1993;35:584.
4. American College of Surgeons Committee on Trauma: Advanced Trauma Life Support Course. Chicago:American College of Surgeons 1997;1.
5. Annane D, Bellissant E, Sebille V, et al. Impaired pressor sensitivity to noradrenaline in septic shock patients with and without impaired renal function reserve. Br J Clin Pharmacol 1998;46;589.
6. Annane D, Sebille V, Carpentier C, et al. Effect of treatment with low doses of hydrocortisone and fludrocortisone on mortality in patients with septic shock. JAMA 2002;288:862-871.
7. Bellomo R, Chapman M, Finfer S, st al. Low-dose dopamine inpatients with early renal dysfunction:a placebo-controlled randomized trial. Australian and New Zealand Intensive Care Society Clinical Trials Group. Lancet 2000;356:2139.
8. Bendjelid K, Romand JA. Fluid responsiveness in mechanically ventilated patients : A review of indices used in intensive care. Intensive Care Med 2003;29:352.
9. Bernard C:Lecons sur les phenomenes de la vie communs aux animax et aux vegetaux. Paris:JB Ballieve 1879:4.
10. Bernard GR, Vincent J-L, Laterre P-F, et al. Efficacy and safety of recombinant activated protein C for severe sepsis. N Eng J Med 2001;344:699.
11. Bilello JF, Davis JW, Cunningham MA, et al. Cervical spine cord injury and the need for cardiovascular intervention. Arch Surg 2003;138:1127.
12. Blalock A. Experimental shock:the cause of the low blood pressure produced by muscle injury. Arch Surg 1930;20:959.
13. Blalock A. Principles of surgical care, shock, and other problems. St Louis:CV Mosby 1940:1.
14. Bone RC, Balk RA, Cerra FB, et al. Definitions or sepsis and organ failure and guidelines for the use of innovative therapies in sepsis. the ACCP/SCCM Consensus conference Committee. American College of Chest Physicians/Society of Critical Care Medicine. Chest 1992;101:1644-1655,.
15. Cannon WB, Fraser J, Cowell EM. The preventive treatment of wound shock. JAMA 1918;70:618.
16. Cannon WB, Traumatic shock. New york:D. Appleton and Co. 1023:1.
17. FitzSullivan E, Salim A, Demetriades D, et al. Serum bicarbonate may replace the arterial base deficit in the trauma intensive care unit.Am J Surg. 2005;190:961.
18. Gattinoni L, Brazzi L, Pelosi P, et al. A trial of goal-oriented hemodynamic therapy in critical ill patients. N Engl J Med. 1995;333:1025.
19. Gibbons RJ, Smith SC, Jr, Antman E. American College of Cardiology/American Heart Association Clinical Practice Guidelines : Part II : Evolutionary changes in a continuous quality improvement projects. Circulation 2003;107:3101.
20. Goldstein DJ, Oz MC. Mechanical support for postcardiotomy cardiogenic shock. Semin Thorac Cardiovasc Surg 2000;12:220.
21. Hollenberg SM, Kavinsky CJ, Parillo JE et al. Cardiogenic shock. Ann Heart J 2001;141:964.
22. Horecker BL. The absorption spectra of hemoglobin and its derivatives in the visible and near infra-red regions. J Biol Chem. 1943;148:173.
23. Ivatury RR, Simon RJ, Havriliak D, et al. Gastric mucosal pH and oxygen delivery and oxygen cinsuption indices in the assessment of adequacy of rescucitation after trauma:A prospective, randomized study. J Trauma 1995;39:128.
24. Kellum J, Decker J. Use of dopamine in acute renal failure;a meta-analysis. Crit Care Med 2001;29:1526.
25. Kumur A, Roberts D, Wood KE, et al. Duration of hypotension before initiation of effective antimicrobial therapy is the critical determinant of survival in human septic shock. Crit Care Med 2006;34:1589.
26. Le Tulzo Y, Seguin P, Gacouin A, et al. Effects of epinephrine on right ventricular function in patients with severe septic shock and right ventricular failure:a preliminary descriptive study. Intensive Care Med 1997;23:664.
27. LeDran HF. A Treatise, or reflections drawn from practice on gun-shot wound. London:England 1737.
28. Lopez MR, Auler JOS, Michard F. Volume management in critically ill patients:new insight. Clinics 2006;61:345-350.
29. Malbrain ML, Deeren D, De Potter TJ. Intra-abdominal hypertension in the critically ill:It is time to pay attension. Curr Opin Crit Care 2005;11:156.
30. Martin C, Papazian L, Perrin G, et al. Norepinephrine or dopamine for the treatment of hyperdynamic septic shock. Chest 1993;103:1826.
31. Martin C, Viviand X, Leone M, et al. Effect of norepinephrine on the outcome of septic shock? Crit Care Med 2000;28:2758.
32. Martin MJ, FitzSullivan E, Salim A, et al. Use of serum bicarbonate measurement in place of arterial base deficit in the surgical intensive care unit. Arch Surg. 2005;140:745.
33. Maynard N, Bihari D, Beale R, et al. Assessment of splanchnic oxygenation by gastric tonometry in patients with acute circulatory failure. JAMA 1993;270:1203.
34. McKinley B, Kozar RA, Cocanour CS, et al. Normal versus supranormal oxygen delivery goals in shock resuscitation: the response is the same. J Trauma. 2002;53:825.
35. McNelis J, Marini CP, Jurkiewicz, et al. Prolonged lactate clearance is associated with increased mortality in the surgical intensive care unit. Am J Surg. 2001;182:481.
36. Morris EA. A practical treatise on shock after operations and in-

juries, London:Hardwicke 1867.

37. Neldhardt R, Keel M, Steckholzer U, et al. Relationship of interleukin-10 plasma levels to severity of injury and clinical outcome in injured patients. J Trauma 1997;42:863.
38. O'Rourke MF, Yaginuma T. Wave reflections and the arterial pulse. Arch Intern Med. 1984;54(3):366.
39. Report of the surgeon general of the army. 1900:318.
40. Rivers E, Nguyen B, Harstad S, et al. Early goal-directed therapy in the treatment of severe sepsis and septic shock. N Eng J Med 2001;345:1368.
41. Robin ED. Of men and mitochodria:Coping with hypoxic dysoxia. Am Rev Resp Dis 1980;122:517.
42. Shoemaker WC, Appel P, Bland R. Use of physiologic monitoring to predict outcome and to assist in clinical decisions in critically ill postoperative patients. Am J Surg. 1983;146:43.
43. Shoemaker WC, Appel PL, Kram HB, et al. Prospective trial of supranormal oxygen delivery goals in shock rescucitation:The response is the same. J Trauma 2003;53:825.
44. Shoemaker WC, Montgomery ES, Kaplan E, et al. Physiologic patterns in surviving and nonsurviving shock patients: use of sequential cardiorespiratory variables in defining criteria for therapeutic goals and early warning of death. Arch Surg. 1973;106:630.
45. Sprung C, Annane D, Keh D, et al. Hydrocortisone therapy for patients with septic shock. N Eng J Med 2008;358;111-124.
46. Stacpoole PW. Lactic acidosis and other mitochondrial disorders. Metabolism 1997;46:306.
47. Surviving sepsis Campaign: International guidelines for management of severe sepsis and septic. shock:2008 Intensive Care Med 2008;34:17-60.
48. Tennant R, Wiggers CJ. The effect of coronary occlusion on myocardial contraction. Am J Ohysiol 1935;211:351.
49. The NICE-SUGAR study investigators. Intensive versus conventional glucose control in critically ill patients. N Eng J Med 2009;360:1283.
50. Van der Berghe G, Wouters M, Weekers F, et al. Intensive insulin therapy in critically ill patients. N Eng J Med 2001;345:1359.
51. Velmahos GC, Demetriades D, Shoemaker WC, et al. Endpoints of resuscitation of critically injured patients: normal or supranormal? A prospective randomized trial. Ann Surg. 2000;232:409.
52. Vincent J-L, Bernard GR, Beale R, et al. Drotrecogin alfa treatment in severe sepsis from the global open-label trial ENHANCE:further evidence for survival and safety and implications for early treatment. Crit Care Med 2005;33:2266.
53. Vincent J-L, Dufaye P, Berre J, et al. Serial lactate determinations during circulatory shock. Crit Care Med. 1983;11:449.
54. Wiggers CJ. The physiology of shock. Cambridge, MA:Harvard university press 1950.
55. Wiggers CJ: Experimental hemorrhagic shock, in Physiology of shock. New York: Commonwealth, 1950:121.
56. Zipnick RI, Scalea TM, Trooskin SZ, et al. Hemodynamic responses to penetrating spinal cord trauma. J Trauma 1993;35:578.

Chapter 10

지혈, 출혈, 수혈

Hemostasis, Bleeding, Transfusion

수혈은 환자 치료에 필수 불가결한 것으로 특히 외과 의사는 수술 전후에 출혈이나 수혈을 흔히 접하게 된다. 따라서 지혈과 관계된 응고기전과 이에 영향을 미치는 요인들을 필수적으로 숙지하여야 하며, 응고장애나 출혈성 질환에 대한 이해와 수술 전 철저한 준비, 수혈에 대한 올바른 이해가 필요하다. 본 장에서는 혈액응고의 기전과 외과적 출혈 및 응고장애, 수혈의 적응증 및 합병증에 대해 이야기하고자 한다.

I 지혈

1. 혈액응고에 관여하는 인자

혈액응고반응은 손상된 혈관에서 출혈을 최소화하기 위해 일어나는 일련의 과정으로, 여러 인자들이 상호 작용하여 일어난다. 응고과정은 혈관수축, 혈소판침전 및 혈전형성, 섬유소형성, 그리고 섬유소용해fibrinolisis의 4 과정으로 구성된다(그림 10-1).

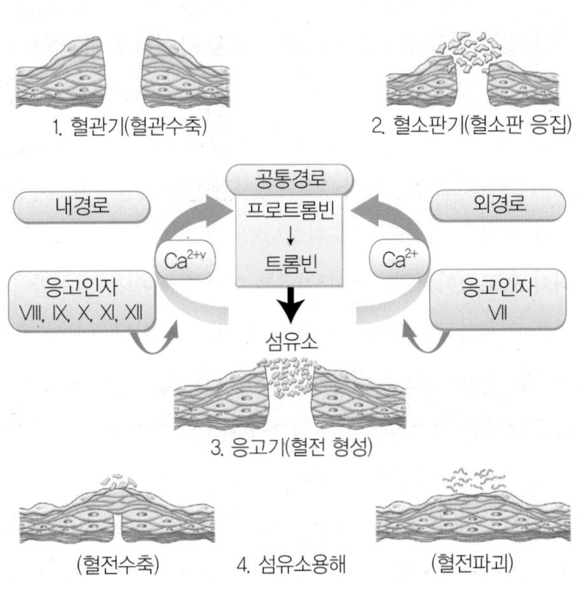

그림 10-1 응고과정

1) 혈관수축

혈관이 손상되면 가장 먼저 혈관이 수축하며, 이것은 초기 지혈에 중요한 역할을 한다. 혈관 내 평활근이 수축되며 곧바로 혈소판 응괴platelet plug를 형성한다.

손상된 혈관의 혈소판에서 트롬복산 A2 (TXA2)가 생성되어 평활근을 강하게 수축시키며, 엔도텔린endothelin과 세로토닌serotonin이 분비되어 혈관수축을 촉진한다. 또한 브라디키닌bradykinin과 피브리노펩티드fibrinopeptide 등도 혈관수축에 작용한다. 혈관의 수축정도는 혈관의 손상정도와 깊은 연관성이 있으며, 작은 직경의 혈관이 횡절단이 되면 혈관수축에 의해 저절로 지혈이 되기도 한다.

2) 혈소판의 작용

혈소판은 혈소판 응괴 형성과 트롬빈 생성에 중요한 역할을 한다. 혈관 손상 후 내피세포하subendothelial 콜라겐이 노출되면, 노출된 콜라겐에 혈소판이 부착되어 응괴 형성이 시작된다. 이 과정에서 내피세포하의 von Willerand인자(vWF)가 관여한다. vWF는 혈소판 막의 당단백 I/IX/V에 부착하고, 혈소판에서 ADP (Adenosine DiPhosphate), 세로토닌, 피브리노겐 등을 분비시켜 출혈을 억제한다. 이 때 분비되는 과정은 가역적으로 일어나며, 이 과정을 일차 지혈이라 한다. 이때 혈소판 막에서 분비된 아라키돈산은 사이클로옥시지네이스Cyclooxygenase (COX)에 의해 프로스타글란딘 G2 (PGG2)와 H2 (PGH2), 트롬복산 A2 (TXA2)로 합성된다. TXA2는 강력한 혈관수축 및 혈소판 응집을 촉진한다. 또한 COX는 인접 내피세포로 전달되어 프로스타글란딘I2 (PGI2)를 형성하며, 이는 혈소판응집을 억제하고, 혈관을 확장시키는 작용을 한다. 아스피린은 혈소판의 COX를 비가역적으로 억제하고, 비스테로이드성 소염제는 가역적으로 억제하여 혈소판 기능을 저하시키고 응고장애를 유발하게 된다.

혈소판이 응집되어 일차 지혈이 일어난 이후, 혈소판에서 ADP와 이온화칼슘, 세로토닌, TXA2 등이 재분비되며, 활성 혈소판의 풍부한 당단백Glycoprotein (GP) IIb/IIIa (αIIbβ3) complex 수용체에 대한 다리역할을 하는 섬유소원의 작용과 함께 비가역적인 혈소판의 응집이 진행되고, 섬유소와 혈소판이 결합하여 혈전이 형성된다(그림 10-2).

혈소판이 응고과정에서 작용하는 주된기능은 다음과 같다. (1) 모세관 투과억제, (2) 혈소판 부착 및 응집에 의한 응괴 형성 및 지혈 작용, (3) 혈소판 인자에 의한 응고기전 촉진 및 IV인자에 의한 항-헤파린 작용, (4) 응괴수축 작용, (5) 섬유소 용해 억제작용, (6) 세로토닌 분비에 의한 혈관 수축 등이다.

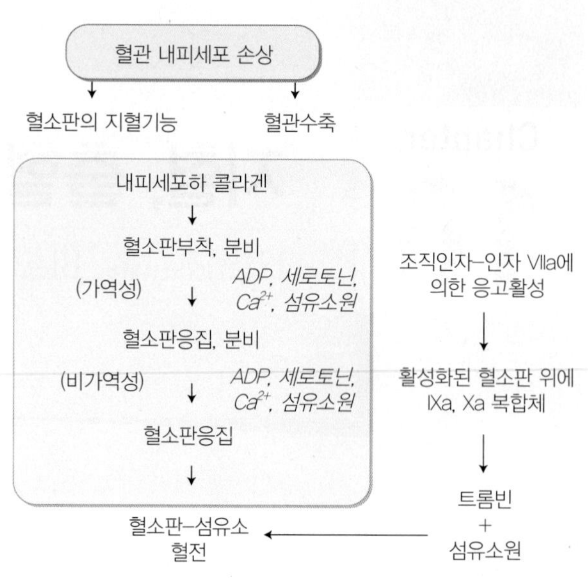

그림 10-2 혈관 손상 후에 일어나는 혈소판의 변화와 혈전의 형성 과정

2. 폭포 모델 응고과정

1964년에 Davie와 Ratnoff가 응고과정coagulation에 폭포 모델cascade model을 처음으로 제시한 후, MacFarlane이 혈액응고는 효소에 의한 반응임을 발표하면서, 응고기전이 밝혀지기 시작하였다.

효소에 의한 폭포 모델은 불활성 전구체precursor와 효소원zymogen이 활성화되어 섬유소를 만드는 과정을 설명하고 있으며, 내경로intrinsic pathway와 외경로extrinsic pathway, 공통경로common pathway를 거쳐 일어난다. 내경로는 음전이를 띤 혈관 표면의 활성화에 의한 칼리크레인의 활성과 인자XII, XI, IX, VIII, V가 관여하며, 외경로는 혈관 손상에 의한 조직인자Tissue Factor (TF)의 활성화와 인자VII이 관여를 한다. 이 두 경로를 통해 공통경로로 진행하며, 활성인자X (Xa)은 프로트롬빈(인자IIa)을 트롬빈으로 전환시키고, 트롬빈은 섬유소원을 섬유소로 전환시켜 혈전을 형성하게 된다(그림 10-3). 응고과정에 작용하는 인자는 I부터 XIII까지 있으며, 각각의 명칭과 특징은 표 10-1과 같다.

3. 세포기반 응고기전

전통적인 폭포 모델 응고기전은 인자 XII나 프리칼리크레인 결핍증과 같이 혈액응고 검사에서 정상으로 나타나는 질환을 설명하는 데는 한계가 있다. 이를 규명하기 위한 개념으로 조직인자를 발현하는 세포와 혈소판을 중심으로 한 세포기반 응고기전cell-based coagulation이 제시되었다. 세포기반 응고는 개시기initiation, 증폭기priming, 증식기propagation의 3단계에 걸쳐 일어난다(그림 10-4). 개시기는 조직인자를 함유하는 세포에서 시작되어 혈소판에서 증폭되고 활성 혈소판을 통해 증식이 일어난다.

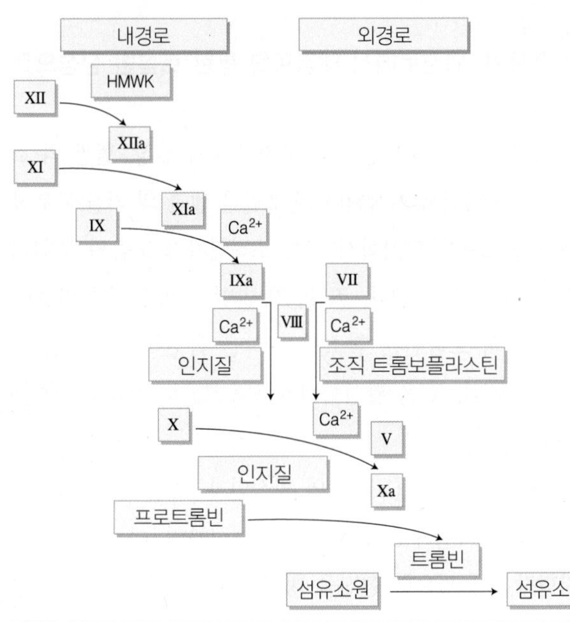

그림 10-3 폭포 모델 응고기전

1) 개시기

혈액응고가 시작될 때 조직인자가 중요한 역할을 한다. 혈관이 손상된 후 혈장이 조직인자를 발현하는 내피세포나 섬유아세포와 접촉하게 되면서 시작된다. 조직인자는 세포에서 발현되는 당단백으로 염증, 세포자멸사 및 세포이동에 관여하는 유전자의 활성을 유도하는 신호전달의 수용체 역할을 하며, 응고인자 VII/VIIa의 보조인자 역할을 한다. 응고인자 VII은 손상된 혈관의 세포에 발현된 조직인자와 결합하여 활성화되어(활성인자 VIIa), 조직인자: 인자 VIIa 복합체(TF: VIIa complex)를 형성한다. TF: VIIa는 응고인자X과 IX를 활성화시키고, 활성인자 X

표 10-1. 혈액응고인자의 명칭과 특징

인자	이름	반감기	합성되는 부위	비타민 K- 의존성
I	섬유소원(fibrinogen)	1.5-6.3일	간	아니오
II	프로트롬빈(prothrombin)	2-4일	간, 뇌	예
III	조직 인자(tissue factor)			아니오
IV	칼슘(calcium)			아니오
V	프로악셀레린(proaccelerin)	12-24시간	간, 거대핵세포	아니오
VII	프로컨버틴(proconvertin)	1-5시간	간	예
VIII	항혈우병 인자(antihemophantihem factor)	9-18시간	간, 비장, 내피세포, 세망내피세포	아니오
IX	크리스마스 인자(Christmas factor)	15-24시간	간	예
X	Stuart-Prower 인자	2-9시간	간	예
XI	혈장트롬보플라스틴 전구물질 (Plasma Thromboplastin Antecedent; PTA)	40-84시간	간	아니오
XII	하게만 인자(hageman factor)	48-52시간	간	아니오
XIII	섬유소 안정화 인자(fibrin-stabilizing factor)	4.5-12일	간, 거대핵세포	아니오

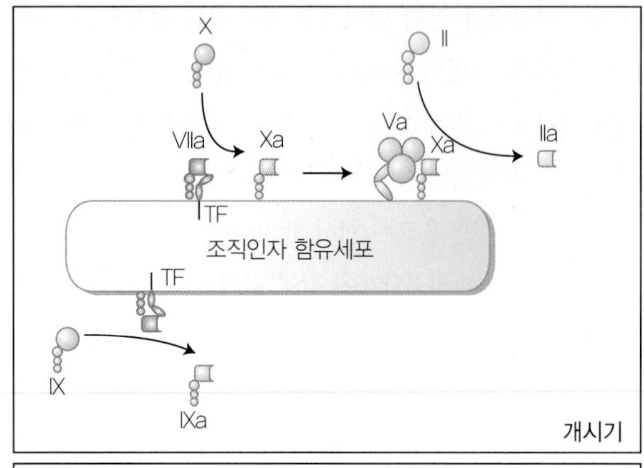

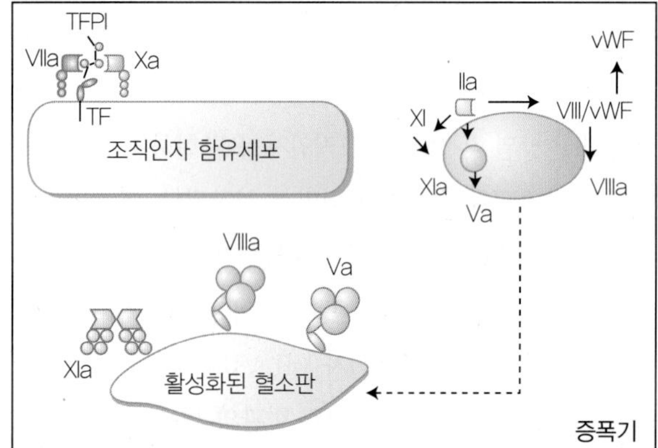

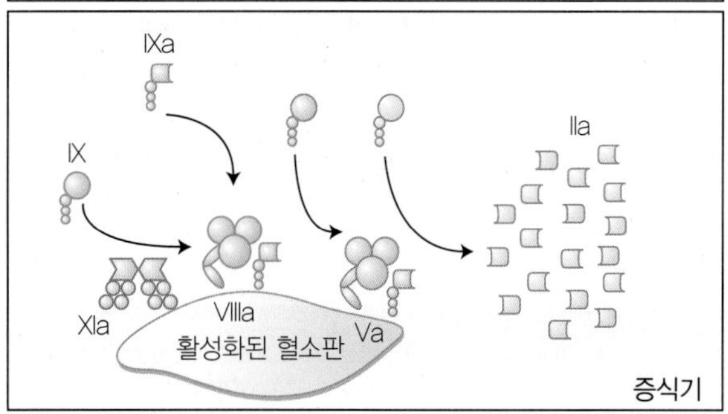

그림 10-4 세포기반 응고기전. 세포기반 응고기전의 3단계는 각각 다른 세포에서 일어나게 된다. 개시기는 조직인자를 함유하는 세포에서 일어나게 되며, 증폭기는 혈소판이 활성화 되면서 나타난다. 증식기는 활성화된 혈소판에서 일어나게 된다(TF:조직인자).

(Xa)는 인자 V를 활성화(Va)시키고, Va는 트롬빈을 생성한다. TF: VIIa는 조직인자 경로 억제자Tissue Factor Pathway Inhibitor (TFPI)나 항트롬빈 III Antithrombin III (AT III)에 의해 억제된다. 조직인자는 다양한 혈관외 조직에서 표현되며, 뇌, 심장, 폐 신장 및 고환 등에서도 높은 농도로 발현된다. 또한, 패혈증에서 나타나는 내독소, 인터루킨-6Interleukin-6 (IL-6), 종양괴사인자Tumor Necrosis Factor (TNF), 산화 저밀도 지방단백질Low Density Lipoprotein (LDL)에 의해서도 발현되어 응고반응을 유발할수 있다. 일부 암에서는 조직인자가 발현되어 종양 관련 혈전증Trousseau syndrome을 일으키기도 한다.

2) 증폭기: 외경로에서 내경로를 통한 트롬빈 생성으로 전환

증폭기는 혈관손상에 의해 혈소판과 혈장, 혈관 외 조직이 접촉하면서 시작된다. 혈소판은 혈관 외 기질에 부착되어 혈소판을 활성화시키고, 조직인자가 노출된 부위에 혈소판이 모이게 된다. 조직인자 발현 세포에 의해 만들어진 소량의 트롬빈은 혈소판 부착을 촉진하고, 혈소판과 인자V, VIII, XI을 활성화시켜 전응고procoagulant 신호를 증폭시킨다.

활성인자 VIII (VIIIa)와 활성인자 IX (IXa)가 결합하여 내인자 복합체(IXa: VIIIa)를 형성하며, 이는 지속적인 지혈작용에 필요한 혈전을 형성하기 위한 필수적인 과정이다. IXa: VIIIa는 활성인자 X (Xa)에 의해 증가되고, 트롬빈 생성을 가속화시킨다.

3) 증식기: 트롬빈 생성과 섬유소 침착

증식기에는 테나제tenase와 프로트롬비나제prothrombinase복합체들이 혈소판 표면에 모이면서, 트롬빈 형성이 일어나게 된다. 혈소판은 IXa, Xa, XI에 높은 친화력을 보인다. Xa가 혈소판 표면에 도착하면, IXa/VIIIa복합체를 형성하고, 이는 인자 X를 더욱 활성화시킨다. 인자 X는 혈소판이 활성화되면서 분비가 많아지면서 지속적으로 보충되고, 활성화가 지속된다. Xa는 Va와 결합하여 Xa/Va복합체를 형성하여, 인자II를 활성화시키고, 트롬빈 응괴를 만들게 된다. 증식기는 손상부위에서 활성 혈소판이 보충되는 정도에 영향을 받게 된다.

4. 섬유소용해

섬유소용해는 응고기전이 활성화되어 만들어진 섬유소를 제거하는 과정으로 혈류를 재개시키는데 필수적이며, 플라스민plasmin이 중추적인 역할을 한다. 플라스민은 섬유소를 분해하여 섬유소 분해산물Fibrin Degradation Products (FDP)를 만들게 된다. FDP는 단백질 분해효소protease에 의해 분해되어, 간과 신장을 통해 배설된다.

플라스민은 조직형 플라스미노겐 활성제tissue type Plasminogen Activator (t-PA)와 유로키나제형 플라스미노겐 활성제urokinase type Plasminogen Activator (u-PA)로 분류할 수 있다. t-PA는 내피세포에서 분비되고, u-PA는 프로유로키나제prourokinase로 분비되어 플라스민과 키니노겐, 프리칼리크레인 및 응고인자 XII 등에 의해 활성화된다. 섬유소 용해 과정은 내피세포뿐만 아니라 여러 장기에 존재하는 키나아제kinase, 조직활성제tissue activators와 칼리크레인 등에 의해 응고기전과 동시에 시작된다. 플라스미노겐 활성제 억제제Plasminogen Activator Inhibitor (PAI)가 이러한 섬유소 용해과정을 조절한다. 체내에서는 항응고기전이 동시에 존재하며, 응고기전의 과다발현을 억제하게 된다 (표 10-2).

표 10-2. 응고기전을 조절하는 단백의 종류와 억제 인자

조절 단백	발현 부위	억제 인자
조직인자 경로 억제자 (Tissue factor pathway inhibitor; TFPI)	내피세포 혈소판 LDL에 결합	조직인자VIIa 인자Xa
항트롬빈 antithrombin	내피세포	자유 세린 프로테아제 결합된 세린 프로테아제(약함)
헤파린 보조인자 II (+헤파린)	간	트롬빈
트롬보모듀린 (Thrombomodulin)	내피세포	인자V/Va 인자VIII/VIIIa
단백 C+보조 단백 S	간	인자V/Va 인자VIII/VIIIa
단백Z 의존성 단백분해효소 억제제(protein Z dependent protease inhibitor; ZPI)	간	인자Xa
a1 단백분해효소 억제제	간	인자Xa 트롬빈
a2 마크로글로불린	간	인자Xa 트롬빈 플라스민 칼리크레인

II 출혈

1. 혈액응고검사

응고기능을 평가하는데 있어서 가장 중요한 것은 환자의 과거력 및 임상 병력, 복용중인 약제의 유무와 검사실 소견이다. 일반적으로 혈소판 기능검사, 프로트롬빈 시간Prothrombin Time (PT), 활성부분트롬보플라스틴 시간activated Partial Thromboplastin Time (aPTT) 등이 사용된다.

1) 혈소판 검사

혈소판은 거핵구에서 분비되며 혈소판 생성의 주요 조절자는 간에서 합성되는 호르몬 Thrombopoietin (TPO)이다. 염증과 인터루킨6에 의해 합성이 증가된다. 혈소판의 평균수명은 7-10일 정도이며, 약 1/3의 혈소판은 비장에 존재하며, 이는 비장의 크기에 비례하여 증가한다. 혈소판 기능 검사에는 혈소판의 수치를 확인하는 방법, 출혈 시간Bleeding Time (BT)을 측정하거나, 혈소판 응집 검사platelet aggregation 등이 이용된다. 혈소판 수치 검사가 가장 일반적으로 사용되는 방법으로, 정상 혈소판 수치는 보통 150,000-400,000/mL이다. 혈소판 수치가 50,000/mL 이상이면 적절한 지혈기능을 유지할 수 있으나, 10,000/mL 미만인 경우에는 자연 출혈을 일으킬 수 있다. 혈소판 수가 500,000/mL 이상인 경우를 혈소판증가증thrombocythemia이라 하며, 1,000,000/mL 이상으로 증가하면 출혈이나 혈전증이 생길수 있다. 혈소판증가증을 보이는 환자 중 35%에서 암 진단을 받은 것으로 알려져 있다. 폐암이나 위장관암 환자의 40%, 유방암, 자궁암, 난소암 환자의 20%에서, 림프종 환자의 10%에서 나타난다. 혈소판증가증은 진행된 암 환자에서 자주보이며, 혈소판증가증이 없는 환자보다 나쁜 예후를 보이는 것으로 알려져있다.

출혈시간 검사는 혈소판이 응괴를 만들수 있는 능력을 평가하는 검사로 8분이내인 경우 정상으로 판정하며, 8–15분인 경우에는 혈중 vWF 결핍증, 항혈소판제의 사용, 루프스양 항체lupus-like antibody, 또는 인자 XI 결핍증을 의심할 수 있다. 출혈시간이 15분 이상인 경우에는 혈소판 기능의 심각한 장애를 의미하며, vWF의 심한 결핍, 무섬유소원혈증afibrinogenemia과 인자 V 결핍증을 의심할수 있다.

2) 프로트롬빈시간

프로트롬빈시간 검사는 외경로에 관여하는 인자 VII과 공통경로에 관여하는 인자 I, II, V 및 X의 기능을 측정할 수 있는 검사 방법이다. PT의 검사 시약에는 조직인자인 트롬보플라스틴thromboplastin과 칼슘을 함유하고 있어, 혈장과 접촉하면 섬유소 응괴를 형성한다. PT검사는 주로 인자VII의 혈중 농도에 따라 영향을 받는다. PT검사는 비타민K결핍증을 진단하고, 와파린의 치료 효과를 감시하는데 사용된다. PT는 시간으로 표기하거나, 국제적 정상비율International Normalized Ration (INR)로 표기한다. INR은 다음과 같은 공식에 의해 계산된다.

$$INR = \left[\frac{PT(patient)}{PT(mean)}\right]^{ISI}$$

PT (patient)=환자의 PT,
PT (mean)은 참고범위의 평균,
ISI=International Sensitivity Index
(시약과 기계의 조합에 특이적임)

3) 활성부분트롬보플라스틴시간

활성부분트롬보플라스틴시간activated Partial Thromboplastin Time (aPTT) 검사는 혈소판 인자인 인지질을 이용하여, 혈장 내 응고인자의 기능을 측정하는 방법이다. aPTT 시약은 인지질대체물phospholipid substitute, 활성체와 칼슘이 들어있어, 혈장과 결합하면 섬유소 응괴를 형성하게 된다. 따라서 aPTT검사는 공통경로에 작용하는 인자I, II, V와 내경로에 작용하는 인자 VIII, IX, X과 XII의 기능을 평가할 수 있다. 응고시간 검사보다 응고인자의 결핍을 예민하게 반영하는 검사법이며, 헤파린치료를 할 때 감시방법으로 이용된다.

2. 혈액응고장애

1) 선천성응고장애

선천성응고인자 장애 중 흔히 발견되는 것은 인자 VIII 결핍증(A형 혈우병), von Willebrand병(vWD), 인자 IX 결핍증(B형 혈우병 또는 크리스마스병) 및 인자 XI 결핍증 등이다. 2014년 12월 31일까지 한국혈우재단에 등록되어 있는 선천성 출혈환자 현황은 표 10–3과 같다.

(1) 혈우병

혈우병은 성염색체를 통해 열성으로X-linked recessive 발현되는 유전성 질환이다. 출생 10,000당 1명으로 발생하며, 남아에서만 발견된다. 관절혈종, 코피, 혈뇨 및 외상 또는 수술 후 출혈, 후복막 출혈 등의 임상증상이 발생하며, 구강인두강내 출혈, 중추신경계나 후복막 출혈인 경우에는 생명을 위협할 수 있으며 즉각적인 치료가 필요할 수 있다. 인자 VIII나 인자 IX 활성도가 30% 이상일 경우 유지되면 지혈이 적절하게 일어나지만, 1% 이하일 경우 자연 출혈의 위험성이 높아진다. 혈우병 환자는 수술전 혈액검사나 주요 외상 시 출혈로 인해 발견되는 경우가 많다. 전형적으로 활성부분트롬보플라스틴시간이 단독으로 증가되어있는 소견을 보이며, 출혈시간과 혈소판수치는 정상이다.

A형 혈우병은 F8유전자의 변이로 인한 인자 VIII 결핍증으로, 수술을 준비하는 경우에는 수술 전에 인자 VIII 농도를 30% 이상 유지하여야 하며, 부족 시에는 인자

표 10-3. 국내 선천성출혈환자현황(2014 혈우병백서)

구분	등록환자 수(명)	비율(%)	2014년 신규 등록환자(명)	비율(%)
혈우병A	1,635	72.5	40	59.7
혈우병B	396	17.6	20	29.8
vWD	107	4.6	4	6.0
I인자결핍증	6	0.3	0	0.0
V인자결핍증	6	0.3	1	1.5
VII인자결핍증	36	1.6	0	0.0
X인자결핍증	2	0.1	0	0.0
XI인자결핍증	18	0.8	0	0.0
XII인자결핍증	3	0.1	0	0.0
XIII인자결핍증	5	0.2	0	0.0
복합인자결핍증	7	0.3	0	0.0
후천성인자결핍증	8	0.4	1	1.5
기타	26	1.2	1	1.5
총계	2,255	100.0	67	100.0

게시된 데이터는 2014년 12월 31일까지 혈우재단에 등록되어있는 혈우병 및 기타 출혈질환환자들의 현황 자료입니다.

VIII을 보충해주어야 한다. 지속적으로 인자 VIII제제를 투여받고 있는 환자의 약 10-15%에서 인자 VIII억제자(항체)가 형성될 수 있다. 따라서 A형 혈우병이 있는 환자에서 수술을 시행한 후 또는 급성 출혈이 있어서 인자 VIII을 보충해 주어도 출혈이 지속되는 경우에는 인자 VIII억제자가 형성되었을 가능성을 생각하여야 하며, 이와 더불어 인자 VII를 보충해주어야 지혈을 할 수 있다.

B형 혈우병은 크리스마스병으로 불리며, F9 유전자 변이에 의한 인자 IX 결핍증으로 A형 혈우병과 마찬가지로 성염색체 열성 유전질환이다. 그러나 신증후군nephrotic syndrome 환자에서 인자의 제거가 촉진되거나, 비타민 K 결핍에 의해 인자의 생성이 비정상적인 경우 및 전신홍반루프스Systemic Lupus Erythematosus (SLE)와 같은 자가면역질환에서 인자 IX에 대한 항체가 형성되는 경우에는 후천적인 결핍증이 생길 수 있다. 임상적으로 A형과 B형 혈우병을 구분하기는 어려우며, 인자 분석을 통해 진단이 가능하다.

(2) von Willebrand병

vWF는 혈소판이 콜라겐에 부착할 때 필요하며 인자 VIII에 부착하여 순환 시 인자 VIII의 반감기를 증가시켜 주는 당단백으로, 혈소판 응괴를 형성하기 위해서 필요한 인자이다. 혈관내피세포와 거대핵세포megakaryocytes에서 생성되며, 반감기는 6-20시간이다. vWD는 흔한 유전성 응고장애 질환 중 하나로, 혈우병과는 다르게 상염색체 우성으로 유전된다. 쉽게 멍이 들거나, 점막 출혈 등의 임상 양상을 보이며, 여성에서는 월경과다증으로 나타난다. vWD는 3가지 양상으로 나타나며, I형은 인자의 양이 부족하여 나타나고, II형은 인자의 질적 저하에 의해 나타나며, III형은 양과 질 모두의 결핍에 의해 나타난다. vWF 보충에 가장 좋은 제재는 동결침전물cryoprecipitate이며, 인자 VIII 농축액에도 vWF가 많이 들어 있다. 데스모프레신은 혈관내피세포에 저장된 vWF와 인자 VIII를 분비시켜주어, 경증의 vWD환자에서는 데스모프레신Desmopressin (DDAVP)을 사용하기도 한다.

(3) 인자 VII 결핍증

비교적 드문 상염색체열성질환이다. 임상증상은 다양하게 나타나지만, 혈중 인자VII의 농도와 임상증상과의 연관성은 낮다. 보통 응고인자 농도가 3% 미만인 경우에 출혈이 발생할 수 있으며, 멍이 쉽게 들거나, 코피나 점막 출혈 등이 가장 흔하게 나타난다. 수술 후 출혈도 비교적 흔하며, 30%의 환자에서 수술 후 출혈이 발생하는 것으로 보고하고 있다. 신선동결혈장을 수혈하거나, 재조합 인자VII을 투여하는 것이 가장 효과적인 치료 방법이다. 인자VII의 반감기가 4-6시간으로 매우 짧아, 인자 VII를 자주 투여해야 적절한 응고를 유도할 수 있다.

(4) 인자 XI 결핍증

상염색체열성유전질환으로 C형 혈우병으로 불리기도 한다. 자연 출혈은 흔하지 않으나, 수술이나 외상, 침습적인 시술 후에 출혈이 발생하여 발견되기도 한다. 치료는 신선동결혈장을 투여하는 것으로 1mL 당 1U의 인자를 포함하고 있어, 부족한 양에 따라 수혈해 주어야한다.

(5) 혈소판 기능 저하증

선천성 혈소판 기능 이상증의 발생 빈도는 정확하게 파악되어 있지 않으며, 원인도 다양하게 나타날 수 있다. 일반적인 혈소판 기능 이상증의 원인은 혈소판 수용체의 이상, 혈소판 과립의 이상, 신호전달체계의 이상 및 전응고인지질의 이상, 효소의 기능 이상 등이다. 혈소판 수용체 이상 질환은 Bernard-Soulier증후군과 그란즈만혈소판무력증Glanzmann thrombasthenia등이 있다. Bernard-Soulier증후군은 vWF에 대한 당단백 Ib-V-IX수용체의 장애로 인해 발생하고, 혈소판에 의한 vWD라 불리며, 혈소판응집이 일어나지 않는다. 그란즈만혈소판무력증은 혈소판응집에 작용하는 당단백IIb/IIIa 수용체의 장애에 의해 발생한다. 혈소판과립이상에 의한 기능장애중 ADP, ATP, Ca^{2+}와 인산을 저장하는 delta-과립의 결핍이 가장 흔하며, ADP의 분비가 감소되어 출혈이 발생하게 된다. 혈소판기능이상에 의한 출혈이 발생하였을 때, 치료는 혈소판을 수혈하는 것이다.

2) 후천성 응고장애

(1) 혈소판기능장애

혈소판기능장애는 질적기능장애와 양적장애로 나눌 수 있다(표 10-4). 양적장애는 혈소판감소증을 유발하는 질환에 의해 나타나며, 질적기능장애는 혈소판의 수는 정상이더라도 혈소판의 응고기능이 저하된 경우에 나타날 수 있다.

헤파린유발성혈소판감소증Heparin Induced Thrombocytopenia (HIT)은 약제에 의해 발생하는 면역성혈소판감소증으로, 헤파린에 의해 혈소판인자Platelet factor4 (PF4)에 대한 항체가 형성되어 나타나는 질환이다. 혈소판의 활성화와 내피세포의 기능에 영향을 미치게 되어, 혈소판감소증과 혈관내 혈전을 형성하게 된다. 혈소판 수치는 헤파린 투여 후 5-14일쯤에 떨어지기 시작하지만, 헤파린에 반복되어 노출되는 경우에는 1-2일 만에 떨어지기도 한다. 치료 용량의 미분획 헤파린Unfractionated Heparin (UFH) 투여

표 10-4. 혈소판기능장애를 일으킬 수 있는 원인 질환

혈소판의 양적 장애(혈소판 감소증)
1. 혈소판 생성의 감소: 골수 기능의 저하 1) 혈액질환: 백혈병, 골수증식질환 2) 비타민B12/엽산 결핍증 3) 항암치료 4) 바이러스감염증 2. 혈소판 생존율의 감소 1) 면역 매개 질환: 특발성혈소판감소증, 헤파린유발성혈소판감소증(heparin induced thrombocytopenia; HIT) 2) 파종성혈관내응고증 3) 혈소판 혈전 형성: 혈소판감소성자반증, 용혈성요독증후군 3. 혈소판 격리 효과 1) 문맥항진증 2) Gaucher병
혈소판의 질적 기능 장애
1. 대량수혈 2. 혈소판억제제의 투여 3. 기타 질환 1) 골수증식질환 2) 간질환

후 약 1–3%에서 발생할 수 있다. 헤파린 투여 후 혈소판 수치가 100,000/mm^3 이하로 감소되거나, 평소 혈소판 수치보다 50% 이상 감소되면 HIT를 의심하여야 한다. HIT의 일반적인 진단기준은 표 10–5와 같으며, Warkentin의 4개의 항목을 이용한 점수 체계는 HIT를 진단하는데 많이 이용되고 있다(표 10-6). HIT에 대한 진단 및 치료 알고리즘은 그림 10–5과 같다. HIT가 의심되면 가장 먼저 헤파린을 중단하여야 하며, 대체 치료제를 투여하여야 한다. 저분자량 헤파린Low Molecular Weigt Heparin (LMWH)으로 대체하는 것은 교차반응이 일어날 수 있어 절대로 사용해서는 안된다. 대체 치료제로 트롬빈억제제가 사용되며, 사용가능한 약제로는 lepirudin, argatroban, danaparoid 등이 있다. 경구용 항응고제는 혈소판 수치가 회복되기 시작하면 사용한다.

혈소판은 복용하는 약제에 의해 기능이 억제될 수 있다. 혈소판의 기능을 변경시키는 약제로는 아스피린, 클로피도그렐clopidogrel (Plavix®), 다이피리다몰dipyridamole (Persantin–75®), 당단백 IIb/IIIa 억제제 abciximab, eptifibatide 등이 있다. 아스피린과 플라빅스는 혈소판의 기능을 비가역적으로 억제한다. 아스피린은 혈소판의 프로스타글란딘합성효소prostaglandin synthase를 아세틸화시키고, 플라빅스는 ADP에 의한 혈소판응집을 선택적으로 억제하는 작용을 한다. 수술 전 약제를 중단하는 시기에 대해서는 전향적인 연구가 있지 않으나 정규 수술 시에는 7일 정도의 중단 기간을 추천하고 있다. 혈소판의 기능을 억제하는 약제를 복용하고 있는 환자에서 응급수술을 진행하는 경우에 출혈이 발생하거나 대량출혈의 위험성이 높으면 혈소판제제를 투여하기도 한다.

표 10-5. 헤파린유발성혈소판감소증의 진단기준

1. 헤파린 사용과 관련되어 일시적으로 발생하는 혈소판감소증 또는 혈전증
2. 혈소판감소증의 다른 원인이 없을 때(감염, 약제, 항생제, 장비(혈액투석기 등), 다발성 장기 부전증)

(2) 파종성혈관내응고증

파종성혈관내응고증Disseminated Intravascular Coagulation (DIC)은 혈액응고계가 과도하게 활성화되어 미세혈관 내에서 응고와 출혈이 동시에 발생하는 전신질환이다. 이는 응고기전의 과활성화에 의해 혈관내응고증이 발생하여 미세혈관의 혈액공급에 장애를 초래하여, 세포괴사 및 장기부전증이 발생한다. 또한, 혈관내응고인자와 응고단백, 혈소판의 과도한 소모를 일으켜 출혈을 유발하기도 한다(그림 10-6). 원인 질환으로는 표 10–7과 같으며, 국내에서는 감염에 의한 패혈증과 악성 종양이 흔한 원인으로 알려져 있다.

DIC는 임상양상과 진단검사 결과를 종합하여 진단할 수 있다. 2001년 세계혈전지혈학회International Society on

표 10-6. 헤파린 유발성 혈소판 감소증의 4Ts 점수체계

		2	1	0
혈소판감소증	감소율 최저치	>50% 20-100×10^3/mm^3	30-50% 10-19×10^3/mm^3	<30% <10×10^3/mm^3
혈소판감소 시기	이전 노출	5-10일 이전 노출 있는 경우 1일 이내	10일 이후	너무 일찍 감소 (기존 노출 없음)
혈전증/다른 증상		새로운 혈전증, 피부괴사: 헤파린 투여 후 급성 전신 반응	진행성 또는 재발성 혈전증; 홍반성 피부 병변; 혈전증 의심 상태	없음
혈소판감소증의 다른 원인		없음	가능한 원인 있음	명확한 원인

6-8점: 가능성 높음, 4-5: 가능성 있음, 0-3점: 가능성 낮음

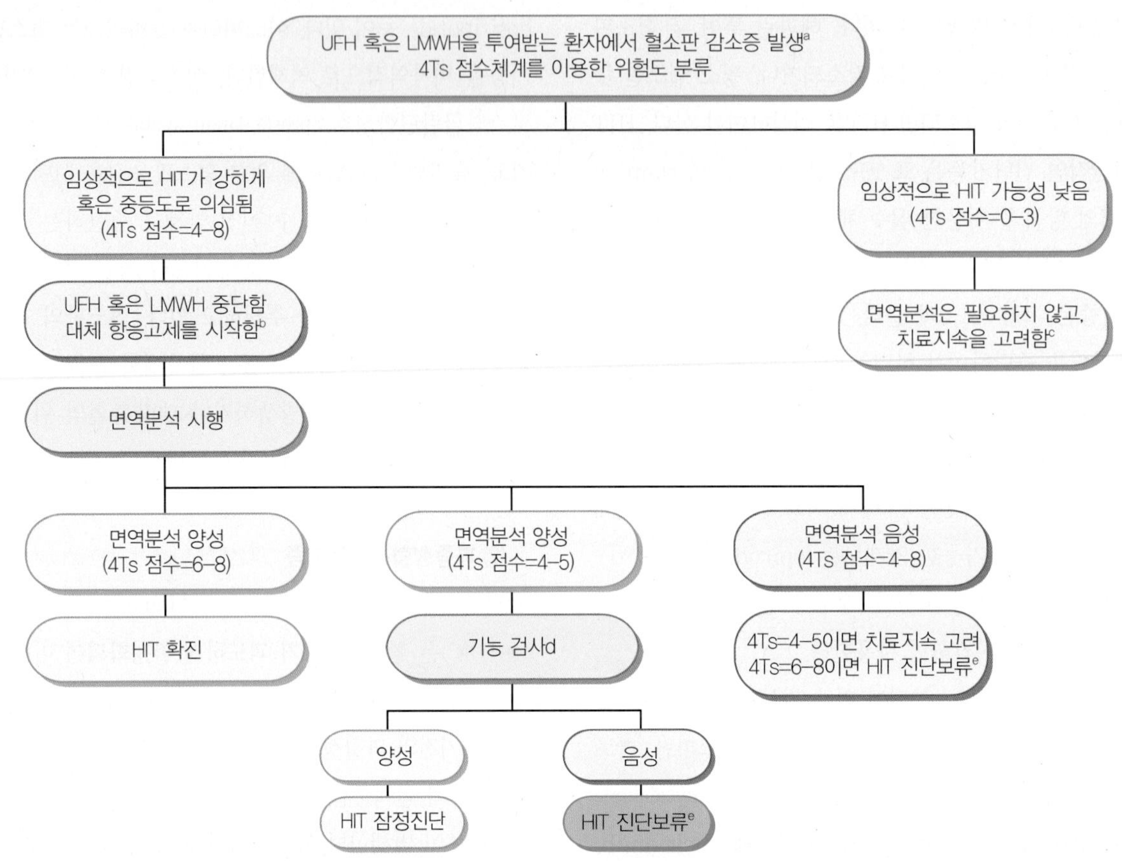

그림 10-5 **헤파린 유발성 혈소판 감소증의 진단과 치료 과정.** a) 혈소판 감소증은 헤파린을 시작하기 전의 가장 높은 혈소판 수치 보다 30% 이상 감소였거나 150,000/mL 이하일 때이다. b) 대체 항응고제를 사용하기 위해서는 환자의 출혈 위험이나 동반 질환을 평가한 후에 결정하여야 한다. c) UFH나 LMWH을 계속 사용하는 것은 환자 개개인에 맞추어야한다. d) 임상적으로 적용 가능하다면, 기능 검사를 시행하는 것이 추천된다. e) 비PF-4/헤파린 특이성과 항체가 질병의 원인일 수 있다.(UFH:Unfractionated Heparin, LMWH:Low Molecular Weight Heparin, EIA:Enzyme-linked Immunoassay)

표 10-7. 파종성혈관내응고증의 원인들

패혈증, 감염
악성종양
다발성손상
장기손상: 중증췌장염
독소: 독사에 물림, 수혈반응
이식거부반응
간기능장애

Thrombosis and Hemostasis (ISTH)에서 발표한 DIC 진단기준을 진단에 이용하고 있다(표 10-8).

DIC의 가장 중요한 치료는 기저질환을 치료하는 것이다. 혈소판이나 응고인자의 보충은 검사 결과보다는 출혈의 위험성을 판단하여 결정한다. 출혈이 있거나, 수술 전 후 또는 침습적 시술이 필요한 경우에는 혈소판 수치를 $50,000/mm^3$으로 유지하는 것을 권장하고 있다. 그러나 출혈의 위험성이 적은 환자에서 예방적인 혈소판 농축액 수혈은 권장사항이 아니며, 혈소판 수치가 $10,000/mm^3$이하인 경우에는 혈소판 농축액을 수혈하도록 하고 있다. PT/aPTT가 1.5배 이상 연장된 경우 출혈이 있거나 출혈 위험성이 높은 환자에서 신선동결혈장을 수혈하여 응고장애를 교정할 수 있다. 신선동결혈장 수혈에도 불구하고 심한 저섬유소원혈증(<100mg/dL)이 지속되는 경우에는 섬유소원 농축액 또는 동결침전물 수혈을 고려한다. 말단청색증이나 혈전에 의한 말단부 허혈이 있는 혈전증 환자에서는 헤파린 사용을 고려하여야 하며, 출혈의 위험성이

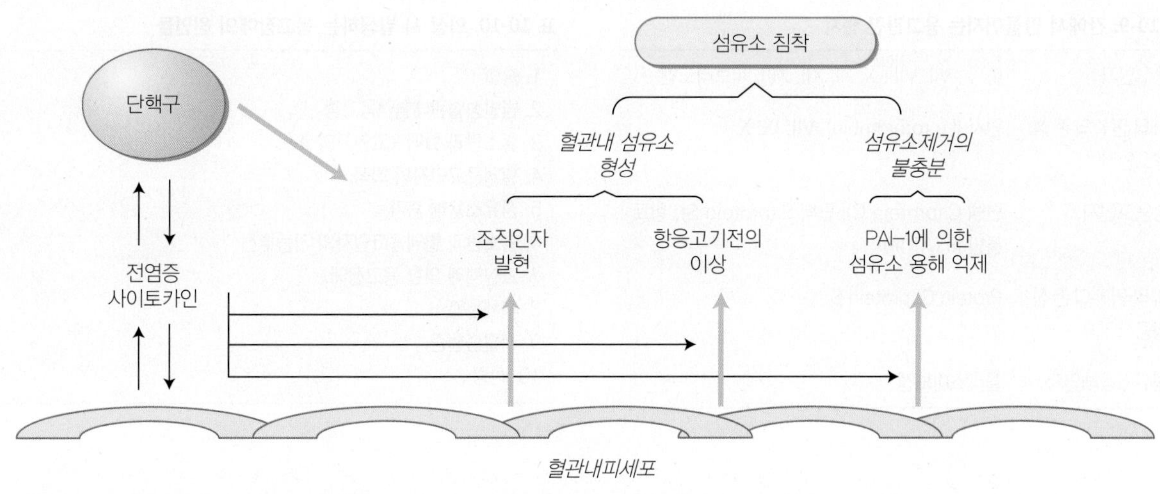

그림 10-6 파종성혈관내응고기전. 전신염증반응이 일어나는 동안, 교란된 내피세포와 활성화된 단핵구들이 응고기전을 활성화 시키는 전염증성 사이토카인을 만들어 내게 된다. 활성화된 단핵구와 내피세포에 발현된 조직인자에 의해 응고기전이 활성화된다. 이와 더불어 생리적인 항응고 기전이 하향 조절되고, 내피세포에 의한 섬유소 용해가 억제되어 혈관내 섬유소 침착을 촉진하게 된다.(PAI-1:plasminogen activatior inhibitor, type 1)

표 10-8. 파종성혈관내응고증의 세계혈전학회 진단 기준과 한국 혈전학회 진단기준의 비교

	ISTH	KSTH
혈소판	0점: >100,000/mm³ 1점: 50,000-100,000/mm³ 2점 : <50,000/mm³	1점: <100,000/mm³
PT/aPTT 증가	0점 : <3초 1점 : 3-6초 2점 : >6초	1점 : >3초(PT) 1점 : >5초(aPTT)
섬유소원	0점 : >100mg/dL 1점 : <100mg/dL	1점 : <150mg/dL
FDP/D-dimer	0점 : 증가 없음 2점 : 중증도 증가 3점 : 심하게 증가	1점 : 증가
	5점 이상 : DIC 진단	3점 이상 : DIC 진단

높은 환자에서는 UFH지속정주가 더 안전하다. 또한, 출혈이 없는 DIC 환자에서 심부정맥 혈전증을 예방하기 위한 헤파린 또는 저분자량 헤파린을 사용한다.

(3) 골수증식질환

적혈구과다증polycythemia은 혈액의 점도가 증가되어 있고, 혈소판 과다증이 동반되어 있어 혈류가 쉽게 정체되어 혈전증이 자연적으로 발생할 수 있다. 그러나 이와 동시에 출혈성 경향도 높아진다. 따라서 적혈구과다증 환자가 수술이 필요하다면, 혈액량을 정상으로 만들어 주어야 하며, 헤마토크릿과 혈소판수가 정상으로 돌아올 때까지 적극적인 치료가 필요하다. 골수 화생 환자의 약 50%는 진성적혈구과다증이 동반되어 있으며, 이러한 환자에서는 혈소판응집의 장애가 동반되어 나타나는 경우가 많다. 혈소판과다증의 치료는 hydroxyurea나 아나그렐리드 anagrelide(아그릴렌 캅셀)등을 투여할 수 있으며, 헤마토크릿은 48%, 혈소판은 400,000/mm³ 이하로 유지한다. 응급수술이 필요한 경우에는 방혈phlebotomy과 혈액치환술blood replacement이 효과적이다.

(4) 간질환

간은 혈액응고에 필요한 많은 인자들을 합성하는 곳으로 지혈작용에 중요한 역할을 하는 부위이다. 간에서 만들어지는 응고관련 인자는 표 10-9와 같다. 간질환에 의한 응고장애는 혈소판감소증과 응고인자의 합성 하에 의한 응고인자결핍증에 의해 나타난다. 혈소판감소증의 원인은 이차적인 비장기능항진증과, 트롬보포이에틴thrombo-

표 10-9. 간에서 만들어지는 응고관련 인자

응고인자	II, V, VII, VIII, X, XI, XII, XIII, 피브리노겐
비타민K의존성 응고인자	인자 II (prothrombin), VII, IX, X
항응고인자	단백 C (protein C), 단백 S (protein S), 항트롬빈 III (AT III)
비타민K의존성 항응고인자	Protein C, protein S
섬유소용해인자	플라스미노겐

표 10-10. 외상 시 발생하는 응고장애의 원인들

1. 출혈
2. 범발성혈관내혈액응고증
3. 혈소판과 혈액응고인자의 소모
4. 혈액응고인자의 희석
5. 섬유소용해 증가
6. 혈소판과 혈액응고인자의 기능부전
7. 교질액에 의한 응고장애
8. 저체온증
9. 저칼슘혈증
10. 산증

poietin의 합성 감소, 면역매개성혈소판파괴 등에 의해 나타난다. 간질환에 의한 혈소판감소증에서 혈소판 수혈이 주된 치료이지만 효과는 지속적이지 않으며, 수혈관련 합병증이나, 항혈소판 항체 형성과 같은 부작용이 나타날 수 있다. 심한 혈소판감소증이 지속되는 경우에는 비장절제술이나 비장동맥색전술을 시행하기도 한다.

간에서 만들어내는 응고인자는 주로 비타민 K 의존성 응고인자로 외경로를 담당하며, 결핍증 시 혈액응고 검사에서 PT (INR)가 연장되어 나타난다. 간기능이 저하되면 간의 합성기능이 저하되어 응고인자의 합성이 부족해지며, 담즙 배출의 저하에 의해 지용성 비타민 K의 장관내 흡수가 저하되어, 응고인자부족증과 비타민 K결핍증이 동반되어 응고장애가 나타나게 된다. 담즙배출지연이 동반된 응고장애 환자에서는 비타민K를 정맥 또는 근육내로 주사하여 응고장애를 교정할 수 있다. 그러나 간세포 기능부전에 의한 응고인자결핍증은 비타민 K를 주사하여도 응고장애가 교정되지 않으며, 신선동결혈장을 수혈하여 응고인자를 보충해 주어야 한다 대부분 간기능 저하에 의한 응고장애는 다인자결핍과 여러 원인이 복합적으로 작용하여 나타나기 때문에 완전한 교정은 불가능하다.

(5) 외상성응고장애

외상이 발생하면 우리 몸은 출혈을 줄이기 위해 정상적으로 응고기전이 작동하게 된다. 응고기전이 정상적으로 작동하지 않게 되면 출혈이 지속되어 대량출혈이 유발되어, 사망까지 이를 수 있다. 외상 치료 시에 시행하는 다량의 수액공급과 대량수혈도 응고장애를 유발할 수 있다. 외상성 응고장애는 다량의 수액공급에 의한 응고인자의 희석효과, 응고기전의 활성화에 의한 응고인자의 소모 및 이에 따른 응고인자의 부족, 저체온증, 산증, 저칼슘혈증 및 섬유소 용해fibrinolysis의 활성화 등과 같은 여러가지 요인이 복합되어 나타난다(표 10-10). 특히 외상환자에서 저체온증, 산증, 응고장애는 치사 삼징후lethal triad로 알려져 있다.

외상성응고장애의 정확한 기전은 알려진 바 없으나, Brohi 등은 protein C의 활성화를 통한 전신적혈액응고장애와(그림 10-7A) 과섬유소용해hyperfibrinolysis를(그림 10-7B) 기준으로 제시하였다. 외상환자에서 응고장애는 환자의 예후와 직접적으로 관련되어 있고, 예후를 예측할 수 있는 독립인자이다. 응고 장애가 심할수록 환자의 상태가 좋지 않으며, 중환자실 치료기간 및 입원기간이 증가하고, 신부전증과 다발성장기부전증의 발생 및 급성폐손상이 더 많이 발생하며, 생존율 또한 좋지 않다.

외상환자에서 응고장애는 예후에 나쁜 영향을 끼치며, 출혈과 지속되는 악순환을 거듭할 수 있으므로, 응고장애를 예방하고 조기에 교정하고, 치사 삼징후가 발생하지 않도록 주의해야 하며, 저체온증과 산증을 예방하고 적절히 치료해야한다. 외상환자에서 적혈구 수혈에 대한 ATLS (Advanced Trauma Life Support) 지침은 그림 10–8과 같다.

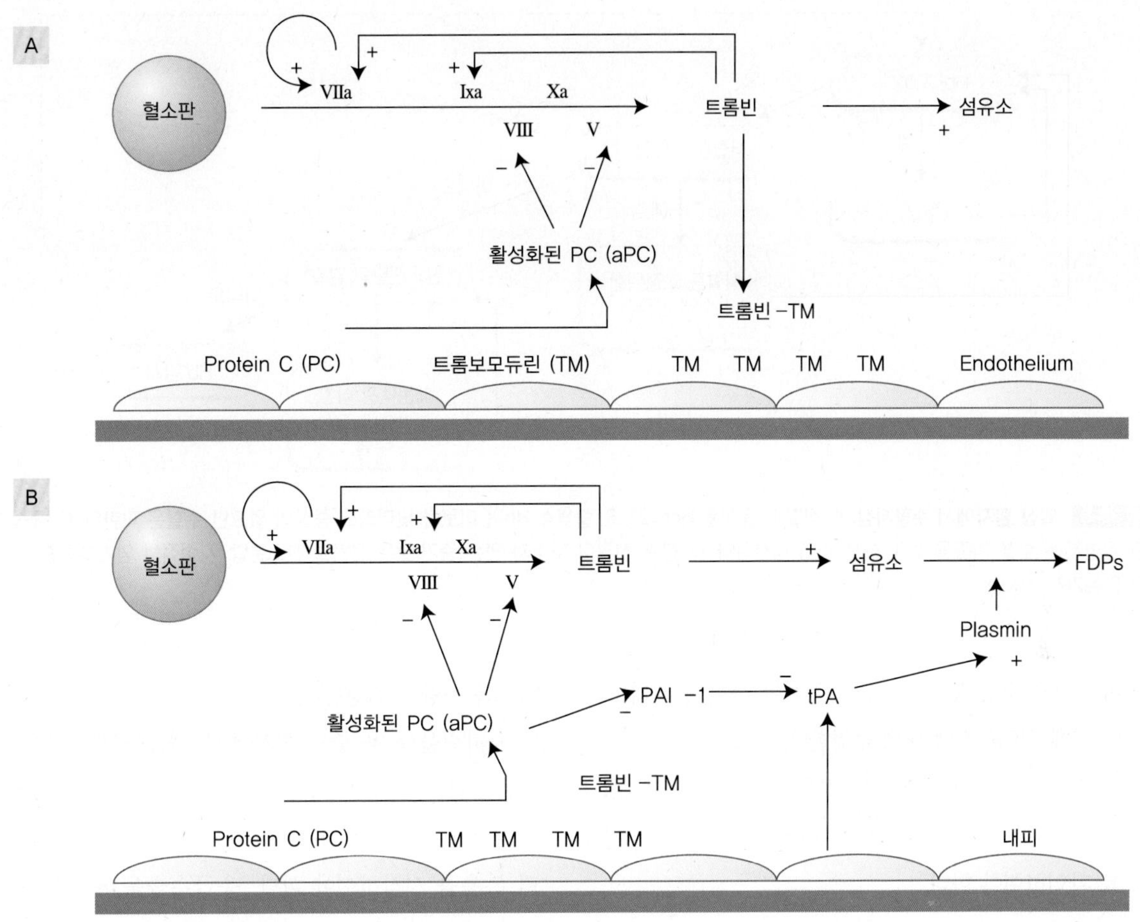

그림 10-7 외상의 응고장애 기전. A) Protein C의 활성화를 통한 전신적혈액응고장애. 트롬보모듀린이 혈관 내피세포에서 발현되면 트롬빈과 결합하게 되어 더이상 섬유소원을 분해할 수 없게 된다. 항응고작용을 가진 TM-트롬빈은 Protein C를 활성화 시키고 응고인자V 와 VIII를 억제하여 트롬빈을 형성하지 못하게 되어 항응고작용이 지속된다. B) 과섬유소용해. 조직플라스미노겐활성제(tPA)가 혈관손상과 조직저관류증에 의해 혈관내피세포에서 분비되고, 섬유소용해를 시작하기 위해 플라스미노겐을 분해하게 된다. 활성화된 Protein C (aPC)는 플라스미노겐활성억제제-1(PAI-1)을 억제하여 tPA를 증가시키게 되고, 과섬유소 용해를 유발하게 된다.

3. 항응고제

1) 헤파린

헤파린은 항트롬빈III (AT-III)와 트롬빈이 결합하여 인자X을 활성화 시키는 것을 차단하여 항응고작용을 나타낸다. 헤파린은 와파린을 사용하는 환자에서 금식 시 항응고작용을 지속하기 위해서 사용하거나, 혈전색전증thromboembolism의 예방 및 치료에 주로 사용된다. 헤파린의 반감기는 약 90-120분이고, 작용시간은 약 6시간 정도 지속된다. 헤파린을 지속적으로 사용했을 때보다 정맥내로 일시에 주입bolus하였을 때 출혈 경향을 더 잘 나타낸다. 헤파린은 세망내피세포를 통해 제거되므로, 간질환이나, 쇼크에 경우에는 제거율이 감소되어 작용시간이 더 오랫동안 지속될 수 있다. 헤파린 사용 시 응고검사에서는 PT와 aPTT 모두 연장될 수 있으나, aPTT가 더 민감하여 적정 용량의 투여 여부를 결정할 때는 aPTT검사를 사용한다. 일반적으로 치료 목적으로 헤파린을 사용할 때 aPTT는 60-80초로 유지한다. 헤파린 중독 시에는 프로타민protamine을 사용하며, UFH 100UI는 1mg의 프로타민으로 해독할 수 있다. 따라서 헤파린 중독에 의한 급성

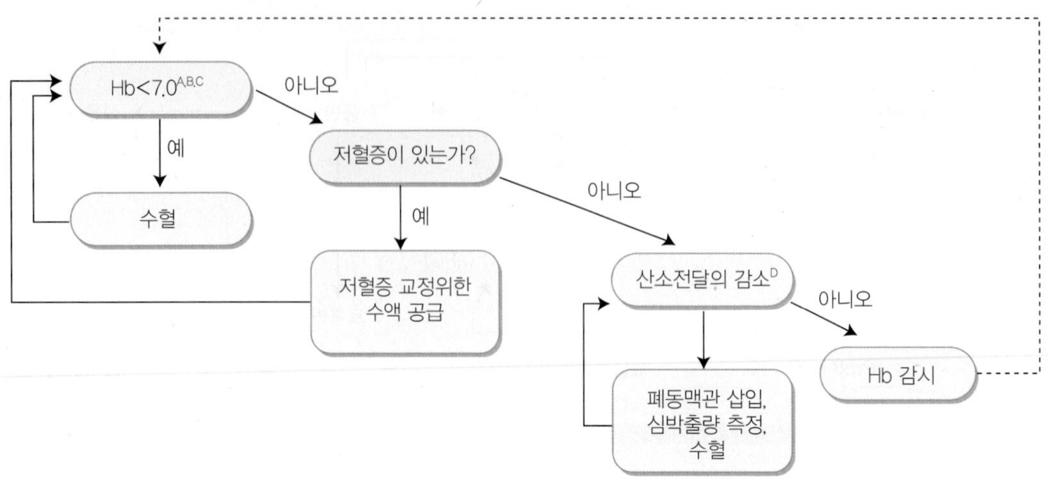

그림 10-8 외상 환자에서 수혈지침. A. 적혈구 용적률 Hct<21, B. 혈색소 Hb이 이보다 낮더라도 증상이 없으면 수혈은 피한다. C. 중증의 심혈관 질환자는 수혈 기준을 높게 하는 것이 적절하다. D. 산소 전달이 낮아져 있는 증거(낮은 정맥혈 산소분압, 지속적인 염기부족증, 젖산증) 등이 있는가?

출혈이 발생하거나, 응급수술을 진행해야 하는 경우에 프로타민 설페이트를 정맥 내로 주입한다.

헤파린을 7일 이상 사용하는 경우에는 혈소판 수치를 주기적으로 검사하여, 헤파린유발성혈소판 감소증의 발생 여부를 확인하여야 한다.

2) 와파린

와파린은 심부정맥혈전증, 폐색전증, 심장판막질환, 심방세동이 있는 환자, 심장판막대치술이나 혈관 내 보철물 등을 삽입한 경우에 장기간에 걸쳐 사용하는 경구용 항응고제이다. 비타민K의존성응고인자의 합성을 차단하여 항응고작용을 나타낸다. 간세포에서 비타민K의존성 카복실라제에 의해 응고인자 II, VII, IX, X과 C, S단백이 활성 전구체로 만들어져서 응고 기전에 관여하게 되는데, 와파린은 비타민K의존성 카복실라제의 작용을 억제한다. 이에 따라 활성 전구체가 만들어지는 것을 억제하며, 응고인자의 합성을 억제하여 항응고기전을 나타낸다. 따라서 와파린을 사용하고 있는 환자에서 정상 응고인자를 회복하기 위해서는 비타민 K를 투여한다.

와파린을 사용할 때 항응고 효과는 PT를 주기적으로 측정하여 감시하며, 일반적으로 INR을 2-3 정도로 유지하도록 용량을 결정한다.

와파린을 복용 중인 환자에서 수술을 계획하는 경우에는 INR이 감소될 때까지 LMWH이나 UFH을 사용하여 항응고작용을 유지하여야 하며, 수술 후 가능한 한 빨리 복용을 시작하여야 한다. 응급수술을 계획하는 경우에는 신선동결혈장을 투여하여 응고인자를 보충할 수 있으며, 출혈의 위험성이 큰 경우 비타민 K를 정맥이나 근육내로 주사한다.

III 수혈

수혈은 문헌상으로 수백 년 전부터 시행된 것으로 알려졌다. 1667년 프랑스의 Jean-Baptiste Denis가 양의 피를 사람에게 수혈한 후 특별한 부작용이 발생하지 않음을 처음으로 보고한 후 여러 차례 수혈이 시도되었으나 수혈부작용에 의해 환자가 사망하는 일이 발생하여 수혈을 금지하는 조치가 내려지기도 하였다. 그 후 1825년 Philip Syng Physick이 사람에서 성공적인 수혈을 발표하였고, 1828년 Blundell은 산후 출혈이 있는 환자에서 사람의 혈액을 수혈하였다. 1900년에 Karl Landsteiner

에 의해 ABO혈액형이 발견된 후 수혈은 새로운 국면을 맞이하게 되었다. 1940년대에 들어 교차시험, 항응고제의 발달, 혈액은행이 설립되면서 혈액의 저장이 용이하게 되었고, 이에 따라 수혈이 쉽게 시행되게 되었다.

국내에서는 한국전쟁을 계기로 미국에서 보내온 전혈을 사용하면서 수혈의 역사가 시작되었다. 이와 더불어 1952년 처음으로 해군에서 혈액은행이 창설되었으며, 민간 병원에서는 1954년 백병원에서 최초로 혈액원이 설립되었다. 그 후 1954년 국립혈액원이 개원하였고, 1958년 적십자 혈액원이 창설되어 혈액과 관련된 업무와 혈액공급의 대부분을 담당하고 있다.

1. 혈액제제의 종류

헌혈된 피는 전혈로 모아지지만, 현재는 혈액성분을 따로 농축하여 보존하고 있다. 보관된 혈액성분을 필요한 환자에게 수혈하는 경우를 성분수혈이라고 하며, 농축적혈구, 신선동결혈장, 혈소판농축액 등이 있다.

1) 전혈

우리나라의 전혈whole blood 1단위에는 400mL의 혈액과 56mL의 CPDA-1(Citrate-Phosphate-Dextrose-adenin)이라는 항응고보존제가 들어 있거나 320mL의 혈액과 45mL의 항응고보존제가 들어 있는 2가지 종류가 있으며, 1-6℃에서 보관할 때 약 35일간 보관할 수 있다. 400mL의 공혈혈액은 대부분 혈액 성분제제를 만드는데 사용되고 320mL의 공혈혈액만이 전혈로 공급되고 있다.

전혈은 산소운반능력과 혈액량 확장이 동시에 요구되는 경우에 도움이 된다. 특히 출혈량이 총 혈액량의 25% 이상인 경우에 전혈 사용이 우선적인 적응증이 된다. 성인에서 전혈 1단위를 수혈하면 혈색소치는 약 1g/dL 증가하고, 적혈구 용적률hematocrit은 3-4% 정도 증가한다. 채혈후 24시간 내의 전혈을 신선전혈이라 하며, 24시간 이후의 전혈을 보존전혈이라고 하는데, 전혈을 24시간 이상 저장하는 경우에는 혈소판과 백혈구는 거의 생존하지 않으며, 인자V와 VIII농도도 저하된다. 따라서 만성빈혈환자나 응고인자 및 혈소판 공급이 필요한 환자에서 전혈을 사용하는 것은 무의미하며 환자에 맞는 성분수혈이 더 바람직하다.

전혈 수혈의 이점에 대한 보고는 많지 않지만, Spinella 등은 대량출혈환자에서 초기에 신선전혈fresh whole blood를 투여함으로써 대량출혈에 의한 응고장애를 예방하고, 생존율을 높일 수 있음을 보고하였다. 그러나 실제 혈액을 사용하는데 있어서 신선한 전혈을 구하기는 쉽지 않은 단점이 있어 임상적인 사용은 제한적이다.

2) 농축적혈구

농축적혈구packed RBC (pRBC)는 전혈에서 혈장을 제거하여 만들며, 헌혈된 혈액량에 따라 200mL (400mL 전혈)와 200mL (320mL 전혈) 2가지 종류가 있으며, 적혈구 용적률은 약 70%정도이다. 보존기간은 1-6℃에서 전혈과 같은 35일이다. 보존기간이 길어질수록 수혈 후 24시간 후에 살아남는 적혈구는 75% 미만으로 감소된다. 농축적혈구는 혈관내 용적 및 심기능이 적절히 유지되는 경우에 산소공급과 산소 운반능력을 향상시키는 작용을 한다. 그러나 산소 운반능력과 혈액량을 동시에 확장시키기 위해서는 전혈이 더 유리하다.

적혈구 수혈을 위해 혈색소나 적혈구 용적률을 지표로 사용하는 것은 좋은 방법이 아니며, 환자의 임상상태, 출혈의 여부 및 출혈의 위험성 등을 복합적으로 고려하여 판단해야 한다. 농축적혈구 사용의 주된 목적은 조직내 산소 공급을 촉진하기 위한 것으로, 적혈구 수혈의 적응증을 정리하면 표 10-11과 같다.

3) 신선동결혈장

신선동결혈장Fresh Frozen Plasma (FFP)은 채혈 후 6시간 내에 분리하여 동결한 혈장을 의미하며, -15℃ 이하에서 1년간 보존할 수 있다. 수혈 전에 37℃ 정도의 물에서 해동하여 사용한다. 신선동결혈장에는 정상수치의 안정성 응고인자와 알부민, 면역글로불린을 함유하고 있으며, 응

표 10-11. 농축적혈구 수혈의 적응증

1. 혈역학적으로 안정된 환자: 혈색소 Hb<7g/dL
2. 혈역학적으로 안정된 심혈관 질환자: 혈색소 Hb<7g/dL
3. 급성관상동맥 증후군: 혈색소 Hb<8g/dL(급성심근경색, 혈역학적으로 불안정한 심근경색환자)
4. 증상을 동반한 빈혈환자
5. 출혈성쇼크가 동반된 환자
6. 급성 출혈로 수액 공급에도 반응하지 않는 환자
7. 패혈증 환자: 혈색소 Hb<7g/dL(예외, 심근허혈, 심한 저산소증, 급성 출혈, 청색성 심장질환, 젖산증 환자: 혈색소 Hb 7-9g/dL)

표 10-12. 신선동결혈장 수혈의 적응증

1. 과도한 미세혈관 출혈이 있는 경우
   1) PT가 정상보다 1.5배 이상 연장되어 있거나
   2) INR이 2 이상이거나
   3) aPTT가 정상보다 2배 이상 연장된 경우
2. 단일 또는 다응고인자 결핍증에 의한 PT/aPTT 연장
3. 특이 응고인자 결핍증
   1) 선천성 응고인자 결핍증 : 항트롬빈 III, 프로트롬빈, 응고인자 V, VII, IX, X, XI
   2) C 또는 S 단백 결핍증; 플라스미노겐 또는 항플라스민 결핍증
4. 후천적응고인자장애
   1) 와파린 치료를 역전시키기 위해
   2) 비타민K결핍증, 간질환, 대량수혈, 파종성혈관내응고증환자에서 수술 또는 침습적 시술을 시행하는 경우

※ 잘못된 적응증
   1) 임상적으로 응고장애가 없는 환자에서 경험적으로 처방하는 것
   2) 혈량저하증환자에서 혈액량을 증가시키기 위해
   3) 영양 보충을 위해
   4) 저알부민증 교정을 위해
   5) 면역결핍증을 치료하기 위해

고인자VIII와 불안정 응고인자도 최소 70% 정도 포함하고 있어, 응고인자 농축제제의 원료로도 사용된다. 신선동결혈장 사용의 적응증은 환자의 상태에 따라 달라지며, 일반적인 적응증은 표 10-12과 같다.

(1) 응고인자결핍증의 교정

응고인자결핍증은 선천적인 응고인자결핍증뿐 아니라 후천적으로 간질환이나 비타민K결핍증에 의해서도 나타날 수 있다. 단일인자결핍은 응고인자 VIII과 IX를 제외하고는 흔하지 않다. 단일인자결핍 시에는 응고인자를 보충해주어야 하며, 단일응고인자 농축액을 사용할 수 없는 경우에는 신선동결혈장을 투여하여 응고인자를 보충해 줄 수 있다. 특히 인자 V는 농축제제를 사용할 수 없으므로 신선동결혈장을 사용하여야 한다.

간질환에 의해 응고인자결핍증이 나타난 환자에서는 출혈이 있거나, 수술이나 침습적인 시술을 시행하기 전에 출혈을 예방하기 위해 사용하며, PT/aPTT가 정상보다 1.5배 이상 연장되어 있는 경우에 사용한다.

(2) 와파린 효과의 역전

경구용 항응고제인 와파린이나 쿠마딘을 복용하는 환자에서 출혈이 발생하게 되면 약제의 투여를 중지하고 비타민 K를 투여하여야 한다. 그러나 응급상황이나 대량출혈 또는 두개강 내 출혈이 있는 경우에는 항응고제 효과를 역전시키기 위해 신선동결혈장을 투여하여야 한다.

(3) 비타민K결핍증

신생아나 폐쇄성황달을 동반한 담도폐쇄가 있는 환자에서는 지용성 비타민 K의 흡수가 제대로 이루어지지 않아 비타민K결핍증에 의한 응고장애가 발생할 수 있다. 이런 환자에서 수술을 계획하는 경우에 비타민 K를 정맥이나 근육주사하여 보충하여 응고장애를 교정하기도 하지만, 출혈이 발생하거나 대수술을 시행하는 경우에는 응고장애를 빠르게 교정하기 위해 신선동결혈장을 투여한다.

(4) 파종성혈관내응고증

파종성혈관내응고증의 가장 중요한 치료는 원인을 교정하는 것이다. 출혈의 위험이 낮거나 출혈이 없으면 PT/aPTT가 연장되어 있더라도 신선동결혈장의 투여는 권장하지 않는다. 그러나 출혈이 동반되거나 침습적 시술을 시행해야 하는 경우에는 응고장애를 교정하기 위해 신선동결혈장이나 동결침전물, 혈소판 등을 보충해 줄 수 있다.

(5) 혈장분리반출술

혈전성혈소판감소성자반증thrombotic thrombocytopenic

purpura이나 용혈성요독증후군hemolytic uremic syndrome, 간수치 상승 및 혈소판감소증을 동반한 용혈성빈혈증후군Hemolytic anemia Elevated Liver enzymes and Low Platelet count (HELLP) syndrome환자에서 혈장분리반출술plasmapheresis을 시행하는 경우 보충액으로 신선동결혈장을 사용한다.

(6) 유전성혈관부종

C1에스테르분해효소 억제제의 결핍에 의한 유전성혈관부종hereditary angioedema 시에도 억제제를 투입할 수 없는 경우에 사용한다.

4) 혈소판 수혈

혈소판 제제는 채혈 후 6시간 이내의 전혈로부터 만들어지며, 40mL 속에 약 5×10^{10}개의 혈소판이 들어 있다. 농축혈소판 1단위를 투여하면 체중 70kg인 성인에서 혈소판 수가 5,000-10,000/uL 정도 증가하게 된다. 혈소판감소증으로 인한 출혈시에는 보통 6-10 단위의 농축혈소판을 투여하며, 소아에서는 체중 10kg 당 1단위를 투여한다.

혈소판감소증이나 혈소판기능저하증환자에서 출혈을 예방하기 위해 사용하거나 출혈이 있는 경우에 투여한다. 그러나 혈소판을 투여하기 전에 혈소판감소증의 원인을 밝히는 것이 중요하다. 혈소판 수혈의 구체적인 적응증은 표 10-13과 같다.

표 10-13. 혈소판 농축액 수혈의 적응증

1. 혈소판 수 ≥ 100,000/mL : 수혈적응증 아님
2. 혈소판 수 ≤ 50,000/mL :
   - 미세혈관 출혈이 있거나 수술 또는 침습적 시술이 계획되어 있는 경우
   - 급성 출혈로 인해 혈소판수가 감소하는 경우
   - 대량수혈을 시행하는 경우
3. 혈소판 수 ≤ 10,000/mL :
   - 예방적으로 혈소판 수혈 시행
4. 혈소판 수 > 50,000/mL < 100,000/mL :
   - 혈소판 기능장애 - 항혈소판 제제를 사용 하는 환자에서 급성 출혈이 있는 경우
   - 심폐우회술
   - 미세혈관 출혈이 있는 경우 수혈을 고려
   - 외상성 뇌출혈 환자에서는 100,000/mL 이상 유지

(1) 지혈

혈소판감소증이 동반된 환자에서 출혈이 있는 경우에는 혈소판 수를 50,000/uL 이상으로 유지하며, 망막출혈이나 다발성 외상 및 뇌출혈 등이 동반된 경우에는 100,000/uL 이상으로 유지한다.

(2) 골수기능 저하 시

골수기능 저하에 의한 혈소판감소증 시 환자 상태에 따라 최저 혈소판 수는 달라진다. 환자가 안정적이며, 출혈의 위험성이 낮은 경우에는 10,000/uL 이상으로 유지하는 것을 권장하며, 감염이나, 파종성혈관내응고증, 출혈 등 혈소판 소모가 많은 환자에서는 20,000/uL 이상 유지하는 것을 권장한다.

(3) 혈소판기능장애

혈소판기능장애는 항혈소판 제제의 복용과 연관이 많으며, 예방적 혈소판 제제 수혈은 적응증이 되지 않는다. 수술이 예정된 경우에는 먼저 항혈소판제의 복용을 일정기간 이상 중지하여 출혈의 위험성을 낮추어야 한다. 최근에는 아스피린이나 플라빅스를 복용하는 심혈관지 환자에서 수술 전후 약제 복용을 중단하지 않도록 권유하고 있으므로 수술 전 환자의 병력 및 약력을 정확히 확인하고 미리 대처해야 한다.

(4) 파종성혈관내응고증

만성파종성혈관내응고증에서는 혈소판 수혈은 적응증이 되지 않는다. 또한, 출혈의 위험이 없거나, 출혈의 증거가 없는 경우에도 혈소판 수혈을 추천하지는 않는다. 그러나 급성파종성혈관내응고증 환자에서 출혈의 가능성이 크거나, 출혈이 되는 경우, 수술이나 침습적인 시술을 시행하는 경우에 50,000/mm^3을 권고하고 있다.

5) 혈액 대치제

Human polymerized hemoglobin (PolyHeme)은 적혈구 수혈이 불가능한 대량출혈환자에서 성공적으로 사용된 제제이다. 인공 혈액의 장점은 혈액형에 대한 항원이 없고, 바이러스감염의 가능성이 없으며, 안정성도 충분히 오랫동안 유지할 수 있다는 것이다. 그러나 심혈관계 합병증을 증가시킬 수 있고, 혈액 내에서는 반감기가 더 짧다는 단점이 있으며, 아직까지는 환자에 대한 사용승인이 없는 상태이다.

2. 대량출혈

출혈성쇼크는 급성출혈이나 다발성외상환자에서 중요한 사망원인 중 하나이다. 따라서 출혈의 정도를 예측하고, 대량출혈을 조기에 진단하여 적절한 치료를 제공하는 것이 환자의 생명을 구하는데 도움이 된다. 환자의 임상상태에 따른 출혈량은 미국 외상학회의 ATLS 지침에 따라 예측할 수 있다. 약 15% 정도의 출혈은 비교적 문제가 되지 않으나, 30% 이상의 출혈은 쇼크를 유발할 수 있다. 대량출혈은 표 10-14와 같이 정의할 수 있으며, 출혈성쇼크를 예측할 수 있는 환자상태는 1) 의식의 저하, 2) 지연된 모세혈관 순환delayed capillary filling, 3) 빈뇨증 등이 있다.

3. 대량수혈

1) 정의 및 원인

대량출혈 또는 출혈성쇼크환자의 치료에서 가장 좋은 치료법은 출혈부위를 확실히 교정하는 것이지만, 불가피하게 대량수혈이 시행될 수 있다. 대량수혈은 일반적으로 24시간 동안 환자의 혈액량을 대치할 정도로 수혈이 시행되었거나 몇 시간 동안에 10단위 이상의 농축적혈구 수혈이 이루어진 경우를 의미하지만, 최근에는 동적 대량수혈의 개념이 사용되기도 한다(표 10-15). 최근에는 1단위의 농축적혈구:1단위의 신선동결혈장:1단위의 농축혈소판을 이용한 1:1:1 대량수혈 프로토콜이 사용되기도 한다.

표 10-14. 대량출혈의 정의

1. 분당 150mL 이상의 출혈
2. 20분 동안 1.5mL/kg/min 이상의 출혈
3. 3시간 내에 총혈액량의 50% 이상의 출혈
4. 24시간 내 전체 혈액량 이상의 출혈
5. 수혈, 수액 공급 및 수술적, 중개적 치료에도 반응하지 않는 급속 출혈

표 10-15. 대량수혈의 정의

1. 24시간 동안에 환자 혈액량을 대체할 정도로 수혈한 경우
2. 몇 시간 동안 10단위 이상의 농축적혈구를 수혈하는 경우
3. 동적 대량수혈
   1) 지속적으로 수혈이 필요한 경우 1시간 내에 4단위 이상의 농축적혈구 수혈
   2) 3시간 내에 전체 혈액량의 50%를 대치할 정도 수혈하는 경우

대량출혈의 가장 흔한 원인은 다발성손상이며, 또한 위장관 출혈이 있는 경우 흔히 발생할 수 있다. 대량수혈에 의해 발생할 수 있는 가장 심각한 문제는 산증, 저체온증 및 응고장애가 나타날 수 있으며, 이는 출혈을 지속시켜, 환자를 사망에 이르게 할 수 있어 치사 삼징후lethal triad라 한다. 이들은 응고장애를 악화시키고 지혈을 방해하여 출혈을 지속시키게 되고, 결국 환자를 악화시켜 사망에 이르게 하는 악순환을 일으킨다. 이러한 악순환의 고리를 끊는 가장 좋은 방법은 초기에 지혈을 시행하고, 적극적인 혈액 소생술 및 응고장애와 지혈장애를 적극적으로 치료하는 것이다.

2) 대량수혈의 문제점(표 10-16)

(1) 저체온증

대량출혈 환자의 초기치료는 충분한 양의 수액공급으로, 대부분 실온에서 보관된 수액을 공급하게 된다. 또한 처치 중에 전신을 노출시키고, 신체진찰을 시행하게 되어 저체온증을 유발할수 있다. 이와 더불어 대부분 혈액은 1-6℃ 정도로 보관하고 있어서, 다량의 혈액을 수혈받게 되는 경우 저체온증이 악화될 수 있다. 체온이 약 1℃ 정도 떨어지면 응고인자의 활성도가 약 10% 정도 감소하는

표 10-16. 대량수혈의 부작용

① 저체온증: 수액 공급 및 수혈, 환자 노출에 의해 발생
② 응고장애: 소모 및 희석에 의한 효과
③ 혈소판감소증: 출혈 및 소모에 의해 발생
④ 구연산염(citrate) 독성: 저칼슘혈증, 저마그네슘혈증, 응고장애, 심근억제 등을 유발
⑤ 고칼륨혈증/저칼륨혈증: 용혈 또는 조직 파괴로 인해 발생
⑥ 구획증후군: 수액 요법 또는 압박/폭발에 의한 손상
⑦ 백혈구감소증: 희석 및 출혈로 인해
⑧ 대사성산증/대사성알칼리증: 젖산의 생성 및 구연산염의 제거의 둔화
⑨ 다발성장기부전증
⑩ 감염증
⑪ 수혈관련급성폐손상(Transfusion Related Acute Lung Injury; TRALI)

것으로 알려져 있으며, 체온이 33℃로 떨어지면 응고시간이 연장된다. 그러나 실제로 응고 검사는 37℃에서 시행되어 정상으로 나타날 수 있고, 저체온증에 의한 응고장애를 검사상을 확인하기 어렵기 때문에, 저체온증이 동반된 환자에서는 응고장애가 간과될 수 있다. 또한, 저체온증은 구연산염citrate 대사 장애, 간의 대사 작용과 약물 제거율 감소, 급성기 단백질의 합성 및 응고인자의 생성 감소 등을 유발한다. 따라서 대량수혈을 시행하는 환자에서는 실내온도를 높여주고, 가온된 수액과 혈액을 공급하며, 환자를 따뜻하게 해주어 저체온증을 해결하는 것이 중요하다.

(2) 응고장애 및 혈소판감소증

대량수혈환자에서 응고장애가 발생하는 원인은 대량의 농축적혈구 수혈과 수액 공급에 의한 희석 효과와 더불어 응고인자 및 혈소판이 출혈 부위에서 지속적으로 소모되어 나타날 수 있다.

다량의 혈액을 수혈하게 되면, 응고인자 및 혈소판이 희석되어 나타나는 희석성 응고장애가 나타나게 된다. Leslie등에 의하면 20단위 이상의 적혈구 함유 혈액을 수혈받은 환자들의 75%에서 혈소판 수치가 50,000/uL 이하로 감소되었으며, 12단위 이상의 혈장 제거 혈액을 수혈받은 환자들 모두가 프로트롬빈시간이 정상보다 1.5배 이상 연장되었음을 보고하였다. 따라서 대량수혈을 받고 있는 환자에서 가능한 응고장애를 예방하고 조기에 치료하는 것이 환자의 예후를 결정하는 중요한 요인이다(표 10-17).

표 10-17. 대량수혈이 필요한 환자에서 응고장애를 예방하기 위한 방법

1. 신속한 출혈 부위의 지혈 : 소모성응고장애와 혈소판감소증의 예방 및 수혈 최소화
2. 등장성 정질액의 제한적 사용 : 희석성응고장애와 혈소판감소증을 예방
3. 지혈이 될 때까지 허용성 저혈압 소생 : 수축기 혈압 80-100mmHg 정도로 유지
4. 농축적혈구 : 신선동결혈장 : 혈소판 농축액의 수혈 비율을 1 : 1 : 1 로

(3) 산소 공급량의 감소

혈액을 보관하게 되면, 2,3-DPG가 감소하고, 5-7일이 경과되면 매우 낮은 농도가 된다. 2,3-DPG는 혈색소와 산소의 친화성을 감소시켜, 산소의 해리를 촉진하는 역할을 한다. 혈액내 2,3-DPG가 감소되면 산소해리곡선이 좌측으로 이동하게 되어 산소와 혈색소의 친화성이 높아져서 조직내에서 산소의 해리를 억제하여 조직내 산소 공급에 장애를 유발할 수 있다. 그러나 실제로 수혈 후에는 2,3-DPG가 수 시간 내에 급격히 회복하게 되며, 산소해리곡선은 체온이나 산도 등에도 영향을 받기 때문에 그에 의한 효과는 미미한 것으로 알려져 있다. 산증이 생기면 산소해리곡선이 우측으로 이동하게 되어 산소의 해리를 촉진하게 되므로, 대량수혈을 시행하는 환자에서는 산증이 동반되어 조직내 산소 공급에는 영향을 주지 않는다.

(4) 저칼륨혈증, 고칼륨혈증

보관된 혈액의 혈장에서는 칼륨이 증가하게 되며, 보관기간이 길어질수록 더 증가한다. 이것은 적혈구 세포막에 있는 ATPase펌프가 비활성화되어 나타난다. 그러나 보관된 혈액을 수혈하게 되면 ATPase가 활성화되어 세포 내로 칼륨의 이동을 촉진하게 된다. 따라서 대량수혈에 따른 고칼륨혈증은 임상적으로 큰 문제가 되지 않는다. 대량수혈 후 발생하는 고칼륨혈증은 저장된 혈액에 의한 것이라기보다는 신기능장애, 조직의 심한 손상, 횡문근 융해증rhabdomyolysis이나 근육의 괴사 등에 의해 나타나게 된다. 또한 혈액을 100-150mL/min이상의 속도로 주입 시에는 일시적으로 고칼륨혈증이 나타날 수 있다.

대량수혈을 시행 받은 환자의 약 50% 이상에서 저칼륨혈증이 유발되기도 한다. 저칼륨혈증은 적혈구 세포막의 ATPase펌프가 기능을 회복하면서 세포내로 칼륨을 이동시키면서, 알도스테론과 항이뇨호르몬의 분비, 대사성 알칼리증과 칼륨 함유가 적은 수액을 공급하는 등의 복합적인 기전에 의해 발생된다.

(5) 저칼슘혈증, 저마그네슘혈증

보관된 혈액은 응고를 방지하기 위해 구연산을 항응고제로 사용한다. 구연산은 간의 대사 작용에 의해 중탄산염으로 바뀌게 되지만, 중탄산염으로 바뀌지 않는 구연산은 이온화칼슘과 결합하여 혈장내 칼슘 농도를 낮출 수 있다. 보통 정상 간은 5분간 3g의 구연산을 대사할 수 있으므로, 5분당 1단위 이상 수혈이 시행되거나, 간질환 또는 저체온증에 의해 간기능이 저하된 경우에는 구연산 독성에 의한 저칼슘혈증이 나타날 수 있다. 구연산의 양은 농축적혈구보다는 신선동결혈장에 5배 정도 더 많이 들어 있어 신선동결혈장 수혈이 저칼슘혈증을 더 잘 유발한다. 구연산 독성에 의해 심한 저칼슘혈증이 발생하면, 심전도에서 QT 간격이 연장되거나, 심실 수축성이 감소되어 좌심실 기능이상이 나타날 수 있으며, 말초혈관저항이 감소되어 저혈압이 나타나게 된다. 또한, 근육의 진전도 유발되며 심한 경우 무맥성 전기활동이나 심실세동 같은 치명적인 심근장애가 나타날 수 있다. 또한, 대량수혈 시에는 저체온증, 고칼륨혈증 및 산증이 동반되어 나타나므로 심근기능장애가 더 쉽게 발생할 수 있다. 따라서 대량수혈을 시행 받은 환자에서는 이온화칼슘의 농도를 주의 깊게 관찰하여야 한다. 또한, 대량수혈에 의한 저마그네슘혈증도 QT 간격을 연장시킬수 있으므로 저칼슘혈증이 있는 환자에서는 칼슘과 마그네슘을 같이 검사하고 교정해야 한다.

(6) 산 염기 평형장애

보관된 혈액은 구연산과 여러 산성 물질들이 포함되어 있으며, 이산화탄소가 축적되어 산도가 7.0 이하로 떨어진다. 또한 장기간 보관 시 적혈구 내의 칼륨이 유출되어 pH가 감소한다. 따라서 대량수혈 시에는 혈중 pH가 대부분 감소하게 된다. 그러나 혈액내에 존재하는 구연산나트륨은 체내에서 중탄산염으로 전환되어, 대량수혈 시 대사성 알칼리증의 소견이 나타날 수 있다. 따라서 실제 환자에서 발생하는 대사성산증은 장시간의 저관류hypoperfusion와 쇼크, 저체온증 등에 의한 것으로, 산증이 지속되는 경우에는 조직으로 적절한 관류가 되지 않고 있음을 의미한다. 대량수혈을 시행하고 있는 환자에서 혈역학적으로 불안정하고 급성신부전증이 발생한 경우에는 심한 대사성산증이 나타나면, pH를 중성으로 유지하기 위해 중탄산염 투여 등의 알칼리화 제제 등을 투여하여야 한다. 또한 적절한 조직 내 관류를 유지하기 위한 적극적인 치료가 필요하다.

4. 수혈의 부작용

수혈의 부작용은 여러가지가 있으며, 발생기전에 따라 다음과 같이 분류할 수 있다(표 10-18). 수혈의 부작용은 가능한 발생하지 않도록 주의하며, 발생 시에는 조기에 발견하여, 즉시 적절한 처치를 시행하여야 한다. 수혈의 부작용, 기전 및 예방법은 표 10-19와 같다. 수혈 관련 부작용은 전체 수혈의 약 10% 정도에서 발생하며, 0.5% 미만에서는 심각한 부작용이 발생할 수 있다. 수혈 부작용에 의한 사망은 드물게 발생하며, 수혈관련 급성폐손상(16-22%), ABO비적합 용혈 반응(12-15%), 그리고 오염에 의한 세균감염(11-18%)이 주된 원인이 된다.

1) 급성 용혈성 부작용

급성 용혈 반응은 ABO부적합 혈액을 수혈하였을 때

표 10-18. 수혈 부작용의 분류

1. 용혈성 수혈 부작용
   1) 급성 용혈 반응
   2) 지연성 용혈 반응
   3) 비면역성 용혈 반응
2. 비용혈성 수혈 부작용
   1) 동종 면역에 의한 반응
   2) 혈장 단백에 의한 알레르기 반응
   3) 비면역성 부작용
3. 수혈 전파성 감염

나타나며, 약 6% 정도에서는 치명적인 결과를 가져올 수 있다. 국내에서는 발생 빈도에 대해서 정확한 통계는 없는 상태이다. 급성 용혈성 반응은 주로 잘못된 혈액형의 혈액을 수혈함으로써 발생하는 경우가 많다. 최근에는 ABO항체뿐만 아니라, 항-c+E, 항-C+e, 항-E, 항-Jka, 항-fyb, 항-Lea, 항-Ku 수혈 부작용이 보고되었다. 수혈이나 임신 등의 기왕력이 있거나, 수혈량이 많은 경우에 더 잘 일어난다. 용혈성 반응의 임상소견은 다양하게 나타날 수 있으나, 가장 흔한 증상은 수혈 부위의 통증과 얼굴 화끈거림 및 흉통이다. ABO항원-항체 반응에 따라 혈관내에서 적혈구가 파괴되면서, 혈색소증과 혈색뇨증이 나타나게 된다. 또한, 인자 XII가 활성화되고 항원-항체반응에 의한 보체가 활성화되면서 DIC가 발생할 수 있으며, 이로 인해 혈관내 응고 기전이 시작될 수 있다. 혈색뇨증에 의한 세뇨관 괴사와 더불어 세뇨관내에 혈색소의 침착을 유발시켜 신부전증을 가져올 수 있다. 용혈성 반응의 정도는 수혈된 혈액량과 관계가 있으며, 대개 200mL 이상의 혈액이 수혈되었을 때 사망이 발생할 수도 있다. 급성 용혈성 부작용이 의심되면, 즉시 수혈을 중단하고 생리식염

표 10-19. 수혈의 부작용 및 기전, 예방책

합병증	증상 및 징후	빈도	기전	예방
발열	발열, 오한 드물게 저혈압	0.5-1.5%	미리 만들어진 사이토카인 공여자의 림프구에 대한 숙주의 항체	백혈구 제거 혈액의 사용 수혈 전 해열제 투여
알레르기 반응	두드러기, 홍반, 발진, 가려움증	단위당 0.1-0.3%	혈장 단백에 대한 항체	예방적 항히스타민제, 세척 적혈구 사용
급성 용혈 반응	발열, 오한, 흉통, 호흡곤란, 복통, 저혈압, 파종성혈관내응고증, 혈색뇨 혈색소혈증 신기능 장애	1 : 33,000- 1: 1,500,000 단위	ABO 부적합 수혈 ABO 항원에 대한 기존 IgM 항체	적절하게 적합한 혈액의 수혈
지연성 용혈 (2-10일)	발열, 권태감, 빈혈, 간접 고빌리루빈혈증, 합토글리빈 증가 직접 항글로불린 검사 양성		IgG 매개(비ABO 부적합수혈)	재발을 방지하기 위해 환자의 항원 규명
수혈관련 순환 과부화	호흡곤란, 고혈압, 폐부종, 심부정맥	1 : 200-1 : 10,000 (수혈 환자)	고령의 울혈성심부전증 환자에게 다량의 혈액을 수혈 과도한 수혈	수혈 시간을 늘린다. 이뇨제 투여 동반 수액을 최소화
수혈관련 급성 폐손상	급성 저산소증(<6시간) 양측 폐 침윤 빈맥, 저혈압		항-HLA 또는 항 HNA 항체에 의한 순환계 및 호흡기계 백혈구를 공격	여성 공여자를 제한
세균 오염	고열, 오한 혈역학적 변화 파종성혈관내응고증 구토, 설사 혈색뇨	<0.05%(혈액) 0.05%(혈소판)	오염된 혈액의 주입	혈소판 보관<5일

수를 주입하며, 환자의 증상에 따라 치료를 시행한다. 그리고 환자의 병력과 기록을 검토하고, 환자의 혈액을 채취하여 공여자의 혈액과 ABO혈액형의 적합성을 검사하여야 하며, 환자 혈액에 대한 직접항글로불린 검사를 시행한다. 또한, 환자의 소변량을 감시하고, 적절한 수액공급을 통해 세뇨관 내에 혈색소의 침착을 방지하여야 한다.

2) 지연성 용혈성 부작용

지연성 용혈 부작용은 수혈 후 2-10일에 나타나며, 수혈 전 검체에서 검출되지 않은 적혈구 항체에 의해 발생하고, IgG에 의한 비 ABO항원에 대한 반응이다. 임신이나 기존에 수혈을 받은 후 적혈구 항원에 감작된 사람들에게서 잘 나타난다. 2/3 이상의 환자에서 발열이 동반되며, 혈관외 용혈과 빈혈, 간접고빌리루빈혈증이 동반된다. 수혈 후 2-10일 이후에 빈혈이 나타나는 경우 지연성 용혈 부작용을 염두에 두어야 한다. 직접항글로불린 검사에서 양성, 고빌리루빈혈증 그리고 합토글리빈 감소가 진단에 도움이 되며, 임상 소견과 같이 진단할 수 있다. 치료는 수혈량과 항체의 역가에 따라 달라지지만, 특별한 치료가 있지는 않다. 원인 항체에 대한 항원이 음성이 적혈구를 구해 수혈하는 경우에는 별문제가 없으며, 환자의 과거력을 잘 조사하여 수혈 부작용 여부를 조사하는 것이 지연성 용혈 부작용을 예방하고 치료하는 가장 좋은 방법이다.

3) 비 용혈성 발열 반응

발열성 비용혈성 수혈 부작용은 수혈과 관련하여 체온이 1℃ 이상 증가되는 것을 말하며, 전체 수혈의 약 1%에서 발생한다. 공여 혈액 내에 존재하는 사이토카인과 공여혈액의 항체에 대한 수혈자의 항체 반응(항원 항체 반응)에 의해 발생한다. 보통 농축 적혈구 내에 3×10^9정도의 백혈구가 포함되어 있어 백혈구를 제거하면 이 부작용을 감소시킬 수 있다. 따라서 백혈구 제거 혈액제제를 수혈함으로써 발생빈도를 낮출 수 있으며, 아스피린이나 아세트아미노펜 등으로 전처치를 시행하면 증상을 경감시킬 수 있다.

4) 알레르기 반응

알레르기 반응은 모든 수혈의 약 1% 정도에서 발생하며, 수혈 후 60-90분 내에 발열과 홍반, 두드러기 등이 나타난다. 드물게는 아나필락시스가 발생할 수도 있다. 과민성 공여자의 항체나 수혈자에 대한 과민성 항원이 수혈되는 경우에 발생할 수 있다. 항히스타민이 예방 및 치료에 사용된다. 증상이 심한 경우에는 에피네프린이나 스테로이드를 사용하기도 한다.

5) 수혈 관련 폐손상

수혈 관련 폐손상Transfusion Related Acute Lung Injury (TRALI)은 수혈과 관련되어 발생하는 폐기능부전증으로 수혈받은 환자 5,000명 당 1명 정도로 보고되는 비교적 드문 질환이다. TRALI의 발생기전은 정확히 알려져 있지 않으나, 항-인간호중구 항원Human Leucocyte Antigen (HLA)에 대한 항체에 의해 발생하며, 폐순환내의 호중구를 자극하여 발생하는 것으로 알려져 있다. 그러나 TRALI의 발생은 1가지 기전보다는 2가지 이상의 기전이 복합적으로 작용하여 발생한다(그림 10-9). TRALI는 전혈에서 분리된 혈소판 농축액을 수혈받는 경우에 가장 흔히 발생하며, 신선동결혈장, 농축적혈구, 전혈, 사혈농축혈소판apharesis platelet concentrate, 과립구, 동결침전제제 및 정맥내 면역 글로불린immunoglobulin (IVIG) 순으로 보고 하고 있다. TRALI는 비심장성 폐부종을 동반하며, 수혈 중이나 수혈 1-2시간 내에 나타나는 경우가 많으며, 수혈 후 6시간 내에 주로 발생한다. 폐부종과 더불어 과호흡, 청색증, 호흡곤란 및 열 등의 증상이 발생한다. 진단은 임상 양상을 토대로 가능하며, 자세한 진단기준은 표 10-20과 같다. TRALI에 의한 사망률은 5-25% 정도이며, 대부분 72시간 내에 회복되는 것으로 알려져 있다.

TRALI가 의심되면 일단 수혈을 중단하고, 혈액은행에 보고하여야 한다. 또한, 폐부종이 치료될 때까지 호흡 보조 치료를 시행한다. 이와 더불어 급성폐손상을 유발한 항체를 보유한 헌혈자는 다시는 헌혈을 하지 않도록 해야 한다.

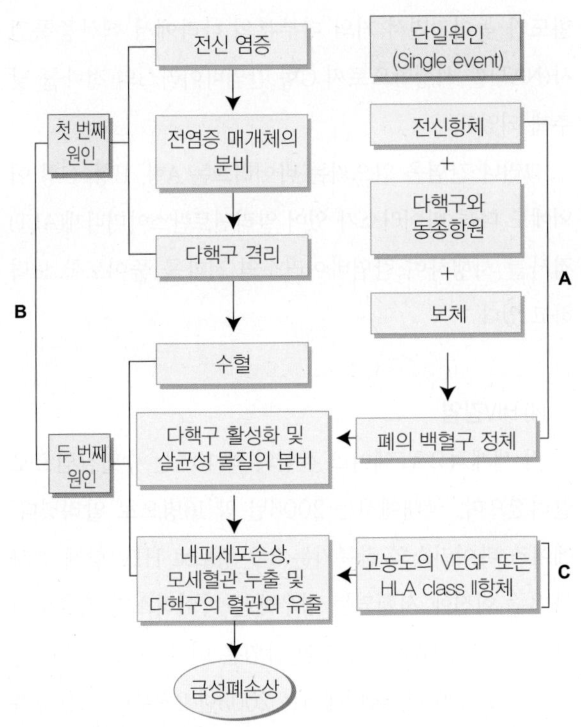

그림 10-9 수혈 관련 급성폐손상(TRALI)의 발생 기전. A) 단일 원인의 임상적 경과: 공여자의 혈액내에 숙주의 백혈구에 대한 항체가 있어 수혈 후 면역 반응이 나타나게 된다. 이로 인해 보체의 활성화, 폐 백혈구 정체증, 다핵구 활성화, 내피세포의 손상, 모세혈관 유출 및 급성폐손상을 일으킬 수 있다. B) 2가지 이상의 원인: 첫 번째는 폐의 내피세포의 활성화와 다핵구의 부착을 유발시키는 숙주의 임상 상태로, 폐 격리를 유발시킨다. 두번째는 생물학적으로 활성 지질, 특정 HLA I이나 II군에 대한 항체, 과립구 항원에 대한 항체 등 생물학적 반응 변경물질이 수혈되어 다핵구의 부착을 활성화시키고, 취약 환자에서 TRALI를 일으키게 된다. C) 백혈구감소증 환자에서 TRALI는 고농도의 VEGF나 HLA II군 항체 같이 내피 세포 투과성을 직접적으로 유발시킬 수 있는 물질에 의해 일어날 수 있다.

6) 이식편대숙주병

이식편대숙주병Graft-Versus-Host Disease(GVHD)은 수혈된 림프구가 면역기능이 저하된 숙주를 공격하여 나타나는 질환으로, 수혈용 혈액에 γ선을 조사하면 이 반응을 예방할 수 있다. 발열, 발진, 간기능 이상, 범혈구 감소증이 발생할 수 있다. 일단 발병하면 예후는 매우 불량하며, 예방이 가장 중요하다. 따라서 GVHD의 가능성이 높은 이식환자나 면역억제환자들에서는 γ선 조사 적혈구irradiated RBC를 사용한다.

표 10-20. 수혈 관련 급성 폐손상의 진단 기준

수혈관련 급성 폐손상의 진단 기준
1. 급성 폐손상 1) 급성 발현 2) 저산소증 (1) PaO2/FiO2 비 ≤ 300이거나 (2) 산소 공급 없이 산소포화도 < 90%인 경우 (3) 저산소증의 임상 증상이 있는 경우 3) 흉부 방사선에서 양쪽 폐의 침윤 소견 4) 좌심방 고혈압(순환과다)의 증거가 없어야 함 2. 수혈 전 급성 폐손상이 없어야 하고 3. 수혈 중이거나 수혈 6시간 내에 발생하고 4. 급성 폐손상을 초래할 만한 다른 원인이 없어야 함
수혈 관련 폐손상 가능성이 있다고 할 수 있는 기준
1. 급성 폐손상 2. 수혈 전 급성 폐손상 없음. 3. 수혈 중이거나 수혈 6시간 내에 발생하고 4. 급성 폐손상의 다른 위험 인자가 있는 경우

7) 감염성질환

간염, 에이즈, 말라리아 같은 많은 감염성질환들이 수혈을 통해 전염될 수 있다(표 10-21). 국내에서는 2005년 2월부터 C형 간염과 에이즈에 대한 핵산증폭검사가 모든 혈액에 대해 시행되었으나, 잠복기 혈액의 가능성이 있어 수혈전파성질환의 감염 가능성은 있는 상태이다.

(1) 말라리아

말라리아의 잠복기는 여러 요인에 의해 영향을 받지만 보통 10-60일 정도이며, 가장 흔한 *Plasmodium malariae*는 약 40일 정도이다. 따라서 수혈을 받은 후 2개월 정도에 원인을 알 수 없는 발열이 있는 경우 말라리아 감염을 생각하여야 한다. 수혈 관련 말라리아 감염은 국내에서 10예가 보고되어 있다. 1997년 말라리아 발생 지역의 확대에 따라 수혈관련 말라리아 예방 지침이 있으며, 발생 위험지역에서는 전혈 채혈을 금지하고 있고, 주의 지역에서는 동절기에만 채혈하여 수혈관련 말라리아 감염을 줄이고자 하는 노력이 시도되고 있다.

표 10-21. 수혈을 통해 전파 가능한 감염성 질환들

바이러스	기생충
A형 간염	말라리아
B형 간염	샤가스병
C형 간염	톡소플라스마증
거대세포바이러스	바베시아(babesiosis)증
Epstein-Barr Virus(EBV)	**세균**
헤르페스바이러스	브루셀라증
파르보(Parvo)바이러스	라임병
후천성면역결핍증	매독

(2) B형 간염

한국은 B형 간염 유병률이 약 4% 정도로 높은 지역으로, 수혈 관련 B형 간염의 감염 빈도에 대한 정확한 자료는 없으나, B형 간염의 비호발 지역의 2-4/1,000,000 보다는 높을 것으로 추산하고 있다. HBsAg 양성 혈액을 검출하기 위한 방법은 1990년부터 효소면역검사법(ELISA)을 이용하고 있지만, 변이형에 의한 감염 및 항HBc혈액을 통한 감염의 가능성은 여전히 존재한다.

(3) C형 간염

C형 간염의 가장 흔한 전파 경로는 혈액을 통한 감염이다. C형 간염의 감염 위험성은 0.05-0.5/1,000,000 정도인데, C형 간염(비A, 비B형 간염)에 대한 관심도 및 위험도가 높아지면서 거의 대부분의 나라에서 핵산증폭검사(NAT)를 시행함으로써 C형 간염바이러스의 전파를 낮추게 되었다.

그러나 간염을 일으키는 바이러스는 A형, B형, C형 이외에도 다른 바이러스가 있어 알라닌트란스아미나제(ALT) 검사를 시행하여 간염바이러스의 전파를 줄이도록 노력하고 있다.

(4) HIV감염

전 세계적으로 에이즈 감염의 약 10%는 수혈감염으로 알려졌으며, 국내에서는 2006년 약 16명으로 알려졌다. 에이즈 바이러스의 잠복기는 3주 정도로 HIV 항체 검사가 3주 이전에 시행되는 경우에는 바이러스가 검출되지 않는 시기로, 대부분의 수혈 감염은 이 시기에 검사된 혈액을 통한 것이다. 국내에서는 2005년 2월부터 핵산증폭검사를 실시하고 있어 HIV의 검출률을 높여, 수혈 관련 에이즈감염을 최소화하기 위한 노력이 계속되고 있다.

(5) 기타 세균감염

오염된 수혈기구나 용액, 채혈 시 오염, 조작 중의 오염 등으로 여러 가지 세균이 수혈 혈액 내에 오염될 수 있다. 이렇게 오염된 혈액을 통해 세균이 전파될 수 있으며, 그람음성 장내세균이나 *Yesinia enterocolitia*, *Propionibacterium acnes* 등이 보고되었다.

요약

혈액응고는 여러 가지 인자들이 복합적으로 작용하여 일어나며, 출혈을 최소화하기 위해서 나타나는 반응이다. 응고기전은 2가지로 설명하고 있으며 (1) 내경로와 외경로를 중심으로 하는 폭포 모델과, (2) 내피세포와 혈소판 등을 중심으로 하는 세포기반 모델이 있다.

응고 검사는 혈소판 수, 프로트롬빈 시간(PT), 활성부분트롬보프라스틴 검사(aPTT)등이 있으며, 프로트롬빈 시간은 인자VII과 관련된 외경로와 공통경로의 응고인자 장애를 알 수 있으며, aPTT는 내경로와 연관된 응고인자를 예측할 수 있다.

파종성혈관내응고증(DIC)은 감염이나 외상, 수술 환자에서 발생할 수 있으며, 응고장애가 흔히 동반한다. DIC는 원인을 찾아 치료하여야 하며, 응고장애가 동반되는 경우에는 신선동결혈장과 혈소판농축액의 수혈이 필요한 경우도 있다.

외상환자에서 발생하는 응고장애는 다량의 수액과 혈액, 저체온증, 산증이 복합적으로 작용하며, 지속적인 응고장애는 사망을 초래하기도 한다. 따라서 응고장애를 예방하고 치료하기 위해 적극적으로 노력하여야한다.

최근 들어 항응고제나 혈소판기능 억제제의 사용이 활발해지고 있으며, 수술을 시행받는 환자들이 증가하고 있다. 따라서 수술 전후 철저한 준비와 출혈이 발생하였을 때의 치료 방법에 대하여 숙지하고 있어야 한다.

대량수혈의 필요성, 위험성에 대해 인지하고 있어야 하며, 대량수혈 시 응고장애를 예방하기 위한 방법에 대해 숙지하고 있어야 한다.

혈액제제의 사용은 필수 불가결하지만, 많은 부작용을 야기할 수 있다. 따라서 안전한 수혈을 위해서는 각 혈액 제제에 따른 수혈의 적응증에 대한 이해가 필요하다.

참고문헌

1. 강민구, 임영애, 이기명. Knull 표현형에서 항 Ku 항체로 인한 용혈수혈부작용 1례 : 국내 첫 보고. 대한진단검사의학회지 2009;29:238-242.
2. 김경희, 한진영, 김정만 등. 항E와 항Fya에 의한 치명적 급성 용혈성 수혈부작용 1례. 대한진단검사의학회지 2003;23:57-59.
3. 박태성, 김형회, 손한철 등. 항-Jkb에 의한 급성신부전증을 초래한 용혈성 수혈 부작용 1례. 대한수혈학회지 2002;13:89-92.
4. 서동희. 수혈전파 감염질환의 현황 및 대책. 대한의사협회지 2006:410-415.
5. 수혈요법 실시 및 혈액제제사용,2013, 한국질병관리본부.
6. 양병국. 수혈가이드라인(제2차 개정판).
7. 이나리아, 윤성훈, 임원 등. 유전자 재조합 VIIa 투여로 회복된 후천성 혈우병 환자의 급성출혈 1례. 대한혈액학회지 2009;44:163-167.
8. 이종한, 이상국, 배인철, 등. 항-E, 항-M, 항-Jkb, 항-Lea 복합항체가 검출된 환자에서의 용혈성수혈부작용 경험 1례. 대한수혈학회지 2008;19:67-75.
9. 최일영, 이영열, 김길영 등. 한국에서 파종성혈관내응고증에 대한 통계적 관찰. 대한혈액학회지 1989;24:259-273.
10. 최현호, 장한정, 이우정 등. 혈액응고 8인자 항체가 있는 혈우병 환자에게 시행된 복강경하 담낭절제술. 대한외과학회지 2005;69:488-492.
11. 한국혈우재단, 2014한국혈우병백서 2015.
12. 한기철, 김세현, 이선주 등. 패혈증에 의한 범발성 혈관내 응고증의 진단에서 한국혈전지혈학회 기준과 세계혈전지혈학회 기준의 비교. 대한혈액학회지 2004;39:223-227.
13. Adams RL, Bird RJ. Review article: Coagulation cascade and therapeutics update: relevance to nephrology. Part 1: Overview of coagulation, thrombophilias and history of anticoagulants. Nephrology 2009;14:462-470.
14. Aravinthan A, Sen S, Marcus N. Transfusion-related acute lung injury: a rare and life-threatening complication of a common procedure. Clin Med 2009;9:87-89.
15. Arepally GM, Ortel TL. Heparin-induced thrombocytopenia. Annu Rev Med 2010;61:77-90.
16. Avci Z, Malbora B, gokdemir M, et al. Successful uss of recombinant factor VIIa(NovoSeven) during cardiac surgery in pediatric

patient with congenital factor XI deficiency Pediatr Cardiol 2008;29:220.

17. Brohi K, Cohen MJ, Davenport RA. Acute coagulopathy of trauma: mechanism, identification and effect. Current opinion in critical care 2007;13:680-685.
18. Brohi K, Singh J, Heron M, et al. Acute traumatic coagulopathy. J Trauma 2003;54:1127-1130.
19. Cobas M. Preoperative assessment of coagulation disorders. Int Anesthesiol Clin 2001;39:1-15.
20. Davie EW, Fujikawa K. Basic mechanisms in blood coagulation. Annu Rev Biochem 1975;44:799-829.
21. Davie EW, Ratnoff OD. Waterfall sequence for intrinsic blood clotting. Science 1964;145:1310-1312.
22. Dentali F, Ageno W, Crowther M. Treatment of coumarin-associated coagulopathy: a systematic review and proposed treatment algorithms. J Thromb Haemost 2006;4:1853-1863.
23. Despotis GJ, Zhang L, Lublin DM. Transfusion risks and transfusion-related pro-inflammatory responses. Hematol Oncol Clin North Am 2007;21:147-161.
24. Droog W, van Thiel SW, Sleeswijk Visser SJ, et al. Complications due to transfusion-related acute lung injury. Obstet Gynecol 2009;113:560-563.
25. Esmon CT. Basic mechanisms and pathogenesis of venous thrombosis. Blood Reviews 2009;23:225-229.
26. Federico A. Transfusion-related acute lung injury. J Perianesth Nurs 2009;24:35-37.
27. Ferrara A, MacArthur JD, Wright HK, et al. Hypothermia and acidosis worsen coagulopathy in the patient requiring massive transfusion. Am J Surg 1990;160:515-518.
28. Gerber DR. Transfusion of packed red blood cells in patients with ischemic heart disease. Crit Care Med 2008;36:1068-1074.
29. Grottke O, Henzler D, Rossaint R. Use of blood and blood products in trauma. Bese Pract Res Clin Anaesthesiol 2007;21:257-270.
30. Heim MU, Meyer B, Hellstern P. Recommendations for the use of therapeutic plasma. Curr Vasc Pharmacol 2009;7:110-119.
31. Ho AM, Karmakar MK, Dion PW. Are we giving enough coagulation factors during major trauma resuscitation? Am J Surg surgery 2005;190:479-484.
32. Hoffman M, Monroe DM. A cell-based model of hemostasis. Thromb Haemost 2001;85:958-965.
33. Joyce JA. Toward reducing perioperative transfusions. AANA J 2008;76:131-137.
34. Kearon C, Hirsh J. Management of anticoagulation before and after elective surgery. N Engl J Med 1997;336:1506-1511.
35. Lavelle WF, Demers Lavelle EA, Uhl R. Operative delay for orthopedic patients on clopidogrel(plavix): a complete lack of consensus. J Trauma 2008;64:996-1000.
36. Lee JH, Song JW, Song KS. Diagnosis of Overt Disseminated Intravascular Coagulation : A Comparative Study Using Criteria from the International Society Versus the Korean Society on Thrombosis and Hemostasis. Yonsei Med J 2007;48:595-600.
37. Lee TL, Lun KC. Review of problems of massive blood transfusion in a surgical intensive care unit. Ann Acad Med Singapore 1985;14:175-184.
38. Leslie SD, Toy PT. Laboratory hemostatic abnormalities in massively transfused patients given red blood cells and crystalloid. Am J Clin Pathol 1991;96:770-773.
39. Levy JH. Massive transfusion coagulopathy. Semin Hematol 2006;43:S59-63.
40. Levi M, Toh CH, Thachil J, et al. Guidelines for the diagnosis and management of disseminated intravascular coagulation. British Committee for Standards in Haematology. Br J Haematol 2009;145:24-33.
41. Levi M. Disseminated intravascular coagulation. Crit Care Med 2007;35:2191-2195.
42. Lim RC, Jr., Olcott CT, Robinson AJ, et al. Platelet response and coagulation changes following massive blood replacement. J Trauma 1973;13:577-582.
43. Liumbruno G, Bennardello F, Lattanzio A, et al. Recommendations for the transfusion of plasma and platelets. Blood Transfus 2009;7:132-150.
44. Liumbruno G, Bennardello F, Lattanzio A, et al. Recommendations for the transfusion of red blood cells. Blood Transfus 2009;7:49-764.
45. Louisirirotchanakul S, Kanoksinsombat C, Theamboonlert A, et al. Mutation of the "a" determinant of HBsAg with discordant HBsAg diagnostic kits. Viral Immunol 2004;17:440-444.
46. Macfarlane RG. An Enzyme Cascade in the Blood Clotting Mechanism, and Its Function as a Biochemical Amplifier. Nature 1964;202:498-499.
47. Malone DL, Hess JR, Fingerhut A. Massive transfusion practices around the globe and a suggestion for a common massive transfusion protocol. J Trauma 2006;60:S91-96.
48. Martini WZ. Coagulopathy by hypothermia and acidosis: mechanisms of thrombin generation and fibrinogen availability. J Trauma 2009;67:202-208; discussion 208-209.
49. Moltzan CJ, Anderson DA, Callum J, et al. The evidence for the use of recombinant factor VIIa in massive bleeding: development of a transfusion policy framework. Transfus Med 2008;18:112-120.
50. Monroe DM, Hoffman M, Roberts HR. Platelets and thrombin generation. Arterioscler Thromb Vasc Biol 2002;22:1381-1389.
51. Mulholland MW, Lillemoe KD, Doherty GM, et al. Greenfield's surgery: Scientific principles and practice, 4th ed. Lippincott Williams & wilkins 2006.
52. Napolitano LM. Perioperative anemia. Surg Clin North Am 2005;85:1215-1227.

53. Napolitano LM, Kurek S, Luchette FA, et al. Clinical practice guideline: red blood cell transfusion in adult trauma and critical care. Crit Care Med 2009;37:3124-3157.
54. Ng VL. Liver disease, coagulation testing, and hemostasis. Clin Lab Med 2009;29:265-282.
55. Patel MS, Carson JL. Anemia in the preoperative patient. Anesthesiol Clin 2009;27:751-760.
56. Peyvandi F, Cattaneo M, Inbal A, et al. Rare bleeding disorders. Haemophilia 2008;14 Suppl 3:202-210.
57. Peyvandi F, Mannucci PM. Rare coagulation disorders. Thromb Haemost 1999;82:1207-1214.
58. Phillips GR, Kauder DR, Schwab CW. Massive blood loss in trauma patients. The benefits and dangers of transfusion therapy. Postgrad Med J 1994;95:61-62.
59. Saba HI, Morelli GA. The pathogenesis and management of disseminated intravascular coagulation. Clin Adv Hematol Oncol 2006;4:919-926.
60. Sihler KC, Napolitano LM. Complications of massive transfusion. Chest 2010;137:209-220.
61. Sihler KC, Napolitano LM. Massive transfusion: new insights. Chest 2009;136:1654-1667.
62. Silliman CC, Ambruso DR, Boshkov LK. Transfusion-related acute lung injury. Blood 2005;105:2266-2273.
63. Spahn DR, Rossaint R. Coagulopathy and blood component transfusion in trauma. Br J Anaesth 2005;95:130-139.
64. Spiess BD. Red cell transfusions and guidelines: a work in progress. Hematol Oncol Clin North Am 2007;21:185-200.
65. Spinella PC, Perkins JG, Grathwohl KW, et al. Warm fresh whole blood is independently associated with improved survival for patients with combat-related traumatic injuries. J Trauma 2009;66:S69-76.
66. Spinella PC. Warm fresh whole blood transfusion for severe hemorrhage: U.S. military and potential civilian applications. Crit Care Med 2008;36:S340-345.
67. Tanaka KA, Key NS, Levy JH. Blood coagulation: hemostasis and thrombin regulation. Anesth Analg 2009;108:1433-1446.
68. Taylor FB, Jr., Toh CH, Hoots WK, et al. Towards definition, clinical and laboratory criteria, and a scoring system for disseminated intravascular coagulation. Thromb Haemost 2001;86:1327-1330.
69. Trotter JF. Coagulation abnormalities in patients who have liver disease. Clin Liver Dis 2006;10:665-678.
70. Triulzi DJ. Transfusion-related acute lung injury: current concepts for the clinician. Anesth Analg 2009;108:770-776.
71. Warkentin TE. Heparin-induced thrombocytopenia: pathogenesis and management. Br J Haematol 2003;121:535-555.
72. Watts DD, Trask A, Soeken K, et al. Hypothermic coagulopathy in trauma: effect of varying levels of hypothermia on enzyme speed, platelet function, and fibrinolytic activity. J Trauma 1998;44:846-854.
73. Wolberg AS, Meng ZH, Monroe DM, et al. A systematic evaluation of the effect of temperature on coagulation enzyme activity and platelet function. J Trauma 2004;56:1221-1228.
74. Wudel JH, Morris JA, Jr., Yates K, et al. Massive transfusion: outcome in blunt trauma patients. J Trauma 1991;31:1-7.
75. Zeerleder S, Hack CE, Wuillemin WA. Disseminated intravascular coagulation in sepsis. Chest 2005;128:2864-2875.

Chapter 11 화상

Burn

I 서론

화상은 일상에서 흔히 접할 수 있는 손상의 하나이다. 대개는 경미한 손상으로 국한되기 때문에 그 심각성에 대해서는 잘 인식되고 있지 않은 것이 현실이다. 하지만 화상이 깊거나 범위가 넓은 화상에서는 심각한 장애를 초래할 뿐 아니라 사망에까지 이를 수 있다. 따라서 화상에 대한 정확한 지식을 습득하고 대비하는 것이 필요할 것이다. 화상은 일상에서 흔히 접하는 물체나 환경에 의해 발생하기 때문에 예방이 가장 우선이 되어야 한다. 일단 화상을 입었을 경우 적절한 초기 처치를 하는 것이 예후와 긴밀한 관계가 있으므로 매우 중요하다. 이후 화상전문기관이나 화상센터에서 진료를 하는 것이 권장된다. 현재 우리나라에는 서울을 비롯한 일부 지역에 보건복지부가 인정한 전문화상센터가 그 지역의 화상환자의 치료에 중요한 역할을 하고 있다. 화상의 치료에는 여러 분야의 전문 인력과 시설을 갖추고 있는 기관에서 종합적이고 체계적인 진료가 이루어져야 만족할 만한 결과와 예후를 얻을 수 있을 것이다.

II 화상의 원인과 병태생리

1. 화상의 원인과 국소변화

열손상은 표피와 피하조직에 혈관응고에 의해 괴사되어 발생된다. 화상 환부의 깊이는 노출된 온도, 원인, 노출시간에 따라 결정된다. 화상은 원인에 따라 5가지로 분류되며(표 11-1), 깊이에 따라 5단계로 분류하고 있다. 원인 별로는 화염화상, 열탕화상, 접촉화상, 화학화상과 전기화상으로 분류한다. 화염화상은 화재, 모닥불, 가스 폭발 등에 의하며, 열탕화상은 뜨거운 국, 찌개, 커피, 물, 튀김을 하던 중 튄 식용유 등이 원인이며, 접촉화상은 달

표 11-1. 화상의 원인별 분류

종류		원인
화염화상	Flame Burn	가열된 공기에 의한 손상
열탕화상	Scald Burn	뜨거운 액체와의 접촉에 의한 손상
접촉화상	Contact Burn	뜨거운 고체와의 접촉에 의한 손상
화학화상	Chemical Burn	유해화학물질과의 접촉에 의한 손상
전기화상	Electrical Burn	전기의 전도에 의한 손상

궈진 고기불판, 다리미, 난로에 접촉하여 발생한다. 화학 화상은 산 또는 염기에 의해 발생된 것을 얘기하며, 전기 화상은 감전에 의해 발생된다.

2. 화상의 깊이(그림 11-1)

화상환부는 깊이에 따라 1도, 표재성 2도, 심재성 2도, 3도와 4도로 분류하고 있다. 국제 질병분류에는 1도, 2도 3도로 분류하고 있다(표 11-2).

1도 화상은 표피에 국한된 손상으로 정의한다. 1도 화상은 살짝 데인 것인데, 통증과 홍반이 형성되지만 표피는 탈락되지 않고 물집도 형성되지 않는다. 일광화상이나 경미한 열탕화상 등이 해당 된다. 1도 화상은 흉터가 남지 않으며, 시원하게 해주거나, 통증을 줄여주는 연고를 바르거나, 비스테로이드계 소염진통제를 투여하여 환자의 고통을 줄여주는 증상치료로 충분하다.

2도 화상은 2단계로 구분되는데, 표재성과 심재성이다. 모든 2도 화상은 어느 정도의 진피가 손상되며, 진피 손상의 깊이에 따라 구분된다. 표재성 진피화상(표재성 2도 화상)은 환부가 붉고 통증이 심하며, 누르면 창백해지고, 수포가 빈번하게 발생한다. 예로는 뜨거운 목욕물에 수상한 경우, 화염섬광에 다친 경우 등이 있다. 표재성 2도 화상은 1–2주 내에 자연적으로 피부부속기(Rete ridges, hair follicles, sweat glands)로부터 재상피화가 이루어진다. 치유가 된 후에 장기간 일부 피부변색이 발생될 수 있다. 망상 진피층reticular dermis까지 손상된 심재성 진피화상(심재성 2도 화상)은 더 창백하고 얼룩덜룩하게 보이며, 표재성 진피화상에 비해 덜 아프지만, 강한 자극에는 통증이 유발된다. 심재성 2도 화상은 재상피화에 2–5주 정도 걸리며, 진피의 결손으로 인해 심각한 흉터를 남기는 경우가 빈번하다.

3도 화상은 표피와 진피에 걸쳐 손상된 전층화상으로,

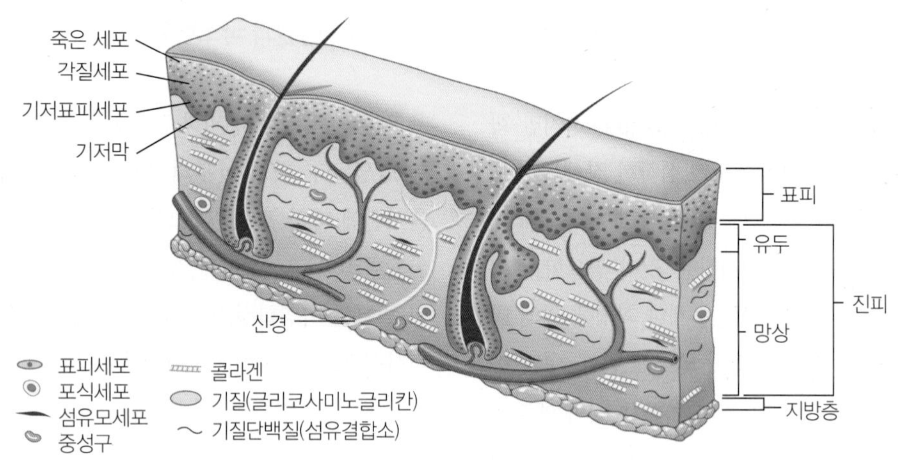

그림 11-1 피부의 구조

표 11-2. 화상의 깊이

화상의 깊이	침범 부위	색상	양상	통증 치유기간
1도 화상	표피	홍조	건조	(+)
표재성 2도 화상	표재 진피층으로 침범	수포(물집), 붉은색의 환부	습윤	(++) 2주 이내
심재성 2도 화상	심부 진피층으로 침범	분홍 또는 붉은색과 흰색의 혼합	습윤	(+) 2주에서 5주
3도 화상	진피층 전체를 침범	흰색 또는 갈색의 가피 형성	건조, 가죽양상	(–)
4도 화상	피부 전층과 피하조직, 근육, 뼈까지 침범	흰색의 가피 또는 타 버린 형태의 가피	건조, 가죽양상	(–)

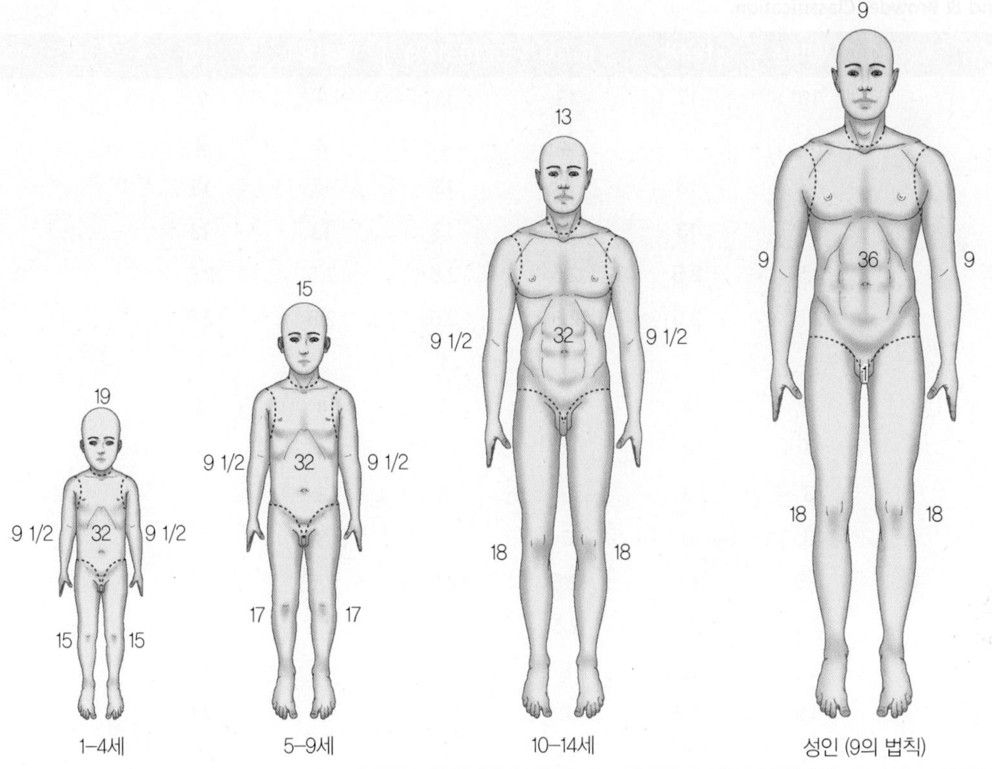

그림 11-2 **연령별 화상의 면적과 '9의 법칙'**

가피가 형성되는 것이 특징이다. 가피는 까맣거나, 하얗거나, 검붉은색의 단단하고 가죽 같은 것이 특징이다. 표피와 진피의 피부부속기가 남지 않아 치유를 위해서는 환부 가장자리에서부터 재상피화가 이루어져야 한다. 심재성 2도 화상 중 깊은 화상과 전층화상인 3도 화상은 치유를 위해 단계적으로 절제와 피부이식술을 시행하여야 한다.

4도 화상은 근육, 뼈와 뇌와 같은 피부아래 조직까지 침범한다.

일반적으로 화상환부의 깊이는 화상치료에 숙련된 외과의의 판단에 의해 평가하는 것이 가장 정확하다. 정확한 깊이를 판정하는 것이 보존적 요법으로 치료할 것인지, 수술이 필요한지를 판단하는데 가장 중요하다.

3. 화상의 면적

화상의 면적은 손상된 범위가 총체표면적Total Body Surface Area (TBSA)에서 차지하는 비율로 평가한다. 화상의 면적은 일반적으로 "9의 법칙"으로 평가한다(그림 11-2). 성인에서는 각각의 상지와 두경부는 총체표면적의 9%, 양하지와 앞, 뒤 체간부는 각각 18%, 그리고 회음부와 음부는 총체표면적의 1%로 추정한다. 작은 화상의 환부 면적은 환자의 손바닥 전체를 총체표면적의 약 1%로 추정한다. 이 방법은 환부가 여러 부위에 산재되어 있을 때 유용하다.

III 전신변화

총체표면적의 40% 이상에 달하는 중화상에는 stress기, 염증기, 과대사기, 해당기, 단백분해기, 지방분해기에 기질 순환futile substrate cycling이 따라온다. 이러한 반응은 모든 외상환자, 수술환자와 중환자에서 존재하지만, 중증

표 11-3. Lund & Browder Classification

부위	1세미만	1-4세	5-9세	10-14세	15-18세	성인	2도	3도
머리	19	17	13	11	9	7		
목	2	2	2	2	2	2		
몸통(앞)	13	13	13	13	13	13		
몸통(뒤)	13	13	13	13	13	13		
오른 엉덩이	2.5	2.5	2.5	2.5	2.5	2.5		
왼 엉덩이	2.5	2.5	2.5	2.5	2.5	2.5		
회음부	1	1	1	1	1	1		
오른 윗팔	4	4	4	4	4	4		
왼 윗팔	4	4	4	4	4	4		
오른 앞팔	3	3	3	3	3	3		
왼 앞팔	3	3	3	3	3	3		
오른손	2.5	2.5	2.5	2.5	2.5	2.5		
왼손	2.5	2.5	2.5	2.5	2.5	2.5		
오른 허벅지	5.5	6.5	8	8.5	9	9.5		
왼 허벅지	5.5	6.5	8	8.5	9	9.5		
오른 아랫다리	5	5	5.5	6	6.5	7		
왼 아랫다리	5	5	5.5	6	6.5	7		
오른발	3.5	3.5	3.5	3.5	3.5	3.5		
왼발	3.5	3.5	3.5	3.5	3.5	3.5		
총 면적(%)								

사람의 체표면적을 부위별로 비율로 측정하는 방법이다. 소아에서는 체표면적에서 머리가 차지하는 부분이 커서 9의 법칙을 적용하는 대신 이 방법을 사용한다.

도, 기간과 강도는 화상환자에서는 독특하게 나타난다.

1. 화상 후 대사과다반응

분해대사상태와 동반된 급성대사과다반응은 카테콜아민, 글루코코르티코이드, 글루카곤과 도파민의 분비가 현저히 지속적으로 증가하며 시작되는 것으로 생각된다. 이러한 복합적인 반응의 원인은 잘 알려져 있지 않다. 하지만, 인터루킨Interleukin (IL) 1과 6, 혈소판활성인자platelet-activating factor, 종양괴사인자tumor necrosis factor, 내독소endotoxin, 호중구부착복합체neutrophil adherence complexes, 활성산소reactive oxygen species, 산화질소nitric oxide 그리고 보체뿐 아니라 지혈과정들 또한 화상손상에 나타나는 이러한 반응을 조절하고 있다. 일단 이러한 일련의 단계cascade들이 시작되면, 그들의 매개체들과 부산물들이 종종 화상 후 나타나는 변화된 당 대사와 연관되어 대사율을 증가시키고 지속되도록 자극하는 것으로 알려져 있다.

화상 후 나타나는 대사현상들은, 수상 후 서로 다른 2가지 양상이 발생한다. 첫 단계는 수상 후 48시간 이내에 발생하며, 전통적으로 쇠퇴기ebb phase라고 불리는데, 심박출량, 산소소모량과 대사율이 감소할 뿐 아니라, 조직에서 포도당내성이 발생하여 고혈당이 나타나는 것이 특징이다. 이러한 대사변화는 수상 후 첫 5일 이내에 점진적으로 증가하여 고조기plateau phase (the flow phase라고 불린다)가 되는데, 고혈류순환hyperdynamic circulation과 대사과다상태와 관련이 있다. 이 시기 동안 인슐린은 포도당 부하에 반응하여 조절하는 것의 2배가 방출되고, 혈중 포도당의 수치는 현저히 상승되는데, 인슐린저항으로 발전한 것을 시사한다. 현재 이러한 대사의 변화는 환부가 완전히 치유된 후에는 곧바로 소멸하는 것으로 이해되고 있다. 하지만, 몇몇 연구에서 화상 후 발생한 대사과다반응은 화상 수상 후 12개월 이상 지속될 수 있다는 것을 알아냈다. 화상 후 변경된 대사과다반응의 지속여부는 소변 코르티졸cortisol, 혈중 사이토카인cytokine, 카테콜아민과 기초에너지요구량이 상승되어 지속되고 있는 것으로 인지할 수 있다. 또한, 손상된 포도당대사와 인슐린저항은 화상 수상 후 3년까지 지속되는 것으로 알려져 있다.

중증화상에서 혈장 카테콜아민과 코르티코스테로이드 측정치는 10배에서 50배까지 상승되고, 수상 후 3년까지 지속된다. 사이토카인 측정치는 화상 손상 후 즉각적으로 최고치에 도달하고, 1개월 내에 정상수준에 도달한다. 필수 구성요소인 급성기단백의 변경은 화상손상 후 5-7일에 시작되고 급성기 입원 기간 동안 쭉 비정상으로 남는다. 혈중 인슐린유사성장인자 IInsulin-like Growth Factor I (IGF-I), IGF 결합 단백 3IGF-Binding Protein 3 (IGFBP-3), 부갑상선호르몬 그리고 오스테오칼신osteocalcin은 화상수상 후 즉각적으로 10분의 1수준까지 떨어지고, 6개월까지는 정상수준에 비해 상당히 낮게 유지된다. 성호르몬과 내인성endogenous 성장호르몬의 측정치는 화상손상 후 3주 정도까지 감소한다. 중증의 화상환자들에서 휴식대사율은, 열중립온도thermal neutral temperature (30° C)에서 입원 시는 정상의 140%를 초과하는데, 일단 환부가 완전히 치유되면 130%까지 감소하고, 이후 6개월째 120%, 화상 손상 후 12개월에는 110%까지 감소한다. 대사의 증가는 총체단백의 소실, 면역방어 감소와 상처치유 지연을 초래한다.

화상 후 즉각적으로, 환자들은 낮은 심박출량을 보이며 초기 쇼크의 특징을 갖는다. 하지만, 화상 3일에서 4일 후에는 심박출량이 화상을 입지 않은 건강한 사람에 비해 1.5배 이상 증가한다. 한편, 소아화상환자의 심박수는 화상을 입지 않고 건강한 사람에 비해 1.6배에 달한다. 화상 후, 환자들의 심작업량cardiac work은 증가된다. 심근의 산소소모량은 마라톤을 하는 사람 이상으로 증가하고 재활기간 동안 지속된다.

화상 후에는 극심한 간비대hepatomegaly가 발생한다. 간은 화상 후 2주까지 정상의 225%까지 그 크기가 증가하고 퇴원 시에도 정상의 200%까지 커져있는 채로 유지된다.

화상 손상 후, 근육단백은 합성하는 것보다 훨씬 빠르게 분해된다. 순단백소실net protein loss은 체질량의 소실과 근력을 약화시키고 재활을 제대로 하지 못할 정도로 심각한 근육 소실을 야기한다. 만성 병태와 대사과다반응에 의한 체질량의 심각한 감소는 치명적인 결과를 초래할 수 있다. 체질량이 10% 소실될 경우 면역기능장애가 발생한다. 체질량이 20% 소실되면 상처치유에 영향을 준다. 체질량이 30% 소실되면 폐렴과 압박욕창의 발생위험이 증가된다. 그리고, 체질량이 40% 소실되는 경우 사망에 이르게 된다. 합병증이 없는 중화상환자들은 급성화상 후 총체질량의 25%까지 소실될 수 있다. 단백분해는 중화상 환자에서 화상 후 거의 1년까지 지속되고, 전신에 심각한 악영향과 질소균형의 뒤틀어 짐을 초래한다. 단백분해대사작용은 대사율의 상승과 양의 상관관계를 갖는다. 중증화상환자에서는 매일 화상면적 1m^2 당 20-25g (20-25g/m^2 of burned skin)의 질소가 소실된다. 질소소실이 지속되면, 1개월 이내에 치명적인 악액질cachexia에 도달할 수 있다. 화상을 입은 소아환자들은 단백소실로 인해 손상 후 24개월까지 심각한 성장저하가 초래된다.

중증화상 후 상승된 혈중 카테콜아민, 글루카곤과 코르티졸은 지방으로부터 지방산과 글리세롤의 유리, 간에서의 포도당 생산 및 근육으로부터 아미노산의 유리를 촉진한다(그림 11-3). 특이적으로, 화상 후 대사과다반응기 동안 중성지방-지방산 순환triglyceride-fatty acid cycling이 450% 증가하는 것에 함께 해당-포도당신합성순환glycolytic-gluconeogenetic cycling이 250% 증가한다. 이러한 변화들로 수용체후인슐린저항postreceptor insulin resistance으

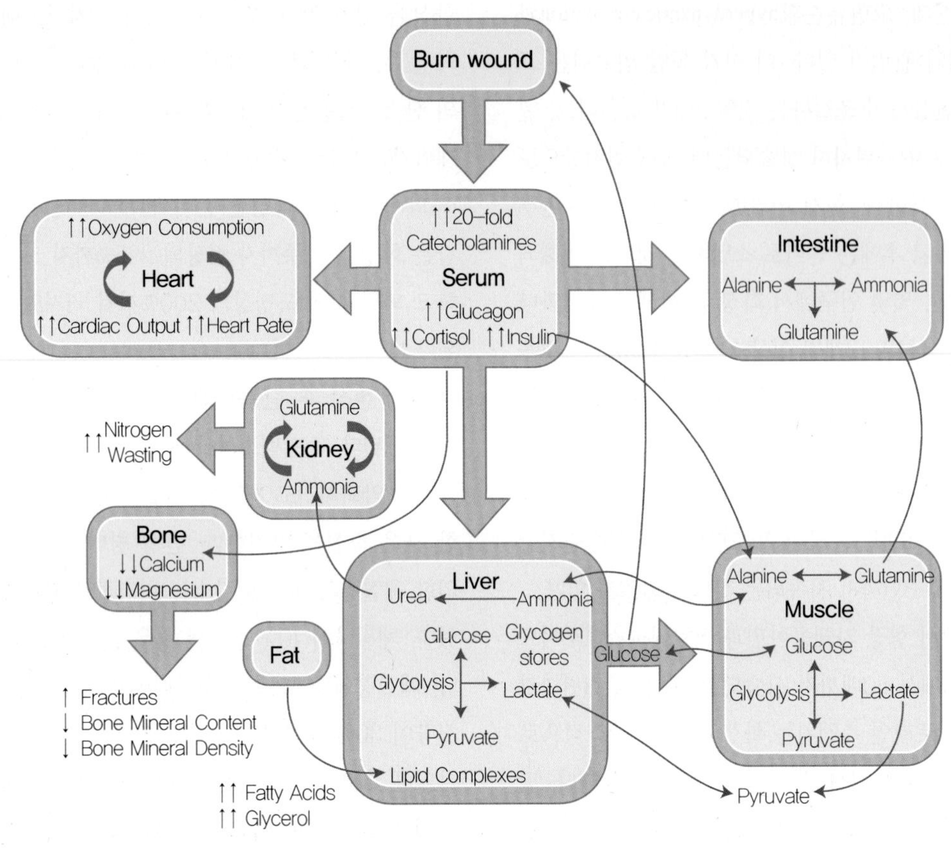

그림 11-3 화상 후 발생한 대사이상의 효과(Effects of metabolic dysfunction after burn injury).

로 인한 인슐린 감수성에 손상이 발생하여, 인슐린 측정치와 금식기 혈당은 상승되고, 포도당의 이동 및 대사는 심각하게 감소되어 고혈당을 초래한다. 말초로의 포도당의 이송은 3배까지 증가되지만, 포도당의 산화는 제한된다. 포도당 생산의 증가로 섬유아세포fibroblast와 내피endothelial와 염증inflammatory 세포의 다소 비효율적인 혐기성 대사가 어느 정도 일어난다. 혐기성 포도당 산화의 최종산물인 젖산은 포도당신합성과정gluconeogenic pathway을 통해 간에서 재활용되어 더 많은 포도당을 생산한다. 혈중 포도당과 혈중 인슐린은 화상 후 증가하고 급성기 입원치료기간 동안 지속적으로 상승되어 유지된다. 인슐린저항은 화상손상 후 첫 1주 동안 나타나고 퇴원 후 3년까지 지속된다.

패혈증 환자들에서는, 비슷한 면적에 화상을 입었으나 패혈증이 발생되지 않은 환자들에 비해 대사율과 단백분해작용이 40%까지 극심하게 증가한다. 환자들은 분해대사적catabolic이기 때문에 악순환이 발생되면, 면역기능과 면역반응이 변화하기 때문에 패혈증이 더 쉽게 발생한다. 다제내성균주의 발생은 패혈증, 분해대사작용 및 사망률의 증가를 초래한다. 그러므로 이차 손상을 예방하기 위해 대사과다와 과분해대사반응의 조절이 중증화상환자의 구조와 기능의 회복을 위해 무엇보다도 중요하다.

2. 염증과 부종

심각한 화상에서는 환부와 그 외 조직내의 염증매개물질이 대량으로 방출된다. 이 매개물질들에 의해, 혈관수축 및 이완과 모세혈관투과성이 증가되어, 국소적 그리고 멀리 떨어져있는 장기에 부종이 형성된다. 전신부종은 화상부위 피부와 화상을 입지 않은 피부 사이의 스탈링력Starling forces의 변화에 의해 발생한다. 우선적으로, 화상부위 피부의 간질정수압이 줄어들고, 화상을 입지 않은 피부의 간질의 압력에 비례하여 상승한다. 모세혈관 투과성 증가로 조직내 단백이 소실되어 혈장 삼투압이 감소하고 간질의 삼투압이 상승하기 때문에, 화상부위뿐 아니라 화상을 입지 않은 조직에도 부종이 형성된다. 부종은 낮은 간질압력 때문에 화상을 입은 조직에서 더 심하다.

화상손상 후 히스타민, 브라디키닌, 혈관활성아민vasoactive amines, 프로스타글란딘, 류코트리엔leukotrienes, 활성화된 보체activated complement 그리고 카테콜아민을 포함하는 많은 매개물질들이 투과성 변화와 관련이 있는 것으로 알려져 있다. 화상을 입은 피부 내 비만세포mast cell는 수상 후 즉각적으로 대량의 히스타민을 방출하는데, 세포간결합공간intercellular junction space의 형성을 증가시켜 소정맥내 특이 반응을 끌어낸다. 하지만 화상부종의 치료에 항히스타민을 이용한 치료의 성공은 극히 제한적이다. 응집된 혈소판은 부종형성에 중요한 역할을 하는 세로토닌을 방출한다. 이 물질은 폐혈관의 저항을 직접적으로 증가시키고, 간접적으로 다양한 혈관활성아민들은 혈관수축을 악화시킨다. 세로토닌차단제Serotonin blockade는 화상 후 심장지표cardiac index를 개선하고, 폐동맥압을 감소시키고, 산소소모량을 줄인다.

투과성과 체액 이동에 중요한 역할을 할 것 같은 또 다른 매개물질은 트롬복산 A2thromboxane A2이다. 트롬복산은 화상환자의 혈장과 환부에서 현저히 증가한다. 이 잠재적인 혈관수축물질은 환부에서 혈관수축과 혈소판 응집을 유도하고, 울혈구역the zone of stasis의 확장에 기여한다.

3. 심혈관계에 대한 효과

손상 후 즉각적으로 발생하는 미세혈관계의 변화는 혈장량의 감소, 말초혈관저항의 증가, 그리고 이에 연속되어 심박출량의 감소로 특징지어지는 순환호흡기계cardiopulmonary의 변화를 유발한다. 심박출량은 심근수축력cardiac contractility의 감소뿐 아니라 혈액량감소와 혈액점도의 증가에 의해 줄어든 상태로 유지된다. 이 시기의 심실기능 이상은 림프액내에 존재하는 심근억제인자myocardial depressant factor에 의해 일어난다. 체표면적의 40% 이상에 화상을 입은 환자들에서 심박출량이 증가되는데, 시간이 지나면서 감소된다. 이때 맥박수의 증가가 동반된다. 중증의 소아화상환자들에서는 기대치의 160%에서 170%에 해당하는 현저한 빈맥이 발생하는데, 중환자실에서 나갈 때도 150% 정도로 높게 유지된다. 입원할 때 심박출량은 150%이고 퇴원할 때 기대치의 130% 정도로 유지된다. 화상손상 2년 후까지 맥박수가 상승되어 유지된다는 증거도 있다. 면적이 넓은 화상에서 사망에 기여하는 주요소 중 하나는 심장스트레스와 심근기능손상myocardial dysfunction일 것이라는 가설은 후향적 부검연구에서 검증되었고, 심장스트레스와 기능을 개선시키는 치료가 필요하다는 것을 암시하고 있다.

4. 신장계에 대한 효과

혈액량과 심박출량의 감소는 신혈류의 감소와 사구체여과율의 감소를 초래한다. 안지오텐신, 알도스테론과 바소프레신 같은 기타 스트레스에서 유도된 호르몬들과 매개물질들은 화상 후 즉각적으로 신혈류를 더욱 감소시킨다. 이 효과는 핍뇨oliguria를 초래하는데, 적절히 치료되지 않으면, 급성요세관괴사acute tubular necrosis와 신부전의 원인이 될 것이다. 20여 년 전, 화상손상에서 급성신부전은 거의 모두 사망하였다. 오늘날은, 투석이라는 새로운 기술이 회복되는 동안 신장을 지지하는데 널리 이용되게 되었다. 최근의 보고에서는 화상 후 치료기간 중 신부전이 발생한 중증 성인화상환자에서 사망률은 88%, 중증 소아화상환자에서 사망률은 56%로 나타났다. 조기 수액소생요법은 신부전의 위험을 감소시켰고 사망률과 합병증 발생률을 개선하였다.

5. 위장관계에 대한 효과

화상에 대한 위장관의 반응으로 점막위축, 소화흡수의 변화, 그리고 장투과성의 증가 등이 있다. 소장점막의 위축은 화상면적이 총 체표면적에서 차지하는 비율에 따라 손상 12시간 이내에 발생하고 세포자멸apoptosis에 의해 증가된 표피세포의 사멸과 관련이 있다. 점막 융모층의 골격은 미세융모의 소포형성vesiculation과 말단망액틴필라멘트들terminal web actin filaments의 붕괴와 연관되어 위축 변화를 겪게 된다. 이러한 양상 들은 손상 후 18시간째 가장 확연히 나타나는데, 세포자멸에 의한 세포사멸과 관련된 것처럼 세포골격cytoskeleton 내의 변화가, 변화된 장점막을 침범하는 과정이라고 알려지고 있다. 화상은 또한 포도당과 아미노산의 흡수를 감소시키고, 지방산의 흡수를 감소시키며 융모층의 리파아제lipase의 활성을 감소시킨다. 이러한 변화들은 화상손상 후 첫 수 시간 내에 최고조가 되며 점막 위축이 평행을 이루는 시간인 48-72시간에 정상으로 돌아온다.

온전한 점막장벽mucosal barrier은 통과하지 못하는 거대분자에 대한 장관 투과성이 화상손상 후에는 증가한다. 폴리에틸렌글리콜polyethylene glycol 3350, 락툴로오즈lactulose, 그리고 만니톨mannitol의 장관투과성이 손상 후 화상의 범위에 연관하여 증가한다. 장관투과성은 화상환부가 감염되게 되면 더욱 증가한다.

장관혈류의 변화는 투과성의 변화와 관련이 있다. 장관혈류는 동물에서 감소하는 것으로 나타났는데, 수상 후 5시간째 장관투과성의 증가와 연관되어 나타나는 변화로 확인되었다. 이 효과는 24시간째 사라진다. 체표면적의 40%에 전층화상이 있는 동물에서 수축기 저혈압이 화상손상 후 즉각적으로 발생되는 것을 확인되었다. 이 동물들은 혈류와 칸디다candida에 대한 투과성 간에 역상관관계inverse correlation을 보여주었다.

6. 면역계에 대한 효과

화상은 면역기능을 전반적으로 억제시키는데, 화상환부 위에서 동종피부가 장기간 생존하는 것에서 알 수 있다. 화상환자들에서는 환부의 세균감염, 폐렴, 그리고 진균과 바이러스 감염을 포함하는 수많은 감염 합병증의 발생 위험이 크다. 이러한 감수성과 상태는 호중구neutrophil, 대식세포, T림프구, 그리고 B림프구의 활성activity과 활성화activation를 포함하여, 면역계의 모든 부분에서 세포성기능의 저하에 기초를 둔다. 체표면적의 20%를 초과하는 부위에 화상을 입은 환자들에서, 면역기능의 손상은 화상면적에 비례한다.

화상 후 대식세포의 생산은 감소한다. 전체 호중구 수는 화상손상 후 초기에 증가되는데, 세포자멸apoptosis에 의한 세포사멸의 감소와 관련이 있는 현상이다. 하지만, 존재하는 호중구는 혈액누출diapedesis, 주화성chemotaxis과 식균작용phagocytosis의 기능은 손상되어 있다. 이러한 효과는 염증자극inflammatory stimulation 후 CD11b/CD18 표현 결손, p47활성의 결손과 연관되어 심호흡능력의 감퇴, 그리고 호중구 운동반응과 관련이 있는 액틴actin 역학의 손상으로 부분적으로나마 설명된다. 48시간에서 72시간 이후, 호중구의 수는 다소 감소하며, 대식세포도 유사한 이유로 감소한다.

보조T세포T-helper cell의 기능은 중화상 후 IL-2와 인터페론-γ 사이토카인interferon-γ cytokine에 기초한 보조 T세포 1Th1 반응으로부터 Th2 반응 쪽으로 분극화하는 것과 관련하여 감퇴된다. Th2 반응은 IL-4와 IL-10을 생산한다. Th-1반응은 세포매개면역방어에서 중요하며, 반면 Th2 반응은 감염에 대한 항체반응에서 중요하다. 이러한 분극화가 증가함에 따라, 사망률도 증가한다. 화상은 또한 화상면적에 기능에 따라 세포독성T림프구cytotoxic T-lymphocyte의 활성을 손상시키며, 그러므로 감염의 위험 특히 진균과 바이러스에 의한 감염이 증가한다. 조기에 화상환부를 절제하는 것이 세포독성T세포의 활성을 개선한다.

Ⅳ 화상의 기본처치

1. 병원 전 처치

화상환자가 발생하면, 병원에서의 전문적인 치료를 시행하기 전, 신속하게 안전한 곳으로 대피시키고 화상의 진행과정을 멈추게 해야 한다. 모든 화상에서 흡입화상을 항상 의심하여야 하며, 마스크로 100% 산소를 공급하여야 한다. 화재의 경우 환자를 화재가 발생한 곳으로부터 대피시키는 동안, 구조자가 또 다른 피해를 입지 않도록 주의하여야 한다. 환자의 처치에 관여하는 모든 사람들caregivers은 환자 또는 환자의 의복과 접촉하면 손상 받을 수 있다는 것을 인지하여야 한다. 구조자 들은 항상 위해 요소들로부터 자기 몸을 보호하여야 하며, 장갑, 보호복, 마스크와 보호안경 등을 착용하여 혈액이나 체액의 접촉으로 발생되는 위험을 예방하여야 한다. 불에 탄 의복은 추가적인 손상을 방지하기 위해 가능한 빨리 불을 끄고 제거되어야 한다. 이때 들러붙은 피복이나 물질은 제거 시 부가적인 조직손상을 일으킬 수 있으므로 주의하여야 한다. 모든 반지, 시계, 장신구와 벨트는 열을 함유하고 압박대 효과tourniquet-like effect가 나타날 수 있기 때문에 제거하여야 한다. 상온의 물을 환부에 15분 이내로 부어 주면, 환부의 깊이가 깊어지는 것을 막을 수 있으나, 환부를 식히기 위한 처치를 지속하는 것은 수액소생요법을 하는 동안 저체온증을 유발할 수 있으므로 피해야 할 것이다(표 11-4).

2. 초기평가

화상환자의 초기평가는 1차와 2차 평가로 구분된다. 1차 평가에서는, 생명을 위협하는 상태인지 신속하게 인지하여야 하고 치료해야 한다. 2차 조사에서는 환자를 전신에 걸쳐(머리부터 발끝까지) 철저히 평가하여야 한다.

뜨거워진 공기gases와 연기에 노출되면 상기도에 손상이 발생한다. 상기도가 직접적으로 손상되면 부종이 발생되고, 광범위 중화상에 발생되는 전신부종과 동반되어 기도폐쇄를 일으킬 수 있다. 기도 손상은 안면화상, 그을린 콧털, 재(탄소화합물)가 섞인 가래와 빈호흡tachypnea이 동반되면 의심하여야 한다. 상기도 폐쇄는 급속히 발생할 수 있으므로, 호흡상태는 기도관리와 호흡기 적용이 필요한지 평가하기 위해 지속적으로 감시하여야 한다. 점진적으로 목소리가 쉬어가면, 기도폐쇄가 임박했음을 시사하므로, 상기도의 해부학적 구조가 변형되기 전에, 조기에 기관내삽관endotracheal intubation을 시행하여야 할 것이다. 이는 특히 광범위 화상에서 중요한데, 광범위 화상환자는 항상성을 유지하기 위해 수액소생요법을 시행하게 되고 이때 다량의 수액을 공급하게 되는데, 수액소생요법 초기에는 어느 정도 기도부종이 진행하여도 아무런 문제없이 호흡하다가 급작스럽게 호흡장애가 발생하기도 하기 때문에 기도폐쇄가 발생할 것으로 의심되면 기도내삽관을 조기에 시행할 것을 권장한다.

환자의 자발호흡이 유지된다고 적절한 환기가 되고 있다고 할 수는 없다. 따라서 가슴부위는 호흡상태를 평가

표 11-4. 화상의 병원 전 처치 지침

화상이 발생하면
1. 신속하게 안전한 곳으로 대피하고, 원인물질을 제거하여 더 이상 화상이 진행하지 않도록 한다
2. 흡입화상이 의심되면 100% 산소를 공급한다.
3. 피복, 몸에 부착된 장신구를 제거하여 더 이상의 열전도를 차단한다.
4. 상온의 물을 15분 이내로 창상에 부어 상처가 깊어지는 것을 막는 것이 좋다.
5. 전신의 이학적 검사 및 적절한 처치를 시행한다.
6. 폭발 사고나 감속사고 등에서의 화상의 경우 척추 손상의 가능성을 인지하고 경추보호대와 같은 장비를 이용하여 안정시켜준다.
7. 창상부위는 깨끗한 마른 옷이나 담요로 덮어 체온이 소실되지 않도록 하고 병원으로 이송한다 ; 젖은 드레싱은 저체온증을 유발할 수 있으므로 하지말아야 할 것이다.
8. 필요시 소량의 모르핀을 정맥주사 할 수 있다.

하기 위해 노출시켜야 하며, 가슴부위 팽창과 환자의 호흡이 균형을 이룰 때 적절한 환기가 된다고 할 수 있다.

부종이 있거나 사지가 타 버린 환자에서 혈압측정은 어려울 수 있다. 적절한 혈액순환은 맥박수를 이용하여 간접적으로 평가할 수 있지만, 대부분의 화상환자는 적절한 수액소생요법에도 불구하고 빈맥tachycardia이 지속된다. 화상환자의 1차 평가에서는, 동맥압 측정과 소변량 측정에 의한 감시monitoring가 가능할 때까지, 사지의 말초에서 맥박이나 Doppler signal을 확인하여야 하며, 이것이 존재하면 혈액관류가 충분하다고 할 수 있다.

폭발이나 감속사고로 다친 환자에서는, 척추손상이 동반될 수 있다. 환자의 상태가 완전히 평가될 때까지는 머리를 움직이지 못하게 경추보호대를 포함한 모든 수단을 동원하여 적절히 경추를 보호하여야 한다(표 11-4).

3. 초기 환부 처치

화상환부에 대한 병원 전 처치는 손상부를 깨끗하고 마른 포나 드레싱으로 덮어 외부환경으로부터 보호해 주기만 하면 되므로, 기본적이고 단순하다. 저체온증의 위험이 있으므로 축축한 드레싱은 적용하지 말아야 할 것이다. 또한 이송하는 동안 환자는 체온조절을 위해 담요로 싸서 열 손실을 최소화하여야 한다. 통증경감을 위해 우선적으로 노출된 환부에 있는 신경 말단에 접촉하지 않게 하여야 한다. 통증조절을 위해 마약성 진통제를 근육 또는 피하에 주사 하는 것은 말초혈관 수축으로 약물 흡수가 감소되기 때문에 시행하지 말아야 할 것이다. 이 경우 환자의 관류가 회복된resuscitated 후에 혈관이 이완되면 잔류 약물narcotic의 흡수가 증가되게 되고, 이로 인해 무호흡이 발생할 수 있기 때문이다. 환자를 완전히 평가하고 숙련된 의사에 의해 안전하다고 결론지어진 후에 저용량의 모르핀morphine을 정맥 내로 투여하는 것이 권장된다(표 11-4).

비록 병원 전 처치가 간단하고 쉽기는 하지만, 위급한 환자에서는 일관되게 적용하기는 어려운 경우가 빈번하다. 위급한 환자를 대상으로 하는 체계화된 교육 프로그램을 확립하는 것이 예후를 개선할 수 있을 것이라 제안한다.

5. 전원

화상 또는 동반된 화상 이외에 상태가 생명을 위협하는 경우를 제외하고는, 이송 전에 환자를 면밀히 평가하여 생체징후와 상태를 조절한 후에 이송을 시행하여야 한다. 광범위중화상을 포함한 대부분의 사고에서, 피해자를 육상으로 병원까지 이송하는 것이 적절하다. 사고발생지에서 병원까지의 거리가 50–250km일 때는 헬기Helicopter 이송이 가장 좋은 수단이다. 250km가 넘는 거리에서는, 고정익항공기fixed-wing aircraft를 이용한 이송이 가장 적절하다. 모든 이송수단은 크기가 적절하여야 하며 응급장비가 구비되어야 한다. 또한, 훈련된 인력 즉, 의사, 간호사, 준 의료 활동종사자(응급구조사 등)와 같이 다발손상외상환자의 처치가 가능한 인력이 동승하여야 할 것이다(표 11-5).

V 수액소생요법과 응급실에서의 초기처치

1. 수액소생요법

화상환자의 적절한 소생요법을 위해서는 우선적으로 정맥내도관을 확보하고 유지하는 것이 핵심이다. 화상환자의 수액소생요법을 시작할 때까지 걸리는 시간이 길어질수록 더 나쁜 예후를 초래하게 되므로, 지연되는 시간을 최소화하여야 할 것이다. 정맥도관은 화상환부가 없는 피부에 짧은 도관catheter를 사용하여 확보하는 것이 가장 좋다. 하지만, 환부가 없는 부위에 정맥도관을 확보할 수 없을 경우, 화상부위일지라도 피부의 정맥을 이용하는 것은 무방하다. 표재정맥superficial vein은 전층화상에서는 혈전으로 막혀있는 경우가 빈번하므로, 정맥도관 삽입에 적합하지 않은 경우가 많다. 정맥도관 삽입이 어려운 경우

표 11-5. 화상센터로의 전원 지침

체표면적의 10% 이상의 부분 층 화상(2도 화상)
얼굴, 손, 발, 회음부와 주요 관절부의 화상
모든 전층화상(즉, 3도 화상과 4도 화상)
번개화상과 섬광화상을 포함한 전기화상
화학화상
흡입화상
치료과정과 예후에 영향을 미치고, 회복을 지연시킬 수 있는 지병이 있는 화상환자
합병증과 사망률을 높일 수 있는 동반손상(예, 골절 등)이 있는 화상환자 ; 동반외상이 환자의 상태를 위독하게 할 위험이 있다면, 이송 전에 외상센터에서 먼저 안정시킨 후 화상센터로 이송하여야 한다. 의사의 신중한 판단이 있어야 하며, 치료의 우선순위를 판단하고 지역 의료체계와 긴밀히 협조하여야 한다.
소아 치료를 위한 전문의료진과 장비가 없는 병원에 입원하고 있는 소아화상환자
특별한 사회적, 정서적 또는 장기적인 재활에 대한 지원이 필요한 화상환자

복재정맥saphenous vein에 혈관절개술cut-down을 할 수 있으며, 중심정맥카테터를 이용하는 것보다 합병증 발생빈도가 낮아 우선적으로 이용할 수 있다. 6세 미만의 소아에서는, 정맥내도관이 확보될 때까지 전경골Proxiaml Tibia 내 골내도관intraosseous access을 확보하여 이용할 수 있다. 수액소생요법의 초기 수액 투여속도는 총화상면적에 환자의 체중(kg)을 곱하여 8로 나누면 신속하게 계산할 수 있다. 예를 들어, 체표면적의 50%에 달하는 화상을 입은 80kg의 남자에게 수액투여속도는 80kg×50% TBSA/8 = 500mL/hr이다. 정식으로 계산된 수액요구량을 알 때까지 이 속도로 수액을 투여하면 된다. 이 속도는 수액요구량을 정식으로 계산한 값이 얻어질 때까지 지속할 수 있다.

화상환자에게 공급될 적절한 수액량을 계산하기 위해 많은 공식이 고안되어 왔으며, 모두 화상쇼크의 병태생리에 대한 실험적 연구에서 유래했다. 이들 실험적 연구들은 근대 수액요법의 규칙에 대한 기초를 확립했다. 그들은 화상환부의 부종액이 등장성이고 혈장과 같은 양의 단백을 포함한다는 것을 밝혔으며, 간질interstitium내로 어마어마한 양의 체액소실이 일어난다는 것을 보여 주었다. 여기에서 Parkland 공식이 도출되었다. 혈장량의 변화는 첫 24시간 내의 수액의 종류type와는 관련이 없지만, 이후 콜로이드colloid(교질)용액은 주입량에 따라 혈장량을 증가시킬 수 있다. 이런 관점에서, 혈관투과성이 정상에 가깝게 돌아올 때까지 교질용액은 사용하지 않은 것으로 결론 지어졌다. 반면 다른 연구에서는 혈관투과성이 화상 수상 후 비교적 이른 시기인 6시간에서 8시간에 정상으로 돌아오므로, 더 일찍 교질용액을 투여할 수 있다고 반박하고 있다.

동시에 일부 연구에서는 화상에서 수액요법의 혈역동학적 효과를 보여주고 있는데, 이것이 Brooke 공식이 되었다. 이 연구에서는 수액소생요법이 끝나는 첫 24시간 직후에 세포외액과 혈장의 양 모두에서 20%가 감소하는 것을 알아냈다. 두 번째 24시간 동안, 혈장의 양은 교질용액을 보충함으로 정상으로 돌아오게 된다. 심박출량은 수액소생술에도 불구하고 첫 24시간 내는 낮지만, 이후 연속해서 대사과다반응의 유입기flow phase가 확립될 때 정상이상의 수준으로 증가된다.

고농도식염수는 이론적으로는 화상환자의 수액소생요법에 유용하다. 이 용액은 순수액투여량net fluid intake을 감소시키며, 부종을 감소시키고, 림프액을 증가시키는데, 아마도 세포로부터 간질로 체액을 이동시킴에 의한 것일 것이다. 고장식염수를 이용할 때는, 고나트륨혈증이 발생하지 않게 주의하여야 하는데, 혈장 Na^+의 농도가 160

mEq/dL를 초과하지 않도록 권고한다. 한편, 체표면적 20% 이상의 화상환자에서는 고장식염수나 고장 lactated Ringer's 용액을 무작위로 투여한 경우, 수액소생요법은 수액요구량이나 체중증가률의 변화에서 뚜렷한 차이는 없었다. 또 다른 연구에서는 고장수액을 투여한 군에서 신부전 발생이 증가함을 발견하였다. 하지만, 몇몇 화상센터Burn Unit에서는 lactated Ringer's 용액 1L에 중탄산나트륨sodium bicarbonate 1ampule (50mEq)을 섞은 변형된 고장수액을 투여하여 좋은 결과를 얻고 있다. 앞으로의 연구는 부종형성을 줄이고 적절한 세포기능을 유지하기에 적절한 공식을 결정하는 방향으로 진행되어야 할 것이다.

적절한 관류를 유지하기 위해 필요한 수액요구량의 수액소생요법 지침guideline으로 대부분의 화상 센터에서는 Parkland 공식이나 Brooke 공식과 유사한 것을 이용하고 있다. 이 두 공식에서는 첫 24시간 동안 서로 다른 양의 crystalloid와 colloid를 투여하도록 되어있다. 사실, 최근의 연구들에서 광범위 중화상환자severe burn에서 Parkland 공식에 따르면 종종 첫 24시간 내에 투여되는 crystalloid의 양이 너무 적게 계산된underestimate 것으로 보고하고 있다. 하지만, 이에 대한 명백한 원인은 밝혀져 있지 않다. 필요하다면 중화상환자에서 적극적인 마약성 진통제의 사용과 양압환기positive pressure ventilation는 도움이 된다. 수액소생요법 중 증가된 체액량 자체는 중요하지 않으며, 사망률과 합병증 발생률이 증가되지 않도록 하기 위해 사지와 복강내압을 줄여주고 감시할 것을 권고하고 있으며, 가장 최근에는 안구의 구획압compartment pressure의 증가도 줄여주고 감시하도록 권고하고 있다. 복강내압은 임상적으로 도뇨관foley catheter를 통해 감시할 수 있다. 복강내압이 30mmHg에 가까워지거나 초과될 때, 마비가 유발될 수 있으므로, 이때는 복부의 가피를 절개 또는 절제하여야 한다. 한다. 만일 복압이 30mmHg를 초과하여 증가된 상태로 지속된다면, 감압 개복술로 예후를 개선할 수도 있을 것이다. 하지만, 감압 개복술이 필요한 환자에서의 사망률(치사율)은 60%에서 거의 100%에 달하는 것으로 알려지고 있다. 그러므로, 수액소생요법 시 예후를 개선하기 위해서는 집중적인 감시를 하는 것이 중요하다. 수액소생요법이 적절한지는 정상 신기능의 환자에서는 소변량으로 쉽게 감시할 수 있는데, 소변량은 성인에서 0.5mL/hr, 소아에서 1.0mL/hr 이상으로 유지되어야 한다. 혈관 내 수액 투여 속도는 투여된 수액의 양에 대한 환자의 반응에 따라 시간당으로 결정하여 바꿔야 한다. 널리 사용되는 수액소생요법의 공식들은 표 11-6과 같다.

비슷한 범위의 화상을 입은 소아는 성인에 비해 체중당 수액요구량이 더 많기 때문에 체표면적에 대비하여 계산하여야 한다. Galveston 공식은 소아화상환자에게 적용되며, 첫 24시간을 유지하기 위해, 수액량은 5,000mL/m^2 TBSA burned + 1,500mL/m^2 TBSA 이다. 이 공식은 유지요구량에 화상을 입은 소아에서 증가된 수액요구량을 합하여 계산한다. 표 11-6의 모든 공식은 첫 24시간 이내에 주어지는 수액의 양을 계산하고, 그 중 반(1/2)을 첫 8시간 내에 투여하면 된다.

수액소생요법 동안 알부민albumin을 사용하는 것은 논쟁이 되고 있다. 여러 실험과 메타분석으로부터, 화상환자의 예후와 결과outcome에서 수액소생요법 기간 중 사용된 알부민은 crystalloid에 비해 최상의 경우 동등하며, 최악의 경우 해롭다는 것이 알려졌다. 이러한 이유로, 수액소생요법 동안 알부민의 사용은 권장되지 않는다.

장폐색intestinal ileus에 의한 역류를 방지하기 위해, 광범위 중화상환자에서는 위를 감압하기 위한 비위관nasogatric tube을 삽입하여야 한다. 특히, 높은 고도에서 항공기로 이송하는 환자에서 비위관 삽입은 더욱 중요하다. 게다가, 모든 환자들은 이송이 완료될 때까지 경구섭취는 완전히 제한되어야 한다. 통상적으로, 위 감압은 심리적 육체적으로 불안한 환자들의 경우 많은 양의 공기를 마시게 되고, 배를 부풀게 하므로 필요하다. 지속적인 장관영양공급이 필요한 극도 중증의 화상환자에게는 급식관feeding tube을 십이지장 첫 번째 부위에 위치시켜야 한다.

파상풍 예방은 환부의 상태와 환자의 예방접종력에 따라 시행한다. 체표면적의 10%가 넘는 부위에 화상을 입은 모든 환자에게는 0.5mL의 Tetanus toxoid (Td)를 투여

표 11-6. 화상수액소생요법 공식

공식	Crystalloid		Colloid 투여 양	Free Water
	수액	투여 양		
Parkland	Hartman 용액 또는 L/R 용액	4 mL/kg X % TBSA burn	없음	없음
Brooke	Hartman 용액 또는 L/R 용액	1.5 mL/kg X % TBSA burn	0.5 mL/kg X % TBSA burn	2.0 L
Warden	첫 8시간 ; Hartman 용액 또는 L/R 용액 + 50 mEq NaHCO3 다음 16시간 ; Hartman 용액 또는 L/R 용액	4 mL/kg X % TBSA burn		
Galveston (소아)	Hartman 용액 또는 L/R 용액	5000 mL/ m^2 burned area +1500 mL/m^2 TBSA	없음	없음

이 지침은 화상환자의 수상 후 첫 24시간 이내의 초기 수액요법에 이용한다. 수액수생요법의 반응은 지속적으로 감시하여야 하며, 상태에 따라 수액투여의 속도를 조절하여야 한다. TBSA: 총 체표면적, TBSA burn: 화상부위 체표면적, L/R 용액: lactated Ringer's 용액

하도록 권장한다. 만일 이전에 예방접종이 안 되었거나, 예방접종 여부가 불확실하거나, 최종 추가접종이 10년 이상 된 경우는, 250단위의 파상풍tetanus 면역글로불린도 함께 투여한다.

2. 가피절개술

심재성 2도 화상과 3도 화상의 환부가 사지를 둘러싸고 있을 때는, 사지의 말초순환이 방해하여 사지의 환부 상태를 악화시킬 수 있다. 가피eschar는 유연성이 없으므로, 가피 아래 형성된 부종은 정맥 내 혈액의 흐름을 방해하고, 결국 말단 조직으로 가는 동맥혈의 유입까지 영향을 미친다. 이 경우, 사지의 감각이 저하되거나 저리거나 손가락과 발가락의 통증이 증가되어 인지할 수 있다. 동맥혈의 흐름arterial flow은 손가락과 발가락의 동맥과 침범된 손바닥과 발바닥 궁arch에서 Doppler signal을 확인하여 평가할 수 있다. 또한 모세혈관재충전capillary refill으로도 평가할 수 있다. 사지의 혈액관류 저하나 차단은 임상적 진찰이나 조직압을 측정하여 확인할 수 있으며, 조직압을 측정하여 40mmHg를 초과하면 확진할 수 있다. 이러한 경우는 사지에 가피절개술을 시행하여야 하는데, 수술 칼scalpel이나 전기-소작기electro-cauterization를 이용해 시행한다. 사지의 내측과 외측 면을 절개하여 가피를 풀어주는데 침상bedside에서 시행한다. 전체적으로 수축되어 있는 가피가 혈류의 흐름을 방해하지 않도록 완전하게 세로로longitudinally 절개하여야 한다(그림 11-4). 손과 손바닥의 혈액관류가 저해되었다면, 손가락의 손등측면을 따라 엄지와 새끼손가락까지 연장하여 손을 완전하게 펼 수 있도록 절개하여야 한다. 만일 환부가 깊어 추후 가피절제와 피부이식이 필요할 것이 확실하면, 정식으로 가피절제를 하기 전까지, 가피 아래의 화상을 입지 않은 조직의 관류를 회복시키는데 가장 안전한 방법이 가피절개술이다. 가피절개 후에도 혈액관류가 회복되지 않고 지속되거나, 가피절개 후 재관류로 반응성충혈reactive hyperemia과 근육내 부종형성이 진행될 수 있으므로, 사지말단의 혈액관류는 지속적으로 감시하여야 한다. 근육구획압이 증가되면 근막절개술을 해야 한다. 근막절개술과 동반되는 가장 흔한 합병증은 실혈blood loss과 혐기성 대사물의 방출에 의한 일시적인 저혈압 발생이다. 만일 근막절개로도 말초의 관류가 개선되지 않는다면, 저혈량에 의한 저혈압을 의심하여야 할 것이며, 이에 대해 치료를 해야 한다. 체간을 압박하는 가피는 가슴의 팽창을 억제하여 환기를 감소시키는 것을 제외하고는 다른 조직에서와 유사한 현상을 일으킨다. 화상환자에서 환기가 안될 경우는 항상

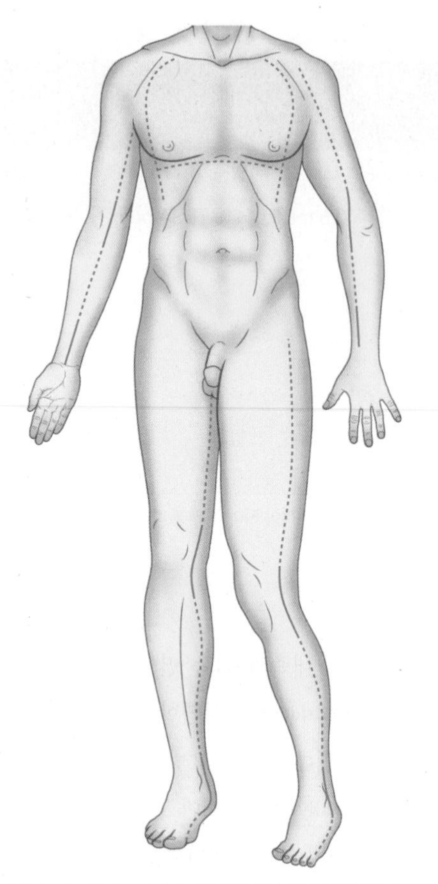

그림 11-4 가피절개술(Escharotomy)

가피절개로 흉곽의 운동제한을 풀어주고, 더불어 흉부의 호흡운동을 관찰하여야 하며, 적절한 일회 호흡량tidal volume이 유지되도록 하여야 할 것이다. 필요하면, 최고기도압peek airway pressure이 높은 환자에서는 호흡량조절인공호흡기volume-control ventilator를 적용할 수 있다.

VI 화상의 특수치료

1. 흡입화상

지난 20여 년간 중화상환자의 사망률은 매우 감소하였음에도 불구하고, 흡입손상의 여전히 화상에서 가장 치명적인 동반손상 중 1가지로 여겨지고 있다. 대략 화재와 연관된 사망한 환자의 약 80%가 화상으로 인한 것이 아니라 연소로 발생한 독성물질의 흡입으로 인한 것 이였으며, 흡입손상으로 수상 후 1주일 이상 기계호흡의 필요하였던 환자에서 최종 사망률overall mortality은 25%에서 50%에 달한다. 호흡기계 손상에 의한 생존률을 개선하기 위해서는 조기 진단이 매우 중요하므로, 우선적으로 평가하여야 한다. 밀폐된 공간에서 화염, 뜨거운 공기나 증기에 노출되었거나, 안면부화상이 있거나, 코, 입에 재가 묻어있거나, 재가 섞인 가래가 있으면 강력히 의심하여야 한다. 한편, 흉부방사선영상은 일반적으로 감염과 같은 합병증이 발생할 때까지는 정상으로 나타난다. 그러므로, 흡입화상의 표준 검사법으로는 상기도 기관지내시경을 권장한다. Gamelli 등이 초기 기관지내시경의 양상과 약식손상지수지표Abbreviated Injury Score criteria (AIS)에 기초하여 흡입손상의 등급체계(0–4)를 확립하였다. 흡입손상과 일치하는 기관지내시경 지표에는 기도부종, 염증, 점막괴사, 기도에 그을음과 탄 흔적의 존재, 조직의 벗겨짐과 기도내 탄화된 물질의 존재가 포함된다. 흡입손상은 즉각적으로 비강 캐뉼라나 안면 마스크를 통해 100% 산소를 투여하면서 치료를 시작한다. 이때, 기도를 유지하는 것이 가장 중요하다. 앞서 언급했듯이, 만일 상기도의 부종이 조기에 확인된다면, 상기도의 부종은 정상적으로 9–12시간 동안 심해지기 때문에 조기에 기관내삽관을 해야 한다. 하지만, 확실한 적응이 되지 않은 상황에서 예방적 기관내삽관을 하는 것은 권장하지 않는다.

인공호흡기의 기술적 발전과 흡입손상 치료의 발전으로 사망률은 개선되었다. 전통적인 방법보다 적은 일회호흡량low-Tidal volume을 적용한 기계 호흡으로 사망률이 감소되었고, 인공호흡기 사용기간이 감소되었다. 게다가, 고빈도환기법high frequency ventilation은 사망률을 49%에서 21%로 감소시켰다. 흡입손상의 치료는 인공호흡기의 적용, 적극적인 호흡기 청소pulmonary toilet (표 11-7), 기관지내시경을 이용한 응고된 기도 내 분비물의 제거와 분무요법nebulization therapy로 구성된다. 분무요법은 헤파린heparin, alpha mimetics, 또는 polymixin B로 구성할 수 있고, 하루 2–6회 시행한다. 과이산화탄소혈증hypercapnia을 허

표 11-7. 연기흡입손상에 대한 분무요법

치료약제	시간, 용량, 방법 및 작용
기관지 확장제(albuterol)	매 두 시간 마다
분무된 헤파린(heparin)	생리식염수 3mL에 5,000-10,000 단위를 섞어서 매 4시간 마다
분무된 아세틸시스테인(acetylcysteine)	20% 아세틸시스테인을 매 4시간 마다
고장식염수	효과적인 기침유도
에피네프린(epinephrine)	점막부종을 감소시킴

표 11-8. 기도삽관의 적응증

기준	측정값
PaO_2	<60mmHg
$PaCO_2$	>50mmHg (acutely)
PaO_2/FiO_2 ratio	<200
호흡부전	임박함
상기도 부종	Severe

용하는 압력조절인공호흡pressure-control ventilation은 흡입손상 환자의 치료에 유용한 방법인데, 이때 환자는 $PaCO_2$가 점진적으로 상승하더라도 60mmHg까지는 잘 견딜 수 있다. 예방적 항생제는 적응되지 않지만 명백한 폐감염의 증거가 있으면 반드시 투여하여야 한다. 폐렴은 다음 중 2가지를 포함하면 임상적으로 진단한다.

- 흉부방사선영상에서 침윤infiltration, 경화consolidation, 공동화cavitation가 새로이 나타나거나 지속되는 경우
- 기도삽관이 필요한(표 11-8) 혈증
- 최근의 가래의 변화 또는 화농된 가래 뿐 아니라 정량적 배양

임상적 진단은 화상환자에서의 감염과 패혈증을 정의하기 위한 미국화상학회 합의회의에 따른 3가지 카테고리의 미생물학적 자료를 사용한 후에 변경할 수 있다. 배양결과가 확인되기 전에는, 폐렴의 치료를 위해 그람양성균인 *MRSA (methicillin-resistant Staphylococcus aureus)*와 그람음성균인 녹농균*Pseudomonas*과 크렙시엘라*klebsiella*에 대항하는 약제를 포함하여 경험적으로 선택할 수 있다.

VII 창상관리

호흡상태에 대한 평가와 처치 및 수액소생요법이 진행되었으면, 환부처치에 집중하여야 한다. 치료는 화상의 면적과 특성에 따라 결정하여야 한다. 모든 치료는 빠른 치유와 통증을 줄이는데 초점을 맞추어 시행한다. 현재의 치료는 3단계로 구분하는데, 환부의 평가, 처치와 재활로 나눈다. 일단 환부의 범위와 깊이를 평가하고, 환부를 전반적으로 세척하고 이물질을 제거한 후 처치를 시작한다. 각각의 환부는 일부 기능을 할 수 있도록 구분하여, 적절한 재료로 드레싱을 하여야 한다. 우선적으로 드레싱 재료는 손상된 피부를 보호하고, 세균과 진균의 집락을 최소화하며, 원하는 자세를 유지할 수 있도록 하여야 한다. 둘째로, 드레싱은 열손실을 줄여주고 추위에 대한 스트레스를 최소화 할 수 있도록 환부를 둘러싸야 한다. 셋째로, 환부를 덮어 통증을 줄여 편안하게 해주어야 한다.

적절한 환부처치는 환부의 특징에 따라 적용하여야 한다(표 11-9). 1도 화상의 환부는 피부 방어기능이 조금 손상된 것이다. 따라서 1도 화상은 드레싱이 필요없으며, 통증을 줄여주고 보습을 해줄 수 있는 국소 연고제나 보습제로 치료하면 된다. 경구로 전신적인 비스테로이드성 진통제를 복용하여 통증을 줄일 수 있다. 2도 화상은 매일 국소항균제, 거즈, 압박붕대로 처치할 수 있다. 다른 방법

표 11-9. 화상환부드레싱Burn Wound Dressings

성분	장점	단점
국소항균연고(Antimicrobial Salves)		
Silver sulfadiazine (Silvadene)	광범위 항균력 통증을 거의 없음 사용이 용이함	가피를 침습하여 작용하지 못함 은이온에 의해 검게 착색됨
Mafenide acetate (Sulfamylon)	광범위 항균력 가피를 침습하여 작용	적용부위에 통증 유발 대사산증유발(광범위 적용 시) 경미하게 재상피화를 억제함
Nystatin (Mycostatin)	대부분의 진균을 효과적으로 억제	mafenide acetate와 병행사용 불가
Mupirocin (Bactroban)	포도상구균(staphylococcus sp.)에 효과적인 항균력 재상피화을 억제하지 않음	고가(expensive)
국소항균용액제(Antimicrobial Soaks)		
0.5% Silver nitrate 용액	모든 균주에 효과적	접촉면에 착색 메트헤모글로비네미아(methemoglobinemia) 유발가능
5% Mafenide acetate 용액	광범위 항균력	진균에 효과가 없음 적용부위에 통증 유발 대사산증유발(광범위 적용 시)
합성 창상피복제(Synthetic Coverings)		
친수성폼드레싱 (hydrofoam)	창상에 습윤환경 제공 높은 흡수 및 보유력으로 삼출액이 많은 환부에 적용가능 통증이 적음	이차 드레싱이 필요함 창상주위의 짓무름이 발생할 수 있음 감염이 있는 창상에 부적합
하이드로콜로이드 (hydrocolloids)	창상에 습윤환경 제공 자가분해하여 괴사조직제거 부착성이 있어 사용이 용이(2차 드레싱이 필요 없음) 밀폐하여 외부환경으로부터 완벽하게 차단 통증이 거의 없음	불투명함 삼출액이 많은 창상에 부적합 악취가 남
친수성젤(hydrogel)	창상에 습윤환경 제공 감염창에도 사용 가능 면이 불규칙한 환부에 사용이 용이함 통증이 거의 없음.	이차 드레싱이 필요함 삼출액이 많은 창상에 부적합 창상주위의 짓무름이 발생할 수 있음
은코팅드레싱제	광범위 항균력을 가짐 사용이 용이함	이차 드레싱이 필요함 일부 재료는 창상면에 검게 착색유발 통증

으로 생물학적 또는 합성된 창상피복제로 환부를 덮어 치료할 수 있다. 심재성 2도 화상과 3도 화상은 꽤 많은 환자에서 가피절제와 이식을 요하며, 초기 드레싱의 목표는 세균의 증식을 억제하고 수술할 때까지 환부를 잘 보호하는 데 있다.

1. 국소항균제

항균제는 환부의 침습적 감염을 감소시키기 위해, 적절한 시기에 효과적으로 사용하여야 한다. 화상환부는 피부장벽이 소실되어 치료하지 않으면 세균과 진균에 급속히 감염된다. 균주의 집락이 조직 1그램에 10^5 균주를 초과하여 증식하면 정상 조직 내로 침투할 수 있다. 균주들은 이후 혈관에 침입하여, 전신감염을 일으키게 되고, 종종 환자를 사망에 이르게 한다. 이런 상황은 화상센터에서는 효과적인 항균제사용과 환부처치를 하기 때문에 상대적으로 드물게 발생한다. 항균제는 국소항균제와 전신항균제로 구분된다.

사용 가능한 국소 항균제는 연고제와 용액제의 2개의 군으로 구분할 수 있다. 연고제salve는 일반적으로 환부에 직접 도포하고 면 거즈를 덮어 사용하고, 용액제soak는 일반적으로 면 거즈에 적셔 환부에 적용한다. 각각의 군에는 장점과 단점이 있다. 연고제는 하루에 한두 번 드레싱을 교환하여 적용하는데, 빈번한 교체는 이식편의 소실이나 치유 중인 세포를 쓸어 떨어낼 수 있다. 용액제는 이전의 드레싱을 제거하지 않고 덧뿌려 사용할 수 있어 효과적이지만, 드레싱 밑의 피부가 붓거나 짓무를 수 있다.

어떠한 제재도 완벽하지 않으며, 각각 장단점이 있다. Silver sulfadiazine은 가장 널리 사용되며, 그람 양성균, 대부분의 그람 음성균과 일부 진균에 항균력이 있는 광범위 항균력을 갖고 있다. 일부 *Peudomonas species*는 plasmid 매개 저항성을 갖고 있다. Silver sulfadiazine은 환부에 적용할 때 상대적으로 통증이 적고 사용이 쉽다. 가끔 치료 후 화끈거림을 호소하는 환자가 있고, 소수의 환자에서, 지속적으로 사용할 경우 3일에서 5일째, 일과성백혈구감소증이 발생한다. 이 백혈구감소증은 일반적으로 위험하지 않고 치료를 중단하든 하지 않든 간에 소실된다.

Mafenide acetate도 광범위 항균력을 가진 국소 항균제이다. 이는 특히 항균제 저항성이 있는 *Pseudomonas*와 *Enterococcus species*에 유용하다. 이는 silver sulfadiazine와 달리 가피를 침투하여 항균작용을 할 수 있다. 단점으로 적용부위에 통증을 유발한다는 것이다. 또한 알레르기성 발진이 발생할 수 있고, 넓은 부위에 적용할 경우 대사성산증을 유발할 수 있다. 이러한 이유로 mafenide acetate는 환부의 크기가 작은 전층화상에 주로 사용된다.

용액제로 사용 가능한 것으로 0.5% 질산은 용액, 0.25% 초산과 5% mafenide acetate 용액이 있다. 질산은 용액은 적용 시 통증이 없고 완벽한 항균효과를 갖는 것이 장점이다. 단점으로는 용액이 마르면 상처 표면이 칙칙한 회색이나 검정색으로 착색될 수 있으며, 이로 인해 환부의 상태를 평가하기 어렵게 만들 수 있다는 것이다. 또한 드물게 메트헤모글로빈혈증methemoglobinemia를 유발하기도 한다. 현재는 생물학적으로 강력한 은이온을 함유한 드레싱제가 이용되고 있다. 이 재료들은 질산은 용액의 단점을 제거하여, 효과적으로 사용할 수 있다.

Mafenide acetate 용액은 연고제와 같은 특성을 가지며, 용액제로 사용할 수 있다.

또한 수술 전후로 전신적인 항생제를 투여하면, 화상환부가 치유될 때까지 화상환부로 인한 패혈증을 감소시킬 수 있다. 항균제는 화상환부에 흔히 번식하는 균주인 포도상구균*S. aureus*과 녹농균종*Pseudomonas species*를 포함하여 작용하는 제재를 선택하는 것을 권장한다.

2. 화상환부의 절제

화상환부의 수술 방법은 지난 수십 년간 변화되어왔다. 화상환부의 조기접면가피절제술early tangential escharectomy과 조기자가피부이식술로 뚜렷한 사망률의 개선을 이루었고, 이러한 방식으로 치료받은 환자군에서 치료비를 낮추는 결과로 나타났다. 조기에 환부를 치유시킨 덕분에, 비후성반흔의 형성이 줄어들고, 반흔의 뻣뻣함을 줄이고, 관절 구축 강도가 경감되고, 더욱 빨리 재활치료를 시작할 수 있어, 기능적 개선이 가능하게 되었다. 화상환부의 절제는 지난 10여 년간 점진적으로 발전하였다. 일반적으로, 대부분의 환부는 이식용 칼hand skin graft knife이나 동력을 이용한 피부절제기powered dermatome로 제거한다. 여전히 손과 얼굴 같이 기능적 미용적으로 중요한 부위는 칼이나 전기소작기를 이용하여 세밀하게 절제한다. 전층손상과는 달리 부분층 환부에서는, 생존력이 있는 진피는

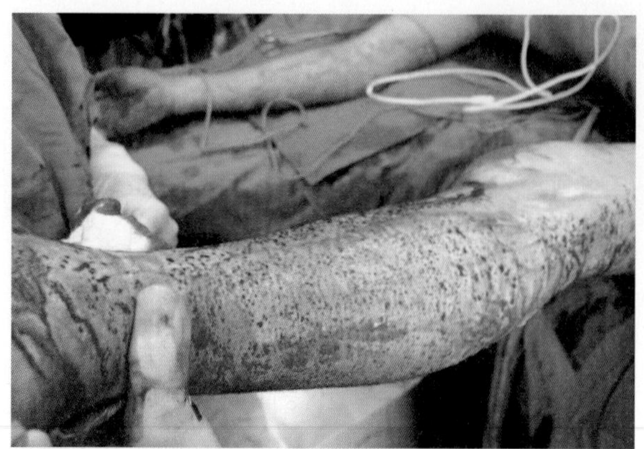

그림 11-5 접면가피절제술(Tangential Excision)

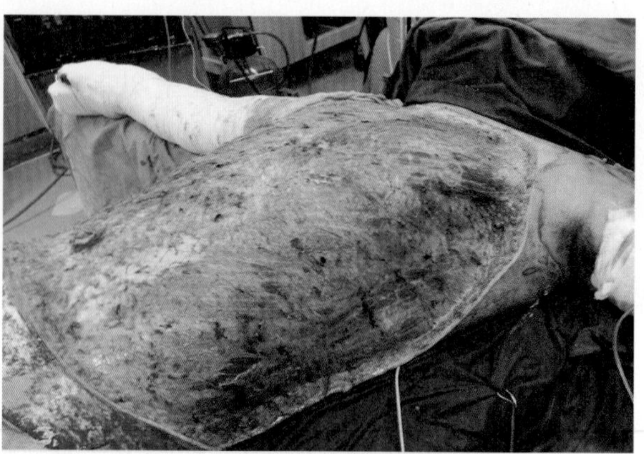

그림 11-6 근막성가피절제술(Fasciall Excision)

보존하려고 노력하는 동시에, 생존력이 있는 근막, 지방, 근육도 보존하면서 모든 괴사조직과 감염조직은 제거하여야 한다. 주로 이용되는 수술법을 다음에 기술한다.

1) 접면가피절제술

1970년대에 Janzekovic에 의해 제안된 이 수술법은 수술칼(Barithwaite, Watson, 또는 Golian knife 또는 0.005에서 0.010inch로 맞춰진 dermatome)을 이용하여 화상환부를 생존력이 있는 진피바닥에 도달할 때까지 반복적으로 깎아내는 것으로, 임상적으로 진피의 절제면에서 간헐적으로 출혈이 보일 때까지 시행한다(그림 11-5).

2) 전층가피절제술

Watson과 같은 이식용 손 칼이나 동력 피부 절제기는 0.015에서 0.30inch로 맞추고, 순차적으로 전층의 환부를 절제한다. 제거된 환부의 면에 출혈이 있으면 적절하게 절제된 것으로 판단하는데, 대개 지방층이다.

3) 근막성가피절제술(그림 11-6)

이 수술법은 감염된 부위가 넓고 생명을 위협하는 침습적 진균감염이 있는 환자에서 환부를 근막이 드러날 때까지 제거하는 방법이다. 이 수술법은 Goulian 칼이나 11번 blade를 이용하여 근막에 접해있는 피하지방층까지 포함하여 외피의 전층을 제거한다. 불행히도, 근막절제법은 외형을 심각하게 훼손하고, 복구할 수 없을 정도의 영구적인 외형의 장애를 남기게 된다. 림프액의 경로도 절제되어, 말초 림프부종이 발생하기도 한다.

대부분 환자들은 접면가피절제법으로 층층이 제거하여 치료할 수 있는데, 이렇게 치료된 환자군은 치유된 후 외형과 기능이 최적화 될 수 있다. 매 체표면적 1%를 제거할 때 마다 출혈은 총 혈액량의 3.5%에서 5% 정도 발생하는 것으로 알려져 있다. 출혈량의 조절은 중요한 예후결정인자이다. 그러므로, 출혈을 조절하기 위해 몇 가지 방법이 이용된다. 피브린이나 트롬빈 스프레이의 국소적 적용, 1:10,000에서 1:20,000으로 희석한 epinephrine의 국소적용, 1:40000으로 희석한 epinephrine을 적신 패드와, 즉각적으로 혈관을 전기소작하여 출혈량을 조절할 수 있다. 또한 소독된 압박대tourniquet을 이용하여 출혈을 줄일 수 있다. 마지막으로, 절제하기 전 식염수로 희석한 epinephrine을 환부아래 주입하여 부풀리는 방법을 몸통, 등과 사지(손가락은 제외)에 이용할 수 있다.

3. 화상환부의 coverage

화상환부를 절제한 후, 환부를 덮는 것은 필수적이다. 다양한 생물학적 물질과 합성물질이 화상 후 손상된 피부를 대체하기 위해 이용된다(표 11-10). 손상되지 않은 피부를 이용한 자가이식이 가장 보편적이고 중요한 치료법

표 11-10. 피부대체물과 진피대체물

Wound coverage	Allo-skin (Cadaever)	동종피부, 사체피부	단기피부대체물
	Xeno-skin (pig)	이종피부, 돼지피부	단기피부대체물
	human tissue derived regenerative tissue matrix	인간유래진피대체물, 무세포동종진피	신생진피 형성
	biosynthetic dermal regeneration template	생합성진피대체물	신생진피 형성 단기피부대체물(일부)
	Animal tissue derived regenerative tissue matrix	동물유래진피대체물	신생진피 형성

이다. 하지만, 전층화상이 체표면적의 40% 이상인 환자에서는 손상되지 않는 피부공여부가 부족한 경우나 환자의 상태가 불안정적이어서 자가이식으로 조기에 환부를 치유시키는 것이 어려운 경우가 흔하기 때문에, 광범위 중화상환자에서는 동종피부이식(시체피부)이 흔히 시행된다. 비록 이 방법은 모든 나라의 화상센터들에서 널리 이용되고 있지만, 항원성antigenecity, 교차감염 등 상당한 위험을 갖고 있다. 또한, 이종피부가 피부결손부의 일시적인 대체물로 수백 년간 이용되고 있다. 비록 이종피부이식이 생물학적으로 활성이 있는 진피기질demal matrix을 제공하기는 하지만, 면역학적 차이로 생착이 잘 되지 않고, 거부반응으로 인해 장기간 유지하기가 어렵다. 하지만, 이종피부와 동종피부는 모두 한시적으로 환부를 덮을 수 있는 중요한 치료법 들이다. 따라서, 완전한 환부의 재상피화(치유)는 단지 자가이식과 동계이식isograft으로만 이루어 질 수 있다. 최근 20여 년간은 적은 량의 전층피부를 채취하여 배양한 자가표피세포가 이용되고 있다. 자가배양표피는 전향적대조연구prospective controlled trial에서 광범위 중화상환자에서 사망률을 감소시키는 것으로 밝혀졌다. 미국의 '슈라이너 화상병원'에서는 체표면적의 90% 이상에 화상을 입은 소아화상환자에서 고비율(1:4 이상) 그물망 자가피부이식을 시행하고, 그 위에 동종피부로 덮은 후 배양된 표피세포이식을 병용하여 치료하는 방법으로, 미용적으로 개선된 결과를 얻었다고 보고하고 있다. 하지만, 자가배양피부는 장기적인 임상적 결과가 부족하고, 과도한 비용, 감염에 취약하고, 다루기 어렵다는 점으로 인해 제한적으로 이용되고 있다. 다른 방법으로, 최근 수년간 진피유사물이 임상적으로 유용하게 이용되고 있다. 인테그라Integra는 중화상에서 사용하도록 미국 FDA에 의해 인가되었고, 전층화상의 즉각적 그리고 지연적 환부복구에 성공적으로 사용되고 있으며(그림 11-7), 전향적대조연구에서 입원기간의 감소, 미용적 결과의 개선, 기능적 예후의 개선을 이끌어 내고 있다고 확인되었다. 체표면적의 50% 이상에 전층화상이 있는 소아화상환자에서, Integra를 이용해 치료 받은 군과 표준적인 자가피부-동종피부이식으로 치료된 군의 비교에서, Integra 치료군에서 간기능 손상이 줄어들고, 휴식 에너지 소모량이 개선되고, 심미적 개선효과가 있음도 보고되고 있다. 또한, 무세포동종진피인 AlloDerm도 급성기 화상의 치료에 사용이 권장된다. 작은 규모의 임상 연구와 증례보고에서

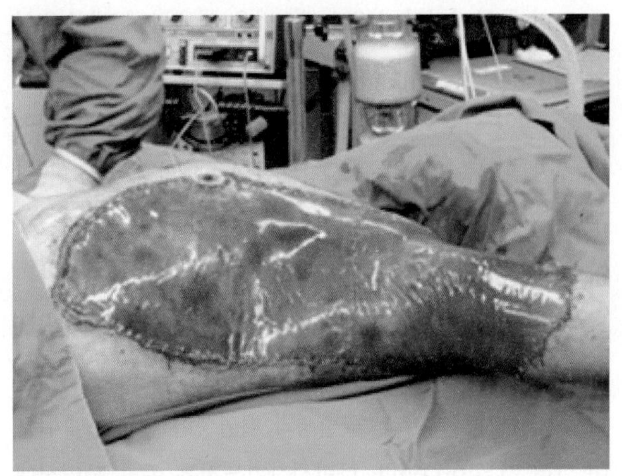

그림 11-7 **integra 시술**

AlloDerm은 급성기 화상의 치료에 유용하다고 제안하고 있다. 조직공학기술은 급속히 발전하고 있으며, 태아세포를 이용한 피부대체물(배양피부대체물)과 줄기세포기술의 진보가 화상환자의 미용적 복원을 이루어낼 방법으로 촉망 받고 있다.

VIII 다발성 장기부전

조기에 공격적인 수액소생요법을 시행하여 생존율이 상당히 개선되었다. 여러 가지 수액소생요법의 출현으로, 비가역적인 화상쇼크가 화상으로 인한 사망의 주 요인이던 것이 패혈증과 다발성 장기부전으로 대체되었다. 한 연구에서, 체표면적의 80% 이상의 범위에 화상을 입은 소아화상환자군에서, 균혈증이 확인된 패혈증은 소아의 17.5%에서 발생하였고, 전체 환자의 사망률은 33%였다. 이들 사망환자의 대부분은 다발성 장기부전이 원인이었다. 사망환자의 일부는 균혈성과 패혈성이었지만, 대부분이 그런 것은 아니었다. 다발성장기부전을 종종 감염성패혈증과 연관되지만, 이 연구에서는 감염이 결코 다발성장기부전의 발생에 필요조건은 아니라는 것을 보여주고 있다. 필요조건은 염증성병변인데, 중화상환자의 광범위 피부손상의 치유를 위해서는 환부에 염증반응이 있어야 한다. 이는 균주들에 의한 뚜렷한 전신감염이 동반되지 않고도 전신염증성반응이 나타날 수 있다는 것을 보여준다 할 수 있다. 다발성장기부전로 진행은 전신염증반응증후군systemic inflammatory response syndrome에 연속되어 나타난다는 이론이 있다. 거의 모든 화상환자들은 미국흉부의사대학the American College of Chest Physicians과 중환자의학회the Society of Critical Care Medicine의 합의회의consensus conference에서 결정된 전신염증반응증후군 평가기준criteria에 부합한다. 그러므로 화상환자에서 다발성장기부전이 흔하다는 것은 놀라운 일이 아니다.

1. 원인과 병태생리

전신염증반응증후군에서 다발성장기부전으로 진행하는 것은 비록 몇 가지 원인이 되는 기전은 알려져 있지만, 충분히 설명되지는 않는다. 이들 대부분은 감염원으로부터 염증이 있는 환자에서 발견된다. 화상환자들에서, 이러한 감염원들은 필시 침습적 환부감염이나 폐렴으로부터 나올 것이다. 균주들이 통제가 안 될 정도로 증식하면, 내독소는 그람음성균의 세균벽에서, 외독소는 그람양성균과 그람음성균에서 방출된다. 그 방출된 독소들은, 내버려두면 장기손상과 장기부전으로 진행을 일으키는 염증매개체의 캐스케이드를 개시하게 된다.

괴사조직과 개방창에 발생한 염증은 내독소에 의한 것과 유사한 염증매개반응을 유발할 수 있다. 하지만, 이 기전은 완벽하게 이해되어 있지는 않다. 어떻든지, 침습적 균주에 의한 것이던 개방창으로부터 유발된 것이던 간에, 다발성장기부전으로 진행할 수 있는 전신염증반응증후군을 일으키는 전신적인 일련의 반응이 시동을 건다고 알려진다. 만일 과량이 분비된다면, 그 순환 매개체들은 방출된 근원부위에서부터 멀리 떨어진 장기에 손상을 입힐 수 있다. 이들 매개체들에는 내독소, 아라키돈산대사물arachidonic acid metabolites, 사이토카인들cytokines, 호중구와 호중구부착분자들, 산화질소, 보체 성분complement components들 그리고, 산소자유기들oxygen free radicals이 있다.

2. 예방

화상으로 인한 다발성장기부전의 발생기전에는 다양한 캐스케이드체계가 포함되기 때문에, 이를 유발하는 단일 매개체를 정확히 찾아내기는 불가능하다. 따라서, 진행기전을 잘 모르기 때문에, 현재로는 예방이 가장 좋은 방법이다. 현재 권장사항은 장기부전의 발생을 예방하고 시작을 조장하는 상태를 피할 수 있도록 적절한 지원을 제공하는 것이다.

심부환부의 조기가피절제와 적극적인 수술적 처치가

광범위 화상으로 인한 사망률을 최대로 줄인 것으로 알려졌다. 생명력을 잃은 조직을 조기에 제거하는 것은 환부 감염을 예방하고 환부에 동반되는 염증을 줄여주게 된다. 게다가, 이러한 수술적 처치는 일시적인 균혈증의 빈번한 원인인 작은 감염부들을 제거하게 된다. 따라서, 전층화상이 확실한 환부는 손상 후 48시간 이내에 가능한 빨리 완전히 절제할 것을 권유한다.

저관류상태로부터 재관류가 될 때 조직의 산화성손상이 유발되는데, 여기에 대해 조기에 공격적인 수액소생요법을 시행하여야 할 것이다. 이는 치료와 혈액소실이 동반되는 수술적 절제를 시작할 때 특히 중요하다. 더하여, 수액의 양 만큼 투여 시기의 적절함 또한 중요할 것이다. 체표면적의 80%를 초과하여 화상을 입은 소아들을 대상으로 한 연구에서, 생존에 기여하는 것 중 가장 중요한 것은 처음 주어진 수액의 양에 상관없이, 정맥을 통한 수액소생요법을 시작할 때까지 걸린 시간이라는 것을 알아냈다.

국소 그리고 전신항생제 치료로 침습적 화상환부에서 유발된 패혈증의 발생률을 상당히 감소되었다. 수술 전후 항생제 투여는 체표면적의 30%를 초과하여 화상을 입은 환자에서 확실이 도움이 된다. 혈관 내 장치를 철저히 관리하고 계획적으로 교체하면, 혈관 내 도관과 연관된 패혈증catheter-related sepsis의 발생을 최소화할 수 있다. 유치카테터indwelling catheters는 매 5일 마다 교체하도록 권장하고 있다. 첫 번째는 무균적셀딩거법Seldinger technique으로 wire를 이용해 교체할 수 있지만, 두 번째는 새로운 부위를 선택하여 교체하여야 한다. 이 프로토콜protocol은 정맥내카테터의 유치가 필요한 기간 동안은 지켜져야 할 것이다. 가능하다면 화상을 입은 조직일 지라도, 카테터 삽입은 말초정맥을 이용하여야 한다. 하지만, 복제정맥saphenous vein은 혈전정맥염thrombophlebitis의 위험이 높아 피해야 한다.

화상환자에서 사망과 관련이 깊은 폐렴은 주의를 게을리 하지 않고 예측하며 적극적으로 치료되어야 할 것이다. 인공호흡기관련병원내폐렴ventilator-associated nosocomial pneumonia의 위험을 줄이기 위해서는 가능한 빨리 인공호흡기를 환자로부터 제거하여야 할 것이다. 더하여, 조기에 환자를 걷게 하는 것은 호흡기 합병증을 예방하는데 효과적인 방법이다. 진통제를 적절하게 사용하면, 지속적인 기계호흡을 하고 있는 경우에서도, 환자를 침대에서 내려오게 할 수 있고, 의자에 앉게 할 수 있다.

패혈증의 가장 흔한 원인이 되는 환부와 호흡기의 감염요인을 적극적으로 감시해야 할 것이다. 하지만 다른 잠재적 원인은 세균의 자연적 저장소인, 위장관계이다. 굶주림과 저혈량증은 내장바닥splanchnic bed으로부터 혈류를 다른 경로로 보내고shunt 점막의 위축과 장관장벽의 부전을 조장한다. 조기장관급식은 패혈증 발생을 감소시키고 장관장벽의 부전을 예방한다. 중증화상환자들에서는 화상 수상 후 가능한 조기에 비위관nasogastric tube를 통해 급식할 것을 권장한다. 조기장관급식은 대부분의 화상환자들이 잘 견뎌낼 수 있고, 점막 온전성integrity을 보존할 수 있으며, 손상에 대한 대사과다반응의 강도를 줄일 수 있을 것이다. 장관급식에는 혈역동변화에 대한 주의 깊은 감시가 뒤 따라야 한다.

3. 장기부전

예방에 최선을 다하였음에 불구하고, 화상환자들에서 흔히 나타나는 전신염증반응증후군은 장기부전으로 진행할 수 있을 것이다. 체표면적의 30%를 초과하는 화상을 입은 환자의 대략 28%에서 중증 장기부전이 발생되었는데, 이 중 14%는 또한 중증 패혈증과 패혈쇼크가 발생했다는 것이 최근에 확인되었다. 일반적인 발생은 신장이나 호흡기계에서 시작되고 간, 장, 혈액계과 중추신경계를 통해 진행할 수 있다. 다발성장기부전의 발생으로 사망률을 예측하지는 못하지만, 한 연구에서 사망한 화상환자들에서 다발성 장기부전의 발병률은 50%가 넘는다는 것을 확인하였다.

4. 신부전

조기에 적극적으로 수액소생요법을 시행함으로 인해, 중화상환자들에서 회복 초기의 회복여부를 판단할 수 있는 신부전의 발생률이 상당히 감소되었다. 하지만, 수액소생요법 후 2-14일에 신부전 발생 위험이 있는 두 번째 시기는 여전히 남아있다. 신부전은 소변량의 감소, 체액과잉, 대사성산증과 고칼륨혈증을 포함하는 전해질 불균형, 질소혈증azotemia, 그리고 혈중 크레아티닌 측정치의 상승으로 나타난다. 치료 목표는 이러한 상태와 연관된 합병증을 피하는데 있다.

1mL/kg를 초과하는 소변량은 기저 신장질환이 없는 경우에 신장관류가 적절하다는 것을 보여준다. 투여 중인 수액량을 줄이는 것으로 화상환자에서 체액과잉을 완화할 수 있다. 이러한 환자들은 환부에서 불감소실이 증가하는데, 대략 1,500mL/m^2 TBSA + 3,750mL/m^2 TBSA burned으로 계산할 수 있다. 공기침대에서는, 성인에서 하루 1L 정도 추가적인 소실이 발생한다. 정맥으로 투여하는 수액의 양과 장관급식량을, 예상되는 불감소실보다 적도록 줄이는 것이 체액과잉으로 인한 문제를 완화할 수 있다. 장관급식을 통한 칼륨의 투여를 줄이고 경구로 중탄산용액bicarbonate solutions을 공급하여 전해질 불균형을 최소화할 수 있다. 중화상환자들은 알도스테론 반응이 증가되어 있어 칼륨이 소실되기 때문에 외부에서 칼륨을 공급할 필요가 있다.

만일 그 문제들이 보존적 방법으로 해결되지 않는다면, 투석이 필요할 수 있다. 투석의 적응증은 체액과잉과 다른 치료법으로 치료할 수 없는 전해질 불균형이 있을 경우이다. 소아화상환자에서 체액을 제거하고 전해질 불균형을 교정하는데, 복막투석Peritoneal dialysis이 효과적이다. 성인에서는, 혈액여과hemofiltration가 효과적인 방법이다. 지속적 정맥-정맥 혈액투석Continuous venous-venous hemodialysis은 체액이동fluid shift이 발생하기 때문에 가끔 적응된다. 모든 혈액투석법은 신장내과 전문의와 함께 시행하여야 할 것이다.

투석을 시작한 후, 신기능이 돌아올 수 도 있는데, 특히 어느 정도 소변량이 유지되는 성인환자들과 소아환자들에서 그러하다. 그러므로, 투석을 시행하는 환자들이라도 기능이 돌아오는 경우 평생 동안 투석을 하지는 않을 수 있다. 일단 투석이 시작된 후에 나오던 소변이 줄어들 수도 있지만, 환부가 거의 치유되면 수일에서 수주 내에 회복되기도 한다.

5. 호흡부전

많은 화상환자들에서 손상의 초기에 기도를 보호하기 위해 기계호흡이 필요할 수 있다. 이 환자들의 호흡상태가 안정되면, 가능한 빨리 인공기관을 발관extubation하여야 한다. 인공기관 발관은 수상 후 첫 수일 내에 시도할 수 있고, 경우에 따라 재삽관이 필요한 경우가 있는데, 이것은 발관을 실패한 것이라 생각할 필요는 없다. 만일 재삽관이 필요하다면, 이를 안전하게 수행하기 위해서 기도확보에 능숙한 전문가가 같이 있어야 한다. 목표는 환자 스스로 기도를 깨끗이 할 수 있도록 가능한 빨리 인공기관을 발관하는 것 인데, 인공기관이나 기관절개관tracheostomy을 통한 것보다 자발적인 호흡기 청소를 수행하는 것이 더 좋기 때문이다. 호흡부전이 임박했음을 나타내는 첫 번째 징후는 산소포화도의 감소이다. 이것은 지속적인 산소포화도 측정이 가장 좋은 추적법이고, 산소포화도가 92% 미만으로 감소하면 부전을 시사한다. 흡입산소의 농도를 높여주어야 하며, 호흡수 증가와 고이산화탄소혈증이 동반되는 호흡부전이 시작되면 기관내삽관을 해야 한다.

장기간의 인공호흡이 필요할 것 같은 심각한 화상이 있는 환자들에서는 조기에 기관절개술(첫 1주일 이내)이 적응되기도 한다. 한 연구에서, 조기기관절개술을 시행한 중증화상환자에서 기관절개술 후 최고흡기압이 감소하였고, 호흡량과 호흡순응도가 높아지고, PaO_2/FiO_2 ratios가 높아지는 것이 확인되었다. 28명의 환자를 대상으로 한 연구에서 기관절개부위감염이나 기관협착의 예는 보이지 않았다. 다른 조기기관절개를 한 환자군과 하지 않는 환자군을 비교한 무작위연구에서는 산소화 개선결과가 유사하게 나타났다. 하지만, 인공호흡기 적용 기간, 입원기간, 폐렴 발생률 또는 생존율에서 뚜렷한 차이는 없었다. 사실상, 기관절개술을 시행하지 않은 환자들 중 26%는 입원 2주 이내에 성공적으로 발관을 하였으며, 그들은 기관절개술이 전혀 필요하지 않았다는 것을 암시한다. 그것은 비록 기관절개술이 일부 인공호흡기의 도움을 받는 중증화상환자에서 필요할지라도, 조기기관절개의 장점이 단점보다 훨씬 크지는 않다는 것을 보여준다. 미래에는 다른 센터에서 나온 자료가 이 결과를 바꿀 수도 있을 것이다.

6. 간부전

화상환자들에서 간부전의 발생은 많은 치료법이 없어 도전해야 하는 과제로 남아있다. 간은 순환 단백을 합성하고, 혈장을 해독하고, 담즙을 생산하고, 면역학적 지원을 제공한다. 중증화상 후, 간은 크기가 정상의 200%를 초과하여 커진다. 간이 기능을 잃기 시작할 때, 혈액응고 캐스케이드의 단백농도는 치명적인 수준까지 감소하고 환자는 응고병적coagulopathic으로 된다. 독성물질은 혈액흐름으로부터 제거되지 못하고, 빌리루빈의 농도는 상승한다. 완전한 간부전은 생존이 어렵지만, 간부전은 일부 기능의 쇠퇴가 동반되면서 점진적으로 진행하는 경우가 흔하다. 간부전을 예방하려는 노력들이 치료의 유일한 효과적인 방법이다.

응고장애가 발생하면, 치료는 간이 회복될 때까지 응고인자 II, VII, IX와 X를 보충하는 것이다. 또한 알부민의 보충도 필요할 수 있다. 무결석담낭염acalculous cholecystitis과 같은 고빌리루빈혈증을 일으키는 폐쇄성 원인에 대해 주의하여야 할 것이다. 이 경우 초기 치료는 담낭배액술gallbladder drainage로 경피적percutaneously으로 시행할 수 있다.

7. 혈액부전

화상환자들은 2가지 기전을 통해 응고병적으로 될 수 있다: (1) 혈액응고인자의 소모와 합성장애와 (2) 혈소판감소증이 그것이다. 응고인자의 소모와 연관된 요인들은 패혈증으로 인한 범발성혈관내응고disseminated intravascular coagulation (DIC)에서 발생한다. 이 과정은 또한 두부손상이 동반된 경우 흔하다. 혈액-뇌 장벽blood-brain barrier의 파괴와 함께, 뇌 지질은 혈장에 노출되는데, 이것이 응고 캐스케이드를 활성화한다. 범발성혈관내응고는 응고인자의 혈장농도를 유지하기 위해 신선냉동혈장fresh-frozen plasma과 한랭침전물cryoprecipitate의 주입하여 치료한다. 간에서의 응고인자의 합성장애는 앞서 언급한 것처럼 치료한다.

혈소판감소증은 흔히 중화상환자의 화상환부를 절제하는 동안 소실로 일어난다. 혈소판수가 50,000 미만인 경우가 흔하고 치료가 필요하지는 않다. 단지 출혈부위가 널리 퍼져있고 정맥도관부로부터 출혈이 확인되었을 때만 혈소판 투여를 고려하여야 할 것이다.

중증화상환자들은 움직임이 제한되고, 침상에 억제되어 있어, 혈전성 그리고 색전성 합병증의 위험에 높다고 알려져 있다. 심부정맥혈전증deep venous thrombosis은 연령이 높을수록, 체중이 많을수록, 화상면적이 넓을수록 발병률이 높다는 것이 알려졌다. 이러한 자료는 출혈 합병증이 없는 성인환자들에서 심부정맥혈전증의 예방이 신중하게 고려되어야 한다는 것을 암시한다.

8. 중추신경계부전

기능의 둔화Obtundation는 패혈증의 전형적인 특징 중 하나이고, 화상환자들도 예외는 아니다. 중화상 환자에서 진정제에 의한 것이 아닌 새로이 시작된 의식상태의 변화가 있으면 패혈증을 의심하고, 그 근원을 찾으려고 노력하여야 할 것이다. 치료는 지지supportive요법이다.

IX 대사과다반응의 약화

1. 비약물요법

1) 영양지원

대사과다증hypermetabolism이라고 알려진 손상에 대한 반응은 중화상 후 급격히 발생한다. 산소 소모의 증가, 대사율의 증가, 소변 질소 배출 증가, 지질분해lipolysis의 증가와 체중저하는 화상의 면적에 정비례한다. 이러한 반응은 정상 대사율의 200%까지 도달할 수 있고 환부가 완전히 덮여야 정상으로 돌아온다. 대사율이 매우 높기 때문에, 에너지 요구량이 상당히 증가한다. 이러한 요구량은 저장된 탄수화물, 지방, 단백을 동원하게 된다. 요구가 장기적으로 지속되기 때문에, 이러한 에너지 저장소는 급격히 줄어들게 되고, 활동 근육 조직을 소실시키고, 영양결핍이 발생하게 된다. 이러한 영양결핍상태는 다수의 장기의 기능손상, 상처치유의 지연, 비정상적인 형태로의 치유, 면역기능의 감소와 세포막의 능동적 수송기능의 변화와 연관된다. 화상환자에서 영양결핍은 외부에서exogenous 적절한 영양지원으로 어느 정도 뒤집을 수 있다. 영양지원의 목표는 장기기능의 유지 및 개선과 단백칼로리 영양결핍protein-calorie malnutrition의 예방이다.

화상환자에서 열량요구량을 계산하는 데는 몇 가지 공식이 이용되고 있다. 한 공식은 총 체표면적의 40%에 화상을 입은 경우에 총 에너지 소모량이 100% 증가한다고 가정하고, Harris-Benedict 공식(표 11-11)으로 계산된 기초에너지 소모량에 2를 곱했다. 총 에너지 소모량을 이중표식수법doubly labeled water method으로 측정한 경우, 체표면적의 40% 이상의 범위에 화상을 입은 소아환자에서 실제 소모량은 예상된 기초 에너지 소모량의 1.33배로 나타났다. 이 연구에서 모든 환자들은 최소한의 요구를 충족하기 위해, 예상 기초 에너지 소모량의 1.55배가 필요했다. 하지만, 이를 초과하여 주어진 열량은 체질량lean mass을 늘리는 데는 영향을 미치지 않고 지방축적으로 이어지는 것 같다. 이는 간접열량측정법indirect calorimetry으로 측정한 휴식열량소모량의 1.4배와 연관성이 있다. 이 연구들은 예상 기초에너지소모량의 2배로 계산하는 것은 너무 많다는 것을 보여준다.

다른 흔히 이용되는 계산법으로 Curreri 공식이 있는데, 25kcal/kg/day에 40kcal/% 화상면적비/day를 더하여 계산한다. 이 공식은 유지요구량에 화상환부와 연관된 추가적인 요구량을 더하여 제공한다. 이 공식은 중화상 성인환자의 질소평형자료nitrogen balance data에서 회귀하여 고안됐다. 소아에서는, 체중 kg 당 체표면적이 성인에 비해 크기 때문에 체표면적에 근거한 공식이 더 적절하다. 추천되는 소아의 연령에 따른 공식은 표에 있다(표 11-12). 이 공식들은 중화상 소아환자에서 체중을 유지하기 위해 결정됐다. 공식들은 성장에 따라 체표면적이 변하는 것에 기초하여 나이에 따라 변환한다.

영양공급의 구성요소도 또한 중요하다. 최적의 식이 구성은 앞서 제안된 열량 섭취에 열량 대 질소 비가 약 100:1에 해당하는 단백양인 1-2g/kg/day를 포함한다. 이 정도의 단백양은 환자의 합성 요구량만큼 공급하게 되므로, 활동근육조직 내의 단백분해를 어느 정도 감소시키게 된다. 비단백열량은 탄수화물이나 지방으로 공급할 수 있다. 탄수화물은 내인인슐린 생산을 자극하는 장점이 있는데, 인슐린은 합성대사호르몬anabolic hormone으로서 근육과 화상환부에 유익한 효과를 갖는다. 게다가, 최근에는 중화상을 당한 후 초저밀도지질단백질Very-Low-Density Lipoprotein (VLDL)내로 이송된 지질 중 거의 모두가 간에서 섭

표 11-11. Modified Harris-Benedict 공식

Men	BMR = (10 × weight in kg) + (6.25 × height in cm) - (5 × age in years) + 5
Women	BMR = (10 × weight in kg) + (6.25 × height in cm) - (5 × age in years) - 161

: Mifflin MD, St Jeor ST, Hill LA, Scott BJ, Daugherty SA, Koh YO (1990). "A new predictive equation for resting energy expenditure in healthy individuals". The American Journal of Clinical Nutrition. 51 (2): 241-7. PMID 2305711.

표 11-12. 중증 소아화상환자의 열량요구예측치 계산식(Formulas to Predict Calorie Needs in Severely Burned Children)

연령대	유지요구량	화상환부요구량
유아(0-12개월)	2100 kcal/% TBSA/24hours	1000 kcal/% TBSA burned/24hours
소아(1-12세)	1800 kcal/% TBSA/24hours	1300 kcal/% TBSA burned/24hours
청소년(12-18세)	1500 kcal/% TBSA/24hours	1500 kcal/% TBSA burned/24hours

TBSA, total body surface area, 총 체표면적

취한 탄수화물로부터 새로이 지방산을 합성한 것이 아니고 말초 지질분해로부터 유래되었다는 것이 알려졌다. 따라서, 지질의 운송수단이 현저히 감소되어 있기 때문에, 비탄수화물 열량을 제공하기 위해 추가로 공급된 지방은 거의 도움이 되지 않으므로 저지방 식이가 권장된다.

식이는 2가지 형태로 제공된다. 장관급식관을 통한 장관enteral영양이나 정맥카테터를 통한 비경구parenteral영양이다. 비경구영양으로 말초혈관의 카테터를 통해 등장의 용액을 투여할 수 있고, 중심정맥카테터를 통해서는 고장수액을 공급할 수 있다. 일반적으로, 화상환자의 요구열량을 말초비경구영양법으로 공급하는 것은 금지하고 있다. 화상환자에서 중심정맥을 통해 공급되는 완전비경구영양법Total Parenteral Nutrition (TPN)은 장관영양법에 비해 높은 합병증과 사망률을 보인다. 따라서, 완전비경구영양법은 장관급식이 용이하지 않은 환자에서만 적용하도록 권장한다. 장관영양법은 기계적인mechanical 합병증, 장관급식에 부적응과 설사를 포함하는 일부 합병증이 동반되곤 한다.

최근에는 중증손상 후 체질량의 소실을 감소시키는 수단으로 합성대사제재anabolic agent를 이용한 영양부가요법 nutritional adjunctive treatment에 대한 관심이 집중되고 있다. 이용되는 약제에는 성장호르몬, 인슐린유사성장호르몬insulin-like growth hormone, 인슐린, 옥산드롤론oxandrolone, 남성호르몬testosterone과, 프로프라놀롤propranolol이 있다. 이 약제들은 효율적인 단백합성을 통해 단백합성을 촉진하는데 각각의 다른 작용을 갖고 있다. 간단히 설명하면, 중증손상이나 질병에서 단백파괴가 촉진되어 세포질 내에서 이용 가능하게 된 유리 아미노산은 세포외부로 빠져나가는 것보다 우선적으로 단백합성 과정으로 이동된다는 것이다. 이들 중 인슐린과 oxandrolone과 같은 몇 가지 약제가 단백 역학을 개선할 뿐 아니라 중화상을 입은 후 체질량의 개선에도 효과를 보여주고 있다. 앞으로의 연구에서 이러한 생화학적이고 생리적인 방법이 기능을 개선시키는 지 드러날 것이다.

2) 환경지원

화상환자들에서는 완전하게 치유되지 않은 광범위 화상환부로부터 증발에 의해 매일 화상환부의 면적 $1m^2$ 당 4,000mL의 체액이 소실될 수 있다(4,000mL/m^2 burned skin/day). 대사과다반응으로 인한 변화된 생리적 상태는 적어도 부분적으로나마 불가피한 수분소실과 연관된 열손실을 상쇄시키기에 충분한 에너지를 만들려고 노력한다. 신체는 재상피화를 위해 심부체온을 정상보다 섭씨 2도가 높게 올리려고 노력한다. 주위의 온도를 섭씨 25도에서 섭씨 33도로 높이면 체표면적의 40%를 초과하는 화상환자에서 휴식에너지 소모를 2.0에서 1.4로 감소시켜 부득이하게 일어나는 이러한 반응의 규모를 줄일 수 있다. 이러한 환경의 조성은 치료에 매우 중요하지만, 현실적으로 적절히 시행되지 않고 있다.

3) 운동과 부가적인 방법

균형 잡힌 물리요법 프로그램은 대사이상을 회복시키고 화상으로 인한 구축을 예방하는데 필수적이다. 회복기의 화상환자는 꾸준한 저항운동resistance exercise으로 체질량을 유지하고 개선할 수 있고, 근육내 아미노산의 결합을 늘리고, 근력을 상승시키며, 걷는 능력을 거리로 약

50%까지 늘릴 수 있다. 화상환자들은 발생되는 열을 배출하는 체온조절의 장애로 운동으로 인한 고열이 발생될 수 있는데, 저항운동은 운동관련 고열의 발생 없이 소아 화상 환자에서 안전하게 수행할 수 있다고 알려져 있다. 비록 화상 환자의 대사반응의 정도는 초기 화상 정도와 패혈증 관련 합병증에 의해 우선적으로 결정되지만, 할 수 밖에 없는 활동, 기저 통증background pain, 처치와 연관된 통증 그리고, 불안감 또한 대사율을 크게 상승시킨다. 신중을 기한 최대 용량의 마약성 진통제의 투여, 적절한 진정유도와 정신적 지지요법이 이러한 효과를 줄이기 위해 취해져야 한다.

2. 약물요법

1) 재조합 성장호르몬

급성기 화상의 치료기간 동안 재조합성장호르몬recombinant human Growth Hormone (rhGH)를 0.2mg/kg로 매일 근육주사로 투여하면, 간의 급성기 반응에 대해 좋은 영향을 미치고, 그것의 이차적인 매개체인 IGF-I의 혈중 농도를 증가시키고, 근육의 단백역학을 개선하고, 근육의 성상을 유지하며, 피부공여부의 치유기간을 1.5일 정도 단축시키며, 휴식에너지소모량을 개선하고, 심박출량을 감소시킨다. rhGH의 이러한 이로운 효과는 IGF-I에 의해 매개되고, 치료를 받은 환자들은 건강한 개개인에 비례하여 혈중 IGF-I과 IGFBP-3이 100% 상승된 것으로 나타난다. 하지만, 247명의 화상환자와 285명의 화상이 아닌 중환자를 대상으로 한 전향적 다기관 이중맹검 무작위 위약-대조연구에서 Brnski와 동료 연구자들은 고농도의 rhGH (0.10 ± 0.02mg/kg body weight)는 사망률과 합병증 발생률을 상승시키는 것을 확인하였다. 다른 연구에서는 성장호르몬 치료가 고혈당과 인슐린저항과 연관이 있다고 보고하였다. 하지만, rhGH를 단기 또는 장기로 투여하던 간에 투여한 소아중화상환자의 사망률 상승과는 관련이 없었다.

2) 인슐린유사 성장인자

인슐린유사 성장인자Insulin-like Growth Factor (IGF-I)은 성장호르몬의 효과를 매개하기 때문에, 분해대사catabolic기의 소아와 성인군 화상환자에서 의미 있는 정도로 저혈당이 심하지 않은 경우, 같은 몰equimolar의 재조합 인간 IGF-I과 IGFBP-3를 투여하였을 때 rhGH를 단독으로 투여한 군 보다 단백대사를 효과적으로 개선하는 것으로 나타났다. 또한 극도중증소아화상환자에서 근육의 분해대사catabolism를 감쇄시키고 장관점막의 온전성mucosal intergrity을 개선한다. 면역기능은 type-1과 type-2 간 hepatic의 급성기 반응을 감쇄시키고, 구성요소인 단백의 농도를 증가시키고, 체단백의 과다분해대사적 이용hyper-catabolic use으로 상처를 더 잘 낫게 한다. 하지만, Langouche and Van den Berghe의 연구에서는 IGF-I 단독 사용은 화상을 입지 않은 극도 중환자에서는 효과가 없다고 지적한다.

3) 옥산드롤론

남성화 효과를 단 5%만 갖고 있는 남성호르몬유사체 testosterone analogue인 옥산드롤론oxandrolone과 같은 합성대사제를 이용한 치료는, 단백합성효율의 증대, 체중 소실의 감소와 피부공여부의 치료를 촉진시켜 근육의 단백분해대사를 개선시킨다. 전향적 무작위 연구에서, Wolf and colleagues 10mg의 oxandrolone을 12시간마다 투여하여 입원기간을 단축시켰다고 기술하였다. 대형 전향적 이중맹검 무작위 단일기관 연구에서는, 0.1mg/kg의 oxandrolone을 매 12시간마다 투여하여 급성기 재원기간을 단축시키고, 체질량을 유지하고, 체구성요소와 간에서 단백합성을 개선하였다. 그 효과는 연령과는 상관이 없었다. 소아환자들에서 통원 재활기간 동안 경구 합성대사제(anabolic agent)를 이용한 장기간의 치료가 비경구 합성대사제를 투여한 것보다 좋은 것으로 간주된다. Oxandrolone은 신체 조직에서 일어나는 화상으로 인한 대사과다증의 효과를 성공적으로 약화시키고, 시간이 흐르면서 체중과 체질량(화상 수상 후 6, 9, 12개월에)을 상당히 증가시키며, 수상 후 12개월에 뼈 무기질의 구성요소를 화상을 입지 않은 대조군과 비교해 상당히 증가시켰다. Oxandrolone으로 치료받은 환자는 rhGH로 치료받은 환자에 비해 상대적으로 적은 합병증을 보였다. 하지만, 비록 합성대사제가 체질량을 증가시킬지라도, 근력개선에는 운동이 근본적이다.

4) 프로프라놀롤

아마도 프로프라놀롤Propranolol을 포함한 β-아드리날렌차단제β-Adrenergic blockade가 화상치료에서 가장 효과적인 항분해대사치료제일 것이다. 화상환자의 급성기치료 동안 심박수를 15%에서 20%까지 감소시키기 위해 propranolol을 점적 투여했을 때, 장기적으로 투여하면 심장의 부담cardiac work을 줄인다고 알려졌다. 또한 그것은 간의 지방침윤을 줄이는데, 전형적으로 간의 지방침윤은 화상환자에서 말초 지방분해가 증가되고 기질의 처리가 변형되어 발생한다. 간 지방의 감소는 말초 지방분해의 감소, 간에서의 팔미트산염palmitate의 전달과 흡수의 감소로 초래되고, 간이 더 작아져서 일어난다. 한 연구에서 propranolol의 투여는 화상 후 발생하는 골격근의 감소를 줄이고, 체질량을 증가시키는 것으로 드러났다. Propranolol의 근본적인 작용기전은 아직 명백하지 않다. 하지만, 그것은 단백파괴가 끊임없이 지속될 상황에서 단백합성을 증가시키고, 말초 지방분해를 감소시키는 효과에 따른 것으로 나타난다. 체중 1kg당 4mg/kg의 propranolol을 매 24시간 마다 투여하는 것이, 화상손상 후 상승된 혈당을 감소시키기 위해 필요한 인슐린의 양을 현저히 줄여주는 것으로 제안됐다(unpublished data). 그러므로 propranolol은 화상 후 인슐린 저항을 극복하기 위한 유망한 방법이 될 수 있을 것이다.

3. 화상 후 고혈당의 감쇠

1) 인슐린

인슐린Insulin은 아마도 가장 널리 연구된 치료제로 알려져 있으며, 새로운 치료 적용이 끊임없이 발견되고 있다. 말초에서 근육과 지방조직 내로의 포도당의 흡수를 매개하여 혈당의 지수를 감소시키는 능력과 간의 포도당 신합성gluconeogenesis을 억제하는 능력뿐 아니라, 아미노산의 흡수를 조절하여 단백합성과 DNA 복제를 증가시키고, 지방산합성을 증가시키고, 단백분해를 감소시키는 것으로 알려져 있다. 마지막으로 급성기 입원기간 동안 인슐린을 투여하여 근육단백합성이 개선되었고, 피부 공여부의 치유를 촉진하였고, 체질량의 감소와 급성기 반응을 지연되었기 때문에 중증화상환자에서 인슐린은 고혈당의 치료에 특히 매력적이게 되었다. 그것의 합성작용anabolic action에 더하여, 인슐린은 전혀 기대하지 않았던 포도당의 전염증작용proinflammatory action을 상쇄시키는 항염증 효과를 보여주었다. 이러한 결과들에서 인슐린 투여의 2가지 이점이 제시된다. 정상 혈당 수준으로의 회복에 의해 포도당의 전염증작용 효과를 감소시키는 것과 부가적인 인슐린 매개 항염증효과가 그것이다. 혈당 수치를 110mg/dL 미만으로 유지하지 위해 투여한 인슐린은, 외과적으로 심각한 중환자에서 사망률과 감염 발생률, 패혈증과 패혈증과 연관된 다발성장기부전을 감소시켰다. 또한 새로이 발생하는 신장손상을 상당히 줄여주고, 기계호흡의 중단을 촉진시켰으며, 중환자실 재원기간과 입원기간을 단축시켰다. 급성기 동안 투여하였을 때, 급성기 치료의 예후 및 결과를 개선하였을 뿐 아니라 인슐린치료가 이득이 된다고 적응 되는 중환자의 1년 동안의 장기 재활 결과를 개선하고 사회적응을 개선시켰다. 하지만, 정상수준의 혈당을 유지하기 위해 혈중 포도당을 엄격하게 조절하려면 임상적 이익이 최대로 되어야 하기 때문에, 엄격하게 혈당을 조절하는 것이 환자의 예후와 결과에 이롭다고 믿은 사람들과, 고용량의 인슐린은 저혈당에 빠지는 상황이 발생할 수 있고 그에 동반되는 위험을 높일 수 있다고 걱정하는 사람들 간에는 논쟁이 있다. 사실상, 유럽에서 이루어진 다기관 연구인 '중증 패혈증의 수액량 교체와 인슐린 치료의 효능Efficacy of Volume Substitution and Insulin Therapy in Severe Sepsis (VISEP)'에서, 중증 감염증과 패혈증이 있는 환자에서 사망률과 합병증 발생률에 대한 인슐린 치료의 효과에 대해 조사되었다. 저자들은 인슐린 투여가 사망률에는 미치는 영향이 없지만, 심각한 저혈당의 발생 빈도는 일반적인 치료군에 비해 적극적인 인슐린 치료를 받은 환자들에서 4배 높다는 것을 확인했다. 또 다른 거대 다기관 연구에서는 '지속적 고인슐린혈a continuous hyperinsulinemic, 정상혈당클램프euglycemic clamp'를 중환자실 입원 동안 사용하여 심각한 저혈당상황이 심각하게 증가되는 것을 확인하였다. 아직 이상적인 혈당 범위는 확인되지 않았으므로, 최근에는 몇몇 연구단에서 화상환자들과 중환자실에서 치료받는 환자에서 이상적인 혈당수준을 확인하는 임상적인 연구들이 진행되고 있다. 최근, '패혈증 생존을 위한 캠페인the Surviving Sepsis Campaign'에서 권고사항은 혈당 수준은 150mg/dL 미만으로 유지하라는 것이다. 하지만, 화상환자에서 '지속적 고인슐린혈a continuous hyperinsulinemic, 정상혈당클램프euglycemic clamp'를 유지하는 것은 특히 어려운데, 이 환자들은 정상혈당을 유지하기 위해 장관급식튜브를 통해 대량의 열량을 지속적으로 섭취하고 있기 때문이다. 화상환자들은 매주 수술이 필요하고 매일 드레싱을 교환하여야 하기 때문에, 장관급식은 가끔 중단될 필요가 있는데, 이것이 위장관 운동성에 혼란을 주고 저혈당의 위험을 증가시킬 수 있다.

2) 메트포르민

비구아나이드biguanide의 일종인 메트포르민metformin (Glucophage)은 중증손상환자들에서 고혈당을 교정하기 위한 대체수단으로 이용할 수 있다. 포도당신합성gluconeogenesis을 억제하고 말초에서 인슐린의 민감도를 증강시킴으로, metformin은 손상에 의해 유도된 고혈당에 근거한 2가지 주 대사과정에 직접적으로 대응한다. 게다가, metformin은 저혈당 상황이 좀처럼 일어나지 않으므로, 상황에 따라 인슐린을 추가로 투여하는 것이 가능하다. Gore 등에 의한 소규모의 무작위 연구에서, metformin이 중증 화상환자에서 혈장 포도당 농도를 감소시켰고, 내인포도당 생산을 감소시켰고, 포도당의 청소clearance을 촉진하였다고 보고했다. 뒤따른 근육단백합성에서 metformin의 효과에 대한 연구에서는 이것들이 확인되었고, metformin으로 치료 받은 환자들에서 근육의 단백의 분획합성율fractional synthetic rate을 증가시키고 순근육단백균형net muscle protein balance이 개선되는 것을 확인하였다. 그러므로, 인슐린 유사체인 metformin은 항고혈당제 및 근육합성대사제로 중증 손상 환자들에서 효용성을 갖는다고 할 수 있다. 치료 시 잠재적인 장점에도 불구하고, metformin 또는 다른 비구아나이드를 이용한 치료는 젖산산증lactic acidosis과 연관되어있다. Metformin 연관젖산산증을 피하기 위해, 이 약제들의 사용은 젖산의 제거가 손상(간부전 또는 신부전) 되었거나 조직저산소증tissue hypoxia이 있는 질병 또는 병태에서는 적응되지 않고, 아급성기 화상환자들에서는 주의하여 사용되어야 할 것이다.

4. 선택할 수 있는 새로운 치료법

화상 후 고혈당을 감소시키기 위한 연구로 진행 중인 것은 글루카곤유사단백1glucagon-like peptide 1과 페록시좀 증식-활성화수용체감마작용제Peroxisome Proliferator-Activated Receptor gamma (PPAR-γ) agonists (예, pioglitazone, thioglitazones) 또는 여러 종류의 항당뇨병약의 복합하는 방법을 이용하는 것에 대한 것이다. 페노피브레이트fenofibrate와 같은 PPAR-γ 작용제는 당뇨가 있는 환자에서 인슐린 감수성을 개선시키는 것으로 보여진다. Cree와 공동연구자들은 이중맹검 전향적 위약-대조군 무작위연구에서 fenofibrate 치료가 인슐린감수성과 미토콘드리아의 포도당산화mitochondrial glucose oxidation를 개선시켜 혈장 포도당의 농도를 현저히 감소시킨다는 것을 확인하였다. Fenofibrate는 또한 위약 치료군에 비해 고인슐린혈, 정상혈당클램프hyperinsulinemic-euglycemic clamp 사용 후에 근육조직 내 인슐린수용체insulin receptor와 인슐린수용체-기질1insulin receptor-substrate 1의 티로신 인산화tyrosine phosphorylation를 현저히 증가시키는데, 이는 인슐린 수용체의 신호 보내기가 개선됨을 나타낸다.

X 특별히 고려할 사항: 전기와 화학화상

1. 전기화상

1) 초기치료

입원한 모든 화상환자의 3%에서 5%는 전기에 접촉하여 수상한다. 전기손상은 다른 화상손상과 달리 괴사된 조직이 보이는 부분은 파괴된 조직의 극히 일부만을 반영하게 된다. 전기 흐름은 손가락, 손과 같은 신체의 한 부위로 들어가서 일반적으로 신경, 혈관 및 근육과 같이 가장 저항이 작은 것을 통해 조직으로 흘러 지나간다. 피부는 전기에 상대적으로 높은 저항을 갖고 있으므로 대부분 손상을 입지 않는다. 이후 전기의 흐름은 전형적으로 발과 같이 '땅에 닿아있는' 부위에서 신체를 빠져나간다. 전류가 흘러 지나가면서 발생된 열과 전류흐름 자체에 의해 조직손상이 일어난다. 이러한 변화가 일어나는 동안, 근육은 전류가 흘러가는 주요 조직이 되므로 가장 심각한 손상을 입는다. 대부분의 근육은 뼈에 근접해 있다. 다량의 전기를 전도하는 혈관들은 초기에는 관류가 유지되지만, 세포들이 스스로 사멸과 복구를 하는 동안 혈전형성이 진행하게 되므로 결국 허혈ischemia에 의해 조직을 잃게 된다.

전기손상은 고전압손상과 저전압손상으로 구분된다. 저전압손상은 심부조직까지 전도된다는 것을 제외하고는 열손상으로 인한 화상과 유사하다. 손상 영역은 표면으로부터 조직 안으로 확산된다. 대부분의 가정용전기(110에서 220volt)는 단지 국소적인 손상만 일으킨다. 저전압손상에서 최악의 상황은 어린이가 가정용 전기코드를 물어뜯어 발생되는 입 가장자리(입 꼬리)의 손상이다.

고전압손상증후군은 전류가 숨어있는 파괴된 심부조직과 흘러 들어가고 나간 피부의 화상부위에 다양한 정도의 화상으로 구성된다. 또한 종종 이 환자들은 전류가 방전되면서 옷에 불이 붙어 화상을 입기도 한다. 초기에 심실세동이 발생하면 심폐소생술을 시행하여야 한다. 그 후에, 초기 심전도 양상이 비정상적이거나 손상과 연관되어 심정지가 있었다면, 모든 부정맥에 대해 심장감시cardiac monitoring와 함께 약물요법을 하여야 한다. 대부분 심각한 이상은 수상 후 24시간 이내에 발생한다. 만일 전기손상 환자가 초기 심전도에서 부정맥이 관찰되지 않고 심정지가 없었다면 추가적인 감시monitoring는 필요하지 않다.

전기손상 환자는 전기충격으로 튕겨나가거나 전원으로부터 철수하다가 높은 곳에서 떨어지는 등, 다른 손상을 당하기 쉽다. 게다가, 교류전원에 의해 발생하는 근육의 격렬한 강직경련은 다양한 형태의 골절과 탈구dislocation을 초래할 수 있다. 이러한 환자들은 둔기외상환자blunt trauma patients와 마찬가지로 평가되어야 한다.

전기손상 환자의 치료에 있어 가장 중요한 것은 환부의 치료에 달려있다. 가장 심각한 손상은 심부조직에 있고, 연속적으로 진행하는 부종은 손상부에서 원위부로 가는 혈류를 제한할 수 있다. 즉각적인 가피절개술과 근막절개술이 필요할 수 있기 때문에 말초혈류의 상태를 포함하여 평가하여야 할 것이다. 만일 궁극적으로 기능을 회복할 수 없다고 예상될 정도로 근육구획이 심하게 손상되고 괴사되었다면, 조기에 절단하는 것이 필요하다. 조기에 침범된 근육을 탐색exploration하고, 대부분의 근육조직이 붙어있는 골막면periosteal plane까지 주의깊게 평가하여 생명력을 잃은devitalized 조직을 제거하도록 권고하고 있다. 근막절개술은 완전하게 시행되어야 하고, 손목굴carpal tunnel과 Guyon굴Guyon tunnel을 풀어주어 압박된 신경들을 풀어주어야 할 것이다. 생존력이 불확실한 조직은 그 위치에 남겨두고 48시간 이내에 계획하여 재탐색reexploration을 하여야 할 것이다. 환부의 괴사조직절제가 완료될 때까지 재탐색reexploration은 여러 차례 반복적으로 시행될 수 있다. 혈관의 전기손상은 지연될 수 있어서, 초기 괴사조직제거술 후 괴사범위가 확대될 수 있다. 생명력을 잃은 조직을 제거한 후에, 환부를 봉합하거나 덮어 주는 것은 매우 중요하다. 비록 환부의 재상피화(또는 봉합)는 피부이식술로 대부분 충분하지만, 피판술flaps은 더 좋은 대안이 될 수도 있는데, 특히 뼈와 건이 노출된 경우에 그러하다. 심지어 노출되고 표면적으로 감염된 뼈와 건에서 조차도 혈관이 있는 조직으로 덮어 줄 경우 보존할 수 있다. 조기에 환부봉합wound closure의 다양한 방법에 경험이 풍부한 재건수술의가 참여하는 것이 적절하다.

근육손상에서는 헤모크로모젠hemochromogens (myoglobin)이 방출되는데, 이는 사구체에서 걸러지며 폐쇄신장병obstructive nephropathy을 초래 할 수 있다. 그러므로, 혈장에서 의미 있는 양의 미오글로빈myoglobin이 확인되었을 때, myoglobin의 용해도를 높이고 소변량을 유지하기 위해 적극적으로 많은 양의 수액을 투여하고, 5%의 중탄산나트륨sodium bicarbonate을 지속적으로 정맥 내로 주입하고, 성인에서 만니톨mannitol 25g을 매 6시간마다 정맥 내로 주입한다. 이러한 환자들에서는 대부분 환부가 깊고, 기본적인 진찰에 의해 평가될 수 없기 때문에, 환부의 범위에 기초하여 계산한 수액의 양을 초과하여 추가적으로 투여하여야 한다. 이러한 상황에서는 소변량이 시간당 2mL/kg로 유지되어야 한다.

2) 지연효과

신경학적 결손이 발생할 수도 있다. 조기 또는 후기 신경병리학적 변화를 확인하기 위해 연속적인 신경학적 평가가 정기적으로 시행되어야 할 것이다. 피질뇌병증cortical encephalopathy, 반신마비hemiplegia, 실어증aphasia과 뇌간기능장애brainstem dysfunction injury와 같은 중추신경계 효과가 수상 후 9개월경까지 보고되고 있다. 다른 연구에서는 지연성말초신경병변은 공포화가 동반된 탈수초화 demyelination와 반응성신경아교증reactive gliosis로 특징지어진다고 보고하고 있다. 또 다른 치명적인 장기 효과는 백내장의 발생인데, 수년간 지연되어 발생할 수 있다. 이 합병증들은 심각한 고전압 손상환자에서 30%까지 발생할 수 있으며, 환자들에게 최선의 치료가 되었더라도 이러한 합병증이 발생할 수 있음을 알고 있도록 하여야 한다.

2. 화학화상

화학화상은 비록 일부 산업적으로 노출되어 발생하는 극단적인 경우가 있지만, 대부분은 가정세제의 취급부주의로 인한 사고로 발생한다. 일반적으로 열화상은 열에 짧은 시간 노출되지만 화학손상은 더 긴 시간 동안 노출되며, 심지어 적절한 치료가 없이 수시간이 지나기도 한다. 조직손상의 정도뿐 아니라 독성의 수준level은 물질의 화학적 성질, 물질의 농도, 그리고 피부와 접촉한 기간으로 결정된다. 화학물질은 변성denaturation, 산화, 단백에스테르protein ester 형성 또는 조직을 건조시킴으로 조직 단백질이 파괴되어 손상을 유발한다. 미국에서는, 대부분의 가정용과 산업용 화학물질의 구성요소들은 지역독성물질통제센터the Poison Control Center in the area에서 알 수 있는데, 이 기관에서는 치료에 도움이 되는 제안을 해 줄 수 있다.

화학화상의 처치에는 속도(신속함)가 가장 중요하다. 화학화상에서 모든 화학물질은, 모든 의복을 제거한 후 즉각적으로 많은(풍부한) 양의 깨끗한 물로 세척되어야 할 것이다. 건조한 분말은 세척하기 전에 오염된 부위로부터 털어내야 할 것이다. 조기에 세척함으로 이미 피부에 묻어있는 화학물질을 희석하게 되고, 시기가 적절할 수록 효과를 높일 수 있다. 세척액은 수 Liter가 필요할 것이다. 예를 들면, 98%의 황산 10mL를 12L의 물에 용해시키면 pH가 5.0까지 떨어지지만, 여전히 손상을 일으킬 수 있다. 만일 화학성분을 알았다면(산 또는 염기), 흘러내린 세척액의 pH를 측정함으로 세척의 효과와 완료를 가늠하는 좋은 지표로 이용할 수 있다. 가장 중요한 규칙은 심각한 화학손상에 대해서는 15-20L 또는 그 이상의 양의 수돗물로 세척하는 것이다. 세척부위는 더 신속하게 더 집중적으로 오염물이 제거될 수 있게 흐르도록 하여야 할 것이다. 추가적인 손상을 피하기 위해 손상되지 않은 부위로 세척액이 흐르지 않도록 주의하여야 할 것이다.

모든 환자들은 손상의 중증도severity에 따라 감시monitoring되어야 한다. 그들은 보통 pH이상에 의한 대사이상

반응metabolic disturbance을 겪을 수 있는데, 이는 강산이나 강한 부식제에 노출되었기 때문이다. 만일 호흡곤란이 명백하다면, 산소요법과 인공호흡기가 적용되어야 한다. 수액소생요법은 화상을 입은 체표면적에 비례하여 시행한다. 그러나, 총 수액 요구량이 계산된 양과 매우 다를 수 있다. 일부 환자들에서는 환부가 보이는 것에 비해 훨씬 얕은 경우(특히 산에 손상된 경우)가 있으므로 더 적은 양의 수액이 필요하다. 하지만, 염기에 손상된 경우는 진찰 시 확인된 것 보다 아래조직까지 침습하게 되므로 더 많은 양의 수액이 필요하다. 이러한 이유로, 화상손상을 당한 환자들에서는 소변량과 같이 적절한 관류를 반영하는 징후를 집중적으로 관찰하여야 할 것이다. 모든 심각한 화학손상을 당한 환자들은 정확한 소변량을 측정하기 위해 유치카테터indwelling catheter를 통해 감시하여야 할 것이다.

적응이 된다면, 환자가 안정되자마자 수술적으로 괴사조직제거가 이루어져야 할 것이다. 적절한 세척과 괴사조직이 제거된 후에, 화상 환부는 항균제나 피부대체물로 덮어 주어야 한다. 일단 환부가 적절하게 처치되어 안정되면, 추가적으로 연부조직이 소실되지 않도록 주의하여야 한다. 필요할 경우 피부이식술이나 피판술을 시행한다.

1) 염기

수산화칼슘, 수산화칼륨, 표백제와 수산화나트륨과 같은 염기는 화학화상의 가장 흔한 원인들이다. 사고는 유아와 돌 전후의 아이들의 세탁기 주위에서 놀면서 빈번하게 발생한다. 염기화상의 발생기전에는 세 가지 요소가 있다. (1) 조직과 반응하여 열을 차단시키지 못하게 하는 지방의 비누화 (2) 염기의 흡습성hygroscopic nature 때문에 세포에서부터 수분이 대량 방출되어 발생되는 손상 (3) 염기가 용해되고 염기단백화합물alkaline proteinates을 형성하기 위해 조직의 단백과 결합하는 것인데, 이 화합물은 가용성이며 수산화이온hydroxide ion을 포함하고 있다. 이 이온들은 추가적인 화학반응을 유도하고, 조직 내로 더 깊이 침투한다. 치료는 즉각적으로 많은(풍부한) 양의 액체로 세척하여 부식물질을 제거하는 것인데 대개 물을 이용한다. 약산과 같이 염기중화제를 이용하는 것은 권장하지 않는데, 중화반응에서 발생되는 열이 추가손상을 유발하기 때문이다. 특히 강염기는 세척과 더불어 수술실에서 환부의 괴사조직을 제거하여야 할 것이다. 조직제거는 pH가 중성이 될 때까지 침범된 부위를 접면에서tangential 제거한다.

시멘트(산화칼슘calcium oxide) 화상은 성상은 염기화상으로 흔히 발생하고 대개 업무 연관된 손상이다. 피부손상을 일으키는 실체는 수산화이온이다. 종종 이 물질이 장시간 동안 피부에 접촉하곤 하는데, 인부의 장화 속에서 노출되어 수 시간이 경과한 후에 치료를 받게 되거나 시멘트가 의복을 뚫고 들어간 뒤 수 시간 뒤에 치료를 받게 되며 이것이 땀과 합쳐지면 열을 발생시키게 된다. 치료로는 모든 의복을 제거하고, 모든 시멘트를 제거하고, 세척한 물의 pH가 8 미만이 될 때까지 물과 비누로 침범부위를 세척하는 것이다. 손상은 노출 시간이 길어졌을 때 깊은 경향이 있으며, 가피가 있을 경우 수술적 절제와 이식이 필요할 수 있다.

2) 산

산acids에 의한 손상은 초기에 여느 다른 화학손상과 마찬가지로 침범부의 의복을 제거하고 충분한 양의 물로 세척하여 모든 화학물질을 제거하여 처치하면 된다. 산은 가수분해로 단백을 파괴하는데, 결과적으로 딱딱한 가피를 만들기 때문에 염기에 의한 손상처럼 더 깊이 침습하지는 않는다. 이 물질들은 또한 피부에 접촉하여 열을 발생시켜 열손상을 일으키는 데 추가적인 연부조직의 손상의 원인이다. 일부 산은 추가적인 작용을 갖고 있는데, 다음에서 토의한다.

불산hydrofluoric acid은 산업장과 가정에서 널리 사용되는 독성물질이며 강한 무기산으로 알려져 있다. 치료는 일반적인 다른 산에 의한 화상과는 차이가 있다. 불산은 유리수소이온free hydrogen ion으로 조직의 탈수와 부식을 일으킨다. 게다가, 불소(플루오르화fluoride)이온은 칼슘과 마그네슘과 같은 2가 양이온과 결합하여 불용성염insoluble salt을 형성한다. 불소이온이 전신으로 흡수되면 혈관 내 칼슘을 킬레이트화하고 저칼슘혈증을 유발하여, 치명적인 부정맥이 발생하게 된다. 초기에 많은 양의 물로 세척한 후, 즉시 화상부위를 충분히 많은 양의 2.5% 글루콘산 칼슘calcium gluconate젤로 처치한다. 일반적으로 이런 환부들은 칼슘의 킬레이트화와 동반된 칼륨의 방출 때문에 통증이 굉장히 심하다. 이러한 양상은 치료의 효과를 판정하는데 이용될 수 있다. 활성 불소이온이 제거되면 통증이 가라앉게 되므로, 통증이 가라앉을 때까지 칼슘 젤을 15분 간격으로 바꿔주어야 할 것이다. 만일 수차례의 처치 후에도 통증이 완전히 가라앉지 않거나 증상이 다시 나타나면, 침범된 사지의 진피 내(0.5mL/cm^2 손상면적) 또는 동맥내 10% 글루콘산 칼슘calcium gluconate를 주사하거나, 이들을 동시에 시행하여 증상을 경감시킬 수 있다. 만일 불산에 의한 화상은 이런 방법으로 치료 하지 않을 경우, 뼈의 탈석회작용decalcification과 연조직 손상이 확대될 수 있다.

모든 불산 화상 환자들은 QT 간격QT interval이 늘어지는지에 특히 집중하면서 심장감시를 하여야 하며, 이를 위해 입원 치료를 해야 한다. 수액소생요법에서 첫 1L의 수액에 총 20mL의 10% 글루콘산 칼슘을 첨가하고, 혈중 전해질을 철저히 감시하여야 할 것이다. 심장의 기능을 유지하기 위해 모든 심전도의 변화에 의료진은 신속히 대응하여야 한다. 화학반응이 끝날 즈음에도 몇 그램의 칼슘이 필요할 수 있다. 또한, 혈중 마그네슘과 칼륨도 철저히 감시하고 보충하여야 할 것이다. 신속함speed이 효과적인 치료의 열쇠이다.

XI 치료결과와 예후

화상 치료의 많은 부분이 기능적, 정신적 개선과 업무 복귀의 개선을 위해 발전하고 있는데, 현재 체계적으로 연구가 진행되고 있다. 현재 화상특이건강척도burn-specific health scales와 순응adjustment도를 측정하여 최종결과, 최종성적outcome을 평가하는 새로운 방법들이 보고되고 있다. 일부 성인 중화상환자들이 신체화장애somatization와 공포불안phobic anxiety과 같은 임상적으로 심각한 정신적 장애가 발생함에도 비교적 잘 순응하는 것을 확인하였다. 소아 중화상환자에서도 수면장애뿐 아니라 비슷한 신체화장애를 갖는 것으로 확인되었지만, 일반적으로 잘 순응하였다. 성인환자에서 업무를 하지 못하는 시기가 화상면적의 비율, 정신치료병력과 사지화상의 업무 방해 정도와 연관되는 것으로 확인되었다. 일반적으로, 중화상환자는 정신의학적 건강과 결과에서 심각한 장애가 유도되지만, 그들은 회복할 수 있다.

1. 화상치료시설

화상치료는 화상환자에 한정하여, 전념할 수 있는 특화된 시설에서 치료를 할 때 개선된다. 이러한 시설들은 중화상과 같은 극단적인 손상으로부터 결과와 예후를 최상으로 만들 수 있는 치료법에 숙련된 인력들로 구성된다. 이러한 전문화된 시설과 치료법 덕분에, 화상환자들은 최상의 치료를 받을 수 있게 된다. 앞에서 언급한 화상센터로의 전원 지침(표 11-5)에 부합되는 환자들은 전문화된 화상센터(표 11-13)로 인계하여야 할 것이다.

심각한 화상을 입은 환자를 위한 화상센터의 특화된 치료로 합병증과 사망률은 상당히 개선되었다. 오늘날, 화상환자의 50% 치사량(overall LD_{50} (median lethal dose))은 총 체표면적의 70%이다. 이는 체표면적 70%에 달하는 전 연령의 화상환자의 사망률이 50%라는 것이다. 20여 년 전, LD_{50}은 총 체표면적의 50%였다.

표 11-13. 화상센터의 조직구성과 인력

수련된 화상외과의 Experienced burn surgeons (burn unit director and qualified surgeons)
헌신적인 간호인력 Dedicated nursing personnel
물리, 작업 치료사 Physical and occupational therapists
사회복지사 Social workers
영양사 Dietitians
약사 Pharmacists
호흡치료사 또는 호흡기내과의 Respiratory therapists
정신건강의학과 의사, 임상심리학자 Psychiatrists and clinical psychologists
보철사 Prosthetists

요약

화상의 치료는 복잡하다. 경도(작은 범위)의 화상은 화상에 대한 지식과 경험이 있는 의사에 의해 일반병원에서 치료받을 수 있다. 하지만, 중등도 또는 중증 화상은 심각한 상황으로부터 예후와 결과를 최대화할 수 있는 방법이 있는 전문 기관에서 치료받을 필요가 있다.

지난 30여 년 동안 새로운 개념들과 기법들이 제안되고 있고 현저히 개선되고 있으며, 입원과 화상으로 인한 사망을 적지 않게 감소시키고 있다. 지난 20여 년 동안 중증 열손상(화상)환자의 치료에서 가장 현저한 진보를 보인 1가지 요소는 아마도 조기가피절제술과 식피술에 의한 화상상처봉합일 것이다. 이는 휴식기에너지요구량을 상당히 감소시켰고, 연속적으로 이러한 특수 환자군에서 사망률을 개선하였다. 적절하고 신속한 수액요법의 확립은 조직관류를 유지하고 장기부전을 예방하였다. 패혈증은 화상환부의 조기절제술과 국소항균제에 의해 성공적으로 예방된다. 흡입화상(손상)환자들에게는 부가적인 수액요법, 가습된 산소의 투여 및 기계호흡의 지원이 때때로 필요하다. 장관급식은 스트레스궤양을 예방하고, 장관 점막의 연속성을 유지하고, 과대사상태에 필요한 연료를 공급하기 위해 조기에 시작된다. 지속적인 대사과다증과 동반된 고혈당을 억제하고 극복하기 위한 치료적 접근은 도전과제로 남아있다. 현재, β-아드레날린차단제β-adrenergic blockade인 프로프라놀롤propranolol이 화상치료에서 가장 효과적인 항분해대사anticatabolic 치료로 기술하고 있다. 그 외의 화상에 따른 대사과다반응을 성공적으로 감소시켜온 약물학적 치료로 성장호르몬, 인슐린유사성장인자insulin-like growth factor와 옥산드롤론oxandrolone이 포함된다. 철저한 인슐린insulin 치료로 혈당을 110mg/dL 미만으로 유지하는 것은 중환자에서 사망률과 합병증 발생률을 감소시키는 것으로 나타나고 있다. 하지만, 동반된 고혈당은 메트포르민metformin과 페록시좀증식-활성화수용체감마작용제peroxisome proliferator-activated receptor gamma (PPAR-γ) agonists인 페노피브레이트fenofibrate를 포함한 대체 방법들의 연구를 이끌어 냈다. 이러한 열손상의 지속적인 후유증인 사망의 근본적이고 결정적인 요인과, 흡입화상의 합병증과 폐렴에 대한 것뿐 아니라, 동통과 반흔형성을 개선하기 위한 추가적인 연구가 필요하다. 화상손상 후 발생하는 대사이상의 기본적인 기전을 잘 이해하는 것이 새로운 치료 방책의 발전을 이끌 수 있다. 화상센터에서 집중적인 간호와 다각적인 팀 접근법team approaches이 새로운 치료 전략으로 확대되고 발전됨으로, 이러한 환자들의 예후를 더욱 개선하게 될 것이다.

참고문헌

1. Baxter CR: Fluid volume and electrolyte changes of the early postburn period. Clin Plast Surg 1974; 1: pp. 693-703.
2. Branski LK, Herndon DN, Barrow RE, et al: Randomized controlled trial to determine the efficacy of long-term growth hormone treatment in severely burned children. Ann Surg 2009; 250: pp. 514-523.
3. Branski LK, Herndon DN, Pereira C, et al: Longitudinal assessment of Integra in primary burn management: A randomized pediatric clinical trial. Crit Care Med 2007; 35: pp. 2615-2623.
4. Brunkhorst FM, Engel C, Bloos F, et al: Intensive insulin therapy and pentastarch resuscitation in severe sepsis. N Engl J Med 2008; 358: pp. 125-139.
5. Courtney M, Townsend JR. (eds). Sabiston Textbook of Surgery: The Biological Basis of Modern Surgical Practice. 20th ed. Philadelphia: Elsevier.,2017.
6. Cree MG, Aarsland A, Herndon DN, et al: Role of fat metabolism in burn trauma-induced skeletal muscle insulin resistance. Crit Care Med 2007; 35: pp. S476-S483.
7. Cree MG, Zwetsloot JJ, Herndon DN, et al: Insulin sensitivity and mitochondrial function are improved in children with burn injury during a randomized controlled trial of fenofibrate. Ann Surg 2007; 245: pp. 214-221.
8. Dandona P, Chaudhuri A, Mohanty P, et al: Anti-inflammatory effects of insulin. Curr Opin Clin Nutr Metab Care 2007; 10: pp. 511-517.
9. Dellinger RP, Levy MM, Carlet JM, et al: Surviving Sepsis Campaign: International guidelines for management of severe sepsis and septic shock: 2008. Crit Care Med 2008; 36: pp. 296-327.
10. Ellger B, Debaveye Y, Vanhorebeek I, et al: Survival benefits of intensive insulin therapy in critical illness: Impact of maintaining normoglycemia versus glycemia-independent actions of insulin. Diabetes 2006; 55: pp. 1096-1105.
11. Endorf FW, and Gamelli RL: Inhalation injury, pulmonary perturbations, and fluid resuscitation. J Burn Care Res 2007; 28: pp. 80-83.
12. Finnerty CC, Herndon DN, and Jeschke MG: Inhalation injury in severely burned children does not augment the systemic inflammatory response. Crit Care 2007; 11: pp. R22.
13. Gauglitz GG, Herndon DN, and Jeschke MG: Insulin resistance postburn: Underlying mechanisms and current therapeutic strategies. J Burn Care Res 2008; 29: pp. 683-694.
14. Gauglitz GG, Herndon DN, Kulp GA, et al: Abnormal insulin sensitivity persists up to three years in pediatric patients post-burn. J Clin Endocrinol Metab 2009; 94: pp. 1656-1664.
15. Gore DC, Herndon DN, and Wolfe RR: Comparison of peripheral metabolic effects of insulin and metformin following severe burn injury. J Trauma 2005; 59: pp. 316-322.
16. Greenhalgh DG, Saffle JR, Holmes JH, et al: American Burn Association consensus conference to define sepsis and infection in burns. J Burn Care Res 2007; 28: pp. 776-790.
17. Herndon DN, Hart DW, Wolf SE, et al: Reversal of catabolism by beta-blockade after severe burns. N Engl J Med 2001; 345: pp. 1223-1229.
18. Hohlfeld J, de Buys Roessingh A, Hirt-Burri N, et al: Tissue engineered fetal skin constructs for paediatric burns. Lancet 2005; 366: pp. 840-842.
19. Ingels C, Debaveye Y, Milants I, et al: Strict blood glucose control with insulin during intensive care after cardiac surgery: Impact on 4-years survival, dependency on medical care, and quality-of-life. Eur Heart J 2006; 27: pp. 2716-2724.
20. Jeschke MG, and Herndon DN: Burns in children: Standard and new treatments. Lancet 2014; 383: pp. 1168-1178.
21. Jeschke MG, Chinkes DL, Finnerty CC, et al: Blood transfusions are associated with increased risk for development of sepsis in severely burned pediatric patients. Crit Care Med 2007; 35: pp. 579-583.
22. Jeschke MG, Chinkes DL, Finnerty CC, et al: Pathophysiologic response to severe burn injury. Ann Surg 2008; 248: pp. 387-401.
23. Jeschke MG, Finnerty CC, Shahrokhi S, et al: Wound coverage technologies in burn care: Novel techniques. J Burn Care Res 2013; 34: pp. 612-620.
24. Jeschke MG, Finnerty CC, Suman OE, et al: The effect of oxandrolone on the endocrinologic, inflammatory, and hypermetabolic responses during the acute phase postburn. Ann Surg 2007; 246: pp. 351-360.
25. Jeschke MG, Klein D, Bolder U, et al: Insulin attenuates the systemic inflammatory response in endotoxemic rats. Endocrinology 2004; 145: pp. 4084-4093.
26. Jeschke MG, Kulp GA, Kraft R, et al: Intensive insulin therapy in severely burned pediatric patients: A prospective randomized trial. Am J Respir Crit Care Med 2010; 182: pp. 351-359.
27. Jeschke MG, Pinto R, Herndon DN, et al: Hypoglycemia is associated with increased postburn morbidity and mortality in pediatric patients. Crit Care Med 2014; 42: pp. 1221-1231.
28. Langouche L, and Van den Berghe G: Glucose metabolism and insulin therapy. Crit Care Clin 2006; 22: pp. 119-129.
29. Muller M, Gahankari D, and Herndon DN: Operative wound management. In Herndon DN (eds): Total burn care, ed 3. Philadelphia: Saunders Elsevier, 2007. pp. 177-195.
30. Nugent N, and Herndon DN: Diagnosis and treatment of inhalation injury. In Herndon DN (eds): Total burn care, total burn care, ed 3. Philadelphia: Saunders Elsevier, 2007. pp. 262-272.
31. Pereira C, Murphy K, and Herndon D: Outcome measures in burn care. Is mortality dead? Burns 2004; 30: pp. 761-771.
32. Pereira CT, Jeschke MG, and Herndon DN: Beta-blockade in

burns. Novartis Found Symp 2007; 280: pp. 238-251.

33. Przkora R, Jeschke MG, Barrow RE, et al: Metabolic and hormonal changes of severely burned children receiving long-term oxandrolone treatment. Ann Surg 2005; 242: pp. 384-389.

34. Sagraves SG, Phade SV, Spain T, et al: A collaborative systems approach to rural burn care. J Burn Care Res 2007; 28: pp. 111-114.

35. Sullivan SR, Ahmadi AJ, Singh CN, et al: Elevated orbital pressure: Another untoward effect of massive resuscitation after burn injury. J Trauma 2006; 60: pp. 72-76.

36. Sullivan SR, Friedrich JB, Engrav LH, et al: "Opioid creep" is real and may be the cause of "fluid creep". Burns 2004; 30: pp. 583-590.

37. Van den Berghe G, Wilmer A, Hermans G, et al: Intensive insulin therapy in the medical ICU. N Engl J Med 2006; 354: pp. 449-461.

38. Williams FN, Herndon DN, Hawkins HK, et al: The leading causes of death after burn injury in a single pediatric burn center. Crit Care 2009; 13: pp. R183.

39. Williams FN, Jeschke MG, Chinkes DL, et al: Modulation of the hypermetabolic response to trauma: Temperature, nutrition, and drugs. J Am Coll Surg 2009; 208: pp. 489-502.

40. Wolf SE, Edelman LS, Kemalyan N, et al: Effects of oxandrolone on outcome measures in the severely burned: A multicenter prospective randomized double-blind trial. J Burn Care Res 2006; 27: pp. 131-139.

Chapter 12

창상치유

Wound healing

I 정의

창상이란 조직에서 정상적인 세포의 배열 및 해부학적인 연속성이 파괴된 상태를 말한다. 창상은 해부학적 부위, 발생원인, 오염도, 깊이, 창상치유의 종류에 따라 창상치유반응의 변화가 있을 수 있다. 그러나 피부, 내부 장기 등 해부학적 종류에 따른 치유의 과정은 기본적으로 동일하며, 따라서 창상치유의 단계를 아는 것은 외과적인 영역뿐만 아니라 내과적인 영역에서도 매우 중요하다.

II 종류

1. 깊이 및 발생원인에 따른 분류

창상은 크게 피부상피세포의 결손유무에 따라 폐쇄창, 개방창으로 나뉠 수 있으며, 폐쇄창에는 좌상이 대표적이고, 개방창에는 찰과상, 열상, 결출상, 관통상, 총상 등이며, 창상의 깊이 및 원인에 따라 창상처치의 방법이 바뀔 수 있다.

2. 오염 정도에 따른 분류

창상의 오염도에 따라 청결창상clean wound-class I, 청결-오염창상clean-contaminated wound-class II, 오염창상contaminated wound-class III, 불결창상dirty wound-class IV으로 나눌 수 있으며 오염도가 심할수록 창상치유과정 단계에서 지연 및 정체가 있을 수 있다.

1) 청결창상

비외상성 창상이며, 주로 수술적 조작에 의하여 발생하는 창상이다. 수술적 조작의 실수가 없는 상처이며 위장관, 호흡기도, 비뇨생식기관이 열리지 않는 피부창상이고 창상의 감염률은 5% 미만이다.

2) 청결-오염창상

위장관 또는 호흡기도의 수술 시 내용물의 심한 누출이 없이 열린 수술적 상처이고, 인후강, 감염이 없는 비뇨생식기관, 감염이 없는 담도의 열린 피부창상이며, 수술 수기상 작은 실수가 있는 상처이고 감염률은 10% 미만이다.

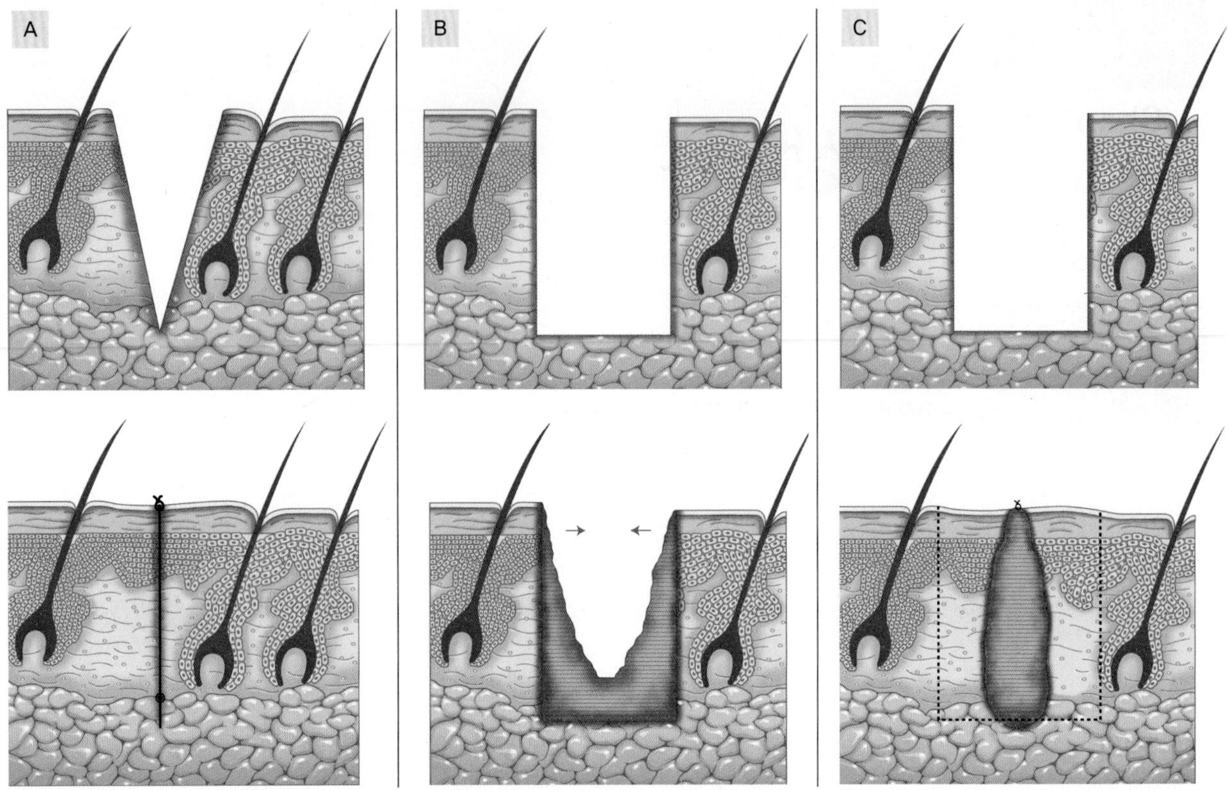

그림 12-1 **A) 일차유합, B) 이차유합, C) 삼차유합**

3) 오염창상

수술 수기상 큰 실수가 있었거나, 외상성 창상, 위장관으로부터 많은 누출이 있었던 경우, 감염된 비뇨생식기나 담도로부터 누출이 있었던 상처이며 감염률은 15% 미만이다.

4) 불결창상

오염물질이 심각하게 유출되었거나 계속 유출되는 경우, 오염된 외상성 창상이 4–6시간 경과한 경우 등에 해당되고 대장게실염 천공이나 천공성 충수돌기염의 피부창상에 해당되며 감염률은 15% 이상이다.

3. 창상치유의 형태에 따른 분류

1) 일차유합

일차유합primary intention, primary closure이란 피부 및 하부조직의 해부학적인 연속성이 파괴된 직후 봉합사로 연결하거나 창상의 깊이가 매우 얕을 경우 피부테이프 등으로 연속성을 가지게 하는 방법이다(그림 12-1A).

2) 이차유합

이차유합secondary intention이란 창상을 외과적으로 봉합하지 않고 육아조직의 형성, 창상수축의 유무와 관계없이 자연적인 재상피화과정을 거쳐 치유되는 것을 말한다(그림 12-1B).

3) 삼차유합, 지연일차봉합

삼차유합tertiary intension, 지연일차봉합delayed primary closure이란 창상의 오염 가능성이 많은 경우 곧바로 봉합하지 않고 육아조직을 형성시켜 창상의 세균이 최소화되는 시기인 4–6일 정도 후에 봉합하는 것을 말한다(그림 12-1C).

III 창상치유단계

창상치유과정의 변화는 각기 개별된 과정의 순서대로 엄격히 진행되는 것이라기보다는 동시적으로 일어나는 과정이라 할 수 있다. 조직의 손상 순간부터 치유과정은 역동인 과정을 밟게 된다(그림 12-2). 창상의 치유과정은 조직손상의 정도에 따라서 치유기간도 차이가 있다. 그러나 일반적으로 청결한 절개창에 의한 창상의 치유는 정상적인 환경하에서는 예견된 방식을 따르며, 예정된 수순에 따라 치유되는 창상을 급성창상, 치유과정 중의 단계에서 진행이 저해되거나 정체되어 예정된 수순에 지장을 받고 해부학적이고 기능적인 적절한 결과를 가져오지 않는 창상을 만성창상이라고 부른다.

1. 지혈과 염증반응

지혈은 창상에 있어서 우선적으로 일어나며 염증반응이 초기에 동반된다. 조직의 손상과 더불어 혈관이 절단되면 혈소판의 세포외 간질로의 노출이 일어나게 되며 노출된 내피세포endothelial cell하의 교원질은 혈소판의 응집을 유도하고 혈소판에서 과립성분의 누출 및 응고작용의 연쇄반응이 일어나게 되는데, 혈소판 α 과립에서는 PDGF (Platelet-Derived Growth Factor), TGF-β (Transforming Growth Factor-β), PAF (Platetlet Activating Factor), 섬유결합소fibronectin, 세로토닌serotonin을 분비한다. 지혈을 위한 섬유소원fibrin의 응집은 다형핵백혈구PMN와 단핵구가 창상부위로 이동할 수 있는 뼈대로서 작용하는데, 창상부위로의 염증세포의 이동은 그림 12-4와 같은 특징을 나타내게 된다. 처음 수상 시 창상부

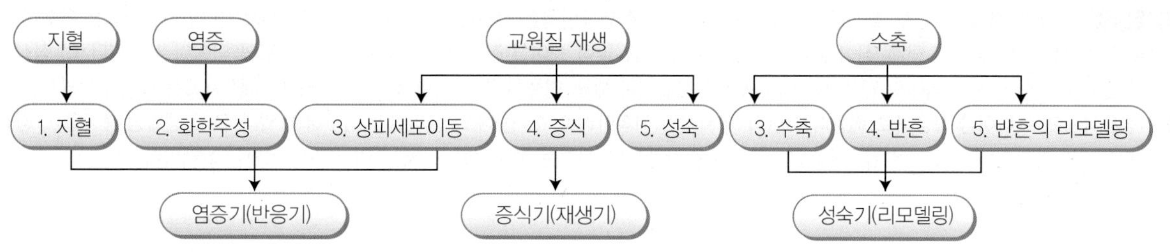

그림 12-2 창상치유의 과정

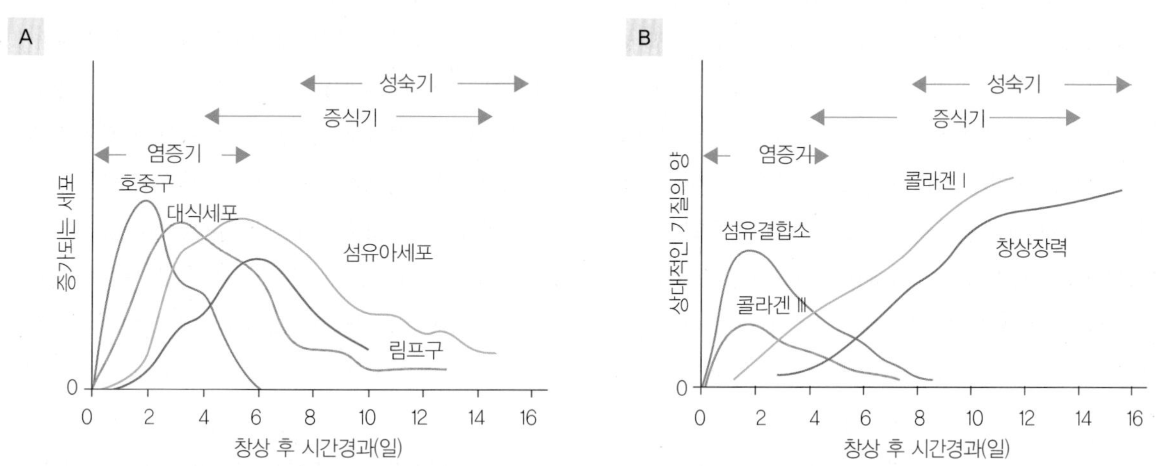

그림 12-3 A) 창상치유과정과 시간경과에 따른 세포들의 침윤. B) 창상치유과정과 시간경과에 따른 교원질 발현정도와 창상장력의 변화

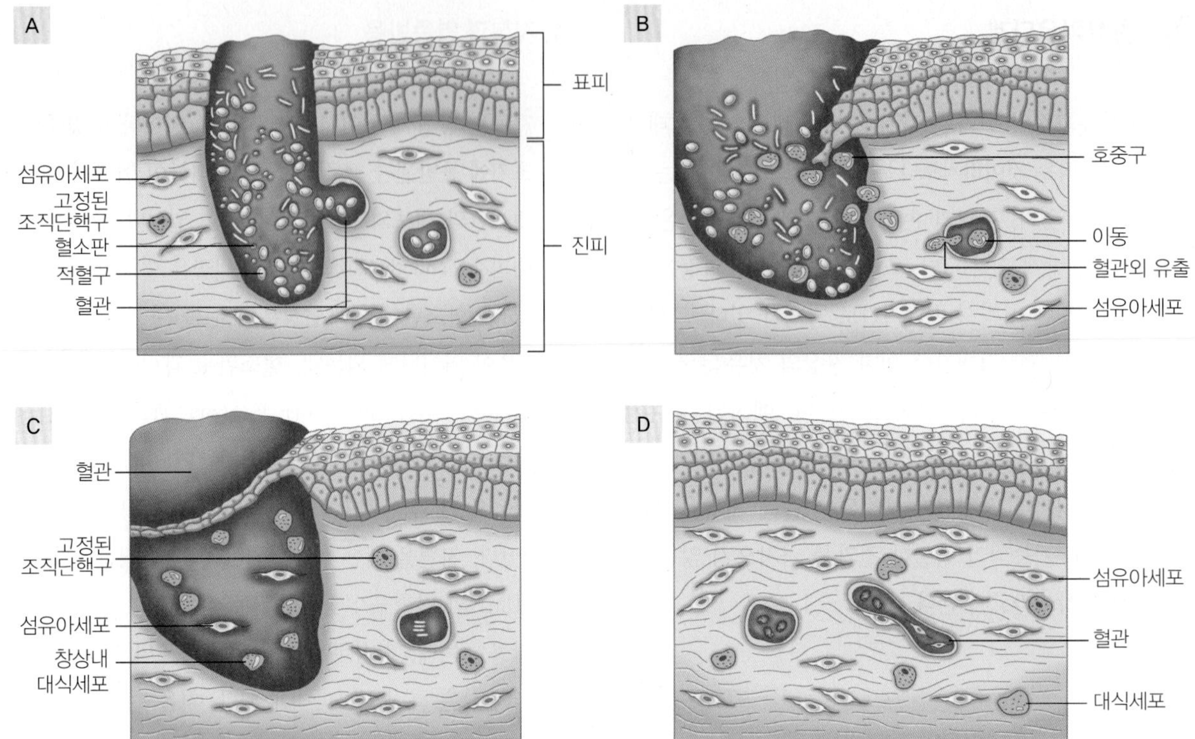

그림 12-4 A) 초기 창상치유단계. 혈소판에서 분비되는 물질들은 염증반응을 유도하는 염증세포와 섬유아세포의 창상내 결집을 유도한다. B) 창상발생 후 24시간이 경과한 단계. 창상내에 호중구의 수가 가장 많이 보이고 창상의 변연부에서 상피세포의 이동이 시작된다. C) 창상발생 후 48시간이 경과한 단계. 조직내의 단핵구는 대식세포로 변화되어 세균, 이물질 및 괴사된 조직을 제거한다. 대식세포는 화학주성인자를 분비하여 섬유아세포로 하여금 창상내로 이동하게 한다. 일시적인 가피아래로 초기단계의 상피화가 이루어져 있다. D) 창생발생 후 7일이 경과한 상태. 창상내의 가장 많은 세포는 섬유아세포이며 교원질을 생성한다. 피부는 재상피화 되어있으며 가피는 제거된 상태이다.

위로는 다형핵백혈구가 첫 24–48시간 동안 가장 많이 모이게 되는데(그림 12-3, 12-4B), 증가된 혈관투과성, 국소 프로스타글란딘의 분비, 보체와 IL–1, TNF–α, TGF–β, platelet factor 4 또는 세균의 분비물들이 호중구의 이동을 촉진한다. 호중구의 역할은 세균과 조직잔해에 대한 포식작용이다. 다형핵백혈구가 혈관신생 및 교원질 생성에 중요한 영향을 미치는 TNF–α를 초기 염증반응기에서 분비하는 주요한 공급원으로서 작용한다. 다형핵백혈구는 초기 창상치유 과정에서 기질matrix과 기저물질ground substance 분해에 필요한 콜라겐분해 효소를 비롯한 단백분해요소를 분비한다. 염증반응을 조절하는 이들 세포는 교원질의 침착이나 창상의 기계적인 강도의 조절에는 영향을 주지 못하나 창상의 재상피화를 연기시키는 요인으로 생각된다. 두 번째로 창상에 결집하는 염증세포는 대식세포 macrophage인데, 창상치유에 절대적으로 필요한 역할을 수행한다. 혈액중의 단핵구로부터 유래한 대식세포는 수상 후 48–96시간 까지 창상 부위에 상당한 숫자가 잔존하게 되며, 창상치유가 완결될 때까지 창상부위에 존재하게 된다(그림 12-3). 대식세포는 호중구와 마찬가지로 창상에서 포식작용과 활성산소 및 산화질소 합성을 통하여 괴사조직 제거의 역할을 한다(그림 12-4C). 대식세포의 가장 중추적인 역할은 ICAM (Intercellular Adhesion Molecule)을 통한 직접적인 세포 간 상호작용 및 사이토카인cytokine과 성장인자를 통하여 창상치유에 관여하는 세포들을 활성화시키고 모집시키는 역할이다. 대식세포는 TGF–β, VEGF, IGF, EGF, lactate 등을 분비하여 세포증식과 기질형성, 혈관신생을 촉진하며, 혈관신생과 기질침착 및 리모델링을 조절하는 중요한 역할을 수행한다(표 12-1). 창상

표 12-1. 창상치유 중 대식세포의 역할

역할	중개 물질
포식작용	활성산소 산화질소
괴사조직제거	Collagenase, elastase
세포모집 및 세포활성화	성장인자: PDGF, TGF-β, EGF, IGF 사이토카인: TNF-α, IL-1, IL-6, fibronectin
기질형성	성장인자:TGF-β, EGF, PDGF 사이토카인: TNF-α, IL-1, INF-γ 효소: arginase, collagenase 프로스타글란딘 산화질소
혈관신생	성장인자: EGF, VEGF 사이토카인: TNF-α 산화질소

에 침윤하는 다른 종류의 염증, 면역 세포로서 T림프구는 대식세포보다는 많이 모이지는 않으나, 수상 후 1주경에 그 수가 정점에 달하게 되며 창상치유의 염증기에서 증식기로 연결하는 역할을 수행한다(그림 12-3A). 림프구가 창상치유에 필수적인 요인임에는 틀림없고 아직 그 역할에 대해서는 잘 알려져 있지 않으나, 창상의 환경을 조절하는 필수적인 요소로 생각되고, 대부분 창상에서 T림프구의 감소는 창상의 장력과 교원질의 양을 감소시키는데 $CD8^+$ supressor T림프구의 선택적 감소는 창상치유를 촉진시키지만, $CD4^+$ helper T림프구는 영향을 주지 못한다. 림프구는 INF-γ, TNF-α, IL-1에 의하여 연계된 섬유아세포fibroblast의 교원질 생성을 하향 조절하는데, 림프구를 물리적으로 분리시키면 이러한 효과가 소실되는 것으로 보아 단순한 전달물질 분비의 역할 뿐만 아니라 림프구와 섬유아세포간의 직접적인 접촉성 반응을 통하여 작용하는 것으로 생각된다.

2. 증식반응

증식반응은 창상치유의 두 번째 단계로서 수상 후 보통 4일에서 12일째까지이다(그림 12-3A). 이 기간 동안에 조직의 연속성이 재건되게 된다. 섬유아세포와 내피세포가 창상에 침윤하는 마지막 세포가 되는데(그림 12-4C, D), 섬유아세포에 대한 가장 강력한 화학주성인자는 PDGF이다. 섬유아세포가 창상환경으로 침윤하여 증식하고 활성화되게 되면 주 역할인 기질생성과 리모델링의 역할을 수행하게 되는데 이들의 활성화는 주로 대부분 대식세포에서 분비되는 사이토카인과 성장인자에 의해 조절된다(그림 12-7). 창상에서 채취된 섬유아세포는 비창상 섬유아세포보다 많은 콜라겐을 생성한다. 창상내의 섬유아세포는 많은 증식을 하지는 않지만 활동적으로 기질을 수축시킨다. 창상환경내의 풍부한 사이토카인이 이러한 섬유아세포의 변화와 활동성을 가져오는 것으로 생각되나, 아직 정확한 전달물질의 상호작용에 대해서는 명확하게 알려져 있지 않다. 창상환경내에 오랫동안 존재하는 젖산lactate (~10mmol)은 Adenosine Diphosphate (ADP)-ribosylation이 관여하는 반응에 의해 교원질 합성을 조절하는 중요한 인자이다. 내피세포는 창상치유 과정에서 광범위한 증식을 하게 되는데, 이들 세포는 성공적인 창상치유를 위한 새로운 모세혈관을 형성한다. 내피세포는 창상부근의 접근된 세정맥venule으로부터 이동해서, TNF-α, TGF-β, VEGF 등과 같은 사이토카인과 성장인자에 의하여 새로운 모세혈관강을 형성하게되는데, 많은 세포들이 VEGF를 분비하지만, 대식세포가 VEGF를 공급하는 주요한 공급원이며 VEGF 수용체는 대부분 내피세포에 존재한다(표 12-2).

3. 기질형성

1) 교원질

교원질collagen은 신체내에서 가장 풍부한 단백질이며 성인 창상치유의 완성에서 중대한 역할을 수행하는데, 콜라겐의 침착, 성숙과 이에 뒤따르는 리모델링이 창상의 기능성인 완결을 위하여 필수 불가결하다. 현재까지 약 18종류의 콜라겐이 보고되고 있지만, 창상치유에 있어서 주요한 역할을 수행하는 것은 I형 콜라겐과 III형 콜라겐이다

표 12-2. 창상치유에 관계하는 성장인자

성장인자	기원세포	세포생물학적 효과
혈소판유래 성장인자(PDGF)	혈소판, 대식세포, 단핵구, 평활근세포, 내피세포	세포주성: 섬유아세포, 평활근세포, 단핵구, 호중구 세포분열: 섬유아세포, 평활근세포 혈관생성 자극 콜라겐합성 자극
섬유아세포 성장인자(FGF)	섬유아세포, 내피세포, 평활근세포, 연골세포	혈관생성자극 연골세포 세포분열: 중배엽과 신경외배엽 섬유아세포, 케라틴형성세포, 연골아세포, 근아세포자극
간세포 성장인자(HGF)	섬유아세포	섬유아세포, 케라틴형성세포, 연골아세포, 근아세포자극 염증, 육아조직형성, 혈관생성, 재상피화 억제
케라틴형성세포 성장인자(KGF)	케라틴형성세포, 섬유아세포	표피성장인자와 매우 유사, 케라틴형성세포 자극
표피성장인자(EGF)	혈소판, 대식세포, 단핵구	모든 상피세포의 이동과 증식자극
Transforming growth factor-α (TGF-α)	케라틴형성세포, 혈소판, 대식세포	표피성장인자와 유사 표피세포와 내피세포의 분열과 세포주성
Transforming growth factor-β (TGF-β) (3 isoforms: β1, β2, β3)	혈소판, T림프구, 대식세포, 단핵구, 호중구, 섬유아세포	혈관생성자극 배혈구 화학주성 자극 TGF-β1 창상기질 생성자극(fibronectin, collagen glycosaminoglycans) 염증반응의 조절 TGF-β3 반흔생성의 억제
Insulin-like growth factor (IGF-1, IGF-2)	혈소판 IGF-I 농도는 간에서 제일 높음 IGF-2는 태아창상에서 제일 높음	성장호르몬의 작용과 유사 단백질/세포외 기질합성 촉진 세포내 포도당 이동 촉진
혈관내피세포 성장인자(VEGF)	대식세포, 섬유아세포, 케라틴형성세포, 내피세포	내피세포의 세포분열, 혈관생성 촉진, 염증성
Granulocyte-macrophage colony-stimulating factor (GM-CSF)	대식세포/단핵구, 내피세로, 섬유아세포	대식세포의 분화와 증식을 자극
Interleukin-1 (IL-1)	대식세포, 백혈구, 케라틴형성세포, 섬유아세포	염증성 혈관생성, 재상피화, 조직 리모델링 촉진
Interleukin-4 (IL-4)	백혈구	교원질 합성촉진
Interleukin-6 (IL-6)	섬유아세포, 내피세포, 대식세포, 케라틴형성세포	염증반응, 혈관생성, 재상피화, 교원질 침착, 조직 리모델링 촉진
액티빈(activin)	케라틴형성세포, 섬유아세포	육아조직 형상, 케라틴형성세포분화, 재상피화 촉진
Angiopoitein-1/-2	내피세포	혈관생성 촉진
Chemokine (C-X3-C motif) ligand (CX3CL1)	대식세포, 내피세포	염증반응, 혈관생성, 교원질 침착 촉진

(그림 12-3). I형 콜라겐은 피부에서 세포외 기질을 구성하는 대표적인 물질이며, III형 콜라겐은 피부에 정상적으로 존재하지만, 창상치유의 과정에서 두드러지게 증가하는 중요한 요소이다. 교원질은 3개의 α-polypeptide 사슬로 구성되어 있고 각각의 α사슬은 1,000개의 아미노산으로 구성되어 프로토콜라겐protocollagen으로 불리우며, 매 세 번째 아미노산은 글리신glycine이다. 나머지 아미노산은 프롤린proline과 수화프롤린hydroxyproline으로 구조적으로

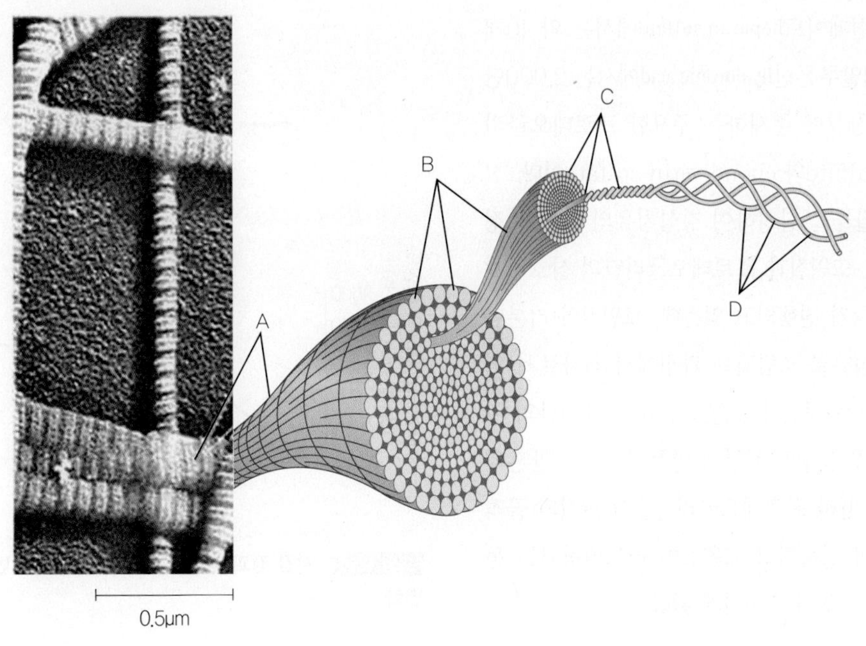

그림 12-5 **교원질의 전자현미경학적 구조.** A) 콜라겐 섬유, B) 콜라겐 원섬유, C) 콜라겐 미세원섬유(삼줄나선구조), D) α-사슬

견고하게 해주는 역할을 하며 그 밖의 아미노산은 교차결합cross linking에 도움을 준다. 프로토콜라겐이 소포체내로 분비되면 수산화효소hydroxlase에 의하여 프롤린이 수화프롤린이 되고 리신은 수화리신이 된다. Prolyl hydroxylase는 산소뿐 만 아니라 공동인자co-factor로서 철을 필요로 하며, 공동기질co-substrate로 α-ketoglutarate, 전자 공여자로서 Vit C를 필요로 한다. 소포체에서 프로토콜라겐사슬은 특정 수화리신 부위에서 갈락토스galactose와 포도당의 결합에 의하여 당화glycosylation 된다. 수산화와 당화는 사슬부위의 수소결합 강도를 변화시키는데 프로토콜라겐사슬이 α-나선 사슬구조을 가지게 하는데 기여한다. 세개의 α-나선 사슬은 우측 나선구조를 형성하면서 초나선 구조를 형성하는데 이를 프로콜라겐procollagen이라고 한다. 이 구조의 양쪽 끝단에는 등록펩티드라 불리우는 비나선 구조를 가진다. 프로콜라겐은 처음에는 약한 이온결합으로 결합되지만 리신기에 의한 공유 교차결합으로 좀더 강한 구조를 형성한다. 세포외 환경에서 비나선등록 펩티드는 프로콜라겐 펩티다아제에 의하여 분리되어 프로콜라겐 사슬은 공유결합과 교차결합을 하게 되어 단량체를 형성하게 되는데 이 단량체는 분자내-외의 공유결합을 통하여 중합화하며 교차결합된다. 교원질의 생산은 전사 후 수정post-translational modification뿐만 아니라 적절한 산소공급, 아미노산과 탄수화물의 충분한 영양공급, 공동인자로서 비타민과 미네랄, 혈류공급 및 감염상태와 같은 국소적 창상환경에 의해서도 중요하게 조절된다. 교원질 구조를 전자 현미경으로 볼 수 있는 가장 작은 구조는 미세원섬유mircorfibril이며, 광학현미경으로는 원섬유fibril, 육안으로는 섬유fiber가 보인다(그림 12-5).

2) 프로테오글리칸 합성

글리코아미노글리칸glycosaminoglycan은 육아조직을 형성하는 기저물질의 많은 부분을 구성하고 있다. 자유로운 형태로는 발견되지 않으나 프로테오글리칸이라는 합성된 형태로 존재한다. 다당류polysaccharide의 사슬은 글루쿠론산glucuronic acid 또는 이드우론산induronic acid과 보통 황화된 헥소아민hexoamine과 결합된 이당류disaccharide 단위의 연속된 결합으로 구성된다. 프로테오글리칸의 이당류구성은 헤파란 설페이트heparan sulfate에서는 약 10개 단위 정도이지만 히알루론산hyaluronic acid에서는 2,000단위까지 존재한다. 창상에 존재하는 주요한 프로테오글리칸은 dermatan sulfate와 chondroitin sulfate이다. 섬유아세포는 이 물질들을 합성하여 창상치유의 약 3주 정도까지 증가시킨다. 교원질과 프로테오글리칸의 상호관계에 대하여 많은 연구가 진행되고 있는데, 교원질의 기본단위들이 원섬유와 섬유로 조립되는 과정에서 격자로서 역할을 수행하는 것으로 보인다. 또한 프로테오글리칸의 황화된 정도에 따라 원섬유의 배열에 영향을 준다. 반흔의 교원질이 증가함에 따라 프로테오글리칸은 교원질의 골격에 흡수되나 반흔이 성숙되고 교원질이 리모델링되는 동안 프로테오글리칸은 점점 감소하게 된다.

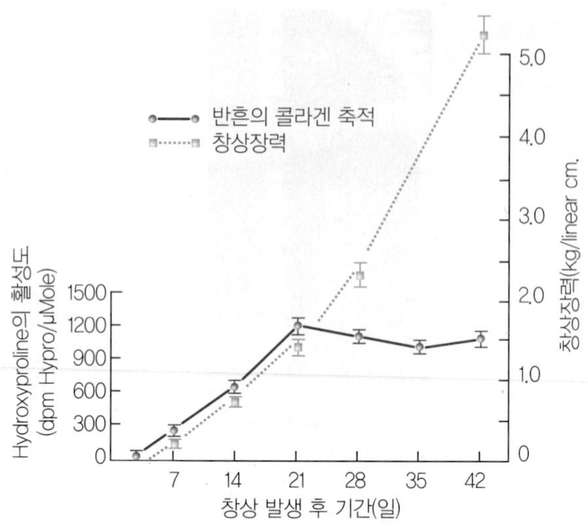

그림 12-6 시간 경과에 따른 교원질 침착량의 변화와 창상장력의 변화

4. 성숙과 리모델링

섬유화기에 반흔scar은 성숙과 리모델링의 과정을 거치며 기존의 형성된 교원질의 재배열이 일어나게 된다. 교원질은 MMP (Matrix Metalloproteinase)에 의하여 분해되며, 창상내부의 전체적인 교원질의 양은 교원질분해와 교원질생성 간의 균형에 의하여 결정된다. 결과적으로 교원질생성의 방향으로 반응이 진행되며 세포가 없는 교원질이 풍부한 세포외 기질로 재구성되게 된다(그림 12-4). 새로운 창상에서의 창상의 장력과 기계적인 결합상태는 새롭게 생성된 교원질의 양적, 질적인 변화에 의하여 결정되는데, 창상 기질의 침착은 다음과 같은 특징적인 순서를 따른다. 초기에는 초기 기질 격자에 fibronectin과 III형 교원질의 침착이 이루어지며, 이후 프로테오글리칸 및 글리코아미노글리칸의 침착, 다음으로 I형 교원질 침착의 순을 따른다(그림 12-3B). 수상 후 3주가 지나면 창상내 교원질의 침착정도는 편형해지지만 창상의 장력은 수개월에 걸쳐서 점점 증가하게 되는데, 원섬유의 형성과 원섬유의 교차결합은 강도뿐만 아니라 교원질 용해도를 낮추게 하여 교원질기질에 대한 효소의 분해작용에 대하여 저항성을 나타내게 된다. 일상적인 생활에 필요한 창상장력은 수상 전 정상조직의 30% 정도가 필요하므로 수술한 환자에게 3주 동안은 창상의 정상적인 회복을 위하여 주의를 주어야 한다(그림 12-6). 창상의 리모델링은 수상 후 6–12개월에 걸쳐서 일어나게 되며, 더 성숙되고 혈관 및 세포가 결여된 상처로 변하게 된다. 그러나 성숙과 리모델링의 과정을 통하여 창상이 완성되더라도 수상 전의 조직이 가지는 장력을 절대로 회복하지 못한다. 치유되고 있는 창상내부에서는 정상조직내부에서와 마찬가지로 교원질과 세포외 기질의 계속적인 순환으로 인한 항상성을 유지하는데, 교원질의 생성과 분해는 사이토카인과 성장인자의 세밀한 조절에 의하여 이루어지며 이 중 대표적인 것이 TGF-β인데, TGF-β는 교원질의 전사를 증가 시킬 뿐만 아니라 Tissue Inhibitor of Metalloproteinase (TIMP)의 생성을 촉진하여 교원질의 분해를 막는다. 교원질의 침착과 분해과정의 균형은 창상의 장력과 완성을 이루는 가장 중요한 과정이다.

5. 상피화

창상의 형태와 장력이 재완성되는 동안 창상의 외부 방벽도 완성이 되어야 하는데, 이 과정은 창상의 주변부에 위치하는 상피세포의 증식과 이동에 의하여 이루어진다(그림 12-4A-D). 수상 후 1일 내에 창상의 변연부에서 표피의 두께가 증가하고 창상 변연부의 기저세포basal cell의 진피와의 결합이 약해지며, 커지고, 일시적인 기질위로 이동하게 된다. 근처의 고정된 기저세포는 빠른 세포분열을 하며 짚고 뛰어넘기의 방식을 통하여 결손된 부위를 덮게 되며 상피화의 과정은 습윤 환경이 필요하다. 일단 결손이 덮어지면, 이동하는 상피세로는 편평한 상태를 소실하고 좀더 원추형의 세포로 변하며 유사분열 능력을 증가시킨다. 상피세포층이 완성되면 표면은 케라틴으로 덮이게 된다. 창상의 재상피화는 외과적 수술에 의하여 이루어진 경우 48시간 내에 이루어지지만 심각한 상피세포 및 진피의 소실이 있는 경우는 심각한 지연이 있다. 상피와 표재성진피만 손상된 경우, 또는 표재성 2도 화상인 경우는 육아조직의 증식이 없거나 미약한 상태로 재상피화에 의하여 창상이 치유될 수 있다. 재상피화를 촉진하는 인자는 아직 확실하게 밝혀지지는 않았지만 세포접촉이 소실되거나, fibronetin이 포함된 세포외 기질로의 노출, 면역단핵구로부터 분비되는 사이토카인 즉, EGF, TGF-β, basic Fibroblast Growth Factor (bFGF), PDGF, IGF-1등에 의하여 촉진되는 것으로 보인다.

6. 성장인자의 역할

성장인자, 사이토카인, 폴리펩티드는 정상조직과 창상에서 세포의 이동, 증식, 기능을 유지하는데 필요한 인자들이다. 보통 유래된 세포로부터 명명되거나 초기에 발견된 작용에 의하여 명명되어 종종 혼란을 야기하기도 하지만 이들 인자들은 대부분 다양한 기능을 하고 있다. 이들 인자들은 자가분비autocrine, 곁분비paracrine, 내분비endocrine의 다양한 방법으로 대상 조직이나 세포에 작용하는데, 분비되는 양뿐만 아니라 창상치유의 시기에 따라서도 다양한 효과를 나타낸다. 성장인자들은 각기 다른 세포에 다른 작용을 나타낼 수 있는데, 어떤 세포에는 화학주성을 나타낼 수도 있고, 다른 세포에서는 성장인자로서 작용할 수 있으며, 어떤 농도에서 특정 역할을 하는지에 대해서는 잘 밝혀져 있지 않으나 대표적인 효과는 표 12-2에 기술되어 있으며 각각의 세포에서 분비되는 인자들은 그림 12-7에 나와있다.

7. 창상수축

모든 창상은 어느 정도의 수축과정을 거친다. 수술적으로 접근되지 않은 창상연에서는 근육섬유모세포myofibroblast가 창상수축의 주요한 역할을 하게 되는데, 세포골격에 있어서 섬유아세포와는 다른 특징을 지닌다. 전형적으로 근육섬유모세포는 스트레스 섬유라고 불리우는 섬유다발내에 α-smooth muscle actin을 함유하며 이는 근육섬유모세포로 하여금 수축 능력을 지니게 한다. α-smooth muscle actin은 6일째까지는 발견되지 않다가 이후 15일째까지 증가하기 시작하여 4주 후 사라지게 되며, 세포자멸사에 의한 원인으로 생각된다. 창상 발생 직후부터 창상은 수축하기 시작하지만 이 수축은 창상 내 근육섬유세포의 발현 시기와 정확히 일치하지 않는다. 생체외 실험에서 섬유아세포는 스트레스의 발현 없이 교원질 격자 내를 이동하는데, 세포골격의 재형성을 통한 세포의 이동이 창상의 수축을 가져오는 것으로 생각되고 있다.

IV 특정기관에서의 창상치유

1. 위장관

전층 손상에 대한 위장관의 창상은 수술적 또는 기계적인 재접합으로부터 치유의 과정이 시작되는데, 보통 봉합사나 문합기 등이 사용되기도 한다. 위장관 창상치유의 실패는 봉합부위의 열개나 누출, 누공 등 심각한 병적 상태나 사망으로 이끌 수 있다. 반대로 과잉의 창상치유는 장관의 협착을 가져오기도하는 문제를 야기시킬 수 있다. 위장관 창상의 치유는 장관내의 관 구조를 유지하고, 장

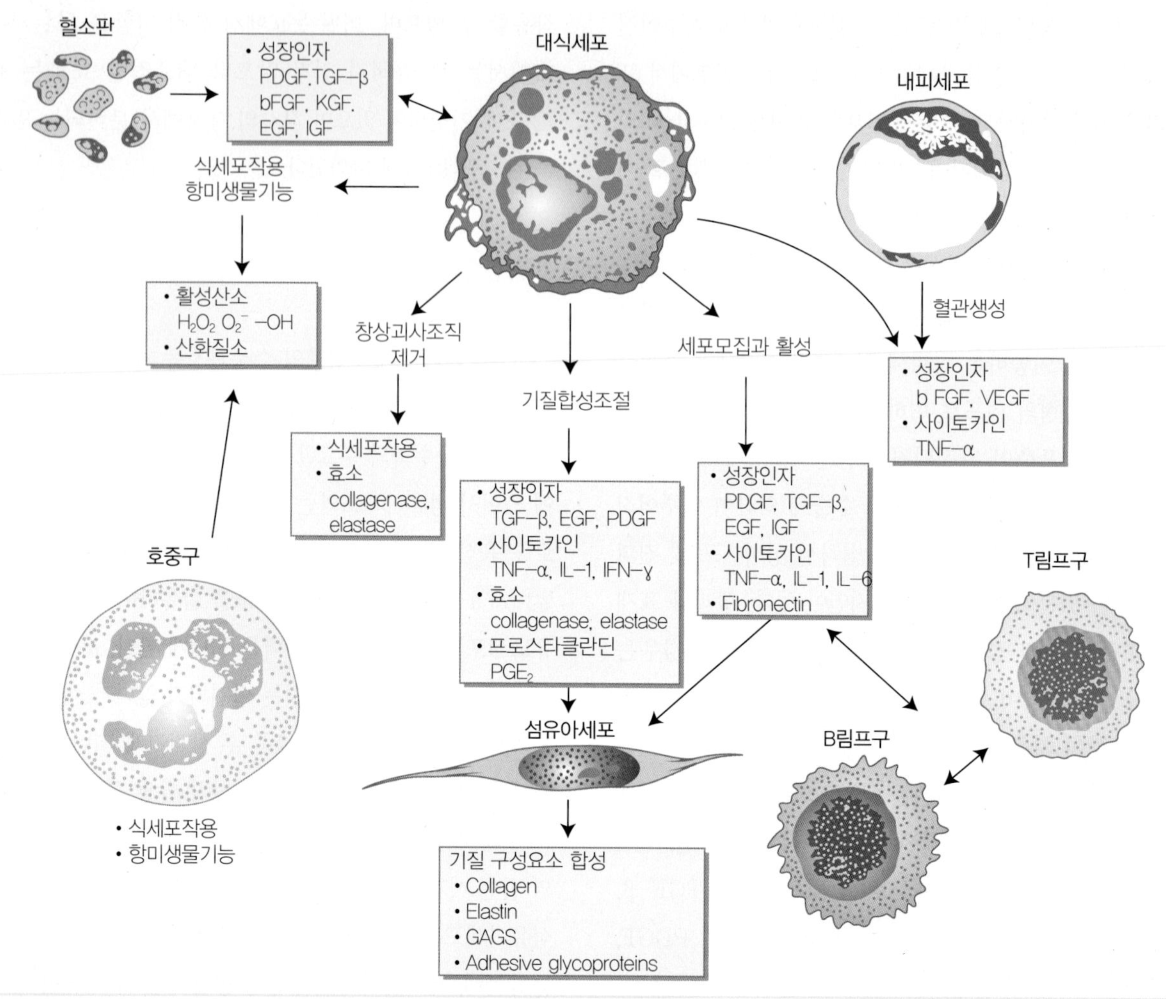

그림 12-7 창상치유에 관여하는 세포에서 분비하는 성장인자, 사이토카인 및 역할

의 운동, 흡수 및 방어벽을 유지해야 한다. 위장관은 기시부부터 말단부까지 비교적 일정한 구조를 형성하고 있는데, 장관 내는 고유판lamina propria과 그 밑의 근점막층 muscularis mucosa에 의하여 지지되는 상피세포층이 있고, 그 외층으로는 풍부한 교원질과 탄력섬유로 구성되어 신경과 혈관조직을 지지하고 있는 점막하층submucosa으로 둘러 쌓여 있으며, 복강쪽으로는 내근육층 및 외근육층과 복막의 연장인 장막층으로 둘러 쌓여 있다. 점막하층은 장관구조의 가장 강한 장력을 유지해 주는 구조물이며 장관 문합 시 봉합사의 장력을 유지해줄 수 있는 능력을 가진 층이다. 또한 장막층의 치유는 액체성 장내용물의 누출을 막기 위하여 중요하며, 장막층이 없는 식도나 직장의 문합이 다른 장관의 문합 때보다 실패율이 높다. 위장관의 손상은 피부창상의 과정과 기본적으로 동일하나 몇 가지 다른 특징을 가진다(표 12-3). 장막층과 점막층의 창상은 반흔없이 치유될 수 있다. 초기 장관 문합 시의 연결은 봉합사의 장력을 주로 담당하는 점막하층과 액체 누출을 방지하는 장막층의 섬유소원fibrin에 의하여 유지될 수 있다. 봉합 후 1주일이 경과하면 조기의 현저한 교원질 분해에 의하여 변연부의 장력이 심각하게 손실되는데, 교원질의 분해는 호중구, 대식세포, 세균으로부터 유래한 교원질 분해효소 때문이다. 최근 녹농균 *Psudomonas aetoginosa*이 손상되거나 재접합된 장관 환경에서 높은 교원질 분해효소를 분비하는 형질로 전환됨이 알려져 있다. 교원질 분

표 12-3. 위장관과 피부 창상치유 과정의 차이점

		피부	위장관
창상의 환경	pH	패혈증, 국소감염을 제외하고 대체로 일정	국소적인 외분비에 따라 위장관 부위에 따라 다름
	미생물	피부상재균은 거의 문제를 야기하지 않음 감염은 주로 외부오염 혹은 혈관을 통한 전파로 발생	호기성, 혐기성 균 특히 대장에서 문제되며, 복강내에서 오염되었을 때 문제 발생
	전단력(Shear stress)	골격근의 운동이 봉합부에 장력을 유발하나 통증으로 과도한 움직임이 예방됨	장관내 덩어리의 이동, 장운동이 문합부에 좋지않는 영향을 줌
	조직 산소공급	확산과 순환계를 통한 산소공급	온전한 혈관공급과 신모세혈관 생성이 필수
교원질 생산	세포 형태	섬유아세포	섬유아세포와 평활근세포
	라티로젠(Lathyrogens)	창상장력을 감소시키고 교차결합을 억제	D-penicillanine은 콜라겐의 교차결합에 영향없음
	스테로이드	콜라겐 축적을 유의하게 감소시킴	위장관 창상치유를 저해하는지에 대해서는 상반된 견해가 있음 문합부에 존재하는 농양이 증가하는데 원인이 될 수 있을 것으로 생각
교원질분해효소		표피창상에서는 중요한 역할이 없음	장 절단, 문합후에 위장관에 걸쳐 높게 존재함 패혈증에서 과도하게 존재하여 문합부를 유지하는 장력을 감소시켜 파열유발
창상의 장력		위장관 조직보다 빠르지 않다	수술 전 범위로 급속히 회복
반흔	연령	태아에서는 주로 반흔 형성없이 치유	태아 창상부위에서 명확한 반흔

해효소의 활성은 창상치유의 초기 단계에서부터 일어나며, 문합 후 3일에서 5일이 경과하게 되면 교원질 분해의 정도가 교원질 생산보다 많아지게 된다. 문합부의 구조적인 유지는 2–3일 이후에 시작되는 교원질의 생산과 교원질 분해간의 평형에 의하여 이루어지는데, 교원질 분해효소는 모든 장관에서 발현이 되지만 소장보다 대장쪽에서 현저하다. 장관에서 교원질의 생산은 섬유아세포와 평활근 세포에서 이루어 지는데, 대장에서의 섬유아세포의 교원질 생산은 피부에서와 달리 생산량이 훨씬 많고 이는 섬유아세포의 형질 및 이에 따른 사이토카인과 성장인자에 따른 반응이 다르기 때문이라고 생각된다. 궁극적인 문합부의 장력은 교원질의 양에만 의존하는 것이 아니고 교원질 기질의 구조와 배열이 장력을 유지하는데 더 중요한 역할을 한다고 생각된다. 전통적으로 위장관 문합 시 장력이 적고, 충분한 혈류가 공급되게 하며, 충분한 영양을 공급하고, 감염이 없어야 함을 강조하고 있다. 하지만 아직까지 위장관 문합방법에 대한 이상적인 수기는 제시되고 있지 않다. 수기문합과 기계문합, 연속봉합과 단속봉합, 흡수성 봉합사와 비흡수성 봉합사, 단층봉합과 복층봉합과의 비교에서 어떤 방법이 절대적인 우위를 갖는지에 대한 확실한 증거는 없지만, 회장–결장 문합에서는 수기문합보다는 기계문합이 누출이 적은 것으로 보고되고 있다. 아직까지 결장–결장 문합이나 소장–소장 문합에서 어떤 방법이 우위에 있는지는 알려져 있지 않고, 다만 수기로 외번evert하여 봉합하는 방법이 누출 및 유착의 위험도는 훨씬 높으나 협착stenosis의 빈도는 낮은 것으로 알려져 있어 외과의가 상황에 따라 적절한 방법을 선택하는 것이 위장관 문합 시 중요하다.

2. 뼈

뼈에 손상이 가해지게 되면 구조적이고 기능적인 복원을 이루기 위한 여러 반응이 일어나게 되는데, 피부창상의 치유과정과 전체적으로는 비슷하나 뼈 특이적인 반응도 동반되게 된다. 일차적으로 골절된 부위의 괴사된 골조직, 골수조직, 연부조직 주위로 혈종이 형성되며, 다음 단계로 골절 부위 죽은 조직의 액화현상이 나타난다. 손상을 입은 뼈 주변의 정상조직으로부터 혈관이 생성되어 골절부위로 성장하게 되는데, 연부조직에서의 육아조직의 형성과 유사하다. 이 시기에는 발적과 부종을 동반한 염증기의 특성을 나타낸다. 손상을 입은 뒤 4일 후 골절된 뼈 사이에 연부조직이 다리 구조를 이루게 되는데, 이를 연성가골soft callus 단계라고 한다. 신생혈관이 동반된 연부조직은 내부 부목의 역할을 하여 새롭게 형성된 혈관의 보호와 섬유연골 접합구조를 이루게 한다. 연성가골은 외부적으로는 뼈의 축을 따라 내부적으로는 골수를 따라 형성되며, 통증과 염증반응의 마지막 시기이다. 경성가골hard callus 형성이 다음 단계이며 연성가골의 무기화 작용에 의하여 골조직으로 변환되고 완전한 골 접합이 이루어지기까지는 2-3개월이 소요된다. 이 단계에서 뼈는 체중을 지탱할 수 있을 정도로 강해지며 방사선 검사에서 치유된 것으로 나타난다. 리모델링 시기가 다음 단계이며 과도한 가골이 재흡수되고 골수의 재교통이 이루어지며 정확한 뼈의 외형이 복원되고 장력에 대한 정확한 힘의 전달이 이루어지게 된다. 피부창상치유의 과정과 마찬가지로 골조직의 재접합은 성장인자와 사이토카인에 의하여 이루어지게 되는데, 가장 많이 연구된 것으로는 TGF-β 군에 속하는 BMPs (Bone Morphologic Proteins)이며, 간엽세포mesenchymal cell를 조연골 세포와 조골세포로 분화하는 과정에 자극인자로 작용하여 뼈와 연골의 회복에 관여한다. PDGF, TGF-β, TNF-α, bFGF 등 다른 성장인자들이 치유의 과정 중 염증기와 증식기에 관여한다.

3. 연골

연골은 프로테오글리칸, 콜라겐 섬유, 수분으로 구성된 세포외 기질에 의하여 둘러싸인 연골세포들로 구성되어 있다. 뼈 조직과는 다르게 혈관의 분포가 매우 미약하며 기질을 경유한 전달에 의하여 영양분을 공급받고 추가적으로 혈관이 풍부한 연골막을 통하여 상당한 양의 영양분을 공급 받는다. 따라서 연골의 손상은 미약한 혈액공급 때문에 영구적인 결손의 결과를 가져올 수 있다. 연골 손상에 대한 치유반응은 손상의 깊이에 따라 다르다. 표재성 손상의 경우 프로테오글리칸과 연골세포의 파괴가 있으며, 염증반응이 없고, 프로테오글리칸과 콜라겐 생성은 전적으로 연골세포의 생산에 의존해야 한다. 불행하게도 연골세포의 재생능력은 매우 제한적이고 부족하여 전체적인 재생은 불완전하다. 따라서 표재성 연골손상은 매우 더딘 치유과정을 거치고 종종 영구적인 구조적인 결함을 가져온다. 표재성 손상과는 반대로 심부 연골손상은 하부의 골조직과 연부조직의 손상을 동반하기 때문에 주변 조직으로부터 혈관노출이 쉽고 육아조직의 형성을 가능하게 한다. 출혈은 염증반응을 유도하고 이에 따른 창상치유에 관여하는 세포의 활성화를 가능하게 하는 물질들의 노출을 가능하게 한다. 육아조직이 형성되면 섬유모세포가 창상으로 이동하고 섬유조직을 형성하고 연골화 된다. 점차적으로 유리질 연골이 형성되어 손상된 부위에서 구조적이고 기능적인 연속성이 회복되게 된다.

4. 건

건tendon과 인대ligament는 각각 근육과 뼈, 뼈와 뼈를 연결해 주는 특별한 구조물이며 방추세포가 산재되어 있는 평행한 콜라겐 다발들로 구성되어 있다. 건과 인대는 열상, 파열, 둔상 등을 비롯한 다양한 손상에 노출되어 있는데, 인접된 뼈와 근육의 운동성으로 인하여 손상된 부위의 말단들은 종종 분리되게 된다. 다른 부위의 창상치유과정과 마찬가지로 혈종형성, 기질화, 회복조직의 침착, 반흔형성의 과정을 거치게 되는데, 기질은 수분과 DNA, 글리코아미노글리칸 성분의 증가를 동반한 I형과 III형 콜라겐의 침착으로 이루어져 있다. 콜라겐 섬유의 조직화와 함께 전달장력이 증가될 수는 있으나 절대로 손상 전으로 회복 되지 못한다. 건의 혈관은 창상치유에 직접적인 연관이 있어서 혈류가 풍부한 부위 건 손상에 비하여 혈류가 풍부하지 못한 부위의 건 손상은 운동성이 저하되고 반흔이 많이 남게 된다. 건세포tenocyte는 혈류가 없는 상황에서도 매우 뛰어난 재생능력을 보이고 왕성한 대사작용을 보이는 특별한 세포며, 건막에 존재하는 세포도 건내에 존재하는 세포와 마찬가지로 건 창상치유에 중요한 역할을 한다.

5. 신경

신경손상은 매우 흔하게 일어나는 손상 중의 하나이다. 말초신경은 축삭돌기axon, 비신경세포, 세포외 요소들로 구성된 복잡한 구조물이다. 신경손상에는 3가지 종류가 있는데, 국소적인 탈수초demyelination에 의한 신경차단neuropraxia, 축삭돌기의 연속성이 끊어졌지만 신경섬유초세포Schwann cell 기저막이 보존되어 있는 축삭절단axonotmesis, 신경의 완전한 절단으로 발생하는 신경절단neurotmesis들이 있다. 위의 모든 손상 후에는 축삭돌기세포의 생존, 절단된 근위부에서 원위부로의 축삭재생, 적절한 표적장기로의 신경말단 재생부위의 접합이라는 3가지 중요한 단계에 의하여 손상된 신경말단의 재생이 진행된다. 대식세포는 원위부 말단의 퇴화된 축삭과 수초를 제거한다(Wallerian degeneration). 재생되는 축삭돌기는 근위부에서부터 원위부와 주변조직을 탐색한다. 신경섬유초세포는 재생되는 축삭돌기세포를 감싸 수초화를 도와주며 적합한 표적장기와 축삭이 접합되면 기능적인 단위가 형성된다. 신경의 재생에는 성장인자, 세포접합물질, 비신경세포, 수용체와 같은 다양한 요소가 작용하는데, 성장인자로는 nerve growth factor, brain-derived neurotrophic factor, basic fibroblast growth factor, acidic fibroblast growth factor, neuroleukin 등이 있고, 신경 창상치유에 관여하는 세포접합물질로는 neuron-glia adhesion molecule, myelin adhesion glycoprotein, N-cadherin 등이 있으며 이러한 복잡한 물질들의 상호작용에 의하여 신경재생에 도움을 준다.

V 창상치유에 영향을 주는 인자

창상치유에 관여하는 요소는 매우 다양하나 임상의의 목적은 원활한 창상치유를 위하여 창상치유를 저해시키는 요인들을 최소화하는 것이다. 창상치유에 관여하는 인자는 크게 전신적 요인과 국소적 요인으로 나눌 수 있다(표 12-4).

1. 고연령

고연령 자체가 창상치유를 방해하거나 저해하는 생리적인 요인으로 생각되며, 임상적인 자료를 통해서도 고령과 창상치유불량 또는 창상열개dehiscence, 절개창 탈장incisional hernia의 발병관계가 보고되고 있다. 그러나 이들 연구는 고령의 환자가 가질 수 있는 동반된 질병상태가 창상치유에 영향을 미칠 수 있는 것에 대한 다변량 분석이 결여된 것들이며, 고령의 환자에서 동반될 수 있는 흔한 질병, 심혈관계질환, 대사성질환(당뇨, 영양실조, 비타민 결핍), 암, 복용하고 있는 약제들 모두가 창상치유에 영향을 미칠 수 있다. 최근에는 고령의 환자에서도 주요한 수술적 술기가 안전하게 행해질 수 있다는 보고들이 많이 있다. 70세 이상의 건강한 사람에서는 그 이하의 연령군에 비하여 상피화가 연기된다는 보고가 있지만, 같은 실험군의 사람을 대상으로 섬유조직형성에 대한 미세모델을 실험했을 때 고령군이나 그렇지 않은 군에서 창상내의

표 12-4. 창상치유에 관여하는 인자

전신적 요인	국소적 요인
연령	기계적 손상
영양	감염
외상	부종
대사성 질환	허혈/조직괴사
면역억제	국소약제
교원질 질환	전리 방사선
흡연	낮은 산소분화도
약제	이물질

DNA 함량이나 hydroxyproline 침착의 차이가 보이지 않는다. 다만 고령이 아닌 군에서 창상 내의 전체적인 단백질 함량을 대변하는 α-amino nitrogen의 함량이 높게 나타나서, 결과적으로 고령 자체는 창상치유에 영향을 주지 않지만, 연령증가에 따른 비교원질성 단백질의 창상 내 침착감소가 창상의 기계적인 강도에 영향을 주는 것으로 보인다.

2. 저산소증, 빈혈, 조직관류

국소적인 40mmHg 미만의 저산소 상태는 섬유화기를 심각하게 결여 시킬 수 있다. 교원질 합성기, 특히 수산화기에는 산소가 공동인자로 작용하여야 이상적인 합성이 일어날 수 있으며, 수술 중과 수술 직후 일정기간 흡인되는 산소의 분압을 높여주면 교원질 침착이 증가되며 창상의 감염률이 떨어진다. 창상부위 국소 산소전달에 영향을 주는 인자는 체내수분부족, 심부전등과 같은 전신적인 요인과, 동맥성 허혈, 국소 혈관수축, 과도한 조직압력 등의 국소적인 요인이 있다. 피하 모세혈관총의 혈관수축은 체내 수분상태, 체온, 수술 후 통증에 의하여 발생하는 과도한 교감신경자극에 의하여 강하게 반응한다. 이러한 요소들을 교정해 줌으로써 수술 후 창상감염을 비롯한 창상치유에 지대한 영향을 미칠 수 있다. 적혈구 용적률이 15% 이하로 저하되지 않은 경증에서 중등도의 정상혈량성 빈혈은 산소분압과 교원질 생성에 영향을 주지 못한다.

3. 약제

1) 스테로이드

장기간에 걸친 고용량의 글루코코티코이드의 사용은 교원질 생성을 감소시켜 창상의 장력을 약화시킨다. 스테로이드steroid가 창상치유 지연에 미치는 중요한 요인 중의 하나는 혈관신생, 호중구 및 대식세포의 이동, 섬유아세포의 증식 및 리소좀 효소분비를 억제하여 염증반응을 방해하는 것이며 스테로이드 자체도 교원질 합성 시 전사과정을 감소시킨다. 강력한 역가를 가진 스테로이드를 사용할수록 창상치유를 방해하는 효과가 강해진다. 수술 후 3-4일 후 사용하는 스테로이드는 수술 직후부터 사용하는 스테로이드가 창상치유를 방해하는 효과보다는 심각하지 않으므로 가능하다면 수술 직후에는 다른 약제로 대체하여 사용하며, 역가가 낮은 스테로이드를 사용하거나 지연하여 사용하여야 한다. 교원질 합성에 관여하는 것 이외에도 스테로이드는 투여시기에 관계없이 상피화 과정과 창상수축을 방해하여 창상 감염률을 높인다. 스테로이드에 의하여 지연된 창상치유과정중 Vitamin A의 국소적 도포는 창상의 재상피화를 촉진하며, Vitamin A는 스테로이드로 인하여 억제된 교원질의 생성을 촉진한다.

2) 항암화학요법제

기본적으로 모든 항암화학요법제들은 창상치유에 필수적인 세포의 증식 및 창상내의 DNA와 단백질 합성을 저해함으로서 창상치유를 방해한다. 이 중 adriamycin은 가장 강력한 창상의 치유억제제이다. 수상 후 2주 정도 경과한 후에 이들 약제들의 지연 사용은 창상치유 저해 효과를 감소시킬 수 있다. 또한 대부분의 항암화학요법제들이 혈관외로 누출되면 조직괴사, 현저한 궤양 및 장기간에 걸친 창상치유의 지연이 있게 된다.

3) 타목시펜

유방암의 호르몬 치료제인 타목시펜은 섬유아세포에서 TGF-β 특히 TGF-β1의 생성을 감소시켜 교원질 형성을 감소시킴으로써 창상치유에 영향을 미친다. 이러한 창상치유에 영향을 미치는 효과는 오히려 켈로이드keloid 상처에서 섬유소의 침착을 억제하는데 이용되기도 하고 과도한 반흔을 줄이는데 시도되기도 한다.

4) 항응고제

항응고제 자체가 창상의 장력을 약화시키지는 않지만, 창상의 출혈이 쉽게 되므로 피부연에 긴장력을 증가시키고 리모델링의 시간을 연장할 수 있다.

5) 비스테로이드성 소염제

비스테로이드성 소염제는 외상이나 수술적 창상이 있는 환자에게 진통제로 많이 처방되고 있다. 뼈 골절에 대하여 뼈 신생 및 리모델링을 더디게 하기도 하며, 이런 특성 때문에 오히려 골절환자에서 이소성 골 형성을 억제하는 목적으로 사용하기도 한다(Naproxen). 그러나 비스테로이드성 소염제의 종류에 따라서는 교원질 생성을 촉진하고 피부와 건의 창상치유의 초기과정에서 장력을 증가시키는 효과가 있다고 보고되기도 하지만 Cox-2 억제제는 뼈와 건 손상에서 창상치유를 약화시킨다. 또한 동물을 대상으로 대장절제실험에서 선택적 Cox-2 억제제를 사용하였을 때, 피부창상의 장력에는 차이가 없으나 대장 문합부위의 장력은 약해진다는 보고가 있다.

4. 대사 질환

1) 당뇨

당뇨는 창상치유의 방해와 감염률을 높이는 대표적 대사질환이다. 조절되지 않는 당뇨(고혈당)는 염증반응, 특히 혈당이 250mg/mL 이상이 되면 과립구granulocyte의 기능이 저하된다. 고혈당은 혈관신생 및 교원질 생산을 감소시킨다. 또한 당뇨병으로 야기된 혈관질환들은 국소 산소분압을 감소시킨다. 모세혈관재생, 섬유아세포증식의 결여뿐만 아니라 비만, 인슐린 저항성, 고혈당, 당뇨로 야기된 신부전 등이 창상치유에 악영향을 야기하는 요인으로 밝혀져 있다. 또한 당뇨환자의 창상에서는 창상치유에 필요한 충분한 양의 성장인자가 관찰되지 않는다. 당뇨환자의 창상치유 지연이 교원질 생성의 감소에 의한 것인지, 아니면 교원질 분해가 증가하여 창상치유가 저해되는 것인지에 대해서는 잘 밝혀져 있지 않으나 고혈당은 교원질 합성과 결합에 필요한 당화과정에 장애를 준다. 수술 전 적절한 혈당조절은 당뇨환자의 창상치유를 촉진하며, 이 외에도 적절한 산소공급 및 항생제의 사용, 다른 동반된 질환의 조절이 당뇨환자의 창상치유를 도울 수 있다.

2) 요독증

요독증도 창상치유를 방해하는 대사질환의 하나이다. 동물실험 모델에서 요독증은 교원질 생성의 감소와 창상 장력의 감소를 유발하나, 사람에게서는 동반된 영양결핍과 관련된 요소를 제외하고는 요독증 자체가 창상치유에 미치는 영향은 아직 분명하지 않다. 그러나 혈액투석을 통한 대사이상의 교정과 영양보충은 요독증 환자의 창상치유를 도울 것으로 생각된다.

3) 비만

비만은 전세계적으로 증가하는 공중보건학적인 문제이다. 심혈관계 합병증, 당뇨, 호흡부전과 같은 동반질환이 없는 경우에도 비만 그 자체로도 창상치유에 심각한 문제를 야기한다. 내장비만은 일종의 만성 염증성 상태이며, 염증성 사이토카인, 아디포카인adipokine들을 분비하게 하여 대사성증후군metabolic syndrome을 유발한다. 이들 물질들은 창상치유에 관여하는 세포들에 영향을 미친다. 당뇨에 걸리지는 않았으나 비만한 설치류에서는 창상의 장력이 약하고 진피 및 재생 반흔에서의 콜라겐 함량이 낮다. 지방선구세포preadipocyte는 진피에 침윤하여 섬유아세포로 변하기는 하지만 창상 내에서의 섬유아세포의 조절 작용과는 다른 모습을 보인다. 많은 연구에서 비만한 환자들은 30%의 창상열개, 17%의 창상감염, 30%의 절개탈장, 19%의 장액종, 13%의 혈종, 10%의 지방괴사를 나타낸다. 피하지방의 증가는 수술과 관련된 문합부 누출, 복강내 체액저류, 창상감염의 위험도가 10배 증가한다. 많은 연구에서 비만은 수술 후 탈장, 탈장 정복 후 재발의 주 위험요소로 보고하고 있다. 그러나 비만이 창상치유에 악영향을 미치는 기전은 아직 많은 연구를 필요로 한다.

5. 영양

전체적인 영양부족뿐만 아니라 개개의 영양소 부족이 창상치유에 영향을 줄 수 있다. 따라서 창상의 치유 실패가 전체적인 영양부족에만 기인하는 것이 아니므로 특정 영양소의 결핍이 창상치유에 영향을 주는지 세심한 주의가 요하며 필요에 따라 보충해 주어야 한다.

1) 칼로리와 단백질

설치류 동물 실험을 통하여 볼 때 0%나 4%의 단백질 함유 식이를 하게 되면 콜라겐 침착의 결여와 피부 및 근막의 장력이 감소하며 창상의 감염률이 증가한다. 투여하는 칼로리를 정상 칼로리의 50%로 제한하면, 육아조직의 생성과 기질 침착이 감소하며, 급성 공복상태로 만들면 프로콜라겐 mRNA 생산 감소와 함께 교원질 생산도 현저히 감소한다. 전체 칼로리와 단백질의 섭취가 감소된 경우 창상내의 hydroxyprolene축적이 감소하고 다양한 수술적 조작 후 창상 치유 실패율이 증가한다. 또한 칼로리와 단백질 섭취가 불량한 상태는 세포매개 면역반응의 감소, 포식작용의 감소 및 대식세포와 호중구의 세균 살균효과가 떨어지게 되고 창상 감염률이 높아지게 된다.

2) 아미노산

현재까지 창상치유를 가장 활성화 한다고 알려진 단일 아미노산으로서는 아르기닌arginine이 있으며 창상내 섬유화를 촉진한다. 아르기닌이 결여된 식이를 한 실험동물은 창상내 교원질 침착의 감소와 창상장력이 감소하는데, 피부의 표재성 손상에서 재상피화를 촉진하는 작용에는 효과가 없는 것으로 보아 아르기닌은 교원질 침착을 증가시켜 창상치유를 돕는 것으로 생각된다. 아르기닌 및 β-hydroxy-β-methyl butyrate와 글루타민glutamine을 혼합한 보충제 투여는 창상내의 교원질 침착을 증가시킨다. 수상 1주일까지의 창상의 장력은 새로운 교원질 합성과 관계되므로 아르기닌의 보충은 창상 장력을 증가시키는데 도움이 될 것으로 생각된다.

3) 비타민 C

괴혈병scurvy이나 비타민 C의 결핍은 교원질 합성과 교원질 교차결합에 결함을 가져와 창상치유실패의 원인이 된다. 생화학적으로 비타민 C는 프롤린과 리신이 각각 수화프롤린과 수화리신으로 변환되는데 필요하다. 비타민 C의 결핍은 창상감염증가와 더불어 감염의 중증도와도 관계가 있으며, 호중구의 기능과 보체complement 활성화, 교원질 생성으로 인한 세균 방어막의 형성에 장애을 주는 것이 원인으로 생각된다. 보통 비흡연 건강한 사람의 경우 하루 60mg의 용량이 권장되며 심각한 외상을 입었거나 광범위 화상환자의 경우 2g까지 투여한다. 고용량의 비타민 C가 독성이 있다는 증거는 없으나 치료량 이상의 비타민 C 공급은 아무 도움이 없다.

4) 비타민 A

비타민 A의 결핍은 창상치유를 약화시킨다. 또한 비타민 A가 결핍되지 않은 사람과 동물에서 추가적인 보충은 창상치유에 도움이 되는데, 염증기에서 리소좀막의 투과성을 증가시켜 창상치유에 관여하는 매개체를 증가시켜 염증반응을 촉진하는 것으로 생각된다. 염증 매개체가 대식세포로 많이 투입될수록 대식세포는 활성화되며 이에 따라 교원질 생산도 증가한다. 비타민 A는 섬유아세포의 배양실험에서 교원질의 생산 및 EGF 수용체를 증가시킨다. 비타민 A는 스테로이드 사용으로 인한 창상치유장애를 되돌릴 수 있고, 당뇨, 항암제인 cyclophosphamide, 방사선, 종양으로 기인한 창상치유장애를 회복시킨다. 심각한 손상이나 스트레스가 있는 경우 비타민 A의 보충이 필요하며 매일 25,000-100,000IU의 보충이 권장된다.

5) 아연

미세 영양소의 결핍은 대부분 전반적인 영양부족에 기인하므로 창상치유에 미치는 영향을 평가하기에는 매우 복잡하나 미세 영양소도 비타민처럼 창상치유에 관여하는 공동인자나 효소의 일부분으로 작용할 것으로 생각되며, 이 중 아연은 창상치유에 관계되는 것으로 알려진 대표적 미세 영양소이다. 아연은 창상치유에 관계되는 효소 중 공동인자나 효소자체의 일부로서 작용하는 것으로 알려져 있다. 아연이 결핍되면 섬유아세포의 증식 및 교원질 합성의 감소가 일어나고 창상의 장력이 약해지며, 상피화가 지연되나 아연의 보충으로 원상복귀 될 수 있다. 아연이 결핍되지 않은 사람에게서 보충요법이 창상치유를 촉진한다는 연구는 아직 없으며, 아연의 결핍은 심각한 외상환자나 중증화상환자에서 관찰될 수 있다.

6. 전리방사선

전리방사선은 섬유아세포 증식에 영구적인 손상을 입히며 교원질 침착의 감소와 창상장력의 감소를 야기한다. 또한 소혈관의 염증을 유발하여 폐쇄시킴으로써 만성적 조직산소 결핍을 가져오며 영구적이고 진행하는 손상을 유발한다.

7. 감염

정상적으로 피부에는 10^3/mg의 세균이 존재하며, 창상의 감염은 10^5/mg 이상이 될 때 발생한다. 감염이 발생하면 창상의 치유과정 중 염증반응기를 지속시키며, 호중구와 대식세포의 화학주성, 이동, 포식작용, 살균작용을 약화시키고, 조직의 pH와 산소분압을 낮춘다. 또한 세균에 의하여 분비되는 내독소endotoxin와 교원질 분해효소에 의하여 교원질의 분해가 가속되어 창상내 교원질의 함량이 낮아지고 창상의 수축이 방해되어 창상의 장력이 감소하거나 창상열개가 발생하게 된다.

VI 만성창상

만성창상이란 창상의 치유과정이 정상적으로 진행하지 못하여 해부학적인 구조와 기능을 만족할 만하게 달성하지 못하였거나, 치유과정이 진행되더라도 적절한 구조와 기능을 달성하지 못한 창상을 말한다. 3개월 이상이 지나도 치유되지 못한 창상은 만성창상으로 생각되는데, 외상이나 혈관손상으로 인하여 적절한 혈류를 공급받지 못한 연부조직에 피부궤양을 동반하는 창상이다. 반복되는 외상이나, 빈약한 혈류공급, 저산소상태, 과도한 염증반응 등이 만성창상의 원인이 될 수 있으며, 정상적인 성장인자의 생성이 결여되거나, 성장인자의 과도한 분해, 또는 창상 내 단백분해효소의 과도한 발현 및 정상적인 단백분해효소저해제의 기능결여도 만성창상의 원인이 될 수 있다. 만성창상내에서는 섬유아세포의 노화와 성장인자 수용체의 결여에 의하여 섬유아세포의 증식능력이 떨어지게 된다. 만성창상을 유발하는 대표적인 원인은 아래에 설명되어 있다.

1. 동맥허혈성 궤양

동맥허혈성 궤양은 혈액공급의 결여에서 기인하며 발현 당시 통증을 동반한다. 이 창상은 간헐성파행증, 휴식통증, 야간통증, 피부색변화 등 말초혈관질환의 증상들과 동반되어 나타날 수 있다. 이 창상은 원위부에서도 발현될 수 있지만, 주로 족부의 지간과 같은 말단부에서 발생한다. 이 창상의 치유는 혈액의 재관류와 상처치유의 2가지 방향으로 나가야 한다. 혈액의 재관류가 이루어지지 않으면 창상의 치유가 되지 않는다. 적절한 혈액의 관류가 이루어지면 대부분의 창상은 만족할 만한 수준으로 회복된다.

2. 정맥정체성 궤양

정맥정체성 궤양은 만성창상의 많은 부분을 차지한다. 지속적인 정맥이 정체는 삼투압을 능가하는 혈관압력의 증가로 부종이 야기되며, 지속적인 정맥의 정체는 작은 정맥의 파열을 초래하고 혈액의 유출 및 혈철소침착증hemosidersis를 유발하여 과색소침착과 피부파괴를 일으킨다. 지속적인 하지의 정맥고혈압이 모세혈관의 팽창을 유발하여 섬유소원의 유출과 섬유소 장벽을 유발한다는 가설이 있는데(fibrin cuff theory), 말초정맥밸브의 작용부전과 종아리근육의 펌프작용 부전으로 말미암아 원위부 정맥

고혈압에서는 진피 모세혈관들이 커지고 가지를 치고 있는 모습을 보이며 모세혈관의 수가 감소하고 혈전을 형성하여 림프액 투과성이 증가된다. 이러한 림프액 투과성의 증가는 혈청 단백의 유출을 야기하며, 특히 섬유소 분해활동이 저하되어 있는 경우 섬유소원은 혈관주위에 불용성인 섬유소 cuff를 형성하여 산소와 영양분이 확산되는데 장벽역할을 한다는 가설이다. 또 다른 가설로는 혈전이나 호중구의 충전plugging에 의한 모세혈관 폐색을 원인으로 생각하는데, 피부의 어떤 부위에 혈류가 감소된 부위에 호중구가 몰려들어 모세혈관을 막게 되며, 강력한 단백분해효소와 활성산소를 방출하여 모세혈관을 손상시키고 투과도를 증가시켜 조직의 손상을 가져온다는 가설이 있다. 이외에 정맥고혈압으로 인하여 진피층으로 빠져나온 알부민과 α-2-macroglobulin 등이 성장인자 및 기질과 결합하여 조직이 회복되지 못하게 함으로서 정맥정체성 궤양이 생긴다고 한다.

3. 당뇨성 창상

당뇨성 신경병증, 족부변형, 허혈 등이 당뇨성 궤양을 유발하는 인자들이다. 당뇨성 신경병증은 증가된 혈당에 의하여 발생하여 감각 및 운동신경에 장애가 오는데, 소실된 감각 때문에 외부손상을 인지하지 못하여 상처가 발생한다. 운동신경병증 또는 Charcot 족부는 지간관절 또는 중족지관절의 붕괴 및 탈골로 인하여 압력을 가하여 발생한다. 미세혈액순환장애 및 혈액순환장애도 한 원인이다. 치료는 국소치료와 전신치료로 나눌 수 있는데, 적절한 혈당을 유지하는 것이 매우 중요하다. 대부분의 창상은 감염되어 있으며, 감염을 전파시킬 수 있는 원천을 제거하는 것이 치료성공의 열쇠이다. 적절한 항생제를 사용하며 괴사된 조직에 대한 광범위한 절제술도 치료의 한 방법이며 특별히 고안된 신발을 통하여 궤양이 발생된 부분에 압력이 가해지지 않게 한다. 비록 제한적인 치료이기는 하나 국소적으로 PDGF와 GM-CSF를 투여하기도 하며 고가이기는 하지만 배양된 동종피부이식편engineered skin allograft substitute을 이용하여 어느 정도의 창상치유 성공을 거두고 있다.

4. 욕창

장기간 침상에 누워 있거나 자세 변화가 없을 경우 지속적인 압박에 의하여 피부와 피부조직이 파괴된 상태이다. 모세혈관에 대한 과도한 압박은 혈관의 허탈상태를 유발하여 피부 및 조직으로의 영양분과 산소의 공급이 제한되는데, 마찰이나 실변, 실금과 같은 습윤성 환경이 창상을 악화시키는 요인이다. 또한 동반되는 위험요인으로 활동 및 기동의 제한, 감각지각 상실, 중증전신질환, 영양부족도 욕창을 유발하는 요인이다. 치료는 괴사된 모든 조직의 제거와 정상피부는 건조시키되 창상부분은 습윤을 유지하고, 압력을 제거하며, 환자와 관련된 영양학적인 문제, 대사적인 문제, 순환기적인 문제들을 해결해야 한다. 괴사된 조직의 제거는 수술로 이루어질 수 있으나 효소제제를 이용한 화학적 조직제거 방법도 사용될 수 있다. 하지만 환자 자체가 가지고 있는 문제와 욕창이 발생하는 위험요인에 대한 제거가 힘들기 때문에 치료 후 재발률은 매우 높다.

VII 과다 창상치유

창상치유 실패에 의한 것보다 창상으로 인한 병적상태의 교정을 위해 더 많은 수술이 필요하다. 과다 창상치유 반응의 임상적 양상은 피부에 있어서는 과다한 반흔 및 화상으로 인한 구축, 위장관에서는 협착 및 유착, 내부 장기로서는 간경변, 폐섬유화, 복강내에서는 유착 등이 있다.

1. 비후성 반흔, 켈로이드

비후성 반흔hypertrophic scar과 켈로이드keloid는 피부 창상치유에서 과도한 섬유증식의 결과이다. 비후성 반흔

표 12-5. 비후성 반흔과 켈로이드

	비후성 반흔	켈로이드
발생빈도	빈발	드묾
인종	호발 인종 없음	아프리카계 미국인, 아시아인, 히스패닉
이전 손상	있음	있음
호발 부위	어느 곳이나 가능	목, 흉부, 귓볼, 어깨, 상부등쪽
유전s	없다	상염색체 우성(불완전 침투율)
시기	수상 후 4-6 주	많은 경우 수상 후 수년 뒤 발생
증상	융기, 소양증	통증, 소양증, 감각과민
변연부	창상 변연부 내에 국한	창상 변연부를 벗어남
수축	빈발	드묾
퇴행	빈발	없음
조직학적 소견	교원질 섬유와 창상의 방향이 평행	세포가 거의 없음, 두껍고 파도모양의 콜라겐이 무작위로 배열되어 있음

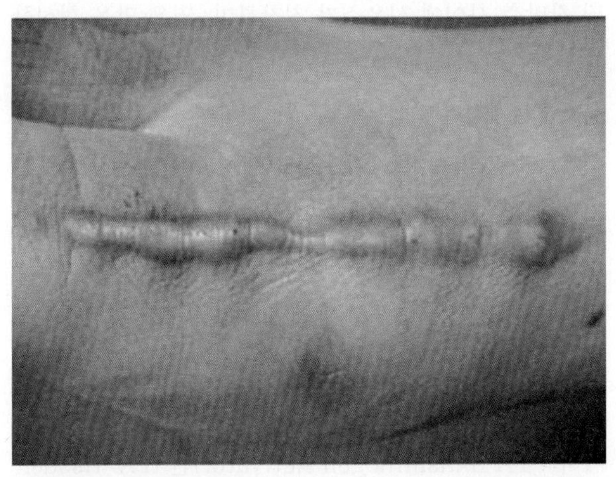

그림 12-8 **비후성 반흔**

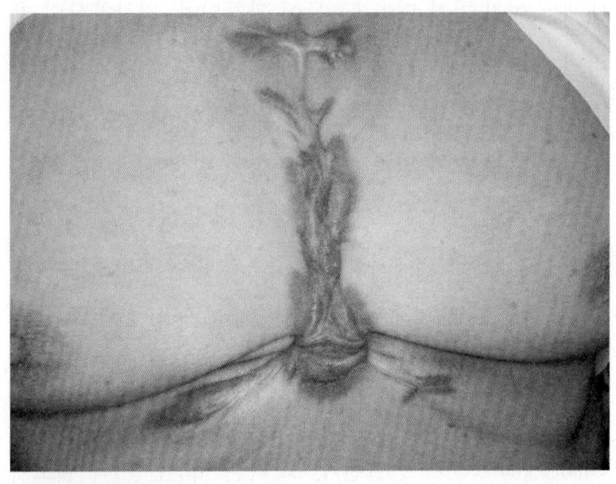

그림 12-9 **켈로이드**

이 창상의 변연부를 넘지 않으며 피부 위로 4mm 이상 자라지 않고 자연적으로 퇴행할 수 있는 것에 비하여 켈로이드는 변연부를 넘어 자라며 거의 퇴행하지 않는다(표 12-5). 비후성 반흔 및 켈로이드는 외상에 의하여 발생하며 통증, 가려움증, 열감을 동반할 수 있다. 켈로이드는 검은 피부를 가진 인종에서 15배 이상 호발하며 아프리카, 스페인, 일부 아시아 인종에서 주로 발생한다. 여성과 남성의 발생빈도는 동일하며 상염색체 우성으로 유전한다. 비후성 반흔은 수상 후 4주 이내에 발생하고 연령과 인종에 관계없이 상피화기가 3주 이상이 되면 발생위험도가 높아지며 주로 피부나 근육, 건의 장력이 작용하는 부위에 발생하여 처음에는 발적과 융기가 현저하다가 시간 경과에 따라 편평해지며 창백해진다(그림 12-8). 켈로이드는 아무리 작은 상처나 부위에도 발생할 수 있으며 주로 귓볼, 전흉골부위, 삼각건부위, 상부등쪽에 호발하고 눈꺼풀, 성기, 손발바닥, 관절부위에서는 잘 발생하지 않는데, 수상 후 3개월에서 수년이 경과한 후 발생하고 유경성으로 자라기도 한다(그림 12-9). 켈로이드 내에서 섬유아세포는 정상 증식속도를 가지지만, 정상피부의 섬유아세포에 비하여 20배, 비후성 반흔의 섬유아세포에 비하여 3배의 교원질 생산능력을 가지며, fibronectin, elastin, proteoglycan 등의 비정상적인 세포외 기질의 침착이 있다. 응고, 육아조직형성, 재상피화를 촉진하는 fibronectin의 생산은 정상창상에서는 창상이 완성되어감에 따라 감소하지만, 비후성 반흔과 켈로이드 내에서는 수개월에서 수년간 지속된다. 이런 비정상적인 생산은 성장인자의 변화에 의한 것으로 생각되는데, 비후성 반흔에서 TGF-β의 발현이 높으며, 비후성 반흔, 켈로이드에 존재하는 섬유아세포는 정상창상의 섬유아세포가 반응하는 TGF-β의 농도에 비하여 낮은 농도에서도 반응을 한다. 또한 비후성 반흔에서는 교원질분해효소 mRNA의 활성도를 낮추고 I형 및 III형 교원질 mRNA의 생산을 촉진하는 IGF-1의 농도가 증가되어있다. 비후성 반흔과 켈로이드 내에는 여러 가지 면역세포들이 관찰되며, 정상창상의 케라틴형성세포에서는 관찰되지 않는 HLA-2와 ICAM-1 수용체를 발현하며, 많은 양의 비만세포mast cell 침윤이 있는 것으로 보아 면역계통의 이상이 발생에 관여할 것으로 생각된다. 켈로이드에서는 창상 내 IgG, IgA, IgM의 침착증가와 혈청내에서의 IgE 증가가 관찰되며, 섬유아세포, 표피세포, 내피세포에 대한 antinuclear antibody가 관찰되는데, 비후성 반흔에서는 이런 현상은 관찰되지 않는다. 비후성 반흔에서는 증가된 T림프구 및 조직구Langerhan's giant cell가 관찰된다. 또 다른 기전은(비록 켈로이드는 장력이 낮은 곳에서도 발생하지만) 기계적 장력과 만성 자극으로 인하여 섬유화를 촉진하는 사이토카인이 비정상적으로 증가하기 때문이다.

2. 복막유착

복막유착은 정상적으로 분리되어 있어야 할 장기와 장기, 장기와 내복벽에 섬유밴드가 형성되어 유착이 생기는 것을 말한다. 대부분의 복강내 유착은 수술적 처치나 복강내 감염에 의하여 발생한다. 부검결과를 통하여 보면 복강내 수술을 받았던 환자의 67%, 복강 내 감염이 있었던 환자의 28%에서 발견된다. 소장유착의 가장 흔한 요인은 복강 내 유착이 65-75%으로 가장 흔하며, 특히 회장에서 호발한다. 하복부수술, 즉 직장수술, 좌측대장절제술, 전대장절제술을 받은 환자 중 복강 내 유착으로 인한 소장폐색이 수술 후 1년 이내에 11% 발생하며, 10년까지 30%의 발생률을 보인다. 복강 내 유착은 여성에게서 불임과 복부불쾌감, 골반통의 원인이 될 수 있다. 외과영역에서 입원의 원인중 2%이며 외과 개복술의 원인 중 3%이다.

복막이 수술이나, 열상thermal injury, 허혈, 염증, 이물질반응에 노출되면 유착이 발생한다. 이러한 손상은 복막 및 하부 결합조직의 중피세포mesothelial cell의 결손을 초래하며, 발적, 삼출물저류, 백혈구 및 혈소판의 분비와 활성화 등에 의하여 지혈 및 보체 활성화, 염증매개 사이토카인의 활성화를 통한 염증반응을 야기한다. 마주한 손상된 장막층 사이에 섬유소가 침착하며, 엷은 막을 형성한 유착이 발생하는데, 보통 일시적인 현상으로 일어나며 섬유소분해체계의 단백분해효소에 의하여 정상 복막구조를 회복하게 된다. 만일 섬유소분해 활성도가 충분하지 못한 경우에는, 교원질 침착에 의한 영구적인 섬유질유착이 손상을 받은 지 1주일 이내에 발생하게 된다.

수술과 복막염의 복강 내에서 섬유질분해와 염증반응체계에 미치는 영향에 대한 많은 연구가 이루어져 왔다. 정상적인 치유에서는 비활성 상태인 plasminogen이 두 가지의 PA (Plasminogen Activator)인 tPA (tissue-type Plasminogen Activator)와 uPA (urokinase-type plasminogen activator)에 의하여 plasmin으로 활성화 되어 섬유소를 용해한다. 복강내액에서 섬유소분해활성도는 복부수술 후 감소하게 되는데, 초기에는 tPA의 감소가 원인이며 후기에는 TNF-α, IL-1, IL-6 등의 사이토카인에 의하여 증가된 PAI-1 (Plasminogen Activator Inhibitor-1)가 원인이다(그림 12-10).

유착을 예방하고 줄이는 2가지 주요한 전략이 있다. 첫째는 조심스런 조직조작, 탈수와 허혈의 방지, 소작기와 레이저, 견인기 사용을 줄임으로 조직 손상을 최소화 하는 것인데, 복강경을 이용한 수술은 조직 손상이 적어 유착발생이 감소한다. 둘째는 손상이 일어난 면들을 격리하

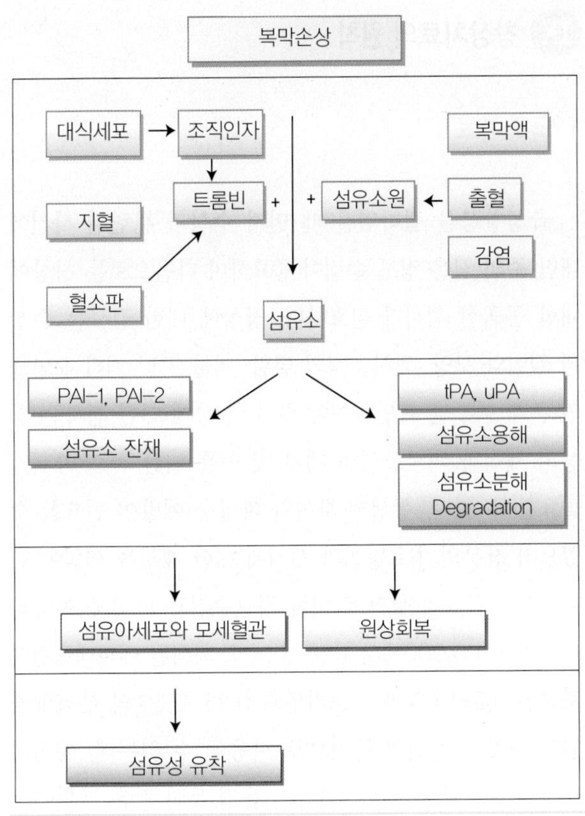

그림 12-10 복막유착의 기전

거나 장벽을 만들어 유착을 방지할 수 있는 장벽막barrier membrane이나 겔의 사용이다. 변형된 산화재생 셀룰로오스와 히알루론산hyaluronic acid으로 만들어진 막이나 용액이 유착을 방지하는 목적으로 최근 사용되어지기 시작했다. 그러나 이들을 사용함에 있어서 장관 문합부 바로 위에 위치시키는 것은 문합부 누출의 위험성의 증가 때문에 금기이다.

VIII 태아창상치유

태아창상치유가 성인의 창상치유와 감별되는 중요한 점은 성인창상과는 달리 반흔형성이 현저하게 저해되어 있다는 점이다. 태아창상에서 반흔을 남기지 않으며 조직구조를 원상 복귀시킬 수 있는 원인에 대하여 알게 되면, 성인에게서 발생하는 원치 않는 간경변이나 폐섬유화와 같은 섬유화 반응과, 반흔을 줄이거나 없애는데 도움이 될 것이다. 비록 태아창상치유가 조직재생과 유사한 반흔이 없는 창상치유의 결과를 가져오기는 하지만, 재태시기에 따라 성인창상치유와 비슷해지는 이행시기를 가진다. 소위 이행기창상은 임신 3기부터 시작되는데, 이 시기의 창상에서는 반흔은 발생하지 않더라도 피부부속물 재생능력은 결여된다. 결국 나중에는 창상치유의 속도는 성인보다 빠를지라도 성인에서의 창상에서와 마찬가지로 반흔을 남기게 된다. 태아창상치유과 성인창상치유의 차이를 가져오게 하는 여러 특징들이 있는데, 여기에는 다른 창상환경, 염증반응의 차이, 다른 성장인자들의 조성, 그리고 창상의 기질차이가 있다.

1. 창상의 환경

태아는 무균이며 일정하게 온도가 유지되는 수분 환경에서 자란다. 그러나 이 1가지만으로는 차이를 설명할 수 없다. 실험적으로 양막액 환경에서 생성된 창상은 반흔을 유발하지 않으나 자궁환경에서 생성된 창상은 반흔을 남긴다.

2. 염증반응

염증의 범위와 심각도는 모든 치유된 창상의 반흔 정도와 직접적인 연관관계가 있다. 태아 면역기관의 미발달에의한 저하된 염증반응이 반흔의 결여와 관계가 있을 수 있는데, 태아에서는 호중구가 결여되어 있을 뿐 아니라, 태아 창상에는 다핵형 백혈구와 대식세포의 수가 적다.

3. 성장인자

태아창상에는 반흔형성에 깊이 관여하는 TGF-β가 결여되어 있다. 성인 창상에서도 TGF-β1이나 TGF-β2를 중화시키는 항체를 투여하면 반흔이 현저하게 감소한다. 외부에서 주입된 TGF-β3는 창상내의 TGF-β1과 TGF-β2의 농도를 감소시켜 창상의 반흔형성을 감소시킨다. 그러므로 창상 내의 TGF-β 이소체들의 비율이 반흔형성을 조절하는 중요한 인자라고 생각된다.

4. 창상기질

태아창상도 성인창상에 존재하는 대부분의 기질들을 합성하나 태아창상에서는 그 시간상과 유형에 차이가 있다. Tenascin이라 불리는 세포부착물질이 태아창상에서 더욱 빨리 나타나고 더욱 오랫동안 지속되어 상피화와 세포성장을 촉진시킨다. 태아창상의 교원질유형은 성인창상보다 더욱 조직화되어 있어서 주위의 정상조직과 구별이 잘 되지 않는다. 태아의 진피내 교원질은 교원질 섬유소의 직경이 작은 I형 콜라겐이 성인보다 많다. 태아창상의 기질에는 글리코아미노글리칸GAGs이 풍부하다. 동물실험에서 태자의 GAGs의 함량은 성체의 약 3배이고 창상을 입지 않은 태아피부보다 약 10배 가량이 많다. 태아창상에서 히알루론산HA이 GAGs의 대부분을 이루고 있는데 이런 HA가 풍부한 기질은 세포의 이동과 증식을 자극하고 또 그 자체가 오랫동안 존재함으로써 태아창상이 재생에 의해서 치유되도록 돕는다. 또한 쥐 태자창상에서는 Chondroitin Sulfate Proteoglytan (CSPG)이 교원질 섬유소 형성시기에 나타나는데 성체 쥐에서는 나타나지 않는다. 양막액의 성분 중 특히 태아의 소변은 HA의 생성을 촉진하는 독특한 효과가 있다. 이러한 HA와 CSPG는 반흔 없는 치유에 역할을 하나 다른 sulfated GAGs는 반흔을 형성하도록 하는 역할을 한다. 따라서 이러한 결과에 의하여 수술 후 유착을 방지하는 목적으로 HA의 도포가 사용된다. 성인창상에서 콜라겐 섬유가 콜라겐 미세섬유 큰 다발의 형태로 피부와 수직의 구조를 이루고 있는 반면 태아창상에서 콜라겐 섬유는 주변 조직과 비슷한 형태의 격자형으로 이루어진다.

IX 창상치료의 원칙

1. 국소치료

급성창상을 접하였을 때 먼저 수상과 관련된 사건에 대한 주의 깊은 정보 수집이 중요하며 다음으로는 창상에 대한 꼼꼼한 검사가 필요하다. 창상에 대한 검사는 손상의 깊이와 모양, 괴사조직의 범위, 이물질 및 기타 오염물의 존재 여부를 확인하여야 한다. 창상에 대한 검사는 창상의 세척과 괴사조직의 제거 및 이를 위한 국소 마취가 필요할 수 있다. 항생제 투여와 파상풍 예방이 필요할 수 있으며 창상의 치료방법과 시기에 대한 계획을 세워야 한다. 수상 당시의 상황에 대한 정보수집과 파상풍 예방과 더불어 1:100,000에서 1:200,000로 희석된 에피네프린이 포함된 0.5-1.0%의 리도카인과 0.25-0.5%의 부피바카인이 지혈과 마취의 목적으로 사용될 수 있는데, 에피네프린은 손가락, 발가락, 귀, 코, 음경 등과 같은 부위에는 말단 동맥의 수축으로 인한 이차적인 괴사를 만들 위험성 때문에 사용하여서는 안 된다. 국소마취제의 주사는 창상 부위의 심각한 통증을 유발할 수 있지만 서서히 주사한다던가, 피하 주입, 탄산수소나트륨용액의 혼합 완충액으로 통증을 줄여줄 수 있다. 리도카인과 부피바카인 주사 시 전신 부작용을 막기 위한 최대 용량 계산이 필요하다. 창상의 세척과 이물질 제거목적으로는 아무것도 첨가되지 않은 생리식염수가 제일 적당하다. 생리식염수의 고압 분사(보통 18게이지 바늘을 꽂은 생리식염수가 들은 주사기를 사용한다)가 이물질의 제거와 괴사 조직을 제거하는데 가장 효과적이며, 창상세척 시 포비돈-이오딘, 이오딘, 과산화수소 및 유기화된 소독액 등의 사용은 창상내 호중구와 대식세포의 손상을 가져와 창상치유를 방해하므로 사용하여서는 안 된다. 창상 내 존재하는 모든 혈종을 조심스럽게 제거하며 출혈이 있는 부위는 결찰이나 소작의 방법으로 지혈을 한다. 창상으로 인하여 혈류공급이 나빠져 피부나 조직의 생존여부가 불확실할 경우 창상을 봉합하기 전 제거하거나 혈류가 재공급될 수 있는 상황이 된 후 봉합하여야 한다. 상처의 마취, 탐색, 세척, 괴사조직의 제거 후 상처의 주변을 관찰하고 세척하고 주변 털이나 모발을 짧게 깎는다. 상처의 주변을 포비돈-이오딘, 클로르헥시딘과 이와 유사한 작용을 하는 세균 억제 용액을 이용하여 도포하고 소독된 타월로 감싼다. 지혈과 괴사조직 제거, 이물질의 제거 후 너덜 너덜해진 상처의 변연부도 재접근 시 신선한 조직이 맞닿을 수 있도록 절제한다. 성형외과적 수술술기인 W- 또는 Z-plasty가 요구되는 경우는 거의 드물지만 상처의 변연부가 적합하고 적절하게 접근되어야 한다. 특히 입술경계, 눈썹, 머리선 부위 상처의 일차적 접근의 성공이 만족할 만한 미용적인 결과를 위해 대단히 중요하다. 일반적으로 창상을 접근시킬 때 최소 봉합을 사용하여야 봉합과 관련된 염증을 줄이는데 중요하다. 비흡수성 봉합사나 지연 흡수 봉합사를 사용하는 것이 복부의 심부 근막층을 봉합하는데 가장 적당하고 피하조직은 지방 조직 내에 봉합물질을 남기지 않기 위하여 짧은 흡수성 봉합사가 사용된다. 전통적으로 창상봉합에서 다층 봉합이 가르쳐져 왔지만, 추가적인 봉합층은 특히 지방조직에서 창상감염의 위험도를 높인다. 체액 저류의 위험을 감소시키기 위하여 배액관이 사용될 수 있다. 심각한 조직의 결손이 있을 때 손상된 조직의 혈관으로의 적절한 혈류공급을 위해 주변 피부근육피판musculocutaneous flap이나 자유피판free flap이 필요할 수 있다. 심각한 표재성 조직의 소실이 있을 경우 체액의 소실이나 감염을 예방하기 위한 피부 경계층을 만들기 위해 피부이식split-thickness skin graft이 사용될 수 있고, 급성오염창상인 경우 감염 위험시기가 지날 때까지 돼지 이종피부이식이나 사체 피부이식을 시행한다. 심부 조직의 접근과 소실된 조직의 대체 후 피부의 변연부는 빠른 창상치유와 미용적인 결과를 위해 재접근되어야 하는데, 스테인리스스틸 스테이플러를 이용하여 신속한 봉합과 비흡수성 단선 봉합사를 사용한다. 스테이플러나 봉합사의 피부 구멍을 통한 재상피화가 이루어지기 전인 7-10일 이전에 이들을 제거하여야 미용적으로 좋은 결과를 보여줄 수 있다. 창상의 미용이 중요한 부위인 경우 진피층에 대한 짧은 흡수성 봉합사의 이용과 피부에 대해서는 테이프를 이용하여 상처 피부 변연부의 정확한 접근을 시도할 수 있는데, 상당한 창상의 장력이 요구되는 상처에 이용하면 적절하지 못한 상피의 접근 및 불량한 미용적 결과를 가져올 수 있으므로 작은 표재성 창상의 경우에만 테이프의 사용이 가능하다. 조직 접착제octyl-cyoacrylate는 작은 단순 일직선의 상처인 경우 사용될 수 있는데, 연구 결과에 따르면 오염된 창상에서도 심각한 감염의 위험증가 없이 사용될 수 있고 특히 소아창상의 경우 봉합의 경우보다 덜 심각한 정신적 충격과 함께 양호한 미용적인 결과를 보여줄 수 있을 것으로 생각된다.

2. 항생제

항생제는 명확한 창상감염이 있는 경우에서만 사용되어야 한다. 대부분의 창상은 오염되어 있고 세균의 증식하고 있지만, 이에 대한 생체의 반응이 중요하며, 실제로 발적, 부종, 화농성 분비물 등 염증의 증후가 있는 경우에만 항생제의 사용이 정당화될 수 있으며 다약제 저항성 세균의 발현을 막기 위하여 무분별한 항생제의 사용은 금지되어야 한다. 급성창상에서 항생제의 사용은 감염된 창상에서 의심되는 균주의 종류와 환자의 전신적인 면역상태에 의하여 결정되게 되는데, 특정한 단일 균주에 의한 감염인 경우 단일 항생제가 선택 되어야 하며, 장관내 균주에 의한 감염이나 당뇨, 만성질병, 투약 등에 의한 면역감소가 있을 경우 광범위 항생제나 여러 항생제의 복합치료가 이루어져야 한다. 창상의 세척이나 드레싱을 통한 항생제의 국소적인 도포가 사용되기도 하나 이에 대한 효능에 대해서는 아직 확실하지 않다.

3. 드레싱

드레싱의 주 목적은 창상이 치유되기 위한 이상적인 환경을 만들어 주는 것이며, 적절하게 치유되는 창상을 만들기 위해 발생하는 변화를 가속화시켜야 한다. 이상적인 드

표 12-6. 창상 드레싱이 갖추어야 할 요건

• 창상치유의 촉진 (습윤환경의 유지) • 편안함 • 통증 조절 • 악취 조절 • 비자극성 및 비알레르기성	• 통풍성 • 안전성 • 드레싱 제거 시 조직에 대한 무손상 • 가격대비 유효성 • 사용의 편이성

레싱은 임상적으로는 현실화 되지는 않았으나 창상 드레싱이 갖추어야 할 요건은 표 12-6에 정리되어 있다. 창상의 밀봉은 상피세포가 가지고 있는 장벽의 역할 및 더 이상의 손상을 막는 역할을 하여야 하며, 압박을 통하여 지혈 및 부종을 최소화 하여야 한다. 드레싱 재료로 창상을 밀봉하는 것은 창상내 수분의 보존과 산소압을 조절하는 역할을 하여 창상의 치유를 돕는데, 외부의 공기와 창상 표면의 가스 및 수증기의 교환이 가능하여야 한다. 개방된 창상은 그렇지 않은 경우에 비하여 염증과 조직의 괴사의 빈도가 높으며, 창상을 밀봉함으로써 진피의 콜라겐 합성과 상피세포의 이동을 촉진하고 조직의 건조를 방지한다. 감염되거나 삼출물이 많은 창상에 밀봉 드레싱은 금기이다. 드레싱은 일차 드레싱과 이차 드레싱으로 나눌 수 있는데, 일차 드레싱은 창상에 직접 위치하여 삼출물의 흡수와 건조, 감염 및 이차 드레싱과의 유착을 방지하여야 하며 이차 드레싱은 보호, 흡수, 압박, 밀봉의 역할을 증대시키기 위하여 일차 드레싱 위에 시행하는 것이다.

1) 흡수성 드레싱

창상 분비물의 축적은 피부 maceration과 균의 과증식을 유도할 수 있다. 이상적으로 드레싱은 외부의 세균이 창상내로 침입하는 것을 방지하기 위하여 창상이 젖지 않도록 흡수기능이 있어야 하며 드레싱은 이러한 삼출물의 특성에 맞게 고안되어야 한다.

2) 비유착성 드레싱

비유착성 드레싱은 목적에 따라 파라핀, 바셀린, 수용성 젤리 등이 스며든 형태로 제작되며 건조와 감염을 방지하기 위해 변연부와 상부를 덮는 이차 드레싱이 필요하다.

3) 밀봉성, 반밀봉성 드레싱

밀봉성 드레싱과 반밀봉성 드레싱은 청결 및 최소한의 삼출물의 있는 창상에 적합한 환경을 제공한다. 필름드레싱은 방수기능이 있고 균에 대하여 비투과성이지만 수증기와 산소에 대해서는 투과성이다.

4) 친수성, 소수성 드레싱

이들 드레싱은 복합 드레싱의 한 요소이다. 친수성 드레싱은 흡수를 촉진하지만, 소수성 드레싱은 방수이며 흡수를 방해한다.

5) 하이드로콜로이드, 하이드로겔 드레싱

이들은 흡수와 밀봉의 2가지 장점을 추구하기 위하여 만들어진 드레싱이다. 수분이 함유된 하이드로콜로이드hydrocolloid와 하이드로겔hydrogel 복합체 구조를 가진 폼은 분비물이 흡수되었을 때 입자가 팽창하여 제거할 때 조직의 손상이 적다. 하이드로콜로이드는 삼출물을 흡수하면 씻어낼 수 있는 황갈색의 젤라틴성 물질을 형성한다. 하이드로겔은 수분 함유량이 많은 교차 결합된 중합체로 구성되어 있고 창성의 습윤환경을 저해하지 않으면서 높은 증발능력을 가지고 있는 특성이 있어 화상창상을 다루는데 유용하다.

6) 알긴산염

알긴산염alginates은 갈조류에서 유래하였으며 채취되는 계절적 시기와 조류의 종류에 따라 그 비의 차이가 있지만 마누로산mannuroic acid과 글루쿠론산glucuronic acid을 함유한 다당류의 긴 사슬 구조로 되어있다. 칼슘 형태로 처리된 알긴산염은 삼출물의 존재 하에 이온교환 반응에 의하여 수용성의 나트륨 알긴산염으로 변화되며 중합체 겔은 팽창하며 상당량의 수분을 흡수한다. 알긴산염은 피부결손이 있거나, 개방성 수술창상에서 중등도의 삼출물이 있는 경우, 전층에 걸친 만성창상에 사용되고 있다.

7) 흡수성 재료

흡수성 재료는 주로 창상내부에서 지혈을 목적으로 사용되며 콜라겐, 젤라틴gelatin, 산화셀룰로스oxidized cellulose, 산화재생셀룰로스oxidized regenerated cellulose등이 있다.

8) 약제 드레싱

약제 드레싱은 오랫동안 약제를 투여하는 경로의 한 방법으로 쓰여져 왔으며 benzoyl peroxide, zinc oxide, neomycin, bacitracin-zinc 등이 이 드레싱을 통한 약제전달 물질들이며 상피화를 28% 정도까지 증가시킨다.

어떤 종류의 드레싱을 사용하여야 하는 가는 창상배액의 양에 따라 결정되며 배액이 없는 창상은 반밀봉 드레싱을 시행할 수 있고, 하루 1-2mL의 배액이 있는 경우 반밀봉 드레싱 또는 흡수성 비흡착 드레싱이 요구된다. 하루 3-5mL의 중등도 배액 창상은 비흡착 일차 드레싱에 흡수성 이차 드레싱 및 정상조직의 보호를 위하여 밀봉드레싱을 추가할 수 있다. 하루 5mL를 초과하는 배액을 가진 창상은 중등도 배액을 가지는 창상의 드레싱 방법과 비슷하나 이차 드레싱은 좀더 흡수성이 있어야 한다.

9) 기계장치

삼출물의 조절 및 상처의 냄새를 없애는데 기계장치가 도움을 줄 수 있다. VAC (Vacuum-Assisted Closer) 장치는 창상의 표면과 변연부에 국소적인 음압을 가하며 특수한 형태의 드레싱과 함께 창상공동과 피판 또는 이식편 위에 사용될 수 있고 계속적인 음압은 창상으로부터 삼출물을 제거하는데 매우 효과적이다. 좀 더 많은 무작위 연구결과의 증거가 필요하긴 하지만 당뇨성 창상, 중등도 이상의 욕창, 급만성 외상성 창상, 피판 및 이식편, 창상열개와 같은 아급성 창상에 효과적인 것으로 알려져 있다.

요약

창상이란 조직에서 정상적인 세포나 해부학적인 연속성이 파괴된 상태를 말한다. 창상은 해부학적 부위, 발생원인, 오염도, 깊이, 창상치유의 종류에 따라 창상치유반응의 변화가 있을 수 있다. 창상치유과정의 변화는 각기 개별된 과정이 순서대로 엄격히 진행되는 것이라기보다는 동시적으로 일어나는 과정이라 할 수 있다. 조직의 손상 순간부터 치유과정은 역동적인 과정을 밟게 되는데 이해를 쉽게 하기 위하여 저자들에 따라서 염증기, 상피화, 세포기, 섬유조직형성 순으로 나누거나, 염증, 증식, 성숙의 순, 응고, 염증, 섬유조직형성, 리모델링의 순으로 표현하기도 하는데, 그 과정을 잘 이해하고 보면 표현이 약간 다를 뿐이고 동일한 과정이다. 피부, 내부 장기 등 해부학적 종류에 따른 치유의 과정은 기본적으로 동일하며, 따라서 창상치유의 단계를 아는 것은 외과적인 영역뿐만 아니라 내과적인 영역에서도 매우 중요하다.

참고문헌

1. Adzick NS, Harrison MR, Glick PL, et al. Comparison of fetal, newborn and adult rabbit wound healing by histologic, enzyme-histochemical and hydrozyproline determinations. J Pediatr Surg. 20:315, 1991.
2. Anonymous. Antimicrobial prophylaxis for surgery. Med Letters. 10:73, 2012.
3. Anstead GM: Steroids, retinoids, and wound healing. Adv Wound Care 11;277, 1998.
4. Armstrong DG, Lavery L. Negative pressure wound therapy after partial diabetic foot amputation: a multicenter, randomized controlled trial. Lancet. 366:1704, 2005.
5. Barbul A, Lazarou S, Efron DT, et al: Arginine enhances wound healing in humans. Surgery 108:331, 1990.
6. Bonner JC, Osornio-Vargas AR, Badgett A, et al. Differential proliferation of rat lung fibroblasts induced by the platelet-derived rowth factors-AA, -AB, and -BB isoforms secreted by rat alveolar mcrophages. Am J Respir Cell Mol Biol. 5:539, 1991.
7. Browse NL, Burnand KG: The cause of venous ulceration. Lancet 2:243, 1982.
8. Butler PD, Longaker MT, Yang GP. Current progress in keloid research and treatment. J Amm Coll Surg. 206:731, 2008.
9. Cahill RA, Sheehan KM, Scanlon RW, et al: Effects of selective cyclooxygenase 2 inhibitor on colonic ananstomosis and skin wound intergrity. Br J Surg 92:378, 2005.
10. Cheong YC, Laird SM, Shellton JB, et al. The correlation of adhesions and peritoneal fluid cytokine concentrations: a pilot study. Hum Reprod. 17:1039, 2002.
11. Classen DC, Evans RS, Pestotnik SL, et al. The timing of prophylactic antibiotic administration of antibiotics and the risk of surgical wound infection. N Engl J Med. 326;281, 1992.
12. Cruse PJE, Foord RA. A prospective study of 23,649 surgical wounds. Arch Surg. 107:206 1973.
13. Dahners LE, Mullis BH: Effects of nonsteroidal anti-inflammatory drugs on bone formation and soft-tissue healing. J AM Acad Orthop Surg 12:139, 2004.
14. Darby I, Skalli o, Gabbini G: Alpha-smooth muscle actin in transiently expressed by myofibroblasts during experimental wound healing. Lab Invest 63:21, 1990.
15. Dijkstra FR, Nieuwenhuijzen M, Reijnen MM, et al: Recent clinical developments in pathophysiology, epidemiology, diagnosis and treatment of intra-abdominal adhesions. Scan J Gastoenterol Suppl 232:52, 2000.
16. DiPietro LA: Wound healing: The role of the macrophage and other immune cells. Shock 4:233, 1995.
17. Dovi JV, He L-K, DiPietro LA: Accelerated wound closure in neutrophil depleted mice. J Leukod Biol 73:448, 2003.
18. Ehrlich HP, Hunt TK: Effects of cortisone and vitamin A on wound healing. Ann Surg 167:324, 1968.
19. Ehrlich HP: Wound closure: Evidence of cooperation between fibroblasts and collagen matrix. Eye 2:149, 1988.
20. Falanga V, Eaglstein WH: The "Trap" hypothesis of venous ulceration. Lancet 341:1006, 1993.
21. Feiken E, Romer J, Erikson J, et al: Neutrophilexpress tumor necrosis factor-alpha during mouse skin wound healing. J Invest Dermatol 105:120, 1995.
22. Ferguson MK: The effect of antineoplastic agents on wound healing. Surg Gynecol Obstet 154;421, 1982.
23. Ferrara N, Davis-Smith T: The biology of vascular endothelial growth factor. Endocrine Rev 18;4, 1997.
24. Gauglitz GG, Korting HC, Pavicic T, et al. Hypertrophic scaring and keloid: pathomechanisms and current and emerging treatment strategies. Mol Med. 113-125, 2011.
25. Goodson WH, Jensen JA, Gramja-Mena L, et al. The influence of a brief preoperative illness on postoperative healing. Ann Surg. 205:250, 1987.
26. Greif R, Akca O, Horn EP, et al: Supplemental perioperative oxygen to reduce the incidence of surgical-wound infection. Outcomes Research Group. N Engl J Med 342:161, 2000.
27. Halasz NA: Dehiscence of laparotomy wounds. Am J Surg 116:210, 1968.
28. Holt D, Kirk SJ, Regan MC, et al: Effect of age on wound healing in healthy humans. Surgery 112:293, 1992.
29. Hpf HW, Ueno C, Aslam R, et al. Guidelines for the prevention of lower extremety arterial ulcers. Wound Repair Regen. 16:175, 2008.
30. Jans DA, Hassan G. Nuclear targeting by growth factors, cytokines, and their receptors: a role in signaling? Bioassays. 20:400, 1998.
31. Jeejeebhoy KN, Cheong WK: Essential trace metals: Deficiencies and requirements, in Fisher JE (ed): Nutrition and Metabolism in the Surgical Patient. Boston: Little, Brown and Company, 1996, p295.
32. Jeffcoate WJ, Harding KG: Diabetic foot ulcers. Lancet 361:1545, 2003.
33. Johnson FR, McMinn RMH: The cytology of wound healing of the body surface in mammals〉 Biol Rev 35:364, 1960.
34. Jonson K, Jensen JA, Goodson WH III, et al: Tissue oxygenation, anemia and perfusion in relation to wound healing in surgical patients. Ann Surg 214:605, 1991.
35. Kirk SJ, Regan MC, Holt D, et al: Arginine stimulate wound healing and immune function in aged humans. Surgery 114:155, 1993.
36. Kurz A, Sessler D, Leonhardt R: Perioperative normothermia to reduce the incidence of surgical-wound infection and shorten hospitalization. N Engl J Med 334:1209, 1996.
37. Levenson SM, Geever EF, Crowley LV, et al. The healing of rat

skin wounds. Ann Surg 161:293, 1965.

38. Lobmann R, Ambrosch A, Schultz G, et al: Expression of matrix-metalloproteinases and their inhinitors in the wounds of diabetic and non-diabetic patients. Diabetologia 45:1011, 2002.
39. Longaker MT, Adzick NS: The biology of fetal wound healing: A review. Plast Reconstr Surg 87:788, 1990.
40. Longaker MT, Whitby DJ, Ferguson MWJ, et al. Adult skin wounds in the fetal environment heal with scar formation. Ann Surg. 219:65, 1994.
41. Lorenz PH, Whitby DJ, Longaker MT, et al: Fetal wound healing. The ontogeny of scar formation in the non-human primate. Ann Surg 217:391, 1993.
42. Lynch SE: Interaction of growth factors in tissue repair. Normal and Chronic Wounds. New York: Wiley-Liss, 1991, p341.
43. Marneros AG, Norris JE, Olsen BR, et al. Clinical genetics of familial keloids. Arch Dermatol. 137:1429, 2001.
44. Mendoza CB, Postlethwait RW, Johnson WD: Incidence of wound disruption following operation. Arch Surg 101:396, 1970.
45. Olivas A, Shogan B, Valuckaite V, et al. Intestinal tissues induce an SNP mutation in Pseudomonas aeruginosa that enhances its virulence: possible role in anastomotic leak. PLOS One. 7(8):e44326, 2012.
46. Rezzonico R, Burger D, Dayer JM: Direct contact between T lymphocytes and human dermal fibroblast or synociocyres down-regulates types I and III collagen production via cell-associated cytokines. J Biol Chem 273:18720, 1998.
47. Robson MC, Cooper DM, Aslam R, et al. Guidelines for the treatment of venous ulcers. Wound Repair Regen. 14;649, 2006.
48. Ruffy MB, Kunnavastana SS, Koch RJ: Effects of tamoxifen on normal human fibroblast. Arch Fascial Plast Surg 8:329, 2006.
49. Schmitt-Graff A, Desmouliere A, Gabbiani G. Heterogeneity of myofibroblast phenotypic features: an example of fibroblastic cell plasticity. Virchows Arch. 425:3, 1994.
50. Seeger JM, Kaelin LD, Staples EM, et al: Prevention of postoperative pericardial adhesions using tissue-protective solutions. J Surg Res 68:63, 1997 .
51. Shah M, Foreman DM, Ferguson MWJ: Neutralizing antiboby to TGF-β1,2 reduces cutaneous scarring in adult rodents. J Cell Sci 107:1137, 1994.
52. Spiliotis J, Tsiveriotis K, Datsis AD, et al. Wound dehiscence is still a problem in the 21th century: a retrospective study. World J Emerg Surg. 4:12, 2009.
53. Stechmiller JK, Cowwan L, Whitney J, et al. Guidelines for the prevention of pressure ulcers. Wound Repair Regen. 16:151, 2008.
54. Steed DL, Attinger C, Brem H, et al. Guidelines for the prevention of diabetic ulcers. Wound Repair Regen. 16;169, 2008.
55. Thornton FJ, Barbul A. Healing in the gastrointestinal tract. Surg Clin North Am. 77;549, 1977.
56. Tsukada K, Miyazaki T, kato H, et al. Body fat accumulation and postoperative complications after abdominal surgery. Am Surg. 70:347, 2004, .
57. Williams JZ, Abumrad NN, Barbul A: Effect of a specialized amino acid mixture on human collagen deposition. Ann Surg 236:369, 2002.
58. Winsor Jam Knight GS, Hill GL. Wound healing in surgical patients: recent food intake is more important than nutritional status. Br J Surg. 75:135, 1988.
59. Woodley DT, Bachman PM, O'Keefe EJ: The role of matrix components in human keratinocyte re-epithelialization, in Barbul A, Caldwell MD, Eaglstein WH, et al (eds0: Clinical and Experimental Approaches to Dermal and Epidermal Repair. Normal and Chronic Wounds. New York: Wiley-Liss, 1991, p129.
60. Xiong M, Elson G, Legarda D, et al: Production for vascular endothelial growth factor by murin macrophages: Regulation by hypoxia, lactate, and the inducible nitric oxides synthase pathway. Am J Pathol 153:587, 1998.
61. Yue DK, McLennan S, Marsh M, et al: Effects of experimental diabetes, uremia, and malnutrition on wound healing. Diabetes 36:295, 1987.
62. Zabel DD. Feng JJ, Scheuenstuhk H, et al: Lactate stimulation of macrophage-derived angiogenic activity is associated with inhibition of Poly (ADP-ribose) synthesis. Lab Invest 74:644, 1996.
63. Zhou LJ, Ono I, Kaneko F. Role of transforming growth factor-beta 1 infibroblasts derived from normal and hypertrophic scarred skin. Arch Dermatol Res. 289:645, 1997.

Chapter 13 합병증 Complication

수술 합병증 및 외과 합병증의 정의는 전통적으로 많은 논란이 있었고, 현재도 만족할 만한 용어의 통일이 없다. 국어사전에는 합병증을 '1가지 병에 관련하여 일어나는 다른 병증'으로 설명하고 있으며, 외국 문헌에서는 '수술의 바람직하지 못한 모든 결과any undesirable result of surgery' 등으로 이야기한다. 수술 합병증을 넓은 의미로 정의하는 것보다는 치료 실패failure to cure, 후유증sequelae 등과 구분하여 사용하는 것이 바람직할 것이다. 따라서 수술 합병증은 '바람직한, 혹은 이상적인 수술 후 상태에서 벗어난 모든 상태'로 정의하고, 합병증은 '시술 혹은 수술 자체에 내재된 상황'으로, 치료 실패는 '합병증이 아닌, 수술 후 변하지 않는 질병 혹은 상황'으로 설명하는 것이 올바르다. 특히 미국 의료시스템의 현실을 진단하고 향상시키고자 하였던 최근 보고서에서 의료 과오medical errors란 용어가 등장하고 연간 약 98,000명이 의료 과오로 사망한다고 보고하여, 의료에 관련된 모든 사람 및 기관이 주목을 받게 되었으며, 각 병원 간의 비교 및 의료질 관리 차원에서 중요한 이슈가 된 작금에, 외과 의사가 적절하고 정확하게 용어를 정의하는 것이 매우 중요하다. 외과 의사는 수술받을 환자 및 보호자와 특별한 신뢰를 쌓아야 한다. 그러기 위해서는 수술 전, 중, 후에 발생할 수 있는 합병증, 후유증, 치료 실패 등에 대해 충분히 설명하여야 하며, 이러한 문제가 발생하였을 때에도 솔직하게 상담하고 적절한 처치를 하는 것이 끝까지 신뢰를 유지하는 길일 것이다.

I 전신 합병증

1. 창상 합병증

최근 미세침습수술이 많이 보급되면서 창상 합병증wound complication의 발생 빈도가 줄어들고 있으나 대부분의 수술은 피부절개로부터 시작되므로 외과 의사는 반드시 창상 합병증을 잘 이해하고 예방해야 한다. 창상 합병증의 종류는 크게 장액종, 혈종, 창상열개, 창상감염 등으로 구분할 수 있다.

1) 장액종

장액종seroma은 절개부 아래에 지방, 장액, 림프액이 녹아서 고인 것으로 비교적 깨끗하고 노란색을 띠며 약간 끈끈하다. 주로 진피층 하부의 피하층에 축적된다. 주로 피부에 피판flap이 생기는 수술의 형태, 즉 유방절제술, 액와부절개, 서혜부수술 등을 시행한 후 생길 수 있다. 원인은 잘 알려져 있지 않으나 피하층의 지방이 녹아내리거나 림프배액장애가 있을 때 생기는 것으로 추정하고 있다. 충분히 치유되지 않은 창상에 주변과 경계가 비교적 명확한 종창이 있고 압박에 불편감을 느끼거나, 창상으로 투명한 액체가 흘러나올 때 의심할 수 있다. 치료는 단순 배액으로 충분한 경우가 대부분이고 감염이 의심되는 경우에는 개방해서 배액해야 한다.

2) 혈종

혈종hematoma은 절개 하부의 피하층에 혈액이 비정상적으로 축적된 것으로, 장액종보다 이차 감염이 발생할 확률이 높기 때문에 주의해야 한다. 원인은 피부봉합 시 적절한 지혈이 되지 않았을 경우가 대부분이지만, 혈액 응고장애가 있을 경우에도 생길 수 있다. 수술 시 확실한 지혈 조작을 하였음에도 혈종이 발생하거나 점점 커지는 경우에는 혈액응고장애의 가능성을 확인해야 한다. 혈종을 발견하면 우선 배액과 압박 드레싱을 해야 하며 계속 지속이 되거나 커지는 경우에는 절개부를 개방하고 확실한 지혈을 하는 것이 현명하다.

3) 창상열개

창상열개wound dehiscence는 수술 후 조기에 근막층fascial layer이 분리됨을 말한다. 복부수술 후 창상열개가 발생하였을 경우 복강 내 장기가 탈장evisceration될 수 있어 응급으로 창상봉합을 다시 시행해야 한다. 창상열개를 유발할 수 있는 원인으로는 수술적 조작의 과오, 복강 내 감염, 영양상태 불량, 고령, 만성 부신피질호르몬 사용, 창상의 혈종과 감염, 당뇨병, 신부전, 면역 결핍 상태, 항암제 치료, 방사선 조사, 복압을 상승시킬 수 있는 복수, 장관 팽만, 기침, 구토 등을 들 수 있다. 따라서 이런 원인을 가지고 있는 환자를 수술할 경우에는 가급적이면 연속봉합continuous suture 대신 단속봉합interrupted suture를 고려하고, 유지봉합retention suture을 추가적으로 시행할 수 있다.

4) 창상감염

창상감염wound infection은 창상의 세균감염에 의해 발생한다. 여러 가지 경로로 감염이 발생할 수 있는데 가장 많은 원인은 장관 절제 및 문합을 시행하는 수술이고, 두 번째 원인은 환자의 피부에 정상적으로 존재하는 세균에 의한 감염, 세 번째는 수술 조작, 의사, 장비 및 수술실 환경의 감염으로 인해 발생한다. 미국의 질병관리예방센터에서는 창상감염을 수술부위감염surgical site infection으로 일컬으며, (1) 절개부표재성superficial incisional, (2) 절개부심부성deep incisional, (3) 기관공간창상organ space wound의 3가지로 분류한다. 또한, 수술 후 창상감염 발생 위험도에 따라서 (1) 청결clean, (2) 청결–오염clean-contaminated, (3) 오염contaminated, (4) 불결 창상dirty wound으로 구분하기도 한다. 창상감염의 절반 정도에서 *Gram-positive cocci* (*Staphylococcus aureus*, *coagulase-negative Staphylococcus*, and *Enterococcus spp.*)가 검출된다. 창상감염은 발적, 압통, 부종 등이 있을 때 의심해야 하며 대부분 수술 후 5일에서 6일째 발생한다. 창상감염을 발견하였을 때에는 배농 및 세척이 주요한 치료법이다. 수술 의사는 창상감염이 생기지 않도록 주의를 기울어야 하며, 환자는 금연, 체중 감량, 당조절, 부신피질호르몬의 사용 절제 등이 필요하다.

2. 체온 조절의 합병증

1) 저체온증

체온은 좁은 범위에서 조절되도록 생리적 기전이 작용하므로 2도 이상 체온이 저하된다거나 3도 이상 상승되면 응급상황이 된다. 저체온증의 유발은 수술 전, 수술 중, 수술 후의 원인으로 구분된다. 수술 전의 원인으로는 주로 외상환자나 마비환자에서 관찰할 수 있으며, 외상이 발생할 당시의 찬 주변환경, 소생술 동안의 찬 수액 공급, 마비환자에서의 떨림기전shivering mechanism 소실 등을 들 수 있다. 수술 중에는 차가운 혈액의 급격한 수혈, 차가운 생리식염수의 복강 세척과 장시간의 수술 중 낮은 수술실의 온도 등이 원인이 될 수 있으며, 수술 후에도 찬 수액의 공급과 주위의 찬 온도 등이 원인이 될 수 있다. 따라서 수술 전, 중, 후로 체온을 변동시킬 수 있는 원인의 제거가 중요하다.

2) 수술 후 발열

수술 후 발열은 흔하게 관찰되며 감염적 원인과 비감염적 원인을 각각 고려하여 그 원인을 찾고 치료하기 위한 노력을 해야 한다. 수술 후 3일 이내의 발열은 수술 자체에 의한 조직 손상, 약물 및 무기폐atelectasis가 흔한 원인이나, 드물게는 *Clostridium*이나 *Streptococcus*로 인한 창상감염으로 발생할 수 있다. 수술 후 5일에서 8일째까지의 발열은 폐렴, 창상감염, 요로계 감염, 하부위장관 감염, 약물작용 등의 다양한 원인이 있을 수 있으므로 각각의 원인 규명을 할 필요가 있다.

3. 호흡기계 합병증

폐기능의 변화를 유발하는 원인은 환자 원인과 수술 관련 원인으로 나누어 볼 수 있다. 환자로 인한 원인은 비만, 흡연력, 폐 기저질환 등을 들 수 있으며, 수술 관련 원인으로는 상복부절개로 인한 통증, 수술 중 장시간의 앙와위와 폐부종을 발생시킬 수 있는 수액의 과다 주입, 일정한 얕은 호흡, 호흡근의 기능저하, 객담배출장애, 복압증가 등을 들 수 있다. 실제로 복부절개수술을 받는 거의 모든 환자는 첫 이틀 동안 폐활량이 정상의 약 50%까지 감소하고, 이로 인한 기능적 잔기용량functional residual capacity의 감소가 호흡기계 합병증과 관련이 있다. 수술 후 사용하는 진통제로 인해서 호흡 욕망respiratory drive이 억제되기도 한다. 대다수는 회복하지만, 일부에서는 생명을 위협하는 상황에 이르는 호흡부전에 빠지기도 한다.

수술 후 발생하는 호흡기계 합병증은 가장 많은 합병증 중의 하나로 특히 흉부와 복부 수술 후 발생률이 높은 것으로 알려져 있다.

1) 무기폐

(1) 병인

무기폐atelectasis는 마취와 복부 절개 및 진통제의 사용으로 인해 폐포가 허탈되어 폐단락이 일어나는 상황을 말하며, 수술 후 폐합병증의 가장 많은 원인으로 17%에서 88%까지 발생하는 것으로 보고되고 있다. 무기폐는 호흡근 기능의 감소와 통증에 의한 기계적 환기능의 감소, 분비물에 의한 기도 폐쇄 등에 의해 발생하며, 이로 인한 기능적 잔기 용량의 감소 및 폐 탄성compliance의 감소 등을 동반하게 된다. 또한 폐포의 대식세포의 기능을 감소시키고 폐 표면활성제surfactant를 감소시켜 폐렴의 위험성을 증가시키는 것으로 알려져 있다.

(2) 치료

무기폐의 치료는 적절한 통증 조절을 통해 환자가 심호흡과 효과적인 객담 배출을 할 수 있도록 도와주는 것이 중요하며 의료진은 지속적으로 환자가 심호흡과 적절한 기침을 할 수 있도록 격려해야 한다. 자가 조절이 가능한 진통제의 경막외 주입 방법도 추천된다. 또한, 바로 누운 자세보다는 30-45도 정도의 앉은 자세가 기능적 잔기용량 증가에 도움이 되며 보행을 빨리 시작하는 것이 좋다. 강화폐활량계spirometer는 시각적으로 흡입량을 관찰하게 함으로써 심호흡을 격려할 수 있다는 장점으로 과거부터 수술 후 폐합병증 예방 목적으로 널리 사용되고 있다. 이 외에 간헐적 양압호흡, 지속적 양압호흡기 치료 등의 여러 호흡 물리치료법들이 수술 후 무기폐 및 호흡기 합병증을 예방하는 데 도움을 주는 것으로 알려져 있다. 과도한 분비물에 의한 기도폐쇄가 의심되는 경우 기관지 내시경을 이용한 객담 배출이 일시적으로 도움이 될 수 있다.

표 13-1. 임상폐감염지수(Clinical Pulmonary Infection Score, CPIS)

임상양상	수치	점수
체온(℃)	36.5 ≤체온 ≤ 38.4 38.5 ≤체온 ≤ 38.9 39.0 ≤체온 ≤ 36.0	0 1 2
백혈구 수치(mm³)	≥4,000 and ≤ 11,000 <4,000 or >11,000 <4,000 or >11,000 + band form ≥50%	0 1 2
산소공급 PaO_2/FiO_2(mmHg)	>240 혹은 급성호흡부전증 있음 ≤240 이고 급성호흡부전증 없음	0 2
기도분비량	거의 없음 중등도 많음 화농성	0 1 2 1
흉부 방사선 촬영 소견	침윤소견 없음 고르지 못한 침윤 혹은 미만성 침윤 국소적 침윤	0 1 2
객담배양검사(culture of tracheal aspiration)	양성 음성	0 2

2) 수술 후 폐렴

(1) 진단

수술 후 폐렴postoperative pneumonia은 병원성폐렴hospital-acquired pneumonia의 한 종류로, 두 번째로 많은 병원성 감염의 원인이자 병원성감염 관련 사망의 가장 많은 원인이다. 수술 후 폐렴은 빠른 임상적 진단과 항생제 치료가 예후에 큰 영향을 미친다. 발열과 기침, 화농성 객담, 흉부 방사선 검사에서 폐침윤성병변 등이 새롭게 보이는 경우 폐렴을 의심할 수 있다. 폐렴의 임상적 진단에는 발열 정도, 백혈구 증가, 기도 분비물의 양상, PaO_2/FiO_2 비율, 흉부 방사선 검사 소견 등을 바탕으로 수치화한 임상 폐 감염지수가 도움이 될 수 있다(표 13-1). 또한, 혈액 검사상 반응단백과 백혈구 수치, 프로칼시토닌procalcitonin 수치 등도 진단에 이용된다. 원인균 확인을 위하여 2쌍의 혈액 균 배양 검사와 객담 균 배양 검사를 시행하여야 한다. 경우에 따라 기관지 폐포 세척bronchoalveolar lavage을 통해 원인균에 대한 정량적 검사가 필요할 수도 있다. 환자의 의식이 명료하지 않거나 구토 등의 병력이 있을 경우 흡인성 폐렴을 의심해야 한다. 특히 흡인성 폐렴은 예후가 불량하기 때문에 조기 진단과 적극적인 항생제 치료가 매우 중요하다. 기계환기폐렴ventilator-associated pneumonia은 기계환기를 적용하고 48–72시간 이후에 발생한 병원성폐렴을 말하며 중환자실에서 가장 많이 접하는 병원성감염이다. 기계환기를 적용한 환자의 15–40%까지 발생하는 것으로 보고하고 있으며 기계환기 기간이 증가함에 따라 이환율 및 사망률이 증가한다. 이는 중환자실 환경에서 유래된 병원균 집락이 구강 내로 흡인됨으로써 발생하며 다제내성균주인 경우가 많다.

(2) 치료

수술 후 폐렴의 경우 조기에 적절한 항생제의 투여가 증상 호전에 매우 중요하다. 항생제의 선택은 환자의 과거력과 임상 양상, 위험 인자, 과거 항생제 투여 여부를 참고하여 결정해야 하며 각 병원에 잘 발생하는 균주를 분석하여 원인균을 예측하는 것이 중요하다. 2005년도에 미국 흉부협회와 미국감염병협회에서 발표한 병원 내 폐렴

표 13-2. 조기 발현되었거나 다제내성균주, 심한 질병들의 위험인자가 없는 환자에게 발생한 병원성폐렴이나 기계환기폐렴에 대한 초기 경험적 항생제 치료

가능한 균주	추천되는 항생제
S. pneumoniae *H. influenzae* Methicillin-sensitive S. aureus Antibiotics-sensitive enteric G(-) bacilli *E. coil* *K. pneumoniae* *Enterobacter spp.* *Proteus spp.* *Serratia marcescens*	Ceftriaxone 혹은 Levofloxacin, moxifloxacin, 혹은 ciprofloxacin 혹은 Ampicillin/sulbactam 혹은 Ertapenem

표 13-3. 늦게 발현되었거나 다제내성균주, 심한 질병의 위험인자가 있는 환자에서 발생한 병원성폐렴, 기계환기폐렴, 의료 종사자 관련 폐렴에 대한 초기 경험적 항생제 치료

가능한 균주	항생제 조합
표 13-2의 균주와 *P. aeruginosa* *K. pneumoniae* *Acinetobacter spp.*	Antipseudomonal cephalosporin(cefepime, ceftazidime) 혹은 Antipseudomonal carbepenem(imipenem or meropenem) 혹은 β-Lactam/β-lactamase inhibitor(piperacillin-tazobactam) + Antipseudomonal fluoroquinolone(ciprofloxacin or levofloxacin) 혹은 Aminoglycosid(amikacin, gentamicin, or tobramycin) +
Methicillin-resistant Staphylococcus aureus (MRSA) Legionella pneumophila	Linezolid or vancomycin

의 항생제 치료 가이드라인을 참고하여 항생제를 선택할 수 있다(표 13-2, 3). 폐렴의 원인균이 다제내성균으로 의심될 경우는 광범위 항생제 투여와 항생제 병합투여를 고려해야 하며 치료 후 72시간 이후 균 배양 결과와 항생제 감수성 검사 결과, 그리고 임상 양상의 변화에 따라 항생제의 변경이나 지속 투여 여부를 결정해야 한다. 특히, 기계환기폐렴이 기계호흡 적용 후 5일 이후에 발생한 경우 다제내성균이 원인인 경우가 많다. 항생제 치료 기간은 임상적 반응에 따라 결정되지만 일반적으로 호전되는 경우 7일 이상 오래 유지할 의미가 없는 것으로 알려져 있다. 그러나 *Pseudomonas*처럼 재발률이 높은 균주의 경우 15일 이상 사용하는 것을 권고한다.

3) 급성폐손상과 급성호흡부전증후군

(1) 정의

급성호흡부전증후군Acute Respiratory Distress Syndrome (ARDS)은 패혈증이나 흡인, 폐렴, 외상 등에 의해 갑자기 진행하는 호흡곤란과 저산소증을 동반하는 비심원성 폐부종을 의미한다. American-European Consensus Conference (AECC)에서는 ARDS를 ① 급성 발현, ② 심한 저산소혈증 $PaO_2/FiO_2 \le 200mmHg$, ③ 양측성폐침윤, ④ 폐모세혈관쐐기압≤18mmHg 또는 좌심방 고혈압의 임상적 증거가 없는 경우로 정의하고 있다. 급성폐손상Acute Lung Injury (ALI)은 ARDS와 동일 선상에 있는 질환으로 생각하고 있으며 AECC에서는 다른 기준은

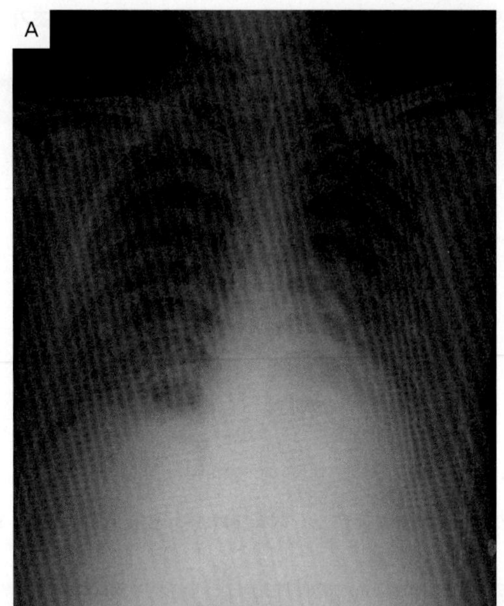

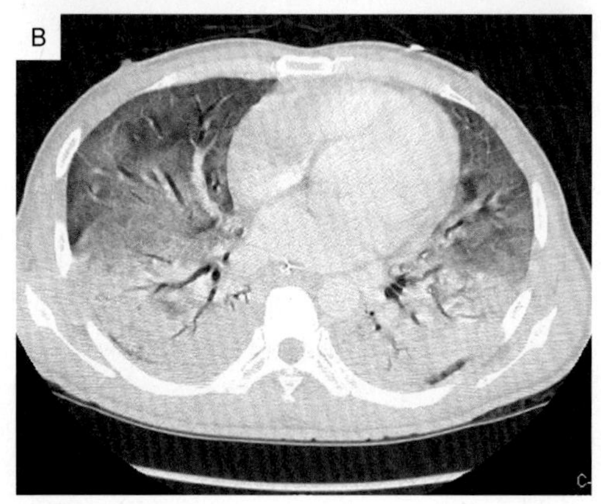

그림 13-1 **급성호흡부전증후군 환자.** A) 흉부 방사선 소견, B) 흉부 전산화 단층 촬영 소견.

ARDS와 동일하나 저산소증의 정도가 심하지 않은 경우, 즉 $PaO_2/FiO_2 \leq 300mmHg$인 경우로 정의하고 있다. ARDS와 ALI의 병태 생리는 여러 원인에 의한 폐미세혈관의 투과도 증가가 주된 기전으로 여겨지며, 여러 염증 관련 인자들에 의해 유발된다고 여겨지고 있다. 초기 ARDS는 삼출기exudative phase라고 부르며 투과도 증가로 인해 폐포에 단백성분이 풍부한 삼출액이 채워지게 된다(그림 13-1). 폐손상 후 7–10일 정도가 지나면 증식기가 되며, 광범위한 폐섬유화가 발생한다.

(2) 치료

ARDS는 심각한 호흡장애를 유발하여 40–50%의 높은 사망률을 보이고 생존 후에도 상당한 기능 상실의 후유증을 유발할 수 있다. ARDS의 치료는 패혈증이나 폐렴 등의 기저질환에 대한 적극적인 치료와 철저한 보조치료를 시행하고 폐보호환기법lung-protective ventilation을 적용해야 한다. 특히 ARDS 환자는 폐의 유순도 저하가 특징적으로 나타나 환기량이 클수록 기계환기유발폐손상Ventilator-Induced Lung Injury (VILI)이 발생할 가능성이 높다. 최근 여러 연구에 의하면 ARDS 환자의 기계환기 적용에서 가장 중요한 요소는 적은 일회 환기량을 유지하는 것으로 6mL/Kg (predictive body weight를 적용해야 함) 이하의 낮은 일회 환기량과 흡기말 편평부압을 $30cmH_2O$ 이하로 유지하고, 적정한 호기말양압Positive Endexpiratory Pressure (PEEP)과 최소한의 FiO_2를 유지하며 88–95%의 산소포화도를 유지하는 것이다.

4) 혈전성 폐색전증

(1) 병인

혈전에 의한 폐색전증pulmonary thromboembolism은 정맥 혈전에 의해 폐동맥 혈관 분지가 막혀서 발생하는 질환으로 90% 이상이 심부정맥혈전증deep vein thrombosis과 동반하여 발생한다. 이 질환은 증상이나 임상양상이 비특이적이고 진단이 어려워 임상적으로 의심하지 않을 경우 진단을 놓칠 수 있다. 발병률은 정확하게 알려져 있지 않으나 사후 부검 연구에서 20–30% 정도의 폐색전증이 발견되어 실제로는 많은 환자에서 발생하는 것으로 추측할 수 있다. 심부정맥 혈전증 환자의 30% 정도에서 발생하는 것으로 알려져 있으므로 심부정맥 혈전증 발생의 위험인자가 있는 환자의 경우 폐색전증의 발생에 주의하여야 한다. 특히 수술받은 환자는 장시간 수술 및 수술 후 회복 과정에서 보행이 불가능하기 때문에 발생 위험성이 높은 것으로 알려져 있다. 폐색 전 범위에 따라 다양한 임상양상을 보이며 심할 경우 폐내 단락에 의한 저산소증과 폐동맥압 상승, 급성우심실부전, 우측 관상동맥 압박으로

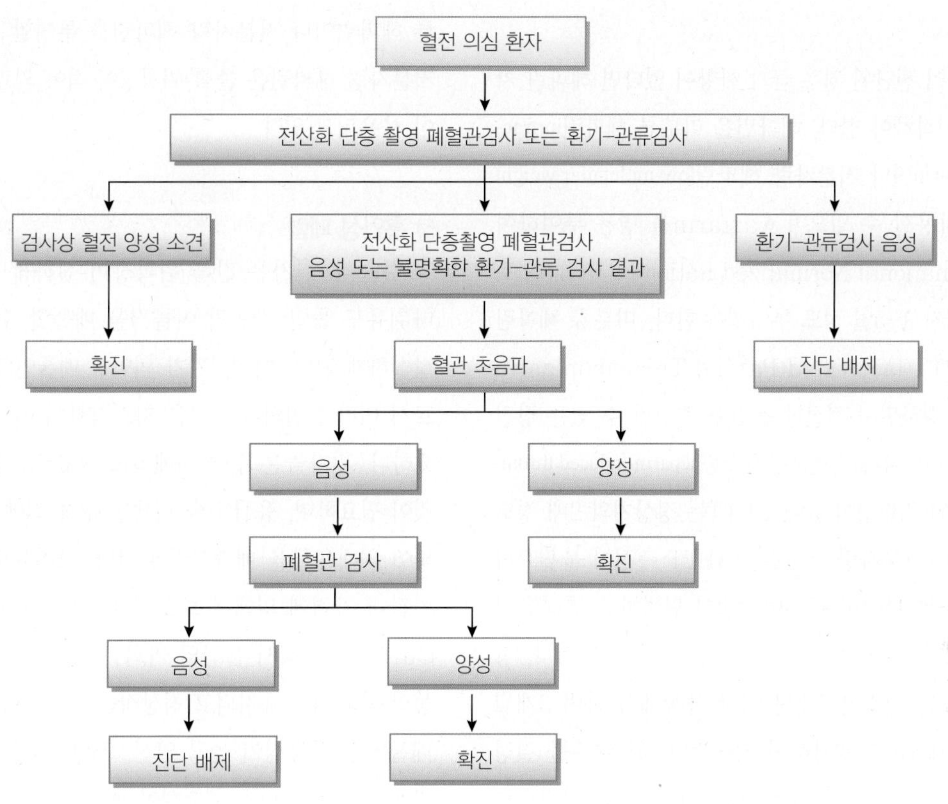

그림 13-2 혈전 의심환자의 진단

인한 우심실심근허혈 등에 의해 사망할 수 있으며 전체 폐색전증 환자의 10% 정도가 사망하는 것으로 보고되고 있다.

(2) 진단

폐색전 범위에 따라 증상이 없을 수도 있으며 우심실 부전에 의한 쇼크와 저산소증까지 발생할 수 있다. 가장 흔한 증상은 갑자기 발생하는 호흡곤란과 흉막통, 빈호흡이다. 또한, 폐경색으로 발전할 경우 객혈을 보일 수 있다. 대량 폐색전의 경우 저산소증과 폐동맥고혈압에 의해 혈역학적으로 불안정해질 수도 있다. 심전도 검사에서 빈맥과 ST-T파의 이상 소견, V_1-V_4에 T파 역전이 보일 수 있지만 비특이적이다. 흉부 방사선 검사는 폐혈관 음영 감소 소견을 보일 수 있으나 대부분은 정상 소견을 보인다. 따라서 갑자기 발생한 심한 호흡곤란을 보이는 환자에서 흉부 방사선 검사 소견이 정상일 경우 폐색전증을 의심할 수 있다. 혈액 검사상 저산소혈증과 과호흡에 의한 저탄산혈증이 흔히 관찰되며 D-dimer의 상승 소견도 관찰된다. D-dimer의 경우 폐색전증의 90%에서 상승하나 다른 원인으로 인해 상승하는 경우가 많아 폐색전증의 유무에 민감도가 높으나 특이도가 낮다. 폐색전증 진단에 가장 유용한 검사는 전산화 단층촬영을 이용한 폐혈관검사 computed tomographic pulmonary angiography이다. 이는 빠르게 검사할 수 있으며 해상도가 많이 개선되어 검사의 특이도와 민감도가 높다. 이 외에 하지의 Duplex 초음파 검사와 폐관류스캔, 폐혈관조영술, 심초음파검사가 도움이 될 수 있으며 특히 심초음파검사는 우심실 기능에 대한 평가를 동시에 실시할 수 있다. 폐색전증은 환자가 가진 위험인자와 여러 가지 검사결과를 종합적으로 평가하여 진단하는 것이 중요하다(그림 13-2).

(3) 치료

폐색전증이 진단된 경우 금기 사항이 없다면 헤파린 치료를 즉시 시작해야 한다. 헤파린은 미분류 헤파린unfractionated heparin이나 저분자량 헤파린low-molecular weight heparin을 사용할 수 있으며 warfarin을 병용 투여하여 INR (International Normalized Ratio)이 2.0-3.0으로 도달할 때까지 4-5일 정도 투여해야 한다. 미분류 헤파린의 경우 aPTT (activated Partial Thromboplastin Time)를 측정하면서 적절한 용량을 결정할 수 있는 장점이 있으나 헤파린유발성혈소판감소증heparin-induced thrombocytopenia의 위험성이 있다. aPTT는 정상치의 2배 정도가 적절하다. 저분자량 헤파린은 aPTT 측정이 불필요하며 피하주사로 투여하여 투여방법이 편리하고 부작용이 적은 장점이 있으나 적절한 용량 조절이 힘들 수 있다. 항응고제 치료는 최소한 3개월 이상 사용해야 하며 3개월 후 재발의 위험도를 평가하여 지속적인 치료여부를 결정한다. 혈전용해제치료thrombolytic therapy는 혈역학적으로 매우 불안정하거나 심한 저산소혈증이 나타날 경우 고려할 수 있다. 그러나 생존율 향상이나 재발률 감소에 대해서는 명확하게 밝혀진 바가 없다. 항응고제 치료의 금기증이 있거나 이로 인한 부작용이 발생한 경우는 하대정맥차단inferior vena cava filter 치료를 시행한다. 또한, 폐색전증이 동반되지 않은 심부정맥혈전증이 있고 항응고제 치료가 불가능한 경우도 예방 목적으로 시행할 수 있다.

(4) 예방

폐색전증은 대부분 심부정맥혈전증과 동반하여 발생하며 사망률이 높은 질환이다. 따라서 심부정맥혈전증을 미리 예방하는 것이 매우 중요하다. 외과 환자의 경우 환자의 특성과 질병의 종류, 수술 방법, 회복 과정 등을 종합적으로 평가하여 심부정맥혈전증 발생위험도를 미리 평가하여 그 위험도에 맞는 적절한 예방법을 시행해야 한다. 예방법으로는 다단계 압축스타킹이나 간헐적 공기압박법 등의 기계적인 방법이 있고 주로 위험성이 낮은 환자의 경우 사용된다. 또한, 위험성이 높은 환자의 경우 미분류 헤파린이나 저분자량 헤파린을 투여할 수 있다. 특히 저분자량 헤파린은 출혈 위험성이 적어 외과 환자에게 많이 사용되고 있다.

5) 흡인성 폐렴

수술 후 환자는 간혹 위확장이 심하게 생길 수 있고, 마취유도 동안 기도의 이물질을 배출할 수 있는 능력을 상실하게 된다. 이 2가지가 의인성 폐흡인의 주된 원인으로서 미리 흡인의 위험성을 최소화하여 예방하는 것이 중요하다. 환자들은 수술 전에 최소한 6시간 동안 금식하는 것이 필요하며, 응급수술 시에는 수술 전에 비위흡입관을 넣어 위내용물을 배출시켜야 한다. 마취유도 시에 기도는 기관내 압력에 의해서 보호되야 하며, 빠른 기도삽관 및 Cuff를 부풀려서 흡인의 기회를 줄여야 한다. 전신마취 동안 앙와위가 유지되고 정상적인 반사능력이 결여되므로 폐흡인의 가능성이 높고 임신, 고령, 비만, 장폐쇄, 위팽만 환자에서는 더욱 위험성이 높아진다. 우측 주기관지는 좌측보다 더 직선으로 뻗어 있기 때문에 영향을 더 많이 받는다. 흡인은 마취 시작할 때 잘 생기는데 근육이완제 주입이나 기관삽관하는 사이에 수동적인 역류가 일어나기 때문이다.

4. 순환기계 합병증

1) 부정맥

수술 후 발생하는 부정맥은 심장질환이 있는 고연령층에서 흔히 발생하는 합병증이지만 기저질환이 없는 전 연령층에서 발생할 수 있다. 수술 후 부정맥은 크게 빈맥과 서맥으로 분류되며 혈역학적 변화에 따라 치료 방침이 결정된다. 부정맥이 있고 혈역학적으로 불안정한 경우 전기적 심장박동회복술electrical cardioversion 등의 즉각적인 치료가 필요하다. 그렇지 않을 경우는 전해질과 산염기 분석 등의 전신 상태에 대한 평가, 심전도 검사와 심장내과 전문의의 자문을 통해 부정맥의 종류에 대한 정확한 진단과 원인에 대한 분석이 필요하다. 빈맥이나 서맥의 급성기 치료는

2005년 미국심장학회에서 제시한 심폐소생술과 응급 심혈관 관리에 대한 가이드라인을 참고할 수 있다.

(1) 빈맥

가. 심방세동

심방세동atrial fibrillation은 수술 후 가장 많이 발생하는 부정맥 중 하나이다. 수술 후에 발생하는 심방세동은 대부분 발작성으로 전신 상태가 회복되거나 원인 인자가 교정되었을 경우 90% 이상의 환자가 수술 후 6–8주 내에 재발 없이 회복되는 것으로 알려져 있다. 심방세동의 치료는 심박수 조절과 리듬 조절, 그리고 항응고제 치료로 나누어지며 급성기의 치료는 심박수 조절에 중점을 두게 된다. 심박수 조절에는 주로 칼슘통로차단제나 베타차단제와 같은 심실 반응수를 조절하는 약제를 사용한다. 항부정맥 약물로는 아미오다론amiodarone을 많이 사용한다. 그러나 약물에 반응이 없고 갑작스런 혈압 감소 등 혈역학적으로 불안정한 경우는 전기적 심장박동회복술을 시행하여야 한다. 항응고제 치료는 수술 후 심방세동이 48시간 이상 지속될 경우, 수술 후 출혈의 위험성을 고려하면서 시행한다.

나. 발작성상심실성빈맥

발작성상심실성빈맥Paroxysmal Supraventricular Tachycardia (PSVT)은 동성빈맥과 달리 갑작스런 시작과 종료를 특징으로 하며 심방성빈맥과 달리 정상 QRS가 규칙적으로 나타나며 P파가 관찰되지 않는다. 이는 주로 심방과 심실 사이에 정상 전도와 다른 전도 속도를 가지는 부전도로로 인해 발생한다. 발작성상심실성빈맥의 급성 치료는 Valsalva법이나 경동맥 마사지가 도움될 수 있으며 약물치료는 주로 회귀성 전도로 차단을 위해 칼슘통로차단제와 아데노신adenosine을 사용한다. 아데노신은 짧은 시간 동안 동방결절과 방실결절을 억제하여 90% 이상의 회귀성 빈맥을 종료시킬 수 있다.

다. 심실성빈맥

심실성빈맥ventricular tachycardia은 주로 심장의 구조적인 문제와 동반하여 나타나는 경우가 많고, 지속되거나 혈역학적으로 불안정한 경우 치명적일 수 있다. 30초 이상 지속되지 않은 비지속성 단형성 심실성빈맥은 대부분 특별한 치료가 필요하지 않지만, 지속성이거나 다형성 심실성빈맥의 경우 심한 혈역학적 불안정을 동반할 수 있어 주의하여야 한다. 급성 치료는 2005년 미국심장학회 가이드라인에 의하면 환자가 불안정할 경우 즉각적인 동기화된 전기적 심장박동회복술을 시행하여야 하며 안정적인 경우는 아미오다론 150mg을 10분에 걸쳐 주입하도록 권장하고 있다.

(2) 서맥

수술 후 서맥bradycardia은 대부분 일과성으로 생기고, 특별한 증상이 없기 때문에 특별한 치료 없이 심전도 검사를 통한 주의 깊은 관찰을 시행할 수 있다. 그러나 의식 변화나 흉통, 저혈압 등의 순환 부전의 증상이 있는 경우는 즉각적인 치료를 해야 한다. 2005년 미국심장학회 가이드라인에 따르면 순환부전의 증후가 있을 경우 즉각적으로 경피적 심박동조율기transcutaneous pacing를 시작해야 하며 심박동조율기 적용 전에 atropine 0.5mg를 3mg까지 반복하여 정맥 투여할 수 있다. 이후 심전도 검사 및 심장내과 전문의와 상의하여 원인 파악과 추가적인 치료 여부를 결정해야 한다.

2) 급성관상동맥증후군

급성관상동맥증후군acute coronary syndrome은 경화성 관상동맥 질환에 의한 심근의 혈류공급 장애와 관련되어 나타나는 질환을 총칭하는 말로 불안정성협심증unstable angina ST분절비상승심근경색증non-ST elevation myocardial infarction (NSTEMI), ST분절상승심근경색증ST elevation myocardial infarction (STEMI)으로 구분된다. 수술 후에 발생하는 급성관상동맥증후군은 30% 정도의 높은 사망률을 보이며 전체 수술 후 사망의 10%를 차지한다고 알려져 있다. 대부분 수술 전 심장혈관 질환의 위험성이 높은 고령의 환자에서 대수술 후에 발생하므로 수술 전 급성관상동맥증후군의 위험성에 대한 평가를 충분히 하고 위험성이 높은 환자는 수술 후 발생 여부에 대하여 집중 관찰을 해야 한다.

(1) 진단

급성관상동맥증후군은 특징적인 증상과 심전도 변화, 심질환표식자cardiac biomarker의 상승 등으로 진단한다. 수술 후에 생기는 급성관상동맥증후군은 수술 후 48시간 이내에 잘 발생한다. 그러나, 급성관상동맥증후군의 특징적인 흉통이 없는 경우가 많아 진단에 어려움이 있다. 따라서 수술 전 평가에서 위험성이 높은 환자는 빈맥이나 빈호흡, 저혈압 등의 증상이 있을 경우 반드시 의심해야 한다. 또한, 수술 직후에는 지속적으로 심전도 검사를 시행하여 심전도의 변화를 빨리 발견해야 한다. Troponin, CK-MB 등의 심질환표식자 검사는 심근경색의 진단에 매우 도움이 되며 특히 Troponin I (cTnI)는 심근손상에 대한 특이도와 민감도가 매우 높다. 그러나 심근경색 발생 후 3시간 후부터 상승하므로 만일 흉통 등의 특징적인 증상이 있고 심전도상 ST분절 상승 등 심근경색증의 가능성이 있을 경우는 표식자의 상승을 기다리지 말고 반드시 심장내과 전문의와 상의하여 빠른 재관류치료의 시행을 고려해야 한다. 심장초음파는 심근경색이 의심되는 환자에서 심장 기능을 평가하는 데 도움을 줄 수 있으며 부분적 심근의 운동장애를 관찰하여 심근손상 유무를 추측할 수 있다.

(2) 치료

일단 급성관상동맥증후군이 진단되면 빠른 치료를 통해 관상동맥의 혈류를 개선하고 심장의 부하를 감소시켜 최대한 심근의 손상을 줄이는 것이 예후에 매우 중요하다. 특히 ST 분절 상승을 보이는 심근경색의 경우 관상동맥 재관류 치료를 얼마나 빨리 시작하였는가가 이환율과 사망률 감소에 제일 중요한 요소이다. 우선 중환자실에서 집중 관찰을 해야 하며 산소 공급을 한다. 흉통의 완화를 위해 질산염제제nitroglycerin를 설하정 또는 분무식으로 5분 간격으로 3번까지 사용한다. 이후에도 증상이 지속될 경우 모르핀morphine을 사용한다. 혈소판응집을 막기 위해 항혈소판제제로 아스피린과 clopidogrel을 사용한다. 베타차단제 투여는 사망률 감소에 도움이 되는 것으로 알려져 있다. 재관류 치료는 혈전용해 치료와 관상동맥성형술Percutaneous Coronary Intervention (PCI)이 있다. 그러나 수술 후 환자는 출혈의 위험성 때문에 혈전용해 치료가 불가능한 경우가 많다. 관상동맥성형술은 혈전용해 치료에 비해 유의하게 낮은 재발률과 사망률을 보이는 것으로 보고되고 있어 관상동맥성형술이 가능한 경우는 빠른 시간 내에 우선적으로 시행하여야 한다.

3) 스트레스성심근병증

(1) 정의

스트레스성심근병증stress-induced cardiomyopathy은 관상동맥질환 없이 감정적 또는 중증 질환이나 수술 등의 육체적 스트레스에 의해 일시적으로 좌심방 첨부apical 또는 중간부의 수축성 기능장애가 발생하는 질병군을 지칭한다. 특징적인 좌심실 수축 모양으로 인해 apical ballooning syndrome, tako-tsubo cardiomyopathy라는 용어로 불린다. 아직 정확한 병태생리는 밝혀져 있지 않으나 catecholamine 과분비에 의한 관상동맥의 경축spasm과 미세혈관의 기능장애 등을 원인으로 보고 있다.

(2) 진단

스트레스성심근병증은 임상적으로 급성심근경색과 매우 비슷한 양상을 보인다. 주된 증상은 급성 흉통과 호흡곤란, 쇼크 증상을 보이며 심전도상 ST 분절 상승, T파 역전, 비정상적 Q파 등의 변화가 생길 수 있다. 또한, 심질환 표식자의 증가도 관찰되어 급성심근병증과의 구별이 쉽지 않다. Mayo 병원에서 정한 진단 기준은 ① 일시적인 좌심실의 운동장애, ② 심전도의 이상 변화 또는 cTnI의 증가, ③ 관상동맥의 폐쇄가 없으며, ④ 갈색세포종 또는 심근염이 없을 때이며 위의 4가지를 모두 만족해야 한다. 심질환 표식자가 상승하고 ST 분절의 상승이 있을 경우 스트레스성심근병증이 의심되더라도 급성심근병증과 임상적으로 감별이 안되므로 반드시 관상동맥조영술을 시행하여 급성심근경색일 경우 재관류 치료가 늦어지지 않도록 주의해야 한다. 심장초음파 검사상 수축 시 좌심실 첨부의 특징적인 풍선 모양이 관찰되고 심근 운동장애 부위가 관상동맥의 분포 영역과 일치하지 않을 때 의심할 수 있다.

(3) 치료

스트레스성심근병증은 일시적인 기능 부전으로 대부분은 1–4주 이내에 정상적으로 돌아오는 것으로 알려져 있으며 그 기간 동안 보존적 치료를 해주고 원인이 되는 스트레스를 해결해 주는 것이 중요하다. 혈역학적으로 안정적인 경우 차단제나 ACE 억제제, 이뇨제 등이 도움될 수 있다. 10–20% 정도에서 좌심실유출로 폐쇄Left Ventricular Outflow Tract Obstruction (LVOTO)나 심한 수축기 기능부전으로 인해 저혈압 및 쇼크가 나타날 수 있으며, 이 경우 심한 폐부종이 동반되지 않았다면 수액 치료를 해야 한다. 좌심실유출로 폐쇄 없이 쇼크가 생긴 경우는 심근수축촉진제inotropics를 사용할 수 있다.

4) 수술 후 고혈압

수술 선, 수술 중, 수술 후 발생하는 고혈압은 흔한 합병증 중의 하나이다. 고혈압의 위험인자는 수술의 종류와 관계가 있으며, 심혈관, 흉부 그리고 복부수술 등에서 많이 발생한다. 수술 후 고혈압은 환자의 통증, 저체온증, 저산소증, 수액의 과다주입 등으로 발생하며 고혈압약의 일시 복용중단으로도 발생할 수 있다. 다른 요인으로는 복강내 출혈, 두부 외상, 클로니딘위축증후군clonidine withdrawal syndrome, 갈색세포종위기pheochromocytoma crisis 등이 있다. 환자의 이완기 혈압이 110mmHg 이상이면 수술 전에 고혈압에 대한 검사와 처치가 이루어져야 하고 만성적으로 고혈압약을 복용하고 있다면 수술 당일까지 복용시키고, 만약 환자가 경구 클로니딘clonidine을 복용하고 있다면 적어도 수술 3일 전부터 클로니딘패치로 전환하여야 한다. 응급수술인 경우는 마취유도 시와 중간에 적절한 약제를 투여해야 하며 수술 중 마취의사는 혈압을 주의 깊게 관찰하고 수액과다주입 및 저산소증, 저체온증을 피해야 한다. 수술 후에는 환자에게 적절한 진통제와 충분한 기간의 항고혈압제 복용지도가 필수이다. 만약 약제 복용을 못한다면 베타차단제β-blocker, 안지오텐신전환효소억제제Angiotensin-Converting Enzyme (ACE) inhibitors, 칼슘통로억제제calcium channel antagonists, 이뇨제를 혈관으로 주입하거나 클로니딘패치를 사용할 수도 있다.

5. 위장관계 합병증

1) 장마비와 장폐쇄증

(1) 병인

장마비란 짧은 기간 동안 장관의 수축 운동이 중지되는 것을 말한다. 복부수술 후에는 대부분 일시적인 장마비가 오며, 3일에서 5일 후에 방귀가 배출되면서 해결된다. 수술 중 과도한 장관 조작 및 손상, 복부 감염, 췌장염 등은 장마비가 오랫동안 지속되는 원인이다. 대개는 일주일 이내에 해결되지만, 이 기간 이상 지속되는 경우에는 장폐색을 의심하고 이를 감별해야 한다. 장폐색의 발생기전은 명확히 밝혀져 있지 않지만 억제성 신경반응, 접촉으로 발생하는 염증, 신경호르몬의 작용 등에 의해서 발생하는 것으로 알려져 있다. 수술 직후의 경구 섭취의 제한과 과도한 마약성 진통제의 사용 또한, 소장 운동의 회복을 억제한다고 보고되고 있다. 수술 후 조기 보행이 장운동의 회복에 효과가 있다고 알려져 있지만 이에 대한 정량적인 연구는 없는 실정이다. 경막외 마취는 복부수술에 있어서 통증 조절과 척추를 통해 들어가는 억제성 신경반응을 감소시켜 장운동의 조기 회복에 효과가 있는 것으로 알려져 있다. 수술 후 초기 기계적 장폐색은 유착(90%)에 의해서 주로 발생하며, 그 외 탈장(7%), 농양, 장허혈, 장중첩증 등에 의해서 발생할 수 있다. 수술 후 기간에 생기는 장중첩증은 상대적으로 흔하지 않고 결장수술 후에는 거의 발생하지 않는다. 봉소염이나 농양은 파열된 문합 부위에서 장 내용물이 새거나 장유착 박리술이나 개복 후 절개부위를 봉합할 때와 같은 의인적 손상으로 인해 발생한다. 기계적 폐쇄가 발생하면 폐색부 근위부에 수축이 집중되어 약간의 통과여지가 있을 때는 통과하면서 통증을 유발하며, 완전 폐색 시에는 소장 내용물이 축적되었다가 위로 역류하여 구토가 생기게 된다.

(2) 진단

개복술 후 소장의 운동은 수 시간 이내에 회복되고, 위는 24-48시간, 대장은 48-72시간 이후에 회복된다. 장폐색이 발생하면 위액, 장액, 가스 등이 축적되어 장은 운동 능력을 잃고 확장되어 복부 팽만, 복통, 오심, 구토 등을 유발하게 되며, 이러한 임상 증상은 유발 원인, 장폐색의 정도, 위치 등에 따라서 다양하게 나타난다. 근위부 소장폐색은 조기에 담즙성 구토를 유발하고 대부분 장 확장이 거의 없거나 경미하다. 반면, 원위부 소장폐색은 구토에 앞서 저명한 복부팽만이 선행된다. 구토는 처음엔 담즙성이다가 점점 탁해진다. 장마비와 기계적 장폐색의 구별은 매우 어렵다. 장마비 환자는 광범위한 복부 불편감을 호소하지만 심한 경련통이나 복부팽만감은 없다. 보통 청진기로 청진 시 들리는 작은 장음이 있다. 이에 반해서 기계적 폐쇄는 고음의 울리는 장음이 들린다. 또한, 열, 빈맥, 저혈압 등의 임상양상을 보일 수 있고 패혈증까지도 생길 수 있다. 마비성 장폐쇄와 기계적 장폐색은 모두 초기에 금식을 통한 장의 휴식이 필요하나, 시간이 지연되면 기계적 장폐색은 장의 허혈, 괴사를 막기 위해 수술적인 치료가 필요하다. 마비성 장폐쇄는 복부 전반의 불편감이 있으나, 급성 통증과 복부 팽만을 보이는 경우는 적다. 청진상 장음이 잘 들리지 않으며 기계적 장폐색 시 발생하는 고음의 장음은 들리지 않는다. 장폐색은 주로 임상증상과 단순촬영에 의해서 진단되며, 복부 CT, 복부 단순촬영, 소장 촬영술small bowel series 등이 진단과 치료를 결정하는데에 도움이 된다. 마비성 장폐쇄는 복부 단순촬영에서 전반적으로 장이 확장되어 있고 대장과 직장에 공기음영이 보이며 공기 액체층air-fluid level이 보인다. 기계적 장폐색에서는 근위부에서 소장의 확장과 공기 액체층이 보이며 장폐색의 원위부에서는 공기음영을 관찰할 수 없는 것이 특징이다. 복부 CT는 기계적 장폐색에서 보이는 이행부위transitional zone를 관찰할 수 있어 감별진단에 도움이 되며, 위치, 장폐색의 정도, 합병증의 발생 등을 확인할 수 있다. 소장 촬영술은 수술 후 발생하는 소장 폐색에서 진단이 명확하지 않거나 치료의 효과가 좋지 않을 때 시행할 수 있다.

(3) 치료

수술 후 장폐색을 일으키는 원인을 미리 방지하여 발생을 최소화하는 것이 가장 좋은 치료라 할 수 있다. 복부수술 시 장과 복막의 손상을 줄이기 위해 복막 박리를 최소화하고 조직의 손상을 줄이도록 노력해야 한다. 장이 공기에 노출되는 시간이 길수록 장폐색의 확률이 증가하므로 수술 시간을 최소화하고 시간이 길어질 경우 젖은 패드로 지속적으로 수분을 공급해 주어야 한다. 유착 방지제의 사용도 최근 증가하고 있으며 sodium hyaluronate와 carboxymethyl cellulose의 혼합물이나 oxidized cellulose 등을 이용한 제제로 유착이 예상되는 곳에 도포한다. 수술 후에는 원활한 장운동을 위해서 전해질 균형을 맞추고 마약성 진통제보다는 경막외 마취나 비스테로이드성 진통소염제를 사용하는 것이 좋다. 비위관의 삽입은 불편감, 보행 방해, 부비동염 등을 유발할 수 있으므로 꼭 필요한 경우에만 시행한다. 마비성 장폐쇄는 대부분 수술이 필요하지 않으며 보존적 치료로 회복을 기대할 수 있다. 보존적 치료로는 적극적인 정맥수액공급을 시행하여 오심, 구토와 장관으로의 체액 저류 등의 발생으로 인한 저혈량증을 개선시키고, 전해질 불균형을 교정하여야 한다. 수술 후 장폐색은 일반적으로 응급 수술을 요하지는 않으나 "Closed-loop", 고위 장폐색, 합병증을 동반한 소장폐색, 장중첩증, 복막염 등의 증상이 있으면 응급 개복술이 필요할 수 있다.

2) 위장관 출혈

(1) 병인

수술 후 위장관 출혈의 원인은 다양하다. 위-식도의 원인으로는 소화성 궤양, 스트레스성 미란, Mallory-Weiss 증후군, 위정맥류 등이 있다. 또한, 소장의 동정맥기형, 대장의 게실증 및 동정맥기형, 대장 정맥류 등과 문합부 출혈 등이 원인이 될 수 있다. 중증 환자에서 수술 후 발생하는 위장관 출혈의 85%는 상부 위장관에서 발생한다. 스트레스성 궤양에 의해 발생한 위장관 출혈은 심각한 결과를 초래할 수 있지만 보존적 치료의 발달로 발생률이 감소하고 있다.

(2) 진단과 치료

출혈이 있는 경우 수술 자체와 연관된 문제를 먼저 생각해야 하지만, 환자병력을 살펴 십이지장 궤양, 음주 후 구토, 간경변증 유무, 복용약의 종류 등을 면밀하게 검토해야 한다. 장절제 문합이 포함된 수술이 시행되었을 경우는, 첫 배변 혹은 두세 번째의 배변 색깔이 검게 혹은 붉게 나올 수 있지만, 계속 지속되거나, 다량의 혈액이 포함된다면, 문합부 출혈을 고려해야 한다. 문합부 출혈은 양과 속도에 따라서 생체징후를 악화시킬 수 있음을 명심해야 한다. 수술 후 위의 산도를 수소이온농도 pH 4 이상으로 유지하여 위의 점막손상 방지와 산에 의한 손상을 막아 스트레스성 궤양을 예방할 수 있다고 알려져 있다. 이는 제산제, H2 blockers, M1 cholinoreceptor antagonists, sucralfate, 또는 proton pump inhibitors 등의 투여를 통해 가능하다. 위장관 출혈이 발생하면 적절한 수액공급 루트를 확보한 후 비결정질crystalloid 수액요법을 시행하며, 확실한 수액 투입로 확보를 위해 중심혈관 삽입을 고려한다. 응고 이상을 교정하고 필요할 경우 수혈을 시행한다. 일반적으로 위장관 출혈의 치료는 중환자실에서 치료하는 것이 좋으며, 체온이 떨어지는 것도 방지해야 한다. 비위관 삽입을 통해 혈액성분이 없는 담즙을 확인하면 위십이지장 출혈을 배제할 수 있고 출혈이 있으면 세척을 한다. 출혈의 진단과 치료에는 내시경, 혈관 조영술, 개복술 등이 있다. 상부 위장관 출혈의 내시경적 진단율은 약 90%이며, 출혈의 원인 및 양상에 따라서 에피네프린 주사, 전기소작, 클립핑 등의 다양한 방법을 시도할 수 있다. 혈관 조영술은 내시경으로 원인을 찾지 못하거나 지혈에 실패한 경우에 시행하며, 출혈하는 혈관이 발견되면 젤폼Gelfoam, 코일 등으로 지혈을 시도한다. 적절한 내과적 치료에 효과가 없으면 수술적 치료가 필요하다. 보통 위를 절개한 후 혈액을 제거하고 출혈되는 부위를 봉합하여 치료가 가능하지만 위전절제술이나 위아전절제술 등이 필요할 수도 있다.

3) Clostridium Difficile 장염

(1) 병인

*C. difficile*은 항생제로 인해 정상 세균총이 소실된 후 증식하여 장염을 유발한다. 대부분 원내 감염에 의해서 발생하며 발병한 환자의 90%에서 항생제를 사용한 과거력이 있고, 환자의 70%는 2가지 이상의 항생제를 사용한 경우다. 또한, 항생제 사용 기간이 길수록 발생 빈도가 높아지는 것으로 알려져 있다. 환자의 면역력을 저하시키는 요인인 고령, 위산억제제, 위장관 수술, 면역억제제의 복용, 항암화학요법 등이 발병과 관련있는 것으로 알려져 있다. 클린다마이신clindamycin, 퀴노론quinolones, 페니실린 penicillin, 세팔로스포린cephalosporin 등의 광범위 항생제의 사용과 밀접한 관계가 있는 것으로 알려져 있다. *C. difficile*은 2종류의 강력한 외독소로 장염과 설사를 유발한다. 독소A는 장독소로 염증반응을 일으키고 점막손상을 유발한다. 독소B는 A보다 약 10배 더 강력하고 점막손상을 유발하여 특징적으로 위막을 형성시킨다.

(2) 진단

C. difficile 장염은 불현성 보균자부터 위막성 결장염, 독성거대결장까지 다양한 임상증상을 유발한다. 대부분의 환자의 경우 냄새가 고약한 설사를 호소하며 항생제를 사용하는 도중 또는 항생제 사용 직후 생긴다. 경증의 환자에서는 복통, 발열 등의 전신 증상이 없는 경우가 있지

만, 중증의 경우 복부 산통, 압통, 탈수, 빈맥, 백혈구 증가 등의 소견을 보인다. 위막성 결장염은 점막손상이 생긴 후 단백질, 점액, 염증세포 등이 모여서 형성된 위막이 관찰된다. 진단 방법으로는 대변의 효소면역측정법 Enzyme Immune-Assay (EIA)이 가격이 저렴하고 신속한 진단이 가능하여 세포독성반응검사cell cytotoxic assay보다 널리 이용된다. 경증의 경우 대장 내시경상 점막부종 등의 비특이적 소견만이 관찰되며, 위막성 장염으로 진행하면 노란색이나 회백색의 플라크plaque인 위막이 관찰된다. 전격성 결장염은 *C. difficile* 장염의 가장 심한 형태로 복부 통증, 복부 팽만 등이 심해지며 전신 독성증상이 발생한다. 설사는 심해지지만 5–12%의 환자에서는 증상이 소실될 수도 있다. 독성거대결장은 결장의 확장과 심한 전신 독성으로 진단되며 복부 단순촬영상 소장의 확장과 공기 액체층이 보이며 점막하 부종에 의한 "thumb printing" 소견이 관찰된다.

(3) 치료

적절한 항생제 사용을 통한 예방이 가장 중요하다. 일단 발병이 되면 사용하고 있는 항생제를 중단하고, 항생제를 반드시 사용해야 할 경우 장염 발생률이 적은 항생제로 교체해야 한다. 장운동 억제제의 사용은 금기이며, 수액보충과 전해질 불균형을 조절하며 격리한다. *C. difficile*의 아포spore가 알코올에 내성이 있으므로 알코올을 포함한 손소독제 보다는 비누를 이용하여 세척하는 것이 권장된다. 약제 치료는 메트로니다졸metronidazole과 반코마이신 vancomycin을 약 2주간 투약한다. 수술적 치료는 독성 거대결장, 장천공, 약물적 치료에 반응하지 않는 경우 고려하며 대장아전절제술 및 회장루생성술을 시행한다.

6. 신장, 비뇨기계 합병증

1) 요폐

(1) 병인

소변이 차있는 방광을 비울 수 없는 경우를 요폐urinary retention(소변 저류)라 한다. 수술 후 요폐는 수술 부위 통증이나 방광 기능과 관련된 신경 손상이나 자극, 요도의 기계적 폐쇄 등의 여러 원인에 의하여 생길 수 있다. 특히 60세 이상의 고령과 남성 환자에서 잘 발생하는 것으로 보고되고 있다. 요폐의 발생과 관련된 요인은 첫째 항문주위수술, 직장 및 골반 수술, 산부인과수술, 관절수술, 탈장수술 등 수술 종류의 영향, 둘째 뇌졸중이나 척수염 당뇨성 신경병증 등의 신경계통의 기존 질환, 셋째 항콜린작용약물이나 차단제, 교감신경유사약 등의 약물, 넷째 수술 중 투여된 수액의 양, 다섯째 수술 시간, 여섯째 척추마취 같은 마취 종류 등이 있다. 또한, 전립선비대증이나 요도협착 등의 기계적 폐쇄 등도 원인이 될 수 있다.

(2) 진단

요폐는 자율신경계 항진이나 감염 등의 합병증을 유발할 수 있으며 장기간 지속될 경우 방광 팽창에 의해 영구적인 방광 기능의 손상을 유발할 수 있어 조기에 발견하여 적절한 조치를 취해야 한다. 수술 후 배뇨가 되지 않고 환자가 하복부 불편감이 있을 때는 요폐를 의심해야 한다. 그러나 마취나 진통제 등에 의해서 증상이 발견되지 않을 수 있기 때문에, 반드시 치골 상부를 촉진하여 방광의 팽창 유무를 검사해야 한다. 도뇨관 삽입은 요폐의 진단과 치료를 동시에 시행할 수 있는 좋은 방법으로 요폐가 의심되는 경우 조기에 시행할 수 있다. 그러나 침습적인 방법이기 때문에 요도감염이나 요도외상 등의 합병증을 유발할 수 있다. 최근에는 초음파를 이용한 방광 내 소변량을 측정하는 방법이 많이 사용되고 있다. 이는 비침습적인 방법으로 빠르게 시행할 수 있고 실제 소변량과 잘 일치하는 것으로 보고되고 있으나 실제 소변량보다 다소 적게 측정되는 경향이 있어 주의를 요한다.

(3) 치료

수술 후 7시간 이상 배뇨가 되지 않으면 요폐를 의심해야 하며, 충분한 통증 조절과 신중한 수액 조절로 예방할

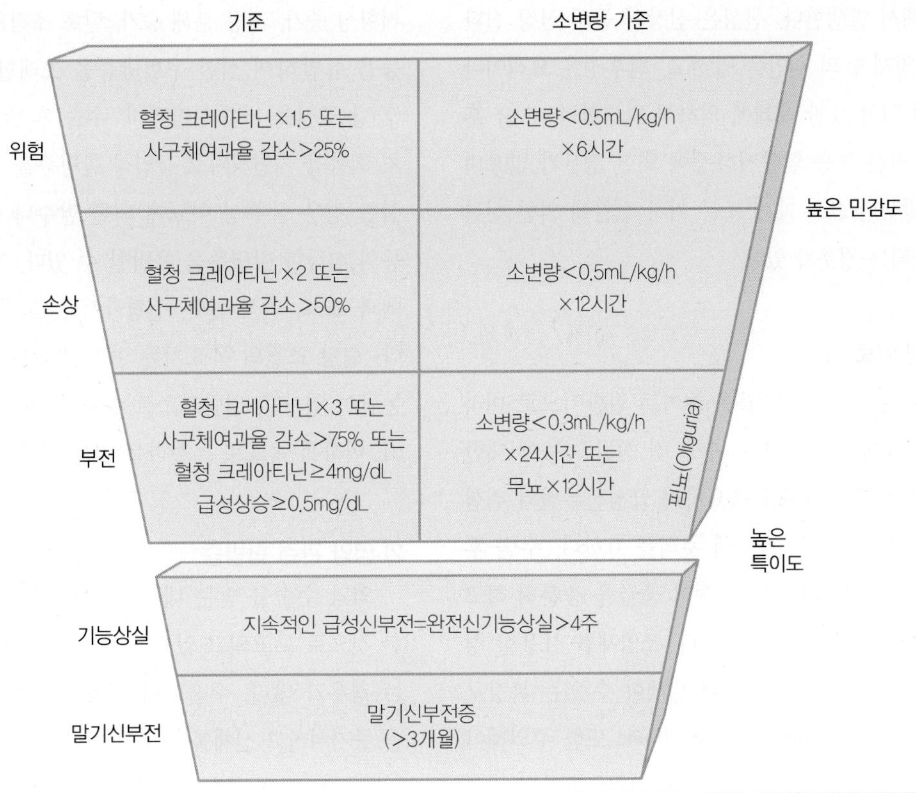

기준
소변량 기준
위험
혈청 크레아티닌×1.5 또는
사구체여과율 감소>25%
소변량<0.5mL/kg/h
×6시간
높은 민감도
손상
혈청 크레아티닌×2 또는
사구체여과율 감소>50%
소변량<0.5mL/kg/h
×12시간
부전
혈청 크레아티닌×3 또는
사구체여과율 감소>75% 또는
혈청 크레아티닌≥4mg/dL
급성상승≥0.5mg/dL
소변량<0.3mL/kg/h
×24시간 또는
무뇨×12시간
핍뇨(Oliguria)
높은
특이도
기능상실
지속적인 급성신부전=완전신기능상실>4주
말기신부전
말기신부전증
(>3개월)

그림 13-3 신부전의 단계

수 있다. 하지만, 요폐가 발생한 경우 빠른 방광 감압이 중요하며 이를 위해 청결한 간헐적도뇨Clean Intermittent Catheterization (CIC) 또는 도뇨관을 삽입해야 하며 필요 시 치골상부에 배뇨관을 삽입할 수도 있다. 도뇨관 삽입 기간은 환자의 여러 요인들을 평가하여 결정해야 한다. 약물로는 alfuzosin, tamsulosin 등의 알파차단제가 도움이 될 수 있으며 전립선비대증이 동반된 경우에는 finasteride, dutasteride 등의 5α-환원효소억제제reductase inhibitor를 사용할 수 있다.

2) 급성신부전

(1) 정의

수술 후 급성신부전acute renal failure은 여러 원인으로 인해서 갑작스런 신기능이 감소되어 요소와 질소폐기물의 배설장애 및 혈장과 전해질 조절장애를 초래하는 질환군으로 높은 사망률을 보이는 심각한 합병증이다. 과거 혈청 크레아티닌의 변동에 따라 진단하였으나 이는 정량적인 측면에서 부정확한 문제가 있었다. 이에 2004년 Acute Dialysis Quality Initiative (ADQI)에서는 급성신부전을 혈청 크레아티닌의 변동과 소변량의 변동에 따라 위험risk, 손상injury, 부전failure, 기능상실loss, 말기신부전end stage kidney disease의 5단계로 나눈 RIFLE criteria를 정하여 정의하였다(그림 13-3).

(2) 병인

핍뇨성과 비핍뇨성 신부전으로 구분할 수 있다. 핍뇨성은 하루 소변량이 480mL 이하일 경우이고 비핍뇨성은 하루 2L 이상의 소변을 배출하지만 혈액내의 독소를 제거하지 못하는 상태를 말한다. 급성신부전의 병인에 따라서 전신성, 신성, 신후성으로도 구분한다. 전신성의 가장 많은 원인은 출혈이나 탈수 등에 의한 혈량저하증이며 이외에 심부전에 의한 심박출량 감소, 패혈증, 약물, 간신증후군 등에 의해서 발생한다. 신성은 신장염 등의 신장 질환과 약물, 조영제 등의 원인을 말하고, 신후성은 요석이나 기타 원인에 의한 요관 폐쇄에 의하여 발생한다. 수술 후 생기는 신부전은 보통 혈량저하증에 의한 경우가 많으며 수술 중에 발생한 요관 폐쇄 또는 기저 질환에 의한 신장 병증이 악화되는 경우가 있다.

(3) 예방 및 치료

급성신부전은 높은 사망률을 보이는 질환이므로 미리 예방하는 것이 매우 중요하다. 수술 전 신장 기능에 대한 충분한 병력 청취와 검사가 필요하며 급성신부전의 위험성이 높은 경우 수술 후 관리에 주의를 요한다. 수술 후 혈량저하증이 발생하지 않도록 수액 공급을 충분히 하고 신독성 약물의 사용을 피해야 한다. 조영제를 사용할 경우 충분한 전처치를 한다. 수술 후 발생할 수 있는 복강구획증후군abdominal compartment syndrome 또한 주의해야 한다. 소변량이 감소하고 혈청 크레아티닌이 증가된 경우 발생 원인을 분석하여 이를 빨리 교정하도록 노력한다. 원인 감별을 위해 혈장과 뇨중의 삼투압, 나트륨, 요소, 크레아티닌 수치가 도움될 수 있으며 FeNa (fractional excretion of sodium) 수치도 참고할 수 있다. 갑작스럽게 소변량이 감소하는 경우는 도뇨관의 이상 여부도 반드시 점검해야 한다. 신부전이 발생한 경우 원인을 교정해주고 수액 치료와 전해질 균형을 잘 유지해야 한다. 여러 보존적 치료에도 불구하고 소변량 감소, 전해질 불균형, 산염기 장애, 요독증 등이 지속되는 경우 투석을 고려해야 한다.

7. 영양 및 대사 관련 합병증

1) 수술 후 혈당 조절

수술이나 전신마취는 신경내분비계의 스트레스 반응을 유발함으로써 에피네프린이나 글루카곤, 코티졸 등의 호르몬과 여러 염증 관련 물질들의 분비를 유발한다. 이러한 신경내분비계의 변화는 인슐린 분비 감소와 인슐린 저항성 증가, 지방 분해 증가, 말초 조직의 당 이용도 감소 등을 유발하여 심한 고혈당증을 초래할 수 있으며 수술 후 당 조절을 어렵게 만든다. 수술 후 발생한 고혈당은 상처 회복을 지연시키고 감염성 합병증을 증가시킬 수 있다. 심한 경우 삼투성 이뇨에 의한 탈수나 당뇨성 케톤산증 등의 심각한 합병증을 유발할 수 있다. 저혈당 또한, 부정맥과 쇼크, 의식 변화, 신경학적 손상 등을 유발할 수 있다. 혈당 조절의 목표치는 여러 가이드라인 마다 다르고 논란이 있지만, 일반적으로 수술 후 환자는 180-200mg/dL 이하를 목표로 조절하는 것을 권고하고 있다.

2) 영양 관련 합병증

외과 수술을 받는 대부분의 환자의 영양 상태가 부족한 것으로 보고되고 있으나 실제 임상에서는 이를 간과하는 경우가 많다. 수술이나 외상은 단백질과 영양 요구량을 증가시키고 신체를 과대사 이화상태hypermetabolic catabolic state로 변하게 하여, 영양 부족 상태를 더욱 악화시킨다. 영양 부족은 수술 후 회복 과정을 지연시키며 면역기능을 저하시켜 감염 위험성을 증가시키는 등 여러 대사적 문제점을 야기할 수 있다. 그러므로 외과 환자의 경우 수술 전 영양 상태를 평가하여 최적의 영양 공급을 하는 것이 수술 후 합병증을 줄이는 데 중요하다. 환자의 영양 상태 평가는 질병과 식이에 대한 조사와 신체 검진 등을 통해 이루어진다. 혈중 알부민albumin, 트랜스페린transferrin, 알부민전구체prealbumin, 전해질, 요소, 혈색소, 특정 비타민 수치 등의 측정도 도움이 될 수 있다.

8. 혈액학적 합병증

1) 감염

수혈에 의한 감염의 원인은 다양하다. 말라리아, 매독, *Staphylococcus aureus*, *Staphylococcus epidermidis* 등의 원충 또는 세균성 감염과 간염, *Epstein-Barr virus*, *CMV*, *HIV*, *HTLV* type I, *HTLV* type II 등의 바이러스 감염이 있다. 전염성 간염은 수혈에 의해 발생하

는 가장 중요한 합병증으로 수혈 후 감염 발생률이 10%까지 보고되었으나 최근에는 항체검사를 통하여 0.01% 이하로 감소하였다. 감염원은 공여자의 혈액, 피부, 혈액 채취자의 피부, 혈액 부산물 제조 당시의 환경 등 다양하다. 세균성 감염을 예방하기 위해서 감염성 질환의 증거가 있거나, 24시간 이내에 발치한 경우는 공여자가 될 수 없다. 혈액 채취 시 정맥천자 부위의 소독, 혈액 저장시간의 단축, 자외선을 이용한 살균 처리를 시행한다. 수혈 후 발열, 오한, 저혈압 등이 발생하면 세균성 감염을 의심할 수 있으며, 세균 배양 검사를 시행하고 패혈증에 대한 적절한 치료를 해야 한다.

2) 수혈반응

수혈반응은 24시간 이내에 발생하는 급성 반응과 24시간 이후에 발생하는 지연성 반응으로 구분한다. 급성수혈반응은 ABO 부적합성으로 수혈받는 환자의 항체에 의해서 적혈구가 파괴된다. 대부분 혈액 관리자의 실수에 의해 발생하므로 예방이 가능한 가장 중요한 합병증으로 600,000단위당 1회의 빈도로 발생한다. 대부분 O형의 환자가 다른 형의 혈액을 공급받았을 때 발생한다. 공여자의 항원이 이미 형성되어 있는 환자의 anti-A와 anti-B의 반응에 의해서 급속한 혈관내 용혈, 범발성 응고장애, 쇼크, 급성신부전이 발생한다. 또한, 발열, 오한, 통증, 저혈압, 혈색소혈증, 혈색소뇨증 등의 증상을 관찰할 수 있다. 수혈 시 발열이 생기면 급성 수혈반응을 고려하여야 하며, 의심되면 수혈을 중단한 후 혈액제제와 환자의 라벨을 비교하고 교차 시험을 반복한다. 치료는 기도를 확보하고 혈압, 맥박 등을 관찰하면서 생리식염수를 이용하여 수액 보충을 시행하고 반대쪽 팔에 정맥혈관을 확보한 후 항글로불린(Coomb's test), 자유혈색소, 교차 시험을 시행할 혈액을 확보한다. 급성수혈반응으로 진단되면 급성신부전이 발생하지 않도록 수액보충을 통해서 신장 혈류를 유지하여 소변량을 확보하고 혈압 상승제의 투여, 혈액 내 칼륨 농도와 심전도의 관찰 등이 필요하다. 지연성용혈반응은 수혈 후 5-10일 이후에 발생하며 260,000 수혈 당 1회의 빈도로 발생한다. 수혈 후 외부 적혈구에 반응하여 생성된 기왕성항체anamnestic antibody에 의해서 발생하기 때문에 수혈 전 검사로 확인할 수 없다. 혈색소감소, 경한 발열, 혈액내 비결합빌리루빈의 증가 등의 소견을 보인다. 대량 수혈을 하지 않은 경우에는 대부분의 환자에서 추가적 치료는 필요 없다. 그러나 다시 수혈을 받아야 하는 경우에는 원인 항원이 포함된 혈액은 피하여야 한다. 수혈 시 가장 많이 발생하는 부작용은 열성 비용혈성 수혈반응이다. 수혈 후 1-6시간 후에 발열, 오한, 경한 호흡곤란을 호소하며 급성 용혈반응이나 감염성 질환 등과 감별하여야 한다. 환자의 항체가 공여자의 백혈구나 혈소판의 항원과 반응하여 발생하며 해열제 투여 등의 보존적 요법으로 치료한다. 과거에는 수혈 전 항히스타민, 아세트아미노펜 투여 등으로 예방이 가능하다고 알려졌으나 최근 연구에서 효과가 없다고 보고되고 있다.

3) 대량 수혈

대량 수혈은 24시간 이내에 환자 혈액량의 50% 이상을 수혈한 경우를 말한다. 저장된 혈액을 대량 수혈하는 경우 고칼륨혈증, 2,3 DPG의 증가, 함유된 구연산citrate에 의해 대사성알칼리증, 저칼슘혈증 등을 유발할 수 있다. 저장된 혈액은 산성이나 수혈 시 혈액내에 있던 구연산이 중탄산염으로 전환되기 때문에 신장 기능에 이상이 없는 한 대사성알칼리증을 발생시킨다. 구연산이 이온화된 칼슘과 결합하여 혈액내에 칼슘 농도를 감소시키게 되어 저칼슘혈증을 일으키고 저혈압을 유발할 수 있으나, 보통 정상 체온을 가진 성인에서 1단위의 혈액을 5분 이상 수혈하는 경우에는 대부분 발생하지 않는다. 그러나 선행된 간질환이 있거나 허혈에 의한 간손상이 있는 경우에는 저칼슘혈증의 위험도가 증가하기 때문에 칼슘 농도의 관찰이 필요하다. 급속 수혈을 시행할 경우 차가운 혈액이 심부 온도를 떨어뜨려 부정맥을 유발할 수 있으므로 주의해야 한다. 저장된 혈액은 적혈구내에서 칼륨이 유리되어 하루에 1mEq/L씩 증가하며 30mEq/L까지 증가할 수 있으나 수혈의 속도가 100-150mL/min을 넘지 않으면 증가된 칼륨은 세포 내로 유입되거나 소변 배설 등을 통하여 이동하기 때문에 고칼륨혈증을 유발하지 않는다. 그러나 영아 또는 신장 기능이 좋지 않은 환자에서는 고칼륨혈증을 유발할 수 있으므로 5일 이내의 혈액을 사용하거나, 수혈 전 혈액을 세척하여 세포외 칼륨 농도를 낮게 하여 수혈하는 것이 좋다. 농축적혈구에는 혈장과 혈소판이 없기 때문에 혈액응고장애를 발생시킬 수 있으며, 500mL의 실혈로 수혈하면 10%의 응고 단백의 손실이 발생하며 정상의 25%까지 떨어지면 추가적인 출혈이 발생할 수 있어서 신선동결혈장FFP의 수혈이 필요하다. 농축적혈구 수혈 후 예방적인 FFP의 수혈은 효과가 없으며 수혈에 따른 부작용만 증가시킨다.

9. 신경계 합병증

1) 수술 후 섬망장애

수술 후 섬망장애postoperative delirium는 갑자기 발생하는 인지 장애의 종류로 수술 후 흔히 발생하는 신경계 합병증 중 하나이다. 이는 수술 전 정신과적 또는 신경과적 질환이 있었거나 고령, 뇌혈관 질환, 알코올 중독 환자 등에서 잘 발생한다. 또한, 수술의 종류와 투여된 통증 완화제, 진정제 등의 약물과 관련이 있다. 중환자실 치료, 수면박탈 등과 같은 환경적인 요인 및 신장질환, 간질환, 내분비 질환 등의 기존 질환과도 연관성이 있다. 증상은 선행 요인이나 환자에 따라 다양한 양상을 보인다. 대부분의 환자에서 수술 후 초기에 발생하며 갑작스런 불안과 혼돈, 협조 불능 등의 증상을 보이며 감정 변화, 의식 변화, 인지 불능, 집중 장애, 환각 등의 증상을 보일 수 있다. 경우에 따라 정신적 행위와 운동 능력의 지연이나 우울증 증세를 보이는 경우도 있다. 섬망이 나타난 경우 신경학적 검사를 시행하며 반드시 대사적 이상이나 전해질 변화, 감염, 호흡 부전, 출혈 등의 다른 교정 가능한 임상적 요인이 있는 지 우선 검사해야 한다. 또한, 뇌혈관질환에서도 초기 증상으로 섬망을 보일 수 있으므로 감별 진단을 위해 뇌척수액 검사나 CT, MRI 등의 영상학적 검사가 필요할 수 있다. 섬망장애는 발생 전에 예방하는 것이 중요하다. 수술 전 평가를 통해 발생 가능성을 예측하고 위험성이 높은 환자의 경우 적절한 용량의 약물 사용과 통증 조절, 충분한 영양 공급, 환경 조절, 조기의 억제대 및 도뇨관 제거, 그리고 빠른 중환자실 퇴실과 조기 보행 등이 예방에 도움이 된다. 섬망의 증상을 보일 경우 선행 요인에 대한 검사를 시행하고 교정 가능한 요인을 교정하여준다. 다른 원인이 없을 경우 충분한 대화를 통해 환자를 안심시키고 가족들과 함께 있도록 배려해야 하며 충분한 수면을 이룰 수 있도록 도와주어야 한다. 증상이 심하거나 지속될 경우 haloperidol이나 신경이완제neuroleptic가 도움이 될 수 있으며 benzodiazepine 계열의 약물도 사용할 수 있다.

2) 발작

발작seizure은 대뇌 피질의 발작적 전기적 신호의 교란으로 인한 것으로 뇌종양이나 뇌혈관질환 같은 뇌의 기질적 이상으로 발생할 수 있으며 중추신경계 감염, 패혈증, 저산소증, 전해질 장애, 대사 장애, 약물 등에 의해 발생할 수도 있다. 또한, 기존에 발작의 기왕력이 있는 경우 수술에 의해 약물의 투약이 중단된 경우 발작의 위험성이 높아진다. 발작은 여러 가지 신경학적 증상을 보이며 돌발적인 의식상실, 경련, 정신 또는 감각 장애 등을 보일 수 있다. 대발작generalized tonic clonic seizure의 경우 온몸의 근육이 수축하는 긴장기와 수축과 이완을 빨리 반복하는 간대기가 이어진다. 소발작absence seizure은 특별한 증상 없이 특징적인 의식손실만 보인다. 발작이 발생한 경우는 원인을 찾기 위해 자세한 병력조사와 신경학적 검사를 시행하고 약물 복용여부에 대하여 조사를 한다. 대사적 이상여부를 알기 위해 기본적인 혈액검사를 시행하고 새롭게 발생한 발작인 경우는 기질적 문제를 배제하기 위해 CT나 MRI 등의 영상검사를 시행한다. 또한, 발작 후 의식이 혼미한 경우는 경련중첩증status epilepticus 여부를 감별하기 위해 뇌파검사를 시행할 수 있다. 발작이 생기면 우선 의식 유무를 살피고 발작을 멈추게 하기 위해 벤조

디아제핀benzodiazepine 계열의 약물인 로라제팜lorazepam 4mg 또는 디아제팜diazepam 10mg의 정맥 투여를 준비한다. 대부분의 대발작은 1-2분 내로 멈추지만 지속될 경우 약물 투여를 추가한다. 기도 확보와 흡인을 주의해야 하며 발작에 의한 신체적 손상이 발생하지 않도록 주변을 정리하고 주의 깊게 살펴야 한다. 이때 억제대를 하지 않는 것이 좋다. 발작을 하고 있을 때 발작의 양상을 정확히 살피는 것이 발작 원인의 규명에 매우 중요하다. 이후 혈압이나 산소포화도, 심전도 등을 모니터링 한다. 환자가 의식 회복이 없이 2번 이상 발작을 하거나 5분 이상 발작을 할 경우 로라제팜 0.1mg/kg을 두 번까지 정맥주사 하고 이후에도 발작이 지속될 경우 경련중첩증을 의심하고 신경과 전문의와 상의하여 항경련제를 즉시 투여해야 한다. 발작이 멈춘 후에는 원인에 대한 검사를 시행하여 교정하도록 노력하고 발작의 재발을 막기 위해 항경련제의 투여를 시작하는 것이 좋다.

3) 뇌졸중

뇌졸중은 허혈성뇌혈관질환과 출혈성뇌혈관질환으로 구분하며 수술 후 발생하는 뇌졸중은 허혈성뇌혈관질환인 경우가 많다. 수술의 종류에 따라 위험도가 다르며 특히 경동맥수술 같은 혈관 수술 후 발생 빈도가 높다. 또한, 고령, 뇌졸중의 과거력, 동맥경화성질환이 있는 환자의 경우 위험도가 높다. 수술 중 또는 수술 후 발생한 저혈압이나 저산소증이 뇌졸중 발생과 관련이 있다. 대부분의 경우 갑작스런 국소적 운동장애나 정신상태 변화, 언어상실, 무반응 등의 증상을 보이며 출혈성뇌졸중은 더 심한 임상 소견을 나타낸다. 임상적으로 뇌졸중이 의심될 경우 빠른 시간 내에 CT나 MRI 등의 검사를 시행하여 허혈성 또는 출혈성 뇌졸중 발생 여부를 감별해야 한다. 또한, 발생 원인을 찾기 위해 혈액검사와 심초음파 검사, 경동맥 초음파 검사, 뇌혈관조영술 등을 고려해야 한다. 허혈성뇌졸중의 경우 항응고제 치료를 통해 재발을 막아야 하며, 발생 초기일 경우 혈전용해술을 시도하여 뇌 손상을 감소시킬 수 있으나 수술 부위 출혈 위험성을 평가하여 결정하여야 한다. 뇌압 상승이 의심될 경우는 만니톨mannitol이나 덱사메타손dexamethason을 투여할 수 있다. 출혈성뇌졸중의 경우 고혈압을 조절하고 응고장애가 있는 경우 교정하며 수술적 치료와 중재적 치료를 적극적으로 고려해야 한다.

10. 기타 전신 합병증

1) 코피

백혈병, 혈우병, 과다한 항혈전제 사용, 고혈압환자 등에서 발생할 수 있다. 전방 및 후방 출혈로 분류되며 전방 출혈은 종종 비위관이나 기관삽관 중 비중격, 비갑개의 외상이나 열상에 의해 발생한다. 전방 출혈은 대부분 엄지와 검지를 이용해 비익nasal ala을 3-5분간 압박하면 멈춘다. 종종 10-15분간 거즈를 충전packing할 수 있다. 후방 비중격 출혈의 경우 종종 생명이 위험할 수도 있고 전방 출혈 때 쓰는 방법으로 지혈이 잘 안된다. 후중격에 거즈를 충전해야 하며 도뇨관에 30cc 풍선확장balloon 한 후 당기는 방법도 쓸 수 있다. 이런 보전적인 방법으로 지혈이 안 될 경우 sphenopalatine artery나 anterior ethmoidal artery의 결찰이 필요하다.

2) 급성 청력손실

수술 후 비교적 드문 현상이다. 즉각적인 청력손실 정도를 파악해야 하며 한쪽 청력손실은 일반적으로 비위관이나 영양관feeding tube에 의한 막힘이나 부종 때문에 발생할 수 있다. 양쪽 청력손실은 신경계 질환이 원인이며 일반적으로 aminoglycosides나 이뇨제 등과 같은 약물의 사용과 관련이 깊다. 이경으로 특별한 소견이 없다면 앞에 언급한 신경계 손상을 의심해야 하고 관련있는 약물을 즉각 중단하여 2-3일간 청력회복 여부를 관찰해야 한다.

3) 부비동염

부비동염을 치료하지 않을 경우 뇌농양이나 안구후부에 봉소염, 폐렴 등이 발생할 수 있다. 비기관지관nasotracheal tube을 통해 인공호흡기 치료를 받은 환자 및 비위관이나 영양관에 의한 부종, 항생제 치료받은 환자가 고위험군에 속한다. 진단이 되면 비관nasal tube을 제거하고 항울혈제 사용 및 *Stapylococcus aureus*나 *Pseudomonas* 균종에 맞은 항생제를 투입해야 한다. 약물치료로 실패할 경우 수술적 배농을 시행해야 한다.

4) 이하선염

침분비량이 적고 식사량이 적은 환자나 구강위생이 불량한 환자에서 대부분 발생한다. 당뇨나 면역 저하된 환자에서 감염이나 샘관이 막혀 발생하기도 한다. 증상은 침샘주변의 부종과 동통 및 혀 밑의 부종을 호소한다. 치료하지 않을 경우 패혈증까지도 발생할 수 있다. 심한 경우 염증이 중격동까지 파급되어 기관지 폐쇄를 초래하기도 하고, 연하곤란과 호흡곤란을 유발할 수도 있다. *Stapylococcus*에 맞는 고용량의 광범위 항생제를 투입해야 하며 농양이 형성되면 절개 및 배농도 필요하다.

요약

수술 후 발생하는 전신 합병증은 전신 기관에 걸쳐 다양하게 나타날 수 있다. 신경계 합병증은 수술 후 섬망장애, 발작, 뇌졸중 등이 있으며 수술 자체에 의해 발생할 수도 있으며 동반된 전신질환에 의한 경우도 있으므로 위험인자가 있을 경우 교정 가능한 위험 인자를 미리 교정하는 것이 중요하다. 수술 후 발생하는 폐합병증은 가장 흔한 합병증으로 무기폐, 수술 후 폐렴, 급성호흡부전증후군, 폐색전증 등 다양한 양상으로 나타난다. 다른 합병증과 마찬가지로 예방이 중요하며 빠른 진단과 치료를 위해 노력해야 한다. 순환기계 합병증은 맥박 이상 질환, 급성심근경색, 스트레스성심근병증 등이 있으며 심장 전문의와의 긴밀한 협조가 필요하다. 위장관계 합병증은 장폐색, 장출혈, *C. difficile* 장염 등이 있고, 대부분 수술적 치료를 요하지 않지만 증상을 철저히 관찰하여 수술이 필요할 경우 지연되지 않도록 주의해야 한다. 그 외에 환자의 영양 불균형의 교정과 당 조절 등이 수술 후 합병증을 감소시킬 수 있으며 수혈에 따른 다양한 합병증에 대해 적절한 대응을 할 수 있도록 준비하는 것이 중요하다.

II 특정 부위의 수술과 연관된 합병증

1. 위장관 수술의 합병증

1) 장루 합병증

장루는 대장, 직장, 소장 그리고 비뇨기과적 질환에서 널리 쓰이는 치료이다. 회장루, 대장루 또는 요관루 등을 일시적 또는 영구적으로 설치한다. 수술 중 조성한 장관루에 발생하는 문제들로는 피부 미란, 출혈, 함몰 및 괴사 등을 들 수 있다. 주로 기술적인 문제로 인해 생기는 합병증일 경우가 대부분이므로, 술기의 확실한 적용이 중요하다.

허혈성 괴사는 장루 구멍이 좁거나, 장루조성 장관의 혈관손상, 또는 장간막의 긴장에 따른 장 말단의 혈류 공급의 장해로 발생한다. 장루 탈출증은 발생 빈도가 높다. 이로 인해 불완전한 대변의 우회나 장루 적응도에 방해, 대변의 누수 또는 폐색, 감돈을 유발할 수 있다. 장루 주변부 탈장 또한 높은 빈도를 보인다. 장루 주변부 루fistula

는 종종 크론병의 증상이거나 장루 성숙을 위한 깊은 결찰, 기구에 의한 외상에 의해 발생하기도 한다. 보호판의 큰 구멍이나 잘 맞지 않는 보호판에 의해 형성된 개구부 유출액 때문에 화학적 피부염이 생기기도 한다. 이때는 장루장치로 인한 알러지 반응과의 감별이 필요하다.

대부분의 장루 합병증을 예방하기 위해서 완벽한 수술기술은 절대적이다. 응급상황이나 비만, 장팽창, 짧은 장간막 등과 같은 어려운 시술에서 장루의 긴장을 없애기 위해 근막 장루는 크게, 장은 최대한 유동적이게, 회결장 동맥과 아래 장간막 동맥은 원래대로 나누어져야 한다. 입구는 장간막에서 만들어져야 하고, 장루는 피하지방이 적은(배꼽 위) 곳에서 조성한다.

2) 문합부 누출

문합부 누출은 주로 술기적인 문제로 인해 발생하지만, 실제로 기술적 결함 이외에 누출의 위험성을 증가시키는 여러 가지 원인요소들이 있다. 암수술에 있어 술전에 항암화학요법, 방사선 치료를 받은 경우 누출의 가능성이 커지며, 고령, 영양불량, 비만, 쇼크 상태에서의 수술, 흡연, 스테로이드 치료, 혈액응고장애 질환 등이 있을 때도 누출의 위험성이 증가한다. 따라서 각각의 원인들 중에 교정할 수 있는 부분은 미리 치료하여야 한다. 문합부 누출을 예방하기 위한 술기적인 중요한 원칙으로는 ① 문합부의 긴장을 피할 것, ② 문합된 장 양면의 혈액 공급이 좋은지 확인할 것, ③ 장막과 장막간의 봉합 시 장 가장자리가 내반된 단면을 꼭 막고 새지 않게 할 것, ④ 패혈증, 오염을 피할 것, ⑤ 하부 장폐쇄를 피할 것 등이 있다. 특히 수술 초기에는 문합부의 견고함이 중요하고 이는 주로 봉합 혹은 기계봉합stapling의 기술에 좌우된다. 따라서 액체나 공기가 새지 않을 정도의 문합을 하여야 한다. 장내의 압력 또한 누출과 관련되므로, 장 내 압력을 줄이는 노력을 하여야 한다. 술 전 장세척은 없어지는 추세지만, 수술 도중에 분변이 오염되는 위험성이 예상되거나, 문합에 방해될 가능성이 있다면 고려하는 것이 바람직하다.

문합부위에 따라 누출의 위험도가 다르다. 소장, 회결장, 회직장 문합은 비교적 안전하지만, 식도, 췌장, 대장, 직장, 결장 문합은 누출의 위험이 훨씬 크다. 식도에서는 장막의 결핍이 원인이고, 췌장에서는 췌장의 경도와 췌장관의 크기가 관련된다. 응급 장수술은 패혈증이나 문합 누출 부분 때문에 높은 사망률을 보인다. 이것은 환자의 열악한 영양 상태나, 면역저하 상태, 복강내 오염, 패혈증의 존재와 관련이 있다. 비만은 자체로 수술의 난이도를 높여 수술 후 합병증이 증가하고, 누출률도 증가한다. 특히 직결장 문합부 누출의 중요한 인자이다. 스테로이드는 창상치유에 필수적인 growth factor-β와 insulin-like growth factor의 생성을 감소시키고 콜라겐 합성을 감소시킴으로써 치유에 영향을 미친다.

문합누출이 발생하면 치명적인 상황을 초래한다. 패혈증과 장누공을 초래하며 재수술과 영구적 장루를 야기하고, 치료적 암 절제 후의 국소 재발률을 증가시켜 사망에 이르게 할 수도 있다. 문합누출의 초기 경고신호는 권태감, 발열, 복통, 장폐색증, 수술절개부위주변의 홍반, 백혈구 증가 등이다. 장폐색과 장경화와 복벽의 홍반도 역시 발생할 수 있다. 더불어 환자는 공기뇨, 대변뇨와 농뇨를 경험할 수도 있다. 패혈증은 문합누출의 현저한 특징이며 광범위 복막염이나 국소농양, 복벽감염 또는 장내용물로 인한 오염 결과이다. 문합누출이 예상되거나 진단되면 즉시 치료를 시작한다. 만약 빈혈이 존재한다면 수액과 혈액수혈을 통해 보충하고, 장 내 내용물 감소나 소화기 자극 분비를 줄이기 위해 금식을 한다. 만약 폐쇄증상이 존재한다면 비위관을 삽입한다. 감염된 외과적 창상은 배농하고 복벽농양은 절개 후 배액 시킨다. 만약 범발성 복막염, 복강내 출혈, 장허혈, 주요 창상파열 시에는 재수술을 시행한다. 누출부의 일차 봉합은 실패가 있을 수 있기 때문에 피하고, 소장, 직장, 결장의 누출 문합의 관리는 오염의 정도와 기간, 장의 상태, 환자의 혈역학적 안정성에 따라 결정한다.

3) 창자샛길(누공)

누공이란 정의상 2개의 내부 장기의 비이상적 소통 내

지는 내부 장기와 피부 밖으로의 소통을 의미한다. 위장관 누공은 발달 과정에서 생기는 것과 후천적으로 생기는 것으로 나눌 수 있다. 대부분은 수술, 외상 등에 의해 생기는 후천적인 것이 대부분이다. 수술 후 생기는 대부분은 문합부의 실패 혹은 장관의 손상 후에 생기지만, 크론병, 방사선 장염, 심한 염증으로 인해 생기기도 한다.

누공의 심각성은 외과적 해부와 생리에 좌우된다. 해부학적으로 누공은 위, 십이지장, 소장, 대장에서 기원할 수 있다. 누공의 통로는 장의 다른 부위 또는 다른 속이 빈 장기를 침식하여 내누공을 형성할 수 있고 체표면 또는 질을 침범하여 외누공을 형성할 수 있다. 생리적으로 누공은 24시간 방출량에 근거를 두고 고배출high output, 저배출low output로 구분할 수 있다. 이의 차이에 대한 정의는 200-500mL/24hr로 다양하다.

패혈증은 수술 후 장누공의 저명한 양상이고 25-75%의 증례에서 나타난다. 누공을 통한 장내용물의 소실로 인해 저혈량증, 탈수증, 전해질과 산염기의 불균형, 단백이나 원소의 소실, 영양부족 등이 초래된다. 위십이지장 그리고 소장의 근위부의 누공은 고배출성이고 체액소실, 전해질 불균형, 흡수불량이 심하다. 원위부 소장 그리고 대장의 누공은 저배출성이고 탈수증상, 산염기 불균형, 영양부족 등이 비교적 적다. 피부나 창상에 누공이 형성된 경우 장내용물의 자극으로 인해 피부염, 자극, 궤양, 염증 등을 유발한다.

과거에는 장내용물의 흡인과 조기 수술을 통하여 치료하였지만, 최근 보고들에 의하면 환자 상병률과 사망률을 증가시키고 높은 재수술률을 보여 효과적이지 않음이 증명되었다. 따라서 최근에는 우선적으로 외과의사가 영양사, 장루관리사, 영상의학과의사, 소화기내과의사와 협력하여 내과적 치료를 시행하여 자연적으로 치유되도록 유도하고 있다. 이를 통해 40-80%는 자연 치유가 되지만 30-60%에서는 재수술이 필요하다.

일단 누공이 형성되어 장내용물의 누출이 시작되면, 우선적으로 누출량과 누출 원인 부위를 진단하여 적절한 수액 보충, 전해질 보충, 영양 관리를 시작해야 한다. 이때, 금식을 시켜 장내용물의 양을 감소시킨다. 염증이 동반된 경우에는 광범위 항생제를 정주하여야 한다. H2 antagonists이나 proton pump inhibitors의 치료는 누공의 배출량을 감소시킨다. 모든 구멍과 누공으로부터의 배출량의 정확한 측정은 용액균형을 유지하는데 있어서 매우 중요하다. 지속적인 패혈증은 사망의 주된 요소이기 때문에 패혈증을 일으킬 수 있는 모든 요소의 효과적인 조절이 중요하며, 감염된 수술적 창상은 절개하여 배액하고, 복강내 오염은 경피적 또는 수술적으로 배액한다.

장누공 치료에 있어 좋은 결과를 가져오는 가장 중요한 요소 중 하나는 영양이다. 전해질 불균형 교정과 수액 보충 후 조기 종합비경구 영양요법Total Parenteral Nutrition (TPN)을 시작해야 한다. 종합비경구 영양요법은 배출량을 감소시키고, 음성질소평형을 제거하고, 회복속도를 빠르게 하며 패혈증이 조절된 후 치유속도를 개선시킨다. 소마토스타틴 유사체는 장관배출을 감소시키고 장관운동을 억제함으로써 누공 치료에 도움을 준다. 경장영양은 소장과 대장의 외누공에서 소량 배출하는 환자에서 투여된다. 누공 주위 피부를 보호하기 위해 유출물이 옆으로 새는 것을 막아야 하고 장루치료사, 상처 관리팀을 조기에 합류시킨다. 진단 목적으로 누공조영술fistulogram, 방광경, 복부 CT스캔, 위장관 내시경 등을 시행한다.

패혈증이 조절되면, 외부 장누공을 가진 환자의 60-90%는 자연 치유가 되지만, 2cm 이하의 짧은 트랙, 다발성 트랙, 상피화된 트랙, 원인 장기가 십이지장, 위, 회장부위인 경우, 장 결손이 1cm 보다 큰 경우, 방사선 장염, 악성 종양관련, 크론씨 병, 원위부 장관 폐색이 있는 경우 등은 수술이 필요할 수 있다. 수술시기가 중요하며 이는 의사의 경험, 환자 전신상태와 누공의 외과적 구조를 고려하여 복벽이 부드러워졌을 때 시행한다. 수술은 누공 부분을 절제하고, 위장관계의 연결성을 복구하며, 복벽을 닫거나 재형성하는 것이다. 개복술한 절개는 일차적으로 닫거나, 합성물, 조직 이식편, 창상 진공 시스템을 이용하여 닫는다. 이 수술 후에 단순한 장누공은 수술 후 1주 후에 폐쇄되지만, 복잡한 장누공(예; 다른 장누공이나 큰 농양과 연결된 장누공, 파열된 창상의 기저부로 열린 장누공)은 수술 후 6-12개월 후 폐쇄된다.

경피적 치료, 창상 진공 장치, 내시경적 조직밀폐제tissue sealant, 돼지소장 점막하 조직을 이용한 치료와 같은 새로운 혁신적인 접근은 치료에 불응성인 경우의 치료나 장루의 치료가 지연되는 경우의 보조적 치료로 이용될 수 있으며, 몇몇 경우에서 성공적이다. 이러한 방법의 적응증과 적합성은 더 연구가 필요하다.

2. 췌장 수술 후의 합병증

1) 췌장루

췌장루는 췌장 손상 혹은 췌장 수술 후에 배액관을 통하여 아밀라아제가 다량으로 배액되는 경우를 의미한다. 이는 췌장-장관문합 후 치유실패로 발생하는 것과 문합과 관련 없이도 췌장 실질에서 누출되는 것을 포함한다. 수술 후 췌장루의 진단에는 각 센터마다 나름대로의 기준을 가지고 있으나, 통일되어 있지는 않다. Heidenberg와 Johns Hopkins 그룹에서 사용하는 기준은 수술 10일이 지나도 혈중 아밀라아제보다 3배 높은 농도로 하루 50mL 이상이 배액될 때로 정의하고, 이태리 그룹은 술후 3-4일째 혈중보다 3배 높은 아밀라아제가 하루 10mL 이상 배액 될 때로 정의한다. 일본 그룹은 수술 일주일째 혈중보다 3배 높은 아밀라아제가 포함된 배액이 있는 경우로 정의하고 있다. 최근 Postoperative Pancreatic Fistula: An International Study Group (ISGPF) 정의에 의하면 '수술 후 3일 이후 양에 상관없이 정상 혈중치의 3배 아밀라아제의 농도로 배액되는 경우'를 수술 후 췌장루로 정의하였으며, 이에 따라 A, B, C의 단계를 정하여 통일화할 것을 제안하였으니 참고할 만하다.

췌장문합이 포함된 수술이나, 췌장손상이 수술 중 의심되는 경우에는 수술 후 일정 간격으로 배액된 양과 아밀라아제 농도를 측정하여야 한다. 약 80%의 췌장루는 보존적 치료로 치료되며, 15%는 경피적 배액관 삽입이 필요하고, 5%에서는 심각한 합병증을 일으킨다. 옥트레오타이드octreotide가 배출량을 감소시켜서 치료에 도움이 된다는 보고가 있으나 역할에 대해서는 아직 더 연구가 필요하다. 역행성 담도췌장 조영술을 통해 스텐트를 삽입하는 것이 도움 될 수도 있다.

3. 간담도계 수술의 합병증

일반적으로 간기능 장애는 마취하 외과적 수술의 1%에서 나타난다. 빈도는 간, 담도계 및 췌장수술 그리고 문맥동정맥 문합을 행할 때 가장 크다. 또한, 간, 담도 수술은 외과 영역에서 합병증의 빈도가 높고, 정도가 심한 경우가 많으므로 합병증의 예상, 치료 등에 대해 정확한 숙지가 필요하다.

1) 출혈

간수술에 있어서 가장 높은 빈도를 차지한다. 간은 자체로 혈액을 많이 함유하는 장기에다 많은 혈관이 분포하고 있으며, 특히 문맥압 항진증이 있는 간경화 환자의 간절제 시에는 출혈이 많을 수 있다. 간실질의 절제 시에 출혈을 최소화할 수 있는 술기가 중요하다. 또한, 간수술 후 하대정맥, 간정맥, 부신정맥, 부신 등에서의 출혈이 있을 수 있으므로 수술 중 혹은 수술을 마치는 시점에서 반드시 확인하여야 한다.

2) 담관손상

간외 담관손상과 간내 담관손상으로 구분할 수 있다. 간외 담관손상은 주로 복강경 담낭절제술에서 손상의 빈도가 높다. 담관손상과 함께 사용한 클립이 빠지는 등의 원인으로 담즙이 누출 되는 경우도 생긴다. 절대적으로 해부학적인 구조를 꼭 확인한 후에 담낭관을 박리 절개하여야만 합병증을 막을 수 있다. 해부학적인 구조의 이상이 있거나 염증으로 인한 유착 등 복강경 수술을 방해하는 요소가 있을 경우에는 개복으로의 전환을 재빨리 고려해야 한다. 수술 후에 발견한 경우에는 역행성 담도 조영술을 통하여 배액관이나 스텐트를 삽입하여 경과관찰을 노려볼 수 있다.

간 내 담관의 손상은 노출된 글리슨지의 잘못된 조작으로 발생할 수 있으며 무분별한 응고 시도가 원인이 된다. 담관 확장을 유발하는 간흡충증, 담관 결석, 간문부 담관암 등에서 간절제술을 시행할 때는 담즙 누출의 여부를 잘 확인하여야 한다. 말초 담관에서의 담즙 누출은 보존적 치료로 대부분 호전되지만, 일차, 이차 분지와 같은 큰 담관의 손상이나 담즙성 복막염이 발생한 경우 재수술이 필요할 수 있다.

3) 공기 색전증

간 실질을 절제할 때 혈관의 옆면에 큰 구멍이 나거나 주요 혈관의 조작 시 겸자의 미끌림 등에 의해 순간적으로 공기의 유입이 생겨 폐동맥을 막아버리는 일이 생길 수 있다. 소량의 경우에는 큰 문제가 되지 않지만, 많은 양이 유입되는 경우 폐동맥 색전뿐 아니라 심방중격의 결손이 있는 경우에 심장 관상동맥이나 뇌혈류의 장애를 유발하여 심각한 상황이 될 수 있다. 우선은 술기의 안정성이 중요하지만, 의심이 되는 경우는 Trendelenberg 자세를 취하고, 중심 정맥관을 통하여 공기를 흡인하여야 한다.

4) 간부전

간수술 후 남은 간용적이 충분치 않으면 수술 후 조기에 혹은 석 달 이내에도 간부전에 빠질 수 있다. 또 다른 원인으로는 온허혈warm ischemia 시간이 길었거나, 중요 담관 폐색, 정맥로의 장애, 약제 등을 들 수 있다. 초기에 혈중 빌리루빈이 상승하고 응고 장애에 빠지게 된다. 보존적 치료에 반응하지 않는 다면, 현재로선 간이식 외에는 방법이 없다.

5) 복수

간경변증이 없더라도 주요 간수술 후, 간경변이 있는 환자에서 모든 복강내 수술에서 약 50% 이상에서 발생한다. 30% 이상의 간수술을 시행하는 경우 문맥압의 상승을 유발한다는 보고가 있다. 따라서 주요 간수술 후에는 spironolactone과 중심정맥압은 낮게 유지할 것이며, 알부민의 투여와 loop 이뇨제diuretics도 고려한다.

4. 내분비계 합병증

1) 부신기능저하

급성 부신기능저하adrenal insufficiency는 만성적으로 스테로이드호르몬 복용한 환자에서 갑자기 약물투여를 중단한 경우와 부신이 수술적으로 제거되거나 파괴된 경우(부신의 출혈, 괴사, 혈전)와 뇌하수체의 수술적 제거나 파괴된 경우에서 발생하고 심한 질병상태나 패혈증 상태에서 일시적으로 기능적으로나 상대적으로 급성 부신기능저하가 발생된다. 증상과 증후는 비특이적이다(피로, 쇠약, 체중감소, 식욕부진, 기립성어지럼증, 복통, 설사, 우울증, 저나트륨혈증, 저혈당, 호중구증, 성욕저하 및 감퇴).

과거력에 대한 조사를 통해 부신기능저하를 방지하는 것이 중요하며 만성적으로 스테로이드 호르몬 치료를 받았던 환자는 수술 전에 적절한 스테로이드를 투여 받아야 한다. 류마티스 관절염, 염증성장질환, 자가면역질환이나 장기이식 환자 같은 경우와 중환상태의 환자의 경우 마취유도 시에 100mg hydrocortisone을 투여 할 수 있다. 소수술의 경우 수술 후 유지 용량으로 투여하며 대수술의 경우 8시간 간격으로 100mg씩 환자의 상태가 안정되거나 합병증의 없을 때까지 투여 후 유지용량으로 유지한다.

2) Hyperthyroid Crisis

원인에 관계없이 갑상선호르몬의 비정상적인 증가로 발생하는 현상을 말한다. 갑상선호르몬은 특히 심혈관계에 영향을 많이 미친다. Thyroid crisis는 내과적 응급상황이다. Toxic adenoma나 toxic multinodular goiter 가진 환자에서 발생할 수 있으며 특히 그레이브스 병Grave's disease을 가진 환자에서 종종 발생한다. Thyroid crisis가 인지되지 않거나 적절한 치료가 없으면 20-50% 정도의 사망률을 가지고 있다. 갑상선기능항진증 임상증상은 신경과민, 피로, 심계항진, heat intolerance, 체중감소, 심방세동(노령환자), 안구돌출, 눈 주위 부종, 안구 처짐 등이며, thyroid crisis는 갑상선중독증상의 갑작스런 발현과 여러 기관의 기능부전, 고열증, 열과 관계없는 빈맥, 탈수, 중심신경계의 이상기능(섬망, 정신증, 발작, 혼수), 심장의 이상, 위장관계 및 간의 이상 등을 초래할 수 있다.

증상을 초래할 수 있는 이전 요인 등을 확인 및 치료하는 것이 중요하며 증상에 다른 여러 치료를 시행한다(수액, 산소공급, 진정제, 헤파린 주입, 스테로이드 투여, 해열제, b-blocker, PTU, 혈장교환 등).

3) 갑상선기능저하증

수술 후 이전 갑상선기증저하가 있었거나 심한 스트레스결과로 발생할 수 있다. 비교적 증상이 없으며 심한 경우 점액부종 및 혼수, 근반사 소실, 심혈관계 붕괴와 40-50%까지 사망할 수도 있다. 환자가 만성갑상선기능저하증으로 갑상선호르몬을 투여 받고 정상 갑상선 기능상태이면 수술 전 특별한 처치가 필요 없다. 다만, 증상 있는 만성갑상선기능저하증 환자는 정상 갑상선 기능상태로 될 때까지 수술을 연기해야 한다. 점액부종이나 심한 갑상선기능저하증 증상(심한 수술 후 저체온증, 저혈압, 호흡저하, 정신증, 둔감)을 보인다면 즉시 갑상선호르몬과 더불어 스테로이드를 투여해야 한다.

4) 항이뇨호르몬 부적절 분비증후군(SIADH)

만성 정상혈량 저나트륨혈증의 가장 흔한 원인이다. 저나트륨 혈증은 혈장 나트륨농도가 135mmol/L 미만일 때를 말하며 SIADH는 어떠한 처치를 하더라도 증가된 항이뇨호르몬이 교정되지 않는 상태를 말한다. 증상은 식욕억제, 구토, 메스꺼움, 둔감, 혼수 등이며 갑자기 발생 한 경우 발작, 혼수 및 사망에까지 이르게 할 수 있다. 소변삼투압이 혈장보다 높고 저장성의 저나트륨혈증, 소변에서 나트륨배출의 증가, 정상 신장기능을 보이며 부종이나 혈장부족이 없는 상태를 SIADH로 진단이 가능하다. 기저질환을 치료하고 과다한 수분섭취를 제한한다. 생리식염수 주입은 심한 증상을 가진 만성 SIADH나 발생한 지 3일이 되지 않은 경우 사용한다. 혈중 나트륨 농도가 125mmd/L이상이 될 때까지 시간당 0.5mmol 속도로 교정한다. 빠른 교정은 신경계의 영구적 손상도 줄 수 있다. furosemide같은 이뇨제도 불균형을 교정하는데 도움이 될 수 있다.

5. 동맥 수술 합병증

동맥 수술은 세심한 주의를 기울이더라도 생명이나 장기를 위협하는 합병증이 발생할 수 있다. 20세기 후반 들어 혈관 수술에 중요한 변화가 있었음에도 합병증의 발생은 이전과 특별한 차이가 없다. 궁극적으로 성공적인 수술 결과는 합병증을 인식하고 적절히 치료하는 것, 그리고 이를 피하는 것에 달려 있다.

1) 두개강외 경동맥

경동맥 내막절제술은 미국에서 가장 흔하게 시행되는 말초혈관 수술이다. 이 수술을 시행함에 있어 뇌졸중의 예방이 무엇보다 중요하다. 경동맥 내막절제술 후 뇌졸중의 발생률은 외과 의사에 따라 많은 차이가 있으며, 경험 많은 외과 의사는 합병률 및 사망률을 3-7% 정도로 보고한다.

(1) 조기 합병증

가. 심경색

심장 합병증은 경동맥 내막절제술 후 뇌졸중과 관련 없는 사망의 가장 흔한 원인이다. DeBakey 등은 수술 주기 심경색은 고혈압이나, 증상이 있는 관상동맥질환이 있는 환자에서 그렇지 않은 환자에 비해 3배 높다고 하였다. 심경색은 또한 경동맥내막절제술을 시행했던 환자에서 후기 사망의 가장 흔한 원인이다. 관상동맥우회술Coronary Artery Bypass Grafting (CABG)을 시행한 환자에서 경동맥 내막절제술을 시행한 경우 10년 생존율은 55%인데 반해 관상동맥질환이 있으면서 관상동맥우회술을 시행하지 않은 환자에서 경동맥 내막절제술을 시행한 경우 10년 생존율은 32%이다. 이처럼 경동맥내막절제술 후 심경색의 위험이 높기 때문에 많은 이들이 경동맥내막절제술과 관상동맥우회술을 함께 시행하는 것을 추천하고 있다.

나. 뇌허혈 또는 뇌경색

이 합병증은 내막절제술을 시행할 때 내경동맥 폐색과 뇌로의 불충분한 곁순환 혈류collateral flow에 의해 발생한다. 뇌허혈의 위험은 반대측 경동맥 폐색이 있거나 이전에 동측 뇌반구에 뇌졸중의 경험이 있는 경우에 증가한다. 수술 주기 뇌졸중의 두 번째 이유는 혈전이나 병변이 있는 경동맥 내의 죽상경화성 찌꺼기에 의한 색전이다. 이는 경동맥 박리, 겸자 조작, 수술 중이나 수술 직후 내막절제 부위에 결집된 혈전 등에 의한다. 경동맥 박리는 소위 "no touch technique"라고 불리는 최소한의 조작을 통해 시행되어야 한다. 또한, 내막절제술이 끝날 때 혈관 내강을 헤파린이 첨가된 증류수로 주의 깊게 세척하여야 하며 느슨한 내막이나 중막의 모든 조각들을 깔끔하게 제거하여야 한다. 수술 주기에 아스피린이나 기타 항혈전제의 사용은 내막절제를 시행한 혈관의 표면에 혈전이 침착되는 것을 감소시켜 준다. 경동맥 내막절제술 후 발생하는 뇌졸중의 세 번째 이유는 내경동맥에 발생하는 급성 혈전이다. 이는 대부분 느슨한 플랩 하방의 내막하 혈종이나 내막절제술의 근위부 또는 원위부 말단의 부적절한 절제에 의한다. 경동맥에 대한 뇌혈류 초음파는 급성 내경동맥 혈전증에 대한 전통적인 치료 방식에 변화를 가져오게 되었고, 뇌혈류 초음파에서 정상인 경우 즉각적으로 환자를 수술실로 이동할 필요가 없다. 최근에는 수술 중에 경동맥 뇌혈류 초음파를 뇌혈관 조영술에 비해 선호하는 경향이 있다. 내막절제술 후 발생하는 뇌졸중의 마지막 원인은 뇌출혈이다. 이는 전형적으로 경동맥 내막절제술 후 2-3일 후에 발생하며, 종종 심한 고혈압이 있는 동안에 발생하기도 한다. 수술 2-3일 후에 신경학적 결함이 발생하는 경우 뇌혈류 초음파나 혈관조영술을 시행하여 경동맥의 개통을 확인하여야 한다. 만일 심각한 경동맥 결함이 있는 경우 수술실에서 혈관을 복구하여야 한다. 경동맥이 정상인 경우 뇌 CT나 MRI를 시행하여야 한다. 뇌출혈이 있는 경우 예후가 불량하며, 개두술 및 혈종 적출이 필요할 수 있다.

다. 뇌신경 손상

경동맥 내막절제술 후 뇌신경 손상은 드물지 않게 발생하며, 39% 정도로 보고된다. 어떤 뇌신경 손상은 보통의 검사로는 발견하기 어려우며, 1/3에서 쉰 소리, 삼키기 어려움, 음성 변화와 같은 임상 증상이 나타나지 않는다. 가장 흔한 손상은 쉰소리를 야기하는 반회후두신경recurrent laryngeal nerve 손상, 손상이 있는 방향으로 혀편위tongue deviation와 저작의 어려움을 야기하는 설하신경hypoglossal nerve 손상이 있다. 반회후두신경 손상은 대개 견인기에 의한 동측의 미주신경vagus nerve 손상에 의한다. 그 외에 음성 피로를 야기하는 상후두신경 손상과 아랫입술 처짐을 야기하는 가장자리하악신경marginal mandibular nerve 손상이 있다. 보다 덜 흔하지만 아래쪽 귓불의 마비를 야기하는 대이개신경greater auricular nerve 손상, 척수부신경spinal accessory nerve 손상, 설인신경glossopharyngeal nerve 손상이 있다. 대부분의 견인에 의한 뇌신경 손상은 6개월 이내에 회복된다. 그러나 양측 손상은 심각한 장애를 초래할 수 있으며, 사망에 이를 수도 있다. 특히 양측 반회후두신경 손상이 있을 때 그러하다. 경동맥내막절제술을 시행하는 모든 환자는 수술 전, 후 주의 깊은 뇌신경 검사가 필요하다. 또한, 양측 경동맥내막절제술은 동시에 행하면 안 되고, 한쪽 수술 후 적절한 신경학적 검사가 이루어진 후 단계적으로 시행하여야 한다.

라. 출혈

경동맥내막절제술 후 발생하는 출혈은 많은 환자들이 수술 전에 아스피린과 같은 항혈전제를 복용하거나 수술 중에 헤파린으로 항응고 처치를 하는 것과 관련이 있다. 하지만, 혈종 제거나 지혈을 위해 재수술을 하는 경우는 1% 정도에 불과하다. 급성 호흡곤란이 일어날 수도 있으며, 침대에서 응급으로 기도 확보를 시행하거나 수술실에서 치료를 요하는 경우도 있다.

마. 고혈압과 저혈압

경동맥내막절제술 후 발생하는 고혈압과 저혈압은 여러 인자들과 관련이 있다. 저혈압과 서맥은 경동맥 박리 시 압수용체baroreceptor의 활동성 증가, 또는 단단한 죽상경화반atherosclerotic plaque 제거에 따르는 경동맥신경carotid sinus nerve의 자극에 따른 이차적 반응으로 여겨진다. 고혈압은 경동맥신경의 절단이나 동맥벽의 순응도compliance 변화로 인한 경동맥신경의 차단에 의한 것으로 여겨진다. 중증 고혈압은 19%에서 발생하며, 저혈압은 28%에서 발생한다. 이러한 혈압의 변화는 9%에서 신경학적 결함이 발생하는 것과 관련이 있으며, 정상혈압인 환자에서는 신경학적 합병증이 발생하지 않았다. 수술 후 고혈압은 만성 고혈압 환자에서 보다 흔하게 발생한다. 양측 경동맥내막절제술을 시행한 환자들은 특히 고혈압이 잘 발생하며, 그들은 저산소증에 대한 정상적인 보상호흡반응compensatory respiratory response이나 순환계반응을 상실한 것으로 보인다. 이러한 합병증의 잠재적 위험 때문에 고혈압 조절이 매우 중요하며, 경동맥 내막절제술에 대해 정규수술을 받는 모든 환자들에서 체액량 결핍의 교정이 필요하다.

(2) 후기 합병증

가. 경동맥 협착의 재발

증상이 있는 경동맥 협착의 재발은 3% 미만이지만 주의 깊은 비침습적인 추적검사를 시행한 경우 무증상의 재발률은 9-12%에 이른다. 2가지 형태의 재발성 경동맥 질환이 있는데 하나는 2년 이내에 발생하는 신생내막 과형성neointimal hyperplasia으로 평활근 기원의 간엽세포mesenchymal cell의 증식이 특징이다. 다른 하나는 2년 이후에 발생하는 죽상경화증의 재발이다. 고도의 협착이나 증상이 있는 재발성 경동맥 협착은 동맥조영술로 평가를 하고 치료를 하여야 한다. 재발성 경동맥 협착증에 대해 수술을 요할 수 있으며, 특히 첫 2년 이내에 발생한 경우 그러하다. 이러한 경우 혈관 주위에 심한 반흔이 있어 박리가 어렵다. 따라서 특별한 주의를 기울여, 뇌신경을 보호하도록 하여야 한다. 또한, 경동맥 절개 후 닫을 때 패치를 이용한 혈관성형술이 필요하다. ePTFE (expanded Polytetrafluoroethylene)이나 복재정맥을 이용하여 병변이 있는 경동맥을 대치하기도 한다. 경동맥 스텐트는 재발성 경동맥 질환의 치료에 있어서 재수술의 위험을 줄일 수 있는 방법으로써 이용되기도 한다.

나. 가성동맥류

경동맥내막절제술 후 가성동맥류false aneurysm의 발생은 매우 드문 합병증으로 0.05% 미만에서 나타난다. 동맥류 형성의 원인은 봉합부전suture line failure, 동맥벽 퇴행, 감염, 동맥 절개 부위에 패치를 이용한 경우 등이 있다. 경동맥 가성동맥류의 치료로는 복재정맥 패치나 정맥이식interposition vein graft으로 경동맥을 대치하는 방법이 있다.

2) 대동맥

대동맥 재건은 가장 흔하게 시행되는 혈관 수술 가운데 하나이며, 환자나 시술자에 따라 합병증과 사망률에 많은 차이를 보인다. 사회의 고령화와 혈관 내 대동맥류 수술은 대동맥 시술의 수적인 변화를 가져왔다. 복부대동맥류 수술에 대한 정규수술이나 응급수술과 관련한 사망률에 대한 기저질환의 중요성은 잘 알려져 있다.

(1) 수술 전 합병증

가장 심한 합병증인 천공의 위험도는 동맥류의 크기에 비례한다. 5년 내 천공률은 동맥류의 크기가 4.5cm 이하인 경우 9%, 4.5-7.0cm인 경우 35%, 7cm보다 큰 경우 75%에 이른다. 또한 동맥류의 직경이 매년 0.4cm 이상 커지는 경우에도 천공의 위험이 높다. 증상이 없는 동맥류라 하더라도 크기가 5cm 이상인 경우 환자의 상태가 수술을 받기 어려운 상태라면 지켜 볼 수도 있겠지만 수술을 받을 수 있는 상태라면 선택수술이 원칙이다. 또한 원위부 동맥으로의 색전증, 급성 혈전성 폐색, 감염, 소모성응고장애consumption coagulopathy, 대동맥-장 누공으로 인한 위장관 출혈, 대동맥-대정맥 누공 등을 예상할 수 있다.

(2) 수술 후 합병증

가. 급성심근경색증

혈관질환으로 인한 경동맥, 대동맥, 사지동맥 수술 후 가장 위험한 합병증 가운데 같은 혈관 계통 질환인 관상동맥 질환이 가장 흔한 사망 원인이며, 약 7%에서 동맥류 수술 후 2일 이내에 발생한다.

나. 수술 후 신부전

천공된 동맥류에 대한 응급수술 후 약 20%, 선택수술 후 약 6%에서 발생하며, 혈액 투석이 필요할 정도로 심한 경우는 드물다.

다. 폐합병증 및 폐렴

약 5%의 환자에서 발생한다.

라. 수술 후 출혈

문합 봉합선, 방치된 정맥 손상, 수술 중 저체온이나 과다 출혈에 의한 응고 장애 등과 관련이 있다. 수술 후 출혈이 지속되는 소견이 관찰되면 조기에 재수술하여야 한다.

마. 허혈성 장염

하장간동맥의 기시부 결찰 시 발생할 수 있다. 선택수술 시 약 1%에서 발생하며, 주증상은 수술 후 혈변, 복통, 복부팽만 등이며, 허혈성 장염이 발생한 환자의 1-2%에서 장괴사가 발생한다.

바. 복부팽만

가장 흔하게 발생하는 합병증으로 수술 후 장 마비증세가 주원인이며, 대개 3-4일 이상 지속되는데 비위관 삽입으로 처치한다.

사. 급성 하지 허혈

색전이나 이식편에 발생한 혈전에 의해 이차적으로 발생하며, 재수술이나 혈전제거술을 요한다. 미세색전이 원위부 순환계까지 진행될 때 통증, 근육 압통, 말초 맥박 소실 없는 반점형 피부 변화 등 "trash foot"이 나타날 수 있다.

아. 하지마비

하지마비paraplegia는 신동맥 하부 대동맥류 수술 0.2% 정도에서 나타난다. 대부분 파열된 대동맥류 수술 후, 또는 골반으로 가는 혈행이 차단된 경우 발생한다. 약 50%의 환자에서 일부 신경학적 기능을 회복한다.

자. 수술 후 성기능 장애

빈번하게 발생하며, 정신적, 신경학적, 또는 내장골동맥hypogastric artery의 관류와 관련된 발기부전이나 좌측 총장골동맥common iliac artery 부근의 신경 손상과 관련한 역행성 사정 등이 있다.

차. 요관 손상

요관 손상은 대동맥이나 장골 동맥에 발생하는 커다란 동맥류를 박리하고, 수술하는 과정에서 발생할 수 있으며, 특히 염증이 있는 병변을 치료할 때 잘 발생한다. 대부분의 요관 손상은 요관의 과도하거나 무분별한 박리에 따른 혈류차단 때문이다. 봉합을 시행함에 있어 요관벽 부분을 무분별하게 포함시키는 것도 요관 손상의 드문 원인이다. 대동맥-대퇴 이식편은 요관의 압박을 방지하기 위해 요관의 후방으로 터널을 내야 한다.

(3) 후기 합병증

근위부 및 원위부 봉합선의 가성동맥류, 인조혈관에 발생하는 혈전증, 인조혈관 감염 등이 동맥류 수술 후 수개월에서 수년 후에 드물게 발생한다. 인조혈관 감염은 인조혈관-장 누공과 관련이 있으며 이는 진단이나 치료가 매우 어렵다. 성공적인 동맥루 수술 후 장기 생존율은 일반적인 수술에 비해 낮은데, 이는 관상동맥질환과 관련이 있으며, 후기 사망은 주로 심장 원인이다. 복부동맥류 수술 후 5년 생존율은 67% (49-84%)이며, 연령, 성별, 인종이 같은 인구 집단과의 비교값은 80-85%이다. 복부동맥류 수술 후 평균 생존기간은 7.4년이다.

3) 혈관 내 대동맥류 수술 후 합병증

(1) 불완전한 동맥류 패쇄

인조혈관 주위출혈endoleak이 9-44%에서 발생한다. 혈관내 스텐트 또는 이의 부착 부위에 발생하는 I형 endoleak는 지속적인 팽창이나 파열의 위험과 관련이 있다. 이러한 경우 종종 혈관내 수술을 통해 교정을 한다.

(2) 이식편의 이주 및 폐색

이식편의 이주에 의해 꼬임, 폐색, 혈액누출 등이 발생한 경우 개복 동맥류 복원술로 교정하는 경우도 있다.

(3) 동맥류 천공

4) 하지 재관류술과 관련된 합병증

(1) 조기 합병증

가. 심근허혈 또는 심근경색

하지 재관류술 후 조기 및 후기 사망의 주요 원인은 심근경색이다. 수술 사망률은 3-5%이며 대부분 수술 주기 심장사건cardiac event과 관련한 것이다. 경골동맥tibial artery이나 비골동맥peroneal artery 폐색 질환으로 치료를 받은 환자에서 심근 합병증과 관련한 기저 관상동맥 질환의 발생률이 높다.

나. 출혈

하지 재관류술 후에 출혈은 1-3%에서 발생한다. 심한 출혈은 보통 문합부 출혈 또는 정맥 이식편의 결찰되지 않은 분지에 의해 발생한다. 드물게 과다한 헤파린 투여, 덱스트란, 또는 아스피린이나 플라빅스plavix와 같은 항혈소판제의 사용과 관련한 응고 장애에 의해 발생한다.

다. 우회이식편혈전증

수술 후 24시간 이내에 나타나는 급성 우회이식편혈전증bypass graft thrombosis은 하지 재관류술의 5% 정도에서 발생한다. 조기이식편혈전증의 가장 흔한 원인은 기술적인 문제로서 정맥 이식편의 구획 도중 손상, 불완전한 내막절제술이나 겸자 손상으로 인한 내막판intimal flap, 뒤틀림이나 꼬임을 유발하는 부적절한 이식편tunneling, 그리고 이식편에 발생하는 과도한 긴장 등이 있다. 조기 이식편 실패는 사지구제limb salvage를 위해 우회이식편을 시술하는 경우에서 파행이 있는 환자에게 시술하는 경우에 비해 2배 높다. 좋지 않은 동맥혈의 유입과 유출은 조기이식편혈전증과 관련이 있으며, 특히 무릎 상방 우회이식편에 비해 무릎 하방 우회이식편에서 잘 발생한다. 저혈량증이나 심박출량이 감소한 경우 또한 이식편 혈전증에 영향을 미친다. 과응고 상태인 경우 서혜부 하부 우회술을 시행한 환자의 약 5%에서 양향을 미친다. 하지 재관류에 영향을 미치는 대부분의 합병증은 일찍 발견하면 교정될 수 있다.

라. 림프류와 림프 배액

이러한 합병증은 대개 서혜부 박리 후에 발생하며, 림프통로 차단이나 림프절 절단에 기인한다. 수술적 절개를 통한 림프 배액은 보통 초기에 꾸준한 침상안정과 하지 거상으로 치료를 시작한다. 잦은 소독과 povidine-iodine을 적신 거즈를 상처에 도포함으로써 창상감염을 줄일 수 있다.

(2) 후기 합병증

가. 후기 이식편 폐색

하지 재관류술 후 발생하는 이식편 폐색은 2가지 분명한 병리학적 문제로 인해 발생한다. 이식편 삽입 12-24개월 후에 발생하는 것은 대부분 신생내막 과형성때문이며,

보통 원위 문합부에서 발생한다. 24개월 이후에 발생하는 이식편 폐색은 대부분 죽상경화증의 진행 때문이다.

나. 이식편 감염

이식편 감염은 하지 재관류술 후 발생하는 심각한 합병증이다. 하지 이식편 감염 후 사망률은 평균 9%이며, 이런 환자들의 50% 이상이 절단하게 된다. 이식편 감염률은 인조혈관을 이용한 경우 복재정맥을 이용한 경우에 비해 3배 높게 발생한다. ePTFE나 Dacron 이식편을 사용한 경우 평균 감염률은 3%이다. 한쪽 문합부에 발생한 경우 항생제, 상처 조직 제거, 근육 피판 등의 국소적 치료가 드물게 시도되기도 하였다. 하지만 대부분 이식편을 완전히 제거하고 다른 통로를 이용하여 재관류술을 시행한다.

다. 하지 부종

부종은 하지 재관류술을 시행한 환자의 2/3에서 발생하는 드물고 골치 아픈 합병증이다. 부종의 발생에 기여하는 3가지 기전이 있다. 첫째는 만성 허혈로 인해 소동맥 평활근의 기능 소실이 발생하고 이는 조절되지 않는 충혈을 발생시켜 미세 순환계에 압력을 증가시키는 기전이다. 둘째는 혈관 박리 시 발생하는 림프순환의 차단에 의한 것이며, 셋째는 동측의 대복재정맥을 구득할 때 정맥부전이 악화되어 발생하는 것이다. 수술 후 발생하는 부종은 보통 저절로 좋아지며, 3-4개월 정도 지나면 해결된다. 스타킹이나 압박 랩elastic wrap을 이용한 압박 치료도 이러한 환자들에 있어 증상을 개선시키는 데 도움이 된다.

라. 정위 복재정맥 우회 재건술의 합병증

정위 복재정맥 우회 재건술in situ saphenous vein reconstruction의 합병증의 경우 커다란 동정맥루, 잔존 판막으로 인한 폐쇄, 혈관경련, 그리고 혈관벽에 혈소판 침착 등이 발생할 수 있다. 작은 동정맥루는 보통 특별한 문제를 일으키지 않지만 심부 정맥계과 교통이 있는 커다란 동정맥루는 차단이 필요하다. 이러한 동정맥루는 수술 중 초음파나 동맥조영술을 통해 확인할 수 있다. 오랫동안 지속되는 경우 피부 홍반이나 통증을 동반한 경결induration을 일으킬 수 있다. 잔존 판막은 조기 이식편 혈전증의 원인이 되기도 한다.

6. 정맥계 합병증

1) 심부정맥혈전증

(1) 발생률 및 위험인자

심부정맥혈전증은 입원환자의 1% 정도에서 나타난다. 심부정맥혈전증과 폐색전증은 울혈, 혈관벽 손상, 과응고 상태와 관련이 있다. 정맥의 혈전색전증의 위험인자는 나이, 악성종양, 수술과 외상, 고정, 경구피임약 복용, 호르몬 대체요법, 임신, 그리고 산욕기, 비만, 신경 질환, 심장 질환 및 항인지질 항체 등이 있다. 유전학적 요인으로는 자연 응고인자(항트롬빈, C단백, S단백), factor V Leiden(쌍생아에서 증가), 프로트롬빈 20201A, O형 이외의 혈액형, 고호모시스틴혈증hyperhomocystinemia, 이상섬유소원혈증dysfibrinogenemia, 이상플라스미노겐혈증dysplasmino genemia 등이 있다. 환자가 특별한 원인 없이 정맥혈전색전이 발생하거나 가족력이 있는 경우 과응고 상태에 대한 검사가 필요하다. 흔한 원인으로는 자연 항응고인자의 결핍, 변화된 응고촉진 인자의 생산, 혈전촉진 인자의 증가 등이있다. 정맥혈전색전 발생률의 증가와 관련 있는 혈액학적 질환으로는 범발성혈관내응고증Disseminated Intravascular Coagulation (DIC), 헤파린유도성혈소판감소증, 항인지질항체증후군, 혈전성혈소판감소성자반증, 용혈성요독증후군, 그리고 적혈구증가증, 본태성혈소판증가증 같은 골수증식 질환 등이 있다. 하지에 발생하는 심부정맥혈전증의 대부분은 슬와, 대퇴 또는 장골 정맥을 포함한다. 나타나는 증상은 편측 하지통증과 부종이며, 때로는 별다른 증상없이 폐색전증이 첫 증상으로 나타나는 경우도 있다.

2) 유통성 백고종과 유통성 청고종

심한 장골대퇴정맥혈전증은 유통성백고종phlegmasia alba dolens (하얗게 부어오른 다리white swollen leg)이나 유통성청고종phlegmasia cerula dolens (파랗게 부어오른 다리blue swollen leg)을 유발하기도 한다. 모세혈관이 폐색된 경우 정맥성 괴저가 발생할 수 있다. 폐색은 극도로 심한 정맥 고혈압을 유발하여 동맥혈 유입이 차단될 수 있다. 또한, 동맥 색전이나 경련이 발생할 수도 있다. 병변이 있는 쪽의 발가락은 색깔이 파랗고 까맣게 변하고, 피부에 물집이 잡힐 수도 있다. 정맥성 괴저는 전반적인 부종과 하지가 파랗게 변하는 것으로 급성 동맥허혈 시 하지가 창백하고 차가워지는 것과 차이가 있어 구분이 가능하다. 정맥성 괴저는 간혹 기저 암질환과 관련이 있는데, 유통성 청고종은 거의 항상 암질환이 선행한다. 절단율은 20-50% 정도이며, 폐색전증 발생률은 12-40%, 그리고 사망률은 20-40%이다.

3) 액와/쇄골하정맥혈전증

액와/쇄골하정맥axillary/subclavian vein thrombosis에 혈전증은 드물게 발생하며, 급성 심부정맥혈전증의 5% 미만을 차지한다. 그럼에도 불구하고 액와/쇄골하정맥혈전증은 10-15%에서 폐색전증이 발생하므로 매우 중요하다. 원발성 액와/쇄골하정맥혈전증은 상대적으로 건장한 근육질을 가진 강도 높은 운동을 하는 사람에서 흉곽출구thoracic outlet에 있는 정맥의 간헐적인 폐색 때문에 발생한다. 혈전증은 과응고성 상태에 있는 환자에서 발생하기도 한다. 이차성 액와/쇄골하정맥혈전증은 대개 카테터나 심박동기 와이어pacemaker wire가 유치되어 있는 경우 발생한다. 보다 드문 이차성 원인으로는 울혈성 심부전, 신증후군, 종격 종양, 악성질환 등이 있다. 대부분의 환자는 통증, 부종, 상지의 청색증을 호소한다. 표재성 정맥 확장은 팔, 전박, 어깨, 그리고 전흉부에 잘 나타나는데 이러한 소견으로 진단이 가능하다.

4) 표재성혈전정맥염

표재성혈전정맥염superficial thrombophlebitis은 정맥류, 임신, 폐쇄혈전혈관염thromboangitis obliterans, 카테터 거치 등과 관련이 있다. 표재성혈전정맥염의 합병증은 남성 및 정맥혈전색전의 과거력과 관련이 있다. 임상적으로 염증과 함께 통증이 있고 단단하게 만져지는 인대cord와 병변이 있는 정맥을 따라 압통이 있으며, 때로는 부종이 관찰되기도 한다. 정맥 천자, 정맥내소통intravenous canalization, 신체적 비활동, 경구용 피임약, 악성종양 또는 감염 등의 과거력이 있는 경우도 있다. 이동성 표재성혈전정맥염은 암이 있는 경우에 나타나기도 한다. 예를 들면 췌장암의 경우 Trousseau sign이 나타난다. 표재성혈전정맥염과 관련한 심부정맥혈전증의 발생률은 0.75-40% 정도이다. 비연속적 심부정맥혈전증과 표재성혈전정맥염의 연관성은 2가지 병변이 모두 나타난 환자의 25-75% 정도이다. 가장 심각하고 치명적인 합병증으로 알려진 폐색전증은 0-17%에서 나타난다. 화농성 표재성혈전정맥염은 혈관내 카테터 사용 또는 주로 상지에 정맥 내 마약 남용에 따른 다발적인 천자와 관련이 있다. 임상 증상은 발열, 백혈구증가증, 균혈증 등이 있지만, 비화농성 표재성혈전정맥염과 유사하다. 국소적인 정맥 내 카테터 삽입 부위 감염은 약 8%에서 나타나며, 균혈증은 정맥 내 카테터 삽입 환자 400명 중 1명 정도로 나타난다. 면역력이 저하된 환자나 화상 환자는 표재성 혈전정맥염에 특히 취약하다.

7. 탈장수술 합병증

1) 개방 서혜부 탈장교정술 후 국소 합병증

(1) 출혈

서혜부 탈장에서 문제가 될 정도의 출혈이 발생하는 경우는 많지 않다. 하지만, 폐쇄동맥의 치골가지pubic branch of obturator artery, 심장골회선동정맥deep circumflex iliac vessels, 하복벽동정맥inferior epigastric vessels, 거고근동맥cremasteric artery, 외장골동정맥external iliac vessels 등에 대한 손상은 심한 출혈이 발생할 수 있다. 혈관 손상을 피하기 위해 봉합 시 주의를 기울여야 하며, 외장골정맥이 손상을 입은 경우 봉합사를 제거하고 압박을 시행한다. 만약 출혈이 멈추지 않는다면 보다 광범위한 박리를 통해 혈관을 노출시켜 지혈을 하여야 한다. McVay 교정술을 시행하는 경우 특히 대퇴정맥이 좁아지는 경우가 있는데 이는 주로 대퇴공의 내측에 시행한 봉합의 긴장 때문이다. 이로 인해 정맥 내 혈류 정체가 발생하여 심부정맥혈전증, 정맥염후증후군postphlebitic syndrome, 폐색전증 등이 발생할 수 있다. 이 경우 컬러 도플러 스캔color doppler scan을 시행하는 것이 도움되며, 협착을 유발한 봉합사를 제거하여야 한다.

(2) 정삭 손상

정삭의 손상cord injury은 커다란 간접 탈장이나 재발성 탈장의 박리 중에 발생할 수 있다. 정관에 손상이 발생한 경우 가느다란 봉합사로 단속봉합interrupted suture을 시행하는데, 고령이거나 가족계획이 끝난 경우 그대로 둘 수 있다.

(3) 장 합병증

교액성 탈장을 수술하는 동안 허혈된 장은 복강 내로 환원을 시도해 볼 수 있다. 이후 장색의 변화, 장막의 광택serosal shine, 장의 연동운동, 장간막동맥의 박동 등에 대해 자세한 관찰이 필요하다.

(4) 비뇨기계 합병증

방광 손상은 직접 서혜부 탈장 시 내측을 교정하면서 발생하는 경우가 있는데, 이는 방광 부근에 존재하는 방광전 지방prevesical fat을 확인함으로써 피할 수 있다. 방광에 손상을 입은 경우 흡수사를 이용해 이중 봉합을 시행하고 2주간 지속적인 배뇨를 시행한다. 요저류는 약 20%의 환자에서 나타나며, 국소마취를 시행한 경우 5% 미만에서 나타난다. 요저류와 관련 있는 인자로는 과도한 박리, 통증, 전신마취, 53세 이상의 나이, 수술 주기에 1,200mL 이상의 수액 주입 등이 있다. 수술 후 요저류를 피하기 위해서는 전립선비대증이 있는 환자에서 α-blocker 투여, 진통제 복용, 수액 제한, 수술 후 조기 보행 등이 있다.

(5) 고환 합병증

탈장낭의 박리 후에 생기는 음낭반점scrotal ecchymosis은 저절로 소실된다. 탈장낭의 원위부에 발생하는 음낭수종은 점점 커지거나 통증을 유발하는 경우 흡입을 시행한다. 고환의 부종은 고환정맥pampiniform plexus에 혈전이 발생하거나 심부서혜륜deep inguinal ring을 너무 조이게 봉합을 한 경우 발생한다. 허혈성고환염ischemic orchitis이 발생한 경우 고환 부종, 통증 및 압통이 유발되며, 재발성 탈장교정술을 시행한 경우보다 흔하게 발생한다. 고환 합병증을 줄이기 위해서는 정삭의 박리를 최소화하고, 탈장낭의 원위부를 그대로 남겨두거나 박리를 치골결절pubic tubercle까지로 제한하는 것도 도움이 된다. 보존적인 치료로는 침상안정, 진통제 복용, 음낭거상 등이 있다.

(6) 창상감염

일차성 탈장교정술을 시행하는 경우 재발성 탈장교정술에 비해 창상감염의 발생률이 높다. 창상감염을 예방하기 위해서는 적절한 무균 시술이 무엇보다 중요하며, 불필요하게 조직이나 인조 물질을 건드리지 않도록 하여야 한다. 치료로는 적절한 배액술, 적절한 항생제 사용, 지속적인 염증트랙의 제거 등이 있다.

(7) 혈종과 장액종

혈종은 복강경 탈장교정술에 비해 개방적 탈장교정술에서 훨씬 적게 발생한다. 장액종은 재발성 탈장이나 고령인 경우 발생률이 높다.

(8) 만성 통증

신경 손상을 피하기 위해서는 서혜부의 해부학적 구조에 대해 자세히 아는 것이 무엇보다 중요하다. 장골하복신경iliohypogastric nerve, 장골서혜신경ilioinguinal nerve, 음부대퇴신경genitofemoral nerve의 지배를 받는 부위의 작열감이 국소 마취제의 투여 후에 사라진다면 신경 근원의 통증을 진단할 수 있다. 봉합에 의한 신경 압박이나 신경종neuroma의 형성이 대부분의 원인이다. 신경통은 보통 6개월 이내에 소실된다. 보존적 치료를 함에도 불구하고 증상이 계속 지속되는 경우 신경종의 절제를 고려하여야 한다. 보존적인 치료로는 가바펜틴gabapentin, neurontin, 페놀, 향정신성 약물, 알콜, 진통제, 냉동탐침cryoprobes, 물리치료, 고주파열응고술radiofrequency destruction, 생체되먹임, 피하 국소마취, 스테로이드 등이 있다. 수술 후 발생하는 통증을 해소하기 위해서 가장 성공적인 방법은 침범된 신경을 수술적으로 절제하는 것으로 장기적인 통증 해소에 도움이 된다.

(9) 재발

탈장의 재발은 일차성 탈장과는 다른 수술적 접근을 요한다. Nyhus 등은 간접 서혜부 탈장 1–7%, 직접 서혜부 탈장 4–10%, 대퇴 탈장 1–7%, 재발성 탈장 5–35%의 재발률을 보인다고 하였다. 탈장의 간과missed hernia는 간접 탈장의 결손 부위에 대한 부적절한 박리 때문에 주로 일어난다. 재발과 관련된 인자로는 후벽의 부적절한 복구, 봉합선의 긴장, 좋지 않은 전신상태, 고령, 복벽의 약화, 비만 및 커다란 탈장 등이 있다.

2) 복강경 탈장교정술 시 발생하는 합병증

(1) 투관침 삽입 부위 출혈

Veress needle이나 투관침을 삽입할 때 장이나 혈관이 손상을 입을 수 있다. 출혈은 피하 혈관 손상에 의해 발생할 수도 있고 하대정맥과 같은 주요 혈관의 손상에 의해 생길 수도 있다. 투관침에 의한 합병증의 발생률은 0.032%이며, 이 가운데 혈관 손상은 0.5/1,000명, 장 손상은 0.6/1,000명에서 발생한다.

(2) 기타

그 외에도 바늘 분실, 복벽 내 혈종, 고탄산증hypercapnia, 피하 기종, 장, 방광의 손상, 투관침 삽입부로의 탈장, 삽입한 망사mesh의 감염에 대한 합병증 등이 있다.

요약

외과 영역에서 발생할 수 있는 수술 후 합병증에 대한 기초 지식을 기술하였다. 이 지식을 바탕으로 더 깊고 넓은 지식을 습득하여야 하고, 다양한 임상 경험을 통해 합병증이 발생하면 진정성 있는 마음가짐으로 적극적으로 대처하는게 중요하다.

참고문헌

[I. 전신 합병증]

1. American Thoracic Society, Infectous Diseases Society of America.Guidelines for the management of adults with hospital-acquired,ventilator-associated, and healthcare-associated pneumonia. Am J Respir Crit Care Med 2005;171:388-416.
2. Anderson JL, Adams CD, Antman EM, et al. ACC/AHA 2007 guidelines for the management of patients with unstable angina/non ST-elevation myocardial infarction: a report of the American College of Cardiology/American Heart Association Task Force on Practice Guidelines (Writing Committee to Revise the 2002 Guidelines for the Management of Patients With Unstable Angina/Non ST-Elevation Myocardial Infarction): developed in collaboration with the American College of Emergency Physicians, the Society for Cardiovascular Angiography and Interventions, and the Society of Thoracic Surgeons: endorsed by the American Association of Cardiovascular and Pulmonary Rehabilitation and the Society for Academic Emergency Medicine. Circulation. 2007;116:e148-304.
3. Antman EM, Hand M, Armstrong PW, et al. 2007 Focused Update of the ACC/AHA 2004 Guidelines for the Management of Patients With ST-Elevation Myocardial Infarction : a report of the American College of Cardiology/American Heart Association Task Force on Practice Guidelines: developed in collaboration With the Canadian Cardiovascular Society endorsed by the American Academy of Family Physicians: 2007 Writing Group to Review New Evidence and Update the ACC/AHA 2004 Guidelines for the Management of Patients With ST-Elevation Myocardial Infarction, Writing on Behalf of the 2004 Writing Committee. Circulation 2008;117:296-329.
4. Baldini G, Bagry H, Aprikian A, et al. Postoperative urinary retention: anesthetic and perioperative considerations. Anesthesiology 2009;110:1139-1157.
5. Bellomo R, Ronco C, Kellum JA, et al. Acute renal failure - definition, outcome measures, animal models, fluid therapy and information technology needs: the Second International Consensus Conference of the Acute Dialysis Quality Initiative (ADQI) Group. Crit Care 2004;8:R204-212.
6. Brower RG, Lanken PN, Macintyre N, et al. Higher versus lower positive end-expiratory pressures in patients with the acute respiratory distress syndrome. NEJM 2004;351:327-336.
7. Bybee KA, Prasad A. Stress-related cardiomyopathy syndromes. Circulation 2008;118:397-409.
8. Collins JA. Problems associated with the massive transfusion of stored blood. Surgery 1974;75(2):274-295.
9. Cook DJ, Fuller HD, Guyatt GH, et al. Risk factors for gastrointestinal bleeding in critically ill patients. Canadian Critical Care Trials Group. NEJM 1994;330(6):377-381.
10. Domschke W, Lederer P, Lux G. The value of emergency endoscopy in upper gastrointestinal bleeding: review and analysis of 2014 cases. Endoscopy 1983; 15 Suppl 1:126-131.
11. Fedullo PF, Tapson VF. Clinical practice. The evaluation of suspected pulmonary embolism. NEJM 2003;349:1247-1256.
12. Feinstein DI. Diagnosis and management of disseminated intravascular coagulation: the role of heparin therapy. Blood 1982;60(2):284-287.
13. Goodnough LT, Brecher ME, Kanter MH, et al. Transfusion medicine. First of two parts--blood transfusion. NEJM 1999; 340(6):438-447.
14. Pugin J. Clinical signs and scores for the diagnosis of ventilator-associated pneumonia. Minerva Anestesiol. 2002;68(4):261-265.

[II. 특수 부위의 수술과 연관된 합병증]

1. Duchesne JC, Wang Y, Weintraub SL, Boyle M. Stoma complications: A multivariate analysis/discussion. Am Surg 2002;68(11):961.
2. Golub R, Golub RW, Cantu R,Jr, Stein HD. A multivariate analysis of factors contributing to leakage of intestinal anastomoses. J Am Coll Surg 1997 Apr;184(4):364-72.
3. Slim K, Vicaut E, Panis Y, Chipponi J. Meta-analysis of randomized clinical trials of colorectal surgery with or without mechanical bowel preparation. Br J Surg 2004;91(9):1125-30.
4. Hyman N, Manchester TL, Osler T, Burns B, Cataldo PA. Anastomotic leaks after intestinal anastomosis: It's later than you think. Ann Surg 2007 Feb;245(2):254-8.
5. Draus JM, Huss SA, Harty NJ, Cheadle WG, Larson GM. Enterocutaneous fistula: Are treatments improving? Surgery 2006;140(4):570-8.
6. Wainstein DE, Fernandez E, Gonzalez D, Chara O, Berkowski D. Treatment of high-output enterocutaneous fistulas with a vacuum-compaction device. A ten-year experience. World J Surg 2008;32(3):430-5.
7. Wind J, van Koperen PJ, Slors JFM, Bemelman WA. Single-stage closure of enterocutaneous fistula and stomas in the presence of large abdominal wall defects using the components separation technique. The American Journal of Surgery 2009;197(1):24-9.
8. Claudio Bassi, Christos Dervenis, Giovanni Butturini, et al. Postoperative pancreatic fistula: An international study group (ISGPF) definition Surgery. 2005;138(1):8-13.
9. Alghamdi AA, Jawas AM, Hart RS. Use of octreotide for the prevention of pancreatic fistula after elective pancreatic surgery: A systematic review and meta-analysis. Canadian Journal of Surgery 2007;50(6):459.
10. Stewart L, Way LW. Bile duct injuries during laparoscopic cholecystectomy: Factors that influence the results of treatment. Arch Surg 1995;130:1123-1129.
11. Cooper MS, Stewart PM. Corticosteroid insufficiency in acutely ill patients. N Engl J Med 2003;348(8):727-34.

12. Migneco A, Ojetti V, Testa A, De Lorenzo A, Silveri NG. Management of thyrotoxic crisis. Congestive Heart Failure 2005;140:25.

13. Cook DJ, Fuller HD, Guyatt GH, et al. Risk factors for gastrointestinal bleeding in critically ill patients. Canadian Critical Care Trials Group. NEJM 1994;330:377-381.

14. Daniel D, Pierre A Clavien. What is a surgical complication? World J Surg 2008;32:939-941.

15. Mangram AH, Horan TC, Pearson ML, et al. Gideline for prevention of surgical site infection, 1999. Hospital Infection Control Practices Advisory Committee. Infect Control Hosp Epidemiol 1999;20:250-278.

16. Michael W Mulholland, Gerard M Doherty: Complications in Surgery. Philadelphia, Lippincott Williams & Wilkins, 2006.

17. O'Grady NP, Barie PS, Bartlett J, et al. Practice parameters for evaluating new fever in critically ill adult patients. Task Force of the American College of Critical Care Medicine of the Society of Critical Care Medicine in collaboration with the Infectious Disease Society of America. Crit Care Med 1999;26:392-408.

18. Riou JP, Cohen JR, Johnson H Jr. Factors influencing wound dehiscence. Am J Surg 1992;163:324-330.

19. Strandberg A, Tokics L, Brismar B, et al. Atelectasis during anaesthesia and in the postoperative period. Acta Anaesthesiol Scand 1986;30:154-158.

20. Weigelt JA. Fever, hypothermia, and delirium. In Levine BA Copeland EM, et al (eds): Current Practice of Surgery. New York: Churchill Livingstone, 1993.

Chapter 14 이식

Transplantation

Ⅰ 국내 장기이식의 역사

우리나라의 장기 기증과 이식은 1969년 이 등이 33세 남자 신부전 환자에게 58세 어머니의 신장을 기증받아 생체 신장이식을 시행한 후 주로 살아있는 기증자를 이용한 생체이식 중심으로 시행되었다. 이후 1979년에 곽 등이 지주막하 출혈로 뇌사가 된 41세 남자 환자의 보호자로부터 신장 기증을 동의받아 국내 최초의 뇌사자 신이식이 이루어졌다. 또한 1988년에는 김 등에 의해 윌슨병을 앓고 있는 14세 여아에게 뇌사자 간이식이 최초로 성공함으로써 국내에서 뇌사자 기증에 의한 장기이식이 새로운 전기를 맞게 되었다. 그러나 당시에는 우리나라에 '뇌사'라는 개념이 부족하였고 법적인 규정도 없어 이 시기의 뇌사자 장기기증과 이식은 각 병원이 마련한 기준에 따라 시행되었으며 1994년에 대한의사협회의 생명존엄성위원회에서 뇌사의 기준을 마련한 이후 이 기준에 의해 시행되었다. 2000년 2월 9일부터 『장기등 이식에 관한 법률』이 시행되어 뇌사자로부터 장기이식이 합법화되었고, 이어서 국립장기이식관리센터Korean Network for Organ Sharing (KONOS)가 설립되어 장기기증과 이식을 체계적으로 관리하기 시작함으로써 기증장기의 공정하고 적절한 분배가 가능하게 되었다. 그러나 이식법 시행 후 10여 년간 뇌사 기증자 수가 증가하지 않아서 국내이식은 생체 기증에 의한 장기이식이 여전히 전체의 80–90%를 차지하고 있다. 반면 생체 신장 및 생체 부분 간이식의 성적은 세계적인 수준으로 발전하였고 세계 이식계를 선도하고 있다.

2011년 6월에는 장기기증 활성화를 위해 각 의료기관에서 발생한 뇌사자의 신고와 이를 전문적으로 관리하기 위한 독립장기구득기관의 설립을 규정한 장기이식법 개정안이 시행되었다. 뿐만 아니라 차세대 이식장기의 공급원이 될 이종장기xenograft나 줄기세포 연구 또한 세계적인 수준에 와 있으며, 이러한 최첨단의 생명에 관한 연구와 치료에 대해 우리 스스로 윤리적인 규범을 가지기 위한 노력도 진행되고 있다.

이번 장에서는 각 장기의 이식과 장기이식 면역, 장기구득술, 이식 후 관리와 향후 이식의 방향 등에 대해 국내의 실정을 최대한 반영하여 기술하였다.

II 장기이식 면역

이식transplantation이라 함은 수혜자recipient의 조직이나 장기의 상실된 기능을 대체할 목적으로 기증자donor의 조직이나 장기의 일부 또는 전체를 원래 존재하는 장소에서 다른 장소로 옮기는 것을 말한다. 수혜자와 기증자간의 유전자 차이genetic disparity에 따라 구분하여, 자신의 조직이나 장기의 위치를 옮기는 것을 자가이식autograft, 같은 종의 두 개체 사이의 이식을 동종이식allograft, 다른 종간의 이식을 이종이식xenograft이라고 한다. 수혜자와 기증가간의 유전자 차이가 클수록 이식 면역반응은 강하게 발생한다.

이식 면역은 장기이식을 받은 수혜자에서 발생하는 일련의 면역 반응을 말하며, 1980년대 이후에 급격하게 증가한 장기 이식의 실적과 성공은 이러한 이식 면역에 대한 이해와 면역 반응의 효과적인 조절을 통해 가능하게 되었다. 이식된 장기는 수혜자가 접하는 대표적인 외부 항원이며, 항원 인지 후에 수혜자에게서 발생하는 면역 반응의 조절은 이식 후 성공적인 이식 장기의 생존을 위해서 필요하다. 항원전달세포Antigen Presenting Cell (APC)와 여러 종류의 림프구와 행동세포effector cell 등은 수혜자에게서 발생하는 면역반응을 결정하는 주요 인자로, 이러한 세포들의 기능과 역할을 효과적으로 조절하는 것이 면역억제제의 역할이다.

1. 이식 항원

고형장기의 동종이식에서 발생하는 이식 면역반응은 기증자 장기에 존재하는 항원인 조직적합항원histocompatibility antigen을 수혜자의 면역세포가 이식 항원으로 인지하면서 시작된다. 이러한 조직적합항원은 사람에서는 현재까지 30개 이상 존재하는 것으로 알려져 있으며 항원의 성상에 따라서 발생하는 면역반응의 강도와 발생시기에 상당한 차이를 보이는데, 주조직적합항원major histocompatibility antigen의 불일치는 강력한 거부반응을 초래하는 반면 부조직적합항원minor histocompatibility antigen의 불일치는 상대적으로 경미한 거부반응을 초래한다. 장기이식에서는 주조직적합항원을 통칭하여 주조직적합복합체 Major Histocompatibility Complex (MHC)라 하며 사람에서는 사람 백혈구항원human leukocyte antigen (HLA)이 이에 해당된다. HLA는 6번 상염색체의 단완short arm에 존재한다. HLA는 구조적으로 유사한 제1항원class I antigen과 제2항원class II antigen의 두 유형이 있다. HLA 제1항원(HLA-A, B, C 좌위가 해당됨)은 모든 유핵세포에 존재하나, 제2항원(HLA-DP, DQ, DR 좌위가 해당됨)은 B 림프구와 대식세포와 수상돌기세포 등과 같은 항원전달세포에서 발견된다(그림 14-1).

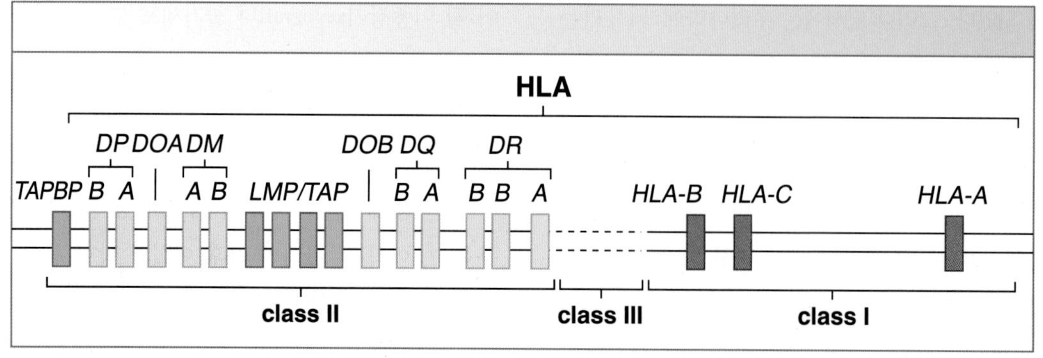

그림 14-1 사람의 주조직적합복합체의 구조

2. 거부반응

1) 이식 후 발생하는 거부반응

이식 후 발생하는 거부반응은 면역학적 관점에서 크게 2가지로 분류 할 수 있다. 하나는 수혜자의 면역체계가 기증자 장기와 조직의 세포 표면에 발현된 항원을 외부항원으로 인지하여 이식된 장기와 조직을 공격하는 숙주대이식편반응host-versus-graft reaction으로, 이를 거부반응rejection이라 한다. 다른 하나는 이식 과정에서 섞인 기증자의 이식된 T 림프구가 수혜자의 항원을 외부항원으로 인식하여 수혜자 장기와 조직을 공격함으로써 손상과 면역반응이 발생하는데 이런 현상을 이식편대숙주반응Graft-Versus-Host Disease(GVHD) 또는 역거부반응이라고 한다. 고형장기 이식 후 면역반응반응은 대부분이 거부반응이나, 이식편대숙주반응이 적은 비율로 발생한다.

2) 거부반응의 기전

장기이식의 과정을 통하여 기증자의 항원이 수혜자 체내에 유입되면 수혜자의 항원전달세포가 제일 먼저 유입된 항원을 탐식하여 자기의 세포벽에 탐식된 항원을 발현시키며 동시에 이 항원전달세포가 IL-1이라는 세포자극물질cytokine을 생성 분비함으로 보조 T 림프구helper T lymphocyte가 활성화되어 유입된 항원을 인지하게 된다. 인지한 보조 T 림프구는 IL-2를 분비하며 이로 인하여 세포독성 T 림프구cytotoxic T lymphocyte가 분화 증식되어 유입된 기증자 세포를 공격하여 파괴시킨다. 이것이 세포성 면역반응cellular immune reaction이다. 한편 보조 T 림프구의 도움으로 B 림프구도 자극이 되어 분화 증식하면서 항체(면역글로불린)를 생산하게 되며 이에 의하여 항체-항원반응이 유도되어 수혜자 체내에 기왕에 존재하는 보체계complement cascade, 혈액응고계coagulation system와 키닌계kinin-kallikrein system를 활성화시켜 조직의 부종, 혈전 및 혈관폐색 등을 야기한다. 이러한 과정을 항체매개성면역반응antibody-mediated immune reaction이라고 한다. 이와 같은 세포성면역반응 또는 항체매개성면역반응으로 말미암아 이식된 장기는 결국 그 기능을 잃게 된다(그림 14-2).

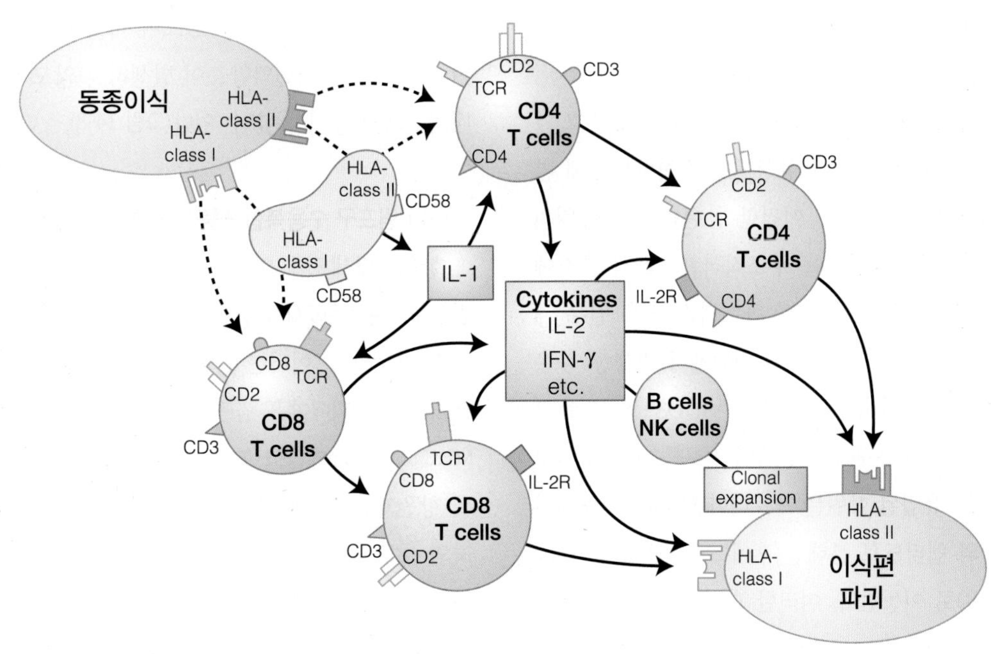

그림 14-2 **단계적인 이식 면역반응의 모식도**

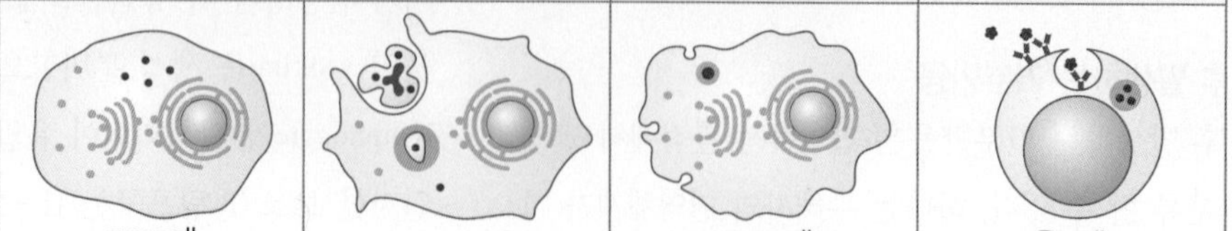

	Cytosolic pathagens	Cross-presentation of exogenous antigens	Intravesicular pathogens	Extracellular pathogens and toxins
	any cell		any cell	B cell
항원 분해 장소	Cytosol	Cytosol (by retrotranslocation)	Endocytic vesicles (low pH)	Endocytic vesicles (low pH)
펩티드 결합 부위	MHC class I	MHC class I	MHC class II	MHC class II
발현 장소	Effector CD8 T cells	Naive CD8 T cells	Effector CD4 T cells	Effector CD4 T cells
전달세포에 대한 작용	Cell death	The presenting cell, usually a dendritic cell, activates the CD8 T cell	Activation to kill intravesicular bacteria and parasites	Activation of B cells to secrete Ig to eliminate extracellular bacteria/toxins

그림 14-3 주조직적합복합체 분류에 따른 항원 처리 및 발현 과정

3) 거부반응의 과정

거부반응의 과정은 ① 항원전달세포에 의한 항원의 처리 및 제시, ② T 림프구 수용복합체를 통한 항원의 인식, ③ 동시자극 신호전달체계를 통한 항원의 인식, ④ T 림프구의 활성화, ⑤ 활성화된 면역반응에 의한 이식장기의 손상 등으로 나눌 수 있다.

(1) 항원전달세포에 의한 항원의 처리 및 제시

항원이 항원전달세포 표면에 발현되기 위해서는 그 자체만으로는 가능하지 못하며 항상 주조직적합복합체 분자가 함께 발현되어야 한다. 이러한 발현과정은 항원의 종류에 따라서 이에 관여하는 주조직적합복합체 분자에 차이를 보이고 있다. 일반적으로 바이러스 혹은 일부 세균 감염은 제1항원분자가, 세포외 병원체나 기생충 등은 제2항원분자가 관여하여 각각 세포독성(CD8+) T 림프구와 보조(CD4+) T 림프구에게 항원의 정보를 제공해 주고 있다. 세포내로 유입된 항원은 프로테아좀proteasome에서 필요한 크기의 펩티드로 분해된 후에 소포체Endoplasmic Reticulum (ER)로 이동한다. 이러한 과정에서 Transport Associated with antigen Processing (TAP)이라고 불리는 운반체가 필요하며 이동된 펩티드는 소포체에서 만들어진 제1항원분자와 결합하여 세포 표면으로 발현된다. 반면 제2항원분자는 endosome에서 필요한 크기로 대사된 항원과 결합하여 세포 표면으로 발현된다. 즉 항원에 의한 면역 혹은 거부반응은 그 종류에 따라서 각각 독립적인 과정을 거쳐서 항원전달 세포 내에서 처리되어 항원전달세포 표면으로 발현되며 이러한 과정을 거친 항원만이 T 림프구와 반응할 수 있으며 이는 모든 항원에 대하여 무조건적으로 면역반응이 발생하지 않도록 하는 생체 내의 보호기능이라 할 수 있다(그림 14-3).

(2) T 림프구 수용복합체를 통한 항원의 인식; 제1신호체계

항원전달세포에 의하여 표현된 동종항원의 인지는 T 림프구 수용복합체를 통하여 기증자의 펩티드를 인지함으로써 시작된다. 이러한 항원은 반드시 주조직적합복합체 분자와 동반되어야 T 림프구에 인지되며 이를 MHC 제한 MHC restriction이라고 한다. 즉, 항원전달세포 표면에 발현된 항원과 같이 발현되어 있는 주조직적합복합체가 수혜자의 주조직적합복합체와 통일하거나 유사하여야만 이식항원을 인지하기 시작한다. 따라서 동종이식 후 발생하는 동종항원의 인지과정은 항원전달 세포가 기증자의 세포인가 아니면 수혜자의 세포인가에 따라서 간접인지indirect

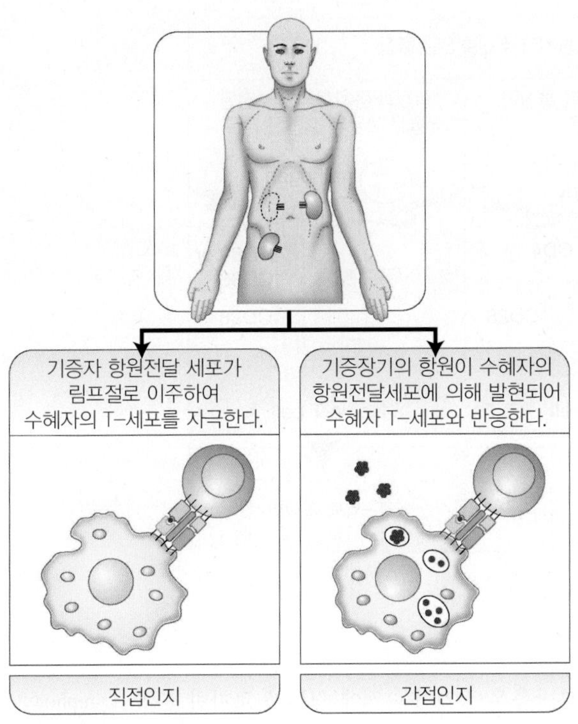
기증자 항원전달 세포가
림프절로 이주하여
수혜자의 T-세포를 자극한다.
기증장기의 항원이 수혜자의
항원전달세포에 의해 발현되어
수혜자 T-세포와 반응한다.
직접인지
간접인지

그림 14-4 항원전달 과정: 직접인지와 간접인지

recognition 혹은 직접인지direct recognition로 나눈다. 기증자의 항원전달세포 표면에 발현된 주조직적합복합체와 동종항원이 직접적으로 수혜자의 T 림프구에 의하여 인지되는 경우가 직접인지로 이 경우는 수혜자의 주조직적합복합체가 기증자의 주조직적합복합체와 상당부분 일치하여 수혜자의 주조직적합복합체를 변형된 자신altered self으로 인식하여야만 한다. 반대로 간접인지는 이식장기로부터 유리된 동종항원이 수혜자의 항원전달세포에 의하여 발현되어 수혜자의 주조직적합복합체와 동종항원의 형태로 T 림프구에 인지되어 T 림프구가 자극되는 경우이다(그림 14-4). 일단의 자극을 받은 T 림프구 내에서는 여러 가지 효소와 전사인자transcription factor가 활성화되어 T 림프구가 활성화되며 활성화된 T 림프구는 여러 가지 세포자극물질을 분비함으로써 거부반응이 진행된다.

(3) 동시자극 신호전달체계를 통한 항원의 인식; 제2신호체계

T 림프구의 활성화에는 이미 설명한 T 림프구 수용복합체 주조직적합복합체-동종항원의 결합뿐만 아니라 보조분자accessory molecule, cell-adhesion molecule들의 접착도 중요한 역할을 한다. 이러한 보조분자에 의한 신호체계를 제2신호체계라 하는데 T 림프구의 완전한 활성화를 위해서는 2가지 신호체계가 모든 T 림프구에 전달되어야 한다dual signal theory. 즉, 제1신호만으로는 T 림프구가 무력 혹은 면역성 결여anergy상태에 이르며, 제2신호만으로는 T 림프구를 활성화시킬 수가 없다(그림 14-5). 이러한 동시자극 신호전달체계를 담당하는 T 림프구의 보조 분자로는 CD28/CTLA-4(항원전달 세포에서 B7-1/ B7-2), CD2(항원전달세포에서 LFA-3), LFA-1(항원전달세포에서 ICAM-1) 등이 있는데, 이 중 CD28/ CTLA-4가 가장 강력한 동시자극신호계이다.

(4) 활성화된 면역반응에 의한 이식장기의 손상

T 림프구가 활성화 되면 여러 가지 면역반응은 이식된 장기를 공격하게 된다. 크게는 세포성 면역반응과 항체매개성 면역반응으로 나눌 수 있다. 면역반응의 중심 역할을 하는 것은 보조 T 림프구로서 충분한 항원에 의하여 활성화된 보조 T 림프구는 TH1과 TH2로 세분되어 서로 면역반응을 견제하면서 진행시키는 역할을 한다. TH1 림프구는 IFN-γ와 TNF-β를 분비하여 대식세포macrophage를 활성화시켜 궁극적으로는 지연성과민반응delayed type hypersensitivity (DTH)으로 대표되는 지속적인 면역반응과 염증반응을 초래한다. 이는 세포독성 T 림프구를 활성화시킴으로써 진행되는 세포독성과 더불어 이식된 장기의 거부반응 진행에 중심역할을 담당한다. 반면 TH2 림프구는 IL- 4, 5, 6, 10을 분비하며 B 림프구를 활성화하여 강력한 항체반응을 진행시키며 이러한 항체반응은 혈액응고계, 보체계, 키닌계를 활성화시켜 혈관내피세포의 손상을 초래하고, 출혈 및 혈관 내 응고를 초래한다. 즉, 활성화된 T 림프구는 세포자극물질을 분비함으로써 다양한 형태의 면역반응을 초래한다.

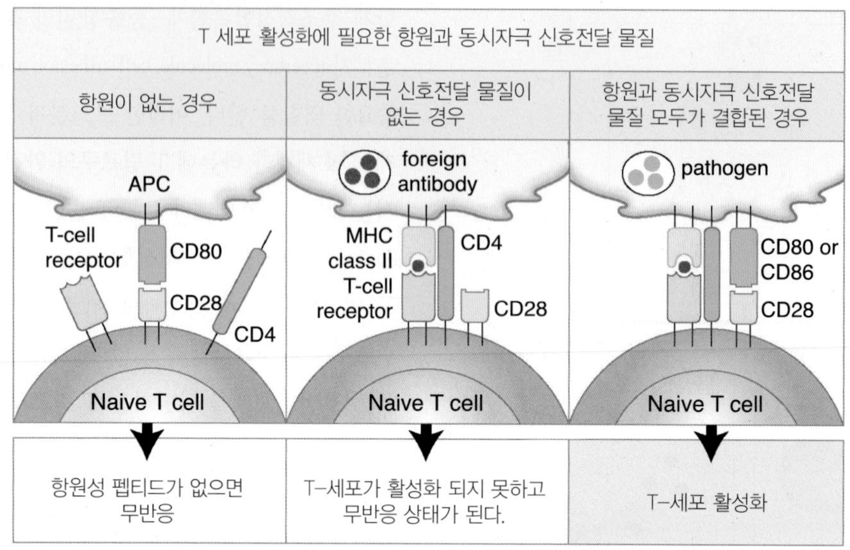

그림 14-5 **보조분자에 의한 신호 전달경로**

3. 거부반응의 임상양상

임상적으로 거부반응은 초급성 거부반응, 급성거부반응 그리고 만성거부반응 등으로 나누어 진다. 이러한 명칭은 거부반응의 발생시기에 따른 분류라기 보다는 거부반응에 관여하는 면역반응의 종류에 따라서 이해하는 것이 타당하다. 즉 이식 후 1년 이상이 경과된 후에 발생하는 거부반응이더라도 거부반응에 관여하는 면역반응이 세포성 면역반응이라면 급성거부반응과 같은 임상적 양상을 보이며 이에 따른 치료를 하여야 한다.

1) 초급성 거부반응

초급성 거부반응hyperacute rejection은 장기 이식 수술 직후에 발생하는 것으로 이식 장기의 혈관문합후 혈행이 재개되고 나서 수 분 내지 수 시간 이내에 이식장기가 물렁물렁해지며, 허혈과 부종을 보이는 경우이다. 이는 수혜자의 혈청 내에 이미 형성되어 있는 이식 항원에 대한 항체가 항체-항원 반응을 유발함으로써 발생되며, 이식장기내 혈관에 혈소판과 다핵백혈구의 침윤이 특징적이다. 초급성 거부반응의 치료는 불가능하므로 환자를 살리기 위해서는 이식장기의 적출이 필요하다. 이러한 초급성 거부반응은 장기이식 전에 림프구 교차반응검사Lymphocyte Cross Matching (LCM)와 ABO 혈액형 적합검사를 실시하여 미리 기증자를 선발함으로써 예방이 가능하다.

2) 급성 거부반응

급성 거부반응acute rejection은 장기이식 수혜자에게 가장 흔하게 일어나는 거부반응으로 이식 후 2주 내지 3개월 이내에 주로 발생하게 된다. 급성 거부반응은 T 림프구를 중심으로 하는 세포성 면역반응이 흔하며, 항체매개성 면역반응은 이보다 적은 비율로 발생한다. 병리학적으로 활성화된 림프구와 염증세포의 침윤이 광범위하게 발생하면서 조직 내 부종을 초래한다. 이러한 급성 거부반응은 초기에 진단되면 치료가 가능한데 신장이식의 경우 고용량의 스테로이드steroid pulse therapy 투여나 항림프구항체 등을 사용하여 90% 이상에서 치료가 가능하다.

3) 만성 거부반응

만성 거부반응chronic rejection은 동종 장기이식을 시행 후 면역억제제 치료를 받고 있는 환자에서 대개 이식 후 6개월부터 수년 사이에 발생한다. 항체매개성 면역반응이 주된 역할을 하는 것으로 알려져 있으나 최근에는 이러한 면역반응 이외에 비면역학적인 인자도 기여하는 것으로 알려져 있다. 즉 허혈/재순환 손상ischemic and reperfusion injury, 거대세포 바이러스감염Cytomegalovirus (CMV) infection, 고혈압, 고지질증 등의 비면역학적인 인자도 만성 거부반응을 유도하는 것으로 보고되고 있다. 병리학적으로 보면 이식 장기 내 혈관내막세포의 심한 증식과 비후로 혈관이 폐쇄되고 간질조직에도 섬유결체조직의 심한 증식과 섬유화가 나타나 허혈성 괴사를 일으켜 장기의 기능이 없어지게 된다. 현재까지 만성 거부반응을 효과적으로 억제하는 약제는 개발된 바가 없다.

4. 면역억제

이식항원에 대한 면역반응을 예방하기 위하여서는 면역관용immunologic tolerance을 유도하는 것이 바람직하나, 면역관용을 안정적으로 유도할 수 있는 방법은 아직은 실용화되지 못하였다. 따라서 면역억제요법이 현실적으로 적용할 수 있는 유일한 방법이다.

1) 면역억제 치료의 원칙

이식 후 면역억제제의 사용 목적은 유도요법induction therapy, 유지요법maintenance therapy, 그리고 거부반응이 발생했을 경우의 치료요법으로 구분된다. 면역억제제의 사용은 여러 가지의 면역억제제를 병합 투여하는 것을 원칙으로 하고 있는데 이는 ① 각각의 약제가 작용하는 기전이 다르며, ② 약제의 병합이 상승효과를 가져오며, ③ 이에 따라서 각 약제의 용량을 줄일 수 있어 약제에 의한 부작용을 최소화할 수 있기 때문이다. 일반적으로 사이클로스포린cyclosporine이나 타크로리무스tacrolimus 등의 calcineurin 억제제Calcineurin inhibitor (CNI), 스테로이드, 시로리무스sirolimus 혹은 에버로리무스everolimus 등의 mTOR (mammalian target of rapamycin) 억제제 그리고 아자치오프린azathioprine 혹은 Mycophenolate Mofetil (MMF) 등의 항대사물질들이 다양한 형태의 조합으로 면역유지요법으로 주로 사용되며 스테로이드와 항림프구항체 등은 유도요법이나 급성거부반응의 치료요법에 이용되고 있다.

2) 면역억제제의 종류

면역억제제는 생물학적 약제와 비생물학적 약제non-biologic agent로 구분되며 생물학적 약제는 거부반응이 일어나는 각 단계에 작용하는 항체로써 대부분 면역유도요법 혹은 급성거부반응 치료요법을 위해 사용되며 비생물학적 약제는 면역유지요법에 주로 사용되고 있다(그림 14-6) (표 14-1).

(1) 비생물학적 약제

가. 스테로이드

스테로이드는 항염증반응은 물론 항원전달세포의 활성화 및 조직적합항원의 발현을 억제함으로써 전반적인 면역기능을 억제하는 것으로 알려져 있다. 스테로이드는 적은 용량(prednisolone 5–10mg/day)으로는 유지면역억제요법으로 사용되며, 다량으로 사용할 경우(methyl-prednisolone 500mg x 3–4 days)에는 급성 거부반응의 치료에 효과가 있다. 스테로이드의 잘 알려진 부작용은 창상치유의 지연, 감염의 유발, 소화성 궤양, 월상안moon face, 골다공증, 대퇴골두 괴사 및 고혈압 등을 들 수 있다. 이러한 합병증을 줄이기 위해 1990년대 중반 이후 스테로이드를 제외한 면역억제요법이 시도되고 있으며 과거에 비해 유지용량을 감량하는 추세에 있다. 1990년대 중반 이후에는 새로운 부신피질 호르몬제제로 상대적으로 부작용이 적은 데플라자코트deflazacort가 일부 환자에게 대체되어 사용 중에 있다.

나. Calcineurin 억제제; 사이클로스포린, 타크로리무스

1970년대 후반에 개발되어 사용되기 시작한 사이클로스포린은 기존의 면역억제제와는 달리 선택적으로 T 림프구에서 mRNA의 형성을 방해하여 IL-2가 생성되는 것을 막는 것으로 거부반응을 예방하려는 면역억제 유지요법으로 유용하다. 1980년대에 각종 이식성적이 괄목할 만

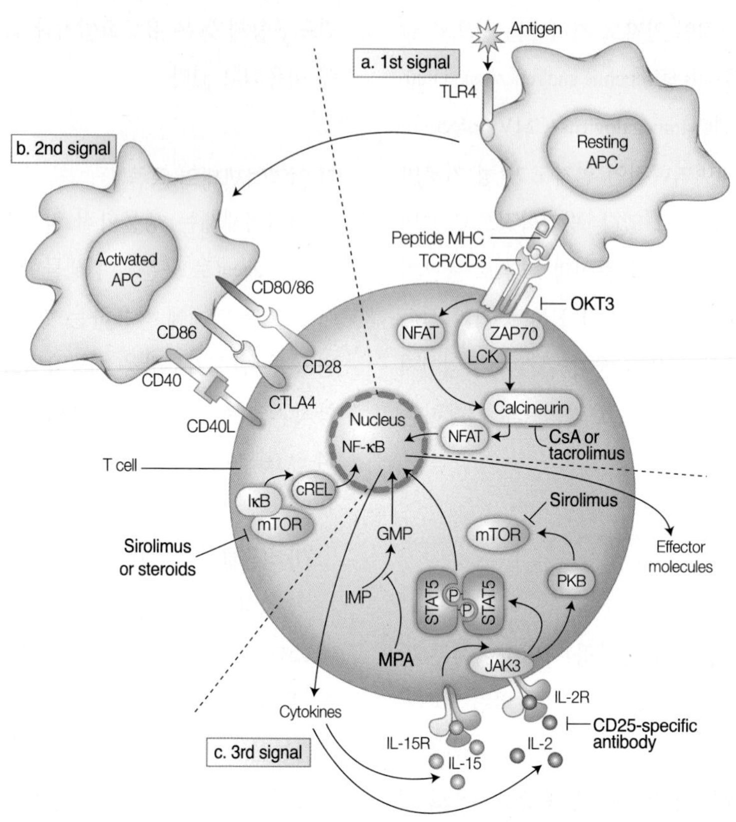

그림 14-6 T 세포 활성화와 증식억제에 관여하는 면역억제제의 작용부위. OKT3, 사이클로스포린, 타크로리무스는 signal 1에 필요한 G0-G1 진행에 작용한다. 시로리무스와 스테로이드는 signal 2에서 동시자극 신호전달체계에 작용한다. CD25-단일클론항체는 IL-2가 IL-2 수용체에 결합하는 것을 방해하고, 시로리무스는 사이토카인 정보전달 과정(signal 3)에도 작용한다. MPA는 S-phase에서 구아노신 합성에 관여한다. APC: antigen-presenting cell, CTLA4: cytotoxic T lymphocyte antigen 4, GMP: guanosine monophosphate, IκB: inhibitory κB, IMP: inosine monophosphate, JAK3: Janus kinase 3, L: ligand, mTOR: mammalian target of rapamycin, NFAT: nuclear factor of activated T cells, NF-κB: nuclear factor-κB, PKB: protein kinase B, R: receptor, STAT5: signal transducer and activator of transcription 5, TCR: T-cell receptor, TLR4: Toll-like receptor 4, ZAP70: ζ-chain-associated protein 70.

하게 상승된 이유는 바로 사이클로스포린의 개발에 기인했다고 할 수 있다. 사이클로스포린의 가장 큰 장점은 골수 억제 효과가 없는 최초의 면역억제제라는 점이다. 이어서 개발된 타크로리무스는 사이클로스포린과 비슷한 작용기전을 가지고 있지만 보다 강력한 면역억제 효과를 나타낸다. 타크로리무스는 세포내 결합단백인 immunophilin과 활성화된 복합체를 형성하여 림프구를 억제하는 효과를 나타낸다. 타크로리무스와 immunophilin 복합체는 IL-1 유전자 전사를 재생 하는데 중요한 역할을 담당하는 calcineurin phosphatase의 기능을 억제하여 이식장기에 대한 림프구의 면역반응을 억제한다.

Calcineurin 억제제의 가장 큰 단점으로 약제 자체가 신장독성을 가진다는 것이다. 신장독성은 새로 이식된 신장의 기능 지연을 유발하며 신장 기능이 잘 회복된 후에는 점차적인 이식 신장의 기능 손상으로 나타난다. 따라서 정기적인 약물의 혈중 농도를 검사하여 적정한 양의 calcineurin 억제제를 투여하는 것이 장기적인 면역유지요법에 있어 매우 중요하다. 신장독성 이외의 다른 부작용으로는 고혈압, 고지혈증, 간독성, 경련, 손떨림, 다모증, 오심, 구토, 잇몸증식gum hyperplasia, 탈모증, 고요산혈증 등이 있는데, 사이크로스포린과 타크로리무스는 같은 부작용을 공유한다.

표 14-1. 작용기전에 따른 면역억제제의 분류

분류	면역억제제(일반명)	용량(혈중농도)	작용기전
비생물학적			
스테로이드	Methylprednisolone/Prednisolone	1.0g/day and tapering (induction) 5-10mg/day #2 (maintain)	Inhibit antigen presentation and cytokine release
	Deflazarcort	6-12mg/day #2 (maintain)	
Calcineurin 억제제	Cyclosprine	10mg/kg/day #2 (50-150ng/mL)	Blocking of interleukin-2 synthesis
	Tacrolimus	0.2mg/kg/day #2 (5-15ng/mL)	
mTOR 억제제	Sirolimus	5-6mg/day #1(loading) 2-3mg/day #1(maintain) (5-15ng/mL)	mTOR inhibitor or Proliferation signal inhibitor (G1-S phase blocking)
	Everolimus	1.5-3.0mg/day #1 (3-12ng/mL)	
항대사물질	Azathiopurine	50-100mg/day	Blocking DNA synthesis (purine synthesis pathway)
	Mycophenolate mofetil	1.0-1.5g/day #2	
	Mycophenolate sodium	720-1,440mg/day #2	
생물학적			
항림프구항체	OKT3 (monoclonal anti-CD3 antibody)	5mg/day #1 for 10-15 days	Anti-lymphocyte
	ATG (anti-thymocyte globulin)	1.0-1.5mg/kg/day for 10-14days	
IL-2 수용체 항체	Basiliximab (chimeric mouse-human)	20mg/day at POD#0, 4	Anti-CD25 antibody, Blocking IL-2 receptor
	Daclizumab (humanized)	1-2mg/kg at POD #0 0.5-1.0mg/kg at POD #3, 8	
B 림프구/형질세포 억제제	Rituximab	1.37mg/m^2 of BSA/day for 1-2 times	Anti-B cell
	Bortezomib	1.3mg/m^2 of BSA for 4times	Anti-plasma cell

BSA: Body surface area, 체표면, POD: Post-operative days, 수술 후 경과일

다. 항대사물질; 아자치오프린, Mycophenolate mofetil

아자치오프린은 세포분열에 중요한 핵산(DNA와 RNA)의 합성을 억제함으로써 거부반응에 관여하는 세포 증식을 억제하여 면역억제기능을 나타내게 된다. 이 약제는 비특이적인 면역억제제로 골수기능 저하 및 감염증의 위험이 다른 약제에 비해 심하여 최근에는 사용이 제한적이다. Mycophenolate mofetilMMF는 경구투여 후 활성화물질인 mycophenolic acid로 분해 되어 퓨린 합성의 새로운 경로를 강력하고 특이하게 억제함으로 T와 B 림프구 모두의 증식을 막는다. 이 약제는 거부반응 예방에 효과적이며 계속 재발하는 거부반응을 가진 환자에게도 효과적인 것으로 증명되었으며 특히 CNI와 사용 시 더욱 효과적으로 거부반응을 예방할 수 있는 동시에 부작용도 줄일 수 있는 장점이 있다. MMF의 가장 흔한 부작용은 위장관계를 포함한 소화기계 부작용과 골수억제 등이며 이런 소화기계 부작용을 경감시킨 장용정 형태인 mycophenolate sodium도 개발되어 사용중이다.

라. mTOR 억제제; 시로리무스와 에버로리무스

타크로리무스와 구조적으로 유사한 시로리무스는 새로

운 곰팡이 치료제를 찾던 중 발견되었다. 이것은 Rapa Nui (Easter Island)에서 수집한 흙에서 분리된 방선균actinomyces인 Streptomyces hygroscopius에 의해 만들어진 macrocyclic triantibiotic이다. 작용기전을 살펴보면 FKBP-12와 결합하여 mammalian target of rapamycin (mTOR)을 억제한다. mTOR의 억제는 세포주기의 진행과 세포의 성장을 결정하는 세포 내 신호전달체계에 지대한 영향을 미친다. 따라서 mTOR 억제제는 궁극적으로 G1 에서 S phase로 넘어가는 T 림프구의 세포주기를 차단함으로써 면역억제효과를 가진다. 이는 새로운 기전의 세포증식억제제로 기존에 사용중인 CNI의 용량을 효과적으로 감량하거나 대체할 수 있어 신독성의 발생빈도를 줄여주고 이식신장 기능을 잘 보존함으로써 만성 이식신병증으로 이행을 줄일 수 있다는 장점이 있다. 또한 mTOR 억제제는 항증식 작용이 있어 소동맥의 혈관내막 증식을 억제함으로 만성이식병증이나 관상동맥협착 등의 억제효과가 있는 것으로 보고되었다. mTOR 억제제는 항종양작용anti-tumor effect을 가진 것으로 확인되어, 신장이식 후 악성종양의 발생빈도를 낮추거나, 간이식 후 간세포암의 재발을 낮출 수 있다고 보고되고 있다. mTOR 억제제는 창상치유를 현저히 지연하므로, 장기이식 후 상처가 충분히 치유된 이후에 투여를 시작한다. 현재까지 알려진 mTOR 억제제의 부작용으로는 고지혈증, 구강 내 염증, 관절염, 근육통, 골수기능억제(빈혈, 백혈구감소증, 혈소판 감소증), 설사, 상처 치유 지연 등이 보고 되고 있다.

(2) 생물학적 약제

가. 단클론 항림프구항체

단일클론제제인 OKT3 (murine Anti-CD3)는 1980년대 초 개발되어 급성거부반응 치료에 상당한 진전을 이루었다. 특히 OKT3는 스테로이드 치료에 반응을 하지 않는 거부반응의 치료에 큰 효과를 발휘하는데 CD3와 연관된 부위에 결합하고 수용체를 조절하여 T 림프구의 기능을 불활성화 시킨다. OKT3는 비감작 T 림프구의 기능뿐 아니라 그 기능이 확정된 세포독성 T 림프구의 기능을 차단하여 세포성 면역반응을 차단한다. 강력한 림프구 손상에 따른 사이토카인 방출 증후군cytokine release syndrome이나 혈청질환serum sickness 등의 부작용이 심하여 최근에는 다클론 림프구항체로 대치된 상태이다.

나. 다클론 항림프구항체

1966년부터 사용되기 시작한 항림프구항체Anti-Lymphocyte Globulin (ALG)는 숙주의 림프구에 면역된 동물의 혈청을 분리 수확한 것으로써 이식환자에게 주사하면 세포면역억제효과가 뚜렷하게 나타나 현재까지도 널리 사용되고 있으나, 단점으로는 치료 중 급성과민증anaphylaxis, 빈혈, 혈소판감소증 등의 부작용이 있다. 1990년 이후에는 항림프구항체의 단점을 보완한 보다 정제된 다클론 항림프구항체인 Anti-Thymocyte Globulin (ATG)이 개발되어 활발히 사용되고 있다. 이러한 항림프구항체들은 장기이식 후 초기 면역유도요법으로 사용하거나 급성거부반응 치료요법으로 사용하여 높은 성공률을 보여, 이식장기 초기 생존율 향상에 기여한 바가 크다. 항림프구항체는 한번 사용한 이후에는 항림프구항체에 대한 항체가 발생하여 2차 사용이 불가능하다는 제한점이 있다.

다. IL-2 수용체 항체

IL-2 수용체인 CD25에 대한 anti-CD25 antibodies는 여러 개의 세포막 투과 폴리펩티드 사슬로 이루어진 복합체이다. 이 중 alpha 사슬(CD25)은 활성화된 T 림프구에서 나타나며, IL-2 수용체 항체를 사용하여 활성화된 T 림프구를 공격할 수 있다. 현재 임상에서는 basiliximab과 daclizumab 2가지 단클론 항체가 사용되고 있으며 기존의 항림프구 항체 사용 시와 달리 사이토카인 방출 증후군cytokine release syndrome이나 혈청질환serum sickness 등이 거의 발생하지 않는 장점이 있다.

라. B 림프구/형질세포 억제제

항림프구항체에 불응인 항체매개성 거부반응의 치료를 위하여 B 림프구나 형질세포plasma cell에 대한 단크론항체

표 14-2. 면역억제제 종류에 따른 특징적인 부작용

분류	면역억제제(일반명)	대표적인 부작용	부작용
스테로이드	Methylprednisolone/Prednisolone Deflazarcort	체중 증가 이식후 당뇨병	쿠싱형 체형, 백내장, 잦은 피멍, 무혈성 골괴사, 월상안, 골다공증
calcineurin 억제제	Cyclosprine Tacrolimus	신독성	고혈압, 고칼륨혈증, 손발떨림, 다모증, 경련, 고콜레스테롤혈증, 고요산혈증, 간독성
mTOR 억제제	Sirolimus Everolimus	창상치유 지연 고지혈증	저혈소판증, 과립백혈구감소증, 빈혈 소아(<15세)에 사용제한
항대사물질	Azathiopurine Mycophenolate mofetil Mycophenolate sodium	백혈구감소증	위장장애, 빈혈, 저혈소판증 임산부에 사용제한
항림프구항체	OKT3 (monoclonal anti-CD3 antibody) ATG (anti-thymocyte globulin)	발열, 오한	범혈구감소증, 혈청병, 아나필락시스, 이식후 림프증식성질환
IL-2 수용체 항체	Basiliximab (chimeric mouse-human) Daclizumab (humanized)	아나필락시스	
B 림프구/형질세포 특이항체	Rituximab Bortezomib	아나필락시스	

인 rituximab (humanized anti-CD20)이나 bortezomib (proteasome inhibitor)를 사용한다. Rituximab은 ABO혈액형 부적합 신장이식이나 간이식의 이식 전 탈감작desensitization의 목적으로, bortezomib은 기존 치료에 불응인 항체매개성 급성거부반응의 치료요법으로 사용된다.

3) 면역억제제의 부작용

대부분 면역억제제의 약효나 부작용은 용량에 비례함으로, 유효농도와 독성을 나타내는 농도간의 관계를 충분히 살펴보아야 한다. 더불어 면역억제제의 치료범위therapeutic window가 매우 좁으므로, 면역억제제를 투여중인 환자에 대해서는 지속적으로 약물농도를 측정해야 하며, 합병증 또는 독성발생 여부를 규칙적으로 점검하여야 한다.

면역억제요법으로 발생할 수 있는 공통적인 합병증은 감염증과 악성종양의 발생이다. 이러한 감염과 악성종양은 특정한 면역억제제에 의한 합병증이라기 보다는 장기적으로 누적된 면역억제 정도에 의하여 결정된다. 누적된 면역억제 정도는 ① 이미 투여된 면역억제제의 양, 투여기간 및 순서, ② 백혈구 감소 여부 ③ 이물질, 손상된 조직 등 수술적인 합병증의 병발 여부, ④ 대사이상 즉 고요산증과 고혈당증, 혹은 영양결핍의 동반여부, ⑤ 면역기능에 장애를 초래할 수 있는 감염의 동반 여부 등을 고려하여 측정할 수 있다. 분명한 것은 이런 모든 인자 중 면역억제제의 투여 정도가 가장 중요하다.

이식 후 감염증은 이식 후 시기에 따라서 다른 형태의 감염증이 발생하는데, 이식 후 1달 이내는 병원 감염nosocomial infection으로 수술 합병증과 관련이 많다. 반면에 6개월 이내의 감염은 면역억제제에 의한 면역기능의 변화에 따른 기회감염opportunistic infection이 주로 이루어 진다. 이식 후 6개월 이후에는 지역사회감염community-acquired infection이나 만성보균 혹은 재발된 감염이 주로 발생한다. 이식 후 악성종양은 기증자와 관련된 악성종양, 이식 전 악성종양의 재발, 이식 후 새로운 악성종양 등으로 구별하나, 일반인에 비하여 악성종양의 발생빈도는 높다. 특히 피부암, 림프종lymphoma, 신장암, 이식 후 림프증식성질환post-transplant lymphoproliferative disease의 발생 빈도는 현저히 증가한다.

감염증과 악성종양의 발생 이외의 각각의 면역억제제가 가지는 특정적인 부작용은 표 14-2와 같다.

5. 항체매개성 면역반응의 조절

이식면역반응 중 항체매개성 면역반응은 이미 형성된 항체에 의하여 발생하며, 이러한 항체는 기증자 HLA, 혈액형 항원, 또는 내피세포endothelial cell 항원에 대한 수혜자의 항체에 의해 발생할 수 있다. 수혜자 내에서 이미 형성된 항체는 기증자의 장기가 이식되는 경우에는 초급성 거부반응 이나 항체매개성 급성거부반응을 초래하며, 기존의 면역억제제에 불응인 경우가 많다. 림프구 교차반응 양성이거나 ABO 혈액형 부적합 기증자에게서 이식을 받는 경우에 시도하는 이식 전 탈감작요법desensitization과 항체매개성 급성거부반응의 치료는 항체매개성 면역반응을 조절하는 것으로 구성되었다. 항체를 생성하는 B 림프구의 억제 또는 제거, 항체의 제거, B 림프구의 활성화를 돕는 T 림프구의 억제, 보체계 활성화 억제 등이 치료의 원칙으로, 정주용면역글로블린intravenous immunoglobulin (IVIG)의 투여와 혈장교환술plasma exchange는 항체를 제거하며, rituximab 과 bortezomib은 각각 B 림프구와 형질세포의 사멸apoptosis를 유도한다.

요약

이식면역반응은 타인의 장기를 이식할 경우 기증자에 존재하는 조직적합항원에 대해 수혜자의 면역체계가 이물반응을 일으키는 것을 말하며, 임상적으로는 거부반응의 형태로 발현된다. 사람에서는 HLA 가 면역반응을 결정하는 항원 역할을 담당하는데, HLA-A,B,C항원(Class I)은 모든 유핵세포에 존재하나 HLA-DR항원(Class II)은 B 림프구, 대식세포와 수상돌기세포 등의 항원전달세포에 존재한다. 이식면역반응의 과정은 항원전달세포에 의한 항원의 처리 및 표현으로 시작하여, 이 항원을 T 림프구 수용복합체가 인식함과 동시에 표면에 동시자극 신호전달체계까지 항원을 인식하게 되면 T 림프구가 활성화되고, 세포성 면역반응과 항체매개성 면역반응의 과정을 거쳐서 이식장기의 손상이 진행되는 것이다.

이식면역반응 혹은 거부반응을 억제하기 위하여 사용되는 면역억제제는 작용기전에 따라서 스테로이드, calcineurin 억제제, 항대사물질, mTOR 억제제, 항림프구 항체, IL-2 수용체 항체, B 림프구/형질세포 억제제 등으로 구분한다. 또한 면역억제제는 목적에 따라서 장기이식 후 적용하는 유도요법, 지속적으로 사용하는 유지요법 그리고 급성거부반응 혹은 탈감작을 위한 치료요법 등으로 구분한다. 면역억제제의 유지요법은 다수(3개 미만)의 작용기전이 다른 면역억제제를 병합투여하는 것이 표준치료로, 이는 병행투여로 인한 약효 상승효과와 용량감소효과를 기대할 수 있기 때문이다. 면역억제제는 용량에 비례하여 약효와 부작용이 발생하며, 유효농도를 측정하면서 사용하는 것이 필요하다. 감염증과 악성종양의 발생은 면역억제요법으로 발생되는 공통적인 합병증으로, 이식 후 6개월 이내의 기회감염을 줄이고 장기생존 시 악성종양에 대한 모니터링은 필수적이다. 최근에는 정주용 면역글로블린 투여, 혈장교환술, 그리고 B 림프구와 형질세포 억제제로 구성된 항체매개성 면역반응 억제요법이 개발되어 임상에 적용하고 있다.

III 장기기증

장기기증은 기증자의 상태에 따라 크게 생체 및 사후기증으로 나누고, 사후기증은 뇌사 및 심장정지 후 기증으로 나눌 수 있다. 생체기증은 혈연간 기증, 비혈연간(제3자 순수기증) 기증 그리고 교환기증 등으로 분류한다.

1. 장기기증자 종류

1) 생체기증

국내의 생체 장기기증은 대부분 혈연간에 이루어지나 이식적합성이 맞지 않아 가족 내에서 적절한 기증자를 찾기 어려운 경우에는 교환이식 프로그램을 통해 생체 장기기증을 할 수 있고 혈연간 이식 성적과 차이가 없을 정도로 높은 이식 성공률을 보이고 있다. 기증자와 이식대상자의 관계는 배우자, 혈족, 인척(혈족의 배우자, 배우자의 혈족, 배우자의 혈족의 배우자 포함) 및 타인으로 구분한다. 혈족의 범위는 『장기 등 이식에 관한 법률』에 따르면 4촌 이내이고, WHO에서는 좀 더 자세히 나누고 있는데, 가계도에서 1차 연결이 되는 사람을 면역학적으로 혈족으로 칭하고 있다. 생체 장기기증을 위해서는 장기이식기관에서 기증자와 이식대상자에게 기증 및 이식 수술 전반에 관한 충분한 설명과 함께 생체 이식을 위한 검사인 혈액형검사, 조직적합 항원 검사HLA typing, 림프구 교차검사 등을 시행 후 이식 대상자와 적합 기증자가 확정이 되면, 해당 기관의 사회복지사에 의해 순수성 평가를 시행한 후 국립장기이식관리센터로부터 기증 및 이식 승인을 받아야 한다.

2) 사망 후 기증

사망 후 장기를 기증하는 것에는 뇌사 시 기증과 심장정지 후 기증이 있다. 뇌사를 진단하기 위해서는 선행조건과 판정기준에 모두 적합해야 한다(표 14-3). 뇌사는 뇌간brain stem을 포함한 뇌의 기능이 소실되어 인공호흡기에

표 14-3. 뇌사판정기준

판정기준 \ 연령	6세 이상	1세 이상 6세 미만 소아	2개월 이상 1세 미만 소아
선행조건	1. 원인질환이 확실하고 치료될 가능성이 없는 기질적 뇌병변이 있어야 할 것 2. 깊은 혼수상태로서 자발호흡이 없고 인공호흡기로 호흡이 유지되고 있어야 할 것 3. 치료 가능한 약물중독(마취제, 수면제, 진정제, 근육이완제 또는 독극물 등에 의한 중독)이나 대사성 또는 내분비성 장애(간성혼수, 요독성 혼수 또는 저혈당성 뇌증 등)의 가능성이 없어야 할 것 4. 저체온 상태(직장온도가 섭씨 32℃ 이하)가 아니어야 할 것 5. 쇼크상태가 아니어야 할 것	좌동	좌동
판정기준	1. 외부자극에 전혀 반응이 없는 깊은 혼수 상태 2. 자발호흡이 되살아날 수 없는 상태로 소실 3. 두 눈의 동공이 확대·고정되어 있을 것 4. 뇌간반사가 완전히 소실되어 있을 것 5. 자발운동·제뇌강직·제피질강직 및 경련이 나타나지 않을 것 6. 무호흡검사 결과 자발호흡이 유지되지 아니하여 자발호흡이 되살아날 수 없다고 판정될 것	좌동	좌동
재확인(2차검사)	6시간 경과 후	24시간 경과 후	48시간 경과 후
뇌파검사	2차 검사 후 평탄파가 30분 이상 지속	좌동	2차 검사 전과 후에 각각 실시

표 14-4. 신장 확대기준 기증자

KONOS (Korean Network for Organ Sharing)	UNOS (United Network for Organ Sharing)
① 기증자의 연령이 60세 이상인 경우 ② 혈청 크레아티닌이 3.0mg/dL보다 높으면서 감소추세이거나 크레아티닌 청소율(Creatinine Clearance)이 60보다 작은 경우 ③ 2회 이상의 소변 검사에서 단백뇨가 2+ 이상인 경우	1) 기증자의 연령이 60세 이상인 경우 2) 기증자의 연령이 50-59세 이면서 다음 3가지 중 2가지 이상을 만족하는 경우 ① 고혈압의 과거력 ② 혈청 크레아티닌 >1.5mg/dL ③ 뇌혈관질환에 의한 사망

표 14-5. 심정지 기증자에 관한 Maastricht category

Category 1	병원 도착 당시 사망한 경우	비조절성 심정지 공여
Category 2	심폐소생술이 실패한 경우	
Category 3	심장사가 예상되는 환자에서 생명유지 장치를 제거하는 경우	조절성 심정지 공여
Category 4	뇌사자에서 발생한 심정지의 경우	

의존하여 의미 없는 삶이 계속되는 상태를 의학적으로 뇌사로 정의하고 이 짧은 기간에 장기를 기증하여 이식에 사용하도록 하는 제도이다.

뇌사와 혼동이 되는 식물상태는 뇌의 피질 손상으로 인해 혼수 상태이고 감각이나 운동장애가 있지만 호흡이나 심장 박동 등 뇌간의 중추기능은 살아있어서 적절한 치료를 하면 생명연장은 얼마든지 가능하다. 반면 뇌사자는 뇌의 피질뿐 아니라 뇌의 중추기관인 뇌간의 손상으로 자발적인 호흡이 없고, 심장박동은 조만간 중지될 운명에 있다.

최근에는 뇌사자의 장기 활용을 증가시키기 위해 확대기준 기증자expanded criteria donor로부터 기증이 증가하는 추세에 있다. 확대기준 기증자는 장기의 상태가 전반적으로 양호하지 않은 기증자를 의미하며(표 14-4), UNOS의 확대기준 기증자는 기증 신장의 숫자를 증가시키기 위해 적용되지만 이식편 손실의 상대위험도가 1.7배 이상으로 예측되는 뇌사기증자로 정의되었다.

또 심장 정지 후 기증에 의한 장기 이식도 중요한 추가적인 장기 공급원으로 적극 고려되고 있다. 심정지기증자는 1995년 네덜란드의 Maastricht 회의에서 4개의 범주로 분류되었다(표 14-5). 비조절성 심정지 상태의 기증은 주로 유럽에서, 그리고 조절성 심정지 상태의 기증은 주로 미국에서 이루어지고 있다. 우리나라도 1998년에 심장 정지 후 기증에 의한 신장이식이 처음 시작된 이래 매년 증가추세를 보이고 있으며 2009년에는 심정지기증자로부터 간이식이 국내 처음으로 시행되기도 했다.

2. 뇌사 장기기증자의 관리

환자가 뇌사 상태가 되면 심혈관계의 자율조절능력이 없어져서 혈액 역동학적으로 불안정한 상태가 되어 심박출량이 감소하고 저혈압 상태가 된다. 그리고 뇌하수체 기능 부전으로 내분비계통 합병증이 나타나는데 특히 요붕증, 갑상선 호르몬의 감소를 초래한다. 또한 체온조절기능 마비로 체온의 변동이 심하고 응고기전에 장애가 올 수 있다.

따라서 뇌사판정 전 후의 치료방침은 전혀 다른 방향이 된다. 즉 뇌사판정 전에는 환자를 살리기 위해 상승된 뇌압을 감소시키는 노력을 하지만, 뇌사판정 후에는 이식을 위해 기증할 장기의 기능을 잘 유지하고 말초에 적절한 산소를 공급할 수 있도록 하는데 있다. 특히 적당한 혈압을 유지하기 위해 뇌사판정 이후에는 수액량을 늘리거나 수혈, 혈압상승제를 사용하여서라도 적출장기의 기능

표 14-6. 다 장기 기증예정자의 장기기증에 대한 금기 사항

절대적 금기조건	상대적 금기조건
1. 뇌나 피부 등을 제외한 전신의 암 2. 전신의 세균 및 바이러스성 감염 3. 기증자와 혈액형의 부적합성	1. 나이 2. 당뇨나 고혈압 등 전신 질환 3. 기증자의 장기의 크기 4. 뇌사자의 심 폐기능

을 보존해야 한다.

뇌사환자는 기관 삽관하여 인공호흡기를 통해 호흡을 하는데 적절한 기관 처치를 하고 동맥혈의 가스분석을 통해서 충분한 양의 산소를 공급하여 동맥혈 내의 산 염기 상태를 조절해야 한다. 요붕증은 심한 탈수와 고나트륨혈증을 유발하므로 저장성 용액을 충분히 공급하고 호르몬 치료를 하여야 한다. 감염을 예방하기 위해서는 모든 시술을 무균 상태로 하고 혈관 및 요도관 등 여러 종류의 도관을 잘 관리해야 하며 여러 곳의 세균 배양을 규칙적으로 하여 필요에 따라서는 적절한 항생제 치료 등 조치를 해야 한다. 뇌사 환자는 대부분 체온 조절 기능이 소실되어 저체온 상태가 되는데 이때에 심장에 부정맥 등 손상을 줄 수 있기 때문에 수액의 온도를 높이거나 모포 등 여러 가지 방법을 동원하여 보온해야 한다. 그러나 이와 같은 적극적인 치료에도 불구하고 뇌사자의 약 25%에서는 장기기증을 할 수 없는 상태가 된다.

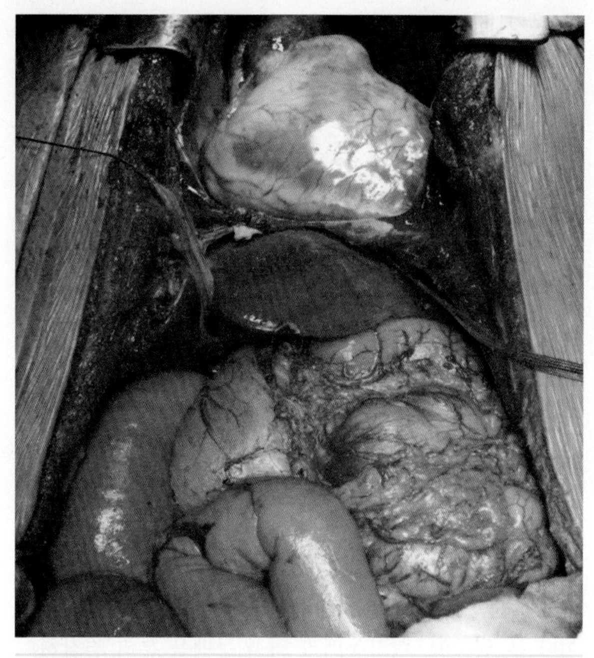

그림 14-7 **피부절개.** 피부절개는 흉골 윗부분에서 치골상부까지 가운데로 종 절개한다.

3. 뇌사자 장기적출 술기

대부분의 뇌사 장기는 여러 장기를 동시에 적출하는 다 장기 적출이기 때문에 각 적출팀들이 서로 협력해서 수술 시행할 시간과 수술의 순서를 정해서 각각의 장기에 손상이 없도록 하는 것이 중요하다. 복강내 장기를 적출하려 할 때 기준이 되는 일반적인 조건은 표 14-6과 같으나 각 장기마다 기준은 약간씩 차이가 있다.

뇌사자는 미미한 자극에도 활력상태 및 각 장기 기능에 이상이 올 수 있으므로 뇌사자를 수술실로 이동하는 데도 각별히 조심해야 하고, 적출장기의 냉각관류 전 박리는 최소화하는 것이 좋다. 마취의 유지는 심장이 정지되고 냉각 관류액으로 관류를 시작할 때까지는 환자의 활력상태를 유지하고 소변량을 유지할 수 있도록 적극적으로 관리해야 한다.

구체적인 수술 술기는 수술 팀마다 다를 수 있기 때문에 복강내 장기적출을 중심으로 기본적인 수술법만 기술한다. 피부절개는 기본적으로 모든 장기가 충분히 노출되도록 하는 것으로 적출해야 할 장기와 관련 없이 보통 흉골 윗부분에서 치골 윗 부분까지 복벽 중앙으로 종 절개를 하는데 흉골은 기구를 사용해서 절개한다(그림 14-7). 작은 출혈에도 활력상태가 불안정해 질 수 있어서 세심한 지혈이 필요하다.

심장적출팀이 심낭을 충분히 절개해서 심장을 노출시

킨다. 심장의 사용여부를 육안적으로 세밀히 관찰한 후 폐동맥을 대동맥에서 분리하고 상대정맥을 폐정맥으로부터 분리해 둔다.

1) 표준 적출술

심장적출 팀과 함께 복강 내 장기 적출팀이 간을 비롯한 복강내 적출예정 장기와 모든 복강 내 조직의 이상유무를 육안으로 확인하면서 개복 전 검사에서 발견되지 못한 종양이나 복막염의 소견, 또는 혈관이상을 확인한다. 필요에 따라서는 간의 일부를 떼어서 조직검사를 먼저 실시한다. 또한 간동맥은 좌, 우의 간동맥에 해부학적 변이가 10–15%에서 있으므로 잘 관찰해야 한다. 간 주위의 지지조직인 인대들을 분리해서 박리한다. 총수담관을 십이지장과 만나는 부위에서 분리하고 절단하여 간 하부 쪽으로 담관을 주위 조직과 함께 박리한다. 이때 너무 담관 가까이서 박리하면 담관의 혈류를 손상시킬 수 있으므로 주의해야 한다. 담낭을 열어서 수액으로 담낭과 담관 내의 담즙을 세척해 줌으로써 허혈에서 나타나는 담도 점막의 손상을 예방한다. 간동맥의 박리는 위–십이지장 동맥이나 우 위동맥, 비장동맥과 좌 위동맥을 분리 결찰하여 대동맥에까지 이른다. 노출된 대동맥을 감싸고 있는 횡격막의 각부를 절개해서 복강동맥 상부의 대동맥을 노출하여 혈관 슬링으로 대동맥을 차단할 수 있게 준비해 둔다.

다음으로 문맥을 주위조직에서 분리하는데 주행 중에 만나는 관상정맥을 결찰하고 비장정맥과 상장간막 정맥까지 노출하고, 하장간막 정맥을 박리해 둔다. 우측 대장 외측에서 우측 후복막을 충분히 절개하여 우측 대장을 좌측으로 이동시키면 하대정맥과 대동맥이 노출된다. 대동맥은 상장간막 동맥 기시부부터 장골동맥 분지부까지 분리하고 도중에 하장간막 동맥은 결찰한다. 하대정맥도 대동맥과 같은 범위로 노출해서 신정맥을 분리하며 대동맥과 하대정맥은 각각 혈관 슬링으로 구별해 둔다. 이때 뒤쪽에 있는 요부 혈관lumbar vessel의 손상을 조심해야 한다.

적출할 장기의 박리가 끝나면 박리해 둔 대동맥과 하장간막정맥을 통해 관류관을 삽입한다. 하대정맥을 통해

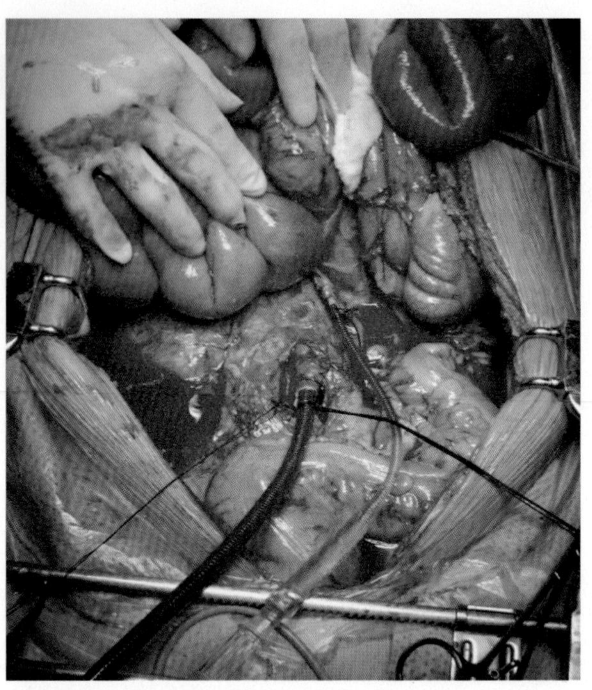

그림 14-8 **대동맥과 문맥에 도관.** 대동맥과 하 장간막 정맥에 각각 관을 넣어서 관류액으로 관류를 준비한다.

삽입한 관은 관류을 통해 씻겨 나오는 혈액과 관류액의 배액관으로 이용한다.

대동맥을 차단하여 냉각관류를 시작하기 전에 헤파린 20,000–30,000unit를 정맥주사하여 전신의 혈액응고를 억제시킨다. 관류의 시작은 심장 적출팀이 심장근처의 대동맥에 관을 넣어서 심장 관류액에 연결하고 복강내 장기에 대한 관류 준비가 끝나면, 우심방 상부의 상대 정맥을 봉합기를 이용해서 분리 봉합하고 상부 대동맥은 대동맥궁 부위에 혈관차단기로 차단하며 대동맥 상부에 설치된 관을 통해서 심장 관류액을 관류시킨다. 동시에 간 적출팀이 복강동맥 상부의 대동맥을 혈관겸자로 차단하고 대동맥과 장간막정맥에 설치된 관을 통하여 냉각관류 용액을 각 장기내로 주입하면서 하대정맥으로 혈액과 관류액을 배출시킨다(그림 14-8). 이때 간 상부의 하대정맥을 횡격막 상부에서 절개하여 정맥혈액을 배출해 줌으로써 장기 및 중심정맥의 압을 내리고, 복강 내에는 얼음조각으로 채워 줌으로써 장기의 표면온도를 낮춘다. 관류 때 대동맥이 차

단되고 심장이 정지되면 마취는 중단하게 된다. 이 냉각관류는 혈관 내의 혈액을 빨리 제거해 주고, 적출할 장기의 내부 온도를 낮추어 줌으로써 장기내의 대사작용을 억제하고 온 허혈손상을 예방해 준다.

장기의 적출은 심장, 간, 신장의 순서로 하고, 모든 장기의 적출이 끝나면 예기치 못한 혈관손상에 대비하여 장골동정맥을 가능한 한 길게 절제하여 적출한 장기와 함께 이송한다.

(1) 간적출

관류는 UW용액(위스콘신 대학용액) 또는 HTK용액을 주로 사용하고, 관류용액이 깨끗해 질 때까지 시행한 후 심장적출과 함께 간절제를 시작한다. 박리된 간동맥을 복강동맥 기시부에서 대동맥과 함께 절제하고, 문맥은 관류관이 삽입된 장간막정맥과 함께 절제한다. 간 후부 대정맥은 위쪽은 횡격막 일부와 함께 절제하고, 하부는 신정맥을 손상하지 않는 범위에서 신정맥상부에서 분리하고, 후복막벽에 간이 부착된 부위를 간과 함께 적출한다. 적출한 간은 4℃의 냉장보관액에 넣고 얼음이 든 냉장보관액으로 이중포장 후 수혜자 병원으로 이송한다. 이송 시에는 장기기증자의 자료와 장기적출 시에 확인된 해부학적 소견, 대동맥 차단시간 등을 자세히 기록한 소견서를 함께 첨부한다. 세밀한 해부학적 박리는 이식 후 초기 간기능을 저하시킬 수 있으므로 가능한 한 피하는 것이 좋다.

(2) 췌장적출

다장기 적출 시 췌장의 적출은 이미 간이 절제된 상황이고 대부분의 혈관이 박리되고 냉각된 상태여서, 노출된 췌장이나 신장을 이식해 줄 혈관만 확보해서 적출하면 된다. 췌장 적출은 먼저 비장-횡격막 인대와 비장-대장인대를 절개하여 비장과 췌장을 완전히 노출시켜 후복막조직으로부터 분리하고, 비장을 공급할 동맥을 다른 장기구득팀과 의논해서 위치를 결정해야한다. 췌장 단독 적출시는 복강동맥을 노출해서 왼쪽 위동맥과 간동맥을 기시부에서 결찰하고, 복강동맥과 상장간막 동맥의 개구부를 포함하는 대동맥carrel patch을 절제하여 동맥문합에 이용한다. 상장간막 정맥은 췌장 상부에서 가능한 한 길게 문맥쪽으로 절제해야 정맥문합 시 용이하다.

십이지장을 주위조직으로부터 박리하고 상장간막 혈관을 분리하여 췌장 하부에서 결찰 분리하는데, 이때 아래 췌-십이지장 혈관inferior pancreaticoduodenal vessels을 보존할 수 있도록 주의해야 한다. 그리고 분리된 담관을 반드시 결찰해야 한다. 십이지장의 절제는 췌장이 십이지장에 확실하게 유착되어 있는 상·하부를 봉합기로 절단한 후 췌장과 함께 적출한다.

간 이식팀이 간동맥을 복강동맥과 함께 절제해 간 경우는 남아있는 비장동맥과 상장간막동맥을 보존해서, 기증자의 장골동맥을 이용한 Y자 문합을 하여 동맥문합에 이용한다. 함께 적출된 비장은 이식 전 냉장액 속에서 절제하거나 이식 후 제거할 수도 있다.

(3) 신장적출

이미 신장이 노출되어 있으니 골반강 내에서 분리된 요관을 혈류에 손상이 없도록 주위조직과 함께 분리하고, 신장은 신동정맥이 포함된 대동맥, 대정맥을 후복막벽과 함께 절제한다. 신장적출 후 좌우 두 개의 신장을 냉장보관액 내에서 분리하는데 대동맥, 대정맥의 뒤쪽 벽의 가운데를 절개해서 다발성 신동맥의 유무를 확인하고 필요하면 모든 신동맥을 포함하는 대동맥 패치를 이용하는 것이 좋다. 오른쪽 신장은 신정맥이 짧기 때문에 하대정맥을 포함해서 절단하는 것이 좋고, 왼쪽 신장은 신정맥이 길기 때문에 하대정맥으로 유입되는 부위에서 절단해도 문합에 어려움이 없다.

2) 신속 적출술

경우에 따라서 뇌사자의 혈압 등 활력상태가 불안정하여 장시간의 장기적출수술을 감당하기 힘들 경우에는 신속한 장기적출수술이 필요하다. 이때는 각 장기의 적출에 필요한 세밀한 박리를 피하고 상대동맥과 원위부 대동맥을 차단한 상태에서 대동맥을 통해 대량의 냉각관류액을 투입하여 신속히 냉각관류 한 후에 타 장기와 혈관에 손상을 주지 않는 범위내에서 각 장기를 신속하게 적출하고, 세밀한 박리는 이식을 하는 수술장에서 장기보관용액 내에서 시술한다.

요약

뇌사자는 뇌간을 포함한 뇌 전체의 비가역적 손상으로 뇌 기능이 소실되어 인공호흡기로 호흡이 유지되고 일시적인 심장박동은 조만간 중지될 수 밖에 없는 의학적 사망 상태이다. 장기기증에 동의한 뇌사환자의 관리는 이식할 장기의 기능을 잘 유지하고 말초에 적절한 산소를 공급할 수 있어야 한다. 특히 중요한 것은 적당한 혈압을 유지하게 하고 충분한 양의 산소를 공급하여 동맥혈 내의 산 염기 조절을 하는 것이다. 뇌사 기증자의 올바른 선택은 이식 수술 후 예후에 매우 중요하다. 이상적인 기증자는 50세 전후의 나이에 기증할 장기에 질환이 없고 동맥혈 가스분석에서 적당한 산소 분압을 유지하여 혈역학적 및 호흡기 계통이 안정적이어야 하고, 소변량이 충분하고 신장기능이 정상적인 수준이면서 최소한의 혈압상승제로 혈압이 유지되는 상태이다. 일반적으로 뇌사자에서 악성종양의 과거력이 있거나 여러 조사에서 현재 악성종양이 진단되었을 때와 전신에 감염이 있으면 엄격히 장기기증을 금하고 있다. 특별한 사항이 아니면 혈액형이 일치하거나 적합한 상태에서 이식 수술을 실시해야 한다. 대부분의 뇌사 장기는 다장기 적출이기 때문에 장기 적출 수술을 할 때는 관련된 장기 적출 팀들이 협력해서 각각의 장기에 손상이 없도록 하는 것이 중요하다.

Ⅳ 국내외 장기기증 시스템

1. 국내 장기기증 시스템

1969년 첫 생체 신장이식이 시행된 이후 주로 생체 장기기증에 의한 신장이식이 주류를 이루던 국내의 장기이식은 1979년 뇌사자 신장이식이 시행된 이후에도 생체 기증 위주의 신장이식을 시행하다가, 1988년 뇌사자로부터 뇌사장기 적출술을 이용한 간이식이 시행되면서 뇌사 장기기증에 대한 관심이 높아졌다. 하지만 이에 대한 법적 근거가 없이 기증이 이루어져서, 뇌사의 법적 근거를 만들기 위해 노력한 결과 1999년 2월 8일에『장기등 이식에 관한 법률』이 국회에서 가결되고 2000년 2월 9일부터 시행되게 되었다. 그리고 이 법에 따라 국립장기이식관리센터 Korean Network for Organ Sharing (KONOS)가 2000년에 설립되어 뇌사자의 장기기증을 체계적으로 관리하기 시작하였고 이때부터 국내의 모든 장기기증 및 이식 수술은 국립장기이식관리센터의 승인하에 이루어지고 있다. 그러나 당시에 제정된『장기 등 이식에 관한 법률』은 적극적인 뇌사자 발굴 및 장기 기증 보다는 의료의 질 유지, 장기 매매 금지 및 장기의 공정분배에 초점을 두었기에 효율적인 뇌사자 발굴 및 관리 분야에 허점을 보였다. 특히 최근 의료수준의 발달로 말기 장기부전 환자들의 생존은 향상되어 고형장기를 받으려는 이식대기자의 증가가 폭발적인데 비해 장기의 수급은 그에 미치지 못하고 있어 심각한 불균형 현상을 보이고 있다(그림 14-9).

이러한 국내의 기증 장기 부족 현상으로 인해 국내 장기이식 대기자들의 대기기간이 지속적으로 증가하고 있

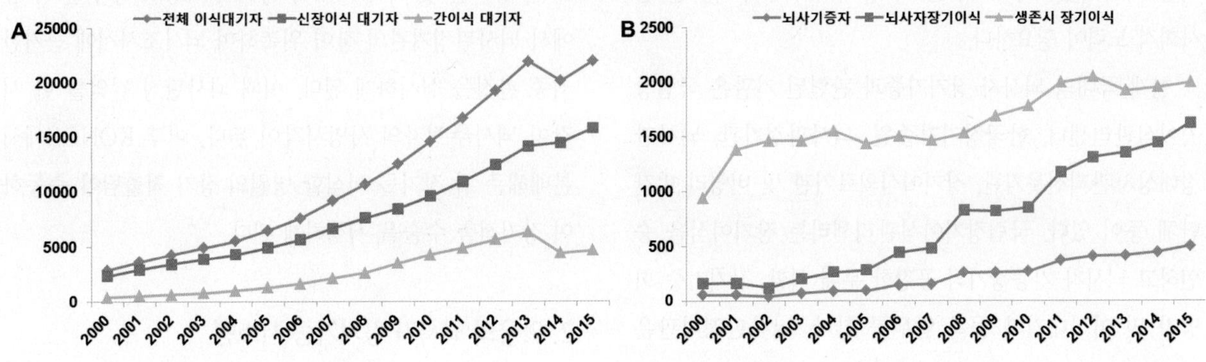

그림 14-9 국내 이식대기자 및 기증자 추이

고, 장기이식 대기 중 사망하는 환자의 증가와 해외 원정 이식 등 사회적인 문제가 대두되어 뇌사자 장기기증 활성화와 기증장기의 공정한 분배를 위해 의료인을 포함한 범국가적인 노력을 시도하고 있다. 2010년 개정된『장기 등 이식에 관한 법률』에 따라 2011년부터 한국장기기증원Korea Organ Donation Agency (KODA)이 우리나라의 독립장기구득기관으로 지정되어 모든 뇌사 추정자에 대한 통보를 받기 시작하였다. 이러한 노력은 세계이식학회 및 세계신장학회가 2008년 7월 발표한 이스탄불 선언 및 WHO가 2010년 발표한 '세포, 조직, 장기의 이식에 관한 지침'에 부합하는 노력이었으며 인구 백만명당 뇌사 기증률 역시 2009년 5.3명에서 2015년에 9.9명으로 괄목할 만한 성장을 보였다. 그러나 인구 백만명 당 20-30명에 이르는 유럽이나 미국에 비해 아직 많은 차이를 보이며 향후 뇌사장기기증 활성화를 위한 지속적인 노력이 필요하다. 최근 보건복지부와 한국장기기증원은 중환자실 또는 응급실 사망자의 의무기록을 조회하여 장기기증의 장애 사항을 확인한 후 이를 의료진에게 교육하는 장기기증 활성화 프로그램donation improvement program을 69개의 협약병원에 도입하여 뇌사추정자 발굴 및 기증률 증가에 있어 괄목할만한 성과를 내고 있다(그림 14-10).

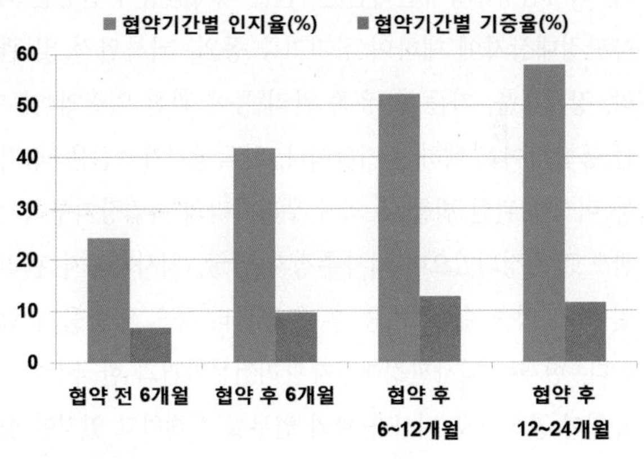

그림 14-10 장기기증 활성화 프로그램 효과

전세계적인 공여 장기 부족 현상의 심화로 인해 최근에는 순환정지에 의한 사망 후 기증Donation after Circulatory Death (DCD)에 의한 장기이식이 중요한 추가적인 장기 공급원으로 적극 고려되고 있다. DCD는 1995년 네덜란드의 Maastricht에서의 회의에서 4개의 범주로 분류되었다. Category 1과 2는 uncontrolled DCD로 사망시각을 조절할 수 없는 경우이며, 각각 병원 도착 당시 사망한 경우 및 심폐소생술이 실패한 경우를 의미하고 주로 스페인, 프랑스 등 유럽에서 활성화되어 있다. Controlled DCD인 category 3과 4는 각각 심장사가 예상되는 환자에서 생명유지장치를 제거하는 경우 및 뇌사자에서 발생한 심정지의 경우를 의미하며 category 3의 경우 주로 미국이나 영국에서 이루어지고 있고, category 4의 경우는 일본에서 많이 이루어지고 있다. 미국의 경우 DCD는 2006년에 이미 전체 사후 기증자의 15% 이상을 차지하고 있다. 우리나라는 2006년도에 DCD에 의한 장기이식이 처음 시작되었으나 그 수는 아직 미미하여 추가적인 범사회적 노력이 필요하다.

현재 국내의 뇌사자 장기기증과 관련된 기관은 국립장기이식관리센터, 한국장기기증원, 뇌사판정기관, 뇌사판정대상자관리전문기관, 장기이식의료기관 및 비영리 민간단체 등이 있다. 국립장기이식관리센터는 장기이식을 승인하고 뇌사자 기증장기의 공정한 분배 역할, 장기기증 희망자 및 이식대기자 등록 업무를 한다. 뇌사판정기관은 전문의사를 포함한 '뇌사판정위원회'를 구성하여 장기 등의 적출 및 이식을 위한 뇌사 판정 업무를 하는 기관이며, 뇌사판정대상자관리전문기관은 뇌사판정이 신청된 뇌사판정대상자에 대하여 장기기증 동의, 뇌사판정 및 관리, 장기적출, 기증 후 유족 관리 등에 관한 일련의 업무를 통합하여 수행하는 기관이다. 한국장기기증원은『장기 등 이식에 관한 법률』에 의거 우리나라의 독립장기구득기관으로 지정되었으며 뇌사추정자 발굴, 뇌사기증자 관리 및 장기 적출 수술, 기증 후 유족관리 등의 역할을 담당한다. 현재는 뇌사판정대상자관리전문기관과 한국장기기증원이 공동으로 뇌사자 관리 업무를 시행하고 있지만 향후 뇌사판정대상자관리전문기관으로부터 한국장기기증원으로 관련 업무가 이양될 예정이다.

우리나라에서 뇌사자 장기기증의 흐름은 다음과 같다. 먼저 뇌사추정자가 발생한 경우『장기 등 이식에 관한 법률』에 의거 한국장기기증원으로 통보를 하면 한국장기기증원의 코디네이터가 출동하여 뇌사추정자를 평가한 후 뇌사판정기관에서 뇌사자를 이송하지 않고 직접 관리하거나, 뇌사판정이 안 되는 소규모의 병원의 경우 뇌사판정대상자관리전문기관으로 이송한 후 관리하게 된다. 신경과 및 신경외과 등 전문의사를 포함한 2인에 의해 1차 및 2차 뇌사 조사가 이루어진 후 뇌파검사 등의 확진 검사를 거쳐 뇌사판정위원회에 의해 최종적으로 뇌사가 판정된다. KONOS는 1차 뇌사 조사가 이루어진 후 이식대상자 선정기준에 따라 장기 별 이식 대상자를 선정하여 해당 이식 의료기관에 통보한다. 뇌사판정위원회의 위원은 의료법에 의한 의료인, 변호사의 자격을 가진 자, 공무원, 교원, 종교인 및 기타 학식과 사회적 덕망이 풍부한 자 중에서 뇌사판정기관의 장이 위촉하며 뇌사조사서에 근거한 최종 판정을 실시하게 된다. 이때 뇌사판정 결의를 한 시각이 뇌사추정자의 사망시각이 된다. 이후 KONOS에서 분배해준 각 장기를 이식할 병원의 장기 적출팀이 출동하여 장기적출 수술을 시행하게 된다.

2. 외국의 뇌사자 장기기증 시스템

1) 스페인(http://www.ont.es)

스페인은 뇌사자 장기기증에 있어 공공의료 체제인 국가 의료 시스템에 맞춰 국가적, 지역적, 병원 차원의 3단계 조정이 유기적으로 이루어진다. 스페인에서의 장기이식은 정부가 예산을 지원하는 병원 중 44개의 공공병원에서만 가능하다. 스페인 중앙정부 보건성 소속의 Organización National de Trasplantes (ONT)가 뇌사자 장기기증의 제반 사항에 대한 결정기구이며 국가 장기이식 체계의 본부 역할을 한다. 17개 자치주는 기관의 장기이식 프로그램에 관여하며 뇌사자 관리병원 및 발생병원에 대한 재정적 보상의 주체이다. 각 병원에는 병원 내 코디네이터가 지속적으로 뇌사자 발생을 감시하여 잠재적 기증자 발견 및 확인, 뇌사기증자 관리, 장기적출 등을 담당한다. 스페인은 병원 내 코디네이터를 통하여 뇌사추정자의 발굴에 초점을 두어 제도를 운영하며 뇌사자가 생전에 장기기증 거부 의사를 밝히지 않았을 경우에는 그에 반하는 의사가 없었다고 가정하는 추정동의제presumed consent를 운영하고 있다. 또한 발달된 응급의료 시스템을 바탕으로 하여 순환정지 후 장기기증(DCD)도 매우 활발히 시행되고 있다. 스페인은 인구 백만 명당 뇌사 및 순환정지 사망 후 기증자 수가 1989년 14.3명에서 10년만에 33.6명에 달하는 성과를 내었다. 현재는 project 40라는 목표하에 백만 명당 40명을 목표로 활동하고 있다.

2) 미국(http://www.unos.org)

미국의 경우는 민간의료시스템을 기반으로 하는 국가

적 뇌사 장기구득 시스템이다. 60년대부터 이식의료기관의 자체적인 필요에 의해 병원 내에 시스템이 구축되다가 80년대 초에 메트로폴리탄 지역에 1개의 장기구득기관만이 존재한다는 법이 만들어지면서 각 지역마다 장기구득기관이 형성되어 현재는 지역별로 배타적인 구역을 가지는 58개의 장기구득기관이 존재한다. 이중 50개소는 독립장기구득기관이며 8개소는 병원부설 장기구득기관이다. 하지만, 병원부설이어도 재정적으로는 독립되어 운영되고 있다. 미국은 1984년 국가장기이식법을 제정하여 United Network for Organ Sharing (UNOS)과 National Organ Procurement and Transplant Network (OPTN)를 설립하여 서로 연계시켰으며, 장기구득기관과 이식의료기관의 협력관계를 구축하여 장기구득기관을 국가 장기 관리 체계 아래 두고 있다. 미국은 뇌사자의 장기기증을 증가시키기 위해 1986년에 뇌사추정자의 보호자에게 기증에 대해 알려주는 것Required request를 연방법으로 규정하였고 1994년에 모든 사망 임박자에 대한 신고를 의무화하는 법안(required referral, PA Act 102 of 1994)을 펜실바니아주에서 처음 시행하여 전국으로 확산되었으며, 1998년에 국가보험과 연계시켜 실제적인 뇌사추정자 신고의무제를 운영하고 있다. 또한 CMS (Centers for Medicare & Medicaid Services)의 규정에 의해 각 병원과 계약된 장기구득기관은 사망 임박자에 대한 신고가 제때에 적절히 이루어졌는지 평가하기 위해 각 병원의 사망자에 대한 의무기록을 의무적으로 분석하도록 하고 있다.(Final Rule)

3) 독일(http://www.dso.de) 및 Eurotransplant (http://euro.transplant.nl)

네덜란드, 룩셈부르크, 벨기에, 오스트리아, 슬로베니아 및 크로아티아와 함께 Eurotransplant를 구성하고 있는 독일은 Deutsche Schtiftung Organtransplantation (DSO)이라는 국가적 장기구득 체계가 존재한다. DSO는 독일 내 모든 병원의 장기구득에 관여하고 있으며 구득된 장기의 배분은 Eurotransplant에 의해 이루어진다. 독일은 7개 지역으로 나누어 각각 coordinating center가 있고 8개의 supporting office가 존재한다. DSO의 궁극적 목표는 모든 뇌손상에 의한 사망임박자를 확인하여 장기기증을 증가시키는 것이다. 이를 위해 DSO는 Organ Donation Representative (ODR) 제도를 실시하고 있다.

요약

국내의 모든 장기기증과 이식은 2000년부터 『장기등 이식에 관한 법률』에 의거 국립장기이식관리센터의 승인하에 이뤄지고 있다. 국내는 의료시스템이 미국과 유사한 민간의료가 주도하고 있어서 국가가 병원 재정을 비롯한 모든 것을 관장하는 유럽의 모델과는 맞지 않는다. 따라서 국내에서는 미국과 유사한 모델로 장기구득기관을 도입하게 되었다. 현재 국내의 뇌사자 장기기증과 관련된 기관으로는 국립장기이식관리센터, 한국장기기증원, 뇌사판정기관, 뇌사판정대상자관리전문기관, 장기이식의료기관, 장기기증희망등록기관 등이 있으며 뇌사추정자가 발생한 경우 법률에 의거 한국장기기증원으로 통보를 하게 되고 한국장기기증원의 코디네이터가 출동하여 뇌사추정자를 평가한 후 뇌사판정기관에서 관리하거나 뇌사판정대상자관리전문기관으로 이송한 후 관리하게 된다. 독립장기구득기관인 한국장기기증원이 뇌사추정자의 신고 접수, 가족 상담 및 장기기증 동의 획득, 뇌사자 평가 및 관리, 장기적출, 사후 유족 지원 등 뇌사자 장기기증의 전반 업무를 담당하고 있다. 신고된 뇌사자의 장기는 국립장기이식관리센터의 이식 대상자 선정기준에 따라 적절한 대기자에게 분배되고, 선정된 의료기관의 장기적출팀에 의해 적출된다. 향후 사후 장기기증 활성화를 위해 뇌사뿐만 아니라 순환정지 후 기증의 활성화가 요구된다.

V 신장이식

1954년 Murray가 쌍둥이 형제간에 신장이식을 성공적으로 시행하기 이전까지 수많은 동물실험을 포함한 사람에서의 신장이식이 도전과 실패를 반복하였다. 그러나 면역학자들의 이식면역체계에 대한 이해와 조직적합성 항원에 대한 분석, 면역억제제의 개발, 동물실험을 통한 이식수술의 경험 등이 바탕이 되어 신장이식 후 성적을 점차 향상 시킬 수 있었고, 특히 1970년 중반 진 보렐에 의해 개발된 사이클로스포린이라는 면역억제제의 사용으로 신장이식의 성적이 결정적으로 한 단계 도약하는 계기가 되었다.

이 후 새로운 면역억제제가 지속적으로 개발되어 거부반응을 줄일 수 있었고, 이식성적이 향상되어 말기 신부전환자의 표준 치료로 인정되게 되었다. 그러나 이러한 발전에도 불구하고 신장이식에 필요한 기증 장기는 이식을 받으려는 새로운 말기 신부전 환자의 발생과는 현저한 차이를 보여 사회적인 문제를 일으키고 최근에는 기증자를 둘러싸고 인간의 존엄성을 훼손하는 문제까지 발생하여 WHO를 비롯한 학술단체, 세계 각국이 심각하게 장기부족현상을 해결하려고 노력하고 있다.

신장이식은 말기 신부전환자의 치료뿐만 아니라 기증자의 건강을 포함한 가족간의 문제, 복잡한 이식윤리, 기증윤리가 요구되는 종합적인 학문이기에 신장이식을 시작하기 전에 이식 전반에 대한 이해가 있어야 한다.

1. 신장이식 대기자(수혜자)

1) 말기 신부전증과 신장이식 대상질환

신장 조직 손상이 진행되어 기능 회복이 불가능한 상태로 사구체 여과율이 15mL/min/1.73m^2 미만인 경우를 말기 신장병(신부전증)이라 한다(표 14-7). 주요 원인 질환으로는 당뇨병과 고혈압, 만성 사구체 신염, 낭성 신질환 등이 있다. 이런 환자들은 장기간에 걸친 점진적인 병변이 신장조직을 파괴하여 신장기능이 비가역적으로 소실되게 된다.

현재 국내의 말기 신부전 환자는 2014년 말 80,000 여 명으로서 이 중 13,141명이 2014년에 새로이 등록된 환자이다. 이들 신환자의 원인별 분포를 보면 당뇨병성 신증이 48.0%로 단연 많고, 그 다음이 고혈압(21.2%), 만성 사구체신염(8.2%)의 순이었다. 당뇨병성 신증의 증가는 1990년대 초기 19.5%에서 꾸준히 증가되어 현재의 상황에 이르고 있고 이는 구미의 경우와 유사하다(표 14-8).

말기 신질환으로 진단이 되면 환자가 선택할 수 있는 치료방법은 크게 2가지이다. 투석요법과 신장이식이다. 물론 투석은 혈액투석과 복막 투석 중 환자의 상태나 환경에 따라 결정할 수 있다. 환자가 신장이식을 선택하더라도 실제로 이식이 가능한지, 비적응증은 없는지, 해부학적인 문제는 없는지 술 전에 철저히 검사해야 한다.

특히 회복이 가능한 신질환은 이식의 대상이 되지 않고, 그 외에도 급성 감염증이 있거나 활동성의 사구체신염, 악성종양의 치료 후 일정한 무 종양기간cancer free interval을 지나지 않은 환자도 이식해서는 안 된다. 신장이식 시 고려해야 할 금기조항은 표 14-9와 같다.

한국인에 많은 B형 간염과 최근 증가추세에 있는 C형 간염환자의 신장이식은 환자의 이식 신 생존율과 환자생존율에 영향을 미치므로 이식 전부터 주의를 요한다. HBV-DNA, HBeAg, HCV-RNA 검사를 통해 활동성 유무를 확인하고 간 생검을 실시하여 만성 활동성 간염일 경우는 이식을 금하는 것이 좋다. 이식 전에 HBV-DNA 양성인 경우는 Lamivudine 사용으로 음성화한 후 이식하고 이식 후에도 B형 간염의 진행을 예방하기 위해 계속 사용을 권하나 신장기능에 따른 용량조절이 필요하다. HCV-RNA 양성인 경우는 인터페론 단독 또는 Ribavirin 과 병용투여하여 치료 후 이식한다(그림 14-11).

2) 신장이식의 시기 결정

신장이식은 생체 기증자가 있어서 기증자와 환자를 미리 준비하고 계획된 수술을 하는 계획수술, 갑자기 뇌사자가 발생하고 그의 장기가 배정되어 응급으로 수술하는

표 14-7. 사구체 여과율에 따른 만성 신장질환의 단계

단계	사구체 여과율(mL/min/1,73m²)	상태	실행
1	≥ 90	신장 손상(혈뇨, 단백뇨)	
2	60-89	경도의 신기능 감소	
3	30-59	중등도의 신기능 감소	
4	15-29	고도의 신기능 감소	신대체 요법의 준비
5	<15	말기신부전	신대체 요법 시행(요독증상 발생 시)

표 14-8. 국내 말기 신부전 환자의 신대체요법 경향

	말기신질환 유병율(HD+PD)	말기신질환 발병율(HD+PD)	신장이식환자	이식대기환자	말기 신부전 원인*
1990년	7,307	3,572	624	?	CGN: 25.3% DM: 19.5% HN: 15.4%
2000년	28,046	4,440	554	2,309	CGN: 14.0% DM: 40.7% HN: 16.6%
2008년	51,989	9,179	1,144	7,641	CGN: 12.1% DM: 41.9% HN: 18.7%
2014년	80,674	13,141	1,808	14,477	CGN: 8.2% DM: 48.0% HN: 21.2%

*CGN: chronic glomerulonephritis, DM:diabetes mellitus, HN:hypertensive nephrosclerosis

** 자료출처: 대한신장학회 말기신질환 등록사업 및 국립장기이식관리센터 (2015년 연보자료)

표 14-9. 신장이식의 금기증

1. 절대적 금기
1) 회복 가능한 신장 질환 2) 최근 악성종양의 병력 및 전이성 악성종양 3) 치료가 필요한 급성 감염 4) 심한 정신질환 및 약물 중독증 5) 규칙적인 약물 복용이 불가능한 환자
2. 상대적 금기
1) 고령(정확한 기준 없음, 기대 수명 고려) 2) HBsAg(+), HCV(+)수여자: 조직검사에서 만성 활동성 간염 및 간경화증 동반 시 제외 3) 관상동맥질환: 혈관성형술 또는 우회술 후 시행 4) 활동성 소화성 궤양: 치료 후 시행 5) 활동성 루푸스 신염: 활성도가 없어진 후 시행 6) 용혈성 요독증후군 및 신이식 후 재발된 초점분절성 사구체경화증 7) 악성종양의 병력이 있을 경우: 완치 2-5년 후 시행 8) ABO 혈액형 부적합(ABO IgG역가가 높을 때, 정해진 기준 없음) 9) 고감작된 환자(탈감작 후 시행)

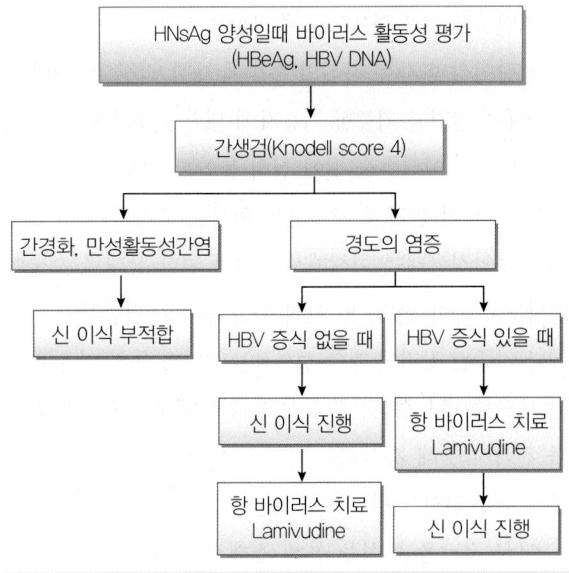

그림 14-11 **HBsAg 양성환자에서 바이러스 활동성 평가**

경우, 그리고 비가역적 변화를 보이는 말기 신기능부전환자에게 지속적인 투석 같은 대체요법을 시행하지 않고 직접 이식해 주는 선제적 이식preemptive transplantation 등이 있다.

이식한 신장이 기능을 소실해서 이차 이식(재 이식)을 해야 할 경우는 선제적 이식을 권하고 있다

3) 생체 신장이식 대기자의 관리

이식수술 때는 일반적인 수술 전 처치는 물론이고, 환자와 기증자 사이의 면역학적인 적합상태를 조사해야 하는데 조직적합성 검사나 교차반응검사 등이 시행되고 있다. 이는 수술 후 성적을 향상시키기 위함도 있으나 무엇보다도 이식된 장기가 수혜자의 체내에서 잘 적응되어 기능을 할 것인지를 미리 예측하는 것이고, 기증 신장과 수혜자의 면역체계 사이에서 발생할 수 있는 초급성 거부반응을 최대한 예방하고 급성 거부반응 발생을 줄이기 위한 조치이다. 또한 면역억제제 복용으로 인한 감염의 위험을 줄이기 위해 이식 전에 염증의 요인을 가지고 있으면 적극적으로 치료한 후 이식을 해야 한다. 이식수술 시 방광-요관 문합을 용이하게 하기 위해 수술 전에 방광상태와 용적을 방광조영술을 통해 조사하는 것이 필요하나 때로는 이런 술 전 시술로 인해 역행성 방광염을 일으켜 수술을 지연시킬 수가 있으므로 주의해야 한다.

신장이식 환자는 자신의 수술에 대한 걱정 뿐 아니라, 자신에게 장기를 기증할 기증자에 대한 걱정과 이로 인한 스트레스로 이식수술 전에 심히 불안한 경우가 많다. 따라서 이식 전 환자를 처치하는 의사는 환자의 이런 정서적인 불안정상태를 이해해서 환자가 편한 상태로 수술에 임하도록 해야 한다. 또 이식 수술 후에도 기증자와의 관계나 기증된 장기에 대한 정서적인 불안정 등의 이유로 심한 우울증이나 정신신경증 등의 증세를 보이고 때때로 이를 견디지 못해 자살하는 경우도 있으므로 이식 후에도 주의 깊은 감시가 필요하다.

이식 전날은 투석을 통해 전해질의 교정과 요독증의 증상을 교정해주어야 하고, 마취 시 전신의 수분상태를 유지하기 위해 수술 전날 일정량의 수액을 지속적으로 천천히 보충해야 한다. 피부의 정상적인 균도 이식 후 면역억제에 따라 병원성을 나타낼 수 있기 때문에 수술부위에 대한 피부소독이 필요하다. 일반 복강 내 수술과 마찬가지로 이식 전날은 유동식이 좋고 밤 9시 이후에는 먹이지 않는 것이 좋다. 장을 비워두기 위해 이식 전날 장세척을 하는데 무리하게 해서 장내에 마비성 장폐쇄 상태를 만들면 안된다. 복막투석은 이식 전날 밤에 마지막 투석을 시행한 후 수술 당일 아침까지 복강내의 투석액을 충분히 제거해야 한다.

보통 이식 일주일 전과 이식 전날 기증자의 HLA 항원에 대한 항체가 있는지 교차반응검사를 실시하여 초급성 거부반응에 대한 예방을 해야 한다.

4) 뇌사 신장이식 대기자의 관리

뇌사자로부터 신장이식을 받으려는 환자는 반드시 국립장기이식관리기관(KONOS)에 이식 대기자로 등록을 해야 한다. 이때 인적사항과 이식을 위한 기본검사 결과를 함께 KONOS의 전산망에 등록한다. 뇌사자가 발생하면 이 전산망에 등록된 대기자 중에서 각 장기의 분배 기준에 따라 가장 적합하고, 시급한 환자에게 기증 장기를 분배한다.

뇌사의 경우는 기증자가 응급으로 발생하기 때문에 이식대기자들의 혈액은 항시 신선한 것으로 교체되어 보관되어야 한다. 왜냐하면 대기기간 중에 여러 가지 감염이나 수혈 등으로 인해 과거의 보관혈청과는 다른 신체상황이 되어 있을 수도 있기 때문이다. 외국의 경우 1-3개월에 한 번씩 새로운 혈청으로 교환하는 것을 원칙으로 하고 있으나 국내에서는 1년에 한 번씩이라도 교환하도록 하고 있다.

대기자에게 적합한 뇌사 기증자가 발생하면 KONOS로부터 장기가 분배된 사실이 대기자가 등록되어 있는 병원의 이식센터를 통해 연락이 되며, 즉시 병원으로 입원해서 짧은 시간 내에 이식을 받을 준비를 해야 한다. 신장을 분배 받았을 때 혈청 칼륨치가 높은 경우는 이식수술

전에라도 투석을 하고 수술을 진행하는 것이 마취나 수술 후 경과에 도움이 된다. 그러나 과도한 투석으로 수분제거를 많이 했을 경우는 관류나 수술 후 이식 신의 기능회복에 지장이 될 수 있다.

2. 신장기증자 및 기증자 관리

기증자는 살아있는 가족(혈연기증)이나 순수 기증자(비혈연기증)가 될 수도 있고, 뇌사자나 심정지된 환자로부터도 기증을 받을 수 있다. 생체 기증자로부터 이식할 경우는 뇌사자 이식에 비해 이식신장의 장기 생존율이 좋고, 뇌사 기증자가 생길 때까지 대기할 필요가 없어서 대기 중 사망률을 줄일 수 있으며, 기증자와 수혜자의 사정에 따라 이식 시간을 조절할 수 있다는 장점이 있다.

뇌사자 기증은 뇌사라는 의학적 사망의 기간 동안에 장기를 적출하는 것이다. 한마디로 뇌기능의 비가역적 소실로 인해 인공호흡기로 호흡이 유지되면서 심장은 일정기간 자동 박동하고 있는 상태에서 장기를 기증하는 것이다.

장기기증자가 부족하기 때문에 미국의 UNOS에서는 뇌사 신장기증자에 대한 조건을 완화하여 확대 기증기준 Expanded Criteria Donor (ECD)을 마련하고 이 기준에 의한 기증장기를 이식하고 있다. 뿐 아니라 최근에는 심장정지 상태의 환자로부터도 장기를 기증받아 이식하고 있다.

1) 신장 기증자의 조건

생체 신장기증자가 되려면 우선 정상적인 신장 기능을 가지고 있어야 하고, 양측의 신장 기능이 같아야 한다. 그리고 신장에 의한 질병, 다시 말해 고혈압이나 당뇨 등을 일으킬 위험인자가 없어야 한다(표 14-10). 기증에 합당한 신장의 해부학적인 조건과 혈관상태를 확인하기 위해 대동맥조영술, CT 혈관조영술, 경정맥 신우조영술 등이 시행되고 있다.

만일 기증자의 한쪽 신장에 기능에는 큰 지장을 주지 않지만 미세한 문제가 있는 경우는 그쪽 신장을 적출해서 이식하는 것이 기증자의 건강을 유지하는 측면에서 권장된다. 양측이 같은 조건일 때는 왼쪽 신장을 이용하는데 그 이유는 신 정맥이 길어서 이식에 용이하기 때문이다.

표 14-10. 생체 신장 기증자의 선택 시 유의사항

1. 연령: 75세 이상 고령자 또는 18세 미만의 미성년자는 제외*
2. 양측 신장이 동등하고 정상적인 기능을 갖고 있는가(GFR 70mL/min/1.73m² 이하일 때는 신중하게 선택)
3. 신장질환을 일으킬 수 있는 병은 없는가(고혈압: 140/90mmHg 이상)
4. 당뇨병을 앓고 있거나 glucose tolerance test 가 비정상일 때, 임신성 당뇨병력 있는 자
4. 신장과 혈관계통에 이상은 없나(IVP, CT angiogram)
5. 원인미상의 단백뇨(>250mg/24hr) 및 현미경적 혈뇨는 없는가
6. 진행된 내과적 질환이 동반시(만성 호흡기질환, 악성종양, 복강내 염증)
7. 최근 증상을 일으킨 신장결석(재발성결석, 양측신의 결석, 단일결석시 1.5cm 이상시)
8. 정신과적 질환을 앓고 있을 때
9. C 형 및 B 형 간염 여부
10. AIDS 양성자
11. BMI 30-35kg/m² 이상인 자

* 단 16세 이상의 미성년자는 부모의 동의가 있으면 직계존비속, 사촌이내 친족, 배우자에게 기증 가능하나 자유의지, 자발적 결정여부, 부모의 압력 등 복잡한 윤리적인 문제가 있어서 기증결정에 신중해야 한다 (장기이식 법 제11조 참조).

2) 생체 신장기증자의 관리

생체 신기증자로서 적합한 자는 부모-자식 사이이거나, 형제 자매 중 HLA의 적합도가 최소한 반 이상이 되는 관계이다. 그러나 최근에 개발된 면역억제제는 거부반응의 발생을 줄여주고 이식 신 생존율을 높여주었기 때문에 HLA의 적합도가 낮을 수밖에 없는 제3자 이식이나 부부간의 이식도 활발하게 진행되고 있다.

신장 기증자는 실제로 장기기증에 문제가 없는지를 평가하기 위해 여러 가지 검사를 시행한다. 기증 동기의 순수성 평가와 유전적 질환에 대한 가족력, 혈액을 통해 전파 가능한 질환의 유무, 일반적인 신장의 기능검사 및 신장의 해부학적 형태에 관한 검사들이다. 특히 신장이식 시 연결해야 할 혈관의 이상 유무에 대해서는 과거 시행하던 침습적 방법에서 최근에는 CT 혈관조영술 등 비침습적 방법을 통한 검사가 선호되고 있다. 요관 검사도 다

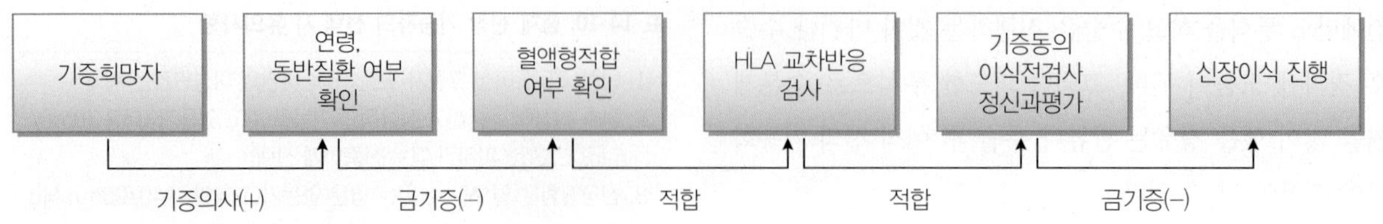

그림 14-12 신장 기증자가 실제 기증하기 까지의 절차

채널 CT 복부촬영을 통해 3차원으로 이상 유무를 술 전에 확인 할 수 있다(그림 14-12).

3) 뇌사기증자의 관리

뇌사기증자는 신장을 기증할 수 있는 기능과 상태인가에 관한 검사는 실시하지만 신장, 요관 등의 해부학적인 검사는 생체 기증자만큼 자세하게 할 수 없는 실정이다. 뇌사기증자의 혈청 크레아티닌의 수치가 일시적으로 높았더라도 관리 중 감소하면 기증할 수 있다. 최근에는 기증장기 부족현상이 심각해서 이상적인 장기 기증자가 아니더라도 확대 기증기준을 가지고 신장을 기증받고 있다. 즉 60세 이상의 고령 기증자이거나, 혈청 크레아티닌 수치가 1.5mg/dL 이상이거나 고혈압, 뇌혈관질환으로 인한 뇌사 등의 조건이 조합되어 있더라도 신장을 기증하는 경향이다.

뇌사판정이 나고, 가족들이 장기기증에 동의한 경우에는 뇌사자의 치료가 원인질병치료에서 적출할 장기의 기능을 최대한 살리기 위한 쪽으로 변경된다. 대부분의 뇌손상 또는 뇌혈관질환 환자는 뇌부종을 감소시키기 위해 수액공급을 줄여 치료하였지만, 일단 장기기증이 결정되면 수액공급량을 증가시켜서 소변량을 시간당 최소 50mL (1-2mL/kg/hr) 이상, 수축기혈압을 100-120mmHg 이상 되도록 유지하고, 중심정맥압이 8-10mmHg 정도로 유지되게 노력해야 한다. 이를 위해 도파민(심장 동시 적출 시는 10μg/kg/min 이하로 사용)이나 심장, 혈관수축제를 투여할 수도 있다.

3. 신장이식 전 이식 면역검사

1) 면역학적 검사

(1) 혈액형 검사

신장이식은 수혈이 가능한 혈액형 사이에 이루어지는 것이 가장 바람직하다. 따라서 A, B, AB, O형에 따라 자신의 혈액형과 같은 기증자로부터 신장을 기증받아 이식하는 것이 좋다. 그러나 최근 장기기증자의 숫자가 부족한 상황에서 혈액형이 완전히 일치되지 않더라도 이식 전에 혈장교환법이나 면역글로부린 주사, 강력한 면역억제제 투여 등을 통해 항체 역가를 감소시켜서 이식해 주고 있다.

(2) 조직적합성 검사

인간의 주조직적합성 항원인 HLA에 대한 검사를 이식전에 시행하는데 신장이식의 경우는 HLA 항원의 일치 정도가 이식신의 장기 생존율과 밀접한 관계가 있다고 보고 되고 있어서 가능한 한 많은 항원이 일치하는 기증자를 선택하고 있다. 가족 내에서의 HLA는 부모-자식간에는 1개의 염색체 판이 일치해서 일배체형 일치one-haploidentical가 되고, 자녀 사이에는 50%가 일배체형 일치, 25%는 완전 일치, 그리고 나머지 25%는 불일치의 상황이 된다. 그러나 제3자의 이식인 경우는 부모-자식 사이처럼 염색체 유전이 판으로 된 것이 아니기 때문에 HLA class I, II 6개의 항원 중 몇 개가 일치하는지 아니면 불일치하는 숫자가 몇 개인지를 가지고 면역학적 결과를 추정하기도 한다. 최근에는 강력한 면역억제제의 등장으로 조직적합 항원의 일치 정도와 관계없이 이식을 진행하는 경향이다.

(3) 인체 조직항원 교차검사

신장이식 환자는 기증자가 결정되면 두 사람 사이의 조직적합성을 검사하여 서로 장기를 주고받을 수 있는 면역체계인가를 확인해야 한다. 즉 수혜자의 면역기능이 기증자 장기의 조직항원에 어느 정도 반응하느냐를 확인하는 작업이다. 이는 수술 후 성적을 향상시키기 위함도 있으나 무엇보다도 이식된 장기와 수혜자의 면역체계 사이에서 초급성 거부반응을 예방하기 위한 조치이다.

이식 대기 중에 시행한 수혈이나 임신, 과거의 장기이식 등의 면역학적인 원인으로 이식 전에 이미 타인의 HLA 항원에 노출되어 동종면역 반응 시 HLA 항체를 보유하는 선감작군presensitization이 있을 수 있다. 이를 검사하기 위해 기증자의 림프구와 수혜자의 혈청을 반응시켜 감작여부를 평가하는 HLA 교차검사와 PRA (Panel Reactive Antibody) 검사를 시행할 수 있다.

HLA 교차검사에는 보체의존성 세포독성Complement Dependent Cytotoxicity (CDC) 검사법과 유세포분석flow cytometry 검사법이 이용되는데 국내에서는 대부분 이식 의료기관에서 CDC 교차시험을 시행하고 일부에서 유세포 교차시험을 추가하여 실시하고 있으나, 북미에서는 유세포 교차시험만을 실시하고 있다.

PRA 검사는 여러 사람의 림프구 패널에 이식 예정자의 혈청을 반응시켜 HLA 항체 보유 정도를 알아보는 검사이다. 특히 뇌사 기증자로부터 이식의 경우 HLA 교차검사에 따른 시간을 줄이고 적절한 이식대상자를 선정하기 위해 환자의 동종항체 존재여부와 각 항체의 특이성을 미리 확인할 수 있다.

2) 선 감작된 환자에 대한 신장이식

최근 면역체계에 대한 이해와 탈감작 방법의 발달로 위와 같은 항체가 있더라도 신장이식이 성공적으로 진행되고 있다. 탈감작은 혈장교환, 대용량의 면역글로부린 주사, 강력한 면역억제제 rituximab (anti-CD20 Ab)과 기존면역억제제의 적절한 증량을 통해 이루어지고 있고, 치료중 항체 단위를 떨어뜨리는 것이 치료의 초점이다. 신장의 경우 1:16 이하이면 이식을 시행하는 센터가 많다.

(1) 기증자 항원에 감작된 대기자에 대한 신장이식

기증자 특이항체 존재여부에 대한 검사는 보체의존성 세포독성 교차반응CDC cross match: Complement Dependent Cytotoxicity의 역가 또는 channel shift of flow cytometric cross matching test 로 측정한다. 그러나 이 방법들은 자가항체나 HLA 비특이성 항체에 대해서도 양성반응을 보이기 때문에 임상적으로 의의를 판정하기 어렵다. 이와 같은 세포를 이용한 교차반응cell based crossmatch의 단점을 보완해서 HLA 특이성, 기증자 특이항체를 판정하기 위해서 solid phase 를 이용한 cross matching 방법Luminex donor specific crossmatch이 개발되었다.

기증자 항체 수치가 중요한 것은 감작환자에 대한 교차반응이 음성으로 나오게 하기 위해 더 강력한 면역억제제를 사용하거나 더 오랜 시간동안 탈감작 과정이 필요하기 때문이다.

이식 후에도 기증자 특이항체 대한 감시를 계속해야 한다. 이식 후 기증자 항체 역가가 높아지면 항체매개성 거부반응의 진행을 의심해야 하고, 기증자 항체에 대한 정량적 검사인 Luminex 법을 이용한다.

치료는 이식 전 유도면역억제로 탈감작을 유도한다. 주로 rituximab이나 bortezomib 또는 complement depleting agent등을 사용하며 약의 용량이나 투여시기는 각 센터의 기준에 따라 다양하다. 그리고 정맥내 면역글로부린 주사(대량 또는 소량)와 혈장분리반출술(교환 또는 필터) 등도 동시에 시행하고 있다.

(2) ABO 혈액형 부적합 환자 사이의 신장이식

과거에는 혈액항원이 다를 경우에는 높은 항체 역가 때문에 초급성 거부반응, 초기 체액성 거부반응acute humoral rejection이 빈발하여 이식이 금기시 되었으나 최근에는 여러 가지 방법으로 항체 역가를 낮추는 방법이 개발되어 생체 신이식에서 기증자와 수혜자 사이에서 ABO 항원 부적합한 경우에도 이식을 하고 있다.

ABO혈액형 부적합 환자 중 문제가 심각한 혈액형은 O형 대기자로 O형 이외의 기증자로부터는 장기를 받을 수 없기 때문에 대기시간이 길어지고, 이로 인해 대기중 사망, 이식 후 합병증 발생빈도가 높다. 특히 고령의 환자나 당뇨를 동반한 환자의 경우는 대기시간이 길어질수록 이식 후 성적이 나빠질 수 밖에 없다. 혈액형 부적합 간의 신이식은 초기 이식 신 소실의 빈도가 높으나 5년 이상의 중기 및 장기 생존율(80–90% 내외)은 혈액형 적합군의 이식과 대등하다.

다행히 ABO 불일치 사이의 신장이식의 경우에는 기증자 특이항체 양성환자의 이식 때 보다 세뇨관 주위의 모세혈관염이나 이식 신 사구체병증의 소견이 경하고, 비장적출술이 이식의 성공에 영향을 미친다고 보고하고 있다.

이식 후에도 2주 정도 항체 역가를 검사하여 1:16 이하로 유지하는 것이 좋다.

이식 대기자가 기증자 항원이나 ABO 항원에 대해 선감작 된 경우 임상적으로 선택할 수 있는 방법은 항체 역가를 낮추어 이식해 주는 방법과 교환이식을 하는 방법이 있다. 전자는 탈감작에 소요되는 경비가 많다는 단점이 있고, 교환이식의 경우는 적절한 기증자와 매칭하는데 시간이 걸리고, 교환이식 당사자간의 이식결과가 서로 다를 때는 문제가 발생할 수 있다.

4. 신장이식술

1) 신장기증자에 대한 수술

(1) 생체 기증자

가. 후복막강을 통한 개복수술에 의한 신장 적출

복강경 수술이 보편화 되기 전에 하던 수술 방법으로 좌 우측 옆구리에서 11번째 늑골 끝에서 복직근의 외연을 향해 횡절개를 넣고 복벽근육 절개를 통해 후복막으로 접근하여 신장을 적출한다. 신장의 박리는 요관을 확인해 둔 후, 신장의 등쪽부터 시작해서 후면, 상하부, 부신박리 그리고 마지막으로 신문부renal hilum를 박리한다. 신정맥으로 유입되는 성선정맥gonadal vein, 부신정맥, 요부정맥lumbar vein을 조심해서 결찰 분리하고, 신동맥을 대동맥 기시부까지 박리한 후 요관을 골반강 내에서 절단한다. 신동맥과 정맥은 가능한 한 길게 절제하여 적출하고 냉각보존 용액 내에서 관류액으로 신장내의 혈액을 모두 씻어 내고 냉각시킨다.

기증자의 10–15%에서 발견되는 다발성 신동맥은 술전 검사를 통해 확인되어 있어야 한다. 여러 개의 신동맥이 있을 때는 박리 시 동맥에 대한 조작이 많아질 수 있으므로 특히 동맥수축이나 손상 등을 주의해야 한다. 여러 개의 신동맥이 있을 때는 모두를 절제해서 연결하는 것을 원칙으로 하지만, 작은 신동맥 중 신장을 공급하는 부위가 10% 이하일 경우는 결찰할 수도 있다. 그러나 신장의 하극lower pole으로 가는 신동맥분지가 있을 때는 이 분지가 특별히 요관에 혈액을 공급할 수 있기 때문에 가능한 한 살려서 혈행을 유지해 주어야 한다.

오른쪽 신장의 적출 시에는 신정맥의 길이가 짧기 때문에 하대정맥을 혈관감자로 잡고 신정맥을 절제한 후 monofilament 봉합사를 이용해서 하대정맥을 봉합해 준다.

신장적출 전 과정을 통해 가능하면 신동맥과 신장 자체를 너무 많이 조작하거나 당기는 불필요한 조작을 삼가해야 한다. 이런 수술 중 조작은 신동맥 수축이나 신장 자체에 손상을 준 것과 같은 효과를 일으켜서 이식 후 혈류를 재건하여도 기능회복이 늦어져서 이식 신 기능지연의 원인이 될 수 있다.

신장박리를 시작하면서 만니톨을 12.5mg 정맥주사하여 이뇨를 돕고, 신장적출 직전에는 절단된 요관으로부터 소변배출이 충분한지를 확인한 후 절제해야 한다. 만일 기증자 체내에서 소변배출이 충분하지 않으면 수액공급을 하면서 시간을 기다려서 신장의 기능이 확인될 때 신동정맥을 절단한다.

나. 복강경을 이용한 신장적출

복강경의 보편화는 신장기증자 수술에도 이용이 가능하게 되어서 최근에는 거의 대부분의 센터에서 복강경 신장적출을 하고 있다. 복강경 적출을 하더라도 수술 술식은 개복 수술과 유사한 과정을 거치게 된다. 다만 복강경 시술은 후복강 내에 지방이 많은 비만환자에게 수술할 때 수술시야를 분명하게 확인할 수 있는 장점이 있고, 복부에 절개창이 작기 때문에 술 후 통증이 적고, 시술 후 일상생활 복귀가 빠르다는 장점이 있다.

그러나 특히 오른쪽 신장을 적출할 경우에는 신정맥의 길이가 짧기 때문에 분리 결찰에 주의를 요한다.

(2) 뇌사 기증자

가. 뇌사자로부터 장기적출

뇌사자로부터 신장을 적출할 때는 심장, 폐, 간, 췌장, 소장 등 다른 장기와 함께 적출하는 다장기 적출과 신장만 적출하는 경우 2가지 경우를 생각할 수 있다.

뇌사 기증자로부터 신장을 적출할 때는 신동맥과 함께 대동맥을 절제할 수 있고, 신정맥과 함께 대정맥을 절제할 수 있기 때문에 생체 기증자에서처럼 혈관의 길이가 짧아서 문제가 될 경우는 드물다. 신동맥이 여러 개일 경우에도 모든 신동맥 분지를 대동맥벽과 함께 절제patch해서 별도의 혈관문합 없이 수혜자의 장골동맥에 연결해 줄 수 있다. 다장기 적출 시에는 다른 장기의 기능에 장애를 주지 않도록 각 적출팀끼리 긴밀한 협조가 필요하며, 특히 혈관의 절제부위 등이 적출 후 이식할 때 중요하기 때문에 다른 적출팀과의 지속적인 대화가 필요하다. 적출을 위해 대동맥을 차단하기 직전에 헤파린을 전신 투여하여 적출 동안에 혈전이 발생하지 않도록 유의한다.

다장기 적출 시 관류는 심장적출팀과 협조하여 대동맥을 횡격막 직하부 또는 상부에서 차단하고 원위부 대동맥에 관류관을 넣어서 복강장기 전체를 단시간에 냉각시켜 흉강내 장기, 간, 췌장을 적출한 후 좌우 신장을 함께 적출한다. 신장 단독 적출 시에는 간을 관류할 필요가 없기 때문에 신동맥 상부에서 대동맥 박리가 용이한 부위를 찾아서 대동맥을 차단한 후 신장을 관류 냉각하여 신동맥, 정맥이 포함된 대동맥, 대정맥과 함께 절제한다. 절제된 신장은 냉장보관액 속에서 좌, 우를 분리하여 이식 병원으로 이송한다(그림 14-13).

나. 심장정지 환자로부터 신장적출

아직 국내법으로는 생명유지 장치를 제거한 후 장기를 적출하는 Maastricht category 3의 장기기증은 불가능하다. 그러나 뇌사판정을 받으면서 대기 중인 기증자에게 심정지가 발생하면 즉각 심장 마사지를 하면서 수술장으로

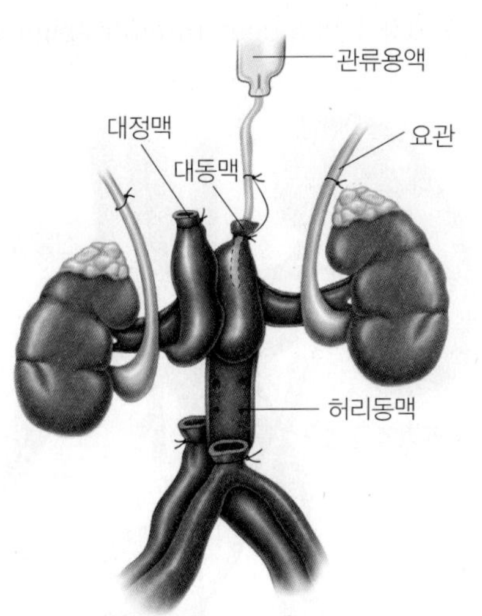

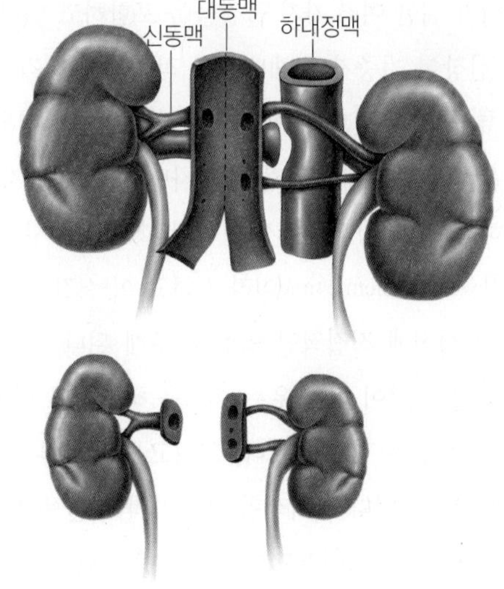

그림 14-13 뇌사자 장기적출. 원위부 대동맥에 관류관을 삽입하고, 신동맥 상부 대동맥을 차단한 후 냉장관류액 2,000cc로 관류하면서 하대정맥을 통해 관류액을 배출한다. 관류된 신장은 좌우를 대동맥, 대정맥과 함께 절제한 후 back table에서 2개로 분리한다.

이동하여 빠른 개복과 함께 관류관 삽입, 냉각관류액 투여 등을 신속히 진행하여 장기를 적출할 수 있다. 이 경우 심장정지 후 대동맥으로 냉각 관류가 시작될 때까지 시간을 최소화 하는 것이 이식 후 신장의 기능과 직접 관계가 있다. 외국에서는 빠른 냉각관류를 위해 심정지 전에 대퇴동맥을 통해 이중 풍선 카테터를 대동맥에 삽입하고 헤파린 등을 투여하면서 기다리기도 하나 심장 정지 전에 치료 이외의 술식을 하는 것에 대한 윤리적인 논쟁이 많다.

다. 장기보관 및 무혈시간

생체와 달리 뇌사자 이식의 경우는 적출한 장기를 이송해야 하므로 일정시간 보관을 할 수 밖에 없다. 이 경우 적출된 신장은 심박동에 의한 혈액을 공급받지 못하기 때문에 신장의 대사작용과 산소공급, 영양소 공급 등이 모두 불가능하게 된다. 따라서 적출된 신장은 빠른 시간 내에 냉각관류용액을 이용해서 세척을 함으로써 신장 내에 남아있는 혈액을 제거하여 혈전형성을 방지하고, 냉각을 통해 조직의 대사작용을 최대한 억제하도록 해야 한다. 이런 목적을 위해 사용되는 보관용액에는 Collin's 용액, Euro-Collin's 용액, UW 용액, HTK 용액 등이 있다. 이들은 조직냉각에 따른 손상을 최소화하고, 조직에 에너지원을 공급하며, 이식했을 때 발생할 수 있는 재관류 손상을 방지하기 위한 여러 가지 물질들을 포함하고 있다.

이렇게 신장이 기증자의 체내에서 적출되어 냉각관류액으로 관류를 시작할 때까지의 시간(사체기증의 경우는 심장이 멎은 후, 또는 대동맥 혈류를 차단한 후 기증자 수술팀에 의해 신장에 냉각관류가 시작될 때까지의 시간)을 온 허혈시간warm ischemic time이라고 하고 이 시간은 향후 이식 신장의 성적에 직접적인 영향을 주게 된다. 신장의 경우 40-60분 이상이 될 경우는 이식을 하더라도 신장기능이 돌아오지 않는 경우가 많다. 그리고 냉각관류 후 장기보관액에 보관되었다가 이식할 때까지의 시간을 냉 허혈시간cold ischemic time이라고 한다. 이 냉 무혈시간은 냉장보관액의 개발과 생체에서 신동맥으로 혈류를 공급받는 것과 유사한 상태를 만들어 주는 관류기구들의 발전으로 현재는 2-3일 정도 까지도 가능하다.

2) 수혜자에서 신장이식 술기

(1) 성인에서 신장이식

신장이식은 신장에 혈액을 공급하는 신동맥과, 신장으로부터 배출되는 신정맥을 수혜자의 동맥과 정맥에 연결하고, 이식된 신장에서 형성된 소변을 방광으로 이송해 줄 요관을 방광에 문합하면 된다. 이식되는 신장이 위치할 가장 좋은 부위는 양측 장골와iliac fossa로써 가까이에 장골 동정맥이 있어서 문합에 용이하고, 요관을 방광에 문합해 주기도 쉽다. 특히 우측 장골와는 신장을 위한 충분한 공간이 확보될 수 있고, 장골동정맥이 좌측보다 상부로 노출되어 있기 때문에 혈관 문합이 용이해서 주로 이용되고 있다. 신동맥은 총장골동맥이나 외장골동맥에 단측문합하고 동맥의 길이를 늘여야 할 경우에는 내 장골동맥에 단단문합하기도 한다.

신정맥은 외장골정맥에 단측문합하는 것이 보편적이다(그림 14-14).

신동맥이 여러 개일 경우는 각각을 따로 연결해 주는 방법과 체외에서 2개 또는 3개의 신동맥을 서로 문합해서 하나의 신동맥으로 만들어 연결해주는 방법이 있다. 만일 술 전 검사에서 신장 하극 쪽에 작은 신동맥분지가 있을 경우는 수혜자 복벽의 deep inferior epigastric artery

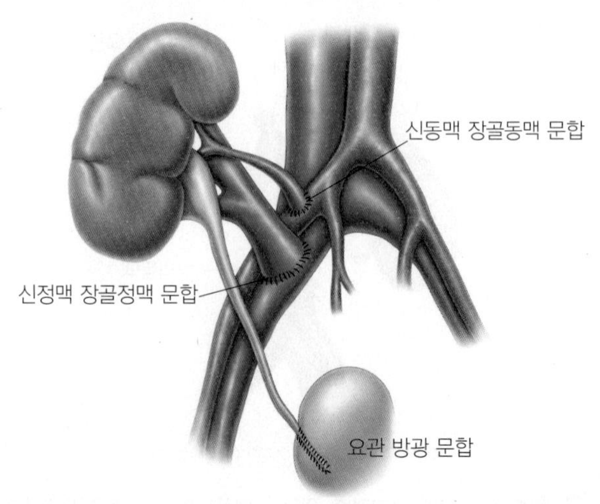

그림 14-14 일반적인 신장이식 모식도

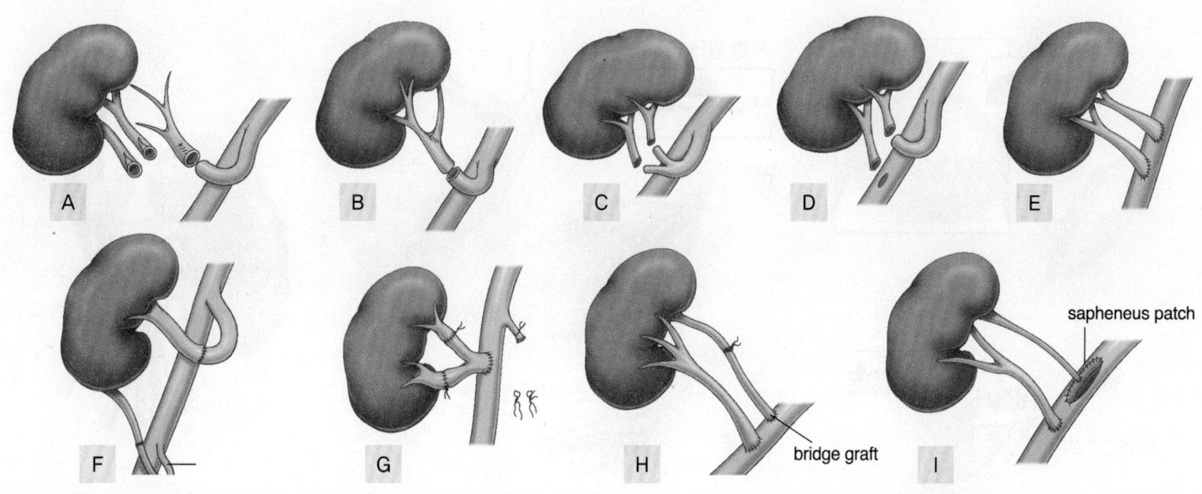

그림 14-15 **다발성 신동맥의 연결방법**

에 연결할 수도 있으므로 복벽을 열 때 잘 보존해 두어야 한다(그림 14-15).

다발성 신정맥의 경우는 신장 내에서 서로 교통이 되므로 크기가 작은 쪽을 결찰해도 무방하나, 한쪽 정맥의 결찰로 이식 신의 팽창이 심하면 연결해 주는 것이 좋다.

요관의 재건은 방광벽 외측에서 방광벽 근육만 절개하고 돌출되는 방광점막 원위부를 1cm 정도 열어서 요관 말단부와 연결해 주는 방광외 문합법extravesical ureteroneocystostomy을 이용한다. 과거에는 방광벽 전층을 열고 방광 내에서 방광벽 점막 터널을 통해 요관을 연결해주는 Politano 변형법을 사용했으나 이식 후 방광내로 출혈과 요관 협착 등의 합병증 때문에 현재는 거의 사용하지 않는다.

인공방광ileal conduit이 있을 경우는 인공방광벽에 연결해 줄 수도 있다. 요관재건술을 할 때 요관은 외부 꼬임을 방지하기 위해 반드시 정삭spermatic cord (여성의 경우는 round ligament)의 하부로 통과시켜 방광에 문합해야 한다. 적출한 기증자의 요관이 짧거나 수혜자의 방광 수축이 너무 심해서 방광에 문합하기 곤란한 경우는 수혜자의 원래 요관(ureteroureterostomy) 또는 신우(ureteropyelostomy)에 문합해 주고 요관내부에 J 관을 삽입(그림 14-16)해 두면 방광박리를 피하고 안전하게 요관문합을 할 수 있다. 때로는 위나 장을 이용하여 방광벽을 확대하는 성형술을 시행한 후 이식하기도 한다.

술 전 검사에서 요관역류가 심한 환자는 그 원인에 대한 처치가 되지 않으면 다시 이식한 신장에도 발생할 수 있으므로 주의해야 한다. 가끔 요관이 2개인 경우도 있는데 2개의 요관 말단부를 하나의 개구부로 만들어 방광에 연결하거나 2개를 따로 연결할 수도 있다.

만일 소아 뇌사기증자의 신장을 성인에게 이식할 경우는 신장기능을 감안해서 2개의 신장을 함께 성인에게 이식해 주는 소위 dual kidney graft를 시행한다. 이때 대동맥과 대정맥을 신동정맥과 함께 절제해서 대동맥 하대정맥에 연결해 준다(그림 14-17).

(2) 소아에서 신장이식

소아는 성인에 비해 체형이 작아서 이식할 신장을 위치시킬 장골와의 크기도 작다. 따라서 어느 위치에 신장을 놓고 혈관과 연결할 것인지에 대해 세심한 주의를 요한다. 소아라도 체형이 크거나 체중이 20kg 이상인 경우는 성인에 준해서 수술할 수 있지만 10kg 이하의 작은 체형의 소아일 경우는 총장골동정맥, 또는 원위부 대동맥과 하대정맥을 이용하여 복강내에서 이식을 하기도 한다. 기증자가 소아 뇌사자일 경우는 신동정맥이 작아서 혈관협착의 위험이 높다. 따라서 기증자의 신동정맥에 대동맥 또는 하

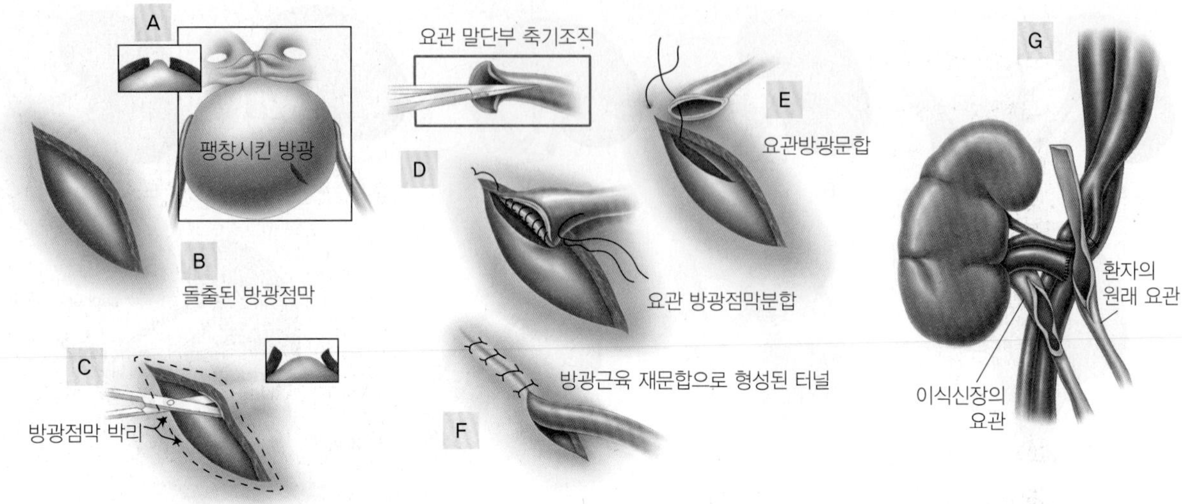

그림 14-16 **요관재건법.** A-F) 방광 외 요관재건법, G) 요관-요관 문합

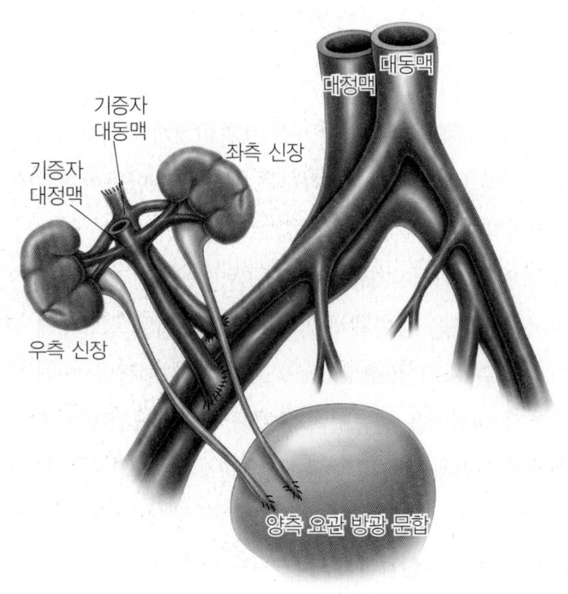

그림 14-17 **소아 뇌사기증자의 양측 신장을 함께 성인 수혜자에게 이식하는 dual kidney graft.**

대정맥의 일부를 함께 절제해서 첩포이식patch graft해 주는 것이 혈관협착을 방지하는 방법이 된다.

소아에서 신장이식은 생명연장의 의미도 물론 있으나 무엇보다 삶의 질 측면에서 성장 커브를 정상 소아와 맞추어 주는 것이 중요한 의미이다. 이 시기는 감성적으로 매우 예민하기 때문에 이식으로 인한 여러 가지 합병증과 약제사용으로 인한 외형적 손상을 최소한으로 줄여주어야 한다. 소아의 성장에 영향을 주는 인자 중에는 스테로이드의 사용량과 기간, 이식 신의 기능정도, 나이 및 이식 당시 키의 차이 등이 있다. 따라서 이식 전에라도 신부전에 대한 적극적인 치료와 성장호르몬의 사용 등을 통해 환아의 키를 정상 성장곡선에 가까이 도달할 수 있도록 노력해야 한다. 이식 후에는 스테로이드 용량을 최소로 줄이거나 초기 사용 후 중지하는 방법을 이용하고, 성장호르몬을 적절히 사용하면 정상 성장곡선에 도달하는데 도움이 된다.

(3) 장골동맥 폐쇄 또는 협착이 있는 경우의 신이식

말기 신부전 환자는 말초혈관질환과 죽상동맥 경화증을 동반하는 경우가 많다. 동맥에 대한 일반적인 검사를 시행하지 않고 이식수술을 진행했다가 수술장에서 당황할 수도 있다. 하지에 간헐적 파행이 있거나 대퇴동맥의 맥박이 약한 경우는 동맥검사를 실시해서 동맥폐쇄 유무를 반드시 확인해야 한다. 만일 양측모두 장골동맥이 협착 또는 폐쇄가 있을 경우는 먼저 혈관 우회술이나 스텐트 삽입을 통해 하지로 혈행을 유지해 두고, 우회동맥에 신동맥을 문합해 줄 수 있다.

(4) 재이식을 해야 할 경우

최근 강력한 면역억제제의 도움으로 재이식의 성적이 향상되면서 두 번째, 또는 세 번째의 이식도 시행되고 있으나 기증 장기가 부족한 상황에서 한 사람에게 지속적인 혜택을 주는 것이 바람직한가에 대한 윤리적인 문제가 제기되기도 한다.

첫 이식을 우측 장골와에 이식을 한 경우는 좌측 장골와를 이용하는 것이 편리하고, 세 번째 이식 시에는 이전의 이식 신을 절제하고 그 부위를 이용하거나 아니면 하대정맥과 원위부 대동맥을 이용해서 이식해 줄 수도 있다. 첫이식 때 내 장골동맥을 신동맥과 단단문합 했을 때에는 재이식 때 신동맥을 장골동맥의 측면에 연결하는 것이 골반내 장기의 혈류를 보존할 수 있는 방법이다(그림 14-18).

이신 식 기능 소실 후 언제 다시 재이식을 할 것인가에 대해서는 정확한 기준이 없으나, 첫 이식 후 6개월 이내에 기능소실한 경우는 재이식 성적이 좋지 않고, 기능소실 후 투석기간에 따라 재이식 신의 성적에 영향을 미치는 것으로 보고되고 있다.

5. 신장이식 후 초기 처치

1) 혈류역학적 안정 확보

혈압이나 맥박, 소변량, 중심정맥압 등을 매 시간 조사하여 이를 근거로 수액 보충을 조절해야 한다. vital sign이 불안정하면 이식된 신장으로 가는 혈류도 일정하지 못해서 신기능이 떨어지게 된다. 이식 후 저혈압은 저혈량증 hypovolemia 때문에 발생하는 것이 대부분이고 수액보충으로 충분하지만 경우에 따라서는 혈압상승제를 사용할 수 있다. 이식 후 고혈압은 신장기능이 회복될 때까지 이식전의 혈압이 지속되는 경우가 많은데 만일 카테콜라민에 의한 고혈압이거나 면역억제제에 의한 고혈압일 경우는 칼슘채널차단제에 잘 반응한다. 수액 보충이 과하게 되었거나 이식 신장의 기능회복이 늦어서 생긴 고혈압의 경우는 투석이 필요할 수도 있다.

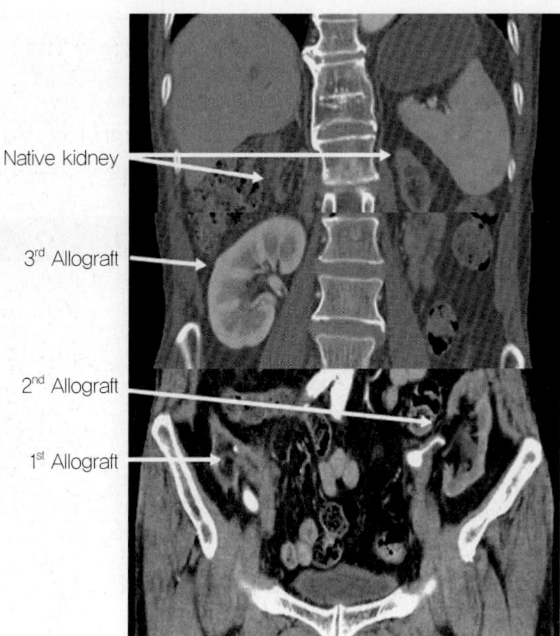

그림 14-18 세 번째 신장이식 후 복부 단층촬영 소견

2) 소변량의 측정과 수액 및 전해질 보충

이식 후 초기에는 생성되어 배출되는 시간당 소변의 량을 그대로 다음 시간에 보충해 주는 방법을 사용하는데, 소변이 농축되지 못해서 대량의 소변이 나올 경우 이를 모두 보충하게 되면 다음 시간에 소변량이 더 많아져서 당황하게 된다. 이렇게 이식 후 초기에 소변량이 많은 것은 이식된 신장의 사구체 및 세뇨관이 아직 충분한 적응을 하지 못해서 일어나기도 하고, 이식 후 사용하는 수액의 성상 때문이기도 하다. 수액의 보충은 half-normal saline 또는 Hartmann 용액으로 하고, 이식 후 수 일 동안은 소변량이 많으면서 전해질 이상이 동반되기 때문에 칼륨, 칼슘, 마그네슘 등의 전해질을 적극적으로 보충해야 한다.

3) 이식된 신장의 기능 평가

신장이식 후 가장 중요한 것은 이식한 신장이 정상적으로 소변을 형성하고 배출하는지를 감시하는 것이다. 수술장에서 문합한 신동맥을 통해 혈류가 재개되었을 때 이식신장이 핑크색을 띄면서 팽팽하게 차오르면 이식이 성

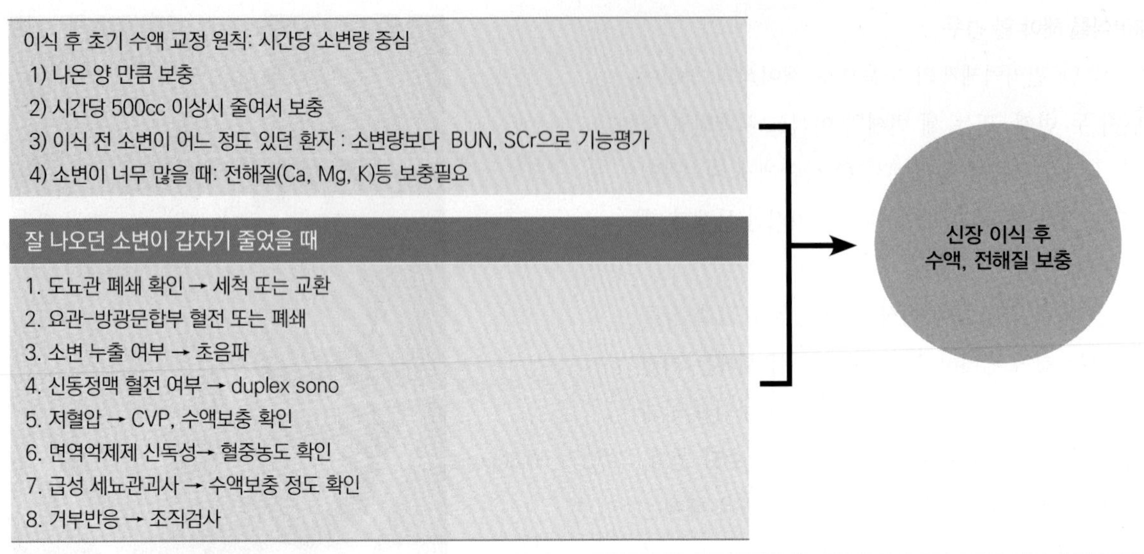

이식 후 초기 수액 교정 원칙: 시간당 소변량 중심
1) 나온 양 만큼 보충
2) 시간당 500cc 이상시 줄여서 보충
3) 이식 전 소변이 어느 정도 있던 환자 : 소변량보다 BUN, SCr으로 기능평가
4) 소변이 너무 많을 때: 전해질(Ca, Mg, K)등 보충필요
잘 나오던 소변이 갑자기 줄었을 때
1. 도뇨관 폐쇄 확인 → 세척 또는 교환
2. 요관-방광문합부 혈전 또는 폐쇄
3. 소변 누출 여부 → 초음파
4. 신동정맥 혈전 여부 → duplex sono
5. 저혈압 → CVP, 수액보충 확인
6. 면역억제제 신독성→ 혈중농도 확인
7. 급성 세뇨관괴사 → 수액보충 정도 확인
8. 거부반응 → 조직검사
신장 이식 후
수액, 전해질 보충

그림 14-19 **이식 직후 소변량 감소에 대한 조치**

공한 것으로 간주되고, 이런 경우는 즉시 소변의 배출을 볼 수 있다. 그러나 이식된 신장은 면역학적인 반응을 시작하지 않더라도 소위 비면역학적인 인자, 즉 기증자로부터 신장을 적출하는 과정, 기증자의 혈압이나 전신상태, 적출된 신장의 냉각 관류액의 사용과정 중이나 보관 중, 그리고 혈관문합 과정 중에 이미 혈관의 수축이 일어나서 이식이 완료되었는데도 소변의 배출이 원활하지 못한 경우가 있다. 그 외에도 도뇨관이 혈전으로 막히거나 요관-방광문합부가 혈전이나 부종으로 폐쇄되기도 한다. 이때 원인을 찾아서 빠른 시간 내에 처치해 주는 것이 이식 신장의 기능 유지 및 회복에 중요하다.

때로 이런 원인으로 급성 세뇨관괴사가 발생한 수혜자는 체내에 수액이 과다하게 축적될 수 있으므로 오히려 수액보충을 자제하고, 신장기능이 돌아올 때까지 투석요법으로 체내 수분 균형을 맞추어 주어야 한다. 특히 뇌사 기증자로부터 신장이식을 했을 경우는 비면역학적인 원인으로 이식 신장의 기능이 지연되는 경우가 많고, 대부분 1개월 이내의 투석으로 정상 기능을 회복하게 된다(그림 14-19). 소변량과 함께 신장의 기능을 간단하게 측정할 수 있는 것이 혈중 요소질소치(BUN)와 혈청 크레아티닌치이다.

6. 면역억제

1) 초기 면역억제

기증된 신장이 수혜자의 체내에서 혈관문합을 완료하고 혈류가 재개되면 기증자와 수혜자의 면역체계상의 차이 때문에 면역반응이 시작된다. 따라서 이런 면역반응을 사전에 억제해주기 위해 유도면역억제를 사용하기도 하고, 대부분은 이식 2일 전부터 calcineurin inhibitor (CNI)를 사용하고 이식 시에 대량의 스테로이드를 투여하여 면역억제를 시행한다.

최근 면역억제제에 의한 부작용을 최소화 하기위해 여러 가지 면역억제제를 병용하면서 용량을 줄여주거나, 초기에 대량으로 사용하던 일부 면역억제제를 점차 감량 또는 중지하는 방법을 사용하기도 한다. 그리고 비특이성, 비선택성 면역억제방법에서 선택적인 면역억제제를 사용함으로써 이식 후 발생하는 면역반응의 과정 중 결정적인 부분을 차단함으로써 면역반응이 진행되지 않도록 시도하고 있다(표 14-11).

표 14-11. 신장이식 후 일반적으로 사용하는 면역억제제

유도면역제제: ATG, anti-CD25 Ab (simulect, zenapax) 수술직전(1-2일): calcineurin inhibitor, steroid 수술 후 초기: calcineurin inhibitor, mycophenolate mofetil (MMF), steroid 유지면역: calcineurin inhibitor (감량), prednisone (감량 또는 중지), MMF, leflunomide, FTY720, cell cycle arrest (sirolimus, everolimus)
** 부작용을 줄이고 면역억제기능은 극대화하기 위한 맞춤형 면역억제 조합을 개인에 맞게 적용

2) 유지 면역억제 치료원칙

(1) 면역억제제의 치료기간

이식을 시행하면 기증자의 항원이 수혜자의 체내로 이동하기 때문에 면역세포들 간에 복잡한 반응이 일어난다. 이러한 면역반응을 이식 전부터 또는 이식 후 지속적으로 억제하여 이식된 장기가 수혜자 체내의 면역체계에 거부당하지 않게 하는 것이 면역억제의 원칙이다. 문제는 강력한 면역억제로 인해 수혜자의 면역력이 떨어져서 감염이 쉽게 발생할 수 있기 때문에 어떻게 하면 거부반응은 최대로 억제하고 감염의 발생은 최소로 줄일 수 있는 면역억제제 용량을 찾아 투여하는 것이 중요하다.

(2) 치료에 대한 순응도 높이기

면역억제제는 대량을 사용할 경우 거부반응은 피할 수 있으나 감염, 종양발생 등으로 인해 수혜자의 생명유지에 치명적일 수 있고, 너무 적게 사용할 경우는 면역억제의 효과가 없어서 거부반응을 일으키게 되므로 적정한 용량을 평생 투여하여야 한다. 이렇게 장기적으로 약물을 복용해야 하기 때문에 약물치료에 대한 순응도가 매우 중요하다. 특히 청소년기의 환자들은 순응도가 떨어지기 때문에 특별한 관리를 요한다.

순응도 저하의 원인 중에는 면역억제제로 인한 부작용이 있다. 특히 당뇨병을 비롯한 체중증가, 비만, 감염증가, 암발생, 심혈관질환, 고혈압, 고지혈증, 무혈성 괴사 등의 발생은 환자들이 견디기 힘든 부작용들이다.

(3) 병용요법 또는 약제의 사용중지, 감량

면역억제제의 독성을 줄이고 면역반응의 흐름을 여러 곳에서 차단하기 위해 다양한 면역억제제의 용량을 줄여서 병용하고, 약의 독성이 심한 약제는 초기에만 사용한 후 적당한 시기에 중지하는 방법이 임상에서 적용되고 있다. 스테로이드 또는 calcineurin 억제제(CNI) 투여중지, 감량투여 등과 같은 맞춤형 면역억제가 시도되고 있다.

7. 신장 이식 후 합병증

1) 이식 후 초기 합병증

(1) 수술부위 출혈

대부분 이식된 신장 문부의 작은 혈관이 결찰되지 않아서 출혈하거나, 후복막내의 결찰되지 않은 작은 혈관 또는 내장골정맥을 절단 분리한 부위의 결찰이 충분치 못해 발생할 수도 있다. 때로 장기간 복막투석으로 복막염이 반복적으로 발생했던 수혜자는 특별한 출혈부위가 없으면서도 후복막강 박리 부위에서 많은 출혈이 지속되는 경우가 있다.

(2) 혈관합병증

아주 드물게 문합한 신동맥에 혈전이 생기는 경우가 있다. 대부분 술기상의 문제로서 신장 적출 시 과다하게 신동맥을 당기거나 조작했을 때, 그리고 적출 후 신장 냉각관류 또는 신장이식 시 거친 조작으로 인한 신동맥 내막 손상 또는 내막박리 등이 원인이 된다.

신장 내부로 혈류가 차단되면 소변의 형성도 당연히 중지된다. 초음파로 쉽게 진단할 수 있고, 신동맥에 국한된 경우는 혈전제거술로 기능회복을 기대해 보지만 내막박리가 심하거나 초급성 거부반응 때에는 이식 신장을 절제하는 수밖에 없다.

신정맥의 혈전은 문합한 신정맥의 길이가 너무 길어서 꼬였든지 아니면 시술 시 정맥의 방향을 잘못 잡아서 비틀렸을 경우, 그리고 문합부위가 신정맥의 크기에 비해 과다하게 넓거나 좁으면 발생할 수 있다. 물론 정맥 혈전의 생성은 외부의 혈종이나 임파낭종에 의한 압박, 또는 전신의 심부정맥 혈전증의 확산 등에 의해서도 가능하다. 이식 신의 정맥에 발생하는 심부정맥 혈전증에 대한 국내 보고는 드물지만 미국의 경우는 신장이식의 5% 정도, 특히 폐색전증을 일으키는 경우가 1%나 되어서 심부정맥 혈전증의 위험인자를 가진 수혜자에게는 예방적 헤파린 사용이 권장되고 있다.

(3) 요관 합병증

요관은 뚜렷한 공급동맥이 없고 길이가 길기 때문에 쉽게 허혈상태에 빠질 수 있다. 이로 인해서 방광과의 문합부에 괴사가 생기고 요 누출이 발생한다. 기증된 신장의 요관이 너무 짧을 때는 문합부가 긴장되어 유 누출을 일으킬 수도 있고, 수술경험이 적을 때는 방광-요관 문합을 잘 못해서 발생하기도 한다. 이럴 경우는 소변이 줄면서 혈청 크레아티닌 수치가 증가하고 이식부위에 압통과 함께 피부 절개창으로 소변의 누출이 확인되기도 한다.

조기에 발견하여 누출부위를 닫고 새로운 요관-방광 문합을 하는 것이 좋다. 누출부위가 작을 때는 경피적 신우도관술percutaneous nephrostomy과 스텐트 거치술을 실시하면 개복하지 않고 치료할 수도 있다.

요관협착은 초기에는 대부분 문합부위의 부종이나, 문합부위의 혈종, 요관의 꼬임 등에 의해 발생하나, 장기적으로는 요관의 허혈에 의한 주위조직과의 반흔조직 구축, 섬유화 등에 의한다. 때로 요관의 위치를 정삭 구조물 상부로 위치시켜 굴절되거나 협착이 되기도 한다. 경피적 중재시술을 통해 요관을 확장하기도 하고 내부에 스텐트를 거치시켜 일정기간 확장시킨 후 제거한다. 이런 치료에도 재발될 경우는 새로운 요관-방광 문합을 하든지 아니면 이식 신의 요관을 수혜자의 요관에 문합하기도 한다.

표 14-12. 신장이식 후 외과적 합병증

- Wound Complication
  - Bleeding
  - Seroma, lymphocele
  - Wound dehiscence
- Urologic Complication
  - Ureteral stenosis or occlusion
  - Urinary leakage, urinoma
  - Ureter twisting or compression by cord structure
- Vascular complication
  - Renal arterial stenosis or occlusion
  - Renal vein thrombosis
  - Intrarenal AV-fistula
- Graft rupture

(4) 임파낭종

신장이식 후 발생하는 임파낭종은 보고자에 따라 빈도에 차이가 많다. 대부분이 장골동정맥의 박리 시 주위에 있는 림프관을 잘 결찰하지 못해 발생하며 이식 후 초기보다는 2주 정도 지나서 진단되는 경우가 많다. 낭종의 크기에 따라 주위조직을 압박할 경우 증상이 나타나며 소변도 감소하고 이식한 쪽의 하지부종이나 혈청 크레아티닌치의 상승도 동반된다. 임파낭종의 크기가 줄지 않으면 복막내로 림프액을 배출시켜 복강내에서 흡수시켜 주기 위한 복막창peritoneal window을 복강경을 이용하거나 개복해서 만들어 준다. 임파낭종 내로 배액관을 넣고 경화제를 주입하기도 하나 염증 등의 위험에 주의해야 한다.

이상의 초기 외과적 합병증을 요약하면 표 14-12와 같다.

(5) 이식 후 감염증

가. 일반 감염

이식 후 초기의 감염은 주로 도뇨관에 의한 감염, 정맥주사 부위 감염, 폐합병증 등이다. 따라서 이식 후 감염의 원인이 초기에는 박테리아 균이었다가 시간이 지남에 따라 바이러스와 기타 기회 감염균, 진균 등으로 바뀌어 간다. 때문에 초기 항생제 사용외에도 진균감염을 위해서 이식 후 2-3개월간 항진균제를 복용한다. 문제가 되는 균주들은 *aspergillus*, *candida*, *pneumocystis carinii*,

표 14-13. 신이식 환자에게 필요한 예방접종

권장 예방접종	불필요한 예방접종
Influenza A, B (매년)	Varicella Zoster
Pneumovac (every 3-5 yrs)	Intranasal influenza
Diphteria-pertussis-tetanus	BCG
Hemophilus influenza B	Live oral typhoid
Hepatitis B	Measles
Typhoid Vi	Mumps
Inactivated polio	Rubella
Meningoccus	Oral Polio
Hepatitis A	Live JapaneseB encephalitis vacc
	Small pox
	Yellow fever

cryptococcus 등이다.

예방을 위해 이식 전 수술부위 소독은 물론이고 수술 전체과정을 통한 무균적 조작과 마취과정의 감염예방, 이식 후 병실에서의 약물 투여, 혈액채취 등 모든 순간에 주의를 기울여야 한다. 불필요한 혈관내 카테타는 삽입을 자제하거나 불필요시 즉시 제거해야 하고, 특히 이식병동이 따로 없을 경우는 의료진에 의한 환자-환자 사이의 감염에 주의해야 한다.

이식 후 시간이 경과하면서 세균성 감염에서 점차 바이러스성 감염, 진균성 감염, 기회감염의 빈도가 증가되고 만성적으로 간염, 결핵 등의 발생이 동반될 수 있기 때문에 항상 감염에 대한 주의를 기울여야 한다.

따라서 이식 전 평가기간 동안에 예방접종을 통해 감염에 대한 면역력을 갖게 하는 것이 필요하다. 과거의 예방접종 상황과 항체 형성정도가 어떤지를 확인해서 필요한 접종을 이식전에 실시한다. 그러나 이식 후에는 어떠한 경우에도 생백신의 사용은 해서는 안되고 약독화 백신의 경우도 주의를 요한다. 특히 이식환자와 함께 생활하는 가족들에 대한 예방접종도 관심을 갖고 시행해야 이식받은 수혜자의 감염을 줄일 수 있다(표 14-13).

나. 거대세포 바이러스 감염

거대세포 바이러스 감염의 경우는 기증자와 수혜자의 항체 여부에 따라 감염증의 빈도가 차이가 있다. 수혜자가 항체 양성이면서 표준 면역억제제를 사용한 경우는 20-30%에서 감염증을 일으키고 반면 거부반응이 발생해서 ATG나 OKT3로 치료한 경우에는 감염가능성이 65%까지 증가된다. 기증자 항체가 양성이고 수혜자가 음성일 경우도 50-60%에서 발병한다. 따라서 거대세포 바이러스 감염의 위험성이 있는 이식인 경우는 예방적으로 CMV 항 바이러스 제제를 사용해야 한다. CMV 감염은 바이러스 감염에 의한 직접효과와 CMV에 의한 면역력 저하로 인해 발생하는 간접효과로 나눈다. 직접효과는 발열, 권태, 백혈구 및 혈소판 감소 등의 임상소견 뿐 아니라 간염, 소화기계 궤양, 각-망막염chorioretinitis 등 모든 장기를 침범해서 나타내는 증상을 포함한다. 간접효과는 급, 만성 이식 신 소실의 원인, 기회감염의 증가, 이식 후 종양발생 등에 영향을 준다. CMV 감염은 CMV 감염은 이식 후 1개월 이후부터 6개월 사이에 많이 발생하므로 이식 후 초기 박테리아에 의한 감염이 끝나갈 무렵부터 관심을 가지고 감시해야 한다.

CMV 감염에 대한 예방은 크게 2가지로 나누는데 첫째는 이식 후 수혜자의 혈중 CMV DNA를 검사하여 양성이 나오면 환자의 증상 유무에 관계없이 항 바이러스 제제를 사용하는 방법이고pre-emptive therapy, 이 경우 DNA 소실 후 1주일 정도까지 약제를 사용한다.

두 번째는 예방적 처치로써 CMV 감염의 위험성이 있는 모든 환자에게 이식 시 일정기간 항 바이러스 제제를 사용하는 것이다prophylactic therapy. 특히 기증자가 CMV 양성이고 수혜자가 음성일 경우는 CMV 일차 감염 발병율이 50-80% 까지 높기 때문에 예방적 치료가 절대적이다. 그러나 기증자 및 수혜자 모두 음성일 경우는 예방적 치료의 의미가 없다.

다. BK virus 감염

강력한 면역억제제, 특히 타크로리무스와 MMF를 병용했을 때 약의 상승작용으로 BK 바이러스 감염이 증가한다고 보고하고 있으며, 항임파구제제와 대량의 스테로이드 사용 시에도 늘고 있다. 이와같은 BK 바이러스 감염의 중요성은 감염 시 급성 거부반응이 동반되는 경우가 많아 치료방침 결정에 어려움이 있다. 따라서 주기적으로 혈액 및 소변 검사를 실시하여 BK 바이러스 PCR을 하거나 소변에서 decoy cell을 확인하여 선별검사한다. BK viremia(혈청내의 104copy/mL 이상의 BK 바이러스 DNA농도)인 경우 신장의 기능이 유지되는 범위에서 타크로리무스와 MMF의 용량을 줄이거나 사이클로스포린으로 변경하는 방법을 검토해야 한다. 만일 신장 생검에서 BK 바이러스에 의한 신증이 확인되면 항바이러스 제제를 사용할 수 있다.

표 14-14. 신장 이식 후 위장관 합병증의 원인

1. Post-transplant peptic ulcer (check H Pylori)
   1) 10% of Pt without pretransplant ulcer patient
   2) 15% of Pt with pretransplant peptic ulcer
      → H2 blocker, PPI and antacid + PGE1 for first 3m after TPL
      → If H pylori +, omeprazole+Clarithromycin+Amoxicillin (or metronidazole)
2. Candida, herpetic GI ulcer,
3. CMV colitis
4. Diarrhea and GI trouble in MMF group
5. Frequent Gall stone in renal transplant patient : need US and pretransplant laparoscopic cholecystectomy

(6) 위장관 합병증

Herpes를 비롯한 candida 감염이 구강 및 식도에서 많이 발생한다. 그 외에도 면역억제제에 의한 소화불량, 오심, 위산과다, 설사 등의 위장 장애를 호소한다. 따라서 이식 전 위 내시경 검사를 통해 위-십이지장 궤양의 유무와 H.Pylori 균의 존재유무를 확인해서 이식 전에 치료를 해야 한다. 이식 후 초기에는 대량의 면역억제제와 항생제, 항진균제 등의 약물투여가 많으므로 위의 보호를 위해 H2 수용체 길항제, proton pump 억제제, 제산제 등을 병용하고, prostaglandin E1을 투여하기도 한다(표 14-14).

면역억제제인 MMF 사용시 부작용으로 위장장애가 있을 수 있는데, 이런 부작용을 줄인 mycophenolate sodium이 출시되어 사용되고 있다.

2) 거부반응

(1) 초급성 거부반응

수혜자의 혈액내에 기증자의 항원에 대한 항체가 형성되어 있는 경우는 이식수술 후 혈액을 재개하기 시작하면 즉시 소견이 나타난다. 초급성 거부반응이 발생 시 구제하기 위한 별다른 방법은 없고 이식 신을 절제하는 수 밖에 없다. 다만 이식 전에 초급성 거부반응을 예방하기 위해 철저한 교차검사를 실시하는 것이 좋다.

(2) 급성 거부반응과 치료

이식 후 소변량이 감소하고 혈청 크레아티닌치가 점차적으로 상승하면서 이식부위에 압통과 전신 부종을 호소하면 급성거부반응을 의심해야 한다. 그러나 최근 개발된 면역억제제의 영향으로 임상적으로 확인이 가능한 고전적인 급성 거부반응의 소견을 보이는 경우는 드물고, 혈청 크레아티닌치의 상승 정도를 보아 추측하고 수액보충, CNI 혈중농도 조절 등을 해도 변화가 없으면 조직검사를 통해 확진해야 한다. 급성 거부반응이 발생해도 임상적으로 확인이 되지 않고 경하게 경과하는 경우도 많아서 이런 subclinical rejection이 반복되면 이식 신의 성적이 나빠진다.

가. 급성 세포성 거부반응의 치료

이식 후 유지 면역억제제를 사용하고 있는데도 급성거부반응이 발생하는 경우는 급성 거부반응에 대한 치료를 시행해야 한다. 일차적인 치료방법으로는 스테로이드를 대량으로 투여하는 것이다. 스테로이드 치료 후에도 반응이 없을 경우에는 항림프구 항체antithymocyte globulin (ATG를 주로 사용)투여를 고려해야 한다.

나. 급성 항체 매개성 거부반응의 치료

신장 이식 후 조직검사에서 세뇨관 주위 미세혈관에 C4d의 침착이 있으면 체액성 면역반응humoral acticity이 있음을 의미하고, 급성 항체 매개성 거부반응 진단에 marker가 된다. 그러나 C4d 만으로는 항체 매개성 거부반응을 확진할 수는 없고, 기증자 특이 항체circulating donor-specific antibodies (DSA), 조직학적 염증반응, 그리고 이식신장의 기능 이상 등이 동반되어야 한다. 이 경우 이식신장의 생존율이 현저히 감소하기 때문에 빠른 진단과 적극적인 치료를 시행해야 한다.

급성 항체 매개성 거부반응이 발생했을 경우에는 유지 면역억제제의 용량을 증가하거나 스테로이드 대량요법, 혈장 교환술plasmapheresis/plasma exchange, 면역글로불린의 정맥주사IVIG, 항림프구 항체(특히 세포성 거부반응이 동반된 경우) 등을 투여하고, 보조적으로 비장적출, rituximab (anti CD20 monoclonal antibody), bortezomib (protease inhibitor), eculizumab (complement 5 monoclonal antibody) 등도 사용되고 있다.

(3) 만성 거부반응

만성 거부반응은 이식 신의 기능이 면역학적 및 비면역학적인 원인에 의해 소실되는 경우를 말하는데 최근에는 이식 신장의 혈관내막증식 등으로 인한 이식혈관증 transplant vasculopathy이 원인으로 떠오르고 있다. 또한 여러가지 원인으로 세뇨관위축 및 간질조직섬유화가 장기 생존 이식 신의 병리 소견으로 나타나고 있고 이에 대한 예방대책이 필요하다.

3) 약물에 의한 합병증

면역억제제의 합병증은 CNI(사이클로스포린, 프로그라프)의 경우 신장독성이 특징적이고 특히 프로그라프는 당뇨발생이 문제가 되어있다. 사이클로스포린은 신경합병증과 잇몸 비후 등의 합병증을 나타낸다. 스테로이드는 장기간 대량 사용할 경우 moon face (baffalo hump), 고혈압, 감염, 골대사 이상, 백내장 등이 문제가 되고 MMF는 설사 등 위장관장애가 특징적이다. 공통적으로 면역억제제를 사용함으로써 박테리아, 바이러스 등의 감염이 많아지는 것이 특징이고, 특히 면역억제된 환자에서 새로운 종양이 발생하는 것이 문제이다.

4) 이식 후 장기 합병증

(1) 심혈관계 합병증

만성신부전 환자에게 동반된 심부전 또는 심장질환은 이식된 신장이 기능을 회복하면 점차 좋아지게 되지만 이식 직후 대량의 수액공급과 전해질의 불안정을 효과적으로 처치하지 못하면 심장에 부담을 줄 수 있다.

신장이식 후 심근경색이 1년에 5.6%, 3년에 11.1% 정도의 빈도로 발생하는 것으로 알려져 있다. 따라서 고령의 수혜자나 술 전 당뇨, 협심증, 심근경색 병력이 있는 환자, 고령의 기증자로부터 신이식, 이식 후 신기능이 지연된 환자는 주의를 요한다.

신장이식 후 고혈압은 여러 가지 원인으로 발생할 수 있다. 가장 먼저 생각해야 할 것이 수혜자 자신의 신장에서 분비되는 레닌의 영향으로 고혈압이 지속되는 경우이고, 특히 최근에 개발된 여러 가지 면역억제제 중 CNI계의 약물, 스테로이드 등이 고혈압을 일으킨다. 그 외에도 급-만성 거부반응 발생 시, 재발성 사구체 신염, 장기적으로는 이식 신 동맥의 협착 등이 원인이다.

신동맥 협착은 이식 후 상당한 기간이 지난 후 수혜자에게 고혈압이 발생하거나 신장기능이 서서히 떨어질 때 의심해 볼 수 있다. 과거에는 수술적 치료를 시도할 수밖에 없었으나 최근에는 중재적 방사선 시술이 발전되어 우선적으로 시행되고 있다.

(2) 고지혈증

신장이식환자에서 고지혈증은 흔히 발견되나 과중성지방혈증은 투석 때 보다 심하지 않다. 대부분 유전적 소인이나 특정 면역억제제의 사용이 원인이 된다. 먼저 환자의 체중을 조절하고, 규칙적인 운동을 권하고, 저콜레스테롤, 저포화지방 식사를 하는 것이 좋다. 스테로이드 용량을 최소화하고, 고지혈증이 조절되지 않을 때는 사이클로스포린을 타크로리무스로 교체하는 것도 한 방법이다.

또한 statin을 사용하는데, lovastatin을 사용시는 혈청 콜레스테롤치는 낮출 수 있으나 사이클로스포린과 병용 시 횡문근 용해증, 근 색소에 의한 급성 신부전 양상을 일으킬 수 있으므로 주의해야 한다. 반면 atrovastatin 은 콜레스테롤과 중성지방 2가지 모두에 작용함으로 복합 지질이상 환자에 유효하다.

(3) 신장이식 후 발생하는 당뇨병

이식 전 당뇨병이 없던 신장이식 환자의 4-25%에서 이식 후 당 대사 이상이 발생하는데 이를 New Onset Diabetes After Transplantation (NODAT)라 하고 이는 이식 후 환자생존율이나 이식 신장의 생존율에 나쁜 영향을 미친다. 진단의 기준은 당뇨의 특징적인 증상(다뇨증, 조갈증, 체중 감소)과 함께 무작위 혈당치가 200mg/dL 이상이거나 공복 시 혈당이 126mg/dL 이상 또는 식후 2시간 혈당치가 200mg/dL 이상이면 진단한다(표 14-15). 따라서 모든 이식환자들은 이식 후 첫 4주동안은 매주 공복혈당을 측정하고 이후 3개월, 6개월 그리고 매년 검사를 시행해야 한다. 당화혈색소HbA1c도 이식 후 3개월째 측정하고 특히 공복 시 혈당측정이 어려울 때는 당화혈색소로 대신 평가한다(그림 14-20).

이식 후 당뇨병은 제2형 당뇨병과 발생기전과 임상양상이 유사하고, 일부 면역억제제 사용 환자에서 많이 발생하는 것으로 알려져 있다. 스테로이드 사용 환자에서 발생하는 당뇨병은 스테로이드에 의한 인슐린 저항성 때문인 것으로 밝혀졌고, CNI 계열의 약제는 췌장내의 베타 세포에 대한 억제작용에 의한다고 알려져 있다. 최근 면역억제제의 병용요법이나 약제의 조기 감량, 약제의 철저한 용량조절 등으로 빈도가 많이 감소했지만 이식 후 약 10-20% 환자에서 여전히 발생하고 있고, 특히 약물효과가 강력한 타크로리무스나 시로리무스의 사용 시 당뇨병의 발생빈도가 더 높다. 이식 후 당뇨병이 발생한 환자의 임상 양상은 일반적인 당뇨환자와 유사하기 때문에 이식 전부터 발병 위험인자에 대한 주의를 요하고, 이식 후 면역억제제 선택 시 당뇨발생을 감안해서 맞춤형의 면역억제제 사용이 필요하다.

표 14-15. 이식 후 당뇨병의 정의

Blood sugar	definition
FBS (mg/dL)	
<100	Normal
100-125	Glucose Intolerance
>126	NODAT
PP2H blood sugar	
<140	Normal
140-199	Glucose Intolerance
>200	NODAT

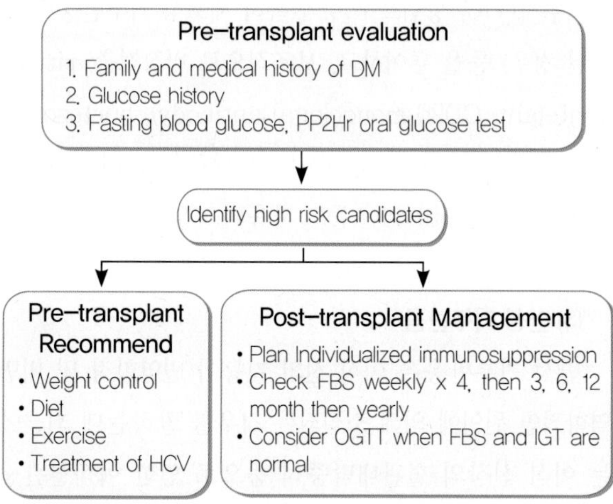

그림 14-20 **NODAT의 발생예방 및 이식 전후 처치**

엄격한 체중관리와 식사조절, 운동요법 등이 선행되어야 하고, 이런 치료에 반응이 없을 경우는 경구 혈당강하제나 인슐린으로 치료해야 한다.

(4) 근·골격계 합병증

만성 신부전 환자는 부갑상선 기능항진증, 알루미늄 골질환, 투석에 의한 아밀로이드증 등이 동반될 수 있고 이들은 이식 후 수개월 내에 호전된다.

이식 후 1-2개월 내에는 특별한 원인없이 하지 특히 양측 무릎 및 발목관절에 통증을 호소하면서 휴식으로도 호전이 되지 않고, 통증이 심해 잠을 설치기도 하는 하지통증증후군이 발생한다. 따라서 이식이 하지불안증후군의 한 원인이 되기도 한다. CNI 면역억제제의 혈관수축작용으로 설명하기도 하나 정확한 원인은 알 수 없다. 통증이 심해 하지간헐성파행과 감별이 필요하기도 한다.

이식 후 오래 생존하는 수혜자 중에는 주로 대퇴 골두에 무혈성 골괴사가 발생한다. 보통 이식 후 2년내에 발생하고 이후 장기간에 걸쳐 나타난다. 자기공명 영상이 진단에 도움이 되나, 일단 골괴사가 생기면 비가역적 과정을 가기 때문에 결국은 대퇴골두 치환술total hip replacement를 시행해야 한다.

스테로이드를 장기간 사용 시에는 골량이 감소하는데 특히 척추골에 잘 나타난다. 골절과 통증이 특징이다. 골밀도로 검사를 하면 이식 후 6개월이 지나면 이식 전에 비해 급속한 감소를 보인다. 특히 거부반응으로 스테로이드 대량요법을 시행한 환자에게 빈도가 잦다.

급성 통풍이 이식 후 환자에게도 발생하는데 이는 요산의 혈중농도가 증가하면서 발생한다. 작용기전은 사구체 여과율의 감소와 요산배설의 감소에 의해 발생하며 이뇨제 사용 시 악화될 수 있다. 급성 발작시는 colchicine을 사용하고, 비스테로이드성 소염진통제는 신기능 부전을 초래할 수 있으므로 피하는 것이 좋다. 사구체 여과율이 50mL 이상이면 probenecid가 효과적이고, 아자티오프린 사용환자에게는 allopurinol 사용을 피하는 것이 좋다.

(5) 신발성 종양

신장 이식 후 장기생존자가 늘어나고, 면역세포의 억제력이 강한 약제가 사용됨으로써 수혜자에게 과거에 없던 종양의 발생위험이 증가되고 있다. 이와같은 종양은 지역이나 종족간의 특성에 따라 호발하는 종양의 종류가 다르고, 이식 후 경과기간에 따라 빈도가 증가하는 것으로 알려져 있다. 특히 최근 사용되고 있는 B 세포 억제제는 B 세포 림프종을 호발하는 것으로 알려져 있고, CNI 계열의 약제를 대량 사용 시에는 림프증식성 질환이 증가하는 것으로 보고 되었고 최근 저용량으로 사용 시 종양발생빈도가 현저히 감소하였다. 림프 증식성 질환의 위험인자는 EBV나 CMV 바이러스 양성의 기증자가 음성의 수혜자에게 기증 시, 소아이식 시, 그리고 대량의 강력한 면역억제제 특히 OKT3나 프로그라프 사용 시 증가함으로 주의해야 한다. Rituximab 이 최근 치료제로 사용되고 있고, mammalian target of rapamycin 억제제인 시로리무스는 오히려 Kaposi's 육종이나 일부 암에 대해 항종양효과가 보고 되고 있다.

지역적으로 오스트레일리아나 뉴질랜드 등 서구에서는 피부암과 림프종양이 많은 것으로 보고 되고 있으나 동양의 보고는 오히려 소화기계 암이 많다. 국내의 보고는 각 센터마다 약간의 차이는 있으나 이식환자의 5% 내외에서 암이 발생한 것으로 보고하고 있고, 외국과 달리 소화기계 암이 많이 보고되고 있다. 최근 림프종, 카포지 육종, 피부암, 내분비계 암 등의 빈도가 늘어나는 추세이다.

신이식 후 종양의 발생은 신장기증자의 신장이나 주위 조직으로부터 발생하는 경우와 수혜자가 과거에 치료받았던 종양이 재발하는 경우, 그리고 전혀 새로운 종양이 수혜자에게 발생하는 소위 신발성 종양, 3가지로 나눌 수 있다. 과거에 치료받은 종양의 재발을 예방하기 위해서는 각 종양의 종류에 따라 제시된 무병기간disease free interval을 지난 후에 이식하는 것이 좋다.

전혀 새로운 종양이 이식 환자에 발생하는 경우는 특히 피부암, 림프종, 자궁경부암, 신세포암 등이 많은데 우리나라의 경우는 위암과 간암, 폐암의 빈도가 오히려 높다. 따라서 신장이식 환자에서 정기적인 신장기능 검사 때 주기적으로 암의 조기발견을 위한 검진을 실시해야 한다.

(6) 원발질환의 재발

일부 만성신부전의 원인질환은 이식을 한 신장에도 다시 재발되는 경향을 보이고, 그 재발시기도 이식 후 수주 내에서부터 다양하다.

특히 국소 분절성 사구체경화증이나 막비후성 사구체 신염, IgG 신염, 출혈성 요독증후군, 당뇨병성 신부전 등의 원인질환 시는 이식 후 관리에 주의를 기울여야 한다. 이와 같은 원발질환의 재발은 이식 후 1주일 내에도 발생하기 때문에 이식 직후의 이식 신 기능저하 시 주의깊게 관찰해야 한다.

8. 이식신장 기능소실

1) 원인

이식 신 기능저하의 원인 중 면역학적인 인자에는 조직적합성 항원의 적합정도, HLA 교차반응, 거부반응 빈도와 정도, 과거의 감작정도, 부적절한 면역억제 등이 관여하고, 비면역학적 인자 중에는 기증 신장의 기증전 상태와 이식 신의 기증지연, 신장무게/수혜자 체중비, 기증자 및 수혜자 연령비, 기증자 및 수혜자 성별 조합, 면역억제제에 의한 장기적인 신장독성, 고혈압, 고지혈증 등을 들 수 있다.

만성 거부반응은 이식 신의 기능저하의 원인을 주로 면역학적인 측면에서 생각한 것이고, 위에서 언급한 여러 가지 비 면역학적인 요소에 의한 만성 기능저하를 포함해서 말할 때는 만성 이식 신 기능저하증chronic allograft nephropathy (CAN)으로 표현한다. 병리 조직소견으로 이들은 모두 신장조직의 섬유화와 세뇨관의 위축을 나타내기 때문에 만성 고혈압이나 CNI 독성, 폐쇄성 신질환, 신우신염, 바이러스 감염 등의 원인이 없을 때만 만성거부반응으로 진단하자는 기준을 Banff 회의에서 보고했다. 만성 거부반응이 된 이식 신은 약물에 반응하지 않지만, 만성 기능저하 환자에서는 선택적으로 CNI 약물 용량을 줄이고 MMF를 늘이거나 m-TOR 억제제를 사용하여 효과을 얻기도 한다(표 14-16).

2) 이식 후 사망

신장이식 후 1년 이내에 사망하는 환자들의 주 원인은 감염이다. 그러나 면역억제제의 개발과 사용 경험이 축적됨으로서 이식 후 감염, 거부반응에 의한 사망률도 줄고, 1년 내의 사망률도 점차 줄고 있다. 그러나 이식 신의 기능은 잘 유지하고 있으면서도 갑자기 사망하는 소위 death with functioning graft 의 빈도가 증가되고 있다. 그 중에서 많은 원인인 심혈관계, 뇌혈관계 질환을 어떻게 예방할 것인가와 장기생존에 따른 악성종양 발생을 어떻게 줄일 것인가가 향후 장기 생존율 향상에 중요한 인자가 될 것이다. 특히 허혈성 심질환의 위험인자인 당뇨, 흡연, 고지혈증, 고혈압 등의 조절이 절대적으로 필요하다(표 14-17).

표 14-16. 만성 이식 신 병증 발생의 위험인자

Alloantigen-dependent	Alloantigen independent
Acute rejection	Ischemic injury & DGF
HLA mismatching	Old donor age
Prior sensitization	D/R size mismatch
Suboptimal immunosuppression	Calcineurin I toxicity
Non-compliance	Hyperlipidemia
	Hypertension
	Cigarette smoking
	Hyperhomocysteinemia
	Oxygen free radical
	CMV, infection
	Proteinuria

표 14-17. 신장 이식 후 이식 신 기능소실

Graft failure		Death with functioning graft	
Acute rejection	21%	Cardiac	27%
Rejection (CAN)	7%	Vascular	10%
Hyperacute rejection	2%	Infection	41%
Vascular	31%	Social	3%
Technical problem	9%	Malignancy	7%
Glomerulonephritis	6%	Miscellaneous	11%
Non-compliance	1%		
Others	23%		

3) 이식 신 절제술

이식한 신장의 기능이 소실되었을 때 이식 신 절제를 할 것인가, 그리고 언제 절제할 것인가에 대해서는 많은 논의가 있어왔다. 과거에는 이식한 신장이 체내에서 면역기능을 계속할 것이라는 생각에서 절제해 내는 것을 원칙으로 했으나, 최근에는 이식 후 6개월 이상 지나서 발생한 기능 소실일 경우는 이식 신장으로 인해 합병증이 발생하지 않는 한 그대로 두는 경향이다. 이식 신의 기능이 소실된 수혜자가 고혈압이 지속되거나, 혈뇨, 고열, 수술부위 압통, 패혈증, 신동맥 혈전, 이식 신 파열 등의 소견을 보일 때는 적출하는 것이 좋다.

이식 신의 적출은 신막하 절제방법을 사용하는 것이 출혈을 줄이고, 주위 조직에 대한 손상을 피할 수 있다.

9. 이식 후 임신

이식 후 1-1.5년이 지나면서 혈청 크레아티닌치가 1.5 이하로 유지되고, 면역억제제의 복용량이 줄어들어 유지용량으로도 충분한 시기, 고혈압과 단백뇨가 없을 경우, 수뇨관에 압박소견이 없을 때에는 임신을 해도 큰 문제가 발생하지 않는다. 그러나 최근의 통계를 보면 이식 후 임신환자의 65%에서 고혈압이 동반되었고, 30%에서 임신중독증이 발생하였고, 또 임신 초기에 유산율이 높은 것으로 보고되고 있어서 이식 후 임신을 했을 때는 산과전문의와 신장전문의의 규칙적인 검진을 받아야 한다.

임신 중 면역억제제의 사용은 일부 약제가 태반 혈관을 통과하여 낮은 빈도이지만 태아에 영향을 미치기 때문에 약제의 용량을 최소한으로 줄여야 하고, 또한 신독성이 있는 약제는 최소 혈중농도를 유지하도록 조절해야 한다. 아자치오프린, 마이코페노레이트와 mTOR 억제제는 임신 6주 전부터 중지할 것을 권하고 있다. 임신 중 또는 후에 비교적 안심하고 사용할 수 있는 면역억제제는 스테로이드이다.

10. 이식 후 입원이나 다른 수술이 필요한 경우

식사가 가능한 경우는 평소 복용하던 면역억제제를 지속적으로 복용해야 한다. 그러나 경구투여가 불가능할 때는 사용 중인 프레드니손의 용량과 같은 양의 methylprednisolone을 정맥주사한다. 수술 후 장기간의 금식이 요구될 시는 CNI 계열의 사이클로스포린은 1일 경구 투여량의 1/3, 타크로리무스는 1/5량을 서서히 정맥주사하고, 별도로 hydrocortisone을 주사한다. 어느 경우나 CNI의 혈중농도에 의한 약물조절이 필수적이다.

이식 신의 기능유지를 위해 당연히 충분한 수분 공급이 필요하고, 신독성이 있는 NSAID계열의 약물이나 항생제는 피하는 것이 좋다.

11. 신장이식 성적

신장이식 후 성적은 최근 면역억제제의 개발로 급성거부반응 빈도가 줄어짐에 따라 이식 신 생존율이 증가하고 있다. 그러나 지속적인 면역억제제 복용에 따른 이식 신에 대한 독성이 장기 생존자들에게는 이식 신 기능소실의 원인이 되고 있고, 이식 신 장기생존율에 영향을 주고 있다. 국내에는 국가의 이식 데이터 관리를 위해 설립된 KOTRY의 통계가 아직 5년 정도의 단기 통계만 보고하고 있어서 장기 성적을 알 수 없으나 각 센터의 보고를 보면 신장이식의 1년 생존율은 93-96%, 10년 생존율은 50-60%로 보고하고 있다. 이는 미국 전역의 이식통계인 UNOS의 보고와 유사하다.

12. 장기부족과 이로 인한 사회적 문제의 극복

이식해 줄 장기가 부족하고 이식 받으려는 대기자가 많을 경우에는 자연적으로 인간 생명의 존엄을 넘어서 장기를 사고 팔려는 유혹을 받게 된다. 경제적으로 어려운 사람들이 장기라도 팔아서 돈을 마련 하려고 하는 반면, 경제력이 있거나 권력이 있는 사람, 힘이 있는 사람들은 무리해서라도 장기를 구하려고 한다. 이 사이에 브로커가 작용한다. 이들은 때로 납치, 유괴 등을 통해서라도 장기를 확보해서 공급하려고 하기 때문에 사회적인 불안과 이식에 대한 부정적인 이미지를 심어주게 된다.

이와 같은 장기의 거래는 조직적이고 국제적으로 이루어져서 실제로 이식 의료진에게 수술 받으러 올 때는 전혀 의심이 없는 순수기증자 또는 가족과 수혜자의 관계로 조작된다. 이 과정에는 장기기증 대상자(경제적 약자, 신체적 약자, 문맹자 등)에게 접근하는 브로커, 장기이식을 받으려는 사람을 찾아서 기증자를 연결시키는 브로커, 각종 이식관련 검사를 대행해 주는 브로커, 병원을 연결하는 브로커, 서류를 조작해주는 브로커 등 서로 다른 사람들이 관여를 하기 때문에 제일 처음 시발점을 찾기조차 힘들다. 그래서 이를 장기세탁이라고 한다.

문제는 이식의료진도 이와 같은 세탁과정에 자신도 모르게 관련될 가능성이 있기 때문에 제3자 이식이나 뇌사자 이식 시에 각별한 주의를 기울여야 한다.

1) 이스탄불 선언

2008년 이스탄불에서 WHO, 세계신장학회, 이식학회, 각국의 보건관계자 등이 모여 장기매매에 대한 근본적인 차단을 논의하고, 윤리적인 장기기증과 이식을 위해 선언을 하였다. 선언의 내용은 장기기증에 대해 보상을 하거나 사고파는 행위를 장기 밀매organ trafficking라 하고 국내는 물론 이를 위한 국가간 이동을 통해 장기이식을 하는 행위를 이식 여행transplant tourism으로 규정하여 이를 각국이 엄격히 규제해 줄 것과 장기불법거래를 법적으로 규제할 수 있는 법적 제도적 장치를 마련할 것을 선언하였다. 이를 위해 각국과 지방자치단체에서는 환자들에게 이식해 줄 장기를 자체 내에서 자급자족하기를 요구하고 있다self sufficiency. 아울러 생체 장기기증도 활성화 하되 기증자의 안전을 보장할 수 있는 노력을 기우려야 한다고 선언하였다.

2) DICG

2010년 정식으로 설립된 Declaration of Istanbul Custodian Group (DICG)는 장기거래나 이식여행, 이식의 상업화를 차단하고 효과적이고 윤리적인 이식을 전 세계에 실행하여 이스탄불 선언을 지지, 활성화하기 위한 단체이다. 이 사업을 수행하기 위해 'WHO Guiding Principles on Human Cell, Tissue and Organ Transplantation'이란 지침을 마련하고 이에 의거해서 시행전략과 계획을 개발, 집행하고 있다. 윤리적인 장기기증을 위해 최근에는 불법 뇌사자의 장기기증 차단과 장기기증과 관련된 금품제공에 대한 국제적인 감시를 강화하고 있다.

3) 이종장기, 장기복제, 인공장기의 개발

사람의 기증장기가 절대적으로 부족하고 장기기증 활성화에 의한 결과도 제한적인 상황에서 현재 지속적으로 연구되고 있는 것이 동물의 장기를 이식하는 이종장기이식(異種臟器移植)xenograft과 만능 줄기세포를 이용한 장기의 복제를 통한 이식이다.

이종 장기이식은 주로 심장, 폐, 간이식에 연구가 진행되고 있다. 문제는 서로 다른 종 사이의 이식으로 인한 면역체계의 충돌로 발생하는 초급성 거부반응, 세포매개성 거부반응을 어떻게 방지할 것인가 이다. 이를 위해 동물의 alpha 1,3 Galactosyl transferase를 선택적으로 차단하는 약제나 knockout 동물을 만들어 실험 중에 있고, 동물의 인수공통감염 바이러스porcine Eedogenous Retrovirus (PERV)로 인한 수혜자 감염위험의 방지가 해결해야 할 과제이다.

줄기세포를 이용한 장기복제는 인간복제를 하지 않더라도 특정분화 세포를 확보하고 이를 지지체scaffold에 입혀서 생체 인공장기를 제작하는 것인데 최근에는 특정 세포의 유전자를 조작하여 세포분화를 거꾸로 돌려 역분화 능력을 유도한 역분화 유도 줄기세포induced pluripotent stem cell를 이용함으로써 줄기세포 이용의 여러가지 사회적인 논란에서 자유로워질 수 있게 되었다.

신장의 경우 혈액투석기의 지속적인 개발과 투석액의 향상으로 투석환자의 생존율이 꾸준히 증가되고 있어서 구태여 이와같은 위험을 감수할 필요가 없고, 다만 사용이 편리한 휴대용 투석기의 개발이 지속 중에 있다.

4) paired kidney transplantation, 교환이식

가족 내에 신장을 기증하려는 사람이 있어도 면역학적인 조건이 맞지 않아 기증이 불가능한 경우가 있다. 즉 혈액형이 적합하지 않거나 수혜자 체내에 기증자 특이 항원이 있는 경우이다. 이와 같은 형편에 있는 가족들을 등록 받아서 서로 다른 가족에게 장기를 기증하여 두 가정, 또는 여러 가정의 환자들에게 연속적으로 교환하여 이식하는 경우를 교환이식이라고 한다. 이 수술의 경우 면역학적인 조건은 맞출 수 있지만 교환하려는 상대 가족의 기증자 연령이나 생리적 기능상태 등 조건이 달라서 이식 후 경과에 따라 서로 불만이 생길 수 있다.

국내에서는 그 동안 여러 이식센터가 연합하여 교환이식 프로그램을 운영하고 등록된 희망자끼리 서로 매칭하여 가장 적합한 조건의 기증자 수혜자 쌍을 선택해서 이식을 진행하고 있다. 미국의 경우 UNOS에 이식대기자로 등록시 교환이식 희망자임을 밝히게 되어 있다.

5) Organ donation breakthrough collaborative

미국을 비롯한 서구의 여러 나라들의 경우도 뇌사자 장기기증이 우리나라에 비해서 많았으나 여전히 대기자에 훨씬 미치지 못했다. 미국의 경우 장기기증 증가 노력이 국가적으로 진행되었으며 2003년에는 기증장기 부족문제를 돌파하기 위해 협동작업을 진행했는데 이것이 organ donation breakthrough, organ transplantation breakthrough이다. 전자는 뇌사환자 가족의 장기기증 동의율을 증가시키자는 것이고, 후자는 한 사람의 뇌사기증자로부터 적출할 수 있는 장기의 수를 3개 이상으로 증가시키자는 것(적출율), 또 기증된 장기를 폐기하지 말고 이식하는 이식율을 높이자는 것 등이다.

그 외에도 발생한 뇌사자의 평소 기증의사를 존중하고 가족들에게 장기기증의 기회를 제공하기 위해 required request, required report system 을 법적으로 규정하고 있는 나라들이 많다. 또 평소 장기기증에 대한 거부의사 표시가 없으면 기증에 동의하는 것으로 간주하고 기증을 진행하는 추정동의제presumed consent도 많은 국가에서 채택하고 있다.

요약

신장이식에 대한 수술 술기의 표준화, 면역억제제의 지속적인 개발, 이식 후 장기생존에 걸림돌이 되는 여러 가지 위험인자들에 대한 예방과 처치 등이 1980년대 후반부터 이식 신 생존율을 현격히 향상시켰다. 그러나 이식 후 장기 추적 조사에서 알 수 있듯이 여전히 이식 후 1년째의 생존이 향후 10년 20년의 성적을 결정하는 중요한 인자가 되고 있다. 따라서 이식 후 초기에 주로 발생하는 외과적 합병증 감소를 위한 노력이 여전히 중요하고, 면역억제에 의한 거부반응 감소와 이에 반비례하는 감염, 종양의 발생 등, 연결된 합병증의 고리를 어떻게 균형있게 조절하느냐가 현재 이식계의 관심이다. 특히 이식한 신장의 기능을 유지하면서도 다른 원인으로 사망하는 환자patient death with functioning graft에 대한 적절한 조치가 향후 이식 신 장기생존율에 큰 영향을 미칠 것이다. 이런 사망 환자들의 원인 중에서 급격히 증가하고 있는 심혈관, 뇌혈관 질환에 의한 사망을 줄이기 위한 노력의 중요성이 증대되고 있다. 이식 환자에 있어서 심혈관 질환의 발병 위험인자를 줄여주고, 예방하면서 더욱 적극적으로 재활운동을 권장하는 것이 환자의 삶의 질이나 가족의 삶의 질 향상에 직접 도움이 된다.

최근 장기부족 현상 때문에 과거에 사용을 기피하던 확대범주 기증자의 장기를 이용한 이식이 증가되고 있고, 혈액형 부적합이나 기증자 항원에 감작된 수혜자에 대한 탈감작 처치를 통한 이식이 성공적으로 진행되고 있다. 또 뇌사이식이 보편화 된 이후 거의 중지되었던 심장 정지된 기증자로부터의 신장이식이 장기부족 현상 때문에 새로이 각광을 받고 있다.

그러나 사회적으로는 그 동안 각 국가 내부에서만 문제가 되었던 장기거래가 이제는 인터넷을 이용한 국제 사회적인 문제가 되고 있어서 이를 방지하고 윤리적인 장기이식, 기증문화를 만들어가기 위한 국제사회와 전문학회의 노력도 본격화되고 있다. 이런

요약 〈계속〉

일들은 결국 이식을 기다리는 대기자의 숫자에 비해 장기기증자의 수가 절대적으로 부족하기 때문에 생기는 일이다. 국내의 형편도 마찬가지여서 장기기증에 대한 국민적 공감대 형성과, 의료진들의 생명나눔에 대한 자세전환과 적극적인 참여가 필요하다.

장기 부족 해결을 위한 윤리적 자급자족 노력과 함께 아직 만족스럽지는 못하지만 이종이식이나 장기복제를 통한 장기 수급의 해결이 조만 간에 이루어져야 할 분야이다.

VI 간이식

1963년 소아 담도폐쇄증환자에게 세계 최초로 시도된 간이식 이후 간이식 수술은 수술수기상의 문제와 효과적인 면역억제제의 부재로 이식환자의 70%가 수술 초기에 사망하였지만, 현재 간이식은 1년 이식생존율이 80%내지 90%로 향상되어 말기 간부전환자의 표준치료로 인정받고 있다. 이식생존율이 향상됨에 따라 간이식을 필요로 하는 환자들의 수가 매년 증가하여, 뇌사 장기기증에 주로 의존하는 미국의 경우 이식대기자의 1/2 이하에서만 간이식의 혜택을 받고 있고, 뇌사 장기기증에 대한 사회적 인식과 법적 보완이 부족한 한국, 일본 등을 포함한 아시아의 경우는 장기의 공급과 수요 불균형이 더욱 심각하다. 이런 불균형을 해결하기 위한 대안으로 건강한 사람으로부터 간의 일부를 기증받는 생체부분 간이식Living-Donor partial Liver Transplantation (LDLT)이 1989년 소아에서 시도된 이후 1993년 성인에서 성공적으로 시술되었다. 이후 생체간이식 수술은 뇌사 장기 기증이 열악한 일본, 한국, 홍콩을 중심으로 괄목할만한 발전을 하여, 현재는 뇌사 간이식Deceased-Donor Liver Transplantation (DDLT)과 동일한 이식 성공률을 보이고 있다. 국내에서는 1988년 윌슨 병 여아에게 최초로 뇌사간이식이 시행된 후, 1994년 소아생체간이식, 1997년 성인생체간이식이 성공하면서, 간이식증례가 매년 증가하여 2015년에는 전국적으로 1,398예의 간이식(뇌사간이식 456예, 생체간이식 942예)이 시행되었다.

간이식의 발달에 기여한 요인들은 새로운 면역억제제의 개발(사이클로스포린과 타크로리무스 등), 장시간의 냉허혈시간을 극복하게 한 장기보존액의 개발(UW 보존액, HTK 보존액), 수술 중 환자의 혈액응고상태 검사법 개발Thromboelastogram과 마취관리의 향상, 자가수혈autologous transfusion을 위한 Cell Saver 개발과 대량 급속혈액주입장치Rapid Infusion System of Blood Products (RIS)의 개발, 무간기anhepatic phase에서 안정적인 혈류역학동태를 유지시켜주는 체외순환기(정-정맥 우회술extracorporeal veno-venous bypass with Bio-pump)의 개발 등이 있고, 1990년 중반 이후부터는 성인생체간이식의 새로운 수술기법의 발전이 중요한 역할을 했다.

타 장기이식수술에 비해 간이식의 경우는 대부분의 수혜자가 말기 간경변에 의한 문맥압항진증과 심한 출혈성 경향으로, 수혜자 간의 적출과정에서 대량출혈의 위험이 있다. 간이식의 적응증은 종래의 내과적-외과적인 치료법으로도 간질환의 진행을 멈출 수 없고, 간이식을 하지 않으면 남은 생존기간이 1년 미만인 진행성-불가역성 만성간질환, 여명이 1주 이내로 예상되는 급성전격성간부전fulminant hepatic failure (FHF)과 절제가 불가능한 간암 등이다. 간이식의 성적은 이식 전 환자의 중증도와 원발 질환의 종류에 따라 많은 차이를 보이고, 간이식을 년간 최소 20예 이상 시행하는 전문이식 센터에서의 수술 사망률은 10% 내외이며, 이식후 5년 장기 생존율은 70%-80%로 향상되었다.

1. 간이식의 종류

간이식에서 이식의 적합성 결정은 기증자와 수혜자 사이의 ABO 혈액형 일치(수혈에 적합한 ABO 혈액형)와 이식편의 크기의 적정 여부에 따르며, 신장이식과 달리 조직적합성은 이식 후 생존율과 큰 연관이 없다. 이식편의 크기가 너무 작으면 수혜자의 수술 후 대사요구량을 따라가지 못하는 SFSG 증후군Small-For-Size Graft syndrome이 발생하여 이식편 기능부전이 오고, 반면 이식편의 크기가 큰 성인의 간을 복강내 공간이 작은 소아환자에게 이식하여 무리하게 복벽을 닫게 되면 이식편이 압박을 받아 이식편 괴사가 오게 되므로, 기증자와 수혜자 사이의 체격조건에 심한 차이가 없어야 한다.

간이식의 기본 술식은 병든 간을 완전히 제거하고 뇌사 기증자의 간 전체를 같은 장소에 이식하는 동소성 전간이식(全肝移植)Orthotopic whole-Liver Transplantation (OLT)과 기증자 간의 일부를 절제하여 이식하는 부분간이식partial liver transplantation으로 크게 분류한다. 과거 소아환자에게 더 많은 이식의 기회를 주기 위해 성인 뇌사자로부터 기증받은 간을 2개로 분리하여 크기가 큰 쪽은 폐기하고 크기가 작은 이식편을 사용했던 축소간이식reduced-size liver transplantation은 기증장기 부족 현상이 심각한 현재는 더 이상 사용되지 않는다. 그 대신 기증된 간을 좌우로 분할하여 2명의 수혜자에게 이식해 주는 분할간이식Split-Liver Transplantation (SLT)이 점차 확대되고 있다. 수혜자의 병든 간의 일부를 남기고 절제한 후, 절제부위에 기증자의 간 일부를 이식해주는 동소성 보조간이식Auxiliary Partial Orthotopic Liver Transplantation (APOLT)은 급성기를 지나면 간세포의 재생을 기대할 수 있는 전격성 간부전이나, 이식 간이 수혜자 간의 전체기능을 대신할 필요가 없고 대사적 결함만을 해결해주면 되는 선천성 대사성 간질환을 대상으로 시도되기도 한다. 그러나 술전 중증도가 높은 환자에서는 이식후 "SFSG 증후군"의 발생이 높고, HBV와 HCV에 기인한 만성 바이러스성 간질환에는 사용할 수 없으며, 간경변이 원발질환인 경우에는 남겨둔 경변간에서 간암의 발생 위험이 있고, 문맥혈류가 저항이 낮은 환자의 남겨진 본래의 간으로 많이 가는 전환steal 현상 때문에 이식된 간의 위축과 기능마비가 오는 여러가지 문제점 때문에 자주 사용되지 않는다(그림 14-21).

2. 간이식의 적응증과 수술시기

간이식의 적응증은 각종 원인에 의한 만성간부전(말기간경변), 전격성간부전, 절제가 불가능한 간의 악성종양, 선천성 대사성질환 등이지만 이 중 말기 간경변이 간이식 대상질환의 80% 이상을 차지하고 있다(표 14-18). 소아에서는 선천성담도폐쇄증biliary atresia이 가장 흔한 원인질환이고, 성인에서는 서구의 경우 C형간염, 알코올성간염, 원발성담즙성간경변primary biliary cirrhosis, 자가면역성간염 등인 반면, 국내에서는 B형 간염에 대한 간경변과 간암이 전체 간이식 적응의 85%로 가장 많으며, 알코홀성 간염, C형 간염, 전격성간부전 등의 순서이다(그림 14-22). 전체 간이식 증례 중 89%가 성인환자에 대한 이식이며 소아환자가 차지하는 비율은 11% 미만이다.

1) 간이식의 금기증

최근에는 수술수기의 발전과 수술 전후 환자관리의 발달로 금기사항이 점차 적어지고 있다. 간이식의 절대적 금기는 다장기부전, 조절되지 않은 간외 감염이나 패혈증(간에 국한된 감염은 제외), 뇌손상을 동반한 전격성 간부전, 간외 악성종양, 진행된 심폐 질환으로 수술의 위험이 높은 경우, 현증의 알코올이나 마약중독, 이식 후 면역제의 지속 치료에 대한 불응증 등이다. 상대적 금기는 후천성면역결핍증(HIV 감염), 간내담관암cholangiocellular carcinoma, 광범위한 문맥 혈전증, 심각한 정신질환, 문맥압항진증이 동반되면서 광범위한 간-담도 수술의 기왕력이 있는 환자 등이다.

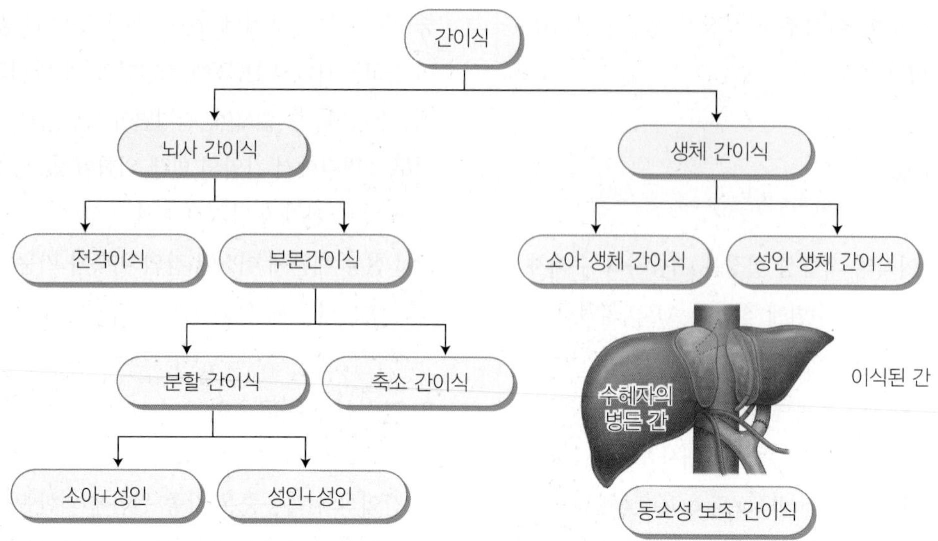

그림 14-21 기증자 종류 및 이식편의 종류에 따른 간이식의 종류

표 14-18. 간이식의 적응질환

만성 말기 간질환(Chronic End-Stage Liver Disease)	전격성 간부전(Fulminant Hepatic Failure (FHF))
간질환(Hepatic) B, C형 간염 및 간경변증(Viral cirrhosis (HBV, HCV) 알코올성간경변증(Alcoholic cirrhosis) Cryptogenic (NAN) cirrhosis 자가면역성간염(Autoimmune hepatitis (AIH)) 담즙정체성질환(Cholestatic) 담도폐쇄증(Biliary atresia) 원발성담관경병증(Primary biliary cirrhosis (PBC)) 원발성경화성담관염(Primary sclerosing cholangitis (PSC)) 이차성담관경변증(Secondary biliary cirrhosis (SBC)) 가족성담즙정체질환(Familial cholestatic syndrome) 혈관질환(Vascular) Budd-Chiari syndrome	A, B형 간염(Viral hepatitis (HAV, HBV)) 약물로 인한 간염 아세트아미노펜(acetaminophen) 할로탄(halothane) isoniazid valproic acid disulfiram 음식 및 보약 독 버섯(Amantia phalloides) 증명이 안된 보약·건강식품 윌슨 병(Wilson's disease) Reye syndrome 술후 간부전(Postoperative liver failure)
절제 불가능한 간종양(Unresectable Hepatic Tumor)	**선천성 대사장애 질환(Congenital Metabolic Disease)**
일차성간종양(Primary liver tumor) 간세포암(Hepatocellular carcinoma (HCC)) 간모세포종(Hepatoblastoma) 혈관내피세포종(Epithelioid hemangioendothelioma) 전이성간종양(Metastatic liver tumor) 카르시노이드(Carcinoid) 췌도세포암(Pancreas islet cell tumor)	윌슨 병(Wilson's disease) Glycogen Storage disease, type I & IV a1 Antitrypsin deficiency Hemochromatosis Erythropoietic protoporphyria Crigler-Najjar syndrome, type I Homozygos type II hyperlipoproteinemia Tyrosinemia Coagulation deficiency disease (factor VIII, IX. protein C deficiency)

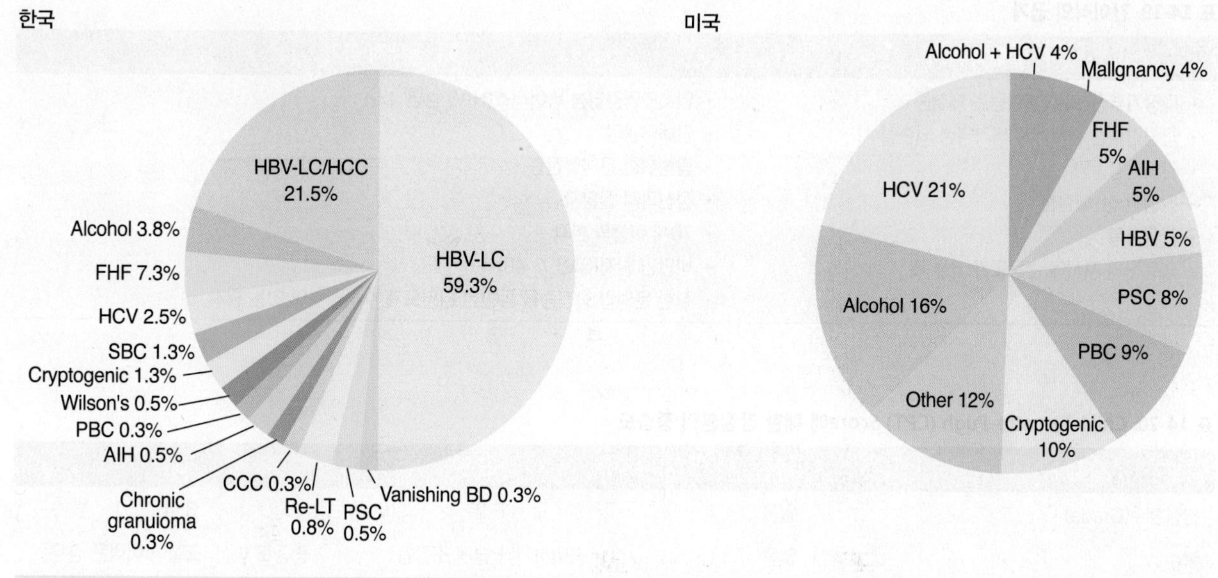

그림 14-22 한국과 미국의 간이식 적응질환의 비교(약자는 표 14-11 참조)

고령은 절대적 금기는 아니지만 환자의 연령이 60세 이상인 경우에는 허혈성 심장질환의 유무를 엄밀히 평가해야 한다(표 14-19). 간경변의 원인질환에 따른 금기증은 존재하지 않으며 다만 알코올성간경변은 금주에 따른 호전 가능성 및 수술 후 금주 지속여부를 확인하기 위해 이식 전에 적어도 6개월 간의 금주기간을 갖도록 권장하고 있다.

2) 간이식 수혜자의 선택기준 및 이식시점

수혜자의 선택기준이 확대됨에 따라 적절한 이식시점을 선택하는 것이 이식수술 성공률에 결정적인 영향을 미친다. 이식 전 수혜자의 전신 건강상태가 양호할수록 결과가 좋으나 시술 자체에서 오는 실패율도 10-15%이므로, 이식을 하지 않았을 때의 간경변, 간암의 진행으로 인한 예상 생존율과 삶의 질, 이식 수술사망률, 이식 후 예상되는 장기 생존율 등을 감안하여 결정한다. 예를 들어 대사성간경변compensated cirrhosis과 같이 이식을 하지 않더라도 수년간 생존이 가능할 환자를 이식 대상자로 분류할 수는 없다. 따라서 잔여생존기간이 1년 미만인 환자로서 간이식과 같은 큰 수술을 견디어 낼 수 있는 건강상태를 유지하고 있는 시점을 선택하는 것이 이상적이며, 이에 대한 평가지표로 Child-Turcotte-Pugh (CTP) 점수와 최근에는 Model for End-stage Liver Disease (MELD) 점수가 이용된다.

CTP 점수는 간 질환의 중증도를 반영하는 것으로 이식시기 결정에 도움이 되는데, 10점 이상의 고위험군은 향후 1년 생존율이 10% 미만이므로 가능한 조속히 간이식을 받아야 한다(표 14-20). 또 간경변 환자에서 반복되는 정맥류 출혈, 난치성 복수, 간성혼수, 자발성 세균성 복막염 등의 간경변합병증 소견이 하나라도 나타나면 잔여생존율이 절반 이하로 떨어지므로 간이식을 고려해야 한다. 자발성세균성복막염은 일단 발생하면 재발하는 경우가 많고, 예측 1년 생존율이 38%로 낮아지게 되므로 한 번 생기면 간이식의 대상이 되고, 간성뇌증(혼수)이 발생한 간경변환자의 예측 생존율은 1년에 20-40%, 3년에 15-20%이므로 간성뇌증이 일단 발생한 모든 환자는 간이식의 대상이 된다.

한편 이식 성공률이 높아짐에 따라 생존자체의 문제뿐 아니라 삶의 질 문제도 이식에 고려할 대상으로 간주되고 있다. 일차성 담관성 경변Primary Biliary Cirrhosis (PBC)에

표 14-19. 간이식의 금기

절대적 금기	상대적 금기
• 다장기부전/조절 불가능한 패혈증 • 급성간부전 환자에서 비가역성 뇌손상 시 • 간외악성종양 • 진행된 심·폐질환 • 약물중독 • 의료진의 지시에 순응도가 낮을 때	• 인체면역결핍성 바이러스(HIV) 감염 • 간내담관암 • 광범위한 문맥혈전증 • 정신과적 질환자 • 70세 이상의 환자 • 비만인 환자(BMI > 40) • 심한 문맥압 항진증을 동반한 간담도계 수술경력이 있는 환자

표 14-20. Child-Turcotte-Pugh (CPT) Score에 대한 간질환의 중증도

점수	1	2	3
간성혼수(Grade)	없음	1-2	3-4
복수	없음	경미하거나 쉽게 조절됨	중증도 이상, 조절이 어려운 경우
빌리루빈(mg/dL)	<2	2-3	>3
알부민(g/dL)	>3.5	2.8-3.5	<2.8
프로트롬빈 시간, %(INR)	>50%(<1.7)	30-50%(1.7-2.3)	<30%(>2.3)
Grade(각 항목 점수의 합계) A. 5-6 B. 7-9 C. 10-15			

서의 심한 피로감과 소양증, 경화성 담관염Primary Sclerosing Cholangitis (PSC)과 이차성 담관성 경변Secondary Biliary Cirrhosis (SBC)에서 반복되는 담관염 증세, 그 이외에도 대사성 간질환의 치료를 위한 해결책으로써 간이식의 역할이 주목받고 있다.

간경변 환자의 예후를 예측하는데 가장 많이 사용되는 CTP 점수는 간성혼수 및 복수의 평가에 주관적인 요소가 많고, 각 지표의 점수 분포(1–3점)가 지나치게 단순하고, 전체 등급도 A, B, C 3가지만 존재하여 같은 등급 안에 서로 다른 예후를 갖는 환자들이 섞여 있어 환자의 응급도(3개월 이내의 단기 사망률)를 잘 반영하지 못한다는 문제점이 있다. 이러한 한계를 극복하고자 새로이 개발된 점수체계가 MELD 점수이다. MELD 점수는 혈청 크리아티닌, 빌리루빈, international normalized ratio (INR)로 구성되기 때문에 CTP 점수보다 더 객관적이고, 점수 분포에 따라 5군으로 나누었을 때 CTP 등급(3등급)에 비하여 이식을 하지 않았을 때의 3개월 사망률을 더 세분화하여 예측할 수 있다. CTP 등급 A, B, C인 이식대기 환자의 3개월 시점 사망률은 4%, 14%, 51%였던데 반하여 MELD 점수의 5등급 분류에 의한 3개월 사망률은 9점 이하 4%, 10–19점 27%, 20–29점 76%, 30–39점 83%, 40점 이상에서 100%이었다. 또 MELD 점수 적용의 다른 시도는 MELD 점수가 높을수록 이식 수술 후 사망률이 증가하는 것으로 나타나고 있어, MELD 점수에 따른 수술 전, 수술 후의 사망률을 비교하여 MELD 점수가 14점부터 25점 사이가 수술 전 사망의 위험을 최소화하면서 수술 후 사망이 증가되지 않는 최적의 점수라고 분석하고 있다.

3. 뇌사간이식

뇌사간이식 대기자 등록을 위한 최소 기준에 대해 1997년 미국의 간이식전문가 패널에서는 "1년 예측 생존율이 적어도 90% 미만이어야 한다"고 정의하였다. 이에 따라 CTP 점수가 7점 이상인 경우나, CTP 점수에 상관없이 문맥압항진증에 의한 출혈, 자발성 세균성복막염 등이 발생한 경우는 간이식 등록을 할 수 있다고 정의하였다. 뇌사자가 발생하였을 때, 간장의 수혜자 선정은 응급도(환자의 중증도)를 최우선으로 한다. 기증자와 수혜자의 혈액형이 적합하고, 기증자 체중의 80%에서 140%사이에 해당되는 이식 대기자 중에서 간장 응급도에 따라 수혜자를 선정하게 되며, 그 다음의 기준은 대기 기간이 선정기준이 된다.

과거 국내의 KONOS에서는 과거 미국에서 사용하던 UNOS의 응급도 분류를 그대로 준용되고 있으며, 전격성 간부전이나 이식 후 간동맥 혈전의 발생, 일차성 이식편 무기능primary non-function of graft으로 재이식을 요하는 경우가 응급도가 높고, 그 다음 순위는 CTP 점수와 합병증 여부에 따라 결정된다(표 14-21).

KONOS에서 규정한 응급도를 보면 status 1은 18세 이상의 전격성간부전증 환자, status 2A는 CTP 10점 이상의 만성간부전증환자 중 중환자실에서 집중치료를 받아야하는 상태로 7일 이내에 사망가능성이 높은 경우를 말하며, status 2B는 중환자실 입원할 필요는 없으나 내과적 치료를 요하는 CTP 10점 이상의 환자 또는 7점 이상이면서 치료에 반응하지 않는 활동성 정맥류 출혈, 자발성 세균성 복막염, 난치성 복수/간-흉수증이 병발한 환자, status 3는 CTP 7점 이상이지만 2B에 해당하지 않는 경우이다. 이중 status 1과 2A는 뇌사 간이식대기자로 등록 후 기증간의 최우선 순위 배정이 7일 동안 유효하며 1회에 한하여 연장 가능하고, 14일이 지나면 자동으로 status 2B로 하향 변경된다. 대부분의 이식 대기 중인 간경변 환자는 status 2B나 3에 해당하게 되며 만약 같은 status일 때는 이식 대기 기간이 긴 환자가 우선권을 갖는다.

그러나 과거 UNOS 응급도에 따른 뇌사기증 간 배분의 문제점은 같은 CTP 등급에서는 병의 중증도보다 이식 대기 기간이 긴 경우가 우선권을 갖기 때문에, 질병의 이환 속도가 느리고 비교적 안정된 간경변 환자가 진행속도가 빠르고 중증도가 더 심한 같은 등급의 환자보다 우선 순위를 갖는 모순이 발생한다. 따라서 미국의 UNOS는 2002년부터 간이식 대기 환자의 3개월 이내 사망률을 CTP 점수보다 더 객관적으로 평가할 수 있는 MELD 점수를 응급도 기준으로 삼아 부족한 기증 간을 대기자의 단기 생존확률에 따라 분배하고 있다. 그러나 이식효율을 극대화하고자 하는 UNOS의 최근 움직임이 국내와 같이 뇌사간이식 대기기간이 극단적으로 긴 경우에도 도움이 되지 않고, 이식센터의 주관적인 환자 평가보고로 인하여 공정성과 객관성이 결여되어, 2016년 6월부터 우리나라도 미국의 MELD (Model for End-Stage Liver Disease) 분배시스템을 적용하는 것으로 변형되었다.

MELD 점수 공식

= [0.957×Loge (creatinine mg/dL)+0.378×Loge (bilirubin mg/dL)+1.120×Loge (INR)+0.643]*10

※ 혈액투석 여부에서 "예"는 크레아티닌 4.0으로 자동 대치

※ 혈액투석은 등록일 기준(등록일 포함) 7일 전부터 주 2회 이상의 혈액 투석 또는 24시간 지속적 신대체요법(등록일 포함) 시행 시 해당됨.

[2016년 장기이식관리 업무안내 매뉴얼]

1) 뇌사 간 기증자의 조건

기증자는 뇌사를 초래한 뇌간 손상이 있는 사람으로 과거에는 50세 이하로 연령제한을 두었으나 최근에는 60세 이상 고령자들의 간도 적극 사용되고 있고, 냉허혈시간이 짧을수록 이식 성적이 우수하다. 저혈압이 오래 지속되거나 심장마비가 여러 번 반복되었을 경우 이식간에 나쁜 영향을 끼치며, 혈압상승제의 과다한 투여(특히 phenylephrine이나 norepinephrine)는 간에 허혈 손상을 주게 된다. 간기능 검사상 적출술 직전의 AST/ALT가 100IU/L 이하, 총빌리루빈 2.0mg/dL 이하로 정상에 가까울수록 좋고 뇌사의 원인이 외상인 경우 간장에 손상

표 14-21. UNOS에서 사용하는 간이식 응급도 분류

Status 1
Fulminant (acute, hepatic failure with life expectancy <7days
Fulminant hepatic failure as traditionally defined
Primary graft nondysfunction <7days after liver transplantation
Hepatic arterial thrombosis <7days after liver transplantation
Acute decompensated Wilson's disease
Status 2A (ICU-bound)
Hospitalized in intensive care unit (ICU) for Acute-on chronic liver failure with life expectancy <7days, or CTP >10 and one of the following
Unresponsive active variceal bleeding
Hepatorenal syndrome
Refractory ascites / hepatic hydrothorax
Stage 3 or 4 hepatic encephalopathy
Status 2B (Hospital-bound)
Requiring continuous medical care with CTP ≧ 10. or CTP ≧ 7 and one of the following
Unresponsive active variceal bleeding
Hepatorenal syndrome
Spontaneous bacterial peritonitis
Refractory ascites / hepatic hydrothorax
Status 3(Home-bound)
Requiring continuous medical cares, with CTP ? 7. but not meeting criteria for status 2B

CTP; Child-Turcotte-Pugh. UNOS; United Network of Organ Sharing

이 없어야 한다. 세균이나 진균의 감염증이 없어야 하고, B형 및 C형 간염의 표지자가 양성이거나 HIV 감염이 있으면 기증자로 부적절하다. 기증간 사용여부의 최종 결정은 개복 후 육안적으로 간의 색깔이 선명하고, 촉진상 경도가 정상 간과 비슷하게 부드러우며, 총 담관의 절개 시 건강하고 끈끈한 담즙이 지속적으로 분비되고 있으면 기증 간으로서 적합하다고 판단한다. 수술장에서 기증간의 동결표본조직검사를 시행하여 지방간steatosis의 정도를 측정하는데 거대수포성 지방간macrovesicular steatosis의 비율이 전체 간세포의 60% 이상을 차지하고 있으면 이식 후 일차성 무기능의 치명적 결과가 올 확률이 높으므로 사용에 신중을 기해야 하며, 전체 지방간의 정도가 30% 이상이면 냉허혈시간을 최소화(6시간 이내로)하려는 노력이 필요하다.

분할 간이식을 하려면 기증 간의 상태가 우수해야 하므로 기증자의 나이가 35세 이하이고, 중환자실의 입실기간이 3일 이내이면서, 혈압상승제를 사용하지 않거나 소량의 혈압상승제 만으로 안정된 혈류역학적 소견을 보여야 한다. 기증자의 나이가 많거나 지방간이 동반된 경우에는 분할 간이식에 사용해서는 안되며 2개로 분리된 간의 크기는 각각의 수혜자에게 충분한 이식편의 용적(GRWR; graft-recipient weight ratio > 1%)이 되어야 한다.

2) 기증자 수술

뇌사자에서 간의 구득은 심장, 신장, 췌장 등 다장기 구득의 일부로서 이루어지는 경우가 대부분이다. 따라서 피부절개를 흉골윗부분suprasternal notch에서 치골pubis까지 한후 견인기를 사용하여 흉강과 복강이 완전 노출되도록 한다. 4℃ 장기보존관류액을 주입할 관류관 삽관을 위하여 장골동맥iliac artery 분지부 가까이에서 복부대동맥을 유리해 두고, 문맥을 통한 간의 관류를 위해 하장간막정맥inferior mesenteric vein도 유리해 둔다(그림 14-23). 간

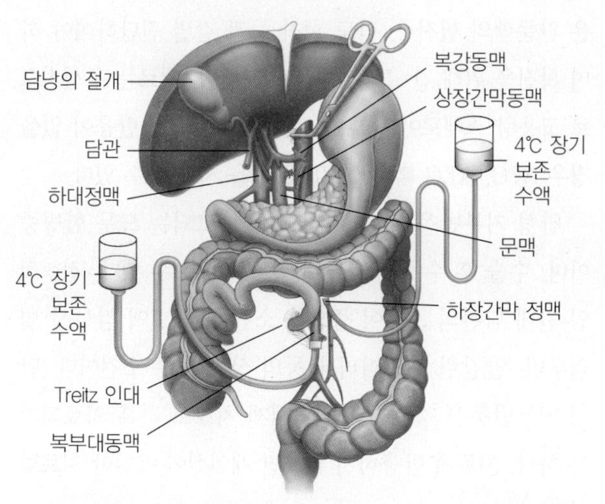

그림 14-23 뇌사장기 기증장기기증자에서 간·신장 적출을 위한 냉각관류

문부를 부분적으로 박리한 후 담낭을 절개하여 식염수로 고인 담즙을 씻어내고, 총담관의 일부를 절개하여 지속적으로 흘러나오는 담즙의 성상을 관찰한다. 간의 좌삼각인대left triangular ligament를 절리한 후 복강동맥celiac axis 상부의 복부대동맥을 박리한 후 혈관 테이프로 걸어 놓는다. 심장구득을 동시에 할 경우에는 심장적출의 준비가 완료된 후 헤파린 2-30,000U를 정맥주사한다. 헤파린 정주 5분 후 하부복부대동맥과 하장간막정맥에 관류관을 삽관하고 구별해 둔 상부복부대동맥을 감자로 잡아 혈류를 차단시킨 후 횡격막 상부의 하대정맥에 절개를 넣어 유입되는 관류액의 배출로를 만들어 준다. 관류액의 주입속도는 1m 높이에서 최대한의 관류액이 흘러 들어갈 수 있게 하며 U-W 보존액 5L나 HTK 보존액 10L를 주입하면서 복강내를 얼음으로 채운다. 관류가 끝나면 필요한 장기를 간, 췌장, 신장의 순서로 각각 적출하여 4℃ 장기보존액이 담긴 비닐백에 3중으로 포장한 후 아이스박스에 보관한다. 적출된 간을 수혜자에게 이식을 하기 전에 혈관문합이 수월하도록 혈관구조를 노출 박리하는 bench surgery를 하게 된다.

3) 수혜자 간이식 수술

간 구득팀에 의해 기증 간의 상태가 만족스럽다고 판단되면 수혜자 수술을 시작한다. 대량출혈이 예상되거나, 환자의 상태가 중증인 경우에는 자가수혈기구, 급속혈액주입장치와 정-정맥 우회술 장치bio-pump를 준비한다. 병든 간을 적출하고 새로운 건강한 간을 이식하는 동안의 무간기에 간문맥과 하대정맥의 혈류가 일시 차단되어 소장의 울혈이 발생하고 혈압이 하강할 수 있다. 이에 대한 예방책으로 차단된 문맥과 하대정맥의 혈류를 체외로 우회하여 액와정맥axillary vein이나 경정맥jugular vein으로 순환시켜주는 정-정맥우회술(그림 14-24)을 사용하면 환자의 혈류역학적 상태를 안정시켜 줄 수 있고 충분한 시간적 여유를 가지고 이식편의 혈관연결을 시행할 수 있다. 이후 간을 문맥혈로 재관류하고, 간동맥을 연결한 후 담도재건술을 시행한다.

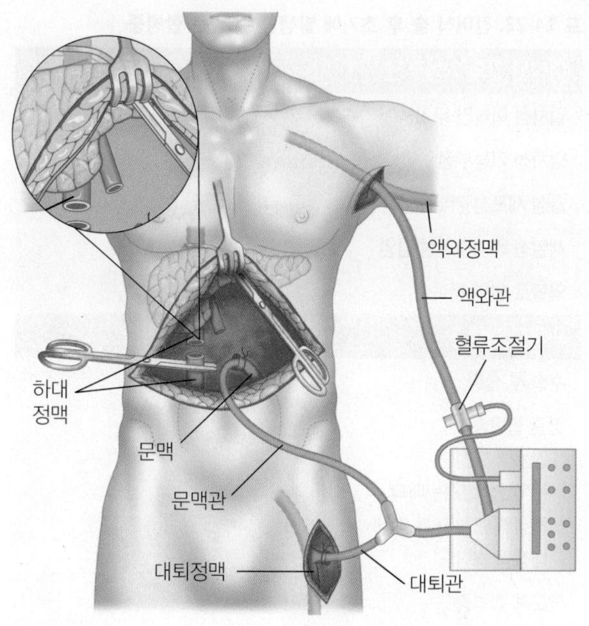

그림 14-24 Bio-pump를 이용한 무간기에서 정-정맥 우회술

4) 간이식 수술의 초기 합병증

간이식 수술 후 초기에 발생할 수 있는 합병증은 크게 동종이식편의 기능부전, 외과적 합병증과 감염으로 구분된다(표 14-22).

표 14-22. 간이식 술 후 초기에 발생할 수 있는 합병증

이식된 간의 기능부전
일차성 이식간 무기능
일차성 기능부전
급성 세포성 거부반응
재발성 바이러스성 감염
약물로 인한 간독성
외과적 합병증
수술 후 출혈
혈관 합병증 간동맥 혈전증 문맥 협착 또는 폐쇄 간정맥 협착 또는 폐쇄 대정맥 협착
담도계 합병증 담즙 누출 담도 협착
감염

(1) 동종이식편 기능부전

간이식 수술 후 동종이식편 기능부전allograft dysfunction을 초래하는 합병증은 일차성 무기능, 급성 세포성 거부반응, 재발성 바이러스성 간염 등이 있다

일차성 무기능은 간이식 후 이식편 소실을 초래하는 가장 흔한 이유로서 약 5–10% 정도로 보고되고 있다. 위험인자로서는 기증자의 나이, 심한 지방간, 심한 과나트륨혈증, 냉허혈시간 등이 있다. 일차성 기능부전 시 치료는 재이식이 유일한 방법이다.

(2) 거부반응

신장이식에서 경험하는 이미 형성된 항체에 의한 초급성 거부반응은 간이식에서는 매우 드물다. 급성 거부반응은 보통 수술 후 5일째부터 나타날 수 있으며 대부분은 수술 후 3개월 이내에 나타난다. 전체 간이식 환자의 약 30%에서 발생하며 증상은 비특이적이다. 혈액 검사상 혈청 빌리루빈과 알칼린 포스파타제의 증가가 있으며 AST/ALT의 증가가 동반되면 의심하여 볼 수 있다. 간동맥 혹은 간문맥의 혈전증, 담도 협착 등과 감별 진단하여야 하며 확진을 위해 간 조직생검을 실시한다. 치료는 우선적으로 고용량 스테로이드 투여 요법을 시행하며, 반응이 없을 경우 ATG, ALG 혹은 OKT-3 등을 시도할 수 있다.

만성 거부반응은 5% 이내에서 보고되는 드문 합병증이며, 수술 후 수주부터 수년까지 나타날 수 있다. 전형적인 간내 담관의 소실이 중요한 소견이고, 혈액 검사상 빌리루빈, 알칼린 포스파타제 등의 상승이 주 소견이다. 만성 거부반응은 강력한 면역억제제 치료로 간혹 치료되기는 하나, 치료에 반응하지 않으면 재이식이 유일한 치료법이다.

(3) 외과적 합병증

간이식수술 후 외과적 합병증은 크게 수술 후 출혈, 혈관 합병증, 담도 합병증으로 분류할 수 있다. 수술 후 출혈은 10% 내외에서 보고되고 있다. 간이식 환자는 수술 전에 프로트롬빈 타임의 연장, 혈소판 숫자의 현저한 감소로 혈액응고 기능이 저하되어 있고, 간 주위로 측부혈행들이 형성되어 수술 중뿐만 아니라 수술 후에도 출혈의 위험성이 상존한다. 간이식 후에 배액관을 통하여 출혈이 지속되며 혈중 헤모글로빈의 감소가 있을 때, 간의 혈액응고 기능이 회복되지 않아서 일어나는 내과적 요인의 출혈과 외과적 원인의 출혈을 감별하는 것이 매우 중요하다. 출혈이 지속될 때에는 조영제를 사용한 컴퓨터 단층촬영으로 간을 일차 선별검사한 후 경동맥 색전술 transarterial embolization이나 개복을 하여 지혈하는 것이 필요하다. 혈관합병증으로는 간문맥, 간동맥, 간정맥의 혈전 혹은 폐색이 올 수 있다. 그 중 가장 중요한 것이 간동맥 혈전증으로 간이식 후 약 2% 내지 8%에서 보고 되고 있다. 수술 후 정기적으로 도플러 초음파검사를 통하여 간동맥의 상태를 파악하여야 하며, 간동맥 혈전이 의심될 때에는 즉시 컴퓨터 단층촬영 이나 혈관조영술을 통하여 확진을 하여야 한다. 치료는 가능한 빠른 시간 내에 혈전 제거수술을 하여야 하며 혈전이 지속될 경우에는 간의 재이식을 하지 않으면 환자의 사망을 초래할 수 있다. 그러

나 수술 후 2주 이후에 간동맥 혈전이 생긴 경우는 담도 문합부 주위로 측부 혈관들이 이미 형성되어 있으므로 대부분의 경우 헤파린 주입과 헤마토크리트를 낮게 유지하면 간동맥혈류가 복원된다. 간문맥 혈전은 외과적 치료에 비교적 잘 반응한다. 따라서 영상의학적 진단으로 문맥혈전이 확인되면 개복하여 수술로 혈전을 제거하거나, 방사선 중재시술로 스텐트를 삽입한다. 간정맥 혈전은 비교적 드물며 간정맥 협착이 동반된 경우는 임상적 소견을 참고하여 보존적 치료를 하거나 방사선 중재시술로 치료한다.

담도 합병증에는 담즙 누출, 담도 협착이 있다. 담도 합병증은 급박하게 환자의 생명을 위협할 수도 있고, 적절한 치료를 못할 경우 감염에 의한 심각한 합병증으로 발전하거나 간 기능의 만성적 저하를 초래해서 예후를 악화시킬 수 있다. 영상 의학적 진단기법, 즉 내시경역행췌담관조영술ERCP, 피부간경유쓸개관조영술PTC, PTBD, 담도스캔 등을 통하여 상태를 정확히 파악하고 결과에 따라 중재적 시술을 할지 혹은 수술적 교정을 할지를 결정해야 한다. 담도계 합병증은 외과의사를 매우 번잡하게 만드는 합병증이기는 하지만 치료 결과에 좋은 예후를 보이기 때문에 적극적인 대응이 필요하다.

(4) 감염증

간의 해부학적 구조상 내장혈류splanchnic flow는 문맥을 통해 간에서 해독되고 걸러지며, 또한 간은 담도-담도문합이나 담도-공장문합을 통해서 항상 장내세균의 역류성 감염에 노출되는 환경에 있으므로 신장이나 심장이식보다도 감염에 노출될 기회가 더 많다. 더구나 간이식 환자의 20%는 전신상태가 대단히 불량한 중증환자들이므로 면역억제제의 투여량은 거부반응을 방지할 수 있는 최소수준에서 유지하는 것이 중요하다. 간이식 후 가장 많은 사망 원인은 감염증이다.

4. 생체부분 간이식

생체부분 간이식의 가장 큰 특징은 기증자만 존재한다면 간이식 시기를 조절할 수 있다는 점이다. 그리고 뇌사자 장기기증이 불특정 환자를 위한 사회 공공자원인데 반하여 생존 시 간기증은 특정인을 위한 혈연 간의 기증이라는 점이다(그림 14-25). 따라서 뇌사자 간이식은 응급도를 고려하여 중증의 대기환자들이나 이식 후 생존 성공률이 가장 높은 대기자에게 배분되지만, 생체부분 간이식에서는 특정환자에서 생존율을 극대화시킬 선택을 할 수 있다는데 차이가 있다. 그러나 현실적으로는 생체 기증자의 수술위험과 간이식에 따른 환자의 사망 가능성에 대한 부담 때문에 두 시점의 중간 정도에서 이식시기를 신중하게 결정해야 한다.

1) 생체부분 간이식의 장단점

생체부분 간이식의 장점은 살아있는 사람으로부터 간을 기증받기 때문에 이식 대상환자에 대한 철저한 수술 전 준비가 가능하고, 뇌사이식 때처럼 기증자를 기다릴 필요가 없기 때문에 병세가 악화되어 이식 받을 기회를 놓치는 경우가 적으며, 막연히 기증자를 기다리는 정신적인 압박감에서 벗어날 수 있고, 특히 혈연간에는 조직적합성이 우수하여 면역학적인 이점이 기대된다. 또 생체부분 간이식은 사체 간이식과 달리 뇌사 과정을 거치지 않으므로 간의 허혈 손상에 대한 염려가 없고, 이식편 적출 후 냉허혈시간이 대부분 1시간 이내로 매우 짧아 이식편의 생명력이 매우 우수하다. 따라서 사체 간이식에서 종종 발생하는 이식편의 일차성 무기능이 거의 발생하지 않는다.

반면, 성인 생체부분 간이식의 최대 단점은 건강한 기증자에게 간절제라는 큰 외과수술을 받게 하는 것이지만, 대부분의 기증자는 수술 후 6주가 되면 정상인과 같은 사회활동을 할 수가 있다. 생체부분 간이식의 증례가 많아지면서 기증자의 합병증과 사망 예들이 보고되고 있는데, 간 기증자에서 수술 후 합병증은 16-32%, 사망률 0.4%로 알려져 있으나 각 센터의 간절제 경험에 따라 큰 차이가 있으며, 절제하는 간의 용적이 클수록 합병증의 빈도가 높다(표 14-23). 합병증은 우엽절제 시 훨씬 높다고 보고되고 있기 때문에 기증자의 안전을 최우선으로 고려하

	성인에서 생체부분 간이식	뇌사자로부터 간이식
수술방법	우엽 이용한 생체간이식 복잡하다	뇌사자 전각이식 비교적 단순하다
수혜자에서 발생하는 합병증	High: 담도·간동맥·간 정맥의 내경이 작고 길이가 짧아서, 이와 관련된 기술적 합병증의 빈도가 높다	Low
이식편 크기	sometimes "Small-for-size"	충분하다
이식편의 질	좋다	때로는 좋지 않다
기증자의 합병증	발병률: 16-32% 사망률: 0.4%(?)	없다
기능자의 성격	개인적인 기증	공공자원

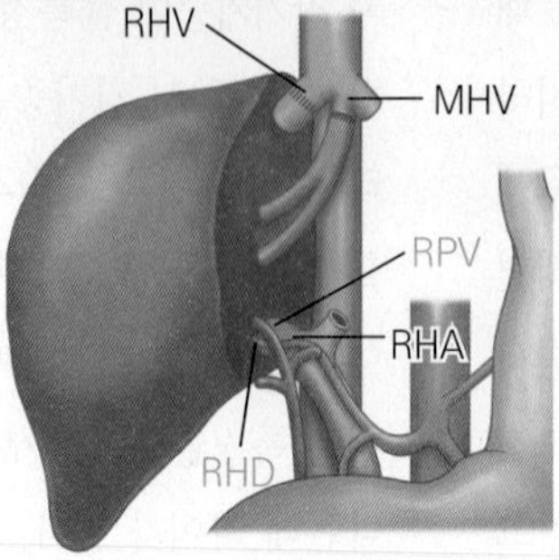

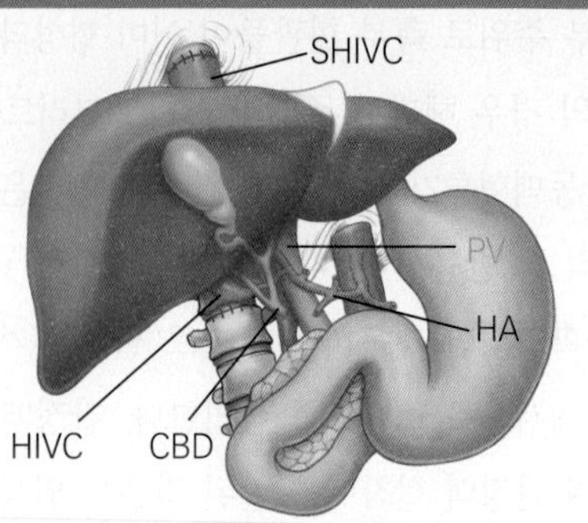

그림 14-25 성인 생체부분 간이식과 뇌사자 전간이식의 차이

여 생체부분 간이식 수술의 계획이 이루어져야 한다(그림 14-26).

두 번째, 기증자로부터 얻을 수 있는 이식편의 크기가 제한되어 수혜자의 대사요구량을 만족시킬 수 없는 경우 SFSG 증후군이 발생할 수 있다. 이 증후군은 수혜자의 체중에 비해서 작은 용적의 이식편이 이식될 때 발생한다. 이 때는 간의 단백합성 능력의 저하에 따른 혈액응고능 저하, 담즙정체에 의한 지속적인 고빌리루빈혈증이 특징이며 종종 지속적이고 심한 복수를 동반하기도 한다. 가끔 비가역적 이식편 부전이 오게 되면 재이식이 필요하다. 간경변과 관련된 문맥압항진증이 없는 Child A 환자군에서는 환자의 체중 대비 이식편의 용적(GRWR)이 0.8%까지도 안전하지만 Child B 혹은 C 환자에서는 GRWR이 0.8% 이상이 되어야 합병증을 피할 수 있다. SFSG 증후군의 발생은 단순히 이식편의 무게뿐만 아니라 기증자 간의 상태(지방간, 고령자의 간), 환자의 술 전 중증도 (MELD 점수 >20), 간정맥을 통한 정맥혈의 배출 부실로 인한 이식편의 울혈, 술 후 합병증의 발생여부 등이 복합적으로 관여한다. 특히 부분간이식에서는 기증자 간의 지방변성 정도가 이식 후 간기능에 더욱 큰 영향을 미치기 때문에 기증자의 적합성 판단을 신중히 결정해야 한다.

한편 기증자의 간이 중등도 이상의 거대수포성 지방변성이 있으면 간절제 후 기증자에서 합병증과 수술 후 간부전을 증가시키고, 수혜자에서 허혈-재관류 손상에 훨씬 취약하다. 따라서 미세수포성 지방변성의 정도와 무관하게 전체 지방변성의 비율이 30%를 초과하면 우엽절제를 권장하지 않는 추세이다.

세 번째 단점은 이식편의 간정맥, 문맥, 동맥 그리고 담도의 크기가 작고 길이도 짧으며, 우엽이식편을 사용할 때에는 흔히 간정맥과 담도의 개구부(開口部)가 2개 내지 4개 등 다발성으로 존재하기 때문에, 뇌사자 전간이식과 비교하여 기술적으로 훨씬 어렵고, 수술 후에도 이와 관

표 14-23. 문헌보고된 생체 간 기증자의 합병증

기증 후 사망 개복했으나 기증에 부적절한 경우 기증자의 자가수혈을 위한 채혈이 불가능한 경우
담도계 합병증
• 누출 • 담도협착
혈관 합병증
• 문맥 혈전증 • 간정맥 혈전증 • 간동맥 혈전증
폐 합병증
• 가슴막 삼출액 • 폐렴 • 폐동맥 색전증
창상 합병증
• 감염 • 탈장
기타
• 마취로 인한 합병증 • 중심정맥선, 수액선의 합병증 • 일시적인 신경손상 • 장기능 저하

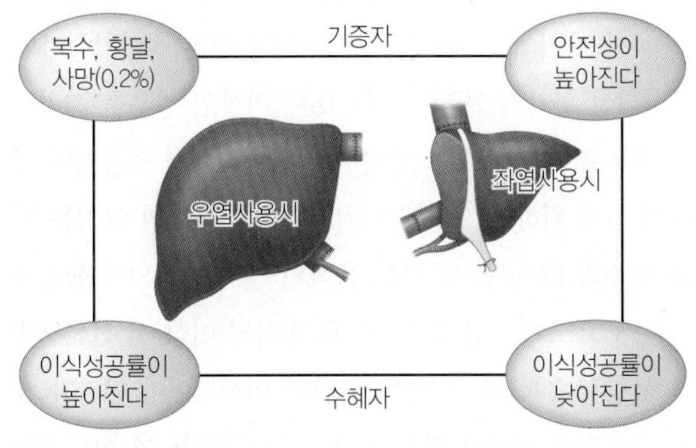

그림 14-26 성인 생체간이식에서 우엽과 좌엽이식의 장점과 단점

련된 합병증의 빈도가 높다는 점이다(그림 14-27).

2) 생체부분 간이식의 수술적응

사체간이식과 비슷하나, 뇌사 장기기증자에서처럼 여유로운 혈관이식편을 기증자로부터 얻을 수 없기 때문에, 만약 이식대상 질환들이 혈관이식편을 필요로 하는 질환(예; 생체 간이식 후 간동맥혈전으로 인한 간 괴사로 재이식이 필요한 경우)이거나 문맥압항진증이 동반된 만성거부반응으로 재이식 수술 시 심한 유착과 대량출혈이 우려되는 상황에서는 불가불 뇌사 전간이식에 의존할 수 밖에 없다.

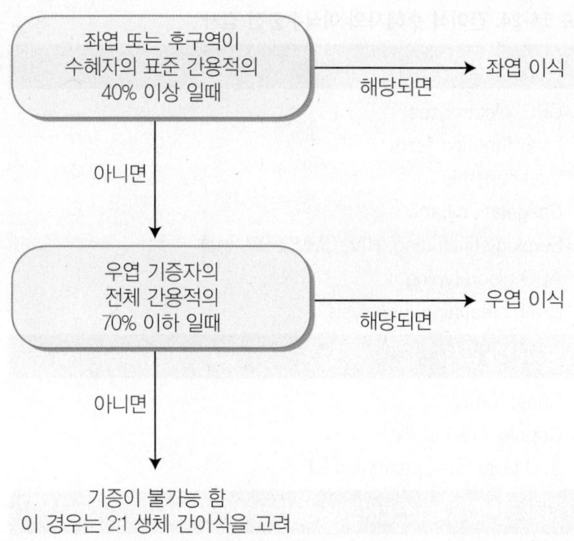

그림 14-27 생체 간이식에서 이식편의 선택기준. 이식편의 용적은 수혜자의 표준간 용적의 40%는 넘어야 하고, 기증자의 전체간 용적의 70% 이상을 적출해서는 안된다.

3) 수혜자의 이식 전 검사

통상적인 간기능검사를 포함한 생화학적검사 및 혈액응고검사, 각종 바이러스 보균여부검사, 미생물배양검사, 폐기능 및 심장검사 등을 시행한다(표 14-24). 간에 대한 도플러 초음파검사와 3차원 전산화 단층촬영을 통해 문맥의 폐쇄 및 협착 정도와 간동맥의 구조, 측부혈관의 발달 정도를 평가하여 문맥재건과 측부혈관의 차단 필요성 등에 대한 수술계획을 세운다. 간에 악성종양이 있는 경우에는 간외 전이 여부를 확인하기 위하여 흉부 전산화 단층촬영과 골주사검사, PET를 시행하며 40세 이상의 여성의 경우는 유방암, 자궁암 등의 술 전 선별검사를 한다.

4) 생체 간 기증자의 수술 전 검사

외래에서 일차로 적합성 여부를 평가하며 혈액형, 일반

표 14-24. 간이식 수혜자의 이식수술전 검사

검사실 검사
CBC, electrolytes Liver function tests Viral hepatitis Coagulation panel Serology (including, HIV, CMV, EBV, etc) ABO blood typing BUN, creatinine, urinalysis
방사선과 검사
Chest X-ray Doppler USG of PV 3-D Liver Transplantation CT
심장 검사(12 lead-EKG/cardiac stress test)
If abnormal EKG, proceed to cardiac stresst lest and if positive, proceed to coronary angiogram
내시경 검사
Esophago-gastroscopy evaluate / treat Esophageal/Gastric Varices Colonoscopy, Sigmoidoscopy
PPD skin test
여성 환자일 경우
Mammography, Pap smear and pregnancy tests
폐기능 검사
치과 및 피부과 검사
심장초음파 검사

혈액검사, 간기능 검사, VDRL, HIV 항체와 간염검사, 복부초음파를 실시하고, 간기능 이상이나 지방간이 없으면 기증간의 혈관구조와 좌-우엽의 크기와 비율을 측정하기 위해 간이식용 3차원 전산화 단층촬영 및 간용적 분석, 자기공명 담도촬영을 진행한다(표 14-25). 과거에 간동맥과 담관의 해부구조를 파악하기 위해 시행하던 간동맥조영술이나 내시경역행췌담관조영술 등의 침습성 검사는 더 이상 사용하지 않는다. 필요 시 지방간의 정도를 확인하기 위해 간 조직생검을 한다. 이상의 검사로 이식에 적합하다고 판정된 경우 기증자로서의 적정성 여부를 검증하기 위해 정신과 의사와 전문가의 자문을 구한다.

기증자의 연령제한은 전체 간의 65% 이상의 절제가 예상되는 우엽기증자 경우에는 기증자의 안전을 위해 55세 이하로 제한하고 있다.

표 14-25. 생체 간기증자의 수술 전 검사

1) 내과적 술 전 검사 및 평가
- Complete history and physical exam
- Laboratory tests:
  - a) General: Blood Type, Blood Counts. Metabolic Panel, UA
  - b) Liver: Liver function tests
  - c) Infections: CMV, EBV, HIV, Hepatitis B, C
  - d) Prothrombin Time
- Others: Chest x-ray, EKG, PFT (if indicated)

2) 수술을 위해 필요한 술 전 검사
- 3-D LT CT with Volumetry. MR Cholangiography
- Liver Biopsy (routine or selective)

3) 정신과적 평가

5) 성인 생체부분 간이식의 특성

소아생체간이식과 달리 성인에서의 생체부분 간이식은 이식되는 간의 용적이 상대적으로 작기 때문에, 만약 성인환자의 대사요구를 충족시킬 수 없는 작은 용적의 간이 이식되면, 기술적으로는 성공적인 수술이 이루어졌다 하더라도 환자는 수술 후 간부전으로 사망할 수 있다. 성인 대 성인 사이의 생체부분 간이식이라 함은 장기기증자와 이식대상 환자의 연령이 모두 18세 이상인 경우를 지칭하는 것으로, 일반적으로 생체부분 간이식에서 성공적인 이식이 되기 위하여 요구되는 최소한의 이식편의 크기는 환자 체중의 1%이다. 더 작은 용적의 간이 이식되어 생존했다는 보고도 있지만 원칙적으로 환자의 이식 전 전신상태가 불량할수록 더 큰 용적의 간이 이식되어야 환자가 술 후 간부전에 빠지지 않고 생존할 수 있다(표 14-26). 우엽과 좌엽은 신장과 달리 그 크기가 동일하지 않으며 일반적으로 우엽과 좌엽의 비율은 각각 간 전체 용적의 65%와 35%를 차지한다. 그러나 개인간의 편차가 심해서 우엽을 구득할 경우 기증자에게 남는 간 용적이 전체 간의 30% 이하인 경우도 드물지 않다. 따라서 생체부분 간이식 초기에 기증자의 안전을 위해 보통 크기가 작은 좌엽을 적출하여 이식해 주는데 이를 보완하기 위해 장기기증자 선

표 14-26. 간이식수술의 성패에 영향을 미치는 수혜자와 기증자의 요인들

수혜자	기능자
응급정도	이식편 크기(GRWR < 1%)
전격성 간부전	지방간 정도(>30%)
감염	기증자 연령(> 50세)
수술 난이도	허혈시간(> 6시간)

택 시 기증자의 체격이 환자보다도 큰 사람을 선택하여 가능하면 더 큰 용적의 좌엽을 이식해 주는 경향이다. 그러나 환자가 기증자보다 체격이 월등히 크거나, 급성 전격성간부전의 상태 또는 환자의 전신상태가 매우 불량하여 UNOS의 분류상 중증에 해당되는 말기간질환 환자들에서는 용적이 작은 좌엽을 이식해 줄 경우 수술성공률이 낮게 되므로 이때는 불가피하게 기증자의 우엽을 적출하여 이식해 주게 된다. 기증자에게 남는 간의 최소 용적은 전체 간용적의 30% 내지 35% 이상이어야 하고, 수혜자에서는 이식 후 SFSG 증후군의 발생을 예방하기 위해 수혜자의 수술 전 중증도의 정도에 따라 이식편의 최소 용적이 수혜자의 표준 간용적Graft Volume/Standard Liver Volume (GV/SLV)의 40% 내지 50%, 또는 수혜자 체중 대비 이식편의 중량(GRWR)이 0.8% 내지 1% 이상이어야 한다. 따라서 기증자의 안전과 수혜자의 이식 성공률을 모두 만족시키기 위한 균형적인 외과적 접근이 필요하다.

6) 생체 간이식에서 이식편의 종류

간은 크게 좌엽, 우엽의 2개의 해부학적 단위로 분류하고, 이를 좀 더 세분하여 좌외측구역left lateral sector, 내측구역medial sector, 전구역anterior sector과 후구역posterior sector의 4개의 각각 독립된 기능적 단위로 세분화한다. 그림 14-28에서처럼 우간문맥과 우간동맥은 후구역과 전구역으로, 좌간문맥과 좌간동맥은 내측구역과 좌외측구역으로 각각 분지되어 유입되지만 간정맥은 각 구역사이로 배액된다. 즉, 우간정맥right hepatic vein은 후구역전부와 전구역 일부를, 중간정맥은 전구역일부와 내측구역 일부를, 좌간정맥은 좌외측구역 전부와 내측구역 일부를 배액시

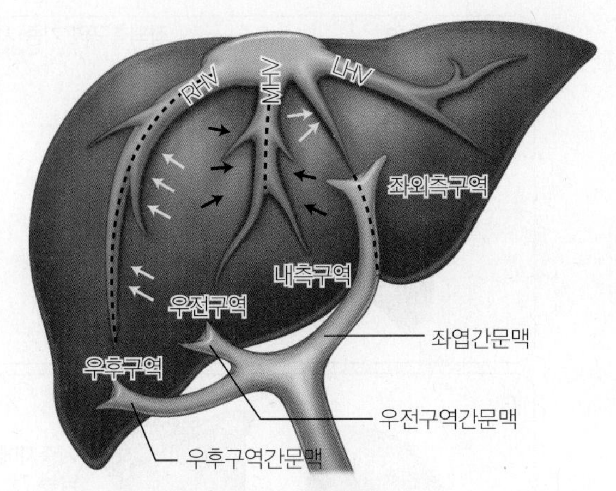

그림 14-28 **생체간이식의 관점에서 조명한 간의 맥관구조.** 간으로 유입되는 문맥과 간동맥의 분지는 간에서 유출되는 간정맥과 일치하지 않는다. 유입혈관들은 각 구역의 중앙으로 흘러들어가나, 간정맥은 각 구역 사이를 흐른다. RHV: right hepatic vein, MHV: middle hepatic vein, LHV: left hepatic vein

킨다. 간세포암으로 간절제를 할 때에는 절제될 간의 구역이나 좌엽, 우엽에 대한 유입-배액되는 혈류의 보존이 필요없지만, 생체간이식 기증자 수술에서는 이식편과 기증자의 잔존간 모두에서 문맥과 간동맥을 통한 유입 혈류와 배액되는 간정맥 혈류의 보존이 필수적이다. 주로 사용되는 이식편의 종류는 좌외측구역, 좌엽과 우엽이고 좌외측구역은 체중 15kg 이하의 소아환자에게 대부분 사용되고 있다(그림 14-29). 중간정맥이 기증자의 잔존 좌엽에 남게 되는 고전적인 우엽이식편 right-lobe graft에서는 이식편의 전구역의 일부 내지 전체의 배액로가 없어지기 때문에 전구역 울혈이 발생하고 이로 인하여 이식편 부전이 발생하기도 한다(그림 14-30, 31).

성인 생체간이식 초기부터 좌엽이식편의 용적 부족을 극복하기 위한 대책으로 우엽을 이용한 생체간이식의 필요성이 제기되었고, 이를 위해 1997년 기증자의 확대우엽 extended right-lobe을 이용해 성인에서의 우엽 생체간이식이 성공적으로 시행되었다. 그러나 중간정맥을 함께 적출하여 이식편으로 가져옴으로써 기증자의 남은 좌엽 중 내측구역 일부에 간정맥 배액의 장애로 간실질의 울혈이 발생하고(그림 14-30), 결과적으로 재생력에도 지장을 주어 기증자의 안전에 관한 문제가 제기되었다.

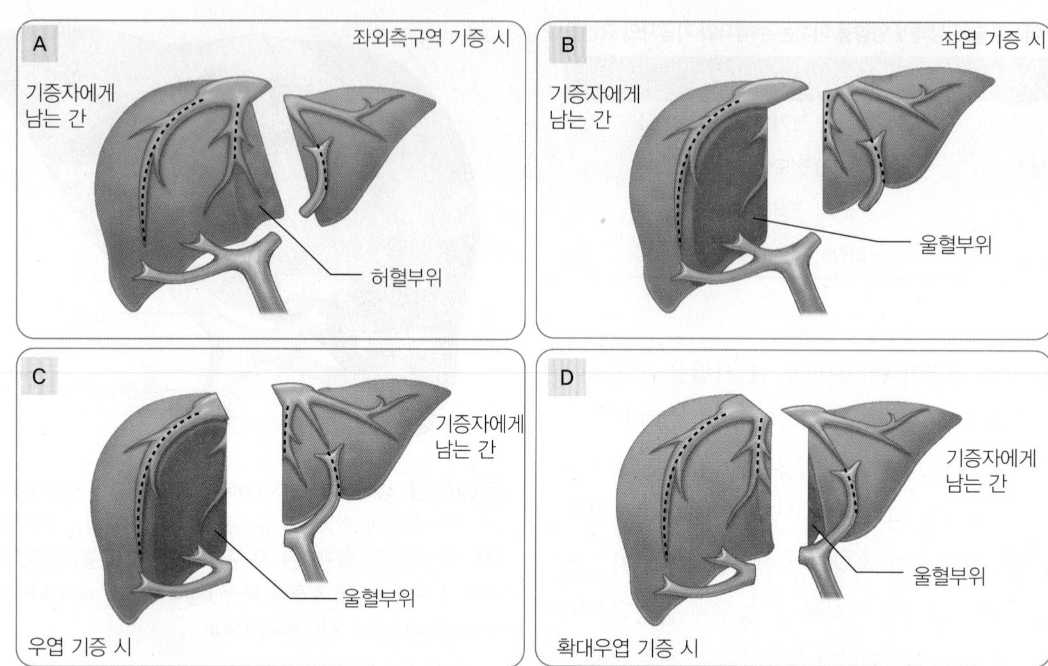

그림 14-29 **생체 간이식 기증자에서의 간절제수술의 종류.** A) 좌외측구역 적출, 이식 시는 이식편에 허혈이나 울혈이 없다. 그러나 남아있는 좌내측 구역과 꼬리엽부분은 허혈이 올 수 있다. B) 좌엽 이식 시는 기증이식편에는 혈류에 문제가 없으나, 기증자에게 남아있는 우엽 前 구역에 울혈이 올 수 있다. C) 우엽 이식 시에 절단된 中肝 정맥을 배출시켜 주지 않으면 이식한 우엽 前 구역에 울혈이 생긴다. D) 확대우엽 적출 및 이식

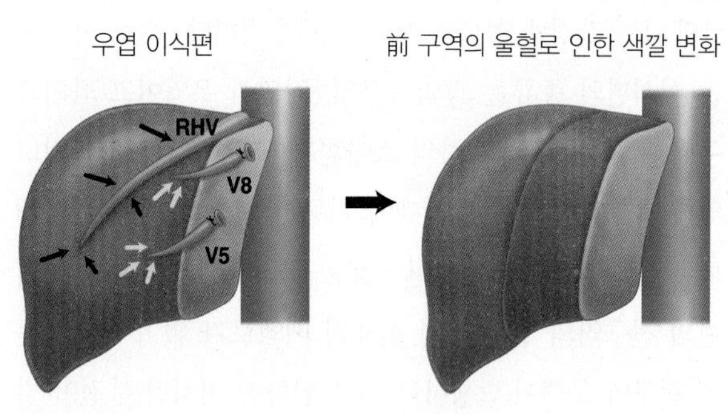

그림 14-30 **우엽 이식편의 前구역 울혈의 기전.** 우엽이식 시 전 구역 울혈은 우엽중 제5및 8분엽에서 배출되는 中肝정맥이 막혀있기 때문이다. 이렇게 울혈된 부분은 간 기능을 할 수 없어서 간이식 초기에 이식간의 성적과 안전에 문제를 일으킨다.

따라서 확대 우엽이식편의 단점인 기증자 잔간의 내측구역의 울혈과 기존의 우엽이식편에서 발생하는 전구역 울혈이나 괴사로 인한 패혈증, 기능성 간용적 부족 등의 문제점들을 해결하기 위해 전구역의 5번, 8번 분절을 배액하는 중간정맥분지들(V5, V8)을 간치혈관으로 재건하는 변형 우엽이식편modified right-lobe graft이 개발되었다(그림 14-32).

변형우엽이식편을 적용할 경우는 직경이 5mm 이상인 전구역의 5번 분절과 8번 분절을 배액하는 중간정맥의 분지(V5, V8)가 존재할 때이고, 수혜자에서 획득한 자가복재정맥great saphenus vein, 제대정맥, 그리고 문맥 제대부를 포함하는 좌우간문맥이나 뇌사자 장기 적출 시 확보해둔 냉동보존혈관(장골정맥 및 동맥 등)을 사용해서 V5와 V8을 재건한다. 중간정맥분지의 재건에는 15-30분 정도의 추가 수술시간이 필요하지만, 기존의 우엽이식에서 발생할 수 있는 이식편 전구역의 울혈을 예방하여 생체부분간이식 시 가장 심각한 문제인 small-for-size graft의 위험성을 감소시킬 수 있고, 중간정맥을 기증자의 잔존간에 보존시켜 기증자의 안전을 확신할 수 있다는 장점이 있어 현재 우엽간이식(우엽을 이용한 분할뇌사자간이식과 생체우엽간이식)의 보편적 술식으로 널리 사용되고 있다.

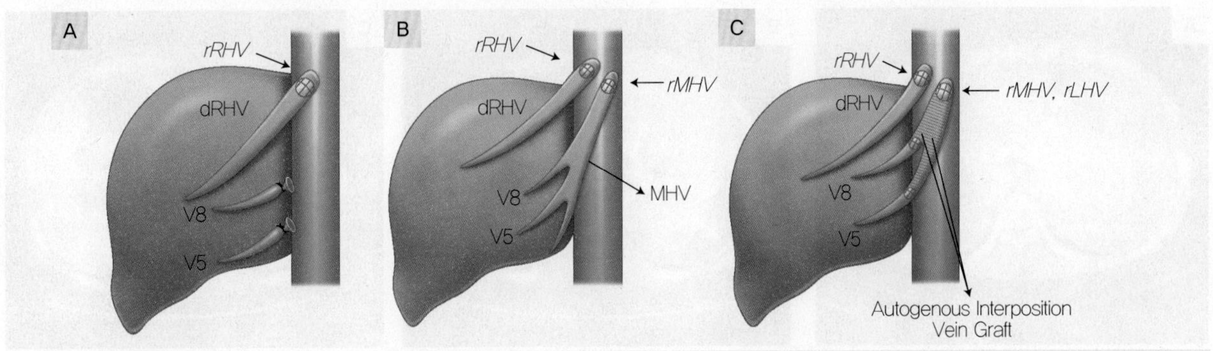

그림 14-31 **우엽이식편(A)의 문제점인 전구역 울혈을 방지하기 위한 확대우엽이식편(B)과 변형우엽 이식편(C).** A) 中肝정맥정맥의 분지들을 문합해 주지 않은 간우엽이식. B) 확대우엽이식으로 우엽적출 시 中肝정맥 전체가 함께 적출되어 수혜자의 정맥과 문합한 상태. C) 변형우엽이식으로서 우엽적출 시 분리되었던 中肝정맥의 분지들을 자가정맥으로 우회술을 시행. (V5, 제5분엽에서 배출되는 중간정맥의 분지; V8, 제8분엽의 중간정맥분지) (rRHV: recipient RHV, rMHV: recipient MHV, rLHV: recipient LHV, dRHV: donor RHV)

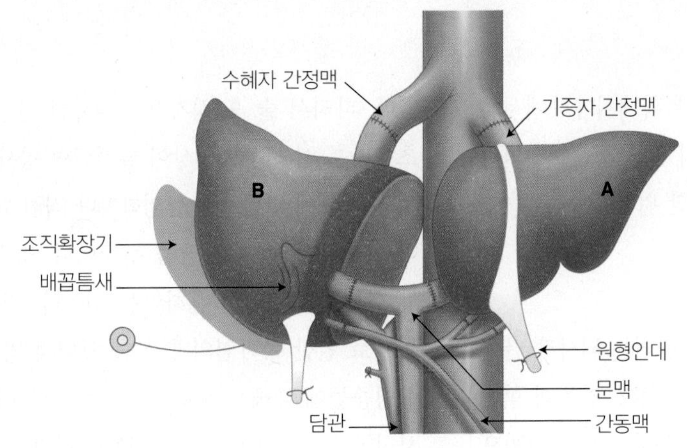

그림 14-32 **2개의 좌엽이식편을 이용한 2:1 생체간이식.** A) 먼저 시행한 좌엽동소성 이식. B) 두 번째로 이식한 좌엽 이식편으로 180도 회전되어 이소성으로 이식되었다.

7) 2개의 이식편을 이용한 2:1 생체간이식

기증자의 간우엽의 비율이 70% 이상이어서 우엽을 구득할 수 없거나, 기증자의 간용적이 작아서 체구가 큰 수혜자의 대사 요구량을 만족시키지 못 할 때, 혹은 기증자가 중등도 이상의 지방간이 있는 경우에는 2명의 기증자로부터 기증받은 2개의 이식편을 이식하는 성인 생체간이식이 적용될 수 있다. 즉, 2명의 기증자의 좌엽 또는 좌외측구역을 구득하여 이식편 크기의 부족을 해소하고 동시에 과다한 우엽절제 대신 좌엽절제를 선택함으로써 기증자의 안전을 보장할 수 있는 dual transplant이다(그림 14-32). 이 수술은 술기상의 어려움이 있지만 이식성적은 매우 우수하고, 수술 후 3-4주가 경과하면 분리되었던 2개의 이식편의 모습은 1개의 건강한 정상 간의 형태를 갖추게 된다(그림 14-33).

8) 생체 간이식에서의 수혜자 수술

수혜자에서의 기본적 순서는 사체간이식과 동일하지만 간후방 하대정맥을 보존하는 piggyback 술식을 응용한다. 병든 간을 적출한 후 이식편의 간정맥 재건, 문맥 재건 후에 간혈류를 재개하고 이후 간동맥 재건과 담도-공장문합술 또는 담도-담도 문합술을 이용한 담도 재건으로 구성된다. 사체간이식과 달리 문합해야 될 간동맥들의 직경

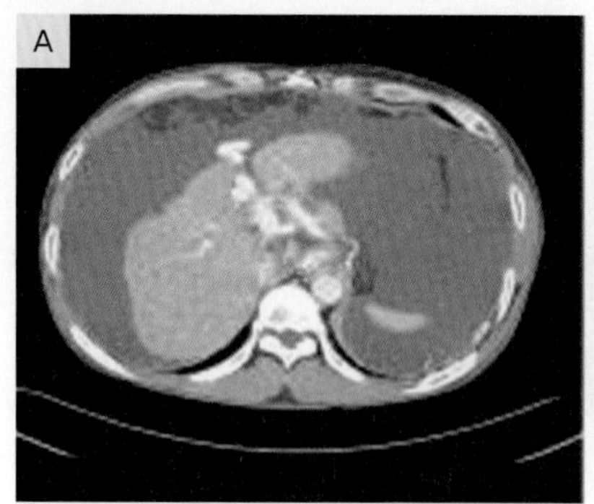

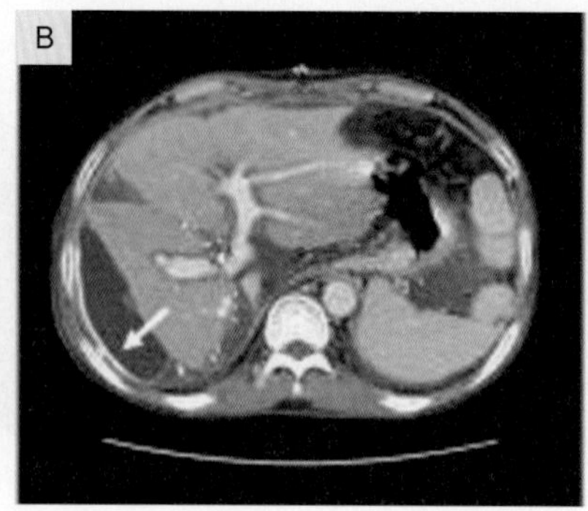

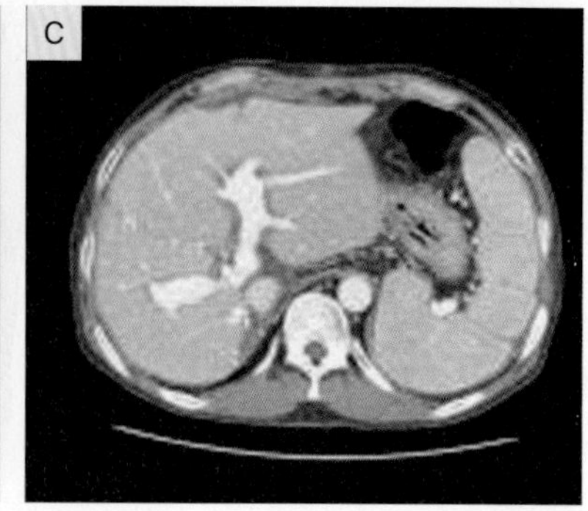

그림 14-33 **2:1 생체간이식에서 술 후 3주째 이식편들의 재생모습.** A) 간이식 전 수혜자의 수축된 간과 복수. 수혜자의 간이식 전 CT사진으로 수축된 간과 많은 량의 복수를 보여준다. B) 2:1 생체 간이식 후 사진. 2:1 간이식 후 7일째 CT사진으로 이식된 2개의 좌엽이 잘 기능하고 있다. 우측에 있는 이식편은 아직 재생이 덜되었고, 혈관 및 담도문합부의 긴장을 줄여주기 위해 조직확장기(흰색화살표)가 이식편 뒷쪽에 삽입되어 있다. C) 2:1 간이식 후 3주째 이식간의 재생모습. 이식후 3주째 CT사진으로 잘 재생된 2개의 이식편이 합쳐져서 삼각형 모양의 정상간 형태를 이루고 있다.

이 대부분 2mm 내외로 작기 때문에 확대시야하에서의 미세혈관 수기를 이용한 문합을 하지 않으면 간동맥혈전으로 이식편이 괴사하여 환자가 사망할 위험성이 높다.

9) 생체 간이식 수술 후 환자관리

면역억제요법을 비롯한 수술 후의 관리는 뇌사자 간이식과 비슷하나 몇 가지 차이점이 있다. 첫째, 간동맥 혈전을 예방하기 위한 항응고요법의 사용이다. 항응고요법으로는 수술 중과 수술 후에 혈중의 헤마토크리트치를 21–30% 사이로, 혈소판수치를 50,000/mm^3 이하로, 항트롬빈 Ⅲ를 70% 이상 유지하도록 해야 한다. 저분자량 헤파린은 과거 모든 예에서 수술 직후부터 사용되었으나 출혈 등의 합병증을 조장하는 경향이 있어 최근에는 동맥혈관 문합상태가 의심스러운 경우에만 선택적으로 사용하고 있으며, 아스피린과 dipyridamole은 3개월간 소량을 투여하도록 추천되고 있다. 둘째는 간정맥과 문맥의 협착이나 폐쇄가 상대적으로 자주 발생한다는 것이다. 생체부분 간이식은 뇌사자 간이식과 달리 상대적으로 작은 혈관(간문맥, 간정맥 등)을 문합해야 하는데, 이점을 고려해 이식 시 문맥을 통한 유입부와 간정맥을 통한 유출부를 크게 만들어 주었더라도, 간이식편이 급격한 재생과정을 겪으면서 문합 부위가 비틀리고 꺾이는 현상이 발생할 수 있다. 따라서 술 후 정기적인 컴퓨터 단층촬영과 도플러 초음파를 시행하여 이상이 발견되면 방사선 중재시술 또는 개복하에 스텐트를 삽입하거나 직접 교정수술을 시행하여야 한다. 셋째는 담즙 누출이나 담도협착 등의 담도계 합병증의 발생이 흔하다는 점이다. 만약 환자가 담즙 누출로 인한 복막염의 증상을 보이지 않는다면, 담도계 합병증들에 대해서는 수술적 치료보다 내시경적 또는 방사선학적 중재 치료가 시도되어야 한다.

5. 급성 전격성 간부전과 간이식

급성 간부전 또는 전격성간부전은 과거 간질환의 병력이 없는 환자에서 황달이 출현한 후 8주 이내 간성혼수가 나타날 때 진단할 수 있다. 발생원인 중에서 임신에 의한 지방간, 아세트아미노펜 복용, A형 간염, B형 간염 등에 의한 간부전은 자연회복의 가능성이 있으나, 아세트아미노펜 이외의 약물이나 식품에 의한 독성작용, 윌슨 병의 급격한 악화, 원인미상의 전격성 간부전증 등이 원인이라면 이식을 서둘러 받지 않을 경우 예후가 불량하다. 보존적 치료를 했을 때 20–40%, 간이식을 했을 때 60–80%의 생존율을 보이는데 생존가능성을 극대화하고 합병증 없이 완전히 회복되기 위해서는 뇌부종이 발생하여 뇌간

탈출증brain stem herniation이 오기 전에 간이식 수술을 받는 것이 가장 중요하다. 간이식 시기를 결정하기 위해 King's College 기준이 많이 응용되고, 최근에는 보다 구체화된 기준을 사용한다. 즉 황달이 발생한 후 간성혼수까지 기간이 14일 이상이고, 간성혼수가 나타날 때 총빌리루빈이 20mg/dL 이상이며 간 CT 검사에서 간의 용적이 600mL 미만의 간실질 위축을 보이고, 인공간 보조치료를 3일 이상 하여도 간성혼수의 호전이 없는 경우에는 바로 이식을 결정한다.

King's College의 간이식 결정 기준은 다음과 같다.

Ⅰ. 아세트아미노펜 과용 환자
- ① pH<7.3 또는
- ② 프로트롬빈 시간>6.5(INR)과
- ③ 혈청 크레아티닌>3.4mg/dL

Ⅱ. 비 아세트아미노펜 과용 환자
- ① 프로트롬빈 시간>6.5(INR) 또는
- ② 다음중 3가지 이상 동반:
  - 연령<10세 또는 >40세
  - 원인: nonA-nonB 간염, halothane 간염, 특이체질성 약물반응
  - 간성혼수전 황달지속기간>7일
  - 프로트롬빈시간>3.5(INR)
  - 혈청빌리루빈>17.6mg/dL

그러나 전격성간부전 환자에서의 적절한 이식시기 결정은 '환자의 의식상태가 얼마나 빠른 속도로 혼수로 진행되는가'이다. 뇌 컴퓨터 단층촬영으로 뇌의 부종상태를 파악해야 되나, 의식상태가 지속적으로 빠르게 악화되면 초응급상태로 간주하여, 다른 간이식 결정기준들을 무시하고 서둘러서 간이식을 해야 한다.

6. 간암과 간이식

우리나라는 만성 간질환 중 간암이 40-50대 남성 암 사망률의 수위를 차지할 정도로 빈번하게 발생하고 있다. 간암치료는 조기진단에 의한 외과적 절제가 가장 효과적인 치료법이나 간암환자의 약 80%에서 간경변증이 동반되어 간기능의 저하가 심한 일부 환자에서는 조기에 발견된 간암이라도 절제가 불가능한 경우가 흔하다. 즉, 간암의 예후는 간암의 진행 정도뿐만이 아니라 잔존 간기능에 의해서도 좌우되므로 간암의 해부학적인 병기 이외에도 반드시 잔존 간기능을 고려해야 한다. 간암에 대한 간이식은 이론적으로 간암 종괴를 완전히 제거할 수 있는 가장 확실한 방법인 동시에, 합병된 말기 간질환의 증세(복수, 정맥류출혈, 간성뇌증 등)들을 치유시킬 수 있으며, 간암의 위험인자인 간경변이란 원발질환을 모두 치료할 수 있는 가장 이상적인 치료법이라 할 수 있다. 환자의 간 전체를 절제한 후 새로운 건강한 간으로 대체하기 때문에, 종양의 완전한 절제가 가능하며 영상진단으로 보이지 않는 다른 부위의 잠재 간암incidental HCC도 함께 제거할 수 있다.

간세포암에서 간이식은 1980년대부터 시도되었다. 1995년 이전에는 높은 재발률(60-80%)과 불량한 5년 생존율(<20%)을 보였는데 이는 암종의 혈관침범, 림프절 전이, 간외파종 등 불량한 예후 인자를 가진 진행 간암환자를 포함하였기 때문이다. 이러한 결과로 인하여 한동안 간암이 간이식의 상대적 금기로 여겨진 적도 있으나, 1996년부터 뇌사 기증간의 부족을 해소하기 위해 간세포암의 간이식 성적이 비종양성 간질환을 대상으로한 간이식 성적과 동등해지는 조건을 근거로 밀란 기준Milan criteria을 만들고 간이식의 적응증을 조기 간암에 국한시켜 좋은 성적을 거두기 시작하였다.

간세포암에서 간이식의 기준 설정은 이식 후 조기 재발할 수 있는 환자를 최대한 제외시키고 불량한 간기능으로 인해 간이식 이외에는 대안이 없는 환자의 치료성적을 극대화하기 위해 설정되어야 한다. 조기 간암의 선택기준을 적용한 결과 비종양성 간질환 환자와 비슷한 이식성적(재발률 15%, 5년 생존율 70%)을 얻게 되었다. 밀란 기준은 (1) 단일 결절로 크기가 5cm 이하, (2) 3cm 이하의 결절이 3개 이하, (3) 간문맥 침범과 간외 전이가 없는 경우를 지칭하며 전 세계적으로도 가장 많이 인용되는 기준이다.

간암의 뇌사 간이식은 기증 장기의 부족으로 인한 과도한 대기시간과 이에 따른 질병의 진행으로 높은 탈락률을 보이고 있는 것이 가장 큰 문제점으로 대두되고 있다. 현재 미국 UNOS에서는 이를 해결하기 위해 MELD 점수에 의한 이식기준에 T1병기인 경우(1년 내 탈락률이 10% 이하)에는 가산점을 주지 않지만 T2병기인 경우는 22점의 가산점을 주어 우선적인 이식을 유도하고 있다. 국내에는 이러한 가산점 제도가 없으며 대부분 생체간이식을 통하여 대기시간을 단축하고 있는 실정이다.

최근 많은 연구자들이 전통적인 밀란 기준의 확장을 제안하고 있고 University of California San Francisco (UCSF)의 기준은 단일 결절인 경우 6.5cm, 3개 이하의 결절인 경우 최대 직경이 4.5cm이고 전체 종양들을 합친 직경이 8cm을 넘지 않는 경우로 정의하고 있다. 국내에서도 생체간이식이 활발히 진행되면서 밀란 기준을 벗어나는 경우에도 이식이 진행되고 있으나 종양의 개수에 상관없이 최대 직경 5cm를 넘는 경우에는 재발률이 높고, 일단 이식후의 간암재발은 대부분 빠른 속도로 진행하고 간외전이가 많기 때문에 간이식의 기준설정에 신중을 기해야 한다.

요약

오늘날의 간이식은 말기 간질환의 확립된 치료수단으로 정착되어 간이식 후 1년 환자 생존율은 80-90%로 향상되었다. 간이식 후 생존율이 향상됨에 따라 이식을 요구하는 환자들의 수요가 매년 증가하고 있으며 뇌사 장기기증에 대한 법적 장치와 사회인식이 부족한 국내에서는 이러한 수요와 공급의 불균형이 매우 심각하다. 그 대안으로 생체간이식이 활발하게 진행되고 있으며 생체간이식의 성공률은 구미의 뇌사 간이식과 차이를 보이지 않는다. 생체부분 간이식의 장점은 뇌사자로부터 장기기증이 적은 우리나라와 같은 현실에서 장기부족현상의 일부분을 해소할 수 있을 뿐 아니라, 응급이식을 필요로 하는 급성 전격성 간부전, 간기능 부족으로 절제가 불가능한 밀란 기준내의 간암환자들이 이식수술을 받을 수 있으며, 수술수기의 발달과 경험의 축적으로 지금은 뇌사자 간이식의 적응증에 해당되는 모든 말기 간질환 환자들에게 적용될 수 있다. 생체부분 간이식의 단점은 건강한 기증자에게 간 절제라는 부담이 큰 외과수술을 받게 하는 것으로 기증자의 안전을 최우선으로 하여 생체부분 간이식의 모든 과정은 계획되어야 한다. 과거의 간이식 금기증은 점차 축소되고, 간이식의 성적은 점차 향상되고 있다. 따라서 말기 간부전으로 여명기간 1년 미만이거나, 반복되는 간동맥색전술 등으로도 진행을 막을 수 없는 절제 불가능한 간암환자들에게 조기이식을 권유하는 추세이다.

VII 췌장이식

1. 서론

당뇨병은 인구의 5-9%에서 발생하며 췌장이식의 대상이 되는 제1형인 연소형 당뇨병juvenile DM은 전 당뇨병의 10%를 차지한다. 이러한 빈도는 나라마다 차이가 있어서 생활수준이 높은 나라에서 그 빈도가 높다. 우리나라 2016년 통계에 의하면 30세이상 성인의 7명 중 1명에서 당뇨병이 발생되며 당뇨병의 소인을 포함하면 4명 중 1명에 이른다. 그중 인슐린을 사용하는 당뇨병은 당뇨병 환자 11명 중 1명이다. 이 환자들이 췌장이식의 대상이 될 수 있으며 대표적인 췌장이식의 대상인 제1형 당뇨병 환자의 빈도는 전 인구의 0.02%로 서구에 비해 훨씬 적으나 최근 증가 양상을 보인다.

당뇨병은 전반적인 미세혈관합병증에 의해 거의 모든 장기에 병변을 일으킨다. 당뇨병에서의 망막병변은 성인에서의 실명에 가장 큰 요인이 되며, 심근경색은 정상인에 비해 2-3배 빈도를 보이고, 당뇨병 환자에서 하지혈액 순환 장애로 인한 하지절단은 10%에 이른다. 특히 췌장이식의 대상인 제1형 당뇨병에서는 미세혈관합병증으로 초기에 당뇨병성 신증, 신경병증등의 합병증이 수반되어 급격한 진행을 보인다. 이러한 당뇨병성 합병증 중 관상동맥 병변이나 신부전에 의한 요독증은 주 사망 원인이 되기도 한다.

인슐린 치료는 1921년 Banting과 Best에 의해, 인슐린이 발견된 이후 오늘날까지도 대표적인 당뇨병의 치료방법으로 쓰이고 있으나 장기간의 추시에서 그 치료의 한계점으로 당뇨병성 합병증을 막지 못하고 있다.

Diabetes Control and Complication Trial (DCCT)에서의 보고에 의하면 혈당을 정상 가까이 유지할수록 당뇨병성 2차 합병증을 줄일 수 있어서 고혈당이 당뇨병 합병증의 원인으로 간주된다. 그러나 이러한 적극적인 인슐린 치료에는 환자 스스로의 엄격한 관리와 사용, 인슐린의 부작용 특히 빈번한 저혈당증의 부작용을 감수해야하며 이러한 치료에도 불구하고 당화혈색소의 정상 유지와 당뇨병 합병증의 완전한 예방이 불가능하다.

한편 2016년 대한신장이식학회의 보고에 의하면 당뇨병이 없는 만성신부전증 환자에서의 5년, 10년 생존율이 75.8%, 59.5%인 반면 당뇨병성 만성신부전증에서는 53% 및 24.2%로 차이를 보였다(그림 14-34). 이것은 당뇨병환자에서 췌장이식 후 환자 생존율이 10년에 90.4%인 것과 비교되어 췌장이식은 당뇨병에서 삶의 질 향상과 함께 환자 생존율 향상에도 기여한다.

2. 역사

당뇨병에서의 췌장이식술은 인슐린의 치료의 한계를 극복하고 질환의 근원적인 치료법으로서 인체에서의 췌장이식은 1966년 미네소타대학의 Kelly, Lillihei 교수가 뇌사 공여자에서 부분 췌장이식술을 시행한 것이 그 효시이다. 최근 많은 발전에 의해 오늘날 전 세계적으로 40,000예 이상의 췌장이식이 시행되었고 그 중 미국에서 30,000예, 유럽에서 7,000예 이상 그리고 기타 지역에서 시행되었다(그림 14-35).

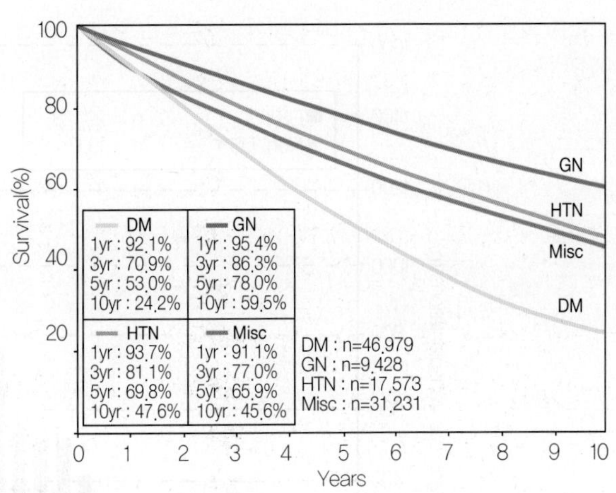

그림 14-34 당뇨여부에 따른 투석환자 생존율(대한신장학회 2016)

미국의 대표적인 이식센터로서 미네소타 대학병원에서는 1966년 이후 현재까지 2,000예 이상 이식술을 시행하였고 한해 100예 이상 시행하기도 하였다.

우리나라에서는 1992년 7월 울산의대 서울아산병원에서 처음으로 신부전증을 수반한 제1형 당뇨병 환자에서 뇌사자로부터 신장, 췌장 동시이식이 성공적으로 시행되었고 2016년 12월까지 350예를 시행하였으며 기타 13개의 이식센터에서 시행된 예를 포함하여 563예에서 췌장이식이 시행되었으나 아직 서구에 비해 더 활성화될 필요성이 있다.

3. 췌장이식 대상자

1) 공여자

췌장이식은 전 췌장이나 부분 췌장이식 모두 가능하고 신장이식에서와 같이 뇌사자뿐 아니라 생체 공여가 가능

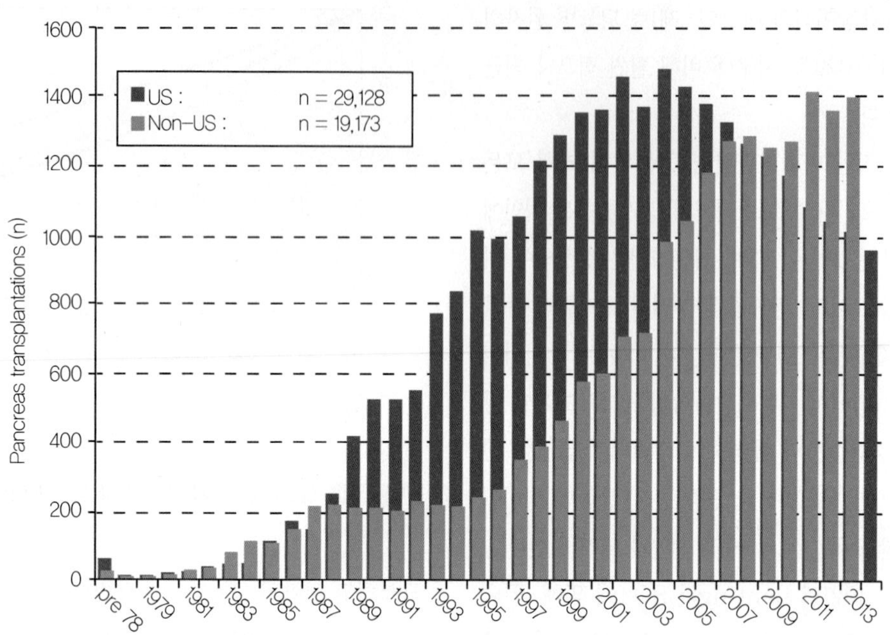

그림 14-35 **췌장이식 현황(IPTR/UNOS: 2016)**

하다.

췌장이식 공여자의 조건은 생체공여인 경우 당뇨병의 소인이 없어야 하고 뇌사자인 경우는 당뇨병이 있거나 췌장에 직접 외상을 받은 경우 이외에는 모두 적응이 된다. 그러나 췌장이식의 성적을 높이기 위해서는 공여자의 조건을 좁혀서 공여자 연령, 장기기증 전 뇌사상태에서의 혈류 역학적 안정성 그리고 췌장의 육안 상태에서 심한 지방화나 섬유화가 없음 등을 고려한다.

2) 수혜자

췌장이식 수술의 수혜자는 주로 제1형 당뇨병 환자이고 기타 인슐린 분비 장애로서 당뇨병이 유발되는 만성췌장염 등이며 제2형 당뇨병 환자 중 인슐린을 사용하고 비만이 수반되지 않는 경우에서도 성공적으로 이식수술이 시행되어 인슐린을 끊을 수 있다.

이러한 제1형 당뇨병에서의 췌장이식을 받게 되는 환자는 당뇨병에 의한 합병증으로 신부전증에 처해 신장이식을 췌장이식과 함께 받거나, 이미 신장이식을 받고 일정 시간 경과 후 췌장이식을 받거나, 당뇨병에 의한 합병증의 초기에 췌장이식을 단독으로 받는 3가지 형태로 나눌 수 있다. 대체적으로 신장이식을 받게 되는 경우 수술 후 필연적으로 사용하는 면역억제제에 의해 췌장이식은 큰 부담 없이 이뤄질 수 있으나 당뇨병의 초기 합병증 시기에 하는 췌장단독이식은 몇 가지 문제점이 지적된다. 우선 인슐린으로 치료하던 환자에서 이식수술로 면역억제제를 새로이 써야 하고 이에 따른 부작용을 감수해야 하며, 췌장이식에 따른 수술 합병증의 정당화 등이다. 따라서 초기 당뇨병성 합병증에서의 췌장단독이식은 서구에서도 일부의 센터에서 시행되고 있다. 현재 췌장단독 이식의 대상은 인슐린 치료가 어려운 당뇨병이나 저혈당을 인식하지 못하는 당뇨병 환자 및 당뇨에 의한 초기 합병증이 진행되는 환자에서 시행된다. 최근에 개발되고 있는 효과적인 면역억제제 사용과 이식수술의 술기와 수술 후 환자 관리의 개선에 의해 췌장의 단독이식도 점차 활성화되고 있는 추세이다.

4. 이식수술

수술 전 처치로서 당뇨병의 합병증 정도를 알기 위해

안저검사 및 신경검사를 시행하고 특히 심장기능 및 관상동맥 상태를 검사하며 필요에 따라 수술 전에 관상동맥 성형술이나 관상동맥 우회로술을 시행한다.

췌장이식의 대상인 당뇨병은 말초혈관병변뿐 아니라 대혈관병증에 의해 동맥경화증이 호발하므로 수술 전 이에 관한 검사 및 처치는 수술 후 성적을 향상시키기 위한 필요조건이기도 한다.

수술 방법을 공여자와 수혜자로 나누어 보면 다음과 같다.

1) 공여자 수술

췌장이식 수술은 부분 혹은 전 췌장이식 모두가 가능한데 부분 췌장이식은 문맥부위의 췌장경부를 절단한 후 좌측의 체부, 미부를 적출하여 이식하는 것으로 비장동맥과 비장정맥이 문합술에 이용된다. 부분 췌장이식은 생체나 뇌사자 모두에서 이용될 수 있으나 주로 생체이식에서 사용된다. 생체기증자 이식은 1979년 미네소타 대학에서 처음 시행되었고 1990년대에 와서는 생체기능자에서 췌장과 함께 신장을 척출하여 동시이식을 시행함으로서 한 번의 이식을 통해 신부전증을 수반한 당뇨병의 치유를 도모하였다. 최근에는 복강경 수술을 이용한 장기적출을 시도하고 있다. 저자들에서도 20예의 생체 부분 췌장이식이 시행되었다.

전 췌장이식은 뇌사 공여자에서 해당되는 수술로서 전 췌장과 십이지장 일부를 적출하여 이식하는 방법이다. 간 공여자인 경우 비장동맥 및 상장간막동맥이 문합부위가 되나 2개의 동맥을 공여자의 장골동맥을 이용하여 이식 전에 Y형태로 단일문합성형술 후 장골동맥에 단일 문합술을 시행한다. 간혹 간 이식이 아닌 경우 복강동맥과 상장간막동맥을 포함하는 대동맥 혈관벽을 이용할 수 있고 정맥은 문맥을 이용한다. 십이지장은 가능한 짧게 사용하고 위아래를 봉합한 후 십이지장 측부를 통해 수혜자의 소장이나 방광과 문합을 시행하게 된다.

2) 췌장보존

췌장보존은 신장을 포함한 타 장기에 비해 큰 차이는 없다. 4℃의 관류액을 공여자에서 적출 직전 상태에서 관류한다.

관류액은 타 장기에서와 같이 UW용액이나 HTK용액을 사용하여 24시간 이상 장기 보존이 가능하다. 전반적으로 체외 장기 보존 시간이 짧을수록 이식 후 장기 기능 회복이 좋은 것으로 알려져 있으나 등록 기관의 보고에 의하면 별 영향이 없다고 보고되었다. 아마도 이식 후 장기 기능의 회복은 적출된 장기의 보존 시간과 함께 관류액의 종류에 의한 것으로 보이는데 현재까지 UW용액이 가장 좋은 것으로 알려지고 있다.

3) 수혜자 수술

이식췌장을 복강 내에 위치하게 하고 장골동맥 및 정맥에 비장동정맥이나 그에 해당되는 동정맥을 신장이식수술에서와 같이 측단문합을 시행한다. 신장이식과 췌장이식을 동시에 시행하는 경우 대부분 신장을 좌측, 췌장을 우측에 이식한다.

췌장관의 재건술로서는 과거의 췌장관 결찰술이나 복강내 개관술은 수술 후 합병증으로 인해 최근에는 시행치 않고 있으며, 현재 3가지 방법으로 대별된다.

췌관-소장문합술은 췌액을 소장으로 배출시켜서 가장

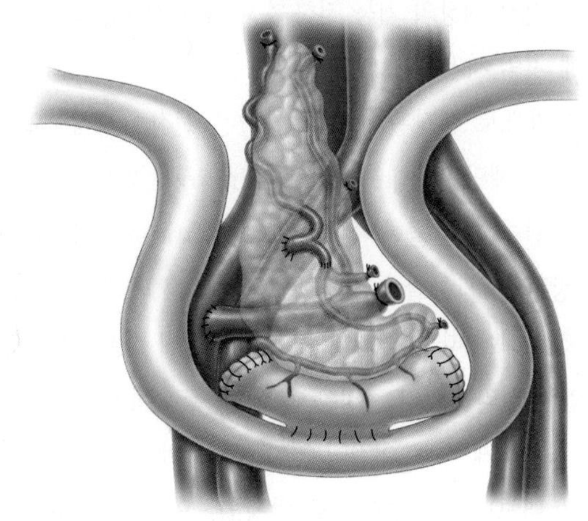

그림 14-36 췌장이식술 – 소장문합술

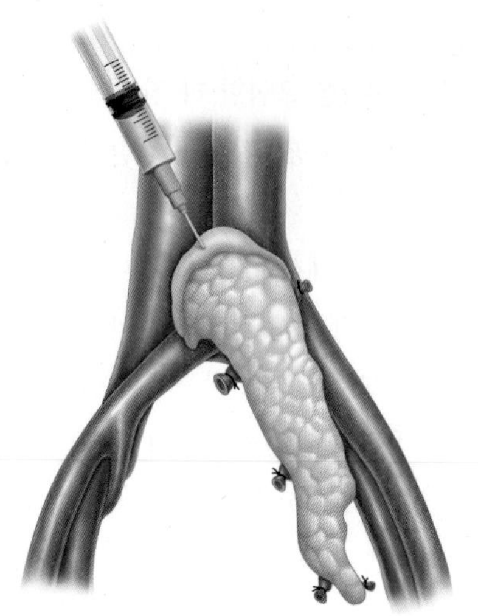

그림 14-37 췌장이식술 – 췌장관 폐색술

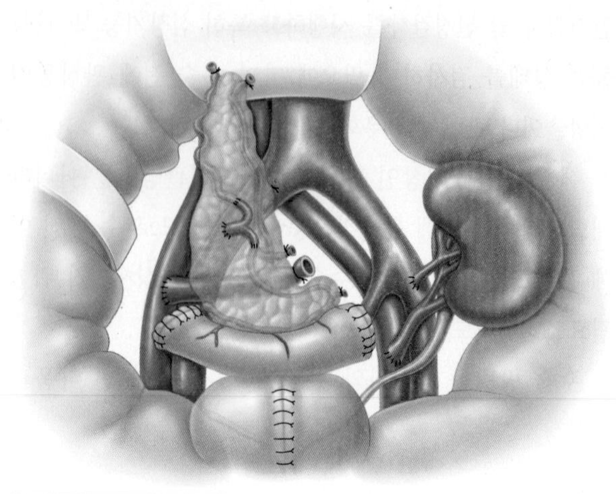

그림 14-38 신장-췌장 동시이식 – 방광문합술

이상적인 방법이며 1967년 Lillihei에 의해 시행된 이후 가장 오래된 수술 방법이나, 소장 절개에 따른 감염이 문제점이다(그림 14-36).

췌장관에 중합체polymer를 주입하여 췌장관을 메우는 방법은 용액 상태의 중합체가 췌장 내에 주입된 후 고체화됨으로써 췌장관을 폐색시키는 방법으로 Dubernard가 처음 시도한 후 유럽을 중심으로 많이 시행되었던 방법이다(그림 14-37). 중합체로서는 neoprene, silicone, prolamine, polyisoprene등이 있으나 그 중 prolamine, neoprene이 가장 많이 쓰인다. 이 방법은 타 수술 방법에 비해 감염이나 췌장루가 적고 간편한 방법이기는 하나 장기간에 걸쳐 췌장의 기능 저하를 야기시키는 문제 등으로 최근에 거의 사용되지 않고 있다.

마지막으로 췌장관-방광문합술은 신장이식에서와 같은 방법에 해당된다. 1973년 Gliedman이 수혜자의 요관을 췌장관에 문합술한 후 1982년 Sollinger등이 처음으로 췌장관-방광문합술을 시행하였다(그림 14-38). 이 방법은 소장절개에 따른 감염이 없고 요배설에 함유되는 췌장효소인 아밀라아제의 측정은 거부반응 및 췌장 기능의 변화를 예측하게 하는 이점이 있다. 이 방법도 췌장액을 소변으로 내보내는 방법이므로 방광염, 요도염 및 방광 점막 출현 그리고 대사성산증 등의 많은 합병증으로 이상적인 방법은 아니나 1990년대 초반까지 주를 이루었다. 그러나 최근에 와서 면역억제제의 개선으로 수술 후 거부반응이 줄고 췌장관 방광문합술은 수술 후 야기되는 여러가지 합병증으로 인해 소장문합술을 다시 선호하게 되었다. 또한 신장-췌장 동시이식에서 신장이식에서의 혈청 크레아티닌 수치 변화가 거부반응의 초기 지표로서 사용됨으로 소변에서의 아밀라아제 측정의 중요성이 덜하게 되었다. 그러나 췌장단독이식에서는 거부반응의 조기 발견을 위해 방광문합술의 중요성이 강조된다. 췌장에서 생성되는 인슐린을 기존의 수술 방법으로는 장골정맥을 통해 전신적으로 흡수시켜 말초혈액 내 높은 인슐린 농도를 야기시켜 지방대사의 장애를 야기할 것으로 보고된다. 따라서 문맥을 상장간정맥이나 비장정맥문합술을 통해 인슐린을 일차로 간 내로 순환시킴으로써 정상 분비 과정을 밟게 하려는 수술법이 개발되었다(그림 14-39). 이 방법으로 혈액 내 인슐린을 정상으로 유지시키고 전신적 흡수법에 비해 수술 후 거부반응도 적음이 보고되나 수술 기법이 좀 까다롭고 아직 이점 분명치 않아 일부에서 시행되고 있다.

5. 이식 수술 후 환자관리

췌장이식은 이식 수술 후 합병증이 타 장기 이식 수술

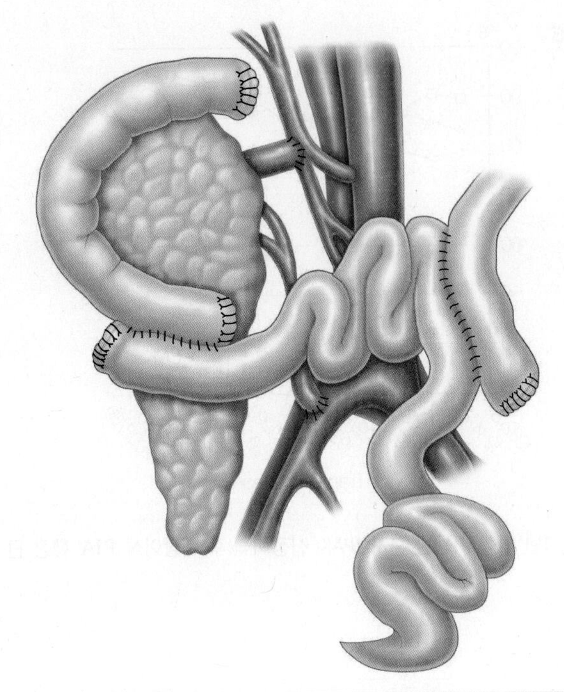

그림 14-39 췌장이식술 - 문맥문합술 및 소장문합술

보다 많아서 이에 대한 예방과 적절한 치료가 필요하다. 예방적 항생제를 투여하고 이식 췌장 내의 동맥 혹은 정맥의 혈전에 대비한 항응고제를 사용하나 이에 따른 출혈의 부작용을 염두에 두어야 한다. 그러나 췌장 단독이식이나 생체기증자에서의 부분 췌장이식에서는 항응고제의 필요성이 크다. 췌장이식 후 거부반응의 빈도는 신장이식보다 많다고 알려져 있으며 실제로 이식 장기 생존에 미치는 가장 큰 요인이 거부반응이다. 수술 후 예방적 면역억제제 사용은 다른 장기이식과 같이 FK506(prograf)/cyclosporine A, mycophenolate mofetil(MMF, cell-cept), prednisone의 3가지 약제를 기본으로 그 외 IL-2 수용체에 대한 항체인 basiliximab (simulect)이나, thymoglobulin, 혹은 Campath를 유도제induction로 사용한다. 최근 스테로이드의 많은 부작용으로 인해 수술 후 1주간 이내만 스테로이드를 사용하거나 처음부터 사용하지 않는 시도가 최근에 와서 늘고 있다.

수술 후 거부반응은 조기 진단되고 조기 치료될수록 가역적인 과정을 밟아 치료율을 높일 수 있다. 이식수술 후 거부반응의 지표로서 혈당치의 상승이나 C-펩타이드의 감소, 혈중 아밀라아제의 상승 이외에 췌장관 방광문합술이 시행된 환자에서 요 아밀라아제 및 요산도 측정, 그리고 신장이식이 같이 시행된 환자에서 혈중 크레아티닌 농도의 측정 등이 있다. 실제 혈당치나 C-펩타이드 감소에 앞서 소변의 아밀라아제가 감소되나, 신장이식이 같이 시행된 경우 혈중 크레아티닌 증가도 혈당 증가나 C-펩타이드 감소보다 먼저 나타나므로 거부반응의 조기 지표로 사용된다. 신부전증이 없는 당뇨병 환자에서의 췌장 단독이식인 경우, 췌관방광문합술은 다른 수술 기법에 비해 소변의 아밀라아제 측정을 가능케 하며 소변의 아밀라아제 측정은 췌장 기능의 유일한 조기 진단 지표이므로 거부반응 발생 시 조기 진단과 조기 치료로 인해 장기 생존이 훨씬 우월하다. 최근에 와서 췌장의 조직검사에 의한 거부반응 진단이 활성화되고 있으나 그 시술이 타 장기에서보다는 출혈 등의 부작용을 고려해야한다.

6. 수술 성적

최근 췌장이식의 수술 술기의 개선과 수술 후 사용하는 면역억제제의 개발로 다양한 그리고 개선된 약제의 병합요법에 따라 거부반응의 감소, 약제에 대한 부작용의 감소를 가져왔다. 또한 수술 후 환자 관리의 개선 등으로 췌장 이식 후 환자 및 장기 생존율의 향상과 술후 합병증의 감소가 이루어졌다. 2016년 IPTR (International Pancreas Transplant Registry)의 보고에 의하면 뇌사자 췌장이식 후 5년 환자 생존율이 췌장단독이식(PTA)에서 90%, 신장-췌장동시이식(SPK)에서 90%, 신장이식 후 췌장이식(PAK)에서 87%이었다(그림 14-40). 이식된 췌장의 5년 생존율은 신장-췌장 동시이식에서 73%, 신이식 후 췌장이식에서 64%, 췌장 단독이식에서 53%의 성적을 보여주고 있다(그림 14-41). IPTR에 의하면 췌장이식 생존에 영향을 주는 여러요인 중 신장-췌장 동시이식이 췌장 단독이식보다 생존율이 높으며 사용하는 면역억제제의 종류, 수혜자의 연령, 재이식술 등이 예후에 영향을 미치

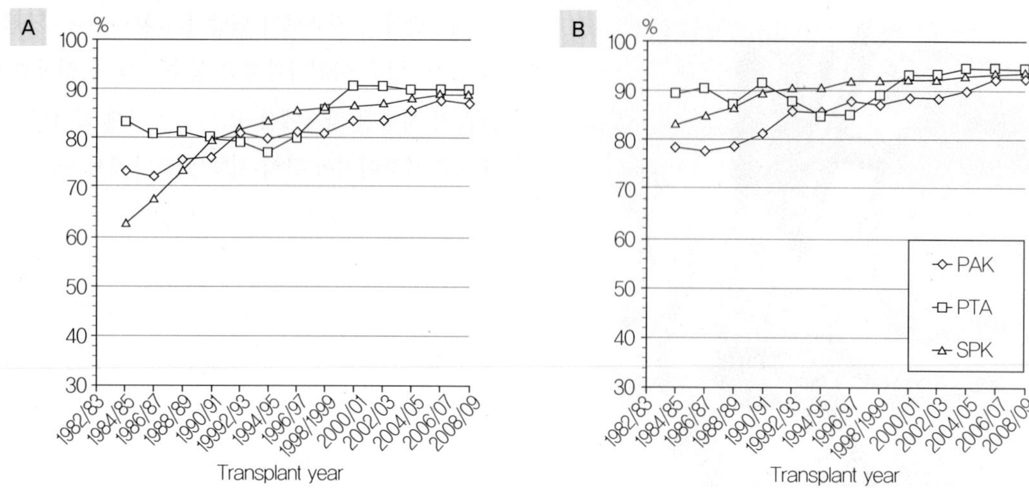

그림 14-40 췌장이식 후 5년 환자 생존율(OPTN/SRTR 2016). A) 모든환자 B) 1년 이상 기능한 환자. (PAK: 신장이식 후 췌장이식, PTA: 췌장 단독이식, SPK: 신장-췌장 동시 이식)

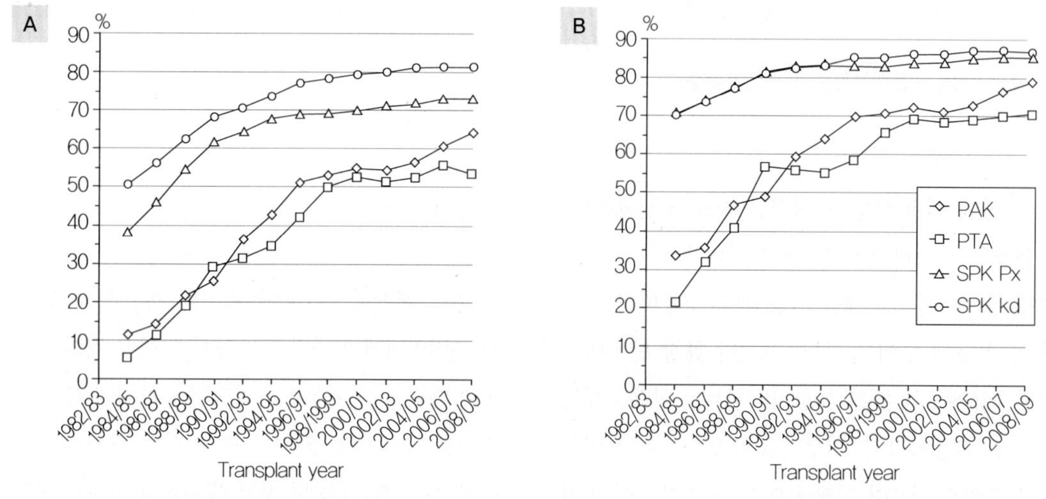

그림 14-41 췌장이식 후 5년 이식장기 생존율 (OPTN/SRTR 2016). A) 모든환자 B) 1년 이상 기능한 환자. (PAK: 신장이식 후 췌장이식, PTA: 췌장 단독이식, SPK: 신장-췌장 동시 이식)

는 요인이었다.

우리나라에서도 췌장이식의 예수가 점차 증가되고 있어 1992년 이후 2016년 말까지 14개의 의료센터에서 563예의 수술이 시행되었다. 저자의 경우 1992년 7월부터 2016년 12월 말까지 총 350예의 췌장이식을 시행하였다. 그중 제1형 당뇨환자가 282명(80.6%)이었고 제 2형 당뇨환자가 67명(19.4%)이었다. 췌장이식방법에 있어 신장–췌장 동시이식이 188예(53.7%)였고 췌장 단독이식이 119(34%)예, 신장이식 후 췌장이식이 43예(12.3%)였다. 췌장의 외분비 배액의 방법으로는 방광배액이 209예(59.7%), 장배액이 141예(40.3%)였다. 결과는 시기에 따라 사용된 면역억제제의 차이에 따라 다른 결과를 보여주나 전 예에서 1, 5, 10년 환자 생존율이 96.7%, 92.9%, 91.6%이었다(그림 14-42).

2006–2016년까지 시행된 293명의 환자 분석에서 췌장이식 성공률은 1년 93.9%, 5년 82.7%, 그리고 10년이

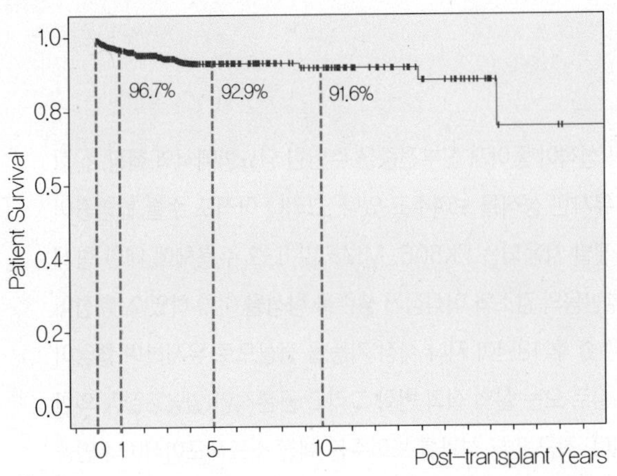

그림 14-42 **서울아산병원 췌장이식 후 환자 생존율(1992.6-2016.12)**

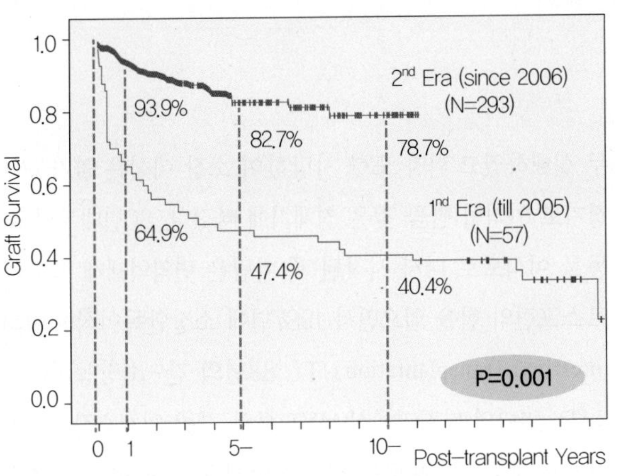

그림 14-43 **서울아산병원 췌장이식 후 이식장기 생존율 (1992.6-2016.12)**

78.7%이었다. 이 생존율은 2006년 이전에 비해 월등히 좋은 성적을 보여준다(그림 14-43). 수술 유형별 분석에서 신–췌장 동시이식인 경우 5년 생존율이 90.3%, 신장이식 후 췌장이식에서 84.6%, 췌장 단독이식에서 76.8% 로 췌장단독이식에서 생존율에 차이를 보였다(그림 14-44).

7. 췌장이식이 당뇨병의 합병증에 미치는 영향

당뇨병은 인슐린 치료에도 불구하고 합병증이 발생하여 시력을 잃거나 신장 기능의 상실과 신경 기능의 장애

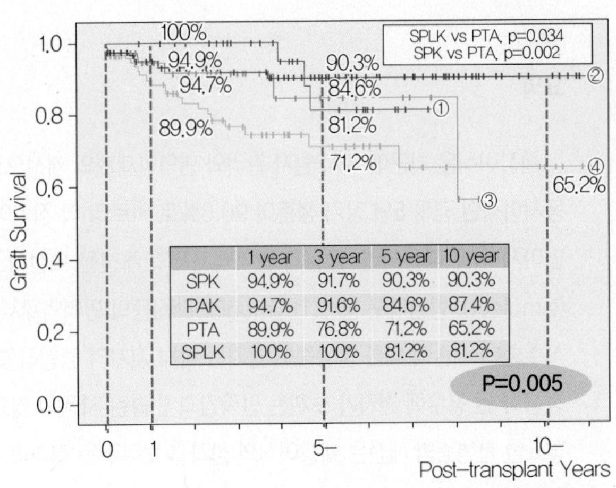

	1 year	3 year	5 year	10 year
SPK	94.9%	91.7%	90.3%	90.3%
PAK	94.7%	91.6%	84.6%	87.4%
PTA	89.9%	76.8%	71.2%	65.2%
SPLK	100%	100%	81.2%	81.2%

① SPLK (N=35), ② SPK (N=123), ③ PAK (N=39), ④ PTA (N=96)

그림 14-44 **서울아산병원 췌장이식 후 이식장기 생존율(2006.1-2016.12).** PAK: 신장이식 후 췌장이식, PTA: 췌장 단독이식, SPK: 신장-췌장 동시 이식

를 야기한다. 따라서 췌장이식 후 이러한 합병증의 결과를 관찰함은 췌장이식의 필요성을 밝힘에 있어서 중요하다. 췌장 단독이식 후 반복적으로 신장조직 검사를 시행한 바, 당뇨병에 의한 사구체 병변의 진행이 더 이상 관찰되지 않았고 이러한 소견은 대조군으로 신장이식만 시행받은 당뇨병 환자와 비교가 되었으며 췌장 단독이식 환자에서 수술 후 관찰 결과 신병변이 호전되었다. 당뇨병성 신경병증으로 인한 운동신경 및 감각신경장애는 성공적인 췌장이식으로 정상 혈당이 유지되면 신경전도 속도가 빨라져 회복됨이 관찰되나 개개인에 따라 회복 기간이 다양하다. 그러나 당뇨병성 망막병증은 성공적인 췌장이식 후라도 진행됨이 관찰되었으나 정상 혈당이 유지되면 수술 후 3년 이후에는 망막병변이 안정화됨이 보고되었다. 보고자에 따라서 결막미세혈관병변이 췌장이식 후 호전되고, 망막의 신경전도 속도가 호전되나, 대부분 진행성 망막병변에서 췌장이식 후 성과는 기대 이하인 것 같다.

이러한 결과는 특히 당뇨병성 망막병증의 진행을 고려할 때 병소의 초기 단계에 췌장 단독이식이 필요함을 주장하는 근거가 되기도 한다.

요약

췌장이식은 최근에 와서 환자 관리와 면역억제제의 개선으로 이식 성적이 좋아져 신부전증을 수반한 당뇨병에서의 췌장, 신장 동시이식인 경우 5년 장기 생존이 90.3%로 이르러 타 장기이식과 유사한 성적을 보여주고 있다. 그러나 아직도 수술 합병증이 많아서 이에 따른 수술 방법과 면역억제제의 개선을 요한다. 최근 개발 사용되는 FK506, MMF 및 IL-2 수용체에 대한 항체(simulect), 항임파구 항체(Thymoglobulin)등의 면역억제제는 거부반응의 감소와 이식장기 생존율 향상을 야기 하였다. 췌장이식수술은 수술에 따른 합병증이 많기는 하나 저자가 경험하였듯이 수술 후 18년이 지나 췌장 기능을 정상으로 유지하여 혈당이 정상화 된 경우에 환자가 느끼는 만족감과 인슐린 사용의 필요성 소실로 오는 삶의 질의 변화 그리고 근본적인 혈당조절에 의한 당뇨병 합병증의 개선은 췌장이식의 성과를 보여주는 결과라 생각된다. 최근 일부 성과를 보여주는 췌장 소도세포이식이나 인공췌장(bioartificial pancreas) 혹은 개선된 인슐린 Pump의 적용 등이 보편화 되어 췌장이식을 대체할 수 있기까지 향후 췌장이식은 국내에서도 당뇨병 치료의 대표적인 치료법이 되리라 생각된다.

VIII 소장이식

1968년 Dudrick은 정맥영양법parenteral nutrition (PN)으로 단장증후군 치료에 새로운 길을 열었으나 먹는 즐거움과 자유로운 활동이 부분적으로 제한되어 삶의 질은 한정되고, 오랜 기간의 PN에 따른 간기능부전과 카테터감염 및 혈전 등의 합병증으로 비가역적 단장증후군에 대한 근본적인 해결책은 되지 못하였다. 재가정맥영양법Home-PN (HPN) 비용이 미국의 경우 1인당 약 $200,000/년이나 된다는데 연명할 매일 양식을 정맥주사로 공급하며 입원 않고 가정에서 관리하게 하는 국내 HPN에 소요되는 경비는 교통비 등 기타 경비를 제외한 약제 및 의료소모품 본인 부담금만 해도 연간 약 천만 원 이상으로 추정되어 경제력 대비 결코 낮은 편이 아니어서 환자와 가족의 살림에 큰 부담이 되고 있다.

HPN의 대안은 소장이식으로 정상적인 식사를 하면서 살게 하는 완전 위장관재활이다. 이러한 꿈은 1960년대부터 Lillehei 등에 의한 실험 동물 소장이식을 시작으로 1964년부터 1970년대 초까지 임뮤란을 주면역억제제로 쓰면서 전 세계에서 8예의 인체소장이식을 시도하였으나 모두 실패하였고 환자 또한 사망하여 소장 이식은 불가능한 장기로 인식될 만큼 깊은 침체기에 빠졌다. 80년대부터 소동물 이식으로 다시 시작된 새 바람은 면역억제제 사이클로스포린의 힘을 업으면서 1987년에 소장단독이식Isolated Intestinal Transplantation (IT), 88년의 간-소장동시이식(LIT), 91년의 다장기이식(MVT)으로 각종 인체소장이식이 연이어 성공하여 새로운 전기를 맞게 되었다. 90년대 초부터 타크로리무스가 주면역억제제로 쓰이면서 이식 생존율이 향상되어 피츠버그를 중심으로 붐을 이루게 되어 관심과 경험 축적이 가속화되었으며, 후반기는 다클론항체가 도입면역억제제로 등장, 안정기에 들게 되었다. 짧은 기간 동안에 연구와 시행착오가 집중되고 귀한 임상경험이 축적되면서 혈관처치, 장관처치, 장루설치 등의 소장이식과 관련된 수술방법 및 이식편 모니터링법이 정리되었고, 항균제, 항진균제 및 항바이러스제 개발과 사용 원칙 등 가장 문제가 많은 감염관리대책이 정리되어 이식 후 생존율은 급상승되어, 2003년부터 미국 전역에서 메디케어가 적용되고, 표준치료법으로 인정받게 되었다.

2015년에 발표된 국제소장이식등록에 따르면 2013년 2월 현재까지 전 세계적으로 82개 센터에서 연간 200예

전후의 소장 이식이 시행되고 있어 총 2,699명의 환자에게 2,887회의 소장이식수술이 이루어졌다. 이 중 한국은 2004년 Lee 등의 첫 성공예를 포함하여 생체이식 4예 및 뇌사자이식 11예 등 서울성모병원에서 시행된 15예의 결과가 이 등록에 함께 포함되었다.

1. 소장이식 대상자

여러 원인으로 위장관대량절제술 후 소장의 길이가 모자라 필요한 영양흡수를 못하는 단장증후군, 각종 영양흡수장애질환 및 거짓장막힘증과 같은 위장관운동장애질환이 이식 대상이다. 성인에서 단장증후군의 선행 질환은 장간막혈전증, 교액성괴사, 외상 및 크론병이며, 소아에서는 괴사성장염, 거짓장막힘증, 거대결장 및 중장염전 등이다. PN 중 간부전증이 병발하거나 중심정맥로가 차츰 못쓰게 되어 3개 처 이상의 중심정맥로폐색이나 연 2회 이상의 중심정맥로감염 발생 등 소장이식 대상이 엄격히 제한되었었지만 이식 성적이 향상됨에 따라 최근에는 영구적 PN을 피할 수 없는 비가역적 단장증후군 환자는 되도록이면 서둘러 이식이 권고되는 방향으로 전환되고 있는데 이는 단장증후군 발생 후 1년 이내에 이식한 환자의 생존율이 훨씬 좋게 나타난 데 근거하고 있다. 소장이식의 위험도가 줄고 HPN 보다 삶의 질이 훨씬 높음에 따라 소장이식술이 차츰 더 선호되는 추세이나 현재 가장 어려운 점은 아직도 많은 급성거부반응과 원인과 대책이 여태 모호한 만성거부반응이다.

2. 소장이식 방법

소장이식은 수혈 가능한 혈액형을 가진 사람들 사이에 이식이 가능하며, 조직적합항원의 동질성 여부는 우선적 고려사항이 아니다. 이식 범위에 따라 (1) 대장 일부를 포함하기도 하는 소장단독이식(IT, 그림 14-45A), (2) 간-소장 동시이식(LIT, 그림 14-45B), (3) 간 및 위, 십이지장, 췌장, 비장, 소-대장을 함께 이식하는 다장기이식(MVT, 그림 14-45C)등 3가지로 분류하는데, MVT 중 간을 제외하고 위장관만을 이식하는 변형다장기이식(MMVT, 그림 14-45D)을 별도로 나누기도 한다.

IT보다 LIT가 좀 더 선호되었고 MVT와 MMVT는 합하여도 전체의 20% 정도였는데, 이는 소장의 강한 면역성이 간과 동시 이식할 때 보호되어 IT에 비하여 장기간 생존율이 더 좋게 나타난 데 따른 것이었으나 최근에는 오히려 IT가 50% 이상으로 증가하는 추세이다(그림 14-46). LIT가 IT 보다 장기간 성적이 더 좋게 나타난 것은 공여자특이항원에 대한 항체(DSA)가 이식 전부터 양성이었던 환자가 함께 포함된 것과 관련이 있는 것으로 이해되고 있다. 한편 LIT나 MVT는 이식이 실패한 경우 간의 재이식 기회가 거의 없으므로 오랜 기간의 PN으로 간기능부전이 명확한 경우 외에는 LIT나 MVT는 하지 않는다.

이식장기 공여는 뇌사자와 생체 모두 가능하다. 가족간 생체이식은 공여자의 기증 후 기능을 고려하여 회맹판과 약 10cm 이상의 말단회장을 공여자에게 남겨둔 채 소장 100 내지 180cm가 환자의 크기에 따라 쓰이는데 공여자도 전혀 기능적 장애가 없으며, 수혜자에게는 이 정도만으로도 충분하여 수술 진행의 편이성뿐만 아니라 기증자 부족증 해소 및 병태생리적, 면역학적 및 감염학적으로도 유리한 점이 많다.

소장이식은 증례마다 수술과정의 변화가 가장 많은 이식수술에 속하지만 기본적으로 지켜지는 과정을 기술하면; 비기능적인 잔여 위장관은 완전절제하며, 근위부 위장관은 이식편과 직접 연결하고, 원위부는 굴뚝회장루로 연결하거나 이식편을 직접 직장-항문과 문합하여야 하는 경우에는 회장루 이하의 이식소-대장 끝은 연결 없이 또 하나의 말단형 대장루로 남긴 후 2차 시기에 대장루를 폐쇄하며 항문이나 직장으로 연결하는 이중의 장루를 설치하기도 한다. 굴뚝회장루는 이식 후 약 1년간 이식편 감시창구로 이용한 후 복원한다. 공장급식관과 배액용 위루관 설치는 대부분에서 시행한다. 이식편 장간막동맥은 2cm 전후의 동맥 브릿지를 거쳐 대동맥으로, 장간막정맥은 대정맥으로도 측단문합하며 반드시 문맥과 문합하지는 않

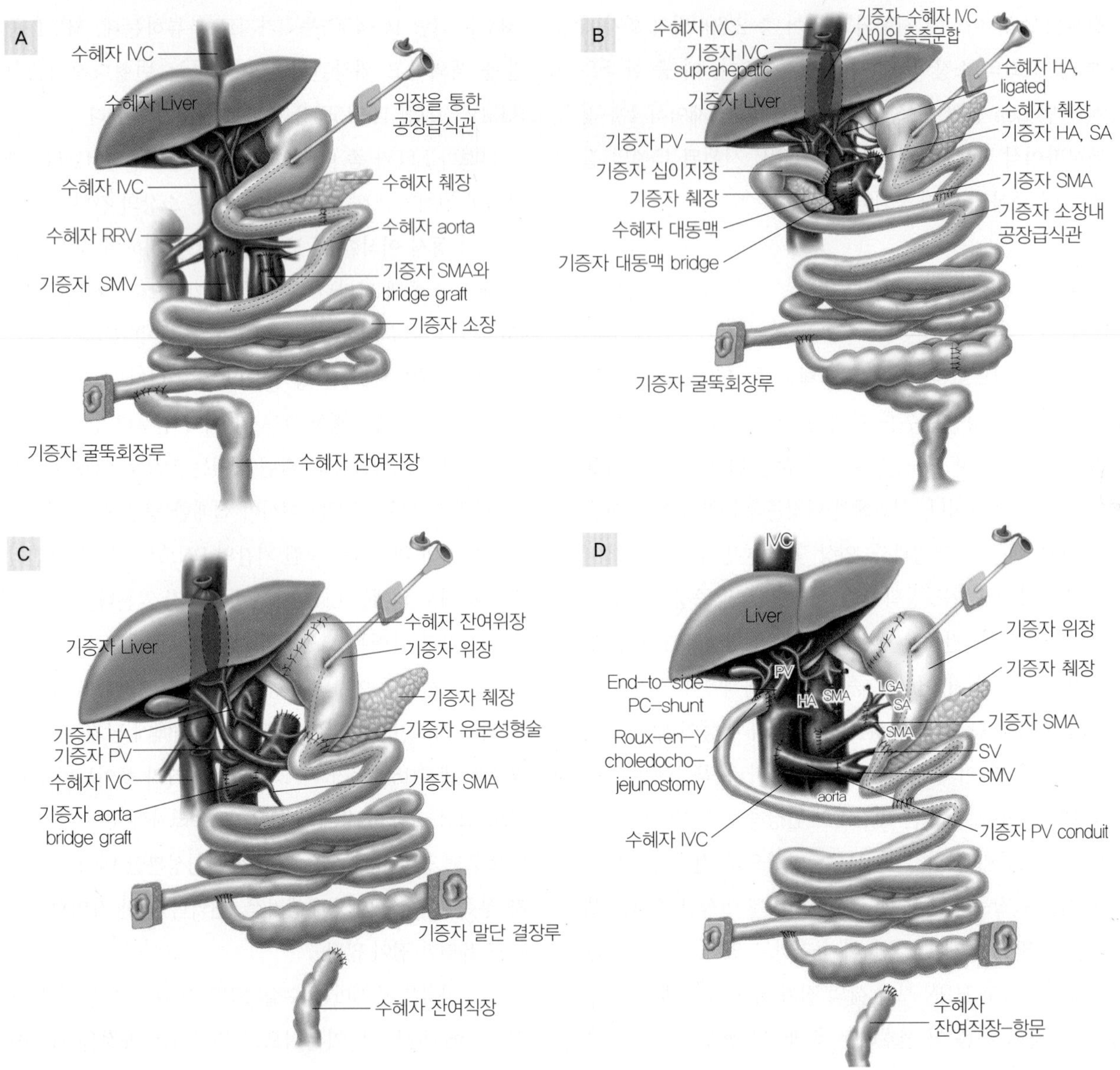

그림 14-45 **소장이식방법.** A) IT, 소장단독이식; 공장문합, 굴뚝회장루, 공장급식관이 설치됨. B) LIT, 간소장동시이식; 이식간과 함께 정맥계는 문합되고, 동맥계는 브릿지를 이용하여 대동맥에 문합됨, C) MVT, 다장기이식; 위-위문합과 유문성형술 추가, D) MMVT, 변형다장기이식; Roux-en-Y 담관공장문합 end-to-side choledocho-jejunostomy과 대장루가 추가됨(RRV, right renal vein; SMV, superior mesenteric vein; SMA, superior mesenteric artery; HA, hepatic artery; SA, splenic artery; PV, portal vein; CA, celiac artery; LGA, left gastric artery; IVC, inferior vena cava; SV, splenic vein)

고 있다. 생체이식에서는 브릿지 혈관 확보가 불가능할 때가 대부분이어서 처녀성이 보장되는 하장간막혈관이나 비장혈관을 미세수술로 단단문합함으로 여러가지 약점을 보완하기도 한다.

이식 후에도 경장영양Enteral nutrition이나 부분적인 PN, 혹은 수액 공급은 상당기간 필요할 때가 많아 중심정맥로 보존은 꼭 필요하며, 급식용 공장루도 유용하게 쓰인다. 이식장관으로 만든 굴뚝회장루(Santuli 혹은 Bishop-Koop 식 장루)를 통하여 내시경 감시와 조직검사를 자주 시행하여 거부반응을 조기에 감지토록 하여야 한다.

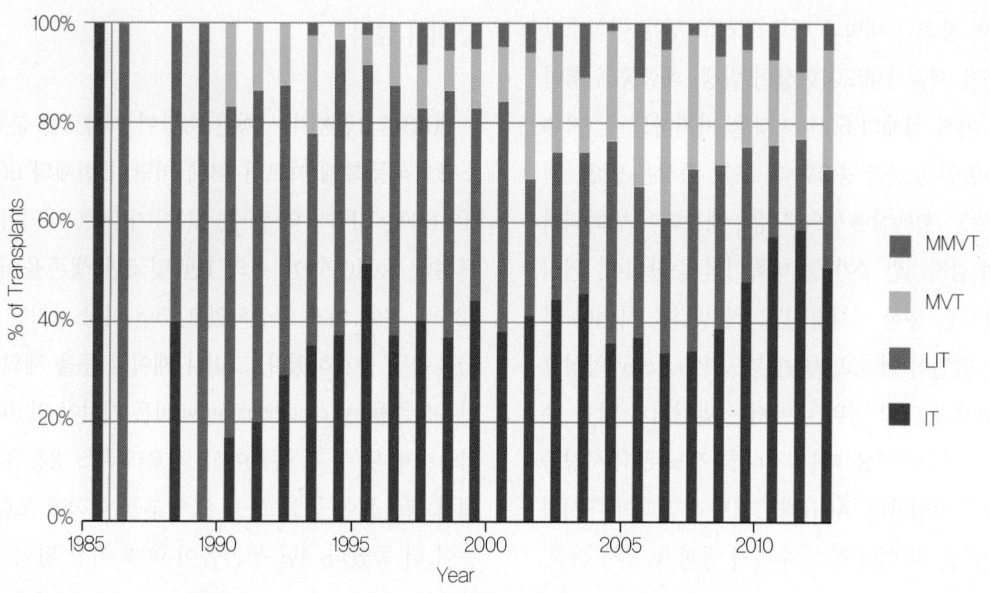

그림 14-46 **연도별 소장이식 방법의 변천. 간과 동시이식(LIT)의 비율이 계속 감소하고 있다(p<0.001) – 2015년 세계소장이식등록.**
(MMVT, modified multi-visceral transplantation; MVT, multi-visceral transplantation; LIT, liver-intestine combined transplantation; IT, isolated intestine transplantation)

3. 이식 전후 관리

면역억제제 혈중 농도의 안정적 유지, 이식편 감시 및 영양상태 유지 등 3가지가 기본이다. 감염관리는 수술 잘 해야 한다는 말과 같을 만큼 중요하다. 이식 전 IL-2 수용체 항체인 daclizumab 이나 basiliximab과 항림프구 항체인 티모글로블린(rATG) 등의 도입면역억제제를 투여하고 주면역억제제로는 타크로리무스 단독요법이 주류이며, 스테로이드는 이식 시 대량 투여 후 조기 감량하는 과정이다. 이식 후 경구투약이 가능할 때까지 타크로리무스는 정맥으로 투여한다. 항상 최저혈중농도를 정기적으로 측정하여 이식 후 1개월 까지는 12mic.g/dL, 3개월까지는 10, 6개월까지는 7, 6개월 후는 5 이상으로 유지되도록 한다. 항진균제, 항바이러스제는 사전 감염검사 결과에 따른 프로토콜에 따른다.

이식편 감시는 육안적 장루관찰, 회장루를 경유한 내시경 관찰로 융모의 모양을 보며 조직 생검을 한다. PN으로 영양균형상태를 유지하나 이식 1주 후 장문합부 안전이 확인되면 관급식이나 경구급식으로 점차 전환한다. 이식 장간막림프관의 단절로 2개월 이상은 저지방식을 우선하며, 쌀의 글루타민 함량이 높아 쌀로 만든 미음, 죽, 밥 등을 주로하는 우리의 전통 식단이 기호에도 맞고 점막보호 및 재생에 유리하다. 술 후 상당량의 림프복수는 별다른 조치 없이 회복된다. 급식 개선으로 PN을 중단하게 된 후에도 상당기간 수액이 필요한 경우가 많으며, 대사성 산증도 빈번하고, 10% 내외에서 신기능부전도 발생하므로 수분균형 유지에 유의하고 신기능에 부담이 적은 라파마이신계 면역억제제를 병용하며 타크로리무스 감량을 적절한 시기부터 고려함이 좋다. 출생 후 한번도 음식을 입으로 먹어 본 적이 없는 어린이도 있어 이식 후 먹이기 재활교육프로그램을 시행하기도 하지만 오랜 기간 인내와 돌봄이 필요하다.

4. 이식 후 합병증

거부반응은 급성세포성거부반응acute cellular rejection (ACR)이 주이며 하루 이틀 내로 광범위하게 점막세포층이 탈락되어 점막방어벽이 붕괴되므로 면역능이 억제된 상태에서의 방어벽 붕괴는 대변과 바로 접하고 있는 이식소장을 통하여 쉽게 세균체내도치현상이 발생, 패혈증 위험이 높고 아직도 이식 실패의 50% 이상을 차지하므로, 거부반응의 조기 발견은 아주 중요하다. 초기 증상은 발열, 전신 불쾌감, 복통, 혈액삼출성으로 장루배출액이 변화되거나 배출 양의 갑작스런 증가 등 비특이적 증상이며, 의심되면 즉시 장루를 통한 내시경 및 조직 생검을 하여야 한다. 초기에는 감별이 어렵고, 병변 분포가 patchy 양상으로 나타나 내시경 관찰 범위 내에서는 발견되지 않을 수도 있으므로, 의심스러울 때는 지나칠 정도로 내시경을 자주 반복해서 시행한다. ACR과 CMV 장염과의 내시경적 감별이 어려울 수 있어 항상 수혜자 장관을 동시 관찰, 비교해서 수혜자 장관이 정상이면 이식편의 변화는 거부반응이라고 판단하는 경향이다.

항체매개성거부반응Antibody mediated rejection (AMR)은 초급성인 경우 외에는 이식 후 상당 기간이 지난 다음에 나타나지만 내시경적으로 ACR과 구분하기는 거의 불가능하다. 혈액 림프구 구성 중 B세포 계열의 CD19, CD20 등의 증가가 보일 수 있지만 반드시 동반되는 것은 아니어서 조직 검사 때 C4d 면역염색을 함께 하여 확진토록 한다. 따라서 거부반응 시의 조직 생검에 이런 것들과 CMV, EBV 면역염색을 항상 함께 시행함이 원칙이다.

소장 조직 내의 풍부한 림프계는 이식편대숙주반응GVHD을 일으킬 수 있으며, 이식후림프세포증식질환PTLD 등도 각각 10% 내외에서 발생하는데 등록된 국내의 15예 소장이식환자 중에도 피부형 GVHD와 PTLD가 각각 1예씩 발생되었다.

5. 이식 성적

2013년 2월까지 시행된 소장이식 자료를 분석한 국제소장이식등록에 따르면 18세 미만이 전체의 60%, IT가 50−60%, LIT가 약 20%, MVT가 20% 내외이었다(그림 14-46). 2010년 이 후의 1년 및 5년 생존율이 76% 및 43%로 눈에 띄게 향상되었고, 5년 이상 장기간 생존율도 10% 가량 증가하였다. 그러나 재이식 등을 제외한 1년 조건부생존율1-yr conditional survival은 개선이 없었다. 도입면역억제제 투여, 간 동시이식, 시로리무스 병용유지요법 군에서 생존율이 높았고, 대장 일부를 이식에 포함할 때 기능이 더 좋았다. 1년 생존율이 90% 이상 된 주요 센터도 두세 군데 있으며, Alemtuzumab의 도입면역억제요법으로 영구적 면역관용상태유지 가능성도 보고 되었으나 아직 범용적이지는 않다. 국내의 단일 기관에서 보고된 1년 생존율은 73.3%이며, 최초의 성공보고 예는 12년이 지난 현재도 국내 최장수 생존자로 정상 생활 중이며, MVT, MMVT도 각각 1예가 1년 이상 장기생존 중이다.

아직도 해결되지 못한 만성거부반응에 대한 고민은 이식 전후 DSA 여부에 대한 관심으로 이어짐과 동시에 금기시 되었던 이식 전 DSA 양성군에 대한 탈감작 후 IT도 시도되어 이식가능 영역이 넓혀지고 있다. 국내 사정도 타 장기 수준에는 미치지 못하나 10년의 성적을 근간으로 하여 수술 및 면역억제제에 대한 관련법규가 개정되고 보험 급여도 개선되는 중이어서 소장이식이 회복불능의 비가역적 단장증후군에서 필요하고 적절한 치료 수단으로 공히 인정되고 시술되는 시기가 되었다.

요약

소장이식은 정하여진 전형이 없이 환자의 상태에 따라 소장 단독, 간과 함께 혹은 간만 제외한 다장기이식 등 이식장기의 종류, 가지 수, 범위 및 이식 장기 모양까지 증례마다 다른 계획을 세워야 하는 다양성이 특징이며, 바로 이 점이 일을 어렵게 만들고 있는 반면 이러한 특성 때문에 도전을 불러 일으킬 만한 이식분야이다. 이식된 장기도 계속 위치 변화를 일으키며, 면역이 억제된 채로 대변을 머금고 있고, 면역억제제는 전적으로 이식된 소장의 흡수기능에 달려 있어 여러모로 장기이식에는 어울리지 않을 것처럼 보이는 요소가 많아 타 장기 이식에 비하여 발전도 늦었으나 도입면역억제제를 포함한 면역억제기법, 이식 수기 및 관리법, 감염관리 특히 바이러스 관리의 향상으로 1년 생존율이 70%를 넘게 되었다. 합병증 많은 주사에 의존된 생활에서 먹는 즐거움을 누리는 이식 후 생활은 생명 연장 이상의 것이었다. 탈수와 대사산증, 신기능부전, 이식편대숙주반응과 이식후림프증식질환 등의 장애물도 헤치며 나가야 할 이유가 된다. 생체와 뇌사자이식 예를 함께 공유한 다양한 국내 경험으로 첫 성공 예가 13년이 지나도록 건강하게 생활 중이다. 이식대상 범위를 확대하여 단장증과 소장부전증의 소극적 범주를 넘어 손쓰지 못할 복부장기 대손상이나 범위를 넘어선 악성종양까지도 포함하는 치료 열쇠가 만들어져 가고 있다고 믿어진다.

IX 소아이식

과거에는 치료가 불가능했던 만성 장기부전이나 급성 장기 부전에서 장기 이식은 이미 명확한 치료법으로 자리 잡은 지 오래다. 국내의 소아이식 분야에서도 70년대 중반 소아 신이식 그리고 80년대 후반 소아 간이식이 시작된 이래로 많은 이식 수술이 진행되어 왔고 훌륭한 성적을 보고하고 있다. 소아이식은 적응증, 이식 전 후 관리, 수술 중 주의 사항, 수술 후 면역억제제의 사용 등에서 성인이식과 다른 차이점을 보인다.

1. 소아간이식

1) 적응증

소아 환자에서 간이식의 대표적 적응증은 표 14-27에 기술되어 있다. 국내에서는 구미에서와는 달리 항트립신결핍alpha-1 antitrypsin defeciency 또는 tyrosinemia 등의 선천성 대사질환이 상대적으로 적은 편이다. 성공적인 이식을 위해서는 올바른 대상자 선정 및 평가와 이식 전 가능한 치료 방법에 대해 검토하고 필요한 선행 치료를 충분히 했는지를 확인하는 것이 중요하다. 카사이 수술과 같이 이식 전 수술을 선행하고 환아가 더 성장한 후 이식을 하는 것이 좋은지, 환아의 상태가 더 악화될 가능성이 있으므로 서둘러 이식하는 것이 좋은지를 충분히 검토해야 한다.

(1) 담즙 정체성 간질환

담즙 정체성 간질환cholestatic liver disease은 소아 간이식 적응증의 50% 이상을 차지하며 그 중 선천성 담도 폐쇄증은 소아 간이식의 가장 흔한 적응증이다. 모든 선천성 담도 폐쇄증의 일차적 치료로써 카사이 수술을 시행할 것을 권장하고 있는데, 카사이 수술은 황달, 세균성 담도염, 복수, 간경화, 영양실조, 및 간기능 부전 등을 예방 또는 지연시킬 수 있기 때문이다. 수술을 받은 환자의 약 20%에서는 수술 후 담도폐쇄가 더 이상 진행 되지 않아 간이식이 필요하지 않을 수도 있으나 대부분의 경우 카사이 수술 이후에도 간경화, 문맥압의 상승, 비장기능항진증

표 14-27. 신시네티 소아병원과 삼성 서울 병원의 간이식 적응증 비교

	Cincinnati Children's Hospital Medical Center (n=292)		Samsung medical center (n=100)	
Disease	Patient number	Percent	Patient number	Percent
Cholestatic liver disease	149	51%	74	74%
Biliary atresia	129	44%	70	70%
Allagille syndrome	8	3%	4	4%
Primary sclerosing cholangitis	7	2%		
Metabolic disease	49	17%	2	2%
Fulminant hepatic failure	44	15%	5	5%
Cirrhosis/hepatitis	27	9%	4	4%
Tumor	11	4%	6	6%
Hepatoblastoma	9	3%	4	4%
Hepatocellular carcinoma			2	2%
Othters	12	4%	9	9%

식도 정맥류, 복수 등이 계속 진행되며 생후 2년 내에 간이식을 필요로 하게 된다. 1세 미만 환자의 간이식 성적은 1세 이상의 환자보다 좋지 않기 때문에, Kasai 수술은 환아가 더 성장한 후에 간이식을 받을 수 있게 해 줌으로써 간이식의 성적을 개선시킬 수 있다. 생후 120일 후에 진단을 받고 조직 검사상 간경화가 진행되어 있는 경우에는 간이식을 일차적 치료로 선택할 수도 있다. 간내 담즙 정체증intrahepatic cholestasis syndrome과 Alagille 증후군의 경우에는 간경화로 진행될 수 있지만, 진행되는 속도가 선천성 담도 폐쇄증보다 느리기 때문에 영아기에보다 유아기에 간이식이 더 흔히 시행되고 있다.

(2) 급성 간부전

급성 간부전의 가장 흔한 원인으로써는 바이러스성 간염, 약물 독성 및 대사성 질환이 있다. 급성 간부전은 질환의 진행 속도가 빠르기 때문에 정확한 원인을 알기 전에 간이식을 시행해야 하는 경우가 많고 간이식 대상자 선정이 쉽지 않은 어려움이 있다. 아세트아미노펜 과다복용의 경우에는 성인과 동일하게 King's College Criteria를 소아에게 적용할 수 있다. 간성 혼수가 Grade III–IV이면서, pH<7.30 또는 프로트롬빈시간 >100초이고, 혈청 크레아티닌이 >3.4mg/dL인 경우 간부전이 호전되기 어려우므로 간이식을 시행해야 한다. 그러나 아세트아미노펜 과다복용 외 다른 원인에 의한 간부전이 생긴 경우 이런 지표가 정확하지 않아 다른 4개의 변수를 적용하여 간이식 여부를 결정할 것으로 권장하고 있다. 각 변수는 프로트롬빈 시간 INR≥4.0, 혈청 빌리루빈 ≥13.7mg/dL, 2세 미만, 백혈구>9,000/mL이며 1개의 변수가 해당되면 간이식을 받지 않고 생존할 확률이 60%이지만 변수가 2개, 3개, 또는 4개에 해당되면 생존할 가능성은 각각 13%, 7%와 0%로 감소하게 된다. 그러나 이런 지표들보다 환자의 정확한 진찰을 통해 시간에 따른 환자 상태의 변화를 보는 것이 예후를 파악하는데 무엇보다 중요하다.

간성 혼수 정도는 간이식의 필요성을 평가하는 데에는 도움이 되지 않지만, 간성 혼수가 진행성일 경우 불량한 예측 인자로 작용한다. 간성 혼수는 Grade I–II인 경우 간이식을 받지 않고 생존할 가능성이 66%인 반면, grade III–IV의 경우 22%로 차이가 나며, grade IV 간성 혼수의 경우에는 간이식 후에도 예후가 좋지 못하다.

급성 간부전 환자는 괴사되는 간세포에서 분비되는 물

질들로 인해 일시적으로 대사 요구량이 높아진다. 간세포는 재생하는 성질을 가지고 있기 때문에 급성 간부전 시 합병증 없이 필요한 대사량을 소화할 수 있으면 잔여 간세포가 재생하여 다시 기능을 할 수 있게 된다. 일시적으로 간을 보조하는 한 치료 방법으로 혈장 분리 교환술plasmapheresis이 있는데, 이는 체중의 20%에 해당되는 혈액을 신선냉동혈장, 혈소판농축물, 동결침전제제 등의 혈액제제로 교환 수혈함으로써 신체에 축적되어 있는 독소 물질을 제거함과 동시에 혈액응고인자들을 보충하는 방법이다. 혈장 분리 교환술은 환자의 신경학적 증상과 혈액응고 지표들을 개선시킬 수 있는 것으로 알려져 있으나, 간부전을 돌이키는 데에는 한계가 있으므로 대부분의 경우 신경학적 손상을 포함한 합병증을 간이식을 받을 수 있을 때가지 늦추는데 주로 이용되고 있다. 비가역적 신경학적 소견이 생기기 전에 간이식을 시행하는 것이 무엇보다 중요하기 때문이다. 그 외에 환자 간의 일부를 절제하고 절제한 부위에 간의 일부분(주로 2, 3번 분엽)을 이식하는 동소성 부분 보조 간이식Auxiliary Partial Orthotopic Liver Transplantation (APOLT)과 간세포 이식이 급성 간부전 치료의 한 대안이 될 수는 있지만, 아직 보다 많은 자료가 필요한 실정이다. 급성 간부전으로 간이식을 받을 경우 다른 원인으로 간이식을 받은 환자에 비해 이식 후 초기 예후가 좋지 못하며 PELD (pediatric end-stage liver disease) score가 20이상이거나 급격히 나빠지는 경우 더 두드러지게 나타난다. 그러나, 장기적인 생존율은 다른 질환으로 이식 받은 환자와 유사하다.

(3) 간의 대사성 질환

간의 대사성 질환metabolic disorder은 구미 지역에서는 비교적 흔한 간이식의 적응증 이지만, 우리나라에서는 드문 편이다. 이런 환아의 경우 결함 된 효소 외에 간 기능이 대부분 좋기 때문에 대부분 학령기에 이식을 받게 되며, 수술 시기는 간 기능의 정도에 의해 결정하는 것보다 결핍된 효소로 인한 타 장기의 합병증 여부에 의해 결정하는 것이 중요하다(2,3). Urea cycle의 기능 결손이 있는 경우 반복적인 고암모니증으로 인한 신경학적으로 손상이 생길 수 있으므로 지능 발달의 이상이 생기기 전에 이식을 시행해야 하며 tyrosinemia의 경우에는 간세포암종이 호발하기 때문에 종양 발생 여부를 세밀히 추적 관찰하여 간세포암종이 진행되기 전에 간이식을 시행하는 것이 중요하다

(4) 악성 종양

소아에서 가장 흔한 간의 악성 종양은 간모세포종hepatoblastoma이다. 간모세포종은 항암 요법 후 수술적 절제로 장기적 생존을 얻을 수가 있으나, 일부 환자의 경우 종양의 위치와 크기 때문에 수술적 절제가 불가능하며, 이런 환자가 간이식의 대상자가 되겠다. 수술 전 항암 요법을 시행하면 완치율을 높일 수 있으며, 1–2 cycle이 남은 상태에서 이식을 시행하여 이식 후 cycle을 끝마치는 것을 권장하고 있다. 5년 생존율은 70% 정도로 보고되고 있다. 소아에서의 간세포암hepatocellular carcinoma은 흔한 적응증은 아니지만, 간 내에 국한 된 종양인 경우 간이식을 시행할 수 있다. 간세포암은 간모세포종과 달리 항암요법에 잘 반응하지 않아 진행된 종양의 경우에는 간모세포종보다 예후가 좋지 않다.

2) 금기증

소아 간이식의 금기증은 ① HIV양성, ② 간 외 악성 종양, ③ 간에 국한되지 않는 진행성 질환, ④ 조절되지 않는 전신 감염, ⑤ 비가역 신경 손상이 해당되겠다.

상대적 금기증으로는 ① 부분적으로 조절되는 전신 감염, ② grade IV의 간성 혼수, ③ 심한 정신 사회적 이상, ④ 심한 문맥의 혈전과, ⑤ 악성 종양의 간 전이가 되겠다

3) 수술 전 처치

수술 전 환자의 영양 상태는 간이식의 예후와 밀접한 관계가 있으므로 간이식을 받기 전까지 환아의 영양상 태를 최대한 개선시키는 것이 중요하다. 경구 섭취를 못해 영양 상태가 좋지 못한 환자의 경우에는 비위영양관nasogastric tube을 통해서 고칼로리 영양분을 간이식 전까지 투여하여 영양 상태를 개선시키는 것이 필요하다. 백신의 경우, 일반 소아에게 접종하는 것과 크게 다르지 않다. 그러나, 이식 후에는 면역억제제 복용에 따른 면역력 저하로 인해 백신의 반응이 좋지 않으므로 이식 전 시간이 허락하는 한 반드시 모든 백신을 접종하는 것이 좋다. 특히 생백신의 경우에는 이식 이후에는 금기로 되어 있으므로 반드시 이식 전에 접종해야 한다. 폐렴구균pneumococcal 백신과 A형 및 B형 간염은 추가 접종하는 것이 좋다.

4) 이식 대기 기간과 우선권

미국은 2002년부터 3개월 생존율을 사용하여 위중도를 측정한 모델을 기초로 한 Model for End-stage Liver Disease (MELD)를 기준으로 이식대기 우선권을 주고 있다. 이 모델을 소아 환자에게 맞게 변형시킨 것이 PELD 점수인데, 3개월 사망률을 예측할 수 있어 수여자 선정 기준에 적합하다고 판단되어 현재 PELD 점수를 장기 배분의 기준으로 사용되고 있다. PELD score 공식은 혈청 크레아티닌, 혈청 빌리루빈, 프로트롬빈 시간, 혈청 알부민, 나이 및 성장 장애가 포함되어 있으며 다음과 같다.

PELD Score = 10 * [0.480 loge (Total bilirubin)
+ 1.857 loge (INR) − 0.687 loge (Albumin)
+ 0.436(Age) + 0.667 (Growth failure)]

여기서, 연령에는 1세 미만은 1점, 1세 이상은 0점이고, 성장장애는 환자의 성장이 같은 연령에 비해 성장이 2SD 이하인 경우 1점이고, 그 이상은 0점으로 계산하면 된다. 우리나라에서도 2016년 6월부터 PELD 점수를 기준으로 응급도를 결정하고 있다.

5) 기증간의 선택

(1) 사체 및 분할 간이식

소아 뇌사자는 성인 뇌사자에 비해 흔하지 않기 때문에 소아 뇌사자의 장기를 이용한 전간 사체 간이식은 여전히 드문 편이다. 분할 간이식은 사체 간이식을 늘리기 위해 구미 지역에서는 활발히 시행되고 있으며, 우리나라에서는 1998년도에 처음 시행되어온 이래 조건을 만족하는 뇌사 기증자가 부족하여 그 실적이 많지 않았다. 그 결과 소아 환자의 뇌사자 대기 기간은 성인보다 길어 우리나라에선 아직까지 생체 간이식이 소아 간이식의 주를 이루고 있었다. 장기 이식법에 따라 분할 간이식을 시행할 수 있는 기증자의 조건은 다음과 같다. 기증자는 1) 혈동학적으로 안정되고 심장이 뛰고 있는 뇌사 상태의 다장기 기증자, 2) 연령은 10−35세 사이, 3) 최소에서 적정량의 혈압상승약 사용(dopamine 15ug/min/kg 이하), 4) 1차 뇌사조사 이후 중환자실 재원일수 5일 이하, 5) 적출할 당시 24시간 전에 AST/ALT 검사결과가 정상의 3배 이하이고 6) 적출할 당시 24시간 전에 혈청 sodium 160mg/dL 이하 이어야 한다. 단, 1)−3)는 필수 조건이며 4)−6)은 참고 사항에 해당된다.

과거에 분할 간이식 대기자의 조건은 다음과 같았다. 1) 연령 15세 이하이면서 30kg 이하, 2) 등록할 당시 부모가 기증자가 될 수 없는 조건, 3) left lateral section에 국한됨. 그러나, 2013년 3월 이후 이 조건이 완화되어 부모가 기증자가 될 수 없다는 조건이 삭제된 이후에 분할 간이식 대상자의 수가 크게 증가하였다. 또한, 국내에서 발생하는 뇌사 장기기증 건수의 증가와 맞물려 최근에는 전체 소아 간이식의 40% 이상이 사체 및 분할 간이식의 형태로 행해지고 있다.

(2) 생체 간이식

위에서 설명한 것과 같이, 비록 과거보다는 그 비율이 감소하였지만 여전히 우리나라에서 시행되고 있는 소아 간이식 중 다수는 생체 간이식이다. 부모 또는 가까운 친척이 주로 기증자가 되며 보통 기증자의 조건으로는 18세 이상 55세 미만이어야 하며, ABO-compatible 혈액형이어야 하고, 지방간이 30% 미만이 이어야 한다. 간의 크기는 수여자 체중의 1% 이상, 5% 미만인 경우가 적당하며, 보통 성인의 좌외측엽이 사용된다.

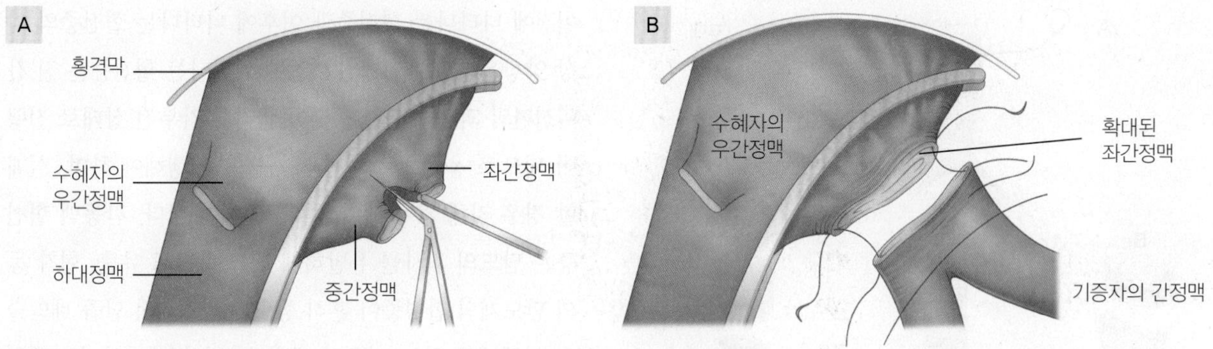

그림 14-47 간이식에서 간정맥재건술. A) 수혜자의 간정맥을 포함하는 하대정맥을 부분적으로 차단한 후 좌측 간정맥과 중간 또는 우측 간정맥의 벽을 열어서 1개의 구멍으로 만든다. B) 넓혀진 간정맥과 기증간의 간정맥을 단단문합한다.

6) 수술 종류 및 방법

뇌사자의 장기를 사용할 경우 성인에서와 유사한 방법으로 장기를 적출하면 된다. 박리를 최소화 한 상태에서 보존액으로 관류를 시행한 후 일괄하여 장기를 적출하면 된다. 축소 간절제술을 시행해야 할 경우 in situ나 ex vivo 모두 성적이 좋기 때문에 집도의의 편의에 따르면 된다. 그러나 분할 간이식을 시행할 경우 ex vivo보다 in situ방법으로 시행하는 것이 더 바람직하다. 분할 간이식은 통상 확대우엽절제술(4–8번 분엽)과 좌외측엽(2,3번 분엽)으로 분리를 하여 우측엽을 성인 또는 큰 소아에게 주고, 좌외측엽은 작은 소아에게 주게 된다. 대사성 질환 환아의 경우에는 간 기능이 결핍된 효소 이외의 합성 기능이나 배설 기능은 정상이기 때문에 자신의 전 간을 절제할 필요가 없고 결핍된 효소를 대신할 수 있는 정도의 간 조직을 이식하면 된다. 이런 경우 자신의 좌측엽을 절제하고 그 공간에 좌측 또는 좌외측엽을 이식시키는 방법을 사용할 수 있으며 이런 방법을 동소성 부분 보조 간이식Auxiliary Partial Orthotopic Liver Transplantation (APOLT)이라고 한다. 위에서 설명한 바와 같이 이런 방법은 급성 간부전의 경우에도 사용할 수 있는데, 이 수술 방법은 간을 부분적으로 이식하여 대사 요구량이 많은 급성기에는 이식편이 보조하도록 하고, 자신의 간이 회생하게 되면, 면역억제제를 끊음으로써 이식편의 위축을 유발하여 자신의 간을 다시 사용하는 방법으로 평생 면역억제제를 복용할 필요 없이 급성 간부전의 생존율을 최대화시킬 수 있는 장점이 있겠다. 사체 전간 이식과 생체 부분 간이식(좌외측엽)의 간정맥 문합술은 보통 piggyback 방법을 사용한다. piggyback 방법은 하대정맥을 부분적으로만 클램프하기 때문에 혈역학적으로 더 안정적인 장점이 있지만, 간정맥의 협착이 잘 생기기 때문에 주의를 요한다(그림 14-47). 좌외측엽을 사용하는 생체 간이식의 경우에도, 협소한 복강내 공간에 비해 간 크기가 크고 보통 비장 비대증이 동반되므로 특히 복강의 좌상부 공간이 많이 모자라 간이식편이 우측으로 돌아 간정맥이 뒤틀릴 가능성이 있으므로 간정맥 문합술에 각별한 주의가 요구된다. 소아의 문맥은 발달이 미숙한 경우가 많아 문합술이 성인보다 기술적으로 까다롭다. 특히 생체 간이식편을 사용할 경우, 이식편의 문맥의 크기가 수여자 문맥의 크기에 비해 클 경우가 많아 문맥의 합류 지점을 이용하여 반경을 키워 문합술을 시행할 수 있겠다(그림 14-48). 소아의 문맥은 성인에 비해 이식 후 혈전증이 더 잘 생기므로 문합 시 정맥에 손상을 가하지 않도록 조심스럽게 다뤄야 한다. 사체 전간 이식편의 간동맥의 크기는 4–5mm 이상인 것에 비해 생체 부분 간이식의 경우 반경이 보통 2–3mm 정도밖에 되지 않아서 수술하기에 훨씬 까다롭다. 요즘엔 생체 간이식에 대한 경험이 축적되면서 간동맥 혈전증 발생률은 5% 미만이나, 생체 간이식 초창기에는 간동맥 혈전증이 간이식 성적에 중요한 요소로 작용하였었다. 간동맥

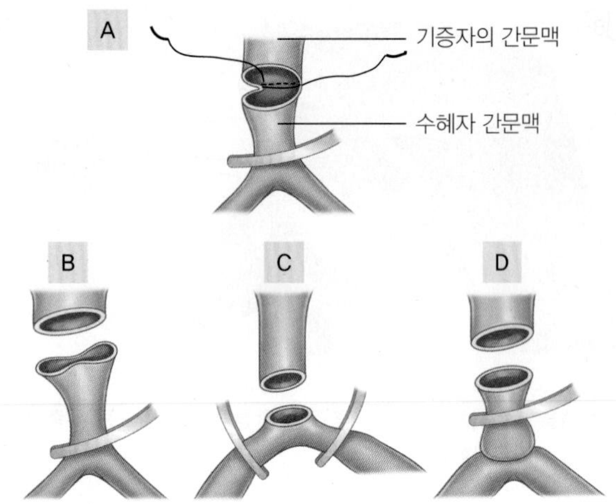

그림 14-48 **문맥재건 방지.** A) 수혜자의 문맥과 기증간의 문맥 크기가 비슷하면 직접 단단문합하고, B) 수혜자의 문맥크기가 너무 작으면 양측 문맥을 함께 사용하던지, C) 문맥기저부를 이용하고, D) 때로는 적당한 크기의 정맥을 이식해서 문합한다.

의 합병증을 최소화하기 위해서는 현미경을 사용해서 문합술을 시행하는 것이 중요하며, 보통 nylon 8-0 또는 9-0을 사용한다.

7) 면역억제제

대부분의 간이식 센터에서 스테로이드와 칼시뉴린 길항제Calcineurin inhibitor (CNI)를 사용하는 이중요법을 사용하고 있으며 부분적으로 항대사제를 추가로 사용할 수 있다. 스테로이드제제는 면역억제제의 근간을 이뤄왔으나, 스테로이드의 사용으로 인한 쿠싱증후군, 성장 장애, 골다공증 등의 합병증을 최소화하기 위해 최근엔 스테로이드를 사용하지 않거나 6개월 이내에 중단하는 센터가 점점 늘어나고 있는 추세이다.

8) 합병증

(1) 혈관 합병증

혈관과 관계되는 합병증은 이식 후 초기의 이식 성공 여부를 결정짓는 가장 중요한 요인이다. 간동맥 혈전증은 생체, 사체, 또는 분할 이식 등 이식의 종류와는 상관없이 성인보다 소아에서 3-4배 더 잘 생긴다. 수술 후 1개월 이전에 나타나는 혈전증과 이후에 나타나는 혈전증의 임상 양상은 다르다. 1개월 이전에 나타나는 혈전증은 전 간 이식편의 괴사가 생기게 되어 급격히 간부전 상태로 진행이 되므로 응급으로 혈전 제거술을 시행해야 하며, 실패할 경우 지체 없이 재이식을 고려해야 한다. 간동맥 혈전증은 담도의 괴사를 유발하게 되므로 담도 유출, 협착 등의 담도계의 합병증이 흔히 동반되어 경피적 담즙 배액술을 시행해야 하는 경우가 많다. 그러나 간이식 후 1개월 정도 지나면 hepaticojejunostomy에서 이식편으로 곁순환이 발달되기 때문에 1개월 이후에 생기는 간동맥 혈전증은 보통 증상이 없거나 담도 합병증이 천천히 발생하는 양상으로 나타나게 된다. 증상이 없거나 간 기능의 이상이 없을 경우 혈전 제거술을 시도하지 않는 것이 더 바람직하다. 문맥의 혈전증은 약 5%에서 생기는데, 문맥이 잘 발달되지 않은 영아에서 생기기 쉬우며, 문맥 직경의 차이가 크거나 이식전에 문맥의 혈전증이 있을 경우에도 주의를 요한다. 이식 후 초기에 발생하는 문맥 혈전증은 보통 도플러 초음파로 진단하게 되며 응급으로 혈전 제거술과 문맥 문합술을 교정해야 한다. 이식 후 후반에 생기는 혈전증은 혈소판 감소증, 비장 비대증, 및 정맥류 출혈로 나타날 수 있으며, 풍선확장술이나 스텐트 삽입 등의 방사선과적 중재 시술을 할 수 있고, 협착만 있는 경우엔 효과가 좋으나 폐색되어 있는 경우엔 결과가 좋지 않다.

(2) 일차기능부전

간이식 편이 기능을 하지 않는 경우를 말하며 대부분 부분적으로 기능을 하고 있기 때문에 가역적이지만, 그렇지 않을 경우 즉각 재이식을 시행해야 한다. 일차기능부전primary nonfunction이 생기는 원인으로는 장기의 수술 전 기증자의 불안전한 상태로 인한 허혈 손상, 장기 보존 중 생기는 허혈 손상과 지방간, 그 중에서 특히 macrovesicular steatosis가 상관 있는 것으로 알려져 있다.

(3) 담도 합병증

담도 합병증은 과거엔 사체 간이식에서 '아킬레스 건'으로 여겨져 왔으나 최근 수술 기법의 발달로 크게 문제가 되고 있지 않다. 그러나 생체 간이식에서는 사체 간이식에서보다 훨씬 높은 빈도를 보이며, 여전히 가장 중요한 합병증 중의 하나이다. 작은 소아나 담도폐쇄증에서는 담도공장문합술이 일반적인 수술 방법이나 큰 소아에서 성인에서와 같이 담도대담도 문합술을 시행할 수도 있다. 이식 후 초기에 생기는 담도의 협착이나 유출은 풍선확장술, 스텐트 삽입술, 경피적 담즙 배출술Percutaneous Biliary Drainage (PTBD) 등의 방사선과적 중재 시술로 교정이 잘 되나 후반에 나타나는 협착, 슬러지 형성, 재발성 담도염 등은 교정하기 쉽지 않은 경우가 많다. 담도 합병증은 수여자의 이식 전 상태와는 무관하며 간동맥의 상태 및 문합해야 하는 담관의 수와 관계가 있다.

(4) 급성거부반응

급성거부반응의 임상 양상은 이식 후 생기는 다른 합병증과 유사한 경우가 많기 때문에 진단을 위해서는 병리조직 소견을 얻는 것이 중요하다. 급성거부반응 중 75–80%는 고용량 스테로이드 투여로 치료가 가능하며 스테로이드로 반응이 없는 경우 항림프구항체를 사용할 수 있으며 대부분 치료가 잘 된다. 하지만, 과도한 면역억제는 감염의 위험성과 이식후면역증식병Post-Transplant Lymphoproliferative Disease (PTLD)와 같은 합병증이 동반되므로 주의해서 사용해야 한다.

(5) 감염

세균성 감염은 이식 후 초기에 주로 문제가 되며 그람음성균에 의한 감염이 대부분이다. 세균성 감염을 최소화하기 위해선 이식 후 IV line을 가능한 조기에 제거하는 것이 바람직하며 항생제에 저항성이 있는 균의 증식을 피하기 위해 과도한 항생제 사용은 자제되어야 한다. 진균감염도 세균성 감염처럼 이식 후 초기에 주로 문제가 되는데, 수여자의 장관에 기생하던 진균의 증식으로 인하기 때문에 항진균제를 사용한 장제균술로 효과를 볼 수 있다. 수술을 여러 차례 받은 환자나 항생제를 많이 사용한 환자에서 잘 생기며 플루코나졸을 사용한 예방법이 효과적이다.

간이식에서 주로 문제가 되는 바이러스성 감염은 단순헤르페스와 대상포진, 거대세포 바이러스*Cytomegalovirus (CMV)*와 EB바이러스*Epstein-Barr virus (EBV)*이다. 단순헤르페스와 대상포진은 면역력이 떨어져 있는 일반 환자 보다 증상이 심하게 나타나지만, 대부분 합병증을 동반하지 않고 영구적 후유증을 가져오는 경우가 많지 않다.

CMV와 EBV의 경우에는 감염의 위험성이 기증자와 수여자의 CMV 또는 EBV에 대한 혈청 상태에 의해 결정되는데, 기증자가 CMV/EBV IgG 양성이면서 수여자가 CMV/EBV IgG 음성인 경우 CMV 또는 EBV의 감염으로 인한 합병증이 생길 가능성이 많아서 ganciclovir와 acyclovir를 이용한 예방적 처치가 반드시 필요하다. 고위험군은 CMV나 EBV에 노출될 시간이 아직 충분하지 않았던 영아에서 특히 문제가 되므로 1세 미만의 환아에서는 주의가 요구된다. CMV에 감염되면, 발열, 백혈구감소증, 피부 발진, 간 기능 이상, 호흡 부전과 위장관의 출혈이 생길 수 있다. 조직에서 면역조직화학 염색을 이용하여 진단이 가능하며 ganciclovir와 항CMV 항체로 효과적으로 치료가 가능하다. 보통 ganciclovir를 2주간 투여하면 CMV Ag이 음성 전환된다.

EBV에 감염되면 단핵구증과 유사한 증상mononucleosis-like syndrome으로 나타날 수 있고, 림프세포증식에 의한 장관 천공, 편도선 및 임파절 비대 등의 증상이 나타날 수 있다. 혈액 내 EBV 바이러스를 측정하기 위해 정량적 중합 연쇄 반응을 주로 사용하게 되며, EBV 음성 환자에서 EBV DNA가 말초혈액 백혈구 10만개당 40개 이상 있거나 양성 환자에서 200개 이상 보이면, 면역억제제를 25–100% 감량해야 하며 ganciclovir 또는 CMV-IgG를 사용하기도 한다. 혈액 내 EBV가 음성으로 전환되고 비대해진 임파절들이 모두 정상화 될 때까지 계속 치료해야 한다. 이런 방법으로 EBV를 예방하면 이식후면역증식병의 발생률을 줄일 수 있다. PTLD는 면역 억제로 인한 B 임파구의 증식에 의해 생기는 병으로써 이식 후 소아에서 발생하는 종양 중 가장 흔하며 50% 이상을 차지하고 있다. PTLD는 사용한 총 면역억제제의 용량과 EBV 감염 여부 및 감염 정도와 관계가 있다. PTLD중 다클론 B세포증식polyclonal B-cell proliferation을 보이는 환자의 경우 면역억제제를 줄이고 위에서 설명한 것과 같이 EBV에 준한 치료를 하면 대부분 소실 된다. 그러나, 면역조직염색검사에서 CD20양성으로 나타나는 단클론 B 세포증식이 있을 경우 anti-CD20 항체인 rituximab이나 cyclophosphamide, prednisolone 등의 항암제를 병용해서 치료를 해야 한다.

9) 간이식의 성적

아직까지 이식 후 합병증이 많이 발생하나 수술 기법의 발전과 환자 처치의 발달 등으로 인해 소아에서의 간이식은 계속 개선되어 왔다. 미국의 Studies of Pediatric Liver Transplantation (SPLIT) 데이터에 의하면 1년 생존율과 1년 이식편 생존율은 각각 92%와 84%이다. 이식 후 사망하는 환아의 대부분은 1년 이내, 특히 3개월 이내에 발생하며 이런 현상은 원인 질환 또는 환아의 연령, 환아의 중증도와 무관하게 공통적으로 나타난다. 4년 생존율은 83%와 74%이다.

1세 미만의 영아의 경우에는 이식 기술의 눈부신 발전에 힘입어 생존율이 많이 개선되었으나, 다른 연령대의 환아보다 기술적으로 어렵고 면역 발달이 미숙해서 이식 후 EBV 감염 등의 위험이 높기 때문에 환자 생존율 및 이식편 생존율은 다른 소아 환자에 비해 5% 정도 더 낮다. 5kg 미만의 환아, 신장과 체중이 2SD 이하로 성장을 못한 환아와 급성간부전 등과 같이 이식 전 환아의 상태가 좋지 못한 경우에도 생존율이 더 좋지 못하다. 그러나 이식 편의 종류(사체간이식, 생체간이식, 분할간이식) 또는 이식 전 수술 여부 및 수술 횟수 등은 특히 경험이 있는 센터에서는 생존율에 영향을 미치지 않는다. 장기적 생존율은 면역억제제 사용에 의한 감염 또는 PTLD 등에 의해 가장 영향을 많이 받는다. 그러나 성인에서 문제가 되는 CNI 사용에 따른 신부전, 고혈압, 당뇨 및 관상동맥질환에 대한 평가는 제대로 이뤄지지 않고 있어 향후 추가적 연구가 필요한 부분이 되겠다.

2. 신장이식

성인 만성신부전의 원인 중 가장 많은 부분을 차지하는 고혈압과 당뇨에 의한 신부전이 소아에는 매우 드물다. 대부분의 소아 만성신부전의 원인은 사구체 신염이 가장 많으며, 유전성질환 및 요로계 기형에 의한 역류성 신병증과 이로 인한 만성 신우신염 등이다. 소아에서 말기신부전의 치료에 만성적인 투석치료를 하였을 경우 흔히 성장장애, 골진환, 사회 적응장애, 성적 성숙부족, 만성 뇌병변등이 동반될 수 있다. 따라서 소아 말기 신부전의 궁극적 치료는 신이식이다. 소아 신이식 수술 후 예후를 좌우하는 가장 중요한 인자는 수여자의 연령이다. 특히 2세 미만의 경우 사망률이 17.5%로 다른 연령에 비해 월등히 높으며, 5세 이하의 소아에서 이식신 생존율도 상대적으로 낮게 보고된다. 이는 면역기전의 증강으로 인한 거부반응이 많고 면역억제제를 상대적으로 다량 사용하면서 감염의 기회와 혈관질환의 위험이 증가되기 때문이라도 설명하고 있다. 원인 질환별로도 국소성 분절성 사구체경화증과 선천성 신증후군이 원인 질환이었던 환자에서 이식 실패율이 높은 것으로 알려져 있다.

소아 신장이식 수술의 일반적인 방법은 성인 이식수술과 마찬가지로 후복막접근법을 주로 사용한다. 단, 20kg 미만의 작은 소아에게 성인의 신장을 이식할 때는 후복막접근법으로는 신장이 들어갈 충분한 공간을 확보하지 못하여, 복막접근법을 사용하며, 정맥의 문합은 대정맥을, 동맥의 문합은 대동맥을 이용하여야 한다.

수술후 면역억제제는 Cyclosporine과 같은 CNI와 스테로이드, mycophenolate와 같은 항대사약제의 3제요법을 기본으로 하며 스테로이드는 대부분 6개월 이내에 중단하는 방법을 사용하고 있다. 최근에는 CNI의 신독성을 고려하여 Rapamycin등의 m-TOR 길항제가 새로이 사용되고 있다.

수술과 관련된 합병증은 그 빈도가 점차 감소하고 있으며, 혈관계 합병증의 발생 빈도는 1% 미만으로 보고하고 있으며, 림프류lymphocele, 출혈, 문합부 소변누출, 창상감염 등이 발생할 수 있다. 소아 간이식과 마찬가지로 세균 감염, 진균 감염, 바이러스 감염 등이 발생할 수 있고 이에 대한 주의를 요한다. EBV, CMV 감염에 대한 예방은 간이식과 마찬가지로 항체를 가지지 못한 수여자가 항체가 있는 기증자로부터 장기를 이식 받을 때 예방적으로 항바이러스제를 투여 하여야 한다. PTLD의 발생도 드물지 않게 보고되고 있으며, 이의 위험인자는 총면역억제제의 양 및 EBV 감염 여부 및 정도와 밀접한 관계를 맺고 있다.

거부반응은 혈중 크레아티닌 농도의 상승, 소변량 감소와 같은 임상적 증상 등으로 진단되며, 확진은 생검에 의한 병리 조직학적 검사에 근거한다. 초기 1년간의 거부반응의 발생율은 10-30%정도로 보고되고 있으며, 이의 유무가 이식신 생존의 장기 성적에 중요한 영향을 미치는 것으로 알려져 있다. 거부반응의 대부분은 고용량 스테로이드 치료법에 잘 반응하는 것으로 알려져 있으나, 이에 반응이 없는 경우 OKT3나 항림프구항체 등을 고려할 수 있다.

이식신 실패의 원인으로 만성 거부반응이 74%, 재발성 사구체 신염이 9% 정도로 보고되고 있다.

수술 후 이식신의 생존율을 1년 생존율 94.6%, 5년 생존율 79.2%등으로 성인신장이식과 큰 차이를 보이지 않는 것으로 알려져 있다.

요약

과거에는 치료가 불가능했던 만성 장기부전이나 급성장기 부전에서 장기 이식은 이미 명확한 치료법으로 자리 잡은 지 오래다. 국내의 소아이식 분야에서도 70년대 중반 소아 신이식 그리고 80년대 후반 소아 간이식이 시작된 이래로 많은 이식 수술이 진행되어 왔고 훌륭한 성적을 보고하고 있다. 소아이식은 적응증, 이식 전 후 관리, 수술 중 주의 사항, 수술 후 면역억제제의 사용 등에서 성인이식과 다른 차이점을 보인다. 소아이식은 사체기증자가 매우 드물어 생체이식에 대한 의존율이 성인에 비해 높다. 이식의 적응증도 장기에 관계없이 성인과 전혀 다르다. 향후 성인에서 문제가 되는 면역억제제 사용에 따른 신부전, 고혈압, 당뇨 및 관상동맥 질환 등에 대한 장기적인 평가는 제대로 이뤄지지 않고 있어 추가적 연구가 필요한 부분이다.

X 이종장기이식

1. 배경 및 역사

현재까지 말기장기부전end-stage organ failure 환자의 가장 효과적인 치료는 장기이식이다. 하지만 이식을 위한 기증 장기의 숫자가 절대적으로 부족하여 많은 환자들이 이식을 받지 못하고 대기하고 있으며 이 중에서 많은 수의 환자가 이식 대기 중 사망하고 있는 실정이다. 따라서 이러한 장기 부족현상을 타결하기 위한 방법 중의 하나로 동물을 공여자로 한 이종장기이식에 관하여 많은 연구가 이루어져 왔다.

이종장기이식은 1902년 Alexis Carrel이 혈관문합술을 개발한 이후 같은 해인 1902년에 개의 신장을 이용한 동종, 이종이식이 처음으로 시도되었고 그 이후 돼지, 개, 염소, 양 등 각종 동물의 장기를 이용한 이종이식이 시행되었으나 한동안 이식장기의 기능은 유지되지 못하고 시도에 그치고 말았다.

동물의 장기를 인체에 이식한 이종장기이식 최초 성공 보고는 1963년 Reemtsma 등이 침판지의 신장을 사람에게 이식하여 9개월 이상 이식신이 생존한 결과를 발표한 것이다. 그 이후 사람에게 신장 외에 심장, 간장 등의 이종장기이식이 지속적으로 시도되었으나 1990년대 이종장기이식에 대한 인체의 면역반응에 대한 자세한 기전이 알려지기 전까지는 이종장기이식을 받은 대부분의 환자가 심한 거부반응을 경험하였고 그 합병증으로 인하여 수술 후 단기간 내에 사망하였다. 1990년대에 들어서 이종장기 이식 후 거부반응을 일으키는 핵심항원에 대한 이해와 함께 이종장기 이식 후 면역억제제의 올바른 조합에 대한 문제가 어느 정도 해결되었고 1992년 Starzl 등은 만성활동성 B형 간염 환자에게 baboon의 간을 이용한 이종이식을 시행하였으며 환자는 70일째 사망하였으나 특별한 거부반응의 증거가 발견되지 않아 인체에서 이종장기 간 이식의 성공 가능성을 확인한 계기가 되었다.

이종장기 이식의 장점은 동물의 장기를 사용하므로 공급이 풍부하여 오랜 기간 이식할 장기를 기다릴 필요가 없으며 현재 대부분의 뇌사기증자 장기이식이 응급 수술로 시행되는 것에 반하여 미리 일정을 계획하여 수술을 진행할 수 있고 재 이식이 필요한 경우에도 신속하게 재이식을 시행할 수 있다는 점을 들 수 있다. 게다가 최근에 눈부시게 발전하고 있는 유전공학 기법 중 특히 유전자 편집 기법을 사용할 경우 동물의 장기를 면역학적으로 조작하여 환자 맞춤형 장기를 생산하려는 것을 목표로 많은 연구가 진행되고 있다. 더 나아가서 현재까지 난치성 질병으로 여겨지고 있는 간질, 제1형 당뇨, 파킨슨병, 헌팅턴병과 같은 질환에 대한 대안으로 이종장기이식이 연구 대상이 되고 있다. 장기기증 대상 동물에 대해서 계통 발생학적으로는 영장류가 인간에 가장 가깝지만 영장류는 사람과 같이 단기간의 개체 번식에는 큰 제한이 있으므로 다른 동물을 찾게 되었다. 대상 동물 중에서 돼지는 사람과 수천년 이상 같이 살아오면서 영장류에 비해 인수전염병zoonosis의 전파 가능성이 낮다는 점이 확인되었고 비교적 번식이 용이하고 사육하기 쉬우며 유전자 조작이 용이한 장점이 있다. 따라서 사람과 체중도 거의 비슷한(100kg) 소형 돼지miniature pig가 이종장기 공여자로 가장 적합한 대상자로 선택되었고 이들을 대상으로 많은 연구가 진행 중이다.

그러나 이처럼 오랜 연구에도 불구하고 해결해야 할 가장 큰 장벽은 종을 초월한 면역반응에 의해 매개되는 이식장기에 대한 다양한 양상의 거부반응이다.

2. 이종이식의 면역학적 장벽

1) 초급성 거부반응

이식 후 24시간 내에 발생하며 태생 시부터 존재하는 종 특유의 자연항체에 의한다. 인간에서는 α1,3 Gal 당단백에 대한 자연항체가 존재하여 이종장기이식 시에 초급성 거부반응을 유발한다. 이러한 항체는 이종장기의 혈관 내피세포endothelial cell에 결합하여 이식환자의 보체계complement system를 활성화시킨다. 이러한 결과로 이식된 장기의 혈관에 면역글로불린immunoglobulin과 보체가 함께 침착되며 결과적으로 내피세포의 부종, 미세혈관의 혈전, 간질interstitium의 출혈이 유발되어 이식장기가 소실된다.

초급성 거부반응Hyperacute rejection을 예방하기 위하여 α1,3 Gal 항체를 소멸시키는 혈장교환, 흡착 등의 방법이 시도되었으며 비교적 효과가 있는 것으로 그 결과가 보고되었다. 그리고 이에서 한걸음 더 나아가 유전공학적 기법을 이용하여 CD59, DAF, CD46와 같은 인간의 보체 활성화 조절인자 유전자를 삽입하거나 Gal 항원을 생성시키는 galactosyl transferase를 knock out 시킨 형질전환 돼지를 만들어 초급성 거부반응을 회피하려는 연구들도 시행되고 있다.

2) 급성체액성 이종이식편 거부반응

급성체액성 이종이식편 거부반응acute humoral xenograft rejection은 급성혈관성 이종이식편 거부반응acute vascular xenograft rejection, 또는 지연성 이종이식편 거부반응delayed xenograft rejection 이라고도 하며 이식 후 수일에서 수주 이내에 발생한다. 이러한 거부반응은 저농도의 α1,3 Gal 항체 또는 non-α1,3 Gal antibody에 의해 유발되며 초급성 거부반응과 유사하게 보체계를 활성화시킨다. 특징적으로 이종이식편 수여자의 단핵구monoocyte, 대식세포macrophage, NK 세포와 같은 선천성 면역세포innate immune cell가 이식편으로 침투를 하게 된다. B 림프구 역할뿐 아니라 T 림프구의 간접, 직접 작용에 의해서도 급성체액성 이식편 거부반응을 유발하므로 B 림프구 및 T 림프구의 면역관용을 유발시킴으로써 급성체액성 거부반응을 막고 이식편의 생존율을 증진시키려는 연구가 시행되고 있다.

3) 급성세포성 이종이식편 거부반응

현재까지 돼지-영장류간의 이종이식 시에 초급성 거부반응, 급성체액성 거부반응의 극복이 쉽지 않으므로 급성세포성 거부반응의 특징에 대해 아주 잘 알려져 있지 않다. 그러나 T 림프구 억제 치료가 영장류에서 돼지 장기를 이식한 후 생존율을 증가시켰다는 보고가 있다. 결과적으로 세포독성 T 림프구cytotoxic T lymphocyte에 의한 직접 작용 및 사이토카인 생성, 대식세포, 중성구와 같은 독성 세포의 활성화 시키는 간접작용에 의한 급성세포성 거부반응이 발생한다고 생각할 수 있다. 다른 한편으로는 co-stimulatory signal을 억제하여 T 림프구 면역관용을 유도하려는 시도가 있었으며 돼지-영장류간 이종이식에서 완전한 면역관용을 유도하지는 못하였지만 이종이식편의 생존율은 증가한 것을 발견하였다. 하지만 감염과 관련된 합병증 가능성이 높아 실제 임상에 적용하기에는 아직까지 문제가 많다. 최근에는 조혈세포를 이식하여 혼합 키메리즘mixed chimerism을 만들어 T 림프구 면역관용을 유도한 연구 결과들이 보고되었으나 이에 대한 확실한 결론을 얻기까지는 조금 더 연구, 관찰할 시간이 필요하다.

4) 만성 이종이식편 거부반응

이종이식 시에 급성 거부반응을 극복하는 것이 어렵기 때문에 현재 만성 이종편 거부반응에 대한 기전에 대해서는 연구가 절대적으로 부족하며 따라서 알려진 것이 많지 않다. 최근의 연구결과에 의하면 인간과 돼지 사이에 항응고 인자들의 부적합성이 원인일 가능성이 있다고 보고된 바 있으며 이에 대한 지속적인 연구와 관찰이 필요하다.

3. 이종이식의 미래

이미 중국 보건당국은 모든 세포가 제거된 돼지의 각막을 사람에게 사용하는 것을 허가하였고 인슐린을 생성할 수 있는 돼지 췌도세포가 개발되어 단시간 이내에 제1형 당뇨 환자들에게 이식하게 될 전망이다. 또한 유전자 편집 기술이 계속 발전하여 맞춤형 이종장기까지 생산할 수 있다면 면역억제제의 복용까지도 필요가 없을 것이라고 전망하는 학자도 생겨나고 있다. 다른 한편에서는 사람의 면역세포에 대항하는 항체를 생성하는 돼지를 만들었는데 이 항체는 이식된 간세포에서 생성되어 이식된 장기 주변의 면역체계를 억제하는 역할을 하여 이식된 장기에 대한 거부반응을 예방한다는 결과를 보고하였다.

지금까지 관찰한 바로는 돼지의 경우 인수전염병의 전파 가능성이 낮다는 보고가 많지만 아직까지 FDA는 이종장기이식이 지극히 안전한 것으로 판명되지 않는다면 치명적인 질환에 걸린 환자에게만 제한적으로 허용되어야 한다는 입장을 고수하고 있다. 게다가 돼지의 장기를 이식할 경우 돼지의 장기에서 생성되는 물질이 사람의 몸에 제대로 작동할지, 이식된 돼지의 장기가 사람의 몸에서 생성되는 호르몬 등과 같은 물질에 제대로 반응할지 등 이식 후 장기의 기능성에 대한 문제에 대한 답은 아직 모르고 있는 상태이다. 또한 돼지는 평균 수명이 약 10년 정도이므로 사람에게 이식한 돼지 장기의 수명이 얼마나 될지에 대해서도 아직까지 미지수로 남아있다.

최근에 이종장기이식 분야에서 괄목할 발전이 계속되어 실제로 임상에 적용할 시간이 다가오고 있지만 아직도 이해하지 못한 많은 문제들이 계속 나타나고 있어 신중을 기해야 할 것이다.

요약

최근에 이종장기이식 분야에서 괄목할 발전이 계속되어 실제로 임상에 적용할 시간이 다가오고 있지만 아직도 이해하지 못한 많은 문제들이 계속 나타나고 있어 신중을 기해야 할 것이다.

XI 인공장기이식

장기이식이란 불가역적이며 동시에 치명적 손상을 가진 장기를 건강한 장기로 교체하는 것을 말하며 장기이식과 연관된 모든 분야에서 획기적인 발전이 일어나 만성장기기능부전질환의 극복과 환자의 수명 연장은 현실이 되었다. 장기이식은 현재 고형 장기(간, 신장, 심장, 폐장 및 췌장 등)를 중심으로 활발하게 시행되고 있으나 모든 고형장기이식에서 매우 심각한 장기 공여자 부족이라는 결정적인 한계를 가지고 있다. 장기이식을 위한 공여장기의 부족현상을 극복하기 위한 방법 중 하나로 인공장기이식 artificial organ transplantation에 관한 연구가 활발하게 진행되고 있으나 아직까지 임상에서의 적용은 제한적인 수준에 머물고 있다.

인공장기는 장기이식을 기다리거나 단기간 치료를 위한 목적으로 잠깐 동안 이용하려는 임시 장치와 생체 장기의 기능을 장기간 대신할 영구 장치로 구분할 수 있다. 또한 생체 장기의 기능을 인체의 외부에서 대신하거나 내부에서 도와주는 장치로 구분할 수 있다. 인체의 외부에서 도와주는 장치로 현재 임상에서 사용되고 있는 것은 신장투석기, ECMO (Extracorporeal Membrane Oxygenator), CPB (Cardiopulmonary Bypass) 등을 들 수 있으며 소형 컴퓨터 칩을 내장한 insulin pump도 개발되어 사용되고 있다. 인체의 내부에서 도와 주는 장치로 현재 임상에서 사용되고 있는 것은 인공심장을 들 수 있는데 이제는 인공심장을 달고 일상생활이 가능한 수준에 이르렀으며 가장 많이 쓰이고 있는 장치는 심실보조장치 Ventricular Assisted Device (VAD)로서 미국에선 연간 2만건 정도의 좌심실보조장치수술이 시행되고 있으며 국내에서도 2013년 이후 임상에서 시행되고 있다.

과거에 인공장기란 인체장기와 유사한 기능을 가진 기계식 인공장기mechanical artificial organs를 의미하였으나 단지 기계적인 역할만을 감당할 수 있어 가동을 시작한 후에는 점차 그 기능이 떨어지면서 일정 시간이 경과하면 기능을 멈출 수 밖에 없는 한계에 도달하였다. 이와는 대조적으로 생체 장기는 살아있는 세포로 구성되어 지속적인 증식과 복제를 통하여 성장하거나 손상을 받을 경우 필요에 따라 재형성이 이루어지며 장기의 기능을 유지하고 있다. 따라서 최근에는 줄기세포, 생체조직 또는 동물의 장기를 이용한 생체 인공장기biologic artificial organs 혹은 이를 혼합한 인공장기Hybrid bio-artificial organ에 대한 연구가 이루어져 새로운 인공장기가 속속 개발되고 있다. 현재까지 인간의 줄기세포 또는 배양된 인체조직을 사용한 인공장기 제작에 성공한 사례가 많이 보고되고 있으나 인체 내에 이식할 경우 인공장기 내에 존재하는 세포의 성장을 조절해야만 하는데 아직까지 이를 조절할 수 있는 수준에는 이르지 못하여 대부분의 연구가 동물실험 단계인 전 임상단계에도 이르지 못하고 있다.

1. 인공간

인공간Artificial Liver은 크게 비생물학적 인공간non-biological artificial liver과 생물학적 인공간biological artificial liver (BAL)으로 나눌 수 있는데 비생물학적 인공간에 대

한 시도는 1950년대부터 시작되었다. 처음에는 혈액투석hemodialysis을 시도하여 혈중 내 독성물질을 제거하려고 하였으나 그 효과는 미미하여 다음으로 혈액여과hemofiltration, 혈액관류hemoperfusion 또는 혈장관류plasma cross perfusion 등의 방법을 사용하여 보았으나 예상과는 달리 만족스러운 성과를 보여 주지 못하였다. 최근에 사용되고 있는 비생물학적 인공간은 수용성이나 단백질과 결합되어 있는 독성물질을 투석시스템을 이용하여 제거하고자 한 것들로 MARS (Molecular Adsopbents Recirculating System), albumin dialysis system, ALSS (Artificial Liver Support System), 그리고 PF-Liver Dialysis을 들 수 있다. 이중에서 오직 MARS만이 임상적 소견과 함께 생존율이 향상된 결과를 나타내었으며 간 기능부전증이 발생한 환자에서 단기적 간기능 보조 장치로서 효과를 인정받고 있다. 그러나 비생물학적 인공간은 인체에 유해한 혈액 내 독성물질뿐만 아니라 혈액(혈장)내에 존재하는 생명유지에 필요한 필수 물질들까지도 함께 제거함으로써 다른 다양한 간 대사에 좋지 않은 영향을 미치는 단점을 가지고 있다. 또한 알부민 합성이나 당 대사 등과 같은 생명유지에 필수적인 간 기능을 제공하지 못하는 한계가 있기 때문에 이런 한계를 극복하기 위하여 생물학적 인공간의 개발이 요구되었다. 이러한 한계를 극복하기 위해 최근 세계적 연구 동향은 비생물학적 인공간에 간세포 혹은 간조직을 결합한 생물학적 인공간의 개발에 집중되고 있으며 현재까지 약 30여종이 넘는 기종이 보고되었으나 이중에서 임상시험을 시행한 기종은 10종이 조금 넘는 수준이며 무작위 대조시험을 시행한 경우는 Extracorporeal Liver Assist Device (ELAD)와 HepatAssist에 불과하다.

BAL은 체외형 혈장분리기Extracoporeal plasma separation system와 간세포 혹은 조직이 포함되는 bioreactor system의 결합으로 구성된다. 이상적인 bioreactor system은 그 속에 포함되어 있는 간세포의 기능과 양이 중요하기 때문에 충분한 양의 생존율viability이 높은 간세포가 존재해야 하며 이를 위해서는 정상적인 간의 10-30%에 해당하는 150-450g의 간세포가 생존을 유지하면서 있어야 한다. 또한 간세포로의 충분한 혈액 혹은 혈장의 관류와 함께 충분한 산소 공급이 이루어져야 하며 환자의 면역반응을 통해 간세포가 파괴되는 것을 예방하고 동시에 환자의 혈장 내에 존재하는 독성물질과 함께 노폐물이 투과될 수 있도록 적절한 크기(100-150kD)의 극공이 있는 투석막이 존재하도록 설계 되어야 한다. 또한 BAL에 있는 간세포가 과다한 독성물질에 직접 노출되어 간세포의 급격한 괴사가 일어나는 것을 예방하기 위하여 혈장 또는 혈액을 반응기에 유입되기 전에 활성탄 및 이온교환 레진에 노출되게 하여 반응기의 기능을 극대화하는 것이 바람직하다.

국내에서는 2014년부터 국내에서 개발한 BAL을 통하여 전격성급성간부전에 빠진 환자를 치료한 후 성공적인 간이식을 받도록 하는데 사용하고 있다.

2. 인공신장

인공신장Artificial kidney의 역사는 1960년대 정기적인 혈액투석치료가 만성 신부전 환자에게 처음 적용된 시기로 거슬러 올라갈 수 있다. 특히 국내의 경우 인공신장이라는 용어가 혈액투석치료와 같은 개념으로 사용되고 있다. 하지만 현재의 기계식 투석으로는 낮은 여과율 뿐만 아니라 신장이 담당하고 있는 대사 및 내분비 기능을 대치하지 못하는 약점을 가지고 있다. 인공신장의 개발은 크게 2가지 목표를 가지고 진행되고 있다. 첫째는 인공간과 마찬가지로 기계적인 투석 시스템과 신장조직nephron을 포함하는 bioreactor를 결합한 bioartificial kidney를 개발하는 것이고 다른 하나는 인공신장을 가지고 일상생활로 복귀 할 수 있는 wearable artificial kidney (WAK)의 개발이 그것이다. 특히 bioartificial kidney의 개발은 적은 혈액량으로도 여과율을 높일 수 있는 방법의 하나로 WAK 개발에 필수적인 연구이다. WAK가 가져야 할 조건으로는 ① 크기가 작아야 하며 ② dual-channel system, ③ 건전지를 사용하는 펌프를 이용하여 혈액 및 투과액을 이동 시킬 수 있어야 하며 ④ 적절한 여과율을 유지하여야 한다. 현재 Davenport 등에 의해 개발된 WAK가 실제 임상에 적용되고 있으며 초기 결과에 의하면 8명의 만성신부전 환자에 WAK를 적용하여 고식적인 혈액투석과 비교하였을 때 혈역학 및 혈액 화학 검사상 차이 없는 결과를 보였고 8명 모두가 WAK에 만족한다는 결과를 보고하였다. 혈액투석뿐 아니라 복막투석에 있어서도 휴대용 복막투석기의 개발이 진행 중 이다. Ronco 등이 개발한 Vicenza wearable artificial kidney (ViWAK)은 두개의 복막 투석관, 펌프, 여과시스템 및 리모콘으로 구성되어 있으며 초기 주입한 복막 투석액을 여과 시스템을 통해 재생하여 다시 사용하는 방식으로 지속적인 복막투석을 가능하게 한 장치이다.

최근 미국에서는 사람의 몸 안에 이식할 수 있는 신장의 프로토타입을 만들었는데 독성제거 필터와 신장세포가 코팅되어 있는 카트리지의 2가지 시스템으로 구성되어 있다. 독성제거 필터는 수개의 실리콘 조직을 쌓아 나노-폴을 매우 촘촘하고 매우 정확하게 만들어 구현하였고 이를 통하여 환자 혈압의 힘만으로 매우 정확하게 혈액을 투석할 수 있으며 혈액이 필터를 통해 흐르면서 독성 물질과 당, 물, 염분 등이 제거된다. 이후 깨끗하게 된 혈액과 여과된 물은 모두 시스템의 별도 카트리지로 들어가서 신장세포가 코팅된 더욱 많은 실리콘 조직을 거치게 되면서 비타민 D를 만들고 혈압이 너무 낮을 정도로 떨어지는 것을 막을 수 있도록 기기에서 이들 성분이 재흡수되는 것을 돕는다. 현재 사용하고 있는 혈액투석기가 할 수 없는 보통의 신장이 활동하는 방식과 흡사해서 재흡수 되지 않은 부산물 등은 수포가 붙은 튜브를 통해 분리되고 소변에서 버려질 수 있도록 제거된다. 그러나 아직까지 개발된 인공신장은 완벽한 시스템과는 거리가 멀어서 당분간 연구자들은 이것이 인간 신장을 이식하는 것을 대체할 수 있을 것으로 기대하지는 않는다. 또한 인간의 신장은 20-30개의 다른 타입의 세포를 가지고 있어 이미 임상에 적용을 시작한 여러가지 인공신장이 있기는 하지만 아직도 극복해야 할 과제가 많이 남아있는 상태이다. 하지만 가까운 장래에 휴대용 투석장치는 물론이고 이식이 가능한 인공신장이 만성신부전 환자의 중요한 치료 수단의 하나가 될 것은 틀림없는 사실일 것이다.

3. 인공췌장

1형 당뇨 환자에서 지속적 피하 인슐린 주입 요법continuous subcutaneous insulin infusion (CSII)의 사용은 인슐린 펌프가 처음 개발된 1979년도부터 꾸준히 증가하고 있으며 최근에는 2형 당뇨병의 치료에도 사용이 확대되고 있는 추세이다. 기존의 인슐린 주사요법에 비해 CSII의 장점은 보다 정확한 혈당 조절이 가능하고 이로 인해 치명적인 저혈당이나 케톤산증 같은 합병증이 발생이 적으며 보다 적절한 혈당 조절로 인해 장기적인 합병증의 감소를 보인다. 최근에는 단순히 정해진 시간에 인슐린을 주사하는 기능에서 벗어나 24시간 혈당 모니터링 시스템continuous glucose monitoring (CGM)과 함께 통합 저혈당 감지Low Glucose Suspend (LGS) 펌프 시스템을 사용한 인슐린 펌프가 개발되어 전자동 인공 췌장의 탄생을 기대하고 있다. 두 시스템을 함께 사용하면 인슐린 펌프만 사용했을 때 보다 저혈당 발현 빈도가 현저하게 감소했다. 직접 혈당을 측정 할 수 있으며 이를 바탕으로 필요한 인슐린의 양을 계산해주는 인슐린 펌프가 개발되어 사용 중이다. 통합 저혈당 감지Low Glucose Suspend (LGS) 펌프 시스템을 24시간 혈당 모니터링 시스템continuous glucose monitoring (CGM)과 함께 사용한 것은 전자동 인공 췌장 개발로 가는 중요한 첫걸음이라 할 수 있다. 이들 두 시스템을 함께 사용한 결과 기존의 인슐린 펌프만을 사용했을 때 보다 저혈당의 발현 빈도가 현저하게 감소하였으며 결과적으로 저 혈당에 의해 초래되는 발작, 혼수 상태, 심하게는 사망 등 위험한 부작용의 발생률이 낮아질 것으로 기대하고 있다. 이러한 인공지능을 탑재한 인슐린 펌프들은 인공장기 개발의 최종 목표인 'auto-feedback' 시스템을 갖춘 인공췌장의 전 단계로 생각되며 가까운 시일 내에 사용자의 조작이 전혀 필요 없는 완전한 형태의 인슐린 펌프가 등장할 것으로 기대된다.

인공장기의 최종 목표는 실제 장기와 같은 크기와 기능을 갖추어 인체 내에 이식이 가능하게 되며 이식 후에도 부작용과 거부반응을 최소화하거나 없게 하며 동시에 지속적인 세포의 재생기능을 통하여 장기적인 생존이 가능하게 하는 것이다. 현재 급속하게 발전하고 있는 3D 프린팅 기술로 사람의 장기와 똑같은 인공장기를 만들어 내려는 연구가 활발하게 진행 중이다. 이미 국외에서는 생체 간세포로 이루어진 바이오잉크를 원하는 모양대로 쌓는 기술을 개발하여 인공간을 제작하는 연구가 진행 중이며 국내에서는 장기의 인공구조물을 먼저 세우고 그 안에 생체 세포와 영양분을 뿌리는 방식을 통해 인공장기를 제작하는 바이오 프린팅 기술이 개발되어 계속 연구가 진행되고 있다.

요약

인공장기의 최종 목표는 실제 장기와 같은 크기와 기능을 갖추어 인체 내에 이식이 가능하게 되며 이식 후에도 부작용과 거부반응을 최소화하거나 없게 하며 동시에 지속적인 세포의 재생기능을 통하여 장기적인 생존이 가능하게 하는 것이다. 현재 급속하게 발전하고 있는 3D 프린팅 기술로 사람의 장기와 똑같은 인공장기를 만들어 내려는 연구가 활발하게 진행 중이다. 이미 국외에서는 생체 간세포로 이루어진 바이오잉크를 원하는 모양대로 쌓는 기술을 개발하여 인공간을 제작하는 연구가 진행 중이며 국내에서는 장기의 인공구조물을 먼저 세우고 그 안에 생체 세포와 영양분을 뿌리는 방식을 통해 인공장기를 제작하는 바이오 프린팅 기술이 개발되어 계속 연구가 진행되고 있다.

참고문헌

[I. 국내장기이식의 역사]

1. 곽진영, 박찬대, 이광수 등. 사체신이식 15례의 결과 분석. 대한외과학회지 1993;44(1):128-136.
2. 김수태, 박용현, 이건욱 등. 한국 최초 간이식례 보고. 대한이식학회지 1988;2:27-35.
3. 이용각, 임수길, 민병석 등. 한국에서의 신이식. 대한의사협회지 1969;12(11):983-992.
4. http://www.konos.go.kr, 국립장기이식관리센터.
5. http://www.ksot.org, 대한이식학회.

[II. 장기이식 면역]

1. 김명수, 김순일, 김유선. Mammalian Target of Rapamycin Inhibitor의 임상적 유용성. 대한이식학회지 2008;22:169-76.
2. Ball ST, Dallman MJ. Transplantation immunology. Curr Opin Nephrol Hypertens 1995;4:465-71.
3. Burke JF Jr, Pirsch JD, Ramos EL, et al. Long-term efficacy and safety of cyclosporine in renal trans plant recipients. N Engl J Med 1994;331:358-63.
4. Cuturi MC, Blancho G, Josien R, et al. The biology of allograft rejection. Curr Opin Nephrol Hypertens 1994;3:578-84.
5. Ekberg H, Tedesco-Silva H, Demirbas A, et al. Reduced exposure to calcineurin inhibitors in renal transplantation. N Engl J Med 2007;357:2562-75.
6. Fushiman JA, Rubin RH. Infection in organ-transplant recipients. N Engl J Med 2004;338:1741-51.
7. Fryer JP, Granger DK, Leventhal JR, et al. Steroid-related complications in the cyclosporine era. Clin Transplantation 1994;8:224-9.
8. Huh KH, Kim SI, Joo DJ et al. Efficacy of a negative conversion trial and subsequent living donor kidney transplant outcome in recipients withj a positive lymphocyte crossmatch. Nephron Clin Prac 2009;111:c49-54.
9. Kahan BD. Individuality: the barrier to optimal immunosuppression. Nat Rev Immunol 2003;3:831-8.

10. Kauffman HM. Malignancies in organ transplant recipients. J Surg Onco 2006;94-431-3.
11. Kenneth Murphy. Janeway's immunonobiology. 7th ed Garland Science, 2008.
12. Krensky AM. Molecular basis of transplant rejection and acceptance. Pediatr Nephrol 1991;5:422-7.
13. Lemy A, Tougouz M, Abramowicz D. Bortezomib: a new player in pre- and post-transplant desensitization? Nephrl Dial Transplant 2010;25:3480-9.
14. Long E, Wood KJ. Regulatory T cells in transplantation: transferring mouse studies to the clinic. Transplantation 2009;88:1050-6.
15. Matas AJ, Tellis VA, Quinn T, et al. ALG treatment of steroid-resistant rejection in patients receiving cyclosporine. Transplantation 1986;41:579-83.
16. Philip F. Halloran. Immunosuppressive Drugs for Kidney Transplantation. N Engl J Med 2004;351;2715-29.
17. Rose SM, Turka L, Kerr L, et al. Advances in immune-based the therapies to improve solid organ graft survival. Adv Intern Med 2001;47:293-331.
18. Stegall MD, Larson TS, Prieto M, et al. Kidney transplantation without calcineurin inhibitor using sirolimus. Transplant Proc 2003;35:125-7.
19. Takahashi K, Saito K. ABO-incompatible kidney transplantation. Transplant Rev (Orlando) 2013; 27:1-8.
20. Valente JF, Alexander JW. Immunobiology of renal transplantation. Surg Clin North Am 1998;78:1-26.

[III. 장기기증]

1. 유희철, 조백환. 뇌사자에서의 장기구득 방법. 대한이식학회지 2006;20:14-24.
2. Abu-Elmagd K, Fung J, Bueno J, et al. Logistics and technique for procurement of intestinal, pancreatic, and hepatic grafts from the same donor.Ann Surg. 2000;232(5):680-687.
3. Busuttil RW, Tanaka K. The utility marginal donors in liver transplantation. Liver Transpl 2003;9:651-663.
4. Cerilli GJ. Organ transplantation and replacement: Multiple organ procurement. Philadelphia Lippincott Company 1998.
5. Flye MW. Principles of organ Transplantation: The organ donor. WB Sounders company 1999.
6. Kim HC, Cho WH. Asystolic syndrome. Transplant Proc 1998.
7. Kootstra G, Kievit J, Nederstigt A. Organ donor: heart-beating and non-heart-beating. World J Surg 2002;26:181-184.
8. Razek T, Olthoff K, Reilly PM. Issue in potential organ donor management. Surg Clin North Am 2000;80:1021-1032.
9. Rosendale JD, Chabalewski FL, McBride MA, et al. Increased transplantation organ from the use of a standardized donor management protocol. Am J Transpl 2002;2:761-768.
10. Starzl TE, Hakala T, shaw BW Hardesty RL, et al. A flexible procedure for multiple cadaveric organ procurement. Surg. Gynecol Obstet 1984; 158:223-230.

[IV. 국내외 장기기증 시스템]

1. 강완남, 주만기, 장혜경 등. 국내 뇌사자 신장이식과 비교한 중국 원정 신장이식의 문제점. 대한이식학회지 2007; 21: 119-122.
2. 곽진영, 박찬대, 이광수 등. 사체신이식 15예의 결과 분석. 대한외과학회지 1993; 44(1): 128-136.
3. 한국장기기증원 2015년 연보.
4. 김명수, 김순일, 김유선. 뇌사자 발생과 뇌사자 장기분배의 국내현황. 대한의사협회지 2008; 51(8): 685-691.
5. 김수태, 박용현, 이건욱 등. 한국 최초 간이식예 보고. 대한이식학회지 1988; 2: 27-35.
6. 서경석, 김태훈, 김주현 등. 심정지 공여자로부터의 간이식 국내 첫 증례보고. 대한이식학회지 2009; 23: 77-80.
7. 이용각, 임수길, 민병석 등. 한국에서의 신이식. 대한의사협회지 1969; 12(11): 983-992.
8. Bernat JL, D'Alessandro AM, Port FK, et al. Report of a national conference on donation after cardiac death. Am J Transplant 2006; 6: 281-291.
9. Collaborative transplant study web site. http://www.ctstransplant.org/ accessed by May 21, 2009.
10. Centers for Medication & Medicaid Services web site. https://www.cms.gov/Regulations-and-Guidance/Legislation/CFCsAndCoPs/OPOs.html accessed by June 20, 2016.
11. Kootstra G, Daemen JH, Oomen AP. Categories of non-heart-beating donors. Transplant Proc 1995; 27: 2893-2894.
12. Korean Network for Organ Sharing web site. http://www.konos.go.kr/ accessed by April 6, 2016.
13. Korea Organ Donation Agency web site. http://www.koda1458.kr/ accessed by April 6, 2016.
14. Min SI, Ha J. Recent Progresses in Organ Donation and Transplantation in Korea. Transplantation 2015;99(12):2431-3.
15. Min SI. Ahn C, Han DJ et al. To achieve national self-sufficiency: recent progresses in deceased donation in Korea. Transplantation 2015;99(4):765-70.
16. Organ Procurement and Transplantation Network web site. http://optn.transplant.hrsa.gov/ accessed by April 24, 2016.
17. Organacion National de Transplants web site. http://www.ont.es/ accessed by April 24, 2016.
18. Simini B. Tuscany doubles organ-donation rates by following Spanish example. Lancet 2000; 355: 476.
19. Steering Committee of the Istanbul Summit. Organ trafficking and transplant tourism and commercialism: the Declaration of Istanbul. Lancet 2008; 372: 5-6.
20. UNOS web site. http://www.unos.org/ accessed by April 27, 2016.
21. World Health Organization. Second global consultation on critical issues in human transplantation: towards a common attitude

to transplantation. 2007.

22. World Health Organization. WHO guiding principles on human cell tissue and organ transplantation. Transplantation 2010;90:229-233.

[V. 신장이식]

1. 김명규, 정종철, 조은진 등. 뇌사 장기이식 활성화를 위한 우리나라 장기이식 운영 및 관리 체제. 대한이식학회지 2010 ; 24 : 147-158.
2. 김현철, 조원현. 신장이식. 군자출판사, 2000.
3. 조원현 , 김순일, 김명수 등. 국내 장기기증 활성화를 위한 방안 : Organ Allocation 연구회 보고서. 대한이식학회지 2009;23:8-14.
4. Alberts VP, Idu MM, Legemate DA et al. Ureterovesical anastomotic techniques for kidney transplantation: a systematic review and meta-analysis. Transplant International 2014;27:593-605.
5. Areia A, Galvao A, Pais MS et al. Outcome of pregnency in renal allograft recipients. Arch Gynecol Obstet 2009;279:273-7 .
6. Bray RA, Pollack MS, Gebel HM. The HLA System. In Fung MK, Grossman BJ, and Hillyer CD. Technical Manual. 18th ed. Bethesda: American Association of Blood Banks. 2014:475-497.
7. Chapman JR, O'Connell PJ, Nankivell BJ. Chronic renal allograft dysfunction. J Am Soc Nephrol 2005;16:3015-26.
8. Costa C, Bergalio M, Astegiano S et al. Monitoring of BK virus replication in the first year following renal transplantation. Nephrol Dial Transplant2008;23;3333-6.
9. Gallinat A, Moers C, Treckman J, et al.: Machine perfusion versus cold storage for the preservation of kidneys from donors ≥ 65 years allocated in the Eurotransplant Senior Programme, Nephrol Dial Transplant 2012; 27: 4458-63.
10. Gill JA, Abichandani R, Kausz AT et al. Mortality after kidney transplant failure: the impact of non-immunologic factors. Kidney Int 2002;62:1875-83.
11. Goldfarb-Rumyantzev AS, Hurdle JF, Baird BC et al. The role of pre-emptive re-transplant in graft and recipient outcome. Nephrol Dial Transplant 2006;21:1355-64 .
12. Halloran PF. Immunosuppressive Drugs for Kidney Transplantation N Engl J Med 2004;351:2715-29.
13. Hirsch HH, Knowles W, Dickenmann M et al. Prospective study of polyomavirus type BK replication and nephropathy in renal transplant recipients. N Engl J Med 2002;347:488-96.
14. http://konos.go.kr. 국립 장기이식 관리센터 자료실 .
15. http://www.anzdata.org.au/v1/index.html.
16. Kim YS, Moon JI, Kim DK, et al. Ratio of donor kidney weight to recipient bodyweight as an index of graft function. Lancet 2001;357:1180-1.
17. Koning OH, Ploeg RJ, van Bockel JH et al. Risk factors for delayed graft function in cadaveric kidney transplantation: a prospective study of renal function and graft survival after preservation with University of Wisconsin solution in multi-organ donors. European Multicenter Study Group. Transplantation 1997;63:1620-8.
18. Lentine KL, Brennan DC, Schnitzler MA. Incidence and predictors of myocardial infarction after kidney transplantation. J Am Soc Nephrol. 2005:16:496-506).
19. Leon LR Jr1, Glazer ES, Hughes JD et al. Aortoiliac aneurysm repair in kidney transplant recipients. Vasc Endovascular Surg. 2009 Feb-Mar;43(1):30-45.
20. O'Malley CM, Frumento RJ, Bennett-Guerrero E. Intravenous fluid therapy in renal transplant recipients; results of a US survey. Transplantation Proceedings 2002;34:3142-5.
21. Portura E, Linder G, Biesenbach P et al. An acetate-buffered balanced crystalloid versus 0.9% saline in patients with end-stage renal disease undergoing cadaveric renal transplantation: a prospective randomized controlled trial. Anesthesia and analgesia. 2015;120:123-9.
22. Singhal AK, Sheng X, Drakos SG et al. Impact of donor cause of death on transplant outcomes: UNOS registry analysis. Transplant Proc 2009;41:3539-44.
23. Teresa J. Shafer TJ, Wagner D, Chessare J et al. Organ Donation Breakthrough Collaborative: Increasing Organ Donation through system redesign. Crit Care Nurse 2006;26:33-48.

[VI. 간이식]

1. 김경모. 소아 간이식의 현재. 대한소아소화기영양학회지 2007;1:1-10.
2. 김명수. 간세포암과 간이식. 대한간암연구회지 2007;7:35-40.
3. 백승운. 간이식의 적용시점 및 준비과정. 대한간학회지 2004;10:177-184.
4. 서경석. 보조간이식. 간담췌외과학, 제2판. 도서출판의학문화사, 2006.
5. 이남준, 서경석. 생체간이식술기의 변화와 발전. 대한이식학회지 2006;20:149-159.
6. 이승규. 국내 간이식의 현황과 전망. 대한소화기학회지 2005;46:75-83.
7. Hashikura Y, Makuuchi M, Kawasaki S, et al. Successful living-related partial liver transplantation to an adult patient. Lancet 1994;343:1233-1234.
8. Lee SG. Dual Liver Transplant; Living Donor Organ Transplantation. Mc Graw Hill Medical 2008.
9. Lee SG, Hwang S., Moon DB, et al. Expanded indication criteria of living donor liver transplantation for hepatocellular carcinoma at one large-volume center. Liver Transpl 2008;14:935-945.
10. Lee SG, Park KM, Hwang S, et al. Anterior segment congestion of a right liver lobe graft in living-donor liver transplantation and strategy to prevent congestion. J Hepatobiliary Pancreat Surg 2003;10:16-25.
11. Lo CM, Fan ST, Liu CL, et al. Adult-to-adult living donor liver transplantation using extended right lobe grafts. Ann Surg

1997;226:261-269.

12. Moon DB, Lee SG. Liver transplantation. Gut and Liver 2009;3:145-165.
13. Moon DB, Lee SG, Hwang S. et al. Toward more than 400 liver transplantations a year at a single center. Transpl Proc. 2013;45:1937-1941.
14. Lee SG. A complete treatment of adult living donor liver transplantation: a review of surgical technique and current challenges to expand indication of patients. American J Transplantation 2015;15:17-38.

[VII. 췌장이식]

1. 한덕종: 췌장이식. 대한의학협회지 37:870, 1994.
2. 한덕종, 장혁재, 김인구, 박건춘, 민병철: 제1형 당뇨병에서의 췌장-신장 동시이식-2예보고. 대한외과학회지 46:273,1994.
3. 한덕종, 김송철, 박재범, 김영훈, 박관태, 홍정자, 하희선, 정주희, 김인구, 박건춘, 민병철: 국내 단일기관에서 시행한 췌장이식의 임상적인 결과. 대한내과학회지 80:167, 2011.
4. Abouna GM, Sutherland DER, Florack G, Heil J, NajarianJS: Preservation of human pancreatic allografts in cold storage for six to 24 hours. Transpl Proc 19:2307, 1987.
5. Bagdade JD, Ritter MC, Kitachi AE, et al.: Differing effects of pancreas-kidney transplantation with systemic versus portal-venous drainage on cholesteryl ester transfer inIDDM subjects. Diabetes Care 19:1108, 1996.
6. Bilous RW, Mauer SM, Sutherland DER: The effects ofpancreas transplantation on the glomerular structure ofrenal allografts in patients with insulin dependent diabetes. N Engl J Med 321:80, 1989.
7. Brooks JR: Presidental address: Where are we with pancreas transplantation? Surgery 106:935, 1989.
8. Carpentier A, Patterson BW, Uffelman KD, et al.: The effect of systemic versus portal insulin delivery in pancreas transplantation on insulin action and VLDL metabolism. Diabetes 50:1402, 2001.
9. Choi JY, Jung JH, Kwon H, et al: Pancreas transplantation from living donors: A single center experience of 20 cases. Am J Transplant 10.1111, 2016.
10. Dholakia S, Mittal S, Quiroga I et al: Pancreas Transplantation: past, present, future Am J Med 02:011, 2016.
11. Dubernard JM, Traeger J, Neyra P, Touraine JL, Tranchant D, Blanc-Brunat N: A new method of preparation of segmental pancreatic grafts for transplantation : Trials in dog and in human. Surgery 84:633, 1978 .
12. Gruessner A, Gruessner R: Long-term outcome after pancreas transplantation: a registry analysis. Current Opinion in Organ Transplantation. 21:1087, 2016.
13. Gruessner AC, Sutherland DER: Pancreas transplant outcomes for United States(US) cases reported to the United Network for Organ Sharing(UNOS) and non-US cases reported to the International Pancreas Transplant Registry(IPTR) as of October, 2000. In: Cecka JM, Terasaki PI, eds. Clinical Trancplantation 2000. UCLA Immunogenetics Center:45, 2001.
14. Gruessner RW, Burke GW, Stratta R, et al.: A multicenter analysis of the first experiencee with FK506 for induction and rescue therapy after pancreas transplantation. Transplantation 61:261, 1996.
15. Gruessner RWG, Kandaswamy R, Denny R: Laparoscopic simultaneous nephrectomy and distal pancreatectomy from a live donor. J Am Coll Surg 193:333, 2001.
16. Gruessner RWG, Sutherland DER, Najarian JS, et al.: Solitary pancreas transplantation for nonuremic patients with labile Insulin-dependent diabetes mellitus. Transplantation 64:1572, 1997.
17. Gruessner RWG, Sutherland DER, Parr E, et al.: A prospective, randomized, open-label study of steroid withdrawal in pancreas transplantation-A preliminary report with 6-month follow-up. Transplant Proc 33:1663, 2001 .
18. Han DJ, Kim IK, Park KC: Refractory graft duodenitis and bleeding following enteric diversion of transplanted pancreas with bladder drainage. Transpl Proc 26:2292, 1994.
19. Han DJ, Sutherland DER . Pancreas Transplantation. Gut and Liver.4(4):450.2010.
20. Han DJ, Kim YH, Park JB, et al: How to Avoid Graft Thrombosis Requiring Graftectomy: Immediate Post Transplant CT Angiography in Pancreas Transplantation. Transplantation. 94(9):925-30, 2012 .
21. Hering BJ, Kandaswamy R, Harmon JV, et al.: Insulin independence after single-donor islet transplantation intype I diabetes with hOKT3-1(ala-ala), sirolimus, and tacrolimus therapy. Am J Transplant 1:180, 2001.
22. Hering BJ, Ricordi C: Islet transplantation for patients with type I diabetes. Graft 2:12, 1999.
23. Kandaswamy R, Skeans MA, Gustafson SK et al: Pancreas Am J Transplant 16 supp2:47,2016.
24. Kaufman DB: A Prospective Study of Rapid Corticosteroid Elimination in Simultaneous Pancreas- Kidney Transplantation. Comparison of two maintenance Immunosuppression protocols: Tacrolimus/mycophenolate mofetil versus tacrolimus/ sirolimus: Transplantation 73:169, 2002.
25. Krolewski AS, Warram JH, Freire MB: Epidemiology of late diabetic complications. A basis for the development and evaluation of preventive programs. Endocrinol Metab Clin North Am 25:217, 1996.
26. Morel P, Gillingham KJ, Moundry-Munns KC: Factors influencing pancreas transplant outcome: Cox proportional hazard regression analysis of a single institution's experience with 357 cases.

Transplant Proc 23:1630, 1991.

27. Park JB, Kim YH, Song KB, Chung YS, Jang HJ, Park JY, Kim SC, Han DJ. Single-center experience with pancreas transplantation. Transplant Proc. 44(4):925-8.2012.

28. Paul LT, Elkhammas EA, Henry ML: Determinants of long term survivals in combined kidney/pancreas transplantation: A review of 260 recipients. XVI Int Cong Transpl Soc Book of Abst p164, 1996.

29. Shaffer D, Madras PN, Sahyoun AI: Combined kidney and pancreas transplantation. Arch Surg 127:574, 1992.

30. Shapiro AM, Lakey JR, Ryan EA, et al.: Islet transplantation in seven patients with type I diabetes mellitus using a glucocorticoid-free Immunosuppressive regimen. N Engl J Med 343:230, 2000.

31. Shin S, Han DJ, Kim YH, Han S, Choi BH, Jung JH, Cho HK.Long-term Effects of Delayed Graft Function on Pancreas Graft Survival After Pancreas Transplantation. Transplantation. 16. 2014.

32. Sollinger HW, Pirsch JD, D'Alessandro AM: Advantages of bladder drainage in pancreas transplantation: A personal view. Clin Transpl 4:32, 1990.

33. Sollinger HW, Stratta RJ, D'Alessandro AM: Experience with simultaneous pancreas kidney transplatation. Ann Surg 208:475, 1988.

34. Song SO, Song YD, Nam JY et al: Epidemiology of type 1 diabetes mellitus in Korea through an investigation of national registration project of type 1 diabetes for the reimbursement of glucometer strips with additional analyses using claims data. Diabetes Metab 40:35, 2016.

35. Stratta RJ, Gaber AO, Shokouh-Amiri MH, et al.: Experience with portal-enteric pancreas transplant at the University of Tennessee-Memphis. In Terasaki, PI, Cecka JM, eds. Clinical Transplants 1999;239, 1998.

36. Stratta RJ: Simultaneous use if tacrolimus and mycophenolate mofetil in combined pancreas-kidney transplant recipients: a multicenter report. The FK/MMF Multi-Center Study Group. Transplant Proc 29:654, 1997.

37. Stratt RJ, Gruessner AC, Oddorico JS, et al : pancreas transplantation. Am J of Transplant.16:2556.2016.

38. Sutherland DE, Goetz FC, Najarian JS: Living-related donor segmental pancreatectomy for transplantation.Transplant Proc 12(Suppl 2):19, 1980.

39. Sutherland DE, Gruessner RWG, Dunn DL, et al.: Lessons learned from more than 1000 pancreas transplants at a single institution. Ann Surg 233:463, 2001.

40. Sutherland DER, Goetz C, Najarian JS: Pancreas transplantation at the University of Minnesota: Donor and recipient selection, operative and postoperative management, and outcome. Transpl Proc 19:63, 1987.

41. Sutherland DER, Goetz FC, Najarian JS: One hundred pancreas transplants at a single institution. Ann Surg 200:414, 1989.

42. Sutherland DER, Kendall DM, Moundry KC: Pancreas transplantation in non uremic, type I diabetic recipients. Surgery 104:453, 1988.

43. Sutherland DER, Moudrymunns KC, Fryd DS: Results of pancreas transplant registry. Diabetes 38:46, 1989.

44. Sutherland DER, Moudrymunns KC: International pancreas transplantation registry analysis. Transpl Proc 22:571, 1990.

45. The Diabetes Control and Complications Trial Research Group: The effect of Intensive treatment of diabetes on the development and progression of long-term complications in insulin-dependent diabetes mellitus. N Engl J Med 329:977, 1993.

46. Tyden G, Brattstrom C, Bolinder J, Bohman S, Groth C, Brekke I, Holdaas H, Flatmark A: Long-term metabolic control in recipients of segmental-pancreas grafts with pancreaticoenterostomy or duct obstruction. Diabetes 38:94, 1989.

47. Viste A, Moudrymunns K, Sutherland DER: Predictive factors for graft functional survival following pancreas transplantation: Results of multivariate statistical analysis at a single institution. Clin Transpl 4:210, 1990.

[VIII. 소장이식]

1. Abu-Elmagd KM, Costa G, Bond GJ, Wu T, Murase N, Zeevi A, et al. Evolution of the Immunosuppressive strategies for the intestinal and multivisceral recipients with special reference to allograft immunity and achievement of partial tolerance. Transpl Int 2009; 22:96-109.

2. Abu-Elmagd KM, Wu G, Costa G, Lunz J, Martin L, Koritsky DA , Murase N, Irish W and Zeevi A. Preformed and De Novo Donor Specific Antibodies in Visceral Transplantation: Long-Term Outcome with Special Reference to the Liver. Am J Transpl 2012;12:3047-60.

3. BlueCross BlueShield Association. Medical Policy Reference Manual. (2002, March). Small bowel / liver and multivisceral transplant (7.03.05). Retrieved June 3, 2003 from BlueWeb.

4. Braun F, Broering D, Faendrich F. Small intestine transplantation today. Arch Surg 2007;392: 227-38.

5. Chang HK , Kim SY, Kim JI, Kim SI, Whang JK, Choi JY, Park JM, Jung ES, Rha SE, Kim DG, Moon IS, Lee MD. Ten-Year Experience With Bowel Transplantation at Seoul St. Mary's Hospital. Transplant Proc 2016:48;473-8 .

6. Grant D, Abu-Elmagd K, Mazariegos G, Vianna R, Langnas A, Magnus R, Farmer DG, Lacaille F, Lyer K, Fisgbein T. On behalf of the Intestinal Transplant Association: Intestinal Transplant Registry Report: Global Activity and Trends. Am J Transpl 2015;15:210-9.

7. Lee MD, Kim DG, Ahn ST, Moon IS, Choi MG, Hong SG, et al.

Isolated small bowel Transplantation from a living-related donor at the Catholic University of Korea. - a case report of rejection-free course - . Yonsei Med J 2004;45(6):1198-202.
8. Markmann JF, Yeh H, Naji A, Olthoff KM, Shaked A, Barker CF. Transplantation of Abdominal Organs. In: Townsend CM Jr (Ed). Sabiston Textbook of Surgery. 18th ed, (Chap. 28) Philadelphia: Saunders; 692-731, 2008 .
9. Nishida S, Levi DM, Moon JI, Madariaga JR, Kato T, Selvaggi G, et al. Intestinal Transplantation with Alemtuzumab (Campath-1H) Induction for Adult Patients. Transplant Proc 2006;38:1747-9.
10. Stuart S. Kaufman, MD. Small bowel transplantation: selection criteria, operative techniques, advances in specific immunosuppresion, prognosis. Current Opinion in Pediatrics 2001;13:425-8.

[IX. 소아이식]

1. 강희경 : 신이식 후 면역반응의 이해- 이식면역검사와 면역억제제. 대한소아신장학회지: 2008;12: 133-142.
2. 고정민, 김경모, 김준성, 이선연, 장수희, 최보화, 유은실, 안철수, 김기훈, 황신, 박광민, 이영주, 이승규: 소아간이식 후의 이식거부반응에 대한 연구. 대한이식학회지 2005;19:51-57.
3. 김병길, 김지홍, 육진원, 김순일, 박기일 : Cyclosporine A 사용 이후 소아 신장이식 113예의 예후 인자에 관한 분석. 대한이식학회지 2001;15:19-25.
4. 김정수 : 신장이식에 사용되는 주요 면역억제제와 약물 동력학 검사 . 대한소아과학회지. 2005;48(5):476-480.
5. 이상훈, 이석구: 소아 간이식. 대한소아외과학회지 2013; 19(1): 14-21.
6. 이석구, 권준혁: 소아간이식. Hanyang medical reviews 2006; 26(3): 9-16.
7. 이은희, 장수희, 김경모, 박기영, 성규보, 윤종현, 김기훈, 박광민, 황신, 안철수, 이영주, 이승규: 소아 간이식 후의 정맥계 합병증. 대한이식학회지 2003;17(2): 197-202.
8. 전진경, 최보화, 김경모, 오홍범, 유은실, 황신, 박광민, 이영주, 이승규: 소아에서 간이식후의 Epstein Barr virus감염과 림프세포증식성 질환의 발생빈도에 관한 연구. 대한이식학회지. 1999;13: 14-147.
9. 최연호, 이석구, 서정민, 조재원, 김성주, 이광웅, 박제훈, 고영혜, 권기영 : 소아간이식에서 Posttransplant lymphoproliferative disorder (PTLD): 삼성서울병원의 경험. 대한소아소화기영양학회지 2003;6(1): 39-46.

[X. 이종장기이식]

1. 박정규, 김정식, 신줍섭, 등. 이종장기이식의 현황과 전망. 대한이식학회지 2009;23:203-213.
2. Abe M, Qi J, Sykes M, et al. Mixed chimerism induces donor-specific T-cell tolerance across a highly disparate xenogeneic barrier. Blood 2002;99:3823-3829.
3. Bailey LL, Nehlsen-Cannarella SL, Concepcion W, et al. Baboon-to-human cardiac xenotransplantation in a neonate. JAMA 1985;254:3321-3329.
4. Bhatti FN, Schmoeckel M, Zaidi A, et al. Three-month survival of HDAFF transgenic pig hearts transplanted into primates. Transplant Proc 1999;31:958.
5. Byrne GW, McCurry KR, Martin MJ, et al. Transgenic pigs expressing human CD59 and decay-accelerating factor produce an intrinsic barrier to complement-mediated damage. Transplantation 1997;63:149-155.
6. Cardona K, Korbutt GS, Milas Z, et al. Long-term survival of neonatal porcine islets in nonhuman primates by targeting costimulation pathways. Nat Med 2006;12:304-306.
7. Carrel A. Transplantation in Mass of the Kidneys. J Exp Med 1908;10(1):98-140.
8. Chen G, Qian H, Starzl T, et al. Acute rejection is associated with antibodies to non-Gal antigens in baboons using Gal-knockout pig kidneys. Nat Med 2005;11:1295-1298.
9. Cowan PJ. Coagulation and the xenograft endothelium. Xenotransplantation 2007;14:7-12.
10. Diamond LE, Quinn CM, Martin MJ, et al. A human CD46 transgenic pig model system for the study of discordant xenotransplantation. Transplantation 2001;71:132-142.
11. Fischel RJ, Bolman RM, 3rd, Platt JL, et al. Removal of IgM anti-endothelial antibodies results in prolonged cardiac xenograft survival. Transplant Proc 1990;22:1077-1078.
12. Fudaba Y, Spitzer TR, Shaffer J, et al. Myeloma responses and tolerance following combined kidney and nonmyeloablative marrow transplantation: in vivo and in vitro analyses. Am J Transplant 2006;6:2121-2133.
13. Giles GR, Boehmig HJ, Amemiya H, et al. Clinical heterotransplantation of the liver. Transplant Proc 1970;2:506-512.
14. Kuwaki K, Tseng YL, Dor FJ, et al. Heart transplantation in baboons using alpha1,3-galactosyltransferase gene-knockout pigs as donors: initial experience. Nat Med 2005;11:29-31.
15. Lai L, Kolber-Simonds D, Park KW, et al. Production of alpha-1,3-galactosyltransferase knockout pigs by nuclear transfer cloning. Science 2002;295:1089-1092.
16. Lenschow DJ, Zeng Y, Thistlethwaite JR, et al. Long-term survival of xenogeneic pancreatic islet grafts induced by CTLA4lg. Science 1992;257:789-792.
17. Lin SS, Kooyman DL, Daniels LJ, et al. The role of natural anti-Gal alpha 1-3Gal antibodies in hyperacute rejection of pig-to-baboon cardiac xenotransplants. Transpl Immunol 1997;5:212-218.
18. Ohdan H, Yang YG, Swenson KG, et al. T cell and B cell tolerance to GALalpha1,3GAL-expressing heart xenografts is achieved in alpha1,3-galactosyltransferase-deficient mice by nonmyeloablative induction of mixed chimerism. Transplantation 2001;71:1532-1542.
19. Ramirez P, Chavez R, Majado M, et al. Life-supporting human complement regulator decay accelerating factor transgenic pig

liver xenograft maintains the metabolic function and coagulation in the nonhuman primate for up to 8 days. Transplantation 2000;70:989-998.

20. Reemtsma K, McCracken BH, Schlegel JU, et al. Renal Heterotransplantation in Man. Ann Surg 1964;160:384-410.
21. Shrivastava S, McVey JH, Dorling A. The interface between coagulation and immunity. Am J Transplant 2007;7:499-506.
22. Starzl TE, Fung J, Tzakis A, et al. Baboon-to-human liver transplantation. Lancet 1993;341:65-71.
23. Watts A, Foley A, Awwad M, et al. Plasma perfusion by apheresis through a Gal immunoaffinity column successfully depletes anti-Gal antibody: experience with 320 aphereses in baboons. Xenotransplantation 2000;7:181-185.
24. Yamada K, Yazawa K, Shimizu A, et al. Marked prolongation of porcine renal xenograft survival in baboons through the use of alpha1,3-galactosyltransferase gene-knockout donors and the cotransplantation of vascularized thymic tissue. Nat Med 2005;11:32-34.
25. Yamamoto S, Lavelle JM, Vagefi PA, et al. Vascularized thymic lobe transplantation in a pig-to-baboon model: a novel strategy for xenogeneic tolerance induction and T-cell reconstitution. Transplantation 2005;80:1783-1790.
26. Yang YG, deGoma E, Ohdan H, et al. Tolerization of anti-Galalpha1-3Gal natural antibody-forming B cells by induction of mixed chimerism. J Exp Med 1998;187:1335-1342.

[XI. 인공장기이식]

1. 군준혁, 이석구, 박정극, 등 인공간 시스템의 현황. 대한이식학회지 2011;25:15-21.
2. 정유정, 이혁준, 고영택. 인공간 시스템 적용을 위한 돼지 간세포의 대량 분리 및 배양. 대한간학회지. 2002;8:249-255.
3. 황윤진. 인공간 개발의 최근 현황. 대한간학회지 2001;7:118-122.
4. Davenport A, Gura V, Ronco C, et al. A wearable haemodialysis device for patients with end-stage renal failure: a pilot study. Lancet. 2007;370:2005-2010.
5. de Francisco AL, Piñera C. Challenges and future of renal replacement therapy. Hemodial Int. 2006;10:S19-23.
6. Faris RA, Konkin T, Halpert G. Liver stem cells: a potential source of hepatoctes for treatment of human liver disease. Artif Organs. 2001;25:513-521.
7. Hui T, Rozga J, Demetriou AA. Bioartificial liver support. J Hepatobiliary Pancreat Surg. 2001;8:1-15.
8. Ronco C, Davenport A, Gura V. Toward the wearable artificial kidney. Hemodial Int. 2008;12:S40-47.
9. Saito A, Aung T, Sekiguchi K, et al. Present status and perspectives of bioartificial kidneys. J Artif Organs. 2006;9:130-135.
10. Schiel R. Continuous subcutaneous insulin infusion in patients with diabetes mellitus. Ther Apher Dial 2003;7:232-237.
11. Shaldon S, Lysaght MJ. Wearable artificial kidneys. 2008. What's new? Nephrol Dial Transplant. 2008;23:2716-2717.
12. Singer Al, Olthoff KM, Kim H, et al. Role of plasmapheresis in the management of acute hepatic failure in children. Ann Surg. 2001;234:418-424.
13. Vanholder R. Problems and solutions for artificial kidney. Technol Health Care. 2000;8:373-379.
14. Zisser H, Robinson L, Bevier W, et al. Bolus calculator: A review of four "smart' insulin pumps. Diabetes Technol Ther. 2008;10:441-444.

Chapter 15 노인 환자의 수술

Surgery for elderly patient

I 서론

최근 우리 나라는 고령화 속도가 매우 빠르게 진행되고 있다. 통계청 자료에 따르면 노인 인구 비율은 1990년 5.1%에서 2000년 7.2%로 증가하여 고령화 사회(65세 이상 노인 인구 비율이 7% 이상-14% 미만)에 진입하였으며, 2008년에는 10.3%로 65세 이상의 노인 인구가 전체 인구에서 차지하는 비중이 10%를 넘어섰다. 또한 2018년에는 고령 사회(노인 인구 비율이 14% 이상-20% 미만)에 진입하고, 2026년에는 초고령 사회(노인 인구 비율이 20% 이상)에 들어갈 것으로 관측되었다.

이러한 노인 인구의 증가는 노인에서의 수술적 중재를 많이 필요로 하게 되었다. 65세 이상의 노인 환자가 응급수술의 50% 및 술 후 사망률의 75%를 차지한다. 최근 수술 술기 및 마취 기술의 발달로 노인 환자에서의 수술 사망률이 급격히 감소되었으며, 이러한 발달에 맞춰 노인 환자에서 필요한 수술 전 검사 및 동반 질환의 이해와 더불어 수술 후 발생할 수 있는 응급 상황에 대한 대처 능력을 배양해야 하겠다.

노인 환자는 다양한 정도의 기능적 장애와 동반질환을 가지고 있다. 나이 자체만으로는 수술의 위험성(합병증, 사망률)의 표지자가 되지는 않지만, 생리학적 또는 기능적 능력의 감소 및 다양한 동반 질환의 존재에 대한 확실한 표지자가 된다. 즉 노인은 심장, 폐, 신장 및 신경학적 능력의 감소로 인하여 수술 후 합병증 및 사망률의 증가가 예상된다. 또한, 노인 환자에서는 외과적 질환의 전형적인 증상이나 소견이 나타나지 않으며 자연경과 유형이 젊은 환자와 동일하지 않아 치료가 지연될 수 있고 급성 합병증이 발생한 후에서야 처음으로 진찰을 받게 되는 경우가 드물지 않다. 따라서 노인환자에 있어서는 외과적 질환에 대한 보다 더 철저한 평가가 필요하다.

II 수술 전 평가

노인에 있어 생리적인 노화 및 노화와 동반된 만성 질환의 결과로 수술의 위험성은 증가한다. 따라서 수술의 결과에 영향을 미칠 수 있는 동반된 노화 상태에 대한 적절한 평가와 이해가 술 전 검사에 있어 필수적이라 하겠다.

마취 및 수술의 위험성에 영향을 미치는 동반 이환 요

표 15-1. 미국 마취과학회의 환자 상태 분류표

미국 마취과학회에 의한 마취와 수술에 대한 위험성 계층화	
1군	전신 질환이 없는 건강한 환자
2군	경한 전신 질환이 있을 때
3군	심하지만 생명을 위협하지는 않을 정도의 전신 질환이 있을 때
4군	계속적으로 생명에 위협을 줄 수 있는 전신 질환이 있을 때
5군	수술과 관계없이 동반 질환에 의해 수명 기대가 24시간 이내인 경우
6군	장기 공여자

Note: 응급 수술이 필요한 경우는 각 군에 접미사 "e" 를 추가한다.

Source: Muravchick S. Preoperative assessment of the elderly patients. Anesthesiol Clin North America 2000;18:71-89.

인들은 미국 마취과 학회(ASA)의 환자의 생리적 상태 평가에 잘 요약이 되어 있다(표 15-1). 이 평가 도구는 각 장기의 기능 부전과 생리적 감소의 정도에 기초를 두기 때문에 술 후 합병증의 위험성의 판단에 유용하게 사용할 수 있다. 즉, 65세 이상의 노인 환자에서 수술적 처치 후 사망률은 동반 질환이 없는 경우 약 5% 정도이나, 세가지 이상의 동반 질환이 있는 경우 약 10% 정도로 증가한다.

노인층에서 직면할 수 있는 특별한 문제점은 수술적 처치의 지연이다. 이는 비특이적인 증상의 호소로 인하여 응급 상황의 외과적 질환에 대한 판단 착오에서 기인할 수 있다. 또한, 노인에서는 술 후 합병증이 많이 발생하고 수술의 결과가 좋지 않을 것이라는 의료인의 생각으로 계획 수술의 지연도 발생할 수 있다. 이러한 수술의 지연으로 인해 합병증의 발생률과 사망률이 증가될 수 있다. 즉, 술 후 합병증의 발생률과 사망률의 예측 인자는 고령뿐만 아니라 생리적 노화, 동반 질환 및 수술적 처치의 응급 상황 자체도 포함된다.

노인에서 술 전 평가에 있어 영양 상태의 평가도 중요한 인자이다. 노인에 있어 불충분한 식이 섭취 및 동반된 질환으로 인해 영양 결핍의 빈도가 높다. 질환과 수술의 스트레스로 인해 발생되는 과대사 상태에서 노인 환자들은 단기간의 금식으로도 영양 결핍을 초래할 수 있다. 영양 불량은 면역기능 저하, 상처 치유 등 회복지연, 합병증 및 감염의 증가, 호흡기능 저하 등과 밀접한 관계가 있다. 따라서 영양상태 평가 및 적절한 영양 지원이 노인 환자의 수술 후 합병증 감소와 기능적 회복에 필수적이다.

수술 환자에서 기능적 상태의 정확한 평가도 중요한데, 이는 수술 후 야기될 수 있는 호흡기계 및 심혈관계의 합병증과 연관이 있기 때문이다. 즉, 환자의 기능적 상태 불량은 거동 불능 상황을 일으킬 수 있으며, 이는 무기폐, 폐렴, 심부정맥혈전증 및 폐색전증 등의 술 후 합병증의 위험을 증가 시키는 것으로 알려져 있다.

심혈관계 합병증은 모든 나이의 환자에서 술 후 합병증 및 사망의 중요한 원인이나, 특히 정상적인 생리적 노화와 함께 심혈관계 질환이 있는 노인 환자에서 더욱 더 중요하다. 생리적인 노화현상으로 심박출량이 매년 1%씩 감소하며, 노인에 있어 심박출량은 심박수보다는 혈관내 용적에 좌우된다. 수술 후 사망의 50% 및 수술 후 합병증의 11%에서 심장 기능 장애와 관계가 있다. 나이가 많을수록 관상동맥질환 및 울혈성심부전이 많이 발생하기 때문에 명백한 질환 뿐만 아니라 잠재적인 질환의 유무를 평가하기 위해 주의 깊게 증상을 확인하고 이학적 소견에 대한 검사를 하는 것이 필요하다. 노인 환자에서 심장 발작의 위험성은 Goldman's criteria에 잘 명시되어 있다(표 15-2). 예를 들면, 위험인자가 없는 노인 환자에서는 0.5%의 심장 이환률을 보이나, 위험 인자가 1가지가 있으면 1.3%, 2가지일 때 3.6%, 3가지일 때 9.1%로 증가한다.

호흡기계 합병증도 수술 환자의 사망에 중요한 인자이며, 생리적 노화와 더불어 호흡기 질환이 있는 노인 환자에서 그 위험성은 증가한다. 생리적인 노화현상으로 최대 환기량은 50-70% 감소하며, 1초간 노력성 호기량은 매년 35mL씩 감소한다. 호흡기 합병증은 술 후 합병증의 50%를 차지하며, 예방할 수 있는 사망의 20%를 차지한다. 특히 상복부, 대동맥 등의 수술적 처치 시 그 빈도는 높아진다. 모든 노인 환자에서 술 전 흉부 X-선 사진과 동맥혈 가스 분석은 필수적이다. 술 후 호흡기계 합병증의 발생에 있어 위험 인자는 흡연 병력, 만성폐쇄성폐질환의 유무, 저산소혈증 및 고이산화탄소혈증 등이 포함된다. 특히, 만성폐쇄성폐질환은 호흡기계 합병증의 발생 빈도를 약 20

표 15-2. 고령의 외과 환자에서 수술 전에 심장 발작의 위험성을 결정하기 위한 Goldman's 분류

Goldman 분류	점수	개정 Goldman 분류	점수
70세 이상	5	심부전 병력	1
최근 6개월 내 심근경색 병력	10	허혈성 심장 질환 병력	1
S3 gallop(+) 혹은 경정맥 팽창	11	뇌-혈관 질환 병력	1
대동맥 판막 협착	3	수술 전 인슐린 치료	1
정상이 아닌 심전도	7	수술 전 혈중 creatinine이 2mg/dL 이상	1
수술 전 분당 5개 이상의 PVC가 있을 때	7	고 위험군 수술	1
불량한 전신 건강 상태	3		
복부, 흉부 혹은 대동맥 수술	3		
응급 수술	4		
가능한 전체 점수	53		6

PVC = Premature ventricular contraction

Source: Goldman L, et al. Multifactorial index of cardiac risk in noncardiac surgical procedures. N Engl J Med 1977;297:845-50.; and Lee TH, et al: Derivation and prospective validation of a simple index for prediction of cardiac risk of major noncardiac surgery. Circulation 1999;100:1043-9.

배 증가시킨다. 술 전 폐 기능 검사를 통해 폐 기능을 측정할 수 있으며, 만약 비정상적인 소견이 보이면 운동, 기관지 확장제 및 강화 폐활량계의 사용 등 술 전 처치가 필요하다.

고령의 수술 환자에서 수술 전후 신장 기능 부전의 위험도 증가한다. 노인에 있어 신장의 크기와 용량이 감소하며, 사구체와 네프론의 수가 감소하여 사구체 여과율이 감소한다. 또한 신장 허혈 및 신독성 물질에의 감수성도 증가한다. 40세 이상의 환자에서 사구체 여과율은 매년 약 1mL/min씩 감소하며, 80세 환자의 사구체 여과율은 30세 환자의 1/2에서 2/3정도로 감소한다. 급성 신부전은 노인 환자에서 사망률을 급격히 증가시키는 것으로 알려져 있다. 수술 전후 급성 신부전의 사망률은 약 50%나 된다. 따라서 수액 및 전해질의 세심한 관리와 신독성 물질 및 약물의 사용에 주의해야 한다.

노인 환자의 술 전 평가는 환자의 영양 상태 평가, 호흡기계 합병증을 감소시키기 위한 금연, 심장 기능의 정상화, 수분의 평형 상태 등을 포함해야 한다. 노인 환자의 수술 시 수술로 인한 이득과 수술의 위험성 및 합병증에 대하여 환자 및 보호자들과 충분히 상의를 하여야 하며, 회복하는 기간도 젊은 환자들과 다르다는 것을 이해시켜야 한다.

III 수술별 주요 고려 사항

1. 최소 침습 수술

1) 복강경 수술

복강경 수술 기법의 발전 및 누적된 경험과 더불어 통증 감소, 입원 기간 단축 및 일상 생활로의 빠른 복귀 등의 장점으로 노인 환자에 있어 최소 침습 수술의 빈도가 증가하고 있다.

복강경 수술은 무기폐, 장마비, 창상감염 등의 흔한 술 후 합병증을 감소시킨다. 노인 환자에 있어 이들 합병증은 폐렴, 심부정맥혈전증, 대사성 및 전해질 불균형, 패혈증까지도 쉽게 진행할 수 있다. 또한, 술 후 통증 감소로 인해 조기 보행을 포함한 술 전 상태로 빠른 회복을 유도할 수 있다. 이로 인해 심부정맥혈전증 및 폐렴과 같은 합병증을 감소시킬 수 있다. 또한, 복강경 수술은 개복 수술에 따르는 염증성, 호르몬성, 대사성 스트레스를 감소시킬 수 있어 변화에 취약한 노인 환자에 있어 적합하다. 그러나, 이러한 장점들이 CO_2 주입의 부작용 및 기복강이 혈류역학에 미치는 영향들과 균형이 맞는지 비교해 봐야 한다. 복강내 압력이 증가하면 평균 동맥혈압 및 전신 혈관 저항을 증가시키며, 정맥혈의 감소로 인한 심박출량이 감소된다. 이는 생리적 변화에 취약한 노인 환자에 있어 심혈관계에 심각한 문제를 일으킬 수 있다. 그러므로 노인에 있어 최소 침습 수술의 결정은 그 환자의 동반 질환 상태, 심혈관계 및 호흡기계의 기능 등을 고려하여 환자 개개인에 맞추어져야 한다.

노인 환자에 있어 최소 침습 수술의 중요한 적응은 급성 복증에 대한 평가이다. 비특이적인 통증, 동반된 질환, 전신 마취에 대한 위험성 등으로 진단적 개복술은 노인에 있어 생명을 위협할 수 있다. 급성 복증을 호소하는 환자에서 복강경 수술의 적용 결과 41%는 개복 수술로의 전환이 필요하였고, 10%는 복강경 수술이 가능하였다. 또한, 48%의 환자에서는 내과적 처치가 가능한 비수술적 질환이었다. 그러므로 중증 노인 환자에의 급성 복증에 대한 진단적 복강경 수술의 적용은 유용한 수단으로 평가되고 있다.

2) 혈관 내 수술

다양한 복부 통증으로 복부 컴퓨터단층 촬영이나 초음파의 사용이 증가함에 따라 복부대동맥류의 진단이 특히 노인 환자에게서 증가하고 있다. 복부대동맥류의 유병률은 50세부터 증가하며, 80세 이상에서는 약 10%에서 발견되는 것으로 보고되고 있다. 그러나 노인 환자에서는 다양한 동반질환 및 제한된 심폐 예비력으로 개복 수술에 많은 제한점이 있다. 혈관내 수술은 수술 시간이 짧고, 출혈이 적고, 수술 후 회복이 빠르고, 수술 후 사망률 및 합병증이 적은 장점이 있다. 이에 최근 혈관내 수술이 개복 수술을 많이 대치하게 되었다.

2. 암

대부분의 암의 발생은 연령에 따라 증가하며, 노인 인구가 증가함에 따라 다학제적 치료가 필요한 노인 환자도 급격히 증가하고 있다. 현재 암 진단의 약 50%가 70세 이상의 환자에서 이루어지고 있다. 노인층에서 암 발생률이 증가함과 더불어 기대수명의 증가로 수술적 치료가 필요한 암의 유병률이 증가하고 있으나, 노인 환자에서 근치적 수술과 선행화학요법 및 보조항암화학요법의 결과를 평가하기 위한 무작위 임상시험은 부족한 실정이다.

노인층에서 같은 병기의 젊은 환자들에 비해 암질환의 치료를 불충분하게 받고 있다. 그 이유로는 좋지 못한 기능적 상태, 환자 및 가족들의 선호도, 나이에 대한 편견, 기대수명, 수술 후 삶의 질에 관한 염려 등이 있다. 술자들은 노인 환자, 특히 제한된 기대수명을 가진 노인 환자에서 수술적 치료가 적절한지 결정해야 한다. 노인 환자에서 암 수술의 유효성은 기능적 상태나 삶의 질을 저하시키지 않으면서 안전한 치료가 이루어 지는지 여부에 달려 있다. 수술 후 기대수명은 수술로 인해 향상되어야 하며, 최소한 감소되어서는 안된다.

1) 유방암

유방암의 50%가 65세 이후에 발생하며, 25%가 75세 이후에 발생한다. 노인 환자에게 발견된 유방암의 경우 진행된 경우가 많으나, 생물학적으로 덜 공격적이며, 에스트로겐 수용체에 양성인 경우가 더 많은 것으로 알려져 있다. 또한 노인 환자에서 유방암 수술에 따른 사망률이 1% 미만으로 적극적인 수술적 처치가 요구된다. 유방암에 대한 검진 및 조기 진단으로 적절한 치료를 할 수 있으며, 이로 인해 생존률과 삶의 질을 향상시킬 수 있다.

2) 대장암

대장암의 발생률은 나이와 함께 증가한다. 대장암의 약 90%는 55세 이상의 환자에서 진단되고 있다. 70세 이상의 노인 환자에서 광범위한 수술적 절제술 후 합병증 및 사망률이 급격히 증가한다고 보고되었으며, 85세 이상의 환자에서 수술 후 병원내 사망률은 젊은 환자에 비해 약 9배 높은 것으로 알려져 있다. 또한 대장암의 암 특이 5년 생존률은 젊은 환자들에 비해 감소되어 있으나, 이는 나이 자체보다는 동반질환 및 수술 후 회복에 필요한 신체적 능력의 감소에서 기인하는 것으로 알려져 있다. 따라서 노인층에서도 적극적인 대장암에 대한 검진 및 수술적

표 15-3. 갑상선 암의 AMES 분류

	저 위험군	고 위험군
A: 나이(Age)	- 남자: 41세 미만 - 여자: 51세 미만	- 남자: 41세 이상 - 여자: 51세 이상
M: 원격전이(Metastasis)	- 원격전이(-)	- 원격전이(+)
E: 원발암의 침범 정도 (Extent of primary tumor)	- 갑상선 내 국한된 유두상 선암 - 갑상선 막의 최소한의 침범을 보이는 여포상 선암	- 갑상선 외 침범이 있는 유두상 선암 - 갑상선 막의 주된 침범을 보이는 여포상 선암
S: 종양의 크기(Size of tumor)	- 직경 < 5cm	- 직경 ≥ 5cm (병의 침범 범위와 관계 없이)

Note: 41세 이상의 남자나 51세 이상의 여자 환자에서 종양의 크기가 5cm 미만이거나 갑상선 내에 국한되어 있던지 최소한의 갑상선 막을 침범한 여포성 종양인 경우는 저 위험군에 포함시킨다.

Source: Sanders LE, Cady B. Differentiated thyroid cancer: reexamination of risk groups and outcome of treatment. Arch Surg 1998;133:419-25.

치료가 계속되어야 한다.

3. 내분비계 수술

1) 갑상선 수술

갑상선 질환의 유병률은 연령에 따라 증가한다. 갑상선 질환의 원인, 위험인자, 증상 등은 모든 연령층에서 비슷하지만, 특히 노인층에서 갑상선기능항진증에 의한 심실세동과 같은 심장 문제로 종종 접하게 된다. 신체 검사 상 촉지되는 결절로 갑상선 검사를 하는 경우가 많으며, 대부분의 갑상선 결절은 하나이며, 여자에게서 약 4배 정도 더 흔하다. 갑상선 결절에 대한 수술적 처치는 그 결절의 양상에 의해 결정된다. 즉 악성이 의심되거나, 결절이 커지거나, 기도 압박 증상이 있으면 수술적 제거가 필요하다.

유두상 선암의 경우 산발적으로 발생하며 발생 빈도는 종모양을 보여 60세 이상의 환자에서는 감소하는 추세이다. 그러나, 60세 이상의 환자에서 국소 재발 및 원격 전이의 위험이 증가하는데, 이는 수술적 처치의 지연이 어느 정도 영향을 미칠 것으로 생각된다. 여포상 선암의 경우도 나이가 예후 인자 중 하나이며, 20년마다 2.2배씩 사망률이 증가한다. 고령 자체가 갑상선 선암의 환자에서 사망률을 높이는 독립된 생존 지수이며, Lahey Clinic에서 제창된 AMES분류에 잘 명시되어 있다(표 15-3).

2) 부갑상선 수술

노인층의 약 2%에서 부갑상선기능항진증이 발생한다. 노인 환자에서는 진행된 상태에서 외과에 의뢰가 되는 경우가 흔하나 낮은 합병증 발생률과 사망률 및 95-98%의 치유률로 인해 안전하고 효과적으로 수술적 처치가 가능하다.

부갑상선 절제술은 확실한 증상의 호전과 대부분의 환자에서 삶의 질 향상의 이점을 보인다. 미국 NIH 합의에 의하면 나이에 관계없이 creatinine clearance가 30% 이상 감소한 경우, 24시간 소변에서 칼슘의 분비가 400mg 이상인 경우, 골 밀도가 감소한 경우 수술적 처치의 적응이 된다고 하였다.

노인 환자에서는 부갑상선항진증에 의한 정신적, 신경학적 증상을 호소하는 경향이 많으며, 심할 경우 치매와 비슷한 증상을 보인다. 또한 폐경기의 여자 환자에서 부갑상선기능항진증은 정형외과적 질환으로 나타날 수 있다. 약 5%에서 배부 통증과 척추 골절 등이 발생하며 골다공증과 감별이 어렵다. 이러한 증상들은 부갑상선 절제술 후 호전된다.

4. 심혈관 수술

1) 관상동맥 우회로 이식술

심폐바이패스 기술과 수술 전후 환자 관리의 발전으로

관상동맥 우회로 이식술이 노인 환자에서 안전하게 시행될 수 있다. 나이 자체만으로는 수술 후 사망률 및 합병증 발생률 증가의 위험인자가 되지 못한다.

관상동맥 우회로 이식술이 필요한 노인 환자에서 확실한 수술적 처치를 시행하는 경향이 뚜렷하다. 심장 수술 후 합병증이나 사망률이 젊은 환자에 비해 높지만 이 비율은 확실히 감소 추세를 보이며, 이는 발전된 술 전 검사와 환자의 선택에서 기인된 것 같다. 물론, 노인 환자에서는 만성 폐쇄성 폐질환, 뇌혈관 질환, 신부전 등의 동반 질환의 유병률이 높고, 낮은 심박출률, 좌심실 기능 부전 및 판막 질환과 동반된 심각한 세 개의 관상 동맥 질환의 빈도가 높으나 비교적 만족할만한 사망률로 관상 동맥 우회로 이식술을 시행할 수 있다. 노인 환자에서 전체적인 사망률은 7–12%로 보고되고 있으나, 이는 응급 상황을 포함한 것이며 주의 깊은 술 전 검사를 통한 계획 수술 시 약 2.8%로 감소시킬 수 있다고 보고되고 있다.

2) 판막 치환술

수술적 처치가 필요한 판막 질환을 호소하는 노인 인구도 역시 증가하고 있다. 노인 환자에서 가장 흔한 판막 질환은 협심증과 실신을 초래할 수 있는 석회화된 대동맥판 협착이다. 대동맥판 치환술로 인한 사망률은 3–10% 정도이다. 수술적 교정을 하지 않는다면, 대동맥판 협착은 울혈성심부전으로 진행하게 되는데, 이때 환자의 평균 수명은 1.5–2년이다. 따라서, 수술적 처치에 적응이 되는 환자에서는 나이와 관계없이 기대 수명의 연장과 삶의 질 향상을 위해 수술적 치료를 적극적으로 고려해야 한다.

승모판 질환을 가진 노인에서 수술은 승모판의 허혈성 역류가 있을 때 필요하다. 승모판 질환에 대한 수술은 대동맥판 질환에 비해 높은 합병증 발생률과 사망률을 보이는데, 약 20% 정도의 사망률이 보고되고 있다. 승모판 치환술의 수술적 결과는 질환의 심한 정도, 환자의 나이, 폐고혈압의 유무, 관상 동맥 질환의 정도와 관계가 있으며, 다양한 동반 질환도 수술적 결과를 나쁘게 한다. 따라서, 승모판 질환의 처치는 환자 개개인에 맞추어져야 한다.

노인에게서는 판막 수술 후 신경학적 합병증이 흔하다. 70세 이상 노인 환자의 약 30% 정도에서 일시적 또는 영구적인 신경학적 기능부전이 나타난다. 이는 판막의 석회화 파편 또는 우심실에 존재하던 혈전에 의한 색전증의 결과이다.

5. 외상

65세 이상의 노인 환자들은 외상으로 인한 병원 입원 환자의 약 23%를 차지한다. 노인에 있어서는 보행 장애, 청각 및 시각 장애, 의식 장애 및 치매 등의 노화와 관련된 변화들로 인해 특히 외상을 입기 쉽다. 그리고, 생리적 노화 및 동반된 질환으로 인해 합병증 및 사망률이 증가함을 인식해야 하며, 젊은 환자에 비해 약 2–3배 정도 사망률이 높다.

노인 외상환자의 관리에 있어 몇가지 염두해야 할 점들이 있다. 첫째 생리적인 예비력이 외상으로 인해 더 감소될 수 있다. 예를 들면 진단되지 않은 심장 문제가 외상 후 갑자기 나타날 수 있다. 둘째 동반질환으로 인해 복용하는 약물 때문에 손상이 더 악화될 수 있다. 예를 들면 항응고제의 복용으로 인해 외상 후 출혈이 크게 증가될 수 있다.

6. 이식

과거에는 장기 이식은 일차적으로 젊은 환자에게만 국한되었으며, 고령이 이식의 금기가 되기도 했다. 그러나, 면역학, 이식학 및 수술의 발달로 점차 많은 수의 노인 환자들도 이식의 수혜자가 되기 시작했다. 노인 환자에서는 면역 적격성의 감소로 인해 급성 및 만성 거부 반응의 빈도가 낮다. 그러나, 이식 후 감염이나 암의 발생이 증가하는 점을 고려해야 한다.

7. 고식적 수술

고식적 수술은 환자의 생존에 미치는 영향은 미미하지만 환자의 증상을 호전시키는, 즉 삶의 질을 향상 시킬 수 있는 수술적 처치로 정의 된다. 진행된 질환을 가진 노령의 외과 환자가 증가함에 따라서, 외과의사는 병의 조절을 위한 고식적 개념에 친숙해져야 한다. 이러한 개념은 환자에게 최소한의 침습적 처치를 사용하여 최대한의 이익을 제공하는데 초점을 두고 있다. 결국, 이것은 말기 질환 상태에서 증상 완화와 삶의 질을 유지하게 한다. 고식적 수술은 항암화학요법과 방사선요법을 보조하기 위한 용적축소수술debulking operation부터 말기 질환 상태에서 흔히 볼 수 있는 심한 구토, 통증, 악액질 및 식욕감퇴와 같은 증상을 경감하기 위한 치료에 이르기까지 다양하게 이용되고 있다. 고식적 수술은 증상 완화를 달성하고 유지하는 동안 고식적 치료 자체로 인한 또 다른 증상이 발생하지 않도록 하는 세심한 균형이 필요하다.

진행성 질환에서의 고식적 치료는 종종 연령에 따른 편견과 관련이 있다. 즉, 젊은 환자들에 비해 고령의 환자들이 고식적 치료를 제공 받는 경향이 있다. 외과 의사들은 수술을 결정하는데 있어서 술 전 환자의 기능적 상태를 중요하게 생각한다. 근치적 치료에서 고식적 치료로 이행될 때, 계획한 외과적 술기의 위험과 이득을 잘 파악해야 하며 환자의 삶의 질에 대한 영향도 고려해야 된다.

요약

최근 노인 인구의 증가와 함께 노인에서의 수술적 중재가 많이 증가하고 있다. 노인에 있어 생리적 노화 현상 및 만성 질환의 결과로 수술의 위험성은 증가하므로 이에 대한 적절한 평가와 이해가 필수적이라 하겠다. 또한 노인 환자에서는 외과적 질환의 전형적인 증상이나 소견이 나타나지 않으며, 자연경과 유형 또한 젊은 환자에서와 동일하지 않아 치료가 지연될 수 있다는 것을 명심하여야 한다.

참고문헌

1. 통계청, 장래인구추계. www.kostat.go.kr.
2. Asmis TR, Ding K, Seymour L, et al. Age and comorbidity as independent factors in the treatment of non-small cell lung cancer: a review of National Cancer Institute of Canada Clinical Trials. J Clin Oncol 2008;26:54-9.
3. Aziz S, Grover FL. Cardiovascular surgery in the elderly. Cardiol Clin 1999;17:213-31.
4. Ballista-Lopez C, Cid JA, Poves I, et al. Laparoscopic surgery in the elderly patient. Surg Endosc 2003;17:333-7.
5. Beck LH. Perioperative renal, fluid, and electrolyte management. Clin Geriatr Med 1990;6:557-69.
6. Biebl M, Lau LL, Hakaim AG, et al. Midterm outcomes of endovascular abdominal aortic aneurysm repair in octogenarians: a single institution's experience. J Vasc Surg 2004;40:435-42.
7. Davis EA, Gardner TJ, Gillinov AM, et al. Valvular disease in the elderly: influence on surgical results. Ann Thorac Surg 1993;55:333-7.
8. Dellapasqua S, Colleoni M, Castiglione M, et al. New criteria for selecting elderly patients for breast cancer adjuvant treatment studies. Oncologist 2007;12:952-9.
9. Ergina PL, Gold SL, Meakins JL. Preoperative care of the elderly surgical patient. World J Surg 1993;17:192-8.
10. Gennari R. Breast cancer in elderly women. Optimizing the treatment. Breast Cancer Res Treat 2008;110:199-209.
11. Giorgano SH, Hortobagyi GN, Kau SC, et al. Breast cancer treat-

ment guidelines in older women. J Clin Oncol 2005;23:783-91.

12. Goldman L, Caldera DL, Nussbaum SR, et al. Mutifactorial index of cardiac risk in noncardiac surgical procedures. N Engl J Med 1977;297:845-50.
13. Irvin GL, Carneiro DM. Limited parathyroidectomy in geriatric patients. Ann Surg 2001;233:612-6.
14. Jaklitsch MT, Pappas-Estocin A, Bueno R. Thoracoscopic surgery in elderly lung cancer patients. Crit Rev Oncol Hematol 2004;49:154-71.
15. Lee TH, Marcantonio ER, Mangione CM, et al. Derivation and prospective validation of a simple index for prediction of cardiac risk of major noncardiac surgery. Circulation 1999;100:1043-9.
16. Loran DB, Zwischenberger JB, et al. Thoracic surgery in the elderly. J Am Coll Surg 2004;199:773-84.
17. McCahill LE, Krouse RS, Chu DZ, et al. Decision making in palliative surgery. J Am Coll Surg 2002;195:411-22.
18. McConahey WM, Hay ID, Wodner LB, et al. Papillary thyroid cancer treated at the Mayo Clinic, 1946 through 1970: initial manifestations, pathologic findings, therapy, and outcome. Mayol Clin Proc 1986;61:978-96.
19. Morales JP, Irani FG, Junes KG, et al. Endovascular repair of a ruptured aortic aneurysm under local anesthesia. Brit J Radiol 2005;78:62-4.
20. Mueller-Gaertner H, Brzac HT, Rehpenning W. Prognostic indices for tumor relapse and tumor mortality in follicular thyroid carcinoma. Cancer 1991;67:1903-11.
21. Muravchick S. Preoperative assessment of the elderly patients. Anesthesiol Clin North America 2000;18:71-89.
22. Pasetto LM, Lise M, Monfardini S. Preoperative assessment of elderly cancer patients. Crit Rev Oncol Hematol 2007;64:10-8.
23. Pedroso S, Martins L, Fonseca I, et al. Renal transplantation in patient over 60 years of age: A single-center experience. Transplant Proc 2006;38:1885-9.
24. Ramesh HS, Pope D, Gennari R, et al. Optimising surgical management of elderly cancer patients. World J Surg Oncol 2005;3:3-17.
25. Richardson J, Cocanour C, Kern J, et al. Perioperative risk assessment in the elderly and high risk patients. J Am Coll Surg 2004;199:133-46.
26. Richmond TS, Kaunder D, Strumpf N, et al. Characteristics and outcomes of serious traumatic injury in older adults. J Am Geriatr Soc 2002;50:215-22.
27. Rosenthal RA, Zenilman ME, Katlic MR, et al. Principles and Practice of Geriatric Surgery. New York: Springer-Verlag; 2011.
28. Rosenthal RA. Nutritional concerns in the older surgical patient. J Am Coll Surg 2004;199:785-91.
29. Rubenstein LZ, Josephson KR. The epidemiology of falls and syncope. Clin Geriatr Med 2002;18:141-58.
30. Sanders LE, Cady B. Differentiated thyroid cancer: reexamination of risk groups and outcome of treatment. Arch Surg 1998;133:419-25.
31. Sheehan DC, Forman WB. Hospice and Palliative Care Concepts and Practice. Boston: Jones and Bartlett;1996.
32. Sheldon DG, Lee FT, Neil NJ, et al. Surgical treatment of hyperparathyroidism improves health related quality of life. Arch Surg 2002;137:1022-6.
33. Stewart BT, Stitz RW, Lumley JW. Laparoscopically assisted colorectal surgery in the elderly. Br J Surg 1999;86:938-41.
34. Tan E, Tilney H, Thompson M, et al. The United Kingdom National Bowel Cancer Project: Epidemiology and surgical risk in the elderly. Eur J Cancer 2007;43:2285-94.
35. Zenilman ME. Surgery in the elderly. Curr Probl Surg 1998;35:99-179.

Chapter 16

최소 침습수술

Minimally invasive surgery

최소 침습수술은 기존 모든 수술의 계율discipline을 뛰어 넘어 외과적 처치(치료)에 심대한 영향을 가져온 새로운 형태의 혁명적인 수술방법이다. 복강 내로 삽입된 투관침과 이를 통한 내시경(복강경)을 이용하여 복강 내 병소가 모니터에 비추어지면 그 영상을 보면서, 다른 투관침 내로 삽입된 특수제작된 수술기구들을 이용하여 수술하는 방법을 최소 침습수술이라 정의하는데, 영어로는 여러 가지 용어로 표현되고 있지만 John Wickham의 "Minimally Invasive Surgery (MIS)"가 가장 널리 사용되고 있다.

I 역사적 배경

1901년 Kelling은 살아 있는 개의 복부에 정화된 공기를 넣은 뒤 방광경을 통해 복강 내를 관찰하였는데 이때 광원으로 방광경 끝에 달린 뜨거운 전극을 이용하였기 때문에 대단히 위험하였다. 1920–1930년대 독일의 Kalk는 다목적으로 디자인된 기구들(빗면경, 진단적 복강경 등)을 개발하여 간과 담도 질환을 관찰하였다. 1952년 영국의 Hopkins가 섬유광학을 이용한 광원과 간상렌즈rod lens 체계를 개발, 소개하면서 내시경과 복강경 사용은 전 세계적으로 획기적인 호응을 얻게 되었다. 현대 복강경 수술의 원조는 독일 킬 대학Kiel School의 부인과 의사인 Semm으로 여겨지는데 그는 다양한 기구들을 개발, 개량하고 중요한 복강경 부인과 술기들을 확립, 발간하였으며 1983년 복강경 충수절제술을 시행하였다. 1985년 독일의 Muehe는 개량형 직장경과 탄산가스주입을 통한 복강경 담낭절제술을 성공적으로 시행하였다. 1986년 컴퓨터칩 비디오카메라가 소개되면서 오늘날의 복강경 수술발전의 기폭제가 되었는데 이를 이용해 1987년 프랑스의 Mouret가 표준 복강경기구를 이용하여 사람에게 최초로 복강경 담낭절제술을 시행하였다. 그 뒤 Dubois, Perissat, Reddik, Cuschieri, Nathanson 및 Berci 등 많은 전문가에 의해 최소 침습수술 외과술기는 획기적이며 비약적인 발전을 하게 되었다.

II 최소 침습수술의 과정

복강경 수술의 순서는 먼저 이산화탄소CO_2를 이용한

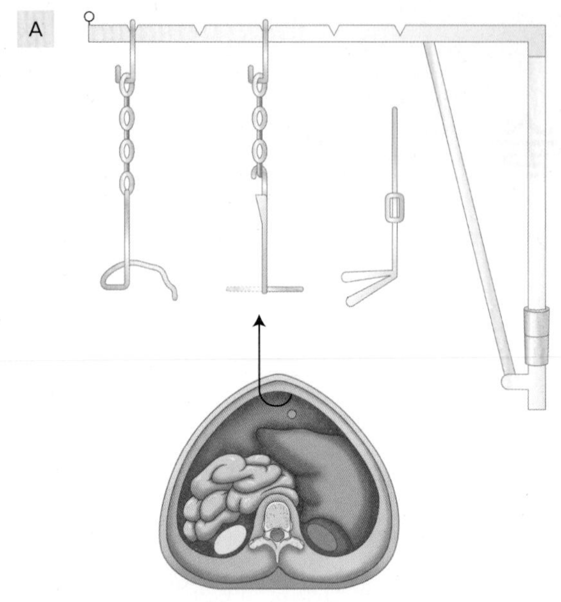

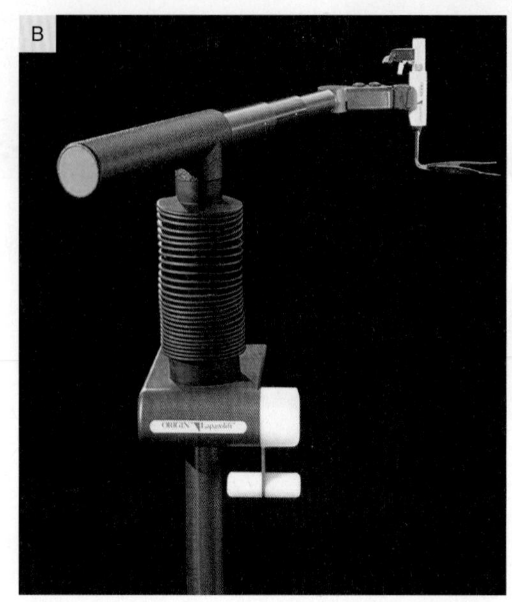

그림 16-1 A) 각종 복벽거상용 견인기. B) Laparolift system

기복이나 복벽거상기를 이용한 복벽거상법(그림 16-1)으로 수술공간(시야)을 확보한다. 이후에 주투관침과 복강경을 삽입 후 수술종류에 따라 보조 투관침을 삽입한다. 수술시야 확보와 수술진행을 위해 견인용 겸자를 위치시킨 후 전기소작과 둔한 절리를 이용하여 해당장기를 분리, 노출, 깎기, 절제 및 문합등을 시행한다. 절제된 조직 및 장기는 복강외로 빼내고 지혈, 세척, 흡입 및 필요시 배액관을 삽입한뒤 마지막으로 근막과 피부를 봉합하여 수술을 끝낸다.

1. 수술 전 준비와 금기증

수술 전 준비는 개복술과 동일하며, 전신마취를 위한 일반적인 검사 및 해당 수술부위의 특수 검사(복부 전산화 단층 촬영 포함)가 필요하다. 수술 전 복강경 수술에 대한 자세한 설명과 수술도중 개복술로의 전환 가능성에 대한 설명이 반드시 필요하다. 또한 장관이나 방광손상을 예방하고 좋은 수술시야 확보를 위해 비위관이나 도뇨관 삽입이 필요할 수도 있다. 최소 침습수술의 금기증으로는 진행성 복막염, 장폐쇄로 인한 심한 복부팽만, 교정이 안되는 응고장애와 정상적인 복부수술을 견디기 어려운 환자 등이다. 또한 최소 침습수술 경험이 없는 외과의는 유경험자의 지도와 도움을 받아 시행하여야 한다.

2. 환자의 자세와 마취

수술하는 부위에 따라 환자의 자세 변화가 필요한데 앙와위supine, 쇄석위lithotomy, 역쇄석위, 측와위lateral decubitus 등 필요한 수술에 따라 체위변경을 하여야 원활하게 수술을 진행할 수 있으므로 자세변화가 자유롭고 튼튼한 수술대가 필요하다.

대부분의 최소 침습수술은 전신마취하에서 시행되는데 이산화탄소 기복과 환자 체위변경에 따른 변화에 대처해야 한다. 이산화질소N_2O는 장의 확장을 일으키고 이론적으로 가스 색전의 위험이 있어 사용시 매우 주의를 요하며, 또한 환자의 느닷없는 움직임을 방지하기 위해 완벽한 근육이완이 필요하다. 최근 많은 종류의 최소 침습수술들이 입원 없이 외래 수준에서 시행되고 있기 때문에 단기 작용 마취제가 선호되고 있으며 오심, 구토, 통증 및 소변정체를 피하기 위해 비마약성 진통제와 적극적인 진

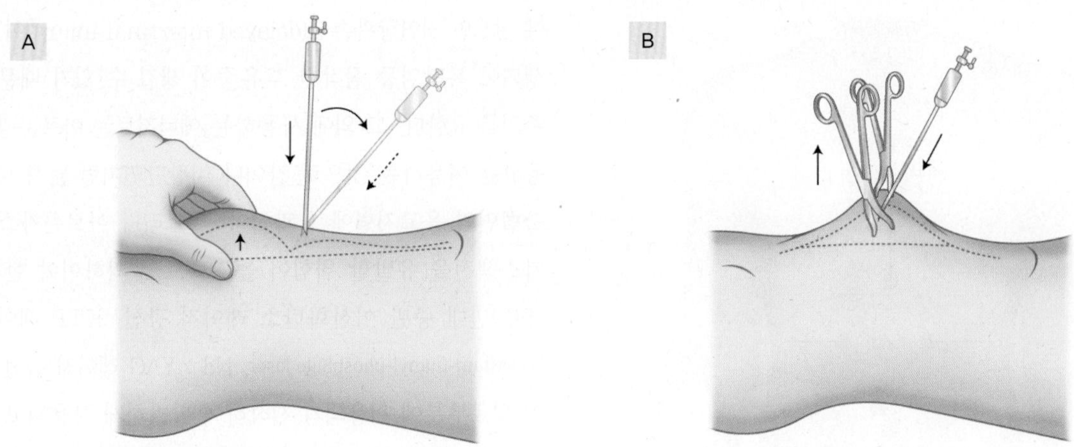

그림 16-2 **Veress침의 제대하부 삽입 방법.** 손(A)이나 포겸자(B)를 이용하여 복벽을 들어올린 뒤 Veress침을 백선내로 수직으로 찌른 뒤 다시 45°로 기울여 복강내로 삽입한다.

통제 사용이 중요하다. 또한 노인이나 어린이, 그리고 장시간 지속되는 수술에서는 환자의 체온을 유지하는 것이 중요하다.

3. 복강 내 접근과 투관침

복강 내로 접근하는 방법은 2가지인데 첫째는 Veress침을 복강 내로 직접 천자하는 방법이다. 배꼽주변은 복벽이 매우 얇아 최소침습 수술접근 통로로 제일 선호되는데 배꼽 주위에 소절개를 가한 후 노출된 근막을 2개의 타월집게 또는 엄지와 검지를 이용해 들어올린 뒤 Veress침을 복강 내로 천자한다. 이때 Veress침이 복벽을 통과하면서 Veress침 끝에 있는 스프링의 탄력으로 "퍽"하는 소리를 느끼게 되면 Veress침이 복강 내로 안전하게 들어갔음을 알 수 있게 된다(그림 16-2). Veress침이 복강 내로 정확히 삽입되면 이산화탄소 가스를 연결하여 복압이 12-14mmHg 정도가 되도록 유지한다(15mmHg 이상 오르면 하대정맥이 압박되어 혈압이 감소될 수 있다). 대부분의 최소 침습수술은 전신마취하에 이산화탄소를 이용하여 시행되지만, 드물게 국소마취하에 이산화질소를 이용하여 수술하는 경우도 있는데 이 때는 이산화질소를 2L 이상 주입하지 않아야 하며 복압도 10mmHg를 넘지 않도록 주의하여야 한다. 두번째 방법은 직접 복막을 절개한 뒤 유착여부를 눈으로 확인하면서 투관침을 삽입하는 방법이다(그림 16-3). 이 방법은 이전 복부수술로 인한 장관유착이 예상되는 경우 장관손상 및 혈관손상을 예방할 수 있기때문에 좋은 방법으로 추천된다.

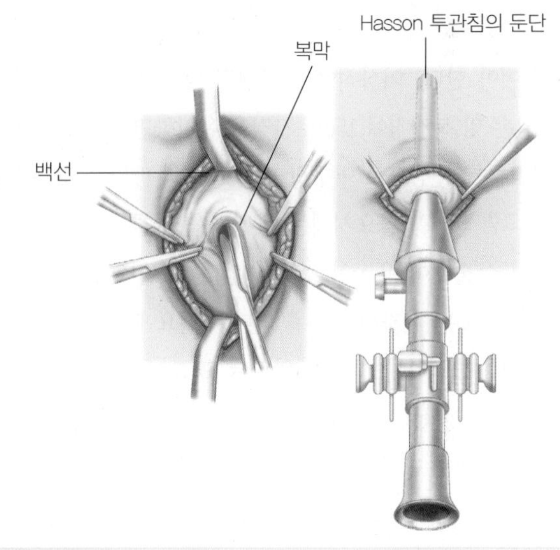

그림 16-3 **Hasson 방법**

투관침 삽입 시 복벽혈관 손상으로 인한 출혈을 막기 위해 투관침 삽입 부위를 잘 살펴보아야하며 출혈이 발생하면 그 부위에 도뇨관을 3-5분 거치시키거나 전층 복벽봉합 또는 특수 봉합 시스템suture passer을 이용한 봉합 등의 방법으로 지혈한다. 복강 내로 삽입되는 기구간의 충돌을 최소화시키기 위해 투관침간의 간격은 최소 5cm 이

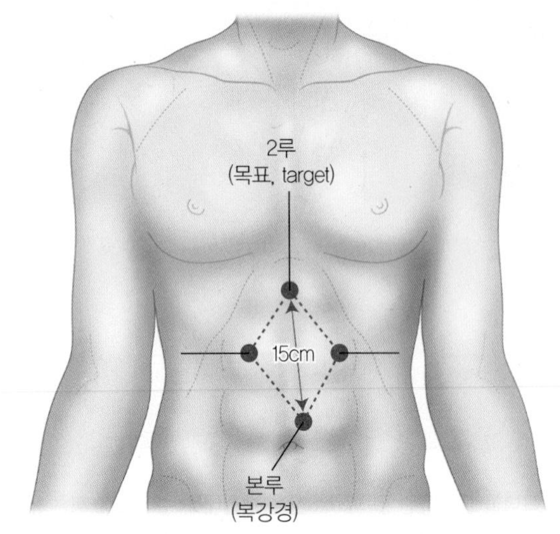

그림 16-4 이상적인 투관침방향(Diamond of Success)

상 되어야 한다. 이상적인 투관침의 방향은 술자의 오른손, 왼손 및 복강경이 15cm 간격을 유지하면서 야구장 내야의 2루를 중심으로 야구장 내야 모양의 배열을 갖는 것이다(그림 16-4). 필요시에는 복강경을 다른 투관침으로 옮겨서 수술해야 용이한 경우도 있다. 수술자는 환자 다리 사이, 또는 환자의 좌, 우 어디든 필요에 따라 위치할 수 있다(그림 16-5). 수술이 완료된 후 5-mm 투관침 부위는 봉합이 필요치 않으나 10-mm 이상 크기의 투관침 부위는 절개창 탈장이나 감돈성 탈장 발생을 막기 위하여 반드시 근막층을 봉합하여야 한다. 특히 어린이에서는 5-mm 투관침 부위 근막도 봉합하여야 한다.

4. 사용되는 에너지 원천

가장 많이 사용되는 에너지는 500,000cycles/s (Hz) 주파수의 교류전기를 이용하는 무선진동수 전기수술이다. 여기에는 단극전극과 양극전극을 이용하는 2가지 방법이 있는데 단극 전기수술은 가격이 싸고 사용이 쉬운 장점을, 양극전기수술은 주위조직에 열손상을 주지 않고 작은 혈관응고에 적합한 장점을 갖고 있다. 수술 중 열손상을 막기 위해 수술기구 절연부위의 손상여부를 확인하여야 하고 수술 중 과열된 기구의 끝이 부주의하게 조직에 닿으면 지연장관손상(delayed intertinal injury)이 발생되어 복막염등 심각한 후유증이 생길 수 있기 때문에 주의를 요한다. 그 외에 사용하는 에너지로는 아르곤광선응고를 이용하는 것으로 간이나 비장단면처럼 넓게 퍼진 출혈면의 응고지혈에 효과적이다. 그러나 아르곤가스는 가스색전을 유발할 위험이 높으므로 주의하여야 한다. 1960년대 중반 이산화탄소 레이저 광선, KTP 레이저 Potassium-titanyl-phosphate laser, Nd : YAG 레이저 광선 등이 의료부분에 적용되기 시작하여 활발하게 사용되고 있으나 심부조직가열로 인한 장관천공의 위험이 있어 복강경 수술에는 잘 사용되고 있지 않다.

체외 충격파 쇄석술에 이용되는 초음파 에너지는 진화를 거듭하여 혈관(3mm 이하)을 응고시켜 분할시키는 LCS (laparoscopic Coagulation Shear, Harmonic Scalpel®)가 개발되어 수술시간을 단축시키고 수많은 최소 침습수술시행을 용이하게 하여 최소 침습수술 발전에 많은 공헌을 하고 있다. 최근 7mm 혈관까지 응고시키는 LigaSure™도 사용되고 있다.

5. 절제된 조직절편 제거 및 처치

조직절편이 작은 경우는 투관침을 통해 적출할 수 있으나 조직절편이 클 경우에는 투관침 부위를 연장하거나 별도의 절개창을 만들거나 또는 항문, 질, 식도 등을 통해 적출할 수 있다. 혈액질환으로 인한 비장절제 시에는 회수용 주머니에 담긴 비장을 부셔서 용량을 줄인 뒤 적출한다. 조직절편의 분쇄에 따른 염증이나 종양파종 등의 위험을 방지하기 위해 회수용 주머니에 조직절편을 담아 빼내는 것이 안전하다.

6. 후유증

최소 침습수술은 복강 내로의 접근, 기복 그리고 조직절편 적출방법 등이 개복술과 달라 독특한 후유증을 일으킬 수 있다. 복강 내로의 접근 중 일어날 수 있는 가장 심

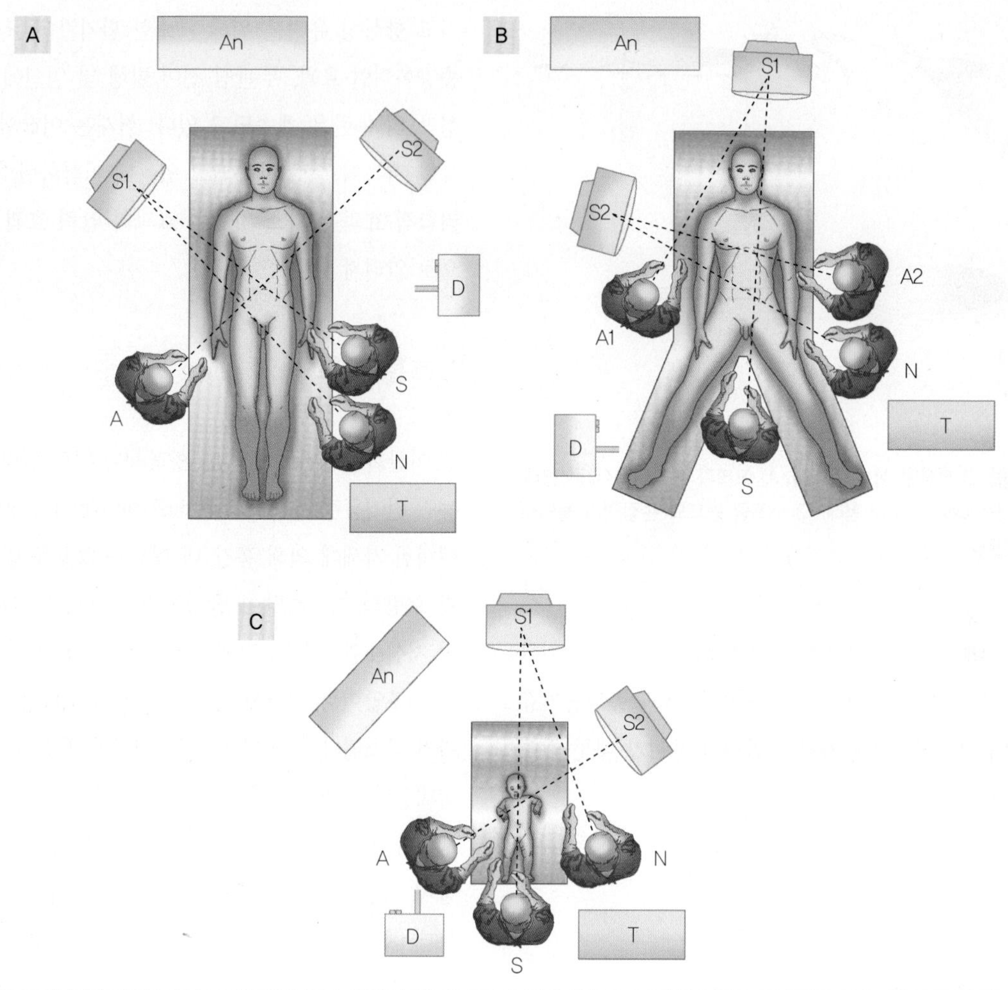

그림 16-5 상복부 수술의 수술 배치도. A, B) 성인, C) 소아. S1/S2: 스크린, T: 수술 기구 손수레, S: 외과의, D: 소작기, 초음파, 레이저, A/A1/A2: 조수, An: 마취 기구, N: 간호

각한 후유증은 주요혈관 손상이다. 빈도는 0.02–0.3%로 낮지만 손상으로 인한 사망률은 15%에 이른다. Veress침이나 첫번째 투관침에 의해 대동맥, 총장골동맥 또는 하대정맥 등의 천자 또는 열상이 발생할 수 있다. 특히 복벽에서 2cm 이내에 위치한 혈관의 손상이 빈발하는데 우측 총장골 동맥은 제대직하방에 위치하기 때문에 손상이 가장 많이 발생한다. 장관손상은 0.04–0.3%에서 발생되나 최소 침습수술로 인한 사망원인의 두번째를 차지한다. 장관손상은 Veress침이나 투관침, 삽입된 기구 또는 전기소작기 등에 의해 발생되는데 소장 손상이 제일 흔하고 위, 십이지장, 결장이나 직장 등에서도 발생할 수 있다. 수술 중 손상을 발견하여 즉시 복원하면 이환율이 낮지만 발견하지 못하여 수술 후에 복막염으로 진행되면 사망으로 진행될 수도 있다. 조직절편 적출 시 발생될 수 있는 문제로는 상처감염, 재발(투관침 부위 및 구역 복강내 재발), 비증splenosis 및 자궁내막증식증 등이 있다. 따라서 특별히 고안된 주머니에 조직절편을 담아 빼내야 한다(그림 16-6). 기복과 연관된 후유증 중 가장 심각한 것은 가스 색전증인데 0.0014%에서 발생하지만 사망률은 30%에 이른다. 임상적으로 색전증이 발생하면 서맥, 저혈압, 부정맥, 심장잡음 등이 나타나는데 경식도 심초음파로 진단할 수 있다. 가스색전증이 진단되면 가스주입을 중단하고, 주입된

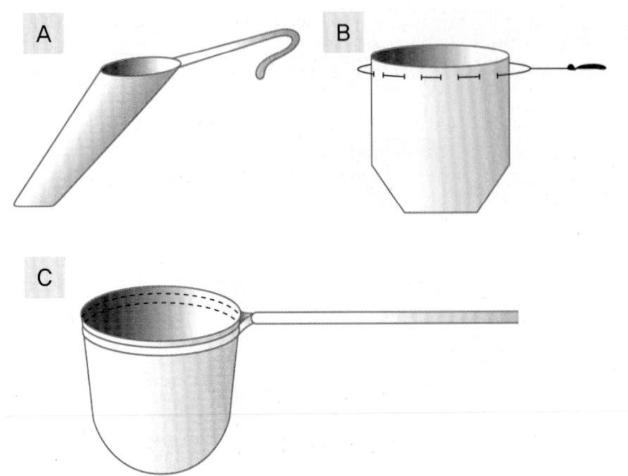

그림 16-6 **조직절편 회수 주머니.** A) 꼬리가 붙박이로 달린 형태, B) 주머니끈(Purse-string) 형태, C) 스프링 밴드와 손잡이가 붙박이로 달린 형태.

가스를 빼내고 환자의 머리를 낮추며 좌측 앙와위를 취한다. 수술중 횡격막 손상을 받게 되면 기흉과 종격동기흉이 발생되기도 하지만 환자가 양압환기 중이기 때문에 대개 문제가 되지 않는다.

7. 경제적 효과

최소 침습수술은 재원일수의 감소 및 외래 수술 등으로 경비를 감소시키고 있으나 일회용 기구, 자동 복합기 사용 및 고가의 기구 사용 등으로 수술비용이 증가하고 있다. 따라서 수술비를 낮추기 위한 다양한 방법이 모색되어야 환자의 경제부담을 줄일 수 있을 것이다.

III 생리적 변화

기복을 만들기 위해 사용되는 가스로는 공기, 이산화질소, 이산화탄소 등이 있다. 공기는 이산화질소보다 통증이 심하나 이산화탄소보다는 통증이 덜한 것으로 알려져 있어 이산화탄소와 이산화질소가 관심의 대상이 되어왔다. 이산화질소는 생리적으로 안전하며 빨리 흡수되는 장점이 있으나 수술 중 토기말 이산화탄소 분압을 감소시키고 항상성 유지를 위해 근소한 환기가 필요하다. 또한 종양학적인 효과, 투관침 전이 발생 및 임신에 대한 안전성 등의 논란은 계속되고 있다. 현재는 이산화탄소를 이용한 기복이 주로 사용되고 있는데 이산화탄소기복의 생리학적 효과는 가스 자체의 효과와 압력 효과 때문인 것으로 알려져 있다.

1. 호흡계 변화

이산화탄소기복에 의해 횡격막이 위로 밀리게 되면 기능적 잔기용량functional residual capacity (FRC)이 감소하고 쇄석위 자세에 의해 흉강 내 혈류가 영향을 받는다. 그결과 소량의 기도허탈이 발생하면서 무기폐, 폐션트(단락) 및 저산소혈증 등이 진행된다. 또한 횡격막의 이동으로 최고 기도압이 유의하게 상승하면서 전체 폐유순도는 50%까지 감소된다. 그러나 이러한 생리적 변화에도 불구하고 심폐질환이 없는 경우에는 사소한 가스교환 변화만이 발생된다. 현재 많은 실험과 증거들이 정상인에서 복강경 수술이 개복수술에 비해 폐기능이 잘 유지됨을 보여주고 있는데, 한 연구에 의하면 강제폐활량forced vital capacity (FVC)과 1초간 노력성 초기량forced expiratory volume 1 (FEV1)의 경우 복강경 수술 후 25%, 개복수술 후 48%의 감소를 보고하였다. 복강경 수술 24시간 후의 기능적 잔류용량과 동맥혈내 이산화탄소분압의 변화는 매우 작다. 동맥혈내 이산화탄소분압의 변화가 적은 것은 임상적 의미가 크며, 폐기능 부전이 있는 환자의 경우에는 그 의미는 더욱 중요하다.

기복에 사용된 이산화탄소는 혈액 내로 쉽게 흡수된 후 적혈구 내로 확산되는데 이때 탄산이 수화되고 이온화되어 HCO3- 이온이 혈장 내로 방출되면 8-10mmHg 근처에서 토기말 이산화탄소 분압과 동맥혈내 이산화 탄소분압이 갑자기 증가하게 된다. 이때 초과된 이산화탄소가 적절한 환기에 의해 제거되지 않으면 과탄산혈증hypercarbia 및 호흡산증이 생길 수 있다. 이는 빈맥, 부정맥 및 심근산소소비증가로 연결될 수 있다. 기복으로 인해 과도한 기도압력이 발생되면 폐의 기압외상으로 심박출이 손상되기 때문에 기도압을 40cmH_2O 이하로 유지시키기 위한 조치들이 강구되어야 한다. 그 외에도 조직면이나 수술 중에 손상된 늑막을 따라 가스가 들어가거나, 발견 안된 횡격막 탈장 및 기종성낭포파열 등으로 폐기종이 발생할 수 있다. 예상치 못하게 토기말 이산화탄소분압 증가, 기도압 증가, 폐탄성 감소 및 산소포화도 감소 등이 발생하면 폐기종 발생을 의심해야 한다. 임상적인 가스 색전증은 치명적인 합병증이지만 발생빈도는 아주 드물다. 실수로 veress침이 혈관내로 주입되었을 때에는 주입되는 가스의 속도와 양에 따라 생리적인 변화가 달라진다. 이산화탄소가 천천히 주입되면 모세혈관-폐포막을 폐쇄시켜 기관지 연축과 폐부종을 유발할 수 있다. 체내순환을 통해 발생되는 뇌색전은 신경학적 기능부전을 가져올 수 있다.

2. 심혈관계 변화

기복이 형성되면 대동맥과 내장 혈관들이 압박을 받게 되고 체액 인자들(카테콜아민, 레닌-안지오텐신 및 바소프레신)이 방출되면서 전신적으로 혈관저항이 증가되어 평균동맥압이 증가된다. 하대정맥과 골반정맥들에 기복에 의한 압력이 가해지면 심박출량이 감소되면서 혈액이 중앙재배치 또는 흉강내압이 증가된다. 이러한 모든 변화는 이산화탄소 주입 처음 30분 내에 뚜렷이 발생된다. 환자의 자세도 영향을 미치는데, 역쇄석위 자세를 취하게 되면 정맥환류와 심장충만압이 감소하고, 그 결과 심박출계수와 평균동맥압도 감소한다. 마취, 역쇄석위, 이산화탄소에 의한 기복의 합동효과로 심박출이 30% 정도 감소된다.

3. 신기능 변화

이산화탄소 가스에 의해 복강내 압력이 증가되면 신장혈류가 감소되면서 사구체 여과율 및 소변량 등이 감소된다. 또한 심박출량이 감소되고 레닌-안지오텐신 시스템이 활성화되어 신혈관 수축이 일어난다. 그러나 개복술에 비해 체액손실이 적기때문에 최소 침습수술 도중 추가적인 수액공급은 일반적으로 필요하지 않다. 전해질 균형에 미치는 영향으로는 이산화탄소 기복이 오래 지속되면 임상적으로 의미있는 수준은 아니지만 혈청 칼륨이 증가된다.

4. 대사 변화

수술에 따른 대사반응은 신경내분비자극과 염증성 매개체의 중개에 의해 복잡하게 일어나는데 신경내분비 반응은 개복술 때와 유사한 것으로 알려져 있다. 최소 침습수술시에 이산화탄소 가스에 의한 구심성 신경자극으로 발생되는 대사 변화의 정도는 개복술의 경우보다 적다. 혈청 코티졸 수준은 개복술 때보다 높게 유지되고 대부분의 스트레스 중개 호르몬들도 빨리 평형을 회복하며 사이토카인 수준도 빠르게 정상화된다. 또한 지연성 과민 반응도 적게 나타나는 등 전반적인 면역반응도 개복술에 비해 영향을 적게 받는다.

5. 기타

심폐기능장애가 있는 경우 생리적 장애를 최소화하기 위해 기복 대신에 복벽거상 장치를 이용하여 최소 침습수술을 시행하기도 한다(그림 16-1). 복벽 거상장치를 사용할 때에는 가스 유출로 인한 수술시야의 소실이 없기 때문에 기존 개복수술에 사용되는 기구들을 사용할 수도 있다. 그러나 이 경우에는 타원형의 수술시야를 갖는 기복 복강경 수술에 비해 수술시야가 피라미드 형태로 형성되기 때문에 맹점부위가 발생되어 수술장애가 생기고(그림 16-7), 복벽거상기라는 비싼 장비가 필요하며, 술 후 심한 통증을 유발하기도 한다.

이산화탄소에 의한 기복으로 중심정맥압이 증가되어 두강내압이 상승된다는 보고들이 있어 두부손상환자에게는 기복을 이용한 수술에 주의하여야 한다.

개복술에 비해 최소 침습수술 후에는 장기능 회복이 빠른데 이는 수술에 의한 손상이 적어 교감신경을 덜 활

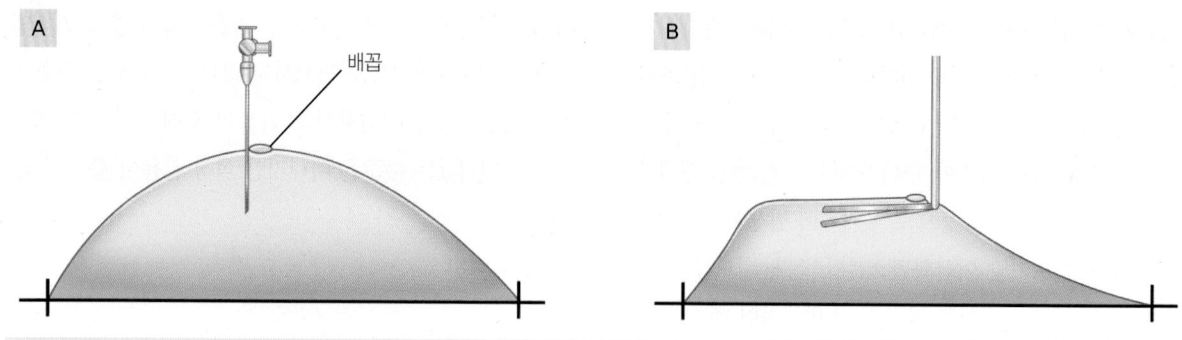

그림 16-7 기복과 복벽거상법에 따른 수술시야 비교. A) Veress침과 기복을 이용한 수술시야. B) 복벽거상에 의한 수술시야

성화시키기 때문으로 생각된다(교감신경은 척추반사를 이용하여 장운동을 감소시킨다).

Ⅳ 피하층과 복막외강을 이용한 최소 침습수술

전복막외강Retzius space 공간 내에서 시행되는 전복막외강 복강경 탈장교정술, 후복막강에서 행해지는 복강경 신장절제술 등 최근에는 흉부외강 및 복막외강에서 수술공간을 만든 뒤 수술을 시행하는 새로운 최소 침습수술들이 소개되고 있다. 이들은 기존 최소 침습수술의 생리학적 유해 결과를 감소시킨 장점이 있지만 대신 피하기종이나 대사성 산증 등의 부작용이 발생되기도 한다.

서혜부 탈장복원술, 부신절제술, 신장절제술, 요추추간판절제술, 췌장괴사부위절제술 또는 대동맥주위 림프절박리술 등의 복막외강 및 후복막강 부위 수술시에는 풍선박리기를 이용하여 공간을 만드는 것이 효과적이다. 전복막외강 탈장교정술의 경우 복직근 근막내로 풍선 박리기를 넣어 복막외강에 수술공간을 만든 뒤 투관침을 삽입, 10-12mmHg 정도의 압력을 유지하면서 수술을 진행할 수 있다(그림 16-8). 이 방법은 수술공간은 약간 좁지만 장손상이나 장유착 가능성은 원천배제 시킬 수 있는 장점을 갖고 있다. 최소 침습수술의 새로운 접근 방법인 피하수술은 심장수술, 혈관수술 그리고 성형수술 등에서 시도되고 있다. 복재정맥수집, 근막하 관통정맥 결찰(Linton 술기), 절개창을 숨기기 위한 미용 수술 등에 적용되고 있지만 피하 기종 발생이 단점으로 지적되고 있다.

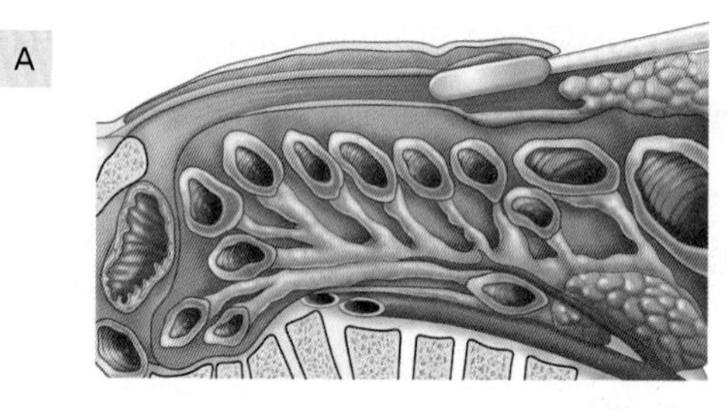

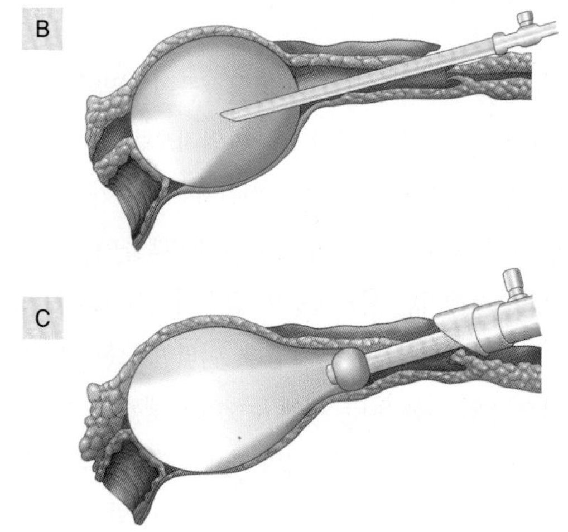

그림 16-8 후복막강 박리에 사용되는 풍선. A) 풍선을 복직근 후방과 복직근 사이에 삽입, B) 전복벽 부위내에서 풍선을 팽창시킨다. C) 수술 공간 확보 후 복막 외 복강경 탈장 교정술 시행

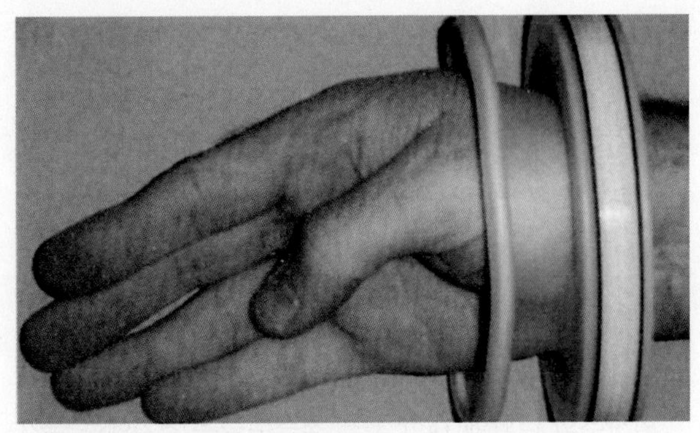

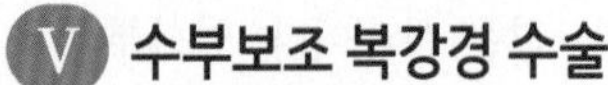
그림 16-9 수부보조 복강경 수술을 위한 수부용 포트

Ⅴ 수부보조 복강경 수술

최소 침습수술의 최대단점은 촉감과 깊이감각이 없다는 것인데 이를 보완하기 위해 도입된 수술방법이 수부보조 복강경 수술Hand-Assisted Laparoscopic Surgery (HALS)이다. 기복을 유지시킬 수 있는 특수투관침(Hand-port, Gel port®, Lap Disc® 등)을 복강 내로 설치한 후 이 투관침내로 수술자의 손을 넣어 그 손으로 수술부위를 잡거나 당기거나 누르면서 수술을 진행하게 된다(그림 16-9). 이 수술법의 장점은 촉감 및 깊이 감각이 유지되고 조직의 견인이 가능하며 지혈이 용이하고 수술시간이 단축되며 학습곡선이 단축된다는 것이다. 그러나 수부용 포트 사용에 의한 비용 증가, 손의 삽입을 위한 커다란 절개창으로 인한 수술후 통증, 삽입된 손이 과도하게 신전되거나 굴곡됨에 따라 손의 피로도 증가 등이 단점으로 지적되고 있다. 이 방법은 절제된 장기 적출을 위해 큰 절개창이 필요한 경우와 장기이식 장기제공자 수술 공여자(간절제술 및 공여자 신장절제술) 등에 사용되고 있다.

Ⅵ 로봇보조수술

최소 침습수술의 카메라 보조자 역할로 시작된 컴퓨터 보조수술은 음성인식 로봇팔 단계(AESOP)를 거쳐 미국

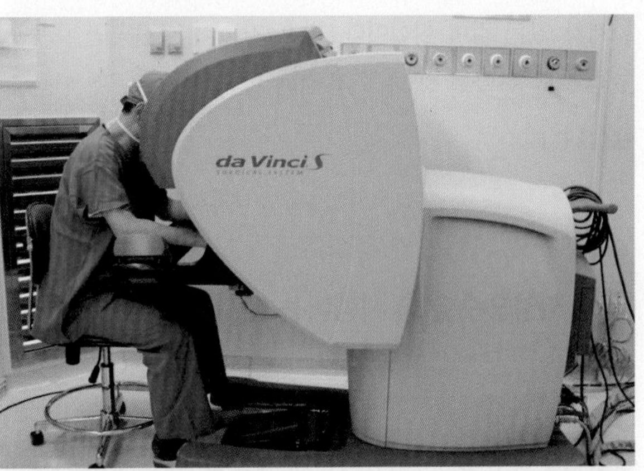

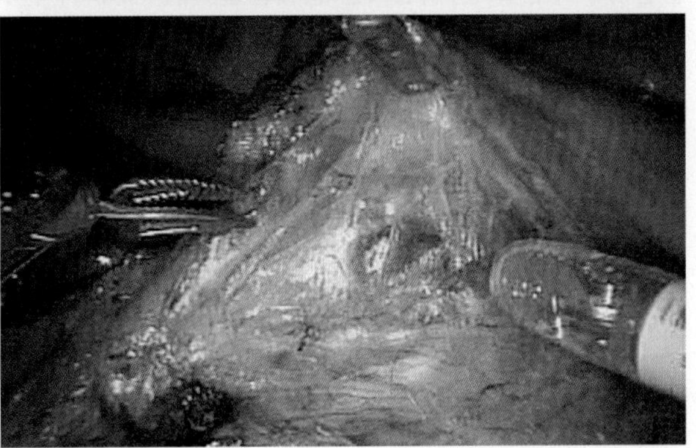

그림 16-10 로봇보조수술

Intuitive Surgical이 다빈치Da Vinci 로봇이라는 혁신적인 수술시스템을 개발하여 임상에 적용하면서 새로운 패러다임을 제공하고 있다(그림 16-10). 의사가 제어자치Console에 앉아 복강 내에 삽입된 로봇팔을 움직여 수술을 진행하는 시스템으로, 수술용 기구가 작동되는 로봇팔은 7가지의 자유도를 구현함으로 수술자의 손동작을 거의 그대로 전달할 수 있다. 로봇수술은 복강경 수술의 장점을 모두 갖고 있으면서 학습곡선이 짧고, 3차원 시야3-dimensional vision가 가능하고, 수술시야가 10–12배 확대되며 사람의 손보다 정교한 움직임이 가능하고 집도의의 미세한 손떨림이 없어 섬세한 박리, 지혈 및 조직봉합이 가능해졌고 또한 사람 손이 닿기 어렵고 잘 보이지 않는 부위의 수술에 장점을 갖고 있는 것으로 알려져 있다. 그러나 고가의 장비, 넓은 수술장 공간이 필요하고 장비설치에 시간이 걸리며 비싼 유지비 및 높은 수술비 그리고 낮은 비용대비 효용성 등 로봇수술이 정착되려면 많은

한계가 있는 것이 현실이다. 향후 기술이 발전되면 로봇보조수술은 환자와 외과 의사에게 많은 도움을 줄 것으로 예상된다.

VII 저침습수술 중 시행하는 내시경 검사

저침습수술 중 혹은 수술종료직전 수술문합부위확인, 출혈여부확인 또는 의심되는 문제들을 확인하기 위하여 위내시경검사나 대장내시경 검사를 시행하게 된다. 이때 장을 팽창시켜 내시경 검사를 시행하기 위해 통상적으로 실내공기room air를 사용하는데 실내공기는 장 내에 수시간 머물게 되어 통증이나 복부팽대 등을 일으킨다. 반면 실내공기 대신 CO_2를 사용하게 되면 CO_2는 수분 내에 장 내에서 흡수되고 폐를 통해 쉽게 배출되기 때문에 복부팽대를 거의 유발시키지 않게 되어 이 경우 CO_2 사용이 추천되고 있다.

VIII 특수상황의 최소 침습수술

1. 소아

소아에서의 최소 침습수술은 1990년대 이후 본격적으로 도입되었다. 도입이 늦어진 이유는 소아의 담낭절제술이 매우 드물고, 소아에 적합한 수술기구가 없었고 소아에서 절개창 통증과 외과적 스트레스가 무시되고 있었다는 점 등을 들 수 있다.

신생아나 영아의 체내공간이 적다는 점이 최소 침습수술을 어렵게 하는 제한점으로 작용하지만 술기의 변형과 점진적인 적응으로 복잡하고 다양한 소아외과 질환들(약 45개 질환)에도 그 영역을 넓혀가고 있다.

소아의 복부는 성인보다 작고 얇기 때문에 대부분 8mmHg의 복압으로 수술이 가능하고 5mm 복강경으로도 충분하다. 또한 기구들은 짧고(길이 15-20cm), 대부분 직경도 가늘다. 그러나 영아에서는 수술소요시간이 길어질수록 생리적 변화의 폭이 커지고 스트레스에 대한 적응력이 성인에 비해 떨어지기 때문에 예기치 않은 심각한 합병증이 초래될 가능성이 있음을 고려하여야 한다.

2. 임신

임산부의 질환에 대한 최소 침습수술은 초기에는 금기사항으로 여겨졌으나 최근 안전하게 시행될 수 있다는 결과들이 발표되고 있어 안전성은 확보된 상태이지만, 이산화탄소를 이용한 기복이 산모와 태아에 미치는 영향에 대한 논란은 완전히 없어지지는 않은 상태이다. 임산부에서 수술이 필요한 질환은 급성충수염 및 담도질환인데 급성충수염은 임신 1,500명 중 1명의 비율로 발생되며 제태기가 진행됨에 따라 진단이 늦어진다(진단율: 제1제태기 85%, 제2제태기 30-50%). 진단과 치료가 지연되면 태아 사망율(5-28%), 미숙아 분만(40%) 등의 합병증이 발생되기 때문에 급성충수염이 의심되면 제태기에 관계없이 즉시 빠른 수술이 필요하다.

담도 질환 중 담석은 임산부의 12%에서 발견되고 담낭절제술은 10,000명당 3-5명에서 시행되고 있다. 합병증이 없는 담도 산통은 내과 처치(지방섭취 제한, 진통제 투여 등)가 우선적이지만 급성담낭염, 담석에 의한 췌장염 등의 합병증이 동반되면 임산부 사망(15%), 태아사망(60%) 등의 위험이 따르므로 가능하면 조산의 위험성이 적고 자궁도 덜 커진 제2제태기 내에 수술하는 것이 안전하다.

임산부에서 최소 침습수술을 시행할 때의 고려사항은 첫째, 복압이 증가되면 하대정맥을 통한 심장혈류 감소와 심박출량 감소로 이어지게 되고 이에 따라 임산부에게 저혈압과 저산소증, 심박출량 감소가 발생된다. 둘째, 기복으로 복압이 증가되면 자궁을 압박하고 자궁으로의 혈류가 감소함에 따라 태아 저산소증이 유발된다. 셋째는 복막을 통해 흡수된 이산화탄소는 임산부와 태아 모두에게 호흡성 산증을 야기시킬 수 있는데 특히 태아에서는 대정맥에서 심장으로의 혈류량을 감소시키기도 한다는 점이다.

따라서 이러한 사항 등을 감안하여 다음과 같은 수칙들을 지킬 것을 권유하고 있다. 1) 수술 전후 산부인과 의사와 협의(자문)한다. 2) 임신 중 변화하는 생리적 변화(빈혈, 심박출량 증가, 산소소비량 증가, 일회호흡량 증가, 보상적 호흡성 알칼리증 등)를 점검한다. 3) 자궁에 의한 대정맥 압박을 방지하기 위해 환자를 왼쪽 옆으로 눕히고 또한 역쇄석위를 최소화한다. 4) 산모는 정맥혈전 위험이 높기 때문에 심부정맥 혈전증 예방기구를 착용한다. 5) 투관침 삽입은 개방성 방법을 이용하고 가능하면 복압을 낮게 유지시킨다. 6) 수술 중 연속적인 태아 모니터링이 필요하고 산모의 호기말 이산화탄소 수준을 25-30mmHg로 유지한다. 7) 수술시간을 최소화한다. 8) 진통억제제는 예방적인 목적으로 사용하지 말고 자궁수축 증거가 있을 때만 사용한다.

3. 복부수술 기왕력

복부수술 기왕력은 유착정도의 차이에 따라 최소 침습수술을 불가능하게 할 수 있기 때문에 수술전에 이에 대한 전략을 가지고 접근해야 한다. 복강으로의 접근은 개방법을 이용하는 것이 안전한데 유착부위를 확인한 후 기구조작반경을 고려하여 다음 투관침 삽입부위를 선택한다. 유착부위가 확인되면 투관침 삽입에 방해되거나 수술시야에 방해되는 곳의 유착박리만 시도하는 것이 권유되고 있다. 30° 카메라를 사용하면서 유착상황과 주변조직을 확인하고 조심스럽게 유착박리를 한다. 꼼꼼하게 지혈을 하도록 하여야 하며 복벽 쪽에서 박리하고, 전기소작기를 조심스럽게 사용함으로써 장기손상을 최소화하도록 한다. 만일 장기손상이 발생되면 수술자의 경험과 능력에 따라 최소 침습수술을 계속하거나 또는 개복술로 전환하여 손상부위를 복원한다. 또한 수술기구를 제거하기 전에 유착박리부위, 조작을 가한 장기 및 지혈부위 등을 다시 확인하여 수술 후 발생될 수 있는 지연성 장천공을 예방토록 한다.

4. 암

최소 침습수술은 각종 암의 진단과 병기결정, 전이여부 판단, 절제불가능한 암종의 고식수술(우회술) 등에 적용되었다. 개복수술과 비교해 생존율이나 무병생존기간이 우월하다는 자료는 매우 적으나 복강경보조 대장절제술이나 위장절제술의 경우 림프절 절제수는 개복술과 동일함이 증명되었다. 대장암의 종양학적 결과를 보고한 레이시 연구Lacy's trial와 코스트COST 연구는 복강경 절제술이 개복술에 비해 뒤지지 않음을 보였다. 특히 레이시 연구는 연구분석방법의 여러 한계가 있지만, 3기 결장암에서 재발율과 생존율이 복강경 술식에서 우수함을 보였다. 그러나 복강경 암수술 시에 과도한 종양조작과 박리 중 암세포의 파종 가능성에 대한 우려는 존재하고 있으며 간혹 수술 후 투관침 부위에 종양세포가 착상되었다는 경고성 보고도 있다.

5. 노인과 허약자

복강경 담낭절제술은 노인과 허약자의 대부분에서 안전하게 시행되고 있지만 개복술보다 면밀한 환자 관찰이 요구된다. 그러나 최소 침습수술 시행 후 환자가 조기에 빨리 움직이게 됨으로써 노인의 경우 부적절한 수액처치와 운동장애로 야기될 수 있는 여러가지 후유증들을 피할 수 있게 되었다.

6. 간경화 및 문맥 고혈압

간 기능 부전 환자들은 어떤 종류의 수술이든지 심각한 위험에 처할 수 있다. 수술 중 조절안되는 출혈, 투관침 부위 복수 누수 및 이로 인한 세균성 복막염의 위험이 도사리고 있다. 그러므로 이런 환자의 수술 시에는 간 경화에 대한 Child 분류를 고려해 적절한 수술 전 처치를 시행한 후 수술을 진행해야 하며, 대부분 혈관내 체액량이 적은 상태이므로 심박출 감소를 막기 위해 가스압을 줄이고 저염 수액공급을 최소화시켜야 한다. 또한 복수누수를 막기 위해 투관침 부위의 완벽한 봉합이 필요하다.

Ⅸ 새로운 시도

1. 자연개구부 내시경수술

자연개구부 내시경수술Natural Orifice Transluminal Endoscopic Surgery (NOTES)은 신체의 자연개구부(입, 항문, 질, 요도 등)를 통해 식도, 위, 질, 방광 및 대장 등에 내부 절개를 한 후 내시경을 복강 내로 진입시켜 수술함으로써, 외부상처 없이 시술을 하는 새로운 최소 침습수술방법이다(그림 16-11). 2004년 Kalloo가 돼지의 위벽을 절개하고 내시경을 복강내로 삽입하여 복강내 장기를 절제한 것을 시작으로 동물에서의 담낭절제술, 난관절제 등을 거쳐 인체에 대한 담낭절제술, 충수절제술 등의 시술 예가 보고되고 있다. NOTES는 통증, 감염, 탈장, 유착, 면역기능의 변화와 같은 기존 수술이 가진 합병증을 최소화하고 신체 외부에 흉터를 남기지 않는(무흉터 수술) 장점을 갖고 있다. 그러나 내시경 삽입을 위해 절개된 위나 대장의 벽을 안전하게 봉합할 수 있는 기구개발이나, 장내세균에 의한 복강내 감염의 위험성 등 극복해야 할 많은 장애들이 도사리고 있어 아직 사람에게 안전하고 효율적으로 적용하기에는 미흡한 상태이다.

2. 단일절개 또는 단일통로복강경수술

단일절개Single Incision 또는 단일통로복강경수술Singl Port Laparoscopic Surgery은 배꼽 부위에 단일 절개를 한 뒤 Triport® (Advanced Surgical Concepts), SILS® port (Covidien), R-Port® (Olympus), Octoport® (Dalim Corp.) 등 다채널 포트시스템multi-channel port system을 삽입한 후 수술을 진행하는 방법이다(그림 16-12). 단일절개로 흉터를 최소화하기 때문에 미용상 장점 이외에 투관침 삽입에 따른 내부장기 또는 혈관손상의 위험감소 그리고 창상에 따른 통증도 줄일 수 있다는 장점이 있다. 그러나 수술조작 중 복강경 기구들 간의 충돌로 움직임이 원활치 못함으로써 수술이 쉽지않고 수술시간이 길어지는 문제가 있다. 또한 적절한 수술기구의 개발이 필요하다.

최근 solotic platform을 자연개구내시경 수술이나 단일통로 복강경수술에 적용하여 기술수술의 기술적 한계와 어려움 등을 극복하고 안전하며 유용하게 수술을 시행하고자 하는 노력들이 발표되고 있다.

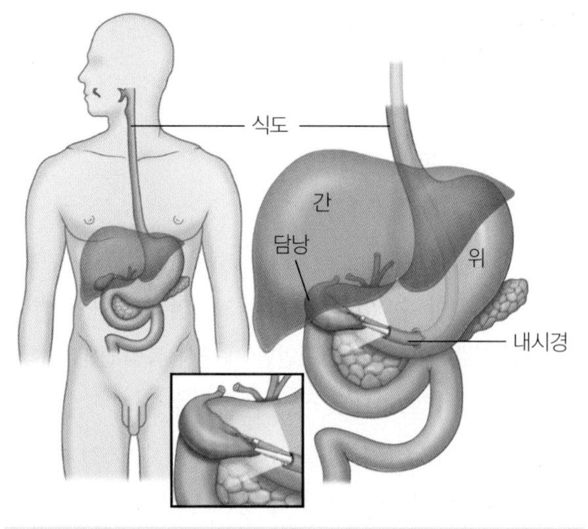

그림 16-11 **자연개구부 내시경수술을 이용한 경위장 담낭절제술**

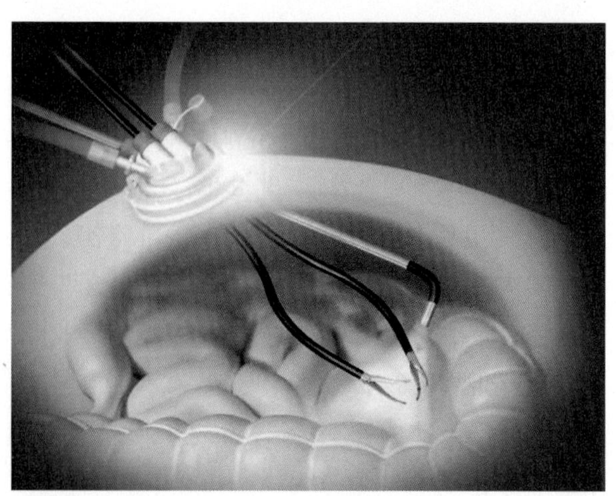

그림 16-12 **단일 절개 복강경 수술의 모식도**

요약

기존 외과수술은 동반되는 수술창상(침습)에 의해 불가피하게 조직손상, 통증 및 여러 가지 합병증 등을 야기시켜왔다. 이런 문제들을 해결하고자하는 노력 끝에 개발된 최소 침습수술은 기존 수술의 계율을 뛰어 넘어 단시간 내에 외과수술에 혁신과 혁명을 가져왔고 현재 외과의사 업무의 중요한 구성요소의 하나로 자리잡게 되었다.

담낭절제술에서 시작된 최소 침습수술은 현재 다양한 외과술식(양성 및 일부 악성질환)에 적용이 가능하지만 기초술기에 대한 이해와 적절한 기구사용이 매우 중요하며 이에 대한 교육 및 훈련이 요구된다. 또한 개복수술에 대한 충분한 경험과 특정 최소 침습수술에 대한 술자의 적절한 학습곡선 극복이 이루어져야만 합병증을 줄일 수 있고 개복술과 비교해 최소 침습수술의 장점 및 우월성 등을 증명할 수 있다.

최소 침습수술은 계속 발전, 진화되고 있는데 3차원 영상을 통해 원격수술을 가능케하는 로봇수술, 자연개구부 내시경 수술 NOTES 및 단일절개 복강경 수술 등의 등장은 기존 최소 침습수술의 약점 및 제한점을 보완하고, 이 수술의 침습성을 더욱 최소화시켜 환자의 삶의 질 향상에 기여할 수 있을 것으로 기대된다.

참고문헌

1. Aiono S, Gilbert JM, Soin B, et al. Controlled trial of the introduction of a robotic camera assistant (EndoAssist) for laparoscopic cholecystectomy. Surg Endosc 2002;16:1267-1270.
2. Alijani A, Cuschieri A. Abdominal wall lift systems in laparoscopic surgery: gasless and low-pressure systems. Semin Laparosc Surg 2001;8:53-62.
3. Berguer R, Smith WD, Chung YH. Performing laparoscopic surgery is significantly more stressful for the surgeon than open surgery. Surg Endosc 2001;15:1204-1207.
4. Berquer R, Smith WD, Davis S. An ergonomic study of the optimum operating table height for laparoscopic surgery. Surg Endosc 2002;16:416-421.
5. Bessler M, Stevens PD, Milone L, et al. Transvaginal laparoscopically assisted endoscopic cholecystectomy: a hybrid approach to natural orifice surgery. Gastrointest Endosc 2007;66:1243-1245.
6. Borten M, Friedman EA. Choice of anaesthesia, in: Laparoscopic Complications: Prevention and Management. Toronto: BC Decker, 1986.
7. Brelthauer M, Seip B, Aasen S, et al. Carbon dioxide insufflation for more comfortable endoscopic retrogradecholangiopancreatography: a randomized, controlled, double-blind lrial. Endoscopy. 2007;39(1):58-64.
8. Callery MP, Soper NJ. Physiology of the pneumoperitoneum. Baillieres Clin Gastroenterol 1993;7:757-777.
9. Catarci M, Carlini M, Gentileschi P, et al. Major and minor injuries during the creation of pneumoperitoneum. A multicenter study on 12,919 cases. Surg Endosc 2001;15:566-569.
10. Church J, Delaney C. Randomized. controlled trial of carbon dioxide insufflation during colonoscopy. Dis Colon Rectum. 2003;46(3):322-326.
11. Costi R, Himpens J, Bruyns J, et al. Robotic fundoplication: from theoretic advantages to real problems. J Am Coll Surg 2003;197:500-507.
12. Cullen DJ, Eger EI. Cardiovascular effects of carbon dioxide in man. Anesthesiology 1974;41:345-349.
13. Cunningham AJ, Turner J, Rosenbaum S, et al. Transoesophageal echocardiographic assessment of haemodynamic function during laparoscopic cholecystectomy. Br J Anaesth 1993;70:621-625.
14. Eaves FF. Basics of endoscopic plastic surgery. St Louis: Quality Medicine Publishing, 1995.
15. Fletcher DR. Laparoscopic access, in Toouli JG, Gossot D, Hunter JG (eds): Endosurgery. New York/London: Churchill-Livingstone 1996.
16. Fried GM, Clas D, Meakins JL. Minimally invasive surgery in the elderly patient. Surg Clin North Am 1994;74:375-387.
17. Hanney RM, Alle KM, Cregan PC. Major vascular injury and laparoscopy. Aust N Z J Surg 1995;65:533-535.
18. Herron DM, Gagner M, Kenyon TL, et al. The minimally invasive surgical suite enters the 21st century. A discussion of critical de-

sign elements. Surg Endosc 2001;15:415-422.

19. Himpens J. Laparoscopic preperitoneal approach to the inguinal hernia, in Toouli JG, Gossot D, Hunter JG (eds): Endosurgery. New York/London: Churchill-Livingstone, 1996.

20. Ho HS, Gunther RA, Wolfe BM. Intraperitoneal carbon dioxide insufflation and cardiopulmonary functions. Laparoscopic cholecystectomy in pigs. Arch Surg 1992;127:928-932.

21. Hoepffner N, Foerster EC, Höemann B, et al. Long-term experience in Wallstent therapy for malignant choledochal stenosis. Endoscopy 1994;26:597-602.

22. Hopkins HH. Optical principles of the endoscope, in Berci G (ed): Endoscopy. New York: Appleton-Century-Crofts. 1976.

23. Hunter JG, Staheli J, Oddsdottir M, et al. Nitrous oxide pneumoperitoneum revisited. Is there a risk of combustion? Surg Endosc 1995;9:501-504.

24. Hunter JG, Swanstrom L, Thornburg K. Carbon dioxide pneumoperitoneum induces fetal acidosis in a pregnant ewe model. Surg Endosc 1995;9:272-277.

25. Jobe BA, Kenyon T, Hansen PD, et al. Mini-laparoscopy: Current status, technology and future applications. Minim Invasive Ther Allied Technol 1998;7:201.

26. Kenyon TA, Lenker MP, Bax TW, et al. Cost and benefit of the trained laparoscopic team. A comparative study of a designated nursing team vs a nontrained team. Surg Endosc. 1997;11:812-814.

27. Levy ML, Day JD, Albuquerque F, et al. Heads-up intraoperative endoscopic imaging: a prospective evaluation of techniques and limitations. Neurosurgery 1997;40:526-530.

28. Lindberg F, Bergqvist D, Bj ck M, et al. Renal hemodynamics during carbon dioxide pneumoperitoneum: an experimental study in pigs. Surg Endosc 2003;17:480-484.

29. Litwin DWM, Pham Q. Laparoscopic surgery in the complicated patient in Eubanks WS, Swanstrom LJ, Soper NJ (eds). Mastery of Endoscopic and Laparoscopic Surgery. Philadelpia: Lipincott Williams & Wilkins 2000.

30. Marescaux J, Dallemagne B, Perretta S, et al. Surgery without scars: report of transluminal cholecystectomy in a human being. Arch Surg 2007;142:823-826.

31. Marescaux J, Leroy J, Gagner M, et al. Transatlantic robot-assisted telesurgery. Nature 2001;413:379-380.

32. McDougall EM, Monk TG, Wolf JS Jr, et al. The effect of prolonged pneumoperitoneum on renal function in an animal model. J Am Coll Surg 1996;182:317-328.

33. Morrell DG, Mullins JR, Harrison PB. Laparoscopic cholecystectomy during pregnancy in symptomatic patients. Surgery 1992;112:856-859.

34. Ostman PL, Pantle-Fisher FH, Faure EA, et al. Circulatory collapse during laparoscopy. J Clin Anesth 1990;2:129-132.

35. Ozawa A, Konishi F, Nagai H, et al. Cytokine and hormonal responses in laparoscopic-assisted colectomy and conventional open colectomy. Surg Today 2000;30:107-111.

36. Ruurda JP, Broeders IA, Simmermacher RP, et al. Feasibility of robot-assisted laparoscopic surgery: an evaluation of 35 robot-assisted laparoscopic cholecystectomies. Surg Laparosc Endosc Percutan Tech 2002;12:41-45.

37. Sackier JM, Nibhanupudy B. The pneumoperitoneum-physiology and complications, in Toouli JG, Gossot D, Hunter JG (eds): Endosurgery. New York/Longdon: Churchill-Livingstone 1996.

38. Targarona EM, Gracia E, Rodriguez M, et al. Hand-assisted laparoscopic surgery. Arch Surg 2003;138:133-141.

39. Tsereteli Z, Terry ML, Bowers SP, et al. Prospective randomized clinical trial comparing nitrous oxide and carbon dioxide pneumoperitoneum for laparoscopic surgery. J Am Coll Surg 2002;195:173-179.

40. Tucker RD. Principles of electrosurgery, in Sivak MV (ed): Gastroenterologic Endoscopy, 2nd ed. Philadelphia: WB Saunders 2000.

41. Wittgen CM, Andrus CH, Fitzgerald SD, et al. Analysis of the hemodynamic and ventilatory effects of laparoscopic cholecystectomy. Arch Surg 1991;126:997-1000.

Chapter 17 외과 초음파

Ultrasonography for surgeons

초음파의 과학적 원리가 도입된 것은 19세기 초반이며 20세기 중반이 되어서야 초음파가 의학 분야에 효과적으로 사용되기 시작하였다. 초음파는 비침습성, 휴대성, 신속성, 반복의 용이함 등의 여러 장점 때문에 많은 임상영역으로 파급 적용되게 되었다. 특히 수술영역에 적합하여 초기에는 유럽의 외과 의사들이 주도적으로 사용하다가 지금은 전 세계의 많은 병의원들에서 초음파 기기로 진단 및 치료를 시행하고 있으며 집중치료실과 외상관련 소생술 영역에서는 표준기구가 되었다. 신체진찰의 연장으로서 초음파의 사용은 외과의가 환자의 질환에 대한 즉각적인 정보를 얻음으로서 전문적인 환자관리를 가능하게 해주었다. 더욱이, 컴퓨터 강화 고해상도 이미지computer enhanced high resolution imaging와 다주파수 특화 탐촉자mutifrequency specialized transducer 등의 기능을 추가함으로서 다양한 수술적 환경에 대한 적용이 가능하게 되었다.

이 장에서는 초음파에 대한 기본적인 원리와 물리학을 포함하여 보편적으로 사용되는 용어의 정의 그리고 최근 다양한 임상환경(외상 소생술, 수술실, 집중치료실)에 적용되고 있는 초음파 기술에 대한 간략한 설명을 하고자 한다.

I 물리학과 기기장치

초음파는 검사자에 의존적이기 때문에 진단적 이미지를 구현하는데 있어서 파동 물리학을 이해하는 것이 매우 중요하다. 초음파검사를 정확하게 하기 위해서는 시술자가 반드시 반향파의 패턴echo pattern을 잘 이해하고 구조물들을 명확히 구별할 수 있어야 하며 가장 좋은 상태의 이미지를 얻기 위해 기기를 잘 조정할 수 있어야 한다. 진단적 초음파에서 탐촉자transducer는 전기와 소리에너지를 상호전환 한다(그림 17-1). 탐촉자는 상호전환을 하기 위해서 아래와 같은 필수적인 요소들을 포함한다.

1. 활성요소

탐촉자에 탑재되어 있는 압전결정체piezoelectric crystal에 전기에너지가 가해지면 압전효과에 의하여 펄스가 생성되고 펄스는 결정체crystal를 변형시켜 전기신호를 생성한다.

이 신호는 반대 압전 효과reverse piezoelectric effect를 통하여 화면에 초음파 이미지를 형성한다.

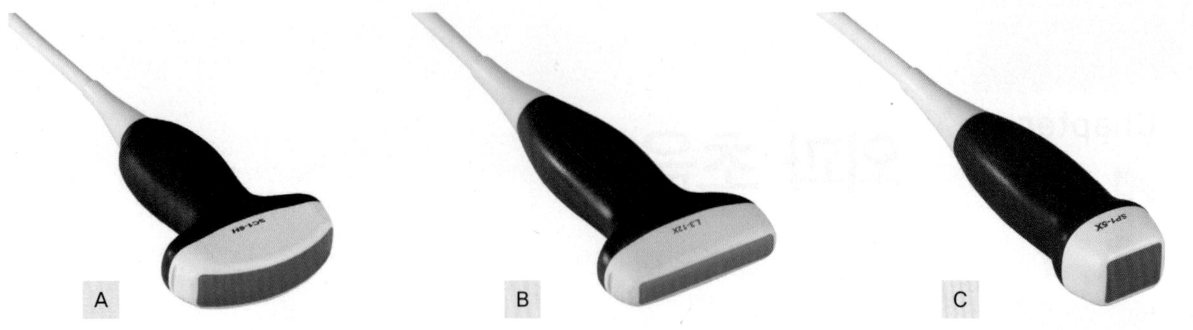

그림 17-1 **다양한 탐촉자의 종류.** A) 곡선형 탐촉자(curved) B) 선형 탐촉자(linear) C) 부채살 탐촉자(phased)

2. 흡음재

에폭시 레신Epoxy resin은 진동을 흡수하여 초음파 이미지의 해상력을 향상시킨다.

3. 결합층

이 물질은 일반적으로 초음파 젤이 그 역할을 담당하는데 탐촉자-조직의 경계면transducer-tissue interface에서 일어나는 반사를 감소시킨다. 조직과 탐촉자 사이에 존재하는 밀도의 차이(임피던스의 불일치impedence mismatch)는 초음파의 반사를 야기시키는데 결합층은 이러한 반사를 감소시켜 초음파가 우리 몸이나 표적장기를 쉽게 통과하게 한다.

탐촉자들은 (1) 탐촉자에 포함되어 있는 활성요소의 배열array과 (2) 초음파의 진동수에 의하여 분류된다. 탐촉자 배열은 단단히 꽉 들어찬 압전소자piezoelectric elements들을 포함하고 있는데 이들 각각은 초음파 기기와 전기학적으로 연결되어 있다. 이들 소자들은 각각 활성화 되거나 단체로 활성화 되는데 이를 통하여 초음파 빔이 생산된다.

다음은 4가지의 탐촉자 배열에 대한 설명이다(그림 17-1).

1. 직사각 선형 배열rectangular linear array : 직사각형의 이미지를 획득할 수 있다
2. 곡선 배열curved array : 사다리꼴의 이미지를 획득할 수 있다
3. 위상차 배열phased array : 배열되어 있는 모든 소자들이 활성화 되면 음파가 생성된다.
4. 원형 배열annular array : 소자들이 원형으로 배열되어 있다.

원형 배열을 제외한 다른 탐촉자 배열은 기계부분의 움직임 없이 초음파 빔을 집중시키거나 전기적으로 빔을 기울일 수 있다. 임상 환경에서 이 배열은 집도의가 초점영역focal zone을 조정하여 병변에 대한 세밀한 정보를 놓치지 않으면서 간 등의 큰 기관들을 정확하게 이미지화 할 수 있다. 탐촉자의 주파수는 탐촉자 내부에 있는 압전소자piezoelectric elements들의 두께에 따라 결정되며 압전소자의 두께가 얇을수록 주파수가 높다. 진단적 초음파에서 이용 가능한 탐촉자의 주파수는 1-20MHz 사이인데 이 중 가장 널리 사용되는 주파수는 2.5-10MHz이다(표 17-1). 초음파 빔의 서로 다른 주파수들은 각각의 특징들

표 17-1. 자주 사용되는 초음파 주파수

주파수(MHz)	이용범위
2.5-3.5	복부, 대동맥, 신장
5.0	질경유, 소아복부, 음낭
7.5	혈관, 표재 연부조직, 갑상선
10-12	혈관내초음파, 내시경초음파

을 가지고 있다. 주파수가 높을수록 조직에 대한 투과성이 떨어지지만 더 좋은 해상력을 얻을 수 있다. 반면에 주파수가 낮을수록 조직에 대한 투과성은 좋지만 해상력이 떨어진다. 따라서 탐촉자는 일반적으로 이미지화 하려고 하는 구조물의 깊이depth에 기초하여 선택된다. 예를 들어, 7.5MHz 탐촉자는 갑상선과 같이 신체의 표면 가까이에 존재하는 기관의 이미지를 얻을 때 적합하지만, 3.5MHz 탐촉자는 복부 대동맥abdominal aorta과 같이 깊은 곳에 존재하는 기관을 촬영하는데 적합하다.

초음파 기기는 다양하고 복잡한 특성을 가지고 있으며 아래와 같은 필수적인 구성요소를 가지고 있다:

1. 전송기transmitter는 탐촉자로 보내지는 전기적 신호를 조절한다.
2. 수신기 또는 이미지 처리기receiver or image processor는 탐촉자로부터 되돌아오는 전기적 신호를 처리한다.
3. 탐촉자transmitter는 전기적 에너지와 음향 에너지를 상호전환 시킬 수 있다. 각각의 탐촉자는 탐침자의 방향성을 나타내는 지표를 가지고 있다.
4. 모니터monitor는 초음파 이미지를 보여 준다.
5. 녹화기image recorder는 초음파 이미지의 사본을 저장한다.

초음파에는 그 동안 꾸준히 진화되어 온 A, B, M의 3가지 스캔방식scanning mode이 있다.

A모드amplitude modulation는 진단적 초음파의 가장 기본적인 형태로서 1차원의 이미지를 얻을 수 있다. 수직축은 파wave의 강도 또는 진폭을 나타내며 수평축은 시간을 나타낸다. 따라서, 더 큰 신호가 탐촉자로 돌아올수록 더 큰 스파이크spike가 나타난다. B모드brightness modulation는 오늘날 가장 많이 사용되는 형태의 모드로서 이미지의 밝기는 초음파의 진폭에 비례한다는 점을 이용한다. 따라서 밀도가 높은 구조물은 초음파를 더 잘 반사하기 때문에 구조물의 밀도가 높을수록 더 밝게 나타난다. M모드는 심근과 같은 움직이는 구조물의 영상에 초음파의 진폭을 연관시킨 것으로 실시간 이미지가 보편화되기 전까지만 해도 M모드가 심장초음파의 기초였다.

표 17-2를 보면 초음파 물리학에서 흔히 사용되는 기술적인 용어들에 대한 정의가 요약되어 있다. 초음파의 필수적인 원리는 표 17-3에 정리되어 있고 임상학적 용어는 표 17-4에 정리되어 있으며 마지막으로 표 17-5에는 스캔면scanning plane에 대한 항목이 정리되어 있다.

표 17-2. 초음파의 물리 용어

용어	정의	임상적 의미
주파수	주기 수/초*	주파수가 증가하면 해상도가 좋아진다. 진단적 초음파는 1-20MHz의 주파수를 이용한다.
파장	주기당 파동이 이동하는 거리	파장이 짧으면 해상도가 좋지만 침투거리가 짧아진다.□
진폭	파동의 높이	
감쇠	매질을 통과하면서 파동의 강도나 진폭이 감소	감쇠를 극복하기 위해 time-gain compensation 조절
흡수	소리 에너지가 열로 바뀜	감쇠현상 야기
산란	거친 경계면에서 파동의 방향이 바뀌는 현상	감쇠현상 야기
반사	파동이 탐촉자 쪽으로 돌아오는 현상	감쇠현상 야기
전파속도	파동이 연부조직을 통과할 때의 속도 (1540m/sec)	속도는 액체 보다 고체에서, 공기 보다 액체에서 빠르다.

* 10^6 cycles/sec = 1MHz

□ 주파수가 증가하면 파장은 감소한다

표 17-3. 초음파 원리

원리	설명
압전효과	압전 크리스탈이 늘어나거나 수축하여 전기 에너지에서 기계적 에너지로, 기계적 에너지에서 전기 에너지로 바뀌는 현상
펄스-에코 원리	초음파 파동이 조직과 만나면 일부는 전파되고 일부는 반사된다. 크리스탈로 돌아온 파동은 돌아온 신호의 강도에 상응하는 전기신호를 만들어낸다.
음향임피던스	조직의 밀도 × 조직에서의 전파속도로 정의된다. 돌아오는 에코의 강도는 스캔된 구조물의 밀도차이에 따라 결정된다. 음향 임피던스의 차이가 큰 구조물은 주변 조직에서 쉽게 구별된다. (예: 담즙과 담석)

표 17-4. 초음파 임상 용어

용어	정의
에코발생도(echogenicity)	초음파 파동이 조직에서 반사되는 정도(영상에서는 밝기 정도로 표시됨)
무에코성	에코가 없음. 어둡거나 검게 표시됨.
동일에코성	주변 조직과 비슷한 양상으로 표시됨.
저에코성	주변조직에 비해 에코가 낮음(어두움)
고에코성	주변조직에 비해 에코가 높음(밝음)
해상도	두 인접 구조물을 구분할 수 있는 능력: 측방(lateral:구조물의 넓이) 혹은 축방향(axial: 구조물의 깊이)

표 17-5. 초음파 스캔면

스캔면	설명
시상(sagittal)	몸을 종축과 평행하게 우측과 좌측으로 나누는 면(탐촉자의 표시된 부분이 환자의 머리쪽을 향함)
횡단(transverse)	몸을 종축과 수직으로 위쪽과 아래쪽으로 나눔(탐촉자의 표시된 부분이 환자의 우측을 향함)
관상(coronal)	종축과는 평행하고 시상면에는 수직으로 몸을 앞쪽과 뒤쪽으로 나눔(탐촉자의 표시된 부분은 환자의 머리쪽을 향함)

II 초음파의 임상적 활용

신체진찰의 연장으로서 초음파는 수술실, 응급실, 집중치료실에서 응급진단을 위한 보조적인 역할을 담당하고 있다. 일단 외과의가 초음파의 필수적인 원리를 배우고 초음파 술기에 익숙해지게 되면 다양한 부분에 적용할 수 있을 것이다. 그간 수많은 임상영역에서 외과의가 시행하는 초음파가 진단적 또는 시술의 도구로서 효과적이라는 사실이 입증되었다.

III 외래에서의 초음파 활용

1. 유방

현재 유방Breast 병변에 대한 초음파 유도하 생검술US-guided biopsy은 외과의가 보편적으로 시행하는 시술이다. 1970년대 후반 이후 유방 촬영술의 시행이 증가함에 따라 비 촉지성 유방 병변의 발견이 늘어나고 있다. 이러한 병변에 대한 전통적인 조직검사방법은 피부를 절개하여 개방한 뒤 절제하는 절제생검법open excisional biopsy이나, 이러한 방법을 통한 악성 발견율은 20%에 불과하였다. 최근 자동총 생검용 바늘automated biopsy needles, 고 해상도 탐촉자high-resolution transducer, 컴퓨터 보조 진단 프로그램computer aided diagnosis program 등을 포함한 최첨단 초음파 기술은 세침흡인생검술fine needle biopsy이나 중심부 바늘생검core needle biopsy이 개방형 절제생검open biopsy을 대치할 수 있도록 하는데 중요한 역할을 하고 있다. 특히 최근 보편적으로 활용하고 있는 진공 보조 흡입생검술 vacuum assisted breast biopsy(맘모톰)은 중심부 바늘생검 등의 경피적 생검술의 단점인 조직학적 저평가의 위험성을 줄이는 동시에 절제생검의 단점인 흉터나 반흔을 동반하지 않는 최소 침습적minimal invasive 유방생검 및 수술법으로 각광을 받고 있다. 외과의들은 초음파를 신체검사의 연장선상에서 활용할 수 있으며 이를 통하여 고형 또는 낭성병변 여부를 판단하고 병변의 악성여부를 확인할 수 있다. 유방종괴에서 악성을 시사하는 소견으로는 불분명하고 불규칙한 경계, 후방음영감쇠posterior shadowing, 비균일성 내부 에코intenal echo; nonhomogenicity, 비압축성 noncompressibility 등이 있다.

유방 초음파의 적응증은 아래와 같다.

1. 비촉지성 병변이 새롭게 자라는 경우나 유방 촬영상 미세석회화 소견이 있는 경우
2. 유두분비물이 있을 때 유관의 크기를 평가하고자 하는 경우
3. 치밀 유방을 평가하거나 모호하게 만져지는 종괴가 있는 경우, 특히 젊은 여성에서
4. 낭성종괴와 고형종괴를 구별해야하는 경우
5. 낭종이나 농양을 경피적으로 배액하는 경우(유도 목적)

초음파는 유방질환이 의심되는 젊은 여성에게 굉장히 유용하게 쓰이는 진단법이다. 실제로, 최근 연구에 따르면 유방 초음파검사를 받은 30대 미만의 젊은 여성 296명 중 224명의 환자에게서 254개의 종괴가 발견되었고 이 종괴들의 평균 크기는 2.2cm였으며 내원 당일 조직생검을 실시한 결과 가장 흔한 것은 섬유선종fibroadenoma (72%)이었으며 섬유낭성변화fibrocystic change (8%), 엽상종양 phyllodes tumor (6%), 낭종(4%), 농양(3%), 유방암(2%)이 확인되었다고 보고하였다. 이렇듯 초음파는 양성종양을 가지고 있으나 촉진상 잘 확인이 되지 않고 유방촬영술의 결과가 믿을만하지 못한 젊은 여성에게 있어서 도움이 되는 진단도구이다.

그러나 초음파 유도하 유방생검이 절대적으로 확실한 진단방법은 아니다. 최근 보고에 따르면 715명의 환자에서 암 진단을 위한 초음파 유도하 중심부 바늘생검US-guided core needle biopsy을 시행한 결과 96%의 민감도를 나타내었다. 중심부 바늘생검에서 위음성으로 판명된 경우는 12예가 있었으며 이들 중 중심부 생검 소견상 불확실환 소견(n=2), 병리학적/영상학적 소견의 불일치(n=7)로 인해 즉시 개방적 절제생검open surgical biopsy을 시행받은 9명의 환자들의 경우 지연진단의 문제는 없었다. 그러나 3명의 환자(2명: lobular cancer, 1명: tubular cancer)의 경우는 비록 최종적인 진단은 초기 유방암이었지만 초음파 유도하 생검상 위음성 결과로 인하여 16-27개월 정도 진단이 지연되었다고 보고하였다. 따라서 초음파 유도하 유방생검상 위음성율을 최소화 하기 위해서는 다른 영상학적 검사 및 신체검진 등을 최대한 활용하여야 한다.

유방검사에 있어서 초음파가 잘 활용될 수 있는 영역으로는 수술 후 혈종hematoma, 장액종seroma, 보형물prostheses에 대한 추적관찰 및 낭종 흡인, 고형병변 생검, 수술 전 침을 이용한 위치선정pre-operative needle localization, 액와 림프절 세침흡인생검 , 감시림프절 생검을 위한 종양 주변 염색약 주입peritumoral injection for sentinel lymph node biopsy과 같은 초음파 유도하 시술 등이 있다. 초음파를 이용하여 악성 림프절을 진단하는 경우가 증가함에 따라 악성 림프절이 의심되는 초음파 소견상의 특징들이 아래에 잘 정리되어 있다. 악성이 의심되는 림프절은 일반적으로 1) 원형 또는 타원형의 형태를 띄며 2) 저에코의 중심부를 가지고 있고 3) 크기가 5mm 보다 크며 4) 2mm 보다 두꺼운 불규칙적인 피질cortex을 가지는 특징이 있다. 이러한 기준을 기반으로 일부 그룹들은 감시 림프절 생검

을 따로 시행하지 않고 초음파 유도하 세침 흡인생검만을 시행하여 림프절 전이 여부를 판단하고 있다.

Rizzatto 등은 고해상도 초음파를 통해 관내에 퍼져 있는 종양과 다발성 병소를 확인할 수 있다고 보고하였다. 새로운 기술과 조영제를 이용한 관류분석perfusion study으로 강화된 대조 해상력을 보여줌으로써 작은 림프절 전이여부 까지도 판별이 가능하게 되었다. 외래에서의 유방초음파의 사용은 점점 더 보편화되어 가고 있으며 진단과 치료가 보다 신속해지는데 일조하고 있다.

2. 위장관

내시경 초음파(EUS)와 직장 내 초음파 검사endorectal ultrasonography는 위장관계 질환의 수술 전 평가 및 치료 영역에 새로이 추가되었다. 내시경 초음파는 고주파(12–20MHz) 초음파 탐촉자를 내시경에 장착시킨 것으로 탐촉자를 표적장기 가까이에 위치시켜 위장관벽 및 주변장기의 이미지를 얻는다. 이 이미지를 통하여 종양이 어느 정도의 깊이까지 침투했는지와 주변 림프절의 전이 여부를 평가할 수 있다.

다음은 내시경 초음파의 적응증이다.

1. 수술 전 식도, 위, 직장 등에 발생한 악성종양의 병기를 정할 때
2. 수술 전 췌장 내분비 종양(특히, 인슐린종insulinoma)의 위치를 찾을 때
3. 위장관에서 점막하 병변을 평가할 때
4. 조직채취, 췌장의 가성낭종 배액과 같은 중재적 시술에서 이미지 유도가 필요한 경우

최근, 내시경 초음파는 세침흡인생검을 용이하게 하여 위장관 점막하 병변 뿐만 아니라 췌장 병변의 생검까지도 가능하게 하였다. 내시경 초음파 유도하 세침흡인생검은 종양성 췌장 낭종을 정확하게 진단하여 약물적, 수술적 치료 여부에 대한 판단도 가능하게 한다. 내시경 초음파를 이용한 식도암, 위암의 병기결정은 점점 더 보편화 되어 가고 있다. 최근의 보고에 따르면 위암에서 시행된 내시경 초음파의 종양병기 결정과정에서 종양 병기(T stage)는 65–92%의 정확도를 보였으며 림프절 병기(N stage)는 50–90%의 정확도를 보였다고 하였다. 또한 내시경 초음파의 병기결정 과정 중 T3 병변에서는 가장 높은 정확도를 보인 반면 T2 병변에서는 가장 낮은 정확도를 보이며, 병기가 과하게 결정overstage되는 경향이 있다고 하였다. 림프절 전이가 의심되는 초음파 소견으로는 크기가 10mm보다 크고, 원형모양, 저에코의 중심부, 경계가 예리한 것 등이다. 내시경 초음파 유도하 세침흡인생검은 진단의 정확성을 높이는데 도움이 된다.

직장 내 초음파는 양성 또는 악성 직장항문 질환을 평가할 때 사용된다. 직장 내 초음파는 직장 벽의 360도 수평면에 대한 이미지를 제공하는 축 방향으로 회전하는 탐촉자(7.0–10.0MHz)를 사용한다. 24cm 길이의 물로 채워진 라텍스 풍선이 탐촉자를 둘러싸고 있는데 탐촉자가 직장 내 병변에 도달하면 풍선은 초음파 이미지를 생성하기 위한 소리창acoustic window을 형성한다. 이때 직장 내에 삽입된 탐촉자를 점진적으로 후퇴시키면서 실시간으로 직장벽의 각 층들을 영상화 할 수 있다(그림 17-2). 이러한 층들은 초음파 병기결정(수술 후 병기결정)의 중요한 기준점이 된다. 예를 들면 점막하층middle white line까지 병변이 침윤되지 않은 경우에는 점막하층까지만 절제하여 병변을 제거할 수 있다.

종양이 침윤한 깊이를 결정하는데 있어서 초음파검사의 민감도는 85–90% 정도이지만 종양 주변 조직에 염증이나 부종이 있으면 과대평가될 수 있다. 이러한 오류는 종양이 점막근muscularis mucosa을 침투하거나 고유판lamina propria에 염증소견이 있는 경우에 발생할 수 있다. 수술 전 방사선화학요법neoadjuvant chemoradiation therapy을 시행한 경우에도 종양병기, 림프절 병기 결정의 정확도가 감소한다(최근 보고에 따르면 72–80%로 감소한다고 언급됨). 마지막으로, 직장 내 초음파는 변 실금, 항문 누공anal fistula과 같은 양성항문질환을 평가하는데 있어서도 중요한 역할을 담당한다. 또한, 항문 초음파는 직장 내 초

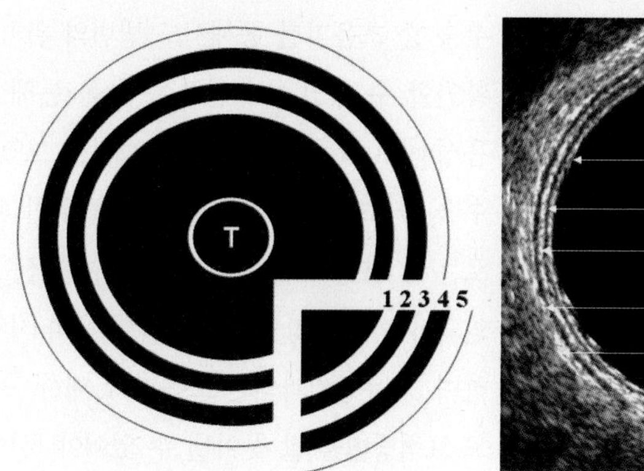

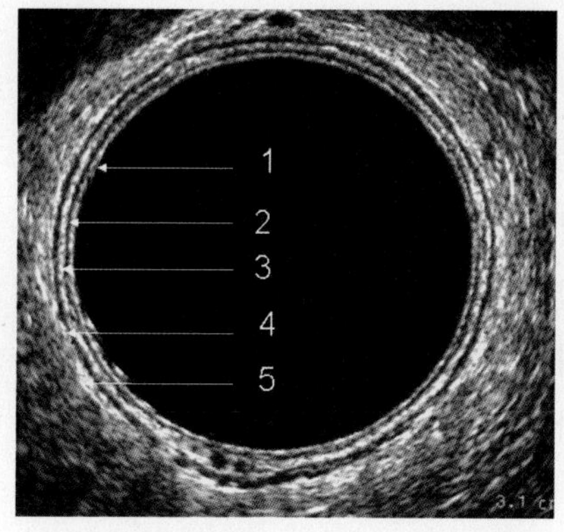

그림 17-2 직장 내 초음파 검사에서 확인되는 5층의 직장 구조물(BK 초음파 제공). 1. Interface, hyperechoic, 2. Mucosa/Muscularis mucosa, hypoechoic, 3. Submucosa, hyperechoic, 4. muscularis propria, hypoechoic, 5. Perirectal fat/Serosa, hyperechoic

음파와 동일한 방법으로 시행되지만 다른 점은 물로 채워진 풍선 대신 초음파가 통과하는 단단한 플라스틱으로 만들어진 원뿔sonolucent hard plastic cone로 둘러싸여 있는 10Hz의 탐촉자가 장착되어 있다는 점이다. 이것을 이용하여 내 괄약근과 외 괄약근의 문제를 찾아낼 수 있다. 직장 내 초음파로 괄약근의 기능은 측정할 수 없지만 괄약근의 손상은 찾아낼 수 있다.

직장 내 초음파는 누도관fistulous tract을 확인하는데도 사용되는데 누도관의 주행경로가 괄약근을 통과하는지와 속구멍internal opening이 어디에 있는지도 찾아낼 수 있다. 한 연구에서는 초음파로 누도관을 찾아낼 확률은 100%이지만 누도관과 괄약근의 관련성을 평가하는데 있어서의 정확도는 86%였고 속구멍 식별의 정확도는 약 60% 정도였다고 보고하였다. 또 다른 연구에서는 누도관이나 속구멍을 찾아낼 확률은 약 70% 정도라고 보고하였다. 즉, 초음파가 복잡하고 재발하는 질환의 진단 및 치료방침의 결정에 도움이 되긴 하지만 항문누공의 평가에 통상적인 검사로 추천되지는 않는다.

3. 혈관계

컬러도플러와 혈관 내 초음파endoluminal US의 개발은 혈관질환의 진단과 치료에 큰 도움을 주게 되었다. 외과 환자에서 혈관 초음파는 심부정맥 혈전증, 동맥질환, 레이노씨병, 가슴문증후군thoracic outlet syndrome과 같은 혈관성 질환으로 진단받고 치료 예정인 환자뿐만 아니라, 수술 전 후 출혈이 의심되는 경우, 하지 부종, 창백, 뇌졸중의 병력이 있거나 발생이 의심되는 경우 등 다양한 경우에 사용될 수 있다. 혈관초음파로 혈관 직경의 변화를 mm 단위로 관찰할 수 있으므로 복부 대동맥류의 진단 및 추적관찰, 동맥 수술이나 시술 후 추적 관찰 등에도 사용될 수 있다. 혈관 초음파를 CT나 MRI, 혈관 조영술 등의 검사 방법과 비교해보면 경제성, 정확성, 안정성 등이 잘 입증되어 있고 방사선 피폭의 위험성이 없으며 특히 사지혈관 검사는 금식에 상관없이 검사할 수 있으므로 매우 유용한 검사라 할 수 있다. 컬러도플러초음파는 간이식을 받은 환자들의 간문맥이나 간동맥의 크기, 개통성patency의 평가, 췌장종양의 절제여부 판단, 위창자간막 동맥의 폐색, 경피적 동맥 도관술percutaneous arterial catheterization 후 발생되는 동정맥루나 가성동맥류 등을 진단할 때도 유용하게 사용될 수 있다. 심부정맥 혈전증의 고위험군에서는 연속다중정맥 초음파serial duplex venous US를 이용하여 폐색전증의 고위험군을 찾아내고 면밀한 추적관찰을 할 수 있다.

4. 내분비계

갑상선과 부갑상선은 표재성으로 위치하는 기관으로 고주파수 초음파로 쉽게 확인 가능하며 실제로 30여년 전부터 갑상선의 낭성병변과 고형병변을 구분하는데 많이 사용되어 왔다. 초음파는 보편적으로 세침흡인생검을 필요로 하는 결절을 찾아내고 갑상선암의 절제에 대한 계획을 세우며 경부 림프절을 평가할 때 사용된다. Cleveland Clinic은 5703예의 초음파 진단사례를 보고하였는데 이들 모두는 초진 시 외래에서 외과의에 의해 시행되었다고 하였고 그 적응증으로는 두경부와 갑상선에서의 의심되는 병변이나 예상치 못한 병변의 확인 및 분석, 고형병변 및 낭성병변의 구별, 악성과 양성병변의 감별 진단, 갑상선 병변과 경부의 다른 병변과의 감별진단, 부갑상선 선종의 위치확인, 세침흡인세포검사(FNA), 알콜소작술ethanol ablation 등과 같은 중재적 시술의 유도목적 등 이었다고 보고하였다. 대부분의 연구는 갑상선 질환(42%)과 부갑상선 질환(57%)을 대상으로 시행되었고 부갑상선 선종의 위치확인에 대한 정확성은 site specific이 72%, side specific이 74%였다. 그에 반해 Sestamibi 검사는 각각 50%, 68%의 정확성을 보여주었다. 또 다른 연구에서는 비정상적인 부갑상선을 확인하는데 있어서 초음파의 정확도는 91% 정도 된다고 보고하였다.

IV 수술 중 초음파의 사용

1. 유방

촉진되지 않는 유방 병변에 있어서 수술 중 초음파의 활용intraoperative use of ultrasound에 관한 논문이 점차 늘어나고 있다. 수술 중 초음파의 장점은 수술의 용이한 진행, 환자의 불안감 및 통증의 감소, 비용절감, 유방 촬영술과 비슷한 정확성 등을 들 수 있다. 한 연구결과를 보면 외래진료 시 초음파로 확인된 100명의 비 촉지성 병변을 수술 중 초음파를 통해서도 병변의 위치를 모두 정확하게 확인할 수 있었으며 일차 수술을 통해 90%에서 경계면 음성negative margin의 높은 성적을 보였다고 보고하였다. 수술 중 초음파의 효과적 사용을 위한 4가지 전제 조건으로는 1) 병변의 위치가 반드시 수술 전 초음파 상으로 확인되어야 하고 2) 수술실에서 초음파 사진을 볼 수 있어야 하며 3) 유방외과의는 초음파에 대한 충분한 경험을 가지고 표적병변을 잘 찾아낼 수 있어야 하며 4) 수술 전에 원본 초음파 사진을 필요에 따라 즉각적으로 재현할 수 있어야 한다.

2. 위장관

수술 중 초음파나 복강경 초음파 검사는 간, 담도, 췌장 수술 시 필수적인 요소이다. 외과의는 초음파를 통해 수술 전에 발견하지 못했던 담석과 같은 추가 병변을 발견할 수 있고 수술 진행 중 발생할 수 있는 혈관 및 담도의 손상을 최소화 할 수 있다. 또한, 초음파를 이용하여 종양의 경계를 명확하게 구별한 다음 동결절제cryoablation나 생검을 시행할 수 있다. 수술 전에 시행하는 영상과 비교 시 수술 중 초음파가 양성, 악성 병변의 진단에 있어 좀 더 민감도가 높다. 수술 중 초음파는 매우 정밀하여 5mm 가량의 작은 병변도 정확히 찾아낼 수 있고 다른 구조물들과의 관계도 면밀하게 파악하여 정확한 절제가 가능하도록 한다. 또한, 수술시간을 단축시킬 뿐 만 아니라 외과의의 수술전략 변경 빈도도 감소시킨다.

수술 중 초음파는 접촉검색contact scanning, 일명 격리검색standoff scanning을 통해 이미지 영상을 얻게 되는데 접촉검색은 탐촉자를 직접 표적기관에 접촉시켜 영상을 얻는 것으로 표적기관의 가장 깊은 부분의 영상까지 획득 가능하므로 간과 같이 큰 장기의 영상을 얻을 때 주로 사용된다. 격리검색은 영상을 얻고자 하는 구조물에서 1–2cm 떨어진 곳에 탐촉자를 위치시키고 탐촉자와 구조물 사이에 무균적 생리식염수를 넣어 초음파가 전달될 수 있게 한다. 이 기술은 주로 혈관, 담관, 척수 등의 영상 이미지를 얻기 위해 사용되며 탐촉자를 직접 병소에 접촉시키지 않고서도 좋은 이미지를 얻을 수 있다. 초음파 탐촉자의 크기와 모양 및 종류는 조사하고자 하는 해부학적 구조에 의하여 결정되는데, 예를 들면, 연필처럼 생긴 7.5MHz 탐촉자는 총담관common bile duct을 탐색할 때 주로 사용되고 T 모양의 5MHz 탐촉자는 경화된 간의 영상 이미지를 얻을 때 사용된다. 미세한 병변도 놓치지 않기 위해서는 수술 중 초음파 검사가 체계적으로 시행되어야 하며 재현성이 있어야 한다. 간은 Couinaud의 해부학적 분절에 따라 차례로 관찰해야 한다.

이와 비슷한 원리가 복강경 초음파laparoscopic US에도 적용되는데 탐촉자는 복강경 장비에 잘 장착되도록 디자인 되어 있다. 복강경 초음파는 담도결석bile duct stones을 찾아내고, 췌장암 병기결정을 정확히 하여 불필요한 개복술을 피하게 하며, 간 전이를 절제하거나 동결절제 하는데 보조적 역할을 담당한다.

3. 혈관 또는 내분비계

수술 중 이중영상duplex imaging은 혈관문합의 기술적 오류나 비정상적인 혈액의 흐름을 확인하기 위해 사용된다. 동맥조영술arteriography도 문합부위의 개통성을 평가하고 원위 동맥의 유출을 확인하기 위해 많이 사용되지만 침습적이라는 단점이 있다. 반면, 수술 중 이중영상은 혈관 재건술 후 해부학적, 혈역학적 부분을 신속하게 영상화하면서도 비침습적이고 쉽게 재현가능하며 동맥조영술에 비해 소요되는 시간이 적은 장점이 있다. 혈관 내 초음파는 관상동맥 플라크의 평가, 혈관 내 스텐트, 그리고 대정맥 필터 설치 등과 같은 다양한 부분에서 적용 가능하다.

수술 중 초음파는 내분비 영역의 외과의에게도 매우 유용하게 사용될 수 있는데 예를 들면, 수술 중 췌장 내 분비종양의 위치 확인에 결정적 역할을 담당하며 수술 중 부갑상선 병변이나 경부 림프절의 이상 소견을 확인하고 위치를 결정하는데 사용될 수 있다. 한 연구에 따르면 87명의 부갑상선 질환 환자 중 70명이 수술 전 초음파, Setamibi 영상, 수술 중 초음파를 이용하여 계획된 직접적인 부갑상선 절제술을 성공적으로 시행 받았으나 나머지 17명의 경우 수술 중 초음파 소견에 의해 추가적인 양측 경부 탐사bilateral neck exploration가 필요함을 확인하였다. 결국 수술 중 초음파는 외과의에게 있어서 없어서는 안 될 매우 유용한 장비임이 확인되었다.

V 외상 소생

1. FAST 검사

FAST (Focused Assessment with Sonography for Trauma)란 외상환자에게 초음파 검사를 시행하여 흉복부 손상을 빠르게 진단하는 초음파 진단법이다. 초창기에는 복강 내 저류액의 유무를 확인하는 것이 대부분이었다. 1996년 Focused Abdominal Sonogram for Trauma를 FAST로 기술하였다가, 1999년 국제합의회의를 통하여 복강 내 장기에만 국한되지 않는 것을 고려하여 Focused Assessment with Sonography for Trauma로 표기하였다. 여기에 기흉 검사를 추가하여 eFAST (extended FAST)로 사용되기도 한다. FAST 검사는 ATLS (advanced trauma life support)중에 주로 시행되며 중증외상환자 치료의 선봉에 서있는 외과 의사들에게는 없어서는 안 될 상당히 중요한 검사법이다. 최소한 4군데의 검사가 필요하며 곡선형 탐촉자를 이용하여 검상하subxiphoid, 우상복부right upper quadrant (RUQ), 좌상복부left upper quadrant (LUQ), 골반pelvis의 순서로 심낭과 복부에 혈액이 존재하는지 여부를 순차적으로 검사하게 된다. FAST는 특정한 순서에 따라 시행되어야 하는데 심장막 구역pericardial area의 영상을 가장 먼저 얻어 심장에 있는 혈액을 기준으로 게인gain을 조정한다. 대부분의 초음파 기기는 게인이 미리 조정되어 있기 때문에 기기를 작동시킬 때마다 재조정을 할 필요가 없지만 주기적으로 다양한 종류의 검사를 서로 다른 탐촉자로 시행해야 하는 경

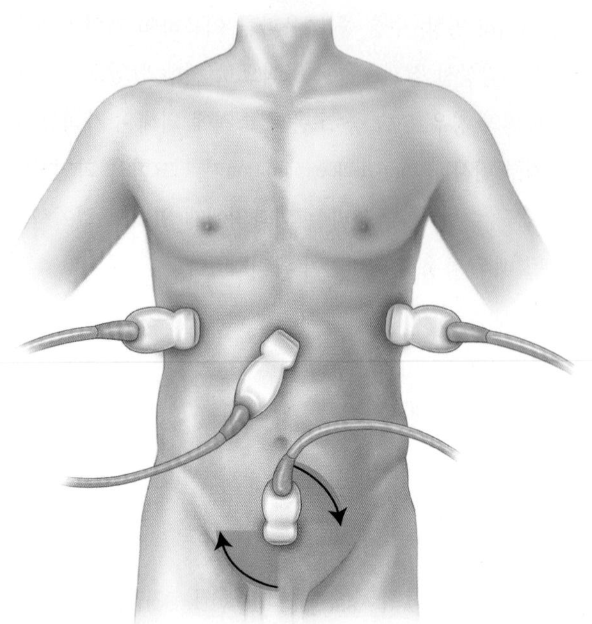

그림 17-3 **FAST 순서.** 심낭 구역부터 시작하여 우상복부, 좌상복부, 골반(단축, 장축)의 순으로 진행한다.

우에는 게인을 점검하여 심장내부의 혈액이 무에코로 나오게 해야 한다. 다음으로 복부영역 중 혈액이 가장 발견되기 쉬운 우상복부를 검사한다. 한 연구에 의하면 복부손상이 있는 환자 275명(둔상 220명, 관통상 55명)의 초음파 영상을 분석한 결과 손상된 장기와 상관없이 우상복부에서 혈액이 가장 흔하게 발견되었다고 하였다. 초음파 젤을 흉복부에 바르고 심낭 구역을 시작으로 우상복부, 좌상복부, 골반의 순서로 검사를 진행한다(그림 17-3). 맨 처음 시작 할 일은 3.5MHz 곡선형 탐촉자를 검상하 또는 늑골하에 위치시키고 심낭에 있는 혈액을 검사하는 것이다(그림 17-4). 그림 17-5를 보면 심낭 구역의 정상 및 비정상적인 영상을 볼 수 있다. 영상은 어렵지 않게 얻을 수 있지만 중증흉부손상, 피하기종subcutaenous emphysema, 갈비 밑 공간이 매우 좁은 경우나 병적인 비만이 있는 경우에는 좋은 영상을 얻기가 어려운데, 그 이유는 공기와 지방층이 초음파를 반사하여 표적기관에 도달하지 못하게 하기 어렵기 때문이다. 만약, 갈비 밑 심낭 영상subcostal pericardial image을 최적의 상태로 얻을 수 없다면, 부흉골

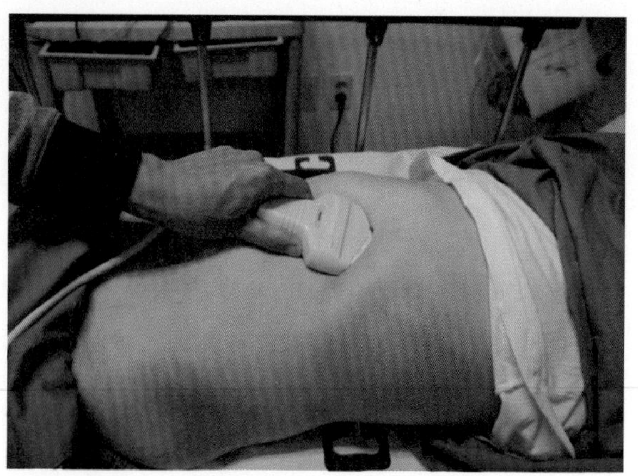

그림 17-4 **심낭 구역에 대한 초음파 자세(검상하 영상)**

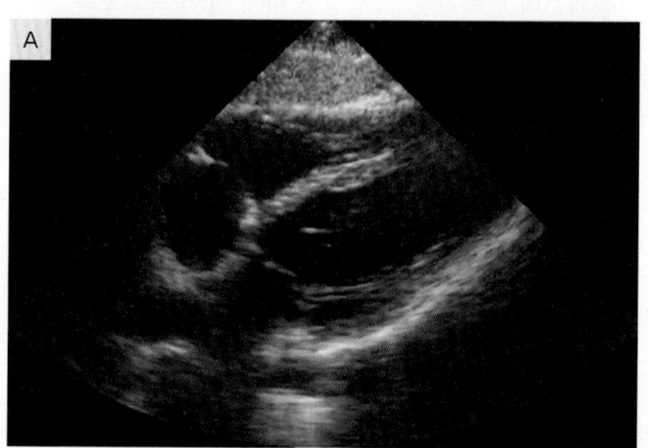

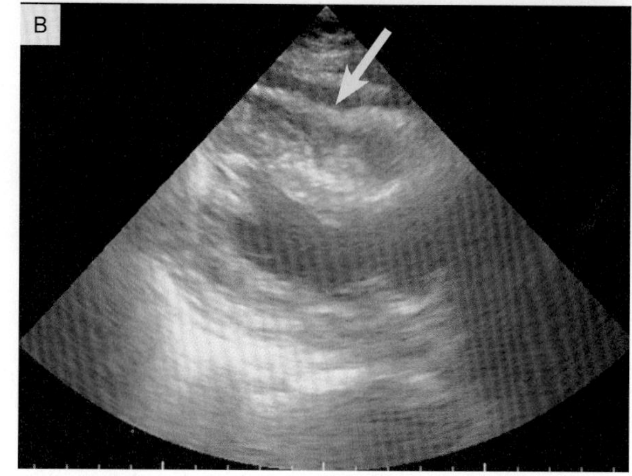

그림 17-5 정상의 심장 영상과 심낭혈종 환자의 영상. 정상의 검상하 영상(A)와 비교하였을 때 심낭혈종 환자의 부흉골 장축 영상(B)에서는 심장 앞쪽에 혈액의 저류(화살표)가 관찰된다.

장축 및 단축 초음파parasternal US를 실시하여 심장영상을 획득하는 것이 좋은데 이러한 경우 부채꼴 탐촉자sector

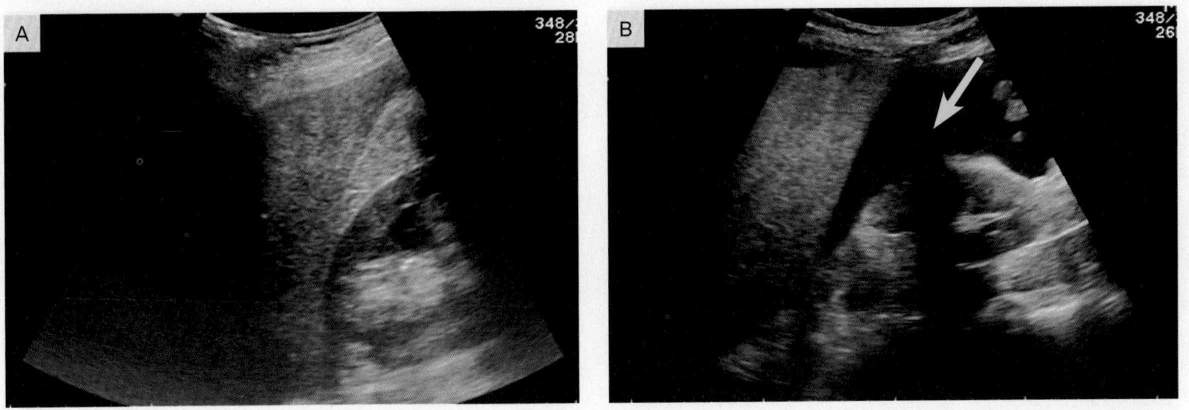

그림 17-6 **우상복부의 FAST 사진.** 정상(A)와 비교하였을 때 혈복강이 있는 환자(B)에서는 간콩팥오목 구역에 혈액의 저류(화살표)를 볼 수 있다.

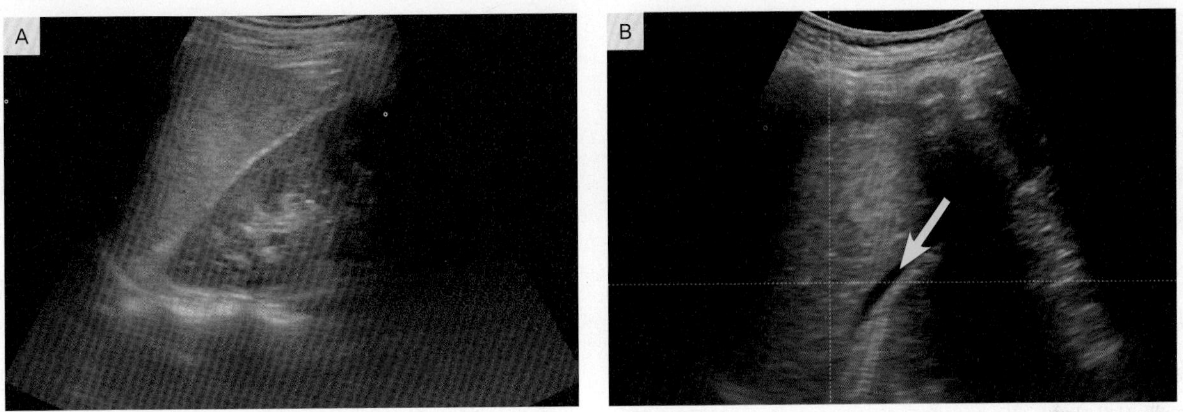

그림 17-7 **좌상복부의 FAST 사진.** 정상(A)과 비교하였을 때 혈복강이 있는 환자(B)에서는 좌측 신장과 비장 사이 구역에 혈액의 저류(화살표)를 볼 수 있다.

probe를 이용하면 더 좋은 영상을 얻을 수 있다. 그 다음은 우상복부를 탐색하게 되는데 오른쪽 중간 겨드랑선midaxillary line의 11-12번째 갈비뼈 사이에 탐촉자를 위치시켜 간, 신장, 횡격막diaphragm의 단면을 얻는데(그림 17-6) 이 경우 모리슨 궁과 우측 횡격막하 구역의 액체 저류 여부를 확인하게 된다. 다음으로 할 일은 좌상복부검사로서 탐촉자를 좌측 후겨드랑선의 10-11번 갈비뼈 사이에 위치시켜 비장과 좌측 신장의 영상을 얻고 신장, 비장 사이의 공간과 좌측 횡격막하 공간의 액체 저류를 확인한다(그림 17-7). 마지막으로 해야 할 곳은 골반부위로서 다른 부위와는 달리 종축, 횡축 두 가지의 영상이 모두 필요하다. 먼저 횡축 영상으로는 치골결합symphysis pubis의 머리 방향으로 약 4cm 떨어진 곳에서부터 시작하여 꼬리쪽으로 탐촉자를 미끄러져 내려오게 하면서 방광과 골반강 내의 액체의 저류를 확인한다. 이때 방광이 차 있으면 더 좋은 영상을 얻을 수 있다. 그런 다음 탐촉자를 90도 돌려 종축영상을 확인하게 된다(그림 17-8). 만약 FAST 검사에서 혈복강이 확인 되고, 환자가 혈역학적으로 불안정하면 어떤 장기가 손상 받았는지에 관계없이 즉각적인 수술을 시행해야 한다.

FAST는 외과의가 직접 수행함으로서 초음파 검사의 장점을 극대화 할 수 있다. 그러나 검사자가 미숙하거나

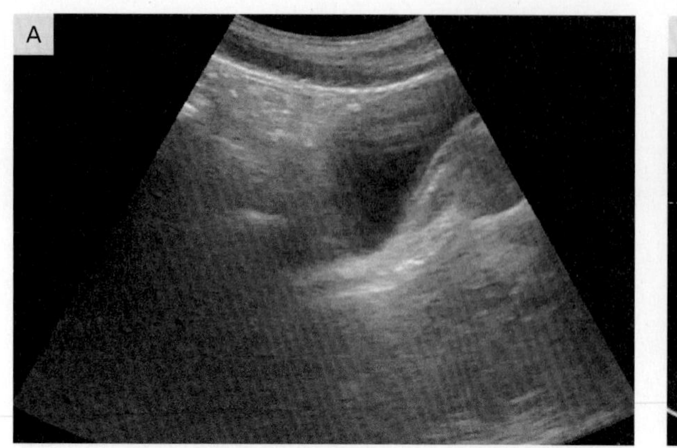

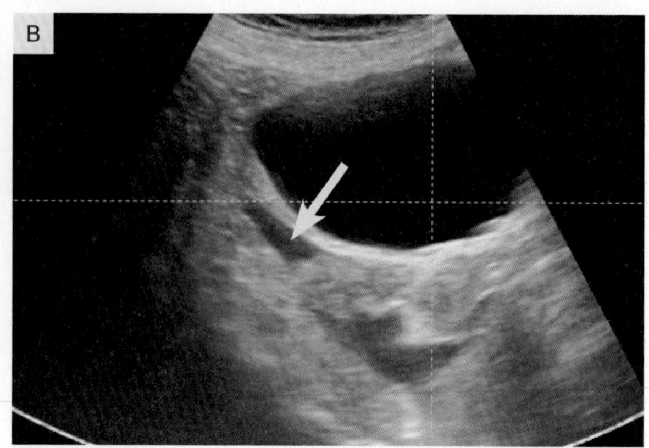

그림 17-8 더글라스 궁의 FAST 사진(종축). 정상(A)과 비교하였을 때 혈복강이 있는 환자(B)에서는 더글라스 궁 구역에 혈액의 저류(화살표)를 볼 수 있다.

초음파를 부적절하게 사용할 경우 좋은 영상을 얻을 수 없게 되고 응급처치가 늦어질 수 있다. 손상의 원인이나 내원 시 저혈압, 연관손상 등에 따라 검사의 정확도가 영향을 받을 수 있는데, 실제로 대량 혈흉massive hemothorax이나 혈흉강이 있는 경우에는 심낭초음파 검사 시 위양성이나 위음성이 발생할 수 있으며, 이럴 경우 가슴관 삽입thoracostomy을 시행하고 FAST 검사를 반복하게 되면 영상이 개선되고 위양성이나 위음성율을 감소시킬 수 있다. 또한 심장상자cardiac box(흉골절흔sternal notch, 양측 유두, 점상하 돌기로 이루어진 사각형 영역)라 불리는 구역에 관통상을 입은 환자의 경우 늑막하 심낭부위를 집중적으로 탐색하게 되면 심낭혈종hemopericardium을 정확하게 진단해 낼 수 있다.

둔상이나 자상을 입은 환자들을 대상으로 한 대규모 연구 결과를 보면 심장주변 혹은 경흉부 손상 환자에 있어서 FAST를 통한 혈심낭 발견의 민감도와 특이도는 각각 100%, 99.3%로 나타났으며 검상하를 통한 심낭에 대한 초음파 검사는 뚜렷한 심낭압전의 징후가 없는 환자들을 평가하는데 많은 도움이 되는 것으로 확인되었다. 명치 부위에 관통상으로 내원 한 심낭혈종 환자 22명에 대한 연구 결과를 보면 10명이 내원 당시 무증상이었고 수축기 혈압이 110mmHg 이상이었다. 징후와 증상이 없으면 심장압전을 진단하기 쉽지 않은데 이러한 환자에서 FAST를 시행할 경우 심낭혈종 환자가 생리적으로 악화되기 전에 진단할 수 있는 장점을 가지고 있다.

FAST는 복부 둔상을 당한 저혈압 환자에서 혈복강을 매우 정확하게 진단할 수 있지만 수상장기의 확인이나 후복막의 손상 여부는 판단이 불가능하다. 따라서 복강 내에 잠재된 손상이나 후복막의 손상이 의심되는 경우에는 FAST에서 음성으로 나오더라도 반드시 CT를 찍어서 확인해야 한다. CT를 찍어야 할 그 외의 적응증으로는 골반이나 척추손상이 있는 경우, 주요 흉부 외상(폐 타박상, 하부 늑골 골절 등)이 있는 경우 또는 혈뇨가 있는 경우 등이다. 한 연구 결과를 보면 772명의 둔상 환자 중 52명이 복강 내 손상이 있었으나 이 중 15명(29%)은 FAST와 CT상에서 혈복강의 소견을 보이지 않았다. Ballard 등은 흉복부 외상을 입은 환자들 중 잠재적 복강 내 손상의 고위험군 환자들을 식별하기 위한 알고리즘을 개발하여 3.5년간 시험한 결과 1490명의 둔상에 의한 중증 외상 입원 환자 중 102명(골반골절: 70명, 척추손상: 32명)이 잠재적 복강 내 손상의 고 위험군으로 간주되었다. 그 32명의 척추손상 환자들 중 FAST에서 위 음성인 경우는 1명이었지만, 골반골절을 가진 70명의 환자에서는 위 음성이 32명이나 되었다. 결론적으로 골반골절 환자들은 FAST 결과와 상관없이 복강 내 손상을 의심하여 복부 CT를 찍어야 한다는 것이다. 위 두 연구결과는 여타의 다른 검사법을

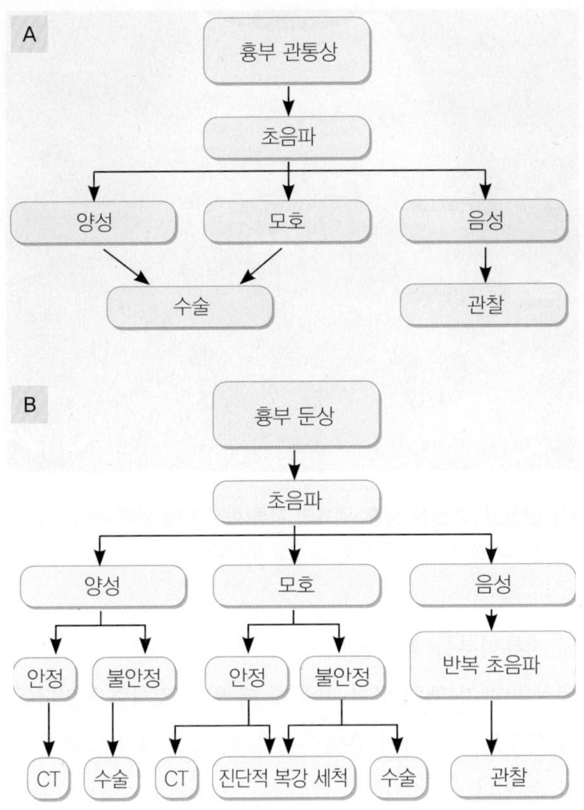

그림 17-9 A) 흉부관통상에 대한 알고리듬. B) 흉부둔상에 대한 알고리듬

동원해서라도 FAST의 위 음성율을 줄이기 위한 가이드라인을 제시해주고 있는데 어떠한 진단기법이든지 환자의 임상 상태와 연관시키는 것이 중요하다고 할 수 있다. FAST 사용의 알고리즘은 그림 17-9에 있다.

복부 CT에서 확인된 혈액의 양과 진단적 복막세척에서 나온 혈액의 양을 통해 수술적 치료가 필요한지의 여부를 미리 예측할 수 있다. 마찬가지로 초음파를 통해 확인된 혈액의 양으로도 수술적 치료가 필요한지에 대한 예측을 할 수 있다. Huang 등은 점수 평가법scoring system을 개발하여 모리슨궁과 비장주변공간과 같은 종속부위dependent portion에 생긴 혈복강의 상태를 평가하였는데, 이 평가법을 보면 각각의 복부구역은 1–3점씩이 부여되어 있다. 저자들은 총 점수가 3점 이상이거나 혈복강의 양이 1L 이상인 경우에는 즉각적인 복부수술이 필요할 확률이 84%에 이른다고 보고하였다. McKenny 등이 개발한 또 다른 평가법을 보면 입원 당시의 혈압, 염기 결핍, 초음파에서 확인된 혈복강의 양을 검사하였는데 혈복강은 복강 내에서 측정된 양과 분포에 따라 세분화 하여 소량의 혈액은 1점, 많은 양의 혈액은 3점으로 표시하였다. 연구대상인 100명의 환자들 중 46명이 3점 이상의 점수를 받았고 이 중 40명(87%)이 치료적 복부수술을 받았다. 저자들에 의하면 그들의 점수 평가법은 민감도가 85%, 특이도가 87%, 정확도가 85%였으며 수술여부를 결정하는데 있어서 초음파 점수가 3점보다 높은 경우가 초기 수축기 혈압과 염기 결핍의 조합보다 통계학적으로 더 정확하였다고 하였다. 비록, 초음파를 통해 혈복강의 양을 정확히 측정하는 것이 쉽지는 않지만 치료적 복부수술이 필요한지를 평가하는데 있어서 중요한 정보를 제공한다는 것이다.

여기까지를 간단히 정리해 보면 표준 FAST 검사는 두 가지 의문에 해답을 줄 수가 있다. 첫째는 복강에 혈액이 있는가이며, 둘째는 심낭에 혈액이 있는가이다.

최근 Western Trauma Association에서 시행한 다기관 전향적 연구는 위의 두 가지 의문에 더하여 어느 고형장기가 손상을 받았는지 알아보는데 있어서 초음파의 유용성에 대한 내용이다. 일명 BOAST (Bedside Organ Assessment with Sonography after Trauma)라 불리는 이 연구는 4개의 미국 외상센터에 있는 소수의 초음파에 숙련된 외과의에 의해 126명의 환자(136개의 장기 손상)들을 대상으로 시행되었다. 이 연구는 2년 동안 다양한 각도에서 고형장기(신장, 간, 비장 등)의 영상을 얻는 방식으로 설계되었다. 결과는 좋지 못하였는데 34%의 고형기관의 손상이 BOAST를 통해 확인되었고 오차율은 66%였다. BOAST를 통해 Grade 1 손상은 확인되지 않았고, Grade II 손상은 31%에서만 확인되었다. Grade III–IV 손상에 대한 민감도는 25–75%정도였으며 한 예의 Grade V 간 손상이 확인 되었다. 반면에 11명의 환자에서 16개의 합병증, 즉, 거짓동맥류pseudoaneurysm 8예, 담즙종Biloma 4예, 농양abscess 3예, 기관괴사necrotic organ 1예가 발생하였는데, 이 중 13예(81%)가 초음파로 진단되었다. 결론적으로 초음파는 복부 외상 후 발생한 합병증에 대한 진단율은 비교적 높지만 고형기관의 손상을 발견하거나 등급을 결정하는데 있어서는 믿을 만한 진단도구가 아니라는 것이다.

유럽의 한 기관에서는 최근 말초혈관에 초음파 조영제를 주입한 뒤 파워 도플러 초음파를 이용하여 특정 기관의 손상을 식별한 사례를 보고하였다. 이 연구에서는 153명의 환자들 중 20명에게서 조영제의 혈관 외 유출이 발견되었고, 혈관 외 유출은 손상 받은 비장, 간, 신장에서 뿐만 아니라 수술 후의 환자(대동맥류 봉합, 비장절제술) 및 대동맥류가 파열된 환자에서도 나타났다. 이 20명의 환자 중 9명은 CT를 통해 조영제의 혈관 외 유출을 확인할 수 있었으며, 조영제의 혈관 외 유출이 없었던 133명의 환자들 중 82명은 추적 CT 촬영을 통해 혈관 외 유출이 없었음을 추론할 수 있었다. 또한 그 외 38명의 환자들은 초음파를 통한 추적관찰을 시행하였는데 활동성 출혈이 발생한 예는 없었다고 하였다. 결론적으로 초음파 조영제를 이용한 파워 도플러 검사는 경우에 따라서는 특정 장기의 손상을 진단하는데 도움이 될 것으로 판단된다. 하지만 대부분의 미국 외상센터는 초음파를 혈복강 또는 심낭혈종의 존재여부를 식별하는 데에만 이용하고 있다.

2. 혈흉

흉부 초음파 검사는 외상성 혈흉Hemothorax의 존재여부를 신속히 확인하기 위한 목적으로 외과의들에 의해 개발되었다. 이 검사를 통해 흉강의 외상성 혈액 또는 삼출물을 신속하게 확인할 수 있으며, 혈흉을 진단하고 흉관 삽입술을 시행하는데 걸리는 시간을 줄일 수 있다.

이 검사는 복부의 위쪽사분면upper quadrant를 확인하는데 적용되는 FAST와 비슷한 방식으로 시행되며 환자를 바로 누운 자세로 위치시킨 후 복부 FAST에서처럼 곡선형 탐촉자를 이용한다. 좌측 및 우측 9–10번째 갈비뼈 사이 공간의 중간–후 겨드랑선mid to posterior axillary line에 젤을 바르고 탐촉자를 천천히 머리쪽으로 이동시키면서 횡격막 상부구역을 조사하여 무에코로 나타나는 액체의 저류여부를 확인한다. 만약 액체의 저류가 있다면 저에코의 폐가 액체의 한 가운데 떠 있는 것처럼 보인다(그림 17-10). 중환자의 흉막삼출 또한 같은 방법으로 확인할 수 있다.

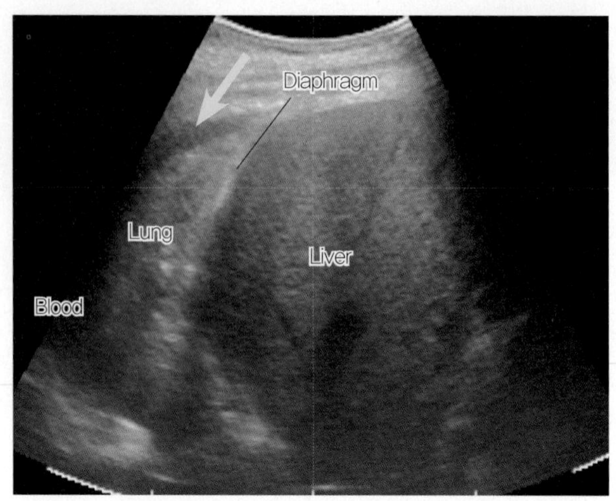

그림 17-10 **외상성 혈흉.** 액체의 저류(화살표)에 의해 저에코의 폐가 액체의 한 가운데 떠 있는 것처럼 보인다.

한 연구에서 몸통에 둔상 및 관통상을 입은 360명의 환자들을 대상으로 초음파와 앙와위 이동식 흉부 X선사진의 정확도를 비교하였는데, 흉부 초음파는 97.4%의 민감도와 92.5%의 특이도를, 이동식 흉부 X선 사진은 92.5%의 민감도와 99.7%의 특이도를 보여 두 검사가 비슷한 결과를 보였다. 하지만 검사를 하는데 걸리는 시간은 흉부 초음파에서 통계적으로 유의하게 더 짧았다($p < .0001$). 흉부 초음파검사가 단순 흉부 X선 촬영을 완전히 대체할 수는 없지만 환자 치료에 있어서 신속성을 제공함은 물론 향후 흉부 단순 X선 촬영을 줄이는 효과를 가져올 수 있을 것으로 판단된다.

3. 기흉

기흉Pneumothorax의 진단에 있어서 초음파의 사용은 새로운 개념의 학문은 아니고 많은 학자들이 이전부터 보고해 왔던 사항 이다. 특히, 큰 방사선 장비를 즉각적으로 이용하지 못할 경우, 흉부 X선 사진을 찍는데 과도하게

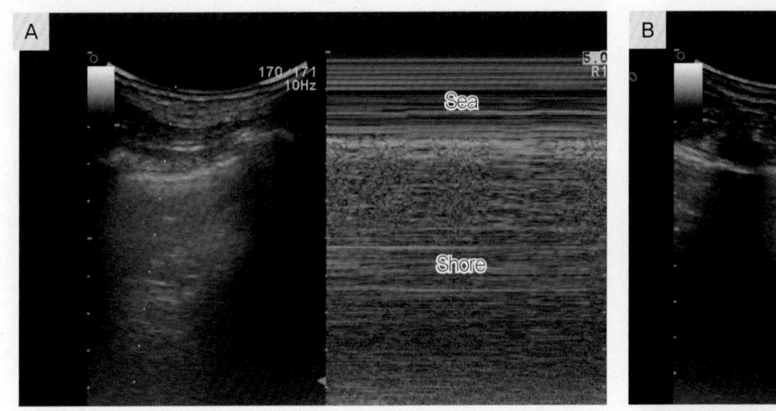

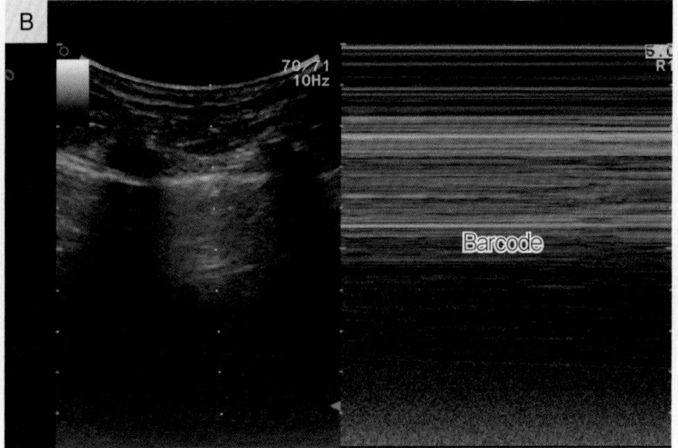

그림 17-11 기흉의 초음파 사진(M 모드). 정상 폐(A)에서 관찰되는 해변양 사인(seashore sign)과 달리 기흉(B)이 있을 경우 바코드 사인(barcode sign)이 관찰된다.

시간 지연이 예상되거나 외상 환자들이 많아(대형 재난사고 등) 신속한 평가와 치료우선순위가 결정되어야 하는 경우 기흉의 진단에 초음파가 더욱 유용하게 사용될 수 있다. 초음파는 외상 소생실에서도 상당히 유용하지만, 인공호흡기를 사용하는 중환자실 환자나 흉부 천자 후 생기는 기흉을 진단할 때에도 상당히 유용하게 사용될 수 있다.

기흉을 진단하기 위해서는 5.0–7.5MHz 선형 탐촉자 linear-array transducer를 이용하여 환자가 똑바로 누운 상태 또는 서 있는 상태에서 시행하게 된다. 환자의 좌측 또는 우측 상부 가슴부위에 젤을 바른 후 탐촉자를 3–4번째 늑간의 중간 겨드랑이선에 위치시키고 손상을 받지 않았을 것으로 예상되는 흉강부터 먼저 검사를 시행하며 탐촉자를 갈비뼈와 수직으로 두고 종축 영상을 얻는데 탐촉자를 서서히 움직여 앞쪽으로는 흉골까지 뒤쪽으로는 전 액와선까지 검사를 시행한다. 흉강의 정상검사에서는 늑골(인공음영에 의해 초음파에서 검게 보임), 흉막활주pleural sliding와 혜성꼬리 허상comet tail artifact 등을 확인할 수 있다. 흉막활주는 폐의 내장쪽 흉막과 벽쪽 흉막사이에 나타나는 고 에코성의 흉막선으로 기흉이 있을 때는 공기가 내장쪽 흉막과 벽쪽 흉막 사이에 위치하여 초음파가 통과하지 못하게 됨으로서 내장 쪽 흉막의 영상을 얻을 수 없기 때문에 흉막활주가 관찰되지 않는다. 이를 M모드로 보게 되면 정상에서는 바다와 모래사장처럼 보이는 해변양 사인seashore sign이 나타나지만 기흉에서는 모두 바다처럼 보이는 바코드 사인barcode sign이 나타나게 된다(그림 17-11). 혜성꼬리허상comet tail artifact은(그림 17-12) 두 개의 높은 반사성을 가진 접촉면(공기와 흉막사이의 접촉면) 때문에 만들어지며 기흉 시에는 공기가 내장쪽과 벽쪽 흉막을 분리시켜 혜성꼬리허상comet tail artifact이 보이지 않게 된다.

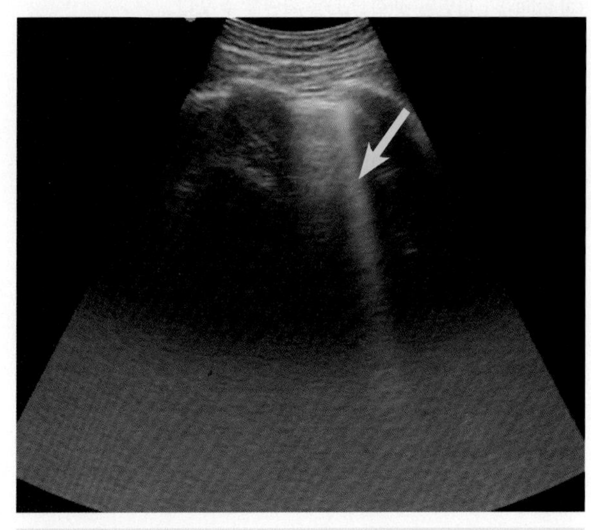

그림 17-12 혜성꼬리허상. 혜성꼬리허상(화살표)은 두 개의 높은 반사성을 가진 접촉면에 의하여 만들어 지며 기흉 환자에서는 관찰되지 않는다.

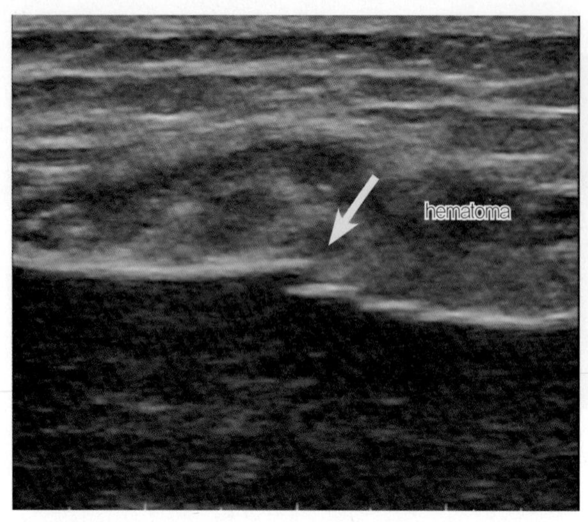

그림 17-13 **흉골 골절의 초음파 진단.** 골 피질의 골피질 반사(cortical reflex)가 파열된 것(화살표)을 확인할 수 있다.

기흉의 진단에 있어서 초음파의 민감도와 특이도를 보고한 몇몇의 논문이 있는데, 그 중 Dulchavsky 등의 연구에 의하면 초음파를 시행한 382명의 환자(외상성: 364명, 자발성: 18명)들 중 39명이 기흉을 가지고 있었는데, 이 중 37명이 초음파로 진단되어 95%의 민감도를 나타냈으며 외과의사가 기흉을 진단하는데 있어서 초음파가 효과적으로 이용될 수 있음을 보여주었다. 기흉이 발견되지 않은 2명의 환자들은 모두 피하기종subcutaneous emphysema이 있어 초음파가 공기를 통과하지 못하고 반향 되었기 때문에 진단이 되지 않았다. 저자들은 만약 기흉이 의심되는 경우 이동 X선 영상을 즉시 찍을 수 없다면 병상에서 초음파 검사를 이용하여 기흉을 진단할 것을 추천한다.

4. 흉골 골절

흉골 골절Sternal fracture은 흉부 측면 X선 영상으로 확인 가능 하지만 다발성 외상환자에서는 이 영상을 얻기 어려울 수도 있는데 이럴 경우 초음파로 흉골 골절을 신속하게 진단할 수 있다. 흉골의 초음파 검사는 5.0 또는 8.0MHz 선형 탐촉자를 사용하여 환자를 똑바로 눕힌 다음 흉골 부위에 젤을 바르고 목 아래 패임suprasternal notch에서 시작하여 꼬리쪽으로 천천히 진행하면서 골절여부를 확인하며, 탐촉자를 횡축으로 둔 상태에서 반복적으로 검사를 시행한다. 초음파로 흉골에서 골피질 반사cortical reflex가 파열된 것이 확인되면 흉골골절로 진단된다(그림 17-13).

VI 집중치료실에서의 초음파의 활용

외과의가 초음파를 이용하여 중환자를 평가하는 것은 아래의 이유로 적절하다고 할 수 있다.

1. 대부분 환자들의 의식이 저하되어 있어서 감염의 징후를 정확히 알 수 없기 때문에
2. 감시장치, 튜브, 배액관 등에 의하여 이학적 검사가 방해 받기 때문에
3. 환자의 상태가 수시로 바뀌므로 재평가가 자주 필요하기 때문에
4. 다른 병원으로 이송 시에 내재적인 위험을 배재 할 수 없기 때문에
5. 중환자들에게는 합병증이 자주 발생되나 조기에 진단하고 처치하면 중환자실 입원기간과 이환율이 감소하기 때문에

진단적 및 치료적 초음파 검사 모두 중환자실에 있는 외과의에 의해 시행될 수 있으며 완전히 신체진찰을 대체해서는 안된다. 외과의들은 중환자실에서 침상 옆 초음파 검사bedside US examination를 통하여 흉막삼출, 복강 내 액체, 연부조직 액체, 혈복강 및 대퇴부 심부정맥 혈전증 등을 진단할 수 있다. 또한, 초음파는 중심정맥관 삽입술이 필요한 환자에서 도관cannula을 정맥으로 접근 시키기 어려운 경우에 유도 목적으로 사용되기도 한다. 중재적 시술 초음파interventional US의 장점은 아래와 같다.

1. 실시간 영상을 통해 도관catheter을 병소부위에 정확히 위치시킬 수 있으며 저류된 액체가 완전히 배액되었는지 확인할 수 있다.

2. 환자의 침상 옆에서 실시할 수 있고 환자 이송이 필요 없다.
3. 초음파는 안전하고 최소 침습적이며 필요 시 반복 시행이 가능하다.

초음파 유도하 중재적 시술US-guided intervention의 금기사항으로는 안전한 진입 경로가 확보되지 않는 경우, 혈액응고장애coagulopathy가 있는 경우, 환자가 비협조적인 경우 등이 있다. 큰 바늘이나 테플론teflon으로 코팅된 바늘은 에코발생echogenicity을 높여 초음파로 쉽게 발견되도록 하며 실시간으로 시술 과정을 확인하는데 용이하게 해준다. 그리고 간단한 처치는 최소한의 준비만 해도 되지만, 주요 중재적 시술을 할 경우에는 무균 관리의 원칙이 반드시 지켜져야 한다.

1. 연부조직 감염

연부조직 감염Soft tissue infection은 신체진찰만으로는 확인하기 어려운데 그 이유는 감염징후가 표면적으로만 나타나고 전체적인 상태를 다 반영하지 못하기 때문이다. 이럴 경우 외과의는 초음파를 이용하여 환자의 병상 옆에서 농양의 존재, 깊이, 범위를 평가하고 적절한 치료를 즉시 시행할 수 있다. 농양이 방형성loculated이면 초음파를 이용하여 농양의 위치를 정확히 확인하고 완전히 배액이 되었는지 여부도 판단할 수 있다. 수술 후 입원하고 있는 동안 발생할 수 있는 창상의 혈종hematoma이나 장액종seroma의 진단도 초음파를 통해 가능하며 근막도 잘 관찰되기 때문에 창상열개fascial dehiscence도 초기에 진단할 수 있다.

연부조직의 초음파 검사는 5.0-8.0MHz의 선형 탐촉자를 이용하여 시행한다. 염증구역에 대해서는 횡축, 장축 영상을 모두 시행하여 액체저류의 깊이와 범위를 판단하고 적당한 길이의 바늘을 선택하여 초음파 유도하에 바늘흡인을 시행한다. 바늘을 삽입할 지점을 마킹펜으로 표시해 둔 다음 소독하고 포를 덮은 후 18 또는 20 gauge 바늘을 10cc 주사기에 장착한 후 표시된 지점을 통해 바늘을 삽입한다. 다른 방법으로는 피부에 살균된 젤을 바르고 살균된 비닐로 탐촉자를 싸서 실시간 초음파 영상을 통해 액체저류를 흡인하는 방법이 있다. 이 경우 시술 하지 않는 손으로 탐촉자를 잡고 실시간 초음파 영상을 보면서 반대쪽 손으로 액체가 저류되어 있는 지점을 향해 흡인바늘을 밀어 넣는다. 이 방법의 장점은 저류된 액체가 완전히 배액되어 저류강cavity이 소실되는지를 실시간으로 확인 가능하다는 점이다.

2. 흉막삼출

초음파를 이용하여 흉막삼출pleural effusion을 진단하는 방법은 앞에서 언급한 외상성 혈흉의 진단법과 동일하다. 초음파 유도하 흉막천자의 방법은 다음과 같다. 척추손상이 없는 환자의 경우에는 침대의 머리부분을 45-60도 가량 들어 올리고 척추 문제가 있는 경우에는 똑바로 누운 상태에서 시행한다. 3.5-5.0MHz 볼록 탐촉자를 중간 겨드랑 선의 6-7번 늑골 공간에 위치시킨 다음 간, 비장, 횡격막을 확인하고 흉강내 삼출액의 존재여부를 확인한다. 삼출액이 확인되면 탐촉자 주변을 마커펜으로 표시한 다음 소독을 하고 소독포로 덮은 후 국소마취제를 피하조직과 벽쪽 흉막까지 주사한다. 국소마취가 완료되면 18 게이지 바늘을 늑막강pleural space에 찔러 넣은 후 삼출액을 모두 제거한다. 삼출액이 많으면 Seldinger 기법에 따라 가이드와이어를 바늘내로 통과시킨 후 가이드와이어 주변에 작은 피부 절개창을 만들어 도관이 쉽게 삽입되게 한 다음 표준중심정맥도관을 늑막강 내에 위치시키고 도관을 삼방활전three way stopcock에 연결하여 분리된 용기에 삼출액을 모두 배액시킨다. 이 후 삽입된 중심정맥도관을 제거하고 주사기로 지속적인 흡인이 되도록 한 다음 피부절개창은 폐쇄 드레싱occlusive dressing을 한다.

3. 복강 내 액체/혈액

계속되는 소생술에도 불구하고 환자의 혈압이 갑자기

떨어지거나 지속적인 대사성 산증이 나타나는 경우에는 복강내부의 출혈 여부를 다시 확인해야 한다. FAST는 혈복강이 저혈압의 원인일 가능성이 있는지 확인하고 이를 배제할 필요성이 있을 때, 항응고제 치료를 받고 있을 때 혹은 다발성 외상으로 인해 위중한 상태일때 시행하게 된다. 초음파는 간경화 환자가 복통을 호소할 때 유용하게 사용될 수 있으며 초음파 유도하에 복수천자를 하면 장 손상을 최소화 할 수 있다.

4. 총대퇴정맥 혈전증

심부정맥 혈전증은 예방적 요법을 시행 받고 이중 영상 duplex imaging으로 일상적인 선별검사를 받는다 하더라도 고위험군 환자에게서 여전히 자주 발생되는데, 임상적 증상만으로 이 질환을 진단할 수 있는 확률은 20-50%정도에 불과 하기 때문에 진단을 위해서는 객관적인 검사가 반드시 필요하다. 그 중 펄스 도플러pulse-gaited venous doppler와 실시간 B모드real-time B-mode를 이용한 이중주사 초음파는 심부정맥 혈전증을 진단시 가장 먼저 사용되는 비침습적인 검사 방법이다. B-mode 영상을 통해 정맥 내강을 직접 확인할 수 있으며 펄스 도플러를 통해서는 혈류관찰이 가능하다.

복부대정맥과 장골정맥 검사에는 2.0-6.0MHz의 곡선형 탐촉자가, 하지 심부정맥 검사에는 4.0-9.0MHz의 선형 탐촉자가 주로 이용된다. 검사 자세로는 두부를 10-20도로 올린 역트렌델렌버그 자세나 앙와위에서 무릎을 약간 구부려 외번시키는 자세 등이 있으며 검사순서는 하복부와 골반으로부터 시작하여 서혜부 하방, 종아리 정맥까지 시행한다.

이중영상으로 본 정맥혈전증의 정맥 초음파상 특징은 다음과 같다. 확장dilation, 비압축성incompressibility, 내강내 에코발생 물질echogenic material의 존재, 자발적 흐름의 부재 또는 감소, 호흡시 발생되는 위상성 흐름phasic flow의 소실 등 이 있다. 상기한 이런 초음파적 특징들이 심부정맥혈전증을 진단하는데 있어서 중요한 요소들이지만, 혈전으로 가득찬 정맥thrombus filled vein으로 인한 압축성 소실이 심부정맥 혈전증을 진단하는데 있어서 가장 중요한 특징적 소견이다(그림 17-14).

대퇴정맥에 대한 초음파검사는 아래의 원칙에 기초하여 시행한다.

1. 대부분의 치명적인 폐색전증은 대퇴장골정맥(ilio-femoral vein)에서 유래한다.
2. 대퇴동맥은 대퇴정맥의 바깥쪽에서 확인되는 박동성 혈관이며 이것은 B-mode 초음파에서 해부학적 표준점anatomical landmark이 된다.
3. B mode 초음파로는 탐촉자로 정맥이 압박이 되는지, 정맥의 내강에 에코발생 물질(혈전)이 차 있는지, 혹은 정맥이 늘어나 있는지의 여부를 평가하게 된다.
4. 외과의사는 주로 B mode 초음파에 익숙한데 그 이유는 혈심낭, 혈복강, 늑막삼출, 외상성 혈흉등의 진단에 이 초음파를 주로 사용하기 때문이다.

임상적으로는 심부정맥혈전이 의심되지만 초음파 검사로 진단이 잘 안 되는 경우에는 시간간격을 두고 재검하는 것이 필요하다.

총대퇴정맥의 검사는 환자를 앙와위로 눕힌 다음 7.5MHz 선형 탐촉자를 이용하여 아래와 같은 프로토콜에 따라 진행한다.

1. 탐촉자를 우측 총 대퇴정맥과 동맥 위에 위치시키고 횡단면 영상을 얻는다.
2. 정맥내에 관내 에코음영이 있는지 확인하고 탐촉자를 이용한 부드러운 압력에도 정맥이 압박되는지의 여부를 확인한다.
3. 탐촉자를 시상영상sagittal image 위치로 놓고 총대퇴정맥 내부에 혈전이 있는지 혹은 압박이 잘 되는지 관찰한다. 정맥의 지름은 대퇴-복재정맥 접합부 saphenofemoral junction 바로 아래에서 측정한다.
4. 1-3번까지 동일한 검사를 왼쪽 하지에서도 시행한다.

결론적으로 한쪽 총대퇴 정맥이 반대쪽에 비해 10%

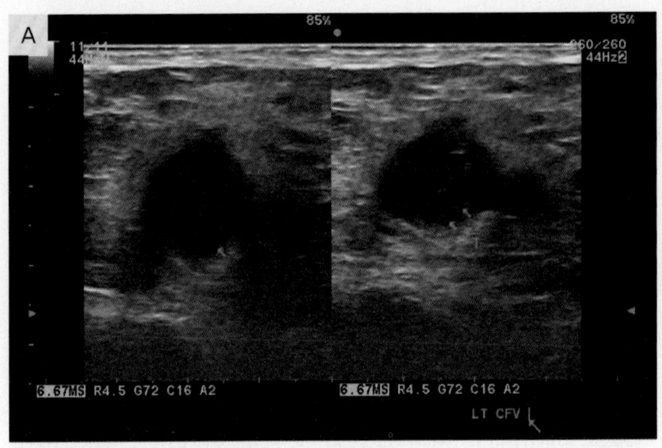

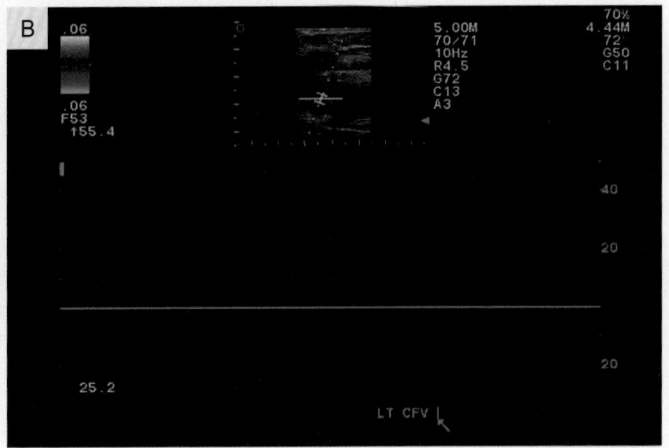

그림 17-14 심부정맥혈전증 영상. B모드 영상에서 탐촉자로 정맥을 눌렀을 때 정맥이 압박되지 않고(A) 도플러영상에서 혈류가 검출되지 않는 것이(B) 심부정맥혈전증의 특징적인 소견이다.

이상 확장된 경우, 정맥의 비압축성, 관내혈전이나 고 에코 병소가 존재할 경우 등을 심부정맥혈전 양성 소견으로 간주한다. 반대로 정맥의 직경이 정상이고 고에코성 혈관 내 혈전소견이 없으며 잘 압박되면 음성으로 간주한다.

5. 중심정맥도관 삽입

중심정맥도관 삽입central venous catheter insertion은 중증 환자에게 주로 시행되는 시술이다. 대개 외과 전공의는 중심정맥도관을 삽입하는데 숙련되어 있는 경우가 많은데 초음파 유도하 중심정맥도관 삽입은 전공의가 이 시술을 처음 배우거나 혈관의 개통patency이 불확실할 경우 시도될 수 있다. 초음파 유도하 중심정맥도관 삽입은 전신부종 anasarca이나 병적인 비만, 경추 손상 등과 같은 거동 불가 환자에게 특별히 유용하게 시행될 수 있다. 지난 십 여년간 중심정맥도관 삽입의 합병증을 줄이기 위한 일환으로 초음파를 이용한 연구들이 많이 발표되었다. 이 연구 결과들을 종합하면 초음파 유도하 중심정맥도관 삽입은 삽관 시도의 횟수를 감소시키고 쇄골하정맥subclavian v., 속목정맥internal jugular v.에 도관을 삽입하는 과정 중 발생하는 합병증을 감소시켰다고 하였다. 최근의 연구에서는 삼각대흉구deltopectoral groove에 있는 노쪽 피부정맥cephalic vein에 대한 초음파 유도하 경피적 접근이 훌륭한 결과를 보였다고 하였다.

목이나 위쪽 가슴구역에 있는 중심정맥은 주로 7.5MHz 선형 탐촉자로 확인한 다음 피부삽입부를 마커펜으로 표시하고 소독한 후 실시간 영상을 보면서 시술을 진행한다. 쇄골하정맥관 삽입술의 경우 이 정맥이 쇄골 아래에 위치하고 있는 특성상 시술의 어려움이 있으므로 관 삽입술 전에 미리 컬러도플러를 이용하여 정맥을 확인해 두는 것이 좋다. 정맥의 개통성은 초음파 탐촉자에 의하여 얼마나 잘 눌려지는가에 따라 결정된다. 탐촉자를 한쪽 손으로 잡고 도관 삽입술을 계획하고 있는 지점보다 2-3cm 정도 내측의 정맥 위에 위치 시킨 다음 실시간 영상을 보면서 반대쪽 손으로 도관 바늘을 잡고 연부조직을 가로질러 정맥에 삽입시킨다. 일단 정맥 내에 성공적으로 도관이 삽입이 되면 표준 Seldinger 기법에 따라 남은 절차들을 진행하면 된다.

6. 하대정맥 필터의 삽입

중증의 외과환자들은 심부정맥 혈전증 발생의 고위험군으로 분류되지만 이들 중 상당수가 항 응고요법에 금기증을 가지고 있는 경우가 많기 때문에, 치료적 및 예방적 목적의 하대정맥 필터삽입이 빈번히 요구된다. 비록 논란의 여지가 있지만 일부 학자들은 심부정맥 혈전증의 고위험군인 중환자들 중 항응고제 사용에 제한이 있는 환자들에게는 48시간 내에 하대정맥 내 필터 삽입을 권유하고 있다. 많은 학자들이 이러한 침습적인 치료방침에 대해 찬성하지는 않으나 중증수술환자에게 있어서 하대정맥 내 필터 삽입이 필요한 경우라면 침상 옆에서 시행하는 것이 이상적일 수 있으며 복벽을 투과하는 이중 초음파transabdominal duplex US와 혈관 내 초음파를 이용하여 성공적으로 안전하게 삽입할 수 있다. Ashely 등은 중환자실에 입원된 29명의 환자에게 혈관 내 초음파를 이용하여 하대정맥 필터를 삽입한 결과를 보고하였는데 모든 환자들에서 대정맥의 직경을 측정하고 신장정맥의 위치를 확인하는 것이 가능하였으며 모든 경우에서 합병증없이 필터를 정확한 위치에 성공적으로 삽입시켰다고 하였다. 이 후 29명 중 27명에서 CT를 통한 추적관찰이 가능하였으며 이들 모두에서 필터가 잘 유지되고 있음을 확인할 수 있었다고 하였다. 침상 옆에서 하대정맥 필터를 삽입한 대규모 연구결과가 최근에 발표되었는데 이와 비슷한 훌륭한 결과를 보여주고 있다.

7. 의인성 가성동맥류

최근 색전술, 스텐트 삽입술 등의 혈관 내 치료가 혈관 질환 뿐만 아니라 여러 외과 질환에 적용됨에 따라 의인성 가성동맥류의 발생 빈도가 증가하였다. 의인성 가성동맥류의 초음파 진단 민감도는 94–97%로 우수하며 치료를 겸할 수 있다는 장점이 있다. B모드 영상으로 가성동맥류의 모양, 크기, 혈전의 동반여부, 단방성 혹은 다방성 여부 등을 확인한다. 컬러 도플러 초음파 검사를 시행하여 연결로의 존재여부와 개수 및 크기 등을 확인하고 와류에 의하여 발생하는 가성동맥류의 특징적 모양인 “Yin-Yang sign” 등을 관찰한다. 진단에서 가장 중요한 부분은 동맥과 연결되는 연결로, 즉 경부에서 도플러 파형을 검사하였을 때 “to and fro” 파형이 관찰되는 것이다. 이것은 수축기 때와 이완기 때 혈류의 방향이 바뀌기 때문에 나타나는 현상이다. 일단 가성동맥류로 진단이 되면 초음파 유도하 압박법, 트롬빈thrombin 주입술, 가성동맥류 주위 생리식염수 주입술 등을 시행할 수 있다.

요약

외과의의 역할이 계속 진화함에 따라 외과의의 초음파 사용이 미래의 진료패턴에 많은 영향을 줄 것으로 생각된다. 초음파를 통한 실시간 이미지의 획득으로 외과의들은 즉각적인 정보를 얻고 감별진단의 범위를 좁히며 필요한 경우 즉시 시술이나 수술을 시행할 수 있게 되었다. 외과의의 초음파 사용은 수술 예정 환자나 외래환자뿐만 아니라 응급을 요하는 환자나 입원 환자에서도 폭넓게 적용될 수 있다. 외과의가 초음파에 익숙해짐에 따라 다양한 임상 환경에서 환자를 평가할 수 있는 다른 검사법들도 추후 많이 개발될 것으로 기대된다.

참고문헌

1. Ashley DW, Gamblin TC, McCampbell BL, et al: Bedside insertion of vena cava filters in the intensive care unit using intravascular ultrasound to locate renal veins. J Trauma 57:26-31, 2004.
2. Ballard RB, Rozycki GS, Newman PG, et al: An algorithm to reduce the incidence of false-negative FAST examinations in patients at high risk for occult injury. J Am Coll Surg 189:145-151, 1999.
3. Bastounis E, Georgopoulos S, Maltezos C, et al: The validity of current vascular imaging methods in the evaluation of aortic anastomotic aneurysms developing after abdominal aortic aneurysm repair. Ann Vasc Surg 10:537-545, 1996.
4. Brooks AJ, Price V, Simms M: FAST on operational military deployment. Emerg Med J 22:263-265, 2005.
5. Burkey SH, Snyder WH III, Nwariaku F, et al: Directed parathyroidectomy: Feasibillity and performance in 100 con-secutive patients with primary hyperparathyroidism. Arch Surg 138:604-609, 2003.
6. Catalano O, Sandomeico F, Raso MM, et al: Real-time, contrast-enhanced sonography: A new tool for detecting active bleeding. J Trauma 59:933-939, 2005.
7. Chang R, Kuo W, Chen D, et al: Computer-aided diagnosis for surgical office-based breast ultrasound. Arch Surg 135:696-699, 2000.
8. Chen C, Yang C, Yeh Y: Preoperative staging of gastric cancer by endoscopic ultrasound: The prognostic usefulness of ascites detected by endoscopic ultrasound. J Clin Gastroenterol 35:321-327, 2002.
9. Chiu WC, Cushing BM, Rodriguez A, et al: Abdominal injuries without hemoperitoneum: A potential limitation of focused abdominal sonography for trauma(FAST). J Trauma 42:617-625, 1997.
10. Crystal P, Koretz M, Shcharynsky S, et al: Accuracy of sonographically guided 14-gauge core-needle biopsy: Results of 715 consecutive breast biopsies with at least two-year follow-up of benign lesions. J Clin Ultrasound 33:47-52, 2005.
11. Deurloo EE, Tanis PJ, Gilhuijs KG, et al: Reduction in the number of sentinel lymph node procedures by preoperative ultrasonography of the axilla in breast cancer. Eur J Cancer 39:1068-1073, 2003.
12. Dulchavsky SA, Schwarz KL, Kirkpatrick A, et al: Prospective evaluation of thoracic ultrasound in the detection of pneumothorax. J Trauma 50:201-205, 2001.
13. Falk PM, Blatchford GJ, Cali RL: Transanal ultrasound and manometry in the evaluation of fecal incontinence. DisColon Rectum 37:468-472, 1994.
14. Freitas ML, Frangos SG, Frankel HL: The status of ultrasonography training and use in general surgery residency programs. J Am Coll Surg 202:453-458, 2006.
15. Ganpathi S, So BY, Ho KY: Endoscopic ultrasonography for gastric cancer. Does it influence treatment? Surg Endosc 20:559-562, 2006.
16. Gufler H, Buitrago-Tellez C, Madjar H, et al: Ultrasound demonstration of mammographically detected microcalcifications. Acta Raiol 41:217-221, 2000.
17. Hammilton DR, Sargsyan AE, Kirkpatrick AW, et al: Sonographic detection of pneumothorax and hemothorax in microgravity. Aviat Space Environ Med 75:272-277, 2004.
18. Han DC, Rozycki GS, Schmidt JA, et al: Ultrasound training during ATLS: An early start for surgical interns. J Trauma 41:208-213, 1996.
19. Hernandez L, , Mishra G, Forsmarck C, et al: Role of endoscopic ultrasound(EUS) and EUS-guided fine needle aspiration in the diagnosis and treatment of cystic lesions of the pancreas. Pancreas 25:222-228, 2002.
20. Huang M, Liu M, Wu J, et al: Ultrasonography for the evaluation of hemoperitoneum during resuscitation: A simple scoring system. J Trauma 36:173-177, 1994.
21. Kaufman CS, Jacobson L, Bachman B, et al: Intraoperative ultrasonography guidance is accurate and efficient accord-ing to results in 100 breast cancer patients. Am J Surg 186:378-382, 2003.
22. Kaufman CS, Jacobson L, Bachman B, et al: Intraoperative ultrasound facilitates surgery for early breast cancer. Ann Surg Oncol 9:988-993, 2002.
23. Kirkpatrick AW, Hamilton DR, Nicolaou S, et al: Focused Assessment with Sonography for Trauma in weightlessness: A feasibility study. J Am coll Surg 196:833-844, 2003.
24. Knudson MM, Collins JA, Goodman SB, et al: Thromboembolism following multiple trauma. J Trauma 32:2-11, 1992.
25. Knudson MM, Sisley AC: Training residents using simulation technology: Experience with ultrasound for trauma. J Trauma 48:659-665, 2000.
26. Knudtson JL, Dort JM, Helmer SD, et al: Surgeon-perfomed ultrasound for pneumothorax in the trauma suite. J Truma 56:527-530, 2004.
27. LeDonne J: Percutaneous cephalic vein cannulation (in the deltopectoral groove), with ultrasound guidance. J Am Coll Surg 200:810-811, 2005.
28. Lensing AW, Prandoni P, Brandjes D, et al: Detection of deep-vein thrombosis by real-time B-mode ultrasonography. N Eng J Med 320:342-345, 1989.
29. Levine RA: Something old and something new: A brief history of thyroid ultrasound technology. Endocr Pract 10:227-233, 2004.
30. Lindsey I, Humphreys MM, George BD, et al: The role of anal ultrasound in the management of anal fistulas. Colorect Dis 4:118-122, 2002.
31. Maor Y, Nadler M, Barshack I, et al: Endoscopic ultrasound stag-

ing of rectal cancer: Diagnostic value before and following chemoradiation. J Gastroenterol Hepatol 21:454-458, 2006.

32. McKenney KL, Mckenney MG, Cohn SM, et al: Hemoperitoneum sore helps determine the need for therapeutic laparotomy. J Trauma 50:650-656, 2001.

33. Milas M, Stephen A, Berber E, et al: Ultrasonography for the endocrine surgeon: A valuable clinical tool that enhances diagnostic and therapeutic outcomes. Surgery 138:1193-1201, 2005.

34. Ortiz H, Marzo J, Jimenez G, et al: Accuracy of hydrogen peroxide-enhanced ultrasound in the identification of internal openings of anal fistuals. Colorect Dis 4:280-283, 2002.

35. Passman MA, Dattilo JB, Guzman RJ, et al: Bedside placement of inferior vena cava filters by using transabdominal duplex ultrasonography and intravascular ultrasound imaging. J Vasc Surg 42:1027-1032, 2005.

36. Rizzayto G: Towards a more sophisticated use of breast ultrasound. Eur Radiol 11:2423-2435. 2001.

37. Rozycki GS, Ballard RB, Feliciano DV, et al: Surgeon-performed ultrasound for the assessment of truncal injuries: Lessons leanred from 1,540 patients. Ann Surg 228:557-567, 1998.

38. Rozycki GS, Feliciano DV, Ochsner MG, et al: The role of ultrasound in patients with possible penetrating cardiac wounds: A prospective multicenter study. J Trauma 46:543-552, 1999.

39. Rozycki GS, Knudson MM, Shackford SR, Dicker R: Surgeon-performed Bedside organ assessment with sonography after trauma (BOAST): A pilot study from the WTA Multicenter Group. J Trauma 59:1356-1364, 2005.

40. Rozycki GS, Ochsner MG, Feliciano DV, et al: Early detection of hemoperitoneum by ultrasound examination of the right upper quadrant: A multicenter study, J Trauma 45:878-880, 1998.

41. Sargsyan AE, Hamilton DR, Jones JA, et al: FAST at MACH20: Clinical ultrasound aboard the International Space Station. J Trauma 58:35-39, 2005.

42. Schaffzin DM, Wong WD: Surgeon-performed ultrasound: Endorectal ultrasound. Surg Clin North Am 84:1127-1149, 2004.

43. Senchenkov A, Staren ED: Ultrasound in head and neck surgery: Thyroid, parathyroid and cervical lymph nodes. Surg Clin North Am 84:973-1000, 2004.

44. Shackford SR, Rogers FB, Osler TM, et al: Focused abdominal sonogram for trauma: The learning curve of nonradiologist clinicians in detecting hemoperitoneum. J Trauma 46:553-564, 1999.

45. Sisley AC, Rozycki GS, Ballard RB, et al: Rapid detection of traumastic effusion using surgeon-perfomed ultrasound. J Trauma 44:291-297, 1998.

46. Solorzano CC, Carneiro-Pla DM, Irvin GL III: Surgeon-performed ultrasonography as the initial and only localizing study in sporadic primary hyperparathyroidism. J Am Coll Surg 202:18-24, 2005.

47. Staren ED, Knudson MM, Rozycki GS, et al: An evaluation of the American College of Surgeons' ultrasound education program. Am J Surg 191:489-496, 2006.

48. Strode CA, Rubal BJ, Gerhandt RT, et al: Wireless and satellite transmission of prehospital focused abdominal sonography for trauma. Prehosp Emerg Care 7:375-359, 2003.

49. Tsendsuren T, Jun SM, Mian XH: Usefulness of endoscopic ultrasonography in preoperative TNM staging of gastric cancer. World J Gastroenterol 12:43-47, 2006.

50. van Rijk MC, Deurloo EE, Nieweg OE, et al: Ultrasonography and fine-needle aspiration cytology can spare breast cancer patients unnecessary sentinel lymph node biopsy. Ann Surg Oncol 13:31-35, 2005.

51. Vargas HI, Vargas MP, Eldrageely K, et al: Outcomes of surgical and sonographic assessment of breast masses in women younger than 30. Am Surg 71:716-719, 2005.

SECTION 02 각 론

Chapter 01

식도, 위, 비만, 소장

Esophagus, Stomach, Morbid obesity, Small bowel

I 식도 수술의 역사

식도 수술의 역사는 우리가 잘 알지 못했던 해부학적 영역에 대해 용감한 외과의들이 선도적으로 과감하게 도전해 온 역사이자 현재의 식도와 관련한 교육에서 당연시 여겨지고 있으나 과거에는 일탈로 여겨져 왔던 것들의 진화의 과정이다. 그간에 식도에서 발생하는 의학적인 문제들은 식도의 후종격posterior mediastinum에 위치하고 있는 해부학적 특성 때문에 많은 의사들의 관심밖에 있어왔고 증상이 아주 심각해지고 난 후에나 의학적인 관심을 받아 왔다.

역사적으로 식도질환에 대한 첫 문헌기록은 고대 이집트 시기(기원전 3000-2500년)에 나온 Surgical Papirus 인데 여기에 식도를 관통한 흉부창상을 치료했다는 기록이 나온다. 1900년대에 들어오면서 마취학의 발달과 함께 식도수술을 포함한 여러 수술 영역에서 급격한 발전이 이루어지게 되는데 Dorbromysslow는 1901년에 첫 번째 개흉술을 통한 식도의 부분절제술 및 일차 문합술을 시행하였다. Franz Torek은 1913년에 최초로 식도 아전절제술을 시행하였다. 식도대용물로 위를 사용하는 것은 1920년 Leipzin에 의해 처음 시도되었다가 1933년 Oshava가 성공하게 된다. 이후 40년에 걸쳐 접근법, 문합술, 식도대용물 등에서 여러 가지 변화가 시도되게 된다. Ivor Lewis는 1946년에 오른쪽 가슴으로 접근하는 방식을 시도하였고 Mckewon은 가슴 안에서 문합부 누출을 없애기 위해 문합을 목에서 시도하게 된다. Orringer와 Sloan은 1978년에 경열공접근법을 발표하게 된다.

식도이완불능증, 위식도역류질환, 그리고 식도게실에 대한 수술들이 비슷한 시기에 등장하게 되는데 각각의 수술법들의 이름은 Dor, Heller, Toupet, Belsy 그리고 Nissen 등 역사적으로 유명한 외과의들의 이름을 따서 지어지게 되었다.

식도질환은 전통적으로 사회나 혹은 의학교육의 관심밖에 있어 왔는데 의사들 사이에서 식도에 대한 생리적인 이해를 위한 교육이 굉장히 부족했기 때문에 많은 의사들이 식도 질환에 대한 지식이 별로 없을 수 밖에 없었다. 그러나 근래에 미국에서 식도선암이 급격하게 증가하면서 21세기에는 식도질환에 대한 해박한 지식을 가진 내외과 의사들을 많이 필요로 하게 될 것이다.

II 식도의 해부와 생리

1. 식도의 해부 구조

식도는 후종격에 위치하여 목에서 가슴, 배를 지나가게 되는데 인두의 바닥인 C6에서 시작하여 복부에서는 T11의 위치에서 위식도접합부Gastroesophageal Junction (GEJ)로 끝나는 25-30cm 길이의 점막으로 덮인 근육으로 이루어진 튜브 같은 구조물의 장기이다(그림 1-1). 경부식도는 중앙선에 위치한 구조로 시작하여 흉곽 입구thoracic inlet를 통과할 때 기관의 약간 왼쪽으로 치우치게 된다. 기관분지점carina 부근에서 식도는 대동맥궁을 비켜서 약간 오른쪽으로 이동한 다음 좌측 주기관지 아래를 지나서 T11 부근인 식도열공을 통과할 때에는 약간 왼쪽으로 치우치게 된다. 경부와 상흉부에서는 전방의 기관과 후방의 척추에 의해 둘러싸여있고 기관분기점 이하로는 심낭 바로 뒤로 지나가게 되며 복부로 들어가기 직전에는 하행대동맥descending aorta의 바로 앞으로 내려가면서 횡격막을 통과하게 되는데 이 위치에서 식도와 하행대동맥의 사이에 존재하는 횡격막의 부분을 정중궁상인대median arcuate ligament라고 한다. 식도는 시작 부위와 끝나는 부위 두 군데에 고압지대가 존재하는데 위쪽과 아래쪽을 각각 상부식도괄약근Upper Esophageal Sphincter (UES), 하부식도괄약근Lower Esophageal Sphincter (LES)이라고 부른다. 식도는 크게 경부식도, 흉부식도, 복부식도의 세 부분으로 나뉘게 되는데 경부식도는 C6 혹은 윤상연골cricoid cartilage 부위에서부터 T1-2 혹은 흉강입구부위에 이르는 5cm 길이의 부분을 말하며 흉부식도는 흉곽입구에서 식도열공에 이르는 20-25cm에 달하는 부위를 말한다. 복부식도는 식도열공의 위쪽 끝에서부터 위식도경계부에 이르는 2-3cm 길이의 식도를 말하는데 횡격막식도인대phreno-esophageal ligament에 의해 둘러싸여 있다. 흉부식도는 다시 상, 중, 하 흉부식도로 나뉘게 되는데 AJCC 7판 분류에 따르면 흉골절흔sternal notch 혹은 흉곽입구부터 홑정맥azygos vein 혹은 기관분지부까지 5cm의 길이에 해당하는 부위를 상흉부식도, 홑정맥부터 하폐정맥inferior pulmonary vein까지 5cm의 길이에 해당하는 부위를 중흉부식도 그리고 하폐정맥으로부터 식도열공의 위쪽 끝까지 10cm의 길이에 해당하는 부위를 하흉부식도로 분류한다(그림 1-2).

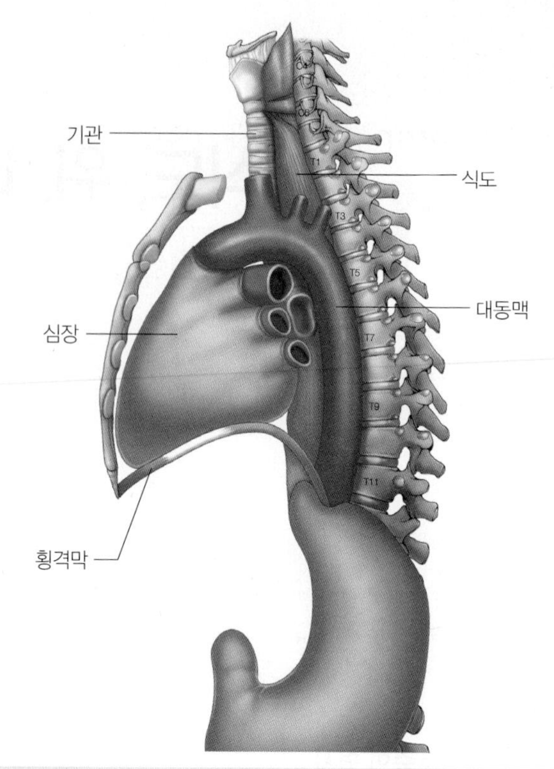

그림 1-1 식도의 경로

정상적인 성인 식도의 반경은 약 25mm인데 식도에는 3군데의 생리적인 협착이 있다. 가장 위쪽에 위치하면서 가장 좁은 협착 부위는 윤상인두근cricopharyngeus muscle이 위치한 곳으로 반경 14mm에 달한다. 두 번째 협착은 기관분지부 바로 아래쪽에 기관지와 대동맥에 의해 형성된 곳으로 반경 15-17mm에 달한다. 마지막은 횡격막에 의해 형성되는 협착으로 반경 16-19mm에 달한다. UES와 LES는 각각 식도의 입구와 출구를 형성하는데 이 괄약근들은 식도내압검사에서 고압지대로 나타나는 곳이지만 이 곳들을 해부학적으로 정확하게 위치를 표시하기는 어렵다. UES의 경우는 윤상인두근의 위치와 대체로 일치하지만 LES의 경우에는 GEJ에 있기는 하지만 위치를 특

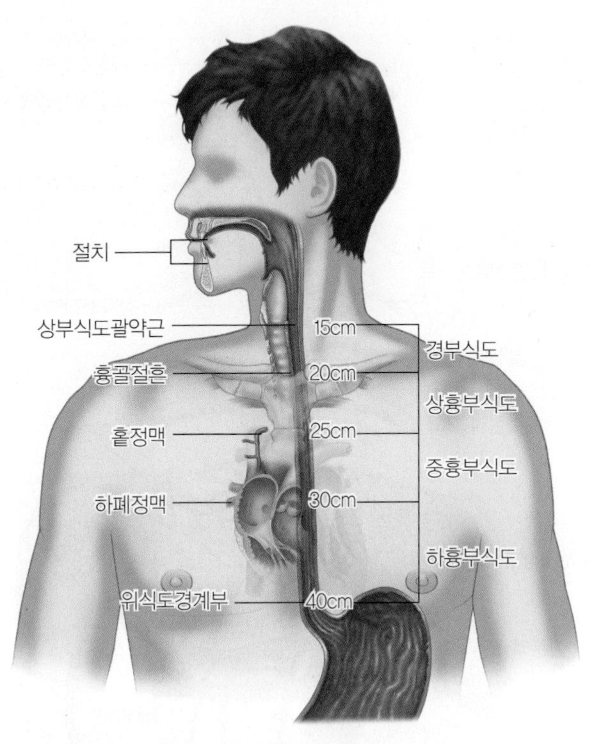

그림 1-2 식도의 해부학적 구분. 경부, 상, 중, 그리고 하흉부식도의 범위를 절치에서부터의 거리로 표시하였으나 실제 거리는 환자의 키나 체형에 따라 달라질 수 있다.

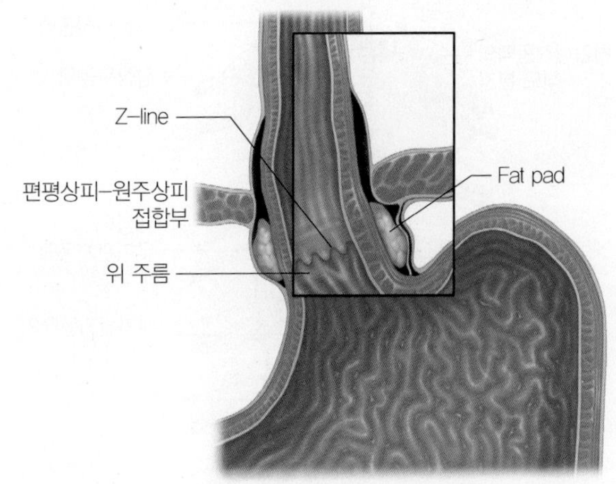

그림 1-3 위식도경계부의 경계표

정하기가 힘들다. GEJ를 구분하는 방법에는 내시경적인 방법 2가지와 육안 해부학적인 방법 2가지가 있는데 내시경적으로는 환자가 바렛식도Barrett's esophagus에서와 같이 원위부 식도점막이 원주상피로 대체되어 있지 않을 때 편평상피-원주상피 접합부(Z-line)나 위의 주름이 평탄한 식도내강으로 이행하는 부위가 GEJ의 경계표이며 육안 해부학적으로는 식도의 원형근섬유가 위의 경사근섬유와 만나는 부위인 collar of Helvetius (혹은 loop of Willis)나 GEJ에서 일관되게 관찰되는 지방패드가 GEJ의 경계표가 된다(그림 1-3).

식도는 다른 소화기관들과는 다르게 장막층이 없이 점막층과 근육층의 두 개의 고유층으로만 이루어져 있다. 점막층은 식도 내강의 가장 안쪽 층으로 편평상피로 이루어져 있는데 식도의 원위부에는 식도 점막에서 위의 분문부 점막으로 이행하는 1-2cm의 이행부가 존재하는데 이를 Z-line 이라고 한다(그림 1-3). 점막층은 다시 상피층, 기저막층basement membrane, 고유판lamina propria, 점막근층muscularis mucosa의 4개의 층으로 나뉜다. 점막근층 아래의 점막하층에는 점액선, 마이스너신경얼기 뿐만 아니라 림프관과 혈관의 플러시 네트워크가 존재한다. 점막하층과 인접하여 있는 층은 고유근층muscularis propria인데 윤상인두근 바로 아래부터 안쪽 돌림근육층circular muscle과 바깥쪽 세로근육층longitudinal muscle의 두 층으로 이루어져 있으며 식도의 위쪽 1/3은 가로무늬근striated muscle으로 이루어져 있으며 아래쪽 2/3는 민무늬근smooth muscle으로 이루어져 있다. 식도의 돌림근육층은 윤상인두근이 아래쪽으로 확장된 것으로 흉부를 지나 복부로 들어가면 위의 소만의 중간 돌림근육층과 연결된다. 이 두 개의 근육층 사이에는 얇은 막 안에 혈관과 아우어바흐신경얼기Auerbach's plexus(혹은 근육층신경얼기myenteric plexus)가 있다. 식도의 세로근육층은 돌림근육층을 완전히 싸고 윤상연골cricoids cartilage에서 시작하여 위분문부의 세로근육층과 연결된다. 이들 근육층 바깥쪽은 섬유 윤문상의fibro-areolar 외막adventitia으로 싸여있다.

2. 식도의 혈관계

식도는 풍부한 혈관과 림프관을 가지고 있어서 이것이 외과적인 안전망을 형성하기도 하나 이것이 암 전이의 중

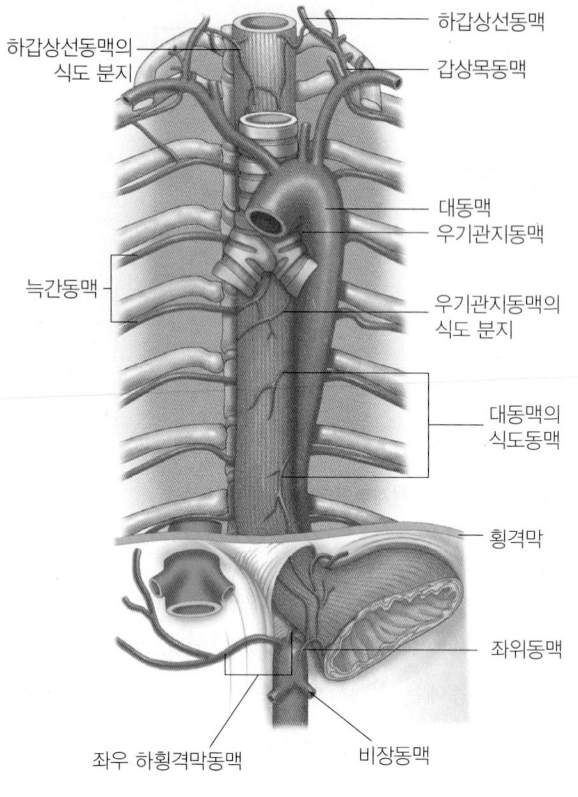

그림 1-4 **식도의 동맥계**

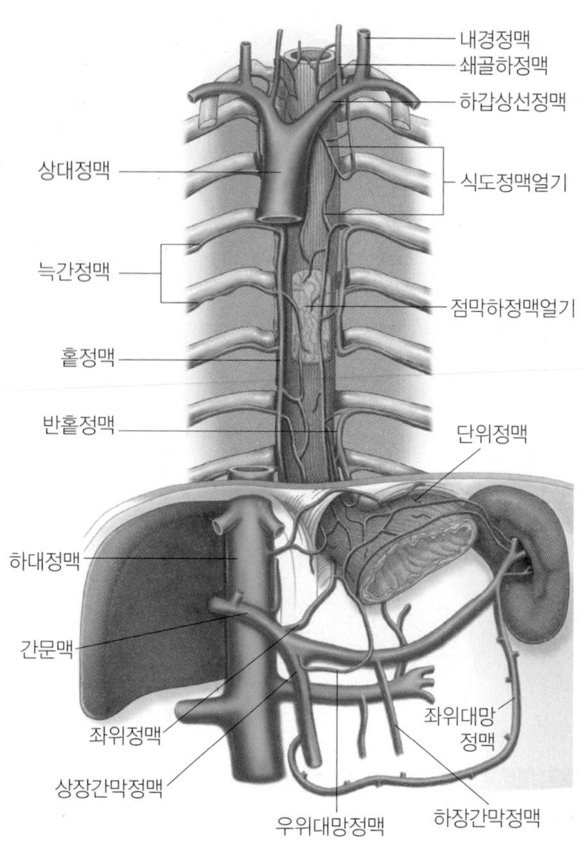

그림 1-5 **식도의 정맥계**

요한 통로로 이용되기도 한다. 식도의 혈관계는 크게 경부, 흉부 그리고 복부의 3구역으로 나눠어 진다. 경부식도는 대개 하갑상선동맥inferior thyroid artery으로부터 혈액공급을 받게 되는데 좌하갑상선동맥은 왼쪽의 갑상목동맥thyrocervical trunk으로부터, 우하갑상선동맥은 오른쪽의 쇄골하동맥subclavian artery으로부터 분지된다(그림 1-4). 식도의 입구를 이루고 있는 윤상인두근은 상갑상선동맥superior thyroid artery으로부터 혈액공급을 받는다. 흉부식도는 대동맥에서부터 직접 분지하는 4–6개의 식도동맥과 좌우 기관지동맥bronchial artery의 식도 분지들에서 혈액공급을 받는다. 흉부식도는 또한 하갑상선동맥의 하행 분지들과 늑간동맥intercostal artery과 양쪽 하횡격막동맥inferior phrenic artery의 상행 분지들로부터도 혈액공급을 받는다. 복부식도는 좌위동맥과 양쪽 하횡격막동맥으로부터 혈액공급을 받는다. 식도로 혈액을 공급하는 모든 동맥들은 식도의 근육층을 통과하기 전에 가는 모세혈관망을 형성하여 식도로 들어온다. 이 모세혈관망이 근육층을 통과한 뒤에는 식도의 전장에 걸쳐서 점막하층에 모세혈관망을 이룬다. 식도의 이러한 풍부한 혈액공급망 때문에 수술적인 조작을 가했을 때 다른 장기에 비해 허혈성 손상에 대해 더 강한 특징이 있다. 식도의 정맥배류는 대개 동맥과 함께 간다. 식도의 모든 부분에서 정맥배류는 점막하층에 넓게 분포하는 정맥얼기venous plexus에서부터 시작된다. 경부식도의 점막하층의 정맥얼기는 좌쇄골하정맥과 우팔머리정맥right brachiocephalic vein의 지류인 하갑상선정맥으로 배류된다(그림 1-5). 흉부식도의 정맥배류는 조금 더 복잡한데 점막하층의 정맥얼기가 흉부식도를 둘러싸고 있는 좀 더 얇은 층의 식도정맥얼기와 venae comitantes로 배류되고 이 후 가슴 오른쪽의 홀정맥과 왼쪽의 반홀정맥hemiazygos vein으로 배류된다. 늑간정맥 역시 홀정맥계로 배류된다. 복부식도는 좌우 하횡격막정맥, 좌위정맥 그리고 단위정맥을 통해 하대정맥 및 간문맥으로 배류된다.

3. 식도의 림프관계

식도의 림프배출은 점막하층과 고유근층에 있는 두 림프얼기lymphatic plexus가 상호연결 되는 형식으로 광범위하게 형성되어 있다. 점막하층의 림프관은 고유근층을 뚫고 들어간 다음 식도벽을 따라 종으로 주행하는 림프얼기로 배출되며 그런 이후 부위림프절regional lymph node로 배출된다. 식도의 위쪽 2/3에서는 림프의 흐름이 위쪽 방향으로 향하는 반면에 아래쪽 1/3에서는 아래쪽 방향으로 향하는 경향이 있다. 목에서 식도림프관은 앞쪽으로는 기관옆림프절paratracheal lymph node로 배출되고 옆과 뒤쪽으로는 심경부림프절deep cervical lymph node과 내경정맥림프절internal jugular lymph node로 배출된다. 가슴 속에서 식도의 림프관들은 상호연결통로들의 망matrix of interconnecting channel을 형성하여 종격림프절mediastinal lymph node이나 흉관thoracic duct으로 배출되는데 앞쪽으로는 기관옆림프절, 기관분지점아래림프절subcarinal lymph node과 식도곁림프절paraesophageal lymph node, 심장뒤림프절retrocardiac lymph node, 심장아래림프절infracardiac lymph node, 하행대동맥주위림프절, 폐인대림프절pulmonary ligament lymph node 등의 종격림프절로 배출된다. 뒤쪽으로는 식도주위 그리고 홑정맥주위 림프절로 일차적으로 배출된다(그림 1-6). 이러한 식도의 복잡한 림프관망은 목, 가슴, 배 쪽으로 감염이나 암의 빠른 전파경로로 작용하며 식도의 이러한 특징은 특히 식도암에 대한 수술적 치료에 어려움을 주는 중요한 요인이 된다.

4. 식도의 신경지배

식도의 신경지배는 교감신경계와 부교감신경계로 나눌 수 있는데(그림 1-7) 경부교감신경줄기cervical sympathetic trunk는 목의 상신경절superior ganglion에서 나와서 흉부 내로 들어올 때 식도의 바로 옆에 붙어서 내려와서 목가슴신경절cervicothoracic ganglion에서 끝나며 이렇게 내려오는 과정에서 경부식도로 여러 개의 분지를 낸다. 흉부교감신경줄기thoracic sympathetic trunk는 목가슴신경절에서 계속 이어져서 흉부식도를 앞뒤로 싸고 있는 식도신경얼기esophageal plexus로 분지를 낸다. 하부 흉부식도는 큰내장신경과 작은내장신경greater & lesser splanchnic nerve의 신경지배를 받는다. 배에서는 교감신경섬유가 좌위동맥의 뒤쪽에 놓여있다.

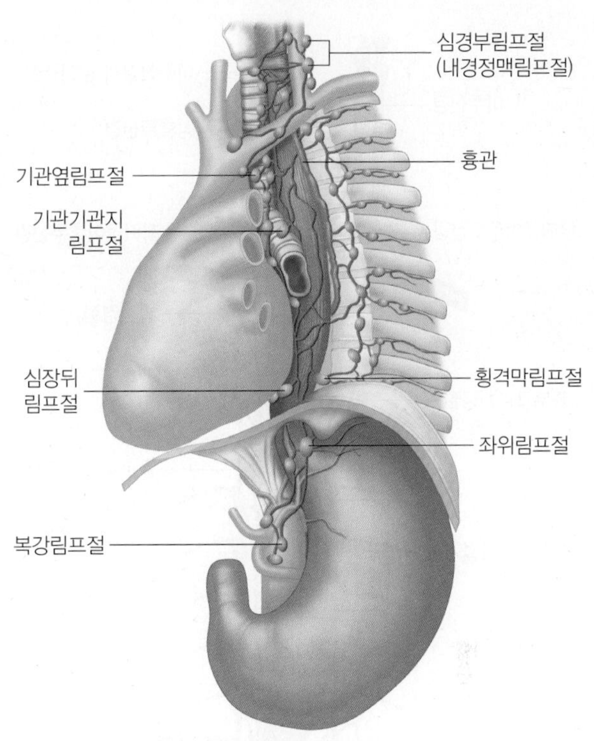

그림 1-6 식도의 림프계

부교감신경섬유는 미주신경으로부터 나와서 상후두신경superior laryngeal nerve과 되돌이후두신경recurrent laryngeal nerve을 분지한다. 상후두신경은 하인두수축근inferior pharyngeal constrictor muscle과 윤상갑상근cricothyorid muscle의 운동지배와 후두의 감각을 지배하는 외 및 내후두신경external and internal laryngeal nerve을 분지한다(그림 1-8). 좌우 되돌이후두신경은 미주신경으로부터 분지되어 나와서 각각 우쇄골하동맥과 대동맥궁 아래를 돌아 올라온다. 그

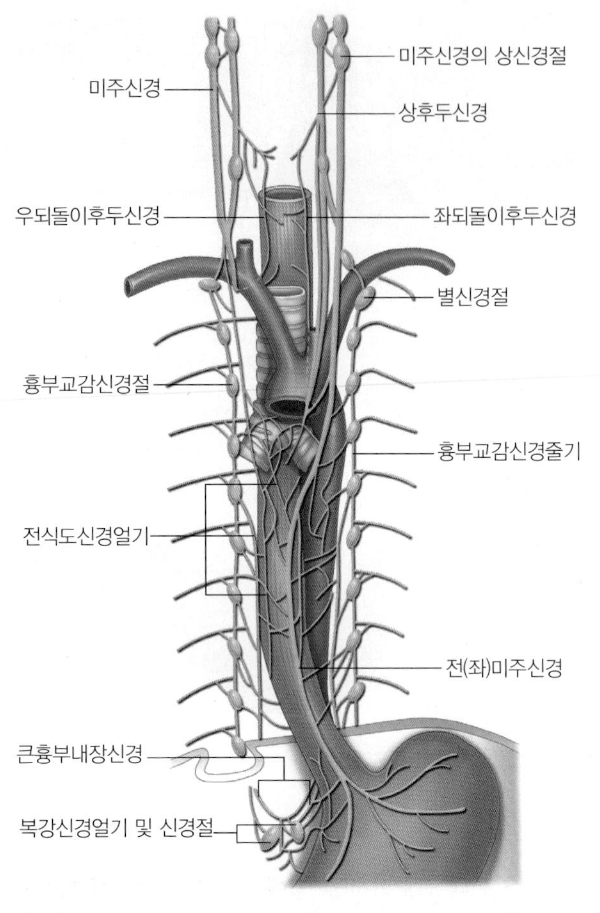

그림 1-7 **식도의 신경 지배**

후 위쪽으로 기관식도구tracheoesophageal groove를 따라서 올라오다가 하인두수축근 하방에서 양 옆으로 성대로 들어간다. 올라오는 과정에서 되돌이후두신경은 윤상인두근을 포함한 경부식도의 신경지배를 담당하게 된다. 한 쪽 상후두신경이나 되돌이후두신경의 손상은 성대와 UES의 기능장애를 초래해 목쉼이나 흡인을 유발한다. 흉부에서 미주신경은 식도의 가로무늬근으로 가는 신경섬유를 내고 평활근으로 가는 부교감신경절이전신경섬유로 가는 분지를 낸다. 흉부에서 교감 및 부교감신경은 그물망 같은 신경얼기를 형성하여 흉부식도 전체를 감싼다. 이 신경섬유들은 근육층을 통과한 후 바깥쪽 세로근육층과 안쪽 돌림근육층 사이에서 아우어바흐신경얼기를 형성하고 점막하층 내부에서는 점막밑신경얼기submucous plexus or Meissner's plexus를 형성하는데(그림 1-9), 이것들에 의해 식도연동이 일어나게 된다. 부교감신경섬유들은 횡격막 2cm 위에서 좌(전), 우(후)미주신경으로 합쳐져서 좌미주신경은 위바닥gastric fundus과 소만곡lesser curvature의 앞쪽으로 내려가고 우미주신경은 뒤쪽으로 내려가서 복강신경얼기celiac plexus에 합류한다.

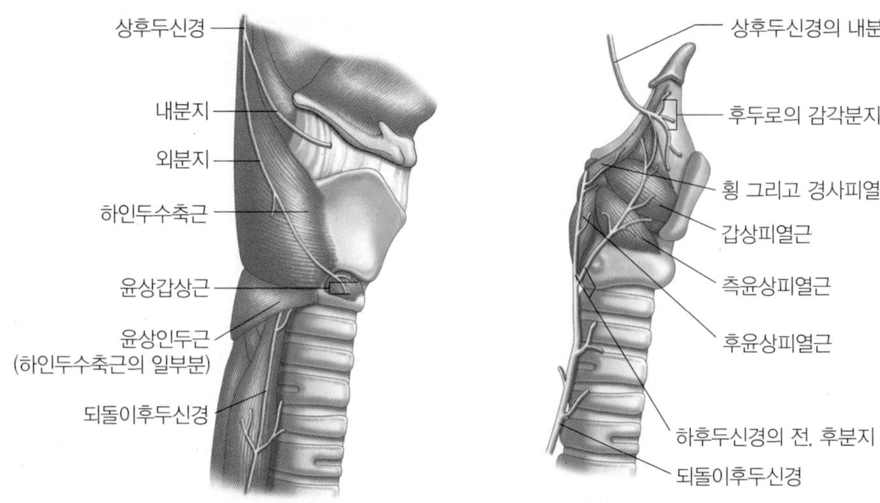

그림 1-8 **후두의 신경 지배**

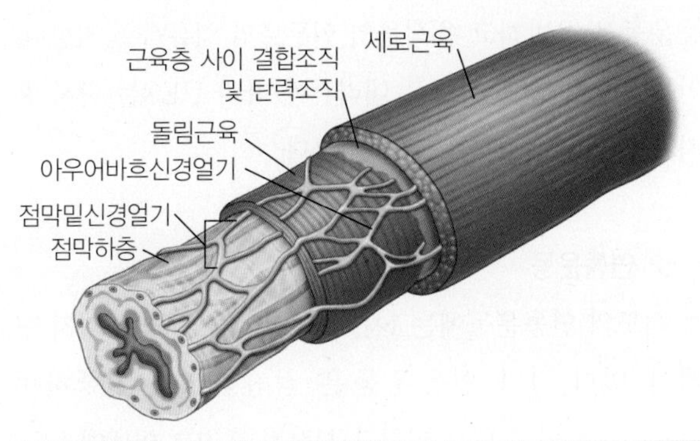

그림 1-9 **식도 내벽의 신경 지배**

5. 식도의 생리

식도의 일차적인 기능은 음식물을 인두로부터 위로 이동하는 것이고 이차적인 기능은 호흡 시 삼켜지는 공기와 위에서부터의 역류를 제한하는 것이다. 식도의 길이는 30cm으로 인두로부터 위의 분문부까지 연결되어 있다. 정상 상태에서는 동심원의 근육구조로 인해 음식물이 위에서부터 아래로 별 무리 없이 잘 내려간다. UES의 길이는 4-5cm인데 상시적으로 평균 60mmHg의 압력을 유지하여서 공기의 끊임없는 식도로의 유입을 차단한다. 반면에 LES의 평균압력은 24mmHg 로 이것은 위 내부의 압력보다 약간 높은 상태로 위에서부터의 음식물의 역류를 차단해 준다(표 1-1). 음식물의 입에서부터 식도를 거쳐 위로의 이동은 연하swallowing에서 시작하여 LES의 이완 후수축postrelaxation contraction으로 끝나며 이 과정에서 식도의 조화로운 연동운동이 필수적이다.

표 1-1. 식도내압검사의 정상치

변수	정상치
상부식도괄약근	
전체 길이	4.0-5.0cm
휴지기압력	60.0mmHg
이완시간	0.58sec
잔류압력	0.7-3.7mmHg
하부식도괄약근	
전체 길이	3-5cm
복부 길이	2-4cm
휴지기압력	6-26mmHg
이완시간	8.4sec
잔류압력	3mmHg
식도체부수축	
진폭	40-80mmHg
지속시간	2.3-3.6sec

1) 연하

연하에는 구강, 인두 그리고 식도 이렇게 세 단계가 있다. 연하의 입인두단계는 다시 6개의 단계로 나뉘어진다(그림 1-10). 이 단계들은 1.5초 이내에 이루어지며 한 번 시작되면 완전히 반사적으로 진행된다.

(1) 혀의 상승

음식물이 입 안으로 들어오면 침과 섞여서 이동하기 좋은 부드러운 덩어리로 변한다. 혀가 상승하여 음식물을 입인두oropharynx의 뒤쪽으로 음식물을 밀어 넣는다.

(2) 혀의 후방운동

혀가 뒤쪽으로 움직여서 음식물을 하인두hypopharynx로 밀어낸다.

(3) 연구개의 상승

혀가 음식물을 하인두로 밀어냄과 동시에 연구개soft palate가 상승하여 음식물이 코인두nasopharynx로 들어가는 것을 막는다.

(4) 설골의 상승

후두개epiglottis가 혀의 아래쪽으로 위치하게 하기 위하여 설골hyoid bone이 앞쪽과 위쪽으로 움직인다.

(5) 후두의 상승

설골의 위치 이동은 후두를 상승시키고 후두 후방의

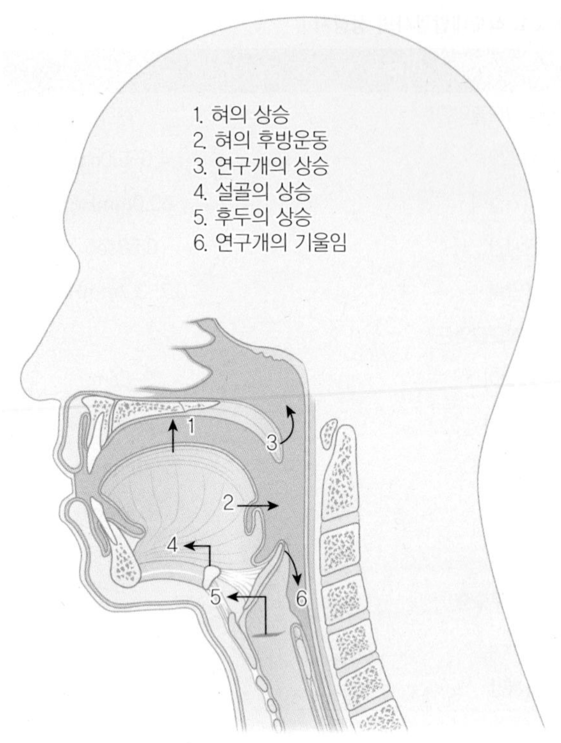

그림 1-10 **연하의 입인두단계**

공간을 열어서 후두개가 혀 아래쪽으로 가게 하는 작용을 더 촉진한다.

(6) **후두개의 기울임**

최종적으로 후두개는 완전히 뒤로 기울여져서 후두의 입구를 덮게 되어 흡인을 방지한다.

2) 연하의 식도 단계

(1) UES

연하의 식도 단계는 인두 단계가 진행되는 동안에 시작된다. 음식물이 UES를 통과하게 하기 위해서 UES가 이완되면서 후인두수축근posterior pharyngeal constrictor이 수축하여 음식물을 식도로 밀어낸다. 경부식도에 형성된 양압과 흉부식도에 형성된 음압에 의한 압력차이로 인해 음식물이 흉부식도 내로 이동한다. 연하가 시작된 후 0.5초 이내로 UES가 90mmHg의 압력으로 닫힌다. 이 이완 후 수축은 0.2-0.5초 정도 지속되는데 이것이 식도의 연동운동을 유발하고 음식물의 인두로의 역류를 방지한다. 연동운동이 중부 식도로 내려감에 따라 UES는 다시 휴지기압력(60mmHg)으로 돌아온다.

(2) **연동운동**

식도의 연동운동에는 1차, 2차 그리고 3차의 3가지 형태가 있다. 1차 연동운동은 점진적으로 진행하며 2-4cm/초 의 속도로 연하가 시작된 후 9초 이내에 LES에 도달하며 이때 식도 내압은 40-80mmHg에 달한다. 성공적인 연하는 연하가 빠른 속도로 반복되지 않는 한 이 와 유사한 수축파에 의해 유발되며 다음 연하가 시작되기 전까지 식도는 이완 상태로 머무르게 된다. 2차 연동운동은 역시 점진적으로 진행하나 식도의 수축에 의한 것이 아니라 식도의 팽창이나 식도 점막에 대한 자극에 의해서 유발되는 수축을 의미한다. 이것은 1차 연동운동 뒤에 미처 내려가지 못하고 식도 내에 남아있는 음식물들을 내려 보내기 위한 독립적인 반응으로 일어난다. 3차 연동운동은 수의적인 연하가 있은 후나 혹은 연하의 사이사이에 식도 전체에 걸쳐서 자발적으로 나타나는 점진적으로 진행하지 않고 수축적이지 않으며 단상성monophasic이나 다상성multiphasic이며 동시다발적인 수축을 의미한다. 이것은 불수의근의 통제되지 않은 수축으로 식도연축esophageal spasm에서 관찰될 수 있는 유형의 수축이다.

(3) LES

연하의 식도단계의 마지막은 음식물이 LES를 통과하는 것이다. LES는 진정한 괄약근은 아니지만 식도내압을 측정하면 2-5cm에 달하는 휴지기 압력이 6-26mmHg에 이르는 고압지대가 존재한다. LES는 흉부와 복부에 동시에 걸쳐 있는데 적절한 기능을 위해서는 전체 길이는 최소한 2cm 이상, 복부 LES의 길이는 1cm 이상 되어야 한다. 흉부 LES와 복부 LES의 이행 부위는 식도내압검사에서 호흡역전점Respiratory Inversion Point (RIP)이라고 알려져 있는데 이 지점에서 식도내압이 흡기 시에는 음압에서 양압으로 호기 시에는 양압에서 음압으로 변한다. 연동운동만으로 LES를 완전히 열 수는 없는데 LES의 미주신경매개이완vagal-mediated relaxation이 인두연하가 시작된 후 1.5-2.5초 후에 발생하여 4-6초간 지속된다. 식도에서 위로의 효과적인 음식물의 이동이 있기 위해서는 완벽한 타이밍의 미주신경매개이완이 있어야만 한다. 연동파가 식도를 완전히 지나간 후 LES의 이완 후 수축이 일어나는데 이것에 의해 LES는 휴지기압력 상태로 다시 돌아가서 역류에 대한 방어벽으로서의 작용을 하게 된다.

3) 역류의 기전

모든 역류가 다 비정상적이지는 않으며 정상인에서도 LES의 자발적인 이완에 의한 위식도역류gastroesophageal reflux가 종종 발생한다. LES 기능의 역류에 대한 방어벽으로서의 적합성competence은 적절한 압력과 길이, 방사상의 대칭radial symmetry, 식도와 위의 운동 능력 등의 인자들에 의해 결정된다. 적합한 괄약근competent sphincter은 길이가 최소한 2cm 이상이어야 하고 압력은 6-26mmHg 이내에 있어야 한다. 방사상의 비대칭radial asymmetry이나 식도나 위의 비정상적인 연동운동은 LES의 정상적인 폐쇄를 방해하고 위의 내용물이 식도로 자유롭게 역류되게 한다. 비정상적인 식도 체부의 운동이나 위지연배출은 불충분한 식도 청소esophageal clearance를 유발하여 역류를 조장한다. 마지막으로 LES의 긴장도를 조절하는 신경전달물질, 호르몬, 펩티드 등이 LES를 조절한다. 이 모든 해부구조 및 생리학적인 붕괴disruption가 LES를 통한 역류를 유발하여 위식도역류질환(GERD)이 발생한다.

요약

식도는 후종격에 위치하여 목에서 가슴, 배를 지나가게 되는데 경부식도, 상, 중, 하흉부식도, 그리고 복부식도로 나뉘어진다. 식도는 다른 소화기관들과는 다르게 장막층이 없이 점막과 근육층의 구개의 층으로만 이루어져 있다. 식도는 풍부한 혈관과 림프관을 가지고 있어서 이것이 외과적인 안전망을 형성하기도 하나 반대로 이것이 암전이의 중요한 통로로 작용하기도 한다. 식도벽 내부의 림프배출은 점막하층과 고유근층에 있는 두 림프얼기가 상호 연결되는 형식으로 광범위하게 형성되어있다. 식도의 위쪽 2/3에서는 림프의 흐름이 위쪽으로 향하는 반면 아래쪽 1/3에서는 아래쪽으로 향하는 경향이 있다. 식도를 지배하는 신경들 중 상후두신경이나 되돌이후두신경이 손상 받을 경우 동측의 성대와 UES의 기능장애를 초래해 목쉼이나 흡인을 유발한다. 식도의 일차적인 생리적인 기능은 음식물을 인두로부터 위로 이동시키는 것이고 이차적인 기능은 호흡 시 삼켜지는 공기와 위에서부터의 음식물의 역류를 제한하는 것이다. UES는 호흡 시 공기의 끊임 없는 식도로의 유입을 차단하는 역할을 하며 LES는 위에서부터 식도로의 음식물의 역류를 차단하는 것이 주된 역할이다. LES가 역류를 적절히 차단하기 위해서는 길이가 최소한 2cm 이상되어야 하고 압력은 6-26mmHg 범위에 있어야 하며 방사상의 대칭성이 있어야 하는데 이러지 못할 경우 위식도역류질환이 발생할 수 있다. 식도나 위의 비정상적인 연동운동 역시 LES의 정상적인 기능을 방해할 수 있다.

III 식도의 운동성질환 및 양성질환

1. 식도게실

과거에 식도게실은 식도의 운동이상을 초래하는 일차적인 식도의 질환으로 간주되어 왔다. 하지만 근래에 와서 식도게실은 UES나 LES의 장애나 혹은 식도의 일차적인 운동성질환의 결과로 발생하는 이차적인 질환으로 인식되고 있다. 식도에서 게실이 발생하는 가장 흔한 곳 3군데는 인두식도Zenker's diverticulum, 기관지 근처(중식도게실 midesophageal diverticulum) 그리고 횡격막상부epiphrenic diverticulum이다. 진성게실true diverticulum은 식도의 점막, 점막하층 그리고 근육층의 전층이 포함되는 게실이고 가성게실false diverticulum은 점막과 점막하층만 포함되는 게실이다. 내압확장게실pulsion diverticulum은 식도내압이 올라가는 식도의 운동성질환의 결과로 발생하는 가성게실로서 식도의 높아진 압력에 의해 점막과 점막하층이 근육층을 통해 탈장되는 것이다. Zenker씨 게실과 횡격막상부게실이 가성게실의 범주에 들어간다. 견인traction 혹은 진성게실은 염증에 의해 커진 종격림프절이 식도외벽과 유착을 이룬 다음 염증이 치유되면서 수축되어 식도외벽을 견인하게 되면서 발생한다. 시간이 지나면서 끌려나간 식도외벽은 외부주머니를 형성하면서 점점 커져서 게실을 형성하게 된다.

1) 인두식도게실

인두식도게실Zenker's diverticulum은 식도에서 발생하는 게실 중에서 가장 흔하게 관찰되는 것으로 Zenker와 Von Ziemssen에 의해 처음 보고되었다. 이것은 70대의 노년층에서 흔하게 발견되어 나이가 들면서 발생하는 조직의 탄성의 소실과 근긴장도의 약화에 의해 발생한다고 생각되고 있다. 인두식도게실은 갑상인두근의 빗섬유 oblique fiber와 윤상인두근의 수평섬유horizontal fiber에 의해 형성되는 Killian씨 삼각으로 탈장된다(그림 1-11). 게실이 점차적으로 커짐에 따라 점막과 점막하층은 식도의 왼쪽을 따라 상종격superior mediastinum까지 내려가고 뒤쪽으로는 척추앞공간prevertebral space을 따라 내려간다. Zenker씨 게실은 윤상인두이완불능증cricopharyngeal achalasia라고도 불리우며 이에 맞게 치료한다.

(1) 증상 및 진단

Zenker씨 게실은 커지기 전까지는 대개 별다른 증상이 없다. 가장 흔한 증상은 목 안에서 뭔가 찌르는 듯한 느낌을 호소하는 것이다. 지속적인 기침, 과도한 침 분비, 그리고 간헐적인 연하곤란이 있을 때는 상당히 진행된 상태임을 시사한다. 게실낭의 크기가 커짐에 따라 썩는 냄새

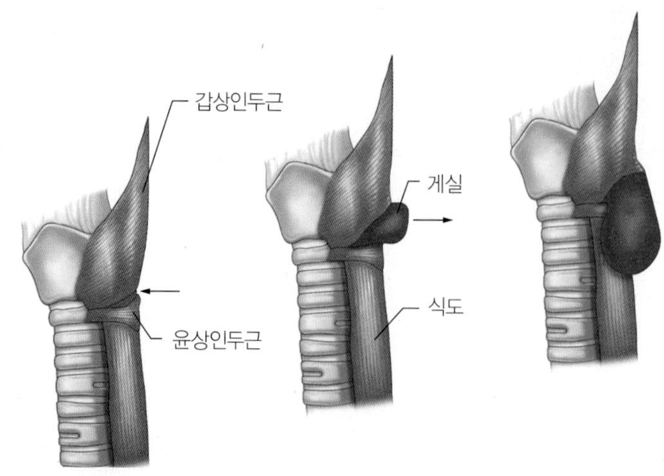

그림 1-11 **Zenker 게실**

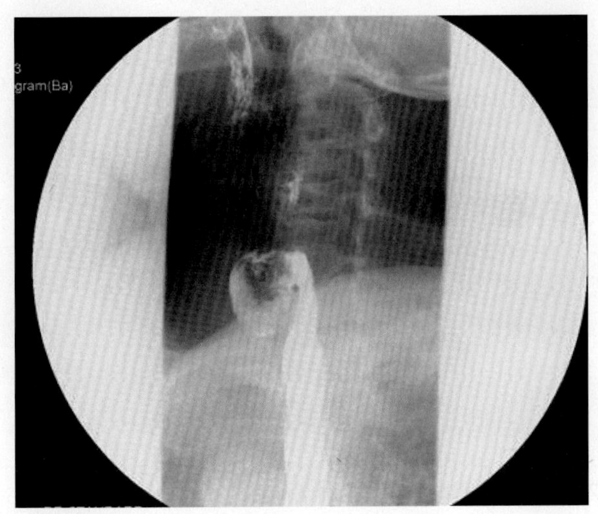

그림 1-12 **Zenker 게실 환자의 식도조영술 소견**

나 소화되지 않은 음식물이 역류되어 올라온다. 구취halitosis, 음성변화, 흉골뒤통증retrosternal pain 그리고 호흡기 감염 등이 고령의 환자에서 흔히 발생한다. 이러한 이유들로 인해 환자들은 종종 사회생활을 기피하게 된다. Zenker씨 게실에서 가장 심각한 합병증은 흡인성폐렴과 폐농양인데 고령의 환자들에서는 상당히 위험할 수 있고 이것으로 사망하기도 한다.

진단은 주로 바륨 식도조영술로 하게 되는데 윤상연골 근처에서 식도를 따라 뒤쪽으로 바륨이 게실에 쌓이는 것이 관찰되는데 이것이 식도 후방에 있는 구조물이기 때문에 측면영상이 반드시 필요하다(그림 1-12). Zenker씨 게실의 진단을 위해 식도내압검사나 위내시경검사는 반드시 필요하지는 않다.

(2) **치료**

Zenker씨 게실의 치료는 수술이나 혹은 내시경을 이용한 복원술이다. 전통적으로는 왼쪽 경부를 통한 수술이 선호 되어져 왔으나 근래에는 내시경을 이용한 복원술도 점차적으로 각광을 받아가고 있다. 수술에는 두 가지 방법이 있는데 하나는 게실을 절제하는 것이고 다른 하나는 게실고정술diverticulopexy이다. 게실절제술 및 고정술은 모두 왼쪽 경부 절개를 이용하여 시행하며 1시간 정도의 수술시간을 요하는 수술이다. 절제술이나 고정술 모두 게실의 근위부와 원위부의 갑상인두근, 윤상인두근의 근절개술을 시행하여야 한다. 게실의 크기가 2cm 미만으로 작을 때에는 근절개술로만으로도 충분하다. 경부식도의 수술 부위 누출의 위험성이 높은 고령의 유약한 특성의 조직을 가진(frail) 환자들의 경우에는 게실의 크기가 2cm 이상이라도 절제술을 시행하지 않고 고정술만 시행하여도 증상의 재발을 어느 정도 막을 수 있다. 그러나 정상적인 특성의 조직을 가진 대부분의 환자들에서는 게실의 크기가 5cm 이상일 때는 게실절제술을 시행하여야 한다. 수술 후에는 2–3일간 금식을 하여야 한다.

수술에 의한 복원술에 대한 다른 대안은 근래에 각광받고 있는 내시경적 Dohlman 술식이다. 이 술식은 특별하게 고안된 게실경diverticuloscope을 통해 레이저나 복강경용 자동문합기 등을 이용하여 Zenker씨 게실의 전벽과 식도의 후벽을 터 주는 것인데(그림 1-13) 게실의 크기가 상대적으로 큰 경우에 주로 적용되는 방법이다. 이 술식에 의하면 게실의 전벽과 식도의 후벽을 자동문합기로 터 주는 과정에서 게실 아래쪽의 윤상인두근의 근절개술이 동시에 이루어지게 되는데 만약 게실의 크기가 3cm 이하인 환자에서 이 술식을 적용했을 때에는 근절개술이 불충분하게 될 가능성이 높다. 이 술식을 적용하기 위해서는 환자의 목을 최대한 신전extension 시켜야 하는데 경추협착증cervical stenosis이 있는 환자에서는 적용하기가 어렵다. 이 술식은 전신마취 하에 경구법transoral method으로 시행하며 수술시간은 1시간 미만이며 수술 당일에 유동식 섭취가 가능하고 수술 다음날 퇴원할 수 있다. 내시경적 Dohlman 술식은 이런 장점들 때문에 최근에 각광받고 있으며 게실의 크기가 2–5cm 사이인 환자들에게 추천된다.

경부절개를 통한 복원술과 내시경적 Dohlman 술식간의 비교연구는 비교적 활발하게 이루어져 있는데 크기가 3cm 이하인 게실은 수술적 복원술이 결과가 우수하나 크기가 3cm을 초과하는 경우에는 양자의 결과가 동일하나 재원기간과 금식기간은 내시경적 Dohlman 술식이 더 짧

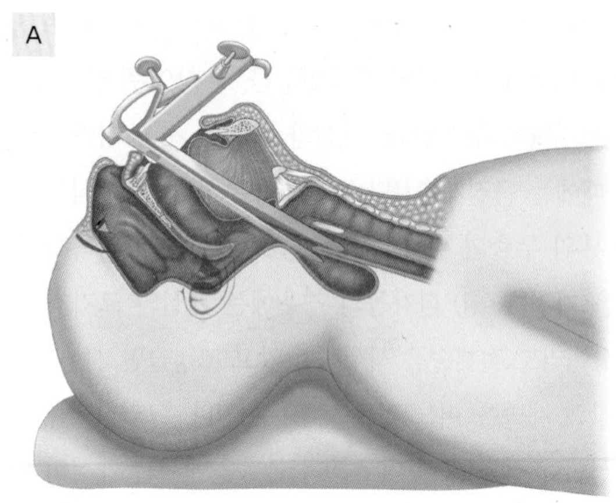

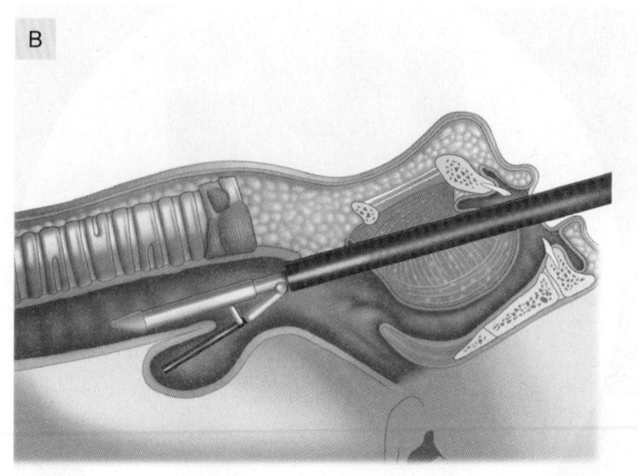

그림 1-13 내시경적 Dohlman 술식. A) 게실경. B) 복강경용 선형자동문합기를 식도의 후벽과 게실의 전벽에 발사하여 diverticulotomy를 시행함.

다. 그러나 어떤 방법을 이용하건 결과는 모두 만족스럽다.

2) 횡격막상부게실

횡격막상부게실은 GEJ로부터 위쪽으로 10cm 이내의, 식도의 하 1/3에서 발생하는 게실로 대부분 대부분 원위부 식도 근육의 비후나 식도내압의 증가와 연관되어 관찰된다. 횡격막상부게실은 내압확장게실 혹은 가성게실로 가장 흔하게는 NEM과 연관되며 이외에도 DES 그리고 식도이완불능증 등에서도 연관되어 발생할 수 있는데 이런 이유로 일차적인 식도의 운동성 질환을 진단하는 과정에서 우연히 발견되는 경우가 흔하다. 환자들 중 일차적인 식도의 운동성 질환과의 연계가 밝혀지지 않은 환자들의 경우 선천적이거나 외상에 의한 식도의 운동성 질환들이 고려되어야 한다. 횡격막상부게실은 대부분의 경우 식도의 오른쪽으로 호발하며 게실의 경부가 넓은 특징을 가지고 있다.

(1) 증상 및 진단

대부분에서는 무증상으로 우연히 발견되는데 연하곤란이나 흉통 등의 증상이 있을 때는 일차적인 식도의 운동성 질환이 반드시 내재되어 있다고 생각해야 한다. 역류, 상복부 통증, 식욕부진, 체중감소, 만성기침 그리고 구취 등의 증상이 있을 때는 크기가 상당히 큰 횡격막상부게실과 함께 진행된 운동성 질환이 함께 있을 것이라고 생각해야 한다.

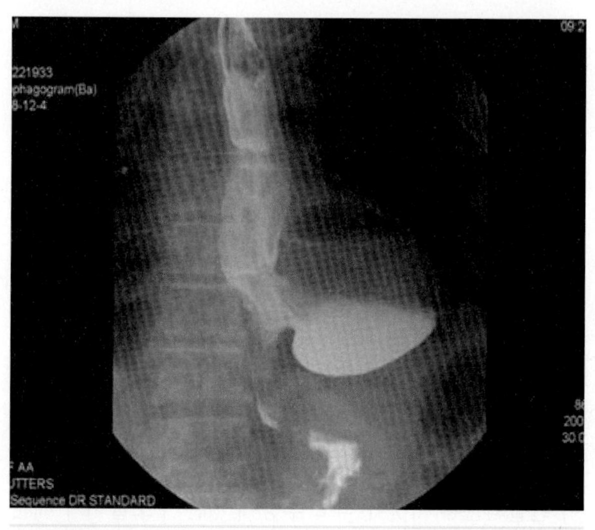

그림 1-14 횡격막상부게실 환자의 식도조영술 소견

바륨식도조영술은 횡격막상부게실의 존재를 증명하는 가장 효과적인 검사로 게실의 크기와 위치 그리고 횡격막과의 관계를 명확히 알 수 있다(그림 1-14). 이 검사를 통해 내재된 일차적인 식도의 운동성 질환도 종종 진단될 수 있으나 이런 경우에도 반드시 식도내압검사를 시행하여 전체적인 식도 체부 및 LES의 운동상태를 정확히 파악하여야 한다. 식도염, 바렛식도 그리고 식도선암 등의 존재 여부를 감별하기 위해서 위내시경검사도 반드시 시행하여야 한다.

(2) **치료**

횡격막상부게실의 경우 일반적으로 게실의 경부가 넓고 척추에 가까이 위치하고 있다. 게실의 크기가 2cm 미만인 작은 게실의 경우에는 굳이 절제하지 않고 주변의 척추옆근막paravertebral fascia에 고정술 만으로도 충분할 수 있다. 환자가 연하곤란, 흉통을 호소하거나 식도의 운동성 질환이 진단되었을 때에는 긴 식도근절개술long esophagomyotomy을 같이 시행하여야 한다. 식도게실에서 시행하는 긴 근절개술에 대해서는 이후 일차적인 식도의 운동성 질환의 수술적 치료 부분에서 더 상세히 기술하도록 하겠다. 만일 게실고정술을 시행하게 된다면 근절개술은 게실의 경부에서 시작하여 LES까지 시행하고 게실절제술을 시행하게 되면 자동문합기를 이용하여 게실의 경부를 절제하고 절제한 부위는 가능하면 주변의 근육을 봉합하여 덮어주는 것이 좋다. 이 후 근절개술은 게실 절제부위의 반대편에 게실의 위치에서부터 LES까지 시행한다. 만약 거대열공탈장이 같이 있는 경우라면 게실절제술, 긴 근절개술과 함께 열공탈장복원술도 같이 시행하여야 한다. 그렇게 하지 않으면 수술 후에 심한 GERD가 발생하게 된다.

3) 중식도게실

중식도게실은 19세기에 처음 보고되었는데 이 때 당시 원인으로 가장 흔했던 것은 결핵에 의한 종격림프절염이었다(그림 1-15). 하지만 현재는 히스토플라스마증에 의한 섬유화 종격림프절염fibrosing mediastinitis이 더 흔하다. 이러한 림프절염에 의한 식도 유착은 식도 외벽을 견인하여 진성게실을 발생하게 한다. 아직까지 이러한 기전이 중식도게실의 생성에 여전히 중요한 역할을 한다고는 생각하고 있으나 현재는 식도이완불능증achalasia, 광범위식도연축Diffuse Esophageal Spasm (DES) 그리고 비특이적식도운동장애Nonspecific Esophageal Motility disorder (NEM) 등의 식도의 일차적 운동성 질환도 중식도게실의 생성에 일정 정도 기

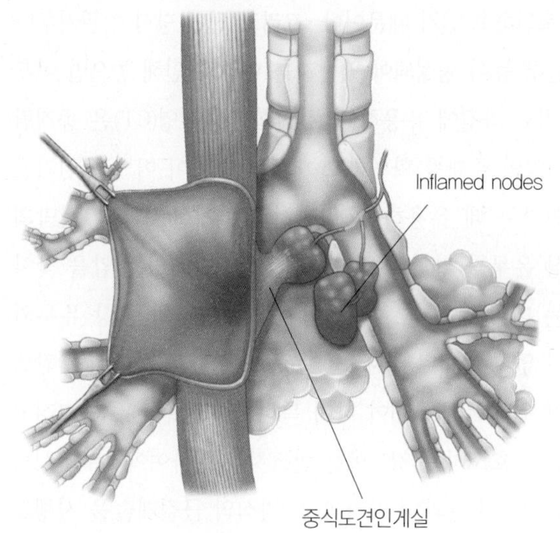

그림 1-15 중식도게실

여한다고 생각하고 있다. 그러므로 중식도게실의 경우 종격림프절염에 의한 식도외벽과 림프절 간의 유착이 게실의 생성 초기 단계에 중요한 역할을 하나 이후 게실의 크기가 더 커지고 악화되는 데에는 내재된 일차적인 식도의 운동성 질환이 더 중요한 역할을 한다고 할 수 있다.

(1) **증상 및 진단**

대부분의 중식도게실은 무증상이며 다른 질환을 진단하기 위한 검사 중 우연히 발견되는 경우가 많다. 증상으로 연하곤란dysphagia, 흉통 그리고 역류가 나타날 수 있는데 이런 증상들은 게실 자체에 의해서 발생하는 증상이라기보다는 내재하는 일차적 운동성 질환에 의해 발생하는 것이라고 할 수 있다. 만성적인 기침을 호소하는 환자들의 경우에는 기관지식도루bronchoesophageal fistula의 발생을 의심해 보아야 한다. 드물게 각혈이 발생할 수도 있는데 이것은 림프절의 염증이 주변의 주요 혈관과 기관지로 파급되어서 발생하게 된다. 이럴 경우 게실은 부차적인 문제가 될 수밖에 없다.

진단은 바륨식도조영술로 가능하며 측면영상을 통해 식도의 좌 혹은 우 어느 방향으로 게실이 돌출했는지를 알 수 있다. 중식도게실은 특징적으로 식도의 오른쪽으로 돌출하는데 이는 중흉부에 중요한 구조물들이 왼쪽에 많

이 포진하고 있기 때문이다. 그리고 진단 당시 기관지루나 혈관루 등이 형성되어 있는지를 미리 확인해 놓으면 이후의 치료 과정에 유용하다. 전산화단층촬영(CT)은 종격림프절염의 존재를 확인하고 게실의 방향이 어느 쪽인지를 확인하는 데 유용하다. 위내시경은 게실 내부의 점막의 이상 유무를 확인하여 게실 내부에 숨어 있는 암을 찾아내는 데 유용하다. 식도내압검사는 환자의 증상 유무와 상관 없이 내재된 일차적인 운동성 질환을 찾아내고 감별하기 위해 시행하여야 하며 특히 연하곤란, 흉통 그리고 역류를 호소하는 경우에는 반드시 시행하여야 한다. 식도내압검사의 결과에 따라 어떤 방식의 근절개술을 시행할지를 결정하여야 한다.

(2) **치료**

중식도게실의 치료 방향을 설정함에 있어서 그 발생 원인을 파악하는 것은 매우 중요한 일이다. 결핵성 종격림프절염이나 히스토플라스마증을 앓고 있는 환자에서 증상이 없는 경우에는 우선 항결핵제제나 항진균제를 사용하여야 한다. 만약 게실의 크기가 2cm 미만인 경우는 관찰할 수 있으나 증상이 발생하게 되거나 혹은 크기가 2cm을 넘어갈 때에는 수술적 치료를 고려해야 한다. 일반적으로 중식도게실은 횡격막상부게실과 마찬가지로 넓은 경부를 가지고 있으며 척추와 가까이 있는 경우가 많다. 그러므로 게실의 크기가 크지 않은 경우에는 굳이 절제할 필요 없이 흉부 척추옆근막에 고정술을 시행해도 무방하다. 그리고 식도근절개술은 횡격막상부게실에서와 유사한 방법으로 시행한다.

2. 식도의 운동성질환

식도의 운동성질환은 식도의 운동저하hypomotility부터 과운동성hypermotility까지 중간형을 포함하여 다양한 스펙트럼으로 존재한다. 식도의 운동성질환은 다시 1차적인 운동성질환primary motor disorder과 2차적인 운동성질환secondary motor disorder의 두 가지 범주로 나눌 수 있다. 대부분의 식도 운동성질환은 식도이완불능증, DES, 호두까기식도nutcracker esophagus, 고압성하부식도괄약근hypertensive LES 그리고 비효과적식도운동장애Ineffective Esophageal Motility disorder (IEM)의 다섯 가지 일차적인 운동성질환으로 분류할 수 있다(표 1-2). 2차적인 식도의 운동성질환은 콜라겐혈관병collagen vascular disease과 신경근질환neuromuscular disease 등의 다른 전신적인 질환의 진행으로 인해 나타나는 질환들로 대부분 NEM의 형태로 발현된다. 1차적인 운동성질환과 2차적인 운동성질환은 비록 그 발생 원인은 다르지만 비슷한 증상으로 나타날 수 있으므로 진단 단계와 치료를 계획하는 단계에서 세심한 주의를 요한다.

1) 식도 체부의 운동성질환에 대한 긴 식도근절개술

부분적 혹은 전반적인 동시다발적 파형simultaneous waveform을 특징으로 하는 여러 가지 식도의 운동장애들에 의해 유발되는 연하곤란이 있을 때에는 긴 식도근절개술을 시행하여야 한다. 이런 질환들에는 DES, 부분적식도연축segmental esophageal spasm, 제 3형 식도이완불능증vigorous achalasia 그리고 중식도게실이나 횡격막상부식도게실을 동반한 NEM 등이 있다. 그러나 수술적 치료를 결정함에 있어서는 환자의 증상, 식사, 생활유형의 변화에 의한 적응 정도, 영양상태 등을 잘 고려하여 균형 잡힌 판단을 내려야 하며 이러한 판단 기준들 중에서 가장 중요한 부분은 환자의 연하장애의 개선 가능성이다. 환자가 흉통만을 주증상으로 호소할 때에는 수술을 해서는 안된다.

연하곤란과 흉통을 호소하는 환자들 중 과연 누가 식도근절개술에 효과가 있을지를 구분하는 것은 쉽지가 않다. 보행성운동검사ambulatory motility test검사 상에서 식사 중의 "효과적인 수축"(수축의 진폭이 30mmHg를 상회하는 수축으로 이루어진 연동파를 보일 때)의 빈도가 50% 미만일 때 연하곤란이 발생한다. 그러므로 식도의 수축진폭contraction amplitude이 증가하거나 비효과적인 수축ineffective contraction 혹은 동시다발적 파형이 개선될 때 연하곤란 증상의 호전을 기대할 수 있다. 위장운동촉진제pro-

표 1-2. 일차적 그리고 비특이적 식도운동성질환 환자들의 식도내압검사 결과의 특징

	정상인	식도이완 불능증	제3형식도 이완 불능증 (vigorous)	고압성하부식 도괄약근	광범위식도 연축	호두까기식도	비효과적 식도운동	비특이적식도 운동장애
증상	없음	연하곤란 가슴 압박감 역류	연하곤란 흉통	연하곤란	흉통 연하곤란	흉통 연하곤란	연하곤란 가슴쓰림 흉통	연하곤란 흉통
식도조영술	정상	Bird's beak 식도확장	비정상	원위부 폐색	코르크따개	정상적인 진행성 수축	느린 통과 불완전 배출	느린 통과 불완전 배출
내시경	정상	식도 확장	정상	정상	과운동성	과운동성	비특이적	비특이적
LES 압력	15-25mmHg	고압성 (>26mmHg)	정상 혹은 고압성	고압성 (>26mmHg)	정상 혹은 약간 상승	정상	정상 혹은 저압성	정상
LES 이완	연하 시 관찰됨	불완전 잔류압력 (>5mmHg)	부분적 혹은 없음	정상	정상	정상	정상	불완전(>90%) 잔류압력 (>5mmHg)
식도체부 수축 압력	50-120mmHg	감소 (<40mmHg)	정상	정상	정상	고압성 (>180mmHg) (>400mmHg)	감소 (<30mmHg)	감소 (<35mmHg)
식도체부 수축파	진행성	동시다발적 거울상	동시다발적 반복적	정상	동시다발적 반복적	긴 지속시간 (>6초)	비전도 (>30%)	비전도(>20%) 3중파, 후향적 지연성(>6초)
식도체부 연동운동	정상	없음	없음	정상	없음	고압성 연동운동	비정상	비정상

kinetic agent는 식도의 수축진폭을 증가시킬 수는 있으나 동시다발적 파형을 변경할 수는 없다. 그러므로 환자들 중 동시다발적 파형의 빈도가 너무 높아서 효과적인 식도의 연동운동을 할 수 없는 환자들의 경우에 위장운동촉진제는 별다른 효과가 없다. 이런 환자들에게 식도근절개술을 시행하게 되면 동시다발적 파형이 소실되면서 연하곤란 증상의 개선을 유발할 수 있다. 물론 근절개술이 시행된 부위에서는 정상적이 연동수축 파형도 함께 소실되어 연동운동의 장애를 초래할 것으로 예상되기도 하지만 연동수축이 있으면서 과도한 동시다발적 파형이 함께 있는 상황보다는 음식물의 연하에 훨씬 더 유리한 조건이 창출되어 증상이 개선되는 것이다. 이런 현상은 보행운동검사에서 식사 중의 효과적인 수축이 전체의 30% 미만으로 떨어질 때 나타날 수 있으며 결국 이런 환자들이 식도근절개술에 좋은 반응을 보일 가능성이 높다고 할 수 있다.

수술이 결정된 환자의 경우에는 수술 전에 반드시 고해상도식도내압검사high-resolution esophageal manometry를 시행하여 근절개술의 위쪽 어느 부분까지 시행할 지 그 범위를 결정해야 한다. 대부분의 외과의들은 식도의 출구저항outflow resistance을 감소시키기 위해 아래쪽으로는 근절개술을 LES 하방까지 시행한다. 이렇게 되면 수술 후 GERD의 발생을 예방하기 위해 항역류술식antireflux procedure이 필요하게 되는데 이 때 대부분의 외과의들은 근절개술을 시행하여 식도배출능esophageal empting이 저하되어 있으므로 수술 후 식도의 출구 폐쇄를 우려하여 전위저부주름술total fundoplication 대신 부분위저부주름술 partial fundoplication을 선호한다. 만약 환자가 수술 전에 역류증상을 호소한다면 식도산도검사pH monitoring를 시행하여서 GERD의 존재 유무를 확인하여야 한다.

2) 식도이완불능증

Achalasia의 원래 뜻은 "이완 실패"로 괄약근이 이완기에도 여전히 긴장을 유지하고 있는 상태를 말하는데 이 질환이 식도의 여러 가지 운동성 질환들 중 가장 연구가 많이 되어 있는 질환이다. 이 질환의 유병률은 6/100,000명 이고 주로 젊은 여자, 중년의 남자 그리고 여자 같은 남자에서 흔히 발생한다. 원인은 불명이거나 감염에 의한 신경 퇴행으로 추정되고 있다. 심각한 정서적 스트레스, 외상, 급격한 체중감소 그리고 Chagas씨 질환(*Trypanosoma cruzi*에 의한 기생충 감염 질환) 등도 원인으로 거론되고 있다. 그 원인이 무엇이건 간에 식도의 근육과 LES가 이환된다. 가장 유력한 가설은 LES를 지배하는 신경의 파괴가 일차적인 원인이며 식도체부의 근신경계의 퇴행은 이차적인 원인이 된다. 이러한 퇴행성 변화는 LES의 고압적인 변화를 유발하며 인두 연하에 대한 반응으로 나타나야 할 LES의 이완이 저해되어 식도의 내압이 상승하고 식도확장이 발생하며 그 결과로 점진적으로 연동수축이 상실된다. 연하곤란을 호소하는 환자들 중 일부에서는 제 3형 식도이완불능증vigorous achalasia이 진단되기도 하는데 이 때 전형적인 식도이완불능증에서처럼 LES의 압력은 높고 이완이 되지 않지만 식도 체부의 수축은 전형적인 식도이완불능증과는 다르게 있기는 하나 동시다발적 파형을 보여 효과적인 연동수축이 일어나지 않으며 연하에 대한 반응으로 나타나는 식도체부의 수축의 진폭은 전형적인 식도이완불능증 보다 더 높게 나타난다. 이런 현상은 식도이완불능증의 발생 초기에 나타나는 현상으로 추정되고 있어서 질환이 진행됨에 따라 식도체부의 수축이 점진적으로 감소할 것으로 생각된다.

식도이완불능증은 식도암 발생의 전구병변으로 생각되고 있는데 20년 동안 이 질환을 앓을 경우 식도암 발생확률이 8%에 이르는 것으로 알려져 있다. 가장 흔하게 발생하는 암은 편평상피암이나 선암이 발생하기도 한다. 이것은 식도내부에 음식물이 장기간 저류됨으로 인해 식도점막에 자극을 주어 화생metaplasia을 유발하는 것으로 알려져 있다. 그러나 식도이완불능증 환자들의 향후 암발생 감시프로그램에 대해서는 아직 정해진 바가 없다.

(1) **증상 및 진단**

전통적인 증상 3가지는 연하곤란, 역류 그리고 체중감소이다. 그러나 가슴쓰림heartburn, 식후 기도폐색, 야간 기침 등도 흔히 관찰된다. 연하곤란은 유동식에서 시작하여 서서히 고형식으로 진행된다. 모든 환자들이 먹는 행위 자체를 굉장히 신경 써서 해야 하는 힘든 노동으로 간주한다. 환자들은 식사를 굉장히 천천히 하는 편이며 식사 중에 음식물을 위로 쓸어 내리기 위해 중간중간 물을 많이 마신다. 마신 물이 식도 내에 쌓이면서 식도 내압이 상승하게 되면 흉통을 점점 더 심하게 느끼게 되며 LES가 열리고 나면 흉통은 씻은 듯이 사라진다. 소화되지 않은 음식물의 역류나 음식물 썩는 냄새를 흔히 맡게 되고 병이 더 진행하면 생명을 위협할 수 있는 흡인성 폐렴이 발생하기도 한다. 폐렴, 폐농양 그리고 기관지확장증 등이 오래된 식도이완불능증 환자들에게 발생할 수 있다. 연하곤란증은 대개 수 년에 걸쳐서 악화되기 때문에 환자들은 수 년에 걸쳐서 이 질환에 의해 동반되는 여러 가지 불편한 증상들을 생활방식을 변경하여 적응한다. 그렇게 때문에 많은 환자들이 질환이 이미 많이 진행된 상태에서 병원을 찾는 경우가 많다.

식도이완불능증의 진단은 식도조영술과 식도내압검사에 의해 이루어진다. 검사 소견은 질환의 진행 정도에 따라서 다양하게 나타날 수 있다. 식도조영술에서는 확장된 식도와 함께 LES 부분에서 bird's beak sign이라고 불리우는 협착이 발견된다(그림 1-16). LES의 경련과 지연 배출 등과 함께 식도 체부의 확장이 관찰되며 식도체부의 연동파가 관찰되지 않고 LES가 이완되지 않음을 검사를 통해 확인할 수 있다. 선 자세에서 시행한 식도 조영술 검사에서 위 내부의 공기음영을 관찰할 수 없는데 LES를 통해 위로 공기가 들어가지 못하기 때문이다. 더 진행된 상태에서는 심한 식도확장과 비틀림 그리고 구불결장형식도(혹은 거대식도)를 관찰할 수 있다(그림 1-17).

식도내압검사는 식도이완불능증의 진단에 있어서 가장 중요한 검사이며 다른 운동성 질환들과의 감별진단에 유용하다. 전형적인 식도이완불능증에서 식도내압검사는

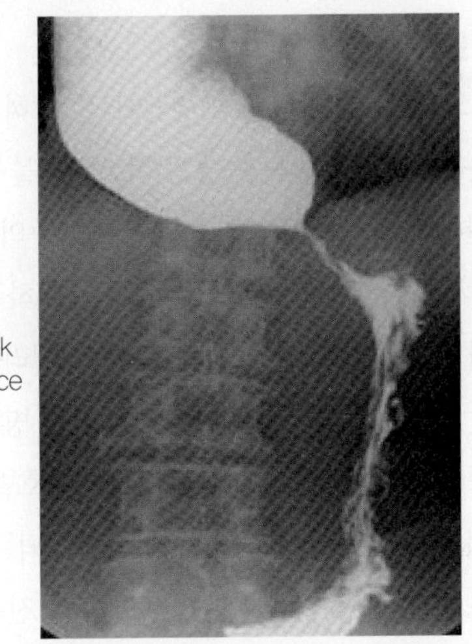

그림 1-16 식도이완불능증 환자의 식도조영술 소견. 식도조영술에서 위식도경계부에 전형적인 bird's beak appearance가 관찰된다.

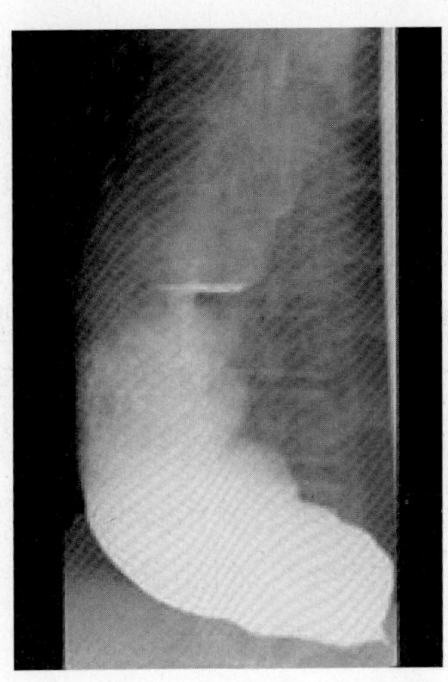

그림 1-17 말기 식도이완불능증환자의 식도조영술 소견. 식도조영술에서 구불결장형의 거대식도를 관찰할 수 있다.

5가지의 전형적인 소견을 보이는데 2가지는 LES의 이상소견이고 나머지 3가지는 식도 체부의 이상소견이다. LES의 압력은 보통 35mmHg로 고압성이나 좀 더 중요한 소견은 연하에 대한 반응으로 나타나야 할 LES의 이완이 소실된다. 식도 체부의 압력은 기저선baseline보다 높아져 있으며 동시다발적인 수축만 관찰되며 순차적으로 진행되는 연동운동은 관찰되지 않는다. 그리고 근긴장도의 소실을 시사하는 낮은 진폭의 파형만 관찰된다. 식도내압검사에서 이 5가지 소견이 관찰되면 식도이완불능증이라고 진단할 수 있다. 위내시경검사는 식도염이나 식도암 등 점막의 이상소견 유무를 관찰하기 위해 시행하는데 식도이완불능증의 진단을 위한 검사는 아니다.

(2) **치료**

식도이완불능증의 치료에는 수술적인 방법과 비수술적인 방법이 있는데 이들 모두는 LES에 의해 발생하는 식도폐색을 해소하기 위한 방법들이다. 그러나 어떤 방법도 식도 체부의 운동감소를 해결할 수는 없기 때문에 본질적으로 모두 완화요법palliative treatment에 속한다. 비수술적인 치료방법에는 약물요법과 내시경적 중재시술이 있으나 치료 효과는 대개 일시적이어서 평생 지속되는 만성적인 질환인 식도이완불능증에 대한 효과적인 해결책이 될 수는 없다. 질환의 초기 단계에서는 니트로글리세린, 질산염nitrate 그리고 칼슘통로차단제의 설하정이 식사 전후의 가슴통증을 완화시켜줄 수 있다. 54Fr까지의 부지확장술Bougie dilatation은 수개월간의 증상완화를 유도할 수는 있으나 지속적인 증상 완화를 위해서는 계속 반복해야 한다. LES에 대한 보톡스주사는 평활근 수축을 억제하여 LES를 효과적으로 이완시킬 수 있는데 반복적으로 시행하면 수년에 걸쳐서 증상 완화를 기대할 수 있으나 6개월 이내에 3개월 이상의 기간에서 증상이 재발한다. 내시경적 풍선확장술은 60%의 환자에서 증상 완화를 기대할 수 있으나 4%의 식도 천공의 위험성이 있으며 식도 천공은 건강상태가 양호하지 않은 환자에서는 생명을 위협할 수 있기 때문에 이런 환자에서는 신중을 기해야 한다. 식도분문근절개술esophagocardiomyotomy은 풍선확장술에 비해 훨씬 효과적이고 안전하다. 최근의 수술 술기는 1913년 Heller에 의해 소개되었던 개복술에 의한 근절개술에서 많이 변형되었다. 이 변형된 복강경하 Heller씨 근절개술이 현재의 일차선택수술operation of choice이다. 이 수술에서 항역류수술을 해야 하는 가에 대해서는 아직 이견이 있다. 이 수술을 시행 받은 대부분의 환자들에서 수술 후 일정 정도의 역류증상이 나타난다. Toupet나 Dor 위저부주름술 같은 부분위저부주름술을 시행함으로써 역류에 대한 장벽을 형성하여 수술 후 GERD의 발생을 예방할 수 있다. 이것은 특히 식도청소능이 심하게 떨어져 있는 환자들에서 굉장히 중요하다. 거대식도나 구불결장 형식도, 2회 이상의 근절개술에서 증상이 호전되지 않은 경우, 역류에 의한 협착이 발생하여 풍성확장술이 되지 않는 경우의 환자에서 증상히 여전히 있는 경우에는 식도절제술도 고려해 보아야 한다. 반복적인 근절개술을 시행받은 환자들의 60% 미만에서 수술이 효과가 있으며 이럴 때 역류에 의한 협착을 치료하기 위해 항역류수술을 시행했다면 예후는 더욱 나쁘다. 이런 상황에서의 식도절제술은 환자의 증상을 호전시킬 뿐만 아니라 향후 식도암 발생의 위험요인도 함께 제거할 수 있다. 미주신경을 보존하거나 혹은 하지 않는 경열공식도절제술transhiatal esophagectomy의 장기적인 치료효과는 우수하다.

(3) 결과

식도이완불능증에 대한 약물치료, 중재시술, 그리고 수술의 치료 결과를 보면 수술이 이 질환의 치료에 가장 효과적인 방법임을 알 수 있다. 풍선확장술과 보톡스주사를 비교하면 1년 증상완화율이 각각 89%, 38%이다. 풍선확장술과 수술간의 비교연구에서는 천공 발생률이 각각 4%, 1%이고 사망률은 0.5%, 0.2%이다. 환자들이 치료 후 치료결과가 탁월하다고 생각한 경우는 풍선확장술이 60%, 수술이 85%이다. 개복 근절개술과 복강경하 근절개술을 비교한 연구들에서는 모두 복강경 수술의 결과가 더 우월함을 증명하였다. 복강경 수술에서는 짧은 재원기간, 적은 통증 그리고 탁월한 연하곤란의 개선 효과를 보였다. 게다가 복강경하 근절개술은 보톡스주사나 내시경 확장술을 시행한 후나 거대식도에서도 좋은 효과를 보였다. 물론 대부분의 환자들이 초기 식도이완불능증 상태에서 내원하기는 하나 아직도 많지는 않지만 말기 식도이완불능증 상태에서 내원하는 환자들이 있다. 이런 환자들에서는 복강경하 근절개술이 그다지 효과가 없다.

3) 광범위식도연축

광범위식도연축(DES)는 아직 원인이 잘 밝혀지지 않은 식도의 과운동성 질환이다. 증상은 식도이완불능증과 유사하게 발현하나 발생빈도는 식도이완불능증의 1/5이다. 주로 여성에서 흔하며 여러 가지 증상을 호소하는 불평적인 환자에서 종종 발견된다. 신경근육학적 생리에 근거한 병의 원인은 아직도 명확하지 않다. 기본적인 병리는 식도체부의 운동장애이며 식도의 하부 2/3에서 호발한다. 식도 근육층의 비대와 미주신경의 퇴행이 관찰되는데 그 결과로 식도에 반복적, 동시다발적 그리고 높은 진폭의 수축이 발생한다.

(1) 증상 및 진단

DES의 전형적인 증상은 흉통과 연하곤란인데 주로 식사할 때나 운동을 할 때에 유발되어 협심증과 유사하다. 환자들은 쥐어짜는 듯한 흉통과 턱, 팔, 위쪽 등으로 방사통증radiating pain을 호소한다. 증상은 주로 정서적인 스트레스가 심할 때 확연히 나타난다. 식도의 내용물과 침의 역류가 발생하나 위산역류는 발생하지 않는다. 그러나 위산역류는 찬 음료와 마찬가지로 증상을 악화시킨다. 과민성장증후군, 유문연축pyloric spasm과 같은 다른 기능성 위장관질환과 같이 나타날 수 있으며 담석증, 소화성궤양 그리고 췌장염 등은 DES를 유발할 수 있다.

진단은 식도조영술과 식도내압검사를 통해서 이루어진다. 식도조영술에서 코르크따개 식도corkscrew esophagus 위게실증pseudodiverticulosis 등의 소견이 있을 때 이것은 삼차수축에 의한 것이고 이러한 소견이 관찰되면 병이 상당히 진행되었음을 시사한다(그림 1-18). 전형적인 식도내압검사 소견은 높은 진폭(>120mmHg)과 긴 지속시간(>2.5초)을 특징으로 하는 동시다발적 멀티 피크 수축이다(그림 1-19). 이러한 불규칙한 수축이 물을 삼켰을 때 10% 이상에서 관찰된다. DES의 진단에서는 환자들에게서 간헐적으로 나타나는 정상적인 연동운동 때문에 일반적인 식도내압검사로는 진단이 잘 안될 수도 있다. 보행성운동측정기ambulatory motility record를 이용하면 진단의 민간도

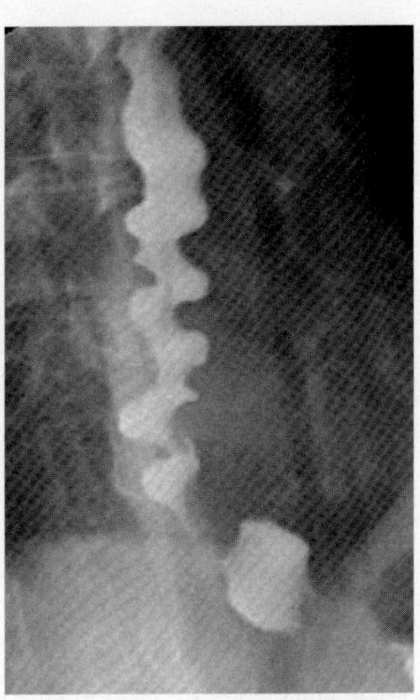

그림 1-18 광범위식도연축 환자의 식도조영술 소견. 식도조영술에서 전형적인 코르크따개 식도를 관찰할 수 있다.

가 90%, 특이도가 100%에 이른다. 환자의 증상과 연관된 연축spasm이 미주신경작동성 약물vagomimetic인 bethnechol의 투여 이후 보행성운동측정기에서 관찰되면 이 질환을 확진 할 수 있다.

(2) **치료**

DES의 치료는 상당히 어렵다. 최근에는 주로 약물치료나 내시경중재시술 등의 비수술적 치료방법이 선호되고 있다. 수술적 치료방법은 약물치료에 반응하지 않는 심한 재발성 흉통이나 연하곤란을 가진 환자들에게 국한되어 이용되고 있다. 모든 환자들은 우울증, 정신신체질환psychosomatic disorder, 불안장애 등의 정신과적 검사를 시행하여 정신과적인 문제가 없고 흉통이 식도에서 기원하고 간헐적으로 치료에 의해 호전됨을 확인하여야 한다. 만약 연하곤란이 주된 증상이면 치료의 첫 단계는 연하곤란을 유발하는 모든 음식이나 음료를 제한해야 하며 역류가 유발인자라면 위산분비억제제를 투여하는 것이 도움이 된다. 질산염, 칼슘통로차단제, 진정제 그리고 항콜린작용제 등이 일부에서 효과가 있으나 이러한 약물들의 상대적인 효능은 아직 정확하게 밝혀지지 않았다. 페퍼민트도 일시적인 증상의 호전을 가져올 수 있다. 50이나 60Fr의 부지확장술을 시행하면 심한 연하곤란증의 70–80%가 호전된다. 보톡스주사도 치료에 이용되고 있지만 그 효능은 확실하지 않다.

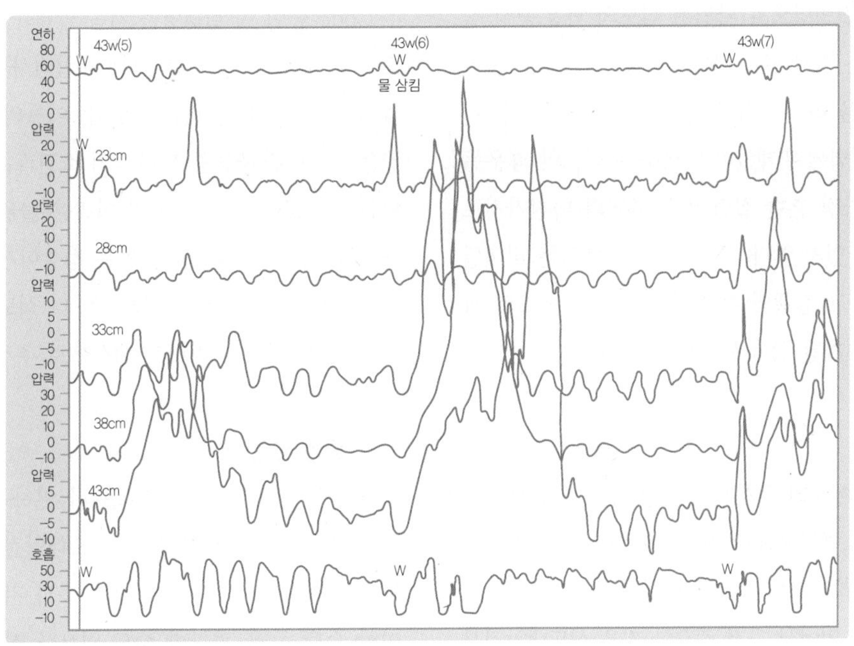

그림 1-19 광범위식도연축의 식도내압검사 소견

수술은 흉통이나 연하곤란이 일상생활을 저해할 정도로 심한 환자에서 약물치료나 내시경중재시술에 실패했을 경우나 흉부 식도에 내압확장게실pulsion diverticulum이 있을 때 시행한다. 좌개흉술이나 좌흉강경을 이용한 긴 식도근절개술을 시행하는데 근절개술의 범위를 결정하기 위해서는 식도내압검사가 상당히 유용하다. 어떤 외과의들은 근절개술을 가슴입구thoracic inlet까지 시행해야 한다고 주장하나 대다수의 외과의들은 식도내압검사에서 이상운동을 보이는 부분 전체에 대해서만 근절개술을 시행해도 충분하다고 생각한다. 근절개술의 아래쪽 경계를 어디까지 할 것인가에 대해서는 이견이 있어서 혹자는 LES를 지나 위 분문부 상부까지 근절개술을 시행해야 한다고 주장하는 반면에 다른 일부에서는 LES까지만 시행해도 된다고 주장한다. 근절개술 후에는 Dor 위저부주름술을 시행하여 근절개술 부위를 보호하고 역류를 예방한다. DES에 대한 긴 식도근절개술의 결과는 일관되지는 않지만 대개 80% 정도의 증상의 호전을 기대할 수 있다.

4) 호두까기식도

호두까기식도nutcracker esophagus는 1970년대 후반에 하나의 독립적인 질병명으로 확립된 식도의 과운동성 질환이다. 이 질환은 과거에는 고압성 연동운동 혹은 높은 진폭의 연동수축을 하는 식도질환이라고 불리어왔다. 이 질환은 연령대, 성별에 관계없이 발병하는 식도의 과운동성 질환 중에서 가장 흔한 질환이나 DES와 마찬가지로 원인은 잘 밝혀져 있지 않다. 호두까기식도에서는 비대된 식도근육에 의해 고 진폭의 수축이 나타나고 식도의 과운동성 질환들 중 가장 심한 통증이 유발된다.

(1) 증상 및 진단

환자들은 DES에서와 유사하게 심한 흉통과 연하곤란을 주로 호소한다. 연하통odynophagia도 호소하나 역류증상은 흔치 않다. 식도조영술에서는 별다른 소견이 없을 수도 있다. 진단에 있어서 가장 중요한 것은 식도내압검사에서 흉통과 동시에 나타나는 정상 진폭보다 표준편차 2배 이상 높은 진폭의 수축을 확인하는 것인데 보통 400mmHg 이상의 진폭을 흔히 관찰할 수 있다(그림 1-20). LES의 압력은 보통 정상이고 연하에 대한 이완 반사도 정상이다. 보행성운동측정기를 이용하면 DES와 이 질환과의 감별이 가능하다. 이러한 감별진단이 매우 중요한데 그 이유는 호두까기식도에서 수술의 효과는 별로 확실하지 않지만 연하곤란이 있는 DES 환자의 일부에서는 식도근절개술로 호전될 수 있기 때문이다.

(2) 치료

호두까기식도에 대한 치료는 내과적인 치료를 한다. 칼슘통로차단제, 질산염 그리고 진경제 등을 사용하면 급성 연축 시기에 통증을 완화할 수 있다. 부지확장술은 증상이 심한 환자에서 일시적인 증상 완화를 유도할 수 있으나 그 효과가 장기적이지는 않다. 호두까기식도 환자는 증상유발인자를 가지고 있을 수 있는데 카페인, 차갑고 뜨거운 음식들이 증상유발인자일 수 있고 이런 경우에는 이를 피해야 한다.

5) 고압성하부식도괄약근

Code 등이 이 질병명을 처음 발표하였는데 연하곤란과 흉통을 호소하는 환자의 식도내압검사에서 LES 압력이 높아져 있을 때 진단할 수 있다. 이들의 식도내압검사 소견은 식도이완불능증 환자들의 소견과는 다른데 LES 압력은 정상보다 높고 LES의 이완은 불완전하지만 정상일 때도 있다. 식도 체부의 운동은 정상이거나 약간 증가되어 있다. 병인은 잘 밝혀져 있지 않으나 식도이완불능증의 발병 초기단계에서 나타나는 현상으로 추정되고 있다.

(1) 증상 및 진단

고압성 LES 환자는 흉통이나 연하곤란을 주소로 하며 역류증상은 흔하지 않다. 식도내압검사로 진단하며 식도조영술에서는 GEJ의 협착과 통과 지연 그리고 식도의 이상 수축 등을 관찰할 수도 있으나 질병 특이적인 소견은 아니다. 식도내압검사에서 LES의 압력은 상승되어 있

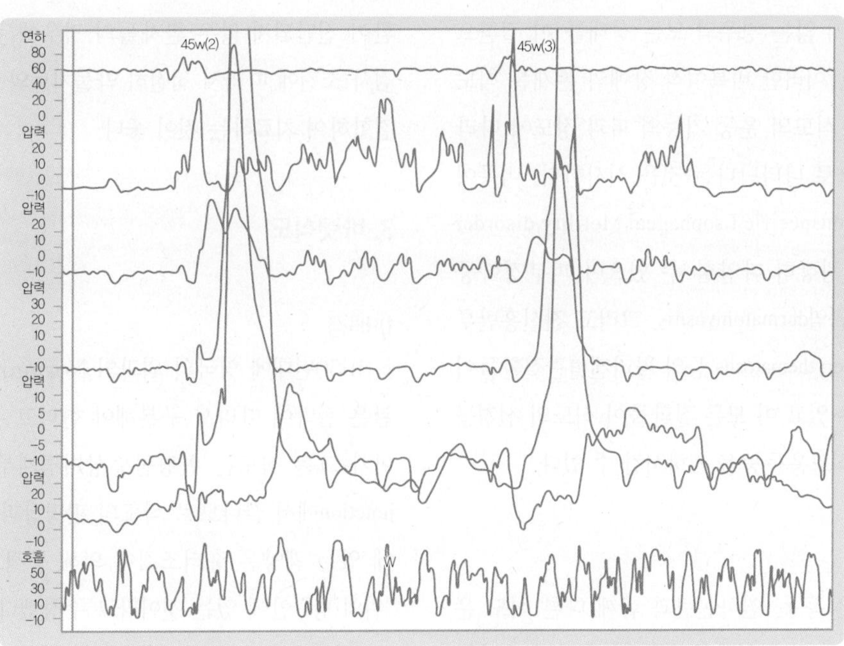

그림 1-20 **호두까기식도의 식도내압검사 소견**

으나(>26mmHg) 식도의 이완은 정상적이다. 식도 체부의 운동은 50% 이상에서 정상적이다. 식도 체부의 운동이 비정상적인 경우에는 고압성 연동운동이 관찰되거나 동시다발적인 파형이 관찰될 수도 있다.

(2) **치료**

고압성 LES의 치료 방법은 내시경중재시술과 수술이다. 보톡스주사는 일시적인 증상 호전을 기대할 수 있으며 내시경적 풍선확장술은 장기간에 걸친 증상 호전을 기대할 수 있다. 수술은 내시경중재시술이 실패했거나 증상이 아주 심한 환자에서 시행한다. 수술의 방법은 식도이완불능증에서와 같다.

6) 비효과적식도운동

비효과적식도운동Ineffective Esophageal Motility (IEM)은 2000년에 Castell에 의해 처음으로 명명된 질병명이다. 이 질환의 정의는 보통 GERD와 연관된 하부 식도의 수축장애이다. 이것의 원인은 위산에 과다노출 됨으로 인해 발생하는 식도 체부의 염증성 손상에 의한 이차적인 변화로 생각되고 있다. 식도 체부의 운동능력의 감소로 인해 하부 식도에서의 위산 청소능이 떨어지게 되는데 일단 운동능력의 감소가 시작되면 비가역적으로 된다.

(1) **증상**

IEM의 증상은 복합적으로 나타나는데 일반적으로 역류증상과 연하곤란이 함께 나타난다. 진단은 식도내압검사로 하며 물을 삼켰을 때 낮은 진폭의 수축(<30mmHg)과 아래로 전도되지 않는 수축이 30% 이상에서 나타나면 진단할 수 있다. 식도조영술은 IEM과 다른 운동성 질환을 감별하는 데 유용하지 않다.

(2) **치료**

IEM의 가장 좋은 치료 방법은 예방으로 GERD를 효과적으로 치료하는 것이다. 일단 식도체부의 운동능에 변형이 오면 비가역적으로 된다.

7) 비특이적식도운동장애

환자의 식도내압검사 소견이 위의 다섯 가지 식도의 운

동성 질환에 속하지 않는 경우의 모든 상태를 이 질환으로 정의할 수 있다. 이러한 비특이적 장애의 존재는 식도의 운동성 질환이 식도의 운동 기능의 파괴 정도에 따라 다양한 스펙트럼으로 나타난다는 것을 시사한다. 비특이적식도운동장애Nonspecific Esophageal Motility disorder (NEM)의 원인은 굉장히 다양할 수 있으며 피부경화증 scleroderma, 피부근염dermatomyositis, 그리고 전신홍반루프스systemic lupus erythematosus 등의 콜라겐혈관질환들이 NEM을 유발할 수 있고 이 모든 질환들이 식도의 신경근 구조를 침범하여 식도운동능을 저하시킬 수 있다.

(1) 증상 및 진단

NEM 환자들은 흉통, 연하곤란과 함께 다른 식도 운동성 질환 환자들에 비해 역류증상을 더 흔히 호소하는 경향이 있다. 진단은 식도조영술과 식도내압검사로 하는데 식도조영술은 다른 식도 질환과의 감별과 LES 및 식도 체부의 이상 수축을 진단하는 데 도움이 된다. 식도내압검사는 환자의 운동 이상의 성질을 판단하는데 굉장히 중요한 검사이다. LES는 정상이거나 고압성일 수 있으나 불완전한 이완(이완기 압력>5mmHg)이 관찰된다. 식도 체부의 수축은 아래에 제시되는 소견들 중 한 가지 이상 관찰된다. 비전도notransmission, 삼파형triple-peaked, 역전도retrograde transmission, 저 진폭(<35mmHg), 긴 지속시간(>6초). 식도의 여러 부위에서 연동운동의 단절도 흔히 관찰된다. 일부 환자에서는 내재된 콜라겐혈관질환을 시사하는 특징적인 파형이 나타나기도 한다. 피부경화증 환자에서는 식도이완불능증 환자의 식도 체부에서 흔히 관찰되는 낮은 진폭의 동시다발적인 수축이 관찰되나 LES는 정상이거나 압력이 떨어져 있다.

(2) 치료

NEM의 치료는 상당히 어려운데 그 이유는 진단 자체가 애매모호하기 때문이다. 콜라겐혈관질환이나 신경근질환을 가진 환자들은 원 질환에 대한 약물치료를 잘하면 식도의 운동능은 종종 호전되는 경우가 많다. 내재된 질환이 진단되지 않은 환자들의 경우에는 당시의 식도내압검사 소견에 따라서 적절히 약물치료와 내시경중재시술을 결합하여 치료하는 것이 좋다.

3. 바렛식도

1) 배경

1950년대에 영국의 외과의 Norman Barrett은 위장관은 점막에 따라서 구분해야 한다고 주장하였다. 더 나아가 그는 식도는 편평원주상피경계부squamocolumnar junction에서 끝나므로 식도의 편평상피 아래쪽 원주상피에 있는 궤양은 흉터조직에 의해 종격으로 끌려 올라온 "위의 낭" 안에 있는 것이라고 주장했다. 1953년에 Allison과 Johnstone은 이 "위의 낭"이 복막으로 덮혀있지 않고 정상적인 식도의 근육층과 전형적인 식도의 점액선 mucous gland을 가지고 있어서 위가 아니라 식도임을 주장하였다. Barrett은 이들의 주장을 받아들이게 되어 그의 원래 의견을 철회하였으나 식도 원위부 점막의 이러한 상태를 표현하는 명칭은 Allison과 Johnstone의 이름을 따지 않고 Barrett의 이름을 따서 바렛식도라고 불리게 되었다.

인체에는 변화하는 환경에 적응하기 위해 필요한 내부 변화를 유발하는 기전이 있다. 화생은 그 기전들 중의 하나로 목적론적으로 적대적인 환경으로부터 유약한 조직을 보호하는 기전으로 인식되어 왔다. 완전히 분화가 끝난 하나의 성체 세포가 다른 성체 세포로 대체되는 화생의 과정은 여러 장기에서 일어난다. 상피화생이 진행되는 대부분의 장기들에서는 중층편평상피가 염증이 있는 원주상피를 대체한다. 그 반면에 바렛식도에서는 장형원주상피가 원위부 식도에 있는 중층편평상피를 대체한다. 물론 이 화생 세포들이 위산 역류에 의한 손상에는 더 강할지 몰라도 암세포로 변할 확률은 더 높다. GERD 환자의 10%에서 바렛식도가 발생하고 바렛식도가 있는 환자들은 식도암 발생 확률이 40배가 더 높다. 바렛식도가 있는 환자 100명을 전향적으로 추적하면 1년에 1명의 식도선암환자가 발생하여 발생률은 1%/년 이다. 이것은 20-갑-년의 흡연력을 가진 환자가 폐암에 걸릴 확률과 비슷하다. 하부 식도가 역류와 연관된 적대적인 환경에 지속적으로 노출되게 되면 화생 세포는 세포전환을 통해 저도 그리고 고도 이형성으로 변하게 된다. 어떤 경우라도 그대로 방치하면 암세포로 변하게 된다. 아직 정확한 병리생리학적인 기전은 밝혀지지 않았지만 많은 연구자들은 일단 화생이 나타나면 위산뿐만 아니라 담즙을 포함한 역류에 관련된 다른 물질들이 이형성이 암으로 진행되는 과정을 촉진한다. 시험관 내 실험에서 담즙염은 모든 세포의 세포 및 분자단계의 변화를 일으키는 것이 증명되었다. 게다가 원위부 식도선암 환자들이 정상인들에 비해 위산분비억제제를 3배나 많이 복용하고 있음이 밝혀졌는데 향후 연구를 통해서 하부 식도의 장형화생에 위산과 담즙의 동시노출이 갖는 정확한 영향이 밝혀질 것으로 생각된다.

바렛식도의 발생원인들 중 다른 원인에 대한 연구들도 진행되어 왔는데 예를 들어 *Helicobacter pylori* 같은 감염성 질환은 바렛식도의 형성에 별다른 영향을 미치지 않는 것으로 알려져 있고 열공탈장의 유무는 GERD와 바렛식도의 발생에 깊은 영향을 미치는 것으로 알려져 있다. LES의 병태생리와 연관이 있는 것으로 알려진 인자들은 나이, 비만, 스트레스, 카페인 제품, 술, 담배 그리고 시고 기름지고 산성인 음식들이다. LES 무력증이 발생하면 GERD 증상이 발생한지 1년 이내에 식도염이 발생하지만 화생성 변화가 일어나기까지는 위산과 담즙에 대한 노출이 수년간 지속되어야 한다.

바렛식도는 모든 인종의 남녀에서 다 발생하지만 70% 이상이 55-63세의 남성에서 발생한다. 미국 흑인들에 비해서 백인에서 20배 많게 발생하고, 식도 선암에 걸릴 확률은 남자가 여자보다 15배 더 높지만 이 차이는 서구의 생활습관에서 남녀의 차이가 별로 없어짐에 따라서 점점 줄어들고 있는 추세이다. 아시아 문화권에서는 바렛식도와 연관이 있는 식도선암보다는 연관이 없는 식도편평상피암이 훨씬 더 많다. 이것은 바렛식도의 발병에 있어서 문화적인 생활습관의 차이가 중요한 역할을 한다는 것을 시사한다.

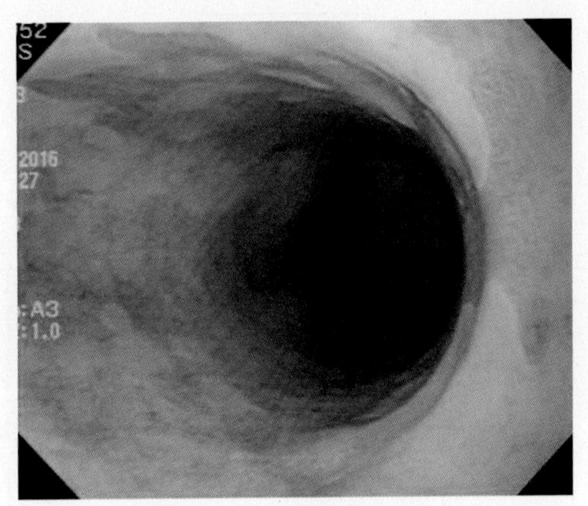

그림 1-21 바렛식도의 위내시경 소견

2) 증상 및 진단

원위부 식도에 장형화생을 가지고 있는 많은 환자들은 대개는 증상이 없다. 대부분의 환자들은 GERD 증상을 가지고 있는데 가슴쓰림, 위산역류, 입에서 쓴 맛 혹은 신맛, 과도한 트림 그리고 소화불량이 그 흔한 증상들이다. 반복적인 호흡기 감염, 성인 천식 그리고 두경부의 감염 등도 흔히 접할 수 있는 증상들이다. 바렛식도의 진단은 위내시경검사와 조직검사에 의해 이루어진다. 식도의 어느 부위에서라도 원주상피가 내시경적으로 관찰되고 조직검사에서 장형화생이 확인되면 바렛식도로 진단할 수 있다(그림 1-21). 대부분의 환자들은 GERD 때문에 시행하는 일상적인 위내시경 검사에서 바렛식도가 진단된다. 식도내압검사나 식도조영술은 식도에 다른 병적인 상태가 없는가를 파악하는 데는 유용하나 장형화생을 진단하는 데는 아무런 도움이 되지 않는다.

3) 치료

바렛식도의 병태생리학적인 기전이 명확히 밝혀지기 전까지는 바렛식도의 치료에는 이견이 있을 수 밖에 없다. 어쨌거나 몇 가지 제기되는 치료방법이 있는데 감시내시경 surveillance endoscopy, 항역류수술±감시내시경, 제거술 ablative therapy, 내시경적 점막절제술 그리고 식도절제술

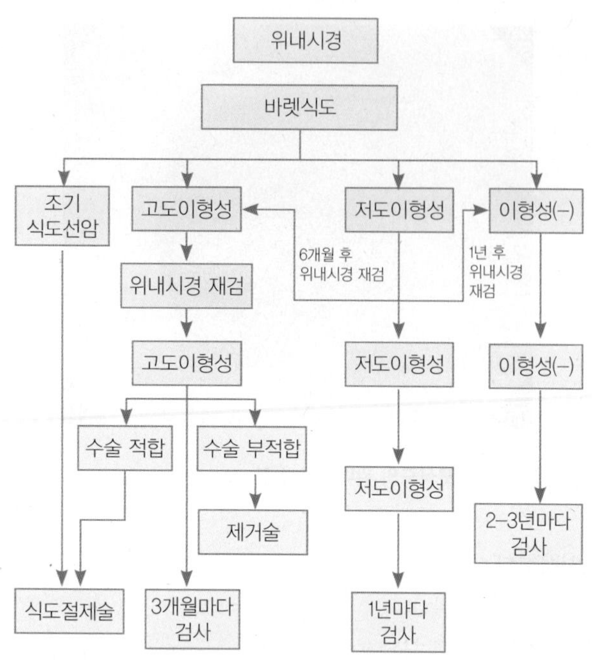

그림 1-22 바렛식도 환자에서 이형성의 등급에 따른 추적검사 알고리듬

등이다. 일반적으로 소화기내과 의사는 적극적인 감시내시경과 위산분비억제제를 강조하는 반면 외과의들은 항역류수술을 강조한다. 각각에는 어느 정도의 타당성이 있으므로 서로 잘 논의하여 좋은 치료 방향을 결정하여야 할 것이다.

바렛식도가 진단된 환자에선 바렛식도의 길이에 상관없이 최소한 연 1회의 감시내시경 검사가 필요하다. 미국소화기내과학회의 가이드라인에 따르면 2회의 연속 감시내시경에서 이형성이 없는 바렛식도 환자의 경우에는 추적 간격을 2–3년으로 늘일 수 있다(그림 1-22). 저도이형성을 가진 환자에서는 첫 해에는 6개월 간격으로 그리고 별다른 변화가 없다면 이후에는 1년 간격으로 감시내시경을 시행하여야 한다. 감시내시경을 시행 중인 환자들은 모두 위산분비억제제를 투여하여야 하고 역류증상에 변화가 있는지 관찰하여야 한다.

바렛식도 환자들에 있어서 항역류수술의 효용성에 대해서는 이견이 있다. 수술을 선호하는 쪽에서는 약물치료와 감시내시경이 환자의 증상을 호전시킬 수는 있으나 만성적인 역류를 일으켜 식도점막에 장형화생을 일으킨 LES의 기능적 장애는 치료할 수 없다고 주장한다. 수술은 LES의 위산에 대한 방어벽으로서의 기능을 복원시켜 준다. 항역류수술을 시행 받은 환자들 중 장형화생이 있었던 환자들의 57%가 정상점막으로 복원되었다는 보고가 있다.15 게다가 항역류수술은 저도이형성을 장형화생이나 바렛식도로 다시 돌아가는 것을 촉진한다. 수술을 반대하는 쪽에서는 위저부주름술을 시행하고 나면 적절한 감시내시경 검사가 힘들어져 내시경 검사에 잘 보이지 않는 숨어있는 바렛식도에서 암이 발생할 위험성이 크다고 주장한다.

바렛식도에 대한 제거술은 고도이형성을 가진 바렛식도 환자에서 현재 각광받고 있는 치료 방법 중의 하나이다. 광역학요법Photodynamic Therapy (PDT)은 제거술에서 현재 가장 많이 이용되고 있는 방법이다. 남아 있는 장형화생을 포함한 합병증 발생률이 50%에 달하고 식도협착도 34%에서 발생한다. 내시경적 점막절제술(EMR)은 저도이형성을 가진 바렛식도 환자에서의 치료와 고도이형성을 가진 바렛식도 환자에서 동반된 암을 진단하는 도구로써 각광받고 있다. 하지만 병변의 크기가 커지면 협착이 발생할 확률이 높아지기 때문에 장분절 바렛식도long-segment Barrett esophagus에서는 추천되지 않는다. EMR은 고도이형성이 있으나 식도절제술을 할 수 없는 환자나 국소적인 이형성을 동반한 바렛식도 환자에서 추천할 만한 치료방법이다.

식도절제술은 바렛식도 환자들 중 고도이형성이 있는 환자들에게만 추천된다. 수술로 절제한 조직의 조직검사 결과를 보면 고도이형성 내부에서 선암이 발견될 확률이 40%에 달한다. 그러므로 환자들의 수술 위험도를 따져서 별다른 위험성이 없다면 식도절제술을 시행하는 것이 좋으며 대부분의 환자에서 경열공 접근법을 이용한 식도아전절제술이 추천된다. 미세침습식도절제술과 미주신경보존식도절제술이 점차적으로 각광받고 있다. 식도를 일부 남기기 위한 가슴경유식도절제술transthoracic esophagectomy은 추천되지 않는다.

요약

과거에 식도게실은 식도의 운동 이상을 초래하는 일차적인 식도의 질환으로 간주되었으나 근래에는 UES나 LES의 장애나 다른 식도의 일차적인 운동성 질환의 결과로 발생하는 이차적인 질환으로 간주되고 있다. 가장 흔히 발생하는 곳은 인도식도 경계부위, 기관분지부 근처 그리고 횡격막 상부이다. 식도게실의 경우 무증상인 경우에는 경과 관찰할 수 있으나 증상이 있을 경우에는 수술적 치료의 대상이 되는데 증상은 주로 내재된 식도의 일차적인 운동성질환에 의해 발생하므로 진단 과정에서 반드시 식도내압검사를 시행하여 이 식도운동성질환의 존재 유무를 감별하는 것이 중요하다. 치료에 있어서도 게실절제술만으로는 불완전하고 내재된 식도의 운동성질환에 대한 적절한 식도근절개술을 함께 시행하여야만 한다.

식도의 일차적인 운동성질환은 식도이완불능증, 광범위식도연축, 호두까기식도, 고압성하부식도괄약근 그리고 비효과적식도운동장애 등이 있다. 식도 체부에 발생하는 운동성질환의 치료에는 긴식도근절개술이 필요하며 이 경우에는 수술 전에 가급적이면 고해상도식도내압검사를 시행하여 근절개의 범위를 사전에 결정하여야 한다. 일반적으로 근절개술 시에는 출구저항을 감소시키기 위해 LES를 근절개술에 포함시키는 경우가 많은데 이럴 경우에는 수술 후 GERD의 발생을 예방하기 위해 예방적인 항역류수술을 같이 시행한다.

GERD에서는 역류된 위산에 의한 위식도경계부의 반복적인 염증으로 식도의 중층편평상피가 원주상피로 대체되는 바렛식도가 발생하게 되는데 바렛식도에서 식도선암이 발생할 확률은 1%/년이다. 바렛식도의 치료로는 감시내시경, 항역류수술±감시내시경, 제거술, 내시경적 점막절제술 그리고 식도절제술 등이 제기되고 있다.

Ⅳ 식도의 양성종양 및 낭종

식도의 양성종양이나 낭종은 드문 질환으로 식도 종양의 1% 이내의 빈도를 보인다. 양성종양은 근육층 안에 생긴 경우와 식도 내강 측에 생긴 경우로 구분하며 평활근종(60%), 낭종(20%), 용종(5%) 등으로 구성된다. 벽 내 종양은 고형암이거나 낭종인데 이중 가장 많은 평활근종은 다양한 분할의 평활근과 섬유조직으로 구성되어 섬유종, 근종, 섬유근종, 지방근종 등을 이룬다. 내강 측 병변은 폴립 모양이거나 다리가 있는 모양으로 자란다. 이들 대부분은 혈류가 풍부하고 밀집도가 다양한 섬유조직으로 구성된 점액섬유종, 섬유종, 섬유지방종 등이 있다. 이들 여러 종류의 종양에 대하여 집학적으로 섬유혈관성 용종 또는 단순히 용종이라고 부른다. 다리가 있는 내강 측 종양은 반드시 절제해야 하는데 그리 크지 않으면 올가미를 이용한 내시경적 절제가 가능하다.

1. 평활근종

식도 양성종양의 약 60%를 차지한다. 평균 발생 연령은 38세이며 남자가 여자보다 2배 더 많다. 발생학적으로 중간엽mesenchymal의 평활근에서 기원하며 80-90%는 식도의 하부 2/3에 위치한다. 대부분은 단독이나 가끔 복수로도 생긴다. 크기와 모양이 다양한데 전형적인 것은 타원형으로 생겼고 자라나면서 식도 벽 안에 머물러 있던가 아니면 벽 외측으로 돌출한다. 이를 덮고 있는 점막은 잘 움직이며 정상적인 모습을 유지한다. 최근 들어 이들은 위장관기질종양으로 분류되고 있는데 위장관기질종양은 위장관에 생기는 가장 흔한 중간엽종양이며 대부분 c-KIT 암유전자의 돌연변이에 의해 발생한다. 연하곤란과 통증이 가장 흔한 증상인데 이들은 아주 작은 크기의 종양에서도 나타날 수 있다. 종양과 직접 관련되어 발생하는 출혈은 드물고 만약 토혈이나 혈변이 있다면 다른 원인을 찾아보아야 한다. 진단법으로 바륨식도조영술이 가장 좋은데 측면에서 보면 매끄럽고 반달모양이거나 초승달 모양의 충만결손이 연하운동에 따라 움직이고 주위와 잘 구분되며 정상점막에 둘러싸인 특징적인 모습을 볼 수 있다. 내시경으로 보면 점막은 정상이지만 바깥쪽에 밀고 있는 종괴를 볼 수 있다. 내강 내로 돌출한 자유로이 움직이는 종괴에 대해서는 조직검사를 하면 안 되는데 그 이유는 외과적 적출술enucleation의 과정에서 점막의 천공 위험성이 높아지기 때문이다. 성장이 느리고 악성변성의 잠재력이 제한적이어서 2cm 이하의 작은 크기이면서 증상이 없는 경우나 다른 심각한 동발질환을 앓고 있는 경우에는 그냥 관찰할 수도 있으나 가급적이면 평활근종은 제거하는 것이 좋다. 이들 대부분은 단순 적출술로 제거가 되는데 제거하는 과정에서 부주의로 점막에 손상을 가하게 되면 그 결손부위는 일차적으로 봉합할 수 있다. 종양의 제거 후 식도 벽의 외측은 근육층을 봉합하여 재건시켜야 한다. 병소가 식도의 근위부 및 중간부에 위치한 경우에는 우측 개흉술 혹은 흉강경이, 원위부에 위치한 경우에는 좌측 개흉술 혹은 흉강경이 가능하다. 적출술과 연관된 합병증 발생률은 5% 이하로 부주의에 의한 점막 손상과 폐렴 등이 포함되며 사망률은 2% 이하인데 연하곤란의 호전은 거의 100%에서 가능하다. 종양의 크기가 크거나 GEJ에 가까이 위치한 경우 식도절제술이 필요한 경우도 있다.

2. 식도 낭종

식도의 양성종양 중 약 20%를 차지하는데 선천성이거나 후천성으로도 발생한다. 선천성 낭종의 발생학적인 혼동 때문에 그 이름이 장관낭종, 기관지낭종 또는 종격낭종이라 불려지며 식도 벽 내부에서 발생하여 시간이 지나면서 그 안에 점액이 채워져서 크기가 커진다. 선천성 낭종은 생후 1년 이내에 나타나며 식도의 상부 1/3에 주로 위치한다. 후천적 낭종은 대부분 식도선의 배출관이 막히면서 생기고 식도의 하부에 잘 발생하며 인생의 후반기에 호발한다. 낭종의 대개의 경우 증상이 없으나 커지면 식도 내강을 막아서 폐쇄성 증상을 유발하게 된다. 이 밖에 연하곤란, 낭성분비액의 흡인에 의한 반복적인 호흡기 감염, 또는 기도로의 누관 형성 등이 흔하다. 낭종 내의 수액의 흡인만을 시행하면 곧 다시 차게 되므로 치료로는 적절하지 않다. 점막외 절제술이나 적출술에 의한 외과적 절제가 선호된다. 특히 기관지 폐렴이 자주 발생하는 환자의 경우에는 낭종과 기도 사이에 누관이 형성되어 있는지 여부를 확인하고 있으면 절제할 때 반드시 누관을 찾아서 결찰해 주어야 한다.

요약

식도의 양성종양이나 낭종은 매우 드문 질환으로 식도종양의 1% 이내의 빈도를 보이는데 이 중 가장 흔한 것은 평활근종이다. 평활근종의 치료는 크기가 2cm 이상이면 외과적 적출술인데 진단을 위한 내시경 당시 조직검사를 하지 않는 것이 중요하다. 조직검사를 하게 되면 점막층과 종양간의 유착이 발생하여 적출술을 시행할 때 점막 천공을 유발할 가능성이 높게 된다.

Ⅴ 식도암

식도암은 현재 미국에서 가장 빠른 속도로 증가하고 있는 암이다. 아직까지 6번째로 흔한 악성종양이기는 하지만 유병률은 20/100,000이고 북미에서 새로 진단되는 암의 4%를 차지한다. 세계적으로 식도암의 유병률이 가장 높은 곳은 카자흐스탄의 일부 지역인데 이곳은 식도암의 유병률이 무려 540/100,000이고 남아프리카와 중국의 일부 지역에서는 160/100,000에 달한다. 아직까지는 편평상피암이 진단되는 식도암의 대부분을 차지하나 미국에서는 선암이 전체 식도암의 70%를 차지한다. 식도암의 성별, 연령별, 인종별 분포는 암의 세포형에 의해 영향을 받는다. 남녀 비율은 편평상피암의 경우 3:1인 반면 선암의 경우 50대에서는 15:1이다. 편평상피암은 30대 이전에는 거의 발병하지 않으며 60, 70대의 남성에서 가장 높은 사망률을 보인다. 선암은 40대 이전에도 흔히 발명하며 나이가 들수록 발생률은 더 증가한다. 인종적인 차이도 관찰되는데 선암은 백인 남성에서 편평상피암은 아프리카-미국 남성에서 많이 발생한다.

편평상피암은 원래의 식도 점막인 편평상피세포에서 발생하므로 70%가 상부 및 중부 식도에서 발생한다. 이 종류의 암은 환경요인에 노출되면서 발병하게 되는데 담배 및 술이 발생률을 5배 증가시키며 이 두 가지를 결합했을 때 25배에서 최고 100배 발생률을 높이게 된다. 식초에 절인 음식이나 훈제한 음식에서 발견되는 질산염과 같은 음식 첨가물, 장기간 뜨거운 액체를 복용했을 때, 그리고 비타민 A, 아연이나 몰리브덴 등의 무기질이 부족했을 때 등이 편평상피암 발생의 위험인자로 거론된다. 이 밖에도 부식성 물질의 음독, 식도이완불능증, 폭식증bulimia, 각화과다증tylosis(보통염색체 우성 질환), Plummer-Vinson 증후군, 방사선 조사 및 식도게실 등 식도 점막에 손상을 줄 수 있는 질환들도 위험인자로 거론된다. 5년 생존률은 매우 다양하게 보고되는데 폴립모양의 병변일 경우 70% 이상 되는 반면 진행성 암의 경우 15% 이하이다.

과거에는 미국과 서구국가들에서 흔치 않았던 식도 선암이 이제는 전체 식도암의 70%를 차지하고 있는데 이렇게 식도암의 세포형이 바뀌게 된 이유는 다음과 같다.

- GERD의 증가
- 서양의 식습관
- 위산분비억제제 사용의 증가

카페인, 지방분, 그리고 산성의 신음식 등은 모두 LES의 근긴장도를 떨어뜨리는 음식이므로 GERD를 조장한다. 그러므로 바렛식도를 통한 식도선암의 발생이 증가하게 되는 것이다. 조직학적으로 식도선암은 다음의 3군데에서 유래하게 된다.

- 식도의 점막하선submucosal gland
- 원주상피의 이소성섬heterotopic island
- 바렛식도

식도의 내인성 질환들 중 식도암의 전구병변이 될 수 있는 질환들이 몇 가지 있다. 철과 비타민결핍에 의한 구강인두 및 식도점막의 위축을 초래하는 Plummer-Vinson 증후군 환자들은 경부 식도의 편평상피암의 발생 확률이 높다. 손바닥과 발바닥 피부의 비후화로 특징 지워지는 굉장히 드문 유전성 질환인 각화과다증tylosis은 편평상피암 발생률이 40% 증가하며 이 때 암 발생은 유전적이다. 식도의 운동성 질환인 식도이완불능증은 말기 질환에서 식도편평상피암 발생률이 16배 높아지고 바렛식도에서는 식도선암 발생률이 40배 높아진다. 호흡소화관암aerodigestive cancer 환자들 역시 식도의 편평상피종양 발생률이 높다. 식도암을 일으킬 수 있는 감염성 질환으로는 현재까지 밝혀진 것이 없으나 이 부분에 대한 연구가 더 필요하다. P53 변형과 같은 유전자변경genetic alteration 역시 식도암 발생률을 높이는 것으로 알려져 있다.

식도암은 세포형에 관계없이 굉장히 공격적인 생물학적 행태를 보인다. 식도벽이 두 층으로만 이루어져 있기 때문에 암이 단시간 안에 근육층을 뚫고 주위 장기로 침윤하게 되며 식도의 풍부한 혈관 및 림프관망은 암의 주위 림프절로의 전이를 용이하게 한다. 진단 당시 이미 진행되어 발견되는 경우가 많기 때문에 식도암으로 인한 사망률이 높고 림프배출경로를 따라 질환이 전파되기 때문에 국소 림프절에서부터 부위림프절regional lymph node을 거쳐 원격림프절distant lymph node로 전이가 된다.

1. 증상

식도암의 증상은 병의 진행 정도에 따라 다양하게 나타난다. 초기 암의 경우 증상이 없거나 혹은 식도선암의 경우 GERD의 증상을 나타낼 수 있다. 가슴쓰림, 위산역류, 그리고 소화불량이 GERD의 증상으로 나타날 수 있으나 그 안에 식도선암이 숨어있을 수도 있다. 대부분의 진행성 식도암에서는 연하곤란과 체중감소가 주 증상으로 나타난다. 식도는 많이 늘어날 수 있는 장기이기 때문에 연하곤란이 나타나기 위해서는 식도 내경의 2/3 이상이 막혀야 한다. 게다가 연하곤란은 수개월에 걸쳐서 진행되기 때문에 환자가 이에 잘 적응되어 큰 불편함을 호소하지 않는 경우도 많다. 그러므로 많은 환자들은 식도 내경의 2/3까지 줄어들 때에서야 증상을 느끼게 되나 증상이 더 심해져서 거의 먹을 수 없을 지경에 이르러서야 병원을 찾는 경우가 많다. 체중감소의 경우 현대인들은 운동하지 않고 저절로 이루어지는 체중감소를 좋아하는 경향이 있기 때문에 그 중요성이 간과되는 경우가 많다.

기관식도루tracheoesophageal fistula에 의해 발생하는 숨막힘, 기침, 흡인 등과 후두회귀신경으로의 직접침윤에 의해 발생하는 목쉼과 성대마비는 말기 질환의 징후이다. 간, 뼈, 폐로의 전이는 황달, 골통bone pain과 호흡기 증상을 유발한다.

2. 진단

식도암의 진단과 정확한 병기 설정을 위해서는 방사선학적, 내시경적 검사들에서부터 최소침습수술Minimally Invasive Surgery (MIS) 기법까지 모두 동원된다.

1) 식도조영술

연하곤란을 호소하는 경우에 반드시 식도조영술을 시행하여야 하며 이 때 식도조영술은 해부와 기능에 관련한 전반적인 정보를 제공할 수 있다. 식도조영술을 통해 관내와 관외 병변intra and estraluminal lesion을 감별할 수 있고 전형적인 사과속 형태apple core appearance를 관찰할 수 있다. 식도조영술은 식도암 진단에 특이적인 검사는 아니지만 연하곤란을 호소하고 식도암이 의심되는 환자에서 처음 시행해 볼 수 있는 유용한 검사이다.

2) 위내시경

식도암의 확진은 내시경 조직검사를 통해서 가능하다. 식도암 환자의 위내시경검사를 시행할 때 다음의 소견들은 반드시 기술되어야 한다.

- 병변의 위치(반드시 절치로부터의 거리가 기술되어야 함)
- 병변의 특성(부서지기 쉬운, 단단한, 폴립모양의 등의 특성 기술)
- 병변의 근위부와 원위부 범위
- 윤상인두근(UES), GEJ, 그리고 위분문과의 관계
- 위의 확장성distensibility

위의 각각의 소견들은 식도암 치료, 특히 수술 방법을 결정할 때 굉장히 중요한 소견들이다. 그리고 식도암 수술을 받는 환자들은 반드시 수술 전에 집도의에 의해 직접 위내시경검사를 시행 받아야 한다.

3) CT

흉부와 복부 CT는 병변의 길이, 식도와 위벽의 두께, 부위 림프절의 전이 여부(경부, 흉부 및 상복부 림프절) 그리고 간과 폐로의 원격 전이 여부를 판명하는 데 중요하며 병변의 주위 장기로의 침윤여부를 파악하는 데도 유용하다. CT를 통해 루fistula나 기관의 치우침 등의 다른 정보도 얻을 수 있다. 그러나 CT의 진단 정확도는 T의 경우 57%, N의 경우 74%, M의 경우 83% 밖에 되지 않

아서 CT에서 절제불가능 하다고 판단되었던 예가 실제 수술에서는 절제 가능한 경우가 많이 있다. 그러므로 CT는 식도암의 진단과정에서 매우 중요한 검사이기는 하나 그 검사 결과를 받아들임에 있어서는 이런 점을 고려하여 전체 그림의 한 부분으로서 받아들이는 자세가 필요하다.

4) Positron Emission Tomography

Positron Emission Tomography (PET) 검사의 원격 전이 여부를 진단하는 민감도와 특이도는 각각 88%와 93%로 CT보다 우월하나 림프절 전이 여부에 대한 민감도, 특이도 및 정확도는 각각 72%, 86%, 그리고 76%로 CT와 유사하다. PET 검사는 현재 식도암 진단에 있어서 그 역할이 점점 증가하고 있는 중요한 검사이다.

5) 자기공명영상

자기공명영상(MRI)가 식도암의 진단 과정에서 사용되는 일은 많지 않으나 혈관이나 신경에 대한 침윤 여부를 판단하는 데는 유용하다. MRI는 T4 병변이나 간전이를 진단하는 데는 상당히 정확한 편이나 일반적인 T, N 병기 설정에 있어서는 실제 보다 과장이 되는 경우가 많고 정확도는 74% 정도이다.

6) 내시경초음파

내시경초음파(EUS)는 식도암의 병기 설정에 있어서 중요한 검사 중의 하나인데 이 검사를 통한 정보를 이용해 내시경하점막박리술(ESD)를 할 것인지 수술을 할 것인지를 결정할 수 있다. 숙련된 내시경초음파의는 암의 침윤정도, 암의 길이, 식도 내강의 좁아진 정도, 부위 림프절의 전이 여부 그리고 주위 장기로의 침윤 여부 등을 파악할 수 있다. 또한 내시경초음파하침생검에 의해 종양 자체와 기관옆림프절, 기관분지점하림프절, 식도옆림프절, 복강동맥주위림프절, 위소만림프절 및 간십이지장인대림프절 등에 대한 조직검사를 시행할 수 있다. EUS에 의한 T 병기는 높게 평가되는 경우가 많고 N 병기는 낮게 평가되는 경우가 많다. EUS에 의한 T 병기는 T1일 때 84%에서 T4일 때 95%로 병기가 올라갈수록 정확도가 높아지는 경향이 있다. EUS의 림프절 전이 여부에 대한 정확도는 림프절의 크기나 위치에 의해 영향을 받는데 크기가 1cm 미만인 경우에는 정확도가 떨어진다. 전반적인 N 병기 설정에 있어서의 EUS의 민감도 및 특이도는 각각 78%와 60%로 낮지만 복강동맥주위림프절에 대한 진단의 민감도와 특이도는 각각 72%와 97%로 상당히 향상되었다.

7) 내시경하점막절제술

내시경하점막절제술(EMR) 역시 병기 설정의 한 방법으로 이용될 수 있는데 숙련된 내시경중재시술의의 경우 1–1.5cm의 점막하층까지 포함하는 조직검사 표본을 얻을 수 있고 이러한 정보는 이후 치료방침을 결정하는 데 유용한 지표가 될 수 있다. 또한 EMR은 전암성 병변이나 크기가 작은 조기암 병변에 대한 치료 방법으로도 이용될 수 있다. ESD 기법을 이용하면 좀 더 큰 병변에 대한 완전절제도 가능하나 이 방법은 아직까지는 전세계적으로 널리 보급되어 있지는 않다.

8) MIS 기법을 이용한 진단법

기관지경bronchoscopy, 종격경mediastinoscopy, 흉강경thoracoscopy 그리고 복강경 모두 유용한 진단 장비로 활용될 수 있다. 기관지경은 기침을 동반하거나 경부식도암 환자인 경우 반드시 시행하여야 한다. 기관지경은 기관식도루나 암의 기관 침윤을 진단하는 데 중요한 검사이다. 종격내시경은 진행성 식도암을 시사하는 림프절의 생검이나 내시경초음파하침생검으로 접근이 불가능한 림프절에 대한 조직검사를 시행하는 데 유용하다. 흉강경을 이용하면 흉곽 입구에 있는 림프절, 종격림프절, 흉관주위림프절, 그리고 횡격막열공 주위 림프절 등에 대한 조직검사를 시행할 수 있다. 이 외에도 폐나 심낭, 대동맥, 홀정맥, 기관 그리고 횡격막에 대한 직접 침윤 여부를 93%의 정확도로 확인할 수 있다. 복강경 역시 식도암의 병기 설정에 유용하게 활용될 수 있는데 복강동맥 주위, 간 주위 그리고 GEJ 주위의 림프절에 대한 생검을 시행할 수 있다. 그리고 복강경하 EUS를 이용하면 3mm 크기 이상의 림프절은 모두 진단할 수 있다. 흉강경과 복강경을 결합하여 시행하면 환자의 위험도에 대한 별다른 증가 없이 정확한 병기설정을 할 수 있다.

3. 병기설정

식도암 환자의 치료에 있어서 가장 중요한 부분은 치료 전 정확한 병기의 설정이다. 이를 통해서만 환자에게 가장 적절한 치료 방법을 설정하고 환자의 장기 생존 가능성을 높일 수 있다.

식도암의 병기 설정은 현재까지 많은 변화를 거듭해 왔으나 아직도 논란의 여지가 있는 부분이다. 1988년에 구성된 American Joint Committee on Cancer (AJCC)의 병기가 현재로서는 가장 많이 이용되고 있는 병기 설정 방법이다(표 1-3). 그러나 AJCC 분류법의 단점을 보완하기 위해 1997년에 Ellis가 이전에 Skinner에 의해 주장되었던 T 병기 설정에 일부 변화를 준 병기 설정 방법을 제안하였다(표 1-4). AJCC 분류법은 TNM (tumor, lymph node, metastasis) 병기를 이용하나 Ellis 분류법은 WNM (wall penetration, lymph node, metastasis) 병기를 이용한다. AJCC 분류법에서 T는 암의 침윤도를 나타내지만(그림 1-23) Ellis 분류법에서 W는 암이 식도벽을 관통한 깊이를 나타내는데 W0는 점막근층muscularis mucosae, W1은 점막하층 및 근육층 그리고 W3는 외막adventitia을 의미한다. 두 분류법의 비교에 대해서는 표 1-5와 그림 1-24에 잘 나타나 있다. Eguchi 등은 T1 병기를 더 세분화하였는데 이 분류법에서는 점막층을 상피층, 고유판층, 점막근층으로 점막하층을 표층, 중층, 심층superficial, middle, deep layer의 3층으로 나누었다. 이 연구에서는 림프절 전이가 식도암의 침윤도와 정비례하여 증가함을 보여주었다. 상피층에 국한된 암에서는 림프절 전이가 한 예에서도 발견되지 않았고 고유판층이나 점막근층 침윤암의 경우 림프절 전이 빈도가 각각 5%, 18%이었고 표층점막하층과 심층점막하층 침윤암의 경우 림프절 전이 빈도가 각각 50%, 55% 이었다.

4. 치료

전통적으로 병기 분류법은 치료 방향을 설정하고 예후를 예측하는데 이용되어 왔다(그림 1-25). 그러나 기술과 내과적 치료방법이 발전하고 종양의 생물학적 특성에 대한 지식이 늘어나면서 병기 분류법은 변하고 있고 그 중요성이 이전보다 덜하게 되고 있다. 식도암이 진단되면 우선 아래와 같은 사항들을 고려해야 한다.

- 종양의 조직학적 형태, 위치, 그리고 침윤도
- 국소 및 부위 림프절의 전이 여부
- 원격 림프절 전이나 혹은 원격 전이 여부
- 환자의 영양 상태와 연하 능력을 포함한 전신 상태
- 근치적 치료를 할 것인지 아니면 고식적 치료를 할 것인지에 관한 명확한 목표

이런 요인들을 잘 고려하여 항암치료, 방사선치료, 내시경치료, 그리고 수술적 치료 등을 잘 결합한 치료 계획을 짜야 한다. 식도암에 대한 치료는 모든 병기에 걸쳐 이견이 존재하고 종양내과의, 방사선종양의, 소화기내과의, 그리고 외과의들 간에 차이가 있고 외과의들 내부적으로도 서로 차이가 있지만 이 모든 치료법을 적절히 조합한 다학제적 치료multidisciplinary treatment가 필수적이다.

1) 종양의 조직학적 형태, 위치, 그리고 침윤도

식도암에는 선암과 편평상피암의 두 가지의 주된 세포형이 있다. 선암은 미국 내의 식도암의 70% 이상을 차지하지만 전 세계적으로는 편평상피암이 주된 세포형이다. 편평상피암은 선암에 비해 화학방사선요법chemoradiotherapy에 더 높은 임상적 완전 관해complete response율을 보인다. 항암방사선치료 후 임상적으로 완전 관해가 나타난 환자들의 치료와 관련해서는 아직 이견이 많으나 임상적 완전 관해 후 수술적 절제를 시행했을 때 1/3의 환자에서는 식도의 원발 부위나 림프절에 남아있는 종양 세포가 발견되

표 1-3. 식도암의 Tumor-Node-Metastasis (TNM) 분류

Primary Tumor (T)*	
TX	primary tumor cannot be assessed
TO	No evidence of primary tumor
Tis	High-grade dysplasia†
T1	Tumor invades lamina propria, muscularis mucosae, or submucosa
T1a	Tumor invades lamina propria or muscularis mucosae
T1b	Tumor invades submucosa
T2	Tumor invades muscularis propria
T3	Tumor invades adventitia
T4	Tumor invades adjacent structures
T4a	Resectable tumor invading pleura, pericardium, or diaphgragm
T4b	Unresectable tumor invading other adjacent structures, such as aorta, vertebral body, trachea, etc.
Regional Lymph Nodes (N)†	
NX	Regional lymph nodes cannot be assessed
N0	No regional lymph node metastasis
N1	Metastasis in 1–2 regional lymph nodes
N2	Metastasis in 3–6 regional lymph nodes
N3	Metastasis in seven or more regional lymph nodes
Distant Metastasis (M)	
Mo	No distant metastasis
M1	Distant metastasis

Stage Grouping					
STAGE	T	N	M	GRADE	TUMOR LOCATION¶
Squamous Cell Carcinoma♯					
0	Tis (HGD)	N0	M0	1, X	Any
IA	T1	N0	M0	1, X	Any
IB	T1	N0	M0	2–3	Any
	T2–3	N0	M0	1, X	Lower, X
IIA	T2–3	N0	M0	1, X	Upper, middle
	T2–3	N0	M0	2–3	Lower, X
IIB	T2–3	N0	M0	2–3	Upper, middle
	T1–2	N1	M0	Any	Any
IIIA	T1–2	N2	M0	Any	Any
	T3	N1	M0	Any	Any
	T4a	N0	M0	Any	Any
IIIB	T3	N2	M0	Any	Any
IIIC	T4a	N1–2	M0	Any	Any
	T4b	Any	M0	Any	Any
	Any	N3	M0	Any	Any
IV	Any	Any	M1	Any	Any
Adenocarcinoma					
0	Tis (HGD)	N0	M0	1, X	
IA	T1	N0	M0		
IB	T1	N0	M0	3	
	T2	N0	M0	1–2, X	
IIA	T2	N0	M0	3	
IIB	T3	N0	M0	Any	
	T1–2	N1	M0	Any	
IIIA	T1–2	N2	M0	Any	
	T3	N1	M0	Any	
	T4a	N0	M0	Any	
IIIB	T3	N2	M0	Any	
IIIC	T4a	N1–2	M0	Any	
	T4b	Any	M0	Any	
	Any	N3	M0	Any	
IV	Any	Any	M1	Any	

From Edge S, Byrd D, Compton C, et al (eds): AJCC cancer staging manual, ed 7, New York, 2010, Springer.

*1. At least maximal dimension of the tumor must be recorded. 2. Multiple tumors require the T (m) suffix.

†High-grade dysplasia includes all nonivasive neoplastic epithelia that was formerly called carcinoma in situ, a diagnosis that is no longer used for columnar mucosae anywhere in the gastroin-testinal tract.

†Number must be recorded for total number of regional nodes sampled and total number of reported nodes with metastasis.

♯Or mixed histology, including a squamous component or not otherwise specified (NOS).

¶Location of the primary cancer site is defined dy the position of the upper (proximal) edge of the tumor in the esophagus.

표 1-4. 식도암의 Wall penetration-Node-Metastasis (WNM) 분류

STAGE	FEATURES
W: Wall Penetration	
W0	Intramucosal mucosa penetration
W1	Intramural mucosa penetration
W2	Transmural mucosa penetration
N: Regional Lymph Nodes	
Nx	Regional lymph nodes cannot be assessed
N0	No regional lymph node metastases
N1	Four lymph nodes metastases or fewer
N2	More than four lymph node metastases
M: Distant Metastases	
Mx	Distant metastases cannot be assessed
M0	No distant metastases
M1	Distant metastases present

Stage Grouping			
STAGE	W	N	M
0	W0	N0	M0
I	W0	N1	M0
	W1	N0	M0
II	W1	N1	M0
	W2	N0	M0
III	W2	N1	M0
	W1	N2	M0
	W0	N2	M0
IV	Any W	Any N	M1a

기 때문에 수술적 절제를 시행할 것을 권유하고 있다. 이런 이유는 여러 가지 임상 검사에 의한 병기 설정이 정확하지 못한 현실적인 한계가 있기 때문이다. 물론 이런 환자들에 대해 주의 깊은 경과관찰을 하다가 재발이 발견될 때 구제 수술salvage operation을 시행하자는 주장도 있다.

종양의 위치도 치료에 많은 영향을 미치는 요인이다. 전체 식도암 중의 8%가 경부식도에서 발생하는데 경부식도암의 경우 대개 국소적으로 진행되어 발견되는 예가 많고 화학방사선요법을 먼저 시행한 후 경부식도에 대한 부분적 절제술을 시행하게 된다. 상흉부식도암과 중흉부식도암의 경우 전체 식도암의 각각 3%, 32%를 차지하는데 대부분의 경우는 편평상피암이나 선암인 경우도 있고 이 위치의 종양들은 대개 개흉술을 통한 식도근전절제술near-total esophagectomy을 시행한다. 나머지 종양들은 하부식도(25%)나 GEJ (32%)에 위치하는데 대부분은 선암이고, 조기암의 경우에는 바렛식도와 연관이 있을 때에는 경열공접근법을 이용한 원위부식도절제술 및 근위부위절제술을 시행하고 바렛식도와 연관이 없는 경우에는 위전절제술을 시행한다. 진행암의 경우 암이 바렛식도에서 발생하였거나 혹은 암의 길이가 길 때에는 개흉술 혹은 경열공접근법에 의한 식도근전절제술을 시행한다.

종양의 침윤도 혹은 T 병기 역시 병기를 설정하거나 치료 방침을 결정하는 데 중요한 요인이다. T1 병변은 다시 점막 내에 국한된 경우를 T1a, 점막하층을 침윤한 경우를 T1b로 나누는데 이들의 림프절전이율은 각각 18%, 55%이다. T1a 병변의 경우에는 미주신경보존, 경열공, 혹은 최소침습식도절제술minimally invasive esophagectomy (MIE) 등 보존적인 식도절제술을 시행한다. T1a 병변들 중 점막근층을 침윤하지 않고 고유판 이내에 국한된 암들에 대해서는 선택적으로 EMR 혹은 ESD가 식도절제술을 대체할 수 있다. T1b 병변의 경우에는 림프절전이의 가능성이 50%를 넘어서기 때문에 림프절절제술을 포함하는 광범위식도절제술을 시행하여야 한다. T1 병변에 대해서는 화학방사선요법의 역할은 밝혀진 바가 없기 때문에 수술적 혹은 내시경적 절제술만으로도 최고 88%에 달하는 좋은 5년 생존률을 기대할 수 있다. 암이 근육층을 침범한 T2 병변에 대한 치료는 여전히 논란이 있는데 이러한 병변의 림프절전이율은 60%에 달한다. 이제까지 화학방사선요법이나 광범위절제술의 필요 여부에 대한 논란이 있어왔다. T2 병변에 대해서는 림프절절제술을 포함하는 광범위식도절제술만으로도 치료할 수도 있으나 이에다가 화학방사선요법을 결합하면 더 좋은 결과를 얻을 수 있다. T1b나 T2 병변에 대해 좀 더 비침습적인 수술을 주장하는 쪽에서는 경열공절제술이 충분한 방사상 절제면radi-

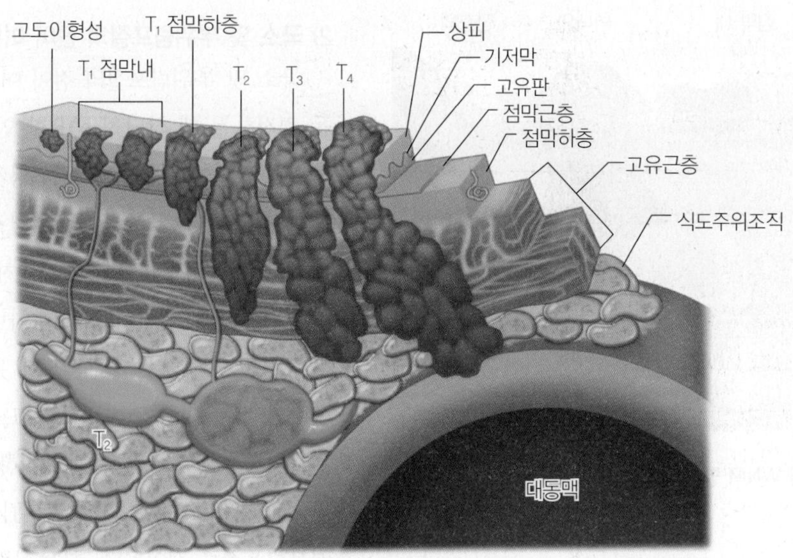

그림 1-23 **식도의 벽 구조와 TNM 병기.** T는 침윤도로 정의되고 N은 주위림프절 전이로 정의되며 N0는 전이 없음, N1은 주위림프절전이 있음. HGD, 고도이형성

표 1-5. WNM과 TNM 병기 분류간의 비교

WNM 5-YR SURVIVAL (%)	WNM STAGE	WNM CLASS	TNM CLASS	TNM STAGE	TNM 5-YR SURVIVAL (%)
88	0	W0 N0 M0	Tis N0 M0 T1 M0 M0	0 1	100 79
50	1	W0 N1 M0	NE	NE	NE
50	1	W1 N0 M0	T1 N0 M0 T2 M0 M0	1 2A	79 38
23	2	W1 N1 M0	T1 N1 M0 T2 M1 M0	2B	27
23	2	W2 N0 M0	T3 N0 M0 T4 M0 M0	2A	38
11	3	W2 N1 M0	T3 N1 M0 T4 M1 M0	3	14
11	3	W1 N2 M0	T1 N1 M0 T2 N1 M0	2B	27
11	3	W0 N2 M0	NE	NE	NE
0	4	Wx Nx M1	Tx Nx M1	4	0

al margin을 얻으면서도 합병증이 더 적게 발생한다고 주장한다. 그러나 아직까지 T2 병변에 대한 광범위절제술과 다른 수술 방법들간의 차이를 입증할 만한 비교연구 결과는 없다. 일부에서는 T2 병변에 대한 MIE와 신보강화학방사선요법neoadjuvant chemoradiotherapy을 병행하여 70%의 5년 생존률을 보고한 예도 있다.

식도의 외막까지 침범한 T3 병변에 대해서는 보통 신보강화학방사선요법과 광범위절제술을 병행한다. 이 때 방사선요법은 수술적 절제면을 줄여주는 효과가 있고, T3 병변의 림프절전이율이 80%에 달하므로 화학요법은 국소

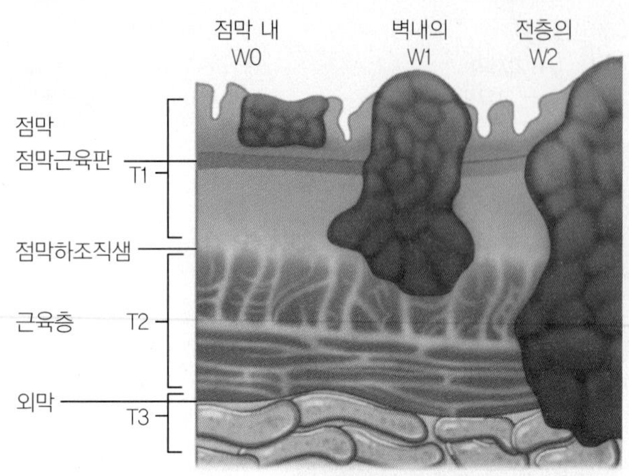

그림 1-24 **TNM과 WNM 병기 간의 비교**

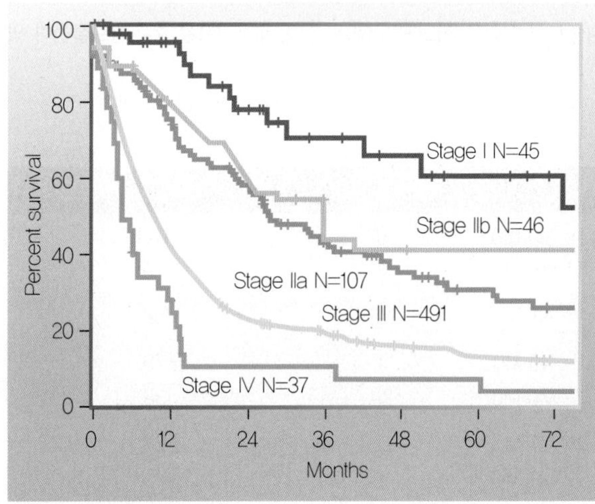

그림 1-25 **생존곡선**

혹은 부위림프절로의 암전이를 차단하는 효과가 있다. 신보강화학방사선요법은 T3 병변에 대해 생존률을 향상시키는 효과를 가져올 것이나 반면에 수술 후 합병증 발생률을 증가시킬 수 있다는 단점이 있다.

주위장기를 침범한 T4 병변에 대해서는 동반절제가 가능한 흉막, 심낭 혹은 횡격막을 침범한 T4a 병변의 경우 T3에 준한 치료를 하면 되고 동반절제가 불가능한 대동맥, 기관, 척추 등을 침범한 T4b 병변의 경우에는 확정적화학방사선요법definitive chemoradiotherapy을 시도하는 것이 좋다.

2) 국소 및 부위림프절의 전이 여부

국소 및 부위림프절의 전이 여부는 식도암의 치료방침을 결정하는 데 상당히 중요한 인자이다. 여러 가지 진단 방법의 발전에도 불구하고 N 병기 설정은 아직까지 상당히 부정확하다. 국소 및 부위림프절의 전이를 예측하는 데 있어 두 가지 중요하게 고려해야 할 요인들이 있는데 하나는 종양의 위치이고 다른 하나는 종양의 침윤도를 나타내는 T 병기이다. 경부식도에 위치하고 있는 암의 경우 46%가 경부 및 종격림프절로, 12%가 복부림프절로 전이된다. 반면에 식도 중앙에 위치하고 있는 암의 경우 53%가 종격림프절로, 40%가 복부림프절로 전이되며 29%가 경부림프절로 전이된다. 하부식도암 및 분문부암의 경우 74%가 복부림프절로, 58%가 종격림프절로 전이되며 27%가 경부림프절로 전이된다. 전이된 림프절 중 위치가 원발종양과 가까운 것을 국소림프절이라 하며 원발 종양으로부터 한 림프절 basin이 떨어져 있는 것을 부위림프절이라고 한다. 국소 및 부위림프절에 전이가 있는 식도암 환자들은 수술 대상이 되나 전이된 림프절을 치료하기 위해서 화학요법이 필요하게 된다. T 병기와 림프절전이와의 관계는 다음과 같다. T1a (18% 림프절전이), T1b (55% 림프절전이), T2 (60% 림프절전이), T3 (80% 림프절전이). 환자들 중 림프절전이의 가능성이 50% 미만인 경우 화학방사선요법 없이 광범위식도절제술을 시행한다. 그러나 수술 후 조직학적 검사에서 림프절전이가 발견된다면 보조화학요법adjuvant chemotherapy을 시행하여야 한다. 환자들 중 림프절전이의 가능성이 50% 이상인 환자들의 경우에는 신보강화학방사선요법을 시행한 후 광범위식도절제술을 시행하여야 한다.

3) 원격림프절 혹은 원격전이 여부

만약 림프절전이가 원발종양의 위치에서 1 림프절 basin 보다 멀리 떨어져 있을 경우 원격림프절전이로 판단한다. 원격림프절전이 혹은 원격전이가 있는 환자들의 경우에는 확정적화학방사선요법이나 고식적화학요법을 시행한다. 그러나 종양에 의한 식도의 완전 폐색이 있는 경우에는 고식적절제술을 시행할 수도 있다.

4) 환자의 전신상태

환자의 나이, 동반질환 그리고 영양상태가 식도암의 치료에 대한 환자의 저항력을 결정한다는 사실은 잘 알려져 있다. 나이 하나만으로 수술의 방해요인이 될 수는 없지만 암이 진행된 상태라면 치료방침에 변화를 가져올 수도 있다. 75세 이상의 환자는 수술 위험도가 높고 일반적인 기대여명이 낮기 때문에 적극적인 수술 치료는 피하는 것이 좋다. 어떤 환자이건 나이에 상관없이 수술 전에는 심기능, 폐기능, 간기능, 신장기능 그리고 내분비 기능까지 수술에 영향을 미칠 수 있는 모든 요인들에 대한 세밀한 검사가 필요하다. 심폐기능을 측정하기 위해서는 폐기능 검사와 심부하검사cardiac stress test가 중요하다.

많은 식도암 환자들이 일정기간 동안은 영양부족 상태에 놓이게 된다. 10% 이상의 체중감소는 수술합병증 발생 위험도를 유의하게 올리는데 체중감소는 대개 암의 진행상태에 비례하여 증가한다. 혈중 알부민 농도가 3.4g/dL일 때 문합부누출 등의 수술합병증 발생 위험도가 높아진다. 그러므로 수술 전 검사에서 수술에 적합한 환자들의 경우 수술 전에 스텐트 삽입이나 급식공장조루술feeding jejunostomy 등을 통해 영양상태를 개선하도록 노력한다.

5) 식도암의 근치적 혹은 고식적 치료

식도암 환자의 적절한 치료방침을 결정하는 일은 상당히 복잡하다. 이 단락에서 열거한 여러 가지 요인들을 점검하여서 내려야 할 마지막 결정이 근치적 치료이건 고식적 치료이건 간에 그것이 환자의 관심을 받을 수 있는가 하는 문제가 중요하다. 환자에게 여러 가지 정보를 제공하고 그것으로부터 좋은 결정을 내릴 수 있게 하기 위해서는 상담에 임하는 모든 이가 최고의 전문가적 견해를 제공해야 하며 수술이 필요한 상황이면 수술을 권해야 한다. 암의 침윤도, 위치, 세포형, 림프절 및 원격전이 여부, 환자의 영향상태 및 여러 가지 동반 질환들 등 이런 모든 것들을 종합하여 근치적 혹은 고식적 치료 계획을 세워야 한다.

(1) 근치적 치료

식도암을 진단 받는 환자의 50% 미만에서 수술이 가능하다. 근치적 치료가 가능한 환자에서는 화학요법, 방사선요법, 수술 혹은 이 모두를 결합한 다학제적 치료가 필요할 수 있다. 원격전이가 없고 환자의 전신 상태가 양호하며 암이 다른 장기를 침범하지 않은 국소적인 종양의 경우 근치적 치료의 대상이 된다. 심각한 동반질환을 갖고 있거나 원격전이가 있거나 환자의 영양상태가 아주 나쁜 경우에는 고식적 치료의 대상이 된다.

가. 화학요법 및 방사선요법

식도암의 치료에 있어서 화학요법 혹은 방사선요법을 단독으로 사용하는 것보다는 병합요법을 시행하는 것이 훨씬 더 좋은 효과를 낳으며 대개의 경우 진행암에서 신보강화학방사선요법의 형태로 많이 이용된다. 주로 사용되는 화학요법 제제는 cisplatin을 골간으로 하여 2제 요법일 경우 5-fluorouracil을 추가하고 3제 요법일 경우에는 여기에 mitomycin C나 etoposide, paclitaxel, 혹은 docetaxel 등을 추가한다. 방사선 요법의 경우 확정적화학방사선요법에서는 6,000-6,400cGy의 용량을 사용하며 신보강화학방사선요법에서는 이후 수술에서의 합병증 발생률을 줄이기 위해 4,500cGy의 줄인 용량을 사용한다. 왜냐하면 고용량의 방사선은 기도, 큰 혈관에 손상을 줄 수 있고 조직의 치유를 방해할 수 있기 때문이다.

나. 수술

식도절제술에는 여러 가지 방법들이 제시되고 있으나 그 중 어느 한 가지도 널리 선호되는 방법은 아직까지 없다. 수술의 종류를 결정하는 데 영향을 미치는 인자들은 다음과 같다.

- 종양의 위치
- 수술 접근 방법
- 문합의 위치
- 문합 방법
- 통로conduit의 종류

표 1-6. 식도절제술 간의 비교

	EBE	TTE	THE	VSE	MIE
절개	목 가슴 배	가슴 배	목 배	목 배	목 (가슴) (배)
문합	목	가슴	목	목	목
림프절절제	흉부, 광범위 복부	흉부, 가능한 부분 복부	하종격, 가능한 부분 복부	안함	흉부, 가능한 부분 복부
유문성형술	함	함	함	안함	함
미주신경 보존여부	안함	안함	안함	함	안함

– 통로의 위치

① 종양의 위치

a. 경부식도암

상부 식도에서 발생하는 식도암의 대부분은 편평상피암이다. 상부식도암에 대한 식도절제술 및 재건술은 방사선요법에 비해 환자의 생존률을 유의하게 증가시킨다. 수술 전에 환자의 정확한 병기를 파악하기 위해 노력해야 하는데 만약 기관, 성대, 후두회귀신경 등에 암 침윤이 있거나 수술 절제면에 종양이 있을 경우에는 예후가 아주 불량하기 때문이다. 기관, 척추, 성대나 주요 혈관을 침범하지 않은 암은 일차적으로 절제한다. 종양이 윤상인두근이나 성대와 근접해 있을 때는 신보강화학방상선요법을 시행한 후 수술한다. 수술을 시작하면서 위내시경과 기관지경을 먼저 시행하여 종양이 절제 가능한지를 확실히 한 후 경부탐색을 시작한다. 종양과 함께 경부식도를 구역절제segmental resection 한 후 위상견인gastric pull-up을 하거나 공장유리이식편jejuna free graft을 시행한다. 병변이 흉곽입구까지 다다른 경우에는 경열공이나 경흉부식도근전절제술을 시행한 후 위상견인을 시행한다. 만약 위를 이용하기 힘든 상황이거나 길이가 충분하지 않다면 다른 통로를 생각해 보아야 한다.

b. 흉부식도암 및 위분문부암

흉부식도암이나 위분문부암의 경우 다양한 수술 방법이 존재하는데 경열공식도절제술Transhiatal Esophagectomy (THE), 경흉부식도절제술Transthoracic Esophagectomy (TTE), 일괄식도절제술En Bloc Esophagectomy (EBE), 미주신경보존식도절제술Vagal-Sparing Esophagectomy (VSE), 그리고 최소침습식도절제술Minimally Invasive Esophagectomy (MIE) 등이다. 이 방법들은 절개상처의 크기, 개수, 문합의 위치, 림프절절제 범위, 그리고 미주신경 보존 유무 등에 따라 매우 다양하게 나뉜다(표 1-6).

② 수술 방법

a. 경열공식도절제술

THE는 지난 25년 동안 널리 보급되어 왔다. 이 수술은 TTE 이후에 발생하는 호흡부전증과 흉곽내누출intra-thoracic leak을 방지하고자 개발되었다. THE는 경부와 복부에 2개의 절개상처를 통해 수술한다. 위와 식도는 상복부중앙절개를 통해 유동화하기 때문에 개흉술을 피할 수 있다. 식도의 유동화는 넓힌 열공을 통해 손을 이용한 무딘박리blunt dissection를 통해 이루어진다. 위는 긴 튜브모양으로 만들어진 후 후종격을 통해 목으로 올린 후 경부식도위문합을 시행한다. 접근이 가능한 경부와 하흉부 그리고 복부림프절을 절제하나 이 수술을 통한 체계적인 광범위림프절절제술은 불가능하다.

THE의 장점은 자동문합기를 이용한 문합을 하면서 문합부누출 발생률이 3%로 낮다는 점이며 만약 누출이 발생한다 하더라도 경부에서 발생하기 때문에 대체하기가 좋고 덜 치명적이며 수술사망률은 4%로 TTE, EBE에 비해 낮다. 이 외에도 수술 시간이 짧게 걸리고 출혈이 적으며 심혈관계합병증 발생률이 낮다는 장점이 더 있다. 단점은 문합부협착 발생률이 높고 직접 보지 않고 열공을 통한 무딘박리를 시행하기 때문에 이 과정에서 큰 혈관이나 기도에 손상을 줄 수 있고 완벽한 림프절절제가 불가능한 점 등이다.

이러한 단점들에도 불구하고 THE는 문헌 상에서 가장 안전한 식도절제술로 여겨지고 있다.

b. 경흉부식도절제술

TTE는 식도암 치료에 있어서 최초의 근치적 절제술로 오른쪽 가슴과 복부의 두 개의 절개 상처를 통해 시행한다. 수술은 상복부중앙절개를 통해 위와 하부식도를 유동화하고 급식공장조루술을 시행한 후 환자의 자세를 좌측위left lateral position로 바꾼다. 개흉술을 시행하여 식도를 유동화한 후 홀정맥 부위에서 식도를 절제하고 흉곽내 식도위문합술을 시행한다.

TTE의 수술합병증 발생률 및 사망률은 THE 보다는 높고 EBE 보다는 낮다. 수술사망률은 10%보다 약간 낮고 수술합병증 발생률은 30%인데 폐렴, 흉막삼출, 호흡부전, 심방세동 그리고 급성심근경색 등의 합병증이 발생할 수 있다. TTE에서는 흉곽내식도위문합술을 시행하기 때문에 문합부위가 위관gastric tube의 가운데에 위치하기 때문에 문합부로의 혈액공급이 원활하여 문합부누출의 빈도가 3-4%로 다른 식도절제술보다 낮다. 그러나 일단 문합부누출이 발생하면 치료하기가 힘들고 흉곽내감염, 패혈증 그리고 사망을 초래할 수 있다. 이러한 Ivor-Lewis TTE에서는 역류가 문제가 될 수도 있으며 만약 남은 식도에 바렛식도가 있다면 이시성 암metachronous cancer이 발생할 수 있다.

c. 일괄식도절제술

EBE는 완전절제R0 resection를 추구하는 식도절제술로 흉부, 복부, 경부의 광범위림프절절제술과 종양에 대한 광범위국소절제술을 포함하고 있다. 이 수술은 모든 식도절제술들 중 수술범위가 가장 광범위한데 목, 오른쪽 가슴, 그리고 복부의 3군데 절개를 통해 시행하며 우개흉술로 시작하고 림프절절제술의 범위에 따라 다시 2구역일괄식도절제술2-Field En Bloc Esophagectomy (2FEBE)과 3구역일괄식도절제술3-Field En Bloc Esophagectomy (3FEBE)로 나눌 수 있다. 이 두 가지 수술을 구분하는 기준은 림프절절제술의 범위에 경부림프절절제술을 포함할 것인가 혹은 아닌가에 따라서 경부림프절절제술을 포함하지 않는 경우는 2FEBE로 포함하는 경우는 3FEBE로 나뉜다. 흉부식도암 중 위치가 하부식도에 국한되어 있을 경우에도 경부림프절로의 림프절전이 빈도가 27%에 달한다. 3FEBE는 주로 일본의 식도암외과의들이 주장하고 있는데 이들의 주장은 80년대까지 흉부와 복부림프절절제술만 시행하는 2FEBE를 시행한 후 많은 수의 경부림프절에서의 재발 환자들을 경험한 이들의 경험에 기반하고 있다. Akiyama 등24은 3FEBE를 시행한 환자들에서 55%의 높은 5년생존률을 보고하였다. 2FEBE의 경우에도 서구에서 시행하는 방식과 일본에서 시행하는 방식에서 림프절절제 범위가 약간의 차이를 보이고 있는데 서구의 2FEBE의 경우 림프절절제의 범위가 위쪽으로는 홀정맥 위치까지로 국한하여 하종격 및 중종격림프절만 절제하나 일본의 2FEBE의 경우 홀정맥 위의 상종격림프절(양쪽 상부기관옆림프절 혹은 좌우 후두회귀신경주위림프절)까지 절제한다. 가슴에서의 수술이 끝난 후 복부절개를 하여 췌장상부림프절절제를 시행하고 위관형성 및 급식공장조루술을 시행한다. 마지막으로 경부절개를 통하여 3FEBE의 경우 경부림프절절제술을 시행하고 경부식도위문합술을 시행한다.

EBE를 옹호하는 쪽은 식도암의 근치적 치료를 위해서는 완전절제가 가장 중요하므로 EBE가 식도암 환자들의 일차적인 치료가 되어야 한다고 주장한다. 림프절전이를 치료하기 위해서는 화학요법만으로는 부족하며 화학요법의 경우 수술 당시 병이 너무 진행된 환자들에게만 사용하여야 한다고 주장한다. EBE를 옹호하는 측에서 나온 후향적 연구결과들을 보면 EBE가 THE에 비해 상대적으로 초기 암들에서 5년생존률을 유의하게 증가시켰다. 9개 미만의 림프절전이가 있는 환자에서 EBE는 THE에 비해 유의하게 좋은 2년생존률(40% vs 32%)을 보인 반면 9개 이상의 림프절전이가 있었던 환자에서는 생존률에 별다른 영향을 미치지 못했다.

그러나 EBE는 수술 후 높은 합병증 발생률과 사망률을 보이는 단점이 있는데 EBE를 일상적으로시행하는 기관의 수술사망률은 4.5%이며 합병증 발생률은 51%이다.25 대부분의 합병증은 호흡기 계통의 합병증이며 문합부누출은 8%에서 관찰된다. EBE는 식도암의 치료에 있어서 상당히 중요한 치료방법이기는 하나 현재 시행하는 기관이 많지 않으며 좀 더 보존적인 수술을 옹호하는 측으로부터의 반론도 만만치 않다. 식도암 치료에 있어서 어떤 수술 방법이 가장 좋은가의 여부를 알기 위해서는 향후 무작위전향적연구가 필요하다. 그러나 환자 수가 많지 않고 실제 이 수술을 시행하는 기관의 수도 많지 않기 때문에 이런 연구를 진행하기에는 상당한 어려움이 따른다.

d. 미주신경보존식도절제술

VSE는 미국 내 몇 개 기관에서 시행하고 있는 수술인데 THE와 비슷하게 림프절절제에는 제한이 있기 때문에 점막내암의 치료에 주로 이용된다. 이 수술이 THE와 다른 점은 미주신경을 보존한 채 식도절제술을 시행한다는 것이다. 식도는 복재정맥박리술saphenous vein stripping에서 사용하는 박리기stripper를 이용하여 종격으로부터 박리해내고 위는 고위선택미주신경절단술highly selective vagotomy을 시행한 후 위관을 형성한다. VSE에서는 일반적인 식도절제술에 비해 수술 후 위관의 기능이 향상되나9 식도가 주위조직과 유착이 심한 경우 식도의 불완전절제가 문제가 될 수 있다. 수술합병증발생률 및 사망률은 THE와 비슷하다.

e. 최소침습식도절제술

지난 15년간 MIE는 점점 더 각광을 받고 있는데 MIE에서는 흉강경이나 경부를 통한 종격경이 개흉술을 대체하고 복강경은 개복술을 대체하여 시행된다. 흉강경-복강경을 이용한 식도절제술의 초기 결과는 THE의 결과와 유사하며 이와 더불어 통증과 재원기간을 줄이는 장점도 추가로 얻을 수 있었다. 애초에 MIE는 근치적 광범위식도절제술을 목표로 하지는 않았지만 최근에는 MIE를 통해 EBE까지 시행하는 예가 늘고 있다.

③ 문합의 위치

다른 모든 위장관문합에서와 마찬가지로 식도절제술에서의 문합도 문합부로 혈류를 좋게 하고 긴장 없이 문합하는 것이 성공의 지름길이다. 그러나 식도절제술에서는 이런 요인들을 불가능하게 하는 상황들이 많이 발생한다. 당뇨병, 고혈압 또는 흡연력을 가진 환자들은 미세혈관의 혈액순환이 원활하지 않기 때문에 위관의 혈류공급에 문제가 있을 수 있다. 거기에다 수술 전 시행한 방사선요법은 혈관의 변화를 유발하여 상처치유에 악영향을 줄 수 있다. 흉곽내식도위문합의 경우에는 혈액공급이 좀 더 원활할 수 있다. 반면에 경부식도위문합의 경우에는 위관이 종격내에서 압박을 받기 때문에 위쪽 끝에 괴사가 발생할 수 있다. 수술 후 2일 이내에 발생하는 문합부누출은 위관으로의 동맥혈 공급 장애로 인해 발생하는 허혈 때문에 발생하는 것이고 수술 후 7-9일에 발생하는 문합부누출은 정맥배출이 원활하지 않아서 발생하는 허혈 때문에 발생하는 것이다.

④ 문합방법

문합방법은 크게 수기 문합과 자동문합기에 의한 문합으로 나눌 수 있다. 수기 문합의 경우 4-0 흡수성봉합사를 이용한 단층의 단속봉합으로 시행한다. 자동문합기에 의한 문합의 경우 선형문합기를 이용하여 문합한 후 선형문합기가 들어간 구멍은 수기로 봉합한다. 자동문합기에 의한 문합은 수기 문합에 비해 문합부협착과 누출을 13%에서 3%로 낮추었다. 흉곽내문합의 경우 수기 문합이나 혹은 EEA 자동문합기를 이용한 문합을 시행할 수 있고 그 결과는 비슷하다.

⑤ 대체통로

식도절제술 후 위장관의 연속성을 이어주는 방법에는 여러 가지가 있으나 위가 대체통로로 가장많이 이용된다. 짧은 대체통로의 경우에는 유리공장피판free jejunal flap을 이용할 수 있다. 유리공장피판으로의 혈액공급은 내흉동맥internal mammary artery과 정맥 혹은 적당한 경부 동정맥에 미세혈관문합술을 시행하여 유지한다. 좀 더 긴 대체통로의 경우에는 supercharged 공장피판이나 대장간치술colonic interposition을 이용한다. 시간이 지남에 따라 긴 공장편이나 대장의 경우에는 아래 부분이 S자 형으로 휘면서 폐색을 유발하여 교정술이 필요하게 된다. 위상견인을 제외한 다른 모든 통로들은 추가적인 장문합을 필요로 하며 이 때문에 더 많은 합병증 위험성이 생긴다.

⑥ 통로의 위치

대체통로가 올라가는 길에는 피하, 흉골하, 그리고 후종격 등이 있다. 이들 중 후종격로가 위에서 경부식도로 올라가는 가장 짧은 길이며 가장 흔히 사용되는 길이다. 그러나 후종격 내에 심한 유착이 있거나 잔존 종양이 있을 때에는 흉골하로를 이용하게 된다. 흉골하로의 경우 시간이 지남에 따라 후종격로에 비해 기능이 다소 떨어지는 경향이 있으나 전체적으로는 큰 문제가 없다. 피하로도 이용할 수 있으나 미용과 기능적인 면에서 문제가 있으며 훨씬 더 긴 통로를 요하기 때문에 가급적이면 이용하지 않는 것이 좋다. 후종격로를 이용한 위상견인법이 기능적으로 가장 이상적인 조합이기 때문에 가급적이면 이 방법을 이용하도록 한다.

⑦ 고식적 치료

고식적 치료에는 화학요법, 방사선요법, 광역학요법Photodynamic Therapy (PDT), 레이저요법, 스텐트삽입술, 급식위조루술 혹은 급식공장조루술, 그리고 식도절제술 등이 있다. 이러한 치료 방법들은 종양의 부하를 줄여주고 영양 공급을 원활하게 하고자 하는 것으로 완치의 가능성이 희박하거나 근치적 치료를 육체적으로 견딜 수 없는 환자들에게 시행한다. 화학요법은 전이 병소를 치료하거나 전체적인 종양의 부하를 줄여주기 위해 시행되는데 주로는 방사선요법과 결합하여 국소적인 종양 치료를 함께 시행한다. PDT의 경우 다른 대체적인 치료방법으로 연하곤란을 평균 9.5개월 정도 해소할 수 있다. 내시경레이저치료는 또 다른 고식적 치료의 방법으로 식도폐색을 해결하는 데 있어서 효과적이며 합병증발생률이 낮은 치료 방법이다.

5. 드문 식도의 악성종양

1) 육종양편평상피암

이 형태의 변형된 암은 위육종pseudosarcoma, 암육종carcinosarcoma, 방추상세포암spindle cell carcinoma 등으로 불려왔다. 0.5–15%의 발생률을 나타내며 주로 60세 이상의 남자에서 많이 발생한다. 육종양편평상피암squamous cell carcinoma with sarcomatoid features은 전형적인 식도암에 비해 예후가 좋으며 20–30%의 림프절전이가 보고된다.

2) 선양낭성암

선양낭성암adnenoid cystic carcinoma은 0.75%로 매우 드문 질환이다. 60대 남성에서 주로 발생하며 증상이나 악성 정도는 편평상피암과 유사하다. 진단 전 증상이 있었던 기간은 3개월이며 진단 후 생존기간은 9개월이다.

3) 점액표피양종양

이 종류의 암은 공격성이 강하며 생존율은 편평상피암과 유사하다. 비록 이들의 조직소견은 침샘암과 유사하지만 식도의 경우 예후가 불량하다.

4) 소세포암

소세포암의 유병률은 1.7–2.4%이며 대부분의 환자 연령은 60대에서 80대 사이에 분포한다. 주로 중부와 하부 식도에서 발생하며 증상은 편평상피암과 유사하다. 소세포암의 세포 기원은 정확히 알려져 있지 않다. 대부분의

학자들은 이 암이 편평상피의 기저부에 위치한 은친화성 세포argyrophilic cell이나 공통줄기세포common stem cell로부터 기원된 것이 아닌가 추정하고 있다. 예후는 대부분의 경우 불량하다. 이 종류의 암은 화학요법에 반응하므로 일반적으로 항암제의 투여가 원칙이다.

5) 육종

식도의 육종은 아주 드물며 대부분 평활근육종이다. 카포시육종과 AIDS를 가진 환자의 50–70%에서 위장관 침범이 일어난다. 내시경 소견상 암적색의 점막성 반점 또는 보라색의 점막하 결절로 보인다.

6) 악성림프종과 호지킨병

약 1%에서 림프종의 식도 침범이 있으며 위장관 중 빈도가 가장 낮다. 대부분의 식도 침윤은 이차적인 것이며 다른 부위로부터 확장되어 야기된다. 원발 악성림프종은 드물다. 그러나 AIDS와 연관된 원발성 림프종은 보고된 바 있다.

7) 전이성 암

대부분의 경우 다른 원발종양에 의한 식도 침범은 원발종양의 직접 침윤 또는 림프절전이에 의해 야기된다. 종종 관련이 되는 원발병소의 위치는 위, 폐 그리고 갑상선이다. 식도로 전이하는 가장 흔한 원발종양은 악성흑색종, 유방암 그리고 폐암이다.

8) 이차 원발종양

식도암은 다른 원발종양을 상부위장관에 가진 환자에서 또 다른 이차 원발종양으로 나타날 수 있다. 상부위장관 종양을 가진 환자에서 매년 약 4%의 비율로 이차 원발종양이 발생한다. 두경부암 환자의 경우 이차 원발종양의 약 1/3이 식도에서 일어나며 특히 편도선과 구개에서 더욱 빈도가 높다. 이차 원발종양의 출현은 원발종양의 생존율에 악영향을 미친다. 이 지역에 발생하는 암들은 흡연과 관련이 많다. 대부분의 이차 원발종양은 흡연과 같은 발암물질에 노출되기 쉬운 상부위장관 상피세포에서 일어난다. 이런 현상은 분야암화field cancerization이라고 한다.

요약

식도암은 현재 미국에서 가장 빠르게 증가하고 있는 암으로 전세계적으로 진단되는 대부분의 식도암은 편평상피암이나 미국에서는 선암이 전체 식도암의 70%를 차지한다. 이렇게 미국에서의 식도암의 세포형이 바뀌게 된 이유는 GERD의 증가, 서양의 식습관 그리고 위산분비억제제 사용의 증가 등이다. 식도벽은 두 층으로만 이루어져 있기 때문에 암이 단시간 안에 근육층을 뚫고 주위 장기로 침윤하게 되며 식도의 풍부한 혈관 및 림프관망은 암의 주위 림프절로의 전이를 용이하게 하여 진단 당시 이미 진행된 경우가 많다. 식도암에 대한 치료방법을 결정함에 있어서는 종양의 조직학적 형태, 위치 그리고 침윤도, 국소 및 부위 림프절의 전이 여부, 환자의 영양상태를 포함한 전신상태, 근치적 치료를 할 것인지 아니면 고식적 치료를 할 것인지에 관한 명확한 목표 이런 것들을 잘 고려하여 여러 가지 치료방법을 잘 결합한 치료 계획을 짜야 한다. 식도암에 대한 치료는 모든 병기에 걸쳐 이견이 존재하고 종양내과의, 방사선종양의, 소화기내과의, 그리고 외과의들 간에 차이가 있고 외과의들 내부적으로도 서로 차이가 있지만 이 모든 치료법을 적절히 조합한 다학제적 치료가 필수적이다.

Ⅵ 위식도역류질환 및 열공탈장

위식도역류질환Gastroesophageal Disease (GERD)과 열공탈장의 수술적 치료는 1990년대 이래로 급격한 변화를 겪어왔다. 과거에는 매우 드물게 시행되던 항역류수술과 열공탈장복원술(주로 식도곁탈장Paraesophageal Hernia (PEH))이 현재는 전 세계 여러 병원들에서 많은 수의 수술이 시행되고 있다. 이러한 변화를 일으킨 주된 원동력은 90년대 이후 이루어진 최소침습수술Minimally Invasive Surgery (MIS)의 발전이다. MIS에서 항역류수술의 술기에는 별다른 변화가 없었지만 MIS의 작은 상처, 짧은 재원기간 그리고 적은 통증 등의 장점 때문에 환자나 혹은 내과의사들이 수술을 과거보다 더 선호하게 되었다.

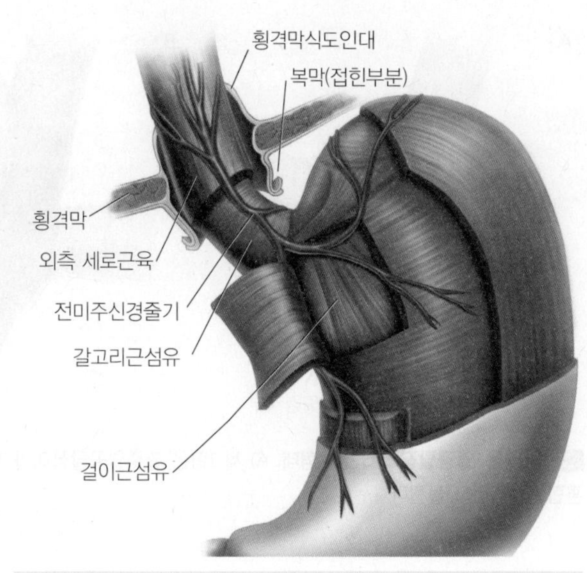

그림 1-26 위식도경계부의 근육층에 대한 그림.
식도의 돌림근육층, 횡격막, 그리고 걸이근섬유가 하부식도괄약근의 압력을 유지하는 데 관여한다. 식도의 돌림근육층은 위분문부의 걸이근섬유와 해부학적으로 같은 층에 위치하고 있다.

1. 위식도역류질환

1) 병태생리

하부식도괄약근Lower Esophageal Sphincter (LES)의 일차적인 역할은 위의 내용물이 식도로 역류하는 것을 방지하는 일이다. LES는 유문이나 팽대부처럼 해부학적으로 명확하게 드러나는 구조를 가지고 있지는 않지만 위식도경계부Gastroesophageal Junction (GEJ) 바로 위에 위치하면서 분명한 고유의 생리작용을 가진 구조물이다. 식도내압검사를 하면 압력센서가 위에서 식도 쪽으로 이동하면서 분명한 고압지대high pressure zone를 확인할 수 있다.

이러한 고압지대를 형성하는 데 중요한 몇 가지 인자들이 있는데 첫 번째는 하부식도의 돌림근층circular muscle layer의 끝 부분에 괄약근으로 분화된 돌림근섬유들로 갈고리근섬유clasp fiber이다. 이 근섬유들은 식도의 다른 부분의 근섬유들과는 다르게 괄약근 기능을 위한 긴장수축상태tonic contraction에 놓여있다. 정상적으로 이 근섬유들은 연하가 시작되면 이완되었다가 다시 긴장수축상태로 돌아온다. 두 번째는 위분문부의 걸이근섬유sling fiber이다. 이 섬유들은 위의 분문부-저부 경계부에서부터 소만곡 쪽으로 비스듬하게 달리는 근섬유들인데 해부학적인 층으로는 식도의 돌림근섬유층과 일치한다(그림 1-26). 이 근섬유들도 하부식도의 고압지대를 형성하는 데 중요한 역할을 담당한다. 세 번째 인자는 복부식도를 통해 전도되는 복압이다. 일반적으로 복압은 흉곽내압보다도 높은데 전도된 상대적으로 높은 복압은 LES에서 고압지대를 형성하는 데 중요한 역할을 한다. 마지막 인자는 횡격막다리diaphragmatic crus이다. 식도가 가슴을 지나 배로 들어가면서 횡격막다리에 의해 둘러싸이게 되는데 흡기inspiration 중에는 횡격막다리에 의해 형성되는 식도열공의 전후방지름anteroposterior diameter이 작아지면서 식도를 밖에서 압박하게 되어 LES의 압력을 높이게 된다. 흡기 중에는 흉곽내압이 상승하게 되는데 이렇게 되면 복압과 흉곽내압 간의 압력차가 거의 소실되어 세 번째 인자에 의한 고압지대 형성작용이 제한을 받게 된다. 네 번째 인자는 흡기에 의한 LES의 압력의 감소를 보상하는 효과가 있다. 또한 이런 호흡운동에 따른 LES의 압력의 차이는 식도내압검사 결과를 판독하는 데 중요한 영향을 미칠 수 있어서 식도내압검사 시에는 보통 호흡의 중간 지점이나 혹은 호기 말end expiration에서 압력을 측정하도록 하고

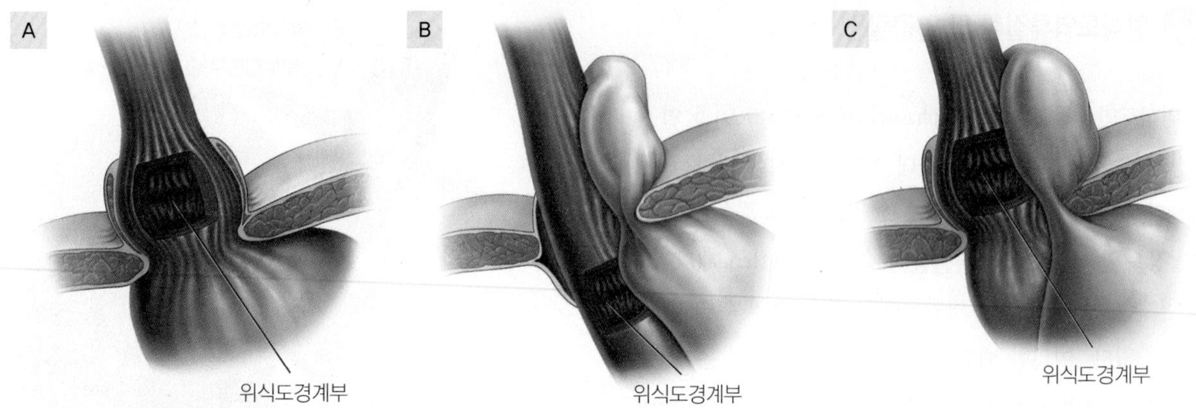

그림 1-27 **열공탈장의 3가지 형태.** A) 제 1형은 활주열공탈장이라고 불리기도 한다. B) 제 2형은 굴림탈장이라고 불리기도 한다. C) 제 3형은 혼합탈장이라고 불린다.

있다.

GERD는 하부식도의 고압지대의 압력이 너무 낮아서 위의 내용물이 식도로 역류하는 것을 방지할 수 없을 때나 혹은 압력은 정상이라도 식도 체부의 수축과 연관 없이 자발적으로 이완될 때Transient LES Relaxation (TLESR) 발생한다.1 그 이외에도 LES가 위쪽으로 이동하거나 혹은 음식이나 공기에 의한 위의 확장 과정에서 발생하는 고압지대의 단축 역시 역류에 대한 장벽으로서의 기능이 사라져서 역류를 초래하게 될 것이다. 고압지대에서 발생하는 미세한 변화에도 그 기능의 장애를 초래할 수 있기 때문에 정상인에서도 역류가 발생할 수 있다. 위식도역류 질환과 위식도역류를 구분하는 것은 굉장히 중요하고도 섬세한 일인데 여기에는 연관된 증상, 식도 점막의 손상, 위산에 노출된 양 그리고 기타 다른 요인들 등에 대한 지식을 요한다.

GERD는 종종 열공탈장과 연관되어 나타나는데 모든 종류의 열공탈장이 GERD를 동반할 수 있지만 가장 흔한 것은 제 1형, 활주열공탈장sliding hiatal hernia이다(그림 1-27A). 1형 탈장은 GEJ가 횡격막식도인대phrenoesophageal ligament에 의해 복강 내의 위치를 유지할 수 없을 때 발생하게 되는데 이 때 위의 분문부는 후종격posterior mediastinum과 복강 사이를 왔다 갔다 하게 된다. 횡격막식도인대는 복부내근막endoabdominal fascia의 연장선상에 있는 구조물로서 식도열공 부위에서 식도방향으로 꺾어져 올라간다. 이것은 식도열공 부위에서 peritoneal reflection보다 약간 더 표층에 있으며 종격mediastinum 방향으로 연결된다(그림 1-28). 작은 활주열공탈장의 존재 자체가 바로 하부식도괄약근무력증을 의미하는 것은 아니나 크기가 커질수록 비정상적인 위식도역류가 발생할 확률이 높아진다.

열공탈장은 그 해부학적 구조에 따라 1형에서 3형의 세 가지 형으로 구분할 수 있는데 이들 중 2형, 3형을 보통 식도곁탈장Paraesophageal Hernia (PEH)이라 부른다. PEH는 GERD와 연관이 있을 수도 있지만 대개 크기가 큰 탈장으로 급만성 폐쇄성 증상과 주로 연관이 있는 탈장으로 1형에 비해 치료가 더 어렵다. 제 2형 열공탈장(그림 1-27B)은 진정한 의미의 PEH로 GEJ는 정상 위치에 있는 채로 식도열공에 있는 결손을 통해 위저부 및 다른 장기가 탈장되는 것을 말하는데 흉강 내에 형성되어 있는 음압으로 인해 탈장이 쉽게 발생한다. 제 3형 열공탈장(그림 1-27C)은 제 1형과 2형이 결합된 형태로 GEJ와 위저부(혹은 타 장기까지)가 함께 흉강 내로 탈장되는 것이다. 그러나 열공탈장의 존재 여부가 GERD 진단의 필수 조건은 아니고 탈장이 있다고 해서 반드시 수술로 교정해야 하는 것은 아니다. 이론적으로 1형이나 3형의 탈장이 있다고 하는 것은 LES가 흉강 내의 음압에 노출될 수 있다는 것이

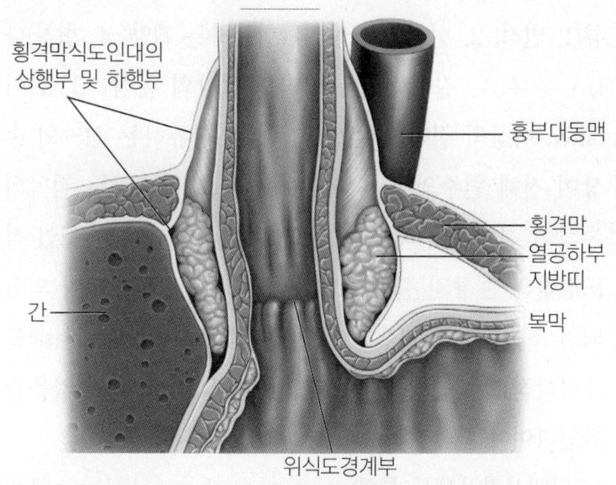

그림 1-28 위식도경계부의 관상면을 보면 복막과 횡격막식도인대와의 관계를 알 수 있다. 횡격막식도인대는 상행부와 하행부의 두 구조로 갈라져서 상행부는 후종격으로 연결된다. 벽쪽복막은 위의 방향으로 꺾어지면서 내장쪽복막으로 연결된다(횡격막식도인대의 하행부).

고 이것에 의해 LES의 압력이 약화될 수 있어서 역류를 더 용이하게 할 수 있다는 것이다. 그러나 많은 열공탈장 환자들은 별다른 증상이 없기 때문에 반드시 치료를 요하지는 않는다.

2) 임상 양상

GERD 환자에서 볼 수 있는 가장 흔한 임상 양상은 오랫동안의 가슴쓰림heartburn과 짧은 기간의 역류 증상을 호소하는 것이다. 가슴쓰림은 그것이 전형적이라면 상당히 믿을만한 GERD의 증상이다. 가슴쓰림은 명치부위나 흉골후방에 국한되어서 나타나고 타는 듯하거나 찌르는 듯한 통증이다. 통증은 등으로 뻗치지 않고 압박감 등과도 다르다. 가슴쓰림을 진단할 수 있는 가장 좋은 방법은 환자에게 스스로의 증상을 자세히 설명하게 하는 것이다. 때때로 증상은 소화성궤양, 담석증 혹은 관상동맥질환의 증상과 혼동되기도 한다.

역류증상이 있다고 하는 것은 질환이 더 진행되었다는 것을 뜻한다. 역류가 있는 환자들은 때때로 몸을 숙여서 신발끈을 맨다든지 했을 때 심한 역류를 경험하기 때문에 이런 행동을 회피하는 경향을 보이기도 한다. 역류가 있을 때에는 역류되어 올라오는 내용물이 소화되지 않은 음식물인지 혹은 소화된 음식물인지를 구분하는 것이 중요한데 만약 소화되지 않은 음식물이 올라온다면 이것은 식도게실이나 식도이완불능증에서 나타나는 역류일 가능성이 많다.

어떤 환자들에서는 가슴쓰림과 역류 이외에도 연하곤란dysphagia이 나타나는 경우도 있다. 대개의 경우 연하곤란은 식도폐색에 의해 나타나는 증상인데 유동식보다는 고형식을 삼킬 때 더 심하게 나타난다. 만약 환자가 유동식, 고형식 모두에서 똑 같은 정도의 연하곤란을 호소한다면 그것은 식도의 운동성질환motor disorder에 의한 것일 가능성이 크다. GERD 환자가 연하곤란을 호소한다면 그것은 원위부 식도에서 발생한 소화성협착peptic stricture에 의한 것일 가능성이 가장 크다. 그러나 종양, 식도게실, 그리고 식도의 운동성질환에 의해 발생한 것이라면 이러한 질환들은 수술 전에 반드시 감별하여야 하는데 그 이유는 이런 질환들의 경우 수술 방법이 전혀 달라질 수 있기 때문이다(식도의 운동성질환 편 참조).

GERD 환자에게는 위에서 열거한 증상들 이외의 다른 증상들도 발현될 수 있는데 그 대부분은 식도증상esophageal symptom이라고 불리는 소화기에서 발생하는 증상들이나 꽤 많은 수의 환자들에서는 식도외증상extraesophageal symptom이라고 불리는 호흡기 관련 증상들도 나타날 수 있다. GERD 환자들에서 흔히 나타날 수 있는 증상들이 표 1-7에 정리되어 있다. 식도증상을 가진 많은 환자들에서 식도외증상(호흡기 증상)이 함께 나타날 수는 있으나 식도외증상만 나타나는 경우는 흔하지 않다.

3) 이학적 검사

이학적 검사로 GERD를 진단하기는 거의 불가능에 가깝다. 그러나 환자를 잘 관찰하면 상당히 진행된 질환에서 나타나는 징후들을 발견하는 경우도 있다. 환자의 문진 과정에서 환자가 끊임없이 물을 마신다면 이것은 지속적인 위산역류를 중화시키기 위한 행동일 수 있거나 아니면 원위부 식도의 폐색이 있는 환자에서 식도청소능esoph-

표 1-7. 위식도역류질환에서 나타나는 증상의 빈도

증상	빈도(%)
가슴쓰림	80
역류	54
복통	29
기침	27
고형식에 대한 연하장애	23
목쉼	21
트림	15
가스참	15
흡인	14
천명	7
목의 이물감	4

ageal clearance을 향상시키기 위한 행동일 수 있다. 만약 환자가 앉을 때 앞으로 기대는 듯한 자세로 앉아서 계속 호흡을 통하여 폐를 팽창시키는 채로 문진에 임한다면 이것은 횡격막을 하강시켜서 식도열공의 전후방직경anteroposterior diameter을 감소시켜 LES의 압력을 상승시키고자 하는 행동일 수 있다. 역류가 심하여 위의 내용물이 근위부 식도까지 역류가 되는 환자들은 치아의 부식에 의해 색깔이 누렇게 변하거나 구강인두점막의 발적, 만성부비동염의 징후 등을 발견할 수 있다.

이학적 검사는 GERD의 진단 자체보다는 역류를 유발할 수 있는 다른 질환을 진단하는 데 더 도움이 될 수 있다. 만약 가슴쓰림과 연하곤란을 호소하는 환자에서 쇄골상부림프절 종대가 관찰된다면 식도암이나 위암에 의한 것이라 추정할 수 있다.

4) 수술 전 검사

(1) 위내시경

위내시경검사는 항역류수술 예정으로 있는 GERD 환자에 있어서 반드시 시행하여야 하는 검사이다. 이 검사는 종양 등의 다른 질환을 감별할 수 있고 역류에 의한 식도점막의 손상을 확인할 수 있기 때문에 아주 중요하다. 내시경적 식도점막의 손상 정도는 Savary-Miller 분류(1, 발적; 2, 선상의 궤양; 3, 합류하는 궤양; 4, 협착)나 LA 분류(A, 길이 5mm 미만의 점막의 손상; B, 길이 5mm 이상의 점막의 손상; C, 서로 합류하는 점막의 손상이 전체 원주의 75% 미만; D, 서로 합류하는 점막의 손상이 전체 원주의 75% 이상)로 분류한다. 극단적인 식도점막의 손상의 결과는 바렛식도이다. 바렛식도가 의심되면 조직검사를 시행하여 장형화생intestinal metaplasia을 조직학적으로 증명하여야 하고 이형성dysplasia이 없음을 확인하여야 한다.

위내시경검사를 통해 gastroesophageal flap valve의 형태를 등급 매길 수 있는데 Hill 등2은 위내시경의 후굴retroflexion 상태에서 GEJ를 관찰했을 때 알 수 있는 이 밸브의 등급을 1에서 4등급으로 나누었는데 4등급은 완전히 산개한 GEJpatulous GEJ를 의미하며 위에서 식도의 체부를 완전히 관찰할 수 있는 상태를 말한다.

(2) 식도내압검사

식도내압검사를 통해 식도의 체부와 LES의 기능에 대한 많은 정보를 얻을 수 있다. 이 검사를 통해 식도이완불능증과 같이 GERD와 유사한 증상을 나타낼 수 있는 식도의 일차적인 운동성질환을 감별할 수 있고 또한 식도 체부의 운동능력을 파악할 수 있어서 항역류수술을 준비하는 데 유용한 정보가 된다. 예를 들어 식도 체부의 운동능력이 떨어진 경우에는 전위저부주름술total fundoplication을 시행하지 않고 부분위저부주름술partial fundoplication을 시행할 수도 있다. 식도내압검사관은 5cm 간격으로 내장된 압력센서를 가진 유연한 튜브로 구성되어 있다(그림 1-29). 식도내압검사에서 상부식도괄약근Upper Esophageal Sphincter (UES)은 연하운동에 따라 위치가 변하므로 정확하게 분석하기가 굉장히 힘들다. 그러나 다행히도 UES의 이상은 흔치 않으며 있다 하더라도 임상적으로 별다른 문제를 일으키지 않는다. 그러므로 식도내압검사에서 주로 얻게 되는 중요한 정보는 식도 체부와 LES의 기능에 대한 것이다.

LES의 기능은 평균 휴지기압력resting pressure을 측정

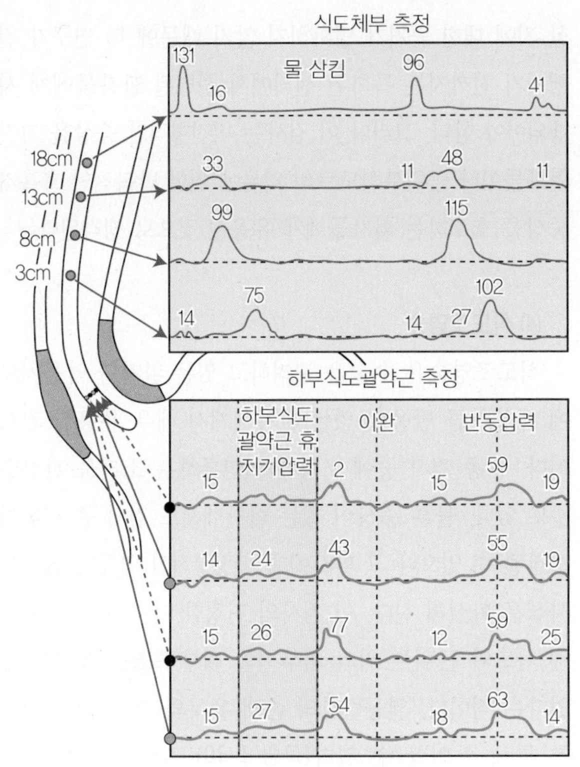

그림 1-29 식도내압검사관에 위치 별로 내장되어있는 5개의 압력 센서를 통해서 식도체부와 하부식도괄약근의 압력을 측정할 수 있다. 환자가 물을 삼킨 후 식도체부의 연동운동이 나타나나 동시에 하부식도괄약근에서는 위의 기저압력까지 압력이 떨어지는 이완이 관찰된다.

하여 분석한다. 정상 LES 압력은 12-30mmHg이다. LES의 기능 분석을 통해 얻을 수 있는 다른 정보들은 전체의 길이, 복강 내 LES의 길이, 그리고 코에서부터의 LES의 위치 등이다. 고압지대의 전체의 길이가 길수록 그리고 복강 내 고압지대의 길이가 길수록 위의 내용물의 역류에 대한 더 튼튼한 방어막 구실을 한다.

식도 체부의 기능은 연동운동peristalsis의 유효성을 평가하여 분석한다. 환자에게 5mL의 물을 삼키게 한 후 LES로부터 3, 8, 13, 18cm 떨어진 채널로부터 압력을 측정하는데 이 것을 최소한 10회 이상 반복한다. 환자가 물을 삼킬 때 각 채널에 그 압력이 성공적으로 전달된 분율을 구하여 연동운동의 유효성을 나타낸다. 정상적인 식도체부의 연동운동은 80% 이상이어야 한다. 식도내압검사에서 두 번째로 중요한 측정치는 각 연동파peristaltic wave의 진폭amplitude을 측정하는 것이다. 진폭은 전도된 연동파에 의해 원위부 식도에서 측정되는 평균압력을 구해서 얻는다. 비효과적식도운동ineffective esophageal motility (IEM)은 정상적인 식도 연동운동이 70% 미만이거나 원위부 식도 진폭이 30mmHg 미만일 때 진단할 수 있으며 대개의 경우 심한 GERD와 연관이 있다.

고해상도식도내압검사high-resolution manometry를 이용하면 기존의 식도내압검사에 비해 좀 더 정확하게 식도의 기능을 평가할 수 있다. 이 검사의 장점은 식도의 전장에 걸친 운동 능력을 연속적으로 측정할 수 있어서 식도운동기능을 좀 더 세밀하게 검사할 수 있다는 것이다.

(3) 식도산도검사

식도산도검사는 위산역류를 진단하고 정량화 하는 데 좋은 검사이다. 이 검사는 식도 위치에 1개 이상의 전극을 포함하는 부드러운 관을 환자의 코를 통해 거치한 후 시행하는 것으로 이 전극에서 pH 2에서 7 사이의 산도 변화를 감지하는 것이다. 이 전극에서 발생하는 데이터는 환자가 지니고 있는 저장장치에 24시간 동안 저장된다. 저장장치에는 디지털 시계가 내장되어 있는데 환자가 증상을 느끼면 그 증상을 환자의 증상일지에 기록하고 해당 시간은 녹화장치에 있는 시간을 기록한다.

이 검사를 통해 pH 4 미만인 역류의 횟수, 가장 긴 역류, 5분 이상 지속되는 역류의 횟수, 서있을 때 역류되는 범위, 그리고 누워있을 때 역류되는 범위 등이다. 이들 중 식도에 손상을 줄 수 있는 영향력에 따른 가중치를 감안한 공식을 통해 합산된 점수가 바로 DeMeester 점수이고 정상치는 14.7 미만이다. 비정상적인 역류가 있는 지를 판단하는 좀 더 간단한 방법은 근위부와 원위부 전극에서 pH 4 미만인 시간 비율(%)에 100을 곱하는 수치를 구하는 것인데 근위부 전극(LES 15cm 근위부에 위치)에서는 1% 미만일 때 정상이고 원위부 전극(LES 5cm 근위부에 위치)에서는 4% 미만이 정상이다.

환자의 증상일지는 저장장치에 녹화된 역류의 에피소드와 일치하여야 한다. 환자의 가슴쓰림이나 흉통이 발생한 시기가 저장장치에 기록된 pH의 감소 시기와 일치하는 것은 상당히 중요한 임상적인 의미를 가지며 환자의 증상이 위산역류에 의해 발생한다는 강력한 증거가 된다. 식도산도검사 결과를 판독함에 있어서 주의해야 할 점은 환자의 몸에 관을 거치하고 있으면 환자가 본인이 평소에 생활하는 것처럼 생활하고 먹는 것처럼 먹지 않고 다르게 행동할 수 있다는 것이다. 그리하여 검사 기간 동안 환자의 증상이 평소처럼 그렇게 자주 일어나지 않을 수도 있다. 만약 전체적인 역류의 횟수나 기간이 정상 범위 안에 있다 하더라도 기록된 pH의 감소와 연관된 환자의 증상이 있다symptom reflux correlataion면 GERD로 확진할 수 있다.

근래에 일부 특화된 기관에서는 임피던스산도검사impedence pH monitoring를 시행하고 있는데 이 검사를 시행할 경우 역류의 성질이 산성인지 비산성인지를 분간할 수가 있다. 임피던스검사는 전류흐름에 대한 저항의 변화를 감지함으로써 역류를 진단하는 장치이므로 역류물refluxate의 성상이 액상이거나 기체이거나 혼합된 것이거나 상관 없이 모두 감지할 수 있다. 관 내의 임피던스는 기체 상태이면 높아지고 액체 상태이면 낮아진다. 기존의 식도산도검사에 비해 임피던스산도검사는 산성의 음료를 마셨을 때와 위산역류를 구분할 수 있는데 위산역류의 경우 식도 내에서 후향적인 움직임을 보이고 산성의 음료를 마신 경우에는 전향적인 움직임을 보이기 때문이다. 임피던스산도검사의 또 하나의 장점은 기침, 목쉼, 천명, 혹은 흡인 등의 식도외증상을 가진 환자들에서 식도 근위부로의 역류를 진단할 수 있다는 점이다. 임피던스산도검사를 이용한 연구들에서 일반 식도산도검사에서 정상적인 하부식도의 위산노출을 보이며 최고 용량의 양성자펌프억제제Proton Pump Inhibitor (PPI)를 사용하여도 증상이 지속되는 환자들의 30–40%가 비산역류non-acid reflux가 있음을 보고하였다. 이들의 증상 중 PPI 투여 후에도 지속되는 증상은 주로 역류, 흉통, 그리고 기침 등이었고 가슴쓰림이 지속되는 경우는 다른 증상들에 비해서 많지 않았다. 아직 임피던스산도검사를 GERD의 치료에 어떻게 이용해야 할 지에 대한 근거가 명확하지 않기 때문에 더 연구가 진행되기 전까지는 특화된 센터에서 선별된 환자들에게 시행되어야 한다. 그러나 이 검사는 비전형적인 증상을 가진 환자들이나 근위부식도로의 역류에 인한 반복적인 호흡기 증상을 호소하는 환자들에게 유용할 것으로 생각된다.

(4) 식도조영술

식도조영술은 수술을 고려하고 있는 환자나 약물치료에 예상만큼 반응이 없는 환자에게서 매우 유용한 검사이다. 종종 검사 중에 조영제가 역류하는 소견을 관찰할 수도 있다. 물론 증상이 없는 환자에서도 검사 중 역류가 관찰될 수 있으나 그 환자에게 비정상적인 역류가 있다는 사실은 확실해 진다. 이 검사의 진정한 가치는 검사를 통해 식도와 근위부 위의 외부적인 해부구조를 확인할 수 있다는 점이다. 열공탈장의 존재 유무와 그 크기를 검사를 통해 확인할 수 있다(그림 1-30). 이러한 소견들이 GERD의 존재 유무를 증명하는 것은 아니지만 수술을 준비하는 입장에서는 큰 도움이 된다. 만약 검사 중 환자를 일으켜 세웠을 때에도 GEJ가 복강 내로 환원되지 않는다면 수술 중 식도늘임수기esophageal lengthening procedure가 필요할 수 있음을 암시한다. 식도의 소화성 협착도

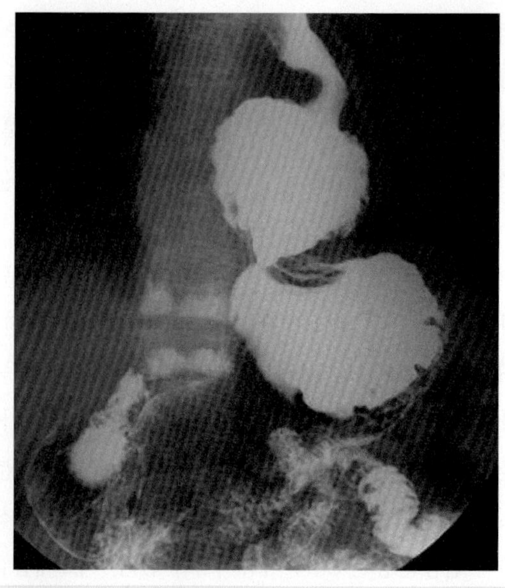

그림 1-30 상부위장관조영술에서 큰 열공탈장이 관찰된다.

이 검사를 통해서 진단할 수 있다. 식도의 협착이 있고 그 협착이 역류를 막을 정도로 강하다면 식도산도검사 결과를 해석하는 데 혼동을 초래할 수 있다. 이 외에 식도게실, 종양, 그리고 예기치 않았던 식도곁탈장 등의 해부학적 이상도 이 검사를 통해 확인할 수 있다.

(5) 기타 검사

특정한 상황에서는 위에서 언급한 검사들 이외의 검사가 더 유용할 수 있는데 예를 들면 환자가 식도산도검사의 관을 못 견뎌서 검사가 불가능한 경우 등이다. 식도의 청소능과 역류를 검사하기 위한 섬광조영술scintigraphy은 식도의 운동성질환과 역류를 증명할 수도 있다. 위지연배출에 의한 위의 확장도 섬광조영술을 통해 확인할 수 있다. 위지연배출이 역류를 조장할 수는 있으나 이런 환자의 항역류수술에서 유문성형술을 시행해야 하는 가의 여부는 확실하지 않다.

식도외증상 중 후두증상을 호소하는 환자에서 후두경 검사는 역류에 의한 후두의 변성을 객관적으로 증명할 수 있다.

5) 치료 및 결과

(1) 내과적 치료

환자가 처음 내원했을 때 환자의 병력이나 이학적 검사 소견이 GERD에 합당하다면 굳이 다른 검사를 시행할 필요는 없다. 환자에게 만성적인 빈혈이 없는지를 확인한 후 6주간의 PPI를 처방한다. 대부분의 연구자들은 내과적 치료의 첫 단계로 고용량의 PPI를 처방해야 한다는 데 동의한다. 이런 치료는 그 자체로 진단의 도구가 될 수 있으며 6주간의 고용량의 PPI 처방 이후에도 환자의 증상이 지속된다면 위에서 언급했던 여러 가지 검사들을 진행해 보아야 한다. 위산역류를 치료하기 위해 사용 가능한 약제들은 제산제, 위장운동촉진제, H2수용체길항제, 그리고 PPI 등이다. 생활습관의 개선이 약물치료를 시작하기 전 혹은 시작함과 동시에 이루어져야 한다고 알려져 있으나 생활습관의 개선이 식도염의 치료에 미치는 효과는 잘 밝혀져 있지 않다.

GERD에 대한 약물치료는 PPI의 개발과 함께 혁명적인 변화를 가져왔다. 이 약물은 2006년 현재 전세계적으로 가장 널리 처방되고 있는 약물로 이 약물에 지출되는 비용이 전세계적으로 240억 달러에 달한다. 이 약물은 위의 벽세포의 양성자펌프에 비가역적으로 결합하여 위산분비를 강력하게 억제한다. 치료를 개시한 지 4일째가 되면 최고의 효과를 발휘하는데 그 효과는 벽세포의 수명만큼 지속된다. 그러므로 약효의 지속시간은 투여한 지 4–5일째까지인데 만약 식도산도검사를 시행할 환자의 경우라면 검사 시행 최소한 1주일 전부터는 PPI의 복용을 중단해야 한다.

H2수용체길항제와 비교했을 때 PPI는 위산에 의한 식도궤양의 치료에 훨씬 효과적이다. 약값은 상대적으로 비싼 편이나 부작용은 별로 없다. 알려진 부작용으로는 두통, 복통, 방귀의 증가, 변비, 그리고 설사 등이 있다. 최근에 PPI를 장기 복용했을 때 나타날 수 있는 부작용들에 이목이 집중되었는데 다수의 연구에서 영양결핍과 감염성 합병증들이 증가하는 것으로 나타났다. 그러나 이와 관련한 대부분의 연구가 작은 수의 환자들을 대상으로 하는 후향적 연구 결과이기 때문에 이 결과를 받아들이는 데에는 신중을 기해야 한다. 좀 더 규모가 큰 연구들에서는 PPI 장기 복용과 관련하여 주로 1년 이상 사용했을 때 위폴립의 발생률 증가를 보고하였으나 대부분은 증식폴립hyperplastic polyp이었다.

(2) 수술

GERD의 수술적 치료의 적응증은 PPI의 개발 이래로 지속적으로 변해왔다. 가장 확실한 수술 적응증은 심한 식도손상(예; 궤양, 협착, 바렛식도)이 있는 경우나 약물치료 중 증상이 불완전하게 소실되는 경우나 재발하는 경우이다. 이외에도 오랜 기간 동안 증상이 지속되어 온 환자나 젊은 나이에 증상이 발현된 환자들의 경우에 수술을 우선적으로 고려하는 것이 좋으며 이런 환자들의 경우에는 수술이 내과적 치료의 실패 이후에 구제요법으로 시행하는 것이 아니라 내과적 치료에 대한 대안이 될 수 있다.

어떤 환자들의 경우에는 PPI 치료에 전혀 반응이 없는 경우도 있다. 이런 환자들의 경우 수술에의해 좋아질 수 있는 내과적 치료에 실패한 환자들과는 달리 수술을 고려하기 전에 면밀한 검사가 필요하다. PPI의 위산 분비 능력 억제 작용은 굉장히 강력하기 때문에 이런 환자들의 경우 GERD의 진단 자체에 대해 의문을 가져봐야 하며 객관적인 검사들을 시행해 보아야 한다.

GERD의 치료에 MIS가 도입된 이래로 작은 상처, 짧은 재원기간 그리고 적은 통증 등의 장점 때문에 환자나 혹은 내과의사들이 수술을 과거보다 더 선호하게 되었다.

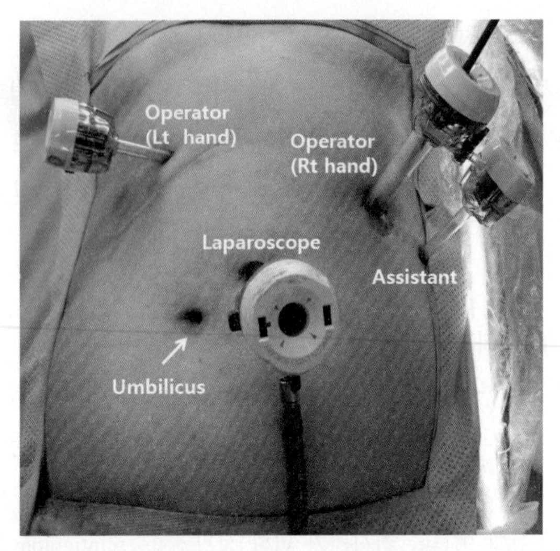

그림 1-31 식도열공에 대한 복강경수술을 위한 투관침 위치

가. 전위저부주름술

아래에 소개할 수술 기법은 360도 랩을 이용한 위저부주름술 중 가장 선호되고 있는 좌횡격막다리접근법left crus approach이다. 이 방법은 단위동맥을 조기에 처리함으로써 수술 중 비장에 대한 손상을 최소화할 수 있는 수술 방법이다.

환자는 다리를 벌린 앙와위 자세를 취하고 술자는 환자의 다리 사이 혹은 환자의 우측 하방에 위치한다. 보통 4개의 투관침을 사용하고 간 견인기를 사용할 경우에는 명치 부위나 우측에 한 개의 투관침을 더 사용할 수 있다(그림 1-31).

조수가 위의 대만곡을 견인하면 술자는 대망, 좌횡격막다리, 그리고 대만곡을 박리한다. 단위동맥은 위저부를 유동화하기 위해서 조기에 절단한다(그림 1-32). 위저부의 유동화가 끝나면 좌횡격막다리의 위쪽으로 있는 횡격막식도인대phrenoesophageal ligament를 좌횡격막다리의 근섬유가 드러날 때까지 박리한다. 이 시기에 좌횡격막다리가 전장에 걸쳐 노출되게 된다(그림 1-33).

소망을 열어서 우횡격막다리에 대한 박리를 시행하고 횡격막식도인대의 오른쪽 부분과 완전히 분한다. 이렇게 하여 환자의 왼쪽으로 박리를 진행하면 좌횡격막다리 쪽에서 박리하던 수술 시야와 만나게 되고 양측 횡격막다리는 V자 모양으로 완전히 노출되게 된다. 이 과정에서 양

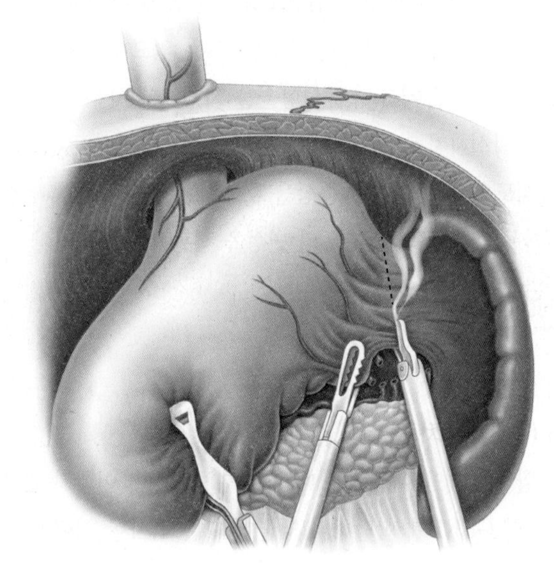

그림 1-32 좌횡격막다리를 통한 접근법에서는 위분문부를 조기에 유동화한다. 비장은 정면에서 잘 보이기 때문에 비장에 대한 손상을 방지할 수 있다.

쪽 미주신경에 손상을 주지 않도록 주의한다(그림 1-34). GEJ 주변에 테이프를 건 후 식도의 근위부 박리 할 때와 랩을 형성할 때 조수가 이 테이프를 환자의 좌, 하방으로 견인하면서 시야를 확보하도록 한다.

식도가 완전히 유동화 된 후 횡격막다리는 두꺼운 비흡수성봉합사를 이용하여 봉합하여 조여주고 이때 조이는 정도는 52Fr 부지가 여유 있게 통과할 정도로 조인다

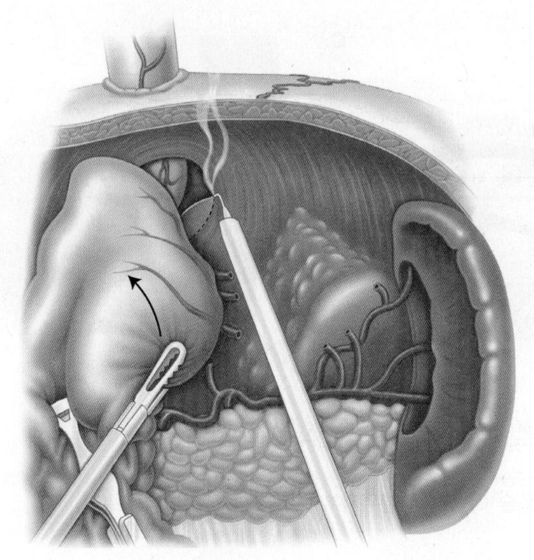

그림 1-33 위분문부의 유동화가 끝나면 식도와 후미주신경에 대한 손상을 방지하기 위해서 좌횡격막다리의 앞쪽에서 횡격막식도인대를 절제한다.

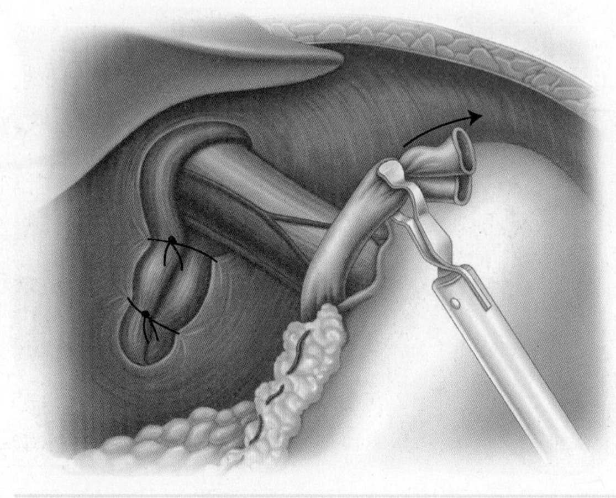

그림 1-35 두꺼운 비흡수성 봉합사를 이용하여 식도열공의 뒤쪽을 봉합한다. 이 때 횡격막다리의 근육뿐만 아니라 주변의 복막도 함께 떠야 근육이 찢어지는 것을 방지할 수 있다. 이 때 조수는 식도를 좌측 그리고 전방으로 견인하여 시야를 확보한다.

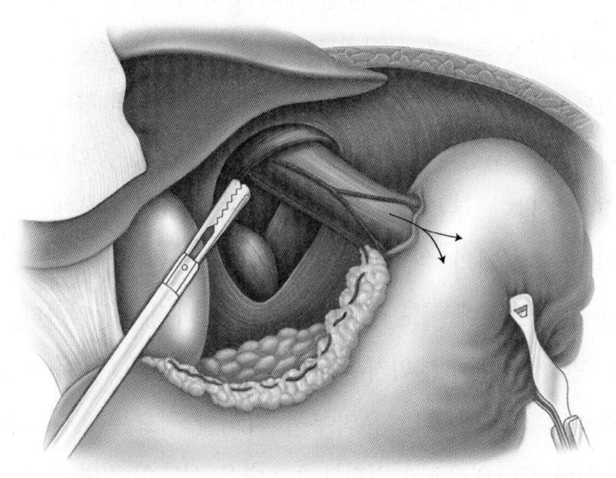

그림 1-34 왼쪽에서와 마찬가지로 우횡격막다리 주변을 잘 박리하면 식도열공의 후방과 측방이 완전히 노출되게 된다. 이 때 수술을 횡격막다리의 가장자리를 따라서 진행하면 주변 구조물에 대한 손상을 최소화할 수 있다.

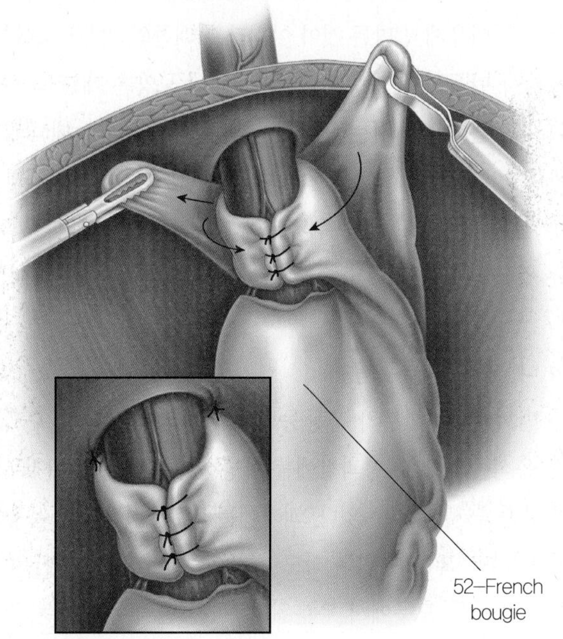

그림 1-36 랩은 위저부를 이용하여 2.5에서 3 cm 정도 되게 짧게 만든다. 헐렁한 위저부주름술을 시행하기 위해 랩에 대한 첫 번째 바느질을 한 후 부지를 넣고 너머지 바느질을 시행한다. 랩은 다시 횡격막에 고정하여 흉강 내로의 이탈을 방지한다.

(그림 1-35). 위저부의 뒷면을 식도의 뒤 공간을 통해 왼쪽에서 오른쪽으로 통과시킨 후 구두닦이수기shoeshine maneuver를 시행하여 적절한 랩의 모양, 헐렁한 정도를 결정한 뒤 랩을 형성한다. 이 때 랩의 길이는 2–3 바늘의 굵은 비흡수성봉합사를 이용한 단속봉합으로 2cm 정도로 짧게 형성하고 헐렁한 정도는 52Fr 부지가 여유 있게 통과할 정도로 한다(그림 1-36). 부지를 제거한 후 랩은 복부식도에 고정하여 랩을 통한 위의 탈장을 방지하고 랩 전체는 다시 횡격막다리에 고정하여 흉강 내로의 랩의 탈장을 방지한다(그림 1-36).

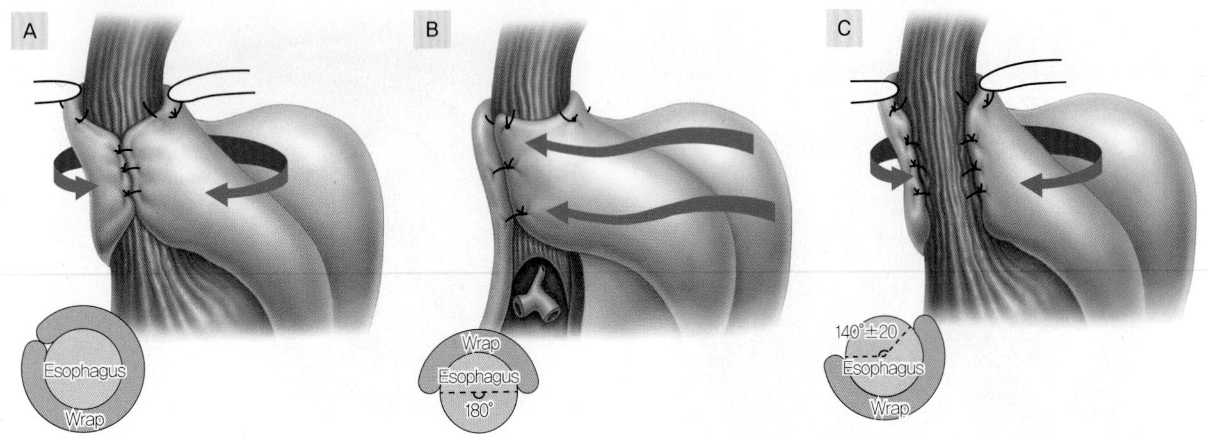

그림 1-37 **세가지 형태의 위저부주름술.** A) 360° 랩. B) 전방 부분위저부주름술. C) 후방 부분위저부주름술

수술 후 랩을 관찰해 볼 때 랩의 후면에 여분의 위가 삐져나온 것이 관찰이 되면 이것은 랩을 위저부의 위쪽 부분을 이용해서 만든 것이 아니라 아래쪽의 위체부를 이용해서 만들었을 가능성이 크다. 랩의 모양은 대만곡 쪽이 부드럽게 넓어지는 모양새로 만들어져야 하는데(그림 1-37A), 그렇지 않고 대만곡 쪽 끝이 급격하게 각이 진다면 랩을 형성하고 있는 위저부에 너무 긴장이 걸려 있다는 것을 의미한다.

나. 부분위저부주름술

만약 식도 체부의 운동능력이 저하되어 있다면 수술 후 음식물의 GEJ 통과장애를 예방하기 위해 부분위저부주름술을 시행할 수 있다. 과거에는 IEM (정상 연동운동 70% 미만 혹은 원위부 식도 진폭이 30mmHg 미만)이 있는 환자들 모두에서 부분위저부주름술울 시행하는 것이 필수적이라고 생각했지만 현재는 이러한 방식에 의문을 표시하는 외과의들이 많아졌다. Booth 등에 의해 최근에 시행된 수술 전 식도내압검사 결과에서 IEM이 있는 환자에 대해 Nissen 위저부주름술과 Toupet 위저부주름술에 대한 무작위전향적연구 수술 후 1년째 증상의 차이를 비교했을 때 경미한 차이만이 있음을 보고하였다. 흥미로운 것은 수술 전 식도내압검사에서 식도운동이 정상이었던 환자들과 IEM이 있었던 환자들 사이에 수술 후 연하곤란의 빈도에 별다른 차이가 없었다는 점이다. 그러므로 IEM이 있는 환자들의 경우에도 식도체부의 연동운동이 완전히 없는 환자들을 제외한 나머지 환자들에서는 전위저부주름술을 시행해도 무방하다. 전위저부주름술로 역류를 효과적으로 차단하면 수술 전에 있었던 경미한 연하곤란은 호전되고 식도체부의 운동능도 종종 향상되는 경우가 많다. 부분위저부주름술이 꼭 필요한 경우에는 여러 가지 형태의 수술 방법이 존재하나 어떤 방법이건 간에 수술 초기에 식도 주변을 박리하는 과정은 동일하다.

만약 전방 부분위저부주름술(예; Thal, Dor)을 시행하려면 식도의 후방 유착부를 박리할 필요는 없다(그림 1-37B). Dor와 Thal 위저부주름술은 식도의 전방에 위저부주름을 덮어주는 형식으로 시행한다. 이 전방 랩은 식도와 횡격막다리에 모두 고정이 되어야 한다. GERD 환자에 있어서 이 수술 방법의 경험은 그리 많지 않다. 전방 부분위주름술의 경우에는 일차적인 항역류수술 보다는 식도이완불능증 환자의 근절개술 후에 흔히 시행된다.

만약 후방 부분위저부주름술Toupet을 시행하려면 식도 주위를 박리하는 과정은 전위저부주름술에서와 마찬가지이고 횡격막다리를 조이는 과정도 동일하다. 랩의 형성은 위저부의 후벽을 식도 뒤로 당겨서 랩의 양쪽 끝을 식도의 좌, 우 전측방에 봉합하여 식도 전방의 1/3 가량이 노출되도록 한다(그림 1-37C). 랩을 봉합한 가장 위쪽 땀의 위쪽으로 좌, 우 한 바늘씩 좌, 우 횡격막다리, 식도, 랩을 모두 한꺼번에 봉합한다. 이후 랩의 후방을 조여준 횡격막다리와 2-3 바늘 더 고정한다.

다. 결과

수술 결과는 증상의 호전 정도, 위산에 대한 노출의 호전 정도, 합병증, 그리고 치료 실패 등으로 측정한다. Spechler 등은 수술 후 10년간 환자들의 증상조절은 상당히 좋았으나 수술 환자들의 62%가 PPI를 복용하고 있는 것으로 보고하였다. 물론 모든 환자들이 GERD 증상 때문에 복용하는 것은 아니었는데 왜냐하면 약을 중단해도 증상에는 별다른 변화가 없었기 때문이다. Lundell 등이 시행한 무작위전향적연구의 7년 추적결과에서 식도염의 치료 정도를 비교하였는데 수술 환자들의 치료 실패율은 33%로 omeprazole 투여한 환자들의 53% 보다 유의하게 낮았다(P=0.002). 이 연구에서 치료 실패는 중등도 이상의 가슴쓰림, 역류, 그리고 연하곤란이 병원 내원 1주 전에 있었을 경우, 수술 후 PPI 치료를 재개한 경우, 재수술, 혹은 LA 분류 2등급 이상의 식도염이 있을 경우로 정의하였다. 수술은 omeprazole 투여 군에서 증상 호전이 없을 때 용량 증량을 허용하더라도 더 효과가 좋은 것으로 나타났다. 그러나 예견했던 바대로 수술 군의 환자들은 약물치료 군에 비해 연하곤란, 방귀 증가, 트림 곤란 등의 폐쇄성 증상을 더 많이 호소하였다. 동일한 연구자들이 최근에 12년 추적결과를 발표하였는데 여전히 수술 군의 치료실패율이 약물투여군의 치료실패율에 비해 유의하게 낮았다.

추적기간이 12개월로 좀 짧은 다른 무작위전향적연구에서는 수술 받은 환자들이 약물치료 받은 환자들에 비해 gastrointestinal well-being score가 더 낮고 3개월 째 식도산도검사에서 DeMeester 점수가 더 낮음을 보고하였다. 복강경하 Nissen 위저부주름술과 PPI 치료 간의 장, 단기 비용효과 비교에서 수술은 치료 후 8년째부터 PPI 치료보다 비용효과가 우수한 것으로 보고하였다. 아직까지 좀 더 장기간에 걸친 연구가 필요하지만 항역류수술은 장기간 지속 가능한 좋은 효과를 보이면서 합병증이 적어서 약물치료에 대한 좋은 대안이 될 수 있다. 복강경하 항역류수술의 경험은 지속적으로 확대되어 왔는데 그 이유는 복강경 수술이 환자들로 하여금 수술을 좀 더 선택하기 쉬운 대안으로 만들어왔기 때문이다. 복강경 수술의 경험이 축적되면서 특히 대형 센터들의 수술 결과는 더욱더 좋아져서 환자들의 80-90%에서 증상을 호전시키고 수술 후 5-10년 사이에 환자들이 다시 PPI 복용을 재개하는 확률이 10-20% 정도 된다. 하나의 대규모 단일기관 후향적 연구 결과에 따르면 복강경하 항역류수술을 시행한 100명의 환자들의 90%가 10년까지 증상 없이 잘 지내고 있다고 보고하였다. 또 다른 보고에 의하면 복강경하 항역류수술을 시행 받은 288명의 환자들 중 5년 이상 추적 결과 가슴쓰림은 90%에서 역류는 92%에 호전되었다. 이런 결과들은 복강경하 위저부주름술이 GERD의 장기적인 증상 개선에 매우 탁월한 효과가 있음을 입증한 것이다.

(3) 내시경적 치료

지난 10여년 동안 GERD에 대한 다양한 내시경적 치료 방법들이 제시되어 왔다. 내시경적 치료법들은 이론적으로 복강경하 항역류수술에 비해 덜 침습적이라고 믿어져 왔기 때문에 계속적인 관심을 받아왔다. 고주파에너지를 용한 Stretta 방법(Mederi Therapeutics, Inc., Greenwich, CT), 비활성의 생체고분자의 주사(Enteryx, Boston Scientific, Natick, Mass), 내시경적 위주름술(Endoclinch, Bard, Warwick, RI; Esophyx, Endo-Gastric Solutions, Redmond, Wash; Plicator, NDO Surgical, Mansfield, Mass) 등 LES의 강화를 목표로 하는 다양한 내시경적 방법들과 artificial magnetic esophageal sphincter, LES에 on-demand micro-stimulator 이식 등의 실험적인 방법들이 제시되어 왔다.

GEJ에 고주파에너지를 가하면 LES에 열에 의한 응고괴사 및 섬유화를 유발하여 LES의 압력을 높이고 항역류 방어벽을 강화할 수 있다. 현재까지 Stretta는 약 1만건 정도 시행되어 그 안정성과 효용성에 대한 보고들이 있어왔다. 근래에 시행된 시술을 하지 않은 대조군을 포함한 36명의 환자를 대상으로 한 무작위전향적연구에서 Stretta는 시술 후 12개월째 추적에서 LES 압력을 증가시키고, GERD 증상과 PPI 사용, 비정상적인 위산의 노출을 감소시키는 것으로 보고되었다. 2003년에 출간된 64명의 환자를 대상으로 하는 무작위전향적연구에서도 유사한 결과를 보고하였다. Stretta 군의 환자들은 시술 후 6개월, 12개월의 추적에서 GERD 증상이 감소하고 GERD 삶의 질 척도가 개선되었다. 그러나 Stretta를 시행하지 않은 환자들과 비교했을 때 약물의 사용 정도나 위산에 노출되는 시간은 별다른 차이가 없었다. Stretta가 2000년에 GERD의 치료에서 FDA 승인을 받은 후로 전세계적으로 가장 널리 시행되는 내시경적 치료 방법이었음에도 불구하고 2006년에 Stretta를 제작하던 회사의 도산으로 2010년까지는 이 시술을 시행할 수가 없었다.

내시경적 치료로 처음 등장했던 치료방법들 중의 하나는 내시경적 봉합기endoscopic suture devise를 이용하여 GEJ의 flap valve를 보강하는 방법이었다. 그 이후로 이 방법들의 효과와 관련한 여러 연구 결과들의 발표가 이루어졌는데 기존의 복강경하 항역류수술과의 비교에서 더 좋은 결과를 발표한 예도 있고 나쁜 결과를 발표한 예도 있다. 그러나 이런 결과들에 추가하여 내시경적 봉합기를 이용하는 경우에는 시술 2년 이내의 재시술율이 최고 55%에 달한다는 사실에 유의하여야 한다.

최근까지 상용화된 내시경적 봉합기는 Esophyx 하나밖에 없다. 최근 보고된 Esophyx를 이용한 내시경적 치료를 받은 20명의 환자들을 대상으로 한 연구에서 시술 후 12개월째 GERD 증상과 삶의 질 척도가 시술 전과 비교하여 개선되었으나 LES의 압력이나 위산 노출 정도는 별 차이가 없었음을 보고하였다. 그러나 이들 중 6명의 환자(30%)에서 시술 후 PPI를 사용했음에도 불구하고 GERD 증상이 지속되어 복강경하 항역류수술을 시행 받았다.

86명의 환자들을 대상으로 한 좀 더 대규모의 연구에서 70% 이상의 환자에서 시술 후 12개월째 추적에서 GERD 증상과 삶의 질 척도의 개선을 보고하였다. 이들 중 81%의 환자에서는 PPI의 투여를 중단할 수 있었으나 식도산도검사 결과에서는 37%의 환자에서만 식도의 위산에 대산 노출이 정상화 되었는데 이는 복강경하 Nissen 위저부주름술의 결과와 비교했을 때에는 훨씬 열등한 결과라고 할 수 있다. 심각한 시술 합병증으로는 2 환자에서 식도 천공이 있었고 1 환자에서는 심각한 출혈이 있었다. 내시경적 flap valve에 대한 소견의 등급인 Hill 등급을 시술 전 후에 비교해 보았을 때 내시경적으로 호전된 소견이 관찰되었다.

이런 결과들을 미루어 판단해 볼 때 GERD에 대한 내시경적 치료는 약물치료에 잘 반응하지 않아서 복강경하 항역류수술이 필요하나 불량한 전신상태 등의 이유로 수술이 곤란한 환자나 혹은 수술을 거부하는 환자들에게 권유해 볼 수 있는 대안적인 치료방법이 될 수 있다. 그러므로 기존의 복강경하 항역류수술과 내시경적 치료들의 결과를 비교하는 대규모의 무작위전향적연구 결과가 나오기 전까지는 내시경적 치료는 수술이 불가능한 환자에게만 시행되어야 한다.

(4) 치료 합병증

일반적으로 항역류수술 후 합병증 발생률은 3–10% 정도인데 이들 대부분은 경미하고 수술 자체와 관련한 일반적인 합병증들(예; 뇨 정체, 상처감염, 정맥혈전증, 장 마비 등)이다. 항역류수술과 연관된 합병증들은 비장 손상, 장 천공, 연하곤란, 기흉 등이다. 표 1-8에는 항역류수술과 관련된 합병증들이 정리되어 있는데 이들은 크게 수술 중 발생하는 합병증과 수술 후에 발견되는 합병증으로 나누어 볼 수 있다.

가. 수술 중 합병증

① 기흉

기흉은 가장 흔한 수술 중 합병증 중의 하나로 발생률은 5–8%이다. 그러나 수술 후 흉부 X선을 보통 잘 안 찍기 때문에 실제 기흉의 발생 빈도는 잘 모른다. 복강경 항

표 1-8. 복강경하 항역류수술 400예에서 발생한 합병증

합병증	환자 수(%)
수술 후 장마비	28 (7)
기흉	13 (3)
소변 저류	9 (2)
연하곤란	9 (2)
기타 경미한 합병증	8 (2)
간손상	2 (0.5)
급성탈장	1 (0.25)
장천공	1 (0.25)
사망	1 (0.25)
합계	72 (17.25)

역류수술 중에 발생하는 기흉은 수술 중 흉막이 찢어지면서 이산화탄소가 흉강 내로 들어가서 발생하기 때문에 이것을 반드시 뽑아내야 할 필요는 없다. 이산화탄소는 빠르게 흡수되기 때문에 수술 중 폐 실질의 손상이 발생하지 않는 한 별다른 문제 없이 해결된다. 만약 기흉이 발견되면 산소요법을 시행하면서 2시간 뒤에 다시 흉부 X선을 촬영해 보면 대개 이 시간 내에 소실된다.

② 위 그리고 식도의 손상

위와 식도의 손상은 굉장히 드물며 대개는 수술 중 조직을 너무 거칠게 다루거나 부지를 사용하는 동안에 발생한다. 보통 보고되는 발생률은 1% 미만이나 초보자가 수술을 할 경우에는 1.7%에 달하기도 한다. 손상은 수술 중에 발견되기만 하면 봉합이나 자동문합기에 의해 별문제 없이 해결될 수 있다. 그러나 손상이 수술 중에 발견되지 않으면 손상 정도가 아주 경미하지 않는 한 재수술을 요하게 된다.

③ 비장 및 간의 손상

비장 손상의 빈도는 2.3%이나 간의 심한 손상은 거의 보고된 바가 없다. 비장 손상은 대개 위저부와 대만곡을 박리하는 중에 발생하기 때문에 왼쪽 횡격막다리 접근법을 사용하면 수술 초기에 단위동맥과 비장에 대한 시야를 확보할 수 있어서 이 방법이 선호된다. 간 손상은 주로 시야를 확보하기 위해 간을 견인하는 과정에서 발생하는데 이 때 주의를 요하며 가급적이면 간 견인기는 수술 조수가 잡고 있기보다는 고정한 채로 수술하는 것이 좋다.

나. 수술 후 합병증

① 가스참

수술 직후 가스참을 호소하는 환자는 약 30%에 달한다. 그러나 수술 후 2달이 지나면 4% 미만으로 줄어든다. 수술 후 가스가 차는 원인은 3가지 정도로 생각되는데 첫 번째는 환자가 랩 때문에 트림을 잘 못하기 때문이다. 두 번째는 미주신경의 손상이 있는 경우 위지연배출이 발생할 수 있기 때문이다. 세 번째는 GERD 환자의 경우 보통 역류되는 위산을 중화시키기 위해 무의식적으로 침을 많이 삼키는 경향이 있는데 이런 습관이 수술 후에도 남아서 침을 삼키는 동안 위장관으로의 공기 유입이 많아지기 때문이다. 그러나 가스참으로 인해 비위관을 삽입해야 할 정도의 환자는 거의 없다.

② 연하곤란

수술 후 연하곤란은 초기에 최고 20%의 환자에서 발생할 수 있다. 이들 중 소수의 환자에서 내시경적 풍선확장술이 필요할 수도 있다. 식도 열공의 박리과정이나 식도를 조작하는 과정에서 식도의 부종을 유발할 수 있고 이런 이유로 발생하는 연하곤란은 대개 얼마 지나지 않아서 소실된다. 랩을 형성하는 과정에서 시행하는 봉합술은 위나 식도의 혈종을 유발할 수 있고 이것 역시 연하곤란을 유발할 수 있다. 랩이 너무 단단히 조여져서 발생하는 연하곤란의 경우에는 확장술을 하지 않으면 호전되지 않는다. 앞의 두 가지 이유에서 발생하는 연하곤란의 경우 수술 후 4-6주 동안 연식을 하게 되면 어느 정도 해소될 수 있다.

③ 수술 사망

이 수술로 인한 사망은 매우 드물어서 대개 0.5% 미만이다. 환자의 나이가 60세 이상일 경우 수술 사망률이 높아지기 시작하며 80세가 넘으면 8.3%에 까지 이를 수 있다. 그러므로 항역류수술을 고려할 때에는 증상의 심한 정도와 함께 이런 점들도 함께 면밀하게 고려해야 한다.

(5) 치료 실패

치료 실패는 수술 후에도 지속적인 증상이 있을 때와 검사에서 지속적인 식도의 위산에 대한 노출이 발견될 때로 정의할 수 있는데 치료 실패율은 5-10%이다. 이런 환자들의 경우 대개는 PPI 치료로 잘 조절될 수 있다. 수술 후 증상이 재발하거나 지속되는 환자들은 모두 식도내압검사 및 식도산도검사를 시행하여야 한다. 만약 식도의 위산에 대한 노출이 검사로 확인되거나 혹은 환자의 증상이 심할 경우에는 식도조영술을 시행하여야 한다. 만약 열공탈장과 같은 랩의 해부학적 이상이 발견되는 경우에는 교정술revisional surgery을 시행하여야 한다. 만약 식도조영술에서 랩의 별다른 해부학적 이상이 발견되지 않는다면 약물치료를 시도해야 한다. 그러나 간혹 식도조영술에서 랩의 정상적인 해부구조를 보이는 환자들에서도 수술로 증상이 호전되는 경우가 있다.

6) 특수한 상황들

GERD에는 특별한 주의를 요하는 몇 가지 경우들이 있다. 항역류수술을 시행하는 외과의들은 이런 문제들에서 발생하는 여러 가지 변형 및 고려해야 할 사항들을 숙지하고 있어야 한다.

(1) 협착

협착은 GERD 환자들에게서 심각한 문제를 유발할 수 있으나 다행히 약물 치료의 효과가 좋아지면서 최근에는 거의 보기 힘들게 된 합병증 중의 하나이다. 협착에 의해 발생하는 가장 흔하고 심한 증상 중의 하나는 연하곤란이다. 이러한 협착은 급만성 염증반응의 결과로서 발생하기 때문에 식도의 내경이 좁아질 뿐만 아니라 식도 전체의 길이도 짧아질 수가 있는데 식도의 길이가 짧아졌을 경우 수술 중 굉장히 곤란한 상황에 놓이게 될 수도 있다. 이런 환자들의 식도산도검사에서 역류된 위산이 협착부위를 넘어오지 못하는 경우 검사 결과가 위음성으로 나올 위험성도 있다. 그러므로 협착이 의심되는 환자에서는 식도산도검사를 하기 전에 우선 내시경적 확장술을 시행하여야 한다. 협착을 유발할 수 있는 다른 원인들(예; 종양, 부식성 식도 손상)에 대해서는 수술 전 검사에서 철저히 배제하여야 한다. GERD에 의해 발생한 협착은 이 질환이 상당히 오래 되었음을 시사하는 징후이며 이럴 경우 식도의 단축이나 바렛식도와 연관이 있을 수 있기 때문에 주의하여야 한다.

협착이 발생한 환자들에서 가장 효과적인 치료 방법은 항역류수술이다. 물론 내시경적 확장술과 PPI 유지요법만으로 증상조절이 잘 될 수 있다는 증거들이 있기는 하나 이런 환자들에게 항역류수술을 시행할 경우 확장술의 횟수를 유의하게 줄일 수 있다.

(2) 바렛식도

어떤 환자들에서는 지속되는 위산 그리고 아마도 알칼리에 의한 손상은 식도점막의 정상적인 편평상피에서 원주상피로 변형되는 바렛식도가 발생할 수 있다. 이러한 세포의 변형은 모두가 편평원주상피경계부squamocolumnar junction에서부터 시작하여 위쪽으로 연속적으로 진행된다. 만약 바렛식도가 발견되면 이형성을 발견하기 위해 다발성 생검을 시행하여야 한다. 바렛식도 환자에서 식도선암의 발생률이 일반인들에 비해 40배 더 높지만 아직까지 바렛식도 환자에서의 식도선암발생률 자체는 그리 높지 않다.

바렛식도는 위산이나 담즙의 위식도역류에 의한 식도점막의 반복적인 손상의 결과이므로 이론적으로 항역류수술은 바렛식도 환자에서의 이형성이나 식도선암의 발생률을 낮출 수 있다. 그러나 이와 관련한 사항은 아직도 논쟁 중에 있으며 문헌 상의 증거도 결정적이지는 않다. 몇몇 연구에서는 항역류수술 후에 장형화생이 14-55% 완화되었다고 보고하였다. Washington 대학의 경험에서는 단

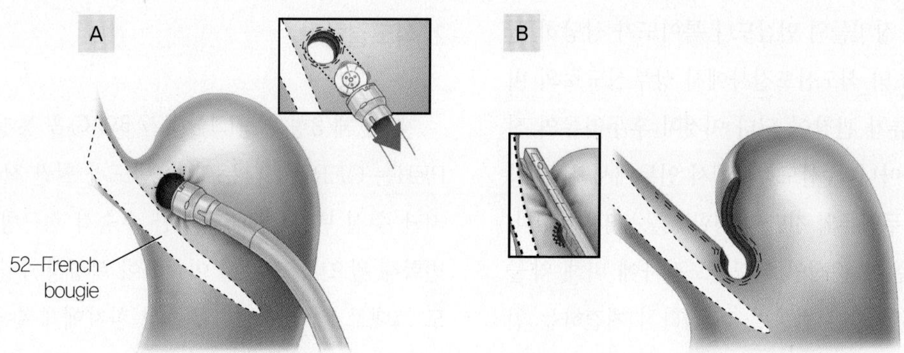

그림 1-38 이중자동문합기 방법을 이용한 식도늘임수기. A) 원형자동문합기를 이용하여 위분문부와 저부의 경계부에 구멍을 만든다. B) 선형자동문합기를 이용하여 위식도경계부방향으로 남은 위를 완전히 분리한다.

분절 바렛식도short-segment Barrett's esophagus 환자의 55%에서 장형화생이 완화되었다. 그것과 함께 중요한 사실은 바렛식도 환자에서 장기적으로 GERD의 증상조절이 잘 되었다는 것이다. 좀 더 최근에는 Rossi 등이 저도이형성low grade dysplasia을 가진 바렛식도 환자에서 고용량의 PPI 요법에 비해 복강경하 Nissen 위저부주름술이 유의하게 더 저도이형성의 완화를 유도했다고 보고했다. 이 연구는 바렛식도 환자 327명 중 저도이형성이 있는 35명의 환자들을 대상으로 하는 전향적인 연구이었는데 치료 후 18개월째의 추적에서 PPI 군에서는 63%(12/19)의 환자에서, 복강경하 Nissen 위저부주름술 군에서는 94%(15/16)의 환자에서 저도이형성의 완화가 발생하였다(P=0.03). 항역류수술 환자에서 저도이형성의 완화률이 더 높다고 하더라도 이런 환자들의 수술 후에는 반드시 정기적인 위내시경검사를 시행하여야 한다.

(3) 식도 단축

반복적인 손상으로 인해 식도는 좁아지고 짧아질 수 있다. 이 환자들의 실제 중요한 문제는 수술 중에 발생한다.

수술 중 종격 내에서 식도를 잘 유동화하면 대개의 경우에는 2-3cm의 긴장 없는 복부식도를 확보할 수 있다. 그러나 이것이 불가능한 상황에서는 Collis 위성형술을 시행하여야 한다. 신식도neoesophagus를 형성하기 위해서 이중자동문합기 방법double-staple technique을 이용할 수 있다(그림 1-38).

그러나 이런 환자들의 수술 후 식도산도검사에서는 식도의 위산에 대한 노출이 50%에서 발견된다. 이런 이유는 식도늘임수기를 할 때 신식도에 벽세포의 일부가 랩의 상부에 남아있기 때문이다. 이런 문제를 해결하기 위해서 수술 중 단측 혹은 양측의 미주신경절제술을 동반하기도 한다. 특히 양측 미주신경절제술을 시행한 경우에는 복부식도를 3-4cm 가량 더 확보할 수 있다. 항역류수술 시 미주신경을 절제하는 경우에도 절제하지 않는 경우에 비해 수술 후 복통, 가스참, 설사 및 조기 포만감 등의 문제가 더 많이 발생하지는 않는다.

(4) 식도외 증상

GERD에 대한 새로운 연구 분야 중의 하나는 GERD에 의해 발생하는 호흡기 증상에 관한 것이다. 목쉼, 후두염, 기침, 천명, 그리고 흡인 등의 증상이 식도 상부에까지 역류가 발생하는 환자들에게 나타날 수 있다. 폐섬유증 역시 상부 역류에 의해 발생할 수 있다. 특발폐섬유증idiopathic pulmonary fibrosis 환자의 66-99%에서 GERD를 동반하고 있다.

식도증상esophageal symptom or typical symptom을 가진 GERD 환자의 30%에서 식도외증상의 일부를 가지고 있을 수 있다. 그러나 병원에 검사를 위해 내원하는 환자의 10%는 식도외증상만을 가지고 있다. 후두증상을 주 증상으로 가지고 있는 환자의 50% 미만에서 가슴쓰림이나 역류증상을 호소한다. 이런 환자들에서는 GERD 진단을 위한 표준적인 진단 장비들의 민감도나 특이도가 상당히 떨어진다. 종종 최초의 식도산도검사에서 상부식도로의 비정상적인 위산역류가 관찰이 되나 이것이 후두역류의 진단에 필수조건은 아니다. 산도검사에서 인두에서 산이 발견되는 경우에 후두역류의 진단의 정확도를 높일 수 있다. 게다가 인두역류는 표준적인 식도산도검사에 비해 약물 및 수술치료에 대한 좋은 반응을 더 정확히 예견하는 인자이기도 하다. 그러나 인두역류는 아직까지 민감도가 매우 낮은데 그 이유는 식도외증상이 식도로의 위산역류에 의한 미주신경의 자극에 의해 발생한다는 가설이 맞는다면 설명될 수 있는 문제이다. 후두역류에 대한 진단은 후두경을 이용한 성대의 검사에서 성대의 염증이나 손상이 발견될 때 더 확실해 질 수는 있으나 후두경에 의한 성대의 염증소견은 그것이 역류에 의한 것이라고 주장하기에는 너무나 비특이적인 단점이 있다.

식도외증상에 대한 내외과적인 치료는 식도증상에 대한 치료에 비해 성공률이 훨씬 낮은데(60-80%), 그 이유는 아마도 환자 선택의 문제에 달려 있는 것 같다. 이런 환자들에 대한 추가적인 연구를 통해 환자 선정기준을 잘 만든다면 아마도 치료 성공률도 더 높아질 수 있을 것이라 생각한다.

(5) 비만

비만은 GERD 발생의 중요한 위험인자들 중의 하나이다. 미국 성인의 30% 이상은 체질량지수 30을 초과하는 비만이며 이러한 경향은 점점 더 악화될 것으로 생각된다. GERD의 발생률은 비만인구의 증가에 비례하여 증가해 왔다. 아직까지 비만이 GERD를 증가시키는 이유는 명확하게 밝혀지지는 않았지만 비만 환자에서 항역류수술 이후 실패율이 높아지는 것은 분명한 사실이다. 이런 환자들에서는 Nissen 위저부주름술을 시행하는 것 보다 복강경하 루와이위우회술Roux-en-Y gastric bypass을 시행하는 것이 비만 및 비만 관련 합병증들을 조절할 수 있을 뿐만 아니라 역류를 좀 더 지속적으로 막아줄 수 있다.

2. 식도곁탈장

제 2, 제 3형 탈장(그림 1-27 B와 C)을 통칭해서 일컫는 PEH는 GERD 보다는 수술 빈도가 훨씬 적은 질환이다. 지난 수십 년간 PEH에 대한 수술적 접근방법은 무수히 변화해 왔으나 그 주된 이슈들이 복강경 수술의 영역에서도 그대로 남아있는데 무증상 환자에게 수술을 할 것인가?, 복원술에 인조막을 사용할 것인가?, 항역류수술을 할 것인가?, 위를 복벽에 고정할 것인가?, 그리고 탈장낭을 제거할 것인가? 등에 대한 것이다. PEH의 복원술 역시 복강경 수술의 좋은 대상이 된다.

열공탈장의 치료에 있어서 수술의 역할은 1990년대 이후로 급격하게 변해왔다. 이전에는 상대적으로 흔하지 않았던 수술인 항역류수술이 이제는 전세계의 많은 기관들에서 시행되고 있다. 이렇듯 수술에 대한 의뢰가 늘게 된 이면에는 MIS가 광범위하게 시행된 영향이 크다. 항역류수술의 방법이 바뀐 것은 아니지만 MIS 덕분에 수술적 치료방법이 환자나 아니면 의뢰하는 내과의사들에게 좀 더 구미에 맞게 변하게 된 것이다. 점점 더 많은 외과의들이 GERD나 PEH 수술을 의뢰 받고 있으므로 향후에는 외과의들이 이 두 가지의 질환을 진단하고 치료하는 데 있어서 좀 더 친숙해져야 하고 더 나은 수술 결과를 낼 수 있도록 노력해야 한다.

1) 병인

식도열공을 통해 탈장되는 가장 흔한 장기는 위저부이다. 종종 위저부는 organoaxial 축을 중심으로 오른쪽 흉강을 향해 회전하는데 이런 현상을 upside-down stomach이라 불린다. 위 이외에 탈장될 수 있는 다른 장기들로는 비장, 대장, 그리고 대망이 있다. 장기가 여러 번에 걸쳐 탈장되다가 보면 탈장낭과 장기들 사이에 유착이 발생할 수 있는데 이렇게 되면 탈장된 장기들은 다시 복강 내로 복원되지 않는다. 간혹 탈장된 장기가 교액strangulation되게 되면 응급수술을 요하게 되는데 이런 위험성 때문에 Hill과 Skinner 와 Belsy의 초기 보고에서는 이런 탈장이 발견되면 증상 유무에 관계없이 바로 수술을 해야 한다고 주장했으며 이런 주장은 지난 수십 년간 그대로 받아들여져 왔다. 그러나 최근의 근거들에 따르면 급성교약의 위험성은 대략 1%/년 이라고 알려져 있다. 그러므로 최근에는 60세 미만의 젊은 환자나 심한 증상이 있는 PEH 환자들에 대해서만 수술을 시행하도록 권유하고 있다.

2) 임상 양상

가장 흔한 증상은 위나 식도의 급성 폐색에 의해 발생하는 고형식에 대한 간헐적인 연하곤란, 장기의 꼬임에 의한 복통이나 흉통, 점막의 허혈에 의해 발생하는 만성 빈혈, 그리고 가슴쓰림이다. 이런 증상들은 GERD의 증상들과는 상당히 다른데 증상은 종종 비특이적이며 진단을 내리기 어려운 경우가 많다. 그래서 PEH의 진단은 상복부 증상으로 조영제 검사나 위내시경을 시행하다가 우연히 내려지는 경우가 흔하다.

Washington 대학의 환자들의 경우 50%의 환자들이 가슴쓰림을 호소하였다. 나머지 50%의 환자들은 주기적인 복통과 연하곤란을 호소하였다. 역류의 경우 탈장이 클 경우나 GEJ가 종격 안으로 이동한 제 3형 탈장에서 흔히 발생하였다. 주기적인 통증은 탈장된 장기들의 일시적인 팽창이나 허혈에 의해 발생하는 것으로 생각되었다. 탈장이 저절로 복원되면 증상은 호전되었다. 연하곤란은 음식물을 삼킬 때 GEJ가 꺾여서 음식물이 위로 들어가지 못하면 발생하였다. 위장관 출혈은 횡격막다리에 의해 위에 형성되는 주름 주변에서 발생하는 궤양(Cameron 병변)에 의해 발생하였고 이에 의한 철결핍성빈혈이 34%에서 관찰되었다. 다른 빈혈의 원인이 없었던 환자들은 모두 열공탈장 복원술과 함께 빈혈이 소실되었다.

3) 수술 전 검사

PEH 환자의 수술 전 검사는 일반 GERD 환자들의 수술 전 검사와 비슷하다. 그러나 이 환자들에서는 식도조영술이 가장 중요한 검사이다(그림 1-39). 위내시경검사는

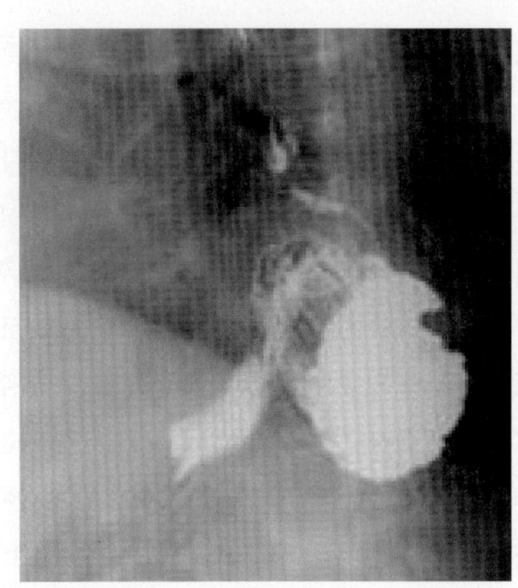

그림 1-39 Organoaxial 위염전을 형성한 식도곁탈장 환자의 상부위장관조영술 소견

Cameron 병변을 발견하는 데 유용하다. 식도내압검사는 식도체부의 운동기능을 확인하는 데 중요하다. 식도산도검사는 열공탈장 복원술 후에 항역류수술을 추가할 계획이면 굳이 하지 않아도 된다. 그러나 큰 PEH 환자에서는 일반적으로 식도내압검사와 산도검사를 제대로 시행하기 힘든 경우가 많은데 GEJ의 꺾임이 심한 환자에서는 검사를 위한 카테터가 위 안으로 진입하지 못하기 때문이다. 그러나 식도체부의 운동능motility에 관한 정보는 수술 전에 얻고 들어가는 것이 유리하다. 이 환자들에서 식도내압검사에서 식도체부의 운동능은 위나 원위부식도에 카테터가 진입하지 못하여도 측정할 수가 있다.

4) 치료

GERD 수술에서 흔히 동반되는 활주열공탈장에서 복강경 기법이 적용된 후에 자연스럽게 PEH 복원술에서도 복강경 기법이 적용되기 시작했다. 기술적으로 조금 더 힘들기는 하지만 복강경하 식도곁탈장복원술은 안전하고 용이하며 개복 수술에 비해 수술 후 합병증이 덜 발생한다. 수술 후 탈장의 재발률은 접근 방식(개복, 개흉, 혹은 복강경)에 따라 약간의 차이는 있지만 일반적으로 8-27%에 달한다. 대개의 경우 재발은 증상이 없고 식도조영술에 의해서만 발견되기는 하지만 재발률을 줄일 수 있는 수술

방법이 필요하다. 다른 탈장 수술에서와 마찬가지로 식도열공에 걸리는 긴장을 줄이고 복원된 부분을 보강하기 위해서 일부 외과의들에 의해 mesh가 사용되어 왔다. 다른 대부분의 탈장복원술에서 사용되는 합성 mesh는 열공탈장복원술에서는 식도의 미란, 궤양, 협착과 수술 후 연하곤란을 유발하여서 사용하기가 힘들다. 합성 mesh의 이러한 합병증들로 인해서 생물학적 mesh가 수술 후 일정 시간이 지나면 환자 자신의 조직으로 대체되기 때문에 합성 mesh의 단점들을 보완할 수 있을 것으로 생각되기 때문에 매력적인 대안으로 떠오르고 있다. 몇몇 연구에서 생물학적인 mesh가 재발률 및 합병증 발생률이 더 낮음을 보고하였다. 최근에 시행된 다기관무작위전향적연구에서 생물학적 mesh의 사용의 재발률이 9%로 단순복원술의 재발률인 24%보다 유의하게 낮았다고(P=0.04) 보고하였다. 그러나 아직까지 장기간의 추적조사에 의한 결과 없기 때문에 좀 더 연구가 필요하다.

복강경을 이용한 수술은 이전에 언급되었던 복강경하 항역류수술 방법과 크게 다르지 않다. 수술의 시작은 위저부와 대만곡의 유동화로부터 시작한다. 왼쪽 횡격막다리는 주로 위비장인대와 단위동맥에 의해 가려져 있기 때문에 수술의 처음부터 왼쪽 횡격막다리를 박리하는 것은 위험한 일이다. 초음파절삭기ultrasonic shears를 이용하여 위저부를 유동화하고 단위동맥을 절제하고 나면 왼쪽 횡격막다리는 자연스럽게 노출된다.

왼쪽 횡격막다리가 노출되고 나면 반드시 탈장낭을 박리하여야 한다. 탈장낭을 박리하여 종격 구조물과의 유착을 완전히 제거하면 위가 복강 내로 복원되어 내려오게 된다. 탈장된 장기들이 복강 내로 복원되고 나면 탈장낭을 흉막, 하폐정맥 등의 구조물에 손상을 주지 않게 조심하여 종격으로부터 최대한 박리해 낸다.

탈장낭의 박리가 끝나면 양쪽 횡격막다리는 다른 항역류수술에서와 마찬가지로 굵은 비흡수성 봉합사를 이용한 단속봉합으로 조여준다. 그런 다음에 생물학적 mesh를 U자 모양으로 만든 후 조여진 횡격막다리 위에 덧댄다. Mesh는 횡격막에 단속봉합을 통해 고정한다. 항역류수술의 경우 환자에게 GERD 증상이 있는 경우와 또 증상이 없다고 하더라도 수술 과정에서 식도열공 주위를 광범위하게 박리했기 때문에 이후에 발생하게 될 GERD를 예방하는 차원에서 시행해 주는 것이 바람직하다. 물론 항역류수술의 추가 여부에 대한 이견이 아직 존재하지만 PEH 환자의 60%에서 비정상적인 역류가 있고 LES의 압력이 떨어져 있기 때문에 항역류수술을 추가해 주는 것이 적절하다고 생각한다. 또 랩은 식도열공에 대한 가림막 역할을 하여 다른 장기들이 탈장되지 못하도록 막아주는 역할도 한다.

5) 결과

식도곁탈장복원술은 PEH 환자의 90-100%에서 증상의 호전을 가져온다. 과거에 식도곁탈장복원술은 개흉이나 개복술로 시행하였는데 수술 합병증 발생률이 20%, 수술 사망률이 2%에 달했다. MIS 기법이 각광받으면서 현재는 거의 모든 식도곁탈장복원술은 복강경으로 시행한다. 복강경하 식도곁탈장복원술은 수술 합병증을 줄이면서 통증이 적고 빠른 회복을 가능하게 한다. 이것은 PEH 환자들에게 더욱더 유리한데 왜냐하면 대부분의 PEH 환자들이 고령이면서 여러 가지 동반질환을 가지고 있기 때문이다.

그러나 어떤 수술방법을 사용하건 간에 수술 후 탈장의 재발률이 높다는 것은 주지의 사실이다. 물론 대부분의 경우 별다른 증상이 없거나 아주 경미한 증상을 가지고 있는 경우가 많다. 재발률을 줄이고자 하는 주된 노력은 현재 mesh를 이용하는 것인데 mesh를 이용한 식도곁탈장복원술의 재발률은 0-9% 정도이다. 이러한 합병증 발생률은 일차적인 복원술에 비해 훨씬 낮은 것이다(20-42%). 이런 연구들의 가장 큰 단점은 장기추적결과가 없고 추적결손환자가 많다는 것이다. 그러나 전체적으로 보았을 때 합성 mesh에 비해 생물학적 mesh가 최소한 단기적으로는 합병증 발생률이 낮아서 현재로서는 크기가 큰 PEH 환자를 수술할 때에는 생물학적 mesh를 이용한 복원술을 추천한다.

6) 교액

PEH 환자에서 지속적인 흉통 혹은 상복부 통증, 발열, 혹은 패혈증이 관찰될 때는 응급수술을 요한다. 종격 내에서 발생하는 위의 허혈 및 괴사에 의한 사망률은 아주 높다. PEH 환자에서 이런 상황이 발생했을 때 예후는 아주 불량하나 그리 흔하게 일어나는 상황은 아니다. Complicated PEH 환자 31명 중 위의 괴사나 천공이 있었던 경우는 2명밖에 없었다. Washington 대학에서 수술 받은 PEH 환자 42명 중 응급수술을 시행 받은 환자는 1명밖에 없었는데 이들 중 11명의 환자에서 수술 당시 위염전(gastric volvulus)이 발견되었다. 그러므로 전체 환자의 25%가 교약성 탈장의 위험성이 있었지만 1명(2%)에서만 실제로 교약성 탈장이 발생하였다. 응급수술의 경우에도 복강경으로 시도할 수 있지만 여의치 않은 경우에는 바로 개복 수술로 전환할 마음의 준비를 하여야 한다.

요약

GERD는 LES의 기능장애로 인해 위의 내용물이 식도로 역류하면서 여러 가지 불편한 증상이나 합병증을 유발하는 질환을 말한다. 이것은 종종 열공탈장과 연관되어 나타나는데 열공탈장 중 가장 흔한 것은 제 1형인 활주열공탈장이다. 작은 활주열공탈장의 존재 자체가 LES의 무력증을 의미하는 것은 아니나 탈장의 크기가 커질수록 비정상적인 위식도역류가 발생할 확률이 높아진다. 전형적인 증상은 가슴쓰림과 위산역류이고 이런 증상들을 식도증상이라고 분류하는 반면 목이나 호흡기 관련 증상들이 나타날 수 있는데 이런 증상들을 식도외증상이라고 분류한다. 수술 전 검사로는 위내시경검사, 식도내압검사, 식도산도검사 그리고 식도조영술 등을 시행하는 것이 좋다. 수술의 가장 확실한 적응증은 심한 식도손상이 있는 경우나 약물치료 중 증상이 불완전하게 소실되거나 재발하는 경우들이다. 이외에도 오랜 기간 동안 증상이 지속되어 온 환자나 젊은 나이에 증상이 발현된 환자들의 경우에 우선적으로 수술을 고려하는 것이 좋다. 수술은 크게 전위저부주름술과 부분위저부주름술로 구분할 수 있는데 부분위저부주름술의 경우에는 수술 전 검사에서 식도체부의 운동능력이 떨어져 있는 환자나 식도이완불능증에서 식도근절개술 이후에 시행하는 것이 일반적이다. 최소침습수술의 적용이 일반화되면서 항역류수술에도 현재는 거의 대부분의 수술이 복강경수술로 이루어지고 있다. 복강경항역류수술의 경험이 확대되면서 80-90%의 환자에서 장기간에 걸쳐 증상의 호전을 가져올 수 있게 되었다. 그러나 식도외증상을 가지고 있는 환자들의 경우 60-80%의 환자에서 증상의 호전을 가져올 수 있다. GERD에 대한 내시경적 치료의 효용성과 관련해서는 아직까지 장기적인 추적결과가 부족하여 단정적인 결론을 내리기는 힘드나 약물치료에 잘 반응하지 않아서 복강경하 항역류수술이 필요하나 불량한 전신상태 등의 이유로 수술이 곤란하거나 수술을 거부하는 환자들에게 권유해 볼 수 있는 대안적인 치료방법이 될 수 있다.

PEH는 제 2, 3 그리고 4형의 열공탈장을 통틀어서 PEH라고 하며 무증상의 경우에는 경과관찰하나 증상이 있는 경우에는 수술하는 것이 좋다. 특히 위염전이나 교액을 시사하는 증상이 있을 경우에는 응급수술을 시행하여야 한다. 수술 시 열공복원에서 mesh를 사용하여야 하는가에 대해서는 아직 이론이 있다.

GERD와 PEH에 대한 수술 치료는 현재 서구에서는 복강경 수술의 영역들 중 굉장히 흔한 영역이 되었다. 환자의 증상과 내과적 치료에 대한 반응 여부, 그리고 수술 전 검사 결과를 종합하여 수술 대상이 되는 환자를 잘 선별하면 좋은 수술 결과를 얻을 수 있을 것이며 섬세한 수술 기법을 사용하면 거의 모든 환자에서 증상의 소실을 기대할 수 있다. 이 질환들에 대한 복강경 수술의 합병증은 매우 드물다. 현재 우리나라에서도 GERD의 유병률이 가파르게 상승하고 있어서 멀지 않은 미래에 우리나라의 외과의들도 많은 수의 환자를 경험하게 될 것으로 생각한다. 최근에 대한위식도역류질환수술연구회가 결성되어 이들 질환과 수술적 치료에 대한 연구가 활발하게 진행되고 있다.

VII 위의 해부와 생리

1. 해부

1) 발생

앞창자foregut는 초기에 관모양의 형태로 존재하는데, 위는 태생기 5주에 이 관모양의 앞창자가 확장되면서 형성되기 시작한다. 처음에는 중앙부에 위치하며 그 후 하강, 회전, 확장 및 위 대만greater curvature의 불균형적 신장으로 7주 째에 정상적인 비대칭적 모양과 위치가 형성되며 출생시 복강내 소화기계 장기의 가장 근위부에 위치하게 된다.

2) 육안적해부

위는 식도와 십이지장 사이에 있으며, 음식물 섭취, 호흡시 횡격막의 움직임 등에 따라 위치와 모양이 변화된다. 위는 해부학적으로 분문부cardia, 저부fundus, 체부body, 전정부antrum의 4개의 부분으로 나누어진다(그림 1-40). 식도와 근접해 있는 부위는 분문부cardia라 불리우며 분문부의 가장 근위부는 생리학적으로 하부 식도 괄약근인 위-식도접합부Gastroesophageal (GE) junction와 접해 있다. 위의 원위부 말단은 유문부 괄약근으로 십이지장의 근위부와 연결되어 있다. 이 두 부위에서 위는 고정되어 있으나 위의 대부분을 차지하는 중간부위는 유동적이다. 위의 상부는 위저부fundus로 구성되어 있고 위저부의 외측은 비장, 상부는 횡격막과 접해있으며 위저부와 식도의 좌측면이 만나는 부위에서 His 각angle of His을 이룬다. 위저부의 하부 경계는 위-식도 접합부의 수평면이며 그 하부로부터 위체부body가 시작된다. 위체부는 벽세포parietal cell의 대부분을 포함하고 있으며, 우측으로는 비교적 직선인 소만lesser curvature, 좌측으로는 곡선 모양의 대만으로 경계 지워진다. 각절흔angularis incisura은 소만이 갑자기 오른쪽으로 꺾이는 부위로 이 부위부터 위의 전정부antrum가 시작되며 전정부는 위의 25-30%를 차지한다. 위는 간, 결장, 비장, 췌장, 신장과 인접해 있다. 간의 좌측 분절이 위 앞

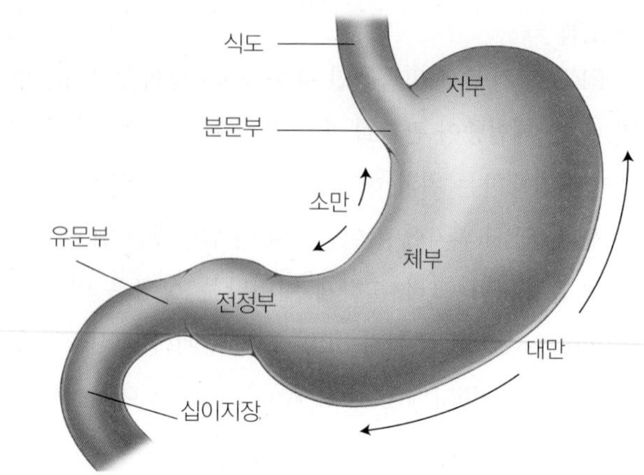

그림 1-40 위의 해부학적 구분

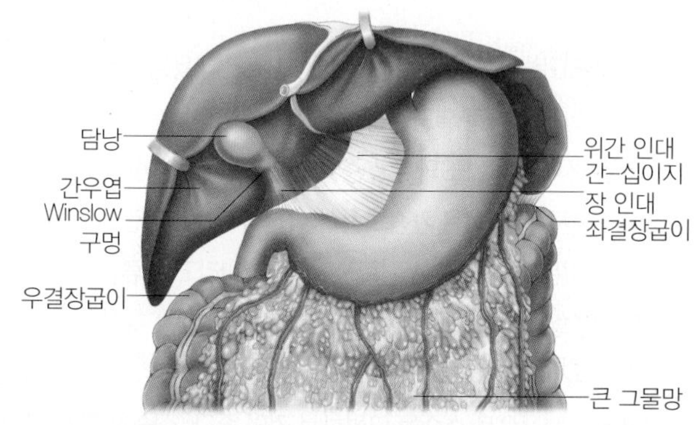

그림 1-41 위와 주변 장기와의 관계(정면)

쪽 대부분을 덮고 있으며, 횡격막, 가슴, 복벽이 나머지 앞쪽과 인접해 있다. 위의 아래쪽으로는 횡행결장, 비장, 간의 미상엽, 횡격막 꼬리crura, 후복막의 신경 및 혈관과 인접해 있고 위쪽으로는 횡격막 식도 구멍hiatus 2-3cm 아래에서 위-식도 접합부가 있으며 뒤쪽에는 췌장, 소그물막 주머니lesser omental bursa와 인접해 있다. 위와 횡행결장 사이에는 위-결장 그물막으로 연결되어 있으며 소만은 작은 그물막 또는 pars flaccida라고도 불리우는 간-위 인대로 연결되어 있고 위대만의 근위부는 위-비장 인대에 의해 비장과 연결되어 있다(그림 1-41).

3) 혈관분포

위는 주로 복강동맥에서 분지되는 4개의 동맥으로부터 혈액을 공급받는다(그림 1-42). 소만을 따라 우위동맥, 좌

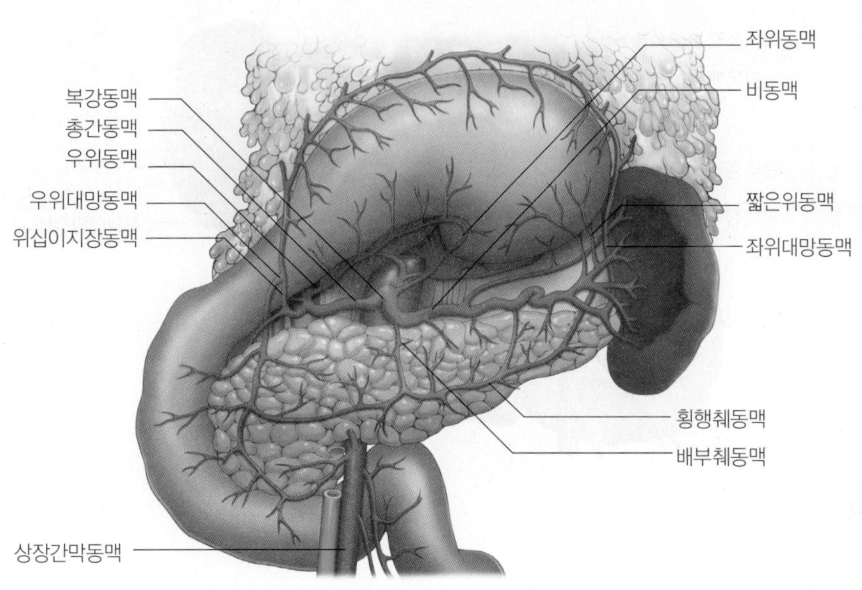

그림 1-42 위의 혈액공급

위동맥이 있으며 대만을 따라 우위대망동맥, 좌위대망동맥으로부터 주로 혈액을 공급받으며, 부분적으로 위의 근위부는 횡격막하동맥과 비장에서 분지되는 짧은위동맥으로부터 혈액을 공급받는다. 좌위동맥은 위에 혈액을 공급하는 동맥 중 가장 큰 동맥으로서 복강동맥에서 직접 분지되어 상행분지와 하행분지로 나뉘는데 약 15-20%에서 위간인대를 가로질러 간의 좌측으로 주행하는 좌간 부동맥aberrant left hepatic artery이 발견되기도 한다. 이러한 좌간 부동맥 중 대부분의 작은 혈관은 결찰하여도 무방하나 간의 좌엽에 혈액을 공급하는 유일한 혈관일 경우 결찰하게 되면 간좌엽에 급성 허혈이 발생될 수 있으므로 주의가 필요하다. 우위동맥은 주로 간동맥에서 분지되며 위십이지장동맥에서 분지되기도 한다. 우위대망동맥은 위십이지장동맥으로부터 분지되어 비장 동맥에서 분지되는 좌위대망동맥과 대만을 따라 합쳐진다. 위에 혈액을 공급하는 동맥은 그물모양처럼 서로 연결되어 있는데 소화성 궤양이나 위암으로 출혈이 발생하게 된 경우 생명에 위협이 되는 정도의 출혈이 발생될 수 있다. 또한 수술시 4개의 주 동맥 중 3개의 동맥을 결찰하여도 위의 혈액공급은 유지될 수 있다.

정맥은 대부분 동맥을 따라서 주행하는데, 관상정맥coronary vein이라고도 불리는 좌위정맥과 우위정맥은 주로 문맥정맥으로 배출된다. 좌위정맥은 하부식도정맥들 및 상부식도정맥들을 통해 대정맥계caval venous system와 연결되며, 경우에 따라 좌위정맥이 비장정맥으로 배출되기도 한다. 우위대망정맥은 상장간막정맥으로 배출되며 좌위대망정맥은 비장정맥으로 배출된다(그림 1-43).

4) 림프배액

일반적으로 림프 배액은 혈관의 주행을 따라 이루어지며, 4개의 구역으로 나뉜다(그림 1-44). 분문부와 위체부 1/2의 내측의 림프는 좌위와 복강동맥을 따라 배액되며, 소만의 전정부 부위의 림프는 우위와 유문부 림프절로 배액된다. 대만의 원위부 1/2부위는 우측 위대망 혈관을 따라서 배액되고, 근위부위는 좌위 대망과 비문hilum의 림프절로 배액되며 최종적으로 복강 림프절과 가슴 림프관thoracic duct으로 배액된다. 이러한 림프관은 네트워크를 형성하고 있으며, 풍부한 벽내 얼기intramural plexus를 형성하고 있어 위암의 경우 1차 병변으로부터 멀리 떨어진 림프절에서 전이가 발견되는 경우도 있으므로 위암 수술

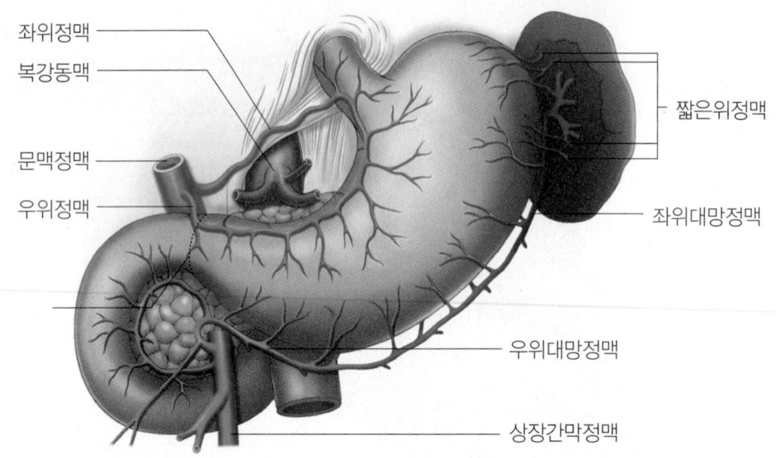

그림 1-43 **위의 정맥**

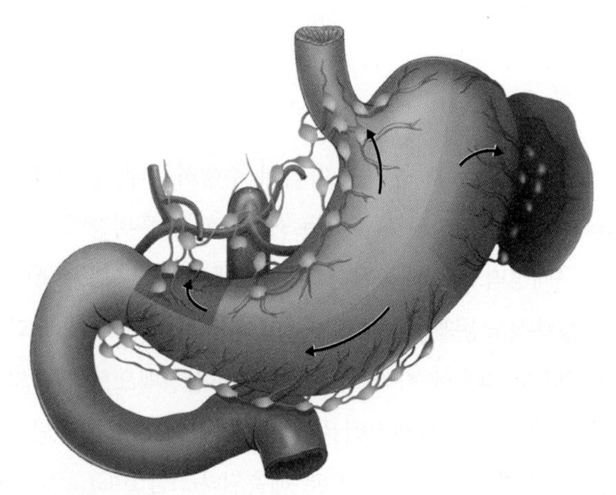

그림 1-44 **위의 림프**

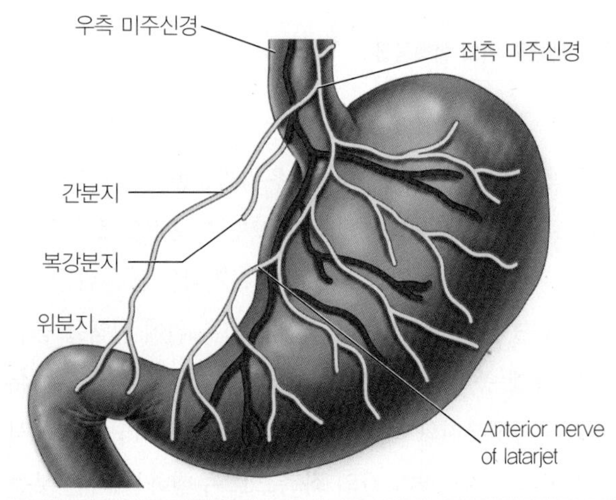

그림 1-45 **위의 신경분포**

시 각 군의 림프절을 잘 구별하여 조심스럽게 광범위 림프절제술을 시행하여야 한다.

5) 신경분포

위의 외인성extrinsic, 내인성intrinsic 신경분포는 위의 분비기능과 운동기능을 조절하는 역할을 한다. 외인성 신경분포는 미주신경vagus nerve을 통해 부교감신경, 복강신경얼기celiac plexus를 통해 교감신경의 역할을 수행한다. 미주신경은 뇌의 제4뇌실ventricle의 미주신경 핵vagal nucleus에서 시작되어 목혈관신경집carotid sheath을 지나 종격동으로 들어오게 된다. 이후 여러 신경의 분지로 나눠지고 다시 식도공 위에서 합쳐지면서 위식도 접합부 부위에서 좌측과 우측 미주신경으로 분지된다. 좌측 미주신경은 위의 앞쪽에 분포하고 있어 앞쪽미주신경이라고 불리기도 하며, 우측 미주 신경은 위의 뒤쪽에 분포하고 있어 뒤쪽미주신경이라고 불리기도 한다. 좌측 미주신경은 위식도 접합부에서 위간 인대를 따라 간에 분지하는 간분지hepatic branch와 위의 소만을 따라 분지되는 anterior nerve of Latarjet으로 나눠게 된다. Nerve of Latarjet은 위체부에서 많은 분지로 나눠어지고 각절흔 부위에서 유문부 앞쪽으로 분지"crow's foot"를 보내면서 종료된다(그림 1-45).

우측 미주 신경 또한 좌측 미주신경과 유사하게 복강내 분지celiac branch와 소만의 후면을 따라 두 갈래로 분지된다. 우측미주신경이 위의 저부fundus 후면으로 첫 번째 분지되는 신경을 'criminal nerve of Grassi'라고 부르기도 하는데 식도열공의 상부에서 분지되는 것으로 체간 미주신경절단술이나 고위선택 미주신경절단술시 결찰하지 않고 남겨두는 경우가 많으며, 이는 궤양수술 후 재발의 주된 원인이 된다. 대부분의 미주신경 섬유는 구심성afferent으로 자극을 장으로부터 뇌까지 전달하며 원심성efferent 신경섬유는 수질medulla의 등쪽dorsal 핵에서 기원하여 근육층과 점막하층의 신경얼기에 있는 신경세포와 시냅스 된다. 이 신경세포는 아세틸콜린을 신경전달 물질로 이용하여 위의 운동과 분비기능을 조절한다. 위의 외인성 교감신경은 척수의 T10 레벨을 통하여 T5에서 분지되고 내장신경splanchnic nerve을 거쳐 복강신경절에 이르게 된다. 복강신경절에서 나온 후 신경절 교감신경은 혈관을 따라 위에 분포한다.

위의 내인성 신경계는 Auerbach's와 Meissner's 자율신경얼기에 있는 신경세포로 구성되어 있으며 콜린성cholinergic, 세로토닌성serotonergic, 펩티드성peptidergic 신경세포가 존재하나 그 기능은 명확하지 않다. 신경펩티드로서는 아세틸콜린, 세로토닌, substance P, calcitonin gene-related peptide, bombesin, cholecystokinin (CCK), 소마토스타틴 등이 있다. 그러나 미주신경이 콜린성 부교감신경계와 아드레날린성 교감신경계로만 구성되어 있지는 않으며, 부교감신경계에 아드레날린성 신경세포가 포함될 수 있으며, 교감신경계가 콜린성 신경세포를 포함할 수 있다.

6) 조직학

위는 바깥쪽으로부터 장막층serosa, 고유근층muscularis propria, 점막하층submucosa, 점막층mucosa의 4개의 층으로 구성되어 있다(그림 1-46). 위는 분문부 근위부의 일부 후면과 유문부 전정부 원위부 일부를 제외하고는 복막으로 덮여 있는데, 내장복막이 장막을 형성한다. 위의 장막

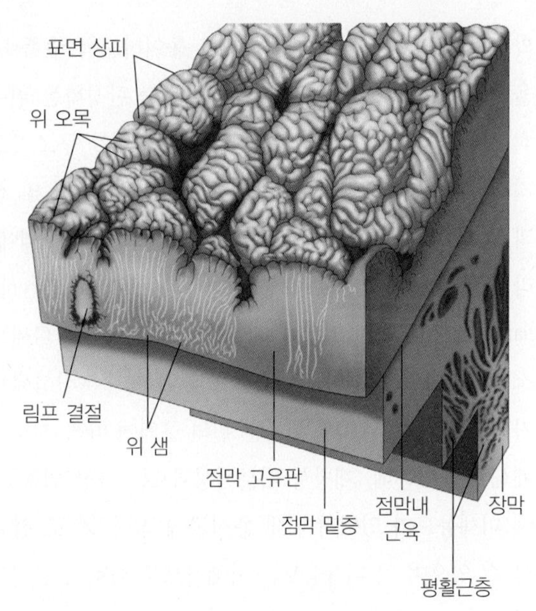

그림 1-46 위벽의 조직학적 층

층은 가장 바깥에 위치하고 있으며 위 문합시 신장 강도를 유지하는 역할을 한다.

장막의 안쪽으로는 고유근층이 있으며 muscularis externa라고 불리기도 한다. 고유근층은 3개의 근섬유다발로 나뉘는데 안쪽에는 불완전한 경사근층oblique layer, 중간에는 식도의 윤상근circular muscle으로부터 유문의 윤상근까지 이어지는 완전한 윤상근층, 바깥층으로는 식도부터 십이지장까지 이어지는 세로근longitudinal layer 층으로 이루어져 있다. 윤상근층은 유문부에서 뭉쳐지며 괄약근을 형성하게 된다. 고유근층내에는 Auerbach's 근육층신경얼기라 불리는 자율신경절과 자율신경이 분포되어 있으며, Cajal 간질세포가 pacemaker cell로 존재한다. 고유근층의 안쪽으로 혈관, 림프관, 콜라겐, 다양한 염증세포, 자율신경섬유, Meissner's 자율신경얼기를 많이 포함하고 있는 점막하층이 있으며 콜라겐이 많이 분포되어 있어서 위-장관 문합시 강도를 유지하는 가장 강한 층이다.

가장 내측에 있는 점막층은 상피, 고유판lamina propria, 점막내 근육muscularis mucosae으로 구성되어 있다. 점막내 근육은 점막하층의 내측에 접해있는 것으로 위의

확장시 위의 표면적을 증가시키기 용이하도록 주름rugae을 형성하고 있으며, 위암의 침범 여부를 판정하는 현미경적 경계가 되기도 한다. 고유판은 표면상피를 구조적으로 지지하며, 이를 위해 필수적인 모세혈관, 림프관 및 신경과 결합조직으로 구성되어 있다. 점막의 상피는 구역에 따라 다양한 종류의 원주 모양의 샘상피세포glandular epithelial cell로 이루어져 있으며, 가스트린을 분비하는 G세포와 소마토스타틴을 분비하는 D세포와 같은 내분비성세포를 가지고 있다. 내분비성 세포는 위의 구역에 따라 개방형과 폐쇄형이 있는데, 개방형 내분비성세포는 가장 위쪽의 막에 미세융모가 있어서 위내 음식물에 직접적으로 접촉을 할 수 있으며 이 미세융모는 자체적으로 화학적 감지장치와 pH 감지장치가 있어서 세포에서 미리 저장되어 있던 펩티드를 분비하도록 신호를 보낼수 있다. 반면 폐쇄형 내분비성세포는 미세융모가 없다.

위 전체에 걸쳐 점액을 분비하는 상피세포가 있는데, 이 세포는 위샘 오목gland pit 아래까지 다양한 위치에 분포되어 있으며, 중탄산염을 분비하여 위산, 펩신, 섭취한 자극제로부터 위를 보호하는 중요한 역할을 한다. 실제로 내분비성세포를 제외한 모든 상피세포는 탄산탈수효소carbonic anhydrase를 포함하고 있으며 중탄산염을 생성할 수 있다.

분문부에는 위샘이 분지되어 있으며 짧은 오목으로 되어 있고 점액과 중탄산염을 분비한다. 위 바닥과 체부에 있는 위샘은 관상형이고 오목은 더 길며, 주로 벽세포parietal cell와 주세포chief cell로 이루어져 있고 히스타민을 분비하는 enterochromaffin like (ECL) cell과 폐쇄형 D세포 또한 발견된다(그림 1-47). 벽세포는 위강내로 위산과 내인자intrinsic factor를 분비하고 세포간극intercellular space 안으로 중탄산을 분비하며, 분비소관secretory canaliculi과 위산분비 장치 H+/K+ ATPase (proton pump)를 가지고 있는 세포질 관형소포cytoplasmic tubulovesicles와 다량의 미토콘드리아로 구성되어 있다. 벽세포가 자극을 받으면 세포질 관형소포는 분비소관의 막에 붙게 되고 위산의 생성이 중단되면 반대의 현상이 나타난다. 벽세포는 위체부에 있는 위샘에서 중간부위에 위치한다. 주세포는 주로 위샘의 기저부에 위치하고 있으며 pH 2.5 이하에서 활성화되는 펩신과 리파제를 분비한다. 주세포 내에는 아래쪽에 과립 세포질 세망granular endoplasmic reticulum이 있으며 핵상 골지체supranuclear Golgi apparatus와 상부에 효소원과립zymogen granule으로 구성되어 있어 효소원 세포라 불리우기도 한다. 주세포의 자극시 펩시노겐 I과 II를 분비하며 이 효소 전구체는 위 내강이 산성화되면 활성화된다.

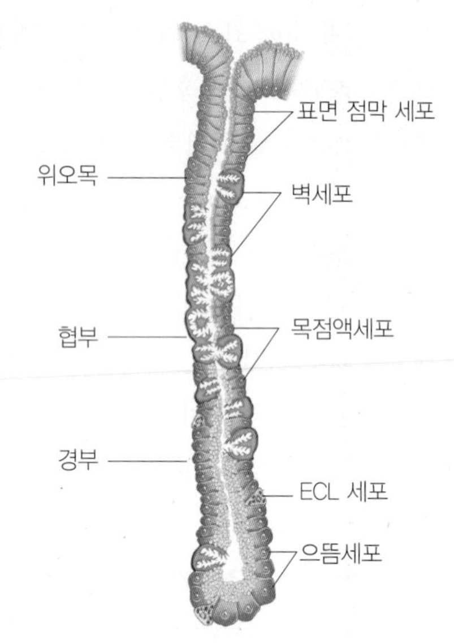

그림 1-47 위샘과 세포의 분포

위의 전정부에 있는 위샘은 분지가 많으며 개방형 G세포와 D세포가 존재하고 벽세포는 거의 존재하지 않는다. 위의 조직생검시 상피세포의 13%에서 벽세포가 관찰되고 44%에서 주세포가 관찰되며 40%에서는 점액세포가 나머지 3%에서는 내분비성세포가 관찰된다.

2. 생리

위는 음식물을 저장하고 소화시키기 위한 기관으로서 그 기능은 크게 운동 기능과 분비기능 두 가지로 나뉜다. 운동 기능은 음식물을 저장하고 음식물을 잘게 부수어 섞으며, 섭취한 음식물을 소장으로 이동시키는 작용을 포함하고 있으며, 분비기능을 통해 산과 펩신, 내인성인자 및 점액과 여러 가지 호르몬을 분비한다.

1) 호르몬

(1) 가스트린

가스트린gastrin은 위 전정부에 위치하고 있는 G세포에서 생성되어 위상gastric phase 동안 위산분비의 주된 자극원이 된다. 가스트린은 34개의 아미노산을 가지고 있는 대big 가스트린(G-34)과 17개의 아미노산을 갖는 소little 가스트린(G-17), 14개의 아미노산을 갖는 최소mini 가스트린(G-14)의 분자구조를 가지고 있다. G-34는 혈중 반감기가 가장 길기 때문에 혈중에 가장 많이 존재하나 전정부에서는 약 90% 정도가 G-17 형태로 분비된다. 위강내 펩티드나 아미노산은 가스트린 분비의 가장 강력한 자극원이며, 위강내 위산은 가장 강력한 가스트린 분비억제제로 작용한다. 전정부에 위치하고 있는 G세포에서 측분비paracrine 기능을 가지고 있는 소마토스타틴이 가스트린 분비 억제 작용을 매개한다. 가스트린 수용체를 가지고 있는 벽세포와 외인적인 가스트린 주입이 산분비를 증가시키는데 이러한 가스트린 자극 산분비 작용은 ECL 세포에서 분비하는 히스타민에 의해 조절된다. 또한 가스트린은 위강 내 자극물질로부터 위점막을 보호하는 역할도 수행한다.

고가스트린혈증hypergastrinemia이 오랫동안 지속될 경우 ECL 세포의 수가 증가하거나 점막의 증식이 나타날 수 있을 뿐만 아니라 위의 카시노이드종양과도 연관이 있다. 고가스티린혈증의 원인으로는 원위부 위절제술후 전정부가 남아 있는 경우, 위출구폐쇄증, Zollinger-Ellison 증후군과 같은 궤양유발성원인과 악성빈혈, 산분비억제 약물의 장기간 사용, 미주신경절단술, 헬리코박터 감염 등과 같은 비궤양유발성 원인을 들 수 있다.

(2) 소마토스타틴

소마토스타틴somatostatin은 위 전체에 위치한 D세포에서 생성되며 14개의 아미노산 펩티드와 18개의 아미노산 펩티드 모두 존재하나 소마토스타틴 14가 주된 분자구조 형태로 위 저부와 전정부에 널리 위치한 신경내분비세포에서 생성된다. 위저부와 전정부에 있는 D세포의 세포질 확장은 벽세포와 G세포에 직접 접촉하여 가스트린 분비와 산분비에 측분비 효과를 매개한다. 소마토스타틴은 위 전정부의 산성화가 주된 자극원인 반면 아세틸콜린은 소마토스타틴의 분비를 억제한다. 소마토스타틴은 벽세포에서 산의 분비를 직접적으로 억제하며, 가스트린 분비와 ECL 세포로부터 히스타민이 분비되지 못하도록 함으로써 간접적으로 산분비를 억제한다.

(3) 가스트린 분비성 펩티드

가스트린 분비성 펩티드Gastrin Releasing Peptide (GRP)는 30여년전 개구리의 피부에서 추출한 bombesin과 동일한 것으로 산을 분비하는 신경 섬유의 끝과 가스트린을 분비하는 부위, 환상섬유층에서 발견된다. 위 전정부의 점막에서 GRP는 G세포와 D세포의 수용체에 결합하여 가스트린과 소마토스타틴의 분비를 자극하는 기능을 수행한다. GRP를 말초로 투여할 경우 산의 분비를 증가시키나 대뇌 뇌실에 주입하면 교감신경계를 포함하는 경로를 거쳐 산의 분비를 억제한다. GRP의 혈중 반감기는 1.2분으로 혈액속에서 중화성 펩티드 분해효소에 의해 빠르게 사라진다.

(4) 히스타민

히스타민histamine은 벽세포의 H2 수용체와 결합하여 위산분비를 증가시키는 주된 자극제 역할을 하는 것으로 H2 수용체 길항제 투여시 가스트린과 아세틸콜린 양쪽에 모두 반응하여 위산분비를 감소시키게 된다. 히스타민은 비만세포mast cell뿐만 아니라 ECL 세포의 산성 과립에 저장되어 있다가 ECL 세포에서 수용체 배위자 상호작용receptorligand interaction으로 인한 가스트린, 아세틸콜린, 에피네프린에 의해 분비된다. 반면 소마토스타틴은 ECL 세포내 소마토스타틴 수용체에 상호작용하여 가스트린 자극성 히스타민 분비를 억제한다. 즉 ECL 세포는 벽세포내에서 히스타민 분비와 위산분비를 자극하거나 억제하는 경로를 모두 포함하고 있는 중요한 역할을 수행하고 있다.

(5) 렙틴

렙틴leptin은 일차적으로 adipocytes에서 합성되는 단백질로서 위의 주세포에서 주로 만들어진다. 렙틴은 미주신경 매개 경로를 통해 식욕을 감소시키는 역할을 수행한다.

(6) 그렐린

그렐린Ghrelin은 우선적으로 위의 산분비성 점막의 내분비성세포에 의해 생성되는 28-아미노 펩티드로서 위산분비 부위를 제거하였을 경우 혈중 그렐린 농도의 80%가 감소한다. 그렐린은 영양상태의 변화에 따라 신경내분비적 조절과 대사조절 역할을 하며 그렐린의 투여는 주로 성장 호르몬의 분비를 촉진시키지만 기타 프로락틴, 부신피질 자극호르몬 코티졸, 알도스테론 또한 증가시키고 최근에는 인슐린의 분비를 감소시킨다고 보고하였다. 그렐린은 식욕 유발 조절제로 사용되기도 하는데 그렐린이 상승되어 있으면 식욕이 자극되고, 감소되어 있으면 식욕 또한 감소된다는데 기인하는 것으로 고도비만을 위한 위우회로 수술시 혈중 내 그렐린의 농도가 감소되었다고 보고하였으나 다른 연구에서는 만족할만한 결과를 보여주지 못하기도 하였다.

2) 위의 운동

위의 운동 기능은 첫째 음식물을 섭취 하였을 때 위의 근위부에서 위내압의 증가 없이 많은 음식물을 수용할 수 있도록 확장되는 receptive relaxation 기능이 있으며, 둘째로 위의 수축운동으로 음식물을 잘게 부수어 주는 기능이 있고, 셋째 위의 수축운동과 십이지장 운동이 결합되어 음식물이 규칙적으로 유문을 통해 십이지장으로 통과되도록 하며, 네 번째로 공복시 Myoelectric Migrating Complex (MMC)에 의해 위내에 잔류되어 있는 음식물이 소장으로 내려가도록 하는 기능으로 나뉜다.

(1) 위 운동의 조절

위의 운동기능은 근원성myogenic 조절 외에 외인성, 내인성신경 분포에 의해 조절된다. 외인성 신경조절은 미주신경의 부교감신경적 조절 및 교감신경적인 조절에 의하고, 내인성 신경조절은 장성신경계enteric nervous system로 구성된 신경과 신경절로 이루어진다. 장성신경계에는 위 근육의 활동성을 증가시키는 아세틸콜린, 타키키닌tachykinin, substance P, neurokinin A등의 흥분성 신경전달물질과 산화질소Nitric Oxide (NO), Vasocative Intestinal Peptide (VIP) 등의 억제성 신경물질이 관여하고, 이외에 위 수축과 확장에 모두 작용하는 세로토닌과 GRP, 히스타민, neuropeptide Y, 노르에피네프린norepinephrine, endogenous opioid가 관여한다.

(2) 위의 분절운동

위는 운동기능의 관점에서 근위부와 원위부, 유문부로 나뉜다. 근위부 운동은 음식물을 섞거나 잘게 부수는 기능은 거의 없고 주로 대량의 음식물을 짧은 시간(약 5분) 동안 저장하는 역할을 수행하며, 이러한 기능은 기초 위내압basal intragastric pressure에 의해 조절된다. 즉 음식물 섭취시 위내압은 위저부가 이완상태를 유지하도록 떨어지는데, 이러한 현상을 수용성 이완과 위적응gastric accommodation이라 부르며, 혈관미주신경 반사vasovagal reflex가 관여한다. 수용성 이완은 음식물 섭취시 위 근위부가 이완되는 것을 말하며, 음식물이 위에 다다르기 전에 발생하고 인두나 식도의 기계적 자극 시에도 발생할 수 있다. 위적응은 위의 확장과 연관된 근위부 위의 이완을 말하며, 위벽의 신장수용체에 의해 조절된다. 체간 미주신경 절단술이나 고위선택 미주신경 절단술시 이러한 작용이 이루어지지 않아 위의 탄성compliance을 감소시키고 위내압을 증가시켜 유동식의 배출이 빨라지고 조기 포만감이 나타날 수 있다. 신경전달 물질로는 NO와 VIP가 주로 관여하며, 기타 도파민dopamine, CCK, 가스트린, GRP, 세크레틴, 글루카곤 등이 관여한다.

원위부 운동은 고형식을 잘게 부수고 이동시키는 기능

을 하는데 위의 중간부위에서 유동성 수축이 발생하여 분당 3회의 속도로 아래쪽으로 전달된다. 이러한 기전은 근위부 위의 Cajal 간질세포에서 조절한다. 위내용물은 연동성 수축 운동에 의해 유문부로 보내져 십이지장으로 배출되지만 수축의 진폭과 전파속도가 증가되어 위내용물의 이동속도를 능가하게 되면 위내용물의 역류가 발생하여 유동식과 고형식이 섞이게 되고 고형식을 잘게 부수게 된다.

공복시 원위부 위 운동은 MMC에 의해 조절된다. MMC는 소화의 fed phase 종료 후 소화되지 않은 음식이나 찌꺼기, 탈락된 세포, 점액을 청소하는 기능을 한다. MMC는 밤에는 길게 낮에는 비교적 짧은 시간 동안 지속되는데 약 90-120분 동안 지속되며 전기적 활동의 4 phase로 나타난다. Phase I은 정지기로 운동기능이 거의 비활성화된 상태이며, 위의 신장성은 증가하지만 수축은 발생하지 않는다. Phase II는 불규칙적인 고진폭의 수축운동이 발생하는 시기이다. Phase III는 매우 강력하며 규칙적인 수축운동이 발생하는 시기로 분당 약 15-20회 간격으로 발생한다. 이 시기에 소화되지 않은 음식물들이 청소된다. Phase IV는 다음 MMC 주기를 시작하기 전 회복을 위한 이행기라 할 수 있다. 그러나 MMC 주기를 조절하는 기전은 아직 명확하지 않으며 미주신경 절단 후에도 남아 있는 phase를 관찰할 수 있다. 음식의 섭취시 MMC는 멈추고 다시 fed motor pattern으로 전환되며, 주로 CCK가 관여한다.

유문은 육안적 조직학적으로도 위, 십이지장과 명확히 구분되며 신경 조직도 위의 전정부에 비해 매우 두껍고 substance P, neuropeptide Y, VIP, galanin과 연관된 세포의 분포도 매우 밀집해 있다. 유문은 위 내용물이 십이지장으로 배출되는 것을 제한하고 십이지장에서 위로의 역류를 방지하는 기능을 한다. 휴식기시 유문부의 내압은 위 전정부나 십이지장의 내압보다 높으며, 십이지장내로 지질, 당, 아미노산, 고장성 식염수 등을 주입하면 유문이 닫히기도 한다. 유문의 운동 형태는 tonic 또는 phasic한 형태 모두를 가지고 있다. MMC의 phase III기에 유문은 열려 위 내용물이 십이지장내로 이동하고 음식물 섭취시에는 유문은 대부분 닫혀있다. 유문의 운동 조절 기전은 매우 복잡하다. NO donors는 유문을 이완시키고 저항을 감소시키지만 NO synthetase는 반대 역할을 한다. 이외에도 세로토닌, VIP, 프로스타글란딘 E1, galanin은 유문을 이완시키고, 히스타민, CCK, 세크레틴은 유문을 수축시킨다.

(3) 위 배출

위 배출의 조절은 신경 또는 호르몬 매개체의 조화로 이루어진 복잡한 과정이다. 또한 불안, 우울, 두려움, 운동 등의 요인에 의해서 영향을 받으며 위내용물의 화학적 성분, 온도 등에 의해서도 영향을 받는다. 일반적으로 음식물의 칼로리 함유량이 높거나 삼투압이 높을 경우, 지방이 많이 함유된 음식일 경우, 입자의 크기가 큰 경우, 음식물의 온도가 뜨겁거나 아니면 차가울 경우, 산도가 높아질수록 위 배출이 늦어지며, 고형식 음식에 비해 유동성 음식이 더 빠르게 배출된다. 십이지장의 삼투수용체, pH 수용체, 당수용체 등은 위배출을 억제하는 기전을 하며 CCK, 글루카곤 , VIP, gastric inhibitory polypeptide도 억제 기전을 하는 것으로 알려져 있다. 유동성 음식물의 경우 주로 근위부의 위 운동에 기인하는 것으로 알려져 있으며 수용성 이완과 위 적응에 의해 위의 소만을 따라 용이하게 내려가도록 한다. 유동성 음식물은 섭취량의 반정도가 12분에 걸쳐 십이지장으로 내려간다. 고형식 음식물은 위 배출 반감기가 약 2시간 이내로 주로 위의 전정부에서 조절된다. 고형식 음식물은 유동성 음식물과 반대로 위 배출 초기에는 천천히 배출되어 음식물이 위 내에서 충분하게 부수어지고 잘 섞이도록 하며 그 이후에 빠르게 배출된다. 유동식과 고형식 음식물을 함께 섭취하였을 경우에는 유동식이 먼저 배출되고 고형식이 나중에 배출된다.

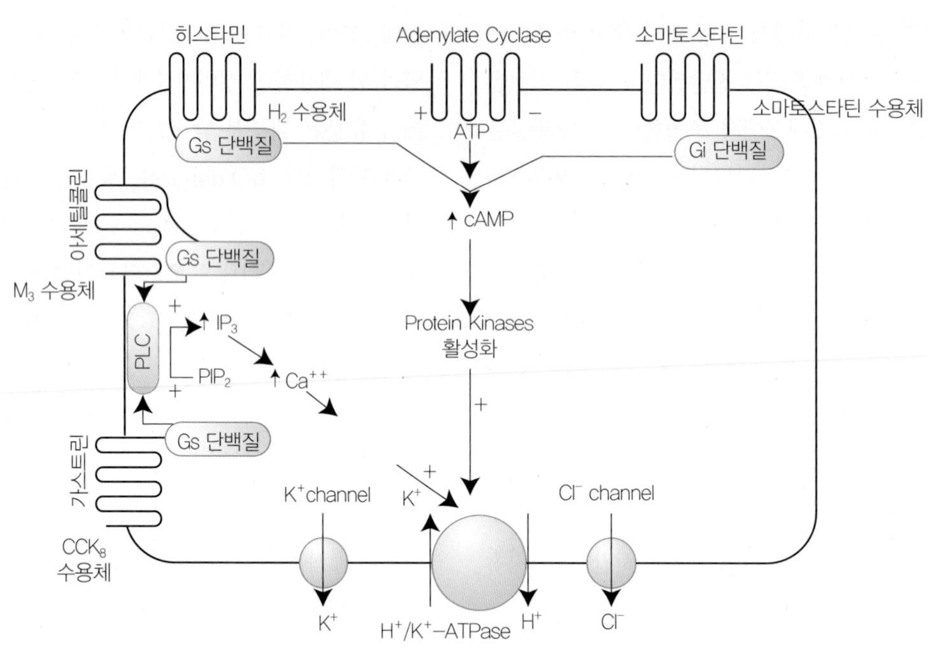

그림 1-48 **위 벽세포내 산분비 기전.** (ATP: adenosine triphosphate, cAMP: cyclic adenosine monophosphate, Gs 단백질: stimulatory guanine nucleotide protein, Gi 단백질: inhibitory guanine nucleotide protein, PLC: phospholipase C, PIP2: phosphatidylinositol 4,5 diphosphate)

3) 위산분비

(1) 세포 기전

벽세포에서 위산을 분비하기 위해서는 아세틸콜린, 가스트린, 히스타민에 의해 자극받는 수용체의 자극이 한가지 이상 필요하며, H+/K+- ATPase는 세포내 관형소포에 저장되어 있는 양성자 펌프proton pump로서 벽세포에서 위산을 분비하기 위한 최종 공동 경로가 된다(그림 1-48). 벽세포가 자극을 받으면 세포골격이 재정렬되고 부비소관의 상단막에 관형소포가 합쳐지게 되는데 이러한 이소성 조합heterodimer assembly 결과 위산이 분비되고 세포외 K+과 세포내 H+이 서로 교환이 일어난다. H+/K+-ATPase에 의해 일어나는 K+과 H+의 교환은 벽세포를 통과하기 위한 막전위의 차이에 의한 것이 아닌 전기중성적 교환에 의한 것이기는 하나 100만배 이상의 차이를 극복하면서 H+이 분비되어야 하므로 ATP 형태의 에너지가 요구되는 과정이기도 하다. 위산이 분비되는 동안 K+과 Cl- 또한 각각의 채널을 통해 분비된다. 위에는 약 10억개 정도의 벽세포가 발견되며 음식 섭취시 시간당 약 20mmol의 염산염을 분비한다.

벽세포에는 아세틸콜린, 히스타민, 소마토스타틴 등에 대한 수용체가 존재한다. 가스트린은 가스트린 수용체 또는 CCK-B에 결합하며, 아세틸콜린은 M3 muscarinic 수용체에 결합한다. 이 두 수용체는 G단백질 연관 기전을 통해 phospholipase C를 자극하여 세포막과 결합해 있는 인지질로부터 inositol triphosphate의 생성을 증가시켜 세포내 칼슘을 증가시키고 H+/K+-ATPase와 다른 단백 분해효소를 활성화시킨다. 히스타민은 히스타민 수용체인 H2 수용체에 결합하여 adenylate cyclase를 활성화시켜 세포내 cAMP를 증가시킨다. 소마토스타틴은 소마토스타틴 수용체와 결합하여 억제 G단백질 기전을 통해 adenylate cyclase의 활성화를 억제시켜 cAMP를 감소시킨다.

(2) 휴식기 위산분비

사람의 위에서는 음식을 섭취하지 않아도 약 10%에 달하는 산이 분비된다. 이러한 휴식기 위산 분비는 하루

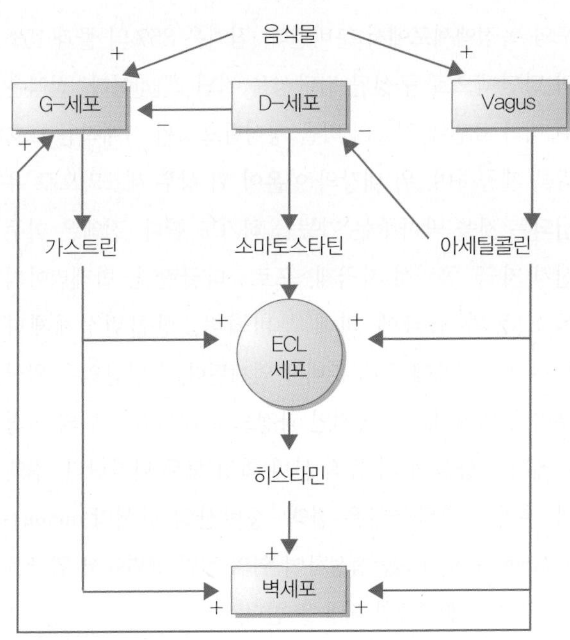

그림 1-49 위산 분비의 생리학적 기전. (ECL 세포: enterochromaffin-like)

내 변화를 나타내는데 낮보다는 저녁과 밤에 위산 분비가 더 활발하다. 휴식기 위산분비는 아세틸콜린이 가장 주된 역할을 수행하며, 히스타민 또한 관련된다.

(3) 소화시 위산분비

소화시 위산분비는 두상cephalic phase, 위상gastric phase, 장상intestinal phase으로 나뉘는데, 이 세 가지는 위산을 분비하는 자극이 일어나는 부위를 나타낸다. 음식의 섭취는 위산 분비의 가장 강한 자극제로서 벽세포에서 주로 위산을 분비하며 이를 조절하는 ECL 세포가 중요한 역할을 담당한다(그림 1-49).

가. 두상

음식물을 대하는 생각과 감정, 미각, 냄새, 구강 내 자극이 미주신경의 구심성 신경을 자극하여 뇌의 피질과 시상하부를 자극하게 되고 미주신경의 원심성 신경을 통해 위산 분비가 이루어진다. 기전은 명확하지는 않으나 미주신경의 신경절이후 신경 섬유에서 아세틸콜린이 분비되어 벽세포에서의 산의 분비를 증가시키며, 아세틸콜린이 간접적으로 G세포를 자극하여 가스트린의 농도가 증가된다는 기전이 있다. 두상 시기는 비교적 짧아 이 시기에 분비되는 위산은 전체 분비되는 위산의 약 30% 정도를 차지한다.

나. 위상

위상은 음식물이 위내로 들어오면서 시작된다. 이때까지도 위는 비어 있는 상태를 유지하게 되며 이 시기에 분비되는 위산은 전체의 약 60%를 차지한다. 위내로 들어온 음식이 위 전정부의 G세포와 상호작용하여 가스트린을 분비하게 되고 벽세포를 자극하여 위산을 분비하게 된다. 또한 근위부 위의 확장이 위의 신장 수용체를 자극하여 혈관미주신경반사를 통해 아세틸콜린을 분비하게 되고 가스트린의 분비가 증가되고 ECL세포로부터 히스타민의 분비가 증가되어 위산이 분비된다.

다. 장상

위 내용물이 소장 내로 들어가면서 시작된다. 십이지장으로 들어간 음식물이 점막과 접촉하여 점막으로부터 분비된 산분비성의 소화관 호르몬에 의한 것으로 생각되나 그 기전은 아직 명확하지 않다. 전체 위산 분비의 약 10% 정도를 차지한다.

4) 기타 위 분비

(1) 위액

위액은 벽세포, 주세포, 점액세포에서 분비되며, 삼켜진 침이나 십이지장에서 역류된 것도 포함된다. 벽세포에서 분비되는 전해질 용액은 등장성이며 리터당 약 160mmol을 함유하고 있다.

(2) 펩시노겐

펩시노겐pepsinogen은 위, 십이지장 점막에서 분비되며, 음식 섭취시 아세틸콜린을 매개로 하여 주세포에서 가장 많이 분비된다. 펩시노겐은 면역학적 성격에 따라 두 가지 형태로 분비되는데 type I 펩시노겐은 산 분비 부위의 주세포와 점액세포에서 분비되며, type II 펩시노겐은 전정부, 근위부 십이지장 외에도 위산 분비 부위의 표면상피 세포에서 분비된다. 두 가지 형태 모두 위 내강이 산성화되면 활성화된 펩신으로 전환되며 pH 2.5에서 가장 활성화되고 pH 5 이상에서는 비활성화된다.

(3) 내인성 인자

내인성 인자intrinsic factor는 위의 벽세포에서 분비되어 위산분비액에 포함되어 있는 당단백질로서, 회장말단 부위에서 비타민 B12를 흡수하는데 필수적인 요소이다. 내인성 인자의 분비는 위산의 분비와 연관되어 있으나 반드시 위산분비와 연관되는 것은 아니다. 비타민 B12를 흡수하기 위해 필요한 양 이상으로 분비되며, 위산 분비 억제제를 투여한 경우에도 내인성 인자의 분비는 지속된다. 내인성 인자 부족으로 인한 비타민 B12 결핍증은 악성 빈혈 환자나 위 전절제술을 시행 받은 환자에게서 발생할 수 있으며, 비타민 B12를 보충해 주지 않을 경우 치명적인 결과를 초래할 수 있다.

5) 위점막 방어 기능

위의 보호기능은 해부학적 인자나 생리학적 인자, 매개체 등 여러 인자에 의해 영향을 받는다. 해부학적 인자로는 우선 상피의 보호기능으로 세포막, 폐쇄막tight junction, 상피 세포의 상환restitution, 소수성인지질hydrophobic phospholipids의 역할을 들 수 있고, 점막의 혈액 공급, 구심성 감각 신경 세포의 분포 등이 있으며, 생리학적 인자로는 점액과 중탄산염의 분비를 들 수 있다. 최근 많은 보고에서 수소이온의 역확산back diffusion에 대한 점막 보호기능에 초점이 맞춰지고 있다.

점액은 위의 전정부와 위산 분비 부위의 표면 점액 세포와 목점액세포에서 분비된다. 점액은 85%의 물과 15%의 당단백으로 구성된 점탄성을 지닌 겔gel이다. 점액은 위 점막 표면에 일종의 막을 형성함으로써 기계적인 보호막을 제공하며, 위 내강의 이온이 위 상부 세포막으로 유입되는 것을 막아주는 기능을 하기도 한다. 점액은 미주신경 자극, 콜린성 자극제, 프로스타글란딘, 박테리아의 독소 등의 자극에 의해 분비되며, 항콜린성제제나 NSAIDs 제제에 의해 분비가 억제된다. 중탄산염은 위산분비 부위에서는 능동적인 과정으로 분비되나 위의 전정부에서는 능동적, 수동적 분비 과정 모두 나타난다. 점액과 분비된 중탄산염은 점액-중탄산염 방어막mucous-bicarbonate barrier을 형성하여 위의 점막 표면에서 위산을 중화시키는데 중요한 작용을 한다.

세포막과 폐쇄막은 세포 간질내로 수소이온의 유입을 막는 기능을 하며 이를 뚫고 유입된 수소이온은 벽세포에서 분비된 중탄산 계열의 염기성 물질들에 의해 중화된다.

점막의 혈액 공급은 점막의 보호기능 유지에 매우 중요한 역할을 수행한다. 혈액 공급이 50% 정도 감소할 때까지 점막은 정상적이지만 75% 이상 감소될 경우 점막의 손상이 시작되며, 위 내강이 산성화되면 점막의 손상은 더욱 심해진다. 이때 손상된 점막은 표면 점막 분비세포가 기저막을 따라 빠르게 대치되는데 이러한 현상을 세포상환 또는 재건reconstitution이라고 한다.

위점막 보호기능의 다른 인자로는 프로스타글란딘, 산화질소, 표면성장인자Epidermal Growth Factor (EGF), 히스타민, 칼시토닌 유전자 관련 펩티드 등의 매개체가 있으며, 위의 점막을 손상 시키는 인자로는 펩신, 에탄올 섭취, 흡연, 담즙의 역류, 점막의 허혈, NSAIDs, 저산소증, *H. pylori* 감염 등이 있다.

요약

위는 분문부, 저부, 체부, 전정부, 유문부로 구분되며 혈액공급은 복강동맥으로부터 분지되는 좌·우 위동맥과 좌우 위대망동맥으로부터 주로 이루어진다. 정맥 또한 동맥을 따라서 주행하고 각각의 동맥과 정맥은 네트워크를 구성하고 있어 위에 풍부한 혈액을 공급하고 있다. 미주신경이 위의 앞, 뒤로 분포하고 있으며, 림프절은 대부분 혈관의 주행을 따라 배액되며 위암의 경우 일차 병소에서 거리가 먼 림프절에서도 전이가 발견될 수 있으므로 림프절 절제술시 주의가 요구된다.

위의 기능은 첫째, 가스트린, 소마토스타틴, GRP, 히스타민 등의 호르몬을 분비하며, 둘째, 음식물을 저장하고 잘게 부수어 섞은 후 소장으로 내려 보내는 운동 및 배출 기능이 있고, 셋째 공복이나 음식 섭취시 ECL세포의 생리학적 조절을 통해 위 벽세포에서 위산을 분비시키는 위산 분비 기능이 있으며, 넷째로 위내강의 많은 자극 물질로부터 위 점막을 보호하는 기능을 가지고 있다. 이 외에 위액이나 펩시노겐, 내인성 인자를 분비하기도 한다.

VIII 소화성 궤양

1. 소화성 궤양의 정의와 역학

소화성 궤양이란 위 또는 십이지장의 점막이 탈락하여 점막하층 또는 그 이하의 층까지 결손이 발생한 경우를 말한다. 위산의 공격과 점막 방어간의 균형이 무너져서 발생하며 발생 시기에 따라 급성과 만성으로 구분할 수 있다. 소화성 궤양 환자의 신환 발생, 입원, 선택 수술의 빈도는 최근 꾸준히 감소하는 추세인데 그 이유로 위산분비 억제제의 사용, 위내시경 검진의 증가, *H. pylori* 유병률의 감소 등을 들 수 있다. 그러나 응급수술과 이와 관련된 사망률은 감소하고 있지 않는데 그 이유로는 고령 인구의 증가와 NSAID, aspirin의 사용의 증가를 들 수 있다. 소화성 궤양은 전체 인구의 4.1% (위궤양 2%, 십이지장궤양 2.1%)에서 발생하며 약 10% 의 인구가 평생 한 번 이상 경험한다. 위궤양이 십이지장궤양에 비해 사망률이 높은데 그 이유로 고령의 환자에 위궤양이 더 많이 발생하기 때문이다.

2. 병태생리 및 발생원인

위궤양 및 십이지장궤양의 가장 큰 원인은 *H. pylori* 감염과 NSAID의 사용 때문이며 결과적으로 산의 공격에 대해 위십이지장 점막의 방어가 무너졌기 때문에 궤양이 형성된다(no acid, no ulcer). 일반적으로 십이지장궤양은 위산의 증가로 인한 공격의 우세, 위궤양은 점막의 방어의 열세로 이해될 수 있다. 따라서 *H. pylori* 감염과 NSAID의 사용을 억제함이 궤양 치료 및 예방의 축이라고 할 수 있다. Zollinger-Ellison 증후군, 유문부 G-cell 과기능증, mastocytosis, 외상, 화상, 스트레스, 흡연, 알코올 등도 원인으로 들 수 있다.

1) *H. pylori* 감염

H. pylori 균은 urease라는 효소를 이용하여 urea를 ammonia 및 bicarbonate로 전환하여 주변의 위산을 중화함으로써 위에서 생존할 수 있다. 이 균은 위점막세포와 점액사이에서 생존하고 있으며 때로는 점막세포에 결합되기도 한다. *H. pylori*는 여러 기전으로 점막을 손상시킨다. 유문부의 G세포에서의 gastrin의 분비는 somatostatin에 의해 억제되는데, *H. pylori*는 D세포에서의

somatostatin 분비를 억제하여 gastrin의 생산이 촉진된다. 또한 *H. pylori*에 의해 형성된 국소적인 염기화 자체도 G세포의 gastrin 생성을 촉진한다. Hypergastrinemia는 벽세포의 위산 생성을 촉진하며 위산과다에 의해 위궤양이 진행되고, 또한 십이지장벽에 antral metaplasia를 형성하여 십이지장점막에도 *H. pylori*가 생존하게 되어 십이지장궤양을 유발하게 된다. 또 다른 점막 파괴의 기전으로 *H. pylori* 균 자체가 분비하는 vacA, cagA 독성물질, 점막세포에서 생성하는 interleukin-8 등의 cytokine, 염증세포의 침윤, immunoglobulin의 생성 등도 들 수 있다. *H. pylori* 감염군은 비감염군에 비해 소화성궤양이 발생할 확률이 3.5배 높으며, 90%의 십이지장궤양 환자와 70-90%의 위궤양 환자는 *H. pylori* 감염이 동반되어 있으므로 *H. pylori* 감염이 소화성궤양 발생의 중요 원인일 가능성이 매우 높다. 여러 소화성궤양의 전향적 치료 연구에서 위산분비억제 단독군은 75%의 높은 재발을 보였으나 *H. pylori* 제균 추가군에서는 20%의 낮은 재발이 확인되어 오늘날 *H. pylori* 제균이 소화성궤양의 치료의 필수적인 치료로 인정받게 되었다. *H. pylori* 감염은 위암과 위림프종의 원인으로도 제기되고 있다.

2) 위산과 소화성 궤양

십이지장궤양환자의 BAO (Basal Acid Output), MAO (Maximal Acid Output)는 정상인에 비해 증가되어 있고 gastrin에 대해 벽세포의 위산분비가 과민성을 보이므로 대부분 위산의 분비가 증가되어 있다. 이에 반해 위궤양은 다양한 스펙트럼을 보이므로 위산의 정도에 따라 Modified Johnson type으로 분류할 수 있다(표 1-9).

3) NSAID와 소화성 궤양

각종 관절염으로 NSAID을 복용하는 환자들은 매년 15-20%에서 소화성 궤양이 발생하며 특히 천공이나 출혈의 합병증이 빈번하다. 또한 천공이나 출혈이 발생한 환자들의 반수 이상은 NSAID를 복용한 병력이 있다. 60세 이상의 노인에게서 NSAID를 복용한 경우 복용하지 않은 노인에 비해 소화성궤양의 발생은 5배, 수술을 받을 확률은 10배, 합병증으로 사망할 확률은 4.5배 더 높다고 한다. NSAID를 복용하는 환자 중 60세 이상, 궤양의 과거력, NSAID 고용량 사용, 스테로이드 사용, 항응고제 사용 등은 궤양의 발생을 높이는 인자이므로 이러한 인자가 있는 경우 반드시 위산분비억제제를 사용하여야 하며 COX-2 inhibitor의 사용으로 대체하여야 한다.

표 1-9. Modified Johnson type

Type I	소만곡의 위각에 주로 위치, 위산 ; 정상 또는 저하
Type II	십이지장궤양과 동반된 경우, 위산 ; 정상 또는 증가
Type III	prepyloric ulcer, 위산 ; 정상 또는 증가
Type IV	식도위경계부 주변, 위산 ; 정상 또는 저하
Type V	medication-induced (NSAID, acetylsalicylic acid 등), 위전체 ; 정상 또는 저하

Type I, IV, V의 위산도는 정상 또는 저하상태를 보이므로 이 경우의 궤양은 NSAID나 aspirin, 십이지장으로 부터의 담즙, 췌장액 역류를 이유로 들 수 있다.

4) 기타 원인

흡연자는 비흡연자에 비해 궤양 발생의 위험이 2배 높다. 흡연은 위산분비를 촉진하며 십이지장위 역류를 촉진한다. 육체적 스트레스 뿐만 아니라 정신적 스트레스도 궤양의 발생의 원인이 될 수 있다. 1842년 Curling은 화상환자에게서 궤양 발생이 높음을 관찰한 바 있다(Curling's ulcer). Cushing은 두부 손상 환자에게서 궤양의 발생이 높음을 보고 하였다(Cushing's ulcer). Cocaine과 alcohol도 궤양의 빈도를 높인다고 한다.

3. 임상 증상

90%의 환자는 복통을 호소한다. 전형적인 방사통은 없으며 주로 상복부에 국한된 타는 듯한 통증을 호소한다. 십이지장궤양 환자는 식후 2-3 시간후 또는 한밤중에 통증을 호소하며 2/3는 통증 때문에 잠을 깨게 된다. 위궤양은 식사시 통증을 호소하며 수면 중 깨지는 않는다.

오심, 팽만감, 체중감소, 빈혈이 동반되기도 한다.

4. 진단

상기 증상을 호소할 경우 아직 젊은 환자에게는 증상만 듣고도 진단이 가능하여 위산분비억제제를 처방할 정도로 진단이 가능하지만 위암이 흔한 우리나라의 경우 내시경검사를 반드시 하여야 한다. 내시경을 통하여 궤양주변부에서 조직검사를 시행하여야 하며 *H. pylori* 감염 여부를 검사한다. 이중 조영제 상부위장관 촬영도 도움이 된다. Gastrinoma가 의심될 경우 혈청 gastrin을 측정한다. 궤양의 합병증 중에서 천공의 경우 내시경 검사로 증상을 악화시킬 수 있으므로 병력 청취와 아울러 CT, 단순복부 촬영으로 진단하여야 한다.

5. 합병증

가장 흔한 합병증은 빈도순에 따라 출혈, 천공, 폐쇄 등을 들 수 있다. 특히 소화성궤양의 합병증에 의한 사망의 가장 흔한 원인은 출혈이다. 상부위장관출혈은 전체 위장관 출혈의 75%를 차지하며 그 중 50% 이상은 소화성궤양의 출혈이며 흑변, 혈변을 보게 된다. 비위관 삽입으로 쉽게 출혈을 진단할 수 있으며 출혈 환자들은 복통을 대개 호소하지 않는다. 쇼크가 동반된 경우 즉시 소생술을 시행하여야 하며 수혈이 필요하다. 조기에 내시경을 시행하여 확진과 아울러 지혈을 시도하여야 한다. 3/4의 출혈 환자는 위산분비억제제의 사용과 금식으로 출혈이 멈추지만 1/4은 지혈이 되지 않아 사망에 이를 수 있다. 쇼크, 토혈, 24시간동안 4 unit 이상의 수혈, 내시경에서 활동성 출혈 및 혈관 노출 등의 고위험군은 적극적인 내시경 지혈을 시도하여야 하며 epinephrine 주사, 전기소작 등을 시행한다. 내시경으로 지혈이 되지 않을 경우 내시경을 재시도할지 수술을 시행할지 외과 의사와 상의하여 빠른 판단을 내려야 한다. 따라서 출혈이 시작될 때 외과의사에 연락하여 협진하여 환자를 돌보는 것이 중요하다. 소화기내과 의사는 외과와의 협진하에 치료의 목표를 설정하고 최초 비수술적 치료의 한계를 미리 환자에게 주지시킨 다음 내시경으로 접근하여야 분쟁의 소지가 적다. 위장관 출혈 환자의 5-10%가 수술을 받게 되는데 미리 외과와의 협조가 이루어진 경우 수술 전 평가 및 수술 전 처치를 하는데 시간을 절약할 수 있으며 나아가 환자나 가족의 이해가 수월하다. 상부위장관 출혈은 사회의 고령화로 인해 발생 빈도가 증가하고 있고 사망률이 높으므로 의료진들의 철저한 대비가 필요하다. 의료 기술의 발달, 특히 내시경 기술의 발전으로 성공적인 지혈의 가능성이 높아지고 있으나 초기 대응의 적극성에 따라 환자의 결과가 달라질 수 있다. 따라서 외과의사의 역할은 초기부터 참여하여 출혈에 대한 처치 및 치료 방침의 결정에 소홀함이 없도록 노력하여야 하며 대량 출혈에 의해 내시경 접근이 곤란하거나 지혈이 되지 않는 경우 또는 재출혈의 가능성이 높은 경우는 외과에 연락하여 지체없이 수술이 진행되도록 하여야 한다. 특히 고령의 환자는 응급수술보다는 선택적 수술을 시행하여야 우수한 치료 성적을 기대할 수 있다. 십이지장 후벽과 위각의 출혈성 궤양은 큰 혈관에서 발생할 경우가 많으므로 조기에 수술로 치료하는 것이 성적이 좋다.

소화성궤양의 합병증은 6:1 정도로 출혈이 많지만 수술적 치료는 천공이 더 많고 술 후 사망률도 10-30% 로 높다. 미국의 경우 1993-2006년 사이에 입원 사망의 가장 중요한 원인은 천공성 궤양이라고 한다. 천공성 궤양은 급작스런 복통을 호소하게 되므로 대개는 정확한 발생 시간을 알 수 있다. 초기에는 흘러 나온 위/십이지장액에 의한 화학성 복막염을 보이지만 수시간내에 세균성 복막염으로 전환된다. 3rd space에 수액이 고이게 되므로 초기에 수액 공급이 필수적이다. 복부 진찰시 복막염 소견(guarding, rebound tenderness 등)을 관찰할 수 있으며 80%의 환자에게서 직립 흉부촬영에서 횡격막하 공기음영을 관찰할 수 있다. 진단이 되면 즉시 진통제, 항생제를 투여하고 수액공급을 충분히 하면서 수술을 시행한다. 그러나 드물게 임상적인 복막염 증상이 소멸되고 상부위장관조영술에서 누출이 발견되지 않는다면 저절로 천공이 막혔을 가능성이 있으므로 기다릴 수 있다. 수술 후 합병증과 사망률이 높으므로 치료 성적을 높이기 위해 조기 진단과 조기 수액공급 및 빠른 수술이 필요하다.

위출구폐색은 유문부 주변 또는 십이지장 궤양에서 발생하며 전체 소화성궤양 환자의 5%에서 발생하고 급성과 만성으로 나눌 수 있다. 비담즙성 구토를 하며 저염성 저칼륨성 대사성 알칼리증을 보인다. 복통과 불편감을 호소하며 진행된 기간이 길수록 체중감소가 심하다. 비위관 삽입, 수액 및 전해질 공급, 위산분비억제가 필요하다. 위암을 배제하기 위해 내시경 진단이 필요하다. Balloon 확장이나 수술이 필요하다.

6. 약물 치료

소화성 궤양이 진단되면 금연, 금주, NSAID 사용중지가 필수적이고 *H. pylori* 감염이 확인되면 적절한 제균치료를 시행하여야 한다. H2 blocker, proton pump inhibitor를 사용하여 위산분비억제를 시행하고 sucralfate, misoprostol도 궤양의 치료에 도움이 된다. 일반적으로 제균 후 3개월정도의 위산억제가 필요하다.

7. 수술적 치료

출혈, 천공, 폐쇄, 난치intractability가 적응증이 되며 고선택적 미주신경절단술Highly Selective Vagotomy (HSV), 체간미주신경절단술 및 배액술Truncal Vagotomy and Drainage (TV+D), 체간미주신경절단술 및 하부위절제술Truncal Vagotomy and Antrectomy (TV+A)가 기본 수술 방법이다.

1) Highly Selective Vagotomy (HSV)

Parietal cell vagotomy, proximal gastric vagotomy로도 불리는데 다른 수술에 비해 안전하고 부작용이 적다. 위벽세포가 존재하는 상부 2/3의 위의 신경만 선택적으로 절단하며 유문과 유문부의 신경은 보존하게 된다. 불완전한 신경절단이 이루어지므로 체간미주신경절단술(TV)에 비해 재발의 위험이 있다. 고형식의 배출은 정상이지만 유동식의 배출은 정상이거나 빨라지는데 그 이유는 receptive relaxation의 소실 때문이다. 최근 *H. pylori* 제균치료로 궤양의 재발이 많이 감소되었으므로 HSV만 시행한 후의 재발에 대한 걱정은 많이 덜게 되었다. Type II, III 위궤양의 치료로는 추천되지 못하는데 그 이유는 이런 경우 HSV 수술 후 위배출구 폐쇄의 가능성이 있기 때문이다. HSV의 가장 흔한 적응증은 난치성 십이지장궤양이다. 최근 복강경수술이 보급되면서 보다 간단한 posterior truncal vagotmy and anterior HSV가 시행되기도 한다.

2) 체간미주신경절단술 및 배액술

체간미주신경절단술 및 유문성형술과 체간미주신경절단술 및 위공장문합술이 해당된다. 체간미주신경절단술 및 배액술Truncal Vagotomy and Drainage (TV+D) 수술의 장점은 안전하고 신속하게 진행될 수 있다는 점이다. 그러나 부작용으로 10%의 재발율과 10%의 덤핑증후군을 들 수 있다. 식도 주변에서 식도 천공을 유발하지 않도록 주의하여야 하며 반드시 2개 이상의 미주신경을 찾아야 하고 절단 후 동결 생검으로 신경을 확인하여야 한다. 출혈성 위십이지장궤양, 천공성 위십이지장궤양, 폐쇄성 위십이지장궤양이 적응증이 되며 위궤양은 특히 위암과 감별하기 위해 반드시 조직검사를 하여야 한다. 체간미주신경절단은 유문의 기능을 상실시켜서 위배출저하를 초래하므로 특히 폐쇄성 궤양에서는 반드시 배액술을 추가하여야 한다. 위공장문합술은 대장 전후에서 모두 가능하며 대만곡의 가장 처져 있는 부분(dependent position)과 상부 공장을 연결한다. 십이지장 후벽의 출혈성 궤양의 치료를 위해 유문부를 절개하게 되므로 이 때 유문부성형술을 시행하는 것이 바람직하며 종류로는 Heineke-Miculicz type, Finney type, Jaboulay type 등이 있다.

3) 체간미주신경절단술 및 하부위절제술

가장 위험하고 시간이 걸리는 수술 방법이며 특히 위궤양의 경우 궤양을 포함하여 충분히 위절제를 시행하여야 하며 하부위절제후 위십이지장문합술 또는 위공장문합술이 필요하다. 이 수술의 가장 큰 장점은 가장 재발의 위험이 적다는 점이지만 단점은 다른 수술에 비해 수술의 합병증, 사망률이 높다는 점이다. 따라서 혈역학적으로 불안정한 환자에게는 추천되지 않는다. 또한 십이지장궤양으로 인한 심한 변형이 동반된 경우에는 문합이 어렵고 누출의 위험이 높으므로 이러한 환자에게는 추천되지 않는다. 체간미주신경절단술 및 하부위절제술Truncal Vagotomy and Antrectomy (TV+A) 수술은 60-70%의 위가 남게 되므로 Roux-en-Y 재건술을 시행할 경우 변연부 궤양marginal ulcer과 위 정체gastric stasis의 위험이 높으므로 하부위절제후의 재건술로는 추천 되지 않는다. Type I 위궤양에서는 미주신경절단술을 생략할 수 있지만 II, III 에서는 반드시 추가하여야 한다.

4) 어떤 수술을 선택할 것인가?

다양한 인자를 고려하여야 하는데 우선 수술의 적응증(출혈, 천공, 폐쇄, 난치성), 궤양의 위치(위, 십이지장), 재발성 궤양, 변연부 궤양 등을 고려하여 수술을 선택하여야 한다. 환자의 상태, 궤양의 상태(염증의 정도, 유착, 노출의 난이도)도 고려하여야 하며 외과의사의 경험 또한 중요하다. 일반적으로 절제를 동반할 경우 재발율은 낮지만 수술 후 합병증과 사망률을 높아지게 된다. 십이지장궤양에서는 절제가 불필요하다고 받아들여지고 있으나 위궤양은 절제가 추천된다.

5) 적응증에 따른 수술적 치료

(1) 출혈성 궤양

궤양에 의한 사망의 가장 큰 원인은 출혈이다. 고령 인구가 증가하면서 NSAID의 사용 증가가 출혈 관련 수술이 계속 증가하는 이유가 될 것이다. 출혈이 발생시 내시경적 치료가 우선이므로 외과의사는 언제 수술할 지 어떤 방법으로 수술할 지를 미리 결정하여야 한다. 내시경으로 지혈을 시도할 때 재출혈의 가능을 미리 예측함으로써 수술시기를 결정하여야 하는데, Forrest 분류에 따르면 재출혈의 가능성을 내시경 소견으로 나누어 고위험군, 중간위험군, 저위험군으로 나누었고 혈관노출의 정도에 따라 내시경치료의 방침을 결정하게 하고 있다.

최근의 출혈 환자는 동반 질환이 수반된 경우가 많아 수술 합병증의 발생이 과거에 비해 높다. 출혈성 궤양의 수술은 신속하게 출혈 부위를 찾은 다음 봉합으로 지혈한 다음 재발 방지를 고려하여 절제술을 시행할 지를 결정하여야 한다.

가. 출혈성 십이지장궤양

내시경치료가 실패한 4-6 unit 이상의 수혈을 요구하는 출혈은 즉시 수술이 필요하다. 또한 내시경 의사가 부재중이거나 내시경 치료 후 재출혈, 혈액이 부족한 경우, 출혈로 인한 빈번한 입원, 천공이나 폐쇄가 동반된 경우, 2cm 이상 크기의 궤양 등은 모두 수술의 적응증이 될 수 있다. 십이지장궤양의 출혈은 대부분 위십이지장동맥Gastroduodenal artery, 췌십이지장동맥pancreaticoduodenal artery에서 비롯되므로 위-십이지장 주변을 충분히 박리하여 이 혈관의 기시부를 정확히 결찰하여야 재출혈을 예방할 수 있다. 개복후 즉시 pyloromyotomy를 시행한 다음 왼손가락으로 출혈 부위를 누른다. 때로는 Kocherization을 시행하여 십이지장을 여유있게 확보할 필요가 있다. Heavy suture로 figure-of-eight 또는 U-stitch 방법으로 궤양에 노출된 혈관을 봉합하고 유문성형술을 시행한다. 혈역학적으로 안정된 경우 TV+D 또는 TV+A를 추가할 수 있으나 불안정한 경우 봉합만 시행할 수도 있다.

나. 출혈성 위궤양

응급수술보다는 가능하면 혈역학적으로 안정된 상태에서 선택적으로 수술하기를 추천한다. 위궤양의 출혈은 먼저 위 절개를 통하여 출혈부위를 확인 후 봉합으로 지혈한 다음 육안으로 양성궤양인지 악성궤양인지를 감별하여야 한다. 양성궤양인 경우 단순봉합만으로는 30%의 재출혈 위험이 있으므로 일반적으로 TV+A가 가장 추천되는 수술법이며 다음 선택으로 고위험군에서는 TV+D를 들 수 있다. 고위험군에서는 단순 봉합으로 지혈한 후 위산분비억제제를 사용할 수도 있으나 재출혈의 위험이 높다. 부분절제가 어려운 상부에 위치한 궤양의 경우 원위부 위절제 및 궤양부 부분절제를 하기도 한다. 악성궤양이 의심되는 경우 가능하면 냉동절편검사법을 통하여 암의 존재를 확인한 후 혈역학적으로 안정적이라면 근치적 절제술을 시도할 수 있고 불안정한 상태라면 지혈만 시행한 후 회복기에 근치적 절제술을 시행하여야 한다.

(2) 천공성 궤양

천공성 궤양의 치료 원칙은 봉합술이다. 가능하면 omental patch를 추가하기를 권유한다. 위궤양 천공이 십이지장궤양 천공보다 사망률이 높은데 그 이유로 전자는 NSAID를 복용하는 고령의 환자에게서 자주 발생하기 때문이다. 극히 드물게 보존적 치료로 호전되기도 하지만 대부분은 즉시 수술을 시행하여야 한다.

십이지장궤양 천공의 경우 단순봉합술, 봉합술 과 HSV, 봉합술과 TV+D를 시행한다. 단순봉합술은 천공된 시간이 24시간 이상 경과한 경우 혈역학적으로 매우 불안정할 경우에만 시행하며 다른 경우는 모두 definitive surgery (HSV 또는 TV+D) 를 추가하여야 하며 많은 연구에서 이 수술이 합병증이 매우 낮음이 증명되었다. 최근 *H. pylori* 감염이 동반된 십이지장궤양의 천공시 단순봉합술을 시행하고 제균치료를 시행할 경우 안전하다고 주장하였으나 *H. pylori* 감염을 응급수술에서 확인하기 어려운 경우가 많으며 감염을 확인하였다고 하더라도 제균치료에 응하지 못할 경우가 많아 반드시 definitive surgery를 추가하여야 한다.

위궤양 천공은 십이지장 천공에 비해 매우 높은 사망률을 보인다(10-40%). 그 이유로 이들은 고령, 많은 동반질환, 증상의 지연, 큰 궤양 등을 들 수 있다. 수술적 치료로 하부위절제술이 필요하며 궤양의 type에 따라 vagotomy를 추가할 수 있으며 위산분비가 많은 type II, III에서는 반드시 필요하다. 혈역학적으로 불안정한 경우 단순봉합술, 국소 절제술 등을 시행할 수 있는데 반드시 위암과의 감별을 위해 조직검사를 추가하여야 하며 단순봉합술은 하부위절제술에 비해 높은 합병증과 재발율을 보이고 있다. *H. pylori* 감염군의 위궤양 천공시 단순봉합술과 제균치료를 추천하는 그룹이 있으나 많은 경우에 *H. pylori* 음성인 환자들이 있으므로 최근에는 이러한 치료는 설득력을 잃고 있다. 최근에는 복강경 봉합술 시도가 증가하고 있으며 무작위 전향적 연구에서 개복군과 동일한 합병증을 보이지만 빠른 회복 빠른 퇴원을 기대할 수 있다고 한다. 그러나 이 연구들은 젊은 환자들만 고른 편견이 있으므로 일반적으로는 천공의 크기가 작고 증상 발현이 짧은 환자에게 복강경 수술을 권유하고 있다. 천공의 크기가 크고 증상 발현이 오래되었다면 단순봉합으로는 재발의 위험이 높으며 누출의 위험이 높으므로 개복 절제술이 필요하다.

(3) 폐쇄성 궤양

폐쇄성 궤양은 소화성궤양 합병증 중에서 가장 드물다. 부종과 운동기능 저하 때문에 발생한 급성 폐쇄성 궤양은 위산 분비 억제제와 비위관 삽입만으로 치료 될 수 있다. 그러나 대부분의 만성 폐쇄성 궤양은 수술적 치료를 필요로 한다. 내시경에 의한 balloon 확장은 일시적으로 증상을 완화시킬 수 있지만 결국은 실패하고 수술을 필요로 한다. 가장 흔한 수술법은 TV+A, TV+D 이다. 최근 복강경으로 HSV+위공장문합술을 시도하고 있는데 수술이 비교적 쉽고 추후에 위절제를 하지 않아도 되는 장점이 있다. 그러나 이 방법으로 위암을 놓치는 경우가 있어 주의하여야 한다.

(4) 난치성 궤양

최근에는 난치성 궤양으로 수술을 시행하는 경우는 극히 드물다. 만일 난치성 궤양으로 수술을 시도한다면 *H. pylori* 감염이 완치가 되었는지, NSAID를 여전히 복용하는지, 동반된 위암은 없는지, 궤양 약물을 철저히 복용하였는지, 금연을 하였는지, 스트레스를 줄이는 생활습관을 시도하였는지를 반드시 확인하여야 한다. 과거에는 난치성 궤양이 소화성 궤양의 수술 적응증이 되었지만 최근에는 상기 나열한 의문이 반드시 배제되어야 수술을 권유하는 방향으로 전환되었다. 따라서 수술을 가장 손상이 적은 HSV가 추천되며 궤양을 포함한 쐐기 절제술 또는 하부위절제술을 추가할 수 있다. Type I이나 IV환자는 위산 분비가 정상 또는 저하이므로 미주신경절제술을 추천이 되지 않는다.

요약

소화성궤양의 빈도는 감소 추세이나 합병증 발생에 의한 응급수술과 이와 관련된 사망률은 오히려 증가하고 있는데 그 이유로 고령의 환자가 증가하기 때문이다. 소화성궤양의 가장 큰 원인은 *H. pylori* 감염과 NSAID의 사용 때문이며 결과적으로 산의 공격에 대해 위십이지장 점막의 방어가 무너졌기 때문에 궤양이 형성된다(no acid, no ulcer). 수술을 필요로 하는 합병증은 출혈, 천공, 폐색을 들 수 있으며 난치성궤양에 대한 수술은 최근 극히 드물다. 대표적인 수술법으로 HSV, TV+D, TV+A를 들 수 있으며 수술의 선택에 있어 수술의 적응증(출혈, 천공, 폐쇄, 난치성), 궤양의 위치(위, 십이지장), 재발성 궤양, 변연부 궤양 등을 고려하여야 한다. 환자의 상태, 궤양의 상태(염증의 정도, 유착, 노출의 난이도)도 고려하여야 하며 외과의사의 경험 또한 중요하다. 천공의 치료로 복강경 수술이 증가하고 있으나 아직은 천공이 작거나 발현 시간이 짧은 경우에만 권유되고 있다. 일반적으로 절제를 동반할 경우 재발율은 낮지만 수술 후 합병증과 사망률을 높아지게 된다. 우리나라에서는 위암이 흔하므로 위궤양수술시 조직검사를 반드시 하여야 한다.

IX 위의 기타병변

1. 양성 종양

1) 위 용종

위에 생기는 상피성 용종은 위 양성종양 가운데 가장 많은 것으로 대개는 내시경 검사 도중 우연히 발견되며 내시경 검사 시 발견되는 빈도는 2-3%이다. 이에는 증식성, 선종성, 과오종성hamartomatous, 염증성, 이소성 등 다섯 가지가 있다. 임상 양상은 용종의 위치와 크기에 좌우된다. 용종 표면의 미란이나 궤양은 잠혈반응이나 빈혈을 가져오며 유문부에 위치한 크기가 큰 용종 가운데 유문륜을 통과할 수 있는 경우는 폐쇄증세를 불러오기도 한다. 위 용종gastric polyps 가운데 제거술이 필요한 경우는 증세가 있거나, 2cm 이상의 크기 또는 선종성 용종의 경우이며 증식성 용종은 특히 크기가 큰 경우에 적용되는데 주로 내시경을 이용한 올가미 용종절제술을 이용한다.

(1) 증식성 용종

위 용종 가운데 가장 많은(75% 정도) 것으로 재생성 용종이라고도 부르는데 위염과 함께 잘 생기며 유문부에 잘 생기고 낮지만 분명한 악성 잠재력을 가지고 있다. 즉 이 자체는 종양이 아니지만 이형성 변화가 용종 안에서 일어날수 있다. 이형성 발생빈도는 1.9-19%로 알려져 있으며, 선암 발생빈도는 0-13.5%정도로 보고 된다. 크기는 보통 1.5cm 이하이며 40-75%의 경우에서 만성위축성위염이 있을 때 생긴다. 만성위축성위염의 가장 흔한 원인은 *H. pylori* 감염이며 제균 치료를 하면 용종이 퇴화된다.

이형성 변화가 동반된 증식성 용종은 증상이 없더라도 반드시 절제해야 한다. 그러나 이형성이 동반되지 않은 대부분의 증식성 용종의 경우 치료나 추적 관찰에 대해서는 아직 명확한 가이드라인이 없다.

(2) 선종성 용종

위선종은 위의 유문부에 잘 생기는데 WHO의 종양 분류에 따르면 상피내종양intraepithelial neoplasia이다. 일본에서는 융기형, 평탄형, 함몰형을 모두 선종이라 하나 서양에서는 경계가 분명한 융기형 만을 선종이라 하고 나머지는 모두 상피 이형성epithelial dysplasia이라고 한다. 위 전체 용종의 10-15%를 차지하며 대장 선종처럼 악성 변성을 한다. 조직학적으로 선형tubular, 선융모형tubulovillous, 융모형villous으로 나눈다. 위 선암은 용종의 크기와 깊은 관계가 있어 크기가 2cm이면 24%에서 선암이 발견되며, 융모형 선종인 경우에도 악성화 되는 빈도가 높다. 용종의 크기가 4cm 이상이면 40%에서 암종이 발견된다.

저등급 이형성을 보이는 경우는 중등급 및 고등급 선종으로 진행되거나 스스로 없어지기도 한다. 그러나 고등급 이형성을 보이는 선종은 스스로 없어지는 경우는 없고 대부분의 경우에서 암종으로 진행한다. 대부분의 경우는 단독으로 목이 없고 미란이 있는 형상이다. 위 선종이 있으면 위의 다른 부위에 위 선암이 발생할 수 있는 위험도가 높다는 표지자가 된다. 전체 용종을 제거할 수 있고 제거한 검체에서 침윤성 암종이 없다면 내시경적 용종절제술로 충분하다. 그러나 2cm 이상 크기의 목이 없는 용종일 경우, 침윤성 암종의 부위를 가지고 있는 용종, 통증이나 출혈과 같은 증세를 동반한 용종에 대하여는 수술적 절제가 필요하다. 동시 다발형 위선암의 높은 위험도를 고려하여 절제술 이후에도 주기적으로 내시경 검사를 해야 한다.

(3) 이소성 췌장

점막하병변submucosal lesion (SML)은 위장관벽의 심층부에서 발생하는 악성 또는 양성의 병변으로 위에는 위장관 기질종양, 평활근종, 신경초종schwannoma 등이 54%로 대부분을 이루며 이어서 이소성 췌장 16%, 낭종성 병변 9%, 지방종 5% 정도의 빈도를 나타낸다. 이 가운데 이소성 췌장이란 본래의 췌장과는 아무런 해부학적 또는 혈관적 연결성이 없는 췌장 조직으로 위, 십이지장, 공장 등에 잘 생긴다. 소화관기질종양gastrointestinal stromal tumor (GIST)의 경우 악성 가능성 때문에 침습적인 진단과 치료가 필요한 반면 그 이외 SML의 대부분은 양성이고 치료의 필요성은 증세 발현여부에 의존한다. SML 가운데 낭종성 병변이나 지방종은 전산화 단층촬영이나 내시경 초음파 등에서 결정적으로 특징적인 모습을 보이지만 이소성 췌장은 그렇지 못하다. 그러나 최근의 연구결과에 따르면 이소성 췌장은 위장관기질종양이나 평활근육종과 비교하여 전산화 단층촬영 소견상 발생위치(유문부 및 십이지장), 내강측으로의 성장형태, 불명확한 병변 경계부, 점막층의 강한 조영증강, 최대직경/최소직경의 비율이 1.4 이상 등의 조건을 2개 이상 만족시키는 경우 이소성 췌장의 가능성이 높다. 증세를 일으킬 경우 외과적 절제로 치료한다.

2) 평활근종

한때 평활근종이라 부르던 많은 경우들이 요즘은 위장관 기질종양이라고 분류되면서 위 안의 평활근종은 줄어들고 있다. 전형적인 평활근종은 점막하층에서 발생하며 딱딱하다. 궤양이 생기면 배꼽모양을 하고 출혈한다. 2cm 이하 크기는 보통 양성이며 증세가 없고 커질수록 악성 잠재력은 증가되고 출혈, 폐쇄 또는 통증과 같은 증세가 동반된다. 2cm 이하면서 증세가 없으면 그냥 두고 보며, 크기가 크고 증세가 있으면 쐐기형 절제를 하는데 이때 주로 복강경을 이용한다.

3) 지방종

점막하층에 위치한 편평한 종양으로 대부분 증세가 없으며 상부위장관 조영술이나 위 내시경 시 우연히 발견되며 전산화단층촬영이나 내시경 초음파에서 특징적인 모습을 보인다. 증세가 없으면 절제술은 필요하지 않다.

2. 림프종

1) 역학

림프종은 위장관 가운데 위에서 가장 많이 발생한다. 그러나 원발성 위림프종은 위에 발생하는 모든 악성종양의 4–15% 정도에 해당하는 드문 질환이다. 발병연령은 50–60대가 많고 남자에서 2:1로 여자보다 흔하다. 위전정부에 가장 흔히 발생한다.

2) 병리

정상인의 위에는 림프모양조직lymphoid tissue이 없으나 만성 위염 상태에서는 mucosa associated lymphoid tissue (MALT)를 획득하게 되며 이것은 악성 변성을 할 수 있다. 위의 원발성 림프종의 경우 95%가 비호지킨형이고, 대부분은 MALT에서 기원한 B세포형이다. 위 림프종의 치료시 병기와 세부 분류가 중요한데 분류법은 상당히 여러 가지가 사용되고 있다. 종류별로는 미만성 거대B세포림프종(55%), 절외성모서리세포림프종extranodal marginal cell lymphoma (MALT, 40%), Burkitt림프종(3%), 덮개세포림프종 및 주머니림프종mantle cell andfollicular lymphoma (각각 1%) 등이 있다. 면역 결핍이나 헬리코박터균 감염이 원발성 미만성거대B세포림프종발병의 위험인자이다. 위림프종의 약 절반은 조직학적으로 저등급이고 절반은 고등급이다. 저등급 MALT 림프종은 B세포의 단세포군 증식으로 헬리코박터 관련 만성위염이 선행되는데 상대적으로 무해한 종양이라 할 수 있는 본 종양은 고등급 림프종으로 변성해 나간다. 헬리코박터균이 제균되고 위염이 좋아지면 저등급 MALT 림프종은 종종 사라진다. 즉 본 질환은 외과적 질병이 아니며 조심스런 추적 관찰이 요구되는데 특히 t(11:18)전위가 있는 병소는 보다 호전적인 MALT 병소이기 때문에 다른 경우에 비해 더욱 조심스레 추적해야 한다.

한편 제균 이후에도 남아 있는 저등급 MALT 림프종 가운데 임상적으로 병소가 위에 국한된 병기 I의 경우엔 방사선 치료를 하며 이보다 더 진행된 경우에 대하여는 전신항암화학제치료단독 또는 방사선치료와의 병합치료가 필요하다. 그러나 고등급 림프종은 매우 다른데 이들의 많은 경우는 위선암과 유사한 증세를 나타내며 적극적인 종양학적 치료가 필요하다. Burkitt림프종은 Epstein-Barr 바이러스 감염과 관련되며 다른 종류의 림프종에 비하여 젊은이에게 잘 생기고 호전적이다. 이는 위의 저부나 체부에 잘 생긴다.

3) 증세 및 진단

환자들은 보통 명치부위 통증 및 조기 포만감, 피로 등과 같은 비특이적인 증상을 호소하며, 일반적인 B 증상은 드물다. 출혈 증상은 드물지만 50% 이상의 환자에서 빈혈이 나타난다. 림프절병증이나 장기거대증은 본 질환이 전신 질환임을 의미하며 진단은 내시경 검사나 조직 검사에 의존한다. 많은 경우에서 점막하층에 위치하므로 조직 검사 때 주도면밀함이 요구된다. 원발성림프종은 대부분 위주름이 비대해 있고 결절형이다. 국소적원발성위림프종이라 진단하기에 앞서 위 이외의 장기에 대한 면밀한 검사가 필요한데 이를 위해 내시경적초음파검사(EUS), 흉부, 복부 및 골반부에 대한 CT 촬영, 골수조직검사등이 필요하다. 내시경검사상 일반적으로 종괴는 잘 보이지 않고 비특이적 위염이나 위궤양 소견을 보인다. 잦은 점막하성장유형은 내시경적 생검의 진단적 가치를 떨어뜨린다. 내시경초음파검사는 위벽 내 침윤의 정도를 진단하고 특히 천공의 위험이 있는 경우의 진단에 유용하다. 헬리코박터균감염여부에 대한 조직학적 검사 또는 혈청학적 확인이 반드시 시행 되어야 한다.

4) 병기

어떤 병기분류법이 가장 좋은지에 대해 아직 논란중인데 가능하다면 위선암에서 사용되는 것과 같은 TNM 병기분류법이 가장 추천되며 이외에도 몇 가지의 병기분류법이 아직 쓰이고 있다.

5) 치료

원발성위림프종의 가장 적절한 치료를 위해서는 정확한 진단과 병기설정 및 헬리코박터균감염 여부에 대한 판단이 필요하다. 그러나 지금까지의 치료 관련보고들은 혼란스런 결과를 발표하고 있는데, 특히 예전에 발표된 보고들에서는 불충분한 병기설정과 구식의 조직학적 분류가 그 이유이고, 보다 최근의 보고에서는 일률적이지 않은 병기설정과 치료를 받은 환자군에 대하여 후향적으로 연구한 것들이기 때문이다. 이런 가운데 원발성 위림프종의 치료원칙은 전신항암화학제치료의 효과에 힘입어 변화되고 있다. 즉 예전에는 일차적으로 외과적 절제술을 시행하였고 전신항암화학제치료는 단지 후속치료의 의미였으나 최근에는 그 순서가 뒤바뀌었다.

현재 위림프종에 대한 수술의 역할에 대해서는 논란이 있으며 내과적 치료 실패로 인해 증상이 재발한 경우 및 출혈, 폐쇄, 천공과 같은 합병증이 있을 때만 수술을 고려한다. 대부분의 환자들은 항암방사선치료만 받고 있으며 가장 많이 사용되는 다제재항암화학제치료는 CHOP (cyclophosphomide, doxorubicin, vincristine, prednisone)이다. 전향적 비무작위 연구에서 수술, 항암 방사선 치료를 받은군과 수술적 치료 없이 항암방사선치료를 받은 군 사이의 5년 무병생존기간은각각 82% 및 84.4%로 의미 있는 차이를 보이지 않았다. 방사선치료는 종양의 크기에 따라 국소 조절률이 크게 달라 3cm 또는 그 이하의 경우엔 100%인데 반해 6cm 이상의 크기일 경우 60-70%로 떨어지며 중요한 후기합병증으로 협착, 장염, 이차성 종양형성 등이 있다. 위장관 종양에 대하여 30 Gy의 방사선치료를 한 경우 10년 뒤 약30%에서 심한 합병증이 발생한다.

(1) 저등급 MALT 림프종

국소적인 저등급 MALT 림프종MALToma의 경우 헬리코박터제균요법에 의해 대부분 소멸되며 만약 치료에 실패할 경우에는 상대적으로 낮은 용량(30Gy)의 체외방사선치료로 거의 전부를 조절할 수 있어 전신항암화학제치료와 방사선치료의 병합치료에 의해 저등급 및 고등급 위림프종의 대부분을 효율적으로 치료할 수 있다고 보고하고 있다. 저등급 MALToma의 경우 대부분 병기Ⅰ 또는 병기Ⅱ로서 서서히 진행되며 10년생존율이 80-90%로 예후가 양호하므로 이렇게 좋은 경과를 보이는 경우에 대한 치료방법을 선택할 때는 삶의 질을 반드시 함께 고려할 필요가 있다. 1993년 Wotherspoon등이 헬리코박터제균요법으로 저등급 MALToma에 대한 성공적인 치료를 발표한 이래 최근의 치료율은 80-95%에 이르고 있다. 제균요법 치료 후 주기적인 경과 관찰이 필요한데 두 달 동안은 반복적인 내시경을 시행하여 감염 제거를 확인하도록 하며 그 후 3년 동안은 반년에 한번씩 내시경을 시행하도록 한다.

그러나 이런 제균요법에 반응하지 않는 경우의 특징은 헬리코박터균 음성 환자, 미만성거대B세포림프종성분의 존재, 내시경초음파검사위벽내로의 깊은 침윤, 염색체전위(t(11;18)(q21;q21)), B-CL-10 핵 발현이 있는 경우 등이며 이런 경우들에 대한 치료의 전략은 잘 마련되어 있지 않다. 특히 위벽침윤정도는 다변량분석결과 유일하게 예후에 영향을 미치는 인자였다. 예전에는 이런 경우에 대하여 대부분 수술적절제술이 동원되었으나 최근 들어서는 절제 가능한 종양에 대해서도 위를 보존하는 전신항암화학제치료나 방사선치료 등이 점차 폭넓게 적용되고 있다.

(2) 고등급림프종

미만성 거대B세포림프종은 가장 흔한 유형이다. 위에 생긴 병기Ⅰ 및 병기Ⅱ에 대한 표준요법은 rituximab과 전통적인 anthracycline이 포함된 전신 항암화학제 치료를 방사선치료와 함께 또는 따로 시행하는 것이다. 수술은 대량출혈이나 천공이 있을 경우에만 시행한다.

(3) 진행된 병변

현재로서는 치료의 표준이 전신항암화학제치료이지만 치유프로토콜로서의 이용은 아직 가능하지 않다. 하지만 새로운 세포독성제재인 플라티늄유도체나 퓨린유사체등은 치료의 효율을 높일 것으로 기대한다. 심한 출혈을 보이는 림프종은 신속한 내시경 검사 후 수술이 필요하다. 완전 또는 거의 완전한 폐쇄증의 림프종은 고농도의 스테로이드(dexamethasone10mg i.v., every 6hrs)를 주면 거의 대부분 즉각적인 반응을 보이며 이후 방사선치료나 전신항암화학제치료의 병합치료법이 시행되지만 스테로이드에 반응하지 않는 아주 드문 경우에는 수술적 치료가 선택된다.

반면에 출혈이나 폐색을 동반한 부피가 큰 종양으로 위와 그 주위 림프절에 병소가 제한된경우에 대하여는 확대 위아전절제술을 확대림프절곽청과 함께 시행하기도하며, 종양에 의한 여러가지 합병증에 대한 보존적위절제술도 나름대로 그 역할을 인정하고 있다. 또한 주변 장기나 조직으로의 침윤(병기Ⅲ)을 보이거나 미만성질환(병기Ⅳ)인 경우에는 전신항암화학제치료 또는 방사선치료의 병합치료법을 사용한다. 그러나 이러한 병합치료에 반응한 뒤 위 내에 국소적으로 잔류된 병변이 있을 경우에는 수술이 선택되며 출혈이나 천공의 경우에도 선택된다.

3. 소화기기질종양

1) 역학

소화기기질종양Gastrointestinal Stromal Tumor (GIST)은 위장관에 발생하는 가장 흔한 기질성 종양이며 60-70%는 위에 위치한다. 위체부에 대부분이 발생하지만 위저부나 유문부에도 발생하며 대부분 단독으로 존재한다. 위벽의 기질성분으로부터 발생하며 위의 모든 악성종양의 3%에 해당한다. 어느 나이 때나 생길 수 있으나 대부분은 50대 이후에 발병하며 남녀 비율은 남자가 약간 많거나 거의 동등하다.

2) 병리

처음엔 평활근육세포에서 생긴다고 생각하여 GIST는 평활근종 또는 평활근육종으로 분류되었었다. 그러나 조직학적으로 GIST는 고유근층 특히 Cajal간질세포(장관의 운동성을 조절하는 자율신경관련 위장관조정자세포)에서 기원하는데 이들은 KIT 및 CD34 단백에 양성인 특성을 보이는 반면 평활근종에서 자주 양성반응을 보이는 actin 및 desmin은 GIST의 경우 거의 발현 하지 않는다. 이러한 표지자는 세침흡인을 한 검체에서 감지될 수 있으며 GIST와 평활근종양을 조직학적으로 감별 진단하는데 유용하다. 1998년 Hirota등은 c-kit 종양원유전자proto-oncogene의 돌연변이가 줄기세포 인자 없이 tyrosinekinase를 활성화시키고 이것이 조절되지 않는 세포증식을 일으킨다고 주장하였다. 즉 c-kit 유전자의 gain-of-function 돌연변이가 GIST의 주요 발병원인이라 하였고 c-kit 유전자의 돌연변이가 없는 GIST의 약 절반 정도에서는 platelet-derivedgrowth factor receptor-(PDGFRA)의 gain-of-function 돌연변이가 있다. 즉 KIT 또는 PDGFRA 단백의 활성화 된 돌연변이가 발생원인이라 할 수 있는데 전체 GIST 중 c-kit 유전자의 돌연변이는 약 90%, PDGFR-유전자의 돌연변이는 약 5%에서 발생한다.

3) 병기

예후는 종양의 크기와 유사분열수에 대부분 의존한다. 그러나 1cm 이상의 크기이면 어떤경우도 악성양상을 보이거나 재발할 수 있다. 예후와 가장 깊은 관계를 가지는 요인은 유사분열수와 종양의 크기이다. 즉 낮은 유사분열수(50개고배율창 50HPF에서유사분열이 5개이하)인 경우는 대개 양성의 특성을 가지며 유사분열수가 5개이상이면악성으로, 50개 이상이면 고도악성으로 분류된다. 또한 종양의 크기가 5cm 이상이거나 비정형세포, 괴사, 국소침윤의 경우도 악성을 시사한다.

c-kit 돌연변이는 악성 GIST에서 주로 일어나며 이는 불량한 예후인자인데 이런 c-kit 돌연변이의 대부분은

exon 11에서 일어나고 이는 c-kit의 활성화를 가져온다. 이러한 기준에 의하면위 GIST의 80%는 양성이다. 그러나 조직학적으로는 악성으로 보이는 경우라도 많은 경우에서 전이가 일어나지 않고, 드물긴 하지만 양성으로 보이는 병변이 전이를 일으키기도 한다.

2010년부터 임상에 적용된 제7판 UICC/AJCC TNM 병기분류법에서는 장기별 GIST의특성을 감안하여 장기마다 개별적인 병기분류법을 제정하였다. 위에 발생한 GIST의 경우 종양의 크기가 5cm 이하면서 유사분열 5개 이하면 stage IA, 5개 이상이면 stage II, 크기 5cm 이상이거나 10cm 이하면서 유사분열 5개 이하면 stage IB, 5개 이상이면 stage IIIA, 크기 10cm 이상이면서 유사분열 5개 이하면 stage II, 5개이상이면 stage IIIB, 림프절 전이가 있거나 원격전이가 있으면 종양의 크기, 유사분열 수 등에 관계없이 모두 stage IV로 분류하는 방식이 처음으로 제시되었다.

4) 임상양상 및 진단

가장 흔한 증세는 위장관 출혈, 통증, 소화불량이다. 출혈의 경우 대부분 흑색변 형태로 나타나며 토혈의 형태로 나타나는 경우는 많지 않다. 복강내 출혈은 동반한 종양의 파열이 있는 경우 응급 수술적 치료가 필요한 경우가 많다. 복부종괴로 촉진될 수 있으며 혈행을 타고 주로 간이나 폐로 전이를 하며 절제된 검체에서 림프절전이가 가끔 발견된다. 최초 진단은 대개 위내시경으로 되며 내시경적조직생검을 통한 진단율은 약 50%이다. 그러나 조직생검은 이의결과에 따라 수술여부가 결정된다거나 혹은 수술 전에 항암화학제치료를 시행할 경우에만 실시하도록 권하고 있다. 상부위장관조영술에서는 병변의 주변부가 완만한 충만결손을 보인다. 병의 범위를 알기 위해서는 본 질병이 장관벽을 따라 성장하는 특징 때문에 CTscan이 유효하다. 즉 조영증강 CT는 표준적영상진단기법이며, 전이여부에 대한 검사를 위해서는 복부, 흉부 및 골반부의 CT 조영술이 필요하다.

반면에 CT에서발견된 GIST 중 약 20%는 ^{18}F-fluorodeoxyglucose positron emission tomography (^{18}F-FDG PET)에서 유의한 FDG (fluorodeoxyglucose) 섭취를 보이지 않아 진단의 감수성이 CT보다 낮다. 그러나 ^{18}F-FDG PET에서 FDG 섭취는 조직학적 악성도의 지표인 Ki-67 지표 및 유사분열지표등과 잘 연관되기에 수술전에 비침습적으로 악성과 양성을 보다 잘 감별할 수 있다는 장점이 있다. 반면에 imatinibmesylate 치료에 대한 반응예견 및 조기반응평가에서 ^{18}F-FDG PET은 CT보다 유용하다. GIST는 치료에 반응하여 종괴가 축소되기에 앞서 밀도 변화와 낭성변화를 일으킨다. CT를 이용하여 치료효과에 대한 평가를 할 경우에도 종괴 크기의 변화와 더불어 이러한 변화를 함께 고려해야만 보다 정확한 평가를 할 수 있다.

5) 치료

GIST 또는 평활근종은 절제연음성이 되게 절제술을 시행한다. 증세가 있거나 1cm 이상 크기의 종양은 반드시 절제되어야 하며 악성도가 애매한 대부분의 경우에 대해서도 환자의 수술에 대한 위험도가 그리 높지 않다면 절제술이 필요하다. 적절한 외과적 치료는 음성의 절제연을 확보한 쐐기상 절제이다. 만약 GIST가 주변 장기로 직접 침윤이 되어있을 경우수술의 목표는 절제연음성을 확보하여 일괄절제를 시행하는 것이다. 수술 중 종양이 파열되면 복강내에 종양의 파종이 일어나므로 주의가 필요하다. 림프절전이율은 10% 이하로 드물고 확대림프절절제가 예후를 증진시킨다는 근거가 미약하다.

재발은 대부분 수술 후 2년 내에 발생하는데 간전이가 동반된 국소재발이나 복막파종이 가장 흔한 재발형태이다. 재발병소를 제거하기 위한 구조수술salvage surgery은 예후증진에 효과적이지 못하다. 위 GIST의 종합적 5년 생존율은 48%(19-56%)이고, 외과적 완전절제 이후엔 32-63%이다. 또한 저등급 및 고등급 병소로 구분해 보았을 때 5년 생존율은 각각 80% 및 30%이다. 독립적으로 재발을 예견해주는 지표들은 유사 분열수(≥15/30 HPF), 복합형세포형태(방추형세포 및 유상피세포), 돌연변이(deletion/insertion c-kit exon 11), 남성등이다.

Imatinibmesylate (STI 517/Gleevec)은 tyrosine kinase의 경쟁적 억제인자이며 초기 임상시험에서 부분 관해율이 54%로 기대가 큰 약물로 인정받았다. 이는 CD117 양성이면서 절제가 불가능하거나 전이성 GIST에서의 사용이 공인되었다. 그러나 Imatinibmesylate으로 치료받은 환자의 50% 이상은 치료 2년 이내에 본 약제에 대해 내성을 얻는데 이런 경우에 대하여 sunitinib같은 새로운 약제들의 효과가 희망적이다. 보조요법으로서 imatinibmesylate의 효용성에 대한 제3상 임상시험가운데 ASCO 2007에서 발표 된 ACOSOG Z9001 trial에 의하면 3cm 이상 크기의 KIT 단백양성인 GIST에 대하여 외과적완전절제를 시행한 이후 하루 400mg의 imatinibmesylate 또는 위약(placebo)을 각각 1년간 복용한 두 군에서의 치료효과에 대한 중간분석결과 imatinib투약군이 위약군에 비하여 통계적으로 의미있게 1년 무병생존율이 높았으나 전체생존율의 증진을 증명하지는 못하였다. Imatinib은 치료의 적정기간이나 어떤 환자에서 가장 유효하겠는가에 대한 확실한 지침 없이 상기한 결과에 의거하여 보조요법제로서 2008년 12월 FDA marketing approval을 받았다.

6) 치료에의 반응평가

GIST에 대한 치료에의 반응평가는 종괴의 크기와 밀도를 모두 반영해야 한다. 그러나 종괴의 해부학적 변화(최장경)만을 반영하는 Response Evaluation Criteria in Solid Tumors (RECIST)는 전이성 GIST의 imatinib에 대한 초기반응을 과소평가한다. 이에 Choi 등은 CT scan에서 크기가 10% 이상 줄고, 밀도(Hounsfield unit)가 15% 이상 줄어 이 경우 부분 관해로 정의할 것을 제안하였다. 또한 질병이 진행된다고 평가하려면 새로운 병소나 전이가 나타나고, 종괴 안에 새로운 종괴가 생기고, 종괴의 전체 크기가 치료 후의 저밀도 변화없이 20% 이상 커지는 경우로 하자고 제안하였다. 즉 크기와 밀도를 동시에 반영하고는 있으나 이를 일상적인 반응평가에 적용하기는 어렵다.

GIST에 대한 2008년도 일본측 지침서에서는 조기종양반응을 평가하는데 PET의 감수성이 높으나 고비용을 고려하여 다음과 같이 PET 검사가 필요한 경우를 제시하였다. 즉 CT scan에서 의심스런 전이병소가 잘 안 나타나는 경우, 원발병소가 잘 안 보이는 경우, CT scan의 소견이 결정적이지 못한 경우, 종양이 퇴화한 것이 확인되면 수술이 고려되는 상황 등 imatinib 치료에 대한 종양의 반응에 대해 조기판정이 필요한 경우 등이다.

4. 기타위병변

1) 비후성 위염

비후성 위염hypertrophic gastritis, Menetrier's disease은 육안으로 위거대점막주름의 증식이 관찰되고 조직학적으로 소와 증식foveolar hyperplasia이 특징인 증식위병증으로 단백질손실성 위질환, 점액의 과다생성 및 위산저하증이 특징이며 위의 유문부는 정상이지만 상부의 추벽이 몹시 커져있어 그 점막층은 자갈밭이나 대뇌모양처럼 보인다. 중년의 남성에서 호발하며 형태학적으로 Zollinger-Elison증후군, 위선암종, 위 림프종 등의 종양성질환, cytomegalovirus 등의 감염질환 및 유육종증과 같은 침윤질환과의 감별이 필요하다. 위암이나 림프종과 감별하기 위해 점막을 생검하면 벽세포는 없고 표층점액세포의 미만성 증식을 보인다. 발병원인은 잘 알려져 있지 않으나 cytomegalovirus나 Helicobacter pylori 등의 감염이 관계된다고 보고 있다.

또한 최근에 제시된 의견은 위점막 내 transforming-growth factor alpha (TGF-α)의 국소적 표현에 의한다는 것인데 이는 표피성 장인자수용체 및 tyrosine kinase 수용체를 자극하며 이것이 위의 저부 및 체부표층점액세포의 선택적인 확대를 가져온다. 약간의 환자는 표피성장인자 수용체차단단세포항체인 cetuximab으로 성공적인 치료가 되었다. 상복부통증, 체중감소, 설사, 식욕감퇴, 저단백혈증을 보이는데 가끔은 저절로 퇴행한다.

항콜린효능성 약, 위산 억제제, 옥트레오타이드, *H. pylori* 제균치료 등의 내과적 치료는 비록 항상 일관성 있는 결과를 보여주지는 않지만 경우에 따라서는 효과가 있는 경우도 있다.

아주 드물게는 출혈, 심한 저단백혈증, 또는 암에 의해 위 절제술이 필요하게 된다. 약 10%의 환자에서 위암과 관련된다는 보고가 있어 위암감시검사가 필요하다.

2) Mallory-Weiss 증후군

너무 심한 구토나 구역질, 기침, 또는 힘주기로 인해 식도-위경계부에 가까운 위소만부점막층이 세로로 길게 파열되는 것이다. 이는 상부위장관 출혈의 약 15%를 차지하나 대량출혈인 경우는 드물며 전체사망률은 3-4%이다. 발병원인은 만성 알코올과용, 틈새탈장hiatal hernia, 문맥고혈압 등이며 문맥 고혈압을 동반한 알코올 중독환자에서는 대량출혈이 동반되면서 위험하다. 대부분의 급성출혈은 내시경을 이용 한다 극전기소각법, 에피네프린주사, 내시경적 밴드 결찰술, 내시경적 혈관 클립술등으로 치료된다. 고위험군에 대하여는 동맥 내 바소프레신 주입이나 도관을 통한 색전술을 이용한다. 환자의 90%에서 출혈은 절로 멈추기 때문에 수술이 필요한 경우는 아주 드물지만 초기 내원 시 쇼크의 존재와 내시경에서의 활동성 출혈은 재출혈과 관련된 독립적인 위험인자가 되므로 적극적인 감시가 필요하다. 만약 수술이 시행될 경우라면 전방위절개술을 통해 식도-위경계부에 위치한 병소로 접근하여 출혈부위를 결찰 한다.

3) Dieulafoy병변

비정맥류성상부위장관출혈의 0.3-7%에 해당한다. 이는 선천적으로 발생한 동정맥기형으로 점막하층을 지나는 비정상적으로 커다랗고(1-3mm) 점막층에 가깝게 위치한 구불구불한 동맥의 박동은 바로 그 위의 점막에 미란을 일으킨다. 이런 동맥은 위내용물에 노출되고 미란이 지속되면 출혈을 하게 된다. 점막결손부위는 보통 2-5mm이며 주위는 정상점막으로 둘러싸여있다. 일반적으로 식도-위경계부로부터 6-10cm 이내에 생기며 분문부에서 가까운 위저부에 잘 생긴다. 남자에서 여자보다 2배 많이 생기고 주로 40대에 발생하며 간질환이 있는 사람에서 더욱 흔하다. 흔한 증세는 급작스럽고 대량의 무통성 반복성토혈과 저혈압이다. 진단은 위 내시경이 선택적이며 80%의 환자에서 이를 통해 진단된다. 출혈이 간헐적으로 발생하므로 진단을 위해서는 위내시경검사를 여러 번 시행해야 할 경우도 있다. 내시경을 통한 치료로 극전기소각법, 열더듬자heater probe, 비접촉성 레이저 광응고술, 경화요법제 주사, 밴드 결찰술, 내시경적 혈관 클립술 등이있다.

특히 요즘 혈관클립술이 자주 이용되는데 그 이유는 본 질환의 특성이 급성출혈이고, 해당 동맥이 표재성으로 위치해있고, 병소주위에 심한섬유화변성이 없기 때문이다. 만약 병소를 내시경으로 발견하지 못하는 경우엔 동맥촬영술이 도움이 되는데 그 소견은 좌위동맥분포지역에 구불구불하고 확장된 동맥이 보이고 급성 출혈의 경우엔 조영제가 혈관밖으로 스며나가는 모습이 관찰된다. 이 경우엔 gelform을 이용한 색전술이 출혈을 멈추는 효과가 있다. 예전엔 수술만이 그 치료법이었으나 요즘엔 다른 모든 치료법이 효과가 없는 경우에만 시행한다.

전통적인 수술적 치료는 위절개술을 시행하여 병변을 확인한 수 광범위 쐐기 절제수술을 시행하는 것이다. 복강경을 이용할 경우엔 수술 중 위내시경을 이용해 병소의 위치를 알려주는 것이 필요하다. 쐐기 절제수술은 절제경계 결정을 위해 내시경적 투과를 사용한 선형성 스테이플링 장치를 이용한다.

4) 위정맥류

문맥압항진증에 의한 이차효과로 식도정맥류와 함께 생기거나 비정맥혈전증으로부터의 왼쪽고혈압sinistral hypertension의 이차효과로 발생한다. 위정맥류gastric varices는 식도정맥류와의 연관 여부 및 위안에서의 발생위치에 따라 분류된다. 식도위정맥류는 식도정맥류가 위로 연장된 것으로 3가지 유형으로 분류된다. Type 1은 식도정맥류가 식도-위경계부를 2-5cm 지나쳐 위의 소만부에 위치하며 약간 곧은 모양을 하고 있으며 식도정맥류와 같은 방법으로 치료한다. Type 2는 위저부로 확장된 것으로 보다 길고 꾸불거리며 결절모양으로 위강내로 돌출한다. Type 3는위소만부와 위저부에 함께 발생한 경우이다. 위에만 있는 위정맥류isolated gastric varices는 두 가지 유형으로 분류한다. Type 1은 위저부에 염주알 모습이거나 결절모양 또는 종양 같은 모습을 띠는데 이 경우엔 우선 복부 및 비정맥혈전증여부를 확인해야 한다. Type 2. 위의 체부, 또는 유문부에 생기며 드물다.

위 정맥류 출혈 빈도는 3%에서 30%까지 보고되고 있으나 대부분은 10% 미만이다. 현재까지 위 정맥류 출혈의 위험 인자에 대한 데이터가 부족한 상태이나 정맥류의 크기가 커지거나 Child's class가 높을수록 출혈의 위험성이 증가한다고 알려져 있다.

Sengstaken-Blakemore 튜브를 이용하여 일시적인 지혈을 도모할 수 있는데 이 경우엔 기도확보를 위하여 기관 내 삽관이 필요하다.

Sandostatin이나 vasopressin도 효과적인데 vasopressin은 심장 및 말초장기에 허혈성변화, 불규칙박동, 고혈압, 내장허혈등의 부작용이 있으므로 최대 유효용량으로 지속적인 정맥주사를 할 경우 최고 24시간이내로 하여야 부작용 발생을 막을 수 있다. Somatostatin은 지혈효과 및 사망률 조정이 vasopressin 만큼 효과적이면서 부작용은 보다 약하고 적게 발생한다. 밴드결찰술이나 경화요법을 통해 식도정맥류를 퇴치시키면 위정맥류도 종종 제거된다. 내시경을 통한 밴드결찰술은 89%의 환자에서 지혈효과를 얻을 수 있으나 가장 큰 문제인 위천공은 이의 사용을 경감시킨다. 비정맥혈전증에 의한 위정맥류는 비장절제술로 치료된다.

TIPS (Transjugularintrahepatic Portosystemic Shunting)은 위정맥류출혈을 효과적으로 조절한다. 간경화환자에서는 어떤 복부수술보다도 앞서서 간이식이 고려되어야 한다. 그러나 간경화에 의한 문맥압항진증으로 수술을 받는 경우는 약물과 내시경적 치료의 발달로 상당히 감소하였다. 수술 적응증은 재발성출혈, 비수술적치료가 실패한 경우, Child A환자, 수술을 받을 만큼 전신상태가 좋은 경우 등이다. 지름술shunt surgery는 첫 번째 출혈을 줄이는데 아주 효과적이지만 간성뇌병증hepatic encephalopathy의 위험이 높고 사망률도 높으므로 TIPS를 포함한 지름술은 첫 번째 출혈의 예방을 목적으로 시행되어서는 안 된다.

5) 위석

위석bezoars이란 소화되지 않은 물질들이 쌓인 것으로 식물성 유래이면 식물위석phytobezoar, 머리카락이 유래인 것을 모발위석trichobezoar이라 한다. 위석은 변화된 위 생리, 손상된 위 비움작용 그리고 감소된 위산분비 등이 원인이다. 식물위석은 감을 많이 먹었거나 위 수술 후에 잘 나타나서 위 배출의 지연을 가져온다. 자율신경병증을 동반한 당뇨환자도 위험군에 속한다. 위석 환자의 증세는 조기 포만증, 오심, 통증, 구토, 체중감소 등이다. 종괴가 클 경우 밖에서 만져지며 확진은 내시경이나 바륨 조영술에 의한다. 치료는 효소(papain, cellulase, acetylcysteine)를 이용한 용해술, 내시경을 이용한 조각내기 작업 등이 있는데 이런 방법이 실패하면 외과적으로 제거한다. 효소를 이용한 화학적 용해술은 시간이 오래 걸리고 전해질 불균형, 위궤양 및 위출혈과 같은 부작용이 올 수 있으며 여러 기구를 이용하는 내시경적 조각내기작업도 힘들고 시간이 오래 걸리며 출혈 등을 야기할 수 있다. 최근 들어 콜라를 이용한 치료가 소개되어 관심을 모으고 있다. 즉 콜라 3리터 정도로 위 세척을 하거나 마시면 약 23.5%에서 식물위석이 완전 용해되었고 나머지 경우에도 위석이 많이 연해져서 내시경으로의 조각내기가 훨씬 쉬워져 한 번의 시술로 모두 부서뜨릴 수 있었다고 한다. 콜라의 위석 용해 기전은 아직 잘 모르지만 $NaHCO_3$의 점액용해 효과, CO_2 거품의 위석 소화작용, 위산과 비슷한 콜라의 산도 등이라 추정하고 있다. 모발위석은 모발의 응결이며 머리가 긴 소녀나 부인들에서 오는데 그들 대부분은 자신의 모발을 먹은 것을 부인한다. 증세는 위궤양에 의한 통증, 위 출구 폐쇄에 의한 충만감, 위 천공 및 소장 폐쇄 등이다. 작은 모발위석은 내시경을 이용한 조각내기, 격렬한 세척, 또는 효소치료법으로 치료하지만 이들은 그 효과가 제한적이며 커다란 모발위석은 수술적 제거가 필요하다. 이때 소장 안에 추가적인 위석의 존재여부에 대해 꼭 확인해야 한다. Trichophagy의 경우 재발의 위험이 높으므로 정신과적 치료가 필요하다.

6) 게실

위 게실diverticulum은 보통 단독이며 선천적인 게실은 위벽의 전층을 포함하는 진성 게실로 식도-위 경계부 직하방의 위후벽에 위치하고 후천성 게실은 대부분 외측 근막층이 소실되어 없다. 대부분의 위 게실은 분문부 후벽이나 위저부에 생기며 증세가 없지만 간혹 염증이 발생하면 통증과 출혈을 야기한다. 방사선 검사CT scan상 좌부신 구역에 얇은 벽을 가진 낭성종괴로 나타난다. 낭성종괴안에 공기음영이 있으면 이는 감염, 괴사 또는 위장관과의 교통이 생겼음을 시사한다. 무증세의 위 게실은 치료를 필요치 않으나 증세가 있는 게실은 절제술이 필요하며 주로 복강경으로 시술한다.

7) 이물질

삼켜진 이물질은 대부분 증세가 없지만 날카롭거나 너무 큰 이물질인 경우엔 제거를 고려해야 한다. 제거는 보통 내시경위 제거는 보통 내시경을 이용하는데 제거 과정에서 이물질을 흡인하거나, 마약 등을 몸 안에 숨기는 사람들body packers의 경우에서 약을 싼 주머니가 위 안에서 터지면 치명적이다. Body packers의 경우이거나 톱니모양의 큰 이물질의 경우엔 수술적 제거가 필요하다. 부식성 물질의 경우에는 신속히 제거해주어야 한다.

요약

위 양성종양 가운데 가장 많은 것은 용종이며 이 가운데 증식성 용종이 가장 많다. 선종성 용종은 악성 변성을 하며 이는 용종의 크기와 관계가 있다. 소장에서는 위장관 기질종양, 선종, 지방종, 과오종 등이 발생하며 양성 또는 악성의 감별이 모호하거나 증세를 동반한 소장의 양성종양은 외과적 또는 내시경적으로 절제 되어야 한다.

림프종은 위장관 가운데 위에 가장 많이 발생한다. 내시경 검사상 일반적으로 종괴는 잘 보이지 않고, 비특이적 위염이나 위 궤양 소견을 보인다. 원발성 위 림프종의 가장 적절한 치료를 위해서는 정확한 진단과 병기 설정 및 헬리코박터 균 감염 여부에 대한 판단이 필요하다. 국소적인 저등급 MALT 림프종MALToma의 경우 헬리코박터 제균요법에 의해 대부분 소멸되며 만약 치료에 실패할 경우에는 상대적으로 낮은 용량(30Gy)의 체외 방사건 치료로 거의 전부를 조절할 수 있어 전신항암화학제치료와 방사선치료의 병합치료에 의해 저등급 및 고등급 위 림프종의 대부분을 효율적으로 치료할 수 있다고 보고하고 있다. 진행된 병변에 대하여 현재로서는 치료의 표준이 전신항암화학제치료인데, 특히 새로운 세포독성제재인 플라티늄 유도체나 퓨린 유사체 등이 치료의 효율을 높일 것으로 기대한다. 그러나 심한 출혈을 보이는 림프종은 조속히 내시경 검사 후 수술이 필요하다. 소화기 기질 종양Gastrointestinal Stromal Tumor (GIST)은 위장관에 발생하는 가장 흔한 기질성 종양이며 60-70%는 위에 위치한다. 조직학적으로 GIST는 고유근층 특히 Cajal 간질세포에서 기원하는데 이들은 KIT 및 CD34 단백에 양성인 특성을 보인다. 가장 흔한 증세는 위장관 출혈, 통증, 소화불량이다. 복부종괴로 촉진될 수 있으며 혈핵을 타고 주로 간이나 폐로 전이를 하며 절제된 검체에서 림프절 전이가 가끔 발견된다. 증세가 있거나 1cm 이상 크기의 종양은 반드시 절제되어야 하며 악성도가 애매한 대부분의 경우에 대해서도 환자의 수술에 대한 위험도가 그리 높지 않다면 절제술이 필요하다. 독립적으로 재발을 예견해 주는 지표들은 유사분열

요약 〈계속〉

수, 복합형 세포형태, 돌연변이, 남성 등이다. Imatinib mesylate (Gleevec)는 tyrosine kinase의 경쟁적 억제자이며 CD117 양성이면서 절제가 불가능하거나 전이성 GIST에서의 사용이 공인되었다. 그러나 Gleevec으로 치료받은 환자의 50% 이상은 치료 2년 이내에 본 약제에 대해 내성을 얻는데 이런 경우에 대하며 sunitinib 같은 새로운 약제들의 효과가 희망적이다.

Menetrier병은 육안으로 위 거대 점막주름의 증식이 관찰되고 조직학적으로 소와 증식이 특징인 과증식 위 병증으로 단백질 손실성 위질환, 점액의 과다생성 및 위산저하증이 특징이다. Mallory-Weiss 증후군은 너무 심한 구토나 구역질, 기침, 또는 힘주기로 인해 식도-위 경계부에 가까운 위 소만부 점막층이 세로로 길게 파열되는 것이다. Dieulafoy 병변은 선천적으로 발생한 동정맥기형으로 점막하층을 지나는 비정상적으로 커다랗고(1-3mm) 점막층에 가깝게 위치한 구불한 동맥이 박동은 바로 그 위의 점막에 미란을 일으킨다. 이런 동맥은 위 내용물에 노출되고 미란이 지속되면 출혈을 하게 된다. 위정맥류는 문맥압 항진증에 의한 이차효과로 식도정맥류와 함께 생기거나 비정맥 혈전증으로부터의 왼쪽고혈압의 이차효과로 발생한다. 이 정맥류는 식도정맥류와의 연관 여부 및 위 안에서의 발생위치에 따라 분류된다. 위석이란 소화되지 않은 물질들이 쌓인 것으로 식물성 유래이면 식물위석, 머리카락이 유래인 것을 모발위석이라 한다. 위석은 변화된 위 생리, 손상된 위 비움작용 그리고 감소된 위산분비등이 원인이다. 위 게실은 보통 단독이며 선천적인 게실은 위벽의 전층을 포함하는 진성 게실로 식도-위 경계부직하바의 위 후벽에 위치하고 후천성 게실은 대부분 외측 근막층이 소실되어 없다.

X 병적 비만

1. 생리

비만증이란 비정상적인 체지방의 증가로 인해 대사 장애가 유발된 상태를 말한다. 따라서 우리 몸의 총 지방량을 측정하여 비만도를 평가할 수 있다. 흔히 임상에서는 체질량지수(BMI)와 허리둘레waist circumference를 이용하여 비만도를 평가하게 된다. 체질량지수는 성인에서 실제 체지방과 높은 상관관계를 보이며 체중(kg)을 신장(meter)의 제곱으로 나누어 구한다(BMI = kg/m^2). 우리나라에서는 국내외 연구 결과를 바탕으로 WHO(아시아태평양지역)와 대한비만학회에서 체질량지수를 기준으로 과체중은 23kg/m^2 이상, 비만은 25kg/m^2 이상으로 정의하였다. 이러한 판단을 하게 된 이유는 우리 나라 성인에서 체질량지수에 따른 비만 관련 질환증가가 체질량지수 23-27 사이에서 급격히 증가하기 시작하는 것에 근거를 두고 있다. 또한, 아시아 각국이 나라마다 다른 비만 기준을 가지는 것도 혼란의 여지가 있을 수 있어 세계보건기구에서 정한 아시아-태평양 지역의 진단기준에 따른 것이다. 병적 비만morbid obesity은 이상 체중ideal body weight을 100lb 초과하거나 이상 체중의 두 배 또는 체질량지수가 40kg/m^2인 경우로 정의된다. 국민영양조사에 의하면 성인에서 체질량지수 25kg/m^2 이상인 인구가 1991년 17.1%에서 2001년 27.4%로 급속히 증가하는 추세이며 체질량지수 30kg/m^2 이상인 경우도 3.2%로 조사되었다. (체질량지수가 30-34.9인 경우 2.92%, 35 이상인 경우 0.28%)

1991년 NIH(미국 국립보건원)가 주최한 회의에서는 이런 사람들을 정의하는 데 중증 비만severe obesity이라는 용어가 더 적절한 것으로 제안되었다. 하기부터는 중증 비만이라는 용어와 병적비만이라는 용어를 호환해 사용할 것이다. 미국에서는 다른 어떤 나라의 비만 인구 비율보다도 높은 성인 인구의 약 5% 또는 2천 3백만명 이상이 병적 비만 또는 임상적으로 심각한 비만인 것으로 추정된다. 미국에서 베리아트릭 수술을 받은 환자의 평균 체질량지수는 유럽에서 보고되는 그 어떤 수치보다도 상당히 높다. 그러나 호주의 베리아트릭 수술의들에 따르면 호주의 수치도 이보다 많이 낮지는 않다고 한다. 유럽에서도 지금은 이러한 인구가 늘어나고 있다. 사춘기 비만연구에 따르면 미국의 사춘기 비만(이상 체중의 40% 이상) 발생률은 사춘기 청소년의 35% 정도로 대부분의 유럽국가에서의 20%보다 훨씬 높다. 문제는 미국에서 이 비율이 놀랄 만큼 빠르게 증가한다는 것이다. 미국의 질병 관리/예방 센터(CDC)가 개별 주에 대해 국가적으로 처음 비만 통계를 냈던 1985년에는 대부분의 주에서 이에 대한 자료를 갖고 있지 않았다. 대략 반 정도가 참여했고 보고한 주중 반 이상의 주에서 BMI 30kg/m^2 이상인 사람이 10% 이하로 보고되었다. 대부분의 주에서 데이터가 집계된 1990년에는 60%의 주에서 BMI 30kg/m^2 이상이 인구의 10%이상인 것으로 보고되었다. 1995년에는 절반정도의 주에서 BMI 30kg/m^2 이상이 인구의 15% 이상이었다. 2000년에는 21개의 주에서 발생률이 20% 이상으로 증가됐다고 보고했으며, 나머지 주중 1개 주를 제외한 모든 주에서 발생률이 15%이상 이었다. 이러한 비만 발생률의 심상치 않은 증가는 이 질환이 단지 유전적 요인에 의한다는 어떠한 이론도 뛰어넘게 만들었다.

비만은 미국에서 매년 280,000건의 사망을 유발하는 것으로 추정되는 반면에, 유방암과 대장암으로 인한 사망은 합쳐서 년 간 약 90,000건이다. 담배 다음으로 비만은 미국에서 예방 가능한 사망 원인 중 두 번째를 차지하며 의료 비용을 상승시키는 요인 중 예방이 가능한 요인으로도 흡연 다음에 올라있다. 25세의 병적으로 비만인 남성은 정상 체중의 남성에 비하여, 평균여명이 22% 줄어들거나 또는 수명이 12년 단축된다는 사실을 알게 된다면 정신이 번쩍 들 것이다. 다음 10년 이내에 비만이 미국 내에서 예방 가능한 의료 비용의 원인으로서 담배를 넘어설 거라는 예측도 있다.

고도 비만severe obesity의 병태생리에 대한 이해는 부족하다. 유전적 요인과 환경적 요인의 비만과의 관련성 에 관한 논쟁이 진행 중이다. 가족적으로 비만이 되기 쉬운 소인predisposition이 있다는 것은 명백하다. 가족 중 한명만 고도 비만인 경우는 드물다. 1980년부터 2006년에 이르기까지 비만 인구가 빠르게 증가한 것은 환경적 요인이 비만에 상당한 영향을 미친다는 것을 역설하고 있다. 고도 비만의 병태 생리에 관한 답은 명확하지 않더라도 일반적으로 심각하게 비만인 사람은 비만이 아닌 사람들에게는 충분한 양의 음식으로도 만족하지 못하고 지속적인 허기를 느낀다는 것이 명백하다. 이러한 포만감의 결핍 또는 포만감이 지속되지 못하는 것이 단일 요인으로는 비만이 되는 가장 중요한 요인일 수 있다. 위로 음식이 들어가는 량capacity은 병적인 비만에서 크게 늘어난다. 다른 경우는 하루 종일 대개는 늦은 시간에 음식을 먹거나 조금씩 우물거림으로써 대사 요구량을 초과하여 칼로리 섭취가 크게 늘어난다.

호르몬, 펩타이드, 또는 다른 요인들이 포만감satiety에 미치는 역할에 대한 과학적인 지식은 불완전하다. 음식물 존재 시 위 근위부에서 주로 생성되는 Cholecystokinin과 Ghrelin이 포만감과 관련이 있다. Ghrelin 수치가 증가하면 음식 섭취가 늘어나는 것 같으며, 저-칼로리 다이어트를 하는 사람들에서 이 수치가 높아진다. 음식물의 위 유입gastric inflow은 제한했으나 음식물이 위를 통과하는 것은 허용된 환자들은 수술 후 Ghrelin 수치가 정상 또는 상승된다. 반대로 위 우회술gastric bypass을 받은 환자들은 측정치마다 다르겠지만, 수술 후 Ghrelin 수치가 아마도 낮을 것이다. 위우회술 또는 식욕 회복 후 나타나는 허기감 결핍에 대한 Ghrelin의 역할은 명확하지 않다. 병적 비만은 여러 의학적인 문제들이 관련된 대사성 질환이다. 표 1-10에 가장 일반적인 것들을 열거했다. 환자에게 체중 감량 수술을 권유하려고 할 때는 이러한 문제들을 주의 깊게 고려해야 한다. 가장 빈번한 문제는 고도 비만으로 수술을 받고자하는 환자의 최소 50%에 관절염과

표 1-10. 고도비만과 관련된 내과적 문제

심혈관계	고혈압 심인성 급사 심근병증 정맥성울혈질환 심부정맥혈전증 폐성고혈압 우심부전
폐	폐쇄성수면무호흡 저환기증후군 천식
대사성	제2형당뇨병 고지혈증 고콜레스테롤혈증 비알콜성지방성간염 위식도역류질환
위장관계	위식도역류질환 담석증
근골격계	퇴행성관절질환(Degenerative joint disease) 요추질환 퇴행성골관절염 복부탈장
비뇨기계	스트레스요실금 말기신부전(당뇨 및 고혈압 합병)
부인과계	생리불순
피부 및 부속기	진균질환 종기, 농양
암성질환	자궁암, 유방암, 대장암, 신장암, 전립선암
신경정신계	가뇌종양 우울증 낮은자긍심 뇌졸중
사회적	신체학대력 성적학대력 고용차별 사회차별

퇴행성 관절 질환이 함께 있다는 것이다. 수면 무호흡의 발생률도 높다. 천식은 25%이상에서, 고혈압은 30%이상, 당뇨병은 20% 이상, 위식도 역류는 20-30%의 환자에서 나타난다. 이러한 질환의 발생률은 고도 비만의 기간과 연령이 증가함에 따라 높아진다.

대사증후군metabolic syndrome에는 제 2형 당뇨병, 당내인성장애impaired glucose tolerance, 이상지혈증dyslipidemia 및 고혈압증이 포함된다. 이러한 질환들을 여럿 가지고 있는 환자들은 일반적으로 비만이며, 기본적인 신체특성은 중심부 비만central body obesity이다. 이 증후군에서는 인슐린의 간 흡수 장애, 고인슐린혈증systemic hyperinsulinemia, 및 이어서 인슐린에 대한 조직 저항tissue resistance이 발생하는 것으로 생각된다. 좌석, 출입문, 화장실 같은 공공시설은 흔히 심각하게 비만인 사람들은 이용하기 어렵게 만들어졌다. 공공 교통수단으로 여행하는 것이 불가능한 것은 아니나 곤란한 경우가 흔하다. 이러한 사람들에 대한 고용 차별도 명백히 존재한다. 마지막으로 자긍심 저하, 빈번한 성적인 또는 신체적인 학대 경험과 사회적 어려움들이 합해져 심각하게 비만인 환자 집단에서는 우울증 발생률이 매우 높다.

2. 내과적 관리

고도 비만의 내과적 치료는 칼로리 섭취를 감소시키는 동시에 적당한 운동을 통해 에너지 소비를 증가시킴으로써 체중을 감량하는 것을 목표로 한다. 이러한 체중 감량은 가장 안전한 방법이며 정상 체중으로 회복되기 위해 감량해야할 체중이 그리 많지 않거나 비만이 아닌 단지 과체중 상태로의 회복을 원하는 비만인에게 잘 맞을 것이다. 그러나 비만에서 벗어나기 위해서는 최소한 75lb 이상을 감량해야 하는 심각한 비만인 경우에는 효과가 떨어지며 매우 하기 어려운 방법이다. 심각한 비만 환자가 다이어트와 운동을 통해 더 이상 비만이 아닌 상태로 체중을 감량하고 감량된 상태를 유지하는데 성공한 비율은 단지 약 3%이다. 다이어트와 운동 만으로의 성공율이 제한적이기는 하나, 심각하게 비만 환자들에게는 모두 외과적 처치를 받기 전에 이러한 방법으로 감량을 해볼 것을 권한다. 여기에는 두 가지 주요한 이유가 있다. 첫째는 가장 안전한 방법으로 체중을 감량할 수 있는 사람에게는 그렇게 하게 하려는 것이고, 두 번째는 보다 실질적인 이유로 어떠한 방법으로든 체중을 감량하게 되면, 결국에는 일상이 되어야만 하는 생활 방식lifestyle의 변화를 미리 인식하고 연습해보게 하려는 것이다. 이러한 방법을 포함하여, 환자의 생활 방식을 조정하는 것이 베리아트릭 수술Bariatric operation의 장기적인 성공을 위해 매우 중요하다.

고도 비만의 치료는 적당한 칼로리 섭취 감소 및 운동의 시작과 같은 간단한 생활 방식의 변화부터 시작해야한다. 걷기는 처음부터 아주 격렬한 운동은 할 수 없는 환자 집단에서 가장 일반적으로 선택되는 운동이다. 의학적 동반 질환은 확인하고 치료하여야 한다. 대개는 환자의 일차 의료의가 이미 했을 것이나, 때로는 환자가 처음 내원시 병력을 청취하고 신체검사를 할 때 비만과 관련된 동반질환을 확인한다. 고도 비만환자는 대개 자신의 일차 의료의로부터 다이어트 상담을 받았을 것이며 흔히는 의사 관리 하에 다이어트를 하고 있을 것이다. 또한 대부분의 환자들은 상업적으로 광고되고 있는 여러 가지 다이어트 방법들을 시도해 봤을 것이다. 이러한 방법으로 다이어트에 성공하는 것이 드문 일은 아니나, 프로그램 중단 후 1년 이상 체중 감량이 지속되는 경우는 드물다. 비록 대개는 일차 의료의들이 동반되는 의학적 문제들을 확인하고 치료하는데 있어서 훌륭한 역할을 하기는 하나, 이들의 진료소에는 생활방식을 상당히 바꿔야 하는 심각한 비만 환자들에게 도움을 줄 수 있는 영양사나 심리사 같은 관련 지원 요원들이 근무하고 있지 않다.

다이어트, 운동, 및 습관 변경을 포함해 생활방식을 바꾸는 것이 비만 치료의 첫 단계다. 식이 제한과 운동은 각각 칼로리 결핍을 일으킬 수 있다. 1일 500kcal/d의 에너지 결핍은 1주일이면 3,500kcal가 결핍하게 되어 주당 1lb의 지방이 소실된다. 1년간의 저-칼로리 다이어트(800-1,500kcal/d)는 초-저-칼로리 다이어트만큼 효과적이면서 영양 결핍 발생률은 낮다. 이러한 다이어트로 6개월에 걸쳐 평균 8%의 체중을 감량할 수 있다. 더 장기간 추적검사 해보면 재발되는 것으로 나타났다. 매일 중등도의 신체활동으로 2-3%의 체중을 감량할 수 있다. 단-기간의 식사 또는 운동 요구량을 달성한 경우에 적당한 보상을 해 주는 다이어트와 운동을 결합시킨 습관 변화 프로그램에 의해 6개월에 10% 정도의 체중을 감량한 시험 결과가 있다. 이러한 체중 감량 법으로는 40주 후에 환자의 60%에서만 그 효과가 지속되었으며, 1년 후까지 지속적으로 유지되는 감량 체중은 평균 체중의 8.6%로 떨어졌다.

다이어트, 운동, 또는 습관 변화 요법은 과체중(BMI $<30kg/m^2$) 환자에게 적당한 치료법이며 BMI가 30과 $35kg/m^2$ 사이인 환자들에게 주로 추천된다. 다이어트 요법에 관한 시험연구 대부분은 체질량지수 30이상의 비만인 환자를 대상으로 한 것은 드물다. 식이 요법은 당뇨병과 같은 동반 질환을 개선하는데 효과가 있으며, 이 질환에 영향을 미치는 체중을 2.3-3.7% 감량할 수 있다. 이러한 생활방식의 변화는 비 비만인의 건강 개선에도 효과적일 수 있다. 비만 집단에서의 효과는 자료로 입증되어 있지 않은 편이며, 심각한 비만에 대한 내과적 요법이 장기간 유의한 효과를 나타냈다는 연구 결과는 현재까지 발표된 바 없다. 약물 치료도 체중 감량을 하려는 환자가 선택할 수 있는 한 방법이다. 일반적으로 약물요법은 생활방식 변경과 다이어트 요법에 실패한 후에 해야 한다. 약물요법은 1차 요법으로 단독으로 하거나 다이어트와 동시에 운동요법을 하면서 함께 처방되기도 한다. 최근 2012년도 이후 미국 FDA로부터 비만 치료제로 승인받은 lorcaserin, phentermine/topiramate, naltrexone/bupropion, liraglutide 제제는 장기간 사용이 가능하며 복용 1년후 5-10% 체중감량 및 2년까지 감소된 체중이 유지됨을 입증하였다. 그러나 약제 중단 후에는 대부분 잃었던 체중이 원상으로 회복된다. 미국 국립보건원(NIH)는 비만치료 가이드라인consensus guideline에서 약물요법을, 다이어트와 운동 또는 습관 변화를 포함한, 생활방식 변경 요법의 부속 또는 보조 요법으로 추천했다.

내과적 요법medical therapies은 고도 비만 환자에게는 거의 한결같이 효과가 없기 때문에 심각하게 비만인 환자는 지속적으로 체중이 늘어나는 경향이 있다. 의학적 동반 질환이 점점 더 악화되므로 처방되는 약제의 수와 용량도 점진적으로 늘어난다. 불행히도 심각한 비만 환자들은 대부분 동반 질환으로 인해 결국 죽음에 이를 때까지 이러한 과정이 완화되지 않고 지속된다. 최근까지 매년 심각한 비만 환자의 <1%가 외과적 비만 치료를 받았다. 현재 그 수가 증가하고 있으나, 아직도 2%를 넘지 않는다. 수술을 의뢰하는 환자의 수를 고려해 볼 때 이 숫자가 적다고 느껴진다 하더라도, 연간 고도 비만환자의 <5%가 수술을 의뢰하는 것 같다. 일부는 수술요법에 대한 환자의 혐오감이 문제일 수 있다. 사회적 시각 때문에 환자는 비만이라는 것에 대해 자기 비하를 하게 되고 수술은 너무 과격한 수단이라거나 또는 자신의 유약함을 인정하는 거라고 느낄 수 있다. 미국에서는 LAGB (Laparoscopic Adjustable Gastric Banding)에 대한 캠페인으로 인해 최근 심각한 비만 환자 집단에서 수술에 대한 관심이 높아지고 있다. 이러한 관심의 대부분은 이 방법이 다른 베리아트릭 수술 보다 침습성이 적다는 믿음에 근거한다. 놀라운 것도 아닌 게, 최소침습요법minimally invasive therapy은 수술 선택 시 고도 비만 환자들에게 보다 매력적인 것으로 입증되었다. 지난 20년에 걸쳐 심각한 비만 환자가 베리아트릭 수술에 대한 정보 부족으로 수술을 받지 않겠다고 하는 경우는 극적으로 줄어들었다. 수술 요법에 대한 매력이 부족하다거나 수술 치료가 제한적이라고 하는 것이 고도 비만 환자들이 수술 요법을 받지 못하게 하는 중요한 요인이라고 하기 어렵다. 미국에서의 치료제한은 환자가 보험에 가입하지 않았거나 보험회사가 약관으로 베리아트릭 수술을 보험 적용 대상에서 제외시켰기 때문이다. 미국의 버지니아 주 같이 약관으로 배제하는 것이 불법인 주에서는 고용인이 베리아트릭 수술을 보험 적용 받을 것을 원하는 고용주에 대해서는 보험회사가 재정적으로 강한 페널티를 부과함으로써 이 법의 의도를 교묘하게 피해가고 있다. 미국내 많은 과학 단체 및 정부 기관에서 베리아트릭 수술을 고도 비만 환자의 표준 치료법으로 인정하고 있음에도 불구하고 미국 내 대부분의 사보험에서는 베리아트릭 수술을 기본적인 보험 적용 대상으로 하고 있지 않다. 우리 나라에서도 최근 고도비만 환자에 대한 보험급여 도입을 검토하고 있다.

3. 고도비만 수술의 배경 및 기전

1) 고도비만 수술의 역사

고도비만의 수술은 1950년도에 처음 시작되었으며 장우회술을 시행하여 고칼로리 음식의 흡수가 되지 않게 하는 방법으로 시행되었다. 초기에 시행된 공대장 우회술은 전해질 불균형과 조절이 되지 않는 설사, 회복되지 않는 간부전 등이 발생하였고, 따라서 공회장 우회술이 시행되기 시작했다. 그러나 이 방법 역시 기능을 하는 장이 짧아짐에 따라 전해질 불균형이 발생하고, 간부전이 때때로 발생하게 되었으며, 신장결석이나 체류성 장 증후군blind loop syndrome 등의 다른 합병증이 발생하게 되었다. 음식 섭취를 제한하는 방법의 일환으로 수평horizontal 위성형술이 시행 되었으나 위의 기저부와 출구의 팽만 등이 발생하였다. 이에 1980년대에 Mason에 의해 위의 소만부를 따라 히스각His angle까지 스테이플을 이용하여 수직적으로 통로를 만들어 주는 수직위성형술vertical banded gastroplasty (VBG)이 시행 되었다. 이는 체중 감소적 측면에서는 만족할 만한 결과를 얻었으나 분할된 부분의 파열이나, 베르니케 뇌병증Wernicke's encephalopathy, 비타민 및 철분 결핍 등의 문제가 발생하였다. 1960년대에는 위의 근위부에 작은 낭pouch을 만들어 소장과 연결해 주는 수술이 시행되었다. 초기에는 횡행으로 낭을 만들었으나 이후에는 소만부에 수직으로 만들게 되었다. 이 방법은 변연부 궤양이나 스테이플 봉합선이 망가지면서 위의 낭이 잘리는 등의 문제가 발생하였다. 그 이후 Roux-loop 방법으로 장력을 줄이고 담즙 역류에 의한 위염이 줄어들게 되었으나 비타민이나 철분, 칼슘, 아연을 수술 후 투여해 주어야 하는 문제는 여전히 있었다. 1970년도에는 회맹판막의 상방 250cm 부위에서 소장을 절제한 후 그 원위부 소장을 위의 낭에 연결하는 방법인 담도췌장우회술Biliopancreatic Diversion (BPD)이 Scopinaro에 의해 보고되었다. 단백질 영양실조가 몇몇의 환자에서 나타났으나 과체중을 줄인 상태를 지속적으로 유지하는데 있어서는 이전의 수술들에 비해 더 효과적이었다. 1970년대 이후 위밴드삽입술

gastric banding이 소개 되었다. 여러 가지 다양한 밴드를 이용하여 위 상부에 작은 주머니를 만들어 주는 방법으로, 이후 복벽에 포트를 심어 밴드 용적을 조절할 수 있는 형태로 발전해 현재에 이르고 있으며, 고도비만 수술 중 가장 비침습적으로 알려져 있다. 초기에는 주로 유럽과 호주 등에서 시행되어오다, 2001년 미국 식약청 승인 후 전세계적으로 확산되었다.

그러나 최근 이수술 역시 band에 의한 합병증과 2차 수술의 필요성이 보고 되고 있어 이에대한 재평가가 필요한 상황이라고 할 수 있다.

2) 고도비만 수술의 목표와 기전

고도비만 수술의 목표는 수술을 통하여 칼로리의 섭취나 흡수를 줄임으로써 과체중 환자가 지속적이고 유지가 가능한 체중감소를 얻음으로써 건강을 증진시키는 데에 있다. 최근 시행 되는 수술은 그 기전에 따라 식이제한 술식과 흡수제한 술식으로 나누어지며 식이제한 술식으로는 복강경 조절형 위밴드 삽입술(LAGB)이 있고, 흡수제한 술식으로는 담도췌장우회술(BPD), 담도췌장우회술과 십이지장전환술Duodenal Switch (DS)을 같이 시행하는 방법BPD-DS이 있다. 이 두가지 기전을 동시에 가지고 있는 혼합형으로 Roux-en-Y 위우회술이 있으며, 기타 수술로는 축소 위우회술mini-gastric bypass, 위소매절제술sleeve gastrectomy 등이 있다.

4. 고도비만 수술의 적응증 및 수술 전 유의사항

1) 수술의 적응증 및 금기증

미 국립보건 연구소에서는 BMI가 35kg/m^2 이상이면서 비만 관련 합병증이 있거나, 합병증과 상관없이 BMI가 40kg/m^2 이상인 경우에서 고도비만 수술을 승인하였다. 물론 모든 환자는 식이 치료 및 약물 치료에서 실패한 경우로 제한한다. 그러나 이외에도 임상에서 시행되고 있는 다른 적응증들이 있으며(표 1-11), 이 중 모두를 만족해야 수술을 시행하는 것이 추천된다.

표 1-11. 고도비만 수술의 적응증

- BMI가 40kg/m^2 이상 이거나, 35kg/m^2 이상이면서 비만 관련 합병증이 있는 경우
- 식이 치료에서 실패
- 술이나 마약 등의 중독자가 아니면서 정신적으로 안정된 사람
- 수술 및 수술 후의 합병증에 대하여 이해할 수 있는 사람
- 치료 의지가 있는 사람

동양인은 서양인에 비해 상대적으로 더 낮은 BMI에서 비만과 관련된 합병증이 나타나기 때문에 아시아태평양 비만수술학회Asia-Pacific Bariatric Surgery Society (APBSS)는 18-65세 연령층에서 BMI가 37kg/m^2 이상이거나, 32kg/m^2 이상이면서 당뇨병 또는 두가지 이상의 비만과 관련된 합병증이 존재할 경우를 수술의 적응증으로 규정하였다.

2) 수술 전 준비

고도비만 환자는 대부분 동반된 질환이 많기 때문에 치료에 있어서 외과의, 마취과 의사, 수술 간호사뿐 아니라 영양사, 수술 후 처치 간호사 및 정신과, 심장내과, 호흡기내과, 내분비, 근골격계, 신경계 등의 전문의들과 협진하여 치료하는 것이 바람직하다. 수술 전 보호자의 입회하에 환자에게 수술에 대한 내용 및 합병증, 수술 후 경과 및 해야 할 일 등을 상담하는 것이 좋다. 수술 전 예방적 항생제로 1세대 cephalosporin을 사용하고 첫 24시간 동안은 유지하는 것이 추천된다. 심부정맥혈전증을 예방하기 위한 방법으로 수술 후 4-6시간 안에 보행 시키기, 탄력스타킹 등의 착용, 저분자량 헤파린을 수술방에서 투여하고 퇴원 시까지 하루에 2차례씩 투여하는 방법이 있다. 심부정맥 혈전증의 기왕력이 있는 환자나, 정맥 정체성 궤양venous stasis ulcer, 폐고혈압 등이 있는 고위험군 환자에서는 저분자량 헤파린을 피하 주사로 집에서 2주간 맞게 한다. 그러나 이러한 여러 방법 중에 아직까지 명확하게 심부정맥 혈전증을 예방하는 것으로 증명된 요법은 없으며 고도비만 수술에서 심부정맥 혈전증은 환자를 사망에 이르게 하는 가장 흔한 원인 중 하나이다.

3) 마취

고도비만 환자는 고혈압, 좌심실 비대, 심근 허혈, 죽상경화증이 흔하며, 이러한 환자에서 가장 주의를 기울여야 할 부분은 심근 경색이다. 수술 전 모든 고도비만 환자에서 심장에 관련된 위험도를 평가하기 위해 여러 검사를 시행하여야 하며 필요할 경우 심장내과 전문의와 상의가 필요하다. 그 이외에도 주의를 기울여야 할 부분은 기도의 유지이다. 고도비만 환자의 폐기능 검사상 예비 호기량, 흡기량, 폐활량 및 기능잔기용량의 감소는 흔히 볼 수 있는 소견이다. 또한 일반인에 비하여 전체 체중 중 수분이 차지하는 비중이 적고, 지방이 차지하는 비중이 높으며 혈액량이 높기 때문에 약동학이 일반인과 다르다는 것도 주의하여야 한다.

4) 술기와 관련된 사항

고도비만 수술에서 복강경적 접근은 절개창의 크기를 최소화 할 수 있기 때문에 회복시간과 유병률, 수술 자체에 대한 스트레스를 감소시킨다. 또한 복강경적 접근은 수술 상처와 관련된 혈종, 장액종, 감염, 수술부위 탈장 및 열개dehiscence 등의 합병증을 획기적으로 감소시켰다.

복강경 술식 이외에도 수부보조 접근법hand-assisted approach도 사용되고 있으나 이점에 대해서는 논란이 있다. 하지만 제대탈장 혹은 복벽탈장인 경우, 복강경 수술이 실패한 경우, 복강경 수술을 할 때 보조자가 미숙한 경우, 환자의 BMI가 너무 높은 경우, 복강경 수술 학습곡선에 도달하기 전에서는 수부보조 접근법이 이점이 있다.

5. 특별한 상황의 고도비만 환자

1) 청소년

유소년기에 과체중이었던 소아는 정상 체중이었던 소아에 비하여 성인이 되었을 때 비만할 가능성이 더 높다고 알려져 있으나 지금까지 보고된 청소년에서의 고도비만 수술이 많지 않아 정보가 부족하다. 지금까지 보고된 청소년에서의 고도 비만 수술의 결과는 표 1-12와 같다. 수술 대상의 경우 아직 많은 이견이 있지만, 골 성장이 90% 이상 이루어지고, 이차 성징이 발현되고, 체질량지수 40kg/m^{2}이며, 동시에 성인병이 발병된 경우를 적용하는 것이 보편적으로 받아들여지고 있다.

2) 고령

대부분의 연구에서 평균 체중은 60세까지 증가하며 그 이후로는 감소하는 것으로 보고되고 있다. 그러나 고령 환자에서는 치사율과 체중간의 관계가 불명확하다. 이

표 1-12. 청소년에서 고도비만 수술

저자(증례수)	수술법	결과
Stanford 등(4)	복강경 Roux-en-Y 위우회술	평균 87% 과체중의 감소 및 비만과 연관된 다른 질환의 교정, 합병증은 없었음
Sugerman 등(33)	1명의 수평 위성형술 2명의 수직 위성형술 30명의 위우회술	수술 전 평균 BMI가 52±11kg/m^{2}가 대부분 호전되어 성공적인 결혼 및 학업 성취도를 이룸 폐 색전증 1명, 상처 감염 5명, 구멍협착 stomal stenosis 3명, 변연궤양 4명 수술 2년, 6년 후에 사망 발생하였으나 수술과 연관된 사망은 아님
Capella 등(19)	Vertical banded gastroplasty Roux-en-Y 위우회술	평균 BMI 49kg/m2에서 5.5년 후에 28로 감소 한명에서는 과체중의 감소가 35%밖에 되지 않음 연관된 다른 질환은 모두 교정됨 환자 및 보호자 모두 수술 후 만족함
Abu-Abeid 등(11)	복강경 조절형 위밴드 삽입술	평균 BMI 46.6에서 32.1로 감소함 연관된 다른 질환은 대부분 호전 무월경 및 담석등이 발생한 경우가 있음 수술 전 정신과적 및 인지적인 cognitive 준비가 더 필요함

연령대에서는 BMI보다는 내장비만 정도가 더 위험하다. 따라서 실제 몸무게뿐 아니라 최근 10년간 늘어난 체중 변화도 예측 인자에 포함시켜야 한다. 대부분의 임상 연구가 고령환자는 제외하고 시행되어 지기 때문에 고령 환자에서 고도비만 수술이 얼마나 효과가 있는지 확실하지 않다. 그러나 관절염이나 호흡기 합병증과 같은 비만에 의한 합병증 등은 고령에서도 체중이 감소함에 따라 호전된다. 최근 고령 인구가 늘어나고 있고 경제적인 여유가 생기면서 고령에서의 고도비만 수술도 늘어날 것으로 생각된다. 일부에서는 50세 이상을 고도비만 수술의 상대적인 금기로 생각하기도 하지만, 여러 연구에 따르면 50세 이상에서도 고도비만 수술이 안전하게 이루어 졌으며 체중 감소 및 비만과 동반된 합병증의 호전도 만족할만 하다고 하였다. 최근에는 70세 이상인 환자에서도 고도비만 수술이 안전하게 이루어졌으며 젊은 사람과 똑같은 효과를 거두었다는 연구결과도 보고되었다.

3) 고도비만 수술 후에 발생하는 담낭 질환

복강경적 Roux-en Y 위우회술(LRYGB)을 받은 환자 중 38-52.8%에서는 고도비만 수술 후 체중 감소로 인해 담낭 결석이 생길 수 있으며 이러한 결석은 대부분 수술 후 1년 이내에 발생한다. 또한 LRYGB를 시행 받은 환자 중 15-27%는 수술 후 3년 이내에 응급 담낭 절제술을 시행 받는 것으로 보고되었다. 고도비만 수술시 예방적으로 담낭 절제를 같이 시행하는 것에 대해서는 논란의 여지가 있다. 일부 연구들에서는 LRYGB시 담낭 절제를 같이 시행한 경우 재원일이 길어지고 수술시간이 한시간 정도 더 걸린다고 보고 하였다. Sugerman 등은 LRYGB 후에 6개월 동안 예방적으로 우르소디올ursodiol을 복용하였을 경우 담낭 결석이 발생할 가능성을 상당히 줄일 수 있다고 하였으나 Wudel 등은 이 방법은 환자의 순응도가 너무 낮다고 하였다. 따라서 고도비만 수술 시에 예방적 담낭 절제를 시행할 지의 여부는 각각의 수술자가 이를 잘 고려하여 결정하여야 한다.

수술 후에 발생하는 총담관결석은 십이지장을 통해 접근할 수 없기 때문에 어려운 문제이다. 이 경우 남아 있는 위를 앞쪽 복벽에 고정해 놓은 후 방사선적 표시radiologic marker를 한 이후에 경피적으로 내시경을 삽입하여 역행성 췌담관 조영술을 시행하는 방법이 가능하다.

4) 고도비만 수술과 위식도역류

고도비만 환자의 58%가 위식도역류 증상이 있으며 객관적으로 증명되는 경우는 21%이다. 그러나 일반적으로 위식도역류에서 시행되는 위저부 추벽성형술fundoplication과 열공재건술hiatal reconstruction은 고도비만 환자에서는 결과가 좋지 않으며, 오히려 체중 감소로 BMI가 30 이하로 떨어졌을 때 더 좋은 결과가 나타난다. Frezza 등은 RYGB후에 위 식도 역류 증상이 대부분 호전을 보였다고 보고하였는데, 위산역류로 인한 속쓰림이 87%에서 22%로, 천명음wheezing이 40%에서 5%로 호전 되었으며 수술 후에 제산제 등의 약물 치료가 필요했던 경우도 60%에서 10%로 감소하였다. 김 등의 보고에 따르면 VBG 이후에 역류성 식도염 증상으로 Roux-en-Y 위우회술로 전환이 16-38%의 환자에서 필요하였다.

5) 당뇨

제2형 당뇨와 고도비만은 상관관계를 보이며, 복부 비만, 당내인성, 이상지질혈증, 고혈압으로 설명되는 대사증후군과도 연관이 있다. O' Brien 등은 700명의 환자에서 시행된 복강경적 조절형 위밴드 삽입술 후에 97%에서 당뇨가 완전히 치료 되거나 명확한 호전 소견이 있다고 보고 하였다. Schauer 등에 따르면 LRYGB를 시행하여 5년 동안 추적 관찰한 1,160명의 환자중 240명(21%)가 제2형 당뇨 혹은 당내인성 환자였는데 수술 후 83%가 공복혈당 및 당화혈색소 HbA1c가 정상으로 돌아왔고, 나머지에서도 확연한 호전 소견을 보였다고 한다.

6) 심폐 질환 및 고혈압

대부분의 고도비만 환자에서 심혈관 및 폐의 비정상적인 소견이 발견된다. 비만 정도와 폐 기능의 저하 정도와의 관계는 이미 증명되었다. 고도비만에서 폐의 잔류 기능 용적과 확산 용적 장애는 흔하게 관찰되며 폐쇄성 호흡 장애가 나타나기도 한다. 또한 상체에 지방 분포가 많은 고도비만 환자는 하체에 지방 분포가 많은 환자에 비하여 운동시에 심폐 지구력이 떨어진다. 고도비만 수술로 인한 체중 감소는 심장의 이완기 기능을 호전시켜 주고 이로 인해 심폐의 운동 기능이 향상된다. 비만이 심부전을 일으킨다는 것은 명백하다. 비만이나 과체중인 환자는 거의 대부분이 고혈압과 당뇨가 있으며, 콜레스테롤과 트리글리세리드 및 저밀도지질단백 콜레스테롤의 수치가 높다. 고혈압과 비만이 각각 좌심실 질량left ventricular mass 및 심근 비대와 독립적인 연관성이 있는 것으로 알려져 있으며 그 중 비만은 좌심실 안쪽의 직경과 연관성이 크다. 좌심실의 질량은 심혈관 위험도에 작용하는 중요한 독립적인 인자이다.

비만에 의하여 발생하는 고혈압은 심박출량과 말초혈관 저항 증가와 연관된다. 증가된 심박출량에 의해 심폐 용적, 정맥환류, 좌심실의 전부하 등의 혈관 내 용적이 증가하게 된다. 또한 증가된 혈압과 말초혈관 저항이 후부하를 증가시킨다. 이러한 기전에 의하여 심실에 과부하 및 심근 비대가 일어나며 이에 따라 심근에서의 산소 요구량이 늘어나게 되어 관상동맥 기능부전 및 심부전이 일어날 수 있다. 비만에 의한 고혈압의 경우 신장으로 가는 혈류는 증가하고 신 혈관 저항성은 감소하게 되어 신여과분율 renal filtration fraction이 증가하게 된다. 이로 인하여 단백 침착과 사구체 경화증glomerulosclerosis이 심해지고 당뇨가 동반된 경우에는 더 악화될 수 있다. 체중이 줄어들게 되면 이러한 혈역학적 변화가 역전되면서 혈관내 용적이 줄어들고 심박출량이 감소하며 동맥 혈압이 감소하게 된다. 이러한 기전으로 고도비만 환자에서 수술 후 체중이 줄게 되면 평균 동맥 혈압이 감소하게 된다.

7) 수면 무호흡증

수면 무호흡증sleep apnea은 호흡장애지수respiratory disturbance index (수면 시간당 무호흡이나 저호흡의 횟수)가 5 이상이면서 낮시간 동안 졸림이 심한 경우로 정의한다. 환자의 BMI가 50이 넘는 경우 기면증이 심하거나, 고혈압 또는 코골이가 심한 경우에서는 반드시 수면 무호흡증에 대한 검사를 시행하여야 한다. 수술 전 수면 무호흡증을 몰랐을 경우에는 수술 후 합병증으로 무호흡 발작이 발생할 수 있다. 수술 전 후로 지속성 기도양압Continuous Positive Airway Pressure (CPAP)을 사용하는 것이 문합부에는 영향을 주지 않으면서 무호흡 발작 예방에 도움이 된다고 알려져 있다. 마약성 진통제를 사용하는 경우에 있어서는 무호흡 발작의 발생위험이 증가하기 때문에 수술 후 CPAP하에 투여 하는 것이 좋다. 수술 전 최소 2주 전부터 안면 마스크 사용의 순응 기간을 갖는 것이 수술 후 합병증을 호전 시키는데 도움이 된다.

8) 근골격계 질환

고도비만 환자에서 관절염이나 퇴행성 관절 질환 등은 흔히 볼 수 있는 소견이며 절반 이상에서 이미 어느 정도 진행된 상태로 나타난다. 보행에 제한이 되거나, 관절통, 심한 요통 등이 많이 관찰되며, 수술 후 체중이 감소한다고 하더라도 이미 발생한 구조적인 손상은 회복되지 않을 수 있다는 것을 주지시켜 주어야 한다. 그러나 수술 후 확연한 체중 감소로 통증이나 장애 등이 많이 호전되기도 한다.

9) 비알코올성 지방성 간염

비 알코올성 지방성 간염Nonalcoholic Steatotic Hepatitis (NASH)환자에서 좌엽의 크기는 복강경 수술의 적용여부를 결정하는데 영향을 미친다. 지방간에 의하여 간이 큰 것을 수술 전에 안다면, 수술 전 4-6주 전부터 칼로리 제한, 특히 탄수화물의 섭취를 제한할 필요가 있다. 고도비만 수술 후의 체중 감소로 NASH는 호전되며, 간경화나 문맥 고혈압 등이 없는 한에서는 NASH자체는 고도비만 수술의 금기증이 될 수 없다. 수술중 간에 이상소견이 보인다면 생검을 시행할 수 있다.

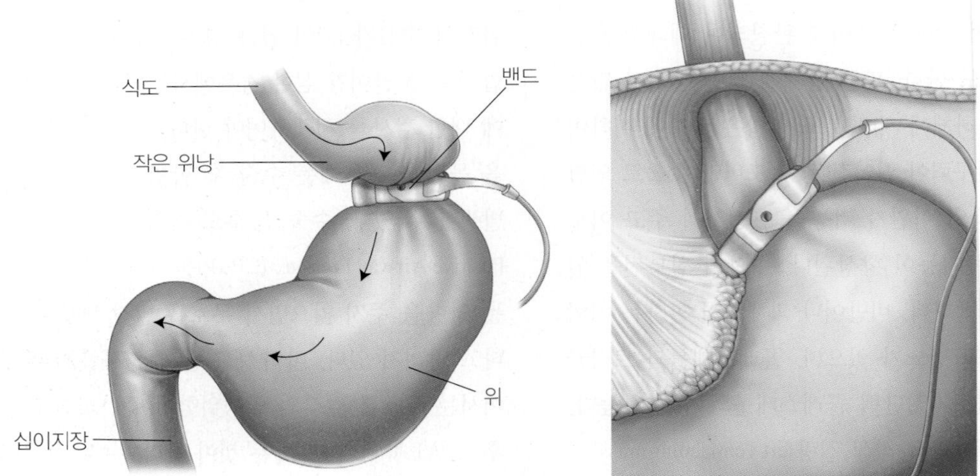

그림 1-50 조절형 위밴드 삽입술

6. 고도비만 수술의 종류

비만 수술은 장기적이며 지속적인 체중 감량을 이루는 동시에 대부분의 비만 관련 합병증을 치료하거나 개선시키게 된다. 특히 제2형 당뇨병은 Roux-en-Y 위우회술 후 82%에서 약물 치료를 완전히 중단해도 정상 혈당 수치를 유지할 수 있게 되고 나머지 12% 환자에서도 약물 용량을 최소화하면서 당뇨병을 조절할 수 있다. 그 밖에도 수면무호흡증, 위식도역류질환, 고지혈증, 지방간, 퇴행성 관절질환, 통풍 등의 질환이 치료되거나 개선되는 것을 관찰할 수 있다. 비만 수술은 체중 감량을 이루면서 사망률도 감소시킬 수 있다.

1) 조절형 위밴드 삽입술

조절형 위밴드 삽입술adjustable gastric banding(그림 1-50)은 실리콘으로 만들어진 팔찌 모양의 밴드를 위 상부에 삽입하여 음식 섭취를 제한토록 한다. 위밴드에는 포트가 관을 통해 연결되어 있어 복벽내에 위치하게 되어 있는 포트에 생리식염수를 주입하면 위밴드 내부에 있는 풍선이 부풀어 음식 섭취가 제한된다. 이 장치는 Kuzmak이 1986년 개발하여 임상에 도입하였고 1993년 최초로 복강경으로 랩밴드®(Lap-Band®, Allergan-Inamed)가 삽입된 후로 대중화되었다. 이 수술의 특징은 위를 절단하거나 문합이 필요 없어서 가장 안전한 수술로 알려져 있고 합병증이 일어날 경우 랩밴드를 제거하면 원상 복귀가 가능하기 때문에 가역성이라는 이점도 있다. 현재까지 호주, 유럽을 중심으로 약 25만 건이 시행된 것으로 알려져 있다. 비만수술의 체중감량 효과는 초과체중 감량률 percentage of Excess Weight Loss (%EWL)로 나타내는데 초과체중을 계산하기 위한 이상체중은 Metropolitan Weight and Height Tables (Metropolitan Life Foundation, 1983)를 참고한다. 조절형 위밴드 삽입술의 체중감량 효과는 장기적으로 볼 때 50-60%의 %EWL을 보이는 것으로 보고되고 있다. 발생할 수 있는 합병증은 밴드 이탈, 위 탈출, 위 미란, 역류, 튜브 및 포트 시스템의 감염 등이 있을 수 있고 사망률은 약 0.05%이다.

2) Roux-en Y 위우회술

Roux-en Y 위우회술은 위식도 접합부 하방의 위를 소만쪽으로 15-30mL 정도만 남기고 나머지 위와 분리시킨 후 약 100cm 정도의 공장을 Roux-en-Y로 위 낭과 연결하여 음식의 대부분이 위와 십이지장, 공장 일부를

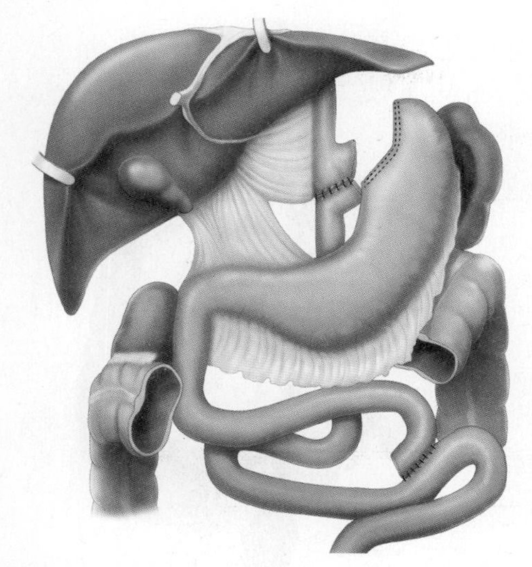

그림 1-51 **Roux-en Y 위우회술**

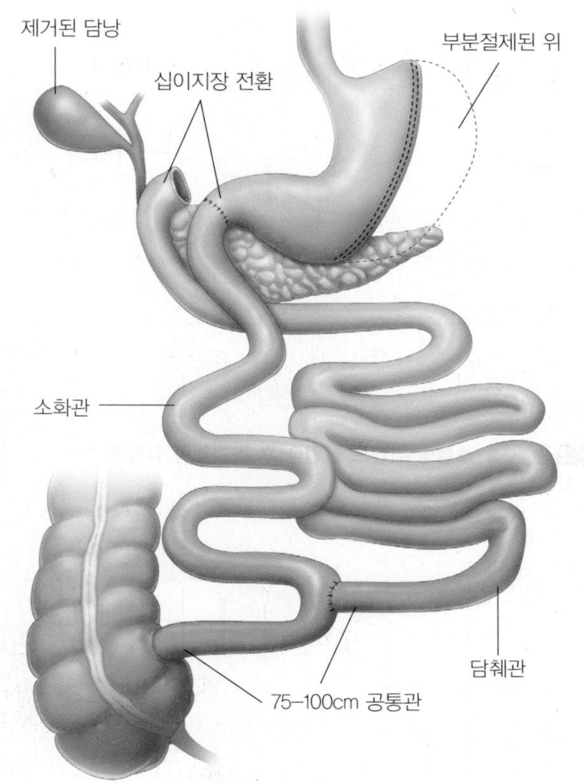

그림 1-52 **담도췌장우회술의 변형인 십이지장전환술**

우회하도록 하는 수술이다(그림 1-51). 위 낭에서 음식의 섭취가 제한되고 Roux 소장Roux limb에서는 영양소의 흡수가 거의 일어나지 않아 이 술식은 음식의 섭취와 흡수를 모두 제한하는 혼합형 수술 방법이며 미국에서는 표준 비만수술로 인식되어 있다. Roux-en Y 우회술은 1960년대 말에 Mason과 Ito에 의해 개발된 술기로 여러 차례의 변화를 거쳐 현재의 'Y'식으로 정착되었다. 전통적 개복술로 시행되어 오다가 90년대 복강경 수술이 도입된 이후로 이 수술도 복강경으로 새로 고안되어 1993년 첫 복강경 위우회술이 시행되면서 90년대 말부터 급속도로 확산되었다. 체중감량 효과는 장기적으로 볼 때 60-75%의 %EWL을 보이는 것으로 보고되고 있다. 합병증으로는 위공장 문합부 누출, 출혈, 내부 탈장, 장 폐색증, 폐 색전증, 빈혈, 비타민 B12 결핍, 칼슘 결핍, 속발성 부갑상선 기능항진증 등이 일어날 수 있고 사망률은 약 0.5%이다.

3) 담도췌장우회술/십이지장전환술

담도췌장우회술Biliopancreatic Diversion (BPD) (그림 1-52)은 위를 200-500cc만 남기고 위아전절제술을 시행한 뒤 회맹판막 상방 250cm 위치에서 소장을 절단하고 위-회장문합술을 시행한다. 이어서 마지막으로 회장-회장문합술을 시행한다. 따라서 음식이 흡수될 수 있는 소장의 길이는 50cm이다. 십이지장전환술Duodenal Switch (DS)은 근본적으로 담도췌장우회술과 유사하지만 위아전절제술 대신 위소매절제를 시행하여 유문을 남기고 십이지장-회장문합술을 시행한다. 이 술식에서 음식이 흡수될 수 있는 소장의 길이는 약 100cm이다. 일부 비만치료 외과의는 수술의 위험성이 지나치게 높은 환자에서 먼저 1단계로 위소매절제술을 시행하고 체중감량이 일어나 비만관련 여러 합병증이 개선되면 2단계로 십이지장-회장문합술을 시행하기도 한다. 현재까지 시행되고 있는 비만수술 중 체중감량 효과가 가장 좋은 것으로 알려져 있다. 하지만 단백질 결핍, 하루 3-6번 일어나는 설사 등의 심각한 영양학적 불균형을 초래할 수 있어서 초고도비만 환자 등에 선택적으로 시행되고 있다. 체중감량 효과는 장기적으로 70-80%의 %EWL을 보이는 것으로 되어 있다. 담도췌장우회술/십이지장전환술은 위우회술의 모든 합병증이 일어날 수 있고, 중증 영양결핍증, 지속적인 설사, 지

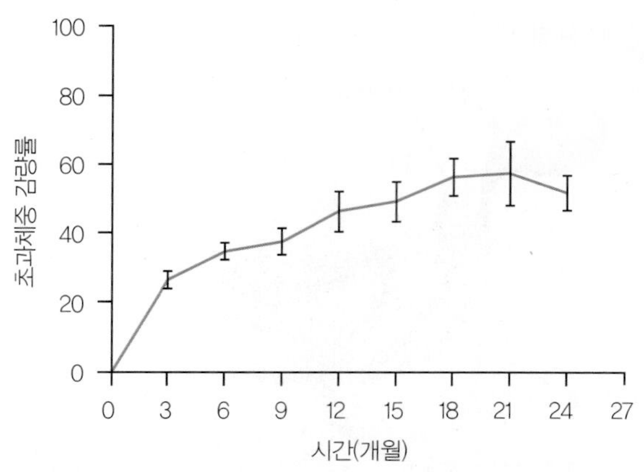

그림 1-53 조절형 위밴드 삽입술 후 초과체중 감량률

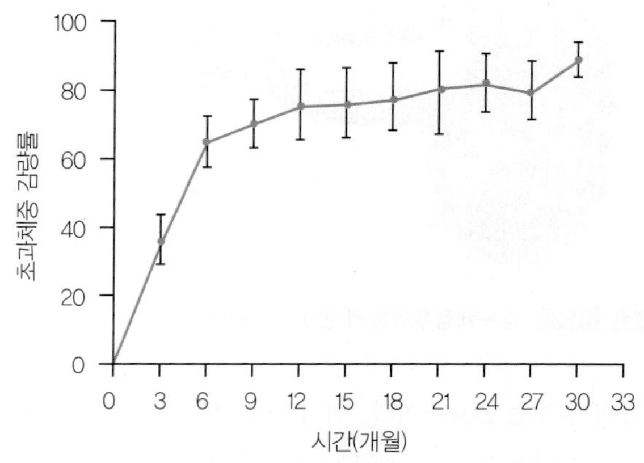

그림 1-54 Roux-en Y 위우회술 후 초과체중 감량률

용성 비타민 결핍 등도 나타날 수 있으며 사망률은 약 1%이다.

4) 기타 비만 수술

현재 전세계적으로 가장 많이 시행되는 수술은 복강경 조절형 위밴드삽입술과 복강경 루와이 위우회술로 전자는 가역적이며 안전하다는 점, 후자는 만족스러운 체중감량효과가 인정되어 널리 적용되고 있다.

하지만 비만치료수술이 갖추어야 할 여러 가지 조건을 모두 충족하기에는 아직 미흡한 점이 많다. 2004년 발표된 비만치료수술의 세계적 추세에 대한 보고에서도 비만 수술분야에서는 현재나 혹은 앞으로도 절대적인 기준이 되는 술기gold-standard procedure라는 개념은 존재하기 어려울 것이며 꾸준히 새롭거나 변형된 술식이 시도되며 도입되고 있고 이러한 경향은 지역적으로도 편중된 양상을 보인다는 언급에서도 비만치료수술의 불완전성을 짐작할 수 있다. 최근 몇 가지 새로운 수술법이 대안적으로 시행되고 있다.

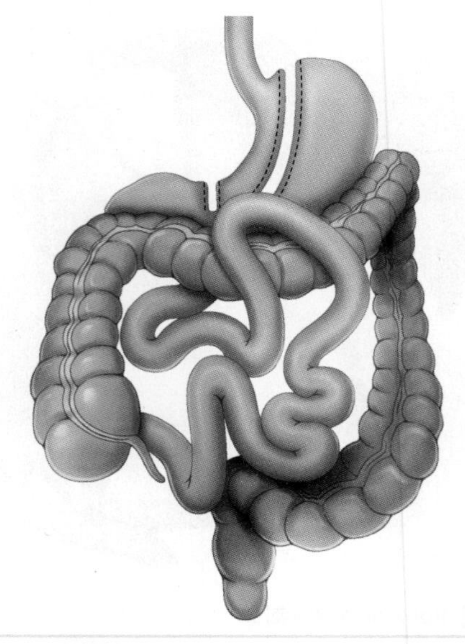

그림 1-55 축소 위우회술

(1) 축소 위우회술

축소 위우회술mini-gastric bypass은 1997년에 개발된 비만치료수술로 위장을 원통 모양으로 수직으로 길게 성형하여 용량을 60-80cc 정도로 줄인 후 트라이츠 인대 아래쪽 150-200cm사이의 소장을 우회시켜 축소된 위장과 문합하는 수술(그림 1-55)로 섭취하는 음식의 량과 섭취된 음식의 흡수를 동시에 줄여 주는 위우회술의 한 가지 방법이다. 수술의 원칙은 식사량을 줄이고 영양분의 흡수를 줄인다는 점에서 동일하지만 시술방법은 약간씩 차이가 있으며 가장 안전하고 효과적이며 합병증이 적은 방법을 고안하여 변화되어 왔다. 위우회술은 1967년 Mason이 발표한 고전적 위 소장단순문합술로부터 기원을 찾을 수 있는데 이 방법은 위를 가로방향으로 납작하게 분할하고 우회된 소장을 문합 시키는 방법으로 체중감량의 효과는 비교적 만족할 정도였으나 문합의 위치가 상부에 위치하여 담즙 등의 소화액이 식도나 위장으로 역류하여 발생되는 식도나 위의 염증이 문제가 되었다. 이의 대안인 Roux-en Y 위우회술은 소화액이 흐르는 길과 음식이 지나는 길을 분리함으로써 소화액에 의한 위장의 염증이나 역류성 식도염의 증상을 해소할 수 있었다. 그러나 복잡한 구조로 발생되는 수술 후 문제와 수술의 어려움으로 수술 중이나 수술 후 발생 가능한 합병증이 또 하나의 다른 문제로 부각되고 있다. 이러한 문제를 해결하기 위해 고안된 축소위우회술은 단문합 위우회술로도 불리며 유럽과 아시아의 대만 등지에서 주로 시술되고 있다. 이 수술은 처음 Mason이 구상한 고전적 단순 위소장문합과 비슷하여 비교적 간단하면서도 단지 위 성형을 납작한 모양인 가로방향으로 하는 것에서 수직의 원통모양으로 상하로 길게하는 차이를 갖는다. 그러나 소장과 위장의 연결이 Mason의 수술에 비하여 상당히 아래쪽에서 이루어지는 단순한 구조의 변화만으로 소화액의 역류를 현저히 줄여줄 수 있다는 점, 위 낭을 조직이 치밀하여 잘 늘어나지 않는 소만곡부위를 이용한 점, 짧은 수술시간, 간단한 구조에 의한 안전성을 장점으로 한다. 또한 최근 복강경 Roux-en Y 위우회술 40예와 축소 위우회술 40예의 무작위 전향적 비교에서 수술 후 적어도 2년 이상 관찰한 결과 축소 위우회술이 Roux-en Y 우회술에 비하여 안전하고 간단히 시행될 수 있으며 체중감량효과, 대사증후군의 개선 그리고 생활의 질 향상에 뒤지지 않는 결과를 보고한 연구도 보고되었다. 그러나 축소위우회술에 대한 부정적인 측면과 이에 대한 논란도 무시할 수 없는데, 한 연구에서는 담즙역류, 누출, 변연부 궤양 등의 합병증과 부적절한 체중감량으로 Roux-en Y 위우회술로 변환 수술한 증례를 수집하여 문제점을 지적하기도 했다.

(2) 위소매절제술

위소매절제술sleeve gastrectomy은 위장의 대만곡을 제거하여 식사량을 제한하는 수술(그림 1-56)로 체질량지수 55-60 이상의 수술의 위험성이 높은 초고도비만환자에서 복강경 Roux-en Y 위우회술이나 담도췌장우회술/십이지장전환술 등의 어려운 술식을 보다 안전하게 시행하기 위하여 중간단계로 시행하는 수술이며 2차적인 흡수제한 술식을 필요로 한다. 그러나 최근 추가적인 흡수제한 술식을 추가하지 않더라도 만족스러운 결과를 보일 수 있으며 이러한 경우 2차 수술이 필요하지 않다는 논문이 보고되고 있으며, 환자의 상태에 따라 다양한 목적으로 적용할 수 있다는 보고 등 이 술식을 고도비만환자의 치료에 단독으로 적용할 수 있다는 가능성을 제시한 연구결과가 있다. 그러나 여러 보고에서 체질량지수가 높은 환자에서는 대부분 추가적인 흡수제한 술식이 추가로 시행되었던 점, 아직 오랜 기간 추적이 되지 않은 점, 남아 있는 위장이 늘어나면서 식사량의 증가로 인한 재수술의 가능성 등의 문제는 여전히 충분한 논란의 여지가 있다.

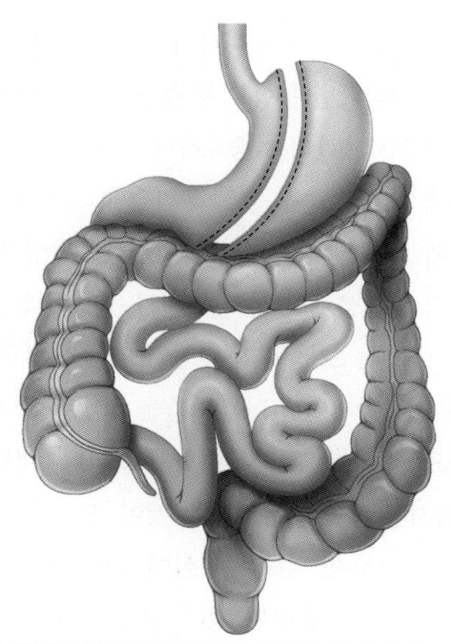

그림 1-56 위소매절제술

7. 수술 후 관리 및 추적 관찰

1) 수술 후 관리

고도비만 수술 후 가장 우려되는 합병증 중 하나가 문합부 누출이다. 빈맥, 빈호흡, 초조는 복강내 문제를 암시하는 증상일 수 있다. 고도비만 환자에서는 복막염이 발생하여도 복막자극 증상이 나타나지 않을 수 있으므로 이러한 증상이 나타나면 문합부 누출을 의심해 보아야 한다.

수술 후 수액 관리는 중요하다. 200kg이 넘는 고도비만 환자에서 개복술을 통해 우회술을 시행하였다면 유지량이나 제 삼공간third space 및 수술 중 발생한 체액 손실 혹은 혈액 손실을 보충하기 위해서 6-10L의 수액을 보충해 주어야 한다. 보통 링거 젖산 용액lactated Ringer's solution으로 시간당 400mL씩 보충을 하면서 소변량을 관찰하여 필요 시 추가로 더 투여하기도 한다. 배뇨관은 수술 후 첫 24시간 동안은 유지하는 것이 좋다. 복강경 수술은 개복술에 비하여 수분 손실이 적기 때문에 시간당 200mL 정도로 보충하면 된다. 복강경 수술 중에는 기복에 의하여 소변량이 일반적으로 적게 나오고 회복실로 옮기게 되면 호전된다. 적절한 통증 조절도 중요하며 지속적으로 진통제를 주입하는 방법이 효과적이다. 그러나 마약성 진통제 사용시에는 무호흡 발작의 발생에 주의하여야 한다. 심부정맥 혈전증을 예방하기 위해서 수술 후 4-6시간 이내에 보행을 시키며 탄력 스타킹의 착용, 저분자량 헤파린을 사용하는 것이 도움이 된다.

2) 결과 평가

체중감소는 고도비만 수술 후 그 결과를 평가할 수 있는 가장 중요한 독립 요인이다. 체중 감소의 정도는 수술 후 이상체중에 얼마나 근접하였는지로 평가할 수 있다. 체중 감소이외의 고도비만과 관련된 의학적인 상태의 호전도 평가되어야 하며 이를 위해서 BAROS (Bariatric Analysis and Reporting Outcome System)가 사용된다. 이 시스템은 체중 감소의 분율정도, 동반질환의 호전정도, 삶의 질을 각각 실패, 그저 그럼, 좋음, 매우 좋음, 훌륭함의 다섯 단계로 구분하여 점수를 매긴다. 삶의 질을 평가할 때에는 자긍심 및 일상 활동 정도가 포함 된다.

3) 추적 관찰

수술 후 추적 관찰은 수술 후 1주, 1개월, 3개월, 6개월, 9개월, 1년, 18개월, 그리고 그 이후에는 매년 시행하는 것이 추천된다. 첫 방문시에는 배액관을 제거하고 조금 더 고형식에 가까운 식사를 시행한다. 1개월 후에는 운동을 시작하면서 식이를 점차 진행하고 3개월에는 식사에 대해 확인한다. 혈액검사는 수술 후 6개월째 시행하고 그 이후부터는 1년 마다 시행한다. 흡수제한 술식을 시행하였을 경우에는 대사 결핍이 있을 수 있기 때문에 영양검사를 더 자주 시행하여야 한다. 환자가 운동할 수 있게 격려해 주고 비타민을 보충해 주는 것 역시 필요하다. 수술 전후로 환자에게 정보를 지속적으로 제공하고 정신적으로 격려하며 지지해 주는 것이 수술 후 결과유지에 도움이 된다.

요약

비만은 고혈압, 심혈관질환, 당뇨병 등의 여러 가지 질환의 원인이 되며, 비만인의 경우 동반 질환에 의한 사망률이 증가하게 된다. 이러한 비만의 치료는 일차적으로 식이요법, 운동, 행동수정, 약물 치료 등이 원칙이지만 이러한 방법으로 실패하였을 경우 수술적 치료 방법만이 장기적으로 체중 감량을 달성할 수 있는 유일한 방법이다. 수술의 적응증은 체질량지수가 35kg/m2 이상이면서 비만 관련 합병증이 있거나, 합병증과 상관없이 체질량지수가 40kg/m2 이상인 경우이다. 최근에 시행되는 수술 방법은 식이제한 술식과 흡수제한 술식으로 나뉘며, 식이제한 술식으로는 조절형 위밴드 삽입술, 흡수제한 술식으로는 담도췌장우회술/십이지장전환술이 있다. 두 가지 기전을 동시에 가지고 있는 혼합형으로 볼 수 있는 Roux-en Y 위우회술과 기타 비만 수술로 축소위우회술, 위소매절제술 등이 있다.

XI 위암의 병인

1. 역학

위암은 전 세계적으로 네 번째로 많이 발생하는 암이며 암사망원인의 두 번째이다. 지역이나 국가에 따라 발생률의 차이가 있는데, 동아시아와 남미에서 높은 발생빈도를 나타내고 개발도상국가에서 발생빈도가 증가하고 있으며 선진국 중에서는 한국과 일본에서 발생빈도가 높다.

통계청에서 제공하는 국가통계포털에 의하면 우리나라의 2013년도 전체 암 발생환자 수는 225,343명이며 위암의 상대빈도는 13.4%로 갑상선암의 18.9%에 이어서 2위를 차지하고 있다. 남자에서는 위암이 17.8%로 가장 많이 발생하였고(그림 1-57), 여자에서는 8.9%로 4위이었다(그림 1-58). 위암발생의 상대빈도는 2000년의 20.6%, 2005년의 17.9%, 2010년의 14.8%, 2013년의 13.4%로 점차 감소하는 추세이나 최근 급격하게 발견이 증가하는 갑상선암을 제외하면 여전히 가장 많이 발생하고 있으며 2009년부터는 매년 약 30,000명 이상에서 발생하고 있다(그림 1-59).

우리나라 위암환자의 5년 상대생존율은 꾸준히 증가하여 폐암의 23.5%, 간암의 31.4% 보다는 월등하며 대장암의 75.6%와 비슷한 73.1%이다(표 1-13). 우리나라에서

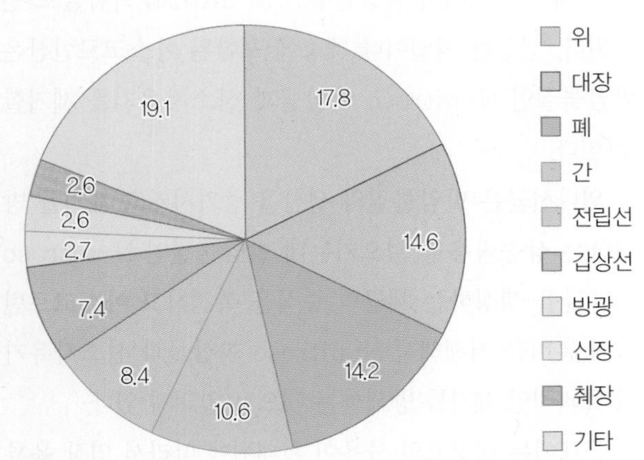

그림 1-57 2013년도 우리나라 남자의 암 발생률 상대빈도

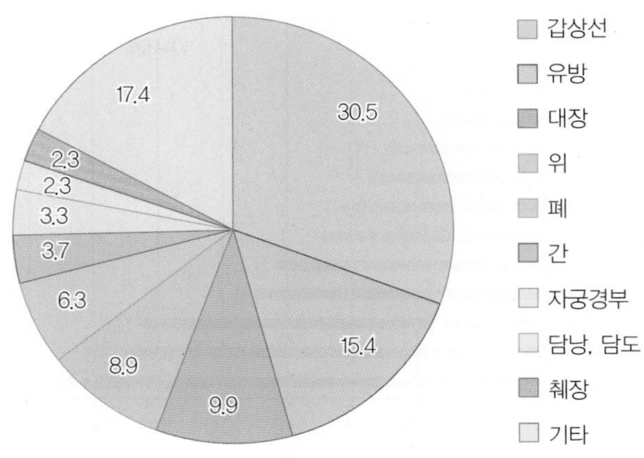

그림 1-58 2013년도 우리나라 여자의 암 발생률 상대빈도

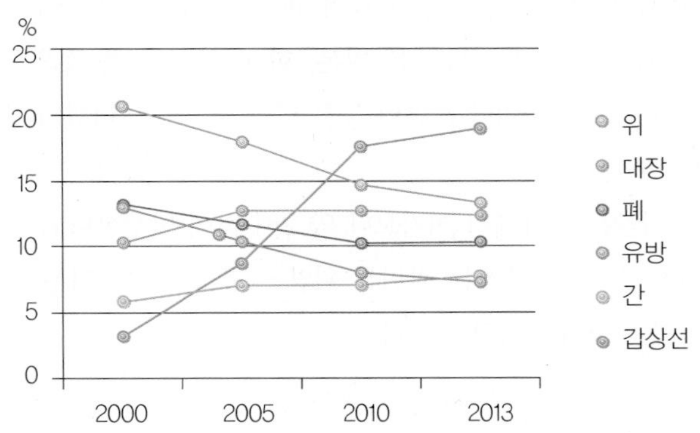

그림 1-59 우리나라 암 발생률 상대빈도의 연도별 추이

표 1-13. 위암의 5년 상대생존율(%)

시기	남자	여자	합계
1993-1995년	43.0	42.6	42.8
1996-2000년	46.9	46.0	46.6
2001-2005년	58.4	56.4	57.7
2006-2010년	68.8	66.7	68.1
2009-2013년	73.9	71.5	73.1

2015년 암에 의한 사망자 수를 추계한 연구에 따르면 인구 100,000명 당 조사망률은 위암이 14.8명으로 폐암의 34.5명, 간암의 21.3명, 대장암의 17.7명에 이어서 4번째이다.

위암의 사망률도 국가에 따라서 많은 차이를 나타내는

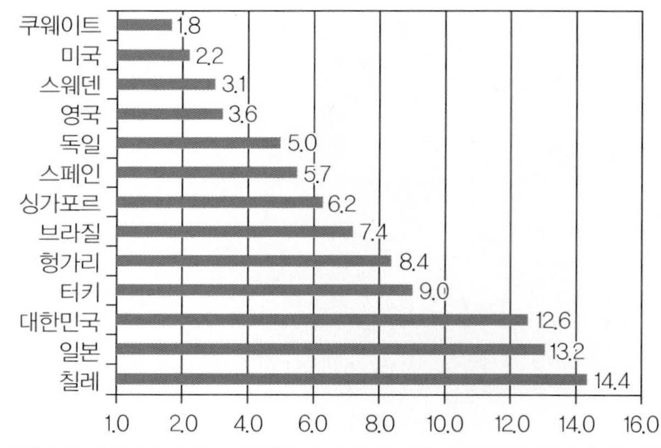

그림 1-60 2013년도 각국의 인구10만명당 위암 사망률

데 세계보건기구의 사망률 데이터베이스에 의하면 2013년도 위암에 의한 사망률은 일본, 한국 등이 높은 것으로 나타났고, 미국이나 스웨덴 등은 낮은 것으로 나타났다(그림 1-60).

위암은 남자에서 여자보다 약 2배 많이 발생한다고 알려져 있고, 최근에는 원위부 위암은 감소하고 근위부 위암의 발생이 증가하고 있다.

2. 원인

위암의 정확한 원인은 아직 잘 모르지만 여러 가지 유전적 및 환경적 위험요인에 의해서 복합적으로 작용한다고 알려져 있다. 위암이 많이 발생하는 지역에서 적게 발생하는 지역으로 이민을 간 사람의 후손은 위암발생의 위험이 감소됨을 나타내는데 이는 위암의 발생이 환경적인 요인과 더욱 밀접한 관계가 있다는 것을 시사한다. 환경적인 요인은 미만형 위암보다 장형 위암이 관계가 많은 것으로 보인다.

1) 위나선균

위나선균*Helicobacter pylori*의 감염은 전세계적으로 위암의 가장 흔한 원인이며 만성적인 감염은 위암의 발생 위험을 3배 정도 증가시키고, 여러 장기적인 전향적 연구에서 위암발생의 연관성을 증명하였으므로 International Agency for Research on Cancer 는 위나선균 감염을 확실한 발암인자로 분류하고 있다. 위암발생의 지역적인 차이는 위나선균의 유병률과 발병력에 의한 것으로 추정하는데 개발도상국가의 위생상태가 나쁜 가난한 지역에서 감염률이 높고 위암발생이 증가하며 선진국에서는 감소한다. Cytoxan-associated gene A (*cagA*)는 발병력과 위암과 관련이 있는데 위암의 발생이 많은 지역에서 *cagA*양성 위나선균 감염의 비율이 높다. 위나선균의 만성 감염은 위염을 일으키고 위 점막의 위축을 동반한다. 일부의 환자에서 장화생, 이형성, 결국에는 장형의 위암을 일으킨다. 장화생에는 많은 분자수준의 변화가 있는데 cyclooxygenase-2와 cyclin D2의 과발현, *p53*의 돌연변이, microsatellite 불안정성, *p27*발현의 감소, 전사인자인 CDX1과 CDX2의 변화 등이 있는데 이러한 것들이 위암으로의 변환에 관여한다. 장화생이 위선암 발생의 위험인자인 것은 확실하지만 장화생이 있는 모든 환자에서 침습암종으로 진행하지는 않는다. 이 과정에서 숙주의 염증반응이 중요한 역할을 하는데 interleukin-1의 발현이 강하게 나타나는 사람에게서 위암발생의 위험이 증가한다.

2) 음식

위암이 많이 발생하는 지역에서는 질산염이 많이 포함된 소금에 절인 음식이나 훈제 음식의 소비가 많고 과일과 채소의 소비가 적다. 음식에 포함된 질산염은 위 안에 있는 세균에 의해서 발암물질인 N-nitroso 화합물로 변화된다. 신선한 과일이나 채소에 포함된 아스코르빈산은 발암물질인 N-nitroso 화합물과 산소자유기를 제거할 수 있다.

위나선균은 발암물질의 생산을 증가시키고 제거를 방해하는 상승작용을 일으키는데 발암물질인 N-nitroso 화합물을 생성하는 세균의 증식을 촉진하고 아스코르빈산의 분비를 저해해서 N-nitroso 화합물과 산소자유기의 효과적인 제거를 방해하는 것으로 알려져 있다.

근래에는 냉장고의 사용이 확대됨에 따라서 염장 육류의 감소와 신선한 과일과 채소의 소비가 증가한 결과 위암의 발생이 감소하는 것으로 알려져 있다.

술은 위암의 발생과 관련이 없지만 담배는 위험인자로 알려져 있다.

3) 유전적 요인

위암은 몇 가지의 드문 유전질환과 관련이 있다. 유전성 광범위 위암은 세포부착분자인 E-cadherin의 유전자 돌연변이에 의하며 일생동안 약 80%에서 위암이 발생한다. 이러한 유전자 돌연변이가 있으면 예방적 위전절제술을 고려해야 한다. 가족성샘종폴립증familial adenomatous polyposis 환자의 액 85%에서 위저선 용종이 있고 약 40%에서 어느 정도의 이형성이 있는데, 50% 이상에서 대장 샘종폴립증adenomatous polyposis coli의 돌연변이가 있으며 이러한 환자들에서 위암발생의 위험이 있다. Li-Fraumeni 증후군은 암억제유전자인 *p53*의 돌연변이에 의한 보통염색체우성질환이며 위암을 포함한 여러 가지 악성종양의 위험이 높다. 유전성비용종성결장직장암hereditary nonpolyposis colorectal cancer이나 Lynch 증후군은 microsatellite 불안정성과 관련이 있고 위암이나 난소암의 위험을 증가시킨다.

위암의 발생은 다단계의 과정을 거치는데 각 단계마다 여러 가지의 유전자 및 분자 수준의 변화가 일어난다. 위선암과 관련된 유전자 변경은 종양유전자의 활성화, 종양억제유전자의 비활성화, 세포부착의 감소, 끝분절효소telomerase의 재활성화, microsatellite 불안정성의 존재로 구분된다. 전암유전자인 c-*met*은 간세포성장인자의 수용체인데 k-*sam*과 c-*erbB2* 종양유전자처럼 위암에서 자주 과발현된다. 종양억제유전자인 *p53*과 *p16*의 비활성화는 미만형 위암과 장형 위암에서 보고되어 있으며 대장 샘종폴립증adenomatous polyposis coli 유전자의 돌연변이는 장형 위암과 관련이 더 많다. 세포부착분자인 E-cadherin의 감소나 소실은 미만형 위암의 약50%에서 발견된다. Microsatellite 불안정성은 장형 위암의 20-30%에서 발견된다.

4) 기타

악성빈혈이 있는 환자는 위암이 발생할 위험이 일반인에 비해서 2.1배-5.6배 증가한다. 이 환자들에서 나타나는 무위산증은 자가면역반응에 의해서 으뜸세포와 벽세포가 파괴되어서 나타난다. 점막이 매우 위축되고 장화생이 발생한다.

(1) 용종

샘종폴립adenomatous polyp은 악성종양이 발생할 위험이 다분히 있다. 점막의 비정형성이 흔하고 이형성에서 제자리암으로 진행하는 것이 관찰된다. 암종이 발생할 위험은 10-20% 정도인데 폴립의 크기가 증가할수록 위험이 증가한다. 목있는pedunculated 폴립은 내시경적 완전절제를 하고 조직검사에서 침습암종이 없으면 치료가 충분하지만 크기가 2cm 이상이거나 목없는sessile 폴립이거나 침습암종이 발견되면 수술적 절제를 해야 한다.

위저선 폴립은 샘종증식에 의한 양성질환이지만 양성자펌프 억제제proton pump inhibitor의 사용과 깊은 관련이 있고 1년 이내에 환자의 약 1/3에서 발생한다. 가족성샘종폴립증familial adenomatous polyposis 환자에서 양성자펌프 억제제proton pump inhibitor를 사용한 경우에만 이형성이 발견되므로 절제하기보다는 정기적인 감시나 약제의 사용을 중지하면 된다.

(2) 양성자펌프 억제제

양성자펌프 억제제proton pump inhibitor는 위장관 역류성 질환환자에서 효과적인 약제이어서 근래에 사용이 급격히 증가되었고 소화불량환자에게 경험적으로 일차치료에 사용하기도 한다.

양성자펌프 억제제는 벽세포 내에서 수소-칼륨 펌프hydrogen-potassium pump를 방해해서 위산분비를 효과적으로 억제하는데 결과적으로 고가스트린혈증을 유발하며 약제의 사용을 중지하면 되돌아간다. 위나선균이 있는 환자가 양성자펌프 억제제를 장기간 사용하면 산이 부족한 환경에서 위체부에 세균의 증식이 있고 위염을 일으킨다.

이 환자들의 약 1/3에서 위축성 위염을 일으키며 이 위축성위염은 위나선균을 제균하면 신속히 해결된다. 현재로서는 이러한 위축성 위염을 가진 환자가 위암의 위험이 증가하는지는 확실하지 않으나 일반적으로 위축성 위염은 위암 발생의 중요한 위험인자이다. 따라서 양성자펌프 억제제가 소화불량환자의 효과적인 일차 치료제이고 위장관 역류성 질환환자에서 효과적인 장기적인 치료제이지만 산분비 억제와 위나선균 및 위축성 위염과의 관계를 고려하면 최초 치료 후에 증상이 계속되든지 장기간 치료가 필요한 환자는 위나선균의 제균이 반드시 필요할 것이다.

3. 병리

위암의 95% 정도는 선암종이므로 일반적으로 위암은 이를 뜻한다.

위암의 병리학적 분류는 여러 가지가 있다. 위암은 침윤깊이에 따라서 조기위암과 진행위암으로 구분할 수 있는데 조기위암은 암의 침윤이 점막이나 점막하층까지 국한된 경우이며 진행위암은 더 깊이 침윤된 경우이다. 조기위암의 진단은 내시경소견을 기준으로 하므로 림프절 전이는 고려되지 않는다. 따라서 조기위암일지라도 림프절 전이나 원격 전이가 있을 수 있으므로 치료방법을 선택하는데 이를 이용하기는 곤란하다. 조기위암은 육안적 형태에 따라서 표 1-14와 같이 분류한다. 진행위암의 육안적 분류는 1926년에 발표된 Borrmann 분류법이 현재도 흔히 사용하는데(표 1-15), 특별히 분류하기 어려운 경우는 제5형으로 분류하기도 한다.

조직학적 분류로는 1965년에 Lauren이 제안한 방법이 대표적으로 사용된다. Lauren 분류법은 위선암을 장형과 미만형으로 구분한다. 장형은 위축이나 장화생 같은 분명한 전암병변에서 발생한다. 여자보다 남자에서 더 많이 발생하고 나이가 증가할수록 빈도가 높다. 장형 위선암은 분화도가 높고 일반적으로 혈행성 전이를 일으키며 호발지역의 위암에서 주로 발견되므로 환경적 요인에 의한 것을 시사한다. 미만형 위암은 분화도가 낮고 조기에 벽내 전파나 림프를 통한 전이를 잘 일으킨다. 만성 위염과 관련이 별로 없고 여자에서 더 많이 발생하며 비교적 젊은 나이에 발생한다. 혈액형 A와 가족력과 연관이 있어서 유전적 요인을 시사한다. 복막전이가 흔하고 일반적으로 장형에 비해서 예후가 나쁘다.

그 외에 위암을 선암종, 선편평세포암종, 편평세포암종, 미분화암종, 미분류암종의 다섯 가지로 분류하는 세계보건기구의 분류법이 있는데 많이 사용되기는 하지만 환자 진료에는 별 의미가 없다.

표 1-14. 조기위암의 육안적 분류

I형	융기형(protruded type)
II형	표면형(superficial type)
IIa형	표면융기형(superficial elevated type)
IIb형	표면평탄형(superficial flat type)
IIc형	표면함몰형(superficial depressed type)
III형	함몰형(excavated type)

표 1-15. 진행위암의 육안적 분류(Borrmann 분류)

1형	융기형(polypoid, fungating type) 종괴의 경계가 뚜렷함
2형	궤양-융기형(ulcerofungationg type) 중심부에 궤양이 있고 경계가 뚜렷한 종괴
3형	궤양-침윤형(ulceroinfiltrative type) 중심부에 궤양이 있고 경계가 불분명한 종괴
4형	미만형(diffuse infiltrative type) 뚜렷한 종괴는 없고 위벽이 전반적으로 두꺼워짐

요약

위암은 국가에 따라서 발생률과 사망률의 차이가 있다. 우리나라의 2013년도 위암 발생률은 13.4%로 갑상선암의 18.9%에 이어서 2위를 차지하고 있다. 우리나라 위암환자의 5년 상대생존율은 폐암의 23.5%, 간암의 31.4% 보다는 월등하며 대장암의 75.6%와 비슷한 73.1%이다.

위암의 정확한 원인은 아직 잘 모르지만 여러 가지 유전적 및 환경적 위험요인이 복합적으로 작용한다고 알려져 있다. 위나선균의 감염은 전세계적으로 위암의 가장 흔한 원인이며 이 균의 감염과 환경적인 손상 및 인체의 면역반응이 종합적으로 점막의 위축, 장화생, 형성이상이 시작되고 진행해서 결국에는 위암을 일으킨다. 소금에 절인 음식이나 훈제 음식은 위암의 발생을 증가시키고, 신선한 과일이나 야채 및 비타민 C나 E가 풍부한 음식은 위암 발생의 위험을 감소시킨다.

위암의 발생은 다단계의 과정을 거치는데 각 단계마다 여러 가지의 유전자 및 분자 수준의 변화가 일어난다.

위나선균이 있는 환자가 양성자펌프 억제제를 장기간 사용하면 산이 부족한 환경에서 위체부에 세균의 증식이 있고 위염을 일으키므로 최초 치료 후에 증상이 계속되든지 장기간 치료가 필요한 환자는 위나선균의 제균이 반드시 필요하다.

위암은 침윤깊이에 따라서 조기위암과 진행위암으로 구분할 수 있고 각각의 경우에 육안적 형태에 따른 분류가 있다. 위암의 조직학적 분류에는 대표적으로 세계보건기구의 분류방법이 사용되지만 임상적 의의는 별로 없다.

XII 위암의 임상양상과 진단

1. 위암의 임상 증상

위암의 초기에는 증상이 없는 경우가 대부분이며, 증상이 있더라도 경미한 소화불량이나 상복부 불편감을 느끼는 정도이다. 상복부 통증이 있을 경우 위염이나 소화성 궤양과 유사한 양상을 보인다. 따라서 자신의 증상을 위염 등에 의한 것으로 판단하고 수개월 간 약물 치료만을 하다가 위암의 진단을 늦추는 경우가 많다. 현재 우리나라의 경우 상당수의 위암은 아무 증상이 없이 건강 검진으로 시행한 위내시경 검사에서 진단되고 있다.

위암이 진행되면 식욕 저하, 체중 감소, 조기 포만감, 피로감과 구토 등이 발생할 수 있다. 분문부 위암의 경우 연하 곤란이나 식사 직후 구토 등의 증상이 나타나는데 비해, 유문부 위암의 경우 위출구폐쇄로 인해 위 내에 음식물이 저류되어 상복부 중압감, 식후 어느 정도 시간이 지난 후 구토가 발생하며 악취가 나는 경우도 많다. 종괴에서 출혈이 동반되는 경우에는 흑색변, 토혈 및 이로 인하여 빈혈이 생길 수 있다. 위암이 더욱 진행하면 복벽에서 종괴가 만져질 수 있으며, 간으로 전이될 경우에는 황달, 간종대, 복막으로 전이될 경우에는 복수 등이 발생할 수 있다. 신체 검진 상 쇄골상부 림프절 종대Virchow's node, 제대주위 림프절 종대Sister Mary Josheph's node, 직장선반rectal shelf, 난소 종대Krukenberg's tumor 등이 관찰될 수 있는데 이러한 소견은 위암의 원격 전이를 의미하여 근치적 절제술이 불가능함을 의미하게 된다. 수술을 시행한 612명의 위암 환자의 주증상을 분석한 국내 보고에 의하면, 상복부 통증이나 불편감(69.1%)이 가장 흔하고, 그 뒤를 이어 무증상으로 검진에 의해 발견된 경우(17.2%), 위장관 출혈(6.4%), 오심-구토(2.8%), 체중 감소(1.8%) 등의 순서로 흔했다고 한다.

위암 유병률이 매우 낮은 서구에서는 위암을 의심할 수 있는 증상으로 경계 증상alarm symptom이라는 개념을 사용하고 있다. 경계 증상에는 연하곤란, 체중 감소, 구토 및 토혈, 흑색변, 빈혈, 철결핍성 빈혈 등의 위장관 출혈 증상을 포함되며, 이러한 증상이 있을 때는 2주 이내의 신속한 위내시경 검사를 추천한다. 하지만 진단 당시 대부분이 진행 위암으로 발견되는 미국에서도, 단순한 소화불량 환자 중 위와 같은 경계 증상이 없는 경우도 40% 정도로 보고되고 있다는 점을 주목하여야 한다.

반면 우리나라나 일본과 같이 위암 유병률이 높은 나라에서는 일반인을 대상으로 하는 위암 검진이 추천된다. 우리나라에서는 1999년부터 국가암조기검진사업의 일환으로 위암 검진을 시행하고 있다. 현재 위암 검진은 40세 이상의 성인을 대상으로 위내시경검사 또는 상부위장관조영술을 2년 간격으로 시행하는 것을 추천하고 있다. 위암에 대한 검진을 많이 시행하고 있는 한국 및 일본에서의 보고에 의하면 검진에 의해서 발견된 위암은 증상이 있어서 발견되는 위암에 비해 조기위암의 비율이 15-30% 높아서 42-58% 정도이며, 5년 생존율 또한 15-30% 높은 것으로 보고되고 있다. 또한 건강 검진으로 위암이 발견된 환자 중 최근 2년 이내에 위내시경을 반복적으로 시행했었던 군의 조기위암 비율은 96%로, 2년 이상 위내시경을 시행하지 않았던 군의 71%보다 유의하게 높았다는 국내 연구 결과도 최근에 보고된 바 있다.

2. 위암의 진단

위암의 진단 방법으로는 위내시경과 상부위장관조영술이 있으며, 병기 평가 방법으로는 복부 전산화단층촬영이 임상에서 가장 흔히 사용되고 있다. 그 외 병기 평가 방법으로는 복부초음파, 내시경초음파, 진단복강경, 양전자방출단층촬영, 복부 자기공명영상, 뼈스캔 등이 있다. 2003년 대한위암학회에서 전국 64개 기관, 97명의 위암 전문의를 대상으로 시행한 설문 조사에 의하면 위내시경을 제외한 위암의 수술 전 평가 항목에 대한 질문에 대해 모든 응답자가 복부 전산화단층촬영을 필수 검사로 시행하며, 상부위장관조영술은 32%, 뼈스캔은 16%, 복부초음파는 15%, 내시경초음파는 5%의 응답자가 필수 검사로 시행하고 있다고 응답하였다. 진단복강경, 복부자기공명영상, 양전자방출단층촬영 등은 11-40%의 응답자가 선택적으로 시행하고 있다고 응답하였다.

1) 위내시경

위내시경은 위암 의심 시 가장 우선적으로 고려할 수 있는 위암의 진단 방법이다. 술자에 따라 차이가 있겠지만, 위내시경 및 조직 생검의 위암 진단율은 98% 정도까지 보고되고 있다.

조기위암 중 융기형 병변의 경우 직경이 2cm 이상이면 암이 포함될 가능성이 크다. 함요형 조기위암의 경우 궤양성 병변에 의해 점막집중 현상이 나타나게 되는데, 집중하는 점막 주름은 함요면을 향하여 가늘어짐tapering, 곤봉상 비대clubbing, 융합fusion, 중단interruption, 벌레 먹은 모양moth-eaten appearance 등의 변화가 나타나며 이러한 변화는 원칙적으로 양성 궤양에서는 보이지 않는다(그림 1-61A).

진행위암의 경우 융기성 또는 궤양성 종괴 형태로 관찰되며, 3개 이상의 점막 주름이 합쳐지는 댐 형성dam formation은 진행위암의 내시경적 특징 중 하나이다(그림 1-61B). Linitis plastica로도 불리는 Borrmann 4형 진행위암의 경우 종양이 점막하 성장 양식을 보이므로, 미만성의 침윤이 있어도 궤양은 발견되지 않거나 아주 적은 병소에만 국한되어 있는 경우가 흔하다. 위내강은 종양 침윤으로 인해 보통 좁아져 있으며 신전성이 감소된 소견을 보인다(그림 1-61C).

위내시경에서 위암이 의심되는 소견이 관찰될 경우, 궤양의 가장자리를 따라 4곳 이상에서 조직 생검을 하는 것이 추천되고 있다. 궤양 중심부에서의 조직 생검은 괴사조직만 포함될 가능성이 높으므로 추천되지 않는다. 위암의 생검 위음성은 5% 이내로 보고되고 있으며, 위음성의 원인으로는 암성조직이 표면의 아주 좁은 범위에만 국한되어 있는 경우, 심한 괴사에 의해 괴사조직만 채취된 경우, 내시경적 접근이 곤란한 경우 등이 거론되고 있다.

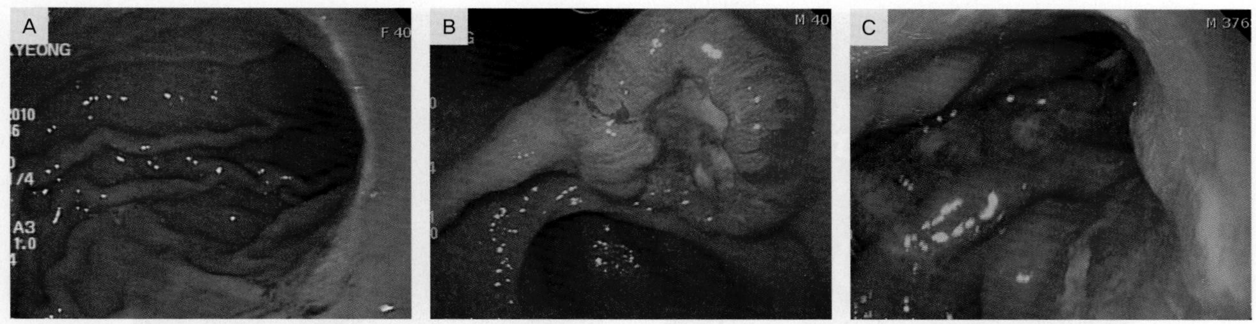

그림 1-61 **위암의 위내시경 소견.** A) 조기위암. 궤양성 병변 주위로 점막주름의 가늘어짐(tapering), 융합(fusion), 중단(interruption), 벌레 먹은 모양(moth-eaten appearance) 등이 관찰되는 EGC IIc 병변이다. B) 진행위암. 궤양성 종괴 형태를 보이는 Borrmann type III에 해당하는 병변이다. C) Borrmann type IV 위암. 명확한 궤양이나 종괴는 관찰되지 않으나, 위내강이 좁아져 있고 내시경으로 공기를 주입해도 늘어나지 않는 소견을 보인다.

위내시경 검사로 조기위암과 진행위암을 감별하는 정확도는 90% 정도로 매우 높은 것으로 인정되고 있으나, 조기위암 중 내시경점막하박리법endoscopic submucosal dissection 적응증의 중요한 요인인 점막층과 점막하층의 내시경적 감별 정확도는 60-80% 정도로 비교적 낮게 보고되고 있다.

2) 상부위장관조영술

상부위장관조영술은 위내시경 검사와 더불어 위암의 진단에 필수적인 진단법의 하나이다. 현재 국가암조기검진사업에서도 위암 검진을 위해 위내시경검사 또는 상부위장관조영술을 추천하고 있다. 상부위장관조영술 상 양성궤양은 경계가 뚜렷하고, 원형이며, 궤양의 깊이가 위강 밖까지 돌출되어 있으며, 궤양둔덕은 궤양이 중심부에 위치하면서 서서히 정상부위로 이행한다. 반면 위암은 경계가 불규칙하고, 종괴 내에 궤양을 형성하며, 결정상을 보이고 궤양이 중심부에 위치하는 않는 경우가 많다. 위내시경 소견과 마찬가지로 점막주름의 말단비대, 융합, 단절 등도 위암을 시사하는 소견이다. 또한 진행 위암의 경우 암 부위가 뻣뻣해지는 연동운동의 소실과 압박검사 상 종괴, 즉 충만결손이 관찰된다. 상부위장관조영술의 위암의 진단율은 90% 내외로 보고되고 있다.

상부위장관조영술은 위내시경 검사에 비해 간편하며 저침습적이라는 큰 장점이 있지만, 의심되는 병변에 대한 조직 검사를 위해서는 위내시경을 다시 시행해야 하며, 술자의 숙련도에 따른 진단율의 차이가 크고, 위내시경과 비교하여 가격에 큰 차이가 없으며, 최근에는 복부전산화단층촬영 영상을 이용해서도 상부위장관조영술과 거의 같은 수준의 영상을 얻을 수 있다는 점 등의 이유로 최근에는 식도-위 경계부 암 등에서만 선택적으로 시행되는 경향이 있다. 위배출구 폐쇄를 동반한 위암의 경우 수술 전에 바륨을 이용한 상부위장관조영술은 추천되지 않는다.

3) 복부 전산화단층촬영

복부 전산화단층촬영은 비침습적이며, 검사가 쉽고, 복부와 골반강 전체를 평가할 수 있기 때문에 위암 병기 평가의 기본검사로 사용된다. 위암의 진단 및 병기 평가를 위한 복부 전산화 단층활영은 일반적으로 다량의 물이나 발포제를 마신 후 촬영하는데, 위벽의 내층 및 위암 병변이 조영 증강되어서 물로 인해 저음영으로 보이는 위내강과 구별이 가능해진다. 위암의 침습 정도를 평가하는데 있어서는 조기위암보다는 진행위암에서 장막 침범 여부 및 주위 장기 침범 여부를 판정하는데 많이 적용이 된다. 즉, 위주변 지방조직 침윤 소견이 관찰되면 장막층 침범을 시사하고, 환자를 다른 각도로 눕히고 재촬영한 영상에서 정상적으로 나타나는 위와 주변 장기 간의 미끄러

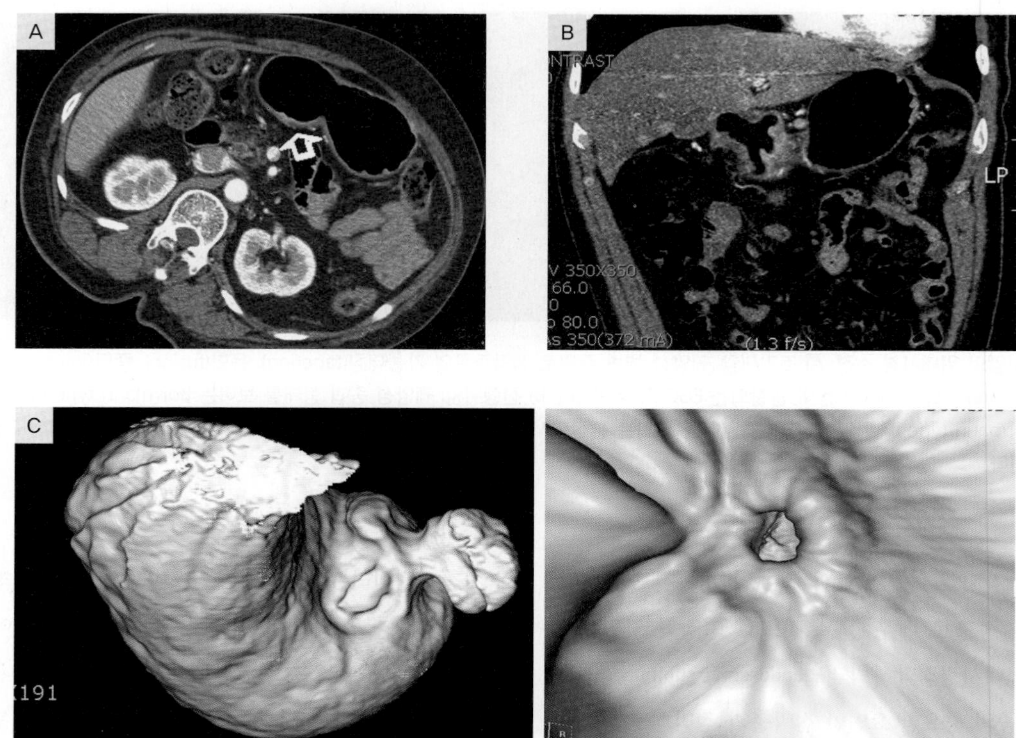

그림 1-62 위암의 복부전산화단층촬영 소견. A) 조기위암. 조영 증강을 동반하는 점막 비후(mucosal thickening)가 관찰되며 위주변 지방조직 침윤은 관찰되지 않는다. B) 진행위암. 조영 증강을 동반하는 점막 비후(mucosal thickening)가 관찰되며 위주변 지방조직 침윤은 관찰되지 않는다. C) 전산화 단층촬영 영상을 3차원적으로 재구성하여 상부위장관조영술 또는 위내시경과 유사한 영상을 만들 수 있다.

짐 소견sliding sign이 관찰되지 않을 경우 주변 장기 침범을 시사하게 된다. 반면 위내시경에서 관찰된 병변이 발견되지 않거나 점막하층을 의미하는 저음영 띠stripe의 침범이 없으면 조기위암(T1)을 시사한다. 최근 다검출기 나선형 전산화단층촬영의 도입으로 T 병기 정확도가 크게 향상되어 77–84% 정도의 정확도를 보인다고 한다(그림 1-62A, B).

반면 복부 전산화단층촬영상 전이 림프절의 정의에 대해서는 연구자마다 조금씩 다른 기준을 제시하고 있으나, 일반적으로 크기, 조영증강, 내부 괴사 등이 주요한 기준으로 사용된다. 림프절 전이 판정의 정확도는 59–64% 정도로 T 병기 판정에 비해 상대적으로 낮다. 전산화 단층촬영은 원격 전이의 평가에 있어서 대단히 유용하게 사용되며, 복강내 전이, 간내 전이, 난소 전이, 골(척추 및 골반뼈) 전이, 부신 전이, 요관 전이 등을 찾을 수 있다.

최근에는 영상을 3차원적으로 재구성을 통해서 자기공명영상과 마찬가지로 다양한 각도의 영상 및 가상내시경 영상 등도 제공할 수 있다(그림 1-62C).

4) 복부초음파

예전에 위암의 수술 전 M 병기 결정을 위해 많이 사용되었던 복부초음파는 최근 복부 전산화단층촬영 기술의 발전, 간 외의 전이 여부 평가의 한계, 검사자에 따른 정확도의 차이, 전산화단층촬영과 비슷한 가격 등으로 인해 현재는 상당 부분 전산화단층촬영 검사로 대체되고 있다. 하지만 여전히 간내 병변 중 낭종성과 고형성 병변의 감별, 동반된 담낭 질환의 존재 여부 등의 평가에 많은 도움을 준다.

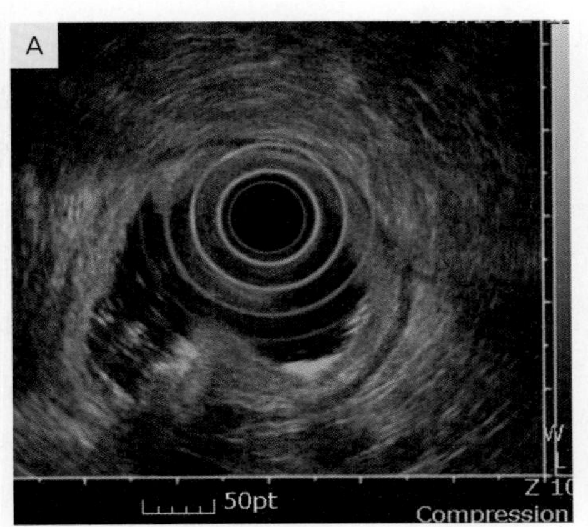

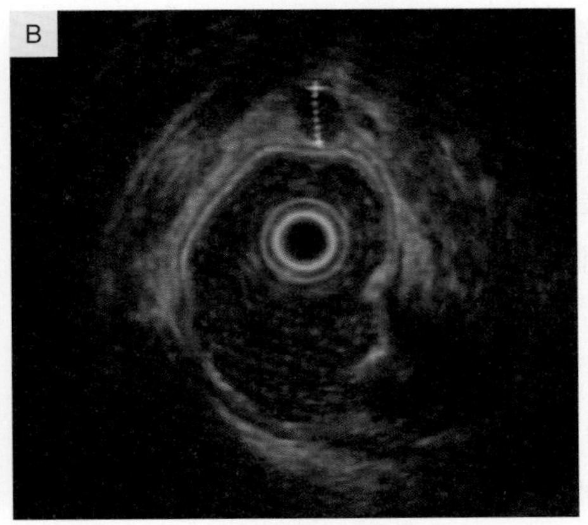

그림 1-63 위암의 초음파내시경 소견. A) T 병기 결정. 탐색자의 좌측으로 제2층의 고에코층까지의 침범하고 있어서 점막하층까지의 침범(T1b)이 의심되는 소견이다. B) N 병기 결정. 탐색자의 위쪽으로 크고 둥글며, 경계가 매끈하고 저에코도를 보이는 림프절이 관찰되며 암 전이가 의심된다.

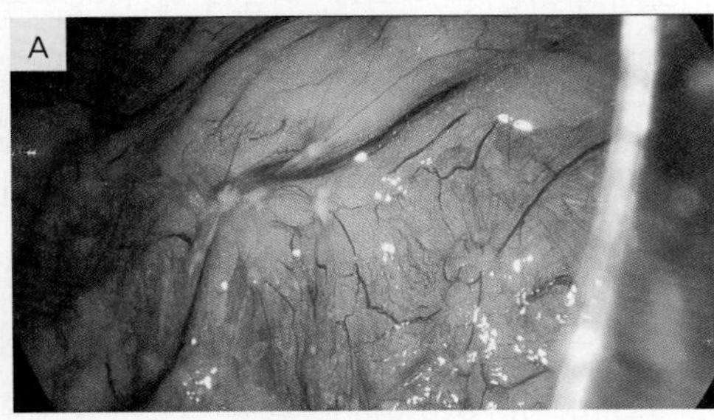

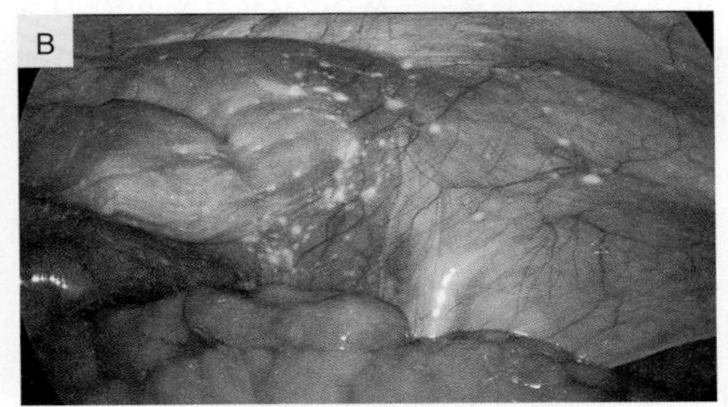

그림 1-64 위암의 진단복강경 소견. 수술 전 복부전산화단층촬영에서 복막 파종의 가능성이 언급되었던 환자로 진단복강경 검사 상 대망(A)과 복벽(B)에 다수의 복막 파종이 관찰되고 있다.

5) 내시경초음파

1980년 Di Magno 등에 의해 처음 소개된 내시경초음파는 현재 임상에서 위암의 침습 깊이 및 림프절 전이 여부 평가에 활발하게 적용되고 있다. 정상 위벽의 내시경초음파 상은 기본적으로 5층 구조로 관찰된다. 즉, 제1층의 고에코층은 점막층, 제2층의 저에코층은 점막근판muscularis mucosa, 제3층의 고에코층은 점막하층, 제4층의 저에코층은 고유근층, 제5층의 고에코층은 장막하층과 장막층을 나타낸다. 내시경초음파는 5–20MHz까지의 주파수 범위에서 검사가 가능한데 고주파수 탐색자는 침습 깊이를 평가할 때, 저주파수 탐색자는 림프절 전이 여부를 평가할 때 주로 사용된다.

내시경초음파를 이용한 침습 깊이를 평가할 때의 정확도는 각각 78–92%로 상당히 높은 정확도를 보인다. 특히 최근에는 복강경수술의 적응 여부 결정에 중요한 조기위암과 진행위암의 구별 및 내시경점막하절제술의 적응 여부 결정에 중요한 점막암과 점막하층암의 구별에, 내시경초음파를 이용하려는 시도가 한국과 일본을 중심으로 활발히 이루어지고 있다(그림 1-63A).

내시경초음파 상 전이 림프절의 정의는 복부 전산화단층촬영과 마찬가지로 아직 표준화되어 있지 않은데, 일반적으로 크기(5mm 이상), 둥근 모양, 저에코도, 매끈한 경계 등의 요소를 고려하여 평가한다(그림 1-63B). 림프절 전이 여부 평가의 정확도 역시 63–78% 정도로 보고되고 있어서, 침습 깊이 평가의 정확도에 비해 아직은 한계가 있다.

6) 진단복강경

복강경 장비 및 기술의 발달, 수술 전 항암화학요법의 적용 증가와 함께 최근 진단복강경 검사가 진행 위암을 대상으로 활발히 시행되고 있다. 진단복강경은 주로 전산화단층촬영에서 놓치기 쉬운 5mm 이하의 복강내 파종 결절, 간표면 전이 병변, 소량의 복수 존재 여부 등 원격 전이를 보다 정확하게 평가하는 동시에, 주위장기 침범으로 인한 절제 불가능 여부를 평가하기 위해 시행한다. 전신 마취 후 배꼽 주위로 1개의 투관침을 삽입하여 원격 전이를 평가한 후 필요에 따라 1-2개의 투관침을 추가로 삽입하여 조직 검사, 주위장기 침범 여부 등을 평가하게 된다(그림 1-64). 수술적 절제가 가능하다고 판단되면 검사와 동시에 절제술을 시행할 수 있다. 진단복강경을 이용하면 기존의 검사로 확인된 소견 외에 10-40%의 환자에서 추가적인 소견을 얻을 수 있으며, 10% 내외의 환자에서는 기존 검사에서 의심되었던 소견이 위음성이었음을 확인할 수 있다고 보고되고 있다.

뒤에 기술할 제7판 UICC/AJCC TNM 병기 분류에서는, 복강세척 상 암세포의 존재가 M1으로 새롭게 추가되었다. 복강세척 상 유리암세포 존재 여부는 진단복강경을 시행하지 않고서는 확인할 수 없으므로, 향후 진단복강경 검사의 적용은 보다 증가할 것으로 예상된다. 또한, 진단복강경 검사 중 복강경 초음파를 이용하여 진단 정확도를 높이려는 노력도 시도되고 있다.

7) 양전자방출단층촬영

18F-FDG (fluoro-2-deoxyglucose) 양전자방출단층촬영(PET)을 위암의 병기 결정, 치료 반응 평가, 및 재발 진단 등에 적용하고자 하는 노력이 최근 활발히 시행되고 있다. 양전자방출단층촬영은 특히 기존의 복부 전산화단층촬영으로 확인할 수 없는 복강외 원격 전이 여부를 평가할 수 있으며, 림프절 전이 진단의 정확도에 있어서도 기존의 복부 전산화단층촬영 보다 나은 결과를 보여주고 있다. 최근에는 기존의 양전자방출단층촬영 검사를 다중검출 전산화단층촬영multi detector CT와 결합시킨 PET/CT가 개발되어 활용되고 있다.

하지만 양전자방출단층촬영 검사는 위암의 분화도에 따라 진단율에 큰 차이를 보이고 있다. 즉, 인환세포 위암이나 점액형 위암의 경우에는 15-33%의 낮은 예민도를 보이므로 이들 아형의 위암인 경우 양전자방출단층촬영 시행을 신중히 결정해야 한다. 또한 복강외 전이 가능성이 매우 낮은 조기위암의 경우에는 전산화단층촬영 검사상 이상 소견이 발견된 환자의 이차 검사로서 양전자방출단층촬영 검사를 시행하는 것이 추천된다.

8) 기타 검사

단순흉부촬영은 환자의 수술 전 순환기 및 호흡기 평가로서의 역할 뿐 아니라, 위암의 폐 전이 여부를 평가하는 병기 평가 도구로서의 의미를 가지고 있다. 뼈스캔은 진행 위암, 특히 복부 전산화단층촬영이나 단순흉부촬영상 뼈 전이가 의심되는 환자에서 뼈 전이 여부를 확인하는 중요한 검사이다. 복부자기공명영상은 간전이 병변이나 위암의 주변장기 침범을 보다 정확히 판정하기 위해 시행된다. 자기공명영상은 촬영 시간이 전산화단층촬영에 비해 길기 때문에 환자의 호흡, 장 운동, 맥박 등으로 인해 생기는 운동인공음영motion artifact이 가장 큰 문제가 되고 있다. 하지만, 최근 자기공명영상의 촬영 시간이 짧아지면서 위암의 병기 평가에 활용하려는 시도가 진행되고 있다.

위암의 종양 표지자로는 CEA, CA19-9 등이 있으나, 이들 검사는 재발 예측, 예후 판정 등에는 일부 도움이 되지만 위암의 진단 방법으로 적용하기에는 민감도가 30% 내외로 너무 낮으며, 위암이 상당히 진행한 후에 증가하기 시작한다는 문제가 있다. 이를 보완하기 위해 일본을 중심으로 위축성 위염의 혈액 표지자인 펩시노겐pepsinogen I/II 비율 등에 대한 연구가 현재 진행되고 있다.

그 외 수술 전 기본 평가 항목들 중 일반혈액검사, 간기능검사 및 혈액응고검사는 위암의골수 전이 또는 간전이 가능성을 시사하는 병기 평가 검사의 하나임을 기억해야 한다.

3. 위암의 병기

1) TNM 병기 시스템의 역사적 변화

암 병기 분류의 목적은 개별 환자의 예후를 판정하고, 치료 방침을 정하며, 치료 방법에 따른 성적을 객관적으로 분석하기 위함이다. 1966년 UICC (Union Internationale Contrala Cancrum; International Union Against Cancer)에 의해 위암의 병기 분류가 처음 제시된 이후, 위암의 병기는 다양한 임상 자료에 근거하여 2010년 제7판까지 꾸준히 보완, 개정되고 있다. 1988년에는 이전에 서로 다른 병기 체제를 가지고 있었던 UICC와 AJCC (American Joint Committee on Cancer)가 통일된 분류안을 사용하기로 결정하여, 1988년 제4판부터 현재와 같은 형태의 UICC/AJCC TNM 병기 분류 시스템이 전세계 공통으로 사용되고 있다.

위암의 병기 분류는 다른 고형암과 마찬가지로 TNM (tumor-node-metastasis) 병기를 기준으로 하고 있다. T 병기는 위암의 위벽 침윤도를 기준으로 하며, 제5판까지는 T1은 점막층 또는 점막하층, T2는 고유근층 또는 장막하층, T3는 장막층 침범, T4는 주변 장기 직접 침범이 있는 경우로 정의되었다. 2002년 제6판에서는 T2 병기를 T2a(고유근층)과 T2b(장막하층)로 세분하였지만 최종 병기의 차이는 두지 않았다.

N 병기는 위 주변 림프절 전이를 의미하며, 제4판까지는 원발 위암과 전이림프절 간의 거리(N1; 원발 병변에서 3cm 이내의 위주변 림프절 전이, N2; 3cm 이상의 위주변 림프절 전이 또는 복강동맥, 좌위동맥, 총간동맥, 비장동맥 주변 림프절 전이)에 따른 분류 시스템을 사용하다가 1997년 제5판부터는 전이 림프절의 개수에 따른 분류 시스템을 사용하고 있다. 이와 같이 전이 림프절 위치에서 전이 림프절 개수로 변경된 배경은 위치에 따른 분류가 시행자마다 차이가 있을 수 있어 객관성이 떨어지고, 개수에 따른 분류가 위치에 따른 분류와 유사하거나 보다 잘 환자의 예후를 반영하였기 때문이다. 이러한 배경으로 제5판과 제6판에서는 전이 림프절의 개수가 1-6개인 경우 N1, 7-15개인 경우 N2, 16개 이상인 경우 N3로 분류하였다.

M 병기는 원격 전이 여부를 의미하며, 제1판부터 변함없이 원격전이가 없는 경우는 M0, 원격 전이가 있는 경우는 M1으로 분류하고 있다.

2) 제7판 UICC/AJCC TNM 병기 분류

2010년 1월부터 시행되는 제7판 UICC/AJCC TNM 병기 분류 시스템에서는 제6판과 비교하여, T 병기는 (1) T1을 T1a (점막층 침범)와 T1b(점막하층 침범)로 세분하였고, (2) T2a, T2b를 T2(고유근층 침범)과 T3(장막하층 침범)으로 새롭게 정의하였으며, (3) T4를 T4a(장막층 침범)과 T4b(주변 장기 침범)로 세분하였다. N 병기는 (1) N1을 N1(전이 림프절 1-2개)과 N2(전이 림프절 3-6개)로 나누었고, (2) N2와 N3를 N3a(전이 림프절 7-15개)와 N3b(전이 림프절 16개 이상)로 새롭게 분류하였다. M 병기는 전체적인 차이는 없으나, 복강세척검사상 암세포 양성 소견을 M1으로 정의하였다는 부분이 주목할 만한 변화이다(표 1-16).

(1) T 병기

고유근층 침범 위암을 T2a에서 T2로, 장막하층 침범 위암을 T2b에서 T3로, 잠막층 침범 위암을 T4a로 새롭게 정의한 이유는 크게 두 가지이다. 첫째, 식도암, 소장암, 및 대장암 등 다른 소화관 암과 조화를 이루기 위해서이다. 소장암이나 대장암의 경우 이전부터 고유근층 침범을 T2, 장막하층 침범을 T3, 내장 복막 침범 또는 주위 장기 침범을 T4로 분류하고 있었으며, 장막이 존재하지 않는 식도의 종양에서는 고유근층 침범을 T2, 외막층 adventitia 침범을 T3, 주위장기 침범을 T4로 정의하고 있다. 둘째, 기존의 국내외 보고에서 제시된 바와 같이, 제6판에서 모두 T2로 정의되었던 고유근층 위암과 장막하층 위암의 예후가 유의하게 차이가 난다는 점을 고려하여 이를 T2와 T3로 나누게 되었다.

T 병기 결정에서 주의할 점은 T4b에서 주변 장기의 정

표 1-16. 위암 UICC/AJCC TNM 병기 제7판의 정의

제7판 TNM 병기분류	
원발종양(T)	
TX	원발종양의 침윤정도를 알 수 없음
T0	원발종양의 증거가 없음
Tis	상피내암
T1	점막층(T1a) 또는 점막하층(T1b)의 침윤
T2	고유근층의 침윤
T3	장막하층의 침윤
T4	장막의 침윤(T4a) 또는 주변장기의 침윤(T4b)
림프절전이(N)	
NX	영역림프절 전이 유무를 알 수 없음
N0	영역림프절 전이가 없음
N1	1-2개의 림프절 전이
N2	3-6개의 림프절 전이
N3	7개 이상의 림프절 전이(N3a; 7-15LNs, N3b; 16 of more LNs)
원격전이(M)	
MX	원격전이 유무를 알 수 없음
M0	원격전이가 없음
M1	원격전이가 있음

의이다. UICC/AJCC TNM 병기에서는 위 주변 장기를 비장, 횡행 결장, 간, 횡격막, 췌장, 복벽, 부신, 신장, 소장, 및 후복강의 10개 장기로 정의하고 있으며, 이들 장기로의 직접 침범만이 T4b로 분류된다. 위-결장 인대나 대망, 소망 등의 침범 시에는 위 장막 침윤 여부에 따라 T3 또는 T4a로 정의하고 있다. 십이지장이나 식도로의 벽내 침윤이 있을 경우에는 T4b로 정의하는 것이 아니라, 위, 십이지장, 식도 중 종양의 장관벽 최대 침범 층에 따라 T 병기를 결정하게 된다.

(2) N 병기

N 병기 결정에서도 국소 림프절의 정의를 충분히 고려해야 한다. UICC/AJCC TNM 병기에서는 위암에서의 국소 림프절을 위 주변 림프절 및 복강동맥, 좌위동맥, 총간동맥, 비장동맥 주변 림프절만으로 제한하고, 간십이지장인대, 췌장후부, 장간막, 대동맥주위 림프절 전이는 모두 원격 전이, 즉 M1으로 정의하고 있다. 또한 N0를 제외하고는 정확한 N 병기 결정을 위해 16개 이상의 림프절 절제를 권고하고 있다.

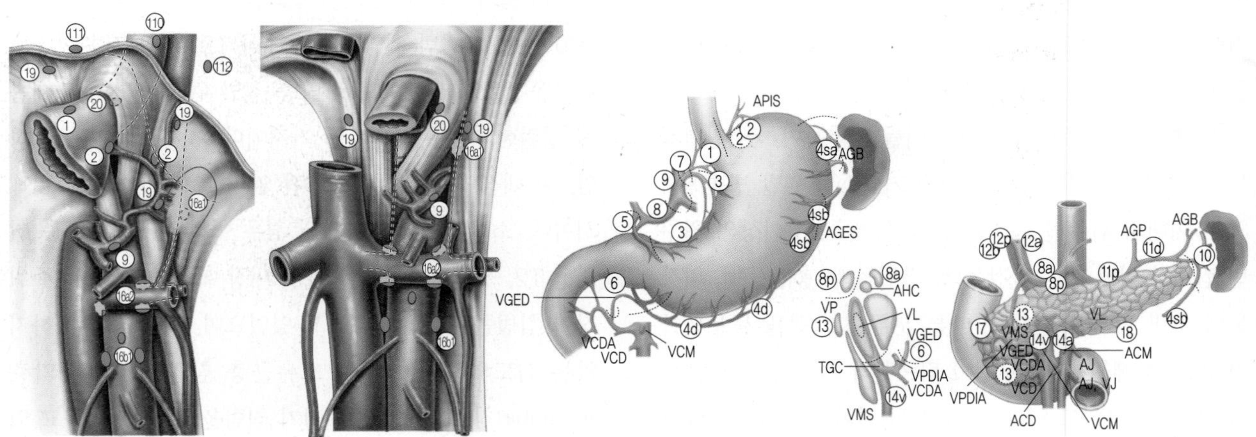

그림 1-65 해부학적 개념의 위 주변 림프절 구역(lymph node station).

APIS: 좌하횡격막동맥, AGB: 단위동맥, AGES: 좌위대망동맥, VGED: 우위대망정맥, VCDA: 우부결장정맥, VCM: 중결장정맥, VCD: 우결장정맥, VJ: 공장정맥, AGP: 후위동맥, AHC: 총간동맥, VP: 간문맥, VL: 비정맥, VMS: 상장간막정맥, VPDIA: 하전췌십이지장정맥, TGC: 위결장정맥간, ACM: 중결장동맥, AJ: 공장동맥

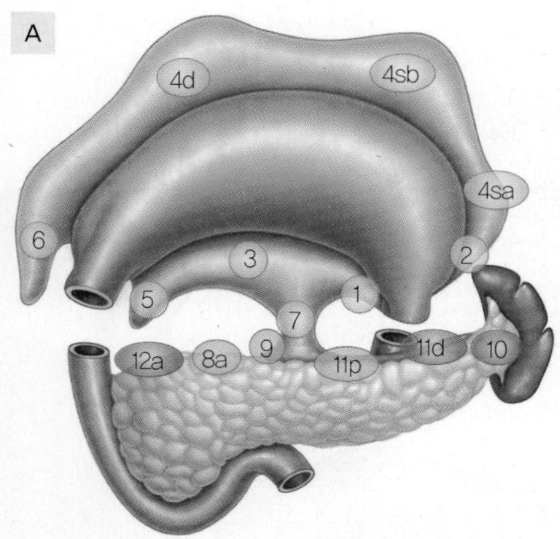

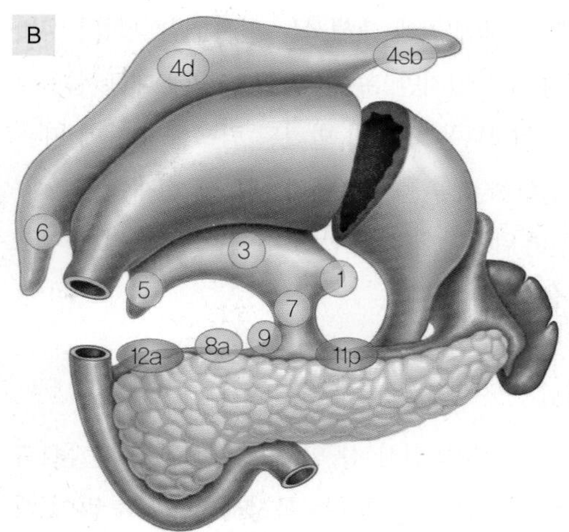

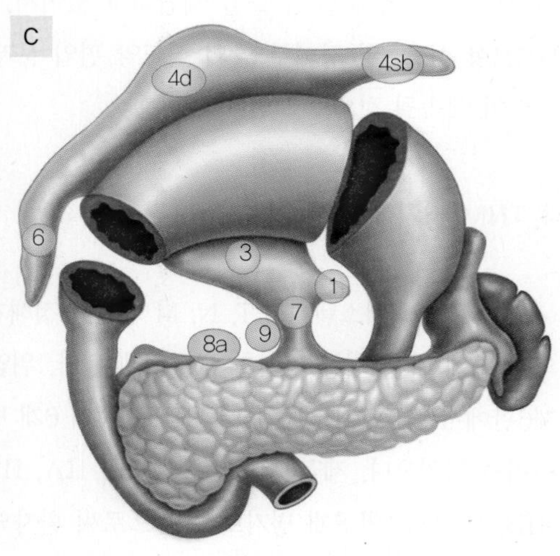

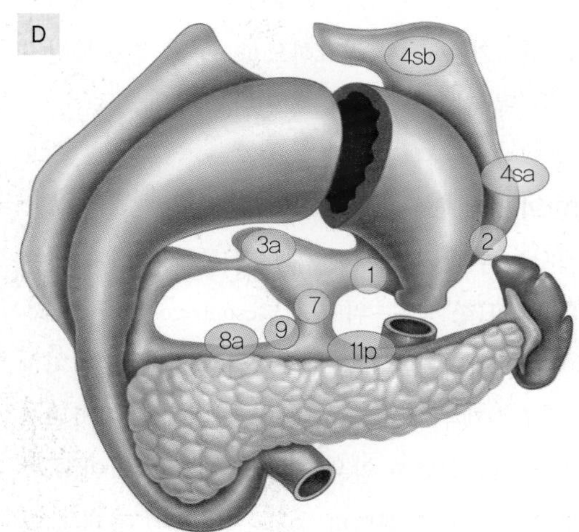

그림 1-66 일본 위암학회 위암 치료 가이드라인(2014) 에 따른 림프절 절제 범위. A) 위 전절제술 B) 원위부 위절제술 C) 유문보존위절제술 D) 근위부 위절제술

하지만 위암의 국소 림프절의 정의에 대해서는 이러한 UICC/AJCC 시스템보다는 일본위암학회에서 제시하는 국소 림프절 구역의 정의가 전세계적으로 널리 사용되고 있다(그림 1-65). 이전 일본위암학회 분류법에서는 같은 림프절 구역이라도 위암의 위치에 따라 1,2,3군 및 원격 림프절이 다르게 정의되고, 그에 따라 D1, D2, D3 림프절제 범위가 각각 정해졌다. 위암의 위치에 따른 각 구역의 전이의 가능성과 해당 구역을 절제했을 때 생존율에 도움이 되는 지 여부를 고려한 체계적인 분류법이었지만 너무 복잡하다는 평가가 있어 2010년 일본의 가이드라인부터는 위암의 위치가 아닌 수술법에 따라 림프절 절제 범위를 정의하는 방식으로 과감하게 변경하였다(그림 1-66). 이와

같은 림프절 절제 범위에 대해서는 일본위암학회의 정의가 주요 사용되고 있지만, 수술 후 N 병기에 대해서는 위치에 따른 병기보다는 전이가 발견된 림프절 숫자에 따른 병기가 더 정확히 예후를 예측하기 때문에 현재는 UICC/AJCC와 일본위암학회 분류법 모두 전이 림프절 숫자로 N 병기를 정의하고 있다.

(3) M 병기

위암에서 복강세척검사 상 암세포 양성 환자는 M1과 유사한 예후를 보인다는 결과는 복강세척검사를 많이 시행하는 일본을 중심으로 꾸준히 보고되어 왔다. 실제로 일본위암학회에서는 복강세척검사 상 양성(CY1) 환자를 M1으로 정의하고 있었는데, 이번 제7판에서 UICC/AJCC 시스템이 이를 인정한 것이다. 복강세척검사를 위해서는 진단복강경 검사가 반드시 필요하므로, 향후 진단복강경의 중요성은 더욱 강조될 것으로 보인다.

(4) 원발암의 위치

제7판에서는 위암의 정의에 대한 주목할 변화가 있는데 바로 II형과 III형 식도-위 경계부esophago-gastric junction (EGJ) 암의 제외이다. 즉, 식도-위 경계부에 위치한 암과 식도-위 경계부에서 5cm 하방 이내에 위치하면서 식도-위 경계부를 침범한 암은 제7판부터는 위암이 아닌 식도암으로 분류하기로 하였다. 이는 식도-위 경계부 암에 대해 국제적으로 널리 사용되는 Siewert의 정의를 하나의 질병군으로 모으려는 의도로 생각된다. Siewert 등은 식도-위 경계부의 상하 5cm 이내의 암을 식도-위 경계부 암으로 정의하면서 3가지 아형, 즉 하부식도암(I형; 식도-위 경계부 구측 1-5cm), 식도-위경계암(II형; 식도-위 경계부 구측 1cm-반구측 2cm), 분문하부암(III형; 식도-위 경계부 반구측 2-5cm)으로 분류한 바 있다(그림 1-67). 하지만, Siewert 본인도 I형과 II/III형은 서로 다른 림프절 전이 양상과 상이한 예후 인자를 가지므로, I형과 II/III형은 별개의 질환으로 구분되어야 하며, 수술법에 있어서도 I형의 경우 식도암에 준한 수술을, II/III형

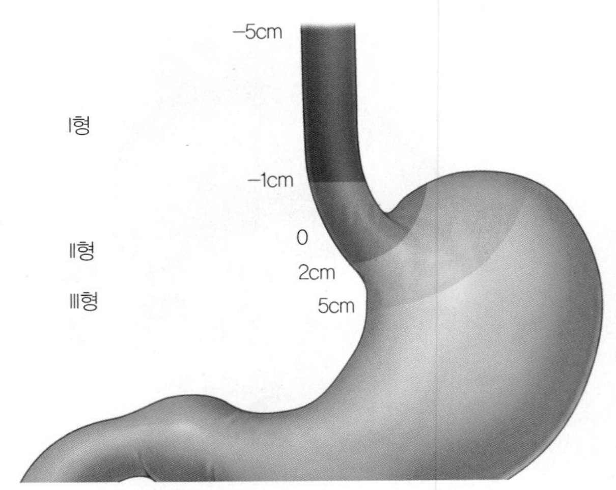

그림 1-67 식도-위 경계부(esophagogastric junction) 암의 Siewert 분류

의 경우 위암에 준한 수술을 제안하고 있어서, 제7판의 II/III형 식도-위 경계부 암의 식도암 편입 문제는 향후 논란이 계속될 것으로 보인다.

4. TNM 병기에 따른 예후

TNM 병기 시스템에서 T, N, M 병기가 정해지면 각각의 조합에 따른 최종 병기를 구성하게 된다. 위암의 경우 제6판에서는 IA, IB, II, IIIA, IIIB, IV의 6개 병기로 나누어져 있었으나, 제7판에서는 IA, IB, IIA, IIB, IIIA, IIIB, IIIC, IV의 8개 병기로 나눔으로써 환자의 예후를 보다 잘 예측할 수 있도록 조정되었다(표 1-17).

제7판 TNM 병기 시스템의 최종 병기 선정에 주요 참고 자료로 사용되었던 국내 대학병원의 9,998명의 근치적 위암 수술 환자 데이터에 의하면 각 병기의 5년 생존율은 IA는 95.1%, IB가 88.4%, IIA가 84.0%, IIB가 71.7%, IIIA가 58.4%, IIIB가 41.3%, IIIC가 26.1%로 나타났으며(그림 1-68), 모든 병기 간에는 통계적으로 유의한 차이가 관찰되었다.

하지만 최종 병기가 지나치게 세분화되어 있어서 임상에서 기억해서 사용하기 다소 어려울 수 있으며, 림프절 전이가 7개 이상인 환자군을 모두 N3군로 묶어서 지나치

표 1-17. 위암 UICC/AJCC TNM 병기 제 7판의 정의

제7판 TNM 병기분류(2010)					
		N0	N1	N2	N3
	위벽침윤도 \ 전이림프절개수	0	1-2	3-6	7-
T1	Mucosa, Submucosa	IA	IB	IIA	II
T2	Muscularis Propria	IB	IIA	IB	IIIA
T3	Subserosa	IIA	IB	IIIA	IIIB
T4a	Serosa	IB	IIIA	IIIB	IIIC
T4b	Adjacent structure	IIIB	IIIB	IIIC	IIIC

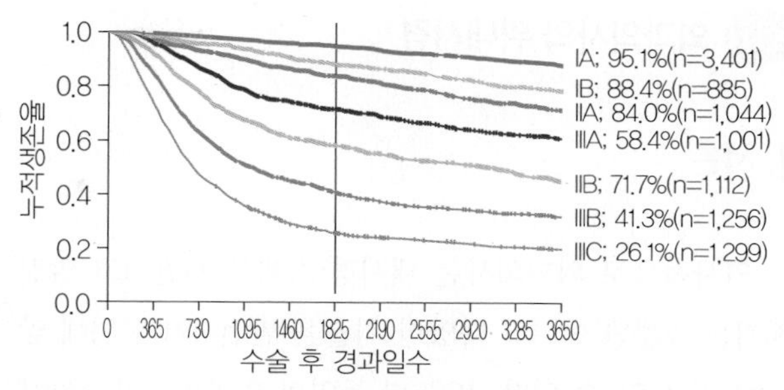

그림 1-68 제 7판 TNM 병기에 따른 위암 환자의 생존곡선. 1986년에서 2006년 사이에 국내 한 대학병원에서 근치적 절제술을 시행 받은 환자 9,998명 대상으로 작성하였다.

게 넓은 범위의 환자를 포함한 부분 등은 향후 보완해야 할 것으로 생각된다.

요약

위암의 증상으로는 상복부 통증 및 불편감, 소화불량, 식욕 저하, 체중 감소, 조기 포만감, 구토, 연하 곤란, 흑색변, 토혈, 빈혈, 복벽 종괴, 복수 등이 있으나, 위암이 상당히 진행한 후에도 이러한 증상이 없는 경우도 흔하다. 위암의 유병률이 높은 한국이나 일본에서는 위암의 조기 검진을 위해 일반인 대상의 위암 검진을 시행하고 있으며, 현재 한국에서는 40세 이상의 성인을 대상으로 위내시경검사 또는 상부위장관조영술을 2년 간격으로 시행할 것을 추천하고 있다. 위내시경은 위암 진단을 위한 가장 중요한 검사이며, 조기위암의 경우 가늘어짐, 곤봉상비대, 융합, 중단 등 궤양 주변 점막주름의 특징적인 변화를 동반한다. 진행위암의 경우 대개 융기형 또는 궤양성 종괴 형태로 관찰되나, Borrmann 4형의 경우 이러한 소견이 없이 신전성만 감소된 소견을 보이는 경우가 흔하므로 주의를 요한다. 복부전산화단층촬영은 위암 병기 결정의 가장 기본적인 검사로, T 병기 및 M 병기 판정에 유용하게 사용되나 N 병기 판정의 정확도는 상대적으로 낮다. 진단복강경 검사는 기존의 복부 CT 검사로 발견하지 힘든 5mm 이하의 복강내 파종 등을 관찰하거나, 복강 세척을 통한 암세포 존재 여부를 확인하는 데 유용하게 사용된다. 2010년부터 임상에 시행되는 제7판 UICC/AJCC TNM 병기 시스템에서는 T 병기와 N 병기의 정의 및 T, N, M 병기에 따른 최종 병기 결정 모두 크게 바뀌어 이에 대한 세밀한 주의를 요한다.

XIII 외과의사와 위내시경

1. 서론

역사적으로 외과의사는 내시경 기계를 개발하고 발전시키는 것뿐만 아니라 다양한 기술을 발전시키기 위해 앞장선 것을 알 수 있다. 1868년 독일의 외과의사인 Adolf Kussmaul은 칼을 목구멍으로 넘기는 차력사의 공연을 보고 힌트를 얻어 최초로 경성 위경을 제작하였고(그림 1-69), 1881년 Johann von Mikulicz는 광원, 송기, 렌즈로 구성된 근대 내시경의 기본형을 만들게 되는데 이 사람은 유명한 Billroth의 제자인 외과의사였다. 현대 내시경인 섬유경은 일본의 외과의사인 우치(宇治)가 1950년 올림푸스와 함께 개발한 것이 시초이다. 식도정맥류 및 상부 위장관 출혈의 내시경 치료, 경피적 내시경 위루(PEG), 내시경 역행 췌담관 조영술(ERCP)은 모두 외과의사들이 처음 시행한 것이다. 이러한 공헌에도 불구하고 외과의사들에서의 내시경 교육과 훈련은 관심영역에서 멀어졌고 대신 소화기내과 의사들이 내시경 시술의 주류가 되었다. 그들은 다양한 기술을 개발하였고 교육과 훈련을 집중함으로써 그들의 전문영역을 구축하였고 이 과정에서 외과의사들에 대한 내시경 교육이나 훈련은 극도로 소외되었다. 이러한 변화는 의학이 세분화, 전문화 되면서 외과의사들이 수술실에서 일하는 시간이 무한적으로 증가하고 내과의사들이 내시경 시술 및 개발에 투자하는 시간이 역시 증가하면서 자연스럽게 분업화 된 것이라고 볼 수 있다. 최근 시대환경의 변화는 외과의사들에 대한 내시경 교육 및 훈련의 필요성을 다시 높이고 있고, 동시에 점점 더 큰 논쟁의 영역이 되고 있다.

최소침습치료가 계속 발전하면서 위장관 수술을 담당하는 외과의사들에게 있어서 내시경의 사용은 점점 더 중요한 의미를 갖게 되었다. 질환을 진단하거나 수술을 보완하기 위한 목적으로 사용되었던 내시경은 이제는 질병을 치료하는데 직접 이용되기도 하고 수술과정에서 매우 중요한 한 부분을 차지하기도 한다. 예를 들면 위암 수술

그림 1-69 Adolph Kussmaul's first gastroscope in 1868

과정에서 수술실 내시경을 통해 절제 범위를 결정하는 등 수술계획을 세우고 방향을 설정하는데 이용되거나, 절제 후 절제면을 직접 평가하여 출혈 등의 합병증을 조기에 진단 및 치료하거나, 부적절한 절제연을 평가하여 추가적인 절제를 가능하게 하기도 한다. 내시경은 위암의 점막절제술과 같이 질병 자체를 치료하기 위한 중요한 수단이 되었으며, 위장관 수술로 인한 여러 합병증, 특히 문합부 누출이나 출혈과 같은 심각한 문제도 내시경 시술을 통해 치료하는 것이 주요한 추세가 되었다.

이러한 최소침습치료의 정점에 서있는 치료가 바로 NOTES (Natural Orifice Transluminal Endoscopy Surgery)로서 복부에 절개를 남기지 않고 입, 항문, 질 등 자연 개구부를 통해 내시경을 삽입하고 복강 내로 진입하여 담낭 절제, 충수돌기 절제 등을 시행한다는 개념이다. NOTES는 내시경을 이용한다는 점에서 소화기내과 의사들의 관심과 부합되지만 복부수술을 시도한다는 점에서 외과의사들의 영역과 겹치게 된다. 좀더 편한 내시경 기구의 개발, 인체에서의 도입 가능성, 기존 복강경 수술을 뛰어 넘는 장점 등 아직까지 해결해야 할 또는 의문시되는 문제점이 많지만 흉터를 남기지 않는 수술, 상상을 뛰어 넘는 최소침습 치료의 이상(理想)임에는 틀림이 없

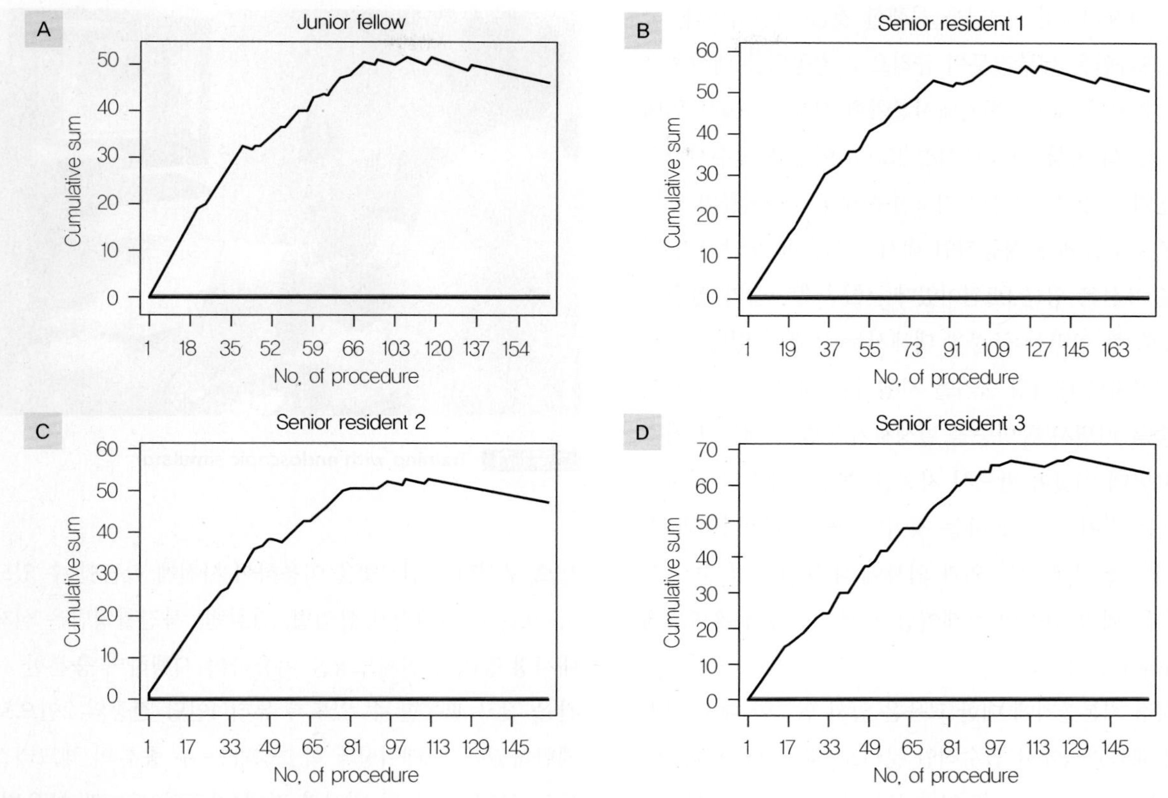

그림 1-70 **Learning curves of 4 trainees constructed using a cumulative sum model. For the junior fellow, the plateau point of the learning curve was located at the 90th procedure.** (A); for senior residents 1, 2, and 3, the plateaus were located at the 111th (B), 81st (C), and 98th (D) procedures,

다. 이에 따라 많은 외과의사들이 NOTES를 비롯한 최소침습치료에 관심을 가지게 되었으며 이는 내시경 교육의 필요성으로 연결되었다. NOTES의 도입으로 내시경의 중요성은 더욱 커졌으며 더불어 다양한 내시경 기계의 발전이 이루어 지게 되었다. 최근 도입된 POEM (Peroral Endoscopic Myotomy) 또한 내시경을 이용하여 식도이완불능증achalasia을 치료하는 수술로서 기존의 복강경 수술을 대체하는 흉터 없는 수술의 좋은 사례로 보인다. 이 밖에 위-식도 역류질환의 치료에 활용되고 있는 Esophy X, Stretta, Transoral Incisionless Fundoplication (TIF) 등도 기존의 수술적 치료를 대체하고 있는 내시경 치료의 대표적인 예라고 할 수 있다.

2. 본론

American Board of Surgery (ABS)는 외과 전공의들이 내시경 술기를 습득하고 자신감 있는 술기를 시행할 수 있도록 독려하기 위해 교육과정에 내시경 술기를 기본술기로 지정하였고 최소요구사항minimal requirement을 술기 건수로 지정하였다. 현재 ABS와 Residency Review Committee (RRC)는 위내시경 35건, 대장내시경 50건을 최소술기 개수로 권장하고 있는데 이는 미국 내시경복강경학회(SAGES)의 스터디 그룹에서 시행한 내시경 3525예 및 대장내시경 13580예에서의 연구결과에 기초한 것이다. 이에 반해 미국 소화기내시경학회ASGE는 2002년 가이드라인에서 소화기내과 펠로우들은 최소한 위내시경

130건, 대장내시경 140건을 시행할 것을 권장하였다. 국내가이드라인은 세부전문의 규칙으로 전공의를 대상으로 하지는 않으나 대한소화기내시경학회 시행규칙에서 위내시경 1000회 이상, 대장내시경 150회 이상을 필수사항으로 지정하고 있다. 저자의 기초연구에서 외과전공의 또는 외과 펠로우들에게 성공적인 내시경 시술에 도달하기 위한 학습곡선은 평균 95건이었다(그림 1-70). 술기 건수를 기준으로 한 이러한 규정에 대해서는 논란이 있다. 수술과 마찬가지로 내시경 술기를 시행하는 의사가 자신감 있게 시술을 하면서 합병증을 발생시키지 않는 적절한 기준이 필요한데 이것이 반드시 지정된 술기의 개수만 가지고 판단하는 것이 옳은가 하는 것이다. 또한 소화기내과 의사와 다른 환경에 있는 외과 의사에 대한 내시경 술기 최소기준은 외과 전공의 트레이닝 프로그램에서 유연하게 결정되어야 한다.

내시경 기본술기에 대한 교육은 앞서 언급한 대로 외과 전공의 교육과정에서 필수적인 분야로 대두되고 있다. 미국의 ABS도 그 중요성을 인지하고 전공의들이 적절한 교육과 훈련을 받을 수 있도록 새로운 훈련 도구들을 개발하고 발전시켜오고 있다. 이러한 프로그램의 목표는 전공의들이 단계적 과정step-wise milestone based curriculum을 이용하여 자신감 있게 내시경을 시행하고 기초적인 외과 내시경의사basic surgical endoscopist로 성장시키는 것이다. 이 과정에 수술실 내시경이나 중환자실 내시경 등을 포함한 내시경 실습(dedicated rotation)을 통해 더 많은 시간 내시경 교육에 노출되도록 하고 가능한 기관에서는 내시경 시뮬레이터 또는 FES didactic module을 활용한 교육 등을 활용하기도 한다. 국내의 경우 대한외과학회 술기연구회를 중심으로 외과 전공의에 대한 내시경 기본술기 교육을 위한 모듈을 개발하여 시행하여 왔다. 이 모듈은 3년차 이상의 외과 전공의가 대상이며 교육영상 시청 15분, 삽입법 및 관찰법 실습 95분, 그리고 평가 10분 등 총 120분의 교육시간으로 구성된다. 교육영상은 내시경의 구조, 준비, 해부학 및 삽입법 강의와 기본적인 정상 위내시경 소견, 외과의사로서 꼭 알아야 할 비정상 소견

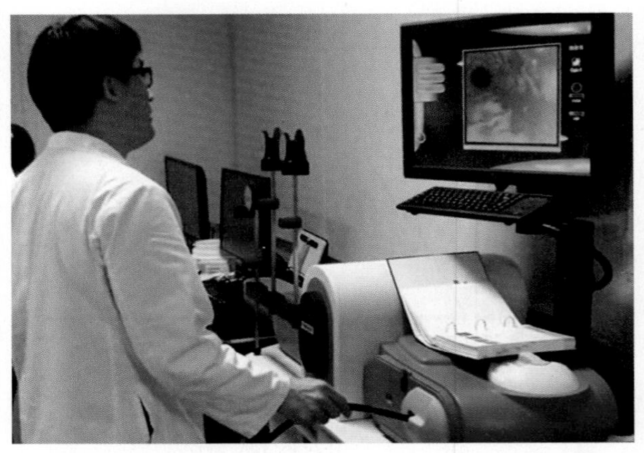

그림 1-71 Training with endoscopic simulator

으로 구성되며 인터넷을 이용하여 사전에 학습할 수 있도록 하였다. 실제적인 삽입법, 관찰법, 사진촬영법은 실제 내시경 장비와 인체모형을 이용하여 시행하며 충분한 시간을 갖고 교육할 수 있도록 튜터 1인당 전공의 2인으로 제한하였다. 트레이닝의 학습성과는 두 종류의 체크리스트로 구성하였는데 내시경 장비/기구의 기능과 사용법, 목넘김부터 십이지장 유두부까지의 정확한 관찰 등 10개의 요소가 체크리스트 1이고, 관찰 부위 8곳을 지정하여 사진을 촬영하도록 하는 것이 체크리스트 2이다.

최근 내시경 교육에 다양한 시뮬레이터가 이용되고 있다(그림 1-71). 상용화 되어 있는 시뮬레이터들로는 mechanical trainers, animal based 및 virtual reality 또는 computer-based simulators들이 대표적이며 각각의 특징이 보고되었다. 이러한 시뮬레이터들이 차세대 외과의사들인 의대 학생부터 전공의들에서 적절한 단계를 설정하여 교육효과를 나타내고 있다. 시뮬레이터를 이용한 교육이 실제 임상능력에 연결될 수 있는지 여러 연구에서 그 효과가 검증되고 있으나 장비가 매우 고가인 관계로 각 기관에서 자유롭게 구입하고 교육에 활용하기에는 문제가 있다는 지적이 있다. 이런 점에서 Texas Association of Surgical Skills Laboratories (TASSL)의 연구는 어떻게 장비를 활용하고 교육해야 하는지에 대한 해답을 제시한다. 텍사스 지역의 4개 기관에서 시뮬레

이션과 웹 기반 교육커리큘럼의 유효성을 관찰하였는데 Simbionics사의 협조하에 대여 장비를 이용하였다. 이 연구에 따르면 41명의 전공의가 참여하였고 GI Mentor II 시뮬에이터를 이용한 교육효과를 교육 전후 비교를 통해 분석하였다. 시뮬레이터 장비를 포함한 교육자료들은 기관간에 공유되었으며 이러한 다기관의 공통자료를 활용하였을 때 고가의 비용을 들이지 않고도 내시경 교육의 효과를 높일 수 있었다.

내시경 기본술기 교육이 완료된 전공의 또는 전문의는 고난이도 내시경 술기advanced procedures 교육이 필요하다. 내시경 점막절제술EMR이나 내시경 점막하박리술ESD과 같은 치료내시경, ERCP와 같은 특수내시경, 내시경을 이용한 fundoplication인 Stretta나 Transoral Incisionless Fundoplication (TIF) 와 같은 시술등이 포함된다. 내시경 기본술기와 달리 고난이도 술기의 경우 기관사정에 따라 교육이 가능한 곳도 있고 그렇지 않은 곳도 있으나 현실적으로 전공의 과정 후 내시경 전문의 펠로우 과정에서 시행하는 것이 현실적이라고 사료된다.

최소침습치료의 발달과 함께 내시경을 이용한 수술에 외과의사의 참여가 중요한 이슈가 되었다. 대표적인 술기가 NOTES와 POEM이다. 아직은 동물실험 단계에 있으나 입/위transgastric, 질transvaginal 또는 대장transcolonic을 통한 다양한 술기가 개발중이다. 내시경을 이용한 myotomy인 POEM은 점차 heller myotomy를 대체해 가고 있다. 이러한 최신 기술의 습득은 여전히 외과의사들에게는 쉽지 않은 여건이며 기관의 여건에 따라 좌우되고 있다. 대부분의 경우 정규교육과정에서 습득할 수 없는 이러한 술기는 일부 전문가의 기관에서 교육받거나 증례를 관찰하면서 배우는 것이 현실적이다.

3. 결론

시대환경의 변화에 따라 내시경 술기의 교육과 훈련은 외과의사들에게 있어서 매우 중요한 과정이 되었다. 적절한 교육이 가능하기 위해서는 각 기관이 표준화된 프로그램을 가져야 하며 이를 유지하기 위한 전문화된 교육자가 필요하다. 또한 전문의를 위한 고난이도의 내시경 술기교육을 위한 프로그램, NOTES와 같은 신기술을 습득하고 임상에 활용하기 위한 적극적인 대비가 필요하다.

요약

내시경 개발과 발전의 역사는 외과의사들의 공헌을 빼놓고는 이야기할 수 없다. 그러나 의학이 점차 세분화, 전문화 되면서 외과의사들이 수술실에서 일하는 시간이 무한적으로 증가하고 내과의사들이 내시경 시술 및 개발에 투자하는 시간이 역시 증가하면서 외과의사들에 대한 내시경 교육과 훈련은 소외되었다.

의학이 세분화하고 전문화된 21세기에 내시경 교육에 대한 관심이 높아지고 있다. 복강경, 내시경 수술과 같은 최소침습치료의 발전으로 사람의 몸에 절개를 최소화할 필요성이 높아졌고 절개나 절제를 하지 않는 내시경만을 이용한 치료법이 도입되면서 기존의 치료법인 수술과 더불어 새로운 치료의 한 축이 되었고 이는 외과의사들의 내시경 교육에 대한 필요성을 더욱 높이는 계기가 되었다.

전공의, 전문의에 특화되고 각 병원별 실정에 맞는 적절한 교육, 훈련 시스템의 개발과 함께 내시경을 이용한 신기술을 습득하고 개발하기 위한 노력이 필요하다.

XIV 위암의 치료와 예후

1. 근치적 절제술의 원칙

위암의 완치를 기대할 수 있는 유일한 방법은 수술적 절제이다. 위암 수술은 근치적이어야 하나 또한 안전하고 수술 후 신체적 기능을 보존하여 삶의 질을 유지할 수 있어야 한다. 따라서 위암 수술의 적절한 범위에 대한 논란이 지속되고 있으며 특히 림프절 절제 범위에 대한 논쟁이 계속되고 있으나, 암 수술의 근본이 되는 근치적 절제의 기본 요건인 원발병소의 완전 제거, 안전한 절제연의 확보, 전이 가능성이 있는 종양 주위의 림프계의 일괄절제에 대한 중요성은 숙지할 필요가 있다. 또한 수술 중 암의 파종을 방지하기 위해 종양을 직접 만지면 안되며, 불필요한 조작을 줄이고 혈관과 림프계를 조심스럽게 결찰하여야 한다. 2014년 일본 위암학회에서는 위암치료에 있어서 각 병원 간의 격차를 줄이고, 불필요한 치료를 없애며, 치료성적의 안정성과 향상을 도모하기 위한 위암의 치료 지침을 업데이트 하여 발표하였다. 이는 치료의 적응증에 대해서 기본 자료를 제공하기 위함이지, 치료 지침에 기재된 적응증과 다른 치료법을 시행하는 것을 규제하자는 것은 아니며, 위암의 진행 정도에 따라 치료법을 선택할 때 일상진료로서 추천되는 치료법과(그림 1-72) 치료효과에 대한 평가가 확립되지 않은 치료, 임상적 연구를 목적으로 시행할 수 있는 치료법을 제시하였다. 우리나라의 경우 다음과 같이(표 1-18) 치료 방침에 있어 일본과 크게 차이가 없으나, 기관에 따라 조금씩 차이가 있다.

2. 위절제의 범위

위 절제 범위는 수술 전 시행되는 위내시경, 위내시경 초음파, 복부전산화단층촬영 등의 검사 결과와 수술 중의 시진, 촉진 등으로 종양의 위치, 침윤 깊이와 범위를 고려하여 결정된다. 위암 진료 권고안에 의하면 조기위암이 의심되는 경우 2cm 이상의 절제연을, 진행위암이 의심되는 경우 3–5cm 이상의 절제연을 권장한다. 특히 진행성 위암에서 육안적인 종양 침윤부위로부터 근위부 절제연은 비침윤형 위암의 경우(Bormann I형과 II형) 에는 3cm 이상, 침윤형 진행암의 경우(Bormann III형과 IV형)에는 5cm 이상의 거리를 확보하는 것을 권장하고 있다. 적절한 절제연이 확보되지 않을 경우, 수술 중 동결절편검사를 시행하여 암 침윤 여부를 확인하는 것을 권장하며 이는 수술자의 판단에 따라 결정될 수 있다. 위절제의 범위는 절제연뿐 아니라 종양의 위치, 남게 되는 위의 크기 및 재건

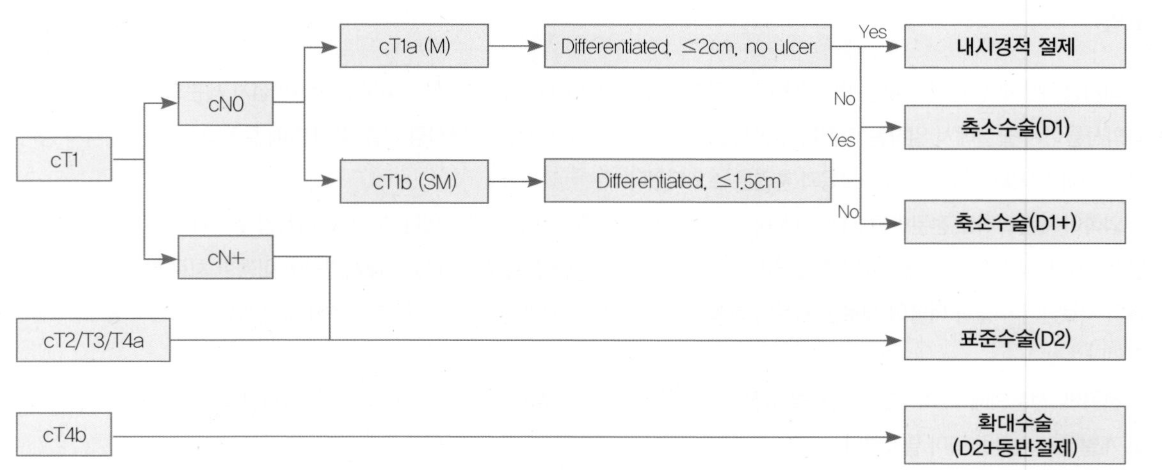

그림 1-72 일본위암학회에서 권고하는 일상진료에 있어서 병기분류별 치료법.
* 축소수술: 표준 수술 보다 적은 범위의 절제술로 대망 보존, 미주신경 보존 위절제술, 유문 보존 위절제술 등이 이에 해당함.

표 1-18. 우리나라의 일반적인 위암 치료지침

	N0	N1	N2	N3
T1 (M)	내시경절제술 축소수술	축소수술 표준수술	표준수술	확대수술 항암화학요법 방사선 치료
T1 (SM)	축소수술			
T2	표준수술	표준수술	표준수술	
T3	표준수술	표준수술	표준수술	
T4	확대수술	확대수술	확대수술	
H1, P1, M1	고식적 절제 또는 비절제 수술, 항암화학요법, 방사선 치료, 고식적 치료			

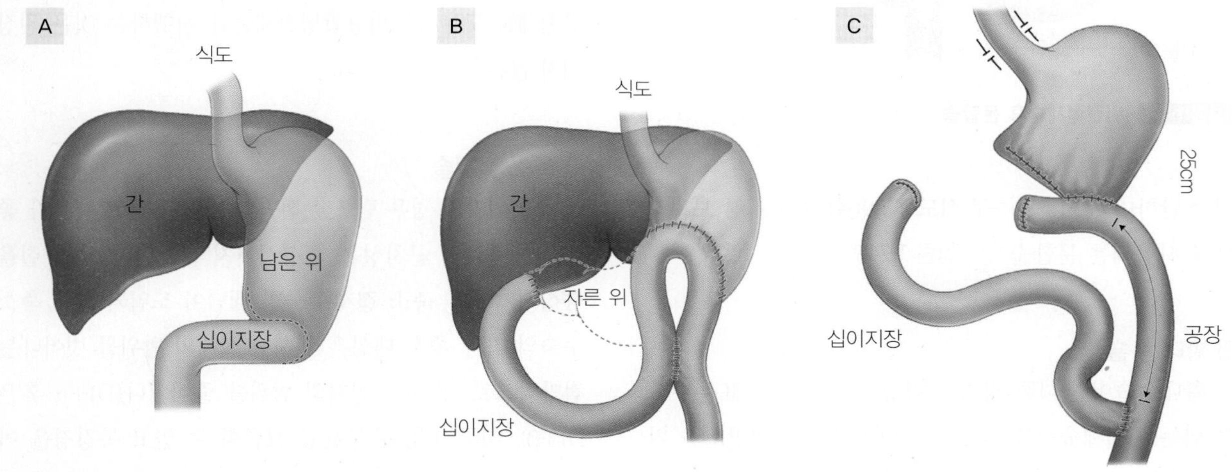

그림 1-73 원위부 위절제술후 재건방법. A) 위십이지장 문합술. B) 위공장 문합술. C) Roux-en Y 문합술

방법과도 연관이 있다.

1) 원위부 위절제술

위의 중, 하부 위암에 대한 표준 술식으로서, 원위부 절단은 유문의 2cm 하방에서 시행하며 근위부 절단은 병변의 위치 및 절제연을 고려하여 시행한다. 재건 방법은 위십이지장 문합술Billroth I, 위공장 문합술Billroth II, Roux-en-Y 문합술을 시행할 수 있으며(그림 1-73), 최근에는 수술기구의 발달로 자동 문합기를 이용하여 시행하는 경우가 많다.

2) 위전절제술

위의 상부에 위치한 위암의 수술적 치료를 위해서 시행되는 술식으로, 위의 중 하부에 위치한 위암이라 하더라도 구측으로 미만성 침윤 양상을 보여 적절한 절제연을 확보하기 어려운 경우 시행되기도 한다. 원위부 위암에서 근치성을 높이기 위해 위전절제술을 시행하는 것은 권장되지 않는다. 위의 상부에 위치한 조기 위암의 경우 위를 남길 수 있는 근위부 위절제술을 고려할 수도 있다. 예전에는 역류성 식도염의 빈도가 높고 위전절제술에 비해 삶의 질 향상과 관련된 증거가 없어 부정적인 견해가 많았으나 최근 재건술식의 변화에 따라 근위부 위절제술이 위보존 술식의 하나로 평가되고 있고 그 효과를 비교하기 위한 다기관 무작위 임상시험이 국내연구진에 의해 진행되고 있다. 위전절제시 식도는 식도-위 경계부로부터 2-3cm 상부에서 절단하고 원위부는 유문의 2cm 하방에

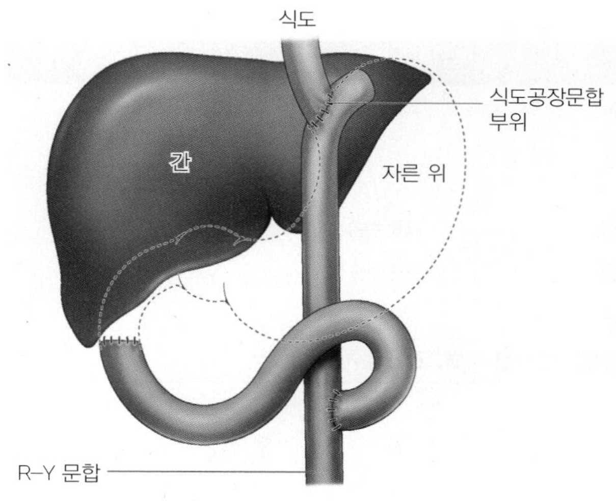

그림 1-74 위전절제술후 문합술

서 절단하며 Roux-en-Y 식도공장문합술이 가장 보편적으로 사용되는 문합술이다(그림 1-74).

3) 확대 수술

확대수술이란 다른 장기를 합병절제하는 등, 표준수술을 넘는 위절제술식을 말하며, 원발병소나 전이병소가 위 주변장기로 직접 침윤하여, 합병절제를 하지 않으면 치유가 불가능한 경우에 시행한다. 위 주변의 침윤 가능한 장기로는 비장, 췌장, 횡행결장, 결장간막, 간 등이 있고 주위장기를 침윤한 경우 이들의 절제를 위절제와 함께 시행할 경우 수술이 어려울 뿐 아니라 수술 후 합병증 발생빈도가 높기 때문에 환자의 전신상태 및 주변 장기 침윤정도, 전이병소의 존재여부 및 절제 가능성, 생존율, 삶의 질 등을 고려하여 수술의 범위를 정한다. 과거에는 위암의 병소가 위의 상부 또는 상중부에 위치하는 경우 비문부 림프절과 비장동맥 원위부 림프절 절제를 위해 비장절제술을 시행하거나 원위부췌장-비장 합병 절제술을 시행하였으나, 예후의 향상은 없이 합병증만 증가할 수 있다는 논란이 있어 왔다. 최근에는 비문부 림프절에 전이가 있거나 췌-비장에 직접 침윤이 의심될 때에만 췌-비장을 절제하는 것이 바람직하게 여겨지며 상부에 위치한 위암에서 비분부에 위치한 림프절 절제를 위해 일률적으로 비장절제술 또는 췌-비장합병절제술을 시행하는 것은 권장되지 않는다.

표 1-19. 위암 축소절제술의 종류

- 내시경적 점막절제술(Endoscopic mucosal resection)
- 기능보존 수술(Function-preserving surgery)
- 쐐기 절제술(Wedge resection)
- 국소절제 및 주위림프절제술
  (Local resection with adjacent lymphadenectomy)
- 위분절 절제술(Segmental resection)
- 유문보존 위절제술(Pylorus-preserving gastrectomy)
- 근위부 위절제술(Proximal gastrectomy)
- 복강경 수술(Laparoscopic surgery)

4) 축소 절제술

조기위암의 경우 림프절 전이의 빈도가 낮고 예후가 좋아, 암 치료의 근치성을 손상시키지 않으면서 삶의 질을 향상시키고자 축소 절제수술의 개념이 도입되었다. 축소수술의 가장 좋은 대상은 내시경 절제의 범위를 벗어나는 점막암으로, 림프절 절제의 범위를 줄이거나(D1+α 혹은 D1+β), 미주신경, 유문륜을 보존할 수 있고 복강경을 이용한 절제를 시행할 수 있다. 최근에는 복강경을 이용한 위절제 수술이 조기위암에서 활발히 시행되고 있으며 로봇을 이용한 수술도 도입되어 시행되고 있다. 축소절제술의 종류는 표 1-19와 같다.

(1) 내시경적 점막절제술

내시경적 점막절제술은 림프절 전이의 빈도가 낮은 조기위암의 치료로 받아들여지고 있으며 일반적으로 분화도가 좋고 점막층에 국한된 장경 2cm 미만의 융기형 병변과 장경 1cm 미만의 비융기형 병변이면서 궤양을 동반하지 않은 경우에 적용되고 있다. 내시경 시술의 술기 및 기구의 발전으로 현재는 내시경 점막하박리법endoscopic submucosal dissection이 많이 시행되고 있으며 이는 크기의 제한 없이 병변을 완전 절제할 수 있고 점막하층까지 박리가 가능하여 내시경적 절제술의 확대 적응을 가능하게 하였다. Gotoda 등은 5,265명의 조기위암 수술 후 조직소견을 분석하여 궤양이 동반되지 않은 점막암, 궤양이 동반된 3cm 이하의 점막암, 궤양이 없는 2cm 이하의 미분화 점막암, 3cm 이하의 궤양을 동반하지 않은 분화도가 좋은 미세점막하암(SM1)의 경우 림프관의 침윤이 없는 경우 림프절 전이의 가능성이 매우 낮으므로 내시경 치료가 가능하다고 하였다. 또한 1,043명의 점막하 침윤이 있는 조기위암의 수술 소견을 분석한 연구에서는 림프관 침윤과 종양의 크기가 림프절 전이의 독립적 예측 인자이며 장경 1cm 미만의 미세점막하암(SM1)의 경우 내시경적 절제가 가능하다고 보고하였다. 또한 최근에는 일본이나 우리나라에서 미분화형 조기위암에서 내시경적 절제의 적응증을 확립하려는 연구결과들이 나오고 있고, 기관마다 이를 확대 적용하려는 움직임을 보이고 있다.

(2) 복강경 위절제술

1994년 Kitano 등이 조기위암 환자에서 복강경 보조 원위부위절제술Laparoscopy-Assisted Distal Gastrectomy (LADG) 증례를 처음으로 보고한 이래로 복강경을 이용한 수술이 기존의 개복 수술에 비해 암 수술의 원칙을 훼손하지 않으면서 덜 침습적이고, 수술 후 통증이 적고, 회복이 빠르며, 재원기간이 짧고, 미용적으로 우수하여 술 후 삶의 질 측면에 있어서 좋은 결과를 나타내고 있기 때문에 점차 증가하고 있다. 특히 조기위암의 치료에 있어 복강경보조 원위부 위절제술은 현재 중요한 수술 술기의 하나로 자리잡았고, 최근 국내 대형 병원들의 보고에 따르면 전체 위암 수술에서 복강경 수술이 차지하는 비율이 절반을 넘어 섰다. 국내에서 시행된 다기관 임상 무작위 연구에 따르면 복강경 수술이 개복수술에 비해서 상처감염 등의 수술 후 합병증이 적은 것으로 나타났고, 다기관 후향적 연구 결과 병기별 예후의 차이도 보이지 않는 것으로 보고된 바 있다. 일본 위암학회의 치료지침에 의하면 내시경적 치료에 적응되지 않는 조기위암과 림프절 전이가 있는 조기위암, 림프절 전이가 없이 장막하층까지 침범한 위암까지를 복강경 수술의 적응증으로 하고 있다. 따라서 현재 복강경 수술은 조기위암에서 선택 가능한 수술법으로 인식되고 있다. 최근에는 진행성 위암에서 복강경 위절제술의 치료 성적을 보고하는 연구들이 발표되고 있고 중국의 다기관 임상 무작위 연구에 따르면 진행성 위암에서도 초기합병증 측면에서 복강경 수술과 개복수술이 차이가 없다고 보고되었다. 하지만 아직 무병생존율 등 종양학적 안전성에 대해서는 논란의 여지가 있는 상태로, 현재 진행 중인 대규모 임상시험들의 결과가 이러한 임상적 질문에 대한 해답을 줄 것으로 기대 된다.

(3) 유문보존 원위부 위절제술

유문부보존 위절제술은 유문륜과 위 기능을 보존하는 술식으로 수술 후 덤핑 증후군과 담즙역류를 예방하기 위한 위궤양치료의 한 방법으로 1967년 Maki 등이 처음으로 성공적으로 시행하고 보고하였다. 유문보존 원위부 위절제술은 1.5cm 정도의 유문부를 남기고 미주신경의 유문분지를 보존하고 유문부의 혈액 공급을 보존하기 위해 제5번 림프절 절제술을 시행하지 않는다. 따라서 이 술식의 적응은 제5번 림프절과 제1번림프절 등에 전이 가능성이 없는 위중부의 조기위암을 대상으로 하며 Nakajima 등은 조기위암이 유문륜으로부터 4cm 이상 떨어져 있으며, 술 중 림프절 전이가 N0, N1으로 생각되는 경우에 시행할 수 있다고 하였다. 유문 보존 원위부 위절제술은 덤핑 증후군, 위십이지장 역류 및 담석의 발생률이 적고, 수술 후 체중감소도 유의하게 적어 삶의 질을 향상시킬 수 있지만 음식물 배출 지연 등의 문제가 발생할 수 있다. 국내 연구진에 의하여 복강경하 유문보존 위절제술과 일반적인 원위부절제술 간의 덤핑증후군 발생 빈도를 비교하는 다기관 임상무작위 시험이 현재 진행 중에 있다.

(4) 위분절 절제술 및 감시림프절 생검을 이용한 위절제술

위분절 절제술은 위암으로부터 2-3cm의 거리를 두고 위를 분절 절제하는 것으로 주로 위 중부에 위치하는 조기 위암을 대상으로 하며 미주신경간지, 유문지, 우위동맥을 보존한다. 최근 유방암과 흑색종에서와 같이 위암에서도 감시림프절sentinel lymph node을 Tc 99m과 인도시아닌그린Indocyanine green을 이용하여 확인 하여 림파절 전이가 없는 경우 위 부분절제를 시행하는 감시림프절 생검을 이용한 위절제술이 시도되고 있다. 위암에서의 감시림프절 생검은 일본에서 다기관 연구를 진행한 바 있으나 위음성 비율이 예상보다 높게 나타나 임상시험이 조기종료 된 바 있다. 현재 국내연구진에 의해 감시림프절 생검에 대한 질관리 연구 후 이를 통과한 기관에서의 다기관 임상 무작위 시험이 진행 중으로 위암에서의 감시림프절 생검 위절제술의 임상적 유용 가능성을 볼 수 있을 것으로 기대 된다.

3. 림프절 절제범위

위 주변 림프절 절제는 근치적 절제술의 목적을 달성하고 암의 병기 결정을 정확하게 하기 위해서 꼭 필요하며 위암의 치료에 있어 림프절 전이 여부 및 정도는 예후를 판단하는 데 중요한 역할을 한다. 림프절 전이의 빈도는 위암의 침윤 깊이와 관련이 있어 침윤 깊이가 깊어질수록 림프절 전이율이 증가하게 된다. 점막층에 국한된 위암의 경우 림프절 전이 빈도는 3–4%에 불과하지만, 점막하층까지 침범한 경우 림프절 전이 빈도는 14–24%로 보고되고 있다. 근육층까지 침윤된 경우 림프절 전이율은 47–52%, 장막하층까지 침범된 경우는 60–70%, 장막에 노출(se)된 위암의 림프절 전이율은 75%를 상회하며 장막을 침윤(si)한 경우 80% 이상의 전이 소견을 보인다. 최근 조기위암의 치료에 있어 최소 침습 시술이 증가하고 있어, 수술 전 위벽 침윤도와 림프절 전이 여부를 정확히 진단 하는 것이 중요해 졌다. 특히 점막층에 국한된 위암의 경우, 내시경적점막절제술의 적응증이 될 수 있기 때문에 수술 전 정확한 병기 결정이 더욱 중요하게 되었다. 1998년 제정된 일본위암학회의 위암취급규약 영문판 제2판에서는 위를 3등분하여 상중하로 나누어 종양의 위치에 따라 림프절을 1군, 2군, 3군으로 분류하였다. 이는 위 주변 림프배액의 경로, 병변의 위치에 따른 해당 림프절 전이 빈도, 해당 림프절에 전이가 있을 경우의 5년 생존율, 해당 림프절을 절제 함으로써 이득을 얻을 수 있는 환자의 비율 등을 고려하여 분류된 것이다(표 1-20). 우리나라도 TMN 병기는 AJCC를 따르지만 림프절 전이 분류방법과 해부학적 개념의 영역 림프절군은 일본위암취급규약을 참고하고 있으며 위암 진료 권고안에 따르면 표준 림프절 절제는 제2군 림프절까지 절제하는 것으로 하고 있다. 하지만 점막암과 같은 조기 위암에서는 림프절 전이의 빈도가 매우 낮으므로 D2 절제술에 미치지 못하는 축소 림프절 절제술을 시행하는데, D1+α는 1군 림프절과 7번 림프절만 절제한 경우이고, D1+β는 7번, 8a번, 9번 림프절 절제를 한 경우를 말한다. 점막하층암의 경우 림프절 전이의 빈도가 20% 내외까지도 보고되고 있고 제 2군 림프절의 전이 가능성도 있으므로 D2 림프절 절제술을 권장하고 있다. 일본위암학회에서는 조기 위암의 경우 2cm 이상 미분화도 점막암이거나 1.5cm 이하의 분화형 점막하암은 림프절 절제 범위를D1+α, 림프절 전이가 없는 점막하암과 전이가 있으나 2cm 이하의 점막하암은 D1+β를 하도록 권고 하였다.

4. 림프절 절제술에 관한 논쟁점

1) D1 vs. D2 림프절 절제술

우리나라나 일본과는 달리 서구에서는 림프절 절제 범위에 있어 이견이 있어 왔고 광범위 림프절 절제술을 시행한 환자군을 축소 림프절 절제술을 시행한 환자군과 비교했을 때 5년 생존율에 차이가 없고 오히려 수술과 연관된 합병증과 사망률이 증가한다는 보고를 발표하면서 광범위 림프절 절제술을 지양하게 되었다. 대표적인 전향적 무작위 비교 연구는 400명의 환자를 대상으로 한 British Medical Research Council (MRC) 연구와 711명의 환자를 대상으로 한 Dutch 연구이며 이들에서는 D2 림프절 절제가 D1 림프절 절제에 비해 수술 후 합병증과 사망률, 입원 기간만 증가시킬 뿐 생존율에 영향을 미치지 않는다고 보고하였으나 두 연구 모두 문제점을 가지고 있다. MRC 연구의 경우 D2 림프절 절제를 시행한 환자의 57%

표 1-20. 병변의 위치에 따른 각 림프절의 전이빈도, 해당 림프절로 전이되었을 때 5년 생존율, 해당 림프절을 제거함으로써 얻을 수 있는 이득

Station	L (lower third)			M (middle third)			U (upper third)			LMU (entire stomach)		
	Incidence	5YSR	Benefit	Incidence	5YSR	Benefit	Incidence	5YSR	Benefit	Incidence	5YSR	Benefit
1	6.2	25.0	1.6	15.0	52.6	7.9	38.0	31.7	12.0	32.7	11.3	3.7
2	7.1	0.0	0.0	3.4	25.0	0.9	22.0	23.2	5.1	18.2	8.0	1.5
3	40.9	42.2	17.3	44.8	58.7	26.3	45.1	37.9	17.1	66.0	17.8	11.7
4	34.2	42.3	14.5	26.8	48.4	13.0	14.5	20.5	3.0	53.1	19.0	10.1
5	10.5	37.5	3.9	2.4	33.3	0.8	3.0	0.0	0.0	14.2	18.8	2.7
6	46.3	46.0	21.3	14.6	26.8	3.9	6.8	6.3	0.4	37.7	18.7	7.0
7	23.4	34.9	8.2	22.6	46.5	10.5	26.9	19.7	5.3	44.4	18.5	8.2
8	24.5	30.6	7.5	11.0	41.5	4.6	10.2	20.0	2.0	30.6	19.2	5.9
9	12.8	30.4	3.9	11.0	47.5	5.2	16.0	20.6	3.3	18.5	20.7	3.8
10	3.8	0.0	0.0	11.9	33.3	4.0	17.4	21.6	3.8	21.6	7.4	1.6
11	6.7	15.4	1.0	6.3	21.4	1.3	16.1	11.4	1.8	20.6	3.7	0.8
12	9.0	29.6	2.7	1.6	33.3	0.5	2.5	0.0	0.0	4.4	0.0	0.0
13	8.3	0.0	0.0	0.0	0.0	0.0	2.5	0.0	0.0	5.6	0.0	0.0
14	14.6	14.3	2.1	8.7	0.0	0.0	10.0	0.0	0.0	4.5	0.0	0.0
16	13.1	18.2	2.4	7.4	0.0	0.0	12.1	0.0	0.0	26.5	11.1	2.9

Incidence = 해당 림프절에 전이된 환자의 수 / 해당 림프절 절제를 시행한 환자의 수

5YSR(5 year survival rate) : 타 림프절 전이와 관계없이 해당 림프절에 전이가 있을 경우 생존율

Benefit : 해당 림프절을 제거함으로써 이득을 얻게 되는 환자의 비율

에서 췌장 미부와 비장 절제술이 시행되어 이로 인한 합병증의 빈도가 46%에 이르고 있어 췌-비장 절제를 배제할 경우 D2 림프절 절제군에서 생존율 증가 효과가 있을 가능성이 있음을 언급하였다. 또한 Dutch 연구의 15년 추적관찰결과 D2 림프절 절제술을 시행 받은 경우 D1을 받은 환자군에 비해 위암관련 사망이 유의하게 낮음이 보고된 후 현재는 서양에서도 D2 림프절 절제술을 권장 하고 있다. 하지만 여전히 D2 림프절 절제술 시행 후 합병증 및 사망률이 높아 National Comprehensive Cancer Network (NCCN) 및 European Society for Medical Oncology (ESMO) 등에서도 수술의 경험이 풍부하고 치료를 제대로 할 수 있는 큰 기관에 한하여 시행할 것을 권고하고 있다. 2006년 타이완의 Wu 등은 경험이 많고 숙련된 3명의 술자에 의해서 D1 림프절 절제술 110명과 D2 이상 림프절 절제술 111명의 환자를 대상으로 비교 연구를 시행하였는데 이 연구에서는 D2 이상의 림프절 절제를 시행한 군에서 5년 생존율이 D1 림프절 절제를 시행한 군에 비해 유의하게 높다고 보고하였고 같은 환자를 대상으로 한 연구에서 D2 이상의 림프절 절제를 시행한 경우 합병증의 빈도가 더 높았지만 받아 들일만 한 정도이며 두 군 모두에서 수술로 인해 사망한 환자는 없었다고 보고하였다. 우리나라나 일본의 경우, D2 림프절 절제술이 D1 림프절 절제술에 비하여 우월하다고 후향적 연구를 통해 결론을 내리고 있지만 이에 대한 전향적, 무작위 연구를 하는 것은 환자들로부터 설명에 의한 동의를 얻기가 어려운 점이 있다. 하지만 D2 림프절 절제술과 관련하여 수술 합병증 및 사망률이 낮고 생존율의 향상이 있음을 보고하고 있어 현재까지 D2 림프절 절제 술이 표준 수술법으로 자리 잡고 있다.

2) 대동맥 주위 림프절 절제술

위장관 림프 흐름은 대부분 대동맥 주위로 모아지며, 상부 위암의 경우는 1번과 2번 림프관이 곧장 대동맥 주변으로 흘러 들어가기 때문에 대동맥 주위 림프절 절제술

이 필요하다고 생각되었다. 이에 13판 일본위암취급규약에서는 대동맥주위 림프절을 기존 4군에서 3군으로 수정하였다. 하지만 JCOG (Japan Clinical Oncology Group)의 D2와 D2+PAN (paraaortic node) 림프절 절제술을 비교한 연구 결과가 발표되었는데 합병증이나 사망률에는 큰 차이는 보이지 않았지만 D2+PAN 림프절 절제술이 생존율 향상의 효과가 없어 일상적인 대동맥주위 림프절 절제는 피해야 한다고 결론지었다. 따라서 림프절 절제술의 효과가 D2 범위에서 최대화 되는 것으로 생각할 수 있는데, 대동맥 주위 림프절 전이가 있는 환자에서의 PAN 림프절 절제술 시행 필요성에 대한 논의가 일본을 중심으로 있기는 하나 현재 그 근거는 명확하지 않다.

3) 상장간막정맥(14v) 림프절 절제술

14v 림프절은 과거에는 3군 림프절로 분류되던 것이 1998년 일본위암학회 위암취급규약 영문판 2판에서 2군 림프절로 분류되었다. 하지만 14v 림프절 전이가 있는 경우 예후가 좋지 않고 림프절 절제술의 효과가 불명확하여 현재 표준 수술법(D2)에서 제외 되었고, No.6 림프절에 전이가 있는 경우에서는 시행할 것을 권장하고 있다.

5. 항암화학요법과 방사선요법

현재 위암에서 유일한 완치 방법은 림프절 절제를 동반한 근치적 절제술이다. 미국의 국립 암 데이터베이스에 따르면 수술을 시행 받은 환자 중 29%만이 보조적 항암화학요법 또는 방사선요법을 시행 받았으며 71%의 환자들은 보조요법 없이 수술만 시행 받았다. 현재 우리나라에서는 많은 외과, 내과 전문의들이 진행성 위암 환자에게 보조요법을 시행하고 있으나 몇 퍼센트의 환자들이 보조요법을 시행 받는 지에 대한 정확한 통계는 없으며 실제로 많은 수의 환자들이 보조요법 없이 수술만으로 치료되고 있다. 이는 위암 치료에 있어 수술의 역할이 그만큼 크다는 것을 시사하며 항암화학요법 및 방사선요법은 수술보다는 그 효과가 적다는 것을 의미하는 것이기도 하다. 서양에서 발표된 자료에 따르면 수술을 시행한 위암에서 5년 생존율은 병기에 따라 1기 75%, 2기 50%, 3기 25% 정도로 보고되고 있는 반면 국내와 일본 발표에 따르면 5년 생존율은 1기 90%, 2기 70%, 3기 50% 정도로 높으나, 4기의 경우 국내와 일본에서도 5년 생존율은 10% 정도에 불과하다. 또한 근치적 절제술을 받은 경우에도 많은 환자에서 재발이 일어나며 재발 시 예후는 매우 불량하다. 따라서 5년 생존율을 증가시키고 재발을 막기 위한 다학제적 치료 방법에 대한 많은 연구들이 시행되었고 수술 외 보조요법의 효과를 규명하였다. 대표적인 연구로 미국에서 시행된 Southwest Cancer Oncology Group trial (INT-00116), 영국에서 시행된 British MRC randomized trial (MAGIC trial), 2007년 American Society of Clinical Oncology (ASCO) annual meeting에서 발표된 프랑스의 ACCORD 07-FFCD 9703 trial과 일본의 ACTS-GC trial, 그리고 우리나라가 주도한 CLASSIC trial 등이 있다.

1) 보조항암화학요법과 보조항암화학방사선요법

암의 근치적인 수술 후 항암화학요법과 항암화학방사선요법은 수술 후 미세 잔존암을 제거함으로써 재발을 막고 생존율을 높이기 위해 시행된다. 특히 진행성 위암인 경우 상당수의 환자에서 근치적 수술에도 불구하고 재발을 보이기 때문에 생존율을 높이기 위한 다양한 보조요법이 연구되었다.

영국에서 2기 이상의 위암 및 하부식도암 환자 503명을 대상으로 시행한 MAGIC trial은 수술 전/후에 epirubicin, cisplatin과 5-fluorouracil(5-FU)을 사용한 환자군과 수술 단독군을 비교한 연구이다. 항암화학요법을 시행한 군의 전체 5년 생존율은 36%로 수술단독군이 23%였던 것에 비해 유의하게 높은 결과를 보였다 (p=0.009). 그러나 이 연구는 하부식도암과 위-식도 분문부암이 25%이상 포함되었으며 D2 림프절 절제가 약 38% 환자에서만 이루어져 충분한 림프절 절제를 시행하지 못한 점, 그리고 수술 단독군의 5년 생존율이 25%로 한국과 일본에 비해 현저히 낮았으며 수술 전 항암화학요법 및 수술 후 항암화학요법이 병행됨으로 술 전과 술 후 항암화학요법 중 어느 쪽이 치료효과를 가져왔는지 정확히 판단할 수 없다는 점 등이 문제점으로 제기되었다. ASCO 2007에서 발표된 프랑스의 ACCORD 07-FFCD 9703 trial에서도 5-FU와 cisplatin 병합요법을 수술 전/후에 사용한 환자군이 수술 단독군에 비해 5년 무병생존율 및 전체 생존율이 유의하게 높았음을 보고하였다. 그러나 이 연구 또한 MAGIC trial과 비슷한 문제점을 안고 있어 두 연구의 결과를 우리나라에 그대로 적용하기에는 한계가 있다. 아시아권에 근치적 절제술 후 보조항암화학요법에 대한 신뢰할만한 근거를 제공한 연구는 2007년 일본에서 시행된 ACTS-GC trial로써 2기 및 3기 위암환자를 대상으로 D2 림프절 절제를 동반한 근치적 절제술 후 S-1을 투여한 연구로, S-1 투여군에서 수술 단독군에 비해 유의한 생존율 향상을 보고하였다. 현재 일본에서는 SPIRITS trial을 통해 진행성 위암에서 S-1과 cisplatin의 병합요법이 효과가 있음을 확인하였고 이러한 일련의 연구 결과로 S-1의 사용빈도가 높은 편이다. 우리나라, 중국, 대만이 참여한 CLASSIC trial은 1035명의 환자에 대해 술 후 6개월 간 capecitabine, oxaliplatin을 투여한 군과 수술 단독군을 비교하였는데, 항암화학요법군의 5년 무병생존률은 68%로 수술 단독군의 53%보다 유의하게 높은 결과를 보였고 ACTS-GC trial과 함께 술 후 보조항암화학요법의 치료 근거를 제공한 연구로 평가되고 있다. 항암화학방사선요법에 관한 중요한 연구는 미국에서 시행된 INT-0116 trial로 근치적 절제술이 시행된 IB에서 IV기의 위암환자 603명을 대상으로 술 후 5-FU/leucovorin과 radiotherapy의 병합요법을 시행하여 그 결과를 발표하였다. 이 연구에서 항암화학방사선요법군은 수술 단독군에 비해 무병생존율과 전체생존율에서 우수한 성적을 보였으나 90%의 환자에서 D0 또는 D1 림프절 절제를 시행하였으며 생존율이 현저히 낮아 일반적으로 D2 림프절 절제를 시행하는 한국에서는 받아들여지기 힘들다. 2012년 한국에서 시행된 ARTIST trial은 술 후 capecitabine/cisplatin과 radiotherapy의 병합요법군과 capecitabine/cisplatin의 항암화학요법군을 비교한 연구로 항암화학방사선요법의 생존율 향상 효과를 보여주는데 실패하였는데, 이는 환자의 약 60%가 IB 또는 II의 병기로 확인되어 상대적으로 항암치료의 효과가 적었기 때문으로 생각하고 있다. 그러나 현재 항암화학방사선요법에 대한 다양한 연구가 시행되고 있어 향후 방사선치료의 역할이 좀 더 명확히 규명될 수 있을 것이라고 생각한다.

2) 선행보조항암화학요법

선행보조항암화학요법neoadjuvant chemotherapy의 주된 목적은 원발종양의 크기를 감소시켜 병기를 하강시킴으로 근치적절제술R0 resection을 가능하게 하고, 미세전이의 조기 치료로 재발률 및 생존율을 향상시키는 것이다. 그러나 수술 전 정확한 병기판단이 어려워 과잉치료의 가능성이 있으며 항암화학요법 투여로 인한 부작용으로 수술 기회를 잃거나 수술적 치료가 늦어질 가능성이 있다. 따라서 선행보조항암화학요법은 적절한 환자의 선별 및 항암제의 선택이 중요하다.

선행보조항암화학요법의 연구 중 Dutch Gastric Cancer Group (DGCG)의 FAMTX trial은 수술 전 FAMTX (5-FU, methotrexate, Adriamycin)를 4회 시행하여 근치적 절제율을 높이는 것을 목표로 하였으나, FAMTX의 높은 독성과 낮은 반응률로 인하여 조기 종료되었다. 그러나 MAGIC trial에서는 86%의 환자가 선행보조항암화학요법을 시행하였으며 이 군에서 유의한 T, N병기의 하강과 함께 5년 생존율의 향상을 보고하였다. 또한 ACCORD 07-FFCD 9703 trial에서도 77%의 환자가 선행보조항암화학요법을 시행하였으며 근치적 절제, 5년 생존율과 전체 생존율에서 유의한 결과를 보고하였다. 이 두 연구는 앞에서 기술하였듯이 여러가지 문제점을 안고 있으나 병기하강을 보였다는 점에서 선행보조항암화학요법의 가능성을 제시하였다. 최근 유럽에서 진행되고 있는 CRITICS trial은 술 전 ECC (epirubicin/cisplatin/

capecitabine)로 항암화학요법을 시행하고 술 후에 ECC와 radiotherapy의 항암화학방사선요법의 효과를 추적 관찰하고 있어, 향후 유럽의 표준치료에 개선점을 제시해 줄 것으로 기대하고 있다.

현재 선행보조항암화학요법의 유용성을 밝히기 위해, "선행보조항암화학요법 후 수술+보조항암요법과 수술 후 보조항암요법의 효과를 비교"하는 다기관 임상무작위 시험인 PRODIGY가 우리나라에서 진행 중에 있다.

3) 복강 내 항암화학요법

수술 후 재발환자의 많은 수에서 복막재발이 일어난다. 복막재발은 수술당시 원발암이 장막을 뚫고 이미 미세전이가 일어났거나 절단된 조직 또는 림프관이나 혈관을 통해 암세포들이 방출됨으로 일어나는 것으로 생각된다. 복막의 미세전이는 혈관신생이 일어나기 전까지 전신적인 항암제의 투여로 효과를 볼 수 없다는 점이 복강 내 항암화학요법의 근거로 제시되기도 한다. 현재 복강 내 항암화학요법에 사용되는 약제는 5-FU, mitomycin C, cisplatin 등이 있으며 투여 방법은 수술 중 또는 수술 후 그리고 고온의 용액을 관류시키는 방법 등이 있다. 그러나 수술시간이 연장되는 것과 합병증 발생 가능성으로 인하여 흔히 사용되고 있지는 않다. 2011년 중국의 Yang 등이 복막전이가 있는 환자에서 종양절제술 단독군에 비해 종양절제술과 mitomycin/cisplatin을 이용한 복강 내 항암요법의 병합치료가 받아들일 수 있을만한 합병증 발생률과 함께 환자의 생존률은 개선시킨다고 보고하였으나 다른 연구들의 합병증에 대한 논란 때문에 널리 받아들여지고 있지는 않다. 최근 일본에서 복막전이가 있는 환자를 대상으로 수술 전, 수술 중(복강 내 항암화학요법), 수술 후 항암화학요법을 병합한 치료 방법에 대한 몇몇 연구가 있었으나 이러한 치료방법이 받아들여지기 위해서는 더 많은 연구 결과가 필요할 것으로 생각된다.

4) 방사선요법

방사선요법은 암치료에 있어 중요한 치료방법 중 하나로 국소치료효과가 뛰어나다. 현재 미국에서는 보조항암화학방사선요법이 보편화되었으나 실질적으로 한국 또는 일본에서 위암의 치료로 방사선요법은 거의 사용되지 않는다. 그 이유는 D2림프절 절제술의 높은 국소치료효과와 위가 고정되어 있지 않아 치료범위를 결정하기 어려우며 또한 주변 장기들이 방사선에 민감한 것이 주된 원인으로 생각된다. 방사선 치료에 대한 연구는 거의 없으나 Zhang 등의 연구 결과에서 수술 전 방사선 치료 후 수술 시 근치적 절제율 및 5년 생존율에서 좋은 결과를 보였으며 Gastrointestinal Tumor Study Group에서 시행된 연구에서 수술 후 방사선 치료가 재발률 및 생존율에 기여할 수 있음을 보여주고 있다. 또한 고식적 목적으로 통증, 출혈 및 폐쇄를 보이는 환자에서 방사선 치료가 효과가 있음을 최근 연구에서 보고하고 있어 위암의 치료에 있어 방사선요법의 효용을 평가하기 위해 앞으로 이에 대한 많은 연구가 필요할 것으로 생각된다.

6. 고식적 치료

절제가 불가능한 위암이나 간이나 복막전이 등의 원격전이를 동반한 위암의 경우에도 출혈, 폐쇄, 통증 등의 증상 완화를 위해 고식적인 수술을 시행할 수 있다. 고식적 치료를 하는 경우 치료적 절제와 직접 비교할 수는 없겠지만 잔여 생존 기간 동안 삶의 질을 향상시키고 생명 연장의 효과를 얻을 수 있다. 고식적 수술에 의한 생존 기간 연장의 효과는 대조군 설정이 어려워 정확하게 판정할 수 없지만 절제군과 비절제군을 비교하였을 때 절제군에서 생존 연장 효과는 그 의의가 인정되고 있다.

1) 간전이 병변이 있는 경우

위암의 간전이가 있는 경우 근치적 절제술을 시행할 경우 1년, 3년, 5년 생존율이 73-77%, 34-38%, 34-38%까지 보고되고 있으나, 간전이가 있는 경우 복막전이, 광범위한 림프절 전이, 주위장기 침윤 등이 동반되어 있어 수술적 치료가 어려운 경우가 많다. 위암의 간전이 병변에 대한 치료는 정립된 것이 없으며 지금까지는 전신적 항암 항암화학요법, 간동맥내 항암제 주입, 수술적 절제, 고주파 치료 등이 시도되고 있다. 간전이 병변에 대한 수술적 치료는 일차 병소의 진행 정도, 간전이 병변의 개수와 위치, 다른 전이 병소의 존재 여부, 환자의 전신 상태 등에 따라 결정 해야 하며 단일 병변인 경우 간절제의 가장 좋은 적응증이 될 수 있다. 또한 동시성 병변에 비해 이시성 병변인 경우 간절제 후 예후가 더 좋다는 보고가 있으나 논란이 있다. 특히 최근에는 고주파 치료를 통해 간전이 병소를 효과적으로 제거할 수 있다는 보고들이 있으나 환자의 수가 많지 않아 고주파 치료의 효과를 평가하기에는 제한이 있다.

2) 복막 전이 병소가 있는 경우

복막 전이를 동반한 위암의 빈도는 10-20%로 보고되고 있으며 이러한 경우 아직 확립된 치료 방침이 없어 전신적 항암치료, 원발 위암 병소 및 복막절제술, 수술 중 또는 수술 후 복강내 항암약물 투여 등의 치료가 시도되고 있다. 원발 위암 병소와 함께 복막 전이 병소를 함께 제거하는 경우 절제하지 않는 경우에 비해 생존율 향상에 도움이 된다는 보고가 있으나 제한된 복막 전이가 아닌 경우에는 수술적 치료가 삶의 질 향상 및 생존율 향상에 도움이 되지 않는다는 보고도 있다. 복막전이 정도를 분류하고 이에 따라 적절한 치료방침을 세우기 위해서는 더 많은 연구가 필요한 실정이다.

3) 유문부 폐쇄를 동반한 경우

유문부 협착이나 폐쇄가 동반된 위암의 경우 음식 섭취가 불가능하기 때문에 근치적 절제가 불가능하더라도 절제 가능한 경우 절제하는 것이 생존기간 연장이나 삶의 질 향상에 도움이 된다. 대부분의 경우 위공장 문합술을 시행하며 최근에는 내시경을 이용한 스텐트 삽입을 통해 효과적으로 폐쇄 증상을 완화시킬 수 있게 되었다. 하지만 스텐트 삽입의 경우 삽입된 스텐트가 다시 폐쇄되거나 스텐트의 이동, 천공, 출혈 등의 합병증이 발생할 수 있다.

7. 예후

위암의 예후 인자로는 TNM 병기, 수술의 근치도 등이 가장 중요한 인자로 생각되고 있다. 위암 환자의 5년 생존율은 55.9-64.5% 정도로 보고 되었으며 근치적 절제를 시행한 경우 이보다 더 높아 64.8-70.2% 정도로 보고 되었다. 위벽 침윤 깊이가 깊어질수록, 림프절 전이 정도가 증가할수록 생존율은 감소하며 수술의 근치도는 위암의 예후인자로서 매우 중요하다고 하겠다. 원격 전이가 없고 근치절 절제수술이 시행된 위암의 예후 인자로서 종양의 침윤 깊이와 림프절 전이 이외에도 종양의 위치, 육안적 분류, 조직 분화도, 종양의 크기, 림프관 및 신경 침윤, Lauren 분류, 환자의 성별이나 연령, 보조 항암항암화학요법 등이 보고되고 있으나 이에 대해서는 문헌마다 차이가 있다. 지금까지 미국과 유럽에서의 위암 환자 5년 생존율이 우리나라와 일본에 비해 낮은 것으로 알려져 왔으나, 최근의 연구 결과에 따르면 그 차이가 많이 줄어든 것으로 보인다. 또한 위암이 많은 동양권 내에서도 기관마다 예후에 차이를 보인다. 따라서 위암 환자의 예후가 지역적 차이보다는 D2 림프절 절제술과 항암치료 등의 표준화된 치료가 시행되었는지 여부에 더 영향을 받는 것으로 생각된다(표 1-21).

최근 차세대 염기서열 분석Next Generation Sequencing (NGS) 기술 등의 발달로 암을 그 분자적 특징에 따라 구분하고 이에 따라 차별화된 방법으로 치료하는 정밀의학(Precision Medicine)을 실현하고자 하는 노력들이 있다. TCGA (The Cancer Genome Atlas) 프로젝트를 통해 위암도 그 분자적 특징에 따라 4가지 아형으로 분류될 수 있음이 밝혀졌고, 이에 따라 예후 및 항암치료에 대한 반응이 다르다는 보고들이 있다. 또한 각 개개인의 환자 암을 대변할 수 있는 아바타 모델로서 PDX (Patient Derived Xenograft) 모델에 대한 연구가 활발히 진행되고 있다. 향후 이러한 연구들이 더욱 가속화 될 것으로 예상되며, 이에 따라 위암에 대한 치료 방법도 더욱 세분화 되면서 정교해 질 것으로 기대 된다.

표 1-21. 국내 및 외국에서 보고된 위암의 5년 생존율

	국내 한 대학병원 (대한민국) 2006-2010	Memorial Sloan Kettering, 1995-2005	Beijing Cancer Hospital 1995-2005	West China Hospital 2006-2010	Japan 다기관 (일본위암학회) 2001-2008
환자 수	4,877	711	958	1,105	11,261
1기	94.90%	90%	78%	91.60%	90.10%
2기	81.20%	60%	48%	67.90%	70.50%
3기	51.60%	44%	28%	42.70%	41.80%
4기	21.60%	21%	14%	15.00%	19.00%
수술사망률	0.20%	2%	0.90%	0.40%	NA

요약

위의 근치적 절제술은 위암의 완치를 기대할 수 있는 유일한 방법이다. 근치적 절제는 원발병소의 완전 제거, 안전한 절제연의 확보, 전이 가능성이 있는 종양 주위 림프계의 일괄절제를 기본으로 한다. 위 절제의 범위는 종양의 위치, 침윤 깊이와 범위를 고려하여 결정한다. 병변이 위의 중, 하부에 위치하는 경우 원위부 위절제술이, 위의 상부에 위치한 경우에는 위전절제술이 표준술식이며, 원발병소나 전이병소가 위 주변장기로 직접 침윤한 경우 침범 장기를 합병절제하는 확대 수술을 할 수 있다. 최근 조기위암을 대상으로 수술 후 합병증을 줄이고 환자의 삶의 질을 향상시키기 위해 내시경적 점막절제술이나 기능보존 수술 등의 축소 절제술이 시행 되고 있다. 위암의 림프절 절제범위에 대해 오랜 기간 논쟁이 있어 왔으나 현재는 D2 림프절 절제술이 표준 술식으로 자리 잡고 있다. 2, 3기 위암의 경우 D2 림프절 절제술 후 보조항암화학요법을 시행 하는 것이 환자의 예후 증진에 도움을 주며, 절제 가능한 위암에서의 수술 전 선행보조항암화학요법은 현재 임상연구가 진행 중에 있다. 복강 내 항암화학요법과 방사선요법은 일부 환자에서 예후 증진에 도움을 줄 수 있을 것으로 기대하고 있으나 더 많은 연구가 필요한 상황이다. 최근에는 위암의 분자적 특징에 따른 맞춤형 치료를 통해 정밀의학을 실현하기 위한 여러 연구들이 있어 더욱 세분화되면서 정교한 위암치료가 가능해 질 것으로 기대 된다.

XV 소장의 해부와 생리

소장은 섭취된 영양분을 소화시키고 흡수하는 데에 있어 가장 주된 역할을 하는 위장관이다. 소장은 또한 인체 내에서 면역학적 활동이 활발한 세포들과 호르몬을 생성하는 세포들의 가장 큰 저장고로서 면역계와 내분비계의 가장 큰 기관이라 할 수 있다.

최근 들어 특정한 유전자 산물들이 소장의 발달과 재생, 질병의 발생에 기여한다는 것이 알려지고 있다. 또한 기술의 발달은 그에 상응하는 최소침습수술이나 로봇보조수술을 소장치료에 응용할 수 있게 하였고, 비침습적으로 소장 전체의 점막을 볼 수 있는 캡슐형내시경도 가능하게 하였다. 그리고 짧은창자증후군의 치료에서는 경장관 영양에 관한 대규모 연구결과를 바탕으로 많은 발전과

치료 성적 호전이 있다. 소장 이식의 영역은 활발히 연구중이며, 장차 짧은창자증후군을 비롯한 소장 기능부전의 치료로서 기대할 수 있는 분야이다. 그러나 이러한 발전에도 불구하고 아직 크론병crohn's disease의 치료나 원인에 대하여 밝히지 못했고, 수술 후 마비성 장폐색의 치료라든가 급성 장간막허혈증의 치료성적, 짧은창자증후군short bowel syndrome의 치료부분에서는 거의 진전이 없었다고 할 수 있다. 더욱이 소장질환의 외과적 치료에 대한 신뢰성 높은 자료가 부족하고 임상적 결정을 위한 진단적 수단이 불충분하다는 점을 고려한다면, 해부학적 구조와 생리학적 기능, 병태생리학적인 철저한 이해와 임상적인 올바른 판단이 소장질환의 치료에 있어서는 매우 중요하다고 하겠다.

1. 소장의 해부학적 구조와 기능

1) 육안적 구조

소장은 성인에서 약 6m정도의 길이를 가진 관형 구조이며, 십이지장, 공장, 회장의 3부분으로 구성되어있다. 십이지장은 가장 근위부에 해당되며 췌장의 두부와 아래쪽 변연부 바로 옆쪽에 있으며, 후복막에 위치한다. 십이지장은 위장과는 유문부로 경계되어지고, 공장과는 Treitz인대로 나누어진다. 공장과 회장은 복강내에 있으며, 장간막을 통하여 후복막에 붙어있다. 공장과 회장을 나눌 수 있는 특징적인 구조물은 없지만, 십이지장을 제외한 소장의 근위부의 약 40%는 공장이고, 나머지 60%의 원위부가 회장이 된다. 회장은 회맹판막ileocecal valve에 의하여 맹장과 구분이 된다.

소장에는 원형주름plicae circulars 또는 valvuale conniventes으로 불려지는 점막의 주름들이 있고, 이런 주름들은 복부방사선적 검사상 대장과 소장을 구별할 때 도움이 된다. 이런 주름들은 근위부에서 원위부에서보다 더욱 분명하게 나타난다. 이밖에도 근위부 소장이 둘레가 더 크고, 장이 더 두껍고, 장간막에 지방층이 적고, 직혈관vasa recta이 더 길다는 특징들이 있다. 소장 점막의 또

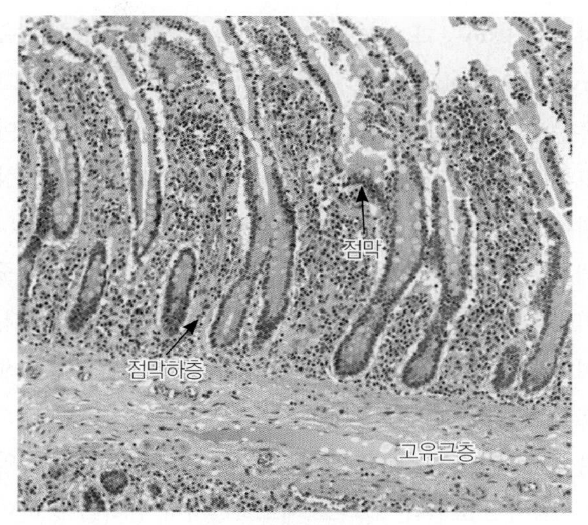

그림 1-75 소장의 조직학적 구조. 점막과 점막하층의 주름을 보여주고 있다. 주름은 원형으로 장관내측에서 육안적으로도 확인 될 수 있다(헤마톡실린-에오신 염색, ×100).

하나의 특징은 림프소포가 뭉쳐져 있다는 것이다. 이런 소포들은 회장에서 가장 두드러지게 나타나는데, 이를 페이어 반Peyer's patches이라고 한다.

대부분의 십이지장의 혈액공급은 복강동맥과 상장간막동맥들에서 이루어진다. 십이지장의 원위부와 공장, 회장은 상장간막정맥으로 들어간다. 림프액은 림프관들을 통해 장간막 림프절을 지나 가슴림프관팽대cisterna chyli에 이르고 가슴림프관을 지나 쇄골하정맥으로 흐른다. 소장의 부교감신경은 미주신경에서 유래하고, 교감신경은 내장신경splanchnic nerves에서 유래한다.

2) 조직학적 구조

조직학적으로는 소장안쪽에서부터 점막층, 점막하층, 고유근층, 장막층 이렇게 4개의 층으로 이루어져 있다(그림 1-75).

점막은 소장 내면의 가장 안쪽에 위치하며, 상피, 고유판lamina propria, 점막근으로 구성되며, 상피층은 장관내면에 노출되어, 이를 통해 흡수와 분비가 이루어 진다. 고유판은 상피의 바로 외부에 있으며 결합조직과 여러가지 세포들로 구성된다. 이 층은 얇은 근육층인 점막근에 의

하여 점막하층과 구별된다. 점막은 융모villi와 창자움crypts of Lieberkuhn으로 나누어진다. 상피와 그 아래의 고유근층의 손가락처럼 돌출된 부분을 융모라고 한다. 이 고유근층에 혈관과 림프관이 존재하게 된다. 창자움은 상피세포의 증식이 일어나는 곳이며, 각 약 250-300개의 세포가 있다. 창자움에는 아직 알려지지 않은 다기능의 줄기세포가 존재하며, 모든 상피세포는 여기에서 유래된다. 여기서 유래된 세포들이 장세포, 주배세포, 장내분비세포, Paneth 세포로 분화하게 된다. 이런 세포들은 창자움에서 융모로 이동을 하면서 분화를 하게 되는 데, 약 2-5일이 소요된다. 그리고 세포자멸사나 탈락을 통하여 제거됨으로써 세포의 수명을 다하게 된다. 그래서 소장의 상피는 지속적으로 새롭게 치환된다. 이런 높은 세포 치환율은 점막에 탄력성을 주지만, 또한 소장을 방사선 노출과 같은 여러 상해에 쉽게 영향을 받을 수 있게 한다.

장세포는 주된 흡수기능의 세포이며 장내강과 접하는 세포막에는 특별한 소화효소와 영양소 수송기전이 있으며 미세융모가 있다. 이 미세융모는 소장의 흡수면적을 약 40배 정도까지 넓히는 효과가 있다. 주배세포는 각종 병원체로부터 점막을 방어하는 점액을 생산한다. 장내분비세포는 조절작용을 하는 분비성과립이 있다는 것이 특징이다. Paneth 세포는 창자움의 기저에 위치하며, 성장인자, 소화요소, 항균펩티드를 함유하는 분비성과립을 가지고 있다. 추가로 장상피는 M세포와 상피간 림프구를 가지고 있다. 이들 세포는 면역체계에 관련된 역할을 하고 있다.

점막하층은 치밀한 결합조직과 백혈구와 섬유아세포 등 여러 종류의 세포들로 구성된다. 점막하층에는 또한 혈관과 림프관이 풍부하고 서로 연결되어 있으며, 신경섬유와 마이스너 신경절Meissner's ganglion들이 있다. 고유근층은 외피쪽은 종행의 민근육층이고, 내피쪽은 윤상의 민근육층이다. 이 근육층 사이에 근육층신경얼기Auerbach's plexus가 있다. 장막은 중피세포의 단세포층으로 이루어져있다. 이는 내장 복막의 일부이다.

2. 태생기 발달

최초로 소장의 초기 모양은 임신 후 내배엽에서 약 4주동안에 형성되는 배아의 장관튜브이다. 장관튜브는 난황과 초기에는 연결이 되어 있다가 6주경까지 점점 좁아지면서 난황관을 형성하게 된다. 이 난황과 난황관은 임신의 끝날 때에 없어진다. 이것이 완전하게 없어지지 않고 일부가 남게 되면 멕켈게실Meckel's diverticulum과 연관있는 결함으로 나타나게 된다. 또한 임신 4주 동안에 중배엽은 나누어지는데, 내배엽에 붙어있는 중배엽이 내장 복막을 만들고, 외배엽에 붙어있는 중배엽은 복벽쪽 복막을 만든다. 이 분열이 체강을 만들게 되고 이것이 복막강의 초기 모양이다. 임신 약 5주가 되면 장관이 급속히 길어지는 데, 복강의 발달보다 너무 급속히 길어져서 복강을 벗어나게 된다. 그 후로 수 주 동안 더 길게 발달한 다음에 약 10주경에 다시 복강내로 들어오게 된다. 그 결과 십이지장은 후복막에 위치하게 된다. 밀어내고 수축하는 것이 동시에 일어나면서 장관은 후복막벽을 기준으로 270도 시계반대방향으로 회전을 한다. 이 회전으로 맹장이 우하복부에 위치하게 되고, 십이지장공장 이행부위가 정중앙의 좌측에 위치하게 된다. 총간동맥과 상장간막동맥과 정맥들은 난황혈관계에서 나오게 되고, 이 난황계혈관들은 임신 3주경에 내장쪽 중배엽안에 만들어지는 혈관계에서 유래한다. 소장의 신경세포들은 임신 3주 동안에 신경튜브로부터 분리되는 신경능선 세포에서 유래한다. 이 신경능선 세포가 초기 전장primitive foregut의 중간엽 속으로 들어가서 장관내의 위치로 이동한다.

임신 6주경에 발달중인 장관의 내경은 장상피가 증식함에 따라 없어지고 그 후 수 주 동안에 장관속에 공포vacuoles가 생기게 되고, 이것들이 합치게 되면서 9주까지는 장관 속에 내경을 만들게 된다. 이런 배관화과정에 오류가 생기게 되면 소장막web또는 소장 협착과 같은 결함이 발생한다. 그렇지만 대부분 소장미형성증intestinal atresia은 이런 배관화의 오류라기보다는 기관의 발생이 다 일어난 후에 발생한 허혈성 손상과 연관이 있는 것으로 믿어진다. 임신 9주에 이르면, 소장 상피는 소장의 특징인 창자움–융모구조로 발달하고, 임신 12주까지는 기관의 발달이 완전하게 된다.

3. 생리적 기능

1) 소화와 흡수

소장의 상피는 흡수와 분비가 일어나는 곳이다. 흡수 기능의 상피 특징은 장관쪽으로 노출된 부분과 세포사이의 단단한 세포간연결부위를 가진 세포막을 가지고 있으며 운반체를 이용하여 세포막을 통과하여 용질들을 흡수하는 운반체계를 가지고 있다.

용질들은 능동적 또는 수동적으로 상피세포를 통하여 흡수가 이루어지는데, 수동적 흡수는 확산과 대류를 통하여 발생하여, 전기화학기울기electrochemical gradient에 의해 이루어진다. 능동적 흡수는 에너지를 사용하며, 전기화학기울기가 없는 경우나 그 기울기의 반대로 진행된다. 또한 능동적 흡수는 세포를 관통하여 이루어지나 수동적 흡수는 세포를 통과하거나 세포간연결부위를 통해서도 이루어진다. 세포를 통과하는 흡수기전은 특화된 세포내의 단백질 즉 막통로channel, 운반체, 펌프를 통하여 이루어진다. 현재까지 약 35종의 운반체가 유전자코드와 함께 알려져 있다. 이외의 세포외 흡수는 특정 물질에만 해당이 되며, 능동적으로 이루어지고, 특별한 세포간 연결단백질들에 의하여 조절되는 것으로 밝혀지고 있다.

(1) 수분 전해질의 흡수와 분비

매일 8–9L의 액체가 소장 내로 들어간다. 대부분은 침, 위장액, 담즙, 췌장액, 소장 분비액이다. 정상적인 경우라면, 소장은 이 액체의 약 80% 이상을 흡수하고 약 1.5L의 액체만 대장으로 넘어가게 된다(그림 1-76). 소장의 흡수와 분비는 잘 조절이 되고 있으며, 이 기능에 이상이 발생하면 수분과 전해질의 균형이 깨지고 질환을 유발한다. 수분의 흡수는 상피세포에서 나트륨이온 Na+의 능동적 흡수로 발생되는 삼투압의 차이로 인하여 일어난다. 수

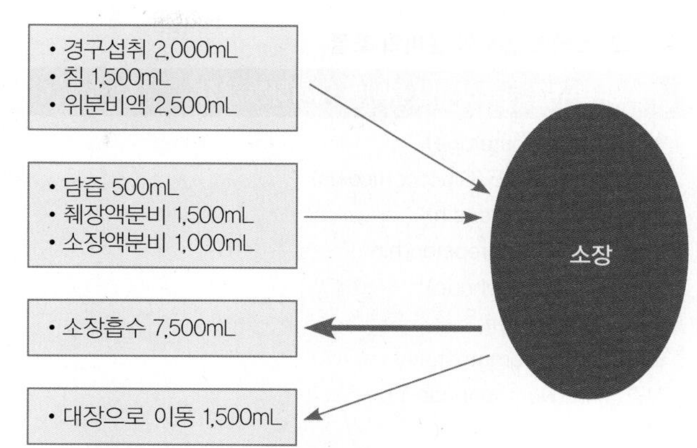

그림 1-76 소장에서의 수분이동. 소장관내에 흡수되고 분비되는 일일체액양(건강한 성인기준)

분의 분비는 클로라이드이온 Cl– 의 분비로 인한 삼투압의 차이로 이루어진다. 대부분의 수분의 이동은 세포내 경로를 통하여 이루어진다. 나트륨–칼륨 ATP 효소는 세포막의 측면에 존재하며 에너지를 사용하여, 3분자의 나트륨이온을 세포내로 흡수하는 대신 2분자의 칼륨이온을 세포외로 배출한다. 이로 인하여 전기화학기울기가 발생하고 장관내에서 세포내로 나트륨이온이 이동할 수 있게 된다. 나트륨이온은 영양소결합 나트륨이동, 나트륨 통로, 나트륨–수소이온 교환 등의 운반체계에 의하여 세포 내로 이동한다. 또 흡수된 나트륨이온은 장세포에서 혈액쪽으로 나트륨–칼륨 ATP 효소에 의하여 배출이 된다. 한편 나트륨운반체계는 융모세포에서 주로 나타나고, 창자움세포에서는 나타나지 않으며, 클로라이드이온의 운반은 창자움세포에서 대부분이 일어나기 때문에 흡수기능은 융모에서 주로 일어나고, 분비기능은 창자움에서 일어난다고 볼 수 있다. 소장의 흡수와 분비 기능은 수많은 호르몬, 신경, 면역조절인자들에 의하여 변화될 수 있다(표 1-22).

(2) 탄수화물의 소화와 흡수

탄수화물은 일반적인 서구식 식이에서 에너지 소비의 45%를 차지하며, 그 중 절반이 녹말의 형태이다. 다른 탄수화물의 형태로는 우유, 과일, 채소 등에 존재하는 갈락토오스, 포도당, 과당fructose, 설탕sucrose들이 있다. 가공된 식품에는 과당, 올리고당류oligosaccharide, 다당류poly-

표 1-22. 소장의 흡수와 분비의 조절

수분의 흡수를 자극하거나 분비를 억제하는 물질
알도스테론(Aldosterone)
글루코코르티코이드(Glucocorticoids)
앤지오텐신(Angiotensin)
노르에피네프린(Norepineprhine)
에피네프린(Epinephrine)
도파민(Dopamine)
소마토스타틴(Somatostatin)
신경펩티드(Neuropeptide Y)
펩티드(YY)
엔케팔린(Enkephalin)
수분의 분비를 자극하거나 흡수를 억제하는 물질
세크레틴(Secretin)
브라디키닌(Bradykinin)
프로스타그란딘(Prostaglandins)
아세틸콜린(Acetylcholine)
심방나트륨이뇨인자(Atrial natriuretic factor)
바소프레신(Vasopressin)
혈관작용장펩티드(Vasoactive intestinal peptide)
봄베신(Bombesin)
물질 P (Substance P)
세로토닌(Serotonin)
뉴로텐신(Neurotensin)
히스타민(Histamine)

saccharide 형태의 당류가 있다.

췌장아밀라아제는 녹말의 소화에 가장 주된 효소이다. 아밀라제에 의해 녹말이 분해되면 올리고당류, 엿당류 maltotriose, 엿당maltose, 알파한계덱스트린alpha-limit dextrin이 되지만 이 형태로는 흡수가 될 수 없다. 따라서 세포막에 존재하는 가수분해효소에 의하여 단당류로 분해되는 데, 이것들이 포도당, 갈락토오스, 과당이며 흡수가 이루어지게 된다. 포도당과 갈락토오스는 Sodium Glucose Transporter 1 (SGLT1)을 통하여 장세포 내로 이동하고, 과당은 Glucose Transporter 5 (GLUT5)를 통하여 확산에 의하여 세포내로 이동되어 정맥을 통하여 문맥계로 들어가게 된다.

(3) 단백질의 소화와 흡수

단백질은 서구식 식사에서 에너지 소비의 10-15%를 차지한다. 섭취하는 단백질 외에도 소장으로 유입되는 단백질량의 약 절반정도는 침, 위장관 분비액, 탈락된 상피세포처럼 체내에서 유래된 것이다. 단백질의 소화는 위장에서 펩신으로 시작하여 췌장의 여러 가지 펩티다제에 의하여 분해가 이루어진다. 이런 효소들은 비활성형태로 분비되는데, 담즙산이 장내에 들어오면, 엔테로키나제가 장세포에서 나와서 트립시노겐을 활성화 형태인 트립신으로 변환시키고, 트립신이 다른 단백질 분해효소들을 활성화시킨다. 단백질소화의 최종산물은 중성 또는 염기성 아미노산들과 2-6개로 구성된 펩티드들이다. 이것들은 장세포에 존재하는 펩티다제에 의하여 추가로 소화된 후 장세포막에 있는 이동체에 의하여 흡수가 되고 문맥계로 들어간다. 아미노산들 중에서는 글루타민은 장세포의 주요 에너지원으로 사용되는 특이성이 있다.

(4) 지방의 소화와 흡수

지방은 서구식 식사에서 에너지 소비의 약 40%를 차지한다. 섭취된 지방의 95%이상은 긴 사슬의 중성지방이며 나머지가 레시틴, 지방산, 콜레스테롤, 지용성 비타민들인 인지질이다.

섭취된 긴사슬의 중성지방은 기계적인 저작작용과 연동운동으로 유탁액으로 되고 중성지방의 소화는 일부 위에서 시작되지만 주로 소장에서 췌장의 지질분해효소인 리파제에 의하여 이루어진다. 담즙산은 미포micelles를 형성하는데 필요하고 이 미포는 친수적hydrophilic 부분과 혐수성hydrophobic 부분을 가진 복합체로서 장세포에 지질분해물질을 전달하는 역할을 한다. 대부분의 지방의 흡수는 근위부 공장에서 이루어지고 담즙염은 원위부 회장에서 흡수된다. 지방산결합단백질이 장세포막에 위치함으로 지방산의 흡수가 촉진된다. 장세포내에서 중성지방은 재합성되고 유미미립chylomicron과 결합하여 소장의 림프관으로 분비되어 가슴관으로 들어간다. 한편 짧은 사슬 또는 중간크기의 사슬의 중성지방은 친수성이 높아서 유미미립의 생성 과정 없이 직접 흡수되어 문맥계로 들어간다.

이런 특징은 소화기계 질환이 있는 환자들에게 영양공

급시 중요한 통로역할을 한다.

(5) 비타민과 무기질의 흡수

비타민 B12는 타액속에 있는 R단백질에 의해 결합되고, R단백질은 십이지장에서 췌장효소에 의하여 가수분해되고, 유리된 비타민 B12cobalamin가 위장의 벽세포에서 만들어진 내인성인자intrinsic factor와 결합하고, 이 결합체가 췌장효소들에 의한 가수분해를 받지 않고, 말단회장까지 이르게 된다. 말단회장에는 내인성인자를 위한 특별수용체가 존재한다. 수용성 비타민들은 특정 운반체를 통하여 흡수되고, 지용성 비타민인 A, D, E는 수동적 확산에 의하여 흡수된다. 비타민 K는 운반체와 확산의 두 가지 방법에 의하여 흡수된다.

칼슘을 칼비딘calbidin 이라는 칼슘결합단백질에 의하여 세포내를 통하거나 세포주위의 확산에 의하여 흡수되는데, 십이지장에서는 세포를 통하는 흡수가 일어나고, 소장에서는 확산에 의하여 주로 흡수된다. 비타민 D는 칼비딘의 생성을 조절함으로서 소장내를 통과하거나 세포주위 확산에 의하여 흡수가 되는데, 이 외의 다른 금속이온들은 금속운반체에 의하여 흡수가 된다고 알려져 있다.

2) 방어벽과 면역기능

소장의 상피에는 면역글로불린A, 점액, 세포막사이의 강한 결합, 항생물질 펩티드인 디펜신defensin 등의 인자들이 있어서 병원체들로부터 상피를 보호하는 기능을 한다. 장관연관림프조직Gut-Associated Lymphoid Tissue (GALT)으로 알려진 소장의 면역체계가 개체의 전체 면역세포의 약 70%를 차지한다. 장관연관 림프조직은 유도부위와 작용부위로 나눌 수 있는데, 유도부위는 페이어 반, 장간막 림프절, 소림프포체들로 구성된다. 페이어 반은 소장의 점막판에서 나타나는 B세포와 T세포들의 집합체들을 말하며, 주로 원위부 회장에 많이 나타난다. 이 결절 상부에 M세포를 가진 특별한 상피가 있고, 이 세포들은 장관쪽을 향하는 세포막에 미세주름을 가지고 있다. M세포는 미생물을 소포체를 이용한 방법으로 세포를 통과시켜서 수지상세포dendritic cell와 같은 항원전달세포에 전달한다. 이 항원전달세포들이 림프구들과 작용하여, 림프관을 통하여 장간막 림프절로 이르게 되고 여기서 림프구의 분화가 일어난다. 이 림프구들이 가슴관을 통하여 전체 순환계로 들어가서 작용부위인 장관점막에 축적된다. 또 다른 면역유도방법은 장간막 림프절에서의 항원접촉이 있을 수 있다. 활동 림프구들은 여러 가지가 있는데, B세포로 분화되는 형질세포가 있으며, 이 세포는 점막판에 위치하며 면역글로불린 A를 생성한다. CD4+T 세포도 점막판에 위치하고, CD8+T세포는 강력한 세포독성능력이 있다. 면역글로불린 A는 장상피세포에서 장관내로 운반되고, 결합되어 이중체의 형태로 존재한다. 이런 형태적 변화가 면역글로불린이 단백분해효소에 의해 분해되는 것을 막아준다. 이 면역글로불린은 미생물체가 상피로 침입하는 것을 막아주고 이미 침투된 미생물체나 항원을 장관내로 분비하는 것을 촉진시킨다. 이런 병원체에 대한 장관이 방어기능이 불충분하면 세균이나 독소가 장관내에서 전신순환계로 침투하게 되어 패혈증을 유발한다고 한다. 반대로 장관의 면역기능이 너무 항진되어 식품이나 세균의 항원에 대한 면역의 관용성이 부족하게 되면 복강질환celiac disease이나 크론 병과 같은 만성염증성 장질환이 발생될 수 있다고 여겨진다.

3) 장운동성

장관내의 근육세포들은 전기적으로 기계적으로 조화롭게 작용한다. 고유근층의 수축은 연동운동을 일으킨다. 바깥쪽 종행근육의 수축은 장관의 길이를 단축시키는 효과가 있고, 안쪽 윤상근육의 수축은 장관의 내경을 좁게 만든다. 또 점막근층의 수축으로 점막이나 융모의 운동이 가능해진다. 고유근층의 수축형태는 여러가지가 있는 데, 자극이 있는 부위의 근위부는 수축이 일어나고 원위부는 이완이 일어나는 상행 흥분–하행 이완 운동형태가 있다. 또 음식물 섭취 후 10–20분안에 시작되어 4–6시간 동안 진행되는 식후운동이 있으며 짧게 진행되는 분절운동이 있다. 이 분절운동은 음식물을 혼합시켜서 점막의 흡수면과의 접촉을 용이하게 만든다고 한다. 식간운동주기interdigestive motor cycle는 3단계로 나눌 수 있는 데, 1단계는 운동정지기이고 2단계는 불규칙적인 압력파형이 나타나는 단계이며, 3단계는 최대의 압력파형이 지속적으로 나타나는 단계이다. 이 운동형태는 약 90분에서 120분간 지속되며, 소장에서 음식잔류물이나 세균들을 배출시키는 역할을 한다. 이러한 소장 운동의 조절기능은 소장 내부의 운동조절과 외부적으로 신경호르몬적인 조절로 이루어진다. 소장의 고유근층에 존재하는 Cajal 세포들은 전기적인 느린 파형을 만드는데, 이것이 소장의 기본적인 규칙적인 운동성을 유지하는 역할을 한다. 이 느린 파형의 주기는 십이지장의 분당 12회에서 원위부 회장의 분당 7회까지 장관의 위치에 따라 달라진다. 이 파형에 전기적 활동전압이 겹치게 되면 장관의 수축이 발생한다. 신경호르몬적인 조절로는 흥분과 억제적인 자극들이 둘다 작용하게 된다. 흥분자극의 신경전달물질은 아세틸콜린과 substance P가 있고, 억제 자극의 신경전달 물질로는 산화질소, vasoactive intestinal peptide, adenosine triphosphate가 있다. 일반적으로 교감신경자극은 장관운동에는 억제로 나타난다. 따라서 교감신경 자극이 강해지면 소장의 운동기능은 감소하게 된다. 부교감신경의 자극은 소장에서는 흥분과 억제가 동시에 나타나는 복잡한 양상이다.

4) 내분비기능

소장은 신체에서 가장 많은 호르몬을 분비하는 세포를 가지고 있고, 가장 많은 종류의 호르몬들을 생성하는 기관이다. 소장 내에 약 30여개 이상의 호르몬 유전자가 있다고 알려져 있다. 그리고 100여개 이상의 유전자 조절 펩티드들이 생성된다. 이 밖에 히스타민, 도파민, 호르몬과 유사한 기능을 가진 eicosanoid 등도 소장에서 생성된다. '장호르몬gut hormone'은 원래 소장의 점막에 있는 장내분비세포에서 생성되는 펩티드들을 일컫는데, 전신순환계로 분비되어 위장관내의 수용체에 결합하여 효과를 나타내는 것으로 알려져 있다. 그런데 최근에는 내분비세포뿐만 아니라 중추신경계와 말초신경계의 신경세포에도 존재하는 것으로 밝혀졌다. 이런 물질들은 다양한 경로로 분비되어 마치 혈액을 통해 전달되는 호르몬처럼 역할을 하여 세포 사이의 정보전달자 역할을 한다. Octreotide는 somatostatin의 유사체로서 칼시노이드와 같은 신경내분비종양과 관련된 증상의 완화나 위절제술후 덤핑증후군, 장루, 식도정맥류에 의한 급성 출혈 시 초기 치료 등에 사용된다. 가스트린은 Zollinger-Ellison 증후군의 진단에 이용되고, cholecystokinin은 담석이 발견되지 않은 담관계 통증시 담낭의 운동성을 측정하는 데 이용된다. 최근에 발견된 GLP-2 (Glucagon-Like Peptide-2)는 proglucagon의 분해물의 하나로서 장상피의 증식을 촉진시키고 세포자멸사는 억제한다. 따라서 장의 재생을 유도하고 소장질환의 치유를 촉진시킨다고 한다.

5) 소장의 적응

소장은 생리적이나 병리적으로 요구되는 상황에 적응하는 능력이 있다. 특히 소장의 대량절제후의 적응력은 주목할 만하다. 동물실험에 의하면 소장이 절제된 후 24-48시간 내에 상피세포가 비대해지고, 그 후에 융모가 길어지고, 소장의 흡수표면적도 증가한다. 그래서 소화기능과 흡수기능이 향상된다. 인체에서도 소장 절제후 1-2년간에 거쳐 적응과정이 일어난다고 알려져 있다. 이 소장의 성장을 자극하는 과정에는 특정 영양소, 호르몬, 성장인자, 췌장 분비물, 사이토카인들이 관여하는 것으로 보인다. 소장의 성장을 자극하는 영양소로는 섬유질, 지방산, 중성지방, 글루타민, 폴리아민, 렉틴이고, 소장성장유도 펩티드는 상피성장인자, TGF-a, 인슐린유사 성장인자 I, II, keratinocyte growth factor, 간세포 성장인자, 가스트린, 펩티드YY, neurotensin, bombesin 등이 있다. 사이토카인은 interleukin 11, 3, 15 등이 있고, 강력한 소장 증식 능력을 가진 GLP-2가 알려져 있다. 소장의 절제 후 적응은 어느 정도 기능의 보완에 도움이 되지만 한계가 있고, 소장의 대량 절제 후에는 짧은창자증후군 같은 문제가 발생할 수 있다.

요약

소장은 섭취된 영양분을 소화시키고 흡수하는 데에 있어 가장 주된 역할을 하는 긴 관모양의 구조를 가진 장관이다. 소장은 십이지장, 공장, 회장으로 나뉘어지며, 수분의 흡수와 분비, 비타민, 무기질의 능동적, 수동적 흡수가 일어나는 곳이다. 또한 인체내에서 면역학적 활동이 활발한 세포들과 호르몬을 생성하는 세포들의 가장 큰 저장고로서 면역계와 내분비계의 가장 큰 기관이라 할 수 있다.

XVI 소장 질환

1. 소장 폐쇄

1) 원인과 병태생리

소장폐쇄는 소장에서 발생하는 가장 흔한 외과적 질환 중의 하나이다. 이러한 소장 폐쇄의 원인은 원인이 되는 부위에 따라 장관 내부, 장관 내벽, 장관 외부의 원인 등 크게 세 가지로 분류될 수 있다. 장관 내부 원인으로는 이물질, 담석 그리고 위석 bezoar 등이 있고 내벽의 원인으로는 일차성 종양, 염증성 장 질환에 의한 폐쇄가 있으며, 외부 원인으로는 장 유착과 탈장 그리고 악성 종양의 복강 내 파종에 의한 폐쇄 등이 있다(표 1-23).

소장 폐쇄의 60%이상은 과거 복부 수술력이 있는 환자에서 장유착으로 인하여 발생하며 특히 부인과적 골반 수술과 충수절제술 그리고 대장 직장 수술 후 주로 발생한다. 국내에서도 비슷한 결과를 보이고 있으며 과거 충수절제술의 과거력이 있는 환자들이 가장 많은 것으로 보고되고 있다.

전체 소장 폐쇄 환자의 20%는 종양에 의해서 발생한다. 이 종양의 대부분은 소장으로의 전이성 병변에 의한 것이며 대개 난소, 췌장, 위 그리고 대장에서 발생한 악성 종양이 직접 복강 내로 파종에 의해서 소장에 착상되어 발생한다. 유방이나 폐 그리고 흑색종은 혈관을 통해 소장에 전이되어 폐쇄를 유발할 수 있다. 또한 다른 복강 내

표 1-23. 소장 폐쇄의 흔한 원인

장유착	복강 내 탈장
종양	염증성 장 질환
일차성 소장 종양	장중첩증
이차성 소장 종양	이물질
복강 내 악성종양의 침윤	담석 관련 장폐쇄
복강 내 악성종양의 파종	게실염
탈장	멕켈씨 게실
서혜부 혹은 대퇴부	선천성 이상

원발암의 크기 증가에 따른 소장폐쇄도 가능하며 대장암에 의한 대장 폐쇄가 소장 폐쇄 증상으로 나타날 수 있다. 일차성 소장 종양도 소장 폐쇄를 일으킬 수 있으나 발병률이 매우 낮다.

탈장에 의한 소장폐쇄는 전체 소장 폐쇄의 10%를 차지하며 대부분 복부 탈장이나 서혜부 탈장에 의해서 발생한다. 1900년 이전엔 탈장에 의한 폐쇄가 가장 많았으나, 탈장 교정술이 일상적으로 시행되는 현재는 탈장이 3 번째로 흔한 소장 폐쇄의 원인으로 알려져 있다. 복강 내 탈장 internal hernia의 경우 복부 위장관 수술의 과거력이 있는 경우 발생하여 소장 폐쇄를 일으킬 수 있으며, 드물지만 대퇴 탈장femoral hernia, 폐쇄근 탈장obturator hernia 등에 의해서도 소장 폐쇄가 발생할 수 있다.

소장 폐쇄 원인들 중 복강 내 농양에 의한 폐쇄나 충수염 천공 그리고 장 문합 누출 후 발생하는 소장 폐쇄는 흔하지는 않지만 소장 폐쇄 환자에서 반드시 고려되어야 하는 중요한 원인이다. 기타 소장 용종이나 종양이 원인이

되어 발생하는 소장 중첩증이나 담도 위장관 누공 생성 후 소장 내로 들어온 담석에 의해서 발생하는 소장 폐쇄가 발생할 수 있다.

소장 폐쇄가 발생했을 때, 장관 내 가스와 수액이 폐쇄가 발생한 부위의 근위부에 축적된다. 소장의 폐쇄를 극복하기 위하여 초기엔 소장 운동이 더욱 활성화 되며, 이에 따라 경련성 복부 통증과 함께 설사가 발생할 수도 있다. 소장 폐쇄가 계속되면서 소장 내강은 확장되고 내부 압력은 계속 증가하게 되며, 장 운동은 점점 감소한다. 소장 내강이 팽창함에 따라 체내 수분과 전해질이 소장 내부로 축적되며, 탈수와 전해질 불균형이 나타난다. 소장 폐쇄에 따른 체내 전해질 불균형은 폐쇄 위치에 따라 달라 질 수 있다. 소장 폐쇄가 근위부에 발생한 경우 구토가 주된 증상으로 발생하며 이에 따라 저염소증hypochloridemia, 저칼륨증hypokalemia 그리고 대사성 알칼리증metabolic alkalosis이 발생한다. 원위부 폐쇄의 경우 많은 체액들이 장 내부로 이동하지만 전해질의 변화는 근위부 폐쇄에 비하여 덜하다. 계속되는 탈수는 소변 감소oliguria와 질소혈증azotemia 그리고 혈액 농축으로 이어지고 저혈압과 쇼크가 발생할 수 있다. 복부 팽만은 복강 내압을 높여 대정맥 환류 이상과 횡격막의 상승에 의한 심폐 기능 이상으로 이어질 수 있다.

소장 내부는 대부분 멸균상태 이지만 소장 폐쇄가 진행되면서 내부의 균주의 수와 구성에 변화가 발생한다. *Escherichia coli*, *Streptococcus faecalis*와 *Klebsiella* 종 등의 병인이 되는 세균이 증가하고 그 수도 10^9개 이상으로 증가한다. 주변 림프절로 세균 전위되어 전신적 패혈증이 가능하다고 알려져 있지만, 아직 정확한 병리 과정이 밝혀진 것은 아니다. 소장 내강 압력이 더욱 증가하게 된다면, 소장 벽의 미세 혈관의 관류에 결손이 발생하며 이로 인하여 허혈이 발생하게 되고, 결국 소장의 괴사까지 이어진다. 소장의 폐쇄가 부분적인 경우 괴사까지 이르는 경우는 드물다. 소장폐쇄에서 특히 위험한 상황은 소장의 일부 분절의 근위부와 원위부가 모두 폐쇄되어 발생한 막힌 창자 막힘 closed loop obstruction이 발생 했을 때이다. 이런 경우, 소장 내에 축적되는 가스와 수액이 근위부와 원위부 어느 쪽으로도 빠져 나갈 수 없는 상황이 되므로 내강 압력이 매우 빠르게 진행하면서 괴사까지 급속하게 진행할 수 있다(그림 1-77).

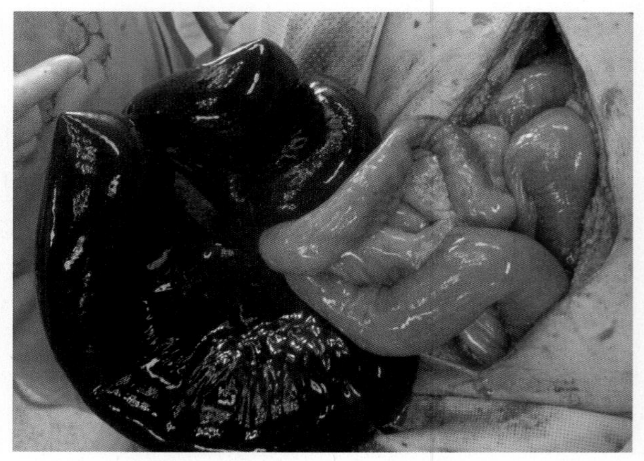

그림 1-77 막힌 창자 막힘에 의하여 괴사된 장

2) 임상 증상과 진단

소장 폐쇄 의심 환자에 대한 과거력의 세심한 청취가 필요하다. 복부 수술력이 있었는지와 악성 종양의 진단 및 수술력 혹은 염증성 장 질환 진단의 과거력이 있는지의 여부가 장 폐쇄의 원인을 추정할 수 있는 중요한 근거가 될 수 있다. 소장 폐쇄를 강력하게 의심할 수 있는 증상은 경련성 급성 복통과 오심, 구토 복부 팽만과 장내 공기 배출의 실패 등이다. 이러한 증상은 소장 폐쇄의 위치나 정도에 따라서 다양하다. 소장 폐쇄와 관련된 경련성 복통은 보통 5분 정도의 간격으로 발생하며 근위부 폐쇄 시엔 통증 간격이 짧을 수 있다. 오심과 구토는 원위부 위장관 보다는 근위부 위장관의 폐쇄 시에 더 흔히 발생할 수 있는 증상이다. 원위부 소장의 폐쇄가 있는 경우 복부 팽만이 주요한 증상으로 나타나지만, 근위부 폐쇄의 경우 이러한 증상이 없을 수 있다. 장내 공기와 배변의 배출은 완전 폐쇄가 아닌 부분적 폐쇄일 경우 6시간이나 12시간까지 지속 될 수 있다.

이학적 검사에서 복부에 과거 복부 수술에 의한 반흔

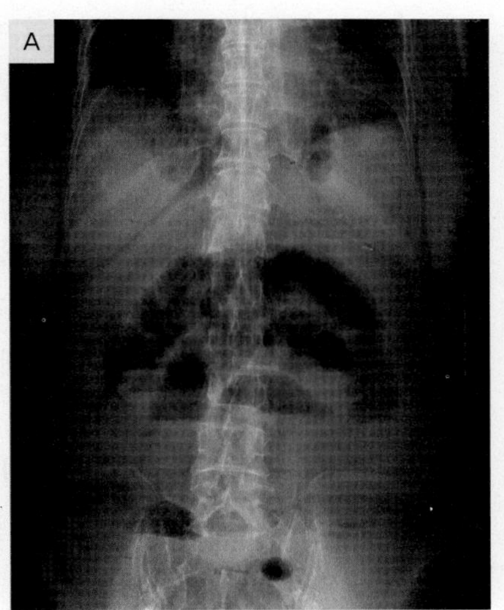

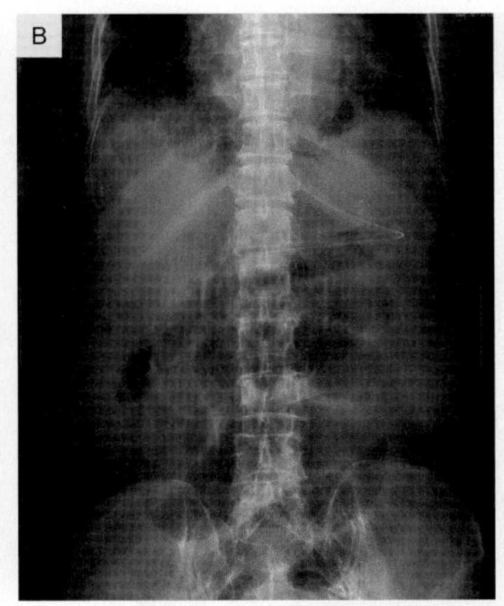

그림 1-78 소장 폐쇄 시 단순 복부 방사선 촬영. A) 직립 촬영 erect. B) 앙와위 촬영 supine

이 있는지 확인해야 하며 복부 팽만 정도에 대한 관찰이 필요하다. 복부 청진상 장음은 장 폐쇄 초기에는 증가되어 들리지만, 장 폐쇄가 지속될수록 장음은 점점 감소하게 된다. 복부 촉진을 통해서 압통과 종괴 촉지 여부를 확인해야 한다. 서혜부나 대퇴부의 탈장 여부도 면밀하게 관찰하여야 하며, 직장 수지 검사를 통하여 장 괴사 여부를 판단할 수 있는 혈변 유무도 관찰하여야 한다. 소장 폐쇄가 진행되어 괴사에 이른 경우 복통의 정도가 더욱 심해지면서 빈맥과 국소적 압통, 발열이 나타날 수 있다.

검사실 소견을 이용하여 소장 폐쇄를 진단 할 수는 없지만 탈수의 정도를 파악하는데 중요하다. 따라서 소장 폐쇄가 의심되는 환자는 혈액 나트륨sodium, 염소chloride, 칼륨potassium, 중탄산염bicarbonate 그리고 크레아티닌creatinine 등에 대한 검사가 필요하다. 소장 폐쇄 시 탈수에 따른 크레아티닌의 증가와 혈액 농축 그리고 전해질의 불균형을 나타나며, 약간의 백혈구 증다증을 보일 수 있다. 소장 폐쇄로 탈수된 환자에 대해 수액을 보충하면서 시간에 따른 연속적인 혈액 전해질 검사를 통하여 전해질 교정 여부에 대한 확인이 필요하다. 소장 폐쇄가 지속되어 팽창된 장의 괴사가 진행될 경우 검사실 소견상 백혈구의 증가가 심해지고 산성 혈증을 나타낼 수 있다. 최근에는 혈장 프로칼시토닌procalcitonin을 측정하는 것이 소장 폐쇄 환자에 있어서 보존적 치료방법의 실패와 수술적 절제의 필요성을 예측하는 데에 유용하다는 보고가 있다.

소장 폐쇄는 과거력 청취와 이학적 검사에 의하여 대부분 진단되지만 폐쇄 여부를 확인하고 폐쇄 부위에 대한 추정을 위해서 복부 영상 촬영이 필요하다. 소장 폐쇄를 가지고 있는 환자들은 복부 단순 방사선 촬영에서 소장 팽만과 직립 복부 단순 방사선 촬영에서 여러 개의 소장 내 공기 액체층air fluid level을 나타낸다(그림 1-78). 또한 소장 폐쇄의 원인들인 이물질이나 담석 등의 관찰도 가능하다. 소장 폐쇄의 진단에 있어서 단순 복부 방사선 촬영의 민감도는 70–80%이지만, 대장 폐쇄가 있는 경우에도 비슷한 소견을 보이기 때문에 특이도는 낮다. 소장 내부에 공기 없이 장액이 가득 차 있을 경우 소장 폐쇄가 있더라도 단순복부 방사선에서 소장 팽만과 소장 내 공기 액체층을 관찰 할 수 없으며, 막힌 창자 막힘이 있을 때 이러한 상황이 발생할 수 있다. 이러한 제한점에도 불구하고 소장 폐쇄가 의심되는 환자에서 저비용으로 시행할 수 있는 가장 중요한 검사방법이다.

컴퓨터 단층 촬영은 최근 소장 폐쇄 진단의 gold standard로 그 사용이 점차 늘어나고 있으며 소장 폐쇄

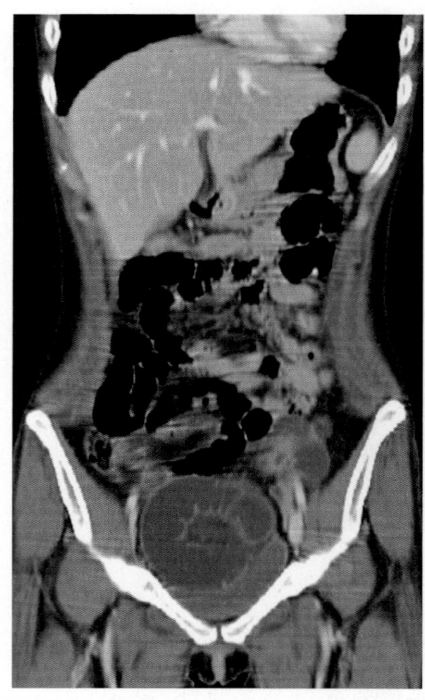

그림 1-79 막힌 장폐쇄로 혈관 관류가 줄어든 소장 폐쇄 전산화 단층촬영 소견

를 진단하는데 80-90%의 민감도와 70-90% 정도의 특이도를 갖는다. 하지만 부분적 소장 폐쇄만 있는 경우 민감도가 떨어질 수 있다. 폐쇄 정도가 심하거나 완전 폐쇄가 있는 경우 컴퓨터 단층 촬영 소견에서 이행부위로부터 근위부의 팽창된 소장 소견과 원위부의 감압된 소장을 전형적으로 관찰 할 수 있다. 특히 막힌 창자 막힘 부위의 존재 여부와 소장의 괴사여부에 대한 진단도 가능하다. 막힌 창자 막힘이 있는 경우 소장의 꼬인 부분으로 장간막 혈관이 모여드는 형태의 U자형 혹은 C자형의 소장 분절을 관찰 할 수 있다. 컴퓨터 단층 촬영에서 소장 벽의 비후와 소장 벽 내부의 가스가 관찰되거나 간문맥 내 가스가 보이고 조영제 사용시 소장 벽에 조영이 잘 되지 않는 경우 장의 괴사를 의심해 보아야 한다(그림 1-79). 복강 내 종양과 농양 그리고 염증성 장질환과 같은 외부적 요인에 의해 장 폐쇄가 발생한 경우, 컴퓨터 단층 촬영은 복부 전체를 관찰하므로 폐쇄의 원인을 알아내는 데 도움을 줄 수도 있다. 컴퓨터 단층 촬영은 보통 수용성 조영제 혹은 바륨을 경구로 투여한 후 시행될 수 있다. 이러한 수용성 조영제의 경구 투여는 소장 폐쇄의 예후와 치료방침을 결정하는데 도움을 줄 수 있는데, 경구 투여 후 24시간 이내에 조영제가 대장에 도달한다면 비수술적 방법으로 치료 가능함을 예측할 수 있는 인자가 된다. 이러한 수용성 조영제 경구투여는 소장 폐쇄 환자들 중 수술 치료를 받게 되는 환자들의 비율에 영향을 주지는 않지만, 치료방침을 신속히 결정함으로써 소장 폐쇄로 인한 재원기간을 줄일 수 있다.

부분 소장 폐쇄 시에 컴퓨터 단층 촬영은 폐쇄 부위의 판단이 쉽지 않아 낮은 민감도를 나타난다. 이런 경우에 소장 조영술enteroclysis이 도움이 될 수 있다. 대개 십이지장 부위까지 위치 시킨 비위관을 통하여 조영제를 주입하고, 조영제가 원위부 장에 도달할 때가지 연속적으로 단순 복부 방사선 촬영하여 소장 폐쇄를 진단하고 폐쇄 부위를 판단하며 경우에 따라 폐쇄의 원인을 알 수도 있다. 보통은 바륨 조영제가 사용되지만, 장 천공의 가능성이 있을 때는 가스트로그라핀 같은 수용성 조영제가 사용될 수도 있다. 이러한 검사법은 비위관을 삽입하여야 하고 검사 시간이 길며, 경험자에 의해서 시행되어야 하는 단점이 있다.

3) 치료

소장 폐쇄가 발생하면 경구로 섭취하는 수액량이 감소하고 구토로 인하여 체내 탈수가 진행되고 혈액 내 수액이 팽창된 장 내부로 이동되므로 수액의 보충이 필수적이다. 따라서 나트륨, 염소 그리고 칼륨 등을 포함하는 등장성 수액, 주로 링거 젖산 용액lactated Ringer's solution이 정맥으로 주사되어야 하며, 요도관을 삽입하여 정확한 소변량의 확인이 필요하다. 심장 질환을 가지고 있는 환자에서 수액 치료의 정확한 판단을 위하여 중심정맥이나 폐동맥압의 측정이 필요하다. 장내 세균들의 혈액으로의 전위가 의심되는 상황에서는 항생제의 투여가 필요할 수도 있으나 이를 뒷받침하는 임상 결과는 아직 없다.

환자들은 비위관을 삽입하고 계속적으로 위 내용물과 장내 공기의 배출이 필요하다. 효과적인 위의 감압은 오심이나 복부 팽만 같은 증상을 경감시킬 수 있으며, 구토에 의한 흡인의 위험성을 줄일 수 있다. 과거 소장에까지 이르는 긴 관이 사용되기도 하였다. 그러나 긴 관의 삽입에 따른 합병증 발생가능성이 높고, 비위관에 비하여 소장 폐쇄의 치료의 임상적 효과에 대한 증거가 없어 현재는 사용되지 않고 있다.

비위관 삽입과 수액 보충을 통한 보존적 치료는 다음과 같은 원인에 의한 장 폐쇄 시엔 우선시 된다. (1) 부분적인 소장 폐쇄 (2) 복부 수술 직후에 발생한 장 폐쇄 (3) 크론병에 의한 장 폐쇄 (4) 악성종양의 복강 내 파종 등이다.

부분적인 소장 폐쇄의 경우 장 괴사까지 이르는 경우는 드물므로 대개 비 수술적 방법에 의해서 치료가 된다. 비 수술적 치료는 부분적 소장 폐쇄 환자들의 65-81%에서 성공적으로 치료가 된다. 이 환자들 대부분은 처음 치료를 시작한 이후 48시간 내에 증상이 대부분 호전되는 것으로 보고되고 있다. 따라서 부분적 장 폐쇄를 가지고 있는 환자에서 치료 시작 후 48시간 내에 증상이 호전되지 않는다면 수술을 고려해야 할 것이다. 비 수술 치료를 받는 환자들은 생체 징후 등이 밀착 감시 되어야 하며, 복막염 증상이 나타날 때는 즉시 응급 수술을 고려해야 할 것이다.

개복 수술을 받은 환자들의 일부는 수술 직후 장마비가 발생할 수 있으며, 대장-직장 수술 같은 골반 부위에 대한 수술을 받은 환자들에서 그 발생 빈도가 높다. 복부 수술을 받은 후에 3~5일이 지났는데도 불구하고 장 운동이 발생하지 않을 경우 폐쇄를 고려할 수 있다. 하지만, 수술 후 장 폐쇄는 대부분 부분 폐쇄이며 장 괴사까지 이르는 경우는 매우 드물다. 그러므로 수술 후 약 2-3 주간은 가능한 비 수술적 요법에 의한 치료가 고려되어야 하며, 금식 후 정맥으로 수액이나 영양을 공급해주는 치료를 고려해야 할 것이다. 하지만, 보존적 치료 중 완전 폐쇄가 지속되거나 복막염 증상이 나타난다면 즉각적인 재수술을 고려해야 할 것이다.

크론병에 의한 이차적인 소장 폐쇄를 갖는 환자들에 대한 치료는 크론병의 질병 상태에 따라 치료 방침을 나누어 볼 수 있는데, 급성기에는 보존적 치료를 통하여 대부분 호전된다. 만성적인 섬유화를 통하여 소장폐쇄가 진행된 경우 소장 절제나 소장 성형술stricturoplasty이 고려될 수 있다.

소장 폐쇄 증상이 있으면서 복강 내 악성 종양의 과거력이 있는 환자들 중 25-33%의 환자는 폐쇄의 원인이 종양 수술에 따른 장 유착이므로, 이런 경우 일반적인 소장 폐쇄의 치료 원칙에 따라 적절한 치료가 필요하다. 그러나 복강 내 악성 종양의 전이 병변에 의한 폐쇄의 경우 가능한 비 수술적 요법에 의한 치료를 시행할 때 더 나은 결과를 보일 수 있다. 하지만 이러한 병변이 소장의 완전 폐쇄를 일으킨 경우엔 가능한 절제부분을 줄인 고식적인 절제나 우회술이 시행될 수 있다.

최근 완전한 소장폐쇄에서도 막힌 창자 막힘의 증거가 없고 발열, 빈맥, 압통 등의 장 괴사의 증거가 없다면 비 수술적 방법에 의한 치료가 적용되고 있지만 기본적인 표준 치료법은 수술이다. 괴사 증거가 없는 완전 소장 폐쇄 환자에서 12-24시간 정도 수술을 지연시키고 관찰하는 것은 안전하지만, 이 후에 개복 시엔 장 괴사가 진행되어 있을 가능성이 점점 높아지고 이에 따르는 합병증의 확률도 높아 진다. 따라서 적절한 시기에 시행되는 수술은 소장 폐쇄에서 환자의 합병증을 높이는 장 괴사의 가능성을 줄일 수 있다. 임상적 징후나 검사실 소견 그리고 영상의학 소견으로도 단순한 장 폐쇄와 장 괴사와 동반된 장 폐쇄를 완전히 구분할 수는 없다. 따라서 수술 치료의 주된 목적은 장 괴사에 이르기 전에 개복을 통해서 장 상태를 확인하고 폐쇄의 원인을 제거하는 것이다.

소장 폐쇄를 위한 수술 방법은 그 원인에 따라서 다르게 시행된다. 폐쇄의 원인이 되는 유착을 박리하거나, 종양을 제거하고 또는 탈장을 교정이 필요할 수 있다. 원인의 제거와 함께, 폐쇄된 부위의 소장에 대한 세심한 관찰이 필요하며, 이미 괴사가 진행된 소장에 대해서는 절제가 필요하다. 활성 가능한 소장의 특징은 정상적인 장의 색을 보이고 연동운동을 하며 모서리 동맥에 박동이 촉진되는 경우이다. 보통 수술 시야에서 이에 대한 판단이 가능하지만, 도플러 초음파를 이용해 소장으로의 혈류상태를 파악할 수 있다. 그러나 어떠한 검사 방법도 임상적 판단을 앞설 수는 없다. 환자 상태가 안정적이고 활성 여부가 불분명한 소장의 길이가 짧은 경우 정상적 소장 부위에서 소장을 분절 절제한 후 일차 문합술을 시행하는 것이 일반적이다. 하지만 활성이 의심스러운 소장의 길이가 전체 소장에서 많은 부분을 차지 한다면, 가능한 소장의 길이를 보존하려는 노력이 필요하다. 이런 상황에서는 불확실한 소장 부분을 남겨 놓고 수술을 마친 뒤 24시간에서 48시간 뒤에 2차 개복을 통해서 확인하는 방법이 있다. 2차 개복을 통해 활성이 어려운 소장에 대하여 절제를 시행한다.

소장 폐쇄 환자의 수술 치료를 위해 복강경 수술이 시행될 수 있으며, 이는 환자의 수술 후 회복 속도를 개복 수술에 비하여 빠르게 할 수 있다. 그러나 소장 폐쇄 시 늘어난 소장으로 인하여 복강경을 이용한 복강 내 관찰이 원활하지 않을 수 있으므로, 단일 유착 고리에 의한 부분적인 폐쇄가 주로 근위부 소장에 있는 경우에 제한적으로 유용하다. 하지만, 최근 이에 대한 large scale의 리뷰 논문에서 64%의 환자들이 복강경 수술에 성공하였고 6%는 복강경 보조 수술에 성공, 나머지 30%는 개복 수술로 전환하였다는 보고가 있었다. 또한 복강경 수술이 개복 수술에 비해 낮은 수술 후 사망률과 짧은 재원기간의 장점이 있으므로 앞으로는 복강경 기구 및 술기의 발달로 인해 소장 폐쇄의 치료에 있어서 복강경 수술의 적용 범위가 확대될 것으로 생각된다.

4) 예후

소장 폐쇄의 예후는 폐쇄의 원인과 관련이 있다. 유착성 소장 폐쇄로 보존적 치료로 호전된 환자들의 대부분은 이후 재입원을 필요로 하지 않는다. 이러한 환자의 20%이하에서 유착성 소장 폐쇄로 재입원이 필요하다.

괴사가 진행되지 않은 소장 폐쇄로 수술을 받은 환자의 수술 관련 사망률은 5% 이하이며, 대부분의 사망은 심각한 동반질환을 갖는 환자에서 발생한다. 소장이 괴사된 경우 수술 사망률은 8-25%에 이른다.

5) 예방

복부 수술 후 유착은 소장 폐쇄와 같은 문제를 일으킬 수 있으므로 이를 예방하는 것이 가장 좋은 방법일 것이다. 수술 시 조직을 세심하게 다루는 것이 가장 중요하고 이물질의 사용을 최소화 하고 복막의 외부 노출을 줄이는 것이 유착을 막는 방법이다. 그러나 이러한 방법만으로는 유착을 완전히 막는 것은 불가능하며 대장 직장 수술이나, 골반 수술을 받은 경우 유착에 따른 소장 폐쇄로 약 30%의 환자가 재입원을 하는 것으로 알려져 있다. 가능하면 복강경 수술을 시행하는 것이 이러한 유착을 줄일 수 있는 방법이다. 개복 수술을 시행하는 경우 수술 후 장 유착을 막기 위한 몇몇 임상 연구들이 진행되어 오고 있다. 현재까지 유일하게 유착 억제 효과가 입증된 것은 세프라필름 이라는 hyaluronan 제제이지만, 소장 폐쇄의 발생률을 줄일 수 있는 지의 여부에 대해서는 아직 임상적 증거가 부족하다.

2. 소장의 염증성 질환

1) 원인 및 분류

염증성 소장 질환에는 급성 감염성 질환과 일과성으로 나타나는 장에 염증을 일으키는 모든 질환들이 포함될 수 있지만, 대개는 고유 의미의 염증성 장질환은 장에 만성적으로 염증을 일으키는 원인 불명의 질환인 궤양성 대장염과 크론병을 말하며, 특발성 염증성 장질환으로 제한하여 부르기도 한다. 궤장성 대장염은 대개 대장에만 국한된 병변을 나타내므로 본 장에서는 크론병에 대하여 다루기로 한다.

2) 크론병

(1) 역학

크론병은 만성적이고 원인을 알 수 없는 경점막 염증성 장 질환이며, 위장관 어디나 영향을 받을 수 있지만 원위부 회장이 주로 영향을 받는 부위이다. 크론병은 서양에서는 매년 10만 명당 3-7명이 발병하며, 수술이 필요한 가장 흔한 소장 질환 중 하나이다. 그러나 인종에 따라 발병률에 차이가 있는 것으로 알려져 있으며, 동유럽계 유대인에서 다른 인종에 비하여 2-4배나 높은 것으로 알려져 있다. 대부분의 임상연구에서 여성보다 남성이 발병률이 높은 것으로 알려져 있으며, 평균 나이는 30대이다. 유전적 환경적 요소가 크론병의 발병에 영향을 주는 것으로 알려져 있어서 크론병 환자의 혈육이 이 질병을 가질 확률은 14-15배 높다. 크론병 환자 5명 중 1명은 혈육 중 크론병을 갖는 환자가 있다. 그러나 국내에서는 크론병의 발병률과 유병률에 대한 연구가 전무한 상태이며 과거 궤양성 대장염에 비하여 20% 정도의 비율로 진단되던 것이 2000년대 들면서 절반 정도로 그 비율이 증가 되었다는 단일기관의 보고가 있었다.

높은 사회 경제적 상태는 크론병과 관련이 있으며 모유수유가 크론병의 발병을 저해하는 효과를 보인다는 보고가 있다. 흡연은 크론병 환자들에서 수술이 요구되는 빈도를 높이고 수술 후 재발을 높이므로 금연이 교육되어야 한다.

(2) 원인

크론병은 소장에 지속적으로 발생하는 염증성 질환이지만, 이 염증의 원인은 아직 밝혀지지 않았다. 환경적 유전적 요인이 이러한 염증성 질환의 원인으로 제안되고 있으며, 클라미디아, 리스테리아, 슈도모나스, 마이코박테리움 등이 감염에 의해 크론병을 일으키는 원인균으로 제시되고 있지만, 아직 뚜렷하게 밝혀진 사실은 없다. 이 밖에 비정상적 점막 상피의 경계 기능과 부적절한 면역 기능이 원인으로 제시되고 있다. 점막 상피 경계 기능의 상실로 인하여 장 내강의 항원에 점막하 고유판이 부적절하게 노출되면서 염증 반응이 지속될 수 있다. 또한 크론병 환자에서 자가 면역 반응이 환자 본인의 위장관 세포에 대하여 지속적으로 일어나는 면역 체계의 이상이 발생되고 이것이 크론병의 원인이라는 보고도 있다. 위장관 세포에 대한 염증 반응에는 주로 IL-1, IL-2, IL-8 그리고 TNP-α 같은 사이토카인이 관여하는 것으로 알려져 있으나 크론병에서의 역할에 대하여서는 논란의 여지가 있다.

크론병과 관련된 특이 유전자에 연구가 지속적으로 진행되어 왔다. 가장 흔하게 알려진 것이 서양인에서 연구된 16번 염색체 장완 16q에 존재하는 IBD1 유전자 자리 locus이다. IBD1 유전자 자리에는 미생물 병인에 대한 면역 반응을 매개하는 세포 사멸과정에 관여하는 단백질인 CED4/APAF1의 일종인 NOD2 유전자가 위치하고 있는 것으로 밝혀져 있다. NOD2 유전자의 대립유전자 모두에 변이를 가지고 있는 군이 변이를 가지고 있지 않은 군에 비하여 40배 높은 크론병의 위험도를 가지고 있는 것으로 알려져 있다. 그러나 국내 환자를 대상으로 한 연구에서는 이 유전자와 크론병과의 관련성이 없는 것으로 보고되었다.

(3) 병리

크론병이 발생하는 가장 흔한 곳은 소장과 대장이며 절반 이상의 환자에서 소장과 대장을 모두 침범 한다. 약 30% 정도는 소장만을 침범하며, 15%는 대장에 국한된 병변을 갖는다. 전체적으로 80% 정도에서 소장을 범하게 되는데 소장에 발병한 크론병은 대부분 회맹부위를 침범하게 된다. 특징적으로 불 연속적이며 분절 양상으로 병변이 나타나며 직장은 병변으로부터 보존되는 것이 일반적이지만 약 삼분의 일의 환자에서 항문 주변에 병변을 갖는다. 국내에서는 소장과 대장의 단독 침범 비율이 10-25% 정도로 비슷하고 모두 침범하는 비율이 55-65%로 다소 높은 것으로 알려져 있다.

크론병의 육안적 소견은 검불게 변색된 장 벽의 비후와 장막에 회백색 삼출물과 함께 섬유화를 관찰할 수 있다. 병변이 관찰되는 소장부위 중간중간에 정상적인 소장skip area이 일반적으로 관찰된다. 소장 벽 주변으로 장간막의 지방이 과도하게 자라나서 장막을 둘러싸는 형태fat wrapping의 소장이 관찰되기도 한다(그림 1-80). 크론병이 진행됨에 따라서 장벽의 비후는 심해지고 단단한 고무와 같이 탄력이 없는 상태로 변하게 된다. 이러한 병변이 발생한 곳 근위부의 정상적인 소장은 상대적인 팽창이 일어나고

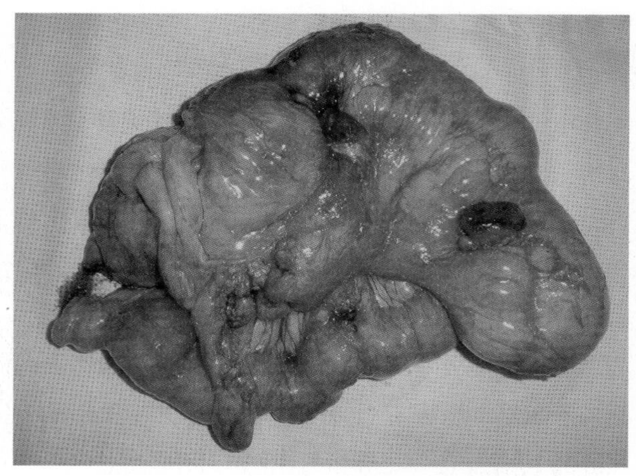

그림 1-80 크론병으로 소장 절제술을 받은 환자의 소장 육안 소견

병변 부위의 소장은 주변 소장이나 다른 복부 장기와 유착되어 심한 경우 내장 누공internal fistula을 형성하기도 한다. 장간막 또한 비후 되어 장간막 림프절 종대도 흔히 관찰된다.

크론병으로 절제된 장의 내강을 관찰 했을 경우 초기엔 아프타성 궤양aphtous ulcer이 점막에 걸쳐 전반적으로 관찰되고 진행이 된 병변 일수록 궤양이 심해져 소장벽 전 층에 걸쳐 염증을 일으키게 된다. 이와 함께 특징적으로 선형 모양의 궤양이 발생할 수 있으며 이들이 중간중간 융합하여 병변 사이의 정상적인 점막과 함께 조약돌 모양cobble stone appearance을 이루게 된다.

크론병이 침윤한 소장의 현미경적 소견은 소장 점막과 점막하의 만성 염증이 관찰되고, 이 염증이 경점막으로 tranmurally 확대 관찰된다. 크론병에서 관찰되는 염증반응의 특징적인 소견은 랑게르한스 거대세포Langerhans' giant cell를 동반한 비치즈형육아종noncaseating granulomas이다.

(4) 임상 소견

크론병은 어느 나이에서나 발병할 수 있지만, 특히 20-30대의 젊은 나이에서 발병하는 경우가 흔하다. 크론병 환자의 가장 흔한 증상은 주로 하복부에 발생하는 급성 복통, 설사 그리고 체중 감소이며 대부분 잠행성으로 시작하여 병의 진행에 따라 서서히 증상 발현이 빈도와 정도가 심해진다. 크론병을 갖는 환자들의 위장관 병변과 관련하여 나타나는 증상은 크론병의 병리적 진행 상황에 따라 1) 설사와 발열 그리고 심한 경우 복강으로의 장 천공에 의한 복막염 등을 일으키는 장 염증 질환 상태와 2) 장 천공 부위와 다른 소장부위, 대장, 방광 그리고 피부(개복 부위나 항문주변) 등과 누공을 형성하는 장누공 상태 그리고 3) 소장 폐쇄 증상을 주로 일으키는 소장의 섬유화 협착으로 구분 될 수 있으며 각각의 증상들이 동시에 나타날 수도 있다. 전신적인 증상인 체중 감소와 발열, 그리고 소아에서의 발육 부진이 크론병의 유일한 증상으로 나타날 수 있다.

오랫동안 지속된 크론병은 소장과 대장의 악성 종양의 발생 원인이 되며, 소장의 경우 약 100배의 위험도의 증가를 보이는 것으로 알려져 있다. 소장 선암은 주로 회장 부위에 발생하며 대부분 진행된 상태로 발견되기 때문에 예후는 불량하다. 소장 선암 이외에도 질암과 항문암 림프종 등이 크론병 환자에서 흔한 것으로 알려져 있다.

크론병 환자의 25-30%는 위장관 외 발현 질환을 갖게 된다. 이 합병증 대부분은 크론병과 궤양성 대장염에서 모두 흔히 발생하지만 크론병 환자에서 더 호발한다. 피부 병변이 가장 흔한 위장관 외 증상이며 눈과 관절 간과 신장에 여러 관련 질환이 나타날 수 있다. 이 합병증들 중 피부에 발생하는 결절 홍반과 관절염의 증상의 중증도는 소장 염증의 중증도와 관련이 있다(표 1-24).

(5) 진단

크론병은 만성적으로 반복되는 복통과 설사 그리고 체중 감소를 호소하는 환자에서 고려되어야 하며 바륨 조영술에 의한 소장 촬영이나 내시경을 통하여 주로 진단이 된다. 바륨 조영술은 크론병이 침범한 소장의 선형 궤양과 횡행 굴과 틈 등으로 구성되어 있는 자갈모양의 점막 병변과 오래 진행된 크론병에서의 원위부 회장의 특징적인 협착 등을 특징으로 한다. 컴퓨터 단층 촬영을 통하여 소장 벽의 비후와 함께 크론병의 합병증 발생 여부를 진단할 수도 있다. 크론병이 대장을 침범한 경우 대장 내시

표 1-24. 크론병에서 발생하는 위장관 외 증상

피부
결절 홍반 erythema nodosum 괴저 고름 피부증 pyoderma gangrenosum
눈
결막염 conjunctivitis 포도막염 Uveitis 걷공막염 Episcleritis
관절
말초 관절염 Peripheral arthritis 강직 척추염 Ankylosing spondylitis 천골장골 관절염 Sacroiliitis
간
간 지방증 Hepatic steatosis 담석증 Cholelithiasis 원발성 경화성 담관염 Primary sclerosing cholangitis 담도 주위염 Pericholangitis
신장
신석증 Nephrolithiasis 요관 폐쇄 Ureteral obstruction
췌장
췌장염 Pancreatitis
기타
아밀로이드증 Amyloidosis 혈관염 Vasculitis 심근염 Myocarditis 간질성 폐질환 Interstitial lung disease

경을 통하여 궤양성 대장염과 구분되는 특징적인 점막 병변을 확인 할 수 있다. 대장 내시경을 회맹판을 통하여 삽입하여 원위부 회장의 병변 확인과 함께 생검도 가능하다. 이러한 소장 조직검사에서 염증과 육아종의 확인을 통하여 크론병을 확진 할 수 있다.

크론병을 진단하는데 혈청 검사도 유용하게 사용될 수 있다. 주로 사용되는 항체는 perinuclear Antineutrophil Cytoplasmic Antibody (pANCA)와 Anti-Saccharomyces Cerevisiae Antibody (ASCA) 이다. ASCA 양성과 pANCA 음성 반응을 보이는 환자들이 주로 크론병과 관련이 있다. 반면, ASCA 음성과 pANCA 양성 반응을 보이는 환자들은 주로 궤양성 대장염과 관련이 깊은 것으로 알려져 있다.

크론병과 감별진단이 필요한 질병은 주로 소장의 감염성 장 질환이다. 특히 국내에서는 결핵성 장염과의 감별이 어려워 크론병으로 확진되기 이전에 항 결핵제를 투여받는 비율이 40% 이상이다. 특히 크론병 환자도 항 결핵제 투여 후 초기에 일시적인 증상의 호전을 보이는 경우도 있으므로 국내에서는 영상 의학적 소견과 내시경 소견 그리고 조직, 혈청학적 진단을 통해 두 질병 간의 세심한 감별이 필요하다.

(6) 치료

크론병을 완치할 수 있는 치료방법은 현재까지 없으므로 치료의 목적은 증상을 완화하기 위한 것이다. 내과적인 치료는 질병의 완화 상태로 만들고 이를 유지하는 것을 주된 목적으로 한다. 외과적 치료는 크론병의 합병증 발생과 같은 특별한 상황에서 필요할 것이다. 이와 더불어 영양의 충분한 공급을 통하여 영양 부족 상태를 교정해 주어야 한다.

가. 내과적 치료

크론병을 치료하기 위한 내과적 치료제는 항생제, aminosalicylates, 부신피질 호르몬제제, 면역 조절제이다. 항생제는 크론병과 관련된 감염성 염증의 치료에 보조적 역할을 하게 된다. 주로 사용되는 항생제는 metronidazole이며, 항문질환 발병 시나 경피 누공의 형성 그리고 대장 염증이 심해졌을 경우에 사용될 수 있다.

경구용 aminosalicylic acid 인 sulfasalazine은 크론병 환자의 치료에 가장 많이 사용되는 약제이다. 이 약제는 특히 소장, 대장의 염증이 심한 경우 이를 완화 시키는데 명백한 효과를 보이며, 소장에만 국한된 크론병 환자에 대한 효과는 명백하지 않다. 궤양성 대장염과는 달리 병의 완화상태를 유지하거나 수술 후 재발을 방지하는 데는 효과가 없는 것으로 알려져 있다. 최근엔 위장관에서 sulfasalazine의 효과를 극대화 할 수 있는 약제인

mesalamine이 크론병의 1차 용법으로 사용되고 있다. 부신피질 호르몬은 역시 활성 상태의 크론병을 완화 시키는 효과가 있다. Sulfasalzine과 동시에 사용했을 때, 완화에 필요한 기간을 단축시킬 수 있지만 역시 재발 억제에는 효과가 없다. 면역 억제제인 azathioprine과 6-mercaptopurine은 췌장염, 간염, 발열 등의 부작용에도 불구하고 대부분 안전하게 투여 될 수 있는 효과적인 크론병의 치료제이다.

나. 외과적 치료

크론병의 급성기엔 대부분 내과적 치료가 우선되지만, 만성적 크론병 환자들은 대부분 합병증으로 인하여 수술을 필요로 하는 경우가 대부분이다. 수술을 필요로 하는 크론병의 합병증은 소장 천공, 누공의 형성, 복강 내 농양, 위장관 출혈, 비뇨기적 합병증, 악성종양의 발생 그리고 항문 주위 질환이 발병했을 때이다. 따라서 각 합병증에 따라서 상황에 맞는 수술 방법을 적용하여야 한다. 특히 합병증이 발생한 소장 분절이 한 군데 국한되어 있을 경우 크론병이 침범되어 있는 다른 소장은 절제하지 말고 합병증에 관련된 분절만 절제하면 된다.

크론병 환자에서도 국소적인 복강 내 농양이 형성되어 있어나, 단순 장 누공이 형성되어 있는 경우 복강경 수술로 이에 대한 배액술과 누공 절제술이 가능하다. 또한 원위부 회장에 국한된 크론병의 경우 복강경 하 회맹장 절제술이 시행될 수 있다.

3. 소장 종양

1) 역학

소장 종양의 발생 빈도는 부검에서 0.2-0.3% 발견되는 것으로 알려져 있으나 실제로 대부분의 소장 종양은 증상을 일으키지 않고 선별 검사도 쉽지 않으므로 수술이 요구되는 경우는 매우 적다. 단지 십이지장에 발생하는 선종은 일반적으로 시행되는 내시경 검사에서 쉽게 진단될 수 있다. 따라서, 선종이 가장 흔하게 소장에 발생하는 양성 종양이며 이 밖도 소장엔 섬유종, 지방종, 혈관종 그리고 신경종 등이 발생할 수 있다. 악성 종양은 매우 드물어서 소장 종양의 1-3%로 발생한다고 알려져 있으며, 소장 악성종양의 35-50%는 소장 상피세포epithelial cell에서 기인하는 선암이 차지하고 있다. 다른 악성 종양으로는 창자친크롬세포enterochromaffin cell에서부터 발생하는 카르시노이드 종양carcinoid tumor이 20-40%이며, 림프종이 10-15% 정도를 차지하고 있다. 소장의 중간엽에 해당하는 카할 사이질 세포interstitial cell of Cajal에서 기원하는 종양인 위장관 간질 종양(GIST) 소장 악성 종양의 15% 정도에 해당한다(그림 1-81). GIST는 과거 위장관 근종, 근육종 그리고 평활근 종양으로 분류되던 것으로 최근 면역화학 염색으로 대부분 GIST로 진단하고 있다. 소장은 다른 부위에서 원발하는 악성 종양으로부터 원격 전이 되거나 침윤되는 경우도 있다. 특히 흑색종의 경우 소장으로 흔하게 전이되는 경향이 있다.

소장 악성 종양을 갖는 환자는 50대와 60대가 가장 많다. 소고기 혹은 훈제 고기의 섭취가 많은 집단과 크론병, 비열대 스프루우 그리고 유전성 비용종 대장직장암, 가족성 대장 폴립증 그리고 포이츠 예거 증후군 환자에서 소장 악성종양이 호발하는 것으로 알려져 있다.

2) 병리 병인

소장의 점막 면적은 전체 위장관 점막 면적의 90%에 해당되지만 소장에서 발생하는 악성 종양은 전체 위장관 악성 종양의 1.1-2.4% 에 해당된다. 이렇게 낮은 발생률의 원인으로 몇 가지 가설들이 제기되고 있다. 첫째, 소장 내 존재하는 많은 양의 액체로 인하여 발암 물질들이 희석될 수 있다. 둘째, 소장 내에서는 섭취한 음식들이 빠르게 이동하므로 발암 물질이 소장 점막과 접촉할 기회가 적다. 셋째, 소장 내에는 상대적은 적은 미생물이 존재하므로 미생물의 대사에 의한 항암 물질의 생성이 적다. 넷째, 소장의 고유판lamina propria과 회장의 Payer 반patch 에 위치하고 있는 풍부한 림프 조직이 면역글로불린 A 를 분비하여 면역 감시체계를 담당하고 있다.

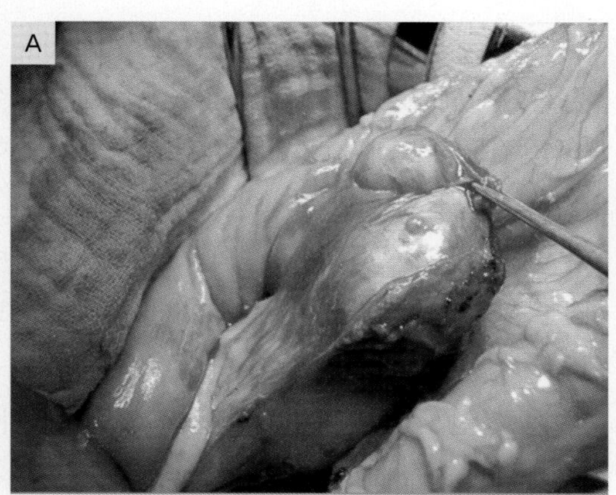

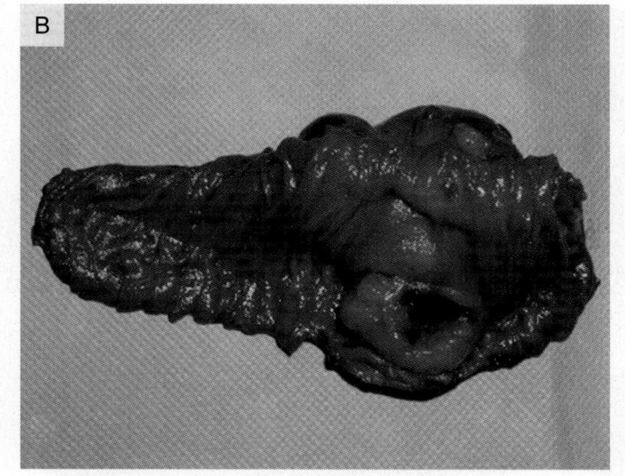

그림 1-81 **공장 위장관 간질성 종양.** A) 수술 시야. B) 육안 병리 소견

최근엔 소장에 발생하는 선암과 GIST의 분자 수준에서의 병리 기전이 밝혀지고 있다. 소장의 선암은 대장암과 비슷한 분자 변이를 갖는다고 알려져 있어서 K-ras 유전자의 변이가 일반적으로 관찰된다. 또한 대장 용종이 대장암으로 발전하는데 관여하는 APC 유전자, p53 유전자 그리고 DCC 유전자 등의 종양 억제 유전자의 대립 형질 소실이 소장 선암의 발생과 관련이 있다. GIST의 생성 기전에 타이로신 활성효소 수용체인 전암유전 유전자protooncogene KIT의 변형이 관련되어 있다는 것이 밝혀 졌다. 이러한 KIT 유전자의 변형은 변형된 세포의 비정상적인 증식에 관여하게 된다. GIST의 95% 이상에서 CD 117 항원을 이용한 KIT 면역화학 염색에 양성을 나타낸다.

3) 임상증상

대부분의 소장 종양을 갖는 환자들은 그 크기가 일정 수준으로 커질 때까지 증상이 없으며, 발생한 증상도 매우 비특이적이다. 가장 흔한 증상인 복부 통증은 커진 종양이 소장을 부분적 폐쇄가 발생했을 때 나타나며, 복부 팽만과 오심, 구토 등이 동반될 수 있다. 이러한 부분적 폐쇄에 의한 증상은 종양에서 기인하는 장충첩증에 의해서도 발생할 수 있다. 두 번째로 흔한 증상인 장 출혈이 발생할 수 있는데 보통 증상이 없이 대변에서 잠혈을 나타내는 경우가 대부분이다.

소장 악성 종양의 경우, 이학적 검사에서 25%정도의 환자 만이 복부 종괴가 촉지 될 수 있으며, 25%에서 소장 폐쇄 증상이 있지만 이는 진행된 종양에서 나타나는 경우가 많다. 선암의 경우, 크론병과 관련이 있는 경우를 제외하고는 대부분 십이지장에서 발생한다. 따라서 비교적 초기에 황달이나 췌장염 등의 증상이 나타날 수 있으므로 다른 부위에 발생한 악성 종양에 비하여 비교적 덜 진행된 상태로 발견될 수 있다.

소장의 카르시노이드 종양은 보통 전이가 이미 진행된 상태로 진단된다. 카르시노이드 종양은 주로 충수appendix에 호발하지만, 소장에 발생한 경우 악성도가 더 높다. 카르시노이드 종양으부터 유래된 간전이가 있는 환자의 25에서 50%는 카르시노이드 증상을 가지고 있으며, 설사와 홍조, 저혈압, 빈맥 그리고 심내막과 우심 판막의 섬유화 등의 증상을 나타낸다. 카르시노이드 증후군을 일으키는 물질은 세로토닌, 브라디키닌, P 물질 substance P 등으로 알려져 있으며, 이 물질들은 대부분 간에서 대사가 이루어진다. 따라서, 카르시노이드 증후군은 카르시노이드 종양의 간전이가 없는 경우엔 드물다.

림프종은 소장에서 일차성으로 발생할 수도 있으며 전이가 되어 발생할 수도 있다. 일차성 소장 림프종은 대개 림프 조직을 풍부하게 가지고 있는 회장에서 일반적으로 발생한다. 대부분은 소장 폐쇄를 주된 증상으로 나타내지만, 10%정도에서는 소장 천공이 발생할 수 있다.

GIST 의 60-70%는 위에서 발생한다. 소장은 두 번째

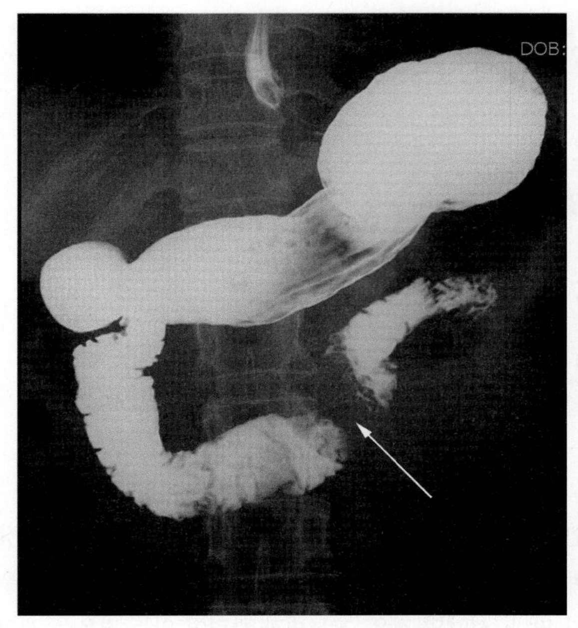

그림 1-82 소장 종양의 소장 조영술 소견

로 GIST이 많은 장기로 25–35%의 GIST 가 소장에 발생한다. GIST는 다른 소장 종양과는 달리 장내 출혈을 일으키는 경우가 많다.

4) 진단

대부분의 소장 종양은 증상이 없기 때문에 수술 전에 진단되는 경우는 드물다. 카르시노이드종양에서 혈액의 5–hydroxyindole acetic acid 가 상승하는 것을 제외하고 검사실 소견은 비특이적이다. 소장 선암이 간전이가 있을 때, 암배아성 항원carcinoembryogenic antigen이 상승할 수 있다.

소장 조영술을 통하여 소장 종양을 진단 할 수 있다(그림 1-82). 고위 관장법은 90%이상의 민감도를 갖는 것으로 알려져 있으며, 특히 원위부 소장 종양의 주 진단법이다. 상부위장관 조영술은 30–40%의 민감도를 갖는 것으로 알려져 있다. 컴퓨터 촬영의 경우 점막 병변을 진단하기에는 민감도가 낮은 것으로 알려져 있지만, 소장 악성 종양의 임상적 병기 설정을 위해서 반드시 필요한 검사 방법이다. 출혈과 관련이 있는 종양은 혈관 조영술이나 적혈구 핵의학 검사를 통하여 확인이 가능할 수 있다.

십이지장에 위치하고 있는 종양은 내시경을 통해 확인하고 생검도 가능하다. 또한 내시경 초음파를 통해서 종양의 침윤 정도에 대한 확인이 가능하다. 원위부 회장의 경우 대장 내시경을 통해 병변의 확인이 가능할 수도 있다. 수술 중 소장 내시경을 통하여 일반 내시경 보다 더 원위부 소장 병변을 확인할 수도 있다. 최근 캡슐 내시경과 이중 풍선 내시경double balloon endoscopy를 이용하여 소장에 대한 관찰이 가능하다.

5) 치료

증상을 유발한 소장의 양성 종양은 외과적으로 절제되거나 가능하다면 내시경으로 절제되어야 한다. 십이지장에 위치하고 있는 종양은 내시경으로 쉽게 진단 될 수 있으므로 반드시 생검을 통하여 조직학적으로 확인이 되어야 한다. 증상이 있는 종양과 악성화의 가능성이 있는 선종은 반드시 제거 되어야 한다. 일반적으로 십이지장에 위치한 1cm 이하의 종양은 내시경적 절제가 가능하지만, 2cm보다 큰 종양은 내시경적 절제가 쉽지 않아 수술적으로 절제 되어야 한다. 절제 방법은 십이지장 절개 후 용종 절제를 시행하거나 십이지장 분절 절제술을 시행해야 한다. 십이지장 제2 부위의 바터 팽대부 근처에 위치하고 있는 종양의 경우 췌십이지장 절제술이 필요하다. 1–2cm의 크기를 갖는 십이지장 종양의 경우 내시경 초음파를 통하여 종양의 깊이가 점막에 국한되어 있는지를 확인하고 내시경 용종 절제술을 시행할 수 있다.

가족성 대장 폴립증 환자에서 발생한 십이지장 선종은 보다 적극적인 치료가 필요하다. 가족성 대장 폴립증 환자는 20–30대가 되면 내시경을 통한 선별검사를 시작해야 한다. 선종은 내시경 절제술로 제거가 되어야 하며 가능하다면 6개월에 한번씩 추적검사가 필요하며, 재발이 없다면 1년에 한번씩 필요하다. 가족성 대장 폴립증에서 발생하는 선종은 대부분 다발성이고 목없는 용종 형태며 국소 절제 시 재발의 가능성이 높기 때문에 수술 치료가 필요하다면 췌십이지장 절제술이 필요하다. 유문보존 췌십이지장 절제술의 경우 남아있는 십이지장에서 재발 확률이 높으므로 가능하면 전형적인 췌십이지장 절제술을 시행하는 것이 바람직하다. 그러나 이러한 수술 이후에도 재발 가능성이 있으므로 정기적인 추적검사가 필요하다. 십이지장에 발생한 선암의 경우, 원위부 십이지장을 제외하고 역시 췌십이지장 절제술이 요구된다.

공장과 회장에 발생한 악성종양의 치료는 광범위 절제술이다. 선암의 경우 주변의 광범위한 림프절 절제를 위하여 장간막을 포함한 절제가 필요하다. 국소적 침윤이 진행된 경우나 전이가 있는 소장 선암의 경우 고식적 장절제 혹은 우회술이 필요하다. 소장 선암에 대한 항암제의 효과는 입증된 바 없다.

카르시노이드 종양의 수술적 치료의 목적은 모든 육안적 종양을 절제하는 것이다. 국소적인 소장 카르시노이드 종양은 소장 분절 절제와 장간막 절제술로 치료되어야 한다. 1cm 이하의 소장 카르시노이드 종양의 림프절 전이는 매우 드물며, 3cm 이상의 경우 75-90%에서 림프절 전이가 발견된다. 또한 약 30%의 환자가 소장의 다발성 카르시노이드 종양을 가지고 있으므로 수술시 전체 소장에 대한 관찰이 반드시 필요하다. 이미 전이가 진행되어 있는 카르시노이드 종양의 경우 가능한 육아적으로 절제 가능한 종양을 모두 절제하는 것이 환자들의 장기 생존률과 증상을 완화시키는데 도움이 된다. Doxorubicin, 5-FU 그리고 streptozocin을 기본으로 하는 항암제가 약 30-50% 정도의 환자에서만 효과를 나타낸다. 옥트레오타이드가 환자의 증상을 완화 시킬 수 있는 가장 효과적인 치료제이다.

소장에 국한되어 있는 림프종은 소장과 주변 장간막 절제를 시행하여야 한다. 림프종이 소장에 전반적으로 퍼져 있는 경우 수술 절제보다는 전신적 항암치료가 우선 될 수 있다. 수술 절제 후의 보조 항암요법은 논란의 여지가 있다.

소장의 GIST는 분절 절제로 치료되어야 한다. GIST는 림프절 전이가 드물기 때문에 장간막의 림프절 절제는 불필요하다. GIST는 일반적으로 사용되는 항암화학요법에는 대개 저항성을 가지고 있다. Imatinib (Gleevec)은 타이로신 활성효소에 대한 강력한 억제제로 전이성 GIST에서 사용되며 최근 진행된 임상시험의 결과에서 절제 불가능하거나 전이성 GIST를 갖고 있는 환자의 80%가 임상적 효과를 보였으며, 50에서 60%의 환자에서 종양의 크기가 감소하였다. Imatinib은 재발에 대한 고위험도를 가진 환자에서 근치적 절제술 이후 보조항암요법으로도 사용되고 있다. 최근의 연구들은 imatinib에 저항성을 보이는 GIST에 대하여 보고하고 있으며 이러한 경우 sunitinib의 사용이 좋은 결과를 보이고 있다.

소장으로의 전이성 암은 증상을 유발하는 경우 고식적 절제술이나 우회술이 고려될 수 있다. 전신적 항암화학요법은 원발암을 표적으로 하여 치료를 시행한다.

6) 예후

십이지장 선암의 완전 절제를 받은 환자들의 5년 생존률은 50-60% 정도이다. 공장이나 회장에 위치한 선암을 완전 절제한 후 5년 생존률은 5-30%이다. 소장에 국한된 카르시노이드 종양의 5년 생존률은 75-95% 정도로 보고되고 있으며, 간전이가 동반된 경우 19-54% 정도이다. 소장 림프종 환자의 5년 생존률은 20-40%이다. 국소적인 림프종 환자에 대하여 근치적 절제술이 시행된다면, 생존률은 60%가 된다.

GIST 환자의 절제 후 재발률은 평균 35%이다. 외과적 절제 후 5년 생존률은 35-60% 이다. 종양의 크기와 분화도는 예후와 관련 있는 독립적 인자이다. 고배율 시야에서 10개 이하의 분화도와 5cm 이하의 종양 크기는 매우 좋은 예후와 관련이 있다.

4. 게실 질환

소장의 게실 질환diverticular disease은 비교적 흔하며, 진성과 가성이 있다. 진성 게실은 장벽의 전층으로 구성되며 대개 선천성이다. 가성 게실은 근육층의 결손부위를 통해 빠져나온 점막과 점막하층으로 구성되고 대개 후천성이다.

1) 멕켈게실

(1) 역학과 병리

멕켈게실Meckel's Diverticulum은 인구 중 약 2%에서 발병하는 가장 흔한 소장의 선천성 기형이며 소장벽 전층으로 구성된 진성 게실이다. 멕켈게실은 회장맹장판막에서 100cm 이내의 장간막 반대편에 위치하며, 배꼽창자간막(난황)관omphalomesenteric (vitelline) duct의 불완전 폐쇄의 결과이다. 발생빈도는 남녀 비슷하다. 멕켈게실은 작게 불거진 모양에서부터 배꼽에 섬유줄기로 연결되는 길게 튀어나온 모양까지 다양한 형태로 존재하며, 흔한 형태는 길이 5cm, 직경 2cm정도의 입구가 넓은 곁주머니이다. 멕켈게실에는 이소성 조직이 60% 정도 발견되며 50%에서 위점막이 존재하고 약 5%에서 이자점막, 그리고 대장점막이 존재하기도 한다.

(2) 임상소견

대부분의 멕켈게실은 합병증이 없는 한 무증상이며, 부검, 개복수술 또는 바륨촬영 중에 우연히 발견된다. 일생 동안 합병증 발생률은 4.2-6.4%이며 가장 흔한 임상적 발현은 위장관출혈이다. 출혈은 합병증을 일으킨 환자들의 25-50% 정도에서 나타나며 2살 이하의 소아에서 가장 흔한 증상이고 30세 이후는 드물다. 이러한 합병증은 급성 대량 출혈, 만성 출혈로 인한 빈혈, 또는 저절로 지혈되는 반복 출혈 등으로 나타난다. 대부분 출혈의 원인은 위점막을 함유한 멕켈게실에 인접한 회장에서 발생한 만성 산-유도성 궤양이다.

다음으로 흔한 증상은 장폐쇄로써 성인의 멕켈게실에서는 가장 흔한 증상이다. 폐쇄의 기전은 게실에서 배꼽으로 연결된 섬유줄기 주위로 소장이 꼬이는 염전volvulus, 장겹침증intussusception, 만성게실염에 의한 협착, 또는 드물게 서혜부탈장에 게실이 감돈되어(리터 탈장Littre's hernia) 일으킨다. 장염전은 급성 질병이며 진행되면 꼬인 장의 교액strangulation을 일으킨다. 장겹침증의 경우에 게실이 회장 안으로 함입되고 연동운동에 의해 앞으로 이동하여 회장이 회장 안으로 들어가거나 결장 안으로 들어가 장폐쇄를 일으킨다. 멕켈게실에 속발한 장겹침증의 복원은 바륨관장으로 할 수도 있지만, 재발을 방지하기 위해서는 게실절제술을 해야 한다.

게실염은 증상이 있는 게실의 10-20%에서 나타나며 성인에서 더 흔하다. 임상적으로 충수염과 구분하기 힘든 멕켈게실염은 우하복부 통증을 호소하는 환자에서 필히 감별해야 하는 질환이다. 게실염이 진행하면 천공과 복막염으로 이어질 수 있다. 충수염이 의심되어 개복한 환자에서 충수가 정상인 경우에는 반드시 원위부 회장을 검색하여 멕켈게실의 염증이 있는지 확인하는 것이 매우 중요하다. 드물지만 멕켈게실에 종양이 발생할 수 있으며 양성종양으로는 근종, 혈관종, 지방종이고 악성종양은 위선암, 육종, 유암종이다.

(3) 진단

멕켈게실의 진단은 어려울 수 있다. 단순복부방사선, CT, 초음파검사 등은 거의 도움이 되지 않는다. 소아에서 멕켈게실의 진단을 위한 유일하고 정확한 방법은 sodium ^{99m}Tc-pertechnetate를 이용한 섬광조영술scintigraphy이다. ^{99m}Tc-pertechnetate는 위점막의 점액분비세포와 게실의 이소성 위점막에 선택적으로 흡수된다. 소아환자에서 이 검사의 진단적 감수성은 85%이상, 특이성은 95%, 정확성은 90%로 보고되어 있다.

그러나 성인의 경우에서 ^{99m}Tc-pertechnetate 검사는 게실내 이소성 위점막의 빈도가 낮기 때문에 정확도는 50% 미만이다. 동위원소의 농도를 올리기 위해 pentagastrin이나 glucagon, H_2-수용체 길항제와 같은 약물 사용하여 감수성과 특이성을 향상시킬 수 있다. 성인에서 핵의학검사가 정상이면 바륨촬영을 해야 한다. 급성출혈에는 때로 혈관조영술이 유용하다.

(4) 치료

증상이 있는 멕켈게실의 치료는 신속한 외과수술로 게

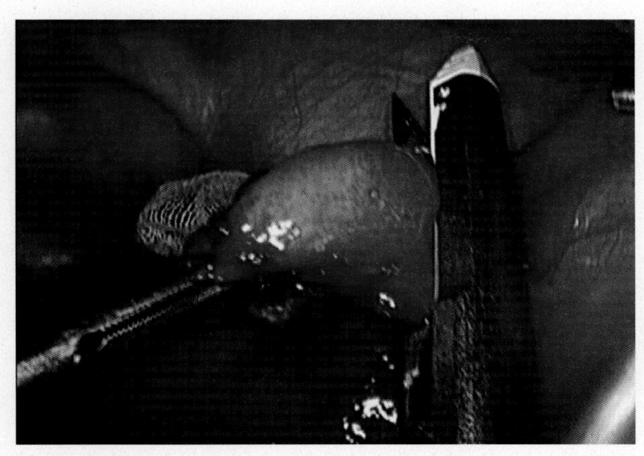

그림 1-83 **복강경 게실절제술.** 복강경 선형문합기를 이용하여 멕켈게실을 절제하고 있다.

실 또는 게실이 달린 회장분절을 부분절제하는 것이다. 출혈 환자는 대부분 출혈부위가 게실에 인접한 회장의 궤양이기 때문에 회장 부분절제를 해야 한다. 종양이 있거나 기저부에 염증, 천공이 있어도 회장 부분절제가 필요하다. 게실만 절제하는 경우 협착의 위험을 줄이기 위해 게실의 기저부를 대각선이나 횡행으로 수기봉합 또는 기계봉합을 한다. 아직 장기 연구는 없지만 복강경 게실절제술의 유용성과 안전성이 보고되고 있다(그림 1-83).

합병증이 있는 멕켈게실의 치료는 정립되었지만, 우연히 발견된 멕켈게실의 적절한 치료는 여전히 논란이다. 소아 개복술 도중 발견되는 무증상의 게실은 일반적으로 절제하는 것이 권장된다. 성인의 무증상 멕켈게실에 대한 Cullen 등의 연구에 따르면 멕켈게실의 합병증은 일생 동안 나이에 큰 차이 없이 발생하고, 예방적 절제의 수술 후 장단기 합병증 발생률이 더 낮으며, 사망은 원래 시도한 수술이나 환자의 평소 건강과 관련이 있고 게실절제술과는 관련이 없다는 임상연구 결과에 따라 성인에도 예방적 절제를 권장하였다. 그러나 최근 Zani 등이 방대한 논문들을 검토한 결과 우연히 발견된 경우 절제하지 않는 것보다 절제한 경우 합병증 발생률이 높다는 것이 명백하였기 때문에 성인의 무증상 멕켈게실은 보존적 치료가 합리적인 조치라고 할 수 있다.

2) 후천성 게실

(1) 역학과 병리

소장의 후천성 게실acquired diverticula은 비교적 흔하며 소장의 어느 부위에나 발생이 가능하다. 점막층과 점막하층으로 구성되며 평활근 또는 근육층신경얼기myenteric plexus의 운동기능 장애로 소장 내압이 상승하여 근육층의 결손부위로 점막과 점막하층이 돌출하는 가성 게실이다. 십이지장게실duodenal diverticula의 발생률은 환자의 나이와 진단방법에 따라 다르다. 상부위장관조영술에서 0.16–6%지만, 내시경적역행성담도췌장촬영에서 5–27%, 사후부검에서는 22%의 높은 발생률이 보고되었다. 여자에 2배 많으며, 40세 이하는 드물다. 십이지장게실은 대부분 팽대부 주변에서 발견되며 십이지장의 내측벽에서 돌출한다.

공회장게실jejunoileal diverticula의 발생률은 1–5%로 보고되어 있다. 공회장게실은 연령에 따라 증가하여 주로 50–60대 이상 고령에서 나타나고 다발성이다. 공장게실이 회장게실보다 흔하며, 크기도 더 크다. 압력에 약한 부위인 장간막 가장자리에서 기시하기 때문에 소장 장간막에 묻혀 수술 중에 간과될 수 있다.

(2) 임상 소견

십이지장게실 거의 대부분 증상이 없으며, 보통 게실과 무관한 증상에 대해 검사한 상부위장관조영술에서 우연히 발견된다. 상부위장관내시경으로 진단되기도 하며 복부단순촬영에서 비전형적인 공기방울이 보이면 의심해볼 수 있다. 십이지장게실 자체의 합병증으로 인해 수술이 필요한 경우는 5% 미만이며, 주요 합병증으로는 담관염이나 췌장염을 유발하는 담관이나 췌관의 폐쇄, 출혈, 천공, 그리고 드물게 맹관증후군blind loop syndrome이 있다.

바터팽대부ampulla of vater와 밀접한 게실이 담관염과 췌장염의 합병증을 유발하는데 이런 경우 팽대부가 게실 자체를 통하여 십이지장으로 개구하기 보다는 게실의 바로 위에서 십이지장으로 들어가기 때문에 총담관이 비틀어져 부분적 폐쇄나 정체를 일으킨다. 출혈은 게실염이 발생하면 상장간막동맥 분지가 침식되어 발생하며, 천공은 드물다. 십이지장게실 내에 장관 내용물이 정체하면 세균 증식, 흡수장애, 지방변, 거대적모구성빈혈(즉, 맹관증후군)을 야기한다.

공회장게실 또한 보통 개복수술 중 또는 상부위장관조영촬영 중 우연히 발견되며 거의 대부분 무증상이다. 만성적인 증상으로는 모호한 만성복통, 흡수장애, 기능성 가성폐쇄, 만성적인 소량 출혈이 있다. 드물지만 급성 합병증으로 게실염, 위장관출혈, 장폐쇄가 있고 공장 운동 이상에 의한 장 내용물의 정체로 맹관증후군을 야기할 수 있다.

(3) 치료

대부분의 십이지장게실과 공회장게실은 증상이 없는 양성질환이어서 발견되었을 때 대부분은 특별한 치료 없이 그대로 두며, 증상이 있고 심한 합병증을 동반한 경우에 국한하여 수술을 한다. 십이지장 게실의 수술법 중 가장 흔하고 쉬운 방법은 게실절제술이며, 이는 Kocher법을 넓게 하여 십이지장을 충분히 노출시키면 쉽게 할 수 있다. 게실이 절제된 후 십이지장은 내강이 좁아지지 않도록 수직 혹은 수평 봉합한다. 팽대부 인접부위에 많이 발생하므로 팽대부를 주의 깊게 확인해야 총담관 및 췌관의 손상을 막을 수 있다. 췌장두부에 깊이 묻혀있는 게실의 경우, 십이지장절개창을 통해 게실을 내강 안으로 뒤집어 빼낸 다음 절제하고 절개창을 봉합한다. 바터팽대부와 밀접한 십이지장게실은 게실 내 팽대부와 공유하는 벽을 절개하여 확대 괄약근성형술을 한다.

천공된 십이지장게실의 치료는 외상성 십이지장벽 손상의 경우와 비슷한 방법으로 한다. 천공된 게실은 제거되어야 하며, 십이지장은 공장의 장막을 덧대어 봉합한다. 주위 염증이 심하다면 천공 부위로부터 장관 내용물의 흐름을 돌리기 위해 위-공장문합술 또는 십이지장-공장문합술을 하고 천공부위 근위부의 십이지장은 자동봉합기로 차단한다. 팽대부에서 떨어져 있는 천공 게실은 완전한 절제를 할 수 있지만, 팽대부와 붙어있으면 주의하여 게실의 아전절제술만 시행해야 담-췌관의 입구를 보호할 수 있다.

공회장게실로 인하여 폐쇄, 출현, 천공 등의 합병증이 발생하면 소장절제와 단-단문합술을 한다. 맹관증후군과 세균증식에 의한 흡수장애를 보이는 환자들에게 항생제를 투여할 수 있다. 공장게실에서 형성된 장석enterolith은 원위부로 이동하여 폐쇄를 유발할 수 있다. 이것은 장절개술을 통해 직접 장석을 제거하거나 맹장으로 밀어내고, 게실 부위에서 폐쇄가 발생하였다면 장절제술을 한다. 공회장게실의 천공이 발생하였을 때 단순봉합, 절개, 함입 같은 간단한 시술은 이환율과 사망률을 증가시키므로 장 부분절제와 재문합을 하여야 한다. 범발성 복막염과 같은 극심한 경우에 재문합이 위험하다고 판단되면 일시적 장루형성술을 할 수 있다.

5. 기타 소장질환

1) 장피누공

(1) 원인

장피누공enterocutaneous fistula은 위장관의 일부가 피부와 비정상적인 통로가 생겨 48시간 이상 위장관 내용물이 피부면에서 배출되는 질환으로 원인은 수술적 과실(문합부 누출, 장 또는 혈관 손상, 흡입 도관에 의한 침식, 봉합바늘에 의한 장열상)과 같은 의인성인 경우가 75–85%를 차지한다. 15–20%의 환자에게 있어서는 크론병, 악성 종양, 방사선 장염, 게실염, 장폐색, 복강내 패혈증, 외상 등 전구 질환이 원인이 된다.

(2) 임상소견 및 진단

전형적인 임상양상은 수술 후 환자가 열감이 있고 홍반성 창상을 보이는 것이다. 이러한 창상의 봉합사 일부를 제거하면 화농성 또는 혈액성 삼출물이 나오며, 장내용물이 즉시 누출되거나 1–2일 후 나타나기도 한다. 진단이 의심스러운 경우 비흡수성 표지자(목탄, 콩고레드)를 경구 투여하거나 수용성 조영제를 누공으로 주입하여 확인

표 1-25. 누공의 자연폐쇄를 방해하는 요인

근위부 공장의 누공
고배출 누공(하루 배출량 500mL 이상)
장벽의 심각한 손상(장 둘레의 50% 이상 결손)
활동성 염증성 장질환
암
방사선장염
원위부 장폐쇄
배액되지 않은 주위 농양
누도내 이물질
2.5cm 미만의 짧은 누도
누도의 상피화

할 수 있다. 이것이 소장에 발생한 장피누공의 가장 흔한 양상으로 손상된 소장이 인접 장기에 둘러싸여 누공이 형성된 상태다. 드물게 소장누공이 범발성 복막염으로 나타나는 경우도 있다. 최근에는 외상 외과의 손상제어 개복술damage control laparotomy 후에 장대기누공enteroatmospheric fistula이 발생하기도 하는데 이는 커다란 근막 결손을 통해 소장의 일부가 노출된 치명적인 형태의 소장누공이다.

장피누공은 그 위치와 하루 누출량에 따라 분류하여 치료와 예후를 예측하게 된다. 일반적으로 장의 근위부에서 발생할수록 문제가 심각하다. 근위 누공은 누공 배출량이 하루 500mL 이상의 고배출로써 많은 수분과 전해질 손실을 일으킨다. 배액물의 소화작용이 커서 누공 주위의 피부손상이 심하고 누공이 발생한 하부의 소장에서 영양소들이 충분히 흡수되지 못한다. 원위 누공은 저배출이고 관리가 쉬우며 자연 폐쇄될 가능성이 높다. 누공의 자연적 폐쇄를 방해하는 요소는 표 1-25과 같다. 누공이 확인되면 신속히 치료를 시작함과 동시에 자연폐쇄를 방해하는 요소가 있는지 관심을 집중해야 한다.

소장 누공의 치료는 3단계(안정화, 평가, 지지요법)를 거쳐 근본 수술을 한다.

(3) 치료

가. 안정화

소장누공과 연관된 주요 합병증은 패혈증, 수분과 전해질 결핍, 피부괴사 그리고 영양실조다. 장피누공 환자의 사망률은 10-20%에 이르며 원인은 주로 패혈증이다. 누공이 진단되면 곧바로 수액과 전해질 보충을 해야 한다. 초기에 패혈증 치료가 중요하므로 모든 감염을 충분히 배농하고 적절한 항생제를 투여한다. 패혈증이 진정되고 생체 징후가 안정되면 배출물 관리와 함께 피부보호, 영양공급이 필요하다.

장피누공 환자를 성공적으로 치료하기 위해서 배액 관리, 패혈증의 치료, 수분과 전해질 결핍의 방지, 피부 보호 및 적절한 영양공급이 필요하다. 누공 배출물의 관리는 섬프흡입 배액관을 누공에 삽입하여 쉽게 할 수 있다. 배액관리와 함께 누공 개구부 주위의 피부가 벗겨지고 손상되는 것을 막는 것이 중요하다. 피부보호제품을 붙이고 산화아연, 알루미늄 연고 또는 파우더를 바른다. 배액 주머니를 누공의 개구부에 맞게 적당히 잘라 붙이고, 흡입도관은 주머니 끝을 통해 밖으로 빼서 배출물을 수집하고 배출량을 정확히 측정한다.

총비경장영양요법Total Parenteral Nutrition (TPN)은 장피누공의 치료에서 중요한 발전을 이루어 영양실조 문제를 상당히 예방하고 있다. 누공의 안정화 단계에서 고배출로 인한 수분 손실과 영양 결핍을 보충하는데 효과가 크다.

나. 평가와 지지요법

패혈증이 조절되고 영양요법이 시작되면 누공의 상태를 충분히 평가해야 한다. 수용성 조영제를 누공에 주입하는 누공조영술fistulography로 농양의 존재와 범위, 누공의 길이, 장벽 손상의 범위, 누공의 위치, 그리고 원위부 폐쇄의 존재 여부를 파악하여 자연 폐쇄 가능성을 판단한다. CT 촬영은 액체나 농의 저류 여부를 판단하는데 도움이 되고 이러한 저류가 있으면 경피 배농이 가능하다. 치료기간에 대한 의견들이 있지만 90%는 패혈증이 진정된 후 1개월 이내 자연폐쇄가 되고 2개월 이후에 자연폐쇄 되는 경우는 10% 미만이며 3개월 이후에는 자연 폐쇄가 되지 않는다. 그러므로 4-6주간의 보존적 치료 후에도 자연폐쇄가 되지 않을 경우 수술적 치료를 고려하는 것이 적절하다. 보존적 치료의 효과는 그 기간 동안에 누공이 자연폐쇄 될 수 있을 뿐만 아니라 영양상태를 적정화하고 창상 및 누공부위의 관리를 가능하게 한다. 또한 적절히 지연하는 동안 복막 반응과 염증이 가라앉아 이차 수술을 쉽고 안전하게 할 수 있게 된다.

고배출 누공은 TPN으로 수분과 영양 손실을 최소화할 수 있지만 저배출 누공은 경장영양enteral feeding으로 가능하다. 이런 경우에 로페라마이드loperamide나 코데인codeine 같은 장운동 억제제가 도움이 된다. 또한 새로운 기술로 근위 누공은 배관하고 원위 누공에 경장영양을 하는 영양분장주입enteroclysis이 효과적이라고 밝혀졌다. 지속성 소마토스타틴 유사체 옥트레오티드octreotide가 고배출 장피누공 환자에 누출량을 감소시켜 대량의 체액소실로 인한 문제를 개선하지만 누공 자연폐쇄율을 올리는지는 확실하지 않다.

다. 근본적 치료

수술은 이전 복부 창상을 통해 접근하고 유착된 장에 추가 손상이 가지 않도록 주의한다. 권장되는 수술은 누도 절제와 침범된 소장의 분절절제 후 재문합이다. 누도 절제 후 누공만 단순봉합하면 거의 항상 누공이 재발한다. 누공 수술 후 재발을 일으키는 위험 요소는 염증성 장질환이 있거나, 진단 후 수술까지 36주 이상 경과한 경우, 장절제 후 기계문합을 한 경우 등이다. 예상치 못했던 농양이 있거나 장의 상태가 단단해지고 팽창되어 일차 문합술을 하기에 안전하지 않을 경우 장관광치술exteriorization을 하거나 단계수술 방법으로 일차 수술에서 누공이 있는 분절을 배제하는 우회 수술을 하고 이차 수술에서 누공발생 분절과 누도를 절제한다.

2) 장기종

장기종Pneumatosis Intestinalis은 위장관내에 다발성 공기 함유 낭종을 보이는 흔하지 않은 질환이다. 이 낭종은 장막하층, 점막하층 그리고 드물게 근육층에 존재하고 미세한 것부터 수 센티미터에 이르기까지 그 크기가 다양하다. 장기종은 식도에서부터 직장에 이르는 장의 모든 부위 어디에서나 발생이 가능하나 공장에서 가장 흔하고 그 다음으로 회맹부와 대장에서 흔하다. 남녀 발생 비율은 비슷하고 30–60대 연령에서 흔하다. 신생아 장기종은 괴사성 장결장염necrotizing enterocolitis과 관련이 있다.

대부분의 장기종은 만성폐쇄성호흡기질환이나 면역약화 상태(에이즈, 이식 후, 백혈병, 림프종, 혈관염 또는 교원성 혈관질환, 화학요법 혹은 스테로이드 복용 환자)와 연관이 있다. 다른 연관된 상태로는 장의 염증성, 폐쇄성 혹은 감염성 질환, 내시경과 회장루 설치 같은 의인성 요인, 허혈 그리고 당뇨병과 같은 장외 질환 등이 있다. 다른 병변과 관계없는 장기종은 원발성 장기종이라고 한다.

육안적으로 낭종은 낭성림프관종cystic lymphangioma 또는 포충낭hydatid cyst과 비슷하다. 조직학적으로 기종이 발생한 부위는 벌집 모양을 보인다. 낭종은 얇은 벽으로 되어있고 쉽게 터지며 자연 파열되면 기복증pneumoperitoneum을 일으킨다. 증상은 비특이적이고 원발성 장기종의 증상으로는 설사, 복통, 복부팽만, 오심, 구토, 체중감소, 그리고 점액성 대변이 있다. 혈변과 변비 또한 나타날 수 있다. 장기종의 합병증은 약 3%에서 나타나며 장염전, 장폐색, 출혈 그리고 장천공 등이다. 이러한 환자에서 기복증이 가장 흔히 보이고 대장보다 소장의 기종에서 더 흔하다. 복막염은 흔하지 않다. 실제 장기종은 드물지만 복막염의 증거가 없이 유리 복강기체를 보이는 무균성 기복증 환자는 장기종을 의심해야 한다.

진단은 주로 단순복부촬영 혹은 바륨조영촬영에 의해 이뤄진다. 단순복부촬영에서 장기종은 장벽내 방사선투과성으로 나타나고 이것은 장내강의 기체와 확실히 감별해야 한다. 방사선투과성은 선형 또는 곡선형이거나 포도송이 또는 작은 기포 형태로 보인다(그림 1-84). 바륨조영 혹은 CT촬영으로도 확진할 수 있고 초음파를 이용하여 낭종을 관찰할 수 있다.

치료는 직장출혈, 장염전 또는 긴장성 기복증 같은 합병증을 일으키지 않는 한 필요하지 않다. 대부분 환자의 예후는 기저 질환과 비슷하다. 치료는 장기종의 원인질환

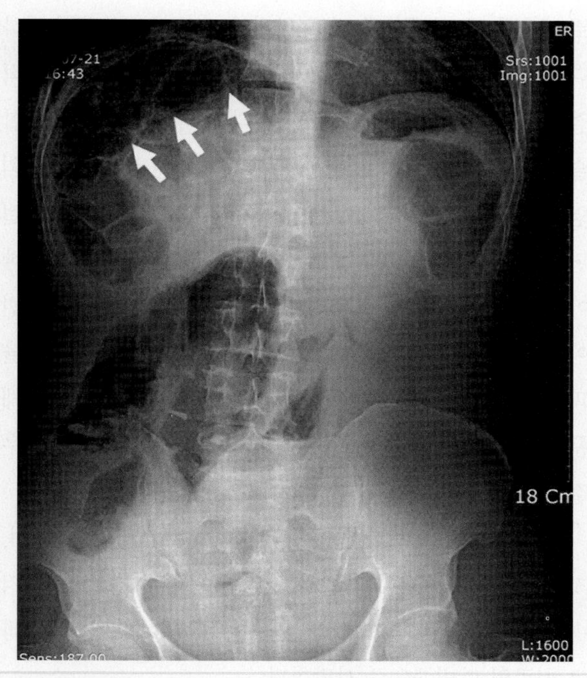

그림 1-84 장기종의 단순복부촬영. 소장이 우측 횡격막하 공간에 몰려 있고 기포들이 보인다.

에 목표를 두어야 하고 수술여부는 환자의 임상양상에 따라 결정한다.

3) 맹관증후군

맹관증후군Blind Loop Syndrome은 설사, 지방변, 거대적혈모구빈혈, 체중감소, 복통, 지용성 비타민(A, D, E, K) 결핍 및 신경학적 장애를 보이는 흔하지 않은 질환이다. 원인은 소장의 협착, 누공, 게실로 인한 소장의 정체 구역에서 발생하는 세균 과증식bacterial overgrowth이다. 정상적으로 상부위장관에 있는 세균은 10^5균/mL 보다 적으며 대부분 그람양성 호기성균과 조건 혐기성균이다. 그러나 정체가 되면 호기성 및 혐기성균(박테로이드, 혐기성유산균, 대장균, 장구균 등)이 과도하게 증식하여 세균 수가 증가하게 된다. 이러한 세균은 비타민 B12를 경쟁적으로 섭취하여 비타민 B12의 전신적 결핍 및 거대적혈모구빈혈megaloblastic anemia을 일으킨다.

이 증후군은 단계적 검사로 진단될 수 있다. 세균 과증식은 장내 관을 삽입하여 채취한 세균배양으로 또는 ^{14}C-xylose 또는 ^{14}C-cholylglycine 호흡검사를 통해 간접적으로 확인될 수 있다. 세균에 의해 ^{14}C-기질이 과다 이용되면 $^{14}CO_2$가 증가하는 원리를 이용한 검사다. 세균 과증식과 지방변이 확인된 다음에는 쉴링Schilling 검사(^{57}Co-표지 비타민 B12 흡수검사)를 하여 악성빈혈처럼 비타민 B12 소변배설이 6% 이하로 감소된 양상을 본다. 맹관증후군 환자에서 비타민 B12 배설은 내인성 인자를 주어도 변하지 않지만 광범위 항생제를 투여하면 비타민 B12 흡수는 정상으로 돌아온다.

맹관증후군의 치료는 비경구적 비타민 B12 요법과 tetracycline이나 amoxicillin과 같은 광범위 항생제다. 다른 방법은 cephalosporin과 metronidazole의 복합투여다. 만약 이러한 항생제가 효과적이지 않으면 chloramphenicol이 사용될 수 있다. 대부분의 환자에서 1회 요법(7–10일)이면 충분하고 수개월간 증상이 소실된다. 위장운동 촉진제는 실제 효과가 없다. 정체를 일으키는 상태를 외과적 교정하는 치료는 항생제요법을 여러 차례 반복하거나 지속적으로 받고 있는 경우가 대상이고 그 효과는 영구적이다.

4) 방사선장염

(1) 병리

여러 가지 복강 및 골반 내 종양에 대한 보조치료로 방사선치료가 흔히 사용된다. 그러나 방사선치료는 암세포뿐만 아니라 인체 내 빠르게 분열하는 정상세포에도 영향을 미친다. 소장 상피세포 같은 종양주변 정상조직이 심각한 급성 혹은 만성 부작용을 입을 수 있다. 방사선조사량이 방사선장염 발생과 관계가 있다. 총 방사선조사량이 4,000cGy 이하인 경우 심각한 합병증 발생은 드물지만 5000cGy를 넘는 경우 합병증 발생 위험성이 증가한다. 복부수술, 기존 혈관질환, 당뇨, 고혈압, 그리고 보조항암치료 등도 방사선치료 후 방사선장염의 발생에 영향을 미친다. 개복수술의 기왕력이 장염의 위험성을 증가시키는 이유는 유착으로 소장의 일부가 방사선조사창의 범위 내에 고정되기 때문이다. 방사선손상은 급성으로 발생하여 설사, 복통, 흡수장애 등의 증상을 보이다 저절로 호전되는 경향이 있다. 방사선손상의 장기 후유증은 작은 점막하혈관의 손상으로 진행성 폐쇄성 혈관염과 점막하 섬유화를 일으키고 결과적으로 혈전증과 혈관기능부전을 일으키기 때문이다. 이러한 손상은 방사선 피폭된 소장의 괴사나 천공을 유발시킬 수 있으나 폐쇄성 협착이나 장피누공의 형성이 더 흔하다.

방사선장염은 정상조직이 아닌 종양세포에만 적정 방사선조사를 전달할 수 있는 포트와 조사량을 조절함으로써 그 피해를 최소화할 수 있다. 수술 중 티타늄 클립과 같은 방사선불투과성 표식자를 방사선치료 위치에 삽입하는 것이 방사선치료의 목표를 결정하는데 용이하게 할 수 있다. 재복막성형술reperitonealization, 복막전위omental transposition, 흡수성 인조조직걸이mesh sling 삽입 등은 방사선조사로부터 소장의 피해를 피하도록 할 수 있는 방법이다.

(2) 치료

방사선장염의 부작용을 줄이기 위해 여러 가지 약물요법들이 있다. Sucralfate는 설사를 방지하는데 유용하고, amifostine같은 유리기 제거제가 방사선 합병증을 감소시키며, glutathion, 항산화제(비타민A, 비타민E, β-carotene), 히스타민길항제 등도 방사선장염에 대한 효과가 연구되었다.

급성 방사선장염의 치료목표는 증상완화다. 항구토제가 효과적이며 진경제와 진통제로 복통을 완화시키고 아편제제와 지사제로 설사를 조절한다. 급성 방사선장염에 대한 스테로이드와 경구 성분영양과 같은 식이요법의 효용성은 아직 논란이 있다.

만성 방사선장염은 외과적 치료가 필요하다. 국내 보고에 의하면 복부나 골반 방사선 치료를 받은 환자의 1.1%에서 장염으로 수술을 받았고 방사선 치료부터 수술까지의 평균기간은 29개월이었다. 수술의 적응증은 폐쇄, 누공, 천공, 출혈이 있으며, 그 중 폐쇄가 가장 흔하다. 수술방법은 우회술 또는 절제 및 재문합술이 있으며 장폐쇄 환자에서 광범위한 유착박리술을 하는 것은 피해야 하므로 우회술이 절제술에 비해 안전하고 증상조절에 용이하다. 그러나 재발과 맹관증후군을 방지하기 위해 가급적 절제하는 것이 좋다는 주장도 있다. 만일 절제 및 재문합술을 하려면 최소한 문합부 말단 한 쪽은 방사선조사의 영향을 받지 않았던 부위여야 하는데 육안으로나 동결절편 생검으로도 정상과 구별하기는 어렵다는 점을 감안해야 한다. 방사선조사 조직의 상처치유가 잘 안되므로 병변이 있는 장의 부적절한 절제 및 재문합술은 높은 이환율과 사망율을 가져올 수 있다. 장천공은 반드시 절제 및 재문합술을 해야 하며 만일 문합술의 안정성이 의심될 경우 절제한 말단을 복강 밖으로 빼내는 광치술을 해야 한다.

방사선장염은 경과가 매우 심하게 진행 될 수 있으며, 첫 개복술 이후 회복한 환자도 절반 가량은 장손상이 지속되어 재수술을 받게 된다. 환자의 25%는 방사선장염과 그 치료의 합병증으로 사망한다.

5) 단장증후군

(1) 원인과 임상소견

단장증후군short bowel syndrome은 총 소장 길이가 영양을 유지하기에 불충분하여 일어난다. 단장증후군의 75%는 한번의 광범위 장절제술 후 발생하며 성인에서 가장 흔한 요인은 급성장간막허혈증acute mesenteric ischemia, 중장염전midgut volvulus, 외상성 상장간막혈관 손상이다. 25%는 다발성 장절제의 누적된 결과로 재발성 크론병에서 볼 수 있다. 신생아에서는 괴사성장결장염에 대한 장절제술이 가장 흔한 요인이다. 단장증후군의 임상적 특징으로 설사, 수분과 전해질 결핍, 영양실조가 나타난다. 이 외에도 장간순환 단절로 인한 담석, 과옥살산뇨증에 의한 신석증의 발생 빈도가 증가한다. 철분, 마그네슘, 아연, 구리, 비타민과 같은 특정 영양결핍이 일어나며, 이들 영양분의 혈중 농도를 유의 깊게 살펴야 한다.

(2) 병리

TPN에 영구 의존 가능성은 남은 장의 길이, 위치, 상태, 결장의 존재 여부에 따라 다르다. 소장은 50% 이하가 절제되면 잘 적응하게 되는데 대부분 적응성 과형성adaptive hyperplasia이 일어나 흡수와 소화에 필요한 표면적 감소로 인한 심각한 합병증이 예방된다. 그러나 광범위한 소장절제술이 시행된 경우 이러한 적응과정이 불충분하게 일어날 수 있다. 개인 차이는 있지만 회장 말단부와 회맹판ileo-cecal valve이 보존된 경우 약 70%의 소장이 절제된 경우까지 환자는 적응할 수 있다. 그러나 길이만이 합병증 발생의 요인은 아니고, 회맹판을 포함한 회장 말단부 2/3가 절제되면 단지 소장의 25%만 절제되어도 심각한 담즙산염과 비타민 B12 흡수장애가 발생하여 설사와 빈혈이 발생할 수 있다. 공장에 비해 회장이 더 효율적으로 흡수능력에 적응하고 담즙산염과 비타민 B12를 흡수하므로 근위부 소장절제술에 비해 원위부 소장절제술 후 단장증후군이 잘 발생한다. 결장은 수분과 전해질을 흡수하고 단쇄지방산의 소화흡수에 작용하므로 결장의 존재 여부가 영양실조의 심각성에 영향을 미친다.

(3) 치료

단장증후군 치료에 가장 중요한 것은 예방이다. 크론병에서는 합병증이 발생한 특정 부위만 한정된 절제를 해야 한다. 장허혈 질환도 최소 절제술을 해야 하며, 가능하다면 이차추시수술second-look operation을 하여 허혈성 장을 구별하도록 하고 불필요한 광범위 장절제술을 피해야 한다.

가. 내과적 치료

광범위 장절제술 후 치료과정은 크게 초기와 후기 단계로 나눌 수 있다. 초기 단계의 치료는 설사 조절, 수분과 전해질 보충, TPN의 조속한 시행이다. 하루 5L 이상의 수분소실이 발생하므로 적절한 공급과 함께 섭취량과 배설량을 철저히 감시해야 한다. 초기 단계 설사는 광범위 소장절제술 이후 발생하는 고가스트린혈증에 의한 위산과다분비가 주로 일으키며 H_2-수용체 길항제나 양성자펌프 길항제로 치료할 수 있다. 설사의 다른 원인은 회장절제술로 장간순환이 단절되어 과량의 담즙산이 대장으로 들어가기 때문이며 이런 경우는 cholestyramine이 효과적이다. 또한 장운동을 억제하는 진경제(codeine, loperamide, diphenoxylate)의 적절한 사용이 도움이 될 수 있다. 지속성 소마토스타틴 유사체 옥트레오티드 역시 초기 단계의 설사량을 감소시키는데 도움이 된다.

환자가 급성기에서 회복되면 수술 후 1-2년 적응기간에 TPN과 경장영양을 조절하면서 장이 빠르고 효과적으로 적응되어 TPN 의존에서 벗어나게 해야 한다. 경장식이의 가장 흔한 형태는 성분식이elemental diet와 중합체식polymeric diet이다. 이런 환자에 적합한 식이에 대한 논쟁은 남아있다. 처음에는 흡수를 최대화하기 위해 고탄수화물, 고단백 식이가 적절하며 유제품은 피한다. 식이 시작은 소량의 등장성 농도로 하고 장이 적응함에 따라 삼투압, 부피, 열량을 증가시킨다. 가장 단순한 형태로 영양소를 공급하는 것이 중요하며 단당류, 펩티드peptide가 장에서 빠르게 흡수된다. 식이 지방을 제한하는 것이 중요하지만 100g 이상의 지방은 공급해야 하며 근위 소장에서 흡수되는 중쇄중성지방이 좋다. 지용성 비타민, 칼슘, 마그네슘, 아연 또한 공급되어야 한다.

전신투여 영양호르몬과 경구투여 글루타민glutamine의 역할에 대해서도 검증하고 있다. neurotensin, bombesin, glucagone-like peptide 2, insulin-like growth factor I, 성장호르몬 등이 여러 실험연구와 제한된 임상시험에서 장위축을 예방하고 장흡수를 촉진시켜 영양상태를 개선한다고 하였지만 그 실효에 대한 논쟁이 있다. TPN의존 난치 환자에서 영양호르몬, 글루타민, 고탄수화물 변형식이의 조합요법이 효과가 있을 것으로 기대하고 있다.

나. 외과적 치료

여러 가지 수술요법이 효과가 제한적이지만 장기 TPN 의존 환자에 시도되어 왔으며, 장통과시간을 지연시키는 방법, 흡수면적을 늘리는 방법, 소장이식 등이 있다. 장통과시간 지연시켜 장내 영양소와 수액 흡수의 접촉시간을 늘리려는 방법들로 판막과 괄약근을 재건하는 술식, 소장의 항연동운동분절 재건술, 결장간치술, 소장고리재순환술, 역행성전기조율기 등이 시도되었으나 증례보고 수준으로 결과가 일관되지 못했다. 장흡수표면적을 증가시키기 위한 방법으로는 Bianchi에 의해 소개된 장연장술Longitudinal Intestinal Lengthening and Tailoring (LILT)이 있으며 확장된 장을 종축으로 분리하여 단-단문합하는 방법으로 장점막의 표면적을 보존하면서 장의 길이를 두배로 늘려 장의 기능을 개선시킨다고 하였다. 장괴사와 문합부누출의 가능성이 있는 술식이지만 소아 환자에서 주로 이용되고 좋은 성적이 보고되었다. 최근에 Serial Transverse Enteroplasty Procedure (STEP)가 소개되었지만 장기 연구가 필요하다.

장이식intestinal transplantation은 소장 분리이식과 간-소장 병합이식 방법이 있으며 대규모 연구에 의하면 tacrolimus 치료 하에 1년 이식생존율과 1년 환자생존률은 소장 분리이식술에서 각각 65%, 83% 이었으며, 간-소장 병합이식술에서 각각 65%, 68% 이었다. 이 연구에서 86명의 생존자 중 78%가 TPN 제제 투여를 중단하고 경구 영양을 하였다. 미국에서 가장 큰 규모의 임상연구가 피츠버그 대학에서 진행되었으며 이 연구에서 환자생존율은 1년 72%, 2년 53%, 3년 42%로 보고되었다. 최근 간-소장 이식술은 신장이식과 심장이식에 버금가는 생존률을 보이고 있다. 소장이식술의 성공율을 높이기 위해서 더욱 효과적인 면역억제 및 거부반응의 조기발견 방법의 필요성이 계속 대두되고 있다. 장이식의 대안은 아직 원시적이지만 점막줄기세포이식mucosal stem cell transplantation이며 장세포를 인공간질에 이식하여 장점막을 재생하는 것이다.

6) 상장간막동맥증후군

윌키증후군Wilkie syndrome 혹은 석고붕대증후군cast syndrome으로 알려진 상장간막증후군은 십이지장의 제3구분이 상장간막동맥과 대동맥 사이에서 대동맥-장간막각이 좁아져 눌리는 드문 십이지장의 혈관압박 질환이다. 증상은 심한 오심과 구토, 복부팽만, 체중감소, 식후 상복

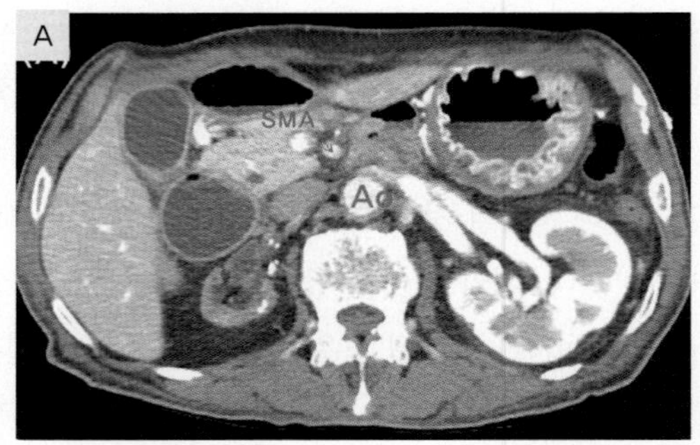

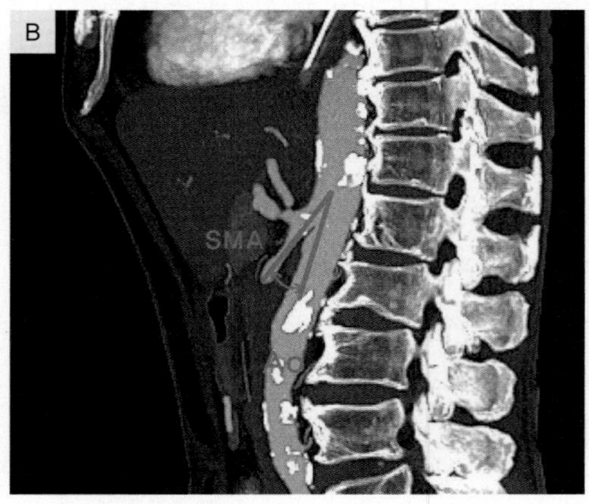

그림 1-85 상장간막동맥증후군의 CT 소견.
(Du: duodenum, Ao: aorta, SMA: superior mesenteric artery)
A) 십이지장이 팽창되고, 대동맥-상장간막동맥 거리가 짧다(12.45 mm). B) 대동맥-상장간막동맥 각도가 좁아져 있다(23.5°).

부동통 등이며 십이지장폐쇄의 정도에 따라 간헐적이나 지속적으로 나타난다. 특징적으로 환자는 상체를 숙여 쭈그린 자세나 무릎-가슴자세knee-chest position를 취해 통증과 폐쇄를 완화시키려 한다. 체중감소는 주로 증상이 나타나기 전에 보이고 이 증후군을 유발하는 요인이다.

이 증후군은 주로 젊고 마른 사람에게서 나타나며 남성에 비해 여성에 더 많다. 선행 인자로는 체중감소 외에 앙와위 부동고정, 척추측만증, 몸통 석고붕대 착용이 있다. 이 증후군과 소화성궤양의 연관성이 보고되어 있으며, 신경성 무식욕증, 직장결장절제술 및 J형 주머니-항문 문합술, 경부척수 동정맥기형 제거술, 복부대동맥류 교정술, 척추와 관련된 정형외과적 수술 등도 연관되어 있다고 보고되었다.

진단은 저장성 십이지장 조영술로 십이지장에서 공장으로 바륨 흐름이 갑자기 거의 완전히 끊기는 소견이 보이거나, CT 촬영으로 팽창된 십이지장과 더불어 대동맥과 상장간막동맥 사이의 각도와 거리가 좁혀져 있는 소견으로 확진할 수 있다(그림 1-85). 이 증후군의 치료법은 다양하다. 보존적 요법을 우선 시도하며 이 방법만으로도 성공율이 높은 치료법이다. 수술적 치료가 필요한 경우 선택적인 방법은 십이지장공장문합술duodenojejunostomy이다. 소아에서는 Treitz 인대 절단술이 권장된다.

7) 장내 이물질

이물질을 섭취하면 위장관의 천공이나 폐쇄를 일으킬 수 있는데 소아나 성인이 우발적으로 삼킨 것이며 유리, 금속조각, 핀, 바늘, 치아조각, 생선뼈, 동전, 호루라기, 장난감, 부러진 면도날 등이 있다. 때로 투옥된 사람이나 정신이상자가 의도적으로 이물질을 삼키기도 한다. 대부분 치료는 장관을 통해 이런 물질들이 안전하게 빠져 나오도록 관찰하는 것이다. 만약 물체가 방사선 비투과성이면 연속적 복부 사진으로 이물질의 이동 과정을 추적한다. 배변 하제는 금기다. 바늘, 면도 날, 생선뼈와 같이 날카롭고 뾰족한 물체들이 장벽을 뚫을 수 있다. 만약 복부 통증, 압통, 열, 백혈구증가증이 발생한다면 즉시 개복하여 해가 되는 물질을 제거한다. 장폐쇄도 개복술의 적응증이다.

요약

소장 폐쇄의 가장 흔한 원인은 수술 후 장 유착이며, 환자의 과거력과 임상 증상 그리고 단순방사선 촬영을 통하여 진단이 가능하다. 필요한 경우 컴퓨터 단층촬영이 도움이 될 수 있다. 부분적인 장 폐쇄는 대부분 보존적인 치료로 치료가 가능하며 완전 폐쇄의 경우 대부분 수술적 치료가 필요하다.

크론병은 소장에 발생하는 대표적인 염증성 장질환이다. 크론병의 원인은 밝혀져 있지 않으나 유전적 요인과 관련이 있을 것으로 생각되며, NOD2 유전자 등이 이 병과 관련이 있는 것으로 밝혀져 있다. 바륨 조영술이나 내시경을 통해서 진단될 수 있으며 혈청 ASCA 양성과 pANCA 음성 반응 항체 반응이 진단에 도움을 줄 수 있다. 급성 염증성 반응에 대하여 aminosalicylates, 부신피질 호르몬제제, 면역 조절제 등이 완화시키는데 도움이 줄 수 있으나 이를 유지하는 데는 도움이 되지 않는다. 장 천공이나 섬유화에 의한 폐쇄 시엔 수술 치료가 필요할 수 있다.

소장 종양은 대부분 무증상으로 대부분 우연히 발견되는 경우가 많다. 십이지장에 위치한 선암이 가장 흔히 발견되는 종양이며, 악성 종양으로는 선암이 가장 흔하다. 그 밖에 발견되는 악성 종양으로 GIST 나 카르시노이드 종양이 있다. 증상이 있는 양성 종양은 절제되어야 하며, 국소적으로 국한된 악성 종양의 경우 장간막을 포함한 소장 절제가 필요하다.

소장의 게실은 대부분 증상이 없고 우연히 발견된다. 선천성 멕켈게실은 급성 충수염과 감별해야 하며 우연히 발견되면 보존적 관리가 적절하다. 장피누공의 원인은 대부분 의인성이다. 치료의 필수요건은 배액 관리, 패혈증의 치료, 수분과 전해질 결핍의 방지, 피부 보호 및 적절한 영양공급이다. 4-6주 간의 보존요법으로 자연폐쇄가 이루어지지 않으면 수술치료를 고려한다. 방사선장염으로 장폐쇄가 발생하면 유착과 경화가 심하기 때문에 장절제술보다는 우회술이 안전하다. 단장증후군은 급성장간막허혈증 등으로 광범위 장절제술을 한 경우 필연적인 결과로 발생한다. 설사 조절, 수분과 전해질 보충, 총비경장영양 치료 후 경장 식이요법을 조절한다. 상장간막동맥증후군은 대동맥과 상장간막동맥 사이의 각도가 좁아져 발생하며 성인에서 선택적 수술방법은 십이지장공장문합술이다. 장내 이물질은 자연 배출되도록 관찰한다.

참고문헌

[I. 식도 수술의 역사]
[II. 식도의 해부와 생리]
[III. 식도의 운동성질환 및 양성질환]
[IV. 식도의 양성종양 및 낭종]
[V. 식도암]

1. Akiyama H, Tsurumaru M, Udagawa H, Kajiyama Y. Radical lymph node dissection for cancer of the thoracic esophagus. Ann Surg 1994; 220:364-372;discussion 372-363.
2. Babar M, Ennis D, Abdel-Latif M, Byrne PJ, Ravi N, Reynolds JV. Differential molecular changes in patients with asymptomatic long-segment Barrett's esophagus treated by antireflux surgery or medical therapy. Am J Surg 2010;199:137-143.
3. Banki F, Mason RJ, DeMeester SR, Hagen JA, Balaji NS, Crookes PF, et al. Vagal-sparing esophagectomy: a more physiologic alternative. Ann Surg 2002;236:324-335; discussion 335-326.
4. Blonski W, Vela M, Safder A, Hila A, Castell DO. Revised criterion for diagnosis of ineffective esophageal motility is associated with more frequent dysphagia and greater bolus transit abnormalities. Am J Gastroenterol 2008;103:699-704.
5. Code CF, Schlegel JF, Kelley ML, Jr., Olsen AM, Ellis FH, Jr. Hypertensive gastroesophageal sphincter. Proc Staff Meet Mayo Clin 1960;35:391-399.
6. Colombo-Benkmann M, Unruh V, Krieglstein C, Senninger N. Cricopharyngeal myotomy in the treatment of Zenker's diverticulum. J Am Coll Surg 2003;196:370-377; discussion 377; author reply 378.
7. Deb S, Deschamps C, Allen MS, Nichols FC, 3rd, Cassivi SD, Crownhart BS, et al. Laparoscopic esophageal myotomy for achalasia: factors affecting functional results. Ann Thorac Surg 2005; 80:1191-1194; discussion 1194-1195.
8. Eguchi T, Nakanishi Y, Shimoda T, Iwasaki M, Igaki H, Tachimori Y, et al. Histopathological criteria for additional treatment after endoscopic mucosal resection for esophageal cancer: analysis of 464 surgically resected cases. Mod Pathol 2006;19:475-480.
9. Keck T, Rozsasi A, Grun PM. Surgical treatment of hypopharyngeal diverticulum (Zenker's diverticulum). Eur Arch Otorhinolaryngol 2010;267:587-592.
10. Krasna MJ, Reed CE, Nedzwiecki D, Hollis DR, Luketich JD, DeCamp MM, et al. CALGB 9380: a prospective trial of the feasibility of thoracoscopy/laparoscopy in staging esophageal cancer. Ann Thorac Surg 2001;71:1073-1079.
11. Kumbasar B. Carcinoma of esophagus: radiologic diagnosis and staging. Eur J Radiol 2002;42:170-180.
12. Luketich JD, Alvelo-Rivera M, Buenaventura PO, Christie NA, McCaughan JS, Litle VR, et al. Minimally invasive esophagectomy: outcomes in 222 patients. Ann Surg 2003;238:486-494; discussion 494-485.
13. Moawad FJ, Wong R. Modern management of achalasia. Curr Opin Gastroenterol 2010;26:384-388.
14. Moghissi K, Dixon K. Photodynamic therapy (PDT) in esophageal cancer: a surgical view of its indications based on 14 years experience. Technol Cancer Res Treat 2003;2:319-326.
15. Orringer MB, Marshall B, Iannettoni MD. Eliminating the cervical esophagogastric anastomotic leak with a side-to-side stapled anastomosis. J Thorac Cardiovasc Surg 2000;119:277-288.
16. Orringer MB, Sloan H. Esophagectomy without thoracotomy. J Thorac Cardiovasc Surg 1978;76:643-654.
17. Park W, Vaezi MF. Etiology and pathogenesis of achalasia: the current understanding. Am J Gastroenterol 2005; 100: 1404-1414.
18. Pera M. Epidemiology of esophageal cancer, especially adenocarcinoma of the esophagus and esophagogastric junction. Recent Results Cancer Res 2000;155:1-14.
19. Piessen G, Messager M, Mirabel X, Briez N, Robb WB, Adenis A, et al. Is there a role for surgery for patients with a complete clinical response after chemoradiation for esophageal cancer? An intention-to-treat case-control study. Ann Surg 2013;258:793-799; discussion 799-800.
20. Portale G, Hagen JA, Peters JH, Chan LS, DeMeester SR, Gandamihardja TA, et al. Modern 5-year survival of resectable esophageal adenocarcinoma: single institution experience with 263 patients. J Am Coll Surg 2006;202:588-596; discussion 596-588.
21. Richter JE. Modern management of achalasia. Curr Treat Options Gastroenterol 2005;8:275-283.
22. Rossi M, Barreca M, de Bortoli N, Renzi C, Santi S, Gennai A, et al. Efficacy of Nissen fundoplication versus medical therapy in the regression of low-grade dysplasia in patients with Barrett esophagus: a prospective study. Ann Surg 2006;243:58-63.
23. Sandha GS, Severin D, Postema E, McEwan A, Stewart K. Is positron emission tomography useful in locoregional staging of esophageal cancer? Results of a multidisciplinary initiative comparing CT, positron emission tomography, and EUS. Gastrointest Endosc 2008;67:402-409.
24. St Peter SD, Swain JM. Achalasia: a comprehensive review. Surg Laparosc Endosc Percutan Tech 2003;13:227-240.
25. Switzer-Taylor V, Schlup M, Lubcke R, Livingstone V, Schultz M. Barrett's esophagus: a retrospective analysis of 13 years surveillance. J Gastroenterol Hepatol 2008;23:1362-1367.
26. Tutuian R, Castell DO. Review article: oesophageal spasm - diagnosis and management. Aliment Pharmacol Ther 2006; 23: 1393-1402.
27. Yamamoto S, Kawahara K, Maekawa T, Shiraishi T, Shirakusa T. Minimally invasive esophagectomy for stage I and II esophageal cancer. Ann Thorac Surg 2005;80:2070-2075.
28. Yusuf TE, Harewood GC, Clain JE, Levy MJ, Topazian MD, Rajan

E. Clinical implications of the extent of invasion of T3 esophageal cancer by endoscopic ultrasound. J Gastroenterol Hepatol 2005; 20: 1880-1885.

[VI. 위식도역류질환 및 열공탈장]

1. Ali T, Roberts DN, Tierney WM. Long-term safety concerns with proton pump inhibitors. Am J Med 2009;122:896-903.
2. Aziz AM, El-Khayat HR, Sadek A, Mattar SG, McNulty G, Kongkam P, et al. A prospective randomized trial of sham, single-dose Stretta, and double-dose Stretta for the treatment of gastroesophageal reflux disease. Surg Endosc 2010;24:818-825.
3. Booth MI, Stratford J, Jones L, Dehn TC. Randomized clinical trial of laparoscopic total (Nissen) versus posterior partial (Toupet) fundoplication for gastro-oesophageal reflux disease based on preoperative oesophageal manometry. Br J Surg 2008;95:57-63.
4. Cadiere GB, Buset M, Muls V, Rajan A, Rosch T, Eckardt AJ, et al. Antireflux transoral incisionless fundoplication using EsophyX: 12-month results of a prospective multicenter study. World J Surg 2008;32:1676-1688.
5. Cadiere GB, Himpens J, Rajan A, Muls V, Lemper JC, Bruyns J, et al. Laparoscopic Nissen fundoplication: laparoscopic dissection technique and results. Hepatogastroenterology 1997;44:4-10.
6. Chen D, Barber C, McLoughlin P, Thavaneswaran P, Jamieson GG, Maddern GJ. Systematic review of endoscopic treatments for gastro-oesophageal reflux disease. Br J Surg 2009;96:128-136.
7. Cookson R, Flood C, Koo B, Mahon D, Rhodes M. Short-term cost effectiveness and long-term cost analysis comparing laparoscopic Nissen fundoplication with proton-pump inhibitor maintenance for gastro-oesophageal reflux disease. Br J Surg 2005; 92:700-706.
8. Corley DA, Katz P, Wo JM, Stefan A, Patti M, Rothstein R, et al. Improvement of gastroesophageal reflux symptoms after radiofrequency energy: a randomized, sham-controlled trial. Gastroenterology 2003;125:668-676.
9. Dallemagne B, Weerts J, Markiewicz S, Dewandre JM, Wahlen C, Monami B, et al. Clinical results of laparoscopic fundoplication at ten years after surgery. Surg Endosc 2006;20:159-165.
10. Eubanks TR, Omelanczuk PE, Maronian N, Hillel A, Pope CE, 2nd, Pellegrini CA. Pharyngeal pH monitoring in 222 patients with suspected laryngeal reflux. J Gastrointest Surg 2001;5:183-190; discussion 190-181.
11. Finley K, Giannamore M, Bennett M, Hall L. Assessing the impact of lifestyle modification education on knowledge and behavior changes in gastroesophageal reflux disease patients on proton pump inhibitors. J Am Pharm Assoc (2003) 2009;49:544-548.
12. Flum DR, Koepsell T, Heagerty P, Pellegrini CA. The nationwide frequency of major adverse outcomes in antireflux surgery and the role of surgeon experience, 1992-1997. J Am Coll Surg 2002; 195:611-618.
13. Frantzides CT, Madan AK, Carlson MA, Stavropoulos GP. A prospective, randomized trial of laparoscopic polytetrafluoroethylene (PTFE) patch repair vs simple cruroplasty for large hiatal hernia. Arch Surg 2002;137:649-652.
14. Galmiche JP, Janssens J. The pathophysiology of gastro-oesophageal reflux disease: an overview. Scand J Gastroenterol Suppl 1995;211:7-18.
15. Granderath FA, Schweiger UM, Kamolz T, Pasiut M, Haas CF, Pointner R. Laparoscopic antireflux surgery with routine mesh-hiatoplasty in the treatment of gastroesophageal reflux disease. J Gastrointest Surg 2002;6:347-353.
16. Habu Y, Maeda K, Kusuda T, Yoshino T, Shio S, Yamazaki M, et al. "Proton-pump inhibitor-first" strategy versus "step-up" strategy for the acute treatment of reflux esophagitis: a cost-effectiveness analysis in Japan. J Gastroenterol 2005;40:1029-1035.
17. Hill LD, Kozarek RA, Kraemer SJ, Aye RW, Mercer CD, Low DE, et al. The gastroesophageal flap valve: in vitro and in vivo observations. Gastrointest Endosc 1996;44:541-547.
18. Hill LD. Incarcerated paraesophageal hernia. A surgical emergency. Am J Surg 1973;126:286-291.
19. Hofstetter WL, Peters JH, DeMeester TR, Hagen JA, DeMeester SR, Crookes PF, et al. Long-term outcome of antireflux surgery in patients with Barrett's esophagus. Ann Surg 2001;234:532-538; discussion 538-539.
20. Jacobs M, Gomez E, Plasencia G, Lopez-Penalver C, Lujan H, Velarde D, et al. Use of surgisis mesh in laparoscopic repair of hiatal hernias. Surg Laparosc Endosc Percutan Tech 2007;17:365-368.
21. Jobe BA, Horvath KD, Swanstrom LL. Postoperative function following laparoscopic collis gastroplasty for shortened esophagus. Arch Surg 1998; 133: 867-874.
22. Karmali S, McFadden S, Mitchell P, Graham A, Debru E, Gelfand G, et al. Primary laparoscopic and open repair of paraesophageal hernias: a comparison of short-term outcomes. Dis Esophagus 2008;21:63-68.
23. Kaufman JA, Houghland JE, Quiroga E, Cahill M, Pellegrini CA, Oelschlager BK. Long-term outcomes of laparoscopic antireflux surgery for gastroesophageal reflux disease (GERD)-related airway disorder. Surg Endosc 2006;20:1824-1830.
24. Koufman JA. The otolaryngologic manifestations of gastroesophageal reflux disease (GERD): a clinical investigation of 225 patients using ambulatory 24-hour pH monitoring and an experimental investigation of the role of acid and pepsin in the development of laryngeal injury. Laryngoscope 1991;101:1-78.
25. Lamb PJ, Myers JC, Jamieson GG, Thompson SK, Devitt PG, Watson DI. Long-term outcomes of revisional surgery following laparoscopic fundoplication. Br J Surg 2009;96:391-397.

26. Lundell L, Miettinen P, Myrvold HE, Hatlebakk JG, Wallin L, Engstrom C, et al. Comparison of outcomes twelve years after antireflux surgery or omeprazole maintenance therapy for reflux esophagitis. Clin Gastroenterol Hepatol 2009;7:1292-1298; quiz 1260.
27. Lundell L, Miettinen P, Myrvold HE, Hatlebakk JG, Wallin L, Malm A, et al. Seven-year follow-up of a randomized clinical trial comparing proton-pump inhibition with surgical therapy for reflux oesophagitis. Br J Surg 2007;94:198-203.
28. Mainie I, Tutuian R, Shay S, Vela M, Zhang X, Sifrim D, et al. Acid and non-acid reflux in patients with persistent symptoms despite acid suppressive therapy: a multicentre study using combined ambulatory impedance-pH monitoring. Gut 2006;55:1398-1402.
29. Mehta S, Boddy A, Rhodes M. Review of outcome after laparoscopic paraesophageal hiatal hernia repair. Surg Laparosc Endosc Percutan Tech 2006;16:301-306.
30. Oelschlager BK, Barreca M, Chang L, Oleynikov D, Pellegrini CA. Clinical and pathologic response of Barrett's esophagus to laparoscopic antireflux surgery. Ann Surg 2003;238:458-464; discussion 464-456.
31. Oelschlager BK, Eubanks TR, Maronian N, Hillel A, Oleynikov D, Pope CE, et al. Laryngoscopy and pharyngeal pH are complementary in the diagnosis of gastroesophageal-laryngeal reflux. J Gastrointest Surg 2002;6:189-194.
32. Oelschlager BK, Eubanks TR, Oleynikov D, Pope C, Pellegrini CA. Symptomatic and physiologic outcomes after operative treatment for extraesophageal reflux. Surg Endosc 2002; 16: 1032-1036.
33. Oelschlager BK, Pellegrini CA, Hunter J, Soper N, Brunt M, Sheppard B, et al. Biologic prosthesis reduces recurrence after laparoscopic paraesophageal hernia repair: a multicenter, prospective, randomized trial. Ann Surg 2006;244:481-490.
34. Oelschlager BK, Quiroga E, Isch JA, Cuenca-Abente F. Gastroesophageal and pharyngeal reflux detection using impedance and 24-hour pH monitoring in asymptomatic subjects: defining the normal environment. J Gastrointest Surg 2006;10:54-62.
35. Oelschlager BK, Quiroga E, Parra JD, Cahill M, Polissar N, Pellegrini CA. Long-term outcomes after laparoscopic antireflux surgery. Am J Gastroenterol 2008;103:280-287; quiz 288.
36. Oleynikov D, Eubanks TR, Oelschlager BK, Pellegrini CA. Total fundoplication is the operation of choice for patients with gastroesophageal reflux and defective peristalsis. Surg Endosc 2002; 16:909-913.
37. Ozdemir IA, Burke WA, Ikins PM. Paraesophageal hernia. A life-threatening disease. Ann Thorac Surg 1973;16:547-554.
38. Patel HJ, Tan BB, Yee J, Orringer MB, Iannettoni MD. A 25-year experience with open primary transthoracic repair of paraesophageal hiatal hernia. J Thorac Cardiovasc Surg 2004;127:843-849.
39. Patti MG, Debas HT, Pellegrini CA. Clinical and functional characterization of high gastroesophageal reflux. Am J Surg 1993; 165:163-166; discussion 166-168.
40. Perez AR, Moncure AC, Rattner DW. Obesity adversely affects the outcome of antireflux operations. Surg Endosc 2001;15:986-989.
41. Raghu G, Freudenberger TD, Yang S, Curtis JR, Spada C, Hayes J, et al. High prevalence of abnormal acid gastro-oesophageal reflux in idiopathic pulmonary fibrosis. Eur Respir J 2006;27:136-142.
42. Repici A, Fumagalli U, Malesci A, Barbera R, Gambaro C, Rosati R. Endoluminal fundoplication (ELF) for GERD using EsophyX: a 12-month follow-up in a single-center experience. J Gastrointest Surg 2010;14:1-6.
43. Reymunde A, Santiago N. Long-term results of radiofrequency energy delivery for the treatment of GERD: sustained improvements in symptoms, quality of life, and drug use at 4-year follow-up. Gastrointest Endosc 2007;65:361-366.
44. Rice S, Watson DI, Lally CJ, Devitt PG, Game PA, Jamieson GG. Laparoscopic anterior 180 degrees partial fundoplication: five-year results and beyond. Arch Surg 2006;141:271-275.
45. Ringley CD, Bochkarev V, Ahmed SI, Vitamvas ML, Oleynikov D. Laparoscopic hiatal hernia repair with human acellular dermal matrix patch: our initial experience. Am J Surg 2006;192:767-772.
46. Rossi M, Barreca M, de Bortoli N, Renzi C, Santi S, Gennai A, et al. Efficacy of Nissen fundoplication versus medical therapy in the regression of low-grade dysplasia in patients with Barrett esophagus: a prospective study. Ann Surg 2006;243:58-63.
47. Skinner DB, Belsey RH. Surgical management of esophageal reflux and hiatus hernia. Long-term results with 1,030 patients. J Thorac Cardiovasc Surg 1967;53:33-54.
48. Spechler SJ, Lee E, Ahnen D, Goyal RK, Hirano I, Ramirez F, et al. Long-term outcome of medical and surgical therapies for gastroesophageal reflux disease: follow-up of a randomized controlled trial. Jama 2001;285:2331-2338.
49. Stacher G, Bergmann H. Scintigraphic quantitation of gastrointestinal motor activity and transport: oesophagus and stomach. Eur J Nucl Med 1992;19:815-823.
50. Stylopoulos N, Gazelle GS, Rattner DW. Paraesophageal hernias: operation or observation? Ann Surg 2002;236:492-500; discussion 500-491.
51. Tatum RP, Shalhub S, Oelschlager BK, Pellegrini CA. Complications of PTFE mesh at the diaphragmatic hiatus. J Gastrointest Surg 2008;12:953-957.
52. Walther B, DeMeester TR, Lafontaine E, Courtney JV, Little AG, Skinner DB. Effect of paraesophageal hernia on sphincter function and its implication on surgical therapy. Am J Surg 1984;147: 111-116.
53. Zerbib F, Roman S, Ropert A, des Varannes SB, Pouderoux P,

Chaput U, et al. Esophageal pH-impedance monitoring and symptom analysis in GERD: a study in patients off and on therapy. Am J Gastroenterol 2006;101:1956-1963.

[VII. 위의 해부와 생리]

1. Cummings DE, Overduin J. Gastrointestinal regulation of food intake. J Clin Invest 2007;117:13-23.
2. David I, Soybel. Anatomy and physiology of the stomach. Surg Clin N Am 2005;85:875-894.
3. Hurwitz A, Brady DA, Schaal SE, et al. Gastric acidity in older adults. JAMA 1997;278:659-662.
4. Modlin IM. From Prout to the proton pump: a history of the science of gastric acid secretion and surgery of peptic ulcer. Surg Gynecol Obstet 1990;170:81-96.
5. Phillipson M. Acid transport through gastric mucus. Ups J Med Sci 2004;109:1-24.
6. Seiki M, Katsujoshi H, Takashi K, et al. Comprehensive anatomy for gastroenterological surgery: Esophagus, stomach, duodenum, abdominal wall and hernia. 1st ed. Medical View 2006.
7. Taupin D, Podolsky DK. Trefoil factors:initiators of mucosal healing. Nat Rev Mol Cell Biol 2003;4:721-732.
8. Yao X, Forte JG. Cell biology of acid secretion by the parietal cell. Annu Rev Physiol 2003;65:103-131.

[VIII. 소화성 궤양]

1. 강기주, 이준행: 상부위장관 출혈의 치료: 소화성궤양 출혈을 중심으로. 대한내과학회지 2010;79:133-137.
2. 정일권, 이동호, 김홍업 외. 출혈소화성궤양 치료의 가이드라인. 대한소화기학회지 2009;54:298-308.
3. Blatchford O, Murray WR: A risk score to predict need for treatment for upper gastrointestinal hemorrhage. Lancet. 2000;356:1318-1321.
4. Brunicardi FC, Schwartz's principles of surgery. 9th ed. The McGraw-Hill Company 2010.
5. Gralnek IM, Barkun AN, Bardou M: Management of acute bleeding from peptic ulcer. N Engl J Med 2008;359:928-937.
6. Harbison SP, Dempsey DT: Peptic ulcer disease. Curr Probl Surg 2005;42:346-454.
7. Heldwein W, Schreiner J, Pedrazzoli J, et al. Is the Forrest classification a useful tool for planning endoscopic therapy of bleeding peptic ulcer? Endoscopy 1989;21:258-262.
8. Peura DA, Lanza FL, Gostout CJ, et al. The American College of Gastroenterology Bleeding Registry: Preliminiary findings. Am J Gastroenterol 1997;92:924-928.
9. Søreide K, Thorsen K, Harrison EM, Bingener J, Møller MH, Ohene-Yeboah M, Søreide JA. Lancet. 2015;386:1288-98.

[IX. 위의 기타병변]

1. Akhras J, Patel P, Tobi M. Dieulafoy's lesion-like bleeding: An under recognized cause of upper gastrointestinal hemorrhage in patients with advanced liver disease. Dig Dis Sci 2007;52:722.
2. Andrea M, Renate S, Christian T, et al. Therapy of gastric mucosa associated lymphoid tissue lymphoma. World J Gastroenterol 2007;13:3554-3566.
3. Becker SA, Ellger R, Buyeuiz V. Hemoclip placement as definitive therapy for bleeding from a Dieulafoy lesion. IMAJ 2002;4:653-654.
4. Blay JY, Bonvalot S, Casali P, et al. Consensus meeting for the management of gastrointestinal stromal tumors. Report of the GIST Consensus Conference of 20-21 March 2004, under the auspices of ESMO. Am Oncol 2005;16:566-578.
5. Cheng LF, Jia JD, Xu XY, et al. Esophagogastric variceal bleeding in cirrhotic portal hypertension: consensus on prevention and management(2008). Chin Med J (Engl) 2009;122:766-775.
6. Choi H, Charnsangavej C, Faria SC, et al. Correlation of computed tomography and positron emission tomography in patients with metastatic gastrointestinal stromal tumor treated at a single institution with imatinib mesylate: proposal of new computed tomography response criteria. J Clin Oncol 2007;25:1753-1759.
7. Coffey RJ, Washington MK, Corless CL, et al. Menetrier disease and gastrointestinal stromal tumors: Hyperproliferative disorders of the stomach. J Clin Invest 2007;117:70.
8. Dematteo RP, Owzar K, Maki R, et al. Adjuvant imatinib mesylate increases recurrence free survival in patients with completely resected localized primary gastrointestinal stromal tumor: North American Intergroup Phase III trial ACOSOG Z9001. J Clin Oncol (Meeting Abstracts) 2007;25(18 Suppl):10079.
9. Farrugia G: Interstitial cells of Cajal in health and disease. Neurogastroenterol Motil 20 suppl 2008;1:54.
10. Ferreri AJ, Cordio S, Paro S, et al. Therapeutic management of stage I-II high-grade primary gastric lymphomas. Oncology 1999;56:274-282.
11. Hammel P, Haioun C, Chaumette MT, et al. Efficacy of single-agent chemotherapy in low-grade B-cell mucosa-associated lymphoid tissue lymphoma with prominent gastric expression. J Clin Oncol 1995;13:2524-2529.
12. Harbison SP, Dempsey DT. Mallory-Weiss syndrome, in Cameron JL(ed): Current Surgical Therapy, 9th ed. Philadelphia: Mosby 2008.
13. Hirota S, and Isozaki K. Review Article Pathology of gastrointestinal stromal tumors. Pathol Int 2006;56:1-9.
14. Hirota S, Isozaki K, Moriyama Y et al. Gain-of-Function Mutations of c-kit in Human Gastrointestinal Stromal Tumors. Science 1998;23:577-580.
15. Isaacson P and Wright DH. Malignant lymphoma of mucosa-as-

sociated lymphoid tissue. A distinctive type of B-cell lymphoma. Cancer 1983;52:1410-1416.
16. Kamiyama Y, Aihara R, Nakabayashi T, et al. 18F-fluorodeoxyglucose positron emission tomography: useful technique for predicting malignant potential of gastrointestinal stromal tumors. World J Surg 2005;29:1429-1435.
17. Kim KM. Classification and clinical implications of precancerous lesions in the stomach. J Korean Gastric Cancer Assoc 2009;9:46-50.
18. Kim TI. Menetrier's disease accompanied with adenocarcinoma. Korean J Gastroenteol 2009;53:271-274.
19. Kindblom LG, Remotti HE, Aldenborg F, et al. Gastrointestinal pacemaker cell tumor (GIPACT): gastrointestinal stromal tumors show phenotypic characteristics of the interstitial cells of Cajal Am J Pathol 1998;152:1259-1269.
20. Koch P, del Valle F, Berdel WE, et al. Primary gastrointestinal non-Hodgkin's lymphoma. II. Combined surgical and conservative or conservative management only in localized gastric lymphoma-results of the prospective German Multicenter Study GIT NHL 01/92. J Clin Oncol 2001;19:3874-3883.
21. Koch P, Probst A, Berdel WE, et al. Treatment results in localized primary gastric lymphoma: data of patients registered within the German multicenter study (GIT NHL 02/96). J Clin Oncol 2005;23:7050-7059.
22. Lee BJ, Park JJ, Chun HJ, et al. How good is cola for dissolution of gastric phytobezoars? World J Gastroenterol 2009;15:2265-2269.
23. Mafune K, Tanaka Y, Suda Y, et al. Outcome of patients with non-Hodgkin's lymphoma of the stomach after gastrectomy: clinicopathologic study and reclassification according to the revised European-American lymphoma classification. Gastric Cancer 2001;4:137-143.
24. Morais DJ, Yamanaka A, Zeitune JM, et al. Gastric polyps: a retrospective analysis of 26,000 digestive endoscopies. Arq Gastroenterol 2007;44:14-17.
25. Nakamura S, Matsumoto T, Suekane H, et al. Long-term Clinical Outcome of Helicobacter pylori Eradication for Gastric Mucosa-Associated Lymphoid Tissue Lymphoma with a Reference to Second-Line Treatment. Cancer 2005;104:532-540.
26. Rubin BP, Heinrich MC, Corless CL: Gastrointestinal stromal tumour. Lancet 2007;369:1731.
27. Schechter NR, Portlock CS, Yahalom J. Treatment of mucosa-associated lymphoid tissue lymphoma of the stomach with radiation alone. J Clin Oncol 1998;16:1916-1921.
28. Shinto A, Nair N, Dutt A, et al. Early response assessment in gastrointestinal stromal tumors with FDG PET scan 24 hours after a single dose of imatinib. Clin Nucl Med 2008;33:486-487.
29. Toth I, Nagy Z, Barna T et al. Changes in the treatment strategy of primary gastric lymphoma. Magy Seb 2007;60:79-86.
30. Wotherspoon AC, Doglioni C, Diss TC, et al. Regression of primary low-grade B-cell gastric lymphoma of mucosa-associated lymphoid tissue type after eradication of Helicobacter pylori. Lancet 1993;342:575-577.
31. www.cancerstaging.net, 7th edition AJCC Cancer Staging manua.
32. Yoon SS, Coit DG, Portlock CS, et al. The diminishing role of surgery in the treatment of gastric lymphoma. Ann Surg 2004;240:28.

[Ⅹ. 병적비만]

1. 대한비만학회 임상비만학 제 3판 고려의학 2008.
2. 한국보건산업진흥원. 2001년도 국민건강 영양조사 심층연계분석-영양조사부문. 200.
3. Astrup A, Rössner S, Van Gaal L, et al. Effects of liraglutide in the treatment of obesity: a randomised, double-blind, placebo-controlled study. Lancet 2009; 374:1606-16.
4. Bray GA: Drug treatment of obesity. Rev Endocr Metab Disord 2:403, 2001. [PMID: 11725727.
5. Cummings DE, Weigle DS, Frayo RS, et al: Plasma ghrelin levels after diet-induced weight loss or gastric bypass surgery. N Engl J Med 2002; 346:1623-1630.
6. Eriksson KF, Lindgarde F: Prevention of type 2 (non-insulin-dependent) diabetes by diet and physical exercise. The 6-year Malmö feasibility study. Diabetologia 34:891, 1991. [PMID: 1778354].
7. Flegal KM, Carroll MD, Ogden CL, et al: Prevalence and trends in obesity among US adults, 1999-2000. JAMA 2002; 288:1723-1727.
8. Fontaine KR, Redden DT, Wang C, et al: Years of life lost due to obesity. JAMA 2003; 289:187-193.
9. Garvey WT, Ryan DH, Look M, et al. Two-year sustained weight loss and metabolic benefits with controlled-release phentermine/topiramate in obese and overweight adults (SEQUEL): a randomized, placebo-controlled, phase 3 extension study. Am J Clin Nutr 2012;95:297-308.
10. Gastrointestinal surgery for severe obesity : National Institutes of Health Consensus Development Conference Statement. Am J Clin Nutr 1992; 55(Suppl 2):S615-S619.
11. Greenway FL, Fujioka K, Plodkowski RA, et al. Effect of naltrexone plus bupropion on weight loss in overweight and obese adults (COR-I): a multicentre, randomised, double-blind, placebo-controlled, phase 3 trial. Lancet 2010;376:595-605.
12. Kim SM, Lee DJ, Kim YS, Lee TH. Assessment of anthropometric indices of obesity in Korea. J of Korean Society for the study of Obesity 2000;9:276-82.
13. Miller WC, Koxeja DM, Hamilton EJ: A meta-analysis of the past 25 years of weight loss research using diet, exercise or diet plus exercise intervention. Int J Obes Relat Metab Disord 21:941, 1987.
14. Ministry of healty & walfare, 2001 National health and Nutrition

survey : Chronic desaesas 200.
15. National Institutes of Health Consensus Conference. Gastrointestinal surgery for severe obesity. Consensus Development Conference Panel. Ann Intern Med 115:956, 1991.
16. Scheen AJ, Ernest P: New antiobesity agents in type 2 diabetes. Overview of clinical trials with sibutramine and orlistat. Diabetes Metab 28:437, 2002. [PMID: 12522323.
17. Wadden TA, Foster GD, Letizia KA: One-year behavioral treatment of obesity: Comparison of moderate and severe caloric restriction and the effects of weight maintenance therapy. J Consult Clin Psychol 62:165, 1994. [PMID: 8034818].
18. Wing RR: Behavioral strategies to improve long-term weight loss and maintenance. Med Health R I 82:123, 1999. [PMID: 10228337].
19. Wood PD, Stefanick ML, Dreon DM, et al: Changes in plasma lipids and lipoproteins in overweight men during weight loss through dieting as compared with exercise. N Engl J Med 319:1173, 1988. [PMID: 3173455] .

[XI. 위암의 병인]

1. 대한위암학회. 위암 기재사항을 위한 설명서 제2판. 2010년 4.
2. 정호영, 유완식. 약년층과 노령층 위암 환자의 비교. 대한위암학회지 2002;2:200-4.
3. http://kosis.kr/ 2016년 5.
4. http://www.who.int/healthinfo/mortality_data/en/ 2016년 5.
5. Jung KW, Won YJ, Oh CM, Kong HJ, Cho H, Lee DH, Lee KH. Prediction of cancer incidence and mortality in Korea, 2015. Cancer Res Treat 2015;47:142-8.
6. Kuipers EJ: Proton pump inhibitors and gastric neoplasia. Gut 2006;55:1217-1221.
7. Laurén P. The two histological main types of gastric carcinoma: diffuse and so-called intestinal-type carcinoma: an attempt at a histo-clinical classification. Acta Pathol Microbial Scand 1965;64:31-49.
8. Norton JA, Ham CM, Van Dam J, et al. CDH1 truncating mutations in the E-cadherin gene: an indication for total gastrectomy to treat hereditary diffuse gastric cancer. Ann Surg 2007;245:873-9.
9. Zheng L, Wang L, Ajani J, et al. Molecular basis of gastric cancer development and progression. Gastric Cancer 2004;7:61-77.

[XII. 위암의 임상양상과 진단]

1. 대한위암학회 정보전산위원회. 2004년 전국 위암 등록사업 결과 보고. 대한위암학회지 2007;7:47-54.
2. 양한광, 대한위암학회 정보전산위원회. 전국 위암 환자 진료 현황에 관한 설문조사 결과. 대한위암학회지 2004;4:95-108.
3. 최일주. 위암의 스크리닝 및 진단. 대한소화기학회지 2009;54:67-76.
4. 한상욱, 조용관, 홍성우 등. 위암에서 혈청 및 복강세척액의 CEA, CA19-9치가 예후에 미치는 영향. 대한암학회지 1999;30:869.
5. Ahn HS, Lee HJ, Yoo MW, et al. Diagnostic accuracy of T and N stages with endoscopy, stomach protocol CT, and endoscopic ultrasonography in early gastric cancer. J Surg Oncol 2009;99:20-7.
6. American Joint Committee on Cancer. AJCC Cancer Staging Manual. 7th ed. New York: Springer 2010.
7. Bando E, Yonemura Y, Takeshita Y, et al. Intraoperative lavage for cytological examination in 1,297 patients with gastric carcinoma. Am J Surg 1999;178:256-62.
8. Chen J, Cheong JH, Yun MJ, et al. Improvement in preoperative staging of gastric adenocarcinoma with positron emission tomography. Cancer 2005;103:2383-90.
9. DeVita VT, Lawrence TS, Rosenberg SA. Cancer; Principles and practice of oncology. 8th ed. Philadelphia: Lippincott Williams & Wilkins 2008.
10. Japanese Gastric Cancer Association. Japanese Classification of Gastric Carcinoma. 2nd English ed. Gastric Cancer 1998;1:10-24.
11. Kapoor N, Bassi A, Sturgess R, et al. Predictive value of alarm features in a rapid access upper gastrointestinal cancer service. Gut 2005;54:40-5.
12. Kim GH, Park DY, Kida M, et al. Accuracy of high-frequency catheter-based endoscopic ultrasonography according to the indications for endoscopic treatment of early gastric cancer. J Gastroenterol Hepatol 2010 [Epub ahead of print].
13. Kim HJ, Kim AY, Oh ST, et al. Gastric cancer staging at multi-detector row CT gastrography: comparison of transverse and volumetric CT scanning. Radiology 2005;236:879-85.
14. Kodera Y, Nakanishi H, Ito S, et al. Quantitative detection of disseminated free cancer cells in peritoneal washes with real-time reverse transcriptase-polymerase chain reaction: a sensitive predictor of outcome for patients with gastric carcinoma. Ann Surg 2002;235:499-506.
15. Kong SH, Park DJ, Lee HJ, et al. Clinicopathologic features of asymptomatic gastric adenocarcinoma patients in Korea. Jpn J Clin Oncol 2004;34:1-7.
16. Lee HK, Yang HK, Kim WH, et al. Influence of the number of lymph nodes examined on staging of gastric cancer. Br J Surg 2001;88:1408-12.
17. Lieberman D, Fennerty MB, Morris CD, et al. Endoscopic evaluation of patients with dyspepsia: results from the national endoscopic data repository. Gastroenterology 2004;127:1067-75.
18. Nam SY, Choi IJ, Park KW, et al. Effect of repeated endoscopic screening on the incidence and treatment of gastric cancer in health screenees. Eur J Gastroenterol Hepatol 2009;21:855-60.
19. Park DJ, Kong SH, Lee HJ, et al. Subclassification of pT2 gastric adenocarcinoma according to depth of invasion (pT2a vs pT2b) and lymph node status (pN). Surgery 2007;141:757-63.
20. Sano T, Okuyama Y, Kobori O, et al. Early gastric cancer. Endoscopic diagnosis of depth of invasion. Dig Dis Sci 1990;35:1340-4.
21. Siewert JR, Feith M, Werner M, et al. Adenocarcinoma of the

esophagogastric junction: results of surgical therapy based on anatomical/topographic classification in 1,002 consecutive patients. Ann Surg 2000;232:353-61.

22. Song KY, Kim JJ, Kim SN, et al. Staging laparoscopy for advanced gastric cancer: Is it also useful for the group which has an aggressive surgical strategy? World J Surg 2007;31:1228-33.
23. von Rahden BH, Stein HJ, Feith M, et al. Lymphatic vessel invasion as a prognostic factor in patients with primary resected adenocarcinomas of the esophagogastric junction. J Clin Oncol 2005;23:874-9.
24. Yanai H, Noguchi T, Mizumachi S, et al. A blind comparison of the effectiveness of endoscopic ultrasonography and endoscopy in staging early gastric cancer. Gut 1999;44:361-5.
25. Yano M, Tsujinaka T, Shiozaki H, et al. Appraisal of treatment strategy by staging laparoscopy for locally advanced gastric cancer. World J Surg 2000;24:1130-5.

[XIII. 외과의사와 위내시경]

1. Eisen, GM, Baron TH, Dominitz, JA et al. Methods of granting hospital privileges to perform gastrointestinal endoscopy. Gastrointest Endosc 2002;55:780-783.
2. Gauderer MW, Ponsky JL, Izant, RJ. Gastrostomy without laparotomy: a percutaneous endoscopic technique. J Pediatr Surg 1980;15: 872-875.
3. Lee HH, Song KY, Park CH, Jeon HM. Training of surgical endoscopists in Korea: assessment of the learning curve using a cumulative sum model. J Surg Educ. 2012;69:559-63.
4. McCune WS, Shorb PE, Moscovitz H. Endoscopic cannulation of the ampulla of vater: a preliminary report. Ann Surg 1968;167: 752-756.
5. Pellicano R, Bocus P, De Angelis C. Adolf Küssmaul, the sword eater and modern challenges of digestive endoscopy. Minerva Gastroenterol Dietol. 2011;57:109-10.
6. Van Sickle KR, Buck L, Willis R, et al. A multicenter, simulation-based skills training collaborative using shared GI mentor II systems: results from the Texas association of surgical skills laboratories (TASSL) flexible endoscopy curriculum. Surg Endosc 2011;25: 2980-2986.
7. Wexner SD, Garbus JE, Singh JJ. SAGES Colonoscopy Study Outcomes Group. A prospective analysis of 13,580 colonoscopies. Reevaluation of credentialing guidelines. Surg Endosc 2001;15:251-61.
8. Zajaczkowski T1. Johann Anton von Mikulicz-Radecki (1850-1905)--a pioneer of gastroscopy and modern surgery: his credit to urology. World J Urol. 2008;26:75-86.

[XIV. 위암의 치료와 예후]

1. An JY, Baik YH, Choi MG, et al. Predictive factors for lymph node metastasis in early gastric cancer with submucosal invasion: analysis of a single institutional experience. Ann Surg 2007;246:749-53.
2. An JY, Kim JY, Choi MG, et al. Radiofrequency ablation for hepatic metastasis from gastric adenocarcinoma. Yonsei Med J 2008;49:1046-51.
3. Bang Y-J, Kim Y-W, Yang H-K, et al. Adjuvant capecitabine and oxaliplatin for gastric cancer after D2 gastrectomy (CLASSIC): a phase 3 open-label, randomised controlled trial. The Lancet 2012;379:315-321.
4. Bonenkamp JJ, Hermans J, Sasako M, et al. Extended lymph-node dissection for gastric cancer. N Engl J Med 1999;340:908-14.
5. Cunningham D, Allum WH, Stenning SP, et al, MAGIC Trial Participants. Perioperative chemotherapy versus surgery alone for resectable gastroesophageal cancer. N Engl J Med. 2006;355:11-20.
6. Cuschieri A, Weeden S, Fielding J, et al. Patient survival after D1 and D2 resections for gastric cancer: long-term results of the MRC randomized surgical trial. Surgical Co-operative Group. Br J Cancer 1999;79:1522-30.
7. Dent DM, Madden MV, Price SK. Randomized comparison of R1 and R2 gastrectomy for gastric carcinoma. Br J Surg 1988;75:110-2.
8. Dikken JL, van Sandick JW, Swellengrebel HM, et al. Neo-adjuvant chemotherapy followed by surgery and chemotherapy or by surgery and chemoradiotherapy for patients with resectable gastric cancer (CRITICS). BMC cancer 2011;11:1.
9. Fujitani K, Yang H-K, Mizusawa J, et al. Gastrectomy plus chemotherapy versus chemotherapy alone for advanced gastric cancer with a single non-curable factor (REGATTA): a phase 3, randomised controlled trial. The Lancet Oncology 2016;17:309-318.
10. Gastrointestinal Tumor Study Group. A comparison of combination chemotherapy and combined modality therapy for locally advanced gastric carcinoma. Gastrointestinal Tumor Study Group. Cancer. 1982;49:1771-1777.
11. Gotoda T, Yanagisawa A, Sasako M, et al. Incidence of lymph node metastasis from early gastric cancer: estimation with a large number of cases at two large centers. Gastric Cancer 2000;3:219-225.
12. Ha TK, An JY, Youn HK, et al. Indication for endoscopic mucosal resection in early signet ring cell gastric cancer. Ann Surg Oncol 2008;15:508-513.
13. Hartgrink HH, van de Velde CJ, Putter H, et al. Extended lymph node dissection for gastric cancer: who may benefit? Final results of the randomized Dutch gastric cancer group trial. J Clin Oncol 2004;22:2069-2077.
14. Hiratsuka M, Iwanaga T, Furukawa H, et al. [Important prognostic factors in surgically treated gastric cancer patients]. Gan To

Kagaku Ryoho 1995;22:703-708.

15. Hundahl SA, Phillips JL, Menck HR. The National Cancer Data Base Report on poor survival of U.S. gastric carcinoma patients treated with gastrectomy: 5th ed. American Joint Committee on Cancer staging, proximal disease, and the "different disease" hypothesis. Cancer. 2000;88:921-932.
16. Hur H, Jeon HM, Kim W. Laparoscopy-assisted distal gastrectomy with D2 lymphadenectomy for T2b advanced gastric cancers: three years' experience. J Surg Oncol 2008;98:515-519.
17. Hyung WJ, Cheong JH, Chen J, et al. A Proposal of New Staging System Based on Survival Rates in Gastric Cancer Patients. J Korean Surg Soc 2004;66:20-26.
18. Hyung WJ, Kim SS, Choi WH, et al. Changes in treatment outcomes of gastric cancer surgery over 45 years at a single institution. Yonsei Med J 2008;49:409-415.
19. Information Committee of the Korean Gastric Cancer Association. Current Status of Chemotherapy for Gastric Cancer Patients in Korea - A Nationwide Survey. J Korean Surg Soc 2005;69:13-23.
20. Japanese Gastric Cancer A. Japanese Classification of Gastric Carcinoma. 2nd Eng ed. Gastric Cancer 1998;1:10-24.
21. Japanese Gastric Cancer Association Registration Committee, Maruyama K, Kaminishi M, Hayashi K, Isobe Y, Honda I, Katai H, Arai K, Kodera Y, Nashimoto A. Gastric cancer treated in 1991 in Japan: data analysis of nationwide registry. Gastric Cancer. 2006;9:51-66.
22. Japanese Gastric cancer Association. Guidelines for Diagnosis and Treatment of Carcinoma of the Stomach Tokyo: Kanehara-Shuppann 2004.
23. Kim JH, Lee YC, Kim H, et al. Endoscopic resection for undifferentiated early gastric cancer. Gastrointest Endosc 2009;69:e1-9.
24. Kim JP, Lee JH, Kim SJ, et al. Clinicopathologic characteristics and prognostic factors in 10 783 patients with gastric cancer. Gastric Cancer 1998;1:125-133.
25. Kitano S, Shiraishi N, Fujii K, et al. A randomized controlled trial comparing open vs laparoscopy-assisted distal gastrectomy for the treatment of early gastric cancer: an interim report. Surgery 2002;131(1 Suppl):S306-311.
26. Kodama M, Ishikawa K, Koyama H, et al. [Study on the lymphatic flow of the lower gastric region for radical lymphadenectomy in advanced lower gastric cancer]. Nippon Geka Gakkai Zasshi 1988;89:1008-1013.
27. Koizumi W, Narahara H, Hara T, et al. S-1 plus cisplatin versus S-1 alone for first-line treatment of advanced gastric cancer (SPIRITS trial): a phase III trial. Lancet Oncol. 2008;9:215-221.
28. Korean Laparoscopic Gastrointestinal Surgery Study Group. Nationwide Survey of Laparoscopic Gastric Surgery in Korea, 2004. J Korean Gastric Cancer Assoc 2005;5:9.
29. Lee J, Lim DH, Kim S, et al. Phase III trial comparing capecitabine plus cisplatin versus capecitabine plus cisplatin with concurrent capecitabine radiotherapy in completely resected gastric cancer with D2 lymph node dissection: the ARTIST trial. Journal of clinical oncology 2012;30:268-273.
30. Macdonald JS, Smalley SR, Benedetti J, et al. Chemoradiotherapy after surgery compared with surgery alone for adenocarcinoma of the stomach or gastroesophageal junction. N Engl J Med 2001;345:725-730.
31. Maki T, Shiratori T, Hatafuku T, Sugawara K. Pylorus-preserving gastrectomy as an improved operation for gastric ulcer. Surgery 1967;61(6):838-845.
32. Nakajima T. Gastric cancer treatment guidelines in Japan. Gastric Cancer 2002;5:1-5.
33. Nakane Y, Michiura T, Inoue K, et al. Length of the antral segment in pylorus-preserving gastrectomy. Br J Surg 2002;89:220-224.
34. Noh SH, Hyung WJ, Cheong JH. Minimally invasive treatment for gastric cancer: approaches and selection process. J Surg Oncol 2005;90:188-93; discussion 193-194.
35. Oh SJ, Hyung WJ, Li C, et al. The effect of spleen-preserving lymphadenectomy on surgical outcomes of locally advanced proximal gastric cancer. J Surg Oncol 2009;99:275-280.
36. Okano K, Maeba T, Ishimura K, et al. Hepatic resection for metastatic tumors from gastric cancer. Ann Surg 2002;235:86-91.
37. Robertson CS, Chung SC, Woods SD, et al. A prospective randomized trial comparing R1 subtotal gastrectomy with R3 total gastrectomy for antral cancer. Ann Surg 1994;220:176-182.
38. Sakamoto Y, Ohyama S, Yamamoto J, et al. Surgical resection of liver metastases of gastric cancer: an analysis of a 17-year experience with 22 patients. Surgery 2003;133:507-511.
39. Sakuramoto S, Sasako M, Yamaguchi T, et al. ACTS-GC Group. Adjuvant chemotherapy for gastric cancer with S-1, an oral fluoropyrimidine. N Engl J Med. 2007;357:1810-1820.
40. Sano T, Sasako M, Yamamoto S, et al. Gastric cancer surgery: morbidity and mortality results from a prospective randomized controlled trial comparing D2 and extended para-aortic lymphadenectomy--Japan Clinical Oncology Group study 9501. J Clin Oncol 2004;22:2767-2773.
41. Sasako M, Sano T, Yamamoto S, et al. D2 lymphadenectomy alone or with para-aortic nodal dissection for gastric cancer. N Engl J Med 2008;359:453-462.
42. Schwarz RE, Smith DD. Extended lymph node dissection for gastric cancer: who may benefit? Final results of the randomized Dutch gastric cancer group trial. J Clin Oncol 2005;23:5404-540.
43. Shin SH, Jung H, Choi SH, et al. Clinical significance of splenic hilar lymph node metastasis in proximal gastric cancer. Ann Surg Oncol 2009;16:1304-1309.
44. Songun I, Keizer HJ, Hermans J, et al. Chemotherapy for opera-

ble gastric cancer: results of the Dutch randomised FAMTX trial. The Dutch Gastric Cancer Group (DGCG). Eur J Cancer. 1999;35:558-562.

45. Tey J, Back MF, Shakespeare TP, et al. The role of palliative radiation therapy in symptomatic locally advanced gastric cancer. Int J Radiat Oncol Biol Phys. 2007;67:385-388.
46. Wu CW, Hsiung CA, Lo SS, et al. Nodal dissection for patients with gastric cancer: a randomised controlled trial. Lancet Oncol 2006;7:309-315.
47. Wu CW, Hsiung CA, Lo SS, et al. Randomized clinical trial of morbidity after D1 and D3 surgery for gastric cancer. Br J Surg 2004;91:283-287.
48. Yang X-J, Huang C-Q, Suo T, et al. Cytoreductive surgery and hyperthermic intraperitoneal chemotherapy improves survival of patients with peritoneal carcinomatosis from gastric cancer: final results of a phase III randomized clinical trial. Annals of surgical oncology 2011;18:1575-1581.
49. Yonemura Y, Endou Y, Shinbo M, et al. Safety and efficacy of bidirectional chemotherapy for treatment of patients with peritoneal dissemination from gastric cancer: Selection for cytoreductive surgery. Surg Oncol. 2009;100:311-316.
50. Zhang ZX, Gu XZ, Yin WB, et al. Randomized clinical trial on the combination of preoperative irradiation and surgery in the treatment of adenocarcinoma of gastric cardia (AGC)-report on 370 patients. Int J Radiat Oncol Biol Phys. 1998;42:929-934.

[XV. 소장의 해부와 생리]

1. 김인용, 배재문: 청 장년 남성에서의 장폐쇄증의 임상적 고찰. 대한외과학회지 1994;47(4):538-547.
2. 나양원, 서재희, 김성숙 등: 증례:거대세포바이러스 감염에 의한 소장폐색. 대한외과학회지 2002;62(06): 512-516.
3. 이종묵, 서길준, 한정기 등: 복부수술 후 발생한 소장폐쇄증의 치료. 대한외과학회지 1997;52(01): 47-57.
4. 주동진, 김성수, 최원혁 등: 근치적 위절제술 후 발생한 재발성 소장폐색증의 복강경 유착박리술. 대한외과학회지 2006;71(05): 338-343.
5. 홍부환, 정석인, 정기훈 등: 소화기계암 환자의 수술 후 발생한 소장폐쇄증. 대한외과학회지 1997; 053(02): 228-233.
6. Ahlman H, Nilsson O: The gut as the largest endocrine organ in the body. Ann Oncol 12(Suppl 2) 2001:S63-68.
7. Anderson SW, Soto JA, Lucey BC: Abdominal 64-MDCT for suspected appendicitis: the use of oral and IV contrast material versus IV contrast material only. AJR Am J Roentgenol 2009 Nov;193(5):1282-8.
8. Appleyard M, Fireman Z, Glukhovsky A, et al: A randomizes trial comparing wireless capsule endoscopy with push enteroscopy for the detection of small-bowel lesions. Gastroenterol 2000;119(6):1431-143.
9. Becker JM: Surgical theraphy for ulcerative colitis and Crohn;s disease. Gastroenterol Clin North Am1999; 28(2):371-39.
10. Bianchi A: Intestinal loop lengthening-A technique for increasing small-intestinal length. J Pediatr Surg 1980;15(2):145-15.
11. Bianchi A: Longitudinal intestinal lengthening and tailoring: Results in 20 children. J R Soc Med1997; 90(8):429-43.
12. Brandt LJ, Boley SJ: AGA technical review on intestinal ischemia. Gastroenterol 2000; 118(5):954-96.
13. Brolin RE, Krasna MJ, Mast BA: Use of tubes and radiographs in the management of small bowel obstruction. Ann Surg1987;206(20:126-13.
14. Buchman AL, Solapio J, Fryer J: AGA technical review on short bowel syndrome and intestinal transplantation. Gastoenterology 2003;124(4):1111-113.
15. Davies SW, Gillen JR, Guidry CA, et al: A comparative analysis between laparoscopic and open adhesiolysis at a tertiary care center. Am Surg 2014;80:261-.
16. Delaney CP, Fazio VW: Crohn's disease of the small bowel. Surg Clin North Am 2001;81(1):137-15.
17. Dionigi P, Alessiani M, Ferrazi A. et al: Irreversible intestinal failure, nutrition support, and small bowel transplantation. Nutrition 2001 Sep;17(9):747-5.
18. Dreesen M, Foulon V, Vanhaecht K, et al: Guidelines recommendations on care of adult patients receiving home parenteral nutrition: a systematic review of global practices. Clin Nutr 2012;31:602-.
19. Drucker DJ, Erlich P, Asa SL, et al: Induction of intestinal epithelial proliferation by glucagons-like peptide 2. Proc Natl Acad Sci USA 1996;93(15):7911-791.
20. Drucker DJ: Epithelial cell growth and differentiation. I. Intestinal growth factors. A, J Physiol 1997;273:G3-.
21. Evers BM.: Small intestine, in Townsend CM, Beauchamp RD, Evers BM, et al. (eds). Sabiston Textbook of surgery. 18th ed. Philadelphia: Saunders-Elsevier Inc. 2008, p1278-129.
22. Fischer CP, Doherty D: Laparoscopic approach to small bowel obstruction. Semin Laparosc Surg 2002;9(1):40-4.
23. Fishbein TM, Gondolesi GE, Kaufman SS: Intestinal transplantation for gut failure. Gastroenterology2003; 124(6):1615-162.
24. Geoghegan J, Pappas TN: Clinical uses of gut peptides. Ann Surg 1997;225(2):145-15.
25. Gotthardt DN, Gauss A, Zech U. et al: Indications for intestinal transplantation: recognizing the scope and limits of total parenteral nutrition. Clin Transplant 2013 Jul-Aug;27 Suppl 25:49-5.
26. Hill BC, Johnson SC, Owens EK: CT scan for suspected acute abdominal process: impact of combinations of IV, oral, and rectal contrast. World J Surg 2010 Apr;34(4):699-70.
27. Hines OJ, Bilchik AJ, McFadden DW, et al: Up-regulation of Na+, K+ adenosine triphosphatase after massive intestinal resection. Surgery 1994;116(2):401,-40.

28. Hu J, Fan D, Lin X, et al: Safety and Efficacy of Sodium Hyaluronate Gel and Chitosan in Preventing Postoperative Peristomal Adhesions After Defunctioning Enterostomy: A Prospective Randomized Controlled Trials. Medicine (Baltimore) 2015;94:e235.
29. Jimenez Rodriguez RM, Segura-Sampedro JJ, Flores-Cortes M, et al: Laparoscopic approach in gastrointestinal emergencies. World J Gastroenterol 2016;22:2701-1.
30. Kim AY, Ha HK: Evaluation of suspected mesenteric ischemia: Efficacy of radiologic studies. Radiol Clin North Am 2003;41(2):327-34.
31. Kim HB, Lee PW, Garza J, et al: Serial transverse enteroplasty for short bowel syndrome: A case report. J Pediatr Surg 2003;38(6):881-88.
32. Krouse RS, McCahill LE, Easson A, et al: When the sun can set on an unoperated bowel obstruction: Management of malignant bowel obstruction. J Am Coll Surg 2002;195(1):117-12.
33. Lane JS, Whang EE, Rigberg DA, et al: Paracellular glucose transport plays a minor role in the unanesthetized dog. Am J Physiol 1999; 276:G789-79.
34. Luckey A, Livinston E, Tache Y: Mechanisms and treatment of postoperative ileus. Arch Surg 2003;138(2):206-21.
35. Ma T, Verkman AS: Aquaporin water channels in gastrointestinal physiology. J Physiol 1999; 517(Pt 2):317-32.
36. Maglinte DD, Heitkamp DE, Howard TJ: Current concepts in imaging of small bowel obstruction. Radiol Clin North Am 2003; 41(2):263-28.
37. Messing B, Crenn P, Beau P, et al: Long-term survival and parenteral nutrition dependence in adult patients with short bowel syndrome. Gastroenterolgy 1999;117(5):1043-105.
38. Montgomery RK, Mulberg AE, Grand RJ: Development of the human gastrointestinal tract: Twenty years of progress. Gastroenterol 1999;116(3):702-73.
39. Mowat AM: Anatomical basis of tolerance and immunity to intestinal antigens. Nat Rev Immunol 2003;3(4):331-34.
40. Mucha P Jr.: Small-intestinal obstruction. Surg Clin North Am 1987;67(3):597-62.
41. Nagler-Anderson C: Man the barrier! Strategic defenses in the intestinal mucosa. Nat Rev Immunol 2001;1(1):59-6.
42. Neelis EG, Roskott AM, Dijkstra G, et al: Presentation of a nationwide multicenter registry of intestinal failure and intestinal transplantation Clin Nutr 2016 Feb;35(1):225-.
43. Peetz DJ, Gamelli RL, Pilcher DB: Intestinal intubation in acute, mechanical small-bowel obstruction: Arch Surg 1982;117(3):334-33.
44. Pironi L, Goulet O, Buchman A, et al: Outcome on home parenteral nutrition for benign intestinal failure: a review of the literature and benchmarking with the European prospective survey of ESPEN Clin Nutr 2012;31:831-4.
45. Ray NF, Denton WG, Thamer M, et al: Abdominal adhesiolysis: Inpatient care and expenditures in the United States in 1994. J Am Coll Surg 1998;186(1):1-.
46. Rehfeld JF: The new biology of gastrointestinal hormones. Physiol Rev 1998;78(4):1087-110.
47. Rolfs A, Hediger MA: Intestinal metal ion absorption: An update. Curr Opin Gastroenterol 2001: 17(2):177-18.
48. Sarr MG, Bulkley GB, Zuidema GD: Preoperative recognition of intestinal strangulation obstruction: Prospective evaluation of diagnostic capability. Am J Surg 1983;14(1)5:176-18.
49. Stewart RM, Page CP, Brender J, et al: The incidence and risk of early postoperative small bowel obstruction: A cohort study. Am J Surg 1987;154(6):643-64.
50. Sudan D: Long-term outcomes and quality of life after intestine transplantation. Curr Opin Organ Transplant 2010 Jun;15(3):357-6.
51. Suri S, Gupta S, Sudhakar PJ, et al: Comparative evaluation of plain films, ultrasound and CT in the diagnosis of intestinal obstruction. Acta Radiol 1999;40(4):422-42.
52. Taguchi A, Sharma N, Saleem RM, et al: Selevtive postoperative inhibition of gastrointestinal opioid receptors. N Engl J Med 2001;345(13):935-94.
53. Tang CL, Jayne DG, Seow-Choen FA: Randomized controlled trial of 0.5% ferric hyaluronate gel (Intergel) in the prevention of adhesions following abdominal surgery. Ann Surg 2006 Apr;243(4):449-5.
54. Tappenden KA: Mechanisms of enteral nutrient-enhanced intestinal adaptation. Gastroenterology 2006;130:S93-.
55. Tavakkolizadeh A, Whang EE: Understanding and augmenting human intestinal adaptation: A call for more clinical research. JPEN 2002;J 26(4):251-25.
56. Thompson JS, Langnas AN: Surgical approaches to improving intestinal function in the short-bowel syndrome. Arch Surg 1999;134(7):706-70.
57. Thomson AB, Keelan M. Thiesen A, et al: Small bowel review: Normal physiology part 2. Dig Dis Sci 2001;46(12):2567-258.
58. Vanderhoof JA, Langnas AN: Short-bowel syndrome in children and adults. Gastroenterology 1997;113(5):1767-177.
59. Walsh HPJ, Schofield PF: Is laparotomy for small bowel obstruction justified in patients with previously treated in patients with previously treated malignancy? Br J Surg 1984;71(12):933-93.
60. Whang EE, Ashley SW, Zinner MJ.: Small intestine, in Brunicardi FC, Andersen DK, Billiar TR, et al.(eds) : Schwartz's Principles of Surgery, 8th ed. New York: McGraw-Hill, 2005, p1017-1032.

[XVI. 소장 질환]

1. 김영균, 최호중, 박정현 등. 멕켈씨 게실에 의한 장폐색증의 복강경적 치료. 대한외과학회지 2006;71(5):379-38.
2. 김태완, 노인환, 전기완 등. 술후 장피누공의 치료에 대한 임상적 고찰.

대한외과학회지 1998;055(03):394-404.

3. 김태현, 최경현. 메켈 게실의 빈도. 대한외과학회지 2001;60(6):636-63.
4. 양희진, 최경현, 이승도 등. 방사선 치료후 발생한 장관계 합병증의 외과적 치료. 대한외과학회지 1987;32(4):429-43.
5. 이원일, 장정진, 홍성일 등. 장염전을 동반한 낭성장기종. 대한외과학회지 2009;76(5):321-325.
6. Abu-Elmagd KM: Intestinal transplantation for short bowel syndrome and gastrointestinal failure: current consensus, rewarding outcomes, and practical guidelines. Gastroenterology 2006;130(2 Suppl 1):S132-.
7. Bianchi A. From the cradle to enteral autonomy: the role of autologous gastrointestinal reconstruction. Gastroenterology 2006;130(2Suppl1):S138-46.
8. Braumann C, Menenakos C, Jacobi CA: Pneumatosis intestinalis-A pitfall for surgeons? Scand J Surg 2005;94(1):47-50.
9. Brenner M, Clayton JL, Tillou A, et al: Risk factors for recurrence after repair of enterocutaneous fistula. Arch Surg 2009;144(6):500-505.
10. Buchman AL: Etiology and initial management of short bowel syndrome. Gastroenterology 130:S5-S15, 2006.
11. Chow DC, Babaian M, Taubin HL: Jejunoileal diverticula. Gastroenterologist 1997;5(1):78-84.
12. Cullen JJ, Kelly KA, Moir CR, et al: Surgical management of Meckel's diverticulum. An epidemiologic, population-based study. Ann Surg 1994; 220(4): 564-569.
13. DeCosse JJ, Rhodes RS, Wentz WB et al: The natural history and management of radiation induced injury of the gastrointestinal tract. Ann Surg 1969;170(3):369-84.
14. DeCosse JJ, Rhodes RS, Wentz WB, et al: The natural history and management of radiation induced injury of the gastrointestinal tract. Ann Surg 170:369-384, 1969.
15. Evenson AR, Fischer JE: Current management of enterocutaneous fistula. J Gastrointest Surg 2006;10(3):455-64.
16. Girvent M, Carlson GL, Anderson I, et al: Intestinal failure after surgery for complicated radiation enteritis. Ann R Coll Surg Engl 2000;82(3):198-201.
17. Jang LC, Kim SW, Park YH et al:.Symptomatic duodenal diverticulum. World J Surg 1995;19(5):729-33.
18. Joyce MR, Dietz DW: Management of complex gastrointestinal fistula. Curr Probl Surg 2009;46:384-43.
19. Kim HB, Lee PW, Garza J, et al: Serial transverse enteroplasty for short bowel syndrome: a case report. J Pediatr Surg 2003;38(6):881-5.
20. Lobo DN, Balfour TW, Iftikhar SY et al: Periampullary diverticula and pancreaticobiliary disease. Br J Surg 1999;86(5):588-97.
21. McKenzie S, Evers BM: Sabiston Textbook of surgery. 19thed. Elsevier Saunders 2012:1264-127.
22. Schecter WP, Hirshberg A, Chang DS, et al: Enteric fistulas: Principles of management. J Am Coll Surg 2009;484-9.
23. Tappenden KA: Mechanisms of enteral nutrient-enhanced intestinal adaptation. Gastroenterology 130:S93-S99, 2006.
24. Tavakkolizadeh A, Berger UV, Stephen AE, et al: Tissue-engineered neomucosa: morphology, enterocyte dynamics, and SGLT1 expression topography. Transplantation 2003;75(2):181-5.
25. Tavakkolizadeh A,Whang EE: Understanding and augmenting human intestinal adaptation: a call for more clinical research. J Parenter Enteral Nutr 2002;26(4):251-5.
26. Yahchouchy EK, Marano AF, Etienne JC et al.: Meckel's diverticulum. J Am Coll Surg 2001;192(5):658-62.
27. Zani A, Eaton S, Rees CM, et al: Incidentally detected Meckel diverticulum: To resect or not to resect? Ann Surg 2008;247;276-8.

Chapter 02

대장, 항문

Colon, Rectum, Anus, Appendix

I 대장항문의 해부와 생리

1. 발생

난황 주머니yolk sac의 내배엽 지붕에서 원시 장관 primitive gut tube이 발생한다. 발생 3주에 원시튜브가 3개의 영역으로 나뉜다. 즉 머리주름의 전장foregut, 꼬리주름 부분의 후장hindgut, 둘 사이의 중장midgut 이다. 5주가 되면 중장이 급속히 성장하게 된다. 제1기에 중장 고리가 배아외의 탯줄의 체강으로 들어가며 이 과정이 생리적 탯줄 탈장이다. 중장을 상장간막 동맥이 앞부분, 뒷부분, 꼬리부분으로 나뉘게 한다. 제2기에는 원시장이 복강내로 돌아온다. 제1기에 시계반대방향으로 상장간막동맥을 축으로 180도 이미 회전하였고 나머지 90도를 더회전하게 된다. 맹장이 순서상 복강내로 마지막으로 돌아오게 된다. 처음에는 간 밑 우측으로 이동하고 이어서 우측 장골와 방향으로 회전한다. 12주가 되면 제3기로서 맹장이 우측 장골와에 도달한다. 결장의 이동이 완성되면 점차적으로 원시장간막이 융합된다. 십이지장, 상행결장과 하행결장의 후장간막은 복벽 뒤와 유합되어 톨트 근막을 형성하며 아울러 톨트 백선이 된다. 중장은 췌 유두, 소장, 상행결장, 횡행결장의 근위 1/3이 된다. 이 부위는 상장간동맥(중장 동맥)의 지배를 받는다. 중장 교감신경지배는 T8–L2에서 기원한다. 부교감신경은 제10 두개신경(미주신경)을 통하여 뇌기저의 전신경절 세포소체에서 나온다. 후장은 횡행결장의 원위 2/3, 직장, 항문관(치상선의 상방)이 되고 하장간막동맥(후장 동맥)의 공급을 받는다. 후장 교감신경은 요추에서 기원하여 하복신경총을 통하여 직장간막과 전천골근막에 둘러싸여 골반으로 내려온다. 부교감신경은 내장신경을 통하여 S2–4로부터 나온다. 치상선은 내배엽관과 외배엽관의 융합선으로 후장 말단인 배설강 안으로 자라 들어온 항문와 융합한 부위이다. 10주에 회음체가 생성되면서 배설강 괄약근이 비뇨생식부분과 항문부분으로 분리된다(그림 2-1). 비뇨생식중격이 내려온 후 배설강으로부터 항문외괄약근이 완성된다. 발생 12주에 직장의 윤상근의 확장되어 항문 내괄약근이 형성된다.

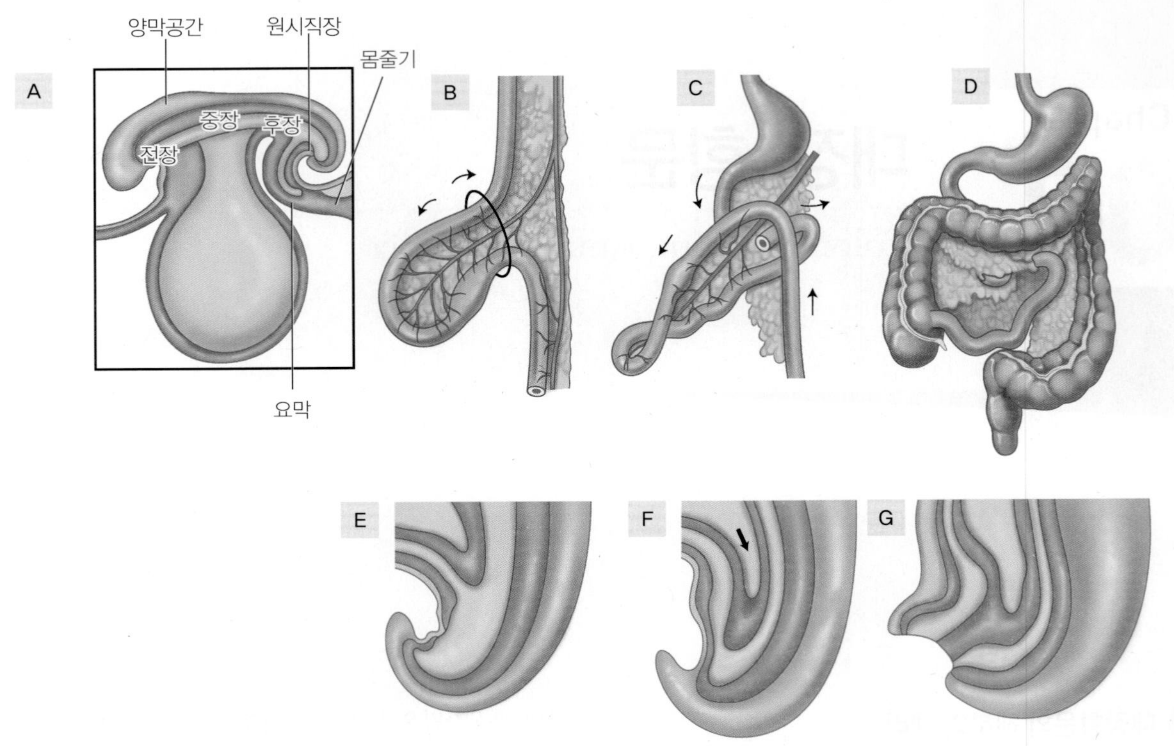

그림 2-1 **대장의 발생.** A) 제3주. 원시장의 3개 영역. B) 생리적 탯줄 탈장. C) 복강내 회귀. D) 고정. E), F), G) 제6주. 비뇨생식 중격이 이동하여 장과 비뇨생식관이 분리된다.

2. 해부

1) 일반적인 구조

대장은 결장과 직장으로 구성되며 길이는 약 150cm이다. 항문은 치상선dentate line에서 부터 항문연anal verge까지이다. 한편 외과적 항문관은 항문직장륜에서부터 항문연까지 이다.

순서대로 근위부터 나열하면 맹장, 상행결장, 간만곡부, 횡행결장, 비장곡, 하행결장과 에스결장, 직장으로 구분한다. 대장의 내경은 맹장부위에서 7.5cm로 가장 넓으며 이후 차츰 감소되어 에스결장에서 2.5cm이 되고 직장에서는 4.5cm이 된다(그림 2-2). 상행결장과 하행결장은 후복막에 위치하여 앞부분만 복막으로 덮혀 있으며 뒷부분은 장막이 없다. 횡행결장과 에스결장은 장간막을 포함하여 복강내에 위치한다.

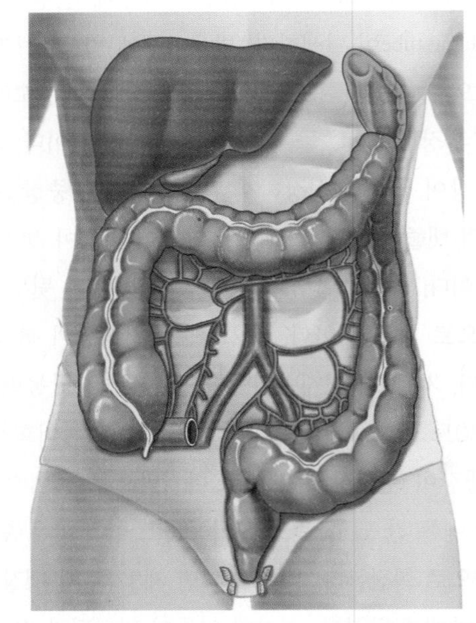

그림 2-2 **대장의 구조.** 대장의 구경은 맹장에서 최대이고 좌측결장에서 좁아진다. 비장만곡부가 간만곡부보다 높은 위치에 있다. 직장의 1/3은 완전히 복막 밖에 위치한다.

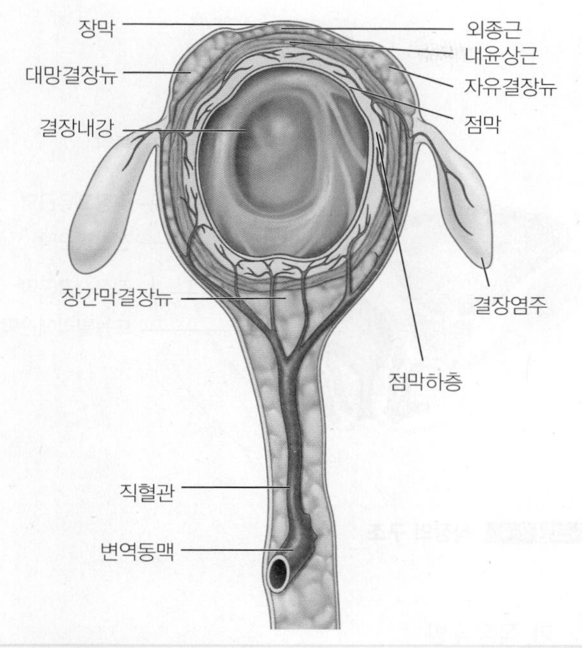

그림 2-3 **결장의 조직학적 구조**

대장은 조직학적으로 5개 층-점막, 점막하층, 내윤상근, 외종근, 그리고 장막으로 구성된다(그림 2-3). 결장에서는 외종근이 3개의 결장뉴로 나뉘어서 주행하는데, 결장뉴는 충수에서 합치고 원위부로는 직장에서 외종근이 되어 직장을 둘러싸는 원주형으로 주행한다.

(1) 맹장

맹장은 대장의 시작이며 회맹장판 직상방의 횡행선 하방 부분이다. 우측 장골와에 위치하며 복막으로 대부분 덮혀 있으나 일부에서는 후면에 일부에서는 복막 없이 장골근막과 접해 있다. 회맹판의 근위부에는 회장으로 연결되어 있으며 회장의 장간막 반대편으로 Treves 주름이 있다. 맹장의 결장띠taenia coli가 만나는 최하부, 회맹판 하방 3cm 부위에 충수가 복강내로 돌출된다. 충수의 길이는 평균 8-10cm이다. 충수돌기 방향은 매우 다양하여 맹장뒤 65%, 골반 31%, 맹장하부 2.3%, 회장 앞 1.0%, 회장 뒤 0.4% 이다. 맹장 벽은 얇고 구경이 큰 특징으로 인하여 직경이 12cm 이상으로 늘어날 경우에는 허혈성괴사와 천공이 발생될 수 있다.

(2) 상행결장

상행결장의 길이는 15cm이다. 전면, 외측, 내측은 복막으로 싸여 있으나 후면은 복막이 없다. 상부에서는 우측 신장Gerota 근막, 하방으로는 장골근, 요방형근, 복횡근에 접해 있다. 상행결장 장간막이 십이지장 제2, 제3부를 덮고 있어서 상행결장암이나 간만곡부암이 십이지장을 침습하기 쉽다. 결장이 간만곡부에 도달하면 앞쪽으로 연결되고 이어서 하방 내측으로 방향을 바꾼다. 간만곡부는 간우엽 하방에 위치하여 호흡에 따라서 2.5-7.5cm 수직으로 움직인다. 우측 신-결장인대가 우측신장, 십이지장, 간문의 앞에 위치하여 간만곡부를 단단하게 잡아두는 역할을 한다.

(3) 횡행결장

45-50cm 길이로서 췌두, 십이지장 전면에서부터 췌미, 좌측신장 전면에 이른다. 횡행결장의 후방에는 십이지장-공장 곡을 포함한 소장이 위치한다. 위 대만에서 내려온 대망이 횡행결장에 부착된다.

좌측 맨끝 원위부가 비장하단 전면에 도달한다. 횡행결장은 간만곡부와 비장만곡부의 양측 고정된 부위에 매달려 있다. 신-결장 인대가 간만곡부를 고정하며 우측신장, 십이지장, 간문을 덮는 복막과 연결된다. 비장만곡부는 간만곡부보다 더 예각이며 좌측 횡격막 외측으로 연결되는 복막띠는 횡격막-결장인대로 결장과 비장을 지지한다. 비장만곡부는 간만곡부보다 높은 위치 즉 제 10, 11 늑골 안쪽에 있다.

(4) 하행결장

비장곡에 연결되어 좌측 신장 외측으로 내려와 장골과 대요근의 다다른다. 25-30cm의 길이이며 후면은 복막이 없으며 상행결장에 비하여 좁고 깊게 위치한다.

(5) 에스결장

골반상협부 가장자리pelvic brim에서 시작하여 15-50cm (평균 38cm) 주행하여 천골곶sacral promontory을 거쳐 S3

수준에서 직장과 연결된다. 복막으로 사방이 덮혀 있으며 에스결장 장간막의 꼭지는 좌측 천-장골 관절 앞의 총장골 분지의 골반벽에 부착되어 역V자형을 나타낸다. 역V자형의 끝은 에스결장오목recess이다. 좌측 요관이 오목 바로 밑에 있어서 수술 시에 요관이 손상을 입지 않도록 주의를 요한다. 에스결장 장간막의 좌측은 좌측 벽 복막과 경계를 이루고 있다. 이 경계선이 하얀 띄의 톨트의 융합선이다. 여성의 경우에는 좌측난소와 부속기를 싸고 있는 복막과의 경계가 복잡하게 얽힌 경우도 있고 남성의 경우에도 에스결장오목이 깊어서 원래의 톨트선을 찾아서 수술적 박리하기가 쉽지 않은 경우도 있다. 천골곶부터 S2의 하단까지를 직장에스결장 혹은 직장구불결장이라고 하여 과거 일본식 분류에서는 직장에 포함하였으나 현재는 에스결장에 포함한다. 직장에스결장은 다음과 같은 특징이 있다. ① 직장과 비교하여 직경이 좁다. ② 에스결장과 달리 사방이 완전히 복막으로 덮혀 있지 않다. ③ 장간막이 완전하지 않다. ④ 3개의 결장뉴가 퍼져서 직장의 종근층으로 연결된다. ⑤ 결장염주가 없다. ⑥ 대장내시경으로 접근하면 직장에서 각도가 급하게 굽어지고 직경이 감소되면서 밋밋한 직장점막에서 에스결장의 주름으로 이행된다.

(6) 직장

직장에스결장에 연속되어 S3 이하 부위이며 천골의 굴곡을 따라 내려가다가 앞으로 굽어져 항문직장륜으로 연결된다. 12-15cm 길이로 결장뉴가 없다. 3개의 분명한 점막하 주름인 휴스톤판이 내면으로 나타난다. 상부와 하부판은 우측을 향하고 가운데 판은 좌측을 향하고 있다. 가운데 좌측으로 향한 휴스톤판이 가장 두드러지며 전방복막반전의 높이와 일치한다. 중간 휴스톤판 이하는 내강이 넓어 직장팽대부라고 한다. 휴스톤판이 셋인 경우는 절반 가량이고 2-7개인 경우도 있다. 직장의 내윤상근은 내항문괄약근으로 연속된다. 직장의 근위부 1/3은 복강내에 위치하여 복막으로 싸여있고 원위부 2/3에서 근위부는 후방이 원위부는 전후방 완전하게 복막외에 위치한다.

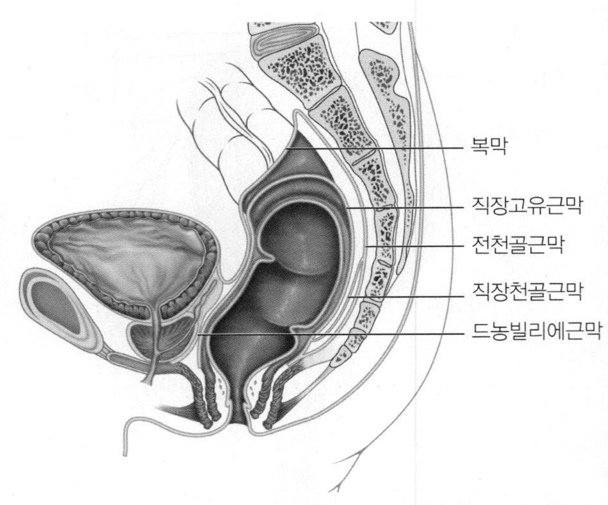

그림 2-4 **직장의 구조**

가. 직장 후방

전천골근막presacral fascia이 있어서 전천골 정맥총, 골반신경을 보호하고 있다. 전직장간막절제 시에는 전천골근막과 직장고유근막 사이의 그물조직을 박리한다. 전천골근막이 파열되면 기저척추정맥총이 파열되어 심각한 출혈이 발생된다. 전천골근막이 S4에 다다르면 다양한 직장천골근막(월다이어 근막)이 되어 전하방으로 뻗어 직장항문경계의 고유근층에 붙는다. 직장천골근막을 박리해야 직장이 완전히 가동화된다(그림 2-4).

나. 직장 전방과 측방

직장하부 1/3은 전방복막이 없는 복막외 직장이다. 항문연에서 전방 복막반전부(더글러스낭, 골반 막힌 주머니, cul-de-sac)까지의 높이는 남성에서 7-9cm, 여성에서 5-7.5cm이다. 복막 반전 하방에 드농빌리에Denonvillier 근막이 있다. 이 근막은 복막외 직장의 전측방에 위치하여 남자에서는 정낭, 전립선, 여자에서는 질과 경계를 이루고 있다. 이 근막에는 발기신경erigentes 분지가 주행하여 직장 수술 시에 손상을 주면 해당 성비뇨기능이 저하될 수 있다. 골반부교감신경과 발기신경은 S2-S4에서 나온다. 하부직장 측방과 항문거근 상방에 지지조직과 신경조직이 어우러져 직장을 지지하는 인대 모양으로 되어 있

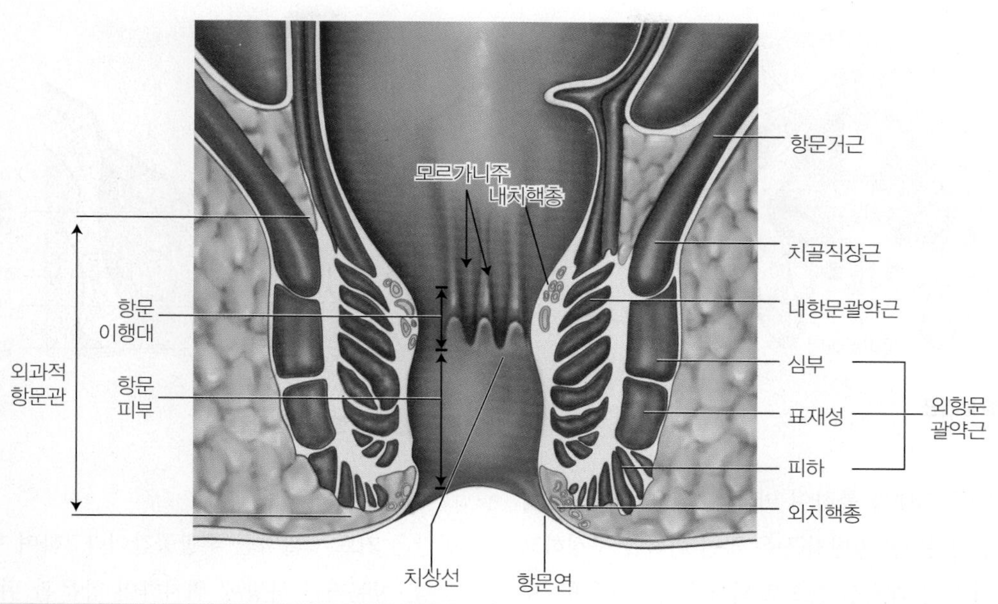

그림 2-5 **항문관의 구조**

을 경우에 측방인대라고 할 수 있다. 그러나 측방인대라고 분명하게 인지할 수 있을 경우는 30% 이하이다.

(7) 항문

항문관은 하방으로 내려가면서 후방으로 향하고 항문관과 항문주위피부 경계인 항문연에 도달한다. 해부학적 항문관은 치상선에서 항문연까지이나 외과적 항문관은 항문직장 경계인 항문직장륜의 상방에서 항문관의 끝인 항문연까지이다. 남자에서는 4-5cm, 여자에서는 2-3cm 길이이다. 항문관의 중간의 치상선 상방으로 상부점막은 상대적으로 좁아서 접혀진다. 3-10개의 접혀진 주름모양이 모르가니주이며 주름의 하부 끝이 항문판막이다. 항문판막의 항문 막힌틈 즉 소와에는 항문샘이 들어 있다. 각각의 항문샘은 중층기둥상피로 안쪽을 덮는다. 상피세포 중간에 점액을 분비하는 배상세포goblet cell가 흩어져 섞여 있고 치상선의 항문샘 소와로 개구한다. 항문샘의 일부는 내괄약근을 완전히 관통한다.

모르가니주 부근의 약 0.5-1cm은 평편상피, 입방세포, 기둥세포 등으로 되어 있는 항문이행대Anal Transitional Zone (ATZ) 혹은 항문배설강대이다. 항문피부는 치상선 하방부터 항문연까지로서 각질화되지 않는 중층평편상피로 덮혀있고 모낭이나 샘이 없이 표면이 매끈하다(그림 2-5).

가. 항문직장과 골반의 근육

항문괄약근 복합체, 골반바닥근육, 골반벽을 싸고 있는 근육 등의 3가지 분류될 수 있다. 안쪽의 장관은 평활근으로 구성되고 자율신경이 지배한다. 바깥의 근육들은 골격근으로 되어 있고 체성신경계가 지배한다. 내항문괄약근은 직장 윤상근이 내려와 응축된 근육으로서 치상선 하방 1-1.5cm까지 도달한다. 길이는 2.5-4cm이고 두께는 2-3mm이다. 연합종근은 직장 윤상근의 바깥 층인 직장의 종근이 직장항문륜 수준에서 항문거근 섬유와 섞여내려 오면서 형성된다. 연합종근은 내괄약근과 외괄약근 사이로 내려오고 일부 근섬유는 외괄약근을 뚫고 항문주위피부에 부착된다. 외항문괄약근은 횡문근으로서 타원형 원통모양으로 내괄약근을 감싼다. 휴식기에 비활동적인 골격근과는 달리 외항문괄약근은 말총 수준의 반사아크를 통하여 무의식적 휴지기 전기 긴장을 유지한다. 피하, 표재성과 심층 그리고 치골직장근으로 구분될 수 있으나 치골직장근과 함께 하나의 근육단위로 작용한다.

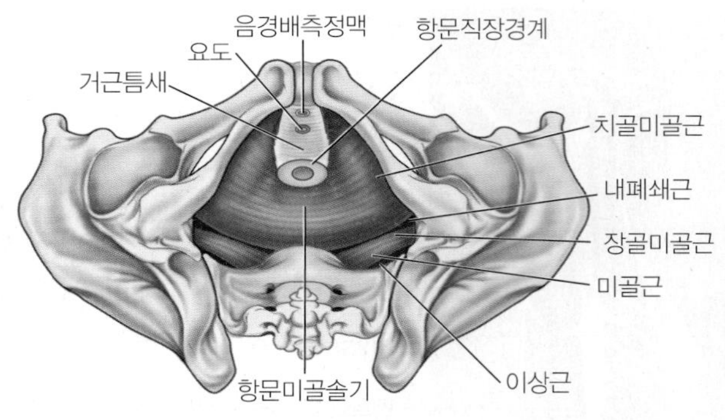

그림 2-6 **항문거근**

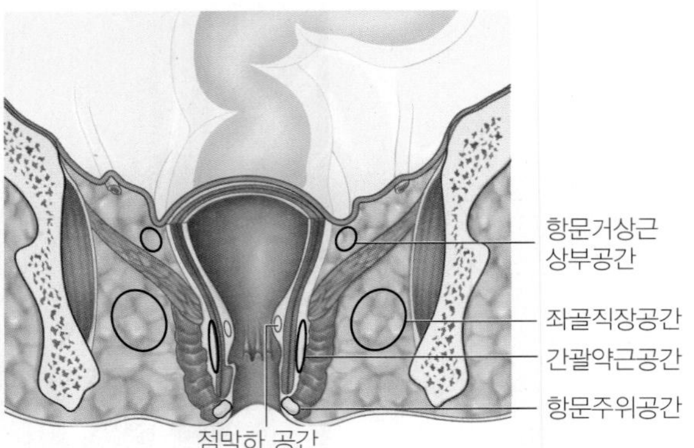

그림 2-7 **항문직장공간**

뒤로는 항문미골인대를 통하여 미골에, 앞으로는 회음체에 부착된다. 항문거근(골반저근)은 골반 바닥을 구성하고 횡문근으로서 넓은 대칭성 판으로 되어 있다(그림 2-6). 치골직장근은 치골결합과 요생식격막에서 나와서 직장 바로 뒤에서 반대측과 만나서 U자형의 고리를 형성한다. 직장을 치골에 걸어 매단 형태가 된다. 치골미골근은 폐쇄근막과 치골후면에서 나와서 후하방과 안쪽으로 주행하여 반대 편의 치골미골근과 교합한다. 교합선이 항문미골솔기이다. 일부 근섬유는 제5천골과 미골 끝에 부착한다. 양측 치골미골근이 가운데 형성하는 타원형의 거근틈새를 통하여 직장, 요도, 질이 통과한다. 틈새는 인대에 의하여 서로 묶여 있고 근육들이 두터워져 있다. 장골미골근은 좌골가시와 폐쇄근막에서 나와 제4, 제5 천추와 항문미골솔기에 부착된다.

나. 항문직장공간

인대, 근막, 근육으로 경계를 이루고 있는 항문직장주위의 공간은 항문주위농양이나 기타 질환의 파급통로가 되므로 임상적으로 중요하다. 항문주위공간은 외측으로는 둔부 피하지방, 내측으로는 항문관으로 항문연을 둘러싼다. 점막하공간은 직장의 점막하층의 연결이며 치상선 수준에서 시작된다. 내치핵총이 안에 있다. 괄약근공간은 내괄약근과 외괄약근 사이이며 항문주위공간과 연결된다. 좌골직장공간, 표재성항문공간, 심부항문후공간, 항문거상근상부공간, 직장뒤공간으로 구분된다. 심부항문공간은 커트니 괄약근 후방공간이라고하며 항문미골인대 상방, 항문거근 하방에 위치하여 항문관 뒤에서 좌우측 좌골직장공간을 연결한다. 마제형 심부항문공간이나 표재성항문공간을 양측으로 통과하여 발생된다(그림 2-7).

2) 혈관과 림프관 배액

(1) 동맥(그림 2-8)

결장의 근위부의 동맥은 상장간막동맥의 분지인 회결장동맥, 우결장동맥, 중결장동맥이다. 회결장동맥은 상장간동맥의 마지막 분지이다, 우결장동맥은 상장간막동맥의 분지이나 2-18%에서 존재하지 않으며 존재하더라도 중결장동맥이나 회결장동맥의 분지인 경우도 많다. 중결장동맥은 췌장 밑에서 상장간막동맥의 분지로서 나오지만 4-20%에서 없거나 10%에서는 부차적 중결장동맥이 있는 경우도 있다. 원위부 결장의동맥은 하장간막동맥의 분지인 좌결장동맥, 에스결장동맥, 상직장동맥이다. 상장간막동맥과 하장간막동맥은 변연동맥을 통하여 서로 연결된다. 직장과 항문의 동맥은 상직장동맥, 중직장동맥, 하직장동맥이다. 하장간막동맥은 대동맥갈림 상방 3-4cm, L2-3 수준에서 대동맥으로부터 나온다. 제1분지는 기시부로부터 2.5-3cm 원위부에서 갈라지는 좌결장동맥이다. 에스결장동맥은 2-6개로 다양하다. S3 수준에서 좌우측 분지로 갈라진다. 각각의 분지는 전후방 분지로 갈라지고 이어서 중직장동맥과 문합한다. 직장근층을 통과

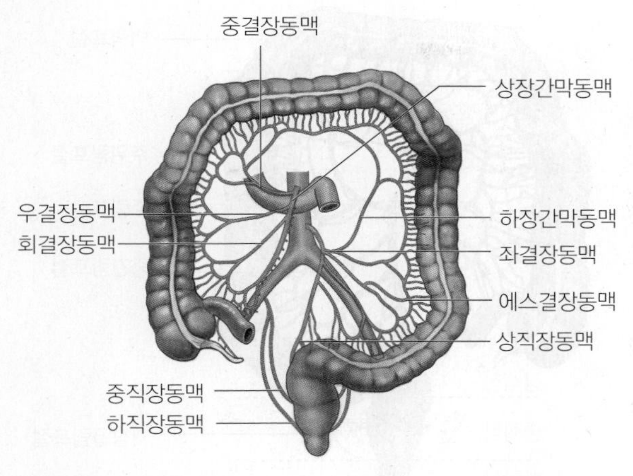

그림 2-8 **결장과 직장의 동맥**

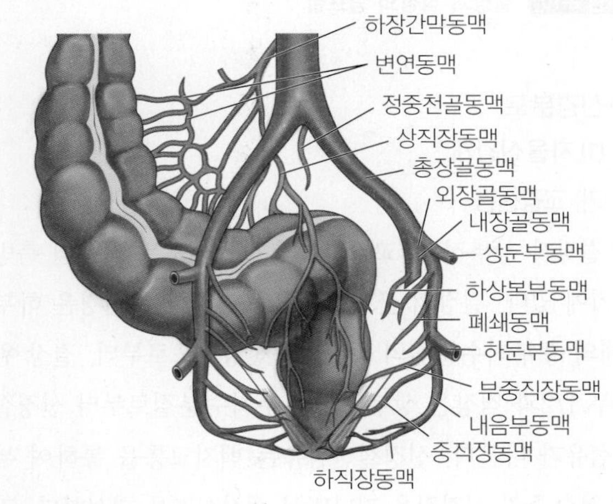

그림 2-9 **직장항문동맥**

하여 점막하층에서 항문판 상방에서 모세혈관총을 형성한다(그림 2-9). 항문관내의 항문내괄약근 위에서 내치핵 쿠션으로 인지할 수 있다. 우측에 2개 좌측에 1개가 있다. 중직장동맥은 내장골동맥 혹은 그 분지에서 나와서 항문거근 수준에서 직장에 도달한다. 상직장동맥과 측부순환을 이루고 있다. 음부동맥이 알코크관을 지나면서 하직장동맥(하치핵동맥)이 되고 분지들로 나뉘어져 항문괄약근을 관통하여 항문관의 점막하층과 피하조직에 도달한다. 상·중·하 직장동맥이 직장내 동맥문합망을 형성한다. 정중천골동맥은 대동맥분기 1.5cm 상방의 대동맥 뒤에서 나와 미골의 전면의 전면을 통과하여 하부직장에 혈액을 공급한다. 그러므로 직장을 전면으로 들어올리거나 미골절제 시에 출혈을 야기할 수 있다.

측부순환으로서 드르몽drummond의 변연동맥으로 알려진 동맥 아케이드가 결장장간막에 결장주위 동맥의 형태로 결장의 전장에 걸쳐서 존재한다. 회장결장동맥에서 에스결장동맥까지 계속된다. 에스결장을 제외한 전체 결장에서는 변연동맥에서 결장방향으로 직혈관이 전방분지와 후방분지로 나뉘어져 이차 동맥궁을 형성한다. 결장안으로 들어가 장막하층에서 주행하다가 윤상근층을 관통하여 점막하층에 도달한다. 그러나 비장만곡부 결장에서는 변연동맥이 작거나 11%에서는 1.2-2.8cm 면적에 직혈관이 없다고 하였다. 비장곡은 허혈이 되기 쉽다. 실제로 드르몽 아크가 완전한 경우는 15-20%에 불과하다. 7%에서 발견되는 리올랑 아크는 상장간막동맥이나 일차분지와 하장간동맥이나 일차분지를 연결하는 동맥이다. 대부분 중결장동맥의 좌측 분지와 하장간막동맥을 연결한다. 구불구불하게 장간막을 주행하는 동맥이다.

(2) 정맥

회결장정맥, 우결장정맥, 중결장정맥이 상장간막정맥으로 배혈된다. 우결장정맥은 우대망정맥과 합쳐져 위결장체간정맥으로서 상장간막정맥으로 합쳐진다. 정맥은 변이가 많아서 부차적 우결장정맥도 드물지 않다. 상직장정맥(상치핵정맥)이 에스결장정맥, 좌결장정맥과 합쳐져 하장간정맥이 되고 결국은 비장정맥으로 배혈된다. 직장과 항문의 배혈은 하장간막정맥을 통한 문맥계와 내장골정맥을 통한 체정맥순환계의 2가지 경로에 의하여 이루어진다. 내치핵총의 상부항문관과 직장은 상직장정맥을 통하여 배혈된다. 하부직장과 항문관은 중직장 정맥을 통하여 내장골정맥으로 합쳐진다. 외치핵총의 하부항문관은 하직장정맥(하치핵정맥)을 내음부정맥에 이어서 내장골정맥으로 유입된다. 그러므로 치핵총의 모르가그니 점막하혈관은 상·중·하 직장 모두를 통하여 배혈될 가능성이 있다.

(3) 림프계

결장의 조직학적 구조는 점막, 점막하층, 고유근층, 장막으로 크게 나누어 진다. 점막층에는 림프관이 존재하지 않는다. 단지 점막층과 점막하층 사이에 점막근층muscularis mucosa이 존재하는데 점막근층에 이르러 고유판 하부의 림프관과 림프소포가 그물망을 형성한다. 점막하층과 고유근층에 림프관이 풍부하다. 이들 림프관이 결장 벽외림프관과 림프절로 배액된다. 상행결장과 횡행결장의 림프배액은 상장간막 림프절로 하행결장과 에스결장, 직장의 림프배액은 하장간막림프절로 향한다. 결장의 림프절은 벽림프절epicolic, 주위림프절paracolic, 중간림프절intermediate, 주림프절main의 4단계로 구분한다. 벽림프절은 장측복막 밑의 결장벽이나 결장염주에 있다. 직장에서는 종주근 근처의 윤상조직에 묻혀 있어 제로타 결절로 알려져 있다. 전체 결장에 있으나 에스결장에 많고 젊은 연령군에서 많고 연령이 증가함에 따라 수가 감소한다. 주위림프절은 변연동맥 아케이드와 결장사이의 림프절이며 회맹장에서부터 직장에 걸쳐 있다. 림프배액에 가장 중요하고 필터의 수가 가장 많다. 중간림프절은 분지가 이루어지기 전의 주결장동맥 주위의 림프절이다. 주림프절은 상장간막동맥, 하장간막동맥 기시부와 좌우결장분지의 림프절이다. 중간림프절, 주위림프절로부터 림프백액을 받고 결장에서 직접 림프관이 유입되기도 한다. 상행결장과 횡행결장의 림프배액은 상장간막 림프절로, 하행결장과 에스결장, 직장의 림프액은 하장간막림프절로 향한다(그림 2-10). 감시림프절은 결장부위를 배액하는 처음 1~4개의 림프절이다. 하부직장의 림프는 앞서 언급한 근위부로 배액되어 하장간막림프절에 도달하지만, 측방으로 중직장동맥을 따라서 내장골림프절로도 배액된다. 항문관에서 치상선 근위부의 림프는 머리쪽으로는 상직장동맥을 따라서 하장간막림프절로 배액된다. 측방으로는 중직장혈관과 하직장혈관을 따라서 좌골항문오목 통과하여 내장골동맥림프절로 배액된다. 치상선 원위부는 대부분 서혜부림프절로 배액된다. 그러나 주 림프배액경로가 막히게 되면 나머지 경로로 역류하여 배액되기도 한다.

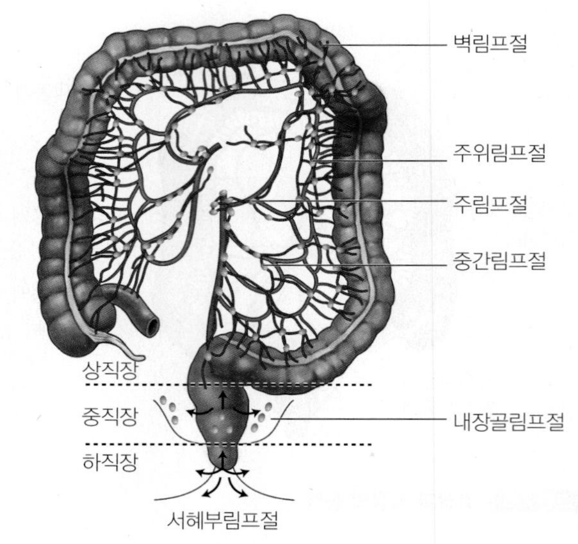

그림 2-10 **결장과 직장의 림프절**

3) 신경분포

(1) 자율신경계

가. 교감신경

결장과 상부직장: 교감신경의 작동세포는 척수의 측방돌기에 있다. 결장의 근위부 1/2을 지배하는 신경은 하부 5개의 흉부척수분절의 중간외측신경세포로부터, 결장 원위부 1/2과 직장은 상부 3개 요부척수분절로부터 신경절전섬유가 나온다. 신경절전섬유는 백지교통을 통하여 부위 척수주위 신경절을 지나면서 내장신경을 형성한다. 관련된 복강, 상부장간막, 하부장간막 추전신경절을 통과하면서 절후신경섬유와 연접 synapse를 형성한다. 절후신경섬유는 장간막신경이된다. 결장의 근위부 1/2은 복강경신경총으로부터 상장간막신경총을 통하여 신경지배를 받고 결장 원위부 1/2과 상부직장은 하장간막신경총의 지배를 받는다.

대동맥 분기 하방에서 대동맥 신경총과 2개의 양측 요내장신경이 합쳐져서 상하복신경총 혹은 천골전방신경총이 된다. 천골곶 하방에서 양측으로 갈라져 하복신경이 되어 측방아래로 요관과 내장골 동맥과 평행하게 주행하여 골반의 양측벽에 도달한다. 발기신경과 합쳐져 골반신경총을 형성한다. 골반신경총은 직장고유근막에 밀착하

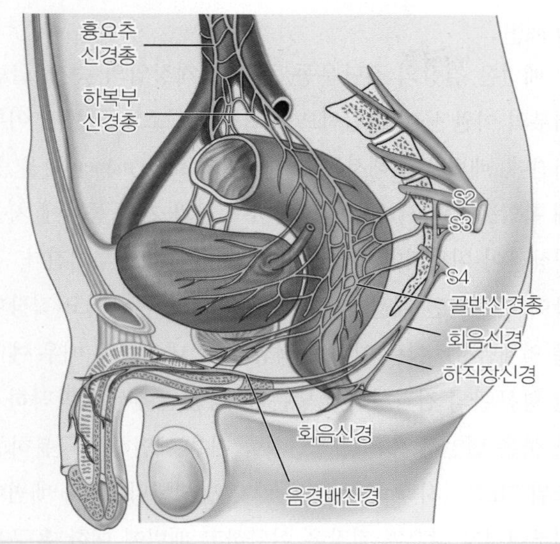

그림 2-11 **직장의 신경**

여 하 1/3 직장 높이에서 항문거근 수준의 골만측벽에 위치하면서 직장하부, 항문관 상부, 방광, 정낭, 전립선, 정관 등을 지배한다(그림 2-11).

나. 부교감신경

결장의 부교감신경은 중추신경의 2개 부위-미주신경과 천골유출로부터 나온다. 미주신경은 복강분지를 복강신경총으로 낸다. 복강신경총에서 나온 신경섬유는 대동맥전방신경총, 상장간막신경총을 거쳐 상장간막동맥 분지를 통하여 근위부 1/2을 지배한다. 결장의 원위부 1/2과 직장은 천골척수 S2, S3, S4에서 시작되는 골반내장신경(발기신경, 에리겐티신경)에서 지배를 받는다. 신경절전섬유는 상응하는 체성 천골신경 전근을 통하여 나와 하복신경과 만나서 골반신경총을 형성한 후 직장과 상부항문관에 분포한다. 일부 신경섬유는 골반신경총으로부터 방향을 바꾸어 하복신경을 따라 올라가 천골전방신경을 지나 하장간막동맥 기시부에 도달한 후 다시 방향을 바꾸어 예각으로 하행하여 하장간막신경총에 합쳐진다. 하장간막동맥 분지를 따라서 원위부 결장과 상부직장에 분포한다. 장벽의 근신경총, 점막하신경총에 흩어져 있는 신경절 속에서 시냅스를 형성한다. 남성에서는 골반신경총으로부터 전립선주위신경총이 형성되어 전립선, 정낭, 해면체, 정삭의 말단부, 요도, 사정관 등에 자율신경섬유를 보낸다. 교감신경과 부교감신경 모두가 발기에 관여한다. 부교감신경계는 음경의 소동맥을 확장시키고 해면체 공간에 혈액량을 증가시켜 발기시킨다. 교감신경은 음경혈관의 수축을 억제하고 울혈을 증가시켜 발기를 유지시킨다. 교감성 자극은 사정관, 정낭, 전립선의 수축을 일으켜 후요도부 정액을 배출하여 사정하게 한다.

(2) 근육계

음부신경은 천골총(S2-S4)에서 나오며 운동과 감각신경섬유가 혼합되어 있다. 신경근이 천골공을 통과한 후에는 자율신경가지와 체성신경가지로 분지된다. 자율신경분지들은 발기신경을 형성한 후 골반의 양측에서 하복신경과 만나 골반신경총을 형성한 후 부교감자율신경지배를 한다. 음부신경체간은 이상근과 미골근 사이로 대좌골공을 통하여 골반을 떠나서 둔부로 들어온다. 소좌골공을 통하여 다시 골반내로 들어와 알코크관을 통과하면서 하직장신경분지를 내고 회음신경과 음경배신경으로 분지된다. 하직장 신경은 외괄약근과 항문과 하부점막, 항문주위 피부에 분포하며 음낭신경과 문합한다. 회음신경은 항문과 회음의 요생식부에 있는 외항문괄약근, 항문거근, 천회음횡근, 구해면체근, 좌골해면체근, 심회음횡근, 요도괄약근에 분포한다. 음경배신경은 음경해면체에 분포한다. 내항문괄약근의 교감신경은 천골전방신경을 통해 S5로부터 부교감신경은 발기신경을 통하여 S2-S4로부터 받는다. 내괄약근의 긴장도는 교감 및 부교감 신경 모두에 의해 이루어지나, 수축은 교감신경에 의하여 매개된다. 직장하부가 팽창되면 내항문괄약근이 이완되는데 이를 직장항문억제반사라고 한다. 외항문괄약근의 운동신경은 음부신경의 하직장분지(S2, S3)와 S4의 회음분지로부터 받는다. 양측의 신경섬유는 교차하므로 한쪽 음부신경이 절단되어도 외괄약근의 기능은 소실되지 않는다. 치골직장근(항문거근)의 운동지배는 S3, S4 천골신경에 의해 직접 받거나 음부신경의 하직장분지에 의해 받거나 모두에 의해 받는다. 치골미골근 상부는 S4에 의해 받고 하부는 음부신경의 회음분지에 의해 받는다.

(3) 감각신경

항문관의 감각신경은 음부신경의 분지인 하직장신경을 통하여 이루어진다. 항문관 치상선근체에 감각신경종말이 풍부하게 분포한다. 이 부위 감각은 내용물의 성상을 감별하여 배변자제 기전에도 기여한다고 생각된다. 통증감각은 치상선에서 1.5cm 근위부까지만 존재한다.

3. 생리

1) 체액과 전해질

결장은 물을 흡수하고 전해질을 교환하는 주된 장소이다. 회장이 담고 있는 액체 중에서 약 90%의 물이 결장에서 흡수되는데, 그 양은 하루에 1,000-2,000mL 정도이고, 많게는 5,000mL까지도 흡수된다. 나트륨은 Na-K ATPase를 경유하여 능동적으로 하루에 400mEq까지 흡수된다. 물은 운반된 나트륨에 의해 생성된 삼투압 차이에 의해 피동적으로 흡수된다. 칼륨은 결장 내강으로 능동적으로 분비되고 능동적 확산에 의해 흡수된다.

2) 장운동

소장과는 달리 대장은 이동성 위장관 복합운동migrating motor complex에서 특징적으로 나타나는 주기적인 운동활성이 나타나지 않는다. 대신에 저진폭의 짧은 주기의 수축이 돌발파burst로 나타나서 결장 내용물을 앞방향 혹은 역방향으로 움직여 준다. 이러한 운동활성이 장 내용물의 체류시간을 지연시켜 주어서 물과 전해질의 흡수를 돕는다. 고진폭의 수축은 더욱 조화된 양상으로 나타나서 집단운동mass movement을 만드는데 이것과 직장복합운동rectal motor complex이 함께 작용하여 배변 운동의 일환이 된다.

3) 배변

배변은 결장의 집단운동, 복압과 직장압의 증가, 골반저부의 이완 등이 복합적으로 협조하고 조화를 통해 이루어진다. 배변을 위해서는 발살바법Valsalva maneuver을 통해 복압을 증가시키며 직장을 수축함과 거의 동시에 치골직장근이 이완되면 항문관이 열려 배변이 이루어진다. 직장이 확장되면 내괄약근이 반사적으로 이완되고(직장항문 억제반사), 이로 인하여 직장 안의 내용물은 매우 예민한 항문관의 감각상피에 닿는다. 항문관에서는 딱딱하거나 묽은 변인지 혹은 가스인지를 매우 예민하게 구분하는 소위 "표본반사sampling reflex"가 발생한다. 이때 배변이 이루어지지 않으면 직장은 이완하고 배변에 대한 욕구는 없어지는데 이것을 조절반응이라고 한다.

4) 배변 자제

자제력을 위해서는 변 덩어리에 적응하는 직장벽의 적절한 순응도가 있어야 하고 골반저부와 괄약근을 신경학적으로 적절하게 조절할 수 있어야 한다. 이와 더불어 내항문괄약근 및 외항문괄약근의 기능이 유지되어야 한다. 휴식 상태에서 치골직장근은 직장항문 경계선에서 걸이sling를 만들어 예각을 만든다. 배변 때에는 예각은 펴지면서 직장과 항문관의 축을 따라 아래로 힘이 전달되도록 해준다. 내항문괄약근은 휴식상태에서도 긴장이 활성화되어있어 휴식기 항문압의 대부분을 담당한다. 외항문괄약근은 수의적으로 괄약근의 긴장을 가져와서 수축기 항문압의 거의 대부분을 담당한다. 음부신경 분지들은 내항문 및 외항문 괄약근 모두를 지배한다. 항문의 치핵 쿠션도 항문관을 기계적으로 막아 변 자제에 기여한다. 따라서 배변 자제의 장애는 직장 유순도가 좋지 않거나 항문괄약근 및 치골직장근의 손상, 음부신경병증 등으로 인하여 발생한다.

요약

발생 3주에 내배엽 지붕에서 원시장이 발생하고 전장, 후장, 중장의 영역으로 나뉜다. 5주에 중장이 급속하게 자라면서 생리적 탈장 상태가 되고 이후 회복 고정의 단계를 거친다. 결장이동이 완성되면 원시장간막이 융합되어 톨트근막을 형성하게 된다. 치상선은 내배엽 관과 외배엽관이 융합되는 곳이고, 10주에 회음체가 형성되어 배설강이 비뇨생식 부분과 항문부분으로 분리된다.

대장은 결장과 직장으로 구성되어 있다. 결장은 맹장에서 구경이 7.5cm으로 가장 넓고 에스결장에서 2.5cm으로 가장 좁다. S3 원위부의 12-15cm이 직장이고, 중간 휴스톤판 이하의 넓은 부분이 팽대부이다. 직장하부 1/3은 완전한 복막외 장기이고, 전방복막반전 하방에 드농빌리에 근막이 있으며 발기신경분지가 주행한다. 외과적 항문관의 길이는 4-5cm이며 항문관 중간에 치상선 상방으로 모르가니주가 있다. 상장간막 동맥의 분지는 회결장동맥, 우결장동맥, 중결장동맥이 있고 이들은 하장간막동맥 분지들과 측부순환을 형성한다. 중직장동맥, 하직장동맥, 상직장동맥이 풍부한 동맥문합망을 형성한다. 동맥주행과 평행하게 림프관을 통한 배액이 이루어진다. 원위부직장과 항문의 림프배액은 하장간막림프절이외에도 내장골림프절, 서혜부림프절로도 배액된다. 교감신경은 상하복신경총, 골반신경총을 통하여, 부교감신경은 골반신경총을 통하여 직장과 항문, 비뇨생식기에 분포한다. 음부신경의 분지인 하직장신경, 회음신경 등의 분지가 괄약근에 분포한다.

대장은 물을 흡수하고 전해질을 교환하는 주된 장소이다. 대장의 운동은 저진폭의 짧은 주기의 수축이 돌발파로 나타나서 결장 내용물을 앞방향 혹은 역방향으로 움직여 준다. 고진폭의 수축은 더욱 조화된 양상으로 나타나서 집단운동을 만들고 이것이 직장복합운동과 함께 작용하여 배변 운동을 이룬다. 배변은 결장의 집단운동, 복압과 직장압의 증가, 골반저부의 이완 등이 복합적으로 협조하고 조화를 통해 이루어진다. 배변자제를 위해서는 직장벽의 적절한 순응도, 골반저부와 괄약근의 신경학적 조절, 내외항문 괄약근의 기능유지가 필요하다.

II 대장항문질환의 검사

대장 병변이 의심되는 환자의 진단을 위하여 여러 진단 방법을 사용하게 되는데, 신속하고 정확한 진단을 위하여 올바른 방법의 선택은 중요하다.

1. 내시경

1) 항문경

항문경anoscopy은 항문관을 검사하거나, 항문질환의 수술에 유용한 기구이다. 크기와 길이가 다른 다양한 기구가 있는데, 길이는 보통 8cm 정도이다. 크기가 클수록 검사나 시술에 편리하지만 환자의 불편함은 커진다. 항문검사시 항문경을 90도씩 돌려가면서 전체를 관찰하여야 하며, 환자가 심한 통증을 호소하면 국소마취를 고려해야 한다.

2) 경성 직장경

경성 직장경rigid proctoscopy은 직장과 말단 에스결장의 병변을 진단하는 오래된 기구이다. 표준형은 길이가 25cm인데 내경이 15mm와 19mm는 진단용으로, 25mm는 용종절제술, 전기소작술, 에스결장 염전의 꼬임풀기 같은 치료목적으로 사용한다. 암과 같은 병변과 항문까지의 거리를 정확하게 측정할수 있다.

3) 연성 에스결장경

연성 에스결장경flexible sigmoidoscopy은 길이가 60cm으로 비장만곡부까지 관찰가능하며, 적은 장처치와 진정제 사용없이도 검사가 가능하다는 장점이 있다. 최근에는 대장내시경으로 대체되어가고 있다. 대장내시경colonoscopy은 100-160cm의 길이로 전대장과 회장말단부까지 검사할 수 있다. 비디오 카메라를 통해 매우 선명한 영상을 얻고 컬러사진으로 병변을 표시할 수 있으며, 컴퓨터에 연결된 카메라로 내시경 시술 동안 선택된 영상을 저장할 수 있다. 성공적인 대장내시경을 하려면 철저한 경구 장세척이 필요하며 보통은 얕은 진정이 필요하다. 진단뿐 아니라 생검, 용종절제, 전기소작, 점막절제 등의 치료목적으로도 그 용도를 확장하고 있다.

2. 영상의학검사

1) 단순 복부 촬영과 조영 재검사

단순 복부 방사선촬영은 복강내 유리 가스, 장폐쇄나 염전을 시사하는 장내 가스 형태의 발견에 유용하다. 또한 연속 촬영은 병변의 변화를 진단하는데 매우 유용하다. 조영제를 이용한 방사선 검사는 장폐쇄 증상의 검사, 누공 확인, 작은 천공이나 문합부누출의 진단에 유용하다. 수용성인 가스트로그라핀gastrografin은 장천공이나 문합부누출이 의심될 때 추천되며, 바륨barium은 장점막을 검사할 때 사용된다. 이중조영바륨 관장Double Contrast Barium Enema (DCBE)은 1cm 이상의 종양성 병변을 발견하는데 70-90%의 민감도가 있다. 그러나 작은 병변의 확인은 아주 어려워, 장폐쇄가 없는 종양성 병변의 검사에는 대장내시경이 선호된다.

2) 전산화단층촬영

전산화단층촬영Computed Tomography (CT)은 복부 불편함을 호소하는 환자에 있어 초기검사로 중요성이 점점 커지고 있다.

전산화단층촬영은 복강내 농양, 장 주변의 염증 같은 장벽 밖의 병변을 검사하는데 유용하다. 수술 전 대장암의 병기를 결정하는데 있어서 장벽 침윤 정도, 주위 구조물에 대한 고정성, 림프절 비대의 유무, 원격 전이 등을 정확하게 감지할 수 있다. 경구나 직장으로 투여한 조영제의 유출 확인으로 천공이나 문합부 유출을 확진할 수도 있다. 전산화단층촬영은 장벽의 비후나 장간막의 꼬임 등을 확인함으로써 염증성 장질환, 장염, 허혈성 질환 같은 장벽고유의 질환을 감지하는데 민감하고, 위막성 대장염pseudomembranous colitis같은 대장의 다른 염증성 질환을 진단하는데 또한 유용하다. 그러나 장벽내 병변의 검사에는 민감도가 떨어진다.

3) CT 대장조영술

CT 대장조영술CT colonography은 3차원으로 재구성한 전산화단층촬영의 영상을 통하여 장벽 내의 병변을 검사하는 것이다. 대장내시경에 비해 덜 침습적이고 종양의 크기, 형태, 위치 등에 대한 정확도가 높다는 장점으로 인하여 대장 내시경을 대체하고 있다.

4) 자기공명영상

자기공명영상Magnetic Resonance Imaging (MRI)은 대장항문질환에서 골반 병변을 평가하는데 주로 사용된다. 직장암의 골반 장기 침습이나 골반측벽 확장을 확인하는데 전산화단층촬영보다 유리하다. 또한 복잡 치루의 윤곽을 검사하는데 도움이 된다.

5) 양전자방출 단층촬영

양전자방출 단층촬영Positron Emission Tomography (PET)은 악성종양과 같은 포도당분해대사가 항진되어있는 조직을 영상화하는데 사용된다. 사용되는 동위원소 추적자는 18Ffluorodeoxyglucose (FDG)이다. 전산화단층촬영과 함께 대장암의 병기 결정에 사용되며, 암의 재발과 섬유화를 감별 진단하는 데도 유용하다. 또한 암의 재발이나 전이를 확인하는데도 쓰인다.

6) 혈관조영술

혈관조영술angiography은 소장이나 대장내의 출혈을 검사하는데 종종 쓰이며, 출혈부위가 확인되면 바소프레신을 주사하거나 도관을 통한 색전술을 실시하여 치료도 할 수 있다.

7) 경직장 초음파 검사

내강 탐색자를 이용한 초음파 검사로 직장의 병변을 관찰한다. 직장벽은 다섯 층으로 구분되고, 주위 구조물도 확인할 수 있다. 직장암의 침습 정도를 검사하는데 주로 사용되며, 양성 용종과 침습성 종양을 감별진단하고, 직장주위 림프절 비대나 항문거근 혹은 골반 조직으로 침습여부도 알 수 있다. 또한 술후 재발을 조기에 발견할 수 있다. 경항문 초음파는 항문관의 층들을 확인하는데 사용되고 있다. 항문 내괄약근, 외괄약근, 치골직장근을 구분할 수 있는데, 특히 괄약근의 손상, 복잡 치루의 윤곽을 탐지하는데 유용하다.

3. 직장항문 생리검사

항문직장 내압검사anorectal manometry, 풍선 배출검사balloon defecation test, 배변조영술defecography과 배변영화촬영술cinedefecography, 대장통과시간의 측정colonic transit time study, 항문 괄약근 근전도검사anal sphincter EMG 및 음부신경 말단운동 잠복기간Pudendal Nerve Terminal Motor Latency (PNTML) 등은 기능성 변비나 변실금 환자를 진단하기 위해 검사실에서 운용되는 것들이다. 이외에도 골반강의 기능에 영향을 미칠 수 있는 환자의 심리분석을 위해 필요에 따라 심리학 검사를 추가해주기도 한다. 그러나, 검사실에서 진단을 시행하기 이전에 가장 먼저 고려해야 하는 것은 수지검사, 대장내시경 검사 및 영상의학 소견을 통해 기질적인 질환을 배제해주는 것이다.

1) 항문직장 내압검사

항문직장 내압검사는 압력에 예민한 카테터를 하부직장에 위치한 다음, 항문관을 통하여 당기면서 감지된 압력을 미리 기획된 컴퓨터에서 분석하여 골반저의 생리적 특성을 파악하는 검사이다. 기능검사 항목 중에서 가장 먼저 개발되었고 국내에도 가장 많이 보급되어 있다. 진단에 이

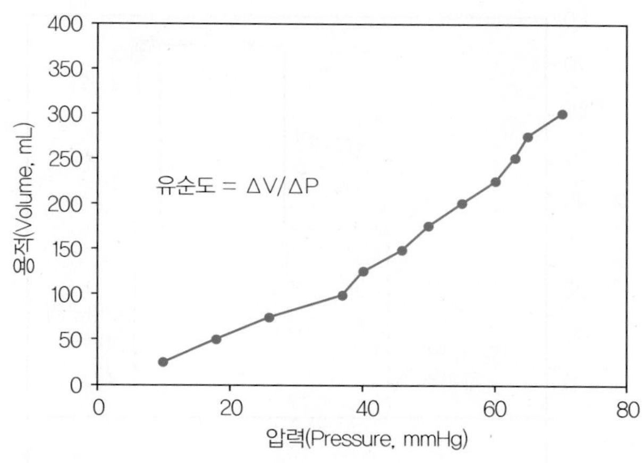

그림 2-12 직장 유순도 측정 곡선

용되는 항목들은 휴식기압, 수축기압, 항문관의 고압력대High Pressure Zone (HPZ)의 길이와 이곳에서 보이는 압력파형의 특징, 직장항문 억제반사Rectoanal Inhibitory Reflex (RAIR), 직장의 감각 역치sensory threshold, 직장의 용적과 탄성 등이다(그림 2-12). 카테터 끝에 부착된 풍선은 항문직장의 감각을 검사하는데 사용될 수 있다. 휴식기압은 항문내괄약근의 기능을 반영하며(정상: 40–80mmHg), 수축기압은 최대 수의적 수축압에서 휴식기압을 뺀 수치로 항문외괄약근의 기능을 반영한다(정상: 휴식기압보다 40–80mmHg 높은 수치). 고압력대는 휴식기 항문압의 최대값의 50%를 넘는 항문관의 영역을 말하며 항문관의 길이를 나타낸다(정상: 2.0–4.0cm) (그림 2-13). 직장항문 억제반사는 하부직장에 위치한 풍선을 확장시켰을 때 직장이 확장되면서 내항문괄약근이 반사적으로 이완되는 것을 말한다(그림 2-14). 이 반사의 소실은 선천성 거대결장 질환의 특징이며, 확진을 위해 직장점막의 조직생검을 실시한다.

2) 신경생리검사

신경생리검사는 음부신경의 기능과 치골직장근 섬유의 점증recruitment을 평가할 수 있다. 음부신경 말단운동 잠복기는 음부신경 섬유를 통한 신경자극의 전달속도를 측정한다. 유발전위를 측정하는 시스템과 연결된 특수한 감

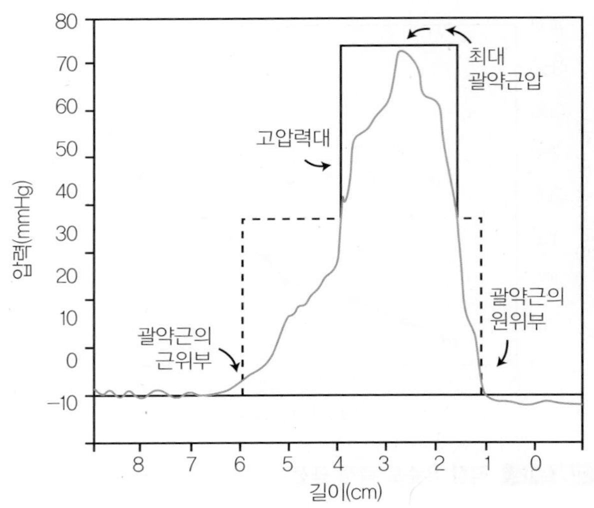

그림 2-13 **연속 견인법으로 측정한 휴식기 항문압 도해**

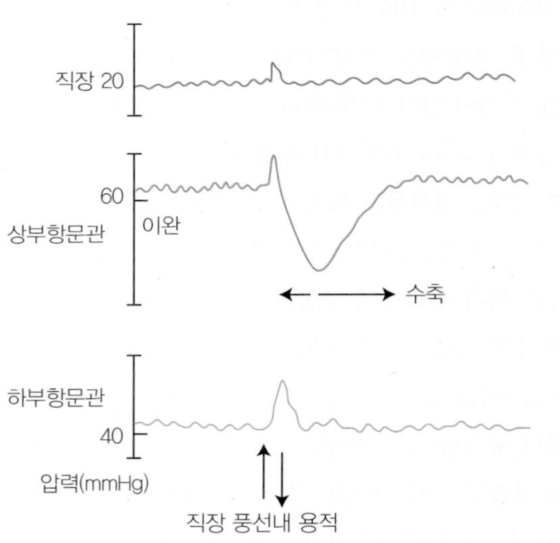

그림 2-14 **직장항문 억제반사.** 반사까지 경과한 시간, 수축반사, 이완반사, 휴식기압의 회복을 분석한다.

지전극을 검사자의 집게손가락 끝에 접착시키고 환자의 좌우 좌골극에서 자극을 주면 괄약근의 수축이 발생한다(그림 2-15). 전기 자극을 준 시간으로부터 괄약근 수축이 일어날 때까지의 기간을 잠복기간으로 측정한다. 정상인의 값은 나이와 성별에 따라 차이가 있지만, 많은 검사실에서 1.9±0.2msec 수준을 정상으로 보고 있다. 만성변비에서 골반강의 기능적 폐쇄 때문에 신전 손상이 발생한

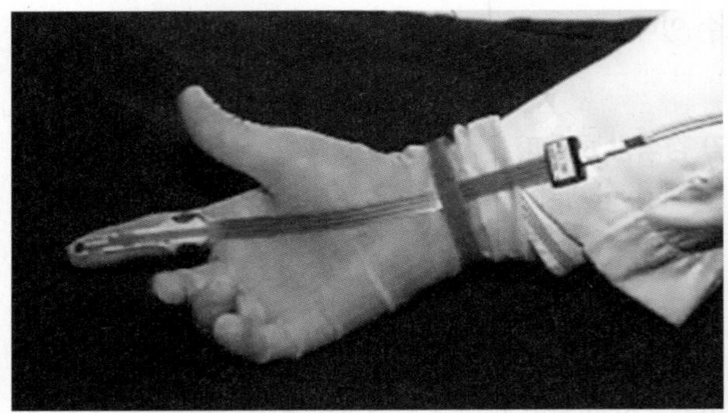

그림 2-15 음부 신경 말단 운동 잠복 기간 검사를 위한 감지 전극을 집게 손가락 끝에 접착 시킨다.

경우에는 잠복기간이 증가한다. 변비 때보다는 변실금을 진단할 때 이용 가치가 더 크다.

근전도검사는 동심성 바늘전극이나 원통형의 스폰지 표면에 전극감지기를 입힌 플러그 전극을 사용하여 골반이나 항문관의 괄약근에서 나타나는 전기적 활성도를 분석하는 검사이다. 변실금 검사 때와는 달리 변비 검사에서는 활동 전위의 자세한 특성을 관찰할 필요가 없고 개괄적인 전기 활성도만 관찰하여도 진단에 큰 지장을 주지 않으므로 바늘을 찔러서 환자에게 고통을 주지 않기 위해 표면 전극을 사용한다. 골반저부 근실조pelvic floor dyssynergia를 진단할 때는 배변을 유도시키고 하압기에서 전기 활성도가 정상적으로 하강하는지 혹은 반대로 증가하는지를 지켜본다. 정상적으로는 환자에게 수축을 유도하였을 때 활동 전위가 증가하고 반대로 이완을 유도할 때는 감소한다. 그러나, 하압기에 오히려 증가하거나 그대로 있는 활성도가 관찰되면 치골직장근의 역행성 수축paradoxical contraction 혹은 이완부전증nonrelaxing syndrome이 있음을 시사해준다. 바늘 근전도검사는 음부신경과 내·외괄약근의 지도를 그릴 수 있지만, 통증이 심하고 환자가 견디기 힘들어서 음부신경 운동 잠복기 검사로 대체되어 가고 있다.

3) 배변검사

배변검사의 종류로는 풍선배출검사와 영상 배변 조영

술이 있다. 전자는 공기나 온수를 넣은 풍선을 직장에 넣고 모의 배변을 시키거나 참는 능력을 평가하는 간단하고 값싼 검사이다. 배변 폐쇄의 유무를 확인할 수는 있지만 무슨 원인으로 폐쇄 증상이 나타나는지 정확하게 알 수는 없다.

배변조영술은 배변의 과정 중에서 중요한 순간의 정지 상태의 필름을 얻는 것이고 배변영화 촬영술은 배변이 일어나는 역동적인 과정을 녹화 촬영하는 것이다. 정지사진을 통한 소견만으로는 기능적 원인을 파악하는 것은 어렵고 배변 영화촬영을 이용하여 배변의 모든 과정을 관찰한 이후에 역동학적인 변화를 판독하는 것이 중요하다. 정지기, 수축기, 하압기 및 배변 후기로 나누어 정지사진을 얻는다. 연속 녹화 중에는 배변을 시도할 때에 치골직장근이 제대로 이완하는지 여부와 직장류가 존재하는지 유무를 잘 관찰하여야 한다. 배변 기능의 평가를 위해 관찰되는 주요 사항들은 항문직장각의 크기, 회음하수의 정도, 치골직장근의 이완 여부, 직장 배출 상태, 직장의 형태학적인 소견 등이다. 배변조영술 검사결과로 배변 기능을 보다 자세히 평가할 수 있는데, 치골직장근의 비이완, 폐쇄성 배변, 증가된 회음부 하강, 탈홍과 직장 중첩증, 직장류, 그리고 장류enterocele를 감별할 수 있다. 직장류나 치골직장근 기능에 관한 정보, 배변 때의 항문관 개존 여부, 에스결장 하강증 등과 같이 임상적으로 중요한 정보들은 주로 하압기와 배변 후기에 관찰되므로 영상의학과에만 맡기지 말고 치료를 담당하는 외과의사가 검사실로 내려가 직접 관찰하는 것이 좋다.

4) 대장통과시간의 측정

대변의 성분과 비슷한 비중을 가지고 있는 방사선 비투과성 원형 PVC가 한 캡슐에 24개씩 들어 있는 표지자 sitzmarks로 검사한다. 검사 첫 번째 날 식전에 한 알 먹고 3일과 5일째, 혹은 필요에 따라서는 7일째에 신장요관방광 단순촬영 결장과 직장에서 관찰되는 표지자의 분포를 측정한다. 표지자를 3일간 매일 먹고 대장의 각 분절마다 세부적으로 통과시간을 측정하는 방법도 있지만 시간 소비가 많고 자주 사진을 찍어야 하는 번거로움이 따른다. 대장운동의 기능이 저하되어 나타나는 서행성 변비slow transit constipation, 대장의 일부에서 존재하는 구역성 통과장애segmental delay, 출구 폐쇄outlet obstruction 등 대장의 운동성 장애의 특성을 구별하는 데에 많은 도움을 준다. 최근에는 방사선 동위원소를 사용하는 대장 신티그래피가 소개되어 종래의 단점들을 보완하고 있다.

5) 심리 검사

직장항문의 기능검사 항목은 아니지만 배변기능 장애 환자 중에서도 환자의 심리 상태가 대장항문에 기능적인 영향을 미칠 우려가 있는 만성 변비나 과민성 대장증 환자에게 실시한다. 이중에서도 가장 많이 이용되는 것은 Minnesota Multiphasic Personality Inventory (MMPI) 검사이다. 이것은 Hathaway와 McKinley에 의해서 만들어 졌으며 1943년에 미네소타 대학 학내지에 기고된 이후로 정신과 영역에서 가장 많이 이용되고 있는 정신심리 상태의 분석 도구이다. 피검사자의 검사 태도를 알기 위한 타당도 척도 3-4개와 성격구조와 정신 기능을 알기 위한 10개의 임상척도로 나뉘어져 있다.

4. 실험실 검사

1) 대변 잠혈 검사

대변 잠혈 검사Fecal Occult Blood Testing (FOBT)는 무증상 환자들의 대장 종양 선별 검사로써 이용된다. 이 검사의 유용성은 대장암의 대부분이 출혈을 동반한다는 전제하에 이루어져 왔다. 혈색소에 포함된 peroxidase에 의해 반응을 보이는데, 여러 음식들(육류, 일부 과일과 채소들, 비타민C)에 의해서도 위양성을 보일 수가 있다. 검사를 시행하기 2-3일 전에 음식에 제한을 두어야 특이도가 증가된다. 검사에서 양성을 보이는 환자들은 반드시 대장내시경 검사를 시행한다.

2) 혈청 검사

대장항문질환의 수술 전에 일반적인 일반 혈액 검사, 간 기능 검사, 혈액 응고 검사 등이 시행되고 환자의 전신 상태에 따라 추가적인 검사가 필요할 수 있다.

3) 종양 표지자 검사

암 태아성 항원Carcinoembryonic Antigen (CEA)은 대장암 환자의 약 60–90%까지 상승되어 있다. 하지만, 대장암의 선별 검사로는 이용되지 않는다. 대장암의 진행정도를 파악하고 치료 후에는 치료의 효과 및 재발을 예측하는 추적검사로 이용한다.

4) 유전 검사

가족성 선종성 용종증, 유전성 비용종증 대장암과 같은 가족성 대장암에서 유전학적 검사를 통하여 관련된 유전자에 대한 정보를 파악할 수 있다. APC 유전자가 가족성 선종성 용종증과, 복제실수 교정유전자가 유전성 비용종증 대장암와 관련이 있는 것으로 보고되고 있고, 임상적으로 활용할 수 있게 되었다.

요약

대장 질환의 평가에는 내시경(직장경, 에스결장경, 대장내시경 등), 영상의학검사(단순 방사선과 조영제 검사, 전산화단층촬영, CT 대장 조영술, 자기공명영상, 양전자 방출 단층촬영, 혈관조영술, 경직장초음파 등), 직장항문생리검사(항문압 검사, 신경 생리 검사, 배변 검사 등), 실험실 검사(대변 잠혈 검사, 혈청 검사, 종양 표지자 검사, 유전적 검사 등) 등이 사용된다. 직장항문 생리검사를 시행하는 가장 중요한 이유는 골반저부와 항문괄약근의 기능에 대한 정보를 얻을 수 있기 때문이다. 특히, 기능성 변비와 변실금 환자에게 시행하는 직장항문 기능검사의 각 항목들은 종래의 검사 방법만으로는 뚜렷한 원인을 확인할 수 없었던 기능적 원인의 진단을 가능하게 하여 올바른 치료 방법을 선택하게 해주는 수단이 된다. 1980년대 중반부터 구미 각국에서 널리 시행되고 최근에 많은 기술적 진보를 가져오고 있는 직장항문 생리검사 방법들은 기능성 배변장애 환자들의 원인 진단과 치료의 지침을 얻기 위한 필수적인 검사 방법이다. 이제는 대장항문 클리닉이 개설되어 있는 국내의 여러 병원 들에서도 생리 검사를 위한 장비와 술기가 보급되어 이를 임상에 응용하고 있다.

기능성 질환의 진단이 객관성과 재현성을 갖기 위해서는 환자 증상에만 의존하는 것보다는 직장항문 생리검사들의 결과를 참조하여 임상 평가를 하는 것이 중요하다.

III 대장내시경

1. 대장내시경의 구조

1) 내시경 시스템과 구조

대장내시경 시스템은 본체와 모니터, 내시경으로 구분되며 본체는 내시경을 통해 얻은 영상에 관여하는 영상처리장치와 광원, 송기 장치로 구성된다(그림 2-16). 내시경은 연결부connector section, 조작부control section, 삽입관insertion tube 및 선단부로 구성되는데 연결부는 본체와 내시경을 연결하는 부위로 본체로부터 생성된 광원을 내시경으로 전달하고 내시경을 통해 얻은 내강의 영상은 영상

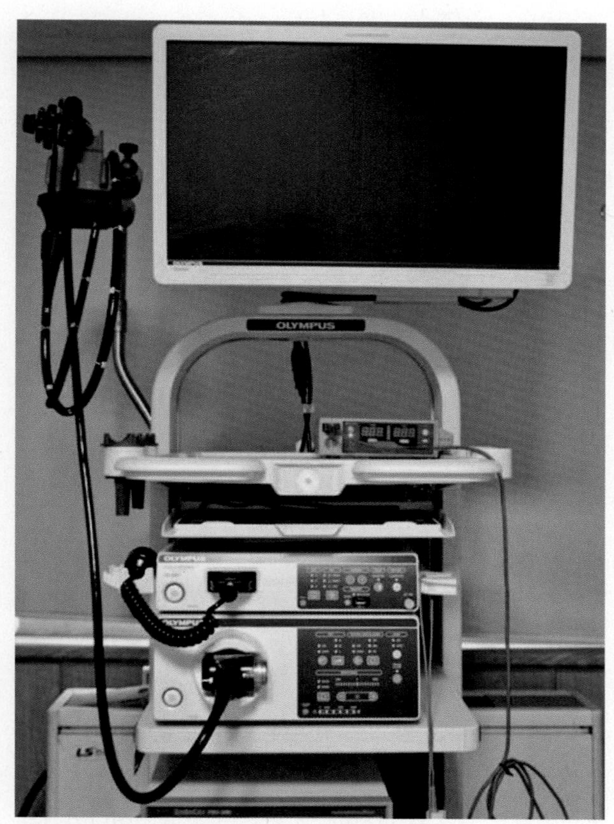

그림 2-16 대장내시경 시스템

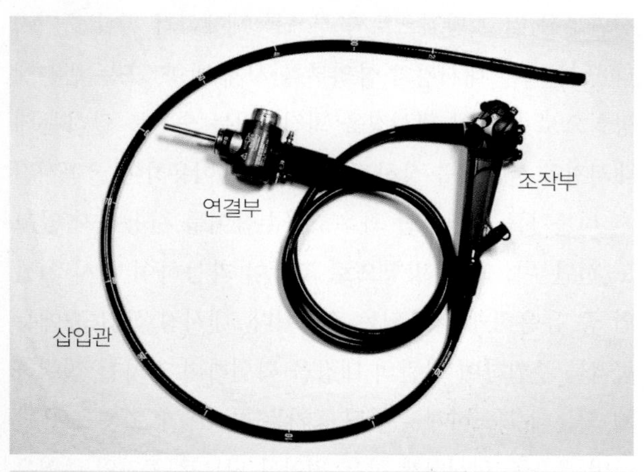

그림 2-17 대장내시경의 구조

처리장치로 전달하는 역할을 한다(그림 2-17). 조작부는 내시경의 움직임을 조절하는 부위로 내시경 선단부를 상하, 좌우로 조절할 수 있는 손잡이up/down and left/right angle knob, 조절 손잡이를 고정하는 고정레버lever of fixation, 공기를 주입하거나 렌즈의 이물질을 제거하기 위해 물을 뿌리는 송기/송수밸브버튼air/liquid infusion valve button, 액체나 공기를 흡인하는 흡인밸브버튼suction valve button, 생검겸자 등 부속기구가 통과하는 겸자구working channel, 및 비디오시스템을 원격 조절하는 원격조절스위치 등으로 구성되어 있다. 삽입관은 실제로 환자의 대장에 삽입되는 부위로 선단부는 삽입부의 끝부분을 말하는데, 일반적으로 광학렌즈는 상부에, 겸자공은 하방에 위치하며 양 측방에 광원렌즈가 위치하게 된다(그림 2-18).

대장내시경은 내시경의 길이와 굵기, 경도 및 기능에 따라 다양한 기종이 있는데 일반적으로 상하 180도, 좌우 160도의 움직임과 140–170도 범위의 관찰이 가능하며 삽입부의 굵기가 가늘면 조작이 부드럽고 좁은 부위의 통과가 용이하지만 비틀기나 밀기 등 힘의 전달이 어렵고 루프 형성이 쉽다는 단점이 있으며 내시경의 길이가 짧으면 내시경 조작은 용이하지만 경우에 따라 맹장까지의 삽관이 어려운 경우가 있어 내시경의 특성과 검사의 목적, 검사자의 선호도에 따라 선택이 가능하다.

2) 대장내시경 검사를 위한 장정결

대장내시경 검사 전 적절한 장정결은 정확하고 안전한 검사를 위해 필수적인 과정이다. 장정결제로 가장 널리 쓰이는 것은 PEG (PEG-ELS, Polyethylene Glycol - Electrolyte Lavage Solution) 용액으로 체내 전해질과 수분의 불균형을 유발할 위험성이 적어 가장 안전한 약제로 인정되고 있지만 4리터를 복용해야 하며 sulfate 특유의 향 때문에 복용이 어렵다는 단점이 있다. 이러한 단점을 개선하기 위해 PEG 용액의 조성과 복용량을 조절하는 등 다양한 약제와 방법이 시도되고 있다. 이러한 약제들은 약제의 삼투성과 복용량, 성분에 따라 구분할 수 있는데 sodium phosphate나 sodium picosulfate와 같이 고삼투압성 약제의 경우 양이 적어 복용하기 편하다는 장점이 있는데 비해 전해질과 수분의 불균형을 초래할 위험성이 있으므로 환자의 연령, 신장 기능 등을 고려하여 사

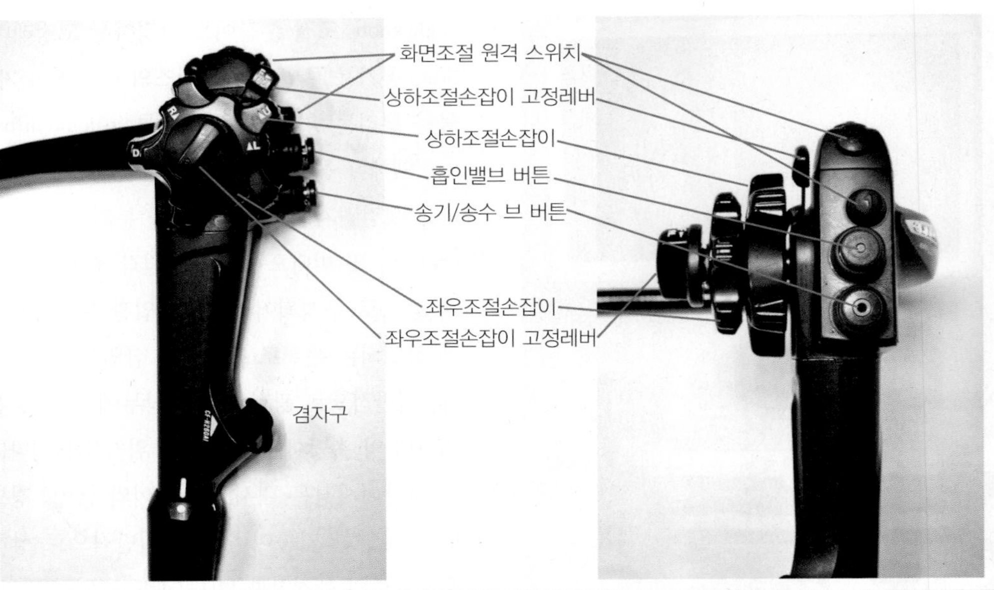

그림 2-18 **대장내시경의 구조 - 조작부**

용하여야 한다. 특히 sodium phosphate 의 경우 인산염 침착에 의해서 신장이 영구적으로 손상될 위험성이 있기 때문에 현재는 사용되지 않는다.

3) 대장내시경 삽입을 위한 기본 술기

내시경 삽입을 위한 기본적인 조작 방법은 밀기, 주름 걸어 당기기, 비틀기, 공기흡인 등과 같은 기본 술기가 있으며 이러한 조작법을 정확이 익히고 적절히 조합하여 사용하면 효과적이고 안전한 삽입이 가능하다. 밀기는 내시경을 밀어서 삽입하는 술기로 가장 기본적이며 보편적인 술기라 할 수 있다. 그러나 무리한 힘을 주어 밀어 넣을 경우 선단부에 의한 천공의 위험성이 있어 반드시 장관의 주행이 확인되는 상황에서 밀어야 하며 시야가 확보되지 않은 상황에서 밀 경우 정상적인 점막의 혈관상이 확인되지 않고 내시경의 시야가 전반적으로 붉은색의 적시야red-out sign를 띠게 되는데 이는 천공을 경고하는 소견으로 더 이상의 밀기는 중단하여야 한다. 또한 장관의 주행이 육안적으로 확인되더라도 장관의 루프가 형성된 경우에는 내시경을 밀어도 진행하지 않으면서 저항이 느껴지는데 여기서 무리하게 밀게 되면 삽입부에 의한 천공도 가능하므로 절대 무리한 힘으로 밀어서는 안 된다. 내시경을 밀어서 삽입하게 되면 굴곡부위나 후복막에 고정되지 않은 부위에서는 루프를 형성할 수 있는데 주름걸어당기기는 장관의 신전을 줄여 장관을 단축하여 직선화 하거나 루프가 형성되는 부위를 통과한 후 대장의 주름에 내시경의 선단부를 걸고 당김으로써 루프를 해제하기 위한 술기이다. 비틀기는 내시경의 삽입부를 시계 방향, 또는 반시계 방향으로 비틀어 내시경을 회전시키는 술기를 말하는데 내시경의 선단부를 상하조절손잡이를 이용하여 굴곡시킨 후 비틀기를 시행하면 좌우조절손잡이를 사용하지 않고도 선단부를 좌우 방향으로 조작이 가능하여 내시경 삽입 중 유용하게 사용되는 술기이다. 내시경 삽입 중에는 공기를 주입하여 장관의 내강을 확인하며 검사를 진행하게 되는데 과도하게 주입된 공기는 환자에게 고통을 유발하며 루프를 형성하게 하는 원인이 되므로 공기의 주입은 최소화하고 불필요하게 주입된 공기는 흡인하여야 한다. 경우에 따라서는 공기의 흡입만으로 대장의 신전이 줄어들어 내시경을 밀지 않아도 내시경의 선단부가 대장의 근위부로 진행하기도 하는데 주로 횡행결장에서 내시경을 반시계 방향으로 비틀며 당기면서 공기를 흡인하면 쉽게 간만곡부에 도달할 수 있다. 이외에도 내시경의 선단부를 좌우로 조작하여 주름을 스치듯이 통과하는 슬라롬테크닉slalom technique이나 대장의 굴곡이 심한 경우 예측되는 장관의 주행방향에 따라 내시경의 선단부를 조심스럽게 밀면서 진행하는 슬라이딩테크닉sliding technique 등 기본 술기를 응용한 술기도 사용된다. 또한 내시경의 삽입을 용이하게 하기 위해서는 보조자에 의한 체위변환, 복부압박 등의 보조적 수단을 사용할 수 있는데 체위변환은 중력에 의해 대장의 위치가 자연스럽게 변하는 것을 이용하여 삽입을 용이하게 하는 방법이며 복부압박은 대장이 지나치게 늘어진 경우 내시경을 삽입하여도 내시경이 대장 내에서 진행되지 않거나 내시경의 선단부가 후퇴하는 역설적인 현상을 보이게 되는데 이러한 경우 복부 압박을 통해 장관의 신전을 막아 내시경 삽입을 용이하게 할 수 있는 방법이다.

실제 내시경을 안전하게 맹장까지 삽입하는 삽입 술기를 습득하기까지 상당한 경험과 시간이 필요한데, 그 이유는 대장이 비교적 복잡한 주행 경로를 보이며 부위별 특징을 갖게 되는데 직장, 상행결장, 하행결장과 같이 후복막에 고정된 부위, 구불결장과 횡행결장과 같이 복강 내에 고정되지 않은 부위, 직장-구불결장연결부rectosigmoid junction, 구불결장-하행결장연결부sigmoido-descending junction, 비장만곡부splenic flexure, 간만곡부hepatic flexure 등과 같이 굴곡이 있는 부위로 구성되어 있어 각 부위별로 다양한 술기를 익혀야만 안전한 검사가 가능하기 때문이다. 내시경을 삽입할 때는 내시경을 무리한 힘으로 조작해서는 안되는데 무리하게 내시경을 조작할 경우 검사에 따른 통증, 내시경의 고장, 장 천공과 같은 심각한 합병증을 유발할 수 있으므로 주의하여야 한다.

2. 관찰 및 기술 방법

1) 관찰 방법

대장내시경은 삽입도 중요하지만 병변의 발견과 진단, 치료가 원래의 목적이다. 일부 환자에서 대장내시경을 했음에도 불구하고 대장암이 발생하는 경우가 있는데 이를 중간대장암interval cancer이라고 한다. 중간대장암은 통상적으로 정상 검사 후 5년 이내 또는 용종절제를 받은 이후 3년 이내에 발생하는 암으로 정의하고 있으며, 간과된 종양, 불완전 절제된 용종, 또는 일부 빠르게 성장하는 종양이 그 원인으로 생각된다. 이 중 간과된 종양이 가장 중요한 원인으로 생각되고 있는데, 이는 대장내시경의 기술적인 한계로 인해 점막 표면 전체를 관찰하기 어려워 용종을 놓치거나 융기성 병변에 비해 발견이 어려운 비융기성 병변을 놓치는 경우이다. 따라서 중간암의 발생을 줄이기 위해 병변을 놓치지 않는 효과적인 관찰법을 반드시 숙지해야 한다.

(1) 해부학적으로 관찰이 어려운 부위를 인지

대장은 주름이 많고 굴곡부가 있어 해부학적으로 관찰이 어려운 부위, 즉 맹점이 존재한다. 대장의 맹점blind spots (그림 2-19)으로는 회맹판 근위부 맹장측, 간만곡부 및 비장만곡부의 근위부, 상행결장의 깊은 반월주름의 뒷부분, 직장 휴스톤판의 근위부 등이 있다. 장주름이 깊어 주름의 내측이 잘 보이지 않을 때나 만곡부의 내측을 관

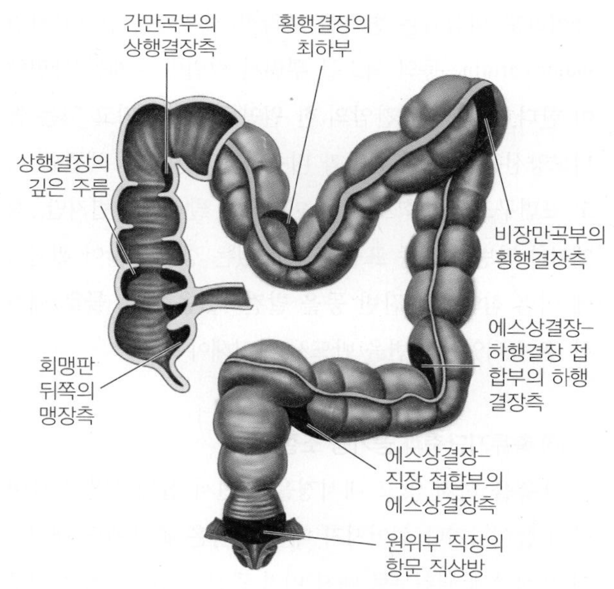

그림 2-19 대장내시경 관찰시 맹점(blind spots)

찰할 때는 내시경 선단부로 주름을 눌러주면서 주름의 방향을 따라 내시경을 빼면 주름이 편평하게 펴지게 되고 이때 천천히 내시경을 빼면서 관찰한다. 간만곡부 및 비장만곡부의 경우 굴곡부의 내측을 제대로 관찰하지 못하고 내시경이 순식간에 원위부로 빠지는 경우가 있는데 이때는 반드시 내시경을 굴곡의 근위부까지 다시 삽입하여 관찰을 다시 시도해야 한다. 항문관 직상방의 직장과 항문관은 내시경을 반전하여 관찰하는 방법이 사용된다. 이런 반전법은 장주름이 깊은 상행결장이나 휴스톤판 근위부의 맹점을 관찰하는데도 도움을 줄 수 있으나 반전을 시도할 때 장천공의 위험이 있어 주의를 요한다.

(2) 비융기성 병변의 형태 인식

융기성 병변은 정상 점막과의 높이 차이가 있기 때문에 발견이 용이하지만 높이 차이가 작은 편평 또는 함몰형 병변, 측방발육형 종양Laterally Spreading Tumor (LST)등의 비융기성 병변은 발견이 어려운 경우가 많다. 희미한 점막 발적이나 정상 점막과의 미묘한 색깔 차이, 또는 장벽이나 주름의 변형, 공기를 충분히 주입해도 장벽이 함께 늘어나지 않고 왜곡되는 현상 등이 비융기성 병변의 발견에 중요한 단서가 된다. 따라서 이런 특징을 충분히 인식하고 조금이라도 의심되는 변화를 포착한 경우에는 인디고카민 indigo carmine 등의 색소를 뿌려서 병변의 존재를 확인해야 한다. 최근에 중간암의 한 원인으로 의심되고 있는 톱니모양선종은 주변 점막과 비슷하거나 창백한 색깔을 띠고 표면구조의 변화가 매우 미미하여 발견이 어렵지만, 점액이나 잔변이 용종 표면을 덮고 있는 경우가 많아 관찰시에 이런 점액이나 잔변 등을 발견하였을 때는 물로 세척한 후 숨어있는 병변을 반드시 확인해야 한다.

(3) 축유지단축과 공기량 조절

단축을 하지 않고 내시경을 밀면서 삽입하면 장관이 많이 늘어나거나 휘어지기 때문에 작은 조작에도 내시경이 순식간에 원위부로 빠져 버려 관찰이 힘들어지는 경우가 있다. 축유지단축이 유지되어 있으면 이렇게 내시경이 갑자기 빠지는 것을 피할 수 있으며 병변의 위치도 정확하게 파악할 수 있어 삽입 시 축유지단축을 시행하는 것이 중요하다.

관찰 시에는 공기를 주입하여 장관을 충분히 펴서 관찰해야 한다. 하지만 공기를 과다하게 주입하면 복부팽만감과 동통을 일으킬 수 있기 때문에 송기와 흡기를 되풀이하면서 공기량을 적절히 조절하는 것이 필요하다. 공기량을 증감시키거나 내시경을 조금씩 넣었다 뺐다 하면 관찰 범위가 변화되고 장관벽의 변형에 의해 병변을 쉽게 포착할 수 있다. 내시경을 삽입할 때 관찰되는 장관의 범위와 각도가 회수할 때와는 달라질 수 있어서 내시경을 삽입할 때도 병변의 관찰을 게을리 해서는 안된다. 때로 내시경을 삽입할 때 명확하게 관찰되었던 용종이 내시경을 회수할 때 관찰되지 않아 용종을 다시 찾는데 많은 시간이 필요한 경우도 있다. 내시경을 회수할 때도 내시경을 한번에 빼는 것이 아니라 넣었다 뺐다 하면서 충분한 시간을 두고 장점막 전체를 철저히 관찰해야 한다.

(4) 대장정결

잔변, 점액, 기포가 많은 상태에서는 관찰이 힘들고 병변을 놓치는 경우가 많아 적절한 대장정결은 필수적이다. 대장정결이 다소 불량한 경우에는 혼탁한 액체변이나 점액을 흡입하거나 거품이나 얇은 액체변으로 덮인 대장점막을 물로 세척한 후 관찰한다. 대장정결이 불량해서 찌꺼기가 많은 잔변을 흡입할 수 없는 경우에는 체위를 변동하면 중력에 따라 잔변이 이동하면서 잔변에 가려서 보이지 않던 점막을 관찰할 수 있다. 이런 방법으로도 관찰이 힘든 경우는 장정결제를 추가로 복용하거나 다시 예약을 잡아 검사를 시행하는 방법을 고려해야 한다.

2) 기술 방법

대장내시경 중에는 객관화된 정보를 저장하기 위해 내시경사진 촬영이 반드시 필요하며 이는 의료진과 환자 사이의 의사소통에 매우 유용하다. 현재 8부위의 표준 촬영부위가 제시되고 있으며, 보건복지부와 국립암센터에서

표 2-1. 대장내시경 표준 촬영부위

1. 항문연에서 2cm 상방에서 전체 직장을 촬영
2. 에스결장 중간부위에서 촬영
3. 비장만곡부 직하방의 하행결장 근위부에서 촬영(비장음영이 관찰됨, 위치 지표로 활용)
4. 비장만곡부 직상방의 횡행결장 원위부에서 촬영
5. 간만곡부 직하방의 횡행결장 근위부에서 촬영(간음영이 관찰됨, 위치 지표로 활용)
6. 간만곡부 직상방의 상행결장 원위부에서 촬영
7. 상행결장 근위부에서 회맹판 촬영
8. 충수개구부를 포함한 맹장 촬영(맹장까지 삽입하였음을 증명)

제안한 대장암 검진 질 지침에서는 최소한 이 8부위에서의 사진촬영을 권고하고 있다(표 2-1).

모든 의료진들이 쉽게 이해할 수 있는 정확한 내시경 소견의 기록은 의료진 사이의 소통과 환자의 추적관리를 위해 필수적이다. 대장내시경 기록지에는 기본적으로 환자정보, 검사정보, 내시경 진단과 구체적인 검사 소견을 작성한다. 세부적으로는 검사일, 성명, 성별과 나이, 등록번호, 내시경시술자, 장정결 상태, 약제사용 유무(진정제, 진통제, 진경제 등), 삽입시간과 회수시간, 내시경 도달 위치, 생검 유무, 관찰소견, 진단명 등을 기록한다. 궤양이나 종양 등의 병변이 발견된 경우 병변의 개수, 위치, 육안형태, 크기 등을 기술한다. 병변의 내시경치료 시 치료 방법, 조직회수 여부 등을 기록한다.

(1) 병변의 위치

병변의 위치는 항문, 직장, 에스결장, 하행결장, 비장만곡부, 횡행결장, 간만곡부, 상행결장, 맹장, 회맹판, 회장 말단, 전 대장, 수술 문합부 등으로 표시한다. 항문, 충수돌기 개구부, 회맹판, 간만곡부, 비장만곡부, 직장의 휴스톤판 등의 지표를 이용하여 연관성을 표시하거나 항문연 상방 몇 cm에 병변이 위치하는지를 기술하는 방법도 있다.

(2) 크기

병변의 크기 측정은 내시경용 자를 이용하는 것이 정확하고 바람직하지만 실제 대부분의 경우에는 간편하게 생검 겸자를 이용하게 된다. 생검 겸자는 종류마다 약간의 차이가 있지만 겸자를 닫았을 때 높이가 2-2.5mm, 겸자를 완전히 열었을 때는 6-8mm 정도가 되므로 사용하는 겸자의 크기를 알고 있으면 간편하게 병변의 크기를 측정할 수 있다.

(3) 형태

병변의 형태는 병변의 분포(미만성, 국소적), 높이(융기, 평탄, 함몰), 모양, 표면의 성상, 색조변화 등을 자세히 기술한다. 대장용종의 경우에는 파리 분류법을 사용하고 있다(대장용종의 내시경적 분류 참고).

3. 치료대장내시경

국내에서 대장암은 갑상선암, 위암에 이어 세 번째로 많이 발생하며, 매년 4.6%씩 빠르게 증가하고 있다. 대장암의 80% 이상은 전암성 병변인 선종성 용종으로 시작하여 “선종-암” 과정을 거쳐 서서히 발생하는 것으로 알려져 있어 대장내시경 검사를 통해 발견된 용종을 제거한다면 대장암의 발생율 및 사망률을 효과적으로 줄일 수 있을 것으로 기대된다. 대장내시경 검사는 현재 대장암을 비롯하여 용종과 염증성 질환을 포함한 많은 대장 질환의 진단에 있어서 가장 중요한 역할을 담당하고 있다. 이러한 진단적 측면뿐 아니라 내시경기기 및 부속기구의 발달과 함께 대장내시경 술기의 발전에 힘입어 용종 및 조기 대장암의 내시경적 절제, 폐쇄성 대장암에서의 인공관 삽입술과 같은 치료적 측면에 있어서도 그 영역을 점차 확대해가고 있다. 이러한 치료 목적의 대장내시경은 용종절제술, 점막절제술, 점막하박리술, 풍선확장술, 인공관 삽입술, 에스결장염전의 치료, 지혈술, 대장 이물제거술 등 광범위하게 사용되고 있는데 본론에서는 용종절제술 및 점막절제술, 점막하박리술, 풍선확장술과 인공관 삽입술, 그리고 대장내시경하 문신술 등을 중심으로 각 시술의 적응증과 술기 등에 대해 살펴보고자 한다.

표 2-2. 대장 용종의 내시경 소견에 따른 생검 및 절제 방법

	대장내시경 소견	생검 및 절제 방법
선종 및 점막암	5mm미만의 무경형 용종	겸자 생검, 열겸자 생검
	5mm이상의 아유경형 또는 유경형	올가미 절제
	편평형, 함몰형, 표재-융기형	내시경 점막절제
	측방발육성 종양	내시경 점막절제 또는 내시경하 점막하박리술
점막하암 및 진행성암	융기형, 궤양형, 침윤형	겸자 생검

1) 용종절제술

용종이란 점막 표층이 장관내로 돌출되어 자라난 병변을 통칭하며 조직학적으로는 염증성 용종, 과형성 용종, 연소기 용종 등의 비신생물 용종과 선종성 용종, 암 등의 신생물 용종으로 분류되며, 그 외에 신경내분비종양, 지방종, 평활근종, 임파관종, 섬유종 등도 발생할 수 있다. 대장내시경 검사 시 발견되는 용종은 용종의 크기 및 형태적 특성 등을 통해 조직학적 아형을 대략 예측할 수 있으나 대부분의 경우 생검 혹은 절제를 통한 병리 조직학적 확진 검사가 필요하다. 일반적으로 검사 시 발견되는 모든 용종은 용종절제술을 통해 완전 절제를 시행한 후 조직 검사를 시행하는 것이 추천되고 있다. 선종성 용종은 대장암의 전암성 병변으로 선종-암 연속성의 대표적인 모델로 알려져 있으며 이러한 선종의 절제를 통하여 대장암의 발생을 예방할 수 있으므로, 대장내시경 시 용종의 절제는 매우 중요한 의미를 갖는다.

(1) 용종절제술의 종류 및 적응증

대장내시경 시 발견된 용종에 대한 절제 방법으로는 겸자 생검forceps biopsy, 열겸자 생검hot biopsy, 올가미 절제snaring polypectomy, 내시경 점막절제endoscopic mucosal resection 등이 시행되고 있으며, 각각의 적응증에 대해서는 표 2-2에 나열하였다.

가. 겸자 생검

겸자 생검은 병변의 조직학적 진단을 위해 병변 조직의 일부를 생검용 겸자를 이용하여 채취하는 것을 말하며, 용종의 크기가 3mm 이하인 경우에는 이러한 겸자 생검만으로도 용종의 완전 절제 및 제거가 가능하다. 최근 내시경 영상의 발달과 함께 크기가 작은 미소 용종의 발견이 증가되고 있으며, 대장내시경 검사 중 발견된 미소 용종을 안전하게 제거하는 것의 중요성이 점차 부각되고 있다.

겸자 생검 시에는 내시경 겸자공의 방향을 고려하여 내시경 화면의 5시 방향 또는 화면 중앙 쪽에 병변이 위치되도록 만드는 것이 중요하며, 용종이 좁고 구불구불한 대장에 위치하여 용종의 면을 직시할 수 있는 시야를 얻지 못하는 경우에는 송기와 흡인을 통해 내강내 공기의 양을 조절하면서 용종이 화면의 중앙에 위치하도록 시야를 확보하는 것이 필요하다.

나. 열겸자 생검

1973년 윌리암스에 의해 고안된 열겸자 생검법은 겸자의 첨단부에 고주파 전류가 통전되도록 고안된 열겸자를 사용하며, 용종을 견인하면서 전류를 통전하게 되면 열에 의해 조직이 응고 및 괴사되면서 쉽게 용종을 절제할 수 있게 된다. 일반적으로 열겸자 생검법은 용종의 크기가 5mm 이하인 경우 출혈 없이 조직의 완전 제거를 목적으로 사용된다. 겸자의 안쪽면은 절연체로 이루어져 있기 때문에 병리조직검사를 위한 괴사되지 않은 조직표본을 얻을 수 있으며, 열에 의해 괴사된 주변 조직은 약 1-2주 경과 후 궤양을 형성하며 치유된다. 열겸자 생검법은 생검 직후 발생하는 출혈 위험성을 최소화하며, 주변 조직을 함께 괴사시켜 잔존 용종 가능성을 줄여 줄 수 있다는 장점이 있으나, 근육층 괴사에 따른 장천공이나 지연성 출혈의 위험도는 오히려 증가되는 것으로 알려져 있어 매우 주의를 요한다.

다. 올가미 절제

올가미 절제는 올가미 모양의 철선을 용종의 경부에 걸어 조인 후 고주파 전류를 통전하여 전기소작에 의해 용종을 절제하는 방법을 말한다. 이러한 방법의 용종절제술은 1971년 데일르에 의해 처음 증례가 보고된 이 후 볼프와 신야 등에 의해 기술적 방법이 정리되어 보고되었고, 현재는 대장용종 절제에 있어서 가장 보편적인 방법으로 널리 사용되고 있다. 이러한 올가미 절제법은 용종이 돌출되어 있는 유경성 혹은 아유경성 용종의 제거에 매우 유리하다.

올가미 절제의 술기는 다른 내시경 술기와 마찬가지로 내시경 조작이 숙달된 의사에 의해 시행되어야 하며 시술 중 항상 출혈과 장 천공 등의 합병증에 주의를 기울여야 한다. 용종절제술 시행 시 안전하고 편안한 시술을 위해서는 충분한 장관의 청소가 이루어져 있어야 하며, 가급적 대장내시경의 모든 루프 형성을 없애야 하고, 내시경 화면의 5시 방향에 용종을 위치시키도록 조작하며, 시술 시 필요한 모든 장비를 예측하여 미리 준비하여야 한다. 용종의 크기가 크거나 줄기부위가 길고 꺾여 있는 경우에는 용종절제 시 올가미의 위치가 매우 중요하며, 충분한 경계면을 확보하면서도 전류 통전 시 내시경 쪽으로 충분히 견인하면서 올가미를 서서히 조여야 한다. 무리하게 견인하거나 급하게 올가미를 조이는 경우에는 절제면이 충분히 지혈되지 않은 채 절단되어 대량 출혈이 발생할 위험이 있다. 이러한 올가미 절제법의 경우 용종절제 시 올가미를 조이는 물리적 힘과 고주파 전류에 의한 전기적 힘이 적절하게 함께 사용되어야 하므로, 안전하게 용종을 절제하기 위해서는 두 힘의 적절한 조화를 위해 시술자와 보조자의 호흡이 매우 중요하다.

2) 조기대장암의 내시경절제

조기대장암이란 용어는 1950년 웨버에 의해 처음 사용되었으며, 당시에는 궤양을 동반하지 않은 융기형 병변에서 조직학적으로 악성으로 판단할 수 있는 소견이 있는 경우로 정의하였다. 1968년 모르손은 일본의 조기위암에 대한 정의를 대장에도 적용하여 조기대장암을 림프절 전이에 상관없이 암의 침윤이 점막하층을 넘지 않는 경우로 정의하였다. 한편 대장암의 발생이 선종성 용종의 단계를 거쳐 이루어진다는 선종-암 연속성이 보편적으로 받아들여지게 되면서 조기대장암에 대한 진단 또는 치료에 관한 연구 보고들이 활발하게 이루어졌으며, 초기에는 유경형 용종이나 아유경형 용종과 같이 비교적 쉽게 진단 및 치료할 수 있는 융기형의 조기대장암에 대한 보고가 대부분이었다. 1980년대부터 일본의 구도를 중심으로 평탄 함몰형의 조기대장암 및 편평 용종의 개념이 새롭게 정립되었고, 색소대장내시경, 확대대장내시경 등이 도입되면서 조기대장암의 내시경진단과 이에 대한 내시경적 치료의 새로운 장이 열리게 되었다.

(1) 내시경 점막절제술

내시경 점막절제술endoscopic mucosal resection은 점막하층에 주사한 식염수에 의해 인위적으로 융기된 병변에 대해 올가미 절제를 실시하는 방법이다. 1973년 데일르가 생리식염수를 사용한 점막 절제술에 대해 처음 보고하였고, 이후 타다 등이 위 병변의 제거를 위해 점막절제술 방법을 적용하였다. 내시경 점막 절제술은 a) 편평 혹은 함몰형 선종이나 점막암 b) 기저부가 넓은 편평 융기형 병변, 측방 발육형 종양Laterally Spreading Tumor (LST) c) 돌출형 용종에서 주위 정상 점막을 포함해서 절제가 필요한 경우 등에 적용될 수 있으나, 내시경 소견상 궤양, 경결, 침윤 등의 점막하층 암이 의심되는 경우에는 적응되지 않는다.

측방 발육형 종양은 병변이 점막 내로 돌출하며 융기하는 것이 아니라 측방으로 성장하면서 지름이 10mm 이상인 것으로 정의된다. 이러한 LST는 표면의 과립, 결절 유무에 따라서 과립형granular type과 비과립형non-granular type으로 분류된다. 거대 결절을 동반한 과립형 병변의 경우 상대적으로 점막하 침윤 가능성 및 악성도가 높다는 특징이 있다. 과립형은 균일형homogeneous type과 결절혼합형nodular mixed type으로 다시 나누어지며, 비과립형은

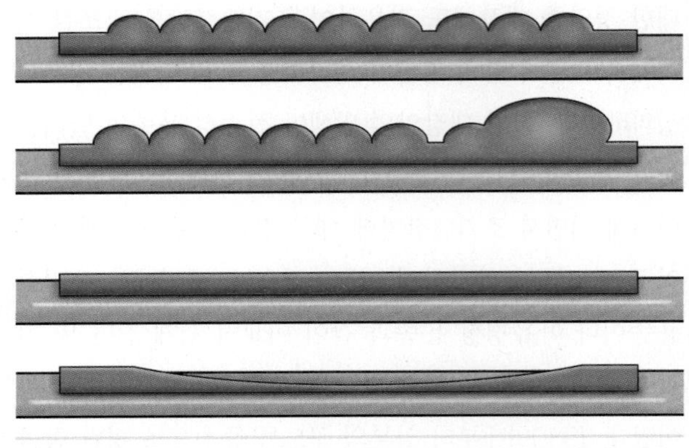

그림 2-20 **Subtypes of laterally spreading tumors (LST)**
LST granular (LST-G)
Homogenous (LSH-GH)
Nodular mixed (LST-GNM)
LST non-granular (LST-NG)
Flat elevated (LST-NGFE)
Pseudo-depressed (LST-NGPD)

평탄융기형flat elevated type과 위함몰형pseudo-depressed type으로 분류될 수 있다(그림 2-20).

내시경 점막절제로 절제가 가능한 병변의 크기는 병변의 모양에 따라 차이가 있다. 측방발육성 종양이나 융모성 종양의 경우에는 40mm 이상 크기의 병변이라 해도 내시경점막절제술의 시도가 가능한데 이는 이러한 형태의 종양의 경우 점막하 침윤을 보이지 않는 상피내암, 점막암, 또는 선종성 용종인 경우가 많기 때문이다. 하지만 함몰형 종양인 경우에는 크기가 직경 10mm를 넘게 되면 대부분 깊은 점막하 침윤을 보이는 경우가 많아 이러한 방법이 적용되기 어렵다.

내시경 점막절제 시 한 번의 시술로 병변의 제거가 어려운 경우 분할절제Endoscopic Piecemeal Mucosal Resection (EPMR)를 시도하게 되는데 대개 기저부 크기가 20mm 이상인 경우 시행된다. 분할절제술 시행 시 제거되는 종양 절편의 수에는 제한이 없으나, 한 절편의 크기가 20mm를 넘지 않도록 절제하는 것이 천공이나 출혈 등의 합병증을 줄일 수 있는 것으로 알려져 있으며, 최근에는 분할 절제술 후 잔존 용종의 가능성을 줄이기 위해 아르곤 플라스마 응고술로 종양의 기저부와 경계면을 처리하는 방법이 시도되고 있다.

(2) 내시경하 점막하 박리술

내시경하 점막하 박리술Endoscopic Submucosal Dissection (ESD)은 다양한 형태의 전기 나이프를 이용하여 종양 주위 경계면의 점막층을 절개 후 병변 하부의 점막하층을 박리하여 병변 전체를 하나의 표본으로 절제해 내는 방법으로서, 분할 절제 시 발생할 수 있는 불완전 절제로 인한 국소재발의 위험도를 낮추고 종양 및 절제연에 대한 조직검사를 정확하게 하기 위해 사용되고 있다.

성공적인 ESD 시술을 위해서는 우선적으로 시술 전 면밀한 검사를 통해 적응증이 되는지를 검토해야 한다. 시술 전 확대내시경과 색소내시경 등이 많이 이용되는데, 확대대장내시경의 경우 일반적으로 약 1.5–2배 정도의 확대 시야에서 점막 표면의 소와 형태pit pattern를 관찰하며, 확대내시경용 전용 스코프와 장비를 사용하는 경우 100배까지 확대된 영상을 얻을 수 있다. 이러한 소와 형태 분석을 통하여 병리조직학적진단을 예측함으로써 비전암성 병변과 전암성 병변의 구별이 가능하며, 조기대장암의 경우에는 내시경절제 여부를 판단하는데 유용하게 사용될 수 있다. 확대내시경 시에는 색소를 이용한 병변의 염색이 필수적인데 보통 인디고 카르민, 메틸렌 블루, 크레실 바이올렛 등의 색소를 사용하며 일반적으로 인디고 카르민 염색법이 많이 사용된다. 소와 형태 분류는 주로 구도의 분류를 적용하여 I형, II형, IIIs형, IIIL형, IV형, 및 V형으로 분류하며 I형 및 II형은 정상 및 과형성용종, IIIs형은 함몰형 선종, IIIL형은 돌출형 선종, IV형은 융모성 선종, V형은 점막하암 혹은 진행성 암종으로 예측할 수 있다(그림 2-21). 현재 국내에서 받아들여지고 있는 대장 ESD의 적응증은 1) 직경 2cm 이상의 측방발육형 종양, 2) 조기대장암, 3) 점막하종양, 4) 섬유화를 동반된 병변의 일괄 절제가 필요한 경우 등이다.

ESD를 시행할 때는 첨단 캡, 나이프, 전기수술장치, CO_2 공급장치 등의 여러 장비가 필요하다. 내시경 선단에 투명 cap을 부착함으로써 점막하층 박리 때 절제 부위의

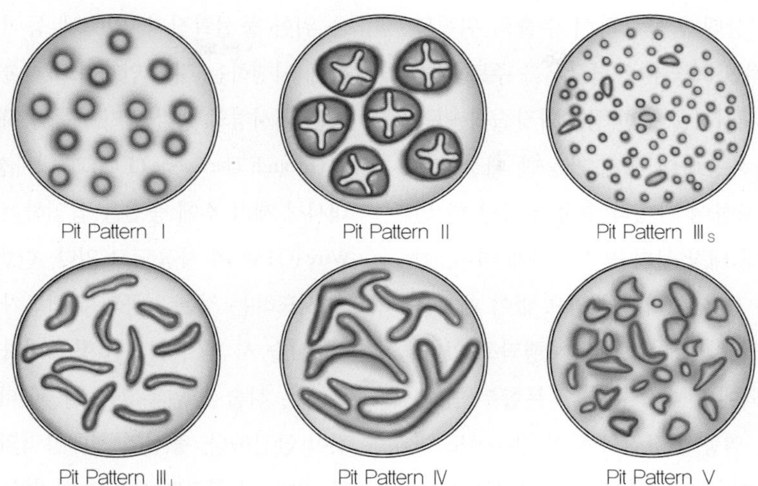

그림 2-21 Pit pattern analysis

견인 및 안전하게 시야를 확보할 수 있도록 도와준다. 또한 출혈 시에는 내시경 캡을 이용하여 출혈 부위를 압박하여 지혈 겸자 등의 사용 전까지 출혈을 줄여주는 효과를 얻을 수도 있다. 또한 ESD 시술을 위해서 여러 종류의 전기나이프 들이 선택적으로 사용될 수 있다. 위 병변에 대한 ESD 시술 시 가장 많이 사용하는 Insulated tip (IT) knife는 얇은 대장 벽에 천공을 일으킬 위험성이 있어 대장 ESD에는 흔히 사용되지 않으며, 대장 ESD의 경우 둔하고 짧은 형태의 팁을 가진 전기나이프가 주로 사용되며, 끝이 갈고리 형태로 꺾여 있어 조직을 견인하면서 절제 및 박리가 가능한 후크 형태의 전기나이프도 선택적으로 사용되고 있다. 대장 병변의 경우 경계가 뚜렷하게 보이는 경우가 많아 점막절개 전 경계면의 표시marking는 반드시 필요하지 않으며, 점막하 박리 전 종양 주위 점막의 환상형 일괄 절개pre-cutting도 추천되지 않는다. 일반적으로 병변의 원위부 점막 절개를 먼저하고 점막하 박리를 시행하다가 양측면 절개 및 근위부 점막절개를 단계적으로 시행하면서 점막하 박리를 진행하게 된다.

여러 대장 ESD 연구를 메타분석한 한 보고에 의하면, 병변의 일괄절제율은 84.9%였고, 조직병리학적으로 절단면에 종양세포의 침범없이 완전절제된 경우는 75.4%로 보고되었다. 또한 잔존병변으로 인한 재발률은 대부분의 연구들이 5% 이내로 낮게 보고하고 있다. 즉 일괄절제로 인해 정확한 조직병리학적 검토가 가능하고, 높은 일괄절제율로 인한 낮은 재발률이 ESD의 큰 장점이라고 할 수 있겠다. 그러나 ESD의 문제점은 많은 연구에서 보고하고 있는 긴 시술시간과 3.3-14.0% 정도까지 높게 보고되고 있는 대장천공 합병증이라고 할 수 있다.

EPMR과 ESD의 장단점을 요약해보면, 두 절제기법 모두 2cm 이상 크기가 큰 대장폴립의 절제에 사용될 수 있는데, EPMR은 비교적 안전하고 수월하게 시행할 수 있는 반면 잔존병변으로 인한 재발률이 높고 절제조직의 정확한 조직병리학적 검토가 어렵다는 단점이 있으며, ESD는 일괄절제가 가능해 재발률이 낮고 정확한 조직병리학적 검토가 가능하다는 장점이 있는 반면 시술 시간이 길고 천공 합병증이 흔하다는 단점이 있다. 따라서, 높은 합병증 빈도를 감수하더라도 반드시 일괄절제가 필요하다고 판단되는 경우에는 ESD를 선택하는 것이 옳으며 그렇지 않은 경우에는 EPMR을 시행하는 것이 옳을 것이다.

3) 풍선확장술 및 인공관 삽입술

원발성 대장암이나 암의 복막전이 등에 의해 대장 내강이 좁아지거나 막힌 경우에는 종양의 절제가 가능한 경우에는 장루조성술을 포함한 단계적 수술을 시행하고, 절제가 불가능하거나 전신상태가 불량하여 수술의 위험도가 높은 경우에는 고식적인 회장루나 결장루를 주로 시행해 왔다. 최근에는 대장내시경을 통한 풍선확장술과 인공관 삽입술 등의 방법을 사용하여 절제 가능한 대장암에서는 수술 전 감압을 시도하여 단계적 수술이 아닌 한 번의 수술로 종양의 절제 및 대장 문합을 가능하게 하며, 절제가 불가능한 경우에는 장루를 시행할 필요 없이 폐색을 해소할 수 있는 비침습적 방법으로 널리 시행되고 있다. 악성질환에 의한 폐색 외에도 대장수술 후 문합부 협착, 방사선치료에 의한 협착, 염증성 장질환 등의 경우에도 대장내시경하 풍선확장술이나 인공관 삽입술이 시도되고 있어, 그 적응증이 점차 확대되고 있는 추세이다.

(1) 풍선확장술

협착이나 폐색이 있는 경우 풍선확장술을 이용하여 협착 부위를 넓히거나, 폐색이 심한 경우 인공관 삽입 전에 풍선확장술을 이용하여 적절한 대장 내경을 확보하기도 하고, 빠른 증상 완화를 위해서 시행되기도 한다. 풍선확장술에 쓰이는 풍선은 통상 외경이 6mm부터 20mm 크기의 것을 순차적으로 사용하여 확장하는데 협착부위의 길이에 따라 60mm 또는 90mm 길이의 풍선을 선택하여 시술한다. 풍선확장술에는 풍선도관 이외에 풍선의 확장을 위한 풍선확장기, 압력계 등이 필요하며 엑스선 투시하에 시행하는 것이 안전하고 시술이 용이하다. 풍선의 삽입은 내시경의 생검 겸자구를 통해 삽입하는 경선단 삽입법Through The Scope (TTS)과 내시경으로 유도철선 삽입 후 내시경 제거 후에 풍선을 삽입하는 유도관 삽입법Over The Wire (OTW)이 사용되고 있다. 한번의 시술로 과도한 확장을 시도하는 것은 천공의 위험도가 높기 때문에 피해야 하며, 시술 시 환자가 심한 통증이나 불편감을 호소하는 경우에는 시술을 멈추고 수일 후 다시 반복해서 시행하는 것이 안전하다. 풍선의 최대압력의 유지시간은 협착의 정도, 원인 및 환자의 상태를 고려하여 30초에서 3분까지 시행하며, 시행횟수는 시술 당 1–3회 확장을 시행한다.

(2) 인공관 삽입술

대장의 협착이나 폐색의 해소가 풍선확장술만으로 불충분하거나 장관 내경의 유지가 불가능한 경우 인공관 삽입술을 시행한다. 인공관 삽입술은 엑스선 투시만을 사용하는 방법과 대장내시경과 엑스선 투시를 같이 사용하는 방법이 있으며 2가지 방법 중 에스결장보다 근위부 병변에 대해서는 대장의 굴곡 부위를 지나 안전하게 인공관을 삽입하기 위해 엑스선 투시하에 대장내시경을 통해 스텐트를 위치시키는 방법이 바람직하다(그림 2-22).

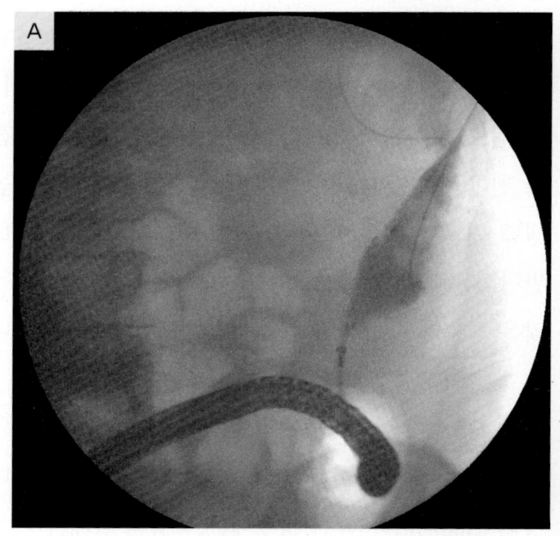

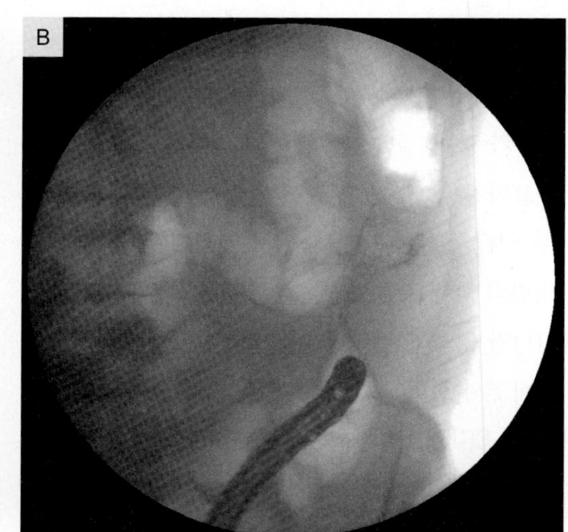

그림 2-22 **Fluoroscopic guided endoscopic stent insertion**

인공관 삽입술에는 금속성 자가확장형 인공관Self-Expanding Metallic Stent (SEMS)가 흔히 사용되며 내시경의 생검 겸자구를 통해 삽입하는 경우 최대 직경 24mm까지 삽입이 가능하며 협착부위의 길이에 따라 인공관 길이를 달리하여 시술한다. 내시경을 통하여 협착부위까지 도달한 후 먼저 유도철선을 협착부위를 통과시켜 가능한 대장 근위부로 깊게 삽입하고, 이후 유도철선 위로 유도도관을 삽입한다. 유도도관을 통해 조영제를 주입하고, 엑스선 투시를 통해 협착부위의 길이, 형태 등을 측정한다. 이후 유도도관을 제거하고, 유도철선을 따라 인공관 삽입용 스텐트를 삽입하면 된다. 스텐트의 길이는 일반적으로 협착부위보다 4cm 이상 긴 길이를 선택하며, 협착부의 근위부로 2cm 이상, 원위부로 2cm 이상 남긴 상태에서 인공관의 중앙 허리부분이 협착부의 중앙에 위치하도록 한다. 대장내강의 완전한 폐색으로 유도철선의 삽입도 불가능한 경우에는 레이저 나이프 등으로 경로를 확보한 이후 인공관 삽입술을 시행하기도 한다. 인공관의 성공적인 시술여부는 시술 직후 조영제를 투입하여 장관의 확장을 확인하거나, 내시경으로 대변이 밀려 나오는 양상을 확인함으로써 알 수 있다. 중하부 직장에 대한 스텐트 삽입술은 수술 시 과도한 원위부 직장 절제로 인한 항문괄약근의 손상 등의 위험성과 시술 후 배변 실금, 통증 등을 유발할 수 있기 때문에 시행하지 않는 것이 바람직하다.

4) 대장내시경하 문신술

대장내시경하 문신술colonoscopic tattooing은 병변의 위치를 표시하기 위해 장벽(점막하층)에 염색약을 주사하는 방법으로 인디아 잉크india ink, 메칠렌 블루methylene blue, 인디고 카르민indigo carmine, 톨루엔 블루toluidine blue, 림파쥬린lymphazurin, 헤마톡실린hematoxylin, 에오신eosin, 그리고 인도시아닌 그린Indocyanine Green (ICG) 등의 약제를 이용한 방법이 지금까지 연구되어 왔다. 이러한 문신술의 목적은 대장의 병변의 위치를 정확하게 나타내기 위해 시행하며, 최근 악성용종이나 조기대장암 등이 많이 발견됨에 따라 내시경으로는 병변이 관찰되지만 복강경 수술 시에는 병변 위치 확인이 어려운 경우, 즉 용종절제 후 악성용종으로 확인되어 수술이 필요한 경우 또는 조기대장암의 수술적 치료 시 복강경 수술 전 종양의 위치를 표시하기 위해 많이 사용되고 있으며, 용종절제술 시행 후 추적검사 시 이전 병변이 있었던 위치를 확인하기 위해서도 사용된다.

위에 언급한 많은 약제 중 인디아 잉크와 인도시아닌 그린을 제외한 다른 약제는 장벽내 약제 주입 후 모두 24시간 이내에 조직으로 흡수되어 그 위치를 정확히 나타낼 수 없었으며, 인도시아닌 그린은 연구자에 따라 약간의 차이가 있으나 인디아 잉크에 비해 문신이 짧게 지속되는 것으로 보고되고 있다. 인디아 잉크의 경우 장벽을 통과

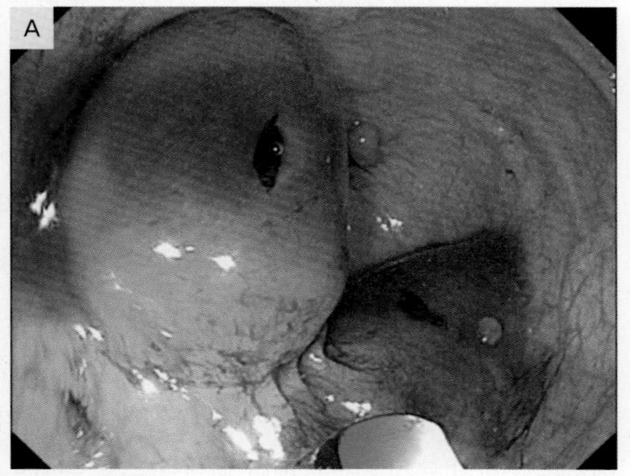

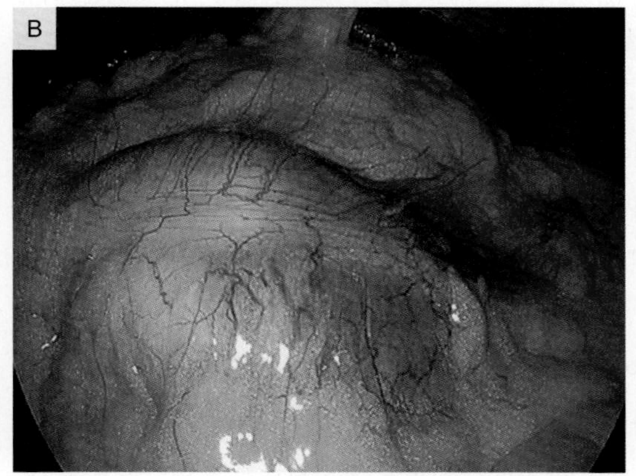

그림 2-23 **Endoscopic tattooing using saline-injection test methods**

하여 주사될 경우 국소적인 염증반응과 복강내 농양의 형성, 근육층 괴사 등을 초래하는 것으로 알려져 있어, 정제-멸균 등의 방법을 거쳐 미국 식약처 승인을 받은 제품화된 인디아 잉크를 사용하는 것이 추천된다. 염색 시약의 점막하 주입 시에는 먼저 소량의 생리식염수 등을 점막하층에 주입하여 점막하층이 잘 융기되는 것을 확인한 후에 염색 시약을 살짝 융기된 점막하층에 정확하게 주사하는 것이 안전하고 효과적인 방법이라 할 수 있다(그림 2-23). 최근에는 자가 혈액을 점막하층에 주사하여 위치를 표시하거나, 장벽이 투과되는 형광물질을 이용하여 클립이나, 밴드 등을 제작하고, 이를 장벽에 고정시켜 위치를 표시하는 방법 등도 새롭게 시도되고 있다.

요약

대장내시경 검사는 의사가 직접 병변을 관찰하여 병의 상태를 파악할 수 있고, 필요에 따라 직접 치료를 시행할 수도 있다는 점에서 대장암 및 대장 질환을 진단하고, 치료법을 결정함에 있어 가장 중요하고 필수적인 검사법이 되었다. 특히 대장암 검진 증가의 따른 대장 폴립 및 조기대장암의 증가, 그리고 내시경 기기 및 술기의 발달에 따른 치료 대장내시경 영역의 확대 등에 따라 대장내시경의 수요는 더욱 증가되고 있다. 따라서 외과의사는 반드시 대장내시경 검사 및 이와 관련된 지식과 술기를 충분히 이해하고 습득해야 하며, 이를 적절하게 임상에 응용할 수 있어야 할 것이다.

IV 배변장애

서구와 우리나라 변비 환자들이 호소하는 증상 중에서 공통적인 호소들은 배변횟수의 감소, 불완전한 배변 또는 뒤무직한 잔변감, 배변 용적의 감소, 매우 어렵게 통과하는 대변, 매우 딱딱한 대변, 과도한 힘주기, 배변을 위한 수조작 등이다. 환자들이 호소하는 표현은 "처음에는 변이 나오지만 나중에는 안 나온다." "변은 나오지만 나중에는 질이 불쑥 솟아 나온다." "질을 눌러주면 변이 나온다." "변이 항문에 차있다." "힘을 주어도 내밀다가 다시 들어간다." "항문이 벌어지지 않는다." "항문 속에 변이 메여있다." "대변이 실같이 가느다랗다." "대변은 내려와 있는데 항문이 열리지 않는다." "대변이 내려오다가 막힌다." 등으로 다양하다. 그러나 변비를 정의하는데 가장 중요한 요소는 배변횟수의 감소이다. 통상적으로는 일주일에 3번의 배변을 하지 못할 때를 감소한 것이라고 판단한다. 문진을 할 때는 시간이 무척 오래 걸리므로 초진 환자는 대화하기에 앞서 병력 청취를 위한 문진표를 주고 재진 환자는 배변의 경과 기록이 담겨 있는 배변 일기를 이용하면 효율적이다. 호소하는 증상들이 변비의 기준에 부합되는지를 가늠할 때는 병력 체크를 위한 문진표와 배변 일기를 보면서 기능성 변비를 정의하는 로마 기준표 표 2-3에 적합한지를 판단한다.

하부소화관에서 발생하는 기능성 변비는 대장의 운동장애에 의한 것과 직장항문의 기능적 폐쇄에 기인한 골반출구 폐쇄형 변비의 2가지로 구분할 수 있다. 골반저부에서 배변 폐쇄obstructed defecation를 가져오는 가장 대표적인 질환은 골반저 근실조pelvic dyssynergia이다. 이는 골반강의 여러 가지 복합된 기능이상을 세부적으로 분류하지 않고 통칭하는 총체적인 개념이다. 1999년의 로마 기준표에서는 골반저 근실조만을 배변 폐쇄의 주된 원인으로 분류하였다. 그러나 최근에는 직장류, 직장항문 중첩증, 직

표 2-3. 만성을 진단하는 로마 변비 기준표(로마 III 판정 기준)

1. 6개월 이전에 시작된 증상으로 최근 3개월 이상의 기간 동안 다음의 증상이 2가지 이상 있는 경우 ① 일주일에 3회 미만의 배변횟수 ② 덩어리변이나 단단한 변이 전체 배변횟수의 25% 이상 ③ 배변 시 과도한 힘 주기를 하는 경우가 전체 배변횟수의 25% 이상 ④ 배변 후 잔변감이 드는 경우가 전체 배변횟수의 25% 이상 ⑤ 배변 시 항문이 폐쇄되거나 막힌 느낌이 드는 경우가 전체 배변횟수의 25% 이상 ⑥ 배변을 돕기 위한 수조작이 필요한 경우가 전체 배변횟수의 25% 이상(예: 대변을 손가락으로 파기, 골반저를 지지하는 조작)
2. 하제를 사용하지 않는 경우가 아니면 묽은 변은 거의 없어야 한다.
3. 과민성 장증후군의 진단 기준에 부적합해야 한다.

장탈 및 에스결장 하강증 등도 골반저부에서 배변 폐쇄를 가져오는 기능적인 원인들로 간주한다.

1. 운동장애 질환

대장의 운동장애에 의한 서행성 변비는 전 대장에 걸쳐 통과 시간이 지연되는 범발성 대장서행장애나 대장의 일정한 분절에서 발생하는 구역성 장애 때문에 발생한다. 서행성 변비는 여자에게 많고 서행성 결장을 갖는 여성 변비군은 대조군과 비교할 때 건강염려와 히스테리 경향이 유의하게 증가한다고 한다. 대장 표지자만으로도 간편하게 진단할 수 있지만 배변 폐쇄의 동반 여부에 따라 치료 계획이 달라진다. 따라서 직장항문 생리검사를 통해 폐쇄성 배변장애 유무를 확인하고 수소 호흡 검사hydrogen breath test를 사용하여 구강-맹장 경과시간을 측정하거나 위배출 신티그라피를 통해 위장관 모두에 운동장애가 오는 범발성 장운동장애Generalized Intestinal Dysmotility (GID)의 동반 여부를 확인하는 것이 좋다.

범발성 대장운동성 장애를 갖는 난치성 만성변비 환자에게 추천되는 가장 좋은 수술 방법은 개복술 혹은 복강경을 이용한 전 대장 절제술 및 회장-직장 문합술이다. 이러한 수술 기법은 최근까지 대부분의 보고서에서 89% 이상의 치료 성공률을 보이고 있다. 반면에 장 내용물이 가장 오래 정체되는 곳만을 골라서 부분적으로 절제하는 구역 절제술은 성공률도 70% 이하의 수준으로 낮고 치료의 결과도 일정하지 않다. 그 이유는 절제되지 않고 부분적으로 남아 있는 대장에서 또다시 운동 장애가 발생하여 변비의 재발과 복부 팽만을 가져오기 때문이다.

하부 소화관이 특발적으로 확장되어 나타나는 거대결장은 만성변비를 가져오는 기능성 질환 중의 하나이다. 거대결장, 거대에스결장, 거대직장 혹은 이들이 복합적으로 동시에 나타나는 환자도 있다(그림 2-24). 거대직장의 주된 원인은 선천성 거대결장처럼 하부직장의 신경절세포의 결핍에 원인이 있는 것이 아니라 직장벽이 탄성을 소실하여 발생하는 것이므로 완하제나 관장 요법같은 보존적 치료에 잘 반응한다. 그러나 증상이 오래 지속되면 점탄성viscoelasticity, 장벽의 긴장도와 함께 지각력도 소실되어 약물 치료에 잘 반응하지 않는다. 대장의 직경이 10cm 이상으로 팽대되면 복부팽만이 동반되고 호흡도 힘들어하므로 수술 치료를 선택하는 것이 좋다. 거대직장증 환자의 치료 방침을 결정하기 위한 중요한 핵심은 직장 전층의 조직검사나 부분적 근절제술을 통해 선천성 거대결장질환을 감별해주는 것이다. 성인에서 발견되는 선천성 거대결장질환은 처음부터 수술 치료를 선택해야 하지만 특발성 거대결장증은 비수술적 치료를 우선적으로 시행한다. 거대결장증이 에스결장에만 국한되어 있는 경우에는 복강경을 이용하여 에스결장의 구역절제만 해주어도 좋은 결과를 가져온다.

2. 골반 출구 폐쇄형 변비

1) 치골직장근 이완부전증

배변을 시도할 때 이완되어야 할 치골직장근이 이완되지 않거나 오히려 수축되는 상태로, 만성변비를 가져오는 여러 원인 중에서 비수술적 보존치료의 대상이 되는 대표적인 기능성 질환이다. 골반저 근실조로 불리기도 하지만 아직은 용어가 통일되지 않았다. 종래에 항문 연축증anis-

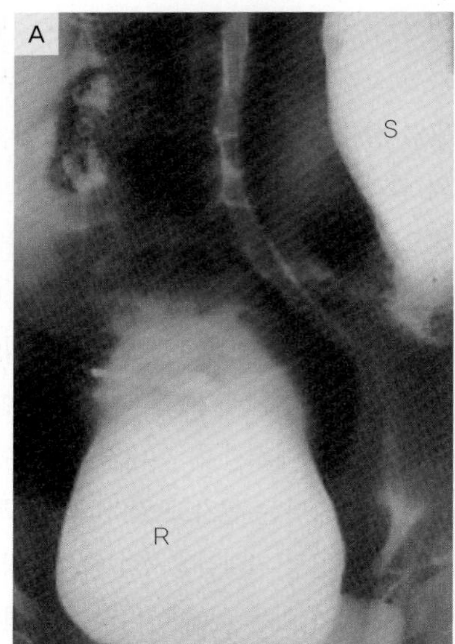

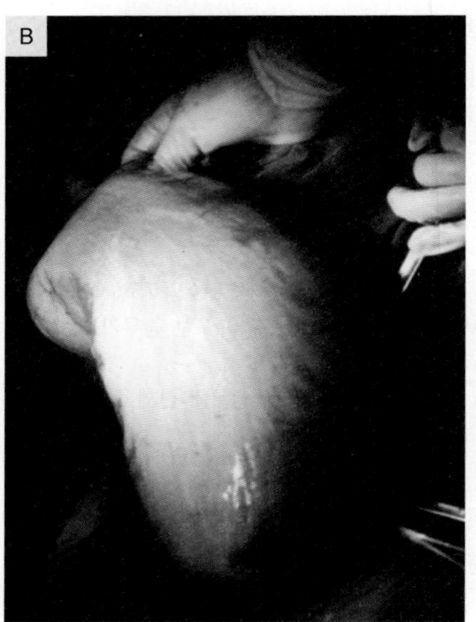

그림 2-24 A) 배변 조영술에서 보이는 거대결장증(R: 직장, S: 에스결장). B) 에스결장 고리가 럭비 공 모양으로 커진 거대결장증 환자의 수술 소견

mus으로도 불렸던 폐쇄성 배변 질환도 이 범주에 포함된다. 배변 역동학적인 측면에서는 치골직장근이 이완되지 않으면 직장 항문각이 넓어지지 않고 항문과 직장 사이의 압력차가 제대로 만들어지지 않아서 쾌변을 성취할 수가 없다. 질환을 확인하기 위한 가장 신뢰성이 있는 검사는 배변영화 촬영술이다. 치골직장근이 이완되지 않거나 오히려 수축되기 때문에 항문-직장 경계의 후연에서 치골직장근의 압흔indentation이 소실되지 않고 항문 직장각은 매우 좁으며 여러 차례의 배변 시도에도 불구하고 항문관은 열리지 않는 소견이 나타난다. 항문압 측정술에서는 배변을 시도할 때 항문관 고압력대에서 항문압력의 진폭이 휴식기 압력보다 내려가지 못하고 오히려 증가하는 소견이 관찰된다. 괄약근 근전도에서는 하압기의 전기적 활성도가 휴식기 때보다 감소하지 않고 오히려 증가한다. 1960년대 중반에 치골직장근을 직접 절개해주는 수술이 소개된 바 있으나 성공률이 적을 뿐 아니라 변실금 합병증이 너무 심각하여 1980년대부터는 거의 시행하지 않는다. 요즈음에는 수술 치료가 포기되었고 바이오피드백 치료(표 2-4)를 최선의 치료 방법으로 권장한다. 만성변비 환자에서 치골직장근 이완부전의 유무를 확인해주는 의미는 불필요한 수술 치료를 배제하는데 있다.

표 2-4. 바이오피드백 치료의 적응증

만성 변비
1) 골반저 근실조
2) 서행성 변비와 폐쇄성 배변장애 질환의 병발
3) 직장류, 직장항문 중첩증 및 회음하수증의 초기 치료
변실금
1) 특발성 변실금
2) 전방 괄약근 성형술 이후의 부가적 치료
난치성 직장항문통
소아 유분증

2) 직장류

배변을 위한 힘주기를 시도할 때 하부직장의 전방벽이 직장질중격 쪽으로 만곡형 돌출을 이루는 소견을 의미한다. 이러한 해부 구조의 변형 때문에 변 배출이 지연되거나 불완전한 배출을 가져온다. 배변 역동학에서는 골반출구의 기능적 폐쇄 때문에 배변을 시도할 때의 압력이 항문관으로 진행되지 않고 전방의 질벽 쪽으로 잘못 진행되기 때문에 발생하는 것으로 설명한다. 임상적으로 유의한 직장류는 배변영화 촬영에서 3cm 이상의 크기이고 이와 동시에 여러 차례 배변을 시도함에도 불구하고 조영제가 완전히 배출되지 않고 직장류 안으로 고일 때를 기준으로 진단한다.

19세기 후반 부인과 영역에서 수술적 치료가 시도된 이래로 1세기 이상의 전통을 갖는 기본 수술법은 경질강 직장류 재건술과 후방질벽 재건술posterior colporrhaphy이며, 이것을 기본으로 많은 변형 술식이 소개되어 왔다. 지난 20년 동안 대장항문외과의사들은 주로 경직장 직장류 재건술을 시행하였다. 수술의 기본 요령은 첫째, 잉여 직장 점막의 절제, 둘째, 이완된 직장–질벽의 봉합, 셋째, 이완된 항문괄약근 및 항문거근을 교정하는 것이다. 이 방법은 동반된 직장항문의 병변을 동시에 처리하고 직접 병변에 도달할 수 있으며 괄약근 조작이 용이하다는 이점이 있다. 그러나 경항문적 수술은 휴식기 및 수축기 항문압의 감소를 가져올 수 있는 단점이 있으므로 항문괄약근 기능이 좋지 못한 사람에게는 종래의 경질강 재건술이 권장된다.

3) 직장항문 중첩증과 직장탈

불완전한 배변감, 화장실을 급히 찾아야 하는 배변 절박감 등을 호소하는 환자에게서 종종 발견된다. 환자가 호소하는 임상적인 증상과 생리검사의 소견들이 서로 밀접한 관련이 있는지 여부를 판별해내는 것이 중요하다. 배변 영화촬영 소견을 자세히 관찰하면 과잉으로 존재하는 직장의 점막이 골반 기저부로 하강하여 말려 들어가는 모습이 나타나고 점막은 점차로 접혀 들어가 깔때기funnel 모양의 동그란 고리를 만들어 배변을 위한 출구를 막는 소견을 볼 수 있다. 폐쇄성 변비 증세를 호소하는 환자에서 배변 힘주기의 정도에 따라 점막이 말려 들어가는 움직임이 뚜렷이 관찰된다면 임상적으로 유의한 것이라고 보아도 좋다. 말려들어간 점막이 항문관 안에 있을 때를 중첩증이라 하고 항문 밖으로 돌출되면 직장탈로 부른다. 두 질환 모두에서 변비뿐만 아니라 변실금과 같은 배변 장애를 동반할 수 있다.

직장항문 중첩증은 비교적 가벼운 증세를 호소하므로 보존적인 치료를 먼저 시도하지만, 직장탈은 환자의 고통 때문에 수술적인 치료를 고려할 수밖에 없다. 이 2가지 질환에 대한 술식은 기본적으로 같다. 직장탈 환자에서 재발이 없는 가장 확실한 수술 방법은 개복술을 통한 잉여 결장의 절제와 직장 고정술이다. 그러나 고령의 환자에게는 회음부로 접근하는 술식을 권장한다. 증상이 심각하고 배변조영술 소견에서도 유의하다고 판정된 직장항문 중첩증은 주로 회음부로 접근하여 직장을 고정하는 술식을 많이 사용한다. 대체로 70% 정도에서 수술 이후에 증상이 좋아지지만 완전한 쾌변을 가져오는 경우는 많지 않다. 변비를 유발하는 중첩증은 변실금 증상을 동반하는 경우보다 치료 성적이 나쁘다. 간혹 직장에 고립성 궤양을 동반하는 환자들에게 직장 고정술을 시행해주면 증상이 많이 호전되고 배변 힘주기 증세가 없어짐에 따라 궤양도 없어지는 결과를 가져온다. 수술 후에 환자가 만족하는 이유는 쾌변을 보았다는 것 보다는 주로 직장이 빠져 나오지 않는다는 것이다.

4) 에스결장 하강증

결장의 과잉 부분이 배변을 시도할 때에 직장 전방부를 압박하여 폐쇄성 변비를 일으키는 질환이다. 배변영화 촬영을 시행하면 배변을 시도할 때 에스결장의 과잉 부분이 약화된 골반저부로 하강하는 것이 관찰되며 심할 때는 직장의 전방부를 압박하여 폐쇄성 변비를 만드는 것을 볼 수 있다(그림 2-25). 서구에서는 만성변비의 원인 중 5%의 빈도이고 국내의 빈도는 1.2% 수준이다. 정지사진에서 치골미골선pubococcygeal line 상부에 놓일 때를 제1도, 치골미골선 하방이지만 좌골미골선ischiococcygeal line 상방에 놓일 때를 제2도, 좌골미골선 하방에 놓일 때를 제3도로 구분하여 중증도에 따른 임상적 의미를 부여한다. 대체로 3도일 때가 폐쇄성 변비를 일으키므로 적극적인 치료가 필요하다. 폐쇄성 변비를 일으킬 정도로 심각한 3도의 하강증은 매우 드물지만 수술 후 만족도는 완전할 정도로

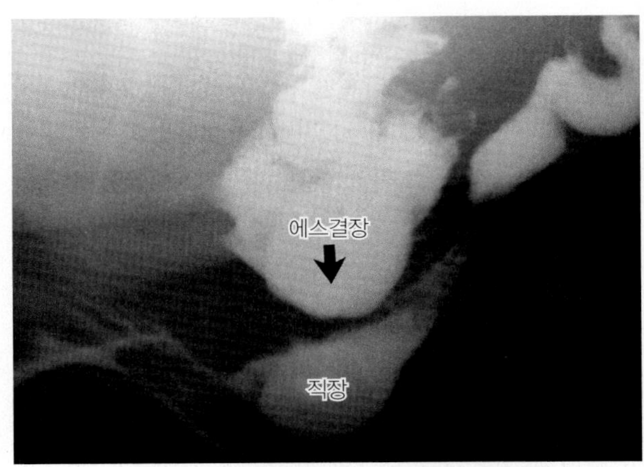

그림 2-25 에스결장 하강증, 배변 조영술의 정지 필름에서 폐쇄성 변비를 일으키는 제3도의 에스결장 하강증 소견

매우 좋다. 최근에 발달된 복강경하 결장 절제술은 수술 범위도 넓지 않고 합병증도 줄일 수 있는 좋은 술식으로 추천되고 있다.

3. 대변실금

1) 원인과 임상적 평가

대변실금은 항문을 통해 가스, 액체, 고형변의 자제능을 상실한 상태를 가리키는 말로 성별과 나이에 따라 크게 다르지만 대략 5-15% 가량의 유병률을 보인다. 우리나라에서 2010년 1,000명의 성인을 대상으로 시행한 역학연구의 대변실금 유병률은 15.5%였다.

변실금의 정도와 양상을 판정하는 것은 환자의 증상이 진성 실금인지 아닌지를 판별하는 것부터 시작된다. 돌출된 치핵, 융모상 선종으로 인한 점액실금, 결장염 또는 직장염으로 인한 절박실금, 그리고 분변매복으로 인한 범람성 실금overflow incontinence 등이 진성 실금으로 오인될 수 있다. 진성 실금이 확실하다면 실금의 정도를 파악하기 위해 방귀, 묽은 변, 고형변에 대한 조절 양상, 그리고 실금이 환자의 생활 및 활동에 미치는 영향 등에 대해 평가해야 한다(그림 2-26). 변실금의 원인은 상당히 다양

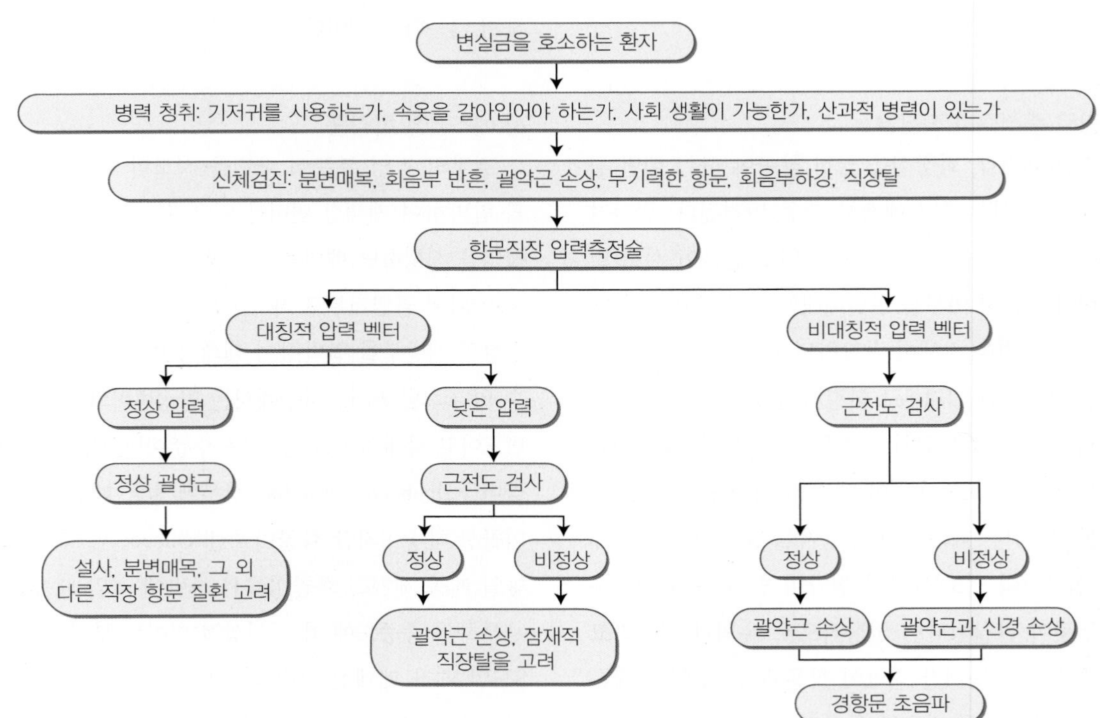

그림 2-26 변실금 환자의 진찰 및 검사

표 2-5. 대변실금의 주된 원인

국소적 회음 질환
괄약근 손상 - 외상에 의한 손상(산과 손상, 성폭력) - 수술에 의한 손상(치루 수술, 치핵 수술, 괄약근 절개술) - 크론병의 항문회음 병변 - 항문암
음부신경 장애
직장 기능 장애 - 만성 염증성 장질환 - 방사선 직장염 - 직장암 - 분변매복 - 직장 수술(전방절제술, 회장낭 항문 문합술) - 직장탈출증
전신 질환
급성 및 만성 설사 - 만성 염증성 장질환 - 과민성대장증후군 - 감염성 설사 - 담즙 유발성 설사
신경계 장애 - 중추성(뇌졸중, 다발성 경화증, 연수의 질환) - 말초성(당뇨 또는 알코올성 신경병증)
기타 전신 병증 - 전신 경화증 등

하므로 환자의 병력을 조심스럽고 자세하게 청취하여야 한다.

대변실금의 원인은 국소적인 회음부 병리와 전신 질환으로 나누어 볼 수 있다(표 2-5). 괄약근 손상은 치핵, 치열, 치루 등 항문 수술, 강제적인 항문강 확장, 항문 외상, 또는 산과적 외상 등으로 인해 생길 수 있다. 그 외에도 방사선 손상, 일차성 항문 질환, 노화, 신경학적 원인으로 인해 변실금이 올 수 있다. 다른 신경학적 증상이 동반된 경우에는 좀 더 세심한 신경학적 평가를 해야 한다. 항문을 진찰할 때에는 회음부에 반흔이나 치루, 췌피, 무기력한 항문과 표피 박리 등이 있는지 살펴보고 직장수지검사를 통해 항문휴식압의 정도를 평가해 본다. 내시경 검사를 통해 암이나 융모상 선종, 염증성 장질환, 용종, 단일성 직장궤양, 직장염, 분변매복 등을 확인한다.

진찰 결과에 따라 몇 가지 추가적 검사를 시행할 수 있다. 항문압을 측정하는 항문압력검사는 내·외 괄약근의 기능을 평가할 수 있으며 직장–항문억제반사, 직장의 용적과 유순도 및 감각 능력을 측정할 수 있다. 근전도 검사는 근육 섬유들의 전기적 활성도를 측정함으로써 괄약근과 치골직장근의 활성도를 평가할 수 있다. 항문초음파검사는 비교적 간단하게 괄약근의 형태를 확인함으로써 내·외 괄약근과 치골직장근의 구조적 손상 여부를 알 수 있다. 음부신경말단부전도장애 검사는 좌·우 음부신경말단부의 전도속도를 측정함으로써 음부신경의 손상 여부를 알 수 있다.

2) 치료

대변실금은 항문직장의 해부생리에 영향을 미치는 다양한 요소의 결과로, 대부분의 환자가 1가지 이상의 병리를 가지고 있으며 원인을 밝혀도 교정이 어려운 경우가 종종 있어 엄격한 완치보다는 증상과 삶의 질을 개선하는 것을 목표로 하고 적당한 약물, 행동요법, 수술적 치료를 적절히 병합해야 한다.

현재까지 알려진 여러 가지 치료법은 명백한 과학적 증거들이 불충분한 상태이며, 수술적 치료의 효용성도 무작위 연구를 통해 증명되어 있지 않으므로 향후 더 많은 연구가 필요하다.

(1) 보존적 치료

가벼운 증상을 지닌 환자들은 보존적 치료로 증상이 개선되며, 저렴하고 합병증이 거의 없다는 점에서 대변실금의 일차적 치료방법이다.

가. 환경과 식이 조절

마른 휴지보다는 물휴지를 이용하는 것이 회음부위 위생관리에 효과적이며, 아연산화물을 포함한 배리어크림과 다중합체를 이용한 일회용 기저귀가 피부 자극을 경감시킬 수 있다. 배변 활동의 빈도와 변의 경도가 일정해지면 증상이 개선되므로, 배변 일기를 작성하여 어떤 식품을 섭취했을 때 증상이 심해지는지 확인하고 이 같은 음식을 멀리하는 것이 좋다. 설사를 일으키는 자극적이고 매운 음식은 피해야 하며, 커피나 맥주, 유제품과 감귤류 과일도 피하는 것이 좋다.

나. 약물요법

설사나 묽은 변을 동반한 배변실금의 경우 변 경화제가 플라시보에 비해 증상을 감소시키는 것으로 밝혀져 있다. 그러나 이들 약물은 고형 정상 변을 보이는 배변실금 환자에서는 큰 도움이 되지 않는다. 폴리카보필과 같은 점증제는 변의 수분흡수에 관여함으로써 경도를 향상시킨다. 임상에서 많이 사용하는 로페라마이드는 장 통과시간을 늘려 배변의 빈도, 급박감과 실금을 감소시키며, 괄약근 기능을 강화시킨다.

페닐에프린 연고의 국소 도포와 폐경기 여성에서의 호르몬 대체요법이 증상을 경감시켰다는 보고가 있으며 다이아제팜, 아미트립틸린 등의 항우울제가 사용되기도 하였으나 과학적 근거가 부족하여 임상적으로 추천되고 있지는 않다.

다. 물리치료와 바이오피드백

약물요법이 실패할 경우 회음부 재활 요법을 생각해 볼 수 있다. 이는 케겔 운동과 같은 골반저근육 강화 운동과 회음부에 부착하는 표면 전극을 이용한 항문 전기자극치료, 바이오피드백을 포함한다. 바이오피드백은 항문근육을 강화시키고 항문직장 감각을 향상시켜 골반근육을 사용하는 방법을 재교육시키기 위한 목적으로 사용되며 널리 행해지면서도 안전하고 효과적인 방법으로 알려져 있다. 연구에 따라 차이는 있으나 바이오피드백 치료를 받은 60-70%의 환자에서 성공적인 배변자제를 얻었다고 보고되고 있다. 수술적 치료 효과를 높이기 위해 수술 전후에 바이오피드백을 사용할 수도 있다.

라. 기타

또 다른 비수술적 치료는 직장 비우기로 좌약이나 관장을 사용하여 직장내에 변이 남아 있지 않도록 하는 것이다. 좌약보다는 관장액을 사용하는 것이 보다 효과적이나 과정이 번거로울 수 있다. 환자의 신체에 맞는 크기의 항문 마개를 사용하여 배변실금을 방지하는 방법도 있으나 아직 국내에는 상용화되어 있지 않다.

(2) 최소 침습적 치료

보존적 치료가 실패하였을 때 최소 침습적 치료를 시도해 볼 수 있다. 천골신경자극술, 고주파치료, 생체적합물질 주입술 등 수술적 치료 이전에 시도해 볼 수 있는 새로운 방법들이 개발되어 치료수단의 선택 폭을 넓혀주고 있다.

가. 천골신경자극술

최근에 활발히 시행되고 있으며 적응증이 점점 많아지고 있는 치료로 합병증 발생 가능성이 높고 기술적으로 복잡한 인공항문치환술이나 전기자극 치골경근글이동술 등 수술적 치료 이전에 시도해 볼 수 있는 방법이다. 현재까지 명확한 치료기전은 알려져 있지 않으나 구심성 감각신경 자극, 원심성 운동신경 자극 및 신경 반사의 조율 등이 제안되고 있다. 천골 2-4 신경에 자극기를 삽입하여 2-3주간 치료 효과를 볼 수 있는 환자에 대한 선택과정을 거친 후 영구자극기를 설치하는 방법으로, 비교적 안전하고 시술이 간단하며 효과가 높다고 알려져 있으나 비용이 비싸고 괄약근의 손실이 큰 환자에서는 사용할 수 없는 단점이 있다.

나. 전향적 관장술

경항문 관장술과 동일한 원리로 전향적 관장술을 시행하여 대장을 비워 두는 방법이다. 내시경을 이용한 경피적 맹장루를 조성한 후 전향적 관장을 시행하는 방법으로 80-90%의 환자에서 효과가 있는 것으로 보고되고 있다.

다. 고주파치료

폐쇄회로 전류를 통하여 항문괄약근 조직에 열을 가하는 방식이다. 괄약근에 전달된 열에 의해서 조직내의 콜라겐이 즉시 수축하고 이후 수 주 동안의 치유 과정이 진행되면서 재개축과 항문관이 조이는 결과를 얻을 수 있다. 그러나 연구에 따라 성공률이 다양하며 장기 추적 시 효과가 급속히 감소한다는 보고도 있다. 외래에서도 시행할 수 있으며 술식에 의한 부작용이 거의 없고 술 후에 다음 단계의 치료법이 장해를 받는 것이 아니므로 부담이 덜하다.

라. 생체적합물질 주입술

항문관과 하부직장의 괄약근 간 공간, 혹은 점막하로 특수 물질을 주입하여 이물반응을 일으키고, 이렇게 만들어지는 섬유화 조직이 내괄약근의 기능을 보강하는 방법이다. 주입하는 물질은 다양하여 자가지방조직, polytetrafluoroethylene (Teflon™), glutaraldehyde cross-linked collagen (Contingen™), porcine dermal implant (Permacol™), pyrolytic carbon-coated bead containing beta-glucan (Durasphere™), polydimethylsiloxane (PTQ™) 등이 있다.

(3) 외과적 치료

비수술적 치료에 반응하지 않는 경우 수술적 치료를 고려한다. 수술적 치료는 괄약근 손상에 의한 변실금인 경우 적용 가능하며 이 중에서도 외상에 의한 결손이 가장 좋은 적응증이다. 괄약근이 완전히 손상된 경우에는 장루수술 외에 괄약근치환술식이나 인공항문괄약근을 적용할 수도 있다.

가. 괄약근성형술

괄약근 파열에 의한 변실금에 적절한 수술법으로 분만 손상, 항문 수술 후 괄약근 손상 등이 적응이 된다. 성형술의 방법으로는 단단봉합과 중첩봉합 방식이 있다. 일반적으로 분만 과정으로 인한 괄약근 손상이 발생하여 직후에 성형술을 하는 경우라면 단단봉합을 하고 그렇지 않은 경우에는 중첩봉합을 한다. 수술 후 단기 호전율은 88%에 이르나 10년 후의 장기 호전율은 6%까지 감소하는 한계점이 있다. 수술 실패의 원인은 문합부 재파열이 가장 흔하며 그 외에 고령, 문합부 반흔, 점진적인 음부신경 손상 등이 있다.

나. 후방항문교정술

넓어진 항문직장각을 좁혀 주고 항문강의 기능적 길이를 다시 연장하기 위해 고안된 방식이다. 항문거근에 대한 주름잡기 과정으로 볼 수 있으며 괄약근에 대한 주름잡기도 과정 중에 일반적으로 들어간다. 중·장기 추적 시 호전율이 감소하며 최근에는 잘 시행되지 않는다.

다. 치골경근치환술

치골경골근gracilis 말단부로 항문 주위를 에워싸면서 치골이나 좌골극에 고정하여 항문괄약근의 역할을 대신하게 하는 것으로 초창기에는 전기자극 없이 하였으나 최근에는 전기자극을 함께 도입하여 효율을 높인다. 이는 지속적인 전기자극을 통하여 급속연축섬유가 대다수인 치골경골근을 저속연축섬유가 많이 존재하는 항문괄약근으로 변환하고자 함이다. 최근의 메타분석에 따르면 첫 3년간 75% 가량의 성공률을 보이나 이후 효과가 감소하며, 무시할 수 없이 높은 합병증률(연구에 따라 다르나 20-40% 가량)을 보이므로 수술로 변실금을 고치는 데 실패하였거나 기존의 수술법을 적용할 수 없는 경우, 결장루 외에는 다른 선택이 없는 상황에서 실시한다.

라. 인공항문괄약근

완전한 삽입식 인공물질로 항문괄약근의 기능을 대체하는 것으로 아무런 동력장치 없이 환자가 수동적으로 개폐할 수 있다는 장점이 있다. 심한 회음부 외상에 의한 괄약근 손상이 가장 적절한 적응이 된다. 수술 후 감염이나 잠식의 경우를 포함해 장치의 오작동이나 파손, 회음부 통증, 요관과의 누공형성, 배출곤란 등의 원인으로 인공괄약근을 제거해야 하는 상황이 전체 수술 건수의 10-30% 정도로 보고된다.

마. 장루

반복적인 수술적 치료에도 불구하고 변실금이 개선되지 않는 경우 장루를 시행한다. 이 경우 직장 쪽 절단면은 봉합하여 폐쇄하고 말단결장루는 좌측 복직근 내에 설치한다.

4. 배변장애에 사용하는 약제

1) 완하제

(1) 팽창성 완하제

식이 조절에 있어서 섬유질을 충분하게 섭취하지 못했던 사람들은 팽창성 완하제를 복용해서 대변에 수분이 함유되는 능력을 증가시킬 수 있다. 충분한 수분과 함께 섭취하였을 때 효과가 좋다. 팽창성 완하제 사용의 다른 장점 중 하나는 혈청 콜레스테롤을 줄여준다는 것인데, 이것은 아마도 완하제가 담즙산과 결합함으로써 담즙산의 재흡수를 줄여 담즙산의 전체 양을 낮추는 효과 때문인 것으로 보인다. 부작용은 보통 셀룰로오스와 리그닌 제품과 연관되어 배에 가스가 차거나 부풀어 나타나는 것이다. 또한 장내에 병변이 있다면 장폐쇄와 변매복이 생길 수 있으며, 알러지 반응도 보고되어 있다. 차전차피를 주성분으로 하는 약제들이 여기에 속한다.

(2) 대변 연화제

팽창성 하제에 저항을 보이는 환자는 대변 연화제와 함께 사용했을 때 대변의 수분 함유량을 더욱 증가시킬 수 있다. 주된 약제는 도큐세이트dioctyl sulfosuccinate로 이 제품은 대변의 통과는 최소한으로 줄여주는 반면에 대장의 정상 수분 흡수는 억제한다. 이 제품은 대변을 연화시키지만 변비를 줄여주지는 못하고, 투약되었을 때 효과를 보기 위해서 1–3일 정도 걸릴 수 있다. 도큐세이트는 오일뿐 아니라 다른 약품의 흡수를 촉진시키기 때문에 미네랄 오일과 함께 투여하지 말아야 한다.

(3) 삼투성 하제

팽창성 하제와 계면활성제가 대변의 통과를 촉진시키는데 실패한다면, 다음으로 선호되는 방법은 삼투성 또는 염류 하제를 사용해보는 것이다. 투약했을 때 삼투성 효과를 통해서 대변 수분 함유를 증가시키는 특성이 있다. 수술이나 다른 진단적 시술을 하기 전에 장 준비를 위해 삼투성 하제를 사용하는 것과 비슷하다. 적은 투여량에서도 하제효과를 볼 수 있으나 간헐적으로 사용되어야만 한다. 어떤 제산제는 마그네슘을 함유하고 있으며 설사의 부작용을 보인다. 인을 함유한 용액은 높은 혈청인 상태를 만들고 이것은 심장 수축력에 문제를 일으킬 수 있기 때문에 신장, 심장, 간에 문제가 있는 사람들은 주의 깊게 사용해야 한다. 또한 염류 하제 사용의 결과로 탈수가 올 수 있으므로, 이런 제품을 사용했을 때에는 충분한 수분을 공급해야 한다는 것에 주의해야 한다. 수산화마그네슘, 폴리에틸렌 글리콜, 시트릭산citric acid, 락툴로오즈, 다당류 등이 여기에 속하며, 락툴로오즈는 혈중으로 흡수되지 않아 전신 순환에 의한 위험이 없고, 당뇨환자의 혈당에도 영향을 미치지 않아 당뇨환자의 변비에도 투약할 수 있다. 락툴로오즈는 특별히 간성 뇌증 치료에 사용되어 왔으나 더 적은 용량(30–60mL/day)은 만성변비를 가진 환자에게는 효율적인 하제로 작용한다. 부작용은 배에 가스가 차거나 부풀어 오는 것이고, 고용량에서는 탈수 증상도 보일 수 있다. 임산부에서는 각별한 주의를 요한다.

(4) 윤활제

미네랄 오일, 석유 증류물은 변비 치료에 이용되어 왔다. 작용 기전은 오일로 연화시켜서 변을 부드럽게 만드는 것이다. 이들은 지용성 비타민과 필수 아미노산의 흡수를 감소시키고 부작용의 위험성 때문에 장기간 사용은 피해야 한다. 더욱이 점막을 통과하여 장간막 림프절과 점막, 비장에 이물질 반응도 보고되어 있다.

(5) 자극성 하제

이는 점막 활성화 작용제로 장의 운동성을 증가시키는 것 외에도 총 수분과 전해질 흡수를 감소시킨다. 가장 많이 사용되는 제품은 페놀프탈레인과 안트라퀴논 하제(senna, cascara sagrada, danthron) 등이다. 이런 작용제들은 우선적으로 대장에서 주기적인 큰 움직임은 증가시키지만 장 운동성은 감소시켜서 분절성 수축력은 감소시킨다. 일반적으로 4–6시간은 유효하고 설사 외에 가장 많은 부작용은 경련통으로 알려져 있다. 또 다른 작용제인 비사코딜(둘코락스)은 페놀프탈레인과 유사한 합성된 디페닐메탄이다. 이것은 경구용뿐 아니라 직장에도 투입하여 사용할 수 있으며, 위에 자극을 일으킬 수 있기 때문에 장용정으로 되어있다. 센나 또는 카스카라의 장기간 사용은 대장 점막이 검게 변하는 대장 흑색증을 유발한다. 또 다른 하제는 중성지방 리시놀레산, 즉 피마자유로 췌장 효소에 의한 가수분해 후 소장에 작용하여 수분과 전해질의 흡수를 줄이고 장 통과 시간을 빠르게 한다. 이러한 자극성 하제는 매우 강력해서 특별한 주의 아래 사용해야 하고 장기간 사용은 피해야 한다.

(6) 운동성 작용제

장의 근육 움직임을 가속시켜 대변의 장 통과 시간을 감소시키는데 사용되는 것으로 메토클로프라마이드metoclopramide, 에리스로마이신erythromycin이 이에 속한다.

(7) 새로운 하제

최근에는 단기 요법으로 세로토닌 수용체 효능제 5-HT4 receptor agonist가 사용되고 있는데 이는 변비의 조절 효과가 우수한 것으로 보고되고 있다.

(8) 변비약 복용 시 주의점

일반적으로 팽창성 변비약은 부작용이 거의 없기 때문에 사용에 제한을 크게 둘 필요는 없다. 그러나 자극성 하제의 경우에는 사용에 주의를 요한다. 변비약은 주로 짧은 기간에 갑작스럽게 발생하는 일과성 변비나 장기간 침상에서 요양하는 환자에게 변비가 올 때 사용한다. 장기간 사용 시에는 설사성 대장염이 올 수 있으며, 특히 임신 초기나 후기에 센나 제제 같은 자극 물질들은 자궁을 수축하여 유산이나 조산의 위험에 빠질 수도 있다. 따라서 임산부나 수유중인 경우는 꼭 전문가와 상담한 뒤에 약물을 선택하여야 한다. 이외에도, 혈압이 낮은 경우에는 탈수가 심해져 졸도를 할 수 있다. 미네랄 오일의 경우에는 간독성이 있으므로 사용에 주의를 요한다. 변비약을 사용할 때의 원칙은 다음과 같다. ① 부피형성(팽창성) 완하제를 먼저 사용한다. ② 효과가 없으면 듀파락 같은 삼투성 완하제로 바꾸거나 같이 사용한다. ③ 자극성 완하제는 장기간의 변비 때 일시적으로 단기간만 사용한다. ④ 완하제는 최소 유효량을 투여하며, 가능한 횟수를 줄여 약을 완전히 끊고 식이요법만으로 조절하는 것이 좋다. ⑤ 변비 환자에서 대장 내용물이 모두 비워지면 다시 대변이 찰 때까지는 며칠이 걸리는데, 이때 변비가 재발한 것으로 생각하여 완하제를 지속적으로 잘못 사용하지 않도록 주의한다.

2) 지사제

지사제에는 흡수제absorbants, 흡착제adsorbants, 마약성 약물, 항콜린 작용제, 옥트레오타이드octreotide 등이 있다. 흡수제는 과다한 변내 수분을 흡수하여 단단한 변을 형성한다. 흡착제는 장내에 있는 박테리아와 독소를 흡착하는 약물로 카올린kaolin, 펙틴pectin이 있다. 마약성 약물은 장의 연동운동을 감소시키고, 변의 이동 시간을 길게 하며 항문괄약근 긴장을 증가시켜 설사를 막는다. 주로 로페라마이드를 가장 많이 사용하는데 이것은 중추신경에 대한 작용이나 진통 효과는 없지만, 지사 효과는 다른 약물 중 가장 좋다. 급성 설사인 경우에는 보통 초기에 로페라마이드 4mg을 쓰다가 2mg으로 줄인다. 최대 하루에 16mg까지 사용할 수 있으며, 부작용으로 어지러움, 피곤, 복통, 구갈, 피부발진 등이 있다. 항콜린 작용제는 위장관 분비물과 연동운동을 감소시켜 지사 효과를 나타내지만 부작용이 많으므로 사용할 때 주의하여야 한다. 옥트레오타이드는 소마토스타틴somatostatin 계열로서 내분비계 이상이나 다른 원인으로 인한 분비성 설사, 후천성면역결핍증으로 인한 설사에서 효과적이다. 그 밖에 진정제 등이 도움이 될 수 있다. 약물은 환자 상태에 따라 선택하며, 보통은 로페라마이드가 효과적이다. 그러나 암 환자의 경우 대부분이 마약성 진통제를 사용하고 있으므로 이 약제에 잘 반응하지 않을 수도 있다.

요약

배변장애에 의한 수술 대상을 선정할 때는 배변 기능의 호전만이 높은 삶의 질을 담보하지는 못하므로 소화관 증상, 신체 증상, 정신심리 상태 및 사회적 상황 등을 다각적으로 검토하여 수술 후의 환자 만족도를 가늠해 보아야 한다. 만성변비 환자가 일생 동안 약물에 의존하여 살아가도록 하는 소극적인 방법만이 최상의 적합한 치료라고 할 수는 없다. 이와는 반대로 환자가 수술을 원한다고 하여 적합한 대상이 아닌 환자에게 무모하게 수술을 시도하여도 안된다. 오랜 기간 동안 약물에 의존하는 환자들을 위하여 때로는 적극적인 수술 치료가 권장된다. 그러나 수술에 따르는 환자의 고통과 비용을 생각하여 매우 신중하게 결정해야 한다.

변실금은 괄약근 손상, 방사선 손상, 일차성 항문질환, 노화, 그리고 신경학적 원인들로 생길 수 있다. 약물치료, 식사조절, 그리고 괄약근 운동 등 보존적 치료를 시도해 볼 수 있으나 이러한 치료에 더 이상 반응하지 않는 경우에는 수술적 치료를 할 수 있다. 수술적 치료법으로는 괄약근 성형술, 후방항문교정술, 치골경골근치환술, 인공항문괄약근, 생체적합물질 주입술, 고주파치료, 그리고 천골신경자극술 등이 있으며 반복적인 여러 수술적 치료에도 불구하고 개선되지 않는 경우에는 장루를 시행한다.

배변장애에 사용하는 약은 완하제와 지사제로 구분된다. 완하제에는 팽창성 완하제, 대변 연하제, 삼투성 하제, 다당류, 윤활제, 자극성 하제, 운동성 작용제 등이 있고, 지사제에는 흡수제, 흡착제, 프로스타글란딘 합성 억제제, 마약성 약물, 항콜린 작용제, 옥트레오타이드 등이 있다.

V 대장의 양성질환

1. 게실성 질환

결장 게실 질환은 증상이 있는 게실이 존재할 때를 일컫는 것이고, 게실증은 염증이 없이 게실만 존재할 때를 일컫는다. 게실염은 게실과 관련하여 감염과 염증이 발생했을 때를 말한다.

1) 게실증

게실증의 빈도는 미국과 유럽에서는 50세 이상의 약 절반에서 발견될 정도로 흔하다. 게실증이 가장 흔하게 발견되는 위치는 에스결장이다(그림 2-27). 대부분의 결장 게실은 점막과 점막내 근육이 결장 벽으로 탈출한 가성false 게실이다. 결장띠 사이의 장벽에서 결장의 주 혈관이 뚫고 지나가는 곳에서 잘 생기는데, 그 이유는 다른 곳에 비해 이곳의 결장 벽이 상대적으로 취약하기 때문이다. 이것은 장벽 안의 높은 압력으로부터 발생한 내압성pulsion 게실로 간주하며 후천적으로 발생한다. 가장 많이 알려진 학설로는 식이섬유가 부족하면 변의 용적이 줄어들고 이것은 결장 내압을 증가시켜서 장벽이 돌출할 수 있는 장력이 높아진다는 것이다. 만성적인 결장의 수축이나 나이

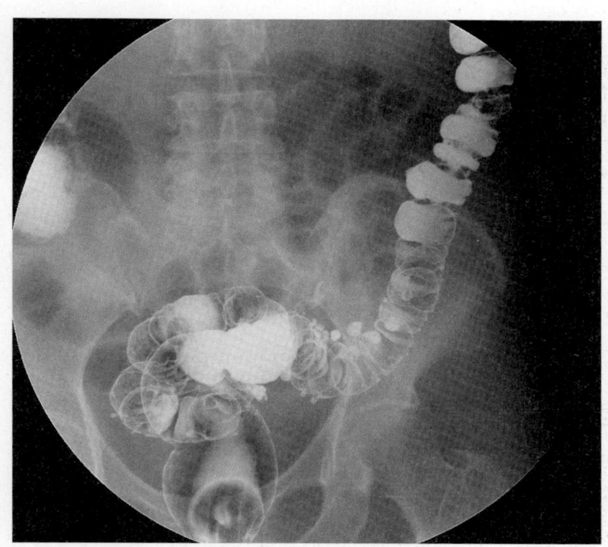

그림 2-27 대장 게실증의 이중조영 바륨관장 소견

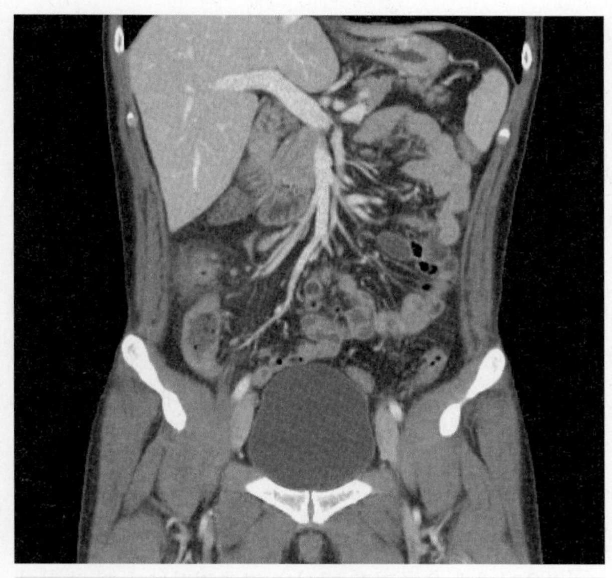

그림 2-28 재합성 3차원 전산화단층촬영 영상. 맹장 벽에 작은 게실이 있고 주변으로 장벽 비후와 함께 불규칙한 지방 가닥(fatty stranding)을 보이고 있는 게실염 소견

가 들어감에 따라 신장 강도나 탄력성이 떨어지는 것도 원인으로 제시되었다. 어떠한 이론도 과학적으로 증명된 바는 없지만 고섬유 식이를 하면 게실증의 빈도가 떨어지는 것은 확실하다. 이에 비해 진성true 게실은 장벽의 전층으로 구성되어 있으며 그리 흔하지 않고 대체로 선천성이다.

2) 게실염

게실증을 가지고 있는 사람의 10–25%에서 발생하는 것으로 추산한다. 게실 주위와 결장 주위의 염증은 미세하거나 크게 발생하는 게실의 천공 때문에 발생한다. 합병증이 없는 경우는 증상도 경미하여 외래 통원 치료가 가능할 정도이며, 합병증이 있다면 범발성 복막염으로 진행되어 응급 개복술이 필요할 정도까지 다양하게 나타난다. 대부분의 환자들은 좌측 복부의 통증을 호소하고, 덩어리가 만져질 때도 있다. 전산화단층촬영은 결장 주변의 염증, 연조직염phlegmon, 농양 여부를 판별하는 데에 가장 큰 도움이 된다(그림 2-28). 그러나, 이중 조영 바륨관장이나 대장내시경은 천공의 위험 때문에 급성기에는 금기이다.

(1) 합병증이 없는 게실염

복부 신체 검사에서 좌하복부 통증과 압통이 특징적이다. 전산화단층촬영에서는 결장 주변 연조직의 가닥현상stranding, 장벽의 비후 소견, 연조직염 등이 보인다. 합병증이 없는 환자의 대부분은 수술 없이 회복이 가능하고 이중 절반이 넘는 수에서는 더 이상의 재발도 없다. 그러나 게실염이 재발하면 합병증의 위험률은 증가한다. 이러한 연유로 게실염이 두번째 이상 나타나기 시작하면 예정 수술로 에스결장 절제술을 추천하기도 한다. 급성기에서 회복되면 대장내시경을 통해서 결장암 같은 악성 질환이 있는지 여부를 4–6주 후에 꼭 확인해 주어야 한다. 결장암을 배제해줄 수 없다면 결장 절제술의 적응증이다. 선택 수술을 할 때는 에스결장을 절제하고 일차성 문합을 해준다. 이때는 직장까지 내려가서 에스결장을 잘라주는 것이 중요하다. 그 이유는 만일 에스결장이 하단에서 남아 있다면 게실염 재발의 위험성이 높아지기 때문이다. 근위부 절제의 위치는 게실이 보이는 모든 결장을 다 잘라주는 것은 불필요하고 육안적으로 염증이 있거나 비후된 소견이 보이는 곳까지만 절제해 준다. 최근에는 복강경을 이용한 결장절제술의 빈도가 증가하고 있다.

(2) 합병증이 있는 게실염

게실염 환자가 농양, 장폐쇄, 출혈, 범발성 복막염, 자유 천공, 주변 장기와의 사이에 발생하는 누공 등을 동반하고 있을 때를 일컫는다. 부분적 폐쇄의 증상은 급성 게실염 환자의 약 67%에서 나타나지만 완전한 장폐쇄의 빈도는 10% 수준이다. 결장-방광, 결장-질, 결장-소장 누공들은 게실염 환자에서 오랜 기간 동안 지속하는 합병증이다. 합병증이 있는 게실염 환자에서 결장과 주위 장기와의 사이에 누공이 발생하는 빈도는 약 5%이다. 이중에서 결장-방광 누공이 가장 많은 빈도를 보이고 그 다음으로 결장-질, 결장-소장 누공의 순서이다. 게실성 출혈은 때로는 대량 출혈을 가져오지만 대체로 저절로 멈춘다. 게실에서 나오는 출혈은 게실 주위 세동맥의 미란 때문에 발생한다. 대량 출혈을 가져올 때는 검사를 시행할 시간조차도 없거나 내시경 시야를 가려서 정확한 출혈의 근원을 확인하기 어려울 때도 있다. 다행스럽게도 약 80% 환자들은 출혈이 자연적으로 멈춘다. 노인환자들이 가지고 있는 게실증과 혈관 형성이상은 가장 빈번한 하부 위장관 출혈의 원인 질환이다. 이때 환자 치료를 위한 핵심은 하부소화관 중 어디에서 출혈이 있는지를 확인하는 것이다. 대장내시경만으로도 종종 게실 출혈을 확인할 수 있을 뿐 아니라 에피네프린을 이용한 지혈술도 가능하다. 혈관 조영술도 진단과 동시에 치료를 할 수 있는 방법이다. 동반된 합병증의 정도에 따라 'Hinchey 병기 결정 체계'가 개발되었다. 이는 제1기: 결장주변의 농양이 동반된 것, 제2기: 후복막 혹은 골반 농양의 동반, 제3기: 화농성 복막염의 동반, 제4기: 분변성 복막염의 동반이다. 주위 장기와 누공과의 사이의 경로를 파악할 수 있는 가장 좋은 방법은 대장조영술이고 농양이나 종괴가 있을 때 이를 확인하는 가장 좋은 검사는 전산화단층촬영이다. 이때는 악성종양, 크론병, 방사선 유도누공 등과 감별해야 한다. 만일 방사선 치료를 받은 환자에게서 누공이 발견된다면, 다른 질환으로 증명될 때까지는 일단 암이 재발된 것으로 간주해야 한다.

치료의 방법은 환자의 전반적인 임상 상황과 복막 오염의 정도에 따라 결정한다. 환자의 나이가 매우 젊거나, 면역이 억제되어 있는 환자에서 합병증을 동반할 때는 첫 번째 증상 발현만으로도 에스결장의 절제술을 권유하기도 한다. 왜냐하면 수술의 위험성보다는 반복되는 게실염의 재발이 환자에게 더 나쁘기 때문이다. 대부분의 환자에서 항생제 투여만으로도 이삼일 정도에 증상이 호전되지만 그렇지 않을 경우에는 농양이 만들어지고 있는지를 의심해야 한다. 직경 2cm 이하의 작은 농양일 경우에는 항생제만으로도 치료될 수 있으나 이보다 더 큰 농양이 존재할 때는 전산화단층촬영 유도하에 경피적 배농술로 치료한다. 만일 이 방법이 실패하거나 복막염 때문에 환자의 상태가 좋아지지 않고 계속 나빠질 때는 응급개복술을 지체 없이 해주어야 한다. 이때는 감염된 결장 분절을 잘라준다. Hinchey 병기 1, 2기일 경우에는 에스결장 절제술과 동시에 일차 문합술이 권장되고, 3, 4기인 경우에는 결장 절제술 후 말단 결장 조루술과 하트만 주머니를 만든다. 최근에는 수술 중 장세척을 시행하기도 하는데, 이 방법은 환자가 회복된 후에 하트만 장루를 다시 복원해야 하는 번거러움과 이환율을 줄여주는 장점이 있다. 누공의 해부구조가 밝혀진 후에는 이와 관련한 결장 구역을 절제하고 영향 받은 인접 장기도 복구한다. 만일 암이 의심되면 광범위 일괄 절제를 시행한다. 장폐쇄 증상이 있을 때는 경구로는 장준비를 시행할 수 없고 내과적 치료에도 반응하지 않으므로 개복술을 해주어야 한다.

3) 맹장 및 우측결장 게실질환

젊은이에게 우측결장 게실은 좌측결장보다 더 흔하다. 서구인에서는 맹장이나 우측결장 게실이 매우 희귀한 편이지만, 동양인에서는 우측결장 게실이 오히려 좌측보다 더 많다. 특징적인 것은 맹장 게실이 진성이라는 이전의 보고들은 사실이 아니라는 것이다. 우리나라뿐 아니라 서구의 문헌들에서도 우측대장 게실이 선천성 진성 게실이라는 예전의 통념에 반대되는 보고들이 많이 나왔다. 1969년 Hughes의 보고서에서 대장 게실질환의 광범의한 사후 연구를 통해 진성 맹장 게실은 잘못된 통념이라는 보고를 하기 시작하였다. 그는 128예에서 52예만이 조직학적으로 진성이고 나머지는 모두 가성이라는 것을 발견하였다. 그 후 1,014예의 부검을 한 싱가포르의 Lee는 맹장 게실이 발견된 194예 모두가 가성 게실이라는 발표를 하였다. 국내의 다수 보고에서도 가성 게실의 빈도가 상대적으로 더 많다. 이러한 일련의 보고 들은 우측대장 게실이 선천성 진성 게실이라는 종래의 통념과는 완전히 반대되는 것이다.

우측대장 게실 환자들은 대부분 증상이 없다. 그러나 젊은 환자 들이 우하복부 통증을 호소할 때, 급성 충수염으로 진단받고 수술실에서 비로소 확진되는 경우가 종종 있다. 수술 중에 만일 큰 게실이 단발성으로 존재하고 염증이 그리 심하지 않다면 게실 절제술을 시행하며, 추후에도 발생할 수 있는 충수염과의 감별 진단을 위해 충수 절제술을 반드시 시행한다. 게실염이 종괴를 만들고 있어서 악성종양과 감별이 어려울 때는 회맹부 구역 절제술이 권장된다. 그러나 이 방법이 양성 질환으로는 지나치게 광범위한 수술이라는 주장도 있어서 가능하다면 수술의 절제 범위를 축소하는 것이 좋다. 타 질환으로 개복하여 단발성 우측결장 게실이 우연히 발견된다면 타 질환의 주된 치료를 방해하지 않는 범위 내에서 쌈지 봉합술과 함께 충수 절제술을 시행한다.

2. 혈관 질환

1) 혈관확장증

(1) 원인과 병태생리

결장의 혈관확장증은 게실성 병변과 함께 하부위장관계 출혈의 흔한 원인 중 하나이다. 혈관확장증은 장벽의 정맥과 모세혈관에 후천적 기형의 소견이 있고, 비교적 고령인 환자의 우측 결장에서 원발적으로 발생하는 경향이 있다. 결장의 근육층을 관통하는 정맥의 낮은 정도의 부분 폐쇄가 반복됨으로써 이차적으로 발생한다는 가설이 제시되고 있다.

(2) 진단과 치료

혈관확장증은 게실처럼 증상이 없는 경우가 많고 장막측에서는 보이지 않는 경우가 많아 병리학적 검사에서도 놓치기 쉽다. 혈관촬영술, 대장내시경, 병리검사실에서의 혈관내에 폴리머를 주입하는 기법 등에 의해 무증상 환자의 3-25% 정도에서 혈관확장증을 발견할 수 있다. 하부위장관 출혈의 병력이 없는 환자에서 대장내시경 등으로 우연히 발견된 혈관확장증은 치료의 적응증이 되지 않으며 기술만 하고 경과를 관찰한다.

혈관확장증은 만성 소량 출혈이나 급성 대량 출혈의 양상을 나타낼 수 있고, 급성 대량 출혈을 보이는 경우 혈액학적 변화를 동반하므로 진단과 치료를 동시에 시작해야 한다. 혈액학적 변화를 보이는 환자는 심폐소생술에 일차적인 주의를 기울여야 하며, 이와 함께 위장관 출혈의 위치를 감별하기 위한 일반적인 조치를 시행한다. 비위관 삽입과 직장경 검사가 이에 해당한다. 하부위장관의 출혈로 생각되며 직장보다 상부의 대장에서 출혈이 있는 것으로 생각될 경우 섬광촬영주사(핵의학 스캔), 침습적 혈관조영술, CT 혈관조영술, 대장내시경 등으로 출혈 위치를 찾는다.

혈관조영술상 출혈부위가 확인되면 카테터를 통한 혈관수축제나 혈전형성제 주입을 시도할 수 있다. 최근 기술의 발달로 80-90%의 높은 성공률을 보이나 합병증으로 혈관폐쇄부위의 괴사나 허혈에 의한 협착이 발생할 수 있으므로 시술 후 경과관찰이 중요하다. 경우에 따라 출혈부위를 찾지 못한 경우에도 정맥내 혈관수축제의 주입이 도움이 되기도 한다. 대장내시경은 정확도가 높고 장관내 관찰이 가능하며 진단과 동시에 전기소작술, 레이저응고술, 클립대치술, 경화치료 및 에피네프린 주입 등 치료적 시술을 시행할 수 있는 장점이 있는 반면, 대량 출혈이 계속되는 상황에서는 장 청소가 어려운 데다 강내 혈액으로 인해 혈관확장증과 같은 미세 병변은 진단이 어려운 경우가 많아 출혈이 느리고 간헐적인 경우 외에는 유용하지 않은 단점이 있다.

보존적 치료에 반응하지 않는 소수의 환자에서는 응급

수술이 필요한 경우도 있다. 우측 출혈일 경우는 출혈 병소를 포함한 우측 결장의 분절절제가 추천되며 출혈 병소를 알 수 없는 경우 결장아전절제술을 시행할 수도 있다.

혈관확장증으로 인한 소량의 반복적 출혈이 있는 경우 경구 또는 경피 에스트로겐-프로게스테론 치료가 효과적이라 보고되고 있으나 기전은 아직 명확하지 않다.

2) 결장 허혈

(1) 원인과 병태생리

결장허혈은 장관허혈의 가장 흔한 형태이다. 대부분 일시적으로 발생하고 저절로 호전되기 때문에 잘못 진단되거나 진단하지 못하는 경우도 있다. 많은 경우 원인을 알기 어렵지만, 대동맥 수술 후, 동맥경화성 질환이 있는 경우 또는 일시적인 저혈압을 유발할 수 있는 상황 등에서 발생할 수 있다. 이 외에도 경구피임약 복용, 코카인 남용, 유전적 응고장애, 장거리 달리기, 거대세포바이러스와 *E. coli* 0157:H7 감염 등이 관련 있는 것으로 알려져 있다.

결장은 상장간막동맥과 하장간막동맥으로부터 혈류 공급을 받는다. 이러한 장간막동맥 사이에는 측부순환들이 만들어진다. 동맥경화로 인해 하장간막동맥이 서서히 막히게 될 경우 결장연 동맥궁 혹은 리올랑궁에 측부순환이 만들어져서 하행결장으로의 충분한 혈액공급을 유지하게 된다. 대동맥 수술을 필요로 하는 환자에서 하장간막동맥은 막혀 있는 경우가 많다. 이런 경우에 하행결장은 측부순환을 통해 혈액공급을 받기 때문에 하장간막동맥을 자른 후 굳이 재이식 할 필요는 없다. 하지만 혈관을 처리할 때 또는 수술 직후 일시적으로 저혈압이 있을 경우 결장 점막은 비교적 쉽게 허혈성 손상을 받을 수 있다.

결장허혈은 일시적 허혈, 만성적 허혈, 그리고 괴저의 형태로 나타난다. 허혈이 장관의 가장 손상 받기 쉬운 층, 즉 점막에만 국한되는 점막 허혈인 경우 일시적 허혈이며 완전히 회복될 수 있다. 허혈이 장벽의 근육층까지 침범할 경우 재생과정에서 섬유화된 조직에 의해 대치되며 종종 분절성 협착을 초래한다. 장벽의 전층을 포함하는 전층 허혈은 괴저상태가 되어 천공을 초래하게 된다.

(2) 증상과 진단

결장허혈은 복통, 혈변, 발열 등의 증상으로 나타난다. 허혈의 정도, 허혈된 결장의 길이와 깊이에 따라 증상은 매우 다양하다. 비교적 작은 분절의 점막에만 국한된 허혈인 경우 경련성 복통과 소량의 혈변이 나타난다. 좀 더 심한 점막허혈인 경우에는 심한 복통과 압통, 박테리아 침범, 발열, 백혈구증가증, 산증이 나타날 수 있다. 전층 허혈인 경우에는 심한 복통, 발열, 백혈구증가증, 산증, 복막염의 임상 징후들이 나타날 수 있다.

신속하고 정확한 진단을 할 경우 보존적 치료 또는 유발 약물의 중단만으로도 질환의 진행을 중지시켜 점막 허혈이 전벽 괴저로 발전하는 것을 막을 수 있다. 조기 진단은 경도에서 중등도의 복통, 발열, 그리고 혈성 설사 등의 증상을 나타내는 환자에서 결장허혈의 가능성을 강하게 의심함으로써 가능하다.

결장허혈은 결장의 모든 부분에서 발생할 수 있으며 가장 흔히 침범되는 부위는 에스결장과 비장만곡부이다. 허혈성 직장염도 일부 보고되고 있으나 드물다.

결장허혈 진단을 위한 영상의학적 검사는 단순복부촬영부터 시작한다. 단순방사선 사진상 소장의 장마비와 거대결장 등이 흔히 보일 수 있다. 횡행 혹은 에스결장부위에 무지압흔상thumbprinting이 있을 수 있는데 이것은 부종이 있는 결장 장벽과 장의 가스 사이의 간격에 의해 나타난다. 괴저성 결장염에서는 관강 외의 가스 혹은 진성 기복증이 있을 수 있다. 바륨관장검사는 대장내시경 출현 전까지는 결장허혈이 의심되는 대부분의 경우에 진단을 위하여 사용되었다. 바륨관장검사는 결장천공이나 경색을 시사하는 복부징후를 나타내는 환자들에서는 시행하지 않는다. 수용성 조영제를 사용한 검사도 마찬가지로 천공의 위험이 있으므로 급성 증상의 환자에서 사용해서는 안 된다. 하지만 허혈로 인한 장관 협착의 진단 및 평가를 위한 경우에는 유용하게 사용될 수 있다. 대장내시경은 결장 점막을 직접 볼 수 있으며 조직 생검도 시행할 수 있다. 하지만 점막 생검 결과는 대부분 비특이적 염증이며 진단에 도움을 주지는 못한다. 내시경상 출혈성 또

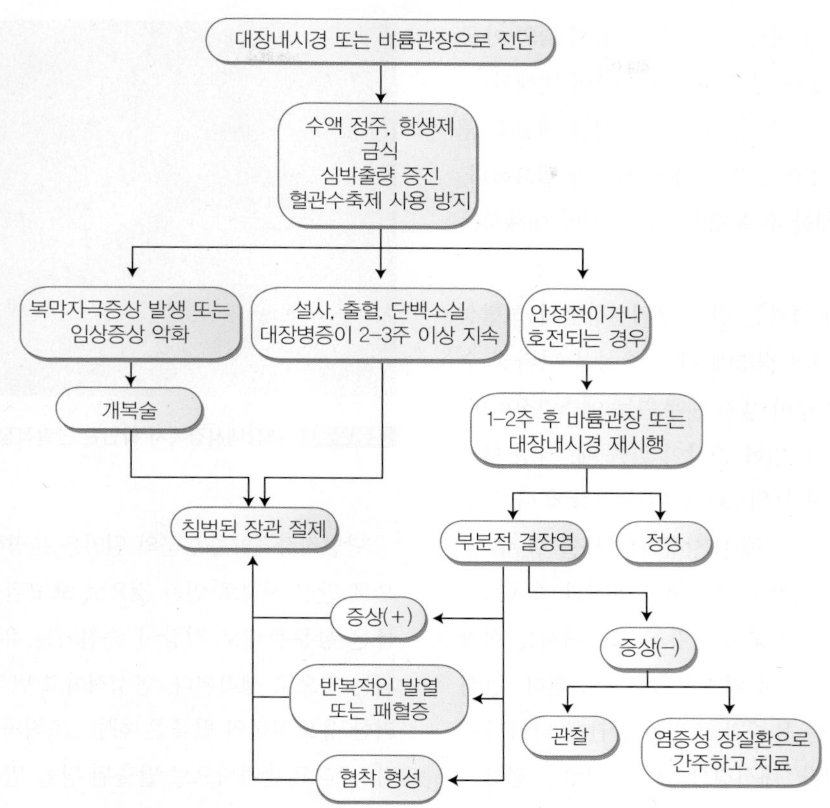

그림 2-29 결장허혈의 치료

는 거무스름한 점막이 전형적인 소견이다. 위막이 홍반성 점막 위에 융기된 하얀 프라그로 보일 수 있다. 내시경 검사는 점막 허혈과 전벽 괴사를 구분할 수 없다는 단점을 갖고 있다. 조영제를 사용한 컴퓨터단층촬영이 결장허혈에서 유용하게 사용될 수 있다. 문맥 혹은 장간막 정맥 내의 가스와 결장 벽의 가스가 보일 수 있고 결장벽은 비후되고 때때로 확장되어 보인다. 혈관조영술은 침습적이며 소장을 침범하는 급성장간막허혈이 아닌 경우에는 사용하지 않는다. 임상적으로 결장허혈이 분명한 경우 혈관조영술 시행이 치료나 예후에 영향을 미치지는 않는다.

(3) 치료

치료는 임상 양상과 증상 및 징후의 심각성에 따라 결정된다(그림 2-29). 점막 허혈은 보존적 요법(금식, 정맥내 수액공급, 광범위 항생제)으로 치료하는 것이 원칙이며 대부분 완전치유된다. 복부 대동맥 수술 후에는 결장허혈의 위험이 있으므로 복통, 발열, 백혈구증가증, 또는 산증 등이 있는 경우에 결장허혈을 의심하여 내시경을 시행한다. 이후 연속적인 복부 진찰, 활력징후 및 소변량 관찰, 혈액 내 pH, 백혈구 수치검사 등을 시행해야 한다. 전벽 괴사가 의심될 때는 즉각적으로 수술을 시행한다. 결장허혈로 수술하는 경우는 비교적 흔치 않지만, 수술 적응증에 해당할 경우 부분적 또는 전결장 절제를 시행한다. 결장허혈에서의 수술 적응증은 비교적 명확하다. 결장천공은 명백한 수술 적응증이며 허혈된 부위를 절제하고 장의 양 끝은 회장루 또는 결장루와 점액루 형태로 만들어 준다. 전결장허혈은 드물지만 전격성 결장염 또는 독성거대결장과 비슷한 양상으로 발생한다는 보고가 있으며 이러한 경우에는 전결장 절제술 및 회장루를 시행한다. 비교적 드물지만 급성 허혈성 결장염에서 심한 출혈이 동반되는 경우에는 아전결장 절제술과 회장루를 시행한다. 수술의 아급성 적응증은 흔하지 않다. 결장허혈의 증상이 발생한 후 2-3주 동안 통증, 출혈, 설사, 또는 반복적인 패혈증 등이 호전되지 않고 지속될 경우 수술적 치료가 필요하다. 이때 허혈된 장을 절제한 후 문합을 시행할지에 대해서는 명확하지는 않다.

결장허혈의 만성적 경과는 만성 구역결장염과 허혈성 협착이다. 협착은 위치와 직경에 따라 증상을 나타낼 수도 있다. 협착이 가장 많이 생기는 부위는 에스결장이며, 치료의 적응증은 폐쇄로 인한 증상이 있을 때, 악성 협착 가능성이 있을 때, 협착 부위보다 근위부 결장에 다른 병변이 의심되나 협착으로 인해 내시경적 검사를 할 수 없을 때 등이다. 허혈성 협착은 내시경적 방식과 스텐트로 넓혀줄 수 있다. 하지만 비교적 건강한 환자에서는 협착 부위의 절제 및 일차문합이 일반적으로 추천된다. 만성 구역결장염 환자에서는 통증과 출혈이 간간히 나타나는 것이 전형적인 소견이다. 내시경상으로는 허혈된 결장의 분절(주로 하행 또는 에스결장)에만 염증 소견이 나타나며 조직생검을 함으로써 감염성 질환을 배제할 수 있다.

3. 단발직장궤양증후군

단발직장궤양증후군solitary rectal ulcer syndrome은 흔히 직장내장중첩증intrarectal intussusceptions이나 완전 직장탈출증과 동반되는 흔하지 않은 질병이다. 병명에도 불구하고 궤양은 하나, 다수, 또는 궤양이 없는 경우도 있다. 궤양의 위치는 항문직장고리anorectal ring 바로 위의 직장전벽에 가장 흔히 생긴다(그림 2-30). 육안적 병리소견은 전형적인 섬유성 중심 함몰을 가진 분화구 같은 궤양에서 용종형 병변까지 다양하다. 환자들은 전형적으로 젊은 사람과 여성에서 흔한데 평균나이는 25세이고 힘주기와 배변곤란의 병력을 가진다. 통증, 출혈, 점액분비물도 특징적인 증상이다. 직장궤양은 직장경이나 연성 에스결장경으로 발견되고 힘주기나 변비 시 직장출혈의 증상을 보통 호소한다.

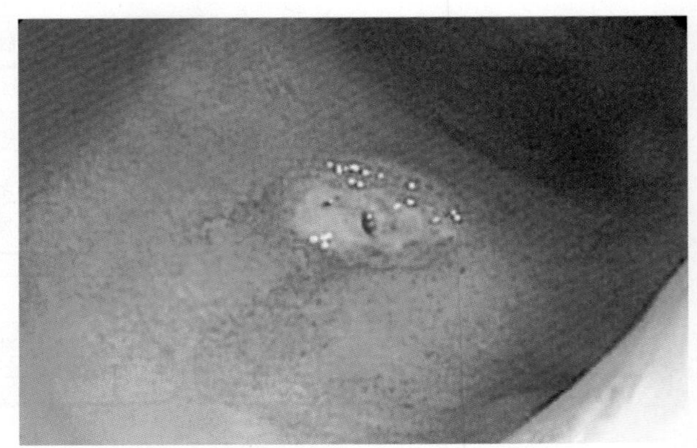

그림 2-30 대장내시경에서 확인된 단발직장궤양

단발직장궤양증후군의 원인은 분명하진 않지만 일반적으로 만성 허혈로 인한 것으로 보고된다. 궤양을 가진 주름은 항문관내로 직장이 중첩되는 유도지점lead point이 되는 것으로 생각된다. 만성적이고 반복적인 힘주기나 이러한 유도지점의 탈출은 허혈, 조직파손, 궤양을 초래한다. 그리고 손가락으로 탈출된 장을 밀어넣다가 생긴 외상도 원인일 수 있다. 조직학적으로 고유판lamina propria이 없어진 섬유화의 두꺼운 층과 중심에 섬유소 삼출물fibrinous exudates을 보인다. 다른 흔한 병리조직소견은 점액이 찬 샘들이 점막하층에 위치하고 정상 결장상피세포로 내벽을 형성하는데 이를 심부낭성결장염colitis cystica profunda이라 한다. 단발직장궤양증후군과 감별진단을 해야하는 질병은 악성종양, 감염, 크론병이 중요한데, 이러한 질병들과 감별하는 것은 어렵지 않다. 앞서 언급한 전형적인 증상들과 직장전벽에 생기는 것과 조직검사를 통한 병리소견이 진단에 결정적이다. 배변조영술에 의한 진단적 평가가 영상학적으로 제일 중요한 검사이고 보통 원인이 되는 질환들을 알 수 있는데 완전 직장탈출증, 직장내장중첩증, 모순치골직장근증후군paradoxical puborectalis syndrome(힘주기를 시도해도 골반저근육이 이완되지 않아 배변을 방해하는 질병), 두꺼워진 직장주름이 흔한 소견들이다. 배변조영술에서 환자의 45-80%는 직장내장중첩증의 소견을 가지는 것으로 보고된다.

치료는 증상을 완화시키거나 원인이 되는 유발인자를

예방하는 데 주안점을 둔다. 고섬유식이와 배변 시 골반저근육이 수축되지 않고 이완되게 하는 배변훈련(바이오피드백)과 같은 보존적인 치료가 대부분의 환자에서 증상을 완화하므로 제일 먼저 시행되어야 한다. 수술은 모든 내과적인 치료에 실패한 아주 증상이 심한 환자에 대해 시행하는데 복부 또는 회음접근을 통한 복구술을 시행한다. 치료에 대한 연구는 후향적이고, 드물지만 몇 가지의 흔한 소견들이 보고되었다. 일반적으로 단발직장궤양증후군을 가진 환자의 1/3이 완전 직장탈출증으로 고생한다. 복부접근을 통한 탈출증의 복구는 단발직장궤양증후군과 완전 직장탈출증을 가진 환자의 80%에서 치료율을 보인데 반해 직장점막탈출과 단발직장궤양증후군에 대해 같은 수술로 치료받은 환자들은 결과가 훨씬 나쁜데 단지 25%의 치료율을 보였다. 국소절제술은 보통 더 큰 낫지않는 상처를 만들 수 있어 치료에 역할을 하지 못한다. 드물게, 심한 출혈, 통증, 경련의 증상이 있을 때 일시적인 전환에스결장루 조성술을 하는 경우도 있다. 근본적인 질환의 신속한 진단과 적절한 치료가 어려울 수 있지만 이것이 치료에 중요한 열쇠가 될 수 있다.

4. 직장탈출증

직장탈출증rectal prolapse은 직장벽의 전층이 항문을 통해 빠져 나오는 드문 질환으로 환자들에게 심한 당혹감을 준다. 이는 변실금의 증상과 관련이 있고 특히 여성에서는 다른 골반저 이상과 관련 있다. 직장 전층이 탈출되는 경우를 완전 탈출증이라고 하고 상부직장이 항문 밖으로 탈출되는 것 없이 중하부 직장으로 탈출되는 것을 직장내장중첩증 또는 내탈출증이라 한다. 직장의 점막만이 탈출된 경우를 부분 탈출증 또는 점막탈출증이라고 하고, 이는 흔히 치핵과 관련이 있고 일반적으로 고무결찰술이나 치핵절제술로 치료가 된다.

1) 원인 및 해부학적 특성

이의 정확한 원인은 알려져 있진 않지만 2가지의 이론이 있다. 첫째는 1912년 Moschcowitz가 제안한 활주탈장설sliding hernia로, 이는 대부분의 직장탈출증 환자에서 비정상적으로 깊은 직장질오목rectovaginal pouch 또는 직장방광오목rectovesical pouch의 소견을 보이고 이 부위가 골반저근막pelvic floor fascia의 결손부를 통해 직장의 전면으로 탈출되는데 근거를 두고 있다. 두 번째는 1968년 배변영화조영술cinedefecography의 출현으로 Broden과 Snell-man이 실질적으로 직장내장중첩이 시초라는 설을 제안하였는데 많은 연구자들이 이에 대해 지지하였고 실제 직장탈출증 환자의 50% 이상이 힘주기를 동반한 오래된 변비의 병력과 환자의 15%는 설사를 경험하였다.

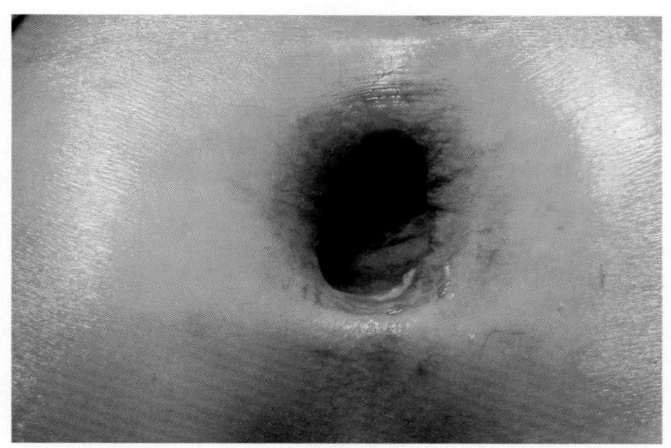

그림 2-31 열려있는 항문

환자들은 특별한 해부학적 특징을 가지는데 항문거근levator ani의 분리diastasis, 비정상적으로 깊은 맹낭cul-de-sac, 여분의 에스결장, 열려있는 항문괄약근(그림 2-31), 직장의 천골부착의 소실이 흔한 소견이다.

2) 빈도

여성이 남성보다 발생빈도가 훨씬 높아, 50세 이상의 여성과 남성의 비교에서 6:1의 비율을 보인다. 여성에서는 60대에 가장 많이 발생하는데, 탈출이 다출산력의 결과일 것이라는 일반적인 추정과는 달리 환자의 35%는 분만한 적이 없었다. 여성과 달리 남성에서는 40세 이하에서 주로 발생하는데, 하나의 현저한 특징은 젊은 남성이고 정신질환자이며 보호시설에 수용된 사람이 많다. 그리고 변비약을 먹는 경향이 있고 배변기능과 관련된 많은 증상들을 호소한다.

3) 증상 및 진단

증상은 탈출이 생기면서 진행되는데, 흔히 처음에는 배변이나 힘주기로 탈출된 직장이 저절로 들어간다. 탈출이 만성화되면서 손으로 밀어넣어야 탈출을 환원시킬 수 있는 상태로 되는데, 이 경우 탈출된 직장점막은 두꺼워지거나 궤양이 생기고 심한 출혈을 일으키기도 한다. 변실금, 항문주위가 항상 축축한 느낌, 점액분비, 과도한 힘주기, 항문으로 조직이 빠져나오는 느낌, 불완전한 배변감, 뒤무직tenesmus, 출구폐쇄, 불안정한 배변습관, 변비가 탈출증의 전형적인 증상들이다. 이러한 증상들은 비특이적이고 직장점막의 병변과 기능적인 장질환과 관련될 수도 있어 수술 전에 이에 대한 철저한 평가가 필요하다.

진단을 위해서 어떤 환자들은 탈출을 유도하기 위해 힘주기가 필요한데 이는 앉거나 쪼그려 앉아 있는 자세에서 가장 잘 확인할 수 있다(그림 2-32). 감별진단을 해야 하는 흔하지만 실수할 수 있는 질병으로는 탈출감금내치핵prolapsed incarcerated internal hemorrhoids이 있는데, 직장탈출증은 동심원 모양의 홈이 있으나(그림 2-32) 탈출감금내치핵은 치핵쿠션 사이의 함몰로 방사형의 홈이 있다(그림 2-33). 탈출감금내치핵은 심한 통증을 호소하고 열과 요정체가 동반될 수도 있다. 하지만 직장탈출증은 감금되는 경우가 아니면 쉽게 환원되고 통증도 없다. 흔하지는 않지만 종양이 직장내장중첩증의 유도지점이 될 수 있어 수술 전 대장내시경 검사나 대장조영술을 시행하여 이를 평가하는 것이 중요하다. 배변조영술은 보통 완전 탈출증의 평가에는 필요하지 않지만 직장내장중첩증의 평가에는 꼭 필요하다. 항문내압검사는 괄약근기능을 평가하는데 도움을 주는데 오래 지속된 탈출은 전형적으로 항문내괄약근에 손상을 줘서 휴식기압이 떨어져 있다. 이런 경우에는 수술시 항문거근성형술을 같이 시행하는 것이 변자제를 호전시키는데 도움을 준다. 직장탈출증환자에서 항문내압검사에 대한 연구를 Spencer가 보고하였는데 휴식기압은 비정상적으로 낮았고 수축기압은 정상으로 보고하였다. 음부신경말단운동잠복기Pudendal Nerve Terminal Motor Latency (PNTML)는 음부신경병증을 평가하는데 도움이 된다. 일단 탈출이 육안적으로 명백히 확인될 때는 변실금이 주된 증상으로 50–75%의 환자에서 생기고, 검사상 기시부 양측음부신경병증이 나타나는데 이는 항문외괄약근의 탈신경 위축 및 약화와 골반저근육의 약화를 초래한다. 음부신경손상의 원인으로는 출산손상과 같은 직접외상, 당뇨병과 같은 만성질환, 천골신경뿌리손상을 일으키는 종양이 있다. 힘주기의 병력이 있는 경우에는 항문근전도 검사상 모순치골직장근증후군의 소견을 보일 수 있는데 이 경우 바이오피드백치료가 도움이 된다. 대

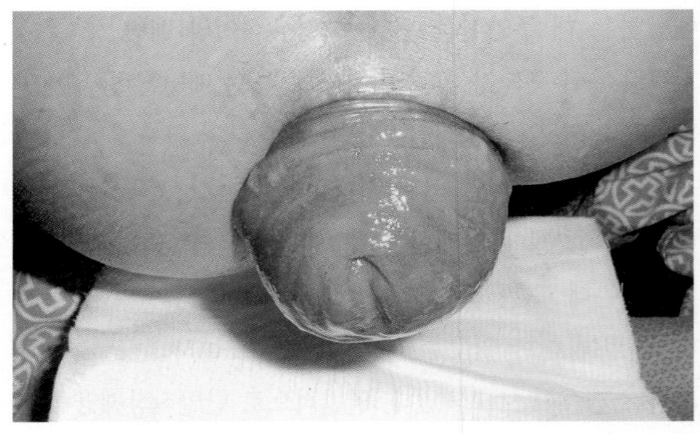

그림 2-32 쪼그려 앉아서 변을 보듯이 배에 힘을 줘서 직장이 탈출된 모습. 완전 탈출증의 특징인 동심원 모양의 주름을 볼 수 있다.

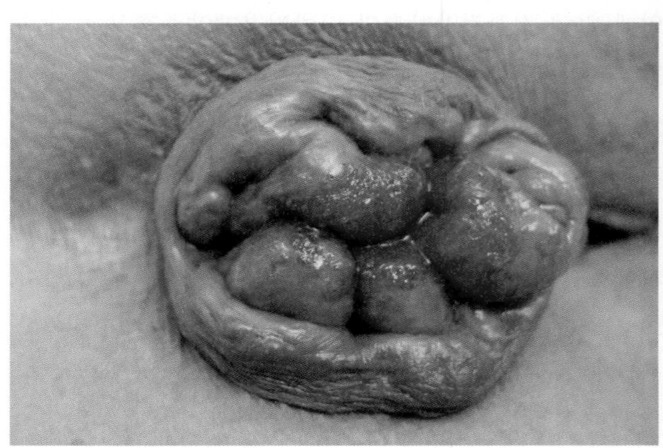

그림 2-33 방사형의 주름이 있는 탈출감금내치핵

장통과시간측정 검사는 심한 변비가 동반된 경우에 시행하고 이를 근거로 적절한 수술을 선택할 수 있다.

4) 치료

직장탈출증은 수술로 치료할 수 있는 질병으로 50가지 이상의 많은 수술방법들이 소개되었지만 아직까지도 어떤 수술방법이 가장 적절한지는 알려지지 않은 상태이다. 수술은 회음접근과 복부접근의 크게 2가지로 분류된다. 회음접근의 가장 대표적인 수술은 회음 직장에스결장절제술과 델로름Delorme술식이고, 복부접근의 가장 흔히 시행되는 수술은 직장고정술(±에스결장절제술)이다. 수술방법은 환자의 동반질병, 수술의사의 선호도와 경험, 환자나이, 변비나 변실금 유무에 의해 결정된다. 회음접근은 일반적으로 나이가 많고 수술의 위험이 높은 환자에서 좋은 선택으로 수술 후 이환율과 통증이 적고, 입원기간이 짧다는 장점이 있는 반면 높은 재발률은 단점으로 보고된다. 하지만 최근 연구들은 이 점에서 분명하지 않고 적절히 시행된 회음접근은 복부접근과 같이 좋은 장기결과를 보이는 것으로 보고한다. 복부접근은 남성에서 성기능장애의 위험이 있어 이 방법을 선택하는데 신중해야 하는데, 경험이 있는 수술자에 의해 복부 직장고정술이 시행되더라도 1-2%의 발기부전이 생길 수 있어, 특히 젊은 남자가 이 수술을 받을 때에는 수술 전에 정자은행에 정자를 미리 보관하는 것을 고려하는 것에 대해 상담하여야 한다. 하지만 복부 직장고정술(±에스결장절제술)은 재발률이 회음접근법보다 더 낮고, 가장 오랜 기간동안 재발이 되지 않는 복구술이다. 배변기능이 수술방법을 결정하는데 중요한 역할을 한다. 정상배변습관을 가진 건강한 성인은 직장고정술(±에스결장절제술)이나 회음 직장에스결장절제술(±항문거근성형술)을 시행한다. 변비환자는 에스결장절제술 및 직장고정술을 시행한다. 이에 반해 변실금환자는 복부 직장고정술이나 회음 직장에스결장절제술(±항문거근성형술)을 받아야 한다. 접근 방법에 따른 수술방법에 대해 기술하고자 한다.

(1) 회음접근법

가. 회음 직장에스결장절제술

회음 직장에스결장절제술perineal rectosigmoidectomy은 1899년 Mikulicz에 의해 처음 소개된 방법으로 유럽에서 여러해 동안 선호되는 방법이었고, 영국에서는 Miles가 이 방법을 주장하였고, 미국에서는 Altemeier에 의해 발전되었다. 알트마이어Altemeier술식은 회음 직장에스결장절제술과 전방 항문거근성형술을 같이 시행하는데, 이는 항문거근 열개levator diastasis가 이 질환과 흔히 관련되어 이를 교정하기 위해 시행된다.

수술방법은 직장을 항문 밖으로 꺼낸 상태에서 탈출된 직장의 바깥쪽 장을 치상선 상방 약 1-2cm에서 둘레로 절단한다. 이 부위를 절단할 때 항문내괄약근을 완전히 살리는 것이 아주 중요하다. 점막층, 점막하층 및 근층의 분리 시 전기소작을 이용하여 시행하는데 혈관이 노출되면 전기소작 하거나 결찰하여 박리한다. 바깥쪽 장을 절단한 후 아래로 당기면 전방으로 낮게 위치한 복막반전부위peritoneal reflection가 노출되는데 이를 절개하면 복강내로 들어갈 수 있다. 이것이 이 수술에서 아주 중요한 단계인데 괄약근이 길거나 항문거근의 신경병증이나 약화가 없으면 가끔은 어려울 수 있다. 일단 복강이 노출되면 많은 직장과 에스결장을 꺼낼 수 있다. 꺼낸 직장이나 에스결장을 당기면서 장간막혈관을 순차적으로 결찰하고 절단한다. 상부의 장이 복막 밖으로 더 이상 견인되지 않을 때 절단을 시행한다. 절단하기 전에 항문거근의 전방 또는 후방 또는 전후방의 복구술을 봉합사를 이용하여 시행한다. 그리고 나서 장을 절단하는데 상부결장이 복강 내로 들어가지 않도록 주의한다. 자동봉합기를 사용하거나 봉합사를 이용한 단속봉합으로 장문합을 시행함으로 수술은 종료된다(그림 2-34).

이 수술은 나이가 많고 동반된 질병이 많아 복부접근 수술의 위험률이 높은 환자, 복부접근 수술을 시행할 때 자율신경손상으로 인한 발기부전을 초래할 위험을 가지는 젊은 남자 환자에서 고려되는 수술이다. 6개월에서 5년간 추적검사 결과 재발률은 0-10%로 보고되는데 추적

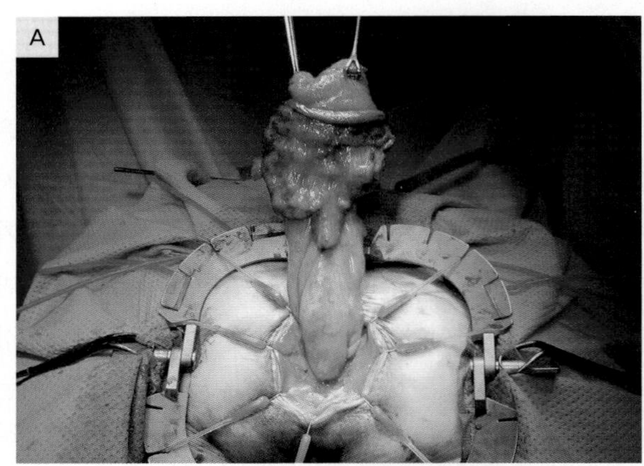

그림 2-34 **회음 직장에스결장절제술.** A) 여분의 직장과 에스결장을 충분히 박리하여 절제한다. B) 상부의 결장을 하부직장과 연결한다.

기간이 길어지면 재발률은 증가하는 것으로 보고된다. 항문거근성형술을 추가할 때 변실금이 호전되고, 재발률도 줄이는 것으로 보고된다.

나. 델로름 술식

1900년 델로름Delorme에 의해 처음 소개된 수술방법으로 비교적 제한된 탈출을 가진 환자에서 유용하다. 비록 박리되는 점막관mucosal tube은 상부로 15cm까지 박리가 가능하지만 직장이 3–4cm까지 탈출되는 경우가 이상적인 적응증이다. 수술은 직장을 탈출시킨 상태에서 점막하층에 에피네프린을 주사하고 치상선 상부 1cm에 돌아가면서 점막을 절개하고 점막과 점막하층을 근층에서 분리하여 계속 상방으로 박리해 간다. 충분히 상부까지 박리한 후 이미 박리된 근층은 종방향으로 주름형성술을 시행한다. 여분의 직장점막은 잘라내고 상부와 하부의 직장점막을 서로 봉합해 준다(그림 2-35). 이 수술은 직장전층을 절제하는 것이 아니고 직장점막만 제거하고 직장근육의 주름형성술을 시행하는 수술이어서 재발률은 약 7–22%로 회음 직장에스결장절제술보다 높게 보고 된다. 변실금은 환자의 약 40–50%에서 호전된다. 수술 후 변비가 생기는 경우는 많지 않다. 이 술식은 허약한 고령환자에게 시행되었을 때에도 사망률과 주이환율major morbidity이 각각 약 1%와 14%로 낮게 보고된다.

다. 티어쉬 법

직장탈출증의 가장 오래된 수술법 중에 하나로, 1891년 티어쉬Thiersch에 의해 처음 기술된, 항문 주위를 은철사로 둘러싸는 방법이다. 이 수술의 목표는 기계적인 보조 또는 항문괄약근을 대체하는 것과 항문주위에 이물반응을 자극해서 항문의 저항력을 증가시키는 것이다. 수술방법은 잭나이프자세로 국소마취하에 항문연에서 외측으로 2cm 거리의 항문 좌측후방과 우측전방에 피부에 절개를 넣고 2개의 피부 절개를 통해 지혈감자로 항문외괄약근 외측에 터널을 만든다. 둘러쌀 인공삽입물을 터널을 통해 삽입하고 항문 주위로 둘러싼 뒤 삽입물이 만나면 제2수지가 항문에 편안하게 들어갈 정도로 조이고 삽입물을 봉합한다(그림 2-36). 사용되는 인공삽입물로는 나일론, 실크, 실라스틱막대silastic rods, 실리콘, Marlex그물mesh, Mersilene그물, 근막, 건, Dacron이 있다. 합병증은 삽입물의 파손, 변충전, 패혈증, 삽입물에 의한 항문이나 피부의 손상 등이 있다. 이 수술은 탈출을 근본적으로 교정하는 것이 아니고 항문을 조이는 것이기 때문에 재발률이 높아(>30%) 일반적으로 시행되진 않는데, 다른 회음접근 수술을 시행하기 힘들 정도로 아주 나이가 많거나 수술 위험도가 높은 환자에서 시행한다. 재수술률은 7–59%로 보고된다.

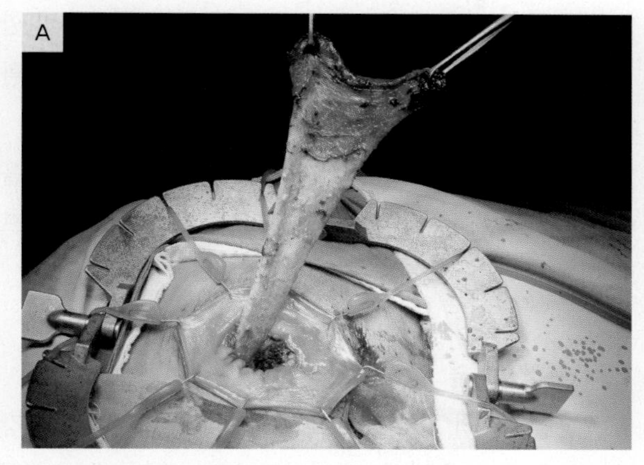

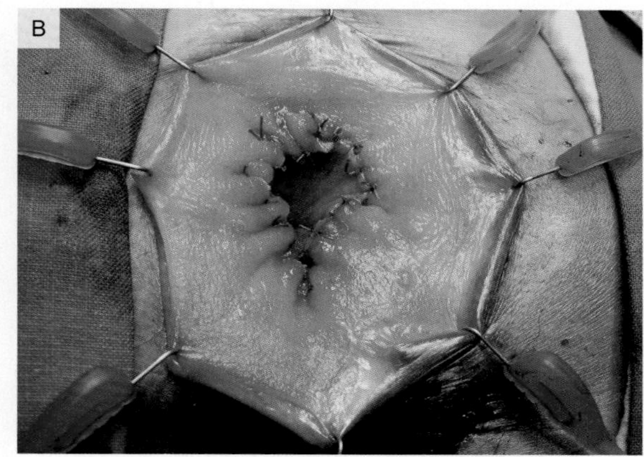

그림 2-35 **델로름 Delorme수술.** A) 여분의 직장점막과 점막하층을 근층으로부터 충분한 길이로 박리한다. B) 여분의 점막을 절제한 후 상하부의 점막을 봉합한다.

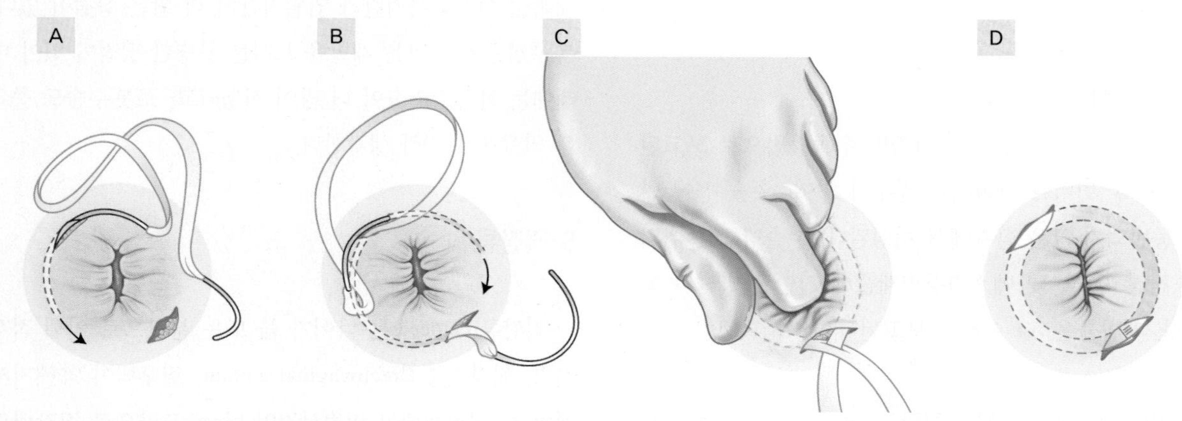

그림 2-36 **티어쉬 Thiersch법.** A) 항문외괄약근 외측에 터널을 만든 후 인공보조물을 삽입한다. B) 남은 끝을 반대쪽에 삽입한다. C) 제2수지가 항문에 편안하게 들어갈 정도로 조인다. D) 보조물을 봉합한다.

(2) 복부접근법

가. 복부 직장고정술 및 에스결장절제술

1969년 Frykman에 의해 처음 기술된 방법으로 그물과 같은 인공구조물을 사용하지 않고, 수술이 쉽고, 여분의 에스결장을 절제하고, 재발률이 낮은 장점이 있어 많은 의사들이 선호했고 현재에도 가장 많이 시행되는 수술 중의 하나이다. 이 수술은 다음의 4가지의 중요한 단계를 포함한다. (1) 직장을 아래로 항문거근 부위까지 완전히 박리하여 가동화 한다. 이때 양측 외측인대lateral stalks는 보존한다. (2) 직장을 상부로 당겨 올려 천골곶sacral promontory 바로 아래의 천골전근막presacral fascia에 봉합사를 이용하여 고정시킨다. (3) 맹낭cul-de-sac의 폐쇄. (4) 여분의 에스결장절제술 및 문합술. 현재는 일부 의사들이 맹낭을 폐쇄하는 술식을 하지 않는 것을 제외하고는 기본적으로 같은 술식이 시행된다. 일부의 연구에서 수술 후 변비가 50%에서 호전된다고 보고하였다. 에스결장절제술은 수술 전에 변비가 없거나 변실금이 주 증상인 경우에서는 시행하지 않는다. 재발률은 0–3%(한 연구에서는 9%로 보고)로 아주 낮게 보고된다.

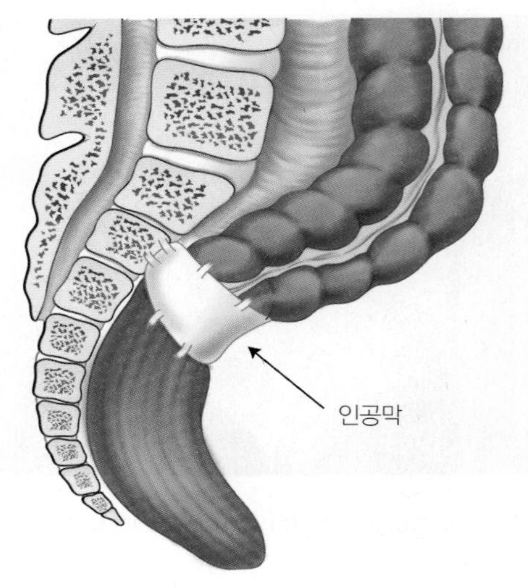

그림 2-37 **립스타인Ripstein 수술**

나. 복부 직장고정술

단순봉합직장고정술은 효과적인 수술방법으로 보고된다. 수술 후 변비가 악화되는 경우가 있어, 수술 전에 변비가 동반되지 않은 환자에서 시행된다. 수술방법은 위의 복부 직장고정술 및 에스결장절제술에 기술된 방법과 동일하다. 재발률은 5% 이하로 보고된다.

다. 인공삽입물을 이용한 직장고정술: 립스타인 수술, 웰 수술

립스타인 수술은 1963년에 립스타인Ripstein에 의해 보고된 이후 직장탈출증의 수술에 가장 인기 있는 수술 중 하나였다. 하지만 최근에는 많이 시행되지 않는데, 이는 다른 성공적인 수술방법이 많이 소개되었고, 수술 후 변비가 생기는 경우가 많으며, 인공삽입물을 사용해야 하기 때문이다. 직장을 꼬리뼈 부위까지 충분히 가동화한 후 약 5cm 조각의 인공삽입그물(Marlex 또는 Prolene)을 정중선에서 천골곶 아래 5cm에 천골전근막에 고정한다. 직장을 위로 당기고 그물을 둘러싼 후 직장에 고정시킨다. 마지막으로 둘러싼 그물을 반대쪽 후방의 천골전근막에 고정시킨다(그림 2-37). 너무 단단히 조여 직장이 막히지 않도록 주의한다. 재발률은 0–8%로 보고 된다. 이 방법의 가장 중요한 합병증은 변비이다. 수술 후 15%의 환자가 처음으로 변비가 생겼고, 수술 전 변비가 있었던 환자의 최소한 50%가 더 악화되었다고 호소하였다.

웰Well 수술은 직장의 전면은 둘러 싸지 않고 후면을 인공삽입물을 이용하여 천골전근막에 고정시키는 방법으로 현재 많이 이용되지는 않는다.

라. 복강경수술

직장탈출증의 치료 중 복부접근법에서 최근에는 복강경수술이 많이 이용되는데 직장고정술, 직장고정술 및 에스결장절제술(그림 2-38), 그물복구술을 시행한다. 일반적으로 개복술과 비길 만한 성공률과 이환율을 보이면서, 개복술보다 회복기간과 입원기간이 더 짧은 장점이 있다. 복부접근법은 낮은 재발을 보이는 분명한 장점이 있어 미래에는 복강경수술이 더 많이 시행되고, 로봇수술도 중요한 역할을 하리라 생각한다.

5. 직장류

직장류rectocele는 나이가 듦 또는 분만으로 인해 직장전벽, 직장질중격rectovaginal septum, 질후벽이 약해져서 배변 시 직장전벽이 비정상적인 낭sac 모양으로 질강내로 돌출되는 질병이다(그림 2-39). 원인은 여러가지가 있다. 과거의 골반저손상으로 골반내근막endopelvic fascia이 늘어난 경우 만성적인 복압증가는 질내로 직장의 전방 전층의 탈장을 초래한다. 직장압은 질내의 압력보다 높아서 직장을 전방으로 밀고 이완시키고 직장질중격 또한 이동시킨다. 직장류의 해부학적 이상은 직장질중격의 약화를 보이는데, 직장질중격은 밀집된 아교질collagen, 풍부한 평활근섬유 및 탄력섬유로 구성되고, 데농빌리에Denonvillier 근막의 기능과 경계를 가지며, 경계는 상부로는 맹낭cul-de-sac에서 시작해서 하부로는 회음체까지 연결되고, 측방으로는 장골미골근막iliococcygeal fascia에 합쳐진다. 이는 직장과 질에 느슨하게 부착되어 있어 쉽게 분리할 수 있다. 또한 직장전벽의 약화도 볼 수 있는데, Block은 직장벽

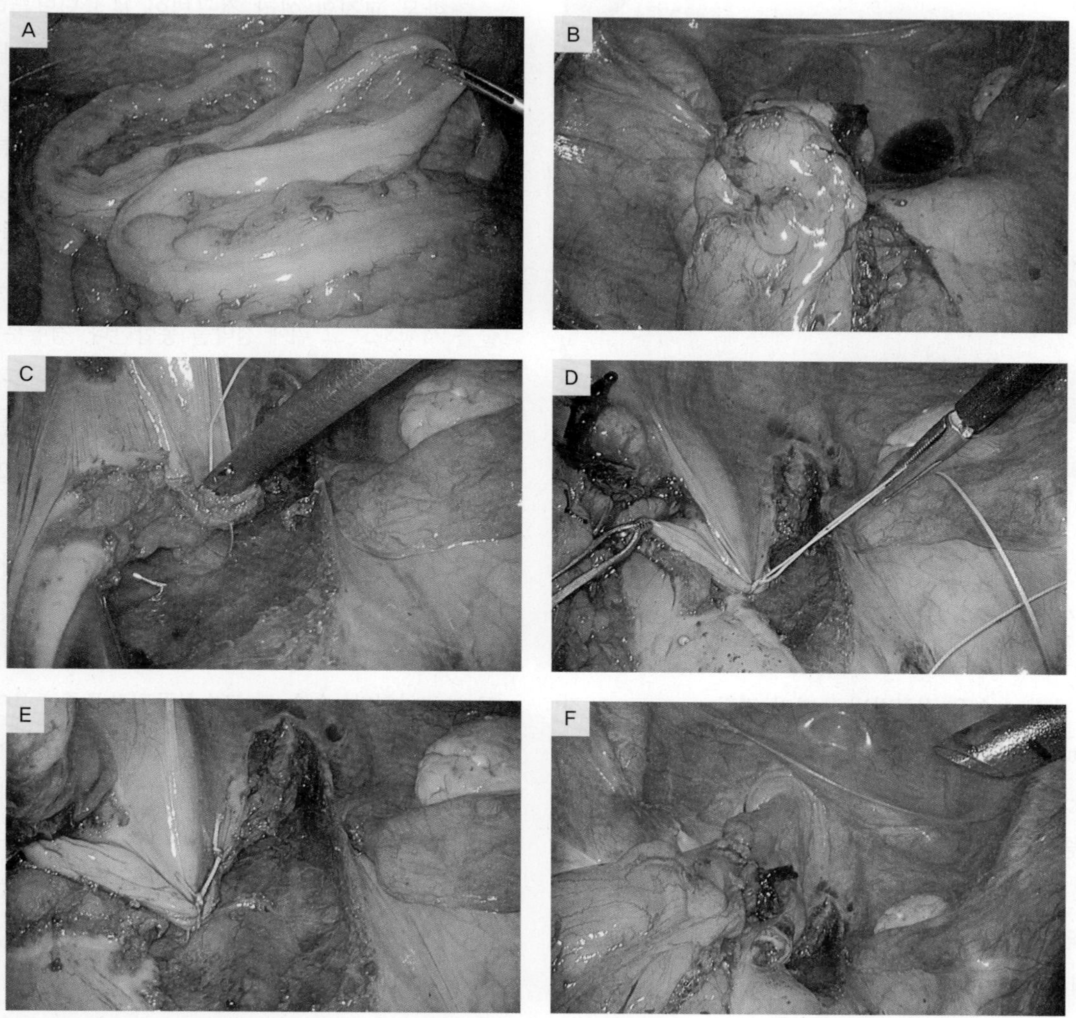

그림 2-38 **복강경 직장고정술 및 에스결장절제술.** A) 여분의 에스결장. B) 여분의 에스결장을 절제하고 이중문합술을 시행함. C) 직장을 상부로 당겨 올려 우측의 절개된 직장간막(rectal mesentery)을 천골곶(sacral promontory) 바로 아래의 천골전근막(presacral fascia)에 2-0 비흡수봉합사를 이용하여 봉합한다. D) 봉합후 사진. E) 두 군데 봉합된 모습. F) 수술이 끝난후 여분의 에스결장은 절제되었고 직장은 당겨 올려져 고정된 모습을 보여준다.

중 특히 점막하층의 약화가 직장류 발생에 중요한 역할을 한다고 하였다. 하지만 직장의 점막하층의 약화가 직장류의 원인인지 질강내로 지속적인 직장전벽의 신장stretching의 결과인지는 아직 증명되지는 않았다.

가장 중요한 증상은 변정체로 대변이 직장내에 있으면서 배출이 되지 않는것이다. 여성 환자들은 흔히 질강내로 돌출되는 것을 줄이기 위해 질후벽을 손가락으로 압력을 가해서 직장전벽을 지지함으로 변을 볼 수 있다고 이야기 한다. 배변조영술에 의한 직장류의 진단은 저자에 따라 기준이 달라 식별 가능한 돌출이 있을 때, 2cm 이상, 3cm 이상 등으로 보고하지만 일반적으로 2cm 이하인 경우 정상소견으로, 3cm 이상인 경우는 비정상적인 소견으로 받아들인다.

수술의 기준은 증상이 있는 변정체로 배변을 위해 손가락으로 대변을 꺼내거나 질지지가 필요한 경우, 큰 돌출되는 직장류가 질점막을 밀어 질점막이 질입구 밖으로 돌

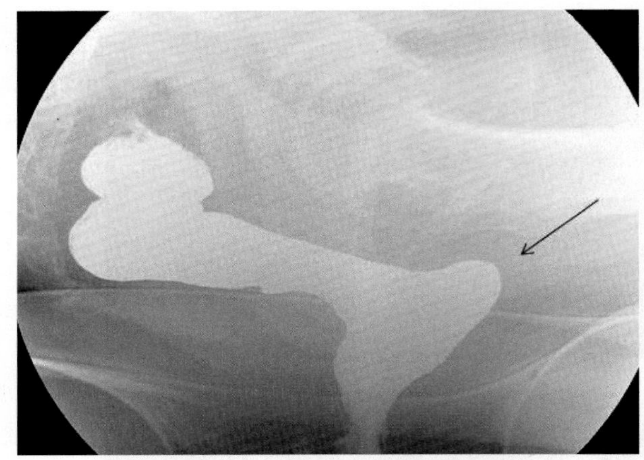

그림 2-39 배변조영술에서 직장류(화살표)를 잘 보여준다.

출되어 건조증, 궤양, 불편감을 초래할 때이다. 비록 작은 직장류가 흔하지만 직장류가 2cm보다 적은 경우 증상이 있는 경우는 드물다.

직장류의 수술은 접근방법에 따라 경질transvaginal, 경항문transanal, 경회음transperineal 접근법이 있는데 접근방식은 다르지만 수술의 기본원리는 약해져 있는 직장전벽, 직장질중격 및 이완된 항문거근의 주름형성술을 통해 이들 구조물들을 강화하는 것이다. 비록 경질접근법이 직장질중격의 낮은 압력부위에 이뤄지기 때문에 외과의사에 의해 비판받아 왔지만 이 방법은 분명한 장점들을 가진다. 장의 깨끗한 전처치를 시행하고 환자는 돌제거술자세lithotomy position로 준비하며 1% 에피네프린을 섞은 리도카인을 점막하에 주사하고 여분의 질을 질입구에서 절제를 시작하여 질의 안쪽 끝까지 시행한다. 이 구역의 크기는 직장류의 깊이에 의해 결정된다. 수술목표는 질의 전층 두께의 구역을 절제하고 박리하여 만약 직장질중격에 장류enterocele가 발견된다면 이를 환원시키고 질의 절단면을 봉합하여 깊은 맹낭을 폐쇄하고 섬유화에 의해 그 공간이 줄어들게 하는 것이다. 경질접근법은 방광류나 경질탈장enterocele vaginalis을 동시에 수술할 수 있으나 여분의 직장점막을 절제하지 않아 이것이 배변을 자극하고, 재발되는 점막탈출을 초래하고, 수술 후 심한 통증, 직장질루 및 질협착의 빈도가 상대적으로 높다고 보고된다.

경항문 교정의 여러 접근법이 보고되었는데 이 중 Sullivan은 수술받은 환자의 80% 이상이 결과가 좋은 것으로 보고하였다. 괄약근 위에 불룩한 부분bulge에 길이방향으로 직장에 절개한다. 절개의 길이는 직장류의 크기에 따라 다양하다. 아래에 있는 질이 노출되고 낭을 폐쇄하기 위해 노출된 질의 주름형성술을 시행한다. 다음은 직장전벽의 윤상근circular muscle을 종방향으로 주름형성술을 시행하고 그 위에 점막을 봉합한다. 경항문접근법은 경질접근법보다 수술범위가 적고, 동반되는 항문직장질환에 대해 수술할 수 있고, 수술 후 통증이 적다는 장점이 있으나 동시에 방광류나 경질탈장을 교정할 수 없는 단점도 있다.

수술방법이 어떻든지 수술받을 환자의 선택과 수술 후 추적은 아주 중요하다. 한 연구에서 직장류 교정술을 받은 환자의 54%만이 폐쇄성 배변의 증상에서 회복되었다고 보고하였다. 수술 전 모순치골직장근증후군이 배제되지 않아 이는 수술 후 계속된 증상에 대한 원인이었다. 이 경우 수술 후 바이오피드백치료를 받는게 적절하다. 따라서 수술 전 배변조영술로 직장류 뿐만 아니라 출구폐쇄를 일으키는 동반 질환을 미리 확인하는 게 중요하겠다.

6. 대장 손상

대장 손상은 복부에 관통성 외상을 입는 경우에 비교적 흔히 발생하며 역사적으로 높은 사망률을 나타냈다. 일차봉합을 주로 하던 20세기 중반까지 90%에 달하던 사망률은 제2차 세계대전 중 외과의들이 손상부위 혹은 그 근위부에서 장루를 만드는 방법으로 수술방법을 바꾸면서부터 급격히 낮아졌다. 이후 장루술은 50년간 대장 손상 치료의 표준으로 자리 잡았다. 하지만 1970년대 이후 전향적 연구에 의해, 선택된 환자에서 적용할 경우 일차봉합 역시 안전하다고 알려짐에 따라 최근에는 일차봉합을 시행하는 경우가 증가하고 있다.

대장 손상 시의 치료방법은 손상 기전, 손상 후 수술까지의 시간, 환자의 상태, 복강내 오염 정도, 그리고 손상

표 2-6. 장루를 고려해야 하는 경우

손상 원인
고속 탄환 창상 엽총 창상 압궤 손상
환자 요인
종양 존재 방사선 조사를 받은 조직 불량한 의학적 상태 고령
손상 요인
염증성 조직 감염의 진행 원위부 폐쇄 국소적 이물질 혈액공급의 장애 장간막 혈관 손상 혈압 80/60mmHg 인 쇼크 출혈 1,000mL 이상 2곳 이상의 장기 손상(특히 신장) 수술까지의 시간 6시간 이상 절제를 필요로 하는 광범위한 손상 복벽의 대량 손실 흉복부 관통상

된 대장의 상태에 따라 결정된다. 혈역학적으로 안정된 상태에서 동반된 다른 장기의 손상이 없고, 복강내 오염이 심하지 않은 경우라면 손상된 대장의 일차봉합을 고려할 수 있다. 하지만 환자가 쇼크 상태이거나 2곳 이상의 다른 장기 손상이 있는 경우, 장간막 혈관 손상을 입은 경우, 또는 복강내 오염이 심한 경우 등에서는 일차봉합을 해서는 안 된다. 손상 후 긴 시간이 지나 수술을 시행하는 경우 역시 일차봉합의 상대적 금기증에 해당한다(표 2-6).

1) 관통 손상

총상은 탄환의 속도에 의해 저속탄과 고속탄으로 나뉘며 고속탄의 경우 타 장기의 손상이 동반되는 경우가 많다. 자상은 일반적으로 총상에 비해 동반된 장기의 손상이 적고 조직의 괴사가 적어 예후가 양호한 편이다.

수술 시에는 전체 복강내 장기를 주의 깊게 관찰하여 동반된 손상을 조사해야 하며, 위에 기술한 원칙에 따라 상처의 위치, 조직손상의 범위, 동반손상, 수술까지 걸린 시간, 오염의 정도, 내장으로 가는 혈관의 손상 여부와 수술 전 저혈량증의 정도를 고려하여 ① 일차봉합 ② 봉합 후 근위부 대장루 ③ 손상 부위의 일차절제 및 문합 ④ 손상 부위의 절제 및 근위부 대장루 ⑤ 장관광치술 ⑥ 장관광치술과 봉합 또는 광치된 장관의 절제 중에서 상황에 따라 선택한다.

직장은 절반 이상이 후복막 기관이기 때문에 손상 시 임상 양상이나 치료법이 결장의 경우와는 다르다. 복막외 직장 천공은 복강내 염증을 일으키지는 않으나 골반의 연조직염을 일으킬 수 있다. 직장의 일차봉합은 결장보다 어려우며 대부분의 직장 손상은 분변에 의한 오염을 동반한다. 이러한 이유로 직장 관통상의 치료는 일반적으로 근위부 결장루를 만들고 직장내 남아있는 분변을 제거해 주는 것이다. 분변에 의한 오염이 심할 경우에는 천골전방부 배액을 시행한다. 만약 환자의 상태가 안정적이고 직장 손상이 작고, 깨끗한 상처라면 근위부 결장루를 만들지 않고 일차봉합을 시행할 수도 있다. 골반내 혈관 손상으로 인한 출혈의 경우에 수술적인 지혈이 어려운 경우에는 혈관조영을 이용한 색전술을 사용할 수 있다. 간혹 아주 드물게 심한 출혈 또는 항문괄약근이 심하게 손상된 경우와 같은 광범위한 조직결손이 있는 경우에 응급으로 복회음절제술을 고려할 수도 있으나 가능한 피하는 것이 좋다.

2) 둔상

결장의 둔상은 관통상에 비해 드물지만 대장 천공, 장간막 손상에 의한 장의 허혈성 괴사 등을 일으킬 수 있다. 치료 원칙은 관통성 결장손상 때와 같다. 즉, 환자의 상태가 안정적이고 천공이 크지 않으며 오염이 심하지 않은 경우에는 일차봉합을 시행할 수 있다. 하지만 손상의 범위가 큰 경우에는 장루를 고려해야 한다. 장막층의 분명한 파괴 없이 장막하층의 혈종으로 나타나는 출혈성 좌상은 대부분 특별한 치료가 필요하지는 않지만 허혈성 영역에서 지연성 천공이 일어날 수 있으므로 세심한 주의를 요한다.

직장의 둔상은 골반의 압궤손상과 같은 심각한 외상으로 발생하거나 관장 또는 이물질 등에 의한 국소적 외상으로 발생한다. 압궤손상, 특히 골반골절이 있는 경우에는 종종 심각한 직장손상 및 오염이 동반된다. 이 경우 괴사조직의 제거, 근위부 장루를 통한 분변의 우회, 직장내 분변 제거, 그리고 전천골부위배액술 등으로 치료해야 한다. 관장이나 이물질에 의한 손상은 점막의 혈종을 일으키는데, 점막에 열상이 없으면 특별한 수술적 치료는 필요하지 않다. 점막 손상 부위가 비교적 깨끗하고 오염이 거의 없는 경우 점막 열상 부위의 일차봉합도 가능하다.

3) 인위적 손상

(1) 수술 중 손상

다양한 복강내 수술 중, 특히 골반 내 장기에 대한 수술 중 의도하지 않은 인위적 대장 손상이 발생할 수 있다. 이때 가장 중요한 것은 손상을 빨리 알아채는 것이다. 수술 중 발생하는 인위적 대장 손상은 환자의 상태가 안정적이며 오염이 거의 없다면 대부분 일차봉합을 시행할 수 있다. 만일 대장 손상의 가능성을 늦게 인지할 경우 심각한 복막염 그리고 치명적인 패혈증까지 진행할 수 있다. 이 경우 장루를 통한 분변 우회를 해야 하고 복강내 농양 등으로 인해 반복적인 개복이 시행될 수도 있다.

(2) 바륨대장검사에 의한 천공

바륨대장검사로 인한 대장 천공은 매우 드물게 발생하나 일단 발생하면 높은 유병률과 사망률을 나타낸다. 천공에 의해 바륨이 복강내로 흘러들어 가면 심각한 복막염, 패혈증, 그리고 전신적 염증반응을 일으킬 수 있다. 천공이 일찍 발견될 경우 천공 부위의 일차봉합을 시행하고 복강내 바륨과 대변을 제거하기 위해 세척을 시행한다. 하지만 환자가 이미 패혈증을 나타내는 경우에는 근위부 장루를 통해 분변을 우회시켜야 한다.

(3) 대장내시경 천공

진단적 또는 치료적 대장내시경 후 발생하는 주요 합병증 중 가장 흔한 것은 천공이다. 대장내시경에 의한 천공의 빈도는 시술자의 경험, 기저 질환에 따라 다르지만 0.1–3% 가량으로 보고되고 있다. 진단적 내시경에 의한 손상은 내시경의 끝부분에 의해서, 내시경 도중 만들어지는 루프에 의한 전단력에 의해서, 또는 장관팽창으로 인한 압력으로 인해서 발생할 수 있다. 이 경우 천공은 이론적으로 어느 곳에서나 발생할 수 있으나 대개 직장–에스결장 접합부에서 발생하는데 이는 장의 굴곡이 심하고 관내압이 높아지는 부위이기 때문이다. 조직검사나 용종절제술 등 치료적 내시경술 후 발생하는 천공은 올가미에 의한 직접 손상인 경우도 있으나 올가미에 전달된 너무 많은 양의 전류가 장벽 관통성 화상을 유발하여 지연성 손상이 발생하는 경우도 있으며 이 경우 초기 진단이 지연되고 시간이 진행됨에 따라 천공부위가 커질 가능성을 고려해야 한다. 장벽 관통성 화상이 경미한 경우 실제 천공에 의한 복막염은 없으나 복통, 발열, 그리고 백혈구증가증 등의 임상증상이 나타날 수 있다. 대부분 보존적 치료로 호전되기 때문에 불필요한 개복을 하지 않도록 주의해야 한다.

대장내시경에 의한 천공의 수술방법은 천공의 크기, 천공과 수술 사이의 시간, 그리고 전반적인 환자의 상태에 따라 결정된다. 대장내시경 도중 비교적 큰 크기의 천공이 발생한 경우에는 내시경을 위해 장 세척이 되어있고 오염이 거의 되지 않았기 때문에 일차봉합을 시행할 수 있다. 심각한 오염이 있거나, 진단이 늦어져서 복막염이 발생하였거나, 또는 환자 상태가 불안정한 경우 등에서는 근위부 결장루를 시행하고 필요에 따라 장관 분절절제를 고려하는 것이 안전하다. 문제없이 대장내시경이 끝난 후에 간혹 환자가 복통을 호소하고 국소적 천공의 증상을 나타내는 경우가 있는데, 대부분 미세천공이며 금식, 광범위 항생제를 사용하면서 관찰할 수 있다. 관찰 도중 환자의 상태가 악화되면서 복막염이 명확해지면 즉시 수술을 시행해야 한다.

최근 복강경 수술이 활발하게 시행되면서, 대장내시경에 의한 천공 환자에서의 사용이 증가하고 있다. 복강경 수술은 증상이 애매한 경우 진단 목적으로도 사용할 수 있으며, 대장내시경 후에 발생한 천공의 치료는 다른 원인에 의한 천공과는 달리 일차봉합이나 절제 후 문합술을 시행하는 경우가 많으므로 복강경을 통해 안전하고 효과적으로 수술이 가능하다. 그러나 분변 오염이 심하여 광범위 세척이 필요하거나 진단이 늦어져 심각한 복막염이 존재하는 경우에는 개복을 고려하여야 한다.

간혹 대장내시경 후에 복강내 또는 후복막강내 가스가 발견되었으나 환자가 전혀 증상이 없는 경우도 있는데, 이 경우 천공 없이 압력으로 인해 조직면을 따라 박리가 되어 가스가 보이는 것이다. 치료는 금식, 광범위 항생제를 사용하면서 관찰하는 것이며, 환자의 임상 증상이 나빠지면 외과적 처치를 고려해야 한다.

요약

혈관확장증은 게실성 병변과 함께 하부위장관계 출혈의 흔한 원인 중 하나로, 만성 소량 출혈이나 급성 대량 출혈의 양상으로 나타날 수 있다. 대량 출혈의 경우 환자를 혈역학적으로 안정시키는 것이 가장 중요하며 혈관조영술이나 대장내시경에 의한 진단 겸 치료를 고려할 수 있다. 결장허혈은 장관 허혈의 가장 흔한 형태이며 일시적 허혈, 만성 허혈, 괴저 형태로 나타날 수 있으며 복통, 혈변, 발열의 증상으로 나타난다. 신속하고 정확한 진단이 매우 중요하며 허혈의 정도에 따라 보존적 치료로도 호전될 수 있으나 수술적응증에 해당할 경우에는 적극적으로 수술을 고려해야 한다.

단발직장궤양증후군은 흔히 직장내장중첩증이나 완전 직장탈출증과 관련있는데 항문직장고리 바로 위의 직장전벽에 가장 흔히 궤양이 생긴다. 힘주기, 배변곤란, 통증, 출혈, 점액분비물이 특징적인 증상이다. 고섬유식이와 힘주기를 피하는 배변훈련과 같은 보존적인 치료가 대부분의 환자에서 증상을 완화하므로 제일 먼저 시행되어야 한다. 수술은 모든 내과적인 치료에 실패한 아주 증상이 심한 환자에 대해 시행한다.

직장탈출증 환자들은 특별한 해부학적 특징을 가지는데 항문거근의 분리, 비정상적으로 깊은 맹낭, 여분의 에스결장, 열려있는 항문괄약근, 직장의 천골부착의 소실이 흔한 소견이다. 여성이 남성보다 발생빈도가 훨씬 높아, 50세 이상의 여성과 남성의 비교에서 6:1의 비율을 보인다. 여성에서는 60대에 가장 많이 발생하는데, 남성은 40세 이하에서 주로 발생한다. 배변기능이 수술방법을 결정하는데 중요한 역할을 한다. 정상배변습관을 가진 건강한 성인은 직장고정술(±에스결장절제술)이나 회음 직장에스결장절제술(±항문거근성형술)을 시행한다. 변비환자는 에스결장절제술 및 직장고정술을 시행한다. 이에 반해 변실금환자는 복부 직장고정술이나 회음 직장에스결장절제술(±항문거근성형술)을 받아야 한다.

직장류는 나이가 듦 또는 분만으로 인해 직장전벽, 직장질중격, 질후벽이 약해져서 배변 시 직장전벽과 질후벽이 질강내로 돌출되는 질병이다. 직장류의 수술은 접근방법에 따라 경질, 경항문, 경회음접근법이 있는데 접근방식은 다르지만 수술의 기본원리는 약해져 있는 직장전벽, 직장질중격 및 이완된 항문거근의 주름형성술을 통해 이들 구조물들을 강화하는 것이다.

대장 손상은 관통성 대장 손상과 둔상, 그리고 인위적 손상으로 나눌 수 있으며, 치료 방법의 선택은 손상 기전, 손상 후 수술까지의 시간, 환자의 상태, 복강내 오염 정도, 그리고 손상된 대장의 상태에 의해 결정된다.

VI 항문의 양성질환

1. 치핵

1) 정의와 병리기전

항문관내에는 배변에 대한 충격을 완화하는 조직으로 점막하 혈관, 평활근, 탄력 및 결합조직이 포함된 항문관의 쿠션cushion이 있다(그림 2-40). 이 쿠션조직은 배변 시에는 충격을 완화시켜 배변을 원할하게 해주고 휴식 시에는 항문관이 완전히 닫히게 해 배변실금을 방지하는데 도움을 준다. 이 쿠션이 비정상적으로 발전되어 증상을 야기하는 상태에 한정해서 치핵이라 부른다. 이러한 쿠션은 항문관의 좌측(3시), 우전방(7시), 우전방(11시)에 특히 발달해 있어 나중에 치핵이 발생했을때 이곳이 대부분 주치핵 부위가 된다(그림 2-41). 치핵의 원인은 아직 명확하게 밝혀지지 않았다. 그러나 반복되는 배변과 힘주어 통변하는 습관 등으로 점막하조직이 압박, 울혈되고 항문거근이 하향되며 또 항문주위 조직의 변성과 탄력 감소가 일어나 점차 치상선 주위의 내층에서 쿠션 역할을 하던 조직의 분리가 일어나 탈출성 종괴로 나타난다고 알려져 있다. 또한 압박 및 울혈된 상태에서 항문관내 점막이 손상되어 항문 출혈이 나타날 수 있고, 조직 내에서 혈전이 생겨 항문통증이 동반된 덩어리로 나타날 수도 있다. 따라서 치핵의 치료는 항문 직장의 해부학적 기능과 배변의 역학, 병인론 등을 이해하여, 이완된 주위조직과 분리성 종괴의 제거뿐 아니라, 배변에 관여하는 동반된 여러 인자들의 교정까지 함께 이루어져야 한다.

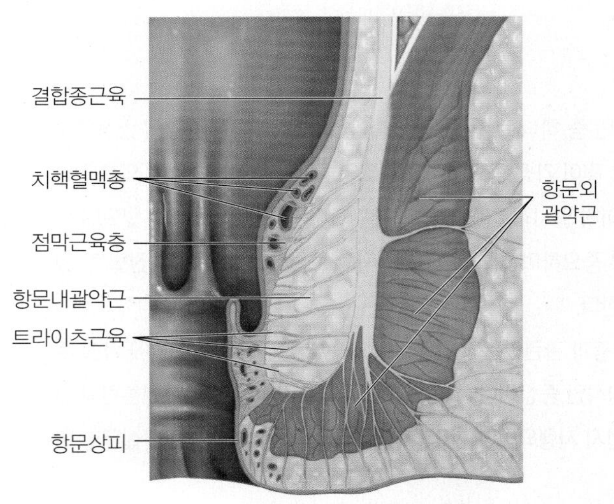

그림 2-40 항문쿠션에서 항문관의 결합종근육에서 유래된 트라이츠 근육(Treitz's muscle)을 보여준다.

2) 증상과 진단

증상이 있는 치핵은 항문에 발생하는 질환 중 가장 흔하다. 대부분 자가 진단에 의해 치료 및 관리가 시행되지만 항문농양, 치루, 치열, 암 및 다른 항문 질환과 자주 오

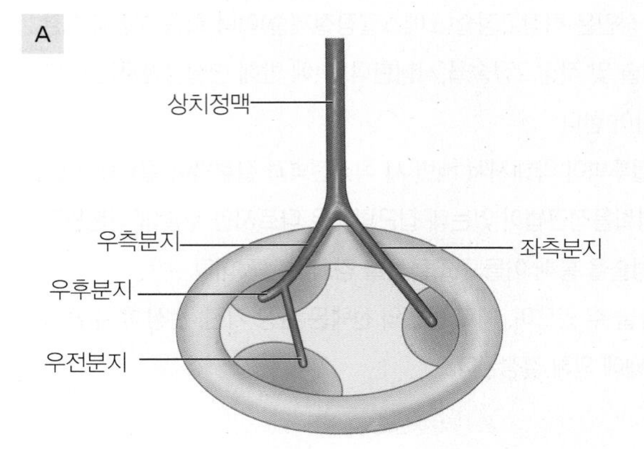

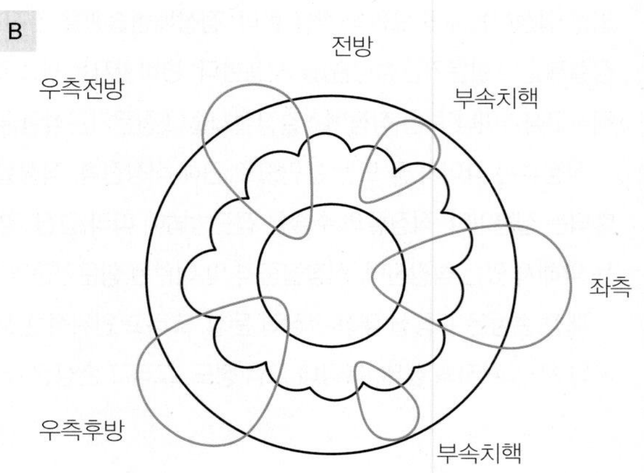

그림 2-41 A) 상치정맥에 의한 치핵의 형성부위. B) 주치핵과 부치핵의 위치.

표 2-7. 치핵의 분류와 치료법

분류		증상	치료
외치핵	혈전성	통증	보존적요법*, 혈전제거술
내치핵	1도	출혈	보존적요법, 보조술식+
	2도	탈출 및 자연복원	보존적요법, 보조술식
	3도	탈출 및 도수복원	보조술식, 수술적 치료, 보존적요법
	4도	탈출 및 복원 불가, 괴사	수술적 치료, 보존적요법

*보존적요법: 식이조절, 온수좌욕, 통증치료

†보조술식: 부식제 주입치료, 적외선 응고요법, 고무밴드결찰술 등

인되기도 한다. 외치핵은 치상선 아래 통증 등의 감각신경 분포가 풍부한 항문상피에서 발생한다. 외치핵이 발생할 경우 항문 불편감이 자주 나타나고, 특히 혈전이 갑자기 형성될 경우에는 심한 통증이 나타나므로 항문주위농양으로 자주 오인된다. 내치핵은 치상선 위에서 생기므로 주로 통증은 없고 출혈이 생기거나 배변과 연관되어 탈출이 자주 나타난다. 출혈은 배변 후 선혈이 뚝뚝 떨어지거나 변기를 적실 정도로 솟아 나올 수 있다. 빈혈을 일으킬 정도의 만성적인 잠혈 출혈은 드물기 때문에 빈혈이 있을 경우 다른 원인을 반드시 배제하여야 한다. 치상선 아래로 내치핵이 탈출되면 점액이나 대변이 새는 변실금 증상이 나타날 수도 있고 소양증이 유발될 수도 있다. 내치핵은 탈출 정도에 따라 4단계로 나누며 치료 방법도 단계에 따라 달라질 수 있다(표 2-7).

진단은 기본적으로 병력청취, 항문진찰소견, 내시경으로 한다. 진찰은 주로 좌측위 상태로 검사하며 시진과 항문수지검사, 항문경검사를 포함해야 한다. 항문수지검사로 외치핵과 내치핵 혹은 혼합치핵의 구별이 가능하며, 항문관의 긴장도도 평가할 수 있다. 그리고 하부직장 혹은 항문관에 있는 종양성 병변의 유무를 확인 할 수도 있다. 만약 치핵이 뚜렷하지 않고 병력이 특징적이지 않은 경우, 환자가 40세 이상이거나, 대장암의 가족력 같은 진찰 소견이 있으면 수술 전에 대장내시경 혹은 대장바륨조영술을 시행해 대장암과 같은 종양에 의한 증상이 아닌지도 구별해야 한다. 그리고 배변조영술을 시행해 직장점막의 탈출, 직장류, 직장중첩증, 탈직장, 치골직장근의 이완불능, 비정상적인 회음부하강, 배변실금 등의 직장 및 골반저 이상이 동반되었는지 확인하는 것도 치료방침을 결정하는데 도움이 된다.

3) 분류

치핵은 항문의 치상선을 경계로 상부의 내치핵과 하부의 외치핵으로 나누지만 2가지 형이 혼재된 혼합치핵으로도 흔히 나타난다.

외치핵은 치상선 하방에 위치하며 항문상피로 덮여있다. 항문상피는 동통성 지각섬유를 함유한 체성신경계에 의해 지배되기 때문에 외치핵에 급성혈전이 동반되는 경우 심한 통증이 나타난다. 외치핵은 산모 혹은 신체 활동량이 많은 젊은 연령에서 복압이 자주 증가할 경우 치핵정맥이 울혈되면서 잘 발생한다. 72시간 이내 발생한 급성 혈전성 외치핵의 경우 종종 수술적 치료 대상이 된다. 외치핵은 국소 마취 없이 수술하면 심한 통증이 유발될 수 있으므로 주의해야 한다. 췌피는 항문연의 피부가 늘어난 것으로 혈전성 외치핵의 잔재로 생기는 경우가 흔하며 종종 치핵으로 오인된다. 외치핵과 췌피는 소양증을 유발시키고 위생상의 문제가 될 수 있으므로 크기가 크고 증상이 있다면 치료를 하는 것이 좋다.

내치핵은 치상선 상방에 위치하며 항문직장 점막으로 덮여 있다. 이곳은 무통성 지각섬유를 함유한 자율신경계에 의해 지배되기 때문에 통증을 느낄 수 없다. 내치핵은 탈출 혹은 출혈을 일으키며 통증이 없는 경우가 많으나 간혹 혈전이나 괴사가 생길 경우 통증이 동반되기도 한

다. 내치핵은 탈출된 정도에 따라 4단계로 분류된다. 1도는 항문관내에서 출혈은 되나 항문관 밖으로 조직의 탈출은 없다. 2도는 배변 시 치핵 조직이 항문 밖으로 탈출되지만 대부분 자연적으로 환원된다. 3도는 평상 시에도 탈출되어 있으나 도수정복이 가능하다. 4도는 지속적으로 탈출되어 있고 환원이 불가능한 상태로 감돈의 위험성이 높다.

혼합치핵은 내치핵과 외치핵의 특성이 모두 나타난 치핵을 말한다. 보통 크기가 크고, 증상이 있는 경우 역시 치핵절제술이 필요하다.

4) 치료

치핵의 치료는 식이조절과 온수좌욕을 위주로 하는 보존적 치료와 치핵을 절제하는 외과적 수술, 그리고 부식제주입치료, 적외선응고치료, 고무밴드결찰술, 냉동치료 등의 보조술식으로 대별되며, 치핵의 종류 및 증상 정도에 따라 치료법에 차이가 있다(표 2-4).

(1) 보존적 치료

출혈이나 가벼운 증상을 동반한 1도 혹은 2도 치핵에 주로 적용될 수 있다. 온수좌욕 등의 위생적인 항문 관리, 변을 볼때 과도한 힘주기를 피하기, 부드럽고 규칙적으로 배변을 유지시키는 팽창성 변완화제 복용 혹은 섬유소가 포함된 식이방법 등으로 치핵의 증상이 개선될 수 있다. 치핵 탈출은 없고 출혈의 증상이 있는 환자에서 식이섬유를 사용한 후 30-45일 지난 후에 출혈의 증상이 의미있게 감소하였다. 그러나 좌약이나 연고에 대한 효과는 아직 검증되지 않았다. 모든 환자들에 대해 식이습관 개선 이나 섬유소 보충이 권장되지만 탈출이 있거나 급성 혈전성 외치핵이 있는 환자는 추가적인 치료가 도움이 된다.

(2) 혈전성 외치핵의 치료

72시간 이내 급성 통증이 지속한 경우 즉시 치료가 필요하다. 혈전이 생기고 24-72시간 동안은 통증이 심하고 종괴처럼 혈전이 만져지므로 외래에서 국소마취하에 혈전을 절제함으로써 효과적으로 치료될 수 있다(그림 2-42). 혈전은 응고되어 있기 때문에 절개하여 배액하는 것은 효과가 떨어진다. 72시간 이후에는 혈전이 저절로 흡수되기 시작하고 통증도 호전되므로 이때는 절제술이 꼭 필요하지 않으며 좌욕과 통증조절로도 치료가 될 수 있다.

(3) 내치핵의 치료

내치핵은 탈출의 정도에 따라 보존적 치료, 보조술식 및 외과적 수술 등 다양한 치료법을 적용할 수 있다.

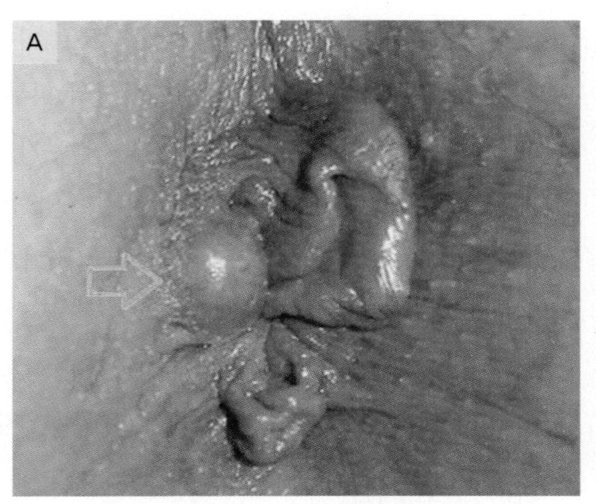

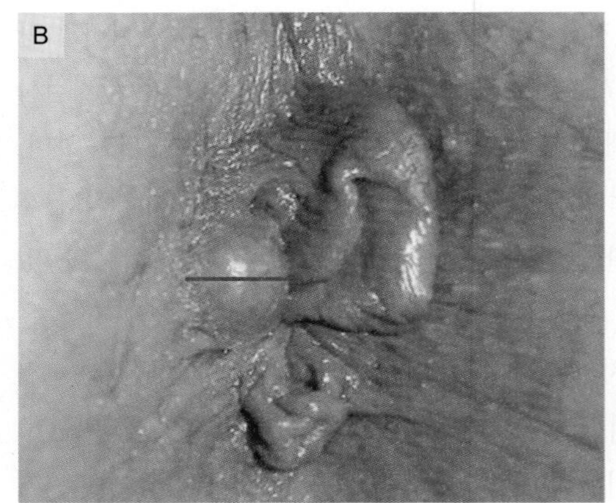

그림 2-42 혈전성외치핵. A) 항문 안쪽으로의 경계가 명확한 1개의 종창이 일반적이다(화살표; 혈전성치핵, 그 외 돌출물은 skin tag(피부꼬리)임). B) 종창부위 피부절개 후 압박해 혈종을 제거할 수 있다.

가. 1도와 증상이 적은 2도 치핵

식이조절, 팽창성 변완화제, 수분섭취 증가, 배변 시 과도하게 힘주지 않고 원활하게 볼 수 있도록 하는 등 보존적 치료로도 증상이 좋아질 수 있다. 소양증이 동반된 경우 역시 위생상태가 좋아지면 대부분 자동적으로 호전된다.

나. 1-2도와 일부 3도 치핵

조직의 일부를 파괴하거나 반흔을 유발해 고정시키는 방법을 이용해 치료할 수 있다. 이러한 방법으로는 부식제 주입치료, 고무밴드결찰술, 냉동치료법, 적외선응고치료법, 전기소작법 등이 있다. 부식제주입치료법sclerotherapy은 치핵의 점막하 결체조직에 부식제를 주입해서 염증성 반응과 섬유화, 비혈관화를 유발하여 치핵의 혈관이 확장되지 못하도록 한다. 치핵에 의해 나타나는 출혈을 멈추게 하고 치핵의 점막과 점막하층을 하부 근육층에 고정시켜 이차적으로 탈출의 증상도 감소시킨다(그림 2-43). 이러한 시술에 사용되는 부식제는 정상 조직은 가급적 괴사시키지 않아야 하고 패혈성 등의 합병증 위험은 없어야 한다. 1869년 몰간이 처음으로 철산용액을 치핵에 주입한 이래 여러 종류의 부식제(5-phenol in olive oil, sodium morrhuate, quinine urea)가 사용되었다. 주입하는 방법으로는 내치핵의 상부 주입이 선호되며, 약 3-5mL의 부식제가 주입된다. 대부분 진료실에서 쉽게 사용할 수 있지만 좋은 치료 결과를 얻기 위해서는 적절한 환자 선택이 필요하다. 조기 치핵에서 출혈 증상만 있는 경우 75-100%의 우수한 결과가 보고되어서 주로 1-2도 치핵과 일부의 3도 치핵에 적용이 가능하다. 일반적으로 치핵의 크기가 작은 환자에 시행하는 것이 좋으며 탈출의 정도가 심할수록 실패할 확률이 더 높아지므로 이러한 경우 고무밴드결찰술 등의 치료가 더 적절할 수 있다. 합병증으로는 주입부위에 괴사와 궤양이 초래되거나, 화농성 분비물, 미열, 설사 등이 나타날 수 있으며, 대개 3-6주가 지나면 저절로 치료된다. 간혹 지나친 조직의 섬유화에 의해 항문협착이 올 수 있으므로 조심하여야 한다. 적외선응고치료법infrared photocoagulation은 조직에 열을 가해 치핵 조직에 응고와 괴사를 유발하는 방법으로 부식제 주입법과 유사하고, 항문직장 경계부 직하방의 치핵 상부에 적용해야 한다. 시술은 비교적 쉽고, 통증이 드물며, 저렴한 방법으로 외래에서도 흔히 시행할 수 있다. 시술 후 치핵은 점막이 회색으로 탈색되고 약 1주 후에는 약 3mm의 천층 괴양이 생긴 뒤 더 진행되어 2주 후에는 반흔이 형성된다. 한번 시술로도 모든 치핵에 적용할 수도 있으나 큰 치핵이나 탈출이 심한 경우는 효과가 떨어지며 출혈성 치핵에 적용하는 것이 효과가 가장 좋다. 경화요법이나 고무 밴드결찰술처럼 주로 1-2도 치핵의 치료방법 중 하나이다.

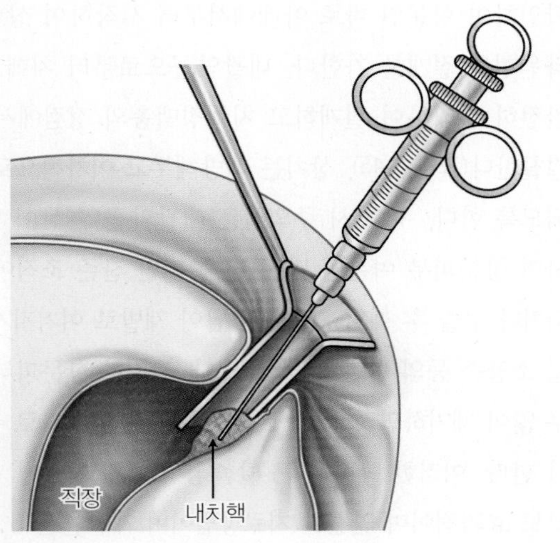

그림 2-43 부식제주입요법. 치상선 상방 내치핵의 기저부에 한번에 3-5mL의 부식제를 점막하결체조직에 주입한다.

고무밴드결찰술rubber band ligation은 19세기 처음 시도되었으나 1963년 베론에 의해 장비가 고안된 이후 2도와 일부 3도 치핵의 치료에 자주 이용되고 있다. 방법은 치상선 상방 치핵조직의 점막을 1-2cm 잡아당겨 고무로 상부를 결찰함으로써 치핵조직의 허혈성 괴사를 유발해 결찰된 조직은 감돈 및 탈락하게 되고 반흔이 형성되면서 출혈이나 탈출이 치료되는 것이다(그림 2-44). 진료실에서도 비교적 쉽게 시술이 가능하다. 주로 한 번에 1-2개 정도 치핵을 결찰하는데 치상선보다 하방에 결찰이될 경우 심한 통증이 유발될 수 있으므로 결찰 위치에 주의가 요구된

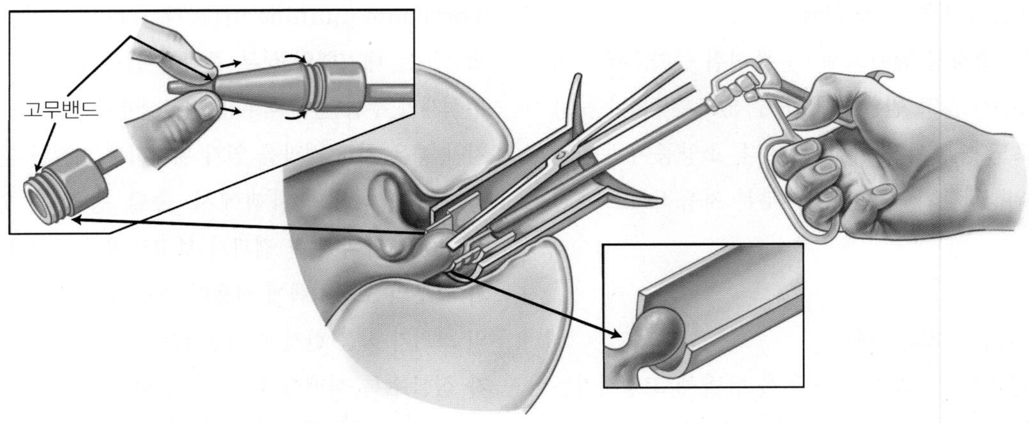

그림 2-44 **고무밴드결찰술**

다. 다른 보조술식과 비슷한 효과를 보이거나 더 나은 결과를 보여 증상이 있는 1도에서 3도까지의 치핵을 안전하고 효과적으로 치료할 수 있다고 보고되었다. 합병증은 배뇨장애가 생길 수 있는데 특히 내괄약근이 포함되어 결찰된 경우 흔히 나타난다. 드물지만 회음부에 치명적인 괴사성 염증이 생길 수 있다. 그러므로 시술 후 심한 통증, 열, 배뇨장애가 나타나면 조기 진단과 신속한 치료를 하는 것이 중요하다. 괴사성 염증의 치료는 괴사된 조직을 제거하고 농양은 배액한 후 광범위항생제를 사용하여야 한다. 시술 후 항문출혈도 발생할 수 있는데 7–10일째 결찰된 조직에 괴사가 일어나고 탈락하면서 발생한다. 대부분 저절로 멈추지만 계속적인 출혈소견이 있는 경우 마취하에 출혈부위를 확인하고 필요시 봉합 결찰을 해야 할 수도 있다. 고무밴드결찰술은 비교적 쉬운 시술이지만 출혈과 패혈증의 위험이 있기 때문에 항응고제를 사용하는 환자에서는 주의가 요구되며 또한 면역이 떨어진 환자들은 시행해서는 안된다.

다. 3도 및 4도의 탈출이 주 증상인 치핵

조직을 절제하는 수술적 치료가 주로 시행 된다. 수술적 술기는 다양하지만 치핵 정맥총의 혈액순환을 감소시키고 늘어진 점막과 항문상피 그리고 치핵조직을 절제하는 것을 기본으로 하고있다. 그러나 치핵의 탈출은 직장 점막의 동반 탈출, 탈직장, 직장류, 비정상적 회음부 하강 등 항문직장 및 골반저 근육의 해부학적 기능에 이상이 동반된 경우가 많으므로 배변의 역학과 치핵의 병인론 등을 이해하여 동반된 비정상적 인자들의 교정이 함께 이루어져야 수술 후 재발을 줄일 수 있을 것이다.

개방형 치핵절제술은 1935년 영국의 밀리간과 모르간이 제안한 수술방법이며 현재까지도 치핵절제술의 방법으로 널리 사용된다. 마취(전신 또는 국소)를 하고 적당한(잭나이프 복와위 또는 쇄석위) 자세를 취한 다음 항문관을 내진하고 항문경을 삽입한다. 치핵과 늘어진 점막을 확인하여 항문연 바로 아래에서부터 시작하여 상방으로 타원형의 절개를 가한다. 내괄약근으로부터 치핵조직을 완전히 분리하여 절개하고 치핵정맥총의 정점에서 봉합결찰한다(그림 2-45). 상처는 개방해두고 이차적으로 치유되도록 한다. 수술 시 주의점은 내괄약근 손상이 없어야 하며 항문피부 여분이 많이 남게 되면 잔존 조직이 탈출되거나 수술 후 췌피Skin tag가 남아 재발로 여겨지거나 항문 소양증 등의 원인이 될 수 있다. 그러나 항문피부를 너무 많이 제거하면 항문협착이 발생할 수 있으므로 주의해야 한다. 이러한 방법은 큰 탈출성 치핵의 치료에 간단하고도 효과적이며 안전한 치료방법이며 재발률은 5% 내외로 낮아 쉽게 이용되지만 연구 결과에 대한 보고는 드물다. 수술 후 대부분 온수좌욕만으로도 깨끗한 창상관리

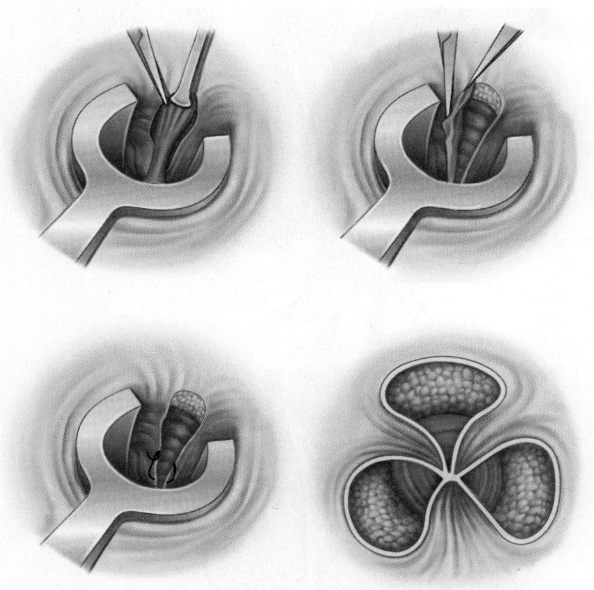
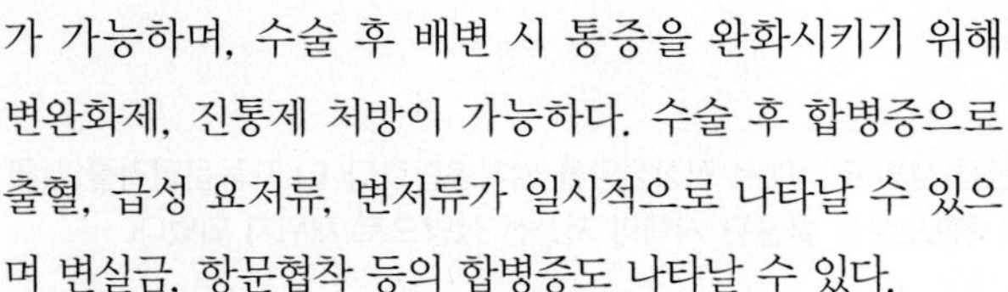

그림 2-45 **개방형 치핵절제술**

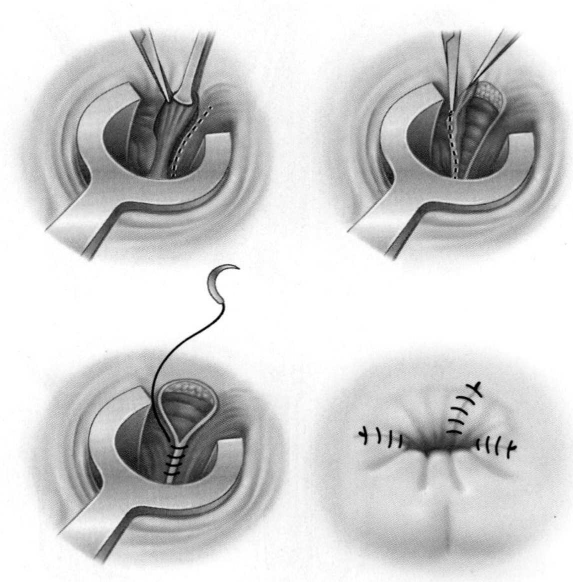

그림 2-46 **폐쇄성 치핵절제술**

가 가능하며, 수술 후 배변 시 통증을 완화시키기 위해 변완화제, 진통제 처방이 가능하다. 수술 후 합병증으로 출혈, 급성 요저류, 변저류가 일시적으로 나타날 수 있으며 변실금, 항문협착 등의 합병증도 나타날 수 있다.

폐쇄형 치핵절제술은 위와 같이 치핵을 절제하고 그 부위를 흡수사로 봉합하여 상처를 폐쇄시키는 방법이다(그림 2-46). 이러한 방법은 개방형 술식에 비해 빠른 창상치유, 경한 통증, 낮은 합병증 등의 장점이 있고 재발률이 7.5%로 높지 않아 자주 이용되고 있다. 이외 Parks는 1952년 치핵수술 시 나타나는 지나친 점막손상을 줄이는 방법으로 점막하치핵절제술을 소개하였다. 또한 화이트헤드 Whitehead 치핵절제술은 치상선 직상방에서 관모양으로 치핵조직을 절제하는 방법으로 절제 후에는 직장점막과 치상선을 봉합한다. 일부 의사들이 이 술식을 쓰고 있지만 잘못 시행될 경우 점막외번의 합병증이 나타날 수 있다.

라. 자동봉합치핵고정술

기존의 치핵절제술처럼 탈출된 치핵조직을 절제하는 것이 아니라 치상선 상방의 늘어진 직장점막을 원형으로 일정한 길이를 절제해 탈출된 치핵을 원래 위치로 환원시켜 탈출된 증상을 없애는 방법으로 1993년 이태리의 Antonio Longo에 의해 소개 되었다. 현재 PPH (Procedure for Prolapsed Hemorrhoids)라는 원형자동봉합기가 흔히 사용되는데 이 방법의 원리는 자동봉합기를 사용함으로써 상치핵동맥에 의해 공급받는 치핵의 혈관을 결찰하고, 늘어진 직장점막을 항문관 상방에 고정해 항문쿠션이 하방으로 밀려 나오지 않도록 고정하는 방법으로 요즈음 자주 사용되는 새로운 수술법이다(그림 2-47). 수술 후 탈출된 항문쿠션은 항문관내의 정상 해부학적 위치로 당겨진다. 그리고 하부치핵동맥의 말단 분지가 차단되고 쿠션으로의 혈류가 감소한다. 이 수술의 장점은 신경이 풍부한 항문관 조직과 항문주위 피부가 손상되지 않기 때문에 통증이 적다. 이 술식에서 가장 중요하게 고려해야 할 점은 쌈지봉합의 적절한 위치이다. 봉합은 적어도 치상선 3-4cm 위에 시행되어야 한다. 만약 너무 낮아 치상선 부근이 절제되면 지속적이고 심한 통증이나 영구적인 대변급박을 야기할 수 있다. 또한 쌈지봉합은 직장을 한바퀴 돌아 들어가게 해야 한다. 그렇게 하지 못할 경우

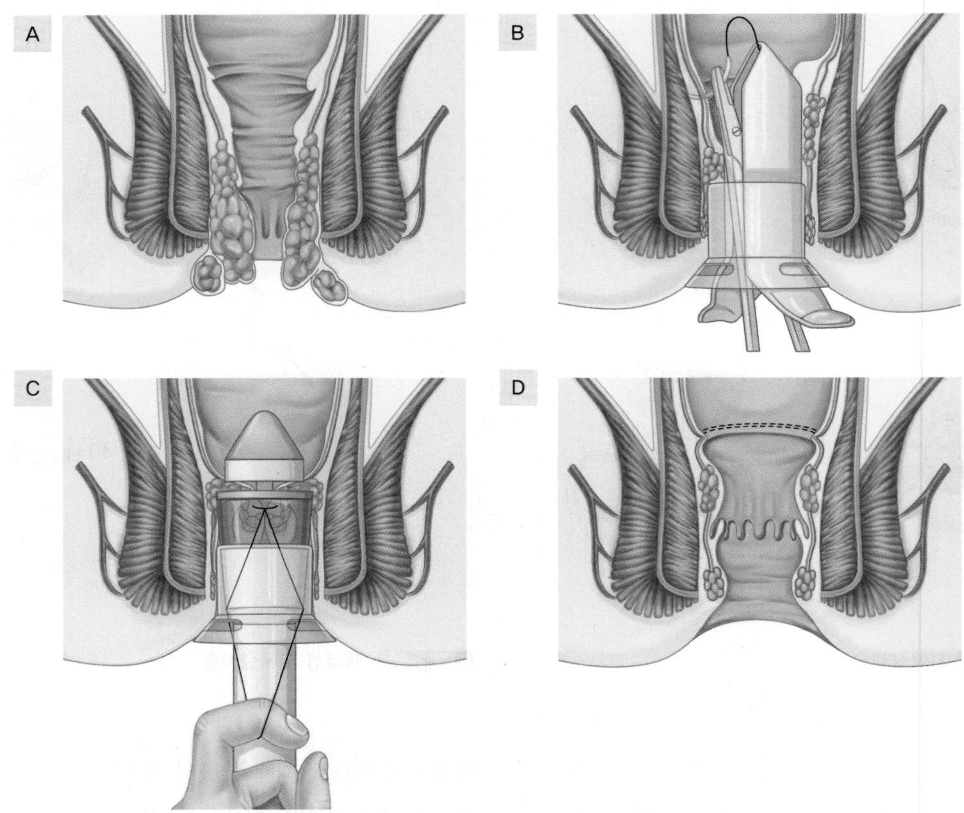

그림 2-47 자동봉합치핵고정술. A) 수술 전 탈출된 내치핵의 모습. B) 치상선 상방 4cm에서 직장점막을 쌈지봉합한다. C) 자동문합기를 삽입해 쌈지봉합된 부위를 조인 후 문합기를 발사한다. D) 늘어진 직장점막을 절제함으로써 탈출된 치핵이 치상선 상방으로 재위치 되었다.

불완전한 절제가 되어 탈출이 재발될 수도 있다. 그리고 여자의 경우에는 앞쪽의 질이 쌈지봉합부위에 포함될 경우 직장질루가 발생할 수 있으므로 주의해야 한다. 자동봉합치핵 고정술과 고식적인 치핵절제술을 비교하면 자동봉합치핵 고정술의 경우 수술 후 통증이 의미있게 낮았고, 첫 배변 시 통증이 적고 정상적인 배변 기능이 더 빠르다고 한다. 변실금에 대해서는 두 술식 간에 차이가 없었으며 최소 33개월의 경과를 보고한 연구에서 두 술식 간에 삶의 질, 증상, 기능적인 결과를 봤을 때 차이는 없었다. 자동봉합치핵고정술은 간단해 보이지만 수술 후 문합부의 열개, 직장 천공, 심한 골반내 감염, 직장 폐쇄 같은 합병증이 있을 수 있으므로 사용 전 충분한 술기 습득이 요구된다.

치핵절제술은 실제 술자에 따라 다양한 방법으로 적용된다. 개인의 경험과 기호에 따라 그리고 환자의 증상에 따라 쉽고 간편하며 수술 후에 통증, 항문협착, 재발 등의 합병증이 적은 방법을 선택하여야 한다.

5) 합병증

항문 통증이 가장 흔히 나타난다. 진통소염제, 근육이완제, 국소마취약, 온수좌욕 등을 사용하면 통증을 줄일 수 있다. 최근 자동봉합치핵고정술을 시행할 경우 기존의 치핵절제술에 비해 항문 통증이 줄었다고 보고한다. 배뇨장애도 치핵절제술 후 흔하게 생길 수 있는데 수술 중 그리고 수술 후에 주입되는 수액량을 제한하고 항문 통증을 줄여 줌으로써 배뇨장애 발생을 감소시킬 수 있다. 항문통증으로 인해 변매복이 생기는 경우가 있는데 수술 전 관장과 수술 후 적절한 통증 조절, 그리고, 변완화제의 사용 등으로 해결할 수 있다. 수술 후 배변 시 소량의 출혈은 통상적으로 생길 수 있다. 그러나 가끔씩 다량의 항문 출혈이 나타날 수 있으며 수술 직후에 발생하는 출혈의 경우 는 주로 부적절한 혈관 결찰로 인한 것이므로 다시 혈관 결찰을 해주어야 한다. 수술 후 7–10일째는 결찰 부위가 괴사되면서 출혈하는 경우도 있다. 이러한 경우 대부분 자연적으로 멈추지만 지혈되지 않는 경우에는 마취하에 출혈부위의 결찰이 필요할 수도 있다. 감염은 흔한 합병증은 아니지만 당뇨, 간경화, 그리고 면역기능이 저하된 환자에서는 항문주위의 괴사성 연부조직감염인 포니어 괴사 Fournier's gangrene가 나타나 치명적인 결과를 초래할 수도 있다. 심한 통증, 열, 배뇨장애가 감염의 초기 증상으로 감염이 의심되면 빨리 진단을 내리고 신속하게 치료를 해야 한다. 괴사조직은 충분히 제거하고 배농해 주어야 한다. 치핵절제술 후 생길 수 있는 장기적인 합병증으로는 변실금, 항문협착, 점막외번 등이 있다. 많은 환자들이 수술 후 일시적으로 가스 실금을 경험한다. 대부분 일시적이나 일부에서 영구적인 변실금이 발생하는 경우도 있다. 항문협착은 항문주위 피부를 너무 광범위하게 절제한 경우 발생할 수 있다. 점막외번은 화이트헤드 치핵절제술 후에 생길 수 있다. 이는 직장점막을 항문관의 아랫부분에서 봉합하여 발생하므로 치상선 또는 치상선 직상방에서 봉합하여 점막외번이 생기지 않도록 주의하여야 한다.

2. 항문직장농양

항문직장농양은 항문 및 항문주위조직강의 화농성 염증을 말하며 원인은 항문선의 감염으로 인한 경우가 90%를 차지하고 그 외 크론병, 당뇨병, 결핵, 혈액질환 등의 환자에서 생기기 쉽고 혈전성 치핵이나 항문부위 수술, 외상 후에도 올 수가 있다.

항문선은 6–10개 정도가 치상선 주위 괄약근간에 위치하고 항문선와에 개구하고 있다(그림 2-48A). 개구부나 항문선의 관이 분변, 이물질, 외상으로 막히게 되면 염증과 감염이 생기고(일차병소) 조직결을 따라 약한 곳으로 파급되면 이차병소가 된다. 해부 구조적으로 잘 생기는 장소가 있는데 항문주위 피부직하에 생기면 항문주위농양, 좌골직장와에 생기면 좌골직장농양, 괄약근 사이에 생기면 괄약근간농양, 항문거근 상방에 생기면 상항문거근 농양이 된다(그림 2-48B).

빈도는 항문주위형이 가장 많고 좌골직장형이 다음이다.

항문직장농양은 자연 배농이나 절개배농 후 일부는 완치되고 일부는 재발하거나, 만성화되어 치루가 된다. 농양과 치루는 원인, 해부, 병리, 치료가 공통적으로 연관되어 있다.

농양의 발생률은 정확히 알기 어려운데 자연배농이나 외래에서 배농한 경우 집계가 어려운 반면, 치루는 수술로 치료하고 이는 수술실의 통계로 알 수 있어서 치루의 발생률로 농양의 발생률을 추산할 수 있다. Sainio의 코호트연구에 의하면 인구 10만 명당 매년 8.7명이 치루수술 받으며 남녀비는 2.2:1 이었다. 농양의 발생률은 이 수치의 2–3배로 추정할 수 있다. 남녀비는 소아로 갈수록 남아가 대부분을 차지하고 1살 이하는 거의 남아였다.

1) 진단

염증의 일반적인 원칙처럼, 농양의 크기, 위치에 따라 다르고 초기 국소증상이 나중에 전신증상으로 발전된다.

가장 중요한 증상은 통증이다. 처음 욱신거리는 통증이 점차 심해져서 자세를 바꾸거나 기침만 해도 심해지고 발열, 오한, 전신쇠약, 배뇨장애 등이 동반된다. 회음부 피부에 가까운 농양(항문주위형, 괄약근간형, 좌골직장형)은 부종, 봉와직염, 심한 압통이 특징으로 쉽게 알 수 있고 전신증상은 드물다. 반면 깊은 곳의 농양(점막하형, 상항문거근형)은 국소증상이 거의 없고 전신증상이 오히려 흔하다. 농양의 과거력이 있으면 치루를 의심해봐야 한다.

직장수지검사는 압통의 부위와 정도, 농양의 크기를 알 수 있고 다른 해부적 랜드마크와 비교해서 농양의 분류, 치루의 동반 여부나 배농부위를 결정하는데 참고가 된다. 통증이 심하여 수지검사를 거부하는 경우, 마취하 검진을 하거나 특히 상부의 농양이 의심되면 영상조영술

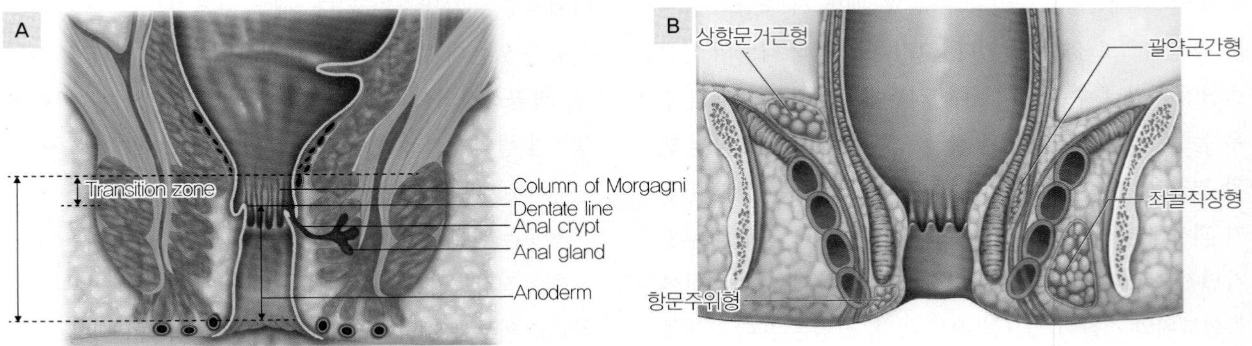

그림 2-48 **A) 항문관의 해부. B) 항문 직장 농양의 분류**

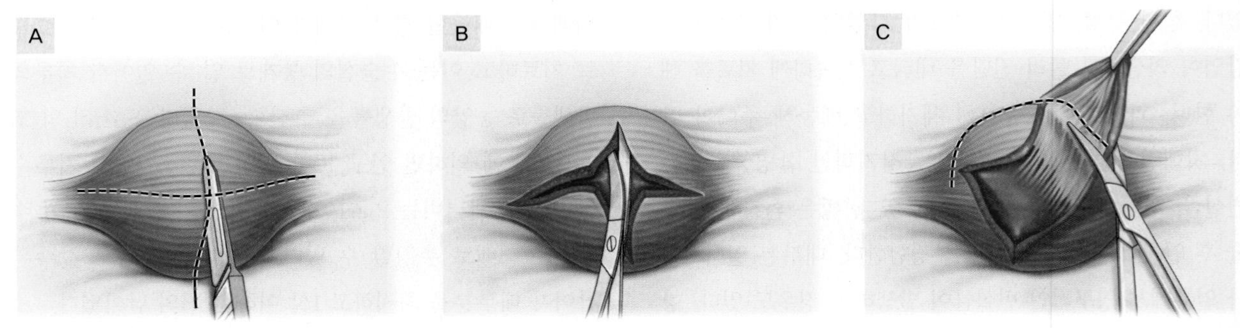

그림 2-49 **항문 주위 농양의 절개 배농.** A), B) 십자형으로 절개하고, C) 배농 잘 되도록 절제한다.

로 확인하는 것이 치료방침을 결정하는데 도움이 된다. 자기공명영상(MRI)이 가장 정확하지만 보험문제가 있어 응급실에서는 경항문초음파나 전산화단층촬영이 흔히 사용된다.

2) 치료

진단되면 즉시 절개배농 한다. 화농할 때까지 기다리면 부작용이 심해진다.

항생제로 염증이 쇠퇴되는 수도 있지만 기대할 수 없고 치료기간을 줄이거나 재발을 감소시키지 못한다. 염증이 회음부, 대퇴부, 서혜부로 파급되거나 당뇨병, 간질환, 심판막 질환이나 인공기관을 부착한 환자는 즉시 항생제를 써야 한다.

절개배농은 충분히 넓어야 하고 낮은 쪽으로 배농이 잘 되어야 한다. 농양을 배농하였지만 3개월이 지나도 치유되지 않거나, 같은 자리에 재발되면 거의 확실히 치루가 동반되어 있다고 봐야 한다. 농양의 첫 수술 시 치루를 확인해 봐야 하는지는 논란 중이다.

(1) 항문주위형

절개배농은 외래에서 국소마취로도 가능하며 절개연을 넓혀서 조기에 막히지 않도록 한다(그림 2-49). 후에 치루가 올 수 있음을 반드시 설명해 준다. 절개창은 항문에 가까이 두면 후에 치루가 생겼을 때 수술범위가 작아진다.

소아의 농양은 대부분이 항문주위형으로, 의심되면 일단 항생제 및 보존적 치료를 우선적으로 시행하며 수술 없이 나을 수도 있다. 심한 통증이나 발열, 불편이 있으면 수술을 추가하는데 대부분의 농양이 단순한 형태이므로 절개배농과 항생제사용으로 충분하고 일부에서 동반된 치루도 치료되는 수가 있어 치루의 즉각적인 수술은 권장되지 않는다. 반면 Karlsson 등은 농양의 첫 수술 시에도 내공을 찾아서 치루절개술을 하면 농양의 재발을 줄이므로(46% vs 27%) 찾아봐야 한다고 주장했다.

(2) 좌골직장형

항문주위형과 같은 원칙으로 배농한다. 해부학적으로 공간이 커서 배농되는 양도 많다. 간혹 심부에 있어 회음부에서 절개부위를 정할 수 없으면 주사기로 흡인하여 농양의 깊이와 위치, 절개부위를 정할 수 있다. 절개창으로 농양강을 촉지하여 격막이 있으면 파괴해 주어야 불충분한 배농을 막을 수 있다. 배농 후에도 증상이 지속되면 불충분한 배농이 되었거나, 치루가 동반되어 있거나 환자의 면역저하를 의심할 수 있다. 항생제를 사용하고 영상조영술이나 마취하검사를 하여 재수술을 결정한다. 항문후방심강(항문후방에서 외괄약근 위에, 항문거근 아래의 공간으로 양쪽 좌골직장와로 통할 수 있음, (그림 2-50))에서 시작한 염증이 한쪽 또는 양쪽 좌골직장와로 퍼져서 마제형농양을 형성할 경우도 있다. de Parades 등은 치루가 측방연장이 있어 마제형 가능성이 높은 경우는 4.4%였고 그런 환자의 90%가 높은 괄약근관통형 치루였고 내공이 후방에 위치한 경우가 65%였다고 한다. 마제형농양의 치료는 항문후방심강을 반드시 개방unroofing하여 배농하고 좌골직장농양이 있는 쪽에도 펜로즈 드레인으로 배농하되 고정을 잘하여 2–3주 이상의 배농에 대비해야 한다. 치루의 내공이 발견되면 느슨한 시톤을 걸어두고 다음에 처리하는 것이 좋다. 내공은 후방에 주로 위치하지만 전방에 있는 경우도 있다.

Hanley는 농양의 배농과 함께 후방중앙선에 있는 원발병소의 치루절개술을 같이 해야 재발이 적다고 하였으나 치루절개술로 인해 내괄약근과 피하 외괄약근이 절단되므로 빈도는 적지만 변실금이나 항문변형, 장기간 염증이 문제될 수 있다(그림 2-51). 내괄약근절개술만 하고 그 쪽으로 항문후방심강을 배농할 수도 있다(변형한리술식).

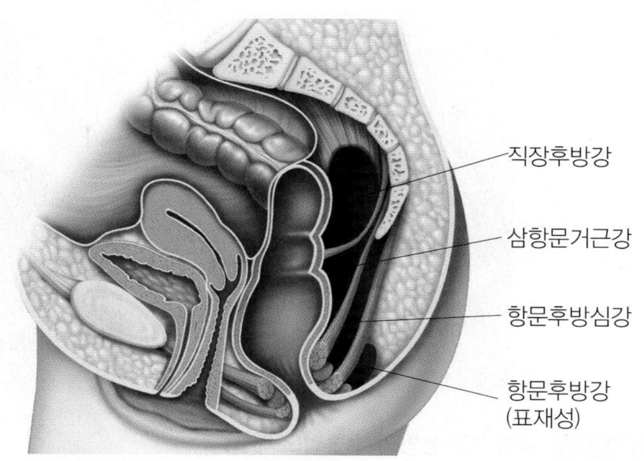

그림 2-50 **항문후방심강**

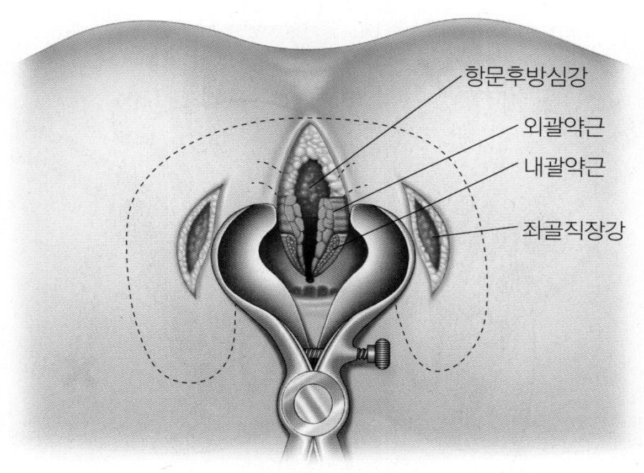

그림 2-51 **마제형 치루에서 한리의 수술**

현재 추세는 괄약근절개술은 경미할지라도 실금과 관련이 있어 시톤을 먼저 시행한다. 괄약근을 절개하지 않고 괄약근간강intersphincteric space으로 항문후방심강을 열어서 배농하고 내공을 폐쇄하여 한번에 치료하는 방법이 소개되었으나 사례가 충분하지 않아 검증이 필요하다.

(3) 괄약근간형

좋은 시야를 얻기 위해서 마취하에 관찰하는 것이 좋으며 내괄약근절개술을 하여서 항문강내로 배농한다. 절개연을 조대술marsupialization로 봉합할 수 있다(그림 2-52).

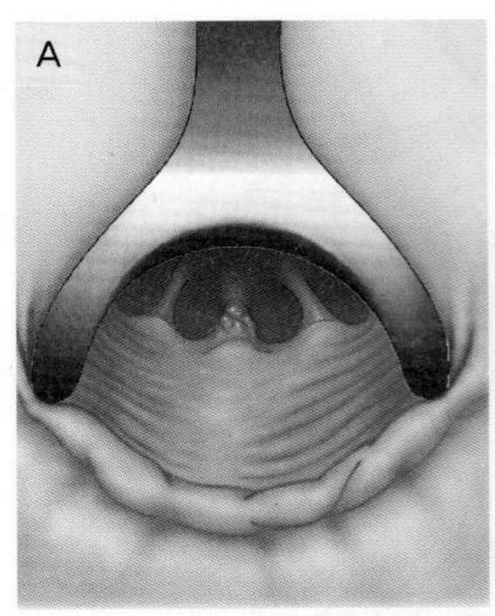

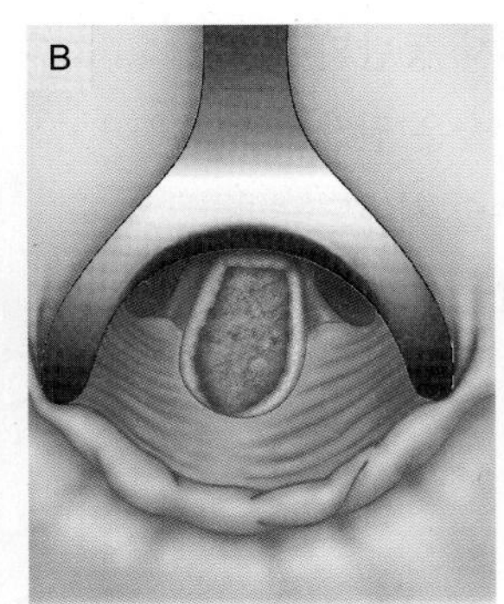

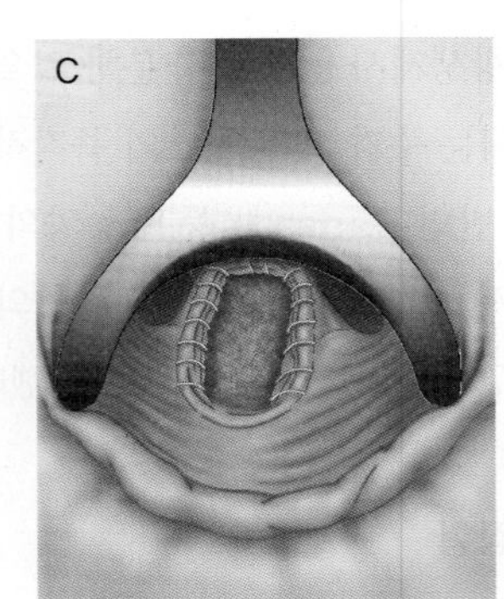

그림 2-52 **괄약근간 농양의 수술법(조대술)**

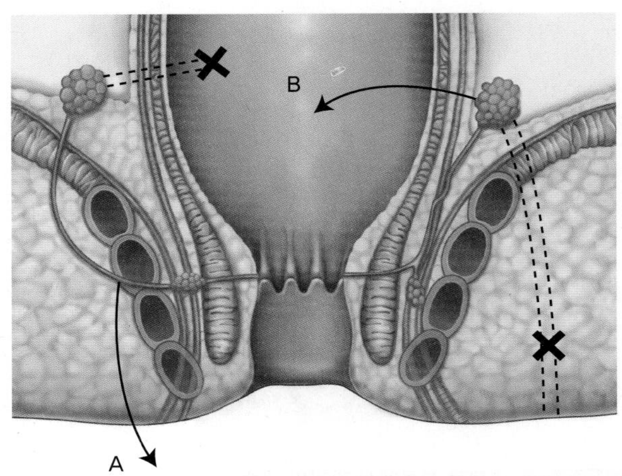

그림 2-53 **상항문 거근형의 배농방법.** A) 좌골직장농양에 이차적인 경우 회음부로 배농해야하며, B) 괄약근간 농양에 이차적인 경우 직장내로 배농해야 한다.

(4) 상항문거근형

대부분이 복강내 질환에 의한 염증의 파급으로 생기지만 좌골항문농양이나 괄약근간형 농양이 위로 파급되어 생기기도 한다. 정확한 원인과 경로를 알아야 치료계획을 세울 수 있다. 충수돌기염, 게실염, 부인과적 질병, 크론병, 암이나 외상에서 병발될 수 있고 반드시 원인질환과 함께 치료해야 한다.

괄약근간농양에서 생긴 것은 직장으로 배농하고 좌골직장농양에 의한 것은 회음부로 배농한다(그림 2-53).

(5) 백혈구감소증 환자와 항문직장농양

백혈병이나 항암치료 중인 환자에서 항문직장부위에 패혈성 병변이 생길 수 있다. 급성백혈병 환자의 5–9%에서 항문직장농양 및 치루가 발생하고 일단 발병 시 사망률이 높다(5–20%). 대부분이 특별한 원인 없이 생기지만 항문 손상을 줄 수 있는 관장, 직장수지검사, 기계 조작 등이 원인이 될 수 있으므로 조심스럽게 시행해야 한다. 이러한 환자들이 갑자기 항문부위에 통증을 호소하면 농양 가능성을 염두에 두고 주의 깊게 관찰해야 하며 의심이 되면 즉시 항생제를 투여하고 파동이 나타나면 절개배농 시킨다. 백혈구 수치가 현저히 감소된 상태이므로 일반적인 염증소견을 알기 어려워서 진단도 어렵고 패혈증이나 출혈성 경향이 흔히 동반되므로 수술적 개입을 결정하는 것도 어렵지만 적시에 수술함으로써 사망률을 낮출 수 있다. Grewal 등은 호중구 수치가 500개/mm^3 이하에서 수술해도 수술이 사망률을 더 높이지 않는다고 하였고 Chen 등은 쇼크가 사망률을 높이는 유의한 인자로 보고하였다.

(6) 괴사성 항문직장 감염

고환, 항문주위, 회음부의 피하근막이나 일부 심부근막으로 빠르게 퍼져가는 세균감염으로 근육은 보존되나 피부와 근막의 괴사가 진행된다. 관여하는 세균은 주로 비뇨생식기, 항문, 피부의 것들이 복합적으로 상승작용을 하여 피하동맥의 혈관내막염을 일으켜서 괴사로 진행하는 것으로 알려져 있다.

증세가 나타나고 수술까지 걸린 시간이 예후에 가장 중요하며 늦으면 다발성 장기 부전증에 빠지고 사망할 수 있다(사망률 24%). 선행질환은 당뇨병이 34%로 가장 많았고 알코올중독, 면역저하, 위생불량, 노령, 영양결핍도 보고되었다.

원인질환은 대장항문질환이 30-50%, 비뇨기질환이 20-40%, 특발성이 25% 정도로 알려져 있고 성별, 나이의 차이는 없다. 항문농양, 치열, 결장천공, 게실염, 치질수술, 직장암, 요로협착, 만성요로감염, 부고환염, 비뇨기과 기구 삽입 등이 원인이 될 수 있다. 여성의 경우는 바르톨린선이나 외음부의 농양, 산과조치 후에 올 수 있다.

진단은 임상적으로 가능하지만 전산화단층촬영은 수술범위 결정에 도움이 된다. 가장 흔한 증세는 음낭이나 회음부의 부종과 통증(70%)이며, 빈맥, 농성분비물, 염발음성수포음, 심한 발열 등이 나타난다. 봉와직염처럼 번져나가고 피부는 붓고 검게 변색되고 특징적으로 대변냄새가 난다. 전신증세가 더 심해지고 피하조직괴사가 일어나고 갑자기 패혈증이나 다발성장기부전증으로 빠져 사망에 이른다.

치료는 초기단계에서 인지하는 것이 중요하고 발견 즉시 응급으로 괴사조직의 제거와 함께 광범위 항생제 및 혈류 역학적 지지요법이 필요하고 회음부 손상이 심하면 내과적 또는 외과적 대변전환술이 필요하다.

광범위 항생제는 주사로 주어야하고 그람양성균, 그람음성균 및 혐기성 세균까지 효과가 있어야 한다. 추천되는 것은 3종 요법으로 광범위 페니실린(또는 3세대 세팔로스포린), 아미노글리코시드 및 메트로니다졸(또는 클린다마이신)이고 균동정 결과에 따라 교체한다.

고압산소요법이 사망률을 낮추거나, 당뇨병이 병발된 경우 보조요법으로 유용하다는 주장이 있지만 검증이 안 되었으므로 수술이 연기되어서는 안 된다.

3. 치루

항문직장농양의 배농 후 30-50%의 환자에서 치루가 올 수 있다. 농양의 90%가 항문선감염에서 시작하므로 내공(일차누공)은 주로 항문선와에 위치하고 누관을 따라 외공(이차누공)은 항문주위피부의 자연 배농된 장소나 이전의 배농 절개창에 위치한다.

다른 원인으로 결핵, 크론병, 악성종양, 방사선 치료 등이 있고 이때는 원인질환과 함께 치료해야 한다.

1) 분류

치료방침을 결정하고 평가를 위해서는 분류가 중요한데 외괄약근과 누관의 관계를 강조한 팍스Parks분류를 가장 흔히 사용한다.

항문선감염에서 시작된 염증은 약한 쪽으로 파급될 수 있고, 괄약근간형, 괄약근관통형, 괄약근상형, 괄약근외형의 4형태로 분류한다(그림 2-54).

임상적인 분류는 치료로 인해 변실금이 올 수 있는 것을 기준으로 해서 단순형과 복잡형으로 나누는데 단순형은 점막하형, 저위괄약근간형 또는 괄약근관통형이 괄약근의 30% 이하로 침범된 경우를 지칭하고 복잡형은 외공이 다수이거나, 괄약근의 30-50% 이상 침범되거나 괄약근상형, 괄약근외형, 맹관이 위로 뻗어있거나 마제형, 여성에서 전방에 위치한 치루, 크론병이나 방사선치료와 관련된 치루, 변실금이 동반된 치루 등을 지칭한다.

2) 진단

진단은 병력과 수지검사로 어렵지 않다. 병력에서 배농 후 2-3개월 지나도 치유되지 않거나 치유 후에 반복해서 농양이 생기거나 분비물이 나온 과거력이 있다. 외공의 위치를 확인하고 윤활제를 바른 장갑을 끼고 손가락 끝으로 외공에서 항문관 방향으로 가볍게 눌러 보면 손의 힘줄처럼 빳빳한 누관을 만질 수 있다. 군살Goodsall법칙(그림 2-55)은 외공이 항문 전방에 위치하면 내공은 직선적이고, 외공이 항문 후방에 위치하면 내공은 후방 정중선 근처에

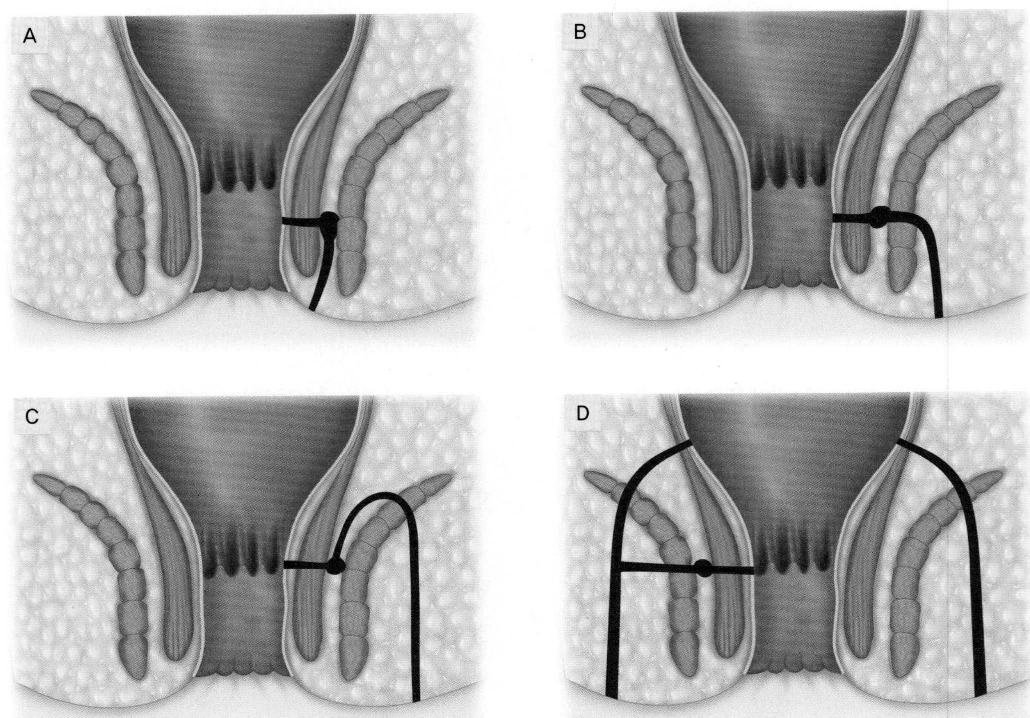

그림 2-54 **치루의 분류.** A) 괄약근간형. B) 괄약근 관통형. C) 괄약근상형. D) 괄약근외형

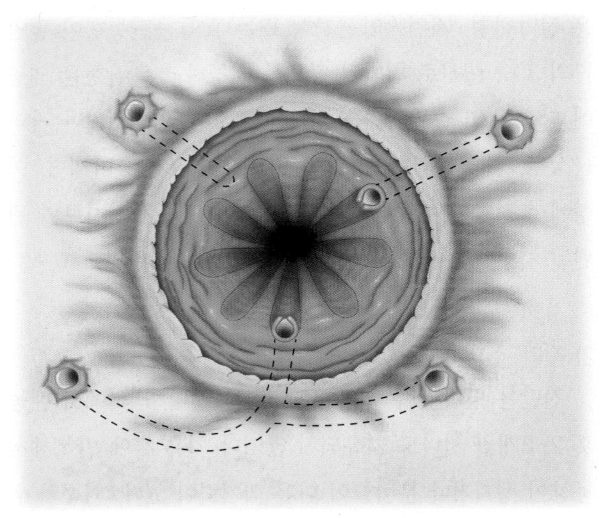
그림 2-55 **굳살의 법칙**

있다는 법칙으로 내공을 찾는데 참조할 수 있으나 마제형이나 크론병, 또는 이전에 수술한 경우는 성립하지 않는다. 항문주위와 항문관 내부를 촉지하여 내공의 위치를 나타내는 함몰이나 경결, 누관과 치골직장륜과의 관계를 확인하고 항문거근 상부에도 경결이 있는지 확인한다. 복잡형 치루가 의심되면 일단 영상진단을 하는 것이 안전하다. 누관조영술은 괄약근과의 관계를 볼 수 없어 제한적이고, 자기공명영상이 가장 정확(이차누관확인: 91%)하므로 재발성 치루에서 추천된다. 경항문 초음파는 신속하고 간편하게 내공의 위치를 알 수 있고 괄약근의 상태를 미리 파악할 수 있어 술 후 변조절 장애를 예측할 수 있다(그림 2-56). 전산화단층촬영도 자기공명영상보다 정밀하지 못하지만 농양이 있을 경우 도움이 된다. 변실금이 의심되면 변실금점수와 항문직장압도 측정해두는 것이 좋다. 반드시 명심해야 할 것은 수술의 이익과 손해(재발이나 실금)를 충분이 토의하고 환자가 동의할 경우에만 수술을 진행해야 한다. 드물지만 수술 후 변실금이 발생하면 수술 전의 치루 상태가 더 좋았다고 느낄 수도 있다. 외과의

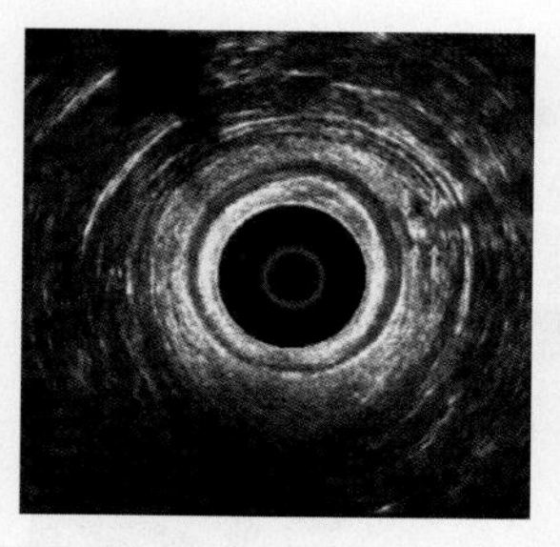

그림 2-56 **치루의 경항문 초음파 소견(Cho DY 등)**

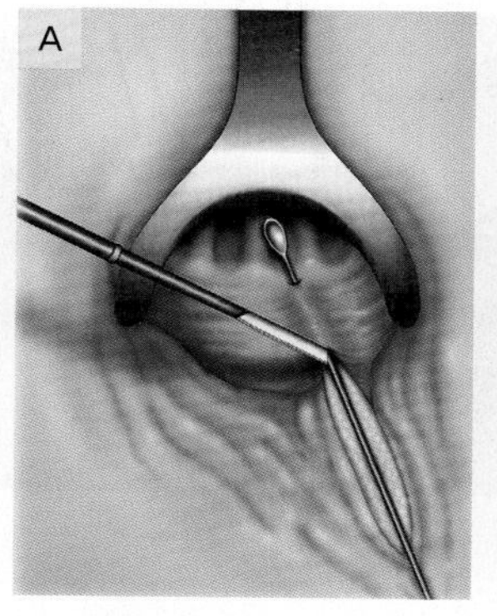

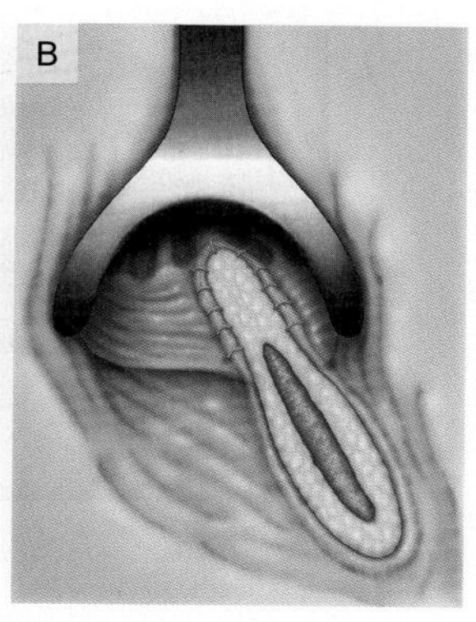

그림 2-57 **치루절개술.** 내외공 사이의 전 누관을 절개 노출시킨다.

사가 확신이 없다면 전문의에 이송하거나 다른 전문의의 견해를 첨부하는 편이 좋다.

수술실에서는 마취하에 촉지하고 항문경으로 내공이 의심되는 곳을 보면서 누관을 눌러 분비물이 나오는지 본다. 못 찾으면 메칠렌블루와 과산화수소수 혼합액을 외공으로 넣어 보면 내공을 알 수 있고 수술 중 재발의 원인이 되는 염증조직의 확인에도 도움이 된다. 탐침을 부드럽게 사용하여 내공이나 이차누관이 있는지 확인한다.

3) 치료

외과적 수술의 목표는 감염원(일차병소)을 없애고, 누관의 치유를 돕고, 괄약근기능은 보존하는 것이다. 복잡형 치루의 수술 후 변실금은 10–57%에 달한다.

치료방법의 결정은 누관의 정확한 경로와 괄약근의 관계, 급성염증의 정도, 원인질환에 따라 달라진다. 누관의 경로확인과 패혈증의 조절이 된 후 확정수술을 할 수 있다.

수술방법은 크게 치루절개술, 치루절제술 및 재건술, 시톤설치법이 있다.

(1) 치루절개술

누관과 항문관을 절단, 소파술 후 이차적인 치유를 기다리는 방법(그림 2-57)으로 치유율이 높으나(74–100%) 절단되는 괄약근의 양에 따라 실금이 올 수 있어 포함되는 괄약근의 양이 30% 이하인 단순형이거나 점막하형에 주로 사용된다.

단계별 치루절개술fistulotomy은 첫 수술 시 포함된 괄약근 일부를 자르고 느슨한 시톤을 남은 괄약근 부위에 설치해 두었다가 6–8주 후 다시 수술해서 처음의 잘린 부위가 섬유화로 치유된 경우 남은 괄약근을 절단하고 시톤을 제거하는 방법으로 Ramanajam 등은 480명 환자에서 적용, 실금을 줄일 수 있다고 하였다.

복잡형에서 치루절개술fistulotomy을 할 수 있지만 반드시 괄약근재건술과 함께 시행해야한다.

(2) 치루절제술 및 재건술

치루절제술fistulectomy or coring out로 누관과 감염원(항문선)을 제거한 후 생긴 내공 및 내괄약근의 결손부를 봉합 또는 재건하는 방법들로 이론적으로 실금이 적고(4–32%) 치유율은 60–80% 정도다. 내공 및 내괄약근만 재건하기도 하고 내외괄약근을 모두 재건하기도 한다.

내공 및 내괄약근의 재건 술식에는 직접봉합법과 전진피판advancement flap법이 있고 피판은 점막/점막하조직(그림 2-58), 직장벽, 항문상피 등을 사용한다. Koehler 등은 술식 간의 차이는 없고 치유율은 88%로 보고하였으나 Athanasiadis 등은 내외괄약근과 점막 및 점막하조직을 3중으로 직접 봉합하는 방법(그림 2-59A)이 전진피판에 비해 수술범위가 적어 실금도 적고(6% vs 35%) 실패도 적었다고(23% vs 54%) 주장하였다. 창상열개가 주된 합병증(14%)이었고 재수술이 필요했으나 소수에서는 자연치유되었다. 필자는 자연치유를 돕기 위해 괄약근간강에 배액

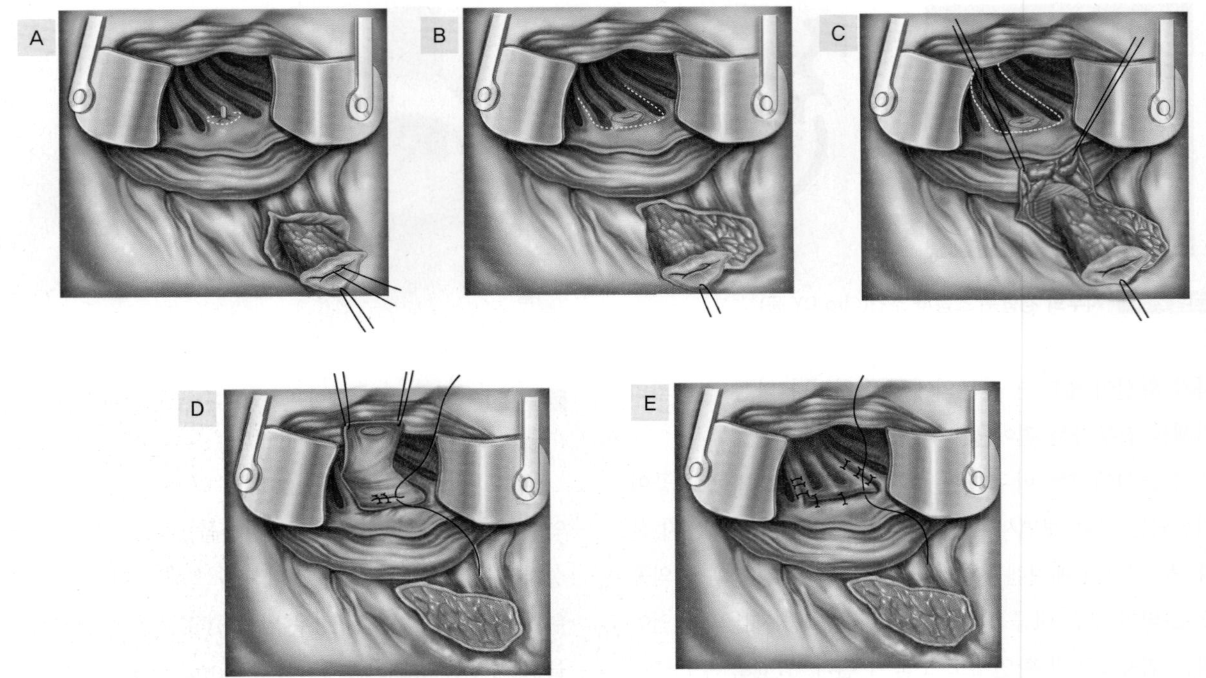

그림 2-58 **점막전진피판법.** A) 치루관의 주행을 파악한다. B) 점막판을 만든다. C) 치루관을 절제한다. D) 내괄약근의 결손부를 폐쇄한다. E) 박리한 직장점막을 항문관의 점막과 봉합한다.

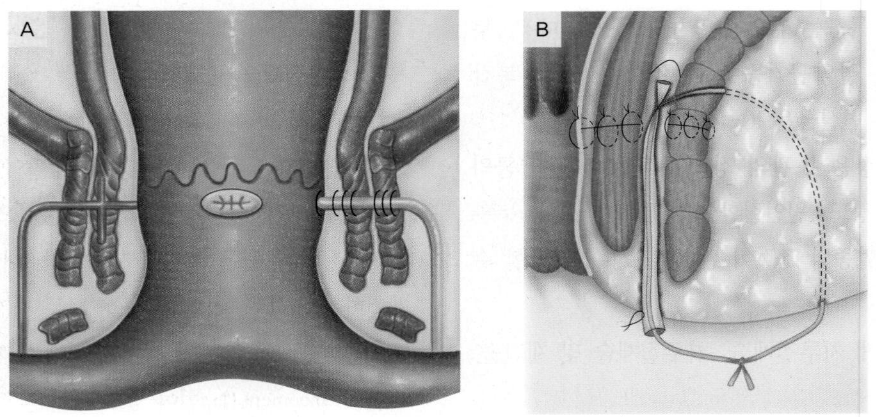

그림 2-59 **직접봉합법.** A) 직접 봉합법, 점막/점막하조직, 내괄약근, 외괄약근을 3중 봉합한다. B) 시톤과 펜로즈 드레인으로 괄약근 간 배액관 설치

관을 추가하였다(그림 2-59B). 수술 후 내괄약근의 봉합이 실패해도 배액관이 유지되면 괄약근간형으로 바뀌고 외괄약근의 치유에는 지장이 없다. 외괄약근이 치유된 후 배액관을 제거하면 내괄약근은 자연치유되고 안되면 괄약근간형처럼 치료한다. 하부 직장-질루의 수술에서도 같은 원리로 항문직장과 질 사이에 장기간 배액관을 유지하므로서 한쪽이 파열 시 자연치유를 기대할 수 있다. 역시 증례수가 적어서 검증이 필요하다.

누관경로변경술은 시톤 배액을 이용한 단계적 괄약근 재건술식으로 Mann과 Clifton은 시톤이 걸린 누관을 박

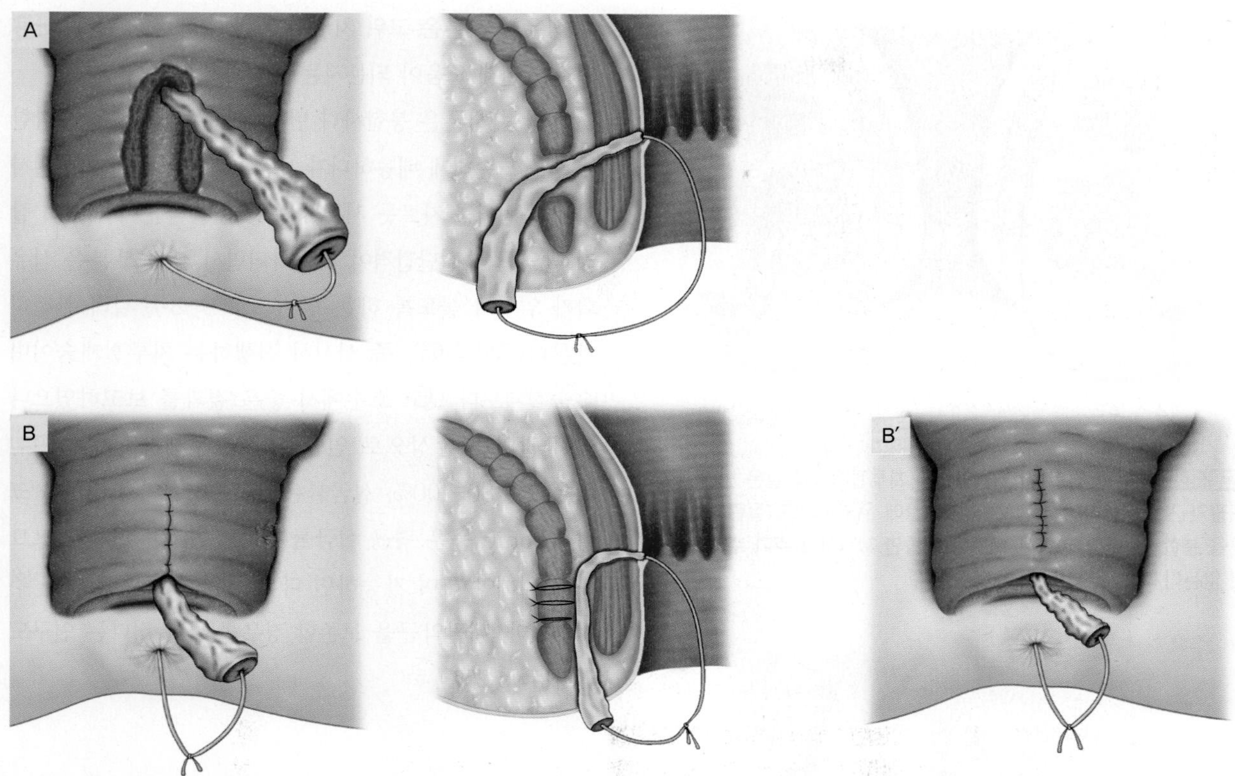

그림 2-60 **누관경로 변경술(Mann과 Clifton).** A) 시톤을 넣은 누관을 외공에서부터 포함된 외괄약근을 절개하여 내괄약근을 만날 때까지 박리한다. B) 누관을 내·외 괄약근 사이에 위치시키고 절개한 외괄약근을 봉합 재건한다(일차수술 끝). 2-4주 후 내괄약근 절개 통해 누관 제거 후 잘린 내괄약근을 봉합한다. B′) 외괄약근 하단을 보존하는 변형

리하기 위해 외괄약근을 절개하여 누관을 괄약근간에 위치시키고 절개한 외괄약근을 봉합재건하여 일차수술을 끝내고 2-4주 후 내괄약근절개술을 통해 내공과 누관을 모두 제거함으로서 괄약근 손상을 줄일 수 있다고 하였다(그림 2-60). 임 등은 역순으로 내괄약근절개술을 먼저 하였고(그림 2-61) 누관을 소파하여 한 번에 수술을 끝냈다.

2009년 Rosanakul은 내공을 손대지 않고 괄약근간 강에서 누공을 박리하여 내공 가까이에서 결찰하고 나머지 누관을 제거하는 괄약근간누관결찰법Ligation of the Intersphincteric Fistula Tract (LIFT), 그림 2-62을 발표하였고 방법이 쉽고 재현성이 높고 다른 수술이 실패한 경우도 할 수 있어서 많이 시행되고 있다. 문헌검색에서 복잡형에서도 74% 성공률을 보였고 실패 인자는 비만, 흡연, 이전의 수술이 관련되어 있고 새로운 실금은 없다고 하였다. 복잡형이나 고위형 치루는 수술이 어렵지만 저위괄약근관통형에 추천된다.

치루절제 후 손상부위를 다른 물질로 채우는 방법이 초기에 성공적으로 보였으나 그후의 결과는 실망스럽고, 아직 검증이 필요하다. 섬유소접착제fibrin glue, 치루마개fistula plug, 자가줄기세포이식 등이 시도되었다.

(3) 시톤법

시톤의 재료는 다양하다. 비흡수성 봉합사나, 고무줄, 섬유화나 부식이 잘 일어나게 처리된 제품도 있다.

주된 용도에 따라 배액형 시톤, 절단형 시톤으로 분류한다.

배액형 시톤의 역할은 배농을 확실히 하여 패혈증을 예방하고, 누관의 섬유화를 기다려 확정수술을 용이하게

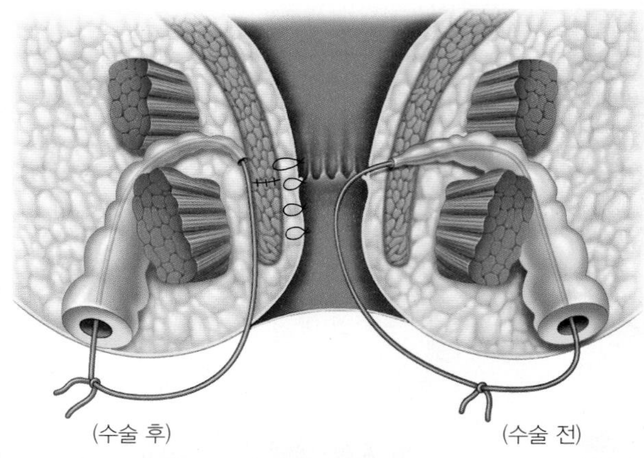

그림 2-61 누관 경로 변경술(임 등). 치루절개술과 같은 방식으로 내괄약근 절개술하여 누관을 괄약근간에 위치시키고, 잘린 내괄약근을 봉합재건한다. 시톤은 배액량이 줄면 제거하고 추가 수술은 하지 않는다.

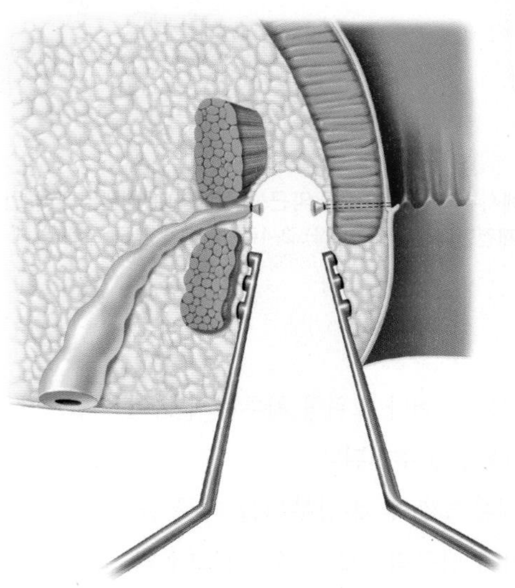

그림 2-62 괄약근간 누관결찰술. 괄약근간 절개를 통해 누공을 박리한다. 누공을 내괄약근 근처에서 양쪽 누관 결찰 후 중간 절단한다. 외공에서 과산화수소 용액을 채워서 누관을 제거하고, 괄약근간 절개창을 느슨하게 봉합한다.

만든다. 느슨하게 설치하며 현재 농양이 심해 확정수술이 힘들거나 만성 염증으로 장기간 배농이 필요한 크론병, 상방에 위치한 치루 등으로 단계별 수술이 예상될 때 주로 적용한다. 치유율은 33-100%, 변실금은 0-62%로 편차가 크다.

섬유화 시톤은 고위 치루의 재건 수술 전에 주로 사용되지만 실제 도움이 되는지는 입증되지 않았다.

절단형 시톤은 봉합사나 탄성밴드로 괄약근을 포함한 누관을 느슨하게 배농하다가 보통 2주마다 졸라매어 철사가 얼음덩이를 자르듯 시톤에 포함된 괄약근이 서서히 잘려 괄약근의 절단간격이 최소화되면서 잘린 부분은 섬유화가 일어나 붙도록 하는 방법으로 6-8주 걸려 완전히 자른다(그림 2-63). 즉 서서히 진행하는 치루절개술이며 수술절개보다 낫고 소수에서 좋은 결과를 보고하였으나 역시 괄약근 손상으로 인한 실금이 문제가 될 수 있다. 치유율은 80-100%, 실금률은 0-92%로 역시 편차가 크다. Richie 등은 평균 실금률은 12%이지만 편차가 크므로 주의해야 하며 가능하면 다른 괄약근 보존 방법을 추천하였다. 내괄약근을 보존할 경우 실금이 적다는 연구도 있다(5 vs 25%).

4) 결론

아직도 복잡형 치루는 어려운 문제로 남아있다. 재발방지와 변금제기능의 보존이라는 이율배반적인 목표를 달성하기 위해 다양한 방법들이 제안되었지만 아직 일치된 방법은 없이 새로운 방법들이 제안되고 있는 실정이다. 환자의 상태와 외과의의 경험이 성공률에 큰 영향을 미친다.

Sileri 등은 대장항문전문의들의 치료의 전향적 분석에서 단순형 34%가 포함된 전체 성공율이 61%, 주요 실금은 1.3% 였으며, 가장 흔한 치료술식은 시톤법이 62%였고 두 번째는 단순형에서 주로 시행된 치루절개술이 34%였다.

현시점에서 치루수술의 목적을 달성하기 위한 이상적인 방법은 정해지지 않았지만 몇 가지 추천은 가능하다.

1. 급성 농양이나 크론병처럼 지속적인 만성 염증이 예상되는 경우는 느슨한 시톤을 설치하여 몇 주 후 누관이 안정된 다음 다시 수술하는 것이 좋다.
2. 단순형은 치루절개술이나 치루절제술 및 재건술 등 여러 방법으로 할 수 있고 결과도 좋다. 하부괄약근 관통형은 LIFT수술(괄약근간누관결찰술)을 고

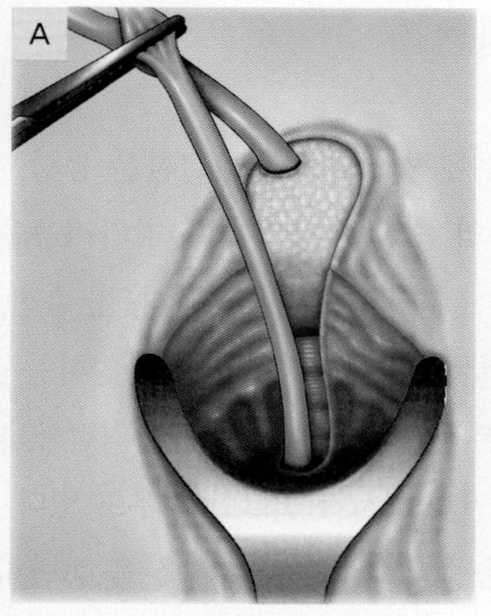

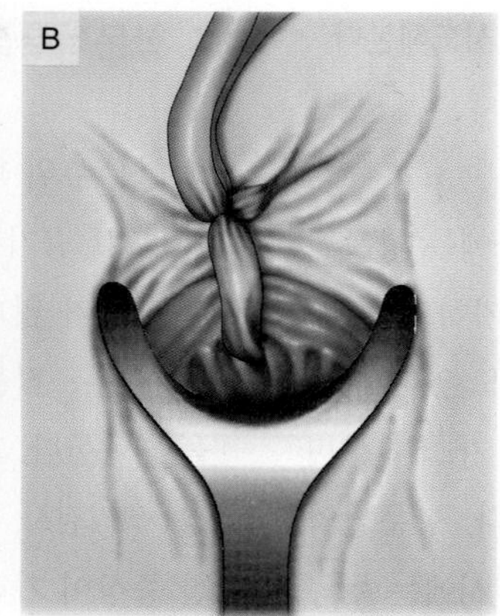

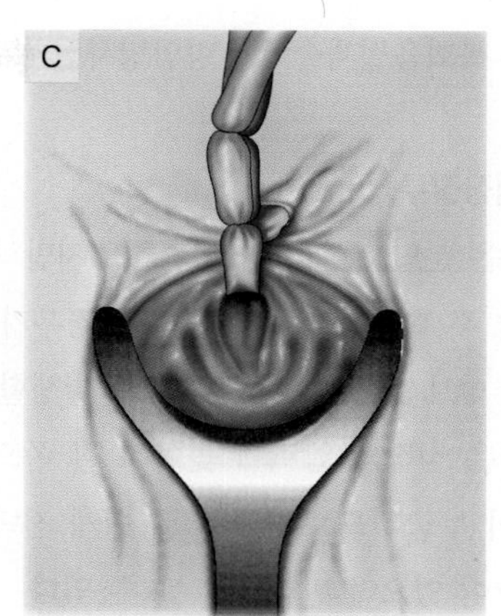

그림 2-63 절단형 시톤법(펜로즈 배액관 이용)

려한다.

3. 복잡형은 상황에 따라 방법을 달리하고 조합도 가능하다.

현재는 배액형 시톤과 다른 괄약근보존 또는 재건술식들을 조합할 것을 추천한다. 술식간의 성공률 차이는 없다. 외과적 재건술은 내공 및 내괄약근만 재건하기보다는 내외괄약근을 모두 재건하는 것이 좋겠고 이 경우 괄약근간강에 배액관을 거치하는 것이 추천된다. 절단형 시톤은 실금위험 있어 가능한 피하고(특히 고위형치루) 누관이 안정되지 못한 경우는 배액형 시톤으로 몇 주 기다려 안정된 후 누관경로변경술을 고려한다.

5) 특수형태의 치루

(1) 크론병과 치루

크론병 환자의 30%에서 회음부와 직장을 침범하고 그 중 일부에서 농양과 치루가 발생한다. 때로는 항문질환이 크론병의 첫 증상이 되기도 한다(8%). 크론병의 재발에 따라 항문질환이 반복적으로 악화되므로 완치를 목적으로한 수술적 치료는 효과도 적고 반복하면 변조절장애를 초래할 위험이 크므로 절개 배농정도로 최소한의 수술을 한다. 농양을 조기에 배농하면 향후 부가적인 합병증을 예방할 수 있다. 표재성의 치루는 치루절개술을 하거나 괄약근간누관결찰술(LIFT)을 할 수 있다. 몇 개월간의 배농이 예상되므로 배액형 시톤이나 드레인이 주로 사용된다. 내과적 치료로 항생제와 면역억제제, 항종양괴사인자인 infliximab이 치유에 중요한 역할을 한다.

내과적 및 외과적 치료에도 반응하지 않고 염증이 심하면 10-20%의 환자들은 항문직장절제술을 하지만 상처치유도 잘 되지 않는다(25-50%).

(2) 암과 치루

만성치루에서 암이 발생하는 것은 증례보고 되는 정도이지만 가장 심각한 경우이므로 의심하는 것이 중요하며 조직검사가 필요한 경우는 다음과 같다. 종괴가 지나치게 딱딱하거나, 수술 후에도 경결이 지속되거나 항문이 심하게 변형되었거나 협착이 있거나 농성분비물로 여러 번 수술하였거나 누관에서 점액성물질이 나오거나 수술 중 점액이 차있는 작은 주머니들이 보이면 반드시 누관을 포함하여 생검 해야 한다.

1934년 Rosser가 치루와 항문암의 관련을 지적하였고 1954년 Rundle과 Hales는 항문선의 상피에서 암이 생겨 점액을 분비하며 서서히 자라는 종양을 보고하였으나 조직분화도가 낮고 천천히 자라면서 점액의 압박으로 주위조직에 염증을 일으켜 생검이 염증으로 판독되는 경우가 많았다고 보고하였다. 일단 진단되면 자기공명영상으로 병기 결정 후 복회음절제술이나 항암방사선치료를 시도해본다.

(3) 직장질루

원인은 분만손상이 가장 흔하였지만 최근에는 항문직장 수술 후 합병증으로 발생하는 경우가 증가하고 있고, 크론병, 방사선치료, 악성질환으로 발생할 수도 있다.

증상은 직장의 압력이 높아서 질 쪽으로 가스나 분비물, 변이 누출되므로 병력으로 쉽게 진단된다. 항문괄약근 손상이 있으면 변실금도 볼 수 있다. 진찰시에는 누공의 위치와 크기, 괄약근의 이상을 확인하는데 누공이 작아서 보이지 않으면 질에 소량의 물을 넣고 항문에 공기를 주입하면 쉽게 찾을 수 있다.

치료는 원인질환, 누공의 크기, 위치, 주위조직의 상태를 고려해야한다. 예후에 가장 중요한 것은 원인질환으로 분만이나 수술에 의한 손상은 거의 성공적으로 치유할 수 있으나 직장이나 자궁경부암 수술 후나 방사선치료 후에 생긴 경우는 영상조영술과 생검으로 암의 재발이 없는 것을 확인한 후 수술할 수 있고 수술해도 실패율이 높다. 방사선직장염이 동반되어 있는 경우가 많아 심한 출혈이 지속되면 불가피하게 초저위전방절제수술을 해야 하지만 수술성공률이 낮고 누출 가능성이 높으므로 배변전환술을 추가하는 것이 안전하다. 건강한 조직으로 피판flap을 만들면 성공률이 높아지지만 수술범위가 커진다. 박근개재술 gracilis muscle interposition은 다른 수술로 실패한 경우에 70% 이상의 성공률은 보이지만 크론병이나 방사선치료 후유증으로 인한 누공의 성공률은 30%에 불과하다. 크론병에 의한 경우는 느슨한 시톤으로 적절히 배농하고 염증이 가라앉으면 점막전진피판을 시도해 볼 수 있다(그림 2-64).

누공의 위치가 낮으면 점막전진피판을 이용하는 것이 좋으며 역시 직장과 질사이의 공간에 배액관을 충분한 기간 유지하는 것이 추천된다. 질 상부에 위치한 누공은 내시경수술이나 개복하여 누관을 잘라내고 직장과 질을 각각 봉합한다.

4. 항문피부질환

항문주위 피부에 발생되는 피부질환은 통증, 경화, 궤양, 피부 융기 등의 증상이 있으며 특히 가려움을 호소하는 경우가 많다. 감별진단을 위하여 시진, 촉진, 진균배양, 피부조직을 긁어서 현미경진균을 확인하는 검사, 등을 시행한다. 기본적인 검사 이외에도 조직검사, 대장내시경, 생리검사, 부인과 검사가 필요한 경우도 있다. 가장 흔한 증상이 가려움증이므로 가려운 증상을 동반하는 질환과 그렇지 않은 질환으로 구분하여 기술하는 것이 감별진단에 도움을 준다.

1) 항문피부질환의 범위

항문주위 피부에만 국한된 병변인지, 전신피부에 발생된 질환인지 감별하여야 한다. 전신적 피부질환이라 하더라도 습한 항문의 구조로 인하여 항문주위에서 불편함이 더 할 수 있다. 항문주위 피부의 정의는 전방으로는 치골하방에서부터 후방으로는 미골, 외측으로는 대둔근에 의하여 형성되는 음부대퇴점힘부까지 이다.

2) 피부질환의 진찰

(1) 시진과 촉진

시진을 위해 안정되고 편안하게 환자를 엎드리게 하거나 옆으로 누운 자세에서 밝은 조명하에 둔부를 벌려 항문주위를 면밀하게 검토한다. 피부를 벌리기 위하여서는 장갑 낀 손가락이 미끄러지거나 불쾌감을 줄 수 있으므로 작은 거즈조각을 이용하는 것이 좋다. 촉진은 시진과 더불어 결정적인 정보를 줄 수 있다. 단단한 정도, 압통, 화농의 가능성 등을 검사한다. 특히 단단한 정도는 악성종양의 진단에 도움이 된다.

(2) 직장수지검사, 항문경, 에스결장경

피부질환이 단독병변인지, 직장항문질환의 연속인지를 검사한다. 항문주위농양, 크론병들과 감별한다.

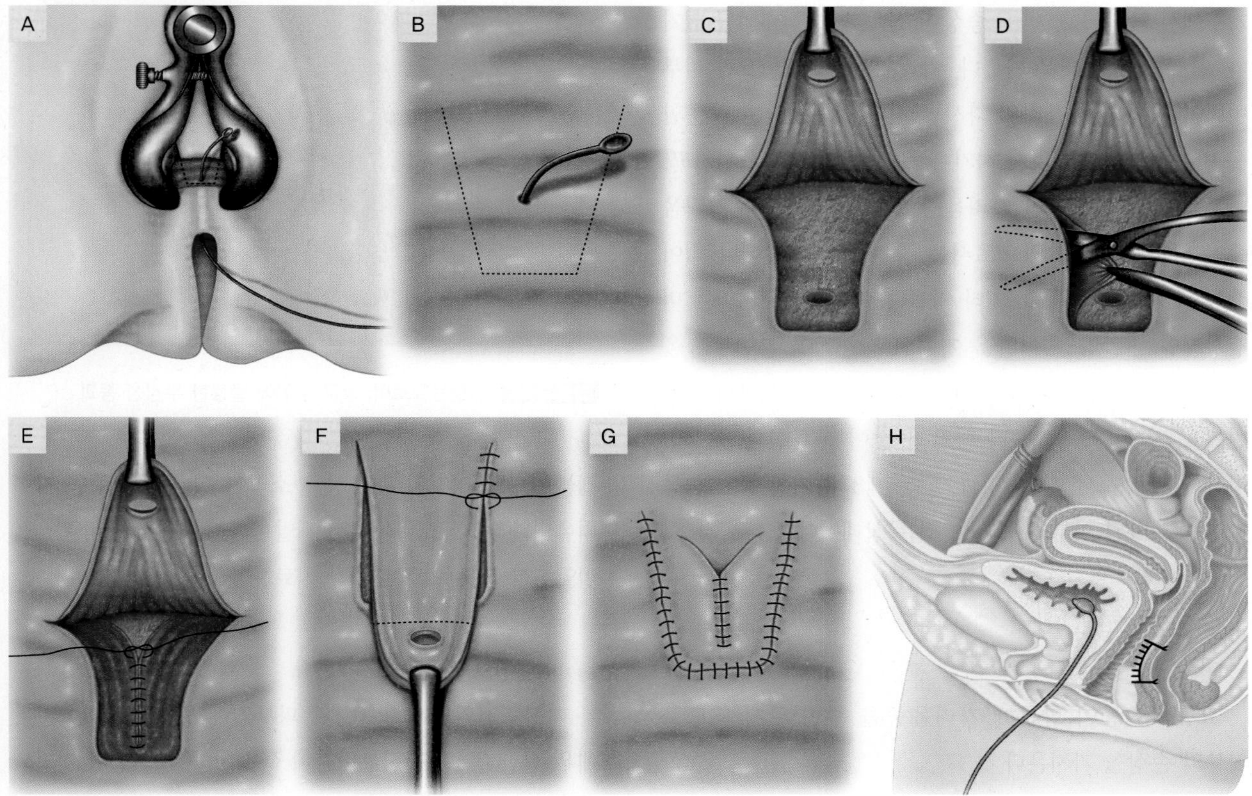

그림 2-64 **항문을 통한 전진 피판법.** A), B) 항문경을 넣고 직장질루를 확인한다. C) 점막, 점막하조직, 내괄약으로 된 피관을 만든다. D) 긴장성 없이 봉합하기 위해 가장자리를 박리한다. E) 내괄약을 봉합한다. F) 내괄약근을 봉합한다. G) 누공이 포함된 피판의 일부는 절제한다. H) 피판을 덮고 봉합한다. I) 절점막은 배농을 위해 열어둔다.

(3) 미생물학적 검사

알코올 등의 소독액으로 항문주위 피부를 잘 닦아내고 병변의 가장 대표적인 부분에서 피부를 긁어낸다. 물집이 있으면 물집의 껍질을 가위로 제거하고 소독된 큐렛으로 물집 안쪽을 긁어서 슬라이드에 놓는다. KOH 한두 방울을 슬라이드 표본에 떨어뜨려 표본에 섞인 케라틴을 녹여 표본을 투명하게 만든다. 알코올 램프의 불꽃으로 약간의 열을 슬라이드에 가하고 필터페이퍼로 압착시킨 후 현미경으로 진균을 검색한다. 진균 감염은 효모나 피부사상균 dermatophytid 의 존재를 확인함으로써 이루어진다. 진균을 Sabourd 우무배지(포도당 펩티드 우무)에서 배양시키면 2-5일이면 효모가 나타나고, 피부사상균은 4-30일 걸린다.

(4) 병리조직검사

항문수술로 제거된 모든 조직은 병리조직검사를 시행한다. 진단을 위하여 조직검사를 시행할 경우에는 가장 대표적인 병변부위를 채취하도록 한다. 평편상피세포암이나 각질가시세포종keratoacanthoma 등은 나이프를 이용하나 일반적으로 펀치 생검으로 충분하다.

3) 가려움증을 동반한 항문피부질환

(1) 특발성 소양증

분비물이나 통증이 없이 항문 가려움증만 호소하는 환자들의 50-90%는 뚜렷한 원인을 찾기 어렵다. 4:1의 비율로 남성이 많다. 가려움은 처음에는 심하지 않으나 점차 견디기 어려울 정도로 발전하고 화끈거린다. 항문피부는 감각신경이 많이 분포되어 예민하다. 특히 덥고 습한 기후에서 악화된다. 밤에 증상이 심하다. 모직내의를 입거나, 땀이 고이면 더욱 가렵다. 가려워서 긁고, 긁으면 피부병변이 악화되며 가려워 다시 긁지 않을 수 없는 악순환을 반복하게 된다. 차게 하거나 로션 등으로 윤활시키고, 피부를 건조하게 하면 가려움증이 감소된다. 항문가려움증을 증가시키는 요인으로서는 불량한 위생상태나 식이 종류, 신경정신적 문제, 기타 약물 등이다. 특히 커피는 비정상적인 내괄약근 이완을 가져와 잠재적인 분변누출을 야기하여 소양증을 악화시킨다. 항문 가려움증에서 피부변화를 진행 정도에 따라 다음과 같이 분류한다. 제1기: 정상피부모양, 제2기: 발적과 염증, 제3기: 거친 융기를 동반한 태선화된 피부와 궤양이 있는 상태이다

(2) 감염

가. 기생충

요충, 옴 등이 항문에 가려움증을 주어 긁게 되므로 피부의 손상을 가져온다.

나. 바이러스

① 첨형 콘딜로마

유두종 바이러스 HPV6, 11 등의 적어도 66종류의 바이러스가 관여한다. HPV16, 18의 경우는 조직학적으로 불량하여 형성이상이 많고 악성화되는 경향이 있다. 정상인에서도 발생되지만 면역결핍환자의 2.4–4%에서 발생된다. 피부병변의 모양은 특이하여 좁쌀 크기부터 크게는 돌출되는 양배추 모양의 종괴를 형성한다. 가시세포종 표피증식이 현저하다. 항문주위 피부, 회음부, 질, 항문관 내에도 병변이 발생된다(그림 2-65).

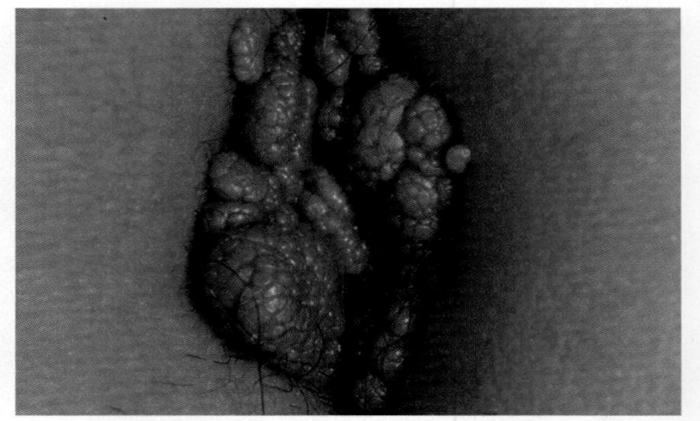

그림 2-65 **첨형콘딜로마.** 항문 주위에 발생한 무경성 종괴

② 단순헤르페스포진

성적접촉, 직접적인 피부접촉 혹은 경구감염을 통하여 전파된다. 2–7일간(3주까지)의 잠복기를 경과하여 조그만 물집이 발생된다. 붉은색 고리모양의 물집으로서 쓰라리고 화끈거린다. 24–48시간에 물집이 터져 궤양을 형성한다(그림 2-66). 면역결핍환자에서는 증상이 더 심하다. 물집들이 응어리져서 궤양성 봉소염이 된다. 1–3주면 자연치유되나 거의 모든 예에서 재발한다. acyclovir (400mg, 일일 5회 복용)으로 10일간 치료한다.

③ 대상포진

대상포진의 11%가 요천추피부절에 발생된다. 발열감, 매우 심한 통증, 전신무력감이 특징이다. 3–4일이 경과되면 무리를 지은 붉은색의 특징적인 구진이 나타나며 이어서 농포진이 되고 림프절 종대가 동반된다. 항문주위 대상포진은 소변정체, 방광과 직장의 감각을 저하시킨다. 단순포진과 마찬가지로 경구 famciclovir를 투여한다. 3–4주 경과하면 자연치유되나 헤프페스감염 후 신경통의 후유증이 남기도 한다.

다. 세균

① 홍색음선

항문주위, 겨드랑, 발가락 사이에 큰 둥근모양의 분홍색으로 발생되는 피부감염으로 *Corynebacterium minutissimum*균의 감염에 기인한다. 특징적으로 포피린을 환원하여 붉은coal-red to salmon-pink 색깔의 형광을 발생시키므로 진단에 도움이 된다. 치료로는 erythromycin (250mg 하루 4번 복용)을 10–14일간 투여한다.

② 굳은궤양, 편평콘딜로마

매독 1기와 2기에서 피부병변의 자극으로 가려움증이

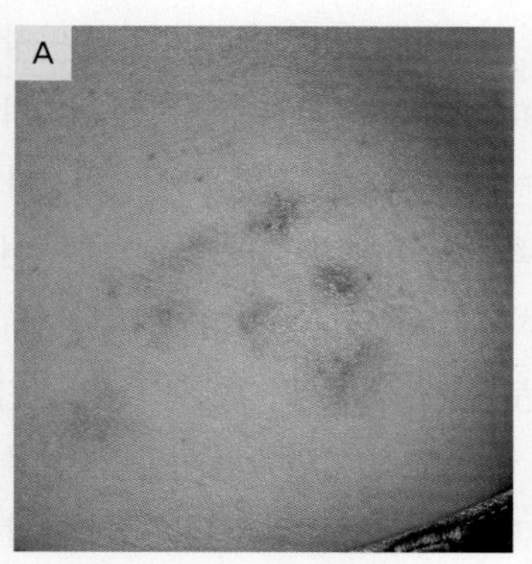

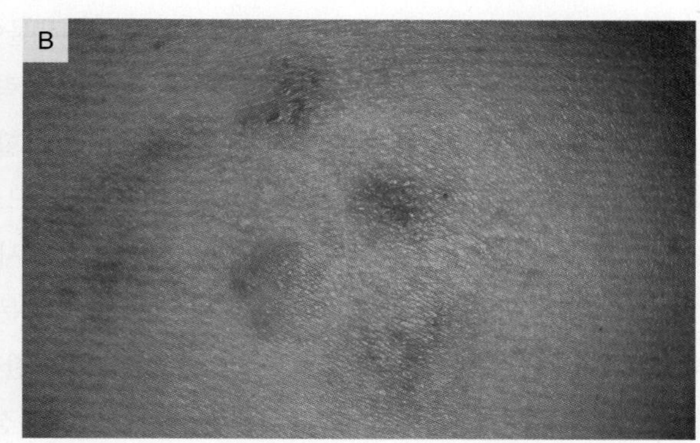

그림 2-66 **단순헤르페스포진.** A) 붉은 바탕의 여러 개 물집들이 점막-피부경계에 있다. B) 물러진 딱지가 무리를 이루고 있다. 단순헤르페스포진이 치유되는 과정이다.

있을 수 있다. 3기에서는 육안적 병변이 없으므로 가려움증이 없다.

③ 항문결핵

불규칙한 피부궤양을 이루며 일반적으로 통증은 없으나 쓰라리거나 가렵다.

④ 연쇄상구균 피부염

잘 경계된 홍반의 형태로 나타난다. 국소요법으로 잘 낫지 않는다.

라. 진균과 효모

① 칸디다증

정상 건강인에서 칸디다는 장관에 존재하며 유해하지 않으나 당뇨, 항생제의 지속적인 투여, 스테로이드 투여의 경우에는 칸디다 병변을 초래한다. 항문피부 증상으로는 가렵고 따갑다. 칸디다에 감염된 피부는 붉고, 습하고 벗겨진다. 농포가 집단으로 형성되어 경계가 모호해지고 주변에도 농포가 생성된다. 현미경 검사로서 진균을 확인할 수 있다. 치료로는 nystatin 혹은 imidazole 화합물을 투여한다. 성교를 통한 감염도 있으므로 성 파트너도 같이 치료하여야 한다. 감염된 여성과의 성교 후 남성의 정액에서 발견된다.

② 피부사상균

둥글고 분명한 경계의, 비늘모양의 병변이 편측으로 발생한다. 원인진균으로는 *Epidermophyton floccosum*, *Trichophyton mentagrophytes*, *Trichophyton rubrum* 등이다.

(3) 피부질환

가. 지루성 피부염

머리부위, 가슴, 귀, 치골부위, 얼굴 등에 옅은 붉은 색의 피부염이 발생되지만 항문피부에도 발생될 수 있다.

나. 접촉성 피부염

항문연고에 포함되어 있는 lanolin, neomycin, parabens 등에 기인하는 경우가 많다. 특히 parabens는 국소제제의 방부제이다. ' -caine' 의 제제는 자극적이어서 접촉성 피부염을 유발한다. 화장지에 들어있는 화학물질도 원인이 된다. 피부가 짙게 붉어지고 물집이 짓무른다. 치료로는 스테로이드 연고를 사용하나 너무 과용하면 피부가 선모양으로 위축된다. 피부를 차게 말리고 청결을 유지한다. 연고는 피부를 밀봉하는 효과가 있으므로 사용하지 않는 것이 좋다.

다. 건선

유전적 소질이 많다. 붉고 경계가 분명한 잘 벗겨지는

비늘반을 형성한다. 가렵다. 두피, 음부, 팔꿈치, 무릎, 손가락 마디 등에 발생된다. 치유되지 않으며 단지 피부병변을 조절할 수 있을 따름이다. 치료로서는 1% hydrocortisone 과 2% precipitated sulfur 로션이 쓰인다.

라. 기타

전신적 피부질환이나 부인과적 원인으로 질 질환의 연속이 있을 수 있다.

4) 가려움증이 없는 피부질환

감염증과 피부 종양을 감별하여야 한다. 특히 피부암을 진단하기 위하여서는 병리조직검사가 필수적이다. 가려움이 덜한 감염증으로는 화농성 땀샘염, 나병, 아메바증, 엑티노마이코시스, 성병림프육아종 등이다. 가려움이 덜한 신생물에는 보웬병이 있다. 노란 비늘의 양상을 보이며 쉽게 탈락하며 붉은색의 과립성 표면을 남긴다. 진피내암이라고 할 수 있다. 육안적 경계보다는 병변이 광범위할 수 있으므로 육안적 경계 각 방향 1cm 외부에서 펀치 생검을 미리 시행하고 결과를 보아 광범위한 절제를 시행한다.

항문피부 파제트병은 76%에서 주변 장기나 장관암을 동반한다. 붉은 습진 병변을 형성한다. 절제 후에도 재발하는 경우가 많다. 보웬 병에서와 같이 육안적 경계의 각 방향으로 1cm 외측으로 펀치생검을 시행하고 결과를 보아 광범위 절제한다. 평편상피암은 결절성 판을 형성하므로 뾰쪽콘딜로마로 오진될 수 있다. 피부병변이 벗겨지고 이차감염이 되는 수가 있다. 기타 병변으로는 흑색가시세포종, 흑색종 등이 있다.

요약

항문관내에는 점막하혈관, 평활근, 결합조직으로 이루어진 항문 쿠션이 있으며 배변을 원할하게 해주고 배변실금을 방지하는데 도움을 준다. 이 쿠션이 비정상적으로 발전되어 증상을 야기하는 상태를 치핵이라 한다. 치핵은 반복되는 배변과 힘주어 통변하는 습관 등으로 인해 점차 탈출성 종괴가 나타난다. 치핵의 치료는 항문직장의 해부학적 기능과 배변의 역학, 병인론 등을 이해하여 치핵 종괴의 제거뿐 아니라 배변에 관여하는 동반된 여러 인자들의 교정까지 함께 이루어져야 한다.

치핵은 항문의 치상선을 경계로 상부의 내치핵과 하부의 외치핵으로 나누며 2가지 형이 혼재된 혼합치핵도 흔히 나타난다. 내치핵은 탈출된 정도에 따라 탈출이 없는 1도에서 지속적으로 탈출된 4도 치핵으로 구분한다. 치핵의 치료는 식이조절과 온수좌욕을 위주로 하는 보존적 치료와 치핵을 절제하는 외과적 수술, 그리고 부식제주입치료, 적외선응고치료, 고무밴드결찰술 등의 보조술식으로 대별되며, 치핵의 종류 및 증상의 정도에 따라 치료법 적용에 차이가 있다. 주로 1-2도 및 경한 3도 내치핵의 경우 보조술식이 적용될 수 있고 탈출이 심한 3도와 4도 내치핵의 경우 수술적 절제가 필요하다. 치핵수술 후 항문 통증, 배뇨장애, 출혈 그리고 감염의 합병증이 나타날 수 있으나 대부분 보존적 치료로 증상이 완화된다.

항문주위농양의 대부분은 항문선의 일차 감염이 원인으로 그 곳에서 항문직장주위 조직강으로 염증이 파급되어 농양을 형성한다. 일부는 만성화되어 치루가 되며 누관이 통과하는 경로에 따라 4-5가지 형으로 나눈다. 치료면에서 단순형과 복잡형으로 나누며, 단순형은 누공절개술로 만족스러운 결과를 얻을 수 있다. 그러나, 복잡형에서는 누공절개술로 변실금의 위험이 크므로 각종 괄약근보존술식을 시행한다. 항문주위 피부는 치골하방에서부터 미골까지, 외측으로는 음부대퇴 접힘부까지이다. 가려움증을 동반하는 경우의 질환으로는 특발성 소양증, 기생충, 바이러스, 세균, 진균 등의 감염, 그리고 지루성 피부염, 접촉성 피부염, 건선 등이다. 크론병 등의 대장의 질환이나 여성에서는 질질환의 연속인지를 검사하여야 한다. 가려움증이 없는 피부질환은 평편상피암이나 보웬병, 파젯병 등을 감별하기 위하여 조직검사가 필수적이다. 가려움증이 덜한 질환으로는 화농성 땀샘염, 나병, 아메바증, 엑티노마이코시스, 성병림프육아종 등이 있다. 전신적 피부질환이 있는 경우에도 습한 항문구조로 인하여 항문피부에 불편함이 더 할 수 있다.

VII 염증성 장질환

1. 총론

염증성 장질환은 위장관에 원인불명의 만성적인 염증을 일으키는 질환으로 일반적으로 궤양성 대장염과 크론병을 지칭한다. 궤양성 대장염은 주로 대장에 국한되어 나타나며, 병변이 점막과 점막하층에 국한되는데 반해 크론병은 구강부터 항문까지 위장관 어디든지 발생할 수 있으며 염증이 장의 전층을 침범하기 때문에 장관 협착과 누공 등의 합병증을 흔히 동반할 수 있다. 간혹 궤양성 대장염과 크론병의 구분이 불확실한 경우가 있는데, 이러한 경우를 소위 '불확정 결장염'이라고 한다.

본문에서는 복잡한 내용은 가급적 피하고 외과의로서 필수적으로 알아야 하는 내용을 외과적 치료를 중심으로 기술하고자 한다. 최근 들어 새로운 '표적' 치료제 및 '생물학적' 치료제가 개발되어 내과적 치료의 원칙이 급격히 변화하고 있음은 늘 염두에 두어야 한다.

1) 역학

염증성 장질환은 일반적으로 궤양성 대장염, 크론병, 그리고 불확정 결장염으로 나뉘어진다. 궤양성 대장염은 미국과 북유럽에서 100,000명당 8-15명에 발생하는 질환이지만, 아시아, 아프리카, 남아메리카, 그리고 미국의 유색인종에서는 그 유병률이 높지 않은 것으로 알려져 있다. 연령에 따른 궤양성 대장염의 유병률은 30대에서 가장 높으며, 70대에 다시 한번 높아지는 2개의 정점을 보이는 형태를 보인다.

크론병의 유병률은 궤양성 대장염보다는 조금 낮아서 100,000명당 1-5명 정도이다. 크론병 역시 북유럽이나 백인종에 많은 질환이며, 2개의 정점을 보이는 형태로서 대부분의 경우 15-30대나 55-60대에 발생한다. 염증성 장질환의 15% 정도에서는 궤양성 대장염과 크론병으로 구분할 수 없는 경우가 있고, 이를 불확정 결장염으로 분류한다.

성별에 따른 발생률의 차이는 보고마다 다르기는 하지만 궤양성 대장염은 여성에서, 크론병은 남성에서 더 호발한다는 보고가 많다. 아울러 염증성 장질환 환자의 10-30% 정도에서는 직계 가족에서 가족력이 있으며, 염증성 장질환의 가족력이 있는 경우 같은 질환이 발생할 확률이 현저하게 높다.

우리나라의 경우 염증성 장질환이 드문 것으로 알려져 왔으나 대장암의 발생 빈도가 증가하듯이 염증성 장질환의 빈도도 증가하고 있다. 서울 송파구 주민을 상대로 조사한 궤양성 대장염과 크론병의 유병률은 2005년에 인구 10만 명당 각각 30.87명, 11.24명이며, 이전의 궤양성 대장염에 대한 조사에서 1997년에 인구 10만 명당 7.57명임을 감안하면, 유병률이 급격하게 증가했음을 알 수 있다. 연간 발생률 또한 증가하고 있어 1986년에 궤양성 대장염과 크론병이 인구 10만명당 각각 0.22명, 0명이 발생하였고, 2005년에는 3.62명, 1.68명이 발생하여 꾸준히 늘어나고 있다. 우리나라 건강보험 심사평가원 자료를 분석한 가장 최근의 연구에서는 연간 발생률이 2012년도에 궤양성 대장염이 4.2명, 크론병이 3.1명으로 여전히 증가추세에 있다. 이와 같이 최근들어 염증성 장질환이 증가하면서 수술을 요하는 환자의 수도 계속 늘어날 것으로 예상된다.

2) 원인

염증성 장질환의 원인으로 많은 가설들이 있지만, 아직까지 확실하게 증명된 것은 없다. 지역적으로 유병률에 차이가 있어, 식생활이나 감염성 질환 같은 환경적인 요인이 하나의 원인으로 생각될 수 있으며, 흡연이나 알코올 섭취, 그리고 경구피임약 복용 등도 영향을 미치는 것으로 보고되고 있다. 가족력 역시 중요한 원인으로, 염증성 장질환의 10-30%는 가족력이 존재하는 것으로 알려져 있다. 또한 자가면역 기전이나 장관내 면역계의 손상이 원인으로 제시되기도 한다. 실제로 염증성 장질환 환자의 혈청내 대장상피세포에 대한 항체가 발견되며 anti-nuclear anticytoplasmic antibody (p-ANCA)가 궤양성 대장염 환자의 60-80%, 크론병 환자에서는 10-15%에서 나타난다.

염증성 장질환의 발생기전으로 가장 많이 제시되는 또 다른 것이 감염 또는 면역성 원인이다. *Mycobacterium paratuberculosis*, *Listeria monocytogenes* 같은 박테리아나 *paramyxo* 바이러스, 홍역 바이러스 등이 크론병의 원인으로 생각되기도 하며, 장관내 점막층의 손상으로 박테리아나 이들의 독소 또는 염증 생성 전구물질 등에 노출이 증가되고, 이를 통해 자가면역계에 손상이 생겨 염증성 장질환이 발생한다는 가설이 제기되기도 하였다. 염증성 장질환과 이러한 자가면역질환과의 연관성에 대해서는 확실한 증거는 없지만, 자가면역질환에서 보이는 증상과 유사한 염증성 장질환의 많은 장관 외 증상들이 이 가설을 뒷받침 한다고 볼 수 있으며 면역억제 치료가 염증성 장질환에서 효과가 있다는 점은 이 질환이 면역학적으로 매개되는 질환임을 시사하는 것이라 하겠다. 궤양성 대장염이나 크론병의 원인이 정확히 밝혀진 것은 없지만, 치료에 있어서 가장 중요한 것은 이 질환의 특징인 장관내 염증을 줄여야 한다는 것이 기본이 된다는 사실이다. 최근 들어 인체 장내 세균과 인체 면역 체계와의 공생관계 symbiosis가 손상된 경우, 염증성 장질환이 발생할 수 있다는 사실이 동물 실험을 통해 발표되고 있으나, 임상적으로 의미가 있을 지에 대해서는 지속적인 연구가 진행 중이다.

염증성 장질환이 일반인에 비해 같은 가족 내에서의 유병률이 높고, 일란성 쌍둥이에서 호발한다는 점은 이 질환의 유전적 요인을 시사하는 것이며, 인종적으로도 흑인이나 동양인에 비해 백인, 특히 유태인에서 호발한다. 아울러 농촌보다 도시인에서 호발하고 사회경제력이 낮은 사람들보다 높은 사람들에서 빈발하는 환경적 요인도 작용한다.

3) 병리 및 감별 진단

궤양성 대장염과 크론병은 임상적 특성 및 병리 조직학적 특징에 있어서 공통점이 많지만, 85% 정도의 환자에서는 확실하게 구분할 수가 있다. 궤양성 대장염은 대장내 점막 및 점막하층에 국한된 염증세포의 침윤을 특징으로 한다. 점막은 대체로 위축되거나, 소낭선 농양crypt abscess이 흔하다. 내시경 소견상, 점막의 유약성friability이 높고, 때때로 다발성 염증성 가성 폴립의 소견을 보인다. 궤양성 대장염의 이환기간이 긴 경우, 점막은 반흔 조직으로 대체되며, 대장의 길이가 단축될 수 있다. 그러나 비활동성 궤양성 대장염을 가진 환자의 경우 내시경이나 조직학적으로 정상 소견을 보일 수 있다. 궤양성 대장염은 직장을 침범하는 경우에서부터, 직장과 에스결장, 직장과 좌측결장, 그리고 직장과 전 결장을 모두 침범하는 경우까지 있을 수 있다. 그러나 소장을 침범하는 경우는 없는데, 경우에 따라서는 말단 회장부에까지 염증 소견back-wash ileitis이 보일 수는 있다. 궤양성 대장염의 가장 중요한 소견은 직장과 대장의 연속적인 염증의 침범이다. 염증이 이환된 부분의 장관이 서로 떨어져 있거나, 병변 간에 정상 소견을 보이는 장관이 있을 경우에는 크론병을 의심해야 한다. 임상적 증상은 점막내 염증의 침윤 정도나 대장염의 정도에 따라 달라진다. 가장 흔한 증상으로는 복통과 혈성 설사이며, 직장염이 있는 경우, 후중감tenesmus이 있을 수 있다. 심한 복통과 열감이 동반되어 있는 경우, 전격성 결장염이나 독성거대결장을 시사하는 소견일 수 있다. 이학적 검진 소견은 비특이적으로 경한 복부 압통에서부터 복막염의 소견을 보일 수 있으며, 응급 상황이 아닌 경우 대장내시경과 점막 생검을 통해 진단할 수 있다. 궤양성 대장염의 특징적인 내시경 소견, 바륨조영술 소견 및 조직검사 소견은(그림 2-67)과 같다.

크론병은 궤양성 대장염과 달리 장관내 전층에 염증이 침윤 할 수 있으며, 구강부터 항문까지 어느 곳에나 생길 수 있다. 점막 궤양, 염증세포 침윤, 비건락성 육아종이 대표적인 조직학적 소견이며, 염증이 만성화되는 경우, 소장이나 대장 조직의 섬유화, 협착, 누공 형성이 일어날 수 있다. 특징적인 내시경적 소견으로는 깊은 사행궤양serpiginous ulcer과 조약돌 같은 점막 소견cobblestone appearance이다. 구역적 고립성 병변skip lesion을 보이는 경우가 많고,

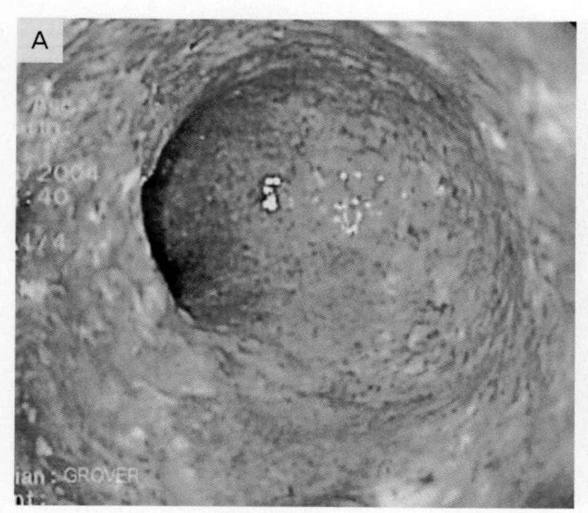

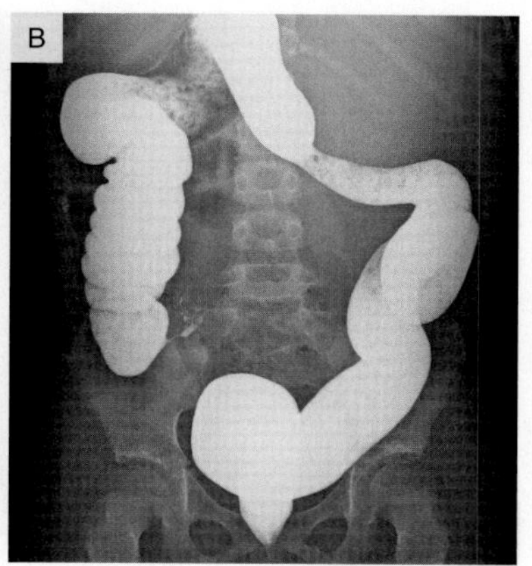

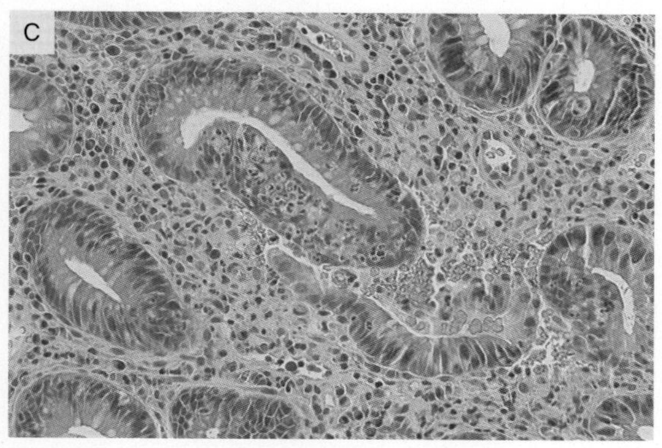

그림 2-67 궤양성 대장염의 소견. A) 특징적인 내시경 소견: 미만성의 표재성 궤양들이 관찰되며 삼출물이 동반되어 있고 점막의 부종과 발적으로 인하여 점막하 혈관상이 소실되어 있음. 점막의 취약성으로 인하여 자연 출혈이 관찰됨. B) 바륨조영술 소견: 직장과 좌측결장, 횡행결장까지 연속적으로 침범한 궤양성 대장염 소견이며, 결장팽기의 소실, 에스결장의 단축, 불규칙적인 점막 궤양이 보인다. C) 병리학적 소견: 궤양성 대장염의 현미경적 소견이다. 소낭 상피세포에 호중구의 침윤으로 인한 소낭염이 급성 염증의 특징적인 소견이며, 또한 고유층에 전반적인 림프형질세포의 침윤과 소낭선 형태의 파괴가 만성 염증이 동반된 소견이다.

직장을 침범하지 않는 경우가 흔하다. 크론병의 증상은 염증이나 만성 섬유화의 정도, 장관내 염증의 위치에 따라 결정된다. 급성 염증기에는 설사를 동반한 복통과 발열이 있을 수 있으며, 협착이 있는 경우 장폐쇄 증상을 보일 수 있다. 장폐쇄와 단백 소실에 의한 체중감소가 흔하다. 항문 크론병이 있는 경우 항문주위 통증, 부종, 농양 및 치루에 의한 농성 배액이 있을 수 있다. 이학적 검진 소견은 질환의 위치와 정도에 따라 달라질 수 있다. 크론병의 특징적인 내시경 소견, 바륨조영술 소견 및 조직검사 소견은 (그림 2-68)과 같다.

궤양성 대장염과 크론병이 서로 비슷한 임상상을 보이는 서로 다른 2개의 질환인지, 아니면 같은 부류에 속하는 질환인지에 대한 뚜렷한 정답은 없다. 이러한 연유로 15% 정도의 환자에서는 내시경 소견이나 조직학적 소견상 궤양성 대장염과 크론병을 구분할 수 없을 수 있다. 이러한 환자들은 대게 임상적으로 궤양성 대장염의 증상을 보이지만, 내시경이나 조직학적 소견상 두 질환의 특성을 모두 보이는 것이 특징으로 이러한 경우를 '불확실성' 결장염이라고 한다.

염증성 장질환의 다른 감별진단으로 감염성 대장염이 있으며, 원인으로는 *Campylobacter jejuni*, *Entamoeba histolytica*, *C. difficile*, *Neisseria gonococcus*, *Salmonella*, 그리고 *Shigella*등이 있다. 우리 나라에서는 특히 결핵성 장염과의 감별이 어려운 경우가 있다.

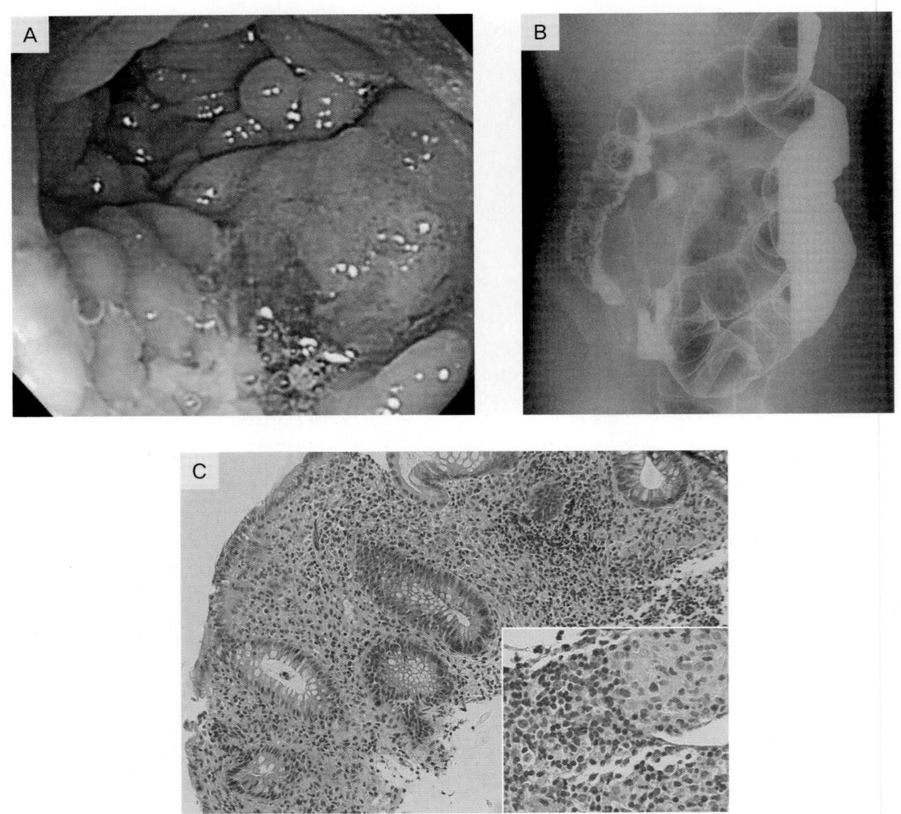

그림 2-68 **크론병의 소견.** A) 대장을 침범하는 크론병의 내시경 소견: 크론병의 대장내시경 소견으로 염증 및 특징적인 조약돌 모양 점막 소견을 보인다. B) 대장을 침범하는 크로병의 바륨조영술 소견: 우측결장을 침범한 크론대장염 소견이며, 조약돌 모양의 점막이 보인다. 직장 및 좌측결장은 정상이다. C) 만성 크론병의 현미경적 소견으로 소낭의 형태 변화와 위축을 보이며, 우측아래 사진에서 크론병의 특징적인 소견인 비건락성 괴사를 볼 수 있다.

4) 장관 외 증상

간은 염증성 장질환이 장관 외 증상을 보일 수 있는 대표적인 장기이다. 40–50%의 환자에서 지방간 소견을 보이며, 2–5%는 만성 섬유화가 생길 수 있다. 간내 지방변성은 염증성 장질환의 치료로 정상화 될 수 있지만, 섬유화는 비가역적인 질환이다. 원발성 경화성 담관염은 간내, 간외 담관에 협착이 진행하는 질환으로 원발성 경화성 담관염 환자의 40–60%는 궤양성 대장염을 동반하고 있다. 대장을 절제하더라도 담관염은 정상화되지 못하며, 간 이식만이 효과적인 치료법이다. 담관 주위염 또한 염증성 장질환과 연관되어 있을 수 있으며, 간 생검을 통해 진단할 수 있다. 담관암은 염증성 장질환의 이환기간이 긴 경우에 생길 수 있는 드문 합병증으로 이러한 경우, 일반적인 담관암보다 이환 연령이 평균 20년 정도 젊은 것이 특징이다.

관절염도 염증성 장질환의 장관 외 증상 중 하나일 수 있으며, 일반적인 유병률보다 20배 정도 높다. 관절염은 대게 장질환의 치료에 따라 호전된다. 또한 천골장골 관절염과 강직성 척추염이 염증성 장질환과 동반될 수 있으나, 장질환의 치료에도 증상이 호전되지는 않는 것으로 되어 있다.

결절성 홍반이 5–15%의 환자에서 보일 수 있으며 장관염증의 정도에 따라서 증상이 변화한다. 여자환자의 경우 남자보다 3–4배 정도 더 높은 이환율을 보인다. 특징적인 소견으로는 하지에 붉은 융기형 병변이다. 농피성 괴저증은 드물지만, 심각한 합병증이 될 수 있다. 병변은 초기에 하지 정강이 피부나 장루 주위 피부에서 홍반성 판, 구진, 수포로 시작하여 통증을 동반한 궤양성, 괴저성 상처로 진행한다. 이러한 농피성 괴저증은 이환된 장을 절제하면 호전되기도 하지만, 그렇지 않은 경우도 많다.

또한 10% 정도의 염증성 장질환 환자에서 안구 병변이 동반되기도 한다. 이에는 포도막염, 홍채염, 공막염, 결막염등이 있고, 염증성 장질환의 급성기에 악화된다.

5) 염증성 장질환의 진단

염증성 장질환의 진단은 위에서 언급한 특징적인 위장관 증상을 바탕으로 이루어지는데, 염증성 장질환 환자의 증상은 무증상부터 증상이 심한 환자까지 다양하다는 점을 염두에 두어야 한다. 궤양성 대장염의 경우 거의 예외없이 직장출혈이 나타나는 것이 특징적이다. 궤양성 대장염에서의 복통은 독성거대결장이 합병증으로 나타나지 않는 한 경미하지만, 크론병 환자는 자주 복통을 호소하고 간혹 복부에서 종괴가 만져질 수 있다. 설사나 점액배출은 두 질환에서 공통적으로 발현될 수 있는 증상이다. 두 질환을 감별하는데 도움이 되는 소견을(표 2-8)에 기술하였다. 최근에는 이러한 염증성 장질환의 증상이 있는 환자에서, 점막내 염증의 중성구neutrophil에서 기원하는 단백질인 칼프로텍틴calprotectin이나 락토페린lactoferrin을 대변에서 측정하여 질환의 진단과 재발의 추적관찰에 유용하게 사용되고 있다.

내시경 검사는 염증성 장질환의 유무를 검사하는 중요한 도구이다. 궤양성 대장염의 경우 직장은 거의 항상 염증이 있으므로 크론병과 구별하는데 도움이 된다. 내시경 검사는 독성거대결장이나 대장염이 심한 전격성 대장염 fulminant colitis의 경우 금기이므로 유의해야 한다. 크론 소장염의 경우 최근에는 캡슐 내시경이나 경항문 소장 내시경을 이용한 소장의 검사가 가능해져서 많이 사용되고 있으나, 장폐색이 있는 경우 캡슐 내시경은 금기이다.

복부의 단순촬영은 장폐색의 유무, 그리고 특히 독성 거대결장 환자에서 대장의 늘어난 정도를 판단하는데 유용하게 쓰인다. 장벽의 두께와 장간막, 누관, 농양 유무 등을 조사하는데 도움이 되는데, 최근에는 컴퓨터단층촬영은 해상도 및 3차원적 영상 기술의 발달로 그 활용범위가 점점 더 늘어나고 있는 실정이다. 최근에는 중성 경구 조영제와 혈관 조영제를 동시에 이용한 장관 조영 CTCT enterography가 개발되어 장관의 염증 및 협착의 정도를 좀 더 정확하게 확인할 수 있어, 염증성 장질환의 진단 및 추적관찰에서 광범위하게 사용되고 있다. MRI 및 경항문 초음파의 경우 항문이나 직장 주위 크론병으로 인한 농양이나 치루의 범위를 조사하는데 활용되고 있다.

표 2-8. 궤양성 대장염과 크론병의 감별

	궤양성 대장염	크론 대장염
위치	직장, 좌측 결장	비특이적
직장 출혈	흔하다, 지속적	드물다, 간헐적
직장 침범	거의 항상	약 50%
항문 질환	드물다	흔하다
장관루형성	드물다	흔하다
궤양	미란성, 불규칙적 연속적 배열	선형, 종행 열창(자갈밭) 비연속적
장관 협착	드물다(대장암과 감별)	흔하다
악성종양	증가 추세	증가 추세
독성거대결장	발생 가능	발생 가능

바륨관장술은 내시경 및 CT의 발달로 인해 상대적으로 그 용도가 줄어들고는 있지만 대장 전체의 형태와 협착 정도 등을 파악하는데 도움이 되며, 바륨 소장조영술은 크론병 환자에서 소장의 병변정도를 조사하는데 도움이 될 수 있다.

6) 비수술적 치료의 원칙

내과적 치료는 염증을 줄이고, 증상을 호전시키는 것을 원칙으로 하며, 궤양성 대장염과 크론병에 사용되는 약제가 거의 동일하다. 일반적으로, 경도나 중등도의 염증이 있는 경우 외래를 통한 약물치료를 우선적으로 시행하게 되며, 중증의 염증이 있을 경우에는 입원 치료를 시행해야 한다. 또한 전 대장에 염증이 있는 경우에는 염증이 국한되어 있는 경우보다 좀 더 적극적인 치료를 시행해야 한다. 염증이 직장이나 에스결장에 국한된 경우에는 전신적인 약물치료보다는 salicylate나 스테로이드를 이용한 좌약이나 관장을 시행하는 것이 효과적일 수 있다.

(1) Salicylate

Sulfasalazine (Azulfidine), 5-ASA 등이 경도와 중등도의 염증성 장질환의 초기 치료 약제이다. 이 약물들은 장관 점막내의 cyclooxygenase와 5-lipoxygenase를 억제함으로써 염증을 줄이는 작용을 하며, 이환된 점막에 직접 접촉해야만 효과를 얻을 수 있다. 대표적인 약제로 sulfasalazine, mesalamine (Pentasa), Asacol, Rowasa등이 있다.

(2) 항생제

항생제는 크론병에서 장관내 세균수를 줄이는 역할을 한다. Metronidazole이 크론 대장염과 크론 항문병에서 효과가 있다는 보고가 있고, fluoroquinolone 제제가 도움이 되는 경우가 있다는 보고가 있으나, 그 증거는 확실하지 않다. 전격성 대장염이나 독성거대결장이 없는 경우에는 사용하지 않는 것이 원칙이다.

(3) 스테로이드

스테로이드는 염증을 비특이적으로 억제하는 약물로서, 염증성 장질환의 급성 악화기의 치료에 중요한 약물이며, 75-90% 정도의 환자에서 증상의 호전을 기대할 수 있다. 그러나 스테로이드를 오랜 기간 사용하면 심각한 부작용도 많으며, 소아의 경우 성장에 영향을 미칠 수 있어, 스테로이드를 계속해서 사용해야 하는 경우 수술적 치료의 적응이 될 수 있다.

최근에는 간에서 빠르게 대사되어 전신적인 부작용이 적고 국소적으로 작용하는 새로운 스테로이드 제제인 budesonide, beclomethasone dipropionate, tixocortol pivalate 등이 개발되었다. 이 중 budesonede는 경구용으로 사용할 수 있으며, 직장이나 에스결장에 염증이 있을 때 국소적인 관장용으로도 사용할 수 있어, 전신 부작용을 줄일 수 있다.

(4) 면역억제제

Azathioprine과 6-mercatopurine (6-MP)은 핵산대사를 방해함으로써 염증세포의 증식을 억제하는 약제이다. 이들 약제는 염증성 장질환에서 salicylate치료에 실패하거나 스테로이드 의존도가 생긴 환자에서 유용하게 사용될 수 있다. 그러나 이들 약물이 효과적으로 작용하는 데는 6-12주 정도가 필요하고 이 기간 동안에는 스테로이드를 동시에 사용하여야 한다.

Cyclosporine은 염증 세포의 기능을 억제하는 작용을 하는 면역 억제제로서 염증성 장질환에 흔히 사용되지는 않지만, 궤양성 대장염의 급성 악화기에 사용될 수 있고, 80% 정도의 환자에서 효과가 있는 것으로 되어있다. 그러나 이러한 환자들의 대부분은 결국 수술적 치료가 필요한 것으로 되어 있다. 또한 크론병의 급성 악화기에도 사용할 수 있으며, 2/3의 환자에서 증상의 개선을 보이는 것으로 알려져 있으며, 이러한 증상의 개선은 약물 복용 후 약 2주 정도 후에 나타나는 것으로 되어있다. 그러나 cyclosporine 역시 많은 부작용을 일으킬 수 있어 오랜 기간 사용은 제한적인 실정이다.

Methotrexate는 엽산대사 길항제로 염증성 장질환에 사용될 수 있으며, 50% 정도의 환자가 효과를 보인다고 보고되었다.

Infliximab (Remicade)은 TNF-α를 억제하는 단일클론 항체로서 혈관내 주사를 통해 중등도 및 중증 크론병환자의 50% 이상에서 효과를 볼 수 있는 것으로 되어 있으며, 항문 크론병에도 효과가 있는 것으로 보고되고 있다. 그러나, 재발이 흔해 두 달에 한 번 주사를 맞아야 한다. 궤양성 대장염의 치료에 있어서는 아직까지 널리 사용되지는 않지만, 효과가 있었다는 보고들이 있어 그 사용이 증가하고 있는 상태이다. Adalimumab (Humira) 역시 TNF-α 항체로 염증성 장질환의 치료에 이용되며, infliximab이 생쥐에서 유래된 이종 항체인 반면에 adlimumab은 인간화 항체이다. 이 약물은 환자가 자가로 피하주사를 시행할 수 있어, 좀 더 편리하게 질환의 치료에 이용될 수 있다. 최근에는 장관 점막내에서 염증세포의 부착분자인 integrin에 대한 항체를 이용한 약물(Vedolizumab) 등 여러 가지 생물학적 제제들이 개발되고 있고, 임상에 이용을 위해 활발한 연구가 진행 중이다.

(5) 영양 공급

염증성 장질환 환자들은 잦은 복통과 장폐색으로 인한 경구섭취 저하와 설사로 인한 단백영양공급 부족 및 염증의 활성화에 따른 전신적인 이화catabolic 상태 등으로 인해 자주 영양 결핍 상태가 될 수 있다. 따라서 경정맥 영양공급이 염증성 장질환의 내과적 치료에서 있어서 중요한 한 부분이 될 수 있다. 수술적 치료를 시행할 때에도 환자의 영양상태를 잘 파악해야 하며, 혈장 알부민, 전알부민, 또는 트랜스페린등으로 평가를 하여야 한다. 영양결핍이 심하고 장기간의 스테로이드 복용력이 있는 환자에서는 수술 시 일차 문합보다는 장루 조성술이 안전할 수 있다.

2. 궤양성 대장염

궤양성 대장염은 호전과 악화를 반복하는 질환으로 무증상에서부터 경도의 염증, 또는 전격성 질환까지 다양한 임상상을 보인다. 증상이 소량의 혈변에서 점차적으로 시작되는 경우도 있지만, 심한 혈성 설사 및 후중감, 복통과 열감이 갑자기 시작되는 경우도 있을 수 있으며, 염증의 정도 및 활성도에 따라 증상의 경중이 달라진다. 검사소견상 빈혈은 흔하지만 대량 출혈은 흔하지 않으며, 이학적 검진 소견은 비특이적이다.

궤양성 대장염은 내시경적으로 진단하며, 직장에 대부분 염증이 침범되어 있기 때문에 직장경만으로 충분한 경우도 있다. 초기 소견으로는 점막 부종, 정상 혈관의 소실 등이 보일 수 있고, 염증이 진행하는 경우 점막의 취약성과 궤양 소견을 보이며, 농양이나 점액 등도 볼 수 있다. 만성 염증의 경우에는 조직 생검이 진단에 도움이 되지만, 급성기에는 비특이적인 염증 소견만 보일수 있다. 중증 염증의 급성 악화 시에는 진단을 위해 무리하게 대장내시경이나 바륨대장조영술은 천공의 위험성으로 인해 시행하지 않는다.

바륨대장조영술은 궤양성 대장염의 진단 및 병변의 범위를 확인할 수 있는 검사이지만, 대장내시경에 비해 진단의 정확도가 떨어져 초기 병변을 발견하지 못하는 경우도 있을 수 있다. 만성 궤양성 대장염의 경우 대장의 길이가 짧아지고 휴스턴 판haustral marking이 사라진 납관 모양lead pipe의 대장 소견을 볼 수 있다. 궤양성 대장염의 염증은 점막에 국한되므로 내강의 협착은 흔하지 않으며, 만약 대장조영술상 협착의 소견이 보이면 악성 질환과 감별을 해야 한다.

1) 수술 적응증

궤양성 대장염의 적응증은 크게 응급수술 상황과 예정수술 상황으로 나뉠 수 있다. 응급수술은 대량 출혈, 독성거대결장, 복막염이나 패혈증을 동반한 내과적 치료에 반응하지 않는 전격성 대장염이 있을 때 시행하여야 한다. 전격성 대장염의 증상이 있는 환자에서는 먼저 금식 및 수액 주입, 광범위 항생제와 스테로이드 주사제로 치료를 시행해야 하며 24시간 후에도 증상의 호전이 없다면 수술을 시행해야 한다. 진단을 위해 대장내시경이나 대장조영술을 시행하는 것은 금기사항이며, 지사제를 사용하는 것도 피해야 한다.

예정수술의 적응증은 장기간의 내과 치료에도 반응이 없는 경우와 스테로이드의 장기 사용으로 인한 무균성 관절 괴사등의 심각한 부작용이 있을 때, 그리고 대장암 발생의 위험이 있을 때이다. 궤양성 대장염이 전체 대장을 침범하는 경우 대장암 발생의 위험도는 10년 후 2%, 20년 후 8%, 30년 후 18% 정도로 알려져 있다. 궤양성 대장염에서 발생하는 대장암은 일반적인 대장암의 경우와 달리 편평 이형성flat dysplasia에서 기인하는 경우가 많아 초기에 진단하기가 어렵다. 따라서, 장기간 궤양성 대장염으로 치료를 받고 있는 환자에서 악성 침윤성 종양이 발생하기 전에 이형성을 찾아내기 위해서 대장내시경으로 추적관찰을 해야 하며, 이전에는 다발성 무작위 조직 생검(40–50개)을 통한 선별 검사가 시행되었다. 그러나, 최근에는 해상도가 높은 화질의 내시경 카메라가 개발되고, methylene blue나 indigo carmine을 이용한 색소내시경을 통해 대부분의 점막 이형성을 용종의 형태로 육안적으로 확인할 수 있게 되어, 무작위 생검보다는 타겟 생검을 시행하는 것이 추천된다. 대장내시경은 전체 대장에 염증이 있는 경우는 이환 기간 8년 후부터 매년 시행해야 하며, 좌측 대장에만 국한된 염증이 있을 때는 15년 후부터 매년 검사를 시행해야 한다. 육안적으로 확인된 용종은 내시경적 절제를 우선적으로 시행하게 되며, 완전 절제가 된 이형성은 추적 관찰하는 것이 필요하다. 그러나, 무작위 생검을 통해 발견된 이형성은 선택적으로 전 대장절제술이 필요할 수 있다. 고위험도 이형성은 악성으로 발전할 가능성이 매우 높아 전 대장절제술이 필요한 것으로 생각되며, 현재까지 저위험도 이형성low-grade dysplasia은 악성으로 발전할 가능성이 떨어지는 것으로 알려져 왔지만, 최근의 연구에서는 침윤성 암종의 발생이 20% 정도까지 보고되기도 한다. 따라서, 무작위 생검을 통해 발견된 이형성이 있는 모든 궤양성 대장염 환자에서는 전 대장절제술이 고려되어야 한다. 그러나, 이형성이 없이 10년 이상 궤양성 대장염을 앓고 있는 환자에서의 예방적 전 대장절제술에 대해서는 아직까지 논란이 많다. 대장내시경을 통한 무작위 조직검사는 악성종양을 놓칠 수 있기 때문에 수술을 시행해야 한다고 주장하는 이들이 있으나, 이형성이 없는 경우에 악성종양의 위험성이 상대적으로 낮기(2.4%) 때문에, 추적관찰만으로 충분하다고 주장하는 이들도 있다. 그러나, 양쪽 모두 궤양성 대장염에서의 악성종양에 의한 사망률을 낮추지는 못하는 것으로 보고되고 있다.

2) 수술적 치료

(1) 응급수술

전격성 대장염, 독성거대결장이 있는 환자에서는 전 대장절제술 보다 전 결장절제술과 회장루조성술을 시행하는 것이 권장된다. 대부분의 환자에서 직장에 염증이 존재하지만, 결장절제술만으로도 증상이 호전되며, 전신상태가 좋지 못한 상황에서 직장을 절제하기 위한 골반내 박리를 시행하는 것은 시간이 오래 걸리기 때문에 가급적 피해야 한다. 드물게 전 결장절제술을 시행할 수 없을 정도로 전신상태가 안 좋은 경우에는 루프 회장루나 결장루만을 시행하고, 병변에 대한 근치적 수술은 환자의 상태가 안정된 후에 시행하여야 한다.

회장낭 항문 문합술은 술식이 복잡하여 응급상황에서는 피해야 하지만, 직장에서 대량 출혈이 있는 경우에는 직장을 절제하고 회장루를 시행하거나 제한적으로 회장낭–항문 문합을 시행할 수 있으며, 수술 중 환자의 상태가 안정적이고 신속하게 수술을 시행할 수 있는 경험 있는 대장항문 외과전문의에 의해서라면 선택적으로 시도될 수 있다.

(2) 예정수술

궤양성 대장염에서 수술의 목적은 궁극적으로 이 질환의 완치이다. 이를 위해서는 궤양성 대장염이 발생하는 대장의 점막을 모두 제거해주면 된다. 그러나 직장을 포함하는 모든 대장을 제거할 경우 직장의 저장기능 손실로 인해 배변횟수가 많아지고, 배변자제가 이루어질 수가 없다. 따라서 이러한 문제를 해결하기 위해 소장의 끝부분인 회장을 이용하여 주머니를 만들어 항문에 연결시켜 주는 회장낭–항문 문합술식이 보편화되었다.

과거에는 직장에 염증이 심하지 않은 경우, 전 결장절제술과 회장–직장 문합술이 권장되어 왔으나, 최근에는 직장내 염증의 진행, 악성종양의 위험성, 전 대장절제술과 회장낭–항문 문합술의 안전성 등으로 인해 직장을 동시에 절제하는 추세이다. 그러나 직장에 염증이 없어서 '불확정' 대장염이 의심되는 경우에는 전 결장절제술과 회장–직장 문합술은 여전히 적절한 수술법이다. 만성 궤양성 대장염의 수술 원칙은 전 대장절제술을 통해 이환된 대장을 모두 절제하는 것이며, 대부부의 환자들은 수술

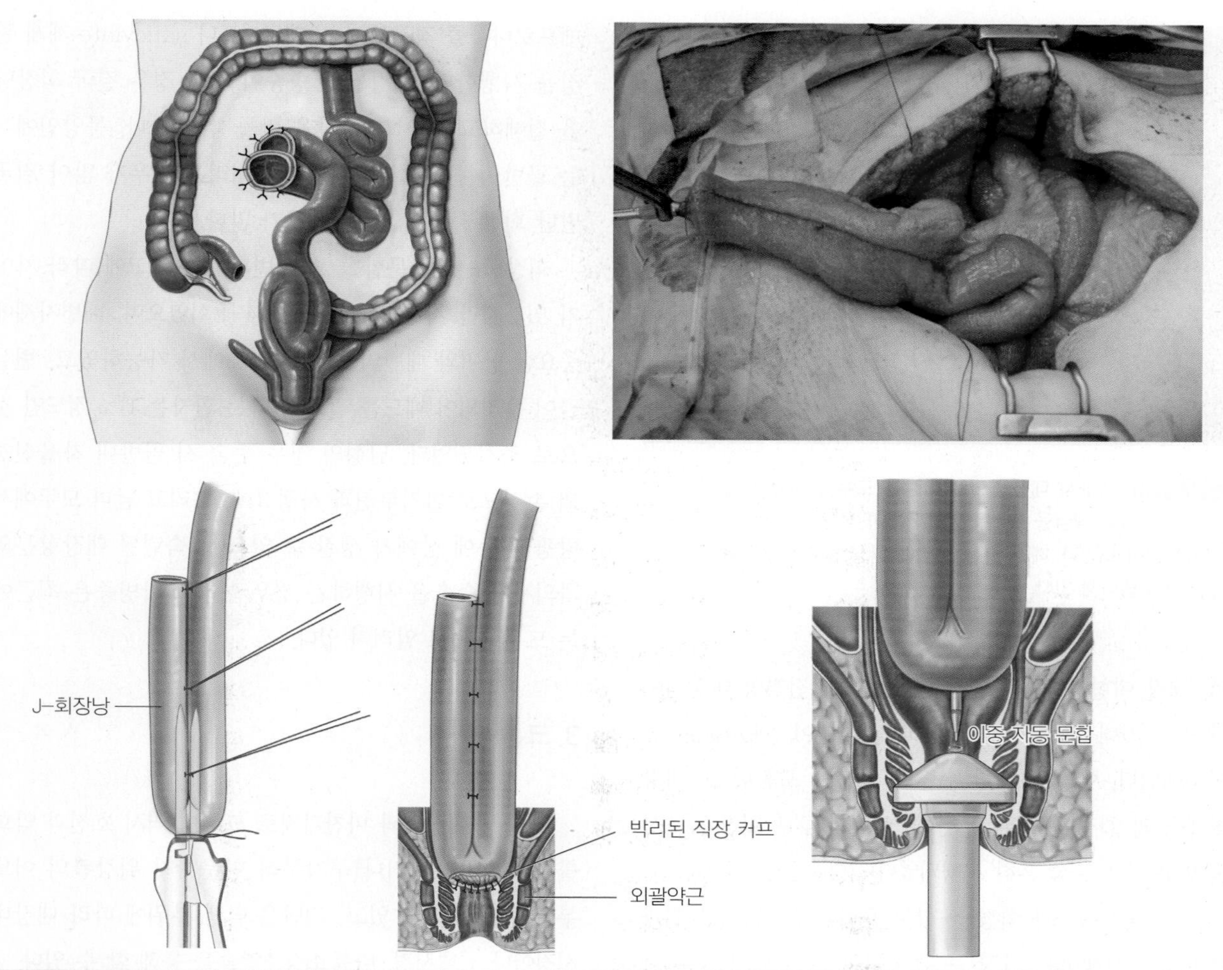

그림 2-69 전 대장절제술과 회장낭 항문 문합술. 궤양성 대장염에서 전 대장절제술을 시행한 후 J형 회장낭을 만들어 항문과 자동문합기를 이용하여 문합하고 있다.

후 신체적, 정신적으로 호전을 경험한다. 과거에는 수술 후 기능적인 측면과 삶의 질의 측면에서 도움이 될 수 있도록 전 대장절제술과 조절가능한 회장루Kock's pouch 조성술이 시행되기도 했지만, 합병증이 많아 최근에는 일반적으로 회장낭-항문 문합술을 시행하며, 1980년대에 처음 시도된 이 술식이 현재 궤양성 대장염 환자에서 가장 많이 시행되는 술식이 되었다. 회장낭은 간편하고 합병증이 적은 J형 주머니가 가장 널리 활용되며, 회장낭-항문 문합술도 수기로 하는 방법과 자동문합기를 활용한 문합법이 있는데, 자동문합기를 이용하는 경우 항문괄약근 손상이 적다는 장점이 있다. 그러나 직장점막이 일부 남아서 이 부위에 이형성증이나 암의 발생 가능성에 대한 우려가 있지만 그 발생빈도가 매우 낮아 최근 들어 자동문합기를 활용한 회장낭-항문 문합술이 가장 보편화된 술식이다(그림 2-69).

우리나라의 경우 궤양성 대장염에 대한 수술의 역사는 그다지 길지 않아서 20년 전만 하더라도 여러 가지 종류의 술식이 시도 되었으나 최근에는 전 대장절제술 및 회장낭-항문 문합술이 표준화된 수술로 정립되어 있다. 저자는 1998년부터 2014년까지 85명의 궤양성 대장염 환자에서 대장절제수술을 시행하였는데, 수술의 적응증은 내과적 치료에 반응하지 않는 경우가 57예로 가장 많았으

그림 2-70 **궤양성 대장염으로 대장을 모두 절제한 모습.** 전 대장에 걸쳐 미란성 궤양을 볼 수 있으며 특히 직장 부위에 광범위한 점막의 소실이 보인다. 에스 결장 부위에 악성 종괴가 있으며 이로 인해 내강이 좁아져 있다.

며, 대장 이형성증이나 악성종양이 9예, 전격성 대장염이나 독성 거대결장이 7예, 급성 대량 출혈이 7예, 대장천공이 5예였다. 이들에 대한 수술로 직장을 포함한 전 대장 절제술 과 회장낭-항문 문합 및 일시적 루프 회장루 조성술이 79예로 가장 흔히 시행되었다(그림 2-70).

전 대장절제술과 회장낭-항문 문합술은 대장항문외과 분야에서 시행하는 가장 큰 수술이며, 대부분의 경우 환자가 고용량의 스테로이드를 복용하고 있는 등 전신상태가 불량한 상태에서 수술하게 되는 경우가 많다. 따라서 합병증의 발생빈도가 높은데, 흔한 합병증으로는 저장낭의 천공, 문합부 누출, 골반내 농양, 장폐색, 여성에서 회장낭-질 사이의 누공, 항문협착 등이 있다. S형 저장낭을 만드는 경우 장루 개구부에서의 배출장애가 발생할 수 있으나 J형 회장낭의 경우에서는 드물다. 회장낭-항문 문합술을 시행한 환자는 장기 추적이 필요한데, 장기 추적 시 회장낭에 문제가 발생할 수 있기 때문이다. 가장 문제가 되는 것은 회장낭염으로 이는 저장낭에 생긴 염증을 의미하는 것으로, 궤양성 대장염으로 회장낭을 만든 환자의 20-30% 내외에서 발생한다. 흔히 묽은 변의 양이 증가하고, 혈변으로 발현되며, 미열과 전신 무력감을 동반한다. 진단은 내시경으로 염증을 확인하면 되고, 치료로는 메트로니다졸 경구투여, 스테로이드나 salicylate 제제 관장을 시행한다. 회장낭 합병증이 심한 경우 결국 회장낭을 절제하고, 다시 회장낭을 만들 수 있으나, 동양인에서는 골반이 좁고 소장이 짧아서 어려운 경우가 많아 결국 말단 회장루로 전환되는 경우가 많다.

회장낭-항문 문합술 후 배변횟수는 보고에 따라 차이가 있겠지만 저자의 경우 하루 4-8회였으며, 배변자제에 중요한 방귀와 대변의 구분은 78%에서 가능하였고, 변실금이 우려되어 패드를 필요로 하는 환자는 17% 정도인 것으로 조사되었다. 남성의 경우 수술 시 골반내 자율신경의 손상으로 발기부전과 사정장애, 그리고 남녀 모두에서 방광 기능에 장애가 생길 수 있으나, 숙련된 대장항문외과의사가 수술을 시행하는 경우 이러한 합병증은 최근에는 드문 것으로 알려져 있다.

3. 크론병

궤양성 대장염과 마찬가지로 크론병 역시 호전과 악화를 반복한다. 그러나 구강부터 항문까지 위장관의 어느 부위에도 생길 수 있고, 진단은 발생 부위에 따라 대장내시경이나 위내시경, 바륨소장조영술을 통해 할 수 있다.

크론병은 복통, 설사, 체중감소 등의 다양한 임상증상을 보이며, 위장관의 어느 장기나 침범할 수 있는 만성 염증성 질환이다. 이 중 말단 회장과 회맹부, 대장을 침범하는 경우가 40%로 가장 많고, 염증이 소장에만 국한된 경우가 30%, 대장에만 국한된 경우가 20-25%, 항문에만 국한된 경우가 5-10%이다. 크론병과 궤양성 대장염의 구분에서 가장 중요한 것은 구역성 고립성 병변이며, 약 40%의 환자에서 직장내 염증이 없다. 가장 흔하게 침범되는 장기는 말단 회맹부이며, 그 외에 소장, 대장, 직장 순이다. 또한 원위부 직장이나 항문에도 크론병이 병발할 수도 있다.

위장관 크론병의 수술적 치료의 적응증은 내과적 치료에 반응이 없는 경우, 장폐색, 장천공, 장피 누공, 복강내 농양, 장관내 누공에 의한 영양 결핍등의 합병증이 생겼을 때가 주를 이루며, 그 외에 드물게 급성 장관내 출혈, 악성종양, 전격성 대장염 등이 있다.

수술은 발생한 부위에 따라 다르지만 원칙적으로 장관을 최대한 보존하면서 시행한다. 이환된 장관을 절제 시에는 장관의 절제범위를 최소한으로 하고, 육안적으로 정상범위의 장관을 문합한다. 장관의 협착이 있을 시에는 다발성인 경우가 많기 때문에, 협착 성형술strictureplasty을 시행하여 장관의 절제를 최대한 피한다. 장피누공이나 장관내 누공의 수술은 이환된 장관을 절제하고, 누공관을 절제하며, 복강내 괴사조직을 최대한 제거한다. 남아있는 장관 및 복강의 상태에 따라 문합하거나 장루를 설치한다. 장관내 누공의 경우 이환되지 않은 장관의 누공은 일차 봉합을 시도할 수 있다. 염증이 대장 전체에 이환된 경우, 전 대장절제술이 시행될 수 있으며, 직장에 이환 여부에 따라 직장을 포함하여 절제하기도 한다.

이러한 위장관 크론병은 내과적 치료와 수술적 치료를 시행하더라도, 악화와 호전을 반복하는 경향이 있고, 대다수의 환자에서 일생에 한번은 수술을 경험하는 것으로 되어 있다. 저자들은 2015년에 위장관 크론병으로 수술한 환자들의 장기 추적 결과를 보고하면서, 누적 재수술율을 5년에 17.4%, 10년에 31.5%, 20년에 68.7%로 보고하였다.

1) 수술 적응증

크론병은 위장관내 어느 부위에도 생길 수 있기 때문에 그 치료에 있어서 궤양성 대장염과는 원칙적으로 다르다. 궤양성 대장염의 치료 원칙은 이환된 대장을 절제함으로써 최소한 장질환은 완치시키는 것이 목적이지만, 크론병은 병변이 의심되는 모든 장관을 절제할 수 없기 때문에 이 질환으로 인한 합병증을 치료하는 것이 원칙이다.

크론병의 임상상은 급성 염증과 만성 섬유화의 과정으로 나타나게 된다. 급성 염증기에는 장관내 염증과 함께 누공이나 농양의 형태를 보이게 되며, 항염증 약제와 금식 및 항생제등을 사용하게 되고, 영양결핍이 있는 경우 경정맥 영양공급을 시행하여야 한다. 많은 경우에 농양은 초음파나 CT를 이용하여 경피적으로 배농할 수 있으며, 대부분의 환자에서 상태가 호전되어 염증이 줄어들고 영양결핍이 해소되면 선택적 수술적 치료를 시행하여야 한다.

만성 섬유화는 위장관내에서 협착을 일으킬 수 있고, 폐색이 있는 근위부 장관에 천공이 일어날 수 있으나 섬유화 과정이 점차적으로 일어나기 때문에 천공에 의해 범발성 복막염이 발생하기 보다는 천공이 다른 장기의 복막에 의해 막혀서, 결과적으로 위장관, 방광, 자궁, 질 혹은 후복막 등과 누공을 형성하는 경우가 흔하다. 이러한 만성 섬유화는 내과적 치료로 호전되는 경우가 드물다. 수술의 적절한 시기는 환자의 전신적 상황과 영양상태를 고려해서 결정해야 하며 협착이 있는 부위를 절제하거나 협착 성형술을 시행한다. 누공의 수술적 치료로는 염증이 있는 원발부의 장은 절제해야 하며, 이차적으로 연결되어 있는 부위의 장기는 일차 봉합하는 것으로 충분하다.

크론병의 수술에는 여러 가지 원칙이 있다. 먼저 수술 절개창은 장루를 조성할 가능성을 고려해서 정중 절개를 시행하는 것이 좋으며, 복강경 역시 고려할 수 있다. 크론병은 여러 번 수술을 시행할 가능성이 있어 절제하는 장관의 길이를 최소화해야 하는 것이 가장 중요한 원칙이다. 육안적으로 정상인 부위까지 절제하는 것으로 충분하며, 수술장 동결 조직검사를 시행할 필요는 없다. 전신상태가 안정되어 있고, 영양 결핍이 없으며, 면역억제제의 사용이 많지 않았을 때는 일차 문합을 시도할 수 있다. 그러나 혈역학적으로 불안정하며, 패혈증이 있고, 영양결핍이 있으며, 고용량의 면역억제제 사용력이 있거나, 복강내 광범위한 오염이 있는 경우에는 장루 조성술을 고려해야 한다.

최근에 복강경을 이용한 수술이 개복 수술과 비교하여 수술 후 통증이 적고, 미용적으로 우수하며, 재원기간이 짧다는 연구 결과가 있어, 많이 시도되고 있다. 그러나, 크론병에서는 재발이 많고, 여러 번 수술한 경우가 있어, 복강경으로 수술을 시도하는 경우 수술 시간이 길고, 개복으로의 전환이 많아질 수 있어 환자에 따라 수술법의 선택에 신중을 기해야 할 것으로 생각된다.

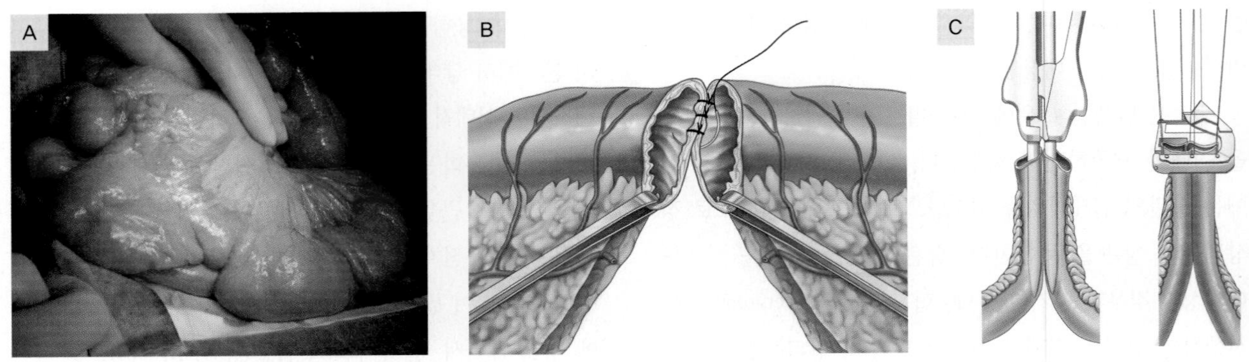

그림 2-71 **크론병에서의 장절제술 및 문합술.** A) 협착을 동반한 소장크론병: 크론병이 이환된 소장 부위에서 만성 협착 소견을 관찰할 수 있다. B) Hand-sewn: 이환된 장을 절제하고 단단 문합을 수기로 시행하는 모습이다. C) Stapled: 자동문합기를 이용하여 측측 문합을 시행하고 있다.

2) 회맹부, 소장 크론병

크론병이 말단 회장과 맹장에 생기는 경우가 40% 정도이며, 소장에만 국한된 경우는 30% 정도이다. 가장 흔한 수술 적응증은 장관내 누공과 농양(30–38%), 그리고 장폐색(35–37%)이다. 요근 농양psoas abscess 역시 회맹부 크론병의 합병증일 수 있다. 패혈증은 경피적 배농술과 항생제를 통해서 치료할 수 있고, 만성 폐색이 있는 환자에서는 경정맥 영양 공급을 시행하여야 한다. 수술 시 절제되는 장관의 범위는 이환된 최소한의 소장과 우측 결장이며 환자의 상태가 안정적이고 영양결핍이 없으며 면역억제제의 사용이 제한적이었다면 일차 문합을 시행할 수 있다. 최근의 몇몇 연구에서 선형 스테이플 기계를 이용한 측측 문합이 수기로 시행하는 단단 문합과 비교하여 넓은 내강을 유지할 수 있으며, 협착, 누출 등의 합병증이 적을 수 있다고 보고되어, 많이 시행되고 있다. 그렇지만, 현재까지 어느 방법이 더 좋다는 결론을 내릴 수는 없고, 어떠한 방법이든지 숙련된 수술자에 의해 정확하게만 시행된다면 안전한 문합이 될 수 있다.

또한, 고립된 하나의 만성 협착부위는 절제할 수 있으나, 다발성의 협착이 있어 소장의 절제가 대량으로 이루어지는 경우, 협착 성형술을 고려해야 한다. 짧은 협착의 경우에는 횡행 협착성형술로 충분하지만, 협착이 긴 경우 측측 소장문합술side-to-side anastomosis을 시행하여야 한다(그림 2-71, 72). 크론병의 경우 장간막이 두터워져 있고, 주위 조직과 염증성 유착이 심한 경우가 많아서 수술이 무척 어렵다는 점을 염두에 두어야 한다(그림 2-73).

회맹부, 또는 소장 크론병의 수술 후 재발은 비교적 흔하여 50%의 환자가 10년 내에 재발하는 것으로 되어 있고, 대부분 이차 수술을 시행받아야 한다.

3) 크론 대장염

크론병이 대장에 침범하면 전격성 대장염이나 독성거대결장의 소견을 보일 수 있다. 이러한 경우, 치료 원칙은 궤양성 대장염과 동일하며, 금식, 광범위 항생제, 스테로이드등으로 초기 치료를 시행하며, 환자의 상태가 호전되지 않으면 전 결장절제술 및 회장루조성술을 시행한다. 크론병이 직장에 까지 침범되어 있는 경우 환자의 상태가 호전된 후 직장을 절제하기도 하며, 직장에 염증이 없는 경우에는 회장 직장 문합술을 시행한다.

또 다른 수술의 적응증으로는 내과적 치료에 반응하지 않는 경우, 내과적 치료의 합병증, 악성 종양의 위험성 등이다. 크론 대장염은 궤양성 대장염과 달리 염증이 부분적으로 발생하며 직장을 침범하지 않는 경우가 많아, 이환된 대장의 구역만을 절제하는 것으로 충분하다. 고립된 대장의 협착 역시 구역 절제를 시행할 수 있다. 장기간 크론 대장염을 앓고 있는 환자에서 대장암 발생의 위험성은

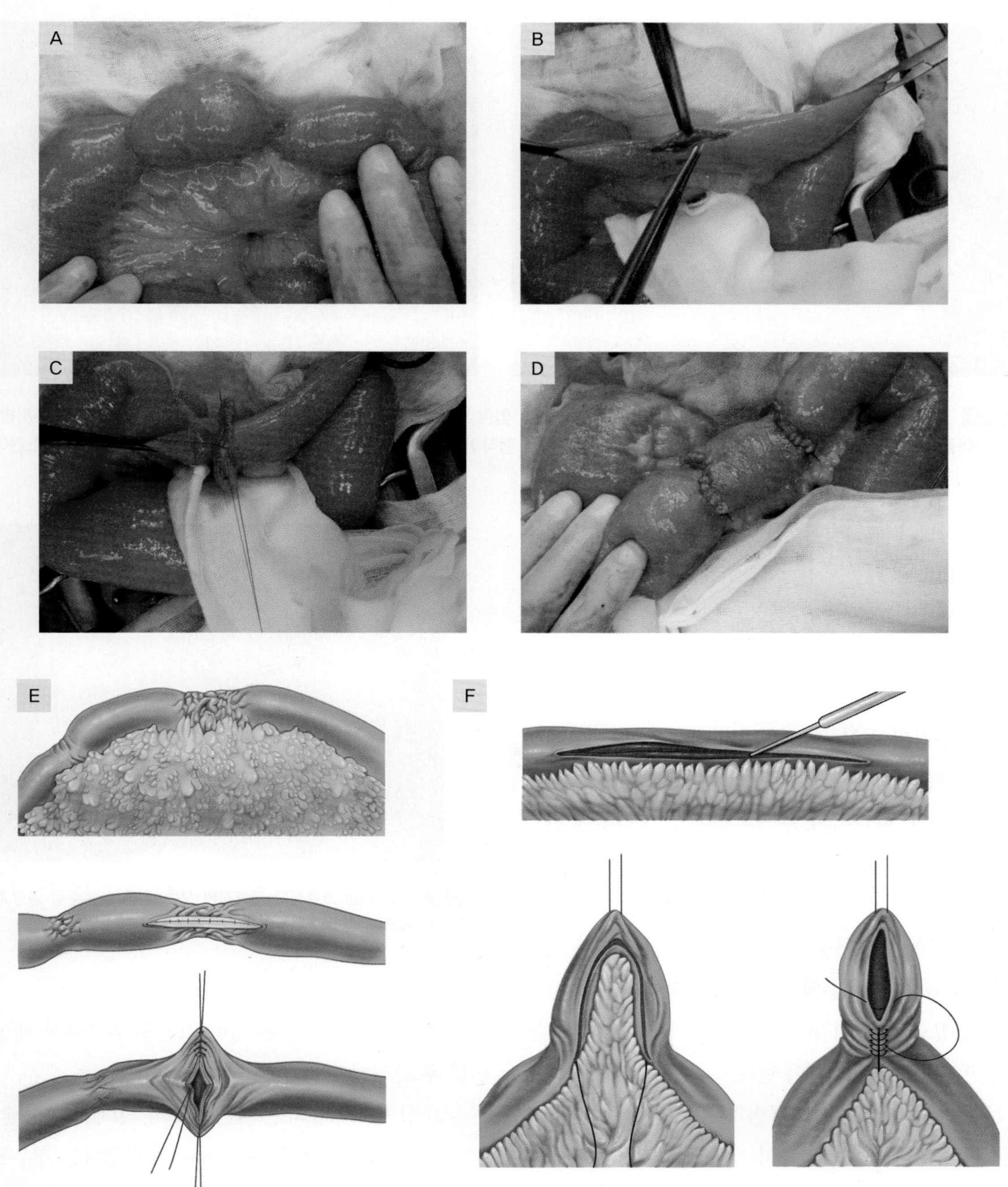

그림 2-72 크론병에서의 협착성형술. A) 소장 크론병에서 다발성 협착이 병발한 소견이다. B-D) 횡행 협착 성형술을 통해 협착부위 소장의 내강이 확장된 것을 볼 수 있다. E. Heineke-Mikulicz type: 단순 협착의 경우 횡행 협착 성형술을 통해 내강을 확장시킬 수 있다. F) Finney type: 협착이 긴 경우에는, 측측 소장문합술을 시행하여야 한다.

궤양성 대장염에서 보다 낮은 것으로 생각되어 왔지만, 최근에는 그 위험성이 거의 비슷한 것으로 보고되고 있다. 따라서 7년 이상 이환 기간을 가진 크론 대장염 환자에서 매년 대장내시경 및 조직생검을 통한 선별검사가 중요하다. 궤양성 대장염과 마찬가지로 이형성이 있는 경우 전대장절제술이 권장되며, 이러한 경우에 회장낭-항문 문

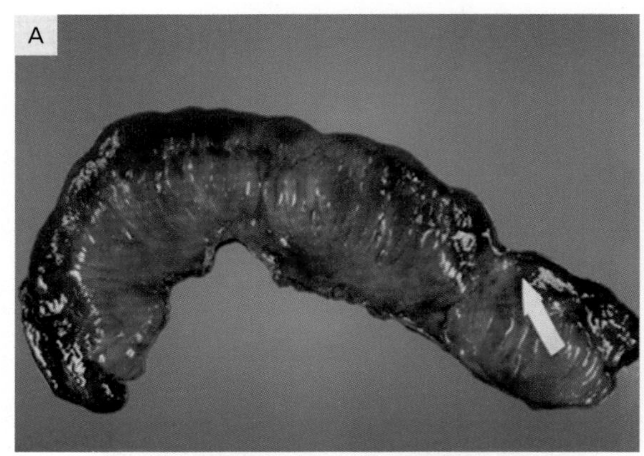

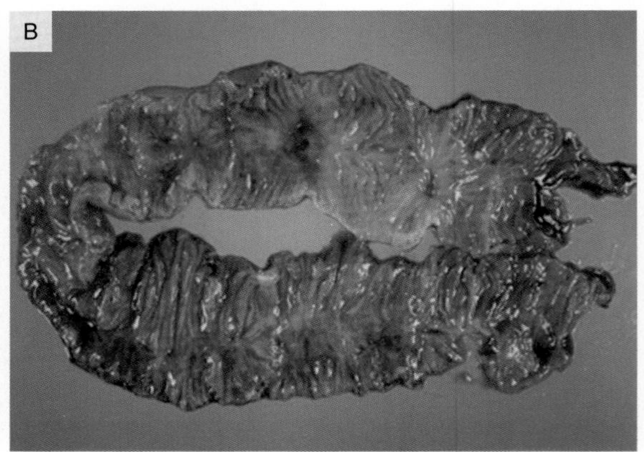

그림 2-73 크론병으로 절제된 소장조직. A) 소장 크론병으로 인해 협착 및 괴사가 되어있는 소견이며, 장간막이 두터워져 있고, 지방층이 장막으로 기어들어가는 소견(fat creeping)을 보인다. B) 다발성 구역적 협착이 있으며, 그 사이는 내강이 확장되어 있으나 정상점막 소견이다.

합술은 회장낭에 크론병이 발병할 수 있고, 누공이나 농양, 협착, 회장낭 기능부전, 회장낭 실패 등의 합병증이 생길 가능성이 높아 시행하지 않는다.

4) 항문 크론병

크론병 환자의 항문 주위 병변의 발생은 35%로 매우 흔하다. 그러나 항문 크론병만 있는 환자는 드물어서 3–4% 정도이다. 따라서 항문 크론병이 있는 경우에 반드시 위장관 크론병이 동반되어 있는지를 확인하여야 한다(그림 2-74).

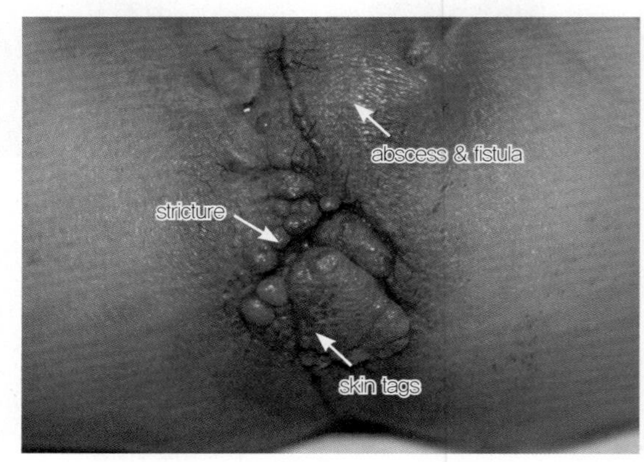

그림 2-74 항문 크론병의 대표적인 모습. 심한 항문주위 농양과 복잡성 치루가 있으며, 협착과 피부연성 섬유종이 동반되어 있다.

가장 흔한 항문 크론병은 증상이 거의 없는 피부 연성 섬유종skin tag이다. 치열 역시 크론병 환자에서 흔한 항문 질환인데, 깊고 넓은 치열이 있거나, 외측에 치열이 있는 경우 크론 항문병을 의심해야 한다.

항문주위 농양의 경우 크론병의 유무에 상관 없이 치료 원칙이 동일하다. 즉, 염증이 파급되는 것을 방지하기 위해서 즉시 배농절개술이 시행되어야 한다. 유의해야 할 것은 향후 치루가 발생할 가능성이 높기 때문에 치루관의 길이를 줄이기 위해서 배농술을 위한 피부절개를 가능한 한 항문에 가깝게 넣어야 한다는 것이다. 농양의 범위가 심하거나 만성적인 경우에는 배액관이나 카테터를 넣어 두는 것이 좋다. Silastic 배액관을 이용한 seton이나 vessel loop 등은 이러한 목적을 위해 아주 좋은 재료가 된다. 농양으로 발현된 항문 크론병 환자에서 배농술 시행 후 유의해야 할 점은 다음과 같다.

1) 상처가 치유되는 기간이 길다. 실제로 배농술 후 지속적 상처 동굴wound sinus이 발생하는 경우를 흔히 보게 되는데, 1/3 정도에서는 상처가 완치되는데 2년 이상이 걸린다는 보고도 있다. 따라서 배농술 전후에 환자에게 치유기간이 길다는 점을 주지시킬 필요가 있다.
2) 재발성 농양이 흔하다. 실제로 50% 내외에서 농양이 재발한다는 보고가 있는데, 앞에서 언급한 배액관을 장기적으로 방치해 두는 것이 재발률을 낮출

수 있다는 보고가 있다.

3) 최악의 경우, 상처가 치유되지 않으면 항문 직장 절제술proctectomy을 시행하여야 할 수도 있다. 보조적 항생제로 metronidazole을 사용하는 것은 도움이 되지는 않는다. 그러나 적절한 배농술과 metronidazole 투여를 병용하는 경우 항문 직장 절제술의 빈도를 낮출 수 있을 것이라는 보고가 있다.

항생제의 단독투여는 항문 크론병 농양의 치료에 불충분하다. 그러므로 반드시 적절한 배농술이 필수적으로 시행되어야 한다. 항문 크론병 농양에서 유의해야 할 또 다른 점은 항문 주위뿐만 아니라 골반 내 농양이 동반되어 있을 수 있다는 점이며, 골반 내 농양이 의심되는 경우 이를 확인하여야 하는데, 최근에 항문 내 초음파endoanal ultrasonography 및 자기공명영상magnetic resonance image이 도움이 될 수 있다. 염증이 심한 경우 장루 조성을 통한 우회술이 필요할 수가 있는데, 근위부 장루 조성술의 적응증은 1) 괴사성 감염이 있는 경우, 2) 배농술 이후에도 감염이 지속되는 경우, 3) 복부나 골반의 크론병에 침윤된 장에서부터 기인한 농양, 그리고 4) 괄약근 기능이 소실된 경우 등이다.

항문 크론병으로 발생하는 치루는 만성적인 경우가 많고 농양이 동반되기 전에는 아무런 증상이 없는 경우가 많다. 또한 흔히 치루가 깊은 궤양과 동반되어 있는 경우가 많고 내공이 발견되지 않거나 괄약근 상방에 위치하는 경우가 많다.

항문 크론병으로 인해 발생한 치루는 그 치료가 무척 어렵다. 가장 중요한 것은 항문 괄약근을 보존해야 한다는 것이다. 과거에는 상처 치유가 지연된다는 이유로 근치적인 치루 수술을 금기로 여기던 시절이 있었다. 최근 들어 적극적인 내과적 치료를 병용하는 경우 단순한 괄약근 간형 및 하위 괄약근관통형 치루의 경우 통상적인 치루 절개술의 결과가 양호한 것으로 알려졌다. 그러나 이보다 복잡한 치루는 Hanley 술식에 바탕을 둔 치료, 즉 원인이 되는 부위의 농양을 적절히 배농하고 치루관의 주행에 따라 적절한 배액관을 사용하는 것이 좋다. 아울러 seton을 적절히 사용하는 것도 도움이 될 수 있다(그림 2-75). 그러나 결국 항문 크론병으로 나타난 치루의 치료에 있어서 중요한 것은 항문 크론병 치루인지 아니면 장관 크론병 환자에서 발생한 단순 치루인지를 감별하는 것이다. 이는 항문이 정상인 경우에는 일반적인 경우와 마찬가지로 비교적 안전하게 항문 수술을 시행할 수 있지만 항문 자체가 크론병에 침윤되어 있는 경우는 그 치료방법의 선택이 어렵기 때문이다. 또한 항문이 정상이라도 장관을 침윤하고 있는 크론병의 활동도가 중요한데, 활동성 장관 크론병 환자에서의 근치적인 치루 수술은 위험하므로 가급적

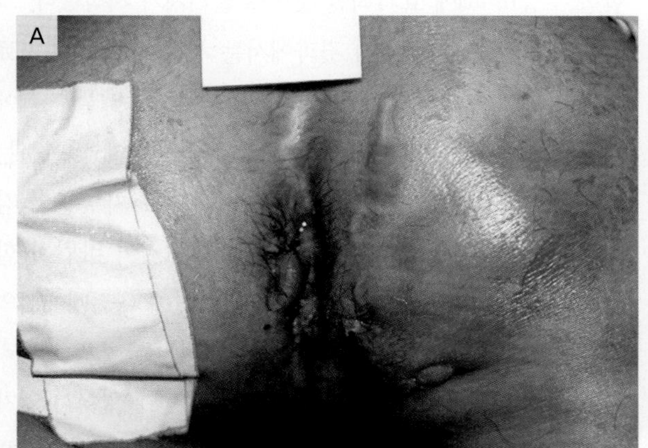

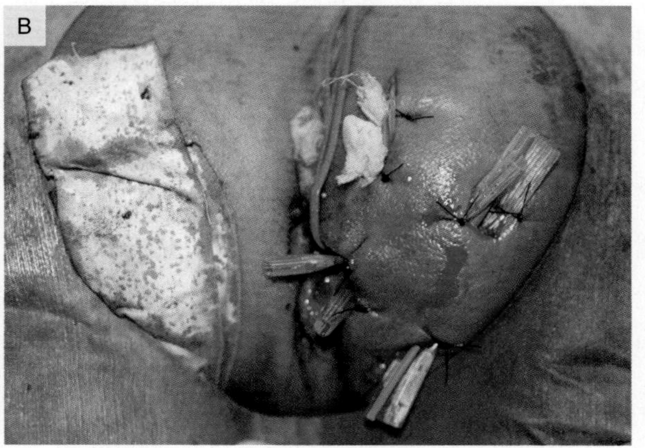

그림 2-75 **복잡형 항문 크론병 치루.** 적절한 배액관의 사용으로 농양을 배액시키면서 괄약근 보존을 위해 세톤을 사용한 모습

회피하여야 한다. 따라서 크론 항문병이 의심되는 경우 전체 장관에 대한 적절한 검사를 시행하여 크론병의 장관 침윤 정도를 파악하는 것이다.

항문 크론병 치루의 치료에 있어서 크론병이 동반된 장관을 절제하는 것이 항문의 치유에 도움이 된다는 결정적인 증거는 없지만, 장관에서의 크론병의 활동도와 항문 크론병의 활동도가 비례한다는 사실을 염두에 두면 크론병에 이환된 장관의 절제가 항문 크론병의 치유에 어느 정도 도움이 될 가능성이 있기는 하다. 실제로 장관 절제 후 항문 크론병이 일시적으로 호전된다는 보고가 있으나, 이러한 호전 양상은 장관에 크론병이 재발하지 않는 환자군에서만 장기적으로 호전된다고 한다. 따라서 항문 크론병 치료에 있어서 장관 크론병에 대한 내과적 치료는 반드시 필수적으로 함께 이루어져야 한다. 만일 장관 절제술이 필요하다면 항문의 치유를 위해서 일시적으로 우회술을 시행하는 것도 고려할 수 있다. 그러나 불행히도 직장이 크론병에 의해 심하게 침윤되어 있는 경우에는 우회술을 시행하더라도 추후 직장을 보존하기 어려운 경우가 많다. 실제로 활동성의 항문 크론병이 동반되어 있는 경우 직장을 우회하는 술식을 사용하더라도 추후 직장 및 항문을 절제하여야 하는 경우가 많다.

크론병 치루에서 내공internal opening을 막기 위해 시행할 수 있는 국소적 수술, 즉 점막전진판법advancement flap, sliding flap 수술은 직장이 크론병에 이환되어 있지 않은 경우에만 고려할 수 있다. 이 점막전진판법은 환자를 잘 선택하여 시행하는 경우 70% 내외의 성공률을 거둘 수 있다.

크론병 항문 농양 및 치루에 대한 내과적 치료의 근간은 항생제이다. Metronidazole은 이러한 목적으로 가장 많이 쓰이는 약제인데, 고용량(20mg/kg/day)으로 장기간(3-6개월) 사용하여야 한다. 이 약제를 사용하면 증상 완화의 효과를 90%의 환자에서 얻을 수 있지만, 완치율은 그다지 높지 않다. 유의할 점은 metronidazole을 사용 중지하면 반드시 재발을 한다는 점이다. 따라서 이 약제는 갑자기 끊기 보다는 서서히 줄이면서 끊어야 한다. 반면 metronidazole을 장기 사용 시 나타날 수 있는 부작용(감각이상 paresthesia)을 우려하여 다른 종류의 항생제를 사용하는 시도들이 있는데, 대표적인 약제가 quinolone 계통의 항생제(대표적인 약제로 ciprofloxacine)가 사용된다.

크론병에 대한 면역억제제 치료(azathioprine 또는 6-mercaptopurine) 또한 일부 크론병 치루 환자들에서 치루의 치료에 도움이 될 수 있으므로 시도되어야 한다. 실제로 무작위 연구에서 이들 면역억제제가 위약placebo에 비해 치유율이 높다는 보고가 있다. 그러나 치료를 기대하기 위해서는 이들 약제를 3개월 이상 지속적으로 사용하여야 하고 다른 치료들과 병용되어야 한다.

Cyclosporin A는 이식 환자에서 쓰이는 면역억제제로서 궤양성 대장염과 크론병에서 사용되고 있다. 실제로 이 약제의 치료가 크론병 항문 치루의 치료에 효과가 있다는 일부 보고가 있으나 이 약제를 장기간 사용할 때 나타나는 심각한 부작용(기회감염, 고혈압 및 신장질환)을 고려할 때, 이 약제는 다른 치료가 불가능하거나 다른 치료에 선행하여 증상의 완화를 유도하기 위한 수단으로만 활용되어야 한다.

최근 들어 Tumor Necrosis Factor-α (TNF-α)에 대한 길항제로 개발된 infliximab가 크론병의 치료에 이용되고 있다. 이 약제는 TNF-α에 대한 항체로서 이 약제의 사용이 크론병에서 자주 발생하는 항문 부위의 치루를 포함한 누공fistula에 효과적인 것으로 알려지기 시작했다. 그러나 장기간에 걸친 추적 결과에서는 시간이 갈수록 치료 효과가 떨어지는 것으로 보고되고 있으며, 이 약물 자체에 의한 부작용도 상당하기 때문에 그 사용범위에 있어서는 제한이 있다. 따라서 이 약제는 우선적으로 치루관의 감염을 우선적으로 해결한 후에 사용하는 것이 바람직 할 것으로 생각된다. 이 약물의 등장으로 인해 내과계에서의 크론병 항문치루의 치료에 있어서 일차적인 요법으로 널리 사용되고 있는 것이 사실이나, 실제적인 면에 있어서 일차적 외과적 치료인 적절한 배농술과 단순 치루의 경우 시행할 수 있는 치루절개술이 간과되어서는 안 된다.

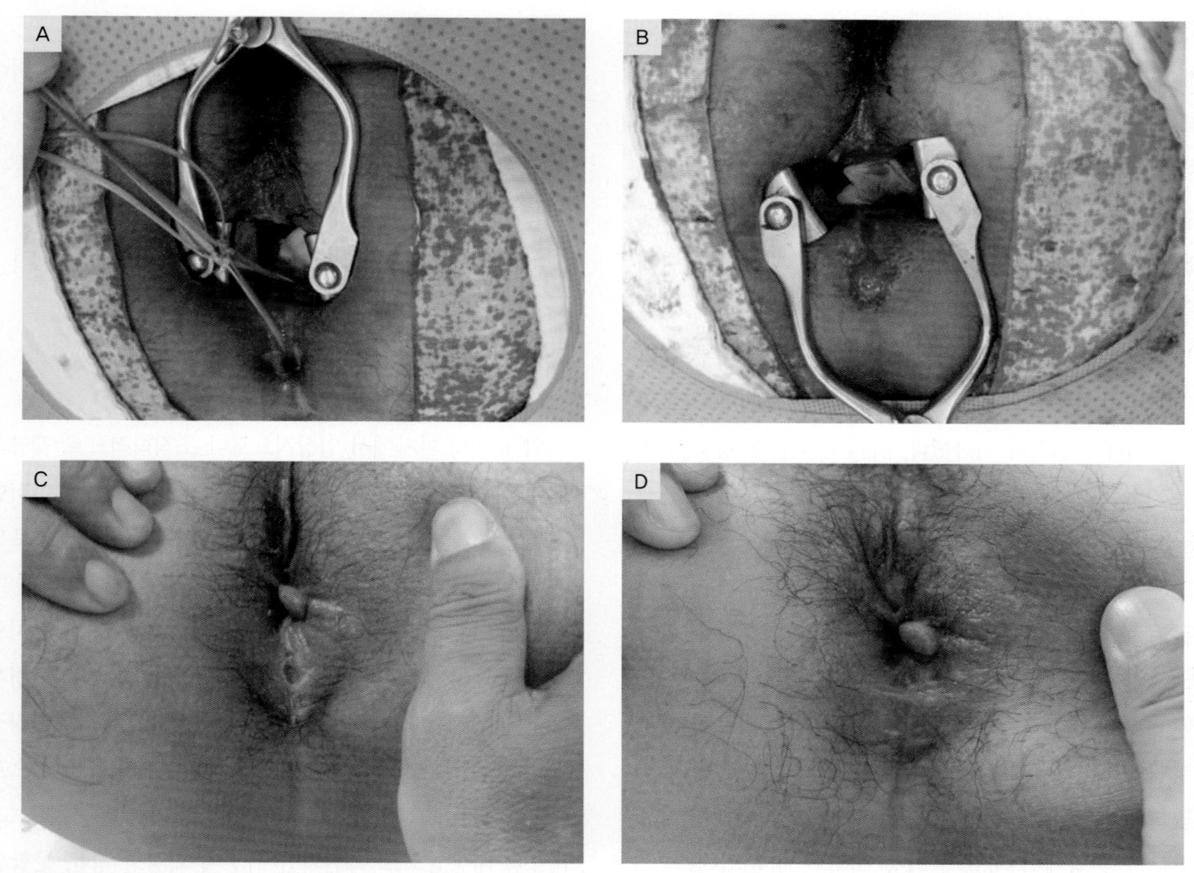

그림 2-76 만성 재발성 크론 치루병에서 줄기세포 주입. 복잡성 크론 치루에서 줄기세포를 주입하여 완전치유됨

최근 들어 줄기세포가 상처 치유에 필요한 분화된 세포로 변화 될 수 있는 기능과 함께 주변의 염증을 억제하는 기능이 있어 크론병의 만성 재발성 치루의 치료에 이용될 수 있을 것으로 제기되었고, 국내에서도 자가 지방 유래 줄기세포를 항문 치루관에 주입하여 안전성과 치료 효과를 확인하는 다기관 임상시험이 진행되었다. 줄기세포를 주입한 33명의 환자 중 27명(82%)의 환자에서 8주 후에 완전 치유를 보였고, 1년간 추적관찰된 26명의 환자 중 23명의 환자(88%)에서 치유 효과가 유지되었다. 줄기세포 치료의 장기 성적에 대한 후속 연구에서도 2년간 추적관찰된 26명의 환자 중 21명(80.8%)에서 완전 치유를 확인할 수 있었다. 또한, 저자들은 동종 지방 유래 줄기세포를 이용하여 항문 치루관 치료의 성적을 연구하였고, 안전성과 치료 효과에서 만족스러운 결과를 보고하였다(그림 2-76).

크론병에 의한 직장-질루 및 항문-질루는 여자 크론병 환자의 5-10%에서 발생하는 것으로 알려져 있다. 질로의 분비물이 많은 경우에는 직장의 근위부에서의 우회술을 고려하여야 한다. 직장 및 항문을 절제할 것인가는 결국 크론병의 직장 침윤 정도에 의해 결정된다. 크론병에 동반된 직장-질루는 자연적으로 막히는 경우가 거의 없으며, 내과적 치료 단독으로는 증상의 완화를 기대할 수는 있지만 완치를 기대하기는 어렵다. 크론병 직장-질루에 대한 국소적인 치료는 직장 및 항문이 정상인 경우에만 가능하다는 것을 염두에 두어야 한다. 점막전진판법 수술은 직장이 정상인 경우 유용한 수술이다. 또한 장루 조성술을 시행한 상태에서 질을 통한 교정술transvaginal repair도 효과가 있는 것으로 보고되고 있다.

전통적으로 크론병에 동반된 치열은 다발성이고, 그 위치가 다양하며, 통증이 없는 것으로 알려져 있다. 크론병 치열은 내과적인 치료의 성공률이 50% 내외인 것으로 알려져 있어서 항문 크론병이 치열 단독으로 발현되는 경우 수술을 가급적 회피하는 것이 좋다는 결론을 유추하게 하였다. 그러나 반면, 크론병 치열에 대해 내괄약근 절개술을 포함한 외과적 치료가 치유율이 상당히 높고, 치열을 방치해 두었을 경우 25% 내외에서 농양 및 치루로 발전한다는 사실이 알려지면서 크론병 치루에 대한 치료의 개념에 변화가 생기기 시작했다. 따라서 최근의 경향은 내과적 치료로 완치가 안 되는 경우에는 적극적인 외과적 수술을 시행할 것을 권장하고 있다.

크론 직장염 환자에서는 항문관의 협착이 간혹 발생하는데, 주로 직장-항문륜 부위에서 발현된다. 대다수 환자에서는 변이 굳지 않기 때문에 불편한 증상을 호소하지는 않지만, 일부 환자들에서는 적극적인 내과적 치료와 더불어 항문 확장술이 필요하다. 항문관 협착만으로 인해 직장 및 항문을 절제해야 하는 경우는 드물다.

항문 크론병에서 치료의 최종 목표는 항문의 괄약근 기능을 보존함으로써 영구적인 장루를 피하는 것이다. 또한, 다음과 같은 원칙을 이용하면 환자의 치료에 있어서 도움이 될 것으로 생각된다.

1) 무증상인 경우: 아무런 치료 없이 추적 관찰만 시행
2) 활동성인 크론병 환자의 경우 : 전신적 내과 치료 + 보존적인 배액술만 시행
3) 비활동성 크론병 환자에서 항문과 직장의 침범이 없는 경우 : 통상적인 치루절개술
4) 표재성, 괄약근간형 및 저위 괄약근관통형 치루 : 근치적인 치루절개술
5) 복잡한 치루 : 배농술 및 점막전진판법 수술 고려

4. 불확정 결장염

약 15%의 환자에서 임상적으로나 조직학적으로 궤양성 대장염과 크론병을 구분할 수 없는 경우가 있다. 이러한 환자들은 내시경이나 바륨조영술, 조직생검 소견으로도 구분할 수가 없다. 수술의 적응증은 궤양성 대장염과 마찬가지로 내과적 치료에 반응하지 않는 경우, 내과적 치료의 합병증이 있는 경우, 악성 종양의 가능성이 있는 경우이다. 불확정 결장염의 수술은 직장을 남겨두고 전 결장절제술 및 회장루조성술이나 회장-직장 문합술을 우선으로 시행한다. 수술 후 전 결장의 조직학적 진단을 시행하고, 궤양성 대장염으로 확진되면 이후에 회장낭 항문 문합술을 시행한다. 진단이 여전히 확정되지 못할 경우 남은 직장을 절제하고 회장루를 시행하는 것이 안전할 수 있다. 회장낭 항문-문합술 역시 고려할 수 있는데, 15-20%에서 회장낭이 실패할 위험성이 있다.

요약

우리나라에서는 염증성 장질환이 비교적 드문 질환으로 알려져 왔으나 최근 들어 그 빈도가 증가하고 있는 추세이다. 염증성 장질환의 병태 생리에 관한 최근의 연구결과들을 토대로 새로운 면역억제제가 도입되어 그 치료 효과가 개선될 가능성을 보고하고 있지만, 현재까지도 수술적 치료가 염증성 장질환의 치료에 중요한 한 부분을 차지하고 있다. 따라서 염증성 장질환의 치료는 내과적 치료와 수술적 치료의 적절한 병행이 최선이라고 할 수 있으며, 최근 들어 외과적 치료에 대한 원칙이 정립되어 있어서 각 질환이나 수술 적응증별로 가장 바람직한 수술을 시행해야 하며 이를 위해서는 외과 의사로서 염증성 장질환에 대한 정확한 지식을 습득하여야 한다.

VIII 대장용종과 대장암 검진

1. 대장용종

용종은 장관점막표면으로 돌출된 병변을 나타내는 비특이적 용어이다. 용종은 조직학적 특성에 따라 크게 1) 신생물 용종neoplastic polyp, 2) 과오종hamartomatous polyp, 3) 염증성 용종inflammatory polyp, 4) 과형성 용종hyperplastic polyp 4가지로 나눌 수 있다.

1) 용종의 조직학적 분류

(1) 신생물 용종

신생물용종은 보통 선종adenoma이라고 부르며 장관선intestinal gland으로 이루어진 상피세포의 이상성장에 의해 발생한다. 선종은 크기가 커지고, 염색이 진하게 된 핵을 가진 세포들이 증가된 소견을 보이며 이와 함께 다양한 정도의 핵 중첩nuclear stratification과 극성소실loss of polarity을 보인다. 핵은 방추형이거나 증대된 난형ovoid이다. 선종은 선종내의 융모성 부분villous component이 차지하는 비율에 따라 ① 관상선종(융모성부분이 20% 미만), ② 융모성관상선종(융모성부분이 20–80%), ③ 융모성선종(융모성부분이 80% 초과) 으로 분류된다(그림 2-77).

가장 많은 발생빈도를 보이는것은 관상선종으로 크기는 대부분 직경 1.5cm 이하이며, 융모성 관상 선종과 융모성 선종은 비교적 드문 편이다. 육안으로 관상선종은 보통 융기형, 구형, 유경형pedunculated이거나 편평형non-protruding, flat인 반면 융모성 선종은 무경형sessile의 표면이 울퉁불퉁하게 보인다. 현미경 소견으로 융모상 구조는 선gland의 길이가 정상 대장점막 두께보다 2배 이상인 경우로 정의한다. 선종은 조직학적 이형성증dysplasia 정도에 따라 저도low-grade 이형성증(경도 또는 중등도의 핵중첩, 핵/세포질 길이비<2/3, 구조 이상이 없는 경우)과 고도high-grade 이형성증(심한 핵 중첩, 핵/세포질 길이비≥2/3, 불규칙성 발아budding 및 분지branching 소견)으로 나눌 수 있다.

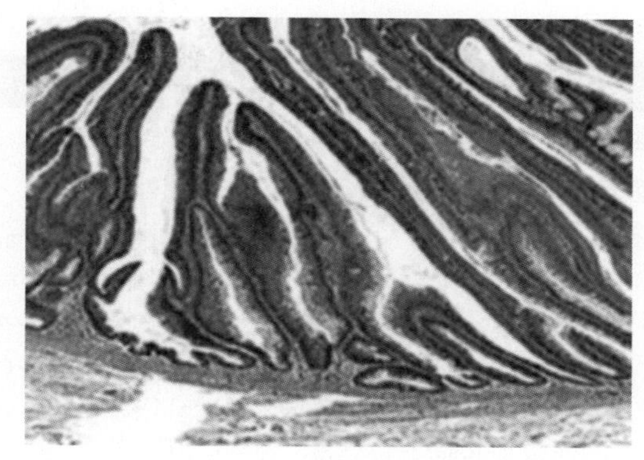

그림 2-77 **대장 용종의 현미경적 사진.** 융모성관상선종(H-E stain, ×400)

미국연합암위원회American Joint Committee on Cancer (AJCC)와 국제암연맹International Union Against Cancer (UICC)에서는 동소내암종Carcinoma-In-Situ (CIS)이라는 분류를 추가하였고 이를 다시 상피내암intraepithelial carcinoma (심한 핵의 비정형과 구조이상을 보이나 고유판을 침범하지 않는 경우)과 점막내암intramucosal carcinoma(기질에 결합조직형성증desmoplasia을 동반한 기저막 침범이 있는 경우)으로 세분하였다. 일본 병리학자들은 "점막암mucosal carcinoma"이라는 용어를 사용하는데 이는 AJCC, UICC 분류의 동소내암종에 해당한다. 반면 세계보건기구World Health Organization (WHO)에서는 CIS, 점막암이라는 용어를 사용하지 않고 이들을 모두 고도 이형성증을 동반한 선종으로 분류하였다(표 2-9). 고도 이형성증 선종과 CIS의 치료방침에 있어 차이가 없기 때문에 이들의 구분이 임상적으로 반드시 필요하지는 않다.

(2) 과오종

과오종은 대장 점막의 비종양성 성장으로, 정상적으로 존재하던 세포들이 비정상적인 방법으로 혼합된 것으로 정의된다. 청소년기에 많이 발생하며 출혈과 장중첩증을 유발한다. 과오종은 선종성 용종과 육안상 감별이 잘 되지 않아 용종 절제술이 요구된다.

표 2-9. 대장 선종, 암종의 분류

일본	미국연합암위원회/국제암연맹/국제암학회(AJCC/UICC)	세계보건기구(WHO)
선종, 저도	선종/이형성, 저도	선종/이형성, 저도
선종, 고도	선종/이형성, 고도	선종/이형성, 고도
암종(Carcinoma) 점막(mucosa)	동소내암종(carcinoma in situ (CIS, pTis)) 상피내(Intraepithelial) 점막내(Intramucosal)	
점막하(submucosa) 고유근(muscularis propria) 장막하(subserosa) 장막(serosa) 장막 침습(serosa invaision)	침습성 암종(Invasive Carcinoma) pT1 pT2 pT3 pT4	암종

가. 유년기 용종증

유년기 용종증juvenile polyposis은 상염색체 우성으로 유전하는 질환으로 단독으로 발생하는 유년기 용종과는 달리 선종을 거쳐 암종으로 변해갈 수 있다. 10세 전후로 가장 흔하게 발생하며 그 이상의 연령이나 성인에서도 발견된다. 흔한 증상은 직장 출혈, 용종 종괴의 탈출과 돌출, 복통이며 설사나 점액변, 항문통, 직장 탈출 등이 일어날 수 있다. 발생위치에 따라 직장을 포함하여 수술하기도 하며 직장을 보존하기도 한다. 원인 유전자는 SMAD4 (DPC4)와 BMPR1A/ALK-3임이 밝혀졌다.

나. 포이츠-예거 증후군

포이츠-예거 증후군Peutz-Jeghers syndrome은 상염색체 우성으로 유전하며 19번 염색체 단완에 위치한 LKB1유전자의 돌연변이에 의해 생기는 것으로 알려져 있다. 소장에 발생하는 용종증을 특징으로 하며 볼점막이나 입술에 멜라닌 점이 동반될 수 있다. 내시경은 20세 전후로 요구되며, 매년 추적 내시경이 필요하다.

다. 크론카이트-캐나다 증후군

크론카이트-캐나다 증후군Cronkite-Canada syndrome은 위장관 용종, 과색소증, 탈모, 손톱과 발톱의 위축을 보이는 증후군을 말한다. 설사나 영양흡수 장애로 인한 비타민과 단백질의 결핍, 수분과 전해질 이상, 직장 출혈, 빈혈 등이 나타나고 여러 신경학적 증상을 동반한다. 탈모와 피부 변화가 두드러지며 용종의 경우에는 위장관 전체에 걸쳐서 발생할 수 있으며 소화기계 증상으로는 설사가 주된 증상이다.

(3) 염증성 용종

염증성 장질환에 동반되어 잘 발생되며 때로는 허혈성 장질환에 동반되어 발생할 수도 있으며 육안으로 보면 선종성 용종과 유사하다. 조직학적으로 궤양으로 둘러싸인 정상점막의 섬이나 육아조직 혹은 정상 점막에 염증이 동반된 소견이 관찰된다.

(4) 과형성 용종

대장점막에 흔히 발생하며 대부분 무경성으로 크기는 5mm보다 작으며 이형성을 동반하지 않는다. 역시 전구암성 병변은 아니며 선종과 감별이 되지 않기 때문에 내시경적 용종 절제술이 요구된다. 반면 2cm보다 큰 증식성 용종은 조직학적 변성을 동반할 수 있으며 일부에서 증식성 용종과 선종이 혼합되어 나타나는 혼합 증식성 선종성 용종이 나타날 수 있으며 이 경우 세포의 이형성을 동반하여 암종으로 진행할 수 있다.

2) 대장선종의 진단

현재 임상에 사용되고 있는 대장내시경은 해상도, 색

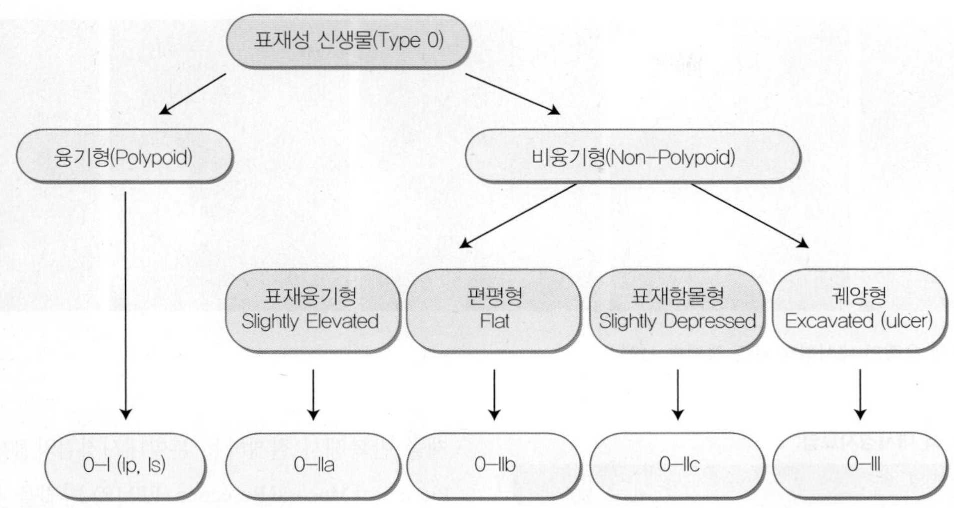

그림 2-78 **표재성 신생물의 파리분류법**

상구현, 주위대비 등을 통해 고화질의 디지털영상을 제공한다. 내시경을 통한 용종의 진단의 첫 단계는 우선 점막의 융기 또는 함몰, 점막의 색깔, 미세혈관 분포의 변화 유무의 관찰이다. 대부분의 용종은 통상적인 내시경검사를 통해 발견되지만 편평선종flat adenoma인 경우에는 색소내시경chromoendoscopy 관찰이 필요하다. 대장내시경 시 가장 흔히 사용되는 색소로는 0.5-1% 농도의 인디고카민indigocarmine 용액이 있다. 색소내시경 관찰과 더불어 확대내시경magnifying endoscopy을 같이 사용하면 편평선종과 같은 비융기성병변을 진단하는데 보다 더 유리하며 확대내시경은 대장상피의 표면구조(선와구조pit pattern)를 분석하여 정상점막, 비신생물병변 및 신생물 병변을 구분할 수 있다.

3) 대장선종의 내시경 분류

대장선종은 육안소견상 돌출 또는 융기형protruded or polypoid, 편평융기형flat elevated, 함몰형depressed의 3군으로 분류할 수 있다. 일본 병리학자들은 이를 다시 I형(돌출형protruded; Ip, 유경형pedunculated/Isp, 아유경형sub-pedunculated) II형(표재형superficial; IIa, 표재융기형/ IIb, 편평형/ IIc, 표재함몰형), III형(궤양형excavated)으로 분류하였다. 2002년, 외과의사, 내시경의사, 병리의사들이 프랑스 파리에서 모여 소화관 표재성 병변의 내시경 분류법 The Paris Endoscopic Classification을 공동으로 제안하였는데 이에 따르면 표재성 신생물(0형)은 고유막lamina propria의 침범이 없는 신생물 병변(선종, 상피내암), 고유막을 침범한 점막내암과 점막하까지 침범한 점막하암을 모두 포함한다. 이들을 내시경소견에 따라 0-I형, 0-IIa형, 0-IIb형, 0-IIc형, 0-III형으로 구분하였다(그림 2-78). 융기형병변과 비융기형병변의 구분은 내시경생검겸자biopsy forcep를 벌리지 않은 상태의 높이인 2.5mm를 기준으로 한다. 간혹 측방직경이 10mm 이상이면서 점막 종축 높이가 높지않은 융기형 병변은 측방발육종양laterally spreading tumor (LST)이라고 한다.

4) 대장선종의 내시경치료

대부분의 대장선종은 별다른 합병증 없이 내시경절제가 가능하다. 병변이 너무 크거나, 내시경으로 접근이 불가능한 경우에 한하여 개복절제 또는 복강경하 절제술을 시행한다. 내시경절제 방법에는 병변의 크기, 형태에 따라 겸자생검forceps biopsy, 열겸자생검hot biopsy, 올가미용종절제snaring polypectomy, 내시경점막절제endoscopic mucosal resection (EMR) 등의 방법을 적용한다(그림 2-79), (표 2-10).

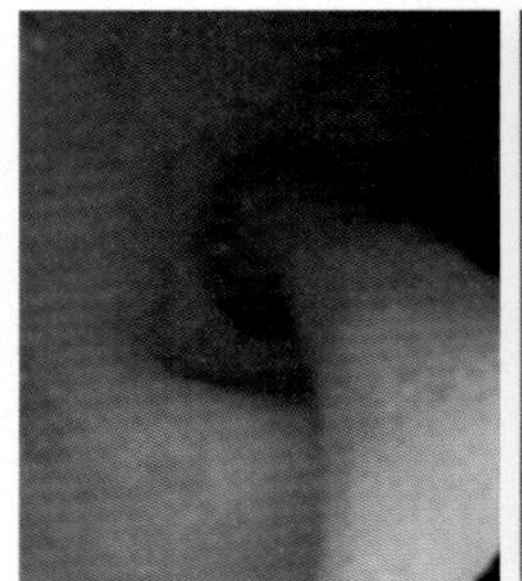
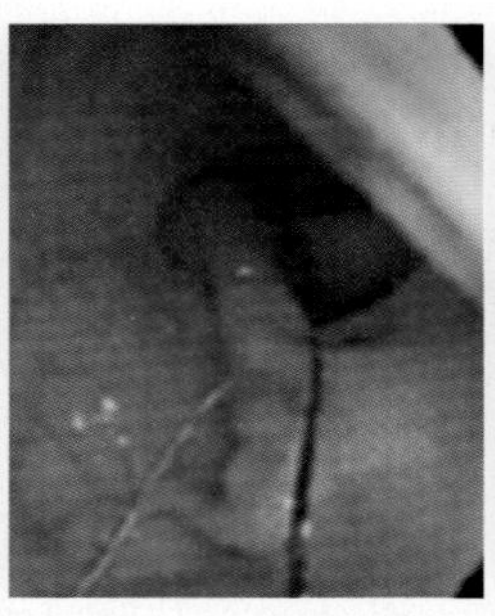
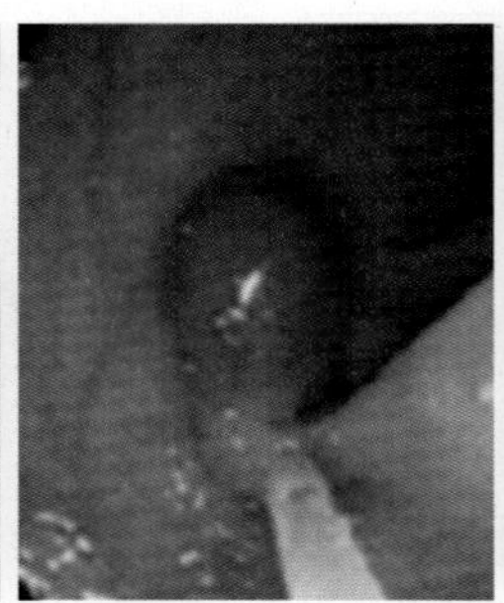
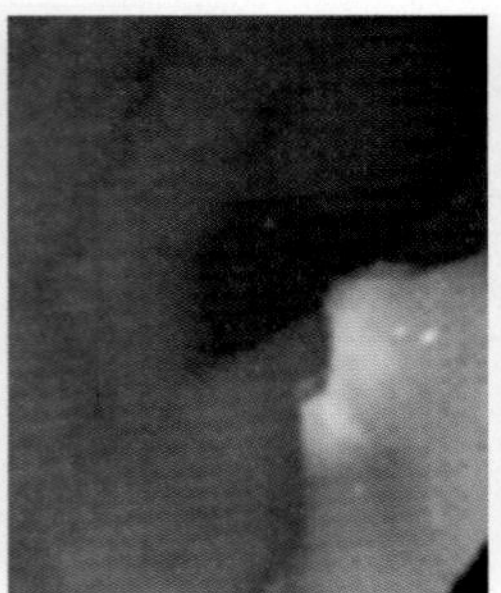
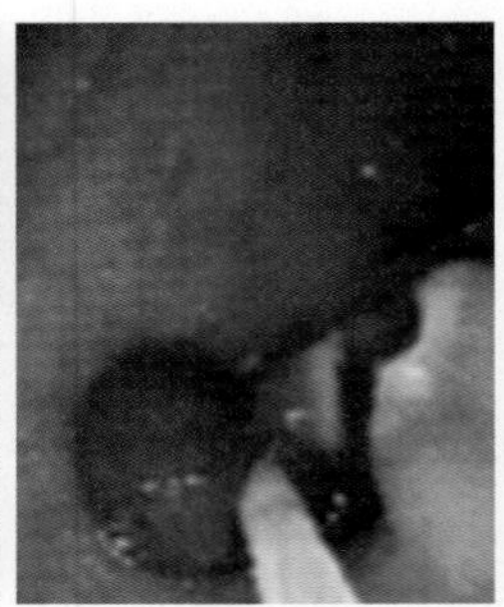

그림 2-79 **유경성 용종의 내시경적 용종 절제술 사진**

표 2-10. 대장선종의 내시경치료법

내시경소견		내시경치료법
<5mm	무경형	겸자생검/열겸자생검
		올가미절제
≥5mm	유경형	내시경점막절제
	편평, 함몰, 표층 융기형	내시경점막절제/분할내시경점막절제
	측방발육형	

겸자생검은 30% 가까이에서 잔류 용종의 위험이 있지만 천공 가능성이 있는 깊은 궤양을 형성하지는 않는다. 반면 작은 용종의 내시경치료로 흔히 이용되는 열겸자생검은 병리검사를 위한 충분한 조직의 확보가 가능하면서도 열응고에 의해 잔류용종의 위험도가 거의 없고 동시에 지혈이 가능하다. 시술방법은 간단하지만 열응고를 적절하게 시키려면 숙련된 내시경의사에 의해 신중히 시행될 필요가 있다. 열응고를 보다 많이 시킬수록 잔류용종의 위험도는 적어지지만 그만큼 천공의 위험도가 증가한다. 일반적으로 겸자로부터 약 2mm 정도 열응고가 일어나도록 하는 것이 적절하다. 올가미절제는 유경형 용종을 가장 안전하고 완벽하게 절제할 수 있는 방법이지만 간혹 중간 혹은 큰 크기의 무경형 용종에서도 시도할 수 있다. 내시경점막절제술은 에피네프린을 섞거나 섞지 않은 생리식염수를 점막하층에 주사하여 인위적으로 병변을 융기시킨 후 올가미 절제하는 방법이다. 적응증으로는 (1) 편평형 또는 함몰형 신생물병변, (2) 기저부가 넓은 편평융기형병변 또는 측방발육형병변 등이 있다. 한 번에 절제가 어려운 큰 병변(직경이 25mm 이상)은 몇 번의 올가미 절제를 반복해서 절제하는 분할내시경점막절제술Endoscopic Piecemeal Mucosal Resection (EPMR) 방법을 사용하기도 한다. 최근에는 내시경점막하박리술Endoscopic Submucosal Dissection (ESD)이 개발되어 비교적 큰 용종을 한덩어리로 절제할 수 있다. 이러한 시술법은 병변과 점막하층 사이를 육안으로 보면서 섬세하게 박리하는 방법이다. 내시경점막하박리술은 표재성 점막하암의 내시경절제에도 적용될 수 있지만 아직 개발단계의 시술법으로 천공의 위험도가 높은 것으로 보고되고 있다.

5) 대장 선종의 수술 적응증

최근의 내시경장비, 기구 및 술기의 발전을 통해 대부분의 대장 선종은 크기가 크더라도 합병증 없이 절제가 가능해졌다. 점막에 국한된 암성변화Tis인 경우 림프절 전이를 일으키지 않기 때문에 내시경절제만으로 충분하다. 하지만 암세포가 점막하까지 침범한 경우에는 약 7–15%에서 림프절 전이가 동반되기 때문에 이러한 경우 내시경절제는 명확한 기준에 의해 시행되어야 한다. 침습암인 경우 장절제를 포함한 근치적 수술이 필요하다고 주장하는 이들도 있지만 점막하에 표재성 침윤만 있는 경우에는 림프절 전이의 다른 위험 요소들(나쁜 분화도 또는 미분화암, 점액암 또는 인환세포암, 혈관림프관 침습소견, 정맥침습소견, 종양발아소견 등)을 동반하지 않는 경우 내시경절제를 고려해 볼 수 있다. 내시경 절제표본에서 점막하에 심한 침습이 있다든지, 위에 언급한 림프절 전이의 위험인자들이 동반된 경우, 절제연이 충분치 않은 경우에는

표 2-11. 무증상 일반인을 대상으로 한 선별검사방법들의 장점과 단점

	장점	단점
대변 잠혈 검사	쉽고 침습적이지 않음 비용 싸다 반복 검사에 민감도 좋음	대부분의 용종 못 찾음, 낮은 특이도 양성일 때 대장 내시경 필요 연속 검사에 낮은 순응도
에스결장경	좌측 대장 용종 찾는데 높은 민감도 완전한 장 준비 필요 없음 (관장필요)	침습적, 불편함 근위부 병변을 놓칠 수 있음 용종 확인 시 대장 내시경 필요
대장내시경	전 대장 검사 높은 민감도와 특이도 치료도 가능 작은 용종도 발견	침습적, 장 준비 필요 불편하고 마취 필요 천공이나 출혈의 높은 위험도 비용이 비싸다
이중조영바륨관장	전 대장 검사 1cm 이상 용종에 예민도 좋음	장 준비 필요 1cm 미만 용종에 민감도 나쁨 양성 시 대장내시경 필요
CT 대장조영술	전 대장 검사 침습적이지 않음 대장 내시경만큼 예민도 좋음 복강내 타장기의 동시검사 가능	장 준비 필요 작은 용종에 민감도 낮음 적은 경험과 데이타 양성 시 대장내시경 필요 비용이 비싸다

추가로 장절제가 필요하다. 점막하 침윤이 심한 경우에는 보통 내시경절제의 적응이 되지 않고 장절제가 우선 고려되어야 하는데 이러한 판단은 내시경소견으로도 가능하다. 내시경 시 공기를 주입 또는 흡입 시 병변의 모양변화가 없는 경우, 점막주름의 끌림fold convergence, 무정형 선와형태amorphous sign or nonstructural pit pattern가 있는 경우에 심한 점막하 침윤 또는 그 이상의 침습암으로 간주할 수 있다. 또 하나의 임상적으로 유용한 방법은 비융기소견nonlifting sign으로 이는 종양 기저부에 생리식염수를 주사시 병변이 근층으로부터 부풀어 오르지 않는 소견으로 이 경우 심한 점막하 침윤 이상의 침습암으로 판단하고 수술적 치료를 고려해야 한다. 또한 10mm 이상의 함몰병변인 경우에도 점막하 이상의 침습암인 경우가 흔하기 때문에 수술적 절제를 우선 고려해야 한다.

2. 대장암 검진

대부분의 대장암은 선종성 용종에서 발생하기 때문에, 예방대책은 전암병변의 확인과 제거에 초점을 맞추고 있다. 게다가 대부분의 암은 무증상이기 때문에 검진을 통해서 초기에 완치 가능한 단계에서 발견하는 것은 매우 중요하다. 여러 검사법들은 선별검사로서의 장단점을 가지고 있다(표 2-11).

1) 대변 잠혈 검사

대변 잠혈 검사Fecal Occult Blood Test (FOBT)는 위장관 출혈을 확인하는 검사법으로 비침습적이고 저렴하며 간편해서 일차적인 대장암의 선별검사로 권장되는 검사이다. 검사원리에 따라서 혈색소내 과산화효소의 활성도를 측정하는 구아이악 검사guaiac test와 혈액성분에 대한 항체로써 혈흔을 탐지하는 면역화학검사immunochemical test가 있으며 대장출혈을 감지하는데는 글로빈에 대한 항체검사가 특이적이다. 구아이악 검사의 경우 음식 및 약복용에 따른 위양성반응이 있으므로 검사 전 주의가 필요하며 대체로 2–3회의 변을 모으거나 연속적으로 검사하는 경우에 정확도가 높아진다. 적응이 되는 사람에서는 매년 시행하여야 하며 양성반응이 나오는 경우 대장내시경을 통해 병변유무를 확인하여야 한다. 미네소타 대학의 전향적 무작위 연구에서 대변잠혈검사를 통해 대장암 환자의 사망률을 33%, 전이성 대장암의 경우 55%까지 낮추었다는 보고가 있어 현재 조기검진의 방법으로 많이 이용된다. 검사의 특이도는 낮은 편으로 양성반응을 보이는 환자의 90% 정도에서 대장암이 진단되지는 않지만, 양성이 나온 경우에는 반드시 대장내시경 검사를 시행하여 확인하여야 한다.

2) 대장내시경

전체 대장의 점막을 확인할 수 있는 가장 정확한 방법이며 다른 정기검진에서 이상이 발견되었을 때 궁극적으로 시행되어야 할 검사법이다. 이 방법은 1cm 미만의 용종발견에도 매우 민감하며 진단뿐 아니라 조직검사, 용종절제술, 지혈 및 협착부위를 넓히는 시술도 동시에 시행할 수 있다는 장점이 있다. 하지만 대장내시경을 시행하기 위해서는 대장 전 처치가 필요하며 시술 도중 환자가 불편감을 느낄 수 있기 때문에 대부분의 환자에서 약간의 진정이 필요하다. 합병증으로는 천공과 출혈이 있는데 그 비율은 0.2-0.3%로 매우 낮다.

3) 이중조영바륨관장

이중조영바륨관장Double Contrast Barium Enema (DCBE)은 항문을 통해 바륨조영제와 공기를 대장내로 주입해서 바륨으로 대장점막을 도포하고 공기로 대장의 내강을 확장시킨 후 방사선 투시촬영을 이용하여 영상을 얻는 검사 방법이다(그림 2-80). 바륨관장조영술은 크기가 큰 종양이나 1cm 이상 되는 용종의 진단에 있어서는 90% 이상의 민감도를 갖는다. 정확도는 상행결장에서 가장 높으며 에스결장에 게실이 많이 있는 경우에는 민감도가 떨어진다. 이러한 이유 때문에 바륨관장조영술은 검진 방법으로 연성 에스결장경과 함께 사용되기도 한다. 여러 단점이 있어 현재에는 대장암의 검진 목적으로 사용되는 경우는 드물지만, 대장전체의 형태와 주행의 파악, 병변부위의 해부학적 형태와 위치확인 및 대장내시경의 누락부분에 대한 보완적인 기능으로 여전히 우수한 검사방법이다. 장점으로는 대장내시경 검사에 비하여 환자가 느끼는 통증 및 불편감이 적고, 합병증 발생이 매우 낮은 점을 들 수 있다. 또한 병변에 의한 협착으로 대장내시경이 통과하지 못하는 경우에서도 완전한 장폐쇄만 아니면 영상획득이 가능하므로, 근위부의 병변여부에 대한 정보를 얻는데 유용하다. 단점으로는 대장내 변이 남은 경우에 용종과의 구별이 어렵고, 크기가 작은 미세병변의 발견이 어려운 점 및 조직생검이 필요한 경우 대장내시경을 추가로 시행하여야 한다는 것이다.

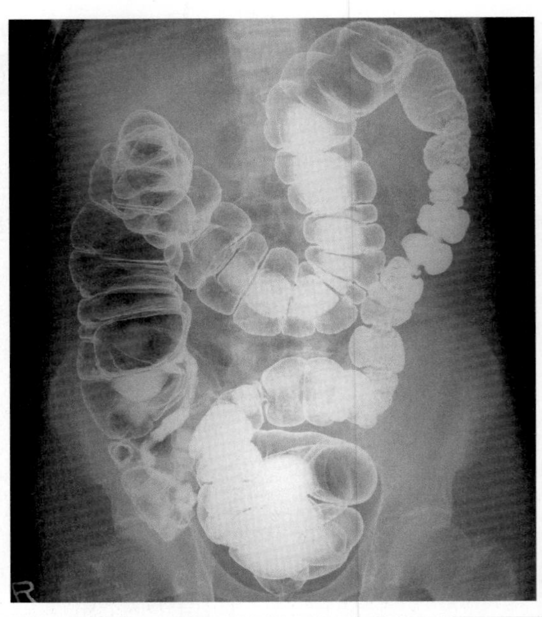

그림 2-80 **이중조영바륨관장.** 바륨조영제와 공기를 대장내로 주입해서 바륨으로 대장점막을 도포하고 공기로 대장의 내강을 확장시킨 후 방사선 투시촬영을 이용하여 영상을 얻게 된다.

4) CT 대장조영술

CT 대장조영술CT Colonography (CTC)은 장세척을 한 후 공기나 이산화탄소를 대장내로 주입하여 대장을 팽창시킨 다음에 CT를 통해 두께 0.5-1mm 정도의 단층영상을 얻고 이 영상들을 3차원으로 복원한 가상영상을 통해서 다평면 영상과 장관내부를 보는 듯한 영상을 얻는 방법이다

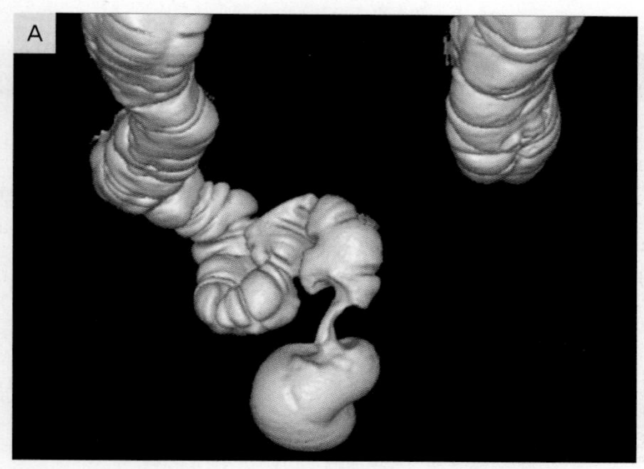

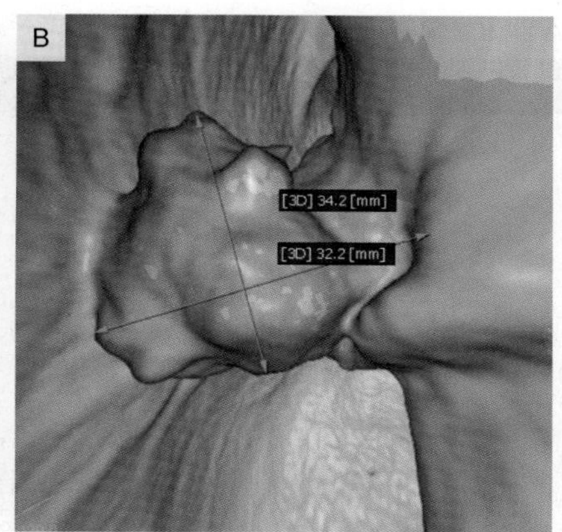

그림 2-81 CT 대장조영술. 공기나 이산화탄소를 대장내 주입하여 대장을 팽창시킨후 CT에서 단층영상을 얻고 3차원으로 복원한 가상영상을 통해서(A) 내시경으로 대장 내부를 보는 듯한 영상을 제공한다(B).

(그림 2-81). 대장내시경에 비해서 환자가 느끼는 통증 및 불편감이 적고, 5mm 이상 크기의 용종 발견이 가능하며, 복강내 전이여부도 동시에 확인할 수 있으며 장폐색이 있는 경우 근위부에 대한 검사가 가능하다는 장점이 있다. 그러나 대장 내 변과 용종의 감별이 어려운 경우가 있고, 5mm 이하 크기의 용종이나 평편한 선종의 발견에는 제한적이며 용종이 발견되어도 조직생검이나 절제가 불가능하여 대장내시경 검사를 추가로 시행해야 한다.

표 2-12. 대장암 검진 권고안(개발: 국가암검진 권고안 제·개정위원회, 주관:국립암센터)

검진대상과 연령	45세부터 80세까지 남녀
검진주기	1-2년
일차적으로 권고하는 검진방법	분변잠혈검사
선택적으로 고려할 수 있는 검진방법	대장내시경

본 권고안은 무증상의 평균적인 위험을 가진 성인을 대상으로 한 것이다.
증상이 있거나 고위험군 성인의 경우 임상의의 판단에 따라 추가적인 검사 또는 조치를 시행할 수 있다.

5) 대장암 검진 권고안

2008년에 발표된 미국 예방진료특별심의회U.S. Preventive Services Task Force (USPSTF)의 권고안에 의하면 보통 정도의 위험도를 갖는 일반인(무증상, 가족력없음, 용종이나 대장암의 과거력 없음)을 대상으로는 50세부터의 결장암에 대한 건강검진이 필요하며 75세가 될 때까지 정기검진을 계속해야 한다. 76세부터 85세까지에는 정기검진을 계속 시행할 필요는 없으며 85세 이상의 일반인에서는 검진이 필요하지 않다. 1년에 한 번씩 민감도가 높은 대변잠혈 검사를 시행하거나, 에스결장경 검사를 5년에 한 번 시행하면서 동시에 대변 잠혈 반응 검사를 3년마다 시행하거나 혹은 대장내시경을 10년에 한 번씩 시행하는 것을 검진의 원칙으로 제시하였다. 다른 위험요소를 갖춘 환자의 경우에는 조금 더 초기에 검진을 시작해야 하며 전문가와 상의해야 한다고 권고하였다. 우리나라에서는 2015년 국가암검진 권고안 제·개정위원회를 통해 무증상 성인에 대한 대장암 검진 권고안을 개정하였다(표 2-12). 주요 개정 내용은 대장암 검진 연령과 검진 방법에 대한 것이다. 검진 연령에 대해서는 기존보다 5세 앞당겨진 45세부터로 설정하였고, 80세 수검자까지 검진을 받도록 권고하였다. 대장암에 대한 일차적인 검진 방법으로 기존의 대변 잠혈 검사 이외 대장내시경 검사를 검토하였으나, 대장내시경은 출혈이나 천공 등의 위험이 비교적 높기 때문에 선택적으로 시행할 것을 권고하였다. 대장암 발생 고위험군에 대해서는 대한대장항문학회와 국립암센터가 공동으로 제정한 권고안이 임상에서 사용되고 있다(표 2-13).

표 2-13. 대장암 발생 고위험군의 검진 권고안

	고위험군	검진연령	검진주기	검진방법
가족력	1) 부모 · 형제가 암인 경우 암 발생 연령이 55세 이하 혹은 2명 이상의 암(연령 불문)	40세[†]	5년	대장내시경
	2) 부모 · 형제가 암인 경우 암발생 연령이 55세 이상	50세[‡]	5년	
용종(폴립)	1) 증식성 용종	평균위험군에 준함		
	2) 선종성 용종 1cm 미만	절제 후 3년		대장내시경
	1cm 이상 또는 다발성	절제 후 1년		
염증성 장질환	1) 좌측 대장에 국한	발병 후 15년 부터	1-2년	대장내시경
	2) 대장 전체에 병변	발병 후 8년 부터	1-2년	
유전성 암	1) 가족성 용종증의 가족력	12세	1-2년	에스결장경
	2) 유전성 비용종증 대장암의 가족력	21-40세	2년	대장내시경

[†]유전성암인 경우에는 검진 시작 시 유전자 검사를 고려하도록 함

[‡]유전성 비용종증 대장암의 가족력이 있는 경우는 최연소 가족내 암환자의 발병 연령보다 10년 일찍부터 검진을 시작함

요약

대장에 생기는 신생물들 중 대표적인 병변은 악성은 선암, 양성은 선종이다. 이 중 선종은 구성성분에 따라 관상선종, 융모성관상선종, 융모성선종으로 구분하고 융모성 성분이 많을수록, 크기가 클수록, 조직학적 이형성도가 심할수록 악성으로 변할 가능성이 높다. 대부분의 양성선종은 대장내시경으로 절제가 가능하나 크기가 아주 크거나 내시경으로 접근이 어려운 경우 등에는 수술적 절제가 필요할 수 있다. 내시경절제표본에서 암세포가 점막하에 깊이 침범하거나 림프절 전이의 고위험 요소들을 동반한 경우, 또는 절제연이 충분치 않은 경우 장절제를 포함한 수술적 절제가 필요하다.

대장암의 검진을 위한 검사는 대변 잠혈 반응, 대장내시경, 바륨관장조영술 등이 있으며 위험인자 없는 45세부터 80세까지는 매 1-2년마다 분별잠혈검사를 권고하고 있다.

IX 대장암

1. 발생빈도 및 역학

대장암은 소화기관계의 가장 흔한 악성종양 중의 하나로, 세계보건기구의 추산에 따르면 폐암, 유방암 다음으로 세 번째로 발생수준이 높은 암종이다. 2013년 국립암센터 통계자료에 따르면 남자에서 10만 명당 65.6명, 여자에서는 10만 명당 43.6명의 대장암 환자가 발생하여, 전체 암발생의 12.3%를 차지하고 있다. 대장암은 선진국에서 발생률이 높은 반면 후진국이나 개발도상국에서는 발병률이 낮은 암종으로 알려져 있으며 과거 발생수준이

표 2-14. 2006-2013의 연도별 주요암의 발생율 변화

연도	대장암		위암		간암		폐암	
	발생률	순위	발생률	순위	발생률	순위	발생률	순위
2006	40.7	2	54.1	1	30.7	5	36.3	3
2007	43.8	2	54.6	1	30.7	5	37.5	4
2008	46.9	3	57.5	1	32.2	5	38.7	4
2009	51.3	3	60.4	2	32.5	5	40.4	4
2010	53.3	3	61.4	2	32.7	5	42.6	4
2011	56.8	3	63.6	2	33.3	5	44.1	4
2012	58.1	3	61.6	2	32.5	6	44.4	4
2013	54.6	3	59.7	2	32.0	6	45.8	4

발생률 : 10만명당 연령표준화발생률, 출처 : 국가암등록사업 연례보고서(2013년 암등록통계)

낮았던 아시아 일부 국가(일본, 싱가폴 등)에서 최근 20여 년 동안 발생률이 2배 이상 급격하게 상승하고 있다. 우리나라는 생활습관이 서구화되어감에 따라 1980년대 이후 대장암의 발생 및 사망수준이 급격히 증가하고 있다. 2013년 국가암등록 통계에 따르면 주요 암종 암발생률이 남자에서 14.6%(2위), 여자에서 9.9%(3위)를 차지하고 있다. 주요 암종별 연령표준화발생률 추이를 살펴보면 2006년도 10만 명당 40.7명에서 2013년에는 10만 명당 54.6명으로 꾸준한 증가추세를 나타낸다(표 2-14). 국내 대장암의 특징을 보면 최근 정기검진의 활성화로 조기암의 진단이 점차 증가하고 있으며, 발생 위치에서는 우측대장암이 좌측대장암과 직장암에 비해서 상대적으로 증가되는 경향을 보인다. 국내 대장암 환자들의 평균 연령은 58-60세였고, 남자가 여자에 비해 1.5배 정도 빈번한 것으로 보고되고 있으며, 이 중 직장암이 전체 대장암 중 절반 정도를 차지하고 있다. 인구의 고령화 및 서구식 생활 환경으로의 변화로 인해 암관련 사망률 또한 지속적으로 증가하고 있다. 국가암정보센터 2014년 성별 주요암 사망분율을 보면 남성에서 대장암관련 사망분율은 10.0%로 전체 암종 중 4위이며, 여성에서는 12.5%로 2위를 차지하고 있다.

2. 발병 요인

대장암의 발생위험을 증가시키는 요인에 관한 연구는 국가나 지역 간의 역학 연구에 따라 조금씩 차이는 있으나 일반적으로 유전적 요인보다는 환경적 요인이 크게 작용할 것으로 추론하고 있다. 고령화는 대장암 발생의 가장 큰 위험요소이며 일반 적으로 나이가 50세 이후가 되면 그 발생률이 꾸준히 상승하며, 대략 90% 이상의 대장암 환자가 50세 이후에 진단이 된다. 이를 근거로 미국에서는 무증상인 일반 인구의 검진 프로그램의 시작시기를 50세로 하고 있다. 대장암의 약 80%는 산발성 대장암이며, 나머지 20%는 유전적 요소가 있어 대장암의 가족력이 있는 가계에서 발생한다. 따라서 대장암의 가족력이 의심이 되는 경우는 조기에 유전자 검사를 통한 유전적 요인의 평가가 중요하다. 현재 가능한 유전자 검사는 Adenomatous Polyposis Coli (APC) 유전자와 Mismatch Repair (MMR) 유전자이다.

식이 요인은 아직도 많은 부분에서 확실한 연관관계가 밝혀지지는 않았지만 대장암 발병에 가장 큰 영향을 미치는 환경적인 요인으로 알려져 왔다. 많은 역학적 코호트 연구에서 여러 가지 음식군과 영양소들이 대장암 발병과 인과적 연관성이 있는 것으로 제시되었다. 높은 동물성 지방 섭취, 식이섬유소 섭취 부족, 설탕과 같은 정제된 탄수화물의 섭취, 비만 등이 대장암의 주요한 발생요인으로 알려져 있다. 단백질로는 붉은 육류와 가공육이 대장암 발생에 중요한 원인으로 생각되며, 장내 세균에 의한 단백질의 분해로 발생된 황화합물과 굽고 태우거나 튀긴 음식 및 훈제음식은 발암 혹은 발암촉진 물질로 여겨지고 있다. 포화지방이나 고도 불포화지방polyunsaturated fat의 섭취는 담즙 분비를 증가시키고, 분비된 담즙산이 대장내 세균에 의해 대장 점막에 암을 유발하는 요인인 이차 담즙산이 되는 것이 밝혀졌다. 대장암 발병과정 중 식이섬유의 역할을 객관적으로 규명한 실험적인 증거는 적지만 모든 종류의 식이섬유가 대장암의 예방에 효과가 있으며 잡곡류보다는 신선한 과일이나 야채로부터 섭취되는 섬유소가 더 효과적임이 알려져 있다. 야채 및 채소 위주의 식단으로 섬유소가 높은 식사는 변비를 막아 암발생 물질이 장점막과 접촉하는 시간을 줄이므로 대장점막을 보호하여 대장암의 발생을 막는 역할을 한다. 알코올 섭취와 대장암의 발생도 관련이 있으며, 칼슘, 셀레늄selenium, 엽산folic acid, 비타민A, C, E, 카로틴 등은 대장암 발병 위험을 줄일 수 있는 식이 요인으로 보고된다. 칼슘은 그 기전이 아직 정확히 알려지지 않았으나 유전성이 없는 사람에서 선종의 재발률을 감소시키는데 효과가 있는 것으로 알려져 있고, 칼슘과 비타민D를 같이 섭취하면 대장암과 전립선암의 예방에 효과가 있다고 알려져 있다. 엽산은 수용성 비타민B의 일종으로 주로 시큼한 과일, 암녹색 야채, 말린 콩 등에 많으며 매일 400μg 이상 섭취하면 대장암 발생을 30% 정도 줄인다고 한다. 셀레늄은 체내에서 항산화물질로 작용하여 전체 암 발생을 줄이고, 특히 폐암, 대장암 및 전립선암에서 효과가 있다는 연구가 있다. 아스피린이나 비스테로이드성 항염증제 등의 여러 약제가 대장암 발생을 억제하는데 효과가 있는 것으로 알려져 있다. 이러한 예방약제는 그 효용성뿐만 아니라 장기간 복용했을 때 안전해야 하고, 환자들이 복용하기 쉬워야 하며, 가격이 저렴해야 하는데 현재까지 완전한 제재는 미비하다. 여러 약제들 중에서 가장 많이 연구된 아스피린이나 비스테로이드성 항염증제는 장기간 복용한 사람에서 대장암의 발생을 40-50% 줄이고, 대장암의 전구체인 선종의 발생을 25% 줄이는 것으로 보고되기도 하며, 일부 대장용종 및 대장암의 발생 위험성이 높은 사람들의 치료 및 예방에 실험적으로 투여되고 있지만 일정한 결과는 미흡하다. 비만과 암관련 사망률의 증가가 상관관계가 있음이 알려져 있어, 대장암 예방방법으로 식이 및 생활습관 변화가 강조된다.

궤양성대장염과 크론병 등의 염증성장질환이 있는 경우 대장암 발병위험도가 높아지는 것으로 알려져 있다. 만성 염증이 대장점막의 악성화를 촉진하기 때문이라고 생각되며, 대장염의 유병 기간과 범위가 대장암 발병위험도와 직접적으로 비례한다. 궤양성대장염 환자에서 암 발생의 빈도를 보면 10년 뒤에는 2%, 20년 뒤에는 약 8%, 30년이 지나면 약 18%의 대장암 발병 위험도를 가진다. 크론병 환자에서도 비슷한 정도의 대장암 발병 위험도가 관찰되며, 좌측 대장염은 비교적 낮은 악성 발병 위험도를 보인다. 그 외의 전암병변으로는 선종, 융모선종, 가족성 선종성용종증 등이 있다. 이외 과거에는 악성화에 관해 논란이 있었던 과오종 및 증식성용종에서도 병인관련 유전자의 돌연변이와 후생유전자변화epigenetic change 및 염색체 결손의 단계적 확인을 통해서 선암으로의 진행경과가 밝혀지고 있다.

3. 발생기전

1) 유전학적 발생 기전

대장암의 발생기전에 대한 수많은 분자생물학 연구를 통해 대장암의 발생, 성장 및 전이의 과정은 다양한 유전자 변이의 축적에 의한 것으로 이해되고 있다. 대표적으로 대장암은 선종-선암종 연속adenoma-carcinoma sequence 경과를 보이는데 이는 대장의 정상 점막에서 선종이 발생하고 이후에 이형성증이 동반된 선종에서 선암으로 다단계 진행을 말한다(그림 2-82). 이처럼 대장암이 유전학적 결손 및 유전자 기능의 변화에 기인한다는 가설은 1987년

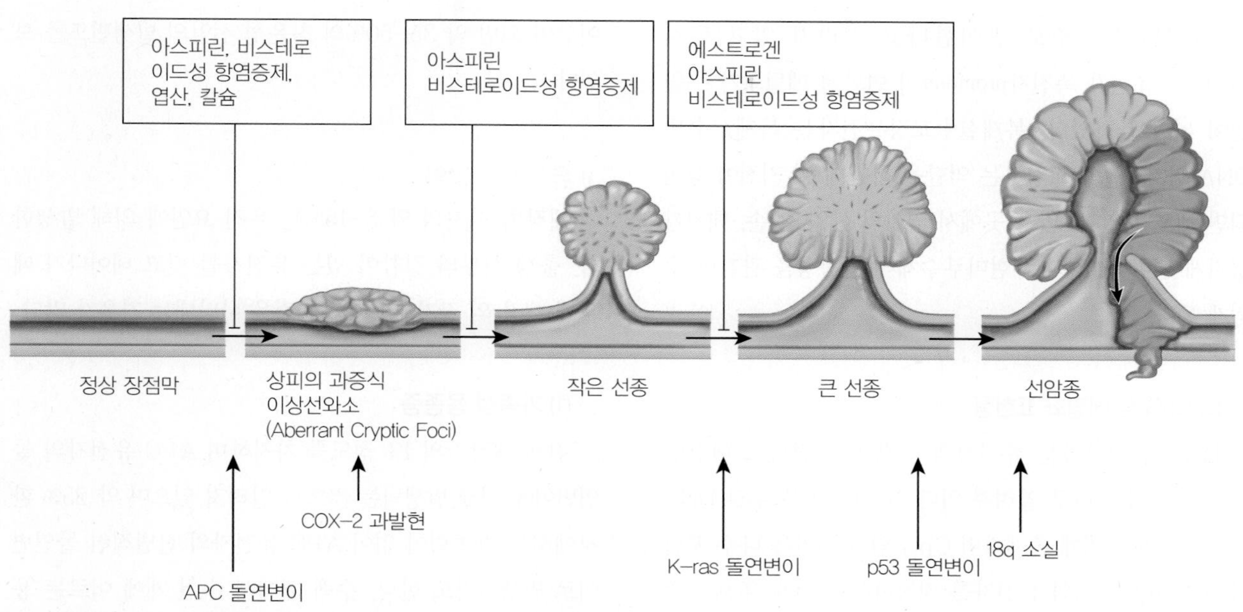

그림 2-82 **선종-암종 이행.** APC, p53, DCC 등의 종양 억제 유전자의 불활성화와 k-ras 유전자의 변형이 동반되어 대장 상피세포의 암화과정을 보여주고 있다.

Bodmer에 의해 가족성용종증에서 APC유전자의 결손이 제시됨으로써 그 근거를 마련하였고, 유전성비용종증 대장암 관련 유전자결손이 MMR유전자에서 확인됨으로써 구체적으로 밝혀지고 있다.

임상연구 결과 선종에서 선암이 진행하는데 5–10년 정도의 장기간이 소요되는 것으로 추정되며 선종 중 극히 소수에서만 암으로 진행된다. 현재까지 어떠한 선종이 암으로 진행하는지 특이적 소인을 찾기는 어렵지만 선종 중 심한 이형성을 동반하거나 깔대기모양 혹은 무경성 선종, 1–2cm 이상의 크기, 융모 선종 등이 소인으로 제시되고 있다. 대표적인 대장암의 유전학적 발생 기전은 염색체 불안정성chromosomal instability, 현미부수체 불안정성 microsatellite instability (MSI), CpG 섬 메틸화 표현형CpG island methylator phenotype (CIMP) 등이 알려져 있다.

(1) 염색체불안정성

산발성 대장암의 약 85%는 염색체불안정Chromosomal instability으로 인하여 발생하는 것으로 알려져 있고, 이는 종양 억제 유전자인 APC/B–catenin 유전자의 불활성화 이후 많은 종양유발유전자의 활성과 종양억제유전자의 불활성화가 축적되어 정상점막에서 선암종으로 진행되는 과정이다. 유전자의 변형은 대립유전자의 소실이나 돌연변이에 의한 것으로 여겨지며, 대장암에서 관찰되는 변화로는 염색체 12번에 위치한 k–ras 종양유발유전자의 활성화, 염색체 5번, 17번 및 18번 에 위치한 종양억제유전자들의 비활성화이다. 대장암에서 5번 염색체 단완과 17번 염색체 단완 및 18번 염색체 장완의 부분 소실로부터 각각 APC, p53, DCC 및 SMAD4 등의 종양억제유전자의 불활성화가 초래되어 대장 상피세포의 암발생 과정에 결정적 역할을 한다.

(2) 현미부수체 불안정성

현미부수체 불안정성Microsatellite Instability (MSI)은 유전성비 용종증 대장암에서 약 90% 이상 관찰되며 산발성 대장암에서도 약 15%에서 발견된다. 이는 복제오류를 교정해주는 DNA MMR 유전자의 돌연변이로 발생하는 것으로, 이와 관련된 유전자는 hMSH2, hMLH1, hMSH6, hPMS1, hPMS2 등이다. 이 중에서도 hMSH2, hMLH1

의 돌연변이가 주로 관여한다고 알려져 있고 특히 hMLH1 유전자 촉진자promoter의 변화된 메틸화가 주원인이 된다고 하였다. 복제실수교정유전자는 복제실수된 DNA 염기서열을 교정하는 역할을 하는데 이 기전이 상실되면 세포 분열 시 많은 곳에서 염기의 삽입, 결손, 대치가 생기게 되며 그 결과로 현미부수체 불안정성을 관찰할 수 있게 된다.

(3) CpG 섬 메틸화 표현형

DNA의 메틸화는 유전자의 후생학적 변화로 대장암 발암기 전의 하나로 알려져 있다. "CpG 섬"은 주로 DNA의 5'촉진자 영역에 존재하며 CpG 염기 서열을 다수 포함한 0.3–4kb 길이의 유전자를 지칭하는데 전체 유전자 중 약 50%에서 발견된다. 작은 크기의 선종에서는 전반적으로 메틸화가 적거나 많아지는 변화가 있고, 또한 어떤 특정부위에서는 과메틸화가 일어난 것도 발견된다. 대장암 일부에서 주변 정상 점막보다 CpG 섬에 메틸화가 심하게 일어나는 유형이 관찰되어 이를 CpG 섬 메틸화 표현형 CpG Island Methylator Phenotype (CIMP)이라고 지칭한다. CIMP 대장암은 어떤 유전자가 메틸화가 되어 있는가에 따라 불활성화된 유전자군들이 달라지게 되며, 이로부터 유전적인 특성이나 생물학적 특성이 결정된다. 일반적으로 CIMP 대장암은 여성, 우측암, 미분화암, 점액암의 특징을 보인다.

2) 용종

대다수의 대장암은 선종성 용종에서 선종–선암종 연속 경과 이론에 따라 발생하는 것이 널리 알려져 있다. 선종성 용종이 가장 흔하고 미국의 통계에 의하면 50세 이상에서 약 25% 관찰된다고 한다. 선종성 용종의 악성화는 용종의 크기와 형태에 따라 달라진다. 형태에 따른 악성화의 가능성은 융모성선종에서 약 40%로 높은 것으로 알려져 있고, 관상 선종의 경우 5%, 융모성관상선종형의 경우 22%의 악성도가 관찰된다. 침윤성 선암은 1cm 미만 크기의 용종에서는 드물게 발견되며, 용종의 크기가 2cm 이상이 되면 약 35–50%의 침윤성 선암의 발생빈도를 보인다.

3) 유전성 대장암

대장암 환자의 약 5–15%는 유전 요인에 의해 발생한다. 출생 시부터 결함이 있는 유전자를 갖고 태어나기 때문에 대장 외 장기에도 이상소견을 나타내는 경우가 많다.

(1) 가족성 용종증

전체 대장암의 1% 정도를 차지하며 APC 유전자의 돌연변이에 의해 발생되는 것으로 알려져 있으며 약 25% 환자에서는 가족력이 없이 APC 유전자의 산발적인 돌연변이로 발생하기도 한다. 수백 개에서 수천 개에 이르는 용종이 대장에 발생할 수 있으며 조기에 예방적인 대장절제술을 시행하지 않으면 100%에서 대장암으로 진행된다. 가족성 용종증 환자군에서 용종이 발생하게 되면 나이, 증상, 직장 용종 발생여부, 종양 위치를 고려하여 수술 범위를 결정하게 되며 전 대장절제술 및 회장낭 항문문합술이 선호된다.

(2) 약화 가족성 용종증

약화 가족성 용종증attenuated FAP은 가족성 용종증의 변형된 형태로 알려져 있으며 용종은 10–100개 정도 발생하며 대부분 우측결장에 많이 발생하고 50% 환자에서 암종으로 변한다. 대부분은 50대 전후로 발생하며 약 60%에서 APC유전자의 돌연변이가 관찰된다. 또 다른 용종증으로 MYH 유전자 변이를 동반하는 MYH연관 용종증이 있다. 직장에는 용종 발생률이 낮기 때문에 수술 시에는 회장 직장 문합술이 최선의 선택이며 COX–2 억제제가 용종 발생 예방에 도움을 줄 수 있다.

(3) 유전성 비용종증 대장암

전체 대장암 환자의 1–3% 정도를 차지하며 DNA 복제실수교정유전자의 이상으로 발생하며 염색체 우성으로 유전되는 것으로 알려져 있다. 대장암 이외 자궁내막암,

난소암, 췌담도암, 위암, 소장암, 비뇨생식계암 등이 동반되어 발생할 수 있다. 전결장절제술 혹은 아전결장절제술이 일차적 수술 치료 방법이며 매년 직장경을 통해 직장암 발생을 확인해야 한다. 또한 자궁과 난소암 발생률이 높기 때문에 자녀 출산이 더 이상 요구되지 않는 환자의 경우에는 예방적 자궁적출 및 난소 절제술을 권고한다.

4) 가족성 대장암

전체 대장암 환자에서 약 10–15%를 차지한다. 가족력이 없는 환자군에서 대장암 발생 위험도가 6%정도인데 반하여 1도 가계의 가족에서 대장암이 발생한 경우 약 12%까지 위험도가 증가된다. 1도 가계의 가족에서 2명의 대장암이 발생한 경우에 그 위험도는 35%까지 증가된다. 대장암이 발생된 나이도 중요한 위험인자이며 50세 미만에서 대장암이 발생한 경우 그 위험도가 급증한다. 가족력이 있는 경우 40세부터 5년마다 대장내시경을 권고하며, 가족에서 대장암이 발생한 가장 젊은 나이보다 10세 전부터 대장내시경을 권고한다.

4. 수술 전 검사 및 병기

1) 임상양상

대장암의 증상은 비특이적이며 국소적으로 진행이 되어야 나타난다. 가장 흔한 증상은 대변습관의 변화 및 직장출혈이다. 복통이나 복부팽만감 등의 폐쇄와 관련된 증상은 종양의 크기가 큰 경우에 나타나며 종양이 진행되었음을 시사한다. 장의 내경과 대변의 경화성의 차이로 좌측대장암의 경우 우측대장암에 비해 장폐쇄가 더 자주 일어난다. 출혈은 잠혈성일 수도 있지만, 선홍색이나 검은색변의 형태로 나타나기도 한다. 근위부에 위치한 병변 일수록 분변에 포함된 혈액의 색조가 변화되어 있지만, 좌측대장암이나 직장암의 경우 선홍색을 띠는 경우가 많아 치핵에 의한 출혈로 오인되는 경우가 흔하다. 비특이적인 증상으로 빈혈이나 체중감소, 식욕부진 등이 있을 수있으며 증상이 없는 경우도 있다. 암종이 진행된 상태에는 복부에서 종괴가 촉지되기도 하며, 원격전이가 일어난 경우에는 전이된 위치에 따라 요통, 경추통, 골반통 등의 동통, 황달, 골절, 신경 증상, 성격 변화, 혈전증, 피부결절(배꼽주위의 전이된 결절인 경우, Sister Joshep's nodule) 등의 증상이 나타나기도 한다. 드물게는 농양과 누관의 형태로 증상이 나타나서 이에 대한 검사도중에 대장암이 발견되기도 하며, 암종의 위치에 따라 결장–방광루 혹은 결장–피부루 등이 생기기도 한다.

2) 수술 전 검사

결장의 악성종양이 의심되는 경우에는 수술 전에 여러 검사를 시행한다. 혈액검사로 암배아성항원(CEA)을 검사하고, 조직진단과 동시성 암종의 존재 여부에 대한 검사를 위해 대장내시경을 시행한다. 동시성 종양은 대장암 환자의 약 2–9%에서 발견된다. 흉부 X선 검사와 복부골반 전산화단층촬영은 원격전이를 알아내기 위해 필요한 검사이다. 흉부 전산화단층촬영은 흉부 X선 검사소견이 비정상일때만 선택적으로 시행된다. 양전자방출단층촬영PET scan은 전산화단층촬영에서 보였던 병소를 확인하고, 고위험도의 수술을 계획하고 있는 환자에서 유용할 수 있다.

(1) 암배아성항원

암배아성항원Carcinoembryonic Antigen (CEA)는 배아기 4–8주에 만들어지는 당단백질로써 대장의 점막형성에 관여하는 것으로 알려져 있으며 정상적인 경우에서는 출생 이전에 현저히 감소하여 거의 소멸된다. 성인에서 높은 혈청 CEA 수치가 측정되는 경우 정상적인 대장세포 혹은 다른 소화기 상피세포의 탈분화dedifferentiation에 의한 대장암 혹은 다른 암이 있을 가능성을 의미한다. 그러나 CEA는 암 이외에도 정상인에서 드물게 과발현되는 경우가 있으며, 간경변증을 포함한 간질환, 췌장염, 염증성장질환, 감염성질환, 기타 양성종양, 흡연자 및 유사 당단백을 복용하는 경우에서도 증가할 수 있기 때문에 단순히 수치가 높다고 대장암으로 진단할 수는 없다. 혈청 CEA 수치는 대장암이 진단된 환자에서 수술 전에는 대장암의 진행정도를 파악하고, 수술 후에는 치료의 효과 및 재발을 확인할 수 있는 추적검사로 이용될 수 있다. 수술 전 혈청 CEA 수치가 매우 높은 경우에는 국소적으로 상당히 진행한 대장암이거나 전이암이 동반될 가능성이 있어 이에 대한 추가검사가 요구되며, 술 후 및 항암치료 중 혈청 CEA 수치가 상승할 경우에는 재발 및 치료 불응성을 의심해야 하며 국소재발 및 원격전이 여부를 반드시 확인하여야 한다.

(2) 대장내시경 검사

조직진단과 동시성 암종의 존재 여부에 대한 검사를 위해 대장내시경을 시행한다. 검사 중 환자가 불편감 및 통증을 느낄 수 있고, 암에 의하여 대장내강이 폐쇄되어 있으면 더 이상 검사를 진행할 수 없는 단점이 있다. 점막의 주름이나 대장의 굴곡과 꺾임에 따라서 검사 시 누락되는 부위가 발생할 수 있으며, 검사도중 대장출혈이나 천공 등의 합병증이 발생할 수 있음을 유의해야 한다.

(3) 전산화단층촬영

대장암의 진단보다는 주위 인접장기로의 침윤, 림프절 및 복막파종성 전이, 간이나 폐 등의 원격전이 여부를 확인하는데 유용하다. 일반적으로 원발병소나 림프절전이, 원격전이를 정확히 평가하기 위해서 정맥내 조영제를 투여한 후 촬영하며, 경항문적으로 공기나 생리식염수, 조영제 등을 투여하여 대장을 확장시키고 촬영하기도 한다. 간전이의 경우 약 75–90%의 정확도를 보여주고 있으나 경우에 따라 추가 보완적인 자기공명영상 혹은 초음파검사가 필요하다. 폐전이는 일반 흉부방사선촬영으로는 초기 병변의 확인에 한계가 있으므로 진행성 암에서는 선택적으로 흉부 CT를 검사하는 것도 필요하다. 최근에는 다면검출 CTMultidetector-row CT (MDCT)를 통해서 선명하고 신속하며 정밀도가 높은 영상획득이 가능하게 되었다. CT대장조영술은 대장용종 및 암의 정확한 병소를 확인할 수 있게 하며 특히 대장내시경이 불가능한 환자에서 대체검사법이 될 수 있다. 크기가 큰 종양이나 협착으로 인하여 대장내시경이 병변을 통과하지 못하는 경우에 병변 보다 근위부대장을 검사할 수 있으며, 이중조영바륨관장검사와 달리 체위변환 없이도 검사가 가능한 장점이 있다.

(4) 자기공명영상

안정적인 자기장에서 전자기 에너지의 흡수와 방출을 측정함으로써 영상을 만들어내는 진단법이다. CT와는 달리 요오드조영제는 사용하지 않고 조직대조도가 우수하며 다평면 영상이 가능하고 전리방사선에 의한 영향이 없는 장점이 있다. 반면 검사시간이 길고 비용이 많이 들며, 석회질과 같은 뼈의 세부적인 모습이 명확하지 않다는 단점이 있으며, 강력한 자기장 내에서 검사를 받아야 하므로 인공심장박동기, 뇌동맥류클립 등이 있는 환자에서는 적용에 제한이 있다.

(5) 양전자방출단층촬영

양전자방출단층촬영Positron Emission Tomography (FDG-PET)은 빠른 분화를 보이는 암세포의 높은 당흡수와 대사율을 이용해서 영상화하는 검사방법이다(그림 2-83). 재발암 및 전이암의 병기결정과 치료반응성의 확인에 유용하며 간과 간외 전이암에 대한 민감도는 각각 89–95%와 87–92%로 높게 보고되고 있지만 비용이 많이 드는 단점이 있다. FDG–PET 검사에서는 위양성과 위음성영상을 숙지해야 하며 이는 FDG가 종양특이적 물질이 아니고 정상요관 및 소화관에서도 증가되고 특히 게실염 혹은 폐렴과 같은 염증성 병변에서 세포내 당대사의 증가로 FDG의 흡수가 증가 될 수 있으므로 다른 영상진단 결과와 함께 고려해서 판단해야 한다. 근래 PET와 CT를 병합한 PET–CT나 PET–MRI를 사용하여 양 검사 간 판독의 오류를 보완하며, 간전이 혹은 재발암의 국소병변에 대한 중재적 치료에 정확한 표적화를 시도하고 있다.

3) 병기

병기는 장벽침윤도, 주변림프절 전이, 원격전이에 의해 결정된다. 최근에는 과거에 사용되던 Dukes' 분류나

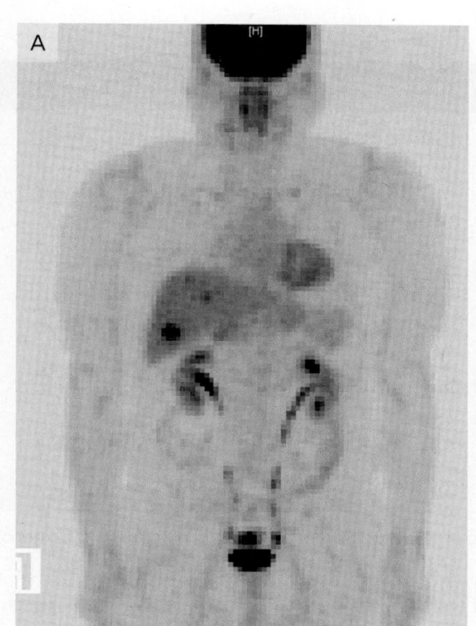

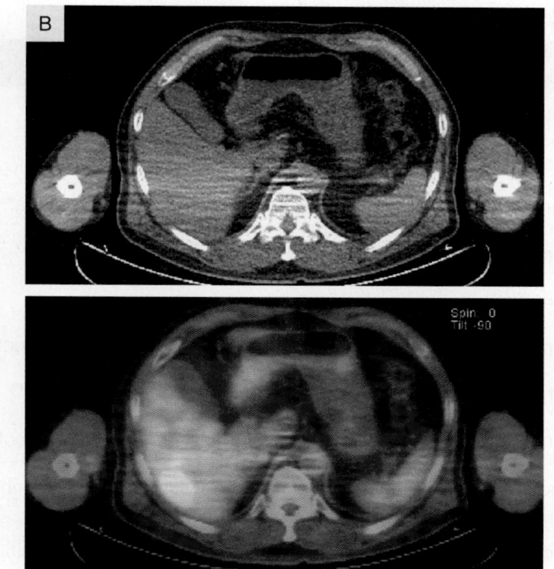

그림 2-83 양전자방출단층촬영. A) 18F-2-fluoro-2-deoxy-D-glucose (FDG)를 이용한 양전자방출단층촬영은 빠른 분화를 보이는 암세포에서 당의 높은 흡수와 대사율을 이용해서 영상을 얻는다. B) PET에 CT를 결합하여 위상 및 형태의 보완기능을 첨가한 PET-CT영상

Astler–Coller 분류보다는 주로 TNM 병기를 사용한다. 미국연합암위원회 AJCC에서는 AJCC 암 병기 7판에 따른 대장암의 TNM 병기를 최근에 발표하였다(표 2-15).

5. 대장암의 치료

1) 절제의 원칙과 수술 전처치

대장암의 치료목적은 원발암과 그 림프절 및 혈관을 제거하고 장문합을 통해 장관의 연속성을 회복시키는데 있다. 결장의 림프계는 동맥계와 함께 다니기 때문에, 장 절제의 범위는 암이 존재하는 장관에 혈류를 공급하는 혈관의 종류에 달려있다. 원발암 주변으로 유착이 있는 경우에는, 수술 시에는 악성유착과 염증성 유착을 구별하기가 쉽지 않고, 유착부위의 약 40%에서 악성 세포가 발견되기 때문에 종양과 함께 한 덩어리로 일괄 절제해야 한다. 장관의 문합은 봉합술이나 자동문합기를 통해 이루어지며, 이때 중요한 점은 문합부위 양쪽 모두 긴장이 없어야 하고, 혈류를 충분히 공급받고 있는 부위를 선택하는 것이다. 수술 전 예방적 항생제의 투여는 감염률 및 사망률 그리고 수술 후 재원기간을 낮추는 효과를 얻을 수 있다. 경구 투여 및 정맥 투여 모두 효과 있으며, 정맥 투여 시에는 반드시 수술 시작 전에 투여해야 효과가 있다. 수술 전 예방적 항생제의 투여 원칙은 부작용이 적은 적절한 항생제를 선택하여 수술 시작 30–60분 전에 정맥을 통해 1회 투여하는 것이다. 수술시간이 4시간 이상으로 길어지면 수술 도중 다시 투여한다. 일반적으로 계획적 수술인 경우에는 수술 후 24시간 이상 항생제를 정맥 투여하는 것은 예방적 항생제로서는 추천되지 않는다. 하지만 결장 수술의 경우, 혐기성균이 많고 오염된 수술 혹은 장에 염증을 동반한 경우가 많기 때문에 페니실린계열 이나 세팔로스포린 계열의 항생제와 메트로니다졸을 병용하여 2–5일간 투여한다. 현재 국내에서 결장 수술 시 일반적으로 사용하는 항생제 조합은 세폭시틴이나 세포테탄을 단독으로 정맥투여 하거나, 세파졸린과 메트로니다졸을 병합투여 하는 것이며, 베타락탐계 항생제에 알러지가 있는 경우는 클린다마이신이나 메트로니다졸을 젠타마이신, 사이프로플록사신 또는 아즈트레오남 중 한 가지 항생제와 병용 투여하는 방법이 있다. 수술 전 기계적 장

표 2-15. 미국연합 암위원회 대장암 TNM 병기(7판)-<계속>

Primary Tumor (T)	
TX	Primary tumor cannot be assessed
T0	No evidence of primary tumor
Tis	Carcinoma in situ: intraepithelial or invasion of lamina propria*
T1	Tumor invades submucosa
T2	Tumor invades muscularis propria
T3	Tumor invades through the muscularis propria into pericolorectal tissues
T4a	Tumor penetrates to the surface of the visceral peritoneum**
T4b	Tumor directly invades or is adherent to other organs or structures**,***

* Note: Tis includes cancer cells confined within the glandular basement membrane (intraepithelial) or mucosal lamina propria (intramucosal) with no extension through the muscularis mucosae into the submucosa.

** Note: Direct invasion in T4 includes invasion of other organs or other segments of the colorectum as a result of direct extension through the serosa, as confirmed on microscopic examination (for example, invasion of the sigmoid colon by a carcinoma of the cecum) or, for cancers in a retroperitoneal or subperitoneal location, direct invasion of other organs or structures by virtue of extension beyond the muscularis propria (i.e., respectively, a tumor on the posterior wall of the descending colon invading the left kidney or lateral abdominal wall; or a mid or distal rectal cancer with invasion of prostate, seminal vesicles, cervix, or vagina).

*** Note: Tumor that is adherent to other organs or structures, grossly, is classified cT4b. However, if no tumor is present in the adhesion, microscopically, the classification should be pT1-4a depending on the anatomical depth of wall invasion. The V and L classifications should be used to identify the presence or absence of vascular or lymphatic invasion whereas the PN site-specific factor should be used for perineural invasion.

Regional Lymph Nodes (N)	
NX	Regional lymph nodes cannot be assessed
N0	No regional lymph node metastasis
N1	Metastasis in 1-3 regional lymph nodes
N1a	Metastasis in one regional lymph node
N1b	Metastasis in 2-3 regional lymph nodes
N1c	Tumor deposit (s) in the subserosa, mesentery, or nonperitonealized pericolic or perirectal tissues without regional nodal metastasis
N2	Metastasis in four or more regional lymph nodes
N2a	Metastasis in 4-6 regional lymph nodes
N2b	Metastasis in seven or more regional lymph nodes
Distant Metastasis (M)	
M0	No distant metastasis
M1	Distant metastasis
M1a	Metastasis confined to one organ or site (e.g., liver, lung, ovary, nonregional node)
M1b	Metastasis in more than one organ/site or the peritoneum

표 2-15. 미국연합 암위원회 대장암 TNM 병기(7판)

ANATOMIC STAGE/PROGNOSTIC GROUPS					
Stage	T	N	M	Dukes*	MAC*
0	Tis	N0	M0	-	-
	T1	N0	M0	A	A
	T2	N0	M0	A	B1
IIA	T3	N0	M0	B	B2
IIB	T4a	N0	M0	B	B2
IIC	T4b	N0	M0	B	B3
IIIA	T1-T2	N1/N1c	M0	C	C1
	T1	N2a	M0	C	C1
IIIB	T3-T4a	N1/N1c	M0	C	C2
	T2-T3	N2a	M0	C	C1/C2
	T1-T2	N2b	M0	C	C1
IIIC	T4a	N2a	M0	C	C2
	T3-T4a	N2b	M0	C	C2
	T4b	N1-N2	M0	C	C3
IVA	Any T	Any N	M1a	-	-
IVB	Any T	Any N	M1b	-	-

Note: cTNM is the clinical classification, pTNM is the pathologic classification.

The y prefix is used for those cancers that are classified after neoadjuvant pretreatment (e.g., ypTNM). Patients who have a complete pathologic response are ypT0N0M0 that may be similar to Stage Group 0 or I. The r prefix is to be used for those cancers that have recurred after a disease-free interval (rTNM).

* Dukes B is a composite of better (T3 N0 M0) and worse (T4 N0 M0) prognostic groups, as is Dukes C (Any TN1 M0 and Any T N2 M0). MAC is the modified Astler-Coller classification.

세척은 대장암 수술에서 필수불가결한 요소로 인식되어 왔으나, 그 명확한 유용성에 대해 밝혀진 것은 적다. 오히려 여러 전향적 무작위 연구들에서 계획적 대장암 수술에서 기계적 장세척이 필요 없다는 결과를 발표하여 이의 유용성에 대해 논란이 있다. 하지만 현재까지는 북미를 포함하여 세계적으로 대장암 수술 전 기계적 장세척을 일반적으로 시행하고 있는 상황이다. 기계적 장세척은 보통 수술 전 24시간 이내에 시행하게 되며 널리 사용되는 장세척 제제로는 Polyethylene glycol (PEG)용액, sodium phosphate 등이 있다. PEG 용액은 장관 내에서 흡수되지 않으며 염분 및 수분의 소실도 초래하지 않는 장점이 있으나 용량이 4리터로 많고 맛이 없어 환자들이 복용하기가 수월하지 않아 전량을 복용하지 못해 장처치가 불량해지는 경우가 종종 있다. Sodium phosphate 용액은 상대적으로 적은 용량에 다양한 상품이 있어 복용이 간편하고 장세척력도 PEG 용액과 비슷한 결과를 얻는 것으로 알려져 있으나 전해질 장애가 있거나, 심부전 혹은 신부전이 있는 환자, 진행된 간질환이나 복수가 있는 환자, 만성 설사로 염증성 장질환이 의심되는 환자, 고령의 환자에서는 가급적 사용을 피해야 한다. 이러한 사항을 종합한 대장암 절제술의 원칙은 표 2-16에 정리되어 있다.

표 2-16. 대장암 절제술의 원칙

림프절 절제술
• 영양혈관 기원의 림프절은 병리검사를 위해 확인되어야 한다. • 절제범위 외부의 의심되는 림프절은 생검 또는 제거되어야 한다. • 남겨진 의심되는 림프절은 불완전(R2) 절제를 의미한다. • 명확하게 II기(T3-4, N0) 대장암을 입증하기 위해서는 최소 12개 이상의 림프절이 검사되어야 한다. • III기 병소의 경우라도 림프절의 수는 생존과 관련이 있다.
유전성 비용종 대장암 보인자 환자의 관리
• 대장암 가족력이 현저한 환자 또는 젊은 나이(50세 이하)에 발병한 환자는 더욱 광범위한 결장절제술을 고려한다(NCCN 대장암 선별지침 참조).

2) 수술방법

임상병기 1-3기 대장암의 수술의 원칙은 근치적 절제술, 즉 종양이 없는 상태R0 resection를 이루는 것이다. 근치적 수술의 원칙은 대장암이 발생한 부위에 따라 주영양혈관major feeding vessels을 근위 결찰하고, 주영양 혈관을 따라 분포하는 림프절과 결장을 모두 포함한 일괄 절제술en-bloc resection을 하는 것으로, 주영양 혈관의 경계 부위에 위치하는 대장암에서는 양측의 림프절을 모두 절제하는 것을 원칙으로 한다. 대장암의 위치에 따른 주영양 혈관은 회결장동맥, 우결장동맥, 중결장동맥, 좌결장동맥, 하장간막동맥을 말한다. 결장의 양측의 절제 범위는 주영양 혈관의 절제 범위에 따라 양측으로 암세포의 침윤이 없도록 충분한 절제연을 가지고 절제해야 하나, 아직까지 절제범위에 대한 대장암의 국제적인 표준지침이 정립되어 있지 않다. 대장암의 수술방법은 2000년대 초반까지 개복술이 표준수술방법으로 시행되어 왔으나 COST Trial을 통해 복강경적 수술방법이 기존의 개복술에 비해 종양학적 성적의 차이 없이 수술 후 회복이 유의하게 빠르다는 것이 입증되었으며, 이후 많은 대규모 임상연구 결과들을 통해 현재 복강경적수술법이 대장암 수술의 표준술식으로 시행되고 있다. 최근 완전결장간막절제술 및 중심혈관결찰술Complete Mesocolic Excision (CME) with Central Vascular Ligation (CVL)이 아시아뿐만 아니라 미국과 유럽 등에서 많은 관심을 받고 있다. 직장암의 경우 1990년 대 Heald 교수에 의해 소개 된 전직장간막절제술Total Mesorectal Excision (TME)이 국소재발률 및 생존율의 두드러진 향상을 보여준 이래로 현재까지 직장암 수술의 표준술식으로 시행되고 있다. 이러한 배경을 토대로 대장암의 종양학적 치료 성적의 향상을 위해 대장암 수술의 표준화의 필요성이 제기되었고, 2009년 독일 Hohenberger 교수는 전직장간막절제술의 개념을 대장암의 수술에 적용한 완전결장간막절제술(CME)을 소개 하였다. 이 술식은 장간막을 싸고있는 내장복막visceral peritoneum을 장간막의 손상 없이 후복막의 벽측복막parietal peritoneum인 톨츠근막 Toldt's fascia로부터 박리하여 그 사이에 존재하는 혈관 및 림프관을 완전하게 제거함으로써 종양 세포의 미세한 유출을 방지하고 중심혈관의 근위부 결찰CVL을 하는 개념이다(그림 2-84A). 이러한 술식을 통해 대장암 1-3기의 국소재발률과 5년 생존률이 각각 4.9%와 85%로 우수한 치료성적을 보여 주었으며 이후 여러 후향적 임상연구 결과들에서도 비슷한 생존율 향상의 결과들을 보여주었다. 최근 다기관 후향적연구를 시행한 Danish Colorecal Cancer Group에서 CME를 시행한 환자군에서 4년 무병생존율이 85.8%로 기존의 술식을 시행 받은 환자군의 75.9%에 비해 우월한 종양학적 성적을 보고 하였다. 현재 대장암의 절제범위 표준화를 정립하기 위해 일본, 한국, 독일, 영국 등 4개국에서 전향적 국제 다기관연구인 T-REX study를 진행하고 있으며, 이 연구 결과를 통해 좀 더 표준화된 대장암수술의 절제범위를 제시할 수 있을 것으로 기대된다.

(1) 회장결장절제

회장결장절제는 회장말단부와 맹장 그리고 충수돌기를 제한적으로 절제하는 것을 의미한다. 주로 양성질환에서 시행되는 수술이며 악성이 의심될 경우에는 우반결장절제술이 시행된다.

(2) 우반결장절제술(그림 2-84B)

우반결장절제술은 상행대장암의 경우에 가장 적절한 수술 방법이다. 회장결장혈관과 우결장혈관 및 중결장혈관의 가지를 확인하고 결찰한다. 회장말단부의 10cm 정도를 절제하며 회장의 끝부분과 횡행결장을 연결한다. 먼저 소장을 복부의 좌측편으로 위치시켜 우측결장의 장간막을 노출시킨다. 우결장동맥과 회결장혈관을 후복막으로부터 들어올린다. 수직절개는 우결장간막의 기시부에서 이루어지며 십이지장의 세 번째 부위와 상장간동맥의 우측이 노출된다. 혈관들을 후복막으로부터 띄우고 상장간동맥에서 기시한 회결장동맥과 우결장동맥을 결찰한다. 이때 우결장동맥은 모든 환자에서 존재하지는 않으며, 약 20%의 환자에서 존재한다고 보고되고 있다. 그 후 우결장간막을 후복막으로부터 박리한다. 이것은 후에 중결장동맥의 우측 가지를 확인하는데 도움을 준다. 우결장간막을 충분히 박리하였다면 종양의 위치를 고려하여 중결장동맥의 기시부 혹은 우측 가지를 결찰한다. 그 후 아래쪽으로 박리를 진행하여 회장혈관을 결찰한다. 이제 우측결장을 복막으로부터 박리시킬 수 있다. 후복막 박리 시 요관과 생식샘 혈관gonadal vessel이 다치기 쉽기 때문에 이들의 분리를 섬세하게 하여야 한다. 위결장정맥을 결찰 할 때 출혈이 없도록 조심하여야 하며 결장간막과 십이지장을 섬세하게 박리하면 상장간정맥의 노출이 쉽게 된다. 간만곡 결장과 연결된 인대는 조심스럽게 박리를 하고 횡행결장을 중장간동맥의 우측 가지까지 박리한다. 우측 횡행

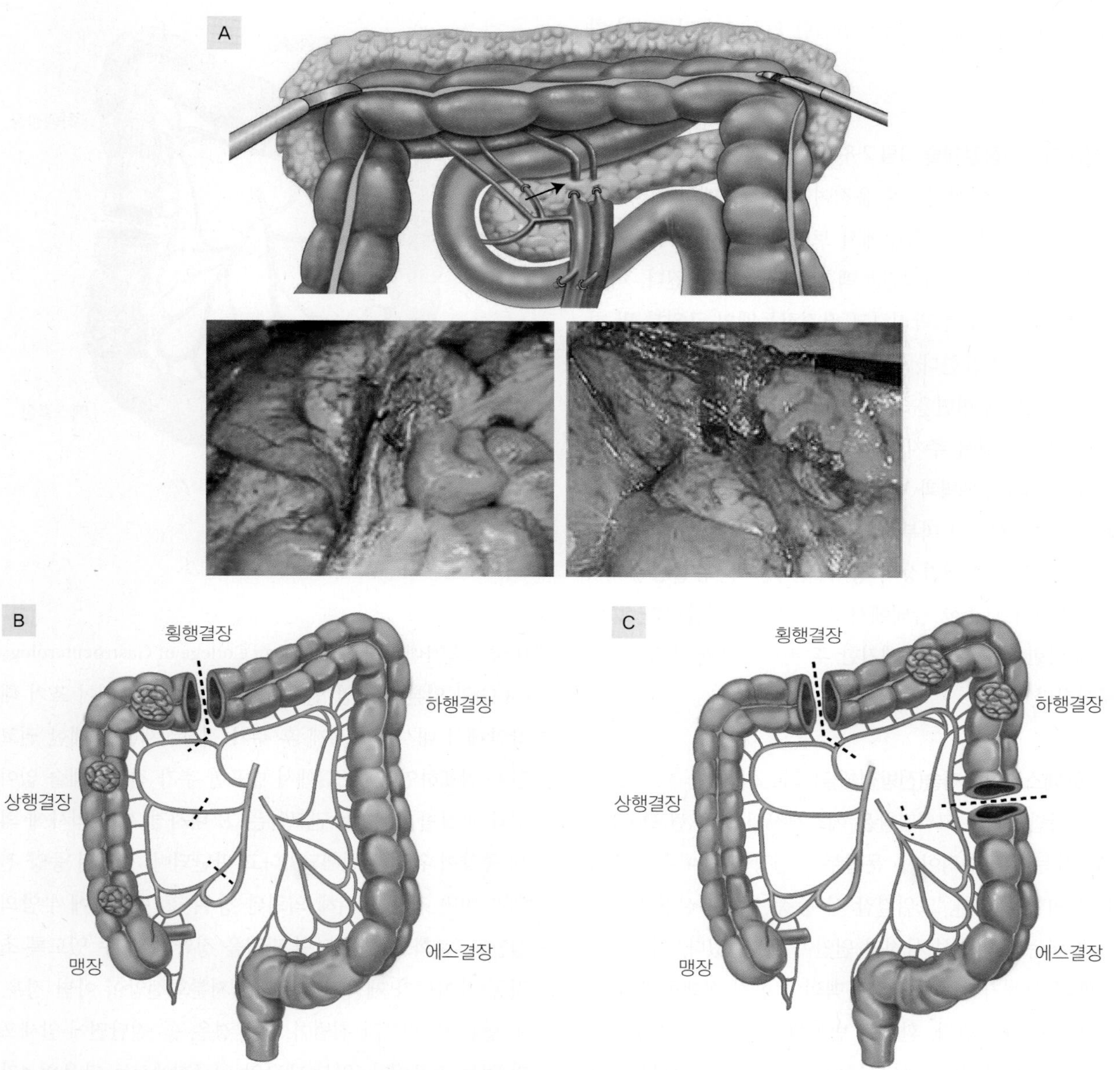

그림 2-84 **A) 완전결장간막절제술 및 중심혈관결찰술, B) 우반결장절제술, C) 좌측결장절제술**

결장의 장막을 자른 후 회장 말단 5-15cm 부위와 횡행결장을 자른다. 암이 포함된 조직을 적출한 후, 회장 말단과 횡행결장을 문합한다.

(3) 확대우반결장절제술

확대우반결장절제술은 병변이 간만곡부나 근위부 횡행결장에 위치하고 있는 경우에 시행된다. 중결장혈관을 기시부에서 결찰하는 과정이 포함된다. 연결 후에는 주로 드루몽 변연동맥에 의해 혈행 공급을 받는다.

(4) 중결장절제술

중결장의 중간이나 끝부분의 병변은 중결장혈관을 결찰한 후에 절제한다. 그 이후 남은 중결장끼리 연결을 시행한다. 그러나 중결장의 원발암에 대한 연구에 의하면 확대우반결장절제술이 더욱 안전한 연결이며 기능적인 차이도 없다.

(5) 좌측결장절제술(그림 2-84C)

소장을 우측 상방으로 움직여 하장간동맥의 기시부를 노출시킨다. 천골 돌출부에서 트레이츠 인대까지 절개하여 대동맥 분지와 하장간동맥, 정맥을 노출시킨다. 하장간동맥의 기시부를 박리하고 좌결장동맥의 근위부 및 하장간정맥을 결찰한다. 좌측결장의 아래로 좌측결장홈까지 이어있는 무혈면을 따라 박리한다. 좌측 요관을 확인하고 혈관 손상을 주지 않는다. 장간막은 후복막으로부터 분리되며 좌측복벽과 박리하고 비장 만곡과도 분리된다. 좌측 신장, 췌장의 미부, 비장의 끝부분과 출혈 없이 분리해낸다. 좌측 횡행결장의 장막을 자른 후 중결장동맥의 우측가지를 보존한 상태에서 좌측가지를 결찰한다. 종양을 포함한 좌측결장을 제거한 후 횡행결장과 에스결장을 문합한다.

(6) 에스결장절제술(전방절제술)(그림 2-85)

하장간동맥의 고위결찰은 에스결장의 모든 림프배출을 제거하는데 필수적이며, 문합부의 긴장을 줄여주는데 중요한 역할을 한다. 고위결찰 시 종종 상하복신경을 결찰하게 되는데 역행성 사정의 원인이 될 수 있다. 좌측결장동맥의 상행가지는 중결장동맥의 후향적 혈액공급을 위해 보존하여야 한다. 환자는 변형쇄석위를 취하고 항문을 통한 접근으로 자동 단단문합기를 이용하여 단단문합을 시행한다. 이때 항문을 통하여 공기를 주입하여 문합부의 누출여부를 확인한다.

3) 병기 특화 치료

(1) 조기 대장암

조기 대장암은 림프절 전이와 상관없이 원발암이 점막 Tis 또는 점막하층(T1)에 국한된 경우를 말한다(그림 2-86). 양성으로 생각되었던 용종이 용종절제술 이후에 침습성 암으로 보고되는 경우가 있다. 미국과 일본에서는

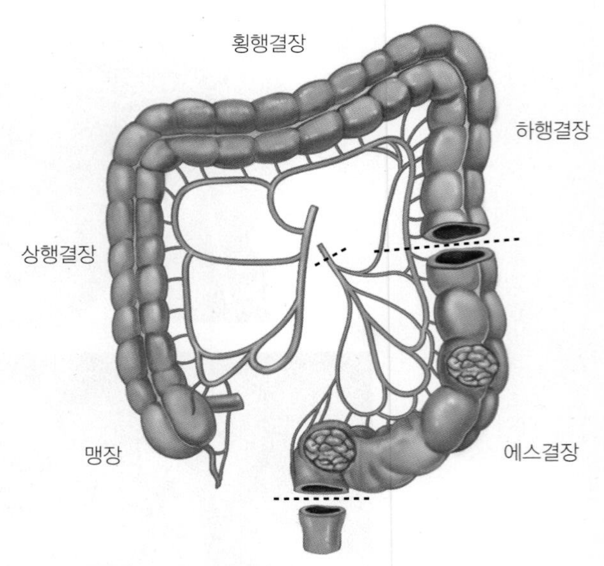

그림 2-85 에스결장절제술(전방절제술)

미국소화기내과학회American College of Gastroenterology (ACG)와 일본 대장암 연구회가 각각 주축이 되어 조기 대장암에서 내시경적 절제 후 추가 결장절제술에 대한 권고안을 발표하였다. ACG에서 발표한 추가 결장절제술 없이 경과 관찰할 수 있는 권고안은 ① 내시경 시행 의사에 의해 종양이 완전히 절제되었다고 판단되며, 절제된 종양 전체가 병리 검사를 위해 의뢰된 경우, ② 병리과에서 암의 심달도, 분화도 및 절단면 판정을 정확히 할 수 있도록 조직 슬라이드가 제작된 경우, ③ 저분화선암이 아닌 경우, ④ 혈관 및 림프관 침범이 없는 경우, ⑤ 절단면에 암세포가 없는 경우이다. 일본 대장암 연구회에서는 다음의 4가지 위험인자를 제시하고 이들이 모두 없을 경우에는 추가적 결장절제술이 필요 없다고 발표하였다. ① 수직 절단면 암세포 침범 양성인 경우, ② Kitajima 등의 방법으로 계측된 점막하 침윤 심달도 1,000μm 이상, ③ 저분화선암인 경우, ④ 혈관 및 림프관 암세포 침범 양성인 경우이다.

(2) 병기 I 과 II: 국소적 대장암(T2-4, N0, M0)

1기와 2기의 대장암을 가진 환자의 대다수는 수술적 절제로 완치될 수 있다. 1기 대장암의 경우 근치적 절제된

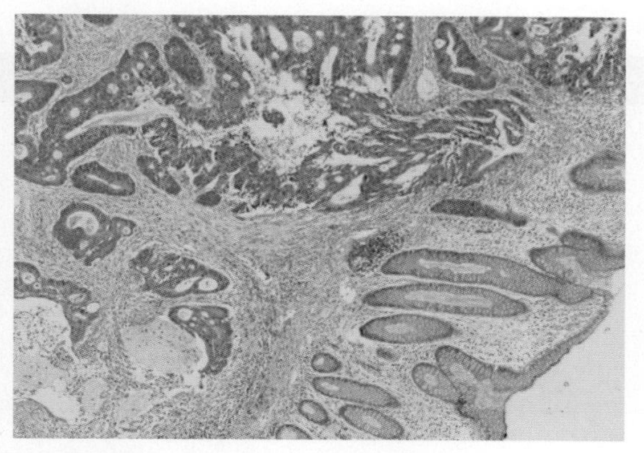

그림 2-86 **조기 대장암 - 점막하층을 침범한 선암.** 정상 점막구조 아랫부분의 점막하층에 불규칙한 관상모양을 갖는 선의 증식이 관찰된다(H-E stain, ×100).

환자의 극히 일부에서만 국소 혹은 원격 재발이 발생하므로 보조항암화학요법이 생존율을 증가시키지는 않는다. 따라서 근치적 절제가 이루어진 1기 대장암은 수술 후 보조 항암화학요법은 권장하지 않는다. 그러나, 2기 대장암의 경우는 근치적 절제술을 시행한 환자의 일부에서 재발로 인해 사망하게 되므로 2기 환자 중, 저위험 2기 대장암인 경우에는 여러 가지 치료의 선택이 가능한데 임상시험의 참여, 치료 없이 경과관찰 그리고 capecitabine 단독치료 또는 5-FU/Leucovorin (LV)의 치료가 있다. 저위험 2기 MSI high 환자에서 5FU/LV의 치료가 권고되지 않는다. 반면 고위험 2기대장암에 대해서는 근치적 절제가 이루어진 경우 pT4 종양(병기 IIB/ IIC), 저/미분화형 분화도, 림프관/ 정맥혈관 침범, 신경주위 침범, 장폐색, 장천공, 절제연 침범 또는 근접, 부적절한 절제(절제면 종양양성) 또는 12개 미만의 림프절 절제 등의 고위험 2기 대장암의 보조 항암화학요법으로 6개월 간의 5FU+LV/Oxaliplatin (FOLFOX) 의 복합 항암화학요법을 권고한다. 하지만 환자의 상태나 선호도에 따라 5-FU/Oxaliplatin, Capecitabine/Oxaliplatin, Capecitabine 단독요법, 5FU+LV, 또는 경구용 fluoropyrimidine을 고려할 수 있다. 향후 미세전이를 찾아낼 수 있는 향상된 종양표지자 혹은 좀 더 민감한 예후종양표지자가 수술 후 보조요법에 있어 환자선택에 도움이 될 수 있을 것이다.

(3) 병기 III: 림프절 전이(Tany, N1-2, M0)

림프절을 침범한 암을 가진 환자는 국소 및 원격재발의 위험도가 높아서 수술 후 보조항암요법을 추천하고 있다. 근치적 수술 후 최종 병기 III기 대장암은 수술 후 6개월간의 보조 항암화학요법을 권고한다. 약제의 선택으로 5FU+LV/Oxaliplatin (FOLFOX) 의 복합 항암화학요법을 권고한다. 하지만 환자의 상태나 선호도에 따라 5-FU/Oxaliplatin, Capecitabine/Oxaliplatin, Capecitabine 단독요법, 또는 5FU+LV, 또는 경구용 fluoropyrimidine (UFT/LV 또는 S-1)을 고려할 수 있다.

(4) 병기 IV: 원격 전이(Tany, Nany, M1)

4기 대장암 환자에게서 생존은 매우 제한적이다. 전신적인 병을 가진 환자는 간에 국한된 전이를 갖는 경우가 약 15%이고, 이 중 20%에서 수술로 절제 가능하다. 근치적 목적으로 간전이 절제가 시행된 경우 5년 생존율이 30-50%로 보고하고 있다. 대장암과 더불어 발견된 동시성 간전이에 대한 간절제술은 대장암에 대한 수술과 동시에 혹은 2단계에 걸쳐 시행될 수 있다. 이들 환자 모두 수술 후 항암화학요법이 필요하다. 4기 대장암을 가진 대부분의 환자들은 수술로 완치할 수 없으며 치료의 초점은 고식적인 방향이 되어야 하며 증상 때문에(일차적인 출혈 혹은 장폐쇄) 수술이 필요한 경우가 흔하다. 폐쇄성 좌측 대장암에 대해서는 결장 스텐트술과 같은 방법도 좋은 고식적 술식이다. 이 시술을 받은 일부 환자에서 항암약물치료에 효과를 보이기도 하지만 완치는 드물다.

(5) 간전이 치료

간은 대장암의 원격전이가 가장 호발하는 장기로 대장암 환자의 약 15-25%에서는 진단 당시에 이미 간전이를 동반하고 있고, 간전이 병변에 대한 근치적 수술을 받은 경우에도 약 30-40% 정도에서는 추적 관찰 중에 간전이를 보인다. 결국 대장암 환자의 40-60%에서는 간으로 전이가 발생하며, 이러한 간전이는 환자의 생존과 치료경과에 결정적인 역할을 한다. 국한된 간전이의 경우, 간 절제

표 2-17. 대장암 간전이 절제술 후 예후

저자	연도	환자 수	중앙추적관찰기간(개월)	5년 생존율(%)
Scheele,J	1995	434	40	33
Jamison, RL	1997	280	3	32.7
Fong, Y	1999	1001	42	37
Kim HC et al	2000	63	19.3	32
Kim NK et al	2001	94	22.6	30.4
Rees, M	2008	929	42.5	36
De Jong, M	2009	1669	36	47
Michael G	2010	563	64	51

를 통해 5년 생존율을 25–40%로 향상시킬 수 있으나, 광범위한 경우에는 6개월 미만의 생존기간을 보인다. 이러한 광범위 간전이에서 최근 표적치료제의 사용으로 반응률이 50% 정도까지 기대할 수 있게 되었지만 기존제제의 경우 전신 투여 시 여전히 반응률이 낮으며 표적치료의 사용은 여러 가지 원인으로 제한적이다. 최근 항암화학요법의 발전으로 생존율이 조금은 향상되었으나 현재까지도 완치를 기대할 수 있는 유일한 치료는 수술적 절제이다(표 2-17).

대장암 간전이의 수술 후 좋지 않은 예후 인자로는 절제연에 종양 침범이 있는 경우, 간 이외의 다른 전이병소가 존재하는 경우, 간 전이병소의 수가 2개 이상인 경우, CEA 200ng/mL, 간전이병소의 크기가 5cm 이상인 경우, 원발암의 림프절전이가 있는 경우, 간전이가 원발암 진단 후 12개월 내에 발견된 경우 등이다. 간전이에 대한 치료방법으로 간절제 이외에도 고주파치료, 냉동치료, 레이저치료, 간동맥주사요법, 선행적화학요법 등이 시행되고 있다.

가. 고주파열치료

교류전류를 인체에 가해서 세포내의 이온이 음극에서 양극으로, 양극에서 음극으로 1초에 40–50만 번 진동하면서 마찰열이 발생하는데 이 열에 의해서 세포를 괴사시키는 방법이 고주파열치료Radiofrequency Ablation (RFA)이다. 고주파열 발생에 의한 조직의 손상은 조직의 온도와 가열시간에 의해 결정된다. 효과적인 열 치료를 위해서 열 생산을 극대화해야 하는데 열 손실은 주로 혈액순환에 의하며, 혈류에 의한 조직냉각은 생체내 치료범위를 제한할 수 있다. 암 조직을 파괴하기 위해서는 전체 목표범위를 50℃에서 100℃까지 최소한 4–6분간 유지해야 한다. 고주파열치료 장비는 고주파발생기와 종양에 삽입하는 전극 및 환자에게 부착하는 패드 등으로 이루어져 있다. 전극을 종양에 직접 삽입하기 위한 유도방식으로 주로 초음파나 전산화단층촬영을 이용한다. 전극 삽입은 대부분 경피적으로 행해지거나 수술장에서 직접 간에 삽입할 수도 있다. 전극 1개로 1회 시술 시 치료할 수 있는 범위는 기구에 따라 약 2–5cm까지 다양하며 종양의 국소재발을 방지하기 위해 종양주변 360도로 1cm의 안전 거리를 확보해야 한다. 종양의 크기가 전극의 치료범위보다 클 때는 여러 번 중복해서 치료하게 된다. 간 전이 병변에 대하여 수술적 절제가 불가능하거나, 전이된 간 병변이 4개 이하, 간전이 병소의 크기가 3cm 이하인 경우에 적응증이 되며 환자가 응고장애가 있는 경우에는 주의를 요한다. 간내문맥이나 담관으로 종양이 침범한 경우나 간문부hepatic hilum에 위치한 종양인 경우 고주파열치료는 시행하지 않는 것이 좋다. 치료효과의 판정을 위해 치료 직후나 1주일 이내 조영 증강 전산화단층촬영이나 자기공명영상 검사를 하여 잔류종양여부를 확인한다. 전이암은 전산화단층촬영에서 대부분 저음영으로 보이므로 고주파열치료에 의한 저음영과 감별이 어려워 반드시 시술 1–2주 전 시행한 전산화단층촬영이나 자기공명영상이 정확한 판정을 위해 필요하다. 고주파열치료 후 초기에 발생할 수 있는 합병증으로 감염에 의한 농양형성, 기흉, 출혈, 간허혈 혹은 경색,

화상이 있을 수 있다. 이외 일정시간 경과 후 나타날 수 있는 합병증으로는 열치료와 관련하여 목표종양이 아닌 인접장기(횡격막, 대장, 위장, 담낭)의 손상, 담관 손상에 따른 협착이나 담즙정체종biloma, 그리고 암의 전이 등이 있다. 고주파열치료 후 종양의 완전 관해는 종양의 크기가 클수록 감소하므로 종양의 크기가 치료성적을 결정짓는 중요한 인자이다. 최근 연구에 의하면 대장암의 간전이에서 고주파열치료 혹은 고주파열치료와 수술적절제를 병용한 경우 5년 생존율이 각각 18–40%, 27–30%로, 치료부위의 국소재발률은 약 15%로 보고되고 있지만 아직 암의 진행 정도에 따른 표준화된 연구는 미흡하다.

나. 간동맥주사요법

간동맥에 항암제를 국소적으로 투여하여 치료효과를 높이고자 하는 간동맥주사요법hepatic arterial infusion chemotherapy (HAI)의 이론적 배경은 간의 경우, 간동맥과 간문맥을 통해 혈액공급을 받고 있지만, 대장암에 의한 전이암은 대부분 간동맥에 의해 혈액 공급을 받는다는 것이 간동맥을 통한 국소화학요법의 근거가 된다. 이 방법의 장점은 전이암에 항암제를 지속적이고 고농도로 노출시킬 수 있으면서 전신합병증의 빈도를 낮출 수 있다는 것이다. 약물투여의 방법으로는 수술 시 간동맥에 직접 도관을 삽입하고 피하에 주입포트 혹은 펌프를 장착하는 방법과 대퇴동맥 또는 상완동맥을 통해 경피적 도관을 삽입하고 이를 간동맥에 위치시킨 후 주입포트을 장착해서 항암제를 투여하는 방법 등이 있으며, 경피적 도관을 이용하는 방법은 혈전, 장치의 이동 등의 합병증이 발생할 수 있다. 일반적으로 결장에 대한 일차수술을 하는 경우, 도관을 간동맥이나 간동맥의 분지인 위십이지장동맥에 삽입하고 피하조직에 주입포트 혹은 펌프를 장착하는 방법이 많이 사용된다(그림 2-87).

투여되는 항암제로는 5–FU와 floxuridine (FUDR) 등이 흔히 사용되며, 5–FU가 19–55% 정도에서 간에서 대사되는데 비해 FUDR은 94–99%가 대사되어 보다 고농도의 유지가 가능하다. FUDR을 이용한 간동맥주사요법과 전신항암요법을 비교한 연구에서는 간동맥주사요법의 반응률이 높은 것으로 보고되었지만(48–62% vs. 0–21%), 이러한 반응률의 상승이 유의한 생존율의 상승으로 나타난다는 연구 결과는 적다. 간동맥은 간내담관과 간외담관의 혈액공급을 담당하고 있기 때문에 간동맥주사요법을 시행할 때 담관의 기능장애가 발생하는 경우가 빈번하며, 경한 빌리루빈의 상승에서부터 담관협착, 담관염 등이 발생할 수 있다. 최근에는 간동맥주사요법과 전신항암화학요법을 병행하여 치료성적을 증가시키고자 하는 방법도 시도되고 있다.

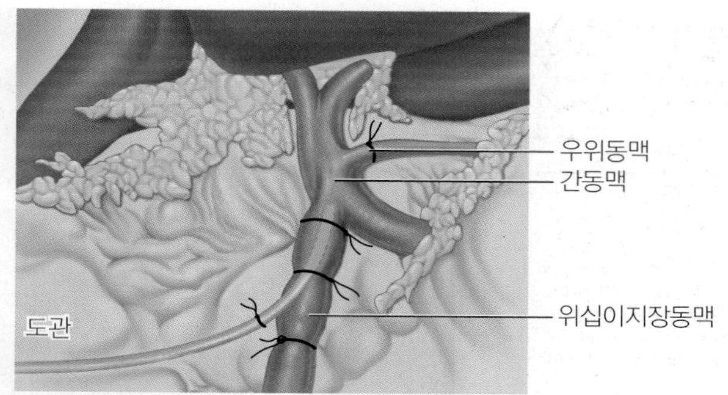

그림 2-87 **도관을 위십이지장동맥을 통해서 간동맥과 교차부위에 장치함.** 항암제에 의한 담낭괴사 혹은 위궤양을 방지하기 위해서 각각 담낭절제 및 우위동맥 결찰을 병행함.

다. 선행화학요법

전이병소가 있는 것으로 진단된 대부분의 환자들은 처음에 절제불가능으로 판단되므로, 병변을 축소하기 위한 방법으로서 선행화학요법neoadjuvant chemotherapy의 사용이 늘고 있다. 선행화학요법의 주요 목적은 종양의 크기를 줄이고 처음에 절제 불가능했던 전이 병소의 절제를 가능하게 하고자 하는 것으로 이를 통하여 생존율의 향상을 가져오고자 하는 것이다. 5–FU와 oxaliplatin 혹은 irinotecan을 사용한 선행화학요법에 대한 종양 반응률은 50%에 달한다. 이 방법을 이용하여 간절제를 시행한 1996년의 최초 보고에 의하면, 5–FU와 oxaliplatin을 이용한 선행화학요법으로 초기에 절제 불가능하였던 간전이 환자 16%에서 성공적인 간절제가 가능하였고, 이들의 5

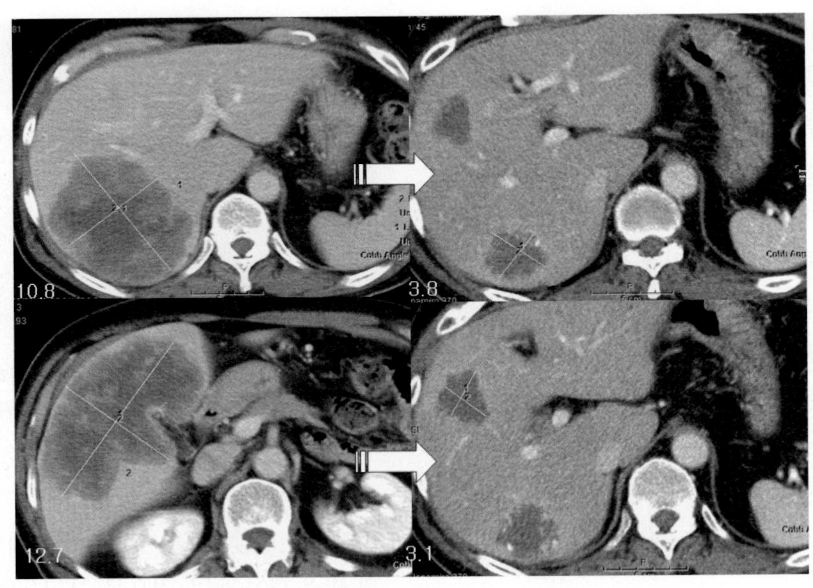

그림 2-88 최초 진단 시 절제 불가능한 간전이 환자에서 Cetuximab, Irinotecan, 5-Fluorouracil, Leucovorin을 이용한 선행적 화학요법 후 절제 가능했던 경우의 전산화 단층 촬영 사진

년 생존율은 40%로 보고되었다. 701명의 절제 불가능한 간전이 환자에 대한 최근 연구에서도, 95명(13.6%)에서 선행 화학요법을 통해 절제가 가능하였고, 이들의 5년생존율은 34%로 보고되었다. 선행화학요법의 반응률을 높이기 위하여 기존의 5-FU, oxaliplatin, irinotecan 외에도 bevacizumab, cetuximab등의 표적치료제의 추가로 절제율의 향상이 보고되기도 하였다(그림 2-88).

라. 간 절제율을 증가시키기 위한 방법

선행적 항암화학요법 이외에 간 절제율을 증가시키기 위한 방법으로는 간문맥색전술과 단계적 간 절제술 등이 있다. 간문맥색전술 후 4-6주가 경과하면, 전이 병변을 절제한 후에도 잔여간의 기능성 용적을 유지할 수 있을 정도로 전이 병변이 없는 간엽에서 보상적인 비후가 발생한다. 이 방법은 간절제 후 정상 간의 25% 미만, 경화성 간의 40% 미만의 간 용적이 남을 것이 예상되는 경우에 사용되며, 70-80%에서 안전하게 충분한 비후를 얻을 수 있으며, 간문맥색전술 후 간절제를 시행한 경우에서 5년 생존율은 35%까지 보고하고 있다. 이외 간전이 병변을 한번에 제거하는 것이 잔여 간 용적의 부족으로 어려운 경우에는 계획적인 단계적 간절제도 시도되고 있다. 일차수술 후 3-6개월 후에 이차 간절제를 시행하는 방식으로써 아직 장기간 치료성적은 보고되지 않았지만, 초기결과들에 의하면 일부 환자에서 안전하게 시행 가능하다고 보고되고 있다.

4) 장폐쇄가 있는 대장암의 치료

장폐쇄는 대장암환자의 약 15%에서 발생하며 응급치료를 요하는 합병증의 하나이다. 이 경우 응급수술 시 탈수나 전해질 불균형 등으로 환자의 전신상태가 좋지 않으며, 상대적으로 진행된 병변으로 인하여 장의 허혈성변화와 장천공 등의 합병증이 동반되는 경우가 빈번하여, 비폐쇄성 대장암에서 시행하는 정규수술보다 높은 유병률과 사망률을 보인다. 또한 이러한 환자에서는 수술 전 장세척이 되지 않은 점과 불량한 환자상태로 인하여 문합부 누출 가능성이 높고 병변 절제 후 장 문합이 어려운 경우가 많다. 따라서 대장암으로 인해 장폐쇄를 보이는 응급환자의 경우에는 안전한 수술과 환자의 삶의 질을 높이기 위한 2가지 목적을 고려해서 가장 적절한 치료 및 수술을 선택해야 하겠다.

(1) 근위부 결장 폐쇄

근위부 결장이 막혔을때는 일반적으로 종양을 절제하고 우회술 없이 일차 문합을 시행한다. 기술적으로 이러한 절제술은 쉽게 이루어 지며, 회장과 원위부 결장과의 문합이 이루어 지게 된다. 회맹장판막ileocecal valve의 기능이 정상적이라면 회장은 정상적인 직경을 가진다. 비록 소장의 직경이 늘어나 있더라도 문합은 대부분 안전하게 이루어진다. 종양이 우측결장이나 횡행결장에 있을 때에는 반드시 종양으로부터 회장말단까지를 절제한 후 일차 문합을 하여야 한다.

(2) 좌측결장 폐쇄

약 90%의 폐쇄가 비장만곡보다 원위부에서 일어난다. 절제와 문합 혹은 우회술 여부에 대한 판단을 위해서는 장폐쇄가 부분적인지 완전한 폐쇄인지를 판단하는 것이 중요하다. 장 운동의 유무나 가스 배출 유무, X선 상 직장에 가스가 있는지 등으로 판단할 수 있다. 만약 장의 팽만이 적고 종양을 절제하는 데 있어 많은 조작이 필요치 않다면 절제하는 것이 타당하고, 원위부 결장을 절제하기 힘들다면 우회술이 필요하다. 수술 시 유의할 사항으로는 폐쇄 근위부의 경우 팽창 및 부종으로 실제 대장의 길이 및 두께보다 길거나 비후되어 있으므로 문합 시 이를 염두에 두고 수술 후 수축될 정도를 고려해서 충분하게 여유분의 결장길이를 유지하여 문합부 긴장을 없애도록 한다.

가. 단계적 수술

장폐쇄에 대한 전통적인 치료방법으로 배변을 위해서 응급 장루조성술을 시행하고 이후에 근치적인 목적으로 병변을 제거한 후, 다시 장루복원술을 시행하거나(3단계 수술), 일차수술 시 병변 제거 후 문합술 없이 하트만수술을 시행하고 이후 장루를 복원하거나 병변을 제거하고 일차 문합을 한 후 예방적인 근위부 장루를 만들고, 이후 장루를 복원해주는(2단계수술) 방법이 있다. 3단계 수술을 시행 시 일차적으로 응급 장루조성술을 시행하는데 이 때, 팽만된 장루는 복강 속으로 당겨지는 경향이 있어 충분한 길이로 만들어 주어야 복강 내로 들어가지 않는다. 그리고 10일에서 2주 후 대장암 제거 수술을 시행한다. 비교적 안전한 수술방법이기는 하지만, 반복되는 수술이 필요하다는 점에서 비효율적이고 수술합병증이 증가되는 단점이 있으며, 근래 폐쇄성대장암에 대한 치료경험이 누적되면서 점차적으로 이러한 단계적 수술의 사용빈도가 감소하고 있다.

나. 대장(아)전절제술

폐쇄로 인해 확장된 대장과 매복된 내용물을 동시에 제거함으로써 수술 후 발생할 수 있는 패혈증 및 일차암이외 동시성대 장암의 발생의 예방이 가능하다는 것과 회장-결장의 안전한 문합이 가능하다는 장점이 있다. 그러나 확대수술의 부담 및 수술시간의 연장과 술 후 유착성 장폐쇄 가능성의 증가 및 빈번이 단점으로 지적되고 있다. 직장암에 의한 장폐쇄에서는 술 후 잔여직장의 길이가 제한되므로 본 술식의 적응이 제한적이다.

다. 술 중 장세척을 이용한 장절제

수술대 위에서 장세척 후 일차 문합을 하는 것을 말한다. 이 술식은 폐쇄성 직장암이나 좌측대장암에서 많이 사용되고 있다. 일차성 수술이라는 장점이 있는 방법으로써, 병변 제거 전, 후 충수돌기나 회장 혹은 맹장에 세척관을 삽입하여 장세척을 시행하고 일차성 장문합을 해주는 방법이다. 세척은 순방향 또는 역방향으로 모두 시행될 수 있다. 수술시간의 연장, 시술 시 장내용물 누출에 의한 수술창과 주변의 빈번한 오염, 폐쇄로 장벽부종이 남아있는 결장을 이용한 문합의 안전성과 술 전 평가되지 못한 근위부대장의 동시성병변 잔존가능성 등이 문제로 남는다. 몇몇 저자는 좋은 결과를 보기도 하였으나(누출률 5-7%) 또 다른 보고에서는 좋지 않은 결과를(누출률 10-14%, 사망률 17% 이상) 보고하기도 하였다.

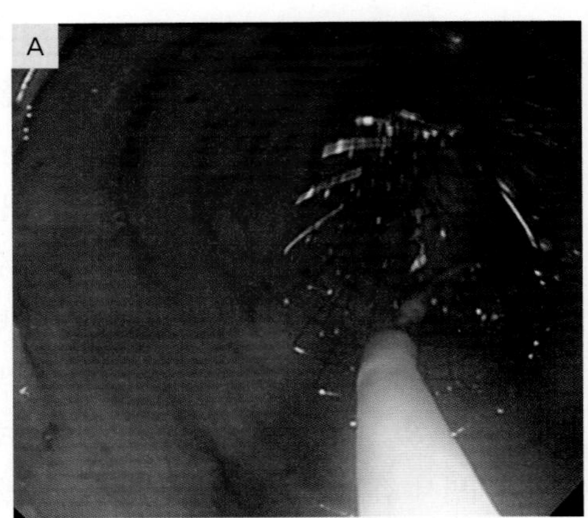

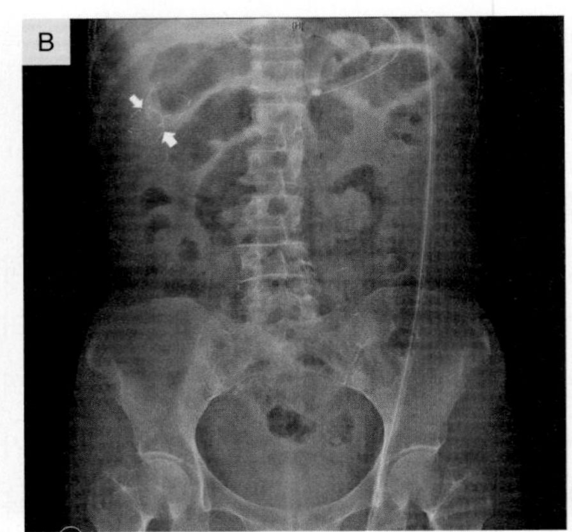

그림 2-89 우측간만곡 대장암에 의한 폐쇄에서 자가확장 금속스텐트 삽입(A) 및 단순 복부 촬영사진(B)

라. 술전 스텐트를 이용한 감압(그림 2-89)

폐쇄성대장암에서 스텐트의 사용은 1991년 처음 보고되었으며 응급수술에 따른 부담을 줄여 수술 유병률과 사망률을 감소시킬 수 있고, 폐쇄로 인한 염증과 부종을 감소시키며 술 전 동시성 병변의 평가가 가능하며 다단계수술을 피할 수 있는 장점이 있으므로 적용이 증가하는 추세이다. 또한 필요한 경우 스텐트 삽입 후, 화학방사선치료 및 화학요법을 술 전에 시행하는 신보조치료의 적응이 가능하게 된다. 스텐트는 일반적으로 내경이 20mm, 길이가 80mm로 내시경으로 위치시킨다. 단점으로는 스텐트삽입술과 관련된 문제들이 발생할 수 있는데 장천공, 스텐트 이동, 종양성장에 의한 재폐쇄, 스텐트 확장에 의한 종양세포의 파종가능성이 있다. 장천공은 응급수술을 요하거나, 계획수술 시에도 장문합을 어렵게 할 수 있는 요인이며, 이러한 합병증의 빈도를 감소시키기 위한 새로운 스텐트에 대한 개발연구가 진행 중이다.

5) 항암화학요법

지난 20년간 대장암의 보조 항암화학요법은 5-FU를 근간으로 하는 병행요법과 leucovorin 또는 levamisole 같은 5-FU modulator의 발견을 통해 생존율의 향상을 가져왔다. 최근의 18개의 무작위배정 보조항암화학요법 대장암 연구에서 20,898명의 환자의 자료를 분석한 결과 대부분의 재발은 수술 후 2년 내에 발생하며 재발률은 5년이 지난 후 매년 1.5% 이하이고 8년이 지난 후 매년 0.5% 이하였다. 하지만 좀 더 최근의 연구결과에 의하면 2년 또는 3년 무병생존율과 5년 전체생존율과의 상관관계는 환자가 재발 후 생존기간이 길어질수록 감소하는 것으로 되어있어 전체생존율에 대한 보조화학요법의 효과를 평가하는데 5년 이상이 필요한 것으로 보고 있다. 5-FU를 근간으로 하는 보조항암화학요법은 매달 5일간 5-FU/LV을 투여하는 Mayo regimen과, 8주 동안 매주 5-FU/LV을 6주 동안 투여하는 Roswell Park regimen이 많이 연구되었다. 경구용 fluoropyrimidines (UFT, capecitabine) 제제는 효과는 정주 5-FU/LV와 같고 부작용은 적으면서 주사제에 비해 투여가 간편한 장점이 있다. X-ACT trial과 NSABP C-06 trial은 capecitabine과 UFT가 5-FU/LV에 비하여 효과 및 부작용에서 차이가 없음을 보여 주어서 oral fluoropyrimidine제제가 5-FU/LV bolus를 대체할 수 있다는 결론을 내렸다.

전이성 대장암에서 LV-modulated 5-FU에 oxaliplatin, irinotecan을 병행하여 사용하는 것이 허가난 후 보조항암화학요법에서도 연구가 진행되어 현재는 대장암 2기 고위험군과 3기 환자에 FOLFOX를 보조 항암요법의 표준치료로 사용하고 있다. Irinotecan을 추가한 대규모 3상 연구들에서는 대조군에 비해 irinotecan을 추가하는 것이 3년 무병생존율 또는 전체생존율의 향상을 보이지 않고 오히려 열등한 것으로 나타나 현재 irinotecan을 포함한 항암화학요법은 2기 또는 3기 대장암의 보조항암화학요법으로 추천되지 않고 있다.

최근 들어 표적치료제인 bevacizumab과 cetuximab이 진행성 대장암에서 생존율의 향상을 보여주어 이러한 약제들을 보조항암화학요법에 사용하는 여러 임상 연구가 진행 되었으나, 2기 또는 3기 대장암 환자를 대상으로 6개월간의 mFOLFOX6 보조화학요법과 6개월간의 mFOLFOX6에 추가 6개월의 bevacizumab 치료를 비교한 NSABP C-08 연구와 AVANT 연구에서 동일한 보조화학요법에 bevacizumab을 포함한 보조화학요법의 우월함을 보여주지 못하였다. 그러므로 2기 와 3기 대장암 환자에서 보조화학요법에 있어서 bevacizumab의 사용은 추천되지 않는다. 한편, 3기 대장암 환자를 대상으로 FOLFOX요법에 cetuximab을 추가하였을 때 3년 무병생존율을 비교한 NCCTG NO147연구는 3년 무병생존율이 71.5% 대 74.6% 로 cetuximab을 추가하더라도 생존율 향상을 보이지 못하였고 3도 이상의 이상반응이 cetuximab에서 더 높게 나타났다. 유사한 연구인 PET-ACC-8연구에서도 cetuximab을 FOLFOX요법에 추가하더라도 무병생존율 향상을 가져오지 못하여 3기 대장암 환자에서 보조화학요법에 있어서 cetuximab의 사용은 추천되지 않는다. 2기 대장암 환자에 관하여 무작위 배정 임상 연구나 메타 분석 연구에서 보조항암화학요법을 할 경우 5년 무병 생존율의 향상 정도가 2–3% 정도로 보고되고 있다. QUASAR 연구에서는 대장암 2기 환자에게서도 작지만 유의한 전체생존율에 있어서의 효과를 보였으며 MOSAIC 연구에서는 6년간 경과 후에도 대장암 2기 환자에서 FOLFOX와 5-FU/LV 두 군과의 비교에서 무병생존율의 유의한 차이를 보이지 않았지만, 고위험 2기 대장암 환자에서 향상된 무병생존율에서의 경향을 확인할 수 있었다. 현재의 ASCO 진료권고안에서는 모든 2기 환자를 일괄적으로 보조항암화학요법을 하는 것은 권장하고 있지 않지만, 2기 대장암 중 재발의 고위험군으로 항암치료를 받을 수 있는 환자에게서는 3기 환자와 마찬가지로 보조항암화학요법의 사용을 제안하고 있어 이익과 손실에 관하여 환자와 충분한 논의가 필요하다. 2기 대장암환자에서 MMR 단백질의 발현의 결핍이나 MSI-H 종양상태가 좀 더 양호한 결과를 예측하는 표지자이며, fluoropyrimidine 단독 보조항암화학치료의 효과를 감소시키는 것으로 보고 있다. 따라서 MMR 단백질검사는 2기 대장암환자에서 fluoropyrimidine 단독투여를 고려시, 시행할 것으로 권고되며, MSI-H 종양을 가진 2기 대장암 환자에서 보조항암화학치료는 권고되지 않는다. 70세 이상의 노인환자에서는 젊은 환자와 같이 FOLFOX를 사용할 수 있으나 혈액학적 독성을 고려하여 투여량을 감량하여 시작할 수 있다. 또한, 전신 상태를 고려하여 5-FU/LV 을 투여하거나 capecitabine 같은 경구 항암제를 단독으로 투여할 수 있다. 결론적으로 대장암 2기 고위험군 및 3기 환자에 보조 항암화학요법으로 5-FU/LV에 oxaliplatin을 병용하는 약제조합(FOLFOX, FLOX)이 권장되며 편의성, 고령, 여타의 전신상태를 고려하여 capecitabine을 대안으로 사용할 수 있다.

6. 예후 및 예후 인자

생존율은 병기에 의해 결정된다(표 2-18). 병기 I, II의 경우에는 예후가 좋다. 병기 III의 경우 한 보고에 의하면 약 40%까지도 생존율이 떨어진다. 4기의 경우 생존율은 16% 미만이다. 림프절전이가 제일 중요한 예후 인자이며, 세포분화도, 세포의 종류, 혈관침윤정도, DNA aneuploidy 등도 예후에 영향을 준다.

1) 성별

대장암은 일반적으로 여성에서 5년 생존율이 더 높은 것으로 알려져 있다. 하지만 우리나라에서 최근 발표된 정부통계치를 보면 남성이 상대적으로 높은 5년 상대생존율을 보이고 있는 것으로 조사되어 이에 대한 연구가 필요하다(그림 2-90).

표 2-18. 대장암의 TNM 병기에 따른 예후(5년 생존율)

병기	국내대학병원자료(%)	JNCI (%)
병기 I	97	93
병기 II	88	72-85
병기 III	65	44-83
병기 IV	13	8

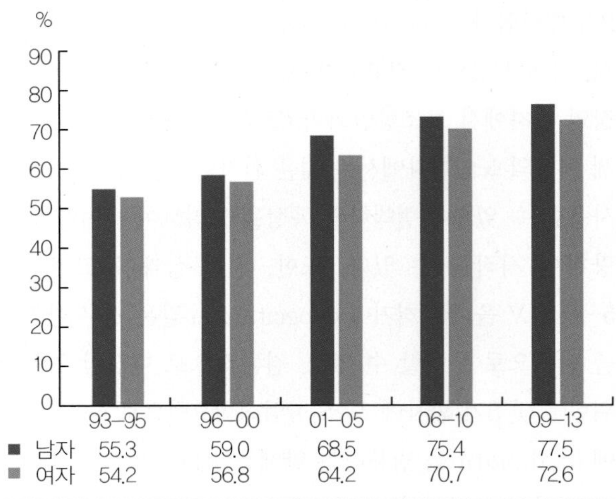

그림 2-90 **대장암 5년 상대생존율 추이(1993-2013년) (국가암정보센터 2015)**

2) 연령

대장암은 젊은 연령 및 매우 고령인 경우에서 생존율이 낮은 것으로 알려져 있다. 젊은 연령에서는 암의 성장이 빠르고, 수술 당시에 이미 상당한 정도의 전이가 발생한 경우가 많으며, 고령인 경우에는 전신적인 상태가 나쁜 경우가 많아 절제율이 낮고 수술사망률도 높아 예후가 나쁘다. 소아에서도 매우 드물게 대장암이 발생하는 것으로 알려져 있는데 이 역시 매우 불량한 예후를 가진다.

3) 병리조직학적 행태와 전파 정도

대장암에서는 일반적으로 고분화암well differentiated이 저분화암poorly differentiated보다 예후가 좋다고 알려져 있으며 정맥 침습이나 신경주위 침습이 있을 때 예후가 불량한 것으로 알려져 있다.

4) 종양의 위치

대장암에서는 비만곡 병변의 예후가 가장 나쁜 것으로 알려져 있으며 간만곡 병변의 예후도 좋지 않다. 일반적으로 직장암이 대장암보다는 예후가 더 불량한 것으로 보고되고 있다.

5) 임상 양상

동일한 병기인 경우일지라도, 급성 장폐쇄나 장천공으로 수술한 경우 수술사망률에 차이를 보이며, 장천공이 생긴 경우에는 5년 생존율이 20% 정도로 보고되고 있다.

6) 수혈

대장암 수술을 시행하는 환자에서 수혈은 면역억제효과를 나타내지만, 수혈 자체가 재발을 증가시키는가에 대해서는 논란이 많다.

7) 분자 생물학적 표지자

현재까지 분자생물학적 예후 인자가 대장암에서 독립적인 예후 인자로 작용한다는 뚜렷한 증거는 없다. 연구 방법의 표준화가 이루어지지 않아 결과가 상이한 경우가 많고 검사 방법이 복잡하여 임상에 적용하기에는 많은 어려움이 있다. 대장암 유전변화에서 17p, 18q의 소실이 있는 경우 불량한 예후를 보인다. p53 유전자는 40-60%에서, k-ras유전자는 30-40%에서 돌연변이가 관찰되는데 이들의 예후 인자로서의 역할에는 논란의 여지가 있다. 대장암중 MSI-H 유형은 염색체불안정성 유형의 암보다 상대적으로 양호한 예후를 보인다. 진단 당시의 병기 분포, 국소 림프절 전이의 빈도 등 대장암의 진행 정도를 시사하는 지표도 MSI-H 종양이 MSS 종양보다 낮다. 실제로 38%의 대장암에서는 염색체불안정성 경로의 특징인 이종적합성의 소실LOH이나, 현미부수체 불안정성 경로의 특징인 단순반복 염기서열의 격자이동frameshift 돌연변이를 보이지 않는다. 이들의 상당부분은 후생유전자 변화 기전인 CIMP에 해당하는 것으로 추정되는데 현재까지 예후와 관련해서는 p16INK4A이 메틸화된 경우가 예후가 나쁘고, 전이 대장암에서 CIMP 표지자인 p16와 p14의 메틸화 양성인 경우에 예후가 나쁘다. CDH1, CDH13, THBS-1의 과메틸화가 불량한 예후와 관련 있다는 보고들이 있으나, 메틸화와 예후의 관련성을 입증하기 위해선 더 많은 연구가 필요하다.

7. 추적 검사

1) 추적관리 지침

대장암의 근치적 절제 후 추적관리의 목적은 치료결과의 정확한 평가, 재발의 조기발견 및 신속한 치료를 통해서 생존율을 향상시키는데 있으며 추적관리의 시기와 검사방법 등에 대해서는 다양한 견해가 있다. 적극적인 추적검사 프로그램을 통하여 5년 생존율을 10%까지 높일 수 있다는 보고도 있지만, 일부에서는 추적검사가 환자의 생존율에 차이를 주지 않기 때문에 추적검사의 필요성에 의문을 제기하는 연구도 있다. 하지만 일반적으로 프로그램화된 추적관리지침이 대부분의 경우에 권고된다. 2005년도 미국임상종양학회에서 발표한 대장암치료지침서에서는 문진과 이학적 검사, 혈청CEA치, 대장내시경 또는 에스결장경, 복부 및 흉부 전산화단층촬영 등의 검사를 5년까지 시행할 것을 권장하고 있다. 2008-2010년도 National Comprehensive Cancer Network 한국지침서(www.nccn.org)에서는 진단, 수술, 병리학적 검사 및 수술 후 5년간의 추적진료, 재발의 진단과 치료에 관한 전반적인 사항을 제시하고 있다. 여기에는 대장암과 직장암으로 나누어 각각에 따라서 검사의 종류와 시기를 제시하고 있으며, 추적검사의 종류에는 CEA, 흉부 및 복부/골반전산화단층촬영, 대장내시경 등을 포함하며, 직장암 환자 중 저위전방절제술을 시행한 경우에는 직장경을 선택사항으로 포함하였고 양전자방출 단층촬영은 특별한 경우에 시행하도록 권유하고 있다.

2) 술 후 추적검사의 종류

수술 후 환자를 진찰할 때 정확한 병력을 청취해서 의심되는 증상을 파악하고 직장수지검사 또는 질을 통한 수지검사, 회음부촉지 등의 이학적 검사가 무엇보다도 중요하고 선행되어야 한다. 신체검사나 환자 면담은 암재발을 진단하기에는 한계점이 많지만 환자에게 다른 검사들의 결과를 설명하거나 정서적인 지지를 할 수 있다는 장점이 있다. 대장암환자의 수술 후 추적조사 검사방법 가운데 혈청CEA치의 측정이 가장 간단하고 효과적인 방법이며, 정기적으로 검사를 시행하면(술 후 2년간 매 3개월, 이후 5-8년까지는 매 6개월) 임상적으로 재발이 확인되기 전보다 먼저 CEA가 증가하여 초기에 진단할 수 있다. 그러나 재발된 환자에서 모두 CEA가 증가하는 것은 아니고 또한, 한두 번의 증가가 반드시 재발을 의미하지는 않는다. 추적검사에서 대장내시경을 실시하는 목적은 국소재발의 발견, 수술 전 혹은 수술 시 발견하지 못한 동시성 선종 및 암의 발견, 이시성 종양의 발견에 있다. 수술 전 전체 대장에 대한 대장내시경검사를 권유하고 있지만 상당수의 진행암에서 폐쇄가 동반되어 맹장까지 관찰하지 못하는 경우가 있다. 동시성 용종의 빈도는 21-55%이며, 동시성암은 1.7-10.7%로 간과할 수 없는 수치이다. 따라서 수술 전 전체 대장을 충분히 검사해서 동시성 종양의 유무를 판단하고 치료하며 수술범위를 결정하는 것이 중요하고, 수술 전 폐쇄로 충분한 검사를 시행하지 못한 경우에는 반드시 수술 후 3-6개월 이내에 검사를 시행할 것을 권유하고 있다. 수술 후 병변이 있는 경우는 매년, 그리고 없는 경우에서도 최소 매 3-5년(가족력이 있는 경우는 매 2-3년) 간격으로 대장내시경검사를 시행하는 것이 바람직하다. 대장암 수술 후 이시성 대장암의 발병률은 0.6-10.6%로 다양하게 보고되었는데, 이시성의 정의가 보고자마다 다르고 추적관찰기간이 다르기 때문이다. 이시성 대장암은 특히 동시성 선암 혹은 선종을 가진 환자에서 빈도가 높기 때문에 대장암으로 수술 받은 환자들과 특히 동시성 종양을 가지고 있던 환자에서는 보다 주의깊은 대장내시경 추적검사가 필요하다. 대장내시경에 어려움이 있는 경우, 병변의 조직검사 및 절제는 시행할 수 없지만 이중바륨조영술 혹은 CT대장조영술로 확인해야 한다. 이외 우리나라에서는 위암이 빈발하며 대장암환자에서 그 빈도가 더욱 높은 점을 감안해서 대장내시경검사와 함께 위내시경 검사를 병행하는 것이 바람직하다. 흉부방사선선검사는 간단히 시행할 수 있고 경제적 부담이 적기 때문에 많이 이용된다. 그러나 대장암의 폐전이 진단에는 그 효용성이 떨어져 현재 국제추적검사권고안에서는 제외되고 있지만 술 후 보조요법 중인 경우 및 대장암이 호흡기병변에 의한 사망이 전체의 6%로서 노년에 빈발하는 점을 감안하면 매 추적 진료 시 권장된다. 복부골반전산화단층촬영은 대장암에서 가장 흔한 간전이와 골반을 포함한 국소재발을 진단하기 위해 시행된다. 그러나 종양이 작고 초기인 경우에는 발견하기 어렵고 주로 크기로 결정되는 림프절의 전이여부도 염증에 의해 비대해진 경우 위양성으로 나올 수 있으며 수술 후 반흔이나 염증성 변화와 감별이 쉽지 않다. 간전이의 경우 수술 시 손으로 확인할 수 없는 부위를 진단할 수 있으므로 일차적 선별에 유용하지만, 1cm 이하로 크기가 작은 경우 놓치기 쉽고 양성종양과의 감별이 어려운 경우가 있다. 흉부전산화단층촬영은 동시성 폐암 및 폐전이의 발견과 추적관찰에 유용하다. 양전자방출단층촬영검사는 기존의 영상진단에 비하여 경제적 부담이 크고 효용성에서 크게 차별화되지 않지만 기존의 영상진단방법으로 재발의 진단이 어렵거나 다발성 재발에 대한 감별진단 시 보완적인 방법으로 이용하는 것이 추천된다. 이외 간기능검사, 대장조영술, 복부초음파, 경직장초음파, 자기공명영상, 골주사bone scan 등이 이용될 수 있다. 혈청 간기능검사(transaminase, alkaline phospatase, bilirubin 등)는 일반적으로 간전이가 상당히 진행 후 수치상 변화를 보이고 혈청CEA치보다 변화가 늦게 나타나므로 전이암의 발견에 사용하기 보다는 전신상태 및 동반 병변을 확인하는 데 사용된다. 복부초음파는 전산화단층촬영에 비해 특이도가 떨어지지만 간단히 시행할 수 있고 상호 보완적인 장점이 있으며 방사선조사의 위험이 없어 유용하다.

8. 재발

대장암의 수술 후 국소재발률은 3-12%에 이른다. 가장 흔한 국소재발 부위는 장문합부위, 림프절, 그리고 복막 등이다. 대장암으로 수술적 치료를 받은 환자의 국소재발률은 종양이 다른 장기를 침습한 경우, 천공이나 누공을 형성한 경우, 조직병리학적 병기가 높은 경우, 그리고 종양의 분화도가 좋지 않은 경우에 높게 나타난다.

요약

대장암은 한국에서 남녀 3번째 호발암이며 발생률과 사망률이 급격히 증가하는 암이다. 누적된 서구식 식생활 습관이 주된 원인이라고 알려져 있다. 선종에서 암으로 되는 과정 혹은 정상 점막에서 암이 되는 과정은 염색체 불안전성, 현미부수체 불안전성, CpG섬 메틸화 표현형 등의 경로가 관여 한다고 알려져 있다. 대장암의 병기는 암의 장벽 침윤도, 주변 림프절 전이, 원격 전이 등에 의해 결정 되며 이 병기에 따라 환자의 예후가 결정된다. 수술은 암의 위치에 따라 적절한 길이의 근위부 및 원위부 장을 충분히 절제, 주변 림프절 절제, 주변 침범 연부 조직을 일괄 절제하는 근치적 절제가 원칙이다. 점막하 침윤암은 내시경점막 절제술로 충분한 경우와 대장 절제가 필요한 기준에 대한 연구가 있다. 수술 후 보조 항암화학요법은 2기 고위험군과 3기암에서 권고 되고 있으며 5-FU를 기초로 하고 oxaliplatin, irinotecan 등의 약물이 병용되고 있다. 원격장기 전이가 있는 4기암 중에서 특히 간전이 절제가 근치적으로 이루어진 경우에는 5년 생존율이 30-40%로 보고되고 있다. 최근에는 분자 표적 치료제가 도입되면서 절제 불가능한 간전이를 절제가능한 병변으로 전환시켜 절제율을 높인 연구 결과가 보고 되고 있다. 치료 종결 후 주기적인 추적 조사는 대장내시경은 수술 후 1년 후 하는 것이 추천되며 암배아성 항원은 첫 2년간 3개월에 한번씩 검사를 권하고 있다. 흉부/ 복부/ 골반 전산화단층촬영은 재발 고위험군 2기, 3기에서 6개월-1년에 한번씩 권고 되며 양전자방출단층촬영검사는 권장되지 않는다.

X 직장암

1. 역학 및 병인

1) 역학

세계적으로 대장암은 세 번째로 빈번한 암이며 우리나라에서도 식습관의 서구화에 따라 발생이 꾸준히 증가하고 있다. 국가암등록사업Korea Central Cancer Registry 자료에 따르면 2013년 기준 대장암의 연령표준화 발생률은 10만 명당 34.0건으로 2002년의 25.5건에 비해 10년간 30% 이상 증가하였고, 전체 암 중 3위였지만 남성에서는 2위를 차지하고 있다(표 2-19). 2016년 예측 암발생률은 10만명당 남성에서 59.6건으로 남성 암 중 1위로 나타났다. 최근 정기검진의 활성화로 조기암의 진단이 점차 증가하고 있으며, 발생 위치에서 우측결장암이 좌측결장암과 직장암에 비해서 상대적으로 증가되는 경향을 보인다. 국내 대장암 환자들의 평균 연령은 58-60세였고, 남자에서 여자에 비해 1.5배 정도 빈번한 것으로 보고되고 있으며, 이 중 직장암은 전체 대장암 중 절반 정도를 차지하고 있다.

2) 병인

(1) 전암병변

대장암에서와 마찬가지로 대부분의 직장암은 조직학적으로 선암adenocarcinoma이다. 전암병변으로는 결장에서와 마찬가지로 선종adenomatous polyp, 융모선종villous polyp, 가족성용종증familial adenomatous polyposis (FAP), 궤양성 대장염, 크론병 등이 있다. 이 외 과거에는 악성화에 관해 논란이 있었던 과오종harmatoma 및 증식성용종hyperplastic polyp에서도 병인관련 유전자의 돌연변이와 후생유전자변화epigenetic change 및 염색체 결손의 단계적 확인을 통해서 선암으로의 진행경과가 밝혀지고 있다.

(2) 유전체 발암기전

임상 및 병리학적 연구에 의하면 대장암의 병인으로써 선종에서 암으로 진행하는 경과가 제시되고 있는데 1987년 Bodmer에 의해 가족성용종증에서 APC (Adenomatous Polyposis Coli)유전자의 결손이 제시됨으로써 그 근거를 마련하였고, 유전성비용종증대장암Hereditary Nonpolyposis Colorectal Cancer (HNPCC) 관련 유전자결손을 불일치복구유전자mismatch repair gene (MMR)에서 확인하였으며 이러한 연구결과로부터 대장암이 유전학적 결손 및 유전자기능의 변화에 기인한다는 가설이 구체적으로 밝혀지고 있다. 이러한 유전적 소인을 보이는 대장암은 현재까지 전체 대장암의 약 20%에서 확인되고 있으며 나머지 대부분은 산발성대장암의 형태로 나타나며 유전적 소인을 보이는 경우 산발암에 비해 이환시기가 10년 이상 빠른 특성을 보인다. 임상연구상 선종에서 선암이 진행하는데 5-10년 정도의 장기간이 소요되는 것으로 추정되며

표 2-19. 2013년 성별에 따른 주요 암 발생률

	전체 발생률	순위	남성 발생률	순위	여성 발생률	순위
전체암	290.5		316.5		281.8	
갑상선	60.1	1	24.0	4	96.6	1
위	37.4	2	55.3	1	22.4	4
대장	34.0	3	45.6	2	24.4	3
폐	27.4	4	44.2	3	14.9	5
유방	23.0	5	0.2		45.7	2

발생률: 10만 명당 연령표준화발생률

출처: Oh CM, Won YJ, Jung KW, et al. Cancer statistics in Korea: Incidence, Mortality, Survival, and Prevalence in 2013. Cancer Res Treat 2016;48:436-450.

선종 중 극히 소수에서만 암으로 진행된다. 현재까지 어떠한 선종이 암으로 진행하는지 특이적 소인을 찾기는 어렵지만 선종 중 심한 이형성을 동반하거나 깔대기 모양 혹은 무경성 선종, 1-2cm 이상의 크기, 융모선종 등이 제시되고 있다.

직장암의 발암기전은 대장암과 마찬가지로 대부분 APC, KRAS, DCC, TP53 등의 관련유전자의 체성돌연변이로부터 선종-선암 경과를 보이면서 발생하는 것으로 알려져 있다. 이러한 APC돌연변이로부터 시작하는 선종-선암 모형은 단계형stepwise 혹은 연속형 모형이라고 할 수 있으며 유전병인을 단순화하여 설명하기는 용이하지만 실제로 10% 이내에서만 이러한 변화가 모두 관찰된다. 그러나 실제로 생체내에서는 이러한 경과에 포함되지 않은 다양한 유전자 변화를 보이는 경우가 빈번하며 경우에 따라서 선택적으로 혹은 중복해서 나타나게 된다. 직장암은 해부학적 위치와 형태에서 결장암과 차이를 보일 뿐만 아니라 유전체적 발암기전에서도 차이를 보인다는 연구들이 있다. 그러나 2012년 Cancer Genome Atlas Network의 276 대장암환자 차세대염기분석Next Generation Sequencing (NGS) 기법을 이용한 분석에서 고변이암 hypermutated cancer 이외는 직장암과 결장암의 유전자 변이 형태는 유사한 것으로 보고하였다. 유전성대장암증후군 중 대표적인 가족성용종증은 직장암을 포함한 좌측결장암에서 빈번하고, 이에 반해 유전성비용종증대장암은 우측결장암에서 빈번한 것으로 알려져 있다. 염색체 이배수성dipolidy, 현미부수체불안정성Microsatellite Instability (MSI), CpG섬메틸화표현형CpG Island Methylator Phenotype (CIMP)은 우측결장암의 발생과 밀접한 관련이 있고, 염색체 이수성aneuploidy과 이종접합체결손loss of heterozygosity을 포함하는 염색체불안정성chromosomal instability은 직장암을 포함한 좌측결장암과 밀접한 관련을 보인다.

(3) 환경적인 요인

이제까지 비만, 고칼로리, 지방, 붉은 육류 및 알코올 섭취와 흡연이 대장암의 발생과 관련을 보여주는 반면, 과일과 야채류 섭취, 우유, 비스테로이드 항소염제 및 호르몬 보조치료, 적절한 운동 등은 대장암의 위험을 감소시키는 것으로 연구되고 있다.

가. 식이

식이는 대장암의 발생에 대한 위험인자로써 중요하게 생각되고 있으나 아직도 많은 부분에서 확실한 연관관계가 밝혀지지는 않았다. 일반적으로 섬유소의 섭취가 적고, 동물성 단백질 및 지방의 섭취가 높으며, 설탕과 같이 정제된 탄수화물의 섭취가 많은 것이 위험인자로 여겨지고 있다. 식이섬유의 역할을 객관적으로 규명하는 실험적 증거는 적지만 모든 종류의 식이섬유가 대장암의 예방에 효과가 있으며 잡곡류 보다는 과일이나 야채로부터 섭취되는 섬유소가 더 좋다고 알려져 있다. 여기에 대한 이론적 배경은 고섬유질을 함유한 음식물 섭취가 대장통과시간을 단축시키고 대장내 소화물의 부피를 늘림으로써 식이내 발암물질과 변이원mutagen 및 세균 대사물질의 대장점막과의 접촉을 감소시킴으로써 암발생을 줄인다는 설명이다. 최근 메타연구에 따르면 매일 10g 이상의 섬유소 섭취로 대장암의 발생을 10% 감소시키는 것으로 보고되었다. 단백질로는 붉은 육류red meat와 가공육processed meat이 대장암의 발생과 관련이 있는 것으로 여겨지며, 단백질의 장내세균에 의한 분해로 발생된 황화합물과 굽고 태우거나 튀긴 음식 및 훈제음식은 발암 혹은 발암촉진 물질로 여겨지고 있다. 칼슘은 그 기전이 아직 정확히 알려지지 않았으나 유전성이 없는 사람에서 선종의 재발률을 감소시키는데 효과가 있는 것으로 알려져 있고, 칼슘과 비타민D를 같이 섭취하면 전립선암과 대장암의 예방에 효과가 있다고 알려져 있다.

나. 예방약제

예방약제chemoprevention는 그 효용성 뿐만 아니라 장기간 복용했을 때 안전해야 하고, 환자들이 복용하기 쉬워야 하며, 가격이 저렴해야 하는데 현재까지 완전한 제재는 미비하다. 여러가지 약제들 중에서 가장 많이 연구된 아스피린은 매일 75mg 이상을 복용한 사람에서 대장암을 포함한 소화기암의 발생을 감소시키는 것으로 알려져 있고, 여성호르몬 치료도 대장암의 위험을 줄이는 것으로 몇몇 전향적 연구를 통해 밝혀졌으나, 이들 약제 치료로 인한 부작용을 고려하면 모든 일반인에서 대장암 예방을 위해 사용하기 위한 증거는 부족하다. 아스피린을 통한 대장암의 예방은 직장암보다는 우측 결장암에서 효과적인 것으로 보고되고 있다.

2. 진단 및 병기평가

직장암은 초기에 특별한 증상이 없는 경우가 대부분이고, 원발병소의 진행과 함께 처음에는 치핵과 유사하게 나타나는 경우가 흔하다. 후중감 및 변주감소를 동반하는 배변습관의 변화가 있으며, 혈변(선홍색 또는 검붉은색)이나 점액변이 있는 경우 반드시 정밀 검사가 필요하다. 직장암 수술 시 술 전 화학방사선요법, 항문괄약근보존 및 장루수술 여부를 결정해야 하기 때문에, 암의 정확한 위치 및 범위, 인접장기 침윤, 림프절 전이 정도, 원격전이를 수술 전 반드시 확인하여야 한다. 병기분류는 결장암에 준한다.

1) 환자의 진찰

문진 시 갑자기 변을 보기 힘들어지거나 배변 횟수가 변하고, 설사, 변비 또는 배변후중감, 변의 굵기가 가늘어지거나 환약모양변 등 배변습관의 변화가 있는지를 파악하는 것이 중요하다. 이러한 배변증상이 대부분 2-3주 이상 지속되게 나타나지만 증감하는 경우도 있으며, 체중감소 및 피로감 여부도 진단에 도움이 된다. 직장암이 진행하여 인접장기로 침범한 경우, 직장과 방광이나 질 사이에 누공이 발생하여 소변에 대변이 섞여 나오거나, 질로 대변이 나올 수도 있으므로 직장인접장기와 관련된 증상에도 세심한 주의가 필요하다. 결장암에서와 마찬가지로 가족력에 대한 확인이 반드시 이루어져야 하며 유전적 소인과 과거력은 수술방법을 결정하는 중요한 요소가 된다. 직장암은 골반내에서 성장하는 경우가 대부분이며 상당히 진행된 경우에도 복부에서 종양이 만져지는 경우는 매우 드물다. 직장암에 의한 장폐쇄 시 복부팽만이 관찰될 수 있으며, 복막전이 시 드물게 복부에서 결절이 촉진되는 경우도 있다.

직장수지검사digital rectal examination는 직장암의 진단에서 가장 중요하며 인지를 삽입해서 직장내 경화성 병변, 궤양, 혈흔 등을 확인하게 되며, 직장암의 50% 이상에서 직장수지검사만으로 진단이 가능할 수 있다. 직장벽 전체를 세심하게 촉진하여 종양과 항문연과의 거리, 크기, 폐쇄정도, 자궁경부, 전립선, 질 등의 위치를 확인하고 종양과 이들 장기와의 침범여부를 파악한다. 일반적으로 점막 또는 점막하 종양의 경우 부드럽고 가동성이 풍부하며, 고유근층 이상 침윤된 종양은 보다 단단하며 가동성도 점차 감소한다. 직장수지검사상 항문연에서 종양간 거리, 항문괄약근 침윤여부에 따라 괄약근보존술의 시행여부를 일차적으로 평가할 수 있다.

2) 임상검사

대변잠혈검사Fecal Occult Blood Test (FOBT)는 위장관출혈을 확인하는 검사법으로 비침습적이고 저렴하며 간편해서 일차적인 대장암의 선별검사로 권장되는 검사이다. 검사원리에 따라서 혈색소내 과산화효소의 활성도를 측정하는 구아이악검사guaiac test와 혈액성분에 대한 항체로써 혈흔을 탐지하는 면역화학검사immunochemical test가 있으며 대장출혈을 감지하는데는 글로빈에 대한 항체검사가 특이적이다. 구아이악검사의 경우 음식 및 약물 복용에 따른 위양성반응이 있으므로 검사 전 주의가 필요하며 대체로 2-3회의 변을 모으거나 연속적으로 검사하는 경우 정확도가 높아진다. 적응이 되는 사람에서는 매년 시행하여야 하며 양성반응이 나오는 경우 대장내시경을 통해 병변 유무를 확인하여야 한다.

암배아성항원Carcinoembryonic Antigen (CEA)은 배아기 4-8주에 만들어지는 당단백질로써 대장의 점막형성에 관여하는 것으로 알려져 있으며 정상적인 경우에서는 출생

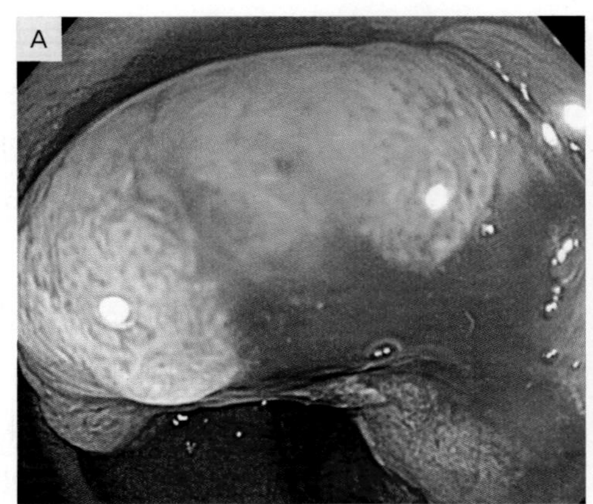

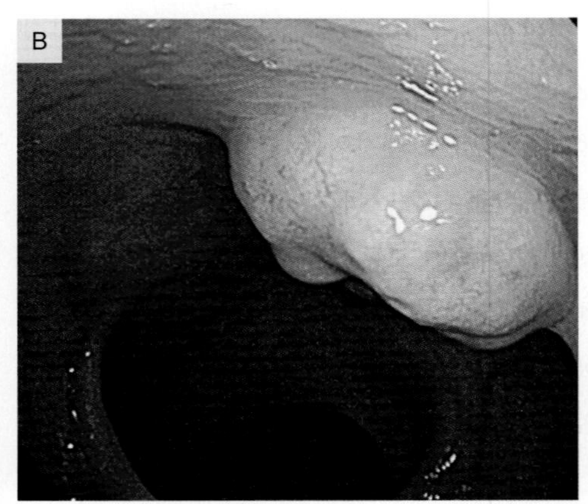

그림 2-91 중심부 궤양을 보이는 중직장암(A) 및 중직장의 점막하종양(조직검사상 소세포-신경내분비암으로 확인)(B)의 내시경소견.

이전 현저히 감소하여 거의 소멸된다. 성인에서 높은 혈청 CEA 수치가 측정되는 경우 정상적인 대장세포 혹은 다른 소화기 상피세포의 탈분화dedifferentiation에 의한 대장암 혹은 다른 암이 있을 가능성을 의미한다. 그러나 CEA는 암 이외에도 정상인에서 드물게 과발현되는 경우가 있으며, 간경변증을 포함한 간질환, 췌장염, 염증성장질환, 감염성질환, 기타 양성종양, 흡연자 및 유사 당단백을 복용하는 경우에서도 증가할 수 있기 때문에 단순히 수치가 높다고 대장암을 진단할 수는 없다. 혈청 CEA 수치는 대장암이 진단된 환자에서 수술 전에는 대장암의 진행 정도를 파악하고, 수술 후에는 치료의 효과 및 재발을 확인할 수 있는 추적검사로 이용될 수 있다. 수술 전 혈청CEA치가 매우 높은 경우에는 국소적으로 상당히 진행한 대장암이거나 전이암이 동반될 가능성이 있으며 이에 대한 추가 검사가 요구되며, 수술 후 및 항암화학요법 중 혈청 CEA 수치가 상승할 경우에는 각각 재발 및 치료 불응성을 의심해야 하며 국소재발 및 원격전이 여부를 반드시 확인하여야 한다.

3) 대장내시경 검사

대장내시경은 전체 대장의 점막을 확인할 수 있는 가장 정확한 방법으로 결장암과 직장암의 진단에 가장 중요한 검사방법이다. 의사가 직접 병변의 표면을 관찰하면서 상태를 파악할 수 있고, 조직생검에 의한 조직학적 진단이 가능하다(그림 2-91). 검사 중 환자가 불편감 및 통증을 느낄 수 있고, 암 등에 의하여 대장내강이 폐쇄되어 있으면 더 이상 검사를 진행할 수 없는 단점이 있다. 대장내시경 검사는 시술자의 숙련도가 매우 중요하며 점막의 주름이나 대장의 굴곡과 꺽임에 따라서 검사 시 누락되는 부위가 발생할 수 있으며, 검사도중 대장출혈이나 천공 등의 합병증이 발생할 수 있음을 유의해야 한다. 심한 장폐쇄, 거대결장증, 전격성대장염, 급성대장게실염, 급성염증성질환, 복막염 및 위장관 천공이 의심되는 상황, 심장병 및 혈액응고장애 환자 및 이외 전신상태가 매우 불량하거나 환자의 협조가 이루어지지 않는 상황에서는 심각한 합병증이 일어나기 쉬우므로 제한된다. 합병증으로는 천공과 출혈이 있을 수 있으며 그 비율은 0.2–0.3%로 매우 낮다.

4) 영상학적 검사

(1) 이중조영바륨관장

이중조영바륨관장Double Contrast Barium Enema (DCBE) 검사는 항문을 통해 바륨조영제와 공기를 대장내로 주입해서 바륨으로 대장점막을 도포하고 공기로 대장의 내강을 확장시킨 후 방사선 투시촬영을 이용하여 영상을 얻는 검사 방법이다(그림 2-92A). 최근 대장내시경의 발달과 보편적인 적용으로 과거에 비하여 시행빈도가 감소하였지만

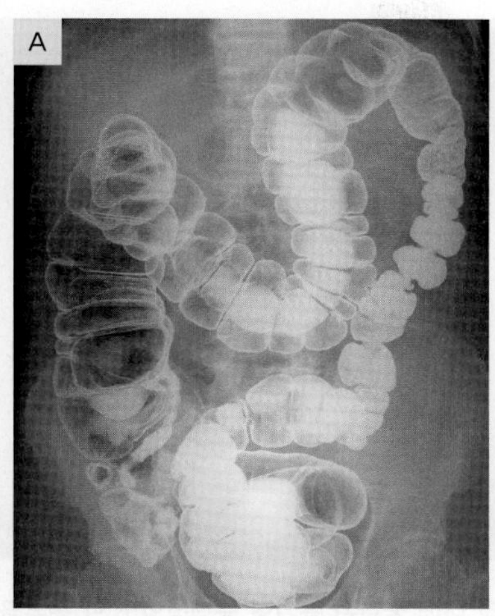

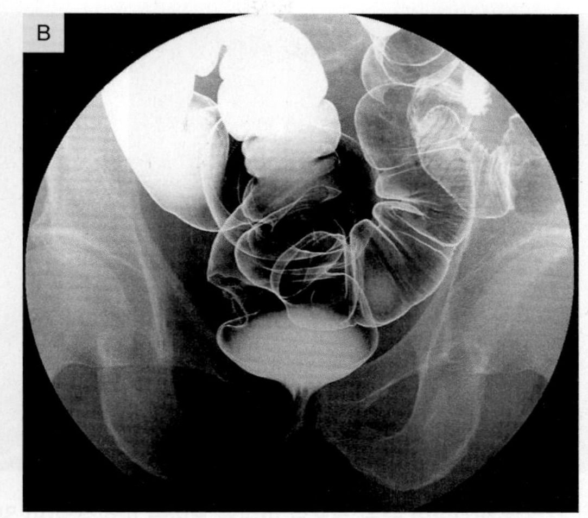

그림 2-92 이중조영바륨관장
바륨조영제와 공기를 대장내 주입해서 바륨으로 대장점막을 도포하고 공기로 대장의 내강을 확장시킨 후 방사선 투시촬영을 이용하여 영상을 얻게 됨(A), 우측 중직장내 종양에 의해서 정상점막의 소실이 관찰됨.

대장전체의 형태와 주행의 파악, 병변부위의 해부학적 형태와 위치확인, 및 대장내시경의 누락부분에 대한 보완적인 기능으로부터 여전히 우수한 검사방법이다. 특히 직장암에서는 측면 영상에 의하여 종양에서 항문연까지 실거리를 확인하여 괄약근 보존수술의 적용성을 평가하는데 도움이 된다(그림 2-92B). 장점으로는 대장내시경 검사에 비하여 환자가 느끼는 통증 및 불편감이 적고, 합병증 발생이 매우 낮은 점을 들 수 있다. 또한 병변에 의한 협착으로 대장내시경이 통과하지 못하는 경우에서도 완전한 장폐쇄가 아니면 이중조영바륨관장이 가능하므로, 근위부의 병변에 대한 정보를 얻는데 유용한 검사방법이다. 단점으로는 대장내에 변이 남은 경우 용종과의 구별이 어렵고, 크기가 작은 미세병변의 발견이 어려운 점 및 조직생검이 필요한 경우 대장내시경을 추가로 시행하여야 하는 점을 들 수 있다.

(2) CT 및 CT대장조영술

전산화단층촬영Computed Tomography (CT)은 직장암 자체의 진단보다는 주위 인접장기로의 침윤, 림프절 및 복막파종성 전이, 간이나 폐 등의 원격전이 여부를 확인하는데 유용하다. 직장암에서 복부골반CT는 국소부위의 종양이 어느 정도 파급되었는지 평가하는데 도움을 주며, 특히 종양이 주위의 인접장기나 조직을 침범했을 가능성이 있을 때 수술범위를 결정하는데 필요한 정보를 제공한다. 일반적으로 원발병소, 림프절전이, 및 혈행을 정확히 평가하기 위해서 정맥내 조영제를 투여 후 촬영하며, 경구 또는 경항문적으로 공기나 생리식염수, 조영제 등을 투여하여 대장을 확장시키고 촬영하기도 한다(그림 2-93). 림프절전이의 경우 복부골반CT에 의한 진단 정확도가 약 50-60% 정도로 그다지 높지 않은데, 종양주위 림프절비대는 암세포의 직장외벽 침윤과 구별이 어렵고 림프절 크기와 전이 유무간의 관련이 낮기 때문이다. 간전이의 경우 약 75-90%의 정확도를 보여주고 있으나 경우에 따라 추가 보완적인 자기공명영상술Magnetic Resonance Imaging (MRI) 혹은 초음파검사가 필요하다. 폐전이는 일반 흉부방사선촬영으로는 초기병변의 확인에 한계가 있으므로 진행성직장암에서는 흉부CT를 통해서 확인하는 것이 바람직하다. 최근에는 다면검출CTMultidetector-row CT (MDCT)를 통해서 선명하고 신속하며 정밀도가 높은 영상획득이 가능하게 되었다.

CT대장조영술CT Colonography (CTC)은 장세척을 한 후 공기나 이산화탄소를 대장내로 주입하여 대장을 팽창시킨

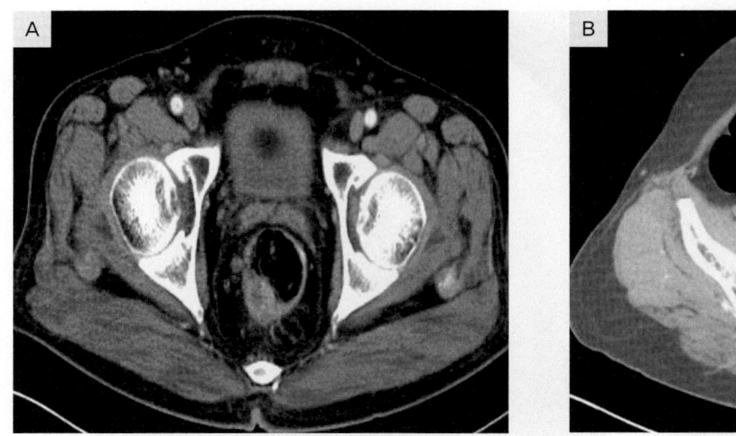

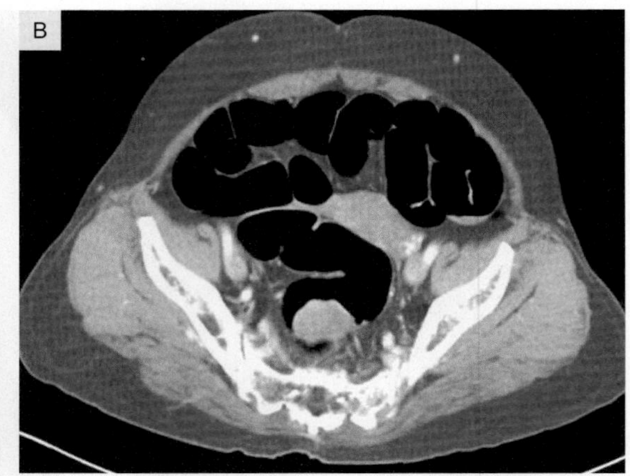

그림 2-93 **직장 간막을 침범하며 주위 림프절 비대를 보이는 하직장암(A) 및 직장 내에 국한된 융기형 중직장암(B)의 복부골반컴퓨터단층촬영 소견**

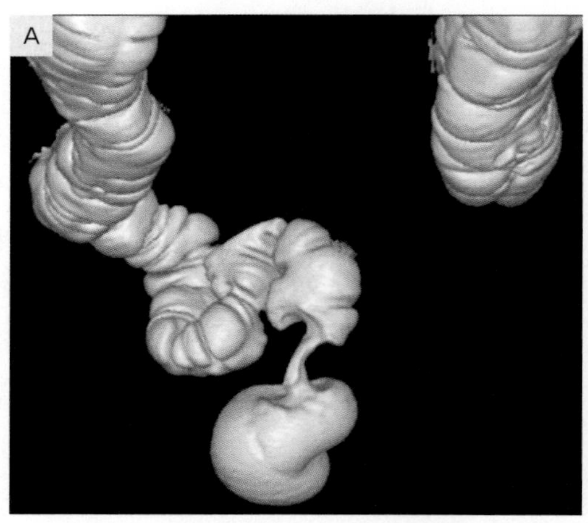

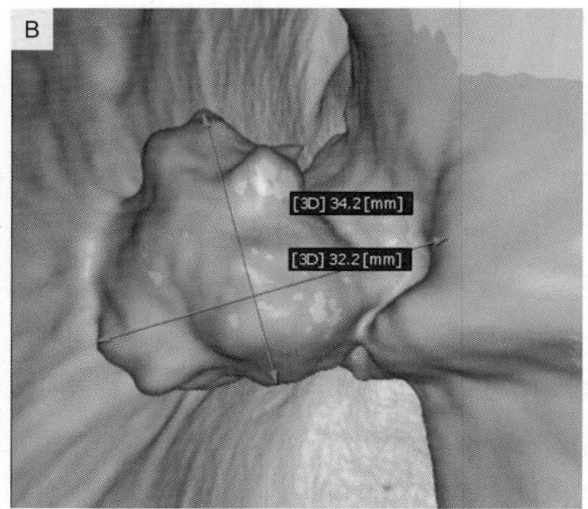

그림 2-94 **CT대장조영술.** 공기나 이산화탄소를 대장내 주입하여 대장을 팽창시킨후 CT에서 단층영상을 얻고 3차원으로 복원한 가상영상을 통해서(A) 내시경으로 대장 내부를 보는 듯한 영상을 제공하게 됨(B)

다음 CT를 통해 두께 0.5-1mm 정도의 단층영상을 얻고 이 영상들을 3차원으로 복원한 가상영상을 통해서 다평면 영상과 장관내부를 보는 듯한 영상을 얻는 방법이다(그림 2-94). CTC는 수술 전, 후 대장용종 및 암의 정확한 병소를 확인할 수 있게 하며 특히 대장내시경이 불가능한 환자에서 대체검사법이 될 수 있다. 즉, 크기가 큰 종양이나 협착으로 인하여 대장내시경이 병변을 통과하지 못하는 경우에 병변보다 근위부대장을 검사할 수 있으며, 이중조영바륨관장검사와 달리 체위변환 없이도 검사가 가능한 장점이 있다. 대장내시경에 비해서 환자가 느끼는 통증 및 불편감이 적고, 5mm 이상 크기의 용종 발견이 가능하며, 복강내 전이여부도 동시에 확인할 수 있다. 그러나 대장내 변과 용종의 감별이 어려운 경우가 있고, 5mm 이하 크기의 용종발견에는 제한적이며 용종이 발견되어도 조직생검이나 절제가 불가능한 제한이 있다.

(3) 자기공명영상

자기공명영상Magenetic Resonance Imaging (MRI)은 안정적인 자기장에서 전자기 에너지의 흡수와 방출을 측정함으로써 영상을 만들어내는 진단법이다. CT와는 달리 요

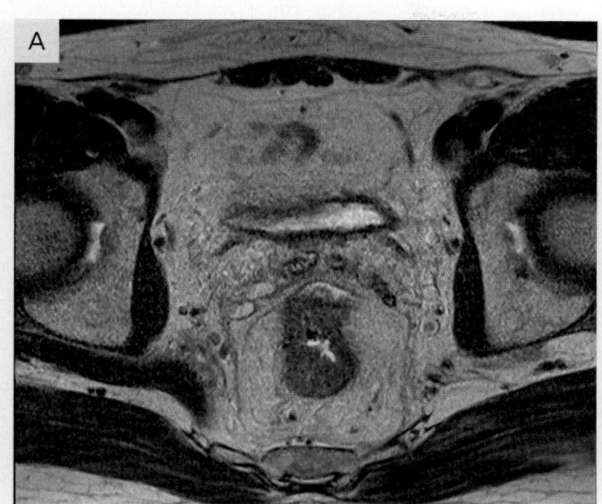

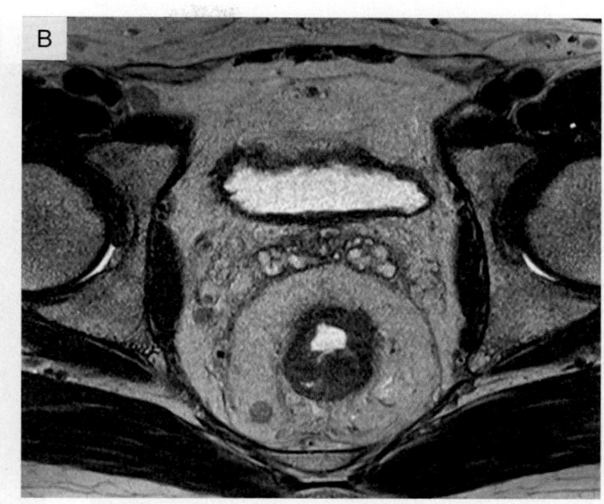

그림 2-95 **41세 남자 중직장암의MRI소견.** 3시에서 1시 방향으로 궤양을 동반한 종괴가 보이며 앞쪽 환상절제연 침범이 의심됨(A). 우하측 직장벽 주위 및 우측 골반 림프절의 비대가 관찰됨(B)

드조영제는 사용하지 않고 조직대조도가 우수하며 다평면 영상이 가능하고 전리방사선에 의한 영향이 없는 장점이 있다. 반면 검사시간이 길고 비용이 많이 들며, 석회질과 같은 뼈의 세부적인 모습이 명확하지 않다는 단점이 있으며, 강력한 자기장내에서 검사를 받아야 하므로 인공심장박동기, 뇌동맥류클립 등이 있는 환자에서는 적용에 제한이 있다. 직장암의 진단 및 병기 평가에 있어서 자기공명영상은 임상적으로 중요한 직장벽 침습에 대해 민감도, 특이도, 정확도가 각각 97–100%, 50–60%, 82–100%로 타 검사보다 우수한 것으로 보고되고 있다(그림 2-95A).

중·하부의 진행성직장암에서 술 전 화학방사선요법이 표준 치료방식으로 인정되어 가고 있는데 자기공명영상은 술 전 병기 결정과 화학방사선요법의 반응정도를 평가하는데 있어서 종양의 침윤정도, 크기 및 부피를 비교적 정확하게 측정하여 술 전 화학방사선요법 전·후 종양의 병기하강 정도를 평가할 수 있게 한다. 자기공명영상은 환상절제연circumferential resection margin을 비교적 정확하게 예측할 수 있고, 간전이의 진단에 있어서도 전산화단층촬영보다 우수하다. 그러나 직장벽침윤에 대한 높은 정확도에 비해 림프절 병기결정에는 제한점이 있어 정확도는 52–83%로 보고 되고 있다(그림 2-95B). 방사선치료 후 발생한 부종 혹은 섬유화는 T2강조 영상에서 종양으로 오인될 수 있는 점도 수술 전 병기결정 시 해결해야 할 과제이다.

(4) 경직장 및 내시경초음파

직장 및 항문암에서 비침습적이며 적용이 편리한 초음파단층촬영은 직접 항문내 초음파탐색자를 삽입하여 영상을 획득하는 경직장초음파Endorectal Ultrasonography (EUS)와 대장내시경에 부착해서 사용하는 내시경초음파 endoscopic ultrasonography가 있다. 초음파 촬영의 원리는 검사대상의 깊이 범위에 따라서 7.5–12MHz의 초음파를 변환기에서 투사해서 개별조직면의 밀도차에 의한 반사파와 흡수파를 실시간(real–time) 및 명암형태B-mode의 영상으로 획득하는 것으로 일반 초음파의 원리와 동일하다. 투사된 초음파는 조직의 특성에 따라서 밀도가 높은 조직에서는 흡수되며 밀도가 낮은 조직에서는 투과하게 되어 각각 상이한 고에코성(흰색) 및 저에코성(검은색) 영상을 나타낸다. 인접조직간 변화로써 흡수 후 투과에 의한 감쇠attenuation, 경계면보다 음폭이 큰 경우 음영shadow, 액체투과 후 증강enhancement, 경계면에서 음향임피던스의 부조화에 의한 반향reverberation 및 액체곡면에서의 굴절 refraction 등이 있다. 직장 및 항문은 해부학적으로 다양한 조직으로 구성되며 암조직은 특히 상이한 밀도의 조직으로써 암조직의 침윤과 림프절전이를 파악해서 병기를 결정하는데 초음파의 효용성이 높다(그림 2-96A). 3차원경직장초음파는 종축의 다평면multiplanar 영상을 재조합해서 실시간으로 입체영상을 보여주게 되는데 이는 주변조

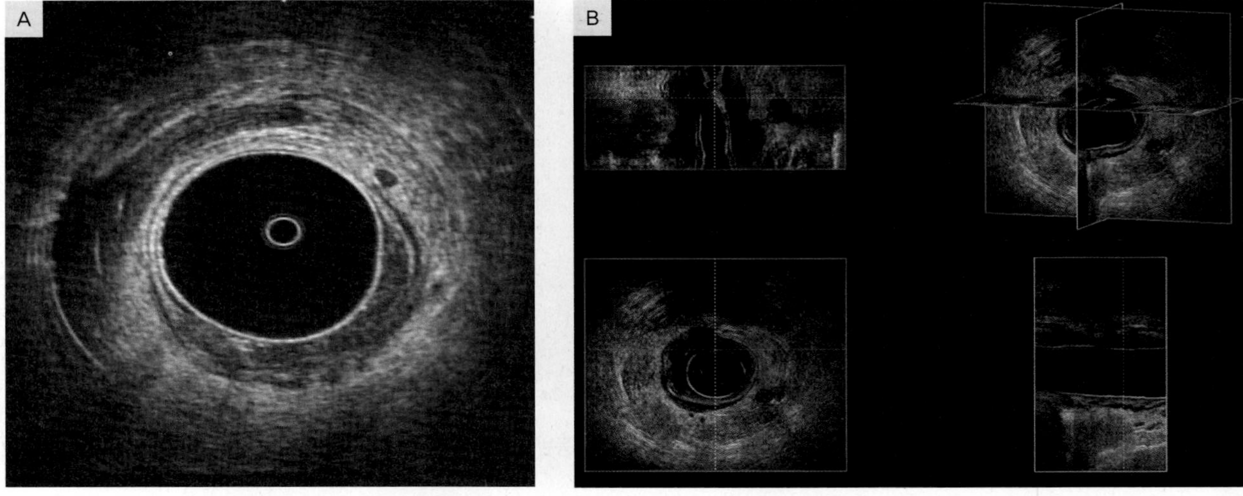

그림 2-96 **경항문초음파.** 중직장암이 3-8시에 걸쳐 저에코 내지 혼합에코로 나타남. 직장주위 조직으로의 침윤과 2시 방향에서 5mm 크기의 둥근 림프절이 관찰됨(A). 3-D 경항문초음파 사진으로 우측으로 혼합에코로 나타나며 3차원 영상으로 직장내의 모습을 초음파 영상으로 확인할 수 있음(B)

직 혹은 주변장기로의 미세한 침습을 해부학적으로 정확하게 연관해서 파악할 수 있게 하여 국소 병변과 림프절의 정확한 영상을 제공한다(그림 2-96B).

조직의 특성에 따라서 직장벽과 항문의 초음파영상은 각각 5층 및 6층의 뚜렷한 에코영상의 차이로 구분되며 고에코층과 저에코층이 반복적으로 교대하게 된다. 근층은 연령과 성별에 따라서 에코강도의 차이가 있으며 고령으로 갈수록 섬유화 등의 퇴행성변화에 의해 고에코성으로 변화하는 경우가 많다. 실제로 항문에서는 외괄약근층의 경우 남자에서는 저에코성, 여자에서는 고에코성을 보이는 경우가 많다. 초음파영상에 의한 병기설정은 원칙적으로 TNM분류와 동일하며, 장벽외 구조물인 혈관과 림프절의 구분이 용이하지 않은 경우가 있는데 혈관의 경우 연속적으로 일정한 모양으로 추적되어 관형 혹은 종형으로 나타나는데 반해서 림프절은 원형 혹은 타원형으로 각각 나타난다. 정상적인 림프절은 초음파영상에서 발견되지 않는 경우가 빈번하고 병변이 있는 경우 에코형태와 림프절의 크기로 감별하지만 정확도에서 제한이 있다. 대체로 전이림프절의 초음파영상은 5mm 이상의 크기, 원형, 불규칙한 경계, 원발암과 동일하거나 저에코성의 특징을 보인다. 종양의 장벽침윤과 림프절전이에 관한 경직장초음파의 정확도는 각각 74–94%로 64–83%로 보고되며 대체로 복부골반전산화단층촬영보다 높고 자기공명영상과는 비슷한 결과를 보인다(표 2-20). 경직장초음파진단에서 발생하는 부정확성은 술 전 화학방사선요법을 포함한 직장암주변의 염증으로 인한 과판독overestimation하는 경우가 빈번하며 대체로 10% 내외로 보고되고 있다.

(5) 양전자방출단층촬영

18F–2–fluoro–2–deoxy–D–glucose (FDG)를 이용한 양전자방출단층촬영Positron Emission Tomography (FDG-PET)은 빠른 분화를 보이는 암세포에서 당의 높은 흡수와 대사율을 이용하여 영상화하는 검사방법이다(그림 2-97). 양전자방출단층촬영은 재발암 및 전이암의 병기결정과 치료반응성의 확인에 유용하며 간과 간외 전이암에 대한 민감도는 각각 89–95%와 87–92%로 높게 보고되고 있지만 비용이 많이 드는 단점이 있다. 직장암에서는 술 전 화학방사선요법의 반응성 확인 및 수술 후 발생한 섬유조직과 재발암의 감별의 경우 유용하며 메타분석에 의하면 술 전 화학방사선요법의 주요 반응에서 73%의 민

표 2-20. 직장암병기에서 경직장초음파의 예측 정확도

저자	연도	환자수, 명	직장벽침습 정확도, %	림프절전이 정확도, %
Hildebrandt 등	1986	76	88	74
Beynon 등	1989	100	93	83
Glaser 등	1990	110	94	80
Orrom 등	1990	77	75	82
Herzog 등	1993	118	89	80
Deen 등	1995	209	82	77
Adams 등	1999	70	74	83
Garcia 등	2002	545	69	64
Manger 등	2004	357	77	75
Kim 등	2006	95	69-78	56-65

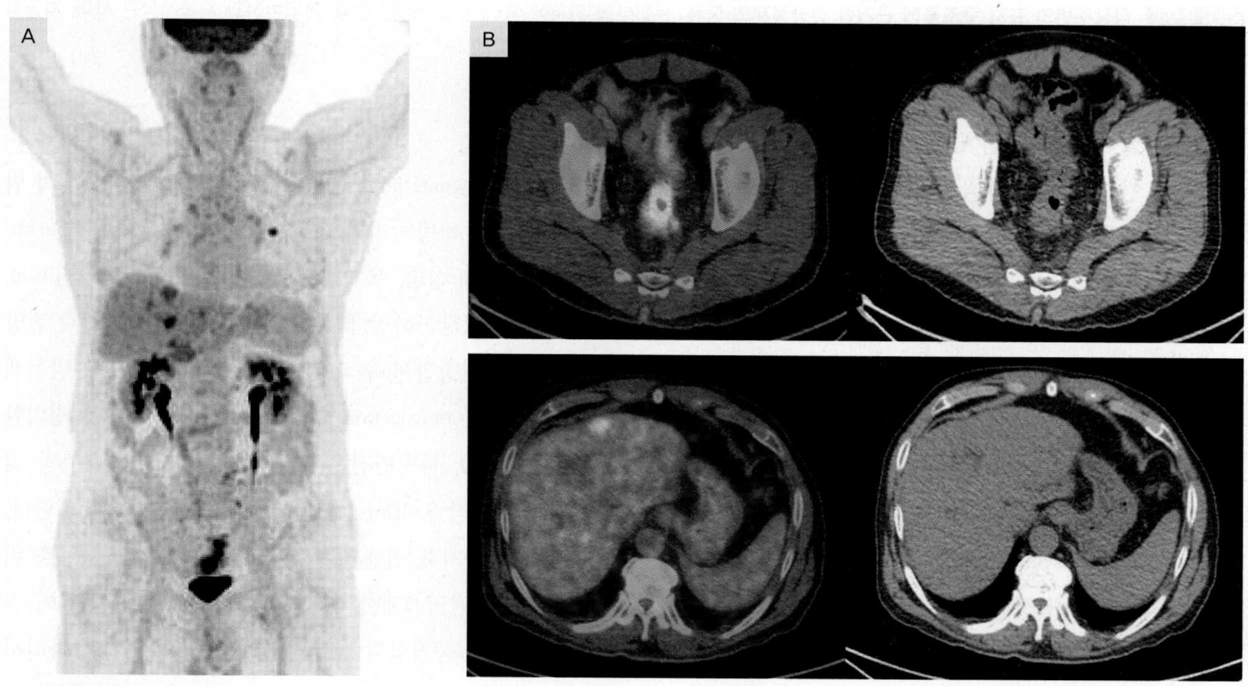

그림 2-97 **양전자방출단층촬영.** 18F-2-fluoro-2-deoxy-D-glucose (FDG)를 이용한 양전자방출단층촬영(FDG-PET)은 빠른 분화를 보이는 암세포에서 당의 높은 흡수와 대사율을 이용해서 영상을 얻음(A), PET에 CT를 결합하여 위상 및 형태의 보완기능을 첨가하는 PET-CT영상으로 하직장암 및 다발성 간전이가 관찰됨(B).

감도와 특이도를 각각 나타내고 있다. FDG-PET 검사에서도 위양성과 위음성영상을 숙지해야 하며 이는 FDG가 종양특이적 물질이 아니고 정상요관 및 소화관에서도 증가되고 특히 게실염 혹은 폐렴과 같은 염증성 병변에서 세포 내 당대사의 증가로 포도당대사의 활성으로 흡수가 증가 될 수 있으므로 다른 영상진단 방법을 함께 고려해서 판단해야 한다. 근래 PET과 CT를 병합해서 PET-CT를 사용하여 혼합영상이 가능하며 양 검사 간 판독의 오

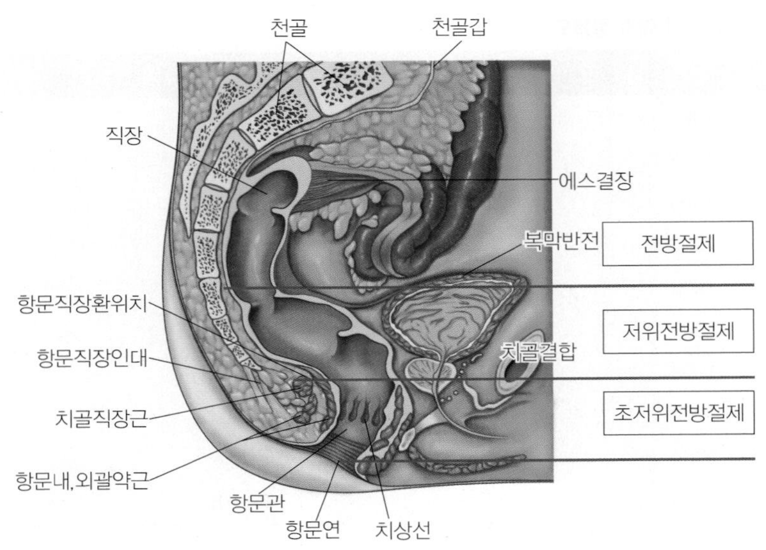

그림 2-98 직장주변의 표지 구조물에 근거한 전방절제의 종류. 문합부의 위치에 따라서 복막반전 상방, 복막반전과 치골직장근 사이, 치골직장근 하방에서 문합이 되는 경우 각각 전방절제, 저위전방절제, 초저위전방절제로 정의함

류를 보완할 수 있는 장점이 있으며 이외 PET-MRI 혼합 영상으로 간전이 혹은 재발암의 국소병변에 대한 중재적 치료에 정확한 표적화를 시도하고 있다.

3. 수술

직장암의 치료는 수술에 의한 절제가 가장 중요하며 절제방식에 따라서 표준수술, 국소수술, 확대수술 및 고식적수술로 나눌 수 있다. 직장암 수술 시 수술방식을 결정하는 요소로는 우선 항문괄약근 기능보존 여부가 중요하지만 암수술 원칙상 항상 근치를 염두에 두어야 한다. 일반적으로 수술 시 고려해야 하는 환자의 연령, 사회활동 정도, 대장암을 포함한 암의 가족력, 동반질환의 종류 및 이환정도 이외 직장암의 경우 다음의 몇 가지 특이적인 사항이 중요하다. 직장내 병변의 위치, 종양의 고정성, 크기(직장주 침범정도), 조직학적 분화도를 고려하여야 하며 경우에 따라서 개별환자의 비만도, 골반구조를 고려해서 술식을 결정한다. 한편 접근방식에 따라서 개복수술, 복강경수술, 로봇수술, 내시경수술이 있다.

1) 전방절제술

전방절제술anterior resection은 직장절제 후 문합부의 위치에 따라서 하방박리의 범위가 결정되며 복막반전peritoneal reflection 상방, 복막반전과 치골직장근puborectalis m. 사이, 치골직장근하방에서 문합이 되는 경우를 각각 전방절제, 저위전방절제low anterior resection, 초저위전방절제 ultra-low anterior resection or lowest anterior resetion로 정의한다(그림 2-98). 복막반전은 항문연으로부터 전방, 측방 및 후방으로 각각 8–10cm, 11–13cm, 14–16cm에 위치한다. 복측에서 술기가 진행되는 전방절제 술기는 근치성을 위해서 전직장간막절제술Total Mesorectal Excision (TME)이 필수적이며(단, 중직장암 상부의 경우 종양의 위치에 따라서 직장간막의 절제범위가 결정됨), 측방골반림프절절제lateral pelvic lymph node dissection, 기능보존을 위한 자율신경보존autonomic nerve preservation, 초저위직장절제 및 문합을 위해 괄약근간절제intersphincteric resection가 병행될 수 있다. 환자의 체위는 트렌델렌버그Trendelenburg 및 결석제거위lithotomy를 취하고(그림 2-99) 하복부 정중절개로 술야를 확보하는데 절개상연은 체형 및 수술범위에 따라서 배꼽위 상복부로 연장해 준다. 우선 하부 하행결장 및 에스

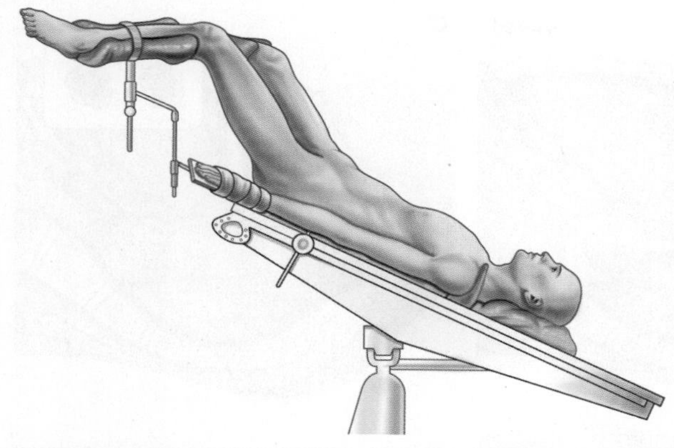

그림 2-99 **전방절제 및 복회음절제시 환지의 체위.** 트렌델렌버그 및 결석제거위를 취함

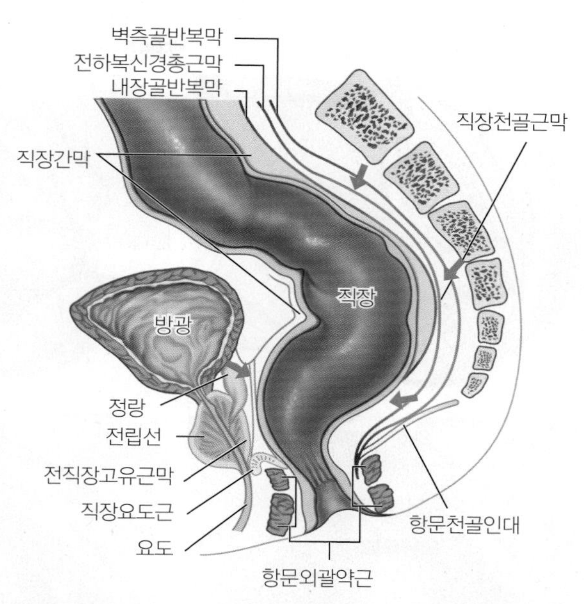

그림 2-100 **전직장간막절제의 범위.** 적색 화살표를 따라서 내장골반복막을 벽측골반복막으로부터 세심하게 직장과 일괄절제하게 됨

결장의 좌측 태생기접합선Toldt's fusion line을 따라 좌로부터 생식혈관과 좌측요관을 확인하면서 복대동맥 좌연까지 박리하며, 필요시 비장만곡splenic flexure 복막 및 비장결장인대까지 연장해 준다. 다음 진골반 돌출부위를 따라서 좌측 직장간막으로부터 방광(여성에서는 자궁경부)-직장의 복막반전을 경유해서 우측 직장간막의 복막을 복대동맥의 하장간막동맥inferior mesenteric artery 기시부(필요시 십이지장 제3부하연)까지 절개하는데, 좌·우 경계는 추후절제 범위에 따라서 내장골동맥internal iliac artery 외연에서 외장골동맥external iliac artery 외연까지의 범위가 포함된다. 이때 후복막의 전면으로부터 하장간막동맥의 기시부를 교행하는 3–5mm 너비의 은회색 상하복신경총superior hypogastric plexus이 확인되며 하장간막림프절을 표본추출sampling하여 동결절편 조직검사를 통해서 정확한 병기확인을 시행한다. 하장간막동맥을 박리하여 절제와 결찰하는데 결찰위치는 복대동맥의 기시부(고위결찰) 혹은 좌결장동맥 분지 직하방(저위결찰)으로서 병변에 따라서 정하게 된다. 이어서 그 좌측에 인접한 하장간막정맥inferior mesenteric vein을 절제하고 섬세하게 에스결장간막을 절개하여 에스결장혈관과 연속활혈관arcade vessels을 처리한 다음 에스결장 근위단을 겸자를 이용하거나 수기방식으로 지갑끈purse-string 봉합하여 단단자동봉합기의 모루anvil를 삽입 및 고정하는데 직전에 근위부 유리암세포 및 오염방지를 위해서 각각 250mL 정도의 1% 포비돈 및 생리식염수로 관류세척해 준다. 한편 복강경 및 로봇수술에서는 하장간막 동맥 박리 및 절제로부터 좌·외측 및 상방으로 박리 해주는 정중 접근방식medial approach이 유용하며, 근위부와 결장간막 절제는 골반측 박리와 근위단 절제 후 시행한다. 직장상단을 복측으로 견인하면서 직장간막을 상하복신경총의 직상방에서 박리하며 전직장간막절제를 족측으로 진행하는데 내장골반복막visceral pelvic peritoneum, rectal fascia propria을 벽측골반복막parietal pelvic peritoneum, parietal presacral fascia으로부터 박리하여 직장과 함께 일괄절제하는 것이다. 두 복막사이의 얇은 근막 구조물을 전하복신경총근막prehypogastric fascia으로 기술하기도 하며 이 근막은 천미골 경계부위에서 직장천골근막rectosacral fascia or Waldeyer's fascia으로 연결되며 이를 절개하여 측복막반전부위까지 전직장간막절제를 시행한다(그림 2-100). 후방 박리 후 통상 전방 및 측방의 순서로 족측박리를 진행하며 각각 전내장복막반전anterior visceral peritoneum과 전직장고유근막denonvillier's fascia 및 중직장혈관middle rectal artery, vein을 포함한 측방인대를 박리하

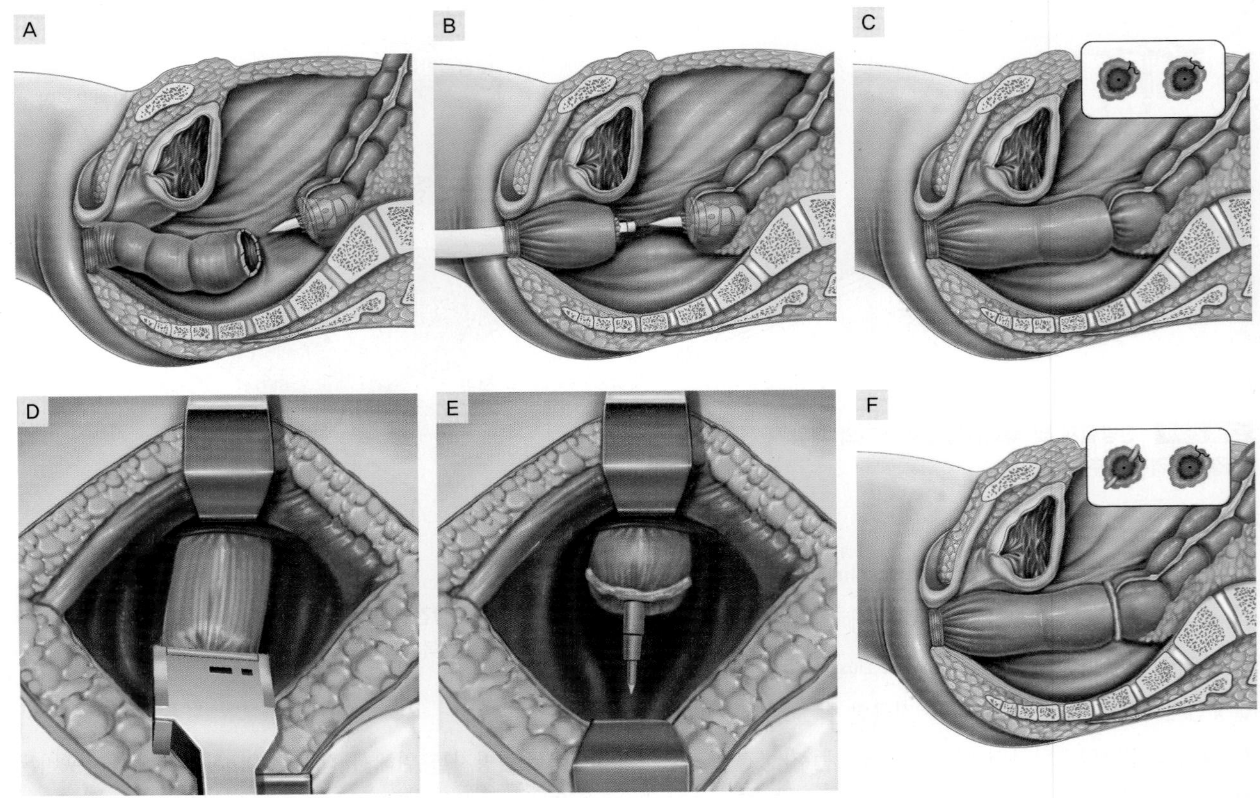

그림 2-101 A, B, C) 근위단을 지갑끈 봉합 후 모루를 삽입 고정, 원위단에 자동봉합기 삽입과 쌈지 봉합 후 단-단문합사거나; D, E, F) 원위단을 선형 자동문합기를 이용하여 일자로 봉합 후 원형 자동봉합기를 이용하여 단-단문합해주는 이중문합

게 되는데 이와는 달리 후방으로부터 나선방향으로 족측박리를 진행해도 무방하다. 족측박리의 하연은 종양의 위치와 침습정도에 따라서 결정된다. 직장원위단 절제 후 근위단에서와 동일한 방법으로 관류세척해 주고 문합한다. 문합방식으로는 수기문합보다는 자동문합기를 사용해서 단단문합end-to-end anastomosis하거나 원위단봉합을 포함하는 이중문합double stapled anastomosis이 있다(그림 2-101).

2) 복회음절제술

복회음절제술abdominoperineal resection의 진행은 복측팀과 회음측팀을 나누어 시행하기도 하지만 대부분 복측 술자가 전방절제후 회음부절제를 진행하고 최종적으로 결장루를 만들게 된다. 복측술식은 전방절제와 동일하며 에스결장의 단결장루end colostomy의 위치는 수술 전에 표시해 두는 것이 바람직하다. 결장루를 만들 근위단은 전방절제와는 달리 향후 탈출 및 장중첩 등의 합병증을 피하기 위해서 여분의 결장을 남기지 말고 결장루 부위에서 직선으로 나오게 했을때 피부상방으로부터 5–7cm 정도의 결장을 남기고 절단한다. 족측박리 범위는 병변과 골반의 해부학적 특성에 따라서 차이가 있지만 가능한 회음부 쪽으로 깊게 진행해 주는 것이 종양변연을 정확하게 절제하고 회음부 술식진행 시 용이하다. 후방으로는 직장천골근막rectosacral fascia을 관통해서 천골하단까지, 전방으로는 전직장고유근막을 관통해서 전립선하연(여성의 경우 질구상방 2/3정도)까지, 측방으로는 종양상연의 항문거근levator ani을 포함해서 박리하는 것이 바람직하다. 회음절제는 항문외괄약근external anal sphincter m.을 포함하는 범위의 항문연 피부절개 후 후방절개로부터 박리하는

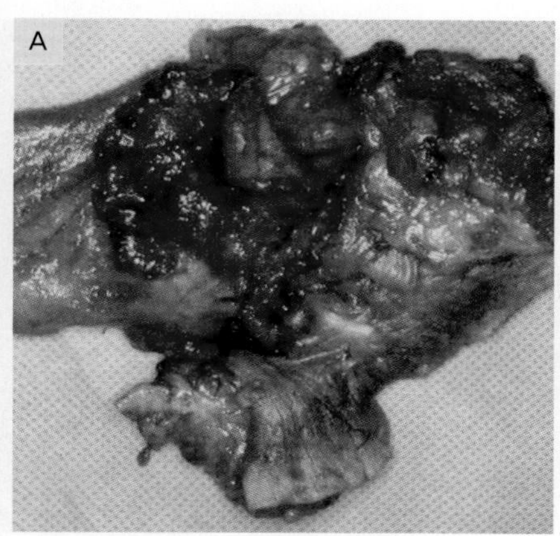

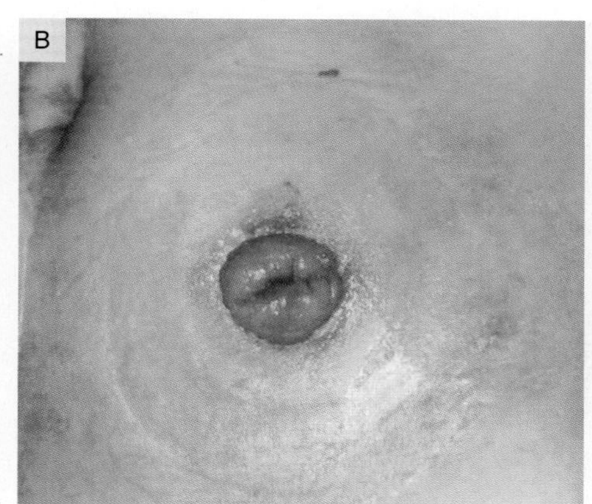

그림 2-102 **하직장암 환자에서 복회음절제술후 항문을 포함해서 일괄절제후**(A) **좌하복부에 조성한 영구적 결장루**(B)

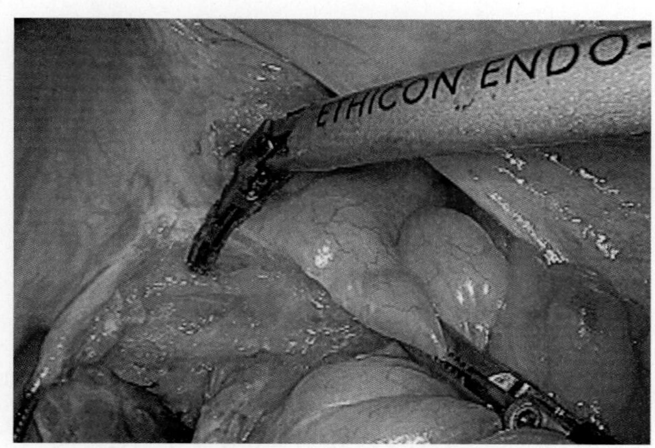

그림 2-103 **복강경 저위전방절제술.** 좌전방-측방 골반박리

것이 용이하며 하문거근의 하연접합부위인 항문미골솔기anaococcygeal raphe를 절개하여 복측과 교통해 주며 이어서 좌·우측방으로 좌골직장ischiorectal fossa의 지방조직과 장미골근iliococcygeus m. 및 치골직장근puborectalis m. 일부를 하직장혈관과 함께 절단해 가며 복측과 교통시킨다. 전방절제는 횡회음근transverse perinei m. 절개후 좌,우의 잔여 치골직장근 및 치미골근pubococcygeus m.을 절단하고 최종적으로 전방으로 요도괄약근을 세심하게 촉지하여 손상을 피하며 직장요도근rectourethralis m.을 절단하게 하면 직장항문 표본을 배출하게 된다. 마지막으로 골반복막을 복원하고 근위결장간막을 복벽에 고정시킨 후 결장루를 조성함으로써 종결된다(그림 2-102, 103).

1990년대말 복회음수술 후 대장항문문합 및 이차수술로써 전기자극을 장치한 박근성형술graciloplasty을 이용해서 항문보존 및 괄약기능대체술을 시도하였다. 10개 내·외를 보고한 3–4개의 초기결과에서 약 반수에서 만족스러운 결과를 예외적으로 보고하였으나 이후 장기적인 추적결과가 없으며 2000년 이후에는 기능불량 및 협착 등의 심각한 합병증이 보고되고 있다. 현재로써는 지속적인 개선이 필요한 술기로 여겨지며 무엇보다 장루보유 환자에서 술 전 및 술 후 충분한 인지와 정서적 관리가 중요하다 하겠다.

3) 복강경 및 로봇 직장암수술

결장암에서 복강경 수술이 표준수술로써 정착해 가면서직장암에서도 복강경 접근방식에 의한 직장암수술이 확대 적용되고 있다(그림 2-103). 유럽과 한국의 무작위조절연구(COLOR-II 및 COREAN Trials, 2015년 및 2014년)에 의하면 국소재발률, 3–10년 무병 및 전체 생존율에서 복강경 직장암수술은 개복수술에 비해서 차이를 보이지 않고 있다. 반면, 최근 미국과 호주의 무작위조절연구(ACOSOG Z6051 및 ALaCaRT trials, 2015년)에 의하면 병리학적 결과에서 복강경 직장암수술이 개복수술에 비해 비열등성을 입증하지 못하여 복강경수술의 보편적 적용을 제한하고 있는데 향후 장기생존과 재발 결과 분석

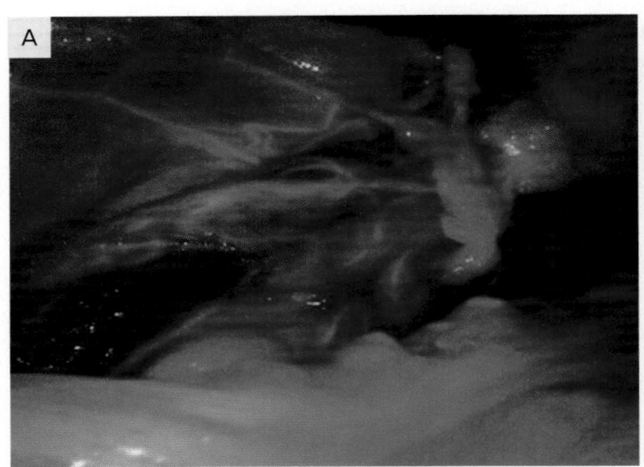

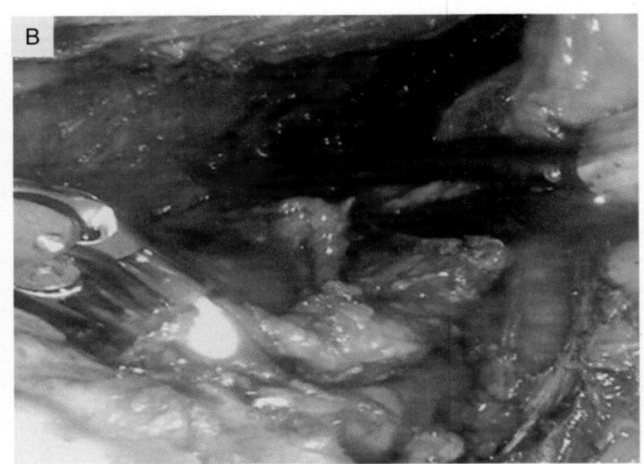

그림 2-104 **로봇 전방절제술.** 직장절제전 문합부의 술중 실시간 혈류를 확인하기 위한 근사적외선-인도사이아닌그린(near-infrared-indocyanine green) 형광조영(A) 및 로봇스테이플을 이용한 원위단 절제와 봉합(B)

이 필요하다. 복강경 직장암수술은 술기습득에 상당한 기간에 필요하며 골반강 굴곡에 의한 수술기구의 지렛대효과 및 수동 카메라 작동의 불편함은 해결해야 할 과제이다. 최근 10년간 로봇 직장암수술이 다양하게 시도되고 있으며 로봇기반 수술은 효과적인 시야확보와 관절기능을 지니는 유용한 수술기구, 안정된 견인 이외 부속기구(적외선형광 혈관조영, 로봇 스테이플)를 통해서 보다 편리하고 안전한 직장암수술을 가능하게 하고 있다(그림 2-104). 그러나 로봇카트의 축소화 및 수술 비용의 감소가 절실하다. 복강경 및 로봇 직장암수술은 향후 폭넓게 적용되리라 여겨지며 현재로는 장기치료 결과를 토대로 적절한 적응 설정이 필요하다.

4) 병행술기 및 기타 고려사항

표준수술에 병행되는 술기로는 필수적으로 병행하여야 하는 전직장간막절제와 가능한 권장되는 자율신경보존술, 이외 선택적으로 시행할 수 있는 측방골반림프절절제, 괄약근 기능보존을 위한 괄약근간절제, 저장낭성형술이 있다. 한편 직장암 수술 시 반드시 고려해야 할 몇 가지 사항으로는 하장간막동맥의 결찰위치, 절제연, 문합부 누출 등이 있다.

(1) 전직장간막절제

직장암수술 시 내장골반복막visceral pelvic peritoneum을 포함한 전직장장간막절제Total Mesorectal Excision (TME)는 근치적 절제를 위한 표준술식으로 인정되고 있다. 이 경우 암의 위치가 중직장 상방에 있는 경우는 실제로 원위절제연 족측에 직장간막이 남게되므로 실제로는 암특이적 직장간막절제tumor-specific TME가 시행되며 통상 전직장간막절제에 포함해서 사용한다. 본 명칭을 1986년도에 소개한 Heald는 선별된 380명의 직장암에서 이를 적용하여 2%의 5년과 10년 국소재발을 소개하였다. 본 술기에 의한 국소재발률은 현재까지 대개 3–10%로 보고되고 술전 화학방사선요법을 병행하여 진행암에서도 개선된 치료 성적을 보이고 있다.

(2) 측방골반림프절절제 및 자율신경보존술

측방골반림프절 절제 시 가능하면 자율신경보존을 하는 것이 원칙이며 불가피한 경우에서도 가능한 한 배뇨 및 성기능의 유지를 위해서 편측이라도 보존하는 것이 바람직하며 이를 위해서 수술범위 전반에 걸친 자율신경경로에 대한 이해가 필요하다(그림 2-105). 전대동맥신경총preaortic nerve plexus은 대동맥의 2분지에 이르기까지 상하복신경총superior hypogastric plexus을 형성한다. 이는 총장골동맥을 연해서 좌·우 하복신경으로 분지하며 요관 내

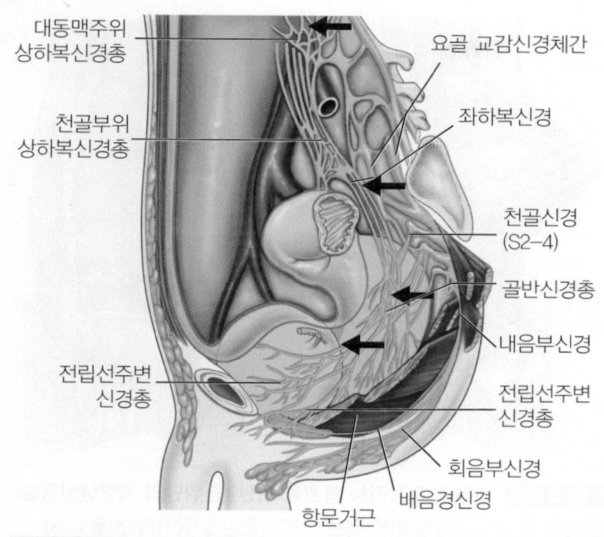

그림 2-105 골반자율신경계 및 자율신경보존술 도중에 흔히 손상받기 쉬운 경우. (1) 하장간막동맥 결찰 시, (2) 골반가장자리, (3) 측방골반, (4) 전립선 기저부의 10시에서 2시 방향 박리 시 각각 해당하는 골반신경의 손상에 유의해야 함

측의 골반측벽에서 하측방으로 제2, 3, 4 천골신경에서 유래하는 전신경절preganglion의 부교감신경인 내장골반신경splanchnic pelvic n., n. ergentes 및 천골교감신경절과 만나 일명 골반신경총으로 알려진 하하복신경총inferior hypogastric plexus, Frankenhauser's ganglion을 구성한다. 방광 및 성기능유지는 부교감신경계인 천골내장신경, 교감신경계인 하복신경 및 골반자율신경총에 의해 조절되는데 부교감신경계는 배뇨근수축 및 혈류에 의한 발기erection에 관여하고, 교감신경계는 배뇨근억제 및 사정ejaculation과 방출emission의 기능을 각각 담당한다.

상방림프절 절제가 동반되는 경우 대동맥의 총장골동맥 분지부에서 십이지장 제3부위 하연까지 복대동맥–하공정맥사이 및 좌측 방대동맥 림프절을 절제하며 이때 복대동맥의 외막adventitia으로부터 박리하게 되면 상, 하 장간막 및 복대동맥 신경총의 손상을 피할 수 없게 된다. 요골 및 천골골막의 전면으로부터 내장 및 벽측골반복막 사이를 박리한다. 이어서 측복측 박리를 시행하는데 종양의 동측침습이 없는 경우 우측부터 시작하는 편이 수술자의 위치를 변경하지 않아서 편리하다. 우하복신경 및 골반신경총을 측방으로 견인해 가며 신경 직장분지 및 중직장 동맥을 절제하는데 중직장동맥은 남성의 경우 하방광동맥에서 여성의 경우 상·하 방광동맥에서 분지하며 10% 미만에서 편측 혹은 양측이 존재하지 않는 경우가 있는데, 복측박리 시 측골반인대와 함께 일괄처리해 주는 것이 결찰누락을 방지할 수 있다. 다음으로 절제된 상방림프절과 함께 총장골 및 외장골동맥 내연에서 내장골동맥 내연까지 림프절을 절제한다. 이어서 외장골동맥을 측방으로 견인하며 폐쇄공림프절을 절제하며 족측으로는 내음부동맥까지 측복측림프절 절제를 지속한다. 우측절제 후 좌측은 동일한 방식으로 진행한다. 이어서 좌·우 측배측박리는 총장골동맥의 분지부까지 우하복신경을 박리한 다음 측배측에서 혈관루프를 우하복 신경에 걸어 내복측으로 견인하면서 제2, 3, 4천골공을 촉지하며 이상근pyriformis 내측에서 복측으로 향하는 내장골반신경을 박리하는데 제4내장골반신경의 위치는 대체로 중직장동맥 하연 또는 내장골동맥의 골반강 탈출부위와 일치한다. 이때 전천골, 총장골동맥, 내장골동맥의 내연 및 중직장동맥주위 림프절을 신경보존과 병행해서 일괄절제하여 골반측방림프절 절제를 종료하게 된다. 본 술식에서 측방 및 배측 림프절 절제는 신경보존과 동시에 시행하는 것이 원칙이지만, 골반강이 좁고 깊은 남성형 골반, 비만증, 술 전 장폐쇄로 인한 직장확장 및 기벽비후 등이 동반된 경우에는 좌·우 하복신경 및 골반신경총을 보존하는 전직장간막 절제후 이어서 림프절절제를 시행하여도 무방하다. 직장암 수술시 손상에 취약한 자율신경 부위로는 하장간막동맥 절단시 상하복신경총, 골반언저리(pelvic brim)와 교행하는 좌·우상하복신경superior hypogastric nerve, 측방골반 박리 시 하하복신경총(골반신경총)inferior hypogastric plexus (pelvic plexus), 직장전방의 좌·우 양측에서 전직장고유근막내 위치하는 배뇨생식분지를 구성하는 해면체섬유총cavernous plexus이며 특히 섬세한 박리가 필요하다(그림 2-105).

(3) 괄약근간절제

초저위전방절제술의 1가지 방법으로써 주로 회음측에

서 진행하는 괄약근간절제intersphincteric resection를 포함하게 된다. 본 술식은 근래 술전 화학방사선치료에 의해서 병기하강down-staging이 일어난 경우 괄약근보존을 할 수 있는 유용한 수술이다. 해부학적 근거로서 외괄약근과 항문거근이 괄약근간종주근에 의해서 내괄약근과 구분되므로 내괄약근을 포함해서 종양의 일괄절제가 가능하다. 종양의 하연이 항문연에서 0.5–3cm범위에 있으며 침윤깊이가 항문내괄약근 이내일 때 적용할 수 있다. 수술방법은 전방절제는 저위전방절제와 동일하게 진행하고 이어서 회음측에서 괄약근간절제를 시행하는데 종양하연의 위치에 따라서 괄약근간고랑intersphincteric groove과 치상선 사이에서 내괄약근을 포함해서 직장조직을 박리하여 복측에서 박리한 전직장간막절제 표본과 함께 절제하게 된다. 이때 필요시 일부 표층 및 심부 외괄약근을 절제에 포함할 수 있으며 문합은 일반적으로 기계문합보다는 수지 결장항문문합이 사용되며 대부분 술후 누출의 위험을 감소시키기 위해서 우회목적의 회장루 혹은 결장조루술을 병행해 준다. 괄약근의 절제범위에 따라서 항문기능 보존에 차이가 있으며 배변횟수 1.7–5회/일, 14–73%의 배변긴급감, 20–77%의 변실금을 나타내고 있으며 국소재발률은 6–22%를 보고하고 있다.

(4) 저장낭성형술

직장절제 후 저장낭 기능의 소실로 인한 배변횟수의 증가 및 변실금을 감소시킬 목적으로 근위단 결장에 결장성형 혹은 "J형" 저장낭을 첨가하는 술식을 제안하고 있다(그림 2-106). 이론적으로는 결장용적을 늘리고 역연동유도에 의한 배변횟수 및 긴급감 감소를 목적으로 하고 있지만 배변장애에 대한 문제점도 동반될 수 있다. 그러나 본 술식은 좁은 골반, 장간막비후, 불충분한 길이의 근위결장 및 심한 게실증이 동반된 경우에서는 그 적용이 힘들게 된다. 수술방식에서 결장성형은 근위결장의 문합부 2–5cm 상방 결장띠taenia coli 사이에 6–8cm 전층 종절개후 이를 횡봉합방식으로 늘려주는 Heineke-Mikulicz 유문성형술과 같은 방법이며, "J형" 저장낭은 근위결장을

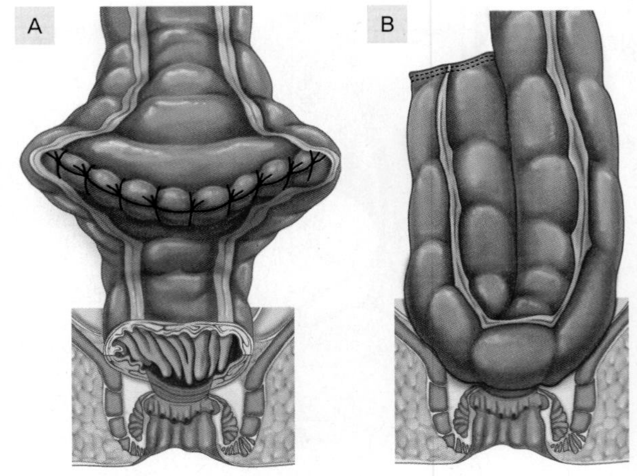

그림 2-106 직장의 저장기능 복원을 위한 근위단의 저장낭성형술. 근위단 결장에 결장성형(B) 혹은 "J형"저장낭을 첨가하는 술식(A)

이용해서 8–10cm의 결장낭을 만들어 주는 것이다. 치료성적에서 직접문합, 결장성형 및 "J형" 저장낭 간 일정한 결과는 보이지 않지만 297명을 2년 추적평가한 다기관연구결과 "J형" 저장낭에서 기능적 우위를 보고하고 있으며 그러나 직접문합에서도 2년 이상 경과 시 대부분에서 심한 배변불편감이 완화되는 것으로 나타나고 있다.

(5) 복항문결장통과술

복항문결장통과술abdominoanal pull-through operation은 근래 기계문합의 보편적 사용으로 저위 및 초저위전방절제술이 가능하게 되어 거의 사용되지 않고 있다. 본 술식은 Maunsell 과 Weir에 의해서 기술되었으며 일반적으로 저위전방절제가 적응이 되는 환자에서 결장원위단을 항문을 통해서 외번eversion시키고 이를 통해 근위결장을 통과시킨 후 봉합 및 절단하는 방식이며, Turnbull과 Cutait는 근위단 결장을 통과시키고 10–14일 경과 후 여분의 결장을 절단 및 봉합하는 방식을 사용하였으며 근위부 우회술은 병행하지 않았다.

(6) 기타 고려사항

고전적으로는 근치적 직장암수술에서 전체의 에스결장과 함께 하장간막동맥을 대동맥 기시부에서 결찰 및 절단

하는 고위결찰high ligation을 권장하였다. 그러나 좌결장동맥 분지 원위부에서 결찰해 주는 저위결찰low ligation과 비교해서 생존율에서 차이가 없으며 근위결장 혈류유지에 유리하고 고위결찰 시 상복신경총을 손상시키기 쉬운 잠재적인 위험때문에 일반적으로는 저위결찰을 권장하고 있다. 그러나 고위결찰 시 진행성 직장암의 0.7–18%에서 동반되는 하장간막림프절 전이를 일괄절제할 수 있고 직장문합 시 긴장을 줄일 수 있는 장점을 제시하기도 하며 어떤 경우에서도 직장암의 정확한 병기확인을 위해서 하장간막림프절 표본절제sampling는 필요하다.

근치적인 절제를 위해서 암세포를 남기지 않는 것이 원칙이며 도약병변 및 림프 및 맥관을 통한 국소전이를 최소화하기 위해서 충분한 종양으로부터 충분한 절제연을 유지해야 한다. 직장의 원위절제연은 직장간막의 체적에 따라서 비교적 풍부한 중직장 상부에서는 전통적으로 암의 하연 5cm 이상을 유지하고 하직장에서는 최소 2cm을 유지하는 것을 권고하고 있으며 4–5cm의 직장간막절제를 포함하는 것을 권장하고 있다. 그러나 조직학적인 확인상 암세포의 직장벽 혹은 직장간막으로의 원위부 전파가 2–3cm를 넘는 경우가 드물고 절제연이 1cm인 경우에서도 2–3cm인 경우와 비교해서 국소재발률에서 차이를 보이지 않는다는 연구결과도 주목하여야 하겠다. 수술 전·후 화학방사선요법에 의해 원위부 림프절을 포함한 국소전이를 줄일 수 있으며 특히 괄약근보존이라는 기능적 측면에서 신중하게 득과 실을 가늠해서 절제연을 결정하여야 하며 이 경우 조직의 분화도와 영역림프절 표본절제sampling 및 냉동생검 결과를 고려하여야 하겠다. 방사절제연 혹은 환상절제연radial or circumferential resection margin은 골반을 포함한 하복부절제 시 복막으로 벗어나는 직장 및 에스결장 하부가 해당되는데 최근 이 부위의 종양침윤은 MRI를 통해서 술 전에 확인하는데 도움이 되고 있다. 일반적으로 방사절제연의 종양침윤은 연속 혹은 비연속적 종양세포의 침윤이나 전이림프절이 비복막대장 연부조직에서 1mm 이하인 경우로 정의하고 있으며 그 위험은 진행암, 저분화암 및 종양세포의 침윤성과 밀접한 관련을 가진다. 방사절제연circumferential resection margin의 종양세포 침윤이 양성과 음성인 경우에서 국소재발률은 각각 15–78% 및 6–12%로써 양성군에서 2–8배의 국소재발의 증가를 보이며 전신재발도 2배 이상 높게 나타나므로 수술 시 직장간막전절제는 물론 연속적 침윤이 있는 경우 반드시 1–2mm의 외연을 포함해서 절제하는 것이 중요하다.

천골융기sacral promontory(천골곶, 천골갑)로부터 족측으로 골반박리 시 벽측골반복막을 손상시키는 경우 드물지 않게 전천골정맥총presacral plexus과 측방으로 기저척추정맥총basivertebral plexus을 손상시키는 경우 대량출혈이 발생할 수 있다(그림 2-107). 대부분 전직장간막절제 시 예리한 해부학적 박리를 하지않은 경우에 발생하며 골반강이 좁고 깊은 경우, 정맥류를 동반하는 경우 및 암세포의 침윤이 후방 혹은 측방으로 깊게 진행된 경우에서 특히 세심한 박리가 필요하다. 출혈 시 우선 당황하지 않고 출혈부위에 거즈 삽입에 의한 압박으로 임시 지혈해 주고 수술시야를 확보하기 위해 필요한 직장절제를 마친 후 완전하게 지혈하는 것이 바람직하다. 전천골정맥총 출혈은 거즈압박으로 상당히 감소하게 되며 흡인을 통해서 출혈점을 정확하게 파악한 후 출혈점 부위를 섬유소밀봉재

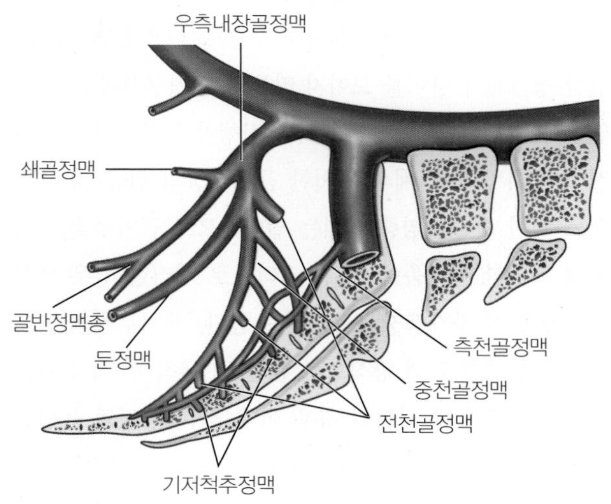

그림 2-107 골반정맥총은 전·측·중 천골정맥, 폐쇄공정맥 및 둔부정맥으로부터 유입되는 전천골정맥총(혹은 전방외정맥총)과 측방의 기저척추정맥총으로 구성됨

fibrin sealant를 부착해서 압박지혈 하거나 지속적인 출혈시 압침thumbtack을 거치하여 지혈해 준다. 본 혈관계는 매우 연약하므로 지혈겸자 혹은 전기소작기를 사용 시 혈관손상을 가중시키는 경우가 빈번하므로 바람직하지 않다. 여러가지 여건이 갖추어지지 않은 경우 혹은 상기의 방법으로도 효과적인 지혈이 되지 않는 경우 술 후 최소기간(1-2일)의 거즈삽입 혹은 조직팽창기 등을 고려할 수도 있다.

근위단 절제 후 그 상방 20cm의 대장과 원위단을 경장봉합기transabdominal autosuture로 봉합하기 직전 원위절주에 각각 500mL 정도의 생리식염수로 스포이드 혹은 관장기 관류를 통해서 세척해 준다. 이는 국소재발 중 특히 문합부 재발이 대부분을 차지하고 그 원인으로는 림프, 맥관 침습, 불완전한 직장간막전절제 및 유리된 암세포의 직장관내 침착이 알려져 있으며 이러한 유리된 암세포는 실험적으로 성장할 수 있는 것으로 확인되었다. 하직장암을 대상의 국내연구에서도 64%의 환자에서 세척액내 유리 종양세포를 검출한 것으로 보고하고 있으며 이는 충분한 세척으로 예방할 수 있는데 세척액으로는 500mL 이상의 생리식염수 이외 5-10% 농도의 클로로헥시딘 혹은 포비돈용액을 권하기도 한다.

폐쇄성대장암이 비폐쇄성대장암에 비해 재발률이 높다는 결과가 많지만 적절한 근치수술로서 병기 별로는 동일한 병기에서 차이를 보이지 않는다는 연구결과도 있다. 일반적으로 폐쇄성대장암에서도 진행암과 상이한 생물학적 특성이 없으며 폐쇄로 인한 근위대장의 염증 및 부종으로 인한 수술합병증 이외는 일반적으로 근치수술의 시행에 특별한 어려움이 없다. 그러므로 이러한 경우 폐쇄부위에 술전 자가팽창금속스텐트 삽관, 근위부우회술 및 술중 관류세척 등의 방식으로 감압 및 세척 후 적절한 근치적 표준수술이 시행된 경우 비폐쇄성대장암과 동일한 치료성적을 기대할 수 있다. 수술 시 유의할 사항으로는 폐쇄 근위부의 경우 팽창 및 부종으로 실제 대장의 길이 및 두께보다 길거나 비후되어 있으므로 문합시 이를 염두에 두고 수술 후 수축될 정도를 고려해서 충분하게 여유분의 대장길이를 유지하여 문합부 긴장을 없애도록 한다. 직장문합에서는 단단문합보다는 이중문합 방식을 적용하는 것이 바람직하며 필요시 기계문합후 취약한 부분을 전층 수지봉합으로 보강해 주는 것이 바람직하다. 제대로 문합이 된 경우 근위대장 혹은 회장조루술에 의한 우회술은 일반적으로 필요하지 않다.

직장암수술 후 방사선치료가 병행될 경우를 대비하여 폐복전 흡수성 망mesh을 골반유입부에 설치하여 대량의 방사선 조사 시 피하기 어려운 소장손상과 장폐쇄 합병증을 줄이는 것으로 보고되지만 빈도에 관계없이 이물질의 삽입으로 인한 합병증과 함께 재발시 위양성소견의 혼란을 고려하지 않을 수 없다.

5) 복천골절제술

Kraske에 의해 처음으로 시도된 복천골절제술은 근래 초전위전방절제술 혹은 괄약근간절제술의 기술적 향상과 본 술식의 높은 누공 및 재발 발생으로 그 적응 및 효과가 매우 축소되어 잊혀져 가는 술기지만 병변에 효과적으로 도달할 수 있는 외과적 추구방식의 한가지로서 그 의미를 지닌다 하겠다. 본 술식은 이론적으로는 천골일부와 미골을 제거하여 골반심부를 시야에 유지하면서 직장을 항문거근 아래에서 절제 및 문합하는 장점을 보이는 것으로 알려져 있다. 간단히 술식을 살피면 우측와위에서 좌측늑골하연에서 장골능iliac crest을 거쳐 치골결합까지 사선절개를 통해 개복하고 비만곡 가동, 에스결장간막 박리, 하장간막혈관 결찰 및 절단의 순서로 진행하며 직장박리는 전방절제와 동일하다. 이어서 후방박리를 시행하는데 우선 천미골관절부에서 횡절개를 통해서 미골(필요시 천골일부)을 제거해주고 직장천골근막을 절개하여 복측절개에서 절단된 에스결장과 직장을 꺼내고 남아있는 측방인대를 절단후 직장하부를 절제하며 단단문합은 수지 혹은 자동문합기를 사용한다.

6) 국소수술

국소수술은 치료적 절제와 고식적 절제를 목적으로 시

행하게 되며 술기로는 접근방식과 치료방식에 따라서 경항문절제, 경괄약근절제, 경항문전기응고요법, 레이저소작, 냉동요법 및 공동내 방사선요법이 있다. 2015년 National Comprehensive Cancer Network (ver. 3, https://www.nccn.org/)의 권고안에 의하면 치료목적으로 적용시 장주 <30% 및 <3cm 크기, >3mm 절제연 확보, 유동성, 항문연 8cm 이내, T1, 내시경절제 용종이 암으로 확인되거나 미확정의 경우, 림프맥관 및 신경주위 침습이 없는 경우, 고분화 및 중분화암, 술 전 영상에서 림프절 침윤이 없는 경우로 권장하고 있다. 크기는 개별환자 및 종양의 특성에 따라서에 따라서 4cm 정도까지 늘려서 시행하기도 한다. 중직장 및 상직장암에서도 경항문술식을 가능하게 하고자 직장경과 적용가능한 내시경수술도구를 이용한 경항문내시경미세수술Transanal Endoscopic Microsurgery (TEM)이 이용되기도 하며 수술원칙은 타 국소절제술식과 동일하다. 경항문내시경미세수술의 경우 상피내병변Tis/T1과 T2병변에서 각각 7% 및 22%를 보이고 있다. 그러나 경제적부담과 본 술식의 장점으로 여겨지는 상직장암에 대한 절제의 경우 개방 혹은 복강경을 이용한 전방절제의 용이성과 안전함을 고려할 때 효용성 측면에서 면밀한 평가가 요망된다.

(1) 경항문절제

항문강을 수지확장해서 치상선하방과 항문연 1–1.5cm을 항문주변을 따라서 6–8분위로 천관봉합 및 결찰하거나 항문연에 고리를 걸어서 견인해 주는 견인기를 이용해서 해서 항문강을 통한 직장을 노출시킨다(그림 2-108). 체위는 복측병변에서는 Jack-knife체위 그리고 배측병변에서는 쇄석위가 유리하다. 병변은 침을 부착한 전기소작기를 사용해서 안전한 변연에서 장벽에 수직으로 전층을 절제해 주며 전층봉합으로 복원한다. 절제된 조직은 그대로 그 변연을 안전침으로 고정해서 정확한 절제연을 조직학적으로 확인하여야 한다.

근래 술전방사선화학요법후 국소병변에 대해서 효과를 보이는 경우, 즉 임상적으로 완전관해를 포함해서 현저한

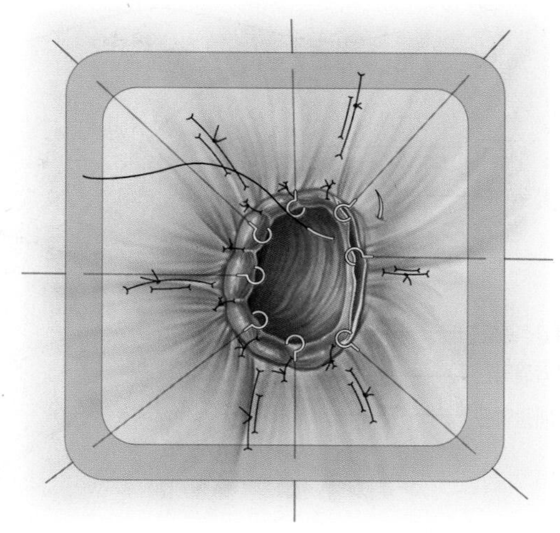

그림 2-108 항문강을 수지확장해서 치상선하방과 항문연 1-1.5cm을 항문주변을 따라서 6-8분위로 천관봉합 및 결찰하거나(봉합그림 참조) 항문연에 고리를 걸어서 견인해 주는 견인기를 이용해서 직장을 노출시킴

병기하강이 있는 경우, 괄약근 기능보존의 목적, 환자의 근치수술에 대한 거부감 혹은 심각한 동반이환comobidity 질환이 있는 경우에서 국소절제에 대한 관심과 적용이 점차 증가하고 있다. 누적된 전향적 연구결과는 아직 미비하며 관련된 11개 단순누적연구 결과에 따르면 조직학적으로 완전관해를 보인 경우, T1 및 T2에서 각각 1%, 8% 및 11%의 국소재발을 나타내고 있는데 국소절제 후 T1 이상의 소견을 보이는 경우 국소재발에 대한 철저한 추적이 필요하다 하겠다. 특히 임상 혹은 육안적 완전관해의 경우 조직검사 결과 많게는 75%까지 암세포의 존재를 보고하므로 일부에서 주장하는 비수술적 관찰은 매우 신중하게 결정하여야 한다. 국소절제 조직검사상 절제연에 암세포가 존재하거나 매우 가까운 경우, 저분화 및 미분화암, 암세포의 림프맥관 혹은 신경주변 침윤, 심부 점막하층이상의 침습(sm3 이상), 편평하거나 궤양성 종양에서는 항상 추가적인 근치절제를 고려하여야 한다.

(2) 경괄약근절제

경괄약근절제술transshpincteric excision은 Bevan에 의해 1917년 소개되었으며 Mason에 의해 천골절제를 하지

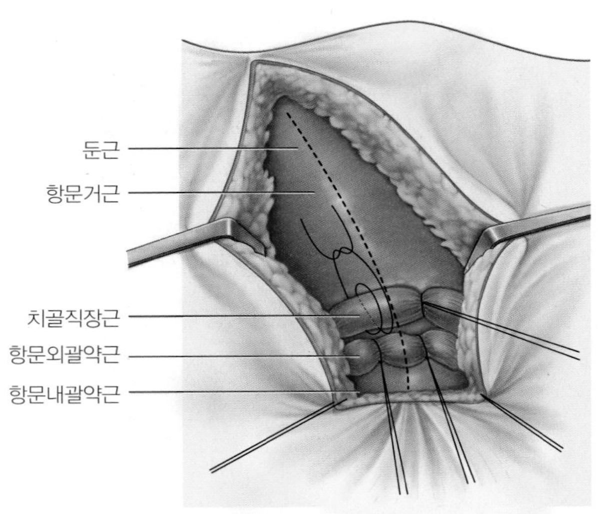

그림 2-109 **경괄약근절제.** 두측에서 족측으로 둔근, 항문거근, 항문외괄약근까지 절개하여 직장을 노출하며 종양절제 후 직장 및 절개하였던 근육을 차례로 봉합하여 복원함. 수술시 항문괄약근의 과도한 절개는 피하고 직장봉합 시 과도한 긴장이 생기지 않도록 직장을 충분히 가동시켜줌

않는 복천골절제의 변형방식으로써 고안되었다. 술식은 허리를 15도 정도 굽힌 복와위에서 천미골연에서 항문후연을 따라서 비스듬히 절개한 후 두측에서 족측으로 둔근gluteus muscle(볼기근), 항문거근levator ani, 항문외괄약근까지 절개하여 직장을 노출하고 직장내 종양병변을 안전변연을 확보하여 점막하 혹은 전층을 부분절제한다(그림 2-109). 이때 불필요한 항문 내·외 괄약근의 손상을 피해야 하며 상직장 병변일 경우 시야확보를 위해서 천골절제를 병행할 수 있고 병변절제 후 정확하게 괄약근을 복원하여야 하는데 직장연의 40% 이상 전층절제가 필요하거나 문합부 긴장이 있는 경우 회장루 혹은 결장루 조성을 고려한다. 그러나 항문연 8cm 이내 위치한 대부분의 병변은 경항문절제로써 가능하므로 굳이 괄약근 손상이 필연적으로 동반되는 본 술식이 필요하지 않지만 중직장 병변에서 조기암과 4cm 이상의 융모성 및 무경성 선종에서 경우에 따라서 유용하게 사용할 수 있는 술식이다.

(3) 경항문전기응고요법

경항문전기응고요법Transanal Electrocoagulation (TEC)은 직장암의 치료방법으로써 Strauss등에 의해 1935년 소개되었으며 초기에는 동반질환때문에 복회음절제가 불가능한 경우 혹은 미만성병변에서 고식적 방식으로써 사용하였다. Madden과 Kandalaft는 204명의 직장암환자에서 3.5회의 전기응고를 통해 62%의 무병생존을 보고하였으며, 가장 빈번한 합병증인 지연성출혈을 포함해서 23.5%의 합병증을 보고하였으며 인접장기의 손상위험이 높다. 근래에는 근치적 술기적용의 적응범위의 확대, 안전성 및 높은 치료효과로부터 전기응고요법은 근치적 목적으로는 거의 사용되지 않으며 고식적 치료의 1가지 방식으로 유보되고 있다. 경항문전기응고요법과 유사한 열소작방식으로써 고주파치료radiofrequency application가 있으며 직장암의 국소재발 시 수술절제가 필요한 경우 상당수에서 다장기절제가 동반되므로 이를 대신할 수 있는 방식으로써 고려될 수 있다. 특히 다발성 병변, 해부학적 위치상 절제가 힘든 경우 및 이전 방사선치료력으로 더 이상 방사선조사가 불가능한 경우 적절한 대안이 될 수 있다.

7) 확대수술

대장암의 종양생물학적 특성에 따라서 진행암 및 재발암에서 확대수술을 시행하게 된다. 진행성직장암에서 인접장기로 침윤이있거나 국소재발암 및 국한성전이암에서 원발암과 함께 혹은 이시성으로 재발암과 전이암을 절제하는 수술방식이다. 최근 근치절제가 불가능한 진행암에서 표적항암제치료를 포함하는 술 전 신병용치료에 반응이 있는 경우 확대수술을 고려하게 된다.

직장은 해부학적 위치상 배뇨생식기, 주요 골반혈관 및 신경계와 인접한 특성이 있다. 종양수술의 원칙상 일괄절제en bloc resection 원칙인 최소한 장기사이에 침습이 없는 완전한 근막을 포함해서 절제하는 경우, 인접장기의 절제가 필요한 경우가 있으며 특히 인접장기의 전이가 드물지 않으므로 이들에 대한 해부, 생리학적 구조에 대한 정확한 지식습득과 수술방식에 대한 숙련이 필요하다. 연관된 인접장기는 흔히 회색지대로써 전문분야 간 간과되기 쉬우며 직장암의 생물학적 성장과 침습의 특성을 파악하고 있는 해당 집도의에 의한 치료방침의 결정과 수술을 통해서 치료의 혼선과 지연을 줄이고 술 후 추적을 통한 재발 및 전이의 파악에도 정확성을 높일 수 있는 장점이 있다.

(1) 직장암의 인접장기 침윤

소장, 난소를 포함한 부속기adnexa와 자궁, 방광, 질, 정낭과 전립선 등의 순서로 빈번하며 전체 직장암의 7–18%에서 발견된다. 이 경우 직장암을 포함해서 침습된 인접장기의 다장기일괄절제가 필요하다. 수술 중 암세포의 침윤에 의한 유착인지 단순한 염증성 유착인지를 정확하게 판단하기는 어려우며 술 후 조직학적 확인으로만 가능한 경우가 대부분이다. 침습된 장기의 기능을 유지할 수 있는 부분절제로써 완전하게 종양을 제거할 수 있는 경우에는 종양의 절제연을 파괴할 수 있는 연속적인 냉동생검에 의한 확인보다는 주종양병변과 함께 일괄절제하는 편이 종양학적으로 안전하다. 술 후 조직검사상 33–84%에서 악성침습에 의한 유착으로 확인되며 일반적으로 절제후 예후는 림프절전이 및 근치적절제(R0) 여부에 따라서 결정된다.

골반장기적출술pelvic exenteration은 국소진행중 인접장기 혹은 조직으로의 침습이 심한 직장암과 골반내 장기암 및 국소재발암에서 고려해 볼 수 있는 술식이며 침범된 인접장기를 직장과 함께 일괄절제를 시행하고 장루 혹은 요루를 조성하여 배출기능을 유지하게 된다. 근래 진행성 직장암에 대한 신보강요법neoadjuvant treatment을 사용해서 술 전에 종양변연의 침습을 효과적으로 치료하는 경우가 현저하게 증가하였고 직장간막전절제 및 방사선화학요법으로 국소재발이 감소함에 따라서 과거에 비해 본 술식의 적응 예가 현저히 감소하고 있다. 본 술식의 안전한 적용을 위해서 무엇보다도 골반장기의 해부학적 이해가 필수적이며 골반 내 비뇨생식기는 물론 골반측벽의 구조물과 이들의 위상학적 구성을 완전히 파악해야 한다. 골반측벽의 주요 구조물로는 천미골sacrococcyx, 좌골ischium, 장골ilium, 폐쇄공obturator foramen, 천자인대sacrospinous ligament 및 천융기인대sacrotuberous ligament 간 공간으로 나뉘는 대·소 좌골공greater and lesser sciatic foramen, 이들을 각각 관통하는 좌골신경(L4–5, S1–4) 및 회음신경(S2–4), 내폐쇄근obturator internus m. 및 그 내측의 이상근piriformis m., 장골동, 정맥 및 그 분지 등으로 구성된다(그림 2-110). 이러한 해부학적 구조에 관한 완벽한 이해가 필수적이며 해당 장기의 일부 혹은 전체를 종양과 함께 병합절제하게 되는데 재발암의 경우 골반 내에서 측벽침윤이 있는 경우

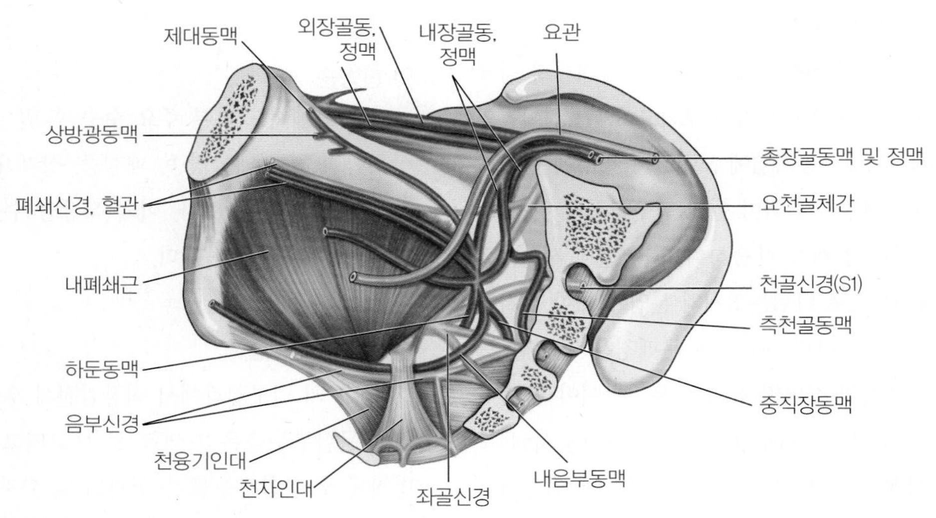

그림 2-110 골반측벽의 주요 구조물. 골반측벽의 주요 구조물로는 천미골, 좌골, 장골, 폐쇄공, 천자인대 및 천융기인대간 공간으로 나뉘는 대, 소좌골공, 이들을 각각 관통하는 좌골신경(L4-5, S1-3) 및 회음신경(S2-4), 내폐쇄근 및 그 내측의 이상근, 장골동,정맥 및 그 분지 등으로 구성됨

중앙 혹은 전·후방 침윤에 비해서 일반적으로 예후가 좋지 않은 것으로 알려져 있다. 수술 후 합병증은 43-70%로 매우 높으며 조직학적으로 잔여 암세포가 없는 완전절제(R0)에서 5년 생존율은 20-45%정도이다.

(2) 전이암수술

국소성 혹은 제한적인 전이암에서 절제에 의해 근치를 기대할 수 있는 경우가 15-40%에 이르며 대부분 간 및 폐전이가 주요대상이며 이외 난소, 비장, 부신, 뇌 전이에 대해서 절제술이 시행된다. 간, 폐, 난소전이의 빈도는 각각 23-51%, 10-25%, 3-14%로 보고되고 있으며 과거 논란이 되어 온 모든 여성환자의 예방적 난소절제는 유전성 비용종증대장암 이외는 필요하지 않은 것으로 인정되고 있다.

전이암의 절제 시 우선 절제를 계획하는 경우 복강내 타장기 및 폐의 전이여부를 CT를 포함한 흉부촬영을 통해서 확인하고 뼈, 뇌 등의 전이는 증상이 있는 경우 뇌 CT, 뼈주사촬영, PET-CT 등으로 확인한다. 절제원칙은 간기능을 최대한 보존하고 실혈을 최소화하며 절제연을 최소한 1cm 이상 확보하는 것이 중요하며 2mm의 절제연에서도 6%의 재발을 보고하기도 하는데 간전이에 대한 적극적인 절제는 어떤 경우에서도 고려하여야 하는데는 이견이 없다. 전이암의 숫자는 근치적 절제의 적응이 되지 않지만 일반적으로 양엽에 산재한 경우 3-4개까지 절제술을 시행하여 양호한 치료성적을 보이고 있다. 전이암의 크기가 크거나(>5cm), 동측엽에 모여있는 경우에는 고전적 간엽절제술을 시행하게 되며 이외는 구역절제 및 아구역절제로도 충분한 절제가 가능하다. 구역절제 시 술 전 문맥경portal pedicle으로 나뉘는 8개의 분엽에 대한 철저한 해부학적 이해가 필요하다. 이 경우 문맥경은 가능한 보존해서 잔존 간조직의 정맥혈 유입을 유지하여야 하는데 공동초음파절제기구Cavitational Ultrasonic Surgical Applicator (CUSA)를 사용하는 편이 간편하고 안전하다. 간전이는 술전 요오드조영제정주CT, CT혈관문맥조영술, MRI로 확인하며 술중초음파촬영intraoperative ultrasonography으로 종양의 정확한 크기, 위치, 혈관 및 담도의 위상 및 술전 미확인 병변의 확인을 통해서 정확한 절제를 시행할 수 있으며 간실질 심부 및 주요혈관에 인접한 경우 3cm 미만의 병변은 고주파열치료를 병행하여 효과적으로 간전이를 제거할 수 있다.

8) 고식적 수술

고식적 수술은 주로 증상경감을 목적으로 시행하게 되는데 여기에는 조루술ostomy, 우회술diversion, internal bypass 및 고식적 절제가 포함된다. 4기암에 대한 고식적 절제는 장폐쇄, 천공 및 출혈 등의 합병증이 있는 경우 그 적응이 되지만 술 후 합병증 및 수술사망의 위험으로 오랜기간 논란이 제기되고 있다. 그러나 메타분석 결과에서 수술합병증 발생율과 수술사망율에서 각각 14% 및 6% 정도로써 진행암의 합병증 및 제한된 생존을 감안하면 감수할 만하고 최근 보고되는 후향분석 연구에서는 생존기간의 증가를 보고하고 있다. 특히 최근 표적항암제를 포함한 병용제재의 높은 반응률을 고려하면 단순한 증상완화의 목적 이외 전신상태를 양호하게 유지하면서 제한된 환자에서 치료효과까지 기대 할 수 있는 점을 간과할 수 없으며 수술위험이 심각하지 않은 경우 적극적으로 고려되어야 할 것으로 판단된다.

9) 합병증

직장암에서도 복부 주요 수술 후 발생할 수 있는 출혈, 상처합병증, 심폐합병증, 패혈증, 장폐쇄 등의 모든 합병증들이 발생할 수 있다. 이외 직장암 수술과 관계된 특별한 합병증은 다음과 같다.

(1) 문합부누출

국내·외 연구결과에서 직장암절제 후 임상적으로 의미있는 문합부누출은 3-20% 로 보고되고 있다(표 2-21). 전방절제 후 문합부누출은 외과의 및 환자에게 고통스러운 합병증이다. 문합부누출이 국소재발률이나 전체재발률, 그리고 생존률과 관계가 있는지는 연구마다 차이를 보인

표 2-21. 직장암에 대한 괄약근보존술 후 문합부누출

저자	연도	환자수, 명	문합부누출, %	비고
Lee MR 등	2006	499	5.0	
Kim JC 등	2007	309	0.6	
Jung SH 등	2008	1391	2.5	
Lee WS 등	2008	1130	4	
Kim NK 등	2009	723	3.6	
Joh YG 등	2009	307	9.4	복강경
Huh JW 등	2009	119	10.9	복강경
Park IJ 등	2009	381	3.7	복강경
Kang SB등	2010	340	1.2 (복강경)	복강경, 개복
Park JS 등	2013	1609	6.3	다기관 복강경
Chang JS 등	2014	1437	6.3	
Kim JH 등	2015	363	9.3	복강경 이중자동봉합기문합
Lim SB 등	2016	2476	5.7	개복, 복강경

다. 그러나 대부분의 연구에서 문합부 누출이 있을 경우 국소재발률이 증가하고 생존율이 감소한다는 결과를 보고하고 있어 주의를 기울일 필요가 있다 하겠다.

문합부누출의 원인으로는 문합부의 과도긴장 및 장간막손상을 포함한 불완전한 문합, 해부학적 혈류이상 등 심각한 조직 및 혈관손상이 발생하거나 창상치유에 영향을 미치는 심각한 동반질환이 있는 경우로써 대부분 문합부의 허혈에 기인하는 것으로 알려져 있다. 술 전 방사선항암화학요법이 문합부누출을 증가시키는 위험인자라는 의견도 있으나 최근에는 문합부누출의 증가와 관계가 되지 않는다는 대규모 연구나 메타분석 결과가 발표되고 있어 그 인과관계는 확실히 확립되지 않은 상태이다.

수술 후 문합부누출의 위험이 큰 경우 조루술을 병행하게 되며 횡행결장 및 말단회장 조루술이 일반적으로 사용되고 있다. 조루술을 통한 우회술이 누출의 위험을 감소시킬 수 있는지에 관해서는 일부에서 논란이 있지만 대체로 우회술을 병행하는 경우 약 절반 이상에서 증상을 보이는 누출 혹은 이로 인한 추가수술의 발생을 줄이는 것으로 알려져 있다. 장폐쇄 및 탈수는 결장루에서 적지만 시술 및 복원의 용이성 및 장루합병증을 고려해서 근래 회장루가 선호되고 있다. 원칙적으로 조루술은 우회의 목적을 완전하게 달성하고 복원 시 장관절제를 최소화하여야 하므로 절단형이 아닌 루프형이 바람직하고 회장루의 경우 근위부를 벨브모양으로 피부로부터 돌출시키고 근위단을 족측에 설치하며(그림 2-111A), 결장루의 경우 원위단에 가스배출 목적으로 1cm 정도의 개구 이외는 봉합하고 근위단을 개방해 주는 단-루프end-loop 형태가 바람직하다(그림 2-111B). 모든 장루는 향후 복원여부에 관계없이 영원히 사용될 수 있다는 가능성을 염두에 두고 합병증이 생기지 않도록 신중하게 만들어야 한다.

문합부누출은 대부분 수술 후 7일 이내에 발생한다. 미열, 빈맥 등 생체징후의 변화 및 상처 또는 배액관을 통한 대변 누출, 빈변과 동반된 골반부 통증, 광범위한 복막염 등 다양한 증상이 나타날 수 있다. 문합부누출이 의심될 경우, 단순 혹은 수용성조영제 사용한 복부촬영에서 장외공기누출 및 조영제 누출을 확인하거나(그림 2-112A), 복부골반CT를 이용해서 장액 및 공기누출로 확인할 수 있다(그림 2-112B).

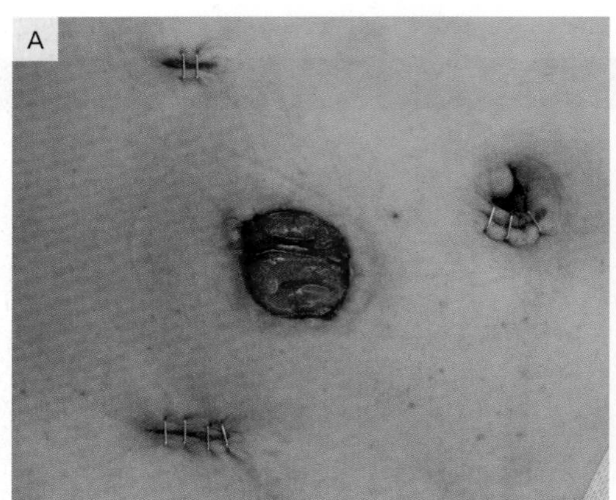

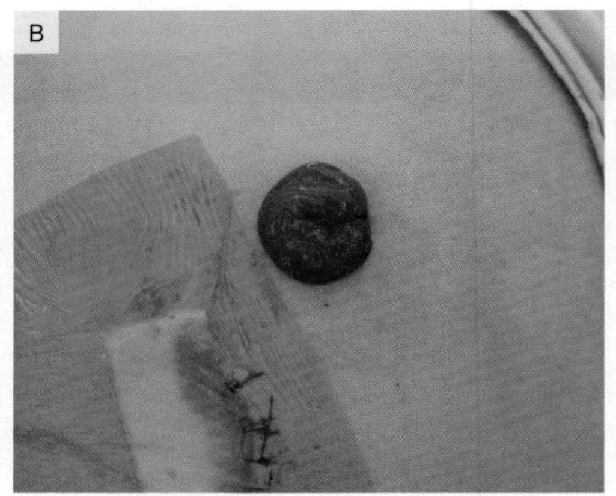

그림 2-111 **우회목적의 조루술.** 직장암의 복강경절제 후 좌하복부에 조성한 루프회장루(A)와 좌상복부에 조성한 단-루프결장루(B)

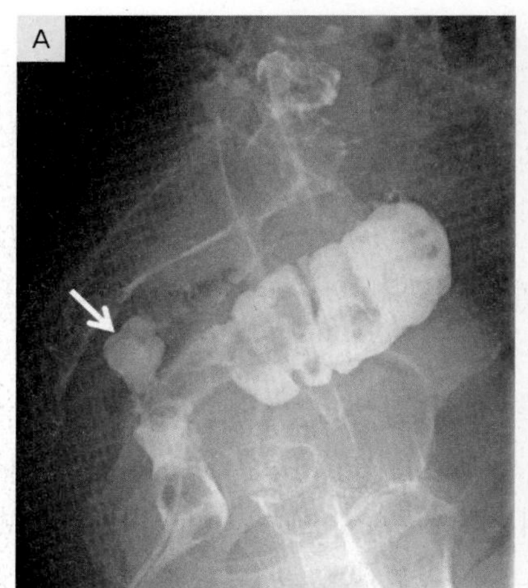

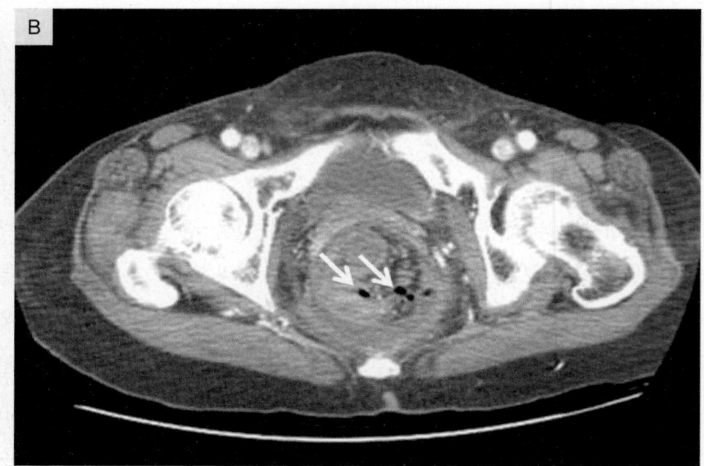

그림 2-112 **직장암 수술 후 발생한 문합부 누출.** 직장암 수술 후 시행한 수용성조영제 촬영술 (A) 복부골반 CT (B)에서 봉합기선의 결손과 골반강 내에 공기를 포함한 장액이 누출 (화살표)되어 있는 것을 확인할 수 있음

문합부누출이 확인되면 환자의 상태에 따라서 치료를 결정한다. 증상이 경미하고 수용성 조영제검사로만 누출이 확인될 경우 또는 농양이 복강 내에 한정되어 있고 그 크기가 작은 경우는 항생제와 금식으로 호전될 수 있다. 누출로 인해 큰 농양이 형성된 경우에는 복부골반CT나 초음파 유도하에 배농을 시도할 수 있다. 하복부 혹은 범발성 복막염이 동반된 경우 응급수술이 필요하며 복강과 골반강내를 세척하고 근위부에서 장루를 조성하는 것이 가장 안전하다. 큰 농양이 형성된 경우 복막염이 동반되어 있을 가능성이 높으므로 배농을 시행할 때 응급수술 가능성을 염두에 두는 것이 필요하다. 누출부위의 봉합은 상당수에서 제대로 치유되지 않고 장피누공이 발생할 수 있으므로 그대로 두고 장루에 의한 누공부위의 자연치유를 기다리는 것이 바람직하며, 특히 복강내 대변오염과 누출부위의 염증이 심한 경우에는 금기이다.

(2) 문합부협착

직장암 수술 후 문합부협착의 발생율은 0.9-16.7%까지 보고되고 있지만, 협착의 정의에 따라서 빈도가 달라질 수 있다. 문합부협착은 문합부 누출이나 허혈의 결과로 발생하는 경우가 많다. 특히 근위부 장루를 형성했던 경우 문합부위를 사용하지 않았기 때문에 정도의 차이는 있지만 협착이 빈번하게 발생할 수 있다. 문합부협착은 재발에 의해서도 발생할 수 있으므로 협착이 있는 경우에는 반드시 재발에 의한 것인지 확인해야 한다. 대부분의 문합부협착은 첫 수개월 내에 단단한 대변에 의해 확장될 수 있다. 따라서 직장암 수술 후 발생하는 문합부협착은 대부분 시간이 지나면서 배변에 의해 확장되어 특별한 치료를 필요로 하지 않으나, 호전되지 않는 경우는 수지 혹은 Hegar확장기로 확장하거나 문합부위가 높은 경우에는 내시경 풍선확장술을 이용할 수 있다. 확장기를 사용한 방법으로 호전되지 않거나 극히 단단하고 협착부위가 길면 드물게 수술이 필요한 경우도 있다.

(3) 누공

문합부누출은 장기적으로 장피누공, 직장질루, 남성요로계로의 누공, 만성적인 전천골농양을 초래할 수 있다. 특히 술 전 방사선항암화학요법이 장기적인 문합부합병증을 통해 누공형성과 관계가 있다는 주장이 다수에서 제기되고 있다. 결장과 피부간에 누공이 형성된 경우 금식과 완전비경구영양치료Total Parenteral Nutrition (TPN) 등의 보존적인 방법으로 호전될 수 있지만 배농이 지속될 경우 3-6개월 후 누공절제술과 재문합을 실시해야 한다. 직장질루는 흔히 직장박리 시 질벽을 약화시켜 문합부누출이 약해진 질벽을 침범하거나 자동문합기 사용 시 질후벽이 문합에 포함되어 발생하게 된다. 후자의 경우와 수술 전·후 방사선치료가 동반된 경우에는 자연치유를 기대하기 어렵다. 6-12주 정도 염증이 호전되기를 기다린 후 점막피판술을 시행하거나 재문합을 시행해야 한다. 만성 전천골농양은 후방으로 문합부누출이 발생할 경우 흔히 관찰되며 모호한 골반통, 열, 빈변, 급박변, 출혈 등 애매한 증상을 주로 호소한다. 이 경우 마취 후 문합부위를 자세히 살펴 결손이 있는 곳을 넓히고 육아조직을 제거하면 배농이 원활해져 이차치유를 기대할 수 있지만 가성게실이 발생할 위험이 있다.

(4) 문합부출혈

문합부출혈은 비교적 흔한 합병증이고 그 중증도가 다양한데 수기봉합을 한 경우에 비해서 봉합기를 이용한 경우에 더욱 빈번한 것으로 알려져 있다. 대부분의 경우 출혈은 심각하지 않고 자연소멸되는 경우가 대부분이며 첫 배변 시 흑변이나 혈변을 보는 증상으로 자각하게 된다. 이 경우 배변완하제와 동반된 응고장애를 교정함으로써 호전될 수 있다. 드물게는 수혈이나 적극적인 치료를 필요로 하기도 한다. 출혈이 지속되는 경우 내시경을 이용하여 지혈하거나 혈관조영술과 색전술을 이용할 수 있지만 색전술의 경우 문합부의 혈류차단에 의한 괴사의 위험이 동반될 수 있으므로 신중하게 결정해야 한다. 드물게 수술 직후 대량출혈이 발생할 수 있으며 이 경우 복부골반 CT, 혈관조영술 및 섬광스캔scintiscan으로 출혈부위를 확인하고 응급수술이 필요할 수 있다. 대량출혈의 경우 대장내시경은 출혈부위를 알아내는데 도움이 되지 않는 경우가 많다.

(5) 요관 및 요도손상

직장암 수술과정에서 하장간막동맥의 근위부를 결찰할 때, 천골융기부위를 박리할 때, 골반부에서 직장을 박리할 때, 직장과 정낭 사이를 박리할 때 요관손상이 발생할 수 있다. 복회음절제술을 시행할 경우 회음부절제를 진행할 때 막성요도 혹은 전립선요도과 너무 가까이 박리하면 요도손상이 발생할 수 있다. 수술 중 발생하는 요도손상은 수술 중 확인하여 즉시 교정해야 한다. 치료는 손상부위를 일차봉합하거나 부위가 긴 경우 손상부위 절제 후 단단봉합하는데 봉합부위의 긴장을 줄이고 협착이 발생하지 않도록 유의해야 한다.

(6) 배뇨기능장애

배뇨기능장애는 직장암 수술 후 빈번한 합병증이다. 주로 남자에서 발생하며 전립선비대가 동반되어 있는 경우가 많다. 진단기준에 따라 그리고 보고자에 따라 빈도의 차이를 보이는데 국내연구에서는 10.8-58.5%까지 보고하고 있다. 대부분의 경우 박리부위의 부종 및 해부학적 위치의 변화 등에 기인하는 일시적인 요정체로 나타나며, 직장암 수술 후 요정체가 발생할 경우 수일 또는 수주 동안 도뇨관 삽입이 필요할 수 있고, 이런 조치로 대부분 호전될 수 있다. 골반내 자율신경을 확인하고 완전하게 보존하거나 편측이라도 보존된 환자들은 대부분 빠른 시간 내에 회복하며, 대개 3-6개월 내에 저절로 호전된다.

(7) 성기능장애

직장암 수술 후 남성 성기능장애는 잘 알려져 있는 합병증이다. 부교감신경은 S2-S4에서 나와 교감신경과 만나 골반신경총을 형성하는데, 이 신경은 방관배뇨근을 지배하며 발기에 관여한다. 골반신경총의 손상은 특히 직장과 정낭 사이를 박리할 때와 직장의 측방박리 시 빈번히 발생할 수 있어 주의가 요구된다. 발기장애는 10.4-19.1%, 사정장애는 13.2-39.3%까지 보고되고 있는데, 높게는 64.3%까지 성기능장애 빈도를 보고하고 있으며 연구자에 따라 차이가 크다. 연구자간 빈도차이가 큰 이유는 술기 숙련의 차이, 성기능장애의 정의, 추적기간, 환자의 나이, 술 전 성기능상태, 술 후 환자의 심리상태 등이 다르기 때문이다.

직장암수술 후 여성에서 나타나는 성기능장애는 잘 알려져 있지 않다. 분석상 제한이 있지만 빈도는 10-20%로 알려져 있고, 성욕감퇴와 성만족도의 소실, 성교불쾌증dyspareunia 등이 흔한 증상이다.

(8) 배변장애와 변실금

직장암수술 후 삶을 질을 높이기 위한 노력과 함께, 자동봉합기의 보편적인 사용 및 수술술기의 발달로 하부직장에 위치한 종양에서도 괄약근보존술이 가능하게 되었다. 또한 술 전 방사선화학요법의 적용으로 괄약근보존술의 적용범위가 확대되면서 괄약근보존술 후 배변기능에 대한 관심이 더욱 높아지게 되었다. 직장절제술 후 변실금 또는 배변장애는 15-50%에서 발생하는 것으로 알려져 있으며, 변실금이나 배변장애의 기준이 달라 빈도가 다양하게 보고되는 것으로 생각된다. 저위전방절제술 환자에서 변실금의 발생과 관련이 있는 요인으로는 항문연에서부터 문합부까지의 거리와 문합후에 새로 생긴 직장의 용적, 안정시 항문압의 감소, 직장감각의 소실 등이 보고되고 있지만 객관적인 확인이 힘들다. 저위전방절제술 후 발생한 배변장애나 변실금은 문합형태에 따라서 다소 차이를 보이지만 대부분 술 후 1-2년 기간이 경과하면서 증세가 호전된다.

(9) 회음부 상처감염 및 치유지연

회음부 상처감염이나 치유지연은 복회음절제술 후 주요 합병증 중 하나이다. 관련인자 중 가장 중요한 것은 술 전방사선항암화학요법이다. 이외 긴 수술시간, 술 중 회음부오염, 염증성장질환이 합병된 경우 위험인자로 작용한다. 회음부감염이 발생할 경우 피부를 개방하여 배농될 수 있도록 한다. 조직이 어느 정도 회복된 후 피하조직을 재봉합하여 폐쇄배액관을 설치하여 혈종의 형성이나 섬유화를 방지한다. 치유가 지연되어 회음동이 형성되면 상처봉합시 근피판musculocutaneous flap이 필요한 경우도 있다.

(10) 결장루관련 합병증

복회음절제술을 시행한 경우 결장루와 관련된 합병증이 발생할 수 있다. 흔한 초기합병증으로는 장루의 누출, 피부자극, 장루주위 피부염, 과다배출high output, 허혈 등을 들 수 있으며, 후기에는 결장간막간 탈장, 장루협착, 장루주위탈장, 장루탈출 등을 들 수 있다. 초기 합병증 중 과다배출상태는 결장루에서는 드물고 회장루에서 흔히 발생한다. 장루를 형성한 직후 부종이나 정맥울혈은 흔히 발생한다. 이는 장이 복벽을 통과할 때 작은 장간막정맥이 압박되어 발생하는데 대부분 별다른 치료없이 저절로 호전된다. 그러나 허혈은 이와는 달리 장간막의 긴장이나 과도한 장간막 박리가 원인이 되며, 심각한 합병증으로써 결장루의 1-10%에서 발생한다. 근막수준에서 장루가 건강한지를 확인하는 것이 중요하며 근막수준에서 장루가 건강할 경우 보존적 치료를 하면서 관찰할 수 있다. 그러

표 2-22. 직장암의 근치적 절제술 후 전체생존율 및 무병생존율

저자	연도	환자수, 명	추적기간, 월	전체 5년생존율, %	5년무병생존율, %
Chung 등	2001	557	27.6	44.4(상직장) 59.2(중직장)	
Lim SB 등	2005	126	69.4	77.6	74.3
Kim JC 등	2007	309(2,3기)	68	78.3	67.3
Jung SH 등	2008	1391	40.1	74.1(누출없음*) 55.1(누출있음*)	
Lee WS 등	2008	1278	44.6	80.2(누출없음*) 64.9(누출있음*)	78.1(누출없음*) 65.9(누출있음*)
Kim YW 등	2009	900(2,3기)	60.8	85(2기) 66.3(3기)	79.5(2기) 58.6(3기)
Lee JL등	2013	1068	56	84.3	76.8
Kang SB 등	2014	340	46 (개복) 48 (복강경)	90.4 (개복)+ 91.7 (복강경)	72.5 (개복)† 79.2 (복강경)
Park EJ 등	2015	217	58	92.8 (로봇) 93.5 (복강경)	81.9 (로봇) 78.7 (복강경)

*문합부누출. + 3년 생존율, † 3년 무병생존율

나 장루점막이 생존하지 않는다면 괴사로 진행할 수 있으므로 즉시 개복하며 장루를 다시 형성해야 한다. 결장간막간 탈장은 에스결장 혹은 하행결장의 영구결장루 조성 시 발생할 수 있으며 소장폐쇄 및 괴사로 이어질 수 있는데 이를 예방하기 위해서 결장루 조성 시 박리된 결장간막을 복벽에 세심하게 봉합해서 고정해야 한다.

10) 예후 및 추적진료

(1) 예후

직장암 절제술 후 생존율은 최근 수술방법의 발달 및 보조적 치료의 향상으로 급격한 발전이 있었다. 국내 직장암환자의 근치절제술 후 5년생존율은 55-80%로 보고되고 있으며, 병기에 따라서 생존율에 큰 차이가 있다(표 2-22). 직장암의 경우 결장암에 비해 국소재발이 많은 특징이 있다. 직장암에 대한 적절한 수술원칙인 전직장간막절제술이 보편화되면서 국소재발을 감소되었을 뿐 아니라, 전체생존율의 증가를 가져왔다. 북유럽 국가들의 전직장간막절제술 확산을 위한 국가적 사업의 연구결과는 이러한 사실을 잘 뒷받침하고 있다. 전직장간막절제술의 개념을 이론적으로 확립하고 보급하는데 앞장선 Heald 그룹에서는 전직장간막절제술 시행 후 8년 추적검사결과 국소재발률이 Dukes A병기에서는 2%, Dukes B병기에서는 4%, Dukes C병기에서는 7.5%로 보고하고 있으며 전체재발률은 Dukes A에서 8%, Dukes B에서 18%, Dukes C에서 37%로 보고했다. 국내의 연구에 따르면 국소재발률은 2.6-11.3%으로서 술자간 다양한 차이를 보이고 있다(표 2-23).

국소재발의 위험인자로는 연구에 따라 차이가 있으나, 암의 침윤정도(T category), 림프절 전이정도(N category), 림프관 및 혈관침윤, 종양의 위치 등이 알려져 있다. 이외 문합부누출이 국소재발에 영향을 미치는 지에 대한 다수의 연구가 있으며 이견이 있다. 림프절전이는 국소재발률 뿐 아니라 전체생존율에 가장 큰 영향을 미치는 요소 중 하나이다. 림프절전이의 개수 뿐 아니라 전이된 림프절의 위치도 전체생존율과 관계된다는 의견이 제시되기도 한다. 국내 연구진들은 AJCC 3기 환자를 대상으로 연구에서 하장간막정맥림프절에 전이가 있는 경우 5년무병생존율이 31%로 전이가 없는 경우의 50%에 비해 의미있

표 2-23. 직장암의 근치적 절제술 후 국소재발률

저자	연도	환자수, 명	추적기간, 개월	국소재발률, %
Kim NK 등	2006	114 (술전방사선화학요법)	39.4	11.4
Park IJ 등	2007	390 (2A기)	65	2.8
Yun HR 등	2007	844	60.9	11.3
Kim JC 등	2007	309	68	7.5 (3기)
Jung SH 등	2008	1391	40.1	3.7(전체) 2.2(문합부누출 없음) 9.6(문합부누출 있음)
Kim NK 등	2009	723		8.6
Kim TH 등	2009	366 (술전방사선화학요법)	40.1	7.9
Kim JS 등	2009	122 (술전방사선화학요법)	44.7	22 (복회음절제술) 11.5(괄약근보존술)
Lim SB 등	2012	581 (술전방사선화학요법)	61	6.4
Kagn SB 등	2014	340 (술전방사선화학요법)	48 (복강경) 46 (개복)	2.6 4.9
Kang J 등	2015	1083	54	1.8 (문합부누출 없음) 6.4 (문합부누출 있음)

게 낮음과 림프절 전이의 위치에 따라 생존율에 차이가 있음을 보고하기도 했다. 이외 전체생존율의 위험인자로는 암의 침윤정도, 림프절 전이여부, 림프관 및 혈관침윤, 술전 CEA치 등을 들 수 있다. 수술 후 회수된 림프절에 숫자가 생존율에 영향을 미치는지에 대한 다수의 연구가 시행되었는데 대체로 회수된 림프절의 숫자가 적을 경우 생존율이 낮게 나타나며 이는 절제된 림프절수가 적으면 병기평가가 부정확할 수 있다는 의견이 보편적으로 제시되고 있다.

직장암에서 대장암에 비해 국소재발이 중요한 문제로 제시되어왔다. 수술기법의 발전과 술 전 방사선항암화학요법의 도입 등으로 국소재발의 현저한 감소를 가져왔으나 아직도 직장암환자는 대부분 원격전이 때문에 사망하게 된다. 현재 직장암수술 후 재발은 30–50%까지 보고되고 있으며, 70–80%가 수술 후 2–3년 이내에 재발하는 것으로 알려져 있다. 원격전이는 간전이와 폐전이가 가장 많이 발생하는 것으로 알려져 있다. 직장암에서는 결장암에 비해 첫 전이가 간보다는 폐에 발생하는 경우가 많은데 이는 직장에서 중·하직장정맥과 전신혈관과의 교통에 기인할 수 있는 것으로 여겨지고 있다. 간에 원격전이가 있는 경우 간절제를 시행하는 것이 가장 좋은 결과를 보이는 것으로 알려져 있으며, 간전이에 대한 절제는 적응이 되는 경우 가장 확실한 근치방법으로써 35–58%의 5년생존율을 나타낸다. 그러나 간전이가 해부학적 위치상 절제가 힘들거나 다발성 병변에서 직경 3cm 이하인 경우 고주파온열치료를 고려할 수 있다. 또한 폐전이가 있는 경우에도 국한된 경우 간전의 경우와 동일하게 절제를 통해 30–55%의 5년생존율을 보고하고 있다.

골반측방림프절에 전이가 많게는 전체 직장암의 15%까지 발생하는 것으로 보고하고 있으며 이 경우 술전방사선항암화학요법 및 근치적절제술 후에 국소재발의 원인이 되는 것으로 알려지고 있다. 이를 방지하기 위해서 1970

년 중반부터 일본을 중심으로 골반복막이행 하방의 진행 성직장암에서 측방골반림프절절제술을 보편적으로 적용하고 있으며 10% 내·외의 국소재발률을 보이고 있다. 그러나 본 술식에 따르는 수술시간의 연장, 수혈 및 배뇨 및 성기능장애를 포함하는 합병증을 간과할 수 없겠다. 최근 연구에서 직장암에 대해서 전직장간막절제를 포함하는 근치술후 측방골반림프절절제와 술 전 방사선화학요법을 시행한 후 전직장간막절제술를 시행한 양군의 비교에서 양군의 무병생존율이 유사한 것으로 보고되어 술 전 방사선항암화학요법이 보편화된 현재에 측방골반림프절절제술의 역할에 제한점을 제기하기도 했다. 측방골반림프절절제술은 개별환자의 전신상태 및 병기를 고려해서 익숙한 술자에 의해 신중하게 시행하여야 하며 진행암에서는 반드시 술 전 혹은 술 후 방사선화학요법을 함께 고려해야 하겠다.

(2) 추적진료

대장암의 근치적절제 후 추적관리의 목적은 치료결과의 정확한 평가, 재발의 조기발견 및 신속한 치료를 통해서 생존율을 향상시키는데 있으며 추적관리의 시기와 검사방법 등에 대해서는 다양한 견해가 있다.

가. 수술 후 추적검사의 종류

수술 후 추적검사에는 이학적 검사와 병력청취, 혈청 CEA치, 대장내시경, 흉부방사선검사, 흉부 및 복부골반 CT와 필요시 PET 혹은 PET-CT가 포함된다. 수술 후 환자를 진찰할 때 정확한 병력을 청취해서 의심되는 증상을 파악하고 직장수지검사 또는 질을 통한 수지검사, 회음부 촉지등의 이학적 검사가 무엇보다도 중요하고 선행되어야 한다. 대장암환자의 수술 후 추적조사 검사방법 가운데 혈청CEA치의 측정이 가장 간단하고 효과적인 방법이며, 정기적으로 검사를 시행하면(수술 후 2년간 매 3개월, 이후 5-8년까지는 매 6개월) 임상적으로 재발이 확인되기 전보다 먼저 CEA가 증가하여 초기에 진단할 수 있다. 그러나 재발된 환자에서 모두 CEA가 증가하는 것은 아니고 또 한두 번의 증가가 반드시 재발을 의미하지는 않는다. 추적검사에서 대장내시경을 실시하는 목적은 국소적 재발의 발견, 수술 전 혹은 수술 시 발견하지 못한 동시성 선종 및 암의 발견, 이시성종양의 발견에 있다. 술 전 전체대장에 대한 대장내시경검사를 권유하고 있지만 상당수의 진행암에서 폐쇄가 동반되어 맹장까지 관찰하지 못하는 경우가 있다. 동시성 용종의 빈도는 21-55%이며, 동시성암은 1.7-10.7%로 간과할 수 없는 수치이다. 따라서 수술 전 전체대장을 충분히 검사해서 동시성 종양의 유무를 판단하고 치료하며 수술범위를 결정하는 것이 중요하고, 수술 전 폐쇄로 충분한 검사를 시행하지 못한 경우에는 반드시 수술 후 3-6개월 이내에 검사를 시행할 것을 권유하고 있다. 술 후 병변이 있는 경우는 매년, 그리고 없는 경우에서도 최소 매 3-5년(가족력이 있는 경우는 매 2-3년) 간격으로 대장내시경검사를 시행하는 것이 바람직하다. 대장암수술 후 이시성대장암의 발병률은 0.6-10.6%로 다양하게 보고되었는데, 이시성의 정의가 보고자마다 다르고 추적관찰기간이 다르기 때문이다. 이시성 대장암은 특히 동시성 선암 혹은 선종을 가진 환자에서 빈도가 높기 때문에 대장암으로 수술받은 환자들과 특히 동시성종양을 가지고 있던 환자에서는 보다 주의깊은 대장내시경 추적검사가 필요하다. 대장내시경에 어려움이 있는 경우, 병변의 조직검사 및 절제는 시행할 수 없지만 이중바륨조영술 혹은 CT대장조영술로 확인해야 한다. 이외 우리나라에서는 위암이 빈발하며 대장암환자에서 그 빈도가 더욱 높은 점을 감안해서 대장내시경검사와 함께 위내시경 검사를 병행하는 것이 바람직하다. 흉부방사선선검사는 간단히 시행할 수 있고 경제적 부담이 적기 때문에 많이 이용된다. 그러나 대장암의 폐전이 진단에는 그 효용성이 떨어져 현재 국제추적검사 권고안에서는 제외되고 있지만 술 후 보조요법 중인 경우 및 대장암이 호흡기병변에 의한 사망이 전체의 6%로서 노년에 빈발하는 점을 감안하면 매 추적진료 시 권장된다. 복부골반CT는 대장암에서 가장 흔한 간전이와 골반을 포함한 국소재발을 진단하기 위해 시행된다. 그러나 종양이 작고 초기인 경우에는 발견하기 어렵고 주로 크기로 결정되는 림프절의 전이여부도 염증에 의해 비대해진 경우 위양성으로 나올 수 있으며 수술 후 반흔이나 염증성 변화와 감별이 쉽지 않다. 간전이의 경우 수술 시 손으로 확인할 수 없는 부위를 진단할 수 있으므로 일차적 선별에 유용하지만, 1cm 이하로 크기가 작은 경우 놓치기 쉽고 양성종양과의 감별이 어려운 경우가 있다. 흉부CT는 동시성 폐암 및 폐전이의 발견과 추적관찰에 유용하다. PET검사는 기존의 영상진단에 비하여 경제적 부담이 크고 효용성에서 크게 차별화되지 않지만 기존의 영상진단방법으로 재발의 진단이 어렵거나 다발성 재발에 대한 감별진단 시 보완적인 방법으로 이용하는 것이 추천된다.

이외 간기능검사, 대장조영술, 복부초음파, 경직장초음파, MRI, 골주사bone scan 등이 이용될 수 있다. 혈청 간기능검사(transaminase, alkaline phospatase, bilirubin등)는 일반적으로 간전이가 상당히 진행 후 수치상 변화를 보이고 혈청CEA치보다 변화가 늦게 나타나므로 전이암의 발견에 사용하기 보다는 전신상태 및 동반병변을 확인하는 데 사용된다. 대장조영술은 정확도가 대장내시경에 비해 떨어지기 때문에 대장의 구조적 특이성 및 다른 이유에서 대장내시경을 시행하지 못하는 경우에 대안으로 시행하고 있다. 복부초음파는 CT에 비해 특이도가 떨어지지만 간단히 시행할 수 있고 상호 보완적인 장점이 있으며 방사선조사의 위험이 없어 유용하다. 경직장초음파는 수술 전 검사로 암의 진행정도 파악에 유용한 검사로, 수술 후 문합부 재발에서도 전층을 파악하여 진행정도를 알 수 있지만, 시술자의 기술과 경험에 따라 결과가 달라질 수 있다. 최근 직장암의 추적검사에서도 국소재발 및 간전이 확인에 MRI사용이 점차 증가되고 있지만 아직 선별검사로 사용하는데는 충분한 비교연구가 미흡하다. 골주사는 뼈전이가 의심될 때 시행하는 검사로 PET에서 포함하지 않는 두개골 전부분과 대퇴부 이하를 포함하므로 뼈전이의 진단에 유용하게 사용할 수 있다.

나. 추적관리 지침

다양한 추적조사의 유용성을 알기 위한 임상시험에서는 주기적으로 잦은 추적조사로 무증상일 때 원격전이를 발견하여 생존율을 향상시킬 수 있으며, 조기에 국소재발을 발견하여 절제율을 높일 수 있어야 하는데 적극적인 추적검사 프로그램을 시행하여 5년생존율을 10%까지 높일 수 있는 것으로 보고되고 있다. 그러나 일부에서는 추적검사가 환자의 생존율에 차이를 주지 않기 때문에 추적검사의 필요성에 의문을 제기하는 연구도 있으며 추적관리의 검사종류 및 시기는 매우 다양하다. 2015년도 미국임상종양학회에서 발표한 대장암치료지침서에서는 문진과 이학적 검사, 혈청CEA치, 대장내시경 또는 직장경, 복부 및 흉부 CT등의 검사를 5년까지 시행할 것을 권장하고 있다. 2016년도 National Comprehensive Cancer Network 지침서(www.ncn.org)에서는 진단, 수술, 병리학적 검사 및 수술 후 5년간의 추적진료, 재발의 진단과 치료에 관한 전반적인 사항을 제시하고 있다. 여기에는 결장암과 직장암으로 나누어 각각에 따라서 검사의 종류와 시기를 제시하고 있으며, 추적검사의 종류에는 CEA, 흉부, 복부골반CT, 대장내시경 등을 포함하며, 직장암 환자 중 저위전방절제술을 시행한 경우에는 직장경을 선택사항으로 포함하였고 PET은 특별한 경우에 시행하도록 권유하고 있다.

4. 보조요법

1) 술전방사선화학요법

외과절제술은 직장암치료에서 가장 중요한 요소이지만, 좁은 골반에 위치하고, 주변장기와 인접해 있으며, 암의 전파를 일차적으로 막을 수 있는 장막이 없는 중·하직장의 해부학적 특성으로 인해 근치적절제 후에도 전체 환자의 25–50%에서 국소재발이 문제가 되어 왔다. 1990년도 이후로 직장암의 표준수술방법인 전직장간막절제술이 보편화되면서 국소재발률은 10% 이하로 낮아졌고, 아울러 방사선치료와 최근 표적치료제target therapy를 포함한 항암화학요법이 개발되면서 직장암의 치료성적은 현저하게 개선되었다. 단독으로 수술을 시행한 경우에 비해 방사선치료를 추가하였을 때 국소재발률이 더욱 낮아진다는 것이 여러 연구결과에 의해 증명되면서 국소진행성 직장암에서 근치적절제술에 방사선화학요법을 보조요법으로 추가하는 것이 표준치료로 시행되고 있다. 보조적치료는 시행시점에 따라 술 전과 술 후 치료로 나눌 수 있으며, 현재 진행암(림프절전이와 무관하게 T3이상의 병변)에서는 술 전 방사선화학요법preoperative radiochemotherapy이 술후방사선화학요법postoperative radiochemotherapy에 비하여 종양의 국소재발을 줄이고 치료부작용이 적다는 연구결과로부터 술 전 방사선화학요법이 선호되고 있다. 그러나 수술 전·후 치료 간의 표준화된 비교연구는 아직 미흡하며 지속적이고 조절된 비교연구가 필요하다.

수술 전 방사선치료는 생물학적으로 종양세포의 방사선 감수성이 높은 상태에서 조사되므로 치료효과를 높일 수 있고, 수술에 의한 소장유착이 없는 시기에 시행되므로 방사선에 의한 소장합병증을 줄일 수 있으며, 수술 시 종양세포의 파종가능성과 다장기절제를 줄이고 괄약근보존율을 향상시킬 수 있다는 장점을 갖는다. 괄약근보존율의 향상에 관한 연구에서는 종양하연이 항문연으로부터 3cm 이내에 위치하는 하직장암에서도 술 전 방사선화학방사선요법을 시행함으로써 약 30%에서 괄약근보존이 가능하다고 보고되었다.

최근의 3상 임상연구를 통하여 임상병기 T3-4기의 직장암 환자에 대해 술 전 방사선치료에 화학요법을 병행함으로써 방사선치료 단독에 비해 완전관해율의 증가와 국소재발률의 감소가 보고된 이후 술 전 방사선요법 시 화학요법을 병용하여 사용하는 것이 보편적으로 권장된다. 다수의 임상연구에서 5-FU와 leucovorin을 동시 병용하는 방법의 안전성이 입증되었지만, 아직까지는 방사선요법 시 병용할 수 있는 최적의 항암제재는 확정되지 않았다. 현재는 5-FU 지속정주, 5-FU 및 leucovorin 급속정주 또는 capecitabine 복용을 병행하는 방법이 권고되고 있으며, 이외 oxaliplatin과 irinotecan 등 대장암의 이차항암제나 VEGF (vascular endothelial growth factor) 항체인 bevacizumab과 EGFR (epidermal growth factor receptor) 항체인 cetuximab 등과 같은 표적치료제 병용하여 치료효과를 향상시키기 위한 임상연구가 진행되고 있다. Cetuximab의 경우 치료반응성이 높은 KRAS 유전자의 체성돌연변이가 없는 환자에게 선택적으로 사용을 권하고 있다. Capecitabine을 이용한 2상 임상연구에서는 종양의 병리학적 병기감소율 76%, 항문연 5cm 이내의 하직장암에서 괄약근보존율이 74%까지 보고되었고, 기존의 5-FU와 leucovorin을 정주하는 방법과 capecitabine을 병용한 방법의 비교연구에서는 두가지 방법 사이에 종양의 방사선학적, 병리학적 반응율에는 차이가 없었다. German CAO/ARO/AIO-04 연구에서는 술 전 방사선항암요법과 술 후 항암치료시기에 fluorouracil 기본치료에 oxaliplatine을 추가함으로써 3년 무병생존율이 유의하게 증가(75.9% vs. 71.2%)함이 보고되었고, 국내 ADORE 연구에서도 술 후 항암치료시기에 oxaliplatine을 추가함으로써 3년 무병생존율이 유의하게 증가(71.6% vs. 62.9%)됨이 보고됨으로써, 술전방사선항암요법을 적용하는 국소진행성 직장암 환자의 술전, 술후의 항암약제 결정시 oxaliplatine에 대한 효용성이 제기되고 있다.

방사선화학요법 후 수술시기는 술 전에 시행한 방사선치료의 방법에 따라 달라진다. 유럽에서 많이 시행되고 있는 방법은 단기간의 저용량방사선치료(25Gy/5회)후 1-2주 내 수술을 시행하는 것이고, 미국이나 우리나라에서 시행되고 있는 방법은 장기간 고용량방사선치료(45-54Gy/25-28회) 4-8주 후 수술을 시행하는 것이다. 2가지 치료법에서 투여되는 방사선의 종양학적 작용은 동일하지만, 실제적인 효과와 임상성적에 대한 비교연구는 없는 상태이다. 방사선치료로 종양의 크기가 충분히 감소되기 위해서는 방사선치료 후에 최소 3-4주의 시간이 필요하므로, 항문괄약근보존술을 고려하는 경우라면 치료용량을 조사하는 장기간에 걸친 고용량방사선치료 방법을 선택하는 것이 타당하다. 수술 전 화학방사선요법후 수술시기를

4-6주와 6-8주 후로 나누어 치료성적을 비교하였을 때 방사선화학요법에 의한 반응률, 괄약근보존율, 수술합병증 발생률, 국소재발률에는 차이가 없는 것으로 보고되고 있다. 최근 국내연구에 의하면 완전관해율은 화학방사선요법 종료 후 5주부터 증가하며, 10주 이후부터는 감소한다고 하여 적절한 수술시기를 6주-10주로 제안하였다.

종양이 관해되어 T병기가 감소되는 경우에는 림프절전이의 빈도도 낮아져 병리학적으로 T0-1 병기인 경우의 림프절 전이는 5% 미만으로 보고되었다. 장기간의 수술 전 방사선화학요법에 의한 완전관해율은 10-25%로써 완전관해의 정의에 따라서 다소 차이를 보이며, 방사선화학요법에 의한 병리학적인 병기감소는 예후에 영향을 미친다. 국내의 최근연구에 의하면 병리학적으로 완전관해가 된 경우 5년생존율은 0기 100%, 1기 80%, 2기 56.8%, 3기 42.3%이었다(표 2-24).

한편 절제가 힘든 동시성 간전이가 있는 직장암에서 항암제치료를 선행해서 그 반응정도에 따라서 절제율을 높이고자 신보강화학요법neoadjuvant chemotherapy이 시도되고 있다. 대장암은 다른 고형암과 달리 간전이에 대하여 적극적인 절제술을 시행함으로써 25-50%의 5년생존율을 보일 수 있는 질환이다. 그러나 간전이 환자의 15-20%만이 진단 시 간절제가 가능한 상태이기 때문에, 최근 간절제가 불가능한 환자군에서 다양한 항암제재를 사용하는 선행치료를 통해 간절제가 가능한 환자군으로 전환시키고자 하는 방법이다. 이처럼 간절제율을 증가시키고자 하는 방법에는 간문맥색전술, 선행화학요법, 단계적 간절제술 등이 있다. 간문맥색전술 후 4-6주가 경과하면, 전이병변을 절제한 후에도 잔여간의 기능성 용적을 유지할 수 있을 정도로 전이병변이 없는 간엽에서 보상적인 비후가 발생한다. 이 방법은 간절제 후 정상 간의 25% 미만, 경화성 간의 40% 미만의 간용적이 남을 것이 예상되는 경우에 사용되며, 70-80%에서 안전하게 충분한 비후를 얻을 수 있으며, 간문맥색전술 후 간절제를 시행한 경우에서 5년생존율은 35%까지 보고하고 있다. 절제가 불가능한 간 전이에 대하여 선행화학요법을 시행하는 목적은 간절제 가능성을 높이는 것이다. 5-FU와 oxaliplatin 혹은 irinotecan을 사용한 선행화학요법에 대한 종양 반응률은 50%에 달한다. 이 방법을 이용하여 간절제를 시행한 1996년의 최초보고에 의하면, 5-FU와 oxaliplatin을 이용한 선행화학요법으로 초기에 절제 불가능하였던 간전이 환자 16%에서 성공적인 간절제가 가능하였고, 이들의 5년 생존율은 40%로 보고되었다. 701명의 절제 불가능한 간전이 환자에 대한 최근 연구에서도, 95명(13.6%)에서 선행화학요법을 통해 절제가 가능하였고, 이들의 5년생존율은 34%로 보고되었다. 선행화학요법의 반응율을 높이기 위하여 기존의 5-FU, oxaliplatin, irinotecan 외에도 bevacizumab, cetuximab을 추가하는 여러 임상연구들이 진행중이다. 이외 간전이 병변을 한번에 제거하는 것이 잔여 간용적이 부족으로 어려운 경우에는 계획적인 단계적 간절제도 시도되고 있다. 일차수술 후 3-6개월 후에 이차간절제를 시행하는 방식으로서 아직 장기간 치료성적은 보고되지 않았지만, 초기결과들에 의하면 일부환자에서 안전하게 시행가능하다고 보고되고 있다.

진단 시 절제가 불가능하다고 판단된 국소 진행성직장암에 대해서는 선행방사선화학요법 혹은 선행방사선요법을 통해 절제율을 증가시킬 수 있다. 기존의 여러 연구에서 절제 불가능한 경우 선행방사선요법을 통해 28-64%의 환자에서 암세포음성 절제면을 얻을 수 있었으며, 근치적인 절제도 가능하였다고 보고되었지만 보편적인 적용에는 아직 장기적인 연구결과가 필요하다.

2) 수술 후 방사선화학요법

수술 후 방사선화학요법의 가장 큰 장점은 절제된 조직으로부터 정확한 병기를 알아내어 추가적인 보조치료가 필요한 대상환자를 정확히 선별할 수 있다는 것이다. 방사선치료에 화학요법을 병합하는 근거는 항암제가 방사선치료시 세포파괴 능력을 항진시켜 효과적인 국소 종양치료를 할 수 있다는 것과 항암화학요법으로 원격장기에 있을 수 있는 미세 전이병소를 치료하고자 하는 것이다. 수술 후 방사선치료는 병리학적 병기 T3-4 또는 림프절 양성

표 2-24. 술전 방사선 혹은 방사선화학요법의 치료결과

저자	연도	환자수, 명	수술 전 치료	추적 기간	무병생존율, %	생존율, %	국소재발률, %	완전관해율, %
Theodoropoulos 등	2002	88	45Gy+ FL(5-FU+leucovorin)	33개월	-	86.4	3.4	18
Garcia Aguilar 등	2003	168	45-60Gy+ 5-FU	37개월	-	68	5.0	13
German Rectal Cancer Study Group	2006	421	50.4Gy+ 5-FU 지속정주	-	-	76(5년)	6(5년)	-
FFCD 9203		733	45Gy+FL 45Gy	-	-	-	8.1 16.5	11.4 3.6
YUMC, Korea	2006	114	50.4Gy+FL	-	-	0/1/2/3기: 100/80/56.8/42.3	11.4	8.8
Rödel 등	2006	385	50.4Gy+ 5-FU	-	5yr TRG* 4: 86 TRG* 2+3: 75 TRG* 0+1: 63	-	-	10.4
NSABP R-03	2009	123	50.4Gy+FL	8.4년	64.7%(5년)	74.5%(5년)	-	15
MRC CR07 및 NCIC-CTG C016	2009	674	25Gy	4년	77.5	76.7	4.4(3년)	-

TRG, 종양관해 정도: TRG 4, 완전관해; TRG 3, 점액동반 유무에 관계없이 대부분 암세포 소실; TRG 2, 약간의 암세포 존재; TRG 1, 부분관해; TRG 0, 전혀 관해없음.

인 환자에서 국소재발을 감소시킬 수 있다는 것이 여러 연구를 통해 확인되었으며, 이를 토대로 1990년 미국 국립보건원은 2-3병기 직장암 환자에서 술 후 화학방사선요법을 표준요법으로 권고하였다. 방사선치료 기간 동안 5-FU를 투여하는 방법에 대해서는 5-FU를 지속 주입하는 방법과 급속 정주하는 방법이 있다.

수술 후 화학요법과 방사선치료의 적절한 시기에 대한 연구에서는 첫번째 항암치료 주기의 첫날부터 방사선치료를 시작하는 방법이 세번째 항암치료 주기의 첫날부터 방사선치료를 시행하는 방법보다 4년무병생존율을 유의하게 증가시키는 것으로 보고되었다(81% 및 70%). 임상병기 T3N0, IIIA병기 환자군에 대해서는 수술 전·후 화학방사선요법을 추가하는 것과 국소재발률의 감소의 연관성에 대해서는 논란의 여지가 있지만, 재발 고위험군(미분화 혹은 저분화암, 림프맥관침윤암, 폐쇄성 혹은 천공성 직장암 등)에서는 대체로 술 전·후 방사선화학요법을 권장하고 있으며 이에 대한 전향적인 비교연구가 요망된다.

3) 간동맥주사요법

대장암환자의 40-60%에서는 간으로 전이가 발생하며, 이러한 간전이는 환자의 생존과 치료경과에 결정적인 역할을 한다. 국한된 간전이의 경우, 간절제를 통해 5년생존율을 25-40%로 향상 시킬 수 있으나, 광범위한 경우에는 6개월미만의 생존기간을 보인다. 이러한 광범위 간전이에서 최근 표적치료제의 사용으로 반응율이 50%정도까지 기대할 수 있게 되었지만 기존제재의 경우 전신 투여시 여전히 반응율이 낮다. 간동맥에 항암제를 국소적으로 투여하여 치료효과를 높이고자 하는 간동맥주사요법Hepatic Arterial Infusion chemotherapy (HAI)의 이론적 배경은 간의 경우, 간동맥과 간문맥을 통해 혈액공급을 받고 있지만, 대장암에 의한 전이성 전이암은 대부분 간동맥에 의해 혈액 공급을 받는다는 것이 간동맥을 통한 국소화학요법의 근거가 된다. 이 방법의 장점은 전이성 전이암에 항암제를 지속적이고 고농도로 노출시킬 수 있으면서 전신합병증의 빈도를 낮출 수 있다는 것이다. 약물투여의 방법으로는

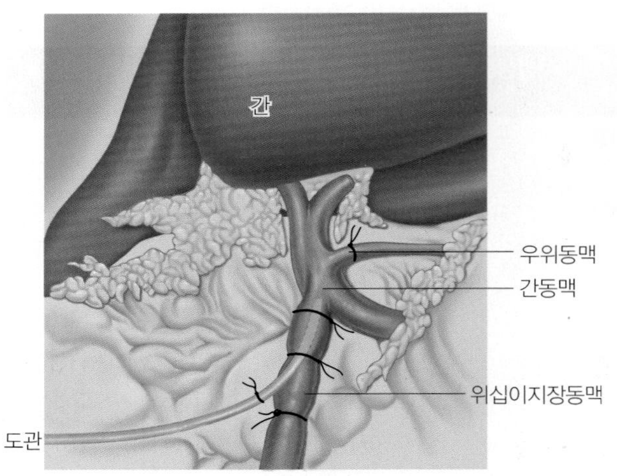

그림 2-113 도관을 위십이지장동맥을 통해서 간동맥과 교차부위에 장치함. 통상 항암제에 의한 담낭괴사 혹은 위궤양을 방지하기 위해서 각각 담낭절제 및 우위동맥 결찰을 병행함

수술시 간동맥에 직접 도관을 삽입하고 피하에 주입낭chemoport 혹은 펌프를 장착하는 방법과 대퇴동맥 또는 상완동맥을 통해 경피적 도관을 삽입하고 이를 간동맥에 위치시킨 후 주입낭을 장착해서 항암제를 투여하는 방법 등이 있으며, 경피적 도관을 이용하는 방법은 혈전, 장치의 이동 등의 합병증이 발생할 수 있다. 일반적으로 대장에 대한 일차수술을 동시에 하는 경우, 도관을 간동맥이나 간동맥의 분지인 위십이지장동맥에 삽입하고 피하조직에 주입낭chemoport 혹은 펌프를 장착하는 방법이 많이 사용된다(그림 2-113). 투여되는 항암제로는 5-FU와 floxuridine (FUDR) 등이 흔히 사용되며, 5-FU가 19-55% 정도에서 간에서 대사되는데 비해 FUDR은 94-99%가 대사되어 보다 고농도의 농도유지가 가능하다. FUDR을 이용한 간동맥주사요법과 전신항암요법을 비교한 연구에서는 간동맥주사요법의 반응율이 높은 것으로 보고되었지만(48-62% vs. 0-21%), 그러나 반응율의 상승이 유의한 생존율의 상승으로 나타난다는 연구결과는 적다. 간동맥은 간내담관과 간외담관의 혈액공급을 담당하고 있기 때문에 간동맥주사요법을 시행할 때 담관의 기능장애가 발생하는 경우가 빈번하며, 경한 빌리루빈의 상승에서부터 담관협착, 담관염 등이 발생할 수 있다. 최근에는 간동맥주사요법과 전신항암화학요법을 병행하여 치료성적을 증가시키고자 하는 방법도 시도되고 있다.

4) 폐쇄성대장암의 치료

장폐쇄는 대장암환자의 약 15%에서 발생하며 응급치료를 요하는 합병증의 하나이다. 이 경우 응급수술시 탈수나 전해질불균형 등으로 환자의 전신상태가 좋지 않으며, 상대적으로 진행된 병변으로 인하여 장의 허혈성변화와 장천공 등의 합병증이 동반되는 경우가 빈번하여, 비폐쇄성 대장암에서 시행하는 정규수술보다 높은 유병률과 사망률을 보인다. 또한 이러한 환자에서는 수술 전 장세척이 되지 않은 점과 불량한 환자상태로 인하여 문합부 누출 가능성이 높고 병변절제후 장문합이 어려운 경우가 많다. 따라서 대장암으로 인해 장폐쇄를 보이는 응급환자의 경우에는 안전한 수술과 환자의 삶의 질을 높이기 위한 두 가지 목적을 고려해서 가장 적절한 치료 및 수술을 고려해야 하겠다.

(1) 단계적 수술

장폐쇄에 대한 전통적인 치료방법으로써, 배변을 위해서 응급 장루조성술을 시행하고 이후에 근치적인 목적으로 병변을 제거한 후, 다시 장루복원술을 시행하거나(3단계수술), 일차 수술 시 병변 제거후 문합하지 않고 하트만 수술을 시행하고 이후 장루를 복원하거나 병변을 제거하고 일차 문합을 한 후 예방적인 근위부장루를 만들고, 이후 장루를 복원해주는(2단계수술) 방법이 있다. 비교적 안전한 수술방법이기는 하지만, 반복되는 수술이 필요하다는 점에서 비효율적이고 수술합병증이 증가되는 단점이 있으며, 근래 폐쇄성대장암에 대한 치료경험이 누적되면서 점차적으로 이러한 단계적수술의 사용빈도가 감소하고 있다.

(2) 대장(아)전절제술

폐쇄으로 인해 확장된 대장과 매복된 장내용물을 동시에 제거함으로써 수술 후 발생할 수 있는 패혈증 및 일차

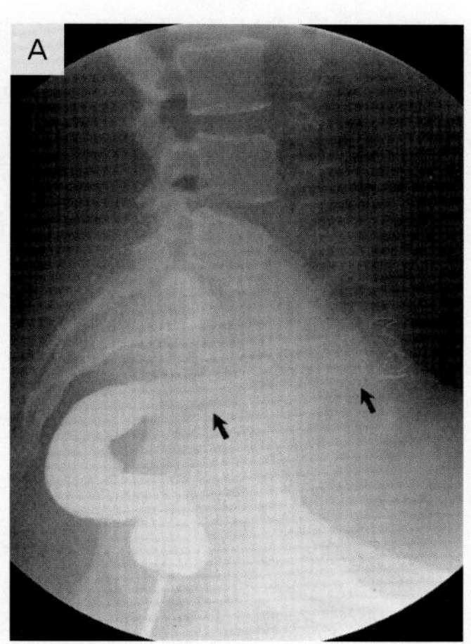

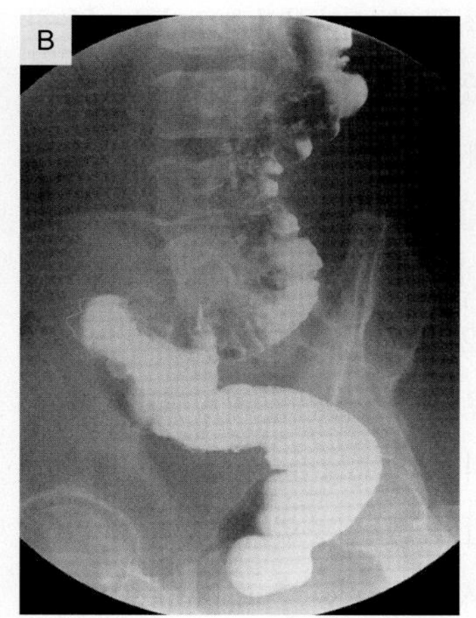

그림 2-114 폐쇄성 에스결장암 환자에서 술전 스탠트(화살표) 감압후 바륨이 하행결장으로 용이하게 주입되는 것을 보임

암 이외 동시성대장암의 발생의 예방이 가능하다는 것과 회장-대장의 안전한 문합이 가능하다는 장점이 있다. 그러나 확대수술의 부담 및 수술시간의 연장과 술 후 유착성 장 폐쇄 가능성의 증가 및 빈변이 단점으로 지적되고 있다. 그러므로 직장암에 의한 장폐쇄에서는 술후 잔여직장의 길이가 제한되므로 본 술식의 적용이 제한적이다.

(3) 술 중 장세척을 이용한 장절제

기능적인 면에서 술 후 빈변이나 변실금이 없고 동시에 일차성수술이라는 장점이 있는 방법으로써, 병변제거 전, 후 충수돌기나 회장 혹은 맹장에 세척관을 삽입하여 장세척을 시행하고 일차성 장문합을 해주는 방법이다. 수술시간의 연장, 시술 시 장내용물 누출에 의한 수술창과 주변의 빈번한 오염, 폐쇄로 장벽부종이 남아있는 대장을 이용한 문합의 안전성과 술전 평가되지 못한 근위부대장의 동시성 병변 잔존가능성 등이 문제로 남는다.

(4) 술 전 스텐트를 이용한 감압

폐쇄성대장암에서 스텐트의 사용은 1991년 처음 보고되었으며 응급수술에 따른 부담을 줄여 수술유병률과 사망율을 감소시킬 수 있고, 폐쇄로 인한 염증과 부종을 감소시키며 술전 동시성병변의 평가가 가능하며 다단계수술을 피할 수 있는 장점이 있으므로 적용이 증가하는 추세이다(그림 2-114). 또한 필요한 경우 스텐트 삽입후, 화학방사선치료 및 화학요법을 술전에 시행하는 신보조치료의 적응이 가능하게 된다. 단점으로는 스텐트삽입술과 관련된 문제들이 발생할 수 있는데 장천공, 스텐트이동, 종양성장에 의한 폐쇄재발, 스텐트확장에 의한 종양세포의 파종가능성이 있다.

5) 선형가속기를 이용한 정위방사선수술

정위방사선수술Stereotactic Radio-Surgery (SRS)이라는 용어는 1951년 스웨덴의 Leksell이 후유증이 큰 개두술craniotomy을 피하기 위하여 외부 방사선치료방법을 제안하면서 사용되기 시작하였다. 1968년 Cobalt-60 방사선원을 사용하는 감마나이프가 치료에 도입되어 뇌질환에 대한 SRS가 사용되기 시작하였다. 그러나 뇌를 제외한 체부의 경우, 특히 폐암 또는 간암에 대한 정위적방사선수술의 경우 체위고정이 비교적 힘들 뿐만 아니라 장기가 호흡에 의하여 움직임이 크기때문에 치료의 정확성을 확보하기 매우 힘들었다. 그러나 컴퓨터와 영상장비의 발전에 힘입어 점차 이러한 문제가 극복되어 사이버나이프를 비롯한 여러 방사선수술장비가 임상에 도입되었고, 1990년대 후반부터 임상결과들이 발표되기 시작하였다.

체부의 방사선수술은 뇌종양과 달리 동위원소인 코발트 대신 X-선 방사선치료장비인 선형가속기linear accelerator (LINAC)를 사용하며 최근에는 양성자치료기를 이용한 방사선수술도 도입되고 있다. 체부의 정위방사선수술은 크기가 작고 특정 장기에 국한되어 있는 종양에 대하여 한번에 고선량의 방사선을 조사하여 종양을 소멸시키는 치료라고 할 수 있다. 일반적인 방사선치료는 분할조사법 fractionation, 즉 한 번에 2Gy 내외의 양을 2–6주간의 장기간에 걸쳐서 투여함으로써 정상장기를 보존하면서 종양부위를 치료하는 방법이지만, 정위방사선수술은 종양주위에 방사선에 취약한 장기가 없는 경우 한 번에 10 내지 30Gy 정도의 고선량 방사선을 3–4회 조사하는 방법이다. 조사하는 방사선 양이 많을수록 종양소멸 효과는 커지며 이에 따라 점진적으로 종양에 대한 방사선량을 높이는 연구가 진행되고 있다. 그러기 위해서는 방사선 조사야 내에 포함되는 정상장기를 최소한으로 축소시켜야 하므로 보다 정밀한 표적설정과 함께 종양이 포함된 장기의 호흡에 따른 움직임을 매 치료시 확인하고 치료해야 한다. 이러한 노력의 결과 등장한 것이 호흡조절 방사선치료respiratory-gated radiotherapy, 영상유도방사선치료Image-Guided Radiotherapy (IGRT) 등이다.

현재까지 뇌종양외 정위방사선수술은 주로 폐암과 간암 등에서 많은 연구가 이루어졌으며, 수술로 절제가 가능한 조기 폐암 또는 간암에서 환자의 기저질환 또는 수술거부 등의 이유로 수술을 시행할 수 없는 경우 수술을 대체할 목적으로 주로 적용이 되었다. 수술이 어려운 1기 폐암의 경우 여러기관에서 괄목할 만한 종양관해를 보고 있으며, 간암의 경우에도 수술이 힘든 경우에서 국소병변 치료시 고려되고 있다. 특히 수술이 불가능한 환자이면서 종양이 간의 표면부나 주혈관에 인접하여 고주파치료가 불가능한 경우 방사선수술이 유용하게 사용될 수 있다.

6) 고주파열치료

고주파열치료Radiofrequency Ablation (RFA)는 외과적 간절제가 불가능한 간세포암이나 전이암의 비수술적 치료법 중 하나로 최근 많이 이용되고 있다. 고주파열치료는 교류전류를 인체에 가해서 세포내의 이온이 음극에서 양극으로, 양극에서 음극으로 1초에 40–50만번 진동하면서 마찰열이 발생하는데 이 열에 의해서 세포를 괴사시킨다. 고주파열 발생에 의한 조직의 손상은 조직의 온도와 가열시간에 의해 결정된다. 효과적인 열치료를 위해서 열생산을 극대화해야 하는데 열손실은 주로 혈액순환에 의하며, 혈류에 의한 조직냉각은 생체내 치료범위를 제한 할 수 있다. 암조직을 파괴하기 위해서는 전체목표범위를 50°C에서 100°C까지 최소한 4–6분간 유지해야 한다. 고주파열치료 장비는 고주파발생기와 종양에 삽입하는 전극 및 환자에게 부착하는 패드 등으로 이루어져 있다. 전극을 종양에 직접 삽입하기 위한 유도방식으로 주로 초음파나 CT를 이용한다. 전극 삽입은 대부분 경피적으로 행해지거나 수술장에서 직접 간에 삽입할 수도 있다. 전극 한개로 1회 시술시 치료할 수 있는 범위는 기구에 따라 약 2–5cm까지 다양하며 종양의 국소재발을 방지하기 위해 종양주변 360도로 1cm의 안전거리safety margin을 확보해야 한다. 종양의 크기가 전극의 치료범위보다 클때는 여러번 중복overlapping해서 치료하게 된다. 현재 고주파열치료의 적응은 단발성 혹은 다발성 간전이로써 외과적절제가 어려운 경우이다.

일반적으로 지름 3–5cm 이하, 3개 이하의 간결절에서 주적응이 된다. 출혈성 소양이 있는 경우는 주의를 요한다. 간내 문맥이나 담관으로 종양이 침범한 경우나 간문부hepatic hilum에 위치한 종양인 경우 고주파열치료는 시행하지 않는 것이 좋다. 고주파열치료 효과의 판정은 치료직후나 1주일 이내 조영증강 CT나 MR 검사를 하여 잔류종양여부를 확인한다. 전이암은 CT에서 대부분 저음영으로 보이므로 고주파열치료에 의한 저음영과 감별이 어려워 반드시 시술 1–2주전 시행한 CT나 MR이 필요하다. 고주파열치료후 초기에 발생할 수 있는 합병증으로 감염에 의한 농양형성, 기흉, 출혈, 간허혈 혹은 경색, 화상이 있을 수 있다. 이외 일정시간 경과 후 나타날 수 있는 합병증으로는 열치료와 관련하여 목표종양이 아닌 인접장기(횡격막, 대장, 위장, 담낭)의 손상, 담관 손상에 따른 협착이나 담즙정체종biloma, 그리고 암의 전이 등이 있다.

고주파열치료후 종양의 완전관해는 종양의 크기가 클수록 감소하므로 종양의 크기가 치료성적을 결정짓는 중요한 인자이다. 최근 연구에 의하면 대장 및 직장암의 간전이에서 고주파열치료 혹은 고주파열치료와 수술적절제를 병용한 경우 5년 생존율이 각각 18–40%, 27–30%로, 치료부위의 국소재발률은 약 15%로 보고되고 있지만 아직 암의 진행정도에 따른 표준화된 연구는 미흡하다.

5. 항문종양, 대장 및 항문의 군소종양

1) 항문암

항문관의 상피세포는 입방형 상피세포에서 편평상피세포로 이행하는 부위로써, 조직학적 차이와 성상의 차이 그리고 림프절 배액경로의 차이에 따라서 해부학적 구조 및 항문종양을 규정하는데 저자마다 논란이 있으나 세계보건기구(WHO)와 American Joint Committee on Cancer (AJCC)에서는 일반적으로 조직학적 차이에 따른 분류를 사용하고 있다. 항문암은 해부학적으로 항문관anal canal에서 기원한 종양과 항문연anal margin에서 기원한 종양으로 분류하는데 일반적으로 항문관은 항문직장환anorectal ring부터 항문연, 항문주위는 항문연부터 항문연 주위 피부 5cm까지로 정의되고 있다.

병인으로는 편평세포암의 위험군으로는 인체 면역결핍바이러스Human Immunodeficiency Virus (HIV) 감염, 유두종바이러스Human Papilloma Virus (HPV) (subtype 16, 18, 31, 33, 35) 감염, 흡연, 장기이식으로 면역억제재 사용중, 항문직장주위에 만성염증성질환이 있는 경우 등이 알려져 있다. 항문암에서 가장 주된 전이경로는 림프절전이로써 치상선상부에 위치한 경우, 상직장림프절을 따라서 하장간막림프절로 유입되고 측방으로는, 내장골림프절로 유입된다. 종양이 치상선하부에 위치한 경우, 일차적으로 서혜부림프절로 유입되지만 많은 경우에서 상,하 직장림프절로도 유입된다.

(1) 편평세포암

편평세포암은 항문관과 항문연에서 모두 발생할 수 있는데 주로 항문관에서 발생하며 조직학적으로는 타 부위와 마찬가지로 특징적인 각질화 소견을 보인다(그림 2-115A). 발생하는 위치에 따라서 치료방법과 예후가 달라지기 때문에 발생부위를 구분하는 것이 중요하다.

① 항문관에서 발생한 편평세포암

항문관에서 발생한 편평세포암은 항문연에서 발생한 암에 비해 5배정도 빈번하지만, 전체대장암 환자의 1–2.5% 정도를 차지하고 있다. 편평세포암은 표피양세포암epidermoid carcinoma, 총배설강암cloacogenic carcinoma, 점액표피양세포암mucoepidermoid carcinoma을 포함한다.

a. 임상양상

가장 흔한 증상은 항문통증을 동반한 출혈이고, 50% 이상에서 나타나며 종괴, 점액분비, 후중감, 배변습관의 변화, 변실금, 이외 촉지되는 서혜부종괴 등이 나타날 수 있다. 첫 증상이 나타났을 때 오진되는 경우가 많아 대부분에서 진단이 지연된다.

b. 검사

병력청취를 면밀하게 하고 HIV검사를 시행한후, 이학적 검사시 항문을 포함한 주변장기 및 서혜부까지 이루어져야 하고, 확진은 조직검사를 통해 이루어진다. 직장경검사는 국소병변의 확인 및 조직검사에 필수적이며 대장내시경을 추가해서 근위부 병변여부를 확인하여야 하며 경항문초음파를 통해서 괄약근침범정도, 주변장기침습 및 림프절침윤을 확인한다. 서혜부 림프절전이는 영상진단율이 낮으므로 세침검사를 통하여 확인해 볼 수 있다. 이외 국소병변의 정도와 전이소견을 확인하기 위하여 CT 혹은 MRI가 필요하며, PET은 치료반응 및 재발을 판단하는데 도움이 된다. 병기결정은 종양의 크기와 림프절전이 여부로 결정되지만, 항문연에서 발생한 편평세포암의 병기와 약간 차이가 있다(표 2-25).

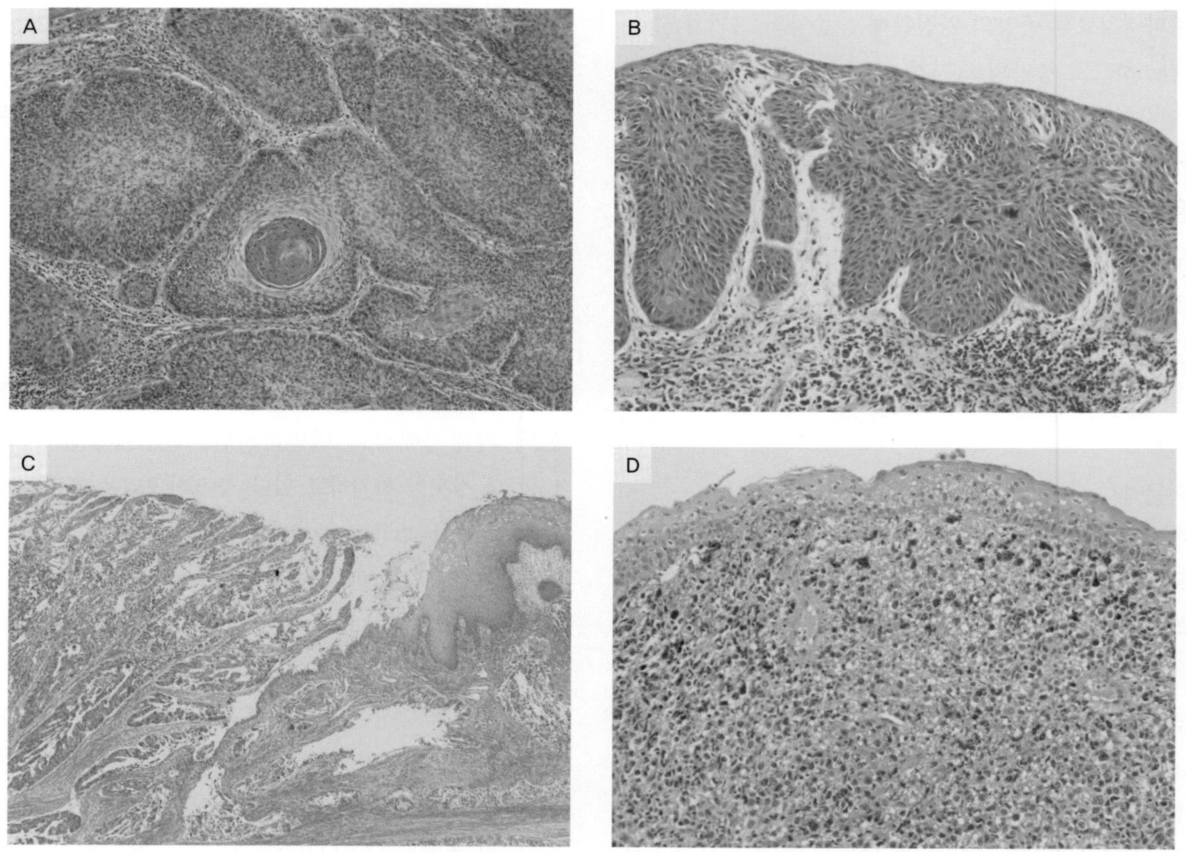

그림 2-115 A) 편평세포암: 각질화 소견이 보임. B) 보웬병: 비정형세포가 표피층의 전층을 침범하고 있음. C) 선암: 좌측의 선암이 오른쪽으로 항문의 편평상피와 이어짐. D) 악성흑색종: 세포내 멜라닌 색소침착이 있는 조직소견

c. 치료

치료는 1980년 이전에는 외과적절제가 주로 사용되었지만 항문소실의 불편함과 편평세포암이 대부분 방사선치료에 민감하게 반응하기 때문에 현재는 대부분 조직진단으로 확진후 방사선화학요법을 선행해서 반응이 나쁜 경우 및 잔존암과 재발암에 국한해서 수술을 시행한다.

편평세포암은 방사선치료에 반응이 좋은 종양으로 외부방사선조사external beam radiation, 근접치료brachytherapy 혹은 병합치료를 시행한다. 최소 54Gy 이상의 조사로 가장 큰 효과를 얻을 수 있다. 환자에 따라 방사선치료만으로 국소조절율이 70-90%까지 가능하지만, 종양의 크기가 5cm 이상인 경우나 림프절 전이가 있는 경우에는 50%까지 떨어진다. 방사선조사량이 40Gy 이상에서는 정도의 차이는 있지만 국소 피부 및 전신 합병증이 빈번하며 방사선 단독치료보다는 화학요법을 병행해서 시행하여 반응을 높인다.

방사선화학치료는 항문강의 편평세포암에 대한 획기적인 치료방법으로써 1974년 Nigro등에 의해 처음으로 소개되었다. 방사선화학요법으로 항문기능을 보존하고 아울러 국소치료 및 생존율을 높일 수 있다고 보고한 이래, 이후 다양한 연구결과로부터 항문강의 편평세포암에 대한 표준치료로써 자리잡게 되었으며 방사선조사 용량 및 방법과 병용하는 항암제재에 따라서 여러가지 변형치료법이 적용되도 있다. Nigro의 치료방식은 30Gy(2Gy/일)의 방사선을 원발부위 종양과 골반 및 서혜부 림프절부위에 조사하는데 시작후 4일간 5-FU(1,000mg/m2/24시간) 지

표 2-25. 편평세포암의 병기분류

	항문관암			항문연암
원발종양 (T)				
Tx	원발종양을 알 수 없는 경우			원발종양을 알 수 없는 경우
T0	원발종양의 증거가 없는 경우			원발종양의 증거가 없는 경우
Tis	상피내암			상피내암
T1	종양의 최대직경≤2cm			종양의 최대직경≤2cm
T2	종양의 최대직경 2-5cm			종양의 최대직경 2-5cm
T3	종양의 최대직경≥5cn			종양의 최대직경≥5cn
T4	주위장기(질,요로,방광, 단 괄약근 제외) 침범			주위장기(근육, 뼈, 연골) 침범
림프절(N)				
Nx	국소림프절 상태 알 수 없는 경우			국소림프절 상태 알 수 없는 경우
N0	국소 림프절 전이가 없는 경우			국소 림프절 전이가 없는 경우
N1	직장주위 림프절만 전이가 있는 경우			림프절 전이가 있는 경우
N2	한쪽 내장골 혹은 서혜부 림프절 전이가 있는 경우			
N3	N1과 N2 같이 있거나 양측 내장골 혹은 서혜부 림프절 전이가 있는 경우			
원격전이(M)				
Mx	원격전이를 알 수 없는 경우			원격전이를 알 수 없는 경우
M0	원격전이가 없는 경우			원격전이가 없는 경우
M1	원격전이가 있는 경우			원격전이가 있는 경우
병기분류(항문연암에서는 3a, 3b기가 3기로 분류)				
0	Tis	N0	M0	
1기	T1	N0	M0	
2기	T2,3	N0	M0	
3A기	T1,2,3	N1	M0 or T4 N0 M0	
	T4	N0	M0	
3B기	T4	N1	M0	
	Any T	N2,3	M0 or T4N1M0	
4기	Any T	Any N	M1	

상기분류는 American Joint Committee on Cancer (AJCC) 7판(2010년)에 근거함.

속정주 및 1일째 mitomycin(15mg/m2)을 병용하고 마지막 28일째 다시 4일간 5-FU를 지속정주한다. 치료일정이 끝난 뒤 6주후 반흔조직을 생검하여 잔존암이 있는지 확인한다. 암세포가 없으면 2-3개월 단위로 추적관찰하고 암세포가 있는 경우 병변의 크기 및 침윤전도에 따라서 국소절제 혹은 복회음절제술을 시행한다. 이후 방사선화학치료는 다양한 방사선조사량(30-60Gy)과 화학요법으로 양호한 치료성적을 보고하고 있다(표 2-26). 1990년대 유럽에서 시행한 무작위로 배정한 연구에서 방사선화학요법이 방사선 단독치료와 비교했을 때 생존율의 증가는 보이지 않지만 국소조절률 향상을 보여주고 있다. 병용하는 항암제로는 mitomycin의 경우 신장, 폐, 골수 등에 상당

표 2-26. 항문관에서 발생한 편평세포암의 방사선화학요법의 결과

저자(년도)	연도	환자수, 명	방사선조사량, Gy	완전관해율, %	5년 생존율, %
Nigro	1987	104	30	93	83
Sischy 등	1989	79	40.8	90	
Cummings 등	1991	69	50	85-93	76
Tanum 등	1993	86	50	T1: 95 T2: 80	72
Beck & Karulf	1994	35	30-45	97	87
Smith et al.)	1994	42	30	T1: 90 T2: 87	92 87
Lee 등	2007	37	45	83.7	76.9

한 독성을 보이지만 본 약제의 사용군과 비사용군을 비교했을 때 1년무병생존율에서 각각 67% 및 50%로 병용의 필요성이 확인되었다. 최근 상대적으로 독성이 적은 cisplatin과 mitomycin의 비교연구에서 두 가지 약제간 무병생존율의 차이는 없었으나 cisplatin사용군에서 장루생성률이 약 2배 높은 것으로 확인되어 대체할 근거를 제시하지 못하고 있다.

한편 서혜부림프절 전이소견이 있는 경우에는 예후가 좋지 못하다(5년생존율: 48%), 서혜부 림프절 전이가 있는 경우 국소조절율이 방사선화학요법을 시행한 경우 90%이고, 방사선치료만 받은 경우에서도 65%의 조절률을 보인다. 반면 서혜부림프절절제술을 시행한 경우에서는 국소조절율이 15%인 반면 림프부종등의 합병증이 빈번하기 때문에 일차치료로는 추천되지 않는다.

복회음절제술은 과거의 표준치료였으나, 수술 후 국소재발률 27-47%, 5년생존율 40-70%로써 항문소실을 감당할 수 있는 만족스런 결과를 보이지 못한다. 현재는 방사선화학요법에 반응하지 않거나 잔존암 및 재발암, 이외 방사선화학요법을 받기 어려운 경우에 시행되고 있다.

방사선화학요법후 잔존암이나 재발암은 CT, MRI 등으로 다시 병기를 확인해야 하고, 이외 PET 혹은 PET-CT가 잔존암과 방사선에 의한 변화를 감별하는데 도움이 될 수 있다. 골반에 재발암이 국한된 경우에는 복회음절제술을 시행하고, 서혜부림프절에 있는 경우에는 근치적 서혜부림프절절제술을 시행한다. 원격전이는 방사선화학요법을 시행한 환자의 10-17%에서 발생하는데 전신화학요법을 시행한다. 간이나 폐에만 국소전이된 경우에는 대장암에서와 같이 절제술을 고려할 수 있다.

② 항문주위에서 발생한 편평세포암

a. 임상양상

항문연에서 발생하는 편평세포암은 다른 피부에서 발생하는 편평세포암과 비슷하며, 병기 결정과 치료방법도 비슷한 방법으로 이루어진다. 전형적으로 내부에 궤양을 가지고 있고 주변 경계 부위가 말린듯이 뒤집힌 형태를 보이고, 괄약근 침범하는 경우는 드물다. 주로 60대에서 호발하고 남녀비는 비슷하다. 임상양상은 통증을 동반하는 종괴, 출혈, 소양감, 후중감, 분비물, 또는 변실금 등을 보이고, 보통 진단이 늦게 된다. 증상발현 후 0-144개월 사이에 진단되고, 50% 이상에서 24개월 이후에 진단된다고 보고하고 있다. 약 1/3에서는 첫 진단시 치핵, 치루, 치열, 농양, 습진이나 양성 종양으로 잘못 진단된다.

b. 치료

치료방법의 선택은 종양의 병기, 치료 후 괄약근 기능 예상 정도에 따라 결정된다. T1과 초기 T2 병변에 대해서는 광범위 국소절제술을 시행하고, 괄약근 손상이 예상되는 경우에는 방사선 치료를 시행한다. T2 병변에 대해서는 원발 부위와 서혜부에 대해서 방사선 치료를 시행한다. T3, T4 병변이나 분화도가 좋지 않은 종양에 대해서는 먼저 원발부위와 서혜부에 대해서 방사선 치료를 시행하고 종양이 남은 경우에서는 복회음절제술을 추가로 시행한다. 또한 재발하는 경우에서도 복회음절제술을 시행한다.

③ **보웬병**

1912년 보웬병에 의해서 최초로 기술되었으며 보웬상피종 혹은 피부이완증bowen epithelioma, sermatosis로 알려져 있는데 현재는 편평상피암의 표재성암squamous cell carcinoma in situ으로써 이해되고 있다(그림 2-115B). 대부분에서 습진양 반 혹은 판eczematoid patch oor palque으로 몸통에 발생하고, 이외 손, 성기 및 항문연에 생기는데 이 경우 대부분 HPV (특히 16번 아형)가 원인이며 항문연에 생긴 경우 치핵등의 수술시 우연히 발견되는 경우가 많다. 임상양상은 주로 항문주위 작열감, 소양증, 통증 등을 호소하고, 시진시 경계가 분명한 비늘판 혹은 홍반의 색소침착을 보이고 종종 미란erosion을 동반한다. 보웬병의 경과는 잘 알려져 있지 않지만 일반인에서는 10%이내에서 악성으로 진행하고, 면역이 저하된 사람에서는 더 많은 환자들이 침습성 편평세포암으로 이행하는 것으로 알려져 있다. 이러한 악성으로 이행될 가능성 때문에 치료가 필요하며 건선이나 항문주위 파제트병과 감별해야 하며 파제트병과는 달리 위장관 종양과 관련이 없다.

치료는 대체로 최소 1cm의 절제연을 두고 광범위 국소절제술을 권하고 있으며 절제연을 수술시 조직학적으로 확인해가는 Mohs절제방식을 시행하기도 하며 재발률은 13–23%으로 보고하고 있다. 이외 치료방법으로는 5–FU 연고 혹은 면역반응조절제인 imiquimod연고의 국소도포, 광역동요법photodynamic therapy, 냉동치료, 방사선치료, 레이저치료 등을 사용하거나 이들 치료방법을 병합하여 사용하기도 한다.

2) 대장 및 항문의 군소종양

(1) 항문선암

항문관의 선암은 조직학적으로는 장관의 다른 선암과 동일하며(그림 2-115C) 발생에 따라서 세가지 종류로 나눌 수 있다. 첫째, 항문연 상부 이행부위점막에서 기원한 선암으로써 직장암과 구분할 수 없는 암. 둘째, 점액을 분비하는 입방형 상피세포들 사이에 있는 항문선anal gland의 도관duct에서 발생하는 암. 셋째, 만성치루에서 기원하는 암이다. 선암은 모든 항문암의 5–19% 빈도로 발생하고, 편평상피암보다 예후가 좋지 않은 것으로 알려져 있다.

비교적 드물게 발생하는 종양이기 때문에 치료원칙이 정립되어 있지는 않지만 복회음절제술 및 술 후 방사선항암치료가 도움이 되는 것으로 알려져 있다. 역시 초기암에서 종양의 크기가 작고, 분화도가 좋으며, 괄약근침범이 없는 경우 국소절제술을 고려할 수도 있다.

(2) 악성흑색종

소화기계에서 발생하는 흑색종은 항문관에서 가장 많이 발생하지만 매우 드물고 전체 항문암의 0.5–5%에서 발생한다. 주로 60대의 백인여성에서 자주 발생하지만 아프리카계 미국인이나 동양인에서도 보고 되고 있다. 항문관의 이행상피에서 발생하지만 일부에서는 직장점막에서도 발생할 수 있다. 증상으로는 출혈, 항문의 종괴, 통증 등이 빈번하고 더불어 비대한 서혜부림프절이 촉지되기도 한다. 대부분의 병변에서는 멜라닌 색소침착이 있는 용종성 혹은 궤양을 가진 종괴로 나타나고, 초기병변인에서는 혈전성 치핵과 구분이 어려워 치핵수술 후 진단되기도 한다(그림 2-115D). 약 1/3의 병변에서는 멜라닌 색소침착이 보이지 않으며 이 경우에서 미분화 편평상피암과의 구분이 어렵다.

질환이 드물기 때문에 잘 정립된 병기 체계가 없지만 점막 악성흑색종 병기에 따르면 1기는 국소질환, 2기는 림프절 전이가 있는 경우, 3기는 원격전이가 있는 경우로 정의하고 있지만 예후를 잘 반영하고 있지 않아 AJCC 의 직장암 병기나 항문암 병기를 차용하여 사용되기도 한다.

그러나, 이들 역시 예후를 제대로 반영하고 있지는 않아서 보편화되지 않고 있다.

절제술이 유일한 완치방법이지만 예후가 매우 좋지 않으며 수술 및 치료에서 여러가지의 논란이 있다. 항문의 악성흑색종은 35% 이상에서 발견시 이미 전이소견이 동반되고, 진행암에서는 근치를 기대하기가 힘들다. 또한 광범위 국소절제술과 복회음절제술을 시행과 무관하게 30% 미만의 낮은 5년생존율을 보인다. 그러나 광범위절제술에서 국소재발이 적으므로 원격전이가 없는 경우에서 복회음절제술을 권장하기도 한다. 보조 화학요법이나 방사선 치료의 역할에 대해서는 만족할 만한 치료결과가 없다.

(3) 위장관간질종양

대장 및 항문에서 발생하는 위장관간질종양은 매우 드문 질환이다. 특히 항문의 위장관간질종양은 극히 드물며 2003년까지 17예만을 보고하고 있다. 위장관간질종양은 Cajal 간질세포에서 기원하는 것으로 알려진 간엽성종양으로 면역조직화학염색에서 CD34와 CD117(cKIT)항원에 양성소견을 보이는 종양이다(그림 2-116A, B). 종양의 크기가 5cm을 넘거나 유사분열지수mitotic index가 고배율시야 high power field의 50개 세포당 5개이상인 경우에서 악성종양의 특징을 보인다.

치료는 크기가 2cm 이내인 경우는 국소절제를 시행하고, 그 이상이거나 조직학적 악성도가 높은 경우에는 복회음절제술을 시행하는 것이 바람직하다. 최근에는 크기가 큰 직장의 위장관간질종양에 대해서는 수술 전에 tyrosine kinase억제제인 imatinib을 사용하여 크기 및 악성도를 감소시켜 괄약근 보존 수술을 가능하게 한다는 보고도 있다. 전이성 위장관간질종양에 대해서는 imatinib을 사용해서 50% 이상의 객관적인 반응율을 보고하고 있지만 약제내성과 재발이 빈번하다.

(4) 소세포-신경내분비종양

대장 및 항문관의 소세포-신경내분비종양은 대장에서 발생하는 종양의 1%이하로 매우 드문 종양이다. 최근 연구에서 하부위장관의 신경내분비종양의 16%정도가 항문관에서 발생하는 것으로 보고하고 있으며 확진은 면역조직화학염색에 의한다(그림 2-116C, D). 2010년 WHO 분류에 따르면 신경내분비 종양을 유사분열수와 Ki-67 지표에 따라 Grade 1,2,3 으로 나누었다(표 2-27). 대장의 신경내분비종양은 주로 내시경상에서 우연히 발견되는 경우가 많은데, 병기를 결정하기 위해 유용한 진단 도구는 컴퓨터단층촬영이다. 이외에도 CT 에서 불명확한 간 병변이나 직장의 2cm 이상되는 신경내분비종양은 자기공명영상을 시행하는 것이 도움이 된다.

치료는 대장의 신경내분비종양의 경우 1cm 이하인 경우 내시경적절제술을 2cm 이상인 경우 대장암과 같이 근치적 대장절제술을 권하고 있다. 1cm와 2cm 사이인 경우에는 림프절 전이가 의심되거나 내시경절제술로 완전절제가 되지 않은 경우, 좋지 않은 조직학적 특징(높은 유사분열수, 근육층 침범, 림프맥관침윤 또는 신경변연침윤을 보이는 경우)을 보이는 경우에는 림프절을 포함한 근치적 대장절제술을 추천한다. 직장의 경우 내시경절제술이 어려운 경우 경항문절제술이나 경항문미세수술transanal endoscopic microsurgery, transanal minimal invasive surgery을 이용하여 국소절제술을 시행해볼 수도 있겠다.

WHO 분류에서는 L-cell type (glucagon-like peptide and peptide YY-producing) 신경내분비 종양을 악성도가 불분명한 신경내분비종양으로서 따로 분류하고 있다. 직장에서 생기는 신경내분비 종양의 70% 정도가 L-cell type 이고 특히 1cm 이하에서는 예후가 아주 좋은 것으로 되어 있어 직장의 신경내분비종양은 종양의 크기와 L-cell type 여부에 따라 예후가 달라진다고 보고되고 있다.

소세포암은 저분화성 신경내분비종양으로써 폐 이외의 원발병소에서는 65-80%의 환자에서 전이가 발생하고 정확한 병기진단이 중요하다. 항문관에 국한되어 발생한 질환인 경우에서는 항문관에 발생한 선암과 동일하게 수술적절제 및 방사선화학요법치료를 시행하고, 전신적으로 전이가 있는 경우에서 폐에 발생한 소세포암과 유사한 화학

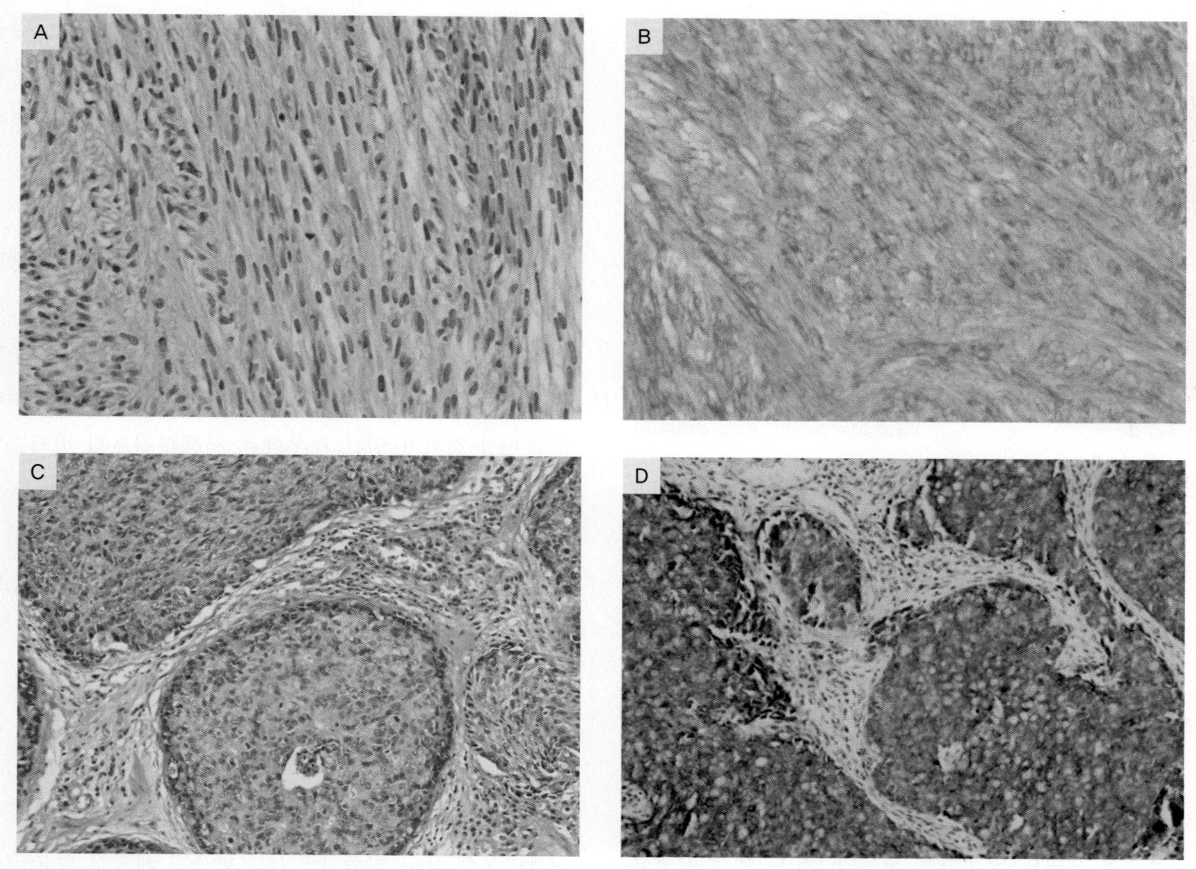

그림 2-116 **위장관 간질종양.** A) 방추세포의 증식을 보이고, 일부 세포에서 유사분열 소견을 보임(화살표). B) c-KIT 면역염색상 갈색으로 염색되는 소견을 보임. 소세포-신경내분비종양. C) 세포둥지의 바깥쪽으로 책상배열하는 소견을 보임. D) synaptophysin 면역염색에서 갈색으로 염색되는 소견을 보임

표 2-27. 소화기에서 발생한 신경내분비 종양의 세계보건기구 분류(2010)

저자(년도)	유사분열수	Ki-67 지표	전통적 명칭
신경내분비 종양, Grade 1	<2 per 10 HPF	<3%	유암종
신경내분비 종양, Grade 2	2-20 per 10 HPF	3-20%	유암종, 비정형 유암종
신경내분비 악성종양, 소세포	20> per 10 HPF	>20%	소세포암
신경내분비 악성종양, 대세포	20> per 10 HPF	>20%	대세포 신경내분비 악성종양

HPF, high power fields

요법이 도움이 되는 것으로 알려져 있다.

(5) 항문주위의 군소종양

① 기저세포암

항문직장암의 0.2%를 차지하는 매우 드문 질환으로 65-75세의 남성에서 주로 발생한다. 임상양상으로는 붉은색 구진papule부터, 결절, 판, 궤양 등의 다양한 형태를 보이고 침윤성이 미약하고 원격전이는 대부분에서 없다. 치료는 적절한 절제연이 포함된 광범위국소절제이며 재발률은 10%미만으로 매우 낮으며 질환과 관련된 사망은 거

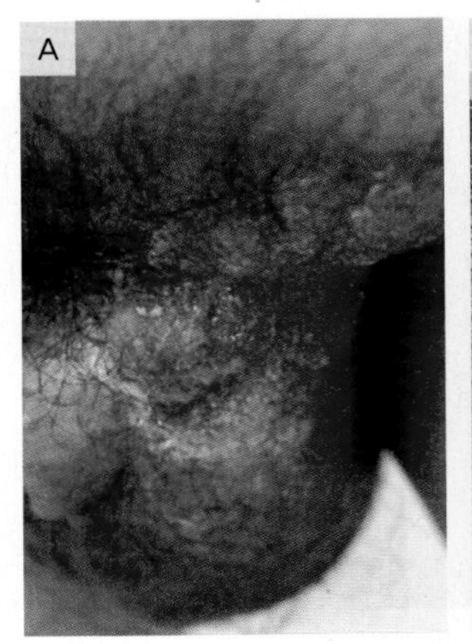

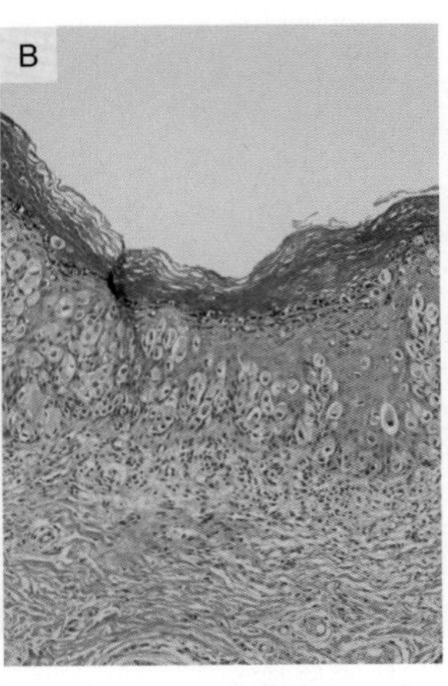

그림 2-117 **파젯병.** 육안소견(A) 및 특징적인 크고 선명한 선세포인 파젯세포가 표피에 산재해 있는 조직소견(B)

의 없는 것으로 보고되고 있다. 재발시 재절제가 요구되고, 항문관을 침범하는 크기가 큰 병변에 대해서는 복회음절제술이나 방사선치료를 고려할 수 있다.

② 파젯병

파젯병은 유방에 발생하는 경우와 타장기에서 발생하는 파젯병으로 나눌 수 있다. 현재는 상피내선암intraepithelial adenocarcinoma으로 이해되고 있으며 파젯세포에서 유래하는 것으로 알려져 있다. 소양증이 가장 빈번한 증상이며 또한 이외 출혈, 촉진되는 종괴, 서혜부 림프절비대, 체중감소, 변비 등이 동반되기도 한다. 병변의 모양은 유두에 생긴 파젯병과 유사한 모양이며 경계가 분명한 습진 상으로 나타나며, 조직소견상 특징적인 크고 선명한 선세포인 파젯세포가 표피에 산재해 있다(그림 2-117).

치료는 침범정도와 동반된 직장항문종양에 따라서 결정된다. 표재성인 경우에는 광범위국소 절제술을 시행하고, 재발하는 경우에도 다시 국소절제술을 시행한다. 병변이 깊게 침습한 경우와 직장항문종양이 동반된 경우에는 복회음절제술과 함께 광범위절제술을 시행한다. 서혜부림프절 전이가 있는 경우에는 서혜부림프절 절제술도 병행한다. 국내연구에서는 주로 남성에서 발생하고 21%의 환자에서 위장관종양이 동반되었고, 국내,외 치료성적을 종합하면 표재성과 침습성 파젯병에서 질환과 관견된 5년 생존율은 각각 54–73%와 70–90%로 나타난다.

③ 사마귀상편평상피암

희귀질환으로 콘딜로마와 비슷한 모양으로 비교적 크기가 크며 주위조직을 침투하지만 원격전이가 매우 드물고 HPV가 자주 발견되며 HIV환자의 궤양성 항문주위 헤르페스병변과는 구별이 된다(그림 2-118). 조직학적으로 양성소견이지만 임상적으로 주위조직에 침습해서 조직을 파괴시키는 암의 성장특성을 보인다. 여기에는 Buschke–Löwenstein종양, epithelioma cuniculatum, papillo–

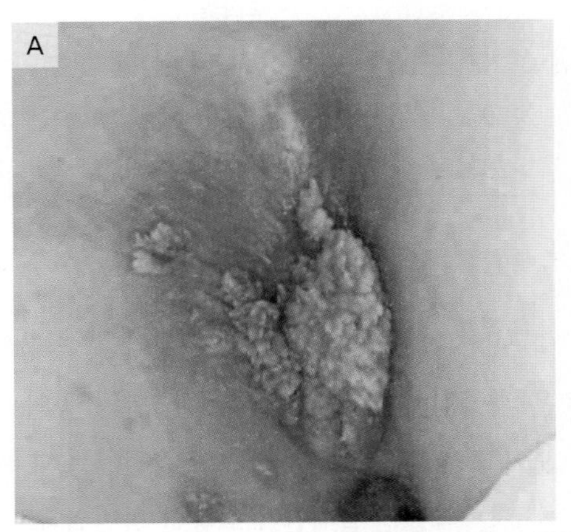

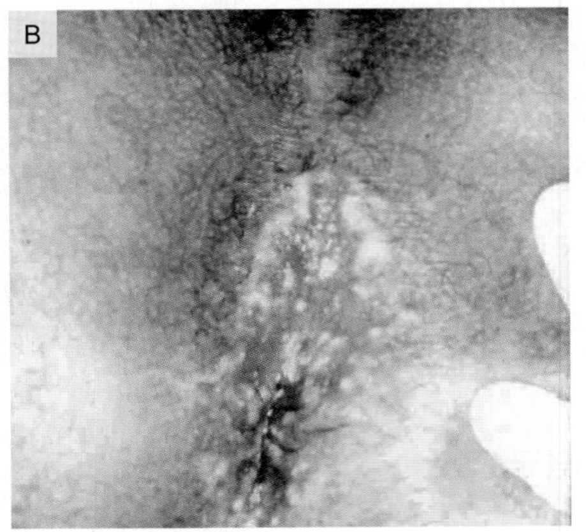

그림 2-118 **사마귀상편평상피암(A) 및 HIV환자에서 항문주위의 herpes simplex 병변.**

matosis cutis carcinoides 등이 포함된다.

치료는 광범위국소절제술이 원칙이며, 심부조직을 침습하였거나 여러개의 치루를 형성한 경우, 괄약근을 침범한 경우에서는 복회음절제술의 적응증이 된다. 술전방사선치료가 도움이 될 수 있다.

(6) 에이즈와 관련된 항문암

① 카포시육종

카포시육종Kaposi's sarcoma은 주로 HIV감염자 혹은 이식후 면역억제중인 면역결핍환자에서 주로 발견되며 항문주위에 발생하는 경우는 매우 드물다. 작은 원형 핑크반pink macule으로 나타나며 치핵으로 오인되기도 하며 인간 herpes virus-8(HHV-8)의 감염이 중요한 원인으로 여겨지고 있다. 적절한 치료는 동반질환에 따라서 결정하며 국소절제, 방사선치료 및 면역화학요법을 사용하고 예후는 주로 환자의 면역상태에 따라서 결정된다.

② 림프종

비호지킨성림프종은 에이즈환자에서 카포시육종 다음으로 많이 발생하는 종양이지만 항문주변으로는 매우 드물게 발생한다. 빈번한 증상은 통증, 소양감, 분비물, 종괴 등이며 일부 환자에서 발열, 야간 발열, 체중감소 등의 전신증상이 동반하기도 한다. 치료는 림프종에서 사용하는 화학요법으로 치료하고 국소병변에 대해서는 방사선치료를 병용할 수 있으며 예후는 다른 부위에 생긴 림프종과 동일하게 분화도에 따라서 결정된다.

요약

직장암 발생은 근래 우측결장암의 증가추세에 따라서 빈도면에서 상대적으로 감소하는 것으로 알려져 있다. 그러나 우리나라의 경우, 최근 20년간 대장암이 급격하게 증가하고 있으며 직장암도 매년 증가하고 있다. 직장은 해부학적으로 수술조작이 용이하지 않은 골반내 위치하고 생리적인 배변기능의 중요한 역할을 담당하고 있으며 배뇨 및 성기능 담당기관과 인접하므로 직장암의 수술시 종양학적인 근치성과 함께 기능보존의 양 측면을 모두 고려해야 한다. 수술 시 접근방식으로써 전통적인 개복수술 이외 복강경수술 및 로봇수술이 근래 확대 적용되고 있으며 현재까지 장기적으로 조절된 무작위전향적 연구결과는 적지만 골반의 제한된 수술시야를 개선하는 장점과 함께 수종의 선도연구에서 신뢰할 만한 치료성적을 보이고 있다. 결장암에 비해서 수술 후 국소재발의 위험이 높으므로 특히 복막반전 아래 위치하는 3병기 이상의 진행성 중·하직장암에서는 수술 전·후 화학요법 및 방사선치료 병행하는 것이 바람직하다. 수술 전 방사선화학요법은 현재 림프절전이와 무관하게 T3 이상의 진행성 직장암치료시 권장되고 있으며 50-60%에서 병기를 낮추게 되고 괄약근보존술을 가능하게 할 수 있고 국소재발률을 10%이내로 줄일 수 있는 것으로 보고되고 있다. 수술 전 방사선화학요법시 종양의 완전관해가 있는 경우 국소절제 혹은 수술없이 추적관찰을 시도하기도 하지만 직장암의 표준치료방법으로써 보편화하기는 그 결과가 미흡하다. 항문암의 대부분을 차지하는 편평상피암은 항문기능보존 및 치료효과를 고려해서 일차적으로 술전방사선화학요법으로 치료하고 불응군에서 근치수술을 고려하는 것이 원칙이다. 직장암의 전이에 대해서는 특정 장기내 국소성이고 이외 장기에 전이가 없는 경우 절제수술이 가장 확실한 치료방법이며 화학요법을 병행하는 것이 바람직하며 수술이 불가능한 전신전이에서도 근래 표적항암치료제의 높은 반응율을 고려하면 적극적인 신병용치료가 권장된다.

XI 유전성 대장암

1. 유전성 대장암의 특징

대장암의 발생은 대부분 식이섭취, 운동 등 생활 습관을 비롯한 환경적인 요인이 주로 관여하는 것으로 알려져 있다. 그러나 전체 대장암 환자의 약 5-15%는 유전적 요인에 의해 발생한다(그림 2-119). 원인유전자가 밝혀진 유전성 대장암이 약 5% 정도를 차지하며, 원인유전자는 아직 명확하지 않으나 가족력 등을 고려할 때 유전적인 경향을 보이는 가족성 대장암이 약 10%를 차지한다. 유전적 요인에 의해 발생하는 대장암은 환경적인 요인에 의해 발생하는 경우와는 달리 원인이 비교적 명확하다. 출생 시부터 결함이 있는 유전자를 갖고 태어나므로 대장암의 발생 시기가 산발성 대장암보다 비교적 일찍 나타나며, 유전자의 기능 이상이 대장에만 국한된 것이 아니기 때문에 대장 외 장기에도 종양 등 이상 소견을 나타내는 경우가 많다.

유전성 대장암은 크게 유전성 비용종증 대장암과 유전성 대장 용종증 증후군이 있다. 유전성 비용종증 대장암은 유전성 대장암 중 가장 흔한 형태로서, Lynch 증후군으로 알려져 있기도 하다. 전체 대장암의 약 2-3% 정도가 유전성 비용종증 대장암에 해당하며, 복제실수 교정유전자mismatch repair gene의 유전적 결함으로 인하여 발생한다. 유전성 대장 용종증 증후군은 대장에서 다발성으로 용종이 생기는 질환들을 말하는데, 여기에 속하는 질환으로는 가족성 용종증, 가드너 증후군, 터코트 증후군, 코우덴 증후군, 유년기 용종증, 포이츠-예거 증후군, *MYH* 연관 용종증 등이 있다. 병리조직학적으로 선종성 용종이 다발성으로 생기는 질환은 각각의 선종이 대장암으로 진행될 가능성이 산발성 용종에 비하여 특별히 더 높지는 않지만, 수백, 수천 개의 선종이 존재하기 때문에 결과적으로 대장암이 발생할 가능성은 매우 증가한다. 실제로 선종성 용종증 중 가장 대표적인 가족성 용종증의 경우는 치료하지 않으면 거의 100%에서 대장암으로 진행

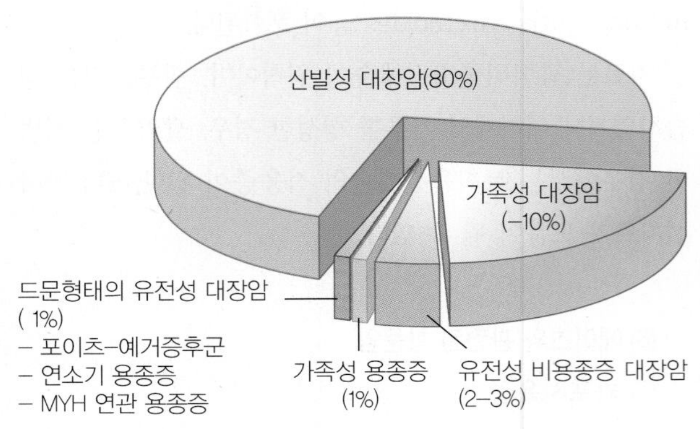

그림 2-119 **유전성 대장암**

한다. 가드너 증후군, 터코트 증후군 등은 가족성 용종증의 다양한 임상상의 한 형태로 생각되고 있으며, 최근 알려진 *MYH* 연관 용종증도 선종성 용종증에 해당한다. 포이츠-예거 증후군과 유년기 용종증에서는 주로 과오종성 용종증을 보이는데, 이러한 과오종성 용종이 암의 전구병변은 아니지만 이 병을 가진 환자들의 경우 정상인 보다 대장암이 발생할 위험이 높다는 것이 잘 알려져 있어, 이들도 유전성 대장암의 한 범주로 생각하여야 한다(표 2-28).

2. 유전성 비용종증 대장암

유전성 비용종증 대장암Hereditary Nonpolyposis Colorectal Cancer (HNPCC)은 상염색체 우성 유전을 하는 질환으로 유전성 대장암 중 가장 흔한 질환이며, 대장암 외에도 각종 암에 걸릴 수 있는 위험성이 증가되는 질환이다. 전체 대장암의 2-3%를 차지하는 것으로 알려져 있다. 1990년 유전성 비용종증 대장암에 대한 국제공동연구에서의 통일성을 기하기 위하여 유전성 비용종증 대장암 국제협력기구는 암스테르담 진단기준을 최초로 제시하였다. 이러한 진단기준을 통해 많은 예의 유전성 비용종증 대장암 환자들이 임상적으로 진단되어 왔지만, 이를 위해서는 가계도 작성에 필요한 정확하고 많은 정보가 필요하고, 유전성 비용종증 대장암과 같이 병발하는 대장 외 장기 암

표 2-28. 유전성 대장암의 원인유전자와 임상적 특성

	유전성 비용종증 대장암	가족성 용종증	포이츠-예거 증후군	유년기 용종증	*MYH* 연관 용종증
유전양상	상염색체 우성	상염색체 우성	상염색체 우성	상염색체 우성	상염색체 열성
원인유전자	*MLH1, MSH2, PMS1, PMS2, MSH6*	*APC*	*STK11*	*SMAD4, BMPR1A*	*MYH*
원인유전자 위치	3p, 2p, 2q, 7p, 2p	5q	19p	18q, 10q	1p
빈도	2-3%	1%	<0.1%	<0.1%	-
용종 호발 장기	대장	대장	소장	대장	대장
용종 발생 빈도	20-40%	100%	>90%	>90%	>90%
용종 수	1-10	>100	10-100	50-200	3-100
암 발생 위험도	80%	100%	5-20%	30-50%	30-60%

표 2-29. 수정된 암스테르담 진단기준

한 가계에 적어도 병리조직학적으로 증명된 3명 이상의 유전성 비용종증 대장암 연관 암(대장암, 자궁내막암, 요관암, 신우암, 소장암) 환자가 존재하고, 또한 다음의 기준을 만족시켜야 한다.

1. 환자 중 1명은 나머지 2명에 대하여 1대(부모, 자식, 형제) 관계여야 한다
2. 가계 내 적어도 연속 2대 이상에 걸쳐 환자가 있어야 한다.
3. 적어도 1명은 50세 이전에 진단되어야 한다.
4. 가족성 용종증이 아니어야 한다.

에 대한 고려가 없다는 점들이 단점으로 지적되었다. 이러한 단점들을 보완하고자 1999년 수정된 암스테르담 진단기준이 발표되었는데 여기에는 대장암 외에 유전성 비용종증 대장암 연관 암으로 자궁내막암, 요관암, 신우암, 소장암이 포함되었다(표 2-29).

1) 유전성 비용종증 대장암의 임상적 특성

비유전성 대장암에 비해 비장만곡부보다 근위부에 발생하는 비율이 높고, 조기에 발병하며, 동시성 대장암 및 이시성 대장암의 발생률이 높다. 대장암의 경우 평균 45세 정도에 발병하며 평생이환율life-accumulative risk이 80% 정도이다. 대장암 외 다른 장기의 암발생 위험도 같이 증가하는데, 자궁내막암이 가장 흔하여 평생이환율이 약 50-60% 정도이다. 이 외에도 소장암, 신우암 또는 요관암, 위암, 뇌종양, 담도암 등 여러 종류의 암이 한 가계 내에서 동반되어 발생할 수 있다.

유전성 비용종증 대장암이 가지는 병리학적 특징은 분화도가 좋지 않은 암이나 점액성암, 인환세포암, 수질암 등의 발생 빈도가 일반 대장암에 비해 흔하다는 것이다. 또 이들 환자에서 발견되는 선종은 비교적 조기에 발생하며 크기가 크고, 병리학적으로는 융모성 선종이 많고 이형성증이 심하므로 일반적인 선종에 비해 대장암으로 빨리 진행한다. 이러한 병리학적 소견에도 불구하고 유전성 비용종증 대장암 환자의 예후는 일반 대장암 환자보다 좋은 것으로 보고된 바 있다.

2) 유전성 비용종증 대장암의 원인 유전자

1993년 포겔스타인 연구팀은 연관분석을 통한 연구에서 이 질환의 원인이 되는 유전자는 2번 염색체의 단완에 위치하는 것을 처음 밝혀냈다. 유전성 비용종증 대장암 환자의 암조직에서 분리한 DNA를 이들 환자의 정상조직의 DNA와 비교해 보면 단순히 반복되는 염기구조인 현미부수체의 길이가 다른 것이 흔히 발견된다. 이 현상을 현미부수체 불안정성Microsatellite Instability (MSI)이라고 하며 유전성 비용종증 대장암의 발견에 있어 매우 중요한 특징적인 현상이다. DNA내의 염기서열 중 단순히 반복되는 염기구조인 현미부수체들은 유전적으로 불안정하기 때문에 유전자의 복제과정에서 오류가 일어나기 쉬운 부분이다. 이는 유전성 비용종증 대장암에서 암이 발생하는 과정에 수많은 복제오류가 일어났음을 의미한다.

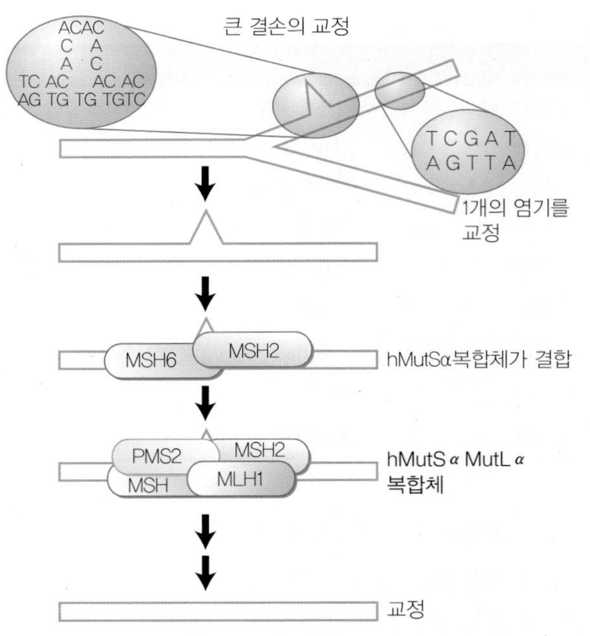

그림 2-120 **복제실수 교정유전자의 작동기전.** 유전자는 복제 과정에서 오류가 발생할 수 있는데, 이러한 오류를 교정해서 유전자의 항상성을 유지해주는 것이 복제실수 교정유전자 mismatch repair gene이다. 복제실수 교정유전자들은 그림에서처럼 복합체를 이루어 작동한다.

이러한 연구결과를 바탕으로 1993년 2번 염색체의 단완(2p21-22부위)에서 *hMSH2*, 1994년에는 3번 염색체의 단완(3p21.3)에서 *hMLH1*, 2번과 7번 염색체의 *hPMS1*및 *hPMS2* 등이 발견되었다. 이들 유전자들의 공통된 특징은 DNA 복제 시 발생하는 복제실수를 교정하는 기능을 가지고 있다는 점이다. 세포분열 시 일어나는 DNA의 정상적인 복제과정에 있어서 일정 비율로 오류, 즉 잘못된 염기쌍 간의 결합이 생겨날 수 있는데, 이러한 잘못된 염기쌍 결합부위는 *hMSH2*와 *hMLH1* 등의 유전자에 의해 생성되는 단백질에 의해 결국 올바른 염기쌍으로 치환됨으로써 모든 유전자들의 기능을 정상적으로 후손세포들에게 물려주게 된다(그림 2-120). 그러나 *hMSH2*나 *hMLH1* 등의 유전자가 돌연변이를 일으켜 정상기능을 상실하면 DNA 복제과정에서 생기는 실수는 교정되지 못해 후손세포들의 유전자의 기능에 이상이 초래된다. 만일 세포의 분열 및 성장을 조절하는 유전자에 이상이 초래되면 결국 암이 발생하는 것이다. 일반적인 대장암의 발암과정은 *APC, K-ras, DCC* 및 *p53* 등의 주로 종양억제 유전자의 돌연변이가 관여하며 유전자 이상이 순서대로 일어나는 선종-암종 연속성으로 설명된다. 유전성 비용종증 대장암에서도 역시 선종-암종 연속성을 거치지만 일반적인 선종-암종 연속성에서와는 다른 유전자의 변이 과정을 거친다. 유전성 비용종증 대장암의 경우 *K-ras* 돌연변이가 매우 낮으며, 복제실수 교정유전자의 돌연변이로 인하여 *TGFβRⅡ*, *IGFRⅡ*, *BAX*유전자 등의 돌연변이가 흔하게 발견된다.

현재까지 유전성 비용종증 대장암의 약 50%에서만이 복제실수 교정유전자의 배아돌연변이 germline mutation가 발견되는 것으로 알려져 있는데, 이 중 90% 이상이 *hMSH2*와 *hMLH1*에서 발견되므로 이 두 유전자에 대한 검사가 임상적으로 중요하다. 돌연변이는 유전자의 엑손 전 지역에서 발견되며 발견되는 돌연변이의 종류는 염기의 결손, 치환, 삽입 등 점돌연변이가 가장 흔하나, 엑손 결손 등 비교적 큰 유전적 결손도 원인이 된다. 유전자 검사법으로 염기서열 결정법 DNA sequencing이 가장 많이 사용되며, 염기서열 결정법 전에 단일쇄형태구조 다형성분석Single Strand Conformational Polymorhpism (SSCP) 등으로 우선 선별검사를 시행한 후 이상소견이 보이는 부분에만 적용하기도 한다.

앞에서 기술한 현미부수체 불안정성은 유전성이 없는 산발성 대장암 조직에서는 10-15% 정도에서만 발견되지만 유전성 비용종증 대장암에서는 거의 대부분에서 발견되므로 유전성 비용종증 대장암이 의심되는 환자들 중 유전자 진단이 필요한 군을 선별하는 데에 사용할 수 있다. 1998년 볼란드 등은 인체 세포의 많은 현미부수체 중 5개를 현미부수체 불안정성 검사에 활용함으로써 유전성 비용종증 대장암을 효과적으로 진단할 수 있음을 제시하였다. 흔히 베데스다 패널로 불리는 두 개의 쌍염기 현미부수체 BAT-25, BAT-26과 3개의 단염기 현미부수체인 D5S346, D2S123, D17S250이 현미부수체 불안정성 검사에 표준적으로 이용되고 있다. 현미부수체 불안정성 검사의 결과는 베데스다 패널 중 2개 이상의 표지자에서 이상이 있는 군을 MSI-H, 하나의 표지자에서만 이상이 있는 군은 MSI-L, 모든 표지자에서 이상이 없는 군은 MSS로 나누어 보고하게 되어있고, 거의 모든 유전성 비용종증 대장암에서 MSI-H의 결과를 보인다. MSH-L의 결과를 보이는 대장암의 아주 일부에서 *MSH6* 유전자의 돌연변이가 보고된 바 있다.

유전자 진단이 필요한 군을 선별하는데 복제실수 교정 단백질에 대한 면역화학염색도 많이 사용된다. 절제된 대장암 조직에 대하여 MSH2와 MLH1 단백질에 대한 항체를 이용하여 면역화학염색immunochemical staining을 시행하고 단백질 염색이 되지 않는 소견이 있는 경우에 해당 유전자에 대하여 유전자 돌연변이 검사를 시행하게 된다.

유전자 검사가 환자의 진단, 치료 및 환자의 가족관리에 대단히 유용한 수단이지만 시간과 비용이 많이 소요되므로 검사를 받아야 할 환자를 선택하는데 적당한 선별기준이 있어야 한다. 암스테르담 기준을 만족하는 환자는 의심의 여지없이 유전자 검사를 받아야 한다. 암스테르담 기준은 국제공동연구에서 환자군의 동질성을 유지하는 것에는 매우 유용하지만 수정된 진단기준에서도 그 기준이 너무 엄격하여 실제로 유전자의 이상이 있을 때에도 제외될 수 있다는 약점이 있다. 이러한 약점을 보완하기 위해 1996년 베데스다 지침이라는 유전자 검사의 적응증이 제시되었으나 이러한 베데스다 지침에 따라 검사를 시행하였을 때 민감도는 높은 반면, 특이도는 그리 높지 않은 단점이 있다. 2002년에는 기존의 베데스다 지침을 수정 보완한 수정 베데스다 지침이 발표 되었다. 한국 유전성 종양 등록소에서는 암스테르담 진단기준에는 해당되지 않지만 유전자 검사가 필요한 경우로 유전의심성 비용종증 대장암 suspected-HNPCC 환자의 기준을 정하고 국제공동연구를 시행하였다(표 2-30). 연구 결과 수정된 암스테르담 기준을 만족하는 경우 50%에서 돌연변이가 발견된 데 비해 수정된 유전의심성 비용종증 기준에서도 26%에서 돌연변이가 발견되어 유전의심성 대장암의 경우에도 유전자 검사가 필요함을 확인하였다.

표 2-30. 유전의심성 비용종증 대장암 진단기준

1대의 관계에 있는 가족 중 적어도 병리조직학적으로 증명된 2명 이상의 유전성 비용종증 대장암 연관 암(대장암, 자궁내막암, 요관암, 신우암, 소장암) 환자가 존재하고, 또한 다음 중 하나의 기준을 만족시켜야 한다.

1. 다발성 대장암 또는 용종
2. 적어도 1명은 50세 이전에 진단되어야 한다
3. 가계 내에 위암, 담도계암, 난소암 또는 췌장암에 이환된 환자가 존재한다.

3) 진단, 검진 및 치료

유전성 비용종증 대장암의 진단에는 정확한 가족력을 바탕으로 한 가계도 분석이 제일 중요하다. 특히 대장암 진단시 연령이 젊거나 이시성 또는 동시성 대장암이 있는 경우, 자궁내막암 등이 동반된 경우 우선 의심하여야 한다. 서론에서 기술한 바와 같이 대장암의 진단에는 수정된 암스테르담 진단기준이 가장 많이 사용된다. 유전성 비용종증 대장암의 진단은 임상적 진단기준을 따르며 돌연변이의 유무를 보는 유전적 진단기준이 아님을 기억해야 한다.

임상적 검사 방법에는 대장내시경검사가 주로 사용된다. 유전성 비용종증 대장암 가족과 환자를 찾는 목적은 암 발생의 위험도가 높은 가계에 대한 교육과 정기검진을 통한 조기발견 및 치료, 그리고 선종에서 암으로 진행되기 전에 선종을 제거하기 위함이다. 따라서 이 질환에 이환된 가계의 구성원들은 21세부터 매 2년마다 대장내시경을 실시하여야 한다. 만일 한 가계 내에 그 이전에 발생한 대장암 환자가 있는 경우에는 그 환자의 대장암 진단시의 연령보다 어린 나이부터 정기검진을 권유한다. 40세 이후부터는 대장암 발생확률이 높아지므로 매년 대장내시경을 시행하여야 한다.

유전성 비용종증 대장암으로 진단되면 수술은 에스결장의 일부와 직장을 제외한 나머지 대장을 절제하는 아전결장절제술 또는 전결장절제술을 시행한다. 수술 후 남아있는 직장에 암이 발생할 위험도는 약 10-15% 정도로 알려져 있다. 따라서 수술 후에는 매년 직장에 대한 내시경검사를 시행하여야 한다. 여자 환자의 경우 자궁내막암의 발생위험도가 높기 때문에 더 이상 임신 및 출산 계획이 없다면 예방적 자궁절제술 및 난소절제술을 시행하는 것이 좋다. 일부 환자에서는 산발성 대장암 수술처럼 아전결장절제술이 아닌 부분절제술을 시행하기도 하는데, 이는 환자가 아전결장절제술을 시행하기에 부담스럽고 고령인 환자에서 예외적으로 고려될 수 있다. 단, 부분절제술 후에는 반드시 매년 대장내시경 검사를 통하여 이시성 암의 발생을 잘 관찰하여야 한다.

유전성 비용종증 대장암 환자에서 발생한 대장암은 산발성 대장암보다 예후가 좋은 것으로 알려져 있다. 그 이유로는 비교적 나쁜 조직학적 소견에도 불구하고 림프절 전이가 적다는 점, 면역반응에 의한 종양 억제작용 등이 제시되고 있으나 명확하지 않다.

3. 가족성 용종증

가족성 용종증Familial Adenomatous Polyposis (FAP)은 유전성 대장 용종증 증후군의 가장 대표적인 것으로서 선종성 용종이 전 대장에 걸쳐 100개 이상 있을 때 진단할 수 있다. 상염색체 우성으로 유전하며 인구 10만 명당 1명 정도로 발생하는 것으로 알려져 있다. 환자의 70-80%에서는 가족성 용종증의 가족력이 있지만 약 20-30%에서는 가족력이 없이 당대의 돌연변이 형태로서 나타난다. 가족성 용종증에 동반되어 발생하는 대장암은 전체 대장암의 1% 정도를 차지한다. 이 질환도 유전성 비용종증 대장암과 마찬가지로 유전자의 배아돌연변이로 인하여 모든 세포 성장과정의 조절에 이상이 발생하여 생기는 질환이므로, 대장 외 여러 장기에 종양을 포함한 다양한 병변을 동반하여 나타낼 수 있는 질환이다.

1) 가족성 용종증의 임상적 특징

가족성 용종증에 이환된 환자는 주로 10대 초반를 전후하여 용종이 발생하는데 대장에 선종이 생기는 연령의 중앙치는 16세(범위는 5-38세 사이)이고, 대장암의 발생률은 20세에 0.5%, 25세에 4%, 30세에 13%, 35세 때에는 23%, 40세에서는 37%나 되며 그 이후로도 연령에 따라 계속적으로 증가한다. 치료하지 않은 가족성 용종증 환자의 자연경과를 보면, 선종의 발생은 평균 25세, 증상 발현은 33세, 선종의 진단은 36세, 대장암의 진단은 39세이고 평균 42세에 대장암으로 사망한다.

가족성 용종증에서 나타날 수 있는 대장 외 병변은 선천성 기형, 양성 종양, 악성 종양 등 아주 다양하다. 양성 병변으로는 피부에 생기는 표피양낭종epidermoid cyst, 치아 이상unerupted and supernumerary teeth, 눈에 나타나는 망막 색소상피 선천성 비대Congenital Hypertrophy of the Retinal Pigment Epithelium (CHRPE) 등이 있다. 가족성 용종증에 동반되어 나타나는 종양성 병변으로는 안면과 긴 관상골에 주로 발생하는 골종양 osteoma, 간모세포종, 담관암, 갑상선 유두암, 부신피질 선종, 중추신경계의 수질모세포종 등의 위험성이 증가하는 것이 잘 알려져 있다. 임상적으로 특히 중요한 대장 외 병변은 상부위장관 종양과 유건종desmoid이다. 예전에는 가족성 용종증 환자 사망원인의 대부분은 대장암이었으나, 점차 유전성 대장암에 대한 이해가 넓어짐에 따라 가족성 용종증 환자 및 가족 구성원에 대한 조기 발견 및 예방적 대장절제술이 늘어나게 되었다. 따라서 예방적 대장절제술을 받은 환자에서 발생하는 유건종과 십이지장암이 주요 사망원인이 되고 있다.

유건종은 가족성 용종증의 10-15%에서 발생하며 유건종이 발생한 경우 이로 인한 사망률은 10-50% 달하는 것으로 보고되고 있다. 산발성 유건종의 경우 팔 다리나 복벽에 흔하고 수술적 절제가 가능한 경우가 많으나, 가족성 대장암 환자의 유건종은 소장 장간막을 비롯한 복강내 발생이 많아 치료가 매우 어렵다.

상부위장관 종양 중 가장 흔한 것은 소장 선종으로 가족성 용종증의 90% 정도에서 발생한다. 십이지장에 가장 많이 발생하나 전 소장에서 발생할 수 있고 십이지장암의 위험도는 약 5% 정도이다. 십이지장 선종은 크기, 개수, 융모성 선종 여부, 이형성증 정도에 따라 십이지장암 발생 위험도가 다른 것으로 알려져 있는데, 슈피겔만 등은 위험도를 나누어 분석하고 4기의 경우 십이지장암 발생이

표 2-31. 가족성 용종증 환자의 십이지장 선종에 대한 슈피겔만 분류

점수	개수	크기	조직학적 분류	이형성증
1점	1-4	1-4mm	관상형	경함
2점	5-20	5-10mm	관상-융모 혼합형	중간
3점	>20	>10mm	융모형	심함

각 점수 합산 후 0점: 0기, 1-4점: 1기, 5-6점: 2기, 7-8점: 3기, 9-12점: 4기

36%에 달하는 것으로 보고하였다(표 2-31).

2) 가족성 용종증의 원인 유전자

1987년 보드머 등에 의해서 가족성 용종증에 관여하는 유전자가 5번 염색체의 장완(5q 21-22부위)에 위치하는 것이 밝혀졌으며, 1991년 이 부위에서 발견된 몇 개의 종양억제유전자 중에서 가족성 용종증의 원인이 되는 유전자인 *APC* 유전자가 밝혀졌다. *APC* 유전자는 15개의 엑손으로 구성되어 있으며 총 2,843개의 아미노산으로 이루어진 단백질을 생성하는데 이 단백질은 세포들 사이의 부착에 관여하는 단백질인 베타카테닌과 결합하여 베타카테닌을 분해함으로써, 세포 사이의 신호전달에 관여하고 결과적으로 세포의 성장조절에 영향을 미친다. 가족성 용종증은 *APC* 유전자의 배선돌연변이에 의해 생성된 비정상 단백질에 의해 발생한다. 현재까지 약 500여 종류의 *APC* 유전자의 돌연변이가 알려졌는데, *APC* 배선돌연변이는 이 유전자의 5' 쪽 1/2에서 대부분 발견되고 있으며, 특히 엑손 15번의 코돈 1,000번 과 1,600번 사이 구간은 전체 *APC* 배선돌연변이의 60%가 위치하는 돌연변이 밀집구역mutation cluster region으로 알려져 있다. *APC* 유전자의 전형적인 돌연변이는 염기쌍의 결손, 치환으로 인한 점돌연변이며, 특징적으로 약 95%에서 돌연변이에 의해 APC 단백질의 길이가 짧아진다.

APC 유전자는 종양억제유전자의 일종이므로 쌍으로 된 유전자중 1개에서만 돌연변이가 발생해도 세포를 형질 변환시키는 암유전자와는 달리 2개에서 모두 돌연변이가 발생하여 정상역할을 하는 단백의 생성이 되지 않아야 암을 일으킨다. 산발성 대장암의 발생에 있어서도 종양억제 유전자인 *APC*의 돌연변이가 암 발생 초기에 생기는 것이 잘 알려져 있는데, 가족성 용종증의 발암기전에서도 *APC* 유전자의 역할이 산발성 대장암에서와 다르지는 않다. 다만 가족성 용종증에서는 출생시부터 쌍으로 된 대립유전자중 한 개가 이미 결손된 형태이므로 나머지 한 개에서 돌연변이로 발생하여 모두 결손될 가능성이 일반인보다 훨씬 높을 뿐이다. *APC* 유전자는 다양한 역할을 하는 유전자이기 때문에 아직까지 그 정확한 역할은 알려져 있지 않지만 초파리의 실험으로부터 밝혀진 베타카테닌 경로가 가장 잘 알려져 있다. 정상적인 *APC* 단백질이 생성되지 않으면 세포 내 베타카테닌의 분해가 이루어지지 않아 베타카테닌이 세포 내에 축적되어 핵 내에서 세포분열 및 생장을 자극하게 된다(그림 2-121).

3) 가족성 용종증의 증상발현 전 조기진단

증상발현 전 조기진단이 가능하게 된 것은 가족성 용종증의 원인 유전자인 *APC* 유전자가 밝혀진 이후이다. 현재 가족성 용종증 환자에서 유전자 검사를 하면 약 60-80% 정도에서 *APC* 배선돌연변이가 발견된다. 유전자 검사에 사용되는 방법으로는 연관분석에 의한 진단, 염기서열 결정을 통한 진단, 단백질 검사를 통한 진단 등이 있다. 연관분석은 *APC* 유전자에 밀접하게 연관되어 있으면서 높은 다형성을 나타내는(CA)n 반복구조를 증폭하여 증폭된 반복서열 길이가 다른 정도를 분석하면 가족성 용종증 환자의 가계구성원 중에서 이상이 있는 *APC* 유전자를 가지고 있는 구성원을 판별하는 것이다. 그러나 연관분석에 의한 진단은 최소한 2세대에 걸쳐 각 세대마다 1명 이상의 환자가 있으며 모두 유전자 검사가 가능한 가계에서만 적용 가능한 한계가 있다. 염기서열 결정을 통한 진단은 가족성 용종증 환자 및 그 가족 구성원들로부터 채혈을 하여 백혈구에서 DNA를 분리한 뒤 중합효소연쇄반응Polymerase Chain Reaction (PCR)을 이용하여 유전자를 증폭시킨다. 증폭된 유전자를 protein truncation test, Single-Strand Conformational Polymorphism (SSCP), Denaturing High Performance Liquid Chromatography (DHPLC) 등의 방법을 시행하

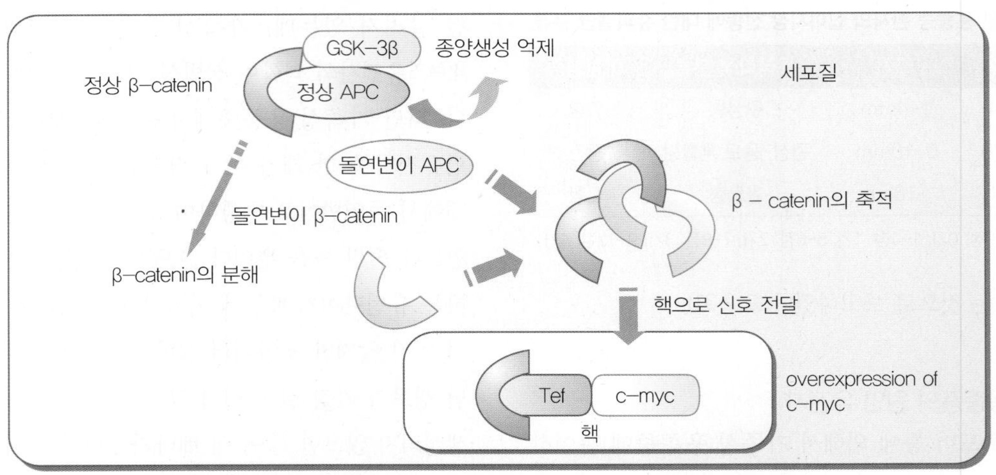

그림 2-121 **APC 유전자의 기능과 가족성 용종증의 발생기전**

여 *APC* 유전자에서 돌연변이가 존재하는 부위를 먼저 찾고, 그 부위의 염기서열을 봄으로써 돌연변이를 확인하는 방법이다. *APC* 유전자는 지금까지 밝혀진 유전자 중 가장 큰 것 중의 하나여서 전체 유전자의 염기서열을 결정하는 것은 많은 시간이 소요되므로 이와 같은 방법을 사용한다.

4) 가족성 용종증의 치료

가족성 용종증에 대한 치료는 대장절제술이다. 조기에 예방적인 대장절제술을 시행하지 않으면 100%에서 악성화하여 대장암으로 진행하므로, 대장암 발생의 위험 때문에 늦어도 25세 이전에는 반드시 수술을 해주는 것이 원칙이다. 증상이 없는 5mm 이하의 비교적 작은 용종을 가진 환자들에서는 대개 20세 경에 수술하지만, 증상이 있거나 심한 용종증(1,000개 이상의 용종 개수, 20개 이상의 직장 용종, 1cm 이상의 큰 용종이 많은 경우, 이형성증이 동반되는 경우)을 보이는 경우에는 나이에 관계없이 바로 수술하는 것이 원칙이다. 수술 방법은 여러 가지가 있지만 전대장절제술 및 항문관점막 절제 후 회장저장낭을 만들어 항문에 문합해 주는 방법이 선호된다. 직장을 남기고 전결장절제술 및 회장직장문합술을 하는 경우가 있는데, 일부 환자에서만이 적응되며 장간막 유건종으로 회장낭-항문문합술이 불가능하거나, 항문 기능의 저하가 심한 경우 등이 이에 해당한다. 회장낭-항문문합술에는 자동문합기를 이용한 이중문합술이나 용수문합 두 가지의 방법이 있는데, 하부직장의 심한 용종증이 아니면 대개 이중문합술이 가능하다. 이 경우 직장항문 경계부위의 용종 발생에 대하여 수술 후 정기적인 수지검사가 중요하다. 화학예방요법chemoprevention에 대한 연구에 따르면 비스테로이드성 소염진통제인 설린닥이나 선택적 cyclo-oxygenase-2 억제제인 셀레콕시브 등을 경구 투여하는 경우 가족성 용종증 환자에서 용종의 크기 및 수가 감소하는 것이 알려져 있다. 그러나 이러한 화학예방요법이 암 발생을 줄이고 그에 따른 예방적 수술을 대치할 수 있는지에 대하여는 아직 알려진 바가 없다. 또한 회장낭 용종의 발생 및 성장을 억제하기 위한 수단으로 사용되고 있으나, 용종을 완전히 없애지는 못한다.

가족성 용종증 환자 중 *APC* 유전자 돌연변이를 가지면서 임상적으로는 용종의 개수가 100개 이하이고, 용종 발생 또한 일반적인 가족성 용종증에 비하여 늦은30-40대 이후에 발생하는 경우를 Attenuated FAP이라 하는데, 이 경우에는 환자와 충분한 상의를 통하여 수술적 치료가 아닌 대장내시경 용종절제술을 반복함으로써 관리를 하기도 한다.

가족성 용종증 가계 구성원에 대한 검사는 대장내시경이다. 16세경에 용종이 발생하기 시작하므로 10대 초반에 에스결장경 검사를 우선하고 10대 후반에는 대장내시경 검사를 시행하여 전체 대장의 용종증 발생 및 용종증의 정도를 확인하는 것이 좋다.

4. 포이츠-예거 증후군

포이츠-예거 증후군Peutz-Jeghers syndrome은 상염색체 우성 유전을 하는 질환으로 위장관에 과오종을 형성하고 피부점막부에 색소 침착이 특징적인 질환이다. 빈도는 가족성 용종증이나 유전성 비용종증 대장암에 비해 훨씬 드물어 인구 20만 명당 1명 정도로 알려져 있다. 과오종은 소장에 가장 흔하며(78%), 위(38%), 대장(20-40%)에도 발생하며, 드물게 비강, 기관지, 요로계 등에도 과오종을 유발한다. 과오종 자체가 악성종양으로 발전하는 경우는 흔하지는 않으나 드물게 선종성 변화 및 선암으로의 진행이 있는 것으로 알려졌고 이 질환을 가진 가족에서 대장암이 다발하는 증례들이 보고되어 있다. 대장암 외에도 위암, 유방암, 자궁경부암, 난소암, 고환암 및 췌장암 등이 호발한다.

염색체 19p13.3에 위치하는 *STK11* (*LKB1* 유전자로도 알려짐) 유전자의 배선돌연변이가 포이츠-예거 증후군의 원인유전자로 발견되었는데, 전체 환자의 약 50%에서 발견된다. 우리나라에서는 2000년 윤 등이 10명의 포이츠-예거 환자들 중 5예에서 *STK 11* 유전자의 배선돌연변이를 발견하여 보고한 바 있다.

이러한 포이츠-에거 증후군 환자들에 대한 치료로서 예방적 장 절제는 권유되지 않으며 암 발생 시에는 통상적인 대장 절제를 시행하고 과오종에 대해서는 증상과 크기에 따라 수술적 절제 또는 내시경 절제를 시행한다.

5. 유년기 용종증

산발성으로 발생하는 유년기 용종juvenile polyp은 소아의 약 2%에서 발견되는 비교적 흔한 질환인데 반하여, 상염색체 우성 유전을 하는 유년기 용종증juvenile polyposis은 이와는 다른 매우 드문 유전성 질환이다. 5개 이상의 유년기 용종이 위장관에 발생하거나, 그 이하의 유년기 용종이 있으면서 유년기 용종의 가족력이 있는 경우에 유년기 용종증으로 진단한다. 이 질환은 포이츠-예거 증후군과 마찬가지로 위장관에 과오종을 가지며 악성으로 전환을 하지는 않는 것으로 알려져 왔으나 최근에는 일부 용종은 선종성 양상을 갖고 악성으로 전환함이 보고 되었다. 수술적 치료법은 용종의 갯수가 수십 개 이상일 때는 가족성 용종증과 마찬가지로 아전결장절제술 또는 전대장절제술 및 회장낭-항문문합술을 시행하고 용종의 수가 적을 때는 내시경 용종절제술을 할 수 있다.

이 질환의 원인 유전자는 1988년 호웨 등에 의해 *SMAD4*가 원인 유전자임이 밝혀졌다. *SMAD4*는 18q에 위치하며 종양억제유전자로 알려진 DCC와 매우 근접한 위치에 존재한다. *SMAD4*는 TGF-β의 세포 내 신호전달 체계에 관여하는 단백질을 부호화하는 유전자로 552개의 아미노산으로 이루어진 단백을 생산한다. 체내에서 *SMAD4* 유전자의 돌연변이가 발생하면 TGF-β 신호전달 체계에서 SMAD4 단백질의 동종 삼합체homotrimer 형성이 이루어지지 않아 핵 내 세포성장억제 신호가 저해된다. *SMAD4* 유전자의 체성돌연변이는 췌장암에서 50%, 대장암에서 15% 정도로 나타나, 유년기 용종증에서 흔히 발견되는 췌장암 및 대장암의 생성에 중요한 역할을 할 것으로 여겨진다.

SMAD4 유전자 돌연변이가 없는 4명의 환자들에서 *BMPR1A* 유전자의 돌연변이가 관찰되어 유년기 용종증의 원인유전자로 *SMAD4* 유전자 외에 *BMPR1A* 유전자가 관여함을 알 수 있다. 우리나라 유년기 용종증 환자들의 유전자 검사 결과, 유년기 용종증 환자 4명 중 3예에서는 *DPC4* 유전자의 배선돌연변이, 1예는 *BMPR1A* 유전자의 배선돌연변이가 발견되었다.

6. *MYH* 연관 용종증

2002년 알-타산 등은 다발성 대장 선종과 암종이 형제, 자매 사이에 집중된 영국인 가계Family N를 연구하였는데, 이 가계의 구성원들의 *APC* 유전자검사상 배선돌연변이는 없으나 다만 구아닌-사이토신 염기쌍이 티민-아데닌 염기쌍으로 변이transversion 된 체성돌연변이만이 존재하는 것을 발견하였다. 이 결과를 토대로 염기절제교정에 관여하는 유전자의 하나인 *MYH* 유전자의 배선돌연변이가 대장 선종과 대장암 발생에 관계함을 최초로 보고하였다. 염기절제 교정유전자Base Excision Repair (BER) gene는 체내에서 산화성 DNA 손상 시 발생하는 8-옥소구아닌이 사이토신 대신 아데닌과 결합하는 결합오류를 방지 또는 교정하는 작용을 하는 유전자로 생체 내에는 *OGG1*, *MYH*, *MTH1*의 세가지 유전자가 있다. 이 중 *MYH* 유전자는 아데닌과 잘못 결합되어있는 옥소 구아닌을 사이토신과 결합하도록 교정하는 역할을 한다.

이러한 *MYH* 연관 용종증*MYH*-Associated Polyposis (MAP)은 유전성 대장암 중 최초로 상염색체 열성 유전을 하는 형태로 밝혀졌다. 임상적 특징은 다발성 대장 용종이 발생되고 대장암의 발생위험도가 높으며, 십이지장 선종도 흔한 것으로 알려져 임상상으로는 attenuated FAP와 유사하다. 이들에서의 선종과 암종의 분자생물학적 특성은 *K-ras* 유전자 돌연변이가 빈번하고 *p53* 돌연변이는 드물게 발견되나 현미부수체 불안정성은 없는 것으로 알려져 있다. 우리나라에서도 김 등이 46명의 10-99개 대장 선종을 가진 대장 용종증 환자 중 2명(4.3%)에서 *MYH* 유전자의 양측 대립유전자 돌연변이biallelic mutation을 발견하여 보고한 바 있다.

요약

유전성 대장암은 전체 대장암의 5% 정도를 차지한다. MYH 연관 용종증을 제외한 대부분의 유전성 대장암들은 상염색체 우성 유전을 하며 질환에 따라 다양한 임상상을 보이나, 유전자의 배선돌연변이로 인한 질병이므로 대장암 발생 시기가 산발성 대장암보다 비교적 빠르고, 유전자의 기능 이상이 대장에만 국한된 것이 아니기 때문에 대장 외 장기에도 종양 등의 이상 소견을 나타내는 공통점이 있다. 유전성 비용종증 대장암이 유전성 대장암 중 가장 흔하며 복제실수 교정유전자의 이상에 기인한다. 대장 용종증은 흔하지 않으나 조기 발병하는 대장암과 자궁내막암 외에 소장암, 신우암, 요도암, 위암 등의 위험성 증가를 특징으로 한다. 치료는 아전결장절제술이 원칙이고 가족구성원에 대한 유전자 검사 및 정기적 대장내시경 검사가 필요하다. 대장 용종증을 특징으로 하는 유전성 대장암에 해당하는 질환으로는 전체 대장암의 1% 정도를 차지하는 가족성 용종증이 가장 흔하고, 이외에도 포이츠-예거 증후군, 유년기 용종증, MYH 연관 용종증 등이 이에 해당한다.

XII 천골앞종양

1. 해부학적 구조와 분류

천골앞공간은 해부학적으로 천골과 미골의 전방, 직장 고유근막의 후방, 복막반전의 하방, 항문거근과 미골근의 상방으로 경계 지어지는 공간이다. 그리고 이의 측방으로는 요관, 장골혈관, 직장의 측방지지부 그리고 천골신경근이 있다. 이곳에 생기는 천골앞의 종양은 드물어서 많은 경험이 어렵고, 종양의 성상도 양성 혹은 악성일 수 있다. 천골앞종양의 발생기원은 배아, 신경, 혈관, 골, 연골이나 결합조직 등의 다발성 배아잔재에서 생길 수 있다. 천골앞종양은 선천성, 신경성, 뼈성, 직장기원과 기타 등 5개의 군으로 나눌 수 있고 그중 선천성이 가장 흔하다(표 2-32).

소아에서 악성종양이 흔하고, 낭종보다는 고형종양에서 악성일 가능성이 높다. 여자에서 낭성종양일 가능성이 높고, 증상 특히 통증이 있는 경우에 악성일 가능성이 높다.

2. 증상과 진단

천골앞종양의 약1/4에서 자각증상이 없이 우연히 발견되고 증상자체는 압박증상 등의 비특이적인 증상이고, 직장수지검사 상 약97%에서 만져진다. 수술 전 직장내시경 검사로 직장점막의 침윤여부를 확인하여야 하고 근층의 침윤여부를 확인하기 위해서 직장내시경 초음파를 시행하기도 한다. 단순 X선 촬영으로 천골의 파괴와 종양의 석회화를 확인하여야 하고, 전산화단층촬영과 자기공명영상은 필수적이며 상호 보완적이다. 전산화단층촬영은 병변이 고형인지 낭종성인지, 뼈의 파괴여부, 인접장기의 침윤여부를 확인할 수 있고, 자기공명영상은 절제연, 인접장기와의 관계와 동반된 척수의 이상을 알 수 있다. 수술 중 신경손상의 가능성이 높으므로 수술 전 아주 사소한 신경학적인 장애라도 기록하여 검사하여야 하고 엉치신경얼기sacral plexus의 손상가능성이 있는 경우 경정맥신우조영술과 방광내압곡선을 검사하여야 한다.

표 2-32. 악성 및 양성 천골앞종양의 분류

선천성병변
양성: 기형종, 유피낭종, 수막탈출증 악성: 척삭종, 악성기형종
신경발생종양
양성: 신경섬유종, 신경집종, 신경절신경종 악성: 신경모세포종, 신경절신경모세포종, 뇌실막세포종, 악성신경초종
뼈성
양성: 거대세포종, 양성골모세포종, 동맥류뼈낭종, 연골종 악성: 골육종, 유잉육종, 골수종, 연골육종, 조직구종
기타
양성: 지방종, 섬유종, 평활근종 악성: 지방육종, 섬유육종, 평활근육종, 혈관주위세포종, 전이성암종

수술 전 조직검사는 감염과 세포의 파종의 염려 때문에 피하는 경향이 있는데 특히 완전 절제가 가능한 경우에는 하지 않는다. 그러나 수술 전 항암요법과 방사선요법이 효과가 있는 유잉육종, 골육종과 신경섬유육종과 유건종과 같이 선행보조요법으로 효과가 있는 경우, 크고 인접장기의 침윤이 있는 경우, 그리고 단단하고 비균질성인 종양에서는 양성과 악성의 수술방법이 다르므로 수술 전 조직검사를 고려해야 한다. 조직생검시에는 경복막이나 경후복막, 경직장이나 질을 통해서는 시행하지 않고 회음부나 천골주위를 통해서 침조직생검을 하고 수술 시에 바늘경로를 절제한다.

3. 치료

천골앞종양의 치료는 증상이 없더라도 악성종양의 가능성과 낭종의 염증 발생 가능성 등으로 적극적으로 절제하는 것이 원칙이다. 천골앞종양은 위치상 또 그 기원이 다양하기 때문에 골반수술에 정통한 외과 의사의 주도로 다방면의 전문가가 팀을 이루어 다학제 치료를 하는 것이 좋다.

방사선요법은 척삭종이나 특정 육종에서 완전절제가

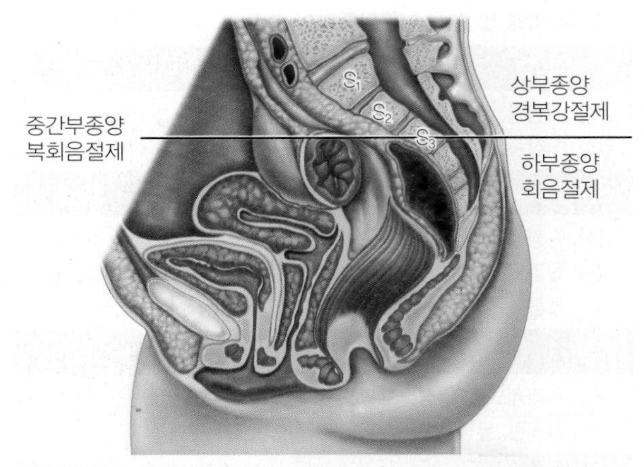

그림 2-122 종양과 천골과의 관계와 추천되는 수술경로

불가능하거나 재발 시 양전자치료나 정위방사선요법 등이 다학제치료에서의 역할이 기대된다.

대부분의 악성 천골앞종양은 항암요법에 반응하지 않는데, 진행성 척삭종에서 imatinib가 효과가 있고, 표피성장인자억제재가 재발하거나 전이된 척삭종에서 효과가 있다고 한다. 유잉육종과 골육종에서 항암화학요법이 효과가 있을 것으로 예상된다.

1) 수술적인 치료

천골앞종양의 수술목표는 완전절제이다. 수술경로는 종양의 위치, 성상과 크기에 따라 다르다. 제3천골을 기준으로 상부의 종양은 경복강으로 하부는 경회음 경로가 좋고, 중간부는 양쪽에서 절제하는 것이 좋다. 전산화단층촬영과 자기공명영상을 통해서 절제연과 천골부위를 결정한다. 제3천골 상부까지 가는 종양이거나 큰 종양인 경우에는 전후방경로가 좋다(그림 2-122).

하방에 위치한 종양인 경우에는 환자를 엎드린잭나이프자세로 하고 항문미골인대와 미골 혹은 하부천골을 절제하고 종괴를 절제할 수 있다. 천골절제가 필요한 경우에도 골반의 안정성을 유지할 수 있으며 한쪽이나 상부 3개의 천골신경근을 살리는 경우 대변실금이나 요실금은 오지 않는다. 하방에 위치한 적은 양성 천골앞종양의 경우에는 괄약근간을 통해 절제할 수 있다.

경복강절제는 종양의 하부가 제4천골보다 상부에 위치하고 천골의 침윤이 없을 때 시행하고 복강경을 이용한 수술이 좋다.

복회음절제는 천골앞종양이 제3천골의 상하에 걸쳐있을 때 시행한다. 방광경을 시행하고 양측의 요관스텐트를 넣고 환자는 비스듬한 측와위 혹은 변형쇄석자세로 수술한다. 종양이 큰 경우에는 직장을 절제할 수 있고, 또 출혈을 줄이기 위해서 중 및 측천골혈관과 양측 내장골혈관을 결찰할 수 있다. 내장골동맥을 결찰 시는 하볼기동맥inferior gluteal artery이 기시하는 전방분지를 보존하는 것이 회음부의 괴사를 예방하는데 좋다. 그후 양측 큰볼기근을 박리하고 천골가시sacrospinous와 천골결절인대sacrotuberous인대를 떼어내고 궁둥구멍근piriform muscle을 양측으로 잘라 좌골신경을 보호한다. 그리고 척추후궁절제술을 시행하여 종양과 하부천골 미골 등이 한꺼번에 적출되도록 한다. 수술 후 창상은 흡입드레인을 넣거나 경복강복직근근피판(TRAM flap)을 넣고 층층으로 봉합한다.

4. 치료 결과

악성종양인 경우에는 종양의 성상과 절제가 적절했는지가 중요한데 불완전절제가 되거나 종양학적인 원칙이 지켜지지 않은 경우 국소재발률이 64%에 이른다. 척삭종은 5년생존율이 80%에 이르고 폐나 늑골, 척추 등의 전이인 경우에도 절제하여 생존기간을 늘릴 수 있다. 척삭종이외의 악성종양의 5년 생존율은 17%에 이른다.

낭종인 경우에는 항상 낭종 중에서 10–38%가 악성이다는 것을 염두에 두어야 한다. 그러나 양성인 경우 완전한 절제를 한 경우에는 재발은 드물고 재발한 경우에는 다시 절제한다.

5. 천골앞종양의 종류에 따른 치료

1) 선천성 종양

선천성 병변은 가장 흔하고 천골앞병변의 2/3에 이른다.

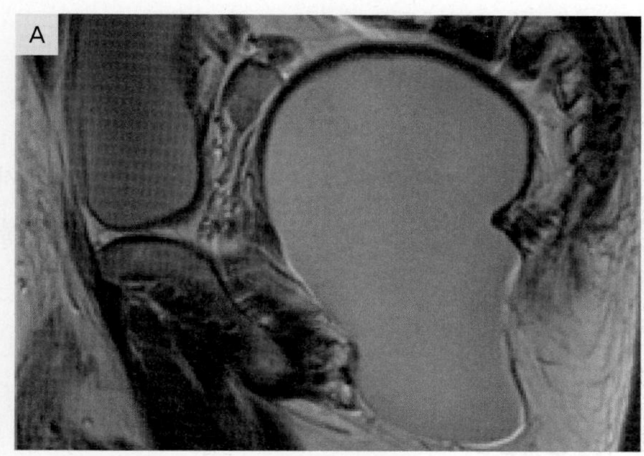

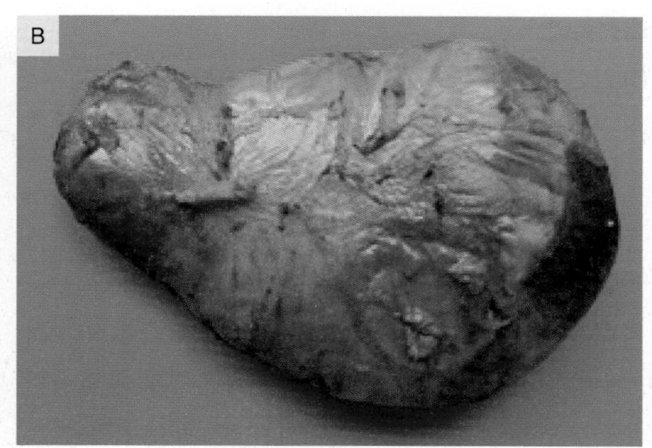

그림 2-123 **천골앞유피낭종의 자기공명상소견(A)과 경회음미추절제술로 절제 후 사진**

(1) 척삭종

척삭종chordoma은 전천골강내의 가장 흔한 악성종양으로 천추골부위에 이소성 척삭잔유물에서 발생한다. 치료는 초기병변은 천골절제인데 적절한 방광과 항문기능의 유지를 위해서 가능하면 양측 S2를 보존한다. 수술적인 절제가 불가능하거나 재발한 경우에는 방사선요법이 효율적이고 예후는 5년 무병생존율이 50%로 양호한 편이다.

(2) 유피낭종

유피낭종은 여자에 많고 종양 자체적으로는 증상이 없으나 대부분 감염이 되어 농양, 누공이나 만성 누출공의 형태로 발견되며 내부에 털과 피지를 함유한다. 천골앞유피낭종은 양성이고 후방절개를 하여 미골을 제거하고 후직장강에 들어가서 제거할 수 있다. 중요한 것은 전체 낭종을 제거하여야 만성 누출공을 예방할 수 있다(그림 2-123).

(3) 기형종

기형종은 모든 종자층으로부터 유래한 조직을 포함하여 상피부위는 다양한 선상 또는 관상구조와함께 편평상피를 포함하고 결합조직층은 뼈, 치아, 연골과 내분비조직을 포함하고 장상피와 같은 내배엽구조를 포함한다. 종양은 고형이거나 낭종형태를 정하고 대부분이 미골이나 천골 부위에 부착되어 있다. 소아의 기형종중 악성은 27%이고 4세 이후의 기형종은 대부분이 악성이다. 그리고 전이는 폐, 간, 척추와 림프절로 전이된다.

치료는 기형종의 완전한 절제가 필요하고 가장 좋은 치료의 기회는 처음 수술이고 종괴의 확산없이 단번에 완전히 절제하는 것이 가장 중요하다.

2) 천골앞신경성종양

천골앞종양 중 신경성은 15%에 이르고, 신경섬유종, 악성신경집종, 신경절신경세포종 등이 있다.

(1) 천골앞수막탈출증

수막탈출증은 신경고리(neural arch)의 불완전한 융합에 의해 발생하는데 다른 천골앞종양과의 감별이 중요하다. 뇌척수액을 포함한 수막으로 된 낭이 탈출한 것으로 방광과 대장을 압박하여 변비와 두통 등의 증상을 보인다. 척수조영술상 경막하공간과 낭종과의 연결을 확인할 수 있다. 수술은 경막결손부를 결찰한다.

(2) 뇌실막세포종

종말끈filum terminale의 신경조직의 종양으로 뼈내로 자라가는 종양으로 천골앞종양의 1.2%로 매우 드물다. 이 병변은 10대나 20대에 발생하고 남성에서 더 흔하다. 치료는 수술적인 절제와 수술 후 방사선치료를 요하고 예후는 재발 없이 생존가능성이 50%에 이른다.

3) 뼈성종양

(1) 양성 골모세포종

치료는 긁어냄술 등의 보존적인치료에 반응이 좋다. 매우 드물지만 악성변화를 한 경우에는 절제한다.

(2) 거대세포종양

치료는 절제연에 종양이 없는 완전절제가 근본적인 치료방법이다. 그러나 양성병변과 악성육종으로 재발할지 여부를 구분할 수 없으므로 근치적천골절제술이 가장 좋은 치료방법이다.

(3) 뼈육종

유일한 치료방법이 근치적인 절제술인데 적절한 치료를 한 경우에는 5년생존율이 약20%에 이른다.

(4) 유잉종양

치료는 일차적으로 방사선 치료를 하고 수술은 사지에 생긴 경우에 권장되며 항암요법도 유용하다. 예후는 불량하여 5년생존율이 16%에 이른다.

4) 기타

(1) 전이종양

전천골 부위로 전이되는 암은 대개 폐, 갑상선, 전립선, 신장, 유방과 결장암인데 치료는 증상과 종류에 따라 방사선치료와 항암화학요법을 시행한다.

요약

천골앞종양은 드물고 감별진단이 광범위하고 발견이 어렵고 늦는 경우가 많다. 양성이거나 악성이거나 천골앞종양이 발견되고 조직학적으로 진단되면 환자의 증상이 없더라도 치료하여야 한다. 전산화단층촬영과 자기공명영상이 종양의 성상을 진단하고 치료방침을 정하는데 중요하다. 치료는 다학제적접근을 통해서 합병증이 없이 국소재발을 감소시키고 생존율을 증가시킬 수 있도록 잔류 종양이 없이 통째로 종양의 침해없이 절제하여야 한다.

XIII 복강경 결직장 수술

1. 서문

복강경 대장절제술은 1991년에 미국에서 처음 보고되었으며 우리나라에서는 1992년에 최초로 시행되었다. 초창기에는 복강경 담낭절제술의 경우처럼 수년 내에 개복수술을 대치할 수 있을 것으로 기대가 되었으나 실제로는 그렇지 못하였다. 술기가 복잡하고 배우기가 어려울 뿐 아니라, 투관침을 삽입하였던 부위에서 암이 재발하는 소위 '투관침 부위 재발port-site recurrence'이 1990년대 중반에 보고되면서 종양학적 안전성에 대한 의문이 제기됨에 따라 복강경 대장암수술의 적용을 한동안 주춤하게 만들었다. 투관침 부위 암 재발의 원인으로 기복을 만들기 위해 복강 내에 투입하는 이산화탄소에 의한 암세포 증식설, 수술 중 부적절한 기구조작으로 인하여 복강 내로 떨어져 나온 종양세포가 가스나 액체에 의하여 투관침 부위로 이동한다는 가설 등 여러 논쟁을 제기되었다. 그러나 수술 중에 복강 내로 유리되는 암세포의 수가 개복수술과 복강경 수술 양쪽에서 차이가 없음이 증명되고, 1996년 미국 국립암연구소가 후원이 되어 수백 명의 환자를 대상으로 수집한 다기관 자료에서 투관침부 재발률을 1.1%로 보고함에 따라 기존의 개복수술 후 복벽 절개부에 발생하는 암 재발률과 큰 차이가 없다고 알려지게 된 이후로 이에 대한 우려가 점차 감소되어, 암 수술원칙에 따라 복강경 수술을 시행한다면 충분히 예방할 수 있는 기술적인 문제로 이해되었다. 이후 2002년을 기점으로 결장암에 대한 여러 대규모 무작위연구 결과가 속속 발표되면서 종양학적 안전성이 증명됨과 함께 최소침습수술을 통하여 얻을 수 있는 장점들이 더해져, 현재 복강경 대장수술은 급속히 확산되고 있는 추세이다. 아울러 결장암에서의 축적된 연구결과는 직장암, 위암, 비뇨기암, 폐암, 부인과암 등 다양한 타 장기 암 치료에서의 복강경 혹은 흉강경 절제수술 연구에 대한 학술적인 근거를 제공하게 되었다.

2. 악성 질환에 대한 복강경수술

1) 결장암

복강경수술이 갖는 일반적인 장점은 수술 중 출혈과 통증 감소, 수술 후 장운동의 빠른 회복, 폐합병증 감소 등으로 인해 회복이 빨라 재원 기간이 짧아지고 조기에 일상으로 복귀할 수 있다는 점이다. 장기적으로 수술 후 장유착이나 복벽 절개부 탈장 발생이 적고, 개복 수술에 비해 비교적 작은 흉터로 미용상의 장점이 있다는 점 등은 결장암의 복강경수술에도 똑같이 적용된다.

복강경수술과 개복수술간의 무작위비교를 통하여 장기생존을 추적한 최초의 연구였던 스페인 바르셀로나대학병원의 2002년도 보고에 의하면, 복강경 결장암 절제군에서 회복이 빠르고 합병증이 적었다. 44개월 추적 후 재발률과 암사망률에서 개복군보다 좋은 성적을 보였으며, 이는 3기 결장암 환자들에게서 유의한 차이가 나타났기 때문으로 분석되었다. 특히 3기암에서 복강경수술이 더 좋은 결과가 나타날 수 있는 기전으로 연구자들이 제시한 설명은 복강경 수술 중 암 조직에 대한 직접 조작이 개복수술보다 적다는 점과, 수술 후 면역기능이 잘 보존된다는 점을 들었다. 이러한 두 가지 요소는 조기암 보다는 어느 정도 진행된 암에서 더욱 뚜렷한 효과를 발휘하였을 것이라고 설명하였다. 이 환자군을 95개월 장기 추적한 2008년도 보고에서도 동일한 결과가 나타났다. 219명이라는 비교적 적은 수의 환자를 대상으로 하였으며, 3기 환자들의 수술 후 항암화학요법의 표준화가 안 되었다는 약점이 있긴 했지만, 2009년 말 시점까지는 이 연구가 유일하게 복강경 결장암 수술이 개복수술보다 종양학적으로 우월하다는 결과를 보고한 무작위 연구였다. 더 많은 환자를 대상으로 다기관이 참여했던 이후의 모든 무작위 비교연구에서는 복강경 수술군에서 단기 회복이나 합병증과 관련된 성적은 좋았으나, 장기 생존 성적에서는 차이가 없음이 일관되게 보고되고 있다.

북미 다기관 연구인 Clinical Outcomes of Surgical Therapy (COST) 연구그룹이 872명의 결장암 환자를 대상으로 분석한 2004년 보고에 의하면 복강경 수술군이 개복 수술군보다 재원기간이 짧고, 수술 후 진통제의 사용량이 적었던 반면, 합병증, 수술사망률의 차이는 없었고 4.4년 추적 후 재발률, 생존율의 차이도 없었다. 이들 대상 환자의 90%이상을 5년 이상 장기 추적하여 평균 84개월후 분석한 결과도 역시 동일하였다.

유럽 다기관 연구인 Colon Cancer Laparoscopic or Open Resection (COLOR) 연구 그룹이 1,248명의 환자를 대상으로 단기성적을 비교한 2005년도 연구도 비슷한 결과를 얻었다. 즉, 복강경군이 수술 출혈량이 적고 장 운동 회복이 빠르며 진통제 사용량이 적고 입원기간이 단축되었으며, 이들 환자를 53개월 장기 추적하여 분석한 2009년도 보고에서는 양 군 간에 재발이나 생존에서 차이가 없다고 하였다.

영국 의학연구평의원회Medical Research Council (MRC)의 지원을 받아 시행한 Conventional versus Laparoscopic-Assisted Surgery In Colorectal Cancer (CLASICC) 연구 결과도 비슷하다. 이 연구는 유일하게 직장암이 함께 포함된 연구로 직장암 부분에서 따로 다루고자 한다.

표 2-33. 결장암에서 개복 수술과 복강경 수술에 대한 주요 무작위 비교 연구

연구명	지역/병원수	연구기간	대상 환자수	추적기간	주요결과-복강경군
Barcelona	스페인 단일병원	1993.11-1998.7	219명	95개월	합병증/재원기간 단축, 3기암 생존율/재발률 우월
COST	미국/캐나다 48개 병원	1994.8-2001.8	863명	84개월	재원기간/진통제 사용 단축, 장기 생존율/재발률 동일
CLASSIC	영국 27개 병원	1996.7-2002.7	결장암 413명 직장암 381명	37개월	재원기간 단축, 결장암에서 장기 생존율/재발률 동일
COLOR	유럽 7개국 29개 병원	1997.3-2003.3	1248명(rectosigmoid 포함)	53개월	출혈량 적고 장운동 빠름, 장기 생존율/재발률 동일
ALCCaS	호주/뉴질랜드 31개 병원	1998.1-2005.4	601명	조기종료	장운동 빠르고, 재원기간 단축
JCOG	일본 30개 병원	2004.10-2009.3	1057명	54-60개월	출혈량 적고, 재원기간/진통제 사용 단축

호주 및 뉴질랜드 다기관 연구인 The Australian Laparoscopic Colon Cancer Study (ALCCaS) 연구는 2008년도 601명 환자의 단기 결과를 보고하였는데, 역시 복강경군에서 위장관 운동 회복이 빠르고 재원기간이 짧았으나 수술 후 합병증에서는 차이가 없었다. 이 연구는 1998년도에 시작되어 2005년도에 종료되었는데, 시간이 지날수록 환자나 의사 모두가 복강경수술을 선호했던 이유로 인하여 대상 환자를 얻는데 실패하여 조기종료되었다.

일본에서는 stage II, III의 결장암만을 대상으로 다기관 연구(JCOG 0404)를 진행하였으며, 2004년에 시작되어 2009년까지 환자 등록이 종료되었고, 단기 결과에 있어서 복강경수술이 수술 시간이 유의하게 길었던 점을 제외하면, 출혈 및 수술 5일 이후 진통제의 사용이 적고, 조기 가스배출 및 조기 퇴원하였음을 발표하였다.

결장암을 대상으로 시행된 혹은 진행되고 있는 이상의 중요한 무작위연구들을 요약하면 표 2-33과 같다. 이상 언급한 모든 무작위연구는 횡행결장암을 연구 대상에서 제외하였다. 그 이유는 이 부위의 암이 복강경을 사용하여 근치적 절제술을 시행하기가 기술적으로 어려운 반면 그 빈도가 많지 않아 경험을 쌓기가 쉽지 않기 때문이다. 그러나 최근 경험 많은 외과의를 중심으로 후향적 연구결과가 발표되고 있으며, 장 운동의 조기회복에 있어서는 다기관 연구 결과와 일치하나, 림프절 채취에 있어서는 상반된 결과를 보이기도 하였다. 횡행결장암에 있어서는 전향적 다기관 연구가 필요할 것으로 보인다.

한편, 수술로 인해 야기되는 스트레스 반응을 나타내는 여러 면역학적 혹은 염증반응 지표를 분석한 연구들이 개복보다는 복강경 대장수술이 우월함을 드러내고 있지만 이러한 지표가 임상적으로 어떤 효과를 나타내는지에 대해서도 향후 더 많은 연구가 필요하다.

2) 직장암

일반적으로 직장암 개복수술은 결장암 수술보다 기술적으로 어려우며 수술자의 경험이 무엇보다 중요하다. 복강경수술에서는 이러한 요소가 더욱 뚜렷하고 수술 난이도도 더욱 높다. 이러한 이유로 인하여 직장암에 대해서는 복강경과 개복수술을 무작위로 비교하여 장기 추적을 통한 종양학적 안전성을 조사한 연구가 비교적 늦게 시작되었으며, 최근에서야 그 결과가 보고되고 있다. 아울러, 중하부 직장암에 대한 복강경수술에 있어 필수적인 기구인 구부러짐이 가능한 복강경용 자동 절단기가 2000년대 들어와 상용화되기 시작하였던 것도 결장암에 비하여 뒤늦게 연구가 시행된 또 다른 이유이기도 하다.

직장암을 대상으로 한 최초의 무작위연구 결과는 2004년에 발표되었다. 홍콩의 단일기관에서 에스결장-직장 이행부를 포함한 상부직장암 환자 203명을 대상으로 하였으며, 수술 후 단기 회복은 복강경군에서 우월하였으나, 5년 생존율이나 재발률에서 차이는 없었다. 연구자들은 이들 환자를 평균 112.5개월 장기 추적하여 2009년에 그 결과를 보고하였는데, 유착에 의한 장폐쇄를 포함한 장기 합병증이 복강경군에서 의미 있게 적었던 반면, 생존율이나 재발률에서의 차이는 없었다.

직장암 수술이 외과적으로 안전하고 적절하게 시행되었는지를 나타내는 중요한 종양학적 지표 중의 하나는 환상절제연이다. 결장암에서는 종양으로부터 근위부와 원위부 절단면까지의 종측 거리만 적절하게 확보하면 되지만, 직장암에서는 종양으로부터 일반적으로 1-2mm 이상의 적절한 거리의 방사상 절제면radial margin을 동시에 확보하는 것이 국소재발을 줄이는 것은 물론 장기생존에도 유리하다. 복강경수술에서 이와 관련한 최초의 연구는 1999년에 발표되었다. 즉, 플레쉬만 등은 미국의 3개 병원에서 1991년부터 1997년 사이에 시행된 194례의 복회음절제술 자료를 개복수술과 복강경수술로 나누어 후향적으로 분석한 결과, 환상절제연 양성으로 나타난 것이 복강경 12%, 개복 12.5%로 차이가 없음을 보고하였다. 환상절제연과 관련하여 학술적 의의가 크고 중요한 자료가 2005년에 발표되었는데, 앞서 결장암 부분에서 일부 언급한 영국의 MRC CLASICC trial이다. 영국 내 27개 병원이 참여하여 413명의 결장암 환자와 381명의 직장암 환자를 대상으로 시행한 연구로, 직장암수술을 전방절제술과 복회음절제술로 세분하여 분석한 결과, 환상절제연 양성률이 복회음절제술에서는 차이가 없었으나, 전방절제술에서는 개복 6%, 복강경 12%로 나타나 어느 정도 의미 있는 차이를 보였다(p=0.19). 그러나 직장암 근치 수술에서 또 다른 필수적 요소인 전직장간막절제술은 오히려 개복수술의 62%에서만 이루어졌던 반면 복강경수술의 78%에서 이루어져, 두 수술 간에 어느 쪽이 종양학적으로 더 적절하고 안전한지에 대한 해석을 내리기에 매우 어려운 결과가 도출되었다. 2007년에 평균 37개월 추적 후 3년 생존율 및 재발률이 보고되었는데 양 군 간에 차이는 없었다. 하지만, 직장암 1기 환자의 3년 무병생존율에서는 복강경수술이 다소 좋은 결과를 보였고(p=0.08), 복강경 전방절제술에서 환상절제연의 양성률이 높았던 것이 국소재발빈도의 상승으로 나타나지는 않았기 때문에, 이 연구는 직장암 환자에서 복강경수술을 시행하는 것에 대한 학술적 근거를 제시한 것으로 받아들여졌다.

2009년 루잔 등이 발표한 단일기관 무작위연구도 출혈량 감소, 빠른 장운동 회복, 재원기간 단축 등의 단기 장점이 나타난 반면, 33개월 추적후의 종양학적인 결과는 양 군간에 동일하였다.

한편, 2006년부터 우리나라에서 시행된 무작위 연구인 Comparison of Open versus laparoscopic surgery for mid and low REctal cancer After Neoadjuvant chemoradiotherapy (COREAN trial)는 수술 전 방사선치료를 받은 중하부 직장암 환자를 대상으로 하여 그 결과가 2010년 발표되었으며, 복강경군에서 출혈량이 적고 단기 회복이 빨랐으며, 생존율과 재발률에 있어서는 차이를 보이지 않았다.

유럽 6개국과 캐나다, 한국 등 8개국 30개 병원이 참여한 Laparoscopic versus Open Surgery for Rectal Cancer (COLOR II)는 2004년 1월부터 2010년 5월까지 1,103명의 환자를 대상으로 진행한 무작위 비교연구로, 복강경 군에서 수술 시간은 유의하게 길었으나, 출혈이 적고, 회복이 빨랐다. 환상 절제연 및 원위부 절제연에서 차이가 없었으며, 2015년 발표한 생존율과 재발률에 있어서는 양 군의 차이는 없었다.

미국과 캐나다의 35개 병원이 참여한 Effect of laparoscopic-assisted resection vs open resection of stage II or III rectal cancer on pathologic outcomes (ASOCOG Z6051) trial은 2008년 10월부터 2013년 9월까지 임상적 stage II 또는 III인 486명을 대상으로 하였으며, 마찬가지로 환상 절제연 및 원위부 절제연에서 차이는 없었다. 호주와 뉴질랜드에서는 24개 병원이 참여한

표 2-34. 직장암에서 개복 수술과 복강경 수술에 대한 주요 무작위 비교 연구

연구명	지역/병원수	연구기간	대상 환자수	추적기간	주요결과-복강경군
Hong Kong	단일병원	1993.9-2002.10	Rectosigmoid/상부 직장암 403명	113개월	조기회복, 장기합병증/장폐쇄 감소, 생존율/재발률 동일
CLASSIC	영국 27개 병원	1996.7-2002.7	381명	37개월	환상절제연양성 높은 반면 직장간막전 절제 비율 높음, 생존율/재발률 동일
Spain	단일병원	2002.1-2007.2	204명	33개월	출혈감소/재원기간 단축, 절제된 림프절 개수 많음, 생존율/재발률 동일
COLOR II	유럽6개국/캐나다/한국 30개 병원	2005.1-2010.5	1100명	60개월	조기회복, 환상절제연/원위부절제연 동일, 생존율/재발률 동일
COREAN	한국 3개 병원	2006.5-2009.8	술전 방사선항암화학요법 받은 중하부 직장암 340명	46-48개월	출혈량 적고, 조기회복, 생존율/재발률 동일
ASOCOG Z6051	미국/캐나다 35개 병원	2008.10-2013.9	임상적 II, III기 486명		절제연(환상, 원위부) 동일, 복강경의 조직학적 비열등성 검증 실패
ALaCaRT	호주/뉴질랜드 24개 병원	2010.3-2014.11	T1-T3 475명		절제연(환상, 원위부) 동일, 복강경의 조직학적 비열등성 검증 실패

Australian Laparoscopic Cancer of the Rectum Trial (ALaCaRT)을 발표하였는데, 2010년 3월부터 2014년 11월까지 T1-3의 475명 환자를 대상으로 환상 절제연 및 원위부 절제연에서 차이가 없었다. 상기의 두 연구인 ASOCOG Z6051와 ALaCaRT는 비열등성 무작위 연구non-inferiority randomized trial로 조직학적인 즉, 표준 전직장간막 절제술의 비율과 절제연(환상, 원위부)에 있어서 복강경 수술의 비열등성 기준을 충족시키지는 못하였으며, 장기 종양학적 결과는 아직 보고되지 않았다.

최근에는 진행된 암이나 좁은 골반강 또는 높은 체질량지수의 환자에서 환상 절제연 및 원위부 절제연 확보를 위한 항문을 통한 전직장간막 절제Transanal total mesorectal excision를 시도하고 있으며, 이에 대한 결과가 기대된다.

직장암을 대상으로 시행된 혹은 진행되고 있는 중요한 무작위연구들을 요약하면 표 2-34와 같다. 복강경을 사용하면 골반강 같은 좁은 공간에서 확대된 영상을 통해 오히려 정교한 수술이 가능하므로 골반 내 자율신경보존에 장점이 있으므로, 직장암 수술 후 발생하는 후유증의 하나인 성기능이나 배뇨기능 장애를 줄일 수 있는가를 연구하는 것은 흥미로운 과제이다. 이 역시 무작위비교를 통한 분석이 중요한 데, CLASICC 연구에서 초기에는 남자 성기능이 복강경군에서 오히려 조금 떨어져 보이나 장기적으로는 양군 간에 차이가 없다는 결과를 발표하였으며, 최근에는 로봇수술과 관련한 연구와 함께 그 결과가 발표되고 있다.

3. 양성질환에 대한 복강경수술

1) 염증성 대장질환

염증성 대장질환을 가지고 있는 사람은 일생 중에 수술을 받을 확률이 높다. 궤양성대장염을 가지고 있는 사람이 일생 동안 수술적 치료를 요하는 경우는 30-40%이며, 크론병의 경우는 80%에 이른다. 이렇게 여러 번 수술을 받아야 하는 질환의 특성뿐 아니라 환자들이 젊은 연령층이라는 사실이 복강경 수술이 이러한 환자들에게 줄 수 있는 최대의 장점이자 역할이다. 염증성 장질환에 대한 복강경수술은 몇몇 무작위 연구에 의해 단기적인 장점이 학술적으로 증명되었으며, 장기적으로 보아서도 장유착의 발생이 적어 장 폐쇄, 만성복통, 불임과 탈장의 가능성이 줄어들 수 있다.

염증이 진행된 크론병의 경우 두터워진 장간막과 농양 혹은 타장기로의 누공 형성은 수술을 어렵게 하는 요소임에도 불구하고 복강경수술의 적응증은 개복술과 같으며, 진단적 복강경, 분변의 전환, 장 절제 등이 시행될 수 있다. 궤양성대장염은 대장을 전부 잘라내야 하는 수술의 특성상 초기에는 복강경수술 시간이 길어지는데 따른 비판이 있었지만, 수술방법이나 수술 기구가 발전된 최근에는 복강경수술의 장점이 점차 증명되고 있어 대부분 병원에서 시술이 늘어나는 추세이다.

2) 게실성 질환

염증 반응이 심한 대장 게실 질환의 수술은 일반적으로 암 수술보다 어려울 때가 많은 것이 사실이지만, 복강경 수술의 게실성 질환에 대한 장점은 창상 감염의 감소, 폐합병증의 감소 등 복강경대장수술과 관련된 단기적인 장점으로 나타난다. 프랑스 다기관 연구에 따르면, 복강경 또는 개복 수술을 받은 332명의 환자에 대한 전향적 자료 분석에서 개복군에서 농양, 누공의 형성 등 합병증의 발생률이 의미 있게 높았으며 재원 기간도 연장되었다고 하였다. 그러나 복잡성 게실염에서는 합병증과 개복전환이 높으므로 경험이 많은 외과의가 집도할 것이 권장된다. 우리나라를 포함한 아시아권에 많은 우측대장 게실증에서도 많은 병원에서 복강경수술이 시행되고 있다.

3) 직장탈출증

회음부 접근법이 고령이나 고위험군의 환자에게 적용되는 것에 반해, 복강을 통한 접근법은 재발률이 적어 젊고 건강한 환자에게서 선호된다. 복강경 술식을 통한 복부 접근법에 대한 단기 치료 성적뿐 아니라 5년 이상의 장기 추적에서 재발과 변실금 및 변비 감소 등의 기능적인 면에서도 수용할 만한 수준의 결과가 최근 보고되어 직장탈출의 수술적 치료에 앞으로 적극적으로 적용할 것이 주장되고 있다.

4. 복강경 결직장수술 전 준비

복강경수술 환자에서의 수술 전 준비는 개복수술과 동일하지만 다음 두 가지 점을 추가로 고려해야 한다. 첫 번째 고려해야 할 사항은 종양의 위치 확인이다. 병변이 작거나 장막을 침범하지 않았을 때에는 복강경 시야만으로는 병변의 위치를 확인하기 어려운 경우가 많다. 물론 어느 정도 수술의 경험이 쌓이면 장막에 종양으로 인한 육안적인 변화가 없는 종양일지라도 복강경 기구를 통하여 종양에 대한 간접적인 촉감을 습득할 수 있게 된다. 수술 중 종양 위치 확인이 어려울 것으로 예견되는 환자에서는 수술 전 대장내시경으로 미리 문신을 하는 것이 가장 확실하다. 이 때 사용하는 염색약으로는 인디아잉크처럼 탄소입자를 함유하여 시간이 경과해도 흡수되지 않는 색소를 쓰는 것이 좋으나 너무 깊게 문신하여 복강 내로 퍼지지 않도록 하는 내시경 숙련도가 필요하다. 메틸렌블루나 인디고카민 같은 수용성 염색약은 빠르게 흡수되어 경우에 따라서는 수 시간 내에 다 없어지기도 한다. 문신 이외에 사용할 수 있는 방법으로는 금속제 클립을 사용하여 종양 주위에 표시한 후 단순 복부촬영이나 수술 중 초음파로 클립의 위치를 확인할 수도 있다. 우측대장암에서 병변이 회맹장판 근처에 있다는 것이 수술 전 대장내시경 검사에서 확실하게 확인된 경우에는 문신 없이 표준방식의 우측대장절제술을 시행할 수는 있지만, 어떠한 경우라도 수술 중에 종양의 위치가 불확실하다고 판단되면 반드시 내시경을 시행해야 한다. 그러나 수술 중 대장내시경은 대장은 물론 소장까지 가스팽창 시켜 이후에 진행되는 복강경 수술을 어렵게 만드는 단점이 있다. 일본과 미국의 일부 병원에서는 이산화탄소를 주입하는 대장내시경 검사를 시행한다. 이렇게 하면 내시경 시행 도중에 장 속으로 주입된 가스가 수 분 안에 흡수되어 버려 장팽창에 대한 문제가 없어진다.

두 번째 고려사항은 수술 전 장 세척이다. 장 세척 방법은 수술자의 선호도에 따라 사용하면 되지만, 수술 전날 늦게 경구 세척액을 복용하면 다음날 소장이 팽창되어 복강경수술을 어렵게 만들 수 있다. 따라서 경구 세척액은 최소한 수술 전날 낮에 사용하는 것이 좋다. 최근에는 경구세척액 대신 단순 관장만으로도 충분하다는 연구 결과가 많으며 국내에서도 이런 방법을 사용하는 병원이 늘고 있다.

5. 복강경 결직장수술 기구 및 장비

1) 복강경

복강 내 삽입하는 내시경을 말하며 이는 고정식rigid과 유연식flexible이 있다. 고정식은 한 방향으로 응시하는 반면 유연식은 렌즈의 방향을 일반 내시경과 동일한 원리로 조절하여 다른 수술 기구와 충돌을 최소화하면서 수술 시야를 비추어 줄 수 있는 장점이 있다. 고정식의 렌즈는 정면을 주시하는 복강경과 30도 혹은 45도 굴절 각도가 있는 복강경이 있어 목적에 따라 선택하여 사용한다.

2) 모니터

복강경을 통한 화상이 전달되어 수술자에게 화면으로 보여지는 모니터는 수술자와 복강경조정자가 동시에 사용하는 1개 와 수술 보조자가 사용하는 1개가 필요하여 통상 2개가 필요하다. 수술자가 사용하는 제 1 비디오 모니터는 환자를 가로질러 배치하여 거울상이 생기지 않게 하는 것이 수술을 용이하게 할 수 있다.

3) 투관침

투관침은 복강에 수술 기구를 집어넣기 위한 통로로 금속재질이나 폴리카보네이트 등의 재질로 만들어진다.

4) 에너지 지혈기구

복강경수술에서 출혈 양을 줄여 최적의 시각화를 유지하고 환자의 생리학적 안정성을 유지하기 위하여 에너지 지혈기구를 사용한다. 일반적으로 50만 cycle/s (Hz)의 교류 전원을 사용하였을 경우 인간의 조직에서는 60℃에서 가열 응고가 일어나고 100℃에서 조직의 증발 및 건조 desiccation가 진행되며 200℃에서는 조직의 탄화가 일어난다. 가장 일반적으로 널리 사용되는 전기기구는 단극성 monopolar 전기소작기와 양극성bipolar 전기소작기이다. 양극성 전기소작기를 사용할 경우 조직이 절삭되지는 않으나 전극 사이의 혈관을 접합하는 능력이 있어 주변 조직에 열손상을 초래하지 않고 지혈하는데 유용하다.

현재 사용되고 있는 양극성 전기응고기구는 약 7mm의 혈관까지 지혈이 가능하며 이는 높은 전류와 고전압의 에너지를 이용하여 혈관벽과 주변 결합 조직의 콜라겐과 엘라스틴을 변성 압착하여 영구적인 지혈 효과를 나타낸다. 초음파응고절개 장치는 전기에너지가 초음파 진동으로 변환되고 이 진동이 기구 끝에 붙어있는 날에 전해져 절단과 응고를 하게 되는데, 초당 55,000회, 전후 60-100μm의 진동을 하면서 조직에 기계적인 에너지를 전달하여 조직 단백질의 수소결합이 파괴되고 50-100℃ 사이의 마찰열이 발생하여 조직의 단백질이 응혈되어 점착성 물질로 변성되어 혈관을 막아 응고가 일어난다. 초음파응고절개장치는 직경 3-5mm까지의 혈관을 응고시킬 수 있다. 이상 언급한 복강경 결직장수술에 필요한 기구를 요약하면 표 2-35와 같다.

6. 복강경 결직장수술 방법

1) 기복형성

기복형성은 수술의 첫 번째 단계이다. 베레스침을 사용하여 기복을 만든 후 투관침을 삽입하거나, 직시 하에 복벽을 뚫은 후 투관침을 설치하여 기복을 만드는 두 가지 방법이 흔하게 사용된다. 전자의 경우에는 배꼽 주변에 1cm 크기의 절개하고 타월클립이나 손으로 복벽을 충분히 들어 올린 후 스프링이 장착된 주사 바늘인 베레스 침을 복강 내로 삽입 한다. 이 때 복근과 근막을 통과하는 것이 외과의의 손에서 감지된다. 복강 내에 바늘이 배치되

표 2-35. 복강경 결직장 수술에 필요한 기구

1. 화상 시스템 1) 복강경 rigid or flexible 2) 비디오 모니터
2. 가스 주입기 1) 이산화탄소 주입기(>6L/min) 2) 이산화탄소 가스
3. 기구 1) 개복술에 준하는 표준 수술 기구 2) 복강경용 graspers 3) 복강경용 dissectors 4) 복강경용 scissors 5) 복강경용 needle holder 6) 복강경용 흡입/세척기 7) 에너지 지혈 및 절단 장비(양극성, 단극성, 초음파) 8) 복강경용 자동 장절단/문합기(선형, 원형)

면 이산화탄소를 이용하여 기복을 형성하고 비디오카메라가 들어갈 투관침을 설치한다. 또 다른 방법인 직시 하 투관침 삽입은 투관침을 삽입할 위치에 절개창을 만들고 복근을 확인하여 절개한 후 복막을 절개하고 투관침을 설치하고 기복을 형성한다. 수술자가 복강 내를 직접 확인하고 투관침을 설치하므로 복강 내 장기 손상의 기회가 적은 장점이 있으며 복부수술 병력을 가진 환자에서는 이 방법을 사용하는 것이 바람직하다.

일단 투관침이 설치되면 이산화탄소가스를 주입하여 기복을 만든다. 일반적으로 12-15mmHg 범위의 압력을 사용하지만 우리나라 환자들처럼 복벽이 두껍지 않은 경우에는 8-10mmHg의 낮은 압력으로도 대부분 수술이 가능하다. 기복을 형성하는 동안 외과의는 압력과 유량을 확인하는 것이 필수적이다. 기복이 만들어진 다음에는 수술기구가 들어갈 투관침을 설치하게 되는데 복벽 혈관과 복강 내 장기 손상이 생기지 않도록 유의 하여야 하며 이는 카메라가 투관침을 설치할 복벽의 시야를 확보하고 빛을 비추어 줌으로써 예방할 수 있다. 또 투관침은 복벽과 사선이 되지 않고 수직으로 설치하여야 수술 중 수술기구의 움직임이 제한을 적게 받는다.

2) 부위별 수술방법

(1) 우측결장절제술(그림 2-124)

우측결장의 복강경수술을 위해서는 수술자가 환자의 좌측에 위치하게 되므로 좌상복부와 좌하복부에 술자의 투관침을 설치한다. 조수는 환자의 우측에 위치하여 우상하복부에 각각 설치한 2개의 투관침을 사용한다. 술자에 따라서는 환자의 다리 사이에 서는 것을 선호하며 조수를 환자의 좌측에 세우기도 하는데 이에 따라 투관침의 위치도 변하게 된다. 수술 시작 전 환자를 좌측으로 기울여 소장이 좌복부로 자연 낙하하도록 하는 것이 필요하다. 이때 너무 과도한 쇄석위 자세를 취하면 골반 내에 위치한 소장까지도 상복부 쪽으로 견인되어 수술에 방해가 되므로 횡행결장 및 대망이 간 쪽으로 자연 낙하될 정도의 약간의 쇄석위 자세를 취하면 충분하다.

수술의 첫 단계는 회결장혈관 다발을 확인하는 것인데 이때 기준이 되는 해부학적 구조물은 십이지장이다. 십이지장 2부와 3부 이행부위는 거의 예외 없이 육안으로 보이며 그 바로 아래쪽에 회맹장 혈관 다발이 위치한다. 수술조수가 이 혈관다발을 겸자를 사용하여 들어올린 상태에서 십이지장과 분리시킨 후 혈관용 선형 자동봉합기를 사용하여 절단하거나 클립으로 결찰하고 가위나 초음파 절개기를 사용하여 절단한다. 우결장 혈관도 십이지장을 주의하면서 동일한 방법으로 절단하면 되지만 많은 수의 환자에서 따로 존재하지 않는다. 이후 우측결장 장간막을 요관, 생식기혈관, 신근막 등으로부터 안전하게 분리하면서 박리한다. 간만곡부나 근위부 횡행결장의 근치 목적의 암수술을 위해서는 중결장 혈관의 절단이 필요한데 십이지장과 췌장 두부와 안전하게 박리하는 것이 필수적이다. 횡행결장암에서는 병변 부위 주위의 대망 일부를 함께 절제한다. 체내에서 혈관 절단 및 대장의 박리가 끝나면 장의 절단 및 문합은 일반적으로 체외에서 시행한다. 배꼽 투관침 부위를 4-5cm정도 종으로 확장시켜 절개창 부위에 비닐 등 비흡수 창상보호장치를 설치한 후에 종양을 포함한 우측결장을 밖으로 끄집어낸다. 체외에서 말단회장과 횡행결장을 절단하고 체외 문합을 시행한 후에 복강

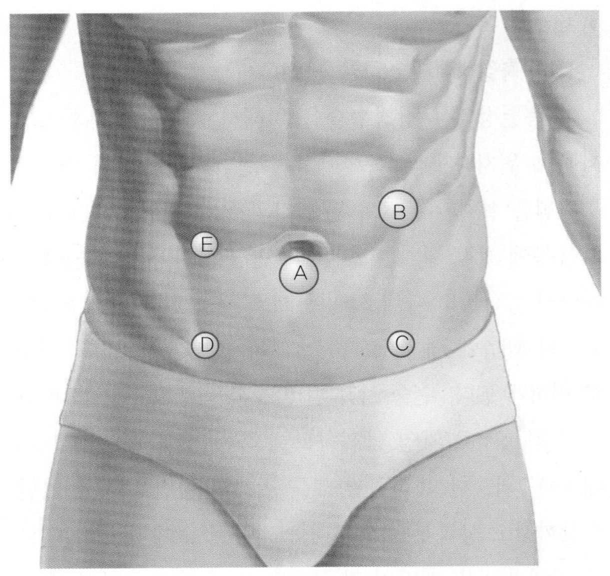

그림 2-124 복강경 우측결장절제술시 투관침의 위치. A) 10mm 카메라 투관침, B) 선호하는 기구에 따라 5mm 혹은12mm 투관침, C), D), E) 5mm 투관침

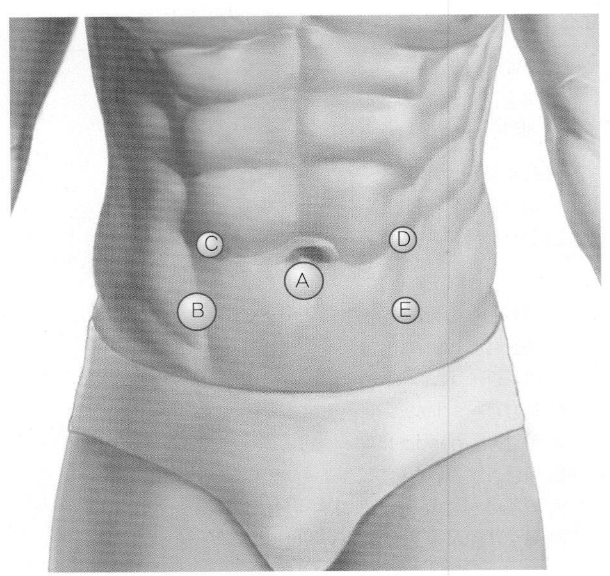

그림 2-125 좌측결장절제술, 에스결장절제술, 직장절제술. A) 10mm 카메라 투관침, B) 12mm 투관침, C), D), E) 5mm 투관침

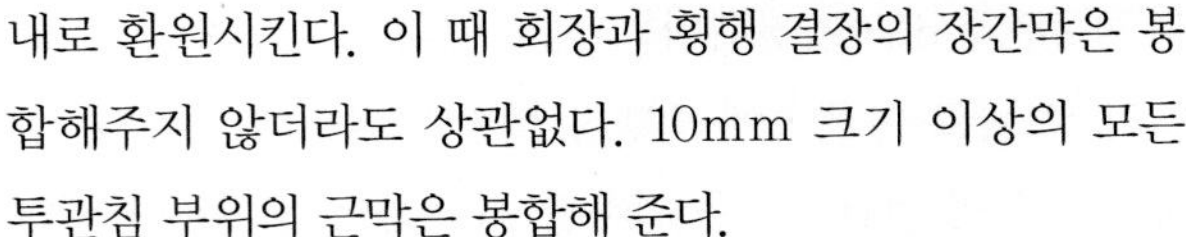
내로 환원시킨다. 이 때 회장과 횡행 결장의 장간막은 봉합해주지 않더라도 상관없다. 10mm 크기 이상의 모든 투관침 부위의 근막은 봉합해 준다.

우측결장절제술을 포함한 복강경 결직장 수술을 시행함에 있어서 결직장을 가동하는 방법에는 내측접근법과 외측접근법을 사용할 수 있으나 일반적으로는 내측접근법이 선호되고 있다. 내측접근법이란, 절제하고자 하는 결직장으로 공급되는 혈관을 먼저 결찰한 후 중심에서 외측으로 장간막 박리를 진행하는 방법이다. 이 방법은 수술 마지막 단계까지 종양이 포함된 결장이 외측에 고정 되어 있어 수술을 편하고 안전하게 할 수 있는 장점이 있을 뿐 아니라, 초기에 혈관을 결찰시킴으로써 나중에 종양부위를 포함한 결장을 가동시킬 때 생길 수 있는 미세암세포의 혈관을 통한 흐름을 차단할 수 있는 종양학적인 장점도 함께 갖는다.

(2) 좌측결장절제술, 전방절제술(그림 2-125)

좌반결장절제술, 전방절제술의 경우에는 술자가 환자의 우측에, 조수는 좌측에 위치한다. 환자를 쇄석위 자세에서 우측으로 기울여 소장을 우상복부로 자연 낙하하도록 한다. 수술은 쇄석위에서 진행하게 되므로 특히 비장만곡부를 박리할 때 술자의 오른손이 환자의 우측 허벅지와 부딪힐 수 있으므로 우측 다리를 충분히 신장되도록 하는 것이 필요하다.

수술은 하장간막동맥의 결찰에서 시작한다. 이 때 대동맥전방부의 하복신경총 손상을 조심하여야 하며, 동맥을 절단한 후에는 좌측 요관과 생식기혈관을 주의하면서 장간막을 후복막으로부터 박리한다. 하장간막정맥은 일반적인 혈관과 달리 하장간막동맥과 다발을 이루지 않고 따로 떨어져서 위치하다가 췌장 체부 밑으로 들어가 비장정맥과 합쳐지게 되므로 만약 하장간막정맥을 기시부에서 결찰하고자 한다면 이에 대한 해부학적 이해가 필요하다. 일단 하장간막정맥을 절단한 후에는 신근막을 좌측결장간막에서 박리시키기가 쉬워진다. 마지막으로 토드 백선과 좌측방 복막을 절제한다. 비장만곡부 박리가 필요할 때에는 췌장 체부 및 미부를 횡행결장간막과 완전히 분리시켜야 한다.

직장절제술에서는 개복수술에서와 동일한 방법으로

먼저 직장 후면을 박리하고 직장 좌우면, 전면의 순서로 박리를 진행한다. 병변 위치에 따라 적절한 원위부 절단면을 설정하여 선형 자동봉합기로 절단한다. 암 수술에서는 직장을 절단하기 전에 포비돈-요오드 용액으로 항문을 통하여 직장내부를 세척하여 혹시 직장 내로 유리되었을 수도 있는 암세포를 씻어낸다. 좌하복부 투관침 부위를 4-5cm 정도 확대하여 절개창 부위에 창상보호장치를 씌운 다음, 원위부가 절단된 상태에서의 병변을 포함한 대장을 밖으로 꺼내고 근위부 결장을 절단하면 병변이 완전히 제거된다. 이후 근위부 절단면에 원형 자동문합기의 머리부분을 장착시키고 복강 내로 환원시킨 다음 기복을 다시 만들어 통상적인 방법으로 이중 자동봉합방식으로 경항문 문합을 시행한다. 문합 전에 근위부 결장의 장간막이 회전되지 않았다는 것과 문합부 긴장이 없다는 것을 다시 한 번 확인한다. 문합을 마친 후에 항문을 통하여 공기를 주입시켜 누출이 없는 것을 확인하기도 한다. 우회 목적의 회장조루술이 필요할 때는 우하복부 투관침을 약간 더 확장시켜 말단 회장을 꺼낸다.

수술자에 따라서는 치골상부에 반월형 횡절개Pfannenstiel incision를 만들어 이를 통하여 개복수술에서 사용하는 선형 자동봉합기를 사용하여 직장을 절단하고 이 후의 모든 수술 과정을 개복수술과 동일한 방법으로 진행하기도 한다. 그러나 절개창이 작으면 오히려 수술시야가 좋지 않은 상태에서 무리하게 절단기를 조작하게 되므로 특히 진행된 암을 가진 남자 환자에서는 종양학적으로 안전하지 않을 수도 있다.

원위부 직장 절단을 항문에서 아주 가까운 거리에서 해야 하는 저위직장암 경우에는, 모든 박리과정을 복강경 술식으로 마친 후 항문괄약근간 절제 술식을 이용하여 직장 원위부를 절단하고 항문을 통하여 병변을 제거하고 수기로 결장-항문 문합을 시행하기도 한다. 장간막이 너무 두꺼우면 항문을 통해서 대장을 추출하다가 장간막이 찢어져 변연동맥이 손상을 받기도 하고, 암크기가 너무 크거나 진행된 암에서는 항문괄약근간 절제술 자체가 종양학적으로 안전하지 않을 수 있으므로, 이 술식을 적용하려면 환자 선택에 신중을 기해야 한다.

7. 새로운 형태의 최소침습 결직장수술

1985년 Puma 560이라는 로봇을 이용한 Kwoh의 신경외과적 수술과 Davies의 전립선 경요도 절제술 이래, 1980년대 후반 NASA (the National Air and Space Administration)에서 원격 수술의 필요로 근대적인 로봇 수술의 개념이 소개되었다. 2007년 처음 열린 골반 수술 미팅Pelvic Surgery Meeting에서는 전립선암, 직장암, 자궁 및 자궁경부암의 치료에 있어 로봇 수술의 역할이 주 의제로 선정되기도 하였다. 로봇 수술은 고해상도의 입체 영상, 좁은 공간에서 자유로운 손목의 움직임을 제공하여 이론적으로 수술 중 자율 신경계를 보존하여 배뇨 및 성기능의 보존 가능성을 높이고, 복강경 수술에 비해 낮은 개복 전환율과 우수한 종양학적인 결과를 기대할 수 있다. 현재까지 장기적인 종양학적 결과 비교는 나오지 않은 상태이지만, 복강경 수술에 비해 수술 후 조기 회복과 비뇨생식기능의 보존에 더 효과적이라는 연구가 보고되었다. 로봇수술의 복강경수술과의 비교는 ROLARR (RObotic Versus LAparoscopic Resection for Rectal Cancer) trial과 COLRAR trial (A Trial to Assess Robot-assisted Surgery and Laparoscopy-assisted Surgery in Patients With Mid or Low Rectal Cancer)이 대표적이며, 이는 표 2-36에 요약하였다. ROLARR의 결과에 따르면 환상절제연과 수술 후 단기 합병증에서는 복강경 수술과 차이를 보이지 않았다. 통계적으로 차이는 없으나 상대적으로 낮은 개복 전환율로 남성 또는 비만 환자의 경우 로봇 수술의 장점이 있을 것으로 평가하고 있다. 이러한 장점과 기대에도 불구하고, 가격 대비 효용성 면에서 현재까지 더 많은 연구가 요구되고 있는 실정이다.

자연 개구부 내시경수술Natural Orifice Transluminal Endoscopic Surgery (NOTES)은 인체 외부의 절개 없이 입이나 항문 또는 질과 같은 자연 개구부를 통해 내시경을 삽입한 후, 위나 직장, 혹은 여성의 질 등에 내부 절개를 가

표 2-36. 직장암에서 복강경 수술과 로봇 수술에 대한 주요 무작위 비교 연구

연구명	지역/병원수	연구기간	대상 환자수	추적기간	주요결과-복강경군
ROLARR	미국/유럽6개국/한국/싱가포르/호주 29개 병원	2011.1-2018.6(예정)	400명		개복 전환율/환상절제연 동일, 단기 합병증 동일
COLRAR	한국 3개 병원	2013.6-2018.12(예정)	540명 예상		

하고 내시경을 복강 내로 진입시켜 필요한 시술을 하는 새로운 최소침습수술법이다. 신체 외부에 상처 없이 외과 치료가 이루어지므로 이론적으로는 근래 의학계의 중요한 화두 중 하나인 환자의 삶의 질 향상에 최적의 수술 방법이 될 수 있을 것으로 주목을 받고 있으나, 대장 수술에 적용하기까지는 아직 많은 부분이 해결되어야 하는 실험 분야이며, 현재까지의 연구만으로는 기존의 수술법에 비하여 실제로 수술 중, 수술 후 발생하는 합병증이 더 적으며, 통증 완화에 있어서 뚜렷한 차이가 있는지 등에 명확한 결론을 내리기에는 충분하지 않다.

일반 복강경수술과 NOTES 수술기법이 갖는 단점과 제한점의 간극을 메우기 위해 시도되는 것이 단일공 복강경 수술Laparo Endoscopic Single Site (LESS)이다. 기존 투관침보다 확장하여 카메라를 포함하여 3-4 개의 포트를 배꼽과 같은 한 구멍에 설치하여 수술을 진행한다. 이러한 방법을 통한 수술이 대장 질환에도 적용이 되고 있으나 현재는 수술 기법에 대한 보고의 수준에 머물고 있으며 기구의 개량과 수술기법의 표준화 등이 필요한 실정이다.

대장에 대한 최소침습수술은 수술 술기의 발달, 장비 및 기구의 발달로 현재에도 진화하는 단계에 있으며 미래에는 종양학적인 측면과 수술과 관련된 환자의 삶의 질 향상이 보장되는 획기적인 수술 방법과 기구가 개발될 것으로 전망된다.

요약

결장암에서의 복강경 절제수술은 여러 전향적 연구를 통하여 종양학적 안전성이 증명된 2000년대 중반 이후 전세계적으로 급속히 늘어나게 되었다. 향후, 기술적으로 어려워 기존의 모든 복강경 관련 연구에서 제외되었던 횡행결장암에 대한 연구가 추가적으로 필요한 상태이다. 직장암에서의 복강경 수술 또한 최근 다기관 연구 결과들이 발표되어 이에 대한 종양학적 안정성이 확보되고 있는 상태이다. 로봇 수술에 있어서는 조만간 연구 결과들이 발표될 예정이나, 가격 대비 효용성 면에서 현재까지 더 많은 연구가 요구된다. 하지만, 직장암에서의 복강경 수술은 결장암에 대한 수술보다 기술적으로 훨씬 어렵기 때문에 어떻게 수술하는 것이 쉽고도 안전한 방법인지에 대한 논의와 함께 술기를 습득하기 위한 적절한 교육은 어떻게 이루어져야 하는지가 향후 중요한 문제가 될 것이다. 대장에 대한 최소침습수술은 수술 술기의 발달, 장비 및 기구의 발달로 현재에도 꾸준히 진화하는 단계에 있으며 미래에는 종양학적인 측면과 수술과 관련된 환자의 삶의 질 향상이 보장되는 획기적인 수술 방법과 기구가 개발되리라 전망한다.

XIV 장루

1. 서론

장루 치료의 역사를 보면, 최초로 만들어진 장루는 외과 의사의 예술적인 작품이 아니라, 자연적인 현상(예; 꼬인탈장의 결과 또는 자상)에 의해 창조되었으며, 장루보유자들의 삶에 있어서 새롭게 찾아온 장루장애에 대해 관리하기 위한 방법을 알기 위해 여러 장치를 만들게 되었다고 한다.

장루로 인한 체형변화는, 영구적이든 일시적이든, 일상생활로 복귀함에 있어서 많은 신체적, 사회 정신학적, 성생활 등의 문제를 야기시킨다. 따라서 이들이 건강하고 적절한 가정생활과 사회생활을 유지할 수 있도록, 보다 적극적이고 전문적인 장루재활치료가 필요하다. 이러한 치료는 여러 전문분야의 의료팀에 의하여 수술 전부터 시작되어야 하며, 특히 중요한 것은 팀 안에서 외과 의사와 장루간호사간의 긴밀한 협력이다. 또한 환자뿐만 아니라 환자 가족들의 적극적인 협조도 필요하다.

암을 진단받거나 악화되는 만성질환의 경우에 질병자체의 치료에 대한 희망에 반해 장루는 사소한 것으로 생각될수 있다. 그러나 시간이 지날수록 환자들의 요구는 변하며 적응에 있어서도 많은 문제가 야기된다. 삶의 질이란 개인의 육체적 건강, 기능상태, 정신적인 행복 등에 의해 좌우되기 때문이다.

Bloemen 등 연구에서 많은 외과 의사들이 장루 조성 후 환자의 실망을 느끼는 반면에 대장암으로 인한 장루조성술 후 더 나아진 몸상태와 소화기 문제의 감소를 느낀다고 보고하였다. 이것은 암으로 고생하던 환자들이 장루로 인해 그들의 몸상태가 좋아진다는 결과를 나타낸다.

Bass 등은 1790명의 환자를 대상으로 장루에 관한 연구를 하였다. 수술 상처 및 장루, 변실금 전문 간호사에 의해 장루 위치 및 그 밖에 교육을 받은 그룹과 그렇지 않은 그룹의 초기, 후기 합병증에 관한 연구이다. 전문 간호사에게 사전 교육 및 장루 위치 교육을 받은 그룹과 그렇지 않은 그룹간에 통계적으로 총 합병증 숫자의 차이가 있었다.

장루환자는 심리적 갈등, 육체적 변화 등 많은 어려운 문제점에 직면하게 된다. 이러한 문제 중 피할수 없는 경우도 있을수 있으나 예방할 수 있는 것은 주의 깊게 관찰하여 더 이상 합병증이 생기지 않도록 노력하여야 한다. 외과 의사는 장루 설치 시 합병증이 생기지 않도록 가장 이상적인 수술을 하고, 장루 전문간호사는 수술 전 후 피부관리 등 기본적인 장루관리에 대한 충분한 설명과 관리 등으로 장루환자들이 쉽게 적응할 수 있도록 도와주어야 하며, 앞으로 생길 수 있는 문제 예방에 더욱 힘을 써야 한다.

2. 장루 조성술의 적응증(표 2-37)

직장암은 장루 조성술을 시행하는 가장 대표적인 질환으로 수술하는 방법에 따라 장루 조성술의 방법이 달라진다. 복회음 절제술을 시행 후에는 영구적인 목적으로 결장루를 만든다. 항문 보존 술식인 초저위전방 절제술을 시행할 경우 문합부의 보호를 위해 일시적인 회장루조성술을 시행을 하기도 한다. 대장암에 의한 장천공에서도 장루 조성술을 시행하기도한다. 복막파종의 경우 파종된 종괴가 커짐에 따라 장폐색의 위험이 있는 경우 회장루나 결장루를 만들기도 한다. 장폐쇄에 의한 패혈증, 복통, 복부 팽만을 호소하는 대장암 환자의 경우 감압술 목적으로 일시적 장루 조성술 시행 후 증상 호전 시 2단계 암절

표 2-37. 장루조성술의적응증

- 대장암의 문합부 누출 예방 및 치료
- 장폐쇄 감압 목적
- 게실질환 또는 외상에 의한 대장 천공에 따른 복막염
- 암의 복막파종
- 가족성 용종증
- 궤양성 대장염
- 항문주변 괴사성근막염, 항문 질환 동반된 크론병
- 복부 혹은 회음부 외상
- 변실금
- 항문 직장 기형
- 방사선 합병증

제술을 시행하는 경우도 있다. 가족성샘종용종증은 100% 대장암으로 진행하며 표준치료로 전 대장 절제술을 시행한다. 이때 회장 항문 문합술을 시행하며 문합 부위 보호를 위해 일시적인 장루조성술을 시행하기도 한다.

염증성장질환은 외과적인 치료가 필요한 경우가 있다. 염증성장질환 중 하나인 궤양성 대장염의 경우 전대장 절제술 시행 후 회장 항문 문합술을 시행하며 문합 부위 보호를 위해 일시적인 장루조성술을 시행한다. 또한 크론병에서 직장 및 항문에 염증 등의 심각한 합병증이 발생한 경우 회장루를 만들기도 한다.

회음부의 외상 환자 혹은 변실금이 심한 환자, 방사선 치료를 받아 직장 염증 및 출혈 환자에게서도 일시적인 장루 조성술을 고려한다.

3. 장루의 종류와 생리

장루의 종류에는 용도에 따라 일시적인 장루와 영구적인 장루가 있으며, 장루를 형성하는 장의 부위에 따라 결장루와 회장루로 구분이 된다, 또한 장루에 형태에 따라 루프형과 말단형으로 구분이 된다.

1) 루프형 장루(그림 2-126)

루프형 장루는 두개의 입구를 가진 형태이다. 이것은 복벽을 원형으로 열고 장을 피부를 통해 루프형으로 노출시킨 뒤 장표면을 절개하게 되면 장의 근위부와 원위부 두 개의 입구가 생기게 된다.

루프형 장루는 주로 일시적인 목적으로 만들어지는 경우가 많다. 그래서 좌측 대장에 장폐쇄가 있는 경우에 루프형 회장루를 뽑고 이것을 통해 양측방향 모두 감압을 시킨다. 보통 루프형 장루는 말단형 장루보다 사이즈가 더 크다 이것은 복벽을 통해 장의 원위 부위와 근위 부위가 모두 통과 하기 때문이며 이것으로 인한 장루의 탈장 및 탈출의 가능성이 말단형 보다 더 높다.

2) 말단형 장루(그림 2-127)

말단형 장루는 루프형에 비해 더 작고 더 간단한 형태이다. 그래서 환상형에 비해 장루 탈출 및 탈장의 가능성이 적다. 말단형 장루의 형태는 장의 원위부는 봉합해 놓은 채로 복강 안에 놓아두고 장의 근위부를 피부 및 근막을 열고 입구를 만들어놓은 형태이다. 하지만 만일 말단형 장루를 일시적인 목적으로 시행을 했다면 장루 복원술 시 복강안에 있는 원위부 장을 근위부와 재연결 시켜주어야 하기 때문에 수술의 어려움이 있다. 그래서 말단형 장루는 복회음 절제술이후 영구적인 목적으로 만들어지는 경우가 많다. 이런 경우 장루의 위치를 결정하는 것은 대단히 중요하다. 수술 전 장루 조성 위치를 복부에 표시 후

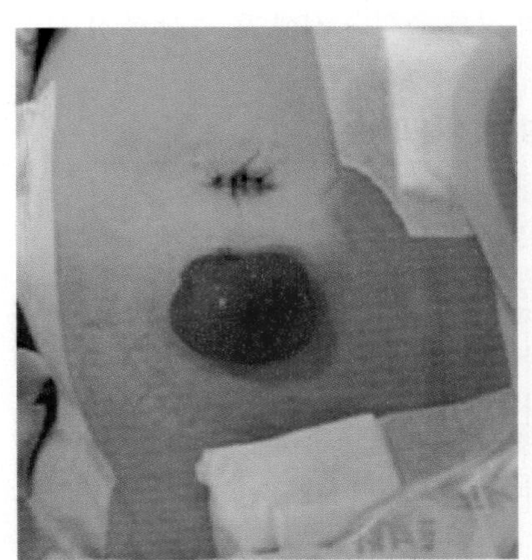

그림 2-126 루프형 회장루

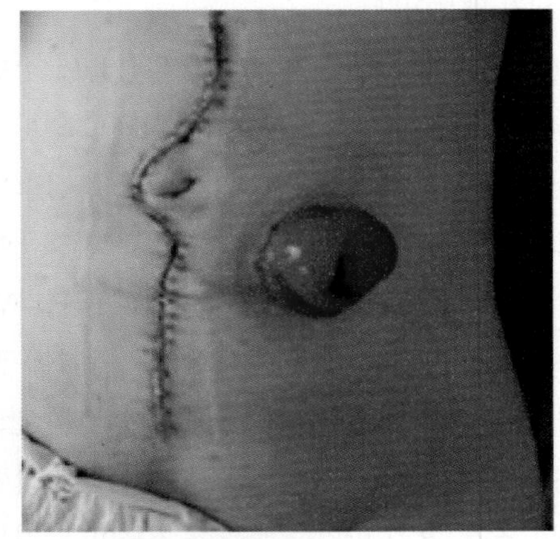

그림 2-127 말단형 결장루

표시한 부위를 절개한다. 복직근 사이를 열고 복막을 절개해 복강내로 진입한다. 이후 결장을 장간막과 함께 혈관 손상을 최소화 하며 복강 밖으로 꺼낸다. 복벽 밖으로 꺼낸 장을 근막에 고정한다. 꺼낸 장을 절개 후 배출구를 만든 후 장의 점막을 바깥쪽으로 벌리게 하여 피부에 고정한다. 이 과정을 메츄레이션이라고 하며 장막의 염증 및 손상을 방지하며 장루 주변 피부의 염증 예방 목적이다.

3) 회장루의 생리

회장루 조성술 초기 환자가 섭취하는 음식과 수분이 그대로 회장루를 통해 자주, 지속적으로 배출될수 있다. 이로인해 수분과 전해질 불균형이 생길 수 있다. 이것을 예방하기 위해 정확한 섭취량과 배설량을 측정해야 한다. 또한 회장의 일부가 절제되면 회장말단에서 흡수되는 영양소와 비타민의 흡수가 어려워 담석증이나 악성 빈혈이 유발될 수 있다. 회장루에서 나오는 변은 답즙산염과 단백질 분해 소화효소가 포함되어 있어 피부에 자극 및 손상을 일으키기 쉽다. 초창기에 회장루에서 하루 500-1500mL가 배출되지만, 적응이 되면 하루에 500-800mL로 줄어든다. 회장루 배설물은 pH 6.3 정도의 약산성이다. 배설물은 주머니가 1/3-1/2 정도 찼을 때 비운다. 1500mL 이상 배출되면 탈수 증상이 나타날 수 있다. 이 경우 물을 많이 섭취하는 것만으로는 치료가 적절히 되지 않는다. 또한 배추 등 섬유소가 많은 음식은 회장루로의 수분 배출을 촉진하는 역할을 하여 과다 배출로 인한 탈수 증상이 나타나는 경우 식이 조절도 필요하다.

회장루로는 일일 약 500mL의 수분과 60mmol의 나트륨이 분비된다. 이는 대변을 보는 정상적인 사람보다 2배의 양이다. 이러한 상황이기 때문에 회장루를 가지고 있는 사람은 정상적인 사람보다 소변의 양이 40% 가량 감소하며 소변으로 나트륨 배설은 약 55% 감소한다. 이러한 신체적 보상 기전에도 불구하고 회장루를 가진 환자는 만성적으로 수분 부족과 나트륨 부족의 상태에 놓일 수 있다.

회장을 30cm 이상 절제한 경우는 담즙산, 지방, 지용성 비타민 흡수 장애가 올 수 있다. 특히 혈액 생산에 관여되는 비타민 B12의 흡수 장애로 악성 빈혈이 발생할 수 있다. 이런 경우 비타민 B12를 점막투여나 근육 투여를 해야한다. 만성 탈수와 소변의 산성화로 신장 결성이 발생할 수 있다. 적절한 수분 섭취로 상기 부작용을 예방하는데 도움이 된다.

4) 결장루의 생리

횡행결장루는 일반적으로 일시적인 또는 완화수술인 경우에 시행한다. 회장루와 유사한 기능을 보이나 장액배출의 양이 적으며, 대변의 악취가 문제이다. 장루위치가 명치 바로 아랫니거나 허리선에 위치하게 되어 장루주머니의 부착에 제한이 오고 누출이 쉽게 되어 피부를 자극할 수 있다. 부피가 커서 탈출, 탈장 등의 합병증이 많다. 배출되는 양은 하루 200mL에서 700mL이며 평균 500mL의 양을 보인다.

하행결장루나 에스결장루는 대부분 영구적이다. 고령환자 들에게 많이 시행되고, 관절염, 시력저하, 당뇨, 등을 동반하는 경우가 많아 재활에 어려운 경우가 많다. 대변은 장루주위 피부를 부식시키지 않으나 피부를 청결히 하고 건조시키는 것이 좋으며, 악취가 나기 때문에 탈취제의 사용이 요구된다. 환자가 회복되고 자가관리를 할 수 있게 되면 장루세척에 대해 상담한다.

회장루가 절제된 경우 결장루를 가지고 있는 경우 평소보다 많은 양의 답즙산이 대장에 들어갈 수 있고 이로 인한 설사가 발생할 수 있다. 이런 경우는 cholestyramine (questran)의 구강 섭취로 증상을 완화 할 수 있다.

4. 수술 전 고려사항

수술 전에 고려해야 할 것은 다음 세가지로 1) 환자와 가족에게 적절한 정보제공 2) 적절한 장루위치 표시 3) 불안과 걱정조절 등이다. 응급일 경우에는 시간이 없어 가능하지 않은 경우도 있지만, 일반적인 계획수술의 경우에는 항상 고려하여야 한다

장루조성술을 시행 받는 환자는 생리적인 신체 기능을

유지 할 수 있음에도 불구하고 장루로 인한 신체상의 변화로 일상생활 및 사회심리적 적응에 많은 어려움을 겪게 된다. 환자의 사회적, 정서적, 심리적 상태는 이러한 스트레스에 적응하는 능력을 결정하기 때문에 이에 대한 사정이 필요하며 환자가 잘 이해할 수 있고 기억할 수 있는지에 대한 평가도 이루어져야 한다.

1) 장루조성술 전 평가

수술 전 평가와 계획 단계는 장루환자의 성공적인 재활을 위해 필수적인 요소이다.

장루 환자의 교육은 수술 전부터 시작돼야 한다. 외과의사가 병명을 진단하고 장루조성술 스케줄을 잡자마자 환자는 알 수 없는 불안을 경험하게 된다. 환자가 수술 전 느끼는 두려움은 원발성 질환에 관한것, 수술 후 통증 및 예후, 장루관리에 대한 불안, 가족들로부터의 거부반응, 성생활, 직장 및 사회적응문제등으로 이에 대한 잘못된 개념 또는 두려움을 줄이기 위한 노력이 필요하다. 따라서 수술 전에 환자의 불안수준과 심리수준을 평가하는 것이 필요하다. 외과의사는 환자가 잘 이해할수 있도록 도와주는 중요한 역할을 해야하며 교육자 및 조력자일 뿐만 아니라, 자율성과 자부심을 증진할 수 있도록 도와주는 상담자가 되어야 한다. 가족들도 교육과정에 참여하도록 하여야 하는데, 정서적인 지지를 제공할 뿐 아니라, 환자가 이해하지 못하는 상태의 정보도 제공하여야 하기 때문이다.

2) 장루의 위치 선정

적절한 장루의 위치는 환자의 자기관리를 용이하게 할 뿐 아니라 부적절한 위치로 인한 모든 합병증의 발생빈도를 최소한도로 줄일수 있다(표 2-38). 장루 위치의 선정은 수술 후에 자가관리가 가능한 위치에 장루를 조성하기 위함이며, 부적절한 위치로 인한 합병증 예방을 목적으로 한다.

일반적으로 가장 이상적인 장루의 위치는 장루주변으로 약 6-7cm의 편평한 피부가 확보된 상태에서 복직근 내에 위치하며, 배꼽으로부터 상전장골극Anterior Superior Iliac Spine (ASIS)을 연결하는 선을 따라 배꼽으로부터 1/3 지점이 잠정적인 위치가 된다. 환자를 안거나 서거나, 구부려 보도록 하여 장루위치에 문제가 없는지 확인하고, 복부의 외형상 가장 튀어나온 곳을 선택하여 환자가 눈으로 볼수 있는 위치로 정한다. 가능하면 하의의 벨트 위치를 확인하여 장루제품을 붙이거나 옷을 입을 때와의 관계 등을 고려하는 것이 좋다. 또한 장루의 종류에 따라 위치가 결정되기도 하는데 결장루는 좌측 하복부에, 회장루는 우측 하복부에 주로 만들어 진다.

표 2-38. 장루 위치 선정시고려해야할 문제

- 장루의 탈출을 예방하기 위해 장루는 복직근 안에 만들어야 한다.
- 흉터, 피부주름, 뼈 돌출 부위, 배꼽을 피하여 장루 주변에 평평한 공간이 있어야 한다.
- 앉거나, 기대거나, 몸을 돌리거나, 세우거나 등의 다양한 자세시 장루가 주름에 들어가지 않는 위치에 만들어야 한다.
- 자가 관리를 할수 있게 환자의 시야에 보이는 위치에 만들어야 한다.
- 방사선 치료 범위나 벨트 또는 보조기구 착용부위가 아닌 곳에 만들어야 한다.

5. 장루조성술의 수술 후 관리

수술 후 환자와 가족들에게 필요한 것은 다음 세가지로 1) 기본적인 장루관리 지식과 기술에 대한 이해, 2)문제 발생을 표출하고 해결해나가는 능력, 3) 가정이나 지역사회 공동체에서 효율적인 장루관리에 필요한 정보를 취득하는 것이다.

1) 수술직후 관리

장루 주머니는 흘러나오는 배출물을 담고, 장루주변 피부를 보호하며 오염되는 것을 막아준다. 장루주머니를 수술 전에 미리 만들어 놓는 것은 추천되지 않는데, 이는 수술 후 점막 부종으로 인해 장루열상과 출혈을 일으킬 수 있기 때문이다. 수술직후에 사용하는 장루주머니는 적절한 크기에 부드러워야 하며, 투병하고 배액할수 있고 사용후 버리는 일회용이어야 한다 .

장루의 생존력은 수술 후 72시간 이내에 장루 점막의

허혈 및 괴사 여부를 확인함으로 알 수 있다. 장점막이 괴사되는 이유는 장점막에 적절한 혈액 공급이 되지 않기 때문이다. 즉 수술시 장과 복벽을문합 할 때 찢어지거나 또는 장간막과복벽사이 거리가 멀어서 과도하게 당겨지면서 나타난다. 또 장준비나 수술과정에서 발생하는 심한 장 부종으로 혈관이 압박되어 발생하기도 한다. 말단형 장루 조성시 장점막에 혈액을 공급하는 장간막을 과도하게 절제한 경우에도 발생한다.

수술 직후 마취 및 수술로 인하여 장 기능이 일시적으로 떨어지며 보통 소장의 연동운동은 수술 후 24시간이내, 대장의 연동운동은 3일 후에 회복된다고 알려져 있다. 연동운동이 시작되면 장루 주머니로 변과 가스가 배출된다. 장운동을 촉진하기 위해서 수술 직후부터 걷기 운동을 통해 재원기간을 단축할 수 있다.

2) 장루 교육

장루 조성술 시행 후 환자가 어느 정도의 신체적, 정신적 준비가 되었을 때 장루 교육을 시작하는 것이 좋다. 퇴원 전에 꼭 필요한 기본적인 장루의 일반적인 특징, 장루 주머니 비우기, 장루 제품의 교환 방법, 장루 주변 피부관리 들을 설명한다.

처음으로 교육해야 하는 것은 정상적인 장루의 색깔과 피부상태 이다. 환자자신이 기본적으로 숙달해야 하는 사항은 장루주머니 비우기와 교체방법, 장루주위 피부관리이다. 퇴원 전에 누가 장루부착물을 교환할 것인가를 확인하고 교육해야 한다. 그 외에도 합병증의 징후와 증상, 가스와 악취생성음식, 장루 보조용품 등에 대한 교육이 필요하다. 환자들은 대변누출에 대한 두려움과 악취문제로 타인과 접촉을 삼가하며 자신이 장루환자라는 사실이 노출되는 것을 꺼려하고 이에따른 심한 스트레스를 받기 때문에 환자의 정서적 지지는 꼭 필요하며 매우 중요하다.

3) 장루 형태에 따른 장루관리

회장루 관리시에는 회장루 배설물에 단백질 분해효소와 담즙산이 함유되어 있어 장루 피부자극이 심하므로 피부보호가 매우 중요하다.

횡행결장루는 일반적으로 일시적 또는 완화수술인 경우에 시행하는데 회장루와 유사한 기능을 보이나 장액배출의 양이 적으며, 대변의 악취가 문제이다. 장루 위치가 명치 바로 아래이거나 허리선에 위치하게 되어 장루 주머니의 부착에 제한이 오고 누출이 쉽게 되어 피부를 자극할수 있다. 부피가 커서 탈출, 탈장 등의 합병증이 많다

하행결장루나 에스결장루는 대부분 영구적이다. 고령환자들에게 많이 시행되고, 관절염, 시력저하, 당뇨 등을 동반하는 경우가 많아 재할에 어려운 경우가 많다. 피부를 부식시키지 않으나 피부를 청결히 하고 건조시키는 것이 좋으며, 악취가 나기 때문에 탈취제의 사용이 요구된다.

4) 장루 주의 피부관리

장루 주위 피부관리의 기본적인 목적은 피부를 정상적인 상태로 보존하여 피부의 염증 및 통증, 감염을 예방하는 것이다. 배설물에 의해 피부가 습하게 되므로 피부를 청결하게 유지하기 위해 피부보호가 뛰어난 장루제품을 사용하도록 하고 장루 주위에 피부 털이 있는 경우는 모낭염을 방지하기 위해 제모하는 것이 좋다.

5) 장루환자의 식이요법

식이요법을 수술 후 고려해야할 사항 중에서 가장 핵심적인 부분이다. 음식의 종류와 수분섭취의 정도에 따라 악취, 가스, 소음, 설사, 장폐쇄가 발생할 수 있으며 이는 환자의 사회 활동에 직접적인 영향을 미친다. 퇴원후 환자들이 사회활동을 하면서 가장 두려워 하는 것 중의 하나가 가스배출이며 장내 가스의 대부분은 입으로 삼킨 공기이고, 특히 고섬유질 음식섭취후 가스배출이 심하므로 회장루 환자에게는 수술 후 6-8주 사이에는 저섬유질 음식섭취를 권한다. 가스를 줄이는 방법으로는 공기를 삼키는 행동을 자제하고 가스를 발생시킬수 있는 맥주, 탄산음료를 줄이고 모든 음식을 잘 씹고 삼키도록 교육하고, 하루에 2L의 충분한 수분을 섭취하도록 교육한다.

음식 선택과 생활습관의 조절이 냄새를 줄이는 가장 효과적인 방법이며 회장루 환자에게는 생선, 계란, 치즈, 양파 등이, 결장루 환자에게는 신선한 야채가 악취의 주 원인이다. 냄새를 줄이는 식품으로는 버터밀크, 파슬리, 요구르트, 크랜베리, 주스등이 있다. 음식과 관련된 상황이 아니어도 장루 주머니를 비울때나 누출되었을시 분출구가 깨끗이 비워지지 않을 경우 냄새가 날수 있으므로 누출되었을 경우에는 다시 부착시키기 보다는 주머니를 교체해야 하며, 찌꺼기가 남아있는 경우는 깨끗이 하는 것이 필요하다.

6) 퇴원 후 활동

운동과 사회적 접촉은 신체적, 정신적 회복에 있어서 중요하므로 환자들에게 걷기, 친구만나기 ,나들이 등을 격려한다. 다만 복부수술 후에는 첫 4-6주간 무거운 물건을 들어올리는 일을 제한하여 상처치유지연과 복부탈장을 예방하도록 교육한다. 성관계는 수술 후 제한은 없으나 환자 상태가 회복된 후에 하는 것이 좋다.

7) 결장루 세척

장루세척의 기본목적은 환자의 장을 관리하고 배변습관을 규칙적으로 조절하는데 있다. 장루세척의 성공률이 높은 경우는 수술 전의 장 기능이 좋은 경우, 좋은 식생활습관, 육체적 또는 정신적 문제가 없을 경우 등이다. 장루세척의 금기 사항은 장루 협착, 장루함몰, 장루탈출, 장루주위 탈장, 노약자 또는 거동이 불편하거나 정신상태가 허약한 사람, 방사선장염 ,설사, 장세척에 대한 두려움, 신부전에 의하여 수액제한이 필요한 경우 등이다.

세척은 항상 일정한 시간에 하며, 미지근한 물로 약 1L를 5-10분 동안 주입하며, 소요시간은 한시간 동안 한다. 장루환자를 대상으로 한 연구에서 장루세척 환자는 스트레스를 덜 받으며, 피부문제및 경제적인 부담도 적고, 수면이나 목욕 장애가 적고, 수술 후 외출빈도도 수술 전과 같아 사회활동에 잘 적응할수 있다고 하였다.

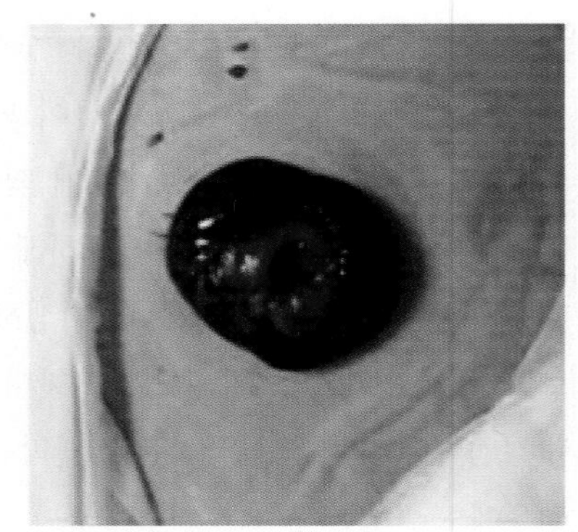

그림 2-128 장루 허혈 및 괴사

6. 장루 합병증

장루 합병증은 수술 후 초기 합병증과 후기 합병증으로 분류할수 있는데 초기 합병증으로는 장루허혈 및 괴사, 장루주위 농양 및 상처 감염 등이 있고, 후기 합병증에는 피부손상, 장루탈출, 탈장, 협착, 함몰, 출혈, 누공형성 등이 있다. 장루 합병증은 장루의 종류와 원인질환에 따라 다른데 회장루의 가장 흔한 합병증은 농양 또는 누공형성이고, 결장루의 가장 많은 합병증은 장루주위 탈장이다.

1) 장루 허혈 및 괴사(그림 2-128)

초기에 볼수 있는 가장 심각한 합병증으로 주로 혈액공급이 부족해서 발생한다. 수술 후 첫 24시간 안에 나타나며 회장루보 다 결장루에서 많다.

정상적인 장루는 분홍색을 띄우나, 허혈이 생기면 처음에는 장점막이 창백하고 부종이 있으며, 심할 경우 점점 검게 변하며 괴사되어 냄새가 난다. 괴사는 수술 후 3-5일에 생긴다. 허혈이 생기면 먼저 허혈의 범위를 측정하는 것이 치료에 중요하므로 시험관을 장루 속에 넣고 전등으로 비춰 허혈 및 괴사의 범위를 측정한다. 괴사가 복부근막 밑까지 또는 복막까지 퍼져있는 경우에는, 천공 또는 복막염을 방지하기 위해 바로 개복하여 장루를 다시 설치해야 한다. 그러나 표면에만 허혈과 괴사가 있다면 괴사조직을 일부 제거한 후 관찰하면서 기다릴 수 있다. 장기간 관찰하면 일부에서는 장루함몰 또는 협착을 초래하

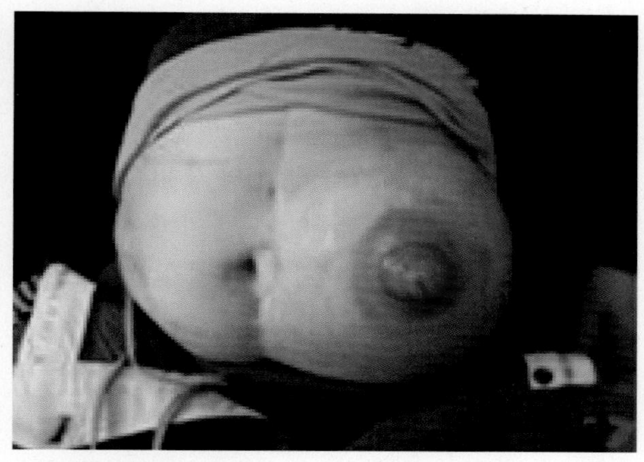

그림 2-129 **장루 주위 탈장**

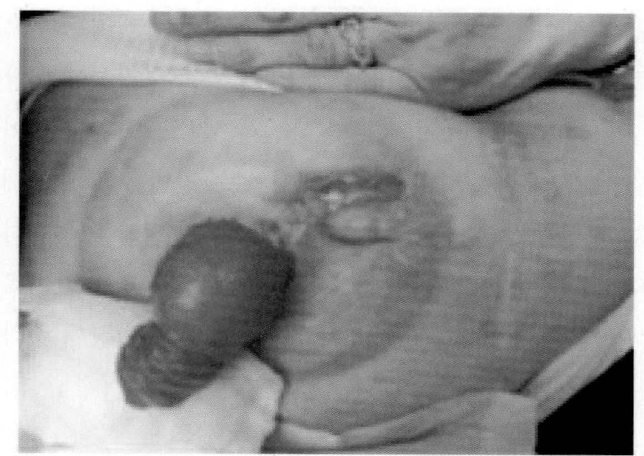

그림 2-130 **장루 탈출**

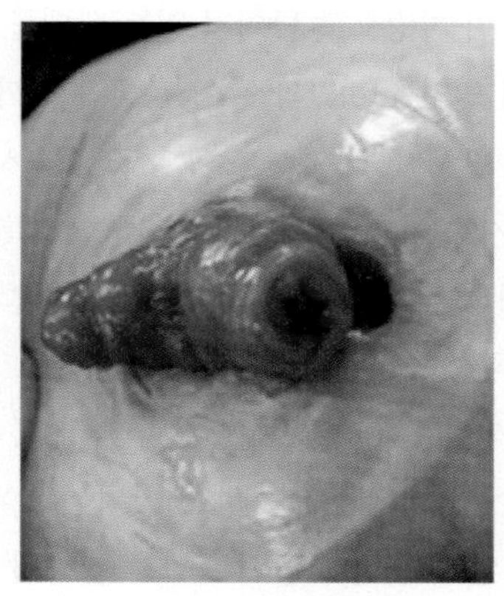

그림 2-131 **루프 회장루에서 장루 주위 피부 궤양을 동반한 장루 탈출**

여 재수술이 필요한 경우도 발생한다

2) 장루 주위 탈장(그림 2-129)

장루 주위 탈장은 복압이 증가하면서 근막이 결손된 부위의 피하지방층으로 복강내의 장 일부분이 튀어나온 것을 말한다.

장루가 복직근의 바깥쪽에위치할 때 탈장 및 탈출이 많은 것으로 보고되고 있다. 장루 위치가 적절하더라도 고령자, 스테로이드 복용, 영양부족, 비만환자 등에서 탈장이 올 수 있다. 장루주위 탈장은 전형적인 탈장인지 장루내 탈장, 피부밑 탈장, 근막결손없이 복부벽이 약해서 발생한 위탈장등으로 분류하며 탈장형태에 따라 치료방법이 타르므로 감별을 위해 복부 전산화단층 촬영이 도움이 될 수 있다. 예방을 위해 수술 후 6-8주간은 무거운 물건을 들거나 심한 운동을 피해야 한다. 장기간 추적 관찰할 경우 탈장환자의 약 15-30%에서 수술을 하게되며 장폐쇄에 의해 반복되는 복통복 있을 때. 장교액 및 천공, 미용상 보기가 좋지 않거나 기구부착이 안될 경우 수술이 필요하다. 수술방법은 (1) 국소복구술, (2) 복막경유 복구술, (3) 장루 재설치술이 있다.

3) 장루 탈출(그림 2-130)

장루 탈출은 복강 안에 있어야 할 장이 밀려나오면서 장루가 13-33cm 까지 길게 밖으로 나와있는 상태를 의미한다. 장루탈출 시 심한 장 부종과 함께 장루의 색깔이 검붉거나 검은색으로 변하는 경우는 혈액 공급 장애에 의해 장루의 괴사로 이어질 수 있다.

탈출은 결장루보다 회장루에서 많이 나타나며 말단 회장루보다 루프 회장루에서 자주 생긴다(그림 2-131). 원인은 장루입구를 너무 크게 하거나, 장루에 연결된 장이 너무 길거나, 피부표면으로 돌출된 장의 길이가 길 때, 비만, 부적절한 장루위치, 갑자기 복압이 증가하는 경우 등이다. 탈출된 장루는 저절로 복구되어 들어가는 경우도 많으며 통증은 별로 없다. 장루 탈출의 가장 중요한 치료는 예방으로, 적절한 장루위치와 정교한 수술로서 장루탈출을 최소한으로 예방할 수 있다. 급성 탈출시에는 손으로 천천히 복강내로 들어가게 하거나 탈출된 장루에 설탕을 뿌려 부종을 빠지게 하여 복원시키기도 한다. 복원이 안되는 경우에는 수술이 필요하다. 수술방법을 크게 절제술, 교정술, 재설치술로 나뉜다. 장루주위 탈장을 동반하지 않은 경우는 탈출된 부위를 절제하고 재봉합술로 치료 가능하며 탈장을 동반한 경우에는 장루주위 탈장에 준하여 치료한다.

4) 장루의 함몰(그림 2-132)

정상적인 장루의 높이는 1–3cm 이지만, 장루 개구부가 피부 절개 부위 하방으로 낮아져 있는 상태를 함몰이라고 한다. 함몰의 원인은 비만과 같이 복벽이 두꺼운 경우, 개구부에 심한 반흔이 있는 경우, 장루조성술 시 장관이 충분이 박리되지 못하여 충분한 장루 높이를 확보하지 못한 경우, 복강내 유착 등의 문제로 개구부 상방으로 충분한 높이가 유지되지 못하는 경우, 장루 조성술시 피부 절개가 부적절하게 시행되었을 경우, 장루의 괴사 혹은 점막피부 경계의 분리에 의해 장루 자체에 긴장이 야기된 경우 등으로 발생하게 된다. 또한 체중의 증가시 함몰될 수 있다.

치료는 장 내용물이 누출되지 않도록 볼록한 장루판으로 함몰된 주위를 잘 고정시키는 것이 중요하다. 함몰부위가 복강내에 있으면 개복수술을 해야 하지만, 복벽내에 있으면 장루점막피부에 환상 절개술을 가하고 근막과 복막까지 내려가 장을 유리시킨후 새 장루를 만든다.

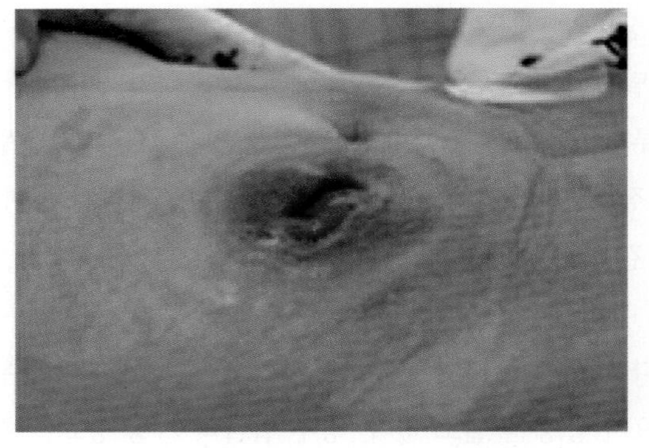

그림 2-132 장루함몰

5) 협착

협착은 장루 개구부가 좁아져 효과적인 배설물의 배출이 어려운 상태를 의미한다. 협착의 주원인은 허혈이며 장루 개구부가 위치한 피부 높이에서의 상처나 반흔 등에 의해 피부가 수축하면서 장루의 개구부가 좁아졌거나 장관을 통과시키기 위한 근막절개가 충분하지 않을 때 발생한다.

협착을 막기위한 예방목적으로 장루입구를 넓히는 것은 삼가하는 것이 좋다. 수술 후기에 생긴 협착을 손이나 기계로 확장시키는 것은 염증을 유발하거나 상처를 더 유발할수 있기 때문에 권장하지 않는다. 협착부위가 피부면에 있으면 국소적으로 근막을 넓혀 개정 한 후 재봉합을 시도할수 있지만 협착부위가 광범위할 경우에는 개복하여 장루를 다시 설치한다.

6) 장루 점막 외상과 출혈 및 정맥류

장루는 모세혈관분포가 많은 조직이기 때문에 밝은 선홍색을 띈다. 따라서 가벼운 자극에도 쉽게 피가 나지만 양이 적고 곧 지혈되는 특징이 있다. 그러나 장루 점막 손상의 정도에 따라 출혈양은 달라질 수 있다. 대부분 일시적인 출혈이며 병의 재발이 아님을 환자에게 설명하고 안심시킨다.미세출혈은 직접 압박하여 지혈하고, 지속적인 표면 출혈은 질산은을 이용해 지혈한다.

대량의 출혈은 보이는 경우 드물지만 장류 정맥류에 의한 경우도 있다, 장루 주위 정맥류는 간문맥 고혈압으로 간문맥계의 순환장애가 발생하고 측부 순환경로가 장루 주위로 형성된 것을 의미한다. 간에 신생물을 동반한 경우나 간경화 또는 경화성담관염이 동반되어 있는 염증성 장질환 환자의 전체대장절제술 후 회장루조성술을 시행받은 후에 흔하게 나타날수 있다. 피부를 문지르면 출혈의 위험이 높아지므로 장루를 부드럽게 관리해야 한다. 출혈이 심한 경우에는 국소적인 치료방법 즉, 경화제 주사, 전기응고술, 봉합결찰법 등을 시도하고 있으나 성공률은 보고자마다 다르다.

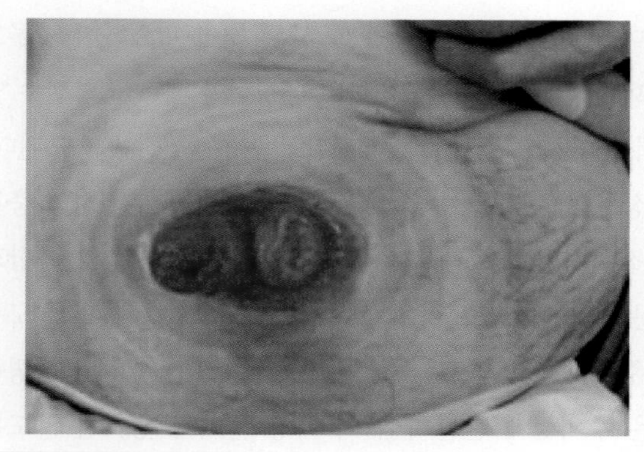

그림 2-133 **자극성 접촉 피부염**

7. 장루 주위 피부 합병증

1) 자극성접촉피부염(그림 2-133)

소화 효소가 포함된 배설물이 누수되어 피부와 접촉된 경우에 자극접촉피부염이 발생한다. 주로 피부 보호판을 너무 크게 오려 사용하는 경우, 설사가 심한 경우, 장루 주위 피부에 주름이 있거나 함몰형 장루인 경우 자주 나타날 수 있으며 심한 통증을 동반한다.

2) 알레르기접촉피부염

알레르기접촉피부염은 피부보호막, 테이프, 피부보호필름, 장루연고, 피부보호파우더 등 장루 관련 제품이 알레르기원이 되어 장루 주위 피부에 발진이나 수포를 야기한다. 환자는 소양증이나 작열감을 호소한다. 알레르기성 접촉피부염은 비교적 드물기 때문에 먼저 자극 원인을 찾는 것이 중요하다. 알레르기가 의심되면 원인을 확인하기 위해 첩포검사를 시행해야 하고 알레르기원을 제거하기 위해 원인이 되는 제품을 교체하고 심한 소양감이나 피부 손상이 있는 경우에 국소적으로 스테로이드나 항히스타민제를 적용한다.

3) 효모감염

효모감염은 가끔발생하며, 대부분은 장루주머니가 붙어있는 아래쪽의 습한 피부에서 잘 발생한다. 칸디다 감염은 당뇨, 항암 또는 방사선 치료를 받는 환자, 면역저하 및 쇠약한 환자 등에서 발생하는 경향이 있다. 모닐리나 효모감염은 밝고 붉은 일차병변과 위성의 구진성 병변을 동반하는 것이 특징이다. 대부분 자극된 피부주위의 가려움과 작열감을 호소하므로 손을 자주 씻고 장루주머니를 깨끗하게 관리하여 습기를 제거하고 감염이 되지 않도록 해야한다.

4) 위상피 과다형성

위상피 과다형성은 상피세포가 두꺼워져 사마귀 모양으로 나타나는 것으로 부식성의 장 배출물에 피부가 장기간 노출되어 육아조직이 과다형성되어 생긴다. 배출물이 장루주위 피부에 닿지 않도록 하는 것이 궁극적 치료방법이다.

5) 괴저화농피부증

이것은 크론병, 만성 궤양성대장염 또는 암과 연관있는 것으로 크론이나 궤양성대장염 환자 장루의 약 2%에서 발생한다. 처음에는 피부가 얼룩덜룩하게 보이다가 불규칙적인 커다란 괴저궤양을 형성하게 되는데 스테로이드와 항생제를 병용하여 치료한다.

6) 점막이식

장루는 일반적으로 피부의 진피층이나 피하조직과 접합을 이루게 된다. 이때 이들의 점막층이 피부 표피층과 접합을 이루게 되면 점막의 일부가 장루 피부에 이식되는 경우가 있다. 이식된 점막은 하나씩 따로 떨어져 있는 섬처럼 나타나기도 하지만 경우에 따라 융합을 이루면서 마치 피부 표피층이 손상되면서 넓은 부위의 진피층이 노출된 것 처럼 보이기도 한다. 장루 주위 피부에 장 점막이 이식된 부위는 출혈이 자주 일어날 수 있다. 또한 피부보호판과 피부와의 부착을 유지하기가 어렵다.

8. 장루 환자의 삶의 질

회장루 환자의 삶의 질에 관해서 McLeod 등이 처음 보고하였는데 회장루 환자 40명의 삶의 질 분석 결과에서는 음식(54%),운동활동(82%),일(49%),가정일(49%),옷 착용(93%)에 제한이 있다고 하였다. 성생활 또한 자주 보고되는 관심사로, 남성에게 있어서 발기부전과 불임문제, 여성에게 수술 후 윤활액 부족이나 질크기 감소에 따른 성교통이 발생할수 있다. 또한 수술 후 장루환자의 체형변화는 재활과정에서 부딪히게 되는 커다란 장애물이다.

이러한 요인들로 인한 정신적 갈등은 수술 후 3개월 이내에 과반수 이상에서 나타나기 때문에 이 시기에 정신적인 조언이 필요하다. 환자와 가족들에게 문제와 해결방안에 대한 표현을 할 수 있도록 하는 것이 필요하며 장루그룹 회원들 간에 서로 격려하며 긍정적인 태도를 가질수 있도록 해야하고 수술 전·후 재활교육이 절실하게 요구된다.

장루 환자들은 수술 후 삶의 질에 관한 부정적인 충격과 정신적인 스트레스에 직면하게되며 가족간의 화합과 전문가의 상담으로 삶의 질 향상을 도모할수 있도록 도움을 주어야하고 의료진들은 예방할수 있는 장루의 합병증들은 주의깊게 관찰하여 더 이상 문제가 생기지 않도록 힘써야 한다.

요약

장루는 용도에 따라 일시적인 장루와 영구적인 장루로 나눌 수 있으며, 장루를 형성 하는 부위에 따라 결장루와 회장루로 구분할 수 있다. 또한 장루의 형태에 따라 대장암 수술 후 문합부 누출 예방 및 치료 또는 장폐쇄 감압을 위해 만드는 루프형 장루와 복회음 절제술 이후 만들어지는 말단형 장루로 나뉜다.

영구적이든 일시적이든 이러한 장루 조성술을 받은 환자들에게는 장루의 일반적 특징, 장루 주머니 비우기, 교환방법, 식이관리, 피부 관리 등의 교육이 이루어 져야 하며, 특히 장루의 합병증 예방과 환자들의 삶의 질 저하를 방지하는 정신적인 지지가 중요한 과제가 될 것이며, 필요한 경우 전문가의 상담으로 도움을 주어야 할 것이다.

XV 충수

충수vermiform appendix는 맹장의 기저부에서 3개의 결장뉴taenia coli가 융합되는 부위에 있는 관 형태의 구조물로서 정상 성인에서 길이는 약 8–10cm이다. 태생기 8주에 맹장의 끝부분에서 튀어나오는 돌기로부터 발생하며, 이후 맹장이 성장하면서 내측으로 이동하여 회맹판 쪽을 향하게 된다. 충수의 기능에 대해서는 별다른 기능이 없는 흔적기관vestigial organ으로 취급되었으나, 최근의 연구에서 인체의 면역기능에 관여하며 면역글로불린–특히 IgA—을 분비하는 것이 알려졌다. 하지만, 이러한 기능은 체내 면역기능 유지에 필수적이지 않아서 충수 절제술을 시행하더라도 패혈증이 발생하거나 면역체계에 이상을 가져오지는 않는다. 충수의 림프조직은 생후 2주째부터 발견되며 사춘기가 될 때까지 양이 증가한다. 이후에는 림프조직의 양이 일정하게 유지되며, 점차 나이가 들면서 감소하여 60세가 되면 더 이상 림프조직을 발견할 수 없게 되는 경우가 흔하다. 충수에서 발생한 급성 염증을 급성 충수염이라고 하며, 이는 임상에서 응급 수술을 필요로 하는 가장 흔한 복통의 원인이다. 충수에서 원발하는 종양은 드물지만, 조직학적 양상과 치료법은 다양하다.

1. 급성충수염

1) 역학

국가 건강보험 자료를 분석한 결과 국내 충수염 환자의 대부분이 급성충수염으로 진단되며, 발병빈도는 서양과 비슷하여 매년 10,000명당 22명이다. (남성 23/10,000명/년, 여성 21/10,000명/년) 발생빈도가 가장 흔한 연령군은 남성은 10–14세이고(47/10,000명/년), 여성은 15–19세이며(36/10,000명/년), 충수염이 가장 적게 발생하는 연령군은 남녀 모두 5세 이하이다(3/10,000명/년). 국내에서 시행되는 충수 절제술의 빈도는 매년 10,000명당 13명이며(서양의 경우 10,000명당 10명), 천공성 충수 절제술의 빈도는 21.5%이다. 천공성 충수 절제술의 빈도는 15–19세 군에서 가장 적으며(남성 15.4%, 여성 11.0%) 나이가 많아질수록 증가하여 85세 이상 군에서 가장 높아진다(남성 55.8%, 여성 52.7%). 충수염의 월별 발생빈도는 여름철에 높고 겨울철에 낮다. 일생 동안 충수염에 이환 될 위험은 5세 미만의 소아 10,000명당 1,630명 정도이며 남녀의 비율이 비슷하다. 국내 21개 병원에서 476명의 소아 급성 충수염 환자를 분석한 결과에 따르면 평균 연령은 9세이고(21개월–20세), 남녀 비는 1.7:1로 남자에서 빈번하였다. 다양한 영상의학 검사에도 불구하고 다른 질환을 충수염으로 오진하는 경우는 15% 내외로 일정하다. 충수염으로 오진하는 경우는 여성의 경우가 남성보다 높으며(여성 22.9%, 남성9.3%), 출산기 여성의 경우 정상 충수를 충수염으로 오진하여 절제하는 경우가 23.2%에 달한다.

2) 원인과 병태생리

급성충수염acute appendicitis을 유발하는 가장 중요하고 흔한 인자는 충수내강의 분변석fecalith에 의한 폐쇄이다. 그 외에도 림프조직의 비대, 영상의학 검사시 사용한 바륨, 종양, 음식에 있던 야채나 과일의 씨, 기생충 등도 충수의 내강 폐쇄를 유발할 수 있다. 충수에 염증반응이 심할수록 내강 폐쇄의 원인이 더 흔하게 발견된다. 단순충수염의 경우 분변석이 발견되는 경우는 40% 내외이지만, 괴사성 충수염의 경우는 65%, 천공을 동반한 경우에는 거의 90%에 달한다. 충수의 내강이 폐쇄되더라도 충수 점막에서는 정상적인 분비가 지속되기 때문에 충수의 팽창이 발생된다. 정상적인 경우 충수내강의 수용 용적은 약 0.1mL이므로, 점막에서의 분비량이 0.5mL인 경우에도 내강의 압력은 60cmH_2O까지 증가한다. 충수가 팽창하면 내장 구심성 신장 신경visceral afferent stretch fiber의 말단을 자극하게 되고, 이로 인해 복부의 중앙부에서 모호하게 퍼지는 양상의 내장성 통증을 느끼게 된다. 또한 충수의 급작스러운 팽창으로 인해 장연동운동이 항진됨으로써 쥐어짜는 듯한 양상의 통증colic pain도 충수염의 초기단계에서 발생한다. 이후 점막분비가 지속되고, 폐쇄된 내강 내에서 장내 박테리아가 증식하면서 충수는 더욱 팽창하고, 이로 인해 반사적으로 구역, 구토의 증상이 발생한다. 충수의 지속적인 팽창으로 인해 압력이 상승하면서 모세혈관과 소정맥의 혈류가 차단되어 울혈과 충혈이 발생한다. 염증반응이 충수의 장막을 넘어 벽측 복막parietal peritoneum까지 진행하면 통증의 양상이 날카롭고 위치가 분명한 체성통으로 변화하면서 복통의 위치도 우하복부로 이동한다. 충수 점막으로의 혈류순환에 장애가 생기면서 박테리아 침습도 발생한다. 충수의 지속적인 팽창, 박테리아 침습, 혈류순환의 차단이 계속되면 결국은 충수 천공이 발생하는데, 가장 흔한 천공의 위치는 장간막 부착부의 반대쪽antimesenteric border이며, 폐쇄부위보다는 충수의 끝부분의 천공이 흔하다. 충수염에서 가장 흔하게 발견되는 균주는 *Escherichia coli*와 *Bacteroides fragilis*이며, 이 외에도 다양한 균이 배양될 수 있다. 일반적인 충수염의 경우에는 천공의 유무에 상관없이 수술시 복강액에 대한 배양검사를 시행하는 것은 일반적으로 불필요한데, 가장 흔한 균주가 이미 잘 알려져 있고, 이를 치료하기 위한 효과적인 항생제가 치료단계에서 투입되며, 배양의 결과가 확인될 시기에는 이미 수술 후 회복되고 있고, 혐기성 균을 배양하기 위해서는 특수한 설비가 필요하기 때문이다. 배양검사는 면역억제상태의 환자이거나 충수염을 치료한 이후에 발생한 복강내 농양의 경우에만

표 2-39. 충수의 해부학적 위치와 충수염의 증상

해부학적 위치	빈도	급성충수염의 증상
맹장이나 결장의 뒤쪽	75%	우하복부의 통증과 압통이 전형적이다. 맹장이 전면에 위치하기 때문에 근육 강직 등의 증상은 관찰되지 않는 경우가 흔하다. 염증으로 인한 요근의 자극을 피하기 위해 환자는 고관절을 구부린 자세를 취하게 되며, 고관절을 신전시켰을 때 통증이 심해진다(요근신장징후).
맹장하부 혹은 골반	20%	치골 상부의 통증과 빈뇨 증상이 흔하며 직장을 자극하여 설사가 유발될 수도 있다. 복부검사 시에는 압통이 없을 수 있으나 직장수지검사나 질을 통한 내진 시에 우측에서 압통을 호소한다. 소변검사에서 현미경적 혈뇨나 백혈구 양성의 소견이 관찰될 수 있다
회장주위	5%	증상이나 징후가 없는 경우가 흔하다. 원위부 회장부위를 자극함으로써 구토나 설사가 나타나는 경우도 있다.

시행한다.

3) 진단

급성충수염의 진단은 철저한 병력청취와 자세한 이학적 검사로 대부분 가능하지만, 진단이 모호한 경우에는 혈액검사, 영상의학검사 등을 시행한다.

(1) 증상

급성충수염 환자들이 가장 흔히 호소하는 증상은 복통이다. 초기에는 명치 부근이나, 배꼽 부근의 복부의 중앙에서 쥐어짜는 듯한 통증이 있다가 점차 우하복부로 이동하면서 구토가 동반되는 것이 충수염의 일반적인 증상으로 알려져 있지만, 이러한 소견을 보이는 환자는 약 50% 정도에 불과하다. 전형적인 환자들은 첫 24시간 동안 배꼽주변에서 심하게 쥐어짜는듯한 통증을 호소하는데, 통증은 점차 우하복부로 이동하면서 지속적이고 날카로운 양상으로 변한다. 초기 통증은 중장을 지배하는 내장신경으로부터 유래되며, 이후 발생하는 국소적인 통증은 염증반응이 진행한 후에 벽측복막이 자극되어 발생한다. 식욕소실은 흔하게 관찰되는 증상이며, 변비나 구역도 흔히 발생한다. 계속적인 구토시 천공으로 인해 범발성 복막염으로 진행한 것을 의심해야 하며, 단순 충수염에서는 드문 증상이다. 급성 충수염을 진단할 수 있는 한가지의 특징적 증상은 없지만 진단에 가장 도움을 줄 수 있는 소견은 통증의 위치가 변화한다는 것이다. 증상의 발현양상은 환자의 연령과 충수의 해부학적인 위치에 따라(표 2-39) 달라질 수 있다. 유아나 고령의 환자에서는 애매모호하고 비전형적인 임상증상을 호소하기 때문에 진단이 어려운 경우가 흔하다. 국내 소아 급성충수염 환자들의 분석결과 가장 흔한 증상은 복통(95%), 구토(50%), 발열(44%)이며, 수술 전 증상의 평균 지속 시간은 42시간이었다.

(2) 이학적 검사

환자들은 흔히 홍조를 띠고 있으며 혀가 말라있는 경우가 많고, 38℃ 정도의 발열과 빈맥이 흔하다. 복부의 이학적 검사에서는 복통이 우하복부로 옮겨진 이후부터는 국소적인 압통과 근육의 강직이 관찰된다. 반발통도 관찰되지만 환자를 불편하게 할 수 있으므로 조심스럽게 시행해야 한다. 환자의 자세를 변경할 때 통증이 더 심해지며, 기침을 하도록 하였을 때 우하복부에서 통증이 심해지기도 한다. 압통은 충수가 정상적으로 위치하는 맥버니 점 McBurney's point에서 가장 심하게 나타나는데 이 위치는 배꼽부터 전상장골극anterior superior iliac spine을 연결하는 가상선의 바깥쪽 1/3이다. 충수가 골반내에 위치한 경우에는 직장수지검사나 질을 통한 내진 시에 우측에서 압통이 있을 수 있다. 타진통percussion tenderness, 근육강직, 반발통은 급성 충수염을 진단할 수 있는 가장 신뢰도가 높은 검사소견이다. 그 외에도 충수염의 진단에 도움을 줄 수 있는 검사소견으로는 로브징 징후 Rovsing's sign (좌하복부를 촉지하였을 때 우하복부에서 통증이 유발됨), 요근신장 징후psoas strectch sign

표 2-40. 급성 충수염의 진단에 이용되는 영상의학검사

검사법	급성 충수염의 진단기준	근거
복부단순촬영	없음	일부에서 분변석이 보이는 경우는 있으나 진단에는 도움이 되지 않음
복부초음파	연동성이 없고 눌러지지 않는 직경 6mm 이상의 구조물	민감도 55-96%, 특이도 85-98%
전산화단층촬영	비정상적인 충수나 석회화된 충수결석 충수주변의 염증소견 직경 6mm 이상의 충수	민감도 94%, 특이도 95%
자기공명영상	T2 강조영상에서 고신호강도의 중심부 충수 벽의 부종, 염증 및 저류 소견 충수 주위의 조영증강	진단이 불확실하고 방사선 조사를 사용하는 영상진단법의 사용에 제한이 있는 경우에만 사용 (예; 임신)

(왼쪽으로 누운 상태에서 우측 고관절을 신전할 때 통증이 유발됨), 폐쇄근 징후obturator sign (바로 누운 상태에서 환자의 굴곡된 우측 대퇴부를 내측으로 회전시킬 때 통증이 유발됨) 등이 있다.

(3) 혈액과 소변검사

비천공성 급성충수염의 경우에는 경한 백혈구 증가증(10,000–18,000/mm^3)이 흔히 관찰된다. 혈액 검사상 백혈구의 수치가 18,000/mm^3 이상으로 증가되어 있는 경우는 천공이나 농양 발생을 염두에 두어야 한다. 국내 소아 환자들의 경우에 10,000/mm^3 이상의 백혈구 증가증이 있던 경우는 86%이었다. 소변검사는 요로감염 여부를 감별한다는 점에서 유용하게 이용될 수 있다. 염증이 있는 충수에 의하여 요관이나 방광이 자극되어 소변검사에서 백혈구나 적혈구가 보이는 경우도 있을 수 있지만, 도뇨를 통해 채취한 소변에서 박테리아가 발견되는 경우는 드물다.

(4) 영상의학검사

급성충수염의 진단은 주로 임상적인 양상만으로도 가능한 경우가 많으므로, 임상 양상이 확실한경우에는 확진을 위해 특별히 다른 영상의학검사를 고려할 필요는 없다. 그러나 진단이 애매한 경우에는 몇 가지의 영상의학검사를 시행함으로써 도움을 받을 수 있다(표 2-40) (그림 2-134).

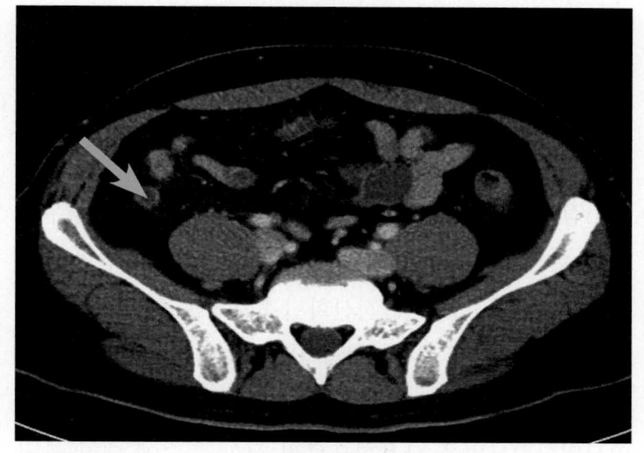

그림 2-134 급성충수염의 복부전산화단층 촬영소견. 우하복부에 직경 8mm 크기로 팽창된 충수가 관찰되나 주변 염증소견은 명확하지 않다.

충수염을 진단하기 위한 영상의학검사의 역할에 대한 여러 임상연구 결과, 임상 소견이나 진단의학적 검사로 충수염의 진단이 확실하지 않은 경우에만 초음파 검사 혹은 전산화단층촬영을 시행하는 것을 권고하고 있다. 진단의 정확도가 시술자 의존적인 초음파 검사와는 달리 전산화단층촬영은 객관적으로 진단의 정확도를 높일 수 있다. 급성 충수염 진단에 전산화단층촬영을 선택적으로 이용하기 위한 방법의 일환으로 알바라도 점수체계Alvarado scale를 이용할 수 있다. 이는 급성충수염과 연관이 있는 환자의 증상, 징후, 혈액검사 등의 8개 항목을 점수화한 것이다(표 2-41).

알바라도 점수가 9–10점인 경우에는 임상적으로 급성

표 2-41. 알바라도 점수체계

	발현	점수
증상	통증위치의 이동	1
	오심	1
	구역/구토	1
징후	우하복부 압통	2
	반발통	1
	체온상승	1
혈액검사	백혈구증가	2
	좌측이동	1
총점		10

충수염이 확실하므로, 영상의학검사를 추가로 시행하더라도 별다른 이득이 없다. 7-8점의 경우는 급성충수염의 가능성이 매우 높은 상태이며, 5-6점의 경우는 의심은 되지만 진단할 수는 없는 경우이다. 전산화단층촬영은 5-6점의 경우에 가장 큰 도움이 되며, 0-4점의 경우에는 충수염의 가능성이 낮기 때문에 비용과 방사선의 피폭위험을 감안하였을 때 전산화단층촬영을 하지않는 것이 바람직하다. 여러 영상의학검사법이 도입됨으로써 급성충수염의 진단에 일부 도움이 되고는 있지만, 실제 이러한 영상의학검사법을 사용함으로써 정상 충수에 대한 불필요한 충수절제술을 시행하는 경우를 줄일 수 있는지에 대해서는 불확실하다.

4) 감별진단

복강내의 다양한 질환들이 충수염과 유사한 증상을 유발한다는 점에서 급성충수염의 감별진단에는 모든 급성복통의 원인이 포함된다(표 2-42). 수술 전 진단에서 가장 흔하게 충수염으로 오진하는 경우는 급성장간막염, 급성골반염, 난소낭종, 급성장염 등이다. 급성충수염의 감별진단을 위해서는 해부학적인 충수의 위치, 염증의 단계, 환자의 연령, 성별 등을 고려하여야 한다.

급성충수염의 수술 전 진단의 정확도는 약 85% 정도를 유지하는 것이 바람직하다. 이보다 낮은 정확도를 보인다면 불필요한 수술의 빈도가 높다는 것이므로 수술 전 감별진단에 더욱 신경을 써야한다. 반면 수술 전 진단의 정확도가 90% 이상을 상회한다는 것도 즉각적인 수술이 필요한 일부 환자에서 수술의 시기가 지연되어 진단의 정확도가 높아졌을 가능성이 있으므로 바람직하지는 않다.

표 2-42. 급성 충수염의 감별진단

외과적 원인	장폐쇄 장중첩 급성담낭염 천공성 소화성궤양 장간막림프절염(mesenteric adenitis) 멕켈 게실염 대장 게실염 종양(암, 신경내분비 종양) 췌장염 복직근막 혈종(rectus sheath hematoma)
비뇨기과 원인	우측 요관결석 우측 신우신염 요로감염
산부인과 원인	자궁외 임신 난소난포파열 난소낭종 염전 난관염 골반내염증 자궁내막증
내과적 원인	위장관염 폐염 말단회장염 당뇨병성 케톤산증 대상포진전 통증 포르피린증(porphyria)

5) 치료

급성충수염으로 진단되면 적절한 처치 후에 즉각적인 충수 절제술을 시행하는 것이 치료의 원칙이다. 기본처치로 공복상태를 유지하고 수액을 공급한다. 복부팽만이나 구토 증상이 심한 경우에는 비위관을 삽입하는 것이 좋다. 모든 환자에게 수술 전후에 1-3회에 걸쳐 광범위 항생제를 투여함으로써 수술 후 창상감염과 복강 내 농양 형성의 빈도를 감소시킬 수 있다. 항생제는 그람 음성 균과 혐기성 균에 효력이 있는 제제를 이용한다. 천공이 없는 경우에는 24-48시간 동안 항생제를 사용하며, 천공이 발생한 경우에는 약 7-10일 정도를 사용한다. 증상발현 이후 첫 36시간이 경과한 경우의 평균적인 천공률은 16-36%이며 이후 12시간이 지날 때마다 5%씩 증가하므로 일단 진단이 내려진 후에는 불필요한 지연 없이 충수절제술을 시행하는 것이 필요하다.

전통적인 충수 절제술은 우하복부의 맥버니 점 위에서 피부주름을 따라 피부절개를 하고 근육을 벌린 후 복막을 열어 시행한다(맥버니 절개법). 록키-데이비스 절개법은 복직근의 외측으로 가로의 피부절개를 하는 방법이다. 폐경 전의 여성에서 부인과적인 원인을 배제할 수 없는 경우에는 하복부 정중절개를 시행하는 것이 도움이 된다. 절개창을 통해 맹장을 확인한 후 전방의 결장뉴를 따라 내려가면 충수를 찾을 수 있다. 충수의 장간막을 처리한 후 충수의 기시부를 확인하고 맹장의 벽으로부터 약 0.5cm 되는 부위를 겸자로 잡아 표시한다. 이 표시부위의 직하부를 비흡수성 봉합사를 이용하여 결찰한 후 결찰부위로부터 약 0.5cm 말단부에서 충수를 제거하고 절단면의 점막을 전기소작한다. 결찰부위를 비흡수성 봉합사를 이용하여 쌈지봉합법, Z 봉합법 등으로 함몰시킨다. 결찰하지 않고 함몰시키는 경우에는 절단면의 출혈 위험이 있고, 결찰만 하는 경우에는 결찰이 풀리거나, 기부 절단면의 오염으로 인해 복강오염의 우려가 있다. 천공이 된 경우나 농양이 존재하는 경우에는 배액관을 삽입하지만, 단순 충수염의 경우에는 배액관이 불필요하다. 수술창은 복벽의 층에 따라 봉합하며 천공, 괴사로 인해 창상의 오염이 심한 경우에는 근막층까지 봉합하고 이후 피부는 3-5일째에 지연봉합한다. 근래 충수 절제술에 복강경을 이용하는 빈도가 증가하고 있다. 복강경 충수 제거술은 개복술에 비하여 창상감염, 수술 후 통증, 입원기간, 정상생활로의 복귀시간을 감소시키는 장점이 있다. 또한 복강경을 이용한 접근법은 수술 전 진단이 확실하지 않았던 증례에서 진단적 목적으로 사용할 수 있는 장점도 있다. 국내 소아환자들에 대한 다기관메타분석에 의하면 복강경 수술은 28%에서 시행되었다.

초기충수염의 경우에는 자발적으로 염증이 소실되거나 항생제 치료만으로 염증이 소실되는 경우도 있지만, 항생제 단독 치료 후의 재입원율은 14-35%로, 재발률이 높고, 충수절제술과 연관된 합병률이 상대적으로 낮다는 점에서 충수염에 대해 보존적인 치료를 우선하는 것은 바람직하지 않다. 복강 내 다른 병변으로 수술을 시행할 때 정상적인 충수를 절제하는 경우를 부수적 충수 절제술 incidental appendectomy이라고 한다. 부수적 충수절제술의 효과에 대한 국내 건강보험 자료 분석에서는 15예의 부수적 충수절제술을 시행하는 경우 1명의 충수염 발생을 예방할 수 있고, 26예의 부수적 충수절제술을 시행함으로써 1명의 충수염에 의한 충수절제술을 예방할 수 있었다.

6) 합병증

비천공충수염의 충수 절제술은 사망률이 1,000명당 0.8로 비교적 안전한 수술이다. 수술 후 사망률이나 합병률은 염증이 심할수록 증가하여 천공이 된 경우의 사망률은 1,000명당 5.1로 증가한다. 수술 시 천공을 확인하는 경우는 약 16-30% 정도이다. 고령이나 소아에서는 진단의 지연으로 인해 천공률이 높아지며 고령에서는 30-60%, 3세 이하에서는 80-90%에 달한다. 국내 소아환자들에 대한 다기관메타분석에서 단순충수염은 54.5%이고, 농양, 괴사성 변화, 천공 등의 합병증이 발생한 충수염은 45.5%이었다. 진단이 지연되어 천공이 되는 경우에 사망률과 합병율이 크게 증가하기 때문에 충수염으로 오진하여 정상 충수를 절제하는 비율이 20-25%에 달하는 것도 어떤 면에서는 양해될 수 있다. 그러나 정상 충수를 제거하는 경우에도 수술과 연관된 합병증이 발생할 위험이 있기 때문에 이러한 오진의 빈도를 낮추기 위한 노력을 지속하여야 한다.

수술 후 발생할 수 있는 가장 흔한 합병증은 창상감염으로 빈도는 수술 시 창상의 오염정도에 비례한다. 단순충수염의 경우는 5% 미만이며, 천공과 괴사를 동반한 경우에는 20%까지 증가한다. 수술 전후에 항생제를 사용함으로써 술 후 창상감염의 빈도를 줄일 수 있다. 복강 내에 명확한 오염이 있었던 경우에는 수술 후, 복강 혹은 골반강 내에 농양이 형성될 수 있다. 수술 후 회복기에 반

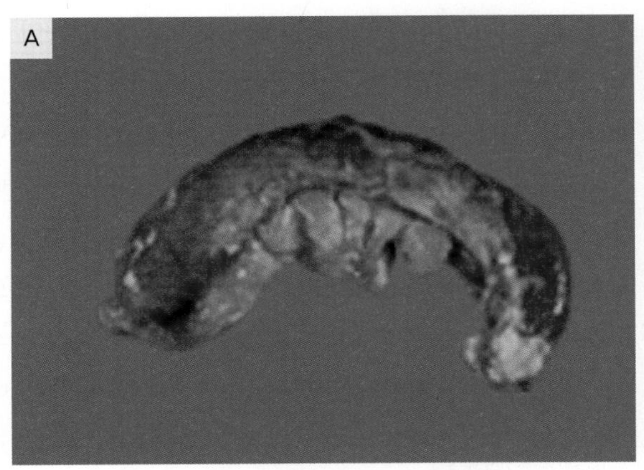

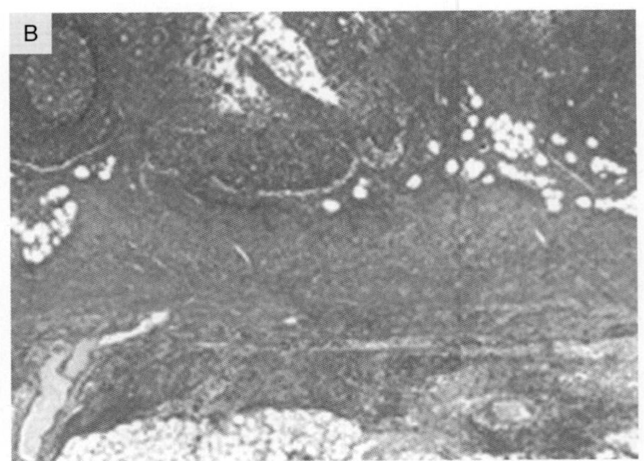

그림 2-135 **급성화농성충수염의 병리학적 소견.** A) 육안소견, B) 현미경 소견(×40) 점막의 미란과 충수 전층의 염증소견

복적인 고열이 발생하는 것이 특징이며, 초음파 검사나 전산화단층촬영으로 농양의 존재를 확인할 수 있다. 농양은 경피적으로 배액관을 삽입하여 치료할 수 있지만, 경우에 따라서는 개복수술 혹은 직장을 통한 배액이 필요할 수도 있다. 수술 전후에 항생제를 사용함으로써 농양형성의 빈도를 감소시킬 수 있다. 가장 치명적인 합병증은 범발성복막염이 있던 경우에 다발성 간농양을 유발하는 문맥염이다.

7) 특별한 경우의 충수염(그림 2-135)

대규모의 증례-대조군 연구를 통해 임신 중에는 충수염의 빈도가 감소하며, 특히 임신 제3기 동안에 발생빈도가 감소하는 것이 알려졌지만, 그럼에도 불구하고 임신 중 가장 흔하게 발생하는 수술이 필요한 비산과적 응급 상황은 급성충수염으로, 1,000명 임신부에 대하여 0.2-2.1의 빈도로 발생한다. 임신 중에 충수염이 발생하면 태아가 들어있는 자궁으로 인하여 충수의 위치가 이동함으로써 환자의 증상이 비전형적으로 나타나며, 간혹 산통이 조기에 시작되는 것으로 오인될 수도 있다. 구역과 구토가 흔하게 발생하며 압통이 복부 우측의 어느 곳에서도 발생할 수 있다. 단순 충수염의 경우에는 산모 사망율이 무시할 만한 수준이지만, 임신기간이 길어지고 천공이 동반된 경우에는 산모 사망률이 4%까지 증가할 수 있다. 태아 사망률은 단순 충수염의 경우에 0-1.5%이지만 천공이 발생한 경우에는 20-35%까지 증가한다. 따라서 임신 중에 급성 충수염이 의심되는 경우에는 복부초음파 검사를 통하여 진단을 확인한 후 즉각적인 충수절제술을 시행하는 것이 바람직하다.

증상이 발생한지 상당한 시간 후에 내원하는 환자의 경우에는 우하복부에서 근육강직이 동반된 압통이 심한 종괴를 관찰할 수 있다. 종괴는 초음파 검사나 전산화단층촬영으로 확인할 수 있으며, 이 경우에는 종양이 동반되어 있을 가능성을 염두에 두어야 한다. 종괴 이외 별다른 증상이 없으면 초기치료로써 광범위한 정맥 항생제를 투여하며 이 경우 수일 내에 염증이 가라앉으면서 종괴의 크기도 감소한다. 이후에 충수염의 재발 위험이 높기 때문에 종괴가 소실된 경우라도 간격 충수절제술interval appendectomy을 시행하는 것이 좋다. 농양이 확인된 경우에는 항생제 치료와 경피적배액술을 함께 시행하며, 이후 염증이 소실된 후에 간격 충수절제술을 시행한다.

드물기는 하지만 만성 및 재발성 충수염도 임상에서 확인할 수 있다. 이전에 급성충수염의 증상의 과거력이 있고, 이후 경한 증상으로 재발하는 경우 재발성충수염으로 진단하며 전체충수염에서 10% 정도를 차지한다. 만성적인 충수폐쇄가 있는 경우에 만성충수염이 발생할 수 있다. 일반적 양상은 약 2주 정도 우하복부에 반복적인 복통이 발생하는 것이며 발생률은 약 1.5% 정도이다. 재발성 혹은 만성 충수염의 치료는 충수절제술이며, 농양이나 복막염이 없는 경우 배액술은 시행하지 않는다.

2. 충수종양

충수의 원발성 종양은 매우 드물어서 절제한 충수에 대한 조직학적 검사를 시행하였을 때 0.5-1%의 빈도로 보고된다. 국내 보고에 의하면 충수절제술이나 우측결장절제술을 시행한 3,744예의 증례 중 0.75%인 28예에서 충수종양이 발견되었고, 점액성선종(48.3%), 신경내분비종양(31%), 점액성선암(10.8%), 선암(6.8%)의 순이었다. 신경내분비종양을 제외하면 대부분의 충수종양은 중년이후 성인에서 관찰된다. 충수종양을 수술 전에 진단하는 경우는 빈번하지 않으며, 수술 중에 진단하는 경우도 50% 미만이다. 대부분의 문헌에서 가장 흔한 충수종양을 신경내분비종양으로 보고하였지만, 최근에 보고된 미국의 25년간 국가통계에서는 가장 빈번한 종양이 점액성선암(37%)이었고, 신경내분비종양은 두 번째(33%)로 보고되었다. 충수종양이 있는 30-50%의 환자에서는 급성충수염과 유사한 임상적인 증상과 징후가 발생한다. 그 외의 증상으로는 촉지되는 우하복부 종괴, 우연히 발견된 영상의학 검사의 이상소견, 장중첩, 위장관 출혈, 요관폐쇄, 혈뇨, 악성점액낭종이 파열되어 복막가성점액종pseudomyxoma peritonei이 되었을 때 복부둘레가 증가하는 소견이 있다.

1) 선종 혹은 선암(상피성)

충수의 상피성 종양은 양성(선종) 혹은 악성(선암)이 있다. 일반적으로 크기가 크고 파열 등의 합병증의 발생률이 높기 때문에 수술 전에 영상의학검사로 진단되는 경우가 흔하다. 충수의 상피성 종양은 임상양상, 영상의학검사 소견, 병리학적 소견으로 인해 점액성과 비점액성으로 구분된다.

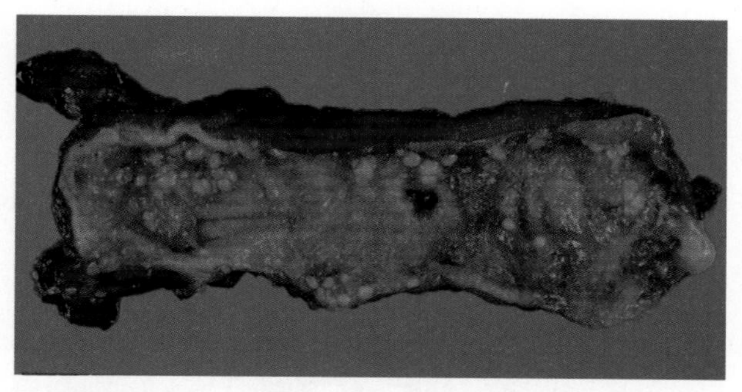

그림 2-136 충수에 발생한 점액낭종의 수술 후 육안 소견

(1) 점액성종양

대장점막에서 발생하는 전형적인 선종성 병변과는 다르게 충수에서 발생하는 대부분의 상피성 종양은 충수내강의 점막을 환상으로 침범하여 점액이 풍부한 점액낭종 mucocele을 형성하기 쉽다(그림 2-136). 점액낭종이라는 용어는 점액에 의해 팽창된 충수의 육안적 소견을 말하는 것으로 점액낭종을 유발한 원인에 대한 용어는 아니다. 크게 4가지의 조직학적 아형으로 분류되며 각각의 아형에 따라 질병의 경과와 예후가 다르다. 비종양성 원인에 의해 발생하는 점액낭종인 정체낭종retention cyst과 점막 과증식mucosal hyperplasia은 일반적으로 크기가 2cm 보다 작으며 단순 충수절제술로 치료된다. 점액성선종에 의한 대부분의 양성점액낭종은 증상이 없이 이학적 검사나 복부 영상의학 검사시에 우연히 발견되는 경우가 흔하며, 만성적인 충수폐쇄를 서서히 일으키기 때문에 급성충수염과 같은 증상이 나타나는 경우는 흔치 않다. 그 외에도 장중첩, 염전torsion, 우측 요관폐쇄 등의 증상도 일어날 수 있다. 악성 점액선암의 경우에는 이러한 증상 이외에도 주변장기로 침습함으로써 발생하는 증상이나 복막가성점액종에 의한 증상이 발생할 수 있다. 5년생존율은 병기에 따라 다르지만 전체적으로 55% 정도이다. 충수선암이 있는 환자는 동시성, 이시성 종양의 위험이 높으며, 이중 50% 정도는 위장관에서 발생한다. 복막가성점액종이란 복강내에 젤라틴과 같은 물질이 축적되는 것으로 일반적으로 점액낭종의 파열로 인하여 발생한다(그림 2-137). 여성에서 2-3배 많이 발생하며, 서서히 꾸준히 진행하는 것이 특징

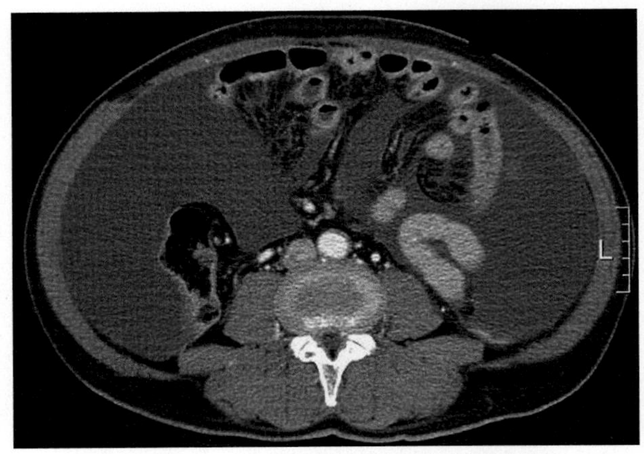

그림 2-137 **복막가성점액종 환자의 복부 전산화 단층 촬영소견**

이다. 환자들은 일반적으로 복통, 복부팽만, 종괴 등의 증상을 호소한다. 복강내 장기의 기능이상을 초래하는 경우는 드물지만 요관 폐쇄나 정맥혈류순환의 폐쇄 등은 흔히 볼 수 있다. 수술치료로는 충수절제술, 대망절제omentectomy를 포함하여 육안으로 관찰되는 모든 병변을 가능한 절제하는 것이 필요하며, 여성에서는 양측난소절제를 추가로 시행한다. 일부 환자에서는 복강내 항암치료가 도움이 된다. 림프절전이나 원격전이는 드물지만, 복강내에서 다시 재발하는 경우가 76% 정도로 흔하며, 적절한 일차 수술과 재발 후 종괴제거 수술을 시행한 경우에 중간생존기간은 5.9년, 5년생존율은 약 53% 정도이다.

(2) 비점액성종양

비점액성의 선종 혹은 선암이 충수에서 발생하는 것은 비교적 드물어 충수선종은 전체 대장 선종의 2%, 충수선암은 전체 대장 선암의 1% 이내이다. 비점액성 종양의 경우는 점액낭종을 형성하지 않고, 충수폐쇄에 의해 충수염의 임상증상으로 나타나는 경우가 흔하다.

2) 신경내분비종양

과거 유암종carcinoid으로 알려졌던 신경내분비 종양neuroendocrine tumor은 상피하 장크롬친화세포enterochromaffin cell에서 기원하는 종양으로 전체 충수종양의 약 30–70% 정도로 빈발한다. 충수는 위장관 신경내분비 종양이 가장 흔히 발생하는 위치이며, 단단하고 노란색의 융기된 종괴로 관찰된다. 충수에서는 대부분 우연히 발견되는데, 이러한 이유는 70% 이상이 충수의 말단부에서 발생하며, 크기가 1cm 이하로 작기 때문이다. 신경내분비 종양으로 진단되는 연령은 특징적으로 젊은 성인이다. 충수에 발생한 신경내분비 종양은 다른 위장관에 발생한 경우보다 예후가 월등하게 좋으며(5년 생존율, 90% 이상), 전이를 일으키거나 신경내분비 종양증후군을 유발하는 경우는 전체 증례 중 2.9%로 매우 드물다. 예후는 크기와 연관이 있어서 1cm 크기 이하의 대부분의 신경내분비 종양은 충수 외로 진행되는 경우가 거의 없기 때문에 충수절제술 만으로도 충분하다. 크기가 1cm 이하 이더라도 충수의 장간막으로 침습되었거나, 크기가 1.5cm 이상인 경우는 우측결장절제술을 시행하여야 한다. 아형 중에 이전에 선상유암종adenocarcinoid이라고 불리우던 배상세포유암종goblet cell carcinoid이 있는데, 이는 거의 대부분이 충수에서만 발생하고 전형적인 신경내분비종양과 선암의 중간형태의 임상양상을 보인다. 전체 충수종양의 약 5% 이내이며, 병리소견으로는 침습성이고, 전체 충수를 침범하며 전이는 직접적인 복막침습이 흔하여 수술시 약 15–30%에서 전이가 발견된다. 치료는 우측결장절제술이 필요하며 5년 생존율은 60–84% 정도이다.

3) 림프종

위장관은 림프절외 비호지킨 림프종extranodal non-Hodgkin's lymphoma이 발생하는 가장 흔한 위치이지만, 충수의 림프종은 매우 드물어서 전체 위장관 림프종의 1–3%가 충수에서 발생한다. 주로 급성 충수염의 증상을 일으키는 경우가 흔하므로 수술 전 진단율이 낮다. 수술 전 전산화단층촬영 소견에서 충수의 직경이 2.5cm 이상이고 주변 연부조직이 두꺼워진 소견이 관찰되는 경우에는 충수의 림프종을 강력히 의심하여야 한다. 충수에 국한된 림프종은 충수절제술을 시행하고, 충수에서 벗어나 맹장이나 장간막으로 침습한 경우에는 우측결장절제술을 시행한다. 조직학적 소견으로는 맨틀세포림프종과 미만성 거대B세포림프종이 가장 흔하다. 충수에 국한된 림프종의 경우에는 추가 치료는 불필요하다.

4) 기타종양

드물게 신경절신경종ganglioneuroma, 부신경절종paraganglioma과 같은 종양이 발생할 수 있으며, 신경절신경종증이 범발성으로 나타나는 경우에는 신경섬유종1형과 연관된다. 충수의 간엽성 종양mesenhymal tumor으로는 평활근종, 신경섬유종, 신경초종, 위장관 기질성종양 등이 있다. 그 외에도 후천성면역결핍증과 연관하여 카포시육종 등의 발생이 보고되었다.

요약

급성충수염 환자들은 전형적인 병력과 이학적 소견을 보인다. 급성충수염의 원인은 명확하지는 않으나 충수내강의 폐쇄가 가장 중요한 인자이다. 충수절제술로 치료되며 최근에는 개복술 외에 복강경수술의 빈도가 점차 증가하고 있다. 충수의 원발성종양은 드물게 발생하지만 흔히 충수염과 유사한 증상을 유발하며, 충수염 이외 다른 원인으로 시행하는 영상의학검사에서 우연히 발견되는 경우가 빈번하다. 특히, 개복시 우연히 충수종양을 접하게 되는 경우에는 다양한 조직소견에 따른 올바른 수술방법에 대한 정확한 이해가 필요하다.

참고문헌

[I. 대장항문의 해부와 생리]

1. 나용호. 만성변비증 환자에대한 연구; 병태 생리학적 접근. 대한소화기학회지 1995;27:388-393.
2. Corman ML. Colon and rectal surgery, 15th ed, Philadelphia: Lippincott Williams and Wilkins 2005.
3. Gordon PH, eds. Principles and practice of surgery for the colon, rectum and anus, 2nd ed. St Louis: QMP 1999.
4. Kaiser AM, Ortega AE. Anorectal anatomy. Surg Clin N Am 2002;82:1125-1138.
5. Kinugasa Y, Niikura H, Murakami G, et al. Development of the human hypogastric nerve sheath with special reference to the topohistology between the nerve sheath and other prevertebral fascial structures. Clin Anat 2008;21:558-567.
6. Yeo CJ, eds. Surgery of the alimentary tract, 6th ed. Philadelphia: Elsevier-Saunders 2007.
7. Andersen IS, Michelsen HB. Impedance planimetric description of normal rectoanal motility in humans. Dis Colon Rectum 2007; 50: 1840-184.
8. Kaiser AM, Ortega AE. Anorectal anatomy. Surg Clin N Am 2002;82: 1125-113.
9. Kerr S, Kusmak JM, Stratman EJ. Dermatology for the general surgeon. Surg Clin N Am 2009; 89: 563-58.
10. Kinugasa Y, Niikura H. Development of the human hypogastric nerve sheath with special reference to the topohistology between the nerve sheath and other prevertebral fascial structures. Clin Anat 2008; 21:558-567.
11. Lange JF, Komen N. Riolan's arch: confusing, misnomer, and obsolete. A literature survey of the connection(s) between the superior and inferior mesenteric arteries. Am J Surg 2007;193:742-74.
12. Mauroy B, Demondion X. The female inferior hypogastric (= pelvic) plexus: anatomical and radiological description of the plexus. Surg Radiol Anat 2007;29:55-6.
13. Shatari T, Fujita M. Vascular anatomy for right colon lymphadenectomy. Surg Radiol Anat 2003;25: 86-8.

[II. 대장항문질환의 검사]

1. 나용호. 만성변비증 환자에대한 연구; 병태 생리학적 접근. 대한소화기학회지 1995;27:388-393.

2. 조재삼, 박웅채. 만성변비 환자에서 직장항문 기능검사의 진단적 응용 가치. 대한소화기학회지 1988;31:319-334.
3. Coller JA. Clinical application of anorectal manometry. Gastroenterology Clin North Am 1987;16:17.
4. Coller JA. Computerized anal sphincter manometry performance and analysis. In: Smith LE (ed): Practical Guide to Anorectal Testing. New York: Igaku-shoin 1990.
5. Garcia-Aguilar J, Pollack J, Lee SH, et al. Accuracy of endorectal ultrasonography in preoperative staging of rectal tumors. Dis colon Rectum 2002;45:10.
6. Kuijpers JHC, Strijk SP. Diagnosis of disturbances of continence and defecation. Dis Colon Rectum 1984;27:658-662.
7. Kuijpers JHC. Application of the colorectal laboratory in diagnosis and treatment of functional constipation. Dis Colon Rectum 1990;33:35-39.
8. Levin B, Brooks D, Smith R. CT colonography, immunochemical fecal occult blood tests, and stool screening using molecular markers. CA Cancer J Clin 2003;53:44.
9. Lieberman DA, Weiss DB, Bond JH, et al. Use of colonoscopy to screen asymptomatic adults for colorectal cancer. N Engl J Med 2000;343:169.
10. McHugh SM, Diamant NE. Effect of age, gender and parity on anal canal pressures. Dig Dis Sci 1987;32:726.
11. McKinley JC, Hathaway SR, Meehl PE. The minnesota multiphasic personality inventory; the K scale. J Consult Psychol 1948;12:20-31.
12. National Comprehensive Cancer Network. Colorectal cancer screening clinical practice guidelines in oncology. J NCCN 2003;1:72.
13. Offit K. Geneic prognostic markers for colorectal cancer. N Engl J Med 2000;342:124.
14. Perry RE, Blatchford GJ, Christensen MA, et al. Manometric diagnosis of anal sphincter injuries. Am J Surg 1990;159:112.
15. Pignone M, Rich M, Teutsch SM, et al. A summary of the evidence for the U.S. Preventive Services Task Force. Ann Intern Med 2002;173:13.
16. Smith RA, von Eschenbach AC, Wender R, et al. Update of early detection guidelines for prostate, colorectal and endometrial cancers. CA cancer J Clin 2001;51:38.
17. Yee J, Akerkar GA, Hung RK, et al. Performance characteristics of CT colonography for detection of 300 patients. Radiology 2001;219:685.
18. Zbar AP, Aslam M, Gold DM, et al. Parameters of the rectoanal inhibitory reflex in patients with idiopathic fecal incontinence and chronic constipation. Dis Colon Rectum 41:200, 1998.

[III. 대장내시경]

1. 구도 신에이. 대장내시경삽입법. 서울: 군자출판사; 199.
2. 양석균, 변정식. 대장내시경 진단 및 치료. 서울; 군자출판사; 200.
3. 이승화. 일차진료의를 위한 대장내시경삽입법. 서울, 대한의학서적.2012.
4. Adler DG. Colonic strictures: dilation and stents. Gastrointest Endosc Clin N Am. 2015 Apr;25(2):359-71.
5. Bechtold ML, Mir F, Puli SR, Nguyen DL. Optimizing bowel preparation for colonoscopy: a guide to enhance quality of visualization. Ann Gastroenterol 2016;29(2):137-146.
6. Bhardwaj R, Parker MC. Palliative therapy of colorectal carcinoma: stent or surgery? Colorectal Disease 5:518, 200.
7. Deyhle P, Largiader F, Jenny S, et al. A method for endoscopic electroresection of sessile colonic polyps. Endoscopy 1973;5:38-4.
8. Dixon MF. Gastrointestinal epithelial neoplasia: Vienna revisited. Gut 2002;51:130-1.
9. Elarini T, Wexner SD, Isenberg GA. The need for standardization of colonoscopic tattooing of colonic lesions? Dis Colon Rectum. 2015;58:264-267.
10. Fu KI, Sano Y, Kato S, et al. Chromoendosocpy using indigo carmine dye spraying with magnifying observation is the most reliable method for differential diagnosis between non-neoplastic and neoplastic colorectal lesions: a prospective study. Endoscopy 2004;36: 1089-93.
11. Ginsberg GG, Barkun AN, Bosco JJ, Burdick JS, Isenberg GA, Nakao NL, Petersen BT, Silverman WB, Slivka A, Kelsey PB: Endoscopic tattooing. Gastrointestinal Endoscopy 55:7, 200.
12. Gotoda T, Kondo H, Ono H, Saito Y, Yamaguchi H, Saito D, Yokota T: A new endoscopic mucosal resection procedure using an insulation-tipped electrosurgical knife for rectal flat lesion. Gastrointest Endosc 50:560, 199.
13. guidelines 2010 for the treatment of colorectal cancer. Int J Clin Oncol 2012;17:1-2.
14. Haggitt RC, Glotzbach RE, Soffer EE et al. Prognostic factors in colorectal carcinomas arising in adenomas: implications for lesions removed by endoscopic polypectomy. Gastroenterology 1985; 89: 328-33.
15. Han KS, Lim SW, Sohn DK, et al. Clinicopathological characteristics of T1 colorectal cancer without background adenoma. Colorectal Dis 2013;15:e124-e12.
16. Han KS, Sohn DK, Choi DH, et al. Prolongation of the period between biopsy and EMR can influence the nonlifting sign in endoscopically resectable colorectal cancer. Gastrointest Endosc 2008;67: 97-10.
17. Hwang MR, Sohn DK, Park JW, et al. Small-dose India ink tattooing for preoperative localization of colorectal tumor. J Laparoendosc Adv Surg Tech A 2010;20:731-73.
18. Iishi H, Tatsuta M, Yano H, Narahara H, Iseki K, Ishiguro: More effective endoscopic resection with a two-channel colonoscope for carcinoid tumors of the rectum. Dis Colon Rectum 39:1438,

1996.

19. Kikuchi R, Takano M, Takagi K et al. Management of early invasive colorectal cancer. Risk of recurrence and clinical guidelines. Dis Colon Rectum 1995;38:1286-129.

20. Kim BC, Chang HJ, Han KS, et al. Clinicopathologic differences of laterally spreading tumors of the colorectum according to gross appearance. Endoscopy 2011;43:100-10.

21. Kim BC, Han KS, Hong CW, Sohn DK, Park JW, Park SC, Kim SY, Baek JY, Choi HS, Chang HJ, Kim DY, Oh JH. Clinical outcomes of palliative self-expanding metallic stents in patients with malignant colorectal obstruction. J Dig Dis. 2012 May;13(5):258-66.

22. Kitajima K, Fujimori T, Fujii S, et al. Correlations between lymph node metastasis and depth of submucosal invasion in submucosal invasive colorectal carcinoma: a Japanese collaborative study. J Gastroenterol 2004;39:534-54.

23. Kudo S, Lambert R, Allen J, et al. Nonpolypoid neoplastic lesions of the colorectal mucosa. Gastrointest Endosc. 2008;68:S3-47.

24. Kudo S, Rubio CA, Teixeira CR, et al. Pit pattern in colorectal neoplasia: endoscopic magnifying view. Endoscopy 2001;33:367-73.

25. Kudo S. Endoscopic mucosal resection of flat and depressed types of early colorectal cancer. Endoscopy 1993; 25: 455-46.

26. Kudo S: Early colorectal cancer. Igaku-Shoin, Tokyo-New York, 199.

27. Lee EJ, Lee JB, Lee SH, et al. Endoscopic submucosal dissection for colorectal tumors-1,000 colorectal ESD cases: one specialized institute's experiences. Surg Endosc. 2013 ;27:31-39.

28. Lee SH, Shin SJ, Park DI, Kim SE, Jeon HJ, Kim SH, Hong SP, Hong SN, Yang DH, Lee BI, Kim YH, Kim HS, Kim HJ, Yang SK, Kim HJ; Multi-Society Task Force for Development of Guidelines for Colorectal Polyp Screening, Surveillance and Management. Korean guideline for colonoscopic polypectomy. Clin Endosc. 2012 Mar;45(1):11-24.

29. Lieberman D, Nadel M, Smith RA, Atkin W, Duggirala SB, Fletcher R, Glick SN, Johnson CD, Levin TR, Pope JB, Potter MB, Ransohoff D, Rex D, Schoen R, Schroy P, Winawer S.Standardized colonoscopy reporting and data system: report of the Quality Assurance Task Group of the National Colorectal Cancer Roundtable.Gastrointest Endosc. 2007;65:757-66.

30. Morson Bc, Whiteway JE, Jones EA, et al. Histopathology and prognosis of malignant colorectal polyps treated by endoscopic polypectomy. Gut 1984;25:437-44.

31. Muto T. Early colorectal cancer-concepts and clinical implications: introduction. World J Surg.2000;24:1015.

32. Park JW, Sohn DK, Hong CW, et al. The usefulness of preoperative colonoscopic tattooing using a saline test injection method with prepackaged sterile India ink for localization in laparoscopic colorectal surgery. Surg Endosc 2008 ;22:501-50.

33. Peluso F, Goldner F: Follow up of hot biopsy forceps treatment of diminutive colonic polyps. Gastrointest Endosc 37:164, 199.

34. Rey JF, Lambert R; ESGE Quality Assurance Committee.ESGE recommendations for quality control in gastrointestinal endoscopy: guidelines for image documentation in upper and lower GI endoscopy.Endoscopy. 2001;33:901-3.

35. Robertson DJ, Lieberman DA, Winawer SJ, Ahnen DJ, Baron JA, Schatzkin A, Cross AJ, Zauber AG, Church TR, Lance P, Greenberg ER, Martínez ME.Colorectal cancers soon after colonoscopy: a pooled multicohort analysis.Gut. 2014;63:949-5.

36. Rutter MD, Chattree A, Barbour JA, Thomas-Gibson S, Bhandari P, Saunders BP, Veitch AM, Anderson J, Rembacken BJ, Loughrey MB, Pullan R, Garrett WV, Lewis G, Dolwani S. British Society of Gastroenterology/Association of Coloproctologists of Great Britain and Ireland guidelines for the management of large non-pedunculated colorectal polyps. Gut. 2015 Dec;64(12):1847-73.

37. Saida Y, Sumiyama Y, Nagao J, Takese M. Stent endoprosthesis for obstructing colorectal cancers. Dis Colon Rectum 39:552, 199.

38. Sohn DK, Chang HJ, Park JW et al. Histopathological risk factors for lymph node metastasis in submucosal invasive colorectal carcinoma of pedunculated or semipedunculated type. J Clin Pathol 2007; 60: 912-91.

39. Tada M, Inoue H, Yabata E, Okabe S, Endo M: Feasibility of the transparent cap-fitted colonoscope for screening and mucosal resection. Dis Colon Rectum 40:618, 199.

40. Tadepalli US, Feihel D, Miller KM, Itzkowitz SH, Freedman JS, Kornacki S, Cohen LB, Bamji ND, Bodian CA, Aisenberg J. A morphologic analysis of sessile serrated polyps observed during routine colonoscopy (with video). Gastrointest Endosc. 2011;74:1360-.

41. Tanaka S, Oka S, Chayama K. Colorectal endoscopic submucosal dissection (ESD): the present status and future perspective including its differentiation from endoscopic mucosal resection (EMR). J Gastroenterol 2008; 43:641-65.

42. Tejero E, Fernandez-Lobato R, Mainar A. Initial results of a new procedure for malignant obtruction of the left colon. Dis Colon Rectum 40:432, 199.

43. Volk EE, Goldblum JR, Petras RE, et al. Management and outcome of patients with invasive carcinoma arising in colorectal polyps. Gastroenterology 1995;109:1801-180.

44. Watanabe T, Itabashi M, Shimada Y, et al. Japanese Society for Cancer of the Colon and Rectum (JSCCR.

45. Weston AP, Campbell DR. Diminutive colonic polyps: histopathology, spatial distribution, concomitant significant lesions, and treatment complications. Am J Gastroenterol. 1995 ;90:24-28.

46. WHO. Histological Typing of Intestinal Tumours. In: Jass JR, Sobin LH (eds.) World Health Organisation International Histological Classification of Tumours. 30. Berlin: Springer; 198.

47. Wolff WI, Shinya H: Colonofiberscopy. J Am Med Assoc 96:1466, 197.
48. Wolff WI, Shinya H: Polypectomy via the fiberoptic colonoscope. N Eng J Med 288:329, 197.
49. Yamamoto H, Kawata H, Sunada K, Sasaki A, Nakazawa K, Miyata T, Sekine Y, Yano T, Satoh K, Ido K, Sugano K: Successful en-bloc resection of large superficial tumors in the stomach and colon using sodium hyaluronate and small-caliber-tip transparent hood. Endoscopy 35:690, 200.
50. Yoshikane H, Hidano H, Sakakibara A, Mori S, Takahashi Y, Niwa Y, Goto H: Endoscopic resection of laterally spreading tumours of the large intestine using a distal attachment. Endoscopy 31:426, 199.

[IV. 배변장애]

1. 박덕훈. 변실금 치료의 현재와 미래. 대한대장항문학회지 2007;23:136-143.
2. 박웅채, 정순섭, 박승화. 골반하구의 기능적 폐쇄 환자에서 생리적 특성과 임상적 의미 연구. 대한 대장 항문학회지 2000;16:215-221.
3. 박웅채. 변비의 외과적 치료, 대한 소화관 운동학회지 1999;5:247-255.
4. 성무경. 변실금의 진단과 치료. 대한대장항문학회지 2007;23:386-394.
5. Azpiroz F, Enck P, Whitehead WE. Anorectal functional testing: review of collective experience. Am J Gastroenterol 2002;97:232-240.
6. Barnes PRH, Lennard-Jones JE, Hawley PR, et al. Hirshsprung's disease and idiopathic megacolon in adults and adolescents. Gut 1986;27:534-541.
7. Beck DE. Surgical Therapy for Colitis Cystica Profunda and Solitary Rectal Ulcer Syndrome. Curr Treat Options Gastroenterol. 2002;5:231-237.
8. Boyle DJ, Knowles CH, Lunniss PJ, et al. Efficacy of sacral nerve stimulation for fecal incontinence in patients with anal sphincter defects. Dis Colon Rectum 2009;52:1234-1239.
9. Bravo Gutierrez A, Madoff RD, Lowry AC, et al. Long-term results of anterior sphincteroplasty. Dis Colon Rectum 2004;47:727-731.
10. Brown SR, Nelson RL. Surgery for faecal incontinence in adults. Cochrane Database Syst Rev 2007;2:CD001757.
11. Deen KI, Oya M, Ortiz J, et al. Randomized trial comparing three forms of pelvic floor repair for neuropathic faecal incontinence. Br J Surg 1993;80:794-798.
12. Devroede G, Gilles G, Bouchoucha M, et al. Idiopathic constipation by colonic dysfunction: relationship with personality and anxiety. Dig Dis Sci 1989;34:1428-1433.
13. Di palma JA, De Ridder PH, Orlando RC, et al. A randomized, placebo-controlled, multicenter study of the safey and efficacy of a new polyethylene glycol laxative. Am J Gasroenterol 2000;9:446-450.
14. Douglas JM, Smith LE. Recent concepts in fecal incontinence. Curr Womens Health Rep 2001;1:67-71.
15. Efron JE, Corman ML, Fleshman J, et al. Safety and effectiveness of temperature-controlled radio-frequency energy delivery to the anal canal (Secca procedure) for the treatment of fecal incontinence. Dis Colon Rectum 2003;46:1606-1616.
16. Farouk R, Duthie GS. Rectal prolapse and rectal invagination. Eur J Surg 1998 ;164:323-332.
17. FitzHarris GP, Garcia-Aguilar J, Parker SC, et al. Quality of life after subtotal colectomy for slow-transit constipation: both quality and quantity count. Dis Colon Rectum 2003;46:433-440.
18. Gattuso JM, Kamm MA. Clinical features of idiopathic megarectum and idiopathic megacolon. Gut 1997;41:93-99.
19. Gilliland R, Heymen JS, Altomare DF, et al. Outcome and predictors of success of biofeedback for constipation. Br J Surg 1997;84:1123-1126.
20. Ho YH, Goh HS. The investigation of chronic constipation for surgical management. Singapore Med J 1996;37:291-294.
21. Jarrett ME, Dudding TC, Nicholls RJ, et al. Sacral nerve stimulation for fecal incontinence related to obstetric anal sphincter damage. Dis Colon Rectum 2008;51:531-537.
22. Jorge JM, Wexner SD. Anorectal manometry: techniques and clinical applications. South Med J 1993;86:924-931.
23. Jorge JMN, Yang YR, Wexner SD. Incidence and clinical significance of sigmoidoceles as determined by a new classification system. Dis Colon Rectum 1994;37:1112-1117.
24. Kamm MA, Hawley PR, Lennard-Jones JE. Outcome of colectomy for severe idiopathic constipation. Gut 1988;29:969-973.
25. Karlbom U, Graf W, Nilsson S. Does surgical repair of a rectocele improve rectal emptying ? Dis Colon Rectum 1996;39:1296-1302.
26. Kobashi KC, Leach GE. Pelvic prolapse. J Urol 2000;164:1879-1890.
27. Lacy BE, Yu S. Tegaserod : a new 5-HT4 agonist. J Clin gastroenterol 2002;34:27-33.
28. Lubowski DZ, Chen FC, Kennedy ML, et al. Results of colectomy for severe slow transit constipation. Dis Colon Rectum 1996;39:23-29.
29. Luukkonen P, Heikkinen M, Huikuri K. Adult Hirschsprung's disease. Clinical feature and functional outcome after surgery. Dis Colon Rectum 1990;33:65-69.
30. Malouf AJ, Norton CS, Engel AF, et al. Long-term results of overlapping anterior anal-sphincter repair for obstetric trauma. Lancet 2000;355:260-265.
31. Malouf AJ, Vaizey CJ, Nicholls RJ, et al. Permanent sacral nerve stimulation for fecal incontinence. Ann Surg 2000;232:143-148.
32. Matsuoka H, Mavrantonis C, Wexner SD, et al. Postanal repair for fecal incontinence: Is it worthwhile? Dis Colon Rectum 2000;43:1561-1567.
33. Mellgren A, Schultz I, Johansson C, Dolk A. Internal rectal intus-

susception seldom develops into total rectal prolapse. Dis Colon Rectum 1997;40:817-820.
34. Michot F, Costaglioli B, Leroi AM, et al. Artificial anal sphincter in severe fecal incontinence: outcome of prospective experience with 37 patients in one institution. Ann Surg 2003;237:52-56.
35. Ogunbiyi OA, Fleshman JW. Obstructed defecation: definitions and management options. Seminars in Colon and Rectal Surgery 1996;7:149-159.
36. Ogunbiyi OA, Fleshman JW. Obstructed defecation: definitions and management options. Seminars in Colon and Rectal Surgery 1996;7:149-159.
37. Park UC, Choi SK, Piccirillo MF, et Al. Patterns of anismus and relation to biofeedback therapy. Dis Colon Rectum 1996;39:768.
38. Parker SC, Spencer MP, Madoff RD, et al. Artificial bowel sphincter: long-term experience at a single institution. Dis Colon Rectum 2003;46:722-729.
39. Pfeifer J, Agachan F, Wexner SD. Surgery for constipation. Dis Colon Rectum 1996;39:444-460.
40. Pickerll KL, Broadbent TR, Masters FW, et al. Construction of a rectal sphincter and restoration of anal continence by transplanting the gracilis muscle; a report of four cases in children. Ann Surg 1952;135:853-862.
41. Rao SSC, Welcher KD, Pelsang RE. Effects of biofeedback on anorectal function in obstructive defecation. Dig Dis Sci 1997;42:2197-2205.
42. Redmond JM, Smith GW, Barofsky I, et al. Physiologic tests to predict long-term outcome of total abdominal colectomy for intractable constipation. Am J Gastroenterol 1995;90:748-753.
43. Reissman P, Agachan F, Wexner SD. Outcome of laparoscopic colorectal surgery in older patients. Am Surg. 1996;62:1060-1063.
44. Sagar PM, Pemberton JH. Anorectal and pelvic floor function: Relevance of continence, incontinence, and constipation. Gastroenterol Clin North Am 1996;25:163-182.
45. Schouten WR, ten Kate FJ, de Graaf EJ, et al. Visceral neuropathy in slow transit constipation: an immunohistochemical investigation with monoclonal antibodies against neurofilament. Dis Colon Rectum 1993;36:1112-1117.
46. Sitzler PJ, Kamm MA, Nicholls RJ, et al. Long-term clinical outcome of surgery for solitary rectal ulcer syndrome. Br J Surg. 1998;85:1246-1250.
47. Spinelli M, Giardiello G, Arduini A, et al. New percutaneous technique of sacral nerve stimulation has high initial success rate: preliminary results. Eur Urol 2003;43:70-74.
48. Spinelli M, Sievert KD. Latest technologic and surgical developments in using InterStim Therapy for sacral neuromodulation: impact on treatment success and safety. Eur Urol 2008;54:1287-1296.
49. Takahashi T, Garcia-Osogobio S, Valdovinos MA, et al. Extended two-year results of radio-frequency energy delivery for the treatment of fecal incontinence (the Secca procedure). Dis Colon Rectum 2003;46:711-715.
50. Takahashi-Monroy T, Morales M, Garcia-Osogobio S, et al. SECCA procedure for the treatment of fecal incontinence: results of five-year follow-up. Dis Colon Rectum 2008;51:355-359.
51. Verduron A, Devroede G, Bouchoucha M. Megarectum. Dig Dis Sci 1988;33:1164-1174.
52. Whitehead WE, Wald A, Norton NJ. Treatment options for fecal incontinence. Dis Colon Rectum 2001;44:131-144.
53. Williams NS, Patel J, George BD, et al. Development of an electrically stimulated neoanal sphincter. Lancet 1991;338:1166-1169.

[V. 대장의 양성 질환]

1. 박재갑. 제4판 대장항문학. 일조각. 2012년.
2. Beck DE, Roberts PL, Saclarides TJ, Senagore AJ, Stamos MJ, Wexner SD. The ASCRS Textbook of Colon and Rectal Surgery. 2nd edition. Springer 2011.
3. Beck DE, Wexner SD. Fundamentals of anorectal surgery. 2nd ed. Philadelphia: W.B. Saunders 1998.
4. Beck DE. Surgical therapy for colitis cystica profunda and solitary rectal ulcer syndrome. Curr Treat Options Gastroenterol 2002;5:231-7.
5. Blatchford GJ, Perry RE, Thorson AG, Christensen MA. Rectopexy without resection for rectal prolapse. Am J Surg 1989;158:574-6.
6. Block IR. Transanal repair of rectocele using obliterative suture. Dis Colon Rectum 1986;29:707-11.
7. Broden B, Snellman B. Procidentia of the rectum studied with cineradiography: a contribution to the discussion of causative mechanism. Dis Colon Rectum 1968;11:330-47.
8. Brunicardi FC. Schwartz's Manual of Surgery. 10th ed. New York: McGraw-Hill 2015.
9. Chun SW, Pikarsky AJ, You SY, et al. Perineal rectosigmoidectomy for rectal prolapse: role of levatorplasty. Tech Coloproctol 2004;8:3-8.
10. Corman ML. Colon & Rectal Surgery. 5th ed. Philadelphia: Lippincott-Raven 2005.
11. Delorme E. Sur le traitement des prolapsus du rectum totaux pour l'excision de la muqueuse rectale ou rectocolique. Bull Mem Soc Chir Paris 1900;26:499-578.
12. Finlay IG, Aitchison M. Perineal excision of the rectum for prolapsed in the elderly. Br J Surg 1991;78:687-9.
13. Fleshman JW, Kodner IJ, Fry RD: Internal intussusception of the rectum: a changing perspective. Neth J Surg 1989;41:145-8.
14. Frykman HM. Abdominal proctopexy and primary sigmoid resection for rectal procidentia. Am J Surg 1955;90:780-9.
15. Goldman J. Concerning prolapse of the rectum with special emphasis on the operation by Thiersch. Dis Colon Rectum

1988;31:154-5.

16. Gordon PH, Nivatvongs S. Principles and practice of surgery for the colon, rectum, and anus. 3rd ed. New York: Informa Healthcare 2007.
17. Husa A, Sainio P, Smitten K. Abdominal rectopexy and sigmoid resection (Frykman-Goldberg) operation for rectal prolapse. Acta Chir Scand 1988;154:221-4.
18. Kairaluoma MV, Viljakka MT, Kellokumpu IH. Open vs. laparoscopic surgery for rectal prolapse: a case-controlled study assessing short-term outcome. Dis Colon Rectum 2003;46:353-60.
19. Khanduja KS, Hardy TG Jr, Aguilar PS, et al. A new silicone prosthesis in the modified Thiersch operation. Dis Colon Rectum 1988;31:380-3.
20. Labow S, Rubin R, Hoexter B, Salvati E. Perineal repair of procidentia with an elastic fabric sling. Dis Colon Rectum 1980;23:467-9.
21. Lechaux JP, Lechaux D, Perez M: Results of Delorme's procedure for rectal prolapse. Advantages of a modified technique. Dis Colon Rectum 1995;38:301-7.
22. Loygue J, Hugier M, Malafosse M, Biotois H. Complete prolapsed of the rectum: a report on 140 cases treated by rectopexy. Br J Surg 1971;58:847-8.
23. Marti MC, Givel JC. Surgical management of anorectal and colonic diseases. 2nd ed. Berlin: Springer 1998.
24. Morson BC, Heinemann W. Diseaseas of the Colon, Rectum and Anus. London: Medical Books 1969.
25. Moschcowitz AV. The pathogenesis, anatomy and cure of prolapsed of the rectum. Surg Gynecol Obstet 1912;15:7-21.
26. Pemberton JH, Swash M, Henry MM. The Pelvic Floor: Its Function and Disorders. Philadelphia: WB Saunders 2002.
27. Ripstein CB, Lanter B. Etiology and surgical therapy of massive prolapse of the rectum. Ann Surg 1963;157:259-64.
28. Spencer RJ. Manometric studies in rectal prolapse. Dis Colon Rectum 1984;27:523-5.
29. Sullivan ES, Leaverton GH, Hardwick CE. Transrectal perineal repair. An adjunct to improved function after anorectal surgery. Dis Colon Rectum 1968;11:106-14.
30. Thompson JD, Rock JA. Te Linde's operative gynecology. 7th ed. Philadelphia: J.B. Lippincott 1992.
31. Townsend CM. Sabiston Textbook of Surgery, 19th ed. Philadelphia: Elsevier Saunders 2012.
32. Vaizey CJ, van den Bogaerde JB, Emmanuel AV, et al. Solitary rectal ulcer syndrome. Br J Surg 1998;85:1617-23.
33. Wells C. New operation for rectal prolapse. Proc R Soc Med 1959;52:602-3.
34. Wexner SD, Bartolo DCC. Constipation: etiology, evaluation and management. 1st ed. Oxford: Butterworth-Heinemann 1995.
35. Whitlow CB, Beck DE, Opelka FG, Gathright JB, Timmcke AE, Hicks TC. Perineal procedures for prolapse. La State Med J 1997;149:22-6.

[VI. 항문의 양성질환]

1. Athanasiadis S, Helmes C, Yazigi R, Köhler A. The direct closure of the internal fistula opening without advancement flap for transsphincteric fistulas-in-ano. Dis Colon Rectum. 2004 Jul; 47(7):1174-80. Epub 2004 May 19.
2. Chen CY, Cheng A, Huang SY, Sheng WH, Liu JH, Ko BS, Yao M, Chou WC, Lin HC, Chen YC, Tsay W, Tang JL, Chang SC, Tien HF. Clinical and microbiological characteristics of perianal infections in adult patients with acute leukemia. PLoS One. 2013;8(4):e60624. doi: 10.1371/journal.pone.0060624. Epub 2013 Apr 5.
3. Cheong Ho Lim, Hyeon Keun Shin, Wook Ho Kang, Chan Ho Park, Sa Min Hong, Seung Kyu Jeong, June Young Kim, Hyung Kyu Yan. de Parades V1, Fathallah N, Blanchard P, Zeitoun JD, Bennadji B, Atienza P. Horseshoe tract of anal fistula: bad luck or an avoidable extension? Lessons from 82 cases. Colorectal Dis. 2012 Dec;14(12):1512-5.
4. Do Sun Kim. Intersphincteric Approach for Deep Postanal Sepsis. Ann Coloproctol. 2013 Apr; 29(2): 39-40.
5. Eisenhammer S. The internal anal sphincter and the anorectal abscess. Surg Gynecol Obstet. 1956 Oct; 103(4):501-6.
6. Ferguson JA, Mazier WP, Ganchrow MI, Friend WG. The closed technique of hemorrhoidectomy. Surgery. 1971;70:480-4.
7. Fistulotomy with end-to-end primary sphincteroplasty for anal fistula: results from a prospective study. Dis Colon Rectum. 2013 Feb;56(2):226-33.
8. Garcia-Aguilar J, Belmonte C, Wong DW, Goldberg SM, Madoff RD. Cutting seton versus two-stage seton fistulotomy in the surgical management of high anal fistula. Br J Surg. 1998;85:243-245.
9. Goh M, Chew MH, Au-Yong PS, Ong CE, Tang CL. Nonsurgical faecal diversion in the management of severe perianal sepsis: a retrospective evaluation of the flexible faecal management system. Singapore Med J. 2014 Dec;55(12):635-9.
10. Graf W, Pahlman L, Ejerblad S. Functional results after seton treatment of high transsphincteric anal fistulas. Eur J Surg. 1995;161:289-291.
11. Grewal H, Guillem JG, Quan SH, Enker WE, Cohen AM. Anorectal disease in neutropenic leukemic patients. Operative vs. nonoperative management. Dis Colon Rectum. 1994 Nov;37(11):1095-9.
12. Hämäläinen KP, Sainio AP. Cutting seton for anal fistulas: high risk of minor control defects. Dis Colon Rectum. 1997 Dec;40(12):1443-.
13. Hanley PH. Conservative surgical correction of horseshoe abscess and fistula. Dis Colon Rectum. 1965 Sep-Oct; 8(5):364-8.
14. Hermann G, Desfosses L. Sur la muquese de la region cloacale de rectum. (III) Compts Rend Acad Sci. 1880;90:1301-1302.

15. Hollabaugh RS Jr, Dmochowski RR, Hickerson WL, Cox CE. Fournier's gangrene: therapeutic impact of hyperbaric oxygen. Plast Reconstr Surg. 1998 Jan;101(1):94-100.

16. J Korean Soc Coloproctol. 2012 December; 28(6): 309-314.

17. Juth Karlsson A, Salö M, Stenström P. Outcomes of Various Interventions for First-Time Perianal Abscesses in Children. Biomed Res Int. 2016;2016:9712854.

18. Khubachandani IT. A randomized comparison of single and multiple rubber band ligations. Dis Colon Rectum. 1993;26:705-8.

19. Koehler A, Risse-Schaaf A, Athanasiadis S. Treatment for horseshoe fistulas-in-ano with primary closure of the internal fistula opening: a clinical and manometric study. Dis Colon Rectum. 2004 Nov; 47(11):1874-82.

20. Korkut M, Içöz G, Dayangaç M, Akgün E, Yeniay L, Erdoğan O, Cal C. Outcome analysis in patients with Fournier's gangrene: report of 45 cases. Dis Colon Rectum. 2003 May;46(5):649-52.

21. Longo A. Treatment of hemorroidal disease by reduction of mucosa and haemorrhoidal prolapse with a circular stapling device: A new procedure. Proceeding of the 6th World Congress of Endoscopic Surgery, 777-784. 1998.

22. Magnetic resonance imaging of fistula-in-ano. Lunniss PJ, Barker PG, Sultan AH, Armstrong P, Reznek RH, Bartram CI, Cottam KS, Phillips RK. Dis Colon Rectum. 1994 Jul; 37(7):708-18.

23. Mann CV and Clifton MA. Re-routing of the track for the treatment of hiogh andl and anorectal fisatulae. Br J Surg. 1985;72 Feb:134-7.

24. McCourtney JS, Finlay IG. Cutting seton without preliminary internal sphincterotomy in management of complex high fistula-in-ano. Dis Colon Rectum. 1996 Jan;39(1):55-8.

25. McNevin MS, Lee PY, Bax TW. Martius flap: an adjunct for repair of complex, low rectovaginal fistula. Am J Surg. 2007 May;19(5):597-9; discussion 599.

26. Omar Vergara-Fernandez and Luis Alberto Espino-Urbina. Ligation of intersphincteric fistula tract: What is the evidence in a review? World J Gastroenterol. 2013 Oct 28; 19(40): 6805-6813.

27. Ommer A, Herold A, Berg E, Fürst A, Sailer M, Schiedeck T; German Society for General and Visceral Surgery. Cryptoglandular anal fistulas. Dtsch Arztebl Int. 2011 Oct;108(42):707-13. doi: 10.3238/arztebl.2011.0707. Epub 2011 Oct 21.

28. Parks A G, Gordon P H, Hardcastle J D. A classification of fistula-in-ano. Br J Surg. 1976;63(1):1-12.

29. Parks AG. Modern Concepts of the Anatomy of the Ano-Rectal Region Postgrad Med J. 1958 July; 34(393): 360-366.

30. Perez F, Arroyo A, Serrano P, Candela F, Perez MT, Calpena R. Prospective clinical and manometric study of fistulotomy with primary sphincter reconstruction in the management of recurrent complex fistula-in-ano. Int J Colorectal Dis. 2006;21:522-526.

31. Ramanujam PS, Prasad ML, Abcarian H. The role of seton in fistulotomy of the anus. Surg Gynecol Obstet. 1983 Nov; 157(5):419-22.

32. Ratto C1, Litta F, Parello A, Zaccone G, Donisi L, De Simone V.

33. Redding MD. Colloid carcinoma arising in chronic anal fistula. Calif Med. 1956 Oct;85(4):250-1.

34. Ritchie RD, Sackier JM, Hodde JP. Incontinence rates after cutting seton treatment for anal fistula. Colorectal Dis. 2009;11:564-571. 절단형시톤은 실금12%, 특히 고위치루는 괄약근보존하라.

35. Robert T. Lewis, Joshua I. S. Bleier. Surgical Treatment of Anorectal Crohn Disease. Clin Colon Rectal Surg. 2013 June; 26(2): 90-99.

36. Rojanasakul A1. LIFT procedure: a simplified technique for fistula-in-ano. Tech Coloproctol. 2009 Sep;13(3):237-40.

37. Rosa I, Guerreiro F. Hyperbaric Oxygen Therapy for the Treatment of Fournier's Gangrene: A Review of 34 Cases. Acta Med Port. 2015 Sep-Oct;28(5):619-23. Epub 2015 Oct 30.

38. Sainio P. Fistula-in-ano in a defined population. Incidence and epidemiological aspects. Ann Chir Gynaecol. 1984; 73(4):219-24.

39. Shaw JJ1, Psoinos C, Emhoff TA, Shah SA, Santry HP. Not just full of hot air: hyperbaric oxygen therapy increases survival in cases of necrotizing soft tissue infections. Surg Infect (Larchmt). 2014 Jun;15(3):328-35. doi: 10.1089/sur.2012.135. Epub 2014 May 1.

40. Sherief Shawki and Steven D Wexner. Idiopathic fistula-in-ano. World J Gastroenterol. 2011 Jul 28; 17(28): 3277-3285.

41. Tan KK, Koh DC, Tsang CB. Managing Deep Postanal Space Sepsis via an Intersphincteric Approach: Our Early Experience. Ann Coloproctol. 2013 Apr; 29(2): 55-59.

42. The Use of a Staged Drainage Seton for the Treatment of Anal Fistulae or Fistulous Abscesse.

43. Thomson WH. The nature of haemorrhoids. Br J Surg. 1975;62:542-52.

44. Ulrich D, Roos J, Jakse G, Pallua N. Gracilis muscle interposition for the treatment of recto-urethral and rectovaginal fistulas: a retrospective analysis of 35 cases. J Plast Reconstr Aesthet Surg. 2009 Mar;62(3):352-6.

45. van der Hagen SJ1, Soeters PB, Baeten CG, van Gemert WG. Laparoscopic fistula excision and omentoplasty for high rectovaginal fistulas: a prospective study of 40 patients. Int J Colorectal Dis. 2011 Nov;26(11):1463-7.

46. Vial M, Parés D, Pera M, Grande L. Faecal incontinence after seton treatment for anal fistulae with and without surgical division of internal anal sphincter: a systematic review. Colorectal Dis. 2010 Mar;12(3):172-8.

47. Wexner SD, Ruiz DE, Genua J, Nogueras JJ, Weiss EG, Zmora O. Gracilis muscle interposition for the treatment of rectourethral, rectovaginal, and pouch-vaginal fistulas: results in 53 patients. Ann Surg. 2008 Jul;248(1):39-43.

48. Whiteford MH, Kilkenny J, Hyman N, Buie WD, Cohen J, Orsay C,

Dunn G, Perry WB, Ellis CN, Rakinic J, et al. Practice parameters for the treatment of perianal abscess and fistula-in-ano (revised) Dis Colon Rectum. 2005;48:1337-1342.

49. Whitehead W. The surgical treatment of hemorrhoids. Br Med J. 1882;1:148-50.

50. Williams JG, MacLeod CA, Rothenberger DA, Goldberg SM. Seton treatment of high anal fistulae. Br J Surg. 1991 Oct; 78(10):1159-61.

51. Williamson PR, Hellinger MD, Larach SW, Ferrara A. Twenty-year review of the surgical management of perianal Crohn's disease. Dis Colon Rectum. 1995 Apr;38(4):389-92.

52. Willy C, Rieger H, Vogt D. Hyperbaric oxygen therapy for necrotizing soft tissue infections: contra. Chirurg. 2012 Nov;83(11):960-72. doi: 10.1007/s00104-012-2284-z. Review. German.

[VII. 염증성 장질환]

1. 박규주, 박재갑. 궤양성 대장염의 수술수기별 결과 분석. 대한대장항문병학회지. 1997;13:77-82.

2. 윤상남, 홍창원, 이민로, 박규주. 궤양성 대장염 환자에서 시행한 J형 회장낭-항문 문합술의 기능적 결과. 대한대장항문학회지 2004;20:263-270.

3. 이인섭, 최은경, 박성찬, 박규주. 크론병 치루 및 농양의 수술 후 경과. 대한 대장 항문 학회지. 2007;23:424-3.

4. 최상지, 최은경, 박성찬, 박규주. 위장관 크론병으로 수술한 환자들의 장기추적결과. 대한 대장 항문 학회지. 2008;24:409-16.

5. Cho YB, Lee WY, Park KJ, Kim M, Yoo HW, Yu CS. Autologous adipose tissue-derived stem cells for the treatment of Crohn's fistula: a phase I clinical study. Cell Transplant 2013; 22:279-85.

6. Cho YB, Park KJ, Yoon SN, Song KH, Kim do S, Jung SH, Kim M, Jeong HY, Yu CS. Long-term results of adipose-derived stem cell therapy for the treatment of Crohn's fistula. Stem Cells Transl Med. 2015 May;4(5):532-7.

7. Hwang JM, Varma MG. Surgery for inflammatory bowel disease. World J Gastroenterol. 2008;14:2678-90.

8. Kim HJ, Hann HJ, Hong SN, Kim KH, Ahn IM, Song JY, Lee SH, Ahn HS. Incidence and natural course of inflammatory bowel disease in Korea, 2006-2012: a nationwide population-based study. Inflamm Bowel Dis. 2015;21(3):623-30.

9. Koltun WA. The future of surgical management of inflammatory bowel disease. Dis Colon Rectum. 2008;51(6):813-7.

10. Laine L, Kaltenbach T, Barkun A, McQuaid KR, Subramanian V, Soetikno R; SCENIC Guideline Development Panel. SCENIC international consensus statement on surveillance and management of dysplasia in inflammatory bowel disease. Gastroenterology. 2015 Mar;148(3):639-651.e28.

11. Lee SM, Han EC, Ryoo SB, Oh HK, Choe EK, Moon SH, Kim JS, Jung HC, Park KJ. Long-term Outcomes and Risk Factors for Reoperation After Surgical Treatment for Gastrointestinal Crohn Disease According to Anti-tumor Necrosis Factor-α Antibody Use: 35 Years of Experience at a Single Institute in Korea. Ann Coloproctol. 2015;31(4):144-52.

12. Lee WY, Park KJ, Cho YB, Yoon SN, Song KH, Kim do S, Jung SH, Kim M, Yoo HW, Kim I, Ha H, Yu CS. Autologous adipose tissue-derived stem cells treatment demonstrated favorable and sustainable therapeutic effect for Crohn's fistula. Stem Cells 2013; 31: 2575-81.

13. Park KJ, Ryoo SB, Kim JS, Kim TI, Baik SH, Kim HJ, Lee KY, Kim M, Kim WH. Allogeneic adipose-derived stem cells for the treatment of perianal fistula in Crohn's disease: a pilot clinical trial. Colorectal Dis. 2016;18(5):468-76.

14. Roses RE, Rombeau JL. Recent trends in the surgical management of inflammatory bowel disease. World J Gastroenterol. 2008:14:408-12.

15. Ryoo SB, Oh HK, Ha HK, Moon SH, Choe EK, Park KJ. The outcomes and prognostic factors of surgical treatment for ischemic colitis: What can we do for a better outcome? Hepatogasteoenterology. 2014;61(130):336-342.

16. Singh B, McC Mortensen NJ, Jewell DP, George B. Perianal Crohn' s disease. Br J Surg. 2004;91(7):801-14.

17. Vella M, Masood MR, Hendry WS. Surgery for ulcerative colitis. Surgeon. 2007 5:356-62.

18. Yang SK, Hong WS, Min YI, Kim HY, Yoo JY, Rhee PL, Rhee JC, Chang DK, Song IS, Jung SA, Park EB, Yoo HM, Lee DK, Kim YK. Incidence and prevalence of ulcerative colitis in the Songpa-Kangdong District, Seoul, Korea, 1986-1997. J Gastroenterol Hepatol. 2000;15(9):1037-42.

19. Yang SK, Yun S, Kim JH, Park JY, Kim HY, Kim YH, Chang DK, Kim JS, Song IS, Park JB, Park ER, Kim KJ, Moon G, Yang SH. Epidemiology of inflammatory bowel disease in the Songpa-Kangdong district, Seoul, Korea, 1986-2005: a KASID study. Inflamm Bowel Dis. 2008;14(4):542-9.

[VIII. 대장용종과 대장암 검진]

1. 손대경, 김민주, 박윤희 등. 대장암 검진 권고안. 대한의사협회지 2015;58:420-32.

2. Garcia-Aguilar J, Pollack J, Lee SH, et al. Accuracy of endorectal ultrasonography in preoperative staging of rectal tumors. Dis colon Rectum 2002;45:10.

3. Hamilton SR, Vogelstein B, Kudo S, et al. Carcinoma of the colon and rectum. In Pathology and genetics of tumors of the digestive system. Hamilton SR, Aaltonen L, Edit. Lyon: IARC Press 2000.

4. Kudo S, Kashida H, Tamura T, et al. Colonoscopic diagnosis and management of nonpolypoid early colorectal cancer. World J Surg 2000;24:1081-90.

5. Kudo S. Early colorectal cancer. Tokyo, New York: Igaku-Shoin 1996.

6. Levin B, Brooks D, Smith R. CT colonography, immunochemical

fecal occult blood tests, and stool screening using molecular markers. CA Cancer J Clin 2003;53:44.

7. Lieberman DA, Weiss DB, Bond JH, et al. Use of colonoscopy to screen asymptomatic adults for colorectal cancer. N Engl J Med 2000;343:169.
8. National Comprehensive Cancer Network. Colorectal cancer screening clinical practice guidelines in oncology. J NCCN 2003;1:72.
9. Nivatvongs S. Surgical management of early colorectal cancer. World J Surg 2000;24:1052-55.
10. Offit K. Geneic prognostic markers for colorectal cancer. N Engl J Med 2000;342:124.
11. Participants in the Paris Workshop. The Paris endoscopic classification of superficial neoplastic lesions: esophagus, stomach, and colon. Gastrointest Endosc 2003;58:S3-43.
12. Pignone M, Rich M, Teutsch SM, et al. A summary of the evidence for the U.S. Preventive Services Task Force. Ann Intern Med 2002;173:132.
13. Smith RA, von Eschenbach AC, Wender R, et al. Update of early detection guidelines for prostate, colorectal and endometrial cancers. CA cancer J Clin 2001;51:38.
14. Ueno H, Mochizuki H, Hashiguchi Y, et al. Risk factors for an adverse outcome in early invasive colorectal carcinoma. Gastroenterology 2004;127:385-94.
15. Yee J, Akerkar GA, Hung RK, et al. Performance characteristics of CT colonography for detection of 300 patients. Radiology 2001;219:685.
16. Zhou XP, Woodford-Richens K, Lehtonen R, et al. Germline mutations in BMPR1A/ALK3 cause a subset of cases of juvenile polyposis syndrome and of Cowden and Bannayan-Riley-Ruvalcaba syndromes. Am J Hum Genet 2001;69:704-11.

[IX. 대장암]

1. 김동현, 대장암의 발병위험요인, 대한대장항문학회 2009: 25:356-62.
2. 김진수, 민병소, 허혁 등. 절제 불가능한 결장직장암의 원격전이 환자에서 표적치료제를 포함한 선행항암화학요법 후 시행한 근치적인 절제술. 대한대장항문학회지 2008;24:184-191.
3. 김진천, 김창남, 유창식 등. 대장암의 간전이에 대한 치료: 99례의 후향적 비교분석. 대한암학회지 1998;30:1175-1183.
4. 김희철, 김창남, 홍현기 등. 대장암의 간전이 절제 후 생존에 영향을 미치는 인자. 대한대장항문학회지 2000;16:87-92.
5. 大腸癌硏究會(編). 大腸癌治療ガイドテイソ. 2005年版. 東京: 金原出版株式會社2005.
6. 박재갑, 김일진. 유전 대장암, 대한소화기학회지 2005; 45:78-87.
7. 박재균, 김남규, 이강영 등. 대장직장암에서 발생한 간전이 절제후 예후 인자 분석. 대한외과학회지 2001;61:583-587.
8. 한국중앙암등록사업 연례보고서. 보건복지가족부 중앙암등록본부 2008.
9. Andre T, Boni C, Navarro M, et al. Improved overall survival with oxaliplatin, fluorouracil, and leucovorin as adjuvant treatment in stage II or III colon cancer in the MOSAIC trial. J Clin Oncol. 2009;27(19):3109-3116.
10. Allegra CJ, Yothers G, O'Connell MJ, et al. Phase III trial assessing bevacizumab in stages II and III carcinoma of the colon: results of NSABP protocol C-08. J. Clin. Oncol. 2011;29(1):11-16.
11. Amsterdam E, Krispin M. Primary resection with colocolostomy for obstructive carcinoma of the left side of the colon. Am J Surg1985;150:558-560.
12. Andre T, Boni C, Mounedji-Boudiaf L, et al. Oxaliplatin, fluorouracil, and leucovorin as adjuvant treatment for colon cancer. N Engl J Med 2004;350:2343-2351.
13. Andre T, Boni C, Mounedji-Boudiaf L, et al. Oxaliplatin, fluorouracil, and leucovorin as adjuvant treatment for colon cancer. N Engl J Med. 2004;350(23):2343-2351.
14. Atkinson BF, Ernst CS, Herlyn M, et al. Gastrointestinal cancerassociatedantigen in immunoperoxidase assay. Cancer Res 1982;42:4820-3.
15. Baum ML, Anish DS, Chalmers TC, et al. A survey of clinical trials of antibiotic prophylaxis in colon surgery: evidence against further use of no-treatment controls. N Engl J Med 1981;305:795-798.
16. Benoist S, Brouquet A, Penna C, et al. Complete response of colorectal liver metastases after chemotherapy: Does it mean cure? J Clin Oncol 2006;24:3939-3945.
17. Benson AB, Schrag D, Somerfield MR, et al. American Society of Clinical Oncology recommendations on adjuvant chemotherapy for stage II colon cancer. J. Clin. Oncol. 2004;22(16):3408-3419.
18. Bertelsen et al. Disease-free survival after complete mesocolic excision compared with conventional colon cancer surgery: a retrospective, population-based study.Lancet Oncol. 2015 Feb;16(2) :161-8.
19. Bleicher RJ, Allegra DP, Nora DT, et al. Radiofrequency ablation in 447 complex unresectable liver tumors: lessons learned. Ann Surg Oncol 2003;10:52- 8.
20. Bond JH. Polyp guideline: diagnosis, treatment, and surveillance for patients with colorectal polyps. Practice Parameters Committee of the American College of Gastroenterology. Am J Gastroenterol 2000;95:3053-3063.
21. Bowles BJ, Machi J, Limm WM, et al. Safety and efficacy of radiofrequency thermal ablation in advanced liver tumors. Arch Surg 2001;136:864 -9.
22. Calvert PM, Frucht H. The genetics of colorectal cancer. Ann Intern Med 2002;137:603-612.
23. Campbell WJ, Spence RAJ, Parks TG. The role of congenital hypertrophy of retinal polypsos. Int J Colorectal Dis 1994;9:191.
24. Christensen MA, Blatchford GJ, Thorson AG. Malignant polyps:

What to do? Problem in Gen Surg 1992; 9:676-682.

25. Compton CC. Updated protocol for the examination of specimens from patients with carcinomas of the colon and rectum, excluding carcinoid tumors, lymphomas, sarcomas, and tumors of the vermiform appendix: a basis for checklists. Cancer Committee. Arch. Pathol. Lab. Med. 2000;124(7):1016-1025.
26. De Almeida ACM, Gracias CW, dos Santos NM, et al. One-stage colectomy in the management of acutely obstructed left colon cancer. Dig Surg 1992;9:155-161.
27. de Gramont A, Hubbard J, Shi Q, et al. Association between disease-free survival and overall survival when survival is prolonged after recurrence in patients receiving cytotoxic adjuvant therapy for colon cancer: simulations based on the 20,800 patient ACCENT data set. J. Clin. Oncol. 2010;28(3):460-465.
28. de Jong MC, Pulitano C, Ribero D, et al. Rates and patterns of recurrence following curative intent surgery for colorectal liver metastasis: an international multiinstitutional analysis of 1669 patients. Ann Surg 2009;250:440-8.
29. DeSantibanes E, Lasalle F, McCormack L, et al. Simultaneous colorectal and hepatic resections for colorectal cancer: postoperative and long-term outcomes. J Am Coll Surg 2002;195:196-202.
30. Dhir M, Lyden ER, Wang A, Smith LM, Ullrich F, Are C. Influence of margins on overall survival after hepatic resection for colorectal metastasis: a meta-analysis. Ann Surg 2011;254:234-42.
31. Elias D, Baton O, Sideris L, et al. Local recurrences after intraoperative radiofrequency ablation of liver metastases: a comparative study with anatomic and wedge resections. Ann Surg Oncol 2004;11:500-505.
32. Flood DM, Weiss NS, Cook LS, et al. Colorectal cancer incidence in Asian migrants to the United States and their descendants. Cancer Causes Control 2000;11:403-411.
33. Garcia M, Jemal A, Ward EM, et al. Global cancer facts & figures 2007. Atlanta: American Cancer Society 2007.
34. Gearhart SL, Frassica D, Rosen R, et al. Improved staging with pretreatment positron emission tomography/computed tomography in low rectal cancer. Ann Surg Oncol 2006;13:397-404.
35. Gerd R. Silberhumer et al. Long-term oncologic outcomes for simultaneous resection of synchronous metastatic liver and primary colorectal cancer. Surgery 201.
36. Gray R, Barnwell J, McConkey C, Hills RK, Williams NS, Kerr DJ. Adjuvant chemotherapy versus observation in patients with colorectal cancer: a randomised study. Lancet. 2007;370(9604):2020-2029.
37. Haggitt RC, Glotzbach RE, Soffer EE, et al. Prognostic factors in colorectal carcinomas arising in adenomas: Implications for lesions removed by endoscopic polypectomy. Gastroenterology 1985;89:328-336.
38. Harris GJ, Church JM, Senagore AJ, et al. Factors affecting local recurrence of colonic adenocarcinoma. Dis Colon Rectum 2002;45:1029-1034.
39. Hoffmann J, Jensen H-E. Tube cecostomy and staged resection for obstructing carcinoma of the left colon. Dis Colon Rectum 1984;27:24-32.
40. Hohenberger et al. Standardized surgery for colonic cancer: complete mesocolic excision and central ligation--technical notes and outcome. Colorectal Dis. 2009 May;11(4):354-64.
41. House MG, Ito H, Gonen M, et al. Survival after hepatic resection for metastatic colorectal cancer: trends in outcomes for 1,600 patients during two decades at a single institution. J Am Coll Surg 2010;210:744-52,752-5.
42. Hur H, Ko YT, Min BS, et al. Comparative study of resection and radiofrequency ablation in the treatment of solitary colorectal liver metastases. Am J Surg. 2009;197:728-36.
43. Imperiale TF, Wagner DR, Lin CY, et al. Risk of advanced proximal neoplasms in asymptomatic adults according to the distal colorectal findings. N Engl J Med 2000;343:169-174.
44. Jemal A, Siegel R, Ward E, et al. Cancer statistics, 2008. CA Cancer J Clin 2008;58:71-96.
45. Kim JC, Koo KH, Kim BS, et al. Carcino-embryonic antigen may function as a chemo-attractant in colorectal-carcinoma cell lines. Int J Cancer. 1999;82:880-5.
46. Kim NK, Park JK, Lee KY, et al. Prognostic Factors influencing the recurrence pattern and survival rates in curatively resected colorectal cancer. J Kor Surg Soc 2002;62:421-429.
47. Kitajima K, Fujimori T, Fujii S, et al. Correlations between lymph node metastasis and depth of submucosal invasion in submucosal invasive colorectal carcinoma: a Japanese collaborative study. J Gastroenterol 2004;39:534-543.
48. Kokudo N, Miki Y, Sugai S, et al. Genetic and histological assessment of surgical margins in resected liver metastases from colorectal carcinoma: minimum surgical margins for successful resection. Arch Surg 2002;137:833-40.
49. Korean Clinical Practice Guideline for Colon and Rectal Cancer v.1.
50. Kuebler JP, Wieand HS, O'Connell MJ, et al. Oxaliplatin combined with weekly bolus fluorouracil and leucovorin as surgical adjuvant chemotherapy for stage II and III colon cancer: results from NSABP C-07. J. Clin. Oncol. 2007;25(16):2198-2204.
51. Kufe DW, Pollock RE, Weichselbaum RR, et al. Holland-Frei cancer medicine. 6th ed. Hamilton: BC Decker 2003.
52. Kwok SPY, Varma JS, Li AKC. Quicker intraoperative colonic irrigation. Br J Surg 1989;76:604.
53. Lee J, Demissie K, Lu SE, et al. Cancer incidence among Korean-American immigrants in the United States and native Koreans in South Korea. Cancer Control 2007;14:78-85.
54. Lembersky, BC, Wieand, HS, Petrelli, NJ, et al. Oral uracil and

tegafur plus leucovorin compared with intravenous fluorouracil and leucovorin in stage II and III carcinoma of the colon: results from National Surgical Adjuvant Breast and Bowel Project Protocol C-06. J Clin Oncol 2006;24:2059-2064.

55. Leporrier J, Maurel J, Chiche L, Bara S, Segol P, Launoy G. A population-based study of the incidence, management and prognosis of hepatic metastases from colorectal cancer. Br J Surg 2006;93:465-74.
56. Lieberman DA, Weiss DB, Bond JH, et al. Use of colonoscopy to screen asymptomatic adults for colorectal cancer. Veterans Affairs Cooperative Study Group 380. N Engl J Med 2000;343:162-168.
57. Lieberman DA. Screening for colorectal cancer. N Engl J Med 2009;361:1179-1187.
58. Lim SB, Yu CS, Jang SJ, et al. Prognostic significance of lymphovascular invasion in sporadic colorectal cancer. Dis Colon Rectum 2010;53:377-84.
59. Lopez MS, Monafo WW. Role of extended resection in the initial treatment of locally advanced colorectal carcinoma. Surgery 1993;113:365-372.
60. Lyass S, Zamir G, Matot I, et al. Combined colon and hepatic resection for synchronous colorectal liver metastases. J Surg Oncol 2001;78:17-21.
61. Manfredi S, Lepage C, Hatem C, Coatmeur O, Faivre J, Bouvier AM. Epidemiology and management of liver metastases from colorectal cancer. Ann Surg 2006;244: 254-9.
62. McGinnis LS. Surgical treatment options for colorectal cancer. Cancer 74(suppl) 1994;2147-2149.
63. Min BS, Kim NK, Ahn JB, et al. Cetuximab in combination with 5-fluorouracil, leucovorin and irinotecan as a neoadjuvant chemotherapy in patients with initially unresectable colorectal liver metastases. Onkologie. 2007;30:637-43.
64. Moertel, CG, Fleming, TR, Macdonald, JS, et al. Intergroup study of fluorouracil plus levamisole as adjuvant therapy for stage II/Dukes' B2 colon cancer. J Clin Oncol 1995;13:2936-2943.
65. National cancer information center. Cancer incidence [Internet]. Goyang:National cancer information center; 2015.
66. NCCN Clinical Practice Guidelines in Oncology: Colon Cancer; Version 2.2014.
67. Nordlinger B, Guiguet M, Vaillant JC, et al. Surgical resection of colorectal carcinoma metastases to the liver. A prognostic scoring system to improve case selection, based on 1,568 patients. Association Francaise de Chirurgie. Cancer 1996;77:1254-62.
68. O'Connell JB, Maggard MA, Ko CY. Colon cancer survival rates with the new American Joint Committee on Cancer sixth edition staging. J Natl Cancer Inst 2004;96:1420.
69. O'Connell MJ, Laurie JA, Kahn M, et al. Prospectively randomized trial of postoperative adjuvant chemotherapy in patients with high-risk colon cancer. J Clin Oncol 1998;16:295-300.
70. oxaliplatin as adjuvant therapy for stage III colon cancer: a planned safety analysis in 1,864 patients. J. Clin. Oncol. 2007;25(1):102-109.
71. Parkin DM, Whelan SL, Ferlay J, et al. Cancer incidence in five continents, Vol. I to VIII. Lyon: International agency for research on cancer 2005.
72. Preventive Services Task Force. Screening for colorectal cancer: U.S. Preventive Services Task Force Recommendation Statement. Ann Intern Med 2008;149:627-637.
73. Ravo B, Ger R. Temporary colostomy: an outmoded procedure? A report on the intracolonic bypass. Dis Colon Rectum 1985;28:904-7.
74. Read TE, Mutch MG, Chang BW, et al. Locoregional recurrence and survival after curative resection of adenocarcinoma of the colon. J Am Coll Surg 2002;195:33-40.
75. Ribic CM, Sargent DJ, Moore MJ, et al. Tumor microsatellite-instability status as a predictor of benefit from fluorouracil-based adjuvant chemotherapy for colon cancer. N. Engl. J. Med. 2003;349(3):247-257.
76. Rosati R, Smith L, Deitel M, et al. Primary colorectal anastomosis with the intracolonic bypass. Surgery 1992;112:618-22.
77. Rosen CB, Nagorney DM, Taswell HF, et al. Perioperative blood transfusion and determinants of survival after liver resection for metastatic colorectal carcinoma. Ann Surg 1992;216:493-504.
78. Salim AS. Percutaneous decompression and irrigation for large-bowel obstruction. New approach. Dis Colon Rectum 1991;34:973-80.
79. Saltz, LB, Niedzwiecki, D, Hollis, D, et al. Irinotecan fluorouracil plus leucovorin is not superior to fluorouracil plus leucovorin alone as adjuvant treatment for stage III colon cancer: results of CALGB 89803. J Clin Oncol 2007;25:3456-3461.
80. Santos JC, Batista J, Sirimarco MT, et al. Prospective randomized trial of mechanical bowel preparation in patients undergoing elective colorectal surgery. Br J Surg 1994;81:1673-1676.
81. Sargent D, Sobrero A, Grothey A, et al. Evidence for cure by adjuvant therapy in colon cancer: observations based on individual patient data from 20,898 patients on 18 randomized trials. J. Clin. Oncol. 2009;27(6):872-877.
82. Sargent DJ, Marsoni S, Monges G, et al. Defective mismatch repair as a predictive marker for lack of efficacy of fluorouracil-based adjuvant therapy in colon cancer. J. Clin. Oncol. 2010;28(20):3219-3226.
83. Sargent DJ, Wieand HS, Haller DG, et al. Disease-free survival versus overall survival as a primary end point for adjuvant colon cancer studies: individual patient data from 20,898 patients on 18 randomized trials. J. Clin. Oncol. 2005;23(34):8664-8670.
84. Scheele J, Stang R, Altendorf-Hofmann A, et al. Resection of

colorectalliver metastases. World J Surg 1995;19:59-71.
85. Schmoll H, Cartwright T, Tabernero J, et al. Phase III trial of capecitabine plus.
86. Schmoll H, Tabernero J, Maroun J, et al. Capecitabine Plus Oxaliplatin Compared With Fluorouracil/Folinic Acid As Adjuvant Therapy for Stage III Colon Cancer: Final Results of the NO16968 Randomized Controlled Phase III Trial. J. Clin. Oncol. 2015;33(32):3733-3740.
87. Setti Carraro PG, Segala M, Cesana BM, et al. Obstructing colonic cancer: failure and survival patterns over a ten-year follow-up after a one-stage curative surgery. Dis Colon Rectum 2001;44:243-250.
88. Shimada H, Tanaka K, Endou I, Ichikawa Y. Treatment for colorectal liver metastases: a review. Langenbecks Arch Surg 2009;394:973-83.
89. Smothers L, Hynan L, Fleming J, et al. Emergency surgery for colon carcinoma. Dis Colon Rectum 2003;46:24-30.
90. Sobin L. TNM classification of malignant tumours. Wiley-Blackwell, 2010.
91. stage III colon cancer. N. Engl. J. Med. 2005;352(26):2696-2704.
92. Statistics Korea. Annual report on the cause of death statistics. Daejeon: Statistics Korea; 2015. Available from: http://www.cancer.go.kr/cms/static.
93. Sugerbaker PH, Corlew S. Influence of surgical techniques on survival in patients with colorectal cancer: a review. Dis Colon Rectum 1982;25:545-557.
94. Taieb J, Tabernero J, Mini E, et al. Oxaliplatin, fluorouracil, and leucovorin with or without cetuximab in patients with resected stage III colon cancer (PETACC-8): an open-label, randomised phase 3 trial. Lancet oncology. 2014;15(8):862-873.
95. Taylor M, Forster J, Langer B, et al. A study of prognostic factors for hepatic resection for colorectal metastases. Am J Surg 1997;173: 467-471.
96. Tonelli F, Valanzano R, Messerini L, et al. Long-term treatment with sulindac in familial adenomatous polyposis: Is there an actual efficacy in prevention of rectal cancer? J Surg Oncol 2000;74:15-20.
97. Twelves C, Wong A, Nowacki MP, et al. Capecitabine as adjuvant treatment for.
98. Twelves C, Wong A, Nowacki MP, et al. Capecitabine as adjuvant treatment for stage III colon cancer. N Engl J Med 2005;352:2696-2704.
99. Van Cutsem E, Labianca R, Bodoky G, et al. Randomized phase III trial comparing biweekly infusional fluorouracil/leucovorin alone or with irinotecan in the adjuvant treatment of stage III colon cancer: PETACC-3. J Clin Oncol 2009;27:3117-3125.
100. Vincent W. T. Lam, FRACS1,2, Calista Spiro, MBBS1, Jerome M. Laurence, FRACS1,2, Emma Johnston A Systematic Review of Clinical Response and Survival Outcomes of Downsizing Systemic Chemotherapy and Rescue Liver Surgery in Patients with Initially Unresectable Colorectal Liver Metastases. Ann Surg Oncol (2012) 19:1292-130.
101. Vogelstein B, Fearon ER, Hamilton SR, et al. Genetic alterations during colorectal-tumor development. N Engl J Med 1988;319:525-532.
102. Wanebo HJ, Chu QD, Vezeridis MP, et al. Patient selection for hepatic resection of colorectal metastases. Arch Surg 1996;131:322-328.
103. Welch JP. Multiple colorectal tumors: An appraisal of natural history and therapeutic options. Am J Surg 1981;142:274-280.
104. West et al. Complete Mesocolic Excision With Central Vascular Ligation Produces an Oncologically Superior Specimen Compared With Standard Surgery for Carcinoma of the Colon. Journal of Clinical Oncology. 2010 Oct. 28(2): 272-278.
105. Whitlock EP, Lin JS, Liles E, et al. Screening for colorectal cancer: a targeted, updated systematic review for the U.S. Preventive Services Task Force. Ann Intern Med 2008;149:638-658.
106. Willet WC. The search for the causes of breast and colon cancer. Nature 1989;338:389-94.
107. Winawer SJ, Stewart ET, Zauber AG, et al. A comparison of colonoscopy and double-contrast barium enema for surveillance after polypectomy. National Polyp Study Work Group. N Engl J Med 2000;342:1766-1772.
108. Winawer SJ, Zauber AG, Ho MN, et al. Prevention of colorectal cancer by colonoscopic polypectomy. N Engl J Med 1993;329:1977-1981.
109. World Cancer Research Fund, American Institute of Cancer Research. Food, Nutrition, Physical Activity and the Prevention of Cancer: a Global Perspective. Washington DC: American Institute of Cancer Research 2007.
110. World Health Organization. Mortality data [Internet]. Geveva: World Health Orgazation; c2009 [cited 2009 Sep 20]. Available from: http://www.who.int/whosis/mort/en/.
111. Ychou, M, Raoul, JL, Douillard, JY, et al. A phase III randomised trial of LV5FU2 + irinotecan versus LV5FU2 alone in adjuvant high-risk colon cancer (FNCLCC Accord02/FFCD9802). Ann Oncol 2009;20:674-680.
112. Yee J, Akerkar GA, Hung RK, et al. Colorectal neoplasia: Performance characteristics of CT colonography for detection of 300 patients. Radiology 2001;219:685-692.

[X. 직장암]

1. Adam R, Avisar E, Ariche A, et al. Five-year survival following hepatic resection after neoadjuvant therapy for nonresectable colorectal. Ann Surg Oncol 2001; 8:347-35.
2. Ajani JA, Winter KA, Gunderson LL, et al. Fluorouracil, mitomy-

cin, and radiotherapy vs fluorouracil, cisplatin, and radiotherapy for carcinoma of the anal canal: a randomized controlled trial. JAMA 2008;299:1914-1921.

3. Akasu T, Sugihara K, Moriya Y, Fujita S. Limitations and pitfalls of transrectal ultrasonography for staging of rectal cancer. Dis Colon Rectum 1997;40:s10-15.
4. Albright JB, Fakhre GP, Nields WW, Metzger PP. Incidental appendectomy: 18-year pathologic survey and cost effectiveness in the nonmanaged-care setting. J Am Coll Surg 2007;205:298-306.
5. Allison JE, Potter MB. New screening guidelines for colorectal cancer: a practical guide for the primary care physician. Prim Care Clin Office Pract 2009;36:575-602.
6. Almond LM, Bowley DM, Karandikar SS, Roy-Choudhury SH. Role of CT colonography in symptomatic assessment, surveillance and screening. Int J Colorectal Dis 2011;26:959-66.
7. Arii K, Takifuji K, Yokoyama S, et al. Preoperative evaluation of pelvic lateral lymph node of patients with lower rectal cancer: comparison study of MR imaging and CT in 53 patients. Langenbecks Arch Surg 2006;391:449-454.
8. Atkins D. The periodic health examination. In: Goldman L, Ausiello D, eds. Cecil Medicine. 25th ed. Philadelphia, PA: Saunders Elsevier; 2016:chap 15.
9. Baena R, Salinas P. Diet and colorectal cancer. Maturitas 2015;80(3):258-264.
10. Balani A, Turoldo A, Braini A, Scaramucci M, Roseano M, Leggeri A. Local excision for rectal cancer. J Surg Oncol 2000;74:158-62. Bujko K, Sopylo R, Kepka L. Local excision after radio(chemo) therapy for rectal cancer: is it safe? Clin Oncol (R Coll Radiol) 2007;19:693-700.
11. Bartelink H, Roelofsen F, Eschwege F, et al. Concomitant radiotherapy and chemotherapy is superior to radiotherapy alone in the treatment of locally advanced anal cancer: results of a phase III randomized trial of the European Organization for Research and Treatment of Cancer Radiotherapy and Gastrointestinal Cooperative Groups. J Clin Oncol 1997;15:2040-2049.
12. Beal KP, Wong D, Guillem JG, et al. Primary adenocarcinoma of the anus treated with combined modality therapy. Dis Colon Rectum 2003;46:1320-1324.
13. Beart RW, Melton LJ 3rd, Maruta M, Dockerty MB, Frydenberg HB, O'Fallon WM. Trends in right and left-sided colon cancer. Dis Colon Rectum 1983;26:393-398.
14. Beck DE, Karulf RE. Combination therapy for epidermoid carcinoma of the anal canal. Dis Colon Rectum 1994;37:1118-1125.
15. Beets-Tan RG, Beets GL. Rectal cancer: how accurate can imaging predict the T stage and the circumferential resection margin? Int J Colorectal Dis 2003;18:385-391.
16. Beets G, Pennickx F, Schiepers C, et al. Clinical value of whole-body position emission tomography with [18F] fluoro deoxy glucose in recurrent colorectal cancer. Br J Surg 1994;81:1666-1670.
17. Bernick PE, Klimstra DS, Shia J, et al. Neuroendocrine carcinomas of the colon and rectum. Dis Colon Rectum 2004;47:163-169.
18. Beynon J, Foy DM, Temple LN, Channer JL, Virjee J, Mortensen NJ. The endosonic appearances of normal colon and rectum. Dis Colon Rectum 1986;29:810-813.
19. Beynon J, Mortensen NJ, Foy DM, Channer JL, Rigby H, Virjee J. Preoperative assessment of mesorectal lymph node involvement in rectal cancer. Br J Surg 1989;7: 276-279.
20. Bipat S, Glas AS, Slors FJ, et al. Rectal cancer: local staging and assessment of lymph node involvement with endoluminal US, CT, and MR imaging. Radiology 2004;232:773-783.
21. Bodmer WF, Bailey CJ, Bodmer J, et al. Localization of the gene for familial adenomatous polyposis on chromosome 5. Nature 1987;328:614-616.
22. Bonjer HJ, Deijen CL, Abis GA, et al. A randomized trial of laparoscopic versus open surgery for rectal cancer. N Engl J Med 2015;372:1324-32.
23. Borger JH, van den Bogaard J, de Haas DF, et al. Evaluation of three different CT simulation and planning procedures for the preoperative irradiation of operable rectal cancer. Radiother Oncol 2008;87:350-356.
24. Borschitz T, Wachtlin D, Möhler M, Schmidberger H, Junginger T. Neoadjuvant chemoradiation and local excision for T2-3 rectal cancer. Ann Surg Oncol 2008;15:712-720.
25. Bosman TF, Carneiro F, Hruban R et al. WHO classification of tumours of the digestive system. Lyon, France; IARC press; 2010.
26. Boyle KM, Sagar PM, Chalmers AG, Sebag-Montefiore D, Cairns A, Eardley I. Surgery for locally recurrent rectal cancer. Dis Colon Rectum 2005;48:929-937.
27. Brenner H, Kloor M, Pox CP. Colorectal cancer. Lancet 2014;383:1490-502.
28. Brown G, Richards CJ, Newcombe RG, et al. Rectal carcinoma: thin-section MR imaging for staging in 28 patients. Radiology 1999;211:215-222.
29. Bujko K, Sopylo R, Kepka L . Local excision after radio (chemo) therapy for rectal cancer: is it safe? Clin Oncol (R Coll Radiol) 2007;19:693-700.
30. Campos FG, Logullo AG, Kiss DR, Waitzberg DL, Habr-Gama A, Gama-Rodrigues J. Diet and colorectal cancer: current evidence for etiology and prevention. Nutr Hosp 2005;20:18-25.
31. Cance WG, Cohen AM, Enker WE, Sigurdson ER. Predictive value of a negative computed tomographic scan in 100 patients with rectal carcinoma. Dis Colon Rectum 1991;34:748-751.
32. Chae WY, Lee JL, Cho DH et al. preliminary suggestion about staging of anorectal malignant melanoma may be used to predict prognosis. Cancer Res Treat 2016;48:240-49.
33. Chang GJ, Berry JM, Jay N, et al. Surgical treatment of high-grade

anal squamous intraepithelial lesions: a prospective study. Dis Colon Rectum 2002;45:453-458.

34. Chang JS, Keum KC, Kim NK, Baik SH, Min BS, Huh H, Lee CG, Koom WS. Preoperative chemoradiotherapy effects on anastomotic leakage after rectal cancer resection: a propensity score matching analysis. Ann Surg 2014;259:516-21.
35. Cho YB, Chun HK, Yun HR, et al. Clinical and pathologic evaluation of patients with recurrence of colorectal cancer five or more years after curative resection. Dis Colon Rectum 2007;50:1-7.
36. Choi DJ, Kim SH, Lee PJ, et al. Single-stage totally robotic dissection for rectal cancer surgery: technique and short-term outcome in 50 consecutive patients. Dis Colon Rectum 2009;52:1824-30.
37. Christensen AF, Nielsen MB, Engelholm SA, et al. Three-dimensional anal endosonography may improve staging of anal cancer compared with two-dimensional endosonography. Dis Colon Rectum 2004;47:341-345.
38. Chu QD, Vezeridis MP, Libbey NP, et al. Giant condyloma acuminatum (Buschke-Lowenstein tumor) of the anorectal and perianal regions. Analysis of 42 cases. Dis Colon Rectum 1994;37:950-957.
39. Chun HK, Choi D, Kim MJ, et al. Preoperative staging of rectal cancer: comparison of 3-T high-field MRI and endorectal sonography. Am J Roentgenol 2006;187:1557-1562.
40. Cummings BJ, Keane TJ, O'Sullivan B, et al. Epidermoid anal cancer: treatment by radiation alone or by radiation and 5-fluorouracil with and without mitomycin C. Int J Radiat Oncol Biol Phys 1991;21:1115-1125.
41. Cutait DE, Cutait R, Ioshimoto M, Hyppólito da Silva J, Manzione A. Abdominoperineal endoanal pull-through resection. A comparative study between immediate and delayed colorectal anastomosis. Dis Colon Rectum 1985;28:294-299.
42. Davis B, Rivadeneira DE. Complications of colorectal anastomoses: leaks, strictures, and bleeding. Surg Clin North Am 2013;93:61-87.
43. Davies RJ, Miller R, Coleman N. Colorectal cancer screening: prospects for molecular stool analysis. Nat Rev Cancer 2005;5:199-209.
44. de Geus-Oei LF, Vriens D, van Laarhoven HW, van der Graaf WT, Oyen WJ. Monitoring and predicting response to therapy with 18F-FDG PET in colorectal cancer: a systematic review. J Nucl Med 2009;50:s43-54.
45. de Jong EA, Ten Berge JC, Dwarkasing RS, Rijkers AP, van Eijck CH. The accuracy of MRI, endorectal ultrasonography, and computed tomography in predicting the response of locally advanced rectal cancer after preoperative therapy: A metaanalysis. Surgery 2016;159:688-99.
46. Delikoukos S, Zacharoulis D, Hatzitheofilou C . Electrocoagulation: an alternative palliative treatment for rectal cancer. Tech Coloproctol 2004;8:s76-78.
47. Denecke T, Rau B, Hoffmann KT, et al. Comparison of CT, MRI and FDG-PET in response prediction of patients with locally advanced rectal cancer after multimodal preoperative therapy: is there a benefit in using functional imaging? Eur Radiol 2005;15:1658-1666.
48. Derici H, Unalp HR, Kamer E, et al.Multivisceral resections for locally advanced rectal cancer. Colorectal Dis 2008;10:453-459.
49. Drew PJ, Farouk R, Turnbull LW, et al. Preoperative magnetic resonance staging of rectal cancer with an endorectal coil and dynamic gadolinium enhancement. Br J Surg 1999;86:250-254.
50. Eberhardt JM, Kiran RP, Lavery IC. The impact of anastomotic leak and intra-abdominal abscess on cancer-related outcomes after resection for colorectal cancer: a case control study. Dis Colon Rectum 2009;52:380-386.
51. Edge SB, Byrd DR, Compton CC, et al. AJCC Cancer Staging Manual. 7th ed. New York: Springer, 2010.
52. Fisher B, Wolmark N, Rockette H, et al. Postoperative adjuvant chemotherapy or radiation therapy for rectal cancer: result from NSABP protocol R-01. J Natl Cancer Inst 1988;80:21-29.
53. Fleshman J, Branda M, Sargent DJ, et al. Effect of Laparoscopic-Assisted Resection vs Open Resection of Stage II or III Rectal Cancer on Pathologic Outcomes: The ACOSOG Z6051 Randomized Clinical Trial. JAMA. 2015;314:1346-55.
54. Fletcher JG, Busse RF, Riederer SJ, et al. Magnetic resonance imaging of anatomic and dynamic defects of the pelvic floor in defecatory disorders. Am J Gastroenterol 2003;98:399-341.
55. Frye JN, Carne PW, Robertson GM, Frizelle FA. Abdominoperineal resection or low Hartmann's procedure. ANZ J Surg 2004;74:537-540.
56. Fuchsjager MH, Maier AG, Schima W, et al. Comparison of transrectal sonography and double-contrast MR imaging when staging rectal cancer. Am J Roentgenol 2003;181:421-427.
57. Garcia-Aguilar J, Pollack J, Lee SH, et al. Accuracy of endorectal ultrasonography in preoperative staging of rectal tumors. Dis Colon Rectum 2002;45:10-15.
58. Gervasoni JE, Wanebo HJ. Cancers of the anal canal and anal margin. Cancer Invest 2003;21:452-464.
59. Gibson GE, Ahmed I. Perianal and genital basal cell carcinoma: A clinicopathologic review of 51 cases. J Am Acad Dermatol 2001;45:68-71.
60. Gill G, Sinicrope FA. Colorectal cancer prevention: is an ounce of prevention worth a pound of cure? Semin Oncol 2005;32:24-34.
61. Gillams AR, Lees WR. Five-year survival in 309 patients with colorectal liver metastases treated with radiofrequency ablation. Eur Radiol 2009;19:1206-1213.
62. Goligher J, ed. Surgery of the anus, rectum and colon. 5th ed., London: Bailliére Tindall, 1984.

63. Green SH, Khatri VP, McGahan JP . Radiofrequency ablation as salvage therapy for unresectable locally recurrent rectal cancer. J Vasc Interv Radiol 2008;19:454-458.
64. Guinet C, Buy JN, Ghossain MA, Sézeur A, Mallet A, Bigot JM, et al. Comparison of magnetic resonance imaging and computed tomography in the preoperative staging of rectal cancer. Arch Surg 1990;125:385-8.
65. Headquarter of Korea Central Cancer Registry. Cancer Registry system in Korea. Available from: http://www.ncc.re.kr.
66. Heald RJ, Brendan J, Moran BJ, Ryall RD, Sexton R, MacFarlane JK. Rectal Cancer: The Basingstoke Experience of Total Mesorectal Excision, 1978-1997. Arch Surg 1998;133:894-898.
67. Hildebrandt U, Klein T, Feifel G, Schwarz HP, Koch B, Schmitt RM. Endosonography of pararectal lymph nodes. In vitro and in vivo evaluation. Dis Colon Rectum 1990;33:863-868.
68. Hong YS, Nam BH, Kim KP, et al. Oxaliplatin, fluorouracil, and leucovorin versus fluorouracil and leucovorin as adjuvant chemotherapy for locally advanced rectal cancer after preoperative chemoradiotherapy (ADORE): an open-label, multicentre, phase 2, randomised controlled trial. Lancet Oncol 2014;15:1245-53.
69. Hong YS, Nam BH, Kim KP et al. Oxaliplatin, fluorouracil, and leucovorin versus fluorouracil and leucovorin as adjuvant chemotherapy for locally advanced rectal cancer after preoperative chemoradiotherapy (ADORE): an open-label, multicentre, phase 2, randomised controlled trial. Lancet Oncol 2014;15:1245-1253.
70. Hur H, Ko YT, Min BS, et al. Clinical surgery-international comparative study of resection and radiofrequency ablation in the treatment of solitary colorectal liver metastases. Am J Surg 2009;197:728-736.
71. Isabel-Martinez L, Chapman AH, Hall RI. The value of a barium enema in the investigation of patients with rectal carcinoma. Clin Radiol 1988;39:531-533.
72. Ito K, Kato T, Tadakoro M, et al. Recurrent rectal cancer and scar: differentiation with PET and MR imaging. Radiology 1992;182:549-552.
73. Jeffery M, Hickey BE, Hider PN. Follow-up stratiges for patients treated for non-metastatic colorectal cancer. Cochrane Database Syst Rev 2007;(1):CD002200.
74. Jensen SL, Sjollin KE, Shokouh-Amiri MH, et al. Paget's disease of the anal margin. Br J Surg 1988;75:1089-1092.
75. Jeong SY, Park JW, Nam BH, et al. Open versus laparoscopic surgery for mid-rectal or low-rectal cancer after neoadjuvant chemoradiotherapy (COREAN trial): survival outcomes of an open-label, non-inferiority, randomised controlled trial. Lancet Oncol 2014;15:767-74.
76. Jung KW, Won YJ, Oh CM, et al. Prediction of cancer incidence and mortality in Korea, 2016. Cancer Res Treat 2016;48:451-457.
77. Jung SH, Yu CS, Choi PW, et al. Risk factors and oncologic impact of anastomotic leakage after rectal cancer surgery Dis Colon Rectum 2008;51:902-908.
78. Kahi CJ, Boland CR, Dominitz JA, Giardiello FM, Johnson DA, Kaltenbach T, et al. Colonoscopy surveillance after colorectal cancer resection: recommendations of the US multi-society task force on colorectal cancer. Gastroenterology 2016;150:758-6.
79. Kapiteijn E, Marijnen CA, Nagtegaal ID, et al. Preoperative radiotherapy combined with total mesorectal excision for resectable rectal cancer. N Engl J Med 2001;345:638-646.
80. Karanjia ND, Schache DJ, Heald RJ. Function of the distal rectum after low anterior resection for carcinoma. Br J Surg 1992;79:114-116.
81. Katsura Y, Yamada K, Ishizawa T, Yoshinaka H, Shimazu H. Endorectal ultrasonography for the assessment of wall invasion and lymph node metastasis in rectal cancer. Dis Colon Rectum 1992;35:362-368.
82. Kavanagh BD, Schefter TE, Cardenes HR, et al. Interim analysis of a prospective phase I/II trial of SBRT for liver metastases. Acta Oncologica 2006;45:848-855.
83. Keating JP. Sexual function after rectal excision. ANZ J Surg 2004;74:248-259.
84. Kim DW, Kim DY, Kim TH, et al. Is T classification still correlated with lymph node status after preoperative chemoradiotherapy for rectal cancer? Cancer 2006;106:1694-1700.
85. Kim DW, Lim SB, Kim DY et al. Pre-operative chemo-radiotherapy improves the sphincter preservation rate in patients with rectal cancer located within 3 cm of the anal verge. Eur J Surg Oncol 2006;32:162-167.
86. Kim DY, Jung KH, Kim TH et al. Comparison of 5-fluorouracil/leucovorin and capecitabine in preoperative chemotherapy for locally advanced rectal cancer. Int J Radiation Oncology Biol Phys 2007;67:378-384.
87. Kim JC, Kim HC, Yu CS, Han KR, Kim JR, Lee KH, et. al. Efficacy of 3-dimensional endorectal ultrasonography compared with conventional ultrasonography and computed tomography in preoperative rectal cancer staging. Am J Surg 2006;192:89-97.
88. Kim JC, Koo KH, Kim BS, Park KC, Bicknell DC, Bodmer WF. Carcino-embryonic antigen may function as a chemo-attractant in colorectal-carcinoma cell lines. Int J Cancer 1999;82:880-5.
89. Kim JC, Takahashi K, Yu CS et al. Comparative outcome between chemoradiotherapy and lateral pelvic lymph node dissection following total mesorectal excision in rectal cancer. Ann Surg 2007;246:754-762.
90. Kim JC, Lim SB, Yoon YS, et al. Completely abdominal intersphincteric resection for lower rectal cancer: feasibility and comparison of robot-assisted and open surgery. Surg Endosc 2014;28:2734-44.
91. Kim JY, Kim KS, kim KJ et al. Non-L-cell immunophenotype and

large tumor size in rectal neuroendocrine tumors are associated with aggressive clinical behavior and worse prognosis. Am J Surg Pathol 2015;39:632-43.

92. Kim NK, Baik SH, Seong JS et al. Oncologic outcomes after neoadjuvant chemoradiation followed by curative resection with tumor-specific mesorectal excision for fixed locally advanced rectal cancer: impact of postirradiated pathologic downstaging on local recurrence and survival. Ann Surg 2006;244:1024-1030.

93. Kim NK, Min SB, Kim JS, et al. Oncologic outcomes and safety after tumor-specific mesorectal excision for respectable rectal cancer: A single institution's experience with 1,276 patients with rectal cancer. J Coloproctol 2009;2:24-33.

94. Kim TH, Jeong SY, Choi DH, et al. Lateral lymph node metastasis is a major cause of locoregional recurrence in rectal cancer treated with preoperative chemoradiotherapy and curative resection. Ann Surg Oncol 2008;15:729-737.

95. Kim YW, Kim NK, Min BS, et al. The Influence of the number of retrieved lymph nodes on staging and survival in patients with stage II and III rectal cancer undergoing tumor-specific mesorectal excision. Ann Surg 2009;249: 965-972.

96. Konyalian VR, Rosing DK, Haukoos JS, et al. The role of primary tumour resection in patients with stage IV colorectal cancer. Colorectal Dis 2007;9:430-437.

97. Kudo, S et al. Diagnosis of colorectal tumorous lesions by magnifying endoscopy. Gastrointest Endosc 1996;44:8-14.

98. Kusters M, Beets GL, van de Velde CJ, et al. A comparison between the treatment of low rectal cancer in Japan and the Netherlands, focusing on the patterns of local recurrence. Ann Surg 2009;249:229-235.

99. Kwak YK, Kim K, Lee JH et al. Timely tumor response analysis after preoperative chemoradiotherapy and curative surgery in locally advanced rectal cancer: A multi-institutional study for optimal surgical timing inrectal cancer. Radiother Oncol 2016;S0167-8140(16)31024-6. doi: 10.1016/j.radonc.2016.03.017. PMID:27106552.

100. Laghi A, Ferri M, Catalano C, et al. Local staging of rectal cancer with MRI using a phased array body coil. Abdom Imaging 2002;27:425-431.

101. Lai DT, Fulham M, Stephen MS, et al. The role of whole body position emission tomography with [18F]fluorodeoxyglucose in identifying operable colorectal cancer metastases and the liver. Arch Surg 1996;131:703-707.

102. Lange MM, Buunen M, van de Velde CJ, Lange JF. Level of arterial ligation in rectal cancer surgery: low tie preferred over high tie. A review. Dis Colon Rectum 2008;51:1139-1145.

103. Lee JH, Kim SH, Jang HS, Chung HJ, Oh ST, Lee DS, et al. Preoperative elevation of carcinoembryonic antigen predicts poor tumor response and frequent distant recurrence for patients with rectal cancer who receive preoperative chemoradiotherapy and total mesorectal excision: a multi-institutional analysis in an Asian population. Int J Colorectal Dis 2013;28:511-7.

104. Lee WS, Yun HR, Yun SH, et al. Treatment outcomes of hepatic and pulmonary metastases from colorectal carcinoma. J Gastroenterol Hepatol 2008;23:e367-372.

105. Leung JW, Mann SK, Siao-Salera R, et al. A randomized, controlled comparison of warm water infusion in lieu of air insufflation versus air insufflation for aiding colonoscopy insertion in sedated patients undergoing colorectal cancer screening and surveillance. Gastrointest Endosc 2009;70:505-510.

106. Lewis WG, Holdsworth PJ, Stephenson BM, et al. Role of the rectum in the physiological and clinical results of coloanal and colorectal anastomosis after anterior resection for rectal carcinoma. Br J Surg 1992;79:1082-1086.

107. Libutti SK, Alexander HR Jr, Choyke P, et al. A prospective study of 2-[18F]fluoro-2-deoxy-D-glucose/positron emission tomography scan, 99mTc-labeled arcitumomab (CEA-scan), and blind second-look lapatorony for detecting colon cancer recurrence in patients with increasing carcinoembronic antigen levels. Ann Surg Oncol 2001;8: 779-786.

108. Lim SB, Choi HS, Jeong SY et al. Optimal surgery time after preoperative chemoradiotherapy for locally advanced rectal cancers. Ann Surg 2008;248:243-251.

109. Lim SB, Heo SC, Lee MR, et al. Changes in outcome with sphincter preserving surgery for rectal cancer in Korea, 1991-2000. Eur J Surg Oncol 2005;31:242-249.

110. Lin KJ, Cheung WY, Lai JY, Giovannucci EL. The effect of estrogen vs. combined estrogen-progestogen therapy on the risk of colorectal cancer. Int J Cancer 2012;130:419-30.

111. Lin YM, Furukawa Y, Tsunoda T, Yue CT, Yang KC, Nakamura Y. Molecular diagnosis of colorectal tumors by expression profiles of 50 genes expressed differentially in adenomas and carcinomas. Oncogene 2002;21:4120-4128.

112. Localio SA, Eng K, Coppa GF. Abdominosacral resection for midrectal cancer. A fifteen-year experience. Ann Surg 1983;198:320-324.

113. Lupo L, Angelelli G, Pannarale O, Altomare D, Macarini L, Memeo V. Improved accuracy of computed tomography in local staging of rectal cancer using water enema. Int J Colorectal Dis 1996;11:60-64.

114. Mackenzie-Wood A, Kossard S, de Launey J, et al. Imiquimod 5% cream in the treatment of Bowen's disease. J Am Acad Dermatol 2001;44:462-470.

115. Maffione AM, Marzola MC, Capirci C, Colletti PM, Rubello D. Value of (18)F-FDG PET for predicting response to neoadjuvant therapy in rectal cancer: systematic review and meta-analysis. AJR Am J Roentgenol 2015;204:1261-8.

116. Mainenti PP, Cirillo LC, Camera L, et al. Accuracy of single phase

contrast enhanced multidetector CT colonography in the preoperative staging of colo-rectal cancer. Eur J Radiol 2006;60:453-459.
117. Mander BJ, Abercrombie JF, George BD, Williams NS. The electrically stimulated gracilis neosphincter incorporated as part of total anorectal reconstruction after abdominoperineal excision of the rectum. Ann Surg 1996;224:702-709.
118. Mantyh CR, Hull TL, Fazio VW. Coloplasty in low colorectal anastomosis: manometric and functional comparison with straight and colonic J-pouch anastomosis. Dis Colon Rectum 2001;44:37-42.
119. Mason AY. Trans-sphincteric exposure of the rectum. Ann R Coll Surg Engl 1972;51:320-331.
120. Matthiessen P, Hallböök O, Rutegård J, Simert G, Sjödahl R. Defunctioning stoma reduces symptomatic anastomotic leakage after low anterior resection of the rectum for cancer: a randomized multicenter trial. Ann Surg 2007;246:207-214.
121. Mayr NA, Magnotta VA, Ehrhardt JC, et al. Usefulness of tumor volumetry by magnetic resonance imaging in assessing response to radiation therapy in carcinoma of the uterine cervix. Int J Radiat Oncol Biol Phys 1996;35:915-924.
122. McCarter MD, Quan SH, Busam K, et al. Long-term outcome of perianal Paget's disease. Dis Colon Rectum 2003;46:612-616.
123. McGarr SE, Ridlon JM, Hylemon PB. Diet, anaerobic bacterial metabolism, and colon cancer: a review of the literature. J Clin Gastroenterol 2005;39:98-109.
124. Mesko TW, Rodriguez-Bigas MA, Petrelli NJ. Inguinal lymph node metastases from adenocarcinoma of the rectum. Am J Surg 1994;168:285-287.
125. Meyer MA. Diffusely increased colonic F-18-FDG uptake in acute enterocolitis. Clin Nucl Med 1995;20:434-435.
126. Meyerhardt JA, Mayer RJ. Systemic therapy for colorectal cancer. N Engl J Med 2005; 352: 476-487.
127. Milsom JW, Graffner H. Intrarectal ultrasonography in rectal cancer staging and in the evaluation of pelvic disease. Clinical uses of intrarectal ultrasound. Ann Surg 1990;212:602-606.
128. Moore HG, Gittleman AE, Minsky BD, et al. Rate of pathologic complete response with increased interval between preoperative combined modality therapy and rectal cancer resection. Dis Colon Rectum 2004;47:279 -286.
129. Mori T, Takahashi K, Yasuno M. Radical resection with autonomic nerve preservation and lymph node dissection techniques in lower rectal cancer surgery and its results: the impact of lateral lymph node dissection. Langenbecks Arch Surg 1998;383:409-415.
130. Moriya Y, Sugihara K, Akasu T, Fujita S. Importance of extended lymphadenectomy with lateral node dissection for advanced lower rectal cancer. World J Surg 1997;21:728-732.
131. Najarian MM, Belzer GE, Cogbill TH, Mathiason MA. Determination of the peritoneal reflection using intraoperative proctoscopy. Dis Colon Rectum 2004;47:2080-2085.
132. Nano M, Marchisio F, Ferronato M, et al. Vascular anatomy of the rectal stump after total mesorectal excision. Dis Colon Rectum 2006;49:1897-1904.
133. Nicholls RJ, Mason AY, Morson BC, Dixon AK, Fry IK. The clinical staging of rectal cancer. Br J Surg 1982;69:404-409.
134. Nigro ND, Vaitkevicius VK, Considine B. Combined therapy for cancer of the anal canal: a preliminary report. Dis Colon Rectum 1974;17:354-356.
135. Nigro ND. Multidisciplinary management of cancer of the anus. World J Surg 1987;11:446-451.
136. Oh CM, Won YJ, Jung KW, et al. Cancer Statistics in Korea: Incidence, Mortality, Survival, and Prevalence in 2013. Cancer Res Treat 2016;48:436-450.
137. Oh HK, Kang SB, Lee SM, et al. Neoadjuvant chemoradiotherapy affects the indications for lateral pelvic node dissection in mid/low rectal cancer with clinically suspected lateral node involvement: a multicenter retrospective cohort study. Ann Surg Oncol 2014;21:2280-2287.
138. Ogunbiyi OA, Flanagan FL, Dehdashti F, et al. Detection of recurrent and metastatic colorectal cancer: comparison of position emission tomography and computed tomography. Ann Surg Oncol 1997;4:613-620.
139. Pappalardo G, Reggio D, Frattaroli FM, et al. The value of endoluminal ultrasonography and computed tomography in the staging of rectal cancer: a preliminary study. J Surg Oncol 1990;43:219-222.
140. Park IJ, Kim HC, Yu CS, et al. Radiofrequency ablation for metachronous liver metastasis from colorectal cancer after curative surgery. Ann Surg Oncol 2007;15:227-232.
141. Park JS, Choi GS, Kim SH, et al. Multicenter analysis of risk factors for anastomotic leakage after laparoscopic rectal cancer excision: the Korean laparoscopic colorectal surgery study group. Ann Surg 2013;257:665-671.
142. Park JW, Lim SB, Kim DY et al. Carcinoembryonic antigen as a predictor of pathologic response and prognostic factor in locally advanced rectal cancer patients treated with preoperative chemotherapy and surgery. Int J Radiation Oncology Biol Phys 2009;1:1-8.
143. Park YA, Lee KY, Kim NK, et al. Prognostic Effect of perioperative change of serum carcinoembryonic antigen level: A useful tool for detection of systemic recurrence in rectal cancer. Ann Surg Oncol 2006;13:645-650.
144. Paterson CA, Young-Fadok TM, Dozois RR. Basal cell carcinoma of the perianal region: 20-year experience. Dis Colon Rectum. 1999;42:1200-1202.
145. Paterson CA, Young-Fadok TM, Dozois RR. Basal cell carcinoma of the perianal region: 20-year experience. Dis Colon Rectum

1999;42:1200-1202.

146. Pezim ME, Nicholls RJ. Survival after high or low ligation of the inferior mesenteric artery during curative surgery for rectal cancer. Ann Surg 1984;200:729-733.

147. Place RJ, Huber PJ, Simmang CL. Anorectal lymphoma and AIDS: an outcome analysis. J Surg Oncol 2000;73:1-4.

148. Poston G, Adam R, Vauthey JN. Downstaging or downsizing: time for a new staging system in advanced colorectal cancer? J Clin Oncol 2006;24:2702-2706.

149. Reiertsen O, Bakka A, Tronnes S, Gauperaa T. Routine double contrast barium enema and fiberoptic colonoscopy in the diagnosis of colorectal carcinoma. Acta Chir Scand 1988;154:53-55.

150. Remzi FH, El Gazzaz G, Kiran RP, Kirat HT, Fazio VW. Outcomes following Turnbull-Cutait abdominoperineal pull-through compared with coloanal anastomosis. Br J Surg 2009;96:424-429.

151. Rhim H, Yoon KH, Lee JM, et al. Major complications after radiofrequency thermal ablation of hepatic tumors: spectrum of imaging findings. Radiographics 2003;23:123-134.

152. Rifkin MD, Ehrlich SM, Marks G. Staging of rectal carcinoma: prospective comparison of endorectal US and CT. Radiology 1989;170:319-322.

153. Rockey DC, Paulson E, Niedzwiecki D, et al. Analysis of air contrast barium enema, computed tomographic colonography, and colonoscopy: prospective comparison. Lancet 2005;365:305-311.

154. Rödel C, Graeven U, Fietkau R et al. Oxaliplatin added to fluorouracil-based preoperative chemoradiotherapy and postoperative chemotherapy of locally advanced rectal cancer (the German CAO/ARO/AIO-04 study): final results of the multicentre, open-label, randomised, phase 3 trial. Lancet Oncol 2015;16:979-989.

155. Rondelli F, Reboldi P, Rulli A, et al. Loop ileostomy versus loop colostomy for fecal diversion after colorectal or coloanal anastomosis: a meta-analysis. Int J Colorectal Dis 2009;24:479-488.

156. Rothwell PM, Fowkes FG, Belch JF, et al. Effect of daily aspirin on long-term risk of death due to cancer: analysis of individual patient data from radomised trials. Lancet 2011;377:31-41.

157. Rullier E, Laurent C, Bretagnol F, Rullier A, Vendrely V, Zerbib F. Sphincter-saving resection for all rectal carcinomas: the end of the 2-cm distal rule. Ann Surg 2005;241:465-469.

158. Rullier E, Zerbib F, Laurent C, Caudry M, Saric J. Morbidity and functional outcome after double dynamic graciloplasty for anorectal reconstruction. Br J Surg 2000;87:909-913.

159. Rusthoven KE, Kavanagh BD, Cardenes H, et al. Multi-institutional phase I/II trial of stereotactic body radiation therapy for liver metastases. J Clin Oncol 2009;27:1572-1578.

160. Sahani DV, Kalva SP, Hamberg LM, et al. Assessing tumor perfusion and treatment response in rectal cancer with multisection CT: initial observations. Radiology 2005;234:785-792.

161. Sauer R, Becker H, Hohenberger W, et al. Preoperative versus postoperative chemoradiotherapy for rectal cancer. N Engl J Med 2004;351:1731-1740.

162. Schaffzin DM, Wong WD. Endorectal ultrasound in the preoperative evaluation of rectal cancer. Clin Colorectal Cancer 2004;4:124-132.

163. Serra-Aracil X, Vallverdú H, Bombardó-Junca J, Pericay-Pijaume C, Urgellés-Bosch J, Navarro-Soto S . Long-term follow-up of local rectal cancer surgery by transanal endoscopic microsurgery. World J Surg 2008;32:1162-1167.

164. Shin A, Choi KS, Jun JK, Noh DK, Suh M, Jung KW, et al. Validity of fecal occult blood test in the national cancer screening program, Korea. PLoS One 2013;8:e79292.

165. Sidney JW, Edward TS, Ann GZ, John HB, Howard A, Jerome DW, et al. A comparison of colonoscopy and double-contrast barium enema for surveillance after polypectomy: National Polyp Study Work Group. N Engl J Med 2000;342:1766-7.

166. Sinha R, Verma R, Rajesh A, Richards CJ. Diagnostic value of multidetector row CT in rectal cancer staging: comparison of multiplanar and axial images with histopathology. Clin Radiol 2006;61:924-931.

167. Sischy B, Doggett RL, Krall JM, et al. Definitive irradiation and chemotherapy for radiosensitization in management of anal carcinoma: interim report on Radiation Therapy Oncology Group study no. 8314. J Natl Cancer Inst 1989;81:850-856.

168. Smith DE, Shah KH, Rao AR, et al. Cancer of the anal canal: treatment with chemotherapy and low-dose radiation therapy. Radiology 1994;191:569-572.

169. Smith LA, Sidhu P, Sidhu S, Rembacken B. Meta-analysis of air contrast barium enema, computed tomography colonography, and colonoscopy. Am J Med 2008;121:e7.

170. Song HY, Kim JH, Shin JH et al. A dual-design expandable colorectal stent for malignant colorectal obstruction: results of a multicenter study. Endoscopy 2007;39: 448-454.

171. Song M, Garrett WS, Chan AT. Nutrients, foods, and colorectal cancer prevention. Gastroenterol 2015;148:1244-60.

172. Stamatakos M, Douzinas E, Stefanaki C, et al. Gastrointestinal stromal tumor. World J Surg Oncol 2009 Aug 1;7:61.

173. Stang A, Fischbach R, Teichmann W, Bokemeyer C, Braumann D. A systematic review on the clinical benefit and role of radiofrequency ablation as treatment of colorectal liver metastases. Eur J Cancer 2009;45:1748-1756.

174. Steele SR, Martin MJ, Place RJ. Flexible endorectal ultrasound for predicting pathologic stage of rectal cancers. Am J Surg 2002;184:126-130.

175. Stevenson AR, Solomon MJ, Lumley JW, et al. Effect of Laparoscopic-assisted resection vs open resection on pathological outcomes in rectal cancer: the ALaCaRT randomized clinical trial. JAMA 2015;314:1356-63.

176. Tanum G, Tveit KM, Karlsen KO. Chemoradiotherapy of anal carcinoma: tumour response and acute toxicity. Oncology 1993;50:14-17.
177. Taylor FG, Quirke P, Heald RJ, Moran BJ, Blomqvist L, Swift IR, et. al. Magnetic resonance imaging in rectal cancer European Equivalence Study Study Group. Preoperative magnetic resonance imaging assessment of circumferential resection margin predicts disease-free survival and local recurrence: 5-year follow-up results of the MERCURY study. J Clin Oncol 2014;32:34-43.
178. Terry P, Giovannucci E, Michels KB, et al. Fruit, vegetables, dietary fiberm and risk of colorectal cancer. J Natl Cancer Inst 2001;93:525-533.
179. Toma J, Paszat LF, Gunraj N, Rabeneck L. Rates of new or missed colorectal cancer after barium enema and their risk factors: a population-based study. Am J Gastroenterol 2008;103:3142-148.
180. Vliegen R, Dresen R, Beets G, et al. The accuracy of Multi-detector row CT for the assessment of tumor invasion of the mesorectal fascia in primary rectal cancer. Abdom Imaging 2008;33:604-610.
181. Vogelstein B, Fearon ER, Hamilton SR, et al. Genetic alterations during colorectal-tumor development. N Engl J Med 1988;319:525-532.
182. Vogl TJ, Pegios W, Mack MG, et al. Accuracy of staging rectal tumors with contrast-enhanced transrectal MR imaging. Am J Roentgenol 1997;168:1427-1434.
183. Warden MJ, Petrelli NJ, Herrera L, Mittelman A. Endoscopy versus double-contrast barium enema in the evaluation of patients with symptoms suggestive of colorectal carcinoma. Am J Surg 1988;155:224-226.
184. Wasserberg N, Gutman H. Resection margins in modern rectal cancer surgery. J Surg Oncol 2008;98:611-615.
185. Welton ML, Sharkey FE, Kahlenberg MS. The etiology and epidemiology of anal cancer. Surg Oncol Clin N Am 2004;13:263-275.
186. Weyandt GH, Eggert AO, Houf M, et al. Anorectal melanoma: surgical management guidelines according to tumour thickness. Br J Cancer 2003;89:2019-2022.
187. Whiteford MH, Whiteford HM, Yee LF, et al. Usefulness of suspected metastatic or recurrent adenocarcinoma of the colon and rectum. Dis Colon Rectum 2000;43:759-767.
188. Wiering B, Vogel WV, Ruers TJ, Oyen WJ. Controversies in the management of colorectal liver metastases: role of PET and PET/CT. Dig Surg 2008;25:413-420.
189. Wikinson MJ, Fitzgerald JEF, Strauss DC et al. Surgical treatment of gastrointestinal stromal tumour of the rectum in the era of imatinib. Br J Surg 2015;102:965-71.
190. Wu M, Fannin J, Rice KM, Wang B, Blough ER. Effect of aging on cellular mechanotransduction. Ageing Res Rev 2011;10:1-15.
191. Yamada K, Ishizawa T, Niwa K, Chuman Y, Akiba S, Aikou T. Patterns of pelvic invasion are prognostic in the treatment of locally recurrent rectal cancer. Br J Surg 2001;88:988-993.
192. Yoon SN, Park IJ, Kim HC, et al. Extramammary Paget's disease in Korea: its association with gastrointestinal neoplasms. Int J Colorectal Dis 2008;23:1125-1130.
193. Yuhan R, Orsay C, DelPino A, et al. Anorectal disease in HIV-infected patients. Dis Colon Rectum 1998;41:1367-1370.
194. Yun HR, Chun HK, Lee WS, Cho YB, Yun SH, Lee WY. Intra-operative measurement of surgical lengths of the rectum and the peritoneal reflection in Korean. J Korean Med Sci 2008;23:999-1004.
195. Zmora O, Wexner SD, Hajjar L, et al. Trends in preparation for colorectal surgery: survey of the members of the American Society of Colon and Rectal Surgeons. Am Surg 2003;69:150-154.

[XI. 유전성 대장암]

1. 박재갑 편저. 대장항문학. 제 3판. 서울: 일조각 200.
2. Al-Tassan, Chmiel NH, Maynard J, et al. Inherited variants of MYH associated with somatic G:C→T:A mutations in colorectal tumors. Nat Genet 2002;30:227-23.
3. Bodmer WF, Bailey CJ, Bodmer J, et al. Localization of the gene for familial adenomatous polyposis on chromosome 5. Nature 1987;328:614-61.
4. Boland CR, Thibodeau SN, Hamilton SR, et al. A National Cancer Institute Workshop on Microsatellite Instability for cancer detection and familial predisposition: development of international criteria for the determination of microsatellite instability in colorectal cancer. Cancer Res 1998;58:5248-525.
5. Bronner CE, Baker SM, Morrison PT, et al. Mutation in the DNA repair gene homologue hMLH1 is associated with hereditary non-polyposis colon cancer. Nature 1994;368:258-26.
6. Bulow S. Results of national registration of familial adenomatous polyposis. Gut 2003;52:742-74.
7. Cannon-Albright LA, Skolnick MA, Bishop T, et al. Common inheritance of susceptibility to colonic adenomatous polyps and associated colorectal cancers. N Engl J Med 1988;319:533-53.
8. Charames GS, Bapat B. Genomic instability and cancer. Curr Mol Med 2003;3:589-59.
9. Choi HS, Park YJ, Park JG, et al. Clinical characteristics of Peutz-Jeghers syndrome in Korean polyposis patients. Int J Colorectal Dis 2000;15:35-3.
10. DeJong A, Morreau H, Van Puijenbroek M, et al. The role of mismatch repair gene defects in the development of adenomas in patients with HNPCC. Gastroenterology 2004;126:42-4.
11. Elsaleh H, Joseph D, Grieu F, et al. Association of tumour site and sex with survival benefit from adjuvant chemotherapy in colorectal cancer. Lancet 2000;355:1745-175.
12. Fishel R, Lescoe MK, Rao MRS, et al. The human mutator gene

homolog MSH2 and its association with hereditary nonpolyposis colon cancer. Cell 1993;75:1027-103.

13. Groden J, Thliveris A, Samowitz W, et al. Identification and characterization of the familial adenomatous polyposis coli gene. Cell 1991;66:589-60.
14. Han HJ, Maruyama M, Baba S, et al. Genomic structure of human mismatch repair gene hMLH1, and its mutation analysis in patients with hereditary non-polyposis colorectal cancer (HNPCC). Hum Mol Genet 1995;4:237-24.
15. Han HJ, Yuan Y, Ku JL, et al. Germline mutations of hMLH1 and hMSH2 genes in Korean hereditary nonpolyposis colorectal cancer. J Natl Cancer Inst 1996;88:1317-131.
16. Howe JR, Bair JL, Sayed MG, et al, Germline mutations of the gene encoding bone morphogenetic protein receptor 1A in juvenile polyposis. Nat Genet 2001;28:184-18.
17. Howe JR, Roth S, Ringold JC, et al. Mutations in the SMAD4/DPC4 Gene in juvenile polyposis. Science 1998;280:1086-108.
18. Huang J, Kuismanen SA, Liu T, et al. MSH6 and MSH3 are rarely involved in genetic predisposition to nonpolypotic colon cancer. Cancer Res 2001;61:1619-162.
19. Jenne DE, Reimann H, Nezu J, et al. Peutz-Jeghers syndrome is caused by mutations in a novel serine threonine kinase. Nat Genet 1998;18:38-4.
20. Kim DW, Kim IJ, Kang HC, et al. Germline mutations of the MYH gene in Korean patients with multiple colorectal adenomas. Int J Colorectal Dis 2007;22:1173-117.
21. Kim DW, Kim IJ, Kang HC, et al. Mutation spectrum of the APC gene in 83 Korean FAP families. Hum Mutat 2005;26:28.
22. Kim IJ, Ku JL, Yoon KA, et al. Germline mutation of the dpc4 gene in Korean juvenile polyposis. Int J Cancer 2000;86:529-53.
23. Kim IJ, Park JH, Kang HC, et al. Identification of a novel BMPR1A germline mutation in a Korean juvenile polyposis patient without SMAD4 mutation. Clin Genet 2003;63:126-13.
24. Lanspa ST, Lynch HT, Smyrk TC, et al. Colorectal adenomas in the Lynch syndromes: results of a colonoscopy screening program. Gastroenterology 1990;98:1117-112.
25. Lipton L, Halford SE, Johnson V, et al. Carcinogenesis in MYH-associated polyposis follows a distinct genetic pathway. Cancer Res 2003;63:7595-759.
26. Nicolaides NC, Papadopoulus N, Liu, B, et al. Mutations of two PMS homologues in hereditary nonpolyposis colon cancer. Nature 1994;371:75-8.
27. Park JG, Han HJ, Kang MS, et al. Presymptomatic diagnosis of familial adenomatous polyposis coli. Dis Colon Rectum 1994;37:700-70.
28. Park JG, Han HJ, Won YJ, et al. Familial adenomatous polyposis and hereditary nonpolyposis colorectal cancer in Korea. In Baba S, editor. New Strategies for Treatment of Hereditary Colorectal Cancer. Tokyo: Churchill Livingstone 199.
29. Park JG, Kim DW, Hong CW, et al. Germline mutations of mismatch repair genes in hereditary nonpolyposis colorectal cancer patients with small bowel cancer - InSiGHT Collaborative Study. Clin Cancer Res 2006;12:3389-339.
30. Park JG, Park KJ, Ahn YO, et al. Risk of gastric cancer among Korean familial adenomatous polyposis patients. Reports of three cases. Dis Colon Rectum 1992;35:996-99.
31. Park JG, Park KJ, Won CK, et al. Polyposis coli syndrome in Koreans - Korean Polyposis Registry. J Korean Soc Coloproctol 1991;7:1-1.
32. Park JG, Vasen HF, Park KJ, et al. Suspected hereditary nonpolyposis colorectal cancer: International Collaborative Group on Hereditary Non-Polyposis Colorectal Cancer (ICG-HNPCC) criteria and results of genetic diagnosis. Dis Colon Rectum 1999;42:710-71.
33. Park JG, Vasen HFA, Park YJ, et al. Suspected HNPCC and Amsterdam criteria II: evaluation of mutation detection rate, and international collaborative study. Int J Colorectal Dis 2002:17:109-11.
34. Park YJ, Shin KH, Park JG. Risk of gastric cancer in hereditary nonpolyposis colorectal cancer in Korea. Clin Cancer Res 2000;6:2994-299.
35. Peltomaki P, Lothe RA, Aaltonen LA, et al. Microsatellite instability is associated with tumors that characterize the hereditary nonpolyposis colorectal carcinoma syndrome. Cancer Res 1993;53:5853-585.
36. Phillips RKS, Wallace MH, Lynch PM, et al. A randomised, double blind, placebo controlled study of celecoxib, a selective cyclooxygenase 2 inhibitor, on duodenal polyposis in familial adenomatous polyposis. Gut 2002;50:857-86.
37. Rajagopalan H, Bardelli A, Lingauer C, et al. RAF/RAS oncogenes and mismatch repair status. Nature 2002;418:93.
38. Ribic CM, Sargent DJ, Moore MJ, et al. Tumor microsatellite instability status as a predictor of benefit from fluorouracil-based adjuvant chemotherapy for colon cancer. N Engl J Med 2003;349:247-25.
39. Rodriguez-Bigas MA, Boland CR, Hamilton SR, et al. A National Cancer Institute Workshop on Hereditary Nonpolyposis Colorectal Cancer Syndrome: meeting highlights and Bethesda guidelines. J Natl Cancer Inst 1997;89:1758-176.
40. Rustin RB, Jagelman DG, McGannon E, et al. Spontaneous mutation in familial adenomatous polyposis. Dis Colon Rectum 1990;33:52-5.
41. Shin KH, Ku JL, Park JG. Germline mutations in a polycytosine repeat of the hMSH6 gene in Korean hereditary nonpolyposis colorectal cancer. J Hum Genet 1999;44:18-2.
42. Shin KH, Park YJ, Park JG. PTEN gene mutation in colorectal cancers displaying microsatellite instability. Cancer Lett

2001;174:189-19.

43. Shin KH, Shin JH, Kim JH, et al. Mutational analysis of promoters of mismatch repair genes hMSH2 and hMLH1 in hereditary non-polyposis colorectal cancer and early onset colorectal cancer patients: identification of three novel germline mutations in promoter of the hMSH2 gene. Cancer Res 2002;62:38-4.
44. Shin YK, Heo SC, Shin JH, et al. Germline mutationss in MLH1, MSH2 and MSH6 in Korean hereditary non-polyposis colorectal cancer families. Human Mut 2004;24:35.
45. Sieber OM, Lipton L, Crabtree M, et al. Multiple colorectal adenomas, classic adenomatous polyposis, and germ-line mutations in MYH. N Engl J Med 2003;348:791-79.
46. Steinbach G, Lynch PM, Phillips RK, et al. The effect of celecoxib, a cyclooxygenase-2 inhibitor, in familial adenomatous polyposis. N Engl J Med 2000;342:1946-195.
47. Terdiman JP, Gum JR Jr, Conrad PG, et al. Efficient detection of hereditary nonpolyposis colorectal cancer gene carriers by screening for tumor microsatellite instability before germline genetic testing. Gastroenterology 2001;120:21-3.
48. Tonelli F, Valanzano R, Messerini L, et al. Long-term treatment with sulindac in familial adenomatous polyposis: is there an actual efficacy in prevention of rectal cancer? J Surg Oncol 2000;74:15-2.
49. Trimbath JD, Giardiello FM. Genetic testing and counselling for hereditary colorectal cancer. Aliment Pharmacol Ther 2002;16:1843-185.
50. Umar A, Boland CR, Terdiman JP, et al. Revised Bethesda Guidelines for hereditary nonpolyposis colorectal cancer (Lynch syndrome) and microsatellite instability. J Natl Cancer Inst 2004;96:261-26.
51. Vasen HFA, Mecklin J-P, Khan PM, et al. The International Collaborative Group on Hereditary Nonpolyposis Colorectal Cancer (ICG-HNPCC). Dis Colon Rectum 1991;34:424-42.
52. Vasen HFA, Watson P, Mecklin J-P, et al. New clinical criteria for hereditary non polyposis colorectal cancer (HNPCC, Lynch syndrome) proposed by the International Collaborative Group on HNPCC. Gastroenterology 1999;116:1453-145.
53. Venesio T, Molatore S, Cattaneo F, et al. High frequency of MUTYH gene mutations in a subset of patients with familial adenomatous polyposis. Gastroenterology 2004;126:1681-168.
54. Wagner A, Hendricks Y, Meijers-Heyboer EJ, et al. MSH6 germline mutations; analysis of a large Dutch pedigree. J Med Genet 2001;58:318-32.
55. Wahlberg SS, Schmeits J, Thomas G, et al. Evaluation of microsatellite instability and immunohistochemistry for the prediction of germ-line MSH2 and MLH1 in hereditary nonpolyposis colon cancer families. Cancer Res 2002;62:3485-349.
56. Wolff BG, Fleshman JW, Beck DE, eds. The ASCRS Textbook of Colon and Rectal Surgery. 1st ed. New York: Springer 200.
57. Won YJ, Park KJ, Kwon HJ, et al. Germline mutations of the APC gene in Korean familial adenomatous polyposis patients. J Hum Genet 1999;44:103-10.
58. Yan H, Papadopolous N, Marra G, et al. Conversion of diploidy to haploid. Nature 2000;403:723-72.
59. Yoon KA, Ku JL, Choi HS, et al. Germline mutations of the STK11 gene in Korean Peutz-Jeghers syndrome patients. Br J Cancer 2000;82:1403-140.
60. Yuan Y, Han HJ, Zheng S, et al. Germline mutations of hMLH1 and hMSH2 genes in patients with suspected hereditary nonpolyposis colorectal cancer and sporadic early-onset colorectal cancer. Dis Colon Rectum 1998;41:434-44.

[XII. 천골앞종양]

1. 대한외과학회: 외과학용어집(Surgical Terminology). 아카데미아, 201.
2. 박재갑: 대장항문학, 제4판, 504-510, 일조각, 201.
3. Brunicardi FC, Andersen DK, Billiar TR, Dunn DL, Hunter JG, Matthews JB, Pollock RE: Schwartz's Principles of Surgery. 1217, 10th ed., Mc Graw Hill Education, 2015 .
4. Dozois EJ, Jacofsky DJ, Dozois RR: The ASCRS textbook of colon and rectal surgery, Presacral tumors. Springer, 200.
5. Hassan I, Wuetfekdt ED: Presacral tumors: Diagnosis and management. Clini Colon Rectal Surg, 22(2):84-93, 200.
6. Hobson KG, Ghaemmaghami V, Roe JP, Goodnight JE, Khatri VP: Tumors of the retrorectal space. Dis Colon Rectum 48(10):1964-74, 2005 .
7. Jao SW, Beart RW Jr, Spencer RJ, et al: Retrorectal tumors, Mayo Clinic experience. 1960-1979. Dis Colon Rectum 1985 28:644-652.

[XIII. 복강경 결직장 수술]

1. 박재갑, 서경석, 정희원 등. 복강경을 이용한 대장 부분 절제 시행 1예. 대한대장항문병학회지;9(1):73-76.
2. 백세진, 최동진, 김진 등. 복강경 결직장 수술 전 장준비: 경구 기계적 장세척군과 단순관장군의 전향적 비교 연구. 대한대장항문학회지 2009;25(5):294-9.
3. Agarwal S, Gincherman M, Birnbaum E, et al. Comparison of long-term follow up of laparoscopic versus open colectomy for transverse colon cancer. Proceedings (Baylor University Medical Center) 2015;28(3):296.
4. Alexander R, Jaques B, Mitchell K. Laparoscopically assisted colectomy and wound recurrence. The Lancet 1993;341(8839):249-50.
5. Alves A, Panis Y, Slim K, et al. French multicentre prospective observational study of laparoscopic versus open colectomy for sigmoid diverticular disease. British journal of surgery 2005;92(12):1520-25.
6. Bonjer HJ, Deijen CL, Abis GA, et al. A randomized trial of lapa-

roscopic versus open surgery for rectal cancer. New England Journal of Medicine 2015;372(14):1324-32.

7. Bucher P, Pugin F, Morel P. Single port access laparoscopic right hemicolectomy. International journal of colorectal disease 2008;23(10):1013-16.

8. Choi DJ, Kim SH, Lee PJ, et al. Single-stage totally robotic dissection for rectal cancer surgery: technique and short-term outcome in 50 consecutive patients. Diseases of the Colon & Rectum 2009;52(11):1824-30.

9. Choi G. A Trial to Assess Robot-assisted Surgery and Laparoscopy-assisted Surgery in Patients with Mid or Low Rectal Cancer (COLRAR). ClinicalTrails gov identifier: NCT01423214 Secondary A Trial to Assess Robot-assisted Surgery and Laparoscopy-assisted Surgery in Patients with Mid or Low Rectal Cancer (COLRAR) ClinicalTrails gov identifier: NCT01423214 Available from: URL: http://clinicaltrials gov/ct2/show/NCT01423214.

10. Collinson FJ, Jayne DG, Pigazzi A, et al. An international, multicentre, prospective, randomised, controlled, unblinded, parallel-group trial of robotic-assisted versus standard laparoscopic surgery for the curative treatment of rectal cancer. International journal of colorectal disease 2012;27(2):233-41.

11. D'Annibale A, Pernazza G, Monsellato I, et al. Total mesorectal excision: a comparison of oncological and functional outcomes between robotic and laparoscopic surgery for rectal cancer. Surgical endoscopy 2013;27(6):1887-95.

12. Deijen CL, Velthuis S, Tsai A, et al. COLOR III: a multicentre randomised clinical trial comparing transanal TME versus laparoscopic TME for mid and low rectal cancer. Surgical endoscopy 2015:1-6.

13. Evans C, Galustian C, Kumar D, et al. Impact of surgery on immunologic function: comparison between minimally invasive techniques and conventional laparotomy for surgical resection of colorectal tumors. The American Journal of Surgery 2009;197(2):238-45.

14. Fleshman J, Branda M, Sargent DJ, et al. Effect of laparoscopic-assisted resection vs open resection of stage II or III rectal cancer on pathologic outcomes: the ACOSOG Z6051 randomized clinical trial. JAMA : the journal of the American Medical Association 2015;314(13):1346-55.

15. Fleshman J, Sargent DJ, Green E, et al. Laparoscopic colectomy for cancer is not inferior to open surgery based on 5-year data from the COST Study Group trial. Annals of surgery 2007;246(4):655-64.

16. Fleshman JW, Wexner SD, Anvari M, et al. Laparoscopicvs. open abdominoperineal resection for cancer. Diseases of the colon & rectum 1999;42(7):930-39.

17. Group CCLoORS. Laparoscopic surgery versus open surgery for colon cancer: short-term outcomes of a randomised trial. The lancet oncology 2005;6(7):477-84.

18. Group CCLoORS. Survival after laparoscopic surgery versus open surgery for colon cancer: long-term outcome of a randomised clinical trial. The lancet oncology 2009;10(1):44-52.

19. Group COoSTS. A comparison of laparoscopically assisted and open colectomy for colon cancer. The New England journal of medicine 2004;350(20):2050.

20. Guillou PJ, Quirke P, Thorpe H, et al. Short-term endpoints of conventional versus laparoscopic-assisted surgery in patients with colorectal cancer (MRC CLASICC trial): multicentre, randomised controlled trial. The lancet 2005;365(9472):1718-26.

21. Hewett PJ, Allardyce RA, Bagshaw PF, et al. Short-term outcomes of the Australasian randomized clinical study comparing laparoscopic and conventional open surgical treatments for colon cancer: the ALCCaS trial. Annals of surgery 2008;248(5):728-38.

22. Jacobs M, Verdeja J, Goldstein H. Minimally invasive colon resection (laparoscopic colectomy). Surgical Laparoscopy Endoscopy & Percutaneous Techniques 1991;1(3):144-50.

23. Jayne D, Brown J, Thorpe H, et al. Bladder and sexual function following resection for rectal cancer in a randomized clinical trial of laparoscopic versus open technique. British journal of surgery 2005;92(9):1124-32.

24. Jayne DG, Guillou PJ, Thorpe H, et al. Randomized trial of laparoscopic-assisted resection of colorectal carcinoma: 3-year results of the UK MRC CLASICC Trial Group. Journal of Clinical Oncology 2007;25(21):3061-68.

25. Jeong S-Y, Park JW, Nam BH, et al. Open versus laparoscopic surgery for mid-rectal or low-rectal cancer after neoadjuvant chemoradiotherapy (COREAN trial): survival outcomes of an open-label, non-inferiority, randomised controlled trial. The Lancet Oncology 2014;15(7):767-74.

26. Kang S-B, Park JW, Jeong S-Y, et al. Open versus laparoscopic surgery for mid or low rectal cancer after neoadjuvant chemoradiotherapy (COREAN trial): short-term outcomes of an open-label randomised controlled trial. The lancet oncology 2010;11(7):637-45.

27. Kariv Y, Delaney C, Casillas S, et al. Long-term outcome after laparoscopic and open surgery for rectal prolapse. Surgical Endoscopy And Other Interventional Techniques 2006;20(1):35-42.

28. Kim H, Lee I, Lee Y, et al. A comparative study on the short-term clinicopathologic outcomes of laparoscopic surgery versus conventional open surgery for transverse colon cancer. Surgical endoscopy 2009;23(8):1812-17.

29. Kim JY, Kim N-K, Lee KY, et al. A comparative study of voiding and sexual function after total mesorectal excision with autonomic nerve preservation for rectal cancer: laparoscopic versus robotic surgery. Annals of surgical oncology 2012;19(8):2485-93.

30. Kim S, Milsom J, Church J, et al. Perioperative tumor localization

for laparoscopic colorectal surgery. Surgical endoscopy 1997;11(10):1013-16.

31. Kim SH, Milsom JW, Gramlich TL, et al. Does laparoscopicvs. Conventional surgery increase exfoliated cancer cells in the peritoneal cavity during resection of colorectal cancer? Diseases of the colon & rectum 1998;41(8):971-77.

32. Kim SH, Park IJ, Joh YG, et al. Laparoscopic resection of rectal cancer: a comparison of surgical and oncologic outcomes between extraperitoneal and intraperitoneal disease locations. Diseases of the Colon & Rectum 2008;51(6):844-51.

33. Kitano S, Inomata M, Sato A, et al. Randomized controlled trial to evaluate laparoscopic surgery for colorectal cancer: Japan Clinical Oncology Group Study JCOG 0404. Japanese journal of clinical oncology 2005;35(8):475-77.

34. Lacy AM, Delgado S, Castells A, et al. The long-term results of a randomized clinical trial of laparoscopy-assisted versus open surgery for colon cancer. Annals of surgery 2008;248(1):1-7.

35. Lacy AM, García-Valdecasas JC, Delgado S, et al. Laparoscopy-assisted colectomy versus open colectomy for treatment of non-metastatic colon cancer: a randomised trial. The Lancet 2002;359(9325):2224-29.

36. Larson DW, Dozois EJ, Piotrowicz K, et al. Laparoscopic-assisted vs. open ileal pouch-anal anastomosis: functional outcome in a case-matched series. Diseases of the colon & rectum 2005;48(10):1845-50.

37. Laurent C, Leblanc F, Wütrich P, et al. Laparoscopic versus open surgery for rectal cancer: long-term oncologic results. Annals of surgery 2009;250(1):54-61.

38. Leung KL, Kwok SP, Lam SC, et al. Laparoscopic resection of rectosigmoid carcinoma: prospective randomised trial. The Lancet 2004;363(9416):1187-92.

39. Liang J-T, Lai H-S, Huang K-C, et al. Comparison of medial-to-lateral versus traditional lateral-to-medial laparoscopic dissection sequences for resection of rectosigmoid cancers: randomized controlled clinical trial. World journal of surgery 2003;27(2):190-96.

40. Maartense S, Dunker MS, Slors JFM, et al. Laparoscopic-assisted versus open ileocolic resection for Crohn's disease: a randomized trial. Annals of surgery 2006;243(2):143-49.

41. Madbouly KM, Senagore AJ, Delaney C, et al. Clinically based management of rectal prolapse. Surgical Endoscopy And Other Interventional Techniques 2003;17(1):99-103.

42. Memon S, Heriot AG, Murphy DG, et al. Robotic versus laparoscopic proctectomy for rectal cancer: a meta-analysis. Annals of surgical oncology 2012;19(7):2095-101.

43. Milsom JW, de Oliveira Jr O, Trencheva KI, et al. Long-term outcomes of patients undergoing curative laparoscopic surgery for mid and low rectal cancer. Diseases of the Colon & Rectum 2009;52(7):1215-22.

44. Mistrangelo M, Allaix ME, Cassoni P, et al. Laparoscopic versus open resection for transverse colon cancer. Surgical endoscopy 2015;29(8):2196-202.

45. Nakajima K, Lee S, Sonoda T, et al. Intraoperative carbon dioxide colonoscopy: a safe insufflation alternative for locating colonic lesions during laparoscopic surgery. Surgical Endoscopy and Other Interventional Techniques 2005;19(3):321-25.

46. Ng SS, Leung KL, Lee JF, et al. Long-term morbidity and oncologic outcomes of laparoscopic-assisted anterior resection for upper rectal cancer: ten-year results of a prospective, randomized trial. Diseases of the Colon & Rectum 2009;52(4):558-66.

47. Park I, Kim S, Joh Y, et al. Laparoscopic colorectal surgery using low-pressure pneumoperitoneum combined with abdominal wall lift by placement of anchoring sutures around the camera port. Surgical Endoscopy And Other Interventional Techniques 2006;20(6):956-59.

48. Park SY, Choi G-S, Park JS, et al. Urinary and erectile function in men after total mesorectal excision by laparoscopic or robot-assisted methods for the treatment of rectal cancer: a case-matched comparison. World journal of surgery 2014;38(7):1834-42.

49. Pigazzi A, Hellan M, Ewing DR, et al. Laparoscopic medial-to-lateral colon dissection: how and why. Journal of Gastrointestinal Surgery 2007;11(6):778-82.

50. Reilly WT, Nelson H, Schroeder G, et al. Wound recurrence following conventional treatment of colorectal cancer. Diseases of the colon & rectum 1996;39(2):200-07.

51. Short-term clinical outcomes from a randomized controlled trial to evaluate laparoscopic and open surgery for stage II-III colorectal cancer: Japan Clinical Oncology Group study JCOG 0404 (NCT00147134). ASCO Annual Meeting Proceedings; 2012.

52. Stevenson AR, Solomon MJ, Lumley JW, et al. Effect of Laparoscopic-Assisted Resection vs Open Resection on Pathological Outcomes in Rectal Cancer: The ALaCaRT Randomized Clinical Trial. JAMA : the journal of the American Medical Association 2015;314(13):1356-63.

53. Sylla P, Willingham FF, Sohn DK, et al. NOTES rectosigmoid resection using transanal endoscopic microsurgery (TEM) with transgastric endoscopic assistance: a pilot study in swine. Journal of Gastrointestinal Surgery 2008;12(10):1717-23.

54. van der Pas MH, Haglind E, Cuesta MA, et al. Laparoscopic versus open surgery for rectal cancer (COLOR II): short-term outcomes of a randomised, phase 3 trial. The Lancet Oncology 2013;14(3):210-8.

55. Whelan R, Franklin M, Holubar S, et al. Postoperative cell mediated immune response is better preserved after laparoscopic vs open colorectal resection in humans. Surgical endoscopy 2003;17(6):972-78.

56. Yamamoto S, Inomata M, Katayama H, et al. Short-term surgical outcomes from a randomized controlled trial to evaluate laparoscopic and open D3 dissection for stage II/III colon cancer: Japan Clinical Oncology Group Study JCOG 0404. Annals of surgery 2014;260(1):23-30.
57. Yoo B-E, Cho J-S, Shin J-W, et al. Robotic versus laparoscopic intersphincteric resection for low rectal cancer: comparison of the operative, oncological, and functional outcomes. Annals of surgical oncology 2015;22(4):1219-25.

[XIV. 장루]

1. 세브란스 장루요루전문관리팀 장루 요루관리 포널스출판사 201.
2. 김준호, 이석환, 오수명 등, 장루 보유자의 생활 만족도에 관한 조사II. 대한대장항문학회지 1999;15:31-35.
3. 서현석, 이석환, 오수명 등. 장루 보유자의 생활 만족도 조사. 대한대장항문학회지 1998;14:447-45.
4. 최성일, 이길연, 고영관 등. 장세척이 장루자의 생활에 미치는 영향. 대한대장항문학회지 200016:193-19.
5. Bloemen JG, Visschers RG, Turin RGJ, et al. Long term quality of life in patients with rectal cancer : association with severe postoperative complications and presence of a stoma. Dis Colon Rectum. 2009;52(7):1251-.
6. Bass EM. Del pino A, Tan A, et al. Dose preoperative stoma marking and education by the enterostomal therapist affect outcome? Dis Colon Rectum. 1997;40(4):440-442.
7. D.E. Beck et al. (eds.), The ASCRS Text book of Colon and Rectal Surgery: Second Edition, Springer Science+Business Media, LLC 201.
8. Marvin L. Corman CORMAN'S COLON and RECTAL SURGERY: Sixth edition, LIPPINCOTT WILLIAM & WILKINS, a WOLTERS KLUWER 201.
9. Dini D, Venturini M, Forno G, et al. Irrigation for colostomized cancer patient: A rational approach. Int J Colorectal Dis 1991;6:9-1.
10. Freshman JW and Lewis MG. Complication and quality of life after stoma surgery: A review of 16,470 patient in UOA Data Registry. Seminars in Colon & Rectal Surgery 1991;2:6.
11. Follick MJ, Smith TW, Turk DC. Psychosocial adjustment following ostomy. Health Psycho 1984;3:505-517.
12. Gordon PH, Nivatvongs S. Principles and Practice of Surgery for the Colon, Rectum.
13. and Anus: Intestinal Stomas. 3rd ed, St. Louis: Quality Medical Publishings, Inc. 1999.
14. Jeter KF. Perioperative teaching and councelling. Cancer 1992;10:1346-1349.
15. Joyce P, Susan MC, Max S, et al. Demographic and Clinical Factors Related to Ostomy Complications and Quality of Life in Veterans with an Ostomy, J Wound Ostomy Continence Nurs, 2008;35:493-503.
16. Karadag A, Mentes BB, Uner A et al. Impact of stomatherapy on quality of life in patient with permanent colostomies or ileostomies. Int J Colorectal Dis 2003;18:234-238.
17. McLeod RS, Fazio VW. Quality of life with the continent ileostomy. World J Surg 1984;8:90-95.
18. McLeod RS, Lavery IC, Leatherman JR, et al. Patient evaluation of the conventional ileostomy. Dis Colon Rectum 1985;28:152.
19. Sanada H, Kawashima K. Tsuda M, et al. Natural evacuation versus imigation. OstomyNound Management 1992;38:26-30.
20. Matthiessen P, Hallbook O, Rutegard J, et al. Defunctioning stoma reduces symtomaticanastomatic leakage after low anterior resection of the rectum for cancer: a randomized multicenter trial. Ann Surg. 2007;246:207-214.
21. Segreti EM, Levenback C, Morris M, Lucas KR, Gershenson DM, Burke TW. A comparison of end and loop colostomy for fecal diversion in gynecologic patients with colonic fistulas. Gynecologic Oncology. 1996 Jan;60(1):49-53.
22. Townsend: Sabiston Textbook of surgery, 18th edition, 200.

[XV. 충수]

1. Alvarado A. A practical score for the early diagnosis of acute appendicitis. Ann Emerg Med 1986;15:557-64.
2. Andersson R, Hugander A, Thulin A, et al. Indications for operation in suspected appendicitis and incidence of perforation. BMJ 1994;308:107-10.
3. Choi D, Park H, Lee R, et al. The most useful findings for diagnosing acute appendicitis on contrast-enhanced helical CT. Acta Radiol 2003;44:574-82.
4. Connor SJ, Hanna GB, Frizelle FA. Appendiceal tumors: retrospective clinicopathologic analysis of appendiceal tumors from 7,970 appendectomies. Dis Colon Rectum. 1998;41:75-80.
5. Cooperman M. Complications of appendectomy. Surg Clin North Am. 1983;63:1233-47.
6. Jun YW, Jung H, Kim SJ, et al. Comparison of Clinical Outcomes between Laparoscopic and Open Appendectomy: A Retrospective Analysis of 2,745 Patients. J Korean Surg Soc. 2009;77:320-25.
7. Le D, Rusin W, Hill B, et al. Post-operative antibiotic use in nonperforated appendicitis. Am J Surg 2009;198:748-52.
8. Lee JH, Park YS, Choi JS. The Epidemiology of Appendicitis and Appendectomy in South Korea: National Registry Data. J Epidemiol 2010;20:97-105.
9. Lee SK, Kim DY, Kim SY, et al. Acute Appendicitis: A Survey by the Korean Association of Pediatric Surgeons in 2006. J Korean Assoc Pediatr Surg. 2007;13:203-11.
10. McCusker ME, Cote TR, Clegg LX, et al. Primary malignant neoplasms of the appendix: A population-based study from the Surveillance, Epidemiology and End Results program, 1973-1998. Cancer 2002;94:3307-12.

11. Paulson EK, Kalady MF, Pappas TN. Clinical practice. Suspected appendicitis. N Engl J Med 2003;348:236-42.
12. Pickhardt PJ, Levy AD, Rohrmann CA, et al. Primary neoplasia of the appendix: Radiologic spectrum of disease with pathologic correlation. Radiographics 2003;23:645-52.
13. Sauerland S, Lefering R, Neugebauer EA. Laparoscopic versus open surgery for suspected appendicitis. Cochrane Database Syst Rev. 2004;4:CD001546.
14. Song SK, Choi ST, Kim KK, et al. Clinical Review of Appendiceal Tumors (Retrospective Study of 3,744 Appendectomies or Right Hemicolectomies). J Korean Surg Soc 2007;73:42-7.
15. Tingstedt B, Bexe-Lindskog E, Ekelund M, et al. Management of appendiceal masses. Eur J Surg 2002;168:579-82.

Chapter 03

간, 담도계, 췌장, 비장

Liver, GB, Biliary, Pancreas, Spleen

I 간의 해부와 생리

1. 간의 해부

1) 간의 외부 구조

간은 사람의 몸에서 가장 큰 기관이며 무게는 대략 1,500gm으로, 성인 몸무게의 1.8–3.1%를 차지하게 된다. 태아의 간은 임신 5개월에 약 5.6%이고 출생시 약 4–5%, 한 살이 되면 약 3%를 차지하게 된다. 간은 우상복부의 횡격막 하부에 위치하며 흉곽에 의해 보호받는다. 정상 간은 대부분 쇄골중앙선의 다섯째 늑간에서부터 아래로는 우측 늑골모서리까지 내려와서, 흡기시 간의 하측 모서리가 늑골 모서리 아래에서 촉진되기도 한다. 간은 적갈색이며 글리손피막Glisson's capsule이라는 섬유초fibrous sheath에 둘러싸여 있다. 간의 열fissure은 간 외 혈관, 조직, 장기에 눌려서 만들어진다. 제대열은 좌측문맥의 제대부분과 정맥인대 그리고 간원인대로 이루어진다. 간의 앞면은 가끔 늑골모서리에 의해 눌려 있고, 간 오른쪽 아래의 경우 대장, 신장 및 십이지장에 눌려 있는 모습이고 왼쪽의 경우는 위stomach에 의해 눌린 모양이 된다(그림 3-1).

2) 인대

간원인대round ligament는 배꼽정맥umbilical vein의 잔존 구조물로서 좌간의 간문부로 들어간다. 겸상인대falciform ligament는 좌외구역과 좌내구역을 나누는 경계가 되며 간을 앞측 복벽에 고정시키는 역할을 한다. 겸상인대는 머리쪽으로 가면서 두 개의 층으로 나뉘어져서 우측 및 좌측 관상 인대coronary ligament와 연결되고 좌측 끝은 서서히 두꺼워지면서 좌측 삼각인대triangular ligament가 되고 우측으로는 우측 관상인대와 후방의 벽측복막parietal peritoneum이 만나면서 우측 삼각인대를 만들긴 하지만 좌측같이 두꺼워져 있지는 않다. 양측의 삼각인대는 간을 횡격막에 안전하게 고정시키는 역할을 한다. 미상엽과 좌외구역 사이의 부분에 정맥인대ligamentum venosum가 위치하며 아란티우스 판plate of Arantius에 의해 덮여 있고 위간인대gastrohepatic ligament가 부착된다. 우측 관상인대는 간을 우측 후복막에 고정시키는 역할을 한다. 한편, 정상 간에서는 간원인대, 겸상인대, 삼각인대와 관상인대는 무혈관층으로 간절제시 간을 유동화mobilization 시킬 때, 출혈이 없이 간절제를 용이하게 한다. 담낭와의 중앙부와 좌측으로 간십이지장 인대와 위간 인대가 부착된다. 간십이

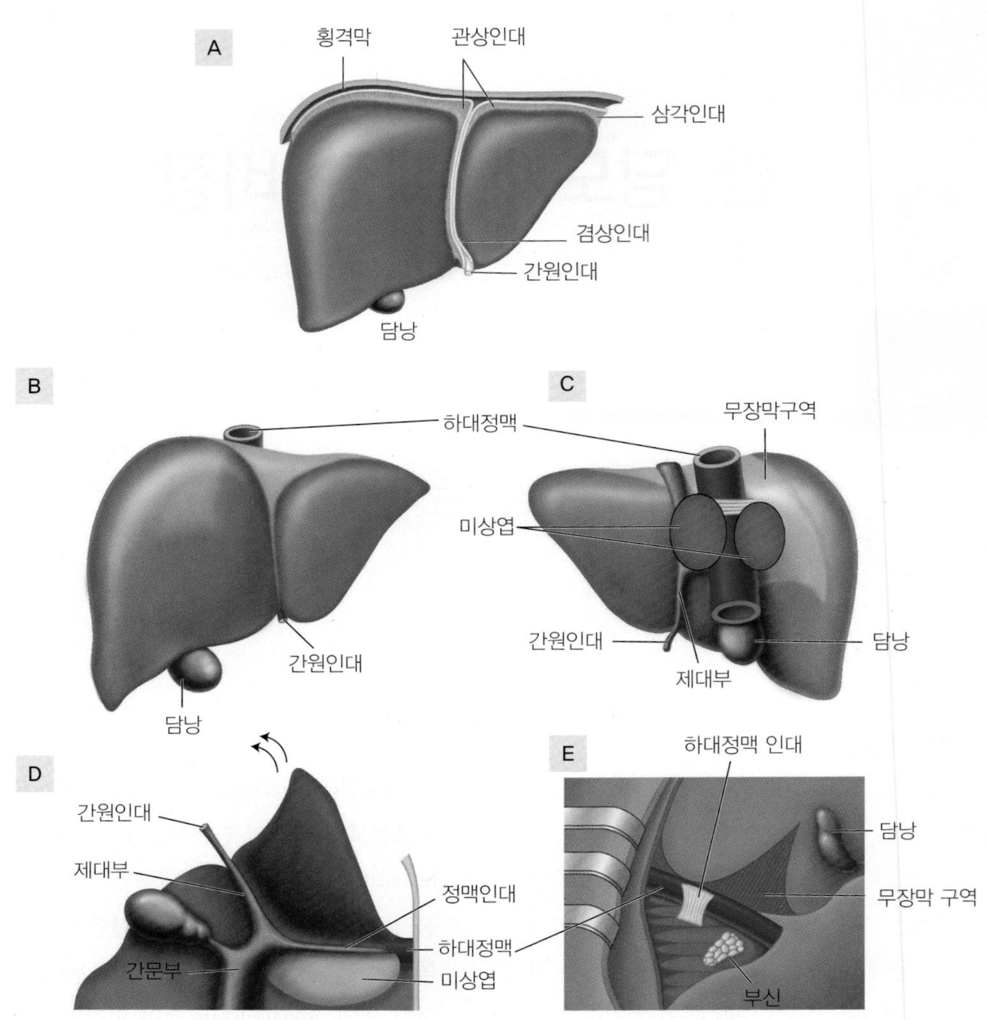

그림 3-1 **간의 주변인대와 외부구조.** A) 주변인대. B) 전방면. C) 후방면. D) 좌측면(간의 좌외구역을 우상측으로 견인한 상태) E) 우측면(우간을 좌측으로 견인하면서 관상인대를 절개하고 무장막구역까지 박리한 상태)

지장 인대는 간문porta hepatis이라고 불리우며 총담관, 간동맥, 간문맥을 포함한다. 간문 우측하부에 윈슬로우공foramen of Winslow이 있으며 망낭공epiploic foramen으로도 불리운다(그림 3-2). 이 통로로 직접 소낭lesser sac과 연결되며 간십이지장 인대를 Pringle 법Pringles' maneuver을 적용하면, 간으로 유입되는 혈류를 완전하게 차단할 수 있다.

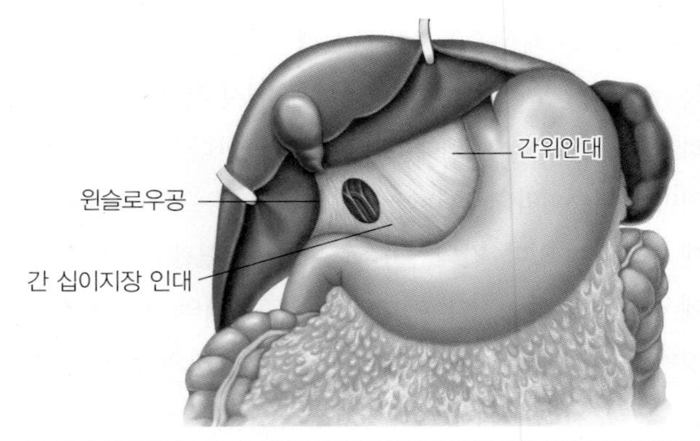

그림 3-2 **간문부 구조**

3) 글리손피막

간 전체는 얇은 결체조직피막인 글리손피막으로 쌓여

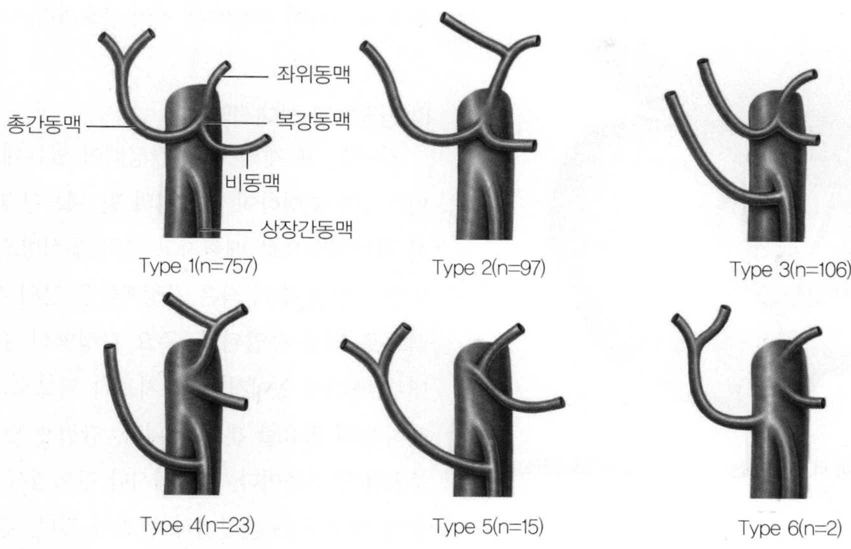

그림 3-3 간동맥의 다양한 변이

있다. 이 피막은 평편한 복막 중피세포peritoneal mesothelial cell의 한 층 아래 자리잡고 있다. 글리손피막은 간문hilum에서 간 실질 속으로 들어가면서 두꺼워지며 문맥, 담도, 동맥을 감싸고 있다. 글리손피막은 간의 말초로 가면서 점차 작은 가지로 나뉘어지게 된다.

4) 간동맥

간은 간동맥과 간문맥이라는 두 혈관에 의해 이중으로 혈류 공급을 받고 있다. 간동맥은 혈류의 25%를 공급하며 간문맥은 75%를 공급하고 있다. 간동맥은 좌위동맥left gastric artery과 비장동맥splenic artery을 내는 복강동맥celiac axis으로부터 기시하여 총간동맥common hepatic artery으로 주행하다가 위십이지장동맥gastroduodenal artery을 내며 고유간동맥proper hepatic artery이 된다. 우위동맥right gastric artery은 고유간동맥에서 분지되나 변이가 있다. 고유간동맥proper hepatic artery은 우간동맥과 좌간동맥으로 나뉘어진다. 이러한 간동맥은 25% 정도에서 다양한 변이가 관찰된다. 많은 경우 한쪽 간이 상장간막동맥superior mesenteric artery이나 좌위동맥 또는 대동맥으로부터 직접 혈류를 받는다. 이러한 동맥은 정상 간동맥에 부가적으로 혈류를 공급하는 부동맥accessory artery이거나 정상 간동맥 없이 변형의 동맥만 치환동맥replacing artery이 될 수도 있다. 그래서 간과 담낭, 췌장 그리고 인접 장기를 수술할 때에는 혈관 관련 합병증 발생을 줄이기 위해서는 수술 전 간동맥 주행에 대한 확인이 필수적이다.

간이식시 공여자의 간을 절제하면서 간 동맥에 대한 관심이 많아졌고 Hiatt 등은 공여자 1,000명에서 6개의 형태로 나누어서 간동맥 분포를 정리하였다(그림 3-3). 그러나 사실상 이보다 많은 변형이 흔히 발견되는데, 예를 들면 우간동맥과 좌간동맥이 복강동맥에서 따로 나오는 경우도 있다. 우간동맥이 상장간동맥으로부터 치환동맥으로서 기시하는 변이는 18–22% 정도로 흔하다(그림 3-4). 상장간막동맥에서 우간동맥 또는 총간동맥이 나오는 경우에는 상장간동맥의 우측에서 나와서 췌장의 후면을 거쳐 간십이지장 인대 부위의 담도 및 문맥의 뒤쪽 림프조직 안에 위치하는 경우가 대부분이다. 따라서 간십이지장의 림프절 박리가 필요한 수술의 경우 반드시 박리 전에 손으로 만져서 동맥의 주행 경로를 숙지하고 수술을 시행하여야 한다. 수술 전 컴퓨터단층촬영이나 자기공명영상에서 또한 이를 확인할 수 있으므로, 수술 전에 이를 파악하는 것이 수술합병증을 줄이는데 도움이 된다.

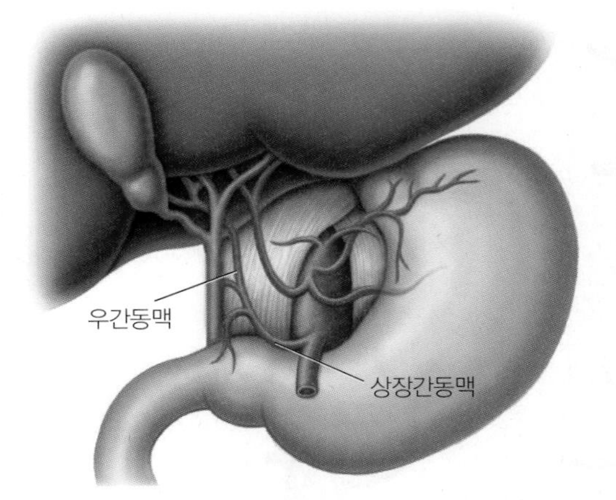

그림 3-4 **상장간막동맥에서 기시하는 치환우간동맥(18-22%)**

5) 간문맥

간문맥은 비장정맥splenic vein과 상장간정맥superior mesenteric vein의 합류로 이루어진다. 하장간정맥inferior mesenteric vein은 일반적으로 비장정맥과 상장간정맥의 합류부위 이전에 비장정맥으로 유입된다. 주간문맥main portal vein은 간문부를 가로지른 후 좌간문맥과 우간문맥으로 나뉜다. 간문부에서 우간문맥의 기시부는 좌간문맥의 기시부보다 높으며 우간문맥은 다시 두 개로 갈라져 우전구역right anterior section과 우후구역으로 유입된다. 좌간문맥은 수평으로 주행하다가 간원인대에서 앞쪽으로 돌면서 2번 분절에 분지를 먼저 내고 올라가 3번과 4번 분절에 분지를 내는 것이 가장 흔한 형태이다. 간문맥은 위, 췌장, 소장, 대장의 대부분의 혈류를 온몸순환(체순환)에 이르기 전에 간으로 유입시킨다. 보통 간문맥압은 3-5mmHg이고, 밸브가 없으며, 문맥고혈압시에 20-30mmHg에 이를 정도로 간문맥압이 높아진다. 문맥고혈압이 발생하였을 시에는 식도 및 위의 정맥류를 발생시키며 출혈이 일어나는 원인이 된다. 문맥고혈압시에는 문맥대정맥문합portocaval shunt을 통해 감압이 이루어지기도 하는데 주로 좌위정맥을 통해 이루어진다. 주간문맥의 다른 분지로 상췌십이지장정맥이 있는데 전외측의 하부에서 기시한다. 간에 인접하여 주간문맥이 우측에서 미상엽 후외측으로 짧은 분지들을 낸다. 우간절제술을 할 때 간문부에서 이 분지들을 구별하여 결찰하는 것이 중요하다.

6) 간정맥과 하대정맥

간에는 세 개의 주요 간정맥이 있는데 간실질 내에서 비스듬이 주행하여 간에서의 혈류를 횡격막 바로 하방에서 하대정맥으로 배출하고 결국 우심방으로 유입시킨다. 또한 다양한 수의 작은 간정맥들은 간의 후방에서 하대정맥으로 직접 유입된다. 주요 간정맥의 주행방향은 간의 내부 해부에 있어서 주요 지표가 되므로 간의 해부를 이해하는데 필요할 뿐만 아니라, 간절제 및 간이식에 가장 중요한 구조물이다. 간절제시나 간외상시 문제가 되는 출혈의 대부분은 간정맥과 관련이 깊다. 간정맥이 손상을 입거나 막혀서 폐쇄되면 간의 울혈을 가져와 간괴사 및 출혈을 초래한다. 간이식의 경우도 간정맥으로 혈류가 잘 배출되지 않을 경우 간조직의 괴사까지 발생하고 문맥압의 항진으로 심한 복수를 초래한다.

우간정맥은 우전구역right anterior section과 우후구역right posterior section 사이를 지나게 되고 주로 VI, VII 분절의 혈류를 배출한다. 중간정맥은 '칸틀리선cantlie line'에 거의 일치하고 우간과 좌간 사이 즉, 우전구역과 좌내구역(IV 분절) 사이를 지나게 되며 IV, V, VIII 분절의 혈류를 배출시킨다. 좌간정맥은 주로 좌외구역인 II, III 분절의 혈류를 배출한다(그림 3-5). 우간정맥은 비스듬히 주행하여 독립적으로 하대정맥으로 유입된다. 좌간정맥과 중간정맥은 하대정맥으로 유입되기 전에 대략 95%의 빈도로 공통혈관common trunk을 이룬다. 미상엽은 특이하게도 정맥혈류를 직접 하대정맥으로 유입시킨다. 또한 간은 몇몇 작은 단간정맥short hepatic vein을 통하여 직접 하대정맥으로 혈류를 유입시킨다. 큰 직경의 우하부간정맥right inferior hepatic vein이 발견되는데 대략 15-20%의 정도의 빈도이다. 좌간정맥도 여러 가지 변형이 있으나 외과적으로 중요한 것은 좌내측과 좌외측의 구역 사이를 흐르는 정맥이다. 이것은 단열정맥intersectoral vein, 제대정맥 등으로 불리고 있다. 생체간이식 시 좌외구역을 절제할 경우 보존되어야 할 정맥이다.

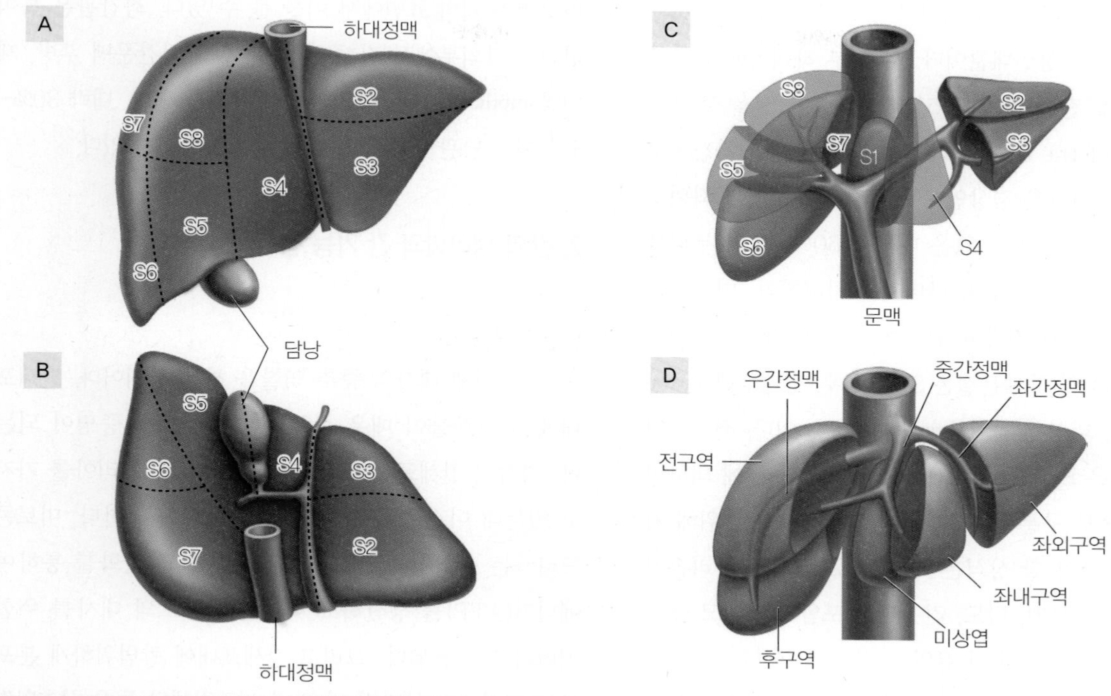

그림 3-5 **Couinaud 분절 및 간정맥 및 문맥 주행에 따른 분절 해부. A)** 전방면, B) 하방면, C) 간정맥 주행, D) 간문맥 주행

7) 간의 분절 해부

간의 해부구조에 관한 이해에서 괄목할 만한 발전은 1950년대 초기에 프랑스의 외과의사이자 해부학자였던 Couinaud의 연구에 의해 이루어졌다. Couinaud는 간을 8분절로 나누고 미상엽을 I번으로 하여 시계방향으로 번호를 부여했다. II, III 분절들은 좌외구역을 구성하고 IV 분절은 좌내구역이 된다. 이런 식으로 좌간은 좌외구역(Couinaud's segments II and III)과 좌내구역(segment IV)으로 구성된다. IV분절은 IVA and IVB 하부분절로 나눌 수 있다. IVA분절은 횡격막 직하방에 위치하며, VIII분절로부터 II분절에 인접한 겸상인대에까지 이른다. IVB분절은 담낭와에 인접하여 위치한다.

간의 혈관 구조를 알아야 경계를 나눌 수 있는데, 이를 알기 위해서는 전산화단층촬영이나 초음파검사가 도움이 된다. 문맥과 간정맥이 잘 표시되는 CT 사진이 있으면 분절을 쉽게 나눌 수 있다. 간정맥은 상부에서는 약간 횡적으로 가다가 간 하부로 가면서 수직으로 내려간다. 따라서 횡적으로 자르는 CT에서 상부에서는 길쭉하게 나타나고 아래로 가면 원형으로 된다. 문맥은 간의 하측에서는 약간 횡적으로 흐르지만 상부로 갈수록 수직으로 올라가서 CT 상에서는 상부에서는 원형으로 하부에서는 길쭉하게 나오게 된다.

간문맥의 구조에서 중요한 것은 좌측 문맥의 구조이다. 좌측문맥은 횡단부transverse part와 제대부umbilical part로 나눈다. 좌측 문맥은 우측 문맥과는 상이하게 좌내구역을 지나가서 좌외구역의 분지를 내고 제대부를 만들고 우측으로 돌아오면서 좌내구역에 유입된다. 여기에서 제대부는 제대열의 내측으로 있게 되고 따라서 좌외측과 좌내측을 구분하는 중요한 경계선이 된다(그림 3-5C).

추가로 기능적 해부구조는 Bismuth에 의해 밝혀졌는데 간정맥의 분포에 기반을 둔 것이다. 전술한 대로 간에는 세개의 주요 간정맥이 있는데 각각의 정맥은 각각의 상응하는 scissura (fissures)를 따라 주행하며 간을 4개의 sector로 나누게 된다.

간의 분절을 외부에서 식별할 수 있는 구조물은 하대정맥, 담낭 및 겸상인대뿐이다. 간 상부 하대정맥과 담낭을 잇는 선을 칸틀리선이라고 하는데, 이 선을 확장한 mid plane of the liver에 의해서 간은 우간과 좌간으로 나뉘게 되고, 좌간은 겸상인대에 의해 좌내구역과 좌외구역으로 나눌 수 있다. 우엽은 대체로 60–70%의 부피를 차지하며 좌간과 미상엽이 나머지를 차지한다. 미상엽은 하대정맥의 좌측과 전방에 위치하며 세개의 하부 분절로 구성된다. 세개의 하부분절은 Spiegel부, 방대정맥부paracaval portion, 미상엽 돌기부caudate process이다. 좌외구역과 좌내구역은 Brisbane 2,000 terminology에 의하면 구역section으로 구분된다. 그 외에 분절해부학을 위해 기본적으로 알아야 할 상식은 각 분절로 각각의 글리손지(여기에서 항상 문맥, 담도, 간동맥이 포함되어 있고 글리손초에 의해 싸여 있다)가 유입된다는 사실이다. 각 분절은 대부분 한 개의 큰 글리손지가 들어가나 좌내엽의 경우 여러 갈래의 글리손지가 들어가기도 한다.

각 분절을 간 내부에서 쉽고 간편하게 식별하기 위하여 우선 간을 간정맥을 기준으로 나눌 수 있다(그림 3-5D). 우간과 좌간은 중간정맥으로 나눌 수 있다. 물론 변형이 많고 작은 크기의 여러 개의 분지가 나와서 잘 구별이 되지 않을 수도 있다. 이렇게 분리된 우측간은 다시 우간정맥에 의해 우전구역과 우후구역으로 나뉜다. 중간정맥의 왼쪽에 있는 좌간은 좌외와 좌내구역으로 나뉜다. 좌간정맥이 있으나 이는 다른 정맥과 다르게 두 구역 사이를 정확하게는 지나가지 않는다.

8) 담관

간십이지장인대 내에서 총수담관common bile duct은 전방 우측에 위치하고 있다. 총수담관 중 담낭관을 낸 후부터 좌간관과 우간관으로 분리되는 부위까지를 총간관이라고 한다. 일반적으로 간내담관은 간내에서 동맥분지와 주행을 같이 한다. 우전간관의 분지는 일반적으로 간문판hilar plate 위에서 간실질로 들어간다. 우후간관은 우간문맥 후방에서 간실질로 들어가며 간실질로 들어가기 전에 미상엽 돌기의 표면에서 이를 볼 수 있다. 좌간관은 특이하게도 간외부에서 긴 주행을 한 후에 좌간문맥 후방, 제대열umbilical fissure 기저부에서 분지를 낸다. 대략 30%–40%에서 담관의 주행 변이가 있다고 알려져 있다.

2. 간의 생리학과 간 기능 검사의 해석

1) 간의 생리학

간은 인체 대사의 중추 역할을 하는 장기이다. 간세포내에 소기관들이 매우 풍부하다는 것으로 증명이 되는바, 각각의 간세포는 약 1,000개의 미토콘드리아를 가지고 있는데 이것은 세포 체적의 약 20%에 달한다. 미토콘드리아는 산화성 인산화반응과 지방산의 산화를 통하여 에너지(ATP)를 생산하고 이것은 간세포의 대사를 위한 에너지로 사용된다. 그리고 간세포내에 광범위하게 분포하는 골지체와 무과립 및 과립 세포질세망 등은 상호연결된 구조를 가진 막성 복합체들로 분비 혹은 구조 단백질의 합성, 지방 및 포도당의 대사, 콜레스테롤의 생산 및 대사, 분비 단백질의 당화, 담즙의 합성과 분비 및 약물의 대사 등의 매우 다양한 기능을 가진다. 용해소체(리소솜)는 많은 효소들을 함유하고 있는 세포내 단일막성 소포로서 내인성 및 외인성 물질들을 저장하고 또한 분해한다. 간의 생리를 세부적으로 살펴보기로 한다.

(1) 간의 미세구조와 기능

간은 대사 항상성의 중추이다. 간은 영양소들과 그 에너지관련 부산물의 섭취, 처리 및 분포를 조정함에 의하여 에너지대사를 조절하고, 광범위한 인체의 기능에 관여하는 많은 단백질, 효소, 비타민들을 합성하며, 외인성 혹은 내인성 독성 물질을 제독시키고, 제거함으로써 인체의 정화작용을 하는 주된 장기이다.

대사기능의 복잡성과 더불어 간세포는 간내에 그 존재 위치에 따라 기능적 비균질성heterogenity을 가지고 있다. 간소엽은 육각형의 구조를 하고 있는 바, 혈액은 문맥역으로부터 Mall 꼭지점(간소엽의 여섯 개의 꼭지점 중 문맥역

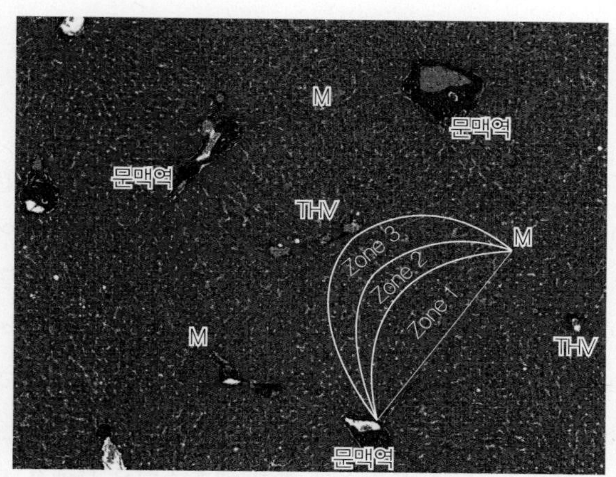

그림 3-6 정상간의 조직학적 구조. 간세포의 혈액공급은 문맥역에서 Mall 꼭지점(M)을 향하여 지나가면서 이루어지는데 두 개의 종말간세정맥(THV)과 한개씩의 문맥역 및 Mall꼭지점을 잇는 마름모 형태의 가본적인 구조를 간포라고 한다. 산소분압의 차이에 따라 간포를 zone 1 (문맥주위구역), zone 2 (소엽중간구역) 및 zone 3 (소엽중심구역)로 나눈다. (Mason-trichrome staining)

의 다음에 위치한 꼭지점)을 향한 종말소혈관을 지나면서 동양구조sinusoid를 통해 종말간세정맥terminal hepatic venule으로 흐르기 때문에 혈액공급 측면에서 보면 두개의 종말간세정맥과 한개의 Mall 꼭지점을 잇는 마름모 형태의 구조가 기본적인 단위가 되고, 이를 간세엽liver acinus이라고 한다. 이는 간조직의 기능적 단위로서 종말소혈관에 가장 가깝게 위치하여 산소분압이 가장 높은 부위를 문맥주위구역(zone 1), 그 바깥쪽에서 동심원상에 위치한 부위를 소엽중간구역mid-zone(zone 2) 가장 바깥쪽의 종말간세정맥 주위 부위를 소엽중심구역centrilobular zone (zone 3)에서 간세포들은 크게 세군으로 나뉜다(그림 3-6). 각 부위별로 공급받는 혈액의 산소농도, 세포막의 단백질 구성, 세포소기관의 분포 및 효소의 활성 등이 다르다. 포도당의 섭취와 분비, 담즙의 형성, 알부민과 파이브로겐의 합성 등은 문맥주위구역에서 일어나고, 포도당의 이화작용, 생체이물의 대사, 알파-1-안티트립신과 알파-태아단백의 합성 및 요소회로의 효소의 주분포 등은 소엽중심구역에서 담당한다.

(2) 에너지 대사

간은 에너지의 식이원과 에너지를 요구하는 간외 조직 사이의 중요한 중개자라고 할 수 있다. 간은 체중의 4%에 지나지 않는 장기이지만 전체 혈류량의 30%와 총 산소섭취량의 20%를 소비하고 또한 인체에서 사용되는 총 칼로리의 20%를 사용하는 것으로 보아 가히 인체 에너지대사의 중추라고 할 수 있다.

간은 문맥혈을 통하여 음식물을 소화된 형태로 받아 분류하여 대사시켜 전신순환 속으로 대사물을 내보낸다. 간은 또한 지방조직으로부터 지방산과 글리세롤이나 골격근으로부터 젖산, 피루브산 및 아미노산과 같은 인체내의 에너지원을 조절하는 주요 역할을 한다. 간으로부터 간외순환으로 내보내는 두가지 주요 에너지원은 포도당과 아세토아세트산이다. 포도당은 간에 저장된 글리코겐의 글리코겐분해과정glycogenolysis이나 젖산, 피루브산, 글리세롤, 프로피온산 및 알라닌의 포도당신합성gluconeogenesis에 의하여 만들어지고, 아세토아세트산은 지방산의 산화를 통하여 만들어진다. 이들은 혈액을 통하여 말초 조직으로 옮겨진다. 이들의 생산량과 대사는 호르몬, 전신영양상태 및 포도당 이용 조직의 요구에 의하여 조절된다.

(3) 담즙의 형성

담즙의 생산과 분비는 간의 주기능 중의 하나이다. 담즙의 생리적 기능은 두 가지로 첫째는 빌리루빈, 콜레스테롤, 중금속, 유기산, 약물 등을 담즙으로 분비하여 배설하는 기능이고, 둘째 기능은 장으로 분비된 담즙이 지방의 소화를 도와주는 것이다. 담즙은 유기 및 무기 용질을 포함하는 물질로서 능동적 분비에 의하여 만들어져 농축과정을 거치게 된다. 담즙의 주된 유기용질은 담즙산, 담즙색소, 콜레스테롤 및 인지질로 구성이 되고, 담즙의 삼투질 농도는 약 300mOsm/kg이고, 이를 유지하는 것은 무기용질들이다. 무기용질들의 농도는 혈장의 용질의 농도와 매우 유사하고, 담즙은 하루에 약 500-1,000mL 분비된다. 따라서, 담즙루가 생긴 경우에 그 배액량이 많다면 락테이티드 링거액을 담즙의 배액량 만큼 정맥주사를 하면 된다.

담즙의 원료는 일반적으로 혈액이 동양구조를 지나는 동안 그 막을 통해 간세포로 흡수된다. 간세포에서 만들어진 담즙은 미세융모microvilli를 통하여 간세포들의 외측막의 강한 부착들 사이에 세관canaliculi으로 분비되어 담관상피가 존재하는 담세관bile ductule, 간내담관 및 간외담도로 흘러 내려가게 된다. 동양구조의 혈액에서 간세포로의 용질의 이동은 ATP를 요하는 능동적 이동이고, 간세포로부터 세관으로의 담즙산의 분비는 골지체로부터 유래되고 담즙산결합단백을 포함하는 소포가 담즙산을 세관의 막까지 옮겨주며, ATP가 필요한 능동적 전달을 통해 세관으로 배출된다. 세관 속의 담즙 흐름은 담즙용질의 능동적 분비에 응하는 수분의 흐름에 의해 일어난다. 담즙의 흐름은 담즙산의 분비와 비례관계에 있고 이것을 담즙산의존흐름bile acid-dependent flow이라고 한다. 담즙 내에서 담즙산은 마이셀micelles을 형성하고 있고 삼투질 에너지작용을 못하기 때문에 담즙산분비에 관련한 흐름은 담즙산에 동반된 이온들counter-ions에 의한 2차적인 것이라고 생각된다. 또한, 담즙산의 흐름은 담즙산의 분비가 거의 없는 상태에서도 일어날 수 있는 바, 이것을 담즙산비의존 흐름bile acid-independent flow이라고 하고 많은 실험결과들이 이러한 담즙의 흐름은 적어도 부분적으로 담즙 내 글루타치온 분비의 결과라는 것을 암시하였다.

일단 담도로 나온 담즙은 재흡수와 분비를 반복한다. 담도의 내벽을 싸고 있는 상피세포들은 능동적 재흡수를 하고 물과 전해질을 분비한다. 분비는 세크레틴과 그에 부수적인 c-AMP 생산에 의하여 활성화되는 염화물 통로chloride channel를 통하여 이루어지고, 담즙은 점차 중탄산염 이온이 풍부해진다. 글루타치온 등의 유기물은 담도에서 분해되고 많은 약물들이 고농축형태(예; cefotriaxone)로 담즙으로 배출될 수 있다. 담낭은 담즙의 저장소로서의 역할을 하는데 금식상태에서 담즙을 저장하면서 물을 재흡수하여 담즙을 농축시키고 점액을 분비한다. 담낭은 식사에 대한 호르몬 반응(주로 콜레시스토키닌)으로 수축을 하고, 오디씨괄약근의 이완과 더불어 십이지장으로 담즙을 분비한다.

(4) 장-간 순환

담즙산은 주로 간에서 생산이 되고 담도와 장으로 분비된다. 일차담즙산인 콜리산과 케노데옥시콜린산은 간에서 콜레스테롤로부터 만들어진 다음에 간세포 내에서 글리신과 타우린과 접합된 후 장으로 분비된다. 장내 균에 의하여 일차 담즙산은 이차 담즙산인 데옥시콜린산과 리소콜린산으로 바뀌게 된다. 담즙은 공장에서는 피동적으로, 회장에서는 능동적으로 각각 재흡수되어 문맥을 통하여 간으로 이동되고 이들의 90%가 간으로 추출이 되고 아주 적은 량만 전신순환으로 들어가므로 혈장 담즙산의 농도는 매우 낮다. 장내 담즙산의 적은 양이 재흡수되지 않고 대변으로 배설이 된다.

장-간 순환enterohepatic circulation은 생리학적으로 유용한 담즙산을 재이용하는 독특한 생리적 기전 이상의 의미를 갖는다. 이 담즙순환은 결과적으로 담즙 내의 유기용질들로 형성된 혼합 마이셀에 콜레스테롤을 함축하여 대변으로 배설할 뿐만 아니라 담즙산의 생산 원료로 콜레스테롤이 이용됨으로 과잉 콜레스테롤을 제거하는 주된 기전이다. 담즙산은 또한 식이지방, 지방용해성 비타민 및 지방친화성 약물들의 흡수에 중요한 역할을 한다. 그리고, 간세포로부터 담즙으로 수분의 이동과 소장을 통한 수분의 재흡수도 담즙산에 의하여 조절된다. 다시 말해서 장-간 순환은 수많은 물질의 용해, 이동 및 조절기능의 중요한 역할을 한다고 할 수 있다.

(5) 빌리루빈 대사

빌리루빈은 헴이 파괴되면서 생성되는데 하루 250-400mg이 생산된다. 정상적으로 빌리루빈의 약 80%는 노화 적혈구의 헤모글로빈으로부터 만들어지고, 나머지 조직 사이토크롬, 카탈라아제, 퍼록시다제, 트립토판 피롤라제 등의 헴을 포함하는 효소들과 미오글로빈으로부터 만들어진다. 빌리루빈의 일부는 또한 유리 헴으로부터 만들어진다. 헴은 간 또는 비장 등의 망내계에서 헴옥시게나제에 의하여 녹색의 빌리베르딘으로 바뀌고, 다시 빌리베르딘 리덕타제에 의하여 오렌지색의 빌리루빈이 생성된다.

망내계에서 만들어진 혈중의 빌리루빈은 알부민과 결합하게 되는데 이 현상으로 인하여 빌리루빈의 독성으로부터 많은 장기들을 보호하게 된다. 빌리루빈-알부민 복합체는 간의 동양구조의 혈액으로 들어가 디쎄씨 간격space of Disse으로 분비되어 그 곳에서 분리되어 유리 빌리루빈으로 간세포 안으로 이동internalization되어 글루쿠론산glucuronic acid으로 접합conjugation이 된다. 접합 빌리루빈은 큰 농도차를 극복하면서 에너지 의존성으로 세관의 담즙으로 분비된다. 이렇게 빌리루빈은 담즙과 함께 위장관으로 분비된다. 위장관 내에서 빌리루빈은 장내세균에 의하여 탈접합과정을 거쳐 유로빌리노겐으로 알려진 일련의 화합물로 된다. 이 유로빌리노겐은 더 산화되어 장-간 순환을 통하여 재흡수되고 담즙으로 다시 분비된다. 재흡수된 유로빌리노겐의 일부는 소변으로 배설된다. 소변의 색이 노란색을 띠고, 대변의 색이 갈색을 띠는 것은 이 산화된 유로빌리노겐 때문이다.

빌리루빈은 오래전부터 독성 화합물이라고 알려져왔다. 신생아에서 심한 비접합성 고빌리루빈혈증kernicterus이 발생하면 뇌나 내이의 달팽이관이 손상될 수 있다. 혈청 빌리루빈이 알부민에 결합을 하면 빌리루빈의 독성으로부터 조직들을 보호할 수 있다. 그러나, 빌리루빈이 더 증가하거나 다른 약물들의 치환에 의하여 비접합 빌리루빈의 혈 중치가 증가하면 독성이 나타날 수 있다. 비접합 빌리루빈은 산화성 인산화반응을 방해하고, ATPase를 억제하며, 포도당대사를 감소시키고, 단백질 활성효소의 활동은 억제하는 등의 독성을 가지고 있다.

간경변과 문맥압항진증에서 볼 수 있는 문맥-전신 단락portosystemic shunt은 빌리루빈에 대한 일과성 간의 제거능이 감소되는 효과를 야기시킬 수 있으므로 혈청 비접합 고빌리루빈혈증의 한 원인이 될 수 있다. 임상에서 볼 수 있는 고빌리루빈혈증들은 앞에서 언급한 신생아 고빌리루빈혈증, 용혈성 증후군 등과 같은 빌리루빈의 생산의 증가로 나타나는 고빌리루빈혈증, 선천적 빌리루빈대사관련 효소결핍과 관련되는 Crigler-Najjar씨 증후군과 Gilbert 증후군 등이 있다. 혈청 접합성 고빌리루빈혈증을 보이는 질환에는 담즙정체증후군, Dubin-Johnson씨 증후군 및 Rotor씨 증후군 등이 있다.

(6) 탄수화물의 대사

간은 포도당의 저장과 말초조직(특히, 뇌와 적혈구)으로의 분포를 조절하는 역할을 하기 때문에 탄수화물대사의 중추라고 한다. 간과 근육은 글리코겐의 형태로 포도당을 저장할 수 있고, 간은 글리코겐을 분해하여 전신 순환으로 포도당을 공급할 수 있지만, 근육은 분해한 글리코겐을 근육 내에서만 사용할 수 있을 뿐 전신 순환으로 포도당을 공급하지 못한다.

식후에 장관을 통해 흡수된 탄수화물은 전신으로 순환되어 간에 도달하게 되면 바로 글리코겐으로 바뀌어 저장이 된다. 글리코겐의 양은 간조직 킬로그램당 글리코겐 65g까지 저장된다. 이 양을 넘어가는 포도당은 거의 대부분이 지방산으로 바뀌어 지방조직에 저장되게 된다. 식간 혹은 조기 금식기에는 장관으로부터 공급되는 혈중 포도당이 없기 때문에 간이 글리코겐의 분해를 통하여 포도당을 공급하는 주 공급원이 된다. 이 포도당은 주 에너지로 포도당을 사용하는 뇌와 적혈구의 경우에는 결정적으로 중요하다. 대부분의 다른 조직들은 주된 에너지원으로 지방조직으로부터 유래된 지방산에 의존하게 된다. 에너지를 많이 사용하는 근육의 경우에는 이 시기에 근육에 저장되었던 글리코겐을 모두 소모하고 에너지원으로 간에서 온 포도당을 사용하기 시작한다. 식후 48시간이 경과한 시점에는 간의 글리코겐이 고갈되고 간은 포도당의 전신 공급을 위하여 글리코겐의 분해를 중단하고 포도당신합성gluconeogenesis을 시작하게 된다. 포도당신합성을 위한 원료기질은 대부분 근육의 분해를 통한 아미노산(특히, 알라닌)과 지방의 분해산물인 글리세롤이다. 장기금식기에는 지방조직의 분해로 생긴 지방산이 간에서 베타-산화과정을 통하여 케톤체를 만들게 되고 그때부터 케톤체가 뇌의 주된 에너지원이 된다.

다양한 대사상태의 변화에 따른 탄수화물의 대사조절은 간의 동양구조 내의 포도당 농도와 인슐린, 카테콜라민 및 글루카곤 등의 호르몬에 의하여 일어난다. 금식상태에서 혐기성 대사동안에 주로 근육에서 젖산이 만들어지고 간은 이 젖산을 피루브산으로 바꾸어 포도당신생과정을 통하여 포도당을 합성한다. 이 순환을 Cori씨 순환이라고 한다.

포도당대사의 이상은 간질환에서 흔히 발생한다. 간경변환자에서는 종종 내당능에 이상이 나타나게 된다. 그 기전은 정확하게 밝혀지지는 않았으나 인슐린저항성과 관련이 있다는 설이 유력하다. 이 현상은 간에서 나온 혈액 속의 포도당이 단락을 통하여 지나가므로 나타나는 현상이 아니다. 저혈당은 간과 그 대사의 탄력적 복원성 때문에 만성 간질환에서 매우 드물게 나타나는 현상으로 전격성 간부전시에 간세포의 대량 소실 시에만 포도당신합성이 붕괴되고 저혈당이 뒤따르게 된다.

(7) 지방 대사

간은 글리코겐을 저장할 수 있는 여력이 없을 때 잉여 포도당을 지방산으로 합성한다. 지방세포는 매우 제한된 지방산을 합성하는 능력을 가지고 있다. 그러므로, 간이 주로 지방산을 합성하는 역할을 한다. 지방분해과정에서 유리 지방산은 간으로 옮겨져 글리세롤과 에스테르화가 일어나 저장을 위해 트리글리세리드를 형성하거나 산화과정을 통해 ATP형태의 에너지와 케톤체를 형성하게 된다. 일반적으로 이 과정은 영양상태에 의하여 조절이 되는 바, 금식기에는 산화가 촉진이 되고, 식사를 한 후에는 에스테르화를 촉진되게 된다.

간과 지방조직 간에 매우 섬세한 균형을 유지하고 있는 지방산은 일정한 순환을 하고 있는데 이 균형은 쉽게 깨져 간에 지방의 침윤이 일어날 수 있다. 여러 가지 인자가 이 균형에 영향을 줄 수 있다. 간이 지방산을 받아 들이는 것은 혈장내의 농도에 의존하고, 지방산을 에스테르화하는 간의 능력에는 제한이 없는 반면에 지방산을 처분하고 분해하는 능력은 제한적이다. 간은 또한 트리글리세리드를 지방단백의 형태로 분비하는 능력도 제한적이다. 그러므로, 순환 지방산이 증가된 상태에서는 간이 지방산을 처리하는 능력을 쉽게 능가하여 간에 지방이 축적되게 된다. 예를 들면, 당뇨, 스테로이드 및 금식상태인데 이러한 상황에서는 지방분해가 증가하게 된다. 과음과 관련된 지방간은 지방분해의 증가, 산소섭취의 감소, 간내 지방산의 증가된 에스테르화, 만성 알코올중독 시에는 상대적인 금식상태 등의 매우 다양한 인자들에 의해 일어난다.

(8) 단백질 대사

간은 또한 단백질 대사의 중추적 역할을 하는 장기이다. 간은 단백질을 합성하고, 에너지 형태로 이화시키거나 저장형태로 대사시키며, 과잉 아미노산과 질소노폐물을 조절하는 기능을 가지고 있다. 섭취된 단백질은 아미노산으로 분해되고 순환계로 흡수되어 단백질, 효소, 호르몬, 뉴클레오티드 등의 빌딩블럭들로서 사용된다. 말초조직에서 사용되지 않은 과잉 아미노산들은 간에서 처리되어 에너지를 위하여 산화되거나(간의 에너지소요의 50%를 충당) 포도당, 케톤체 혹은 지방으로 대사된다. 아미노산이 신체 내에서 에너지 생산을 위해 이화될 때 암모니아, 글루타민, 글루타메이트, 아스파라긴산 등이 생산된다. 이들은 대개 간에서 처리되어 질소 노폐물로 요소회로를 통하여 요소로 바뀌게 된다. 요소는 일반적으로 소변으로 배설이 된다. 그러므로 간은 아미노산대사 뿐만아니라 전신 질소균형에 중추적 역할을 한다고 할 수 있다.

간은 분지형 아미노산을 제외한 대부분의 아미노산을 포도당이나 지방과 같이 에너지나 에너지를 저장할 수 있는 형태로 이화시킬 수 있다. 분지형 아미노산은 간에서 대사시킬 수 없고, 거의 대부분이 근육에서 처리된다. 이 사실이 단백질과 아미노산 대사의 일부 요구로부터 간을 쉬게 해준다는 가설의 근거가 되어왔다.

간은 또한 혈액응고, 물질의 이송, 철 결합 및 단백질 분해효소의 억제 등과 같은 광범위하고 중요한 기능을 가진 많은 단백질들을 합성하는 중요한 장기이다. 이러한 단백질들을 예를 들어보면, 알파-1-항트립신, 셀룰로프라스민, 철 저장/결합 단백질 등이다. 알부민은 간에서만 만들어지는 주된 혈청 결합 단백질이다. 간부전이나 특정 유전적 결함이 있는 경우에는 이들 단백질들의 다양한 정도의 기능적 변화와 양적인 변화가 일어날 수 있다.

간은 또한 외상이나 감염에 의한 단백질합성반응, 소위 급성기 반응acute phase response에 중요한 역할을 한다. 이 반응의 목적은 장기의 손상을 국소화하고, 간기능을 유지하며, 방어기전을 조절하기 위함이다. 반응은 인터루킨-1, 인터루킨-6 및 종양괴사인자Tumor Necrosis Factor (TNF) 등의 염증전구 사이토카인에 의해 자극을 받아 간에서 급성기 단백 유전자의 표현이 유도된다. 몇 가지의 잘 알려진 급성기 단백들은 알파1-글로블린, 알파2-글로블린, 베타-글로블린, C-반응 단백, 혈청 아밀로이드 A 등이다. 이 반응과 똑같이 중요한 것은 그 반응의 종결이다. 항염 사이토카인인 인터루킨-1 수용체 길한제, 인터루킨-4 및 인터루킨-10 등은 중요한 역할을 하는 것으로 알려져있다. 급성기 반응은 흔히 24-48시간 이상 지속되지만 지속되는 손상이 발생하면 이 반응은 지연될 수 있다.

(9) 비타민 대사

장과 더불어 간은 지용성 비타민인 비타민 A, D, E 및 K의 대사에 관여한다. 이들 비타민들은 음식물을 통하여 장에서 흡수된다. 이들의 적절한 흡수는 담즙산과 지방산의 적절한 마이셀화에 의하여 좌우된다. 비타민 A는 레테노이드 계로부터 만들어져서 정상 시력, 태아발생, 성인 유전자 조절 등에 관여한다. 비타민 A는 간에만 저장이 되는데 현재까지는 성상세포(Ito씨 세포)라고 알려져 있다. 비타민 A의 과잉섭취는 간독성으로 이어질 수 있다. 비타민 D는 칼슘/인의 항상성에 관여하고, 그 활성단계 중의 하나(25-수산화반응)가 간에서 일어난다. 비타민 E는 강력한 항산화제로서 지질 과산화와 유리 라디칼 형성으로부터 각종 막구조를 보호해주는 역할을 한다. 비타민 K는 간에서 합성되는 혈액응고인자 II, VII, IX, X, C 단백 및 S 단백(소위 비타민 K 의존인자)들의 활성화에 중요한 유전자암호해독translation 후 감마-카르복실화에 관여하는 중요한 보조인자이다. 담즙정체증후군에서는 장내 마이셀화가 잘 일어나지 않으므로 이들 비타민들의 흡수가 적절히 되지 않아 결과적으로 대사성 뼈질환(D), 신경계 질환(E)과 혈액응고장애(K) 등과 같은 비타민 결핍증후군이 나타나게 된다.

간은 또한 치아민, 리보플라빈, 비타민 B6, 엽산, 바이오틴 및 판토텐산 등의 다양한 수용성 비타민의 흡수, 저장 및 대사에도 관여한다. 간은 이들 수용성 비타민을 활성 보조효소로 바꾸거나, 저장대사물로 바꾸거나 혹은 장-간 순환에 관여하거나(비타민 B12)하는 역할을 한다.

(10) 혈액 응고

간은 대부분의 혈액응고인자들, 많은 섬유소용해에 관여하는 인자들, 그리고, 혈액응고와 섬유소용해를 조절하는 혈장 단백질 등을 합성한다. 앞서 언급한 바와 같이 간은 비타민 K의 흡수에 관여하고, 비타민 K 의존 혈액응고인자의 합성을 하며, 이들 인자들을 활성화시키는 효소들을 가지고 있다. 또한, 간의 망내계는 활성화된 혈액응고인자, 혈액응고와 섬유소용해의 활성화된 복합체들 및 섬유소 분해산물을 제거하는 역할을 한다. 간 질환이 있는 경우에는 종종 혈소판감소증, 비타민 K 결핍증, 비타민 K 의존 혈액응고인자의 활성화 장애 및 파종성 혈관내 응고 등이 나타날 수 있다.

가장 흔히 사용하는 항응고제인 와파린은 간에서 혈액응고인자 II, VII, I 및 X의 비타민 K 의존 활성화를 차단하는 작용을 한다. 혈액응고인자 VII은 혈액응고인자들 중에 가장 반감기가 짧고, 이 인자가 부족할 때는 임상적으로 프로트롬빈 시간에 이상이 나타난다. 그러므로, 간의 합성능에 이상이 있는 환자들은 프로트롬빈 시간에 이상이 나타난다.

(11) 약물 및 독소의 대사

인체는 일생에 걸쳐 많은 양의 화학물질들에 노출되어 있어 우리 몸은 늘 해로운 화학물질들을 제거하고 해독하는 도전에 직면해있다고 해도 과언이 아니다. 간은 새로 발견된 화합물과 그로 인한 복합체, 효소 및 각종 새로운 반응 등을 취급하는 중심 역할을 한다.

많은 화학물질들이 세포내 대사가 되지 않고 체내에 존재하는데 이를 생체이물xenobiotic이라고 한다. 이 생체이물에 대한 간의 반응은 크게 제1상과 제2상 반응으로 나눈다. 산화, 환원 및 가수분해를 통한 제1상 반응은 화합물의 극성polarity과 수용성solubility을 증가시켜서 더 쉽게 배설되도록 하는 반응이다. 제1상 반응은 화합물을 해독시키는 것이 아니라는 것이 특징이고, 이 반응은 사실상 어떤 의미에서 새로운 독성 대사물을 새로 만드는 것일런지도 모른다. 제1상 반응의 대표적인 예가 cytochrome P450 system이다. 제2상 반응은 일반적으로 화학물질들을 대사를 시켜 덜 독성을 지니거나 덜 활성화된 물질을 만드는 반응으로 전이효소transferase 반응을 통해 이루어지는데 생체이물을 접합시켜 덜 위험한 생체이물을 만드는 반응이다.

(12) 간의 재생

간은 인체의 필요에 따라 그 체적을 조절할 수 있는 고유의 성질을 지니고 있다. 임상적으로 간 부분절제술이나 독성 손상으로부터 간이 재생하여 회복하는 과정에서 흔히 관찰할 수 있다. 또한, 간이식 환자에서 간의 크기가 맞지 않는 공여간을 이식한 경우에도 간이식 수혜자에게 맞게 간의 크기와 모양이 적당히 맞게 변하는 것으로도 확인할 수 있다. 이 특성은 간의 필수불가결한 기능과 섭취한 독성물질에 대한 노출의 일차 관문이라는 사실 때문에 진화론적으로 고도로 보존된 특성이라고 할 수 있다.

간의 재생은 기능성 간의 현미경 해부학적 구조가 잘 유지된 간의 모든 종류의 세포들의 증식 반응hyperplastic response이다. 간의 재생 반응에 관한 많은 정보들은 쥐실험을 통해 얻은 자료들을 근거로 한 것이다. 정상적으로 휴지기의 간세포들는 간부분절제술 후에 빠르게 세포주기로 들어간다. 최대 간세포 DNA 합성은 부분절제술후 24–36시간에 일어나고, 간내 다른 세포들의 DNA합성은 48–72시간 후에 일어난다. 쥐실험에서 간체적의 증가의 대부분은 부분간절제술 후 3일만에 관찰이 되고, 7일만에 거의 완성된다.

1960년대 후반에 혈액내 간재생인자들이 간재생 반응에 부분적으로 어떤 역할을 한다는 것을 알게 되었고, 지난 40년에 걸쳐 간재생의 체액성 조절과 유전적 조절에 대한 수많은 연구들이 진행되었다. 쥐실험을 통하여 지금까지 알려진 간재생의 분자생물학적 기전을 살펴보기로 한다. 간재생에 관여하는 성장인자들은 간세포성장인자 hepatocyte growth factor, 표피성장인자epidermal growth factor, 전환성장인자–알파transforming growth factor-α, 인슐린, 에스트로겐 등인데 이들 인자들을 정상 개체에 투여를 하면 간의 재생은 일어나지 않는다. 간세포들은 이들 성장인자에 반응하기 전에 어떤 방법으로든 감작(priming)되어야 한다. 이 감작에는 염증성 사이토카인인 TNF, IL–6 등과 c–jun N–terminal kinase (JNK), mitogen–activated protein kinase (MAPK) 및 extracellular signaregulated kinase (ERK) 등의 활성화가 일어나고, 이들이 각각 초기 관여 유전자 c–fos, c–jun 및 c–myc의 표현을 일으키며, 동시에 전사인자들인 nuclear factor kappa B (NFκB), activated protein–1 (AP–1), CCAAT enhance–binding protein beta (C/ERPβ) 등과 signal transducers and activators of transcription 3 (STAT3)의 활성화를 일으킴으로 감작과정이 밝혀졌으나(그림 3-7, 8), 이 과정에 관여하는 매개체들은 완전히 밝혀지지는 않았다. 반대로, 글루카곤, 전환성장인자–베타transforming growth factor-β 및 글루코코티코이드 등은 간재생을 억제하는 인자들로 알려져 있다. 현재도 이 놀랍고 복잡한 과정을 밝히기 위한 유전적 및 분자생물학적 연구들이 지속되고 있다.

2) 간 기능 검사의 해석

다양한 검사들이 간질환의 평가를 위해 이용되고 있는데 검사를 통하여 간 질환을 정확하게 진단함으로써 간 질환의 치료에 방향을 정하게 된다. 외과의들에게는 간 기능의 평가와 더불어 간 절제술 후에 잔존간의 기능이

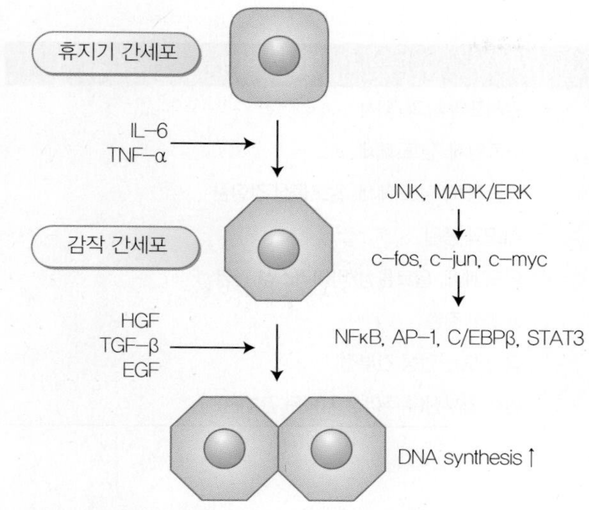

그림 3-7 간의 재생과정을 조절하는 인자들

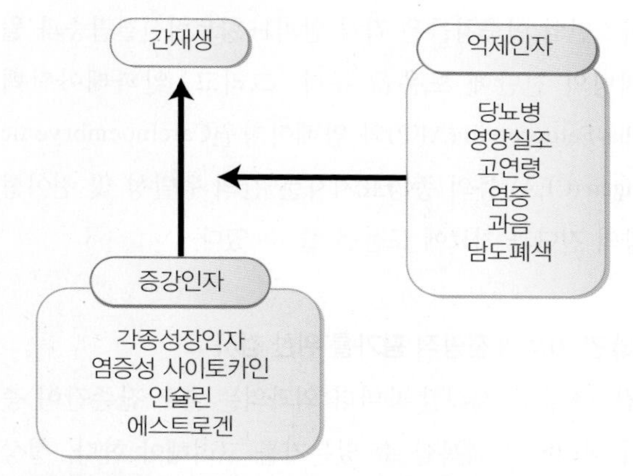

그림 3-8 간의 재생을 방해하는 병적인 상태들

충분한지를 평가하는 것이 또한 매우 중요하다. 불행히도 대부분의 간 기능 검사들은 개략적이고 민감도, 특이성 및 정확성이 모두 떨어진다. 일반적으로 간 기능 검사들을 다음의 3가지의 범주로 나눈다. 간질환의 여부를 알아보기 위한 일반 간기능검사, 간질환을 진단하기 위한 특이 검사 및 간 기능의 정량적 평가를 위한 검사 등이다.

(1) 간 질환 여부를 알아보기 위한 일반 간 기능 검사

간담도계에 질환이 있는 환자에 대한 일반 간 기능 검사Routine screening tests는 실제 간 기능을 정량적으로 평가하는 것도 아니고, 간 질환에 대한 특이검사도 아니다. 그럼에도 불구하고 일반 간 기능 검사는 검진에서 간 질환의 존재여부를 알아내고 그 원인을 알아내는 실마리를 제공해주는 기본적인 역할을 한다는 점에서 가치가 있다고 할 수 있다. 아미노전이효소들 즉, 알라닌 아미노전이효소Alanine Aminotransferase (ALT)나 아스파르트산 아미노전이효소Aspartate Aminotransferase (AST)는 가장 흔히 사용되는 간세포의 괴사의 표지자인데 이들 효소들은 간세포가 파괴되면서 세포내 효소들이 혈액 속으로 유입되어 증가된다. AST는 심장, 근육, 신장세포 등에도 존재하지만, ALT는 간에만 존재하는 효소이므로 간세포 특이효소라고 할 수 있다. 이들 효소치의 상승이 있다면 간에 괴사가 일어나고 있다는 의미일 뿐이고, 그 정도가 예후의 어떤 지표가 되는 것은 아니다. 알칼리성 인산분해효소Alkaline Phosphatase (ALP)는 간, 담도, 뼈, 장, 태반, 신장 및 백혈구 등에 존재하고 동종효소들을 식별하면 때로는 상승된 ALP치의 해당 장기를 찾는데 도움이 될 수 있다. 간담도계의 질환에서 ALP의 상승은 일반적으로 담즙정체나 담도가 폐쇄된 경우에 효소 생산이 증가되어 나타난다. ALP치는 또한 간의 각종 암에서도 증가될 수 있다. 감마-글루타밀 페타이드전이효소γ-Glutamyl-Transpeptidase (GGT)는 간 뿐만 아니라 신장, 정낭, 비장, 췌장, 심장 및 뇌에 존재하는 효소로서 이들 장기에 질환이 있을 때 증가할 수 있다. GGT치는 알코올섭취에 의하여 유도될 수 있고, 담도 폐색 시에 상승할 수 있다. 이 또한 간 질환의 비특이적 표지자이지만 ALP치의 상승이 간질환에 기인한 경우에는 진단에 도움이 될 수도 있다. 5'-뉴클레오티드분해효소5'-nucleotidase 역시 간 이외의 장기에도 존재하고 GGT와 마찬가지로 간질환으로 인하여 ALP치의 상승 시에 진단적 가치가 있다. 총 빌리루빈, 접합빌리루빈 및 비접합빌리루빈 등의 혈중치는 빌리루빈대사의 여러 단계에서 문제가 생기는 경우에 상승할 수 있다. 비접합 고빌리루빈혈증은 용혈과 같은 빌리루빈의 생산이 증가하는 경우나 약물이나 유전적 효소이상 또는 신생아의 생리적 황달의 경우에 나타날 수 있고, 접합 고빌리루빈혈증은 일반적으로 담즙정체 혹은 담도의 기계적

표 3-1. 일반 간기능검사의 임상적 의의

지표	기능 이상	임상적 의의
AST, ALT	손상된 간세포로부터 누출	간세포의 파괴, 괴사
ALP	과다 생성 혹은 혈장으로 누출	담즙정체, 담도 폐쇄
GGT	과다 생성 혹은 혈장으로 누출	담즙정체, 담도 폐쇄, 알코올성 간질환
5'-nucleotidase	과다 생성 혹은 혈장으로 누출	ALP와 동일
총 빌리루빈	간 배설작용 저하	담도 폐쇄, 알코올성/바이러스성 간염
비접합빌리루빈	헤모글로빈 분해 증가	용혈성 질환
프로트롬빈시간	간 합성기능 저하	급성 또는 만성 간부전
알부민	간 합성기능 저하	만성 간부전(수주이상 지속된 간부전)

폐쇄의 결과이지만, 종종 유전적 질환이나 간세포성 질환에서도 나타날 수 있다. 알부민은 오직 간에서만 생산되므로 간의 합성기능의 일반적인 척도로 이용된다. 만성 영양결핍증, 신장질환, 급성 간손상이나 간염 등은 알부민의 생산을 감소시킬 수 있기 때문에 낮은 혈청 알부민치를 평가할 때는 항상 이 점을 숙고하여야 한다. 간 기능이 아주 나빠지기 전에는 간의 단백질 합성능이 유지되므로 간 질환의 표지자로서 저알부민혈증은 민감도가 낮은 편인데 간 기능이 심각하게 감소하는 경우에는 저알부민혈증이 간 기능 저하를 반영하는 역할을 하여 만성 간질환의 진단에 도움이 된다. 혈액응고인자들도 거의 대부분 간에서 합성이 되므로 혈액응고이상도 간의 합성기능의 감소의 표지자로 이용할 수 있다. 혈액응고인자 V와 VII 등의 측정이 이식환자들에서 간 기능을 평가하는데 사용되기도 하였으나 프로트롬빈 시간이 보편적으로 사용되고 있는 혈액응고장애를 진단하는 방법이므로 진행성 만성 간질환의 표지자로 흔히 사용되고 있다(표 3-1).

(2) 간 질환의 진단을 위한 특이 검사

일단 임상적 소견과 일반 간 기능 검사를 통하여 간 질환이 의심이 되면, 진단을 위한특이 검사로 병의 원인을 밝히고 치료방침을 정하게 된다. 간염에 대한 혈청검사는 바이러스성 간염의 감염 여부를 밝히는데 중요하고, 자가면역항체들은 자가면역성 간염, 원발성 담즙성 간경변(항미토콘드리아 항체), 원발성 경화성 담관염(항 중성구 항체) 등을 진단하는데 사용된다. 알파1-항트립신과 세룰로플라스민의 혈중치들은 각각 알파1-항트립신결핍증과 윌슨씨병의 진단에 도움을 준다. 그리고, 알파태아단백 Alpha-Fetoprotein (AFP)와 암배아항원Carcinoembryonic Antigen (CEA) 등의 종양표지자는 간의 원발성 및 전이성 종양의 진단과 치료에 도움을 줄 수 있다.

(3) 간 기능의 정량적 평가를 위한 검사

간절제술을 계획할 때마다 외과의는 술후 잔존간이 충분히 재생하고 회복할 수 있는지를 고려해야 한다. 정상 간실질을 가진 환자에서는 간의 전체용적의 70-75%를 절제한 후에 잔존간의 간동맥, 문맥, 간정맥 및 담도 등의 구조가 적절히 잘 보존된다면 회복하는데 문제가 없다. 술전에 간기능의 예비력을 평가하기 위하여 전세계의 많은 그룹에서 다양한 검사법들을 사용하고 있다. 많은 임상연구자들이 어떤 특정 물질을 체내에 투여하고 그것을 체외로 제거하는 간의 제거능을 근거로 간기능의 정량화를 시도하였으나, 이들 검사법들 간에 우열을 가리기가 어렵고 일반 간기능검사나 임상소견들을 참고로 만든 점수체계scoring system를 능가한다고 말하기도 어렵다고 사료된다. 그러므로, 각 검사법들과 더불어 점수체계가 병용되고 있는 실정이다. 현재 사용되고 있는 정량적 검사법들을 살펴보기로 한다.

표 3-2. Child-Pugh 점수체계

지표	1	2	3
알부민(g/dL)	>3.5	2.8-3.5	<2.8
빌리루빈(mg/dL)	<2	2.0-3.0	>3.0
프로트롬빈시간지연(초)	0-4	4-6	>6
복수	없음	경미	중등도 이상
간성혼수(grade)	없음	1-2	3-4

가. 점수체계

임상소견과 일반 간 기능 검사를 기초로 한 많은 점수체계가 제안되어 왔으나 가장 흔히 사용되는 점수체계는 Child-Pugh씨 점수체계이다(표 3-2). 이 체계의 모든 인자들은 완전하지도 않고, 보편적으로 받아들여지고 있지도 않다고 할지라도 Child-Pugh씨 점수체계는 간수술을 요하는 간경변 환자들에게 흔히 사용되고 있다. 간절제술 후 사망률과 생존율은 이 점수와 상관성을 보여주지만 간부전과의 상관성을 항상 보여주지 못하였다. Child-Pugh씨 분류 B와 C 환자들은 Child-Pugh씨 분류 A환자들에 비하여 일반적으로 부분 간절제술 후 경과가 좋지 않은 것은 사실이다.

나. 아미노피린 호흡검사

아미노피린 호흡검사Aminopyrine breath test는 방사성동위원소 부착 아미노피린을 간의 P450계가 제거하는 능력에 기초한 검사로서 아미노피린의 분해산물인 동위원소 부착 이산화탄소를 측정하는 호흡검사법이다. 특정시간에 아미노피린을 투여한 후에 호흡검사를 시행하고 그 결과는 간의 기능적 예비력에 의존한다. 이 검사법은 일반 간기능검사나 점수체계에 비하여 다소 의미있는 결과들을 얻을 수 있다. 이 검사는 만성 간 질환의 예후를 예견하는데는 가치가 있으나, 임상적으로 인지하기 어려운 잠재적 간부전을 찾아내는데는 효과적이지 못하다. 안티피린이나 카페인 등의 물질들을 이용하여 같은 방법으로 호흡검사를 할 수 있다.

다. 리도카인 제거능검사

리도카인 제거능검사Lidocaine clearance test도 간의 P450계의 제거능을 측정하는 검사이므로 아미노피린 호흡검사와 유사한 정보를 제공한다. 리도카인제거능검사의 결과는 혈류와 복잡한 분포과정에 의존하지만 그들의 대사물 중의 하나인 monoethylglycinexylidide (MEGX)을 측정하는 것으로 검사법이 매우 간단해졌다. 이 검사법은 간이식환자들의 예후를 예측하는데 가치가 있다고 사료된다.

라. 갈락토오즈 제거능검사

길락토오즈 제거능검사Galactose elimination test는 갈락토오즈를 인산화하여 포도당으로 바꾸어 주는 간의 역할에 기초한 검사법으로 갈락토오즈가 혈류 속에서 제거되는 속도를 측정함으로써 간기능을 정량화하는 검사법이다. 이 검사법의 문제점은 관련 효소들이 유전적으로 다양하게 만들어져 비균질성이고 간외대사가 적지 않게 일어난다는 점이다. 더욱이 여러 번의 혈액을 채취하여야 한다는 점이 이 검사의 단점이라고 할 수 있다. 이 검사법의 가치도 질환의 검색이 아니라 만성 간 질환의 예후를 예측하는데 있다.

마. 인도시아닌 그린 제거능검사

인도시아닌 그린은 간의 운반체매개 경로로 혈액에서 간세포로 신속하게 옮겨져 대사되지 않고 담즙으로 배설된다. 인도시아닌 그린 제거능검사Indocyanine green removal test 많은 다른 연구들이 같은 결과를 재현하지 못하여 보편적으로 받아들여지지는 않는다 할지라도 간절제를 겪은 간경변환자들의 예후를 예견하는 능력을 보여준 유일한 검사법으로 현재 동양의 대부분의 병원들과 서양의 일부 병원들에서 사용되고 있다.

요약

간은 사람의 몸에서 가장 큰 기관으로 우상복부의 횡격막 하부에 위치하며 흉곽에 의해 보호받는다. 글리손피막은 간문에서 간으로 들어가면서 두꺼워지며 문맥, 담도, 동맥을 감싸고 있다. 간은 간동맥과 간문맥이라는 두 혈관에 의해 이중으로 혈류 공급을 받고 있다. 간동맥은 혈류의 25%를 공급하며 간문맥은 75%를 공급하고 있다. 간에는 세개의 주요 간정맥이 있는데 간실질내에서 비스듬이 주행하여 간에서의 혈류를 횡격막 바로 하방에서 하대정맥으로 배출하고 결국 우심방으로 유입시킨다. 간정맥은 간의 내부를 구분하는 기준이 된다.

간은 인체대사의 중추이므로 간의 생리학은 매우 방대한 분야라고 할 수 있고, 현재도 무수히 많은 연구들이 진행되고 있는 분야이다. 필수적 간 기능을 임상에 직접 도움이 되도록 요약 정리하고자 노력하였다. 크게 에너지 대사, 담즙의 형성, 빌리루빈의 대사, 탄수화물 대사, 지방 대사, 단백질 대사, 비타민 대사, 혈액 응고, 약물 및 독소의 대사 및 간의 재생 기전 등으로 나누어 기술하였다. 이들 정상적인 생리학을 이해한 후에 간 기능 검사의 이상 소견을 통하여 간의 병태생리를 분석할 수 있는 기본 소양을 갖출 수 있도록 간 기능 검사의 해석이란 제목으로 간기능 검사를 간 질환 여부를 알아보는 일반 간기능 검사, 간 질환의 진단을 위한 특이검사 및 간 기능의 정량적 평가를 위한 검사 등으로 나누어 실제 임상에 도움이 되도록 기술하였다.

II 문맥고혈압

1. 간경변

간경변은 만성적 간손상에 반응한 지속적 창상 치유 과정의 결과이다. 간손상의 원인은 국내에서는 바이러스성이 가장 많으며 그 외에 알코올, 약물, 자가면역질환 등이 있다. 간경변의 초기에는 특이한 증상이 없이 지낼 수 있으나, 간경변이 진행되면 최종적으로는 문맥고혈압과 간부전이라는 두 가지 임상 양상으로 나타나게 된다.

일단 간경변으로 진단되면 원인과 무관하게 10년 후 비대상성 말기 간경변으로 진행할 확률이 약 60%이며, 말기 간경변으로 진행되면 5년 사망률이 50%에 이르고, 이 중 70%는 간부전으로 사망한다.

형태적으로 간경변은 소결절형, 대결절형, 혼합형으로 분류된다. 소결절은 작고 일정한 크기의 재생 결절이 간전체에 걸쳐 나타나는 것으로 특징지어 지며, 대결절형 간경변은 여러 가지 크기의 재생 결절과 중격을 가지고 있다. 혼합형 간경변은 소결절형 간경변에서 재생이 일어나고 시간이 지나면서 대결절형으로 바뀌는 중에 나타난다.

1) 원인과 임상 양상

간경변은 여러 종류의 질병으로부터 기인할 수 있다(표 3-3). 임상 증상은 매우 다양하며, 간경변 환자의 약 40%는 증상이 없이 지내지만, 말기 간경변으로 진행하게 되면 점진적인 악화로 인하여 사망하거나 간이식을 필요로 하는 상태로 되는 것이 전형적인 경과이다.

간경변에서는 육안적으로 간우엽 위축과 더불어 미상엽과 좌외측부 비대, 제대 정맥의 재관형성, 표면의 결절, 문맥의 팽창, 위식도 정맥류, 비장 비대 등의 소견을 자주

표 3-3. 간경변의 원인

감염	바이러스성 간염(B,C,D)
	시스토조미아스 간염
약물/독소	알코올,
	Methotrexate
	Isoniazid
대사 이상	비알코올성 지방간염(NASH)
	선천성 철분 과다
	구리 과다(윌슨씨 병)
	α1-antitrypsin 결핍
자가 면역성	타이로신 혈증
	자가 면역 간염
간정맥 배출 이상	원발 쓸개관 간경변
	울혈 심부전
원인 불명(cryptogenic)	Budd-Chiary 증후군

볼 수 있다. 말기 간경변의 합병증은 진행성 고빌리루빈혈증, 영양실조, 간의 합성기능 감소, 문맥고혈압, 위장관 출혈, 간성 혼수, 극심한 피로감 등이 있다.

원인과 상관없이 간경변은 간부전과 문맥고혈압의 두 가지 결과로 진행 된다.

증상으로서는 갑작스러운 근육통이 자주 발생하고, 복수, 저혈압, 혈청 레닌 활동의 연관된 증상, 근육량이 감소 등이 나타난다. 급성 통증은 quinine sulfate와 알부민 주사에 일반적으로 잘 반응한다. 심장박출량과 심장박동수가 증가되며, 동시에 전신적 혈관저항과 혈압의 감소 소견을 보인다. 간경변 환자는 망상내피계의 포식력의 저하로 인하여 감염에 노출되기 쉽다. 주로 장 박테리아에 의한 감염이 일반적이며, 특별한 원인이 없는 발열이나 임상 증상이 악화되는 경우에는 감염을 생각하여야 한다. 원발성 박테리아 복막염이 복수를 동반한 간경변 환자에서 나타날 수 있으며, 복수 천자를 시행하여 진단을 확인하고 균 배양을 통한 적절한 항생제 사용이 치료이다. 약물대사가 저하될 수 있으며, 약물을 처방할 때 이 사실을 고려하여야 한다.

간암은 어떤 원인이든지 간경변에서 발생할 수 있으며, 모든 간경변 환자들은 6개월 마다 단층 영상 검사와 알파태아단백(AFP) 검사를 통하여 간암의 발생에 대한 검사를 받는 것이 권유된다. 간암의 60%에서 75% 만이 알파태아단백 양성이기 때문에 간암 환자에서도 정상치의 혈청 알파태아단백 수치를 보일 수 있다.

검사실 소견은 간경변의 정도에 따라 다양하게 나타나지만 일반적으로 백혈구와 혈소판수가 감소되어 있으며 대개 정상적혈구 정상색소성 빈혈normocytic normochromic anemia을 나타낸다. 대개 정상적혈구 정상색소성 빈혈normocytic normochromic anemia을 갖고 있다. 골수는 거대 적혈모세포macronormoblastic 형태를 보인다. 혈청 알부민은 감소되어 있고 프로트롬빈 시간이 연장되어 있으며 비타민 K 요법에 반응하지 않는다. 유로빌리노겐이 나타나며, 복수가 있는 경우에 소변내 소디움 배출이 감소된다. 또한 주위할 점은 간경변 환자에서 간기능 검사가 정상으로 나타날 수도 있다는 사실을 염두에 두어야 한다.

2) 간경변 환자에서 간의 예비력과 수술 위험성 평가

간은 인체 내에서 재생력이 가장 뛰어난 기관 중의 하나이기 때문에 건강한 간에서는 전체 용적의 70%까지 절제하더라도 회복이 잘 되는 것이 밝혀져 있다. 그러나 간경변이 있는 경우에는 다른 조건이기 때문에 간의 예비력을 평가하는 것이 중요하다. 과거로 부터 여러 가지 검사가 간경변 환자의 예비력을 평가하기 위하여 사용되어 왔다. 가장 오래 되고 간편하게 시행할 수 있는 검사가 Child-Turcotte-Pugh (CTP) 점수이며, 그 외에 인도시아닌 그린 검사도 사용되고 있다. 영상의학적으로는 근래에 간섬유화 검사fibroscan, MR elastography 등이 간경변의 진행도를 평가할 수 있는 방법으로 사용되고 있다.

(1) Child-Turcotte-Pugh 점수

Child-Turcotte-Pugh 점수는 원래 문맥고혈압 환자에서 문맥대정맥 단락 수술에 대한 위험도를 평가하기 위하여 개발되었으나, 나중에 간경변 환자에서 복강내 수술의 위험을 예측하는데 유용하다는 것을 알게 되었다(표

3-2). 많은연구에서 수술 사망률이 A급 간경변에서는 10%, B급에서 30%, C급에서 75% 내지 80% 라는 것을 보여주었다. 이 방법의 취약점은 간성 혼수, 복수의 평가가 주관적이기 때문에 객관성이 떨어진다는 것이다.

(2) Indocyanine green (ICG) 검사

ICG는 정맥 주사 후, 혈청 내에만 존재하고 오직 간을 통하여 배출되는 특징을 갖고 있다.

이러한 특성 때문에 ICG 정맥 내 주사 후 15분 후의 잔류 비율(ICG R15)을 측정하면 간의 배출능에 대한 정보를 얻을 수 있고, 간의 예비력에 대한 평가를 가능하게 한다. 정상 범위는 10% 이하이며, 이 경우 간우엽 절제술 정도의 수술이 가능하다. 10-19% 정도의 경우 간좌엽 절제술 혹은 우후구역 절제술 정도, 20-29%의 경우 간 실질의 약 1/6 정도의 절제가 가능하며, 30% 이상일 경우 매우 제한적인 절제 만이 가능하다.

(3) Model for End-Stage Liver Disease Scoring System

Model for End-Stage Liver Disease (MELD)는 CTP 점수와 달리 연속적인 척도이며 주관적인 판단을 배제한 객관적인 실험실 검사치에 근거한 모델이다. 이것은 원래 경목정맥 간내문맥 간정맥 단락술Transjugular Intrahepatic Portosystemic Shunt (TIPS) 후의 단기 예후를 측정하기 위한 도구로서 개발되었으나, 간이식 대기자의 단기 예후를 예측하는 모델로서의 유용성이 확인되어 2002년 후 미국에서 간이식 장기 분배의 기준이 되는 방법으로 인정되고 있다. MELD 공식은 다음과 같다.

MELD score = 10〔0.957Ln(SCr)+0.378(Ln(Tbil)+1.12Ln(INR)+0.643〕

SCr은 혈청 크레아티닌 치(mg/dL), Tbil은 혈청 빌리루빈 치(mg/dL)

Northup 등은 이식 수술이 아닌 다른 외과 수술을 받는 간경변 환자의 수술 후 사망률을 예측하는데 CTP 점수와 MELD 점수의 상대적 유용성을 비교하였다. MELD 점수 만이 수술 후 30일 사망률을 예측할 수 있는 통계적으로 유의한 유일한 방법이라고 주장하였으며, MELD 점수 20이하에서는 점수가 1점 오를 때 마다 사망률이 약 1%씩 증가하며, MELD 점수 20 이상에서는 점수가 1점 오를 때 마다 2% 씩 사망률이 증가한다고 기술하였다. 또 다른 연구에서는 간경변 환자는 응급 수술, 대수술에서 사망의 위험이 높다는 것도 제시하였으며, MELD 점수가 1점 오를 때마다 상대적인 사망 위험이 14% 증가한다고 하였다.

2. 문맥고혈압

문맥은 상장간막 정맥과 비장 정맥이 합하여 만들어지며, 복강 내 장관의 혈류를 모아서 간으로 유입시킨다. 분당 1,000 내지 1,500mL의 혈액을 공급하며 간으로 가는 혈류의 약 75%를 차지한다.

정상 문맥압은 5-10mmHg 정도인데, 쐐기 간정맥압 혹은 직접 문맥압이 대정맥압 보다 5mmHg 이상인 경우, 비장 정맥압이 15mmHg 이상인 경우, 수술 시 측정한 문맥압이 20mmHg 이상인 경우는 비정상적이며 문맥고혈압을 시사한다.

1) 문맥압의 측정

직접 문맥압을 측정하는 방법은 수술장에서 시행하거나 장혈관조영술 등의 침습적인 방법 밖에 없기 때문에 실제 임상에서는 수술장을 제외하고는 거의 사용되지 않는다. 간접적으로 문맥고혈압을 규명하는 가장 정확한 검사로는 간정맥조영술이 있다. 가장 일반적으로 사용되는 방법은 풍선 도자를 간정맥에 위치 시키고 개방 간정맥압(FHVP)을 측정하고, 풍선을 팽창시켜 간정맥을 막은 후 쐐기 간정맥압(WHVP)을 측정하는 방법이다.

쐐기 간정맥압에서 개방 간정맥압을 뺌으로서 간정맥압 편차(HVPG)를 구할 수 있다(HVPG = WHVP-FHVP). 간정맥압 편차는 간 굴맥관과 문맥의 압력을 나

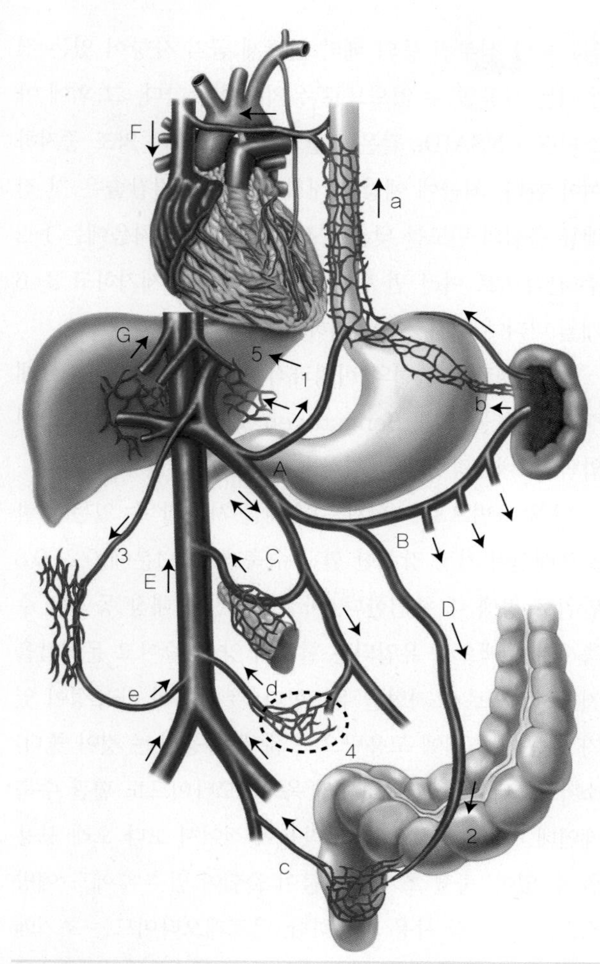

그림 3-9 문맥고혈압에 의하여 충혈된 정맥(정맥류)을 초래하는 복강내 정맥혈류의 경로. 1. 관상 정맥 2. 상치핵 정맥 3.부제대 정맥 4.레지우스 정맥 5.Sappey 정맥 A.문맥 B.비장 정맥 C.상장간막 정맥 D.하장간막 정맥 E.하대정맥 F.상대정맥 G.간정맥; a;홀정맥계; b,vasa brevia; c,중,하 치핵 정맥; d,장 정맥; e, 상복부 정맥

타내므로, 문맥압을 재는 방법이 될 수 있다.

2) 문맥고혈압의 영상의학적 소견

문맥의 말단지는 체순환계로 연결되는 정맥과 연결되어 있다. 이 연결 들은 식도위경계 부위, 비장 정맥계와 좌 신정맥, 항문관 , 겸상인대 , 후복막부에서 일어난다 (그림 3-9). 문맥계에는 밸브가 없어서 어느 부위에 저항이 생기면 상승된 압력이 역으로 전달되게 된다. 문맥 고혈압이 되면 상기 연결 부위를 통하여 혈류가 흐르게 되며 정맥류를 형성하게 된다. 식도정맥류가 형성되고 출혈이 발생하려면 문맥압이 12mmHg 이상이 되어야 한다.

문맥의 해부학적 구조에 대한 이해가 문맥-순환계 단락술, 간절제술, 간이식 등을 시행하기 전에 필수적이기 때문에 영상의학적 소견이 매우 중요하다. 비침습적이고 간단한 검사로서 초음파 검사를 들 수 있다. 도플러 검사로 문맥 해부학적 구조의 윤곽을 그릴 수 있고, 혈전 존재 유무, 혈류의 방향을 알 수 있으며, 수술적 단락술과 TIPS 후의 혈류 방향을 평가하는데 유용하다. 그러나 간경변이 심하게 진행되어 간의 크기가 매우 작아져 흉곽내로 깊이 들어간 경우 검사가 제한적일 수 있다.

복부 CT 혈관조영술과 자기 공명 혈관조영술magnetic resonance angiography은 제한없이 문맥의 해부학적 구조와 개방성을 규명할 수 있는 좋은 검사이다. 복강내 단락의 위치와 크기, 정맥류의 정도 등을 규명하여 수술에 도움을 줄 수 있다. 침습적인 검사로서 장혈관조영술, 문맥조영술이 있는데 특별한 경우 일부에서만 시행되고 있는 검사이다.

3) 문맥고혈압의 원인과 임상 양상

문맥고혈압은 저항이 증가하는 부위에 따라 전동양혈관, 동양혈관, 후도양혈관으로 분류한다.

간경변증은 문맥고혈압의 가장 흔한 원인으로서 동양혈관 내의 저항에 기인한다. 문맥고혈압이 임상적인 증상을 초래하는 기전에는 문맥-체순환계 단락이 중요한 역할을 하고 있다. 정상 문맥압은 5-10mmHg이며 이 압력하에서는 문맥계와 체순환계와의 단락이 거의 발생하지 않는다. 그러나 문맥압이 증가함에 따라서 전신 순환계와의 연결 부위가 늘어나게 되고 많은 양의 혈류가 간주위로부터 체순환계로 유입되게 된다. 이 때 일어나는 정맥의 팽창에 산화질소(NO)가 중요한 매개 물질로 생각된다.

문맥고혈압에 의하여 발생되는 중요한 임상 소견은 식도정맥류, 비장증대, 복수 등이 있다. 그 중 가장 치명적인 것은 식도정맥류 출혈이다. 식도정맥류를 형성하는 혈류의 주 통로는 관상 정맥 혹은 좌위정맥의 전분지이며, 비장을 통한 통로도 일부 기여한다. 비장 증대는 이차적으로 과비장증을 초래하여 저백혈구, 저혈소판, 빈혈 등의 검사실 소견을 보인다. 복수의 형성에는 여러 가지 요인이 작용하지만, 문맥고혈압이 중요한 원인 중의 하나이다. 메두사 머리는 외부 복벽에서 육안적으로 확인할 수 있는 소견인데, 이는 겸상인대를 통한 제대정맥의 재개통에 기인하며 Curveilhier-Baumgarten 잡음이 들릴 수도 있다. 자발적으로 문맥-좌신정맥 단락이 생기는데, 크게 발달될 경우 간이식 수술 시에 문맥 혈류가 간으로 가는 것을 돕기 위해서 이 부위를 결찰해야 되는 경우도 있다. 간경변증 환자의 약 45%에서 항문, 직장에 있는 정맥류가 발생하며 치핵과 구별되어져야 한다. 치핵은 문맥계에 연결되어 있지 않으며 문맥 고혈압이 있는 환자에게서 빈도가 증가하지 않는다.

문맥 고혈압은 문맥내 저항의 증가와 문맥내 혈류의 증가에 의해 발생한다. 문맥 저항성의 증가는 간의 섬유화와 재생 결절로 미세 순환계가 압박된 결과이며, 근섬유모세포myofibroblast, Ito 세포, 동양내피세포sinusoidal endothelium는 문맥의 수축에 중요한 역할을 한다. 문맥 고혈압은 간부전에 수반되는 과역동성 순환과 내장 혈관 확장증에 의해 유지된다. 심박출량의 증가는 일반적으로 전신적인 혈관 확장증을 유발한다. 내장 혈관 확장에는 글루카곤, 프로스타사이클린, 엔도텔린-1, 산화질소(NO) 등이 작용하는 것으로 이해되며, 이런 물질 들이 간부전으로 인한 대사 이상으로 증가되는 것에 기인한다고 생각하고 있다.

4) 식도 정맥류의 치료

대상성 간경변증 환자의 약 30%와 비대상성 간경변증 환자의 약 60%는 식도 정맥류를 가지고 있다. 정맥류 환자의 1/3이 정맥류 출혈을 경험하며, 출혈이 있을 때마다 사망할 가능성이 20-30%이다. 첫 출혈에서 살아남은 환자의 70%는 치료 없이 지내는 경우 1년 안에 재 출혈을 경험하게 된다.

정맥류 출혈의 예방을 위하여 propranolol 또는 nadolol 같은 베타 차단제를 투여한 경우 2년 내 정맥류 출혈을 50% 정도 줄일 수 있다고 분석되어 있다. 그러나 기도 질환이나 심부전 등의 베타 차단제 금기 사항이 있는 경우에는 사용할 수 없으므로 유의하여야 한다. 그 외에 아스피린과 NSAIDs 같은 출혈성 경향이 있는 약도 중지하여야 한다. 최근에 예방적 내시경 정맥류 결찰술은 첫 정맥류 출혈의 빈도를 낮춘다고 알려져 있다. 처음에는 1-2주 간격으로 여러 번 반복하여 정맥류를 제거하고 3-6개월 마다 위내시경을 시행하여 추적 관찰한다.

급성 정맥류 출혈의 비외과적 치료법으로는 바소프레신 등의 약물 요법, Sengstaken-Blakemore 튜브 풍선 압박법, 내시경 정맥류 결찰술 등이 있다.

약물 요법으로는 혈관 수축제를 사용할 수 있는데 바소프레신이 가장 강력한 혈관 수축제로서 1분에 0.2-0.8 단위로 정맥 내 주입한다. 바소프레신은 내장 동맥을 수축시켜 문맥으로 유입되는 혈류의 양을 줄이고 문맥압을 저하시킴으로서 지혈을 유도한다. 부작용의 가능성이 있기 때문에 초기에 고용량으로 짧게 사용하는 것이 좋다. 소마토스타틴과 그 유도체인 옥트레오타이드도 혈관 수축제인데 바소프레신 보다 부작용이 적어서 보다 오래 사용할 수 있어, 출혈 초기와 더불어 출혈이 멈춘 후에도 예방적으로 수 일간 사용 가능하다. 옥트레오타이드는 초기에 50ug 정맥내 투여 후 지속적으로 50ug/h으로 주입하는 용법으로 치료한다.

약물 요법이나 내시경적 치료에 실패한 경우 Sengstaken-Blakemore tube를 이용한 풍선 압박법을 적용할 수 있다. 환자의 80%에서 정맥류 출혈에 효과적이지만 흡인성 폐렴이나 식도 궤양, 식도 천공과 같은 합병증을 유발할 수 있어서 주의 깊은 관찰을 요하며 근본적인 치료를 기다리는 환자들에게 단기간 치료로 사용한다.

환자가 가능한 조건이 되면 속히 내시경적 치료를 시행하여야 한다. 내시경적 치료에는 경화 요법과 결찰술이 있다. 경화 요법의 경우 점막 궤양이 발생할 수 있으며, 이로 인하여 출혈이나 식도 협착이 오는 수가 있어서 근래에는 고무 밴드를 사용하는 정맥류 결찰술이 많이 시행되고 있다. 결찰 요법은 경화 요법보다 합병증이 적고 지혈율도 90% 정도로 우수하여 가장 선호되는 방법이다.

수액 요법과 수혈은 과도하지 않도록 조심스럽게 시행하여야 한다. 또 이런 환자들은 감염에 취약하기 때문에 cefriaxone 같은 예방적 항생제의 투여가 생존률을 증가시킬 수 있다.

공격적인 약물 치료 및 내시경 치료가 시작되고 최대한 이용되었을지라도 정맥류 출혈 환자의 10-20%는 계속해서 출혈이 된다. 외과적 단락술 또는 TIPS 같은 치료는 내과적 치료에 반응이 없는 90% 환자에서 효과적이다. 단락술은 일반적으로 간기능이 잘 보존된 경우(CTP class A) 고려 될 수 있으며 TIPS는 대상되지 않는 간 질환(CTP class B 또는 C)이 있는 환자들에게 사용된다. 그러나, 이러한 치료 방법의 사용은 각 병원의 경험에 의존한다.

5) 위정맥류의 치료

위정맥류의 치료도 기본적으로 식도 정맥류와 마찬 가지로 베타 차단제 약물 요법을 일차적으로 시행한다. 약물 요법에 반응하지 않거나 재출혈이 될 경우 내시경 치료를 시행한다. 소만곡을 따라 발생하는 위 정맥류는 환자의 식도 정맥류의 확장으로 생각 될 수 있으며 식도 정맥류와 유사하게 치료될 수 있다. 그러나 대만곡을 따라 발생하는 위 정맥류는 내시경으로 접근하기 어려운 위치이며 비장 정맥으로부터 혈류가 공급되기 때문에 식도 정맥류와 다른 수술적 치료 등이 필요할 수도 있다. 만약 위정맥류 폐쇄가 안 되고 내시경 치료가 실패한 환자들에게는 TIPS를 고려해야 하며 이런 경우 90% 이상에서 정맥출혈을 조절 할 수 있다.

6) 외과적 단락술

외과적 단락술은 내과적 치료에 반응이 없는 환자에서 고려된다. 단락술은 일반적으로 간기능이 잘 보존된 경우(CTP class A) 고려 될 수 있으나, TIPS와 간이식의 발달로 외과적 단락술을 시행하는 필요성은 감소하고 있다. 외과적 단락술을 시행하는 경우는 MELD 점수 15점 미만으로 간이식을 받을 기회가 없는 환자나, TIPS 시술을 시행하는데 혈관접근에 제한이 있는 환자에 한하여 시행되고 있다. 가장 먼저 시행된 외과적 단락술은 문맥대정맥 단락술인데 높은 간성혼수의 발생율과 문맥혈류 감소에 의한 간기능 저하로 거의 시행되고 있지 않다. 또한 이 방법으로 수술 받은 환자는 이후 간이식을 받을 경우 기술적으로 수술이 더욱 어려워 진다. 이에 대한 대체 방법으로 상장간막 정맥과 대정맥을 8-10mm정도의 직경을 가진 인조혈관을 이용하여 연결하는 상장간막 대정맥간 지름술이 있다. 이 방법은 기술적으로 용이하며, 추후 이식 수술시 기술적인 문제를 심각히 일으키지 않지만 높은 혈전 형성과 재출혈이 많이 발생하는 단점이 있다. 그래도 현재 많이 사용되고 있는 단락술은 말단 비장신간 단락술 혹은 와랜 단락술이다. 이 방법은 식도 위 주변의 측부순환을 차단하고, 식도와 위의 정맥 유입을 비장정맥으로 유도하고, 비장정맥과 신정맥 사이에 형성된 측측문합을 통해 대정맥으로 혈류를 유입시켜 이를 감압시키는 효과가 있다(그림 3-10). 이 방법은 간성혼수의 발생이 적고 추후 간이식 수술에 크게 영향을 주지 않는다는 장점이 있다. 결론적으로 근본적인 치료인 간이식 수술이 있기 때문에 이식을 받을 수 없는 환자가 내과적 치료에 반응하지 않을 경우에만 제하적으로 외과적 단락술이 사용되고 있다.

7) 경목정맥 간내 문맥정맥 단락술

경목정맥 간재 문맥정맥 단락술Transjugular Intrahepatic Portosystemic Shunt (TIPS)은 풍선 카테터와 금속 스텐트를 사용하여 외과적 수술 없이 간내에서 문맥의 분지와 간정맥의 분지간에 지름길을 만드는 방법이다. 약물 요법과 내시경적 치료에 반응하지 않는 식도위정맥류 출혈의 90% 이상이 이 방법으로 치료될 수 있다. 그 외에 간성 복수, Budd-Chiary 증후군, 외과적 지름술의 부전에서도 효과적으로 사용될 수 있다. 외과적 수술은 복강 내 조직 유착 등으로 인하여 나중에 간이식 수술에 불리한 조건이 될 수 있지만 TIPS 방법은 간이식에 영향이 거의 없다. 약 25-30%에서 합병증이 발생하며 시술 시 손상에 의하여 복강내 출혈, 담관내 출혈이 발생할 수 있고 특히 간성 혼수를 유발할 수 있기 때문에 심한 간 부전이 있는 경우 금

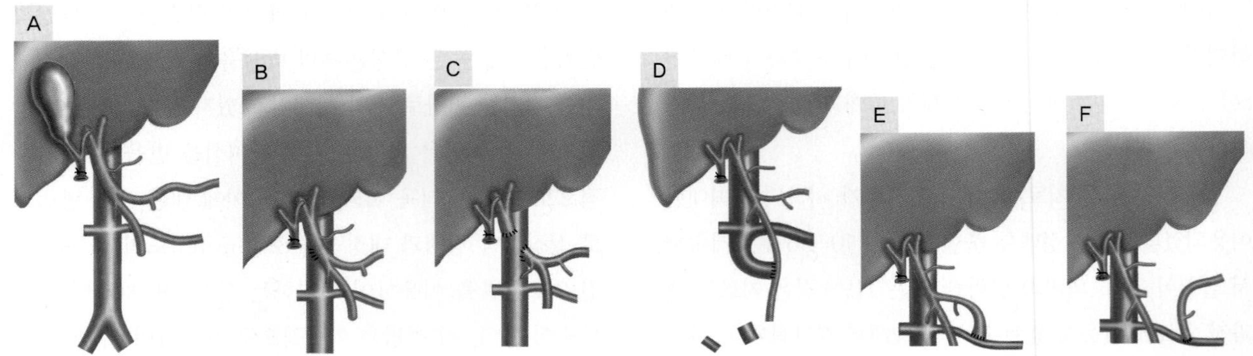

그림 3-10 문맥고혈압의 외과적 지름술. 문맥-대정맥 지름술의 종류. A) 정상, B) 측측문합, C) 단측문합, D) 상장간막-문맥, E) 근위 신-비장, F) 원위 신-비장(Warren)

기이다. 우심실 부전이 있는 경우에도 시술 후 증가된 혈류량으로 인해 심부전을 악화시키므로 금기증에 속한다.

8) 단락술 이외의 다른 수술적 치료방법

아시아 지역에서는 지름술 외에 문맥과 정맥류와의 차단으로 정맥류를 제거하여 위식도 정맥류 출혈을 막는 수술법이 발달하였다. 대표적인 수술법이 수기우라Sugiura 수술이다. 이 술식은 양측 위만부와 식도 주변의 혈관을 광범위 하게 제거하고, 비장절제술, 미주신경절제술, 식도 절단 및 재문합, 유문성형술을 시행한다. 이 수술은 간성 혼수가 적은 것이 장점이며 합병증을 줄이기 위하여 변형된 수술법들이 시행되고 있다.

9) 간이식

비대상성 말기 간경변과 문맥 고혈압, 위식도 정맥류 출혈의 근본적인 치료는 간이식이 유일하다. 간이식 만이 환자의 장기 생존을 기대할 수 있으며 삶의 질을 향상시킨다. 간이식은 다른 부분에서 다루어질 것이기 때문에 여기에서는 자세히 언급하지는 않겠지만, 위식도 정맥류의 치료법을 고려할 때 항상 나중에 간이식을 하게 될 수 있다는 사실을 염두에 두고 치료법을 선택하여야 한다.

10) 버드 키아리 증후군

버드 키아리 증후군Budd-Chiari syndrome은 여러 가지 원인으로 인하여 간정맥 배출이 막힘으로서 생기는 질환이며, 점진적으로 간 손상과 문맥 고혈압에 이르게 된다. 간정맥이 막히는 부위에는 일반적으로 혈전이 형성되며 간정맥에서 병변이 형성되거나 혹은 우심방 이하의 대정맥 부위에서 병변이 생성되는 양상을 보인다.

철저한 검사를 통하여 원인을 알 수 있는 경우가 대부분이며, 원발성 버드 키아리 증후군으로 진단되는 경우는 10% 이내이다. 원인을 밝히는 것이 환자 치료의 결과 뿐 아니라, 혈전의 재발을 예방하는데 매우 중요하기 때문에 이 부분을 소홀히 하는 일이 없어야 한다. 서구에서는 주로 골수증식성 질환을 갖고 있거나 응고 항진성 이상을 가진 환자가 매우 많이 발견 된다. 90% 이상의 환자들은 이 증후군으로 진단되고 난 이후 검사 상 골수증식성 질환으로 진단된다. 골수증식성 질환을 가진 경우는 일차성 혈소판 증식증이나 적혈구 증식증을 가진 경우가 대부분이다. 80% 정도는 평균 연령 30세 정도의 젊은 여자에게 발생하는 것으로 알려져 있다. 모든 유전성 혈전 형성 질환은 버드 키아리 증후군과 관련이 있을 수 있다. 응고인자 5번의 유전적 결함으로 활성 C 단백질의 저하성이 약 25%의 환자에서 관찰된다. 항카디오리핀 항체와 호모시스테인 과다증, 임신이나 경구피임약의 복용도 버드 키아리 증후군관 연관이 있다. S단백질, 안티트롬빈 III 결핍증도 원인으로서 작용할 수 있다.

임상 양상은 간정맥 협착의 범위와 속도에 따라서 달

리 나타난다. 대개의 환자는 간의 울혈이 진행됨에 따라 간 비대, 우상복부 통증, 동통 등이 나타나게 되며 시간이 지남에 따서 복수가 생기게 된다. 급성 간부전은 드물고 대부분의 환자에서 만성적인 문맥고혈압과 복수가 주 임상 양상으로 나타난다. 약 50%의 환자에서 미상엽의 비대가 발생한다. 이는 미상엽이 대정맥으로 직접 유입되는 부위와 인접하기 때문이며, 또한 이 미상엽의 비대 자체가 대정맥의 혈류를 방해하는 일을 초래하기도 한다.

간 생검 조직 검사 소견에서 전형적으로 간내 중심동맥 주변 울혈이 보이고 압력에 의한 간 세포의 괴사가 나타난다. 병의 경과에 따라서 결절성 재생 그리고 간경화로 진행되는 소견을 보인다. 버드 키아리 병의 진단에 반드시 조직 검사가 필요한 것은 아니지만, 진단에 도움을 줄 수 있고 병의 경과에 따라 치료법을 결정하는 데 도움을 줄 수 있다.

영상의학적 검사로서는 복부초음파가 우선적으로 시행되어야 할 검사 방법이다. 간정맥의 혈류와 혈전의 존재, 간정맥의 측부 순환 등을 확인 할 수 있다. 초음파의 민감도와 특이도는 각각 85%정도이다. 복부 CT와 MRI도 간정맥내의 혈전을 확인할 수 있고 대정맥의 형태학적인 접근이 가능하다는 장점이 있으나 혈류의 방향이나 양을 평가하는 데는 제한이 있다. 직접적이고 확실한 진단방법은 간정맥 조영술로, 이 방법을 통해 간정맥내 혈전의 정도를 측정할 수 있으며 동시에 대정맥의 압력을 측정할 수도 있다. TIPS나 외과적인 지름술을 시행하기 전에 반드시 간정맥 조영술로 대정맥의 압력을 측정하여야 한다.

버드 키아리 병의 치료는 간경변의 진행 정도와 잔존 간 기능에 따라서 달리 판단되어야 한다. 초기의 치료는 기저 질환을 진단하고 간정맥 내 혈전이 더 이상 진행하지 않도록 항응고제 치료를 시행하는 것이다. 방사선 중재 시술 혹은 외과적 수술은 내과적 치료에 실패한 경우에 시행된다. 혈전 용해술, 경피적 혈관조영술, TIPS의 조합은 시술과 연관된 사망률이 낮고 미상엽의 비대에 큰 영향을 받지 않아 외과적 수술보다 선호되는 시술이다. 이 병에 의한 복수나 문맥 고혈압에 대한 내과적 혹은 외과적인 치료는 일반적인 간경변 환자에서의 원칙과 크게 다르지 않다.

간이식은 근복적인 치료법으로서 이 질환에서도 말기 기능 부전의 경우 고려될 수 있으며 75%정도의 10년 생존율을 기대할 수 있다. 근래에 들어 간이식의 발달로 좋은 결과에 대한 보고가 많아 일차 치료법으로 고려되는 경우가 많지만, 이식 후 혈전 문제가 재발하는 경우가 다른 원인에 의한 간이식에서 보다 많기 때문에 아직은 논란이 있다. 현재로서는 이식 이외의 다른 치료로 초기 치료를 시행하고 질병이 진행된 경우 간이식을 시행하는 것이 일반적인 의견이다.

요약

간경변은 만성적인 간손상에 대한 반복되는 창상 치유 과정의 결과로서 섬유화 중격과 간세포 결절로 특징되어 진다. 간경변은 매우 다양한 질병 경과를 보여 주지만 원인과 관계없이 결과는 간부전과 문맥 고혈압의 두 가지로 귀결된다. 문맥 고혈압에서 환자의 사망과 합병증을 초래하는 가장 중요한 임상 현상은 정맥류 출혈이다. 정맥류 환자의 삼분의 일에서 출혈을 경험하며 그 중 20-30% 정도의 사망률을 보이고 있어, 이에 대한 예방과 치료가 중요하다. 내시경적 정맥류 결찰술이 일차적인 치료이며 예방적으로 시행할 경우에도 출혈을 줄이는 효과가 있다. 방사선 중재 시술로 TIPS 도 매우 효과적인 방법이며 수술 방법으로서는 단락술이 있지만 현재는 Warren단락술을 제외하고는 거의 시행되지 않고 있으며 이 수술도 시행되는 경우가 매우 드물다. 식도 하부와 상부 위장 부위의 혈관을 광범위하게 결찰하는 Sugiura 수술도 출혈에 대한 효과적인 치료이지만, 근본적인 치료가 되려면 간경변을 치료하여야 되므로 결국 간이식 만이 장기적인 해결책이라고 할 수 있다.

III 급성 간부전증

1. 서론

급성 간부전증은 과거에 간질환에 대한 과거력이 없던 환자가 여러 가지 원인에 의해서 갑자기 간세포가 괴사되고 간기능이 소실되어 첫 증상 발현 후 26주 이내에 혈액응고장애와 간성 뇌증등 임상적인 증상을 나타내는 질환이다. 임상에서 비교적 드물게 경험하지만 급속도로 경과가 악화되고 인근 장기까지 기능에 장애를 주어 다 장기부전증을 초래하여 높은 사망률을 보이는 매우 위험한 질환이다. 또한 특별한 치료법이 없어 사망률이 매우 높았으나 최근에는 이들 환자에서 간이식 수술을 조기에 시행하여 생존율은 높였으며 그러나 아직 어떤 환자를 이식 수술 할지 환자의 선택과 수술 시기를 결정하는 것이 중요하다. 급성 간부전증은 만성 간 질환이 있던 환자가 여러 가지 자극에 의해서 갑자기 간 기능이 악화되는 만성 간질환의 급성화 상태와는 서로 다른 상황이지만 임상 경과가 비슷하여 과거력을 세밀히 조사하거나 간 조직 검사를 하지 않으면 감별하기가 매우 어려울 때가 많다. 간부전증의 임상증상이 특별하지 않고 일반적이어서 황달이 나타나고 간성 뇌증상을 보이는 시간에 따라서 7일 이내에 뇌 증상이 나타나면 초 급성, 8일에서 28일 사이를 급성, 29일 이후를 아 급성 간부전증으로 분류하기도 한다. 시간이 짧을수록 예후가 좋을 것으로 알려져 있다.

간부전증의 원인은 매우 다양하며 지역적이나 사회 여건에 따라서 달라서 서구에서는 가장 흔한 원인이 아세트아미노펜 약제에 의한 것이고 그 외에 할로탄 등 약제의 부작용이나 치료 약물의 과량 섭취 등 약제에 의한 것이 많다. 반면 우리나라나 개발 도상 국가에서는 B형 간염에 의한 것이 가장 많고 그 외에 A형 간염, 헤르페스 등 여러 종류의 바이러스에 의한 감염이 있고 간혹 허혈성 간 손상, 자가 면역성 간염, 임산부의 특이한 반응에서 볼 수 있다. 서구에 많은 아세트아미노펜 약제에 의한 간부전증은 비교적 예후가 좋은 반면 B형 간염에 의한 간부전증은 예후가 불량하다.

2. 임상증상

급성 간부전증은 서구에서는 대부분 여자에 많고 중년층에 호발한다. 발병초기에는 특이한 증상이 없이 단지 식욕부진, 피로감, 복부동통 등의 증상이 있다가 시간이 지나면서 황달이나 고열이 동반된다. 그러나 가장 특징적이고 예후에 중요한 영향을 미치는 증상은 간성 뇌 증상인데 통상 첫 임상증상이 있은 후 약 1주일 전후에 나타난다고 한다. 뇌 증상을 증상의 정도에 따라서 4단계로 나누는데 1단계는 약간의 진전, 불안 등의 증상이 있다가 2단계는 졸림 현상, 시간이나 개인에 대한 인식장애, 비정상적인 행동 등이 있고 3단계는 혼란, 반 혼수상태 혹은 여러 자극에 반응이 늦고 이상한 행동을 보이며 4단계는 혼수상태로 자극에 반응이 없는 정도이다(표 3-4).

뇌 증상에 대한 기본적인 병리소견은 뇌부종이 있고 여기에 뇌압이 상승되어 나타나는데 기전은 잘 알려져 있지 않지만 혈중 암모니아 농도의 증가, 전신적인 염증 매개체의 반응, 뇌 혈류 조절 기능 소실 등에 의한다고 한다. 가장 중요한 혈중 암모니아 증가는 장내에서 글루타민

표 3-4. 간성 혼수의 등급 분류

간성혼수등급	전신장애	신경학적 증상	뇌파
I	약간의 인식장애, 도취감, 불안감	약간의 진전, 실행증	비교적 정상
II	기민성(lethargy), 무관심, 시간에 대한 인식부족	운동실조(ataxia), 구음장애	느려짐
III	반혼수, 지남력장애, 이상한 행동	운동실조, 구음장애	비정상
IV	혼수	제뇌(decerebration)	비정상

에 의해서 생성되어 문맥을 통해서 전신 혈액으로 순환하게 되는데 간에서 대사되어 유레아로 배설되어야 하지만 간부전증에서는 간에서의 대사가 억제되어 나타난다. 특히 간부전증에서 동반하여 신장기능이 저하되면 혈중 암모니아 농도는 더욱 악화된다. 증가된 혈중 암모니아는 뇌의 성상세포astrocyte에서 글루타민산과 결합하여 글루타민으로 되는데 이 글루타민이 증가되면 삼투압으로 작용하여 뇌부종을 초래하게 되는 기본 요소가 된다. 뇌의 부종을 초래하는 데는 암모니아 외에도 여러 물질이 관련되고 또한 혈중 저 나트륨증, 뇌출혈 등이 뇌부종을 더욱 악화시킨다. 뇌의 부종이 깊어지고 뇌손상이 진행되면 뇌압상승을 유발하고 더욱 악화되면 뇌의 탈출을 초래하여 사망한다. 뇌부종이 심해지면 제한된 두개강 내에 있는 뇌가 압박을 받아 뇌압이 상승하게 되며 이로 인해 뇌로 가는 혈류의 관류압을 저하시킨다. 따라서 뇌의 관류압은 동맥압에서 뇌압을 뺀 것으로 정의하며 관류압이 낮아지면 뇌의 허혈 손상을 초래하므로 관류압이 유지되어야 정상적인 뇌기능을 유지 할 수가 있다. 그래서 뇌압을 측정하는 것은 매우 중요하지만 직접 뇌에 관을 삽입하여 뇌압을 측정하는 것은 출혈이나 감염 등 부작용이 많고 뇌압측정이 환자의 생존율을 예측하는데 꼭 정확한 지표는 아니라고 하여 현재까지 직접 뇌압을 측정하는 것은 논란의 여지가 많다. 급성 간 부전에서는 뇌부종으로 인한 뇌압의 상승이 가장 흔한 사망 원인이다. 간질환에서 뇌손상의 치료 방향은 뇌압을 낮추어 관류압을 향상시키는데 주목적을 두고 여기에는 뇌 혈류량을 줄이고 뇌부종을 치료해야 한다. 우선 환자의 머리를 상승시키고 뇌에 자극이 될 수 있으면 가능한 피하고 진정제 사용을 제한해야 하며 진정제를 사용할 때는 작용시간이 짧은 약제를 사용한다. 여러 가지 치료에 관한 시도는 많았지만 확실히 검증된 치료는 소수에 불과하며 어느 정도 인정된 치료법에는 락툴로오스를 경구나 관장용으로 사용하면 혈중 암모니아를 감소시켜서 뇌압을 억제하므로 신경 증상을 호전시킬 수 있다. 만니톨을 사용하면 만니톨이 혈관내 삼투작용을 하여 뇌부종을 치료하고 바비투레이트 계통의 약물을 투여 하면 뇌혈관을 수축시켜서 뇌압을 감소시킬 수 있다. 또한 소수에서는 저 체온도 뇌압을 하강 시킬 수 있다고 하며 고농도의 식염수도 치료에 도움이 된다고 한다.

급성 간부전증 환자에서 혈액의 응고 기전에 장애가 오는데 정확한 기전은 알 수 없지만 임상 검사에서 혈소판의 수가 감소하고 기능이 떨어지며, 프로트롬빈 시간의 연장, 그 외 다른 혈액 응고 요소 등이 감소하여 나타나는 것으로 장애의 정도에 따라서 예후에 중요한 영향을 미친다. 그러나 이러한 요소들에 문제가 있어도 다른 응고 인자등이 증가하여 보상하므로 혈액응고의 장애가 있을 때 일반적으로 자연적인 출혈은 없다. 따라서 예방적으로 출혈을 방지하기 위해서 신선 혈장등 다량의 응고 물질을 투여할 필요는 없다. 실제 출혈이 있거나 진단 목적으로 적극적인 처치를 해야 할 때는 신선혈장, 혈소판 및 한냉혈장 등을 투여 할 수 있다.

급성 간부전증에서는 갑작스런 대량의 간 괴사로 인해서 여러 가지 염증 물질이 나오며 이로 인해서 고열, 백혈구 증가, 빈맥 등이 발생하는데 감염에 의한 패혈증의 증상이 유사하여 혼동하지만 감염이 흔히 발병되어 중복 될 수 있다. 실제 간 부전 환자에서는 면역과 관련된 요인의 감소 등 여러 가지 요인으로 감염의 감수성이 높다. 감염으로 인해서 인근 장기의 기능을 악화시키는 역할을 하여 다 장기 부전으로 기폭이 되므로 감염 예방이 매우 중요하고 감염이 중요 사망 원인이 된다. 급성 간부전증 환자는 혈관이나 요로 등에 여러 가지 도관을 하거나 면역의 장애로 인해서 감염의 기회는 많은데 보고자에 따라서 환자의 약 80%까지 감염의 빈도를 보고하고 있다. 원인균은 그람 양성의 포도상구균이나 장내세균이 많고 칸디다 같은 진균 감염 등도 있다. 감염은 간성혼수나 신장 기능 등 다른 장기에 나쁜 영향을 줄 수 있어 이것도 중요한 예후인자가 된다. 조기 진단이 중요하여 혈액이나 소변 등 여러 군데에서 세균 배양을 하거나 X-선 검사 등으로 감염에 대한 세밀한 추적 조사가 필요하다. 예방적인 항생제 치료는 필요하지 않지만 간성혼수가 심하거나 신장기능의 장애 등 다 장기의 부전이 있거나 간이식 대기자 같은 고위험군 에서는 경험적인 항생제 치료가 도움이 된다.

간부전증 환자의 혈액 역동학적 소견은 전신에 심한 혈류 저항이 감소되고 심박 출량이 증가하면서 역동 순환이 특징이고 기본적이다. 기전은 잘 알려져 있지 않지만 여러 종류의 혈관 이완 물질이 생성되어 말초 혈관의 긴장도가 감소되고 동맥 혈관이 이완되어 저혈압을 초래한다. 저혈압이 계속되면 중심 정맥압을 측정하면서 일반 수액을 다량 투여해서 혈압을 상승시키고 적극적인 치료에도 저혈압 상태가 계속되면 노르에피네프린이나 도파민 같은 혈압 상승제를 사용 할 수도 있다. 그러나 과량 투여하면 뇌부종 등 뇌에 나쁜 영향을 미친다. 급성 간 부전에서 의식장애가 있으면 대부분 환자에서 호흡상태를 잘 관찰해야 한다. 호흡에 지장이 있으면 호흡성 산증을 초래하여 간성 혼수를 조장 할 수 있다. 또한 진행되면 폐부종을 초래해서 심하면 급성 폐 부전증으로 기관 삽관하여 기계 호흡이 필요한데 이때 적당한 호기 말 양압(PEEP)이 중요하지만 호기 말 양압을 높이면 뇌부종과 간의 울혈을 유발할 수도 있다. 신장에도 간부전증으로 인해 급성 세뇨관 괴사, 신장의 혈류장애, 약제의 신독성 등으로 신부전증을 유발할 수 있다. 또한 대부분의 급성 간부전증 환자에서 치료를 하는 중 여러 가지 이유로 혈관 내 수분 부족을 초래해서 신장기능 장애를 유발할 수 있다. 따라서 충분한 양의 수분을 공급하는 것이 중요하며 너무 과량이면 뇌부종을 악화시키므로 조심해야 한다. 여러 가지 치료를 해서 신장의 혈류를 유지하여 신부전증의 예방에 힘써야 하며 임상적으로 심한 체액증가, 산증이나 전해질 불균형 등이 있으면 투석이 필요해서 교정할 필요가 있다. 급성 간부전증 환자의 주된 사망원인은 다장기부전, 패혈증 및 뇌부종이다.

급성 간부전증에서 간의 병리학적 소견은 만성 간질환에서 보는 간의 심한 위축이나 표면의 재생 결절은 없고 우선 외형상으로 간이 정상이거나 오히려 증대 되어있고 표면은 좀 딱딱하지만 매끄러워 정상적인 소견이다. 조직학적으로 간세포의 괴사 등 기본적인 구조가 소실된 것이 특징적이고 원인에 따라서 양상에 어느 정도 차이가 있지만 만성 간질환에서 볼 수 있는 풍부한 섬유조직이나 성숙된 교원조직이 없는 것이 특징이다. 초기나 초 급성 간부전증에서는 국소의 간세포 괴사가 있다가 점차 괴사의 범위가 확대된다.

3. 치료

우선 간기능에 이상이 있고 신경학적 장애가 동반될 때 이 질환을 염두에 두어야 하고 시간을 지체하지 않고 조기에 진단하는 것이 가장 중요하다. 진단이 늦어지면 여러 합병증으로 인해서 사망률이 매우 높아진다. 일단 급성 간부전증으로 진단이 되면 많은 환자에서 간 이외의 신장, 폐, 뇌 등 다 장기 부전증을 초래하여 전문적인 집중 치료가 필요하므로 간 전문 센터로 환자를 이송하는 것이 좋고 이중 많은 환자는 간이식이 필요하므로 간이식 수술을 할 수 있는 센터로 이송하면 더욱 좋다. 환자의 프로트롬빈 시간이 지연되고 2등급 이상의 간성 혼수가 있을 때 또는 나이가 어리거나 고령인 경우, 예후가 나쁠 것으로 예상되는 원인의 간부전증 환자는 집중치료가 필요하다. 간이식 센터에서는 환자의 예후를 생각해서 전문적인 집중 치료와 간이식 수술에 대한 치료법의 장단점을 비교하여 간이식 수술을 하여야 한다.

집중 치료실에서 효과적인 약물치료를 하는 것이 우선 환자의 생존에 매우 중요하다. 그러나 확실하게 검증된 치료법은 많지 않고 약물 치료에 치중하다가 간이식의 치료 시기를 놓쳐서는 안 된다. 간성혼수에 대해 지금까지 알려진 치료를 하지만 그 외 장기에 대한 손상에서도 대증적 집중치료가 필요하다. 약물에 의한 급성 간부전증에서는 약물에 대한 해독제를 사용하여 좋은 결과를 얻는 경우가 있다. 특히 아세트아미노펜에 의한 간부전증에서 N-acetylcysteine (NAC)을 사용하면 NAC가 체내에서 글루타치온으로 되는데 이것이 아세트 아미노산의 대사산물과 결합하여 체내에서 제거된다. 그 외 약물 중독에서도 이 약물사용으로 약간의 효과가 있다고 한다. 즉 모든 원인의 약물 중독에서 질병의 초기에 사용하면 질환이 진행되는 것을 어느 정도 막을 수 있다고 한다. 또한 일부 버섯 중독에서 고용량 페니실린 지(G)를 사용하여 효과가 있다고 한다. B형 간염에 의한 급성 간부전증에서는 항바이러스 제제를 사용할 수 있다. 고용량의 혈장 교환은 동맥내의 암모니아를 감소시키고 뇌압을 하강하여 임상에서 어느 정도 도움을 줄 수 있지만 급성 간부전증 치료에 시도하여 여러 부작용도 있고 통계적으로 환자의 생존율을 의의있게 상승시키는것 같지는 않다. 간 지지요법은 간기능이 재생될 때까지의 시간이나 간이식을 준비하는 교량 역할로써 최근에 주목을 받고 있는데 여기에는 차콜이나 알부민 흡착을 이용한 인공간이나 돼지나 그 외 생체 간세포를 이용한 체외순환을 이용한 장치가 있다. 그러나 이런 여러 보조 장치들이 간성혼수, 간 내압 및 뇌 혈류압 등 뇌손상에 대한 임상소견이나 빌리루빈, 혈액응고 기전에 어느 정도 효과를 볼 수 있지만 생존율을 향상시킨다는 보고는 없다. 그러나 향후 연구가 활발히 되어 장비 및 기술이 개발되어 간부전증 환자에 사용되면 좋은 결과를 얻을 것으로 기대되는 매우 희망적인 분야이다.

급성 간부전증에서 대증 치료를 하였을 때는 생존율이 20%에 불과하였지만 간이식 수술이 치료의 한 방법으로 인정된 후에 생존율이 약 65%까지 향상되어 간이식 수술이 가장 확실한 치료법이지만 그러나 소수의 환자에서만 이식을 받고 있다. 대부분 나라에서 급성 간부전증은 간이식의 수술 등록에서 가장 우선하기 때문에 조기에 시행되지만 어느 시기에 수술해야 하고 또는 어떤 환자에서 수술을 해야 하는지는 아직도 확실한 것은 없다. 그러나 수술의 시기가 늦어지면 간이식 수술 후에 다 장기 부전이나 뇌의 탈출 때문에 사망률이 높아서 일반적으로 만성 간 질환 환자의 간이식 보다 결과가 좋지 못하다. 이식 수술 후 생존에 영향을 미치는 요소는 우선 간부전증의 원인이 있는데 아세트아미노펜이나 A형 간염에 의한 질환은 수술 후 경과가 좋지만 약물 부작용에 의한 환자는 예후가 나쁘다. 그 외에 증상이 나타날 때까지의 시간, 수술 전 보조치료를 하거나 신장기능이 저하되어 있을 때, 수술 후 합병증 유무 및 나이가 중요한 요소가 된다. 제공자의 장기의 질도 중요한 요소가 되어 짧은 대기시간에 질이 좋은 장기를 선택하는 것도 중요하다. 이식 장기를 기다리다가 사망하는 환자가 많아서 특히 뇌사 장기가 부족한 우리나라에서는 대체 수술로 생체장기를 이용한 생체 간이식을 하여 적절한 시간에 질 좋은 장기이식을 하여 좋은 결과를 보인다. 보조 간이식은 질환의 간이 재생 될 때까지만 기능을 해주면 나중에 위축되는 것으로 장점이 있어 고려 할 수 있다.

급성 간부전증 환자에서 중환자실에서 집중치료를 하여 회복될지 그렇지 않으면 간이식 수술을 해야 하는지 결정하는 것은 매우 중요하다. 그래서 지금까지 많은 요소들을 가지고 연구하였지만 아직 확실한 방법은 없다. 지금까지 알려진 점수 평가 체계를 일반적인 원칙으로 참고하고 있지만 확실하게 결정할 수 있는 방법은 없고 입원 후 임상경과 관찰이 매우 중요하다. 그러나 현재까지 가장 흔히 사용되는 지표는 런던의 King's College 기준인데 원인에 따라서 따로 분리하였고 정확성에 대해서 논란이 있지만 가장 객관적이다(표 3-5). 만성 간질환에서 장기의 분배를 위해서 개발된 Model for End Stage Liver Disease (MELD score) 점수가 이용될 수가 있는데 여기에

표 3-5. 급성 간부전증 환자에서 예후와 관련된 기준

King's College 기준
아세트아미노펜에 의한 간부전증
수액을 투여 후 동맥혈 pH가 7.30 이하 이거나 다음의 조건이 맞을 때 1. 프로트롬빈 시간이 100초(INR 6.5) 이상 2. 혈중 크레아티닌이 259μmol/L(3.4mg/dL) 이상 3. 3 혹은 4 등급의 간성 혼수
비 아세트아미노펜에 의한 간부전증
프로트롬빈 시간이 100초(INR >6.5) 이상 혹은 다음 조건 중 3개 이상 맞을 때 1. 비 A 혹은 비 B 간염, 약물 혹은 원인 미상의 급성 간부전증 2. 황달에서 간성혼수가 7일 이후 발생 3. 나이가 10세 이하 혹은 40세 이상 4. 프로트롬빈시간이 50초(INR 3.5) 이상 5. 혈중 빌리루빈 297.6μmol/L(17.5mg/dL) 이상
MELD (Model of End Stage Liver Disease)점수
0.957×loge (creatinine, mg/dL)+ 0.378×loge (bilirubin, mg/dL)+1.120×loge (INR)+0.643

는 중요한 요소인 혈중 빌라루빈, 크레아티닌, 프로트롬빈 시간이 포함된다. 그 외에 Clichy criteria로 간성 뇌증 단계와 응고인자 V를 중시하는 지표도 있다. 그러나 향후에 보다 정확한 예측지표가 개발 될 것으로 기대한다.

요약

급성 간부전증은 과거에 간질환에 대한 과거력이 없이 정상적인 간 기능을 가진 환자가 여러 가지 원인에 의해서 갑자기 간기능이 소실되어 황달이나 간성 뇌증 등 임상적인 증상을 나타내는 질환이다. 임상에서 비교적 드물게 경험하지만 급속도로 경과가 악화되고 높은 사망률을 보이는 매우 위험한 질환이다. 간부전증의 원인은 서구에서는 가장 흔한 원인이 아세트아미노펜 약제에 의한 것이고 개발 도상 국가에서는 B형 간염 등 여러 종류의 바이러스에 의한 감염이 많다. 가장 특징적이고 예후에 중요한 영향을 미치는 증상은 간성 뇌 증상인데 뇌 증상을 증상의 정도에 따라서 4단계로 나눈다. 뇌 증상에 대한 병리기전은 잘 알려져 있지 않지만 혈중 암모니아 농도의 증가, 전신적인 염증 매개체의 반응, 뇌 혈류 조절 기능 소실 등에 의한다고 한다. 급성 간부전증 환자에서 혈액의 응고 기전에 장애, 감염에 의한 패혈증, 급성 폐 부전증, 급성신부전증 등이 올 수 있다. 급성 간부전증의 치료는 조기에 진단하는 것이 가장 중요하며 진단이 되면 간 전문 센터나 간이식 센터로 이송해서 전문적인 치료를 받아야 한다. 어느 정도 인정된 치료법에는 락툴로오스, 만니톨등 있고 아세트아미노펜에 의한 간부전증에서 해독제로 N-acetylcysteine (NAC)을 사용한다. 혈장 교환, 간의 보조기구에 차콜이나 알부민 흡착을 이용한 인공간이나 돼지나 그 외 생체 간세포를 이용한 체외순환을 이용한 장치가 있다. 급성 간부전증에서 대증 치료를 하였을 때는 생존율이 낮지만 간이식 수술이 가장 확실한 치료법이나 환자의 선택과 수술 시기에 논란이 있다. 그러나 현재까지 가장 흔히 사용되는 지표는 King's College 기준인데 그러나 향후에 보다 정확한 예측지표의 개발이 필요하다.

IV 간 감염

간실질은 간문맥을 통하여 장내세균에 항상 노출되어 있으나 감염은 드물다. 간은 그물내피계통의 가장 큰 저장소이며 이는 세균감염을 막는 역할을 한다. 조절할 수 없는 양의 간내세균이 축적될 경우 감염과 농양이 발생하게 된다.

1. 화농성 간농양

우리 나라 전체 간농양 중 화농성 간농양은 60-80%를 차지하는 것으로 보고되고 있고 남녀 비는 1.4-2.6:1로 약간 남자에서 호발하는 것으로 알려져 있다. 과거 치료하지 않은 충수돌기염이나 문맥염 환자에서 이환율과 사망률을 보이는 가장 흔한 원인이었다. 현재 알려진 원인으로 담도의 조작, 게실염, 염증성장질환, 세균성내막염과 같은 전신 감염 등이 있다. 드물게 내시경역행성담도조영술 혹은 담도 협착의 치료 등도 간농양을 유발한다. 즉 배액이 되지 않는 협착상부에 연속적인 조영제의 주입한 경우 고위험군에 속할 수 있다. 이 경우 비침습적 자기공명담도영상촬영이 이러한 합병증을 막을 수 있다.

증상으로 우상복부통증, 발열과 때론 황달이 나타날 수 있고 진단을 위하여 주의 깊은 문진과 병력청취가 필요하다. 간기능 검사상 대부분 미미한 변화가 있을 뿐 명확한 이상 소견은 나타나지 않으며 화농성 간농양 환자의 약 1/3에서 명확한 일차 감염원을 찾을 수가 없다.

초음파검사상 낭성종괴로 나타나며 다발성 격벽 혹은 이질성 낭액의 형태로 나타난다. 초음파검사상 이상이 있는 경우 조영제를 사용한 컴퓨터단층촬영을 시행한다. 전산화단층촬영 소견으로 주변부의 조영이 되는 저음영의 종괴로 나타난다. 단일 농양에서 경피적 흡입술을 통해 그람염색과 배양을 할 수 있으며, 이는 향후 항생제 사용과 배액치료를 위하여 필요하다. 단일 농양일 경우 배액이 충분히 이루어 진다면 흡입술 단독 치료로도 충분하며 복합 농양이거나 농양이 짙은 양상을 띠는 경우 경피적배액관을 거치시키는 것이 유용할 수 있다. 종종 농양의 형태가 다발성으로 작은 농양을 형성하는 경우가 있는데 경피적배액술이나 생검 등은 권해지지 않는다. 이러한 경우 술중초음파등을 이용하여 복강경으로 정확한 부위의 생검등이 유용하다.

복강내 원인균들은 호기성 그람음성균, 호기성 그람양성균과 혐기성균들이며 흔히 *Escherichia coli, Klebsiella pnemoniae, Enterococcus faecalis, Enterococcus faecium*과 *Bacteroides fragilis*등이 관여한다. 아급성 세균성 심내막염과 몸으로 삽입된 도관에 의한 전신적 감염에서는 *Staphylococcus*와 *Streptococcus*가 흔한 균이다. 간농양의 약 40%가 단일균주, 40%가 복합균주 나머지에서는 배양음성을 나타낸다.

항생제 치료는 먼저 감염의 원인에 따라 경험적으로 처방을 하며 농양의 흡입술 후 배양된 결과에 따라 항생제를 처방하여야 한다. 경피적배액술은 약 80–90%정도에서 효과적이므로 중재적 수술치료는 불필요하다. 하지만 경피적배농술이 실패한 경우 복강경 혹은 개복 수술배농이 필요하며 위의 방법에도 치료되지 않는 간농양의 경우 간절제까지 필요한 경우가 있다.

2. 기생충성 간농양

1) 포충 질환

포충 질환Hydatid disease은 기생충성 낭중 가장 흔한 간내 낭성 병변으로 우리나라에는 흔하지 않고 호주, 뉴질랜드, 아프리카, 그리스, 스페인, 중동 등이 호발지역이다. 우리나라의 경우 대부분 이지역을 여행하였거나 거주하였던 경우에서 발견되므로, 특히 30–40대 남자가 간내 낭성 병변으로 내원하는 경우 병력 청취시 이를 꼭 확인하여야 한다. 낭성 포충 질환은 인간이 숙주가 되어 *Echinococcus granulosus*의 유충낭에 의해 유발된다. 숙주는 동물로 부터의 배설물을 섭취하여 감염이 되며 포충낭 자체는 무증상이며 합병증을 유발하지 않는다. 하지만 낭종이 파열될 경우 이차감염이 될 수 있고 다른 장기에 감염을 유발할 수 있다. 포충낭의 2/3가 간에 생기고 이중 3/4이 우간에 생긴다. 진단은 *Echinococal* 항원에 반응하는 효소염색측정법(ELISA)을 시행하며 약 85%의 양성율을 보인다. 초음파와 단층촬영에서는 다양한 두께의 낭벽을 가지는 단순 혹은 복합 낭으로 나타난다. 치료는 mebendazole, flubendazol, albendazole과 같은 구충제를 경구복용하며 간의 직접적 치료로 PAIR (Percutaneous aspiration, instillation of absolute alcohol, and reaspiration)이 시행되기도 한다. PAIR의 성공율은 75% 이상으로 보고되며 치료에 실패한 경우 복강경 혹은 개복 낭종제거를 행하여야 한다. 낭종의 벽을 완벽히 제거 못할 경우 간절제가 필요하다. 아나필락시스를 방지하기 위하여 수술 전에 미리 항히스타민제를 주고, 수술중에는 필요한 경우를 대비하여 히드로코티손을 준비해 둔다. 낭내 물질이 수술 중 새는 것을 방지하면서 낭 내액과 내측 생식세포층을 완전히 제거하여야 한다. 미리 내액을 흡인하여 감압한 후 두절살충제scolicidal agent를 잠시 주입한 후 다시 흡인해 내야 하며, 포충낭의 배액이나 수술적 치료시 낭종의 파열시 복강내 파종이 생길 수 있으므로 주의하여야 한다. 수술적 치료 후 사망률은 5% 미만이며, 재발률은 치료 방법과 관찰기간에 따라 차이가 있지만 8–20% 정도까지 보고되고 있다(그림 3-11).

2) 아메바성 간농양

아메바성 간농양은 대부분 위생환경이 좋지 않은 지역에 많이 발생하며 지역에 따라 다른 분포를 보여 적도부

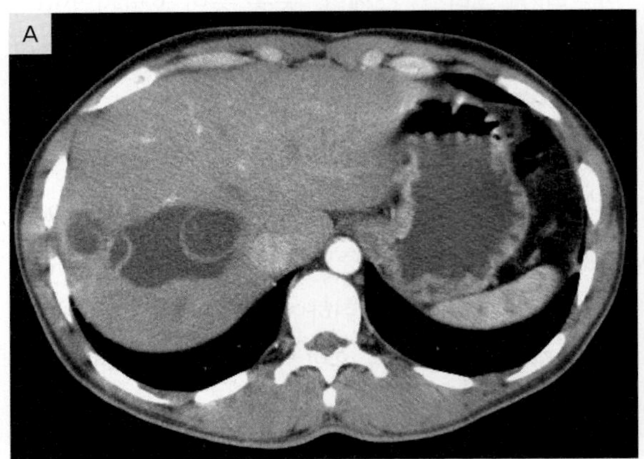

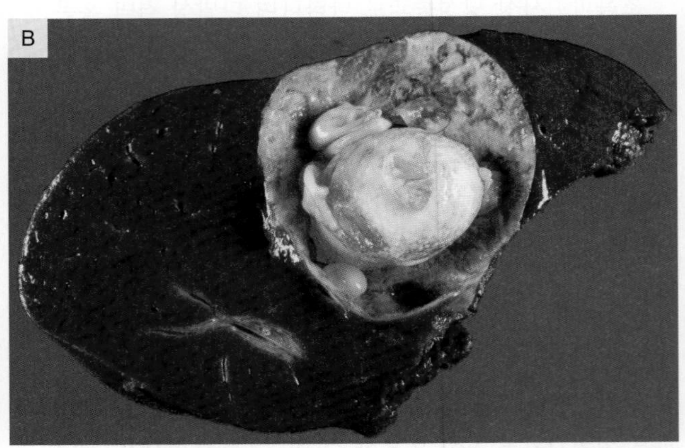

그림 3-11 **포충 질환.** 다양한 두께의 낭벽을 가지는 복합낭 형태를 보인다. A) 포충 질환의 전산화단층촬영 소견 B) 같은 환자의 육안적 소견

위지역에서는 12% 정도의 감염을 보인다. 우리나라에서는 1980년대 이전에는 주로 제주도, 전남 지방, 경남 지방에 많이 발생하였으나 현재는 발생률이 현저히 감소되어 임상에서 드물게 관찰된다. 대부분 젊은 사람들에서 많고 40대에 가장 호발하며 30대, 50대, 60대 순으로 발생한다. 남녀비는 2-3:1로 남자에서 호발한다. *Entamoeba histolytica*는 낭형태로 인간에 들어와 대장에서 영양형 trophozoite으로 변한 뒤 대장점막을 뚫고 문맥계로 침범하여 간으로 이동한다. 효소를 통해 간실질을 괴사시키는데, 점점 커지면서 내부에는 세포가 없는 단백질 부스러기를 함유한 농과 그 주위를 침습성의 영양형이 둘러싸고 있는 형태를 취한다. 농은 액화된 간 실질과 혈액을 포함하며, 2차감염이 없으면 냄새는 없다. 글리손Gisson막은 아메바 용해 작용에 저항이 있어 결국 농은 가의 피막과 맞닿게 된다. 70-80%에서 횡격막 가까이 간우엽에 발생하며, 10%는 간좌엽에, 나머지 10%는 다발성으로 온다.

증상으로 약 1주일간 지속되는 발열과 오한, 우상복부 동통과 압통을 동반하는 발열등이 있다. 설사는 명백한 대장 감염이 있는 경우에도 1/3에서만 발생하며 간농양은 아메바성 대장염 환자의 1/3에서 발생한다. 환자의 70% 이상에서 분변에서 아메바를 검출할 수 있으며, 90-95% 환자에서 *E. histolytica*에 대한 형광항체 반응에 양성을 나타내며 미미한 간기능효소검사의 이상이 나타나나 고빌리루빈증은 흔하지 않다.

치료는 항아메바성 약물치료가 원칙이며 메트로니다졸이 가장 널리 사용된다. 90% 이상의 환자에서 3이내 열이 내리고 7-10일안에 증상이 사라지며, 이후 메트로니다졸은 4-6주 정도 계속 투여해야 한다. 농양의 배액술이 필요한 경우는 드물지만 약물치료에 반응하지 않는 큰 농양이나 이차감염이 있는 경우에는 배액술이 필요하다. 더욱이 심장막쪽으로 파열 위험이 있는 좌엽의 농양은 배농이 필요하다.

3) 회충증

회충감염은 아시아, 인도, 남아프리카에서 부분적으로 흔하다. *Ascaris lumbricoides* 회충의 난자들은 위장관에서 담도로 역행성 운동에 의해 간으로 이동한다. 성충은 10-20cm 길이로 총담관에 박히며, 부분적 담도폐쇄를 일으키고 이차적 담관염증성 농양을 일으킨다. 회충은 간내담석의 병소역할을 하는 것으로 보여진다. 감염된 환자는 담석산통, 급성담낭염, 급성췌장염, 또는 간염이 나타날 수 있다. 복부단순촬영, 복부초음파, 내시경역행췌담관조영술에서 담관의 선상 충만결손으로 회충을 확인할 수 있다. 치료는 내시경으로 회충을 제거하고 piperazine citrate, mebendazole, or albendazole 등의 구충제를 경구복용한다. 내시경으로 회충제거가 불가능할때는 수술적 치료가 필요할 수 있다.

4) 주혈흡충증

간주혈흡중증은 장내에 있던 난자가 장간막 정맥계통을 통해 간에 도달할 때 발생한다. 대변을 통해 알이 배설되고 물속에서 부화하며 사람이 오염된 물에 접촉할 때 피부를 통해 인체에 다시 들어온다.

주혈흡중증은 세 단계의 임상증상을 가진다. 첫 단계는 피부를 통해 흡충이 들어옴으로 인한 소양감이며, 두 번째 단계는 발열, 두드러기, 그리고 호산구증가증이고, 세번째 단계는 동모양혈관 앞의 문맥압항진증에 따른 간섬유화이다. 이 단계를 거치는 동안 간은 줄어들고 비장은 커지며 환자는 문맥압항진증에 의한 합병증이 생길 수 있다. 활성 감염은 대변 검사로 발견된다. 혈청학적 검사는 과거감염을 시사하지만 감염시점은 알 수 없다. 혈청학적 검사가 음성이면 주혈흡충증 감염을 배제할 수 있다. 혈청 아미노기전이효소는 대개 정상이지만 활동단백수치는 약간 상승된다. 혈청 알부민 수치가 낮은 것은 대개 장내출혈이나 영양부족에 의한 결과이다.

주혈흡충증의 약물적 치료에는 위생교육이 포함된다. Praziquantel이 모든 형태의 주혈흡충증의 선택치료제이다. 하지만 난치성 문맥압항진성 장내출혈이 있으면 원위부비신 단락 또는 위맥관절제 그리고 비장절제가 고려된다.

요약

간농양은 화농성과 기생충 농양으로 구분되며 화농성 농양의 원인으로 전신감염에 의해 혹은 담도계 조작에 의해 생기며 감염에 따른 전신증상이 나타난다. 치료는 배농과 항생제 사용이며 원인균에 따른 적절한 항생제 사용이 필요하다. 기생충 농양으로 포충질환, 아메바성 간농양, 회충증, 주혈흡충증이 있다. 최근 해외여행을 다녀온 30-40대에서 간내 낭성 병변으로 내원하는 경우 기생충성 낭중 가장흔한 포충질환에 대해서도 고려해 보아야 할 것이다.

Ⅴ 간의 낭성질환

간내 낭성 병변은 원인 및 조직학적 특성에 따라 여러 종류로 분류될 수 있다. 선천성 병변으로는 단순낭, 다낭성 질환, Caroli 병이 있으며 후천성 병변으로는 간농양, 기생충성 낭 외상성 낭 등이 있다. 신생물성 병변으로는 낭성 과오종, 담도 낭선종, 낭성암, 낭성으로 변화된 간종양 등이 있다.

1. 선천적 낭종

1) 단순낭종

간에서 발견되는 가장 흔한 양성 병변은 단순낭종이다. 단순낭종은 남자보다 여자에서 1.5배 정도 더 많이 발생하며, 증상을 나타내는 빈도는 여자에서 9-10배 정도 높으며, 주로 40-60대에 발견된다. 단순낭종은 흔히 방사선학적 소견상 돌출이 없는 얇은 벽을 가진 단방성이며 균일한 액을 가진 구조로 나타난다. 낭종의 상피는 답즙을 포함하지 않는 깨끗한 장액을 분비하지만 간혹 점액성이거나 낭내 출혈에 의해 출혈성 일 수는 있다. 증상을 나타내는 경우는 거의 없지만, 크기가 큰 경우 동통, 상복부 팽만감, 위의 압박으로 인한 조기 포만감의 증상이 나타날 수 있다.

단순낭종에서 간기능 검사는 대개 정상이고 간부전은 극히 드물다. 간기능 검사상 이상 소견이 있을 때에는 동반된 다른 질환을 의심해야 한다. 대부분 단순낭종은 초음파나 전산화 단층 촬영을 통해 발견되며 종괴의 낭성 성격 및 내부 구조를 볼 수 있어 유용한 검사 방법이다. 오심, 구토가 있을 때 위장관조영술이나, 내시경을 할 수 있으며 황달이 있거나 담도와의 연결이 의심 될때 담도 조영술을 할 수 있다. 또한 무증상으로 수술 중 우연히 발견되기도 하며, 단순낭종으로 진단이 확실하다면 치료가 필요하지는 않다.

증상이 있을 때는 궤양, 담석, 담당염, 담도종양, 기타 다른 간내 낭성 병변과의 감별이 필요하며 낭종에 격막, 결절, 벽의 불규칙성, 석회화 등의 소견이 보이면 특히 다른 낭성 병변과의 감별을 하여야 한다.

치료 방법으로는 흡인술과 경화요법의 병용, 복강경을 통한 절제술 또는 천공술, 개복술을 통한 완전 낭종절제술, 부분낭종절제술, 간절제술 등 다양한 방법이 사용되고 있으며, 치료의 선택은 낭종의 위치, 개수, 합병증 동반 여부, 그리고 동반질환 여부 등에 따라 결정된다.

수술적 치료 전 가끔 배액술을 시행하기도 하지만 재발율은 상당히 높은 편이다. 그러므로 단순배액술은 낭종의 첫 치료로 권하지는 않지만 증상완화의 효과는 얻을 수 있다. 한편 경피적흡인, 알코올의 주입 후 재배액술의 치료방법Percutaneous aspiration, instillation of absolute alcohol, and reaspiration-PAIR의 성공율은 거의 80%정도로 보고되고 있다. 낭종으로 접근이 쉽고 중재적방사선시술이 지원이 된다면 PAIR은 단순, 선천적 간낭종의 치료에 있어서 우수한 첫 치료이다.

단순 낭종의 수술적치료는 광범위의 낭종개창술fenestration이며 이 시술은 대부분 복강경으로 시행되어 질 수 있다. 광범위 낭종 개창 후의 재발율은 5%이하로 보고되고 있으며 획득된 낭종벽은 병리학적 검사를 시행해야 하며 남은 낭종벽은 육안적 암성변화가 있는지 주의 깊은 관찰이 필요하다. 세포학적 낭종액의 분석과 암표지자 검사는 암종에 대한 의심이 없다면 시행하지 않아도 된다. 증상이 있는 단순낭종에서 간절제 혹은 적출술enucleation 등은 드물게 시행되어 진다.

2) 다낭성 간 질환

다낭성 간 질환은 성인에서 주로 발생하는 상염색체 우성 질환이다. 영유아에서는 간 섬유화와 연관된 염색체 열성질환으로서 드물게 나타나며, 간이식을 하지 않는 한 치명적이다. 다낭성 간 질환의 임상적 해부학적 양상은 매우 다양하게 나타난다. 조기포만감, 삼킴곤란, 통증등이 만성적으로 나타날 수 있고 양성질환에서 수술적 치료를 고려할 경우 다른 유발인자에 대한 면밀한 조사가 필요하다. 대부분 이하적 검사상 종괴과 촉지되며 간기능 검사는 대개 정상이나 간혹 알칼리성 포스파타제나 빌리루빈 농도가 약간 상승한 경우도 있다. 초음파 및 전산화단층촬영상 간과 신장에 보이는 다발성의 타원형 도는 원형의 낭종들로 대부분 진단할 수 있다.

다당성 간 질환은 해부학적 고려에 따른 증상들을 몇 가지로 분류할 수 있다. 광범위하게 분포되어 있는 낭성질환임에도 주된 낭종에 의한 통증과 같은 명확한 증상을 나타내는 경우, 국한된 간엽이나 분절에 있으면서 영향을 받지 않은 간의 대상성비후를 나타내는 경우, 마지막으로 전반적인 간의 낭종 분포로 인한 간비대증을 나타내는 환자들로 분류할 수 있다.

주된 낭종과 그에 따르는 증상을 나타내는 환자의 경우 증상완화를 위하여 PAIR이 첫번째 치료로 시행되어 진다. 치료된 낭종의 소멸은 약 80%에서 이루어 지지만 재발을 피하기 위해서 주의 깊은 환자의 선택이 필요하다. PAIR의 적응이 되지 않거나 치료에 실패한 환자에서는 낭종의 해부학적 기초에 근거하여 낭종개창이나 절제가 시행되어져야 한다. 낭종개창은 해부학적 위치에 따라 복강경 혹은 개복으로 시행되어 질 수 있다. 낭종의 경계부를 따라 간엽절제를 시행하는 경우 선택적 환자에서 약

90%의 증상의 치료를 기대할 수 있다.

다낭성 간질환에서 수술 후 가장 흔한 합병증은 복수이며 항상 증상이 동반되는 것은 아니다. 복수로 인하여 증상이 나타나는 경우 이뇨제의 사용과 저염식 식사가 도움이 된다. 수술적 절제에 있어 또 하나 고려할 사항은 담즙의 누출이다. 낭종이 간실질을 압박하고 있기에 간내담도를 주의 깊게 결찰을 해야 하며 수술 후 간절제면의 담즙 누출이 없는지 꼭 확인하여야 한다. 다낭성 간질환에 의해 간기능이 점차 나빠지는 환자에서는 간이식이 고려되어야 한다.

3) Caroli병

Caroli 병은 선천성 담도낭의 한 종류로서 대부분 간 전체를 침범하는 간내 낭성병변이지만 방사선 및 육안적 검사상 한쪽간에 국한되어 다른 낭성병변과 잘 감별되지 않는 경우가 있다. 일반적으로 Caroli 병은 담도결석, 담도염, 담도 농양 형성 및 신낭종 등과 연관이 있으며, 간경변과는 연관이 없는 것으로 알려져 있으며 흔한 증상으로 잦은 발열과 오한, 복통, 황달등이 담관염과 관련되어 나타난다. 남녀의 비는 차이가 없으며, 드물게 이차적으로 문맥성 고혈압이 발생할 수 있으며, 7%정도에서 담도암이 발생하기도 한다. 자기공명췌담관조영술, 내시경역행췌담관조영술, 경피경간담도조영술등으로 진단할 수 있다. 첫 번째 치료는 내시경역행췌담관조영술과 경피경간담도조영술을 통한 담도배액이다. 한쪽엽에만 국한되어 있다면 간절제가 도움이 될 수 있다. 대상부전 간질환이나 반복되는 담관염 그리고 작은(T1 또는 T2) 담관암에서 간절제를 고려할 수 있다.

2. 후천성 낭종

간농양, 기생충성 낭, 외상성 낭 등이 있으며 외상성 낭은 외상 후 혈종이나 담즙낭종이 용해되는 과정에서 발생하는 낭종으로서, 대개 단일성이며, 간실질이나 담도의 파열로 인해 생기므로 상피세포가 없는 가성낭벽으로 둘러싸이며 내용물은 끈적거리는 담즙이나 혈액이 섞인 액체다.

수술은 증상이 있는 경우에 시행하며, 낭종을 완전히 제거할 수 없다면 냉동절편검사로 악성 여부를 꼭 확인하여야 한다.

3. 신생물성 낭종

1) 낭성과오종

담도 과오종은 개복시 간표면에서 발견되는 2에서 4mm정도 크기의 작은 병변이다. 단단하고, 부드러우며 연한 노란색을 띈다. 과오종은 전이병변과 감별이 어려울 수 있으며 진단을 위해서는 종종 절제생검이 필요하다.

2) 담도 낭성종양

담도의 낭성 종양은 40세 이상의 여자에서 가장 흔히 많이 발생하며 낭성암의 경우에는 남녀비가 비슷한 빈도로 발생하는 것으로 보고되고 있다. 낭종의 크기가 작을 때는 별 증상이 없고 크기가 커짐에 따라 주위의 장기나 간내 구조물을 압박하거나, 간혹 출혈이나 감염, 염전등의 합병증에 의하여 증상이 발현되므로 조기진단이 어렵다. 가장 흔한 증상은 복부 종괴나 복부 팽만감이고 경한 정도의 복통이나 비특이적인 소화불량, 식욕부진, 오심, 구토 등이 나타나기도 한다. 초음파나 다른 영상적 검사에서 낭종내에 다발성, 유두상 돌출구조의 특징적인 모양을 나타낸다. 낭종액의 배액은 드물게 시행되지만 배액시 점액성 액상을 나타낸다.

수술적 치료는 담관 낭선종과 담관 낭선암사이의 감별에 따라 달라진다. 담도 낭선암은 낭종벽이 매우 두꺼워져 있으며 영상검사상 낭종벽의 혈관조영이 되어 나타난다. 담관 낭선종의 경우 낭종적출술이나 낭종절제로 치료가 충분하며 혈관종이나 다낭성 간 질환과 같이 낭종 자체가 주위 간실질을 압박하고 있기에 술후 담즙 누출이나 술 중 출혈을 막기 위해 문맥분지의 정확한 확인과 결찰이 필요하다. 담관 낭선암인 경우는 해부학적 간절제가 필요하다.

요약

간내 낭성 병변은 원인 및 조직학적 특성에 따라 선천성 및 후천성, 신생물성 병변으로 분류할수 있다. 이 중 가장 흔한 병변은 선천성, 비기생충성 낭인 단순낭이지만 진단ㅇ 따라 치료방법이 달리지므로 감별진단이 매우 중요하다. 낭종으로의 접근이 쉽고 중재적 방사선 시술의 지원이 된다면 경피적 흡인, 알코올의 주입 후 재배액술의 치료방법Percutaneous aspiration, instillation of absolute alcohol, and reaspiration (PAIR)의 성공률은 높은 편이라 이 장에서 소개하였다.

VI 간의 양성 고형종양

대부분의 양성병변은 임상소견과 최근 급격히 발달한 영상 진단법으로 진단이 가능하고, 경피적 조직검사를 하지 않고도 악성종양과 감별이 가능하다. 일부 진단이 불분명한 예들에서는 AFP 및 CEA 등의 종양표지자검사와 전이암을 감별하기 위하여 원발종양을 찾는 검사를 시행하여야 하고 종종 경피적 조직검사가 필요하다. 이들 병변들의 대부분은 수술적 치료없이 추적관찰이 가능하고, 수술적 치료는 증상이 동반되거나 정확한 진단이 어렵고, 악성종양과 감별이 되지 않는 경우에 시행하는 것이 원칙이다.

1. 간세포선종(그림 3-12)

간세포선종은 간세포의 양성증식을 보이는 비교적 드문 질환이다. 가임기 젊은 여성에서 많이 발견이 되고, 특히, 장기간 경구피임약을 복용한 환자들에게 상대적 빈도가 높다. 대개 단발종양이고, 조직학적으로 글리코겐과 지방의 함유가 많은 양성 간세포들이 코드구조를 하고 있으며, 정상적인 간의 구조는 관찰할 수 없다. 진단 시에 약 75%의 환자가 증상을 가지고 있고, 상복부 통증이 주증상인데 증상은 대부분 종양 내 출혈이나 주위장기의 압박증상에 의해 발생한다. 이학적 검사에서는 특이소견이 없고, 종양표지자 검사에서도 정상소견을 보인다. 복강 내 파열이 되어 혈복증으로 발견되는 경우가 드물게 있다. 복부 CT에서 흔히 경계가 좋은 비균질성의 음영을 보이는 종괴로 관찰이 되고, MRI검사에서는 지방이나 내부출혈을 동반하는 경계가 좋은 종괴의 특징적인 소견을 보인다. 최근의 영상진단법의 발달로 인하여 거의 대부분의 간세포선종을 정확히 진단할 수 있다. 그러나, 진단이 어려운 증례에서는 간절제치료가 필요할 경우가 있다.

간세포선종의 두 가지의 주된 위험은 복강 내 파열과 악성전환malignant transformation이다. 종양의 파열의 위험을 정량하기는 어렵지만 30-50%의 위험이 있고, 종양의 크기와 관련이 있다고 알려져 있다. 간세포선종에서 간세포암이 발생한 예들이 보고가 되었지만 정확한 위험은 잘 알려지지 않았다.

간세포선종의 파열로 급성 출혈이 있을 때 간동맥색전술이 종종 일시적인 응급처치가 될 경우가 있지만 대부분의 경우 응급수술이 필요하다. 또한 증상이 동반된 경우에도 간절제를 시행하는 것이 좋다고 사료된다. 경구 피임약을 복용하고 있으면서 증상이 없는 장경 4cm 이하의 작은 간세포선종은 피임약을 끊은 후에 경과 관찰을 할 수 있다. 임신 중에 이 종양의 양상이 예측하기 어려우므로 가능하면 임신을 계획하기 전에 종양을 제거할 것을 권한다. 대부분의 임상의사들은 경과관찰 중에 전술한 위험의 발생이 상존하고, 수술위험이 거의 없으므로 종양의 절제치료를 권하는 경향이 있고, 간세포선종이 4cm 보다 큰 환자, 호르몬요법을 중지할 수 없는 환자, 호르몬요법

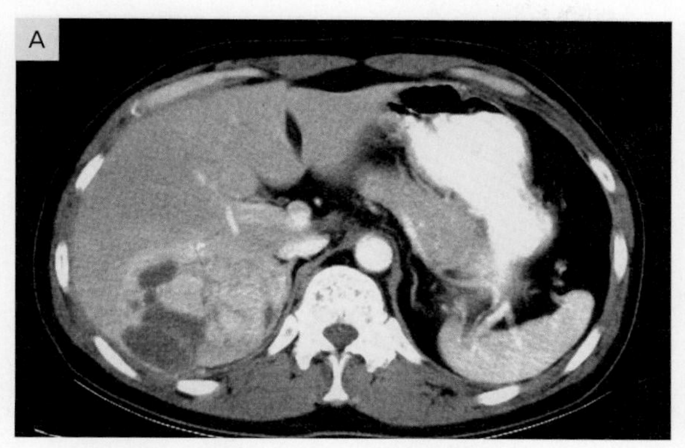

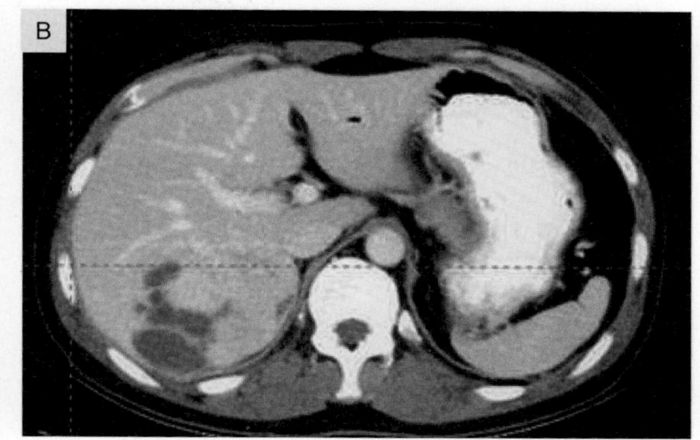

그림 3-12 **간세포선종의 역동적 조영증강 CT사진.** 종양의 일부에 괴사 혹은 출혈이 있고, 남은 부분은 동맥기(A)에 조영증강이 되었다가, 문맥/지연기(B)에 주위 간조직과 같은 정도로 조영 증강을 보인다. 환자는 우측 요부통증으로 간우엽절제술을 받았고, 병리조직소견에서 간세포선종이 진단되었다. 수술 후 14년째 건강생활을 영위하고 있다.

을 중지한 후에도 종양이 작아지지 않는 환자, 임신을 계획하고 있는 환자 등에서는 수술을 권한다.

2. 국소 결절성 증식(그림 3-13)

국소 결절성 증식focal nodular hyperplasia은 두번째로 흔한 간의 양성종양이다. 주로 젊은 여성에서 발견되고 흔히 정상간에 5cm 이하의 크기로 빈발한다. 이 종양의 특징은 대부분의 경우에 방사상의 격벽을 형성하는 중앙 섬유성 반흔이 존재한다. 현미경적 소견을 보면, 종양은 중앙 반흔으로부터 시작되는 다발성 섬유성 격벽에 의하여 나뉘는 양성코드들로 구성되어있다. 전형적인 간의 혈관구조는 없지만 비전형적 담도상피가 종양 내에 고르게 분포한다. 중앙 반흔은 종종 큰 동맥을 포함하면서 바퀴살모양의 가지들을 낸다.

국소 결절성 증식의 원인은 알려져 있지 않으나 발생학적 혈관기형이라는 설이 유력하다. 여성호르몬과 경구피임약 등이 국소 결절성 증식의 발생에 관련이 있다는 설도 있으나 입증이 어렵다. 경구피임약을 끊은 후 증상이 없어졌다는 일부의 보고가 있다.

대다수의 국소 결절성 증식 환자들은 개복 시 혹은 영상검사에서 우연히 발견되어 진단이 된다. 증상은 대개 모호한 복부 통증인데 이 증상들이 이 종양의 특이증상인지는 확인하기 어려워 혹시 증상에 관련된 다른 질환이 없는지 찾아보는 노력이 필요하다. 이학적 소견은 특이한 것이 없고, 간기능과 종양표지자검사들도 정상소견을 보인다.

간담도 영상의 진보와 더불어 대다수의 국소 결절성 증식은 영상검사로 진단이 가능하다. 역동적 조영증강 CT 및 MRI는 정확한 진단을 위해 반드시 필요하다. 그러나, 중앙 반흔이 없는 경우에는 영상진단은 어려워진다. 특히, 섬유층판형 간세포암 등과 악성 여부에 대한 감별진단이 어려워 조직학적 진단이 필요하게 되는데 세침흡입생검이 종종 정확한 진단을 내려주지 못할 경우에는 정확한 진단을 위해 수술적 치료를 권하기도 한다.

국소 결절성 증식의 자연경과는 완전히 알려지지는 않았으나, 대부분의 경우 발육이 매우 더디거나 거의 자라지 않는 양성종양이고 파열, 출혈 혹은 혈관경색 등은 거의 병발하지 않는다. 또한 암으로 진행된 예가 보고된 적이 없다. 그러므로 국소 결절성 증식의 치료는 진단의 정확성과 증상에 의존한다. 증상이 없고, 전형적인 영상진단소견을 보이는 경우에는 치료가 필요없다. 그러나 진단이 불확실하다면 정확한 진단을 위해 수술적 치료가 필요하다. 증상이 있는 환자들은 증상이 다른 질환에 기인한 것인지를 확인하는 검사를 시행하거나 많은 환자들이 증상이 사라지는 경우가 있으므로 정기적인 영상진단을 하면서

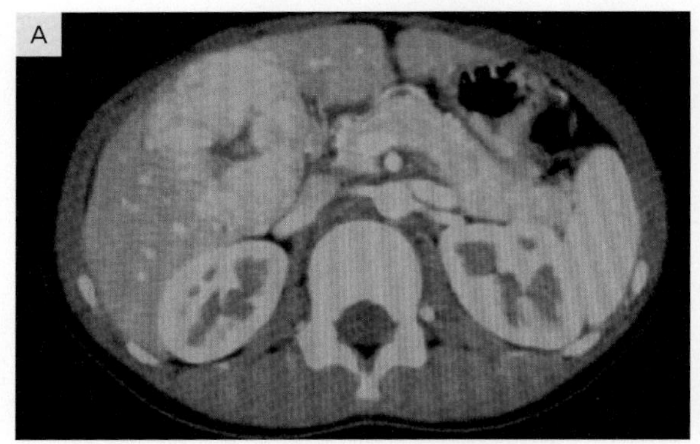

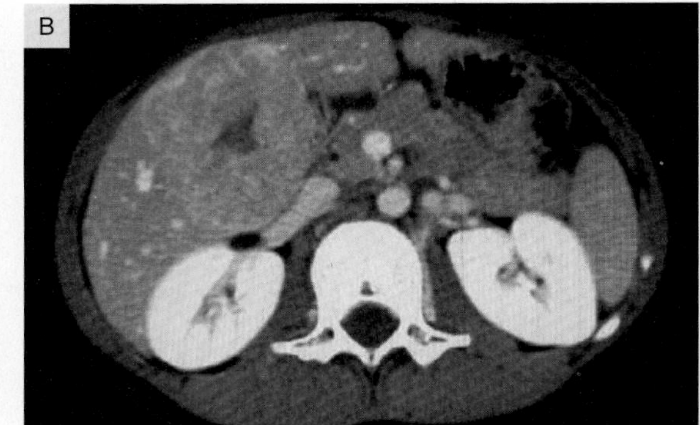

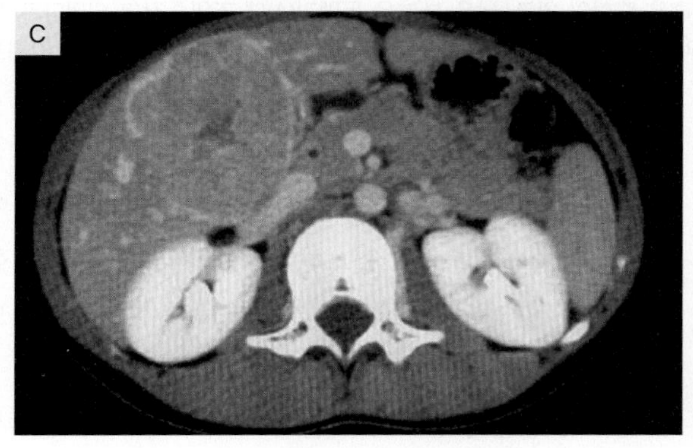

그림 3-13 간의 국소 결절성 증식의 역동적 조영증강 CT사진. 종양의 중앙에 방사상의 섬유성 반흔이 보이고, 종괴의 반흔 주위는 동맥기에 조영증강을 보이다가 문맥기와 지연기 영상에서 점차 희미해진다. 환자는 영상진단 후 8년 동안 추적관찰을 하고 있으나 종양의 크기변화는 보이지 않고 있다.

주의깊게 경과 관찰을 하는 것도 합리적인 방법이다. 종양이 자라거나 증상이 지속되는 경우에는 수술적 절제를 고려하여야 한다. 국소 결절성 증식은 양성종양이기 때문에 수술로 인한 합병증이 없어야 한다는 것은 두말할 나위가 없다.

3. 혈관종(그림 3-14)

혈관종hemangioma은 가장 흔한 간의 양성종양이고, 여자에 빈발하며, 평균 호발연령은 40세 중반이다. 모세혈관성 혈관종은 임상적 의미가 없는 반면에 해면혈관종은 간외과의의 주의를 요한다. 해면혈관종은 선천적 혈관기형으로 생긴다고 알려져 있고, 그 발육은 종양이 아니라 혈관확장으로 인한 것이다. 흔히 단발성이고 크기가 5cm 이하이며, 5cm이 넘는 크기의 혈관종을 거대 혈관종이라고 부른다. 혈관종의 퇴화나 내부 혈전이 생기면 결국 조밀한 섬유성 종괴가 형성되는데 이 경우 종종 악성 종양과 감별이 쉽지 않다. 현미경적 소견상 얇은 섬유성 격벽에 의하여 경계가 지워지는 내피세포가 내벽을 싸고 있는 혈액이 채워진 구조를 가지고 있다.

거의 대부분의 혈관종은 증상이 없고, 우연히 발견이 되는데 거대 압박성 종괴의 경우에는 모호한 상복부 불편감을 야기시키기도 한다. 이 경우에 약 반수의 환자에서는 증상이 다른 원인에 의한 것이므로 다른 질환을 확인하는 것이 필요하다. 종양이 갑자기 커지거나 종양내부에 급성 혈전이 생길 경우에 증상이 발생할 수 있고, 혈관종이 스스로 파열되는 경우는 거의 없다. 드물지만 혈소판감소증이나 소모성 혈액응고장애가 동반되는 경우를 Kasabach-Merritt씨 증후군이라고 한다.

혈관종환자에서 일반 간기능검사와 종양표지자가 대개 정상이고, 방사선학적 검사에서 대다수의 환자에서 정확한 진단을 내릴 수 있다. 진단을 위해 CT나 MRI에서 전형적인 주변부 결절성 조영증강의 소견이 보이면 충분하다. 동위원소부착 적혈구 스캔은 정확한 진단법이지만 역

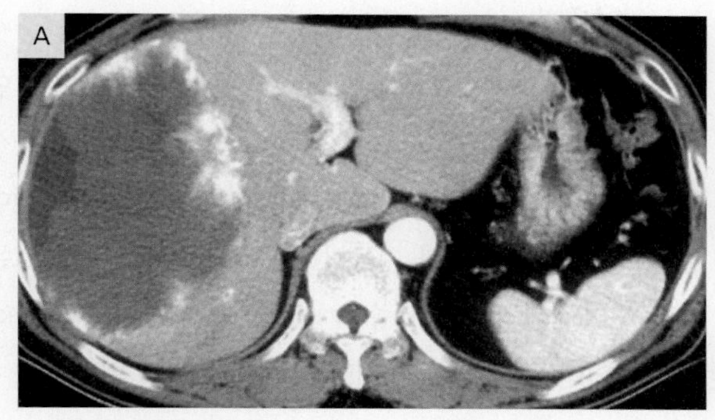

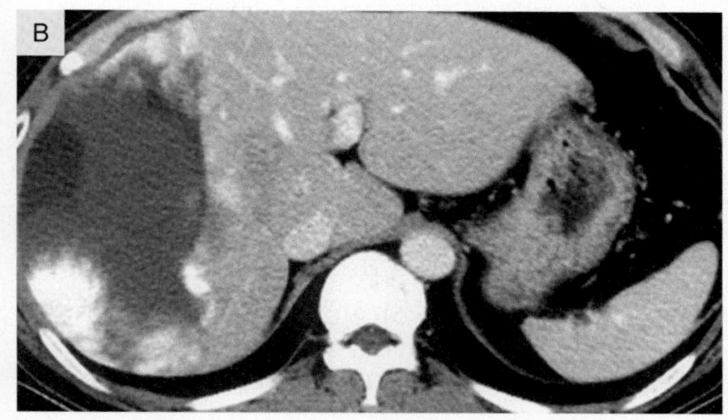

그림 3-14 **간 혈관종의 역동적 조영증강 CT사진.** 종양 주변부에 결절성 조영증강이 보이며, 문맥기(A) 및 지연기(B)로 갈수록 종양의 중앙을 향하여 조영증강이 커지는 전형적인 소견을 보이고 있다.

동적 조영증강 CT나 MRI가 이용가능한 경우에는 시행할 필요가 없다고 사료된다. 혈관종이 의심되는 경우에 경피적 조직검사는 매우 위험하고 부정확하여 시행하지 말아야 한다.

간 혈관종에 대한 자연경과는 잘 알려져 있지 않지만 대개 파열이나 출혈의 위험이 매우 낮고, 거의 자라지 않는 경향을 보이는 것으로 알려져 있다. 그러나 증상이 새로 발생하거나 더 심해지면 수술적 절제를 요한다. 악성으로 진행된 경우가 보고된 예는 없다. 그러므로 정확히 진단이 된 무증상의 혈관종은 단순히 관찰만 하여도 된다. 증상이 있는 혈관종 환자에서 증상을 야기할만한 타질환에 대한 검사를 하였으나 별다른 증상의 원인이 발견되지 않았다면 수술적 절제도 고려해볼 수 있다. 혈관종의 수술 적응증은 종양의 파열, 종양의 크기가 커지는 경우 및 Kasabach-Merritt씨 증후군의 출현 등을 들 수 있다. 또한, 진단이 불확실한 드문 예에서 정확한 진단을 위하여 수술적 절제가 필요할 수 있다. 수술적 절제는 최소한의 유병률과 사망률을 전제로 하여야 하고 수술은 대개 유입혈관의 차단을 동반한 종양핵출술enucleation을 시행하지만 종종 해부학적 절제가 시행된다. 간의 중앙에 위치한 거대혈관종의 수술은 종종 심각한 합병증을 야기할 수 있다고 사료된다.

소아의 혈관종은 모든 소아 간종양의 12%를 차지할 정도로 매우 흔하고, 다발성이며, 타장기에도 동반될 수 있다. 소아의 거대혈관종은 동정맥루에 이차적으로 발생하는 울혈성 심부전을 야기할 수 있다. 증상을 동반한 소아의 거대혈관종을 치료하지 않을 경우에 70%의 사망률을 보인다. 그러므로 이 경우에 종양은 색전술을 시행하고 울혈성 심부전은 약물치료를 시행하여야 한다. 방사선치료와 화학요법이 시행되어 왔으나 경험의 축적이 되어 있지 않다. 수술적 절제의 적응증은 증상이 있거나 파열이 된 경우가 해당이 된다.

4. 기타 양성종양

간의 양성 고형종양은 거의 대부분이 간세포선종, 국소결절성 증식 및 혈관종이다. 다른 양성간종양도 있지만 드믈고 암과 감별하기가 매우 어렵다. 거대재생성 결절 macroregenerative nodule이나 선종성 증식adenomatous hyperplasia은 만성 간질환 환자에서 주로 발생하고, 단발성 혹은 다발성으로 발생하며, 경계가 명확하고, 담즙 염색이 되며, 절단면이 불거져 나오는 결절들이다. 이들은 각각 다양한 정도의 암 진행 가능성을 가지고 있고, 간세포암과 감별이 매우 어렵다. 결절 재생성 증식nodular regenerative hyperplasia은 문맥압항진증과 관련된 1.5cm 이하의 미만성 미세결절형성 과정에서 생긴다. 이 종양은 악성으로 진행될 가능성은 없고, 간경변과도 관련이 없다. 암과 감별하기 위해 조직검사가 필요하다.

간엽성 과오종mesenchymal harmartomas은 소아의 간종양의 5%를 차지하는 드문 단발성 종양이다. 이들은 흔히 점진적으로 무통의 복부팽만을 야기하는 큰 낭종성 종괴로 발견되기도 한다. 낭종이 주변의 조직을 압박하는 증상이 있다면 절제수술이 필요할 수 있다. 간의 지방종은 드물지만 CT나 MRI상에 전형적인 특징에 의해 감별진단이 가능하다. 이들에는 원발성 지방종, 골수지방종, 혈관지방종, 혈관근육지방종 등이 있다. 마찬가지로 간에 국소성 지방변성(focal fatty change)이 종양성 병변과 혼동이 될 수 있다. 간의 양성 섬유성 종양은 종종 크기가 크고 증상을 동반하여 절제를 요하는 경우도 있다. 염증성 가성종양inflammatory pseudotumor은 종양과 혼동되는 염증세포들로 이루어진 국소 종괴이다. 이들의 원인은 확실치 않지만 혈전으로 막힌 혈관이나 오래된 농양과 관련이 있다고 보고 있다. 기타 지극히 드문 간의 양성종양으로는 평활근종leiomyoma, 점액종myxoma, 신경집종schwannoma, 림프관종lymphangioma 및 기형종teratoma 등이 있다.

요약

간의 양성 고형종양들을 그 빈도가 높은 순서로 예를 들어 보면, 혈관종, 국소 결절성 증식 및 간세포선종 등을 들 수 있다. 최근 영상진단법의 비약적인 발전으로 대개의 경우 경피적 조직검사없이 임상소견과 영상진단법으로 정확한 진단이 가능하다는 점을 강조하였고, 교과서의 취지에 맞게 양성고형종양의 전형적인 임상소견과 영상소견들을 적절한 난이도로 기술하려고 노력하였다. 각각의 종양의 치료법들을 자연경과에 비추어 합리적으로 기술하려고 노력하였다. 그리고, 발생빈도가 적은 기타 양성고형종양들의 임상적 의의와 종류를 기술하였다.

일부 진단이 불분명한 예들에서는 AFP 및 CEA 등의 종양표지자검사를 참고하거나 전이암을 감별하기 위하여 원발종양을 찾는 검사를 시행하여야 하고 종종 경피적 조직검사가 필요한 경우가 있다. 이들 병변들의 대부분은 수술적 치료없이 추적관찰이 가능하고, 수술적 치료는 정확한 진단이 된 뒤에 결정하는 것이 원칙이다.

VII 간세포암

1. 서론

원발성 간암primary liver cancer은 우리나라의 경우 매년 약 1만 4천여 명의 환자가 새로 발생하여 위암, 폐암, 대장암에 이어 암 등록 순위 4위인 암이다. 우리나라는 최근 서구형 암 발생이 빠르게 늘어남에 따라 간암의 경우 등록 순위는 상대적으로 낮아지고 있으나, 발생 수는 꾸준히 증가하고 있고 전세계적으로도 간암발생은 늘고 있는 추세이다. 간암은 우리나라 50대 전후 남자 의 주요한 사망원인인데, 연간 인구 10만 명당 22.7명(남자34.1명, 여자 11.2명)이 간암으로 사망하고 있다. 국내에서는 간세포암hepatocellular carcinoma이 일차성 간암과 전이성 간암을 포함한 전체 간암의 약 75%를 차지하고 있는데, 5년 생존률이 18.9%라는 불량한 예후를 보이고 있다. 다른 암에 비해 간세포암의 예후가 나쁜 원인으로 는 첫째, 조기에 혈관침습을 일으키고 성장 속도가 빨라질 수 있는 종양생물학적 특성. 둘째, 대부분의 간세포암이 간기능이 저하된 만성 간염 이나 간경변증을 동반하고 있어 적극적인 암 치료에 장애가 된다는 점. 셋째, 대부분 간암이 특이 증세가 없어 주기적 검사를 시행하지 않으면 상당히 진행된 상태에서 발견되는 경우가 많아 근치적 치료가 어렵다는 문제를 들 수 있다. 그러나 다행히 암 생존률 보고가 시작된 지난 2002년 이후 간암의 5년 생존률은 꾸준한 개선을 보이고 있다. 이는 국가암조기검진사업을 비롯한 여러 간암 조기검진 홍보와 건강검진 보편화에 따라 초기 간암의 발견이 늘고, 우리나라 간세포암의 주요 동반 질환인 만성 B형간염에 대한 항바이러스치료가 보편화됨에 따른 결과로 추정된다. 간세포암종은 치료법 선택에 있어 암 병기 뿐만 아니라 기저 간질환에 따른 간기능 정도를 반드시 고려해 야 한다.

2. 진단

간세포암은 침습적 방법인 간조직검사와 영상 및 종양표지자검사를 이용한 비침습적 방법을 통해 진단한다. 대부분 간 세포암은 뚜렷한 원인 인자를 가지고 있어 고위험군에서는 간 암을 조기에 발견하기 위한 감시 검사가 요구된다. 우리나라에서 간세포암의 원인은 B형간염바이러스, C형간염바이러스, 알코올 등에 의한 만성 간염 및 간경변증이 전체 환자의 90%를 차지하고 있으므로 이들 고위험군(B형간염바이러스 양성, C형간염바이러스 양성, 간경변증)에 대한 간세포암종 감시검사(복부초음파검사 및 혈청α태아단백 검사)를 6개월 간격으로 시행해야 한다. 선별 또는 감시 검사에서 간세포암이 의심되는 경우 혈청 α태아단백alpha-fetoprotein (AFP)검사를 재확인하고, B형간염바이러스와 C형 간염바이러스의 활동성 상태를 파악해야 하며, 문진을 통해 알코올 섭취 양과 기간, 독성 간염 동반 유무, 기타 간세포암과 관련될 수 있는 인자 등을 파악해 야 한다.

간세포암종이 의심되는 환자에게 일차적으로 시행하는 영상 검사로는 역동적 조영증강 전산화단층촬영(CT) 또는 역동적 조영 증강 자기공명영상검사(MR)를 시행할 수 있다. 이와 함께 문맥압항진증 동반 유무를 파악하기 위한 위내시경검사를 시행할 수 있고, 혈청 AFP 수치가 높지 않은 경우 des-gamma-carboxy prothrombin (DCP) 또는 protein induced by vitamin K absence-II (PIVKA II) 등의 다른 종양표지자 검사도 시행할 수 있다.

간세포암을 확진할 때 생검을 통해 조직을 얻을 수 있는 경우는 논란의 여지가 없으나, 대개의 간세포암이 간경변증을 동반하는 경우가 많아 간기능 저하에 따른 출혈, 복수 등으로 인한 조직검사의 어려움, 암종 파종의 위험성, 종양 표적의 어려움 등으로 인해 실제로 조직검사를 시행하기 어려운 경우가 많다. 간경변증 환자에서 간 결절에 대한 조직검사시 간세포암에 대한 진단 민감도는 67-93%로 다양하게 나타났고, 2cm 이하의 소간세포암에서는 그 민감도는 더 떨어졌다. 한편 조직 생검을 통한 암종의 파종는 0.6-5.1%로 무시할 수 없는 수준이기 때문에 수술로써 완치 가능성이 높은 경우에는 조직생검을 피하게 된다. 또한 조직검사 자체의 위음성률이 약 30% 정 도로 보고되기 때문에 실제 임상에서는 대다수의 환자들이 임상적 진단기준에 따라 진단된다.

간세포암종 진단의 비침습적 방법은 기저 간질환(만성간질 환, 간경변증)이 있는 환자에서 영상검사와 종양표지자검사를 토대로 이루어진다.

종양표지자검사 중 혈청 AFP 측정은 가장 일반적으로 사용 되고 있는 것으로 만성 간염 또는 간경변증 환자에서 혈청AFP 수치가 50ng/mL 이상일 때, 간세포암 진단의 양성 예측도가 가장 높았다. 그러나 소간세포암 중 약 35%에서는 AFP 수치는 정상이며, AFP 수치 상승은 간세포암 이외에 간염의 악화 또는 간세포의 활발한 재생시기 등 비특이적인 경우에도 나타나므로 단독 혈청AFP 검사로써 간세포암을 진단하기는 어려울때가 있다. 이 외에도 glycosylated AFP/total AFP 비율(AFPL3), DCP (PIVKA-II), α-L-Fucosidase, Glypican-3 등이 간세포암 진단에 사용되고 있으나 현재까지 PIVKA-II는 AFP수치와 함께 간세포암의 진단에 정확도가 가장 높다.

간세포암의 비침습적 진단은 종양표지자와 함께 영상학적 특성이 중요하다. 영상검사의 간세포암 진단 민감도와 특이도에 대해 과거에는 대부분 혈관조영술이나 간절

표 3-6. 간세포암의 진단 기준

임상적 진단
· 위험인자(HBV 양성, HCV 양성, 간경변증)가 있으면서, · 혈청 α태아단백 ≥200ng/mL이면, 역동적 조영증강 CT 또는 역동적 조영증강 MRI 중 한 가지 이상에서 간세포암에 합당한 소견*을 보일 때 · 혈청 α태아단백 <50ng/mL이면, 아래 영상검사들 중 두 가지이상에서 간세포암종에 합당한 소견을 보일 때 · 영상검사: 역동적 조영증강 CT, 역동적 조영증강 MRI, 간동맥혈관조영술 · 단, 간경변증 환자의 2cm 이상 크기 종양은 역동적 조영증강 CT 또는 역동적 조영증강 MRI 중 한 가지 영상검사에서 간세포암종에 합당한 소견*이 있다면 혈청 α태아단백 수치와 관계없이 간세포암으로 진단할 수 있다.
조직학적 진단
· 임상적 진단 조건에 해당하지 않거나 간세포암의 비전형적인 영상소견을 보일 때는 진단을 위해 조직검사를 시행해야 한다.

* 간실질과 비교하여 동맥기 조영증강과 문맥-지연기 조영감소.

제술 표본을 기준으로 보고하였으나 최근에는 간이식으로 적출된 전체 간의 병리검사를 기준으로 잡기 때문에 영상검사법은 발전했으나 정확도가 과거보다 낮게 보고되고 있다. 간세포암의 간이식 예들에서 역동적 조영증강 CT의 간세포암 진단 민감도는 75.0%였고, 역동적 조영증강 MRI의 민감도는 2cm 이상의 병변에 대해서는 100%였으나 2cm 미만의 소간세포암의 경우는 52%였다. 간세포암의 영상학적 진단에 대한 민감도를 종합하면 초음파 61–67%, 역동적 조영증강 CT 68–91%, 역동적 조영증강 MRI 81–100%로 보고되었다. 따라서 간경변증을 가지고 있는 환자에서 우연히 또는 감시 검사 중 간결절이 발견되면 간세포암의 가능성을 염두에 두고 역동적 조영증강 CT 또는 MRI검사를 시행하여야 한다.

최근의 간세포암의 진단기준은 표 3–6에 정리하였다. 간세 포암의 치료방침 결정에 대한 일반적인 과정을 그림 3–15에 요약하였다.

3. 병기 분류

간세포암종 병기 분류는 해부학적 분류인 TNM 병기와 간기능, 수행능력 등을 고려한 Okuda, CLIP, BCLC (AASLD), JIS 등 의 종합적 병기 분류법들이 여러 나라에서 제시되었으나, 전세계적으로 통일된 병기 분류법은 없는 실정이다. 우리나라에서는 일본간암연구회와 함께 modified UICC 병기를 사용하고 있다(표 3-7).

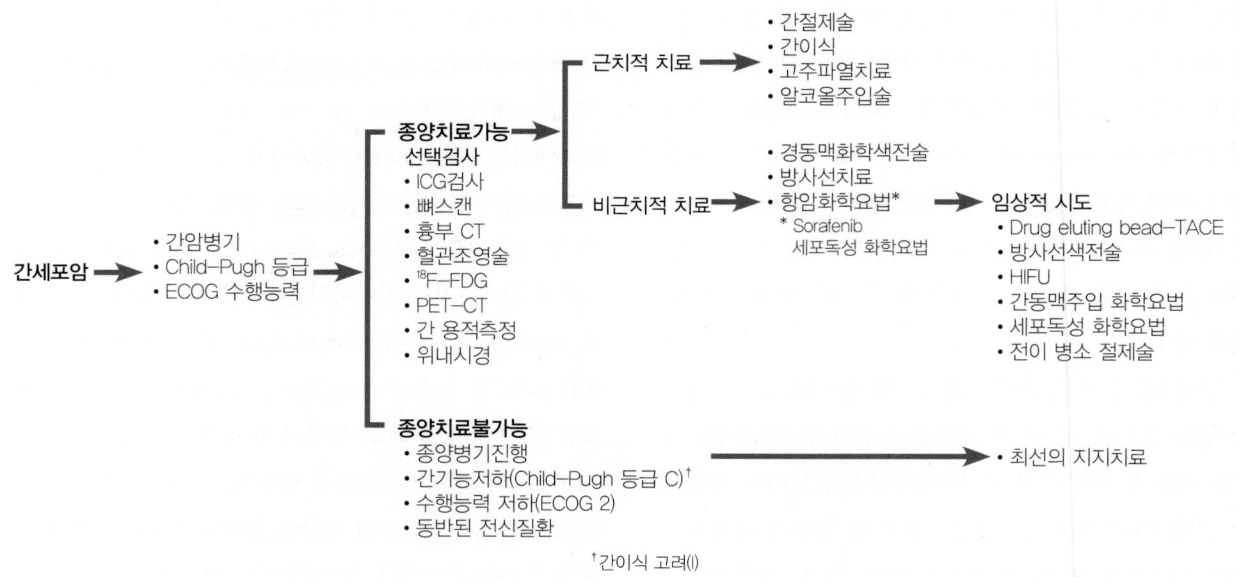

그림 3-15 간세포암의 치료 방침 결정 과정

표 3-7. Modified UICC stage

Stage	T	N	M
I	T1	N0	M0
II	T2	N0	M0
III	T3	N0	M0
IV A	T4 T1-3	N0 N0	M0 M0
IV B	T1-4	N0-N1	M1

	T1(3/3)	T2(2/3)	T3(1/3)	T4(0/3)
1. Number 1				
2. Size 2cm				
3. Vascular invasion(-)				

4. 수술적 치료

간절제술은 간경변증이 없는 절제 가능한 간세포암종 환자에서 1차 치료법이며, 간경변증이 있는 경우에도 잔존 간기능이 충분하다고 예상되는 경우 우선적으로 고려될 수 있다(그림 3-16, 17). 최근 수술 전 검사 및 수술 술기의 발전, 수술 후 환자 관리의 향상으로 국내에서의 간절제술 후 사망률은 1-3% 이하로 감소하였고 5년 생존률은 50% 이상으로 높아졌다.

1) 수술 전 검사

수술 전 검사를 통해 간세포암을 확진하고, 종양의 위치를 확인하며, 병기를 결정하고 절제 가능성을 결정한다. 간세포암 환자의 수술 전 검사는 다른 암에서와 같이 전체적인 환자 상 태 및 암에 대한 검사뿐만 아니라 간기능에 대한 평가도 중요한데, 이는 간세포암 환자의 치료방법의 결정 및 예후는 암의 진전 정도뿐만 아니라 잔존 간기능에도 영향을 받기 때문이다.

(1) 환자의 일반적인 상태

환자의 전신 상태가 수술을 견딜 수 있는지를 확인해야 한다. 특히 심장이나 폐, 신장의 기능이 간절제술을 시행할 경우에 견딜 수 있는지를 확인하여야 한다. 고연령 자체는 간 절제술의 금기는 아니지만, 이 경우 간의 재생력이 감소되어 있고 허혈성 심장질환이나 만성 폐쇄성 폐질환이 동반되어 있는 경우가 많으므로 주의하여야 한다. 황달이나 간경변증의 신체 징후가 있는지 확인한다. 또 수술에 필요한 일반적인 검사를 시행하여 이상 유무를 확인한다.

(2) 간기능 검사

간세포암 환자의 80% 이상이 간경변증이나 만성 간염이 동반되어 있어 간 예비력 또한 상당히 감소되어 있다.

그림 3-16 간세포암 발생후 암의 진행 과정

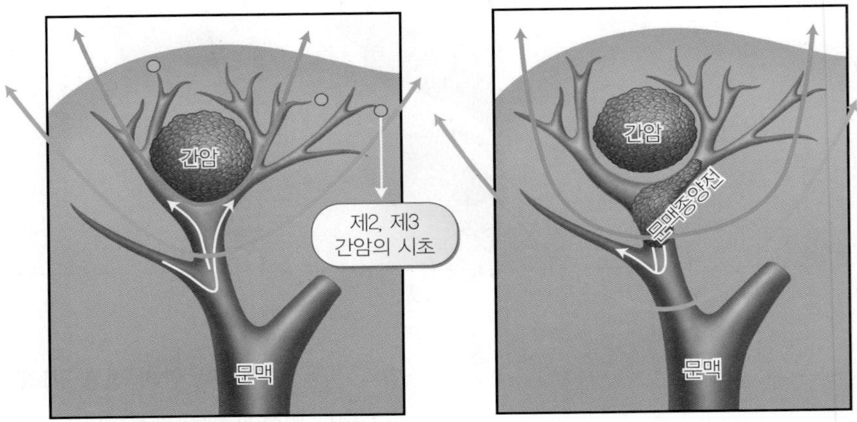

그림 3-17 간세포암의 진행과정을 고려한 간절제 범위의 결정

정상 간의 경우 70%까지 간 절제가 가능하고 수술 후 12개월 이내에 수술 전 크기로 증가하지만 간경변증이나 만성간염이 동반되어 있는 경우에는 간 재생능력이 제한되어 있으므로 간 절제 후 사망원인 중에 간부전이 차지하는 비율이 높다. 수술 후 간부전에 의한 사망을 줄이기 위해서는 수술 전 간 예비능력을 파악하여 수술시에 절제범위를 결정하는 것이 중요하다. 현재 시행되고 있는 간기능 검사들은 일반적인 간기능 검사와 잔존 간기능 검사로 나눌 수 있다.

가. 일반적인 간기능검사

간의 단백 합성능력, 간효소 수치 및 간의 빌리루빈 배출능력 등을 검사하는 것으로, 간의 예비능력으로 인하여 간경변증이 고도로 진행되었을 경우에만 이상 소견이 나타나는 것이 대부분이다. 이외에도 간세포암 수술 후 예후를 예측하기 위하여 여러가지 일반적인 간기능 검사를 조합한 방법이 제안되었다. 그 중에 서 가장 널리 알려져 있는 것이 Child-Pugh 분류이다. 일반적으로 Child-Pugh 분류 A와 일부의 선택된 B에서 간절제술이 가능하고, Child-Pugh 분류 C인 경우에는 간 절제술의 대상이 되기 어렵다. 그러나 간경변증이 상당히 진행된 경우에도 A등급으로 분류될 수 있으므 로 Child-Pugh 분류법이 간절제술의 안전성을 평가하는 충분한 검사법은 아니다. 따라서 좀더 객관적인 검사를 필요로 한다.

나. 잔존 간기능 잔존

수술의 위험을 예측하고 간 실질 절제량의 정도를 결정하는 데 도움을 받고자 하는 검사이다. 인도시아닌그린 Indocyanine green (ICG) 배출검사는 현재 세 가지 방법으로 이용되고 있다. ICG 투여 후 15분 후의 농도를 초기 농도의 백분율로 계산하여 R15(%)를 구하는 방법, 청소율 자체를 계산하는 방법, 대사능력을 측정하는 최대제거율 maximal removal rate (Rmax)이 있다. ICG R15의 정상치는 10% 이하이고, 15%이하인 경우 간우엽 절제를 허용한다. 40% 이상인 경우에는 간 절제술이 위험하다. ICG Rmax의 정상치는 3.0이며, 0.8 이상이면 대량 간절제술을 시행 할 수 있고, 0.65 이상이면 구역절제술, 0.3 이상이면 분절 절제 술이나 종양절제술을 시행 할 수 있고, 0.3 미만인 경우에는 수술적 절제가 불가능하다. ICG R15 검사는 간편하고 간 절제의 범위를 예측하는 데 도움이 되고 임상에서 주로 이용된다.

(3) 간문맥 색전술

잔존 간 용적은 간절제 후 특히, 대량 간절제 후에 발생할 수 있는 간부전을 예측하는데 중요하다. 전산화단층촬영을 이용하면 절제 후 예상되는 잔존 간 용적의 측정이 가능하다. 대량 간절제를 시행하여야 할 때 잔존 간 용적이 크지 않을 경우, 수술 전에 미리 절제할 부위의 간문맥 색전술을 시행하면 절제측 간이 위축되면서 절제 후 남을 간이 상대적으로 커지므로 잔존 간용적을 증가시킬 수 있고, 간실질 절제율을 낮출 수 있다. 일반적으로 간문맥 색전술을 고려할 수 있는 적응증으로는 잔존 간용적이 40% 미만으로 예상될 때이며, 간기능 장애가 있는 경우(폐쇄성 황달이 있거나 ICG R15: 10–19%)에는 잔존 간용적이 50% 미만으로 예상될 때이다. 중등도의 간기능장애(ICG R15≥20%)가 있는 경우에는 색전술을 시행하지 않은 부위의 비대가 늦게 발생하고 간절제 후에도 간부전의 가능성이 있기 때문에 간문맥 색전술의 실시여부에 신중을 기한다. 만성간염이나 간경변증이 있는 경우에도 간문맥 색전술 후에 간 용적의 증대가 비교적 잘 발생하고, 수술 후에 합병증 발생과 입원 기간을 단축시킬 수 있으므로 Child A등급의 간기능이고 문맥압항진증이 없으면, 간문맥색전술로 잔존간용적의 비대재생을 기대할 수 있다. 이 방법은 부하 검사로도 사용될 수 있는데, 만일 수술 전 간문맥 색전술 후에 잔존할 간에 비대가 일어나지 않는다면 대량 간 절제술을 시행하는 데에 신중을 기해야 한다.

2) 수술 방법

(1) 절개

간은 우상복부에 깊숙이 위치하고 늑골에 의하여 싸여 있어 접근이 힘들므로 충분한 수술 시야를 확보하기 위한 여러 가지절개법이 시도되고 있다. 대부분의 간 절제술에는 양측 늑골하 절개, Mercedes-Benz 절개, J형 절개, 거울상 L형 절개, 역 T형 절개 등 다양한 절개술이 시도되고 있다. 대개 복부 절개만으로도 충분하나 우후분절 절제나 우측에 거대 종양이 있는 경우 개흉이 필요할 수도 있다. 흉강을 절개하면 수술 중 조작이 편하고 안전하며 간실질 절제를 위한 최단거리가 확보되고, 우간의 불필요한 박리를 피할 수 있다.

(2) 출혈 방지

수술 중 출혈과 이로 인한 수혈은 수술 후 합병증을 증가시 킬 뿐만 아니라 면역을 억제하여 재발에 영향을 준다. 간은 생리적 온도에서 장기간의 허혈에 내성이 있지만, 대개 15분 허혈 및 5분 관류하는 간헐적 혈류차단술을 주로 이용하여 재관류 손상을 방지한다. 반간 혈류차단시에는 혈류차단시간이 더 연장될 수 있다. 최근 간절제술이 보다 안전해진 것에는 수술 중 출혈량이 줄어 수혈이 최소화된 것에 크게 기인한다. 수혈은 항암 면역기전을 저하시키며 특히 저알부민혈증을 보이는 간세포암 환자에서 간절제 후 재발을 증가시키고, 재발에 의한 재간절제술시 합병증 발생의 위험인자로 알려져 있다. 선택적 간혈류차단술, 낮은 중심정맥압 유지 및 정교한 간실질 박리 등에 의해 최근 간절제술시 수혈률은 10% 이하이다.

(3) 간실질의 절제

간세포암에는 대부분 간경변증이 합병되어 있으므로 간 절제술을 시행할 때에는 악성 종양에 대한 근치적 치료 목적과 잔존 간기능의 유지를 확보하려는 상반된 목적을 동시에 만족 시키는 노력이 필요하다. 해부학적 절제가 종양병리학적 관점 에서는 절제연을 확보하고 미세전이를 제거하여 재발을 줄이는 이론적 장점이 있어 권장되고 있고, 재발 양상이나 생존률 혹은 재발률에서의 장점이 비해부학적 절제술과 비교해 입증되었지만, 수술 범위는 간경변증의 정도 등 기저 질환에 따라 영향을 받으므로, 환자 상태에 따른 적합한 개인별 수술법을 찾는 것이 수술 후 결과에 더 중요할 수 있다.

가. 계통적 분절절제술

1985년 Makuuchi 등은 반간 단위의 간절제 시에는 간문맥 부 처리를 통하여 절제하려는 반간으로 가는 문맥과 간동맥을 결찰하여 이에 의한 변색구역을 절제하고, 분절절제시에도 해 당분절의 문맥을 간절제 전에 초음파로 확인하고 천자하여 인디고카민을 주입하여 염색하는 계통적 분절절제술systematic segmentectomy을 발표하였다. 때에 따라 염색 구역과 비염색 구역이 명확하지 않은 경우에는 종양을 포함하지 않은 분절에 염색약을 주입하여 구별하기도 한다.

나. 글리손지 일괄처리 후 분절 절제술

계통적 분절 절제술과 비교하여 목적은 같으나, 간절제를 할 분절로 향하는 글리손지Glissonian cord를 한꺼번에 처리하는 것으로 수술 술기가 간단하여 수술 시간이 단축될 뿐만 아니라 해부학적으로 정확한 분절절제가 되며 간실질을 절제하기 전에 문맥이 미리 결찰되므로 수술 조작으로 인한 암세포의 간내 전이를 방지 할수 있는 이점이 있다(그림 3-18). 또 수술 중에 잔존 간으로 가는 혈류를 지속시킬 수 있기 때문에 잔존 간실질의 기능 유지에도 도움이 된다. 이들 술식의 이론적 근거는, 간세포암이 문맥을 통해 조기에 종양전이가 형성되어 간 내로 전이되므로 작은 범위의 간 절제를 시행한다고 하더라도 종양 지배 문맥지 영역에 해당하는 분절을 계통적으로 결찰한 후 완전히 절제하여야 근치적 치료 목적을 기대할 수 있고, 또한 가능한 간실질을 보존하여 간기능을 유지할 수 있도록 하는 데에 있다.

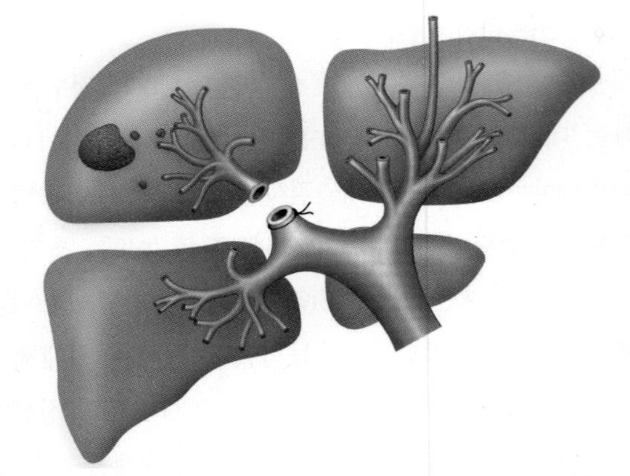

그림 3-18 글리손지 일괄처리 후 계통적 간절제

(4) 간절제 범위

간세포암 수술시 근치성을 확보하기 위한 간 절제의 범위에 대해서는 아직도 논란이 많다. 간세포암이 간내 전이를 잘 한다는 것은 잘 알려져 있으며, 간내 전이는 종양의 크기, 피막의 존재유무 및 침윤성 등과 연관이 있고, 간기능이 허용하는 한 해부학적 간절제범위를 최대화하는 것이 간암의 간내 재발을 최소화하는 방법이다. 반면 절제연은 종양으로부터 1 또는 2cm 거리이면 충분하다고 많은 연구자들이 주장하고 있다.

(5) 수술 중 초음파 검사

간세포암 수술시 수술 중 초음파 검사로 간표면에서 보이지 않거나 촉지되지 않아서 놓칠 가능성이 있는 소간세포암을 진단하고 종양의 위치를 확인하며 중요한 맥관과의 관계를 살피고 생검을할 수 있다. 또한 계통적 분절절제술을 시행하려고 문맥에 염색약을 주입할 때, 간을 박리하기 전에 풍선 등으로 문맥을 미리 막아 종양 세포가 퍼지는 것을 예방하는 데에 사용하기도 한다. 간경변증이 심한 간에서는 수술 중 초음파 검사로도 새로운 결절 을 발견하기가 쉽지 않다. 최근에는 여려 연구에서 조영증강 초음파를 사용하여 정확도와 특이도가 향상되었다고 보고되었다.

(6) 복강경 간절제술

복강경 간절제술은 최근 기술적으로 빠르게 발전하고 그 적응증이 확대되고 있으며 선택된 환자에서 대량 간절제를 포함 해 안전하게 시행되고 있다. 이에 따라 간세포암의 복강경 간 절제술 시행 예는 증가하고 있으나, 장기적인 예후에 있어 개복 간절제술과의 비교 연구가 필요하다.

3) 수술 사망률과 합병증

최근 간 절제 술기의 발전과 수술 후 환자 치료방법의 발전으로 수술 후 유병률과 사망률이 급격히 감소하였다. 수술 후 합병증의 위험인자로는 수술 중 출혈량, 동반된 간질환 및 당뇨병, 만성 폐쇄성폐질환, 신부전 등의 내과적 질환이 있으며, 합병증의 빈도는 수술사망률과 달리 줄지 않아서 25–50%까지 보고되고 있다.

대표적인 수술 합병증으로는 간기능 부전, 복수, 출혈, 담즙 누출, 감염 등이 있다. 수술 후 간기능 부전은 가장 위험한 합병증으로 환자의 간예비능을 초과한 범위의 간절제수술을 했을 때 발생하므로, 수술 전 엄밀한 환자선택 및 검사가 필요하다.

복수는 간경변증이 있는 경우 복부 수술 후 70%, 간절제술 후 약 80%에서 발생하는 가장 흔한 합병증이다. 복수는 복부 팽만을 야기하여 호흡기능을 방해하며, 개복창을 통한 누출 및 개복창의 파열도 일으킬 수 있다. 특히 배액관 또는 개복창으로부터 다량의 복수가 누출되는 경우에는 수분, 단백질 및 전해질의 손실이 동반되고, 감염의 기회도 높아지게 된다. 수술 후 복수는 적절한 수액 투여와 나트륨의 제한으로 예방하여야 하며, 일단 발생하면 이뇨제 사용을 신중하게 고려하여야 한다. 복부 팽만이 급격히 진행되면 복부천자를 고려할 수도 있다.

출혈은 횡격막의 노출, 측부 순환이 발달한 복벽, 응고장애 동반, 간 절제면 등에서 발생한다. 수술 후 배액의 양과 양상을 수시로 확인하고 대량 출혈이 의심되는 경우에 재수술을 고려한다. 동맥성 출혈은 재방사선적으로 출혈혈관의 색전술을 시도하여 지혈할 수도 있다.

담즙누출은 1개월 이내에 자연 폐쇄되는 경우가 대부분이다. 담즙 누공이 지속되는 경우에는 내시경적 역행성 담관조영술을 시행하여 누출부위를 확인한 후 내시경적 혹은 방사선적 배액술을 시행하면 대부분 폐쇄된다.

감염은 간 절제술 후에 다양한 형태로 생길 수 있는데, 이는 체액 또는 세포성 면역 체계의 변화와 장내세균의 전이 등으로 생긴다. 황달이나 복수가 있을 때 그 발생 빈도가 높으며, 전체 수술 사망률의 10%를 차지한다. 광범위 항생제의 사용과 적응이 되는 경우에 적절한 배액 및 배농 처치를 실시하여야 한다.

5. 간절제 후 재발

1) 재발 진단

간절제 후 간세포암의 5년 재발률은 58–81% 정도이며, 이들 중 80–95%가 간내에서 재발된다. 간내 재발의 절반 정도는 다발성 또는 미만성 재발 양상을 보였다. 흔한 간외 재발부위는 폐, 임파절, 복벽, 종격동 등이다. 최근 수술 후 재발에 관련된 여러 위험인자가 보고되었는데, 그 중 조직병리학적 미세 혈관침윤과 위성결절이 존재하는 경우 간절제 후 재발이 많아 세심한 주의가 필요하다. 혈청 AFP 측정은 간세포암 수술 후 가장 많이 사용하는 종양표지자 검사이고, 혈청 PIVKA-II도 수술 전 의미있는 증가가 있었다면 재발 추적시 도움이 되는 표지자이다. 간절제술 후에는 재발의 조기 발견을 위해 일정 간 격(1–3개월)으로 종양표지자검사 및 영상검사를 시행한다.

간내 재발은 두 가지 기전에 의해 설명될 수 있는데, 첫째는 수술 당시 발견되지 않았지만 문맥을 통해 전이되어 형성된 위성결절의 성장에 의한 것이고, 둘째는 간세포암의 동시성 및 이시성 발암과정에 의한 다발성 다중심

암에 의한 것이다. 재발 양상으로 살펴보면 절제단면 부위의 재발은 일반적으로 원 병소의 불완전 절제가 원인이고, 소수 결절형 재발은 다발성 다중심 암이 원인이라고 보고 있고, 미만성 재발은 수술 전 및 수술 중에 진단하지 못한 다발암이나 수술 중 전이에 의한 재발로 보고 있다. 절제 단면 부위의 재발 빈도는 27% 이하로, 원 병소의 불완전 절제에 의한 재발은 드문 편임을 알 수 있다. 또 재발 시기에 따라 수술 후 1–2년 이내에 재발하는 조기 재발은 수술 당시에 이미 존재하던 병소가 수술 후에 발견되거나 수술 도중에 전이된 것일 가능성이 높으며, 수술 후 3–6년 후에 재 발하는 경우에는 다발성 다중심 암이 원인일 가능성이 높다. 다발성 다중심 암에 의해 재발한 환자 중 간기능이 좋으며 단일 병변일 경우에는 재절제의 좋은 적응증이 될 수 있다.

2) 재발의 치료

재발 간세포암의 치료에는 일차 치료 시에 사용되는 대부분의 방법이 고려될 수 있으며, 실제적으로 다양한 치료법들의 사용으로 생존률을 향상시킬 수 있다.

경동맥화학색전술이 다발성 간내 재발 또는 간기능 저하 등 으로 절제가 불가능한 환자에서 가장 많이 사용되고 있으며, 재발의 진단을 명확히 하는 데에도 유용하다. 또한 어떤 경우에는 종양의 크기를 줄여서 절제 가능하게 만들기도 한다.

비록 무작위대조연구 결과는 없지만, 재발한 간세포암의 치료법으로 재절제가 가장 효과적인 치료법이라 할 수 있다. 특히 간내 단일병변의 재발인 경우에 간기능이 허용하고, 재발부위가 절제 가능한 경우에 재절제의 좋은 대상이 된다. 재절제의 적응과 금기는 최초 간절제술의 적응과 금기가 그대로 적용된다. 재절제율은 17–77%까지 보고되고 있다. 재절제 시에는 첫 수술 시보다 간경변증의 진행으로 수술 후 간부전의 위험이 더 높다고 보고하고 있으므로 간기능 예비력에 대한 수술 전 철저한 검사가 이루어져야 하며, 또 첫 수술로 인한 심한 유착과 동반되는 측부 혈행 등으로 인하여 수술 시간이 길어지고, 수술 후 유병률과 사망률이 높다고 일부에서 보고하고 있으나, 지금까지 보고된 사망률은 0–8%로 첫 수술의 결과와 큰 차이는 없는 비교적 안전한 방법이라 할 수 있다. 간 내 재발암의 재절제 후 5년 생존률은 37–86%로 보고되었고, 이 결과는 간절제 후에 재발이 없는 경우와 비교하였을 때 큰 차이를 보이지 않는다. 첫 수술부터 재발까지의 기간이 길수록 생존률은 향상되는 것으로 보고되고 있었으며, 재절제가 다른 치료법에 비해 좋은 치료성적을 보이는 것으로 받아들여지고 있다.

6. 진행성 간세포암의 수술적 치료

1) 양측간 다발성 간세포암

다발성 간세포암이 양쪽 엽에 있는 경우 전에는 대부분 간내전이로 생각하였으며 수술적 절제는 수술 후 유병률이 높고 종양의 완전절제가 불가능한 경우가 많아서 금기로 여겨져 왔다. 그러나 최근 소간세포암 절제가 증가함에 따라 다발성 다 중심성 간세포암 발생이론이 정립되고 있으며, 발견 빈도도 증가하여 42%까지 보고하고 있다(그림 3-19). 병리조직학적으로 다중심성 발암 예로 취급할 수 있는 기준으로는 주 종양의 분화도보다 좋은 분화도를 지닌 종양이 주 종양보다 작고 멀리 떨어져 있는 예, 고분화암이 다수 존재하는 예, 결절 내 결절의 양상을 보이는 종양을 지닌 예 등으로 알려져 있다. 양엽성 다발성 간세

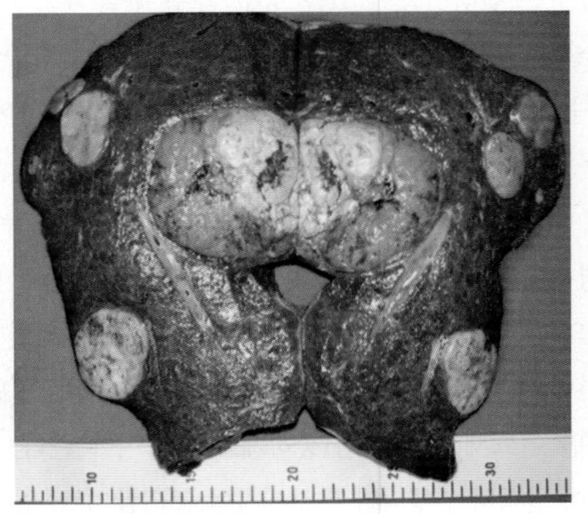

그림 3-19 다발성 결절성 간세포암

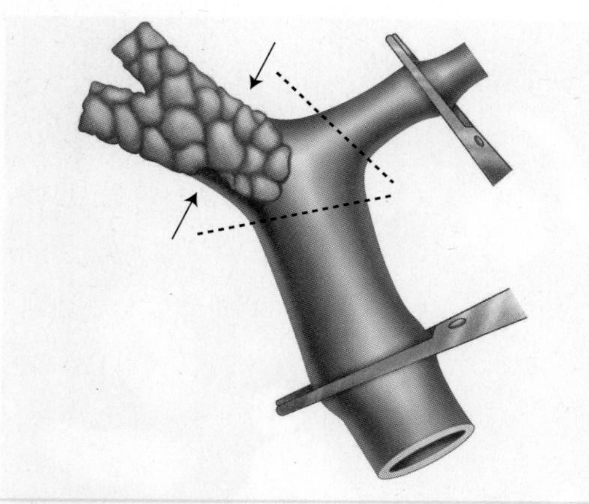

그림 3-20 문맥내 종양 동반시 문맥절제법

포암이라도 다중심성 발암 예에서는 근치적 간절제가 가능한 경우에는 단일 간세포암과 예후가 비슷하므로 수술 전 검사로서 이러한 예를 진단하여 적극적인 간절제를 시행하면 양호한 결과를 얻을 수 있다.

2) 주요 혈관을 침범한 간세포암

간문맥 침윤은 간 절제술 후 가장 중요한 예후인자이다. 종양의 크기가 4cm 이상인 경우나 2개 이상의 종양을 가진 경우에 는 간문맥 침범의 가능성이 높다. 대부분의 연구자들은 주문맥에 간세포암의 침윤이 있는 경우 간절제술을 시행하지 않고 있지만, 일부에서 간절제술과 더불어 문맥 합병절제나 문맥내 종양을 제거한 후 생존률이 증가하였다고 보고하였다(그림 3-20).

하대정맥이나 우심방에 종양침범이 있는 경우에도 성공적인 수술 결과를 보고하는 연구자들도 있다. 그러나 아직도 주요 혈관 침윤이 있는 경우에는 수술적 절제가 성공하더라도 예후가 좋지 않으므로 수술적 절제의 적응에 주의하여야 하며, 수술 전 간동맥색전술(TACE)를 먼저 실시하며 반응이 좋은 증례를 선택하여 수술을 하면, 장기생존례들을 기대할 수 있다. 그외 수술 후 여러 가지 보조적 치료를 시행하여야 할 것이다.

3) 횡격막을 침범한 간세포암

우간에서 발생한 간세포암의 경우 횡격막에 유착되어 있거나 직접 침윤을 하는 경우를 볼 수 있다. 횡격막 침윤은 수술적 절 제의 금기는 아닌 것으로 알려져 있다. 수술 전에 발견된 경우에 는 흉곽절개를 시행하여 폐 침윤이나 흉막전이, 암성 흉수나 종격동 림프절 침윤 등을 확인하여야 한다. 수술 중에 발견한 경우 에는 횡격막을 유착된 곳으로부터 2-3cm 이상 떨어져서 절개하여 위 사항을 확인하여야 하며, 출혈이나 종양의 전이와 파열의 위험성이 있으므로 유착된 곳을 박리하지 말아야 한다.

4) 황달성 간세포암

간세포암 환자에서 황달은 10-40%에서 발현되며 대개 황달의 원인은 동반된 간경변증이 원인이거나 간세포암의 광범위 한 간실질 침윤에 의한 것이다. 그러나 간세포암에서 폐쇄성 황달이 동반되어 있는 경우도 2.0-11.7% 정도로 보고되었으며, 간세포암이 담관을 침범하거나 압박하여 발생하거나, 간문부 림프절의 종창에 의한 압박으로, 또는 담도내 출혈로 인한 혈액응고가 원인이 된다(그림 3-21). 드물게 담관으로 종양이 침범하여 원위부 담관이 막혀서 발생하기도 한다. 이 경우에는 내시경적 역행성 담췌관조영술이나 경피경담도조영술을 시행하여 담도폐쇄의 원인을 밝혀야 한다. 경동맥 화학색전술을 시행하거나 종양제거술과 도관 감압술 등의 고식적 치료가 시행되는 경우가 많지만, 최근에는 적극적인 간절제술과 담관내 종양제거를 시행하거나 종양침범이 있는 담관을 동반 절제하여 예후가 향상되었다고 보고되고 있다.

5) 파열 간세포암

간세포암의 파열에 의한 혈성 복강hemoperitoneum은 서구에서는 아주 드물지만, 간세포암의 유병률이 높은 아시아에서는 간세포암 환자의 10% 내외에서 발생하며, 간세포암 환자의 사망 원인의 10%를 차지한다. 우리나라에서는 간세포암에서 파열의 빈도에 대한 전체적인 통계는 없지만, 2.2-17.9%까지 보고되었다. 아직 간세포암의 자발적 파열에 대한 기전은 확실히 밝혀져 있지 않지만, 대부분의 출혈은 종양 안에서 시작하는 것으로 갑작스런 종양

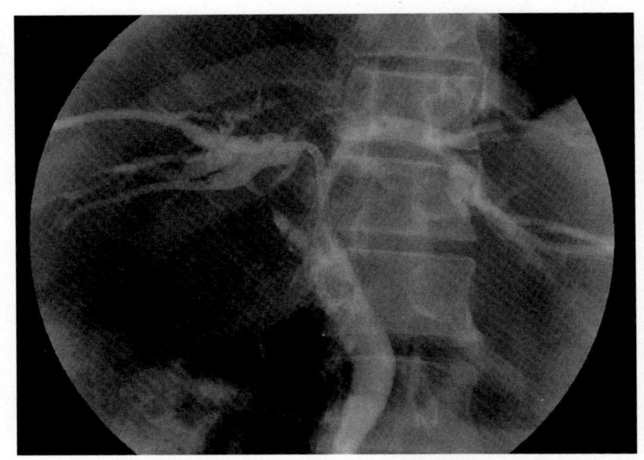

그림 3-21 **담도 내 종양전에 의한 담도 폐쇄 소견을 보이는 담도 조영술 사진**

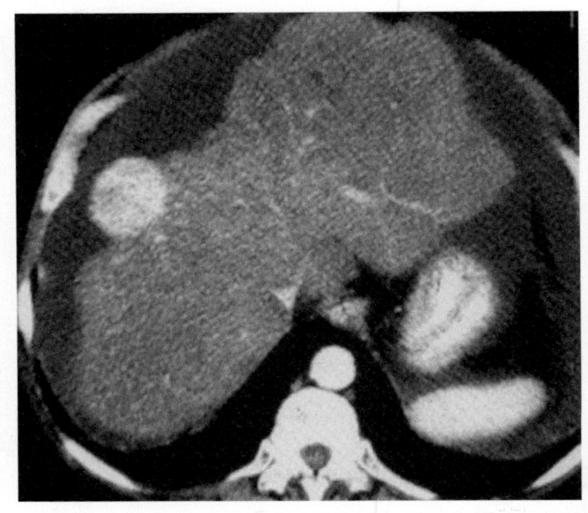

그림 3-22 **혈복을 동반한 파열 간세포암**

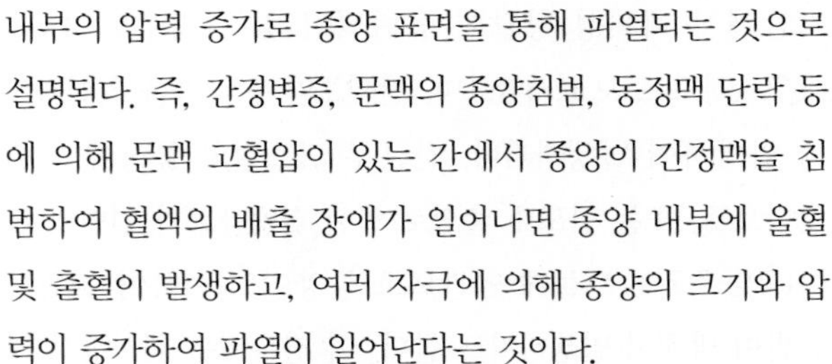

내부의 압력 증가로 종양 표면을 통해 파열되는 것으로 설명된다. 즉, 간경변증, 문맥의 종양침범, 동정맥 단락 등에 의해 문맥 고혈압이 있는 간에서 종양이 간정맥을 침범하여 혈액의 배출 장애가 일어나면 종양 내부에 울혈 및 출혈이 발생하고, 여러 자극에 의해 종양의 크기와 압력이 증가하여 파열이 일어난다는 것이다.

간세포암 파열의 임상적인 진단은 특이 증상이 없으므로 쉽지 않다. 만성 간질환이나 간세포암의 병력이 있는 환자에서 갑작스런 상복부 동통이 있는 경우에 의심하여야 한다. 전형적인 임상증상은 급작스런 상복부 혹은 우상복부 통증으로 약 34%에서 발생하며, 실신이나 복부팽만, 쇼크 등을 동반할 수 있다. 혈성 복수는 거의 대부분의 경우에 존재하며, 86%에서 복부 천자에서 양성을 보인다.

전산화단층촬영의 소견은 간 내 종괴, 특히 간의 주변부에 위치한 종괴, 고밀도의 복수와 피막유체 또는 혈괴, 그리고 복수 주위의 불규칙한 간경계, 간 종괴의 주위로 대망이 침윤하는 소견 등이 진단에 도움이 된다(그림 3-22). 영상학적 진단법으로 직접 조영제의 유출을 관찰할 수 있는 경우는 0-24%에 불과하여 출혈 부위를 정확히 알아내는 것은 어려운 것으로 알려져 있다.

생명에 위협을 주는 간세포암 파열 환자의 치료원칙은 빠른 지혈과 간세포암의 치료이다. 수술시간이 오래 걸리지 않을 것으로 예상되는 경우, 특히 종양이 주변부에 위치하거나 유경형인 경우, 간경변증이 동반되지 않았거나 간기능이 비교적 좋은 경우, 경험 많은 외과 의사가 있고 종양 절제가 비교적 쉬우며, 수술 중 초음파 검사가 가능하여 종양의 범위와 절제연을 알려 줄 수 있는 경우라면 응급 개복하여 지혈과 절제술을 동시에 시행해야 한다. 그러나 해부학적 절제술을 시행해야 한다면 2단계 치료법이 적절하다. 2단계 치료법은 여러 가지 방법으로 먼저 지혈한 후 환자의 상태를 호전시키고, 환자의 간기능과 간세포암에 대한 정확한 평가 후에 치유적 절제술을 이차적으로 시도하는 방법으로 1년 생존률이 40% 정도로 비교적 좋은 결과를 보고하고 있지만, 간기능이 좋은 환자나 간세포암이 국한된 환자 위주로 시행한 결과로 선택 오류가 작용하고 있다. 일차 지혈방법으로는 비수술적인 경동맥 색전술이 주로 이용되지만, 그외 개복수술에 의한 다양한 지혈방법들이 시도될 수 있다.

7. 간이식

간이식은 간세포암을 포함한 병든 간을 완전히 제거하고 새로운 간을 이식하기 때문에 이론적으로 가장 이상적인 치료법이다. 그러나 진행성 간세포암에서 간이식을 시행하였을 때 성적이 매우 불량하여 한때 간세포암은 간이식의 상대적 금기증 이었다. 최근 초기 간세포암 환자에서 간이식을 시행하였을 때 우수한 무병생존률이 보고되면서 일부 간세포암 환자에서 간 이식은 가장 효과적인 치료법으로 인정되고 있다. 이태리의 밀라노대학에서 Milan 간이식대상 선택 기준은 이식 전 영상검사에서 간외전이와 혈관침습이 없고, 단일 결절인 경우 5cm 이하, 다발성인 경우 결절이 3개 이하이면서 각 결절이 3cm 이하인 간세포암종 환자에서 간이식 후 4년 생존률 75%, 무병생존률 83%라는 우수한 성적을 발표하여 간세포암 환자에서의 간이식 기준을 제시하였고 이 기준은 여러 나라에서 간세포암의 간이식 기준으로 널리 사용되고 있다. 이러한 엄격한 기준이 사용되는 주된 이유는 제한된 사체 공여간에서 사회적으로 가장 최적의 이익을 얻기 위한 목적 때문이나, 간이식 후 좋은 성적을 보일 수 있는 일부 진행된 간세포암 환자는 혜택을 못 받는다는 단점이 있다. 따라서 간세포암의 간이식 기준에 대해서는 아직도 이견이 많으며 특히 생체간이식의 경우에는 통일된 기준이 없다. 간세포암으로 간이식 후 5년 생존률 50% 이상을 근치적 치료의 적정선으로 생각한다면, 간이식 적응 기준을 밀란 기준이상으로 확대할 수 있다. 한 예로 University of California, San Francisco (UCSF) 그룹은 단일 종양인 경우 6.5cm 이하, 다발성인 경우 3개 이하에서 최장 직경이 4.5cm 미만이면서 각 직경의 합이 8cm 미만인 환자군에서 5년 생존률이 75%에 이른다고 보고하였다. 우리나라의 경우 간이식이 필요한 간세포암 환자 대부분의 원인 질환은 만성 B형 간염으로 서구 지역과 다르며, 특히 간세포암 환자에서는 생체간이식이 주를 이루고 있는 국내 여건을 고려하면, 외국 기준을 일반적으로 적용하는 데에는 무리가 있다. 뇌사자간 이식에서는 항상 공여 장기가 모자라기 때문에 많은 환자가 이식을 대기하고 있는데, 특히 간세포암 환자에서는 등록 후 간이식까지의 대기 기간이 문제가 된다. 미국의 United Network for Organ Sharing (UNOS)에서는 간이식 대기 우선순위를 결정하기 위해 MELD 점수를 도입하여, 간세포 암종 환자에서는 T2 병기에 있어서 MELD 점수 22점을 주고, 이식 대기 후 3개월마다 10%의 가산점을 주어, 간세포암 환자의 대기 시간을 단축하려는 노력을 하고 있다. 그러나 국내에서는 국립장기이식관리센터에서는 Korean Network for Organ Sharing (KONOS) 등급제를 운영하기 때문에 간세포암 환자에 대한 가산점이 없다. KONOS 등급에서 간세포암 환자에 관한 규정은, Child-Turcott-Pugh 점수가 7점 이상이면서 동시에 밀란 기준 이내인 경우 KONOS 등급 2B로 정하고 있다. KONOS 등급 2B는 우선순위에서 뒤쳐지기 때문에 일반적으로 단기간에 간이식을 받지 못하나, 2016년 6월을 시점으로 MELD점수를 이용한 장기분배제도로 전환되므로 향후 변화가 기대된다. 이식 전 간세포암 환자에서는 간이식을 위한 일반적인 전신검사 외에 간세포암의 병기를 확인할 수 있는 검사를 시행한다. 간 자체에 대한 영상검사는 역동적 조영 증강 CT 혹은 MRI를 시행하며 전이 여부를 확인하기 위해 조영 증강 뇌, 폐 및 골반 CT와 뼈스캔을 시행한다. 18F-FDG PET-CT는 종양 전이 여부를 판단하는 일반적 선별 목적 외에도 간세포 암의 생물학적 특성을 판단하는 데에 도움을 줄 수 있다. 혈액 검사로는 종양표지자인 혈청 AFP와 PIVKA-II 등을 시행한다. 간이식 대기 중 종양이 진행하여 간이식을 못하게 되는 이탈률은 6개월에 15%, 1년에 25%이다. 종양의 진행을 막아서 이탈률 을 감소시키기 위해 경동맥화학색전술, 고주파열치료술 등의 국소요법을 시행할 수 있다. 일차적으로 밀란 또는 UCSF 기준에서 벗어나는 경우 이식전 병기 감소를 시도할 수 있으나 효과는 아직 결론지을 수 없다.

밀란 기준에 적합한 경우 간이식 후 간세포암종의 재발은 5년에 10-20% 정도이지만, 그렇지 않은 경우 50% 이상으로 높다. 이식 후 간세포암종 재발이 일어나는 시기는 평균 8-14개월로 대부분 2년 이내에 발생하나, 20% 정도에서는 3년 이후에 발생하기 때문에 장기적인 추적관찰이 필요하다. 재발 장소로는 간외전이가 반수 이상으로 가장 많고(53%), 간외 및 간내 재발을 동반한 경우가

31%, 간내 재발 16%의 순이다. 간외 전이 장소로는 폐(43%)와 뼈(33%)가 흔하고, 그 외에 주위 림프절, 부신, 뇌 등에도 전이된다. 아직까지는 간세포암에서 간 이식 후 재발을 예방할 수 있는 효과적인 방법은 없다. 간세포 암의 재발을 예측할 수 있는 인자로는 혈관침윤 여부, 크기 및 개수, 종양의 분화도, 혈청AFP 및 PIVKA-II, 18F-FDG PET-CT 의 간세포 암종 양성 여부 등이 있다. 이들 중 가장 강력한 예측인자는 종양의 육안적 또는 현미경적 혈관침윤인데, 종양의 크기, 개수가 증가하거나 분화도가 나쁠수록 혈관침윤 빈도가 증가한다. 그러나 종양의 미세혈관침윤 여부와 분화도는 조직 검사를 통해 얻을 수 있기 때문에 수술 전에는 예후 예측인자로 사용하지 못하는 단점이 있다.

8. 국소치료술

국소치료술은 시술이 간편하고 주변 간조직 손상을 덜 주면서 종양을 괴사시킬 수 있다는 장점으로 인해 간세포암종의 비수술적 치료법으로 널리 이용되고 있다. 현재 고주파열치료술과 에탄올주입술이 표준적 국소치료술이며, 초단파소작술, 레이저소작술, 냉동소작술, 아세트산주입술, 고강도 집속 초음파치료술(HIFU) 등은 임상적 시도로 분류된다. 국소치료술의 적응증은 연구자나 시술법에 따라 차이가 있으나, 단발성 종양은 장경 5cm 이하, 다발성 종양은 3개 이하이고 장경이 3cm 이하일 때 국소치료술을 고려할 수 있다. 간세포암종 종양의 크기가 작을수록 치료 성공률이 높아, 직경 3cm 이하의 종양에서는 80% 이상의 높은 완전괴사율을 나타낸다. 국소치료술 후에 생존과 관련있는 독립인자는 초기 완전괴사, Child-Pugh 점수, 결절의 수와 크기, 시술 전 혈청 AFP 수치 등이다. 국소치료술이 가장 효과적인 간세포암종은 Child- Pugh 등급 A이면서, 직경 2cm 이하인 단일 결절이다. 현재 이러한 경우에 우선 적용되는 치료법은 수술적 절제술이다. 현재 치료 부위를 넓히려는 노력을 하고 있으나, 아직 치료 성공률은 종양의 크기와 밀접한 관계가 있다. 교정 후 혈소판이 5만/mm^3 이하이거나 프로트롬빈시간이 50% 이하일 때는 시술에 따른 출혈 위험성이 높으므로 국소치료 시술을 피해야 한다.

1) 고주파열치료술

고주파열치료술는 현재 가장 널리 이용되고 있는 간세포암종양 소작술이다. 고주파열치료술은 종양 내에 삽입한 전극주위로 매우 빠른 고주파 교류(460-500kHz)를 흘려서 분자들 간의 마찰을 유도함으로써 종양과 그 주위 조직을 가열하여 괴사를 유도한다. 종양 조직은 그 온도가 45-50℃의 열에 3분 이상 노출시 그리고 60℃ 이상의 고열에 대해서는 거의 즉시 단백질의 변성과 세포막의 파괴로 인하여 응고성 괴사가 일어난다. 고주파열치료술의 장점은 적은 횟수의 시술로 완전 괴사를 유도하여 높은 종양 괴사 효과를 나타낸다는 점이며, 간세포암 종양의 크기가 2cm 이상인 경우 에탄올주입술에 비하여 높은 종양괴사율을 보인다. 경피적 시술법이 일반적인 방법이며, 경우에 따라서는 복강경 시술 또는 개복술을 시행할 수 있다. 시술에 따른 초기 종양괴사율은 96% 이상으로 되었다. 국소재발률은 0.9-14%로 보고되었다. 고주파열치료술의 단점으로 간문부 주위나 대장과 같은 주요 장기가 간세포암종에 인접한 경우 시술 합병증의 위험성이 높아지고, 비교적 큰 혈관 주위에 종양이 인접한 경우 열씻김 현상heat sink effect으로 인하여 열 전달이 충분하지 않아 치료 효과가 떨어질 수 있으며, 또한 일반적으로 알코올주입법에 비해 부작용이 상대적으로 많다. 고주파열치료술의 합병증으로 인한 사망률은 0.1-0.5%이며, 주요 합병증은 5% 이내의 빈도로 보고되었다. 고주파열치료술 후 기대되는 간세포암 환자의 장기 생존률은 종양 크기에 따라 차이가 있는데, Child-Pugh 등급 A이면서 장경 2cm 이하의 종양은 3년 생존률이 90% 내외이고 5년 생존률이 65-70%로, 장경 2-5cm의 종양은 3년 생존률이 65-75%이고 5년 생존률이 50% 내외로 보고되고 있다.

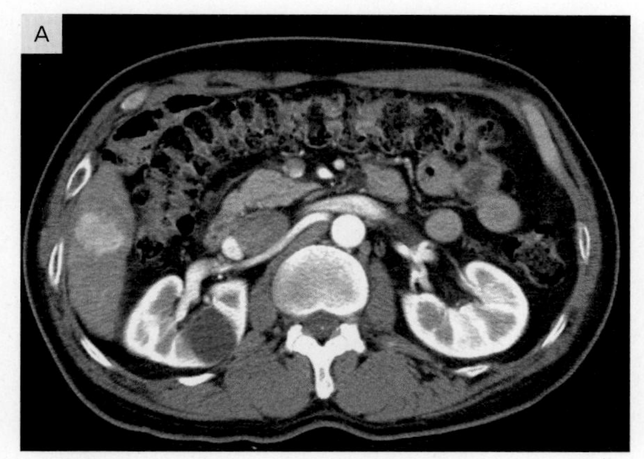

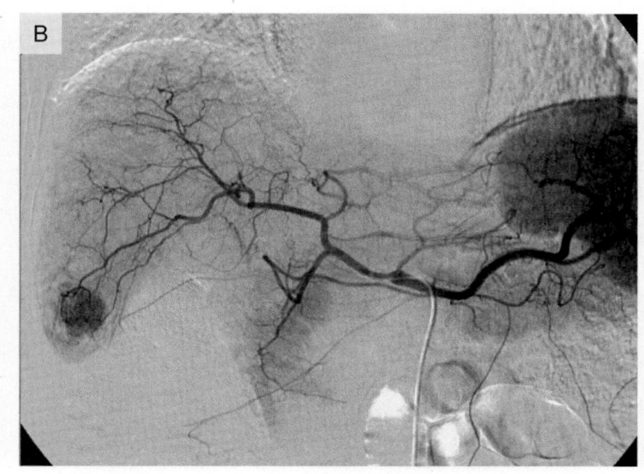

그림 3-23 **작은 간세포암에서의 CT 및 간동맥 조영 소견**

2) 에탄올주입술

에탄올주입술은 간편히 시술할 수 있고 부작용이 적은 장점으로 간세포암 치료술로서 널리 사용되었으나 최근에는 고주파열치료술로 대치되고 있는데, 이는 고주파열치료술에 비해 여러 번에 걸쳐 시술해야 하고 직경 3cm 이상의 종양은 완전 괴사가 어렵다는 단점에 기인한다. 따라서, 장경 3cm 이하이며 3개 이하인 간세포암종일 때 주로 시술된다. 에탄올주입술의 종양괴사율은 66–100%로 다양하게 보고되고 있다. 치료 효 과는 종양 크기가 중요하여 장경 2cm 이하 종양에서는 90% 이상의 종양괴사율을 보이나 크기가 커질수록 괴사율이 떨어져서 3–5cm에서는 약 50% 정도의 종양괴사율을 보인다. 국소 재발률은 약 24–34% 정도로 보고되었다. 에탄올주입술 후 기대되는 장기 생존률은 Child–Pugh 등급 A이면서 장경 2cm 이하의 단일 종양은 3년 생존률이 70–80% 이상, 5년 생존률이 50% 이상 보고되고 있고, 장경 2–3cm의 종양은 3년 생존률이 47–64%로 보고되었다.

3) 경동맥화학색전술

간세포암종으로 진단받은 환자들 중 수술이 일차적으로 고려되지 않는 대부분의 환자들은 간내에 다발성 종양을 갖고 있거나, 종양 주변으로 충분한 절제구역을 확보할 수 없거나, 문맥내에 침습이 있거나, 간기능이 저하되어 있다. 이러한 환자에서 가장 흔히 사용되는 치료법이 경동맥화학색전술Transarterial Chemoembolization (TACE)로서 간세포암종에 대한 화학요법과 선택적 허혈에 의한 종양괴사 효과를 동시에 보고자 하는 치료법이다(그림 3-23, 24). 시술 방법은 화학 요법제인 독소루비신, 시스플라틴 또는 마이토마이신 C를 리피오돌에 혼합하여 암 영양동맥에 주입하고 이어서 색전물질(젤라틴 스폰지 입자나 폴리비닐 알코올 입자 등)로 동맥색전 술을 시행하여 종양의 허혈을 유발한다. TACE는 종양이 큰 경 우에는 반복적 치료에도 불구하고 암이 완전히 소실되는 빈도가 낮으므로 근치적 치료법으로 분류되지는 않지만, 종양이 4cm보다 작은 경우에는 미세도관으로 영양혈관을 초선택하여 완전한 TACE를 시행함으로써 50% 이상에서 종양의 완전 괴사를 유도하는 항암 효능을 보인다. 최근 일본간암연구회에서 발표한 전향적 코호트연구 결과에 따르면, 8,510명에서 시행한 TACE의 전체 1, 3, 5, 7년 생존률은 각각 82%, 47%, 26%, 16% 였고, 종양의 크기가 5cm 이상인 경우의 1, 3, 5년 생존률은 각 각 63%, 30%, 16%였다.

4) 방사선치료

간세포암종에 대한 방사선치료는 수술적 절제가 불가능하거나 국소치료술, 경동맥화학색전술 등으로 근치적 치료가 되지 않는 환자에서 시행되고 있다. 주로 간기능이

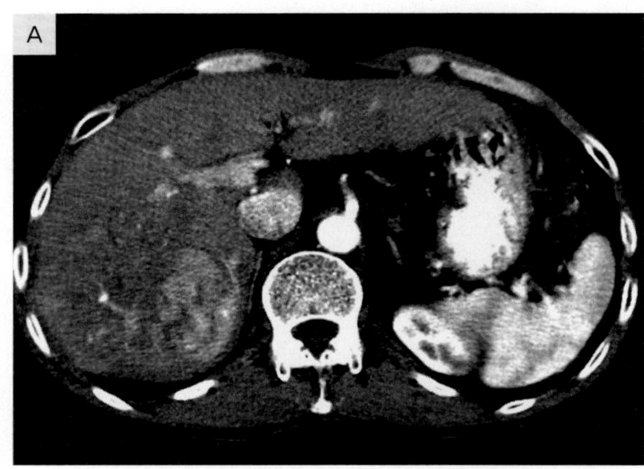

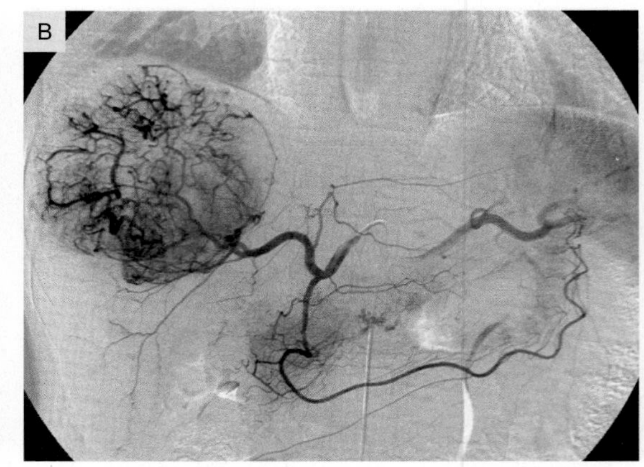

그림 3-24 큰 간세포암에서의 간동맥 조영 소견

Child-Pugh 등급 A 또는 상위 B인 경우 시행되고 있으며, 40-90%의 반응 율과 10-25개월의 중앙생존기간을 보고하고 있다. 방사선치료의 적응증으로써 종양의 체적이 전체 간부피의 1/3 이하가 되어야 부작용의 위험이 현저하게 낮아 안전하게 치료할 수 있는데, 전체 간부피의 2/3 또는 70% 이하, 선량-체적 분석에서 30Gy가 조사되는 체적이 전체 간부피의 60% 이하로 제한하기도 한다. 방사선치료는 간문맥 종양혈전증 유무에 제한을 받지 않고 안전하게 시행할 수 있다는 장점이 있다. 경동맥화 학색전술과 방사선치료의 병용치료가 경동맥화학색전술 단독 군에 비해 3년 생존률을 10-28% 정도 향상시킨다고 보고되었다. 방사선치료는 경동맥화학색전술을 포함한 각종 비수술적 치료 후 재발한 간세포암종에 대하여 구제치료 목적으로 시행 할 수 있다. 암에 의한 통증 등 증상의 완화에도 효과적이다. 종양의 담도 폐색으로 인해 황달 증상을 보이는 간암의 경우 방사선치료를 시행하여 병변의 크기를 줄이고 증상의 호전 및 생존기간의 연장을 기대할 수 있다. 종양으로 인한 동정맥 단락이 심하여 경동맥화학색전술이 어려웠던 경우에 병소에 방사선치료 후 약 20% 환자에서 혈관폐색이 유도되어 경동맥화학색전술이 가능하였다. 복부림프절전이의 경우 방사선치료 시행으로 80% 전후의 반응율을 보였으며 약 7개월의 중앙생존기간이 보고되었으며, 생존기간의 연장도 보고되었다. 통증을 동반한 간세포암종 뼈전이에 대한 방사선치료는 약75-84%에서 통증을 완화하였다. 간세포암종의 뇌전이 경우 방사선치료가 증상 완화를 위해 사용될 수 있다. 방사선치료 법의 하나인 양성자선치료proton beam therapy는 그 물리학적 특성상 주변 조직에의 손상이 적고 조사 효과를 종양에서 극대화할 수 있다는 이론적 장점을 가지고 있다. 현재까지 여러개의 2상 연구가 보고되었는데, 치료 후 2년 시점에서의 국소 조절 률은 75-96%로 보고되었으며 5년 생존률 24%로 우수한 결과를 보고하고 있으나, 이론적인 장점에도 불구하고 위장관 합병증(9%), 간부전(13%)의 발생이 보고되어 대상 환자의 신중한 선정이 필요할 것으로 생각된다.

9. 항암화학요법

간세포암의 국소림프절전이를 포함하여 폐 혹은 뼈 등의 간외전이가 있는 경우 또는 다른 치료법에 반응하지 않고 암이 계속 진행하는 경우 항암화학요법을 고려하게 된다. 항암화학요법은 세포 DNA에 작용하는 기존의 세포독성 화학요법제와 세포신호전달체계에 작용하는 표적치료제로 구분되는데, 간세포암종의 경우 세포독성 화학요법제들은 대부분 치료반응이 충분치 않고 반응기간 또한 짧다. 일부 치료방법이나 치험예, 종양반응 등이 보고되어 있으나, 무작위 대조군 연구를 통해 생존률향상이 입증된 세포독성 화학요법제는 아직까지 한 가지도 없는 실정이다.

비교적 좋은 종양반응이 보고된 약제들도 있기는 하지만, 그 효과 입증이 매우 어렵다. 기존에 가장 널리 사용되어 온 약제는 anthracycline계 약물 중 doxorubicin이며 복합화학요법은 단일 약제에 비해 다소 높은 반응률을 보이나 생존기간 연장에 대해선 회의적이며 그 효과가 입증되지는 않았다. octreotide, interferon, tamoxifen, 항androgen요법 등 다른 전신치료법들도 생존률 향상에 도움이 된다는 증거가 없으며, 특히 tamoxifen은 3상 무작위 대조군 연구에 의해 효과가 없는 것으로 판명되었다. 간세포암종 환자의 대부분은 만성 간질환이나 간경변증을 동반하고 있으므로 충분한 용량의 항암제를 투여하는 것이 불가능한 경우가 많고, 항암제에 의한 독성 발생 가능성이 높다. 특히 기존의 세포독성 항암요법제나 인터페론 등은 치료반응이 제한적인 반면 부작용 발생이 심한 편이다. 따라서 간세포암에서 세포독성 화학요법은 전신상태와 간기능이 양호한 환자들에게 제한적으로 사용되어야 할 것이며, 무의미하게 환자의 삶의 질을 저하시키지 않도록 경우에 따라 독성이 적은 약제를 사용하거나 독성이 강한 약제는 용량 감량을 고려하는 등의 주의가 필요하다. 최근 3상 무작위 대조 군 연구를 통해 경구용 항암 표적치료제인 sorafenib의 간세포암 치료 효과가 입증되었다. 암 발생 기전에 관여하는 여러 세포물질들을 억제하는 sorafenib은 서양 환자들을 대상으로 한 연구에서 치료군과 대조군의 중앙생존기간은 각각 10.7개월과 7.9개월이었으며, 우리나라를 포함한 동양 환자들을 대상으로 한 연구에서는 각각 6.5개월과 4.2개월로서 생존 연장 효과가 있음이 입증되었다. 그러나 이러한 연구들에서 보인 생존률 증가는 불과 2-3개월에 지나지 않아 현실적인 생존기간 연장 효과는 기대하기가 어려운 실정이다. Sorafenib 효과를 2-3개월 간격으로 치료반응을 평가하여 간세포암이 진행하거나, 투약을 지속하기 어려운 심한 부작용이 발생하거나, 전신상태가 나빠지면 투약을 중단한다. Sorafenib 역시 치료 성적이 충분히 만족스러운 것은 아니며, 수족 피부 부작용, 설사, 피로감, 체중감소 등의 부작용이 상당수 생길 수 있다.

요약

간세포암은 우리나라 40-50대 남성암 사망률의 수위를 차지하고 있으며, 바이러스성 간염이 연관되어 호발하고, 대개 영상검사 및 종 양표지자검사를 이용하여 진단한다. 수술적 절제가 가장 효과적인 치료법이기는 하지만, 80% 이상의 환자가 간경변증이나 만성 간염 이 동반되어 있기 때문에 간절제의 대상이 제한적이다. 치료법 선택에 있어 암 병기뿐만 아니라 기저 간질환에 따른 간기능 정도를 고려 해야 하고, 비수술적 치료로는 경동맥화학색전술, 고주파열치료술, 에탄올주입술 등이 흔히 시행되고 있고, 재발암에 대해서도 반복 시도가 가능하다. 간경화가 동반된 비진행성 간세포암에 대해 최근에는 간이식이 효과적인 치료법으로 인정되고 있다

VIII 간내담관암

간내담관암intrahepatic cholangiocarcinoma 또는 말초담관암perpheral cholangiocarcinoma은 간에서 간세포암 다음으로 흔히 볼 수 있는 원발 종양으로 담관의 제2분지 내지 그 말초부의 간내 담관에서 발생한다. 발병시 상당한 기간 동안 무증상 또는 특이한 증상이 없기 때문에 대체적으로 늦게 발견되고, 또한 치료도 늦어지기 때문에 절제수술을 받을 수 있는 기회가 적을 뿐 아니라 수술 후에도 예후가 나쁘다. 지역적으로 서양에서는 드물지만 동양에서는 비교적 흔해서 일본에서는 전체 간암의 약 5%, 우리나라에서는 약 10%로 보고하고 있다. 간내담관암은 전체 담관암의 약10%를 차지한다. 성별로는 남녀의 비가 1.5-2 : 1로 남자에서 약간 더 많고, 연령별로는 60대의 고령층에서 빈발한다.

1. 임상적인 특징

일반적인 비특이적 임상증상으로 복부동통, 체중감소, 식욕부진 및 발열 등이 나타날 수 있다. 황달은 대개 동반되지 않는다. 육안적인 분류에 따라서 임상 양상의 차이가 있다. 종괴 형성은 거의 반수에서 임상증상이 없이 우연히 발견되거나 임상 증상이 있어도 복부통증이나 전신쇠약 등 비특이 증상이다. 담관침윤형은 황달이 주증상이고 복부동통, 발열의 순서인 반면, 담관내성장형은 복부동통 및 발열 등 담관염의 증상이 주로 발생하지만 황달은 대개 동반하지 않는다. 생화학적 검사에서도 대개 특이한 것이 없고, 담즙 정체의 소견인 알카리성 인산분해효소alkaline phosphatase가 대부분 증가하지만 황달이 동반되는 경우는 흔하지 않다. 종양표지자 중에서는 CA19-9가 절반 이상에서 증가된다. CEA은 약 30-50%에서 증가되지만, AFP은 소수에서만 증가된다.

2. 동반된 원인 질환

가장 흔히 동반된 질환은 담석증으로 50-80%까지 동반된다고 하지만, 담석증 환자 측면에서 보면 약 2-5%에서 간내담 관암이 동반되었다. 육안적인 분류상 담관침윤형이나 담관내 성장형에는 담석증이 비교적 흔하나 종괴형성형에서는 매우 드물다. 담석에 의해서 담관 점막이 계속 자극되고 담즙의 감염 및 정체로 성분이 변화되어 화학작용으로 점막의 선종성 과형성을 초래하고 시간이 지나면서 비특이성 세포나 이형성을 거쳐서 악성화되는 것으로 추정된다. 담석이 동반된 악성 종양은 임상증상이나 방사선검사가 담석 때문에 방해되어 진단이 늦어지거나 담석증만 있는 것으로 진단되는 경우가 흔하고, 그 때문에 절제 수술이 지연되거나 수술을 받지 못하게 될 수도 있다. 따라서 간내담석증 환자에서 혈중 종양표지자가 상승되었으면 악성 종양이 동반되었을 가능성을 고려해서 그에 대한 정밀 검사를 시행해야 한다. 그 외에 간흡충증, 선천성 간내담관확장증(Caroli병) 혹은 다발성간내낭종 등이 동반될 수 있다. 우리나라에서는 악성종양에서 간흡충증의 동 반 빈도가 30-40%로 높아서 외국에 비해서 중요한 동반질환이 된다.

3. 병리학적 소견

1) 육안적인 소견

종양에는 섬유질의 간질이 많기 때문에 딱딱하고 비교적 흰색을 띄며 대부분에서는 단일 종양이다. 육안적인 모양에 따라서 암 활동도나 생물학적 특성이 다르고 전이되는 양상이 달라서 치료법과 예후가 달라진다. 연구자들에 따라서 각각 분류되고 있지만, 우리나라에서 주로 사용하는 분류는 1997년 일본간암 연구회에서 공식적으로 인정한 분류이다(그림 3-25).

(1) 종괴형성형

종괴형성형mass-forming type은 가장 높은 빈도를 보이

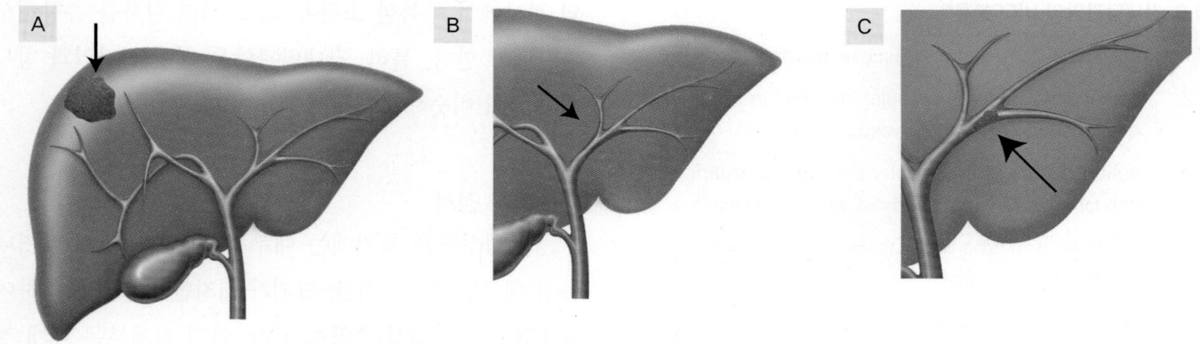

그림 3-25 **간내담관암의 육안적 분류.** A) 종괴형성형, B) 담관침윤형, C) 담관내성장형

는 형으로 간내의 주요 담관과는 직접적인 연관이 없이 종괴를 형성한다. 확장형으로 증식되며 대개 피막은 없고 주위에 위성결절을 동반할 수 있다. 혈관전이와 간내전이가 흔한 반면 림프절 전이는 드물고 암세포의 증식능력이 낮아서 주위로의 전이가 비교적 늦게 나타난다. 간세포암과 같이 만성간염이나 간경변증을 동반하는 경우가 가끔 있다.

(2) 담관침윤형

담관침윤형Periductal infiltrative type은 종괴형성형보다는 크기가 작지만 주담관을 중심으로 해서 문맥계를 따라서 담관을 길게 침윤하여 멀리까지 전파될 수 있다. 병이 진행되면 간실질을 침윤하여 종괴를 형성할 수도 있다. 혈관에 의한 전이나 간내전이보다는 림프관을 통한 림프절 전이가 흔히 있고, 종괴형성형에 비해서 세포증식능력이 높기 때문에 악성도가 높다. 간내 결석을 동반하는 경우가 많다.

(3) 담관내성장형

담관내성장형Intraductal growth type은 가장 빈도가 낮은 형으로 담관 내부에서 내강을 따라서 성장하는 것으로 간실질의 침윤이 거의 없기 때문에 병이 진행되기 전까지는 종괴를 형성 하지 않는다. 병이 조직적으로 유두형 혹은 잘 분화된 선종이고, 문맥침윤이나 간내 전이는 드물고

표 3-8. 조직학적 분화도에 따른 간내담관암의 분류

고분화군
유두상선암(papillary adenocarcmoma) 유두상-관상선암(papillo-tubular adenocarcinoma) 고분화형 관상선암(well differentiated tubular adenocarcinoma)
중분화군
중분화형 관상선암(moderately differentiated tubular adenocarcinoma) 저분화형 관상선암(poorly differentiated tubular adenocarcinoma)
희귀종양군
선-편평상피암(adenosquamous carcinoma) 편평상피암(squamous cell carcinoma) 점액선암(mucinous carcinoma) 역형성암(anaplastic carcinoma)

림프관 신경침윤 및 림프절의 전이도 빈도도 낮다. 원격전이가 적고 암활성도가 낮기 때문에 절제시 장기 생존을 기대할 수 있는 종양이다.

2) 조직학적 소견

기본적으로 선암이며 세포는 입방 혹은 낮은 원주세포로 이루어진 관과 같은 구조물로 되어있고 내부에는 체모양 혹은 유두형 같은 서로 다른 모양을 하고 있다. 조직학적으로 세포 분화도에 따라서 표 3-8과 같이 분류한다.

표 3-9. 간내담관암의 UICC분류*

T1	solitary, ≤2cm, without vascular invasion		
T2	solitary, ≤2cm, with vascular invasion; or multiple, one lobe, ≤2cm, without vascular invasion		
T3	solitary, 2cm, with vascular invasion; or multiple, one lobe, 2cm, with or without vascular mvasion		
T4	multiple, one lobe or invasion of major branch of portal or hepatic vein		
NI	regional node metastasis		
M1	distant metastasis		
I	T1	N0	M0
II	T2	N0	M0
	T1	N1	M0
III	T2	N1	M0
	T3	N0, N1	M0
IV-A	T4	any N	M0
IV-B	any T	any N	M1

* Union International Contra Cancrum

4. 병기 분류

혈관전이는 환자의 절반 이상에서 관찰되고 종괴형성형에서 담관침윤형보다 약간 높다. 신경침윤도 절반 이상에서 발 생하는데 담관침윤형에서 종괴형성형보다 빈도가 더 높다. 원격장기의 전이도 비교적 흔한데, 주로 폐, 췌장, 뼈, 부신 등의 순서이다. 간내담관암의 병기분류는 표 3-9과 같다.

5. 방사선 검사

간내담관암은 임상적인 증상이나 증후가 특이하지 않고 혈 액검사에서도 확진이 가능한 소견이 없다. 단지 일부의 종양표지자가 상승하는 경우 의심해야 하는 정도라서 수술 전 진단은 주로 방사선검사에 의존해야 한다. 방사선학적 검사에는 초음파검사, 전산화단층촬영, 자기공명영상, 담관조영술 및 혈관조영술 등이 있지만 어느 하나의 검사에서 독특한 소견이 없고, 여러 검사를 종합해서 판단해야 한다. 특히, 간내담관암은 전이성 간암과 방사선 소견이 비슷하기 때문에 감별이 어렵다.

1) 초음파 검사

종괴형성형은 초기에는 대부분 균질성이면서 낮거나 동질 에코의 종양이지만, 크기가 커지면 에코가 증가하여 고에코의 불균질성 종양이 된다. 암의 경계부는 대개 정상 간조직과 분명히 구별되나 상당한 수에서는 불규칙적인 경계를 보인다. 암이 작을 때 동질의 에코소견을 보이는 경우에는 간 내부의 담관확장이나 경계부에 저에코가 없으면 조기 진단이 어렵다.

2) 전산화단층촬영

암은 전형적으로 둥글고 피막이 없으며 음영이 감소되면서 내부에는 불균질적인 부위가 있고 암경계부가 불분명하다. 조영제를 투여하면 종양의 경계부위가 약간 조영증강이 되고 종양 상부에 있는 간 표면이 위축되며 간내부의 확장된 담관이 관찰된다. 역동적 전산화단층촬영에서 조영제 주입 후 초기에는 대부분 암 전체가 저음영이 되었다가, 후반기가 되면 반수 이상에서 지속적으로 음영이 감소되고 소수에서는 주위의 음영과 같거나 음영이 증가될 수 있다. 초기에 음영이 감소되면 시간이 지나면서 감쇠계수가 증가되는데 계속 음영이 감소된 경우 감쇠계수의 증가가 둔하다. 감쇠계수의 증가는 암에 기질과 섬유조직이 많아 조영제가 늦게 침투되기 때문이다. 암이 커지면 중요 담관 전이에 의한 담관 협착 등으로 간내부에 담관 확장의 소견이 보인다.

3) 자기공명영상

종괴형성형은 보통 경계가 분명한 종괴로 T1 강조영상에서 간보다 신호강도가 떨어지나 T2 강조영상에서 신호강도가 증가된다. Gadolinium 조영증강을 하면 T1 강조영상에서 종양의 경계부위가 경도 혹은 중등도로 조기에 얇게 조영증강이 되고 중심부위는 조영증강이 덜 되지만, 말기에는 반대로 종양의 중심부가 증강되고 경계부위는 증강이 떨어지는 소견이다. 담관 침윤형은 경계가 불규칙적이고 T1 강조영상에서 음영이 감소 되었다가 T2 강조영상에서 담관을 따라서 약간 신호강도가 증강된다. 간내부의 담관이 확장되어 T2 강조영상에서 신호강도가 증가된다.

4) 경피경간 혹은 내시경적 역행성 담관조영술

담관침윤형이나 담관내성장형에서는 종양 부위의 담관이 협착되거나 폐쇄되어 있다. 특히 담관내성장형은 담관이 확장되면서 내부에 조영제 결손 소견이 있고 유두상 종양에서는 담즙에 점액이 함유되어 있다.

5) 혈관조영술

대부분 종양에서는 혈관 분포가 없거나 감소되어 있고 소수에서만 혈관이 증가되어 있다. 신생혈관이 나타나지만 간세포 암과는 달리 동정맥루는 관찰되지 않는다.

6. 치료

암종의 완전한 절제만이 환자의 생존률을 높이는 가장 확실한 치료법이며, 그 외의 고식적인 치료법인 방사선치료나 화학 요법은 큰 효과를 기대하기 어렵다. 그래서 적극적으로 암의 근치적 절제를 위하여 노력을 들여야 한다. 암의 안전범위를 충분히 두는 완전한 절제와 동시에 주위 림프절의 광범위한 절제를 하여야 한다. 그러나 간내담관암에 대한 절제율은 저자에 따라서 달라서 약 30-40% 수준이다. 이와 같이 암의 절제율이 낮은 이유는 암에 대한 고위험군이 없고 임상적으로 특징적인 증상이나 증후가 없기 때문에 늦게 발견되고, 암 자체가 조기에 간 내부 또는 외부로 쉽게 전이가 발생하여 암을 절제하기가 기술적으로 어렵기 때문이다. 종양 절제가 불가능할 때는 황달을 경감시키거나 음식 섭취를 위하여 대증적인 수술을 하기도 하는데, 어느 정도 생활에 도움을 줄 수는 있지만 생명 연장에는 큰 차이가 없다. 방사선 치료 및 화학요법 등이 일차적 치료로는 효과가 없다고 하지만 근치절제 수술 후에 병행요법으로 시행하면 부분적인 반응을 보인다고 한다.

1) 절제수술

종양의 육안적인 형태에 따라서 생물학적 특성과 전이 양상이 다르기 때문에 수술적인 접근방법도 달라져야 한다. 종괴형성형은 원칙적으로 간세포암과 모양 및 생물학적 특성이 비슷하여 종괴를 형성하고 혈관전이가 흔히 일어나고, 간내전이의 빈도도 높은데 대부분 암의 인근에 일어난다. 종양의 크기가 커지면 주위에 있는 림프관을 따라서 글리손피막에 침윤되어 림프절에 의한 전이도 일어날 수 있다. 따라서 원발성 암과 함께 전이된 암을 함께 제거하기 위해서는 해부학적이고 광범위한 간 절제가 원칙이며 림프절전이는 드물지만 특히 암이 클 경우에는 주위 림프절절제를 같이 시행할 필요가 있다.

담관침윤형은 일반적인 담관암세포의 특성대로 글리손 피막을 따라 담관 주위로 확장되어 광범위한 담관 침윤이 있고 조기에 주위 림프절이나 신경주위에 전이가 일어난다. 간문부전이도 흔히 있기 때문에 이와 같은 담관침윤형을 완전히 절제하기 위해서는 암이 있는 동측의 간엽과 미상엽절제 및 간외 담관을 함께 절제해야 하며 간문부 림프절 절제도 동반되어야 한다.

담관내성장형은 대부분 담관내에 국한되어 발생되고 암이 진행 한 후에 간실질이나 주위 림프절 전이가 발생하지만, 기본적으로는 담관침윤형과 같은 원칙으로 수술을 실시한다.

2) 간이식

간내담관암에서 간이식의 역할에 대해서는 논란이 많다. 대체적으로 수술 후 결과가 만족스럽지 못하고 제공장기의 부족 상태에서 간이식을 시행하는 것과 이식수술 후 면역억제제 사용으로 암의 성장이 촉진되는 점 때문에 간이식은 아직까지 부정적으로 받아들여지는 실정이다.

7. 예후

절제수술 후 사망률은 수술 전후 환자 관리의 발달로 대개 5% 이하이다. 합병증은 약 20%에서 발생되며 합병증 중에서 담관누출 및 농양이 가장 흔하다. 일본의 다기관 분석 보고에 따르면 암절제율은 46.1%이고 절제술 후 5년 생존률이 26.1% 이며 3년과 5년 생존률이 치유절제술 후에는 각각 49.5% 및 25.8%이고 비치유절제술 후에는 모두 28.2%로 3년에는 차이가 있으나 5년에는 차이가 없었다고 한다. 림프절전이 유무에 따른 3년과 5년 생존률은 전이가 없으면 47.8% 및 35.0%이나 전이가 있으면 18.8% 및 7.8%로 유의한 차이가 있었다. 국내 보고에서 수술 후 5년 생존률이 29.7%이었고, 담관내성장형은 76.2%, 종괴형성형은 23.3%이었지만 담관침윤형은 5년 생존 환자가 없었다고 하였다. 대체적으로 절제수술 후 생존률은 1년이 약 60–80%, 3년과 5년 20–40%인 반면 절제수술을 하지 않는 경우는 6개월 이내에 사망하기 때문에 적극적인 절제수술이 추천된다(그림 3-26).

생존률에 영향을 미치는 인자로는 우선 암의 병기가 있다. 암의 병기는 세분할 수는 없지만 병기에 따른 생존률에 차이가 있으며 T군에서도 차이가 있다. 림프절 전이의 유무에 따라서 중간 생존기간뿐만 아니라 기간별 생존률에도 크게 차이가 있으며, 암의 개수에서도 단일 암과 2개 이상 암에서도 의미있는 차이가 있다. 암의 육안적인 분류에 따라서 담관내성장형이 가장 좋고 종괴형성형, 담관침윤형 순이라고 하나 저자에 따라서 담관침윤형, 종괴형성형 순이라고도 한다. 현미경적 조직 분화도에 따라서 잘 분화된 것과 미분화된 것은 차이가 있다고 한다. 수술적인 요소로는 암 절제면에서 1cm 이내를 암세포 침윤범위로 볼 때 암절제면에서 침윤 유무, 치유절제 및 비치유절제에 따른 생존률 차이도 있다. 가장 중요한 예후인자는 암의 완전절제 여부, 종양의 육안적인 분류 및 림프절 전이로 알려져 있다.

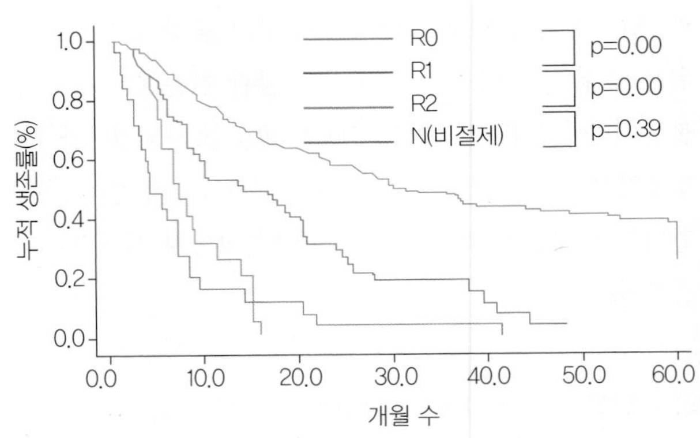

그림 3-26 간내담관암 절제시의 근치도에 따른 예후 비교

>>>

요약

간내담관암은 담관의 제2분지 내지 그 말초부의 간내 담관에서 발생하는 종양으로 전체 담관암의 약 10%를 차지하며, 일차성 간암의 5%를 차지한다. 형태에 따라 종괴형성형, 담관침윤형 및 담관내성장형 등으로 분류된다. 암종의 완전 절제가 효과적인 치료법이기는 하지만, 특이한 증상이 없어 대개 늦은 시기에 발견되기 때문에 절제수술을 받을 수 있는 기회도 작고, 수술 후 예후가 간세포암에 비해 불량하다. 방사선치료 및 화학요법 등은 일차적 치료로는 효과가 거의 없지만, 근치절제 수술 후에 병행요법으로 시행하면 부분적인 반응을 보인다.

IX 전이성 간암

1. 간전이의 병태 생리학

암의 전이는 크게 혈관 전이, 림프관 전이, 직접 침윤의 경로를 이용한다. 소화기계의 정맥피는 간문맥을 통해 간으로 유입되므로 소화기계암의 간전이는 정맥 전이의 경로가 가장 흔하다고 알려져 있다. 전이성 간암의 예후는 종양의 수와 크기, 림프절 전이 동반여부, 종양의 생태 biology 및 원발 질환의 병기에 따르며, 수술이 중요한 치료 수단이 된 이후로, 간절제 가능여부, 절제연까지의 거리, 잔존 간기능 혹은 잔존 간의 크기, 수술 전 항암화학요법의 반응 여부 등이 전이성 간암의 예후를 결정하는 인자가 되었다. 최근 전이성 간암의 치료 성적이 좋아지고 수술을 통해 조직 연구가 가능하게 되면서, 전이에 관여하는 인자, 전이 종양의 생태와 유전자 발현 등에 관한 연구가 활발히 진행되고 있다.

2. 진단

1) 임상 증상

전이성 간암의 흔한 증상은 우상복부 불쾌감, 복수, 황달, 종괴 촉지, 식욕부진, 체중 감소 등이지만 이러한 증상들은 대부분 암이 상당히 진행된 이후에 나타난다. 전이성 간암이 발생한 초기에는 이러한 증상이 대개 없어서, 종양 표지자의 증가, 암검진사업이나 일차 종양의 치료 후 시행하는 정기적인 영상검사에서 발견되는 경우가 많다.

2) 종양 표지자 검사

종양 표지자로는 암태아성항원(CEA)이 원발 병소 수술 전후 사용되며, 환자의 예후와 원발 질환의 근치적 절제 후 종양의 진행을 평가하는 지표로 이용되며, 전이된 간암의 치료 후에도 종양의 진행을 평가하는 지표가 된다. 대장직장암 환자에서 CA19-9 역시 CEA와 비슷한 역할을 하는 것으로 알려져 있으나 근거가 부족하다. 유방암 환자에서 CEA와 CA15-3, 위암 환자에서 CEA, CA19-9, AFP, 담도암이나 췌장암에서도 역시 CEA, CA19-9가 종양의 진행 정도에 따라 상승할 수 있다. 그러나 대장직장암 환자를 제외하고는 원발병소에 대한 근치적 절제 후 전이 병소 감시에 대한 종양표지자의 역할에 관해서는 아직 논쟁이 있다. 각 원발 질환별 종양 표지자는 전이성 간암의 치료 후 치료 반응 평가에도 활용할 수 있다.

3) 영상검사

초음파 검사는 비침습적이고 조영제나 방사선 조사의 위험이 따르지 않는다는 장점이 있으나 조기 전이 병소를 발견하는 데에 활용하기에는 근거가 부족하다. 수술 중 시행하는 초음파검사나 조영제를 사용하는 초음파 검사는 개복 전 영상 검사보다 민감도가 높은 것으로 보고되어 수술 중 양손촉지법으로 확인하지 못한 병소를 추가로 발견할 수 있으며 병소와 혈관과의 해부학적 관계를 정확히 파악할 수 있어서, 안전한 수술을 할 수 있도록 도와준다. 역동적 전산화 단층촬영dynamic CT scans은 가장 간편하면서도 정확한 검사로 간영상을 동맥기, 문맥기, 지연기를 나누어 촬영하여 진단율이 80–90%에 이르고 있다. 조영제를 이용한 자기공명영상dynamic MRI는 최근 간담도조영제(Primovist®)를 이용한 검사에서 정확도(80–90%)가 높아졌다. Positron Emission Tomography (PET)은 특히 대장직장암 환자에서 전신 전이의 진단에 민감한 검사(민감도 90%)로 간외 전이와 간내 전이를 한 번에 파악할 수 있다. 최근에는 PET 검사와 MRI를 융합하여 1cm 미만의 작은 간내 전이 병변에 대한 진단율을 높일 수 있다는 보고가 있다. PET 검사의 결과에 따라 치료방법을 변경한 경우가 24%에 이른다는 보고가 있다. 경간동맥혈관조영술transhepatic angiography은 간에 전이된 종양의 진단을 위한 CT, MRI에 보조적인 방법으로 활용되며, 간동맥 내에 도관을 삽입한 후 국소항암화학요법을 계획하는 경우 고려할 수 있다.

4) 복강경검사

전이간암에 대한 치료 계획을 구체화하고자 할 때 병기 진단, 국소전이 및 복막전이의 정도를 파악하는 데에 최소 침습술을 활용하고자 시도되고 있으며, 최근에는 전이성 간암이나 일차성 간암에서도 복강경 간절제술 혹은 국소적인 열치료radiofrequency ablation therapy를 시행에 관한 안전성과 유용성이 보고되고 있다.

3. 전이성 간암에 대한 간절제술의 결정

전이성 간암에 있어서 간절제술의 적응증은 원칙적으로 간외 전이가 없고, 간외 원발 종양에 대한 근치적 치료가 가능하며, 간전이에 관한 수술적 치료가 종양의 자연경과보다 환자의 생존 기간을 연장할 수 있어야 한다. 또한 수술 외의 다른 치료와 비교하여 환자의 생존 기간을 연장하거나 삶의 질을 향상시킬 수 있어야 한다. 이에 관한 연구는 주로 대장직장암 환자에서의 간전이에 대한 연구에서 이루어졌는데 전이된 간종괴가 단일 종양이고, 적절한 절제연을 남길 수 있고, 간절제가 가능한 환자의 상태와 충분한 잔존 간기능이 예상되는 경우였다.

최근 전이성 간암에 대한 간절제술 후 수술 사망률이 숙련된 센터에서 1% 내외로 보고되고 있다. 이는 적절한 환자의 선택, 수술 전 진단을 위한 영상기법의 발전, 간해부학에 대한 이해, 수술 전후 관리, 마취 및 수술 기법의 향상에 기인한다. 이외에도 전신 항암화학요법과 간내 병소에 관한 국소 치료법의 발전, 전이성 간암의 치료에 대한 다학제적인 접근 역시 전이성 간암 환자의 수술 후 장단기 생존율이 증가시켰으며, 이러한 이유로 간절제술의 적응증과 간절제 범위가 점차 확대되고 있다.

간절제술을 결정하기 위해서는 1) 환자 수행능력 평가, 2) 간외 전이 평가, 3) 일반적인 간기능 검사, 4) 잔존 간기능 검사가 필요하다. 수술 전 잔존 간기능의 평가는 일반적인 간절제술 전 환자와 다르지 않다. 다만, 수술 전 항암화학요법을 받은 환자에서 이로 인한 지방간Chemotherapy Associated Steatohepatitis (CASH)이나 간청색증sinusoidal injury; blue liver syndrome이 발생할 수 있으며 이는 잔존 간기능을 저해하여 수술 후 합병증을 증가시킨다는 보고가 있으므로 이를 충분히 고려하여 수술 계획을 세워야 한다. 수술 전 검사에서 AST/ALT 비율이 증가하거나, ICG R15 검사와 조영제를 사용한 MRI에서 간기능 손상의 증거를 찾을 수 있으므로 치료 계획에 참조하여야 한다.

정상 간기능을 가진 환자에서 수술 전 평가한 CT 혹은 MRI 상 잔존간의 용적은 적어도 20% 이상이어야 하며, 만성 간염이 있거나 항암화학요법으로 인한 간손상이 있는 경우에는 적어도 30% 이상의 잔존간 용적이 필요하다. 이는 종양학적인 입장에서 가능한 1cm 이상의 절제연을 얻는 것이 중요하지만, 항암화학요법으로 인한 손상 등 재생이 용이하지 않은 간의 상태를 고려하여 가능한 간실질을 보존하고 간절제술과 관련된 합병증을 줄여야 장기적인 예후가 양호하다는 모순에 부딪치게 된다. 이러한 이유로 잔존간 용적이 그 이하일 경우에는 2단계 간절제술을 순차적으로 시행하거나, 1차 간종양절제술과 문맥 결찰술을 미리 시행하고 잔존간 재생을 유도하는 순차적 간절제술을 시행하거나, 절제될 편측 문맥 색전술을 시행하여 잔존간의 재생을 유도한 후 수술을 시행할 수 있다. 절제측 잔존간의 기능과 용적을 고려하여 순차적인 치료 시행하는 데에 있어서 잔존간의 재생을 유도하는 시간 간격을 단축하여 종양의 파급을 최소하하려는 노력이 있어 왔는데, 대표적인 외과적인 방법은 관혈적 문맥결찰술과 함께 간실질 절리를 동시에 시행하는 ALPPS (Associating liver partition with portal vein ligation for staged hepatectomy) 술식이 있으며, 내과적인 방법은 문맥 색전술과 동시에 시행하는 조혈모세포 주입법이다. 그러나 ALPPS 방법은 수술과 연관된 합병증과 사망률이 기존의 문맥결찰술이나 색전술에 비하여 증가하기 때문에 선택적으로 사용할 수 있다. 문맥색전술과 조혈모세포 주입법의 동시 치료는 현재 연구 단계에 있어 좀 더 추이를 지켜봐야 할 것이다.

4. 간절제술

간절제술에 관한 일반적인 원칙과 수술 방법은 다른 간절제술과 다르지 않다. 이 장에서는 전이암에 관한 간절제술에 관한 특이 사항만 논하도록 하겠다. 앞서 기술한 바와 같이 환자 관리 및 술기의 다양한 발전으로 간절제술 적응증은 점차 확대되어 가고 있어서, 환자가 전신마취가 가능하고, 간외 종양의 치료가 가능하며, 간절제술 후 잔존 간기능이 유지된다면 전이암의 크기와 개수, 위치에 관계없이 적극적이고 광범위한 종양 절제술을 고려할 수 있다. 특히 대장직장암의 간전이에 있어서는 전이암에 대한 수술이 가능하다면 최근 보고되는 5년 생존률이 50%에 이르기 때문에, 적극적인 간절제술을 권유한다.

간전이가 원발암과 동시에 발견되는 경우 간절제술에 대해 경험이 많은 센터에서는 원발암과 동시 절제술을 시행할 수 있다. 최근 전신항암화학요법과 간절제술기, 영상기법의 발전으로 고전적인 원발병소 우선치료 원칙과 전이병소(간전이) 우선 치료나 동시치료에 관해 수술 관련 사망이나 장기 생존에 있어 차이가 없다는 보고들이 있다.

종양의 분포나 개수, 위치, 잔존 간기능의 이유로 1차적인 종양 절제술이 불가능한 경우에는 1) 가능한 전이암을 절제하고 잔존암에 대해서 수술 중 고주파술을 병행하거나, 2) 간절제술 이전 전신항암화학요법을 시행하여 종양의 크기가 감소시키거나(그림 3-27), 3) 수술 중 종양의 수가 많은 편측간의 문맥 결찰술을 시행하고 반대측간에 대해 종양절제술 후 간재생을 유도하고 2차적으로 편측간 절제술을 시행하기도 한다. 간절제술 전후의 전신항암화학요법의 치료에 관해서는 아직도 논의가 필요한 상황이지만, 간절제술만 시행하는 것 보다는 재발율을 낮추고 생존율을 증가시킨다.

잔존 간기능의 문제로 전이된 간암을 모두 절제할 수 없을 때에는 절제술 없이 전신 혹은 경동맥 국소 항암화학요법만 시행하는 것 보다는, 종양절제술과 수술 중 고주파열치료를 시행한 후 전신 항암화학요법을 시행하는 것이 환자의 생존을 연장할 수 있다. 계통적 간절제술이 비계통적 종양 절제술에 비하여 수술 후 무병생존율을 증가시킨다는 증거는 명확하지 않다. 다만, 적절한 절제연을 확보하는 것은 무병생존율과 연관되어 있어 절제연과의 거리는 1cm 이상을 권장하지만, 절제연에 종양 음성을 얻을 수 있다면 적극적인 수술 치료가 가능하다. 또한 간문부 림프절에 종양의 전이가 있는 경우에도 림프절곽청술을 시행하고 간절제술을 시행할 수 있고, 간외 전이암에 국소적인 치료가 가능한 경우에는 간절제술을 동시 혹은 이시성으로 시행할 수 있다. 전이성 간암에 대해 간절제술 후 간내 전이암이 재발한 경우 1차 치료에서와 같은 간절제술 범위(종양에 대해 간절제술과 고주파술을 포함한 국소적인 치료가 가능하고, 간외 전이가 없거나 국소치료가 가능하고, 잔존 간기능이 적절한 경우)에 있다면 재절제술을 하여도 1차 절제술과 비슷한 생존율을 보이며, 이에 대해서는 3차 재절제술의 성적도 비슷하다는 보고가 있다.

복강경을 이용한 전이암에 대한 치료에 관해서는 선택된 환자에서 비교적 안전하게 시행할 수 있고 개복술과 비슷한 환자 및 무병생존율을 보인다는 후향적인 연구와 consensus 보고가 있다.

5. 간이식

전이성 간암은 전신암의 일종이기 때문에 일반적으로 간절제술과 고주파술의 국소치료가 우선적인 고려대상이며, 간에 대한 국소치료의 한 방법인 간이식의 적응증이 되지 못한다. 다만, 증상을 동반한 신경내분비종neuroendocrine tumor의 간전이에서는 간이식 후 환자 생존율 성적이 우수하고 호르몬에 의한 증상을 완화하여 삶의 질을 향상시키기 때문에, 원발병소의 치료에 관계 없이 간이식을 권장할 수 있다. 대장직장암의 간전이에 대해서는, 1990년대 초 유럽에서 시행하였으나 5년 생존율이 20%에 이르지 못해 철회되었다. 최근 들어서 Hagness M 등은 절제가 불가능한 간전이 환자에 대해서 간이식과 항암치료를 병행하여 5년 생존율을 60%까지 보고하였다. 간

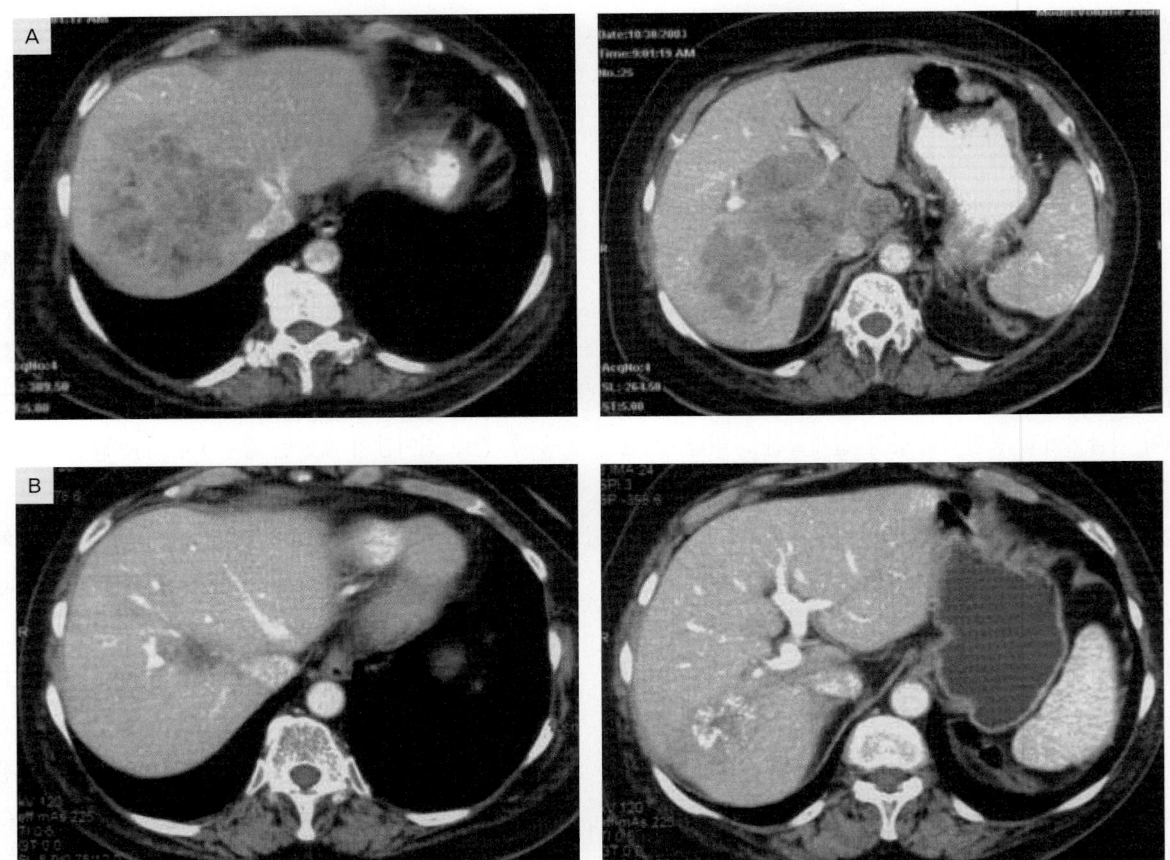

그림 3-27 A) A CT scan showing unresectable large hepatic metastases with tumor abutting the right and middle hepatic veins, and involving the portal vein bifurcation. B) A CT scan of the same patient after treatment with preoperative systemic chemotherapy. Note the dramatic reduction in the size of the tumor mass and the shrinkage of tumor away from the portal vein bifurcation, thereby making the tumor amenable to resection.

이식 후 환자 생존율이 향상되고, 대장직장암의 간전이에 대한 국소 치료 후 무병생존율이 증가함에 따라 이에 대한 국소 치료로서의 간이식의 역할에 대한 재고가 조심스럽게 제기되고 있다.

6. 예후인자

대개의 전이성 간암환자에서 간전이의 수, 림프절 전이 유무, 종양표지자, 종양 크기 등이 예후와 깊은 관련이 있다. 최근에는 간절제 후 종양표지자의 변화, 염증과 면역학적인 변화, 간절제 조직 패턴, 종양생태학적인 변화 및 유전자 변이 등에 관한 연구 등이 활발히 진행되고 있다.

7. 비대장직장암의 간전이

위암, 식도암, 신장암, 유방암의 간전이에 대해서는 대장직장암과 신경내분비종의 간전이에 관해서 처럼 좋은 예후를 보이지 않기 때문에 적절한 적응증에 대해서는 확립되어 있지 않지만, 간절제술이 가능하다면 단일 종괴, 작은 종양인 경우 비교적 좋은 예후를 보이는 것으로 보고되고 있다. 부인과 종양(난소암, 자궁내막암, 자궁경부암)의 경우 간전이보다는 복막내 전이인 경우가 더 자주 보고되지만 간전이에 대한 수술적 절제도 권장된다.

요약

전이성 간암은 간의 악성 종양의 3/4를 차지하며, 간은 림프절 다음으로 가장 흔히 전이되는 기관이다. 간에 전이가 많은 원발 장기는 폐, 대장-직장, 위 등이다. 간에 전이된 경우 환자의 중간 생존율은 12개월에 미치지 못한다고 알려져 있다. 전이성 간암은 전신 말기암으로서 과거에는 수술이 완치 요법으로서의 의미를 갖지 못했지만, 최근 조기 검진의 확대, 영상진단의 발달, 수술 기법 및 항암화학치료의 발전으로 전이성 간암에 대한 수술 치료의 의의가 고무되고 있다.

X 담도계의 해부와 생리

담도계란 간세포에서 생성된 담즙이 십이지장까지 배출되는 배관체계를 말하며, 크게 간내담관, 간외담관으로 구분한다. 해부학적 변이가 매우 빈번하여, 수술 전 간내, 간외 담도계의 해부학적인 구조 및 주변 혈관과의 관계를 잘 파악해야 하며, 수술 중 담도 노출 및 정확한 박리는 담도 수술에서 가장 중요한 요소이다. 그렇지 않으면, 예상치 못한 담도 손상을 초래 하며, 수술의 목적도 달성하기 힘들다. 본 장에서는 정상 담도계의 해부학 및 흔한 담도계의 변이를 알아보고 그 임상적인 중요성에 대해 알아보고자 한다.

1. 간내 담관

간내담관과 간외담관의 경계는 일반적으로 간문부 직전까지인 좌간관과 우간관까지를 간내담관으로 분류하고, 간문부 담관 이하 부위를 간외담관으로 한다. 좌우간의 각 분절에서 배액되는 간내담관이 합쳐져 각각 좌, 우 간관으로 배액되고 주합류부hilum를 형성하며, 주합류부 근처에서 미상엽에서 배액되는 담관이 1–4개 정도 개구한다. 일반적으로 좌간관은 우간관에 비해 비교적 변이가 적고, 간외로 주행하는 부분이 2cm정도 더 길고 수평이여서 간문부 담관암에서 우측간을 절제하고, 좌간관에 문합하는 증례의 경우 절제연의 확보와 문합이 용이하다. 간외에서는 담도, 간동맥, 간문맥이 엉성하게 간십이지장인대에 쌓여 있어 비교적 쉽게 박리할 수 있으나, 간문부 쪽으로 갈수록 Glisson 피막이 더 두껍고 치밀해진다. 간내담관은 해당하는 간동맥, 문맥 분지와 함께 삼분지triad를 형성하면서 Glisson 피막내에 함께 싸여 있어 삼분지를 따로 박리하는 것은 거의 불가능하고 권장하지 않는다. 편의상 Couinaud분절의 번호 앞에 B (bile duct)를 붙여 해당 간내담관을 표시한다.

1) 좌간관

Couinaud분절 Ⅱ, Ⅲ, Ⅳ을 배액 한다. 인체의 해부학적 자세를 기준으로 하였을 때, 좌외측구역의 전하방 부위를 배액하는 B3은 제대열의 좌측을 따라 후상방으로 가다가 좌문맥의 좌측에서 B2와 합류한다. 이후 좌문맥의 후상방을 주행하다가 B4가 합류하며 4분절의 기저부를 따라 우측으로 주행한다. 이 때 문맥의 전방으로 나오면서 문맥분지부의 우측 전방에서 우간관과 합류한다. B4는 좌측담관 중에서 비교적 변이가 많은 담관으로 그림과 같이 B2, B3와의 합류에 따라 여러 형태가 있을 수 있다(그림 3-28).

2) 우간관

우간의 S5, S8을 배액하는 우전구역관anterior sectional duct과 S6, S7을 배액하는 우후구역관posterior sectional duct이 합류하는 부위에서 주 합류부까지가 우간관의 1차

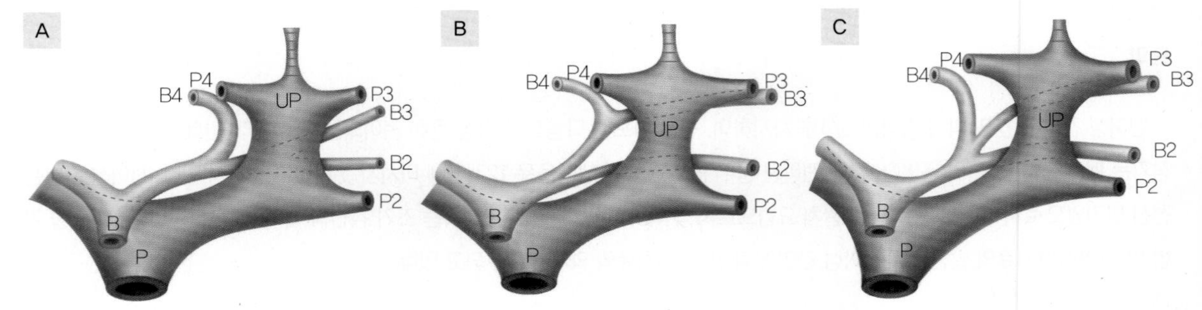

그림 3-28 **좌간관의 변이.** A) B2, 3 합류 후 B4가 합류하는 경우. B) B3,4가 공통관을 형성하는 경우. C) B2,3,4가 공통관을 형성하는 경우

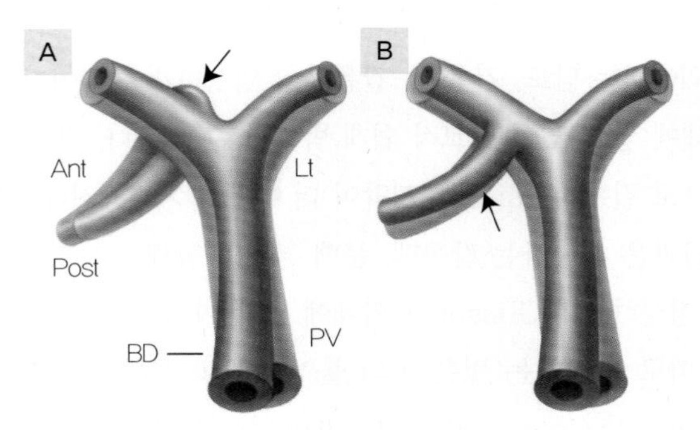

그림 3-29 **우간관의 변이.** A) 상문맥형(supraportal type). 전후구역 담관의 합류부가 우문맥의 상방에 있는 경우, B) 하문맥형(infraportaltype). 전후구역담관의 합류부가 우문맥의 하방에 있는 경우

분지이다. 우간관의 일차분지는 좌간관보다 짧고, 해부학적 변이도 빈번하다. 전후 구역 담관이 합쳐져 우간관을 형성하는 것이 아니라 독립적으로 간문부로 개구하거나 좌간관이나 총간관으로 배액되는 경우도 있다. 전구역담관은 총간관을 기준으로 거의 일직선상으로 주행하고, 후구역담관은 수직으로 주행한다. 우전구역담관은 우전문맥지의 좌측에 위치한다. 우전후구역담관 합류부는 간외에 위치하며 보통 우문맥의 상방에 위치하는데 이를 supraportal type(80%) 이라 하고, 합류부가 우문맥의 하방에 있는 경우 infraportal type(20%)으로 명명하여 상문맥형supraportal type은 정상형태이며 하문맥형infraportal type은 담도변이로 보았다(그림 3-29).

3) 미상엽 담관

미상엽은 좌측부터 스피겔 엽Spigel lobe, 방대정맥부paracaval portion, 미상엽 돌기caudate process의 세 부분으로 나눌 수 있다. 세 부분의 각각 독립된 담도가 있는 경우(44%)와, 스피겔엽만 독립된 담도가 있고 나머지 두 부분은 공통관을 형성한 후 배액되는 경우(26%)가 있다. 78%에서 좌우 담관 모두로 유입되나, 15%에서는 좌측담도, 7%에서는 우측담도로만 유입되기도 한다. 이러한 유입형태는 특히, 간문부 담도암 수술에서 유의해야 하는데, 그 이유는 B1이 간문부 근처에서 유입되어 조기에 종양의 침윤이 발생하기 때문이다. 일반적으로 간문부담도암의 경우 미상엽을 동반절제하여야 하며, 동반절제하지 않는 경우에는 간문부 담도 절제 후 담도공장문합을 통한 적절한 배액이 이루어져야 수술 후 담도염, 담즙누출을 예방할 수 있다.

2. 담낭과 담낭관

담낭은 진주모양으로 약 7-10cm 크기이며 평균 30-50mL의 용적을 가진다. 담낭관이 막힐 경우 용적을 더욱 늘어나 300mL까지 저장할 수 있다. 담낭은 우측간의 하부 담낭와에 위치해 있으며 담낭판(cystic plate)에 의해 간실질과 분리되어 있다. 담낭판은 얇고 연한 결합조직으로 간문부판(hilar plate)와 연결되어 있다. 담낭판과 간실질 사이에는 혈관 뿐만 아니라 작은 담관(담낭하담관)duct of Luschka, subvesical duct도 있을 수 있어 담낭절제 수술 중 담즙누출이 있을 수 있다(그림 3-35).

담낭과 하대 정맥을 잇는 가상의 선(Cantlie's line)은

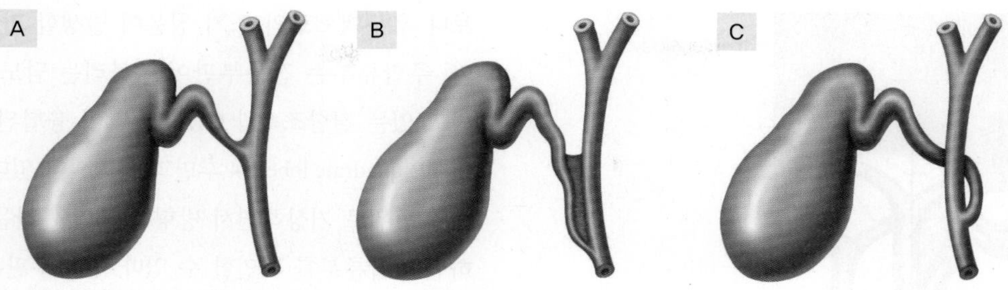

그림 3-30 담낭관이 총담관과 합류하는 양상에 따른 분류. A) 각형(angular) 75%, B) 평행형(pararell) 20%, C) 나선형(spiral) 5%

좌우 간엽의 경계표시가 된다. 담낭이 간상(liver bed)에 붙어 있는 정도도 다양하여 간실질에 깊게 파묻혀 담낭절제술 시에 어려움이 있을 수 있고, 장간막처럼 매달려 있어 염전을 일으킬 수도 있다. 담낭은 해부학적으로 기저부fundus, 체부body, 경부neck, 누두부infundibulum등 네부분으로 나누어진다. 기저부는 둥근 모양의 맹관으로 간모서리보다 1–2cm정도 더 돌출되어 있고, 체부는 간상에 가장 깊게 파묻힌 부분으로 담낭의 주된 저장소로 대부분의 탄력조직을 포함하고 있다. 경피경간담낭배액관이 주로 삽입되는 부위이며 염증, 종양 등이 간으로 쉽게 파급되기도 한다. 경부는 체부와 누두부 사이의 부위로 염증으로 인해 좁아지는 경우 모래시계형태의 담낭 모양으로 보이기도 한다. 누두부는 체부에서 경부로 이행하는 부위로서 하트만낭Hartmann's pouch라고도 한다. 복강경 담낭절제술 시에 이 부위를 잡아 우측 상방으로 견인하게 되면, 담낭관과 총간관이 이루는 각도가 커지고, Calrot 삼각이 넓어져 담낭관을 확인하기가 용이해지며, 총간관의 손상도 피할 수 있다. 누두부가 총담관을 덮어 가리고 있거나 총담관과 하대정맥 사이에 위치하는 경우도 있다. 특히, 염증으로 인한 강한 유착이 있는 경우 박리 도중 총담관이 손상될 가능성이 높다. 담낭관은 담낭의 경부나 누두부에서 발생하며 연장되어 총간관으로 개구한다. 담낭관은 직경이 대략 1–3cm 정도이며 길이는 매우 다양해서 짧거나 없을 수도 있고 총간관과 합류하는 위치도 다양하다. 담낭관의 변이와 총간관과의 합류점은 외과적으로 중요하다. 합류위치에 따라 저위형low-union type과 고위형high-union type으로 분류할 수 있으며, 저위형인 경우 담낭관이 후십이지장이나 후췌장구역에서 총담관에 합류하는 형태로 담낭관을 총수담관으로 오인할 수 있으며, 이때 담낭관을 길게 박리하는 것은 불필요하다. 고위형의 경우 우간관이나 우후간관에 합류하는 경우가 있어 담낭절제술 시에 담낭관으로 오인하여 절단할 수 있으므로 주의를 요한다. 담낭관이 총담관과 합류하는 양상에 따라 각형angular, 평행형parallel, 나선형spiral으로 분류하기도 한다(그림 3-30).

각형은 일반적인 형태이며, 평행형인 경우 담낭관을 길게 남기지 않기 위해 담낭관과 총간관 사이를 박리하는 것을 권장하지 않는다. 나선형의 경우 총간관의 하방이나 상방을 횡단하여 총간관의 좌측으로 배액 되는데 총간관의 우측에서 담낭관을 결찰 하는 것이 안전하다. 담낭관에는 다양한 갯수의 점막 주름이 있는데 이를 spiral valves of Heister라고 부른다. 이는 실제로 밸브의 역할을 하지는 않으나 담낭결석이 저절로 빠져나가기 힘든 구조여서 결석이 감돈되기 쉬우며 담낭관의 cannulation을 어렵게 한다.

담낭은 우간동맥에서 기원하는 담낭동맥으로부터 혈류공급을 받는다. 담낭동맥의 주행은 다양하나 대부분 담낭관, 총수담관, 간하연을 경계로 하는 Hepatocystic triangle 내에서 발견된다. Hepatocystic triangle은 담낭절제술을 시행할때 중요한 해부학적 지표로서 담낭동맥뿐만 아니라, 상장간막동맥에서 기원하는 우간동맥이나 총간관으로 직접 배액되는 우구역담관이 Hepatocystic triangle 내에 있을 수 있어 주의가 필요하다(그림 3-31). 우간동맥은 총간관의 후방을 가로질러 담낭동맥을 분지

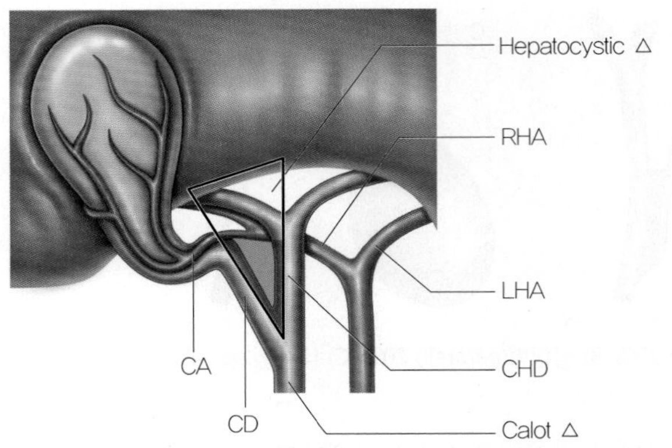

그림 3-31 **calot triangle과 hepatocystic triangle.** (RHA: 우간동맥, LHA: 좌간동맥, CHD: 총수담관, CD: 담낭관, CA: 담관동맥)
- Calot triangle: 윗변을 담낭동맥으로 하고 우변을 담낭관, 좌변을 총간관으로 하며 담낭절제술 시 가상의 해부학적 지표로 쓰임
- Hepatocystic triangle: 윗변을 간하면, 우변을 담낭관, 좌변을 총간관으로 하는 삼각

한 후 간을 향해 위쪽으로 주행하며, 담낭동맥이 담낭의 경부에 도달하면 전지와 후지anterior and posterior division로 나누어진다. 담낭의 정맥은 간측 담낭에 여러 개의 작은 혈관이 있을 수도 있고 드물게 문맥으로 배액되는 큰 담낭정맥이 있을 수도 있다.

담낭의 점막은 콜레스테롤과 지방 구체를 포함하는 주름이 많은 단층의 긴 원주상피로 구성되어 있고 laminar propria에 의해 지지된다. 담낭에는 다른 장관과는 다르게 muscularis mucosa와 장막하층이 없다. 근육층은 circular longitudinal and oblique fiber로 구성되어 있다. 근육주위결합조직perimuscular connective tissues내에는 신경, 혈관, 림프조직 등을 포함하고 있다. 담낭은 간측에 붙어 있는 부분을 제외하고 장막으로 덮혀있다.

3. 간외담관의 해부학적 구조

간외담관은 좌우간관의 간외부분, 주합류부, 총간관, 담낭관, 총수담관으로 구성되어 있다. 주합류부는 간외에 있으며, 이곳에서 0.5-1.5cm 정도 좌우간관의 간외부분이 존재한다. 주합류부는 문맥분지부의 우측, 우문맥의 전상방에 위치한다. 따라서 간문부담관암인 경우 좌문맥보다 우문맥으로의 조기 침윤이 발생할 가능성이 더 높다. 주합류부는 간문부판이라 불리는 담도, 혈관주위를 싸고 있는 결합조직과 Glisson막이 융합된 조직에 의해 방형엽quadrate lobe, S4 후면과 분리되어 있다. 따라서, 방형엽을 위로 거상하면서 방형엽 하연의 간문부판을 절개하면 주합류부를 확인할 수 있다. 간문부판은 무혈관조직이지만 되도록 방형엽에 가까이 절개해야 담도손상을 피할 수 있다. 좌간관은 우간관보다 길고 우간관보다 좀 더 긴 간외주행을 가지며 원위부폐쇄 시에 더 잘 확장되는 경향이 있다. 총담관은 담낭관이 연결되는 부위를 기준으로 하여 그 근위부인 총간관과 원위부인 총수담관으로 나누어 진다. 좌우간관은 서로 만나 총간관을 형성하며 총간관은 약 1-4cm 길이로 직경이 약 4-6mm 정도이다. 총간관은 간문맥의 앞쪽, 간동맥의 우측에 위치하며 담낭관과 만나 총수담관이 된다. 우간동맥은 총간관의 아래를 가로질러 간으로 유입되지만, 20%에서는 총간관의 전방에 위치하기도 한다. 총수담관은 팽대부를 통하여 십이지장2부로 개구한다. 총수담관은 길이가 7-11cm 정도이고 5-10mm의 지름을 가진다. 상부 1/3 supraduodenal portion은 hepatoduodenal ligament의 우측단에 위치하고 우간동맥의 우측과 간문맥의 전방을 지난다. 중부 1/3 retroduodenal portion은 십이지장의 1부 아래를 지나면서 간문맥과 간동맥으로부터 멀어진다. 하부 1/3 intrapancreatic portion은 췌장 두부 뒤를 지나 십이지장의 2부로 개구하며 이 부위에서 췌장관이 합류한다. 총수담관과 주췌관의 합류는 3개의 형태 중 하나를 따른다. 1) Y-shape (short common channel, <15mm)은 가장 많은 경우로 담관과 췌관이 만나 보통 4-7mm 정도의 공통관을 형성한 후 십이지장으로 들어가는 형태이며, 2) U-shape으로 담관과 췌관사이에 내부격막이 유지되어 각각 십이지장으로 개구하는 형태, 3) V-shape은 공통관이 없는 형태이다. 국내다기관 연구에 따르면 Y-shape이 60.2%, U-shape이 23.7%, V-shape이 16.1% 빈도를 보인다.

Oddi 괄약근은 주위의 십이지장 평활근과는 다른 모양의 구조를 이루는 괄약근으로 바터팽대부에서 장액, 담즙, 췌장액의 역류를 막아준다.

간외담관의 동맥공급은 후십이지장동맥, 위십이지장동맥, 우간동맥에서 기시한다. 이 동맥들은 담관벽 내에서 풍부한 문합을 가지고 있다.

4. 담관의 해부학적 변이

정상적인 형태의 담도는 50-60%에 불과하고, 나머지는 아래와 같은 변이가 있을 수 있다.

1) 간문부 합류부의 변이

A형은 우전구역담관와 우후구역담관이 합류하여 우간관을 형성한 후 좌간관과 합류하는 정상적인 형태이며, B형은 우전간관과 우후간관이 합류하여 우간관을 형성하지 않고 직접 간문부로 배액되어 좌간관과 함께 삼분지trifurcation를 형성하는 경우이다(12%). C형은 우전 또는 우후구역지가 간 외에서 총간관으로 직접 배액되는 경우(20%)로, C1형은 우전간관(16%), C2형은 우후간관(4%)이 총간관으로 직접 합류하는 형태이며, 담낭절제술 중에 손상되기 쉬우므로 주의를 요한다. D형(6%)은 우구역간관이 제대부 근처에서 좌간관으로 합류하는 형태로 좌간 또는 좌외측구역절제술이나 좌측 간이식 시에 인지하지 못하면 예상 못한 합병증이 발생할 수 있다. E형은 모든 구역관들이 간문부에서 복잡하게 합류하는 매우 드문 경우이며, F형은 우후구역관이 담낭관-총담관 접합부 근처로 배액되는 경우로 담낭절제술 시 주의를 요한다(그림 3-32).

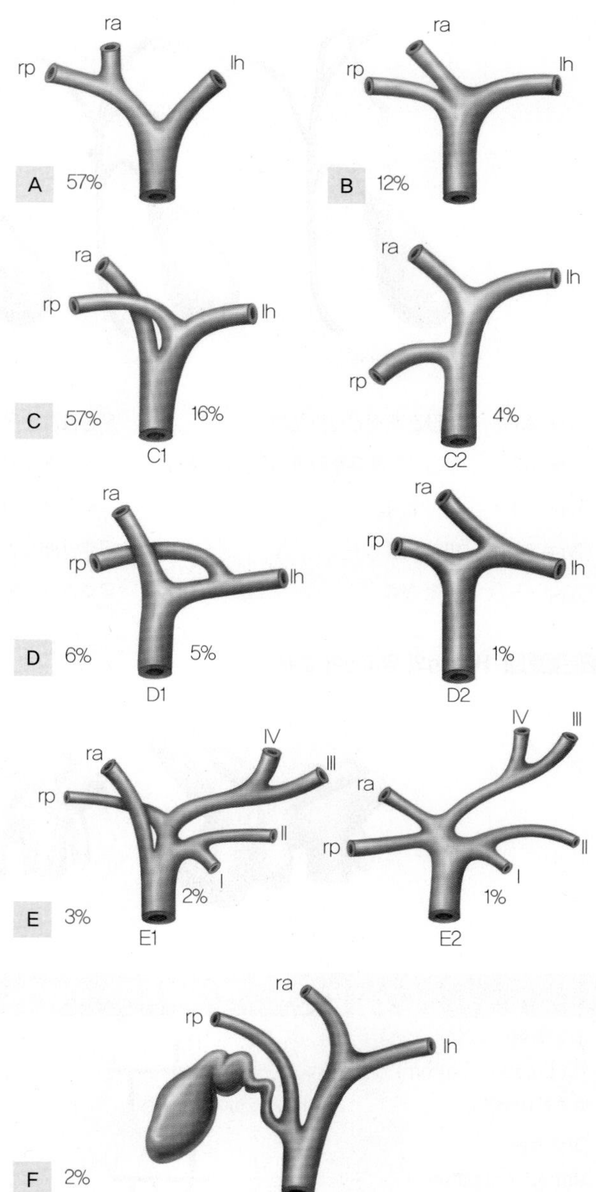

그림 3-32 **간문부 합류부의 해부학적 변이**

간문부 담관 합류부 이상에 관한 여러 가지 분류법이 보고되었으며, Huang분류에 의하면 type A1은 우전간관과 우후간관이 합류하여, 우간관을 형성한 후 좌간관과 합류하여 총간관을 형성하는 정상형태, type A2는 우후간관과 우전간관이 합류하지 않고, 좌간관과 독립적으로 합류하는 형태trifurcation, type A3는 우후간관이 좌간관에 합류하는 형태, type A4는 우후간관이 간외에서 총간관에 직접 합류하는 형태, type A5는 우후간관이 담낭관에 합류하는 형태로 분류하였다(그림 3-33).

Ohkubo은 이 분류를 우후간관의 우전문맥에 대한 위치에 따라 우후간관이 우전문맥의 좌측상방에서 합류되는 경우 supraportal pattern, 우후 간관이 우전문맥의 아래에서 합류되는 경우를 infraportal pattern으로 다시 분류하여 세분하였다. 이러한 담도변이를 수술 전 혹은 수술 중 영상학적소견을 통해 확인해 두어야 예기치 못한 담도 손상을 피할 수 있을 것이다(그림 3-34).

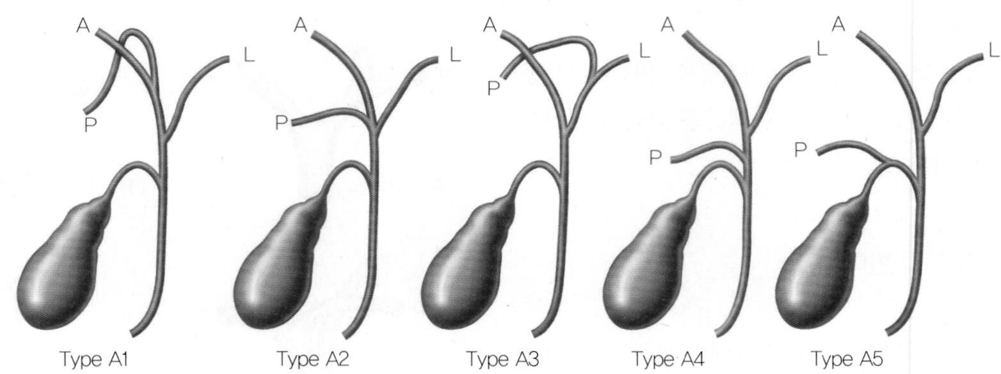

Type A1	우간관과 좌간간의 합류	우전간관과 우후간관이 합류하여 우간관을 형성한 후 좌간관과 합류
Type A2	우전간관과 우후간과, 좌간관의 합류	우전간관과 우후간관이 합류하지 않고 좌간관과 독립적으로 합류(trifurcation anomaly)
Type A3	변형 합류	우후간관이 좌간관으로 합류
Type A4	변형 합류	우후간관이 간외에서 총간관으로 직접 합류
Type A5	변형 합류	우후간관이 담낭관에 합류

그림 3-33 Huang의 담도변이 분류

	우간관이 있는 경우 n=81(74%)	우간관이 없는 경우 n=29 (26%)
상문맥형 (Supraportal pattern) n = 91(83%)	Type A n=72(65%) P, A, LHD	Type B n=6(5%) P, A, LHD Type C n=13(12%) P, A, LHD
하문맥형 (Infraportal pattern) n = 13(12%)	Type D n=8(7%) P, A, LHD	Type E n=5(5%) P, A, LHD
혼합형 (Combined pattern) n = 6(5%)	Type F n=1(1%) P1, P2, A, LHD	Type G n=5(5%) P1, P2, A, LHD

그림 3-34 Ohkubo의 담도변이 분류

2) 간내담관의 변이

(1) 우간내담관

S5, S6, S8의 이소성 배액이 각각 9%, 14%, 20%에서 있을 수 있다. 우전구역지의 분지가 우후구역지로 배액되는 경우도 적지 않다. 가끔 가느다란 담관이 담낭판 바로 아래 간실질을 따라 주행하다가 우간관이나 총간관으로 합류하는데 이를 담낭하담관subvesical duct, duct of Luschka이라고 하며 담낭절제술 받은 환자 중 0.4–1.2%에서 담

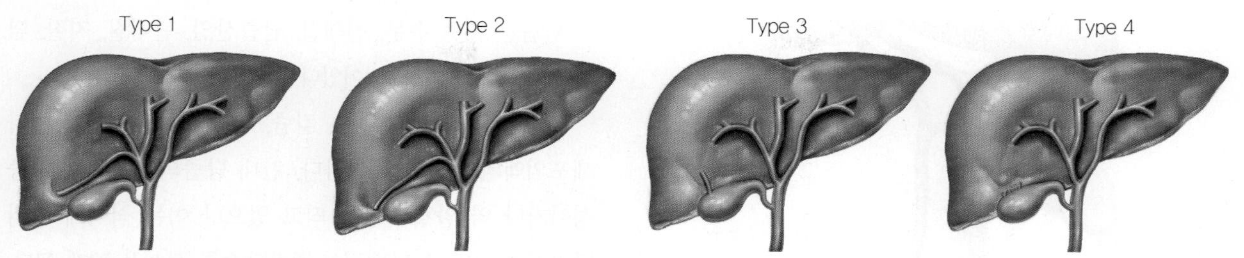

그림 3-35 **Subvesical bile duct의 유형.** Type 1) Segmental or sectorial subvesical bile duct. 우후간을 배액하는 담도가 GB fossa 가까이 지남. Type 2) Accessory subvesical bile duct. 우전 혹은 우후간을 배액하는 부가적인 담도가 GB fossa 가까이 지남. Type 3) Hepaticocholecystic bile duct. 우간에서 담낭으로 직접 배액되는 담관. Type 4) Aberrant subvesical bile duct. 매우 드물며 GB fossa의 connective tissue에 작은 담관들이 네트워크를 형성함

즙 누출이 생길 수 있다. 특히 담낭절제시 담낭판이 보존되지 않는 경우 손상될 가능성이 높으나, 손상된 경우라도 결찰하는 것은 무방하나 그렇지 않은 경우 담도루가 생길 수 있다. 따라서 담낭절제가 완료된 후 절제면에 담즙누출 여부를 면밀히 관찰해야 할 것이다(그림 3-35).

(2) 좌간내담관

B2와 B3가 합류한 이후 B4가 합류하여 좌간관을 형성하는 정상소견(2/3)이 있는가 하면, 25%정도에서는 B4가 B3와 합류하는 경우가 있으며, 드물게 B4가 총간관으로 직접 배액되는 경우도 있다.

(3) 담낭과 담낭관의 변이

담낭은 비전형적인 위치에 있거나 비정상적인 형태를 가질 수도 있고 중복담낭이 있을 수도 있다. 선천적으로 담낭이 없는 경우는 매우 드물어 0.03%정도 발생하는 것으로 보고되고 있다. 따라서, 진단을 내리기 전에 담낭이 간 내에 위치하고 있거나 비정상적인 위치에 있는지 반드시 확인하여야 한다. 중복담낭은 두 개의 분리된 내강과 두 개의 분리된 담낭관을 가지고 있는 경우로 4,000명 중 1명의 발생률을 보인다. 중복담낭은 각각의 담낭관이 총수담관에 따로 들어가느냐, 들어가기 전 합쳐지느냐에 따라 진성 중복true duplication과 부담낭accessory gallbladder로 나눌 수 있다. 안저주름 변형Folded fundus (Phrygian cap) deformity는 담낭의 선천성 기형 중 가장 흔하며 임상적으로 간담도의 영상검사에서 간의 종괴로 오인될 수 있다. 좌측 담낭left-sided GB는 간원인대의 좌측에 담낭이 붙어 있는 것을 말한다. 이 경우 간십이지장인대나 기타 장기의 위치는 정상이나 간문맥의 기형을 동반할 가능성이 높은 것으로 보고되고 있다. 담낭경부에서 담낭이 접혀져 있어 복강경담낭절제술이 어려울 수 있으며, 특히 간문부 손상에 주의해야 한다. 이소성 담낭은 부검에서 1/1,600의 발생률을 보이며 retrorenal, suprahepatic, intrahepatic, anterior abdominal wall, falciform ligament, left side of the lower abdomen등 다양한 위치에 발생한다.

5. 담관 및 주위의 혈관 분포

십이지장상부 담관의 혈액공급은 담도축을 따라 3시, 9시 방향으로 동맥이 주행하며 혈액공급을 한다. 60%는 상췌십이지장동맥, 후십이지장동맥에서 위쪽으로, 38%는 주로 우간동맥에서 아래쪽으로 혈액을 공급받는다. 정맥도 해당 동맥과 같이 3시, 9시 방향으로 주행하며 주문맥으로 직접 배액되는 경우는 드물다.

간동맥과 담낭동맥의 변이는 매우 흔하며 50%정도 발견된다. 약 5%에서는 우간동맥이 2개 존재하며 이 경우 하나는 총간동맥에서 다른 하나는 상장간막동맥에서 기시한다. 20%에서는 우간동맥이 상장간막동맥에서 기시하여 췌장두부의 후방을 지나 총수담관의 우측후방에서 간을 향해 진행하여 Calot 삼각부위를 지나간다. 우간동맥

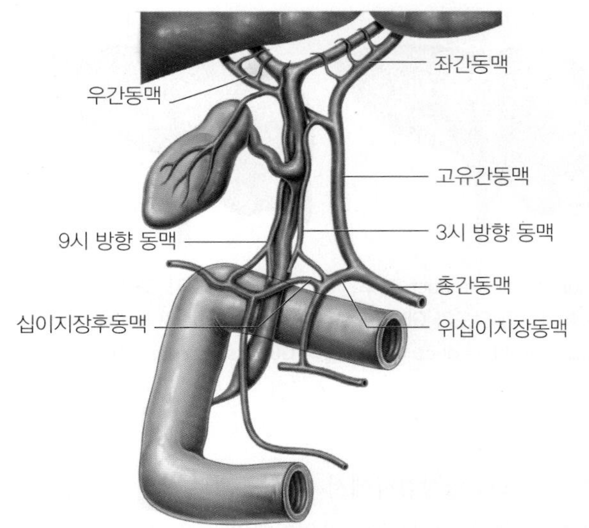

그림 3-36 담도의 혈액공급. 담도는 우간동맥 및 십이지장후동맥 등 여러 방향에서 연결되는 동맥으로부터 혈액을 공급받고 있다.

은 대부분 총간관의 후방 혹은 드물게 전방을 횡단한 후 간으로 진행하지만, 만일 담낭관에 평행으로 주행하거나 담낭 간막 내에 있는 경우 수술 중 손상을 받기 쉽다. 담낭동맥은 약 90%에서 우간동맥에서 기시하나 좌간동맥, 총간동맥, 위십이지장동맥, 상장간막동맥에서 기시할 수도 있다(그림 3-36).

6. 담도계의 생리

1) 담즙의 생성과 구성

담즙은 지속적으로 간에서 생산되어 담세관bile canan-liculi으로 분비되며 간내담관을 통해 간에서 시작하여 총간관, 총수담관을 통해 십이지장으로 들어간다. 건강한 성인은 하루에 500–1,000mL의 담즙을 생성하며 담즙의 분비는 여러 요인에 의해 자극을 받는다. 담즙의 분비는 neurogenic, humoral, chemical stimuli와 연관이 있다. 미주신경의 자극은 담즙의 분비를 증가시키며 내장신경의 자극은 담즙의 분비를 감소시킨다. 십이지장의 소화단백, 위산, 지방산은 세크레틴의 분비를 자극하여 담즙의 생성과 분비를 증가시킨다.

담즙은 주로 수분, 전해질, 담즙산염, 단백질, 지질, 담즙 색소 등으로 구성되어있다.

담즙내의 나트륨, 칼륨, 칼슘, 염소의 농도는 혈장이나 세포외액의 농도와 동일하다. 간내 담즙의 pH는 대개 중성이거나 약 알칼리성을 띄고 있으나 이는 식이에 따라 달라지며 식이 중 단백질이 증가할수록 산성을 띄게 된다. 일차 담즙산인 콜린산cholate과 케노데옥시콜린산chenode-oxycholic acid는 간세포에서 콜레스테롤로부터 합성된다. 담즙산은 간에서 타우린taurine과 글리신glycine과 결합하며 담즙내에서 음이온anion으로 작용하여 담즙 내 양이온인 Na+과 평형을 이룬다. 일차담즙산은 간세포에서 담즙으로 분비되고 장에서 지방의 소화와 흡수를 도운다. 포합형 담즙산의 80%는 말단회장부에서 흡수되며 나머지 20%는 장내 세균에 의해 분해되어 이차 담즙산인 디옥시콜린산deoxycholic acid과 리토콜린산lithocholic acd을 형성한다. 이들은 대장에서 흡수되어 간으로 운반, 포합되어 담즙으로 재분비된다. 결과적으로 약 95%의 담즙산이 재흡수되어 간문맥을 통해 간으로 되돌아가며 5%(하루에 0.3–0.6g)의 담즙산은 대변으로 배출되며 소실량은 매일 간에서 합성되어 전체적인 인체 내 담즙산염 함유량은 항상 일정한 양을 유지한다. 이를 장–간 순환entero-hepatic circulation이라고 부르며 전체 담즙산은 약 2–4g 정도이고 전체량이 하루에 4–12번 정도 장–간 순환이 일어난다.

담즙의 녹색은 빌리루빈 때문이며, 이것은 헤모글로빈의 대사산물로써 혈장에 비해 담즙에서 그 농도가 100배 높다. 분비된 빌리루빈은 장내 세균에 의해 우로빌리루빈으로 변화되어 일부는 재흡수되고, 대부분은 대변으로 배설된다(그림 3-37).

2) 담낭의 기능

담낭, 담관, 오디 괄약근은 함께 담즙의 흐름을 조절한다. 담낭의 주된 역할은 담즙의 농축과 저장이며 식이에 반응하여 담즙을 십이지장으로 분비하는 것이다.

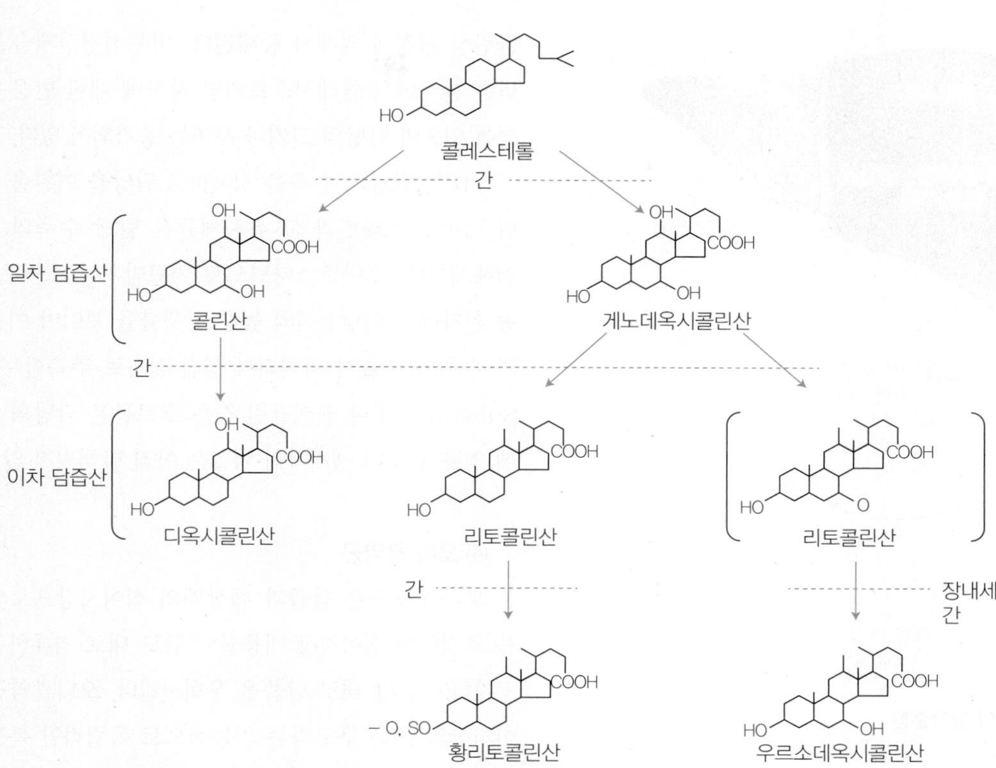

그림 3-37 **일차 및 이차 담즙산의 합성 및 대사**

(1) 흡수와 분비

금식시 간에서 분비되는 담즙의 80%가 담낭에 저장된다. 담낭은 빠르게 농도차에 따라 수분과 전해질을 흡수하여 10배 이상 담즙을 농축하고 담즙의 조성을 변화시킨다. 이는 신체 부위 중 단위당 가중 큰 흡수력을 가지고 있는 담낭 점막의 흡수력으로 인해 가능하다. 담낭의 담즙 조성을 살펴보면 간담즙과 차이가 나며 양이온농도, 담즙산, 레시틴, 담즙색소, 콜레스테롤은 간담즙보다 높다. 이는 주로 담낭에서 삼투압차에 의해 대량의 수분 흡수가 이루어져 발생한다. 담낭의 상피세포는 담낭 내강으로 2개의 중요한 물질인 당단백과 수소이온을 분비한다. 담낭의 누두부와 경부에 존재하는 점막선은 mucus glycoprotein을 분비하며 이는 담즙의 융해작용으로부터 점막을 보호하고 담낭관을 통해 담즙의 배액을 용이하게 하는 것으로 생각된다. 담낭관 폐쇄로 인한 담낭수종에서 보이는 무색 담즙은 이러한 점액 때문이다. 담낭 상피세포의 수소이온의 분비와 HCO3−의 재흡수는 담낭담즙을 산성화 시키며 이는 담낭담즙의 칼슘 용해도를 증가시켜 칼슘염으로의 침착을 방지한다(그림 3-38).

(2) 담낭의 운동기능

담낭의 충만은 오디 괄약근의 수축으로 야기되며, 식사는 담낭에서의 담즙의 배출은 담낭의 수축과 오디괄약근의 이완으로 이루어진다. 담낭의 담즙배출의 주된 자극 중 하나는 식이에 의해 십이지장에서 분비되는 콜레시스토키닌Cholecystokinin (CCK)이다. 식사에 의해 자극이 주어지면 30–40분 내에 담낭 담즙의 50–70%가 배출된다. 이후 60–90분 동안 담낭은 서서히 다시 채워지며 이것은 콜레시스토키닌 농도의 감소와 연관이 있다. 호르몬과 신경원성 경로 역시 담낭과 오디 괄약근의 협력작용에 관여한다. 담낭의 운동성의 결함은 콜레스테롤의 핵화nucleation와 담석형성에 중요한 역할을 하는 것으로 생각된다.

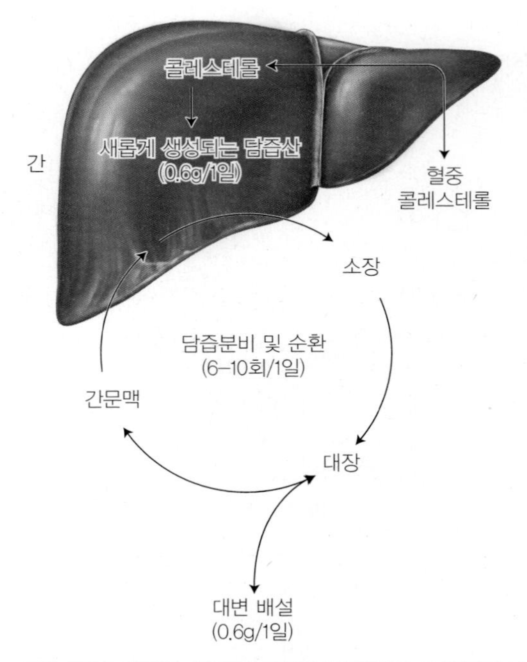

그림 3-38 담즙산의 장간순환

(3) 신경계와 호르몬에 의한 조절

미주신경은 담낭의 수축을 자극하며 내장 교감신경의 자극은 담낭의 운동성를 억제한다. 부교감계 약물은 담낭을 수축시키는 반면, 아트로핀의 투여는 담낭을 이완시키며 담즙의 분비를 감소시킨다.

신경조절반사는 담즙의 십이지장으로의 이동을 조절하기 위해 오디괄약근과 담낭, 위, 십이지장과 연관되어 있다. 위전정부의 확장은 담낭의 수축과 오디괄약근의 이완을 동시에 일으킨다.

호르몬 수용체는 담낭의 상피, 평활근, 혈관, 신경에 존재한다. 콜레시스토키닌(CCK)은 상부 위장관의 상피세포에서 분비되는 펩타이드로 십이지장에 가장 많이 존재한다. 콜레시스토키닌은 산, 지방, 아미노산에 의해 혈류로 분비되어 십이지장으로 들어간다. 콜레시스토키닌의 혈장내 반감기는 2-3분이며 신장과 간에서 대사된다. 담낭의 평활근 수용체에 직접 작용하여 담낭의 수축을 일으키며 말단 담관과 오디괄약근, 십이지장을 이완시킨다. 콜레시스토키닌의 담낭과 담도의 자극은 또한 미주신경콜린성 신경에 의해서 중재된다. 미주신경절제술을 시행받은 환자에서 콜레시스토키닌 자극에 대한 반응은 감소되어 있으며 담낭의 크기나 부피는 증가되어 있다.

VIP는 담낭의 수축을 저해하고 담낭을 이완을 자극한다. 소마토스타틴과 그 유사체들은 담낭 수축의 강력한 저해제이다. 소마토스타틴으로 치료받거나 소마토스타틴종 환자에서 담낭결석의 높은 발생률을 보이며 이는 담낭의 수축와 배출이 저해되어 생긴 결과로 추측할 수 있다. Substance P나 엔케팔린 같은 호르몬은 담낭의 운동성에 영향을 주나 생리학적 역할은 아직 밝혀지지 않았다.

(4) 오디 괄약근

오디괄약근은 담즙과 췌장액의 십이지장으로의 흐름을 조절하며 십이지장 내용물이 담도 내로 역류하는 것을 방지하고 담낭 내로 담즙을 우회시킨다. 오디괄약근은 십이지장의 근육 구조와는 기능적으로 독립적인 복잡한 구조로 담도와 십이지장간의 고압력구역을 형성한다. Oddi 괄약근은 길이가 약 4-6mm 정도이며 기초휴지기 압력이 십이지장보다 약 13mmHg 가량 높다. manometry 상 Oddi괄약근은 분당 약 4회의 주기로 phasic contraction 을 하며 진폭은 12-14mmHg 이다. 콜레시스토키닌이 증가하면 담낭은 수축하고 Oddi 괄약근은 이완되어 십이지장으로의 담즙 흐름을 증가시킨다(표 3-10).

7. 담도계 질환의 진단검사

담낭이나 담관의 질환이 의심되는 경우 다양한 진단 방법이 이용 가능하다. 1924년 Graham과 Cole에 의해 경구 담낭조영술이 소개되면서 담석증의 진단이 향상되었으며 이는 수십년 동안 담석증 진단의 주된 방법이었다. 1950년대에 담도계 신티그라피가 발전되고 이후 경피경간 담도조영술과 내시경적 역행성 담도조영술이 발달하면서 담도계의 영상화가 가능하게 되었다. 또한 초음파, 전산화 단층촬영술, 자기공명영상이 발달하면서 담도계의 영상화를 더욱 향상시켰다.

표 3-10. 간담즙과 혈장의 조성비교

	간담즙	혈장
Na+(mM/L)	174	143
K+(mM/L)	6.6	4
Cl-(mM/L)	55-107	113
HCO3-(mM/L)	34-65	19.3
Ca++(mM/L)	6	2.5
Bile acid (mM/L)	28-42	
pH	7.68	7.4

1) 혈액검사

담낭의 질환이나 간외담도의 질환이 의심되는 경우에는 이에 따른 적절한 검사가 필요하며 일반혈액검사와 간기능검사는 반드시 시행되어야 한다. 백혈구 수치의 상승은 담낭염의 가능성을 시사하며 만일 빌리루빈, 알카리성 인산화효소, 아미노 전이효소의 상승과 동반된 경우 담도염을 의심할 수 있다. 담도폐쇄의 일반적인 검사 소견은 포합형 빌리루빈, 알카리성 인산화효소의 상승을 특징으로 하며 혈청 아미노전이효소는 정상이거나 경미하게 상승할 수 있다. 담성산통biliary colic과 만성담낭염 환자에서 혈액검사는 일반적으로 정상인 경우가 많다.

2) 단순복부촬영

단순복부촬영은 급성 복통을 호소하는 환자에서 가장 먼저 시행할 수 있는 검사이나 간담췌 질환에서는 민감도가 낮아 진단목적으로는 거의 사용되지 않으며 다른 급성 복통을 배제하는데 유용한 방법이다. 약 90% 이상에서 석회화 되어있는 신장 결석과는 달리 담석은 10-15% 정도만이 단순복부촬영상 방사선비투과성으로 관찰된다(그림 3-39). 담낭 벽이 전반적으로 심한 석회화를 보이는 도재 담낭porcelain gallbladder의 경우 담낭의 윤곽을 따라 난원형의 석회화가 관찰된다.

3) 초음파

초음파ultrasonography는 담낭, 담도계 질환이 의심되는 환자에서 시행할 수 있는 일차적 검사이다. 초음파는 비침습적이며 통증이 없고 방사선의 노출위험이 없으며 또한 중환자에서도 시행할 수 있는 장점이 있다. 반면 시술자의 경험과 기술에 검사 결과가 의존적이며 유동적인 단점이 있으며 비만인 환자나 복수가 있는 환자, 장이 팽창된 환자는 초음파로 만족스러운 검사를 하기 어려울 수도 있다. 담낭결석에서 초음파검사의 정확도와 특이도는 90% 이상이다. 담낭결석은 초음파에서 결석에 의해 초음파의 흐름이 차단되기 때문에 후방음향음영posterior acoustic shadow을 동반하는 강한 에코로 나타나며(그림 3-40)

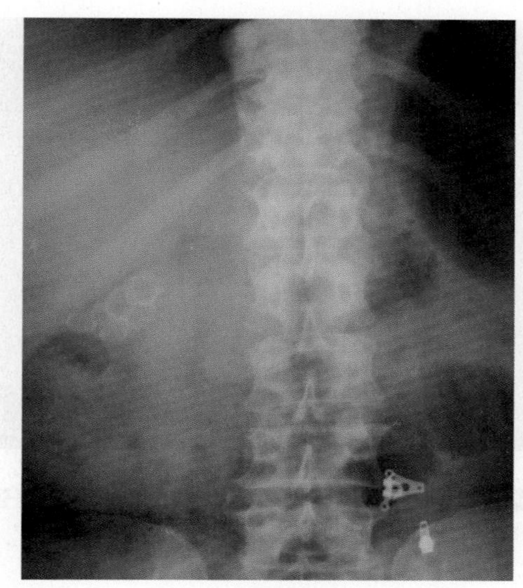

그림 3-39 **담낭결석의 단순복부 촬영 소견.** 우상복부에 석회화된 다발성의 담낭결석이 관찰된다.

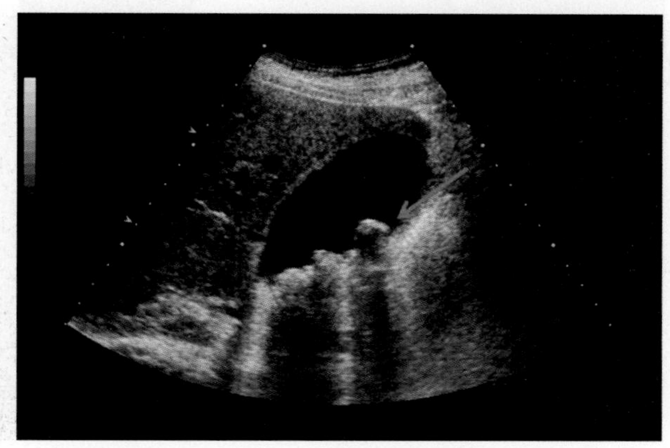

그림 3-40 **담낭결석.** 담낭내에 후방음영을 동반한 고에코의 담낭결석(화살표)이 관찰된다.

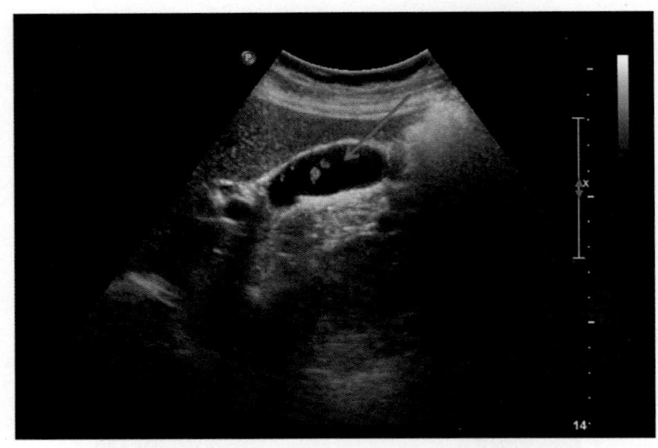

그림 3-41 **담낭용종.** 담낭내에 담낭결석과는 달리 후방음향음영을 동반하지 않은 고에코의 용종이 관찰된다.

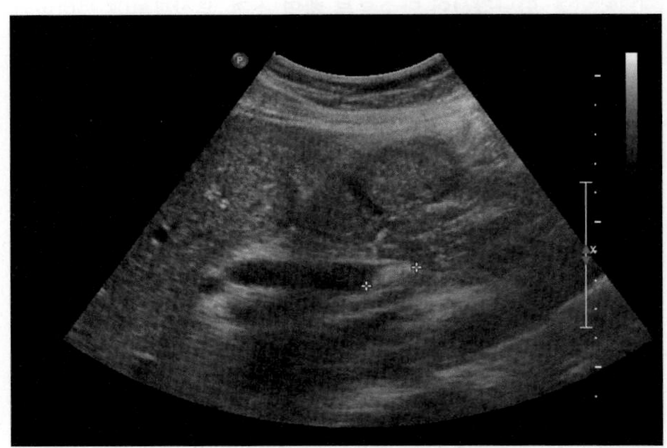

그림 3-42 **간외담관 결석.** 초음파상 간외 담관의 경미한 확장을 동반한 고에코의 물질이 관찰된다.

또한 자세의 변화에 따라 결석의 위치가 변한다. 이에 반해 담낭내 용종도 석회화되어 음영을 만들 수 있지만 자세의 변화에 따라 위치가 변하지는 않는 소견으로 담석과 감별을 할 수 있다(그림 3-41). 담낭염은 대부분 담낭 내 결석을 동반하고 있으며 발열, 백혈구의 증가, 국소적인 압통이 동반되어 있는 경우가 많다. 초음파 검사상 담낭벽이 두꺼워져 있거나 담낭벽 내부나 담낭과 간 사이에 부종에 의한 저에코의 테가 관찰되면 급성 담낭염으로 진단할 수 있다. 만성 담낭염의 경우에 담낭은 수축되고 담낭벽의 비후를 보인다. 만일 결석이 담낭 경부를 막고 있으면 담낭은 매우 커지고 담낭벽은 얇아진다. 간외 담도 역시 후십이지장 총담관를 제외하고 초음파로 잘 관찰된다. 황달이 있는 환자에서 확장된 담도가 관찰되면 황달의 원인으로 간외담도의 폐쇄를 생각할 수 있다(그림 3-42). 후 십이지장 총담관에 결석이 있는 경우 초음파에서 잘 관찰 되지 않을 수 있으나 총담관이 확장되어있고 담낭에 작은결석이 있으며 임상소견이 부합하는 경우 담도 폐쇄의 원인으로 결석을 의심할 수 있다. 팽대부주위 종양은 초음파로 진단하기 어렵다. 그러나 후십이지장부위를 지나면 폐쇄부위와 원인을 잘 관찰 할 수 있다. 초음파는 종양의 침습 정도, 간문맥의 흐름을 평가하고 팽대부 주위 종양의 절제 가능성을 결정하는데 중요한 지침을 제공한다.

4) 경구 담낭조영술

경구 담낭조영술은 담석의 진단에 있어 기본적인 검사였으나 현재는 대부분 초음파로 대체되었다. 간에서 흡수, 분비되어 담낭을 경유하는 불투과성의 물질을 경구투여하며 경구 담낭조영술상 담낭 결석은 음영결손으로 관찰된다. 하지만 폐쇄성 황달이나 간부전, 장관흡수부전 환자에서는 진단적 가치가 없다.

5) 핵의학 검사

Biliary scintigraphy는 비침습적으로 간, 담낭, 담도, 십이지장의 해부학적, 기능적 정보를 평가할 수 있는 방법이다. Dimethyliminodiacetic acid (HIDA)의 99m-Technetium-labeld derivative를 정맥내로 주사하면 간의 kupffer cell에서 대사되어 담즙으로 배출된다. 금식 시 10분 이내에 간에서의 흡수uptake가 관찰되며 60분내에 담낭, 담도, 십이지장이 관찰된다. 담낭관폐쇄에 대한 진단적 가치가 높아 급성 담낭염의 경우 대부분 담낭관의 폐쇄를 보이므로 dimethyliminodiacetic acid의 99m-Technetium-labeld derivative가 담낭내부로 들어가지 못해 스캔상 담낭이 관찰되지 않는다. Biliary scintigraphy의 민감도와 특이도는 각각 95% 이상으로 알려져 있으며 중환자나 정맥영양을받는 환자 등 담낭 정체가 있는 경우 위양성률이 증가한다.

담낭이나 총수담관에서 축적이 관찰되나 십이지장에서의 조영이 지연되거나 없는 경우 팽대부 주위의 폐쇄를 시사한다. Biliary scintigraphy는 담낭이나 담도의 수술 후 발생한 담즙 누출biliary leakage의 유무나 위치, 누출의 정도를 확인하는데도 이용할 수 있다.

6) 전산화단층촬영

복부 CT는 담석의 진단에 있어서는 초음파보다 유용성이 떨어지나 담낭이나 간외담도, 그리고 인접 기관, 특히 췌장 두부의 종양이 의심되는 경우 일차적 진단방법이다. 간외담도의 경로와 상태를 확인하거나 주위 장기를 확인하는데 유용하며 폐쇄성 황달의 감별진단에 반드시 필요한 검사이다. 나선식 CT spiral CT는 팽대부주위종양 환자에서 혈관 침습 정도를 포함한 보다 정확한 정보를 제공해 준다.

7) 경피경간 담도조영술

경피경간 담도조영술은 투시장치 가이드하에 세침을 이용하여 간내담도를 경피적으로 접근하여 담도의 위치가 확인되면 가이드와이어를 통과시킨 후 가이드와이어를 따라 카테터를 통과시킨다. 카테터를 통하여 담도조영술을 시행하고 담즙배액이나 스텐트 삽입 같은 치료적 중재술를 시행한다. 합병증이 없는 담낭질환에서는 불필요하나 담관 협착이나 종양이 있는 환자에서의 진단 및 중재적 치료에 유용하다. 그러나 다른 침습적인 시술과 마찬가지로 합병증 발생의 위험성이 있어출혈, 담도염, 담즙누출, 또는 카테터 연관 합병증이 발생할 수 있다.

8) 내시경적 역행성 담관 조영술과 내시경 초음파

내시경적 역행성 담관 조영술 Endoscopic Retrograde Cholangiography and endoscopic ultrasound (ERCP)은 측시경을 이용하여 총수담관에 카테터를 삽입하고 조영제를 주입한 후 투시장치를 이용하여 담관을 조영하는 방법이다. 내시경적 역행성 담관 조영술의 장점은 팽대부의 직접적인 관찰과 총수담관으로의 직접적인 접근이 가능하다는 것이며 필요 시 치료적인 시술이 가능하다는 것이다. 이 검사는 합병증이 없는 담석증 환자에서는 시행할 필요가 없으나 총수담관의 결석, 특히 폐쇄성 황달, 담도염, 담석으로 인한 췌장염이 있는 환자에서는 진단과 치료에서 가장 유용한 방법이다. 내시경적 담관조영술에서 담관내결석이 관찰되면 내시경적 괄약근 절개술을 시행하고 담도 결석 제거술를 시행할 수 있다(그림 3-43). 숙련자가 시술할 경우 성공률은 90% 이상이다. 내

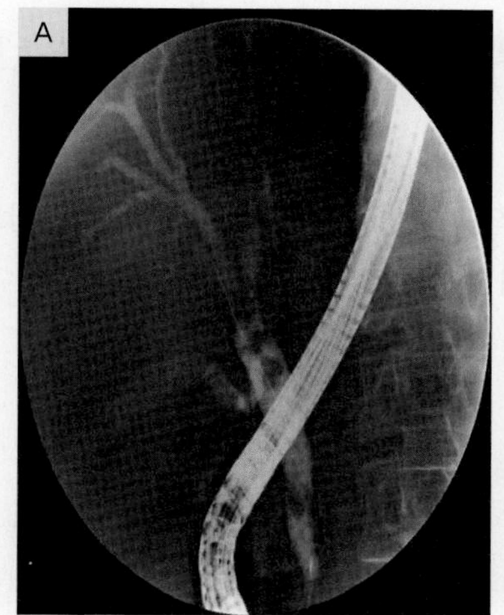

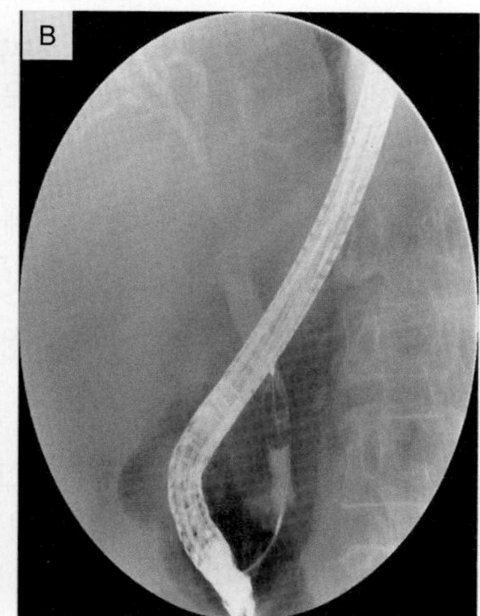

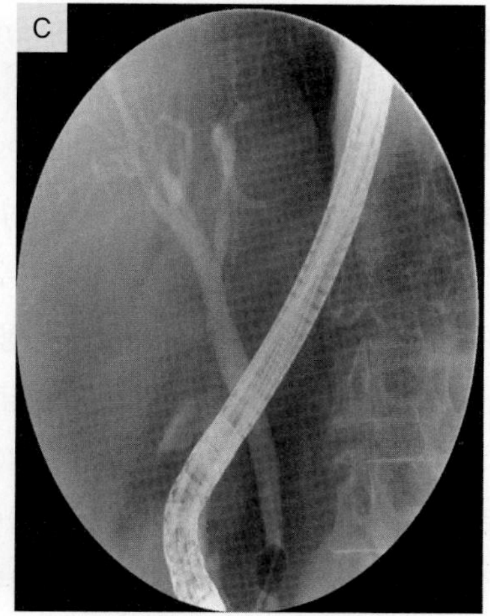

그림 3-43 A) ERCP상 담도 내에 다발성 음영 결손이 관찰된다. B) 총담관 결석을 바스켓으로 잡아 제거하고 있다. C) 담도 결석이 모두 제거된 후의 모습이다.

시경적 역행성 담관조영술의 합병증은 일반 상부 위장관 내시경보다 높은 편으로 약 5%의 환자에서 췌장염, 출혈, 담도염이 발생할 수 있으며 드물게는 십이지장천공이 발생할 수 있다. 최근 영상기술의 발전으로 내시경에 삽입 가능한 작은 직경의 담관내시경이 개발되어 담관내부를 직시하에 담도췌장 질환의 진단 및 담도결석의 파쇄와 제거에 이용할 수 있다.

내시경 초음파는 선단에 초음파가 달린 특수한 내시경을 이용하여 시행하는 검사로 검사 결과는 시술자에 의존적이나 비침습적이며 담도와 인접장기의 고해상도의 정밀한 영상을 제공한다. 특히 종양의 평가나 절제가능여부를 판단하는데 유용하며 초음파 내시경에는 조직검사가 가능한 채널이 있어 초음파 가이드하에 조직 검사가 가능하다. 또한 담도내 결석을 진단하는데 유용하며 내시경적 역행성 담관조영술보다 민감도가 낮기는 하지만 덜 침습적이라는 장점이 있다.

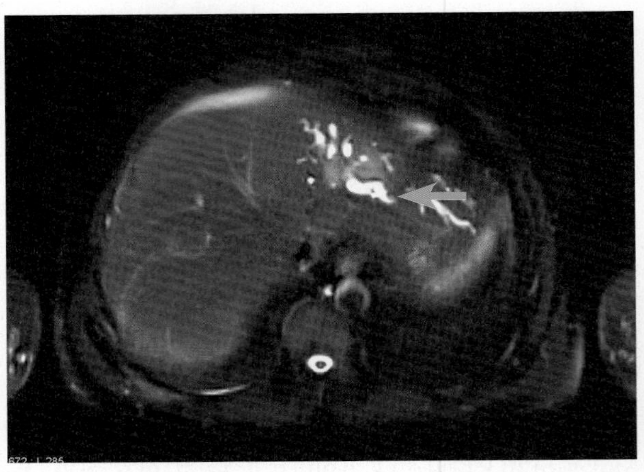

그림 3-44 **간내담관암의 자기공명담도췌관조영술.** 횡단면 T2 강조영상에서 간좌외측구역에 간실질에 비해 고신호강도을 보이는 종괴가 보이며 주변에 확장된 담관이 관찰된다(화살표). 간실질은 어두운 저신호강도를 보이며, 담도는 밝은 고신호 강도를 보인다.

9) 자기공명영상

1990년대 중반 이후 보편화되면서 CT에서처럼 MRI는 간, 담낭, 췌장의 세부적인 해부학적 정보를 제공하였다. 새로운 기술과 조영제를 이용함으로써 담도와 췌장관의 정확한 해부학적 영상을 얻을 수 있게 되었다. 담도 결석의 진단에 있어 MRI의 민감도와 특이도는 각각 95%와 89% 정도이다. Magnetic Resonance Cholangio-pancreatography (MRCP)는 담관 및 췌관을 직접 조영하기 위해 현재 사용되는 기법인 ERCP와 PTC와는 달리 조영제의 주입없이 담관과 췌관을 비침습적으로 관찰할 수 있는 장점을 가지고 있으며 이전 수술 등으로 인해 ERCP를 시행할 수 없는 환자에서 유용하다. 또한, 자연상태의 담도자체를 관찰할 수 있으며, 담도 주변의 구조물까지 평가할 수 있는 장점이 있다. MRCP기법은 기본적으로 T2 강조영상을 근거로 하여, 담즙이나 췌장액과 같은 정지 상태의 액체는 고신호강도를 나타내고, 흐름이 있는 혈액은 거의 신호를 내지 않으며, 고형 조직은 저신호강도를 나타낸다(그림 3-44) 최근 MRCP 영상기법의 발전으로 담도나 췌장의 기형평가, 폐쇄성 황달의 평가, 담도종양의 진단 및 췌장의 양성질환, 낭성종양, 췌장암의 진단 등에 그 이용이 증가하고 있다(그림 3-45).

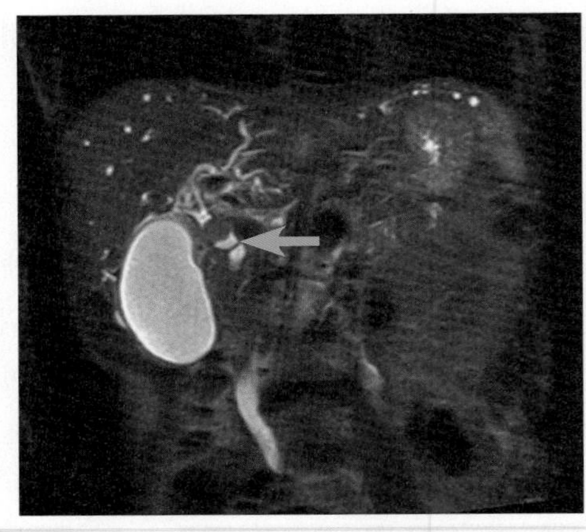

그림 3-45 **중부담관암의 자기공명담도췌관조영 사진.** 관상면 T2 강조영상에서 간문부 하방에 담관 내 종괴가 관찰된다(화살표).

10) 근적외선 형광 영상

근적외선 형광 영상near-infrared fluorescence imaging은 특정 파장에서 에너지를 흡수한 전자가 다시 원궤도로 돌아가면서 발산하는 빛에너지를 특정 범위의 파장(800–1000nm)을 촬영할 수 있는 카메라를 이용하여 볼 수 있

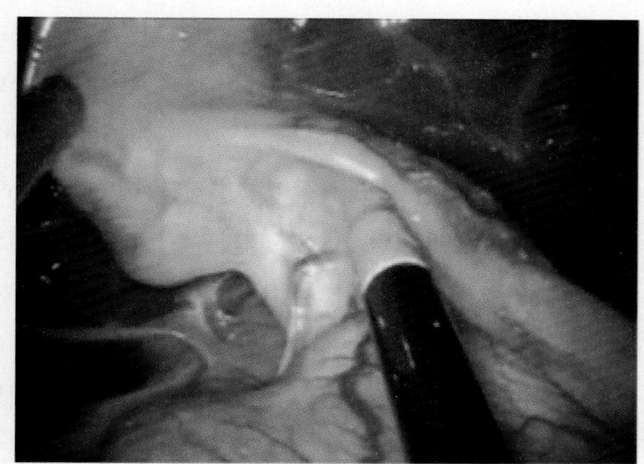
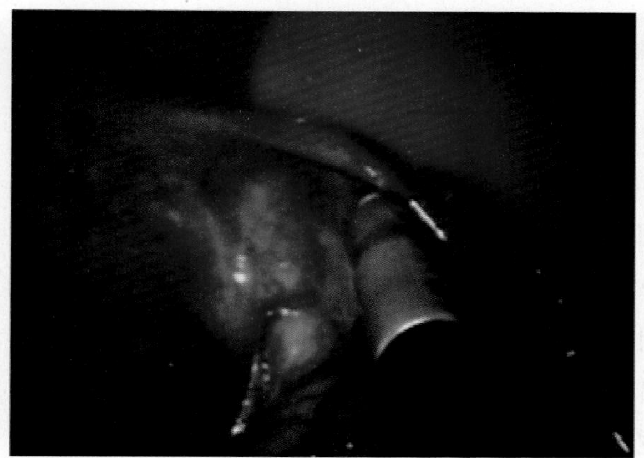

그림 3-46 **근적외선 형광영상을 이용한 로봇 복강경 담낭절제술(Courtesy of Woo Jung Lee and Chang Moo Kang)**

는 방법이다. 가장 많이 쓰이는 것은 인도사이아닌 그린이며, 835nm의 파장으로 에너지를 방출하며 간을 통해 배설되는 특성을 가지고 있다. 이를 이용하여 수술 중 소량으로 투여하여 수술 중 실시간으로 담도 주행을 확인하여 손상을 예방할 수 있다. 그 밖에도 림프절의 확인, 문합부위 누출 확인, 수술 중 간암 위치 확인, 간이식 후 간이식편의 혈류를 확인하는 데에도 쓰이고 있다(그림 3-46).

요약

이 장에서는 담도계의 다양한 해부학적 변이와 그 임상적인 의의에 주안점을 두었다. 담도계의 변이는 변이 형태에 따라서 절제연의 확보 및 그 예후에도 영향을 미칠 수 있기 때문에 간담도계 암의 수술 전 계획의 수립에 중요하게 고려되어야 하며, 특히 주변에 인접한 간문맥과 간동맥의 해부학적 변이도 빈번하게 나타나므로 수술 전 간내, 간외 담도계의 해부학적인 구조 및 주변 혈관과의 관계를 잘 파악해야 한다. 최근 영상학적 기술의 발달로 수술 전 비교적 용이하게 간담도계 해부학적 구조를 파악할 수 있으므로 반드시 수술 전에 영상학적 결과를 숙지하는 습관을 갖는 것이 필요하다.

담즙은 간에서 생성되어 간내담관, 총간관, 총수담관을 거쳐 담낭에서 농축, 저장되어 식이에 반응하여 십이지장으로 분비되며 담즙의 생성과 분비는 신경계, 호르몬, 화학적 자극에 의해 조절된다. 담즙은 지질의 흡수에 필요한 담즙산을 형성 분비하며 빌리루빈, 콜레스테롤, 약물 등을 배설하는데 중요한 역할을 한다. 담즙은 주로 수분, 전해질, 담즙산염, 단백질, 지질, 담즙 색소로 구성되며 인체 내 담즙산염은 장-간 순환을 통해 일정한 양이 유지된다. 담즙산의 순환의 장애가 발생할 경우 간기능의 이상뿐만 아니라 전신적인 장애를 유발할 수도 있다.

담도계 질환은 영상학적 진단이나 조직검사가 매우 어려워 종괴가 커진 후에야 발견되곤 한다. 하지만, 최근 컴퓨터와 소프트웨어 기술의 향상으로 영상학적 진단은 눈부신 발전을 거듭하여 담도계 질환에서 영상학적 조기진단이 보다 수월해지고 있다. 또한, 수술 전 정확한 병기의 결정이 가능해짐으로써 수술 여부 및 범위의 결정에 매우 유용하다. 임상 증상 및 진단학적 검사를 통해 담도계 질환이 의심되는 경우 초음파와 MDCT를 통해 대부분 진단 가능하며, 자기공명담도췌관조영술 이나 내시경적역행성 담췌관조영술을 통해 직접 담관을 조영해 봄으로써 침윤범위 및 양상을 확인할 수 있다.

XI 담석증

담석증은 소화기계 질환 중 입원을 필요로 하는 가장 흔한 질환 중 하나로 젊은 사람에서도 흔하며 부검 보고에 의하면 11-36%의 건강한 성인에서 발견된다. 미국의 보고에 의하면 1992년 성인인구의 10-15%에서 담석을 가지고 있으며 매년 백만여 명이 새로이 담석증을 진단받는다고 하였다. 또 1991년에 60만 명이 담석으로 인해 담낭절제술을 시행 받아 소화기계의 가장 흔한 질병이었고 한 해 동안 50억 달러의 의료비용을 초래한다고 보고하였다. 우리나라의 경우 정확한 통계는 없으나 5-10% 정도에서 담석증에 이환 되어 있을 것으로 추정되며 최근 평균 수명이 연장되고 복부 초음파 및 CT 등 첨단 영상의학의 발전과 더불어 건강 검진에 관심이 증가함에 따라 무증상성 담석증의 진단이 늘고 있다. 담석증은 대부분 무증상으로 지내는 것으로 알려져 있고 무증상의 환자에서 증상이 발생할 경우는 1.3-4% 정도이므로, 무증상 담석을 가진 환자에서의 자연경과와 위험인자에 대한 지식은 필수적이다.

1. 역학

1) 인종, 성별, 연령, 유전적 요인에 따른 담석증 발생의 차이

담석증 발생률은 지역과 인종, 성별, 연령, 유전적 요인에 따라 다르다. 아리조나 남부 Pima 인디언은 잘 알려진 고위험군 민족으로 25세 이상의 여성의 70%가 담석증을 가지고 있으며 스칸디나비안 민족도 50세 이상에서 50%의 높은 유병률을 보이고 있다. 그 외 알라스카, 캐나다, 볼리비아, 칠레에 거주하는 미국 인디언들에서도 유병률이 높은 것으로 알려져 있다. 반면 동부아프리카의 마사이족은 담석증 유병률이 아주 낮은 것으로 보고되고 있다. 동양의 유병률은 2-6%로 서양에 비해 낮았는데 중국에서는 전체 인구의 약 4.3%가, 싱가포르에서는 6.6%, 태국의 경우 5.4%의 인구가 담석을 가지고 있다고 알려져 있다. 우리나라에서 담석의 전체 발생률 또는 유병률에 대한 보고는 없지만 각 병원 별로 실시된 보고를 보면 2.2-3.5% 정도로 서구보다 유병률이 낮은 것으로 생각되나 발생빈도는 서서히 증가하는 것으로 관찰된다. 건강검진자를 대상으로 한 보고를 살펴보면 건강검진자 4,395명 중 담석질환은 165명(담석증 139명과 담낭절제술 27명)으로 전체 연령 표준화 유병률 3.43%이고 이중 남자가 2.08%, 여자가 3.70%로 여자에서 조금 높았으며, 연령이 증가함에 따라 유병률도 높았다. 국내의 다른 보고에서도 유병률은 4.9%이었고 남자는 4.7%, 여자는 5.2%이었는데 연령표준화 유병률은 남자가 3.1%, 여자가 3.4%이었다. 문진상 증상이 없었던 건강한 성인에서 초음파검사로 무증상 담석증의 발생빈도를 본 결과 전체중 2.2%에서 담석이 있었으며 연령분포는 40대와 50대가 각각 32.8%, 31.3%로 대부분이었고, 남자 2.3% 여자 2.1%로 남녀 비는 1:0.9로 거의 유사하였다.

서양의 경우 여자에서 유병률이 더 높은 것으로 알려져 있으나 동양의 경우는 그 차이가 현저하지 않다. 일본의 보고에 의하면 성별의 차이가 거의 없고 담낭 담석의 경우에서만 여자에서 약간 많은 정도로 알려져 있다.

담석은 일반적으로 연령이 많아질수록 그 유병률이 증가하는 경향을 보인다. 미국인을 대상으로 한 연구에 따르면 연령이 증가함에 따라 지속적으로 담석증 이환율이 증가하는 경향을 보였고, 1991년 덴마크인을 대상으로 한 연구에서도 담석증 발생률이 30대에서 60대로 갈수록 증가하는 양상을 보였다. 1993년까지의 국내 보고를 보면 담석증 호발 연령은 40-50대이고 이 연령대는 시대에 따라 큰 변화를 보이지 않는 것으로 나타났다. 반면 20세 미만의 빈도는 감소하고 50세 이상에서는 증가추세를 보여 담석증의 고령화 현상을 관찰할 수 있었다. 총담관담석에서는 담낭담석보다 평균연령이 5-10세 높았고 간내담석군은 이와 반대로 5-10세 낮은 것으로 보고되었다. 최근 이 등의 보고에 의하면 유병률은 연령에 따라 증가하여 50대 6.6%, 60대 12.2%, 70대 이상 20.4% 이었다.

Gilat 등은 담석증이 있는 환자의 1촌 친족 171명을 200명의 대조군과 비교한 결과 여성가족은 22.8%, 남성

가족은 16.7%에서 담석증이 발견된 반면 대조군 여성에서는 10.3%, 대조군 남성에서는 8%에서 담석증을 발견하였다고 보고하였다. Nakeeb등은 증상이 있는 담석증의 30%가 유전적 인자 때문이라고 보고하였다. 담석질환 및 담낭암은 칠레에서는 흔한 질환인데 칠레 Hispanics, Mapuche Indians, Maoris 인종을 비교한 결과, cholesterol lithogenic gene이 칠레 Indian과 Hispanics에 널리 분포하는 것으로 보고하였다. 담석증의 고위험에 있는 집단에서는 담석증이 조기에 발생하고 이에 따라 증상 발생 및 담낭암을 비롯한 여러 합병증 발생의 위험도가 누적되므로 담석증의 고위험군에서는 담낭절제술의 기준을 넓혀야 할 것이다.

2) 국내 담석증의 특징 및 변화양상

담낭담석은 1960년대 50–60%에 비해 1990년대 85% 이상으로 증가추세를 보이는 반면 총담관담석은 70%에서 23%까지 감소하였고 간내담석은 10–15%로 변화를 보이지 않고 있다. 또 우리나라의 경우 도시에는 담석이 많고 간내 담석은 농촌에 많은 경향을 보여왔으나 1990년대에 들어서면서 도시와 농촌의 차이가 거의 없어졌는데 이는 우리 나라 농촌의 환경 여건이 도시화되었기 때문으로 생각된다.

과거 우리나라는 색소성 담석이 많고, 간외담관 담석과 간내담관 담석이 담낭 담석증보다 많은 것으로 알려져 있었는데, 이는 과거에 세균이나 간흡충증clonorchiasis, 회충 등의 기생충 감염이 많았기 때문으로 생각된다. 하지만 1980년대 이후 한국인의 담낭 담석증은 콜레스테롤 담석이 점차 많아지는 경향을 보이고 있다. 이는 우리나라 사람의 식생활이 서구화되어 고지방식의 식생활, 비만증 등에 기인한 것으로 생각된다. 반면, 간외담관 담석은 과거 70%에서 최근에는 25%까지 줄었는데 이는 사회–경제적 풍요로 인한 담관계 기생충 감염의 기회가 줄어들었고 1990년대 복강경 담낭 절제술이 보편화되면서 담낭담석의 수술이 많아지고 간외 담관 담석도 감소했으리라 생각된다.

2. 담석 발생의 위험인자 및 병인론

1) 위험인자

담석증 발생의 일반적인 위험인자로는 비만, 임신, 지방과다 음식, 크론씨병, 말단 회장부절제술, 위 수술, 유전성 구상적혈구증hereditary spherocytosis, 겸상적혈구증sickle cell disease, 지중해성 빈혈thalassemia 등이 있다. 담석 발생의 위험인자는 담석의 성분에 따라 다르며, 콜레스테롤 담석의 경우 비만, 고지혈증, 당뇨, 경구 피임약, 고연령, 여성, 출산력 등과 관련이 있고 색소담석은 담관의 감염이나 용혈성 질환, 간경변증 등이 관련이 있는 것으로 보고되고 있다.

2) 병인론

담석은 담즙의 용질인 콜레스테롤과 칼슘 염을 가용성 상태로 유지하지 못해서 일어나는 현상으로 콜레스테롤 담석과 색소성 담석으로 또 색소성 담석은 흑색 또는 갈색담석으로 나뉜다(그림 3-47). 순수하게 콜레스테롤로만 이루어진 담석은 10% 정도로 드문 편이며 대부분의 콜레스테롤 담석은 중앙에 칼슘 염을 포함한다. 담즙슬러지biliary sludge는 콜레스테롤 결정cholesterol crystal, 칼슘 빌리루빈염calcium bilirubinate granule, 뮤신 겔 기질mucin gel matrix의 혼합체를 뜻하는 것으로 금식을 오래하거나 경정맥 영양을 사용할 경우 나타날 수 있다. 또 이 슬러지 자체가 담석 발생의 핵으로 작용할 수도 있다.

(1) 콜레스테롤 담석

콜레스테롤 담석은 크게 콜레스테롤 과포화, 핵화, 담낭 운동장애 및 담석의 성장 등의 3단계로 이루어진다.

가. 콜레스테롤 과포화 및 핵화

담즙 내 지질 미분자들은 주로 콜레스테롤, 인지질, 담즙산으로 이루어져 있는데 이러한 지질은 용액에 용해되지 못하기 때문에 미포micelle, bile salts–phospholipid–cholesterol complex로 이루어진 혼합 미포mixed micelle,

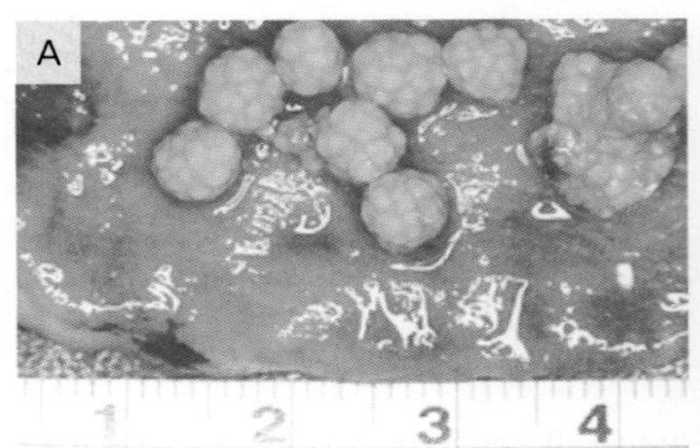

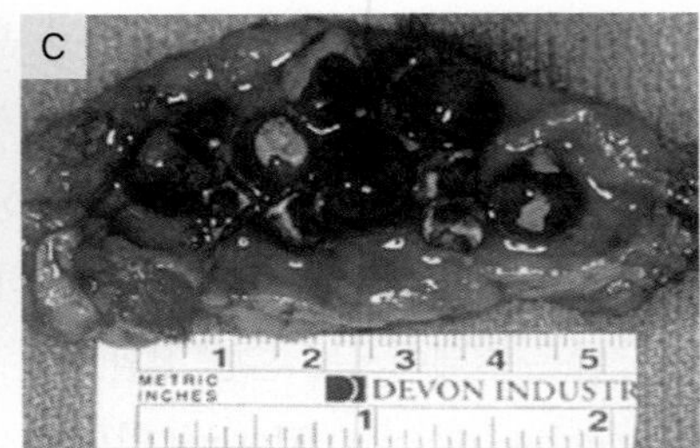

그림 3-47 담석의 종류. A) 콜레스테롤 담석, B) 갈색석, C) 흑색석

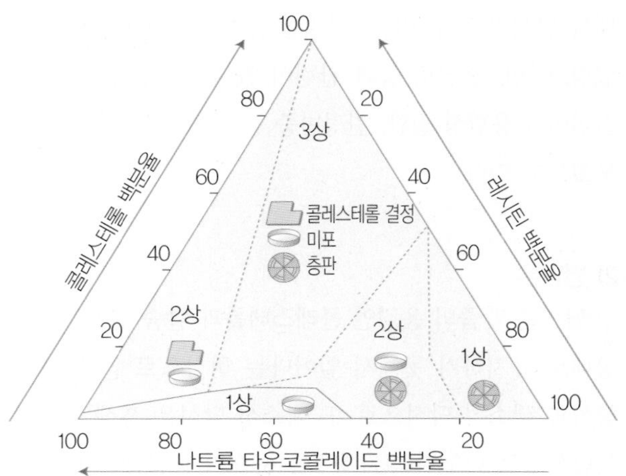

그림 3-48 Small과 Carey의 삼각형 도표. cholesterol, lecithin (phospholipid), bile salt sodium taurocholate 사이 상대적 비율을 나타낸 도표로 실선 아래에는 콜레스테롤이 미포 상태로 유지되며 실선 위로는 콜레스테롤 과포화로 콜레스테롤 결정이 발생한다.

cholesterol-phospholipid로 이루어진 소포vesicle 등의 세 가지 형태로 존재한다. 이 중에서 미포는 열역학적으로 매우 안정되어 있기 때문에 미분자 내 콜레스테롤 핵화는 일어나지 않는다. 담즙 내 콜레스테롤이 불포화 상태이면 모든 콜레스테롤은 미포상태로만 존재하고, 소포는 존재하지 않는다. 하지만 콜레스테롤이 많아져 과포화 상태에 이르면 미포상태로 유지할 수 있는 콜레스테롤의 한계를 넘게 되어 일부가 소포로 존재하게 되는데, 이러한 소포는 이온적으로 불안정하기 때문에 서로 응집하여 콜레스테롤 결정을 형성하는 핵화가 일어나게 된다(그림 3-48).

콜레스테롤이 과포화되는 기전으로는 간에서의 콜레스테롤 과분비와 담즙산의 분비 부족이 있다. 흔한 것은 간에서의 과분비로 다음과 같은 여러 경우에 간에서의 콜레스테롤과분비가 일어난다. 즉 1) 간내 LDL수용체를 통해 혈장내의 LDL의 농도가 증가, 2) HMG-CoA reductase의 활성도 증가로 인한 콜레스테롤 증가, 3) 콜레스테롤을 답즙산으로 대사하는데 관여하는 7a -hydroxylase 활성도의 감소로 인한 콜레스테롤 증가, 4) ACAT 활성도 감소로 인한 cholesteryl ester의 간내 저장이 감소되는 경우 등이다. 그림 3-49는 콜레스테롤과 담즙산의 생합성 경로를 나타낸 것이다.

콜레스테롤이 과포화되는 다른 기전은 담즙내 담즙산 분비가 감소되는 경우이며 1) 선천적 또는 후천적으로 담즙산 생성의 저하, 2) 장간 순환의 장애, 3) 담즙산의 흡수를 방해하는 여러가지 원인의 회장 질환 등이 원인이 된다.

핵화는 미포나 소포에 용해되어 있는 콜레스테롤이 고체의 콜레스테롤 결정체로 변화되는 과정을 말한다. 담즙내에 콜레스테롤이 과포화되어 소포상태의 콜레스테롤이 여러 개로 융합되어 다층의 소포multilamellar vesicle를 형성하고 고체의 콜레스테롤 결정이 형성된다. 이후 이러한 콜레스테롤 결정이 커져서 담석을 형성한다. 우리 몸에는 콜레스테롤의 결정화를 촉진시키는 물질과 억제시키는 물질이 병존하는 것으로 알려져 있고 핵화 촉진 인자로 대표적인 것으로는 담낭 상피세포에서 분비되는 점액 당단백mucin glycoprotein, immunoglobulin G, M, prostaglandin 등이 있다. 이중에서도 점액 당단백은 가장 중요한 인자로 이는 정상적으로도 담낭에서 계속적으로 분비

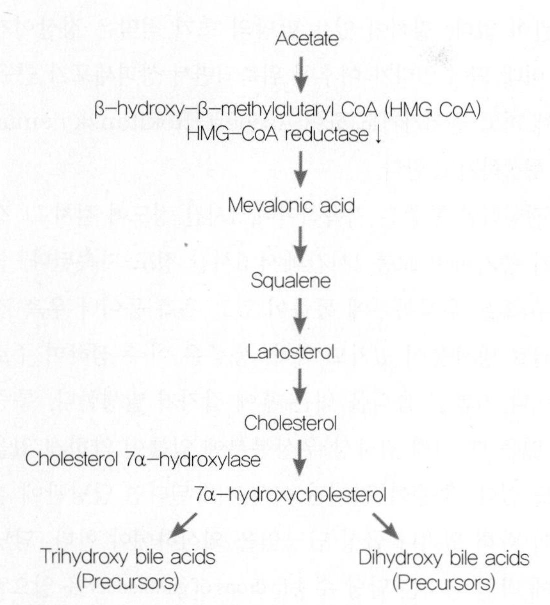

그림 3-49 콜레스테롤과 담즙산의 생합성 경로

되나 담석이 있는 담즙에서는 분비가 더욱 증가된다. 핵화 억제 인자로는 apolipoprotein AI, II, 담즙 당단백이 있는데 이들의 양은 담석 유무와 관계 없이 일정하기 때문에 핵화 촉진인자보다는 담석 생성기전에 중요하지 않을 것으로 여겨진다.

나. 담낭의 운동장애

담낭은 담즙을 저장, 농축시키고 점액분리가 풍부하다는 생리학적 특징 때문에 결석 형성에 좋은 조건을 가지고 있다. 담낭의 수축과 이완에는 부교감 신경과 교감 신경이 각각 담당하게 되는데 콜레스테롤 담석 환자에서는 수축과 이완의 담낭 운동에 장애가 있는 것으로 밝혀졌고 CCK의 정맥주사에 대한 반응도 저하되어 있다.

(2) 색소성담석

흑색담석은 빌루빈산 칼슘calcium bilirubinate 중합체로 일부 탄산 칼슘이나 인산 칼슘 등이 더해져 형성되며 주로 무균성이다. 흑색 담석을 유발하는 특징적인 조건은 빌리루빈 포합체monoglucuronide conjugate의 과분비로 정상 담즙 내에는 비포합빌리루빈이 아주 소량 존재하는데, 어떤 조건에서 비포합빌리루빈이 증가하면 이것이 이온화가 되어 칼슘이온과 결합을 이루어 침전물을 형성하게 된다. 비포합빌리루빈은 담즙내 포합빌리루빈의 분비 증가가 내인성 b–glucuronidase의 작용을 통해 비포합빌리루빈으로 가수분해되어 발생되고 비포합빌리루빈은 담즙의 pH가 증가될 때 더 잘 일어난다. 담즙의 pH가 증가하면 칼슘 탄삼염과 인산염의 과포화를 용이하게 하여 침전이 된다. 이온화 칼슘은 미포나 소포에 의해 용해된 상태로 있는 칼슘이 미포와 소포의 감소로 이온화 칼슘도 증가한다. 이렇게 증가된 이온화 비포합빌리루빈, 이온화 칼슘, pH 증가가 침전을 조장시키고 담낭에서 분비되는 점액이 담석 형성의 지지대 역할을 한다.

갈색담석은 주로 담관에서 발생되며 담즙정체와 이에 따른 이차적 감염과 연관된다. 갈색담석은 흑석과 달리 탄산 칼슘이나 인산 칼슘은 거의 없으면서 팔미트산palmitic acid을 함유하고 있는 것이 특징이다. 담즙이 세균에 감염되면 세균(주로 *E.coli*)에서 분비되는 b–glucuronidase에 의해 포합성빌리루빈이 비포합성으로 바뀌고 phospholipase A에 의해 인지질이 팔미트산과 스테아린산stearic acid이 된다. 그리고 포합성 담즙산 가수분해효소에 의해 비포합성 담즙산이 형성되는 과정에서 음이온이 칼슘과 복합체를 형성하여 비용해성 칼슘염을 만들어 담석을 형성하게 된다.

3. 담석의 자연경과

담석의 자연경과에 대한 연구는 미국에서 Gracie와 Ransohoff에 의해 1982년 보고되었다. 123명의 담석증 환자를 15년 동안 관찰하였더니 5년, 10년, 15년에 증상 발생률이 각각 10, 15, 18%로 나타났고 전형적인 담도산통biliary colic이 나타난 후에나 다른 합병증이 발생하였다고 보고하였다. 무증상의 담석증 환자가 첫 5년 동안 증상이 나타날 확률은 매년 2%라고 하였고 5년 이상 경과되면 그 수치는 조금 더 감소된다고 하였다. 이를 근거로 무증상담석증에 대해 예방적 담낭절제술은 필요하지 않다고 하였다. Attili 등도 151명의 환자를 10년 동안 관찰한 결과를 발표하였는데, 151명중 33명이 증상이 있었고 118명이 증상이 없었는데 담도산통의 누적 발생률은 2년에 12%, 4년 17%, 10년에 26%이었고 10년 후의 합병증 발생 가능성은 무증상이었던 환자에서 3%, 증상이 있는 환자에서는 7%이었다고 보고하면서 Gracie 등이 보고한 것 보다는 좀더 담석의 자연경과가 잠잠하지는 않다고 하였다. 일본에서는 13년의 중앙관찰 기간 중 20%에서 증상이 발생하였고 70세 이상의 환자에서 증상이 잘 발생한다고 보고하였다. McSherry 등은 135명의 무증상 환자에 대한 46개월의 중앙관찰 기간 동안 10%가 증상이 발생하였고 7%에서 담낭절제술이 필요하였다고 하였다. Cucchiaro 등은 125명의 무증상 환자를 5년 동안 관찰한 결과 15명이 증상이 발생하였고 2명의 환자가 합병증으로 응급 수술을 시행 받았다고 하였다. Friedman 등은 123명의 무증상 담석증 환자를 20년간 관찰한 결과 6%의 환자가 진단 후 첫 5년 내에 담석과 연관된 증상이 발생하였다고 보고하였고 Halldestamm 등은 120명의 환자에서 14명의 환자가 증상발현과 합병증으로 치료를 받았으며, 담석이 진단된 후 5년 내에 치료가 필요한 누적위험도는 7.6%라고 보고하였다.

지금까지의 연구는 그 연구 방법, 경과 및 결과 도출 방법이 모두 달라 담석의 공통된 자연경과를 예측하기는 힘들지만 종합해 보면 무증상 환자의 1-4%가 매년 증상이 발생하고 20년 후에도 환자의 2/3는 증상이 없을 것이라고 추정된다. 담석증의 합병증으로 인한 사망은 아주 드물고 고령의 환자에서 발생한다고 하였다.

4. 담석증의 증상 및 진단

1) 증상

증상이 있는 담낭결석증 환자 2/3에서 반복적인 통증과 담도산통을 동반한 만성 염증을 나타낸다. 통증은 결석이 담낭관을 막음으로 인해 담낭벽에 긴장tension이 증가하면서 발생한다. 하지만 병리학적 소견이 증상과는 큰 연관이 없다. 결석이 있는 담낭의 초기 점막은 정상이거나 비대 되어 있다가 이후에 위축되면서 상피세포가 근육층에 파고 들어가기도 하여 Aschoff-Rokitansky sinus를 형성하기도 한다.

전형적인 통증은 지속적이며, 1시간 정도에 걸쳐 그 강도가 증가하며 보통 1시간에서 5시간 정도 지속된다. 상복부 혹은 우상복부에 통증이 있고 우측 등이나 우측 견갑골로 방사통이 있기도 하다. 통증은 아주 심하며 주로 밤이나 기름진 음식을 먹은 후에 갑자기 발생한다. 통증이 있을 때 신체 검사상 우상복부에 압통이 약하게 있을 수도 있다. 통증이 24시간 이상 지속된다면 담낭관에 결석이 박혀 있거나 급성 담낭염을 의심하여야 한다. 담낭관에 박힌 결석은 담낭 수종hydrops of gallbladder을 일으킬 수 있다. 담즙은 담낭에서 흡수되지만 담낭점막은 계속해서 점액mucus을 분비하게 되어 담낭은 점액질로 가득 차 담낭 수종이 된다. 이때 담낭은 복부에서 만져지기도 하나 보통은 동통이 없다. 담낭 수종은 담낭벽의 부종, 염증, 감염, 천공 등으로 발전할 수 있으므로 조기에 담낭절제술을 시행해야 다른 합병증을 피할 수 있다.

담석증의 증상은 비전형적인 경우도 흔하다. 음식과 연관되는 경우가 50% 정도이고 어떤 환자는 등이나 좌상복부, 우하복부의 통증을 호소하기도 하며 통증과 함께 트림이나 복부팽만을 호소하기도 한다. 비전형적인 증상을 호소하는 환자에서는 담석이 진단되더라도 다른 질병의 존재에 대해서도 검사를 진행해야 한다. 소화성궤양, 위식도역류성 질환, 복벽탈장, 과민성대장증후군, 심근경색 등이 담석증과 함께 있을 수 있으므로 항상 주의해야 한다.

2) 총담관 결석증의 임상양상

담관결석의 크기가 작으면 아무 증상을 일으키지 않고 십이지장으로 배출되거나 췌관을 막아 췌장염을 일으킬 수 있다. 또 지속적으로 담관결석이 담관에 있더라도 증상을 일으키지 않을 수 있다. 담관결석에 의해 담관폐쇄가 일어날 때 비로소 오심과 구토를 동반하는 상복부의 심한 통증, 황달, 오한과 발열의 3대 증상과 더불어 소변색이

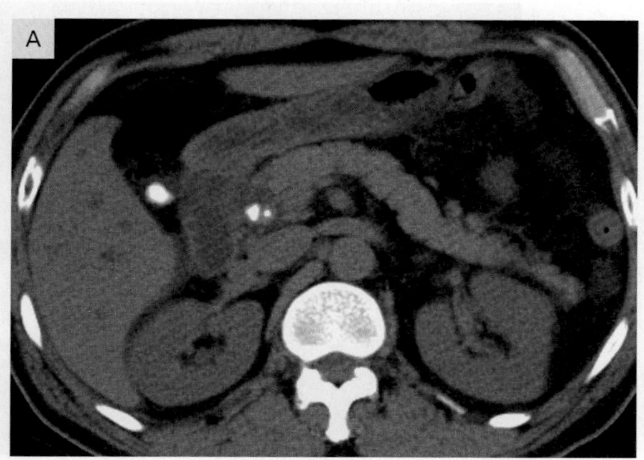

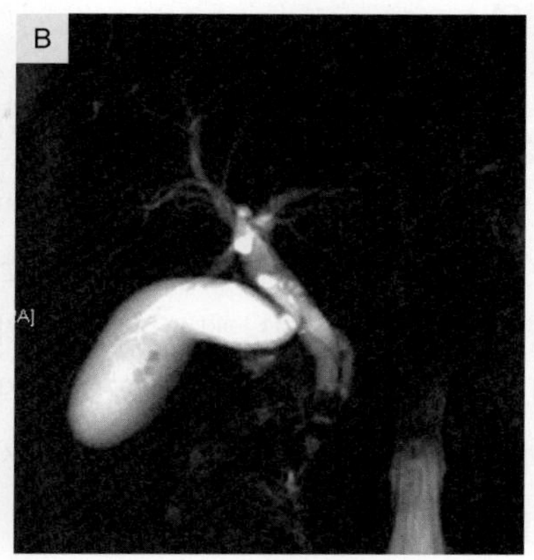

그림 3-50 **총담관 결석의 CT와 MRCP 사진.** 담낭 담석과 총담관 결석이 동반되어 있는 CT 소견과 MRCP상 원위부 담관에 filling defect가 보이고 있다.

짙어지는 증상들이 발생한다. 즉 담관담석은 무증상, 담도산통, 황달, 담도염, 췌장염 등의 다섯 가지로 증상을 나타낼 수 있고 무증상을 제외한 네 가지 증상들의 조합으로 담관결석의 증상을 설명할 수 있다. 결석이 담도를 폐쇄하면 담즙에 감염이 일어나 급성 담도염이 발생하여 발열, 황달, 복통의 3대 증상이 일어난다. 이 3대 증상이 저혈압과 의식혼미와 동반된다면 이는 급성 화농성 담도염으로 패혈증성 쇼크로 진행됨을 시사하는 소견이므로 응급 배액술 등의 집중적인 치료가 필요하다. 결석이 담도를 폐쇄시켰지만 담즙감염이 일어나지 않고 무증상성 황달이 있고 저절로 호전이 되는 경우도 있는데 이는 담도폐쇄로 인해 담도가 확장되고 또 이로 인해 결석이 박혀있던 좁은 담관에서 벗어나 떠다닐 수 있어 담관의 부종과 담즙의 배출이 용이하게 되어 황달이 호전되는 것으로 여겨진다. 따라서 불완전한 담관폐쇄는 수년간 지속될 수 있고 진단과 치료가 이루어지지 않는다면 이차적 담즙성 간경변secondary biliary cirrhosis이 발생할 수도 있다. 총담관 결석은 최근 CT와 MRCP를 이용하여 진단한다(그림 3-50).

3) 진단

담석증의 진단은 거의 대부분 초음파 촬영에 의존하며, 복부 초음파 검사가 담석증의 표준진단 검사이다. 증상이 있어서 검사하기도 하지만 건강검진 혹은 다른 질환으로 검사하다가 우연히 발견되는 경우도 상당히 많다. 단순 복부 촬영에서도 석회화된 담석이 보이기도 하지만 초음파로 담석증을 확인해야 한다. 담석과 용종은 구별하기 힘든 경우가 있지만 담석에 대해서는 초음파검사 민감도와 특이도가 가장 높은 검사이다(그림 3-51). 이외에 기타 여러 종류의 담도조영술, 복부 CT 등이 있지만 초음파에 비해 민감도가 낮다. CT는 조영증강 이후의 사진을 비교하여 용종과 결석의 감별에 용이하기도 하다(그림 3-51). 결석 유무뿐만 아니라 담낭벽의 변화, 용종, 종괴 등의 동반 소견에 대해서도 세밀한 관찰이 필요하다.

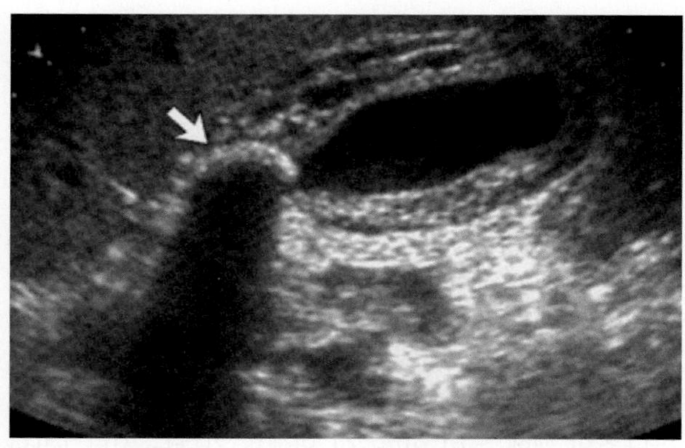

그림 3-51 **담낭벽의 비후 소견과 담낭주위에 저음영 에코가 보인다.** 담낭내의 담석이 후방 저음영(posterior acoustic shadowing)을 나타내고 있다.

5. 급성담낭염

1) 급성결석성담낭염

급성결석성담낭염은 담낭관 또는 하트만 낭Hartmann's pouch에 담석이 밀착되어 나타나는데 이에 대한 담낭의 염증은 (1) 담낭내압 증가와 담낭팽만으로 인한 기계적 염증, (2) 라이소리시틴lysolecithin과 다른 국소 조직인자 분비에 의한 화학적 염증, (3) 세균성 염증의 세 가지 요인에 의해 발생한다.

담석에 의한 담즙 유출이 막힘으로 인해 담낭의 팽창, 염증을 동반한 부종이 발생하고 담낭정맥의 울혈, 폐색이 일어나고 마지막으로 담낭동맥의 혈전증까지 이르게 된다. 그러면 담낭의 허혈과 괴사가 발생하게 되는데 담낭저부fundus가 담낭동맥에서 가장 멀리 떨어져 있어 허혈에 가장 약하고 쉽게 괴사가 일어난다. 대부분의 환자가 지속적이고 심한 우상복부 혹은 상복부 통증을 호소한다. 또 발열, 백혈구 증가가 동반된다. 또한 Murphy's sign(우상복부를 누른 상태에서 흡기 시 통증을 유발하면서 호흡을 하지 못함)이 나타나기도 한다. 복부 초음파의 전형적인 소견은 담석의 존재, 담낭벽의 비후(>4mm), 담낭주위 채액 등이 있다. 이 외에도 간담도 신티그라피hepatobiliary scintigraphy로 HIDA 혹은 DISIDA scan이 있다. 그러나 이런 신티그라피는 비용이 비싸고 초음파보다 시간이 더 오래 걸려 급성담낭염을 진단하기 위해서는 잘 사용되지 않는다. 복부 CT 역시 급성 담낭염을 진단할 수 있는데 담낭주위의 해부학적 구조를 파악할 수 있는 장점이 있다. 복부CT는 특히 담낭주위 농양이나 다른 질환의 유무를 파악할 수 있다(그림 3-52).

하지만 일반적으로 복부초음파가 복부CT보다 급성담낭염을 진단하는데 민감도가 높은 것으로 보고되고 있고 특히 담낭염의 초기단계나 영상소견이 모호할 때는 복부초음파가 더 유용하다.

감별진단을 해야 하는 주요 질환으로는 급성췌장염, 간염, 급성충수돌기염, 급성위염 및 소화성궤양 천공, 폐렴, 신장결석, 대장게실염 등이 있다. 췌장염에 의한 통증은 심와부에서 발생하여 등쪽으로 방사되는 경향이 있고 쪼그려 앉은 자세를 취할 때 동통이 사라질 수 있다. 아밀라제 상승과 최근 알코올섭취 여부가 확인될 때 급성췌장염을 의심할 수 있다. 또한 담석이 담도를 타고 내려와 췌관을 막아서 발생하는 담석성 췌장염gallstone pancreatitis과도 감별진단이 필요하다. 급성간염의 경우 서서히 발생하는 우상복부 압통과 함께 간효소 수치의 증가를 보인다.

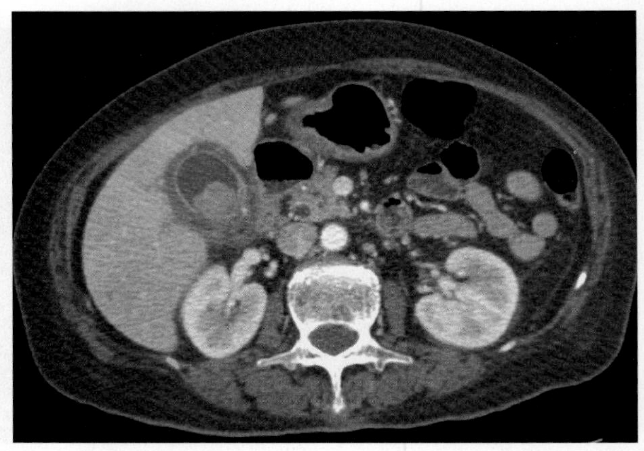

그림 3-52 급성담낭염의 CT 소견. 담낭벽의 비후와 담낭주위의 저음영 소견은 담낭주위 체액 저류를 보이며 담낭내에 담석이 관찰된다.

2) 비결석성 급성담낭염

비결석성 급성담낭염은 담석이 없이 발생하는 담낭염으로 그 원인은 확실하게 밝혀지지 않았지만 기저질환이 있거나 중증질환 환자에서 주로 발생한다. 외국의 보고에 의하면 급성담낭염 환자의 5–15%를 차지하고 국내의 보고에서는 7–28%로 외국보다 좀더 높은 빈도를 나타내고 있다. 심한 중증환자의 경우 기저질환이나 병변의 진행으로 인해 사망률은 약 30% 정도이며 담낭의 괴사와 천공이 흔히 발생하는 것으로 보고된다. 결석성 담낭염은 여성에서 호발하지만 비결석성 담낭염은 남자에서 호발하는 것으로 알려져 있다. 전향적으로 외상환자에 대해 연속적으로 초음파를 시행한 연구에 따르면 심하게 다친 환자(Injury Severity Score≥12, 중환자실 치료>4일)에서의 비결석성 담낭염의 유병률이 11%이었다고 한다. 비결석성 담낭염은 고도손상, 심박동 증가, 입원당시 수혈이 필요함 등의 고위험도의 환자일수록 증가하는 것으로 보고하였다. 급성으로 심하게 다쳐서 오랫동안 인공호흡기 치료나 영양 치료를 시행받을 수록 비결석성 담낭염이 발생할 위험이 증가한다.

3) 담낭 축농 및 담낭 수종

담낭 축농empyema은 담낭관 폐쇄에 의해 정체된 담즙에 농형성균이 감염되어 형성된 화농성 단계로 고열과 심한 우상복부동통, 압통을 동반하고 팽창된 담낭이 만져지며 황달이 없다는 것이 담관염의 증상과 다르다. 담낭 축농은 천공과 그람음성균 패혈증으로 이행할 수 있으므로 응급수술과 적절한 항생제 치료가 필요하다. 담낭 수종hydrops의 경우도 담낭 축농, 괴저, 천공 등의 합병증이 병발할 수 있으므로 담낭절제술이 필요하다.

4) 담낭괴저와 천공

담낭괴저necrosis는 담낭의 심한 팽만, 혈관염, 당뇨, 담낭 축농 등이 원인이 되어 담낭벽의 허혈로 인한 부분적 혹은 전체적인 담낭벽 괴사로 발생한다. 담낭 천공은 국한성 농양이나 범발성 복막염을 유발한다. 천공으로 인한 국한성 농양은 단순담낭절제술로 치료될 수 있지만 전신상태에 따라 담낭 조루술이 필요할 수 있다. 담낭 천공으로 인해 범발성 복막염이 발생할 경우 복강내 패혈증 혹은 전신성 패혈증으로 진행되어 높은 사망률을 나타낼 수 있으므로 조기에 수술을 시행하여야 한다.

5) 급성 기종성 담낭염

급성 기종성 담낭염acute emphysematous cholecystitis은 급성 담낭염의 심한 형태로 *Colliform bacilli*, *Streptococci*, *gas-forming Clostridia*균의 혼합감염으로 일어나며 고령에서 발병률이 높다. 또 남자에서 흔하고 당뇨를 동반하고 있는 경우가 흔하다. 복부단순촬영에서 담낭내, 담낭벽, 주위 조직에 공기음영이 보이며 치료는 중증 담낭염에 준하여 치료한다.

6. 담석증의 치료

우연히 발견된 담석증 환자에서 증상이 없다면 예방적 담낭 절제술은 시행하지 않는다. 때로는 전형적인 담도 산통이 있지만 복부 초음파검사상 담석의 증거는 없고 슬러지만 보일 수도 있다. 만약 반복적인 담도 산통이 있고 2회 이상 슬러지가 영상의학적으로 발견된다면 담낭 절제술이 필요하다. 담석이나 슬러지 이외에도 담낭 점막의 마크로파지에 콜레스테롤이 축적되어 있는 상태인 콜레스테롤 침착증cholesterolosis이나 비대해진 평활근 사이로 점막선이 안으로 파고 들어가는 형태인 선근종증adenomyomatosis도 전형적인 담도 산통을 야기할 수 있다. 이들 역시 증상이 있을 때는 담낭절제술이 치료이다.

증상이 있는 담석증 환자는 복강경 담낭절제술이 치료이다. 수술을 연기해야 할 경우는 환자로 하여금 기름진 음식이나 과식을 피하게 해야 한다. 기저질환으로 당뇨가 있을 경우 당뇨가 없는 사람보다 급성담낭염으로 쉽게 발전하고 종종 중증의 담낭염으로 발전될 가능성이 있으므로 가능하면 빨리 담낭 절제술을 시행해 주는 것이 좋다. 증상이 있는 임산부에서 식이조절로 증상 조절이 불가능할 때는 임신 2기에 복강경 담낭절제술을 시행할 수 있다. 전형적인 담도계 증상과 담석을 가진 환자를 담낭 절제술을 시행했을 때는 90%에서 증상이 없어지지만 소화불량 등의 비전형적인 증상을 가진 환자에서는 치료 성적이 이보다는 못한 것으로 보고된다.

1) 급성담낭염의 치료

초기에는 금식과 수액 및 전해질 공급을 하고 담즙에서 배양되는 세균에 대한 항생제로 치료를 시작한다. 담즙에서 배양되는 균은 대부분 그람 양성균(*Escherichia coli*, *Klebsiella pneumonia*, *Streptococcus faecalis*)이므로 3세대 cephalosporin을 일차적으로 사용한다. 심한 중증 감염이 의심되는 경우 혐기균(*Bacteroides fragilis, Clostridium perfringens*)이 혼합감염될 수 있으므로 metronidazole과 aminoglycoside 혹은 Penicillin 등의 병합요법이 필요하다. 통증을 조절하기 위한 진통제로는 비스테로이드성 항염증약물NSAID이나 demerol을 사용한다. NSAID는 담낭점액의 생성을 억제하여 담낭내압을 낮춘다. 이에 반응이 없으면 마약성 진통제인 demerol을 사용하기도 한다. Morphine은 Oddi 괄약근의 긴장을 증가시켜 담도압을 증가시키므로 demerol보다 안전하지 않다. 초기에 보조적인 치료를 하면서 중요한 점은 한 의사가 계속적으로 진찰과 이학적 검사를 시행하면서 그 변화양상에 따라 적절히 수술여부를 결정하여야 한다는 것이다. 따라서 수술여부를 결정하기 전까지는 통증조절을 가능한 한 시행하지 않고 환자의 변화를 관찰하여야 한다.

급성 담낭염의 수술 시기는 발병 3일 이내 시행하는 조기 수술 치료와 담낭염 진단 후 4-6주 후에 시행하는 지연 수술법이 있다. 조기 수술치료는 담낭 및 주변조직의 부종, 염증, 유착 등으로 담낭주위의 해부학적 구조가 모호해져서 총담관 손상 등의 수술 후 합병증의 발생할 수 있다. 반면 지연 수술법은 진단 후 수술을 기다리는 동안 증상재발로 반복적인 입원과 결국에는 응급수술을 받게 되는 경우가 흔하다. 담낭절제술에 대한 여러 전향적 무작위 연구에 따르면 조기 수술법이 수술 전후의 합병증이나 사망률을 증가시키지 않았으며 재원기간도 지연수술법에 비해 짧았다고 한다. 또 12개의 전향적 무작위 연구를 메타분석한 보고에 따르면 수술을 기다리는 동안 20%이상의 환자가 보존적 치료에 실패하였고 이중 반의 환자가 응급한 수술을 시행받았다고 하였다. 따라서 급성 담낭염이 발생하였을 경우 조기수술법을 시행하는 것이 환자에게 좋다.

수술방법으로는 복강경 수술이 담석증의 표준수술법이다. 하지만 급성담낭염에서는 담낭 및 주변조직의 부종, 염증, 유착 등으로 담낭주위의 해부학적 구조가 모호해져서 총담관 손상이 발생할 수 있음을 염두에 두어야 한다. 이에 대한 전향적 무작위 연구에서도 조기 복강경 수술에서 총담관 손상을 포함한 술후 합병증에 대해 차이가 없었으며 개복수술로의 전환률에서도 차이가 없는 것으로 나타났다.

급성 비결석성 담낭염에서도 중요한 것은 조기 진단과 담낭절제술이다. 환자의 전신상태가 수술에 적합하지 않을 때는 담낭조루술cholecystostomy 또는 경피경간담낭배액Percutaneous Transhepatic Gallbladder Drainage (PTGBD)을 시행할 수 있다. 치료방침의 결정은 결석성 담낭염의 경우와 같다.

2) 내과적 치료 및 중재술

담석성 담낭염과 함께 총담관 결석이 의심되는 경우에는 내시경적 역행성 담췌관 조영술(ERCP)을 시행하여 내시경적 괄약근 절개술(EST)로 담관 결석을 먼저 제거한다. 내시경적 괄약근 절개술로 담관 결석을 제거하지 못하였거나 수술 중에 담관 결석의 소견이 의심되면 술중 담관 조영술로 확인하고 담도를 절개하여 제거한다. 경피 담낭조루술Percutaneous cholecystostomy은 여러가지 이유로 수술이 여의치 않을 경우 급성염증이 있는 담낭을 감압하는 좋은 수단으로 받아들여지고 있다.

1990년대 초기에는 extracorporeal shock wave lithotripsy (ESWL), contact dissolution of gallstones with methyl tert-butyl ether (MTBE), percutaneous mechanical cholecystolithotomy(경피 담석제거술)등의 비수술적 방법이 소개되었지만 이들 방법들이 담석의 재발을 막지 못하므로 요즘에는 거의 사용되지 않고 있다.

3) 담낭절제술

담낭절제술이 필요한 적응증은 표 3-11와 같다. 담관이나 담낭주위혈관은 해부학적인 변이가 가장 많은 곳이므로 담관이나 담낭 주위 혈관에 의인성 손상이 흔히 생길 수 있으므로 정상적인 간담도 구조와 해부학적인 기형에 대한 자세한 지식이 필요하다.

표 3-11. 담낭 절제술의 적응증

증상이 있는 담낭 결석증
급성 및 만성 담낭염
비결석성 담낭염
담낭결석과 연관된 합병증(총담관 결석, 담석성 췌장염 등)
담낭 벽의 비후, 담낭 선근종증(adenomyomatosis)
도재 담낭(porcelain GB)
담낭 용종 및 종괴
담낭 운동 장애, 비기능성 담낭
췌담관합류 이상을 동반한 환자

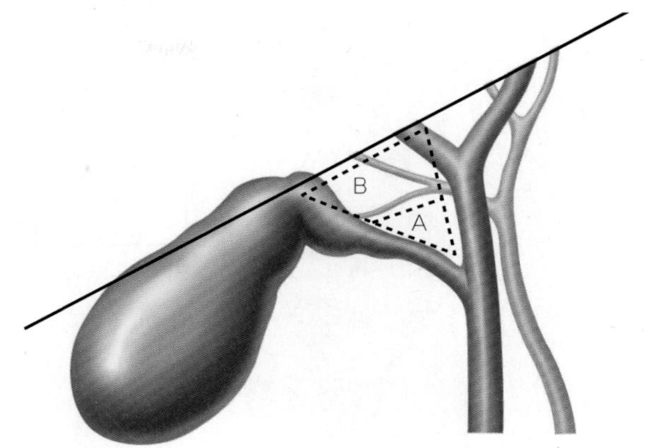

그림 3-53 **Calot 삼각과 담낭절제삼각.** 담낭동맥, 담낭관, 담관으로 그려지는 삼각형을 Calot 삼각(A)이라 하고, 이 삼각에서 윗변을 간의 밑면으로 하고 담관과 담낭관의 연장선이 이루는 구조를 담낭 절제삼각(B)이라 한다.

(1) 복강경 담낭 절제술

담낭결석에서 복강경 담낭절제술은 1987년 프랑스에서 시작된 이래로 1990년대 초에는 복강경 담낭절제술이 전체 담낭 절제술의 5% 정도이던 것이 이제는 90% 이상이 복강경으로 이루어지고 있다. 배꼽을 통해 이산화탄소를 주입해 기복pneumoperitoneum을 형성한 후 다른 투관침들을 삽입한다. 이 때 환자의 자세는 두부와 우측부를 거상하여 장을 아래로 떨구어 담낭을 잘 보이게 한다. 견인 겸자로 담낭저부를 잡아 전복벽과 두부쪽으로 밀어주어 담낭이 잘 펴지도록 하여주고 지압겸자로 담낭 Hartman pouch를 잡아 총담관으로부터 담낭을 떨어뜨려 Calot 삼각을 넓힌 후 담낭관과 담낭 동맥을 박리해낸다(그림 3-53, 54).

담낭관과 담낭 동맥을 박리한 후 클립으로 담낭관과 담낭 동맥을 각각 결찰한 후 복강경용 가위로 절단한다. 담낭관을 결찰할 때는 우하방으로 견인하던 Hartman pouch의 힘을 감소시켜 주어야 총담관 일부를 결찰하는 실수를 피할 수 있다. 담낭관과 담낭동맥이 결찰, 절단되었으면 담낭을 hook을 이용하여 박리해내고 비닐주머니에 담낭을 담아 복강 밖으로 빼낸다. 담낭을 복강에서 제거한 후 복강 내에 출혈, 담즙, 담석 등이 있는지 확인 후 기복을 제거하고 배꼽부위는 흡수성 봉합사를 이용하여 봉합하고 나머지 투관침 삽입 부위는 피하 봉합만 하고 steri-strips으로 피부창상을 고정하고 수술을 마친다.

(2) 개복담낭절제술

피부 절개법에는 우측 늑골하 절개법subcostal incision, 정중 절개법midline incision, 우측방 정중 절개법paramedian incision 등이 있다. 기본적으로 담낭 절제술은 역행성 담낭 절제술과 순행성 담낭절제술이 있다. 역행성의 방법은 처음부터 Calot 삼각을 박리하여 담낭관과 담낭 동맥을 먼저 절단 처리한 후 담낭을 담낭와로부터 분리하는 방법이다. 순행성은 담낭을 먼저 간에서부터 분리한 후 담낭관과 담낭 동맥을 처리하는 방법이다. 담낭을 담낭와에서 분리핸 낸 후 간 실질의 손상에 의한 출혈은 거즈로 5분간 압박하면 지혈이 되며 잘 지혈이 되지 않는 경우에는 간 실질을 깊이 봉합한다. 배액관은 대부분의 경우 불필요하지만 담낭염이 심하거나 담즙누출, 출혈의 가능성이 있는 경우 배액관을 삽입하기도 한다.

(3) 새로운 술기의 시도

가. 단일통로수술

단일통로수술single port surgery은 기존의 4개 혹은 3개의 투관침을 복부에 서로 다른 절개창을 통해 사용하는 것이 아니라 하나의 절개창을 통하여 카메라와 두 개의 동작통로를 삽입하여 시행하는 수술을 일컫는다. 단일통로 복강경 담낭 절제술은 배꼽주위에 2–2.5cm의 절개창을 내고 단일통로용 투관침을 삽입한 후 기존의 복강경 담낭 절제술과 똑같은 방법으로 수술을 한다(그림 3-55).

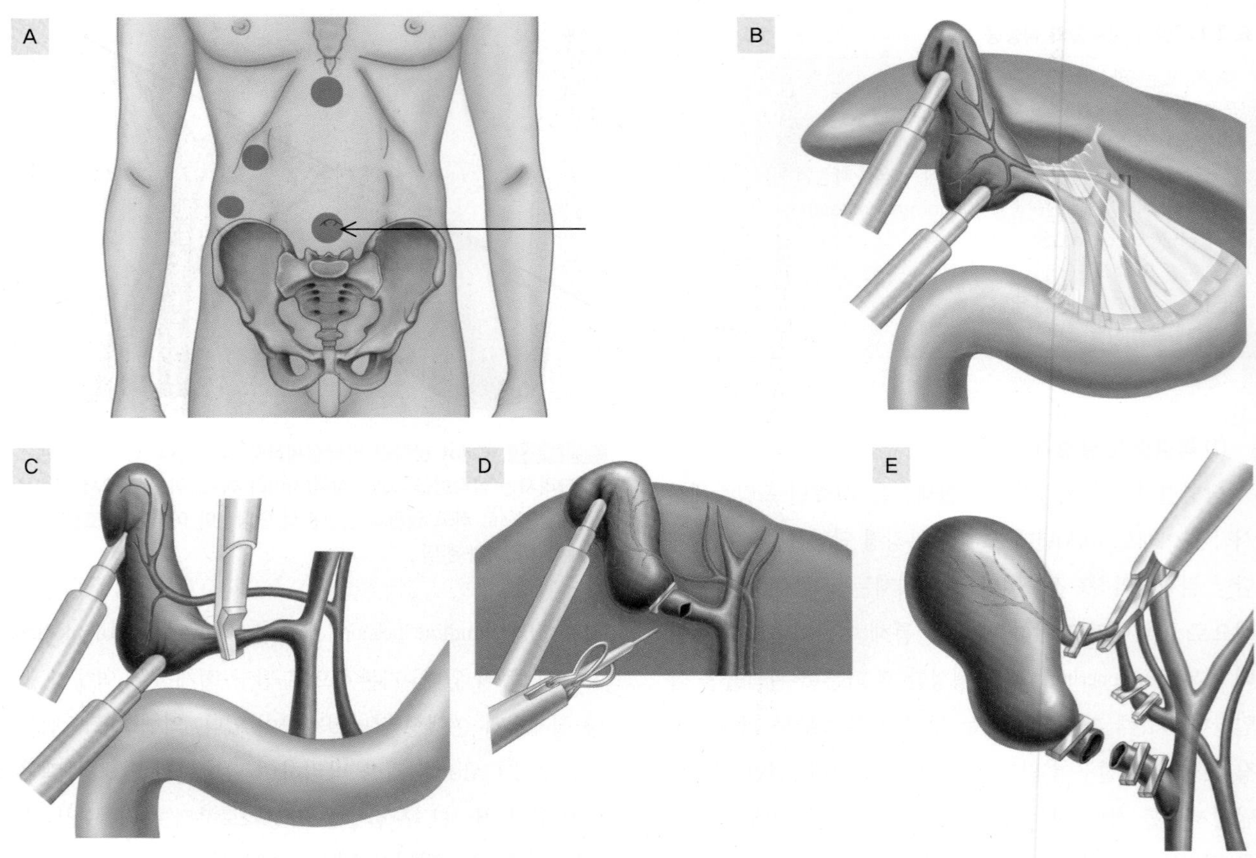

그림 3-54 **복강경 담낭절제술의 모식도.** A) 복강경 담낭절제술에 사용되는 투침관의 위치. B) 담낭의 거상. C) 담낭관의 결찰. D) 복강경하 담도 조영술. E) 담낭관 절단 후 담낭동맥 결찰

하지만 기존의 복강경 수술에서 중요하였던 triangulation (카메라와 두 개의 동작 통로가 삼각형을 이루어 목표조직에 접근한다는 관념)의 장점이 없어지게 되며 카메라와 두 개의 동작 겸자 간의 거리가 가까워 기구간의 충돌이 심하다. 또 구부러지는 카메라를 사용한다 해도 한 방향에서 구부러지므로 시야의 각도면에서 제한적일 수 밖에 없다. 이런 단점들이 있음에도 불구하고 단일 절개라는 미용적인 우수성, 입증된 보고는 드물지만 통증의 감소 및 집도의의 의지, 수술기기 제작의 발전으로 미래의 새로운 수술방법으로 연구가 진행되고 있다.

나. NOTES (Natural Orifice Transluminal Endoscopic Surgery)

사람에게 있는 자연적인 구멍을 통해 내시경을 삽입하여 복부 수술을 시행하여 흉터를 남기지 않는 수술법을 지칭한다. 자연적인 구멍이란 구강, 항문, 질, 요도 등을 말하며 위나 대장, 질, 방광에 내부 절개를 한 후 복부수술을 시행하여 외부피부에는 흉터가 없게 한다. 하지만 구강, 대장, 질, 위 등의 상재균에 의한 복강내 감염과 위, 대장 등의 내용물 유출, 수술로 인한 합병증 증가 여부 등이 있지만 이에 대한 해결책에 대해 전세계적으로 연구되고 있다(그림 3-56).

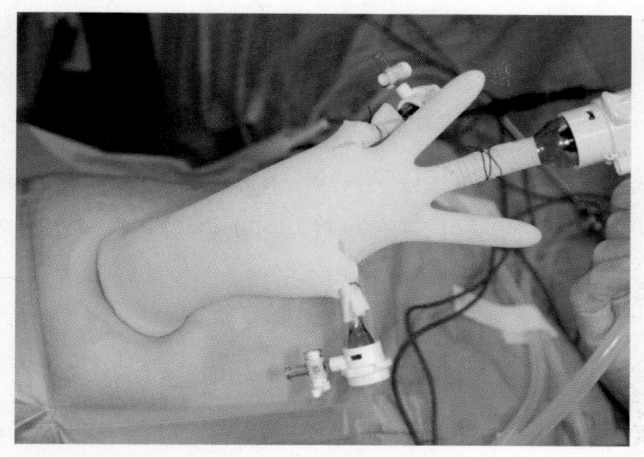
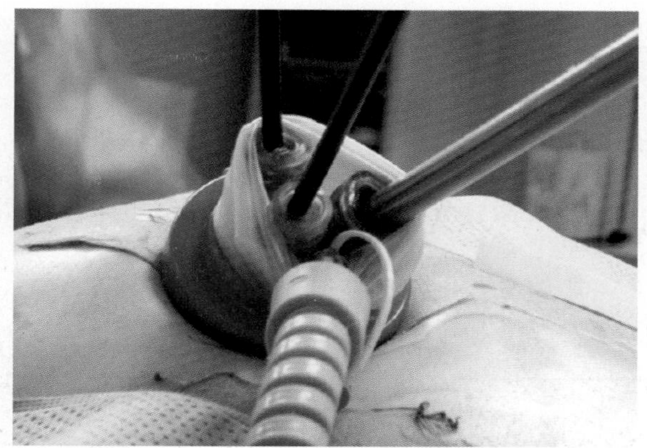

그림 3-55 **단일통로수술.** 배꼽을 절개하고 절개창 보호대(wound protector)를 설치하고 수술용 장갑을 이용하여 투관침 세개가 하나의 절개창으로 들어갈 수 있게 만든 후 기복을 형성하였다. 아래에는 세 개의 작동통로를 포함한 투관침이 사용되었다.

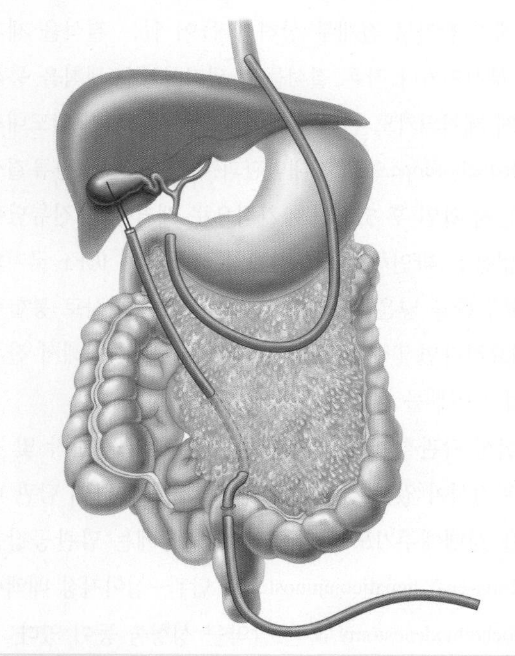

그림 3-56 **NOTES (Natural Orifice Transluminal Endoscopic Surgery).** 사람에게 있는 자연적인 구멍을 통해 내시경을 삽입하여 복부 수술을 시행하여 흉터를 남기지 않는 수술법

7. 담낭절제술 후 문제점

담낭절제술 시행 후 새롭게 생기거나 재발하는 양상의 복부 증상을 담낭절제술 후 문제점이라고 정의하는데 복강경과 개복 담낭절제술을 비교했을 때 거의 비슷하다.

1) 담낭절제술 후 통증

담낭절제술 후 통증postcholecystectomy pain의 원인은 크게 담도계 원인과 비담도계 원인으로 나뉠 수 있고 수술 후 합병증이 원인이 될 수도 있다(표 3-12). 그러므로 담낭절제술 후 통증으로 병원에 다시 내원했을 때는 기본적인 검사뿐만 아니라 수술 후 합병증에 대한 의심도 해야 하며 수술 소견에 대해 다시 검사하거나 담도손상이 있는지 잔류담석이 있는지 등에 대하여 전반적인 검토가 필요하다. 진단을 위해서는 복부초음파, CT 스캔, 위내시경, ERCP, MRI, 핵의학 검사 등으로 원인을 찾아보아야 한다.

2) 담낭절제술후 설사

담낭절제술을 받은 환자의 5–18%에서 발생하며, 담즙산의 저장소인 담낭의 제거로 많은 양의 담즙산이 대장에 도달하여 장내 분비증가 및 수분량 증가와 대장의 운동성 증가 등이 원인으로 생각된다. 치료로는 대증적으로 지사제를 사용하면 안전하고 효과가 있다. 또 담낭이 절제되면 담즙염 총량이 감소하고 담즙농축 및 저장의 기능이 없어져 담즙의 위역류 현상이 일어나고 속쓰림, 경도의 흡수장애 등이 수술 후 상당기간 있을 수 있다. 이 밖에도 소화불량, 헛 배부름, 잦은 트림 등이 나타날 수 있는데 이러한 증상들은 수술 후 2–3개월 내에 호전된다.

표 3-12. 담낭절제술 후 증상(postcholecystectomy pain)의 원인

담낭절제술후 합병증	비담관계 원인
혈종, 농양, 담즙유출, 창상통증, 창상감염 등	소화성 궤양
담도계 원인	위-식도 역류
총담관 결석	과민성대장증상
담관협착 및 담관 종양	십이지장 게실
잔류 담낭관 결석	췌장질환
Oddi괄약근 협착 및 기능 장애	간질환
담관-십이지장 루	신장질환
	정신과적 문제

8. 총담관결석증 및 담관염의 치료

총담관 결석증은 개복하여 결석을 제거하는 수술이 오랜 기간 동안 표준 수술법이었으나 내시경시술을 비롯한 중재적 시술과 복강경수술이 보편화되면서 개복수술은 제한적으로 이용되고 있다. 황달이 있어 담관결석의 가능성이 아주 높다면 곧바로 내시경적 담췌관 조영술로 확인 후 치료 목적으로 유두 괄약근 절개술을 시행한다.

담관염의 치료는 진단과 동시에 시술될 수 있다. 담관염은 패혈증에 쉽게 빠질 수 있기 때문에 고령의 환자에서는 충분한 수액치료와 항생제 치료를 시작해야 한다. 동시에 폐쇄원인을 제거하는 시술을 시행하면서 담즙의 세균배양검사를 의뢰하여 이 후에 적절한 항생제로 전환할 수 있도록 한다. 근본처치가 곤란한 종양 등의 경우에는 경피경간 담관배액술(PTBD)로서 답즙을 배액시키면 패혈증에서 벗어날 수 있다.

1) 내시경적 역행성 담췌조영술

내시경적 역행성 담췌조영술(ERCP)은 담관내의 결석, 종양, 췌장의 질환 등을 검사하면서도 내시경적 괄약근 절개술(EST) 후 담관 결석을 제거할 수 있다. ERCP를 통한 담관결석의 제거로 개복수술을 대신하게 되었다. 담낭결석이 있으면서 담관 결석이 병존할 가능성이 높은 경우 일차적으로 ERCP를 시행하여 담관의 결석을 제거한 후 담낭은 복강경시술을 시행하여 개복을 피할 수 있다. 내시경적 결석제거가 불가능한 경우는 내시경으로 결석을 다 제거하지 못하거나 간내결석증, 유두부로 나오지 못할 정도로 큰 결석, 십이지장게실, 위절제술 기왕력 등이 있으면 복강경이나 개복으로 담관절개술을 시행해야 한다. 하지만 시술과 관련된 담관염, 췌장염, 십이지장 천공, 출혈 등의 합병증이 5-8%에서 일어날 수 있고 0.2-0.5%의 사망률이 있을 수 있다(그림 3-57).

2) 총담관절개술

내시경 및 영상의학과적 중재술, 복강경 수술로 근래에는 개복수술이 줄었지만 위의 방법이 실패한 경우나, 과거 복부 수술력이 있는 경우 개복수술을 시행한다. 우측 늑골하 절개로 접근하여 담관을 장축방향으로 절개하여 결석 제거 감자로 절개부 상하에 들어 있는 결석을 제거한다. 부서지거나 작은 결석들은 생리식염수 세척을 통하여 쉽게 제거되기도 한다. 결석이 모두 제거되면 담도내시경choledochoscope으로 간내담관과 하부 담관에 잔류결석이 있는지 확인 후 있으면 추가적으로 제거한다. 잔류담관석이 없음을 확인하고 담도절개창을 통하여 16Fr 굵기의 T자 고무관을 넣은 후 절개 부위를 흡수봉합사로 봉합한다. 필요하다면 T-관 cholangiogram을 시행해서 잔류 담관석의 여부를 재확인한다.

원발성 담관결석, 다발성 담관결석, 괄약근 협착 및 간내 담관결석이 있는 경우에는 재발방지를 위하여 담관 배액술을 시행해주기도 한다. 담관배액술에는 담관공장문합술Roux-en-Y hepaticojejunostomy, 담관-십이지장 배액술 choledochoduodenostomy 혹은 괄약근 성형술 등이 있다.

3) 복강경 술식

복강경시술을 통해서 담관결석과 담낭 결석을 동시에 해결할 수 있는 방법이다. 먼저 담낭을 절제하기 전에 담낭관을 통하여 가는 관을 삽입하여 담관까지 도달하게 한 다음 조영제를 주입하여 담관조영술을 시행한다. 담도에 결석이 보이면 담도를 개복 때와 마찬가지로 장축방향으로 절개한 후 담도내시경을 넣어 결석을 넣어 결석을 도미아바스켓Dormia basket으로 꺼낸다. 담낭관으로 담도경을

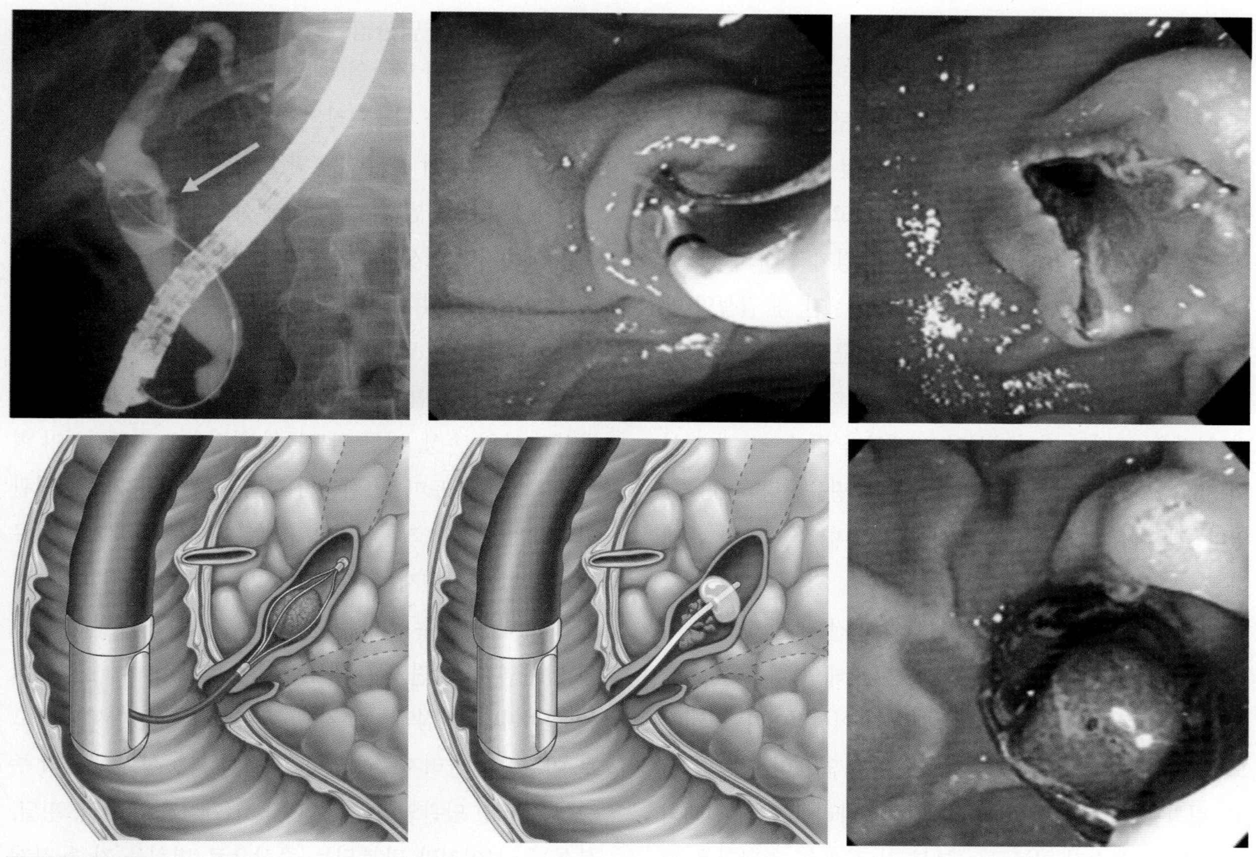

그림 3-57 **ERCP를 통하여 유두부 괄약근 절개를 하고 총담관 결석을 제거하는 사진과 모식도**

넣을 경우는 담도경이 3mm 미만의 얇은 것이어야 한다. 복강경을 통한 담관 결석 제거 성공률은 대략 75-95%로 보고하고 있다. 복강경 수술에 익숙한 술자의 경우 복강경 담관결석제거 후 합병증은 복강경 담낭절제술과 비슷하다. 서양의 경우 원발성 담관결석보다는 담낭에서 넘어온 2차성 담관 결석의 빈도가 높기 때문에 담낭절제술을 시행할 때 담관조영술을 시행하는 것이 보통이다. 하지만 우리나라는 원발성 담관결석이 흔하고 수술 전 영상진단으로 대부분 발견되어 술전 내시경으로 제거하거나 경피경간 조영술로 결석을 제거할 수 있다.

9. 간내 결석증

간내 담관에 결석이 있는 경우를 말하며 좌우 담관의 합류부가 간 실질 외부에 있다 하더라도 좌우 담관의 합류부 상방에 담석이 위치할 때로 정의한다. 간내결석증은 서양보다 대만, 중국, 한국, 일본 등의 아시아에 높은 발생빈도를 보인다.

원발성 간내 결석은 간내담관에서 결석이 만들어져 간내담도의 협착이나 국소적 확장이 동반되며 대부분의 결석이 협착 상부의 확장된 담관내에 위치한다. 이차성 간내 결석은 담낭이나 총담관에 생긴 결석이 간내로 이동한 경우이므로 대개는 총수담관을 통하여 쉽게 제거가 되고 치료 후 경과도 양호하다. 하지만 원발성 간내결석증은 동반된 간내담도 협착으로 인해 담석만을 제거하고 협착을 남겨놓으면 담석의 재발이 흔하고 절절한 치료를 하지 않으면 급성 화농성 담관염, 간농양, 패혈증 및 속발성 간경변증, 간부전 등의 만성적이고 사망률이 높은 합병증과 담도암의 발생들을 야기하기도 한다.

우리나라의 간 내 결석의 상대빈도는 1966년 17%로 보고하였고 1997년 전국적 다기관 연구에서는 14.1%로 조사되었으며 모병원에서의 20여년에 걸친 상대적 발생비율은 조사 기간동안 큰 변화가 없었다고 보고하였다. 간 내 결석은 농촌지역이 도시에서보다, 경제적 사회적으로 낮은 계층에서 높은 빈도를 보인다. 이는 간 내 결석의 발생이 유전적 요인보다는 식생활이나 세균, 기생충 감염 등의 환경적 요인이 관여함을 추측하게 한다. 우리나라의 호발 연령은 40대로 담낭담석의 60대보다 젊다. 간 내 결석의 35.6%가 혼합석으로 콜레스테롤의 평균함량은 63.4%였다. 간 내 결석의 간좌엽에서 호발하며 간 내에만 존재하는 경우가 35% 정도였다.

간내결석증의 치료원칙은 결석의 완전 제거 및 협착이나 동반된 담관암 같은 담도의 병리 상태의 제거이다. 따라서 간 내 결석의 치료는 간절제술이 이상적이다. 그러나 모든 환자에서 간절제술이 적응되지는 않으며 담석의 위치, 협착유무 및 위치, 환자의 상태에 따라 적절히 선택되어야 한다. 수술적 치료로는 부분 간 절제술, 총담관을 통한 간 내 결석 제거 및 T자관 삽입술, 담도배액술 등이 있으며 선택적으로 간담관 내 관 삽입 및 세척술, 간절개를 통한 담석 제거 등을 시행할 수 있다(그림 3-58).

1) 재발성 화농성 담관염

재발성 화농성 담관염recurrent pyogenic cholangitis은 간 내 결석의 형성과 담도협착의 결과로 담도 내에 반복적으로 세균성 감염이 발생하는 만성질환으로 중국을 비롯한 아시아에서 주로 발생하며 서양에서도 발병빈도가 증가하는 추세이지만 아시아 이민자가 많은 곳에서 호발하는 것으로 보고되고 있다. 정확한 원인은 알려져 있지는 않으나 일차적으로 작은 담도 장내세균에 의해 감염이 반복적으로 생겨 담도의 협착을 초래하고 보다 큰 담도의 협착과 간신질 부위 손상, 다른 담도들의 확정으로 담도결석이 형성된다. 간디스토마 및 회충의 감염과 재발성 화농성 담관염과의 관련성이 거론되었으며 일부에서는 아직 원인으로 보기도 하지만 현재는 우연히 동반된 것이며 단지 결석의 핵으로 작용될 수 있다는 견해가 우세하다. 재발성 화농성 담관염 시 발견되는 담석은 모두 갈색석이며 10%에서는 결석이 없이 점액, 농, 기생충, 미세결석, 상피세포 등으로 이루어진 슬러지로 차있다. 재발성 화농성 담관염의 주 증상은 급성 담관염의 증상인 Charcot triad(발열, 황달, 복통)을 보이지만 반복되는 증상으로 병원을 자주 찾게 된다. 치료는 항생제, 배액술과 함께 수술이 요구된다.

2) 담성 간경변증

간 내 결석과 간 내 담관의 협착에 의해 담즙의 흐름에

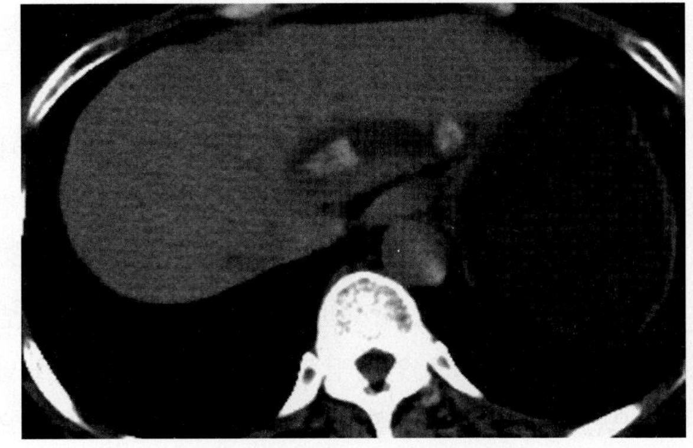

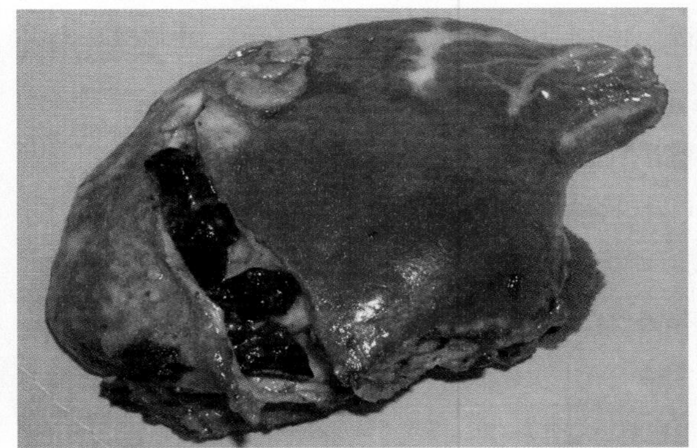

그림 3-58 간내담석증의 CT와 절제된 간의 사진. 좌간의 간내담관의 확장과 함께 간 내 담석이 보이고 있다. 간 내 담관에 갈색석이 보이고 있다.

장기간 장애가 생기면 간 소엽 중심부의 괴사가 발생하고 주위로 확산되면서 간실질의 염증성 변화가 발생한다. 이런 염증성 변화의 치유와 악화가 반복되면서 결국에는 간실질이 파괴되고 반흔 조직으로 대체되면서 간경변biliary cirrhosis이 오게 된다. 이러한 간경변이 양측 간에 범발성으로 발생하면 간염 바이러스에 의한 간경변증과 같은 양상을 보이게 된다. 따라서 간경변증의 합병증인 문맥압 항진증, 복수, 식도 정맥류, 종국에는 간기능 부전에 이르게 된다.

3) 간 내 결석과 간내담관암

간 내 결석 환자의 5–10%에서 담관암이 동반되어 있는 것으로 보고되고 있다. 간내 결석으로 인한 담즙정체, 세균감염 및 결석의 기계적 자극 등이 담관 점막의 선종성 과증식adenomatous hyperplasia을 유발하고 이형성을 거쳐 간내담관암으로 발전된다고 한다. 담관암의 초기에는 대부분 증상이 없고 증상이 있더라도 상복부 동통, 황달 등이 특이증상이라 보기 어렵고 대부분의 담관암이 종괴를 형성하지 않고 담도벽을 따라 침윤하는 담관침윤형 periductal infiltrative이며 담도조영술상 담석이나 협착 등이 암의 발견을 방해한다는 점, 담관암의 풍부한 섬유조직으로 인해 조직생검을 해도 그 진단율이 떨어진다는 점 등의 이유로 간 내 결석에 동반된 담관암의 수술 전 진단이 쉽지 않다. 그러므로 수술 전 환자의 체중감소, 혈청tumor marker 등의 증가가 있을 때에는 담관암의 동반 가능성을 의심하는 것이 중요하다. 담관암으로 확진될 경우 근치적 수술을 시행해야 한다.

요약

담석증의 발생은 선천적 요인인 유전자에 관련된 경우와 외부적 요인인 식생활 습관의 차이, 지역에 따른 환경적 차이, 사회경제적인 차이 등에 따라 발생 빈도와 성분 및 위치에 따른 차이를 나타낸다. 담석증은 대부분 무증상이나 연령이 증가하면서 증상의 발현이 증가한다.

증상으로는 전형적인 담석 선통이 있고 비특이적인 소화불량, 상복부 불쾌감, 자주 체하는 증상 등이 흔하며 이들은 치료의 대상이다.

담석의 진단은 복부 초음파 검사가 가장 효과적이며, 간외담관내 담석과 간내 담석을 진단하기 위하여는 복부전산화촬영과 자기공명영상을 이용한 췌담관 조영술을 이용한다.

담낭담석 치료의 표준은 담낭 절제술이며 복강경 술식이 일차 선택이다. 담관내 담석의 치료는 담도내시경적 제거술이 가장 많이 사용되며 담낭절제가 필요한 경우 복강경담낭절제술 시 담도내 담석을 동시에 제거하는 방법과 우월성에 대한 토론이 진행중이다. 간내 담석증의 경우 국소적이며 간기능에 영향을 미치지 않는다면 담석이 있는 부위 간절제술이 일차적 고려 대상이다. 간절제술이 어려운 경우엔 역행성 담도 내시경 또는 경피경간담도내시경적 결석제거술을 시행한다.

XII 담도계 양성질환

1. 담도계 손상

대부분의 간외 담도계의 손상이 의인성iatrogenic으로 개복 혹은 복강경 담낭 절제술 도중에 발생하고 드물게는 총수담관 절개, 위절제술 시의 십이지장 가동mobilization, 간절제술의 간문부 박리 후에 발생하기도 한다. 담낭절제술 시 발생하는 담관 손상의 빈도는 정확히 알려져 있진 않지만 개복 담낭절제술 때는 0.1-0.2%로 드물지만 복강경 담낭 절제술 때는 대손상major injury의 빈도가 0.55%, 소손상minor injury과 담즙누출의 빈도는 0.3%로 둘을 모두 합치면 0.85%라고 보고하고 있다. 급성 및 만성 염증, 비만, 해부학적 변이, 출혈 등이 담관손상이 발생할 수 있으며 수술시야의 불충분한 확보와 중요 해부학적 구조를 정확히 확인하지 않고 결찰, 절단하는 것이 가장 흔한 원인이다. 총담관의 내경이 작아서 담낭관으로 오인하거나 담낭관이 총담관과 붙어서 주행하는 경우 등이 술자로 하여금 어렵게 만들기도 한다. 담낭관이 우간관으로 배액되거나 우간관이 비정상적으로 주행하여 Calot 삼각을 지나 총간관으로 들어가는 등의 변이가 있을 수 있다. 또한 담낭을 과도한 힘으로 견인하면 담낭관이 총담관과 일렬로 정렬될 수도 있고 부주의한 소작기 사용으로 담관에 열손상을 줄 수도 있다.

수술 중에 담관 손상이 의심된다면 담관 조영술로 확인해야 한다. 담관에 대한 대손상(총담관이나 총간관의 손상)의 25% 정도만이 수술 중에 확인이 가능한데 술중 담즙누출이나 뒤늦은 해부학적 구조 파악, 비정상 담도조영술 소견 등으로 진단된다. 50% 정도의 환자가 술 후 한 달 이내에 증상이 발생하며 나머지는 수개월 혹은 수년 뒤에 담도염이나 경변증으로 다시 내원한다고 보고되고 있다. 담즙 누출은 담낭관이나 특이 주행의 우간관 절단, 총담관의 옆면에서 주로 발생하며 통증, 발열, 간기능의 상승 등을 일으킨다. 초음파나 CT 소견으로는 담낭 위치에 주로 담즙이 고여 있는 것을 확인할 수 있다.

담도 손상의 치료는 손상의 형태, 위치, 범위, 손상의 진단 시기에 따라 달라진다. 담낭절제술 시행도중에 발생한 담관 손상을 적절히 치료하면 담관 협착을 막을 수 있다. 절단된 담관이 3mm 이하이거나 간의 한 분절에서만 나오는 담관이라면 단순 결찰로도 치료가 가능하다. 담관이 4mm 이상, 간의 여러분절에서 나오거나 한쪽 엽을 담당하는 담관이라면 재이식해야 한다. 총수담관이나 총 간관의 측면 손상은 T자관을 삽입한다. 총담관, 총간관의 절단은 손상받았을 때 발견하여 Roux-en-Y 담관공장 문합술choledochojejunostomy이나 Roux-en-Y 간관공장 문합술hepaticojejunostomy을 시행해주어야 한다. 손상으로 인한 담관의 손실 길이가 작을 때는 담관-담관 문합술을 T자관 삽입한 후에 시행할 수도 있다. 담낭관을 통한 담즙누출은 복강내의 담즙정체를 배액관 삽입하여 배액시키고 내시경적으로 담관에 stent를 삽입함으로써 치료할 수 있다. 수술 후에 발견된 대손상은 경피경간 담도배액관을 삽입하여 담즙을 체외로 배액하고 복강내의 담즙을 경피배액관을 삽입하여 배액시켜 급성염증이 사라지는 6-8주 후에 다시 개복수술을 시행한다. 담도 손상으로 인한 오랜 시간 뒤의 담도 협착의 초기 치료는 경피경간 담도배액관을 삽입하고 이를 통해 담도조영을 하여 협착이나 손상의 범위를 확인한다. 풍선확장술을 시도해 볼 수 있으나 효과는 미미하다.

담도손상을 입은 환자의 70-90%에서는 좋은 성적을 기대할 수 있으며 첫 수술 도중에 발견되어 경험있는 췌담도 수술자에 의해 교정되었을 때 가장 좋은 결과를 기대할 수 있다. 수술 사망률은 대략 5-8%이고 수술 합병증으로는 담도염, 외부담도루external biliary fistula, 담즙누출, 간주위 농양, 혈액담즙증hemobilia 등이 있다. 담도소장 문합술의 재협착은 10% 정도이고 재협착에 대한 증상은 교정 후 2년 내에 발생한다.

2. 담도협착

담도 협착의 원인중 80% 이상이 담낭절제술 시행 중

표 3-13. 양성 담도 협착의 원인

1. 선천성 담도 협착
2. 담도 손상 수술 후 손상 담낭절제술 후 단순 개복 후 담도장관 문합술 후 간절제 후 단락 수술(shunt) 후 췌장수술 후 위절제 및 기타 수술 후
3. 염증성 협착 만성췌장염 만성십이지장 궤양 간내 또는 간주위 농양 기생충 감염 재발성 화농성 담관염
4. 원발성 경화성 담관염
5. 방사선 유발 담관염
6. 유두부 협착

담도의 손상이며 총수담관의 절개시나 위장관 절제술, 간절제술, 췌장수술과 같은 다른 상복부 수술시에 손상을 받는 수도 있다(표 3-13).

양성 담도 협착의 분류는 Bismuth (1982)는 양성 담도협착의 분류를 손상된 해부학적 형태를 근거로 했다(그림 3-59).

I형: 총간관 하부의 협착으로 총간관의 길이가 2cm 이상 남아 있을 경우, II형: 총간관 중간부의 협착으로 총간관의 길이가 2cm 미만 남아있을 경우, III형: 간문부의 협착으로 총간관이 남아있지 않은 형태이나 합류부는 보존되어 있는 경우, IV형: 좌우 간관의 합류부에 협착이 발생하여 양쪽의 교통이 없는 경우, V형: 변이가 있는 담도 분지를 가지는 경우로서 변이 우분절지 단독 또는 총간관과 함께 협착이 있는 경우 담관 손상은 주 담도관이 25% 이상 손상을 받으면 수술 중 바로 알 수 있으나 그 외에는 수술 후에 알게 되며 대부분 1주일 내에 발열, 복통 등의 증상이 나타난다. 간기능 검사 상 담즙 정체의 증거를 보여주고 혈청 빌리루빈은 담즙성 간경변이 없다면 2-6mg/dL의 범위를 나타낸다. 진단 방법으로는 초음파, CT, 경피경간 담관조영술, ERCP, 간담도 스캔, 그리고 자기공명 담췌관 조영술 등이 사용된다. 담도협착의 치료 목적은 담즙의 담도-장간의 흐름을 다시 소통시켜 담도염, 담석, 간손상 등을 예방하고 재협착을 막는 데 있다. 수술적 치료로는 단단문합술, 간관공장문합술, 간내담관공장 문합술, 공장점막이식술 등이 있다. 단단문합술은 담관조직의 손실이 아주 적어서 조직의 긴장감 없이 점막 대 점막 접합을 할 수 있을 때 택할 수 있는 술식이다. 간관공장문합술Roux-en-Y hepaticojejunostomuy은 양성 담도 협착에서 가장 흔히 사용되는 방법으로 간관을 공장과 흡수 봉합사로 점막대 점막 단측end-to-side 문합하는 것이다. 비수술적 치료로는 내시경적 확장술과 경피적 확장술이 있다. 이들 방법은 담도의 연속성이 있어야 하며 유도 철사를 협착부위로 통과시킨 후 풍선으로 확장시키는 방법이다.

만성 췌장염 환자의 경우 1/3에서 담도의 협착을 초래할 수 있다. 만성췌장염에 의한 담도 협착은 그 자체로 수술의 적응이 되는 것은 아니다. 담즙 저류가 지속되고 담

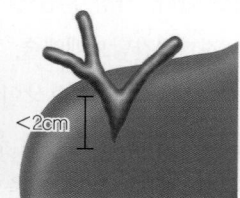

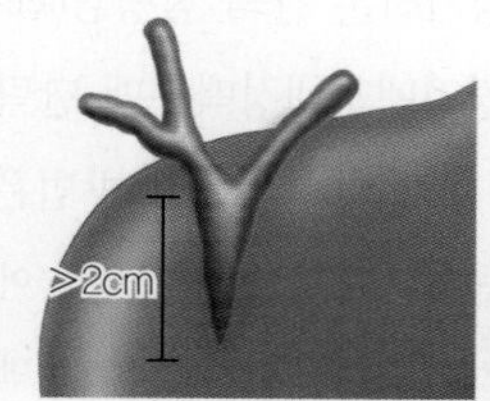

<2cm
Type 2

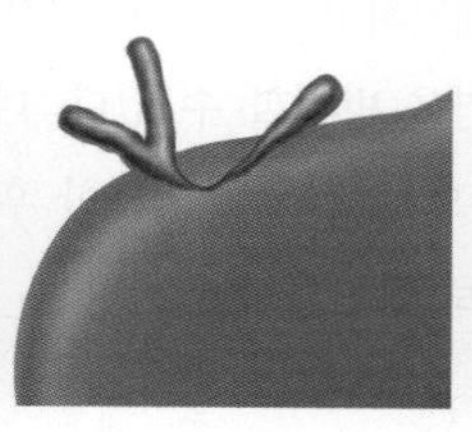

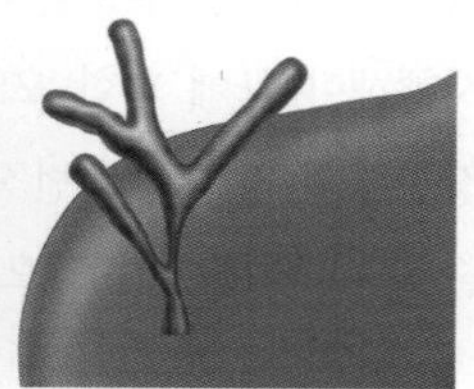

그림 3-59 양성 담도협착의 Bismuth 분류

도염이 동반될 때 담도 우회술이 필요하게 되고 동시에 췌장의 절제 또는 만성 췌장염에 대한 수술도 동시에 시행하게 된다.

3. 담도루

담도루biliary fistula란 담낭이나 담관으로부터 담즙 또는 담즙을 포함한 액체가 비정상적인 통로를 통하여 지속적으로 배액되는 상태를 말하며 담즙이 배출되는 출구에 따라 내담도루internal biliary fistula와 외담도루external biliary fistula로 구분한다.

1) 내담도루

(1) 담도-장관루

담도 장관루는 담도와 누공을 형성하는 장관의 부위에 따라 담낭십이지장루, 담낭결장루, 담낭위루, 총담관십이지장루 등이 있고 담낭십이지장루가 가장 흔하다. 담도 장관루의 증상은 비특이적이며 진단도 수술 전에 진단되는 빈도가 43-53%로 보고되고 있다. 전형적인 방사선 소견은 담관-소장의 문합이 없는데도 담도계에 공기 음영이 보이거나 상부 또는 하부 바륨조영술시 조영제가 담도계로 유입되는 소견이다. 담도 장관루의 치료시에는 수술 전 잔류담석의 존재, 담도 폐쇄 유무와 누공의 해부학적 구조를 확실히 알아야 한다. 또 담낭대장루나 담낭위루는 담도염이 자주 발생하므로 반드시 수술적 교정이 필요하며 담도계 폐쇄도 교정해야 한다. 담낭결장루가 수술 전 진단된 경우는 수술 전 대장전처치를 시행하고 수술시에는 총담관절개를 먼저 시행한 후 담낭절제술을 하고 마지막으로 담도루 부분을 제거하고 결장을 복원하는 순으로 시행해야 균에 의한 오염을 방지할 수 있다. 다른 담도-장관루의 경우는 일반적으로 누공을 처리한 후 담낭절제술을 시행하고 마지막으로 장관을 봉합한다.

(2) 담도-담도루

담낭과 담관 사이에 누공이 형성되는 상태로서 매우 드물게 발생하며 전체 내담도루의 3%를 차지한다. 담도-담도루bilio-biliary fistula의 수술 방법은 담낭의 담석을 제거하고 누공주위의 담낭을 일부 남긴채 담낭을 절제하고 누공으로부터 조금 떨어진 부위의 총담관을 절개하여 T자관을 삽입하여 누공위치까지 닿게 한 다음 누공부위의 담낭조직을 이용하여 봉합한다.

(3) 기관지담도루, 흉강담도루

담도계와 기관지 또는 흉강 사이에 발생한 누공으로 외상에 의한 경우를 제외하고는 담도의 폐쇄와 감염이 선행 요인으로 작용하며 대부분 횡격막하 농양과 관계가 있다. 방사선 검사 소견으로는 흉부방사선 사진은 항상 비정상적인 소견을 보이며 ERCP, PTC 등을 시행하면 누공의 주행이나 원인을 파악하는데 도움이 된다. 치료시에는 간농양과 횡격막하 농양의 적절한 치료가 필수적인데 간농양은 절제하거나 배액시켜야 하고 횡격막하 농양도 반드시 배액시켜야 한다. 또 모든 담도폐쇄를 해결해야 한다. 담도폐쇄의 상태가 해소되거나 확실한 교정이 이루어지기 전까지는 내시경 혹은 경피적으로 감압시키고 수술적인 치료는 감염이나 원인이 완전히 해소되기 전까지 시행하지 않는 것이 좋다. 그 이유는 수술 후 이환율과 사망률이 높으며 담도 협착의 재발로 인하여 재수술이 필요한 경우가 발생하기 때문이다.

(4) 담도-혈관루

담관과 혈관사이에 통로가 생기는 것으로 주로 간 내에서 담관과 간동맥분지 혹은 문맥분지사이에 누공이 형성되지만 때로 간동맥이나 문맥의 주혈관 또는 간정맥에서 생기기도 한다. 가장 흔한 발생기전은 간의 침생검needle biopsy, 경피경간담도배액술, 경정맥간내정맥문맥 단락술(TIPS)과 같은 의인성 손상이 대표적이다. 치료방법은 대부분 담도와 누공을 형성한 동맥분지를 동맥조영술에 의한 색전술이 있다. 그래도 출혈이 지속되는 경우 문맥과의 교통 여부를 확인해야 하며 색전술이 효과없는 경우 간의 분절절제 혹은 간엽절제를 시행하는 것이 안전하다.

농양이 원인인 경우 수술로 배액을 시행하고 담도루를 결찰한다.

2) 외담도루

대부분 간이나 담도계 수술 혹은 외상 후에 발생한다. 담즙이 복강내로 누출되어 복강내에 모두 고여 있는 경우를 비조절루uncontrolled fistula라 하고 누출된 담즙이 복벽을 통하여 체외로 배출되는 경우를 조절루controlled fistula라고 한다.

원인은 담낭 조루술, 복강경담낭절제술, 개복담낭절제술, 총담관탐색술, 담도장관문합술, 간절제술, 간이식술, 등 간담도계 수술과 위절제술, 간담도계에 대한 경피적 시술 후에 발행할 수 있고 간외상 후에도 발생할 수 있다. 진단은 수술 후 배액관이나 수술 상처 부위로 담즙이 지속적으로 누출되거나 복부초음파, CTR상 비정상적인 액체가 복강내 저류되어 있을 때 담도루를 의심할 수 있으며, ERCP나 경피적배액술로 확 진할 수 있다. 치료로는 복강내 담즙을 배액시켜 조절루공controlled fistula상태로 만드는 것이 중요하다. 우선 경피적배액술을 시행하고 이것이 실패했을 경우나 담즙성 범발성 복막염 상태인 경우, 광범위한 복강내 농양으로 패혈증인 경우, 농양 내에 괴사성 조직이 많아 비수술적인 방법이 효과적이지 못한 경우는 수술적 방법으로 배액을 시행한다. 수술시 바로 담도 손상이나 담도루에 대한 교정을 시행하는 것은 손상된 담도가 쪼그라들어 있고 약하며 주위 조직이 심한 염증으로 성공적인 복원이 어려울 뿐만 아니라 추후 수술을 더욱 어렵게 만들 수 있기 때문에 시행하지 않는 것이 좋다. 담도루의 적절한 배액이 이루어지면 환자의 영양상태를 호전시키고 담도루 원위부에 담즙의 흐름의 폐쇄가 없는 경우에는 장시간의 보존적 요법으로 담도루가 자연 폐쇄되며 내시경적으로 담관 내부에 누공부위 상하에 걸쳐 담도스텐트나 비담도배액nasobiliary tube을 유지시키면 누공폐쇄에 큰 도움이 된다. 이와 반대로 담도루 원위부에 담즙 흐름이 막힌 경우는 자발적인 폐쇄가 어려우므로 담도폐쇄의 원인을 확인하고 제거해야 한다. 수술 방법은 대부분 총담관장관문합술로 해결된다.

4. 담관낭과 췌담관합류 이상

담관낭choledochal cyst은 간내담관 혹은 간외담관에 낭포성 팽대를 일으키는 질환으로 1977년 Todani에 의해 8가지 분류법으로 나뉜다. 담관낭의 주된 원인으로 알려져 있는 췌담관합류 이상은 1969년 증례로 소개되었고 영문으로는 Anomalous Pancreato-Biliary Ductal Union (APBDU) 혹은 Pancreaticobiliary Maljunction (PBM)이라고 한다.

신생아 13,000명 당 1명의 발생빈도로 발생하나 종족, 성비에 따라 큰 차이가 있으며 전 세계 보고예의 1/3 이상이 일본인이다. 여성에서 4-5배 호발하고 60%에서 10세 이하에서 진단된다.

1) 분류(그림 3-60)

Ia형은 낭포형cyst, Ic형은 원통형diffuse or cylindrical이며 간내담관의 확장은 없으며 두 형태 모두 췌담관합류 이상을 동반한다. Ib형은 분절segmental형으로 합류 기형

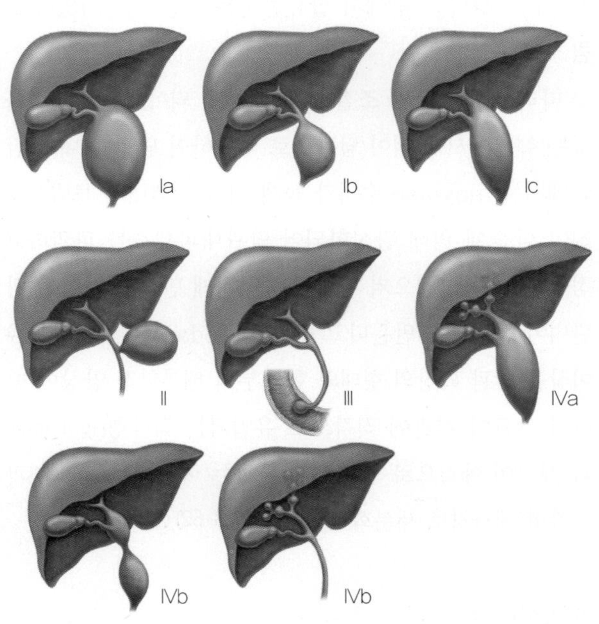

그림 3-60 담관낭의 분류

은 없고 빈도도 드물다. II형은 게실diverticular형으로 간외 및 간내담관에서도 볼 수 있으나 희귀하고 합류기형은 수반하지 않는다. III형은 담관류choledochocele형이라고 하며 십이지장 벽 내의 총담관 원위부에 낭 혹은 게실이 있고 유두부의 폐쇄를 나타내는 경우가 많고 합류기형은 적다. IV형은 다발multiple형으로 그 중 IVa형은 간내외 담관에 낭포성 변화를 보이며 발견 빈도가 높으며 담관낭 환자의 반 이상을 점유한다. 췌담관합류 이상은 Ia, Ic 형과 마찬가지로 거의 100% 합병한다. I형과 IVa형은 구별이 어려운 경우가 많으며 둘 사이의 구분은 간문부 혹은 제대부의 담관 협착 유무가 결정한다. V형은 간내 담관만 확장된 형태이다. 말초담관이 다발성으로 확장되는 Caroli 병과 혼용되어 쓰이기도 하며 합류기형을 동반하는 경우는 없다.

2) 원인

1969년 Babbit은 담도조영술의 소견에 기초를 둔 담관낭의 원인을 발표하였다. 정상적으로는 60–80%에서 담관 췌관이 합류하여 5mm 이내의 공통관common channel을 만들지만 담관낭 환자에서는 긴 공통관과 췌담관합류가 Oddi 괄약근 밖에서 합류한다는 것을 기술하였다(그림 3-61).

따라서 괄약근의 조절을 받지 않게 되어, 높은 압력을 갖는 췌관에서 췌액이 담관으로 역류하여 담관낭 내의 담즙에서는 amylase 수치가 높게 되고 췌액내의 트립시노겐이 담즙에 의해 활성화되어 담관내피세포를 파괴하고 점막하 염증을 일으켜 담관벽을 약하게 만들고 약화된 담관벽이 담관낭을 만든다고 하였다. Todani는 췌담관합류 이상을 담관 확장의 형태와 합류부의 해부학적 양상에 따라서 담관이 췌관에 직각으로 유입되는 직각형right angle과 췌관이 예각으로 담관에 합류하는 예각acute angle형과 복합형 세가지로 세분화하였다(그림 3-62).

3) 임상증상

가장 흔한 것은 황달, 복부 종괴, 복통이다. 신생아는

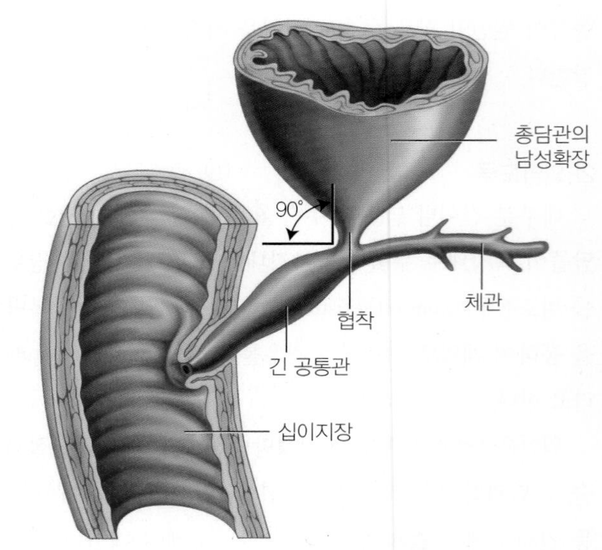

그림 3-61 Babbitt's APBDU 설명과 췌담관합류 이상의 분류

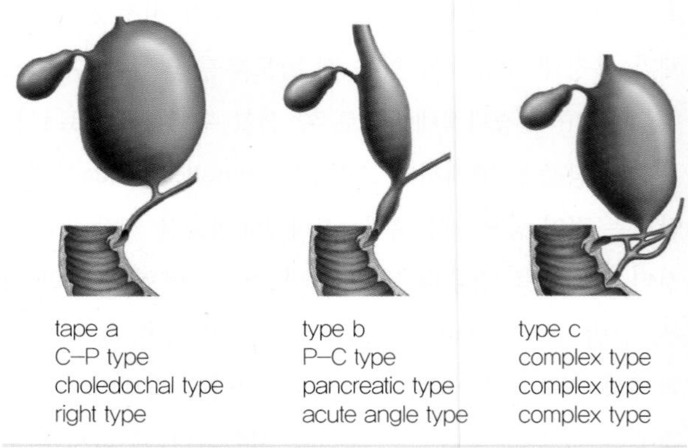

그림 3-62 췌담관합류 이상의 분류

복부종괴 촉지와 황달이 주증상이고 성인은 담관낭의 합병증인 담관염, 담석증, 췌장염, 췌석, 간내농양, 간경변증, 문맥압항진증 및 담관낭 내에 암 발생에 따른 증상이 나타난다. 드물게는 소아는 자연적으로, 성인에서는 특히 임신 중에 담관낭의 파열로 급성 복막염을 일으키기도 한다.

4) 담도계암과의 관계

담관낭의 유무에 관계없이 합류기형을 가진 환자에서 담도계암(담관암+담낭암)의 발생빈도가 증가한다. 담관낭의 환자 25%에서 담도암이 발생하며 평균 연령은 32세

로 보고되고 있다. 특히 과거에 담관낭을 절제하지 않고 내배액술을 시행한 경우에 그렇다. 여성이 두 배 정도 높다. 암 발생의 원인으로는 역류된 췌장액 중 활성 트립신, elastase I, phospholipase A2 등이 담즙정체, 감염 등의 조건 하에서 담도계 점막에 작용하여 손상과 재생을 반복시키고 이형성dysplasia, 화생metaplasia이 계속되서 암을 유발시킨다고 생각되고 있다. 담관낭과 소장의 문합을 시행한 경우 담관낭 내에 맹낭cul-de-sac이 형성되고 소장액 중 enterokinase에 의해 역류췌액이 활성화되어 담관낭 벽 점막에 작용하여 암 발생이 더 높아진다.

암 발생은 담관낭의 후벽에 호발하고(57%) 간내, 담도계, 췌장에서도 발생한다. 담관낭을 절제하는 것이 간 담도계의 발생 위험도를 줄이는 것보다는 암 호발 부위를 제거하는 것으로 생각하기도 한다. 모든 형의 담관낭에서 암이 발생하며 선암이 90% 이상이다. 암 발생부위는 담관낭형에 따라서 밀접한 관계를 보이는데 낭포성(Ia, Iva)인 경우에는 낭포 내에 암이 70%, 담낭암이 30% 정도 발생하며 비낭포성인 경우는 담낭암 발생이 월등히 높다. 장년층에서 담관낭이 없고 췌담관합류 이상만 있는 경우 무증상이라도 연령 증가에 따른 암발생 증가를 고려하여 예방적 담낭절제술을 강력히 권하고 있기도 하다.

5) 진단

술전 복부 초음파 검사로 진단이 되고 ERCP로 담관낭과 췌담관합류 이상의 형태가 구분이 가능해졌다. CT는 담관낭의 크기, 형태와 주위 조직과의 관계 규명에 필요하다. 영상진단으로 ERCP는 반드시 시행하여 췌담관합류부가 Oddi 괄약근에 영향을 안 받는다는 것을 입증해야 한다. 최근에는 자기공명 담췌관조영술(MRCP)이 담관낭의 진단 및 췌담관합류 이상을 진단하는데 일차 검사로서의 유용성이 증가되고 있으며 합류기형을 진단하는 것은 향후 발전이 기대된다.

6) 치료

치료는 담관낭 절제술이다. 소아에서는 담관낭 후벽과 문맥이 잘 분리되지만 담도염이 반복되었던 성인에서는 우간 동맥, 고유간동맥이 담관낭과 밀접히 붙어있어 혈관 손상의 위험이 항상 존재하므로 세심한 조작이 필요하다. 담관낭 절제술 후 합병증으로는 담즙루, 췌루, 출혈이 있다.

Ia, Ib, Ic, IVb형은 확장된 담관낭을 포함하여 간외담관을 절제하고 Roux-en-Y 간관공장문합술을 시행한다. II형은 게실 절제를 하고 담관을 T자관을 삽입한 후 봉합하며 간외담관을 전부 절제할 필요는 없다. III형은 담관류의 크기에 따라 3cm 이내의 십이지장 벽내의 것은 내시경 괄약근 절개술을 한다. 십이지장을 폐쇄할 수 있는 3cm 이상의 것은 십이지장을 절개해서 절제하며 췌관 개구부를 반드시 확인해야 한다. IVa형은 Ia형과 같이 간외담관과 낭을 절제한다. V형은 좌간이 호발부위로 간절제가 최선의 방법이나 양측성이면 Roux-en-Y 간내담관공장 문합을 한다.

담관낭 절제술 후 합병증인 담석, 담관염은 문합부위의 협착, IVa형의 잔류간내 담관낭, 담관협착이 원인이 된다.

요약

종양을 제외한 담도계 질환으로는 수술 도중 발생하는 의인성 손상, 수술 후 초래되는 담관 협착, 기존 질환에 의한 내 담도루, 염증 및 외인에 의한 외 담도루 등이 있으며 또한 극동아시아 지역에서 특히 호발하는 담관낭과 이와 관련된 췌담관합류 기형은 원인과 결과의 과정이 복잡하며 공통적인 치료법이 없어 각각의 경우에 따라 환자 맞춤형 치료법을 선택하는 경우가 많아 고도의 전문성을 필요로 한다.

XIII 담낭암

1. 빈도

담낭암은 우리나라 전체 암 발생의 약 1%, 소화기암의 3-4%를 차지하며 2013년의 경우 남자 1,000여명, 여자 1,300여명이 발생하였다. 연령표준화발생률은 10만명 당 3명으로 전세계적인 통계와 유사하다. 미국 원주민, 멕시코, 칠레에서 발생률이 높으며 외국의 경우 여자가 2-3배 호발하는 것으로 알려져 있으나 우리나라는 1:1.3 정도로 여성 호발 경향이 작다. 고령에서 많이 발생하며 평균연령은 우리나라의 경우 약 69세다.

2. 원인

담낭암은 60세 이상의 고령에서 흔하며 여성에서 호발한다. 담낭암의 원인으로 가장 많이 거론되는 것은 담낭 결석이다. 담낭 결석이 있는 사람은 없는 사람보다 5-10배 정도 담낭암이 발생할 위험이 높고 담석 유병률이 높은 나라에서 담낭암이 잘 생기며 담석에 대한 담낭절제술의 시행이 증가함에 따라 담낭암의 발생률이 저하되는 것으로 알려져 있다. 또한 외국의 경우 담낭암 환자의 70-90%에서 담낭 결석이 동반되는 것으로 알려져 있으나 우리나라는 약 30-50%에서만 동반된 담낭 결석이 발견된다. 담낭 결석은 담낭 점막을 만성적으로 자극하여 세포의 이형성을 초래하고 암을 발생시키는 것으로 알려져 있다. 다발성 담석보다는 2-3cm 이상의 거대 담석이 있는 경우 암의 발생이 흔하다고 알려져 있다. 모든 담낭 결석 환자 중 담낭암이 발생할 가능성은 1%미만으로 알려져 있으므로 무증상 담낭결석 환자에서 담낭암을 걱정하여 예방적 담낭절제술을 시행하지는 않는다.

담낭벽의 석회화로 생기는 도재 담낭porcelain gallbladder은 오랜 만성 담낭염의 결과로 발생하며 담낭암의 발생률이 13-61%로 높아 예방적 담낭절제술의 적응증이 된다. 췌담관합류이상anomalous pancreaticobiliary ductal union이 있는 경우 담낭암의 발생률은 70%까지 보고하고 있고 또한 담낭암 환자의 약 10%에서 췌담관합류이상을 동반한다. 담관낭종을 동반한 췌담관합류이상의 경우 담낭암이 더 흔하지만 담관암도 비교적 자주 발생한다. 그러나 담관낭종을 동반하지 않은 췌담관합류이상의 경우에는 담낭암이 대부분 발생한다. 따라서 췌담관합류이상이 있는 경우는 예방적 담낭절제술을 기본적으로 반드시 시행하여야 한다. 담낭 용종 중에서 선종은 전암성 병변으로 용종의 크기가 커짐에 따라 악성 변이의 가능성이 높아진다. 초음파검사, CT검사 등에서 담낭 선종을 비종양성 용종과 감별 진단하기 어려우며 따라서 10mm 이상의 담낭 용종은 담낭절제술의 적응증이 된다. 선근종증adenomyomatosis이 담낭암의 전구 병변인지는 확실치 않다. 3000예의 절제된 담낭을 검토한 바에 의하면 분절형 선근종증의 경우 암 동반율이 6.4%로 현저히 높아 전암병변으로 간주할 수 있다는 보고가 있다. 최근에 췌담도계암의 전암병변으로 거론되고 있는 관내 종양intraductal neoplasm의 일종으로, 담낭에서 발생하는 담낭내유두상종양Intracystic Papillary Neoplasm (ICPN)과, 뚜렷한 종양을 형성하지 않는 BilIN (Biliary Intraepithelial Neoplasm)이 담낭암의 전암병변으로 주목 받고 있다. 이들은 이형성-암종 이행dysplasia-carcinoma sequence과정을 거쳐 담낭암으로 진행하는 것으로 알려져 있다. 그 외 만성 장티부스 보균자, 높은 체질량 지수, 만성 염증성 장질환 등이 위험인자로 알려져 있으나 논란이 있다. 그리고 고무, 석유제품, 자동차, 신발, 금속산업과 연관된 발암물질에 대한 노출이 담낭암의 위험인자라는 주장이 있다. 분자생물학적으로는 erbB2 유전자, K-ras 유전자(39-59%), myc 유전자, p53유전자 등과의 관련성이 보고되고 있다.

3. 병리

담낭암은 60%는 기저부에서 30%는 체부에서 그리고 10%는 경부에서 암이 발생하나, 빠르게 진행하므로 발생부위를 알기 어려운 경우가 많다. 10%는 다발성으로 나타난다. 담낭암의 80-90%는 선암이며 그외 편평상피암, 선편평상피암, 소세포암, 미분화암 등이 있고 드물게 육종, 유암종, 림프종, 간질종양, 과립세포종, 악성흑색종 등이 발생할 수 있다.

담낭암은 육안적으로 유두형papillary, 결절형nodular, 경성형sclerosing의 3형태가 있다. 유두형은 전체의 10%이하이며 담낭 내강으로 자라지만 침윤 깊이가 얕고 주위 림프절 전이가 드물어 좋은 예후를 보인다. 결절형 및 경성형은 조기에 담낭벽을 깊이 침범하고 주위 조직이나 림프절로 파급되어 예후가 불량하다.

담낭암이 전파되는 양상은 크게 간 및 담관, 십이지장, 대장 등 주위 장기로의 직접 전파, 유출 정맥을 타고 간 내 미세전이를 일으킨 후 전신 전이를 유발하는 혈행성 전이, 림프관 및 림프절 전이, 신경 침윤 등으로 나뉠 수 있다. 이중 담낭암의 유출 정맥을 통하는 경우, 대부분 문맥을 타고 IVb 및 V분절로 유입되어 이 부분에 미세전이를 형성한 후 전이 범위가 간 내 또는 간 외로 확대되게 된다. 육안적으로 확인되기 어려운 2mm 이하 미세전이의 간 내 분포 범위에 대해서는 논란이 있어 원발암으로부터 1-5cm까지 다양하다. 담낭 경부나 담낭관에 암이 발생한 경우 초기에 총수담관이나 문맥을 침범할 수 있다. 담낭암의 림프절 전이 경로 중 가장 먼저 전이되는 림프절은 12b, c군이며 이후 13a, 8, 14군 등을 거쳐 대동맥 주위림프절인 16군으로 진행한다고 알려져 있다. T 병기별로 림프절 전이율은 T1a 0-4%, T1b 12.5-20%, T2 20-62%, T3/4 60-81%으로 보고되어 있다. 담낭암이 진단되는 경우 약 25%는 담낭에 국한되어 있고 35%는 국소림프절 전이이나 간침윤이 있으며 약 40%는 원격전이 상태인 것으로 알려져 있다.

4. 임상 및 진단

임상증상은 담낭암의 크기, 위치, 전이 여부나 이에 동반된 담낭염, 담석증 등에 따라 달라서 매우 다양하다. 일반적으로 동통, 체중 감소, 소화 불량, 촉지되는 종물, 황달, 발열 등이 있지만 담낭암 진단에 특이한 증상은 없고 특히 초기에는 자각 증상이 없는 경우가 많아 대부분의 환자들이 진행암 상태에서 증상을 느낀다. 담관 산통이 있거나 급성 담낭염이 동반되어 담낭절제 수술 후 담낭암이 발견되는 경우도 있으며, 이러한 빈도는 고령일수록 더 흔하다. 이 경우 병기가 비교적 초기이며 예후는 상대적으로 좋다. 담낭암이 담관을 침윤하면 황달이 발생하게 되는데 담낭암 환자가 황달이 있는 경우 예후가 더욱 불량한 것으로 알려져 있다.

검사실 소견에서 담관폐쇄가 나타나기 전까지는 특이 소견이 없으며 간효소 수치의 상승이 급성담낭염과 담낭암에서 흔히 관찰되는데 이러한 소견은 매우 비특이적이다. 암배 항원carcinoembryonic antigen이나 CA 19-9가 종양표지자로 사용되고 있으나 조기 진단에 사용될 정도로 예민도와 특이도가 높지 않다. 특히 고빌리루빈혈증, 담관염에서는 위양성이 많아서 유의해야 한다. CA 19-9는 치료 효과 판정이나 재발 예측에 도움이 된다.

담낭암을 진단하는 영상학적 검사로는 초음파검사가 가장 간편하고 많이 쓰이는 비침습적인 방법이다. 복부초음파검사는 담낭 내의 종괴 자체를 찾는 데는 우수하지만 담낭 용종이나 만성담낭염과의 감별 진단이 어렵고 림프절 전이나 복강 내 전이를 진단하는 데는 제한이 많다. 비교적 젊은 환자나 담석으로 인한 동통이 더 의심될 때 먼저 시행되며, 고령에서 전형적인 무통성 황달 환자의 경우는 먼저 전산화 단층촬영을 시행한다.

역동적 전산화 단층촬영dynamic CT은 초음파검사보다 담석이나 담낭벽 등 담낭자체를 보기에는 덜 예민하나 종양의 침윤 범위, 림프절 종대, 간 전이, 문맥이나 동맥 침범 등을 진단할 수 있어 절제 가능성 및 영상학적 병기를 판단하는 가장 중요한 검사이다. 하지만 1cm 미만의 간 전이, 림프절 전이를 진단하는 데는 어려움이 있다.

자기공명 영상검사는 CT와 비슷한 수준의 정보를 얻을 수 있다. 담낭암은 T1-영상에서 저강도hypointense로, T2-영상에서 고강도hyperintense로 관찰된다. CT에 비해 고가이나 자기공명 담관조영 영상, 혈관조영 영상을 한 번에 얻을 수 있어 담관 침범, 혈관 침윤 등을 보다 정확히 알수 있다. 내시경적 역행적 담췌관 조영술 같은 침습적인 검사와 달리 담관염, 췌장염 등의 합병증이 없어 침습적인 검사의 고위험군이거나 기술적으로 어려운 경우에도 시행할 수 있다.

초음파 내시경은 담낭암의 침윤 정도나 림프절 종대를 진단하는 가장 민감한 검사다. 또한 종양성 담낭 용종의 악성도를 판정하는데 있어서 유용한 검사다. 문맥 주위나 췌장 주위에 림프절 종대가 관찰되는 경우 초음파 내시경 유도하 세침흡입술을 시행하여 세포진 검사를 시행할 수 있다.

양전자 방출 단층촬영Positron Emission Tomography (PET)은 종양세포가 radio-labeled glucose isotope (fluoro-deoxy-glucose, FDG) 섭취를 증가시키는 특징을 이용하여 종양세포를 찾아내는 기능적인 핵의학 영상기법이다. FDG-PET은 다른 영상학적 검사에서 담낭암이 불분명할 때 담낭암을 진단하기 위해 이용하고 있으며 진단의 민감도와 특이도는 대략 80% 정도이다. 최근에는 PET에 해부학적 정보를 제공하는 CT를 융합한 PET-CT가 일반화 되었다. 수술 전 원격 전이 병소를 발견하는 데 유용하지만 림프절 전이를 발견하는데는 제약이 있는 것으로 알려져 있다. 또한 항암치료, 방사선 치료 후 치료효과 판정에 이용될 수 있다.

초음파 또는 전산화 단층 촬영 유도하 세침흡인 세포진이나 생검 검사로 병리진단을 할 수 있으나, 간 침범이 없거나 종양이 크지 않은 경우 담낭 천공, 종양 파종 등의 합병증이 발생할 수 있으므로 절제술이 예정되어 있는 경우는 시행하지 않는다. 외과적 절제가 불가능한 경우 항암화학치료나 방사선치료를 하기 전에 시행하게 되며 민감도는 90% 정도로 보고되고 있다.

담낭암의 병기 분류는 1976년 Nevin이 종양의 침윤 정도에 따라 5단계로 분류한 Nevin 분류법(표 3-14)과 미국암병기분류위원회(AJCC)의 TNM 분류법(표 3-15)이 있는데 최근에는 TNM분류법이 주로 이용되고 있다.

표 3-14. 담낭암에서 Nevin 분류법

Stage I	Intramucosal only
Stage II	Extends to the muscularis
Stage III	Extends through the serosa
Stage IV	Transmural involvement and cystic lymph node involved
Stage V	Direct extension to liver and/or distant metastasis

표 3-15. 담낭암에서 AJCC 분류법(제 7판, 2010)

원발 종양(T)	
T1	종양이 고유판 또는 근육층까지 침범
T1a	종양이 고유판을 침범
T1b	종양이 근육층까지 침범
T2	종양이 근육층 주위 결체조직으로 침범, 장막이나 간으로의 침범은 없음
T3	종양이 장막을 통과, 그리고/또는 간 직접 침범, 그리고/또는 한 개의 주위 장기나 구조를 직접 침범(위장, 십이지장, 대장, 췌장, 대망, 간외담관)
T4	종양이 주문맥 또는 간동맥 또는 두 개 이상의 간외 장기나 구조를 침범
국소 림프절(N)	
N0	국소 림프절 전이가 없음
N1	담낭관, 담관, 간동맥, 문맥주위 림프절 전이가 있음
N2	복강동맥, 십이지장주위, 췌장주위, 상장간막동맥주위 림프절 전이가 있음
원격 전이(M)	
M0	원격전이가 없음
M1	원격전이가 있음

stage I	T1	N0	M0
stage II	T2	N0	M0
stage IIIA	T3	N0	M0
stage IIIB	T1-3	N1	M0
stage IVA	T4	N0-1	M0
stage IVB	Any T Any T	N2 Any N	M0 M1

5. 치료

담낭암 치료법의 결정은 암의 진행 정도뿐만 아니라 환자의 연령, 전신 상태, 동반 질환 등을 고려해야 한다. 절제수술만이 완치 가능성이 있어 적극적으로 절제술을 고려해야 하지만 실제로 절제술을 시행할 수 있는 경우는 20-30%정도다.

1) 수술적 치료

적절한 절제술을 결정하기 위해서는 담낭암의 진행 양상을 이해하고 진전 범위를 확인하는 것이 중요하다. 담낭은 점막하층submucosa이 없기 때문에 점막층을 침윤한 종양은 바로 근육층에 도달하게 된다. 담낭와 부위는 장막이 없기 때문에 이 부위에서 암이 발생하면 빠르게 간실질로 침윤하게 된다. 담낭암은 비교적 초기에 유출정맥을 통하여 IVb, V 분절로 미세전이를 유발하고 이후 전신전이를 일으킨다. 따라서 장막이 덮여있는 담낭 기저부에서 발생한 담낭암인 경우 직접적인 간침윤이 없다 하더라도 IVb와 V분절을 동반 절제해야 한다. 담낭 경부암은 비교적 초기에 간문부를 침윤하여 담관 폐쇄, 문맥 침윤을 야기할 수 있다. 또한 십이지장, 췌장, 대망, 횡행 결장으로 직접적인 침윤이 가능하다. 대부분의 진행 담낭암의 경우 주위 림프절 전이가 흔히 관찰된다. 담낭암에서 간절제 범위를 결정하는 종양인자로는 T 병기, 종양 위치, 종양의 성장 양식growth pattern 등이며, 동시에 환자의 나이, 전신 상태, 동반 질환 등의 환자 인자도 반드시 고려하여 종양학적으로 효과적이고 또한 안전한 수술 범위를 결정해야 한다. 절제술을 시행할 때 가장 중요한 원칙은 치유절제(R0 절제)를 이루는 것이다. T 병기는 수술 범위를 결정하는데도 중요하지만 수술 후 예후를 결정짓는 가장 중요한 인자인 N 병기의 중요한 예측 인자이기도 하다.

(1) 조기 담낭암

조기 담낭암은 암세포 침윤이 담낭의 점막(T1a)이나 근육층내(T1b)에 국한되면서 림프절 전이가 없는 경우를 말하며 TNM 분류상 0기 및 1기에 해당된다. 조기 담낭암은 담낭 결석이나 용종으로 수술적 절제를 시행한 후 우연히 조직 표본에서 발견되는 경우에서 흔하다. 일반인의 정기 검진이 흔해지고 복강경담낭절제술이 보편화되면서 초음파검사에서 종괴가 우연히 발견된 경우 초기에 담낭절제술을 시행하는 경우가 많아 조기 담낭암의 비율도 증가하고 있다. 담낭결석, 만성담낭염, 담낭용종 등 양성질환을 의심하고 담낭절제술을 시행한 경우라도 반드시 담낭 전체를 육안적으로 확인하고 의심스러운 부분은 동결절편검사를 시행해서 한다. 담낭암이 점막층에 국한된 T1a 경우는 단순담낭절제술로 충분하지만 담낭을 천공시키지 않도록 매우 주의해야 한다. 림프절 전이율이 2.5% 이하에서 보고되지만 단순 담낭절제술과 확대 담낭절제술 간에 예후의 차이는 없다. 담낭관의 암침윤을 수술 중 반드시 확인해야 하며 특히 유두형의 경우 담낭 점막을 따라 퍼지는 성향이 강하므로 주의를 요한다.

근육층까지 암 침윤이 있는 T1b 담낭암의 경우 수술 범위에 있어 논란이 많다. 단순 담낭절제술 만으로 10년 생존율이 90% 이상이므로 충분하다고 하는 이도 있고, T1b 병기 환자에서 림프절 전이율이 20%까지, 림프관/혈관 암침범은 28%까지, 그리고 단순 담낭절제술 후 재발율이 30-60%까지 가능하므로 광범위절제술을 주장하기도 한다. 이 경우 확대 절제술의 범위로는 일반적으로 담낭와 2cm 두께 쐐기절제술 또는 IVb+V 분절 절제술 및 국소 림프절 곽청술이 적절할 것으로 생각된다. T1b 병기에서 림프절 전이율 및 재발률이 연구자에 따라 크게 차이나는 가장 중요한 이유는 병리 조직 검사의 정확도 차이일 것이다. 즉 종괴를 모두 병리 검사할 수 없기 때문에 일부분에서 T1b 병기를 벗어날 수 있고 이런 경우 단순 담낭절제술만으로는 잔존암을 남기게 될 것이기 때문이다. 조기 담낭암에서 단순담낭절제술을 시행할 때 복강경 수술을 시도할 것인가에 대해서는 논란이 있다. 그러나 원칙적으로 담낭암이 의심이 된다면 담낭 천공 등의 위험으로 개복수술을 우선적으로 고려하는 것이 원칙이다.

(2) 진행성 담낭암

진행성 담낭암은 암침윤 깊이가 근육층을 뚫은 T2 이상이거나 림프절 전이 또는 원격 전이가 있는 경우를 지칭한다. 수술 전 검사로 원격전이가 없으면서 치유절제(R0 절제)가 가능한 경우 절제가능성이 있다고 판단한다. 담낭암의 절제술은 종양의 침윤 깊이, 종양의 위치 및 진전 범위, 성장 방식에 따라 적절한 절제 범위가 달라진다.

종양의 암침윤 깊이에 따른 수술범위에 대해서는 T2 병기의 경우 여전히 이견이 남아 있지만 현재는 확대 절제술이 대세다. T2 병기에서 단순 담낭절제술 후 5년 생존율은 17-50%인데 비해 확대 담낭절제술 후에는 61-100%의 5년 생존율을 보고하고 있다. T2 병기에서 확대 절제술의 범위는 기본적으로 IVb+V 분절 절제 및 간십이지장인대림프절 곽청술이다. 간절제시 IVb+V분절을 해부학적으로 완전 절제하는 것이 담낭와를 2cm 범위로 쐐기형 절제하는 것에 비해 간내 림프관 및 맥관을 충분히 제거해서 미세 잔존암을 더 완벽히 제거할 수 있다는 이론적인 장점이 있지만 임상에서 증명된 것은 없다. T3 병기는 절제술 이후에도 예후가 불량하여 5년 생존율은 30% 이하다. R0 절제가 가능하다고 판단되는 경우에만 수술을 시도해야 한다. 간 침범 부위가 넓은 경우 광범위 간절제가 필요할 수 있으며 총담관 또는 Glisson관 침범 가능성이 높아 총담관을 동반 절제하는 확대 우간절제술을 해야 하는 예가 흔하다. 위, 대장, 대망 등이 직접 침윤된 경우 R0 절제가 가능해 보이면 동반 절제를 시도해야 한다. 그러나 십이지장, 췌장 등이 침윤된 경우에 췌십이지장절제술을 동반 시행할 지에 대해서는 수술 위험도가 높아 수술 시도에 주의를 요한다. 전이 림프절 제거를 위해 췌두부십이지장절제술을 동반 시도하는 것이 예후를 향상시킬 수 있는가에 대해서는 이견이 있지만 대부분의 보고에서는 회의적이다. 주문맥 및 간동맥을 침윤하는T4병기는 일반적으로 근치적 절제술의 비적응증이다. 단순 담낭절제술 후 우연히 발견된 담낭암이 T2 병기 이상인 경우 2차로 확대 담낭절제술을 시행하면 확대 담낭절제술을 시행하지 않은 환자들에 비해 예후의 향상이 있으며, 처음부터 확대 담낭절제술을 시행한 환자들에 비해 예후의 차이가 없는 것으로 보고되었다. 이 경우 T2 병기에서는 2차로 시행하는 확대 수술로 생존율의 향상이 있지만 T1 및 T3 병기인 경우 확실치 않다는 보고가 있다.

담낭암의 발생 위치에 따라 수술 범위가 달라질 수 있다. 담낭암의 60%는 기저부에서 발생하며, 30%는 체부, 10%는 경부에서 발생한다. 담낭 경부에서 우간관까지의 거리는 2mm까지 짧을 수 있으므로 담낭 경부암인 경우 담낭와 쐐기절제술만로는 R0 절제가 이루어지기 힘들고 따라서 우간관을 동반 절제하는 확대 우간절제술이 이론적인 장점이 있다. 또한 담낭 경부암의 경우 간십이지장인대 침윤 가능성이 상대적으로 높으므로 총담관 동반절제술이 주장되기도 한다. 종양이 체부나 경부에 있는 경우는 종양의 침윤 정도에 따라 간절제술의 범위가 결정되지만 총담관 동반절제를 시행해야 할 경우는 드물다.

담낭암은 성장 방식에 따라 팽창형expansive과 침윤형infiltrative으로 구분될 수 있다. 일반적으로 침윤형에서 주위 조직 침윤, 맥관 침윤 가능성이 높다. T2인 경우 침윤형에서는 IVb+V 분절 절제가 담낭와 쐐기형절제보다 추천된다. T3의 경우 팽창형에서는 IVb+V 완전절제로 충분할 수도 있지만 침윤형에서는 확대우간절제술이 필요한 경우가 많으며 특히 종양이 담낭 경부 가까이에 위치한 경우 담관 동반 절제가 필요할 가능성이 높다.

간문부를 침윤하지 않은 담낭암의 경우 간외 담관을 동반 절제하는 것이 예후를 향상시킬 수 있는가에 대해서는 아직도 이견이 있다. 간십이지장인대부위에 암침윤이 없는 경우 총수담관은 확장되지 않고 정상적으로 가늘게 유지되어 있으므로 림프절 곽청술을 완벽히 하기 위해 간외 담관을 간문부 부위까지 절제하게 되면 간공장문합술이 기술적으로 어렵고 문합부의 협착이 발생할 가능성이 있다. 일반적으로 받아들여지고 있는 담관 동반 절제의 적응증은 담관에 직접 암침윤(또는 담낭관 절제연 암침윤)이 있거나 12b,c 림프절 전이가 있는 경우이다. 담관에 직접 암침윤이 있는 경우는 약 70%에서 신경 침범이 동반되어 있어 담관을 동반 절제하더라도 예후가 나쁘며

12b,c 림프절 전이가 있는 경우에 비해서도 예후가 나쁜 것으로 알려져 있다. 담낭암에서 황달이 있으면 예후가 좋지 않는 것이 같은 이유다.

현재 담낭암에서 췌두부십이지장절제술을 동반 시행하는 경우는 암종이 십이지장 또는 췌장을 직접 침윤하거나 췌장주위림프절에 전이가 있는 경우이다. 확대 담낭암 절제술 시 췌두부십이지장절제술을 동반하는 경우 수술 사망률은 5-37.5%, 유병률은 30-100%로 수술 위험이 아직도 높게 보고되고 있어 수술 결정에 신중을 기해야 한다. 광범위 림프절곽청술을 시행하기 위하여 췌두부십이지장절제술을 시행하는 것은 추천되지 않는다.

담낭암에서 림프절 전이 여부는 매우 중요한 예후 인자이다. 림프절 곽청술의 임상적 의의는 정확한 병기 결정과 장기적인 예후 향상이다. 담낭암에서 림프절 곽청술이 예후를 향상시킬 수 있을 것인가에 대해서는 이견이 있다. 림프절 곽청술 후 예후가 향상되게 보이는 것은 진정한 N0 환자군을 정확하게 병기 결정해준 것에 기인한 것이란 해석이 있다. AJCC 7판에서 N1군인 12번 림프절 전이가 있다고 하더라도 동반 절제를 할 경우 치유절제가 가능하고 장기 생존 가능성이 있으므로 12번 림프절에 전이가 있다 하더라도 수술의 비적응증은 아니다. 담낭암에서 림프절 곽청술의 범위에 대해서는 여러 이론이 있다. 담낭암에서 림프절에 전이가 있는 경우 95% 에서 12번 및 13a 림프절에 암전이가 있으므로 정확한 N 병기 결정을 위해서는 최소한 이 부분이 림프절 곽청술에 포함되어야 하겠다. 현재 많은 한국 및 일본의 전문 병원에서는 담낭암에서 림프절 곽청술의 범위를 12, 13a, 8번 림프절까지로 하고 있다. 일부 일본 기관의 보고에서는 12번, 13번, 8번, 7번, 9번, 14번 및 16번 림프절의 광범위 곽청술을 주장하기도 하지만 아직까지 담낭암에서 예후를 향상시킨다는 뚜렷한 증거는 없다. 수술 중 13a 림프절 전이가 있어 이의 절제를 위해 췌두부십이지장절제술을 동반 시행을 주장하기도 하지만 뚜렷한 예후 향상의 증거는 없다. 여러 연구에서 대동맥주위 림프절에 전이가 있는 경우는 이 부위를 포함한 광범위 절제술을 하더라도 예후가 매우 불량하므로 수술을 시도하지 않을 것을 제안하였다.

2) 비수술적치료 및 수술 후 보조치료

근치적 절제술이 가능한 담낭암은 20-30%에 불과하며 절제가 불가능하거나 절제 후 재발 환자에서 생존 기간을 늘리고 증상을 완화하며 삶의 질을 향상시킬 목적으로 방사선치료 및 항암치료를 단독 또한 병합하여 적용하고 있다. 기존의 보고는 대부분 소수의 환자를 대상으로 하였으며 대규모 무작위 전향적 연구는 아직 미흡한 실정으로 이의 임상적 의의에 논란이 있다. 5-FU 단독 또는 복합화학요법에서 10-30%의 반응률과 2-12개월의 중앙생존기간의 결과를 보였다. 이후 cisplatin, epirubicin, paclitaxel, S1 등 비교적 새로운 약재와 erlotinib과 bevacizumab을 포함한 표적치료제 등이 시도되었으며 단독요법으로 가장 우수한 항암효과를 나타내는 약물은 gemcitabine 으로 30% 정도의 비교적 높은 반응률과 10개월 안팎의 생존기간을 보였다. 그러나 기존의 연구는 모두 1상 내지 2상 임상시험의 형태로 진행되었기 때문에 효과적인 담도 배액과 보존적 치료만을 시행한 환자보다 생존기간이나 삶의 질 향상에 도움이 된다고 단언할 수 없다.

수술 후 재발율을 낮추는 목적으로 방사선치료 및 항암치료를 단독 또는 병합 시행하고 있지만 그 치료 효과가 대부분 다른 악성 종양에 비해 열악한 것으로 보고되고 있다. 대규모 무작위 전향적 연구가 없으며 절제연에 미세 또는 육안적 잔류암이 있는 환자군 또는 림프절 전이가 있는 진행 담낭암에서 항암방사선치료에 의한 생존 연장 효과가 있다는 보고가 있다.

요약

담낭암은 90%에서 선암으로, 고령, 여자에서 호발하나 우리나라는 여성 호발 비율이 1:1.3정도로 상대적으로 낮다. 담낭 결석, 도재 담낭, 담낭 용종, 췌담관 합류 이상 등이 주요 원인으로 알려져 있으며 2-3cm 거대담석, 도재담낭, 지름 1cm 이상 담낭 용종, 췌담관합류이상이 있을 때 예방적 담낭절제술을 시행해야 한다. 담낭암은 수술로써만 완치가 기대되지만 절제 가능한 경우는 20-30% 정도다. 담낭암 절제술의 목적은 안전하게 치유절제(R0 절제)를 이루는 것이다 T1a 병기의 경우는 단순 담낭절제술로 거의 대부분 완치되지만 T1b 이상의 병기에서 확대 담낭절제술에 포함되어야 할 부분은 간절제술 및 간십이지장인대부위림프절 곽청술이다. 간절제술의 범위는 T 병기, 종양의 위치 등 종양 인자와 환자의 전신상태 및 간 상태 등이 포함된 환자 인자를 모두 고려해서 그 환자에 맞는 적절한 수술 범위를 결정하는 것이 중요하다. 림프절 곽청술의 범위에 대해서는, 12번 림프절이 기본적으로 포함되며 13a, 8번 림프절을 동반 절제하는 추세다. 직접 암침윤이나 림프절 전이가 있을 때 담관 절제 또는 췌두부십이지장절제술 동반 시행을 고려할 수 있겠다.

XIV 간외 담관암

1. 서론

담관암과 담낭암을 포함하는 담관계암biliary tract cancer은 세계적으로 소화기 암의 3% 정도를 차지하며 남자에서 약간 발생율이 높고, 60대에서 가장 많이 발생한다. 담관계암의 전 세계적인 발생율은 높지 않아 미국의 경우 100,000명 당 1-2명이 발병하여 연간 3,500명이 새로이 이환되는 것으로 보고되어 있지만 한국은 Chile, Bolivia, Thailand와 함께 담관계암의 발생율이 높은 국가 중의 하나로 보고되고 있는데, 2002년 암 발생과 사망률 통계 상 새로이 등록된 약 100,000명의 암 환자 중 간외 담관계암은 1.4%를 차지하여 발생율이 10대 암에 들지 않았고, 사망 원인 암 중 10대 사망 원인 암에 들지 않았으나, 2013년 통계를 보면 225,343 명의 새로이 등록된 암 환자 중, 간외 담관계암은 2.3%로 9위를 차지하였으며, 간외 담관계암으로 인한 사망율은 6위를 차지해 발생율보다 훨씬 높게 나타나 간외 담관계암은 한국인의 생명을 위협하는 중요한 암이 되고 있다.

담관암은 발생된 위치에 따라 크게 간내 담관암과 간외 담관암으로 나눌 수 있으며, 간외 담도암은 다시 간문부 담관암, 중위부 담관암, 원위부 담관암으로 분류하기도 하지만, 2차 간관 분지부에서부터 1차 간관 합류부, 총간관에 발생하는 간문부 담관암은 다른 간외 담관암과 비교하여 수술 방법이 크게 다르고, 담낭관 합류부에서 담관이 췌장과 만나는 부위의 담관에 발생하는 중위부 담관암은 임상적으로 원위부 담관에 발생하는 담관암의 진단의 방법이나 수술적인 방법 등이 유사하기 때문에 함께 원위부 담관암으로 분류하기도 한다. 세계적으로 간내 담관암이 증가하는 것으로 보고되고 있으나 간문부 담관암이 일부 간내 담관암에 포함됐기 때문이라는 때문이라는 주장도 있어 발생율은 발생 위치에 따라 간내 담관암과 간문부 담관암과의 정확한 구별이 필요하며, 대개 간 내에 5-10%, 간문부에 50-60%, 원위부에 30-40%가 발생하는 것으로 보고되고 있고 담관을 전반적으로 침범하는 미만성 담관암이 5-10%를 차지하는 것으로 보고 되어 있다. 본고에서도 간외 담관암을 간문부 담관암과 원위부 담관암으로 나누어 수술적 치료 및 성적을 기술하고자 한다.

2. 병인

담관암의 발생과 관련이 있는 질환으로는 primary sclerosing cholangitis, choledochal cyst, 담도 결석으로 인한 담즙 정체, Clonorchis나 만성 typhoid 감염에 의한 담관계 감염이 원인 질환이며, Thorotrast나 nitrosamines 섭취, dioxin 등의 독소도 담관암 발생과 관련이 있는 것으로 알려져 있다.

3. 병리

95% 이상이 선암으로서 육안소견 상 nodular(가장 흔한 형태임), scirrhous, diffusely infiltrating, or papillary type으로 나누어 진다. 전술한 바와 같이 간문부 담관암이 가장 흔하여 50% 이상을 차지하는데 간문부 담관암은 Klatskin tumor라고도 불리우며, 1975년 Bismuth와 Corlette가 담관조영술에 의한 종양의 위치에 따라 1형, 2형, 3a형, 3b형, 4형의 5가지 형태로 분류한 이후 지금은 영상적인 소견뿐만 아니라 수술 소견이나 병리적인 소견에서도 널리 이용되고 있다(그림 3-63). 1형은 총간관에 국한된 경우를 말하고 2형은 2차 분지를 침범하지 않고 합류부에 국한된 경우이고, 3a형과 3b형은 각각 우측 또는 좌측 2차 간관을 침범한 형태이며, 4형은 우측과 좌측 2차 간관을 모두 침범한 형태이다.

4. 임상적 증상 및 진단

담관암은 통증이 없는 황달이 가장 흔한 증상이며, 소양증, 경미한 우상복부 동통, 식욕부진, 피로감, 체중 감소와 같은 증상도 나타날 수 있다. 담관염이 10% 정도의 환자에서 초기 증상으로 나타나는 경우가 있으나, 내시경적 역행성 담관 배액술Endoscopic Retrograde Biliary Drainage (ERBD) 등 담관을 조작manipulation하는 경우에 더 흔히 나타난다. 이학적 소견 상 황달 외에는 특이한 소견이 없는 경우가 많으며, 전혀 증상 없이 건강 진단에서 ALP와 gammaGTP의 상승으로 담관암이 발견될 수도 있다. CEA나 CA 125와 같은 종양표지자는 다른 소화기암이나 부인암에서도 상승하기 때문에 비특이적이다. CA 19-9는 담관암의 진단 방법으로 가장 많이 이용되는 종양표지자로서 혈청 농도가 129U/mL보다 높은 경우 민감도는 79%, 특이도는 98%로 알려져 있다. 그러나 담관염이나 부인암에서도 CA 19-9이 상승되어 있는 경우가 있고, Lewis blood type antigen이 결핍되어 있는 환자(평균 7%)에서는 CA 19-9이 검출되지 않기 때문에 주의를 요한다.

처음에 시행하는 영상 진단 방법으로는 초음파검사를 시행할 수 있는데 병변 자체를 보기는 어렵지만 병변의 근위부에 담관의 확장이 관찰되고, 담관의 결석으로 인한 폐쇄성 황달인 경우에 확진이 될 수도 있다. CT 장비는 최근 큰 발전을 이루어 주 MDCT (Multidetector CT)가 시행되는데, 담관 벽의 비후와 조영 증강이 되는 소견으로 암 병변을 직접 볼 수도 있고, 병변의 범위를 짐작할 수 있다. 또한 주위 혈관의 침습 여부를 파악하기 위하여 예전에는 주로 혈관조영술이 이용되었으나 MDCT의 해상력이 향상되면서 침습적인 검사없이 주위 혈관의 침습 여부를 파악할 수 있게 되었다. 한편, 담관암의 침범 범위를 정확

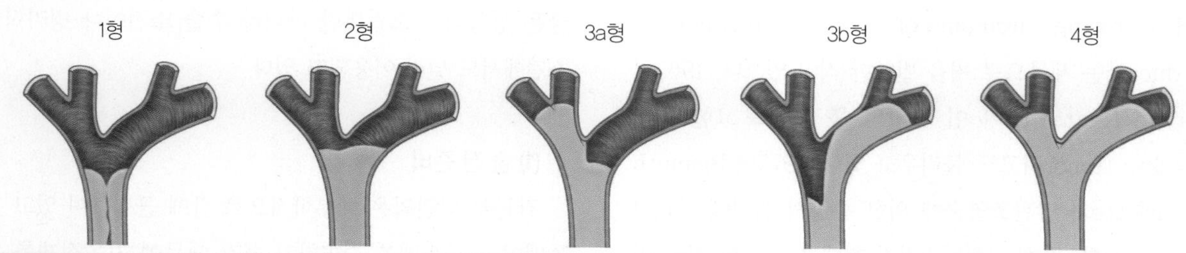

그림 3-63 간문부 담관암의 형태학적 분류

하게 알기 위하여 담관조영술이 이용되기도 하는데 담도 내시경을 통한 내시경적 역행성 담관조영술Endoscopic Retrograde Cholangiography (ERC)이나 경피 경간 담관조영술 Percutaneous Transhepatic Cholargiography (PTC)로 병변의 범위를 파악하여 절제 가능성을 파악하고, 근치적 절제를 위한 수술 방법을 구상할 수 있다. 최근에는 MRI를 이용하여 비침습적으로 담관조영술Magnetic Resonance Cholangio-Pancreatography (MRCP) 을 할 수 있는데 병변 뿐만 아니라 담도의 해부학적 변이를 관찰할 수 있고, 주위 장기의 침범 여부도 알 수 있는 장점이 있다. 경우에 따라 원발성 경화성 담관염primary sclerosing cholangitis 등 양성 질환과 암의 감별이 어려울 때는 FDG PET-CT가 도움을 줄 수 있고, ERCP나 EUS (Endoscopic Ultrasound)를 시행하여 조직 생검이나 세포 검사를 통한 병리학적인 진단을 시도할 수도 있으나 담관암을 진단할 수 있는 민감도가 낮기 때문에 임상적으로 영상학적 소견이나 CA 19-9 상승 소견 등으로 담관암이 강하게 의심된다면 병리학적인 진단 없이 근치적 절제를 위한 수술을 할 수 있다.

5. 수술적 치료

간문부 담관암과 원위부 담관암은 수술적인 방법이 크게 다르고, 이에 따르는 술 전 준비도 많이 다르기 때문에 나누어 기술하기로 한다.

1) 간문부 담관암(표 3-16)

간문부 담관암은 담관의 좌, 우 간관의 합류부에 발생하는 담관암으로 정확한 부위는 총간담관의 기시부로부터 총간담관의 1차 분지에 위치한다. 1957년 Altemeier 등이 sclerosing carcinoma of the major intrahepatic ble duct라는 제목으로 처음 발표한 적이 있으나, 1965년 Gerald Klatskin이 이 질병의 특징을 보고한 이래 Klatskin tumor라고도 불리우고 있다. 1975년 Bismuth와 Corlette가 담관조영술에 의한 종양의 위치에 따라 1형, 2형, 3a형, 3b형, 4형의 5가지 형태로 분류한 이후 지

표 3-16. 간문부 담관암 AJCC 병기(제 7판, 2010)

원발 종양(T)	
TX	종양이 평가될 수 없음
T0	종양의 증거가 없음
Tis	상피 내 국한된 종양
T1	종양이 담관에 국한되어 있으며 근육층이나 섬유조직까지 침범함
T2a	종양이 담관을 넘어 주변 지방조직에 침범함
T2b	종양이 인접한 간실질에 침범함
T3	종양이 간동맥이나 문맥의 일측 분지에 침범함
T4	종양이 주문맥이나 양측 분지에 침범함, 혹은 총간동맥에 침범함; 혹은 양측 담관의 두번째 분지까지 침범함, 혹은 일측 담관의 두번째 분지에 침범하고 반대편의 문맥이나 간동맥 침범함
국소 림프절(N)	
NX	국소 림프절이 평가될 수 없음
N0	국소 림프절 전이가 없음
N1	담낭관, 담관, 간동맥, 문맥주위 림프절 전이가 있음
N2	대동맥, 대정맥, 상장간동맥, 복부 동맥 주위 림프절 전이가 있음
원격 전이(M)	
M0	원격전이가 없음
M1	원격전이가 있음

stage 0	Tis	N0	M0
stage I	T1	N0	M0
stage II	T2a-b	N0	M0
stage IIIA	T3	N0	M0
stage IIIB	T1-3	N1	M0
stage IVA	T4	N0-1	M0
stage IVB	Any T Any T	N2 Any N	M0 M1

금은 영상적인 소견뿐만 아니라 수술 소견이나 병리적인 소견에서도 널리 이용되고 있다.

(1) 술 전 준비

간문부 담관암은 해부학적으로 간에 근접하여 있고 간동맥이나 간문맥을 침범하기 쉽기 때문에 치유절제를 위

하여 대량 간 절제술이 필요하고 이에 따르는 위험도가 문제가 된다. 술 후 유병률은 60-70%에 이르고 있으며, 술 후 사망률은 1-10%로 보고되고 있어서 위험도를 감소시키기 위하여 아직 무작위 전향적인 연구가 없는 상태지만 술 전 간문맥 색전술과 술 전 담관 배액술을 이용하고 있다. 즉, 간문부 담관암의 예후를 향상시키는 치유절제를 위하여 간 절제술을 할 경우, 간문부 담관암 자체의 크기는 크지 않지만 해부학적인 위치 때문에 대량 간 절제술이 필요하여 잔존간의 크기가 작아지고, 더욱이 간 재생에 장애가 될 수 있는 황달 간의 절제를 하는 경우라면 술 후에 간 부전증이 발생할 소지가 많다. 술 전 간문맥 색전술은 잔존간의 크기를 증가시키기 위하여 술 전 2-4주 전에 절제될 간의 간 문맥을 gelfoam이나 coil 등으로 막아서 남을 간세포의 재생을 유발하고, 잔존 간의 부피를 증가시키는 방법으로 1980년대 초반에 일본에서 개발되었으며, 지금은 전세계적으로 널리 이용되고 있다. 술 전 간문맥 색전술의 적응증은 센터마다 차이가 있지만 정상 간의 경우 잔존 간의 용량이 원래 간 용적의 25-30% 이하가 될 예정이라면 간문맥 색전술이 필요한 것으로 인정되고 있다. 술 전 담관 배액술에 대해서도 아직 무작위 전향적인 연구가 없는 상태에서 논란이 많은 상태로 황달 간 절제술이 출혈을 포함한 합병증이 많지만 수술 사망률에는 차이가 없다는 주장이 있고 술 전 담관 배액술을 받은 환자에서 술 후 감염성 합병증이 많기 때문에 가능한 한 술 전 담관 배액술을 피해야 한다는 주장이 있는 반면에, 일본에서는 임상적인 비교 연구는 없지만 실험적인 data를 통하여 술 전 담관 배액술이 술 후 간 재생에 도움이 된다는 결과를 축적하여 황달이 있으면 필수적으로 술 전 담관 배액술을 시행하고 있다. 국내에서는 일본 학자 들의 의견을 옹호하여 대부분의 센터에서 술 전 담관 배액술을 시행하고 있는 실정으로, 술 전 담관 배액술을 시행하여 혈청 bilirubin치가 3mg/dL 이하가 되야 대량 간 절제를 하고 있다. 술 전 담관 배액술의 방법으로는 ERBD와 같은 내부 배액술이나 PTBD나 ENBD와 같은 외부 배액술이 시도되고 있는데, 내부 배액술은 담즙산의 장간 순환enterohepatic circulation of bile acid이 회복되어 여러 가지 장점도 있지만 술 후 감염성 합병증이 많기 때문에 외부 배액술이 선호되고 있는데, 외부 배액술 중 구라파에서는 PTBD가 선호되고 있으나, 최근 일본에서는 PTBD 후에 발생할 수 있는 PTBD tract recurrence를 우려하여 ENBD가 더 좋다는 의견이 활발하게 논의되고 있으나 아직 국내에서는 PTBD가 선호되고 있다.

(2) 수술적 치료 및 예후

간문부 담관암의 수술 방법에 대하여 Klatskin은 배액술만 해도 장기 생존이 가능하다고 하였고, 1970년대에 발표된 간절제술의 결과가 너무 나빴기 때문에 Terblanche 등은 U tube의 이용을 선호하는 발표가 있었지만, 치유절제가 통계학적으로 우월한 생존율을 보이는 것으로 인정되고 있다. 그러나 간문부 담관암은 종적 침윤longitudinal invasion이 흔해서 국소 절제가 용이하지 않고, 간문부 담관은 담관 벽이 얇고, 간문맥과 간동맥이 가장 가까이 인접하고 있어 횡적 침윤radial invasion이 쉽게 발생하여 절제율이 떨어지게 된다. 1980년 대에 들어서야 적극적인 절제술이 보고되기 시작되었고, 1990년 대에 들어 간절제술이 동시에 이루어져야 치유 절제를 할 수 있다는 주장이 설득력을 갖게 되었다. 즉, 간문부 담관암의 절제율은 동반 간절제술을 얼마나 하는가에 따라 달라서 동반 간절제술을 흔히 이용하는 센터의 절제율이 높고 생존율도 높으므로 적극적으로 동반 간절제술을 해야한다는 주장이다. 그러나 동반 간절제술에 따르는 유병률과 사망율의 위험도를 고려하면 국소 절제술을 생각할 수 있는데, 국소 절제술의 경우 완전한 치유의 필수 조건인 절제율 자체가 떨어지고, 절제가 가능한 경우에도 병리학적인 치유절제율이 떨어지기 때문에 간 절제술과 비교하여 불량한 예후를 보이게 된다. 절제가 불가능하거나 치유 절제가 안 되면 예후가 나쁘기 때문에 Sloan-Kettering암센터의 Jarnagin등은 기존 TNM 병기의 T stage보다는 종양의 위치와 범위를 혈관 침범, 혹은 간엽의 위축을 묶어서 T stage를 정하자는 제안을 하여 AJCC 6판에 이들의 의견이 반영되었다. 그러므로 일부 1형을 제외한 간문부 담관암은 동반 간절제가 필수적이라고 할 수 있는데 대량 간 절제술에 따르는 위험도가 문제가 되기 때문에 미리 언급한 바와 같이 필요하다면 술 전 간문맥 색전술과 술 전 담관 배액술을 시행후 수술하게 된다.

수술 방법은 담관암의 종적 침윤을 고려할 때, 절단면에 암 침윤이 없는 치유 절제를 위하여 기본적으로 원위부 방향으로는 췌장과 붙어 있는 부위까지 담관을 가능한 한 많이 곽청한다. 절제연은 필수적으로 동편 절제를 시행하여 암의 침윤이 없는지 확인하고 암 침윤이 있는 경우에는 추가적인 췌십이지장 절제술이 요구될 수 있다. 근위부 쪽으로는 일부 1형을 제외하고는 앞에 언급한 바와 같은 동반 간 절제술을 해야 치유 절제율과 생존율을 올릴 수 있다. 특히 1990년 일본의 Nimura 등은 caudate lobe에서 나오는 담관에 암 침윤이 흔하기 때문에 치유 절제를 위하여 caudate lobe를 꼭 절제해야 한다고 주장한 바 있는데 지금도 이러한 주장이 받아들여지고 있어 간문부 담관암의 절제를 위하여 간 절제를 할 경우에 caudate lobe 절제술을 통상적으로 하고 있다. 간문부 담관암의 횡적 침윤과 임파절 전이를 고려하면 간십이지장 인대 내에 들어 있는 구조물 중 잔존 간을 공급하는 간 동맥과 간문맥을 제외한 임파절, 혈관 주위 신경 조직 등 모든 연부 조직을 제거해야 하는데, 이를 간십이지장 인대의 골격화skeletonization라고도 한다. 이는 담관암은 임파절 전이와 신경주위 조직 침윤이 흔하고, 나쁜 예후인자로 나타나기도 하지만 이러한 경우에도 장기 생존 환자가 있기 때문에 이러한 술 식은 임상적인 의의가 있는 것으로 받아 들여 지고 있으나 곽청의 범위에 대해서는 아직 consensus는 이루어 지지는 않았다.

이렇게 수술을 하였을 때 앞서 언급한 바와 같이 아직 술 후 유병률, 원내 사망률이 높은 실정이지만 절제를 하지 못한 환자나 담관만 절제한 군보다 통계학적으로 확실히 생존율이 향상되어 5년 생존율이 30-40% 정도로 보고되고 있으며, 우삼구역 절제술과 미상엽 절제술을 통하여 치유 절제율을 높였을 때 술 후 50% 이상의 높은 5년 생존율도 보고되어 있다. 그러므로 필요에 따라 술 전 담관 배액술, 간 문맥 색전술을 이용하고, 특히 술 전 배액관의 작동 불량이나 배액이 안 된 담관이 있는 경우에 나타나는 담관염이 있는 경우 유병률과 술 후 사망률이 높아지기 때문에 술 전 담관염을 방지하거나 치료해서 수술을 시행한다면 사망률과 생존율에 있어 더욱 좋은 결과를 보일 것으로 기대된다. 특히 최근에 보고된 담관의 관내 유두상점액종은 절제 후에 예후가 매우 양호하기 때문에 병변의 범위가 아무리 크더라도 적극적으로 절제해야 한다. 간문부담관암 환자에서 최근 술 전 동시 화학방사선 요법을 적용하고 간이식술을 이용하여 좋은 결과를 나타낸 보고가 있었지만 대부분의 학자들은 적극적인 적용에 대해서 아직 더 관찰이 필요한 것으로 여기고 있다.

2) 원위부 담관암(표 3-17)

(1) 수술 전 준비

수술 전 준비로 황달이 있는 경우에 흔히 담관배액술이 시행되고 있는데 오히려 유병률과 사망률을 올린다는 보고도 있고, 최근 시도된 meta-analysis상 술 전 배액술의 유용성이 입증되지 않아, 술전 배액술은 심한 황달 환자나 담관염이 있는 환자에 국한하여 시행되어야 한다는 의견이 많다.

(2) 수술적 치료 및 예후

원위부 담관암의 수술적 치료도 간문부 담관암과 마찬가지로 종적 침윤과 횡적 침윤을 고려하여 치유 절제를 해야 장기적인 생존을 기대할 수 있다. 종적 침윤에 대한 근위부 절제 범위에 대해서는 담관벽을 따라 근위부로 침윤하는 경향이 있으므로 가능한 한 좌우 간관이 만나는 주합류부의 근위부에서 절단하는 것이 바람직하며, 절제연은 필수적으로 동편절제하여 암 침윤이 없는 것을 확인하여야 하며, 유두상 암은 점막의 표재성으로 침윤하는 경우가 흔해서 더욱 주의를 기울여야 한다. 원위부로는 췌장 내 담관까지 절제해야 하기 때문에 췌십이지장절제

표 3-17. 원위부 담관암 AJCC 병기(제 7판, 2010)

원발 종양(T)	
TX	종양이 평가될 수 없음
T0	종양의 증거가 없음
Tis	상피 내 국한된 종양
T1	종양이 조직학적으로 담관에 국한됨
T2	종양이 담관벽을 넘어 침범함
T3	종양이 복강 동맥이나 상장간 동맥의 침범 없이 담낭, 췌장, 십이지장 이나 인접한 주변 기관을 침범함
T4	종양이 복강 동맥이나 상장간 동맥을 침범함
국소 림프절(N)	
NX	국소 림프절이 평가될 수 없음
N0	국소 림프절 전이가 없음
N1	국소 림프절 전이가 있음
원격 전이(M)	
M0	원격전이가 없음
M1	원격전이가 있음

stage 0	Tis	N0	M0
stage I	T1	N0	M0
stage II	T2	N0	M0
stage IIIA	T3	N0	M0
stage IIIB	T1-3	N1	M0
stage IVA	T4	Any N	M0
stage IVB	Any T	Any N	M1

술이 필수적이다. 중위부 담관암의 경우 췌십이지장절제술을 하지 않고 담관만을 절제하여 근치적인 절제를 할 수도 있지만 그 효과에 대해서는 아직 논란이 있다.

횡적 침윤에 대해서는 간문부담관암과 마찬가지로 간십이지장인대의 골격화skeletonization가 필요하여, 임파절, 신경 및 신경 주위 연부 조직의 철저한 곽청을 하고 있는데, 역시 전향적 무작위 비교 연구는 아직 없는 상태지만 임파절 전이 환자나 신경 및 신경 주위 침윤이 있는 환자에서도 장기 생존 환자 있는 만큼 이러한 술식이 임상적으로 의의가 있는 것으로 간주되고 있다. 그러나 임파절 곽청의 범위에 대해서 표준 술식에 비하여 확대 수술의 유용성은 아직 밝혀지지 않은 상태이다.

원위부 담관암에서 표준 술식인 췌십이지장절제술을 할 경우 전형적인 췌십이지장절제술보다는 위의 유문을 보존하는 유문보존 췌십이지장 절제술이 점점 더 많이 시행되고 있으며, 원위부 담관암 환자에서 이러한 술식이 가능한 경우, 즉 절제율은 96%까지 높게 보고되고 있다. 췌십이지장절제술 후에 합병증이 최근 보고에도 30-40%에서 발생하고 있어서 여전히 위험한 술 식으로 되어 있지만, 다행히 수술 후 사망하는 환자는 거의 발생하지 않아 대개 0-3% 정도로 보고하고 있다. 원위부 담관암 환자에서 절제율은 높지만 R0 수술이 가능한 경우에도 5년 생존율은 27-40% 정도로 낮으며, 치유 절제의 유무, 임파절 전이 여부, 암세포 분화도가 의미있는 예후인자이다.

요약

간외 담관암 환자의 치료법으로 절제술이 유일한 방법이기 때문에 필요한 수술 전 처치를 시행하여 수술 사망율을 줄이고 장기 생존을 위하여 필수적으로 병리학적인 치유 절제를 해야 한다. 치유 절제 후에도 예후가 양호하지 않기 때문에 보조적인 치료에 대한 연구가 필요하다고 사료된다.

XV 팽대부암

팽대부ampulla of vater는 담관과 췌관이 합류하면서 십이지장과 만나는 부분이며 담즙, 췌액 및 십이지장액 등의 서로 다른 성질의 체액이 서로 접하고 섞이는 부분이다. 팽대부는 그 크기가 작지만, 해부학적 및 생리학적으로 매우 복잡한 구조와 기능을 가지고 있으며 상대적으로 종양의 발생빈도가 매우 높다. 하지만 임상적 및 병리학적으로 췌두부 및 원위담관에서 기시한 암 및 십이지장 제2부에서 기시하여 팽대부를 침윤한 암과 감별이 매우 어렵다. 팽대부암을 다른 팽대부주위암과 감별하는 것은 매우 중요한데, 이는 치료법은 유사하지만 종양의 생물학적 특성, 예후, 생존률에서 많은 차이를 보이기 때문이다. 팽대부암은 특수한 해부학적 구조로 인하여 다른 팽대부 주위암들에 비해 초기에 증상이 발현되어 수술적 절제가 가능한 경우가 많으며, 다른 팽대부 주위암들에 비하여 양호한 예후를 보인다.

1. 빈도

전체 소화기 종양 중에서 팽대부암의 발생률은 0.2% 정도로 상대적으로 드문 종양이나, 팽대부 주위에서 발생하는 종양의 7–30% 정도를 차지하며 팽대부 주위에서 발생하는 종양 중 두번째로 흔한 것으로 알려져 있다. 우리나라에서도 팽대부암이 팽대부 주위암 중 상당히 많은 부분을 차지하며, 췌십이지장 절제술을 시행한 환자중에서 팽대부암이 33–36.3% 정도로 보고되고 있다. 남녀에서 발생빈도의 차이는 없고, 50대와 60대에서 가장 많은 빈도를 보인다.

2. 원인과 병리

팽대부암과 관련된 위험인자로는 공통관내 상피이형성 정도, 팽대부 주위 선종, 가족성 선종성 용종증Familial Adenomatous Polyposis (FAP) 등이 있다. 병리학적으로 볼 때 대부분이 선암이나, 선종–암종 이행에 의해서 발생하는 경우가 흔하므로 팽대부 선종일지라도 전암병변으로 간주하여야 한다.

팽대부암은 조직학적으로 대부분 점막 상피세포에서 기원하는 선암이다. 팽대부는 췌담관상피가 팽대부주위 십이지장의 장형상피로 변화하는 장소이므로 팽대부암은 장형intestinal type과 췌담관형pancreatobiliary type의 형태를 모두 나타낼 수 있는데, 장형은 긴 관상형의 선gland 구조와 복잡한 체모양cribriform부위, 그리고 고형의 둥지nest 등으로 구성되어 있어서 결직장암과 비슷한 형태를 보인다. 한편 췌담관형은 결합조직형성desmoplastic 기질로 둘러싸인 비교적 단순한 형태의 선구조와 소수의 고형 둥지 세포들로 구성되어 있어 서로 차이를 나타내고 있다. 이들 두가지 형태 중 종양세포가 어느 부위의 정상세포를 닮았는지에 따라 장형과 췌담관형으로 분류하는데, 여러 연구에서 장형이 췌담관형보다 예후가 양호한 것으로 보고되고 있다. 선구조를 만드는 정도에 따라 고분화형 선암well differentiated adenocarcinoma, 중분화형 선암moderately differentiated adenocarcinoma, 저분화형 선암poorly differentiated adenocarcinoma으로 분류한다.

팽대부암의 육안적 형태는 몇 가지로 나누어 볼 수 있으며(그림 3-64), 궤양을 형성하는 경우나 용종을 형성하는 경우, 또는 혼합된 경우 등이 있다. 특히 궤양형의 팽대부암에서 진행암이 빈번하다(표 3-18).

3. 임상증상 및 진단

1) 임상증상

팽대부암에서 가장 흔히 나타나는 증상은 황달, 발열 및 상복부동통이며, 뒤이어 전신쇠약, 체중감소, 식욕부진과 요통이 나타난다. 팽대부암의 가장 대표적인 증상은 황달이며, 이미 진단 당시에 72–90%의 환자가 황달소견을 보인다. 황달은 점차 진행되는 경향을 보이지만, 8–16%에서는 종양의 괴사와 탈락에 의해 일과성 혹은 간헐적으로 나타나기도 하는데, 이러한 황달의 악화와 호전

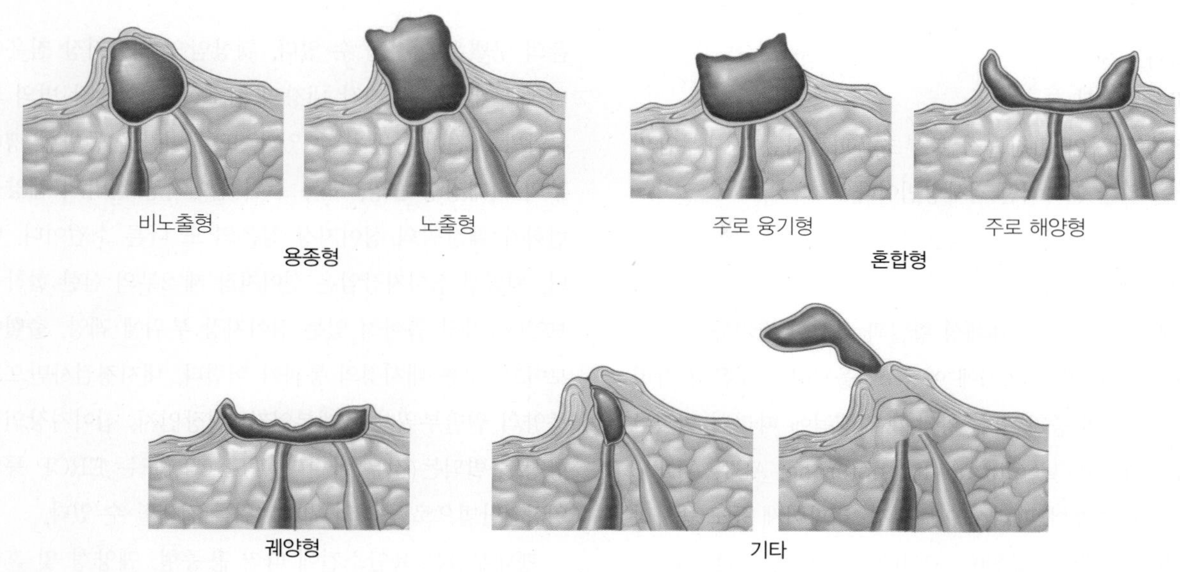

그림 3-64 팽대부암의 육안적 형태

표 3-18. 팽대부암의 AJCC 병기(제7판, 2010)

Primary Tumor (T)			
T0	No evidence of primary tumor		
Tis	Carcinoma in situ		
T1	Tumor limited to ampulla of Vater or sphincter of Oddi		
T2	Tumor invades duodenal wall		
T3	Tumor invades pancreas		
T4	Tumor invades peripancreatic soft tissues or other adjacent organs or structures other than pancreas		
Regional Lymph Nodes (N)			
N0	No regional lymph node metastasis		
N1	Regional lymph node metastasis		
Distant Metastasis (M)			
M0	No distant metastasis		
M1	Distant metastasis		
Anatomic Stage / Prognostic Groups			
0	Tis	N0	M0
IA	T1	N0	M0
IB	T2	N0	M0
IIA	T3	N0	M0
IIB	T1-3	N1	M0
III	T4	Any N	M0
IV	Any T	Any N	M1

이 반복되는 소견은 팽대부암환자에서 비교적 특징적인 증상으로 알려져 있다. 조기 병변인 경우에는 황달이 없이 소양감을 호소하기도 한다. 발열은 44%에서, 상복부 동통은 45%에서 볼 수 있다.

팽대부암의 삼대 주징후로는 간헐적인 무통성 황달, 상부위장관 출혈소견을 동반하지 않는 빈혈, 압통이 없는 담낭종대 등이 알려져 있으나 이런 삼대징후가 모두 발견되는 경우는 드물다. 신체검진에서는 공막 및 피부의 황달소견, 간종대를 동반한 동통이 없는 담낭종대Couvosier's sign, 대변잠혈 검사 양성 등의 소견을 보인다.

담낭 또는 담관 결석은 약 16-32%에서 동반될 수 있으며, 팽대부암 치료를 위한 개복 시에 우연히 발견되거나 간과하는 경우에는 종양이 진행되어 증상이 나타나는 경우도 있다. 따라서 담낭 또는 담관 결석이 있는 환자가 수술 전 검사에서 빈혈, 대변잠혈반응 양성, 체중감소 등이 있으면 수술 전 반드시 담도내시경을 시행해야 한다.

팽대부암은 증상이 없는 경우에도 복부초음파에서 담관 혹은 췌관확장소견을 단서로 진단되거나 다른 질환의 검사중 우연히 발견되는 경우도 있으며, 췌장염 검사중에 진단되는 경우도 있다.

2) 검사소견

(1) 일차검사

혈액 검사와 비침습적 복부초음파검사는 팽대부암의 진단을 위한 일차적인 검사방법이다.

가. 혈액검사

대부분의 환자는 폐쇄성 황달과 유사한 간기능장애 소견을 보이며, 가장 초기에 이상소견을보이는 것은 알카리 포스파타제의 증가이다. 황달이 진행됨에 따라서 빌리루빈이 증가하고, g-glutamyltransferase, AST, ALT도 증가한다. 경우에 따라서 아밀라제, 리파아제 등도 증가할 수 있다. 암태아성항원(CEA)이나 CA19-9, CA125와 같은 종양표지자가 증가하기도 하지만 특이적인 종양표지자는 없으며, 종양표지자만을 이용한 조기진단은 어렵다.

나. 복부초음파검사

팽대부암이 의심되는 경우 가장 먼저 고려하여 할 진단적 영상검사는 복부초음파이다. 이를 통해 간내담관의 확장소견을 확인할 수 있고, 폐쇄부위를 평가할 수 있다. 그러나 팽대부암 자체를 초음파검사로 확인하기는 어렵다.

(2) 이차검사

팽대부암의 진단을 위한 이차검사로는 조직검사, EUS/ IDUS를 포함한 내시경검사, CT, MRI 등이 있다.

가. 내시경적 검사

십이지장 팽대부 병변의 진단을 위한 가장 중요한 진단법은 내시경 검사이다. 팽대부암과 팽대부 주위암 중 다른 종류의 암을 내시경 소견만으로 감별하기 어려운 경우가 있다. 유두의 종대 소견이 있고 불규칙한 과립상 점막이나 미란 또는 궤양을 동반한 결절상의 십이지장 점막변화를 보이는 경우 내시경 검사에서 팽대부암을 시사한다. 일반적으로 췌장암의 침윤은 십이지장 팽대부에만 국한되어 나타나는 경우는 드물고 통상 주변 십이지장 점막도 침범한다. 특히 궤양형 팽대부암과 췌장암의 십이지장 침윤의 구별은 어려울 수 있다. 췌장암의 십이지장 침윤예의 대부분은 십이지장 내강의 협소화, 십이지장 벽의 외부압박 소견이 동반될 수 있다. 또한 미란을 동반한 팽대부의 비대칭성 종양, 또는 주위 십이지장 점막의 궤양성 변화가 췌장암의 십이지장 침윤의 또 다른 소견이다. 반면, 원발성 십이지장암은 십이지장 제 2부의 심한 협착을 보인다. 가장 좁아져 있는 십이지장 부위에 궤양, 출혈이 보이고, 보통 내시경의 통과가 어렵다. 내시경검사만으로 종양의 원발부위가 팽대부인지, 췌장인지, 십이지장인지 항상 구별되는 것은 아니다. US, CT, 또는 ERCP 등의 영상진단법으로 종양의 원발부위를 검색할 수 있다.

팽대부암은 육안소견에 따라 용종형, 궤양형 및 혼합형으로 나눌 수 있고, 용종형은 다시 노출형과 비노출형으로 구분된다. 노출형은 보통 sessile하며 내시경 검사로 쉽게 발견할 수 있다. 종양이 2cm 이내로 작고, 평활하며, 궤양형성이 없는 경우 양성병변에 합당하고, 3cm 이상의 종괴를 보이며 침윤형 또는 궤양형 혹은 궤양침윤형의 경우 악성병변에 해당하는 소견이라고 볼 수 있다. 비노출형의 팽대부암이 내시경 검사로 진단하기 가장 어려운 경우인데, 이 경우 팽대부의 구조에는 통상 영향을 주지 않고 infundibulum이 돌출되어 보이는 경우가 흔하므로, 이는 종양성 벽재병변을 의심할 수 있는 소견이다. 궤양형의 팽대부암인 경우 궤양 기저부에 덩어리가 보이고, 불규칙한 경계를 보인다. 궤양의 변연에서 겸자 생검을 하는 경우 악성유무를 진단할 수 있다.

팽대부 표면의 결절상, friability의 증가, 내시경 검사 시 자발적인 출혈경향을 보이는 경우 악성을 시사한다. 또한 병변이 견고하고 점막하 주입시 병변이 융기되지 않는 경우 non-lifting도 악성을 시사한다. Methylene blue나 indigocarmine 염색으로 과립상 점막과 정상 점막의 대조를 보일 수 있고, 암과 선종의 구별에도 도움이 될 수 있다. 병변의 크기와 악성변화 사이에 명확한 연관성은 없다. 통상의 검사 생검이 선종의 전반적인 상태를 반영하기는 어려우므로 솔세포진 검사, 유두괄약근 절개술 후의 생검, 큰 겸자 생검, 올가미를 이용한 절제 등 좀 더 관혈적인 조직 표본 획득 방법이 필요하기도 하다. 가족성 용종증과 가드너 증후군Gardner's syndrome 환자에서는 팽대부 융모선종villous adenoma의 빈도가 높아지므로, 육안적으로 팽대부가 정상소견을 보이더라도 점막의 선종성 변화가 흔하기 때문에 조직생검을 시행하여야 한다.

EUS와 IDUS는 팽대부암에서 국소침윤의 정도를 평가하는데 유용하다. 근육층 이상으로 진행되었는지를 알 수 있고, 암이 의심되는 경우 팽대부 주위 림프절의 평가도 가능하며 혈관 침윤여부도 평가할 수 있다. 팽대부암의 병기 결정에서 EUS가 CT, MRI, US에 비해 우수하며 IDUS가 가장 정확한 영상진단법이라는 보고도 있으나, 모든 환자에서 EUS를 시행해야 하는가에 대한 견해에는 차이가 있다. 1cm 이내이거나 악성 소견이 없는 경우 내시경 절제 전에 검사는 필요치 않다는 견해도 있다. 내시경 절제전에 담관 및 췌관 조영은 팽대부암의 진전도 평가를 위해 시행한다.

나. 영상의학적 검사

팽대부 주위암의 종류에 따라 예후에 많은 차이가 있음에도 불구하고 영상의학적 방법으로 평가하는 데에는 어려움이 많다. 그 이유는 팽대부의 크기가 작고, 그 구조가 복잡할 뿐만 아니라 원위담관과 원위췌관이 추적이 가능할 만큼의 액체성분을 지니고 있지 않기 때문이다. 또한 오디 괄약근의 수축도 진단을 어렵게 한다. 지금까지 보고에 의하면 dynamic phase를 포함한 MR과 MRCP를 함께 진단에 이용하는 것이 팽대부 주위암을 감별하는데 제일 유용한 것으로 알려져 있다. 또한 MRI with MRCP가 팽대부주위암이 의심될 때 CT보다 양성/악성의 감별에 더 우수한 것으로 알려져 있는데, 이는 MRCP는 CT가 제공하기 어려운 원위담관 및 췌관의 해부학적 구조에 대한 정보를 제공해 줄 수 있기 때문이다.

절제가능성을 평가하는데 가장 유용한 것으로 알려져 있는 검사방법은 CT이다. 절제가능성을 평가하는데 약 86–93%의 정확도를 보이지만 혈행성 전이와 림프절 전이의 평가에는 다소 부족함이 있다. 혈관침범에 있어서는 MDCT의 개발로 multiplanar reformation를 사용한 3차원 영상을 통해 종양, 담관, 혈관 사이의 해부학적 관계를 명확히 파악할 수 있어 진단에 도움이 된다.

혈행성 전이 중 간전이를 정확하게 평가하는 것이 매우 중요하다. CT는 작은 간전이를 잘 보여주지 못하지만, 최근들어 superparamagnetic iron oxide (SPIO) 조영 MR이 작은 간전이의 진단에 매우 우수한 성적을 보여주고 있으며, 간전이를 진단하는데 약 81–98%의 진단적 정확도를 보인다. 최근 diffusion imaging도 간전이를 진단하는 데 있어 SPIO-조영 MRI를 능가하는 우수한 성적을 보이는 것으로 보고되고 있다.

단경이 1cm 이상일 때 보통 비정상 림프절로 진단하게 되며 CT를 통한 림프절 전이의 진단율은 38–65%이다. 팽대부주위암에서 주로 평가하게 되는 림프절은 portocaval lymph nodes와 common hepatic nodes가 속한다. Common hepatic nodes가 단경 1cm 이상일 때 수술가능여부와 밀접한 연관성이 있었으며, 절제가능성이 낮고 생존률이 낮다는 보고도 있다.

원격전이가 없는 경우 절제가능성을 결정하는 가장 큰 요인은 혈관침범여부이다. 그러나 팽대부암에서는 다른 팽대부주위암과는 달리 혈관침범의 빈도가 높지 않으므로, 동맥주행의 변이여부 확인에 더 유용하다고 할 수 있다.

4. 치료

팽대부 종양의 대부분은 선암이나 팽대부 선종일 가능성도 적지 않다. 그러나 팽대부암은 선종-암종 이행에 의해서 발생하는 경우가 흔하므로, 팽대부 선종일지라도 전암병변으로 간주하여 수술적 절제를 시행하여야 한다. 팽대부암에서의 표준 술식은 유문보존 췌십이지장 절제술이며, 술기의 발달과 수술 전·후 치료의 발전으로 그 결과가 향상되었다. 병리학적인 관점에서 팽대부암이 오디 괄약근내에 국한되어 있을 경우 림프절 전이의 비율이 낮다는 보고가 있으며, 이러한 경우 팽대부암에 대한 근치적 절제술로 다양한 제한적 술식이 시도되고 있다. 그러나 췌십이지장 절제술과 이들 제한적 술식을 전향적으로 비교한 연구결과가 없고, 제한적 술식을 보고한 대부분의 연구들이 불량한 전신상태의 환자를 대상으로 하고 있어 치료결과에 대한 정확한 비교판단은 어렵다.

1) 내시경적 치료

팽대부암에 대한 내시경적 팽대부절제술은 장기 기능 보존적 측면에서 가장 우수할 뿐만 아니라 전신마취가 필요없다는 장점이 있다. 하지만, 선종으로 진단된 경우에도 암을 포함하고 있는 경우가 35-60%로 보고되고 있고 팽대부암 환자의 내시경적 조직 검사의 위음성률도 25-60%로 보고되고 있어, 근치적 치료로서의 내시경적 절제술이 가지는 의미는 극히 제한적이다. 따라서 수술을 거부하거나, 수술 자체가 위험부담이 크고 고령인 환자에서나, 수술 전 검사로 선종이 강력히 의심되는 경우, 크기가 작은 종양에 고려해 볼 수 있겠다.

2) 수술적 치료

(1) 제한적 술식

팽대부암에 대한 표준술식은 유문보존 췌십이지장 절제술이지만, 1899년 Halsted에 의해 고안된 경십이지장 팽대부절제술은 국소적으로 팽대부를 완전히 제거함으로써 가장 효과적인 치료의 가능성을 가지고 있다. 이후 경십이지장 팽대부절제술을 포함하여 췌장보존십이지장 절제술, 췌두십이지장 2부 절제술 등이 시도되었으나, 이러한 제한적 술식은 치료의 결과가 동일하고, 합병증 및 사망률이 표준술식보다 높지 않으며, 수술 전 혹은 수술 중 진단의 정확도가 보장되어야 하고, 수술 후 빠른 회복과 기능적 보존을 통한 삶의 질 향상 등의 조건을 만족시킬 때 그 의의가 있을 것이다. 그러나 높은 재발률로 인해 팽대부암의 치료법으로는 인정되지 않고, 팽대부 선종 혹은 췌십이지장 절제술이 불가능한 고위험군의 환자에서 제한적으로 시행되어 왔다. 최근 초기 팽대부암에서 제한적 술식의 유용성이 보고되고는 있으나, 아직까지 많은 논란이 있다.

(2) 표준술식

팽대부암의 표준수술법은 유문보존 췌십이지장 절제술이다. 전통적인 췌십이지장 절제술과 비교하여 합병증 및 사망률, 생존률의 차이가 없음이 밝혀짐으로써, 유문보존 췌십이지장 절제술이 팽대부암의 표준술식으로 인정받고 있다. 최근 유문보존 췌십이지장 절제술과 여타의 임상결과는 동일하면서 위배출지연 발생률 및 비위관 삽관기간에서 양호한 결과를 보이는 subtotal stomach preserving pancreaticoduodenectomy (SSPPD)와 같은 수술법이 보고되기도 하였다.

개복 후 먼저 종양의 침범 범위와 주위 장기 및 원격전이여부 및 절제가능성을 확인한다. 절제가능하다고 판단되면 Kocher maneuver를 시행하여 후복막으로부터 십이지장과 췌두부를 박리하고, 촉지를 통해 팽대부의 종괴를 확인한다. 수술 전에 조직검사가 시행되지 않았거나 확진이 필요한 경우, 십이지장에 절개를 가하고 조직검사를 시행할 수도 있다.

팽대부암의 림프절 전이는 35-70% 정도에서 보고되며 주로 12, 13, 14, 17번 림프절 전이가 발견된다. 팽대부암이 진행하면서 림프절 전이는 13번에서 시작하여 14번과 16번 등으로 확대되는 것으로 생각할 수 있다. 림프절 절제는 총간동맥주위, 복강동맥의 우측, 상장간막동맥의 우측을 완전히 포함하는 것이 추천되며, 대동맥주위림프절도 절제하여 좀더 확실한 국소치료와 함께 병기결정을 시도할 수 있다. 고도로 진행되지 않은 경우 간십이지장간막내 신경조직절제는 생략 가능하겠고, 14번 림프절전이가 진행되지 않은 경우에는 상장간막동맥 주위 신경조직 절제는 생략 가능하다.

(3) 수술 후 보조요법

절제불가능하거나 절제 후 재발한 환자에서는 고식적 항암화학요법 및 방사선요법이 필요하다. 그러나 근치적 절제 후의 표준적인 항암화학요법과 방사선요법은 확립되지 않은 상태인데, 이는 최근까지도 효과적인 약물이 없었고 발생빈도가 낮아 임상연구가 활발히 진행되지 못하였기 때문이다.

수술 후 항암화학요법은 팽대부암에 대한 근치적 절제가 시행되었고 환자의 전신상태가 양호한 경우에서 권장되나, 기존의 5-FU 단독 혹은 병용투여, gemcitabine 단독 혹은 병용투여, S-1 단독 혹은 병용투여 등의 방법 중에서 특별히 권장되는 요법은 아직 없다.

절제불가능한 경우 및 비치유수술이 시행된 환자의 경우 gemcitabine을 기본으로 하는 고식적 항암화학요법과 방사선요법이 권장된다.

5. 예후

팽대부암은 췌두부암 등 다른 팽대부 주위암과는 달리 근치적 절제가 가능한 경우가 많고, 근치적 절제술을 시행한 경우 5년 생존률은 32-66.7% 정도로 치료성적이 양호한 것으로 보고되고 있다.

팽대부암의 근치적 절제술 후 예후인자로는 종양의 크기, 종양의 침윤정도, 림프절 전이, 조직학적 분화도, 절제연의 확보, 종양의 육안적 형태, 신경침윤, 림프관 암침윤, 수술 중 수혈여부 등이 있으며 이중 림프절 전이가 가장 중요한 예후인자로 알려져 있다. 팽대부암의 재발양상의 대부분은 간과 복강내 림프절 및 후복막의 재발이며, 복강내 재발이 없는 원격 전이는 드물다.

요약

팽대부암은 소화기암 중 0.2% 정도로 드문 종양이지만 췌십이지장 절제술을 시행한 환자 중에는 33% 정도를 차지한다. 팽대부암은 선종-암종 이행에 의하여 발생하는 경우가 많아 팽대부 선종 일지라도 전암병변으로 간주하여 절제술이 필요하다. 선종으로 진단된 경우에도 암을 포함하는 경우가 35-50%로 보고되고 있어 근치적 치료로서 내시경적 절제술이 가지는 의미는 제한적이다. 제한적 술식이 시행될 수 있으나 제한적으로 시행될 수 있고 표준술식도 유문보존 췌십이지장 절제술이다. 술후 보조요법의 효과는 아직 확립되어 있지 않고, 근치적 절제 후 5년 생존률은 32-66.7% 정도로 양호한 편이다. 임파절 전이 여부는 가장 중요한 예후인자이다.

XVI 췌장의 해부와 생리

후복막에 위치하는 췌장은 해부학자이며 외과의인 Herophilus(335-280 B.C.)에 의해 처음으로 기술된 이래, 수백 년 후 Ruphos (100 AD경)에 의해 그리스어인 pan (whole, 모두), kreas (flesh, 고기)로 명명 되었다. 이는 췌장에는 연골이나 뼈가 없는 이유에서 붙여진 것으로 생각된다.

췌장의 주췌관main duct은 1642년 Wirsung에 의해 기술 되었고, Vater씨 팽대부ampulla of Vater (이하 팽대부)는 1720년 Vater에 의해 총담관과 연결되는 지점 에서 관이 넓어지고 유두papilla처럼 십이지장내로 돌출된 구조로 처음으로 묘사되었다. 1734년 Santorini는 부췌관accessory pancreatic duct에 대하여 기술하였다.

췌장은 위장관계의 일부분으로 95% 이상은 소화효소를 생산하여 췌관을 통하여 십이지장으로 분비하는 외분비 기능을 담당하고 있고, 2% 정도는 췌도islet로 구성되어 신체 에너지 대사 및 저장을 조절하는 호르몬(insulin, glucagon, somatostatin, pancreatic polypetide 등)을 혈중으로 분비하는 내분비 기능을 담당하고 있다. 또한 해부학적으로는 위의 후방에 위치하며 십이지장과 하부담도와 연결되어있고, 주변으로 복강동맥 및 분지와 문맥과 근접하여 있어, 수술적 절제를 위해서는 해부학적 구조에 대한 정확한 인지가 필요하다.

췌장 및 주변 장기의 해부학적 변이는 발생과정에서 이루어지기 때문에 췌장질환의 병태생리를 파악하고 안전한 수술적 처치를 위해 본 장에서 췌장의 외과적 처치에 필요한 발생 및 해부학적 특징을 알아보고자 한다.

1. 췌장의 발생

간담췌 기관의 발생과정은 혈관의 선택과 퇴화와 동시에 일어나는 회전과 고정 등 매우 복잡한 과정을 거친다. 췌장의 선천적 이상과 변이를 알기 위해서는 회전과 고정에 대한 발생학적 이해가 필요하다. 또한 췌담관의 합류 이상은 간담췌계의 여러 질환과의 연관성 때문에 정상적인 합류형태와 변이를 이해하는 것이 필수적이다.

1) 기관 발생

임신 4주에 십이지장에서 내배싹endodermal bud이 발생한다. 간결주머니hepatic diverticulum는 간, 담낭 및 담관의 원기이고, 배쪽췌장싹ventral pancreatic bud은 췌두부의 원기가 되며, 등쪽췌장싹dorsal pancreatic bud은 체부와 미부의 원기가 된다. 임신 32일째 간결주머니에서 배쪽췌장싹이 발달하고 구상돌기와 췌두부로 발달한다. 십이지장에서 발달한 등쪽췌장싹은 복부를 가로지르면서 확장 발달되면서 문맥과 장간막혈관 앞에 놓이게 되고 췌장의 체부와 미부로 발달한다(그림 3-65).

태생 5주말에서 6주초에 십이지장의 상피세포 증식이 좌측벽에만 국한되어 일어나게 되어 십이지장이 90° 오른쪽으로 회전하여 C자 모양이 되면 배쪽췌싹과 원위부 담관은 십이지장 뒤 시계방향으로 회전하게 되고, 최종적으로는 배쪽췌싹은 등쪽췌싹의 바로 아래 및 약간 뒤에 위치하게 된다. 태생 8주째에 두 췌장싹의 실질이 융합되고 주췌관 및 부췌관과 실질조직이 합쳐지면서 다양한 변이가 일어나고(그림 3-66), 태생 8-10주째에 췌장이 십이지장에 함입involution하게 되어, 췌장과 십이지장의 3/4이 후복막에 위치하게 된다.

주췌관duct of Wirsung은 직경이 2-3mm 정도로 주로 배쪽췌에 의해 형성되고, 부췌관duct of Santorini은 등쪽췌에 의해 형성되고 몸쪽 부위가 좁아져 가늘게 된다. 60% 정도에서 주·부췌관이 합쳐져서 담관과 함께 주유두major duodenal papilla를 통하여 십이지장으로 들어간다. 30% 정도에서는 부췌관이 폐쇄되어 소맹관blind accessory duct이 되고, 10% 정도에서 부췌관이 존재하여 부유두minor duodenal paiplla를 통하여 십이지장으로 들어가게 되는데 팽대부 상방 2cm 정도에 위치한다. 담도계는 태생 6주까지는 폐쇄상태solid stage로 있다가 재개통recanalization이 담관 하부에서 간 쪽을 향하여 시작되어 태생 10주경에 담관 전체의 재개통이 이루어지고, 담관과 췌관 합류부에서 괄약근 형성과 격벽 형성이 시작되어 Oddi괄약근이 완성된다.

2) 조직학

성숙한 췌장은 랑게르한스소도Langerhans islet로 구성된 내분비기관과 샘꽈리acinar와 관ductal세포로 이루어진 외분비기관으로 구성된다. 덩굴 줄기에 붙은 포도송이처럼 무리를 이루고 있기 때문에 명명된 샘꽈리 세포는 중앙에 위치한 샘꽈리 공간으로 분비물을 배출한다. 이는 소췌관을 통하여 주췌장관과 연결된다. 췌장세포 대부분은 샘꽈리세포이고, 관세포는 췌장실질의 5%에 불과하다.

조직학적으로 샘꽈리세포는 세포질세망endoplasmic reliculum과 호산성 효소원 입자eosinophilic zymogen granules를 풍부하게 가지고 있다. 주췌장관을 덮고 있는 세포는 높은 원주세포들이고 많은 점액입자를 포함한다. 큰 관에서 작은 소엽내intralobular 및 소엽사이interlobular 관

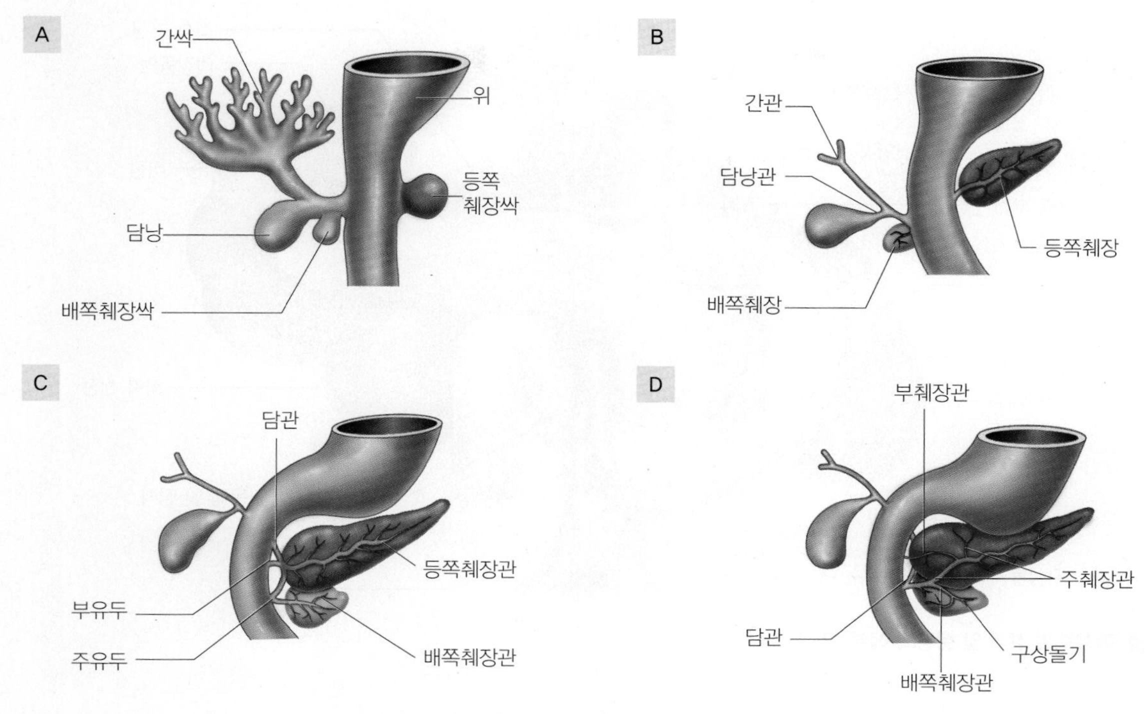

그림 3-65 췌장기관의 발생. A) 태생 30일, B) 태생 35일: 십이지장의 C-loop 형성 및 회전, C) 태생 6주-7주: 췌장싹들의 실질이 융합시작, D) 태생 8주 이후(modified from Sadler TW. Lantgman's Medical Embryology)

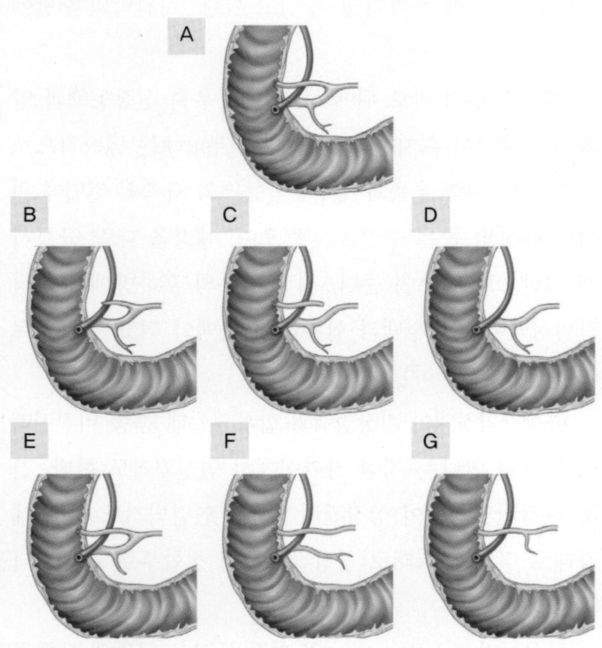

그림 3-66 췌장관의 정상변이. A) 정상 췌장관의 형태, B-D) 부췌장관의 퇴화, E-G) 주체장관의 퇴화, F) 분할췌장, G) 주췌장관의 완전퇴화)

으로 진행하면서 내층의 세포는 점점 편평해지고, 입방형태로 되면서 점액입자는 보이지 않게 된다. 관과 샘꽈리의 접합부에 있는 중심샘꽈리centroacinar 세포들은 크기와 모양이 샘꽈리 세포와 비슷하지만 효소원 입자는 많지 않다.

3) 세포분화

췌장싹을 구성하는 세포는 균일하고 원시장관primitive gut의 다른 내배엽 세포들과 구분 할 수 없다. 이런 내배엽 세포들은 미분화 전구체에서 소도committed islet와 외분비 세포 전구체로 분화하고 그 다음에는 샘꽈리 세포와 관세포로 점진적인 변화를 하게 된다.

2. 췌장의 해부

복부의 중앙에 깊이 위치하는 췌장은 수많은 주요 구

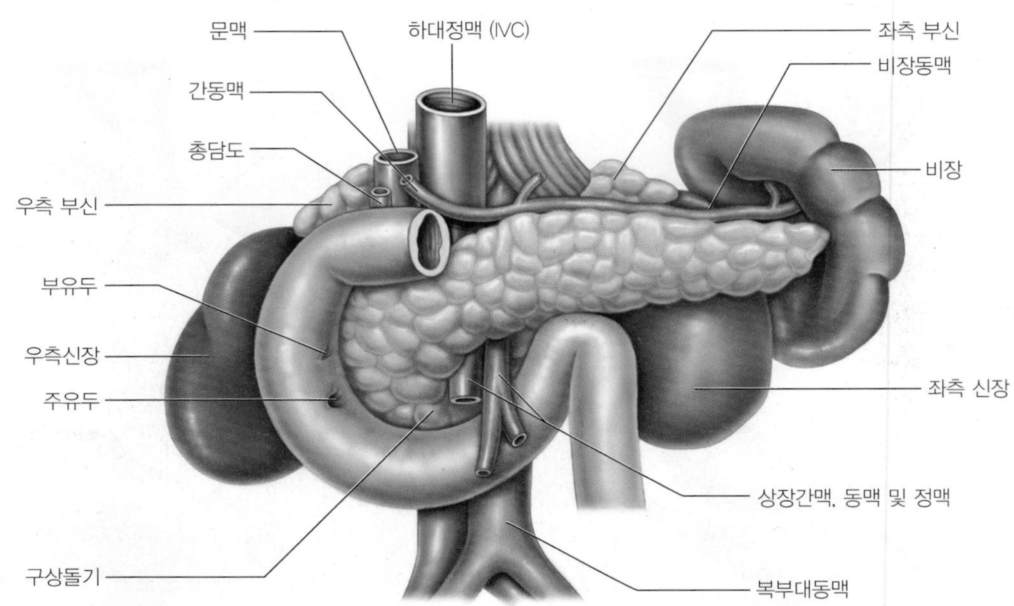

그림 3-67 **췌장주위 장기 및 췌장의 해부학적 위치**

조물과 혈관들에 의해 둘러 싸여져 있어, 췌장에 손상이 발생하면 췌장 효소의 유출을 일으켜 생명을 위협하는 췌장염을 유발할 수 있다. 이에 외과의는 췌장의 독특한 해부학적 특성과 주변구조물과의 관계를 숙지하는 것이 필요하고 인접 장기를 수술할 때에도 인접한 췌장에 손상이 일어나지 않도록 주의하여야 한다.

1) 육안 해부학

췌장은 위와 소장의 후방에 위치하고, 십이지장의 C-loop에서 비장문splenic hilum에 이르기까지 J-형태로 비스듬히 존재하는 후복막 장기이다. 췌장은 하대정맥, 대동맥, 비장정맥과 좌측 부신의 전방에 위치한다. 성인에서 췌장의 무게는 75-125g이고, 길이는 10-20cm 정도로 12번 흉추부터 1번 요추사이에 위치하게 된다. 췌장이 복강 내에 깊이 위치하고, 후복막에 싸여 있기 때문에 췌장의 병변은 종종 위치를 명확히 기술하기 어려운 경우가 있다. 담도 폐쇄가 없는 췌장암은 모호한 상복부 불편감만 있다가 늦게 진단되거나 특별한 선행 증상이 없이 갑자기 진단되기도 하고, 후복막에 존재하기 때문에 종종 암종과 통증이 등쪽으로 파급되는 경향이 있다.

(1) 췌장의 부위

췌장 내 병변의 위치는 보통 네 구역(두부, 경부, 체부와 미부)으로 나누어 표현한다. 췌장의 두부head는 십이지장의 C-loop에 가까이 놓여 있고 횡행결장간막의 후방에 위치한다.

췌장 두부의 바로 뒤에 하대정맥, 우측 신장동맥과 양쪽 신장정맥이 위치한다. 췌장의 경부neck는 일반적으로 상장간막정맥의 우측과 상장간막동맥의 좌측의 전면에 위치한 췌장의 좁은 구역을 일컬으며, 췌장을 대략 균등하게 절반으로 나누어 준다. 췌장 경부의 후하방에서 상장간막정맥이 비장정맥과 합류하여 문맥이 되고 간문으로 이어진다(그림 3-67).

하장간막정맥이 비장정맥과 합류되는데 종종 비장정맥이 문맥과 만나는 지점 가까이에서 연결되기도 한다. 간혹 하장간막정맥이 상장간막정맥과 연결되기도 하고 세 갈래로 갈라진 형태로 상장간막문맥 접합부로 합류된다(그림 3-68).

구상돌기uncinate process와 췌장 두부는 문맥의 오른쪽을 둘러싸고, 상장간막정맥과 상장간막동맥으로 이루어진 공간의 후방에서 끝난다. 췌장 경부는 이 혈관 앞에 위치

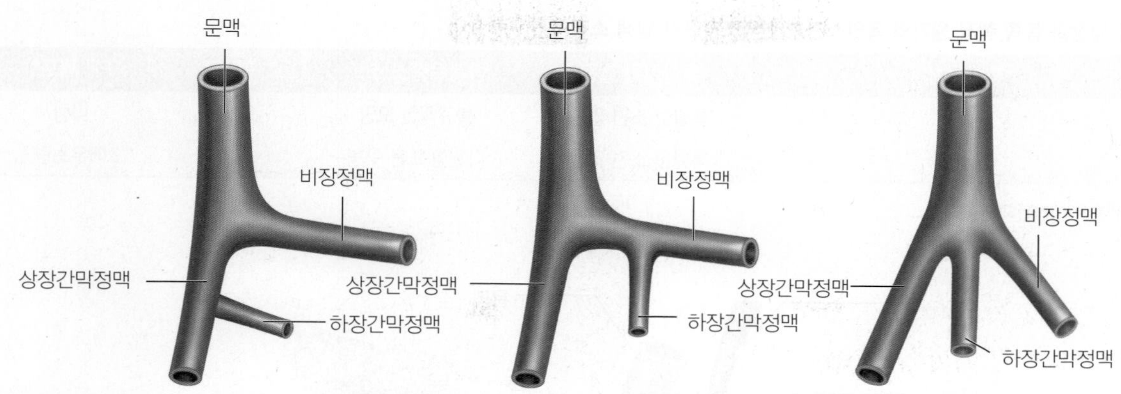

그림 3-68 **문맥 해부의 변이.** 상장간막동맥은 상장간막정맥의 바로 왼쪽에 존재하며 평행하게 주행한다.

하여 두부에서부터 내측으로 펼쳐져 있다. 췌장 두부와 구상돌기의 정맥 분지들은 문맥으로 유입되는데 문맥의 우측면과 후연쪽으로 들어간다. 종양이 침범되지 않았다면 문맥 전면은 정맥지가 없어 췌장과 문맥 사이가 쉽게 박리된다. 총담관은 팽대부에 있는 주췌장관을 향하여 췌장실질로 들어가기 전까지는 보통 췌장 두부 후연의 깊은 고랑 안으로 지나간다.

체부body와 미부tail는 비장 동맥과 정맥 앞에 바로 놓여있다. 비장정맥은 췌장 후면의 고랑 안을 주행하고 체미부는 주로 비장정맥으로 직접 유입되는 여러 개의 작은 정맥지들이 있다. 이런 작은 분지들은 비장보존 원위췌장절제술을 시행할 때 반드시 결찰 하여야 한다. 비장동맥은 체부와 미부의 후상연을 따라 정맥의 상부를 지난다. 췌장 체부의 앞면은 복막에 의해 덮여 있다. 위결장그물막을 박리하고 소낭으로 진입하면 위후방에 있는 췌장 체미부가 복막으로 덮여있는 것이 보인다. 췌장가성낭종이 이 부위에 호발하며, 위의 후면이 가성낭종의 전벽과 일치하는 경우는 치료 시 위로 배액 시키는 것이 수월하다.

횡행결장간막의 하부는 췌장 체미부의 하연에 붙어있다. 횡행결장간막은 췌장가성낭종이나 염증반응의 하방벽을 형성하여 횡행결장간막을 통하여 외과적 배액을 할 수 있도록 해준다. 췌장의 체부는 상장간막동맥 기시부가 위치한 대동맥 앞에 위치한다. 췌장의 경부는 요추 1번과 2번 앞에 놓여있어, 둔상이 가해질 경우 후방에 있는 척추와 함께 췌장 경부를 압박하여 췌장실질 혹은 췌장관 손상을 동반한다. 좌측신장의 앞의 췌장의 작은 부분을 미부라 하는데 좌측 결장의 비장굴곡 근처 비장문에 가려져있다. 이런 해부학적 관계를 숙지하는 것이 좌측 결장절제술이나 비장절제술을 시행할 때 췌장 미부 손상을 피하기 위해서 필요하다.

(2) 배쪽췌장과 등쪽췌장의 면역조직화학적 특성

배쪽췌장과 등쪽췌장은 조직학적으로 locus minoris resistantiae라고 불리는 발생학상의 융합면을 이루고 있다고 하나 임상적으로는 구별이 용이하지 않다. 면역조직화학 염색을 해보면 Pancreatic Plypeptide (PP)는 배쪽췌장 영역에서는 강한 양성반응을 보이지 만 전 췌장에 걸쳐서 고루 분포하고 있음을 알 수 있다. 랑게르한스소도는 배쪽췌장으로 구성되는 췌두하부에서는 드문드문 사이가 벌어져 있는(50%) 불규칙한 모양이고, 등쪽췌장으로 구성된 체미부에서는 치밀하고 다소 구형이다. 등쪽췌장은 주로 췌장의 체미부, 두부의 전상부를 이루고 있고, 배쪽췌장은 체두부의 후반부를 이루고 등쪽췌장에 비해 지방조직이 적은 것으로 알려져 있다(표 3-19).

(3) 췌장관

발생학에 대한 이해는 췌장 혹은 췌장관 해부의 변이를 인식하는데 필요하다. 췌장은 배쪽싹과 등쪽싹의 융합에

표 3-19. 배쪽 췌장과 등쪽 췌장 원기의 육안소견과 면역조직화학 염색 소견

	지방침착	소엽	췌실질과 혈관	랑게르한스 소도	항-PP	PP 세포*
배쪽 췌장	적음	작다	특별한 소견 없음	불규칙한 모양	강양성	다량
등쪽 췌장	현저함	크다	특별한 소견 없음	타원형 또는 구형	강양성	매우소량

*PP = pancreatic polypeptide

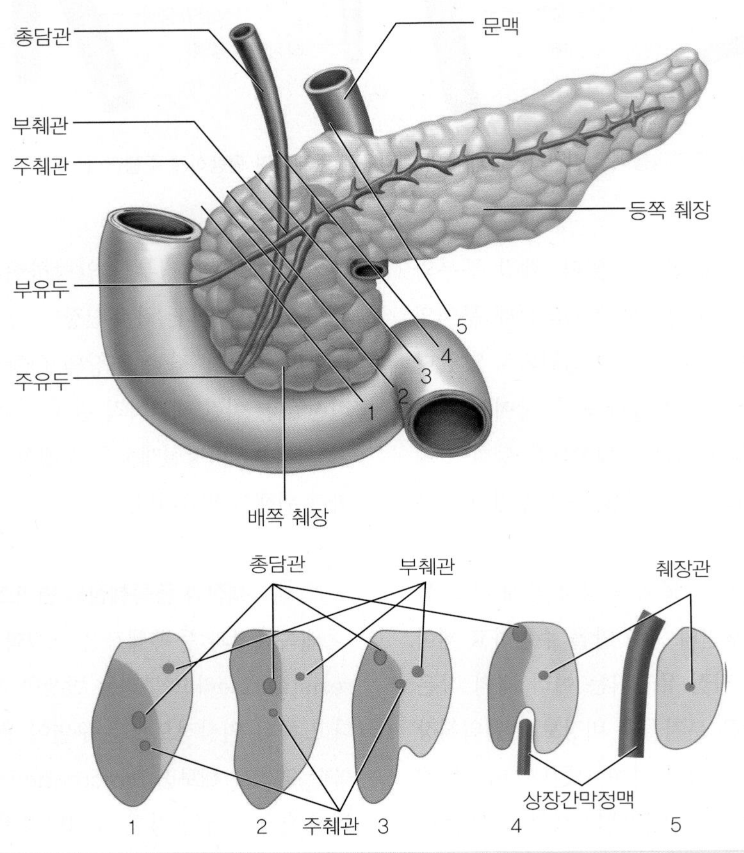

그림 3-69 **배쪽췌장원기와 등쪽췌장원기의 융합 후 분포.** 번호는 각 절단면과 일치한다.(modified from Suda K, et al.)

의해 형성된다. 간결주머니에서 발생한 배쪽싹에서 생긴 췌장관은 총담관으로 바로 연결된다. 십이지장에서 발생한 등쪽싹에서 생긴 췌장관은 십이지장으로 직접 배출된다. 배쪽원기anlage의 췌장관은 Wirsung duct(주췌장관)가 되고 등쪽원기에서 발생한 췌장관은 Santorini duct(부췌장관 또는 소췌장관)가 된다. 장의 회전과 함께 배쪽원기는 등쪽싹과 융합하기 위해 우측에서 췌장의 후하방으로 회전한다. 배쪽원기는 췌장 두부하방과 구상돌기가 되고, 반면에 등쪽원기는 췌장의 체미부가 된다(그림 3-69).

주췌장관과 부췌장관은 90%에서 췌장 두부에서 융합되어 주췌장관을 통해 담관과 만나서 공통관이 되어 십이지장 제2구역 내부에 있는 팽대부 혹은 주유두로 들어간다. 공통관의 결합 형태와 길이에 따라 세 가지로 분류된다(그림 3-70). Y-shape (short common channel, <15mm)은 가장 많은 형태로 담관과 췌관이 서로 만나 4–7mm 정도의 공통관을 형성한 후 십이지장으로 들어가는 형태이다. 원팽대부(primitive ampulla)의 상부 개구부가 퇴화하고 하부 개구부가 개존하여 격벽형성이 불

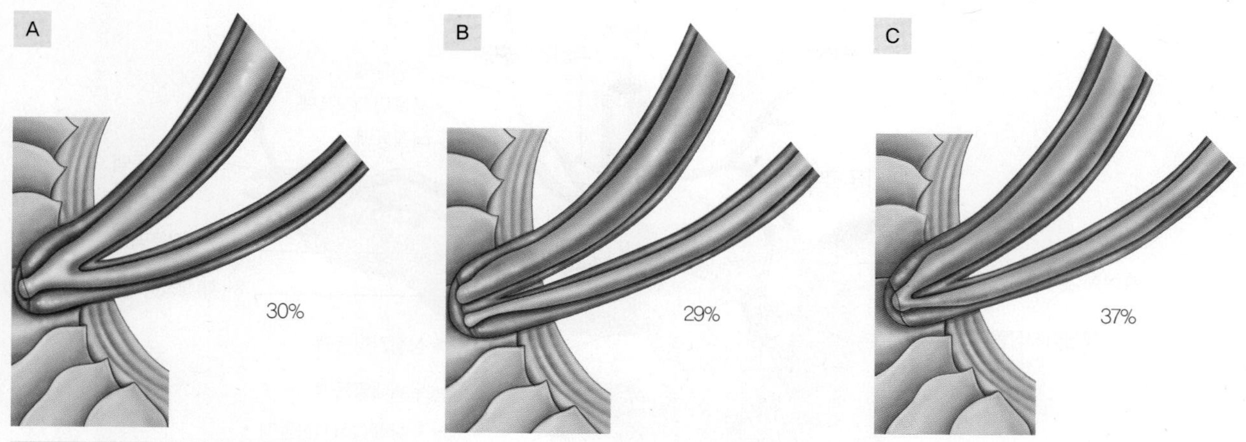

그림 3-70 **담관과 췌관의 결합형태.** A) Y-shape, short common channel, B) U-shape, long common channel with internal septum, C) V-shape, no common channel

량하게 된 경우에는 담관에 췌관이 합류하는 형태의 합류 이상이 발생한다. U-shape으로 담관과 췌관이 합류하고도 두관 사이에 내부 격막internal septum이 유지되어 각각 십이지장으로 개구되는 형태로 원팽대부의 상부에는 췌관이 하부 에는 담관이 개구한다. V-shape은 공통관이 없는 경우이다. 국내 다기관 연구보고에 의하면 Y-shape이 60.2%, U-shape이 23.7%, V-shape이 16.1%의 빈도를 가진다. 간혹 Y-와 V-shape은 담도조영술상 췌담관이 겹쳐보여 구분하기가 어렵다.

주췌장관은 직경이 2-3mm이고 전면보다는 후면에 가깝게 췌장 상연과 하연 사이의 중간쯤을 주행한다. 성인에서 췌장 두부의 췌장관 직경은 3.1-4.8mm이고 점차 가늘어져 미부에서는 0.9-2.4mm 정도로 알려져 있다. 나이가 들어감에 따라 췌장관의 직경도 증가할 수 있다. 부췌장관은 주유두에 인접해 있는 부유두를 통해 십이지장으로 바로 유출되는데, 팽대부에서 2cm 상부 그리고 약간 앞쪽에 위치하게 된다. 약 30%에서 소맹관으로 끝나 십이지장으로 흘러 들어갈 수 없으며, 10% 경우는 주췌장관과 부췌장관이 융합하지 못한다. 이 결과 췌장액의 대부분이 부췌장관을 통해 부유두로 배액되고, 췌두부 하방과 구상돌기는 주췌장관을 통해 주유두로 배액된다. 이런 해부학적 변이를 분할췌장pancreas divisum이라고 하는데, 췌장관의 가장 많은 선천적 이상으로, 대부분은 췌장액의 흐름을 조절하는데 장애가 있다. 이러한 상대적인 유출 장애는 증상이 없는 경우는 치료를 요하지 않지만, 종종 췌장염을 유발하는 경우 부유두괄약근성형술을 시행하기도 한다.

유두 주위의 근섬유들은 Oddi 괄약근sphincter of Oddi을 형성하여 췌장액과 답즙 분비가 십이지장으로 배출되는 것을 조절한다. 괄약근의 수축과 이완은 복잡한 신경과 호르몬 인자에 의해 조절된다. 췌관과 담관의 합류부위 각도는 정상적으로 5-30° 정도의 예각을 이루어 역류가 일어나지 않는다. 또한 췌장관의 내부압력은 총담관의 두 배 정도여서 담즙이 췌장관으로 역류하는 것을 방지한다. 합류 각도가 직각에 가까우면 생리적인 압력차이로 췌장액이 담관으로 역류가 일어나고, 담관에 지속적인 자극으로 인해 담관벽에 손상을 주어 담관낭종, 담관염 및 췌장염, 담낭암등의 악성 종양의 발생과 연관을 있는 것으로 보고되어 있어 주의를 요한다.

(4) 혈관(그림 3-71, 72)

췌장의 혈액 공급은 위십이지장동맥과 상장간막동맥, 비장동맥으로부터 분지하는 동맥들로 이루어진다. 췌장의 두부는 췌십이지장 아치를 형성하는 위십이지장동맥과 상장간막동맥에 의해 혈액 공급을 받고, 체미부는 비장동맥 분지의 공급을 받는다. 경부는 췌동맥의 분수령vascular

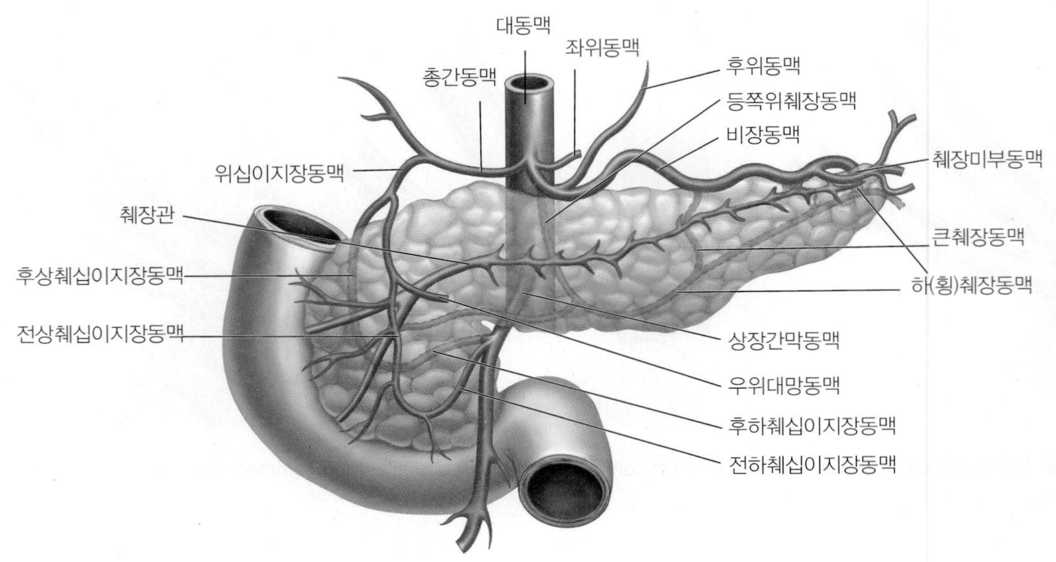

그림 3-71 **췌장 주변의 동맥계**

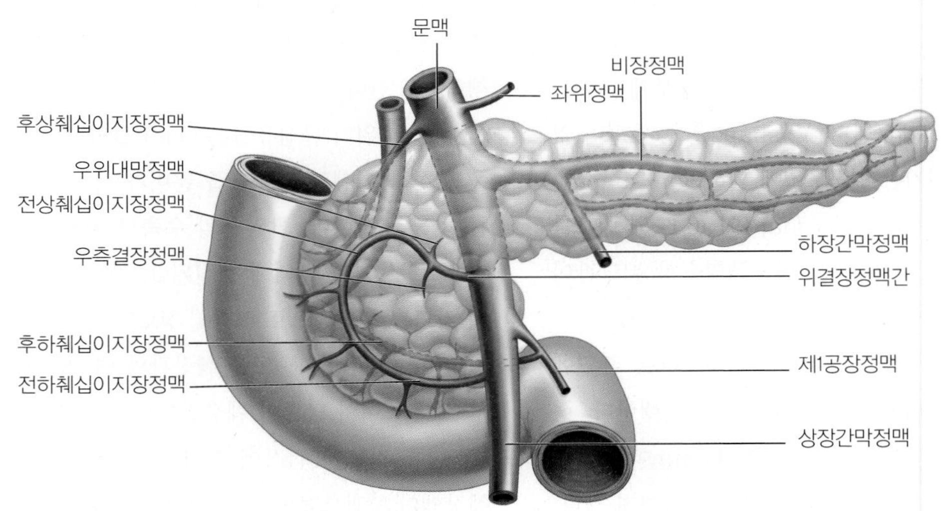

그림 3-72 **췌장 주변의 정맥계**

watershed으로 두부와 미부로 가는 동맥지들이 만나 서로 교통하는 곳이다. 췌장의 두부와 구상돌기는 위십이지장동맥 통해 혈액공급을 받는다. 위십이지장동맥은 총간동맥이 고유간동맥을 통해 간문으로 들어가기 전에 분지되는데 십이지장 제 1구역 뒤를 통과하면서 상췌십이지장동맥을 분지하고 이는 다시 전상췌십이지장동맥과 후상췌십이지장동맥으로 나뉜다. 상장간막동맥이 췌장 경부의 후방에서 나타나 췌장 경부의 하연에서 하췌십이지장동맥을 분지한다. 이 혈관은 곧 전하췌십이지장통맥과 후하췌십이지장동맥으로 나뉜다. 상·하췌십이지장동맥은 십이지장과 췌장 두부로 수많은 분지를 내면서 아치arcade를 형성하고 십이지장의 C-loop의 내측면을 따라 췌장 두부의 전후면에 위치하고 실질을 통하여 서로 교통한다. 그러므로 십이지장보존 췌두부절제술에서는 췌십이지장 아치가 위치하는 췌장의 가장자리를 보존해야 한다. 15-20%의 경우에서는 우간동맥이 상장간막동맥으로부터 분지하여 췌장 두부의 후면을 따라 간문쪽으로 주행하는 대치 우간동맥replaced right hepatic artery 변이가 있으므로, 췌두십이지장 절제술을 시행하기 전에 이런 변이 유무를 확인하는 것이 중요하다. 췌장 경부와 그 주변부의 체부는 다른 혈관에서 공급되는 변이들이 종종 발견되는데, 이런 혈관들이 췌두부십이지장 절제술에 의해 일방적으로 차단되면 췌공장 문합부의 췌측에 허혈이 발생하게 된다. 췌공장절제술 후 이런 허혈 손상이 문합부 누출을 야기하는 경우도 있다.

췌장의 체미부는 주로 비장동맥에서 분지된 작은 동맥지를 통하여 혈액공급을 받는다. 복강동맥에서 분지한 비장동맥은 비장쪽으로 췌장 체미부의 후상연을 따라 주행한다. 하췌장동맥은 상장간막동맥에서 기원하여 비장동맥과 평행하게 췌장의 체미부의 하연을 따라서 왼쪽으로 주행한다. 세개의 혈관이 췌장의 체미부의 장축에 수직으로 주행하며 비장동맥과 하췌장동맥을 연결한다. 이 혈관들을 내측부터 외측으로 명명하면 등쪽췌장동맥, 큰췌장동맥과 췌미부동맥이다. 이런 동맥들은 췌장의 체미부에서 서로 간에 작은 분지들로 연결되어 장기에 풍부한 혈액을 공급한다.

췌장의 정맥은 동맥 주행과 유사한 형태를 따른다. 정맥들은 일반적으로 동맥보다 표재층에 존재한다. 췌장 두부에는 동맥처럼 전면과 후면에 정맥 아치가 존재한다. 후상췌십이지장정맥은 췌장경부 바로 위의 문맥으로 바로 배출된다. 후하방 아치는 췌장 경부 하연에 있는 상장간막정맥으로 바로 배출된다. 전상췌십이지장정맥은 우위대망정맥, 우측결장정맥과 합류하여 공통 정맥 줄기인 위결장정맥관gastrocolic trunk of Henle을 형성하여 상장간막정맥으로 들어간다. 췌두십이지장 절제술 시 대망과 횡행결장박리시 너무 견인하면 위결장정맥관이 손상되어 출혈이 발생하고 출혈부위가 췌장실질로 숨어버려 수술 시야를 망치고 수술 진행을 힘들게 하므로 주의를 요한다. 또한 췌장실질에서 나온 많은 작은 정맥분지들은 문맥의 외측과 후방으로 들어간다. 췌장 체미부의 정맥혈은 비장정맥으로 배출된다.

(5) 림프계(그림 3-73)

췌장의 림프배액은 미만성diffuse이고 광범위하다. 췌장으로 배출되는 림프혈관과 림프절의 풍부한 연결망은 췌장에서 발생하는 암세포가 유출되는 출구이다. 이런 미만성 림프배액은 췌장암이 절제 후에 종종 림프절 전이나 높은 국소재발을 보이는 사실을 설명한다.

림프절은 장간막정맥이 있는 췌장 경부 하방이나 췌장두부의 후면, 간문으로 유입되는 간동맥을 따라 촉지될 수 있다. 췌장의 림프관은 또한 횡행결장간막과 근위부 공장의 장간막 림프절과 연결되어 있다. 췌장 체미부에 있는 종양은 종종 이 림프절에 전이가 되거나 비장정맥과 비장문을 따라 존재하는 림프절에 전이가 된다. 췌장 두부와 구상돌기의 주된 배출은 유문하subpyloric, 문맥, 장간막, 결장간막과 대동정맥aortocaval 림프절이다. 췌장의 체 미부는 대부분이 복강, 대동정맥, 장간막, 결장간막과 비문에 존재하는 림프절을 통해서 배출된다.

(6) 신경계(그림 3-74)

췌장은 내장신경인 교감신경계와 미주신경인 부교감신경계의 지배를 모두 받고 있는 장기이다. 외분비선을 담당하는 샘꽈리 세포, 내분비선을 담당하는 소도세포와 소도세포맥관구조는 이들 신경계에 의해 지배를 받는다. 부교감신경은 내분비와 외분비작용을 자극시키고, 교감신경은 억제한다. 췌장은 소마토스타틴, vasoactive intestinal polypeptide (VIP), calcitonin gene-related peptide (CGRP), galanin 같은 아민과 펩티드를 분비 하는 신경세포(neuron)들에 의해 지배를 받는다. 췌장의 생리에서 신경 세포의 정확한 역할은 아직 명확하지 않지만, 외분비와 내분비 기능에 영향을 미치는 것 같다. 췌장은 급성과 만성췌장염 및 진행성 췌장암과 관련된 심한 통증의 원인이 되는 구심성 감각신경을 가지고 있다. 이 신경들은 가슴교감줄기thoracic sympathetic chain에 있는 세포체를 통과하는 큰, 작은, 제일 작은 내장신경을 형성하여 복강신경절celiac ganglia을 통과한다. 이런 체신경들은 복강 신경절의 위쪽으로 주행한다. 이러한 체신경의 절단은 통각이 전

A

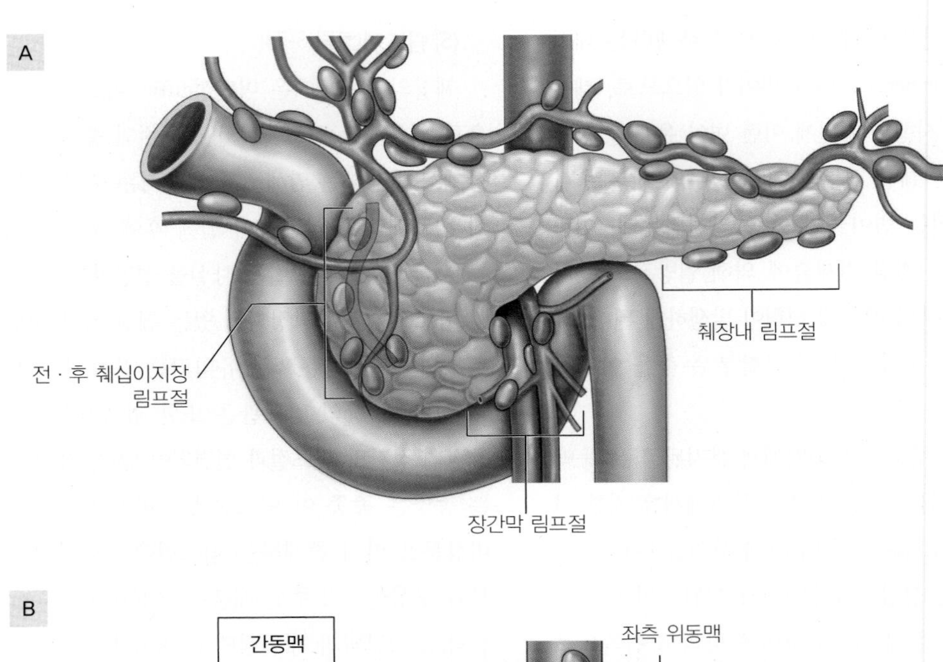

B

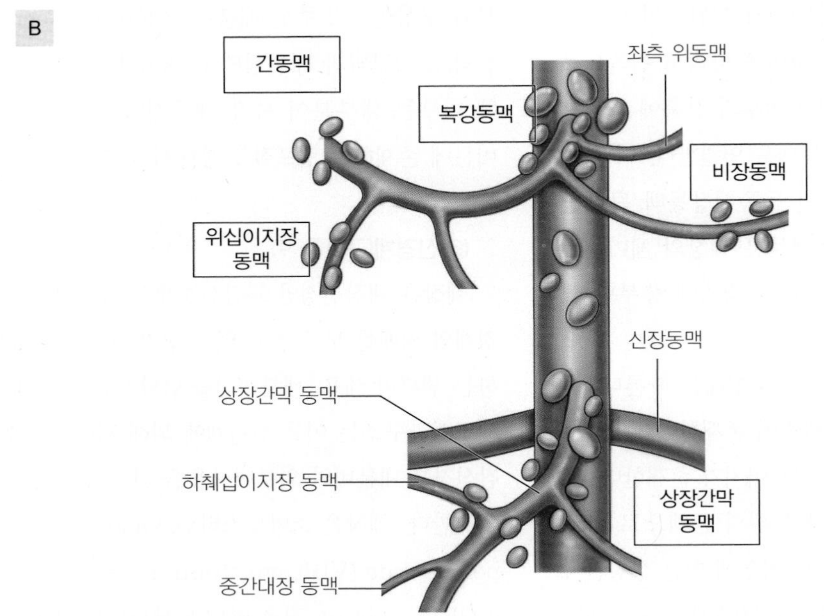

그림 3-73 **췌장주변의 림프계**

달되는 것을 멈출 수 있다. 췌장에 공급되는 원심성 내장 운동신경은 교감신경과 부교감신경에 의해 제공된다. 부교감신경은 후미주신경줄기posterior vagal trunk에서 복강신경얼기celiac plexus로 이동하는 미주핵vagal nuclei의 세포체로부터 생긴 신경절전 섬유와 관련된다. 신경절후 섬유들은 췌장의 소도세포, 샘꽈리세포, 췌장관과 혈관을 지배 한다. 일반적으로 췌장의 신경들은 혈관과 같이 주행한다.

3. 조직과 생리

췌장은 외분비와 내분비 기능을 하는 장기이다. 외분비 췌장은 췌장의 무게의 약 85%를 차지하며, 췌장 질량의 10%는 분비샘의 세포외질이며, 4%는 혈관과 주췌관이고, 단지 2%만이 내분비 조직이다. 내·외분비 췌장은 종종 기능적으로 분리된 것처럼 여겨질 수 있지만, 소화

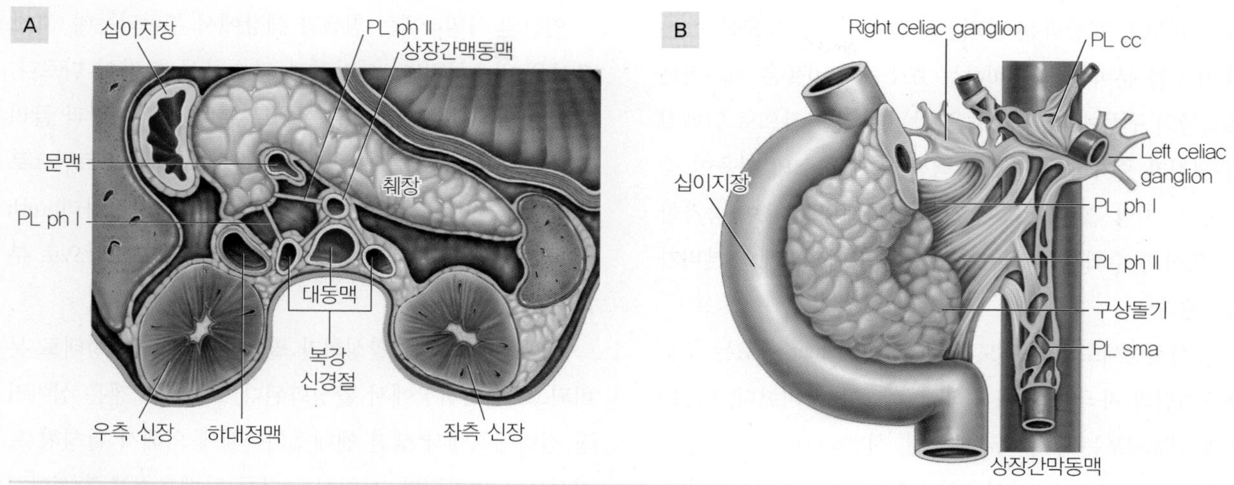

그림 3-74 **췌장주변의 신경계**

효소와 호르몬 분비가 조화롭게 이루어진다. 외분비 췌장과 내분비 기능을 하는 췌장소도가 근접해있고, 외분비 췌장 선방세포의 세포막에 소도 호르몬 수용체가 존재하기 때문에 내·외분비 췌장은 상호 영향을 받는다. 그리고 소도-선방 문맥 혈관계islet-acinar portal blood system가 이런 상호 조절 기능을 도와준다.

인슐린과 소화효소가 보충된다면 췌장이 없이 살 수 있지만, 소도-선방 조절 체계가 손실되면 소화기능의 저하를 초래한다. 정상 췌장의 20%만 있어도 이런 기능부전을 예방할 수 있지만, 췌절제를 시행한 환자 중 상당수는 남아있는 췌장의 기능이 정상이 아니기 때문에 소량의 분비샘을 제거해도 췌장 내분비 및 외분비 기능부전을 초래할 수 있다.

1) 외분비 췌장

췌장은 무색, 무향, 알칼리성(pH 7-8.3), 등장성의 췌액을 하루 500-2,000mL 정도 분비한다. 선방acinus과 췌장 소관이 외분비 췌장의 기능적 단위를 구성한다. 선방세포는 소화 효소의 합성, 저장, 분비 기능을 한다. 선방세포는 세가지 소화 효소 즉, 아밀라제(탄수화물 소화 효소), 프로타제(단백질 소화 효소), 리파제(지방소화효소)를 분비한다. 이 선방세포는 피라미드 모양 또는 사다리꼴

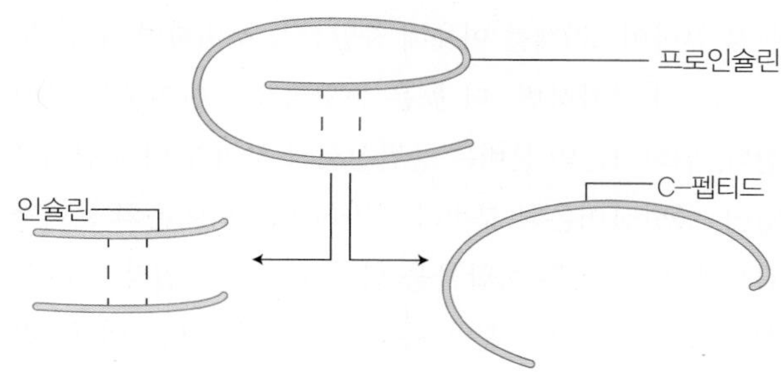

그림 3-75 **인슐린의 합성.** 세포질세망은 전구인슐린은 합성하고, 이것은 베타세포 안에서 인슐린과 C-펩티드로 분리되어 분비 과립에 저장된다. 따라서 동일한 개수의 인슐린과 C-펩티드가 혈중으로 분비된다.

형태를 하고 있으며, 각 세포의 첨단부는 선방의 내강을 향해 있다(그림 3-75). 기저외측막basalateral membrane에는 분비를 자극하는 호르몬과 신경 전달물질이 결합하는 수용체가 있다. 세포의 기저부에는 핵이 있으며, 핵 주변에 있는 조면 소포체rough endoplasmic reticulum에서 비활성의 단백 효소를 합성한다. 합성된 단백질은 골지체를 통해 이동하고 효소원 과립으로 농축되어 보관된다. 세포의 내강과 가까운 부위에는 다수의 효소를 함유하고 있는 효소원과립zymogen granule이 내강쪽에 있는 원형질막과 융합되어 세포외유출exocytosis 과정을 통해 선방의 내강으로 배출된다. 각각의 소도세포들이 한가지 호르몬만 분비

하는 내분비 췌장과는 달리, 각 선방세포들은 모든 종류의 효소를 분비한다. 분비하는 효소들의 비율은 소화되는 음식물의 구성에 따라 영향을 받는다. 장기적으로 단백질의 섭취가 증가하는 경우 단백질 분해 효소의 비율이 증가하고, 지방 흡수가 많은 경우 리파제의 비율이 증가한다. 또한 탄수화물의 섭취가 증가하면 아밀라제의 분비가 촉진된다.

중심선방세포와 개재도관intercalated duct 세포는 주로 세크레틴의 자극을 받아 물과 전해질을 분비한다. 약 40개의 선방세포는 구형으로 배열해, 선방acinus을 구성한다. 췌액의 Na+, K+ 등 양이온의 농도는 혈장과 비슷하지만, 중탄산bicarbonate과 염화이온(Cl^-) 같은 음이온의 농도는 췌액의 분비속도에 따라 변화한다. 중심선방세포는 카르복시 안하이드라제를 이용해 중탄산을 분비하며, 췌장 분비 속도가 증가하면, 더 높은 농도의 중탄산이온을 분비한다. 염화이온의 분비는 중탄산염의 분비와 역의 관계가 있어, 중탄산이온의 분비가 증가하면 염화이온의 분비가 감소하여, 결국 두 화합물을 합산한 총량은 일정하다. 산성유미즙chyme이 유문을 통과해 십이지장으로 내려가면 십이지장 점막에서 세크레틴이 분비된다. 세크레틴은 위에서 십이지장으로 넘어온 산성용액을 중화하는 중탄산염의 분비를 촉진하는 가장 중요한 자극이다. 콜레시스토키닌 Cholecystokinin (CCK) 또한 중탄산이온의 분비를 촉진하지만, 세크레틴에 비하면 역할이 적다. 가스트린과 아세틸콜린은 위산의 분비를 촉진하고 췌장 중탄산염의 분비를 약하게 촉진한다.

선방세포는 효소원과립을 선방의 내강으로 분비함으로써 췌장효소를 배출하는데, 이 효소들은 중심선방세포에서 분비된 물과 중탄산이온에 결합한다. 췌액은 작은 개재도관을 통과하여, 소엽사이관으로 배출되며, 소엽사이관에 있는 세포들은 췌액의 농도를 조절하도록 체액과 전해질을 공급한다. 소엽사이관은 약 20개 정도의 이차췌장관을 형성하고 이것은 주췌관으로 배출된다. 반복적인 염증과 손상과 더불어 결석의 침착은 점진적으로 외분비 췌장을 파괴하여 외분비 췌장 분비장애를 일으킨다.

인간의 아밀라제는 침샘과 췌장에서 분비되는데, 효소 활성은 비슷하지만, 분자량과 탄수화물 함량이 다르다. 췌장 아밀라제는 활성화된 형태로 분비되며, 녹말과 글리코겐을 포도당, 말토오스, 말토트리오스 및 덱스트린으로 분해한다. 이런 당질들은 장 상피세포의 솔가장자리brush border로 이동되면 솔가장자리 효소에 의해 포도당으로 분해된다.

단백분해효소는 활성화가 필요한 전효소의 형태로 분비되고, 십이지장에서 활성화된다. 트립시노겐은 십이지장 점막세포에서 생긴 엔테로키나제에 의해서 활성형 트립신으로 변환된다. 트립신은 다른 단백효소를 활성화시켜준다. 췌장 내에서는 선방세포에서 분비되는 억제효소 때문에 트립시노겐의 활성화가 억제된다. 트립신, 키모트립신, 엘라스타제는 표적 펩티드 사슬에 있는 아미노산간의 결합을 깨고, 카르복시펩티다제 A와 B는 펩티드 사슬의 끝을 연결하는 아미노산을 분리시킨다. 각각의 아미노산과 작은 디펩티드는 소장의 표피세포에서 능동적으로 흡수된다.

췌장은 리파제, 포스포리파제 A2, 카르복시 에스테르하이드롤라제 등 지방분해효소를 분비한다. 침샘과 위에서도 리파제가 분비되어 지방흡수에 도움을 주지만, 췌장에서 분비되는 리파제가 가장 중요한 역할을 한다. 췌장 리파제는 중성지방을 2-단성지방과 지방산으로 분해한다. 췌장 리파제는 활성화된 형태로 분비된다. 지방분해보조효소colipase는 췌장에서 분비되며, 리파제와 결합하고, 리파제의 분자 구조를 변화시켜 활성을 높인다. 또한 담즙산이 리파제의 활성에 중요한 역할을 한다. 담즙산은 중성지방이 이멀전을 형성하는 것을 도와 표면적을 증가시켜 리파제가 결합할 수 있도록 도와준다. 포스포리파제 A2는 췌장에서 전효소로 분비되고, 트립신에 의해 활성화된다. 포스포리파제 A2는 인지질을 분해하며, 활성화를 위해서는 담즙산이 필요하다. 카르복시 에스터라제는 콜레스테롤 에스테르, 지용성 비타민, 중성지방 등을 분해한다. 분해된 지방은 마이셀로 형성하고 소장의 표피세포로 이동되고, 지방산은 재결합되서 킬로마이크론 형태로 림프계를 통해 혈류로 이동된다.

2) 내분비 췌장

정상 성인의 췌장에는 약 백만 개의 랑게르한스 소도 Langerhans islet가 있다. 크기는 40–900μm로 다양하다. 큰 췌장소도는 주요 소동맥 주위에 위치하고, 췌장 소도는 췌실질의 깊은 부위에 존재한다. 대부분의 췌장소도는 다섯 종류의 3,000에서 4,000개의 세포로 구성된다. 글루카곤을 분비하는 알파세포, 인슐린을 분비하는 베타세포, 소마토스타틴을 분비하는 델타세포, 그렐린ghrelin을 분비하는 엡실론세포, 폴리펩타이드Polypeptide (PP)를 분비하는 PP 세포가 췌소도에 존재한다(표 3-20).

인슐린은 췌장 호르몬 중 가장 잘 알려져 있다. 인슐린은 알파와 베타 사슬을 갖는 두 개의 사슬로 된 51개 아미노산 펩티드로 구성되어 있다(그림 3-76). 알파와 베타 사슬 사이에는 두 개의 디설피드결합이 있고, 전체를 하나의 사슬로 알파와 베타를 연결하는, C–펩티드로 알려져 있는 결합 펩티드가 존재하는 전구인슐린의 형태로 베타세포에서 합성된다. 전구인슐린은 세포질 세망에서 만들어져, 골지체로 이동되고, 과립내로 포장되고 C–펩티드가 떨어진다. 인슐린 분비에는 두 단계의 과정이 있다. 첫 단계는 저장된 인슐린이 분비되는 것이다. 이 단계는 포도당 투여 후 약 5분 가량 지속된다. 두 번째 단계는 새로운 인슐린이 생성되어 지속적인 분비가 이루어지기 때문에 더 길다. 혈당은 인슐린 분비에 가장 중요한 역할을 하지만, 신경 신호 전달, 인접한 췌소도세포의 주변분비 paracrine, 아미노산과 지방산 등도 인슐린 합성에 영향을 준다.

당뇨는 1999년 발표된 WHO 진단 기준을 따르면, 전통적인 증상(다뇨, 다음, 체중감소)이 있으면서 언제든 혈당이 ≥200mg/dL 이거나, 8시간 이상 금식 후 혈당이 ≥ 126mg/dL 이거나, 75–g 구강 포도당 내성 검사에서 식후 2시간 혈당이 ≥200mg/dL인 경우 진단된다. 구강 또는 정맥주입 포도당 내성 검사가 진단에 이용되기도 하는데, 구강으로 섭취하는 경우, 포도당이 흡수되어 혈류로 들어갈 뿐만 아니라, 위분비 억제 펩티드gastric inhibitory peptide, 포도당–의존 인슐린친화 폴리펩티드Glucose-dependent Insulinotropic Polypeptide (GIP), 글루카곤양 펩티드–1(GLP-1) 및 인슐린의 분비를 촉진시키고, 또한 인크레틴incretin이라 불리는 CCK와 같은 내장 호르몬이 인슐린의 분비를 촉진한다. 그렇기 때문에 구강내 포도당이 정맥 주입 포도당보다 더 강력하게 인슐린 분비를 촉진한다. 아르기닌, 리신, 루신, 그리고 자유지방산과 같은 아미노산의 혈중 농도도 베타세포의 인슐린 분비에 영향을 준다. 글루카곤, GIP, GLP–1, CCK 등은 인슐린 분비를 촉진하고, 반면 소마토스타틴, 아밀린, 판크레안스타틴은 인슐린 분비를 억제한다. 콜린성 섬유와 베타 교감신경성 섬유는 인슐린 분비를 촉진하고, 알파 교감신경성 섬유는 억제한다.

인슐린은 간에서 내인포도당 생성을 억제하고, 포도당을 세포내로 이동하는 것을 촉진하여, 혈당을 낮춘다. 인슐린은 글리코겐분해, 지방산의 분해, 그리고 케톤의 생성을 억제하고, 단백의 생성을 촉진한다. 만약 남아 있는 췌장이 건강하다면, 약 80%의 췌장이 절제되어도 당뇨가 발생하지 않을 수 있다. 그러나 만성 췌장염이나 다른

표 3-20. 췌소도 분비 호르몬

호르몬	분비 소도 세포	기능
인슐린	베타 세포	당신생 억제 글리코겐 분해 억제 지방산의 분해 억제 케톤 생성 억제 글리코겐 생성 촉진 단백 합성 촉진
글루카곤	알파 세포	인슐린 길항작용; 글리코겐분해 촉진 당신생 촉진,
소마토스타틴	델타 세포	소화관 분비 억제 소화관 펩티드 분비 억제 세포 성장을 억제
PP	PP 세포	인슐린 분비 억제 외분비 췌장 억제 인슐린의 간에서의 작용 증강
글렐린	엡실론 세포	인슐린 분비 및 활성을 억제

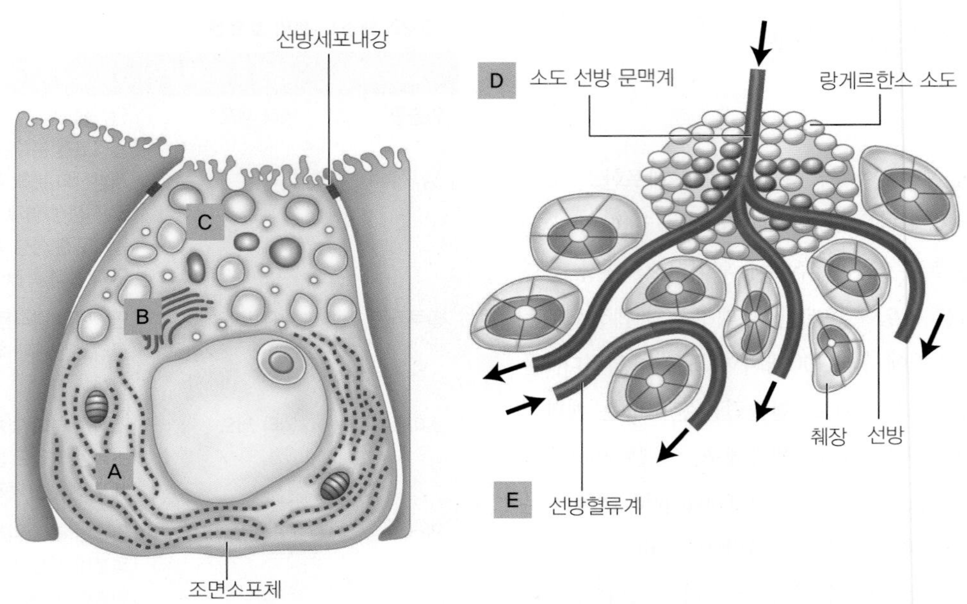

그림 3-76 외분비 췌장과 소도내 혈류. A) 선방세포의 기저부에 핵이 있으며, 핵 주변에 있는 조면 소포체 rough endoplasmic reticulum가 비활성의 단백 효소를 합성한다. B) 합성된 단백 효소 과립을 골지체에서 효소원과립으로 농축한다. 각각의 효소원과립은 몇 가지 췌장 효소를 가지고 있고, 농축액의 성분은 식사에 영향을 받는다. C) 효소원과립이 내강쪽에 있는 원형질막과 융합되어 세포외유출 exocytosis 과정을 통해 선방의 내강으로 배출된다. D) 각각의 췌장 소도는 소도 선방 문맥계를 통해 혈액 공급을 받는다. 췌장소도에 혈액을 공급하는 모세혈관은 주변 선방세포들로 혈액을 공급한다. 이런 작용으로 소도에서 생산된 호르몬이 외분비췌장에 영향을 줄 수 있다. E) 이런 문맥계 혈류와 별개로 선방혈류계 또한 선방세포에 혈류를 공급한다.

이유에 의해 췌장이 건강하지 못한 경우에는 췌장의 일부분만 절제하여도 당뇨가 발생할 수 있다. 인슐린이 결핍(제 I형 당뇨)되면 인슐린 수용체의 과발현과 상향조절이 유발되어, 인슐린에 대한 감수성이 증가한다. 제 II형 당뇨는 상대적인 인슐린혈증으로 인한 인슐린 저항성과 관련된다.

글루카곤은 29개의 아미노산으로 구성된, 단일 사슬 펩티드로, 간세포에 있는 글루카콘 수용체에 결합해 글리코겐분해와 포도당생성을 촉진하고 혈당을 높임으로써 인슐린과 반대 작용을 한다. 포도당은 글루카곤 분비를 억제하는 작용을 한다. 아르기닌과 알라닌은 글루카곤의 분비를 촉진한다. 위분비 억제 펩티드는 체외에서는 글루카곤의 분비를 촉진한다. GLP-1은 체내에서 글루카곤의 분비를 억제한다. 인슐린과 소마토스타틴은 췌장소도내에서 주변분비 방식으로 글루카곤의 분비를 억제한다. 인슐린의 분비에 작용하는 신경 자극도 글루카곤의 분비를 조절하며, 혈당을 유지하기 위해 균형적으로 두 호르몬이 작용한다. 콜린성 및 베타 교감신경 섬유는 글루카곤의 분비를 촉진하고, 알파 교감신경성 섬유는 억제한다.

소마토스타틴은 처음으로 시상하부에서 분리되었지만, 이 펩티드는 광범위한 해부학적 분포를 하며, 신경 섬유뿐 아니라 췌장, 장관, 그리고 다른 조직에도 존재한다. 이 펩티드들은 내분비와 외분비 기능을 억제하고, 신경전달, 소화관과 담도의 운동성, 소장의 흡수, 혈관의 긴장, 그리고 세포의 분화에 영향을 준다. 하나의 공통 전구체 유전자가 분화 과정을 거치면서 조직에 특이한 소마토스타틴-14와 소마토스타틴-28의 두 가지 활성형을 생성한다. 다섯 종류의 소마토스타틴 수용체(SSTRs)가 밝혀져 있으며, 이들은 모두 G-단백 결합 수용체로 독특한 아미노산과 카르복시 종말을 가지고 있다. 체내에서 만들어진 펩티드는 다섯 가지 수용체 모두에 결합할 수 있지만, 소마토스타틴 28은 비교적 선택적으로 SSRT5에 결합한다. 헥사펩티드와 옥토펩티드의 유사체인 옥트레오타이드octreotide와 같은 것들은 SSTR2, SSTR3, SSTR5에만 결합한다. 이들 유사체들은 혈청 반감기가 더 길며, 이런 더 강력한 억제 작용은 내분비 및 외분비 장애를 임상적으로 치료하는데 사용되고 있다. 예를 들어 옥트레오타이드는 장관과 췌장 누관이 막히는데 까지 걸리는 시간을 단축시키고, 누출되는 양을 감소시키는 것으로 알려져 있다.

식사 동안에 소마토스타틴의 내분비 기능이 시작한다. 주요 자극은 장관내 지방이며, 위와 십이지장 점막의 산성화가 소마토스타틴을 분비를 촉진한다. 콜린성 신경세포에서 분비되는 아세틸콜린은 소마토스타틴의 분비를 억제한다.

췌장 폴리펩티드(PP)는 36개의 아미노산으로 구성된, 곧은 사슬 펩티드로 주로 췌두부와 구상돌기에서 분비된다. 단백질은 PP 분비를 가장 강력하게 자극하고, 지방도 분비를 자극하지만, 포도당의 자극은 미약하다. 인슐린의 작용 여부에 상관없이, 저혈당은 PP 분비를 콜린성 신경 자극에 의해 촉진한다. 페닐알라닌, 트립토판, 십이지장 내의 지방산은 CCK와 세크레틴의 분비를 유도해 PP분비를 촉진할 것으로 여겨진다. 미주신경절개술은 식후에 관찰되는 PP의 상승을 감소시킨다. 이런 이유로 미주신경절제 후 수술의 성적이나 당뇨병성 자율신경증의 유무를 평가하기 위해 PP를 사용되기도 한다. PP는 담즙의 분비, 담낭의 수축, 외분비췌장의 분비를 억제하는 것으로 알려져 있다. PP의 가장 중요한 역할은 간장 인슐린 수용체 유전자의 발현을 조절함으로써 포도당을 조절하는데 있다. 근위 췌장절제술이나 심한 만성 췌장염으로 인해 PP 분비가 결핍되면 간장 인슐린 수용체가 감소되고 이로 인해 간장 인슐린에 대한 감수성이 저하된다. 이런 영향은 PP를 보충함으로써 회복될 수 있다.

최근 연구에 의하면, 그렐린이 엡실론 세포에서 분비된다고 알려져 있다. 그렐린은 주로 위저부에서 분비되며, 뇌하수체에서 성장 호르몬 분비 호르몬의 분비를 촉진하여 성장 호르몬의 분비를 촉진한다. 그렐린은 식욕 촉진 펩티드로 알려져 있고, 비만 환자에서 혈중 농도가 증가되어 있다. 또한 간에서 인슐린의 작용을 억제하고, 인크레틴 호르몬incretin과 포도당에 대한 베타세포의 반응을 억제한다.

췌장에서 분비되는 5가지 펩티드 이외에도, VIP, 갈라닌, 세로토닌 같은 신경펩티드와 아밀린, 판크레아스타틴 등 췌장 섬세포에서 분비하는 펩티드가 많이 있다. 아밀린 또는 췌장섬 아밀로이드 폴리펩티드(IAPP)는 37개의 아미노산이고, 1988년에 발견되었다. IAPP는 췌장 베타세포에 의해 발현되고, 인슐린과 함께 분비 과립내에 저장된다. IAPP의 기능은 인슐린의 분비와 섭취를 억제한다. 판크레아스타틴은 인슐린을 억제하고, 소마토스타틴과 글루카곤의 분비를 증가시키지만, 판크레아스타틴은 췌장의 외분비 기능을 억제한다.

3) 소도내의 조절

소도내 조절은 소도내 호르몬 때문에 주변에 있는 내분비 기능이 영향을 받는 것을 의미한다. 베타 세포는 각각의 소도내 중앙부에 위치하고 총 소도 질량의 70%를 차지한다. 다른 종류의 세포들은 주로 주변부에 위치한다. 델타 세포가 가장 적어 약 5%, 알파세포는 10%, PP 세포는 약 15%를 차지한다. 선방세포가 모든 종류의 외분비를 담당하는 것과 달리, 각각의 소도세포는 주로 한가지 호르몬만 분비한다. 그러나 각각의 소도세포는 다양한 호르몬들을 분비할 수 있다. 예를 들면, 베타 세포는 인슐린과 아밀린을 분비하며, 실제로는 약 20종류 이상의 호르몬이 소도에서 분비되며, 이런 상황에서 호르몬의 작용은 매우 복잡하다. 췌소도의 분비 조절은 신경 신호, 혈류의 양상, 자가 분비, 주변 분비, 호르몬의 되먹임 등의 상호작용으로 이루어진다. 췌소도가 췌장 질량의 2%밖에 차지하지 않지만, 췌장 소동맥 혈류의 20-30%를 공급받는다. 각각의 췌소도를 통한 혈류의 흐름 형태는 소도 기능에 영향을 준다(그림 3-75). 베타세포는 중앙부에 위치하고, 다른 췌소도 세포들은 주로 주변부에 위치해서 혈류의 흐름이 $\beta \rightarrow \alpha \rightarrow \delta$로 이루어지고 고농도의 인슐린이 알파세포의 호르몬 분비를 조절할 것으로 여겨진다. 또한 알파

세포표면에서는 인슐린 수용체와 인슐린-신호 전달 물질들이 간세포만큼 많이 발현되어 있어 인슐린의 영향에 민감하다. 혈류는 소도의 중앙부를 통과하여 주변부로 흐를 수도 있고, 주변부에서 중앙으로 흐를 수도 있고, 한쪽 끝에서 반대쪽 끝으로 흐를 수도 있다. 설치류에서, 생체 현미경 검사는 혈류가 한 쪽 끝에서 반대쪽 끝으로 흐르는 것을 관찰하였다. 또한, 혈류가 소도의 주변부와 중앙으로 흐르는 것을 조절하는 영양 세동맥에 있는 조임근이 관찰되었다. 조임근은 실제로는 들모세혈관의 늘어난 내막세포들이다. 혈당과 신경 자극 및 산화질소가 이들 조임근을 조절한다. 인간의 췌장소도에 있는 혈류의 형태는 아직 추측만 할 뿐이지만, 각 소도세포가 주변분비 형태로 인접한 소도 세포에 영향을 주는 것으로 보인다.

췌장 안에서 위치에 따라 소도의 역할이 결정된다. 일반적으로 주요 소동맥 주변에 있는 소도들이 췌장 실질의 깊은 부위에 있는 소도보다 더 크다. 베타 및 델타 세포는 췌장 전반에 균등하게 분포하지만, 췌두부와 구상돌기에는 더 많은 비율의 PP세포와 적은 비율의 알파 세포가 있다. 반면에 체부와 미부에는 대부분 알파세포가 많고 PP세포가 적다. 이것은 임상적인 중요성이 있는데, 췌십이지장 절제술을 시행하면, 췌장의 PP세포의 90%가 제거되기 때문이다. 그리고 이것은 원위췌절제술 후가 Whipple 술식 후보다 포도당 내성이 덜 발병하는 것을 일부 설명한다. 췌두부에만 불균형하게 발생한 만성 췌장염은 PP결핍과 췌장인성 당뇨와 연관되어 있다. 췌장으로의 혈류를 차단시킨 췌장과 단클론항체를 이용한 실험에서, 델타세포에서 유래한 소마토스타틴이 베타세포의 인슐린 분비와 알파세포의 글루카곤 분비와 PP세포의 PP분비를 억제하였다. 이런 결과를 미루어 볼 때, 소마토스타틴은 소도내 소도세포의 분비를 조절하는 중요한 역할을 할 것으로 생각된다.

대부분의 외분비 췌장의 혈액 공급은 췌장 동맥의 혈류를 통해 이루어지지만, 췌소도 모세혈관으로부터도 혈류를 공급받는다. 선방세포로의 혈류와 췌소도로부터 정맥혈 때문에 내분비 췌장이 외분비 췌장에 영향을 줄 수 있다. 예를 들어, 섭취한 식사에 들어있는 고농도의 탄수화물이 인슐린 분비를 자극되면 아밀라제가 풍부한 외분비도 촉진해서 녹말과 당류를 소화하는 것을 돕는다.

요약

췌장의 해부학적 변이는 발생과정에서 이루어지기 때문에 이에 대한 인지가 필요하다. 췌장은 배쪽싹과 등쪽싹의 융합에 의해 형성되는데, 배쪽원기의 췌장관은 Wirsung duct(주췌장관)가 되고 등쪽원기에서 발생한 췌장관은 Santorini duct(부췌장관)가 된다. 장의 회전과 함께 배쪽원기는 등쪽싹과 융합하기 위해 우측에서 췌장의 후하방으로 회전한다. 배쪽원기는 두부하방과 구상돌기가 되고, 등쪽원기는 체미부가 된다. 주췌장관과 부췌장관은 90%에서 췌장 두부에서 융합되어 주췌장관을 통해 담관과 만나서 공통관이 되어 십이지장 제2구역 내부에 있는 팽대부 혹은 주유두로 들어간다. 유두 주위의 근섬유들은 Oddi 괄약근을 형성하여 췌장액과 답즙 분비가 십이지장으로 배출되는 것을 조절한다. 췌관과 담관의 합류부위 각도는 정상적으로 5-30°정도의 예각을 이루어 역류가 일어나지 않는다. 합류 각도가 직각에 가까우면 생리적인 압력차이로 췌장액이 담관으로 역류가 일어나고, 담관에 지속적인 자극으로 인해 담관벽에 손상을 주어 담관낭종, 담관염 및 췌장염, 담낭암등의 악성 종양의 발생과 연관이 있다. 췌두부는 췌십이지장 아치를 형성하는 위십이지장동맥과 상장간막동맥에 의해 혈액 공급을 받고, 체미부는 비장동맥 분지의 공급을 받는다. 위십이지장동맥은 십이지장 제 1구역 뒤를 통과하면서 상췌십이지장동맥을 분지하고 전상췌십이지장동맥과 후상췌십이지장동맥으로 나뉜다. 상장간막동맥이 췌장 경부의 후방에서 나타나 췌장 경부의 하연에서 하췌십이지장동맥을 분지

요약 〈계속〉

하여 전하췌십이지장통맥과 후하췌십이지장동맥으로 나뉜다. 상·하췌십이지장동맥은 십이지장과 췌장 두부로 수많은 분지를 내면서 아치(arcade)를 형성하고 십이지장의 C-loop의 내측면을 따라 췌장 두부의 전후면에 위치하고 서로 교통한다. 정맥은 동맥공급과 유사한 경로를 취하고 동맥보다 표재적이다. 림프배액은 미만성이고 광범위하여 췌장암 절제 후에 종종 림프절 전이나 높은 국소재발률을 보인다. 췌장은 내장신경인 교감신경계와 미주신경인 부교감신경계의 지배를 모두 받고 있다.

췌장은 외분비와 내분비 기능을 하는 장기이며, 두 기능은 매우 밀접하게 연관되어 있다. 선방세포가 모든 종류의 외분비를 담당하는 것과 달리, 각각의 소도세포는 주로 한가지 호르몬만 분비한다. 외분비 췌장은 췌장의 무게의 약 85%를 차지 하며, 단지 2%만이 내분비 조직이다. 외분비 췌장은 선방과 작은 췌관으로 구성 되어 있고 소화효소를 포함한 췌액과 전해질을 분비하는 역할을 한다. 소화효소 중 리파제와 아밀라제는 활성형태로 분비되나, 단백분해효소는 비활성 상태로 분비되어 활성화되는 과정이 필요하다.

내분비 췌장은 신체의 항상성을 유지하는데 중요한 역할을 하는 호르몬을 분비한다. 인슐린은 간에서 내인포도당 생성을 억제하고, 포도당을 세포내로 이동하는 것을 촉진하여, 혈당을 낮춘다. 글루카곤은 인슐린과 반대 작용을 한다. 소마토스타틴은 내분비와 외분비 기능을 억제한다. PP는 간장 인슐린 수용체 유전자의 발현을 조절해 포도당을 조절한다. 그렐린은 식욕 촉진 펩티드로 알려져 있고, 비만 환자에서 혈중 농도가 증가되어 있다.

정상 췌장의 20%만 있어도 췌장의 기능부전을 예방할 수 있지만, 췌절제를 시행한 환자 중 상당수는 남아있는 췌장의 기능이 정상이 아니기 때문에 소량의 분비샘을 제거해도 췌장 내분비 및 외분비 기능부전이 초래될 수 있다.

XVII 췌장염

1. 급성췌장염

급성췌장염은 췌장의 섬유화 소견은 없으면서 급성복통을 유발하며 혈중amylase와 lipase의 상승을 보이는 췌장의 염증성질환이다. 약80%에서 경미하여 합병증 없이 잘 치유되나 나머지는 국소적인 췌장농양 혹은 패혈증, 쇼크, 다발성장기부전과 같은 전신적인 합병증을 동반하며 사망에 이를 수 있는 중증 소견을 보인다. 성인에서 총수담관의 담석이나 음주가 급성췌장염의 주된 원인이나 나머지는 그 원인을 알기 어렵다. 본 장에서는 그 원인, 진단, 임상적인 양상 및 치료를 다루고자 한다.

1) 원인 및 병인

급성췌장염은 80-90%에서 알코올섭취나 담도질환biliary tract disease과 관련이 있다. 가장 중요한 두 원인의 발생빈도는 서구에서는 알코올 남용이 흔하고 우리나라를 포함한 아시아권에서는 담석과 관련된 췌장염이 많다.

(1) 담도질환

1901년 Opie는 급성췌장염으로 사망한 환자의 부검을 통해 췌관입구를 막고 있는 담석을 발견하고 바터팽대부쪽으로 담석의 유입이 급성췌장염의 원인임을 보고하면서 담도와 췌관의 합류부이하의 패쇄가 담즙을 췌관쪽으로 역류하게 하여 담즙산염과의 작용에 의해 손상된다는 'common-channel hypothesis'를 주장하였다. 급성췌장염은 증상을 나타내는 담석환자 중 3-8%에서, 직경이

3mm 이하의 미세결석을 가진 담석환자의 30%에서 발생한다. 그러나 대부분 common channel이 짧은데 담석이 빠져나오면서 어떻게 담관과 췌관을 모두 패쇄하는지와 기본적으로 담관내 압력보다 췌관내 압력이 높은데 어떻게 췌관쪽으로 담즙의 역류가 일어나는지 논란이 있다. 실제 동물실험에서 췌관쪽으로 담즙을 높은 압력으로 주입하면 췌장염이 발생하지만 패쇄가 없는 췌관으로 정상적인 담즙의 유입은 급성췌장염을 일으키지는 않음이 관찰된다. 췌관쪽으로 담즙역류라는 유발인자 외에 간흡충 혹은 종양에 의한 췌관의 폐쇄나 췌장효소분비증가에 따른 췌관내 압력증가와 같은 현상에 주목할 필요가 있다. Steer가 주장한 'colocalization theory'에 의하면 췌관내 증가된 압력에 의해 작은 췌관이 파괴되면서 췌장소화액이 췌장실질로 들어가게 된다. 췌장액의 경췌관 유출이 생기면 췌장세포내의 trypsinogen이 cathepsin B와 반응하여 활성화된 trypsin을 만들고 이것이 다른 소화효소들을 연속적으로 활성화하여 췌장세포내에서 자가분해가 유발되어 급성췌장염이 발병한다.

(2) Alcohol

알코올과 연관된 정확한 기전은 잘 알려져 있지는 않지만, 알코올에 의해 위산분비가 자극되면서 secretin 유리증가 및 췌장의 수분 및 bicarbonate등 외분비증가가 유도된다. 또한 알코올은 바터팽대부의 오디괄약근의 저항도 증가시켜 이론적으로는 췌장외분비의 흐름을 부분적으로 막는 것으로 보인다.

(3) 종양

담도 질환이나 음주경력이 없으면서도 급성췌장염은 생길 수 있다. 이러한 환자의 1-2%에서 췌장암이 숨겨진 경우가 있다. 팽대부주위암에서 급성췌장염이 초기 임상증상으로 나타내기도 한다.

(4) 의인성 췌장염

급성췌장염환자의 2-10%가 내시경적 역행성 췌담도조영술의 결과 췌관의 직접적인 손상이나 췌관압력증가에 의해 발생한다. 또한 외과적 수술 후에도 종종 관찰되는데 췌장주변의 수술, 즉 췌장 생검, bile duct exploration, 위절제술, 비장절제술 후에 발생할 수 있다. 위절제술과 위공장문합술이후 십이지장내 압력증가가 췌장내 압력을 증가시켜 췌장염을 유발할 수 있다. 한편 췌장의 허혈상태를 유발시킬 수 있는 심장수술, 저체온상태, 색전증 혹은 쇼크 등이 췌장손상을 유발하여 급성췌장염의 요인이 된다.

(5) 약물 및 감염

수많은 약제가 연관이 있는데 약물 유도성 급성췌장염은 모든 급성췌장염의 약5%이내를 차지한다. dideoxyinosine, pentamidine, valproic acid등에 의한 췌장염을 제외하고는 대개 증세가 경미하다. Mumps, Coxsackie virus와 *M. pneumoniae*가 췌장의 acinar cell을 감염시켜 급성췌장염을 유발한다. 췌장에서 이러한 균주가 직접 입증되지는 않지만 어떤 다른 급성췌장염의 원인이 입증되지 않는 환자의 약 30%에서 Mumps나 Coxsackie virus의 항체역가가 증가하는 현상이 있어 이들이 그 원인으로 추정되고 있다.

(6) 기타 원인

췌장염을 일으키는 많은 다른 원인이 존재한다. 고지혈증 단독으로 유발할 수 있으며 신염, 임신, 갑상선기능저하증, 거세, 약물투여(이뇨제, beta차단제, 레티노이드, 에스트로젠)등에 이차적으로 올 수 있다. 그 외에 부갑상선기능항진증에 의한 고칼슘혈증이나 PSS1 (trypinogen gene)의 mutation이 있는 환자와 분할췌장이 있는 경우 그 원인이 불분명하지만 20-45%에서 급성췌장염을 보이기도 한다.

2) 임상양상

급성췌장염은 증세가 경미하고 일시적인 경우로부터 심한 독성으로 사망에 까지 이를 수 있는 질환이다. 보통 상복부 복통으로 시작하고 대부분 심한 지속적 복통이 등쪽으로 방사한다. 알코올성 췌장염 환자에서는 음주후 12–24시간 사이에 시작하고 반면에 담석성 췌장염에서는 과식 후 복통을 경험하는 것이 특징이다. 이학적 소견으로 발열, 맥박수 증가, 상복부 압통, 복부팽만 등을 볼 수 있고 복부팽만은 후복막 염증이나 복수등에 의한 마비성 장폐쇄의 결과일 수 있다. 급성췌장염이 심해져서 급성 출혈성 췌장염으로 발전하면 좌측 옆구리가 푸른색으로 변하는 Tunner 징후와 배꼽주위에 변색을 보이는 Cullen 징후 등을 볼 수 있으며 이때는 사망률이 약30%에 이르기도 한다. 황달은 급성췌장염의 초기에 볼 수 있는 소견은 아니나 가끔 담석성 췌장염환자에서 나타나며 이는 담석에 의한 총수담관의 폐쇄나 드물게는 췌장두부의 부종으로 인한 원위부 총수담관의 압박에 기인한다. 그 외에 좌측 늑막삼출과 심하면 급성호흡부전을 나타내기도 한다.

3) 급성췌장염의 분류

1986년 Beger는 급성췌장염에서 세균감염이 예후에 대단히 중요함을 발표하였고, 그 후 급성췌장염을 형태적, 병태생리적, 임상적 혹은 세균학적인 관찰을 기준으로 하여 서로 다른 치료의 접근을 필요로 하는 간질–부종성 interstitial-edematous 췌장염, 괴사성 췌장염, 췌장농양, 췌장가성낭종의 네가지로 나누었다.

(1) 간질-부종성 췌장염

대부분의 간질–부종성 췌장염은 2%이내의 사망률을 보이며 대증적인 요법으로 잘 치유되는 편이다. 췌장주위 및 간질의 부종과 염증세포의 침윤이 특징이다.

(2) 괴사성췌장염

급성췌장염의 8–15%에서 볼 수 있다. 발병초기에는 중증이 아니더라도 생명을 위협할 수 있는 국소적, 전신적 합병증이 생길 가능성이 많다. 형태학적으로는 간질성 부종과 더불어 췌장실질의 괴사와 췌장주위 후복막 조직의 괴사를 동반한다. 대부분 국소적으로 다발성이나 췌장 전체가 괴사에 빠지는 경우는 흔치 않다. 괴사의 진행은 후복막을 통하여 파급되며, 활성화된 독성물질을 분비하거나 췌장주위에 삼출액이 고이는 경우가 많다. 괴사성 췌장염에 감염이 합병되는 빈도는 40–60%로 보고되는데 주로 그람음성균(주로 *E.coli*)이 발견되며 괴사조직의 감염은 패혈증으로 발전하여 주된 사망원인이 된다. 따라서 감염동반여부의 신속한 진단이 절대적으로 중요하며 괴사조직의 CT 유도하 천자에 의한 세균학적 검사가 필요하다. 감염을 동반시 감염이 없는 괴사성 췌장염에 비해 약 3배의 사망률을 보이며 이때는 괴사조직절제술necrosectomy 또는 외과적 배액술이 필요하다.

(3) 췌장농양

급성췌장염의 또 다른 합병증인 췌장농양은 괴사조직의 세균감염의 결과로 이루어지며 이러한 합병증은 췌장염이 시작된 지 3–4주 후에 주로 나타나게 된다. 임상적으로 괴사성 췌장염에 감염이 동반된 경우는 패혈증을 동반하는 급성췌장염의 중한 형태로 이해되며, 췌장농양은 급성췌장염의 급성기가 지나가고 국소적으로 생기는 형태이다. 이때는 더 이상 급성췌장염의 증후는 안 보이지만 조기에 발견하여 배농함으로서 패혈증으로의 발전을 막아야 한다.

(4) 가성낭종

급성췌장염발병후 1주일부터 가성낭종은 생길 수 있으며 초음파나 CT로 쉽게 발견이 되며 가성낭종은 섬유조직으로 이루어진 가성피막으로 둘러싸여 있다.

4) 진단

1990년 일본 후생성 난치성 췌질환연구소의 자료에 의하면 1) 상복부에 급성복통발작과 압통이 있다. 2) 혈중, 뇨중 또는 복수에서 췌장효소의 상승이 있다. 3) 영상소견에서 급성췌장염의 소견이 있다(표 3-21). 상기 3개 항목 중 2개 항목 이상이 나타나고 다른 췌장질환이나 급성복증(천공성 소화성궤양, 괴저성 소장폐색, 급성담낭염 등)

표 3-21. 급성췌장염의 임상진단기준

1. 상복부에 급성 복통과 압통이 있음
2. 혈액,소변 혹은 복수중 췌장효소의 상승이 있음
3. 영상진단(CT,초음파)에서 췌장에 급성췌장염을 시사하는 이상이 있음

상기 3항목 중 2항목 이상을 만족하고 기타 췌장질환 또는 급성복증을 제외된 것을 급성 췌장염으로 한다. 단, 만성 췌장염의 급성 발증은 급성췌장염에 포함시킨다.

이 제외될 경우 진단이 가능하다. 또한 만성췌장염환자의 급성발현도 이에 해당된다. 최근 영상진단의 발전으로 췌장과 그 주변 조직의 병변이 직접 촬영되어 췌장염의 진단과 중증도의 판정이 보다 정확하게 되었다. 한편 노인에서 볼 수 있는 급성 무통성 췌장염이나, 전격성 간염과 패혈증 등에서 볼 수 있는 급성췌장염에서처럼 통증이 없거나 쇼크, 의식혼미 등의 이유로 통증여부를 알기 어려운 경우도 췌장효소의 상승소견과 영상진단을 통해 급성췌장염의 진단이 가능하다. 미약한 상복부 복통을 호소하면서 혈중 amylase 증가는 관찰되나 증상이 미약하고 영상소견이 이상이 없는 경우는 급성췌장염으로 진단하기는 어려워도 경과를 신중히 관찰해야 하며 특히 작은 췌장암 등의 공존가능성에 유의해야 한다. 급성췌장염의 진단시 가장 중요한 점은 첫째, 신속한 외과적 수술을 요하는 급성복증과의 감별진단이며 둘째, 급성췌장염으로 진단되었다면 신속히 그 중증도를 판정해야 하며 담석성 췌장염이 의심될 때는 ERCP 혹은 EUS등을 고려해야 한다. 마지막으로 감염성 췌장괴사를 동반할 경우는 수술적 치료를 염두에 두어야 한다.

(1) Serum Markers

췌장은 많은 종류의 소화효소를 분비한다. 임상에서의 측정이 편리한 아밀라제가 가장 많이 이용된다. 혈청아밀라제의 상승은 발병 24시간 이내에 상승하고 다음 7일 이내에 차츰 정상수치로 돌아온다. 발병 후 첫주가 지나도 지속적으로 높은 경우는 췌장가성낭종, 췌장복수나 농양 등의 합병증이 생겼거나 급성췌장염이 계속 진행 중이라고 볼 수 있다. 발병초기 혈청아밀라제 수치가 높을수록 췌장염이 더욱 중하다는 것을 의미하지는 않는다. 그러나 많은 범위의 괴사를 동반하는 췌장염일 때는 오히려 경미한 경우보다 낮게 나타날 수 있으며, 담석성 췌장염과 알코올성 췌장염을 비교하면 일반적으로 알코올성 췌장염에서 낮게 나타나는 예가 많다. 고아밀라제혈증은 췌장염이 외에도 소장폐색, 소화성궤양천공 혹은 다른 원인의 복강내 농양 등에서도 높게 나타날 수 있다. 반면에 고지혈증이 있는 환자에서 lipid와 아밀라제의 상호반응으로 낮게 나타날 수도 있다. Pancreatic-specific amylase (p-amylase)은 침샘, 난소, 전립선, 폐 등에서 나오는 salivary amylase (s-amylase)와 달리 췌장에서 만들어지며 순환되는 아밀라제의 40%를 차지한다. 따라서 p-amylase의 측정이 진단의 정확성을 높일 수도 있다. 또한 소변으로 배설되는 아밀라제는 혈청아밀라제가 정상이 된 이후 보통 수일 동안 높게 지속되어 진단에 도움을 줄 수 있지만 소변아밀라제가 정상이라고 해서 급성췌장염이 아니라고 할 수는 없다. 또한 리파제의 상승기간이 아밀라제보다 길어 임상증상이 늦게 나타나 진단이 늦어지는 경우 유용할 수 있으나 소화성궤양천공, 급성담낭염, 허혈성 장질환 등과 같은 다른 질환에서도 관찰되어 비 특이적이다. 간기능검사의 이상은 담석성췌장염에서 흔히 발견되며 이는 바터 팽대부를 통한 담즙흐름의 폐쇄를 시사한다. 빌리루빈, alkaline phosphatase, GOT, GPT등 의 증가는 총수담관결석에 의한 담석성 췌장염을 의심 할 수 있는 합당한 독립적인 예측인자로 생각된다(표 3-22). 진단적 복수천자는 급성췌장염의 진단을 확인하기 위해 때때로 이용된다. 혈청아밀라제가 정상일 때도 복수의 아밀라제와 리파제의 상승이 관찰되기도 한다. 그러나 진단적 복수천자는 그 자체의 침습성과 합병증 발생가능성, 췌장염 이외의 급성복증에서도 대부분 증가하므로 이상적인 검사는 아니다.

(2) 영상진단

단순복부촬영에서 흔히 파수꾼창자sentinel loop 소견과 흉막삼출의 소견이 도움이 되기도 한다. 또한 복부 초음

표 3-22. Ranson 기준

	담석성췌장염	기타 급성췌장염
나이	≥70	≥55
백혈구(/㎣)	≥18,000	≥16,000
공복혈당(mg/dℓ)	≥220	≥200
LDH (IU/l)	≥400	≥350
GOT (IU/l)	≥250	≥250
Hct(%)	Decrease of ≥10	Decrease of ≥10
BUN(mg/dℓ)	Increase of ≥2	Increase ≥5
Ca(mg/dℓ)	≤8	≤8
PaO2(mmHg)	–	≤60
Base deficit (mEq/)	≥5	≥4
Fluid sequestration(mℓ)	≥4,000	≥6,000

파검사도 췌장을 덮고 있는 공기 등으로 확장된 장에 의해 진단에 제한적인 경우가 많다. 최근에 광범위하게 이용되는 급성췌장염의 진단방법은 조영제를 이용한 전산화단층촬영이다. 췌장괴사 유무와 범위파악을 비롯하여 췌장주변 병변을 경과 관찰하는데 있어서 그 중요성은 대단히 높다. 췌장괴사는 조영증강CT에 의해 증강되지 않는 불규칙한 저흡수영역으로 나타난다. 염증의 파급이 췌장주변을 넘어 흉부나 골반쪽으로 파급되는 여부와 함께 괴사조직내에 기포가 보이면 감염성 췌장괴사를 의심 해야 한다.

(3) 급성췌장염의 중증도 판정

입원시 급성췌장염환자의 중증도를 측정하는 이유는 첫째, 중증환자의 예후를 미리 짐작하여 고비용이 들더라도 중환자실에서의 적극적 치료를 할 수 있고 둘째, 중증환자를 집계할 때 다기관 간의 성적비교가 가능하다는 장점은 있다. 1974년 Ranson이 제시한 기준과 APACHE-II (acute physiology and chronic health evaluation) score 그리고 조영증강 CT scan이 가장 많이 사용되고 있다. Ranson은 11개의 혈액생화학적 검사지표가 췌장염의 중증도와 관련이 있다고 해석하고 이중 3항목 이상이 양성이면 중증 급성 췌장염으로 규정하였다. 담석성 췌장염에는 수정된 검사지표를 이용하였다. 2개 이하면 사망률은 없었고, 3-5개이면 사망률 10-20%, 7개 이상 양성이면 사망률은 50%이상이라고 하였다. 그러나 이 검사들을 48시간 이내에 해야 유효함으로 실제 입원 초기 합병증 예방 등에 전력을 해야 할 시기에 시간을 낭비하는 측면도 있으며 당뇨 등의 만성질환을 동시에 갖고 있는 환자는 측정된 중증도보다 예후가 안 좋을 수도 있는 단점이 있다. APACHE-II score는 임상에서 신속하게 측정할 수 있는 좋은 지표이다. 이 점수로 8이상이면 보통 중증으로 생각된다. 그러나 담석성 췌장염의 경우는 입원초기 검사 수치상으로는 다소 중증으로 생각되어도 내시경 괄약근절개술이후 현격히 좋아지는 경향이 있어 단순 비교하기 어렵다는 단점이 있다.

최근 영상진단의 발전과 함께 조영제를 이용한 CT scan이 급성췌장염의 중증도판정에 'gold standard'가 되고 있다. 경한 췌장염은 보통 췌장의 부종만을 보이며, 중증 췌장염은 췌장괴사의 소견을 보인다. 부종만을 갖는 경한 췌장염은 균일하게 조영증강되는 소견을 보이나 중증 괴사성 췌장염에서는 미세순환이 파괴되어 경계 불확실하며 불균일한 저흡수영역으로 보인다. 보다 심해져서 감염성 괴사성췌장염이나 췌장농양으로 발전될 경우 공기음영이 관찰되기도 한다.

5) 급성췌장염의 치료

급성췌장염의 90%까지는 경미하여 자연 치유되기도 하지만 10-15%는 심각한 형태로 중환자실의 집중치료를 요한다. 경증췌장염의 경우는 금식과 적절한 수액요법만으로도 회복될 수 있지만 중등도이상의 췌장염이 의심되면 초기 24시간내의 Lactated Ringer' 액을 이용한 적극적인 수액요법과 중증환자 치료법에 따른 합병증관리가 사망률을 줄이는데 도움이 된다. 중환자실로 전실하여 우선 금식조치와 중심정맥압 및 소변량을 감시하면서 수액 및 전해질보충을 하면서 통증조절을 하는 것이 중요하다. 중증 췌장염이나 감염이 의심되면 대부분 광범위 항생제(imipenem 등)의 투여를 권장하고 있으며 합병증의 발생

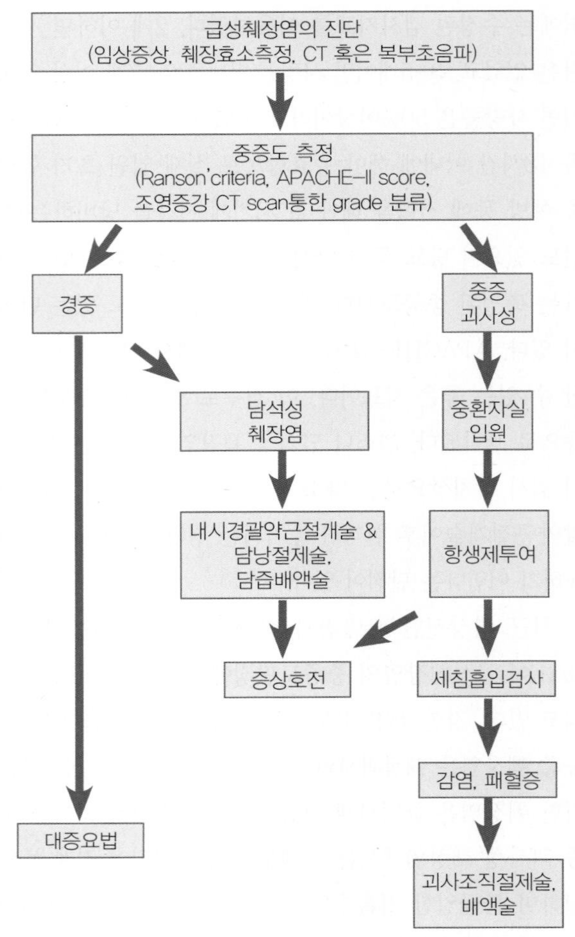

그림 3-77 급성췌장염의 치료지침

을 관찰해야 한다(그림 3-77).

(1) 경증 췌장염

전신 합병증이 없고 APACHE-II 및 Ranson 수치가 낮으며 CTscan에서 괴사성 췌장염이 아닐 때 경증의 췌장염mild pancreatitis으로 분류된다. 치료는 대증적인 보조요법이며 금식을 통하여 췌장을 쉬게 하는데 주안점이 있다. 이런 관점에서 위산은 십이지장에 도달하여 췌장분비를 자극하므로 비위관과 제산제를 사용하는데 그 효용성은 거의 없어 보인다. 한편 췌장분비 억제제인 atropine, calcitonin, somatostatin 등이 시도되며 어느 정도의 효과가 보고되고 있다. 또한 췌장염은 자가소화과정으로 단백질분해를 억제하는 약물(aprotinin, gabexate mesylate)들과 염증반응을 억제하기 위해 indometha-cin, prostagladin inhibitor등이 시도되고 있으나 그 효과는 입증되지 않고 있다. 경증의 췌장염이라고 해도 저혈량상태가 되면 췌장에 허혈이 초래됨으로 적어도 8시간마다 체액평형을 재평가해야 한다. 췌장염환자에서의 심한 통증은 위산과 췌장분비를 유발시키므로 통증조절 또한 무엇보다 중요하다. 이때 pentazocine, meperidine등의 투여는 좋으나 오디괄약근의 경련을 야기하는 morphine의 투여는 피해야 한다. 식사의 경구투여는 천천히 양을 늘려야 하며 저지방 저단백식이 좋고, 복통 압통이 소멸되며 혈청아밀라제수치가 정상화되고 환자 스스로 배고픔을 느끼기 시작한 후 시작하는 것이 바람직하다.

(2) 중증 췌장염

의식혼미, Hct 50이상, 소변량감소, 혈압저하, 고열, 복막염 등의 전신증상을 동반하기도 한다. Ranson기준 3이상의 노인에서는 심한 복통을 호소하지 않더라도 주의깊게 관찰해야 한다. 중증의 급성췌장염환자는 발병초기에 성인호흡곤란증후군에 빠질 수 있다. 이는 폐의 모세혈관과 폐포에 직접 손상을 주는 phospholipase A2 등의 전신유입때문으로 알려졌다. 복강세척은 효소등 독성물질을 함유한 복수를 제거할 목적으로 이용되는데 그 효용성은 아직 미지수이며 꾸준한 집중치료에도 불구하고 호흡기능이 점점 악화되거나 쇼크상태가 악화될 때 시도할 수는 있다. 즉 적극적인 치료에도 불구하고 환자상태가 점점 악화될 때는 복강세척, 배액술등의 수술적 치료를 항상 염두에 두고 있어야 한다. 중증의 췌장염은 소화관 출혈, 급성신부전, 심낭 삼출, 파종성혈관내응고, 혹은 중추신경계의 지방색전증 등을 합병할 수 있어 지속적인 집중치료와 관찰을 요한다(그림 3-78, 79).

(3) 감염

급성췌장염시 감염Infections의 합병은 가장 중한 합병증이며 가장 흔한 사망의 원인이 된다. 대부분 장내세균

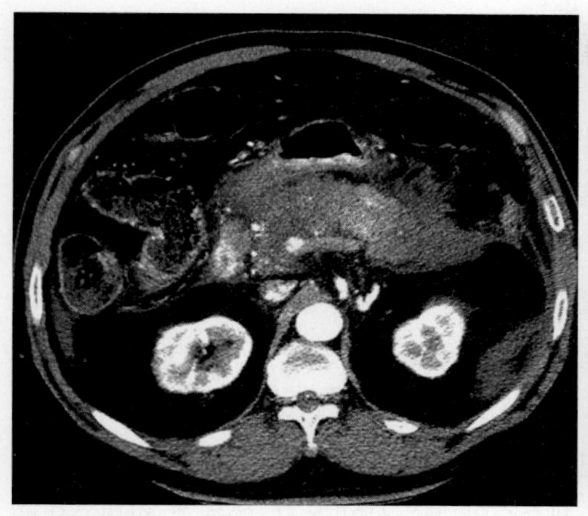
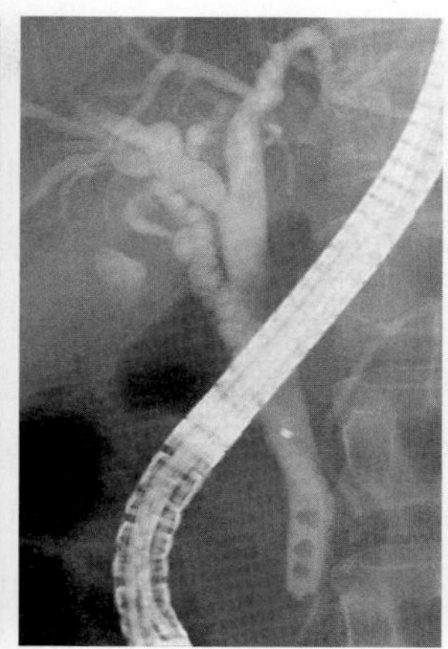
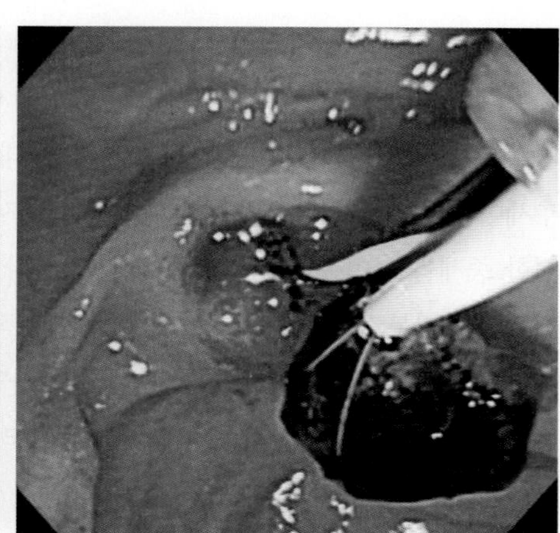

그림 3-78 담석성췌장염(CT, ERCP, 내시경적 괄약근 절개술 후 담석제거)

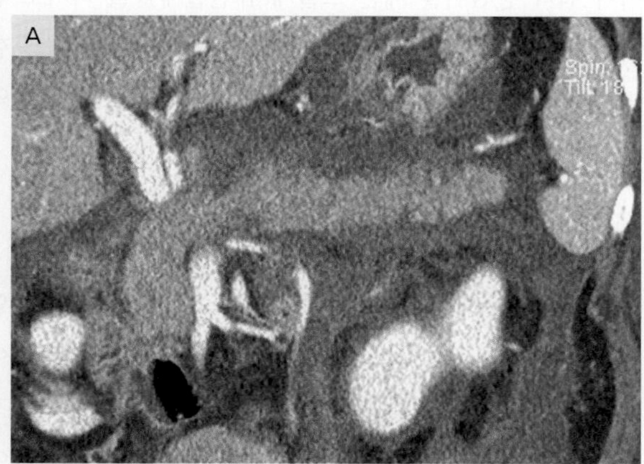
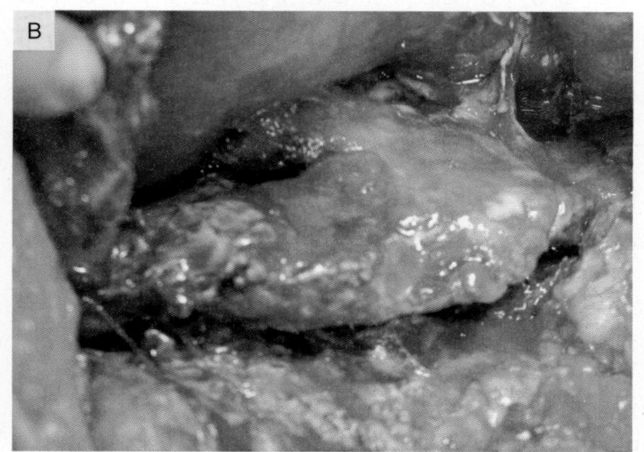

그림 3-79 급성괴사성췌장염(CT 및 수술사진). A) 조영증강CT에서 췌장실질의 감소된 조영증강 및 주변 체액저류소견. B) 췌장실질의 괴사 및 심한 부종과 염증소견

의 이주에 의해 발생하며 간질–부종성 췌장염보다는 괴사성 췌장염일 때 흔하게 볼 수 있다. CT에서 감염을 시사하는 후복막 공기음영등의 소견이 관찰되면, 초음파 혹은 CT 유도하에 세침흡입검사(FNA)를 하여 그람염색과 세균배양검사를 해야 한다. 이때 항생제 단독치료는 감염을 동반한 괴사성 췌장염에서 효과를 기대하기 어려울 수 있으며 외과적으로 괴사조직절제술을 하지 않는다면 사망률이 거의 50%에 달한다. 급성괴사성 췌장염에서의 예방적 항생제의 유효성에 대한 논란이 있어 왔으나 metronidazole, imipenem, 그리고 3세대 cephalosporin의 예방적 투여는 효과가 있는 것으로 받아들여진다.

(4) 무균성 괴사

감염이 없는 괴사성 췌장염은 감염을 동반한 것 보다 훨씬 좋은 예후를 보인다. 전신적 합병증만 없다면 거의 사망률은 없을 수 있으며, 한편 1개의 전신적 합병증을 수반해도 그 사망률이 38%에 이른다는 보고까지 다양하다. 무균성 괴사성 췌장염의 치료는 상태의 위중에 따라 3단계로 나눌 수 있다. 이들 중 가장 경미한 군으로 전신합병증이 없고 감염을 동반하지 않을 때이며 이들은 대개 대증적인 보조요법으로 잘 치료가 된다. 췌장의 무균성 괴사sterile necrosis된 부분은 치유되어 소멸되던지, 후일 가성낭종으로 발전 될 수 있다. 중간단계의 군은 전신합병증이 의심되고 이차적인 감염이 의심되는 상태이다. 이때는 전술한 대로 CT 유도하에 세침흡인검사를 하여 감염여부를 확인한다. 감염이 없고 환자 상태가 호전되는 추세이면 대증적 보존요법을 할 수 있다. 마지막으로 가장 심한 증세를 보이는 군으로 세균감염이 없다 하더라도 전신적인 장기부전증을 동반하면서 수일간의 적극적인 치료에도 불구하고 호전의 기미가 없을 때는 사망에 이를 가능성이 높아 적극적인 괴사조직절제술을 고려해야 한다.

(5) 외과적 수술시기 및 방법

급성췌장염환자에서 수술이 필요한 경우는 1) 수술을 요하는 급성복증 질환과의 감별이 불확실하며 증상이 점점 악화될 때, 2) 감염이 동반된 괴사성 췌장염 3) 무균성 괴사성 췌장염에서 적절한 치료에도 불구하고 전신합병증 등을 보이며 악화될 때, 4) 동반된 담도질환의 교정이 필요할 때 5) 국소적인 췌장농양을 형성했을 때로 요약된다. 수술을 필요로 하는 장천공이나 급성 장간막 허혈과 같이 그 증상이 유사한 경우 감별이 쉽지 않다. 이러한 경우 진단개복술이나 진단 복강경수술을 시도할 수 있다. CT scan 의 발전으로 이러한 경우는 점차 줄어드는 추세이지만, 만약 개복했을 때 합병증이 없는 급성췌장염이라면 어떠한 조작도 불필요하다. 그러나 많은 양의 삼출액이 보이며 전신 독성이나 췌장의 괴사 등의 육안적 소견이 있으면 조심스런 괴사조직의 제거와 함께 광범위한 후복막 배액술을 해야 하며 수술 후 복강내 세척을 위한 복막투석 도관의 설치도 고려 할 수 있다. 또한 술 후 장기간 금식을 해야 하므로 위장감압을 위한 위조루술이나 영양공급을 위한 공장조루술및 담도감압을 위한 총담관조루술같은 소위 'tripple ostomy'를 시도할 수 있다. 이때 담석성 췌장염이 의심된다면 담낭절제술이나 술중 담도촬영술을 시행하고 담석제거 등을 할 수도 있다. 중증 급성췌장염의 수술은 괴사된 조직을 철저히 제거하고, 수술부위 및 췌장주위의 배액술 혹은 관류요법을 하는 것이 기본개념인데 병의 진행과정상 초기에는 조직괴사의 범위를 알기 어렵다는 점이다. 급성췌장염의 수술적 치료의 발전과정을 보면 과거에는 발병초기에 개복하여 췌장절제수술을 하였으나 이처럼 조기에 수술을 하는 경우 괴사성 췌장염에서 절제범위 즉 조직의 괴사여부를 판단하기가 어려웠고 또 수술 후 합병증의 발생이 매우 높았다. 따라서 가능하다면 발병 후 3-4주 후에 수술하는 것이 권장된다. 또 괴사조직을 제거함에 있어서도 췌장을 절제하는 수술은 수술 후 합병증발생이 많고 과도한 정상 췌장조직의 절제가 따르므로 Blunt digital necrosectomy를 이용하여 괴사조직만을 제거하게 되는데, 한번에 완벽한 제거가 불가능하여 재수술의 가능성이 높고 수술 후 합병증으로 농양, 장누공, 췌장루 및 출혈 등이 있을 수 있다. 췌장괴사가 워낙 광범위할 때는 드물게 췌전절제술을 하기도 한다. 일반적으로 수술 후 15-20%에서 농양, 출혈 등의 합병증이 발생하며, 사망률은 20-25%, 재수술율은 약 30%로 보고되고 있다.

(6) 췌장농양

췌장농양pancreatic abscess은 발병 후 수시간 혹은 수일 내에 발생하는 감염성 괴사성췌장염과 달리 2-6주경에 형성되는데 그 지연성 감염의 기전은 불분명하나 외과적 개복 혹은 초음파나 CT 유도하의 경피적 배농술을 하여야 한다.

(7) 영양공급

경증의 췌장염은 보통 3-7일정도의 금식을 하면 임상적 상태가 호전되어 경정맥영양요법(TPN)까지는 불필요할 수 있다. 그러나 중증의 췌장염은 수주일 간의 영양공급이 필요하여 TPN이나 공장영양관을 이용한 영양공급을 반드시 고려해야 한다. 장기간의 TPN은 장점막의 위축을 야기하여 장내세균의 침투라는 문제가 있고 공장을 통한 공급은 소장의 호르몬분비를 통해 췌장 외분비를 자극할 수도 있다는 문제점이 있으나 동물실험이나 초기 임상실험에서는 공장을 통한 영양공급이 우수한 것으로 나타나고 있다.

(8) 담석성 췌장염의 치료

과거에는 담석성 췌장염에 대한 담도 수술을 급성췌장염의 발병 8주 후로 흔히 연기하였는데, 최근에는 복강경 담낭절제술의 발달과 조기에 외과적으로 담낭절제술을 하지 않으면 빈번하게 재발되기 때문에 전신상태가 나쁘지 않다면 조기에 시행한다. 장마비증, 복부팽만, 췌장주위의 다발성 체액저류등의 소견이 보이면 임상적 개선이 있고 췌장이나 췌장주변의 염증이 해소된 후로 수술을 연기하는 것이 좋다. 담낭을 그대로 남겨두면 약 35%에서 췌장염의 첫 경험 후 평균 108일경 담석성 췌장염이 재발한다. 담석성췌장염의 수술원칙은 담낭절제술을 하고 담관의 폐쇄유무를 해결 혹은 확인하는 것이다. 그러나 수술의 고위험군에서는 내시경적 괄약근절개술을 이용한 담석의 제거가 바람직하다. 담석성 췌장염이 의심될 때 모든 환자에서 ERCP를 하는 것보다는 잔류담석이 있을 확률이 낮고 시술 후 췌장염악화가 우려 될 때는 CT, MRCP, 혹은 EUS를 이용하여 확인하는 것으로 대체할 수 있다.

2. 만성췌장염

만성췌장염은 췌장의 비가역적 손상이 진행되어, 형태학적으로 췌장의 섬유화 및 석회화, 췌관의 불규칙한 확장이나 협착, 췌관내 결석 등의 변화를 일으키고, 기능적으로 췌장의 내분비 및 외분비 기능장애를 야기하는 질환이다.

증상발현 전까지 무증상으로 지내는 경우도 많고 진단기준이 확립되어 있지 않아 발병률 및 유병률을 정확히 평가하기는 어렵고, 국가별, 지역별 차이가 있겠지만 보고에 따르면 발병률은 5%, 유병률은 50-75명/100,000으로 추정된다. 대체적으로 최근 50년간 만성췌장염의 빈도는 증가하고 있고, 이러한 원인은 음주인구의 증가, 영상 진단의 발전으로 만성췌장염으로 진단되는 환자수가 증가하는 것으로 보고있다.

본 장에서는 만성췌장염의 원인 및 분류, 진단, 합병증, 그리고 내·외과적 치료방법을 기술하고자 한다.

표 3-23. 나이에 따른 만성췌장염의 원인

	전체	나이 65세	나이≥65세
환자	814	662(81.3%)	152(18.7%)
남녀비	6.1:1	6.5:1	4.6:1
평균연령(세)	50.6±13.9	46.0±10.9	70.9±5.0
원인	523(64.3%)	439(66.3%)	84(55.7%)
알코올	169(20.8%)	126(19.0%)	43(28.7%)
특발성	16(2.0%)	1(1.7%)	5(3.3%)
자가면역	70(8.6%)	59(8.9%)	11(7.2%)
폐쇄	36(4.4%)	27(4.1%)	9(5.9%)
기타			

1) 원인

1878년 Friedreich에 의해 지나친 알코올로 인하여 만성췌장염이 발생한다는 최초의 보고가 있었다. 전세계적으로 원인의 60-70%는 알코올과 관련이 있고 그 다음으로 특발성이 20%를 차지하며 10%에서 그 외 원인들이 작용한다. 국내의 경우, Ryu 등의 13개 다기관 연구 결과를 보면, 원인의 64.3%가 알코올에 의한 것이었으며, 다음으로 특발성(20.8%)과 그 밖의 원인들로 나뉘어졌다(표 3-23).

(1) 알코올

알코올 섭취량이 증가 할수록 만성췌장염의 발생 가능성은 높아지게 된다. 하지만 적은 양의 알코올을 섭취하는 사람도(1-20g/d) 췌장염을 일으킬 수 있어 알코올의 역치가 따로 있는 것은 아니며, 알코올중독자(150g/d)에서도 15%미만에서만 만성췌장염이 발생하는 것으로 되어 있다. 하지만 알코올을 섭취한 기간은 분명한 관련이 있는데 섭취한지 16-20년 정도 경과한 35세내지 40세 사이에서 만성췌장염이 잘 걸리는 것으로 알려져 있다.

(2) 특발성

명확한 원인이 규명되지 않은 경우 특발성Idiopathic으로 분류하며, 알코올 다음으로 많은 원인을 차지하는데 약 20-30%로 보고된다. 알코올성 만성췌장염과는 달리 15-30세 사이의 젊은 층과 50-70세 사이의 두 계층에 많이 분포하는 것으로 되어 있다. 젊은 층에서의 특발성인 경우 가족력은 없으나 간혹 유전자 변이가 발견 되는 경우가 있고, 췌장염의 가족력이 있는 환자는 선천성 췌장염을 배제하기 위하여 분자생물학적 검사가 이용되고 있다. 담도내의 담석과 미세석회화 병변을 찾아내는 진단 기술이 발달하면서 예전에 노년층에서 특발성 췌장염으로 진단된 많은 경우가 사실은 담관내 병변이 있는 것으로 밝혀지는 경우가 늘고 있다. 유전성 췌장염에서와 같이 SPINK1 (Serine Protease Inhibitor, Kazal type 1), CFTR (Cystic Fibrosis Transmenmbrane Conductance Regulator) 유전자의 변이가 특발성과 관련이 있음이 밝혀지고 있지만 아직까지 환자 치료에 있어서 정확한 유전 상담은 확립되어 있지 않다.

(3) 만성 자가면역성 췌장염

자가면역성 췌장염은 1961년에 Sarles 등이 고감마글로블린혈증을 동반한 췌장염이 면역기전 이상에 의해 발생하는 만성췌장염일 가능성을 제시하였고, 1995년 Yosida 등은 "자가면역성 췌장염"이라는 용어를 처음 사용하기 시작하였다. 국내에서는 2002년 Kim 등이 경구 스테로이드에 반응하는 자가면역 만성췌장염 환자를 첫 보고하였다. 최근 경험이 쌓이면서 한국과 일본의 합의에 의한 아시아 진단기준이 확립 되었으며, 영상의학적 소견에 따라 췌장이 전박적으로 부어 있으면서 주췌관의 전반적인 불규칙한 협착 소견을 보이는 미만성과diffuse form, 췌장실질의 부분적 종대를 보이면서 주췌관의 국소 협착을 보이는 국소형focal form 또는 분절형segmental으로 나눌 수 있다. 혈액 검사상 IgG나 IgG4의 증가나 자가항체 양성, 조직검사상 췌장내 섬유화와 림프구 및 형질 세포 침윤, 임상적으로 스테로이드에 대한 치료 성적이 좋다는 특징들을 나타낸다. 국소형일 경우, 종괴 형성mass-forming form을 하여 영상의학적 검사만으로는 췌장암과의 감별 진단이 어려운 경우도 있다. 혈중 총 IgG는 IgG4가 올라가도 정상으로 나올 수 있으므로 자가면역성 췌장염이 의심될 경우 IgG4를 같이 측정해야 한다. 스테로이드 투여만으로 만성췌장염의 현저한 호전을 기대할 수 있다.

(4) 만성 폐쇄성 췌장염

췌장관의 근위부가 눌리거나 막히면 선방세포가 위축되고 섬유화가 이루어지며, 췌장관의 확장이 일어나서 만성췌장염이 발생되는데, 그 원인으로는 양성 종양이나 악성 종양, 담석, 외상 후 상처posttraumatic scar, 분할췌pancreas divisum등이 있을 수 있다.

(5) 유전성 췌장염

1952년 Comfort와 Steinberg가 Mayo Clinic에서 24세 여성 환자에서 유전적으로 만성 췌장염이 재발하는 환자를 처음 보고한 이래 알코올과 연관이 없으면서 만성 경과를 보이는 췌장염이 보고되기 시작하였다. 유전성 췌장염hereditary pancreatitis은 만성췌장염의 1%를 차지하고 한 가계내에 2세대 이상에 걸쳐 3명 이상의 복통 발작을 되풀이하는 재발 췌장염 환자가 나타나며, 특징적으로 소년기나 시춘기때 복통을 호소하면서 영상의학적 검사상 만성 석회화 췌장염으로 나타난다. 상염색체 우성으로 유전되고, 남녀 비율은 같으며, 관련 있는 유전자는 PRSS1, SPINK1, CFTR 등이 있다 암 발생의 비율이 약 40%까지 보고되고 있고 대개는 50세 이후에 암으로 발전하는 것으로 알려져 있다. 서구에서는 상대적으로 빈도가 높게 보고되고 있으나, 국내의 경우는 증례 보고가 있는 정도이다.

(6) 부갑상선 기능항진증

고칼슘혈증hypercalcemia은 췌장의 분비 기능을 자극시키는 것으로 알려져 있어, 부갑상선 기능항진증hyperparathyroidism 환자에서 만성적으로 고칼슘혈증이 있던 경우 만성석회화 췌장염이 발생하는 것으로 알려져 있다.

(7) 고지질혈증

여성호르몬제제를 복용하는 여성에서 고지질혈증hyperlipidemia은 만성췌장염의 위험을 높이는 것으로 알려져 있다. 여성호르몬이 고지질혈증과 연관된 만성췌장염에 어떤 작용을 하는지는 아직 알려진 바가 없다. 하지만 폐경이 가까운 여성에서 호르몬 치료를 계획하고 있는 여성들에게는 고지질혈증을 적극 치료해 주는 것이 추천된다.

2) 진단

췌장의 해부학적 특징상 조직검사가 용이하지 않으므로, 만성췌장염의 진단은 환자의 병력 청취와 임상 증상, 외분비 또는 내분비 기능 검사, 그리고 영상의학적으로 형태학적 변화를 관찰함으로써 이루어진다. 하지만 췌장의 기능부전과 형태학적인 변화가 병이 상단히 진행된 후에야 나타나는 경우가 많으므로 만성췌장염의 조기진단에 어려움이 있다.

(1) 임상 증상 및 징후

만성췌장염에서 가장 흔한 증상은 통증이며 상복부 통증과 등으로의 방사통을 함께 호소하는 경우가 많다. 통증은 수시간에서 수일 지속할 수 있고 음식물을 먹거나 알코올을 섭취시 심해질 수 있다. 환자는 통증시 배를 웅크리고 다리를 구부리는 특징적인 자세를 취한다. 통증의 원인은 췌관의 압력 상승이나 신경의 염증 등에 의해서 발생되는 것으로 생각되고, 담관의 협착이나 가성낭종 형성, 이차적 췌장암 발생 등과 같은 합병증에 의해서도 발생할 수 있으므로, 통증 양상의 변화가 있는지를 잘 살펴야 하겠다.

내당능장애는 췌장이 아주 심하게 파괴된 말기에 주로 나타나게 되며 약 70%에서 생기고, 일코올성 만성췌장염시 더욱 빈번하여 많게는 85%에서 당뇨가 발생한다고 알려졌다. 지방변은 췌장의 외분비 기능이 정상의 5-10% 이하로 떨어지게 되면 흡수 장애로 인하여 발생하는데, 외국에 비하여 국내 환자의 경우, 지방섭취률이 낮아서인지 지방변을 호소하는 환자는 별로 없다. 기타 합병증으로 인한 증상이 다양한데, 십이지장이 폐쇄되면 구역, 구토가 나타나고, 총담관이 폐쇄되면 황달이, 그리고 문맥이나 비정맥이 막히면 위정맥류가 발생되어 토혈을 하는 경우가 있다.

(2) 혈액검사

췌장효소인 아밀라제와 리파아제의 측정은 급성췌장염에서와는 다르게 만성췌장염 진단시 민감도가 높지 않다. 만성췌장염이 급성으로 악화될 때만 증가되어 있고, 보통 증상이 없을 때는 정상으로 나타난다. 만성췌장염이 심하게 진행되어 남아 있는 선방세포가 거의 없을 때는 아밀라제와 리파아제가 정상보다도 훨씬 감소되어 나타나고, 이 경우에는 급성으로 악화되어 환자가 심한 복통을 호소하는데도 아밀라제와 리파제는 증가되지 않으므로 주의를 요한다. 외분비 기능 평가중에서 직접적 방법으로, 위와 십이지장에 도관을 삽입하여 췌장액 분비를 자극시켜 얻은 췌장액에서의 효소 농도 측정법은 환자에게 침습적이므로 잘 사용하지 않고, 간접적 방법으로, 대변의 elastase 농도를 검사하는 것 역시 만성췌장염의 진단 목적보다는 흡수장애 환자의 치료 반응 평가에 주로 이용된다.

(3) 영상의학적 검사

만성췌장염 환자에서 췌장의 형태학적 변화를 관찰할 수 있는 검사로는 단순복부촬영, 복부초음파, 전산화단층촬영(CT), 내시경적 역행성 담췌조영술(ERCP), 내시경초음파검사(EUS), 자기공명 담췌조영술(MRCP)등이 있다. 만성췌장염 환자의 약 30-70%에서는 단순 복부촬영에서 췌장의 석회화가 관찰된다(그림 3-80). ERCP는 만성췌장염 진단에 가장 민감도가 높은 검사로 여겨지고 있으며 병의 진행 정도에 따른 주췌관의 형태학적 변화를 가장 잘 나타낼 수 있다. 주췌관의 병변은 만성췌장염이 진행된 경우 특징적으로 확장과 협착이 반복되어 나타나기 때문에 마치 염주알과 같은 양상으로 보인다. 그러나 췌관이 단순히 일정하게 확장되어 보이기도 한다. CT는 석회화, 주췌관 확장, 낭성병변이 있는 경우 진단에 유용하고, 중재적 시술이 필요한 경우 좋은 정보를 제공한다. 또한, 문맥이나 비정맥의 혈전증, 가성 동맥류도 관찰될 수 있다. 최근 췌장 병변의 진단에 EUS가 널리 사용되고 있으며, 췌장 실질 관찰시 높은 해상도의 이미지를 보여준다. 물론 시술자에 따른 결과의 차이가 있을 수 있고 침습적이

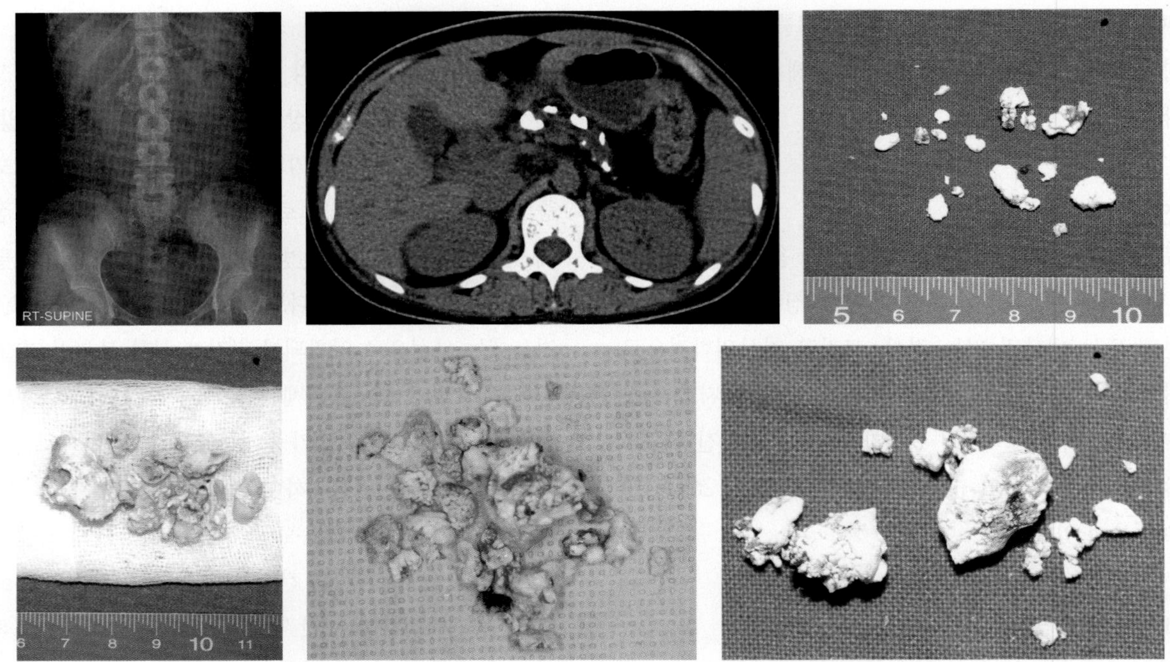

그림 3-80 단순복부사진 및 CT상에서 석회화 병변을 확인할 수 있으며 수술로 제거된 다양한 크기의 췌석들

기는 하지만, ERCP보다 안전하며, 췌장 실질의 변화, 주췌관과 분지췌관에 대한 정보, 낭성 병변의 평가등에 유용하다. 더욱이 췌장암과의 감별이 모호할 때 좋은 정보를 줄 수 있고, 만성췌장염 초기 진단시에는 ERCP보다 효과적이라 할 수 있다. 만성췌장염에서 MRCP와 ERCP를 비교해 보았을 때 두 검사 소견이 일치하는 정도가 약 70-92%로 비교적 MRCP가 유용하다고 보고되고 있다.

3) 합병증

국내의 다기관 연구에 따르면 만성췌장염의 합병증 빈도는 당뇨가 31.6.%로 가장 흔하였고, 다음으로 가성낭종(28.4%), 담도폐쇄(13.9%), 췌성복수(6.6%), 췌장암(3.1%) 순이었다. 그 외에 췌장-장관 누공, 문맥 및 비정맥 혈전증등이 발생할 수 있다.

(1) 당뇨 및 외분비 기능장애

당뇨의 발생은 만성췌장염의 말기에 주로 생기므로 그 유병률은 병의 경과와 췌장 손상의 정도에 달려 있다. 10년, 25년 경과 후의 누적발생빈도는 각각 50%, 85%이고 췌장 석회화가 시작되면 위험도는 3배로 증가한다. 알코올에 의한 만성췌장염일 경우 그 위험이 더 높아진다.

서구에 있어서 외분비 기능장애는 14-48%로 보고되지만 국내의 경우는 외분비 기능장애 빈도에 대한 외분비 기능평가가 정확히 이루어진 보고는 없는 실정이다. 췌장 외분비 기능장애는 만성췌장염의 주된 예후 인자는 아니며, 가끔 심한 지방변으로 체중 감소, 감염 등이 문제가 되는 경우는 있으나, 우리나라의 경우에는 심한 지방변으로 고생하는 환자는 드물다.

(2) 췌장 가성낭종

췌장 가성낭종pancreatic pseudocyst은 췌장염의 흔한 합병증의 하나로서 췌장의 전체 낭종성 병변 중 70-80%를 차지한다. 1776년 Morgagni에 의해 처음 보고 되었으며, 낭종 안에는 혈장성분과 비슷한 전해질과 높은 농도의 췌장효소인 아밀라제, 리파아제, 트립신이 함유되어 있고, 벽은 상피층이 결여되어 있는 섬유화 또는 육아조직으로 구성된다. 급성췌장염시에는 약 10%에서 발생하고, 만성 췌장염에서는 20-38%에서 가성낭종이 발생하는 것으로 알려져 있다. 1920년대 이래 낭종을 위장관과 문합하는 수술적 내배액술이 표준 치료법으로 여겨져 왔다. 1980년대 이후 영상진단의 발달로 과거에 비해 진단의 빈도가 높아지고, 자연경과에 대하여 알게 되었으며, 중재적 방사선 기술의 발달로 비수술적 치료방법이 증가하였다. 최근 내시경 또는 복강경과 같은 최소 침습적 접근이 시도되고 있다.

대개 4-6주간 경과를 추적시 크기의 증가, 감염, 출혈, 담도계의 폐쇄, 장관 폐쇄, 식사 후 재발되는 통증, 악성이 의심되는 경우 중재적인 치료가 필요하다. 과거에는 증상이 없는 경우라도 크기가 6cm 이상이거나 6주 이상 경과한 경우 합병증이 일어나기 쉬우므로 적극적인 수술이 필요하다고 하였지만, 최근에는 증상이 없는 경우 10-12cm 정도로 거대한 가성낭종도 더 커지지 않으면 계속 경과 관찰하면서 기다려 보아야 한다는 주장도 있다.

가. 췌장 가성낭종의 내과적 치료

급성췌장염에 의해 생긴 가성낭종일 경우, 대개 50%에서 자연 흡수가 되므로, 보존적 치료로서 금식과 함께 비위관으로 감압하는 것이 일차 치료이나, 과연 금식이 필요한지와 금식기간에 대해서는 논란이 있다. 췌장액 분비를 감소시키기 위하여 octreotide를 사용할 수 있겠다. 만성췌장염에 의한 경우일 때는 자연소실이 드물어 중재적 또는 수술적 치료를 필요로 하는 경우가 많다.

경피적 배액술percutaneous drainage은 수술적 배액술을 대신할 수 있고 수술의 고위험군 환자에서 권장되나, 모든 환자에서 배액 카테터를 넣을 수 있는 영상의학적으로 안전한 창이 확보되지 않기 때문에 실제 시술에는 제한이 있다. 과거에는 가성낭종이 성숙할 때까지 기다리는 보존적 치료가 선호 되었지만 최근에는 경피적 배액술의 술기가 발달하여 크기가 커서 합병증이 나타날 가능성이 큰 경우 미성숙 가성낭종도 합병증 없이 배액이 가능하게 되었다.

내시경적 배액술은 1983년 Khawaja와 Goldman이 최초로 시도하였다. 낭종장관 조루술Cystenterostomy은 위 또는 십이지장 벽을 통하여 내시경적으로 낭종과 조루술을 만드는 방법으로, 시술시 내시경적 초음파검사(EUS)는 낭종의 정확한 위치와 낭종 벽의 두께를 파악하는데 도움이 된다. 경유두 배액술은 ERCP를 시행하면서 췌관을 통해 가성낭종 안에 가이드 와이어를 밀어 넣고 가이드 와이어를 따라 스텐트를 거치 시키는 방법이다. 경유두 배액술이 성공적이기 위하여 낭종과 췌관 사이에 연결이 있어야 하며 이론적으로는 60-80% 정도에서 연결이 있다고 하지만 실제 적용 범위는 한정되어 있다.

나. 췌장가성낭종의 수술적 치료

현재 췌장 가성낭종을 수술하는 적응증에는 낭종의 크기가 5-6cm 이상인 경우, 6주 이상 낭종의 크기가 감소하지 않는 경우, 감염, 출혈과 파열, 그리고 낭종으로 인한 장 폐쇄 혹은 담도 폐쇄 등의 합병증이 동반된 경우, 심한 괴사가 동반되어 있는 경우, 악성종양의 가능성을 배제할 수 없는 경우, 증상이 있으면서 주췌관과 가성 낭종이 연결되어 있거나 주췌관의 확장을 동반하는 경우, 그리고 재발성인 경우이다. 수술 방법에는 외배액술, 내배액술, 절제술이 있으며 수술 시 낭종벽의 생검을 통하여 악성종양의 가능성을 배제해야 한다.

외배액술은 췌장 가성낭종의 벽이 미성숙하여 내배액이 불가능한 경우라든지, 감염되어 있는 경우, 전신 상태가 불량한 경우 시행할 수 있으며, 단점으로는 출혈, 췌장 농양, 췌피누공pancreaticocutaneous fistula, 피부 손상, 높은 재발률이 있을 수 있다. 괴사된 조직이 있을 경우 최대한 제거하고 굵은 배액관을 피부와 최대한 단거리에 위치시키도록 한다. 내배액술에는 3가지 방법이 있는데, 낭-공장문합술, 낭-위 문합술, 낭-십이지장 문합술이 있다. Roux-en-Y 낭-공장문합술은 가장 많이 사용하는 방법이고(그림 3-81), 낭-위문합술은 위의 후벽과 가성 낭종이 유착되어 있는 경우에 낭-공장 문합술보다 쉽고 빠르게 수술을 시행할 수 있다. 낭-십이지장문합술은 낭종이 췌

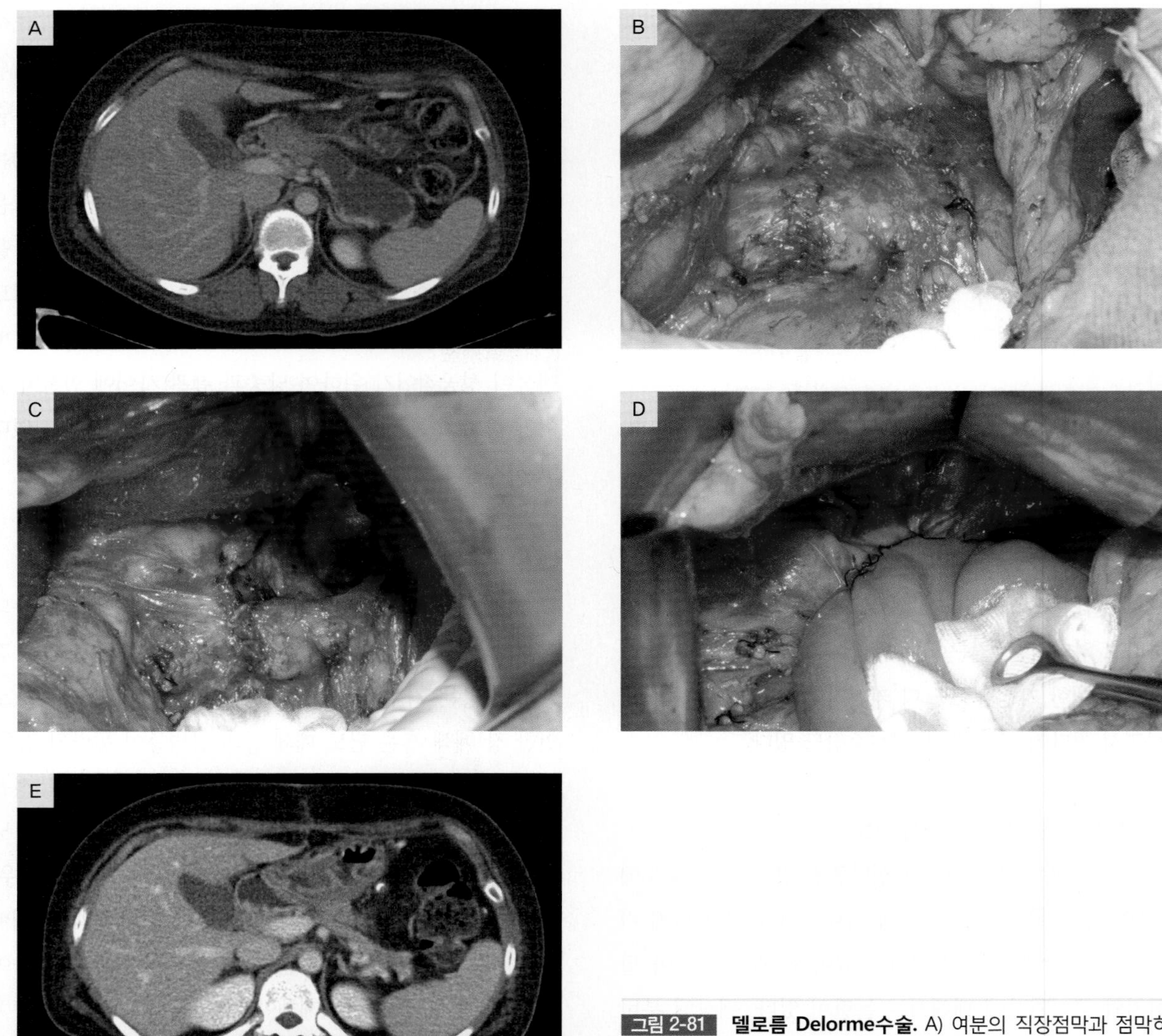

그림 2-81 **델로름 Delorme수술.** A) 여분의 직장점막과 점막하층을 근층으로부터 충분한 길이로 박리한다. B) 여분의 점막을 절제한 후 상하부의 점막을 봉합한다.

두부에 위치하며 십이지장 내벽에서 1cm 이내 거리에 위치할 때만 시행할 수 있으나, 이 수술 방법은 십이지장루가 합병으로 생길 가능성이 있으므로 잘 사용하지 않는다. 가성낭종이 췌장미부에 국한되어 있는 경우 췌미부 절제술을 시행할 수 있다. 이때 주췌관의 관통성을 수술 중 혹은 수술 전 다양한 영상진단법으로 확인하는 것이 중요한데, 췌관의 근위부에 협착이 있는 경우 Roux-en-Y 췌-공장문합술로 잔여 췌장을 배액해주는 것이 추천된다. 복강경을 이용한 내배액술로 복강경 낭-공장문합술이나 낭-위 문합술이 활발히 이루어지 있다.

(3) 췌성 복수

췌관으로부터 누출된 췌장액이 가성낭종을 형성하지 않고 복강내로 퍼질 경우 췌성 복수Pancreatic ascites를 형성한다. 가끔 흉강내로 올라가 늑막내에 고이기도 한다. 환자는 체중감소에도 불구하고 복부팽만을 호소하며 통증이나 메스꺼림은 거의 없다. 복부 CT상에서 복수를 확인할 수 있으며 복부천자로 얻은 체액분석시 단백질이

25g/L 이상으로 나오고 아밀라제가 상승된 소견을 보인다. 절반이상에서는 금식과 소마토스타틴, 총경정맥영양 등으로 호전을 보인다. ERCP를 통해 췌관의 누출부위를 확인할 수 있으며 췌관 스텐트 삽입도 고려할 수 있겠다. 수술적 치료로는 누출부위가 췌체부에 있을 경우 췌공장문합술에 의한 내배액을, 췌미부에 존재시 췌미부절제술을 고려할 수 있다.

(4) 췌장-장관 누공

가성낭종이 주변의 장관을 침식하여 들어감으로써 누공을 형성할 수 있다. 가장 흔한 부위는 횡행결장이며 증상으로는 위장관계 출혈과 패혈증을 유발할 수 있다. 누공이 위나 십이지장과 연결된 경우는 자연히 막힐 수 있고, 그렇지 않고 영구적 누공을 형성하더라도 별 문제가 없으나 대장과의 누공 형성이 있을 경우에는 대부분 수술적 치료를 요한다.

(5) 췌두부의 염증성 종괴 형성 및 악성종양 발생

진행성 만성췌장염의 약 30% 환자에서 췌두부에 염증성 종괴가 발생한다. 이 경우 통증이 좀더 심하고 원위부 총담관 폐쇄, 십이지장 폐쇄, 문맥압박 및 주췌관 폐쇄의 빈도가 좀더 높은 것으로 알려져 있다. 독일 Ulm대학의 연구에 의하면, 수술적 치료를 받은 279명의 만성췌장염 환자를 분석한 결과, 췌두부에 종괴를 형성한 환자가 절반을 차지하였고 이 환자군에서 내분비 및 외분비 기능장애는 낮은 빈도를 보였지만, EGF와 c-erbB-2의 발현은 더 높은 것으로 나타났다. P53의 변이mutation와 다형성polymorphism도 각각 3%와 8% 보였으며, 췌장암이 3.7%에서 발생하였다. 이러한 결과를 토대로 췌두부에 종괴를 형성한 경우 과형성hyperplasia에서 이형성dysplasia으로 빠른 변화를 보이는 것을 알 수 있었으며 아직까지 이러한 현상의 원인은 알려져 있지 않다. 치료는 십이지장보존 췌두부절제술Duodenum-preserving head resection (DPPHR)로 좋은 결과를 보였다. 또한, Falconi등이 28년간의 이태리 Verona대학의 경험을 발표한 보고에 의하면, 만성췌장염으로 췌절제술을 시행받은 환자의 가장 흔한 사망원인은 췌장암의 발생이었다. 2015명의 만성췌장염 환자를 대상으로 한 다기관 연구에 의하면 췌장암 누적위험도는 10년째에 1.4%, 20년째는 4%에 달한다. 국내의 다기관 연구에서는 3.1%에서 췌장암 발생이 있었다.

(6) 비장 정맥 및 문맥의 혈전증

췌장두부의 염증성 종괴 형성으로 문맥이나 비장 정맥이 눌려 혈전증splenic and portal vein thrombosis이 유발될 수 있는 경우는 약 4-8% 정도이다. 비장 정맥의 혈전증으로 인해 위식도 정맥류가 있을 경우에는 다른 문제로 인해 수술적 치료를 하는 경우라면 반드시 비장절제술을 함께 시행하는 것이 현명하다.

4) 치료

만성췌장염의 치료 원칙은 통증의 개선과 췌장의 내분비 및 외분비 기능의 유지나 개선에 있다. 임상적으로 문제되고 있는 것은 크게 3가지로 복통, 흡수장애, 그리고 당뇨병이다.

(1) 내과적 치료

가. 통증 치료

만성췌장염에 의한 통증은 통증을 유발하는 기전이 다양하고, 치료 반응 및 통증의 경과가 다양하여 아직 표준화된 치료가 없다. 1998년 미국소화기학회에서 제시한 만성췌장염에 의한 복통의 치료 지침은 아래와 같다. 즉, 가성 낭종, 담관 및 십이지장 협착 등의 합병증 및 궤양 등의 동반 질환을 우선 배제하고, 금주, 저지방 식이, 비마약성 진통제 투여와 함께 환자가 복통에 관한 일지를 쓰게 한다. 이에 반응이 없으면 약 8주간 위산 억제와 함께 비장용 피복 용제의 고용량 췌장 효소제를 투여한다. 역시 반응이 없으면 췌장배액술 같은 내시경 치료를 시도하고, 효과가 없을 경우 수술을 고려한다. 그러나 실제 임상에서는 이런 배경에 의한 약제의 투여가 효과가 없는 경우가 많고, 통증이 심한 상태에서 내원한 경우 위와 같은 단계적인 치료법을 적용하기가 어렵다. 췌장 효소제의 작용기전은 cholecystokinin 매개 췌장액 분비를 feed-back inhibition 하는 것이다. Proton pump inhibitor는 위산에 의한 췌효소 파괴를 막고, 십이지장 pH를 상승시켜 췌장 자극을 감소시키는 효과도 있다. 그러나 실제 임상 연구에서는 이들 약제의 효과는 매우 제한적이고 진행된 만성췌장염에서는 그 효과를 발휘하기 어려워 초기 만성 췌장염의 경우 시도해 볼 수 있다.

통증 치료 목적으로 사용되는 다른 방법으로 경피 혹은 초음파 내시경으로 약제를 주입하는 복강신경얼기 차단술, 흉강경하 경흉곽 내장신경절제술videoscopic transthoracic splanchnicectomy과 같은 신경전달을 차단시키는 것이 있다.

나. 췌장의 내분비 및 외분비 기능 감소의 치료

췌장의 외분비 기능 부전은 증상 발현 후 약 10년 이후에 나타난다. 지방변, 체중 감소 등이 있으면 췌장 효소제를 투여해야 한다. 치료 효과를 높이기 위하여 식사는 하루에 5-6회로 나누어 한 번 식사량을 줄이는 것도 도움이 된다.

당뇨는 병이 진행됨에 따라 약 80%에서 초래될 수 있는데, 인슐린을 분비하는 β-세포가 80% 이상 파괴되어야 당뇨가 발생한다. 치료는 인슐린 분비 세포의 이상이 원인이기 때문에 경구 혈당 강하제가 아니라 인슐린 치료가 원칙이다. 인슐린 치료에서 명심할 것은 이들 환자에서는 glucagon을 형성하는 α-cell도 감소하기 때문에 저혈당에 대한 교육을 해야한다는 점이다.

다. 내시경적 치료법

내시경 치료는 주췌관의 협착과 췌장 결석에 의한 췌관 폐쇄를 해결해 줌으로써 상승된 췌관과 췌장 실질의 압력을 감소시킬 목적으로 시행한다. 주췌관 협착의 치료를 위해 췌관 괄약근 절개술, 풍선이나 배액관 제거기를 이용한 협착의 확장술이나 췌관 배액관 삽입술이 이용된다. 내시경 치료로 췌장결석 환자의 50-60%는 결석의 완전 제거가 가능하고 결석이 큰 경우에는 체외 충격파쇄석술로 결석을 분쇄 후 내시경 치료를 시행한다. 내시경 치료 후 약 70% 환자에서 증상의 호전을 보인다. 결석 제거 후 통증 감소 혹은 췌장액 흐름의 원활해짐 등으로 인한 체중 증가와 췌장 외분비 기능의 호전도 기대할 수 있다.

(2) 수술적 치료

만성췌장염의 수술적 치료의 역사를 살펴 보면 1911년 Link는 복통을 호소하는 젊은 여성을 개복하여 확장된 췌관을 열고 다발성 췌석을 제거 후 고무 배액관을 위치시킨 후 30년간 증상 재발 없이 성공적으로 치료하였음을 보고하였다. 이후 1946년 Whipple은 3명의 만성췌장염 환자를 근위부 췌절제술로 효과를 보았다는 보고를 하여 만성췌장염 환자의 치료에 있어서 수술적 절제가 하나의 선택 가능한 방법이 되었다.

만성췌장염에서 수술적 치료의 적응증이 되는 경우는 내과적 치료로 해결되지 않는 통증이 있는 경우나 환자가 진통제에 중독 소견이 있을 때, 담도의 협착이나 폐쇄, 십이지장의 폐쇄, 문맥협착, 가성낭종 등 만성췌장염과 관련된 복강내 합병증 발생 시, 만성췌장염이 췌장암과 감별이 안되는 경우 등이 해당 되겠다. 수술을 받아야했던 빈도를 보면, Steer 등에 의한 장기간 추적관찰에서는 약 50% 환자에서, 국내의 다기관 연구에 따르면 36.5% 에서 수술적 치료를 받았다.

만성췌장염에서 수술적 접근은 두 가지로 나뉠 수 있겠는데 하나는 배액술이고 다른 하나는 췌절제술이다. 어느 방법을 택할 것이냐는 여러가지 요인이 작용하겠다. 우선 주췌관이 확장된 경우(>7-8mm)는 배액술을 우선 고려해 볼 수 있겠고, 주췌관의 확장이 없는 경우는 절제술이 적절할 것으로 보인다. 하지만 그외에도 병변의 위치가 어디인지(머리, 체부, 미부, 미만성), 이전에 다른 수술적 치료를 받았는지, 수술 후 환자의 협조가 적절할지, 수술을 견딜만 한 전신상태가 되는지, 수술 후 내분비 및 외분비 기능장애의 정도가 얼마나 예상 되는지, 암과의 구별이 어려운 경우인지 등 여러가지 요인이 작용하므로, 수술

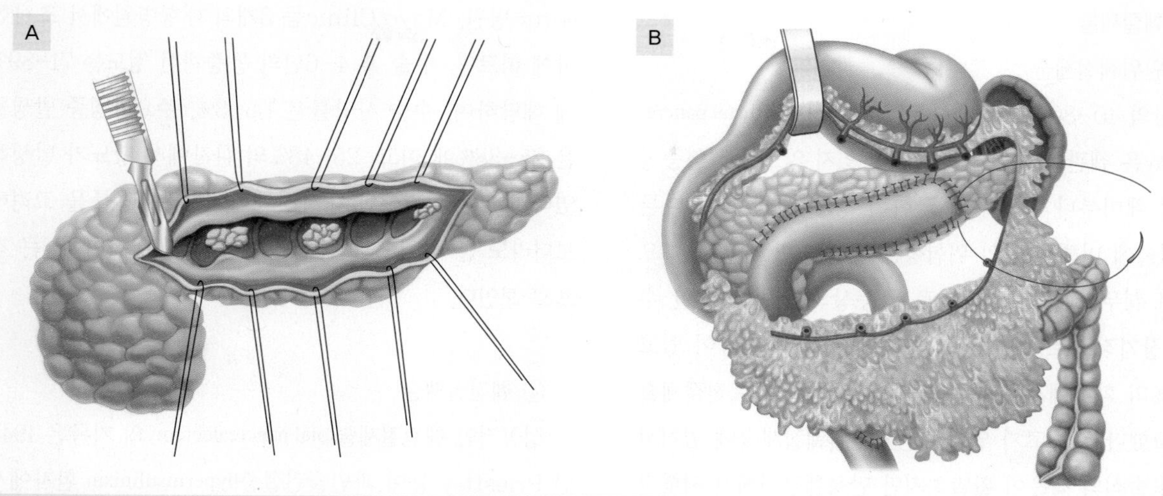

그림 3-82 **Partington & Rochelle 술식.** A 췌장의 체부와 미부의 췌관을 열고 췌석을 제거한다. B Roux-en-Y 측측 췌공장문합술을 시행한다.

전 충분한 영상의학적 정보와 환자에 대한 이해가 있은 후 적절한 술식을 선택해야겠다.

가. 배액술

① 괄약근성형술

오디 괄약근이 췌장염이나 담석에 의한 만성적 염증으로 반흔을 형성하여 부분 협착만 있을 경우, 경십이지장 괄약근성형술transduodenal sphincteroplasty 및 췌관성형술로 주췌관의 개구부를 열어주는 수술이 도움이 될 수 있지만 현재 내시경 괄약근절개술sphincterotomy의 발전과 효과로 많이 시행되고 있지는 않다.

② 췌관배액술

Cattell이 절제불가능한 췌장암 환자에서 통증 경감의 목적으로 췌공장문합술pancreaticojejunostomy를 보고한 이후, 1954년 Duval과 Zollinger등은 만성췌장염 환자의 치료로서 췌장미부절제후 단단 췌공장문합술Caudal Roux-en-Y pancreaticojejunostomy 방법을 기술하였다. 일명 Duval 술식Duval procedure으로 불리는 이 방법은 수년간 일부 외과의들에 의해 시행되었지만 재협착이 잘 일어나서 이후 거의 사용되지 않았다. 1958년 Peustow와 Gillesby가 췌관의 확장이 '염주알' 모양으로 일어남을 기술하고, 췌미부의 절제와 비장절제를 시행하면서 췌관 배액을 위해 췌체부와 췌미부의 측측 췌공장문합술을 소개하였다. 2년후인 1960년, Partington과 Rochelle은 좀 더 술식을 간소화하여 췌미부나 비장절제 없이 췌관을 횡으로 절개하여 측측 췌공장문합술을 시행하였다side-to-side Roux-en-Y pancreaticojejunostomy (그림 3-82). 이 술식은 주췌관의 확장 정도가 6mm 이상일 경우 좋은 효과를 보여, 수술 후 첫 해동안 통증 경감의 효과는 75–85% 정도로 보고된다. 하지만 5년 후 통증 재발이 20%에서 있었다는 보고도 있다. 현재 췌석의 제거와 배액술에 있어서 내시경의 발달도 주목할만 하지만 지금까지의 무작위 비교연구에서는 수술에 따른 위험성을 감안하더라도, 측측 췌공장 문합술이 췌장배액술로 가장 효과가 좋은 것으로 받아들여지고 있다. 이미 생긴 췌장의 내분비, 외분비 기능을 향상시키지는 못하지만, 췌장기능의 소실을 지연시킬 수 있다.

췌공장 측측 문합술 시행 후 통증이 소실되지 않거나 재발되는 경우에는, 췌관이 불충분하게 감압된 경우(특히 췌두부에서), 담도 협착이나 담도염이 있는 경우, 췌장 염증이 악화된 경우, 악성 종양이 있거나 새로 발생한 경우, 췌두부에 신경병증 병변이 있는지 등을 생각해 봐야 할 것이다.

나. 췌절제술

① 원위췌절제술

췌장의 40-80%를 절제하는 원위췌절제술distal pancreatectomy은 췌관이 심하게 확장되어 있지 않으면서 염증성 병변이 췌미부나 췌체부에 국한된 경우 시행한다. 다른 췌절제술에 비해 술식의 위험성은 덜 하지만 췌관의 주요 부분인 췌두부를 남겨 둠으로써 증상의 재발이 흔할 수 있다. 장기적으로 보면 60% 환자에서 통증 경감이 있고 약 13%의 환자에서는 통증의 재발로 인하여 췌전절제술이 필요했다는 보고가 있다. 최근 원위췌절제술에 있어서 복강경 술식의 적용이 활발하지만 만성췌장염에서 시행될 때는, 췌장주변의 염증성 변화로 인하여 다른 경우보다 좀더 어려움이 있을 것이라는 것을 염두에 두어야겠다.

② 95% 원위췌절제술

1965년 Fry와 Child가 제안한 것으로, 췌관의 확장이 없으면서 미만성으로 경화성 병변 있는 환자에서 췌전절제술의 이환율을 줄이기 위해 원위부 총담관과 췌십이지장 동맥이 지나는 부위만을 보존하여 95% 원위췌절제술 ninety-five percent distal pancreatectomy을 시행하였다. 통증 경감은 60-75%의 환자에서 있었지만 조절되지 않는 당뇨, 저혈당증, 영양실조 등의 합병증 빈도가 높아 현재는 잘 사용되지 않는다.

③ 췌십이지장 절제술

1946년 Whipple이 5명의 만성췌장염 환자에서 췌십이지장절제술pancreaticoduodenectomy이나 췌전절제술total pancreatectomy로 치료한 경험을 발표하였다. 그 이후 유문보존의 여부와 상관없이 췌십이지장절제술은 만성췌장염 환자의 치료로써 널리 시행되어지고 있다. 만성췌장염 환자에서 이 수술의 적응으로는 췌두부에 종괴를 형성하여 악성종양과 감별이 어렵고, 총담관과 십이지장 폐쇄나 문맥의 압박이 있는 경우, 병변이 췌두부에 국한된 경우, 원위췌절제술 후 통증이 지속되어 췌전절제술을 행해야 하는 경우등이다. 최근 Johns Hopkins 병원, Massachusetts 병원, Mayo Clinic등 3개의 대형병원에서 조사한 바에 따르면, 수술 후 4-6년의 통증개선 정도는 71-89%에 해당하며, 수술 사망률은 1.5-3%, 주요합병증 발생률은 25-38%에 이고, 25-48%의 환자에서 당뇨가 발생하였다. 수술 후 발생한 대사장애나 수술 사망률을 고려해 보더라도 본 술식으로 인한 통증 개선의 장점이 더 큰 것으로 보인다.

④ 췌전절제술

성공적인 췌전절제술total pancreatectomy의 기록은 1944년 Priestley 등이 과인슐린혈증hyperinsulinism 환자에서 시행된 경우이고, 재발성 췌장염환자에서는 1966년 Warren 등이 최초로 췌전절제술을 시행하였다. 만성췌장염에서 본 술식의 적응이 되는 경우는, 췌관이 확장되어 있지 않으면서 뚜렷한 종괴가 없고, 부분적 췌장절제술 후 통증이 지속되는 경우, 췌장의 내분비기능과 외분비 기능에 부전이 있는 경우, 췌장암의 위험도가 큰 환자 즉 유전성 췌장염이 있거나 췌장암 가족력이 있는 경우에 시행할 수 있겠다.

수술 후 통증 조절이 이루어진 경우는 30-60%이고, 이는 췌십이지장절제술과 비교하여 더 좋은 결과를 보였다고 할 수 없으며, 많은 수의 환자들이 당뇨 조절을 위해 재입원해야 했다. 당뇨병을 피하기 위해서 도세포의 이식을 고려할 수 있겠는데, Gruessner등의 미네소타 대학의 보고에 따르면 췌전절술과 도세포 이식을 통해 112명의 환자중 약 70%에서 통증이 개선되고 33%에서 인슐린에 독립적인 결과를 얻을 수 있었다고 한다. 이와 반대로 저혈당의 위험도 높은데, Gall 등의 보고에 따르면, 100명 이상의 췌전절제술 환자에서 후기 사망원인의 절반은 저혈당에 의한 것이었다. 저혈당증의 원인은 췌장 기원의 글루카곤glucagon 생성이 안되고, 인슐린 치료에 따른 저혈당 가능성에 대한 자각이 부족한 탓이라 하겠다.

⑤ 십이지장보존 췌두부절제술(Beger 술식)

1980년 Beger등은 십이지장보존 췌두부절제술Duode-

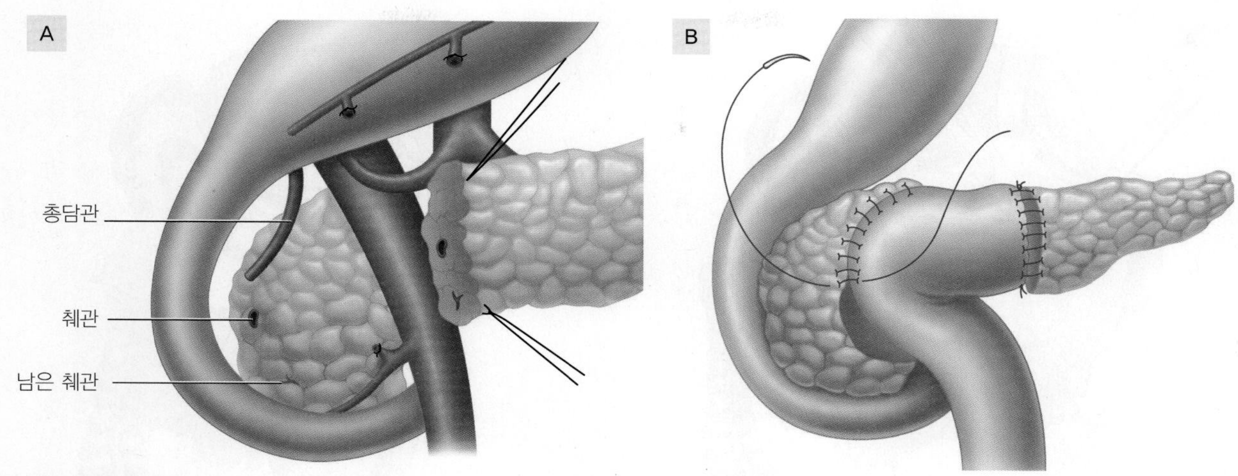

그림 3-83 십이지장보존 췌두부절제술. A) 췌경부를 자르고 원위부 총담관과 십이지장을 보존한채 췌두부를 절제하였다. B) 원위부와 췌두부에서의 공장문합술을 시행하였다.

num-preserving pancreatic head resection을 처음 소개 하였고 (그림 3-83), 1985년과 1999년에 만성췌장염 환자에서 본 술식으로 치료 후 장기간의 추적관찰 결과를 발표하였다. 388명을 대상으로 평균 6년간의 추적관찰이 이루어졌고, 91% 환자에서 통증개선이 있었으며 사망률은 1%미만, 당뇨발생은 21%에서 있었는데 그 중 11%는 수술 전 병력이 있던 환자였다. 이후 저자들은 40명의 만성췌장염 환자를 대상으로 본 술식과 유문보존 췌십이지장절제술간의 무작위 비교 실험을 하였으며, 결과적으로 사망률은 두 그룹 간 모두 없었으며 통증개선의 정도는 Beger 술식에서 94%, 췌십이지장절제술에서 67%의 효과를 보였다. 더욱이 내분비 기능장애가 Beger 술식에서 훨씬 적었다.

췌체부나 췌미부의 주췌관 확장이 없을 때 시행되고, 췌경부를 문맥 부위에서 박리하여 췌두부만을 절제한다. 이 때 원위부 총담관을 췌실질로부터 잘 박리하여야 하고, 주변 혈관의 보존에 있어서, Kim 등은 위십이지장동맥gastroduodenal artery 중 전하췌십이지장동맥anterior inferior pancreaticoduodenal artery과 후동맥궁posterior arcade의 보존을 강조하였다. 재건술식은 Roux-en-Y 공장분절을 이용하여 췌공장문합을 시행한다.

⑥ Frey 술식

1987년 Frey와 Smith는 췌두부의 부분절제와 주췌관을 췌체부 및 췌미부까지 개방하여 측측 췌공장문합술 시행하는 술식을 소개하였다(그림 3-84). 췌두부에서 췌미부까지 주췌관의 완전한 감압이 가능하고 췌석의 제거가 용이한 점이 있다. Frey와 Amikura는 50명의 환자에서 7년이상의 추적관찰 결과를 발표하였는데, 통증의 개선은 87%, 수술사망률은 없었다. 췌장실질내의 원위부 총담관은 대개 노출이 되고 구상돌기uncinate process는 보존 된다 (그림 3-85). Frey 술식에서 췌두부를 얼마나 많이 절제하는가 혹은 췌체부나 미부의 주췌관 개방을 어느 정도 할 것인가는 논란이 있지만, 가장 중요한 것은 췌두부의 중심부위를 확실히 제거하는 것이라 하겠다.

수술 후 주요합병증 발생률은 16%로 췌십이지장 절제술(40%)이나 십이지장보존 췌두부절제술(25%)보다는 일반적으로 낮고, 당뇨의 발생도 8% 정도로 낮다.

다. 신경차단술

췌관배액술이나 췌절제술을 시행하기에 환자의 전신상태가 좋지 않거나, 수술 후에도 통증이 남아있는 경우 신경 차단술을 시행할 수 있다. 술식의 종류로는 내장신경절제술splanchnicectomy, 복강신경절절제술celiac ganglio-

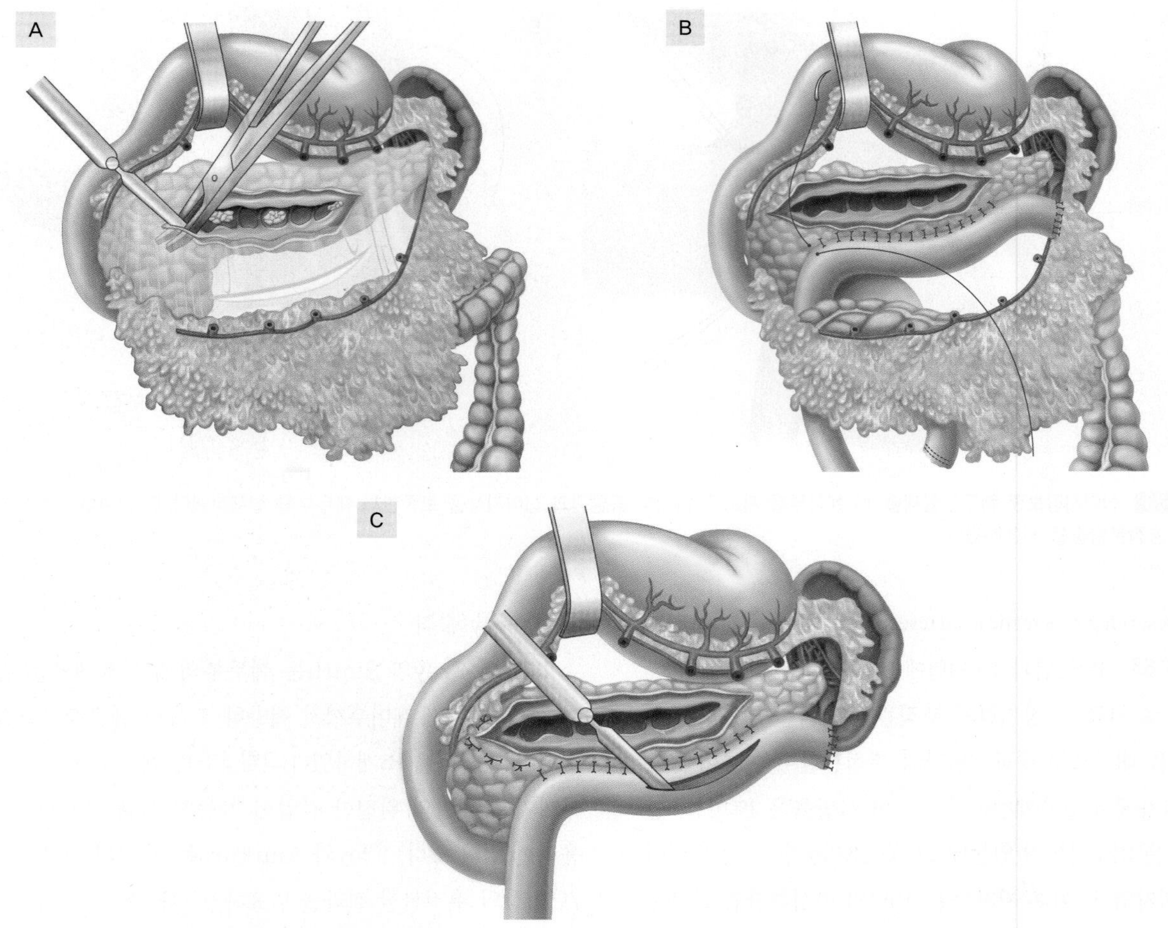

그림 3-84 **십이지장보존 췌두부절제술.** A) 췌경부를 자르고 원위부 총담관과 십이지장을 보존한채 췌두부를 절제하였다. B) 원위부와 췌두부에서의 공장문합술을 시행하였다.

nectomy, 경열공 내장신경절제술transhiatal splanchnicectomy, 경흉곽 내장신경절제술transthoracic splanchnicectomy, 흉강경하 경흉곽 내장신경절제술videoscopic transthoracic splanchnicectomy 등이 있다. Mallet-Guy는 내장신경절제술로 83%의 통증경감을 보고하였고, Michotey 등은 경열공 내장신경절제술의 우수한 효과를 보고하였지만 복부절개의 접근은 부담이 될 수 있다. 따라서 최소 침습 접근이 가능한 흉강경 내장신경절제술이 효과적일 수 있다. Lee 등은 말기 암 환자나 만성췌장염 환자를 대상으로 흉강경 내장신경절제술을 시행함으로써 비침습적인 방법으로 최대 효과를 보고 하였는데, 교감신경절sympathetic nerve에서 대내장신경great splanchnic nerve에 이르는 분지만을 절개하든지 혹은 대내장신경이 복강에서 횡격막으로 들어온 기시부를 절개하는 방법의 경우, 최소내장신경에서 유래되는 식도와 대동맥 주위의 medial collateral plexus에 의한 통증의 재발이 생길 수 있어, 교감신경절에서 분지하는 대내장신경의 분지에서부터 복강에서 흉곽으로 들어온 기시부에 이르기까지 완전한 신경의 절편을 절제하여, 대내장신경으로 유입되는 모든 가능한 신경조직을 차단함으로써 더욱 효과적인 통증조절을 할 수 있었음을 보고하였다.

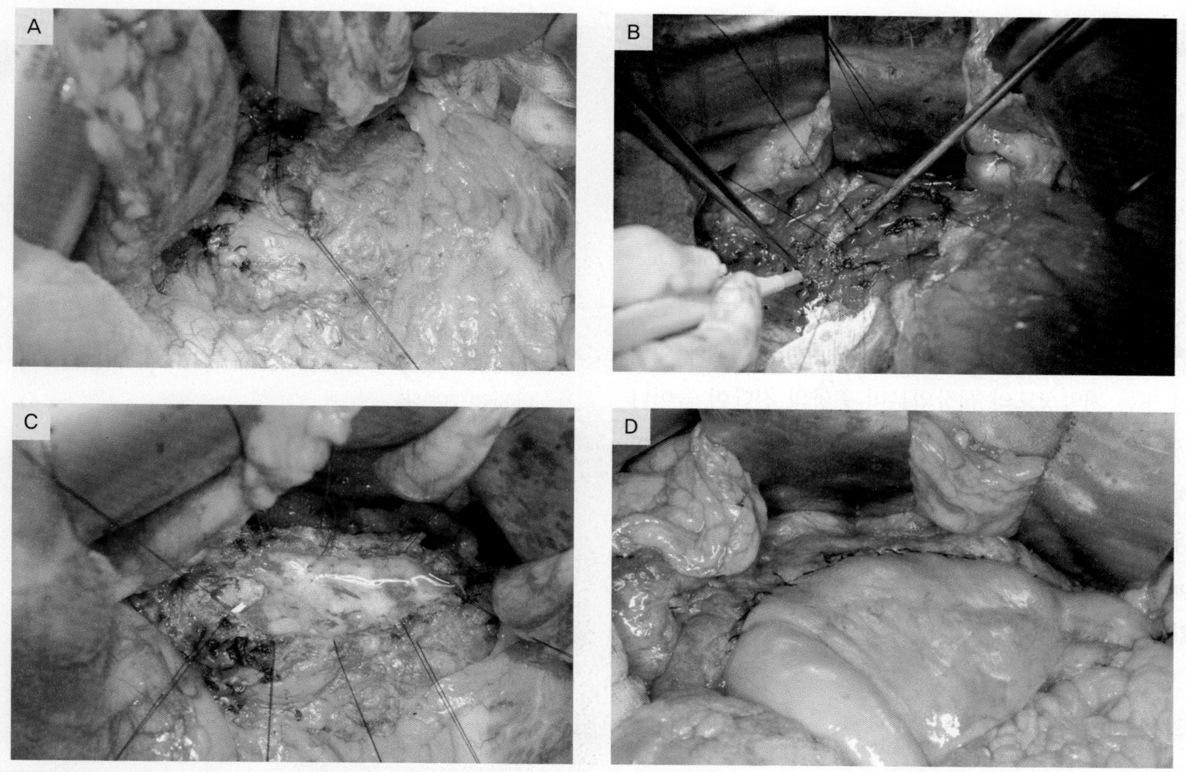

그림 3-85 **델로름 Delorme수술.** A) 여분의 직장점막과 점막하층을 근층으로부터 충분한 길이로 박리한다. B) 여분의 점막을 절제한 후 상하부의 점막을 봉합한다.

요약

급성췌장염은 췌장의 섬유화 소견은 없으면서 급성복통을 유발하며 혈중 amylase와 lipase의 상승을 보이는 췌장의 염증성 질환이다. 약80%에서 경미하여 합병증 없이 잘 치유되나 나머지는 국소적인 췌장농양 혹은 패혈증, 쇼크, 다발성장기부전과 같은 전신적인 합병증을 동반하며 사망에 이를 수 있는 중증 소견을 보인다. 성인에서 총수담관의 담석이나 음주가 급성췌장염의 주된 원인이나 나머지는 그 원인을 알기 어렵다.

신속한 진단을 통해 보존적 치료, 수술적 치료 혹은 내시경적 치료 등을 결정하면서 수액요법 등의 보존적 치료를 동시에 진행하여야 한다. 대부분의 경증의 급성췌장염은 금식과 내과적 치료로서 대부분 호전되지만 일부에서 중환자실치료 및 응급수술 등을 요하는 증증 상태로 발전하는 극도의 주의를 요하는 질환이다.

만성췌장염의 원인에는 여러가지가 있을 수 있으나 가장 흔한 원인은 알코올이며 그 다음이 특발성이다. 진단은 췌장의 해부학적 특징상 조직검사가 용이하지 않으므로, 만성췌장염의 진단은 환자의 병력 청취와 임상 증상, 외분비 또는 내분비 기능 검사, 그리고 영상의학적으로 형태학적 변화를 관찰함으로써 이루어진다. 하지만 췌장의 기능부전과 형태학적인 변화가 병이 상단히 진행된 후에야 나타나는 경우가 많으므로 만성췌장염의 조기진단에 어려움이 있다. 동반되는 합병증으로 당뇨, 가성낭종, 담도폐쇄, 췌성복수, 췌장암등이 있다. 만성췌장염의 치료 원칙은 통증의 개선과 췌장의 내분비 및 외분비 기능의 유지나 개선에 있다. 임상적으로 문제되고 있는 것은 크게 3가지로 복통, 흡수장애, 그리고 당뇨병이다. 통증의 내과적 치료에 반응이 없을 경우 수술적 치료를 고려해 볼 수 있는데 췌관 배액술과 췌절제술, 그리고 신경차단술로 나뉠 수 있다.

XVIII 췌장의 외분비 종양

췌장에서 발생하는 종양은 크게 외분비조직에서 기원하는 종양과 내분비조직에서 기원하는 종양, 타 장기로부터 전이한 종양으로 나눌 수 있다. 흔히 췌장암이라고 하면 외분비조직인 췌관에서 기원한 췌관선암Pancreatic Ductal Adenocarcinoma (PDAC)을 뜻한다. 영상진단의 발전과 보편화된 건강검진 등의 영향으로 췌관선암 이외에 여러 양성 또는 저악성도의 췌장외분비 종양의 진단이 늘어나고 있다. 이 질환들이 보고되기 시작하고 질환의 특성이 밝혀져 가면서 진료지침이 지속적으로 변천하고 있다. 본 장에서는 췌장에서 발생하는 외분비종양neoplasm of exocrine pancreas을 악성, 양성(또는 저악성)으로 나누어 설명하였다.

1. 악성 췌장종양

췌장에서 발생하는 외분비종양을 대표하는 것은 췌관에서 발생하는 췌관선암이다. 표 3-24에서와 같이 췌관선암 이외에 선방세포암acinar cell carcinoma, 췌모세포종pancreatoblastoma, 점액성 선암mucinous adenocarcinoma을 포함한 여러 종류의 외분비조직에서 기원한 췌장 악성종양이 있지만, 췌관선암과는 예후 및 임상상이 다르고, 빈도도 훨씬 적어서 흔히 말하는 전형적인 췌장암과는 별도로 다루어야 한다. 그 외 췌장외분비조직에서 기원하면서 비교적 빈도가 높은 종양은 대부분 낭성종양cystic tumor으로 발견되고, 조직학적으로도 주로 저악성도의 종양으로 발견되기 때문에 이들은 양성 및 저악성도 췌장종양부분에서 다루기로 한다.

1) 역학

Globocan 2012 데이터에 따르면 췌장암은 세계적으로 매년 약 34만 명 정도로 발생하여 발생순위 12위를 차지하고 있다. 췌장암은 사망/발생비가 0.98 정도로 치사율이 매우 높아 사망순위로는 7위를 차지하는 최악의 고

표 3-24. 췌장외분비종양의 WHO (2010) 조직학적 분류

Epithelial tumors
Benign
- Acinar cell cystadenoma - Serouscystadenoma,NOS
Premalignantlesions
- Pancreaticintraepithelialneoplasia,grade3(PanIN-3) - Intraductalpapillarymucinousneoplasm (IPMN)withlow-orintermediate-gradedysplasia - Intraductalpapillarymucinousneoplasm (IPMN)withhigh-gradedysplasia - Intraductal tubulopapillary neoplasm (ITPN) - Mucinous cystic neoplasm (MCN) with low- or intermediate-grade dysplasia - Mucinous cystic neoplasm (MCN) with high-grade dysplasia
Malignantlesions
- Ductal adenocarcinoma - Adenosquamous carcinoma - Mucinous adenocarcinoma - Hepatoid carcinoma - Medullary carcinoma, NOS - Signet ring cell carcinoma - Undifferentiated carcinoma - Undifferentiated carcinoma with osteoclast-like cells - Acinar cell carcinoma - Acinar cell cystadenocarcinoma - Intraductal papillary mucinous carcinoma (IPMN) with an associated invasive carcinoma - Mixed acinar-ductal carcinoma - Mixed acinar-neuroendocrine carcinoma - Mixed acinar-neuroendocrine-ductal carcinoma - Mixed ductal-neuroendocrine carcinoma - Mucinous cystic neoplasm (MCN) with an associated invasive carcinoma - Pancreatoblastoma - Serous cystadenocarcinoma, NOS - Solid-pseudopapillary neoplasm

형종양이다. 국내 통계에 따르면 2013년도에 췌장암이 5,511명(전체 암의 2.4%)에서 발생하여 발생순위 8위를 차지하였다. 남자에서 2,982명(2.6%) 발생하였고, 여자에서 2,529명(2.3%) 발생하여 성별 종양 발생순위로는 각각 8위를 차지하고 있다. 50세 이상의 발생자가 전체의 90%를 차지하는 전형적인 노인성 암으로 생각되는데, 국내에

서도 노령 인구의 증가와 함께 60대 이상 노령 인구에서 발생 비율이 점차 증가하고 있다. 췌장암은 국내에서 매년 등록건수 및 비율이 증가하고 있는데, 이러한 현상은 진단 방법이 정확해졌다는 것으로 일부 설명될 수 있으나, 흡연의 증가, 수명 연장 및 노령 인구의 증가로 인하여 실제 발생빈도도 증가하고 있기 때문이라고 추정된다.

췌장암 유발인자로 알려진 것으로는 췌장암 가족력, 흡연, 당뇨, 만성 췌장염(특히 가족성 췌장염) 등이 비교적 잘 알려진 인자들이고, 그 이외 일부 보고에서는 육류식이, 커피, 비만,알코올, β-naphthylamine 및 benzidine과 같은 화학물질에 장기간 노출된 경우도 췌장암과 관련 있다는 보고가 있지만 췌장암과의 관련성이 뚜렷하지 않다.

2) 발암기전

다른 대부분의 소화기 종양과 마찬가지로 췌장암의 발생도 한 가지 유전자의 변화로 발생하는 것이 아니고, 다양한 종양유전자의 과발현, 종양억제유전자의 불활성화, 종양 성장인자 및 수용체의 과발현 등이 관여하는 것으로 알려져 있다. 가장 흔한 유전자 변이는 K-ras 종양유전자의 변이이고, 90% 이상에서 변이를 갖는다고 알려져 있다. 정상적으로 ras유전자는 Raf-mitogen-activated pretein (MAP) kinase를 통해 세포의 분열에 관여하는 것으로 알려져 있는데, 변이 유전자는 이 신호체계의 종결기능에 장애를 유발하여 지속적인 세포분열을 일으키게 된다. 이와 같은 K-ras변이는 췌장암 발생의 초기단계에 관여하는 것으로 알려져 있는데, 췌장암 이외에도 췌장의 낭성종양 및 췌장염 등에서 발현된다. HER-2/neu는 상피성장인자Epidermal Growth Factor (EGF) 수용체로 췌장암에서 과발현된다고 알려져 있다. 이들 외에 종양억제 유전자인 p16, DPC4, p53 등도 췌장암 발생의 중, 후반 과정에 관여하게 된다. 그림 3-86은 췌장암의 발생에 관여하는 유전자의 변이 및 그에 따른 췌장선암의 전구병변인 췌관내상피종양Pancreatic Intraepithelial Neoplasia (PanIN)의 관계를 나타내고 있다. 췌장암의 발생에 관여하는 유전자의 변이는 위에 열거한 것이 대표적이지만, 그 외에도 BRCA2, MLH-1과 같은 DNA 불일치교정유전자, telomerase 등 많은 유전자의 변화가 복합적으로 작용하며, 최근에는 CpG island 메틸화 등을 통한 유전자발현 억제의 기전 등이 밝혀지면서 후성학epigenetic변화 등도 췌장암의 발생에 중요하다고 알려지고 있다.

3) 임상증상

췌장암의 증상은 대부분 비특이적이어서, 각종 위장관계의 양, 악성 질환에서 흔히 보는 증상과 유사하게 나타나게 된다. 췌장암의 가장 흔한 증상으로는 복통, 체중감소, 황달 등이며, 다음으로 식욕부진, 전신쇠약감, 구토 등의 비특이적인 증상이 30-40%에서 발생한다.

췌장암 환자의 80-90%에서 질환 경과 중 통증이 나타나며, 주로 복부에서 발생하지만 등 또는 양쪽 모두에서 나타날 수 있다. 복부통증은 상복부에서 발생하는 경우가 가장 흔하며 통증의 양상은 비특이적으로 모호한 경우가 많다. 앞으로 구부리거나 옆으로 눕거나 무릎을 가슴에 붙이는 자세 등에 의해 통증이 호전되기도 한다. 통증은 바로 누우면 심해질 수 있고 때로 음식물 섭취로 인해 악화되기도 한다. 췌장암에서 체성통이 나타날 수 있는데 이것은 잠시 동안 지속되는 예리하며, 잘 구획 지어지는 통증이 특징이다. 췌체부암에서는 주로 상복부와 좌측 등 뒤에 동통이 나타날 수 있다.

체중감소는 췌장암 환자에서 가장 흔한 증상으로 알려져 있으며 흡수장애와 음식물 섭취 저하로 발생하게 된다. 췌두부암에서는 흡수장애의 주원인이 종양에 의한 췌관폐쇄에 따른 췌장액 분비 저하로 생각되며, 체미부암에서는 음식물 섭취저하가 주원인으로 생각된다. 황달은 췌두부암 환자의 70-80%에서 나타나고 체미부암의 경우에서도 림프절 또는 간 전이 등에 의해 일부에서 나타날 수도 있다.

췌장암의 증상으로 당뇨병이 발생할 수 있는데, 췌장암 환자에서의 당뇨병은 대부분이 인슐린 비의존형이며 과식증, 다음증, 다뇨증 등 당뇨병의 일반증상의 발현은

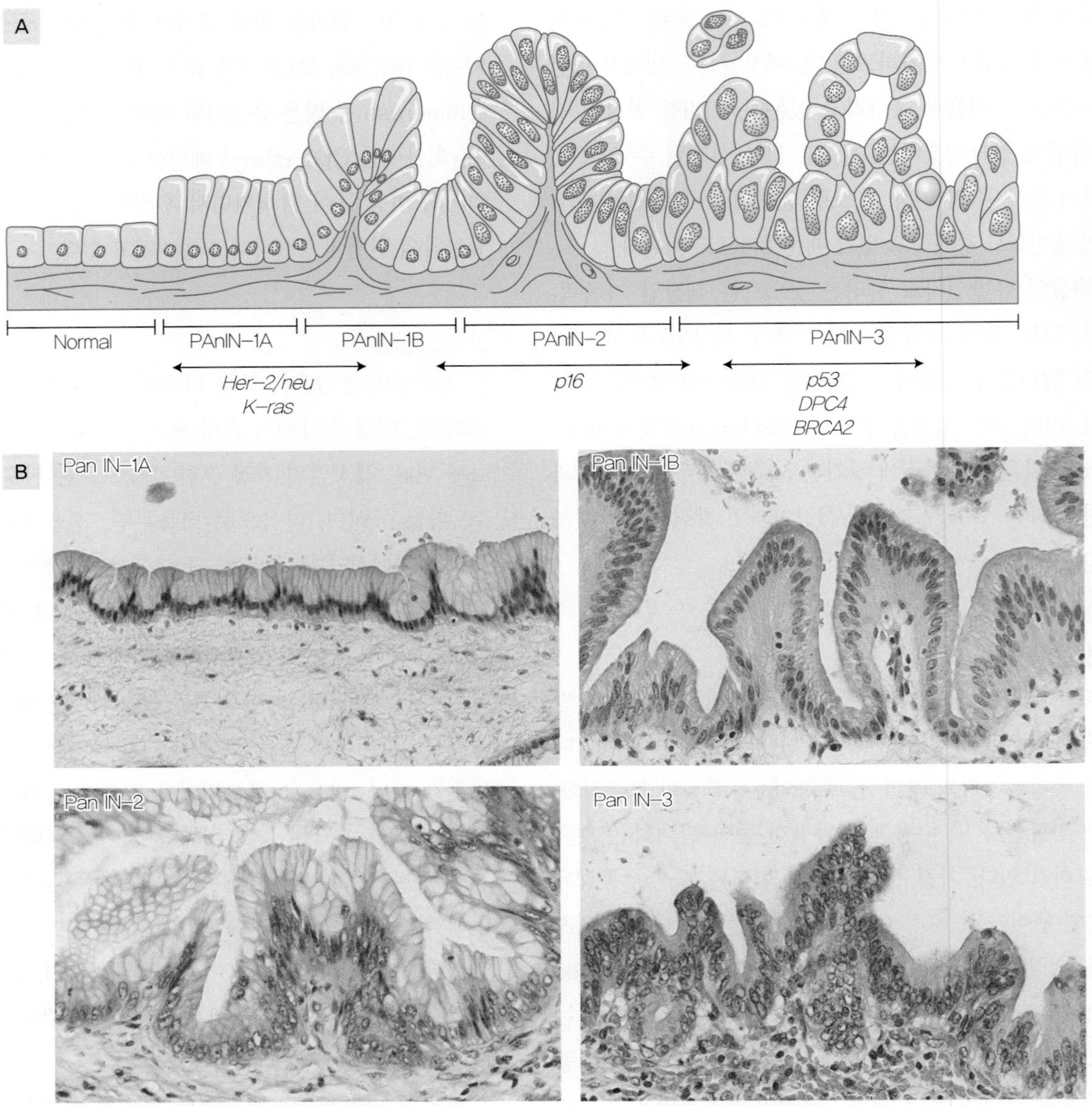

그림 3-86 **췌장암의 진행모델.** A) 췌관상피는 특정 유전자 변화가 축적되면서 정상상피로부터 저등급 췌관상피내종양(low grade pancreaticintraepithelial neoplasia; PanIN) 및 고등급(high grade) 췌관상피내종양을 거쳐 전형적인 췌관선암으로 진행한다고 알려져 있다. 초기의 유전자 변화로는 Her-2/neu와 K-ras 변이가 관여하고, 중간단계에서 p16, 마지막 단계에서 p53, DPC4, BRCA2 등이 관여하게 된다. B) 췌관상피내종양의 형태. 췌관선암의 전구병변으로 생각되는 췌관상피내종양은 1999년 미국 암연구소의 췌장암 연구그룹에서 개념이 정립되어 2001년 체계적인 분류가 발표되었다. 그림에서 보는 바와 같이 췌관세포의 세포질 및 핵의 형태구조적 변화에 따라 저등급의 PanIN-1부터 carcinoma in situ의 형태에 해당되는 PanIN-3로 나눈다.

드물다. 고령에서 발병한 당뇨병으로 비교적 조기에 인슐린치료가 필요하거나 당뇨병 가족력이 없거나 비교적 마른 체형 등의 비전형적인 임상상을 보이는 경우 췌장암의 가능성을 염두에 두어야 한다. 그 이외 비특이적 증상인 구역, 구토, 쇠약감, 식욕부진 등이 발생할 수 있고, 표재성 혈전성정맥염, 위장관 출혈, 정신장애 등도 드물지만 생길 수 있다.

4) 진단

췌장은 후복막에 위치한 장기로, 해부학적 특성상 작은 종양이라도 주변에 많은 림프관과 신경조직을 따라 성장, 침투하는 성질과 췌장 실질 내에 피막이 없는 종괴가 생기는 특성으로 인해 종양이 발생해도 조기에 진단을 내리기가 힘들며, 암종의 범위를 파악하는 것도 쉽지 않다. 일반적으로 종양의 치료 성적을 향상시키는데 가장 중요한 것은 조기진단이지만, 아직까지 일반인을 대상으로 한 선별검사를 통해 췌장암의 조기진단에 도움이 되는 진단적 검사는 없는 실정이다.

따라서 췌장암의 진단과 관련된 검사는 (1) 췌장암이 의심스러운 증상이나 가족력이 있는 환자에게 비교적 이른 시기에 종양을 진단하는 것과 (2) 성격이 다른 종괴나 염증성 췌장 병변과의 감별 진단하는 것, (3) 악성종양의 경우 종양의 범위를 확인하여 절제 가능성을 결정하는 것, (4) 종양의 치료 반응성, 예후 및 재발 예측과 같은 다양한 목적에 따라 시행되고 있다. 현재 임상에서 췌장암의 진단과 관련되어 주로 사용되는 검사는 아래와 같다.

(1) 일반혈액/화학검사

췌장암의 진단에 있어서 일반화학검사는 비특이적이다. 췌두부암의 경우 종양에 의한 담관협착으로 인해 이차적으로 빌리루빈, 알칼리성 포스파타제, γ-glutamyl transpeptidase (GGT)가 증가할 수 있고, AST, ALT 수치가 상승할 수 있다. 만성적인 종양 형성으로 인하여 빈혈이 생길 수 있고 알부민이 저하될 수 있으며 종양에 의해 췌관이 막혀서 생기는 이차적인 췌장염에 의해 아밀라제가 상승할 수도 있다.

(2) 종양 표지자

췌장암의 종양 표지자로 CA 19-9, CEA, CA 242, CA 50, DUPAN-2, SPAN-1, CA 125 등이 사용되고 있지만, 이중 CA 19-9가 가장 유용하다고 알려져 있다. CA 19-9는 점액과 연관된 sialylated Lewis 항원으로 췌장, 담관, 담낭, 위 등의 정상 상피세포에서 발현되나 Lewis 항원이 음성인 경우에는 발현되지 않는다. 이들을 제외한 췌장암의 대부분에서 CA19-9이 상승되어 있지만 췌장암 이외에 담관계, 위, 대장 등의 악성 종양에서도 상승한다. 그외 급, 만성 췌장염, 폐쇄성 황달, 담관염, 간경변 등의 양성 질환에서도 상승한다. 따라서 췌장암이 의심되는 환자에서 CA 19-9는 감별진단에 도움이 될 수 있지만, CA19-9의 예민도와 특이도가 높지 않아 조기 진단을 위한 선별검사로서의 유용성 보다는 치료 후 반응 및 예후를 나타내는 지표로서의 유용성이 인정되어 현재 많이 사용되고 있다. 보고자에 따라 차이가 많지만 CA19-9의 기준을 37U/mL로 하였을 때 예민도와 특이도는 대개 80-85% 전후로 알려져 있다.대장암의 종양표지자로 잘 알려진 CEA도 췌장암에서 사용되기는 하나 예민도가 50% 정도이어서 유용성이 떨어진다.

(3) 초음파검사

소화기 증상이나 동통 등 상복부 증상이 있거나 황달이 있는 경우에 1차적 선별검사로 초음파검사가 많이 사용되고 있다. 담도확장 유무, 동반담석 유무 등을 확인하고, 저에코로 보이는 췌장의 종괴 유무도 확인할 수 있다. 하지만 검사자에 따라 진단의정확도가 많이 차이나고, 비만도, 장내공기 등에 의한 제약이 많아 췌장 병변의 성격, 침윤 범위 등을 자세히 판단하기는 어렵다.

(4) 전산화단층촬영(그림 3-87)

전산화단층촬영은 현재까지 개발된 영상학적 검사중 췌장암을 진단하거나 병기 등을 추정하는데 가장 유용한 검사이다. 췌장암은 전산화단층촬영상 췌장의 모양을 변형시키는 저밀도의 종괴로 보이며, 특히 지연 동맥기에서 잘 보인다. 종괴의 위치에 따라 췌관의 확장 소견도 자주 관찰되며, 그외 담관이나 췌관의 급격한 폐쇄, 원위부 췌장 실질의 위축, 석회화, 가성낭종, 림프절 비대, 인접 혈관 침윤, 췌장 주위 지방조직의 소실, 인접 장기로의 침범, 간 또는 복막 전이, 복수 등을 볼 수있다. CT는 췌장암의 진단 및 전이여부 판단 외에 수술의 가능성 여부를

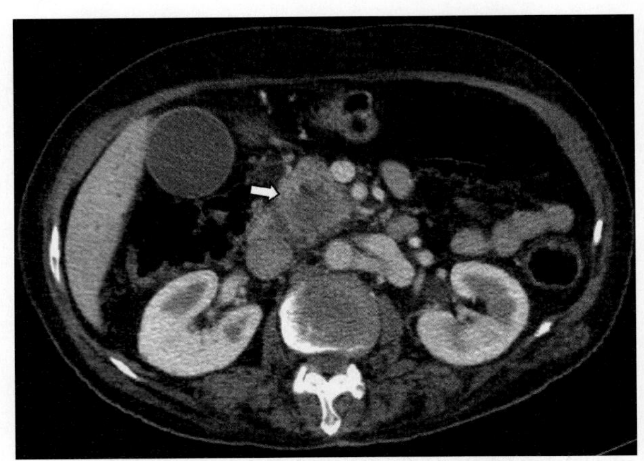

그림 3-87 **췌두부암의 전산화단층촬영 소견.** 췌장실질의 종괴는 CT에서 지연 동맥기에서 가장 잘 보이는데, 화살표가 가르키는 것과 같이 주변 췌장조직보다 조영증강이 적게 되는 종괴로 보인다. 이 종괴는 췌장두부에 위치하면서 경계가 불분명하고, 왼쪽으로는 상장간막동맥과 닿아있고 오른쪽으로는 십이지장을 침범하고 있는 소견이다.

결정하는 데 가장 중요한 인접 주요 혈관을 포함한 주변 조직 침윤 여부를 판단하는데도 가장 많이 사용된다. 특히 최근에는 64채널 등의 다채널 MDCT의 도입으로 단시간에 고밀도의 영상의 획득 및 재조합이 가능하여 전통적인 혈관조영술과 같은 영상학적 검사를 대체하게 되었다. 췌장암은 위치에 따라 간동맥, 복강동맥, 상장간막동맥, 비장동맥 등의 주요 동맥과 인접하고 있는데, 조영증강영상에서 혈관 주위 정상지방층의 소실 또는 조영증강된 혈관이 종괴에 둘러 싸여 있거나encasement, 혈관의 내강이 좁아지거나, 벽이 불규칙해지거나 또는 조영이 되지 않는 경우에 혈관 침윤이 있다고 판정하고 이럴 경우는 대개 근치적 절제가 불가능하다고 판정한다. 정맥 침윤의 경우는 비정맥, 상장간막정맥, 문맥 등이 췌장 실질 바로 옆에 위치해 실질과 정맥을 구분 짓는 지방층이 완전하지 않기 때문에 확인이 어려울 수도 있지만, encasement, 혈관 내강 협착, 곁순환collateral 혈관이 보이는 경우 정맥 침습이 있다고 판정하며, 침습정도를 고려하여 수술적 절제 가능여부를 판단한다.

(5) 자기공명영상

MRI도 그 동안 기술적인 발전을 통해 해상도가 많이 개선되었고, 특히 췌관의 양상을 직접 볼 수 있는 MRCP 영상을 동시에 얻을 수 있고, 방사선 피폭이 없고 신장 부담이 적다는 장점때문에 CT와 상호 보완적으로 사용되고 있다. 특히 간전이가 의심될 때 조영증강 MRI를 시행하면 좀 더 정확하게 진단이 가능하다. MRCP는 ERCP에 비해 덜 침습적이고 덜 불편하여 진단적 목적으로 많이 사용되나, 세부영상 소견이 ERCP보다 열등하며, 팽대부 병변 확인이나 담관에 스텐트를 삽입한다든지 췌액 채취 등 ERCP로 할 수 있는 시술을 못하는 단점도 있다.

(6) 내시경적 역행성 담췌관조영술

췌장암을 내시경적 역행성 담췌관조영술(ERCP)로 확인하기는 어렵다. 췌관의 협착, 폐쇄 등의 소견을 보일 수 있으나 이들이 유일한 이상 소견인 경우는 초기 암을 시사하는데 이런 경우는 매우 드물다. 그러나 대개 의 경우 팽대부주위암의 감별진단을 위해서 필요한 검사이고 췌두부암에서는 특징적으로 double duct sign을 보이는 경우가 많다. ERCP를 하면서 수술 전 담도배액관(ENBD/ERBD)을 삽입할 수 있고 필요에 따라 췌액에서 세포검사, 분자생물학적 종양표지자 검사 등을 시행할 수 있다.

(7) 내시경 초음파 검사

내시경 초음파 검사(EUS)는 내시경 끝에 초음파를 부착시켜 내시경과 초음파를 결합시킨 검사법으로 복부 초음파에 비해 고주파를 사용하고 췌장과 가까운 곳에서 관찰하기 때문에 고해상도의 정밀한 영상을 얻을 수 있는 장점이 있다. 췌장암은 초음파 영상에서 변연이 불분명한 저에코 또는 이질적인 에코를 지닌 종괴로 나타난다.

췌장암의 경우 전산화단층촬영보다 예민도가 높아 췌장암 진단율이 75-95%라고 높게 보고되지만 실제로는 EUS를 관찰하기전 내시경을 시행하는 의사가 CT영상에 대한 정보를 알고판단하는 경우가 많아 CT보다 진단율이 높다고 할 수는 없다. 또한 EUS는 고주파를 사용하므로

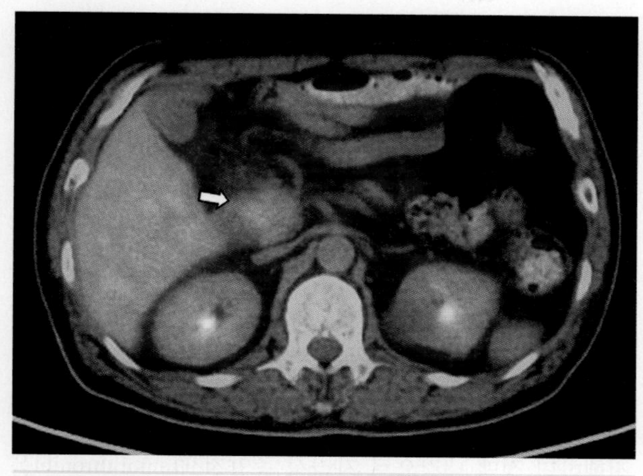

그림 3-88 **췌두부암의 양전자방출 단층촬영.** 그림 3-87에서 보였던 췌장두부의 종괴에서 F-18-FDG가 국소적으로 섭취가증가된 것을 확인할 수 있다. 이 영상은 PET-CT의 영상으로 해부학적으로 CT에서 보이는 병변에 항진된 세포 대사 결과를 융합한 소견으로 췌장 종괴의 양·악성도 구별에 도움을 준다.

해상력은 좋은 반면 심달도가 좋지 않아 림프절 같이 위장관에서 멀리 떨어진 부위의 병변을 찾는데는 한계가 있다. 또한 시술자의 경험 및 숙련도에 따라 진단율에 매우 큰 차이가 있고, 주변 조직과의 해부학적 구조를 객관적으로 보여주는데 한계가 있다. 최근에는 조직검사가 용이한 직렬형 방식의 내시경 초음파도 많이 보급되고 있기 때문에 EUS는 CT 등의 기존 영상학적 검사와 상보적으로 사용할 수 있는 수단이 되었다.

(8) 양전자방출 단층촬영(그림 3-88)

양전자방출 단층촬영Positron Emission Tomography (PET)은 해부학적 이상이 아닌 종양세포의 항진된 대사 또는 특이 유전자를 이용한 검사기법이다. 흔히 임상에서 암진단에 사용되는 물질은 방사성 당 유사물질인 F-18-fluorodeoxyglucose (FDG)이다. 이것을 정맥 주사하였을 때 췌장암의 경우 정상췌장에 비해 증가된 FDG의 섭취를 보이는 것을 이용하여 종양을 찾아내게 된다. 하지만 췌장 염증성 병변인 경우에도 FDG의 섭취가 증가되는 경우도 많아 진단적인 신뢰도가 아주 높다고 할 수는 없다. 따라서 현재까지 췌장암에서 PET의 적응증은 췌장암의 진단과 병기 결정 보다는 췌장 종괴가 악성인지 양성인지 감별이 어려울 때, 췌장에 명확한 종괴를 형성하고 있지 않으나 임상적으로 췌장암이 의심되는 경우, 치료 후 경과 관찰 중 재발여부 판정이 어려울 때 등이다. 최근에는 기능적인 특성을 해부학적 검사와 융합한 PET-CT 또는 PET-MRI 등이 임상에 도입되어 많이 사용되고 있다.

(9) 조직병리학적 진단

췌장암이 의심되는 경우 조직검사가 추천되는 경우는 진행성 췌장암이거나 환자의 전신상태가 불량하여 수술적 절제가 불가능한 경우와 이미 전이된 췌장암으로 수술적 치료가 불필요한 경우이다. 또한 드물기는 하지만 췌장의 림프종과 같이 일차 치료가 수술이 아닌 경우나, 수술 전 화학방사선요법을 시행할 경우에 시행하게 된다. 실제로 대부분의 센터에서 근치적 수술이 예정된 경우에는 조직을 얻기 위해 생검을 시행하지는 않는다. 이와 같은 이유로는 생검의 위음성률이 높고, 생검으로 인한 출혈, 췌장염, 천공, 췌장누공 등과 같은 치명적인 합병증으로 수술이 지연되거나 불가능한 경우가 발생할 수 있고, 또한 생검후 생검침의 경로나 복막내 암세포의 파종이 발생하기 때문이다. 대부분의 경우 조직병리학적 진단은 내시경 초음파 검사를 통해 시행된다.

5) 전파 양상 및 병기

(1) 병리적 소견 및 전파 양상

췌장암은 55-65%가 췌두부나 경부, 구상돌기에서 발생하고, 15-35%는 체, 미부에서, 10-20%에서는 미만성으로 발생한다. 췌장암 종괴는 백색이나 연한 노랑색을 띠고 있으며, 주위 췌장실질에 비해 매우 단단하지만 육안적으로나 만져서 변연이 불분명한 경우가 많다. 췌장암은 종양 주변에 섬유화desmoplasia를 잘 일으키는 것으로 알려져 있고, 췌관폐쇄에 의한 만성췌장염을 동반하는 경우도 흔하다. 그로 인해 육안적 또는 영상학적으로 종양과 염증의 경계를 구별하기 힘든 경우가 많고, 경우에 따라 췌장외 주위조직까지 염증성 변화가 파급되면 암 침윤인지 염증성 변화인지 구별이 힘들다.

췌장암은 그 위치상 직접 침윤에 의하여 십이지장, 담도, 비장, 위후벽 등 주위 장기와 후복막 및 췌장주위 주요 혈관 및 신경총으로 전파된다. 췌두부암이 위치에 따라 십이지장 2부나 3부의 내벽에 침윤을 일으켜서 십이지장 점막에 궤양성 병변을 형성하고 이로 인해 출혈이나 폐쇄를 유발하여 십이지장암과 구별이 어려울 수도 있다. 췌장암이 췌두후부에서 발생하면 비교적 초기에 담도 침윤을 일으켜 황달이 오기 쉽고, 췌두전상부에서 발생하면 상당히 진행한 후에 황달이 온다. 경부 또는 그보다 원위부 췌암인 경우에는 황달이 드물고 따라서 특이 증상이 없어 상당히 진행되어 발견되는 경우가 많다. 췌두부암중 구상돌기에서 발생한 경우에는 장간막(상장간막동맥)측으로 침윤이 일찍 발생하게 되어 발견 당시 절제 불가능한 상태로 오는 경우가 흔하다. 췌두부암의 경우에는 횡행결장 장간막에 직접 침윤하고 장간막을 뚫고 나올 수도 있다. 췌장종괴가 체·미부에 위치한 경우에는 비장의 문부 및 비장실질 침윤을 보이거나, 후복막 침윤에 의해 좌측 부신 침윤을 보이는 경우도 흔히 볼 수 있다.

췌장암의 주위 주요 혈관 침습은 절제 가능성을 판단하는 중요 기준이 된다. 주위혈관의 침윤빈도는 30-50%에 이른다. 위치에 따라 위십이지장동맥, 비장동정맥을 침윤할 수 있으나 이는 대개 절제 범위에 포함되므로 문제가 안 된다. 가장 흔히 문제가 되는 것은 복강동맥과 상장간막동맥, 총간동맥 등의 동맥과 상장간막정맥/간문맥 침윤이다. 정맥 침윤은 혈관벽 자체로의 침윤이지만 동맥 침윤은 대개 먼저 동맥주위 신경총 침윤이 되고 진행되면서 동맥벽 침윤이 있게 된다. 췌장암수술시 중요 동맥을 합병 절제해도 수술성적이 좋지 않은 것은 이와 같은 이유 때문이다. 수술 시에는 동맥 주위 신경총을 어느 정도 제거하게 되지만 실제 동맥주위 신경총에 암 침윤이 있으면 예후가 매우 불량하고 동맥 침윤이 있다고 간주해야 한다. 췌장 주위 신경 침윤은 위치에 따라 췌두신경총, 복강동맥신경총, 상장간막동맥신경총 그리고 복강동맥 양측 대동맥 앞 복강신경절 등으로 전파된다. 동맥주위신경총 이상의 침윤이 있는 경우 근치적 수술이 불가능하다고 본다. 실제로 췌장암의 주위 신경조직 침윤의 빈도는 60-90%까지 보고되고 있다.

췌두전상부나 경부암인 경우에는 비장정맥이 합류되는 부위의 문맥침윤이 쉽게 생길 수 있고 구상돌기암이면 상장간막정맥에 침윤이 있기 쉽다. 종양의 성장 특성에 따라 다르겠으나 종양 주위 염증성 병변에 의해 정맥이 유착될 수도 있고 초기에 종양의 종괴 효과에 의해 눌릴 수 있다. 종양이 정맥 외피adventitia부터 내피로 침윤해 들어가고 진행하면 정맥 내강으로 자라서 종양전색tumor thrombi을 형성하거나, 정맥벽 침윤이 진행되면서 정맥 내강이 막힐 수 있다. 이럴 경우 주위 측부혈관이 발달하게 되고 이 경우에는 대부분 절제가 힘들게 된다. 췌두부암은 후복막 직접침윤에 의해 하대정맥, 신정맥 등 큰 혈관에 침윤할 수도 있다.

췌장암은 림프절 전이를 잘하는 종양으로 그 빈도는 50-80%까지 보고된다. 췌두부암의 경우 초기에 후췌두부십이지장 림프절(13번)으로의 전이가 가장 흔하며, 전췌십이지장 림프절,간십이지장인대, 총간동맥 림프절, 상장간막동맥 림프절, 대동맥 림프절(16번) 등으로 전이된다. 절제를 받은 환자의 절반 이상이 림프절 전이가 있고 대동맥 림프절을 절제 해보면 20% 이상에서 전이가 발견된다. 원위췌장암인 경우에는 비동맥 림프절(11번), 비문부 림프절, 복강동맥 림프절, 상장간막 동맥 림프절, 대동맥주위 림프절 등으로 전이된다. 드물게 말기환자에서 좌측 쇄골상부 림프절virchow node에 전이가 나타나기도 한다.

췌장암 환자는 진단 당시 원격 전이가 발견되어 절제 수술을 받지 못하거나 또는 절제술 후에 원격 전이로 재발을 보이는 경우가 많다. 원격 전이는 혈행성 전이나 복강 내 파종이다. 혈행성은 간전이가 대부분이고 드물게 폐, 뼈 등에 있다. 복강내 파종은 어디든지 있을 수 있고 체미부암에서는 소망낭에 국한된 파종이 있을 수 있다.

(2) 병기

암의 병기는 암종의 진행정도를 반영하면서 환자의 예

표 3-25. 췌장암의 AJCC 병기(제7판, 2010)

Primary Tumor (T)			
TX	Primary tumor cannot be assessed		
T0	No evidence of primary tumor		
Tis	Carcinoma in situ (includes the" PanIN III")		
T1	Tumor limited to the pancreas, 2cm or less in greatest dimension		
T2	Tumor limited to the pancreas, more than 2cm in greatest dimension		
T3	Tumor extends beyond the pancreas but without involvement of the celiac axis or the superior mesenteric artery		
T4	Tumor involves the celiac axis or the superior mesenteric artery (unresectable primary tumor)		
Regional Lymph Nodes (N)			
NX	Regional lymph nodes cannot be assessed		
N0	No regional lymph node metastasis		
N1	Regional lymph node metastasis		
Distant Metastasis (M)			
MX	Distant metastasis cannot be assessed		
M0	No distant metastasis		
M1	Distant metastasis		
Anatomic Stage / Prognostic Groups			
0	Tis	N0	M0
IA	T1	N0	M0
IB	T2	N0	M0
IIA	T3	N0	M0
IIB	T1 T2 T3	N1 N1 N1	M0 M0 M0
III	T4	Any N	M0
IV	Any T	Any N	M1

후를 정확히 예측할 수 있도록 하는데 목적이 있다. 나아가 환자에 대한 합리적인 치료 방침을 결정하는데 도움을 줄 수 있어야 하겠다. 현재는 가장 많이 사용되는 병기는 AJCC 병기 체계(2009) (표 3-25)와 일본 췌장암 연구회에서 제안한 방법 등이 있다. 이중 AJCC는 UICC와 통합되고 최근 일본 학자들의 의견이 체계 수립에 반영되면서 전 세계적으로 쓰이게 된 보편적인 병기체계이다. 2002년 AJCC 6판에 의한 병기는 5판에 비하여 단순화되었고 절제 가능성을 반영함으로써 III기는 국소적으로 진행하여 절제가 불가능한 경우, IV기는 원격전이로 절제가 의미가 없는 경우로 정의하였는데, 2009년에 발행된 AJCC 7판에서 췌장암의 병기의 큰 변화는 없지만 이전에 제외된 췌장 내분비 종양의 병기체계를 외분비 종양과 같은 형태로 보고하게 되었다는 것이 가장 특징적인 변화라고 할 수 있다. 또한 병리학적 병기결정에 있어서 후복막 절제연, 상장간막동맥연을 포함한 췌장주변 조직의 절단면 종양침범 보고를 명확히 할 것을 권고하고 있다.

6) 수술

(1) 수술을 포함한 치료방법의 결정

췌장암은 여러 악성 종양 중에서도 예후가 가장 불량하고, 심지어는 근치적 절제술 후에도 완치율이 10-20% 내외로 알려져 있다. 하지만 아직까지 효과적인 항암제가 없는 상황에서 절제수술만이 그나마 완치의 기회를 가져다 줄 수 있다. 따라서 췌장암이 확인되면 먼저 절제가 가능한지, 절제수술이 예후에 도움을 줄 수 있는 환자인지를 판단해야 한다.

근치적 절제술이 불가능하거나 도움이 안 되는 환자는 복강동맥 또는 상장간막동맥 침윤 등의 국소적으로 진행된 경우나 원격전이가 있는 AJCC 병기 III, IV기에 해당된다. 그 외에도 대동맥주위 림프절 전이가 있다든지 문맥/상장간막 정맥 침윤이 심해도 절제가 도움이 되지 않는다. 고식적인 췌십이지장절제술이 도움이 된다고 보는 시각도 있으나 아직은 이 수술의 위험 부담이 적지 않고 기대 생존기간이 짧기 때문에 비근치적인 절제술은 안하는 것이 원칙이다. 일단 절제를 안하기로 결정하면 황달, 장관폐쇄, 출혈 등의 고식적치료를 시행해야 하는 적응증이 있는지를 확인하여야 한다. 상기의 적응증이 있는 경우 과거에는 수술적 우회술 등을 시행하였으나, 최근에는 내시경, 방사선학적 치료방법이 많이 발전하여 고식적 수술을 하는 경우는 매우 드물다.

타 장기에 전이가 없는 경우 절제 가능 여부를 결정하는데 가장 중요한 것은 주요 혈관의 침윤 유무이다. 현재 혈관 침윤여부는 CT로 대개 판단한다. 어느 정도 혈관침습소견까지 절제가 가능할 것인가의 기준은 매우 결정하기 어렵다. 전반적으로는 동맥 침윤은 신경총을 따라 종양이 파급된 양상이므로 후복막 침윤을 의미하며 근치적 절제가 실질적으로 안 된다고 보아야 한다. 정맥 침윤은 병이 심한 정도 보다는 어느 정도까지는 암종의 위치에 의존하는 것이라 보는 시각이 우세하나 내피의 침윤이 있는 경우에는 절제후에도 치료성적이 좋지 않으므로 유의해야 한다.

림프절 전이가 있는 췌장암은 완치가 극히 드물다. 따라서 심한 췌장주위 림프절 전이가 확실하다든지 대동맥주위 림프절 전이가 있으면 근치수술의 의미가 없다. 이러한 소견이 CT에서 보이는 경우에 PET-CT를 시행하여 확인할 수도 있고 심한 경우에는 경피적조직검사를 할 수도 있다. 이상의 검사로 확인이 안되면 개복을 하여 확인할 수도 있다. 림프절 전이가 확실하지 않은데 의심되는 것만으로 수술을 포기해서는 안되겠다. 개복하여 암종에 의한 복수가 확인된다든지 복강세척액에 서 암세포가 확인되면 근치수술이 도움이 안 된다.

혈관 침습 소견이 있는 경우 그 심한 정도에 따라서 절제 가능성을 확실히 판단할 수 있는 경우도 있으나 절제를 확신할 수 없고 절제를 하여도 잔류암이 남을 확률이 높은 경우가 있을 수 있다. 이런 경우를 경계성 절제가능성borderline resectability이라 하고 이에 대한 다양한 기준이 제시되어 있다. 경계성 절제가능 췌장암의 경우에는 수술을 먼저 시행하는 것 보다 수술 전 항암치료를 하고 수술을 하는 것이 치료 성적이 좋은 것으로 보고되고 있다.

상기 열거한 소견들을 바탕으로 췌장암이 의심되는 환자에서는 그림 3-89와 같이 진단과 절제가능성 판정의 algorithm을 만들 수 있다.

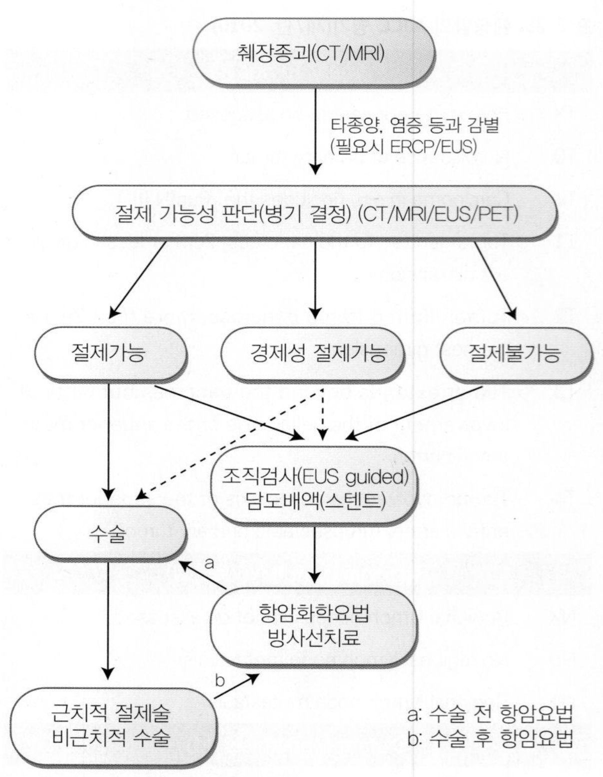

그림 3-89 **췌장암 진료 알고리즘**

(2) 수술 중 검사

가. 진단적 복강경 검사

수술 전에 진단적 복강경검사를 시행하여 간전이나 복막전이 유무를 확인함으로써 불필요한 개복을 피할 수 있으며, 복강세척액 세포검사를 시행할 수 있는 장점이 있다. 의외의 전이 병소를 발견할 확률은 췌장암의 위치에 따라 차이가 있어 췌두부암인 경우에는 15-20%, 췌체부암 및 췌미부암인 경우에는 50%까지 보고하고 있다. 복강경으로 관찰을 하면 간표면이나 복벽, 복막전이는 확인이 쉽지만 간실질내에 있는 전이, 림프절전이, 혈관침윤 여부는 확인하기 어렵다. 복강경을 시행하면서 복강경하 초음파검사를 시행하면 진단에 도움이 된다는 주장도 있다.

실제로 진단적 복강경검사를 통해 절제 불가능한 종양을 추가로 찾는 경우가 많지 않아 임상적으로는 큰 도움이 되지는 않지만, 고식적 수술이 필요 없으면서 병변이 상당히 진행되어 보이는 경우에는 불필요한 수술을 피할 수 있으므로 선택적으로 시행할 수 있겠다.

나. 복강세척액 세포검사

복강을 탐색하고 복수가 있으면 복수를 모아서, 복수가 없으면 세척식염수로 복강을 세척하여 얻은 세척액을 모아 세포블럭을 만들어 검사하거나 종양표지자 검사를 짧은 시간 내에 시행하여 치료방향을 결정할 수 있다. 실제로 암세포가 발견되면 M1으로 간주하여 근치적절제술의 의미가 거의 없는 것으로 보아야 한다.

다. 수술 중 동결조직검사

췌두부에 종괴가 만져질 경우 절제가 가능하면 대개 조직검사가 필요 없으나, 절제가 불가능한 경우에는 조직검사로 반드시 확인해야 한다. 드물게는 만성췌장염 가능성이 많아 절제를 피하려 할 경우에도 시행할 수 있으나 위음성을 주의해야한다. 조직검사는 대개 침생검을 하는데 생검 후 췌액유출 등을 방지하기 위해서는 십이지장과 췌두부를 유동화시킨 후 췌두부를 왼손으로 잡고 확인하면서 경십이지장으로 시행하는 것이 바람직하다. 문맥/상장간막정맥이나 동맥을 다치지 않도록 주의해야 한다. 적어도 3개 이상의 생검조직을 얻어 일부를 동결생검으로 확인해야 한다.

(3) 수술 방법

췌장암에 대한 수술적 치료는 췌장암의 위치와 심한 정도 또는 외과의의 선택에 따라 여러 수술 방법들이 있다. 종양이 췌두부에 위치했을 경우에는 췌십이지장 절제술 또는 유문보존 췌십이지장 절제술을 흔히 시행하게 되며, 췌체미부암의 경우에는 원위췌절제술 또는 체미부절제술, 아전췌절제술 등을 시행할 수 있다. 그 이외 췌전절제술, Appleby 수술, 확대영역췌십이지장절제술, radical antegrade modular pancreatosplenectomy (RAMPS) 등과 같이 좀더 절제 범위가 큰 수술을 선택할 수도 있지만 그 임상적 효용성에 대한 평가는 아직 부족하다.

췌장암의 근치적 절제율은 1990년대 초에만 해도 10%도 안되던 것이 최근에는 20% 이상으로 향상되었다. 췌두부암인 경우 황달 등의 증상으로 상대적으로 일찍 병원을 찾게 되어 절제율은 20–30% 이상이 되고, 췌체미부암인 경우는 췌장이 얇아 주위 침윤이 조기에 일어나지만 증상은 늦게 나타나 절제율이 10–15% 정도로 알려져 있다.

가. 췌두부암

췌십이지장 절제술은 췌두부암에서 근치 목적의 유일한 치료법이다. 최근 수술 술기와 마취기술 및 중환자 치료의 발달로 인하여 경험 많은 병원들의 경우 수술 사망률이 1–3% 이하로 감소하여, 절제 가능한 췌두부암에서 췌십이지장 절제술은 비교적 안전한 최선의 치료법으로 여겨지고 있다. 전통적으로 췌십이지장 절제술 시에 절제되는 부분은 췌두부, 원위부 위장, 십이지장 전장, 근위부 공장 일부, 담낭, 원위총담관을 포함한다. 절단되는 주요 동맥은 위십이지장동맥, 우위동맥, 우위대망동맥, 하췌십이지장동맥 등이다. 이들과 함께 주위 연조직, 림프절, 신경 등을 절제한다. 필요에 따라 문맥/상장간막정맥을 절제할 수도 있다.최근에는 원위부위장을 보존하는 술식인 유문보존 췌십이지장 절제술Pylorus Preserving Pancreatoduo-Denectomy (PPPD)이 근치성에 차이가 없으면서 위장기능을 보존할 수 있다는 장점 때문에 선호된다(그림 3-90).

절제 후 재건술 문합의 순서는 그림 3–90B와 같이 췌공장 문합, 담관공장 문합, 위공장 문합(PPPD)의 경우 십이지장공장 문합)의 순으로 하고 있지만, 술자에 따라 매우 여러 가지 변형 술식이 사용되고 있다.

췌십이지장 절제술은 림프절과 주변신경총 절제 정도에 따라 표준췌십이지장 절제술과 확대췌십이지장 절제술로 나눌수 있다. 확대췌십이지장 절제술은 표준절제에 포함되는 병변외에 원위간십이지장인대의 모든 림프절(12a, b, p번), 총간동맥(8번), 상장간막동맥(14번) 림프절, 복강동맥 림프절(9번) 뿐만 아니라 대동맥 주위 림프절(16a2, b1번)을 절제하고 총간동맥, 복강동맥, 상장간막동맥 주위의 신경총을 모두 제거하고 복강동맥 기원부 좌우의 복강신경절celiac ganglion도 제거하게 된다. 확대절제술은 이

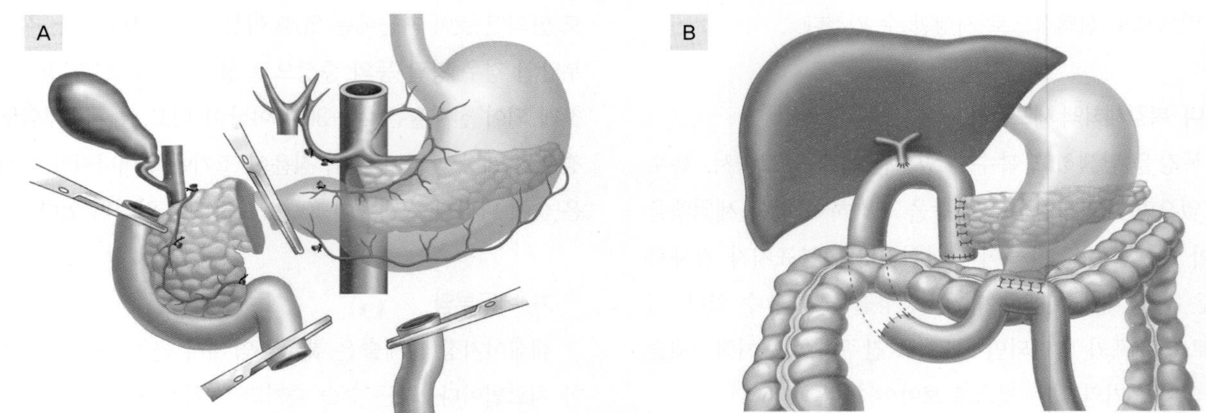

그림 3-90 **유문보존 췌십이지장 절제술의 모식도.** 유문보존 췌십이지장 절제술의 시행시 췌두부, 십이지장, 근위부 공장 일부, 담낭, 총담관이 절제되고 되며(A), 절제후 문합은 췌공장 문합, 담관공장 문합, 십이지장공장 문합의 순으로 시행하게 된다. 문합술의 경우에는 술자에 따라 다양한 방법이 시행되나 B와 같은 Child 방법의 문합이 가장 보편적이다.

론적으로 수술의 근치성을 높일 수 있을 것으로 생각되나, 혈관 손상의 가능성이 높고 수술 후 치료가 잘 안되는 심한 설사를 초래하여 삶의 질 및 영양상태를 떨어뜨리게 된다. 또한 몇몇의 후향적 연구에서는 확대절제후 생존률의 향상을 보고하였지만, 무작위 전향적 연구결과에서 확대절제후 생존률이 향상된다는 증거는 아직 없다.

나. 췌체미부암

췌체미부암의 표준치료는 비장을 포함한 원위췌절제술(췌미부절제술)이다. 절제연이 확보될 수 있으면 대개 췌장 경부에서 절단하고 그 원위부를 절제하게 된다. 안전한 절제연 확보를 위해 그보다 우측까지 췌두부를 일부 포함하여 절제하거나 전절제술을 시행할 수도 있다. 췌경부를 중심으로 발생한 종양은 혈관이 인접해 있어 절제가 안되는 경우가 많지만절제가 가능하다면 원위췌절제술보다는 췌두십이지장 절제술을 선택하는 것이 좀 더 근치적이고 향후 발생할 수도 있는 담도폐쇄, 십이지장폐쇄에 대비할 수 있는 수술이다. 비장동정맥은 기시부 또는 합류부에서 절단하여 제거해야 한다. 상장간막동맥 침윤은 절제의 금기이나 비동맥이 기시하는 부위의 복강동맥 침윤이 있는 경우에는 수술 위험도가 크지 않은 환자에서는 복강동맥을 함께 포함하여 절단할 수도 있다(Appleby 수술 또는 DPCAR: Distal Pancreatectomy Celiac Artery Resection). 림프절절제는 비장 및 췌체미부 상하의 림프절을 기본적으로 절제하게 되고 확대절제하여 복강동맥, 상장간막동맥 좌측 주위 림프절, 총간동맥 림프절 등을 절제하거나 대동맥 주위 림프절을 절제할 수 있다. 췌십이지장 절제술과 마찬가지로 그 의미는 아직 확실하지 않다. 주위 장기로의 침윤이 있는 경우 위, 부신, 신장, 결장 등의 타장기를 합병절제 할 수 있다.

7) 예후

췌장암의 생존률은 매우 나빠서 최근 국가암관리사업단의 최근 통계에서 전체 췌장암 환자에서 5년 생존률은 7.8%로 보고되어 일본이나 미국의 5-7%와 크게 다르지 않다. 하지만 보고되지 않은 사망자와 이 통계에는 예후가 좋은 췌장암의 아형들이 포함된 것을 고려하면 이것보다는 예후가 더 안 좋을 것으로 생각된다. 췌장암은 수술을 시행하지 못할 경우 실제적인 완치를 기대하기는 매우 힘들다. 2007년 발표된 미국 National Cancer Database에 따르면 췌장에만 국한된 병변localized disease이라 할지라도 5년 생존률은 29.3%, 림프절 전이가 있는 경우에는 regional disease 11.1%, 전이가 있는 경우distant metastasis는 2.6% 생존울을 보고하고 있다. 하지만 실제로 AJCC I기에 해당되는 환자는 전체 환자의 10% 미만에 불과하다. 수술적 절제가 가장 많이 시행되는 II기에서의 5년 생존률은 수술을 시행한 경우가 10-15% 내외, 비수술군에서는 2% 정도로 급격하게 예후가 나빠짐을 알 수 있다. 그 이외 진행된 병기에서는 장기생존자가 매우 드물다. 국내 보고에 따르면 절제술 후 5년 생존률은 14-20% 정도로 낮고 중앙생존 기간은 14-18개월 정도에 불과하다.

췌장암은 초기에 국소 림프절 전이를 하며, 방사선 검사상 간전이를 발견할 수 없는 경우라도 수술 당시 이미 간전이가 있는 경우가 많다. 근치적 절제수술 후 재발률은 80-90%에 이르겠는데 이 중 국소재발은 50-80%이고, 원격전이는 약 40-80% 정도로 보고되고 있으며, 이중 간전이가 가장 흔하다. 국소재발이 흔한 이유로는 췌장암이 특징적으로 후복막조직으로 침윤이 빈번하고, 림프절 전이가 많기 때문이다.

절제술 후 장기적인 예후를 결정하는 예후인자로는 종양의 크기, T 병기, 림프절 전이, 신경절 침윤, 절제연 암세포 침윤 등이 알려져 있다.

8) 고식적치료

췌장암의 근치적 치료인 수술적 절제가 이루어지지 못한 경우나 절제후 재발이 있는 경우에는 여러가지 증상에 대한 고식적치료가 필요한 경우가 많다. 고식적치료를 요하는 가장 흔한 증상은 십이지장폐쇄, 황달, 출혈, 통증이다. 과거에는 십이지장폐쇄의 경우 수술을 통해 위공장문합술이 시행되었지만, 최근에는내시경 등을 이용한 금속 스텐트 시술의 보급으로 인해서 수술이많이 대체되고 있다. (1) 간혹 근치적 수술을 위해 개복을 시행하였으나, 절제가 불가능하거나 의미 없는 경우, 예방적 차원 또는 증상의 해소를 위해, (2) 스텐트 삽입이 실패한 경우를 제외하고는 굳이 수술을 통해 위공장문합술을 시행할 이유가 없다. 황달이 있는 경우에도 대부분 내시경 또는 방사선학적으로스텐트를 담도에 삽입하여 담도폐쇄를 해소하게 된다. 내시경적으로 스텐트를 삽입하지 못한 경우에는 경피경간담도배액술을 이용하여 스텐트를 삽입할 수도 있다.

출혈은 췌장암에서 흔한 소견은 아니나 간혹 항암, 방사선치료로 종양 위축후 간혹 발견되기도 한다. 대부분의 경우에 잔여 수명이 많지 않으므로 가급적 수술을 하는 것 보다는 혈관 조영술을 통해 출혈부위를 지혈하는 것이 선호된다. 통증은 췌장암에서 가장 흔한 증상인데, 다른 종양과 마찬가지로 세계보건기구(WHO)의 3단계 진통제 사용지침에 따라 비마약성 진통제로 시작하여, 점진적으로 마약성 진통제를 추가하여 치료하게 된다. 하지만 다른 종양에 비해 췌장암은 신경절을 직접 침윤하여, 나중에는 마약성 진통제에도 통증이 잘 조절되지 않는 경우도 흔하다. 이 경우에는 복강신경절을 비수술적으로 파괴하거나, 약물을 주입하는 방법들이 도움이 되기도 한다.

9) 항암 및 방사선 치료

췌장암에서 시행되는 항암 또는 방사선 치료의 유형은 크게 수술 후 보조항암요법, 수술 전 보조항암요법, 진행성 병변의 치료로 나눌 수 있다.

(1) 수술 후 보조항암요법

췌장암은 수술적 절제후에도 50-80% 환자에서 국소재발을 하고, 40-80%의 환자에서는 전신전이를 하는 질환이므로 이들의 재발을 막고자 수술 후 보조항암요법이 시행되고 있다. 현재 Gemcitabine 또는 5-FU를 단독 또는 5-FU base 방사선치료와 병합하여 하는 치료가 가장 많이 시행되고 있다.

(2) 수술 전 보조항암요법

수술 후 보다는 수술 전 보조항암치료를 시행하여 재발을 낮추었다는 보고가 1980년대부터 일부 센터에서 나오면서 주목을 받고 있다. 이론적으로 수술 전 보조항암치료가 좀더 효과적이라고 거론되는 이유는 아래와 같다.

첫째, 췌장암 환자는 다른 소화기암에 비해 수술 후 합병증 발생이 높고, 영양 및 전신 상태의 회복기간이 길기 때문에 수술 후 보조항암치료까지 많은 기간을 요하며, 일부 환자에서는 상기 문제 때문에 항암치료를 받지 못하게 되는 경우가 많다. 둘째, 수술 전 타 장기로의 전이가 확인되지 않아서 근치적절제술을 시행했음에도 불구하고 수술 후 단기간 내에 원격전이가 관찰되는 경우가 빈번하기 때문에 이런 환자들에서 수술 전 항암치료를 통해 경과관찰기간을 가짐으로 인해 불필요한 수술을 피할 수 있다. 셋째, 수술 전에 종양부위의 혈관상태가 양호하므로 수술 후에 방사선치료 시행시 저산소증에 의한 효과감소를 예방할 수있고, 항암방사선 치료의 부작용을 줄일 수 있다. 넷째, 인접혈관 등의 침윤이 의심스러워 근치적 수술을 시행하기 어려운 췌장암 환자에서 수술 전 항암방사선치료를 통해 병기를 낮추어 근치적 수술을 할 수 있다는 것이다. Phase III 연구결과가 나오기 전까지는 수술 전 항암방사선치료의 효과에 대해 결론짓기는 어렵지만 현시점에서는 절제 가능한 췌장암의 경우에는 수술을 먼저 하고 수술 후 항암요법을 시행하고 경계성 절제가능 췌장암의 경우는 수술 전 항함치료neoadjuvant therapy를 하는 것이 추세이다.

(3) 진행성 췌장암의 치료 및 기타

수술을 시행할 수 없는 진행성 췌장암에서 종양자체의 치료로 선택할 수 있는 것은 항암제의 단독치료 또는 방사선치료의 병용이다. 현재 췌장암 치료를 위한 항암요법제로는 다른 소화기암에서와 마찬가지로 thymidylate synthase를 억제하는 항대사물질인 5-fluorouracil(5-FU)이 기본적인 약제로 사용되어 왔다. 그러나 1990년대 초 pyrimidine계 항 대사물질인 Gemcitabine은 기존의 5-FU에 비해 임상증상의 호전clinical benefit response과 경도의 생존률 향상 효과가 있다고 보고되었고, 1997년 미국 FDA는 진행성 췌장암의 일차 치료제로 이 약을 공인하였다. 따라서 현재는 Gemcitabine 치료가 수술을 시행하지 못하는 환자에서의 표준요법으로 시행되고 있다. Gemcitabine단독요법의 효과를 높이기 위해 5-FU, capecitabine, cisplatin, oxaliplatin, S-1과 같은 약제의 병용투여 등이 연구되고 있으나, 단독요법에 비해 훨씬 우월하다고 할 수 있는 약제는 없는 실정이다. 최근에 종양의 여러 분자생물학적 특성들이 규명되면서 항암제의 전신독성을 줄이면서 암세포에만 비교적 선택적으로 작용하는 표적치료targeted therapy에 대한 연구가 활발해지고 있다. 유방암이나 폐암 등에 비해서는 여러가지 이유로 연구성과가 아직 미비하지만 췌장암에서도 이들 약제에 대한 시도가 이루어지고 있다. 2005년 Moore 등은 3상 연구를 통해 진행성 췌장암에서 Gemcitabine단독 치료군에 비해 표피성장인자수용체(EGFR) 길항제인 Erlotinib (Tarceva)를 병행투여했을 경우 중앙생존기간 및 1년 생존률이 향상된 것을 보고하였다. 아직까지 일부 약제를 제외하고는 췌장암에서 기존치료에 비해 생존률과 반응률을 현저히 상승시켜 줄 수 있는 약제는 없는 상황이다. 하지만 최근 개발된 다양한 약제들이 기존 치료에 비해 독성이 적고, 일부나마 증세가 호전되며, 생존기간 연장 및 반응률 증가를 보임은 진행성 췌장암의 치료에 있어서 기존 치료의 한계를 극복하는데 중요한 역할을 할 것으로 기대된다.

2. 양성 및 저악성 췌장종양

췌장에서 외분비조직에서 발생하는 양성 및 저악성도 췌장종양으로 대표적인 것은 장액성낭종, 점액성낭종, 췌관내유두상점액종, 고형가유두상종양으로 대부분 낭성형태로 발견된다. 그외 종양들은 흔하지 않으므로 여기서는 췌장의 낭성 종양 중에서 임상적으로 흔히 접하게 되는 대표적인 질환을 간략히 기술하고자 한다.

췌장 낭성종양은 과거에는 전체 췌장종양의 1% 정도를 차지하는 드문 질환으로 생각되었지만, 최근에는 영상학적검사의 발전과 종합검진 등의 증가로 인하여 급속히 진단이 늘고 있다.

1) 장액성 낭종

장액성 낭선종serous cystic neoplasm은 50대 중반에서 60대의 여성에서 호발하는 것으로 알려져 있다. 우연히 발견되는 경우가 가장 많고, 증상이 있는 경우에도 비특

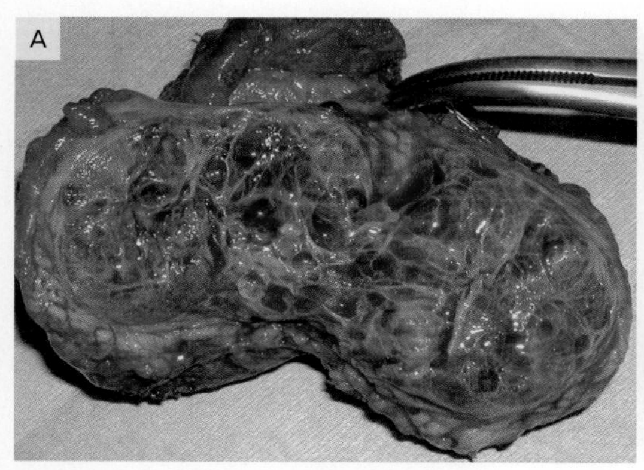

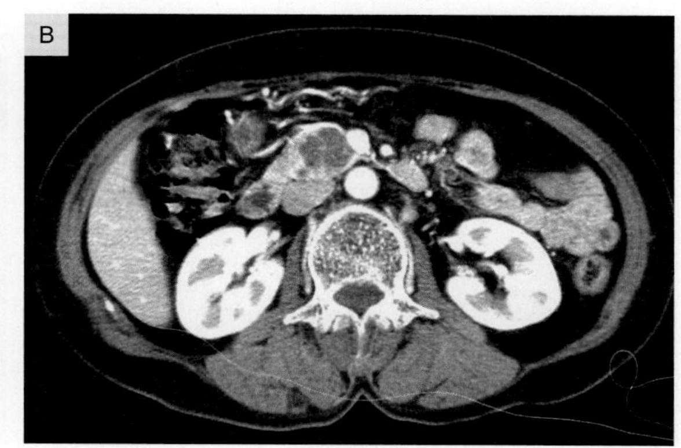

그림 3-91 **전형적인 형태의 장액성낭종.** A) 육안적 형태: 얇은 섬유성 결벽으로 나누어진 작은 낭들로 이루어진 병변으로 특징적인 벌집모양의 스폰지 형태를 이루고 있다. B) 전산화단층촬영 소견: 췌두부에 위치한 소낭성 병변으로 육안적 소견과 마찬가지로 벌집모양을 띠고 있고, 낭의 가운데 부분을 중심으로 방사성 반흔모양(central scar)을 관찰할 수 있다.

이적인 경우가 많아 복부 불편감이나 복통, 체중감소, 복부종괴촉지 등이 있다. 종양의 크기는 다양하게 나타나지만, 점액성 낭종에 비해서는 크기가 작아 평균 5–8cm 정도 된다. 호발 위치는 보고자마다 약간의 차이가 있지만 두부와 체부 또는 미부에서 비슷한 비율로 생긴다. 전형적인 장액성 낭선종의 경우에는 2cm 이하의 작은 낭들이 모여 벌집honeycomb 형태를 이루는 스폰지 양상의 소낭성 병변으로, 중심부에 방사모양의 반흔을 보이며 여기에 칼슘이 침착될 수 있어, 전산화단층촬영상 햇살 모양sunburst의 방사성 반흔모양central scar으로 나타나게 된다(그림 3-91). 낭종 벽은 얇고 투명하며 염증이나 섬유성 유착이 없어 주변 조직으로부터 쉽게 떨어진다. 낭종 내액은 보통 투명하고 점액이 없지만 간혹 출혈성일 수 있다. 조직학적으로는 내벽에 글리코겐이 풍부하고 키가 작은 입방 상피세포를 가지는데, 이 상피세포들은 점액을 형성하지 않으며 대부분 이형성을 보이지 않는다. 최근에는 전형적인 벌집모양 형태의 소낭성 병변외에 낭이 한 개에서 몇 개만 있는 형태도 보고되고 있는데, 이 경우 점액성 낭종과의 감별이 어렵다. 장액성낭종은 거의 대부분이 선종으로 양성인데, 매우 드물게 악성도 발생한다고 알려져 있다. 세계적으로 악성인 경우는 10예 미만이 보고되었다. 따라서 진단이 확실하다면 대부분의 장액성낭종은 경과관찰을 추천하지만, 다른 악성가능성이 있는 낭종과 감별이 힘들거나, 증상이 있는 경우에는 수술적 절제의 대상이 된다.

2) 점액성 낭종

점액성 낭종mucinous cystic neoplasm은 40–50대 여성에서 잘 발생하며, 종양의 위치도 대부분이 체부 및 미부에 발생하는 것으로 알려져 왔다. 점액성낭종은 난소양기질ovarian type stroma을 보이며 거의 대부분이 여성에서 생기는 것으로 알려졌지만 최근에는 남성에서도 가끔 발생한다고 보고되고 있고, 점액성낭성암의 경우에는 60대에 호발한다고 알려져 있다. 증상 및 징후는 장액성낭종과 마찬가지로 비특이적이며, 종괴촉진, 복통, 오심, 구토, 출혈, 체중감소 등이 있다. 췌두부에 생긴 종양은 황달을 유발할 수도 있지만 비교적 작은 낭성종양은 방사선적 검사, 부검, 타 부위 수술 등을 통해 우연히 발견될 수 있다. 낭성종양에 의해 주변 조직이 눌릴 수도 있지만, 초기 증상이 주변 조직으로의 암 침윤인 경우는 아주 드물다. 육안적 소견상, 매끈한 외부표면을 가지며 낭종의 비교적 크기가 크며, 낭의 수는 몇 개 이내로 구성되어 있다. 낭내부에 섬유화된 격벽이 있을 수 있고, 유두상 구조를 가지거나 고형결절을 가질 수 있다. 낭종 벽 자체는 장액성낭종에 비해 두꺼운 경우가 많다. 낭종 내액은 장액성낭종에서보다 혼탁하며 대부분 점액을 함유하고 있고 경우에 따

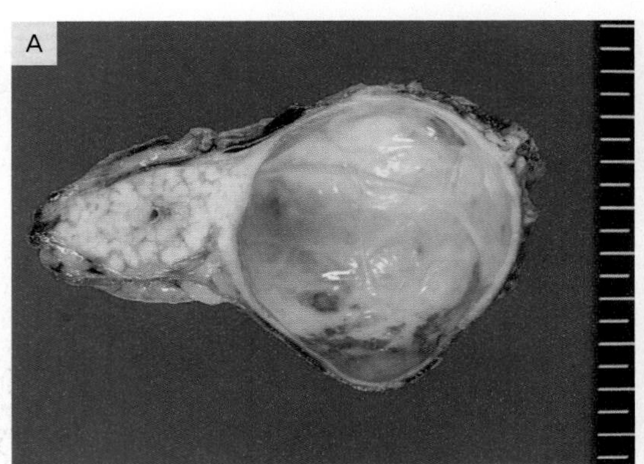

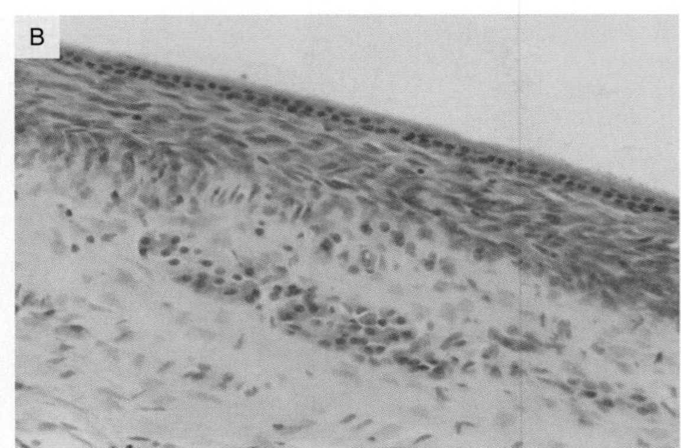

그림 3-92 점액성낭종. A) 육안 소견상 췌장의 미부에 위치한 약 7cm 정도의 낭성 종괴로 주변과 경계가 명확하며, 낭종 내부에 일부 격벽을 가지며 낭종내 다량의 점액질이 관찰된다. B) 현미경 소견상 원주상피세포가 낭벽을 이루는 형태로 세로의 분화도는 비교적 좋다. 낭벽 주변으로는 성긴 세포질과 균일한 핵을 가진 방추형세포(spindle cell)가 조밀하게 늘어선 난소양기질(ovarian type stroma)을 특징으로 한다.

라 출혈을 보이기도 한다. 낭벽 주변으로는 특징적인 난소양기질을 보인다(그림 3-92). 점액성낭종은 장액성낭종과는 달리 약 5–30% 정도로 악성인 점액성낭성암이 발생하는 것으로 알려져 있어 점액성낭종이 의심될 때는 수술적 절제를 하는 것이 원칙이다.

3) 고형가유두상종양

고형가유두상종양solid pseudopapillary neoplasm은 20세 중반에서 호발하며, 80–90% 정도에서 여자에게 발생한다. 증상 및 징후로 미약한 복통, 팽만감, 압통을 호소할 수도 있지만 상복부의 무증상 종괴를 주소로 오는 경우가 가장 흔하다. 드물게 종양 파열에 의한 혈복강이나 황달이 있을 수 있다. 장액 및 점액 낭성종양에서와 마찬가지로 대부분 건강 검진이나 수술 중 우연히 발견된다. 종양의 크기는 다른 종양에 비해 상대적으로 큰 경우가 많아 평균 8–10cm 정도이다. 일반적으로 췌장의 어느 부위에서나 생길 수 있으나, 췌원위부에 약간 호발한다. 표면은 매끈한 피막으로 잘 싸여 있으며 둥글고 주로 가장자리에 위치한 고형부위와 중앙에 위치한 출혈성 괴사부위인 낭성부위로 이루어져 있다(그림 3-93). 이 종양의 낭성부위는 실제 낭성종양이라기 보다는 혈관조직의 출혈과 괴사에 의한 이차적인 것이다. 칼슘 침착은 비교적 드물지만 보일

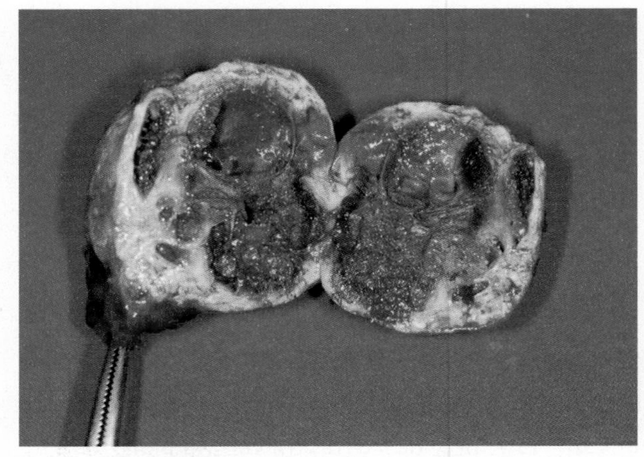

그림 3-93 고형가유두상종양. 약 5cm 정도의 경계가 명확한 종괴가 내부의 출혈과 괴사를 동반한 부분적 낭성변화를 보이고 있다.

수 있으며 주로 주변부에 위치한다. 고형부위와 낭성부위가 다양한 비율로 있을 수 있어 낭성부위가 월등히 많은 경우 점액 낭성종양과 감별이 어려울 수도 있다. 현미경적 소견상 입방세포로 깨끗하고 풍부한 호산성 세포질과 비교적 둥근핵을 가지고 있다. 혈관이 풍부하고 작은 혈관을 중심으로 유두상 구조를 형성한다. 세포 분열은 쉽게 관찰되지 않는다. 대부분의 종양은 양성이거나 저악성도의 병변이다. 하지만 10% 정도에서는 악성병변으로 주변 조직의 침범 및 원격전이를 가지고 있는 경우도 보고되고

있다. 현미경적 특징으로 종양의 양성과 악성을 구별하기는 매우 어려운데 혈관이나, 신경주위 침습, 핵분화 이상 등이 있을 경우에는 악성의 진단에 도움이 되기는 하지만 대부분의 경우에 임상적인 특징으로 결정하게 된다. 진단되면 수술을 하는 것이 원칙이며 수술적 절제후에는 대부분 예후가 좋은 것으로 되어있으나, 일부에서는 다발성 전이 등이 발견되기도 한다.

4) 췌관내유두상 점액종

1982년 일본의 Ohhashi 등은 내시경소견에서 췌관내 유두상 종양의 증식과 점액의 과다 분비로 인한 췌관 및 유두부의 확장이라는 독특한 양상을 나타내는 환자를 처음 보고하여 점액분비 췌장암mucin producing pancreatic cancer이라고 명명하였다. 이후 유사한 증례의 보고가 늘어나면서 췌관내유두상 점액종Intraductal Papillary Mucinous Neoplasm (IPMN)이란 질환의 개념이 도입되었고, 1996년에 들어서 WHO에 의해서 개별적인 질환으로 분리 명명되었다. 이 IPMN은 전술한 것과 같이 점액의 과다분비로 인한 췌관의 미만성 혹은 부분 확장, 췌관과 연결된 낭성병변, 점액에 의해 열린 십이지장 팽대부patulous orifice of the papilla, 그리고 임상적으로 반복되는 폐쇄성 췌장염의 증상을 특징으로 한다. IPMN는 주로 60대에서 호발하며, 남자에서 2배 정도 많이 발생된다. 병변의 위치는 두부에서 호발하며 췌장에 미만성으로 발생한 경우도 10% 정도를 차지한다. 임상적으로 IPMN은 췌장의 다른 낭성 종양에 비해 복통을 포함한 췌장염 증상을 흔히 유발하는 것으로 보고되고 있는데, 이와 같은 이유는 점액질의 과도한 분비로 인하여 췌액의 흐름이 막혀 반복적인 췌장염이 일어난다고 설명할 수 있다. 그외 드물게는 황달이 발생할 수도 있으며, 만성적인 췌장염에 의한 췌장 실질의 위축으로 인한 소화불량 및 당뇨 등도 발생할 수 있다. 조직학적으로 IPMN은 양성에서 악성까지의 다양한 스펙트럼을 보여주는데 WHO 분류에 의하면 상피세포의 비정형화 정도에 따라 저이형성 또는 중등도 이형성, 고이형성, 침습성암low or intermediate grade dysplasia, high grade dysplasia, associated invasive carcinoma 등으로 나눈다. 형태학적으로 IPMN은 췌관의 확장 모양에 따라 분류하는데, 주췌관이 전반적으로 확장된 형태인 주췌관형main duct type, 분지췌관의 확장을 주로 보이는 분지췌관형branch duct type, 주췌관 및 분지췌관이 모두 늘어나 있는 형태인 복합형mixed type으로 나눈다(그림 3-94). 췌관형태에 따라 주췌관형일 경우에는 악성도가 50–80% 정도로 높아 대부분 수술을 권유하며, 분지췌관형일 경우에는 10–30% 정도에서 악성으로 알려져 있어, 환자의 나이, 전신상태,

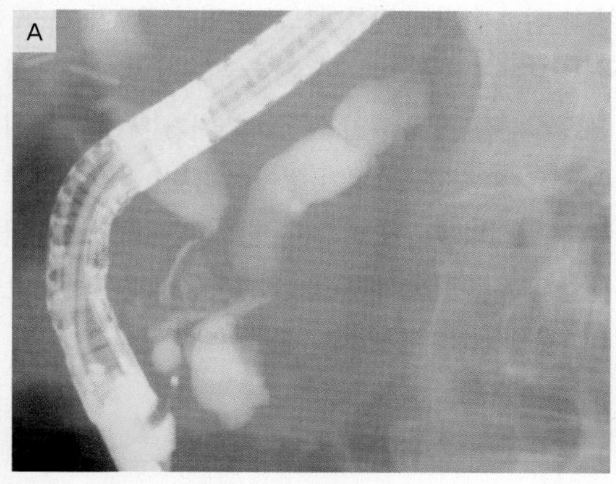

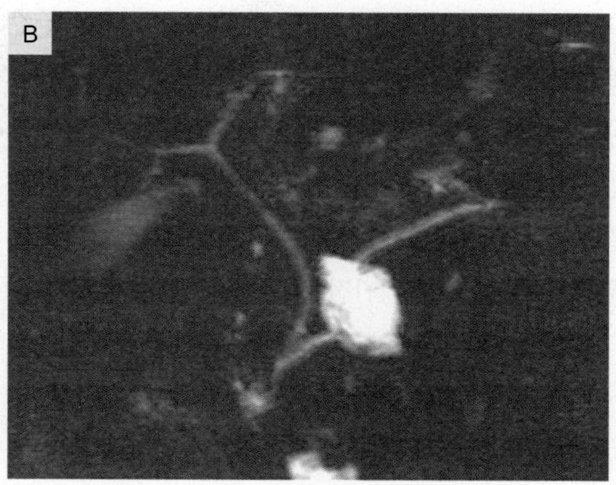

그림 3-94 췌관내유두상점액종. A) 주췌관형: 내시경적 역행성 담췌관 조영술에서 주췌관이 전반적으로 늘어나 있으며, 일부에서는 최대 2cm 정도로 확장되어 있다. B) 분지췌관형: 자기공명담췌관조영술에서 주췌관과 연결이 있으면서 구상돌기부위에 국한된 약 2cm 크기의 낭성 병변을 관찰할 수 있다.

표 3-26. 낭성종양과 가성낭종의 구별

특 징	낭성종양	가성낭종
호발연령	50-60대	40대
성별	남<녀	남>녀
과거력	정상	췌장염, 음주, 외상, 담석
혈청 아밀라제	정상	증가(50-70%)
낭액 아밀라제	대부분 정상	증가
낭액	투명	혼탁
다발성	예	아니오
벽	얇다	두껍다
주변조직 염증	없음	있음
췌관 조영술	정상 대개 낭종과의 연결이 없음	동반된 만성췌장염의 췌관 변화 낭종과의 연결이 있음

병변의 형태 등을 고려하여 수술을 시행할지 경과관찰을 할지 결정한다. 현재 분지췌관일 경우 대개 벽내결절mural nodule이 있거나, 주췌관확장이 동반된 경우, 종양표지자가 상승된 경우, 낭종의 크기가 3cm 이상이면서 성장하는 경우 등에서는 수술을 권유한다. 일반적으로 IPMN은 전형적인 췌장암보다는 예후가 좋은 것으로 알려져 있어, 단순한 경과관찰을 일부에서는 선호하기도 하지만, 침습성 IPMN인 경우에는 수술 후에도 5년 생존률이 50% 전후에 불과하여, 악성 또는 악성화의 조짐이 보이면 적극적으로 수술해야 한다.

5) 췌장낭성종양의 감별진단

췌장에서 발생하는 낭성병변 중 가장 흔한 것은 췌장염과 관련된 가성낭종이다. 가성낭종의 경우에는 극히 제한된 일부 경우를 제외하고는 수술적 절제가 필요하지 않은 경우가 많기 때문에 일반적인 낭성종양과는 치료방침에 큰 차이가 있다. 가성낭종은 표 3-26에서와 같이 대개 만성적인 음주력이 있는 비교적 젊은 연령의 남성에서 많이 생기며, CT 또는 복부초음파에서 단방성의 두꺼운 벽을 가지는 낭으로 구성되어 있으며, 석회화를 동반하는 경우도 볼 수 있다. 역행성 담췌관 조영술에서는 낭이 췌관과 연결되는 경우를 관찰할 수 있으며, 만성췌장염의 특징적인 소견인 췌관의 확장 및 협착이 동반된 소견을 보이면 대부분 감별 진단이 가능하다. 가성낭종을 제외한 진성 췌장낭성종양의 감별에 있어서는 임상적으로 매우 특징적인 주췌관형 IPMN을 제외하고 장액성낭종, 점액성 낭종, 고형가유두상종양, 분지췌관형의 IPMN이 가장 흔히 접하게 되는 질환이므로 감별이 중요하다. 표 3-27에서 보는 바와 같이 각 종양은 위에서 언급한 것과 같이 고유의 임상병리학적인 특징을 가지게 되나, 일부의 특징은 서로 중복되는 경우가 있어 수술 전 감별이 매우 어려운 경우도 많다. 따라서 내시경 및 영상학적 검사와 병력들의 임상적인 인자를 고려하여 가능성에 바탕을 둔 종합적인 임상판단이 진단에 필수적이다.

표 3-27. 췌장 낭성종양의 비교

	장액성 낭종	점액성 낭종	고형가유두상종양	췌관내유두상점액종
연령	50-60대	40-50대	20대	60대
성별	남 여	남 여	남 여	남 여
위치	두부=체미부	두부 체미부	두부=체미부 두부 체미부(소아)	두부 체미부
육안 및 현미경 소견	소낭성, 벌집 모양 대낭성도 가능 입방세포 글리코겐 풍부	대낭성 단방성 또는 다방성 원주세포 혈관 발달	고형 유두상 부위와 출혈성 낭성퇴행 부위 입방, 원주세포	(주췌관형)췌관의 미만성 확장 (분지췌관형)포도상 또는 단방성, 다발성으로 췌관을 따라 여러 개의 낭이 있을수 있음 유두상 증식
낭종 내액	투명 점액(-)	혼탁 점액(+)	출혈성 점액(-)	점액(+)
췌관확장	(-)	(-)	(-)	(+): 주췌관형 (-): 분지췌관형
석회화	20-40%, 중심부	20%, 주변부	20%, 주변부	드묾, 만성 췌장염의 2차적 소견으로 가능
췌관과의 연결	(-)	(-) 드물게 있을 수 있음	(-)	(+)
유두부 확장	(-)	(-)	(-)	(+)
악성여부	매우 드묾	(+)	(+)	(+)

요약

한국에서 췌장암은 발생률 8위, 사망률 5위를 차지하는 중요암으로 가족력이 있거나, 흡연, 당뇨, 만성췌장염 등이 유발인자로 알려져있다. 췌장외분비종양 중 췌관선암이 가장 흔하지만, 최근에 췌관선암과 조직형태학적으로 상이한 여러 종류의 외분비 종양의 발생빈도 및 진단이 늘고 있다. 췌장암도 다른 소화기 종양과 마찬가지로 여러 종양유전자 및 종양 억제유전자 등의 유전자 변이가 축적됨에 따라 발생한다. 형태학적으로는 이들 유전자의 변이의 축적이 췌관선암의 전구병변인 PanIN의 세포이형성을 가중시켜 췌장암으로 진행하는 것으로 알려져 있다. 현재까지 췌장암의 조기진단에 적합한 검사는 없지만, 췌장 프로토콜의 CT와 종양표지자인 CA19-9이 임상적으로 췌장암의 진단에 있어서 가장 유용한 검사이다. 췌장암의 가장 중요한 치료는 수술적절제이며 위치에 따라 췌장두부에 있을 경우 췌두부십이지장 절제술을 시행하고, 췌체미부에 있는 경우에는 췌미부 절제술이 시행된다. 췌장암의 항암방사선요법은 아직 논란이 있지만 췌장암 절제후 또는 비절제군에서 어느 정도 생명연장의 효과가 있다. 현재까지 가장 효과적인 항암요법은 Gemcitabine을 바탕으로 한 항암치료이다. 췌장에는 전형적인 췌관선암외에 예후가 좋은 것으로 알려진 다양한 외분비종양이 존재하며, 이중 가장 흔한 것은 췌관내유두상점액종, 점액성낭종, 장액성낭종, 고형가유두상종양이다. 이들은 종양에 있어서 장액성낭종을 제외하고는 수술적 절제가 표준치료이다.

XIX 췌장의 내분비 종양

1. 기원 및 역학

인체의 신경 내분비 종양neuroendocrine tumor의 기원에 대하여는 많은 논란이 있어 왔다. 역사적으로 1867년 랑게르한스Langerhans가 이 종양을 소개한 후 1907년 Oberndorfer가 카시노이드carcinoid (carcinoma-like의 의미)라는 이름으로 내분비 종양을 처음으로 명명하였다. 그 후 여러 생물학적 및 태생학적 연구를 거쳐 그 기원에 따라 neuroectodermal tumor, neural crest tumor, APUD (Amine Precursor Uptake Decarboxylation) oma 등으로 명명되기도 하였으나 최근에는 앞장관foregut 기원의 내배엽endoderm에서 기원한다는 학설이 일반적으로 받아들여져 neuroendocrine tumor로 불려지고 있다. 신경 내분비 종양은 인체의 여러 장기에서 발생할 수 있다. 위, 소장, 대장 및 췌장에 발생하는 신경 내분비 종양을 소화기계의 내분비 종양Gastroentero-Pancreatic Neuroendocrine Tumor (GEP-NET)으로 명명하기도 하며 췌장의 경우 그냥 췌장의 내분비 종양pancreatic endocrine tumor으로 불리기도 한다(그림 3-95). 처음 발견 당시 종양에서의 특정 물질의 분비로 인한 소위 카시노이드 증후군carcinoid syndrome으로 주목을 받았다. 카시노이드 증후군은 얼굴 홍조flushing, 설사, 기관지 수축, 심장 판막의 섬유화 등을 특징으로 하는 기능성 내분비 종양으로 소화기계의 내분비 종양(GEP-NET)의 50% 이상은 비기능성으로 여겨진다. 당시 이 종양은 조직학적으로는 악성 종양과 유사한 형태를 지녔으나 성장 속도가 느리고 종양의 구분이 명확하며 전이가 없다는 이유로 양성으로 여겨졌으나 그 후 여러 연구에서 간 전이 등을 보이는 악성 종양의 형태가 있음이 밝혀졌다.

췌장의 내분비 종양은 전체 췌장의 1% 미만으로 존재하는 랑게르한스Langerhans 세포islet에서 기원하는 종양을 일컫는다. 췌장 내분비 종양의 발생은 드문 것으로 알려지는데 최근의 연구는 빈도가 증가하는 것으로 보고된다 미국의 경우 1970대 인구 100,000명당 1.1명이었으나 2004년도의 보고는 인구 100,000명당 5.25명으로 보고된다. 그러나 사체 부검에서의 빈도는 0.5-1.5% 정도로 알려져 많은 수의 췌장 내분비 종양은 임상증상을 일으키지 않는 무증상의 또는 준준상subclinical의 병변으로 존재함을 알 수 있다. 우리나라에서는 개별 병원에서의 보고는 있으나 아직 전국적인 보고는 없는 상태이다

2. 분류

1) 임상적 분류

췌장 내분비 종양의 임상적 분류는 크게 세가지 의미로 대별 된다. 첫째는 특정 펩타이드를 분비하는가의 여부에 따라 기능성과 비기능성으로 분류되며 둘째는 조직학적 및 임상적으로 악성인가의 분류이며 셋째로는 유전적 양상을 보이는 다발성 내분비 종양에 속하는가의 분류이다. 췌장 내분비 종양은 종양에서 분비되어 혈중 내 존재하거나 종양조직에 존재하는 호르몬의 종류에 근거를 두고 분류가 되며 해당 호르몬의 이름을 따라 명명된다.

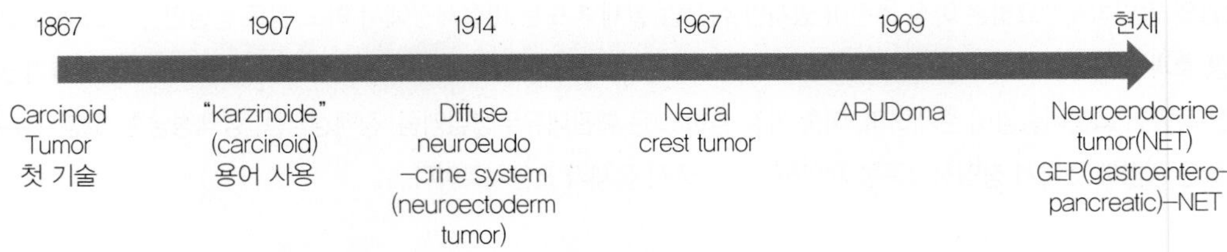

그림 3-95 신경세포종양(neuroendocrine tumor)의 개념 및 명칭의 변천

표 3-28. 췌장 내분비 종양에 대한 WHO 분류의 역사

WHO 2000년 분류	WHO 2010년 분류
1. well-differentiated endocrine tumor (WDET)	1.NET (neuroendocrine tumor) Grade 1 (carcinoid)
2. Well-differentiated endocrine carcinoma (WEDC)a	2. NET (neuroendocrine tumor) Grade 2
3. Poorly differentiated endocrine carcinoma / Small cell carcinoma (PDEC)	3. NEC (neuroendocrine carcinoma) (large cell or small cell type)

G1: mitotic count (/10HPF) <2, Ki-67index <3

G2: mitotic count (/10HPF) 2-20, Ki-67index 3-20

G3: mitotic count (/10HPF) >20, Ki-67index >20

여러 종류의 호르몬이 분비될 경우 임상적 증상과 연관된 호르몬을 따라 명명된다. 췌장의 랑게르한스 세포는 췌장 전체에 10^6개 정도가 분포하며 각 도세포는 3,000개 정도의 세포로 구성되어 있다. 각 도세포는 인슐린을 분비하는 B(β)세포, 글루카곤glucagon을 분비하는 A(α)세포, 소마토스타틴somatostatin을 분비하는 D(δ)세포, 췌장 복합단백Pancreatc Polypeptide (PP)를 분비하는 PP 세포 등으로 주로 구성되며 그외 vasoactive intestinal polypeptide (VIP)를 분비하는 D_2 세포, substance P를 분비하는 EC (enterochrmafin)세포, 가스트린gastrin을 분비하는 G세포 등이 분포하고 있다. 각각의 세포는 한가지 이상의 호르몬을 분비할 수 있으며 종양의 경우 이중 주로 분비되는 호르몬에 따라 종양의 분류 및 이름이 결정된다. 종양의 크기와 발생하는 증상의 정도는 무관하며 종양의 악성도는 종양에 따라 다른 것으로 알려져 있다. 표 3-28은 췌장내분비 종양에서 분비되는 물질에 따른 다양한 임상증상과 이에 따른 분류와 악성도, 발생빈도 등을 분류한 표이다. 임상적 증상이나 징후가 없는 경우 비기능성 종양non-functioning으로 분류 된다. 만일 여러 조직에서 다양한 호르몬을 분비하는 경우에는 다발성 내분비 종양 Multiple Endocrine Neoplasia (MEN)으로 분류되며 MEN은 산발적sporadic 또는 가족력familial을 지니고 발생한다. 빈도가 가장 많은 종양은 인슐린종과 비기능성 종양으로 과거 인슐린종이 60-70%를 차지하였으나 최근 검사 방법의 발달 및 정기 검진의 영향으로 비기능성 종양의 빈도가 늘고 있다. 본 저자가 경험한 122예중에서는 비기능성 종양이 61.5%, 악성이 26%, 전이성이 18%였다.

2) 조직학적 분류 및 병기 분류

췌장의 내분비 종양의 조직학적 분류로는 전통적으로 고분화 종양well differentiated NET과 저분화 종양poorly differentiated NET로 나눈다. 2000년 국제 보건기구World Health Organization (WHO)에서는 이런 체계를 기준으로 한 분류체계를 제시하였으며 이를 2010년 개정하였다(표 3-28). 이에 의하면 종양의 유사분열 활동도mitotic avtivity와 세포 증식표지자인 Ki-67 지수에 따라 분류하였다. 그 외 병기의 분류로는 다른 종양에서와 같이 TNM 병기와 유럽에서 많이 쓰이는 ENET (European Neurendocrine Tumor Society)의 분류가 쓰이기도 한다.

3. 진단 및 국소화

췌장의 내분비 종양의 생물학적 표식자는 크게 일반적인 신경내분비 세포에서 분비하는 물질과 종양의 특징적인 임상상을 결정하는 특이 물질 두가지로 나눌 수 있다. 가장 잘 알려진 일반적 생물학적 표식자는 크로모그라닌 AChrmogranin A (CgA)이다. 크로모그라닌 A는 인체의 신경내분비세포에서 생성되는 펩타이드peptide들의 전구물질로 49-52kDa 크기의 당단백glycoprotein이다. 임상적으로 크로모그라닌 A의 혈청 또는 혈장 농도는 내분비 종양의 존재 및 종양의 양과도 관계가 있는 것으로 보고되며 치료 도중 치료 효과의 판정에도 도움이 되는 것으로 알

표 3-29. 췌장 내분비 종양의 세포형태 및 빈도, 임상적 분류 및 특징

분류	세포종류	(%세포)	주 임상증상	주 호르몬	악성율	췌장 외 병소
인슐린종	B	65	공복 시 저혈당증	인슐린	10%	1%(위, 십이지장, 장간맥)
가스트린종	G	-	위산과다, 재발성 소화성 궤양, 설사	가스트린	75-100%	20%:십이지장 1%:위
글루카곤종	A	15	괴사용해성 이동성 홍반증, 제2형 당뇨, 빈혈	글루카곤	50-80%	드물다
VIP종("췌장성 콜레라")	VIP	<l	설사, 저칼륨증, 위산분비 저하	VIP	50-75%	흔하다(십이지장)
소마토스틴종	D	5	당뇨, 지방변, 담석, 위산분비저하	소마토스타틴	80-100%	흔하다(십이지장)
PPoma	PP	15	-	PP	-	-
GRFoma			말단비대증	GRH	30%	-
ACTHoma			쿠씬씨병	ACTH	>90%	-
비기능성 내분비종양			국소 압박증상		60-90%	-

려져 있다. 크로모그라닌 A의 내분비 종양의 발견에 대한 예측도positive predictive value는 90% 이상으로 보고된다. 그 외 일반적인 생물학적 표식자로는 주로 midgut 내분비 종양에서 상승되는 세로토닌serotonin이나 세로토닌의 최종 산물인 5-HIAA (hydroxy-3-indoleacetic acid)를 24시간 요에서 측정하는 방법이다. 종양의 특징적인 임상상을 결정하는 특이 물질로는 인슐린, 가스트린, 글루카곤, 소마토스타틴 등이 있다. 그외 히스타민, substanc P, Pancreatic Polypeptide (PP) 등이 췌장의 내분비 종양의 생물학적 표식자로 연구되고 있다. 현재로서는 임상적 소견을 지닌 환자가 있을 경우 임상적 의심 하에 혈중 호르몬 농도의 상승을 검사하는 것과 영상학적 진단이 의심될 경우 일반적 생물학적 표식자를 검사하는 방법이 가장 좋은 진단 방법이라고 할 수 있다. 각 종양의 다양한 임상 증상은 분비되는 호르몬에 따라 매우 다양하며 이는 표 3-29에 기술되어 있다.

일단 췌장내분비 종양의 진단이 확실시 되면 치료를 위한 전략은 종양의 종류에 관계없이 종양의 정확한 위치 확인 및 전이여부의 파악을 위한 검사로부터 시작되야 한다. 대개가 복부초음파 촬영Ultrasonography (USG), 전산화 단층촬영Computed Tomogram (CT), 자기 공명 영상Magnetic Resonance Image (MRI) 등이 이용될 수 있으나 CT 또는 MRI가 가장 좋은 방법으로 추천된다. 초음파의 경우 민감도는 25% 내외로 보고되며 정상 췌장에 비해 음영이 떨어져 보인다. 복부 단층 촬영의 경우 10-40% 정도의 민감도를 보이며 MRI 경우 CT와 비슷한 민감도를 보인다. 이러한 검사들은 비록 검사의 민감도는 떨어지나 10%에 이르는 전이암의 선별과 비교적 크기가 큰 병변에 도움을 줄 수 있다. 최근 인듐Indium 과 옥테레오타이드 octretide를 이용한 소마토스타틴 수용체 씬티그라피Somatostatin Recepor Scintigraphy (SRS), OctreoScan○R는 위치 확인 및 전이성 종양에서 80%이상의 좋은 발견율이 보고되기도 한다(그림 3-96). 최근에는 PET 검사나 Ga-DOTA-Tyr-octreotide (TOC) PET 또는VIP호르몬의 수용체 대한 radioiodine 포함된 핵의학 검사가 좋은 결과를 보이기도 한다. 외과의에게 가장 도움을 줄 수 있는 검사는 수술 시 직접 시행하는 초음파intraoperative USG 검사이다. 내시경적 초음파endoscopic ultrasound는 췌장내의 작은 병변을 발견하는 좋은 검사로 알려진다. 수술 시 초음파 검사intra operative USG는 술 전 진단 및 위치 확인에 성공

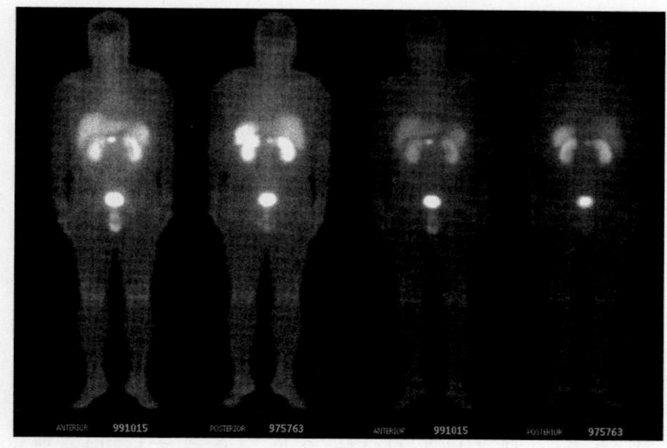

그림 3-96 **In-111 Octreo Scan**

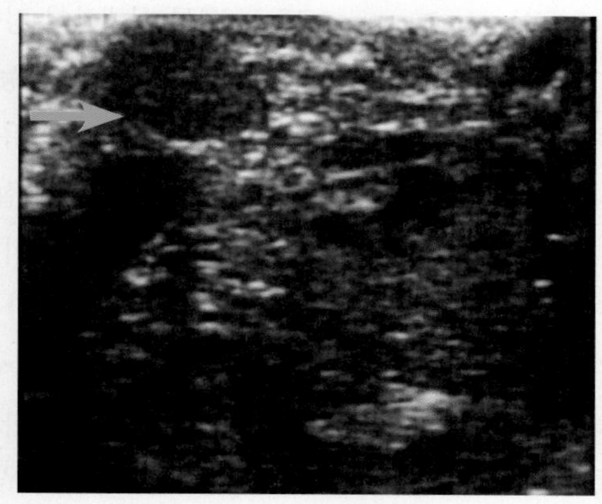

그림 3-97 **수술 중 초음파 영상.** 화살표가 췌장 실질에 있는 췌장 내분비 종양을 가르키고있다.

한 예나 설사 위치 확인을 할 수 없었던 예에서도 좋은 결과를 보이며 수술 시 주 췌장관이나 혈관 등과의 근접성 등도 살필 수 있어 실제 수술 시 많은 도움을 받을 수 있다(그림 3-97).

비침습적 검사에서 위치 확인을 하지 못한 경우 종양의 호르몬 분비를 이용하여 좀 더 큰 범위 내에서의 췌장 내 위치확인regionalization을 해야 되는 경우가 있다. 이를 위해 도관을 췌장의 각 부분에서 유출되는 간 문맥 분지에 거치 시킨 후 혈액을 채취 후 인슐린의 농도를 측정하는 경피 경간적 간 문맥 및 비정맥 도자 법Transhepatic Portal Venous Sampling (THPVS)을 비교적 표준 방법으로 사용한다. 이 방법은 저자에 따라 67–100%의 민감도가 보고된다. 그러나 이 방법은 정확한 종양의 위치가 아닌 췌장의 두부 또는 미부 정도로만 구분할 뿐이어서 수술 시 종양의 위치 확인 시 도움자료 정도만 된다. 따라서 이 검사의 시행 여부에 대하여는 검사의 침습도를 고려하여 익숙한 외과의에 따라서는 비침습적 검사 후 위치를 발견치 못했을 경우에도 인슐린 종양의 경우 곧 바로 개복술을 권하기도 한다. 최근 PVS를 보완하여 분비촉진제secretagogues인 세크리틴secretin이나 칼슘calcium을 이용한 선택적 동맥분비 촉진제 주사검사selective arterial secretagogue injection test, seretin-SASI test, calcium-SASI test가 발견이 어려운 췌장 내분비 종양에 대하여 실시되기도 한다. 이는 도관을 위십이지장동맥 또는 상장간막 동맥(췌두부병변), 비장동맥(췌간 및 췌미부)에 거치 후 calcium (0.025mEq/kg) 또는 secretin(3U/kg)을 주사한 다음 시간 별로 간정맥에서 채혈하여 해당 호르몬을 측정하는 방법으로 90%에 가까운 진단율을 보이는 것으로 보고된다. 복강동맥celiac axis을 통한 선택적 혈관 조영술은 혈관공급이 좋은 인슐린종에서 소위 “blush” 모습을 보이며 40–70%에서 종양의 위치 확인을 할 수 있어 비침습적 방법에 비해 좋은 결과를 보인다. 그러나 이러한 침습적 검사는 정확하게 병변을 국소화시키지 못하는 단점과 수술 시 시행하는 초음파 장점에 힘입어 점점 그 의미가 줄어드는 경향이며 비침습적 검사에서 발견하지 못한 작은 병변에 대하여만 선택적으로 시행되고 있다.

결론적으로 췌장 내분비 종양의 진단과 위치확인 방법을 정리하면 우선 CgA를 비롯한 특이적 또는 비특이적 생물학적 표식자를 검사 한 후 비침습적 방법으로 복부 CT, 복부MRI 등을 시술하여 비교적 크기가 큰 종양이나 전이성 종양의 확인 및 전이 여부를 확인한다. 이상의 검사로 위치가 확인된 경우 수술 시 실제 촉진 및 수술 중 초음파를 통해 위치 확인 후 절제술을 시행한다. 위 검사에서 위치가 확인되지 않은 경우 내시경적 초음파 또는 소마토스타틴 수용체 씬티그라피를 시행한다. THPVS나 동맥촬영술, 선택적 동맥 분비촉진 검사 등을 시행한다. 이러한 검사에도 발견되지 않은 종양의 경우 결국 수술

시 초음파와 촉진 등으로 수술을 시행하게 된다.

4. 치료 및 예후

1) 수술적 치료

췌장 내분비 종양의 치료의 원칙은 크게 특이 펩타이드에 의한 증상의 조절과 종양의 악성화에 대한 치료이다. 췌장 내분비 종양의 가장 좋은 치료는 완전한 외과적 절제이다. 내과적 치료는 수술 전 환자 상태의 조절, 진단을 위한 처치, 수술을 할 수 없는 경우에 이용된다 수술의 원칙은 가능한 정상 췌장을 보존하며 가능한 종양을 완전 절제해 내는 것이다. 수술 시 정확한 위치 확인이 수술의 가장 중요한 핵심이며 종양은 수술 시야에서 약간 적갈색으로 종양을 볼 수 있기도 하나 많은 예에서 췌장 내에 함유되어 있어 시각으로 확인하기 어려운 경우가 많다. 70%정도에서 촉진으로 종양의 위치를 확인할 수 있으나 췌두부, 췌장염을 앓았던 경우 등에는 촉진으로 위치 확인이 어렵다. 이 경우 수술 시 초음파가 종양의 위치 확인에 많은 도움을 줄 수 있다. 또한 수술 시 초음파를 통해 주췌관 및 중요 혈관과 종양과의 관계를 보다 정확히 파악할 수 있어 수술의 형태를 결정하는데도 도움을 받을 수 있다.

수술의 종류는 병변의 위치 및 크기, 악성도의 여부에 따라 달라질 수 있다. 양성으로 판단될 경우 가능한 정상 조직을 남기고 병변을 절제하는 췌장 보존 수술을 우선적으로 시도한다. 단순 종양 적출술enucleation은 가장 최소한의 보존적 수술로 인슐린종의 경우 피낭encapsulation이 잘 형성되어 있어 조심스럽게 췌장 실질을 박리 하면 쉽게 췌장실질과 분리되는 경우가 많다. 남는 췌장 조직 부분은 췌루를 방지하기 위해 가능한 결찰한다. 대부분의 경우 췌장 내분비 종양의 경우 수술 시 초음파가 도움이 된다. 종양이 췌미부에 위치한 경우 비장을 보존하는 췌원위부 절제술spleen saving distal pancreatectomy을 실시할 수 있고 췌간에 위치한 경우 췌중간부절제median segmentectomy, central pancreatectomy (그림 3-98)를 시행하여 정상 췌장을 많이 보존할 수 있다. 췌두부 병변의 경우 가능하다면 단순 종양 절제술이 권유되나 크기가 큰 경우 유문부 보존 췌두부 절제술 또는 십이지장 보존 췌두부 절제술 등이 시행된다. 그러나 크기가 크고 악성도의 위험이 있는 종양에서는 림프절 곽청을 비롯한 근치적인 절제가 필수적이다. 최근에는 복강경을 이용한 췌 절제술laparoscopic pancreatic resection이 시행되어 좋은 결과들을 보고하고 있다. 특히 복강경을 이용한 단순 종양 적출술이나 원위부 절제술은 기존 개복술에 비하여 입원기간이 짧고 회복이 빠른 장점을 보이고 있다. 그림 3-99는 복강경을 이용한 췌장 원위부 절제 시 일반적인 포트의 위치와 수술 후 복

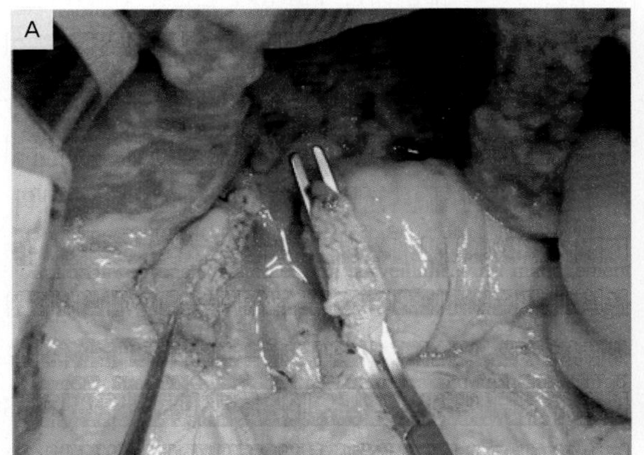

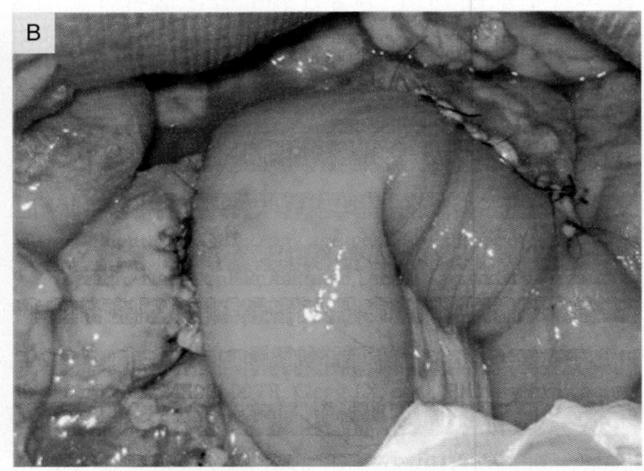

그림 3-98 췌간에 있는 췌장 내분비 종양을 중앙 절제(median segmentectomy) 후(A)**와 재건한 사진**(B)

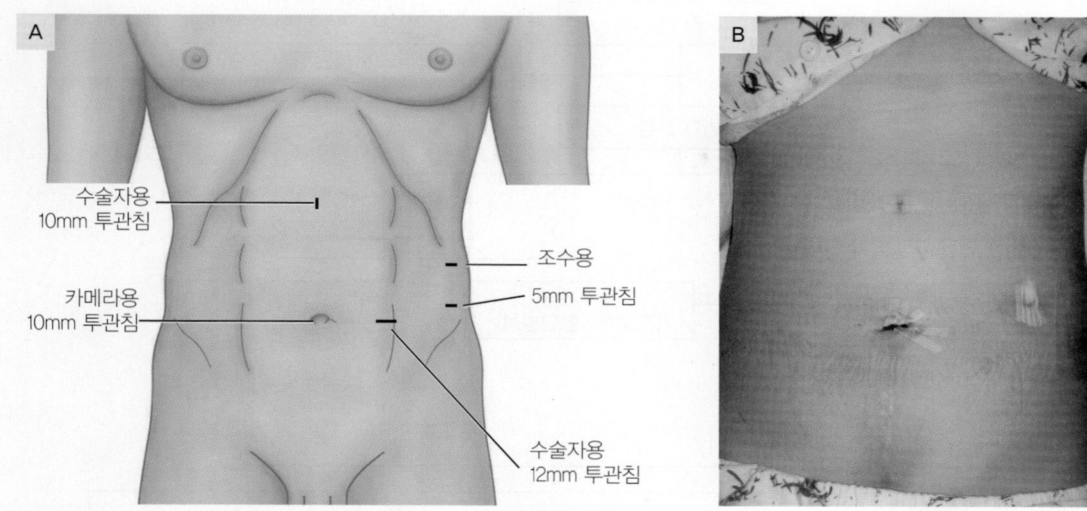

그림 3-99 췌미부에 위치한 췌장 내분비 종양의 복강경 절제시 복강경 투관침(trochar)의 위치(A) 및 수술 후 절개 창의 모습(B)

부 사진을 보여주고 있다.

수술 후 재발하거나 전이성 병변이 발견되었을 경우 우선적으로 병변을 다시 제거하거나 가능한 병변을 줄이는 방법cytoreduction이 권유 된다. 이에는 원발 병소의 재절제 및 간전이의 경우 간절제술 등을 포함하며, 양측성이거나 미만성diffuse의 전이 일 경우 경간동맥폐색술transarterial embolization, 방사선고주파 요법Radiofrequency Ablation (RFA) 등을 사용할 수 있다. 최근 양측성인 경우 일차적으로 한쪽 간을 절제 한 후 절제한 간엽의 재생 후 다른 쪽 간을 절제하는 단계별 절제법도 시도되고 있다.

2) 기타 치료

종양의 호르몬 수용체를 이용한 지속형 소마토스타틴 유사체(sandostain LAR 20mg, 30mg I.M)를 사용하는 방법도 표준적 치료로 알려져 있다. 그 외 인터페론 이나 5-FU 등을 이용한 항암요법 등을 사용하기도 하나 유의한 효과가 보고되지는 않는다. streptozotocin 이나 temozolomide 등이 효과가 있음이 보고되고 있다. 최근 혈관 생성 저해제(angiogenesis inhibitor, Sunitinib), mTOR (mammarian target of rapamycin) 저해제(Affinitor) 등이 무작위 전향적 연구에서 효과 있음이 보고 되었다. 또한 방사능이 표지된radiolabeled 소마토스타틴 유사체 등을 이용한 치료가 시도되고 있다. 수술을 시행할 수 없는 전이성 병변에서도 가능한 절제 방법을 동반한 동일한 호르몬 치료나 항암요법이 시도되고 있다. 인슐린종의 증상 완화를 위해서는 diazoxide나 dilantin, 소마토스타틴 유사체 등이 사용되기도 한다. 그림 3-100은 진단 후 치료에 대한 흐름도이다.

3) 예후

췌장 내분비 종양의 예후는 각 종양의 생물학적 특성 및 병리학적 소견, 발견 증상에 따라 좌우되는 것이 일반적이다. 예를 들면 인슐린종의 경우 95%이상이 좋은 예후를 보이며 비기능성 내분비 종양의 경우 병리학적 소견에 따라 예후의 차이를 보인다. 그러나 일부 이에 따른 분류도 예후 판정에 적절치 않음이 보고되고 있어 향 후 연구가 필요한 실정이다. Bilimoria 등은 최근 대단위 환자를 대상으로 한 연구에서 나쁜 예후 인자로 55세 이상의 연령, 비기능성 종양, 분화가 좋지 않은 군, 원격 전이가 있었던 군, 췌십이지장 절제군을 보고하였다. 일반적으로 절제된 인슐린종 환자는 95%이상의 장기 생존을 보인다. 산발적 가스트린 종의 경우 절제된 경우 100%에 가까운

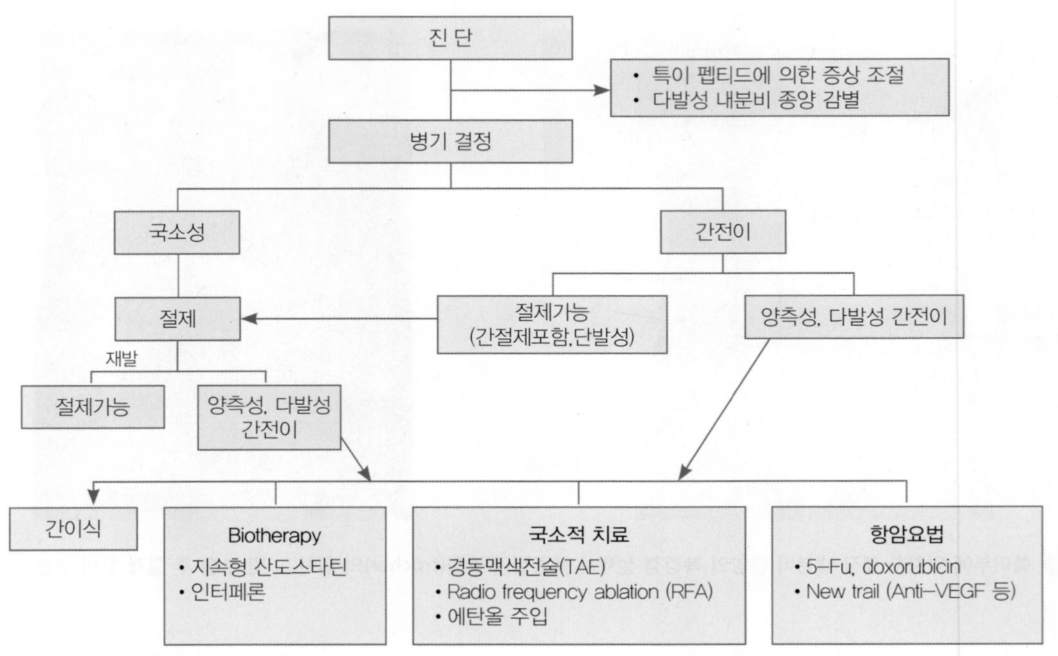

그림 3-100 췌장 내분비 종양의 치료 흐름도

생존율을 보이며 비기능성 종양의 경우 25-70% 정도의 5년 생존율을 보인다.

5. 인슐린종

1) 역학 및 임상 증상

베타 세포 기원 종양으로 인슐린의 과분비 현상으로 저 혈당 증상을 유발하는 인슐린종insulinoma은 서양의 경우 췌장 내분비 종양에서 70-80%를 차지하는 가장 흔한 형태의 종양이다. 대개 매해 인구 백만명당 1-6명으로 나타나며 10-15%에서 악성의 전이성 병변으로 나타난다. 15% 정도에서는 다발성인 경우가 있으며 가스트린종과는 달리 췌장 외의 곳에서 발생할 확률은 1%미만으로 보고된다. 발생 연령층은 모든 연령군에서 발생할 수 있으나 30-40대에서 호발한다.

임상증상은 저혈당으로 인한 교감신경 자극 증상과 신경계 자극증상으로 나눌 수 있는데 교감신경 자극 증상으로는 무력감, 발한, 심계항진, 공복감등이 나타나며 신경증상으로는 피로감, 관심저하, 두통, 어지러움증, 시각장애, 지각변화, 경련, 혼수 등까지 나타날 수 있다. 많은 경우 정신과 환자로 오해받아 치료받은 병력이 있으며 방치되면 불가역성 뇌손상을 초래하거나 사망에 이를 수도 있다.

2) 진단

진단은 공복 또는 운동과 관련하여 발생하는 저혈당 관련 증상이 가장 중요하며 포도당의 경구 투여 또는 정맥 투여로 증상이 소실되면 매우 진단가치가 높다고 볼 수 있다. 이에 저혈당이 40mg/dL (2.2mmol/L)이하가 되면 휘플Whipple의 3주징triad이 있는 것으로 본다. 진단을 위한 혈중 인슐린 치가 저혈당에도 불구하고 높은 것이 일반적이나 혈중 인슐린치가 절대적인 것이 되지는 않는다. 오히려 낮은 혈당치에 대한 부적절한 인슐린 반응이 문제가 되기 때문에 인슐린/혈당의 수치(mU/L 대 mg/dL 또는 pmol/L 대 mmol/L)가 0.3 이상이면 진단률이 높다. 진단이 뚜렷하지 않을 때는 의료진의 철저한 감시하에 72시간 지연 공복검사standard fasting test를 실시한다. 인슐린종은 보통 크기가 작고 단독 병변으로 발생하는 예가 많아 좋은 수술 결과를 위해서는 정확한 위치 파악이 매우 중

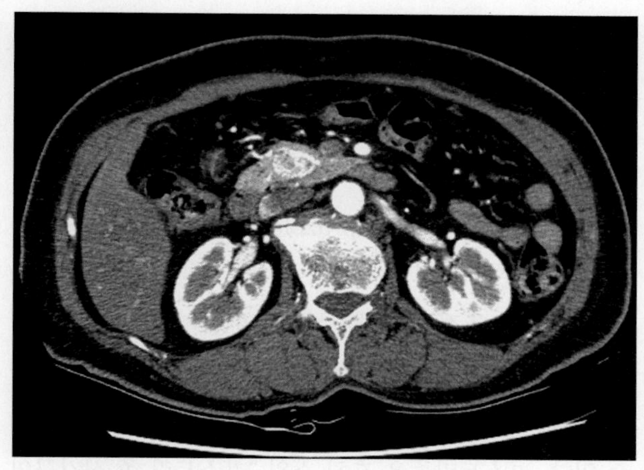

그림 3-101 췌장 두부에 발생한 인슐린 종의 전산화 단층 촬영 소견. 췌 두부에 2 x 1.7cm 되는 결정성 병변이 조영을 시킨 상태에서 강하게 조영되어 혈관 형성이 풍부한 도세포종임을 시사하고 있다.

요하다. 복부초음파 촬영은 비침습적 방법으로 가장 간단하나 정확도가 낮다. 전산화 단층촬영이나 자기 공명술은 10−40%의 민감도를 보이며 크기가 작은 병변을 발견하기 어려우나 간 전이 등의 발견에 좋다. 최근 일반적 전산화 단층촬영을 보다 작은 간격으로 검사할 수 있는 췌장 역동적 전산화 단층촬영pancreas dynamic CT이 나와 진단율을 높이고 있다(그림 3-101). 침습적인 방법으로 동맥조영술을 이용하여 진단율을 50%로 높일 수 있고 경피 경간적 간 문맥 및 비정맥 도자(THPVS)를 이용한 호르몬 측정술을 이용할 수 있으나 침습적 위험도와 기술적 어려움으로 최근 줄어들고 있는 추세이다. 최근 등장한 내시경적 초음파와 수술시 시행하는 초음파는 침습적 방법의 많은 부분을 대체하고 민감도를 향상시키는 방법으로 발전되고 있으며 특히 수술 시 초음파는 외과의의 수술 방법 결정에도 많은 도움을 주는 필수적인 검사로 보고된다.

3) 치료

수술 전 처치로는 정맥 내 포도당 투여 등으로 증상을 완화시키고 병변 위치 발견이 어려울 경우 내과적 치료에 대한 반응을 검사한다. 수술 중에는 주기적으로 혈당을 측정하여 정상 혈당을 유지하며 수술 후에는 일시적 고혈당이 발생할 수도 있다. 개복 후 전이성 병변에 대한 철저한 탐색이 시행되어야 하며 인슐린종은 대부분 췌장 실질에 싸여 있으나 대부분의 예에서 수술 중 세심한 촉진으로 병변을 발견할 수 있다. 최근의 경향은 가능한 모든 예에 대하여 수술중 초음파를 시행하여 다른 병변의 확인 및 주위 췌장관이나 주요 혈관 등의 관계 등을 살펴 수술방법을 결정하는 데에도 도움을 받는 추세이다. 수술 방법으로는 가능한 정상 췌장실질을 보존 할 수 있는 단순 종양 절제술enucleation을 시행하되 췌장관 손상 등이 우려될 시에는 무리하게 종양 절제술을 시도할 필요는 없다. 이 경우 위치에 따라 원위부 절제술, 중간 구역 절제술을 실시해야 하고 췌두부에 위치한 경우 단순 종양 절제술이 일차적으로 권유되나 유문부 보존 췌두부절제술이나 십이지장 보존 췌두부 절제술이 시행되기도 한다. 내과적 치료로는 전이성 병변 등으로 수술로 완치가 어려울 경우에 사용되며 증상완화를 위해 인슐린 분비 억제제인 diazoxide, dilantin 등이나 베타세포를 파괴하는 streptozotocin, 5−FU, doxorubicin 등을 사용한다.

수술 후 예후는 양성 인슐린종의 경우 수술 후 저혈당으로 인한 증상은 소실되며 재발 예가 적어 정상인과 비슷한 평균 수명을 나타내 95%이상의 완치율이 보고된다. 그러나 다발성 내분비 선종 신생물Multiple Endocrire Neoplasm-I (MEN-I)과 관련된 경우 다발성으로 발생하기도 하며 악성의 위험도가 높아 낮은 완치율이 보고된다.

악성 인슐린종은 드물어 5−10%에 불과하다. 악성의 진단에 조직학적 악성도는 도움이 되지 않으며 수술 시에 시행된 림프절이나 간에서의 인슐린종의 발견, 주혈관이나 췌실질, 주위장기로의 침윤 등이 악성의 기준이 되므로 수술 시 세심한 관찰을 요한다.

6. 가스트린(Zollinger-Ellison 증후군)종

1) 역학 및 임상 증상

췌장의 G세포에서 기원하는 종양으로 췌장의 내분비 종양 중 인슐린종 다음으로 빈도가 높은 종양이다. 가스트린종gastrinoma은 50−60%에서 악성의 경과를 보이고 다발성인 경우가 흔하다. 따라서 주 사망의 원인이 간 전이가 되는 경우가 흔하다. 가스트린종은 임상적으로 십이지장궤양이나 만성 설사로 나타나는데 이러한 환자들에 대하여 위산 분비량 측정과 혈중 가스트린의 측정이 진단에 매우 중요한 의미를 지닌다. 또한 가스트린종은 가족력이 있는 MEN-I과 연관성이 있을 수 있으며 이 경우 보다 세심한 주의를 요한다. 임상증상은 위산의 과다 분비로 인한 상부위장관 점막에 발생하는 다발성 궤양과 심한 설사로 주로 나타난다. 상부위장관 궤양은 가스트린종의 85% 이상에서 나타나며 젊은 연령, 여성, 가족력을 지닌 소화성 궤양, 내과적 치료에 잘 반응치 않는 궤양, Helicobacter pylori 치료 후 에도 재발하는 궤양, 궤양으로 인한 잦은 합병증, 잦은 설사, 간에의 전이성 병변 들이 있는 경우 가스트린 종을 의심해 보아야 한다. 특히 수술 후 재발되는 궤양의 2-10%에서는 가스트린종이 있을 수 있다. 수술 후 위공장루가 있는 경우 가스트린종을 강력히 의심해야 한다.

2) 진단

가스트린종의 진단은 근본적으로 조직검사로 확진되나 임상적으로는 수술을 받지 않은 상태에서 위산 기초 분비량Basal Acid Output (BAO)이 15mmol/hr 이상(또는 위산 농도가 100mmol/L이상)이며 혈청 기초 가스트린Basal Serum Gastrin (BSG) 농도가 500pg/mL 이상으로 진단된다. 또한 세크레틴을 체중 당 2U 정맥 주사하거나 시간당 체중 당 3U씩 주사하며 BAO와 BSG의 증가 시 진단할 수 있다. 가스트린종은 MEN-I과의 관련성에 대하여 선별검사를 시행해야 하는데 가스트린종은 MEN-I 환자의 10-38%정도에서 발병할 수 있다. 이 경우 부갑상선 기능항진증이 90%에서 동반되며 이 경우 부갑상선 종양 절제술에 의해 가스트린종의 증상이 호전될 수 있으므로 가스트린종의 수술 전 부갑상선 절제술이 선행되어야만 한다. 산발성 가스트린종과 MEN-I과 연관된 가스트린종 간의 예후도 차이가 있는 것으로 보고된다.

3) 치료

증상의 치료로는 기존의 H_2수용체 길항체(cimetidine, ranitidine, famotidine)로 대부분 증상의 호전을 보이며 이에 반응치 않을 경우 H+/K+ATPase proton pump 저해제(PPIs, omeprazole, lansoprazole)를 사용하여 대부분 치료될 수 있어 예전에 시행되던 위 전절제술은 위산의 조절을 위해서는 더 이상 시행되지 않는다. 위 전절제술은 현재 내과치료에 반응치 않으며 수술 시 병변의 발견 또는 완전 절제가 어려운 경우에만 적용이 될 수 있다. 가스트린종은 흔히 소위 "가스트린 종 삼각구역 gastrinoma triangle"이라는 담낭관과 총수담관이 만나는 점과 십이지장의 제2구역과 3구역의 접점, 그리고 췌장의 두부와 경부가 만나 점의 세점을 연결하는 구역에서 60-90%가 발견된다. 구역화를 위해서는 인슐린종과 유사한 방법이 이용되는데 주로 십이지장의 병변 발견을 위해서는 위 내시경, 부신이나 기타 간의 병변, 비교적 큰 췌장의 병변 발견에는 CT가 이용되며 보다 세밀한 췌장, 십이지장의 병변 발견에는 내시경적 초음파가 이용된다. In-DTPA-D-Phel-Octreotide를 이용한 소마토스타틴 수용체 씬티그라피Somatostatin Recepor Scintigraphy (SRS), OctreoScan는 민감도와 특이도가 매우 높아 전체적인 병변의 파악에 이용된다.

4) 치료 및 예후

외과적 치료는 산발적인 경우와 MEN-I과 연관된 경우와 다르다. 산발적 가스트린종인 경우 최근의 PPIs 제제에 의한 치료 효과가 좋아지면서 이견이 있으나 수술절제를 할 경우 일부 환자에서는 완치가 가능하며 50-60% 악성의 빈도가 있으므로 수술적 치료가 권유된다. 수술 시에는 개복술 후 난소나 난관, 대장, 기타 부분에도 병변이 존재할 수 있으므로 여자의 경우 골반 부분까지 잘 탐색해 보아야 한다. 가스트린종은 많은 경우가 다발성이므로 완전 제거가 어려워 가능한 제한적 절제를 권한다. 췌장 미부나 췌부의 종양, 단순 종양 절제로 가능한 췌 두부 종양, 십이지장이나 위벽 또는 림프절에 발생한 종양 등을 국소적으로 제거하는 것을 권한다. 위산을 줄이기 위한 미주신경 절단술은 최근 줄어들고 있는 경향이다. 십이지장 병변의 경우 내시경의 불빛을 이용한 방법을 쓰기도 하며 70%정도에서 십이지장의 제 1 구분에 발생하므로 십이지장 절개를 통한 방법을 쓰기도 한다. MEN-I과 연관된 가스트린 종은 대부분 십이지장과 췌장에 다발성으로 존재하며 내분비 세포 과형성증과 동반되므로 수술의 적응증이 되지 않는 것이 일반적이다. 어떤 경우이든 개복술 전에 부갑상선 절제술을 먼저 시행해야 합병증을 예방할 수 있다.

예후는 산발성 가스트린종의 경우 10년 생존율이 90% 전후이며 전이가 있는 경우 5년 생존율이 20-50%정도이다. 그러나 MEN-I과 관련된 가스트린종의 경우 대부분의 환자에서 완치가 어려운 실정이다.

7. 글루카곤종

A 세포기원 종양으로 피부 발적, 당뇨, 빈혈, 체중 감소 등의 증상과 함께 혈중 글루카곤의 상승이 나타나는 질환이다. 빈도는 매우 드물며 인구 2천만명 중 1명 꼴 정도가 된다. 주 호발 연령은 30-50대로 나타난다. 주로 단일 병변으로 췌미부나 췌간에 주로 발생하는데 이는 A세포의 췌장 분포와 일치한다. 글루카곤종glucagonoma의 70%정도는 악성이며 대부분 간 전이로 나타난다. 대부분 임상증상은 글루카곤의 다량 분비에 의한 증상으로 나타나는데 대표적으로 피부증상으로 괴사 용해성 이동성 홍반증Necrolytic Migratomy Erythema (NME)가 나타나는데 이 피부증상과 혈중 글루카곤 상승은 이 질환의 질병 특유증상으로 생각할 수 있다. 이 피부 병변은 환자의 70% 정도에서 회음부, 대퇴부, 하지 등에 번갈아 가며 나타나는 것이 특징이다. 글루카곤의 상승은 제2형 당뇨병 증상으로 나타나며 이외에 글리코겐, 지방 등의 과다한 분해로 체중감소, 상부혈관 혈전증, 빈혈, 부종, 설염, 구순 염 등이 나타난다.

8. VIP종

종양의 90%는 췌장에서 발생하고 10%는 자율신경계의 신경조직에서 발생한다. 양성 단일 종양, 악성종양, 다발성 종양 또는 증식증이 각각 40%, 40%, 20%의 비율로 발생하며, 중년 여자에서 호발한다. 소장 외분비세포의 cAMP를 자극하기 때문에 다량의 수분 및 전해질이 소장 내로 분비되며, 위산분비를 억제하고 췌장의 중탄산염 분비를 촉진하며, 혈관확장을 일으킨다. 이로 인하여 다량의 설사, 탈수, 저칼륨증, 무산 또는 저산증의 상태가 된다. 이를 WDHA (Watery diarrhea, hypokamemia, achlorohydria)증후군 또는 췌장 콜레라라고도 한다. 진단은 임상증상과 함께 고농도의 혈장 VIP로 진단한다. 치료는 종양절제가 원칙이며 전이가 있어도 가능한 한 원발부 종양을 절제한다.

9. 소마스타틴종

D 세포 기원 종양이며 매우 드물게 보고된다. 종양은 보통 단일 결절이고 악성 종양도 보고 되고 있다. 50%는 췌장에서 발견되고 나머지 50%는 십이지장, 공장, 담도계에서 발견된다. 증상의 특이성이 없기 때문에 종양 발견율이 낮다.

소마토스타틴은 다른 췌장 호르몬의 분비를 억제하므로 당뇨병, 지방변, 저산증, 담석증, 소화불량 등을 일으킨다. 담석증 환자에서 당뇨병, 지방변이 있을 때 의심해 볼 필요가 있으며, 현재까지 보고된 것들의 대부분은 담석증 수술 중 발견된 것들이다. 진단은 혈장 인슐린과 글루카곤이 동시에 감소하고 혈장 소마토스타틴이 증가하며, 임상증상 중 담석증, 당뇨병, 지방변이 공존할 때 의심이 필요하다. 치료로는 종양의 절제가 원칙이다.

10. 비기능성 도세포 종양

비기능성 도세포 종양non-functioning islet cell neplasm은

호르몬의 분비에 의한 임상적 증상을 나타내지 않으며 혈액 내 호르몬의 증가가 없는 췌장의 내분비 종양을 일컫는다. 빈도는 도세포 발생 종양 중 15-65%로 보고되며 대개 40-50대에 발견된다.

임상 증상은 호르몬의 분비에 의한 증상이 없고 췌장의 외분비 종양과 같이 해부적 위치에 따라 증상이 결정된다. 따라서 대부분의 환자들은 모호한 복부 불편장애와 소화불량 또는 크기가 큰 경우 구토 등을 호소하기도 한다. 진단은 기능성 도세포 종양을 감별하기 위한 병력 청취와 이학적 검사를 수행하며 MEN-I과의 관련 여부 등도 조사해야 한다.

방사선학적 검사로는 복부초음파, 컴퓨터 단층촬영, 자기공명 검사 등이 이용된다. 이중 컴퓨터 단층촬영은 비기능성 종양의 진단에 가장 유용한 검사로서 대부분의 비기능성 종양이 혈관이 풍부하므로 조영제 사용 시 주위 정상췌장에 비해 진한 혈관 음영을 보인다. 때론 비기능성 종양은 매우 큰 췌장의 종양으로 발현되기도 한다. 그림 3-102은 이러한 거대한 비기능성 종양의 복부 단층사진과 조직 사진을 보여준다.

비기능성 도세포 종양은 그 성장이 비교적 완만하기 때문에 일반적인 췌장 외분비 종양보다 적극적으로 외과적 절제를 필요로 한다.

수술 시 중요한 점은 종양의 크기가 클지라도 췌장 외분비 종양 시에 보이는 종양 침투보다는 단순한 인접효과가 많으므로 보다 적극적으로 절제에 임해야 한다. 수술은 병변의 위치에 따라 췌두부 절제술이나 원위부 절제술을 실시한다. 간 전이 등의 원격전이가 있는 경우에도 가능한 원발 병소를 제거해주는 것이 환자의 생존을 연장할 수 있어 절제가 중요한 의미를 지닌다 하겠다.

기능성 종양과 달리 악성도를 보이는 종양이 많아 재발성 및 전이성 암의 치료에 많은 관심이 최근 모아지고 있다. 일차적 절제 후 재발하였거나 전이성 병변이 발견되었을 경우 수술적 제거surgical resection를 하거나 간전이의 경우 간절제술, 경간동맥폐색술transarterial embolization, 방사선고주파 요법Radiofrequency Ablation (RFA) 등이 권유된다. 또한 종양의 호르몬 수용체를 이용한 지속형 소마토스타틴 유사체(sandostain LAR 20mg, 30mg I.M)를 사용하는 방법도 표준적 치료로 알려져 있다. 그 외 인터페론 이나 5-FU 등을 이용한 항암요법 등을 사용하기도 하나 유의한 효과가 보고되는 않는다. 최근 혈관 생성 저해제angiogenesis inhibitor, mTOR 저해제, 방사능이 표지된radiolabeled 소마토스타틴 유사체 등을 이용한 치료가 시도되고 있다. 수술을 시행할 수 없는 전이성 병변에서도 동일한 호르몬 치료나 항암요법이 시도되고 있다. 예후는 양성의 경우(WHO 분류의 I) 기능성 인슐린종과 유사한 장기 생존율을 보이며 전체적으로 원격전이 없이 근치

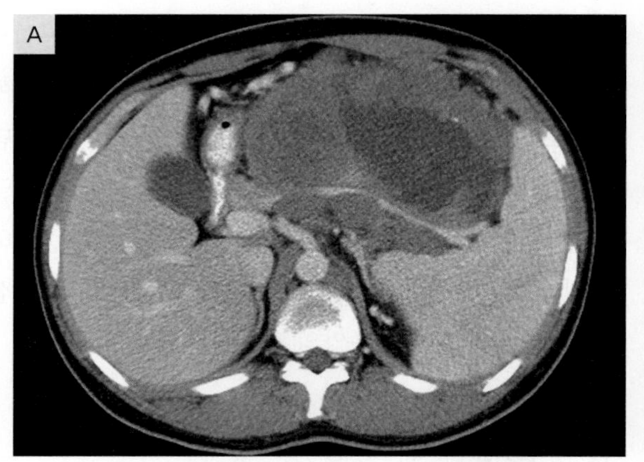

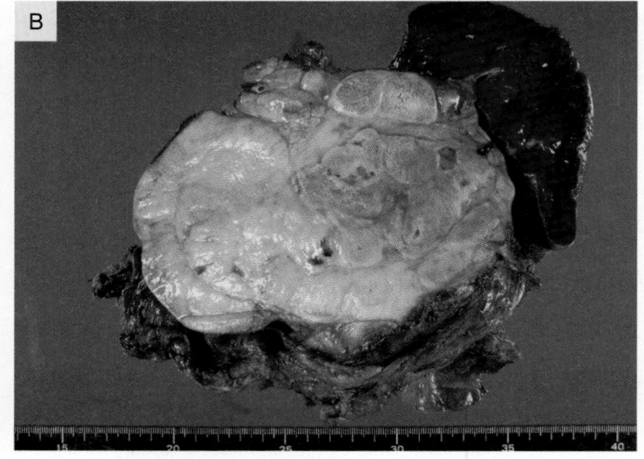

그림 3-102 **A) 복부의 큰 종괴로 발현된 비기능성 췌장 내분비 종양. B) 및 수술 후 조직 소견.** 종괴가 주변 비장 및 신장, 대장을 침범하여 이들 장기도 합병 절제 되었다.

적 절제가 된 경우 5년 생존율이 25-90%를 보이며 절제가 되지 않은 원격전이의 경우 5년 생존율은 38% 정도로 보고된다.

11. MEN과 관련된 췌장의 내분비 종양

췌장의 내분비 종양은 산발적으로sporadic 발생하기도 하나 가족력을 지닌 다발성 내분비종 신생물(MEN-I)과 연관되어 나타나기도 한다. MEN-I과 관련되어 가장 많은 췌장 내분비 종양은 가스트린 종이며 인슐린종은 그 다음으로 20%정도에서 나타난다. 고인슐린종을 지닌 환자 중 10%에서 MEN-I과 연관되고 이 경우 MEN-I과의 관련된 인슐린종은 대개 다발성이거나 미만성으로 발생한다. 수술 방법은 다발성인 경우와 달리 주 위치가 확인되면 췌미부나 췌체부는 원위부절제를 실시하며 췌두부의 경우 종양절제가 어려운 경우 췌두부 절제술을 실시한다. 대부분 부갑상선기능항진증과 관련되어 있는 경우가 많은데 대개 부갑상선절제술을 선행수술로 실시하는 것이 보통이다. MEN-I과 관련된 가스트린종의 경우 매우 나쁜 예후를 보인다.

요약

췌장 내분비 종양은 카시노이드라는 이름으로 명명 된 후 최근에는 위, 소장, 대장 및 췌장에 발생하는 신경 내분비 종양을 소화기계의 내분비 종양 GEP-NET으로 명명하기도 하며 췌장의 경우 그냥 췌장의 내분비 종양으로 불리기도 한다. 췌장 내분비 종양의 임상적 분류는 크게 세가지 의미로 대별 된다. 첫째는 특정 펩타이드를 분비하는가의 여부에 따라 기능성과 비기능성으로 분류되며 둘째는 조직학적 및 임상적으로 악성인가의 분류이며 셋째로는 유전적 양상을 보이는 다발성 내분비 종양에 속하는가의 분류이다. 췌장 내분비 종양은 종양에서 분비되어 혈중 내 존재하거나 종양조직에 존재하는 호르몬의 종류에 근거를 두고 분류가 되며 해당 호르몬의 이름을 따라 인슐린 종, 가스트린종, 글루카곤종, VIP종, 소마토스틴종 과 비기능성 종으로 명명된다. 췌장의 내분비 종양의 생물학적 표식자는 크게 일반적인 신경내분비 세포에서 분비하는 물질과 종양의 특징적인 임상상을 결정하는 특이 물질 두가지로 나눌 수 있다. 가장 잘 알려진 일반적 생물학적 표식자는 크로모그라닌 A이다. 췌장내분비 종양의 진단이 확실시 되면 치료를 위한 전략은 종양의 종류에 관계없이 종양의 정확한 위치 확인 및 전이여부의 파악을 위한 검사로부터 시작되야 한다. 전산화 단층촬영, 자기 공명 영상 등이 이용될 수 있다. 소마토스타틴 수용체 씬티그라피와 내시경 초음파는 이차적으로 실시되는 좋은 검사이다. 외과의에게 가장 도움을 줄 수 있는 검사는 수술 시 직접 시행하는 초음파 검사이다. 비침습적 검사에서 위치 확인을 하지 못한 경우 도관을 췌장의 각 부분에서 유출되는 간 문맥 분지에 거치 시킨 후 혈액을 채취 후 인슐린의 농도를 측정하는 경피경간적 간 문맥 및 비정맥 도자 법을 비교적 표준 방법으로 사용한다. 췌장 내분비 종양의 치료의 원칙은 크게 특이 펩타이드에 의한 증상의 조절과 종양의 악성화에 대한 치료이다. 췌장 내분비 종양의 가장 좋은 치료는 완전한 외과적 절제이다. 최근에는 복강경을 이용한 췌 절제술 이 시행되어 좋은 결과들을 보고하고 있다.

수술 후 재발하거나 전이성 병변이 발견되었을 경우 우선적으로 병변을 다시 제거하거나 가능한 병변을 줄이는 방법이 권유 된다. 이에는 원발 병소의 재절제 및 간전이의 경우 간절제술 등을 포함하며, 경간동맥폐색술, 방사선고주파 요법, 지속형 소마토스타틴 유사체를 사용하는 방법도 표준적 치료로 알려져 있다. 그 외 인터페론 이나 5-FU 등을 이용한 항암요법 등을 사용하기도 하나 유의한 효과가 보고되지는 않는다. 췌장 내분비 종양의 예후는 각 종양의 생물학적 특성 및 병리학적 소견, 발견 증상에 따라 좌우되는 것이 일반적이다. 2000년 국제 보건기구에서는 기존의 TNM 체계와 같이 종양을 기본으로 한 분류 체계를 제시하였다. 일반적으로 절제된 인슐린종 환자는 95%이상의 장기 생존을 보인다. 산발적 가스트린 종의 경우 절제된 경우100%에 가까운 생존율을 보이며 비기능성 종양의 경우 25-90% 정도의 5년 생존율을 보인다.

XX 비장

1세기경 기록에 비장은 과학적이지는 않지만 비웃음의 영역, 우울함을 일으키는 검은 담즙의 근원 그리고 싸우는 감정의 영역으로 묘사 되어 있다. 또한, 비장의 파생된 의미로 '병든 기질ill temper'이라고 불리웠으며 사람과 동물에게 있어서 빨리 걷는데 장애가 되는 원인으로 생각되었다. 이렇듯 예전부터 비장spleen은 신체에서 의미 있는 역할을 하는 장기로 여겨져 오면서 현재까지도 비장의 우리 신체에서 의미있는 역할을 한다고 여겨지고 있다.

기록상에서 보면 비장관련 수술은 16세기부터 등장하였고 18세기부터는 창상 혹은 외상으로 인한 비장 부분 절제가 많이 행하여졌다. 18세기 말 경부터는 비장 전절제술이 시행되었으나 초기 비장 전절제술 후 사망률은 90%가 넘었다. 그러나 수술 경험의 축적과 장비의 발달로 점차 그 비율은 감소하여 최근 복강경 비장 절제술 후 사망률은 1% 미만으로 보고되고 있다.

1. 해부학적 구조

비장의 발생은 임신 제5주경에 배측위간막의 간엽세포에서 생기고 위치는 복부의 좌상사분구의 후방에 있다. 외형적 특징으로는 위쪽과 뒤쪽 표면은 볼록하고 매끈하며 왼쪽으로는 횡격막의 복측면과 접하고 있다. 횡격막을 사이에 두고 비장은 좌폐하엽의 흉막과 분리되며 제9, 10, 11번 늑골과 인접하고 있다. 정상 크기와 질량은 성인의 경우 대략적으로 길이 12cm, 폭 7cm, 두께 3–4cm 정도이다. 평균 무게는 성인의 경우 150g정도이며 80g에서 300g까지의 범위를 갖는다. 주위 장기와의 관계를 보면 횡격막, 위대만의 근위부, 췌장 미부, 좌측 신장 그리고 대장의 비결장곡과 접하여 횡격막비인대, 위비인대, 비신인대, 비결장인대와 연결되어 있다(그림 3-103). 비장은 비문부를 제외하고는 모두 단단하게 비피막에 부착되어 있다. 비신인대와 비결장인대는 상대적으로 무혈관 조직이다. 비신인대는 좌신의 앞쪽에서 신문까지 두 겹의 주름으로 계속되는데 비장 혈관과 췌미부를 감싸고 있다. 이 두 겹의 주름은 위대만의 전방과 상방까지 계속되어 위비인대의 두 얇은 판으로 갈라지고 단위동맥과 정맥을 감싼다.

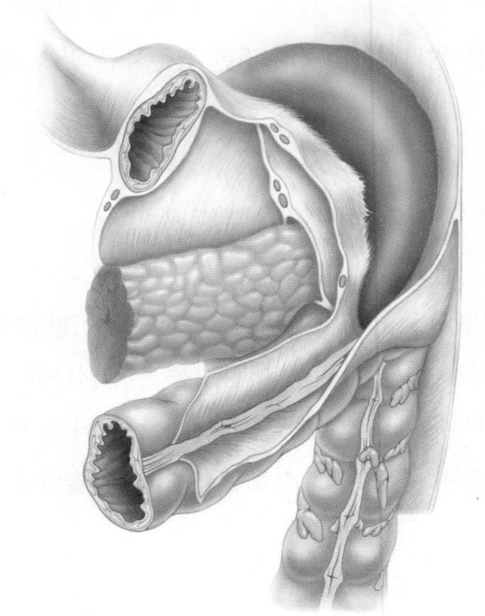

그림 3-103 비장을 지지해 주는 인대

흔히 비장 피막이라고 알려져 있는 섬유탄성 피막은 비장을 감싸고 있으며 비장 동맥은 복강동맥에서 기시하여 췌장의 상연을 따라 주행한다(그림 3-104). 비장동맥의 가지들은 다수의 췌장 분지를 내며 단위동맥, 좌위대망동맥 그리고 비장 분지splenic branches를 갖는다. 비장 동맥은 비문으로 들어가기 전에 비신인대 안에서 몇 개의 가지로 다시 분지한다. 세동맥 가지들은 소주trabeculae에서 나오는데 혈관 외막은 림프조직초로 대치되며 이는 모세 혈관으로 세분될 때까지 지속된다. 이 림프조직초들은 비장의 백수질을 구성하며 림프소절로서 세동맥을 따라 분산된다. 백수와 적수의 경계면을 변연대라고 하는데 세동맥은 외막에 있던 림프조직초가 없어지면서 변연대를 횡단하여 적수로 들어간다. 적수의 구성은 비장동 혹은 동양 혈관sinusoids이라 불리는 얇은 벽을 갖는 혈관과 비삭splenic chords을 구성하는 얇은 세포 조직판으로 되어 있다.

정맥동은 적수의 정맥으로 흘러 들어가고 이 정맥들은 소주 정맥을 따라 주행하다가 5개 정도의 주요 지류로 합

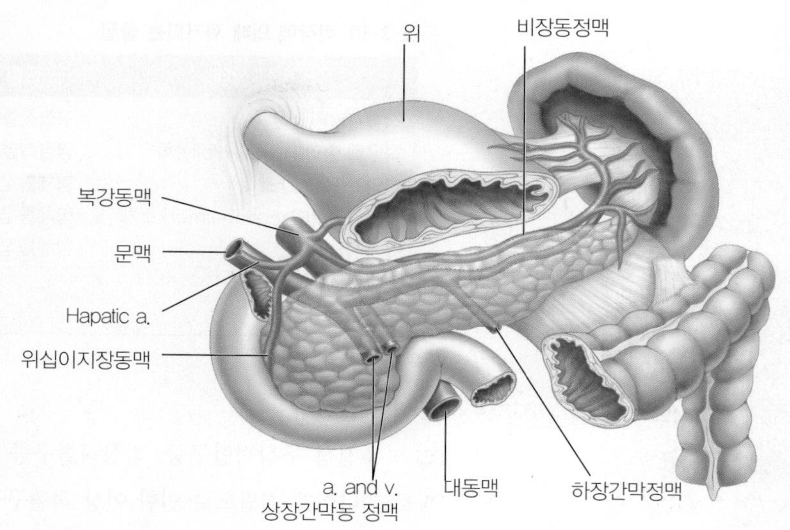

그림 3-104 **비장혈관과 주위 해부학적 관계**

류하며 마침내 비신인대 내에서 비정맥을 형성한다. 비정맥은 동맥의 아래쪽에 그리고 췌장의 미부와 체부의 후방에서 주행한다. 비정맥은 췌장에서 오는 몇 개의 짧은 지류들과 합류하여 췌장 경부 뒤에서 직각으로 상장간막정맥과 합류 하게 되여 간으로 가는 문맥을 형성한다. 또한 하장간막정맥은 대부분 비정맥으로 합류하게 되는데 그렇지 않은 경우는 비정맥과 상장간막정맥이 만나는 지점으로 또는 그 주변에서 상장간막정맥과 합류하기도 한다.

2. 기능

초기 태아 발생 기간에 비장은 적혈구와 백혈구를 생산하는 조혈 기능을 수행한다. 그러나, 임신 5개월부터는 골수에서 조혈 기능의 대부분을 수행하게 되면서 비장에서는 조혈 기능이 떨어지게 된다. 따라서 다른 조건이 정상인 사람에게서 비장 절제가 빈혈이나 백혈구 감소증을 초래하지는 않는다. 이와 같이 조혈 기능이 상실되어도 독특한 순환 체계를 가지면서 림프구를 체계화하고 여과하는 기능을 가지고 있다. 이러한 특성은 일생에 걸쳐 혈구 감시와 조절 기능 그리고 면역 기능을 담당하게 된다. 그러나 골수성이형성증과 같은 어떤 병적 상태에서는 비장에서 조혈 기능을 다시 갖기도 한다.

이러한 비장의 기능은 비장의 구조 및 독특한 순환체계와 밀접한 관련이 있다. 비장의 혈류 흐름을 보게 되면 폐쇄이론과 개방이론이 있는데 전자의 경우 동맥은 백수를 지나 바로 모세혈관을 거쳐 정맥계로 들어간다는 것이고 후자는 대부분의 혈류가 내벽이 대식세포로 덮힌 망상그물구조로 들어갔다가 정맥동을 통하여 천천히 정맥계로 들어간다는 것이다(그림 3-105). 혈구들은 정맥동 내피의 좁은 틈을 통과하게 되는데 만약 통과하지 못하면 대식세포에 의해 제거된다. 동물실험에서 밝혀진 바에 의하면 비동맥 체계는 감염이 생긴 경우 이를 적절히 조절하는 기능을 하므로 비절제를 하게 되면 면역 기능뿐 아니라 여과 기능 모두를 상실하게 되는 것이다.

비장의 가장 중요한 기능은 노화한 적혈구를 제거하고 감염을 통제하는 여과 기능이다. 즉, 비장은 적혈구 내에 존재하는 순환 병원체들, 예를 들어 말라리아 기생충이나 바르토넬라 종Bartonella species과 같은 세균을 제거하는데 중요한 역할을 한다. 비장의 중요한 역할인 여과 기능은 옵소닌화 되지 않아 백혈구에 의해 제거되지 않은 세균을 순환계에서 제거하는 기능이다. 이것은 특히 숙주가 특이 항체를 가지고 있지 않은 미생물의 제거에서 중

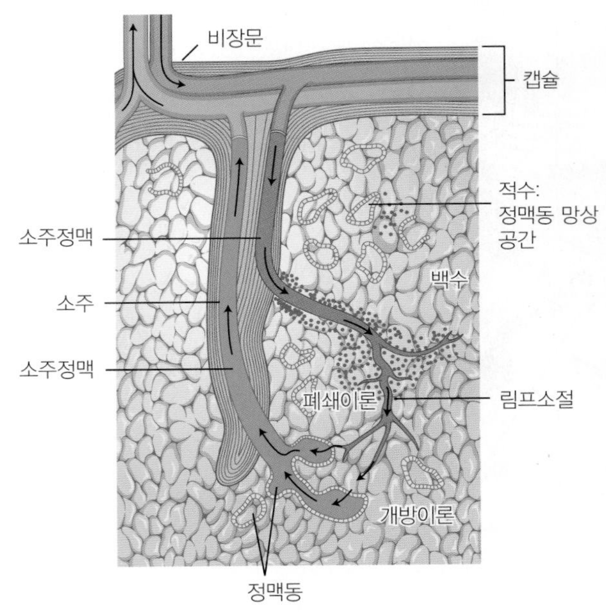

그림 3-105 **비장에서 개방이론과 폐쇄이론의 동양혈관 구조**

요할 수 있다.

또한 비장의 여과 기능은 정상 적혈구의 형태와 기능을 유지하는데 중요한 역할을 한다. 정상 적혈구는 양요 biconcave의 모양을 가지고 있는데 쉽게 형태를 변화시킴으로써 미세혈관계를 원활하게 통과할 수 있고 산소와 이산화탄소 교환을 촉진시키는데 비장은 미성숙 적혈구를 처리하고 손상되거나 노화된 적혈구의 재생 혹은 제거를 위한 중요한 장소이다. 미성숙 적혈구가 비장을 통과하는 과정에서 미성숙 세포의 핵과 과잉의 세포막을 제거함으로써 구형의 핵 있는 적혈구에서 양요 모양의 무핵인 정상적인 적혈구 형태로 변형시키는 기능을 수행한다. 비장이 없는 상태에서는 말초 적혈구의 형태학적 변화를 볼 수 있는데, 예를 들어 표적세포(미성숙 세포), 하우웰 졸리체 Howel-Jolly body(핵잔존물), 하인즈 소체Heinz bodies(변성된 혈색소), 파펜하이머 소체Pappenheimer bodies(철과립), 반점, 극세포 등이 생기게 된다. 효소 작용 또는 세포막 변형을 하지 못 하는 노화 적혈구(120일)들의 경우 비장에서 여과되어 제거된다(표 3-30). 이러한 비장의 여과 기능은 비정상적 형태의 적혈구와 관련된 빈혈에서 중요한

표 3-30. 비장에 의해 제거되는 물질

정상 상태	질병 있는 환자에서
적혈구막	구상적혈구
하우웰 졸리(Howell-Jolly)체	겸상적혈구, 혈색소 C 세포
하인즈(Heinz) 소체	항체를 입힌 적혈구
파펜하이머(Pappenheimer) 소체	항체를 입힌 혈소판
유극적혈구	항체를 입힌 백혈구
노화된 적혈구	
미립항원	

역할을 한다.

유전성 구상적혈구증, 겸상적혈구증 또는 파이루베이트 키나아제 결핍으로 인한 이상 적혈구들은 비장에 의해 처리 되는데 이 결과 빈혈, 비종대를 초래하고 때때로 비장 경색을 악화시킨다. 자가 면역성 용혈성 빈혈에서는 면역글로불린 G (Ig G)가 세포막에 달라붙어 비장에 있는 대식세포의 표적이 되게 하여 빈혈을 일으킨다. 이와 유사한 것으로 면역 혈소판 감소성 자반증(ITP)의 경우도 같은 기전으로 비장이 혈소판을 파괴함으로써 생기게 된다.

비장의 다른 주요 기능으로는 정상적인 면역 기능을 유지하고 외부 감염원에 대한 숙주의 방어력을 유지시켜 주는 것이다. 비장이 없는 사람은 정상 비장 기능을 가지고 있는 사람과 비교하였을 때 전격성 패혈증, 폐렴 그리고 뇌수막염 등과 같은 전격성비장적출술후패혈증Overwhelming Postsplenectomy Infection (OPSI)의 높은 위험률을 가지고 있다. 전격성비장적출술후패혈증에서 주요 병원균은 폐렴 연쇄상 구균으로써 이러한 균은 다당질 피막을 갖고 있기 때문에 방어 기전에서 항체와 보체를 함께 필요로 하게 된다. 그러나 비장이 없는 경우는 대체 경로에 의한 보체 활성화에 결함이 생기기 때문에 감염에 더 높은 감수성을 보이게 되는 것이다.

비장이 없는 경우 비장 절제술 전에 접했던 항원에 대해서는 면역 반응이 정상적으로 나타나지만 새로운 항원에 노출 되었을 경우는 특히, 정맥을 통한 항원에 대해서는 적절한 반응을 보이지 못하게 된다. 피막을 가진 세균을 효과적으로 제거하기 위해서는 훨씬 많은 항체가 필요한데 비장은 특이한 순환구조를 가지고 있고 또한 항체에

의해 옵소닌화 되지 않은 세균이라도 이를 처리 할 수 있는 대식 세포가 다량 존재하여 세균들을 제거할 수 있다. 비장이 없는 사람은 IgM 수치가 정상보다 낮으며 말초 혈액에서도 단핵세포들의 면역 글로불린 반응이 억제되어 있다. 비장은 옵소닌opsonins, 프로페르딘properdin 및 터프트신tuftsin을 주로 생산하게 되는데 비장 절제는 이러한 인자들의 혈청 수치를 감소시킨다. 프로페르딘은 보체 활성화의 대체 경로를 활성화하여 이물질이나 이상세포뿐 아니라 세균의 파괴를 일으킨다. 터프트신은 다형핵 백혈구와 단핵 식세포의 포식 작용을 증가시키는 테트라펩티드로서 비장은 IgG의 중쇄heavy chain에서 터프트신을 분리해 내는 주요 장소이므로 비장이 없는 경우 터프트신 농도는 감소되어 있다. 호중구 기능은 비장이 없는 환자에서 감소되어 있으며 이런 결함은 순환 매개체가 없기 때문에 생기는 것으로 여겨진다.

3. 양성질환에서의 비장 절제

1) 면역 혈소판 감소성 자반증

면역 혈소판 감소성 자반증(ITP)은 특발성 혈소판 감소성 자반증이라고도 불린다. 낮은 혈소판 수치와 정상 골수 소견을 보이면서 다른 혈소판 감소의 원인이 없는 것을 특징으로 한다. ITP는 혈소판의 세포막 항원에 자가 항체가 생성되고, 그 결과 세망 내피계에서 혈소판 포식을 통하여 혈소판 파괴가 증가하는 질환이다. 골수 거핵세포는 정상이거나 가끔 숫자가 증가하기도 하지만 상대적인 골수 부전으로 비장에서의 혈소판 파괴를 충분히 보상할 만큼 골수에서 혈소판 생성이 증가하지는 않는다. 성인에서 ITP는 남자보다 젊은 여자에서 호발한다. 10세 이상 환자의 72%가 여자이며 그중 70%는 50세 미만이다. 소아에서 ITP는 다소 다른 양상을 보이는데, 남녀 발생이 같고 전형적으로 갑자기 발생한다. 심한 혈소판 감소를 보이지만 자발적으로 회복되는 경우가 많은데 약 80% 정도의 비율을 보인다. 만성 혈소판 감소증으로 이행되는 소아는 대개 10세 이상의 소녀이며 오랜 자반증의 기왕력을 갖는다. ITP 환자는 때때로 자반증, 비출혈, 잇몸 출혈의 병력을 갖지만 혈뇨와 위장관 출혈, 뇌출혈은 드물지만 뇌출혈의 경우는 치명적이다.

ITP의 진단은 혈소판 감소의 다른 원인을 배제해야 한다(표 3-31). 전혈검사에서 혈소판 감소증을 보이더라도 실제는 아닐 수가 있는데 이는 시험관 내에서 혈소판이 응집하거나 거대 혈소판을 만들기 때문이다. 정상 임신부의 6-8%에서 그리고 전자간증 여성의 1/4 이상에서 경한 혈소판 감소가 있을 수 있고 해파린, 퀴니딘quinidine, 퀴닌quinine, 설폰아마이드sulfonamides 등 몇 가지 약제가 혈소판 감소를 유발할 수 있다. 그 외에도 인간 면역결핍바이러스(HIV) 감염과 다른 바이러스 감염이 혈소판 감소를 유발할 수 있으며 경한 이형성, 선천성 혈소판 감소증, 혈전성 혈소판 감소성 자반증Thrombotic Thrombocytopenic Purpura (TTP), 만성 범발성 혈관 내 응고장애chronic Disseminate Intravascular Coagulation (DIC), 전신 홍반성 루푸스Systemic Lupus Erythematosus (SLE) 등의 자가 면역 질환,

표 3-31. 면역 혈소판 감소성 자반증(ITP)

가성 저혈소판
Ethylenediamine tetra-acetic acid (EDTA) 의존성
또는 냉기(cold) 의존성 응집소
거대혈소판
혈소판감소증의 일반적 원인
임신
약물(헤파린, 퀴니딘, 퀴닌, 술폰아미드)
바이러스 감염(인간면역결핍바이러스, 풍진, 전염성단핵증)
만성 간질환에 의한 비기능항진증
ITP로 잘 못 알려진 혈소판감소증의 원인
골수이형성
선천성 혈소판감소증
혈전성 혈소판감소성자반증(TTP)과 혈전성요독증
만성 범발성혈관내응고장애(DIC)
다른 질환과 동반된 혈소판감소증
자가면역질환(전신홍반성루푸스)
림프증식증후군(만성림프구성 백혈병, 비호지킨 림프종

만성 림프구성 백혈병Chronic Lymphocytic Leukemia (CLL)과 비호지킨 림프종 등의 림프구 증식성 질환 등이 ITP로 오인될 수 있다. ITP 환자의 치료는 혈소판 감소의 정도에 따라 다양하다(표 3-31).

무증상 환자와 혈소판이 50,000/mm^3 이상의 환자는 별다른 치료 없이 기다려 볼 수 있다. 혈소판이 50,000/mm^3 이상의 경우는 침습적인 처치 중에도 거의 임상적으로 중요한 출혈을 일으키지 않는다. 혈소판이 30,000/mm^3 내지 50,000/mm^3 이면서 증상이 없는 환자는 치료 없이 지켜볼 수 있으나 그 이상의 혈소판 감소의 위험 때문에 추적 관찰이 필수적이다. 내과적 초기 치료는 당질코르티코이드이며 보통 프레드니솔론(1mg/kg/일)을 쓴다. 이런 치료를 받은 환자의 2/3에서 1주내 혈소판이 5만 이상이 되지만 종종 3주까지 걸리기도 한다. 혈소판이 20,000/mm^3 이상의 환자에서 증상이 없거나 경미한 자반증만 있는 경우 반드시 입원할 필요는 없다. 치료에 적응증이 되는 경우는 혈소판이 20,000/mm^3 내지 30,000/mm^3 이하이거나, 혈소판이 50,000/mm^3 이하이면서 심각한 점막 출혈 또는 고혈압, 소화성 궤양, 원기 왕성한 생활 습관 등 출혈의 위험요인이 있는 경우들이다.

입원하여 치료가 필요한 경우는 혈소판이 20,000/mm^3 이하이고 심각한 점막 출혈이나 생명을 위협하는 출혈이 있는 경우다. 심각한 출혈을 통제하기 위해서 혈소판 수혈이 필요할 수 있겠으나, 심각한 출혈이 없는 ITP 환자의 경우에는 혈소판 수혈의 적응증이 되지 않는다. 면역글로불린을 정맥 주입하는 경우는 급성 출혈인 경우, 임신부의 경우 수술이나 분만의 경우, 비장 절제술 예정인 혈소판이 20,000/mm^3 이하의 환자에서이다. 통상 쓰이는 용량은 2일간 1g/kg/일이다. 이 용량은 대개의 환자에서 3일내 혈소판 수치를 증가시키고 또한 수혈된 혈소판의 효율을 높인다.

비장 절제술은 과거 ITP 치료를 위한 첫 번째 효과적인 치료였으며 1950년대 당질코르티코이드 치료가 소개되기 훨씬 전에 확립된 치료 방법이었다. 비장 절제술 후 약 2/3의 환자에서는 혈소판 수치가 정상화되는 소견을 보이게 되는데 이 경우 더 이상의 치료는 필요하지 않다. 현재 비장 절제술의 적응증으로는 내과적 치료에 반응 않고 심각한 혈소판 감소를 보이거나, 내과적 치료 효과를 얻기 위해서 사용되는 스테로이드의 양이 너무 많은 경우, 초기의 당질코르티코이드 치료 후에 다시 혈소판 감소가 재발된 경우가 이에 해당한다. 또한 ITP의 진단을 받은 지 6주가 되었거나, 출혈 증상 유무에 관계없이 지속적으로 혈소판 수치가 10,000/mm^3 이하인 환자의 경우 비장 절제술을 고려해야 한다. 또한 ITP의 진단을 받은 지 3개월이 되고, 일차 치료에 일시적 또는 불완전한 반응을 보이고 혈소판 수치가 30,000/mm^3 이하인 경우 비장 절제술의 적응증이 된다. 임신부의 경우 비장 절제술을 고려해야하는 경우는 당질코르티코이드와 면역 글로불린 정주 치료에 효과가 없고 혈소판 수치가 10,000/mm^3 이하이거나, 혈소판 수치가 30,000/mm^3 이하면서 출혈의 문제가 있는 임신 2기가 해당한다. ITP의 진단을 받고 6개월이 지나도 출혈이 없는 환자나, 혈소판 수치가 50,000/mm^3 이상이면서 고위험 활동이 예상되지 않는 환자에게 비장 절제술은 적응증이 되지 않는다. 참고로 비장 절제술을 받고 완전하고 영구적인 회복을 한 경우는 1761 환자의 누적 조사에서 65%로 보고된 바 있다.

비장 울혈이 현저하게 존재하는 경우 비장 절제술은 가장 좋은 장기 치료율을 보인다. 보고에 의하면 ITP 환자 564명의 누적 조사에서, 비장 울혈이 현저한 경우 비장 절제술 후 87–93%의 좋은 치료 반응을 보였다. 그러나 비장 울혈이 아닌 간울혈이 있는 환자에서는 반응률이 매우 낮게 보고되고 있다(7–30%).

비장 절제 후 효과를 보여 혈소판 수치가 올라가는 것은 대개의 경우 수술 후 첫 10일 내에 나타난다. 참고로 영속성이 있는 치료 반응 결과는 수술 후 3일째에 150,000/mm^3 이상, 수술 후 10일째에 500,000/mm^3 이상이 되는 혈소판 수치와 상관 관계가 있다.

비장 절제 수술 후 치료에 실패한 만성 ITP 환자에 있어 이후 내과적 치료법으로는 출혈 소견이 없고 혈소판치가 30,000/mm^3 이상인 환자에서 단순 관찰을 하는 방법에서부터 장기간 프레드니솔론 치료를 하는 방법까지 다양하다.

비장 절제술에 효과가 없거나 초기 반응 후 재발한 경우에는 부비장accessory spleen의 존재 여부를 살펴야 한다. 이러한 환자들의 10%에서 부비장이 발견되는데 부비장의 존재 여부는 비장이 없을 때 나타나는 적혈구의 형태적 특징이 나타나지 않을 경우 의심할 수 있고 방사선핵의학 영상법으로 확인할 수 있다. 여전히 심한 혈소판 감소가 있고 수술 받기에 문제가 없는 환자에서 부비장이 확인된 경우는 부비장의 수술적 제거의 적응증이 된다.

보고에 따르면, HIV에 감염된 증상이 없는 환자의 10% 내지 20%에서 면역 혈소판 감소성 자반증을 일으키는데 이런 환자 군들에서 비장 절제술은 안전하게 시행될 수 있고, 80% 이상에서 지속적인 혈소판 증가를 보였다. 또한, 비장 절제 후 AIDS가 진행할 위험성은 없으며, 최근의 코호트 연구에서는 HIV 감염이 있으면서 증상이 없는 기간에는 비장이 없는 상태가 질환의 진행을 지연시킨다는 보고를 하였다.

2) 유전성 구상적혈구증

유전성 구상적혈구증hereditary spherocytosis은 상염색체 우성 질환으로 적혈구 세포의 뼈대를 구성하는 단백질인 스펙트린spectrin 결핍에서 기인한다. 세포막의 이상을 초래하는 결함이 있는 경우 적혈구는 작고, 둥글고, 단단하게 된다. 이런 세포들은 삼투압에 대해 취약하게 되고 비장에서 잘 포획되어 제거된다. 이 질환의 임상적 특징은 때때로 황달과 비장 종대를 동반하는 빈혈을 일으킨다. 진단은 말초 혈액에서 구상적혈구의 확인, 망상 적혈구 수의 증가, 삼투압에 대한 취약성의 증가, 쿰스coombs 시험 음성으로 알 수 있다.

비장 절제술은 용혈률을 감소시키고 빈혈을 치료하게 되는데 수술 시기는 보통 진단 직후에 하는데 전격성비장적출술후패혈증(OPSI)의 위험성이 가장 큰 4세 이전에는 면역 기능을 보존하기 위하여 4세 이후에 시행한다. 비장 절제술 후에 적혈구 형태는 정상화되는 것이 아니라, 이들 세포의 포획과 미성숙 단계의 적혈구 파괴가 감소되는 것이다. 다른 용혈성 빈혈 환자들과 마찬가지로 색소성 담석의 유병률이 높은 구상적혈구 환자들은 비장 절제술 전에 초음파 검사를 시행하여 담석이 존재한다면 담낭 절제술도 같이 시행해야 한다.

적혈구 구조 이상과 관계된 다른 빈혈에는 타원 적혈구증elliptocytosis 등이 있는데 이런 질환들은 적혈구 세포막의 이상을 초래함으로써 적혈구 파괴가 증가되는 것이다.

3) 적혈구 효소 결핍에 의한 용혈성 빈혈

이는 6인산 포도당 탈수소 효소 결핍과 파이루베이트 키나아제 결핍으로 인해 용혈성 빈혈이 생기는 유전적 질환이다. 이런 효소들의 결핍은 당의 대사를 비정상적으로 만들어 용혈 작용을 증가시킨다. 파이루베이트 키나아제 결핍은 상염색체 열성 유전으로 적혈구의 변형성이 떨어져 비장에서 적혈구가 포획되어 제거된다. 이런 환자들은 흔히 비종대가 있으며 비장 절제술로 수혈의 필요성이 감소된다. 마찬가지로 수술 시기는 4세 이후에 시행한다.

4) 혈색소 병증

지중해 빈혈thalassemia과 겸상적혈구증sickle cell disease은 비정상적 혈색소 분자에 기인하는 유전성 용혈성 빈혈로 적혈구의 모양을 변하게 하여 비장에서 포획되어 제거된다. 혈색소 S는 혈색소 A에서 b 사슬의 여섯 번째 자리에 위치한 글루타민산이 발린으로 대치된 단일 아미노산 치환을 갖는데 겸상적혈구증은 혈색소 S의 동형 접합 유전으로 인하여 발생한다.

적혈구의 겸상화는 혈색소 S를 가진 사람뿐 아니라 혈색소 C 또는 겸상 적혈구 b 지중해 빈혈과 같은 다른 혈색소 변이를 가진 사람에게서도 발생한다. 산소 분압이 감소된 상황에서 혈색소 S분자는 세포 내에서 결정화되어 세포를 길게 변형된 초승달 모양으로 변화시키는데 이 경우 변형된 세포는 미세 혈관 내에서 변형이 어려워 결국 모세혈관의 폐쇄와 혈전 형성으로 미세경색을 유발한다. 이러한 현상은 특히 비장에서 빈발하게 되고 겸상적혈구증 환자들은 대부분 생후 첫 10년간 비장이 커지다가 그 후 혈관 폐쇄와 경색이 반복되면서 점전적인 경색으로 자가 비소실autosplenectomy을 일으킨다. 겸상적혈구 환자들은 간혹 성인기까지 비종대가 지속되기도 하나, 대부분에서 성인이 되기 전에 비위축이 일어난다.

지중해 빈혈도 혈색소 장애로 인해 혈성 빈혈을 일으킨다. 이는 우성 인자로 유전되며 혈색소 합성의 결함으로 다양한 정도의 용혈성 빈혈을 일으킨다. 비경색, 비종대, 비기능 항진증은 지중해 빈혈과 겸상적혈구증의 특징이 되는데 비기능 항진증과 급성 비울혈은 겸상적혈구증이나 지중해 빈혈이 있는 아이들에게서 생명을 위협하는 증상과 소견들이다. 이러한 상황에서는 급속한 비종대가 발생할 수 있으며 심한 동통을 일으키고 다량의 수혈을 필요로 한다. 그리고 급성 비장 울혈로 인하여 심한 비종대로 불편을 느끼고 일상생활에 지장을 받는다. 따라서 겸상적혈구증에서 비장 절제술의 적응증으로는 급성 비장 울혈, 비기능 항진증 및 비농양 등이다. 겸상적혈구증의 아이들은 종종 체중감소와 발육부전을 보이는데 비장 절제는 전신 총단백 대사 회전율의 감소와 휴식기 대사율을 감소시킴으로서 증상을 개선시킬 수 있다. 겸상적혈구증으로 인한 비종대의 특징은 백혈구 감소와 혈소판 감소 뿐 아니라 수혈이 필요한 정도의 빈혈을 유발하므로 이런 환자들에서 비장 절제는 적절한 치료가 된다.

비농양은 겸상적혈구증 환자에서 흔히 생기며 발열, 복통, 압통 및 비종대의 증상과 백혈구 증가소견을 보이고 혈소판 증가와 하우웰-졸리체도 이런 환자들에서 나타나는데 이는 기능적 무비증을 의미한다. 겸상적혈구증 환자들에서 비농양을 일으키는 균종은 살모넬라, 장내 세균 들이다. 급성 비장 울혈이 있는 경우 심한 빈혈과 비종대를 일으키고 적혈구가 증가하는 급성 골수 반응이 나타나는데 이런 환자들은 복통과 함께 혈색소의 심한 감소를 보이기도 하며 순환 장애에 빠질 수도 있다. 이런 환자들은 수액과 수혈로 안정화시킨 후 가능한 한 빨리 비장 절제를 해야 한다.

4. 악성종양에서의 비장 절제

1) 림프종

(1) 호지킨 병

호지킨 림프종은 전형적으로 20-30대에서 발생하는 악성 림프종이다. 대다수의 환자들이 진단 시 증상이 없는 림프절 종대와 경부 림프절 종대를 보인다. 소수의 환자에서는 병이 진행 되어 식은땀, 체중감소, 소양증 등 체질성 증상을 보이기도 한다. 호지킨 병Hodgkin's disease은 조직학적으로 림프구 우세형lymphocyte-predominant, 결정성 경화형nodular-sclerosing, 혼합세포형mixed-cellularity과 림프구 결핍형lymphocyte-depleted으로 나뉜다.

이 병은 병리학적으로 Ann Arbor 분류에 따라 병기를 구분한다. 병기Ⅰ은 단일 림프구역 병소일 때, 병기 Ⅱ는 횡격막을 중심으로 같은 쪽에 2개 이상의 림프구역을 침범했을 때, 병기 Ⅲ는 횡격막 양쪽으로 림프구역을 침범했을 때(비장을 침범한 경우 포함), 병기 Ⅳ는 간, 폐, 또는 골수 같은 림프계를 벗어나 퍼져 있는 경우를 말한다. 아래 첨자 E는 병기 Ⅰ에서 Ⅲ까지 단일 또는 인접한 림프계 외로 침범이 있는 경우를 가리키며 아래첨자 S는 비장을 침범한 경우를 의미한다. 전신적인 증상이 있는 경우는 B, 없는 경우는 A로 표기한다(예; ⅡA 또는 ⅡB).

역사적으로 고찰해보면, 병기를 위한 개복술로 정확한 병리학적 병기에 대한 정보를 얻었는데 이는 호지킨 병에 대한 적절한 치료를 선택하기 위한 것이었다. 병기를 위한 개복술은 횡격막 밑으로 병의 존재와 정도를 확인하여 병리학적으로 병기를 결정한다. 1985년에 발표된 한 보고서에 의하면 비장 절제술을 시행한 825개의 검체 중 38.9%에서 호지킨 병 양성을 보였고 그 중 절반은 비장이 유일한 복강 내 병소였다. 간을 침범한 경우는 전체의 6.2%에 불과 하였지만 이들 모두가 비장을 침범하였다. 이 보고서에서는 개복술 후에 임상적 병기가 바뀐 경우가 43%라고 하였다. 하지만 역동적 나선식 컴퓨터 전산화 단층 촬영술, 림프관 조영술, 플로레옥시당을 이용한 양전자 방출 단층촬영 조영술 등과 같은 진단 방사선적 기술 발전에 의해 호지킨 병의 병기 결정은 비수술적 방법으로 개선되었다. 이에 따라, 병기 결정을 위한 개복술이 급격하게 감소되었고, 비수술적 병기 결정으로 판정된 초기 병기의 호지킨 병은 독성이 덜한 전신적 화학요법으로 치료할 수 있게 되었다. 또한, 비수술적 병기 결정이 개선됨에 따라 재발할 확률이 높은 환자, 특히 B증상을 가지고 있거나, 진단적 방사선 검사에 의해 복강 내 침윤 소견이 있을 경우 굳이 병기 설정을 위한 개복술을 할 필요 없이 전신적 화학 요법 치료를 하게 되었다. 병기 결정을 위한 개복술과 비장 절제술은 초기 병기(ⅠA, ⅡA)를 가진 환자 중에서 복부 병기에 따라 치료 방법이 달라 질 수 있는 경우에 시행되는데 이유는 초기의 호지킨 병에서는 종종 방사선 치료만으로 치유될 수 있기 때문이다.

호지킨 병에서 병기 결정을 위한 개복술을 시행할 경우 철저한 복강 내 탐색, 비문의 림프절 절제술을 포함한 비장 절제, 양측 간 쐐기 절제 및 간 침 생검, 후복막 림프절 절제, 장골 골수 생검, 그리고 폐경 전 여성에서 난소 고정술이 같이 시행되어야 한다. 병기 결정 개복술에 대한 수술 관련 사망률은 1% 미만, 주요 합병증의 위험률은 10% 미만이어야 한다.

(2) 비호지킨 림프종

비장 종대 또는 비장 기능항진증은 비호지킨 림프종(NHL)에서 종종 발생한다. 비호지킨 림프종 환자에서 비장 절제술의 적응증은 증상이 있는 경우로 거대한 비장 종대로 복통, 복부 팽만감, 조기 포만감 등을 일으키는 경우와 비장 기능항진증에 의해 빈혈, 혈소판 감소증, 호중구 감소증이 생긴 환자들에게서 효과를 기대할 수 있다.

가장 흔한 원발성 비장 종양은 비호지킨 림프종으로 비장에만 국한되어 생긴 경우 비장 절제술은 진단과 병기 결정에 중요한 역할을 한다. 비호지킨 림프종이 비장에 생기는 경우는 50-80%에 달하지만 말초 림프절증 없이 비종대를 보이는 경우는 1% 미만이다. 주위 침범을 하는 경우 비문 림프절 및 비문 외 림프절, 골수, 그리고 간 등에 침범을 하고, 75% 정도에서 비장 기능항진증의 임상 양상을 보인다. 이런 경우 비장 절제술은 혈구 감소증을 회복시키고 특히 비장에만 국한된 비호지킨 림프종의 경우에서는 비장 절제술 없이 비슷한 치료를 받은 경우의 생존률보다 좋다고 보고되고 있다.

2) 백혈병

(1) 모세포 백혈병

모세포 백혈병hairy cell leukemia은 성인 백혈병의 2%를 차지하는 드문 질환이다. 이 질환의 특증으로는 비장 종대, 전혈구 감소증의 소견을 보이고 말초 혈액과 골수에는 종양성 단핵 세포가 나타난다. 모세포는 주로 세포막 파상 운동을 가지고 있는 B 림프구이며 광학 현미경 하에서는 세포질의 돌기처럼 보인다. 대부분의 환자에서 만져질 정도의 비장 종대를 보이고 남자 노인에서 많다. 환자 중 10%에서는 특별한 치료가 필요 없이 평범한 경과를 보이나 대부분의 환자들은 증후성 빈혈과 호중구 감소증에서 오는 감염성 합병증, 혈소판 감소증으로 오는 출혈 등이 있기 때문에 세포 감소증에 대한 치료가 필요하다. 비장 기능항진증과 골수에서 백혈병 세포로의 전환은 범혈구 감소증을 유발시키는데 거대한 비장 종대일 경우에는 치료가 필요하다. 모세포 백혈병으로 진단 받고 평균 40개월이 지나게 되면 이차성 악성 종양으로 진단될 위험성이 2배 내지 3배가 된다. 이차로 발견되는 암은 주로 고형 종양으로 전립선암, 피부암, 폐암, 위장관암 등이 이에 포함된다.

최근까지 모세포 백혈병의 표준 치료는 비장 절제술과 인터페론-α2interferone-alpha 2였으나 최근에는 초기 치료로 2-클로로데옥시아데노신2-chlorodeoxyadenosine과 데옥시코포마이신deoxycoformycin과 같은 퓨린purine 유사체를 사용하고 있다. 하지만 내과적 치료에 효과가 없거나 거대한 비장 종대가 있는 경우 비장 절제의 적응증이 되고 있고 비장 절제 후에는 대부분의 환자에서 지속적인 증상의 완화를 보이며 혈액학적 문제에서도 호전을 보인다. 약 40% 환자에서 비장 절제 후 정상 혈액 수치를 보이게 되고 비장 절제의 효과는 보통 10년 이상 지속되며 환자의 절반 정도는 더 이상의 치료를 필요로 하지 않는다. 특별히 비장 종대를 보이지 않으면서 광범위한 골수를 침범하고 있는 경우에는 비장 절제술로 치료의 효과를 기대하기는 어렵다.

(2) 만성 림프구성 백혈병

만성 림프구성 백혈병chronic lymphocytic leukemia은 B 세포 백혈병으로 비교적 성숙하였지만 기능적으로 무능한 림프구가 점차 축적되는 병이다. 남자에서 더 흔하고 50세 이후에 주로 발생한다. 만성 림프구성 백혈병의 병기는 Rai 병기 체계를 따르며 이 체계는 만성 림프구성 백혈병의 예후와 좋은 상관관계를 보인다. 병기 0은 오직 골수와 혈액 림프구 증가만을 보인다. 병기 Ⅰ은 림프구 증가와 림프절 종대가 있는 경우, 병기 Ⅱ는 림프구 증가와 비장, 간 혹은 둘 다 커진 경우, 병기 Ⅲ은 림프구증가와 빈혈이 있는 경우, 병기 Ⅳ는 혈소판 감소를 동반하면서 림프구 증가를 보이는 경우이다.

클로람부실chlorambucil은 내과적 치료제로서 증상의 완화를 목적으로 오래 동안 중요한 역할을 해 왔다. 최근에는 일차 치료제로 플루다라빈fludarabine과 같은 퓨린 유사체의 사용이 증가하고 있으며 관해율을 증가시킨다는 보고가 있다. 또한 골수이식술이 만성 림프구성 백혈병의 치료 방법으로 점차 많이 이용되고 있으며, 동종 이식술과 자가 이식술에 대해 많은 연구가 진행되고 있다. 또한, 만성 림프구성 백혈병 치료로 비장 절제술은 비장 종대로 인한 증상을 완화시키고 비장 기능항진증으로 생긴 혈구감소증을 치료하는데 효과적이다. 비장 절제술이 비장의 부피 증가로 생긴 증상들을 호전시키지만 빈혈 또는 혈소판 감소증과 같은 혈액학적 문제의 해결은 60% 내지 70% 정도이다. Rai 병기 Ⅲ 혹은 Ⅳ의 경우에서 보면 비장 절제술을 받지 않은 경우보다 비장 절제술을 받은 경우에 생존률이 더 좋은 것으로 보고되고 있다.

(3) 만성 골수성 백혈병

만성 골수성 백혈병chronic myelogenous leukemia은 골수 성분의 악성화로 인한 골수 증식성 질환으로 염색체 표지자(필라델피아 염색체)가 처음 발견된 백혈병 질환이다. 필라델피아 염색체는 염색체 22번과 9번이 융합하여 그 결과 p210bcr- abl이라 불리는 비정상적인 종양 유발 단백질을 발현시키는 것으로 골수의 정상 이배체 원소가 종양성 골수구로 점차 대체되는 것이 특징이다.

만성 골수성 백혈병은 유아에서 노인까지 발생할 수 있으며 보통 통증이 없고 장기간 증상 없이 지내다가 병이 진행되면 발열, 식은땀, 비장 종대 같은 증상이 시작된다. 이 시기에도 무증상일 경우가 있는데 말초 혈액이나 골수의 변화로 우연히 발견될 수 있다. 더욱 진행하게 되면 전술한 증상뿐만 아니라 빈혈, 감염성 합병증 및 출혈 증상이 나타나는 데 비장 울혈을 동반한 비장 종대가 이러한 증상을 일으키게 한다.

치료는 하이드록시유레아hydroxyuria, 인터페론 a, 골수 이식을 동반한 고용량 화학요법과 같은 내과적 치료가 우선적이나 증상이 있는 비장 종대와 비장 기능항진증이 있는 경우에는 비장 절제술이 도움이 된다. 하지만, 만성기 초기에 시행한 비장 절제술은 생존률을 호전시키는데 별 효과가 없는 것으로 보고되고 있고 동종 골수 이식 전에 시행한 비장 절제술도 생존률에는 영향을 주지 못한다. 따라서 동종 골수 이식 전 비장 절제술은 비장 종대가 심한 환자에서만 고려된다.

3) 비장의 비림프성 종양

암환자를 부검한 결과 7%에서 비장 전이를 보이는데 전이를 흔하게 일으키는 원발성 고형 종양으로는 유방암, 폐암, 흑색종이 있다. 그러나 어떠한 고형 종양도 비장에 전이를 일으킬 수 있다. 비장에 전이된 경우에 무증상일 경우도 있지만, 비장 종대로 인한 증상이나 자발적인 비장 파열을 일으킬 수도 있다. 이러한 증상 있는 비장 전이 환자에서 비장 절제를 선택적으로 시행할 경우 증상을 완화시킬 수 있다.

혈관 종양은 악성과 양성을 포함하여 가장 흔한 원발성 비장 종양이다. 혈관종은 다른 원인에 의해 절제된 비장에서 우연히 자주 발견된다. 비장의 맥관 육종angiosarcoma은 이산화토륨thorium dioxide 또는 단량체 염화비닐vinyl choloride에 노출되는 것과 연관이 있다고 하나, 대부분은 자발적으로 발생한다. 맥관 육종의 경우 비장 종대, 용혈성 빈혈, 복수, 흉수 또는 자발성 비장 파열 등이 나타날 수 있는데 주위 침윤을 잘 하므로 예후가 나쁘다. 림프관종은 대부분 비장 종대를 일으키는 양성 종양으로 내피세포가 내면을 덮고 있는 낭종이다. 낭성 림프관종 내에 림프관육종이 보고 된 적이 있어 비장 절제술은 진단, 치료, 증상의 관해를 위해서 적절한 방법이다.

5. 다른 다양한 양성 질환의 비장 절제

1) 비장 낭포

비장의 낭성 병변은 CT와 초음파의 도입으로 진단율이 높아지고 있다. 비장 낭포는 진성 낭포와 가성 낭포로 분류되고 또한 기생충성과 비기생충성 낭포로 분류된다. 비기생충성 낭포의 대부분은 가성낭포이고 외상에 의해 생긴 이차성 낭포이다. 진성 비장 낭포의 진단은 주로 10-20대에 이루어진다. 진성 낭포는 특징적으로 편평 상피 세포가 내면을 덮고 있으며 선천적이라 여겨진다. 이들 상피세포는 면역 조직학적 검사에서 CA 19-9와 암배아성 항원에 종종 양성 반응을 보인다. 비장의 표피양epidermoid 낭포의 경우는 하나 혹은 두 가지 모두에서 양성을 보이나 이들 낭포는 양성이며 악성인 경우는 매우 적다.

종종 진성 비장 낭포는 무증상으로 우연히 발견된다. 증상이 있을 경우는 복부에서 종괴가 만져지기도 하고, 상복부 충만감, 불편감, 포만감, 흉막통, 숨참, 왼쪽 등과 팔에 통증, 또는 왼쪽 신장이 눌림으로써 생기는 신장 증상 등이 일어날 수 있다. 증상의 유무는 낭포의 크기와 관련되며 크기가 8cm 미만일 경우에는 대부분 무증상이나 드물게 파열이나 출혈, 감염과 같은 급성 증상이 있는 경우도 있다.

비장 낭포의 진단은 전산화 단층 촬영이 가장 유용하다. 증상을 동반한 낭포이거나 크기가 큰 낭포는 수술적 절제의 적응증이 되는데 전절제 혹은 부분절제 모두 치료에 이용되고 있다. 부분 절제술의 장점은 비장 기능을 보존하는 것으로써 비장의 최소 25% 이상을 보존한다면 폐렴 구균성 폐렴을 예방할 수 있다. 최근 논문에 의하면 부분 비장 절제술, 낭종벽 절제술, 부분 피막박리술 등이 좋은 성적을 나타내고 있으며 개복술 뿐 아니라 복강경술로 시행 가능하다.

대부분의 진성 낭포는 풍토성 포충 질병에 속하는 기생충성 낭종이다. 진단 방사선적 영상 소견에서 낭벽의 석회화 혹은 낭낭포daughter cyst를 볼 수 있다. 포낭충의 혈청학적 검사는 기생충의 존재를 예측하는데 도움이 될 수 있는데, 침습적인 진단적 검사 혹은 치료 목적의 시술을 할 경우 시술 전에 이와 같은 질환을 미리 배제한 상태에서 시행해야 한다. 낭종의 내용물이 복강 내로 유출되면 과민성 쇼크와 전염성이 있는 두절scolices을 복강 내 파종시킬 수 있기 때문이다. 가장 적절한 치료는 비장 절제술이며 이때 낭포가 복강 내로 터지지 않도록 각별히 조심해야 한다. 낭포는 3% 식염수, 알콜 또는 0.5% 질산은을 주사하여 살균시킬 수도 있다.

비장의 가성 낭포는 비장의 비기생충성 낭포의 70-80%를 차지하고 보통 외상을 입은 과거력을 가지고 있다. 가성 낭포의 경우는 내면을 덮는 상피세포가 없고 방사선적 영상에서 많은 경우 석회화를 볼 수 있다. 대부분의 비장 가성 낭포는 단방성unilocular이며 평평하고 두꺼운 벽으로 되어 있다. 작은 크기의 가성 낭포(4cm 미만)인 경우 치료가 필요 없으며 시간이 지나면서 퇴화하는 경우가 많다. 증상을 나타낼 때에는 좌상복부 통증과 동반되어 왼쪽어깨 통증을 보인다. 증상이 있는 가성 낭포는 수술적 치료가 필요하다. 낭포를 포함한 비장 부분 절제술이 가능하다면 이 방법은 비장의 기능을 유지할 수 있으므로 효과적인 치료 방법이지만 상태가 좋지 않은 상황이라면 비장 전절세술을 망설여서는 안 된다. 최근에 경피적배액술이 비장의 가성 낭포에서 치료적 방법으로 되고 있다. 단방성 비장 농양에서 영상 유도하 경피적배액술을 함으로써 90%의 성공률을 보고하였는데 이는 증상이 있는 비장의 가성 낭포에서 적절한 초기 접근 방법일 수 있음을 시사한다.

2) 비장 농양

비장 농양은 드물지만 치명적일 수 있는 병이다. 비장 농양의 사망률을 보면, 면역력이 저하된 환자에서는 다발성 비장 농양을 가진 경우 약 80%에 이르며 단일병소를 가진 평소 건강한 사람에서도 15-20%에 이른다. 이러한 성향을 갖는 질환으로는 악성 종양, 진성 다혈구증, 심장 내막염, 외상, 혈색소 병증(예; 겸상적혈구증), 요로계 감염, 경정맥 약물 남용자, 에이즈 등이다. 비장 농양의 70%는 다른 부위에서 감염균이 혈행성으로 전파되는 것으로 심내막염, 골수염 및 경정맥 약물남용자 등이 해당한다. 비장 농양은 대장, 신장, 췌장과 같이 해부학적으로 가깝게 접촉하고 있는 장기의 감염에 의한 2차적인 결과로 발생할 수도 있다. 흔한 감염원으로는 그람 양성균으로 포도구균, 연쇄구균 또는 장구균이 있고 그 외에 그람 음성 장내 세균, 결핵균, 조형결핵균, 진균류 등에 의해서 발생할 수도 있다. 면역이 억제 또는 저하된 환자에서는 진균에 의한 농양이 다발성으로 생길 수 있으며, 전형적인 예로 칸디다류의 감염이 있다.

비장 농양의 임상적 특징은 비특징적이며 복통, 열, 복막염 또는 흉막성 흉통이 서서히 온다. 복통의 경우 좌상부에 오는 경우는 절반 이하로 적으며 흔히 모호한 복통이다. 비장 종대는 소수의 환자에서 나타나며 진단은 CT가 가장 정확하나 초음파로도 진단할 수 있다. 2/3의 성인 환자에서 단일 병소로 나타나며, 1/3에서 다발성 병소로 나타나고 소아에서는 반대로 2/3에서 다발성 병소, 1/3에서 단일 병소로 나타난다.

비장 농양의 초기 치료는 병변이 단방성인지 다방성인지에 따라 결정되는데 단방성인 경우는 CT 유도하 배액술이 가능하며 이 배액술과 함께 전신적 항생제 치료로 75%가 넘는 치료 성적을 보인다. 단방성으로 형성된 것만을 치료하는 것으로 본다면 90% 이상이다. 경피적배액술로 즉각적인 임상적 반응을 보이지 않을 경우 즉시 비장 절제술을 시행해야 한다. 다방성 병변의 비 농양은 보통 비장 절제술 및 좌상복부 배액 그리고 항생제 투여를 시행한다.

6. 비장 외상

1980년대 초반부터 시작된 복부 초음파, CT와 같은 진단적 기술의 발달로 비장 외상을 치료하는데 비수술적 치료를 포함한 새로운 접근 방법을 시도하게 되었다. 특히 CT를 통해 비장 파열의 정도를 정확히 알 수 있게 됨으로써 수술 여부를 결정하는 데 도움을 주어왔다. 비장은 복부둔상 시 가장 손상받기 쉬운 복강 내 장기이고 천공성 손상 시에도 손상 받기 쉽다. 비장손상 시 과거에는 진단 및 처치의 지연으로 이환율 및 사망률이 높았으나 최근 CT 등의 진단 및 치료의 발달로 비장손상만으로 인한 사망은 매우 낮으나 다른 장기 손상과 진단 지연의 경우에는 약 10%(10.8%)에 달하는 사망률을 보이고 있다. 자동차 사고가 여전히 주된 손상의 원인이고 다른 주요 원인들로는 오토바이 사고, 낙상, 보행자 및 차량사고, 자전거 사고, 그리고 스포츠 등이며 다른 둔상에서도 비장이 가장 빈도가 높게 손상을 받는 장기이다. 또한 NTDB (National Trauma Data Bank)에 의하면 비장이 가장 흔히 손상 받는 장기이어서 모든 외상 환자의 3.2% 그리고 복부 둔상 환자의 50.7%에서 비장 손상을 보인다. 이것은 손상 환자의 2.6%가 비장 손상을 받았다는 1993년에서 1997년까지의 정보를 포함한 다기관 연구의 결과와 비슷하다.

비장은 왼쪽 상복부에 위치하며, 직접적으로 좌측 횡격막, 대장의 비장 굽이, 신장, 췌장 원위부 그리고 위에 의해 둘러싸여 있다. 비장의 비천공성 손상은 복부자상 또는 좌측 아래 흉곽의 둔상(전 비장파열의 30%)에 의해 가장 빈번히 발생하며 그 원인으로는 교통사고, 추락사고, 썰매, 자전거 사고, 폭행 등에 의한다. 이와 관련된 다른 장기 손상(발생빈도에 따른 순서)으로는 늑골골절, 콩팥, 간, 폐, 머리뇌 구조, 소장, 대장, 췌장, 위 손상 순이다.

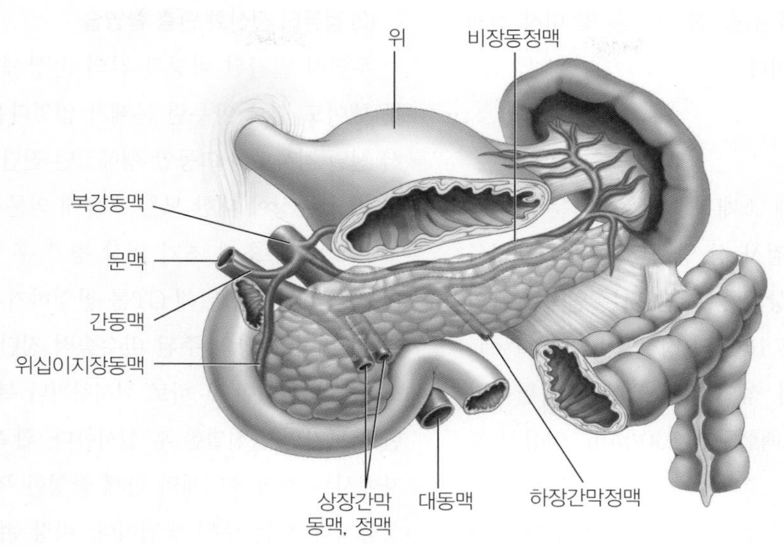

그림 3-106 **비장의 혈관분포**

천공성 손상에서는 총상이 앞 복벽이나 옆구리를 관통하여 지나거나 흉벽을 통해서 늑막강, 폐 그리고 횡격막을 관통할 때 발생할 수 있는데, 이때 동반 손상을 받을 수 있는 장기로는 위, 왼쪽 콩팥, 췌장, 창자사이막mesentery 내 혈관, 대장 등이다.

비장으로의 혈액 공급은 심박출량의 5%로서 비장동맥과 단위동맥을 통하여 받는다. 비장동맥은 복강동맥celiac trunk의 한 분지로서 주행이 꾸불꾸불하며 췌장 상연을 주행하면서 많은 췌장 분지와 짧은 위동맥short gastric artery, 위 대망 동맥gastroepiploic artery을 분지한다. 이 소동맥들은 비장에서 이차, 삼차의 혈관으로 나누어지므로 표재성 열상이나 비장막splenic capsule 파열로도 많은 출혈이 발생한다(그림 3-106).

1) 진단

비장파열시 무증상에서 부터 심한 출혈성 쇼크로 인한 실신까지 여러 증상이 발현될 수 있다. 비장 손상의 이학적 검사 상 복막 자극 증상(압통, 경직, 반발 통)이 나타날 수 있으나 최근에 발생한 출혈은 그 증상이 미미할 수 있다. 또한 대량의 혈액이 복강 내에 고여도 특이한 이학적 소견이 거의 없을 수 있다. 그러나 그 증상들을 열거하면 혈류량부족 증상(빠른 맥박, 혈압감소), 구역질(오심), 좌상복부 통증(비장손상의 1/3에서), 압통(좌상복부와 옆구리 반발 통 동반 가능)등이 있다.

이때 나타나는 특별한 징후로서 첫 번째는 출혈된 피의 횡격막 자극에 의한 왼쪽 어깨 끝 쪽으로의 연관통증Kehr's sign으로서 약 50%에서 나타나는데, 환자를 트렌델렌버그 자세로 할 때 통증이 더 현저해지고 좌상복부를 두 손으로 압박할 때 통증이 약해진다. 적어도 좌하부 늑골골절이 있는 환자의 25%는 비장 손상을 동반한다.

환자의 저혈압 또는 빈맥의 원인이 특히 장골 또는 골반골 골절로부터의 출혈이나 외부열상에 의한 출혈로서 설명이 안 되는 경우라면 복강 내 출혈 가능성을 생각해야 하는데 비장이 가장 흔한 출혈의 장기가 된다.

비장에 관한 초기 평가에서 염두에 두어야 4가지 사항으로, 첫째 CT에서 비장손상이 있는 환자에서 추가적인 복강 내 손상이 있을 가능성, 둘째 비장손상 환자에 대한 수술을 하는 동안 좌측 횡격막 및 췌장의 손상이 있을 가능성, 셋째 비장문을 적절히 노출하고 비장 및 췌장의 손상을 최소화하기 위해 비장을 분리하는 동안 췌장 미부(꼬리)를 비장 내측으로 움직일 것, 넷째 비장손상의 비수술적 치료가 흔히 성공하지만 출혈에 의한 사망 가능성이 잔존하므로 상당수에서 수술 적 중재술 및 비장 절제술이 요구될 수 있다는 점이다.

(1) 진단적 복막 세척술

1965년 Root 팀에 의해 소개된 이후 복부 둔상의 진단을 위해 사용되었는데 검사 상 양성 소견은 카테터를 통해 육안적으로 10cc 이상의 응고 안 되는 혈액이 흡인되거나 카테터를 삽입한 후 1리터의 정질액crystalloid solution을 주입한 후 완전히 섞인 유출액에서 적혈구가 $100{,}000/mm^3$ 이상 또는 백혈구가 $500/mm^3$ 이상인 경우이다.

이 복막 세척술을 근거로 한 개복술에서 복강 내 출혈은 분명히 있지만, 특별히 처치가 필요 없는 이미 지혈된 손상 등에서도 양성소견을 보여 '비치료적 개복술nontherapeutic laparotomy'의 비율이 높기 때문에, CT나 활력징후 등을 고려해서 개복술을 결정해야 한다. 그래서 이 진단법은 현재 많이 사용되고 있지 않지만 혈류 역동학적으로 불안정성을 알 수 있는 빠른 방법이란 점에서 초음파가 가용하지 않은 상황에서는 유용할 수 있다.

진단적 복막 세척술Diagnostic Peritoneal Lavage (DPL)이 도입된 이 후 여러 연구자들의 조사에 의하면 민감도는 99%, 그리고 특이도는 95-98% 정도로 나타났다. 그 후에는 유출액의 소화 효소 분석을 통해 췌장 손상이나 장관 손상의 진단율이 높아졌다.

(2) 컴퓨터 전산화 단층 촬영술

우연히 발견된 비장과 간의 손상에서는 초기에 알지 못 했어도 결국 아무런 문제가 없었다는 것을 알게 되면서 선별 검사로서 그동안 행해졌던 진단적 복막 세척술 또는 비장 손상에 대한 모든 수술에 의문을 갖게 되었다.

1980년대 초에 초기 외상 평가 후 다른 장기의 손상 여부를 확인하기 위해 CT를 촬영하기 시작하였다. 복부 CT는 비장 손상의 주된 비수술적 진단 방법으로서 초기 소생술을 실시한 후 바로 실시하거나 복부 초음파로 적절한 후보자인지 선별한 후 실시한다. 활력징후가 안정된 환자에서는 정맥 조영제와 함께 촬영한 복부 CT가 비장 손상을 진단하는 주된 방법이다. 비장 손상 소견에는 비장 실질의 파열, 주위 혈종 및 복강 내 유리 혈액을 보이며 가끔, 조영제가 혈관 바깥으로 활발히 유출되는 것을 볼 수도 있다. 진단적 복막 세척술과는 달리 복강 내 혈액량의 진단뿐만 아니라, 주위 장기의 손상까지 알 수 있어서 복부 CT는 비장 손상의 치료에 있어서 혁기적인 전환이 되었다. 특히 나선형 CT는 1-2분 이내의 검사로 장기파열은 물론 비장실질 내 혈관 손상 여부도 알 수 있게 한다 (그림 3-107).

또한 이는 손상의 정도를 해부학적으로 명확하게 분류할 수 있는 객관적인 판정 기준을 제공하였고 이에 미국외상외과협회는 비장손상등급을 개발하였다(표 3-32). 이 척도는 병원 간의 자료를 비교하는데 유용하고 또한 치료

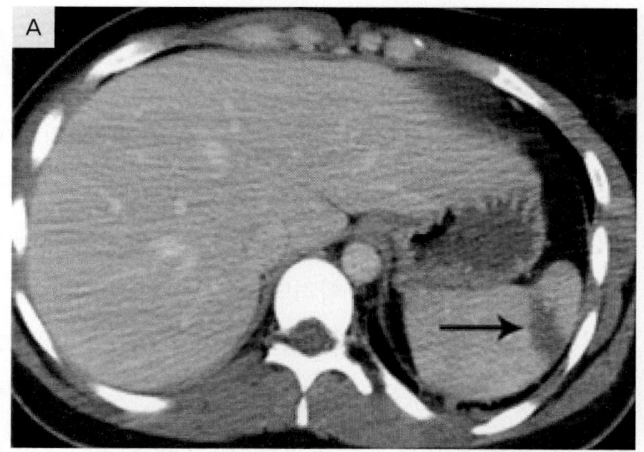

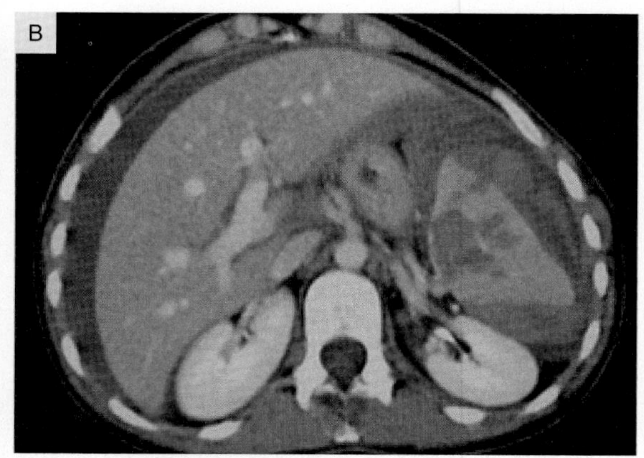

그림 3-107 **비장 손상의 CT 소견**

표 3-32. 비장손상등급(미국외상외과협회)

등급	종류	손상 정도
I	혈종	표면 10% 미만의 피막하 찢어짐
	열상	실질 깊이 1cm 미만의 피막 찢어짐
II	혈종	표면 10-50%의 피막하 찢어짐, 실질 내 지름 5cm 미만의 손상
	열상	피막 찢어짐, 1-3cm의 실질 깊이 손상(소주 혈관, trabecular vessel, 손상 없이)
III	혈종	표면 50% 보다 크거나 팽창하는 피막하 찢어짐; 파열된 피막하 또는 실질 내 혈종: 5cm 이상 이거나 팽창하는 실질 내 혈종
	열상	3cm보다 큰 깊이 또는 소주 혈관(trabecular vessel)을 침범
IV	열상	비장 25% 보다 넓게 혈류를 차단시키는 구역(segmental) 또는 폐문(hilar) 혈관 열상
V	혈종	완전히 산산조각 난 비장
	열상	비장 혈류를 차단하는 폐문 혈관 손상

결정에 대한 합리적인 접근을 위한 체계를 마련하였다(그림 3-108, 109, 110).

(3) 초음파 검사

1990년대에 초음파 검사는 둔상에 의한 복부 손상의 중요한 진단 도구로 소개되어 진단적 복막 세척술을 대체하는 방법으로 대두되었다. 외상에 대한 집중적 복부 초음파 검사Focused Abdominal Sonogram for Trauma (FAST)는 비장, 신장, 간, 심장, 늘어난 방광 등에서 손상 정도의 신속한 조사를 위해 사용되며 경험자라면 3분 정도 소요된다. 단점으로는 심하게 팽창된 장관, 비만, 피하 기종 등에서는 검사가 제대로 되지 않는다.

Bode 등에 의한 연구에서 353명의 복부 둔상 환자에서 93%의 특이도와 99%의 정확도를 보고하였다. 경증의 비장 손상과 피막 하 혈종은 포착 못할 수 있으나 복강 내 체액을 발견하여 다른 영상 검사가 더 필요한지 아니면 응급 수술이 필요한지 결정해준다. 주목할 점으로는 FAST상 복강 내 체액이 있으며 불안정한 환자에서 흔히 출혈하는 복강 내 장기는 비장이다. 또한 이 방법은 복강 내 출혈을 진단하는데 민감하면서도 덜 침습적이고 빠르다는 장점이 있으며 특히 혈역동학적으로 불안정한 다발성 외상 환자를 평가하는데 그 효용 가치가 더욱 크다.

Branney 등은 혈역동학적으로 안정된 환자에서 선별 검사를 위해 초음파를 이용한 전향적 연구 결과에 의하면 초음파로 음성소견을 보이면 더 이상의 검사가 필요 없었으므로 추가적인 CT 시행 횟수의 의미 있는 감소를 보였다.

2) 수술

(1) 수술적 치료 기준

수술적 처치의 시도는 입원당시 환자의 불안정성에 달려있지만 출혈의 정확한 위치를 모르거나 비수술적 처치가 실패했을 때 그리고 비장이 출혈의 주된 원인으로 의심될 때 실시한다. 즉, 수축기 혈압이 90mmHg 이하, 맥박 120회/분 이상, 정질액crystalloid solution 2,000cc 투여로 교정이 안 되는 불안정한 혈역동학적 소견, 초음파 검사 상 복강 내 대량 출혈 확인 및 비수술적 치료 중 CT 추적검사 상 비장 출혈의 소견을 보이면 수술적 처치를 실시한다.

(2) 비장 전 절제술 적응증

비장 전 절제술은 (1) 환자가 불안정할 때 (2) 즉시 처치하여야 할 동반손상이 있을 때 (3) 비장 손상 정도가 심한 동시에 지속되는 출혈이 있을 때 (4) 비장문 손상과 관련된 출혈이 있을 때 실시한다.

(3) 수술의 기술적 관점

비장을 제거하거나 복원하기 위해서는 장력이 없이 당겨올 수 있을 만큼 절개를 하도록 한다. 보통 정중절개가 선호되는데 복막후강을 포함한 복강 내 모든 부위에 쉽게

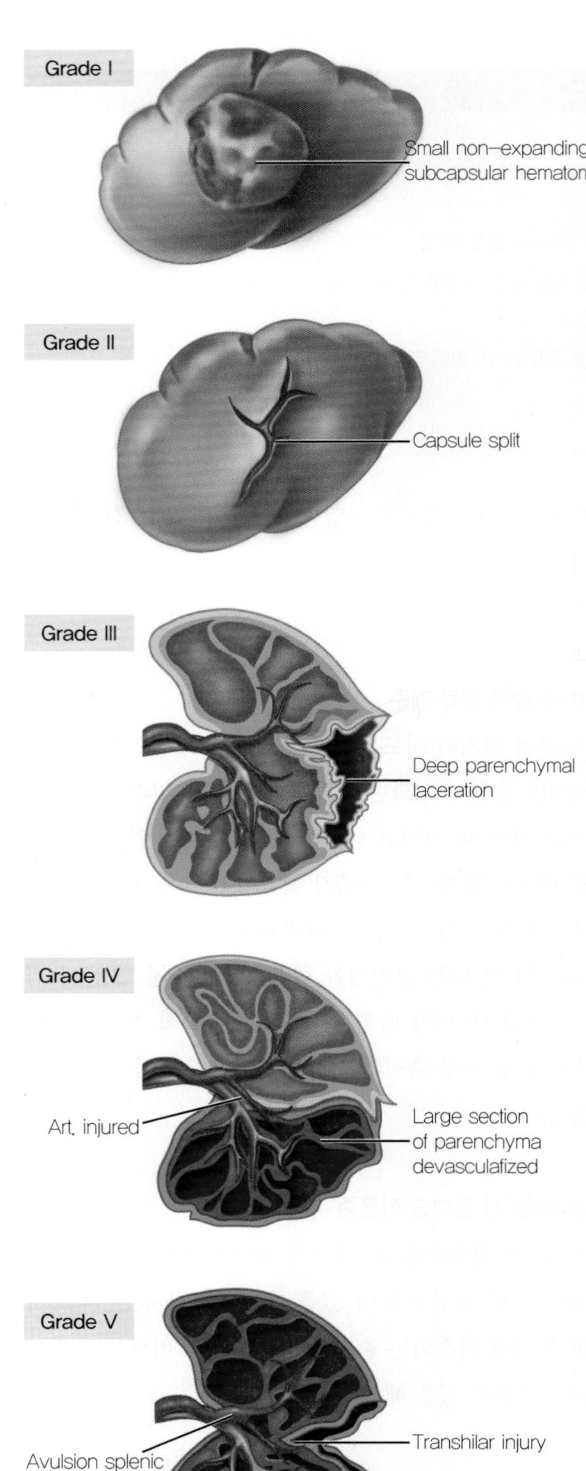

그림 3-108 **비장손상의 등급 도식**

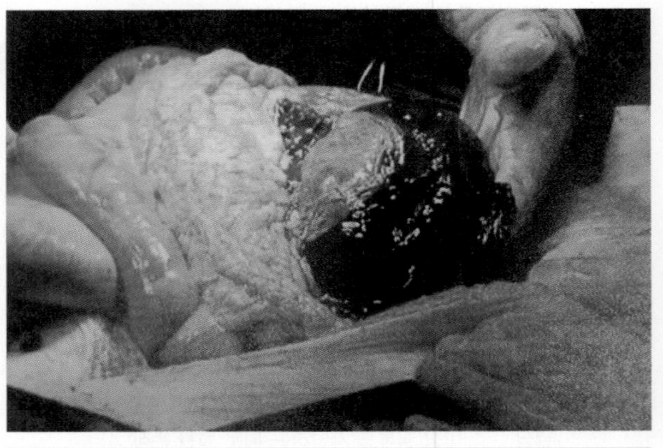

그림 3-109 **Delayed rupture를 나타낸 Grade III 손상**

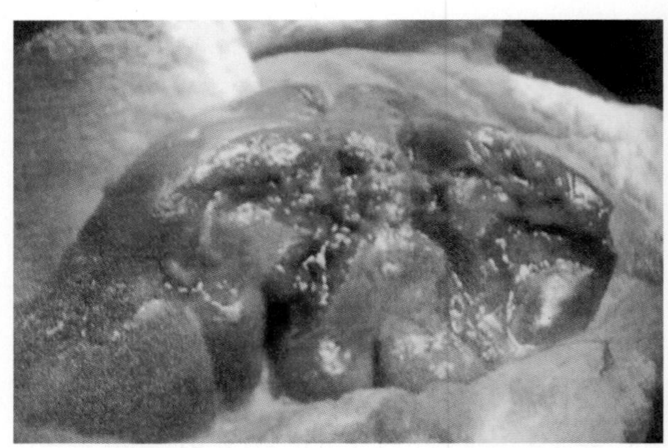

그림 3-110 **Grade IV 손상**

접근할 수 있기 때문이다. 좌측 늑골 하 절개법은 CT 소견에 따라 결정되며 이 방법으로 소장 및 망낭(작은복막주머니lesser sac)부위를 쉽게 관찰할 수 있으며 간 및 전체 복부를 같이 보기 위해서는 우측으로 절개 확장한다.

비장의 가동화mobilization는 우선 비장 외측 인대의 분리 즉, 비횡격막 인대와 비신장 인대의 절개로부터 시작된다. 그런 후 비장의 표면위에 손을 넓게 벌려 비장을 배부와 내측으로 견인하여 비장과 대장의 비만곡부 사이의 인대를 절개한 후 비장에서 수 2cm 정도 떨어진 하단에서 절개를 한다. 그런 후 식도에 도달할 때 까지 후상방으로 절개를 진행해 나간다. 이때 비장을 복측으로 견인하여 좌상복부에서 비장을 들어 올리는 경향이 있는데 이는 비장 후면과 비결장 인대를 따라 의인성 외상을 초래할

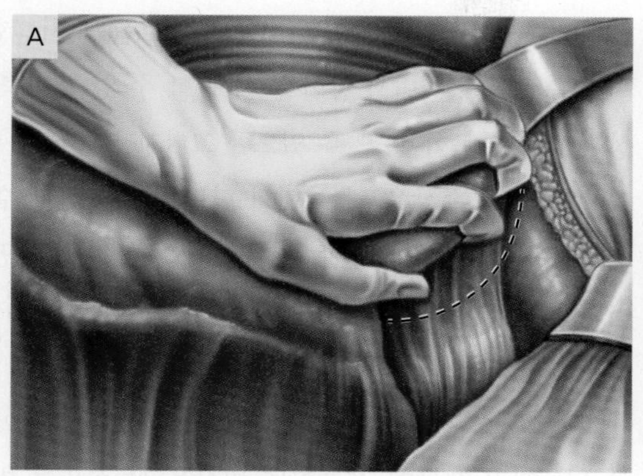

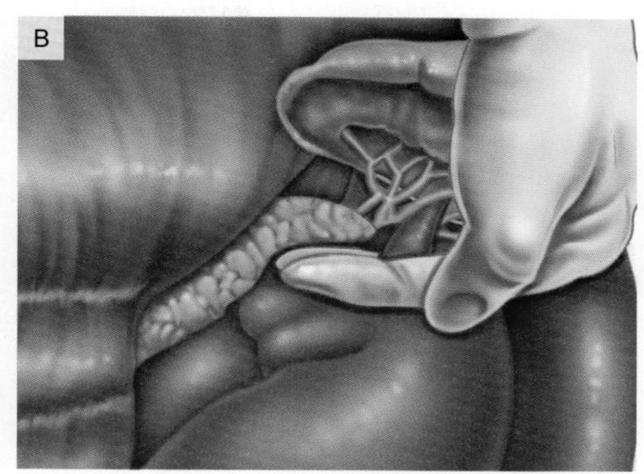

그림 3-111 비장의 가동화(mobilization) 도식

수 있다. 비장과 횡격막 근육의 손상을 피하기 위해 비장으로부터 1-2cm 떨어진 곳에서 절개가 이루어져야 하는데 그렇게 하면 좌측 부신을 확인할 수 있고 췌장의 후면 위쪽 가까이에 비정맥이 보이게 된다. 비장 주위 인대의 수와 길이는 다양하며 얼마나 가동화할 수 있는 지 사전에 알 수가 없다는 것을 명심하여야 한다. 비장-췌장 결합체는 대동맥의 윗부분까지 가동화 될 수 있는데 여기서 상장간막동맥의 손상을 조심하여야한다. 이렇게 하면 비장과 췌장 원위부를 피부 절개 수준까지 끌어 올려서 앞으로 실시할 수술 범위를 결정하게 된다. 비장 절제술은 비장을 완전히 가동화 한 후 위비인대를 견인하여 단위short gastric 동맥을 노출시켜 절단한 다음 췌장의 상부 가장자리에서 확인되는 비장 동맥을 비장 정맥과 분리하여 결찰 한다(그림 3-111).

수술의 마무리 시점에 췌장 미부의 손상이 의심되지 않으면 배액관은 설치하지 말아야 한다. 비장 절제술을 시행 받은 군에서 폐렴, 다장기부전multiple organ failure을 동반한 패혈증, 화농성 신우신염, 폐색전증 등과 같은 합병증이 잘 생긴다는 것이 발견되었고 비장 절제술이 일생동안 심한 감염증과 정맥 혈전증의 위험인자라고 결론을 낸 바 이 수술 후에는 폐렴연쇄구균, 수막염균, 인플루엔자균에 대한 항생제를 투여해야 한다. 비장 절제술 후의 혈소판 증가증이 심부정맥 혈전증deep vein thrombosis의 위험 인자가 되는데 혈소판 수치가 750,000/mm^3 이상일 때 저용량의 헤파린 요법이나 저분자량 헤파린 요법 같은 항 혈소판 치료를 하는 것이 도움 된다.

(4) 비장 봉합술

비장 봉합술splenorrhaphy에 대한 시도는 전격성비장적출술후패혈증overwhelming postsplenectomy sepsis의 개념을 알게 되면서 시작되었으며 1970년대 후반에 널리 사용되었고 1980년대 중반에 정점을 이루었다. 이와 관련하여 부분 비장 절제술은 비장의 한 부분만(대개 상극 또는 하극) 손상되었을 때 실시될 수 있으며 비장 봉합술Splenorrhaphy은 비문을 포함하지 않은 손상이거나 비장 모든 분절의 혈액순환이 충분하고 봉합술을 시행하는 동안 수혈이 한 단위 이상 필요치 않은 출혈인 경우에 실시할 수 있다. 비수술적 치료가 증가하면서 이 치료가 감소하는 추세이지만 그 방법으로는 1) 표면의 지혈(소작술, 산화셀룰로스, 흡수성의 젤라틴스폰지, 국소용 트롬빈), 2) 봉합, 3) 그물피부 포장술mesh wrap 4) 괴사 조직 절제술 등이 있다.

손상 등급이 I 인 경우에는 표면의 지혈만으로도 출혈이 멈추거나 더 이상의 출혈을 예방할 수 있다. 손상 등급이 II 와 III 인 경우에는 전신 상태가 위험하지 않으면 비장 봉합술을 시행할 수 있으나 비수술적 치료를 더 흔히 하는 경향이 있다. 이때 가장 간단한 방법은 표면 지혈제 사용이며 전기 소작은 도움이 거의 안 되지만 아르곤 지

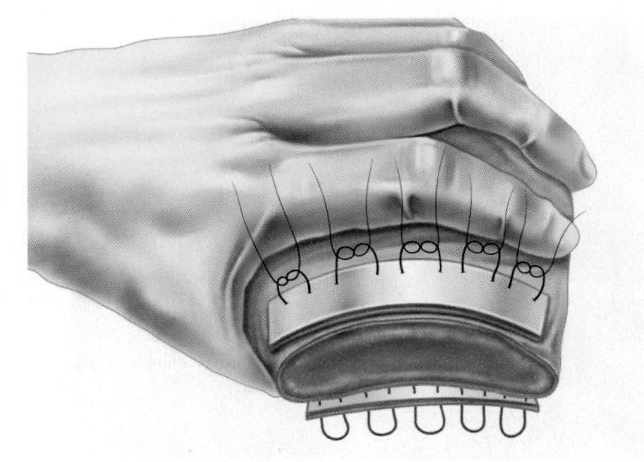

그림 3-112 비장 피막을 이용한 비장 열상 봉합술 도식

혈기coagulator는 특히 비장 피막splenic capsule이 박탈된 경우에서 비장 실질의 지혈에 도움이 될 수 있다.

등급 II 와 III의 손상에서 열상의 봉합은 보편화되었는데 가능하면 일시적으로 비동맥의 흐름을 차단함으로써 출혈량을 줄이면서 봉합을 쉽게 할 수 있다. 피막에 손상이 없으면 봉합은 할 수 있으나 그다지 튼튼하게 유지되지 못하므로 손상을 덜 주면서 단단하게 고정할 수 있는 외과용 거즈, 단섬유봉합, 크롬봉합 등을 이용하면 비장 실질을 관통하는 동안 손상을 덜 주도록 한다(그림 3-112, 3-113).

부분 비장 절제술은 해부학적으로 비장 혈관이 분절 분포를 하기 때문에 가능한데 비장은 상극 또는 반 정도까지 제거 가능하며 비장문hilum의 혈액공급이 살아있으면 남은 비장도 생존한다. 남은 비장은 매트리스봉합 또는 그물피부포장을 사용하여 지혈시키는데 이 기술은 시간이 많이 소모되지만 성공률이 높아서 임상적으로 매우 안정되어 있는 비장 손상 환자에서 선택적으로 실시할 수

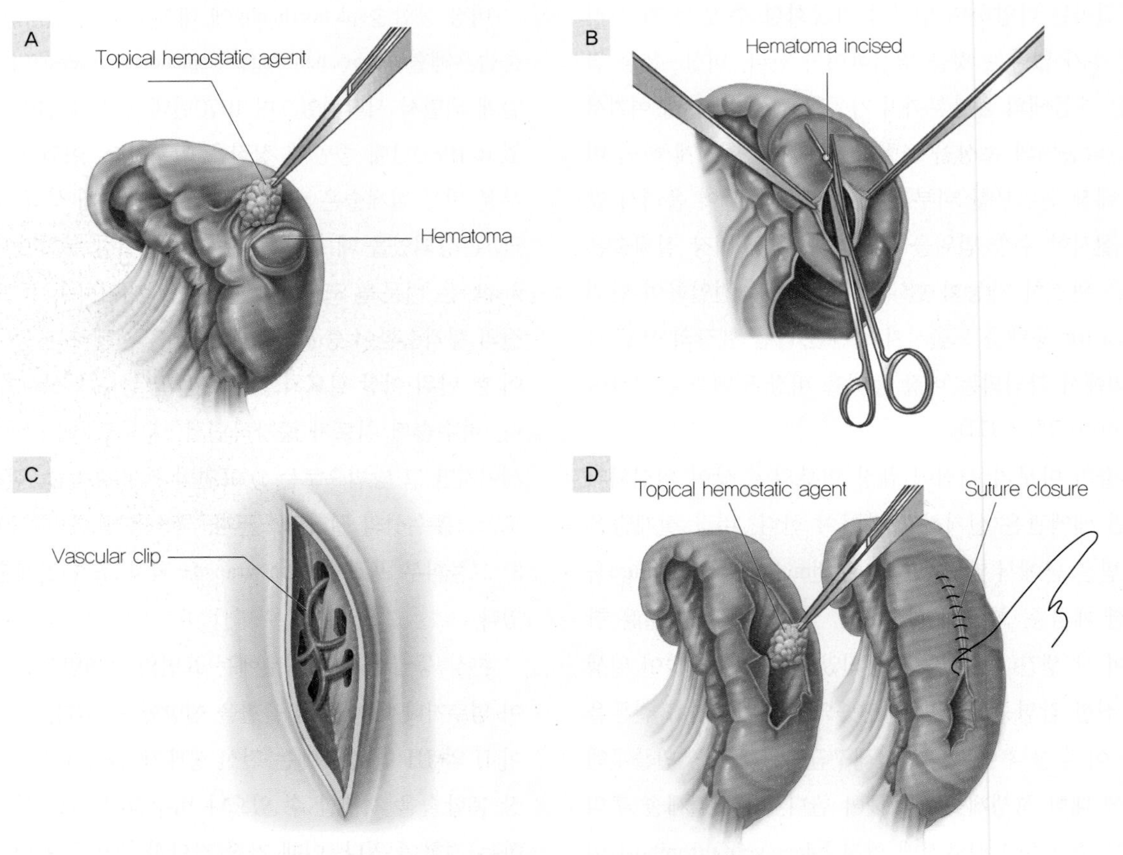

그림 3-113 비장 봉합술 도식

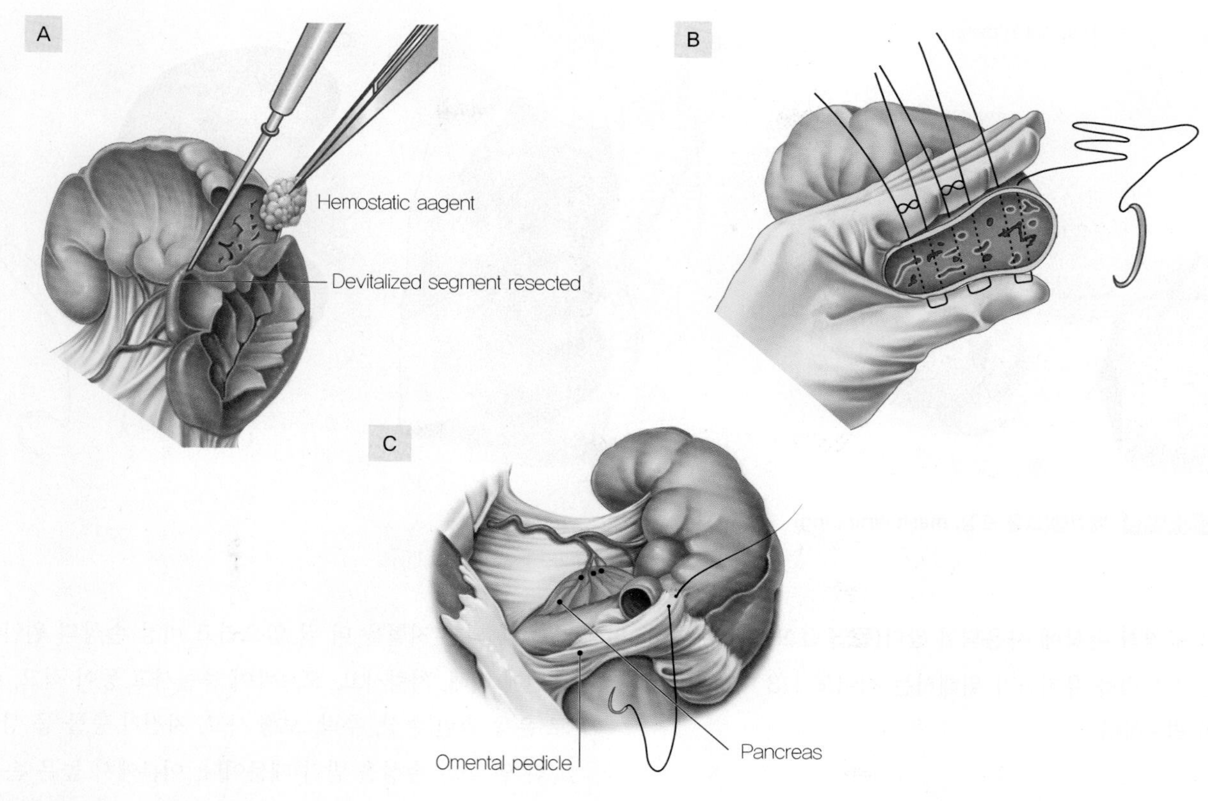

그림 3-114 **비장 부분 절제술 도식**

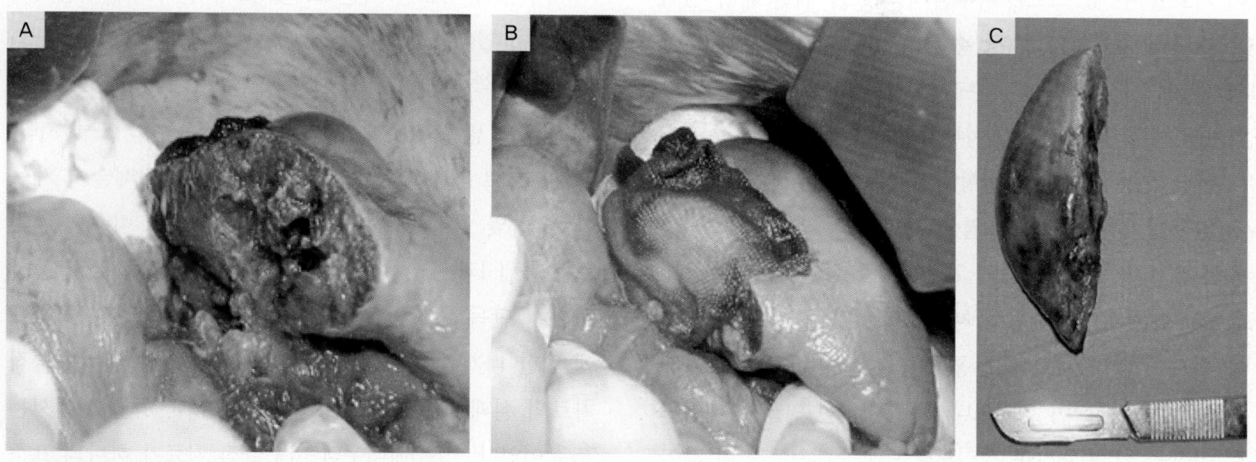

그림 3-115 **비장 부분 절제술 사진**

있다(그림 3-114, 115, 116).

과거에 비장 봉합술을 하였던 손상들(등급 I 또는 II)은 현재 비수술적 치료를 시행하고 있으며 수술을 받는 환자의 대부분은 활동성 출혈이나 비장 절제술이 필요한 큰 손상 환자이다.

괴사 조직 절제술은 비장의 상극이나 하극에 발생한

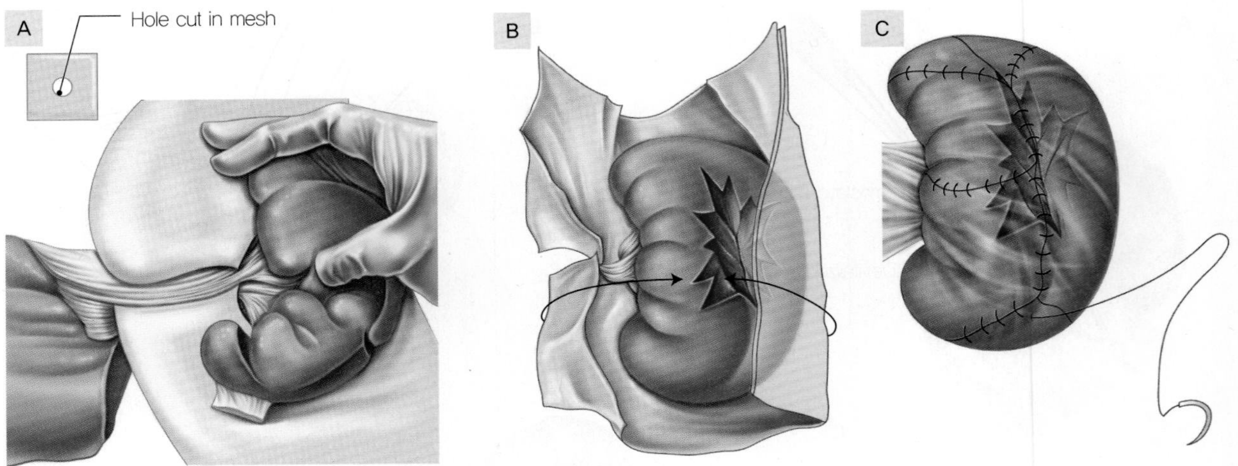

그림 3-116 **메쉬랩(그물 포장, mesh wrapping)**

큰 균열적 손상에 사용되어 왔다(등급 II 또는 IV). 한편, 면역 능력을 유지하기 위해서는 적어도 1/3 이상의 비장이 필요하다.

(5) 비수술적 치료

비장 둔상을 입은 환자를 잘 선택하면 비장 절제술 없이 치료할 수 있으므로 비수술적 치료를 위한 환자 선택은 대단히 중요하다. 비장 손상의 비수술적 치료는 소아외과에서 시작 되면서 비수술적 치료의 권고안을 체계화하기 위해 활발한 연구가 이루어져왔다.

비장 손상 상태는 나선형 CT 등으로 용이하게 진단할 수 있는데 CT 후 동맥 조영술 및 혈관의 색전술 등을 이용하여 소아 비장 손상의 70–90%, 성인 비장 손상의 40–50%를 비수술적으로 치료하고 있다. Powel 등은 소아 환자에서 이 치료의 성공률이 높은 이유로는 소아의 흉곽thoracic cage이 성인보다 더 탄력적인 연골 상태이므로 비장을 잘 보호하며 성인보다 탄력소elastin가 더 많아 수축에 의한 지혈을 더 잘 일으키고 비장 손상의 원인이 성인에 비해, 차량사고, 오토바이 충돌사고 등이 적고, 주로 운동 관련 손상, 추락, 보행 사고, 자전거 충돌 등 성인보다 덜 심한 손상을 받기 때문이다. 어른에서 높은 손상률 그리고 높은 사망률을 보이는 것은 어른에서 더 심한 비장 손상을 받는 것으로 분석된다.

비수술적 치료의 기본 요건으로서 환자의 혈역동학적 안정성이 있어야 하며 등급 I 과 II 의 대부분에서 시행되며 경험이 축적되면 등급 III 대부분의 경우 그리고 등급 IV 와 V의 많은 경우에서 가능하다고 주장하기도 하지만, 부가적으로 환자의 집중 치료 시설, 비장 절제술이 가능한 시설 및 인적 자원이 갖추어져야 하므로 비수술적 치료는 등급 I과 II (비수술적 치료의 60–70%) 그리고 등급 III에서 단독 손상의 경우 실시하는 경향이 있다. EAST 에 의한 다기관 후향적 연구에서 비장 손상의 비수술적 치료의 실패율은 등급 IV에서는 33.3%, 등급 V에서는 75% 이었다. 1990년대부터 비수술적 치료가 하나의 표준

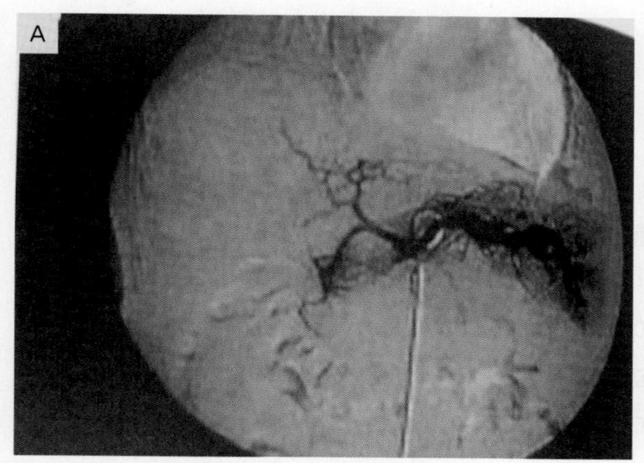

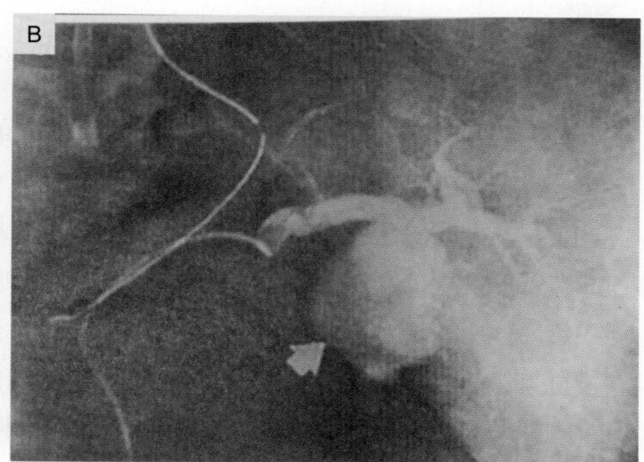

그림 3-117 A 비장 출혈 부위에 동맥색전술을 시행하는 영상. B 비장동맥의 가성 동맥류 소견(Psuedoaneurysm). 치명적 복강내 출혈의 위험 소견이다.

치료법이 되면서 Shackford와 Molin이 1866명의 비장 손상의 13%에서 비수술적 치료를 실시했음을 보고했으며 당시 다른 보고에서도 등급 I에서 III까지의 비장 손상에서 비수술적 치료율이 높았다.

비수술적 치료를 한다고 해서 중재술이나 다른 처치가 생략되는 것을 의미하는 것이 아니고 오히려 수술적 치료보다 더 노동 집약적이고 더 오랜 기간의 치료가 필요할 수 있다. 그래서 혈역동학적 안정이 필수 조건이며 혈관 내 혈액 또는 체액 보충이 필요치 않아야 한다. 혈역동학적 안정성을 보여주는 검사 소견으로는 정상 혈압, 빈맥 해소, 쇼크를 나타내는 이학적 소견 개선 및 대상성 산증 해소 등이다. 혈관 내 평형 상태가 되기 전에는 첫 혈색소 수치만 봐서는 급성 출혈을 인지할 수 없을 수 있으며 정질액 투여에 반응하여 일시적으로 혈역동학적인 안정 상태가 된 환자에서도 수술할 가능성은 항상 있다.

비수술적 치료의 실패에서 중요한 소견은 CT 상의 혈관성 홍조vascular blush로서 이것은 비장 실질 내 가성 동맥류이며 과거 "지연성 비장 파열delayed spleen rupture"의 많은 예에서 원인으로 설명될 수 있으나 모든 예에서 파열되지는 않고 30–40%는 자연적으로 혈전이 생긴다. 이런 소견은 비수술적 치료에 실패한 환자의 약 3분의 2에서 나타나기도 했으며 Davis 등은 혈관 조영술을 이용하여 가성 동맥류에 대한 색전술을 시행하여 높은 성공률을 보였다. 이와 같이 혈관 조영술은 진단 및 치료 측면에서 CT에 대해 보완적인 관계로서 비장 손상의 비수술적 치료율을 증가시켰지만 혈류 역동학적으로 안정되고 쇼크 상태가 아닌 환자에서만 시행되어야 한다(그림 3-117).

Davis 등 은 미미한 비장 손상의 예를 제외 하고 추적 관찰을 위한 CT는 손상 후 약 2–3일 내에 실시할 것을 제안하였고 객관적인 자료는 없지만 비장 손상 후 정상 활동이 가능한 시기는 등급 I, II 인 경우는 2–3주, 이 보다 심한 손상의 경우는 6–8주가 치유 기간으로 적절할 것이다.

요약

비장은 쉽게 접하는 장기가 아니거나 잘 알려져 있지 않은 장기중 하나이다. 하지만 우리 신체에서 대표적인 면역기능과 조혈기능을 동시에 수행하는 중요한 역할을 하므로 쉽게 생각해서는 안 될 것이다.

비장손상 시 과거에는 진단 및 처치의 지연으로 이환율 및 사망률이 높았으나 최근 CT 등의 진단 및 치료의 발달로 비장 손상만으로 인한 사망은 매우 낮으나 다른 장기 손상과 진단 지연의 경우에는 약 10%의 높은 사망률을 보인다. 더군다나 비장은 가장 흔히 손상 받는 장기로서 복부 둔상 환자의 약 50%에서 비장 손상이 발생한다.

한편, 비장과 관련된 질환들은 많으나 크게 양성및 악성 질환으로 나뉘게 되는데 각 질환에 있어서 임상적 특징, 임상 양상을 잘 이해하고 적절한 수술 전 검사들을 통해 올바른 치료를 해야한다. 그러기 위해서는 특히 비장 질환에 있어서 각 질환에 따른 특징적 임상양상을 알아야 하는데 이것은 문제해결의 중요한 실마리가 된다.

외과적 접근을 위하여 비장의 해부학적인 구조와 기능을 이해하는 것이 중요하다. 또한 수술 전 이미지화된 영상 검사들의 장, 단점들을 알고 적절한 검사를 시행하여 수술적 계획을 세우는 것이 중요하다. 이는 수술적 치료를 해야 할 것인지 아니면 비수술적 치료로도 되는지를 결정하는 것과 수술적 치료를 할 경우 수술 범위로 단순 봉합만 할 것인지, 부분 절제를 할 것인지 아니면 전 절제를 할 것인지를 결정하는 데 도움을 준다. 또한 수술 방법으로 개복술을 할 것인지 아니면 복강경 수술을 할 것인지를 결정하는 데에도 도움을 줄 수 있다.

외과적 비장 절제가 치료의 끝이 되는 것은 아니다. 비장의 절제로 비장 기능이 없어지게 되는데 이에 대한 수술 전 준비나 수술 후 관리가 반드시 동반되어야 한다. 비장의 가장 큰 기능인 면역기능과 조혈 기능이 없어짐으로써 생기는 비장 절제 후 감염 또는 혈소판 증가로 인한 합병증은 환자에게 치명적일 수 있다. 따라서 수술 전, 후의 감염에 대한 예방 요법이나 항응고제의 사용에 대해서 간과하여서는 안 될 것이다.

참고문헌

[I. 간의 해부와 생리]

1. 박용현, 김선회, 이건욱, 서경석. 간담췌외과학. 제2판. 의학문화사 2006.
2. 박찬일, 김호근, 이유복. 간질환의 병리. 제1판. 고려의학 1992.
3. Mulholland MW, Lillemoe KD, Doherty GM, Maier RV, Upchurch GR. Greenfield's surgry: Scientific principles and practice. 4th ed. Philadelphia: Lippincott Williams & Wilkins 2006.
4. Townsend CM, Beauchamp RD, Evers BM, Mattox KL. Sabiston textbook of surgery: The biological basis of modern surgical practice. 17th ed. International edition: Elsevier Saunders Company 2004.
5. Yokoyama Y, Nagino M, Nimura Y. Mechnism of impaired hepatic regeneration in cholestatic liver. J Hepatobiliary pancreat Surg 2007;14:159-166.

[II. 문맥고혈압]

1. D'Amico G, Pagliaro L, Bosch J. The treatment of portal hypertension: A meta-analytic view. Hepatology 22: 332-54, 199.
2. Farnsworth N, Fagan SP, Berger DH et al. CTP versus MEDL score as a predictor of outcome after elective and emergent surgery in cirrhotic patients. Am J Surg 188:580, 200.
3. Fattovich G, Giustina G, Degos F et al. morbidity and mortality in compensated cirrhosis type C: a retrospective follow up of 384 patients. Gastroenterology 112:463, 199.
4. Gines P, Quintero E, Arroyo V et al. Compensated cirrhosis: natural history and prognostic factors. Hepatology 1990; 12: 716-2.
5. Herderson JM, Warren WD, Millikan WJ et al. Surgical options, hematologic evaluation and pathologic changes in Budd-Chiari syndrome. Am J Surg 159:41, 1990.
6. Idezuki Y, Kodudo N, Bandai Y et al. Sugiura procedure for man-

agement of variceal bleeding in Japan. World J Surg 18:216-21, 1994.
7. Immamura H, Sano K, Makuuchi M et al. Assessment of hepatic reserve for indication of hepatic resection: decision tree incorporating indocyanine green tes.
8. Lane L, Cook D. Endoscopic ligation compared with sclerotherapy for treatment of esophageal variceal bleeding: a meta-analysis. Am Intern Med 123:280-7, 199.
9. Lebrec D. Portal hypertension. In Rector WG Jr, ed. Complication of chronic liver disease. St. Louis: Mosby Year Book, 24-67, 199.
10. Northup PG, Wanamaker RC, Lee VD et al. Model for end-stage liver disease(MELD) predict nontransplant surgical mortality in patient with cirrhosis. Ann Surg 242:244, 200.
11. Shah V : Cellular and molecular basis of portal hypertension. Clin Liver Disease 5:629, 200.
12. Stone MJ, Fulmer JM, Klintmalm GB: Transplantation in Budd-Chiari syndrome. In Bussutil RW, Klintmalm GB (eds) : Transplantation of the liver. Philadelphia, Saunders, 249-263, 200.
13. Valla DC: The diagnosis and management of Budd-Chiari syndrome: Consensus and controversies. Hepatology 38:793, 200.

[III. 급성 간 부전증]

1. Bernuau J, Samuel D, Durand F, et al. Criteria for emergency liver transplantation with acute viral hepatitis and factor V level 〈58% of normal : a prospective study. Hepatology 1991: 14: 49A.
2. Davies NA, Banares R. A new horizon for liver support in acute liver failure. J Hopatol 2015;63:303-305.
3. Fauci AS, Braunwald E, Kasper DL, el al. Harrison's Principles of Internal Medicine 17th ed. McGraw Hill Medical 2008.
4. Geller DA, Goss JA, Tsung A. Schwarts's Principle of Surgery. 9th ed. McGraw Hill Medical 2009.
5. Jin YJ, Lim YS, Han SB, et al. Predicting survival after living and deceased donor liver transplantation in adult patients with acute liver failure. J Gastroenterol 2015;47:1115-1124.
6. Kandiah PA, Olson JC, and Subramanian RM. Emerging strategies for the treatment of patients with acute hepatic failure. Curr Opin Crit Care 2016;22:142-151.
7. Lee SM. acute liver failure. Semin Respri Crit Care Med 2012;33;36-45.
8. Lefkowitch JH. The Pathology of acute liver failure. Adv Anat Pathol 2016;23:144-158.
9. McPhail MJW, Farne H, Senvar N, et al. Ability of King's College Criteria and Model for End-Stage Liver disease Scores to predict mortality of patients with acute liver failure: A meta-analysis. Clin Gastroenterol and Hepatol 2016;14:516-525.
10. O'Grady JG, Alexander GJ, Hayllar KM, et al. Early indicators of prognosis in fulimant hepatic failure. Gastroenterology 1989; 97: 439-445.
11. Punzalan CS, Barry CT. Acute liver failure: diagnosis and management. J Intensive Care Med 2015;5:1-12.
12. Shalimar, Acharya SK. Management in acute liver failure. J Clin and Experiment Hepatol 2015;5:S104-S115.
13. Sowa JP, Gerken G, Canbay A. Acute liver failure-It's just a matter of cell death. Dig Dis 2016;34:423-428.

[IV. 간 감염]

1. Ammori BJ, Jenkins BL, Lim PC, et al. Surgical strategy for cystic disease of the liver in western hepatobiliary center. World J Surg 2002;26:46.
2. Brunicardi FC, Andersen DK, Billiar TR, et al. Schwartz's Principles of Surgery. 8th ed.The McGraw-Hill Companies, Inc. 200.
3. Geevarghese SK, Powers T, Marsh JW, et al. Screening for cerebral aneurysm in patients with polycystic liver disease. South Med J 1999;92:116.
4. Gigot JF, Metairie S, Etienne J, et al. The surgical management of congenital liver cyst. Surg Endosc 2001;15:35.
5. Johnson LB, Kuo PC, Plotkin JS, et al. Transverse hepatectomy for symptomatic polycystic liver disease Liver 1999;19:52.
6. Katkhouda N, Hurwitz M, Gugenheim J, et al. Laparoscopic management of benign solid and cystic lesions of the liver. Ann Surg 1999;229:46.
7. Kim K, Choi J, Park Y, et al. Biliary cystadenoma of the liver. J Hepato-Biliary-Pancreatic Surg 1998;5:34.
8. Lauffer JM, Bear HU, Maurer CA, et al. Biliary cystademocarcinoma of the liver: The need for complete resection. Eur J Cancer 1998;34:184.
9. Mortele KJ, Ros PR. Cystic focal liver lesions in the adult: Differential CT and MR imaging features. Radiographics 2001;21:8.
10. Regev A, Reddy KR, Berho M, et al. Large cystic lesions of the liver in adults: A 15-year experience in a tertiary center. J Am Coll Surg 2001;193:3.

[VI. 간의 낭성 질환]

1. Ammori BJ, Jenkins BL, Lim PC, et al. Surgical strategy for cystic disease of the liver in western hepatobiliary center. World J Surg 2002;26:462-469.
2. Geevarghese SK, Powers T, Marsh JW, et al. Screening for cerebral aneurysm in patients with polycystic liver disease. South Med J 1999;92:1167-1170.
3. Gigot JF, Metairie S, Etienne J, et al. The surgical management of congenital liver cyst. Surg Endosc 2001;15:357-363.
4. Johnson LB, Kuo PC, Plotkin JS. Transverse hepatectomy for symptomatic polycystic liver disease. Liver 1999;19:526-528.
5. Katkhouda N, Hurwitz M, Gugenheim J, et al. Laparoscopic management of benign solid and cystic lesions of the liver. Ann Surg 1999;229:460-466.

6. Kim K, Choi J, Park Y, et al. Biliary cystadenoma of the liver. J Hepatobiliary Pancreat Surg 1998;5:348-352.
7. Lauffer JM, Bear HU, Maurer CA, et al. Biliary cystademocarcinoma of the liver: The need for complete resection. Eur J Cancer 1998;34:1845-1851.
8. Mortel?KJ, Ros PR. Cystic focal liver lesions in the adult: differential CT and MR imaging features. Radiographics 2001;21:895-910.
9. Mulholland MW, Lillemoe KD, Doherty GM, et al. Greenfield's surgry: Scientific principles and practice. 4th ed. Philadelphia: Lippincott Williams & Wilkins 2006.
10. Regev A, Reddy KR, Berho M, et al. Large cystic lesions of the liver in adults: a 15-year experience in a tertiary center. J Am Coll Surg 2001;193:36-45.

[VI. 간의 양성 고형종양]

1. 박용현, 김선회, 이건욱, 서경석. 간담췌외과학. 제2판. 의학문화사 2006.
2. 박찬일, 김호근, 이유복. 간질환의 병리. 제1판. 고려의학 1992.
3. Mulholland MW, Lillemoe KD, Doherty GM, Maier RV, Upchurch GR. Greenfield's surgry: Scientific principles and practice. 4th ed. Philadelphia: Lippincott Williams & Wilkins 2006.
4. Townsend CM, Beauchamp RD, Evers BM, Mattox KL. Sabiston textbook of surgery: The biological basis of modern surgical practice. 17th ed. International edition: Elsevier Saunders Company 2004.

[VII. 간세포암]

1. 대한간암연구회, 국립암센터. 2009 간세포암종 진료 가이드라인. 대한간암학회지 2009;15:391-423.
2. An M, Park JW, Shin JA, et al. The adverse effect of indirectly diagnosed portal hypertension on the complications and prognosis after hepatic resection of hepatocellular carcinoma. Korean J Hepatol 2006;12:553-561.
3. Bae JH, Hong SW, Heo TG, et al. Characteristics and prognosis after resection for ruptured hepatocellular carcinoma. Korean J Hepatobiliary Pancreat Surg 2006;10:37-41.
4. Belghiti J, Cortes A, Abdalla EK, et al. Resection prior to liver transplantation for hepatocellular carcinoma. Ann Surg 2003;238:885-892.
5. Bruix J, Sherman M. Practice Guidelines Committee, American Association for the Study of Liver Diseases. Management of hepatocellular carcinoma. Hepatology 2005;42:1208-1236.
6. Buczkowski AK, Kim PT, Ho SG, et al. Multidisciplinary management of ruptured hepatocellular carcinoma. J Gastrointest Surg 2006;10:379-386.
7. Bush DA, Hillebrand DJ, Slater JM, et al. High-dose proton beam radiotherapy of hepatocellular carcinoma: preliminary results of a phase II trial. Gastroenterology 2004;127 (Suppl 1):S189-193.
8. Capussotti L, Muratore A, Massucco P, et al. Major liver resections for hepatocellular carcinoma on cirrhosis: early and long-term outcomes. Liver Transpl 2004;10(Suppl 1):S64-S68.
9. Chapman WC, Majella Doyle MB, et al. Outcomes of neoadjuvant transarterial chemoembolization to downstage hepatocellular carcinoma before liver transplantation. Ann Surg 2008;248:617-625.
10. Chen HY, Juan CC, Ker CG. Laparoscopic liver surgery for patients with hepatocellular carcinoma. Ann Surg Oncol 2008;15:800-806.
11. Cheng AL, Kang YK, Chen Z, et al. Efficacy and safety of sorafenib in patients in the Asia-Pacific region with advanced hepatocellular carcinoma: a phase III randomised, double-blind, placebocontrolled trial. Lancet Oncol 2009;10:25-34.
12. Cho YK, Kim JK, Kim MY, et al. Systematic review of randomized trials for hepatocellular carcinoma treated with percutaneous ablation therapies. Hepatology 2009;49:453-459.
13. Choi HJ, Cho BC, Sohn JH, et al. Brain metastases from hepatocellular carcinoma: prognostic factors and outcome: brain metastasis from HCC. J Neurooncol 2009;91:307-313.
14. CLIP Group (Cancer of the Liver Italian Programme). Tamoxifen in treatment of hepatocellular carcinoma: a randomised controlled trial. Lancet 1998;352:17-20.
15. Colli A, Fraquelli M, Casazza G, et al. Accuracy of ultrasonography, spiral CT, magnetic resonance, and alpha-fetoprotein in diagnosing hepatocellular carcinoma: a systematic review. Am J Gastroenterol 2006;101:513-523.
16. Di Maio M, De Maio E, Perrone F, et al. Hepatocellular carcinoma: systemic treatments. J Clin Gastroenterol 2002;35(Suppl 2):S109-114.
17. Eguchi S, Kanematsu T, Arii S, et al. Comparison of the outcomes between an anatomical subsegmentectomy and a non-anatomical minor hepatectomy for single hepatocellular carcinomas based on a Japanese nationwide survey. Surgery 2008;143:469-475.
18. Ellsmere J, Kane R, Grinbaum R, et al. Intraoperative ultrasonography during planned liver resections: why are we still performing it? Surg Endosc 2007;21:1280-1283.
19. Ghobrial RM, Freise CE, Trotter JF, et al. Donor morbidity after living donation for liver transplantation. Gastroenterology 2008;135:468-476.
20. Gondolesi GE, Roayaie S, Munoz L, et al. Adult living donor liver transplantation for patients with hepatocellular carcinoma: extending UNOS priority criteria. Ann Surg 2004;239:142-149.
21. Hanazaki K, Kajikawa S, Shimozawa N, et al. Perioperative blood transfusion and survival following curative hepatic resection for hepatocellular carcinoma. Hepatogastroenterology 2005;52:524-529.

22. Huang JF, Wang LY, Lin ZY, et al. Incidence and clinical outcome of icteric type hepatocellular carcinoma. J Gastroenterol Hepatol 2002;17:190-195.
23. Hwang S, Lee SG, Joh JW, et al. Liver transplantation for adult patients with hepatocellular carcinoma in Korea: comparison between cadaveric donor and living donor liver transplantations. Liver Transpl 2005;11:1265-1272.
24. Hwang S, Lee SG, Jung DH, et al. Simulation of deceased-donor liver graft allocation as UNOS status I or IIa on the current Korean setting for patients with hepatitis B virus-induced fulminant hepatic failure. Korean J Hepatobiliary Pancreat Surg 2009;13:31-36.
25. Hwang S, Lee SG, Lee YJ, et al. Lessons learned from 1,000 living donor liver transplantations in a single center: how to make living donations safe. Liver Transpl 2006;12:920-927.
26. Hwang S, Lee SG, Lee YJ, et al. Significance of preoperative portal vein emblization of cirrhotic liver for major hepatectomy. J Korean Surg Soc 1997;53:560-570.
27. Hwang S, Lee SG, Moon DB, et al. Salvage living donor liver transplantation after prior liver resection for hepatocellular carcinoma. Liver Transpl 2007;13:741-746.
28. Jain D. Diagnosis of hepatocellular carcinoma: fine needle aspiration cytology or needle core biopsy. J Clin Gastroenterol 2002;35(Suppl 2):S101-S108.
29. Kaizu T, Karasawa K, Tanaka Y, et al. Radiotherapy for osseous metastases from hepatocellular carcinoma: a retrospective study of 57 patients. Am J Gastroenterol 1998;93:2167-2171.
30. Kaneko H, Takagi S, Otsuka Y, et al. Laparoscopic liver resection of hepatocellular carcinoma. Am J Surg 2005;189:190-194.
31. Kim DY, Park W, Lim DH, et al. Three-dimensional conformal radiotherapy for portal vein thrombosis of hepatocellular carcinoma. Cancer 2005;103:2419-2426.
32. Kim IS, Lim YS, Yoon HK, et al. The effect of preoperative transarterial chemoembolization on the patient's outcome in resectable hepatocellular carcinoma. Korean J Med 2005;69:614-621.
33. Kim JH, Choi DW, Kim SB. Saftey and long-term outcome following major hepatectomy for hepatocellular carcinoma combined with compensated liver cirrhosis. J Korean Surg Soc 2006;70:444-450.
34. Kim KA, Lee JS, Jung ES, et al. Usefulness of serum alpha-fetoprotein (AFP) as a marker for hepatocellular carcinoma (HCC) in hepatitis C virus related cirrhosis: analysis of the factors influencing AFP elevation without HCC development. Korean J Gastroenterol 2006;48:321-326.
35. Kim KH, Kim HS, Lee YJ, et al. Clinical analysis of right anterior segmentectomy for hepatic malignancy. Hepatogastroenterology 2006;53:836-839.
36. Kim MJ, Bae KW, Seo PJ, et al. Optimal cut-off value of PIVKA-II for diagnosis of hepatocellular carcinoma: using ROC curve. Korean J Hepatol 2006;12:404-411.
37. Krinsky GA, Lee VS, Theise ND, et al. Transplantation for hepatocellular carcinoma and cirrhosis: sensitivity of magnetic resonance imaging. Liver Transpl 2002;8:1156-1164.
38. Kudo M, Okanoue T. Japan Society of Hepatology. Management of hepatocellular carcinoma in Japan: consensus-based clinical practice manual proposed by the Japan Society of Hepatology. Oncology 2007;72(Suppl 1):2-15.
39. Kuo SW, Chang YL, Huang PM, et al. Prognostic factors for pulmonary metastasectomy in hepatocellular carcinoma. Ann Surg Oncol 2007;14:992-997.
40. Lang H, Sotiropoulos GC, Domland M, et al. Liver resection for hepatocellular carcinoma in non-cirrhotic liver without underlying viral hepatitis. Br J Surg 2005;92:198-202.
41. Lee SG, Hwang S, Jung JP, et al. Outcome of patients with huge hepatocellular carcinoma after primary resection and treatment of recurrent lesions. Br J Surg. 2007;94:320-326.
42. Lee SG, Hwang S, Kim KH, et al. Toward 300 liver transplants a year. Surg Today 2009;39(5):367-373.
43. Lee SG, Hwang S, Moon DB, et al. Expanded indication criteria of living donor liver transplantation for hepatocellular carcinoma at one large-volume center. Liver Transpl 2008;14:935-945.
44. Lee SG, Hwang S. How I do it: assessment of hepatic functional reserve for indication of hepatic resection. J Hepatobiliary Pancreat Surg 2005;12:38-43.
45. Lencioni RA, Allgaier HP, Cioni D, et al. Small hepatocellular carcinoma in cirrhosis: randomized comparison of radiofrequency thermal ablation versus percutaneous ethanol injection. Radiology 2003;228:235-240.
46. Leung TW, Tang AM, Zee B, et al. patients with unresectable hepatocellular carcinoma treated by combination cisplatin, interferon-alpha, doxorubicin and 5-fluorouracil chemotherapy. Cancer 2002;94:421-427.
47. Livraghi T, Meloni F, Di Stasi M, et al. Sustained complete response and complications rates after radiofrequency ablation of very early hepatocellular carcinoma in cirrhosis: is resection still the treatment of choice? Hepatology 2008;47:82-89.
48. Llovet JM, Bruix J. Novel advancements in the management of hepatocellular carcinoma in 2008. J Hepatol 2008;48(Suppl 1):S20-S37.
49. Llovet JM, Bruix J. Systematic review of randomized trials for unresectable hepatocellular carcinoma: Chemoembolization improves survival. Hepatology 2003;37:429-442.
50. Llovet JM, Fuster J, Bruix J. Intention-to-treat analysis of surgical treatment for early hepatocellular carcinoma: resection versus transplantation. Hepatology 1999;30:1434-1440.
51. Llovet JM, Ricci S, Mazzaferro V, et al. Sorafenib in advanced he-

patocellular carcinoma. N Engl J Med 2008;359:378-390.

52. Llovet JM, Sala M, Castells L, et al. Randomized controlled trial of interferon treatment for advanced hepatocellular carcinoma. Hepatology 2000;31:54-58.

53. Maddala YK, Stadheim L, Andrews JC, et al. Drop-out rates of patients with hepatocellular cancer listed for liver transplantation: outcome with chemoembolization. Liver Transpl 2004;10:449-455.

54. Makuuchi M, Kokudo N, Arii S, et al. Development of evidence-based clinical guidelines for the diagnosis and treatment of hepatocellular carcinoma in Japan. Hepatol Res 2008;38:37-51.

55. Makuuchi M, Sano K. The surgical approach to HCC: our progress and results in Japan. Liver Transpl 2004;10(Suppl 1):S46-S52.

56. Matsui O. Detection and characterization of hepatocellular carcinoma by imaging. Clin Gastroenterol Hepatol 2005;3 (Suppl 2):S136-S140.

57. Mazzaferro V, Battiston C, Perrone S, et al. Radiofrequency ablation of small hepatocellular carcinoma in cirrhotic patients awaiting liver transplantation: a prospective study. Ann Surg 2004;240:900-909.

58. Mazzaferro V, Llovet JM, Miceli R, et al. Predicting survival after liver transplantation in patients with hepatocellular carcinoma beyond the Milan criteria: a retrospective, exploratory analysis. Lancet Oncol 2009;10:35-43.

59. Mazzaferro V, Regalia E, Doci R, et al. Liver transplantation for the treatment of small hepatocellular carcinomas in patients with cirrhosis. N Engl J Med 1996;334:693-699.

60. Minagawa M, Makuuchi M, Takayama T, et al. Selection criteria for repeat hepatectomy in patients with recurrent hepatocellular carcinoma. Ann Surg 2003;238:703-710.

61. Ministry for Health, Welfare and Family Affairs, National Cancer Center. Annual report of cancer incidence (2005) and survival (1993-2005) in Korea. 2008.

62. Nakamura S, Nouso K, Sakaguchi K, et al. Sensitivity and specificity of desgamma-carboxy prothrombin for diagnosis of patients with hepatocellular carcinomas varies according to tumor size. Am J Gastroenterol 2006;101:2038-2043.

63. Ng KK, Vanthey JN, Pawlik TM, et al. Is hepatic resection for large or multinodular hepatocelluar carcinoma justified? Results from a multi-institutional database. Ann Surg Oncol 2005;12:364-373.

64. Okada S, Shimada K, Yamamoto J, et al. Predictive factors for postoperative recurrence of hepatocellular carcinoma. Gastroenterology 1994;106:1618-1624.

65. Park JW, An M, Choi JI, et al. Accuracy of clinical criteria for the diagnosis of hepatocellular carcinoma without biopsy in a Hepatitis B virus endemic area. J Cancer Res Clin Oncol 2007;133:937-943.

66. Park JW. Practice guideline for diagnosis and treatment of hepatocellular carcinoma. Korean J Hepatol 2004;10:88-98.

67. Park YJ, Lim do H, Paik SW, et al. Radiation therapy for abdominal lymph node metastasis from hepatocellular carcinoma. J Gastroenterol 2006;41:1099-1106.

68. Parkin DM, Bray F, Ferlay J, et al. Global cancer statistics, 2002. CA Cancer J Clin 2005;55:74-108.

69. Pawlik TM, Poon RT, Abdalla EK, et al. Hepatectomy for hepatocellular carcinoma with major portal or hepatic vein invasion: results of a multicenter study. Surgery 2005;137:403-410.

70. Poon RT, Fan ST, Lo CM, et al. Improving survival results after resection of hepatocellular carcinoma: a prospective study of 377 patients over 10 years. Ann Surg 2001;234:63-70.

71. Poon RT, Fan ST, Lo CM, et al. Intrahepatic recurrence after curative resection of hepatocellular carcinoma: long-term results of treatment and prognostic factors. Ann Surg 1999;229:216-222.

72. Poon RT, Fan ST, Lo CM, et al. Long-term survival and pattern of recurrence after resection of small hepatocellular carcinoma in patients with preserved liver function: implications for a strategy of salvage transplantation. Ann Surg 2002;235:373-382.

73. Poon RT, Tso WK, Pang RW, et al. A phase I/II trial of chemoembolization for hepatocellular carcinoma using a novel intra-arterial drugeluting bead. Clin Gastroenterol Hepatol 2007;5:1100-1108.

74. Rhim H, Yoon KH, Lee JM, et al. Major complications after radiofrequency thermal ablation of hepatic tumors: spectrum of imaging findings. Radiographics 2003;23:123-134.

75. Sala M, Llovet JM, Vilana R, et al. Initial response to percutaneous ablation predicts survival in patients with hepatocellular carcinoma. Hepatology 2004;40:1352-1360.

76. Seong J, Koom WS, Park HC. Radiotherapy for painful bone metastases from hepatocellular carcinoma. Liver Int 2005;25:261-265.

77. Seong J, Park HC, Han KH, et al. Clinical results and prognostic factors in radiotherapy for unresectable hepatocellular carcinoma: a retrospective study of 158 patients. Int J Radiat Oncol Biol Phys 2003;55:329-336.

78. Shah SA, Cleary SP, Wei AC, et al. Recurrence after liver resection for hepatocellular carcinoma: risk factors, treatment, and outcomes. Surgery 2007;141:330-339.

79. Shah SA, Wei AC, Cleary SP, et al. Prognosis and results after resection of very large(〉=10cm) hepatocelluar carcinoma. J Gastrointest Surg 2007;11:589-595.

80. Shi M, Zhang CQ, Zhang YQ, et al. Micrometastases of solitary hepatocellular carcinoma and appropriate resection margin. World J Surg 2004;28:376-381.

81. Shiina S, Teratani T, Obi S, et al. A randomized controlled trial of radiofrequency ablation with ethanol injection for small hepatocellular carcinoma. Gastroenterology 2005;129:122-130.

82. Shim JH, Park JW, Choi JI, et al. Practical efficacy of sorafenib

monotherapy for advanced hepatocellular carcinoma patients in a Hepatitis B virus-endemic area. J Cancer Res Clin Oncol 2009;135:617-625.

83. Tanaka H, Hirohashi K, Kubo S, et al. Preoperative portal vein embolization improves prognosis after right hepatectomy for hepatocellular carcinoma in patients with impaired hepatic function. Br J Surg 2000;87:879-882.
84. Todo S, Furukawa H, Tada M. Japanese Liver Transplantation Study Group. Extending indication: role of living donor liver transplantation for hepatocellular carcinoma. Liver Transpl 2007;13(Suppl 2):S48-S54.
85. Todo S, Furukawa H. Japanese Study Group on Organ Transplantation. Living donor liver transplantation for adult patients with hepatocellular carcinoma: experience in Japan. Ann Surg 2004;240:451-459.
86. Tralhao JG, Kayal S, Dagher I, et al. Resection of hepatocellular carcinoma: the effect of surgical margin and blood transfusion on long-term survival. Analysis of 209 consecutive patients. Hepatogastroenterology 2007;54:1200-1206.
87. Trevisani F, D'Intino PE, Morselli-Labate AM, et al. Serum alpha-fetoprotein for diagnosis of hepatocellular carcinoma in patients with chronic liver disease: influence of HBsAg and anti-HCV status. J Hepatol 2001;34:570-575.
88. Tsujita E, Taketomi A, Kitagawa D, et al. Selective hepatic vascular exclusion for the hepatic resection of HCC. Hepatogastroenterology 2007;54:527-530.
89. Ueno S, Tanabe G, Nuruki K, et al. Prognostic performance of the new classification of primary liver cancer of Japan (4th edition) for patients with hepatocellular carcinoma: a validation analysis. Hepatol Res 2002;24:395-403.
90. Vibert E, Perniceni T, Levard H, et al. Laparoscopic liver resection. Br J Surg 2006;93:67-72.
91. Volk M, Marrero JA. Liver transplantation for hepatocellular carcinoma: who benefits and who is harmed? Gastroenterology 2008;134:1612-1614.
92. Wu CC, Ho YZ, Ho WL, et al. Preoperative transcatheter arterial chemoembolization for resectable large hepatocellular carcinoma: a reappraisal. Br J Surg 1995;82:122-126.
93. Yao FY, Bass NM, Nikolai B, et al. Liver transplantation for hepatocellular carcinoma: analysis of survival according to the intention-to-treat principle and dropout from the waiting list. Liver Transpl 2002;8:873-883.
94. Yao FY, Ferrell L, Bass NM, et al. Liver transplantation for hepatocellular carcinoma: expansion of the tumor size limits does not adversely impact survival. Hepatology 2001;33:1394-1403.
95. Yao FY, Kerlan RK Jr, Hirose R, et al. Excellent outcome following downstaging of hepatocellular carcinoma prior to liver transplantation: an intention-to-treat analysis. Hepatology 2008;48:819-827.
96. You CR, Jang JW, Kang SH, et al. Efficacy of transarterial chemolipiodolization with or without 3-dimensional conformal radiotherapy for huge HCC with portal vein tumor thrombosis. Korean J Hepatol 2007;13:378-386.
97. Zacherl J, Pokieser P, Wrba F, et al. Accuracy of multiphasic helical computed tomography and intraoperative sonography in patients undergoing orthotopic liver transplantation for hepatoma: what is the truth? Ann Surg 2002;235:528-532.
98. Zeng ZC, Fan J, Tang ZY, et al. A comparison of treatment combinations with and without radiotherapy for hepatocellular carcinoma with portal vein and/or inferior vena cava tumor thrombus. Int J Radiat Oncol Biol Phys 2005;61:432-443.
99. Zhang K, Kokudo N, Hasegawa K, et al. Detection of new tumors by intraoperative ultrasonography during repeated hepatic resections for hepatocellular carcinoma. Arch Surg 2007;142:1170-1175.

[VIII. 간내담관암]

1. 송기원, 이승규, 이영주 등. 단일센터에서 진단된 간내담관암 318예의 생존률 및 생존률에 영향을 미치는 인자들에 대한 분석. 대한간학회지 2007;13:208-221.
2. 장성환, 서경석, 노혜린 등. 육안적 소견에 따른 간내담관암의 임상적 특징. 대한외과학회지 2001;60:324-330.
3. 최상석, 남창우, 이영주 등. 말초형 간내담관암의 임상적 고찰. 대한외과학회지 1998;55:110-119.
4. Berdah SV, Delepero JR, Garcia S, et al. A western surgical experience of peripheral cholangiocarcinoma. Br J Surg 1996;83:1717-1721.
5. Casavilla FA, Marsh JW, Iwatsuki S, et al. Hepatic resection and transplantation for peripheral cholangiocarcinoma. J Am Coll Surg 1997;185:429-436.
6. Cherqui D, Tancawi B, Alon R, et al. Intrahepatic cholangiocarcinoma. Arch Surg 1995;150:1073-1078.
7. Choi BI, Htn YM, Baek SY, et al. Peripheral cholangiocarcinoma: comparison of MRI with CT. Abdom Imagine1995;20:357-360.
8. Chu KM, Lai ECS, Al.-Hadeedi, S, et al. Intrahepatic cholangiocarcinoma. World J Surg 1997;21:301-306.
9. DeOliveira ML, Cunningham SC, Cameron JL, et al. Cholangiocarcinoma: thirty-one-year experience with 564 patients at a single institution. Ann Surg 2007;245:755-762.
10. Endo I, Gonen M, Yopp AC, et al. Intrahepatic cholangiocarcinoma: rising frequency, improved survival, and determinants of outcome after resection. Ann Surg 2008;248:84-96.
11. Guglielmi A, Ruzzenente A, Campagnaro T, et al. Does intrahepatic cholangiocarcinoma have better prognosis compared to perihilar cholangiocarcinoma? J Surg Oncol 2010;101:111-115.
12. Harrison LE, Fong Y, Klimstra DS, et al. Surgical treatment of 32 patients with peripheral intrahepatic cholangiocarcinoma. Br J

Surg 1998;85:1068-1070.

13. Hur H, Park IY, Sung GY, et al. Intrahepatic cholangiocarcinoma associated with intrahepatic duct stones. Asian J Surg 2009;32:7-12.
14. Isaji S, Kawarada Y, Taoka H, et al. Clinicopathological features and outcome of hepatic resection for intrahepatic cholangiocarcinoma in Japan. J Hepatobiliary Pancreat Surg 1999;6:108-116.
15. Kim HJ, Yun SS, Jung KH, et al. Interahepatic cholangiocarcmoma in Korea. J Hepatobiliary Pancreat Surg 1999;6:142-148.
16. Lee WJ, Park JW. Review: Analysis of survival rate and prognostic factors of intrahepatic cholangiocarcinoma: 318 cases in single institute. Korean J Hepatol 2007;13:125-128.
17. Madariaga JR, Iwatsuki S, Todo S, et al. Liver resection for hilar and peripheral cholangiocarcinomas: a study of 62 cases. Ann Surg 1998;227:70-79.
18. Nakagohri T, Kinoshita T, Konishi M, et al. Surgical outcome and prognostic factors in intrahepatic cholangiocarcinoma. World J Surg 2008;32:2675-2680.
19. Ohtsuka M, Ito H, Kimura F, et al. Results of surgical treatment for intrahepatic cholangiocarcinoma and clinicopathological factors influencing survival. Br J Surg 2002;89:1525-1531.
20. Ohtsuka M, Kimura F, Shimizu H, et al. Significance of repeated resection for recurrent intrahepatic cholangiocarcinoma. Hepatogastroenterology 2009;56:1-5.
21. Petrowsky H, Hong JC. Current surgical management of hilar and intrahepatic cholangiocarcinoma: the role of resection and orthotopic liver transplantation. Transplant Proc 2009;41:4023-4035.
22. Robles R, Figueras JVS, Turrion C, et al. Liver Transplantation for peripheral cholangiocarcinoma: Spanish experience. Transplant Proc 2003;53:1823-1824.
23. Sasaki A, Aramaki M, Kawano K, et al. Intrahepatic peripheral cholangiocarcinoma: mode of spread and choice of surgical treatment. Br J Surg 1998;85:1206-1209.
24. Su CH, Shyr YM, Lai WY, et al. Hepatolithiasis associated with cholangiocarcinoma. Br J Surg 1997;84: 969-973.
25. Suh KS, Roh HR, Koh YT, et al. Clinicopathologic features of the intraductal growth type of peripheral cholangiocarcinoma. Hepatology 2003;1:12-17.
26. Tamandl D, Herberger B, Gruenberger B, et al. Influence of hepatic resection margin on recurrence and survival in intrahepatic cholangiocarcinoma. Ann Surg Oncol 2008;15:2787-2794.
27. Tamandl D, Kaczirek K, Gruenberger B, et al. Lymph node ratio after curative surgery for intrahepatic cholangiocarcinoma. Br J Surg 2009;96:919-925.
28. Valverde A, Bonhomme N, Farges O, et al. Reseccion of intrahepatic cholangiocarcinoma: a Western experience. J Hepatobiliary Pancreat Surg 1999;6:122-127.
29. Yamamoto M, Takasaki K, Otsubo T, et al. Recurrence after surgical resection of intrahepatic cholangiocarcmoma. J Hepatobiliary Pancreat Surg 2001;8:154-157.
30. Zhou XD, Tang ZY, Fan J, et al. Intrahepatic cholangiocarcinoma: report of 272 patients compared with 5,829 patients with hepatocellular carcinoma. J Cancer Res Clin Oncol 2009;135:1073-1080.

[IX. 전이성 간암]

1. Adam R, Pascal G, Azoulay D, Tanaka K, Castaing D, Bismuth H. Liver resection for colorectal metastases: the third hepatectomy. Ann Surg. 2003;238(6):871-83; discussion 83-4.
2. Altendorf-Hofmann A, Scheele J. A critical review of the major indicators of prognosis after resection of hepatic metastases from colorectal carcinoma. Surg Oncol Clin N Am. 2003;12(1):165-92, xi.
3. Alves A, Adam R, Majno P, Delvart V, Azoulay D, Castaing D, et al. Hepatic resection for metastatic renal tumors: is it worthwhile? Ann Surg Oncol. 2003;10(6):705-10.
4. Brudvik KW, Kopetz SE, Li L, Conrad C, Aloia TA, Vauthey JN. Meta-analysis of KRAS mutations and survival after resection of colorectal liver metastases. Br J Surg. 2015;102(10):1175-83.
5. Castaing D, Vibert E, Ricca L, Azoulay D, Adam R, Gayet B. Oncologic results of laparoscopic versus open hepatectomy for colorectal liver metastases in two specialized centers. Ann Surg. 2009;250(5):849-55.
6. Clavien PA, Barkun J. Consensus conference on laparoscopic liver resection: a jury-based evaluation. Ann Surg. 2015;261(4):630-1.
7. Cleary SP, Han HS, Yamamoto M, Wakabayashi G, Asbun HJ. The comparative costs of laparoscopic and open liver resection: a report for the 2nd International Consensus Conference on Laparoscopic Liver Resection. Surg Endosc. 2016.
8. Curley SA. Outcomes after surgical treatment of colorectal cancer liver metastases. Semin Oncol. 2005;32(6 Suppl 9):S109-11.
9. Donadon M, Costa G, Torzilli G. State of the art of intraoperative ultrasound in liver surgery: current use for staging and resection guidance. Ultraschall Med. 2014;35(6):500-11; quiz 12-3.
10. Dueland S, Guren TK, Hagness M, Glimelius B, Line PD, Pfeiffer P, et al. Chemotherapy or liver transplantation for nonresectable liver metastases from colorectal cancer? Ann Surg. 2015;261(5):956-60.
11. Dueland S, Hagness M, Line PD, Guren TK, Tveit KM, Foss A. Is Liver Transplantation an Option in Colorectal Cancer Patients with Nonresectable Liver Metastases and Progression on All Lines of Standard Chemotherapy? Ann Surg Oncol. 2015;22(7):2195-200.
12. Duffy MJ, van Dalen A, Haglund C, Hansson L, Holinski-Feder E, Klapdor R, et al. Tumour markers in colorectal cancer: European Group on Tumour Markers (EGTM) guidelines for clinical use. Eur J Cancer. 2007;43(9):1348-60.
13. Duffy MJ. Serum tumor markers in breast cancer: are they of

clinical value? Clin Chem. 2006;52(3):345-51.

14. Fenwick SW, Wyatt JI, Toogood GJ, Lodge JP. Hepatic resection and transplantation for primary carcinoid tumors of the liver. Ann Surg. 2004;239(2):210-9.
15. Fernandez FG, Ritter J, Goodwin JW, Linehan DC, Hawkins WG, Strasberg SM. Effect of steatohepatitis associated with irinotecan or oxaliplatin pretreatment on resectability of hepatic colorectal metastases. J Am Coll Surg. 2005;200(6):845-53.
16. Fichtl J, Treska V, Lysak D, Mirka H, Duras P, Karlikova M, et al. Predictive Value of Growth Factors and Interleukins for Future Liver Remnant Volume and Colorectal Liver Metastasis Volume Growth Following Portal Vein Embolization and Autologous Stem Cell Application. Anticancer Res. 2016;36(4):1901-7.
17. Fong Y, Bentrem DJ. CASH (Chemotherapy-Associated Steatohepatitis) costs. Ann Surg. 2006;243(1):8-9.
18. Giglio MC, Giakoustidis A, Draz A, Jawad ZA, Pai M, Habib NA, et al. Oncological Outcomes of Major Liver Resection Following Portal Vein Embolization: A Systematic Review and Meta-analysis. Ann Surg Oncol. 2016;23(11):3709-17.
19. Hasegawa Y, Nitta H, Sasaki A, Takahara T, Itabashi H, Katagiri H, et al. Long-term outcomes of laparoscopic versus open liver resection for liver metastases from colorectal cancer: A comparative analysis of 168 consecutive cases at a single center. Surgery. 2015;157(6):1065-72.
20. Honore C, Detry O, De Roover A, Meurisse M, Honore P. Liver transplantation for metastatic colon adenocarcinoma: report of a case with 10 years of follow-up without recurrence. Transpl Int. 2003;16(9):692-3.
21. Hoti E, Adam R. Liver transplantation for primary and metastatic liver cancers. Transpl Int. 2008;21(12):1107-17.
22. Jaeck D, Nakano H, Bachellier P, Inoue K, Weber JC, Oussoultzoglou E, et al. Significance of hepatic pedicle lymph node involvement in patients with colorectal liver metastases: a prospective study. Ann Surg Oncol. 2002;9(5):430-8.
23. Joyce DL, Wahl RL, Patel PV, Schulick RD, Gearhart SL, Choti MA. Preoperative positron emission tomography to evaluate potentially resectable hepatic colorectal metastases. Arch Surg. 2006;141(12):1220-6; discussion 7.
24. Kassahun WT. Controversies in defining prognostic relevant selection criteria that determine long-term effectiveness of liver resection for noncolorectal nonneuroendocrine liver metastasis. Int J Surg. 2015;24(Pt A):85-90.
25. Kassahun WT. Unresolved issues and controversies surrounding the management of colorectal cancer liver metastasis. World J Surg Oncol. 2015;13:61.
26. Kelly ME, Spolverato G, Le GN, Mavros MN, Doyle F, Pawlik TM, et al. Synchronous colorectal liver metastasis: a network meta-analysis review comparing classical, combined, and liver-first surgical strategies. J Surg Oncol. 2015;111(3):341-51.
27. Lee DH, Lee JM, Hur BY, Joo I, Yi NJ, Suh KS, et al. Colorectal Cancer Liver Metastases: Diagnostic Performance and Prognostic Value of PET/MR Imaging. Radiology. 2016;280(3):782-92.
28. Lee SJ, Seo HJ, Kang KW, Jeong SY, Yi NJ, Lee JM, et al. Clinical Performance of Whole-Body 18F-FDG PET/Dixon-VIBE, T1-Weighted, and T2-Weighted MRI Protocol in Colorectal Cancer. Clin Nucl Med. 2015;40(8):e392-8.
29. Line PD, Hagness M, Berstad AE, Foss A, Dueland S. A Novel Concept for Partial Liver Transplantation in Nonresectable Colorectal Liver Metastases: The RAPID Concept. Ann Surg. 2015;262(1):e5-9.
30. Liu W, Sun Y, Zhang L, Xing BC. Negative surgical margin improved long-term survival of colorectal cancer liver metastases after hepatic resection: a systematic review and meta-analysis. Int J Colorectal Dis. 2015;30(10):1365-73.
31. Lochan R, White SA, Manas DM. Liver resection for colorectal liver metastasis. Surg Oncol. 2007;16(1):33-45.
32. Maksan SM, Lehnert T, Bastert G, Herfarth C. Curative liver resection for metastatic breast cancer. Eur J Surg Oncol. 2000;26(3):209-12.
33. Nassour I, Polanco PM. Minimally Invasive Liver Surgery for Hepatic Colorectal Metastases. Curr Colorectal Cancer Rep. 2016;12(2):103-12.
34. Nguyen KT, Gamblin TC, Geller DA. World review of laparoscopic liver resection-2,804 patients. Ann Surg. 2009;250(5):831-41.
35. Nguyen KT, Geller DA. Is laparoscopic liver resection safe and comparable to open liver resection for hepatocellular carcinoma? Ann Surg Oncol. 2009;16(7):1765-7.
36. Okano K, Maeba T, Ishimura K, Karasawa Y, Goda F, Wakabayashi H, et al. Hepatic resection for metastatic tumors from gastric cancer. Ann Surg. 2002;235(1):86-91.
37. Olausson M, Friman S, Herlenius G, Cahlin C, Nilsson O, Jansson S, et al. Orthotopic liver or multivisceral transplantation as treatment of metastatic neuroendocrine tumors. Liver Transpl. 2007;13(3):327-33.
38. Park MS, Yi NJ, Son SY, You T, Suh SW, Choi YR, et al. Histopathologic factors affecting tumor recurrence after hepatic resection in colorectal liver metastases. Ann Surg Treat Res. 2014;87(1):14-21.
39. Pawlik TM, Choti MA. Surgical therapy for colorectal metastases to the liver. J Gastrointest Surg. 2007;11(8):1057-77.
40. Pawlik TM, Gleisner AL, Bauer TW, Adams RB, Reddy SK, Clary BM, et al. Liver-directed surgery for metastatic squamous cell carcinoma to the liver: results of a multi-center analysis. Ann Surg Oncol. 2007;14(10):2807-16.
41. Pawlik TM, Scoggins CR, Zorzi D, Abdalla EK, Andres A, Eng C,

et al. Effect of surgical margin status on survival and site of recurrence after hepatic resection for colorectal metastases. Ann Surg. 2005;241(5):715-22, discussion 22-4.

42. Petrowsky H, Gonen M, Jarnagin W, Lorenz M, DeMatteo R, Heinrich S, et al. Second liver resections are safe and effective treatment for recurrent hepatic metastases from colorectal cancer: a bi-institutional analysis. Ann Surg. 2002;235(6):863-71.
43. Reddy SK, Pawlik TM, Zorzi D, Gleisner AL, Ribero D, Assumpcao L, et al. Simultaneous resections of colorectal cancer and synchronous liver metastases: a multi-institutional analysis. Ann Surg Oncol. 2007;14(12):3481-91.
44. Roh HR, Suh KS, Lee HJ, Yang HK, Choe KJ, Lee KU. Outcome of hepatic resection for metastatic gastric cancer. Am Surg. 2005;71(2):95-9.
45. Rubbia-Brandt L, Audard V, Sartoretti P, Roth AD, Brezault C, Le Charpentier M, et al. Severe hepatic sinusoidal obstruction associated with oxaliplatin-based chemotherapy in patients with metastatic colorectal cancer. Ann Oncol. 2004;15(3):460-6.
46. Sakamoto Y, Yamamoto J, Yoshimoto M, Kasumi F, Kosuge T, Kokudo N, et al. Hepatic resection for metastatic breast cancer: prognostic analysis of 34 patients. World J Surg. 2005;29(4):524-7.
47. Schadde E, Schnitzbauer AA, Tschuor C, Raptis DA, Bechstein WO, Clavien PA. Systematic review and meta-analysis of feasibility, safety, and efficacy of a novel procedure: associating liver partition and portal vein ligation for staged hepatectomy. Ann Surg Oncol. 2015;22(9):3109-20.
48. Tangjitgamol S, Levenback CF, Beller U, Kavanagh JJ. Role of surgical resection for lung, liver, and central nervous system metastases in patients with gynecological cancer: a literature review. Int J Gynecol Cancer. 2004;14(3):399-422.
49. Torzilli G, Botea F, Donadon M, Cimino M, Procopio F, Pedicini V, et al. Criteria for the selective use of contrast-enhanced intra-operative ultrasound during surgery for colorectal liver metastases. HPB (Oxford). 2014;16(11):994-1001.
50. Treska V. Methods to Increase Future Liver Remnant Volume in Patients with Primarily Unresectable Colorectal Liver Metastases: Current State and Future Perspectives. Anticancer Res. 2016;36(5):2065-71.
51. Vauthey JN, Pawlik TM, Abdalla EK, Arens JF, Nemr RA, Wei SH, et al. Is extended hepatectomy for hepatobiliary malignancy justified? Ann Surg. 2004;239(5):722-30; discussion 30-2.
52. Veereman G, Robays J, Verleye L, Leroy R, Rolfo C, Van Cutsem E, et al. Pooled analysis of the surgical treatment for colorectal cancer liver metastases. Crit Rev Oncol Hematol. 2015;94(1):122-35.
53. Wakabayashi G, Cherqui D, Geller DA, Buell JF, Kaneko H, Han HS, et al. Recommendations for laparoscopic liver resection: a report from the second international consensus conference held in Morioka. Ann Surg. 2015;261(4):619-29.
54. Yasui K, Hirai T, Kato T, Torii A, Uesaka K, Morimoto T, et al. A new macroscopic classification predicts prognosis for patient with liver metastases from colorectal cancer. Ann Surg. 1997;226(5):582-6.
55. Yin Z, Huang X, Ma T, Jin H, Lin Y, Yu M, et al. Postoperative complications affect long-term survival outcomes following hepatic resection for colorectal liver metastasis. World J Surg. 2015;39(7):1818-27.
56. Yu MH, Lee JM, Hur BY, Kim TY, Jeong SY, Yi NJ, et al. Gadoxetic acid-enhanced MRI and diffusion-weighted imaging for the detection of colorectal liver metastases after neoadjuvant chemotherapy. Eur Radiol. 2015;25(8):2428-36.
57. Zorzi D, Laurent A, Pawlik TM, Lauwers GY, Vauthey JN, Abdalla EK. Chemotherapy-associated hepatotoxicity and surgery for colorectal liver metastases. Br J Surg. 2007;94(3):274-86.

[X. 담도계의 해부와 생리]

1. 김선회, 서경석. 간담췌외과학. 3rd edition 도서출판 의학문화사. 201.
2. Blumgart LH, Belghiti J, Jarnagin WR, et al. Surgery of the liver, biliary tract, and pancreas. 5th ed. Philadelphia: W.B. Saunders Company 2012.
3. Brunicardi FC, Anderson DK, Hunter JG, et al. Schwartz's principle of surgery. 10th ed. McGraw-Hill company 2015.
4. Castaing D. Surgical anatomy of the biliary tract. HPB (Oxford). 2008;10:72-76.
5. Cho A, Okazumi S, Yoshinaga Y, Ishikawa Y, Ryu M, Ochiai T. Relationship between left biliary duct system and left portal vein: evaluation with three-dimensional portocholangiography. Radiology 2003;228(1): 246-250.
6. Huang TL, Cheng YF, Chen CL, Chen TY, Lee TY. Variants of the bile ducts: clinical application in the potential donor of living-related hepatic transplantation. Transplant Proc 1996;28(3): 1669-1670.
7. Kim HJ, Kim MH, Lee SK, Seo DW, Kim YT, Lee DK, Song SY, Roe IH, Kim JH, Chung JB. Normal structure, variations, and anomalies of the pancreaticobiliary ducts of Koreans: a nationwide cooperative prospective study. Gastrointestinal endoscopy 2002;55(7): 889-896.
8. Kitami M, Takase K, Murakami G, Ko S, Tsuboi M, Saito H, Higano S, Nakajima Y, Takahashi S. Types and frequencies of biliary tract variations associated with a major portal venous anomaly: analysis with multi-detector row CT cholangiography. Radiology 2006;238(1): 156-166.
9. Ohkubo M, Nagino M, Kamiya J, Yuasa N, Oda K, Arai T, Nishio H, Nimura Y. Surgical anatomy of the bile ducts at the hepatic hilum as applied to living donor liver transplantation. Ann Surg 2004;239(1): 82-86.

10. Spanos CP, Syrakos T. Bile leaks from the duct of Luschka (subvesical duct): a review. Langenbecks Arch Surg. 2006 Sep;391(5):441-7.
11. Thomas S,Michael G. Sarr,David B. Adams, What is the Duct of Luschka?-A Systematic Review, J Gastrointest Surg (2012) 16:656-66.

[XI. 담석증]

1. 김광하, 옥창민, 김병진 등. 한국인 담석증에 대한 임상적 고찰. 대한소화기학회지 1996;28:352-361.
2. 민병철, 조명하, 임헌명 등. 한국인 담도질환에 관하여-100예 종합검토. 대한외과학회지 1966;9:95-105.
3. 박상재, 김선회, 박윤찬 등. 20년간 수술받은 담석증 환자에 대한 역학적 및 임상적 분석. 대한소화기학회지 2003;42:415-422.
4. 이종균, 이풍렬, 이준혁 등. 건강검진자에서 담석의 유병률 및 위험요소. 대한소화기학회지 1997;29:85-92.
5. 정혜원, 천경수, 김영식 등. 한국인 담석증의 유병률-건강검진자를 대상으로-. 가정의학회지 1992;13:581-591.
6. Al-Jiffry BO, Shaffer EA, Saccone GT, et al. Changes in gallbladder motility and gallstone formation following laparoscopic gastric banding for morbid obestity. Can J Gastroenterol 2003;17(3):169-174.
7. Attili AF, De Santis A, Capri R, et al. The natural history of gallstones: the GREPCO experience. The GREPCO Group. Hepatology 1995;21(3):655-660.
8. Cucchiaro G, Rossitch JC, Bowie J, et al. Clinical significance of ultrasonographically detected coincidental gallstones. Dig Dis Sci 1990;35(4):417-421.
9. Fevery J, Verwilghen R, Tan TG, et al. Glucuronidation of bilirubin and the occurrence of pigment gallstones in patients with chronic haemolytic diseases. Eur J Clin Invest 1980;10(3):219-226.
10. Friedman GD, Raviola CA, Fireman B. Prognosis of gallstones with mild or no symptoms: 25 years of follow-up in a health maintenance organization. J Clin Epidemiol 1989;42(2):127-136.
11. Gilat T, Feldman C, Halpern Z, et al. An increased familial frequency of gallstones. Gastroenterology 1983;84(2):242-246.
12. Gracie WA, Ransohoff DF. The natural history of silent gallstones: the innocent gallstone is not a myth. N Engl J Med 1982;307(13):798-800.
13. Halldestam I, Enell EL, Kullman E, et al. Development of symptoms and complications in individuals with asymptomatic gallstones. Br J Surg 2004;91(6):734-738.
14. Hong TH, You YK, Lee KH. Transumbilical single-port laparoscopic cholecystectomy: scarless cholecystectomy. Surg Endosc 2009;23(6):1393-1397.
15. Jensen KH, Jorgensen T. Incidence of gallstones in a Danish population. Gastroenterology 1991;100(3):790-794.
16. Maurer KR, Everhart JE, Ezzati TM, et al. Prevalence of gallstone disease in Hispanic populations in the United States. Gastroenterology 1989;96(2 Pt 1):487-492.
17. McSherry CK, Ferstenberg H, Calhoun WF, et al. The natural history of diagnosed gallstone disease in symptomatic and asymptomatic patients. Ann Surg 1985;202(1):59-63.
18. Nakeeb A, Comuzzie AG, Martin L, et al. Gallstones: genetics versus environment. Ann Surg 2002;235(6):842-849.
19. Pelinka LE, Schmidhammer R, Hamid L, et al. Acute acalculous cholecystitis after trauma: a prospective study. J Trauma 2003;55(2):323-329.
20. Wada K, Imamura T. [Natural course of asymptomatic gallstone disease]. Nippon Rinsho 1993;51(7):1737-1743.

[XII. 담도계 양성질환]

1. 문헌종. 무증상 성인 담관낭. 대한외과학회지 2004;66:226-230.
2. 윤유석. 담관낭절제술 후의 후기 합병증. 대한외과학회지 2004;66:116-122.
3. Babbitt DP. [Congenital choledochal cysts: new etiological concept based on anomalous relationships of the common bile duct and pancreatic bulb]. Ann Radiol (Paris) 1969;12(3):231-240.
4. Bismuth H. postoperative strictures of the bile duct in Bumgart LH (ed). The Biliary Tract. 1982, Edinburgh, Churchill Livingstone. 209-218.
5. Stain SC, Guthrie CR, Yellin AE, et al. Choledochal cyst in the adult. Ann Surg 1995;222(2):128-133.
6. Tashiro S, Imaizumi T, Ohkawa H, et al. Pancreaticobiliary maljunction: retrospective and nationwide survey in Japan. J Hepatobiliary Pancreat Surg 2003;10(5):345-351.
7. The Japanese Study Group on Pancreaticobiliary maljunction S. The committee of JSPBM for diagnostic criteria. J HBP Surg 1994;1:219-221.
8. Todani T, et al. Choledochal cyst, pancredaticobiliary malunion and cancer. J HBP Surg 1994;1:247.
9. Tsuchida A, Itoi T, Aoki T, et al. Carcinogenetic process in gallbladder mucosa with pancreaticobiliary maljunction (Review). Oncol Rep 2003;10(6):1693-1699.

[XIII. 담낭암]

1. 김정룡. 소화기계 질환. 일조각 200.
2. 박상재. 담낭암의 수술적 절제 범위. 한국간담췌외과학회지 2009;13:84-8.
3. 박용현, 김선회, 이건욱, 서경석. 간담췌외과학 제2판. 의학문화사 200.
4. 정재복. 담도학. 군자출판사 200.
5. Kokudo N, Makuuchi M, Natori T, et al. Strategies for surgical treatment of gallbladder carcinoma based on information available before resection. Arch Surg 2003;138:741-750.
6. Kondo S, Nimura Y, Kamiya J, et al. Mode of tumor spread and

surgical strategy in gallbladder carcinoma. Langenbeck's Arch Surg 2002:387:222-22.

7. Mekeel kL, Hemming AW. Surgical management of gallbladder carcinoma: a review. J Gastrointest Surg 2007;11:1188-1193.
8. Mullen JT, Crane CH, Vauthey J. Benign and malignant gallbladder tumors. In: Clavien P, Baillie J, editors. Diseases of the gallbladder and bile ducts: diagnosis and treatment. 2nd ed. Malden: Blackwell science, 2006:252-262.
9. Pilgrim C, Usatoff V, Evans PM. Consideration of anatomical structures relevant to the surgical strategy for management gallbladder carcinoma. Eur J Sur Oncol 2009;35:1131-1136.
10. Pilgrim C, Usatoff V, Evans PM. Review of surgical strategies for the management of gallbladder carcinoma based on T stage and growth type of the tumor. Eur J Surg Oncol 2009;1-5.
11. Thomas CR, Fuller CD. Biliary tract and gallbladder cancer: diagnosis and therapy. New York: Demos Medical, 200.
12. Uesaka K, Yasui K, Morimoto T, et al. Visualization of routes of lymphatic drainage of the gallbladder with a carbon particle suspension. J Am Coll Surg 1996;183:345-50.
13. Yamaguchi K, Chijiwa K, Shimizu S, et al. Anatomical limit of extended cholecystectomy for gallbladder carcinoma involving the neck of the gallbladder. In Surg 1998;83:21-23.

[XIV. 간외 담관암]

1. 김정우, 조성호, 문 헌종 등.원위부 담관암에서 절제 후 예후인자. 대한소화기학회지 2006;47:144-15.
2. Abdalla EK, Barnett CC, Doherty D, et al. Extended hepatectomy in patients with hepatobiliary malignancies with and without preoperative portal vein embolization. Arch Surg 2002;137:675-680.
3. Ahrendt, SA, Nakeeb A, Pitt HA. Cholangiocarcinoma. Clin Liver Dis 5;191,200.
4. Ahrendt, SA, Rashid A, Chow JT, et al. p53 overexpression and K-ras gene mutation in primary sclerosing cholangitis-associated biliary ract cancer. J Hepatobiliary Pancreat Surg 7:139, 200.
5. Bismuth H and Corlette MB. Intrahepatic cholangioenteric anastomosis in carcinoma of the hilus of the liver. Surg Gynecol Obstet 1975;140:170-17.
6. BismuthH, Nakache R, T Diamond. Management strategies in resection for hilar cholangiocarcinoma Ann Surg 1992;215:31-38.
7. Chamberlain RS, Blumgart LH. Hilar cholangiocarcinoma: a review and commentary. Ann Surg Oncol 2000;7:55-6.
8. Cherqui D, Benoist S, Malassangne B, et al. Major liver resection for carcinoma in jaundiced patients without preoperative biliary drainage. Arch Surg 2000;135: 302-30.
9. DeOliveira ML, Cunningham SC, Cameron JL, et al. Cholangiocarcinoma ; Thirty-one-year experience with 564 patients ata single institution Ann Surg 2007;245:755-762.
10. Hartog H, Ijzermans JNM, van Guik TM and Koerkamp BG. Resection of perihilar cholangiocarcinoma Surg Clin N Am 2016;96:247 -26.
11. J Terblanche and JH Louw. U tube drainage in the palliative therapy of carcinoma of the main hepatic duct junction Surgt Clin North Am 1973;53:1245-5.
12. Jarnagin WR, Fong Y, DeMatteo RP, et al. Staging, resectability, and outcome in 225 patients with hilar cholangiocarcinoma. Ann Surg 2001;234: 507-51.
13. JL Cameron, Pitt HA, MJ Zinner, et al. Management of proximal cholangiocarcinomas by surgical resection and radiotherapy Am J Surg 1990;159:91-9.
14. Klatskin G. Adenocarcinoma of the hepatic duct at its bifurcation within the porta hepatis. Am J Med 1965;38:24.
15. Lee SG, Lee YJ, Park KM, et al. One hundred and eleven liver resection for hilar cholangiocarcinoma J Hepatobiliary Pancreat Surg 2000;7:135-14.
16. Lillemoe KD, Cameron JL: Surery for hilar cholangiocarcinoma: The Johns Hopkins approach. J Hepatobiliary Pancreat Surg 7:115, 200.
17. Makuuchi M, Thai BL, Takayasu K, et al. Preoperative portal embolization to increase safety of major hepatectomy for hilar bile duct carcinoma: a preliminary report. Surgery 1990;107:521-527.
18. Ministry of health and Welfare. 2002 Annual report of the Korea Central Cancer Registry. Seoul, 200.
19. Ministry of health, Welfare, and Family Affair. 2013 Annual report of the Korea Central Cancer Registry. Seoul, 201.
20. Naghavi M et al. Global Burden of disease Cancer Collaboration. The global burden of cancer 2013. JAMA Oncol. 1.505-527(2015.
21. Nakeeb A, Pitt HA, Sohn TA, et al. Cholangiocarcinopma. A spectrum of intrahepatic, perihilar,and distal tumors. Ann Surg 1996;224:463-47.
22. Nehls O, Gregor M, Klump B: Serum and bile markers for cholangiocarcinoma. Semin Liver Dis 24;139, 200.
23. Neuhaus P, Jonas S, Bechstein WO, et al. Extended resections for hilar cholangiocarcinoma. Ann Surg 1999;230:808-818.
24. Nimura Y, Hayakawa N, Kamiya J, et al. Hepatic segmentectomy with caudate lobe resection for bile duct carcinoma of the hepatic hilus. World J Surg 1990;4:533-544.
25. Paik KY, Choi DW, Chung JC, et al. Improved survival following right trisectionectomy with caudate lobectomy without operative mortality: Surgical treatment for hilar cholangiocarcinoma. J Gastroint Surg 2008;12:1268-127.
26. Paik KY, Heo JS, Choi SH, et al. Intraductal papillary neoplasm of the bile duct; The clinical feature and surgical outcome of 25 cases. J Surg Oncol 2008;97:508-512.
27. Povoski SP, Karohe MS Jr, Conlon KC, et al. Association of preoperative biliary drainage with postoperative outcome following

pancreaticoduodenectomy. Ann Surg 1999;230:131-14.

28. Rea DJ, Heimbach JK, Rosen CB, et al. Liver transplantation with neoadjuvant chemoradiation is more effective than resection for hilar cholangiocarcinoma. Ann Surg 2005;242:451-458.
29. Sakata J, Shirai Y, Tsuchiya Y, et al. Preoperative cholangitis independently increases in-hospital mortality after major hepatic and bile duct resection for hilar cholangiocarcinoma. Langenbecks Arch Surg 2009;394:1065-107.
30. Sewnath ME, Karsten TM, Prins MH, et al. A meta-analysis on the efficacy of preoperative biliary drainage for tumors causing obstructive jaundice. Ann Surg 2002;236:17-2.
31. Seyama Y, Kubota K, Sno K, et al. Long term outcome of extended hemihepatectomy for hilar bile duct cancer with no mortality and high survival rate. Ann Surg 2003;238:73-83.
32. Shib YH, Davila JA, McGlynn K, El-Serag HB. Rising incidence of intrahepatic cholangiocarcinoma in the United States : a true increase? J Hepatol 2004;40:472-47.
33. Siqueira E, Schoren RE, Silverman W, et al. Detecting cholangiocarcinoma in patients with primary sclerosing cholangitis. Gastrointest Endosc 56;40,200.
34. Tocchi A, Mazzoni G, Liota G, et al. Late development of bile duct cancer in patients who had biliary-enteric drainage for benign disease. A follow-up stdy of more than 1000 patients. Ann Surg 234:210,200.
35. Tsao JI, Nimura Y, Kamiya J, et al. Management of hilar cholangiocarcinoma: comparison of an American and a Japanese experience. Ann Surg 2000;232:166-174.
36. Yeo CJ, Cameron JL, Lillemoe KD, et al. Pancreaticoduodenectomy with without distal gastrectomy and extended retroperitoneal lymphadenectomy for periampullary adenocarcinoma. Part 2: randomized controlled trial evaluating survival, morbidity, and mortality. Ann Surg 2002;236:355-366.

[XV. 팽대부암]

1. 김선회, 박상재, 장진영 등. 췌십이지장 절제술 40년간의 경험. 대한외과학회지 2000;59:643-650.
2. 노영훈, 김영훈, 이현욱 등. 팽대부암의 조직학 및 면역조직화학적 분류와 생존률. 대한외과학회지 2006;70:451-456.
3. 문종호. 유두부 종양의 내시경적 절제술. 대한췌담도연구회지 2007;12:161-167.
4. 박상재, 김선회, 장진영 등. 수혈이 췌십이지장 절제술 후 팽대부주위암 환자의 예후에 미치는 영향. 대한외과학회지 2000;59:291-297.
5. 신동일, 이광수, 김용일, 곽진영. 췌십이지장 절제술. 대한외과학회지 1996;50:545-552.
6. 우종국, 문현종, 허진석 등. 팽대부암의 근치적 절제술 후 생존률에 영향을 미치는 예후 인자 분석. 대한외과학회지 2003;65:408-412.
7. 윤동섭. 바터씨 팽대부 선종의 수술적 치료. 한국간담췌외과학회지 2007;11:1-6.
8. 이규철, 이동기. 내시경 유두절제술로 치료한 십이지장 유두암 1예. 대한소화기내시경학회지 2009;33:253-256.
9. 이성구. 십이지장 팽대부 종양의 내시경 진단. 대한췌담도연구회지 2007;12:156-160.
10. 이인규, 박준성, 윤동섭 등. 팽대부 암의 근치적 절제술 이후의 재발 양상과 조기 재발에 미치는 요소. 대한외과학회지 2004;67:458-462.
11. 허진석. 팽대부 종양의 외과적 치료. 대한췌담도연구회지 2007;12:168-169.
12. Adsay NV, Merati K, Basturk O, et al. Pathologically and biologically distinct types of epithelium in intraductal papillary mucinous neoplasms: delineation of an "intestinal" pathway of carcinogenesis in the pancreas. Am J Surg Pathol 2004;28:839-848.
13. Albores-Saavedra J, Henson DE, Sobin LH. The WHO Histological Classification of Tumors of the Gallbladder and Extrahepatic Bile Ducts. A commentary on the second edition. Cancer 1992;70:410-414.
14. Allema JH, Reinders ME, van Gulik TM, et al. Results of pancreaticoduodenectomy for ampullary carcinoma and analysis of prognostic factors for survival. Surgery 1995;117:247-253.
15. Andersson M, Kostic S, Johansson M, et al. MRI combined with MR cholangiopancreatography versus helical CT in the evaluation of patients with suspected periampullary tumors: a prospective comparative study. Acta Radiol 2005;46:16-27.
16. Beger HG, Thorab FC, Liu Z, et al. Pathogenesis and treatment of neoplastic diseases of the papilla of Vater: Kausch-Whipple procedure with lymph node dissection in cancer of the papilla of Vater. J Hepatobiliary Pancreat Surg 2004;11:232-238.
17. Beger HG, Treitschke F, Gansauge F, et al. Tumor of the ampulla of Vater: experience with local or radical resection in 171 consecutively treated patients. Arch Surg 1999;134:526-532.
18. Borbath I, Van Beers BE, Lonneux M, et al. Preoperative assessment of pancreatic tumors using magnetic resonance imaging, endoscopic ultrasonography, positron emission tomography and laparoscopy. Pancreatology 2005;5:553-561.
19. Chan C, Herrera MF, de la Garza L, et al. Clinical behavior and prognostic factors of periampullary adenocarcinoma. Ann Surg 1995;222:632-637.
20. Choi JY, Kim MJ, Kim JH, et al. Detection of hepatic metastasis: manganese- and ferucarbotran-enhanced MR imaging. Eur J Radiol 2006;60:84-90.
21. Chu PG, Schwarz RE, Lau SK, et al. Immunohistochemical staining in the diagnosis of pancreatobiliary and ampulla of Vater adenocarcinoma: application of CDX2, CK17, MUC1, and MUC2. Am J Surg Pathol 2005;29:359-367.
22. de Groen PC, Gores GJ, LaRusso NF, et al. Biliary tract cancers. N Engl J Med 1999;341:1368-1378.
23. Diener MK, Knaebel HP, Heukaufer C, et al. A systematic review and meta-analysis of pylorus-preserving versus classical pancre-

aticoduodenectomy for surgical treatment of periampullary and pancreatic carcinoma. Ann Surg 2007;245:187-200.

24. Duffy JP, Hines OJ, Liu JH, et al. Improved survival for adenocarcinoma of the ampulla of Vater: fifty-five consecutive resections. Arch Surg 2003;138(9):941-8;discussion 948-950.
25. Engels JT, Balfe DM, Lee JK. Biliary carcinoma: CT evaluation of extrahepatic spread. Radiology 1989;172:35-40.
26. Fong Y, Gonen M, Rubin D, et al. Long-term survival is superior after resection for cancer in high-volume centers. Ann Surg 2005;242:540-4;discussion 544-547.
27. Furuse J, Takada T, Miyazaki M, et al. Guidelines for chemotherapy of biliary tract and ampullary carcinomas. J Hepatobiliary Pancreat Surg 2008;15:55-62.
28. Futakawa N, Kimura W, Wada Y, et al. Clinicopathological characteristics and surgical procedures for carcinoma of the papilla of Vater. Hepatogastroenterology 1996;43:260-267.
29. Goldberg M, Zamir O, Hadary A, et al. Wide local excision as an alternative treatment for periampullary carcinoma. Am J Gastroenterol 1987;82:1169-1171.
30. Hayashibe A, Kameyama M, Shinbo M, et al. The surgical procedure and clinical results of subtotal stomach preserving pancreaticoduodenectomy (SSPPD) in comparison with pylorus preserving pancreaticoduodenectomy (PPPD). J Surg Oncol 2007;95:106-109.
31. Hayes DH, Bolton JS, Willis GW, et al. Carcinoma of the ampulla of Vater. Ann Surg 1987;206:572-577.
32. House MG, Yeo CJ, Cameron JL, et al. Predicting resectability of periampullary cancer with three-dimensional computed tomography. J Gastrointest Surg 2004;8:280-288.
33. Howard TJ, Chin AC, Streib EW, et al. Value of helical computed tomography, angiography, and endoscopic ultrasound in determining resectability of periampullary carcinoma. Am J Surg 1997;174:237-41.
34. Howe JR, Klimstra DS, Moccia RD, et al. Factors predictive of surv2ival in ampullary carcinoma. Ann Surg 1998;228:87-94.
35. Huibregtse K, Tytgat GN. Carcinoma of the ampulla of Vater: the endoscopic approach. Endoscopy 1988;20 Suppl 1:223-226.
36. Itoh A, Goto H, Naitoh Y, et al. Intraductal ultrasonography in diagnosing tumor extension of cancer of the papilla of Vater. Gastrointest Endosc 1997;45:251-260.
37. Kamisawa T, Tu Y, Egawa N, et al. Clinicopathologic features of ampullary carcinoma without jaundice. J Clin Gastroenterol 2006;40:162-166.
38. Kayahara M, Nagakawa T, Ohta T, et al. Surgical strategy for carcinoma of the papilla of Vater on the basis of lymphatic spread and mode of recurrence. Surgery 1997;121:611-617.
39. Kayahara M, Nagakawa T, Ueno K, et al. Surgical strategy for carcinoma of the pancreas head area based on clinicopathologic analysis of nodal involvement and plexus invasion. Surgery 1995;117:616-623.
40. Khan SA, Davidson BR, Goldin R, et al. Guidelines for the diagnosis and treatment of cholangiocarcinoma: consensus document. Gut 2002;51 Suppl 6:VI1-9.
41. Khan SA, Thomas HC, Davidson BR, et al. Cholangiocarcinoma. Lancet 2005;366:1303-1314.
42. Kim JH, Kim MJ, Chung JJ, et al. Differential diagnosis of periampullary carcinomas at MR imaging. Radiographics 2002;22:1335-1352.
43. Kim YK, Lee JM, Kim CS, et al. Detection of liver metastases: gadobenate dimeglumine-enhanced three-dimensional dynamic phases and one-hour delayed phase MR imaging versus superparamagnetic iron oxide-enhanced MR imaging. Eur Radiol 2005;15:220-228.
44. Kimura W, Futakawa N, Yamagata S, et al. Different clinicopathologic findings in two histologic types of carcinoma of papilla of Vater. Jpn J Cancer Res 1994;85:161-166.
45. Kimura W, Futakawa N, Zhao B. Neoplastic diseases of the papilla of Vater. J Hepatobiliary Pancreat Surg 2004;11:223-231.
46. Klein P, Reingruber B, Kastl S, et al. Is local excision of pT1-ampullary carcinomas justified? Eur J Surg Oncol 1996;22:366-371.
47. Klempnauer J, Ridder GJ, Maschek H, et al. Carcinoma of the ampulla of vater: determinants of long-term survival in 94 resected patients. HPB Surg 1998;11:1-11.
48. Lee SY, Jang KT, Lee KT, et al. Can endoscopic resection be applied for early stage ampulla of Vater cancer? Gastrointest Endosc 2006;63:783-788.
49. Legmann P, Vignaux O, Dousset B, et al. Pancreatic tumors: comparison of dual-phase helical CT and endoscopic sonography. AJR Am J Roentgenol 1998;170:1315-1322.
50. Lillemoe KD. Tumors of the gallbladder, bile ducts, and ampulla. Semin Gastrointest Dis 2003;14:208-221.
51. Maithel SK, Khalili K, Dixon E, et al. Impact of regional lymph node evaluation in staging patients with periampullary tumors. Ann Surg Oncol 2007;14:202-210.
52. Martin JA, Haber GB. Ampullary adenoma: clinical manifestations, diagnosis, and treatment. Gastrointest Endosc Clin N Am 2003;13:649-669.
53. Menzel J, Hoepffner N, Sulkowski U, et al. Polypoid tumors of the major duodenal papilla: preoperative staging with intraductal US, EUS, and CT-a prospective, histopathologically controlled study. Gastrointest Endosc 1999;49(3 Pt 1):349-357.
54. Michelassi F, Erroi F, Dawson PJ, et al. Experience with 647 consecutive tumors of the duodenum, ampulla, head of the pancreas, and distal common bile duct. Ann Surg 1989;210:544-554;discussion 554-556.
55. Monson JR, Donohue JH, McEntee GP, et al. Radical resection for

carcinoma of the ampulla of Vater. Arch Surg 1991;126:353-357.
56. Nakao A, Harada A, Nonami T, et al. Lymph node metastases in carcinoma of the head of the pancreas region. Br J Surg 1995;82:399-402.
57. Nakase A, Matsumoto Y, Uchida K, et al. Surgical treatment of cancer of the pancreas and the periampullary region: cumulative results in 57 institutions in Japan. Ann Surg 1977;185:52-57.
58. Nasu K, Kuroki Y, Nawano S, et al. Hepatic metastases: diffusion-weighted sensitivity-encoding versus SPIO-enhanced MR imaging. Radiology 2006;239:122-130.
59. Nieveen Van Dijkum EJ, Terwee CB, Oosterveld P, et al. Validation of the gastrointestinal quality of life index for patients with potentially operable periampullary carcinoma. Br J Surg 2000;87:110-115.
60. Ohtani T, Shirai Y, Tsukada K, et al. Carcinoma of the gallbladder: CT evaluation of lymphatic spread. Radiology 1993;189:875-880.
61. Paramythiotis D, Kleeff J, Wirtz M, et al. Still any role for transduodenal local excision in tumors of the papilla of Vater? J Hepatobiliary Pancreat Surg 2004;11:239-244.
62. Park SJ, Kim SW, Jang JY, et al. Intraoperative transfusion: is it a real prognostic factor of periampullary cancer following pancreatoduodenectomy? World J Surg 2002;26:487-492.
63. Perzin KH, Bridge MF. Adenomas of the small intestine: a clinicopathologic review of 51 cases and a study of their relationship to carcinoma. Cancer 1981;48:799-819.
64. Ponchon T, Berger F, Chavaillon A, et al. Contribution of endoscopy to diagnosis and treatment of tumors of the ampulla of Vater. Cancer 1989;64:161-167.
65. Posner S, Colletti L, Knol J, et al. Safety and long-term efficacy of transduodenal excision for tumors of the ampulla of Vater. Surgery 2000;128:694-701.
66. Roder JD, Schneider PM, Stein HJ, Siewert JR. Number of lymph node metastases is significantly associated with survival in patients with radically resected carcinoma of the ampulla of Vater. Br J Surg 1995;82:1693-1696.
67. Saito H, Takada T, Miyazaki M, et al. Radiation therapy and photodynamic therapy for biliary tract and ampullary carcinomas. J Hepatobiliary Pancreat Surg 2008;15:63-68.
68. Seifert E, Schulte F, Stolte M. Adenoma and carcinoma of the duodenum and papilla of Vater: a clinicopathologic study. Am J Gastroenterol 1992;87:37-42.
69. Seiler CA, Wagner M, Bachmann T, et al. Randomized clinical trial of pylorus-preserving duodenopancreatectomy versus classical Whipple resection-long term results. Br J Surg 2005;92:547-556.
70. Sivak MV. Clinical and endoscopic aspects of tumors of the ampulla of Vater. Endoscopy 1988;20 Suppl 1:211-217.
71. Su CH, Shyr YM, Lui WY, et al. Factors affecting morbidity, mortality and survival after pancreaticoduodenectomy for carcinoma of the ampulla of Vater. Hepatogastroenterology 1999;46:1973-1979.
72. Talamini MA, Moesinger RC, Pitt HA, et al. Adenocarcinoma of the ampulla of Vater. A 28-year experience. Ann Surg 1997;225:590-599; discussion 599-600.
73. Trede M, Schwall G, Saeger HD. Survival after pancreatoduodenectomy. 118 consecutive resections without an operative mortality. Ann Surg 1990;211:447-458.
74. Tsukada K, Takada T, Miyazaki M, et al. Diagnosis of biliary tract and ampullary carcinomas. J Hepatobiliary Pancreat Surg 2008;15:31-40.
75. Vargas R, Nino-Murcia M, Trueblood W, et al. MDCT in Pancreatic adenocarcinoma: prediction of vascular invasion and resectability using a multiphasic technique with curved planar reformations. AJR Am J Roentgenol 2004;182:419-425.
76. Yamaguchi K, Enjoji M. Carcinoma of the ampulla of vater. A clinicopathologic study and pathologic staging of 109 cases of carcinoma and 5 cases of adenoma. Cancer 1987;59:506-515.
77. Yeo CJ, Sohn TA, Cameron JL, et al. Periampullary adenocarcinoma: analysis of 5-year survivors. Ann Surg 1998;227:821-831.
78. Yoon SM, Kim MH, Kim MJ, et al. Focal early stage cancer in ampullary adenoma: surgery or endoscopic papillectomy? Gastrointest Endosc 2007;66:701-707.
79. Yoon YS, Kim SW, Park SJ, et al. Clinicopathologic analysis of early ampullary cancers with a focus on the feasibility of ampullectomy. Ann Surg 2005;242:92-100.
80. Yoshida T, Matsumoto T, Shibata K, et al. Patterns of lymph node metastasis in carcinoma of the ampulla of Vater. Hepatogastroenterology 2000;47:880-883.

[XVI. 췌장의 해부와 생리]

1. Agur AMR, Dalley AF. Grant's Atlas of Anatomy. 13th ed. London, UK: Lippincott Williams and Wilkins; 2013.
2. Anagnostides A, Chadwick VS, Selden AC, et al. Sham feeding and pancreatic secretion. Evidence for direct vagal stimulation of enzyme output. Gastroenterology. 1984;87:109-114.
3. Balch WE, Farquhar MG. Beyond bulk flow. Trends Cell Biol. 1995;5:16-19.
4. Bell GI, Pictet RL, Rutter WJ, et al. Sequence of the human insulin gene. Nature. 1980;284:26-32.
5. Bockman DE. Anatomy of the Pancreas. In: Go V, DiMagno E, Gardner E, Reber H, et al., editors. The Pancreas: Biology, Pathobiology, and Disease, 2nd Ed. New York: Raven Press Ltd; 1993.
6. Broglio F, Papotti M, Muccioli G, et al. Brain-gut communication: cortistatin, somatostatin and ghrelin. Trends Endocrinol Metab. 2007;18:246-251.
7. Drucker DJ. Glucagon-like peptides. Diabetes. 1998;47:159-169.

8. Fischer JE. Mastery of Surgery 6thed. Wolters Kluwer Health/Lippincott Williams & Wilkins, 2012.
9. Gray SW, Skandalakis JE, Atlas of Surgical Anatomy and Embryology: For Surgeons. McGraw-Hill Education, 2007.
10. Hellman B. Actual distribution of the number and volume of the islets of Langerhans in different size classes in non-diabetic humans varying ages. Nature 1959;184(suppl 19):1498-1499.
11. Holmgren S, Vaillant C, Dimaline R. VIP-, substance P-, gastrin/CCK-, bombesin-, somatostatin- and glucagon-like immunoreactivities in the gut of the rainbow trout, Salmo gairdneri. Cell Tissue Res. 1982;223:141-153.
12. Howard JM, Hess W. History of the Pancreas: Mysteries of a Hidden Organ. New York, NY: Kluwer Academic/Plenum Publishers: 2002.
13. Jin ZW, Yu HC, Cho BH, Kim HT, Kimura W, Fujimiya M, Murakami G. Fetal Topographical Anatomy of the Pancreatic Head and Duodenum with Special Reference to Courses of the Pancreaticoduodenal Arteries. Yonsei Med J. 2010 May 1; 51(3): 398-406.
14. Kim HJ, Kim MH, Lee SK, Seo DW, Kim Yt, et al. Normal structure, variations and anomalies of the pancreaticobiliary ducts of Koreans: a Nationwide cooperative prospective study. Gastrointestinal Endoscopy 2002;55:889-896.
15. Kimura W. Surgical anatomy of the pancreas for limited resection. J Hepatobiliary Pancreat Surg. 2000;7:473-479.
16. Kleinman RM, Gingerich R, Ohning G, et al. Intraislet regulation of pancreatic polypeptide secretion in the isolated perfused rat pancreas. Pancreas. 1997;15:384-391.
17. Lange JF, Koppert S, van Eyck CH, Kazemier G, Kleinrensink GJ, Godschalk M. The gastrocolic trunk of Henle in pancreatic surgery: an anatomo-clinical study. J Hepatobiliary Pancreat Surg. 2000;7:401-403.
18. Longnecker DS. Anatomy and Histology of the Pancreas. The Pancreapedia. Exocrine Pancreas Knowledge Base. Longnecker: Daniel; 2014.
19. Lucey MR. Endogenous somatostatin and the gut. Gut. 1986;27:457-467.
20. Meites S, Rogols S. Amylase isoenzymes. CRC Crit Rev Clin Lab Sci. 1971;2:103-138.
21. Motta PM MG, Nottola SA, Correr S. Histology of the exocrine pancreas. Microsc Res Tech 1997;37:384.
22. Nelson-Piercy C, Hammond PJ, Gwilliam ME, et al. Effect of a new oral somatostatin analog (SDZ CO 611) on gastric emptying, mouth to cecum transit time, and pancreatic and gut hormone release in normal male subjects. J Clin Endocrinol Metab. 1994;78:329-336.
23. Palade G. Intracellular Aspects of the Process of Protein Synthesis. Science. 1975;189:867.
24. Pubols MH, Bartelt DC, Greene LJ. Trypsin inhibitor from human pancreas and pancreatic juice. J Biol Chem. 1974;249:2235-2242.
25. Rienhoff WF, Pickrell KL. Pancreatitis: an anatomic study of the pancreatic biliary systems. Arch Surg 1945;51:201-219.
26. Sadler TW. Langman's Medical Embryology. 13th ed. Wolters Kluwer Health, 201.
27. Stefan Y, Orci L, Malaisse-Lagae F, Perrelet Y, Unger R.H. Quantitation of endocrine cell content in the pancreas of nondiabetic humans. Diabetes. 1982;31:694-700.
28. Suda K, Mizuguchi K, Hoshino A. Differences of the ventral and dorsal anlagen of pancreas after fusion. Acta Pathol Jpn. 1981;31:583-589.
29. Susan Standring. Gray's Anatomy: The Anatomical Basis of Clinical Practice. 41th ed. Elsevier Health Sciences, 201.
30. Symersky T, Biemond I, Frolich M, et al. Effect of peptide YY on pancreatico-biliary secretion in humans. Scand J Gastroenterol. 2005;40:944-949.
31. Takada T. A proposed new pancreatic classification system according to segments. 1994;1:322-325.
32. Terry O'Brien. A2Z Book of word Origins. Rupa Publications India Pvt. Ltd. 2012.
33. Tsujita T, Okuda H. Effect of bile salts on the interfacial inactivation of pancreatic carboxylester lipase. J Lipid Res. 1990;31:831-838.
34. Uesaka T, Yano K, Yamasaki M, et al. Somatostatin-related peptides isolated from the eel gut: effects on ion and water absorption across the intestine of the seawater eel. J Exp Biol. 1994;188:205-216.
35. von Schonfeld J, Goebell H, Muller MK. The islet-acinar axis of the pancreas. Int J Pancreatol. 1994;16:131-140.
36. Zimmerman DW, Sarr MG, Smith CD, et al. Cyclic interdigestive pancreatic exocrine secretion: is it mediated by neural or hormonal mechanisms? Gastroenterology. 1992;102:1378-1384.

[XVII. 췌장염]

1. 권순범, 김익용, 배금석 등. 췌장 가성낭종의치료에 대한 고찰. 대한소화기학회지 2000;36:529-53.
2. 김명욱,김욱환: 급성췌장염의 외과적 치료: 간담췌외과학 제2판. 의학문화사. 2006. p 795.
3. 김선회, 이건욱, 박용현. 십이지장보존췌두부절제술의 치료성적. 대한외과학회지 1997;52:897-90.
4. 민석기, 김영우, 한호성 등. 췌장 가성낭종의 복강경하 낭종위 문합술. 대한외과학회지 2000;59:699-70.
5. 박용현, 김선회, 이건욱, 서경석. 간담췌외과학.2nd edition 도서출판 의학문화사. 200.
6. 심희수, 윤동섭, 지훈상. 췌장 가성낭종 환자의 치료방법에 대한 고찰. 대한외과학회지 1998;54:561-56.
7. 오영철, 이태윤, 권승현 등. 가족 SPINK1 N34S 유전자 변이가 확인된 만성췌장염 1예. 대한소화기학회지 2007;49:384-38.

8. 이동기. 만성췌장염의 자연 경과와 내과 치료 대한소화기학회지 2005;46:345-351.
9. 이동기. 한국인에서 만성췌장염의 역학과 원인 및 치료. 대한소화기학회지 2002;39:315-32.
10. 이우정. 췌장염의 외과 치료. 대한소화기학회지 2005;46:352-35.
11. 이윤석,조광범: 급성췌장염의 중증도평가 및 수액치료. Vol 21, No 1, Jan.2016; The Korean journal of Pancreas and Biliary tract.
12. 이태윤, 오영철, 김명환 등. 동일 가계 내 두 세대 구성원에서 발현된 Cationic Trypsinogen 유전자 R122H 변이에 의한 유전 췌장염 3예. 대한소화기학회지 2007;49:395-39.
13. 차상우: 급성췌장염: 계통별 강의를 중심으로한 소화기학. 순천향의과대학 소화기연구소펴냄. 2004. p 723.
14. Ammann RW, Knoblauch M, Mohr P, et al High incidence of extrapancreatic carcinoma in chronic pancreatitis. Scand J Gastroenterol 1980;15:395-399.
15. Barish MA, Yucel EK, Soto JA et al. MR cholangiopancreatography: efficacy of three-dimentional turbo spin-echo technique. Am J Roentgenol 1995;165:295-30.
16. Beger HG et al : Necrosectomy and postoperative local lavage in necrotizing pancreatitis. Br J Surg 75 : 207, 198.
17. Beger HG, Isenmann R. Acute pancreatitis: Who needs an operation? J Hepatobiliary Pancreas Surg. 2002; 9: 436-42.
18. Bess MA, Edis AJ, van Heerden JA. Hyperparathyroidism and pancreatitis. Chance or a causal association? JAMA 1980;243:246-24.
19. Braasch JW, Vito L, Nugent FW. Total pancreatectomy of end-stage chronic pancreatitis. Ann Surg 1978;188(3):317-322.
20. Brugge WR The role of endoscopic ultraqsound in pancreatic disorders. Int J Pancreatol 1996;20:1-1.
21. Buchler P, Reber HA : Surgical approach in patients with acute pancreatitis. Is infected or sterile an indication-in whom should this be done, when, and why? Gastroenterol Clin North Am 28:661,1999.
22. Catanzaro A, Richardson S, Veloso H et al. Long-term follow-up of patients with clinically interminate suspicion of pancreatic cancer and normal EUS. Gastrointest Endosc 2003;58:836-84.
23. Chae YS, Lee WJ, Paik HC, Lee JH, Kim KS, Kim BR. Thoracoscopic splanchnicectomy for the relief of intractable upper abdominal cancer pain. J Korean Surg Soc 2001;60:73-77.
24. Chen JM, Mercier B, Audrezet MP et al Mutations of the pancreatic secretory trypsin inhibitor(PSTI) gene in idiopathic chronic pancreastitis. Gastroenterology 2001;120:1061-106.
25. Clancy TE, Ashley SW: Current management of necrotizing pancreatitis. Adv Surg 36:103,2002.
26. Cohn Ja, Friedman KJ, Noone PG et al. Relation between mutations of the cystic fibrosis gene and idiopathic pancreatitis. N Engl J Med 1998;339:65.
27. Dufour MC, Adamson MD. The epidemiology of alcohol induced pancreatitis Pancreas 2003;27:286-29.
28. Falconi M, Valerio A, Caldiron E, et al. Changes in pancreatic resection for chronic pancreatitis over 28 years in a single institution. Br J Surg 2000;87:428-433.
29. Flavio G. Rocha, M.D., Anita Balkrishnan, M.B.B.S., Stanley W.Ashley, M.D.,Thomas E. Clancy, M.D.: A historic perspective on the contributions of surgeons to the understanding of acute pancreatitis. The American Journal of Surgery(2008) 196, 442-229.
30. Frey CF, Suziki M, Isaji S. Treatment of chronic pancreatitis complicated by obstruction of the common bile duct or duodenum. World J Surg 1990;14:59-69.
31. Friedreich N: Disease of the pancreas, in Ziemssen (ed): Cyclopedia of the practice medicine. New York: William Wood, 1878, p 549.
32. Gall FP, Muhe E, Gebhardt C. Results of partial and total pancreaticoduodenectomy in 117 patients with chronic pancreatitis. World J Surg 1981;5(2):269-275.
33. Gotzinger P., Wamser P., Exner R., et al. Surgical treatment of severe acute pancreatitis: timing of operation is crucial for survival. Surg Infect 2003; 4: 205-11.
34. Gruessner RWG, Sutherland DER, Dunn DL, Najarian JS, Jie T, Hering BJ, Gruessner AC. Transplant options for patients undergoing total pancreatectomy for chronic pancreatitis. J Am Coll Surg 2004;198:559-567.
35. Heise JW, Katoh M, Luthen R, Roher H-D. Long-term results following different extent of resection in chronic pancreatitis. Hepatogastroenterology 2001;48:864-86.
36. Jean-Louis Frossard, Michael L Steer, Catherine M Pastor : Acute pancreatitis. Lancet 2008; 371: 143-52.
37. Ji Kon Ryu, Jun Kyu Lee, Yong-Tae Kim et al. Clinical features of chronic pancreatitis in Korea : A multicenter nationwide study. Digestion 2005;72:207-211.
38. Kahl S, Glasbrenner B, Leodolter A et al. EUS in diagnosis of early chronic pancreatitis: a prospective follow-up study. Gastrointest Endosc 2002;55:507-51.
39. Kim HR, Chung JH, Song YT et al. Hereditary Pancreatitis: Report of a Kindred. J Korean Assoc Pediatr Surg. 2006 Jun;12(1):24-31.
40. Kim JY, Chang HY, Kim MH, et al. A case of autoimmune chronic pancreatitis improved with oral steroid therapy. Korean J Gastroenterol 2002;39:304-308.
41. Kim JY, Choi SH, Ihm JS, Kim SJ, Kim IJ, Kim CM. A case of R122H mutation of cationic trypsinogen gene in a pediatric patient with hereditary pancreatitis complicated by pseudocyst and hemosuccus pancreaticus. J Korean Gastroenterol 2005;45:130-13.
42. Kim SW, Jang JY, Kim KH et al. Practical guidelines for preservation of the pancreaticoduodenal arteries during duodenum-preserving resection of the pancreatic head: Clinical experience and a study using resected specimen of pancreatoduodenectomy.

Hepatogastro-enterology 2001;48:264-269.

43. Lankisch PG, Lohr-Happe A, Otto J, et al. Natural course in chronic pancreatitis. Pain, exocrine and endocrine pancreatic insufficiency and prognosis of the disease. Digestion 1993;54:148-155.
44. Lankisch PG, Lowenfels AB, Maisonneuve P. What is the risk of alcoholic pancreatitis in heavy drinkers? Pancreas 2002;25:411-41.
45. Layer P, Yamamoto H, Kalthoff L, et al. The different courses of early- and late-onset idiopathic and alcoholic chronic pancreatitis. Gastroenterology 1994; 107: 1481-1487.
46. Lowenfels AB, Maisonneuve P, Cavallini G, et al. Pancreatitis and the risk of pancreatic cancer. International Pancreatitis Study Group. N Engl J Med 1993;328:1433-1437.
47. Malka D, Hammel P, Sauvanct A, et al. Risk factors for diabetes mellitus in chronic pancreatitis. Gastroenterology 2000;119:1324-1332.
48. Miyake H, Harada H, Kunichika K, et al. Clinical course and prognosis of chronic pancreatitis. Panereas 1987;2:378-385.
49. Olsen T The incidence and clinical relevance of chronic inflammation in the pancreas in autopsy material. Acta Pathol Microbiol Scand 1978;86:361-36.
50. Otsuki M, Chung JB, Okazaki K. et al. Asian diagnostic criteria for autoimmune pancreatitis: Consesus of the Japan-Korea Symposium on Autoimmune pancreatitis J Gastroenterol 2008;43:403-408.
51. Prinz RA, Greenlee HB. Pancreatic duct drainage in 100 patients with chronic pancreatitis. Ann Surg 1981;194:313-2.
52. Rajiv K.Jha, Qingyong Ma, Huanchen Sha, Muna Palikhe : Acute pancreatitis: A literature review. Med Sci Monit, 2009;15(7): RA147-156.
53. Ranson, JHC : The timing of biliary surgery in acute pancreatitis. Ann Surg 189 : 654-663, 197.
54. Rocca G, Gaia E, Iuliano R, et al. Increased incidence of cancer in chronic pancreatitis. J Clin Gastroenterol 1987;9:175-179.
55. Rossi RL, Rothschild J, Braasch JW, Munson JL, ReMine SG. Pancreaticoduodenectomy in the management of chronic pancreatitis. Arch Surg 1987;122:416-42.
56. Sarles H, Sarles JC, Muratore R, et al. Chronic inflammatory sclerosis of the pancreas: an autonomous pancreatic disease? Am J Dig Dis 1961;6:688-698.
57. Sarr MG, Sakorafas GH. Incapacitating pain of chronic pancreatitis: a surgical perspective of what is known and what is not known. Gastrointest Endosc 1999;49:S85-S8.
58. Schneider A, Suman A, Rossi L et al. SPINK1/PSTI mutations are associated with tropical pancratitis and type II diabetes mellitus in Bangladesh. Gastroenterology 2002;123:1026-103.
59. Shaper AG. Chronic pancreatic disease and protein malnutrition. Lancet 1960;1:1223-122.
60. Stapleton GN, Williamson RCN (1996) Proximal pancreatoduodenectomy for chronic pancreatitis. Br J Surg 1996;83:1433-144.
61. Steer ML, Waxman I, Freedman S: Chronic pancreatitis. N Engl J Med 1995; 332:1482-1490.
62. Stone WM. Chronic pancreatitis: results of Whipple's resection and total pancreatectomy. Arch Surg 1988;123(7):815-81.
63. Talamini G, Bassi C, Falconi M. Pain relapses in the first 10 years of chronic pancreatitis. Am J Surg 1996;171:565-56.
64. Thorsgaard Pedersen N, Nyboe Andersen B, Pedersen G, et al. Chronic pancreatitis in Copenhagen. A retrospective study of 64 consecutive patients. Scand J Gstroenterol 1982;17:925-931.
65. Thuluvath PJ, Imperio D, Nair S, et al. Chronic pancreatitis. Long-term pain relief with or without surgery, cancer risk, and mortality. J Clin Gastroenterol 2003; 36: 159-165.
66. Vickers SM, Chan C, Heslin MJ, Bartolucci A, Aldrete JS. The role of pancreaticoduodenectomy in the treatment of severe chronic pancreatitis. Am Surg 1999;65:1108-111.
67. Warshaw AL, Banks PA, Fernandez-del Castillo C. AGA technical review: treatment of pain in chronic pancreatitis. Gastroenterology 1998;115:765-776.
68. Whipple AO: Radical surgery for certain cases of pancreatic fibrosis associated with calcareous deposits. Ann Surg 1946;124:991-100.
69. William E. Fisher, Dana K. Anderson, Richard H. Bell, Jr., Ashok K. Saluja, and F. Charles Brunicardi : Acute pancreatitis : Schwartz's principles of surgery eighth edition. Mcgraw-Hill Medical. 2005. p 1231.
70. Worning H, Beger HG, Buchler M. Chronic pancreatitis. Berlin:Springer-Verlag 1990, p.
71. Worning H. Alcoholic chronic pancreatitis. In: Bergen HG, eds. The pancreas vol 1. 1st ed. Malden: Blackwell Science, 1998;677-682.
72. Yeo C, Cameron JL; Exocrine pancreas, in Townsend C, et al(eds): Sabistone's Textbook of surgery. New York: Lippincott-Raven, 2000 p1112.
73. Yeo CJ, Bastidas JA, Lynch-Nyahan A et al. The natural history of pancreatic pseudocysts documented by computed tomography. Surg Gynecol Obstet 1990;170:411-417.
74. Yoshida K, Toki F, Takeuchi T, et al. Chronic pancreatitis caused by an autoimmune abnormality: proposal of the concept of autoimmune pancreatitis. Dig Dis Sci 1995;40:1561-1568.

[XVIII. 췌장의 외분비 종양]

1. 국가암등록사업 연례보고서 (2013년 암등록 통계). 보건복지부 중앙암등록본부. 국립암센.
2. 김선회, 서경석 편저. 간담췌외과학. 3rd edition 제 15장 (2013.
3. Evans DB, Varadhachary GR, Crane CH, Sun CC, Lee JE, Pisters PW, Vauthey JN, Wang H, Cleary KR, Staerkel GA, Charnsangavej

C, Lano EA, Ho L, Lenzi R, Abbruzzese JL, Wolff RA. Preoperative gemcitabine-based chemoradiation for patients with resectable adenocarcinoma of thepancreatic head. J Clin Oncol. 2008 Jul 20;26(21):3496-502.

4. Ferlay J, Soerjomataram I, Dikshit R, Eser S, Mathers C, Rebelo M, Parkin DM, Forman D, Bray F. Cancer incidence and mortality worldwide: sources, methods and major patterns in GLOBOCAN2012.IntJCancer.2015Mar1;136(5):E359-86.
5. Hruban RH, Adsay NV, Albores-Saavedra J, Compton C, Garrett ES, Goodman SN, Kern SE, Klimstra DS, Klöppel G, Longnecker DS, Lüttges J, Offerhaus GJ. Pancreatic intraepithelial neoplasia: a new nomenclature and classification system for pancreaticduct lesions. Am J Surg Pathol. 2001 May;25(5):579-86.
6. Jais B, Rebours V, Malleo G, Salvia R, Fontana M, Maggino L, Bassi C, Manfredi R, Moran R, Lennon AM, Zaheer A, Wolfgang C, Hruban R, Marchegiani G, Fernández Del Castillo C, Brugge W, Ha Y, Kim MH, Oh D, Hirai I, Kimura W, Jang JY, Kim SW, Jung W, Kang H, Song SY, Kang CM, Lee WJ, Crippa S, Falconi M, Gomatos I, Neoptolemos J, Milanetto AC, Sperti C, Ricci C, Casadei R, Bissolati M, Balzano G, Frigerio I, Girelli R, Delhaye M, Bernier B, Wang H, Jang KT, Song DH, Huggett MT, Oppong KW, Pererva L, Kopchak KV, Del Chiaro M, Segersvard R, Lee LS, Conwell D, Osvaldt A, Campos V, Aguero Garcete G, Napoleon B, Matsumoto I, Shinzeki M, Bolado F, Fernandez JM, Keane MG, Pereira SP, Acuna IA, Vaquero EC, Angiolini MR, Zerbi A, Tang J, Leong RW, Faccinetto A, Morana G, Petrone MC, Arcidiacono PG, Moon JH, Choi HJ, Gill RS, Pavey D, Ouaïssi M, Sastre B, Spandre M, De Angelis CG, Rios-Vives MA, Concepcion-Martin M, Ikeura T, Okazaki K, Frulloni L, Messina O, Lévy P. Serous cystic neoplasm of the pancreas: a multinational study of 2622 patients under the auspices of the International Association of Pancreatology and European Pancreatic Club (European Study Group on Cystic Tumors of the Pancreas). Gut. 2016 Feb;65(2):305-12. doi: 10.1136/gutjnl-2015-309638. Epub 2015 Jun 4.
7. Jang JY, Kang MJ, Heo JS, Choi SH, Choi DW, Park SJ, Han SS, Yoon DS, Yu HC, Kang KJ, Kim SG,Kim SW. A prospective randomized controlled study comparing outcomes of standard resection and extended resection, including dissection of the nerve plexus and various lymph nodes, in patients with pancreatic head cancer. Ann Surg. 2014 Apr;259(4):656-64.
8. Jang JY, Kim SW, Lee SE, Yang SH, Lee KU, Lee YJ, Kim SC, Han DJ, Choi DW, Choi SH, Heo JS, Cho BH, Yu HC, Yoon DS, Lee WJ, Lee HE, Kang GH, Lee JM. Treatment guidelines for branch duct type intraductal papillary mucinous neoplasms of thepancreas: when can we operate or observe?. Ann Surg Oncol. 2008 Jan;15(1):199-205. Epub 2007 Oct 2.
9. Kang CM, Choi SH, Kim SC, Lee WJ, Choi DW, Kim SW; Korean Pancreatic Surgery Club. Predicting recurrence of pancreatic solid pseudopapillary tumors after surgical resection: a multicenter analysis in Korea.Ann Surg. 2014 Aug;260(2):348-55.
10. Kang MJ, Jang JY, Lee KB, Chang YR, Kwon W, Kim SW. Long-term prospective cohort study of patients undergoing pancreatectomy for intraductal papillary mucinous neoplasm of the pancreas: implications for postoperative surveillance. Ann Surg. 2014 Aug;260(2):356-63.
11. Lim JE1, Chien MW, Earle CC. Prognostic factors following curative resection for pancreatic adenocarcinoma: a population-based, linked database analysis of 396 patients. Ann Surg. 2003 Jan;237(1):74-85.
12. Park JW, Jang JY, Kang MJ, Kwon W, Chang YR, Kim SW. Mucinous cystic neoplasm of the pancreas: is surgical resection recommended for all surgically fit patients?. Pancreatology. 2014 Mar-Apr;14(2):131-6. doi: 10.1016/j.pan.2013.12.006. Epub 2014 Jan 8.
13. SEER Stat Fact Sheet: Pancreatic Cancer. http://seer.cancer.gov/statfacts/html/pancreas.htm.
14. Tanaka M, Fernández-del Castillo C, Adsay V, Chari S, Falconi M, Jang JY, Kimura W, Levy P, Pitman MB, Schmidt CM, Shimizu M, Wolfgang CL, Yamaguchi K, Yamao K; International Association of Pancreatology. International consensus guidelines 2012 for the management of IPMN and MCN of the pancreas. Pancreatology. 2012 May-Jun;12(3):183-97. doi: 10.1016/j.pan.2012.04.004. Epub 2012 Apr 16.
15. Tempero MA1, MalafaMP1, Behrman SW1, Benson AB 3rd1, Casper ES1, ChioreanEG1, Chung V1, Cohen SJ1, CzitoB1, EngebretsonA1, Feng M1,Hawkins WG1, Herman J1, Hoffman JP1, KoA1, KomanduriS1, KoongA1, Lowy AM1, Ma WW1, Merchant NB1, MulvihillSJ1, MuscarellaP2nd1, NakakuraEK1, ObandoJ1, Pitman MB1, Reddy S1, SassonAR1, Thayer SP1, Weekes CD1, Wolff RA1, WolpinBM1, Burns JL1, Freedman-Cass DA1. J Natl Compr Canc Netw. 2014 Aug;12(8):1083-93.Pancreatic adenocarcinoma, version 2.2014: featured updates to the NCCN guidelines.
16. The American Joint Committee on Cancer: the 7th edition of the AJCC cancer staging manual (2009).
17. The International Agency for Research on Cancer.WHO Classification of Tumours of the Digestive System (IARC WHO Classification of Tumours). 4th Edition. Edited by F.T. Bosman, F. Carneiro, R.H. Hruban, N.D. Theise (2010).

[XIX. 췌장의 내분비 종양]

1. 김정한, 윤여규, 오승근. 인슐린종. 대한외과학회지 1996;50:874-883.
2. 백우현·윤용범·이상협·박주경·우상명·양기영·서정균·류지곤·김용태. 췌장내분비종양의 임상 양상과 생존과 연관된 예후 인자. 대한소화기학회지 2008;52:171-17.
3. 장혁재, 김송철, 이승규, 한덕종. 췌장의 비기능성 도세포 종양. 대한소화기 학회지 1999;33:757-768.
4. 장혁재, 김송철, 이현정 등. 수술 적 치료가 가능한 성인에서의 고인슐

린 혈성 저혈당증. 대한외과학회지 1998;55:757-768.

5. 정재필, 김송철, 김태희, 장혁재, 한덕종: 췌장의 도세포 종양. 대한외과학회지, 2000;56:840-850,.

6. 한정혜 · 김명환 · 문성훈 · 박수정 · 박도현 · 이상수 · 서동완 · 이성구 · 김송철 · 한덕종. 췌장의 신경내분비 종양 122예의 임상양상 및 악성 예측인자. 대한소화기학회지 2009;53:98-10.

7. Ardill JE. Circulating markers for endocrine tumours of the gastroenteropancreas. Ann Clin Biochem. 2008;45:539-5.

8. Bilimoria KY, Talamonti MS, Tomlinson JS et al. Prognostic score predicting survival after resection of pancreatic neuroendocrine tumors: Analysis of 3851 patients. Ann Surg 2008;247:490-500.

9. Chang Moo Kang, Se Ho Park, Kyung Sik Kim, Jin Sub Choi, Woo Jung Lee, and Byong Ro Kim.Surgical Experiences of Functioning Neuroendocrine Neoplasm of the Pancreas. Yonsei Medical Journal 2006;47: 833 - 839.

10. Creutzfeldt W. Endocrine tumor of the pancreas: Clinical picture, diagnosis, and therapy. In: Trede M, editor. Surgery of the pancreas. 1st ed. London. Churchill Livingstone.

11. Deftos LJ. Chromogranin A: its role in endocrine function and as an endocrine and neuroendocrine tumor maker. Endocr Rev. 1991;12:181-.

12. Doi R. Komoto I, Nakamura Y, et al. Pancreatic endocrine tumor in Japan. Pancreas 2004;28:247-252.

13. Ehehalt F, saeger HD, Schmidt CM, Grutzmann R. Neuroendocrine tumors of the pancreas. The oncologist 2009;14:456-46.

14. Falconi M, Plockinger U, Kwekkeboom DJ et al. Well-differentiated pancreatic nonfunctioning tumors/carcinoma. Neuroendocrinology 2006;84: 196-211.

15. Halfdanarson TR, Rubin J, Farnell MB et al. Pancreatic endocrine neoplasms: Epidemiology and prognosis of pancreatic endocrine tumors. Endocr Relat Cancer 2008;15:409-427.

16. Herder WW, Eijck CHJ, Lamberts SW. Considerations concerning a tailored, individualized therapeutic management of patients with neuroendocrine tumors of gastrointestinal tract and pancreas. Endocrine-Related Cancer. 2004;11:19-34.

17. Hirshberg B. Libutti SK, Alexander HR, et al: Blind distal pancreatectomy for occult insulinoma, an inadvisable procedure. J Am Coll Surg 2002 ;194:761-764.

18. Kloppel G, Perren A, Heitz PU. The gastroenteropancreatic neuroendocrine cell system and is tumors: the WHO classification. Ann N Y Acad Sci. 2004;1014:13-2.

19. Kloppel G, Perren A, Heitz PU. The gastroenteropancreatic neuroendocrine cell system and its tumors: the WHO classification. Ann N Y Acad Sci 2004;1014:13-2.

20. Metz DC, Jensen RT. Gastrointestinal neuroendocrine tumors: pancreatic endocrine tumors. Gastroenterology. 2008;135:1469-92.

21. Modlin IM, Latich I, Zikusoka M, Kidd M, Eick G, Chan AKC. Gastrointestinal carcinoids: the evolution of diagnostic strategies. J Clin Gastroenterol. 2006;40:572-82.

22. Norton JA. Feaker DI, Alexander HR, et al. Surgery to cure the Zollinger-Ellison Syndrome. N Eng J Med 1999;341:635-644.

23. Norton JA. Neuroendocrine tumor of the pancreas and duodenum. Curr Probl Surg 1994.;31:77-156.

24. Pape UF, Berndt U, Muller-Nordhorn J, Bohmig M, Roll S, Koch M, Willich SN, Wiedenmann B. Prognostic factors of long-term outcome in gastroenteropancreatic neuroendocrine tumours. Endocr Relat Cancer. 2008;15:1083-97.

25. Pape UF, Jann H, Ml¨ler-Nordhorn J et al. Prognostic relevance of a novel TNM classification system for upper gastroenteropancreatic neuroendocrine tumors. Cancer 2008;113:256-265.

26. Peplinski GR. Insulinoma and nesidioblastosis. In: Howard J edtior. Surgical disease of the pancreas. 3rd. London, Williams & Wilkins.

27. Plockinger U, Rindi G, Arnold R, Eriksson B, Krenning EP, de Herder WW, Goede A, Caplin M, Oberg K, Reubi JC, Nilsson O, Delle Fave G, Ruszniewski P, Ahlman H, Wiednmann B; European Neuroendocrine Tumour Society. Guidelines for the diagnosis and treatment of neuroendocrine gastrointestinal tumours. A consensus statement on behalf of the European Neuroendocrine Tumour Society (ENETS). Neuroendocrinology. 2004;80:394-424.

28. Raymond E, Dahan L,Raoul JL, et al. Sunitinib Malate for the Treatment of Pancreatic Neuroendocrine Tumors. N Engl J Med 2011;364:501-1.

29. Rinke A, Mu¨ller H, Carmen SB, et al. Placebo-Controlled, Double-Blind, Prospective, Randomized Study on the Effect of Octreotide LAR in the Control of Tumor Growth in Patients With Metastatic Neuroendocrine Midgut Tumors: A Report From the PROMID Study Group. J Clin Oncol 2000; 27:4656-466.

30. Solcia E, Kloppel G, Sobin L. Histological Typing of Enodcrine Tumours: WHO International Histological Classification of Tumours. 2nd ed. New York, NY: Springer, 2000.

31. Song KB, Kim SC, Hwang DW, Lee JH, Lee DJ, Lee JW, Park K, Lee Y. Matched Case-Control Analysis Comparing Laparoscopic and Open Pylorus-Preserving Pancreaticoduodenectomy in Patients With Periampullary Tumors. Ann Surg. 2015 Volume 262(1), July 2015, p 146-15.

32. Song KB, Kim SC, Park JB, Kim YH, Jung YS, Kim MH, Lee SK, Seo DW, Lee SS, Park DH, Han DJ.Single-center experience of laparoscopic left pancreatic resection in 359 consecutive patients: changing the surgical paradigm of left pancreatic resection. Surg Endosc. (2011) 25:3364-3372.

33. Song KB, Kim SC, Park KM, Hwang DW, Lee JH, Lee DJ, Lee JW, Jun ES, Shin SH, Kim HE, Lee YJ. Laparoscopic central pancreatectomy for benign or low-grade malignant lesions in the pancreatic neck and proximal body. Surg Endosc (2015). 29:937-94.

34. Thompson JC, Townsend CM. Enocrine pancreas. In: Sabiston DC editor. Textbook of surgery. 17th ed. Philadelphia, W.B. Elsevier Saunders.

35. Yao J, Hassan M, Phan A , Dagohoy C, Leary C, Mares J, Abdalla E, Fleming J, Vauthey J, Rashid A, Evans D. One hundred years after "carcinoid": epidemiology of and prognostic factors for neuroendocrine tumors in 35,825 cases in the United States. J Clin Oncol. 2008;26:3063-72.

36. Yao J, Shah MH, Ito T, et al. Everolimus for Advanced Pancreatic Neuroendocrine Tumors. N Engl J Med 2011;364:514-23.

[XX. 비장]

1. 외과학, 1st Edition, p833-839.

2. Agency for Health Care Policy and Research: Interim Mannual for Clinical Practice Guideline Development. Rockville, MD, U.S. Department of Health and Human Services, Public Health Service, 1991.

3. Akwari OE, Itani KM, Coleman RE, et al. Splenectomy for primary and recurrent immune thrombocytopenic purpura(ITP): Current criteria for patient selection and results. Ann Surg 1987;206:529-541.

4. Au WY, Klasa RJ, Gallagher R, et al. Second malignancies in patients with hairy cell leukemia in British Columbia: A 20-year experience. Blood 1998;92:1160-1164.

5. Badaloo AV, Singhal A, Forrester TE, et al. The effect of splenectomy for hypersplenism on whole body protein turn-over, resting metabolic rate and growth in sickle cell disease. Eur J Clin Nutr 1996;50:672-675.

6. Bode PJ, Niezen RA, van Vugt A, et al. Abdominal ultrasound as a reliable indicator for conclusive laparotomy in blunt abdominal trauma. J Trauma 1993;34:27-31.

7. Bohnsack JF, Brown EJ. The role of the spleen in resistance to infection. Annu Rev Med 1993;37:27-31.

8. Bouvet M, Babiera GV, Termuhlen PM, et al. Splenectomy in the accelerated or blastic phase of chronic myelogenous leukemia: A single institution, 25-year experience. Surgery 1997;122:20-25.

9. Bove T, Delvaux G, VanEijkelenburg P, et al. Laparoscopic-assisted surgery of the spleen: Clinical experience in expanding indications. J Laparoendosc Surg 1996;6:213-217.

10. Brodsky J, Abcar A, Styler M. Splenectomy for non-Hodgkin's lymphoma. Am J Clin Oncol 1996;19:558-561.

11. Caplan ES, Boltansky H, Snyder MJ, et al. Response of traumatized splenectomized patients to immediate vaccination with polyvalent pneumococcal vaccine. J Trauma 1983;23:801-805.

12. Chirletti P, Cardi M, Barillari P, et al. Surgical treatment of immune thrombocytopenic purpura. World J Surg 1992;16:1001-1005.

13. Cocanour CS, Moore FA, Arteaga BS. Age should not be a consideration for nonoperative management of blunt splenic injury. J Trauma 1999;47:220.

14. Croom RD III, McMillan CW, Orringer EP, et al. Hereditary spherocytosis. Ann Surg 1985;203:34-39.

15. Cullingford GL, Watkins DN, Watts ADJ, et al. Severe late postsplenectomy infection. Br J Surg 1991;78:716-721.

16. Cusack JC Jr, Seymour JF, Lerner S, et al. Role of splenectomy in chronic lymphocytic leukemia. J Am Coll Surg 1997;185:237-243.

17. Danforth DN Jr, Fraker DL. Splenectomy for the massively enlarged spleen. Am Surg 1991;57:108-113.

18. Decker G, Millat B, Guillon F, et al. Laparoscopic splenectomy for benign and malignant hematologic diseases: 35 Consecutive cases. World J Surg 1998;22:62-68.

19. Delaitre B, Pitre J. Laparoscopic splenectomy versus open splenectomy: A comparative study. Hepatogastroenterology 1997;44:45-49.

20. DiFino SM, Lachant NA, Kirshner JJ, et al. Adult idiopathic thrombocytopenic purpura: Clinical findings and response to therapy. Am J Med 1980;69:430-442.

21. Emmermann A, Zornig C, Peiper M, et al. Laparoscopic splenectomy: Technique and results in a seires of 27 cases. Surg Endosc 1995;9:924-927.

22. Engrav LH, Benjamin CI, Strate RG, et al. Diagnostic peritoneal lavage in blunt abdominal trauma. J Trauma 1975;15:854-859.

23. Eraklis AJ, Filler RM. Splenectomy in childhood: A review of 1413 cases. J Pediatr Surg 1972;7:382-388.

24. Faught WE, Gilbertson JJ, Nelson EW. Splenic abscess: Presentation, treatment options, and results. Am J Surg 1989;158:612-614.

25. Federle MP, Crass RA, Jeffrey RB, et al. Computed tomography in blunt abdominal trauma. Arch Surg 1989;117:645-650.

26. Feigenberg Z, Wysenbeek A, Avidor E, et al. Malignant lymphangioma of the spleen. Isr J Med Sci 1983;19:202.

27. Flowers JL, Lefor AT, Steers J, et al. Laparoscopic splenectomy in patients with hematologic diseases. Ann Surg 1996;224:19-28.

28. Foster PN, Bolton RP, Cotter KL, et al. Defective activation of neutrophils after splenectomy. J Clin Pathol 1985;38:1175-1178.

29. Friedman RL, Hiatt JR, Korman JL, et al. Laparoscopic or open splenectomy for hematologic disease: Which approach is superior? J Am Coll Surg 1997;185:49-54.

30. George JN, El-Harake MA, Raskob GE. Chronic idiopathic thrombocytopenic purpura. N Engl J Med 1994;331:1207-1211.

31. Gigot JF, de Ville de Goyet J, Van Beers BE, et al. Laparoscopic 8581외 과 학l각 론 splenectomy in adults and children: Experience with 31 patients. Surgery 1996;119:384-389.

32. Gigot JF, Jamar F, Ferrant A, et al. Inadequate detection of accessory spleens and splenosis with laparoscopic splenectomy: A shortcoming of the laparoscopic approach in hematologic diseases. Surg Endosc 1998;12:101-106.

33. Glasgow RE, Yee LF, Mulvihill SJ. Laparoscopic splenectomy: The emerging standard. Surg Endosc 1997;11:108-112.
34. Gleich S, Wolin DA, Berbsman H. A review of percutaneous drainage of splenic abscess. Surg Gynecol Obstet 1998;167:211-216.
35. Golomb HM, Ratain MJ. Recent advances in the treatment of hairycell leukemia. N Engl J Med 1987;316:870-871.
36. Gratwohl A, Goldman J, Gluckman E, et al. Effect of splenectomy before bonemarrow transplantation on survival in chronic granulocytic leukaemia. Lancet 1985;2:1290-1291.
37. Groom AC. Microcirculation of the spleen: New concepts, new challenges. Microvasc Res 1987;34:269-289.
38. Horowitz J, Smith JL, Weber TK, et al. Postoperative complications after splenectomy for hematologic malignancies. Ann Surg 1996;223:290-296.
39. Horton J, Ogden ME, Williams S, et al. The importance of splenic blood flow in clearing pneumococcal organisms. Ann Surg 1982;195:172-176.
40. Katkhouda N, Hurwitz MB, Rivera RT, et al. Laparoscopic splenectomy: Outcome and efficacy in 103 consecutive patients. Ann Surg 1998;228:568-578.
41. Katkhouda N, Waldrep DJ, Feinstein D, et al. Unresolved issues in laparoscopic splenectomy. Am J Surg 1996;172:585-590.
42. Khouri I, Sanchez FG, Deisseroth A. Leukemias. In DeVita VT Jr, Hellman S, Rosenberg SA(eds): Cancer: Principles and Practice of Oncology, 5th ed. Philadelphia, Lippincott-Raven, 197.
43. Lee WJ, Kim BR. Laparoscopic splenectomy for chronic idiopathic thrombocytopenic purpura. Surg Laparosc Endosc 1997;7:209-212.
44. Michels NA. The variational anatomy of the spleen and the splenic artery. Am J Anat 1942;70:21-72.
45. Montserrat E. Chronic lymphoproliferative disorders. Curr Opin Oncol 1997;9:34-41.
46. Morganstern L, Rosenberg J, Geller SA. Tumors of the spleen. World J Surg 1985;9:468-476.
47. Morrell DG, Chang FC, Helmer SD. Changing trends in the management of splenic injury. Am J Surg 1995;170:686-690.
48. Musser G, Lazar G, Hocking W, et al. Splenectomy for hematologic disease: The UCLA experience with 306 patients. Ann Surg 1984;200:40-45.
49. Myers LK, Tang B, Rosloniec EF, et al. Characterization of a peptide analog of a determinant of type II collagen that suppresses collageninduced arthritis. J Immunol 1998;161:3589-3595.
50. Olsen WR, Redman HC, Hildreth DH. Quantitative, peritoneal lavage in blunt abdominal trauma. Arch Surg 1972;104:536-543.
51. Pachter HL, Hofstetter SR, Elkowitz A, et al. Traumatic cysts of the spleen: The role of cystectomy and splenic preservation. Experience with seven consecutive patients. J Trauma 1993;35:430-436.
52. Park A, Gagner M, Pomp A. The lateral approach to laparoscopic splenectomy. Am J Surg 1997;173:126-130.
53. Perry JF Jr, Strate RG. Diagnostic peritoneal lavage in blunt abdominal trauma: Indications and results. Surgery 1972;71:898-901.
54. Pimpl W, Dapunt O, Kaindl H, et al. Incidence of septic and thromboembolic related deaths after splenectomy in adults. Br J Surg 1989;76:517-521.
55. Powell M, Courcoulas A, Gardner M. Management of blunt splenic trauma: Significant differences between adults and children. Surgery 1997;122:654-660.
56. Rogers FB, Baumgartner NE, Robin AP, et al. Absorbable mesh splenorrhaphy for severe splenic injuries: Functional studies in an animal model and an additional patient series. J Trauma 1991;31:200-204.
57. Rutherford EJ, Livengood J, Higginbotham M, et al. Efficacy and safety of pneumococcal revaccination after splenectomy for trauma. J Trauma 1995;39:448-452.
58. Sabiston, Textbook of SURGERY 19th EDITION, p457-p45.
59. Sardi A, Ojeda HF, King D Jr. Laparoscopic resection of a benign true cyst of the spleen with the harmonic scalpel producing high levels of CA 19-9 and carcinoembryonic antigen. Am Surg 1998;64:1149-1154.
60. Schurr MJ, Fabian TC, Gavant M. Management of blunt splenic trauma: Computed tomographic contrast blush predicts failure of nonoperative management. J Trauma 1995;39:507-513.
61. Schwartz SI, Bernard RP, Adams JT, et al. Splenectomy for hematologic disorders. Arch Surg 1970;101:338-347.
62. Schwartz's PRINCIPLES OF SURGERY 8TH Edition(2005), p166-16.
63. Smith CD, Meyer TA, Goretsky MJ, et al. Laparoscopic splenectomy by the lateral approach: A safe and effective alternative to open splenectomy for hematologic diseases. Surgery 1996;120:789-794.
64. Smith JS Jr, Cooney RN, Mucha P Jr. Nonoperative management of the ruptured spleen: A revalidation of criteria. Surgery 1996;120:745-751.
65. Sutyak JP, Chiu WC, D'Amelio LF, et al. Computed tomography is inaccurate in estimating the severity of adult splenic injury. J Trauma 1995;39:514-518.
66. Taylor MA, Kaplan HS, Nelsen TS. Staging laparotomy with splenectomy for Hodgkin's disease: The Stanford experience. World J Surg 1985;9:449-460.
67. The Atlas and Text of Surgery(핵심외과학), 8th Edition(2012), p1426-143.
68. Thibault C, Mamazza J, Letourneau R, et al. Laparoscopic splenectomy: Operative technique and preliminary report. Surg Laparosc Endosc 1992;2:248-253.
69. TRAUMA, 7TH Edition(2013), p561-58.

70. Trias M, Targarona EM, Balague C. Laparoscopic splenectomy: An evolving technique. A comparison between anterior and lateral approaches. Surg Endosc 1996;10:389-392.

71. Trias M, Targarona EM, Espert JJ, et al. Laparoscopic surgery for splenic disorders: Lessons learned from a series of 64 cases. Surg Endosc Ultrasound Intervent Tech 1998;12:66-72.

72. Tsoukas CM, Bernard NF, Abrahamowicz M, et al. Effect of splenectomy on slowing human immunodeficiency virus disease progression. Arch Surg 1998;133:25-31.

73. van der Laan RT, Verbeenen B Jr, Smits NJ, et al. Computed tomography in the diagnosis and treatment of solitary splenic abscesses. J Comput Assist Tomogr 1989;13:71-74.

74. Watson DI, Coventry BJ, Chin T, et al. Laparoscopic versus open splenectomy for immune thrombocytopenic puroura. Surgery 1997;121:18-22.

75. Wolff MJ, Bitran J, Northland RG, et al. Splenic abscesses due to Mycobacterium tuberculosis in patients with AIDS. Rev Infect Dis 1991;13:373-375.

76. Yee LF, Carvajal SH, de Lorimier AA, et al. Laparoscopic splenectomy: The initial experience at University of California, San Francisco Arch Surg 1995;130:874-879.

Chapter 04

유방

Breast

Ⅰ 유방의 발생과 해부

1. 유방의 발달과 생리

유선mammary gland은 발생학적으로 땀분비샘eccrine sweat gland에서 기원하는 피부 부속기관이나, 기능적인 측면에서 볼 때 유즙을 생산한다는 점에서 일종의 변형된 아포크린샘apocrine gland으로 보는 것이 타당하다. 유선의 발생은 태생 5-6주경 배아의 네 번째 늑간 공간intercostal space에 해당하는 흉벽에 외배엽성 1차 유선싹primary mammary bud이 나타나 겨드랑이에서 서혜부 쪽을 향해 발달하기 시작하여 흉부에 이르러서는 유방능선mammary ridge을 형성하고 태생 12-16주경에 2차 유선싹이 발달하면서 장차 분비 소실secretory alveoli로 분화될 조직이 증식하기 시작하여 분지를 형성한다. 임신 3기에 모체의 호르몬이 유입되면서 분지된 상피세포에 관형성canalization을 일으켜 15-25개의 방사상으로 배열된 복잡한 구조의 유관계lactiferous ductal system가 형성된다. 태생 32-40주에 유두-유륜 복합체가 형성되는데 출생 시에는 유두 주변의 결체조직과 피지샘의 증식으로 인해 밖으로 돌출하게 된다. 유두가 밖으로 돌출하지 못하고 내번inversion된 상태로 있는 경우가 있는데 대개 유전적이며 저형성된 유관계 내에 유두가 갇힘으로써 발생한다. 인류에서 유방능선은 네 번째 늑간 공간에 해당하는 부위에 한 쌍만이 남고 나머지는 퇴화되는데 일부 여성(2-6%)에서는 이러한 유선능선이 완전히 소멸되지 않아 겨드랑이에 유선조직이 남게 되어 부유방accessory breast이나 부유두accessory nipple의 형태로 남기도 한다.

유선의 발달은 사춘기 이전에도 빠르면 7-8세부터 낮은 수준의 뇌하수체 생식샘자극호르몬pituitary gonadotropin의 분비에 의해 시작될 수 있으며, 다른 사춘기의 징후 없이 한쪽 또는 양쪽 유두 밑에서 고무 같은 질감의 덩어리가 만져지는 경우가 있는데 12세 이전의 이러한 변화는 사춘기 전 여성형유방증prepubertal gynecomastia이라고 부르며 외과적 생검의 대상은 아니지만 신생물neoplasm, 즉 진짜 종양과 감별이 필요하다. 사춘기에 접어들어 호르몬에 의존한 성숙단계thelarche에 이르면 지방의 축적과 유관의 증식이 일어나고, 이러한 과정은 에스트로겐이나 프로게스테론 뿐만 아니라 부신 호르몬, 뇌하수체 호르몬, 인슐린, 갑상선 호르몬 등에 이르기까지 여러 가지 호르몬의 통제 하에 진행된다. 사춘기 이후에 유방은 생리주기에 따라 유선 상피세포와 소엽lobule 기질의 변화를 보이는데 주된 소견은 조직의 증식hyperplasia이라기보다는 세포의 비대hypertrophy와 형태학적 변화이며, 생리 직전인 늦은 황체기에는 수분의 저류와 울혈로 소엽 간 부종이 일어나고 유방의 팽만과 유방통mastalgia을 일으킬 수 있다. 이러한 변화는 유선조직의 결절성 변화를 증가시켜 유방촉진 시 진짜 종양과 감별을 어렵게 만들며, 유방촬영술mammogram에서 불분명한 영상으로 인해 판독이 어려워진다.

임신 시에는 섬유성 기질은 감소하고, 새로운 세엽acini과 소엽의 증식이 일어나고, 분만 후 태반 호르몬의 급작스러운 중단과 유즙분비호르몬prolactin의 분비 증가로 유즙분비가 시작된다. 수유에 의한 유두의 자극은 유즙분비호르몬과 옥시토신oxytocin의 분비를 유발하며, 이유 후 유두에 대한 자극이 사라지면 이들 호르몬의 분비가 급격히 감소하여 유방은 정상적인 형태로 회복되고 생리가 재개된다. 폐경 후에는 상피성 또는 소엽성 조직은 감소되고, 대부분 지방 조직으로 대체되어 유방촬영술에서 작은 종양도 쉽게 발견할 수 있다. 그러나 폐경후증후군postmenopausal syndrome으로 호르몬대체요법hormone replacement therapy을 받는 경우에는 이러한 조직들이 다시 증식되므로 유방검진 시 병력청취가 중요하다.

2. 유방의 해부학적 구조

발육된 유방은 종으로 제2 늑골 제6 늑골 사이, 횡으로 흉골sternum의 외연과 액와중간선midaxillary line 사이에 자리잡고 있으며, 유두는 제4 늑골 높이에 위치한다. 유선 조직은 이 위치에서 전흉벽의 피하지방층과 표재흉근막superficial pectoralis fascia 사이의 지방조직 내에 위치하게 되며, 간혹 유선 조직이 겨드랑이 쪽으로 돌출하기도 하는데 이를 '스펜스 겨드랑이 꼬리axillary tail of Spence'라고 부른다. 유방과 대흉근pectoralis major muscle 사이에는 림프관과 혈관이 출입하는 느슨한 결체조직으로 구성된 유방 뒤 공간retromammary space이 있으며(그림 4-1), 이는 유방절제술 시에 대흉근에서 유방 조직을 분리해 내는 데 기준면이 된다.

(1) 림프절과 림프의 흐름

대흉근 아래에는 소흉근pectoralis minor muscle이 위치

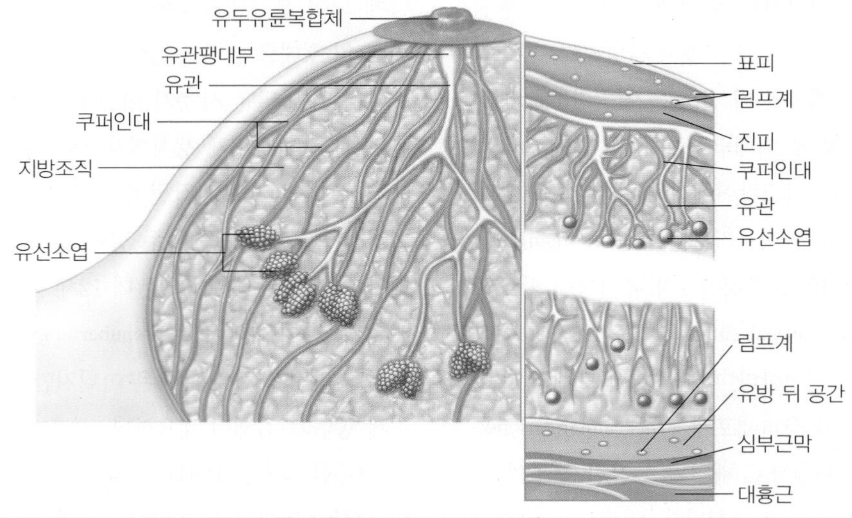

그림 4-1 유방의 해부학적 구조. 유방은 유선과 유관을 지방과 섬유성 조직이 싸고 있는 형태로 구성된다. 유방의 전체적인 형태는 쿠퍼 인대에 의해 지지되며, 유방과 대흉근 사이에는 유방 뒤 공간이 있다.

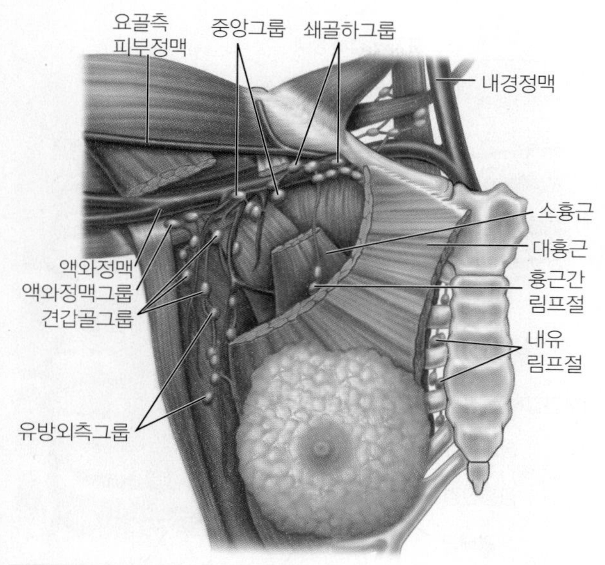

그림 4-2 유방의 림프절군. 유방의 림프절은 해부학적인 위치에 따라 쇄골하 그룹(subclavicular group), 액와정맥 그룹(axillary vein group), 견갑골 그룹(scapular group), 중심 그룹(central group), 외측 유방 그룹(external mammary group) 등으로 나누어 부르며, 이와 별도로 흉근간림프절(interpectoral node)과 내유림프절(internal mammary node)이 있다.

하며 쇄골흉근막clavipectoral fascia으로 싸여 있는데 이 근막은 바깥쪽으로 연장되어 액와근막과 연결된다. 이러한 해부학적 지식은 소흉근의 외측연으로 따라 절개함으로써 겨드랑이 부위를 노출시키는데 중요하다. 겨드랑이의 느슨한 지방조직 내에는 많은 수의 림프절들이 분포하고 있는데 해부학적 위치에 따라 쇄골하 그룹subclavicular group, 액와정맥 그룹axillary vein group, 견갑골 그룹scapular group, 중심 그룹central group, 외측 유방 그룹external mammary group 등으로 분류할 수 있다(그림 4-2). 림프절 그룹을 분류하는 또 다른 방법으로는 소흉근을 기준으로 간편하게 세 그룹으로 나누기도 하는데 이는 림프절 전이의 정도나 수술 시 림프절 절제의 범위를 나타내는데 유용하다. Level I 림프절은 소흉근의 바깥쪽에 위치하는 림프절 그룹을, Level II 림프절은 소흉근의 바로 아래에 위치하는 림프절 그룹을, Level III 림프절은 소흉근의 안쪽에 위치하는 림프절 그룹을 칭한다. 이와 별도로 유방내림프절intramammary node이 여성의 28%에서 발견되며, 내유림프절internal mammary nodes은 흉골의 외연을 따라 늑간 공간intercostal space에 위치하고 있고, 로터 림프절Rotter's node이라고도 부르는 흉근간림프절interpectoral node이 대흉근과 소흉근 사이에 위치하고 있는데 이들은 유방암수술 시 따로 절제하지 않는 한 표준적인 림프절청소술axillary lymph node dissection에 포함되지 않는다. 겨드랑이의 꼭지점은 늑쇄골인대costoclavicular ligament로서 할스테드 인대Halsted's ligament라고도 부르며(그림 4-3), 이 부위가 액와정맥axillary vein이 흉곽 내로 진입하면서 쇄골하정맥subclavian vein으로 되는 지점이다.

유방의 림프계는 유방의 피부, 유두, 유관계의 림프는 액와부로 배액 되고, 심부 유방의 림프는 흉근과 늑간근intercostal muscle을 관통하여 배액 된다. 1830년대경 Sappey는 대부분의 유방 내 림프는 유방의 중심부로 모여들어 유두-유륜부 밑에서 얼기subareolar plexus를 형성하여 겨드랑이로 배액 된다는 가설을 제시하였으나, 최근의 연구는 유방의 림프 흐름은 일부 유두-유륜부를 경유하여 배액 되기도 하지만 대부분은 직접 액와 림프절로 배액 되고, 심부 유방의 림프는 내유림프절로 배액 되는 것을 보여 주었다. 일부에서는 겨드랑이로 향하던 림프의 흐름이 흉근간림프절이나 쇄골상림프절supraclavicular node로 유입되기도 하고, 흉골 밑을 통하여 반대측 겨드랑이로 유입되기도 한다. 또한 림프절은 수입관afferent duct를 통해 들어온 림프액을 여과하여 다시 수출관efferent duct를 통해 배출하지만, 일부에서는 유입된 림프관이 림프절의 실질을 거치지 않고 관통하는 경우도 있고 림프절의 표면으로 우회하는 경우도 있는 것으로 알려져 있다. 이러한 림프절의 해부학적 지식은 감시림프절 생검sentinel node biopsy을 수행할 때 참고해야 할 사항이다.

(2) 근육과 신경의 구조

장흉신경long thoracic nerve은 벨 외호흡신경external respiratory nerve of Bell이라고도 부르며, 겨드랑이의 안쪽 흉벽에 붙어서 내려가 전거근serratus anterior muscle을 지배하는데, 이 근육은 어깨를 모으고adduction of shoulder 팔

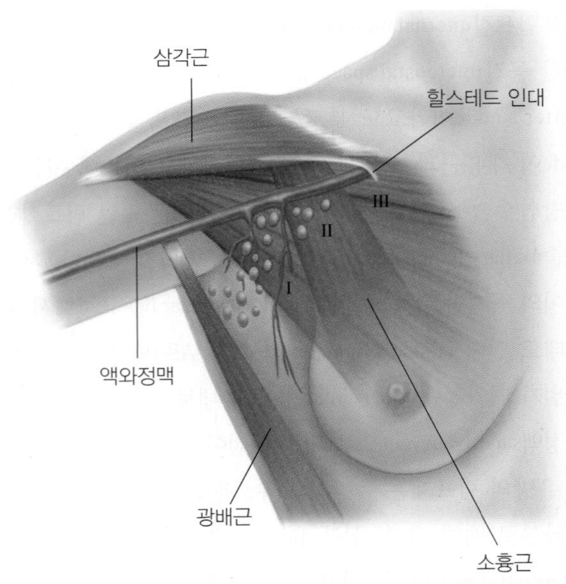

그림 4-3 유방의 림프절 레벨. 유방의 액와림프절은 수술 시에 곽청 범위를 간편하게 정의하기 위해 소흉근을 기준으로 소흉근의 외측을 레벨 I, 소흉근 바로 밑을 레벨 II, 소흉근 내측을 레벨 III라고 부른다.

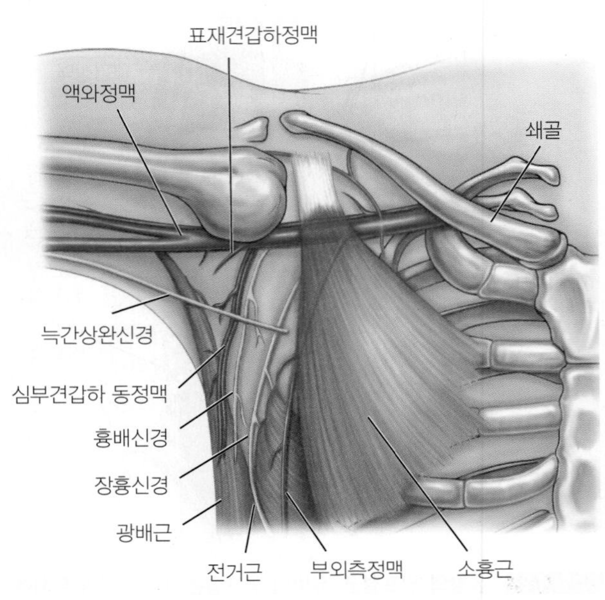

그림 4-4 유방의 근육과 신경. 장흉신경(long thoracic nerve)은 겨드랑이의 안쪽 흉벽에 붙어서 내려가 전거근(serratus anterior muscle)을 지배하고, 흉배신경(thoracodorsal nerve)는 액와정맥 부위에서 견갑하동맥을 따라 내려가 광배근(latissimus dorsi muscle)을 지배하며, 수술 시 이들 신경의 손상은 날개견갑골 변형(winged scapula deformity)을 유발할 수 있다. 겨드랑이를 횡으로 가로지르고 있는 늑간상완신경(intercostobrachial nerve)은 겨드랑이의 뒤쪽 경계와 위팔의 안쪽 피부의 감각을 지배하며, 이 신경의 손상은 해당부위의 감각이상을 초래한다.

을 신전extension of arm했을 때 견갑골scapula이 흉벽에 고정되도록 하는데 중요한 역할을 하기 때문에 수술 중에 이 신경이 손상되면 날개견갑골 변형winged scapula deformity을 유발할 수 있다(그림 4-4). 흉배신경thoracodorsal nerve은 액와정맥 부위에서 동명의 혈관을 따라 내려가 광배근latissimus dorsi muscle을 지배하며, 이 또한 손상을 받으면 날개견갑골 변형의 원인이 될 수 있다.

대흉근은 제3-제5 늑골에서 기시하여 견갑골의 부리돌기coracoid process에 정지하며 윗부분은 내흉근신경medial pectoral nerve, 아랫부분은 외흉근신경lateral pectoral nerve의 지배를 받는다. 미용적으로 더 나은 외관을 위해 대흉근을 보존하는 술식인 변형근치유방절제술modified radical mastectomy의 경우 이 신경의 손상은 필연적으로 대흉근의 위축을 초래하여 이 수술의 본래 목적을 퇴색시킨다. 한편 소흉근은 외흉근신경의 지배를 받으며, 이들 신경은 수술 시 액와정맥을 찾는데 표지가 된다. 그러나 내흉근신경과 외흉근신경의 명명법에는 이견이 있다. 이는 상완신경총brachial plexus에서 분지되는 순서를 기준으로 할 것인지 아니면 신경이 지배하는 장기의 해부학적인 위치를 기준으로 할 것인지에 달린 문제인데 원칙적으로 신경이 분지되는 순서에 따라 명명되어야 하지만 아직까지 합의가 이루어지지 않은 상태이다.

늑간상완신경intercostobrachial nerve은 겨드랑이의 뒤쪽 경계와 위팔의 안쪽 피부의 감각을 지배하는 신경으로 해부학적으로 여러 개의 가지를 이루어 흉벽에서 겨드랑이를 지나 위팔에 이르는 경로가 다양하여 수술 시 보존하기가 어려운데 이 신경이 손상되면 환자들이 무감각 또는 이상감각 등을 호소하나 임상적으로 큰 문제를 일으키지는 않는다.

(3) 혈관의 분포

유방의 혈액공급은 주로 내유동맥internal mammary

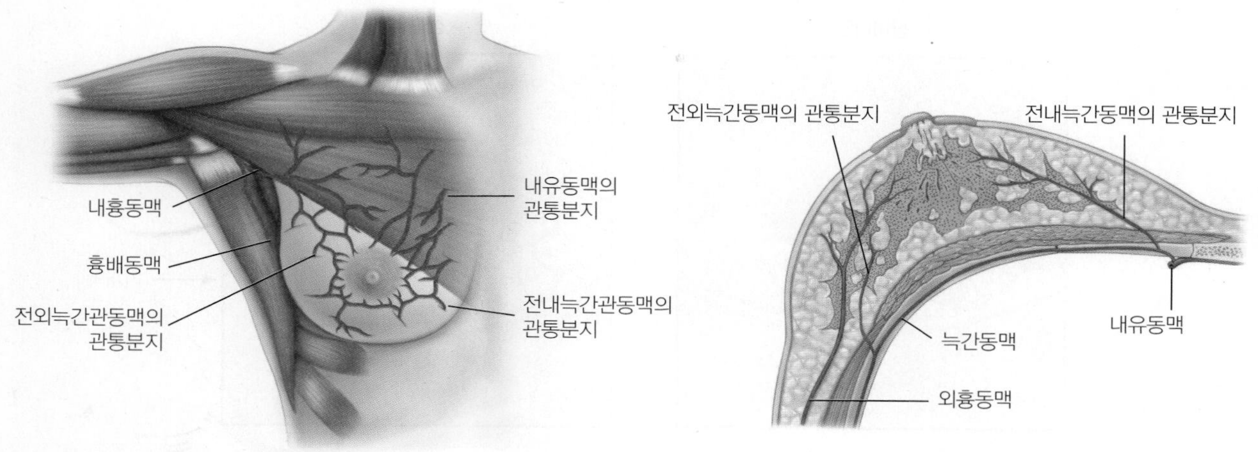

그림 4-5 유방의 혈관 분포. 내유동맥(internal mammary artery)은 주로 유방의 내측과 유두를 포함한 중심부에 혈액을 공급하며, 외흉동맥(lateral thoracic artery)은 주로 유방의 외측에 혈액을 공급한다.

artery과 외흉동맥lateral thoracic artery에 의한다. 동맥혈의 약 60%는 내유동맥을 통해 공급되고 주로 유방의 내측과 유두를 포함한 중심부에 혈액을 공급하며, 약 30% 정도는 외흉동맥에 의해 공급되고 주로 유방의 외측에 혈액을 공급한다(그림 4-5). 그 밖에 흉견봉동맥thoracoacromial artery의 흉근 분지(pectoral branch), 제3–제5 늑간동맥intercostal artery, 견갑하동맥subscapular artery의 외측 분지, 흉배동맥thoracodorsal artery 등도 유방의 혈액 공급에 일부 기여한다. 정맥은 대부분 동맥의 주행을 따라 액와정맥으로 유입되는데 주로 내유정맥internal thoracic vein의 관통분지, 후늑간동맥posterior intercostal artery의 관통분지, 액와정맥의 지류 등으로 구성된다. 두개골의 기저부base of skull에서 천골sacrum에 이르기까지 척추뼈를 둘러싸고 있는 배트슨 정맥 얼기venous plexus of Batson는 유방의 정맥계와 연결되어 유방암이 척추뼈와 중추신경계로 전이되는 통로가 된다.

(4) 조직학적 미세구조

발육된 유방은 샘상피세포glandular epithelium, 섬유성 기질fibrous stroma, 지방의 세 가지 조직으로 구성된다. 어릴 때는 주로 상피세포와 기질로 구성되나 나이가 들면서 점차 지방조직의 양이 많아진다. 지방은 X선 흡수율이 낮아서 유방촬영시 지방조직의 비율이 높을수록 흑백 대조가 좋은 영상을 얻을 수 있는데, 30세 이전의 젊은 여성의 경우 지방에 비해 기질의 양이 많고 치밀해서 유방촬영술로 정확한 영상을 얻기 어려울 때가 많다. 유방의 형태는 표재흉근막에서 유방 뒤 심부 근막을 연결하는 가늘고 질긴 구조물인 쿠퍼 인대Cooper's ligament로 이루어진 그물구조에 의해 유지되는데 이는 피부 쪽으로 단단히 고정되어 있어 유방 내에 종양이 생겨 쿠퍼 인대를 밀거나 당기는 경우 피부 또는 유두의 함몰을 유발하므로 유방검진 시 진단의 실마리를 제공한다.

유즙을 생산하는 종말세관terminal ductule 또는 세엽은 미세한 수출관efferent duct과 함께 소엽 단위lobular unit 또는 소엽을 형성하고, 다시 20–40개의 소엽이 모여 하나의 샘기관glandular apparatus을 이루고 유관lactiferous duct에 연결되어 유두에 이르게 된다. 이러한 샘기관으로 이루어진 유방 실질은 15–20개의 분절로 나뉘어 유두를 중심으로 방사상 분포를 하고 있으며, 각 분절에서 나오는 유관들은 유두로 모이게 되며 유두 내에서 5–10개 정도의 유관으로 합쳐진 다음 유두 내에서 지름이 5–8mm 정도로 늘어나 유관팽대부lactiferous sinus를 이루었다가 유두 표면에 개구하게 된다. 유관은 관상피luminal epithelium 바깥쪽으로 특수화된 근상피세포myoepithelial cell 들에 둘러

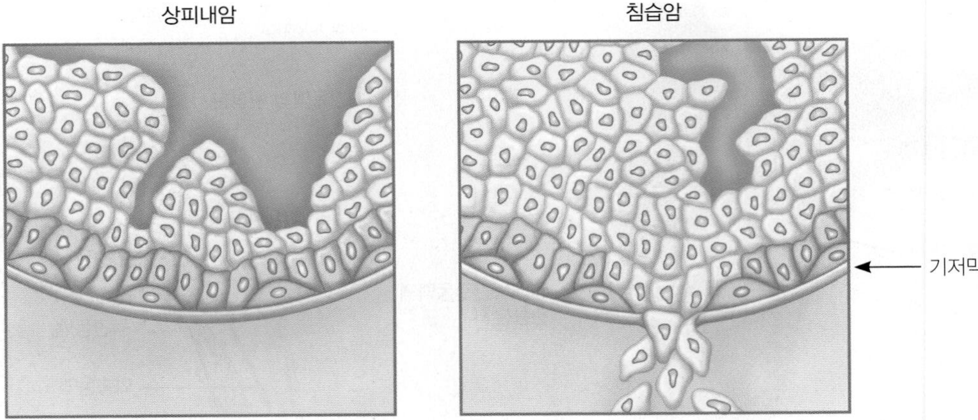

그림 4-6 **유관의 기저막.** 기저막은 상피내암과 침습암의 기준이 된다. 즉, 암조직이 기저막을 침습하기 전 단계를 상피내암, 침습했을 경우에는 침습암으로 정의한다.

싸여 있으며, 이들 세포들은 수축력을 가지고 있어 유즙을 소엽에서 유두 쪽으로 밀어내는 역할을 한다. 상피세포와 근상피세포의 바깥쪽은 기저막basement membrane으로 싸여 있는데 기저막은 제4형 콜라겐type4 collagen, 라미닌laminin, 프로테오글리칸proteoglycan 등으로 구성된 단단한 피막으로서 기저막의 침습 여부에 따라 상피내관암Ductal Carcinoma In Situ (DCIS)과 침습성관암invasive ductal carcinoma을 구별하는 기준이 된다(그림 4-6).

요약

유선mammary gland은 발생학적으로 땀분비샘eccrine sweat gland에서 기원하는 피부 부속기관이나, 기능적인 측면에서 볼 때 유즙을 생산한다는 점에서 일종의 변형된 아포크린샘apocrine gland으로 보는 것이 타당하다.

유방은 해부학적으로 전흉벽의 피하지방층과 표재흉근막superficial pectoralis fascia 사이의 지방조직 내에 위치하며, 유방과 대흉근pectoralis major muscle 사이에는 림프관과 혈관이 출입하는 느슨한 결체조직으로 구성된 유방 뒤 공간retromammary space이 존재한다. 유방의 림프 흐름은 75% 이상이 액와림프절로 유입되고, 일부가 흉근을 관통하거나 내유림프절internal mammary node로 유입된다. 액와림프절은 편의상 소흉근pectoralis minor muscle을 기준으로 소흉근의 바깥쪽을 level I, 소흉근 바로 아래를 level II, 소흉근 안쪽을 level III로 구분한다.

장흉신경long thoracic nerve은 겨드랑이의 안쪽, 흉벽에 붙어서 내려가 전거근serratus anterior muscle을 지배하고, 흉배신경thoracodorsal nerve는 액와정맥 부위에서 견갑하동맥subscapular artery을 따라 내려가 광배근latissimus dorsi muscle을 지배하는데, 이들 신경의 손상은 날개견갑골 변형winged scapula deformity의 원인이 될 수 있다.

II 유방질환의 진단

1. 병력 및 증상문진

유방 질환을 의심하는 환자를 진료할 때 병력이나 증상을 확인하는 것은 가장 기본적인 사항이다. 병력 청취는 이상 증상이나 비정상적인 신체검사나 검사실 소견의 가능한 기저 원인에 대한 단서를 제공할 수 있으며, 만일 유방암으로 확진 되는 경우에는 향후 치료방법을 결정하는 데에도 필수적이다. 병력 청취의 일반적인 항목으로는 환자의 나이, 출산력, 초경 연령, 월경 주기의 규칙성, 폐경 연령, 과거 수술력, 그리고 유방암이나 난소암의 가족력을 확인해야 한다. 특히 과거 유방에 조직검사를 시행한 경우에는 그 병리검사 결과를 확인해야 하며, 난소나 자궁절제술을 시행하였는지 확인해야 한다. 자궁절제술을 시행한 경우에는 폐경 여부의 확인이 어렵기 때문에 폐경 관련 증상이 있는지 확인하는 것이 도움이 된다. 젊은 가임기 여성의 경우에는 임신이나 출산, 수유에 관한 사항을 확인해야 한다. 약물과 관련해서는 폐경 후 호르몬대체요법 시행 여부나 피임약의 사용 여부의 확인이 중요하다. 유방에 관해서는 유방통mastalgia이 있는지, 유두 분비물이 있는지, 유두의 변화가 있는지, 피부의 변화나 좌우 유방의 대칭성에 변화가 있는지, 새로 만져지는 종괴가 유방이나 액와부에 있는지를 물어보아야 한다(표 4-1).

유방통은 일차의료기관이나 유방 클리닉을 찾는 여성 환자들이 가장 흔히 호소하는 증상이다. 유방통은 대부분 정상 월경 현상의 일부분으로 나타나는 것이며, 월경에 따른 통증 정도의 변화 및 통증이 주기성인지 비주기성인지, 정도와 기간에 대한 내용을 파악해야 하며, 혹은 유방 이외의 원인일 가능성은 없는지를 확인해야 한다. 유방암이 발견된 경우 가장 흔한 초기 증상은 통증을 동반하지 않는 종괴가 만져지는 것이다. 만져지는 종괴가 있는 경우에는 그 종괴를 어떻게 발견하였는지, 언제 발견하였는지, 발견 이후에 크기의 변화가 있는지, 유두의 변화가 있는지, 월경 주기와의 관련성이 있는지 확인해야 한다. 유두 분비는 일단 유즙분비과다galactorrhea와 구별해야 하며, 압박 없이 저절로 분비되거나, 단일 유관에서 지속적으로 혈성 분비물을 보이거나, 40세 이상인 경우나, 만져지는 종괴가 함께 있는 경우에는 병적인 유두 분비를 의심해야 한다.

만일 유방암이 의심스러운 경우에는 체중 감소, 피로감, 기침, 호흡곤란, 골 통증 등과 같은 전신 증상이 없는지 함께 확인해야 한다.

표 4-1. 병력 및 증상에 관한 문진 사항

과거력에 관한 문진	
모든 여성	초경 연령
	결혼 여부와 결혼 연령
	임신 횟수, 출산 및 유산 횟수, 초산 연령
	수유 여부와 기간
	유방암과 난소암의 가족력(관계, 발병 연령, 양측성 여부)
	과거 유방 수술력과 해당 병리 결과
폐경 전 여성	마지막 월경일
	월경 주기 및 규칙성
	피임약 복용 여부
폐경 후 여성	폐경 연령
	폐경 후 호르몬대체요법 여부
유방에 관한 문진	
종괴의 촉지 여부(있다면, 발견 방법이나 시기, 발견 이후 시간에 따른, 혹은 월경 주기에 따른 종괴의 변화)	
유방통 유무	
월경 주기에 따른 증상의 변화	
피부, 유두 및 양측 대칭성의 변화	
유두 분비 유무	
유방 외상 유무	
체중 감소, 피로감, 기침, 호흡곤란, 골 통증 등과 같은 전신 증상	

2. 대표적 증상과 원인진단

1) 유방통

유방의 통증breast pain, mastalgia이나 불편감은 젊은 여성에서부터 폐경 후 여성까지 모든 연령대에서 발생 가능한 아주 흔한 증상이며, 일반적으로는 저절로 호전될 수 있다. 경한 유방통의 86%, 중한 유방통의 52%가 환자를 안심시키는 것만으로 증상이 소실된다. 유방통은 주기성인지 비 주기성인지를 확인하고 유방 이외의 원인이 있는지를 확인하여야 한다. 유방통의 원인은 다양하며 일반적으로는 저절로 호전되기를 기다릴 수 있으나 생활에 장애가 있을 정도의 통증이나 6개월 이상 지속되는 통증인 경우에는 카페인 같은 Methylxanthine을 배제한 식이요법을 시행하거나 Danazol, Bromocriptine, Tamoxifen, LHRH analogue 등의 호르몬제재, 달맞이 꽃 종자유evening primrose oil 등을 사용할 수 있으며 비 주기성 유방통의 경우 소염진통제를 사용할 수 있다. 유방통을 호소하는 환자는 신체검사나 유방 촬영술mammography 및 유방초음파 검사를 시행하여 유방암 의심 소견이 없음을 확인하여야 하며, 대부분의 유방통은 잠복 유방암을 시사하는 특이 증상이 아니라는 점을 환자에게 안심시키는 것이 중요하다.

2) 유두분비

유두분비nipple discharge의 원인은 생리적 원인, 유관 내 유두종, 유방암, 임신, 약물이나 고 프로락틴혈증, 갑상선 기능저하증, 섬유낭성질환, 유관 확장증 등으로 다양하다. 병적 유두분비를 의심해야 하는 경우는 표 4-2와 같이, 압박을 하지 않아도 저절로 분비되거나, 일측성, 단일 유관에서 분비되거나, 지속적으로 분비되거나, 혈성분비이거나, 40세 이상인 경우이거나, 남성, 만져지는 종괴가 있거나 영상의학 검사에서 이상 소견이 있는 경우이다.

표 4-2. 병적 유두분비의 임상적 특징

압박을 하지 않아도 저절로 분비
단일 유관에서 분비
지속적인 유두 분비
혈성 분비
40세 이상인 경우
만져지는 종괴나 영상의학 검사상의 이상 소견 동반

3) 유방 종괴

유방 종괴에 대하여는 문진, 신체검사와 함께 유방 촬영술과 유방초음파를 시행한다. 영상검사 결과는 미국방사선의학회American College of Radiology의 유방영상보고자료체계인 BIRADS (Breast Imaging Reporting and Data System)에 의해 보고하며(표 4-3), 최종 범주category가 C4a 이상인 경우에는 조직검사가 시행된다. 조직검사의 결과에 따라 이후 적절한 추가 진단 검사나 치료

표 4-3. BI-RADS에 의한 최종 판정 범주

범주 0	판정 유보	추가 검사 혹은 이전 검사와 비교가 필요한 경우
범주 1	정상	아무런 이상 소견이 없는 경우
범주 2	양성	석회화된 선유선종, 분비성 석회화, 지방종, 과오종, 지방낭종, 혈관석회화, 유방성형물
범주 3	양성 추정	2% 미만의 악성 가능성을 완전히 배제할 수 없어 6개월 간격으로 2-3년간 추적 검진이 필요한 경우
		석회화가 없는 경계가 좋은 고형 종괴, 국소비대칭, 군집성원형석회화
범주 4	악성 의심	조직검사가 필요한 경우
		4A - 낮은 악성 가능성(low suspicious, 3-10%)
		4B - 중간 악성 가능성(intermediate suspicious, 11-50%)
		4C - 높은 악성 가능성(moderate suspicious, 51-94%)
범주 5	악성	95% 이상의 악성 가능성이 있는 병변으로 반드시 조직 검사를 시행해야 하는 경우
범주 6	확진된 유방암	소견에 대한 이차 자문을 받거나 수술 전 항암화학요법을 받은 경우

를 시행하게 된다.

3. 신체검사

우선적으로 유방의 신체검사는 환자가 수치감을 느끼지 않도록 편안한 분위기와 배려 속에서 시행되어야 한다. 신체검사는 양측 유방 전체는 물론 흉부 전면과 양측 겨드랑이, 양측 경부에 대한 시진과 촉진을 모두 포함한다. 환자가 똑바로 앉은 상태에서 양측 팔은 편안하게 내린 상태에서 양측 유방의 대칭성, 부종이나 피부의 당김skin retraction, 발적erythema 등의 피부 변화(그림 4-7, 8), 함몰이나 표피의 벗겨짐excoriation 등의 유두의 변화를 조심스럽게 시진한다. 미세한 피부의 함몰skin dimpling은 간접조명indirect lighting일 때 더 잘 보이며, 환자의 팔을 머리 위로 높이 올리거나, 손을 둔부에 대고 흉근을 긴장시키거나, 가볍게 환자의 유방을 올려주는 방법으로 간과하기 쉬운 미세한 피부 함몰을 발견할 수 있다. 피부의 함몰은 보통 유방암이 진행한 경우에 나타난다는 것은 잘못된 생각이며, 오히려 작은 크기의 경화성 종양small scirrhous tumor에 의한 경우가 더 많다. 피부의 부종과 발적, 압통과 발열이 있는 경우는 급성 유선염이나 농양과 함께 염증성 유방암의 가능성도 항상 감별하여야 한다. 유두와 유륜의 피부 변화는 습진과 같은 단순 피부염이나 상피내암의 일종인 파젯병Paget's disease에서 나타날 수 있다(그림 4-9). 일반적으로 습진은 유륜에서 시작하지만, 파젯병은 유두에서 시작해서 이차적으로 유륜을 침범하는 차이가 있다.

촉진은 생리 시작 후 7-10일 또는 생리 끝난 후 3-4일에 시행하는 것이 가장 좋으며 가운데 세 손가락의 편편하고 예민한 부분으로 약한 압력을 주어 피하의 부분을 만져 본 후 압력을 가하여 깊게 확인하는 방법이 권장되며 양측 유방과 액와부, 그리고 유방으로부터 배액되는 림프절이 존재하는 쇄골상하부까지 자세히 진찰한다. 유방의 촉진은 환자가 앉은 상태로 시행하면 정확하지 못하므로 누운 상태에서 손가락의 손바닥 면으로 흉벽을 향해 압박을 하듯 촉진한다. 만져지는 종괴가 있는 경우에는 크기, 모양, 굳기consistency, 위치, 움직임 여부 등을 기술한다. 종괴를 표시할 때에는 보통 환자를 앞에서 보았을 때 시계 방향에 따른 위치와 유두로부터의 거리, 그리고 표면에서

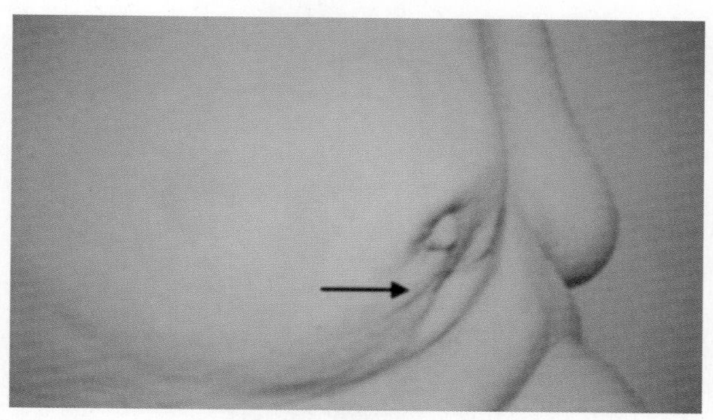

그림 4-7 **피부의 함몰(화살표)**

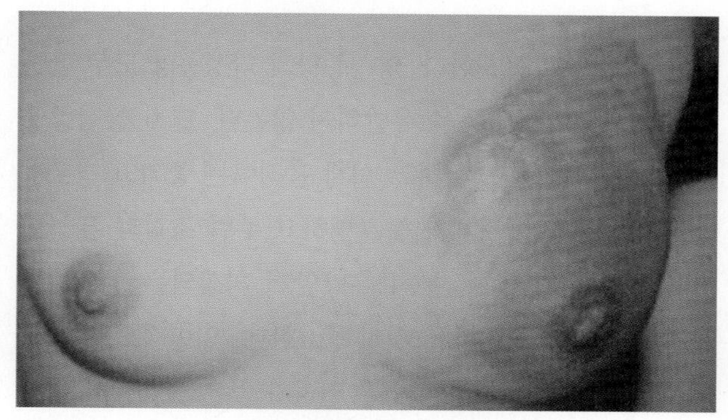

그림 4-8 **염증성 유방암에 의한 피부 부종, 발적 및 발열**

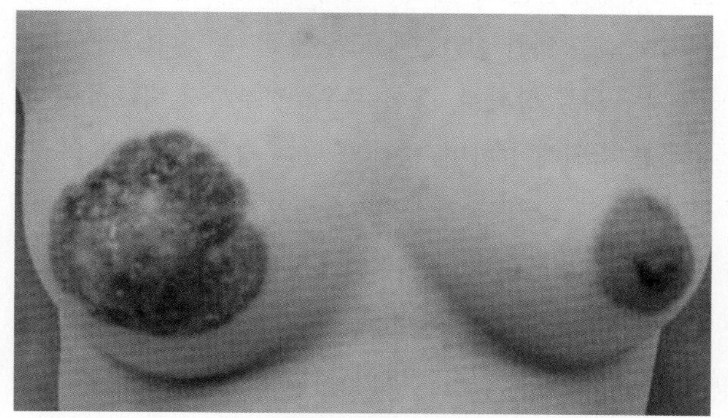

그림 4-9 **파젯병**

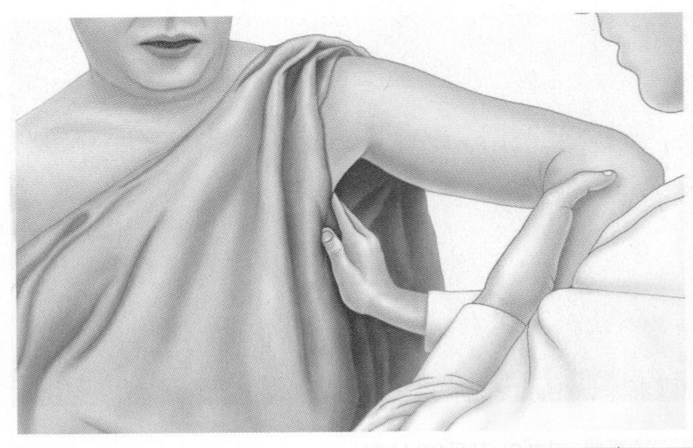

그림 4-10 **액와부 검진 방법**

의 깊이 등으로 표시한다. 양성종양과 악성종양 모두 단단할 수 있고 보통 압통을 유발하지 않는다. 단지 양성종양은 경계가 비교적 명확하고 쉽게 움직이는 종괴인 경우가 많고 악성종양은 경계가 불분명하고 주변 조직과 유착되어 있는 경우가 많다. 특히 유방암이 의심되는 경우에는 림프절 종대를 확인하는 것이 중요한데, 일반적으로 액와부 림프절의 종대 여부 확인은 환자가 앉은 상태에서 어깨 관절을 이완시킨 상태에서 시행한다(그림 4-10). 환자의 어깨 부위를 이완시키기 위해서는 앉은 상태에서 환자의 팔을 검사자의 같은 쪽 손으로 받치고 검사하면 환자의 팔과 어깨 관절을 이완 시키는데 도움이 될 수 있다(그림 4-11). 액와부, 쇄골 상하부, 흉골 주위, 경부까지 림프절 종대 유무를 확인해야 하며, 종대가 있는 경우에는 종괴와 마찬가지로 그 크기, 굳기, 모양, 움직임 여부 등을 확인해야 한다. 액와 림프절 종대는 팔이나 액와의 염증에 의해서도 발생할 수 있으며, 우리나라의 경우에는 액와 림프절 결핵도 드물지 않음을 고려해야 한다.

4. 영상의학검사

1) 유방촬영술

(1) 촬영 방법

유방촬영술 영상은 기본적으로 적용하는 표준 촬영과 문제해결을 위한 보조 촬영으로 나눌 수 있다. 표준 촬영은 내외사위mediolateral oblique view 및 상하위craniocaudal view이며, 정확한 자세 잡기로 가능한 모든 유방 조직이 포함되도록 해야한다. 충분한 압박은 유방 두께를 감소시켜 적절한 노출에 필 요한 방사선량을 줄이고 산란선을 감소시켜 대조도를 향상 시킨다. 보조 촬영에는 국소압박촬영spot compression view, 확대촬영magnification view, 90도 측면촬영lateral view, 강조 상하촬영exaggerated craniocaudal view, 계곡촬영valley view, 액와미부촬영axillary tail view, 접선촬영tangential view, 회전촬영rolled view, 삽입물 전위촬영implant displacement view 등이 있는데 각각 용도에 맞게 선택하여 사용한다.

(2) 판독

가. 정상 유방

정상 유방의 유방촬영술 소견은 매우 다양하며 높은 밀도를 가진 유선과 섬유조직 그리고 낮은 밀도를 가지는 지방조직의 상대적인 양과 분포에 따라 결정된다. 유방 전체에서 유방실질이 차지하는 비율에 따라 지방형almost entirely fatty, 유선산재형scattered fibroglandular, 중등도치밀형heterogeneously dense, 고등도치밀형extremely dense으로 나뉜다(표 4-4). 백인이나 흑인 등 서양 여성의 경우에는 전체의 10% 정도만이 고도치밀형이나 동양 여성에서는

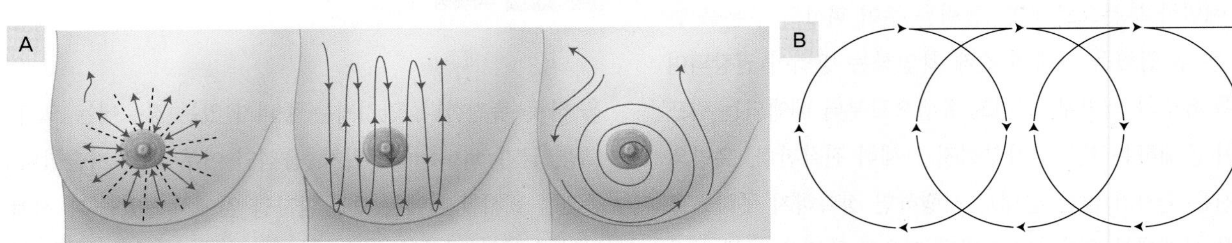

그림 4-11 **유방 및 액와부의 촉진 방법.** A) 유방의 촉진 방법, B) 검사자의 손가락과 검사방향

표 4-4. 유방실질밀도의 분포

유형	유선섬유조직의 비율
1. 지방형(almost entirely fatty)	<25%
2. 유선산재형(scattered fibroglandular)	25-50%
3. 중등도치밀형(heterogeneously dense)	51-75%
4. 고등도치밀형(extremely dense)	>75%

전체의 25% 이상이 고도치밀형이며, 중등도치밀형까지 합하면 전체의 80%를넘는다. 이러한 유방실질의 유형은 유방촬영술의 민감도와 상관 관계가 있다. 일반적으로 젊은 여성층에서는 치밀형유방이 지방형유방보다 흔한데, 치밀도는 유방촬영술의 민감도에 악영향을 미친다. 50대 이상에서는 유방촬영술의 위음성률이 10% 정도인데 반해 40대에서는 위음성률은 25% 정도이다.

나. 이상 소견

이상 소견을 인식하는 첫 단계는 유방촬영 영상을 배열한 뒤 자세잡기, 노출, 압박 등이 적절한지를 평가한다. 유두가 좌우대칭이 되지 않거나 압박 정도가 균일하지 않으면 인위적인 비대칭 소견을 만들 수 있고 노출이 적절하지 않으면 유방암을 놓칠 수 있다. 조기유방암의 가장 흔하고 중요한 소견인 미세석회화는 확대경을 사용한다. 선별유방촬영screening mammography 영상에서는 좌우 유방의 대칭성을 체계적으로 비교하여 작은 종괴, 비대칭, 구조왜곡 등의 이상 소견을 세밀히 관찰한다. 유방암은 2–40%에서 다발성병변과 5–10%에서 반대측 유방암이 동시에 존재할 수 있으므로 하나의 유방암 의심병변이 발견되면 다른 부위도 세밀히 관찰해야 한다. 이상 소견이 진짜 병변이라고 판단되면 유방촬영술에서 병변의 3차원적인 위치를 파악하기 위해 삼각측량술triangulation을 이용한다. 이는 내외사촬영에서의 상하 위치가 실제 병변의 높이를 반영하지 않을 수 있기 때문에 상하촬영, 내외사촬영, 그리고 가상의 측면촬영사진을 차례로 두고 유두의 높이를 수평으로 맞춘 다음 상하촬영과 내외사촬영에서 보이는 병변을 선으로 연결하면 측면촬영에서 병변의 실제 위치를 유추할 수 있는 방법이다(그림 4-12).

병소의 정확한 위치 파악은 비촉지성 병소의 초음파검사나 조직검사 전에 꼭 필요하다.

다. 판정

병소가 진짜이고 유방실질 내에 위치가 확인이 되면 병소를 분석, 판정하여야 한다. 표준화된 용어와 일관된 기준에 따른 분석과 판정은 판독의 정확도를 높이고 판독의사와 의뢰 의사간의 의사소통을 원활히 하는데 중요하다. 미국방사선의학회American College of Radiology의 유방영상보고자료체계인 BIRADS를 이용하는데, 판독문에는 검사의 이유, 유방 실질의 유형, 그리고 의미 있는 소견을 기술하고 결론에 범주category 판정과 권고사항을 기술하도록 되어 있다. 범주는 0에서 6으로 나뉜다. 범주0은 판정 유보를 뜻하며 추가 검사가 필요한 경우이며 검진에서 이상 소견을 보일 경우에 사용한다. 범주1은 정상negative, 범주2는 분명한 양성benign, 범주3은 양성 추정probably benign, 범주4는 악성 의심suspicious malignancy으로 a, b, c로 세분하며 4a는 악성확률이 2–10%, 4b는 11–50%, 4c는 50–94%로 나누며, 4a의 경우 조직검사 결과가 양성으로 나왔을 경우 영상과 조직검사 결과가 일치하는 것으로 간주하고 6개월 후 추적검사를 권고하며, 4b나 4c의 경우 조직검사 결과 가 양성으로 나왔을 경우 영상과 조직검사 결과가 불일치하 는 것으로 간주하고 재조직검사나 수술을 권고한다. 범주5는 악성highly suggestive of malignancy, 범주6은 확진된 유방암의 경우에 사용된다. 범주 4,5는 조직검사의 대상이며, 범주3은 악성 확률이 2% 이하 군으로 6개월 마다 추적 검사로 재평가해야 하며 범주1과 2는 1년에 1번씩 정기검사한다(표 4-3).

2) 유방초음파

유방촬영술은 양쪽 유방 전체의 재현 가능한 영상을 만들수 있고 유방촉진으로는 발견하기 어려운 조기 유방암의 가장 중요한 소견인 미세석회화와 종괴 병변을 발견할 수 있다. 양질의 유방촬영술은 초기 유방암을 발견하

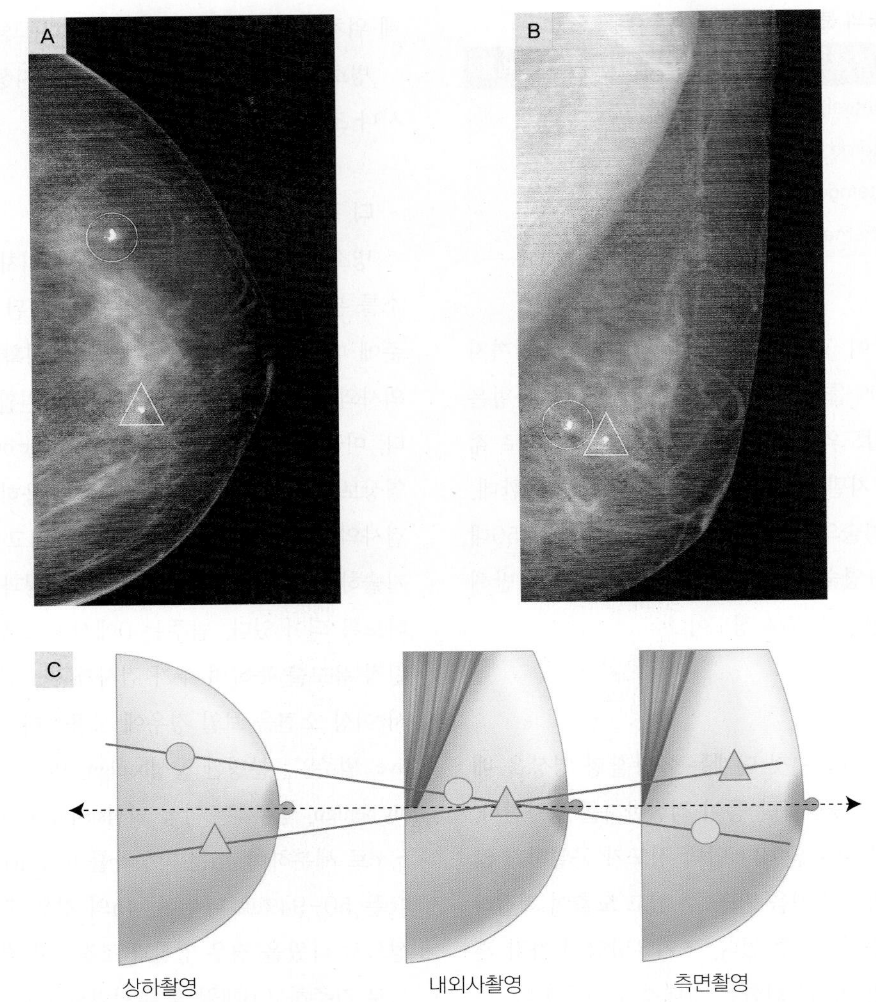

그림 4-12 **삼각 측량술에 의한 병변의 높이 결정.** A), B) 왼쪽 상하(A)와 내외사(B) 유방 촬영 사진에서 두 개의 석회화 병변이 보인다. 하나(원형)는 외측에 다른 하나(삼각형)는 내측에 위치하고 내외사위에서 같은 유두 높이로 보인다. C) 가상의 측면 촬영 사진을 차례로 놓고 유두의 높이를 수평으로 맞춘 다음 상하 촬영과 내외사 촬영에서 보이는 병변을 선으로 연결하면 측면 촬영에서 병변의 위치 즉 실제병변의 높이를 유추할 수 있다.

는 데는 가장 우수하지만 젊은 여성이나 치밀유방을 가진 여성의 경우에는 민감도가 떨어져 유방암 중 10–30%는 발견되지 않을 수 있다. 유방초음파를 유방촬영술에 보완적으로 사용하면 특히 젊은 여성의 유방암 진단에서 민감도와 특이도를 모두 높일 수 있다. 특히 유방초음파 검사는 방사선 조사의 위험이 없고 검사 시 환자의 불편이 없다는 것이 큰 장점이다. 하지만 유방초음파는 유방촬영술에 비해 시야가 제한적이고 해상도가 떨어진다. 유방초음파는 의사가 직접 검사를 시행하고 판독해야 하므로 시간이 많이 걸린다. 유방초음파의 정확도는 검사기기의 성능과 검사자의 능력에 전적으로 좌우된다.

유방초음파의 적응증은 촉지성 또는 유방촬영술의 이상 소견의 평가, 유방성형 삽입물의 평가와 조직검사의 유도 등 제한적인 영역에서부터 종괴의 양성과 악성의 감별진단, 유두 분비물 등 종괴 이외의 임상 증상에 대한 평가, 유방암 수술 전 범위 파악, 수술 후 추적 검사, 그리고 고위험군 여성에 대한 선별검사 등으로까지 확장되었다. 촉지성 유방종괴에 대한 고전적인 접근법은 삼중진단법triple test이다. 촉진에 의한 임상평가, 유방촬영술 소견, 세침흡입생검 결과 중 어느 한가지에서라도 암이 의심되면 절제 생검을 하라는 것이다. 최근에는 영상검사에 유방촬영술뿐만 아니라 유방초음파가 추가되었으며 세침흡입술 대신 초음파 유도하 바늘생검이 보편화되어 있다. 따라서 촉지성 이상의 삼중진단법에 있어 유방초음파가 중추적인 역할을 하고 있다.

실제로 촉지성 종괴의 대부분은 암이 아니라 정상 조직, 낭종, 섬유낭성변화, 지방종 등의 양성 종양이다. 유방촬영술과 유방초음파 검사에서 모두 정상일 경우 음성예측도는 97-99%이다. 초음파에서 분명한 고형 종괴가 발견되면 영상 소견에 따라 조직검사 및 추적검사 방법을 결정하지만, 영상소견에 관계없이 조직검사를 하는 것이 안전한 표준 진료가 될 수 있다. 유방촬영술에서 발견된 종괴가 고형 병변인지 낭성 병변인지를 구별하는데 유방초음파 검사가 유용하다. 유방초음파로 병변을 발견한 경우에는 크기, 모양, 위치, 주변 조직 밀도 등을 세밀히 평가하여 유방촬영술의 이상소견과 일치하는지를 판정해야 한다. 확실하지 않은 경우에는 작은 방사선 비투과성 표지자를 병변 위 피부에 붙이고 그 부위에 다시 유방촬영술을 한다. 유방초음파 검사에서 낭종의 기준에 맞지 않는 경우에는 세침흡입술이나 바늘조직검사를 할 수 있고, 양성일 가능성이 높을 경우에는 6개월마다 추적 검사를 할 수 있다. 혈성 혹은 장액성 유두 분비물이 있는 경우 유관조영술이 표준 검사이지만, 최근 들어 유관조영술을 시행할 수 없거나 결과가 불충분한 경우에는 비침습적이고 쉽게 조직검사유도가 가능한 초음파로 대체되고 있다. 또한 유방초음파는 병변 검출률에서 유관조영술과 차이가 없고, 종괴 때문에 유관 폐색이 생겼을 때 그 상부 유관에 대한 평가가 가능하며, 종괴 자체의 모양과 경계를 분석할 수 있고, 컬러 도플러가 가능하다는 장점이 있다.

유방초음파상 고형 종괴에 대한 양성과 악성의 감별진단은 특정 유방초음파 소견 하나만을 보고 판정하기 보다는 여러 소견을 종합해서 판단하여야 한다. 종괴는 모양shape, 방향orientation, 변연margin, 경계lesion boundary, 에코양상echo pattern, 후방음향양상posterior acoustic features, 주변조직surrounding tissue 등의 일곱 가지 사항에 대하여 기술한다. 일반적으로 전형적인 양성 종괴의 소견으로는 균질하고 강한 고에코를 보이거나, 난원형 모양이거나, 종괴의 변연이 국한성circumscribed이거나, 종괴의 방향이 평행한 방향 등이 있다. 동시에 양성 기준에는 악성을 의심할 만한 침상형spiculated, 각집형angular, 미세분엽형microlobuated 변연, 고에코 달무리, 평행하지 않은 방향, 후방음영그림자 등의 소견이 보이지 않아야 한다는 것도 포함된다. 유방초음파의 적응증이 확대됨에 따라 미국방사선의학회에 의한 유방영상보고자료체계인 BI-RADS의 4판에서부터는 유방촬영술에 이어 유방초음파와 자기공명영상(MRI) 분야도 새롭게 추가되었다.

3) 유방 자기공명영상

유방 MRI는 조영제를 이용한 역동적 조영증강dynamic contrast enhanced 검사가 도입되면서 불필요한 조직검사의 시행 횟수를 줄이고, 다발성 유방암의 발견, 유방암의 병기결정 등에 도움이 되는 비침습적 방법으로 주목을 받게 되었다. 유방 MRI에 주로 이용되는 기기는 1.0-3.0T 고자기장High filed strength MRI이다. 저자장MRI기기가 경제적 측면이나 장소 등을 고려할 때 유리한 점이 있으나, 고자장MRI기기에 비해 신호-잡음비signal to noise ratio가 낮고, 검사시간이 더 길며, 지방억제기술에 문제가 있다. 최근에는 자기공명 유도하 조직검사, 바늘위치결정localization에 용이한 개방형 기기도 개발되어 있다.

유방 MRI는 수술 전 유방암의 침윤범위(특히 흉벽과 유두와의 관계)를 더 정확히 파악하게 해 주고, 같은 쪽이나 반대쪽 유방의 다발성 암 유무를 확인할 수 있게 하여 정확한 병기결정 및 수술계획 수립에 도움을 주며, 항암화학요법을 전후하여 약제에 대한 종양의 반응을 평가하는데 유용하다. 또한 수술 이후 절제연 양성으로 확인된 상태에서 남아있는 병소를 평가하는데 이용되며, 섬유화

반흔, 육아조직 등의 정상변화와 재발유방암의 감별에 도움이 된다. 유방 확대를 위해 실리콘이나 파라핀을 주입한 환자의 검사에 이용되며 삽입물의 피막 내 또는 피막 외 파열을 진단하는데 도움이 된다. 그리고 고위험군의 젊은 여성에서 유방암선별검사에 이용될 수 있고 이로 유방암이 발견되는 확률은 3–8%이고 위양성률은 6–9%정도로 보고되고 있다.

치밀유방의 경우 유방촬영술의 민감도가 낮기 때문에 이에 대한 보조적인 검사로 유방 MRI가 기대를 받고 있으나, 유방 MRI는 가격이 비싸고 유방암 선별에 대한 특이도가 낮아 일부의 경우에만 고려되고 있다.

유방 MRI를 유방암 환자에서 사용하는데 있어서 무엇보다 주의해야 할 점은 유방 MRI가 위양성이 흔하다는 점이다. 수술 방법의 결정은 유방 MRI 소견만으로 내려서는 안 되며, 반드시 유방 MRI에 의해 발견된 병변은 추가적인 조직 검사가 이루어져야 한다. 유방암 환자의 추적검사를 위해 유방 MRI를 사용하는 것도 아직까지는 그 유용성에 대한 증거가 부족한 실정이다.

5. 조직검사 방법

1) 조직검사 방법

(1) 중심침생검

중심 침생검은 절개, 절제 생검보다 덜 침습적이면서 한번의 검사로 충분한 양의 조직을 얻을 수 있고 진단의 정 확도가 높아 최근 많이 사용되고 있다. 중심침생검은 임상적으로 양성소견을 보이지만 악성을 완전히 배제하지 못하는 경우나 악성이 의심되어 근치적 수술을 계획하고 있을 때 확진을 위한 조직검사 방법으로 유용하며 또한 병변이 다발성인 경우 동시에 여러 곳을 검사할 수 있으며 조직 진단이기 때문에 판독이 비교적 쉽게 이루어질 수 있 고 세침흡인세포검사와는 달리 호르몬 수용체 등의 생물학 적 표지자 검사를 시행할 수 있다는 장점이 있다. 조직검사 방법은 14 gauge needle이 달린 biopsy gun 을 이용하는데 먼저 바늘이 들어갈 부위를 소독, 국소마취한 후 피부 절개를 시행한다. 바늘은 흉벽에 수평으로 삽입 하여 흉벽이나 폐를 찌르지 않도록 하고, 채취한 조직은 포르말린에 포매하고 H–E 염색을 시행한다. 충분한 양을 얻기 위해 최소 2회 이상 반복하며, 출혈 방지를 위해 상처 부위를 압박한다. 요즘에는 좀 더 많은 조직을 얻기 위해 진공보조 유방 생검vacuum assited breast biopsy을 시행하기도 한다.

중심침조직생검 결과 유방암으로 확진된 경우 유방암에 대한 수술적 치료로서 유방보존술이나 유방전절제술을 시행하게 되며 일반적인 양성 종양으로 나온 경우에는 영상–병리 소견 불일치imaging-histologic discordance 여부를 판단해야 한다. 일치하는 경우에는 일반적으로 추적검사를 통해 경과 관찰을 할 수 있으나 일치하지 않는 경우에는 재조직검사를 시행하여 최종 결과를 확인하는 것이 필요하다(그림 4-13). 일부 침조직생검에 의한 조직검사 결과는 침생검 조직만으로는 완전한 감별진단이 어려워 확실한 진단을 위해서 추가적으로 수술적 절제생검을 해야 하는 경우가 있다. 침조직생검 결과 비정형관상피증식증Atypical Ductal Hyperplasia (ADH)이 나온 경우에는 관상피내암Ductal Carcinoma In Situ (DCIS)을, 세포도celluarity가 높은 섬유선종이 나온 경우에는 엽상종양phyllodes tumor을, 양성유두종양papillary neoplasm이 나온 경우에는 유두암papillary carcinoma을 완전히 감별하기 위해 수술적인 절제생검이 뒤따라야 한다. 비정형 소엽증식증atypical lobular hyperplasia이나 소엽상피내암이 침조직생검에서 나온 경우에 수술적 절제생검을 추가적으로 해야 하는지에 관해서는 아직까지 논란의 여지가 있다.

(2) 세침흡인세포검사

침조직생검이 유방 병변에 대한 1차적인 검사로 널리 쓰임에 따라 세침흡인세포검사fine needle aspiration cytology는 과거에 비해 덜 사용되는 추세이다. 세침흡입세포검사는 간단하면서도 정확도가 높으며, 이환율이 낮고, 환자의 불편이 적고, 비용이 저렴하며 외래에서 즉시 시행할 수 있다는 장점이 있다. 단점으로는 숙련된 세포병리학자

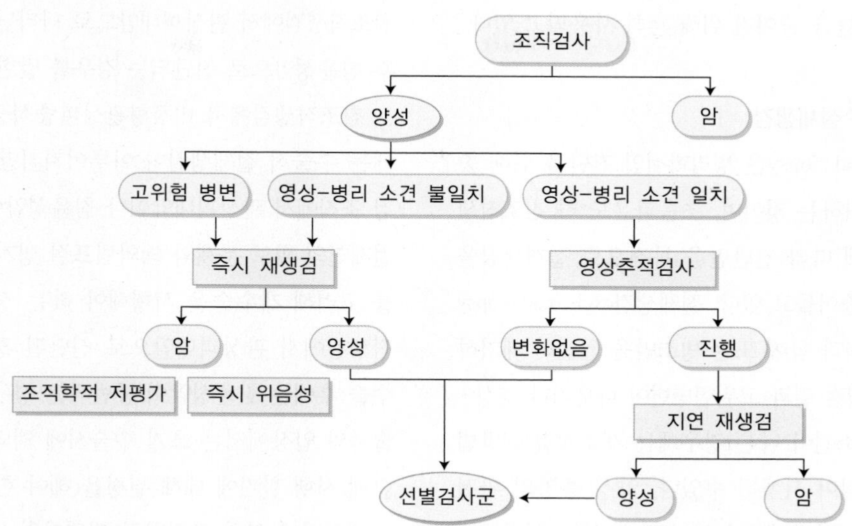

그림 4-13 영상유도 하 침생검 이후의 결과 해석과 추적 관찰법. 조직검사에서 양성이 나온 병변이 고위험병변이거나 영상-병리 불일치 소견이 나오면 즉시 재조직검사를 하게 된다. 이 때 암으로 진단되면, 비정형성 증식증 같은 고위험 병변의 경우 조직학적 저평가라 하고, 영상-병리 불일치 소견의 경우는 즉각적인 위음성 병변이라 한다. 영상-병리 소견 일치 판정이 나온 양성 병변의 경우 영상 검사에 의한 추적관찰을 시행하며 추적 관찰 영상에서 병변이 진행하면 지연 재조직검사를 하고 이 때 암으로 진단되면 지연 위음성 병변이라고 한다. 추적관찰에서 병변이 계속해서 변화가 없거나 재조직 검사에서 양성이 다시 나온다면 안심하고 이 병변을 선별검사군으로 보낼 수 있다.

가 판독을 해야 하는 점이다. 숙련된 세포병리학자의 위양성률은 매우 낮아 0.17% 정도라고 알려져있지만, 세침흡입세포검사의 병리결과는 반드시 확실한 암인지 암일 가능성이 있는 것인지를 구분하여 보고되어야 한다. 확실한 암인 경우에는 암에 대한 수술을 할 수 있지만 암일 가능성이 있는 경우에는 근치적 수술 전에 반드시 조직학적 확진이 필요하다. 위음성률은 0–4% 정도로 보고되는데 관상피내암이나 유두암종 같은 고분화암이거나, 소엽암 같이 암조직 내에 암세포 수가 적은 경우, 점액성암과 같이 뚜렷한 배경이 되는 세포가 없는 경우에 가능성이 높다. 따라서 세침흡입세포검사의 결과는반드시 임상 소견과 유방촬영술 결과를 고려해 판단하여야 하며, 임상 소견과 유방촬영술 결과 암이 의심되는 경우에는 추가적인 조직검사를 시행하여야 한다. 세침흡입세포검사는 유방암 환자의 국소 재발이 의심되는 경우나 액와 림프절 또는 쇄골상부 림프절이 커져있을 때에도 유용하게 이용될 수 있다.

(3) 초음파유도하 혹은 입체정위유도하 stereotactic 맘모톰생검

유방암의 기본 선별검사인 유방촬영술에 의해 BI-RADS 범주 4A 이상의 의심스러운 석회화 병변이 발견된 경우, 만일 유방초음파를 추가로 시행한 결과 유방촬영술의 석회화 병변과 명확하게 일치하는 초음파 상의 저에코성 의심 병변이 동반 존재하는 경우에는 초음파유도 하 침조직생검을 우선적으로 시행할 수 있다. 만일 유방초음파 검사에서 명확한 의심 병변을 확인할 수 없는 경우에는 입체정위생검stereotactic biopsy을 시행하게 된다. 석회화 병변에 대한 입체정위생검을 시행하는 경우 위음성률을 줄이기 위해 생검 바늘이 굵고 진공압을 이용하는 진공보조유방생검Vacuum-Assisted Breast Biopsy (VABB)을 주로 사용하게 된다. VABB로 얻은 조직이 충분한 석회화 병변을 포함하고 있지 않거나, 조직검사 결과가 영상 결과에 부합되지 않는 경우에는 수술적인 절제생검을 해야 한다.

VABB는 상대적으로 많은 양의 조직을 얻을 수 있는 장점때문에, 조직검사의 표적이 되는 병변이 주로 석회화

병변일경우 위음성률을 줄이기 위해 흔히 사용되고 있다.

(4) 절개생검 혹은 절제생검

절개생검incisional biopsy은 병리학적인 진단을 위해 종괴의 일부분을 제거하는 것이며, 초음파유도 하 침조직생검이 널리 사용됨에 따라 진단만을 목적으로 절개생검을 사용하는 경우는 줄어들고 있다. 절제생검excisional biopsy은 병소를 주위조직과 함께 또는 병소만을 완전히 제거하는 것으로 침조직생검 결과 고위험병변이 나오거나 영상-병리 소견 불일치 소견이 나온 경우에는 재조직검사 방법중 하나로 절제생검이 시행될 수있다. 양성 종양의 완전제거를 목적으로도 절제생검이 시행될 수 있는데 최근에는 VABB로 수술 흔적을 최소화하면서 종양을 완전히 제거하기도 한다.

2) 초음파유도하 침조직생검의 제한점

(1) 미세석회화의 검출

미세석회화의 검출은 조직검사 후 검체 촬영specimen mammography을 시행하여 미세석회화가 적절히 적출되었음을 확인하는 것을 말한다. 대부분 미세석회화 병변은 넓게 퍼져서 비연속적으로 분포하기 때문에 침조직생검에 의해서 검출에 실패하거나 저평가 되는 경우가 있다. 따라서 종괴를 표적으로 하는 경우보다 더 많은 양의 조직을 얻어야 하는데 VABB는 이러한 면에서 많은 양의 조직을 얻는데 유리하다. 미세석회화 병변은 초음파에서 정확하게 판단하기 힘들기 때문에, 입체정위유도하 VABB를 시행하거나 유방촬영술유도하 위치결정술 후 수술적으로 절제생검을 시행하는 것이 보통이다.

(2) 조직학적 저평가

조직학적 저평가에는 비정형관상피증식증 저평가ADH underestimation와 관상피내암 저평가DCIS underestimation가 있다. 비정형 관상피증식증 저평가는 침조직생검에서 비정형관상피증식증으로 나타난 병변이 최종 수술 후 유방암으로 진단되는 경우를 말하며, 관상피내암 저평가는 침조직생검에서 관상피내암으로 나타난 병변이 최종 수술 후 침윤성암으로 진단되는 경우를 말한다.

침조직생검에서 비정형관상피증식증으로 나타난 경우에는 수술적 절제생검이 이루어지지만 만일 최종 절제생검 조직에서 관상피내암이나 침윤성암이 확인되면 적절한 절제연의 확보 문제와 액와림프절 병기 확인을 위한 문제를 고려해 재수술을 시행해야 하는 경우가 생긴다. 침조직생검에서 관상피내암으로 진단된 경우에도 항상 최종 수술 후에는 침윤성암이 동반되는 경우가 있기 때문에 수술자의 입장에서는 초기 수술시에 액와부에 대한 수술을 함께 시행 할지에 대해 결정을 해야 한다. 일반적인 자동총생검법에 의한 조직학적 저평가의 빈도는 비정형 관상피증식증 저평가는 20-56%, 관상피내암 저평가는 16-35% 정도로 보고되고 있다. 진공흡입생검법에 의한 조직학적 저평가의 빈도는 비정형관상피증식증 저평가는 0-38%, 관상피내암 저평가는 0-19% 정도로 보고되고 있어, 많은 양의 조직을 채취함으로써 조직학적 저평가의 빈도를 일부 줄일 수는 있으나 완전히 없애지는 못한다. 따라서 수술자는 침조직생검의 결과에 의해 수술 방법을 결정할 때에는 조직학적 저평가의 가능성과 이와 관련된 인자를 종합적으로 고려하여 신중할 필요가 있다.

(3) 위음성 진단

이는 침조직생검에서는 양성 병변으로 진단되었으나 이후 암으로 진단되는 경우를 말한다. 위음성 진단은 크기가 작거나 유두 아래에 위치한 병변일 경우, 적절한 미세석회화의 검출이 확인되지 않은 경우, 조직검사 결과가 영상 소견이 설명하지 못하는 양성으로 나온 경우 영상-병리 불일치의 위험성이 크다.

위음성 진단은 임상의에게 치명적이기 때문에 이를 줄이기 위해서는 침조직생검 과정에서 표적으로 삼은 병변을 정확하게 충분하게 검출할 수 있는 기술을 최적화하여야 하고, 아울러 양성으로 나온 조직검사 이후 추적관찰 유방촬영술의 중요성을 알고 있어야 한다.

요약

다양한 증상으로 나타나는 유방 관련 질환에 대한 기본적인 접근 원칙은 증상의 종류나 경중에 무관하게 우선적으로 유방암으로 의심할만한 병변이 없다는 것을 확인한 뒤 해당 증상의 기저 질환을 치료하거나 증상의 호전을 위한 고식적인 치료를 시행하는 것이다. 유방암에 특이적인 증상은 없다는 점을 알아야 하고, 정확한 신체검사 방법을 습득하여야 한다. 유방암의 선별검사는 유방촬영술이며, 유방 초음파검사는 유방촬영술 상에 의심스러운 종괴 소견이 있거나 치밀 유방인 여성에서 부가적인 효용성을 가진다. 유방 MRI는 가족력이나 유전성 소인이 있는 유방암 고위험군이나 유방 실질 내에 이물질을 주입한 특수한 상황에서만 선별검사로서 사용될 수 있다. 현재 유방암의 조직학적 진단을 위한 표준 검사법은 초음파유도 혹은 입체정위유도하 침조직생검술이다. 침조직생검술은 시술이 간편하며 진단이 정확하고 암으로 진단 후 유방보존술에 영향을 주지 않는다는 점에서 장점이 있으나 조직학적 저평가나 위음성의 가능성이 있으므로 주의해야 한다. 이런 경우에는 수술적 절제생검이 추가적으로 필요 할 수 있다. 유방의 절개 혹은 절제생검 시에는 미용적인 면을 함께 고려해 수술을 계획하는 것이 중요하다. 유방암의 위험성이 거의 없거나 조직학적으로 양성으로 진단된 병변은 단기간 추적 검진 혹은 정기 검진을 하게 된다. 현재 국내에서는 미국방사선의학회에 의한 유방영상보고자료체계인 BI-RADS에 의해 병변을 범주화하고 이에 따라 향후 추적 방법을 정하고 있으므로 그 세부 내용을 정확하게 이해하고 익혀 두어야 한다.

III 유방질환의 병리

1. 비정형성이 없는 증식병변

비정형성이 없는 증식병변에는 중등도 및 개화관상피증식moderate and florid ductal hyperplasia, 경화선증sclerosing adenosis, 복합경화병변complex sclerosing lesion, 관내유두종 등이 포함된다. 이 병변들의 유방암 발생 비교위험도는 1.9(1.0–2.3)이다.

1) 보통형관상피증식

정상적으로 유방의 관 구조는 기저부에 위치하는 근상피세포와 내강의 상피세포 두 층으로 구성되어 있다. 비정형성이 없는 관상피세포가 두 층 이상으로 증식하는 경우를 보통형관상피증식이라 정의하며 증식의 정도에 따라 다양한 형태를 볼 수 있다. 중등도 및 개화성 관상피증식증에서는 관상피세포가 4층 이상으로 증식하며 관강을 가로지르거나 관이 확장된 소견을 보인다. 증식성 상피세포 내에서 상피세포와 근상피세포를 동시에 관찰할 수 있으며 증식의 형태는 미세유두상micropapillary, 유창성fenestrated, 또는 충실형solid 등으로 다양하다. 남은 관강 또는 2차적 내강은 그 모양이 불규칙적이고 관의 가장자리에 분포하는 경향이 있다(그림 4-14). 증식하는 세포들의

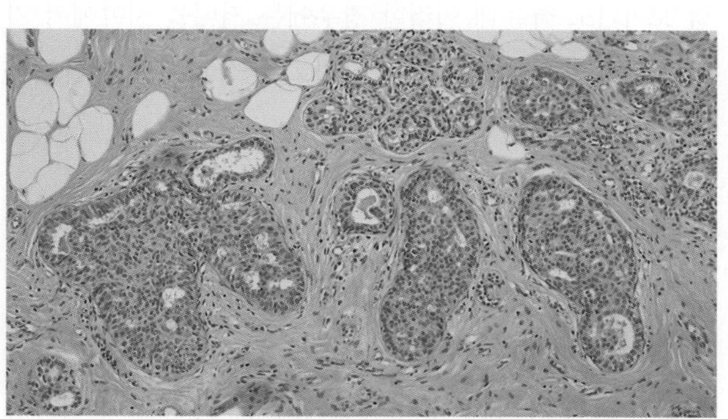

그림 4-14 관상피세포가 여러 층으로 증식하여 관이 확장된 소견을 보인다. 증식성 상피세포 내에서 상피세포와 근상피세포를 동시에 관찰할 수 있으며 2차적 내강은 그 모양이 불규칙적이고 관의 가장자리에 분포해 있다.

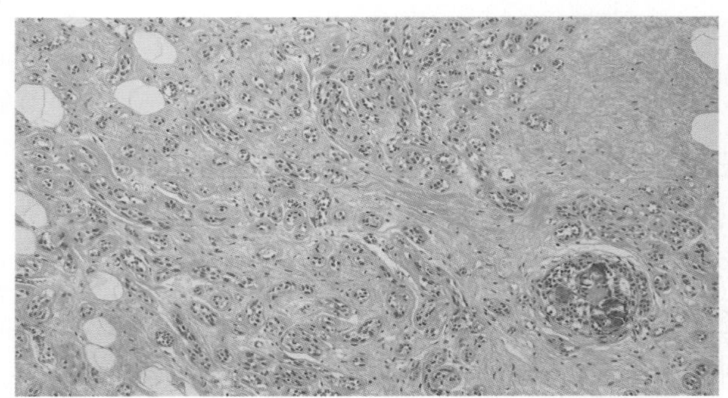

그림 4-15 선구조와 기질이 소엽중심성으로 증식하며 섬유화와 함께 소엽의 변형이 보인다.

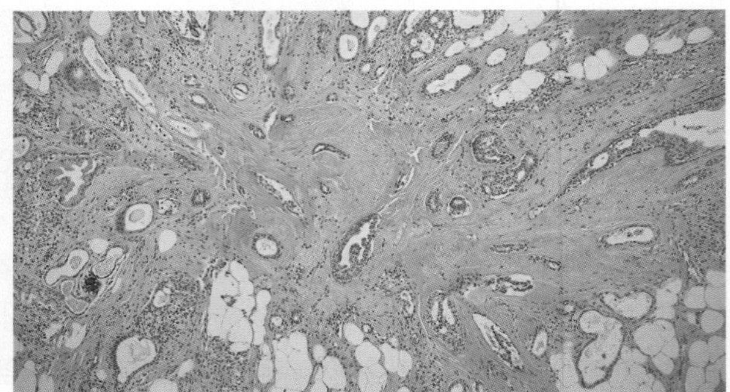

그림 4-16 별모양의 병변 내에 다양한 정도의 상피 증식과 섬유탄성 핵이 관찰된다.

크기, 모양, 방향이 다양하지만 세포의 비정형성은 없다. 세포간의 경계가 불분명하여 융합되어 보이고 어떤 방향성을 가진 배열을 나타내는 경우가 많다.

2) 경화선증

경화선증은 선 구조와 기질이 소엽중심성으로 증식하며 소엽의 변형과 섬유화가 나타난다(그림 4-15). 특히 중심부는 기질이 증식하여 섬유화가 진행될수록 상피세포의 위축이 심해지고 근상피세포가 상대적으로 뚜렷해져 선 구조를 왜곡시키고 특히 지방조직을 침범한 경우 침윤성 암종과 유사한 소견을 보일 수 있다. 상피세포가 아포크린화생을 나타내는 경우 핵의 모양이 불규칙하게 보여 악성세포로 오인할 수 있다. 미세석회화가 동반되기도 한다. 드물게는 선 구조가 신경주위나 혈관벽을 침윤한 것처럼 보이기도 하는데 이러한 경우에는 저배율 시야에서 기저막과 유방소엽 모양을 관찰하고 근상피세포를 확인하여 침윤성 암종과 감별한다.

3) 방사형 반흔

특징적인 별 모양의 병변으로 중앙부에 선 성분을 포함한 섬유탄성핵fibroelastic nidus이 있고, 이로부터 다양한 정도의 상피 증식 및 유두종을 동반한 관 구조가 방사형으로 뻗어 나가는 소견을 보인다(그림 4-16). 가장자리에는 아포크린화생과 경화성 선증이 자주 동반된다. 이 병변은 유방촬영술이나 육안소견에서 불규칙한 침윤성 암과 유사한 소견을 보인다. 병리학적으로는 세관암종tubular carcinoma과 감별이 필요한 병변이다. 본질적으로 반응성 반흔 조직이 아닌 증식성 병변이다. 병변의 크기가 크고 주변에 경화성 선증, 유두종 및 관상피의 과형성 또는 선증 등의 증식성 소견을 나타내는 복합성 병변은 복합경화병변이라 명명한다.

4) 관내유두종

관내유두종intraductal papilloma은 단일성 또는 다발성으로 발생한다. 단일성 유두종은 주로 유두에 가까운 큰 관내 배출관에서 호발하며 유두 분비물이 동반되는 경우가 많고 간혹 유두종이 들어 있는 관이 심하게 확장되어 낭성 변화를 보일 수 있다. 종말소엽단위 심부에서 발생하는 경우에는 다발성으로 나타나는데 크기가 작지만 분명한 종괴를 형성하는 경우가 많으며 유두 분비물은 드물다. 다발성 유두종의 조직소견은 관내유두종과 유사하고 15% 정도에서 양측성으로 발생한다. 다발성 유두종은 재발률이 높고 관내암종이나 침윤성 암종이 속발할 수 있으므로 추적 검사를 철저히 해야 한다. 현미경소견에서 잘 발달된 섬유혈관성 줄기가 관찰되며 그 주위를 피복하고 있는 상피세포가 유두상으로 증식하는 소견을 볼 수 있다. 유두상 구조를 구성하는 세포들은 상피세포와 근상피세포로 구성되어 있고 상피세포의 다형성, 유사분열 및 괴사 등은 드물다(그림 4-17). 이차적인 변화로 상피세포의 아포크린화생, 편평상피화생, 점액성화생 및 기질의 심한

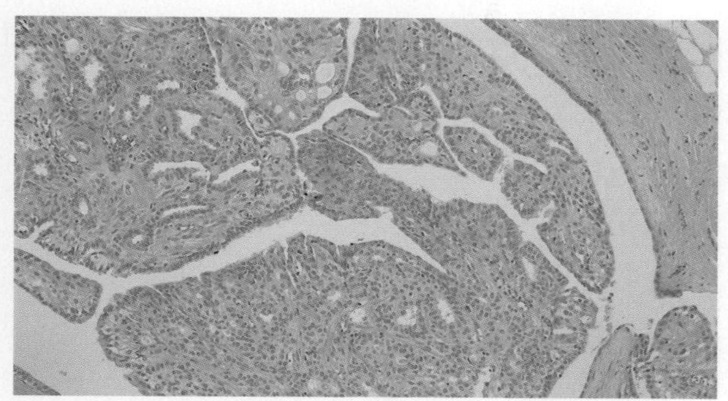

그림 4-17 잘 발달된 섬유혈관성 줄기를 중심으로 상피세포가 유두상 모양의 증식을 보인다.

섬유화 등을 볼 수 있고 드물게 경색이 일어날 수 있다.

2. 비정형 증식

1) 비정형관상피증식

비정형관상피증식이란 조직학적으로 관상피내암종을 완전히 만족하지 못하는 병변을 일컫는다. 저등급의 관상피내암종은 종양세포들의 크기가 균일하고 세포의 경계가 뚜렷하다는 특징을 갖는다. 이 세포들은 구조적으로 일정하고 고른 분포를 보이며 동그란 내강을 만든다. 이러한 종양세포들이 관의 일부에서 관찰되면 비정형관상피증식으로 진단하고 관 전체를 채우게 되면 저등급의 관상피내암종이라 진단한다. 그러나 양적 기준이 적용되는데 다음의 두 기준이 가장 흔히 적용된다. 첫째, 저등급의 관상피내암종 소견이 두 개의 분리된 공간을 채우는 경우와 둘째, 저등급의 관상피내암종 병변이 2mm 이상이어야 한다. 실제로 최근 WHO 분류에서도 이 두가지 기준을 적용하고 있다.

2) 비정형소엽증식

비정형소엽증식증은 소엽상피내암종의 종양세포와 세포학적으로 차이는 없지만 비정형세포로 대치된 세엽acini이 소엽의 50-75% 이하를 차지하고 있으면 비정형 소엽증식으로 진단할 수 있다.

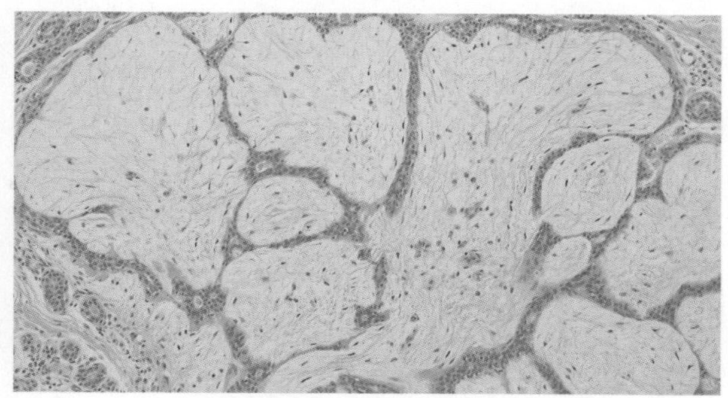

그림 4-18 상피와 기질의 증식이 동시에 관찰되며 특히 기질의 증식이 심한 경우 관 구조를 압박하여 관 구조가 초승달처럼 납작해진다.

3. 간질-상피 종양

1) 섬유선종

육안적으로 섬유선종의 경계는 뚜렷하고 표면이 매끈하며 결절성을 띤다. 절단면은 흰색 또는 연노랑색의 충실성이며 초승달 모양의 길고 납작한 공간들을 볼 수 있다. 촉진 시 단단하거나 고무 같은 느낌이고 때로는 점액성 변화를 동반하며 미끄럽기도 하다. 크기는 대개 2.0-4.0cm이지만 다양하다. 현미경소견에서 특징적으로 상피와 기질 두 가지 성분이 동시에 증식하는 소견을 보인다. 기질의 증식이 심하여 관 구조를 압박하면 관 구조가 초승달 모양으로 납작해지는데, 이러한 소견을 보이는 유형을 소관내형intracanalicular type 섬유선종이라고 한다(그림 4-18). 기질의 증식이 심하지 않아 관 구조의 형태를 제대로 유지하면 소관주위형pericanalicular type 섬유선종이라고 한다(그림 4-19). 경우에 따라 점액모양 변화가 나타나기도 하며, 유리질화가 심하거나 드물게는 석회화나 골성 화생을 동반하기도 한다. 관구조를 형성하는 상피에서는 아포크린화생과 경화선증, 다양한 정도의 관상피증식, 편평상피화생 등을 볼 수 있다. 임신 중이거나 수유 중일 때 부분적 또는 전체적인 경색이 일어날 수 있다. 기질의 증식이 소수의 유방소엽에서만 국한되어 있고 이들이 분명한 종괴를 형성하지 않는 경우를 섬유선종성 유방병증이라고 한다.

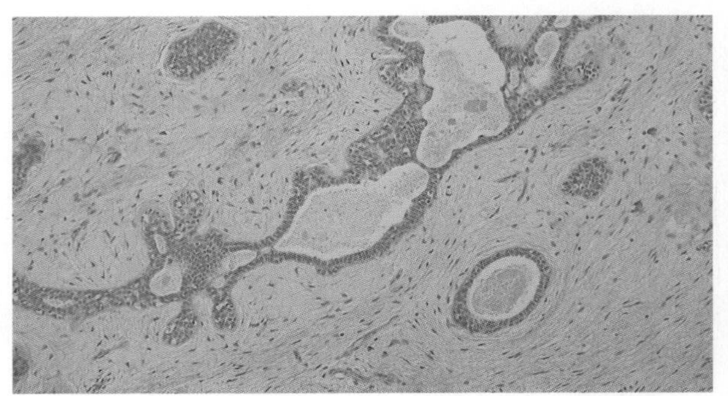

그림 4-19 상피와 기질의 증식이 동시에 관찰되지만 기질의 증식이 심하지 않은 경우 관 구조의 형태가 유지된 소견을 보인다.

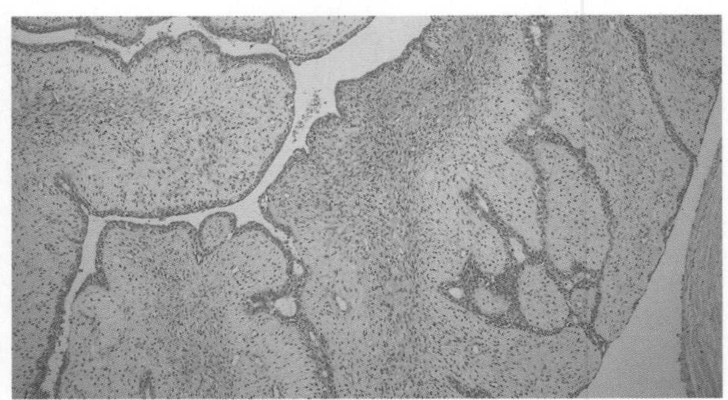

그림 4-20 상피와 기질의 증식이 동시에 관찰되고 특히 기질의 세포 밀도가 증가되고 기질의 관내 성장이 심하여 크고 길쭉한 낭성 공간 내로 나뭇잎 모양을 형성한다. 기질세포의 이형성이나 유사분열이 관찰된다.

2) 엽상종양

엽상종양은 경계가 불분명하고 단단하거나 고무모양의 촉감이다. 절단면이 생선살 모습의 충실성 종괴로 나타나며 크고 작은 낭성 공간이 잘 발달되어 있다. 낭성 공간 내로 종양이 성장하여 표면이 오돌토돌한 모습을 하거나 끝이 뭉툭한 유두모양을 하여 육안적으로나 조직학적으로 나뭇잎모양을 나타내므로 'leaf-like'라는 용어를 사용한다. 크기는 2.0cm에서부터 큰 것은 30.0cm까지 매우 다양하며 크기가 클수록 출혈이나 괴사가 동반되기도 한다. 현미경소견에서 전체적인 성장 양상은 일반적으로 섬유선종과 유사하게 기질성분과 상피성분으로 구성된다. 그러나 섬유선종과 달리 기질의 세포밀도가 높은 것이 특징이고 기질은 관내 성장이 심하여 크고 길쭉한 낭성 공간 내로 나뭇잎모양으로 성장한다(그림 4-20). 엽상종양은 생물학적 양상에 따라 양성과 악성의 두 가지로, 또는 양성과 중간형, 악성의 세 가지로 분류하는데 이러한 생물학적 양상의 판단을 위한 조직학적 소견으로는 침윤성장과 기질의 과성장, 흔한 유사분열, 심한 기질세포다형성, 괴사 등이 있다. 그러나 기질의 과성장과 유사분열을 제외한 어느 소견도 단독으로는 생물학적 양상을 예측하는 인자로 사용하기 어렵다. 악성 엽상종양에서 기질세포는 주로 섬유육종의 소견이고 그 이외에 악성 섬유조직구종과 지방육종, 연골육종, 골육종, 횡문근육종, 혈관육종 등의 다양한 소견을 나타낼 수 있다. 액와 림프절 전이는 드물며, 원격 전이는 주로 혈류를 따라 이루어지고 폐와 뼈, 심장, 간 등으로 전이하며 전이 병변은 일반적으로 기질성분만으로 이루어진다. 이러한 경우 원발성 육종이나 육종양암종과의 감별이 어려우므로 환자의 과거력이나 면역염색이 감별에 도움을 준다.

4. 유방암종

1) 비침윤성암종

(1) 관상피내암종

종양세포가 유관의 기저막 내에 국한되어 증식하여 주위 기질 내로 침윤하지 않는 것이 특징이다. 대부분의 관상피내암종은 육안적으로 발견하기 어렵지만 분화가 나쁜 경우에는 경계가 불분명하게 만져지기도 하며 단면 소견에서 황색 크림 같은 물질을 포함하는 미세낭 구조가 관찰된다. 관상피내암종은 크게 면포형comedo, 체모양cribriform, 미세유두형micropapillary 및 충실형solid으로 분류한다. 현미경소견에서 면포형 암종은 크고 다형성이 심한 세포로 구성되며 관 내에서 고형으로 성장하며 중앙에 괴사가 동반되고 흔히 거친 과립상의 석회화를 볼 수 있으며 유사분열이 자주 관찰된다(그림 4-21). 체모양 암종을 이루는 세포는 작거나 중간 크기이고 핵은 과염색상이나 다형성은 심하지 않다. 종양세포들은 규칙적인 동그란 관강을 형성하며 선상 구조를 이루고 유사분열이나 면포형 괴

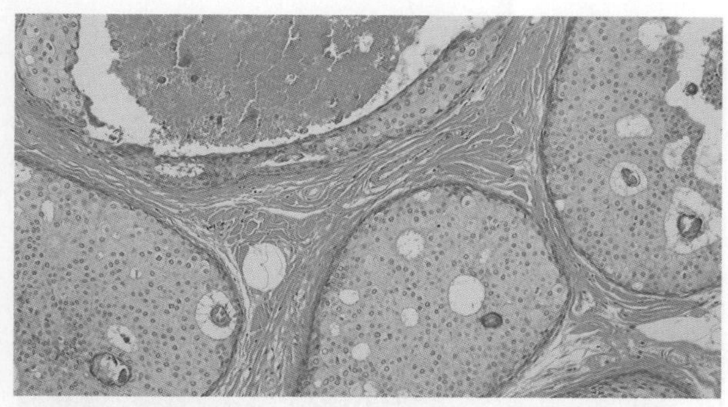

그림 4-21 관상피성 종양세포들이 기저막 내에 국한되어 증식하는 소견을 보이며 괴사와 석회화의 동반이 관찰된다.

사는 흔하지 않다. 미세유두형 암종은 섬유혈관중심이 없는 유두상 구조가 관내에 돌출하여 자라는 모양을 나타내고 기저부보다 유두끝이 넓어 곤봉모양처럼 보인다. 세포의 크기는 작거나 중간 크기이며 유사분열은 드물다. 충실형 관내암종은 관강을 완전히 채우고 있는 형태로 소강이나 유두형성이 관찰되지 않는다. 종양세포의 크기와 다형성이 다양하게 나타난다. 이와 같이 관상피내암종은 성장형태에 따라 크게 네 가지 유형으로 분류하고 있으나 실제로 혼합되어 나타나는 경우도 있고 어느 유형에도 맞지 않는 경우도 있다. 이러한 성장형태에 따른 분류는 관찰자 간의 재현성이 떨어지고 예후를 반영하지 못하므로 예후 판정을 위한 보다 객관적인 기준을 정립하기 위하여 최근 여러 가지 분류 방법이 제안되었다. Van Nuys 분류는 핵등급과 면포형 괴사의 두 가지 소견을 참고하여 괴사를 동반하지 않은 핵의 비고등급(제1군), 괴사를 동반한 핵의 비고등급(제2군), 괴사와 상관없는 핵의 고등급(제3군) 세 군으로 나누었다. 유방보존술 후 재발률은 제3군이 제1군과 제2군에 비해 의미있게 높았으며 8년 무병생존율에도 큰 차이를 보였다. 1997년 각 분류법에 대한 장단점을 비교하여 관상피내암종의 병리보고서에 기재되어야 한 소견들을 결정하였다. 그 중 세 가지 필수적 소견은 핵등급, 괴사의 유무, 성장형태이며 부가적 소견은 세포의 극성, 종괴의 크기, 절제연의 상태, 미세석회화 유무, 방사선소견과 관련된 소견의 기재이다. 특히 Van Nuys 연구팀에서는 관상피내암종의 치료지침을 위하여 예후와 관련

표 4-5. Van Nuys에 의한 관상피내암종의 예후 지수

점수	1	2	3
크기(mm)	<15	16-40	>40
절제연과 종양과의 거리(mm)	>10	1-9	<1
조직학적 소견			
핵등급	비고등급	비고등급	고등급
괴사	(-)	(+)	(+/-)

된 세 가지 인자, 즉 종양의 크기, 절제연과 종양과의 거리, 핵등급과 괴사 유무를 포함하는 조직학적 등급을 조합하여 새로운 평가체계를 제안하였다(표 4-5). 이 때 점수에 따라 재발의 위험을 예측할 수 있고 이에 대한 치료방침을 결정할 수 있다. 즉 3점과 4점은 재발률이 낮은 군으로 국소절제만으로도 치료가 가능한 군이며 5-7점은 국소 절제 후 방사선치료를 병행하도록 권장한다. 8점과 9점인 경우는 재발률이 높은 군이므로 유방전절제술을 고려해야 한다. 관상피내암종의 생물학적 특성을 추정하기 위한 방법으로 호르몬 수용체, HER-2/neu, 염색체 배수성 및 세포증식능 등을 검사할 수 있는데 고등급이거나 면포형인 경우에는 저등급이나 비면포형에 비하여 호르몬 수용체 양성률이 낮고, HER-2/neu의 발현이 높으며 비배수성이 많고 세포증식능이 높다.

(2) 파젯병

유방의 파젯병Paget disease은 주 분비관에서 발생한 관암종이 상피내 침윤으로 인하여 유두와 유륜의 피부까지 침범하는 암종으로 전체 유방암종의 5% 이하이다. 동반하는 관암종은 대부분이 관내암종이며 심부에 위치하는 침윤성 관암종은 드물다. 유방 내에서 직하부의 종괴를 촉진할 수 있는 경우는 이 암종의 50-60% 정도이다. 육안적으로 유두와 유륜에 습진성 병변처럼 삼출액이 나오고 가피나 균열이 보이고 진행하면 궤양이나 화농성 괴사를 동반하기도 한다. 현미경소견에서 유두와 유륜의 표피층에 뚜렷한 핵소체를 갖는 크고 둥근 핵, 풍부하며 투명한 세포질이 특징인 파젯세포의 침윤을 볼 수 있다(그림

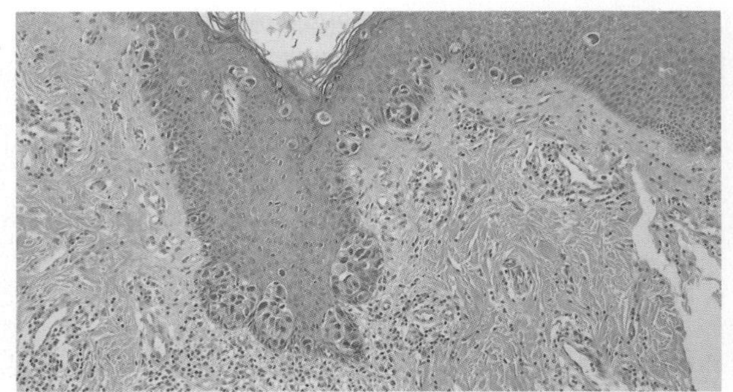

그림 4-22 유두 상피의 기저층에 파젯세포의 군집이 관찰된다.

4-22). 이 종양세포는 점액염색, 상피세포항원과 저분자량 각질항원염색에 양성이다.

(3) 소엽상피내암종

비정형소엽증식과 소엽상피내암종은 종말유선관소엽단위를 구성하는 세포에서 발생하며 세포의 증식이 소엽의 내강이 보이지 않을 정도로 채워 점차 소엽이 팽창하고 종말관까지 부분적으로 확대된다. 현미경으로 종양세포들이 소엽을 침범한 정도에 따라 비정형소엽증식과 소엽상피내암종으로 나누며 세포의 형태학적 차이는 거의 없다. 비정형소엽증식의 경우는 종양세포들이 세엽acini의 반 이상을 채우지 못하여 내강이 완전히 채워지지 않은 소실이 흔히 관찰되며, 종말유선관의 확장은 있으나 둥근 모양보다는 길쭉하거나 각이 진 모양이 흔하다. 소엽상피내암종에서는 종양세포들이 소엽을 구성하는 소실의 반 이상을 채우고 있으며 소실이 둥글게 팽창되어 있다. 이와 같은 소견을 한 소엽단위 내에서 적어도 50% 이상의 소엽에서 보았을 때 소엽상피내암종으로 진단할 수 있다. 종양세포의 핵은 작고 둥글며 단조롭고 보통 과다염색상을 보인다. 핵소체는 작거나 뚜렷하지 않고 세포의 다형성과 유사분열은 아주 드물다. 세포질은 창백한 것이 특징이다(그림 4-23).

2) 침윤성암종

(1) 침윤성관암종-일반형

침윤성관암종invasive ductal carcinoma은 모든 유방암종

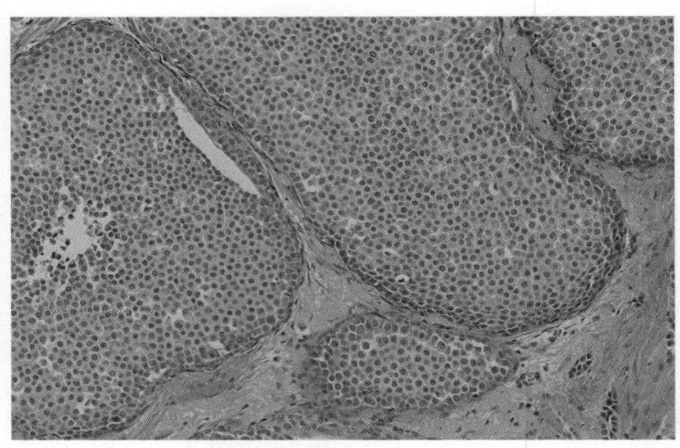

그림 4-23 작고 둥근 핵을 갖는 소엽상피성 종양세포들이 기저막 내에 국한되어 증식하며 세포의 다형성과 유사분열은 관찰되지 않거나 드물다.

중에서 가장 흔한 형으로 65–80%를 차지한다. 육안소견은 매우 단단하고 경계가 불분명한 결절로서 기질의 특징에 따라 경도와 소견이 달라질 수 있다. 종양의 절단면은 회백색의 과립상이며 희거나 황색의 선이 결절 중심에서 주변 섬유지방조직에 불규칙하게 유착하여 별모양의 경계부를 볼 수 있다. 절단하거나 긁었을 때 서걱서걱하는 소리가 나고 돌처럼 단단하다. 종양의 크기는 가장 중요한 예후 인자의 하나로 중요한 역할을 하기 때문에 정확한 측정이 중요하다. 대부분의 암종은 불규칙한 형태를 취하므로 가장 긴 장경을 측정하는 것이 중요하다. 주위 조직에 침윤성으로 부착하는 경우에는 피부와 유두의 함몰을 동반한다. 현미경소견은 종양세포가 일렬배열상, 소집단, 판상집단, 관상, 선 구조 또는 이상의 구조가 혼합하는 양상을 다양하게 보이고 이 세포들은 증식한 섬유조직 사이에 배열하며 탄력섬유가 풍부한 섬유조직에 의하여 종양세포가 눌리는 모양을 볼 수 있다(그림 4-24). 종양세포는 다양한 정도의 분화와 다형성을 보여서 작고 규칙적인 세포로부터 크고, 핵과 세포질의 비가 높으며, 농염의 핵과 뚜렷한 핵소체가 특징인 역형성이 심한 세포까지 볼 수 있다. 이러한 다양한 소견을 객관적으로 계수화하여 핵등급과 조직학적 등급을 분류하는 체계가 있으며 암종은 핵의 비정형의 정도와 조직학적인 분화도에 따라서 고분화, 중등도 분화 및 저분화 암종으로 구분한다. 현재는

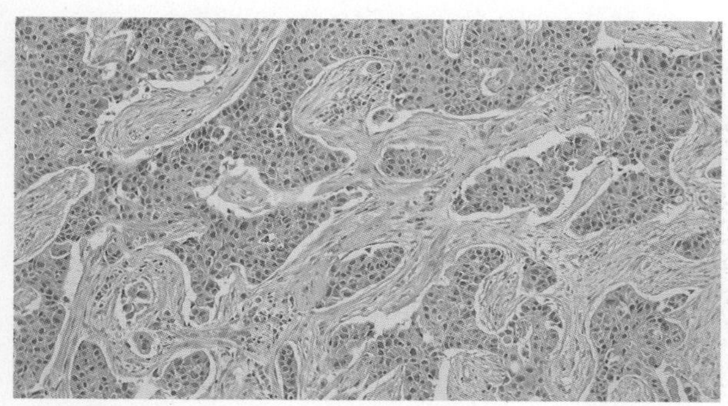

그림 4-24 관상피성 종양세포들이 기질 내로 침윤하는 소견이 관찰된다.

표 4-6. 유방암의 조직학적 분류

모양	점수		
관과 선의 구성			
>75%	1		
10-75%	2		
<10%	3		
핵다형성			
작고 규칙적	1		
중등도	2		
심한 다형성	3		
유사분열 개수			
현미경 관찰 결과	1-3		
유사분열 개수에 대한 세 군데 시야의 점검 예			
부위 지름(mm)	0.44	0.59	0.63
부위 면적(mm2)	0.152	0.274	0.312
유사분열 개수			
1점	0-5	0-9	0-11
2점	6-10	10-19	12-22
3점	>11	>20	>23
등급 I(고분화)	3-5		
등급 II(중등도 분화)	6, 7		
등급 III(저분화)	8, 9		

제안 당시 결여되었던 진단기준을 보완하여 Elson과 Ellis가 제안한 조직학적 등급이 전 세계적으로 사용되고 있다(표 4-6). 종양세포는 혈관주위강과 신경주위강을 포함하여 림프관과 혈관으로 흔히 침범한다.

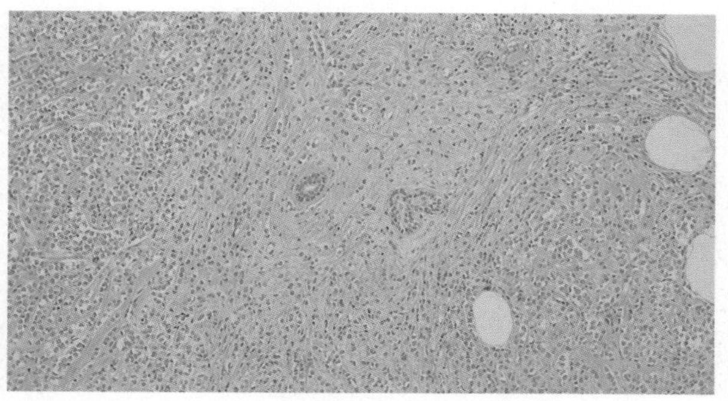

그림 4-25 종양세포들이 양성 관구조를 중심으로 둘러싸며 침윤하는 과녁모양성장의 소견을 보인다.

(2) 침윤성소엽암종

침윤성소엽암종invasive lobular carcinoma은 전체 유방암종 중 두 번째로 흔하며 5-10%를 차지한다. 육안적으로 경계가 불명확하고 단단한 고무 모양의 회백색 종괴를 보이며 일반형의 관암종과 유사한 소견을 보이기도 한다. 양측성으로 나타나는 특징이 있기 때문에 반대쪽 유방에 진단받았던 과거력이 있거나 병발하는 경우가 있다. 현미경소견은 작거나 중등도 크기의 종양세포가 밀집한 섬유성 바탕질 내에 한 줄로 서서 일렬 종대로 침윤하는 인디언열 모양indian file이 특징이고 때로는 종양세포가 정상관의 주위를 중심성으로 배열하여 소위 과녁모양성장target-oid growth 또는 황소눈형태bull's eye를 보여 소엽에서 발생했다는 것을 인지할 수 있다(그림 4-25). 이 종양세포는 점액성 물질을 분비하여 세포내강을 형성하고 반지세포의 모양을 보이기도 한다. 간혹 관암종과 소엽암종의 구별이 어려운 경우가 있으며 두 형의 종양이 공존하는 경우도 있다. 소엽암종의 경우에는 부착분자인 E-cadherin의 발현이 없으므로 감별에 도움을 준다. 또한 고형인 경우 악성 림프종과의 감별이 문제가 되는데 이 경우 상피관련 항원에 대한 검사가 도움이 된다.

(3) 세관암종

세관암종tubular carcinoma은 육안적으로 단단하고 별 모양의 경계부를 보이며 평균 크기가 0.8cm 정도이다. 현미경소견은 단층의 입방형의 암종 세포가 규칙적인 원형 또

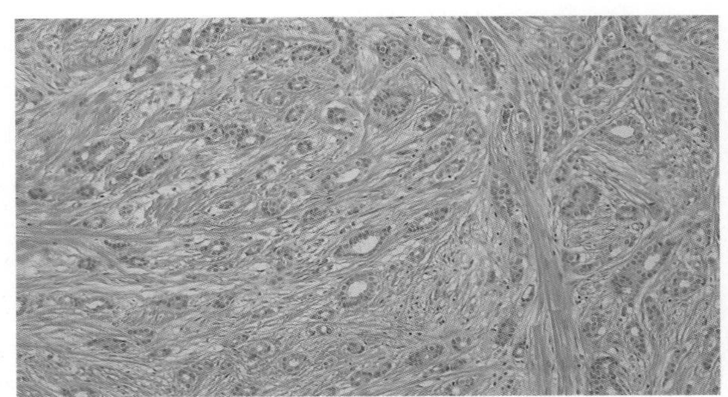

그림 4-26 종양세포들이 관구조를 잘 형성하고 관구조는 한층으로 덮여 있다.

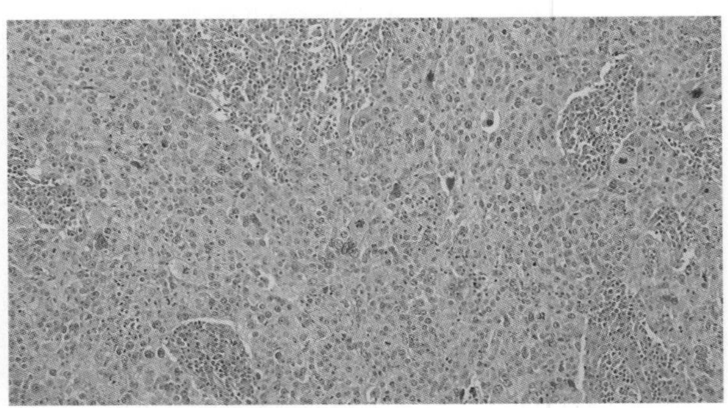

그림 4-27 합포체형의 종양세포들 사이에 림프구와 형질세포의 침윤이 관찰된다.

는 눈물방울 모양의 관 주조를 형성하며 이 구조 사이에는 초자화한 기질로 채워져있다(그림 4-26). 관내암종을 동반하는 경우가 흔하며 석회화를 자주 볼 수 있고 서서히 자라므로 예후가 좋다. 순수형과 혼합형이 있으며 순수형으로 진단하려면 90% 이상이 세관구조를 취해야 한다.

(4) 수질암종

수질암종medullary carcinoma은 전체 유방암종의 5% 정도를 차지하며 유방의 심부에 위치하고 육안소견은 부드러우며 경계가 분명하여 섬유선종으로 오인하기도 한다. 절단면은 주위 정상조직보다 볼록하고 결합조직형성이 없어서 연하고 균질하며 크기가 커질수록 출혈과 괴사를 관찰한다. 현미경소견에서 조직학적 정의에 이견이 있어 병리학자 간의 진단에 차이를 보일 수 있다. 조직학적 분류 항목으로는 첫째, 75% 이상의 종양세포가 특징적인 시트 모양 또는 합포체syncytia 형태로 배열하며 둘째, 종양을 둘러싸는 기질에서 강한 림프구와 형질세포의 침윤이 관찰되고 셋째, 종양세포는 크고 다형성이 심하며 넷째, 핵은 소포성이고 핵소체가 뚜렷하며 세포질은 풍부하고 유사분열이 흔하다. 다섯째, 선상분화ductal differentiation를 보이지 않는 등의 소견이다(그림 4-27). 이 소견을 만족시키지 못하는 경우 비정형 수질암종이나 일반형의 침윤성 관상암종으로 진단한다.

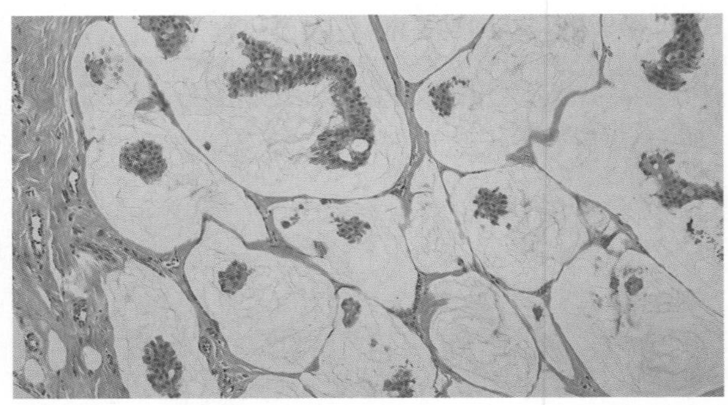

그림 4-28 풍부한 점액성 물질 내에 종양세포들이 작은 군집을 이루며 떠 있다.

(5) 점액암종

점액암종mucinous carcinoma 또는 콜로이드암종은 다량의 점액을 생성하는 암종이고 발생빈도는 전체 유방암종의 1–3% 정도이다. 이 암종은 일반형의 유방암종과 동반하는 혼합형과 순수형이 있는데 순수형의 경우 예후가 더 좋다. 육안적으로 종괴는 비교적 색이 연하고 불규칙하거나 경계가 명확한 젤라틴 모양이거나 끈적한 점액성이며, 낭성 병변을 동반한다. 혼합형은 일반형의 관암종처럼 섬유화로 인하여 단단하다. 순수형은 전체 종양의 적어도 90% 이상을 차지하는 호수와 같은 점액성 물질 위에 종양세포가 단독 또는 집단으로 떠 있는 양상으로 배열한다(그림 4-28). 이 세포는 악성 기준에 맞고 때로는 관상이나 분비선형태이며 세포 내에 점액성 공포를 볼 수 있다.

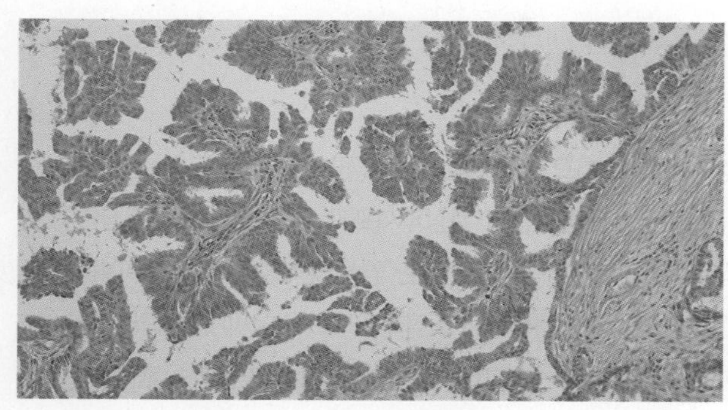

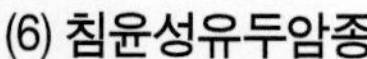
그림 4-29 종양세포들이 유두상 구조를 이루며 기질 내로 침윤한다.

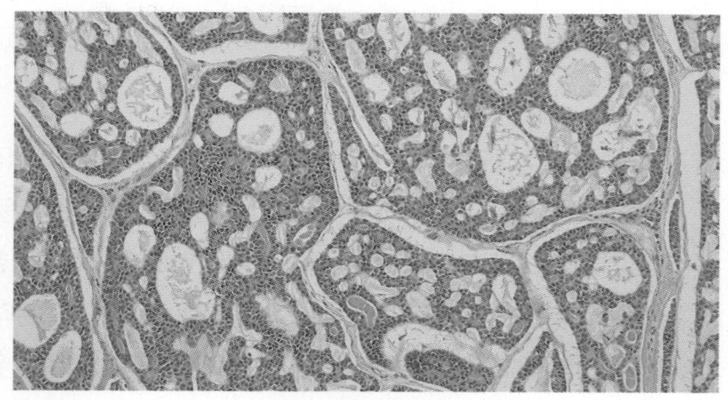

그림 4-30 종양세포들이 체모양 구조를 이루며 사이사이의 기질성 물질이 특징이다.

(6) 침윤성유두암종

침윤성유두암종invasive papillary carcinoma은 전체 유방암종의 1% 이하이다. 육안으로 경계가 좋은 종괴가 유륜직하부에 있고, 출혈을 동반한 낭성 부위가 보이며 기질성분이 적어 만지면 연하다. 현미경소견은 큰 유관 내에 유두모양 구조의 암세포 증식이 있으며 주위의 기질로 침윤하고 침윤 시에는 유두모양 구조가 소실된다(그림 4-29).

(7) 선모양낭성암종

선모양낭성암종adenoid cystic carcinoma은 유방암종의 1% 이하이며 서서히 자라고 타액선이나 기도에 발생하는 선모양낭성암종과 형태학적 소견은 동일하다. 육안적으로 경계가 분명하며, 크기는 2.5cm으로 작고 단단한 경우가 많다. 조직학적으로 종양세포는 선모양이나 규칙적인 원형의 체모양 또는 벌집 모양의 구조를 형성하거나 충실성 종괴를 만들고, 핵은 과염색의 둥근 모양으로 기질로 침윤하기도 한다(그림 4-30). 이 암종의 예후는 다른 유방암종에 비하여 좋으며 다른 장기에 발생하는 선모양낭성암종보다 훨씬 좋다.

(8) 화생암종

유방암종에서 다양한 화생성 변화가 있을 때 이를 화생암종이라 하며 크게 순수상피형과 상피-기질혼합형 두 가지로 나눈다. 순수상피형은 편평상피세포암종, 방추형 화생이 동반된 선암종, 선편평상피세포암종, 점막표피양암종으로 세분된다. 상피-기질혼합형 화생암종은 조직학적으로 양성 또는 악성의 연골분화, 골분화 또는 다른 육종성 분화를 보이는 부위가 침윤성 암종과 함께 나타나는 암종이다. 전체 화생암 중 편평상피세포암종을 보이는 화생암종이 가장 흔하다.

5. 기타 악성종양

유방에는 피부와 피부 부속기 및 결합조직과 지방조직으로부터 기원하는 악성종양이 발생할 수 있으며, 이는 편평상피세포암종, 기저세포암종, 섬유육종, 평활근육종, 지방육종, 연골육종, 골육종, 맥관육종 등이고, 이 중 육종은 급속히 자라는 크고 생선살 같은 조직으로서 유방의 모양을 변형시켜서 피부의 궤양은 동반하기도 한다. 육종은 혈행을 따라 폐와 같은 장기에 원격전이가 흔하고 육종 중에서 맥관육종이 예후가 가장 불량하다.

요약

정상 유방의 관 구조는 기저부에 위치하는 근상피세포와 내강의 상피세포 두 층으로 구성되어 있다. 양성 종양 중 가장 흔한 섬유선종은 뚜렷한 경계를 가지며 상피와 기질 두 가지 성분이 동시에 증식된 소견을 보인다. 관상피세포가 두 층 이상으로 증식하는 경우를 상피증식증이라 정의하며 증식의 정도에 따라 다양한 형태로 나타난다. 비정형성이 없는 양성 증식성 병변의 경우에는 상피세포의 증식과 함께 근상피세포의 증식이 동시에 관찰된다. 비정형성 관상피증식증이란 조직학적으로 관상피내암종과 유사한 세포의 증식 소견이 관찰되는 병변이지만 관상피내암종을 완전히 만족하지 못하는 병변을 일컫는다. 비정형 증식성 병변에서는 주로 상피세포의 증식이 관찰되며 근상피세포의 관찰이 드물다. 상피내암종에서는 종양성 상피세포가 기저막 내에 국한되어 증식을 이룬다. 증식된 상피세포 내에서 근상피세포를 관찰할 수 없지만 유지되어 있는 기저막을 따라 근상피세포층이 관찰된다. 종양세포가 기저막을 파괴하여 기질로 침범한 경우 침윤성 암종으로 진단할 수 있으며 침윤성 관암종이 가장 흔한 형태이다.

IV 유방의 양성질환

유방암은 생명의 위협과 여성상의 소실을 초래하는 특성을 가지고 있으며, 최근 우리나라에서 유방암의 발생빈도는 매우 빠르게 증가하고 있다. 유방 관련 증상 또는 증후가 발생하여 의료기관을 찾은 여성들은 근본적으로 유방암의 공포를 가지고 방문하지만 약 5%만이 유방암으로 진단되고, 95%는 정상이거나 양성질환으로 진단된다. 유방 양성질환으로 진단된 여성들의 최우선 관심은 현 질환에 따른 유방암 발생 위험도이며, 다음은 진단된 유방 양성질환의 적절한 치료 방침과 발생 원인에 대한 궁금증이다. 따라서 유방암에 대한 두려움이 앞서는 여성들에게 명확한 설명을 제공하고 최고의 진료를 제공하기 위해서, 의사는 유방의 정상적인 생리적 변화와 유방 양성질환의 발생 원인과 치료에 대한 철저한 이해가 필수적이다.

1. 유방 양성질환의 분류

유방 양성질환은 유방암을 제외한 포괄적인 유방의 상태로 정의하며, 즉 정상 상태와 유방 양성질환을 포함하여 통칭한다. Love등은 임상 증상과 진찰 소견을 토대로 생리적 부종과 압통, 소결절형성, 유방통, 종괴, 유두분비물, 유방 감염으로 분류하였고, Page 등은 유방조직의 조직학적 소견을 토대로 비증식성 병소nonproliferative lesions, 비정형세포가 없는 증식성 병소proliferative lesions without atypia, 비정형증식증 병소atypical proliferative lesion로 분류하고(표 4-7), 각 군에서의 유방암 발생위험도에 대해 연구하였다(표 4-8). Hughes 등은 유방 양성 질환이나 질병의 병인pathogenesis을 토대로 정상 유방의 발달과 퇴행의 변형 분류 체계Aberrations of Normal Development and Involution (ANDI) 를 정립하고 모든 유방 양성 상태를 정상과 경한 비정상과 심한 비정상으로 구분하였다(표 4-9).

2. 유방 양성질환의 ANDI분류

정상 유방의 발달과 퇴행은 연령적으로 사춘기 유방발달, 임신기, 수유기, 수유기 후 퇴행, 폐경에 따른 퇴행 순으로 변화를 보이며, 짧게는 월경 주기에 따른 유방변화를 보이게 된다. 이러한 정상적인 여성의 유방발달과 퇴행과정의 변형 이상은 다양한 정상 유방 증상과 유방 양성질환을 초래하게 된다. ANDI분류 체계는 병의 원인, 조직학적 소견, 임상적 소견을 전부 포함하고 있어, 개개인

표 4-7. 유방 양성 질환의 병리학적 분류

Dupont 등의 병리학적 기준에 따른 유방 양성 병소의 분류
비증식성 nonproliferative 낭종 cysts 유두상 아포크린 변화 papillary apocrine change 상피 관련 석회화 epithelial-related calcification 보통형 경도 증식증 mild hyperplasia of usual type
비정형이 없는 증식성 병소 proliferative lesions without atypia 보통형 중등도 또는 개화성 관상피증식증 유관내 유두종 경화성 선종증 섬유선종
비정형 증식증 비정형 관상피증식증 비정형 소엽증식증

환자를 정확하게 구분할 수 있는 분류체계로 의사들에게 유방 양성 질환에 대한 적정의 치료방침 결정과 환자들의 질문에 대한 명확한 설명에 유용함을 제공한다.

1) 초기 가임기

섬유선종은 15세부터 25세까지의 젊은 여성에서 호발한다. 섬유선종은 일반적으로 1cm 또는 2cm까지 자라게 되며, 이 후 크기의 변화 없이 안정적인 상태를 유지하거나 매우 큰 섬유선종으로 커지는 경우도 있다. 1cm보다 작은 섬유선종은 정상으로 생각되며, 3cm까지의 섬유선종은 경미한 질환으로 보며, 3cm 이상의 섬유선종은 심한 질환으로 간주된다. 유방 한 측에 5개 이상의 섬유선종이 발생한 경우를 다발성 섬유선종이라 하며 매우 드물게 발생하고 질환으로 간주한다. 유두함몰은 주 유선관의 발달 변형에 의한 질환으로 구분되며, 유선관 폐색의 소인으로써 결과적으로 유륜하 농양과 유관의 경피루fistular 발생의 단초를 제공하게 된다.

2) 후기 가임기

경미한 주기적 유방통mastalgia과 소결절형성은 월경주기에 따른 생리적 현상에 의한 정상으로 구분되나 주기적으로 심한 유방통과 심한 통증성 소결절형성은 질환으로 간주한다. 또한 통증성 소결절이 1주 이상으로 지속되는 경우도 질환으로 고려한다. 임신 중 관상피세포증식에 의한 유두상 돌출은 양측성 혈성 유두분비물을 유발시킬 수 있다.

3) 퇴행

임신과 수유를 위해 발달된 유방조직은 수유 중단 후 퇴행Involution과 나이에 따른 퇴행 과정의 변형으로 유방 양성질환을 발생시킨다. 퇴행과정에서 기질조직의 퇴행이 빠르게 진행되면 소실alveoli은 남게 되어 미세낭종microcyst을 형성하고 큰낭종macrocyst으로 발전하게 된다. 경화성선증 sclerosing adenosis은 유방 주기의 증식과 퇴행과정 둘 다에 관련된 질환으로 보인다. 유관확장증Duct ectasia과 유관주위유방염periductal mastitis은 유관의 정상적 퇴행과정의 변형으로 발생한다. 유관주위유방염은 유관주위 섬유화를 초래하고 최종적으로 유두함몰, 유륜하 농양으로 진행될 수 있다. 폐경 후 퇴행성 변화는 전체 유방조직에서 관찰되며 지방 침착이 늘고 결합조직이 줄어들며 단순한 유관만 남고 소엽은 섬유조직으로 대체되어

표 4-8. 양성 유방질환의 유방암 발생의 상대위험도

Dupont 등의 병리학적 기준에 따른 유방 양성질환의 유방암 발생 상대위험도				
연구	연구방법	비증식성	비정형이 없는 증식증	비정형 증식증
Nashville	후향적 코호트	1	1.9(1.9-2.3)	5.3(3.1-8.8)
Nurses' health study	시술군-대조군	1	1.5(1.2-2.0)	4.1(2.9-5.8)
BCDDP*	시술군-대조군	1	1.3(0.8-2.2)	4.3(1.7-11.0)
Mayo Clinic	후향적 코호트	1.3(1.15-1.41)	1.9(1.7-2.1)	4.2(3.3-5.4)

표 4-9. 유방의 정상 발달과 퇴행 변형 이상에 따른 분류(ANDI 분류)

호발 연령 및 변형 이상		정상	경한 비정상	심한 비정상
발달	조기 생식기 (15-25세)	소엽 발달 간질 발달 유두 외번	섬유선종 청년기 비대증 유두 내번증	거대 섬유선종 거대유방 유륜하 농양, 유관 루
	후기 생식기 (25-40세)	생리의 주기적 변화 임신 중 상피 증식증	주기적 유방통 소결절형성 혈성 유두분비물	극심한 유방통
퇴행 (35-55세)		소엽 퇴행 유관 퇴행 - 확장 - 경화 상피성 전환	거대낭종 경화성 병변 유관확장증 유두함몰 상피성 증식증	 유관주위유방염 비정형성 상피증식증

결국 없어진다. 70세 이상 여성의 60%에서 다양한 정도 차이의 관상피세포증식증을 볼 수 있다.

3. 빈번한 유방 증상

1) 유방통

유방통breast pain, mastalgia은 전체 여성의 70% 이상에서 경험하는 가장 흔한 유방관련 증상이며, 유방통이 일반적인 유방암의 증상은 아니지만 약 5% 이하에서 유방암의 유일한 증상으로 보고되어 있다. 유방통을 호소하는 대부분의 여성들은 유방암과 관련된 증상이 아닌가 하는 두려움을 가지고 병원을 찾아오지만, 대부분은 '유방암이 아니다'라는 것 만으로 유방통의 소실 또는 치료를 필요로 하지 않지만 이 중 10-20%의 여성들은 삶의 질에 저하를 줄 정도의 심한 유방통으로 병원을 찾는다. 따라서 유방통을 진료하는 의사들의 중요한 관점은 유방암과 무관함을 증명하여 환자들에게 심리적 안정과 확신을 주어야 하며, 삶의 질에 영향을 줄 정도의 심한 유방통을 호소하는 여성들에게 최선의 치료방법을 제공하는 것이다.

(1) 유방통의 분류

유방통은 주기적 유방통cyclic breast pain과 비주기적 유방통non-cyclic breast pain으로 분류한다. 주기적 유방통은 폐경 전 여성에서 월경 주기와 연관성을 가지고 있고 중등도 또는 심한 유방 통증이 7일 이상 지속되는 유방통증으로 정의되며, 월경 전 유방통증premenstrual breast pain과 혼동해서는 안 된다. 월경 전 유방압통은 정상 생리적 반응으로 월경 개시 2-3일 전에 발생하고, 경미한 또는 중등도의 통증 강도를 호소하고, 대부분 양측 유방에 통증이 발생하며, 유방부종과 압통이 동반되어 나타난다. 주기적 유방통은 보통 월경주기 중 황체기luteal phase에 시작되어 월경 직전까지 통증이 점차 증가하는 양상으로 월경이 시작되면 통증이 소실되지만, 월경이 끝난 뒤에도 경미한 통증이 한 달 동안 지속되는 경우도 있다.

비주기적 유방통은 월경 주기와 무관하게 발생한 통증으로 대부분 원인을 알 수 없지만 소수에서는 유방 질환 또는 유방외 질환에 의한 방사통으로 발생한다. 비주기성 유방통은 월경 주기와 무관하게 간헐적 또는 일정 기간 동안 지속적으로 통증이 나타날 수 있고, 통증의 범위는 대부분 한 측 유방의 특정 부위에 국한되어 나타난다. 유방통의 임상적 특성은 표 4-10에 정리하였다.

(2) 유방통의 원인

월경 전 유방통은 초경시기에 발생하여 매달 월경주기적으로 발생하다가 임신시기에는 통증이 감소하거나 없으며 폐경과 동시에 유방통이 소실되어 것으로 보아 여성의

표 4-10. 주기적 유방통과 비주기적 유방통의 임상적 특성

	주기적 유방통	비주기적 유방통
호발연령	가임기 여성(20-40대)	40대, 폐경기 여성
월경과의 연관성	관련성이 명확하다 월경 직전까지 악화되다가 월경이 시작되면 소실된다.	무관하다. 월경이 시작되어도 증상의 소실이 없이 지속된다.
통증의 양상	둔한 통증, 무거운 느낌	죄는 듯함, 작열감, 쓰림
통증의 위치나 범위	양측성, 흔히 외상방 구역 팔의 상부 안쪽으로 방사통	한측성, 국소 부위
통증의 지속기간	흔히 폐경까지 지속됨.	대부분 6개월 안에 자연 소실
유방부종이나 덩어리동반	흔하며, 월경과 관련성을 보인다. 월경을 전후하여 크기와 압통에 변화가 있다.	월경과 무관하게 일정하거나 간헐적으로 나타남.

생리적 월경 주기와 명확히 관련되어 있다. 또한 월경 전 주기적인 유방의 부종과 압통은 월경주기에서 특정시기인 후기 황체기late luteal phase 또는 분비기secretory phase(28일 월경 주기 중 21-27일에 해당)에 나타나므로 호르몬과 연관성을 가지고 있다.

주기적 유방통은 월경 주기와 연관성을 가지고 있어 "호르몬의 비정상화"가 심한 주기적 유방통의 발생 원인으로 제시되어 왔다. 그렇지만 프로게스테론 결핍progesterone deficiency, 에스트로겐 과다, 프로게스틴/에스트로겐 비율 변화, 호르몬 수용체 민감성의 차이, 낮은 안드로겐 혈중 농도, 여포자극호르몬과 황체호르몬 분비의 차이, 높은 프로락틴 혈중 농도가 주기적 유방통의 원인이라는 가설을 증명하지 못했다. 또한 병리조직학적, 정신질환 상태, 식품(영양학적) 차이 역시 주기적 유방통의 원인으로 명확히 증명되지 않았다.,

비주기적 유방통은 월경주기와 무관하게 발생한 통증으로 대부분의 비주기성 유방통의 정확한 원인을 알 수는 없지만, 몇몇의 경우에서 유방질환의 발생으로 유방의 해부학적 변화에 의한 통증 또는 유방외 타 장기 질환으로 통증이 유방부위로 방사되어 발생한다. 유관확장증 유관주위유방염, 경화성선종, 염증성 유방 질환 등은 유방 자체의 질환들로써 비주기성 유방통의 원인이되고, 흉벽이나 흉곽의 통증, Tietze 증후군, Mondor's disease, 심장질환, 폐 질환, 경추 추간판탈출증, 대상 포진, 담낭질환 등은, 유방질환이 아니지만 유방으로 방사통이 있을 수 있다.

(3) 유방통의 임상적 평가

유방통을 호소하는 여성을 진료할 때는 세심한 병력청취, 유방 진찰을 통해 유방통의 분류가 가능하다. 유방진찰에서 필요 하다면 영상학적 검사를 시행하는 것이 추천되며, 의심되는 병소에 대한 조직검사를 시행하는 것이 중요하다.

병력 청취는 1) 유방통에 관련된 병력 청취 2) 과거 또는 현재 동반 질환(심허혈증, 담석증, 경부 추간판 탈출증, 어깨관절 활액낭염) 3) 최근 복용한 또는 현재 복용하고 있는 모든 약제 4) 육체적 또는 정신적 스트레스 5) 유방암의 개인적 위험인자에 관련된 병력 청취가 포함되어야 한다. 유방통에 대한 병력 청취는 1) 통증의 양상, 월경주기와 관련성, 통증 기간, 통증의 위치(한측성 또는 양측성, 유방 전체 또는 국소, 유방외 흉벽)에 대해 2) 유방통의 심한 정도에 대해 3) 유방 관련 증상(종괴 또는 결절, 유두 분비물등)과 동반 여부에 대해 질문해야 한다. 유방진찰은 통증 부위를 중점적으로 결절 또는 종괴가 만져지는지, 유방조직의 압통인지 또는 유방이 아닌 늑골 또는 연골에서 기인한 것인지 감별해야만 한다.

유방통이 유방의 특정 부위에 국한되어 있는 경우에는 영상학적 검사를 시행하여야 한다. 유방통이 유방 전체인

경우는 주기적 유방통 또는 비주기성 유방통으로 분류하여, 주기성 유방통이며 특별한 비정상 소견이 없다면 더 이상의 추가적 영상검사는 불필요하지만, 비주기적 유방통이며 진찰상 정상일지라도 30세 이상의 여성은 영상학적 검사를 시행하는 것이 좋다. 영상학적 검사에서 의심스러운 병소는 조직검사를 시행하여 한다. 주기성 유방통 또는 영상검사에서 정상인 경우는 심리적 안심과 자가 통증 기록지를 작성하도록 교육시키고 재방문하게 한다.

(4) 유방통의 치료

유방통을 호소하는 여성의 치료에서 유방암 같은 심각한 질병과 감별이 필수적이며, 심리적인 안정을 위한 노력만으로도 약 80–90%의 여성은 특별한 치료가 필요 없고, 나머지 10% 정도만이 심한 유방통이나 장기간의 유방통으로 치료를 필요로 한다. 일상생활에 영향을 주는 심한 유방통 또는 유방통이 장기간 지속되는 여성은 유방통의 치료를 고려하여야 하며, 원칙적으로 경미한 유방통과 중등도 유방통은 소염진통제와 비약제요법non-phacologic therapies을 우선적으로 선택하고, 비약제요법이 효과가 없거나 심한 유방통은 약제요법을 우선적으로 선택한다.

비약제 요법은 자신에 알맞은 브래지어 착용 또는 운동과 수면 동안 스포츠 브래지어 착용, 긴장완와 훈련, 식이개선(카페인 함유 식음료 섭취 제한, 동물성 지방 섭취 제한), 영양 보충제 또는 건강식품(달맞이 꽃 종자유evening promrose oil, 감마리롤렌산gamma-linoleic acid, vitamine E, 아마씨Flaxseed) 등이 유방통 치료방법으로 연구되었다. 약제요법은 효과와 부작용을 고려하여 타목시펜 Tamoxifen을 일차적으로 처방하고, 효과가 없을 때는 다나졸danazol 또는 고세레린goserelin 순으로 처방한다. 유방통 치료의 무작위 임상시험 연구의 결과는 표 4-11에 정리하였다.

2) 유방종괴

유방종괴는 유방 전문 클리닉을 방문하는 가장 흔한 증상이다. 자각적인 유방종괴를 주소로 내원한 여성에서

표 4-11. 유방통 치료의 무작위 임상시험들

시험군	효과	부작용
호르몬 제재		
Geserelin	효과 있음	부작용 있음
Danazol*	효과 있음	부작용 있음
Bromocriptine	효과 있음	부작용 있음
Tamoxifen	효과 있음	부작용 있음
MPA#	없음	부작용 있음
Lynestrenol	없음	부작용 있음
Gestrinone	효과 있음	부작용 있음
Lisuride	효과 있음	부작용 있음
Isoflavone	효과 있음	부작용 있음
비호르몬 제재		
지방 식이 감량	효과 있음	부작용 없음
달맞이꽃 종자유		부작용 없음
Mefenamic acid	없음	부작용 없음
카페인 섭취 제한	없음	부작용 없음
Vitamin E	없음	부작용 없음
Iodine	효과 있음	부작용 없음
Vitex agnus-castus	효과 있음	부작용 없음

* 유방통 치료제로 미국 식품의약국에 허가/등록된 유일한 약제임. 우려할 만한 부작용으로 사용주의.

\# medroxyprogesterone acetate.

대부분은 양성종괴이며, 유방암 빈도는 10–20%이다. 유방 종괴에 대한 병리조직학적 진단은 유방 3대 질병으로 불리는 섬유선종, 섬유낭성변화, 유방암 순서의 빈도를 보인다. 3대 질병의 연령별 분포는 10대와 20대 여성에서는 섬유선종, 30대 여성에서는 섬유낭종변화, 40대와 50대 여성에서는 유방암이 가장 빈발하는 질병이었다. 그렇지만 20대–30대 여성에서 유방암 환자 비율은 적지만 발생되므로 연령에 관계없이 유방의 종괴는 반드시 악성 종양을 고려하여 진료해야만 한다.

(1) 임상적 평가

가. 병력청취

가능하면 현재와 과거의 모든 유방 관련 병력을 얻어야 하며 1) 유방종괴의 증상에 대한 병력; 발생시기, 통증 동반 유무, 성장 속도, 월경 주기와 관련성 2) 동반 유방 관련 증상; 림프절 촉지, 피부 또는 유두 변화, 유두 분비물 3) 과거 영상학적 또는 조직검사 결과 4) 유방암 위험

인자에 대한 병력 5) 남성의 경우에는 여성형 유방에 관련된 병력; 간기능 장애, 성기능 장애, 최근 복용 약제에 관한 병력 청취가 포함되어야 한다.

나. 진찰과 기록

진찰하기에 앞서 여성의 월경 주기와 폐경 유무를 파악하고 있어야 한다. 유방은 정상적으로 소결절형성이 있어 비정상 종괴와 구별이 어렵다. 특히 자각적 유방종괴로 병원을 찾은 30세 이하 여성에게서 진성종괴true mass는 53%였다. 심지어 40세 미만 여성에서 의사에 의한 진찰 결과는 28%의 위양성이 있을 수 있다. 진찰에서 비정상적인 종괴가 만져지면 종괴의 특징을 기록해야만 한다; 크기와 위치(예; 2cm- left breast at the 4:00 position, 6cm from the nipple), 종괴의 경계면(둥글다 또는 불규칙하다), 경도(부드럽다soft, 단단하다firm, 돌과 같다scirrhous).

종괴를 주소로 내원한 여성을 진찰 한 후 결과는 1) 정상no abnormality present, 2) 확실한 종괴가 아닌 두꺼운 부분A thickening without the characteristics of a dominant mass, 3) 양성 종괴의 특징을 가진 종괴A dominant mass with benign characteristics on palpation, 4) 유방암 특징을 가진 종괴A dominant mass with malignant characteristics로 구분하여 기록해야 한다.

(2) 유방종괴를 주소로 내원한 여성의 처치

병력청취와 진찰 후 정상이면 환자를 안심시키고, 두꺼운 부위 또는 종괴(양성 또는 암이 의심스러운 결절)가 확인될 때면 영상학적 검사를 시행한다.

가. 유방 낭종의 처치

유방 낭종은 40대 여성에서 가장 흔한 종괴로 유방 초음파에서 쉽게 진단되며 단순 낭종과 복합성 낭종complex cyst으로 분류한다. 초음파 검사에서 단순 낭종인 경우에는 암으로 진단되는 경우는 없기 때문에 환자가 증상을 호소하기 전에는 특별한 처치는 필요 없다. 그렇지만 낭종 내에 일정 고형질 성분이 존재하거나 낭종내 불규칙한 음영과 격막septum이 보일 때 복합성 낭종이라 한다. 전체 복합성 낭종의 암 빈도는 0.3%에 불과하지만 낭종내 일부 고형질 성분이 존재하는 경우는 23%의 암이 동반될 수 있기 때문에 복합성 낭종은 흡인하여 조직검사를 시행한다.

낭종 흡입물이 맑은 노란색이나 갈색의 액체 또는 진한 녹색인 경우는 전형적인 양성 낭종의 소견이므로 세포검사 없이 폐기한다. 흡입물이 혈성일 때는 드물지만 낭종내 암종intracystic carcinoma이 있을 가능성이 있기 때문에 반드시 세포학적 검사를 시행해야 한다. 흡입처치한 낭종이 재발하여도 반복하여 흡입처치할 수 있으나, 낭종 흡입물의 결과가 암이 의심스럽거나 환자가 더 이상 반복적 흡입처치를 원치 않는 경우는 수술적 절제가 추천 된다.

나. 고형종괴의 처치

진찰과 영상학적 검사에서 고형종괴로 확인되면 확진을 위한 조직검사를 시행해야 한다. 지방괴사, 경화성 선증, 방사형반흔과 복합경화성병소 등은 임상진찰과 영상학적 검사만으로는 유방암 소견과 유사하여 정확한 진단을 위해 조직검사는 필수적이다. 또한 가장 흔한 섬유선종의 경우도 영상학적 평가만으로는 엽상 육종과 구별하기 어렵고, 양성 종양의 영상학적 특징을 보이는 암도 있다.

조직검사 방법으로는 세침흡입세포검사, 중심침생검core needle biopsy, 절제생검술이 있으며, 중심침생검술이 유방종괴의 표준 조직검사이다. 2013년부터 절제생검술은 유방종괴의 일차적 조직검사 방법으로써 더 이상 추천되지 않는다. 몇몇의 제한된 상황에서만 유방종괴의 일차적 조직검사로써 절제생검술이 추천된다. 침생검검사를 기술적으로 시행하기 어려운 위치에 있는 종괴, 영상검사 또는 진찰 소견과 침생검 조직검사 결과의 불일치, 침생검 결과가 비정형세포였을 때, 침생검 결과가 '진단할 수 없는 결과' 일 경우는 절제생검을 시행하여야 한다.

따라서 불필요한 절제생검을 피하기 위한 방법으로 삼중검사법triple test과 BI-RADS (Breast image-Reporting And Data System)을 이용한다. 삼중검사법은 진찰, 영상학적 검사, 침생검(세침세포검사 또는 중심침생검)으로 구성되어 있으며, 목적은 진단 정확도를 높여 불필요한 절제생검을 피하고자 함이다. 연구 결과들에서 삼중검사법은 양성종괴를 진단하는데 있어 절제생검과 대등한 정확도를 보였다. 삼중검사법의 결과가 일치하는 경우는 양성 예측율과 특이성이 100%였고, 불일치 하는 경우는 양성 예측율이 64%였다. 따라서 삼중검사법에서 양성종괴인 경우는 절제없이 주기적으로 추적검사를 권고하고, 불일치 하는 경우는 절제생검을 시행한다. 또는BI-RADS 평가를 이용하여 범주 4의 유방암 의증과 범주 5의 유방암으로 평가되면 조직검사를 시행한다. 범주 3의 양성 가능성이면(2% 미만에서는 유방암의 가능성이 있음) 통상적으로 6개월 후 추적검사를 권고한다.

조직검사 또는 BI-RADS 평가에서 양성 종괴로 진단된 여성은 1-2년 간 6개월 간격으로 추적검사를 시행하고 추적검사에서 크기가 커지는 경우는 즉시 수술적 절제생검을 시행해야 한다.

3) 유두분비

비수유기 유두분비를 주소로 병원을 찾는 여성들의 95%는 양성 유방질환이고 약 5% 정도에서 유방암과 관련된 증상이다. 유방의 병적 상태와 관련된 비정상적 유두분비물은 자발적이며, 한 쪽 유두의 단일 유관에서 지속적으로(1주 2회 이상) 증상을 보이거나 혈성 유두 분비물이 나타날 때이다. 병적 유두분비물의 원인은 양성 유두종(48.1%), 유관확장증(15-20%), 유방암(10-15%)의 순으로 높은 빈도를 보였다. 생리적으로 임신과 수유기에서도 급격한 유관증식과 혈관분포과다로 인해 혈성 유두분비물을 보일 수 있다. 임상적 관심은 유방암과 감별과 양성일 경우에는 유두 분비 증상의 치료이다.

(1) 임상적 평가

유두분비물이 자발적으로 한쪽 유두의 단일 유관에서 보일 때 유방의 병적 상태와 연관성이 높으며, 유두분비물의 색깔이 혈성 또는 잠혈 검사에서 헤모글로빈 양성인 경우에서 암과의 연관성이 높았다. 진찰 또는 영상학적 검사에서 유방종괴가 동반된 경우에서 암으로 진단될 가능성이 높다.

병력청취는 유두분비물의 특성과 발현 유관에 대해 세심하게 질문을 해야 한다. 병력 정취에서 반드시 확인해야 하는 병력은 1) 자발적인지spontaneous(속옷에 묻었다) 또는 인위적인지squeezing 2) 단일 유관에서 나오는지 또는 다수의 유관에서 나오는지 3) 한 쪽 유두인지 또는 양측 유두인지 4) 유두분비물의 색깔, 량 5) 지속적인지 또는 일시적인지 6) 유방종괴 같은 다른 유방 증상과 동반 여부 7) 최근 또는 현재 복용 중인 약제 8) 유방 또는 흉벽에 외상 9) 내분비 질환의 병력 등이다. 한 가지 주의할 점은 비수유기 여성의 2/3에서 단순히 유관확장의 변화가 있는 폐경후 여성과 분만 경험이 있는 여성에서는 인위적으로 소량씩 유즙분비가 이루어질 수 있고, 또한 유두분비물을 확인하기 위해 자주 유두를 짜보는 행위도 오랫동안 유두분비를 지속시킬 수 있다.

진찰은 유륜 부위 또는 유방의 각 부위를 압박하여 분비물이 나오는 유관과 분비물을 생산하는 국소 부위 또는 구역(분비물 유발 부위trigger point)과 분비물의 특성과 색깔을 확인해야 하며 유방 종괴나 유두함몰 같은 동반 증후를 자세히 진찰해야 한다. 유두 분비물 유발 부위는 환자 기록지에 반드시 기록하는 것이 수술 시 피부 절개에 도움을 준다.

유두분비가 있는 유관의 국소화는 수술적 조직검사 또는 치료의 선택(미세유관절제술microdochectomy 또는 유관전절제술total duct excision)에 매우 중요하다. 유관조영촬영술 또는 유관 내시경을 이용하여 유두분비의 유관을 국소화시키는 것은 향후 수유를 원하는 여성에게 수유를 위한 유관보존 및 수술계획에 도움을 줄 수 있다. 최근 유관내시경ductoscopy은 유관에 미세내시경을 삽입하여 직접 유관내강을 관찰할 수 있으며 유관 내 병소를 확인하고 세포학적 또는 조직학적 진단을 시도할 수 있다. 유관세척ductal lavage과 병행한 유관내시경은 유두분비가 있는 환자의 진단과 치료, 유방암 환자에서 유방보존술의 적용가능성 판단이나 고위험 여성에서 선별검사로 중요시되고 있다.

(2) 유두분비의 처치

유두분비 증상이 있는 여성은 진찰과 영상검사(유방촬영술 또는 유방초음파)시행하여 종괴 또는 암이 의심되는 병소는 반드시 조직검사를 시행한다.

단일유관 유두분비인 경우에서 진찰과 영상검사에서 이상소견을 발견하지 못한 경우는 수술적 조직검사를 시행하여야 한다. 수술적 조직검사의 적응증은 유두분비물이 자발적이며 유두의 단일 유관에서 나오고 1) 혈성 또는 장액혈성 또는 잠혈검사 양성일 때 2) 1주에 최소 2회 이상으로 지속적일 때 3) 종괴와 동반되었을 때 4) 50세 이상 여성에서 발생하였을 때(진하고 치즈 같은 분비물은 제외) 5) 남성에서 유두분비일 때이다. 단일 유관 분비의 수술 방법은 미세유관절제술 또는 유관전절제술이 있으며, 최근 연구 결과들은 정확한 진단과 암의 진단을 놓치지 않기 위해서는 유관전절제술이 더 효과적이라고 하였다. 유관전절제술은 다유관분비 증상의 치료 또는 약제에 과민성이 있는 유루증galactorrhea의 수술적 방법으로 시행되기도 한다. 미세유관절제술은 젊은 여성, 특히 향 후 수유를 원하는 젊은 여성에서만 시행하는 것이 좋겠다.

유즙과다분비galactorrhea는 비수유기여성의 양쪽 유방에서 유즙성 분비물이 지속적으로 나오는 경우이다. 흔히 복용 약제(phenothiazine계, cimetidine, 항고혈압제, 진정제, 한약herbal medication, 경구피임제 등)로 인해 발생하며, 약제와 무관한 경우에는 뇌하수체 선종과 갑상선 기능저하증 등을 의심해야 한다. 특히 무월경, 불임, 시야장애 등의 소견과 함께 혈중 프로락틴 수치가 증가(1,000mU/L)되어 있으면 뇌하수체 선종을 의심한다. 치료는 원인 약제 중단하거나 뇌하수체 선종인 경우는 cabergoline 또는 bromocriptine(부작용에 주의해야 한다)으로 치료하거나 뇌하수체 선종의 수술적 절제를 시행한다.

4. 유방 양성 종양

1) 섬유선종

섬유선종은 종말유선관-소엽 단위의 상피세포와 기질에서 발생하며, 발생 원인은 정상 유방 발달 과정에서 증식과정의 변형으로 생각된다. 유방에서 발생하는 가장 흔한 양성 종양으로 10-20대 여성에서 주로 발생하지만, 드물게 40세 이후 여성에서도 발생한다. 병리조직학적으로 섬유선종은 정상 유방조직과 같은 상피세포와 기질조직 성분들로 구성되어 있고, 다양한 정도의 상피세포 증식증이 관찰되고, 매우 드물지만 섬유선종내에 비정형 세포증식증 또는 소엽성 제자리암, 관상제자리암과 유방암이 발생할 수 있다. 섬유선종은 에스트로겐 수용체와 프로게스테론수용체를 갖고 있어 호르몬 변화에 대한 반응도 정상 유방조직과 비슷하다. 따라서 임신기간 또는 월경 직전에 커지는 경향이 있고 폐경이 되면 퇴행 되기도 한다.

섬유선종은 일반적 섬유선종, 사춘기 섬유선종juvenile fifroadenoma, 거대 섬유선종giant fibroadenoma로 분류한다. 섬유선종의 크기가 5cm이상일 때 거대섬유선종으로 분류하며, 조직학적 소견은 일반적인 섬유선종과 같다. 사춘기 섬유선종은 사춘기와 젊은 여성에서 발생하여 크기가 빠르게 커지고 종괴 위 피부에 정맥확장 소견을 보인다. 조직학적으로 일반 섬유선종보다 심한 상피세포 증식증과 더 많은 기질세포질을 가지고 있지만 임상적으로 양성 질환의 형태를 취한다. 전체섬유선종의 0.5-25%의 빈도를 차지하고 악성으로 전환되지는 않는 것으로 본다.

섬유선종의 조직학적 소견에서 크기가 3mm 이상의 낭종, 경화성 선종증, 상피세포 석회화 또는 유두상 아포크린 변화가 동반되어 있을 때 복합성 섬유선종complex fibroadenoma로 진단된다. 복합성 섬유선종은 약 23%에서 관찰되고, 유방암 발생 상대위험도가 3.1배로 증가한다고 보고되었다.

임상적으로 진찰에서 대부분 1-2cm 크기의 단발성 종괴로 발견되며, 모양은 대부분 타원형 또는 둥근 형태이지만 다결절 형태로 만져지는 경우도 있다. 주변의 유방조직과 경계가 분명하고, 단단하거나 고무 같이 만져지고, 손가락으로 누르면 쉽게 미끄러지는 움직임을 보인다. 대부분의 섬유선종은 직경이 2-3cm 정도 자라면 성장을 멈춘다고 한다. 그렇지만 5cm 이상의 섬유선종이 발견된다면 거대섬유선종giant fibroadenoma, 연소형 섬유선종 juvenile fibroadenoma, 엽상육종phylloides neoplasm을 생각해야 한다. 섬유선종은 대부분 단발성이지만 10-15%에서 다발성으로 발생하고, 한쪽 유방에 5개 이상 다발성 섬유선종은 흔하지 않다

섬유선종의 임상적 치료는 근본적으로 양성종양의 관점에서 이루어진다. 그렇지만 섬유선종과 유방암 발생 위험도의 연관성 비교 연구에서 대조군과 비교하여 암 발생 위험도가 1.5-2.1배 크고, 특히 직계 가족력이 있는 경우는 2.1-2.6으로 약간 더 증가하는 것으로 관찰되었다. 또한 매우 드물지만 섬유선종으로 절제된 조직에서 비정형세포증식증(0.81%의 빈도)이 동반되어 있거나 제자리암 또는 침습성 유방암이 발생된 경우가 보고되어 있다(남석진 등). 조직검사를 시행하여 섬유선종이 진단된 경우는 섬유선종의 수술적 절제없이 환자를 안심시킬 수 있다. 그렇지만 크기가 큰 경우(2-2.5cm 이상), 증상을 호소하는 경우, 추적관찰에서 크기가 커지는 경우, 삼중음성 검사에서 결과 불일치, 유방암의 직계가족력이 있는 경우는 수술적 절제의 합리적 적응증이다. 최근에는 최소침습절제술로 레이저광응고술laser photocoagulation, 진공흡입보조 장비를 이용한 절제술, 냉동절제술cryoablation 등도 시행되고 있다.

2) 엽상육종

유방에 엽상육종phylloides tumor은 중배엽성 기질에서 발생한 종양으로 양성 엽상육종, 경계성 엽상육종, 악성 엽상육종으로 분류한다. 전형적으로 45세-49세에 발생하고 임상적으로 섬유선종과 구별은 어렵다. 중심침생검 역시 엽상육종과 섬유선종의 감별이 어렵고, 중심침생검에서 엽상육종으로 진단되었을 때 양성, 경계성, 악성 엽상육종의 정확한 구분이 어렵다. 흔히 엽상육종은 절제생검을 시행하였을 때 정확히 진단이 된다.

엽상육종의 치료는 광역 국소 절제술(1cm 이상의 정상 절제연)이다. 양성 절제연인 경우에는 8-46%의 높은 국소재발률이 보고되어 있다.

3) 유관내유두종

유관내유두종intraductal papillomas은 단발성(중심성) 유두종과 다발성(말초성) 유두종으로 구분한다.

단발성(중심성) 관내유두종solitary intraductal papilloma는 주 유선관에서 발생한 종양으로 대부분 30세-50세 여성에서 흔히 유두와 유륜 하방에서 발견된다. 유관내 1개의 유두종 병소가 존재하며, 대부분 1cm 이하(대부분 3-4mm)로 잘 만져지지 않으나 3cm 이상의 크기가 큰 경우도 있다. 가장 흔한 증상은 50-90%에서 유두분비물을 보이며, 50%에서는 혈성이었고 50%에서 장액성 분비물을 보였다. 비정형증식증이 없는 단발성(중심성) 유관유두종은 전암 병소로 고려하지 않는다.

다발성 말초유두종multiple peripheral papilloma은 유관계의 말단부위인 종말유선관내에서 발생하며 보통 2-3개 이상의 유두종이 같은 유관에 존재하며 크기가 작다. 단일성 유관내유두종보다 젊은 나이에 발생하며 유방의 가장자리에 위치하고 유두분비의 증상은 드물다. 약 15% 에서 양측성으로 발생하고, 후속 유방암발생 가능성이 단발성 관내유두종보다 더 높다.

유관내유두종은 병리조직학적으로 양성 유두종으로부터 비정형상피세포 증식증/관상피세포 제자리암, 침습성 유두상 암까지 폭 넓은 진단 광역대를 가진다. 유두종 자체가 유방암 발생 위험도의 증가와 연관성은 없으나, 유두종내 비정형증식증의 동반 유무와 분포 정도가 유방암 발생 위험도를 증가시킨다. 비정형 증식증이 있는 유두종의 후속 유방암 발생위험도는 4-5배 증가하였고, 비정형 증식증이 있는 다발성 유두종의 유방암 발생 위험도는 7배 증가를 보고하였다. 다발성(말초성) 유두종을 절제한 검체에서 약 32-37.5%의 유두종내 유방암이 동반되어 발견되었지만, 단발성(중심성) 유두종에서는 유두종내 유방암이 없었다.

중심침생검으로 정확한 유두종을 진단할 수 있지만 모든 유두종내 동반된 비정형 증식증/관상피 제자리암 또는 침습성유방암을 베제하기는 어렵다. 중심침생검으로 비정형증식증 있는 유두종은 유두종내 제자리암 또는 침습성

유방암의 동반 위험성이 높기 때문에 수술적 절제생검이 적절하다. 중심침생검으로 양성 유두종으로 진단된 경우에는 단순 추적관찰 또는 절제excision 중 적정 치료방법의 논란이 있을 수 있다. 그렇지만 침생검에서 양성 유두종으로 진단되어 추가적으로 수술적 절제한 검체에서 비정형증식증으로 상향 진단된 경우가 29%였고, 제자리암 또는 침습성 유방암으로 상향 진단된 경우는 10%로 관찰되었다. 중심침생검으로 유두종이 진단된 모든 유두종 병소의 수술적 절제를 권고한다. 수술적 종괴 절제술 이외에 진공흡입보조 장치를 이용한 생검 또는 절제법 역시 대체 가능하다. 다발성 말초 유두종이 재발한 경우나 유두종이 분절 유관에 분포되어 있는 경우는 유방 분절절제술을 시행한다.

4) 유두종증

유두종증papillomatosis은 엄밀한 의미에서 단일성이나 다발성 유두종과는 다르다. 유두종증은 말단 세관의 상피세포들이 유두상으로 증식한 것을 말하며 혈성 유두분비물과 연관성이 있다. 일반적으로 유방암 발생 가능성은 없지만, 비정형관상피증식증과 동반될 때는 암 발생가능성이 높아 추적관찰을 해야 한다.

연소형 유두종증juvenile papillomatosis은 드문 질병으로 청춘기와 젊은 여성(평균 23세)에서 발생한다. 흔한 증상은 유두분비이다. 종괴가 동반되는 경우는 유방 가장자리에 통증이 없고, 크기가 2-3cm인 종괴로 만져진다. 경계가 명확하고 쉽게 움직여 섬유선종으로 여겨지는 경우가 많다. 연소형 유두종증은 유방암의 발생위험도가 높으며, 특히 양측성과 유방암 가족력이 있는 경우에서 높은 유방암 발생 위험도와 관련성이 있었다. 치료는 수술적 절제이며 장기간 추적관찰이 필요하다.

5) 과오종

과오종hamartoma은 섬유선지방종fibroadenolipmoa이라고도 하며 비교적 드문 양성 종양으로 유선조직, 지방, 섬유조직이 혼합되어 종양을 구성한다. 임상적으로 영상학적으로 섬유선종과 유사한 양상을 보인다. 임상적 증상은 압통이 없는 종괴로 나타나고, 크기는 직경이 1cm인 것에서부터 13.5cm인 것에까지 다양하다. 전연령에서 발생할 수 있지만 30-50세 사이에 흔히 발생한다. 과오종은 전형적인 양성 종양이지만 유방암으로 변형이 매우 드물게 보고되어 있다. Cowden증후군에서 잘 발생하고 유방암 발생 위험도는 증가되어 있다. 중심침생검을 이용한 진단에서 보통은 정상 유방조직으로 진단된다. 영상학적으로 전형적인 과오종인 경우는 절제할 필요가 없지만, 절제가 필요하다면 과오종의 완전 절제이며 불완전 절제한 경우는 재발할 수 있다.

6) 방사형경화병소

유방에 방사형경화병소radial sclerosing lesions는 특징적인 별모양stellate 윤곽 때문에 붙여진 이름으로 유방양성 질환이다. 방사형경화병소는 크기에 따라 1cm미만인 경우는 방사형 반흔radial scar 또는 1cm 이상 크기는 복합경화병소complex sclerosing lesion으로 분류한다. 방사형 반흔의 빈도는 4-26%이고, 양측성은 43%이며 다발성은 67%(한 측 유방 31개의 방사형 반흔도 보고되었다)이다. 대부분 크기가 1cm 이하여서 잘 만져지지 않고 유방촬영술에서도 발견되기 어렵기 때문에 유방의 다른 비정상 소견의 진단을 위한 조직검사에서 우연히 발견되는 경우가 대부분이다. 방사형경화병소의 유방촬영술 소견은 유방암과 구별이 불가능하고 병리조직학적으로 관상유방암tubular carcinoma과 거의 유사한 소견을 보인다.

방사형경화병소의 임상적 중요성은 후속 유방암 발생 위험도의 증가와 관련되어 있고, 방사형 반흔 내에 제자리암 또는 유방암이 동반될 위험성이 있다는 점이다. 방사형경화병소로 진단되었을 때 유방암 발생의 상대위험도는 1.8-3배 증가하였고, 절제 검체에서 유방암이 추가로 진단된 경우는 0-40%였다. 병소의 크기가 클수록 방사형 반흔내 제자리암 또는 침습성 암이 동반될 가능성이 높았다.

중심침생검으로 방사형경화병소가 진단되었을 경우는

수술적 완전 절제를 권고한다. 중심침 검사에서 비정형증식증이 없는 방사형경화병소일 경우에 만약 수술 위험도가 높을 때는 중심침 검체의 수를 늘리거나 진공흡입보조장치를 이용한 절제를 고려할 수 있겠다.

7) 점액낭종유사병소

유방의 점액낭종유사병소mucocele-like lesions는 점액이 들어있는 양성 낭종으로 흔히 낭종이 파열되어 주위 기질 속으로 점액이 유출된 소견을 볼 수 있다. 점액낭종유사병소는 종괴로 만져지거나 유방촬영술에서 의심스러운 미세석회화 소견을 보이거나 유방초음파에서 복합 낭종과 유사한 소견을 보인다. 영상학적으로 양성 점액낭종유사병소와 비정형 증식증 또는 암이 동반된 점액낭종유사병소의 감별은 어렵다. 점액낭종유사병소의 상피세포는 양성질환 소견(상피세포 증식증)부터 비정형증식증이나 제자리암이 동반될 수도 있다. 침생검은 점액낭종유사병소와 점액종암의 감별이 어려울 경우가 있고, 중심침생검으로 진단된 점액낭종유사병소는 절제 검체에서 비정형관상피증식증 또는 암으로 상향 진단율이 18–30%로 높았다. 점액류유사종양은 완전히 절제해야 하며 절제 후 주기적인 추적관찰이 필요하다.

8) 지방괴사

지방괴사의 임상적 중요성은 임상적 또는 영상학적으로 유방암과 구별하기 어려운 소견을 가지고 있다는 점이다. 가장 흔한 원인은 유방 외상으로 발생하지만 분명한 외상의 과거력에 대한 인식은 40%정도이다. 외상성 지방괴사의 발생초기는 피하 출혈과 단단해진 지방 조직으로 둥글고 단단한 종괴가 형성되고 시간이 지나면 지방이 용해되어 공동cavity을 형상하게 된다. 유방 수술 후, 유방보존술에 따른 방사선요법 후, 재건을 위한 복직근피판 이식술 또는 성형을 위한 자가지방 주사 후 지방괴사가 발생하기도 한다.

영상 검사로 대부분 진단이 가능하지만 감별이 어려운 경우에는 중심침생검을 시행한다. 조직검사 소견은 지방낭종이나 거품세포foam cell 등의 특징적인 소견을 보인다. 특별한 치료는 필요 없다.

5. 유방 염증성 질환

유방의 감염은 신생아에서도 발생하지만, 대부분 18세–50세 사이의 여성에서 발생한다. 성인에서 유방의 감염은 수유기 감염과 비수유기 감염으로 분류한다. 이외 유방 피부에서 발생하기도하고, 수술 후 감염 등에 의해 발생한다. 유방 감염에 대한 치료 지침은 농양으로 진행을 막기 위해 가능하면 빨리 항생제를 투여하는 것과 적절한 항생제 치료에도 반응하지 않는 경우에는 농양 형성 가능성 또는 염증성 유방암의 가능성을 고려하는 것이다. 유방 감염의 분류와 원인 균주에 따른 적정 항생제는 표 4–12에 정리하였다.

1) 신생아 유방염

약 60%의 신생아에서는 생후 약 1–2주까지 유선아 breast bud가 지속적으로 커질 수 있으며 이 후 퇴행한다. 이 기간 동안 커져있는 유선아에 감염이 발생할 수 있다. 대부분 황색포도상구균이 원인이지만 대장균이 발견되는 경우도 있다. 초기에는 항생제로 치유되지만 만약 파동이 생기면 절개 배농술을 시행한다. 절개 배농을 할 때는 가능한 한 유방 가장자리에 시행하여 유방의 발육에 지장을 주지 않도록 주의해야 한다.

2) 수유기 감염

수유기 감염lactational infection은 첫 번째 분만 여성에서 수유 시작 후 6주 이내에 가장 흔히 발생하나 이유기 시기에도 발생할 수 있다. 수유로 인해 유두 균열이나 유두피부에 찰과상 등이 생기면 염증반응으로 유륜하 유관의 부종이 발생하여 모유 배출이 잘 안 된다. 손상된 조직에 피부 상재균이 증식하여 모유배출이 잘 안 되는 유방 분절에 감염을 일으킨다. 가장 흔한 원인 균 주는 황색포도상구균이고, 표피포도상구균이나 연쇄상구균도 원인

표 4-12. 유방 염증성 질환의 분류와 적정 항생제

감염 분류	원인 균	No Penicillin allergy	Penicillin allergy
신생아 감염	황색 포도상구균 대장균(드물게)	Flucloxacillin, 500mg 4회/1일	Erythromycin, 500mg 2회/1일
수유기 감염	황색 포도상구균 표피 포도상구균(드물게) 연쇄상 구균(드물게)	Flucloxacillin, 500mg 4회/1일	Erythromycin, 500mg 2회/1일
비수유기 감염	황색 포도상구균 장내구균 혐기성 연쇄상구균 박테로이드 계열	Co-amoxiclav, 375mg 3회/1일	Erythromycin, 500mg 2회/1일 + Metronidazole, 200mg 3회/1일

균주가 될 수 있다. 증상은 통증, 발적, 부종, 압통을 나타내며, 오한, 발열 등의 전신증상이 동반되기도 한다. 유방 농양으로 진행한 경우는 파동성 종괴로 만져지고, 액와림프절이 커진 경우도 있다. 심한 경우에는 발열, 빈맥, 백혈구 증가 등의 증상을 보일 수도 있다.

수유기 감염의 초기에는 항생제와 수유 장려만으로 감염 치료에 효과적이다. 오히려 수유 자체가 유즙과 농액의 배출을 촉진시켜 치료에 도움이 되기도 한다. 수유기 감염 치료 동안은 수유억제제(cabergoline)사용은 모유가 농축되어 배농이 저하될 수도 있으므로 권장되지는 않는다. 유방암 감염에 따른 적정 항생제는 표 4-12에 제시하였고, 항생제 선택에서 산모에게 투여된 항생제의 일부는 수유를 통해 유아에게 전달되므로 유아에게 해로운 tetracycline, ciprofloxacin, chloramphenicol 등은 사용하지 않는다. 항생제 치료를 시작하고 수 일 이내에 감염이 호전되지 않으면 초음파 검사를 시행하여 농양의 발생 또는 염증성 유방암을 감별해야 한다.

농양이 발생하였을 때는 농양 위의 피부 상태에 따라 배농을 한다. 농양이 작거나 유방 깊숙한 부위에 농양이 위치한 경우(피부가 얇지 않거나 괴사되어 있지 않다면)는 1% 리도카인에 1:200,000 아드레날린 용액을 이용 피부와 유방조직을 국소 마취하고 주사침을 농양 속으로 위치하여 1% 리도카인에 1:200,000 아드레날린 용액으로 농양 공동cavity을 흡입액이 깨끗해질 까지 반복 세척한다. 농양이 소실 될 때까지 2-3일마다 반복 세척 흡입을 시행하면 보통 1주 정도에 고름은 장액으로 변한 후에 모유로 변화를 보인다. 농양위의 피부가 얇거나 괴사되어 있다면 국소마취하에 작은 절개창을 내거나 괴사조직을 제거하여 고름을 완전히 배농시킨 후 매 2-3일마다 반복 세척한다. 매 2-3일 마다 반복적 흡입과 항생제 병합 치료는 대부분의 농양 치료에 효과적이어서 우선적 치료방법이다. 농양의 크기가 크거나 농양내 격막으로 구획된 경우는 전신마취하에 수술적 절개배농이 필요하다. 절개배농 후 농양공동 속에 배액관이나 거즈의 충전은 불필요하다. 산모가 원할 때는 수유를 중단할 필요는 없지만, 감염이 광범위하거나 환자가 수유를 꺼리는 경우는 수유의 중단을 고려할 수 있다. 수유의 중단을 원하는 경우는 cabergoline 2mcg을 2회/일, 2일간 처방한다.

3) 비수유기 유방염과 농양

비수유기 유방염non-lactational infection은 유륜주위 감염periareolar infection과 유방 가장자리 감염peripheral infection으로 나눌 수 있다.

(1) 유륜주위 감염

유륜주위 감염periareolar infection은 대부분 젊은 여성(평균 나이는 32세)에서 발생하고 대부분이 흡연자이다. 선행병인은 유관주위유방염periductal mastitis이다. 유관주위 유방염과 유관확장증은 구분되어야 한다. 유관확장증은 기본적으로 폐경주위 또는 폐경 여성에서 나타나고 특징적으로 유륜하방 유관이 확장되어 있고 유관주위 염증 정도가 적다. 최신 근거들은 흡연이 유관주위 유방염의 가장 중요한 원인 인자라고 제시하고 있다. 흡연내 함유 물질이 직-간접적으로 유륜하방 유관벽을 손상시키고 손상된 조직에 호기성 균주와 혐기성 균주의 감염이 발생하게 된다. 유관주위 유방염은 유관의 만성염증으로 인해 편평세포 화생squamous metaplasia을 초래하고 이에 의한 유관 폐색이 발생한다. 유관주위 유방염의 첫 증상은 유륜주위 염증 소견이다. 동반 증상은 중심부 유방통증, 유두함몰, 고름성 유두분비물이다. 유관주위 유방염이 진행하여 유륜주위 염증을 거쳐 유륜주위 농양(유륜하 농양) 또는 유관누공mammary duct fistula의 합병을 보일 수 있다. 유관주위 유방염 환자의 약 21%에서 유륜주위농양이 발생하며 농양의 약 50%는 유관누공으로 진행되는 것으로 보고되고 있다. 감염을 유발하는 원인 균주는 수유기 유방염에 비해 다양하며 황색포상구균은 물론 장내구균, 연쇄상구균, 박테로이데스를 포함한 혐기균도 많이 배양된다.

종괴가 없는 유륜주위 염증의 치료는 호기성 균주와 혐기성 균주 둘 다에 효과적인 항생제를 선택해야 한다 (표 4-12). 적정 항생제 치료에 효과가 없으면 초음파 검사를 시행하여 농양의 발생 유무를 확인한다. 농양이 발생하였을 때는 반복 흡입과 항생제 또는 국소마취하에 절개배농으로 치료한다. 유륜하방 농양은 매우 드물게 제자리암의 면포괴사comedo necrosis와 연관되어 발생할 수 있기 때문에 35세 이상의 여성은 유방촬영술을 시행한다. 흡입 또는 절개배농법은 유관주위 유방염의 원인(편평상피세포 화생된 유관)을 제거할 수 없기 때문에 높은 재발률(34-78%)을 보인다. 가장 효과적인 수술법은 침범된 유관central duct을 절제하는 방법으로 91%의 완치율과 95%의 미용적 만족도를 보여 주었다. 유관누공의 치료는 전신마취하에 시행하며, 단순 누공절개술 또는 누공절제술fistulectomy를 시행하거나 전체 누공절제술과 침범된 유관의 선택적 절제 또는 누공절제술과 전체유관절제술total duct excision로 치료한다.

(2) 유방 가장자리 비수유기 농양

유방 가장자리 비수유기 농양peripheral nonlactational abscess은 유륜주위 농양 발생빈도가 낮으며, 대부분 원인 불명이지만 당뇨병, 류마티스 관절염, 외상, 스테로이드 치료 등과 관련되어 보고되어 있다. 원인 균주는 주로 포도상구균이지만 혐기성 균주로 인해 발생하는 경우도 있다. 폐경 여성보다는 폐경 전 여성에서 3배 이상 많이 발생한다. 권태감, 발열 등의 전신증상은 대개 없다. 치료는 다른 부위 농양과 같고, 35세 이상의 여성은 유방촬영술을 시행하여 면포형 관상제자리암을 배제해야 한다.

(3) 기타 유방 염증성 질환

가. 유방결핵

서구에서는 드문 질병이지만 우리나라에서 드물지 않게 발생한다. 가임기 여성에서 호발하며 종괴 또는 누공과 합병된 종괴를 보인다. 항산성 염색acid-fast stain, 균 배양 검사, 병리조직검사를 시행해서 확진하며, PCR이 사용되기도 한다. 국소 절개배농술 또는 종괴 절제술 과 항결핵제의 장기간 투여로 치료하며 장기적인 치료에도 재발하는 경우에는 단순유방절제술도 고려한다.

나. 몬도르병

몬도르병Mondor's disease 또는 흉상복부정맥염phlebitis of thoracoepigastric vein은 점차적으로 임상에서 드물지 않게 경험한다. 병리적으로는 정맥염과 정맥주위염이 관찰된다. 전흉벽이나 유방 표면에 통증을 동반하는 피하다발 subcutaneous cord이나 피부함몰 등으로 나타날 수 있으며 전신증상은 거의 없다. 확실한 원인은 밝혀지지 않았지만 외상, 염증성 질환, 유방의 수술, 과도한 팔 운동이나 류마티스 관절염 등과 연관될 수 있는 것으로 알려져 있다. 유방암에 동반된 경우도 12.7%로 보고되고 있어 유방 영상학적 검사를 시행해야 한다. 급성기에는 국소가온이나 소염진통제 등으로 치료할 수 있으며 특별한 치료 없이 자연 소멸되는 경우가 대부분이다.

다. 육아종성 소엽 유방염

육아종성 소엽 유방염granulomatous lobular mastitis은 드문 유방 염증성 질환으로, 유방 소엽에 국한된 비건락 육아종noncaseating granuloma과 미세농양의 특성을 나타낸다. 임상적 증상은 단단한 종괴로 만져지고, 흔히 압통과 통증과 호소하고, 때때로 피부궤양이 동반된 경우가 있다. 유방암 또는 다발성 또는 재발 농양과 구별이 어렵다. 대부분 수유 경력이 있는 젊은 여성(임신 5년 이내 젊은 여성)에서 발생하나, 분만 경험이 없는 여성에서도 발생할 수 있다.

대부분의 원인은 불명이다. 최근 고프로락틴혈증과 연관성이 보고되었지만, 원인으로써 연관성은 불명확하다. 매우 드문 원인으로 alpha-1 antitrypsin 결핍과 Wegner 증후군이 보고되었다. 한 연구에서 12명의 환자 중 9명에서 코리네박테리아가 검출되어 원인으로 보고되어 있다.

이 질환의 진단과 유방암의 감별을 위해 중심침생검을 시행해야 한다. 보고된 문헌들에서 치료는 스테로이드 요법, 수술적 절제, 장기간 관찰, methotrexate요법 등이 소개되어 있다. 스테로이드 요법의 효과는 한정적이고 부작용이 우려된다. 수술적 절제는 흔히 불완전 절제로 인해 지속적인 배액 누출과 수술 상처의 회복이 지연될 수 있다. 수술적 완전절제는 효과적이지만 보통 광범위 절제에 따른 미용적 저하가 발생한다. 현재 추천하는 치료법으로는 중심침생검을 이용하여 진단 후 관찰법이며, 보통 6-12개월 후 자연적으로 소실된다. 관찰 기간 동안에 농양이 발생하면 흡입 또는 절개배농하고, 일단 염증이 소실 후 재발을 잘하지만 역시 특별한 치료없이 자연적으로 소실된다.

6. 여성형 유방증

남성에서 유선조직이 증식되어 만져지거나 육안으로 유방이 커져 있을 때 여성형유방증Gynecomastia 이라고 하며, 대부분 원인을 정확히 찾을 수 없다. 여성형유방증의 임상적 관심은 육체적 통증 또는 정신적 부끄러움의 원인이 되기도 하며, 특히 유방암과 혼동이다.

여성형유방증의 병인은 일반적으로 에스트로겐의 유방 자극작용과 안드로겐의 억제작용 사이의 불균형으로 인해 나타나는 것으로 생각된다. 실제로 여성형유방증과 관련된 많은 질환에서 에스트로겐/안드로겐 비율에 변화를 보인다. 남성과 여성의 유선조직에 대한 호르몬의 반응도에서 유전적인 차이가 없기 때문에 유선증식의 형태와 정도를 결정하는 것은 호르몬환경, 자극의 기간과 강도, 개인의 유방조직 감수성의 차이로 여성형유방증이 발생하는 것으로 생각된다.

신생아 여성형유방증은 영아의 60-90%에서 발생하며 모체-태반-태아단위로부터 에스트로겐 자극으로 인해 일시적인 유방팽대를 보이는 것으로, 이러한 자극은 에스트로겐이 신생아 순환에서 제거됨으로써 유방성장이 멈추고 2-3주 안에 유방조직이 점차 퇴화된다.

사춘기 여성형유방증pubertal hypertrophy의 빈도는 사춘기 소년의 30-70%에서 나타나며, 일반적으로 13-14세에서 최대빈도를 나타낸다. 10세 이전에는 여성형유방증은 드물게 발생하며, 이러한 경우 내분비종양을 의심해보아야 한다.

노인성 여성형유방증senescent hypertropy은 나이가 들수록 증가하여 50-80세에서 최대빈도를 보인다. 사춘기 여성형유방증은 양측성 또는 한측성으로 발생하며, 노인성 여성형유방 역시 흔하게 볼 수 있으며 보통 한측성이 많다. 진찰에서 유두를 중심으로 유륜 하방에 대칭적으로 분포하고 단단하며 압통이 있다. 반면에 유방암은 압통이 없고, 비대칭적으로 분포하고, 피부나 근막에 고정되어 있다.

치료는 유아기, 사춘기, 노년기에 발생한 생리적 여성형유방증은 대부분은 일시적으로 나타났다가 자연 소실되는 경우가 많으므로, 환자에게 이에 대한 설명을 하고 관찰한다. 이때는 6개월 간격으로 재검사하여 상태가 일시적인지, 지속적인지를 확인해야 한다. 원인이 여성형유방증을 일으키는 약제(digoxin, thiazides, cimetidine, estrogen, phenothiazines, theophylline 등)나 병적인 원인(간경변 또는 영양실조, 일차생식선저하증, 고환종양, 이차생식선저하증, 갑상선기능항진증, 신장 질병 등)을 규명하고 약물을 중단하거나 원인을 치료하는 것이 중요하다. 약물 사용을 중단시키고 한 달 후에 다시 검사해야 한다. 그러나 반드시 복용해야 할 약물이라면 여성형유방증을 적게 일으키는 다른 약물로 교환해서 복용하게 하는 등 환자와 충분한 의견교환이 필요하다. 내과적 약제로는 클로미펜clomiphene, 타목시펜tamoxifen, 아로마타제 억제제들이 부작용도 적고 효과적이다. 수술적 피하유방절제술은 스스로 퇴행하지 않거나 내과적 치료에 실패하거나 미용적 문제가 있을 때 고려한다.

요약

유방 양성질환은 침습성 유방암을 제외한 정상 상태와 유방 양성질환을 포함한다. 유방 관련 증상으로 의료기관을 방문한 여성들의 대부분은 양성 질환이며 약 5%의 확률로 유방암으로 진단될 것이다. 유방의 양성 질환들은 대부분 특별한 치료 없이 안심만으로 충분한 상태부터 일상생활에 영향을 주는 증상으로 적절한 치료가 필요한 질환까지 폭이 넓다. 특히 후속 유방암 발생 위험도가 높은 양성 질환 또는 병리조직학적으로 유방 양성 병소로 진단되었지만 병소 내 비정형 증식증 또는 제자리암이 흔히 동반되는 양성 유방 병소들은 특별한 처치와 추적관찰을 요구된다.

유방 진료 의사들은 항상 환자의 증상-유방암 관련성을 고려해야 하며, 유방 양성질환의 과소처치 또는 과잉처치에 유의해야 한다.

V 유방암의 역학

1. 역학

유방암은 세계적으로 가장 흔한 여성암이며, 여성암으로 사망하는 주요한 원인이다. 2012년 Global Cancer Statistics 자료를 보면 세계적으로 한 해 170만 명이 새로운 유방암 환자들이 발생하며, 약 521,900명의 환자들이 유방암으로 사망한다. 이는 유방암이 여성암의 25%에 해당하고, 여성암 사망의 15%를 차지하는 것이다.

유방암의 발생율은 나라별로 차이가 있는데 미국을 비롯한 북아메리카, 북유럽, 서유럽, 호주, 뉴질랜드 등은 높고, 아시아와 아프리카는 낮다(그림 4-31). 이러한 나라별 유방암 발생율의 차이는 조기발견과 유방암 위험인자들에서 나라별로 차이가 있음을 시사해 준다.

세계적으로 유방암 발생율 추세는 매년 약 0.5%씩 계속 증가하고 있는데, 최근 나라에 따라 약간씩 다른 양상을 보인다. 한국, 일본, 중국, 인도 등 아시아 권을 비롯하여 개발도상국에서는 유방암 발생이 매년 약 3-4%정도로 급격히 증가하고 있다. 이러한 유방암 발생의 증가는 초경 연령의 저하, 첫 출산연령의 증가, 저 출산, 모유수유 증가 등의 유방암 위험 인자와 관련된 생식인자들의 변화와 정기적 유방촬영술로 인한 조기발견의 증가가 주요한 원인으로 생각하고 있다.

한편, 미국을 비롯하여 영국, 호주, 노르웨이 등에서는 2000년대에 들어서면서 유방암 발생율이 약간 감소하다가 더 이상 증가하지 않고 있는데, 그 이유로 2002년 Women's Health Initiative및 Million trial의 호르몬대

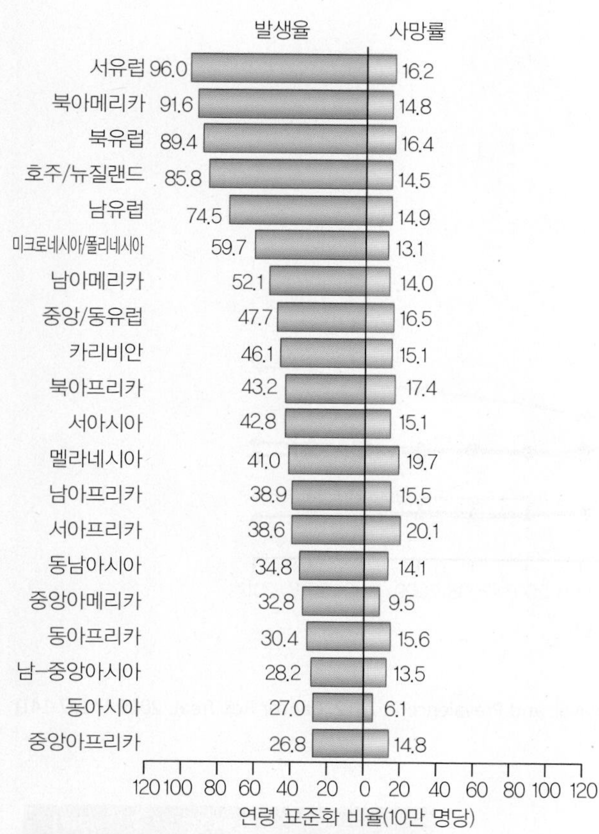

그림 4-31 세계 지역별 유방암 발생율 및 사망률
(인용: 2012 Global Cancer Statistics자료)

체요법이 유방암 발생위험을 증가시킨다는 결과 발표 때문에 폐경 후 여성들의 호르몬대체요법 감소와 유방촬영술 정기검진의 감소가 영향을 미치는 것으로 보고 있다. 미국암학회에서 발표하는 Breast Cancer Facts & Figures 2015-2016의 보고에 따르면 유방암 발생이 1975-2000년 동안에는 유방암 발생율이 조금씩 증가하는 추세였으나, 2002-2003에는 유방암 발생율이 7%의 큰 폭의 감소가 있었고, 그 이후 2004-2012년 사이에는 유방암 발생율이 변화가 없었다. 이러한 발생율의 감소는 50세 이상의 여성들 사이에서만 관찰되고, 50세 미만의 젊은 여성에서는 관찰되지 않고 있다. 폐경 후 여성에서 호르몬대체요법 사용 감소 추세는 세계적인 현상이어서 향후 특히, 폐경 후 여성에서 유방암 발생율의 세계적인 추이를 잘 관찰할 필요가 있다.

유방암의 발생율 및 사망률은 지역과 삶의 방식, 그리고 인종에 따라 다양한 변화가 관찰된다. 일반적으로 아시아나 아프리카 지역의 여성들에서 유방암의 발생률과 사망률이 낮은 반면, 유럽이나 미국과 같은 선진국의 여성들의 유방암 발생율과 사망률은 상대적으로 높다(그림 4-31). 그러나, 유방암 사망률의 추이는 아시아나 아프리카 지역에서는 증가하는 반면 미국과 유럽은 감소하고 있는데, 미국과 유럽에서 유방암 사망률의 감소는 유방촬영술 스크리닝에 의한 조기발견과 치료의 발전의 영향인 것으로 보인다.

사회경제적 수준이 낮은 계층 및 저 계발국가의 여성들에서 낮은 유방암 발생율에 비해 사망률이 높은 불균형disparities을 보이는데, 그 이유는 상대적으로 유방촬영술을 통한 정기검진의 혜택을 받는 비율이 낮고 조기발견이 늦어 진행된 암으로 발견되는 경우가 많고, 통합적인 치료를 받는 기회가 적어 결과적으로 사망률이 높아지게 된다. 이러한 현상은 미국 내에 거주하는 다양한 종족들 가운데서도 관찰된다.

젊은 나이에 첫 출산을 하는 여성, 여러 명을 출산하고 오랫동안 모유 수유를 하는 여성에서 유방암 발생율이 낮다. 또한, 종족과 관련된 유전적인 요소들이 유방암 위험에 영향을 미칠 수 있다. 예를 들면, 백인-아메리칸 여성에 비해 아프리카-아메리칸 여성들에서 유방암 발생 위험이 낮은 반면 유방암 사망률은 역설적으로 높으며, 젊은 연령 환자들의 분포가 많고, 에스트로겐 수용체 음성 환자 분포가 높다.

2. 한국 유방암 발생의 역학적 특징

최근 우리 나라의 유방암 발생율은 꾸준히 증가하여 보건복지부의 중앙암등록의 2013년 국가암등록통계 자료를 보면 여성암 비율에 있어서 2001년에 16.1%로 가장 흔한 여성암이 되었고, 2005년 이후로는 갑상선암을 제외하고 유방암은 가장 흔한 여성암이며, 가장 최근 자료인 2013년에는 여성암의 15.4%를 차지하고 있다(그림 4-32).

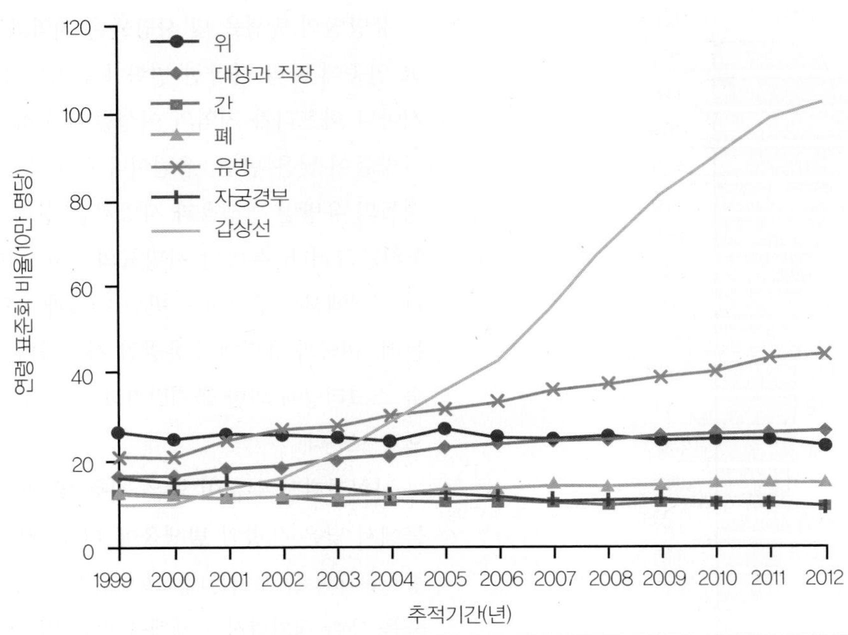

그림 4-32 한국 여성암의 연도별 부위별 발생비율

(인용: Jung KW, et al. Cancer Statistics in Korea: Incidence, Mortality, Survival, and Prevalence in 2012. Cancer Res Treat. 2015;47:127-141)

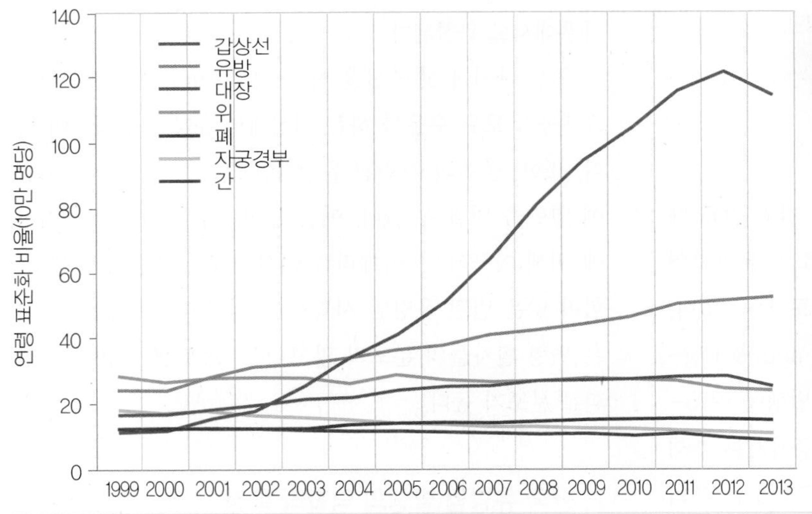

암종	발생년도		연간 변화율 (%)
	1999	2013	
갑상선	11.9	114.4	20.9*
유방	24.5	52.1	5.7*
대장	17.1	25.5	3.7*
위	28.3	24.0	-0.7*
폐	12.9	15.3	1.6*
자궁경부	18.6	11.1	-3.7*
간	12.6	9.2	-1.8*

*$P<0.05$

그림 4-33 한국인 여성의 주요 암종의 연령표준화발생률 추이

*연령표준화발생률 : 우리나라 2000년 주민등록연앙인구를 표준인구로 사용

우리나라의 침윤성 유방암 발생율은 1999년에 여성 10만 명당 24.5명이던 것이 2013년에 52.1명으로 증가하였고, 서구의 선진국에 비해서 상대적으로 낮지만 계속 증가하고 있다(그림 4-33).

또한, 한국유방암학회의 전국적 조사 자료에 따르면 새로 진단된 유방암 환자수가 1996년에는 3,801명이던 것이 해마다 증가하여 20013년에는 19,273명으로 지난 17년 동안 약 5배의 증가를 보이고 있다(그림 4-34).

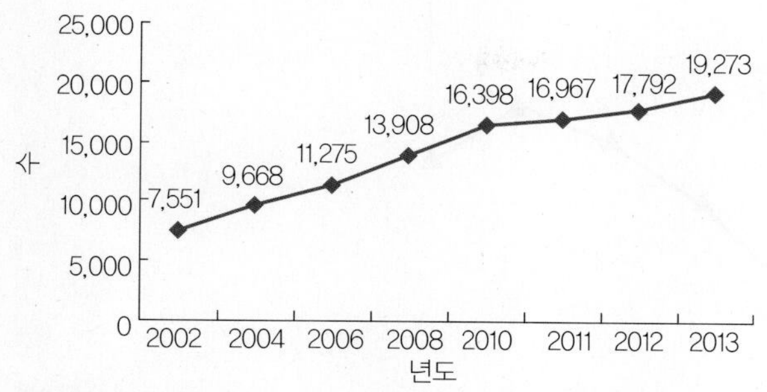

그림 4-34 연도별 한국인 유방암 환자수(한국유방암학회, 2015년)

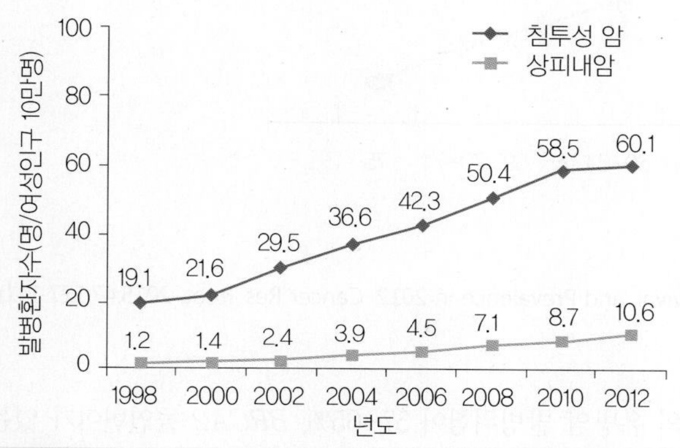

그림 4-35 우리나라 유방암환자들의 연도별 조발생률의 변화(한국유방암학회, 2015년)

2008년 조사자료를 보면 유방암 발생의 위험 인자들을 가진 환자들의 비율이 증가하고 있는데, 특히 이른 초경, 늦은 초산, 모유 수유를 하지 않는 환자, 비만, 유방암의 가족력을 가진 환자 등의 비율이 증가하는 양상을 보인다. 비만을 비롯한 서구화된 생활양식, 빠른 초경, 출산율 저하, 수유 감소 등의 요인들과 함께 유방암 정기 점진에 대한 관심의 증가로 앞으로도 그 수는 계속 늘어날 전망이다.

우리나라 유방암 환자들에서 서구에 비해 몇 가지 역학적으로 특징적인 현상을 보이고 있다. 첫째로는, 유방암 발생이 아직 미국이나 서구에 비해서는 절반 정도의 낮은 발생률을 보이고 있지만 지속적으로 증가하고 있는 추세이다(그림 4-35). 둘째로는, 유방암의 호발 연령이 서구에 비해 15세 정도 더 젊은데, 서구에서는 호발 연령이 60-70대인 반면 2013년 한국유방암학회 자료에 따르면 우리나라 유방암 환자의 호발 연령이 50세였다. 셋째로는, 우리 나라 환자의 연령별 발생율이 40-50대에서 가장 높고 폐경기 이후에는 점차 감소하는 경향을 보이는 반면, 서구 환자들은 폐경기 이후 지속적으로 연령별 발생률이 증가한다. 넷째로, 서구에 비해 폐경기 이전 젊은 여성의 비율이 높다는 점이다. 미국이나 서구에서는 전체 유방암 환자 중 폐경기 이후의 여성이 70% 이상인 반면, 우리 나라 유방암 환자의 경우는 50세 이후의 폐경기 이후 비율이 51.2% 정도로 상대적으로 폐경 전 환자들의 비율이 높다. 또한, 40세 이하의 젊은 유방암 환자들의 비율이 서구에 비해 높은 비율을 보이고 있다(그림 4-36).

3. 유방암의 위험인자

유방암은 여러 가지 요인들이 복합적으로 작용하여 암을 일으킨다고 알려져 있다. 식이, 흡연, 음주 등의 생활습관인자와 생식, 임신과 관련된 요인, 그리고 환경적 노출 등과 같은 여러 환경 인자들이 지금까지 알려진 위험요인들이며, 이들 요인들이 유방암 발병에 30-50%정도 영향을 미치고 있다. 그리고 *BRCA 1/2* 유전자 돌연변이와 같은 유전적 요인은 유방암 발병의 5-10%를 차지하고 있다. 그러나, 나머지 유방암의 발병의 40-65%는 아직까지 어떠한 요인으로 인해 유방암이 생기는지 정확히 알지는 못하며, 유전-환경 상호작용, 유전자 간 관련성 등이 있을 수 있다. 현재까지 잘 알려진 유방암의 주요 위험인자들을 살펴보면 다음과 같다(표 4-13).

1) 가족력

유방암의 가족력이 있는 여성이 유방암에 걸린 경우를 가족성 유방암이라고 하며, 전체 유방암의 약 10-20%를 차지하고 있다. 특히 일등친(모친, 자매, 딸, 부친, 형제, 아들 등) 관계의 가족력이 있는 경우에 유방암의 발생 위험은 증가한다. 가족력이 없는 경우에 비해서 일등친 유방암 가족력이 한 명인 경우는 위험이 2배 증가하고, 두 명인 경우는 3배, 그리고 세 명 이상인 경우는 유방암 발

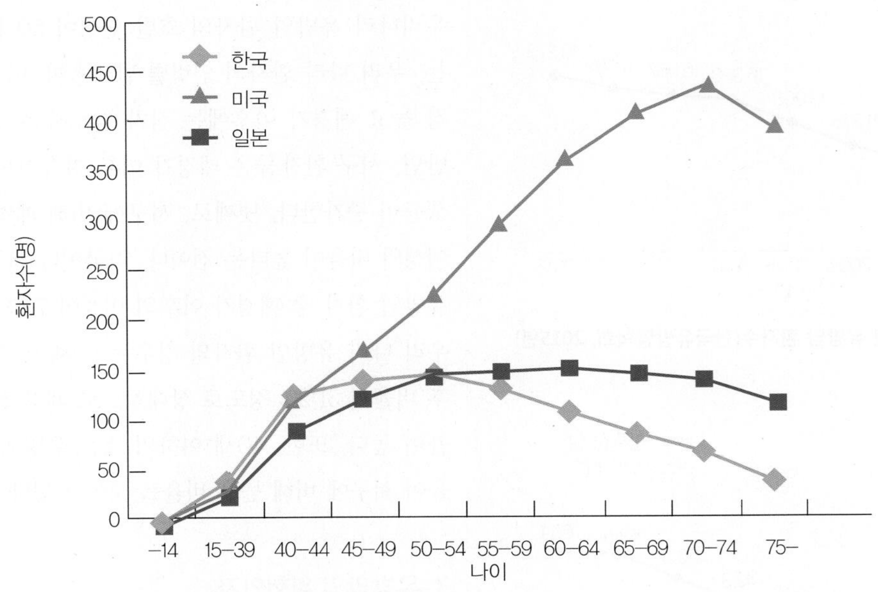

그림 4-36 미국, 일본, 한국 여성의 유방암 연령표준화발생률 비교
(인용: Jung KW, et al. Cancer Statistics in Korea: Incidence, Mortality, Survival, and Prevalence in 2012. Cancer Res Treat. 2015;47:127-141)

병 위험이 4배 이상 증가한다. 특히, 젊은 유방암 가족력이 있는 경우는 위험이 더 증가한다. 난소암 가족력이 있는 경우에도 유방암의 위험은 증가한다.

모친이나 자매 혹은 딸이 유방암 환자인 경우, 즉 가족력이 있는 경우 유방암 발생률이 더 높은 이유는 가족이기 때문에 식생활과 생활습관이 같다고 볼 수 있으며, 또 하나는 유전되는 유방암 유전자(*BRCA 1/2*)가 가족 내에서 발견될 수 있기 때문이다. 미국이나 서구의 경우 전체 환자의 약 5-10%에서 이러한 유방암을 잘 일으키는 유전자의 이상에 의한 유전성 유방암이 발견된다. 우리 나라의 경우도 가족력이 없는 유방암 환자에서는 3.6%, 가족력이 있는 고위험군 환자에서는 약 12%에서 유방암 유전자 이상이 관찰 되었다.

2) *BRCA 1/2* 돌연변이

*BRCA1*과 *BRCA2* 유전자 돌연변이는 대표적인 유전성 유방암의 발병 유전자이다. *BRCA 1/2* 유전자 돌연변이는 여성유방암의 약 5-10%, 가족성 유방암의 15-20%에서 발견된다. *BRCA1* 돌연변이가 있는 여성은 70세까지의 유방암 발병위험이 57-65%, *BRCA2* 돌연변이가 있는 여성은 45-55%의 위험이 있다고 알려져 있다. 유전성 유방암과 관련된 유전자들에 대해서는 아래에서 좀 더 자세하게 다루도록 하겠다.

3) 유방암 과거력과 나이

유방암의 과거력이 있는 여성은 새로운 유방암이 생길 위험이 일반 여성에 비해 1.5배 가량 더 높다. 특히, 40세 미만의 젊은 나이에 발병하였다면 새로운 유방암 발병위험은 4.5배 이상 높아지게 된다. 젊은 유방암 환자는 *BRCA 1/2* 돌연변이가 있는 경우가 10-20%에서 관찰된다.

4) 여성호르몬 영향

여성호르몬은 세포증식과 DNA의 손상 및 암의 성장을 촉진하는 등 유방암의 위험을 주는 것으로 알려져 있다. 따라서 여성호르몬 에스트로겐의 영향을 많이 받게 되는 상황들 즉, 12세 이전에 초경을 일찍 시작하거나, 55세 이후에 늦은 나이에 폐경이 된 경우, 그리고 독신 또는 평생 임신을 하지 않았던 경우, 임신을 하더라도 30세 이

표 4-13. 여성에서 유방암 발생의 상대위험을 증가시키는 인자들

상대위험도	위험인자
4.0 이상	나이; 65세 이상의 고령(한국은 호발 연령이 40-50대) BRCA1/2 유전자 돌연변이 직계 가족에서 2명 이상의 젊은 유방암 환자 유방암의 병력이 있는 젊은 환자(40세 미만) 관상피내암 혹은 소엽상피내암 유방 조직검사상 비정형 증식증
2.1 - 4.0	폐경 후 높은 내인성 여성호르몬 수치 흉부에 고용량의 방사선 치료를 받은 경우 유방촬영술 상 아주 치밀한 유방인 경우(50%이상) 직계 가족에서 1명의 유방암 환자
1.1 - 2.0 체내 여성호르몬 관련 요인들	12세 이전의 조기 초경 55세 이후의 늦은 폐경 출산력이 없는 경우 첫 출산이 30세 이후로 늦은 경우 임신 경험이 없는 경우 모유 수유 경험이 없는 경우 폐경 후 비만 최근 경구 피임약 복용한 경우 최근 호르몬대체요법을 장기간 받은 경우 유방촬영술 상 치밀 유방인 경우(26-50%)
그 밖의 임상요인들	유방암 병력이 있는 환자(40세 이상) 난소암, 자궁내막암, 대장암의 병력 비정형이 아닌 증식증이나 섬유선종 젊은 나이에 과다한 음주 높은 생활 수준 키가 큰 경우 Diethylstilbestrol에 노출된 경험이 있는 경우 Ashkenazi 유태인

후에 첫 임신을 한 여성은 유방암이 생길 위험이 다소 높아진다. 또한 수유는 유방암을 막는데 효과가 있다.

최근 폐경 증세로 호르몬 대체요법을 받는 여성들이 많아지고 있는데, 에스트로겐과 프로게스테론이 혼합된 호르몬 대체요법을 5년 이상 장기간 하는 경우에 유방암의 위험을 높인다.

5) 식생활 습관과 생활환경 요인

예를 들면 동물성 지방의 섭취를 많이 하는 경우, 피임약을 사용하는 경우, 과다한 음주, 폐경 후 비만 등도 유방암의 위험을 증가시킨다고 알려져 있다.

6) 유방암의 위험을 높이는 유방 병변들

비정형관증식Atypical Ductal Hyperplasia (ADH) 혹은 비정형소엽증식Atypical Lobular Hyperplasia (ALH)와 같은 비정형 증식성 유방질환은 유방암 발병위험을 4-5배 증가시키는데, 유방암 가족력이 있는 여성에서 비정형 증식성 유방질환이 있을 때 유방암 발생의 위험은 더욱 높아진다. 관상피내암Ductal Carcinima In Situ (DCIS)은 자체로서 비침윤성 유방암이면서 또한 침윤성 유방암 발병의 위험을 8-10배 증가시키는 고위험 인자이다. 소엽상피내암Lobular Carcinima In Situ (LCIS)도 침윤성 유방암 발생 위험을 7-12배 증가시키는 고위험 인자이다.

7) 유방 밀도

유방촬영술상 고밀도유방 소견이 있을 때 유방암 발병위험을 증가시킨다. 그러나 유방 밀도Breast density는 유전적인 이유 외에 나이, 체형, 임신, 타목시펜이나 호르몬대체요법과 같은 약물 등에 의해 영향을 받을 수 있다. 유방촬영술상에서 유방밀도가 50% 이상으로 아주 높은 경우는 11-25%의 낮은 경우에 비해 유방암 발병 위험이 2.3배 높다. 한편, 유방촬영술 상 유방의 밀도가 높은 치밀유방 소견을 보이는 경우는 유방 병변을 찾아내는데 한계가 있을 수 있다.

우리나라 여성들을 대상으로 한 연구 결과에서도 유방암 가족력, 이른 초경, 늦은 폐경, 임신 병력이 없는 여성, 늦은 연령에서의 첫 만삭임신, 경구피임약 사용, 폐경 후 여성에서의 비만과 음주, 운동 부족 등의 요인들이 유방암의 위험을 증가시켜 서구와 비슷한 양상을 보였다(표 4-14).

4. 유전성 유방암 유전자

1) *BRCA 1/2* 돌연변이 유병률

대표적인 유전성 유방암 유전자는 *BRCA1*와 *BRCA2*

표 4-14. 유방암의 위험인자

위험인자(50세 미만)		위험도
유방암의 가족력(1도 가족 중)		
	없음	1
	있음	1.12
초경연령	<13세	1.87
	13-16세	1.44
	≥17세	1
폐경여부	폐경 전	1.74
	폐경 후	1
첫출산연령	출산 경험없음	1.08
	<24세	1
	24-30세	1.16
	≥31세	1.25
모유 수유 기간	없음	0.93
	0-6개월	1.25
	>6개월	1
경구 피임약 사용	없음	1
	있음	1.25
운동	주 1회 미만	1.33
	주 1회 이상 규칙적으로	1

위험도 크기의 범위: 1-10.81

위험인자(50세 이상)		위험도
유방암의 가족력(1도 가족 중)		
	없음	1
	있음	2.01
초경연령	<13세	2.4
	13-16세	1.53
	≥17세	1
폐경연령	폐경 전	2.5
	<44세	1
	45-49세	1.34
	50-54세	1.36
	≥55세	1.62
임신 경험	없음	1.88
	있음	1
체질량 지수	<25	1
	25-29.9	1.16
	≥30	2.28
경구 피임약 사용	없음	1
	있음	1.52
운동	주 1회 미만	1.84
	주 1회 이상 규칙적으로	1

위험도 크기의 범위: 1-143.81

한국형 유방암 위험도 예측 모델(박보영/안세현 등 2013)

(인용: Park B, et al. Korean risk assessment model for breast cancer risk prediction. PLoS One 2013;8:e76736)

인데 유병률prevalence이나 표현형phenotype등 양상이 인종에 따라 다양하게 나타난다. 유전성 유방암은 전체 유방암의 5–10%를 차지하는데, 지금까지 알려진 바로는 *BRCA1*과 *BRCA2* 유전자 돌연변이가 있는 여성의 경우 일생 동안 60–85%의 유방암 발생위험을 가지고, 반대편 유방암의 위험은 50%, 난소암의 위험은 *BRCA1*의 경우 26–54%, *BRCA2*의 경우 10–23%정도이다. 그 외 *BRCA1*과 *BRCA2* 돌연변이는 전립선암과 관련이 있고, *BRCA2* 돌연변이는 남성유방암, 췌장암, 위암 등과 관련이 있다고 보고되었다.

일반 여성에서 *BRCA* 유전자 돌연변이는 0.1–0.7%로 드물고 가족력이 없는 산발성 유방암 환자에서는 5% 내외에서 돌연변이가 관찰된다. 그러나 유방암의 가족력이 있거나, 난소암의 가족력이 있거나, 그리고 젊은 연령의 환자, 양측성 유방암, 다장기 암 환자 등의 고위험 군에서는 *BRCA* 돌연변이 가능성이 증가한다.

(1) 한국인 *BRCA 1/2* 유전자 돌연변이 유병률

한국유방암학회의 한국인유전성유방암연구Korean Hereditary Breast Cancer Study (KOHBRA)를 통해 2007년부터 2013년까지 약 3천명의 *BRCA* 유전자 검사 데이터 베이스를 토대로 발표된 한국인 유방암 환자의 *BRCA* 유전자 돌연변이 양상은 다음과 같다.

가족력이 없는 산발성 유방암 환자에서 *BRCA1*과 *BRCA2* 돌연변이는 2.8–3.1% (평균 2.6%) 정도이며, *BRCA1* 돌연변이는 1.0–1.8% (1.2%), *BRCA2* 돌연변이는 0.9–1.5% (1.4%)를 보이고 있는데, 이 수치는 비아시케나지 유태인계 미국인들에서 관찰되는 돌연변이 유병률과 비슷하다(*BRCA1* 1.4%, *BRCA2* 1.2%).

유방암 혹은 난소암 가족력이 있는 유방암 환자의 경

표 4-15. 한국인 유방암 환자의 *BRCA 1/2* 돌연변이 유병률

	위험군	환자(명)	*BRCA 1/2* 돌연변이 (명)	유병률(%)
가족성 유방암 환자	유방암 가족력만 있는 경우	1,085	224	20.6
	난소암 가족력만 있는 경우	102	30	29.4
	유방암과 난소암 가족력이 있는 경우	41	20	48.8
	전체	1,228	274	22.3
비가족성 유방암 환자	젊은 유방암(40세이하)	845	60	7.1
	양측성 유방암	209	34	16.3
	유방암과 난소암	8	3	37.5
	다발성 장기암	74	3	4.1
	남성 유방암	21	1	4.8
	두 가지 이상의 고위험군	18	3	16.7
	전체	1,175	104	8.9

(인용: Kang E, et al. The prevalence and spectrum of *BRCA1* and *BRCA2* mutations in Korean population: recent update of the Korean Hereditary Breast Cancer (KOHBRA) study. Breast Cancer Res Treat 2015;151:157-68.)

우 *BRCA 1/2* 유전자 돌연변이는 22.3%에서 관찰되었다. 유방암 가족력만 있는 경우는 20.6%, 난소암 가족력만 있는 경우는 29.4%에서 *BRCA 1/2* 돌연변이가 관찰되었다. *BRCA 1/2* 돌연변이는 가족력의 정도에 따라 발생율이 달라진다. 한 명의 유방암 가족력이 있는 환자들 중에서는 *BRCA 1/2* 돌연변이가 17.8%, 가족력이 2명 이상의 경우는 30.2%, 그리고 3명 이상에서는 43.2%로 증가하였다(표 4-15). *BRCA 1/2* 돌연변이 발생율은 일등친, 이등친, 삼등친 관계에 따라 유의한 차이를 보이지 않았다.

고위험군의 비가족성 유방암에서는 전체적으로 8.9%에서 *BRCA 1/2* 돌연변이가 관찰되었다. 고위험 군에 따라서 *BRCA 1/2* 돌연변이는 다양하게 관찰되었고, 진단시 40세 이하의 젊은 환자에서는 7.1%, 양측성 유방암에서는 16.3%, 다장기 암에서는 4.1%, 남성 유방암에서는 4.8%, 유방암과 난소암이 동시에 있는 환자에서는 37.5%, 두 가지 이상의 고위험 요소를 가지고 있는 환자들에서는 16.7% 에서 *BRCA 1/2* 돌연변이가 관찰되었다. 그러나, 일부 고위험군 환자들은 검사 환자들의 수가 많지 않아 정확한 유병률을 이야기하기는 아직 한계가 있다.

BRCA 돌연변이는 인종에 따라 다르게 나타나며, 지금까지 인종에 따라 다양한 개척자 돌연변이가 발견되었다. KOHBRA 코호트에서는 44개의 고유한 돌연변이가 관찰되었고 가장 흔하게 관찰되는 돌연변이는 *BRCA2*에서 c.7480 (p.Arg2494-Ter) 돌연변이였다.

(2) 기타 유방암 감수성 유전자

비록 *BRCA1* 및 *BRCA2* 유전자의 배선돌연변이germ line mutation는 유전성 유방암의 매우 중요한 원인이지만, 아직까지 유전적 소인을 가지는 전체 유방암의 반 이상은 그 원인 유전자를 찾지 못하고 있다. "*BRCA3*" 유전자를 찾기 위한 노력은 계속되고 있지만, 아직까지 *BRCA1/2*처럼 높은 침투력을 가진 유전자는 밝혀지지 않고 있다. 지금까지 알려진 드문 증후군과 관련된 유방암 감수성 유전자들은 *TP53* (리-프라우메니 증후군, Li-Fraumeni syndrome), *ATM* (혈관확장성 운동실조증, Ataxia-telangiectasia), *PTEN* (카우덴 증후군, Cowden syndrome), *STK11/LKB1* (포이츠-예거 증후군, Peutz-Jeghers syndrome), *hMLH1*과 *hMSH2* (무어-토레 증후군, Muir-Torre syndrome) 등이 있다.

그 밖에 어떤 유전자들은 침투율은 낮지만 돌연변이의 유병률이 높은 경우가 있는데 예를 들어 에스트로겐이나 발암의 대사에 관련된 유전자들(*CYP*, *COM*, *NAT*,

GSTM, GSTP, GSTT 등), 에스트로겐, 안드로겐과 비타민D 기능에 관련된 유전자들(*ESR, AR, VDR*), 유전자 전사 transcription의 활성도움co-activation에 관련된 유전자(*AIB1*), DNA 손상 시 반응 기전에 관련된 유전자들(*CHEK, HRAS, XRCC*)에서 다형성polymorphism이 관찰된다. 일반인에서 흔히 관찰되는 이러한 유전자들의 다형성은 다른 환경적 요인들과 복잡한 관계를 통해 유방암 발생의 위험을 증가시킨다고 알려져 있다.

요약

세계적으로 유방암 발생율 추세는 계속 조금씩 증가하고 있는데 최근 나라에 따라 약간씩 다른 양상을 보인다. 한국, 일본, 중국, 인도 등 아시아 권을 비롯하여 개발도상국에서는 유방암 발생이 매년 약 3-4%정도로 급격히 증가하고 있으며 초경 연령의 저하, 첫 출산연령의 증가, 저 출산, 모유수유 증가 등의 유방암 위험 인자와 관련된 생식인자들의 변화와 정기적 유방촬영술로 인한 조기발견의 증가가 유방암 발생 증가의 주요한 원인으로 생각하고 있다. 반면, 미국을 비롯하여 영국, 호주, 노르웨이 등에서는 2000년대에 들어서면서 유방암 발생율이 약간 감소하고 있는데, 호르몬대체요법의 유방암 발생위험을 증가와 관련된 연구 발표 때문에 폐경 후 여성들의 호르몬대체요법 감소와 유방촬영술 정기검진의 감소가 영향을 미치는 것으로 보고 있다.

우리 나라의 유방암 발생은 지난 17년 동안 약 5배의 증가를 보이고 있다. 이른 초경, 늦은 초산, 모유 수유를 하지 않는 환자, 비만, 유방암의 가족력을 가진 환자 등의 비율이 증가하는 양상을 보이고 있고, 비만을 비롯한 서구화된 생활양식, 빠른 초경, 출산율 저하, 수유 감소 등의 요인들과 함께 유방암 정기 점진에 대한 관심의 증가로 앞으로도 그 수는 계속 늘어날 전망이다.

우리나라 유방암 환자들의 특징적인 현상은 첫째로는, 유방암 발생률이 아직 미국이나 서구에 비해서는 절반 정도의 낮지만 지속적으로 증가하고 있다. 둘째로는, 유방암의 호발 연령이 서구에 비해 15세 정도 더 젊다. 셋째로는, 우리 나라 환자의 연령별 발생율이 40-50대에서 가장 높고 폐경기 이후에는 점차 감소하는 경향을 보이는 반면, 서구 환자들은 폐경기 이후 지속적으로 연령별 발생률이 증가한다. 넷째로, 서구에 비해 폐경기 이전 젊은 여성의 비율이 높다는 점이다.

유전성 유방암은 전체 유방암의 5-10%를 차지하는데, *BRCA1* 돌연변이가 있는 여성은 70세까지의 유방암 발병위험이 57-65%, *BRCA2* 돌연변이가 있는 여성은 45-55%의 위험이 있다고 알려져 있다. 일반 여성에서 *BRCA* 유전자 돌연변이는 드물고 가족력이 없는 산발성 유방암 환자에서는 5%내외에서 돌연변이가 관찰된다. 그러나 유방암의 가족력이 있거나, 난소암의 가족력이 있거나, 그리고 젊은 연령의 환자, 양측성 유방암, 다장기 암 환자 등의 고위험 군에서는 *BRCA* 돌연변이 위험이 증가한다.

한국유방암학회의 한국인유전성유방암연구 KOHBRA study에 따르면 *BRCA 1/2* 유전자 돌연변이는 유방암 혹은 난소암 가족력이 있는 한국인 유방암 환자의 경우 22.3%, 고위험군의 비가족성 유방암에서는 8.9%에서 관찰되었다.

VI 유방암의 병인

유방암은 다양한 위험인자와 병인에 의해 발생하며, 그 원인은 크게 비유전적 인자와 유전적 인자로 구분된다. 비유전적 인자는 다시 인종, 여성생식관련 인자들, 식이, 비만 및 체형, 환경적 원인, 방사선조사 등의 다양한 위험인자로 나눌 수 있으며, 유전적 인자는 *BRCA1*, *BRCA2*, *TP53*, *PTEN* 등으로 대표되는 유방암 감수성 유전자breast cancer susceptibility gene 등의 변이가 원인이 된다. 비유전성 인자에 대한 자세한 설명과 그 역학적 의의에 관해서는 다른 장에서 다루고 있으므로 여기서는 유방암의 병인 중 유전적 인자와 분자생물학적 발병기전, 여성호르몬인 에스트로겐estrogen과 에스트로겐 수용체estrogen receptor의 역할에 대해 설명하고자 하며, 최근 유방암의 이질성heterogeneity을 설명하고 새로운 유방암 발병모델로 주목 받는 유방암 줄기세포이론과 클론진화론clonal evolution theory에 대해 간단히 언급하고자 한다.

1. 유방암 유전체

유방암을 비롯한 고형암의 형성과 진행은, 유전적으로 내재된 유전자변이 이외에도 수많은 체세포 돌연변이에 의해서 암세포의 특정한 클론의 증식이 유도되면서 일어나게 된다. 대표적인 유방암 발병관련 유전자 변이로는 *BRCA1, BRCA2, TP53, CHK2*의 유전적 돌연변이inherited mutation, *ERBB2* 유전자의 증폭, *EGFR* 신호전달을 활성화시키는 PI3-kinase 경로 요소의 돌연변이, 세포주기 조절과 유전체 불안정성genomic instability에 기여하는 *CDKN2A/B*의 소실 등이 있다. 이와 같은 유방암과 관련된 유전자의 연구는 전통적으로 논리적으로 추측되는 생물학적 후보의 기능을 연구해 가면서 확립되는 경우가 많았으나, 최근 인간 게놈 프로젝트의 완성 이후 다양한 high-throughput technique들의 개발에 힘입어 유방암 관련 유전자 변이를 전체적으로 선별screening하는 방향의 연구들을 통해 새로운 유전자 변이 및 유전자 발현의 조합들을 찾아내고 있다.

1) 유방암 발병 위험 관련 유전적 변이와 다형태

유방암의 발병위험에 영향을 미치는 유전적 변이에 관한 연구는 과거에는 한 가족 내에서 특정 고형암의 발생이 높은 가계를 대상으로 한 유전적 관련성 연구genetic linkage analysis를 통해 발견되기 시작하였다. 2007년에 대규모의 국제 컨소시엄 연구에서 수천 명의 유방암 환자와 정상 대조군에서 얻은 표본으로 전장유전체연관분석Genome-Wide Association Study (GWAS)을 시행하여 *FGFR2, TNRC9, MAP3K1, H19, LSP1* 등 원인 유전자 후보를 찾아낸 이후 GWAS를 통해 유방암 관련 단일 뉴클레오티드 다형태Single Nucleotide Polymorphism (SNP)들이 다수 발견되었다. 유방암 발병 위험을 증가시킨다고 알려진 유전자 변이를 침투도penetrance와 빈도frequency 및 상대적 위험도에 따라 분류해보면 표 4-16과 같다.

2) 유방암 유전체

앞서 언급된 개개인의 유방암 발병 위험을 증가시키는 유전적 돌연변이와는 달리 개별 종양의 발암과정에서 생기는 체세포 변이에 관한 연구는 대부분 종양조직의 DNA를 대상으로 연구를 진행하게 된다. Sanger 그룹은 다양한 인체 고형암에서 세포생존과 종양생성에 중요한 역할을 하는 활성효소kinase 유전자의 돌연변이를 선별하는 연구를 하였으며 그 결과 발암 과정에 관여한다고 보여지는 150개 정도의 활성효소 돌연변이를 확인하였다. 이 중 상당수의 유전자는 *BRAF, ATM, FGFR2* 등과 같이 기존의 연구에서 암의 발생과정에 관여한다는 가능성이 보고된 유전자들이었다.

그에 반해 Johns Hopkins 그룹은 대조군 DNA가 확보된 유방암 세포주를 이용하여 유전자 변이를 선별한 후 인체 유방암조직에서 추출한 DNA를 통해 검증하는 방식을 택하였으며, 전체적으로 수백 개의 유전자변이를 관찰하고, 각각의 개별 유방암 조직에서 20개 이상의 유전자 변이가 있음을 보고하였다. 선별과정과 검증과정에서 공

표 4-16. 유방암 발병의 위험도를 증가시키는 유전적 변이

상대위험도 ≥ 5.0 High penetrance	1.5 ≤ 상대위험도 < 5.0 Moderate penetrance	1.0 < 상대위험도 < 1.5 Low penetreance
BRCA1	*CHEK2*	*CASP8*
BRCA2	*ATM*	*FGFR2*
TP53	*PALB2*	*MAP3K1*
PTEN	*BRIP1*	*TOX3*
STK11		*LSP1*
CDH11		*NEK10*
		NOTCH2

표 4-17. 유방암 아형별 다빈도로 관찰되는 체세포변이 유전자

Subtype	All	Luminal A	Luminal B	Basal-like	HER2-enriched
DNA mutations	*TP53(37%)* *PIK3CA(36%)* *GATA3(11%)*	*PIK3CA(49%)* *TP53(12%)* *GATA3(14%)* *MAP3K1(14%)*	*TP53(32%)* *PIK3CA(32%)* *MAP3K1(5%)*	*TP53(84%)* *PIK3CA(7%)*	*TP53(75%)* *PIK3CA(42%)* *PIK3R1(8%)*

통된 변이를 보인 유전자 167개를 분석한 결과, 변이를 보인 유전자 중 상당수는 암과는 직접적인 연관성이 없는 유전자들(예; glycosylase *GALNT5*, transglutanaminase *TGM3*)이었으며 또다른 특징은 대다수의 유전자들이 특정한 생물학적 경로에 군집되는 현상을 관찰하였다.

최근에는 차세대염기서열분석Next-Generation Sequencing (NGS)을 이용하여 대규모 유전체분석이 가능해지면서 유전자 변이에 대한 포괄적인 분석이 가능해졌다. The Cancer Genome Atlas (TCGA) Network가 510개 유방암 조직으로 진행한 전체 엑솜 염기서열분석Whole Exome Sequencing (WES)에서는 의미 있는 유전자 변이Significantly Mutated Gene (SMG) 35개를 확인하였는데, 기존 연구를 통해 알려진 유전자(*PIK3CA, PTEN, AKT1, TP53, GATA3, CDH1, RB1, MLL3, MAP3K1, CDKN1B*) 뿐만 아니라 *TBX3, RUNX1, CBFB, AFF2, PIK3R1, PTPN22, PTPRD, NF1, SF3B1, CCND3* 등 새로운 유전자에서 변이가 관찰되었다. 이들 중 10%가 넘는 유방암에서 변이가 관찰된 유전자는 *TP53, PIK3CA, GATA3* 등 3개뿐이었으나, mRNA 발현에 따라 분리한 아형(내강형 Aluminal A subtype, 내강형 Bluminal B subtype, HER2 아형HER2-enriched subtype, 기저양 아형basal-like subtype)별로 다빈도로 관찰되는 변이들을 구별해낼 수 있었다(표 4-17). 이를 토대로 mRNA, miRNA, 후생 유전, 단백질 발현 등 여러 플랫폼으로 분석한 결과 임상적으로 관찰되는 유방암의 형성성과 이질성은 아형 별로 나타나는 특징적인 생물학적 소견으로 설명될 수 있다는 가설이 제창되었다.

3) 유전자 복제수 이상

유방암은 다른 고형암과 마찬가지로 조직내의 다양한 유전자 돌연변이의 축적을 동반하면서 발생하게 되고 그 결과로 염색체나 유전체의 획득gain 및 소실loss을 보이게 된다. 과거에는 이런 염색체의 복제수 이상(Aopy Number Abnormality, Copy Number Alteration (CNA), Copy Number Variation (CNV))을 규명하기 위해 전통적 세포유전학적 conventional cytogenetics 방법을 이용하였으나, 그 이후 효모 Yeast Artificial Chromosome (YAC)나 박테리아 Bacterial Artificial Chromosome (BAC)에서 유래한 인공 염색체를 이용한 방법으로 대체되었으며, 최근에는 합성 올리고핵산염synthetic oligonucleotides의 array를 이용하여 많이 시행된다. 유방암의 유전체는 두 가지 특징적인 유전자변이의 특징을 가지는데, 첫 번째는 한 환자의 암조직 내에서도 많게는 30% 정도의 높은 빈도의 유전자변이를 가지는 것이며 두 번째는 각 환자의 암조직은 다른 환자의 조직과 비교하여 상대적으로 특징적인 형태의 유전자변이를 보인다는 점이다. 유방암조직을 이용한 기존의 array CGH (comparative genomic hybridization) 연구들에서 제시된 반복적인 유전체의 변이는 1q, 8q, 16p, 17q, 20q의 획득, 16q와 17p의 소실, 그리고 8q12-24, 11q11-13, 17q12-21, 17q22-24, 20q13의 DNA 증폭 등이 있다. 또한 이런 유전자 변이는 침윤성 유방암의 조직등급과 밀접한 연관을 가지며, 높은 조직등급에서 상대적으로 빈번한 유전자 변이를 보이는 경향이 있다.

2. 유방암의 이질성

유방암은 임상적인 측면뿐 아니라 분자생물학적인 측면에서도 상당한 이질성을 가진다. 최근의 포괄적 유전자발현comprehensive gene expression profiling 연구에서 인체유방암이 특징적인 mRNA 발현을 가지는 여러 개의 아형으로 나눠지며, 그러한 아형의 분포는 다양한 인종에서 공통적으로 나타난다는 점, 그리고 전암병변인 상피내암 단계에서도 이미 각각의 아형이 구분이 가능하다는 점 등이 밝혀지면서 유방암의 이질성을 설명하는 이론들의 발전 역시 다방면으로 이루어지고 있다.

유방암의 이질성은 최근 암의 발생뿐 아니라 전이와 치료 저항을 유발하는 과정에도 중요한 역할을 하는 것으로 기대되고 있으며, 이런 이질성을 설명하는 가장 대표적인 이론으로는 유방암 줄기세포론breast cancer stem cell theory과 클론진화론clonal evolution theory이 있다(그림 4-37).

1) 유방암 줄기세포론

암줄기세포cancer stem cell의 특징은 자가재생self-renewal과 자가분화self-differentiation 능력을 가진 세포로 정의할 수 있다. 인체 암조직의 극히 일부분을 구성하는 것으로 추정되는 이런 암줄기세포는 이론적으로 지속적인 분화 및 생존을 통해 암의 발생과 치료 저항에 중요한 역할을 하는 것으로 판단되어 암치료의 새로운 표적이 될 수 있는 가능성이 있다. 암줄기세포에 관한 연구는 혈액암에서 처음 그 존재가 부각되기 시작하였으며, 유방암에서도 2003년 Al Hajj 등에 의해 CD24와 CD44등의 세포표면 표지자cell surface marker를 이용한 유세포측정flow cytometry으로 분리되면서 활발해지기 시작하였다. 연구자들이 분리해 낸 CD44+/CD24—/low 유방암세포는 면역결핍 상태의 마우스 모델에서 200개 정도만 이종이식xenograft을 해도 종양을 형성하는 특징을 보였다. CD44+ 유방암세포와 CD24+ 유방암 세포를 그 유전자발현을 비교한 연구에서도 CD44+세포들이 CD24+세포에 비해 줄기세포 표지자stem cell marker가 많이 발현되고 분화 표지자differentiation marker가 적게 발현되는 점, 유방줄기세포의 분화가 최고조에 달한 임신말기의 정상유방조직에서 CD44+ 세포의 수가 유의하게 감소하는 점, 그리고 정상조직과 암조직에서 각각 세포를 추출하여 비교한 실험에서 CD44+ 정상유방세포는 CD24+ 정상유방세포보다 CD44+ 유방암세포와 더 유사한 점을 보이는 점들이 CD44+/CD24—/low 세포들이 줄기세포의 성향을 지닌다는 주장을 뒷받침한다. CD44+ 유방암세포에서는 특징적으로 TGF-β, WNT, hedgehog, integrin, urinary plasminogen activator 등의 신호전달체계가 활성화됨이 관찰되었고, CD44+ 세포들은 그렇지 않은 세포에 비해 침윤성, 증식성, 혈관형성능력 등 공격적 종양의 특징을 동반하는 것이 보고되었다. 또한 CD44+ 유방암세포의 특징적인 유전자발현양상은 조기유방암환자에서 나쁜 예후를 나타내는 예후인자로도 보고된 바, 이런 CD44+ 세포의 특성들은 항암제에 저항성을 가지는 암줄기세포의 특성을 반영한다고 볼 수 있다. 유방암줄기세포를 분리해내는 실험적 방법은 위에서 언급한 CD44, CD24 등의 세포표면 표지자를 흐름세포측정을 이용하여 분리하는 방법 이외에도 줄기세포의 특성을 이용한 다양한 기술이 사용되고 있다. 유방암줄기세포는 anchorage-

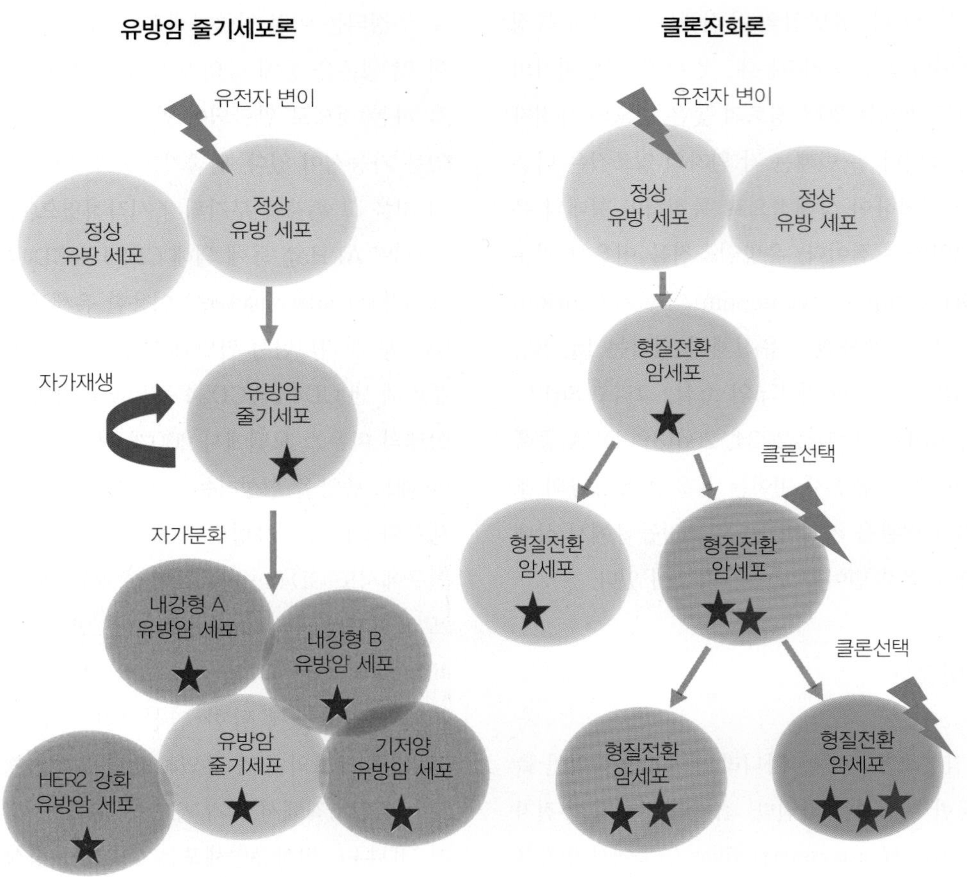

그림 4-37 **Breast cancer stem cell theory and clonal evolution theory**

dependent anoikis에 저항성을 가진다는 점에 착안하여 부유배양suspension culture에서 서로 응집하며 생존하는 세포들을분리하는 tumorsphere (mammosphere) 방식이 대표적이며, side population 방식은 줄기세포의 세포막에 다른 분화된 세포에 비해 생물학적 염료vital dye를 외부로 배출하는 ATP-binding cassette molecule의 발현이 증가하는 속성을 이용해 줄기세포를 분리해내는 방법이고, 최근에는 유방암 줄기세포에 ALDH의 활성도가 증가되는 속성을 이용한 효소 검출 방법인 ALDE-FLUOR 방법 역시 많이 이용되고 있다. 그러나 이런 실험 방법들은 모두 유방암줄기세포로 추정되는 세포집단을 보다 효율적으로 농축enrichment하는 데 유용한 방법일 뿐 위의 방법으로 분리된 세포들이 모두 유방암줄기세포임을 의미하는 것은 아니다. 분리된 세포들이 유방암줄기세포의 성격을 지니는지 확인하기 위해서는 면역억제된 마우스의 인체화 지방덩어리humanized fat pad에 세포를 주입하는 이종이식 실험을 반복하여 세포들의 종양형성능tumorigenicity을 확인함으로써 자가재생 능력을 관찰하는 방법이 유일하다.

2) 클론진화론

클론진화론은 하나의 치료에 저항성을 가지는 특정한 유방암줄기세포에서 다른 모든 세포들이 재생되고 분화한다는 줄기세포이론과는 달리, 암의 발생과 진행에 있어 세포마다 다양한 유전적 변이가 무작위로 발생하게 되며, 이 중에서 가장 생존에 유리한 변이를 획득하는 세포가

표 4-18. 유방암의 이질성(breast cancer heterogeneity)을 설명하는 이론

	유방암 줄기세포론 (breast cancer stem cell theory)	클론진화론 (clonal evolution theory)
종양을 시작하는 세포	단일세포(정상줄기세포에서 유래한 암줄기세표)	단일세포(유전적변이가 생긴 불특정 정상유방세포)
종양의 성장을 주도하는 세포	소수의 암줄기세포의 지속적인 증식과 분화	미세환경에서 생존에 유리한 유전적 변이를 가진 불특정 암세포
치료에 저항을 가지는 과정	내재적으로 치료에 저항성을 지니는 암줄기세포에 기인	치료약제에 의해 저항성을 지닌 클론이 선택되어 증식
유방암의 이질성을 설명하는 과정	유방암줄기세포에 의한 비정상적인 증식과 분화	다양한 유전적 변이를 가진 여러클론들의 경쟁적 증식

추가적인 증식과 성장을 지배한다는 이론이다. 즉 무작위적인 유전적 변이가 모든 세포에서 일어날 수 있으며 이 중 가장 미세환경에서의 생존에 유리한 클론이 증식과 성장을 주도하게 되며, 그런 증식의 과정에서 다시 무작위적 유전적 변이가 생기게 되어 그 이후에 생존하게 될 클론들이 정해지는 과정이 반복되면서 유방암의 이질성이 나타나게 된다는 것이다. 클론진화론과 유방암줄기세포이론의 주요한 차이는 표 4-18에 정리하였다. 클론진화론을 지지하는 근거로는 동일한 환자에서 상피내암과 침윤성 암조직을 비교하면 동일한 유전적 변이를 공유함과 동시에 침윤암에서 더 흔히 추가적인 유전적 변이가 발견되며, 이는 동일한 환자의 원발유방암과 전이된 암조직을 비교한 연구에서도 역시 관찰되는 현상이라는 점, 동일한 환자의 원발암 조직 내에서도 염색체 이상 등의 유전적 변이가 차이를 보이는 세포집단들이 공간적으로 집적되어 존재하는 점 등이 있다. 또한 최근의 연구에서 동일한 환자의 유방암조직에서 CD44+ 세포와 CD24+ 세포를 별도로 분리하여 SNP array와 형광제자리부합법Fluorescence In Situ Hybridization (FISH)을 시행한 결과, 이 두가지 세포가 유전적으로 연관되어 있긴 하지만 CD24+ 세포에서 추가적인 다양한 유전적 변이가 발견되며, 동일한 환자에서 원발암에 비해 전이조직에서 CD24+ 발현의 빈도가 증가한다는 점은 유방암 줄기세포이론보다는 클론진화론을 더 지지하는 결과이다.

3. 에스트로겐과 유방암의 발생

유방암의 발생에 있어 에스트로겐과 같은 여성호르몬의 역할은 대규모 역학연구의 결과에서부터도 잘 규명되어 있다. 에스트로겐의 활성도를 반영하는 비만, 혈중 에스트로겐 농도, 혈중 안드로스테네디온androstenedione, 테스토스테론testosterone, 안드로겐androgen 농도 및 요중 에스트로겐 농도 등은 여러 역학연구에서 유방암의 위험도와 연관되어 있음이 보고되었다. 한편 혈중 프로게스테론progesterone의 농도는 폐경 후 여성의 유방암의 위험과는 유의한 연관성이 확인되지 않았으며, 폐경 전 여성에서는 오히려 유방암의 위험과 역상관관계를 가진다는 연구 결과들이 있다.

1) 에스트로겐의 대사산물에 의한 유방암 발암기전

에스트로겐 및 그 대사산물인 카테콜catechol은 동물모형에서 유방 이외에도 신장, 간 등의 다양한 기관의 악성종양을 유발한다고 알려져 있다. 에스트로겐이 대사되면서 암을 유발하는 과정은 그림 4-38에 도식하였다. 에스트로겐은 인체 내에서 다양한 cytochrome P-450 효소에 의해 일차 대사되며 이 과정을 통해 에스트로겐, 세미키논semiquinone을 거쳐 키논quinone으로 변환되며 그 결과물은 세포의 DNA 손상 등을 유발해서 발암과정을 시작하게 한다. 이처럼 에스트로겐의 산화대사 산물이 세포에 영향을 미치는 기전은 다양하게 일어날 수 있는데, 세포의 DNA의 불안정한 부가산물을 형성하여 DNA의 탈

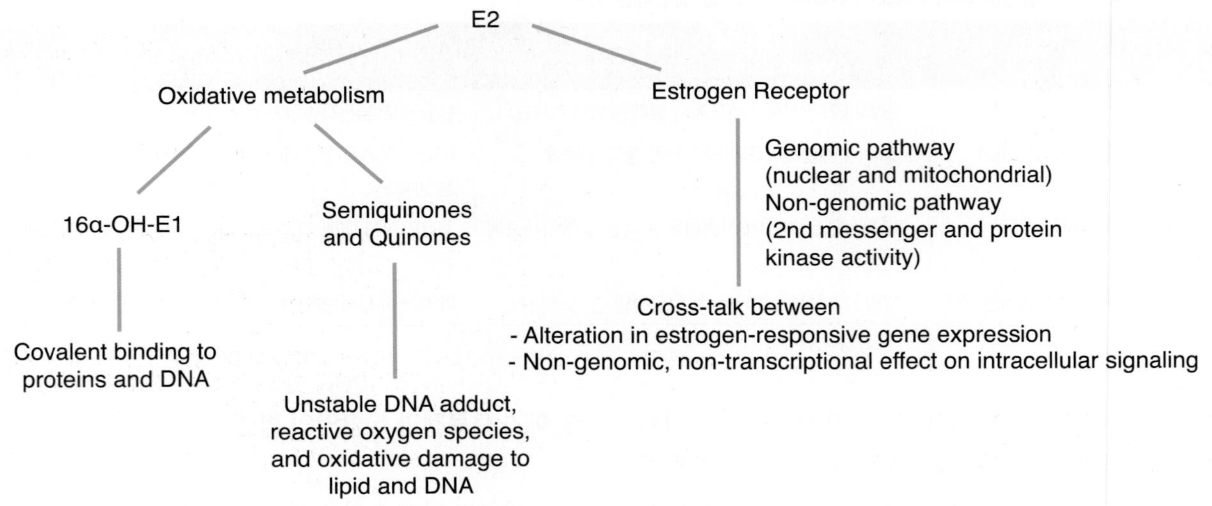

그림 4-38 **Estrogen carcinogenesis in breast cancer**

퓨린화depurination와 돌연변이를 유발할 수도 있으며, 대사과정에서 발생하는 활성산소물질reactive oxygen species이 DNA를 직접 산화시키기도 한다.

2) 에스트로겐 수용체의 신호전달에 의한 유방암

발암기전 에스트로겐 수용체의 활성화에 의한 유방암의 발암기전 역시 몇 가지 특징적인 경로로 구분되어질 수 있으며, 여기에는 세포핵 내 유전자를 통하는 과정, 세포 내 미토콘드리아의 유전체를 이용하는 과정, 그리고 세포 내에서 단백질 활성효소 신호전달protein-kinase signaling을 통해 이루어지는 비유전자경로non-genomic pathway들이 포함된다(그림 4-38). 세포핵 내 유전자 발현에 변화를 주는 경로는 가장 대표적인 에스트로겐 수용체의 작용기전으로 알려져 있으며, 이 과정은 세포내로 들어온 에스트로겐이 핵의 에스트로겐 수용체와 결합하면서 에스트로겐 반응 유전자estrogen responsive genes들을 활성화시키거나 조절하게 되어 전사transcription 과정을 유발하는 것이다.

에스트로겐 수용체는 ERα와 ERβ로 구분되는데, 이 두 단백질은 DNA 결합영역DNA-binding domain에서는 96%의 아미노산 서열의 일치를 보이지만 리간드 결합영역ligand-binding domain에서는 53%만 일치한다. 이런 리간드 결합영역의 차이가 두 수용체의 기능적 차이를 설명하는 것이라고 추정하고 있다. 대표적인 예로 타목시펜은 ERα에는 작용제agonist와 길항제antagonist의 두가지 역할을 모두 유도하지만, ERβ와는 길항제로만 작용한다. 또한 ERβ는 유방암의 발생에 중요한 역할을하는 것으로 생각되는 다양한 식물성 에스트르겐phytoestrogen에 ERα보다 더 결합력이 뛰어나다. 또한 ERα와 ERβ는 활성화영역activation domain이 서로 달라 유도하는 유전자의 전사 역시 차이가 많다.

과거 에스트로겐 수용체가 핵 내에서만 작용할 것이라 생각하던 것과는 달리 최근의 연구에서는 ERα와 ERβ의 존재가 세포 내 세포핵과 미토콘드리아에도 존재하며, 미토콘드리아의 유전체들도 에스트로겐 반응 유전자들을 가진다는 것이 밝혀지면서 핵 이외의 에스트로겐 작용 경로가 확인되었다. 세포 내 에스트로겐 수용체의 위치에 따른 개별적인 에스트로겐의 작용기전에 대해서는 표 4-19에 정리하였다. 세포핵과 미토콘드리아의 에스트로겐 수용체에 의한 유전체 경로와 세포막의 수용체에 의한 비유전체 경로의 상호작용에 의해 에스트로겐에 의한 유방암세포의 증식과 성장을 조절한다.

표 4-19. 세포내 에스트로젠 수용체의 위치에 따른 작용기전

세포핵에서의 에스트로젠 수용체 작용
리간드 의존적(ligand-dependent) 작용 에스트로젠 반응성 유전자(estrogen-responsive genes)의 활성화 AP-1이나 c-jun 등의 다른 전사인자(transcription factor)와 상호작용 리간드 비의존적(ligand-independent) 작용 외부 신호전달경로(e.g., EGF, IGF-1, MAPK, PI3K-Akt)를 통한 에스트로젠 수용체 활성화
미토콘드리아의 에스트로젠 수용체 작용
리간드 의존적인 미토콘드리아 내의 에스트로젠 반응성 유전자의 발현(e.g., cytochrome oxidase subunits I and II, mitochondrial precursor transcript)
세포막의 호르몬수용체를 통한 second-messenger와 protein-kinase signaling의 활성화
Levels of cAMP and cAMP-responsive genes MAPK family: ERK1 and ERK2, G-protein activation, Inhibition of JNK and stimulation of ERK activity in association with inhibition

요약

유방암은 유전적 인자와 비유전적 인자의 상호작용으로 발생한다. 대표적인 유전적 인자로는 *BRCA 1/2* 등이 있으나 최근 유전체 연구기법의 발전으로 더 많은 유전자들이 밝혀지고 있으며, 비유전적 인자로는 생활습관과 여성호르몬 등의 복합적인 요인이 있다. 최근의 연구들은 유방암의 위험도를 증가시키는 중등도 위험 유전자의 발굴이 활발하며, 여성호르몬과 유방암의 연관에 관한 연구로는 핵을 통하지 않는 비유전자적 경로에 그 관심이 증가하고 있다. 본장에서는 상기의 유방암의 원인들에 대해 전통적 이론과 최근의 연구결과들을 요약하였고, 유방암의 이질성을 설명하는 유방암 줄기세포 가설과 클론진화론에 대해 간략히 설명하였다.

VII 유방암의 수술적 치료

1. 유방암 수술의 역사

20세기 중반까지 유방암의 진행은 유방에서부터 원심성으로 퍼져나간다고 생각했다. 따라서 수술의 범위를 크게 하면 할수록 암에 의한 사망은 감소할 것으로 생각하였다. 19세기 후반 영국 런던 Middlesex병원의 Moore는 유방암 수술 시 유방의 완전한 절제와 만져지는 액와림프절의 완전한 절제가 중요하다고 하였고 Banks는 액와림프절의 잠재된 전이occult metastasis가 많이 있기 때문에 수술 시 모든 액와림프절을 제거해야 한다고 하였다. 1894년 Halsted와 Meyer는 근치적 유방절제술radical mastectomy을 보고하였는데, 그는 유방암이 림프관을 따라 국소적으로 전이된다고 생각하고, 유방, 유방 위의 피부, 흉근과 액와림프절 전부를 절제해냈다. 이 술식은 대부분의 유방암, 특히 20세기 초에 볼 수 있는 진행성 유방암 환자들에게 기술적으로 가능했을 뿐만 아니라 효과적인 국소치료 방법이 되었고 이 국소치료로 유방암을 치료할 수 있을 것으로 생각하였다.

하지만 근치적 유방절제술 후에도 계속해서 유방암의 전이에 의해 환자들이 사망하게 되었다. 이 후 유방의 25% 정도는 내유방림프절로 배액된다는 사실이 밝혀져, 이를 바탕으로 확대 근치적 유방절제술extended radical mastectomy이 시행되었다. 이 술식은 근치적 유방절제술과 더불어 내유방림프절internal mammary lymph node 절제를 포함하고 있다. 하지만 이러한 확대적인 수술방식으로도 생존기간이 연장되지 못하자 Halsted 이론Halstedian theory은 그 한계를 드러내게 되었다. 1948년 Patey와 Dyson은 효과적인 유방암 치료제가 개발되지 않는 한 수술을 받더라도 많은 환자들이 유방암으로 인해 사망할 것이라고 하면서 대흉근pectorialis major muscle을 보존하는 변형근치적 유방절제술modified radical mastectomy을 고안하였다.

1970년대에 들어서면서 Halsted의 근치적 유방절제술이 시행되는 경우는 줄어들고 대신 변형근치적 유방절제술이 가장 흔히 시행되는 술식이 되면서 국소-구역치료를 하는데 굳이 대흉근 절제가 필요하지 않고 또 진행성 유방암을 치료하는데 근치적 유방절제술, 변형근치 유방절제술 어느 것도 완벽하게 국소-구역재발을 막지 못한다는 사실을 인정하게 되었다. 즉 유방암의 근치적 수술 후 재발하는 이유가 외과적으로 불충분하게 절제했다기보다는, 수술 당시 이미 암세포가 전신으로 퍼져 있었기 때문이라는 이론이 대두되었다. Fisher 등은 NSABP (National Surgical Adjuvant Breast and Bowel Project) B-04연구를 통해 유방 전절제술total mastectomy 후 방사선치료를 한 군과 근치적 유방절제술을 한 군에서 생존율의 차이가 없음을 보였고 다른 두 연구에서도 근치적 유방절제술과 변형근치 유방절제술을 한 군의 생존율의 차이가 없음이 보고되어 변형근치 유방절제술이 유방암 수술의 표준 술식으로 자리잡았다.

Fisher는 암조직은 원심성으로 주위 장기로 진행함과 동시에 림프관이나 혈관을 통해 전신으로 퍼질 수 있으므로 국소치료와 전신치료 모두가 중요함을 강조하는 발상의 전환을 제시하였고, 이후 Fisher 이론 *Fisherian theory* 유방암의 치료에 큰 영향을 미쳤다.

수술과 함께 방사선치료는 유방암의 국소 치료에 있어 수술의 범위를 줄이는데 결정적인 역할을 하였다. 유방보존술은 Veronesi에 의해 사분역절제술quadrantectomy이란 이름으로 처음 시도되었다. 1969년 WHO (World Health Organization)에서 유방보존술에 대한 임상연구를 승인하면서 유방을 보존하는 수술과 관련하여 6개의 전향적 연구가 진행되었고 모든 연구에서 일관되게 유방보존술breast conservation surgery 후 방사선치료를 한 군과 유방절제술을 시행한 군에서 생존율의 차이가 없는 것으로 보고하였다. 이제는 그 안정성이 증명되어 조기 유방암에서 유방보존수술은 표준 수술법으로 인정받고 있고 많은 환자들이 유방보존술의 대상이 되고 있다. 우리나라에서도 1970년대 후반기부터 시작된 유방보존술은 1980년대 후반기에 약 5%를 차지하다가, 1991년에는 25-30%까지 증가하였으며, 2004년부터는 전체 유방암 수술의 50%을 넘기 시작했다.

액와림프절에 대한 곽청술은 근대적 개념의 유방암 수술을 시작하면서부터 시행되었으며 국소재발의 감소, 생존율의 연장 등과 같은 치료적인 목적과 예후, 술 후 보조항암요법의 선택, 병기설정 등과 같은 질병에 대한 정보를 얻고자 하는 목적을 가지고 침윤성 유방암 환자에서는 거의 일률적으로 시행이 되었다. 하지만, 림프부종 등과 같은 액와림프절곽청술로 인한 여러 합병증 내지 후유증으로 적지 않은 환자들이 고통을 받았으며, 더욱이 일률적인 액와림프절곽청술을 시행받은 환자 중 약 1/3만이 림프절 전이가 있는 것으로 보고가 되면서 액와림프절곽청술을 시행받은 환자의 2/3는 단순히 전이 음성임을 확인하기 위해 수술을 받은 결과가 되었다. 국내의 결과를 보더라도 2004년 국내 유방암으로 수술 받은 환자 중 65.1%에서 액와림프절 전이 음성이었다. 따라서 보다 덜 침습적이고 합병증이 적으면서, 액와림프절 전이유무에 따른 적절한 치료를 할 수 있는 새로운 방법에 대한 기대가 커지게 되었다.

감시림프절sentinel lymph node이란 유방암에서 림프관을 통하여 전이가 일어나는 첫 번째 림프절로, 1977년 Cabanas 등이 음경암에서 감시림프절절제술sentinel lymph node dissection을 최초로 사용한 이후 1992년 Morton 등이 흑색종의 림프절 절제에 이용하기 시작하면서 이론의 기초가 마련되었다.

유방암에서도 종괴의 크기가 작은 유방암에서 액와림프절의 절제시 생길 수 있는 합병증을 줄이고자 감시림프절절제술이 시도되었다. Giuliano 등은 초기 경험을 토대로 유방암에서 감시림프절 생검의 표준화를 위한 연구를 하였는데, 감시림프절의 발견율은 93.5%, 위음성율은 0%, 민감도, 특이도가 각각 100%로 결과를 보고하면서 이런 기준에 의해 선택된 환자들에서 표준화된 감시림프절 생검은 액와림프절 전이를 평가하는 술식으로 타당하다고 보고하였다. 따라서 감시림프절이 액와림프절 전이상태를 정확히 반영한다는 것을 알게 되었고 따라서 이들 환자에서 액와림프절곽청술을 시행하는 것은 치료를 위한 것이 아니라 예방적 차원이라 할 수 있다. Giuliano 등은 감시림프절에 전이가 없는 유방암 환자들에서 액와림프절곽청술을 생략할 수 있겠다는 생각에서 종양 크기가 4cm 이하인 유방암 환자들을 대상으로 감시림프절 생검을 시행하고 감시림프절 전이가 없는 경우는 추가적인 액와림프절절제술을 생략하고, 감시림프절 전이가 있는 경우에는 액와림프절곽청술을 시행하여 그 결과를 비교하였다. 그 결과 합병증 발생률에 있어서 감시림프절 절제술만 시행한 경우 3%, 액와림프절곽청술을 시행한 경우 35%로 의미있는 차이를 보였고, 39개월 추적관찰 결과 양 군 모두에서 국소재발은 보이지 않았다. 이후 감시림프절이 액와림프절의 상태를 대표할 수 있다는 연구 결과가 쌓이면서 현재 액와림프절 절제술을 대신하여 림프절 전이상태를 평가할 수 있는 방법으로 널리 이용되고 있다.

2. 절제생검

절제생검excisional biopsy은 병변 부위 혹은 주위 정상조직을 포함해서 완전히 제거하는 것을 말한다. 피부절개는 미용을 고려하여 시행하여야 하며 나중에 병변이 암으로 진단될 경우 추 후 수술을 생각해서 적절한 위치에 시행하는 것이 중요하다. 유륜 가장자리를 따라 절개하는 것이 미용상 가장 효과적이나 이 절개창으로 수술이 어려운 경우 상부 유방에 피부를 절개할 때는 랑게르선Langer's line을 따라 곡선curvilinear으로 절개하는 것이 좋고 하부 유방의 경우에는 방사형radial으로 절개하는 것이 미용상 좋다(그림 4-39). 상부 유방에서 방사형 절개를 하거나 하부 유방에서 랑게르선을 따라 곡선으로 절개를 하게 되면

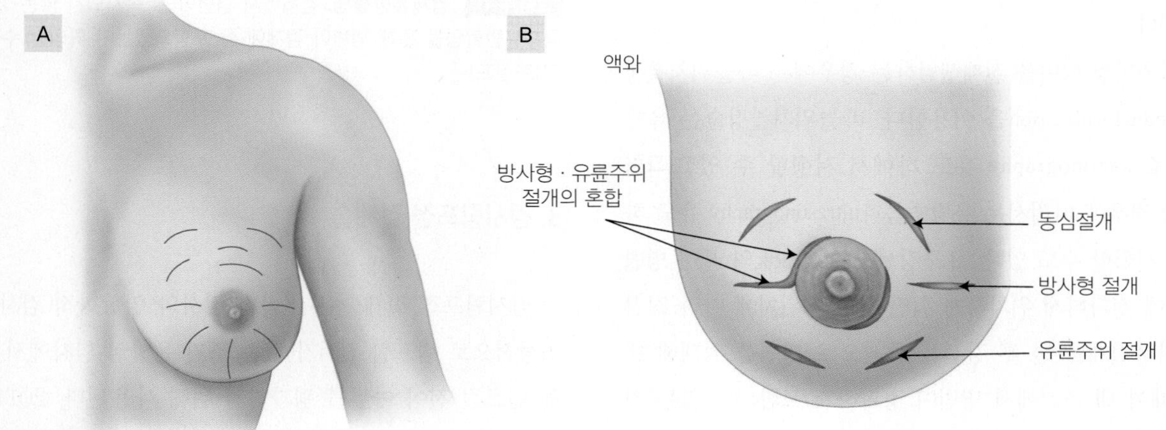

그림 4-39 절제생검시 절개창. A) 유방 상부의 병변을 절제하는 경우 랑게르선을 따라 절개하고 병변이 하부에 있는 경우는 방사형으로 절개하는 것이 좋다. B) 병변이 중앙에 위치하거나 유륜 주위에 위치한 경우에는 유륜 주위를 곡선으로 절개하거나 유륜 주위 곡선절개와 방사형 절개를 혼합해서 한다. 하부에 위치한 병변이라도 절개가 크지 않은 경우는 랑게르선을 따라 곡선 절개를 할 수 있다.

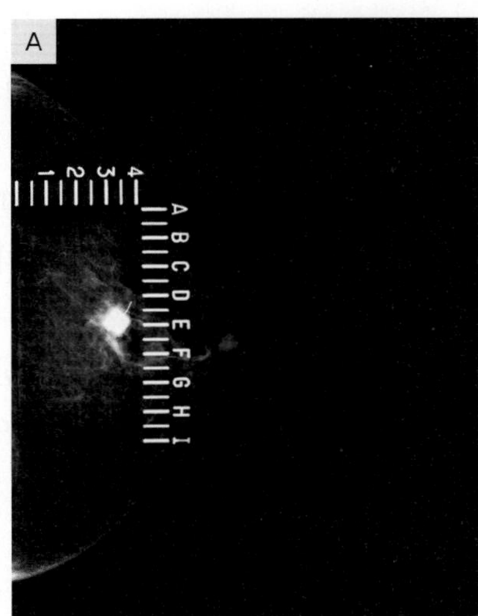

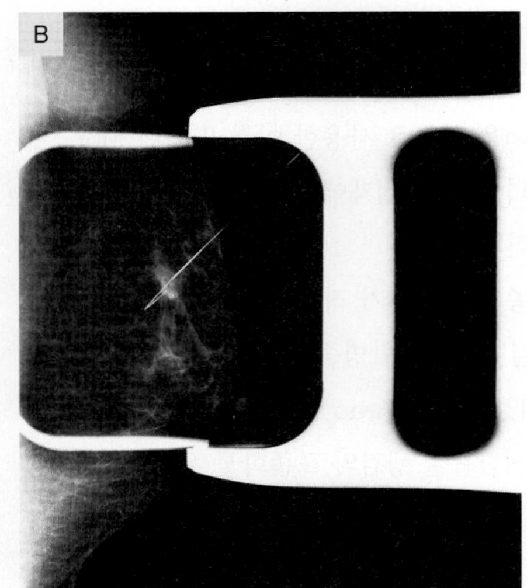

그림 4-40 **유방촬영술 유도 하 비촉지성 병변(미세석회)의 바늘위치결정술.** A) 숫자와 알파벳으로 표시된 눈금을 기준으로 천자부위를 결정하고 강선을 유도바늘 내에 위치시킨 상태에서 수직으로 천자한다. B) 유도바늘을 제거하고 유구강선이 병변에 잘 위치하였는지 확인한다.

창상구축scar contracture으로 인해 유두-유륜 복합체의 전위를 초래할 수 있다.

병변이 암이 의심되는 경우 병리검사를 위해 방향을 표시하여야 한다. 봉합사suture나 염료dye, 클립clip 등을 이용하여 제거된 조직의 상부, 하부 배부, 복부, 내측, 외측을 식별할 수 있도록 표시하는 것이 좋다. 병변이 완전히 제거되었는 지 확인한 후 지혈을 하고 배액관drain없이 창상을 봉합하면 된다. 일반적으로 유방 실질을 봉합할 필요는 없으나 미용상 필요한 경우 흡수 봉합사로 봉합할 수 있다.

비촉지성 병변을 절제생검하는 경우에는 바늘위치결정술needle localization을 이용한다. 바늘위치결정술은 유방촬영술mammography 유도 하에서 시행할 수 있고(그림 4-40) 경우에 따라서는 유방초음파ultrasonography 유도 하에서 시행할 수도 있다. 유구강선 wire hook의 끝이 병변 부위에 정확하게 위치하게 되면 강선의 위치에 따라 적절한 피부절개를 한 후 강선을 중심으로 병변을 절제해 낸다. 때어 낸 조직에서 병변이 정확하게 포함되어 있는 지 확인하고 절제된 조직에서도 육안이나 만져서 확인되지 않는 경우에는 검체유방촬영specimen mammography을 하여 확인한 후 수술을 끝낸다(그림 4-41).

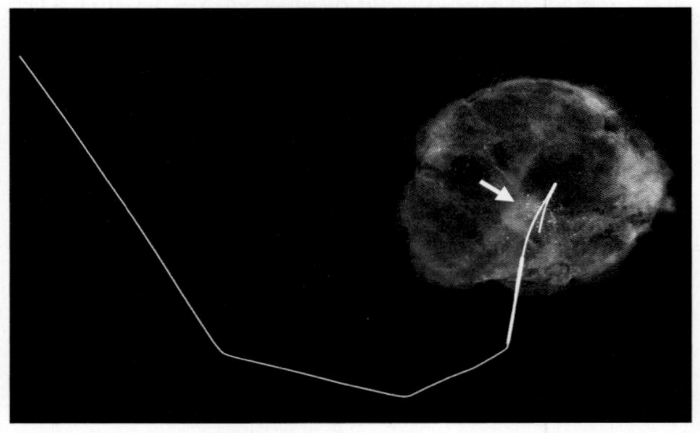

그림 4-41 **검체유방촬영.** 검체에서 병변이 잘 촉지되지 않는 경우 검체유방촬영을 통해 병변이 검체에 잘 포함되었는지 확인할 수 있다.(화살표)

3. 감시림프절 절제술

감시림프절 절제술은 이학적 검사와 영상학적 검사상 임상적으로 림프절 전이가 없는 조기 유방암 환자에서 구역 림프절 전이 여부를 평가하기 위해 사용된다. 2014년 개정된 미국 임상암학회의 감시림프절 절제술에 대한 권고안에 따르면 종양의 크기가 5cm 초과하는 경우나 염증성 유방암에서는 근거가 충분하지 않은 이유로 감시림프절 절제술은 추천되지 않는다. 또한 다발성 종양multicentric tumor이나, 유방전절제술이 필요한 관상피내암Ductal Carcinoma In Situ (DCIS), 이전에 유방수술이나 액와부 수술을 받은 경우, 선행항암화학요법neoadjuvant chemotherapy을 받은 경우에는 감시림프절 절제술을 시행하는 것을 고려할 수 있으나 임신 중 유방암, 유방전절제술이 필요없는 관상피내암의 경우에는 감시림프절 절제술을 시행하지 않도록 권고하고 있다.

수술 중 감시림프절에서 전이가 있는 것으로 보고되면 액와림프절 곽청술을 바로 진행하는 것이 원칙이다. 현재 감시림프절 전이가 있는 경우 비감시림프절 전이를 예측하는 nomogram이나 예측 모델이 여러가지가 있으나 아직까지는 감시림프절 전이가 발견된 경우 액와림프절 곽청술을 시행하는 것이 표준 치료이다. 하지만, 최근 연구를 통해 일부 환자에서 감시림프절에서 전이암이 진단되어도 액와부 림프곽청술을 생략하는 것이 가능하게 되었다.

2011년 891명의 유방암 환자들 대상으로 한 ACSOG (American College of Surgeon Oncology Group) Z0011 다기관 전향연구 결과가 발표되었는데, 유방보존수술을 받는 5cm 이하의 종양을 갖는 유방암 환자에서 감시림프절 전이가 2개 이하인 경우, 액와부 림프절 곽청술을 생략하더라도 액와부 림프절 곽청술을 시행한 환자와 비교하여 전체생존 및 무병생존에 있어서 열등하지 않다는 결과를 확인하였다. 이를 근거로 2014년 미국임상암학회에서는 한 개 또는 두 개 이하의 감시림프절 전이가 있는 유방부분절제술 및 전유방방사선치료를 받는 환자에서 대부분의 경우 액와부 림프절 곽청술을 생략할 것을 권고하였다.

또한, 최근 선행화학요법 후 감시림프절 절제술의 역할을 알아보기 위한 두 개의 다기관 전향적 연구인 ACOSOGZ1071 및 SENTINA의 결과가 발표되었는데, 두 연구에서 공히 위음성율false-negative rate은 10%를 초과하는 것으로 보고되었다. 하지만, 감시림프절을 세 개 이상 확인하였던 환자에서는 위음성률이 두 연구 모두에서 10% 이하였기 때문에, 선행화학요법을 받은 림프절 양성 유방암 환자 중 일부 환자에서는 감시림프절 절제술의 적용이 고려될 수 있겠다고 보고하였다.

감시림프절을 찾는 방법으로는 동위원소나 청색 생체염료vital blue dye가 주로 이용된다. 메타분석meta-analysis에 의하면 동위원소와 생체염료를 같이 사용한 경우 동위원소와 생체염료를 단독으로 사용한 경우보다 감시림프절 절제술의 성공률이 높다고 보고하였으나 다른 연구들에 의하면 차이가 없다는 보고들도 있어 단정적으로 두 가지 방법을 다 사용해야 한다고 말할 수 는 없고 술자의 숙련도와 경험에 따라 선택해야 하며 경험이 없는 경우에는 두 가지 방법을 동시에 사용하는 것이 권장된다. 동위원소를 사용하는 경우 술자에 따라서는 수술 전 lymphoscintigraphy를 시행하는 경우도 있으나 반드시 필요한 것은 아니다.

가장 흔히 사용되는 방사성 물질은 colloidal radioisotopes이다. 입자의 크기에 따라 이동 속도가 결정되기 때문에 수술 전날에 주사할 경우와 수술하는 날 주사하는 경우 적절한 크기의 방사성물질을 선택해서 사용한다. 방사성 물질은 원발종양이나 절제생검한 주위 유방 실질에 주사하며 유륜하subareolar나 종양 바로 위 피하층subdermal에 주사하기도 한다. 일반적으로 당일 주사시 0.5mCi, 전날 주사시 2.5mCi의 방사성 물질을 주입한다.

생체염료는 대개 수술실에서 주사하는데, 3-5mL의 isosulfan blue를 종양 주위나 유륜하에 주사한다. 피하층 주사는 추천되지 않는데, 피부에 착색되기 때문이다. Isosulfan blue의 공급 부족으로 최근에는 methylene blue나 indigocarmine이 많이 이용된다. 종양이 촉지되지 않는 경우 초음파나 위치결정술에 사용된 바늘 유도하에 주사하고 절제생검을 시행 받은 경우 절제된 공간 주위의 유방실질에 주사한다. 이 때 절제된 공간 내로 주사되지 않도록 주의해야 한다.

Isosulfan blue를 사용한 경우 수술 후 소변 색이 일시적으로 변할 수 있으며 약 10,000명 중 1명 정도에서 아나필락시스가 생길 수 있다. 감시림프절 절제술에 사용되는 방사성 물질은 비교적 안전하고 방사선 노출도 미미 하다.

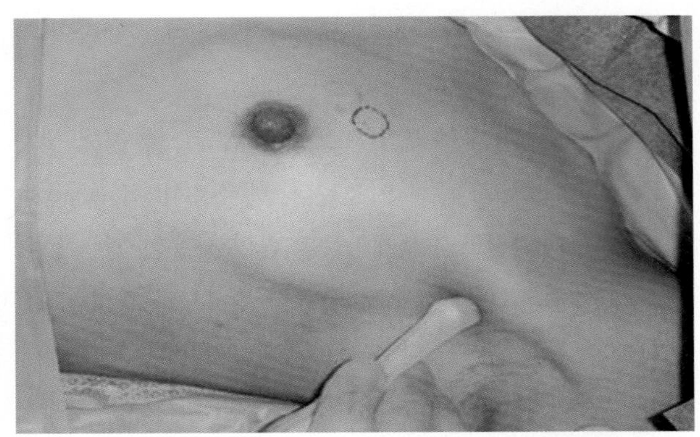

그림 4-42 동위원소를 이용한 감시림프절 절제술. 감마선 검출기를 이용하여 감시림프절의 정확한 위치를 확인한다. 유방에 표시된 부위는 종양의 위치이다.

수술 시작 직전에 감마선 검출기gamma counter를 이용하여 감시림프절의 정확한 위치를 확인하고 피부에 표시한다(그림 4-42). 표시된 부위 위에 감시림프절 절제를 위한 최소한의 절개창을 만들고 피하지방을 절개하고 액와근막axillary fascia을 찾아 절개한 후 감마선 검출기를 이용하여 주위 방사선량보다 높은 방사선량을 보이는 열소hot spot를 찾아 주위조직을 조심스럽게 박리하여 림프절 구조를 확인하고 감시림프절을 절제한다. 감마선 검출기로 절제된 림프절의 방사선량ex vivo count을 확인하고 수술부위에 또 다른 열소가 있는지 감마선 검출기로 자세히 조사하고 만약 있으면 같은 방법으로 추가적인 감시림프절을 절제한다. 방사선량이 가장 높은 감시림프절을 절제한 후 감마선량ex vivo count을 측정하여 이 값의 10% 이상의 방사선량을 띄는 나머지 림프절도 감시림프절로 생각해서 절제해내는 것이 위음성률을 가장 낮출 수 있다(10% 규칙).

생체염료를 사용한 경우, 액와부 hair line 약 1cm 하방에 액와중간선midaxillary line 약간 앞쪽에 3cm 정도의 피부절개를 한 다음 액와근막을 찾아서 절개를 하면 액와부 지방조직을 찾을 수 있다(그림 4-43). 대흉근의 변연을 따라서 흉근 림프절pectoral nodes이 위치하는 지역에서 파랗게 염색된 림프관을 찾는다. 이 부위에 감시림프절이 가장 흔히 위치하고 있다. 만약 여기서 염색된 림프관을 찾을 수 없으면 86–97%에서 감시림프절이 level I 지역에 위치한다고 알려져 있기 때문에 외유방 림프절external mammary, 견갑하 림프절subscapular, 중앙림프절central, 쇄골하 림프절subclavicular 등 level I, II에 위치한 림프절들을 찾는다. 염색된 림프관을 찾으면 그 기시부와 원위부 양쪽으로 따라가면서 감시림프절을 찾는다. 이렇게 하지 않으면 감시림프절을 모두 찾지 못할 가능성이 있기 때문에 위음성률을 높이게 되는 이유가 될 수 있다. 감시림프절을 찾아서 제거해 낸 후 액와부를 다시 잘 조사해서 의심되며 촉지되는 림프절이 있으면 반드시 제거해서 감시림프절에 포함시켜야 한다. 감시림프절을 찾을 때 염색된 림프절을 먼저 찾는 것이 아니라 염색된 림프관을 찾아서 따라가다 보면 염색된 감시림프절을 찾게 되기 때문에 지도 역할을

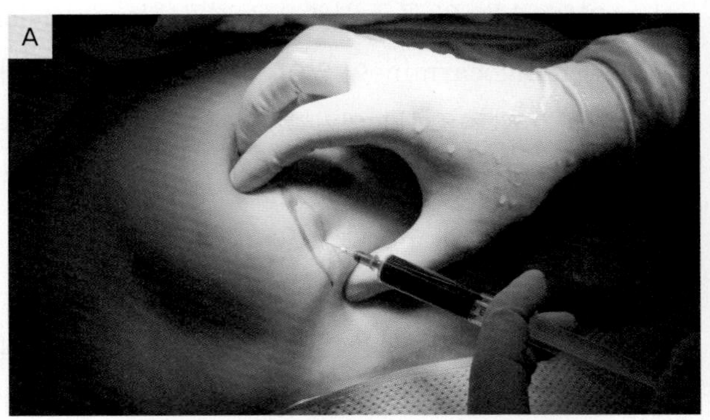

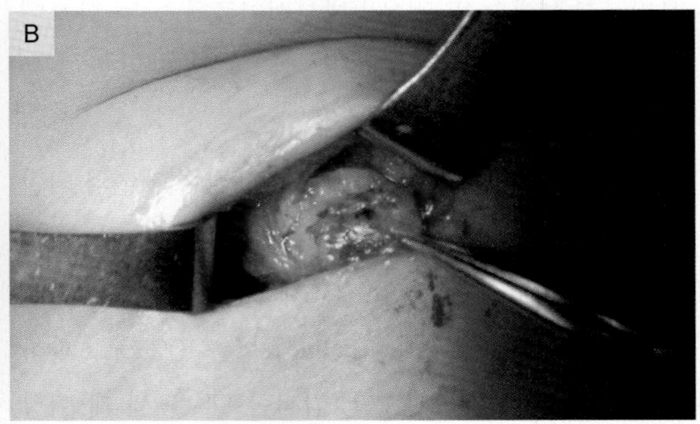

그림 4-43 생체염료를 이용한 감시림프절 절제술. A) 생체염료를 종양주위 실질에 주사한다. B) 액와부 hair line 약 1cm 하방에 액와중간선 약간 앞쪽에 3cm 정도의 피부절개를 한 후 염색된 감시림프절을 찾는다.

하는 염색된 림프관을 찾을 때 림프관이 잘리거나 손상되지 않도록 주의하는 것이 무엇보다도 중요하다.

감시림프절 절제술의 성공률은 보고자 마다 약간씩 차이가 있으나 일반적으로 90% 이상이며 위음성률은 5-10% 전후로 보고되고 있다. 국내 연구에서도 비슷한 성공률과 위음성률이 보고되었다. 2007년 발표된 NSABP B-32연구 결과에 따르면 감시림프절을 찾는 성공률은 97.2%, 위음성률은 9.8%로 보고되었고 종양의 위치, 진단적 조직검사 방법, 절제된 감시림프절의 수가 위음성률에 영향을 줄 수 있는 인자라고 하였다. 종양의 위치가 내측보다 외측에 있을수록 위음성률이 높은데, 이것은 종양 주위에 주사한 방사성 물질이 액와부 열소와 감별이 어려울 수 있기 때문이라고 설명하고 있다. 조직검사 방법으로 절제생검을 한 경우 위음성률이 높았고 절제된 감시림프절의 숫자가 많을수록 위음성률이 의의있게 낮아졌다.

감시림프절은 주로 액와에서 발견된다. NSABP B-32 연구에 따르면 level I, II 액와부 림프절 이외의 곳에서 감시림프절이 발견된 경우가 1.4%라고 보고하였다. 감시림프절이 발견되는 위치는 방사성 물질의 주사 부위와 연관되어 있는데, NSABP B-32 결과에서 보면 유륜하나 유륜 주위에 주사했을 경우에는 level I, II 이외의 부위에서 감시림프절이 발견된 경우가 없었던 반면 종양 주위에 주사했을 경우에는 20%에서 액와 이외의 곳에서 감시림프절이 발견되었다. 대부분의 환자에서는 유륜하 주사나 종양주위 주사시 동일한 림프배액 경로를 보이지만 일부 환자에서는 액와 이외의 배액경로를 보이거나 액와와 액와 이외의 공동 배액경로를 보인다. 따라서 액와 이외의 감시림프절을 확인하기 위해서는 종양주위 주사법을 이용하는 것이 좋다.

감시림프절 절제술이 액와림프절 곽청술에 비해 합병증이 적다는 것은 여러 기관들에 의해 보고되었다. 감시림프절 절제술만 시행한 군과 액와림프절 곽청술을 시행한 군을 24개월 추적 관찰하여 비교한 결과 액와부 통증이나 수술 부위의 이상 감각, 환측의 상지의 움직임, 액와부 상처의 미용적인 측면, 상완의 부종 등 모든 면에서 감시림프절절제술을 시행한 군에서 만족스러운 결과를 보였다. ACSOG에서 진행한 전향적 다기관 연구인 Z0010결과에 따르면 감시림프절 절제술을 시행 받은 경우 젊은 사람에서 더 많이 감각이상을 호소하는 반면 나이가 많을수록 또 신체질량지수body mass index가 높을수록 림프부종lymphedema이 더 잘 생긴다고 하였다. Z0011 연구에서는 감시림프절 절제술만 시행한 군에서 감시림프절 절제술과 액와림프절 곽청술을 동시에 시행한 군에 비해 수술 후 창상 감염, 장액종, 감각이상 등이 적게 발생했다고 하였다. 또 수술 1년 후 팔 둘레가 통계적인 차이를 보이진 않았으나 감시림프절 절제술만을 시행한 군에서 작았고 수술 1년 후 주관적으로 호소하는 림프부종은 감시림프절 절제술만 시행한 경우 2%인 반면 액와림프절 곽청술을 같이 시행한 군에서는 13%로 차이를 보였다.

액와림프절에 대한 대표성을 가지는 몇 개의 감시림프절에 대해서는 보다 철저하고 세밀한 검사가 가능하게 되었고 이에 따른 병리학적 검사방법 또한 표준화 되어야 하는 과정이다. 감시림프절에 대한 검사는 1.5-2mm 간격의 연속절편을 만들어 H&E (Hematoxylin and Eosin)염색을 통해 검사하는 방법이 있고 cytokeratin에 대한 면역화학염색을 하는 방법이 있다. 수술 중 감시림프절 검사는 주로 동결절편을 만들어 검사하는 것과 imprint cytology로 검사하는 방법이 있는데 민감도, 특이도는 보고자마다 다양하게 보고하고 있다. real-time RT-PCR을 이용한 GeneSearch Breast Lymph Node Assay라는 방법이 미국 FDA (Food and Drug Administration)에서 수술 중 감시림프절 검사법으로 승인을 받았다. GeneSearch Breast Lymph Node Assay는 림프절에서 *mammaglobin*과 *cytokeratin 19* 유전자의 발현을 검사함으로써 림프절 내에 유방암 전이를 확인하는 방법이다. *Mammaglobin*과 *cytokeratin 19*는 유방 조직에서는 높게 발현되지만 림프절 조직에서는 발현되지 않는 유전자이다. 이 검사법은 림프절 내에 전이 병소의 크기가 0.2mm 이상인 경우 전이가 있는 것으로 나오도록 고안되

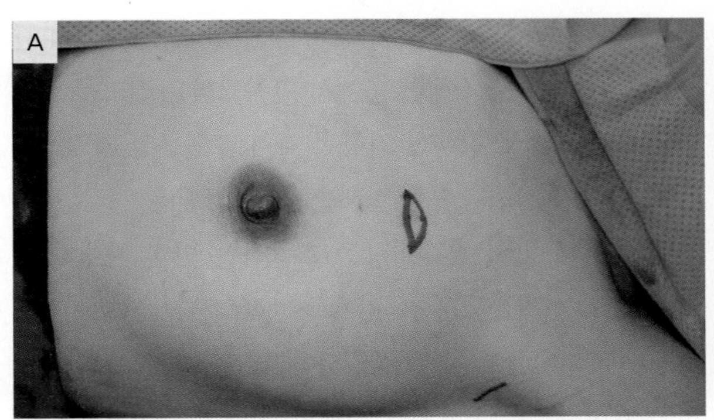

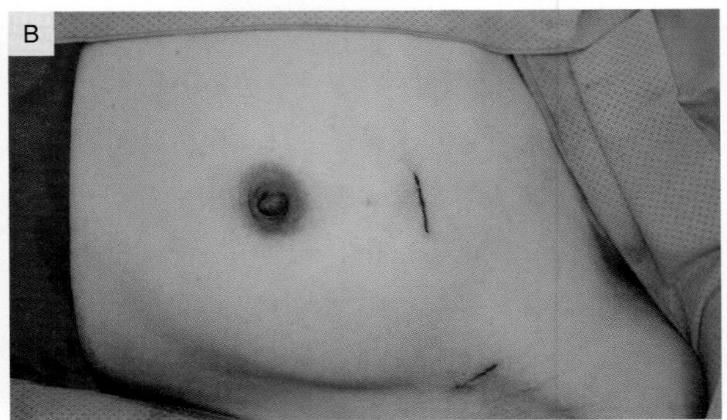

그림 4-44 **유방 부분절제술.** A) 부분절제술과 감시림프절생검술을 위한 피부절개 위치를 표시한다. B) 부분절제술과 김시림프절생검술을 시행한 후의 모습

었다. 이 후 유사한 방법으로 One-step Nucleic Acid Amplification (OSNA)라는 방법이 수술 중 감시림프절 검사법으로 개발되었는데, 이 방법 역시 림프절에서 cytokeratin 19의 mRNA를 검사함으로써 림프절전이 유무를 판정하는 방법이다.

수술 중 감시림프절 검사법에 있어 OSNA는 동결절편과 비교했을 때 허용할만한 정확도를 보이고 있으나 검사에 소요되는 시간이 더 걸린다는 단점이 있고 감시림프절에 대한 이러한 분자적 분석에 대해 많은 연구가 보고되고는 있지만 임상에 적용되기에는 아직까지 논란의 여지가 있다.

4. 유방보존술

유방보존술Breast Conservation Therapy (BCT)은 종양 주위 정상 유방조직을 포함하여 유방암을 절제해 내고 액와림프절 전이상태를 평가하며 수술을 한 후 남아있는 유방에 방사선치료를 하는 것을 말한다. 유방보존술에서 원발암을 절제하는 방법은 segmental mastectomy, lumpectomy, partial mastectomy, wide local excision, tylectomy 등 다양하게 불리운다. 1기나 2기 유방암 환자에서 유방보존술은 유방전절제술과 동등한 생존율을 보이면서 유방을 보존할 수 있어 삶의 질과 미용적 측면에서 우수한 효과를 얻을 수 있기 때문에 선호되는 술식이다. 유방보존술은 유방의 모양을 유지하면서 동시에 피부도 보존되고 감각 손실도 없기 때문에 심리적 측면에서도 전절제술보다 우월한 술식이다.

현재 유방을 보존하는 수술은 0, 1, 2기 유방암 환자의 표준 술식이다. 관상피내암의 경우 림프절 전이에 대한 평가는 굳이 할 필요는 없다. 피부절개는 절제생검시와 마찬가지로 유방의 상부에서는 곡선curvilinear으로 절개하는 것이 좋고 하부 유방의 경우에는 방사형radial으로 절개하는 것이 미용상 좋다(그림 4-44). 피부에 조직검사로 인한 상처가 있는 경우에는 수술 부위에 포함해서 절제하는 것을 권장한다. 종양이 피부를 침범했거나 아주 가까운 경우를 제외하고는 반드시 피부를 절제할 필요는 없다. 유방보존수술 시에 종양 주위 정상조직을 일부 포함하여 절제해 내는데, 주위 정상 조직을 얼마나 절제해 내는 것이 좋은가에 대한 것은 아직 일치된 의견은 없다. 유방보존술 후의 국소재발local recurrence을 줄이기 위해서는 음성 절제연을 확보하는 것이 가장 중요하기 때문에 수술시 종양으로부터 충분한 거리를 유지하여 절제하도록 한다. 하지만 너무 많은 조직을 절제하게 되면 미용 효과는 떨어지기 때문에 양 면을 모두 고려하여 적절한 수술 범위를 결정해야 한다. 절제한 조직에는 상부, 하부 배부, 복부, 내측, 외측을 식별할 수 있도록 표시를 하여 병리검사를 보낸다. 절제한 조직이나 남아있는 유방의 절제연에서 조직검사를 시행하여 절제연에 암 조직이 남아 있는지 또 절제연에서 유방암까지 얼마나 가까운지를 확인한다.

2014년 미국임상암학회/외과종양학회/미국방사선종양학회에서 공동으로 절제연에 대한 권고사항을 발표하였다. 절제연 음성no ink on tumor을 표준으로 권고하였고, 이는 절제연에 종양세포가 침범하거나 존재하지 않는 다면, 절제연까지의 거리는 중요하지 않고, 음성 절제연의 확보로서 충분하다는 내용이다. 절제연 음성을 표준으로 하는 것은 동측 유방의 국소재발률이 낮고, 절제연 재수술과 의료비용을 낮추며, 미용적 측면이 고려된 결과이다. 다만, 미세석회가 동반된 유방암에서는 수술 후 유방촬영술을 시행할 것을 강조하였으며, 본 권고사항의 적용에 있어서 유연성이 발휘될 수 있음을 명시하였다.

유방보존술을 하면서 감시림프절 절제술을 시행하는 경우 일반적으로 감시림프절 절제술을 먼저 시행한다. 수술 중에 감시림프절 전이유무를 확인한다면 유방부분절제술을 시행하는 동안 확인하고 감시림프절 전이 양성이면 바로 액와림프절 곽청술을 연결해서 진행할 수 있다.

최근에는 최상의 미용효과를 얻기 위해 종양성형술oncoplastic surgery이 도입되고 있다. 종양성형술은 단순 유방실질의 재배치부터 다양한 유경피판pedicled flaps을 이용하거나 유방축소술까지 다양한 방법이 있다. 절제되는 유방조직의 범위, 유방 내 종양의 위치, 유방의 크기와 체형 등을 고려하여 종양성형술의 대상환자가 결정된다. 피부절제가 광범위하게 되는 경우, 유방 절제범위가 큰 경우, 종양이 유두와 유방하 주름inframammary fold 사이에 위치한 경우, 종양 절제술 후 봉합시 유두의 위치가 변하게 되는 경우 등이 종양성형술의 고려 대상이다.

5. 유방절제술 및 액와부 림프절 곽청술

유방 절제술은 수술 범위에 따라 근치적 유방절제술radical mastectomy, 변형근치적 유방절제술modified radical mastectomy, 유방전절제술total or simple mastectomy, 피부보존 유방절제술skin-sparing mastectomy 등이 있다. 지금은 잘 시행되지 않지만 근치적 유방절제술은 피부를 포함하여 유방 전체와 유두-유륜 복합체, 대흉근, 소흉근을 모두 제거하고 level I, II, III 액와림프절을 모두 제거하는 술식이다. 변형근치 유방절제술은 모든 유방조직과 피부을 포함한 유두-유륜 복합체, level I, II 액와림프절을 제거하는 수술이다. 유방전절제술은 근육은 남겨두고 유방 조직과 피부를 포함한 유두-유륜 복합체를 함께 절제하는 것을 말한다. 피부보존 유방절제술은 기존의 유방절제술mastectomy을 하면서 피부를 최대한 보존하여 유방재건을 용의하게 하는 술식이다.

환자가 어떤 이유로든 유방보존술을 원하지 않거나 유방부분절제술로 원하는 미용효과를 얻을 수 없는 경우, 미세석회가 광범위한 경우, 큰 종양이 유두하 유방 중앙에 위치한 경우와 다발성 병변multicentricity인 경우에는 유방전절제술을 시행한다.

1) 변형근치적 유방절제술

앞에서 언급한 것처럼 변형근치적 유방절제술은 대흉근, 소흉근을 보존하면서 유방전절제술과 액와림프절 곽청술을 시행하는 술식이다. 소흉근을 보존하는 술식을 Auchincloss 방식이라고도 한다. 일반적으로 level III를 제외한 level I, II 액와림프절을 절제하며 level III에 의심되는 림프절이 있는 경우에는 level III 림프절도 절제범위에 포함한다. Patey 방식은 소흉근을 제거하여 level III 림프절 곽청술을 용이하게 하는 변형된 술식이다.

피부절개는 유두-유륜 복합체가 포함되게 타원형으로 한다. 수술 전 조직검사를 시행했다면 조직검사 절개창이 함께 절제부위에 포함되도록 한다(그림 4-45). 근치적 유방절제술을 위한 피판skin-flap의 범위는 위로는 쇄골 하연, 바깥쪽으로는 광배근의 전연anterior border, 아래쪽으로는 복직근초rectus sheath, 안쪽으로는 흉골의 중앙선까지이다(그림 4-46A). 피판의 두께는 피부와 피하조직을 포함해서 약 7-8mm 정도가 이상적이다. 피판이 완성이 되면 대흉근의 근막을 포함해서 유방조직을 대흉근으로부터 박리해서 유방조직을 완전히 절제 해낸다(그림 4-46B). 다음으로 액와림프절 곽청술을 수행하게 되는데, 액와정맥의 가장

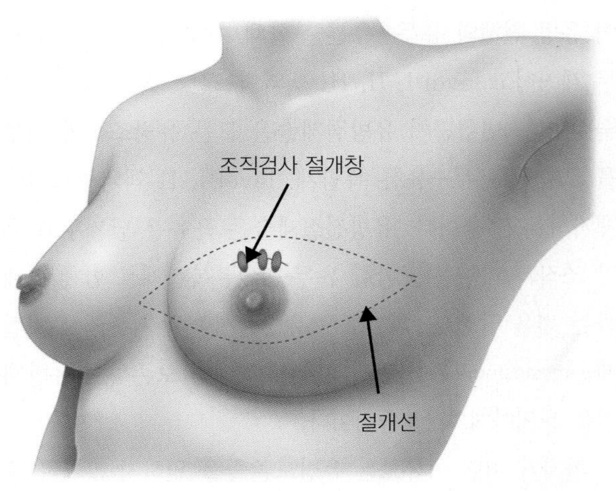

그림 4-45 **유방전절제술시 피부절개방법.** 수술 전 조직검사를 시행한 경우 조직검사 절개창이 함께 절제부위에 포함되도록 한다.

바깥쪽에서 연부조직을 액와정맥의 앞과 아래쪽으로부터 박리 해낸다. 액와정맥과 광배근의 전연이 만나는 부위의 연부조직에 외측 림프절군lateral lymph node group과 견갑하 림프절군subscapular lymph node group이 위치하는데 level I에 해당하는 림프절이고, 하내측inferomedial 방향으로 박리 해낸다. 이 과정에서 흉배신경thoracodorsal nerve이 손상되지 않도록 주의해야 한다. 액와정맥을 덮고 있는 연부조직을 너무 철저하게 박리하거나 액와정맥 상방까지 박리를 하게 되면 림프부종lymphedema을 유발할 수 있으므로 액와정맥 상방까지 박리하지 않도록 주의해야 한다. 박리를 내측으로 계속해서 진행하여 level II에 해당하는 중앙 액와림프절군central axillary lymph node group을 제거하는데 전거근serratus anterior muscle에 분포하는 장흉신경long thoracic nerve에 손상이 가지 않도록 주의한다. 만약 이 신경에 손상이 가게 되면 익상 견갑골winged scapula의 변형을 초래하게 되고 어깨근육의 약화를 야기한다(그림 4-46C). 만약 level III에서 의심스러운 림프절이 만져지면 함께 절제해내야 한다. 필요하면 오훼돌기coracoid process부근에서 소흉근을 절개하고 늑쇄골인대costoclavicular (Halsted's) ligament까지 곽청술을 시행한다. Patey 술식은 소흉근을 절제하는 것이지만 일부 술자들은 오훼돌기 근처에서 절개만 하고 소흉근은 그대로 두는 경우도 있다.

유방절제술의 가장 흔한 합병증은 장액종인데 많게는 30%까지 생긴다고 보고되고 있다. 흡입 배액관closed system suction drainage을 삽입하는 것이 장액종 발생을 줄일 수 있기 때문에 대부분 사용하고 있다(그림 4-46D). 창상감염 또한 잘 발생하지 않지만 생기는 경우는 대부분 피판의 괴사로 인한 이차 감염이다. 수술 후 출혈도 드물게 발생하는데, 조기에 상처를 열어서 혈종을 제거하고 지혈하는 것이 좋다. 액와림프절곽청술 후 림프부종은 대개 20% 전후로 발생한다. 액와림프절 곽청술을 광범위하게 했거나 액와부에 방사선 치료를 한 경우, 전이된 림프절이 있는 경우, 비만 등이 림프부종을 잘 일으키는 요인이다.

2) 피부보존유방절제술

최근 유방절제술과 동시에 유방재건을 시행하는 경우가 증가하면서 동시재건 시에 적용할 수 있는 피부보존유방절제술과 유두-유륜복합체 및 피부보존유방절제술에 대한 관심이 높아지고 있다. 피부보존유방절제술은 고식적 유방절제술과 같이 모든 유방조직과 유두-유륜복합체를 제거하지만 가능한 한 많은 피부를 보존하는 방법이다. 최소한의 피부만 제거하여 반흔이 작고 유방 밑 주름을 보존할 수 있어 반대쪽 유방과의 대칭성을 향상시켜 유방재건의 미용적 효과의 증진을 극대화 할 수 있다. 피부보존유방절제술의 문제점은 유방조직을 남길 수 있어서 국소재발 위험성이 높았다는 것인데 Kroll 등은 5cm 이하의 유방암에서 피부를 남기는 것은 국소재발의 위험이 높지 않다고 보고하였다. 또한 이후 여러 연구에서도 초기 유방암에서 즉시유방재건술을 시행했을 때 고식적 유방절제술과 비교하여 환자의 생존율이나 국소재발이 높지 않다고 보고하고 있다. 하지만 대부분의 논문은 T1, T2에서만 연구가 시행되었기 때문에 T3에 대한 안정성은 아직 명확하지 않다. 국내에서도 최근에는 유두-유륜복합체 및 피부보존유방절제술을 많은 병원에서 시행하고 있다. 고식적 유방절제술 후 지연유방재건술을 시행하는 경우에는 조직확장기를 이용하는 과정이 필요하나 피부보존유방

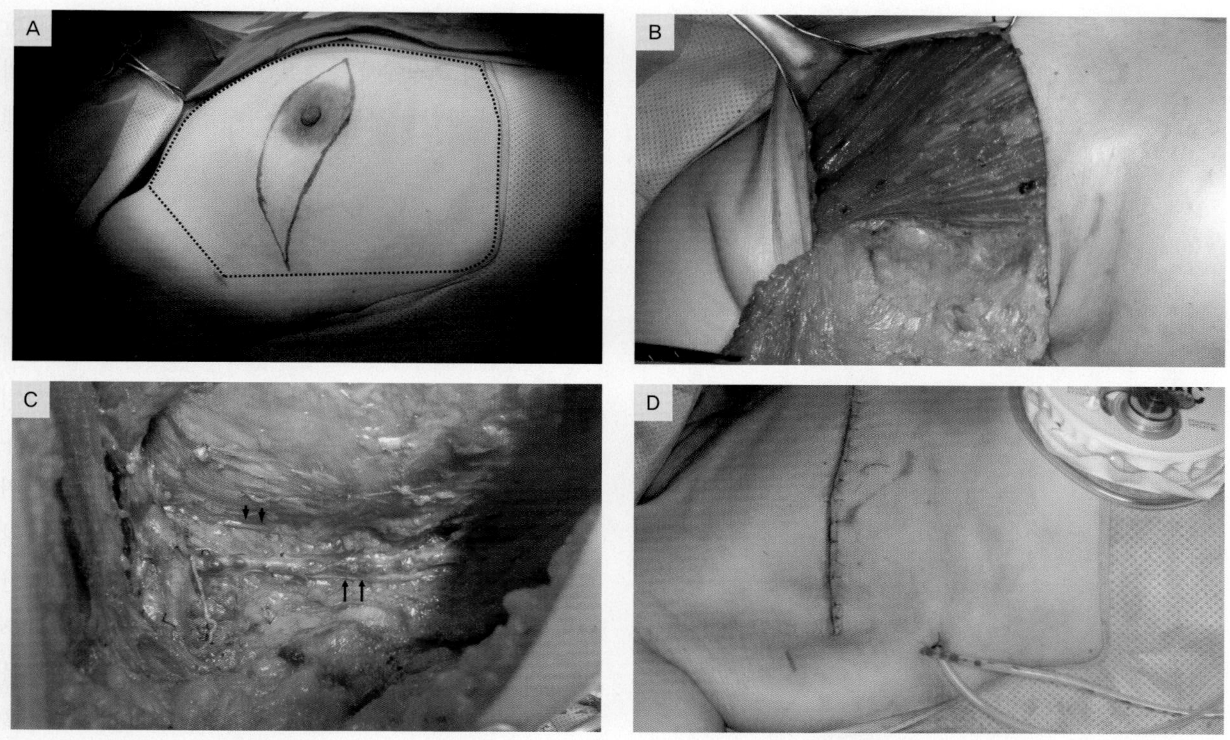

그림 4-46 변형근치유방절제술. A) 유방절제술의 피판의 범위는 위로는 쇄골 하연, 바깥쪽으로는 광배근의 전연, 아래쪽으로는 복직근초, 안쪽으로는 흉골의 중앙선까지이다(점선). B) 피판이 완성이 된 후 대흉근의 근막을 포함해서 유방조직을 대흉근으로부터 박리해서 유방조직을 완전히 절제해 낸다. C) 액와부 곽청술을 마친 후의 모습. 장흉신경(짧은 화살표)과 흉배신경(긴 화살표)이 손상 받지 않도록 주의해야 한다. D) 수술을 마친 후 봉합이 끝나고 흡입 배액관이 삽입된 모습

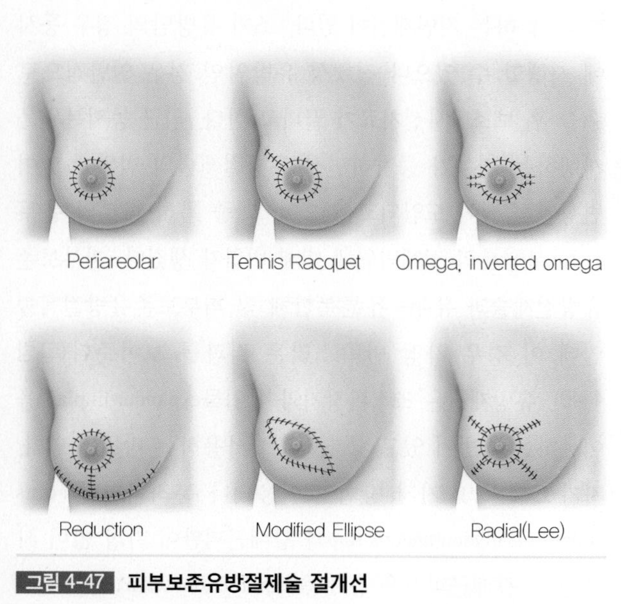

그림 4-47 피부보존유방절제술 절개선

절제술은 즉시유방재건술을 할 수 있다는 장점이 있다.

피부보존유방절제술 시 피부절개의 유형은 여러 가지 인자를 고려하여 유방외과의사와 성형외과의사가 충분히 상의하여 선택해야 한다(그림 4-47). 수술 후 보조항암요법이나 호르몬요법은 이 수술방법과 관계없이 원칙대로 하면 된다.

3) 유두-유륜복합체 및 피부보존유방절제술

피부보존유방절제술은 유두-유륜복합체를 완전히 절제하기 때문에 2차적인 유두재건술을 받아야 하며 색소문신과 재건된 유두의 불만족 등의 문제로 유두-유륜복합체를 보존하는 유두-유륜복합체를 보존하는 피부보존유방절제술을 시행하게 되었다. 유두-유륜복합체를 보존하는 피부보존유방절제술을 꺼리게 되는 이유는 유두-유륜복합제의 암세포에 의한 침윤 가능성 때문이며 이로

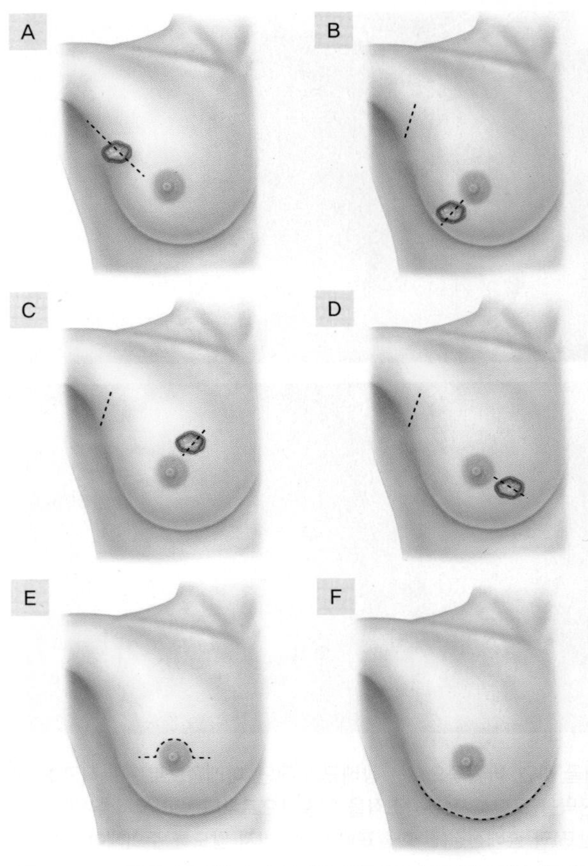

그림 4-48 A-D) 종양의 위치를 고려한 방사형 절개(A: UOG incision, B: LOQ&axillary incision, C: UIQ&axillary incision, D: LIQ&axillary incision), E) 오메가형 절개선, F) 유방밑주름 절개선

인한 국소재발이 우려되기 때문이다. 하지만 조기 유방암 환자를 대상으로 한 여러 연구에서 유두-유륜복합체 및 피부보존유방절제술 및 피부보존유방절제술, 변형근치적 유방절제술 사이의 국소재발률을 비교하였으며 이들의 국소재발률은 차이가 없음을 보여주였다.

피부절개의 유형은 피부보존유방절제술과 마찬가지로 종양의 위치와 유륜부의 혈액차단을 최소화 할 수 있는 절개위치를 고려하여 유방외과의사와 성형외과의사가 상의하여 선택해야 한다(그림 4-48). 감시림프절 검사나 액와림프절절제가 필요할 때에는 별도의 피부절개를 해도 되고 시야가 허용한다면 기존의 피부절개를 이용해도 된다. 유두-유륜복합체 하방은 유방조직을 최대한 제거하면서 동시에 유두 부위 괴사가 생기지 않도록 해야한다. 또한 유륜 하방의 조직에서 동결절편검사를 하는데 암세포의 조직침범이 확인될 경우에는 유두-유륜복합체를 제거해야 한다.

6. 유방 및 흉벽 재건

대부분의 환자에서 유방절제술 후 상처는 단순 봉합이 가능하다. 그러나 피부절제가 광범위한 경우 단순 봉합이 불가능하게 되는데 이 경우 피부이식이나 근육피판myocutaneous flap을 이용하여 결손부위를 봉합한다. 결손부위가 비교적 작으면 피부이식만으로도 가능하나 그렇지 않은 경우에는 추후 방사선 치료 등을 고려하여 근육피판을 사용하는 것이 좋으며 이 경우 광배근피판latissimus dorsi myocutaneuos flap을 주로 사용한다. 종양이 늑골을 침범한 경우 동반절제를 하게 되는데 2개 이상의 늑골을 절제하게 되면 보형물prosthetic material을 사용하여 결손을 채우는 것이 좋다.

유방절제술 후 유방재건은 시기에 따라 절제술과 동시에 하는 즉시재건과 절제술 후 6개월 내지 수 년이 경과한 후에 하는 지연재건이 있다. 조기 유방암의 경우 동시에 시행할 수 있으나 진행성 유방암인 경우 일반적으로 수술 후 보조방사선치료가 끝나고 한다. 최근 동시복원을 시행하는 경우가 증가하면서 유방절제술의 범위에 있어 변형된 술식이 도입되고 있으며 그 중 특히 피부와 유두유륜 복합부의 절제범위에 대해 변화가 생겼다. 피부보존유방절제술과 유두-유륜복합체 및 피부보존유방절제술인데 이 경우 가장 만족스러운 결과를 보여준다(그림 4-49). 유방재건은 조직확장기와 삽입물expander/implant을 이용하는 방법이 있고 자가조직을 사용하는 방법이 있다. 자가조직은 몇 가지 방법이 이용되나 복직근피판rectus abdominis myocutaneous flap과 광배근피판이 가장 많이 사용된다. 광배근피판은 흉배동맥thoracodorsal artery으로부터 혈류를 공급받으며 주로 유경피판이며 복직근피판은 횡복직근피판Transverse Rectus Abdominis Myocutaneous

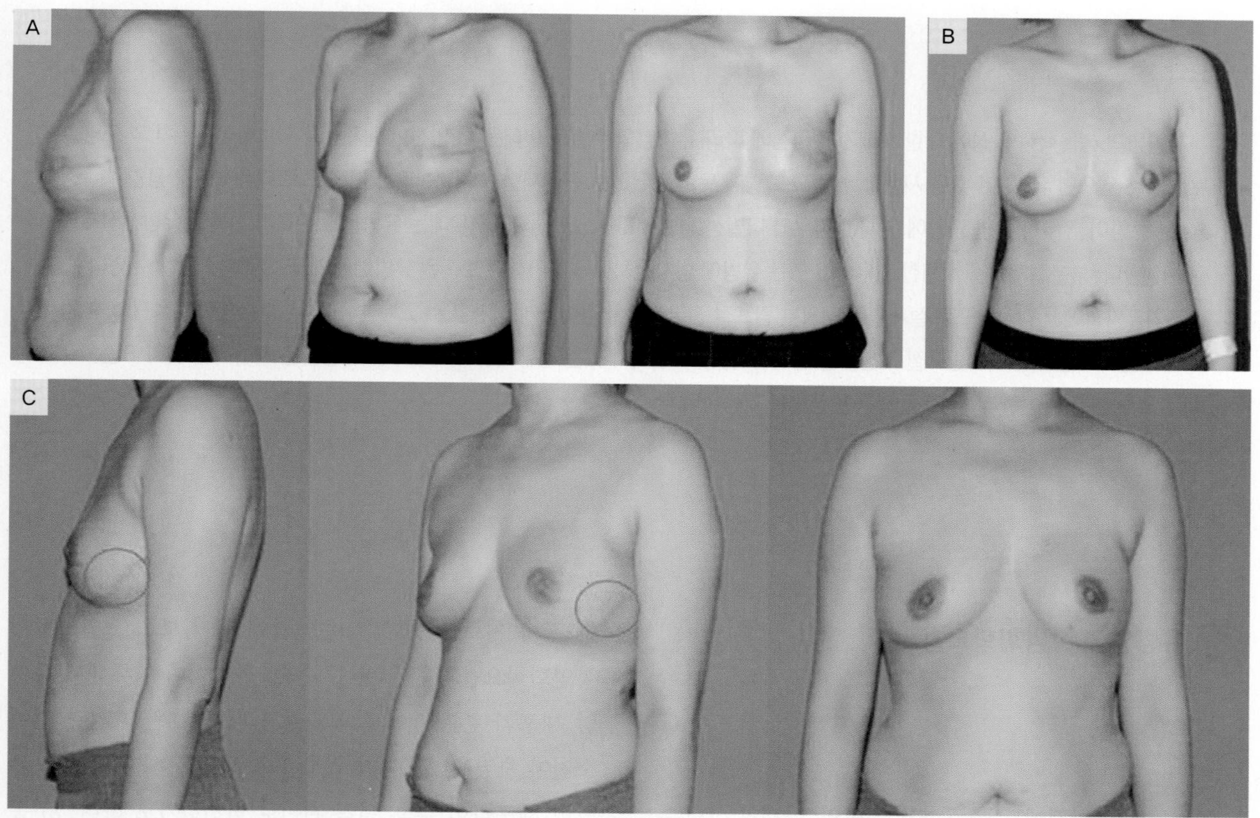

그림 4-49 **피부보존유방절제술 및 유두-유륜복합체 피부보존 유방절제술.** A) 피부보존 유방절제술 후 삽입물을 넣은 후의 모습. B) 유두유륜복합부 재건 후의 모습 C) 유방하 주름(붉은 동그라미)을 이용한 유두-유륜복합체 피부보존유방절제술 후 삽입물을 넣은 후의 모습

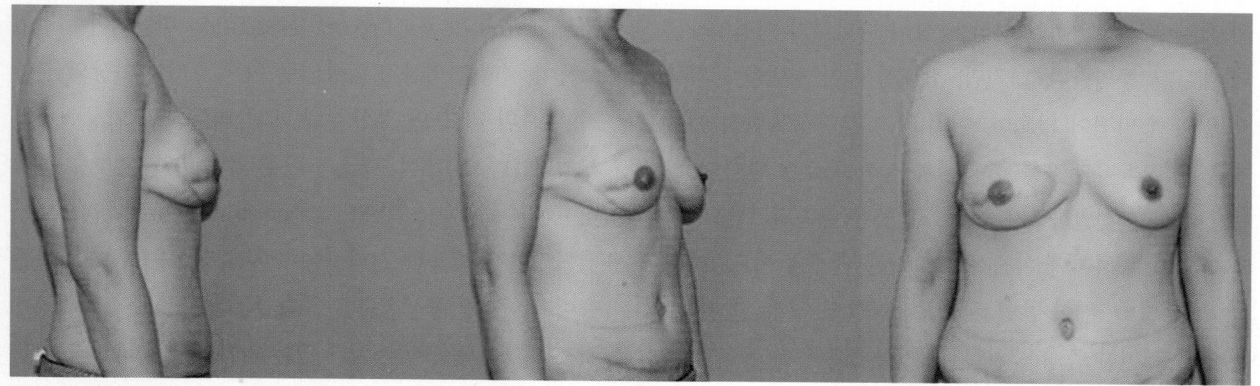

그림 4-50 **유방전절제술 후 횡복직근피판을 이용한 재건 후의 모습**

(TRAM) flap을 주로 사용하는데 유경피판의 경우 심부하복벽동맥deep inferior epigastric artery로부터 혈류공급을 받는다(그림 4-50). 최근에는 유리횡복직근피판free TRAM flap을 많이 사용한다.

요약

유방암의 생물학적 특성에 대한 이해가 깊어짐에 따라 유방암의 수술도 변해왔다. 안전한 절제연을 확보하면서 유방의 모양을 보존할 수 있으면 유방보존술을 시행할 수 있고 그렇지 못한 경우에는 전절제술을 시행한다. 일반적으로 미세석회가 광범위한 경우, 큰 종양이 유두하 유방 중앙에 위치한 경우와 다발성 병변multicentricity인 경우에는 유방을 보존하기 힘들고 유방전절제술을 시행한다. 부분절제술을 시행한 경우 남아있는 유방에 방사선치료를 추가해야 보존된 유방에서의 국소재발을 줄일 수 있다.

조기유방암에서 감시림프절 절제술은 액와부 림프절 전이상태를 정확하게 평가할 수 있는 술식이다. 감시림프절 절제술 후 검사에서 전이가 없으면 액와림프절 곽청술을 생략할 수 있고 전이가 있는 경우에는 액와림프절 곽청술을 시행하는 것이 표준치료이나, 일부 환자에서는 액와림프절 곽청술 생략이 가능하다.

VIII 유방암의 항암화학요법

1. 서론

국소치료의 발전에도 불구하고 유방암 환자의 상당수는 진단 5-10년 후에 전이를 겪게 되고 이로 인한 사망이 주된 사인으로 꼽힌다. 최근까지의 연구를 통해서 전이는 유방암 발생 초기에 시작된다고 여겨지고 있으며, 대부분의 환자에서 본격적인 임상 양상이 나타나기 이전이라는 데 대부분 동의한다. 하지만, 잠재한 전이 병변을 정확하게 알아낼 방법이 없으며, 여러 가지 분자생물학적 예후 예측 인자와 유전자를 이용해서 전신 치료를 받아야 하는 환자들을 선별하고자 하는 노력들은 계속되고 일부 성과가 있기는 하지만 아직까지 완전한 단계에 이르렀다고 할 수는 없다. 전이가 있는 4기 유방암인 경우 전신치료는 암으로 인한 증상을 완화시키거나 생존율을 높이기 위해서 사용된다. 일반적으로 치료 불가능한 환자의 상태를 개선하기 위해서 효과적으로 사용되는 약제는 초기 유방암 환자에게도 긍정적인 효과를 미칠 것으로 여겨진다. 보조 요법adjuvant therapy의 정의는 고형암 치료에 있어 근치 목적의 국소치료인 수술 후 순환혈액 또는 림프관 내 미세전이 암세포에 의한 재발을 최소화하기 위해 시행하는 후속 치료를 뜻한다. 유방암에 있어 보조 요법으로서 항암화학요법의 근거는, 1) 수술 당시 이미 혈류에서 유방암 세포가 존재함이 확인되었고 때때로 원격 기관 전이 소견이 보였고, 2) 이미 혈류를 통해 미세하게 전이된 유방암 세포들이 추후 원격 전이로 발전하기도 하며, 3) 동물 실험에서 암 수술 후 시행한 전신항암화학요법이 좋은 결과를 보였다는 점이다. 유방암에서 보조 요법의 효과에 대해서 1970년대 초반 National Surgical Adjuvant Breast and Bowel Project (NSABP)와 이탈리아 Milan 그룹이 시행한 역사적 임상연구 이후, 100개 이상의 전향적 무작위 비교 연구와 수백 개의 비무작위 임상연구가 시행되었다. 1975년 Fisher 등은 수술만 받은 대조군에 비하여 수술 후 L-PAM (melphalan)을 6주 간격으로 5일씩 2년간 사용한 시험군에서 무병생존율 및 전체생존율이 의미있게 향상함을 관찰하였는데(NSABP B-05) 특히 폐경 전, 림프절 전이가 있는 환자에서 효과가 있음을 발표하였다. 한편 Milan의 Bonadonna 등은 1973년 2월부터 1975년 9월까지 386명의 환자를 대상으로 무작위 연구를 시행하여 그 결과를 1976년에 발표하였다. 이 연구에서는 림프절 전이가 있는 유방암 환자를 수술만 시행한 군과 수술 후 CMF (cyclophosphamide+methotrexate+5-fluorouracil) 항암화학요법을 12개월간 시행한 군으로 나누어 비교해 본 결과 CMF군에서 생존율이 의미 있게 증가함을 증명하였다. 이후 CMF요법은 현재까지도 유방암의 보조항암화학요법에 있어 표준적인 요법의 하나로 사용된다. 또한 이러한 생존율의 증가는 10년 이상 추적한 결과에서도 계속 확인되었으며, 6개월간의 치료와 12개월간의 치료가 효과 면에서 거의 동일하여 6개월의 CMF요법이 표준항암화학요법으로 받아들여지고 있다. 환자 각 개인별 재발 위험도와 상관없이 보조 요법의 추가로 비치료군에 비해 치료군에서 상대적 재발률과 사망률이 25% 감소하였다. 약물 치료의 절대적 이익은 재발 위험도가 높은 군에서 유의하게 더 높았으나, 상대적인 이익은 재발 위험도가 높은 군과 같은 정도로 보고되었다.

2. 보조항암화학요법의 연구결과와 지침

1) Early Breast Cancer Trialists' Collaborative Group (EBCTCG) 메타분석

1980년대에 설립된 EBCTCG는 세계적으로 유방암 환자에게 시행된 무작위임상시험의 자료를 5년마다 모아 보고하고 있다. 2005년 194개의 무작위 임상연구를 종합한 메타 분석 자료를 발표하였는데, 144,939명의 환자에서 다제 병용 약물요법에 의해 치료를 받거나, 치료를 시행하지 않은 경우를 15년간 추적 관찰한 자료를 종합하였다. 그 결과에 따르면, 1) 단일 제제에 의한 치료보다는 다제 병용 약물요법이 보다 효과적이었다. 2) 다제 병용 약물요법의 치료기간을 비교한 경우 치료기간이 길다고 반드시 치료 효능이 높지는 않으며 대개 6-8개월 정도 항암치료 기간이 적절하다. 3) 다제 병용 약물요법에 의해 폐경기 전후 여성 모두에서 재발률과 사망률이 모두 감소하였고, Anthracycline 포함 항암화학요법 후 타목시펜tamoxifen을 투여하는 것이 50세 미만의 여성에서 사망률을 50% 이상 낮추었다. 4) 사망률 및 재발률의 감소 정도는 림프절 양성, 음성 환자 모두에서 같았다. CMF 요법과 비교하여, anthracyclines은 사망률을 16% 감소시키고 재발률을 11% 개선시킨다. 1973년부터 2003년까지의 무작위 임상실험의 결과를 집대성하여 2012년에 발표된 EBCTCG의 분석에 의하면, 여러 가지 항암제 병합요법을 비교한 연구에서 위험도가 높은 경우일수록 항암제 효과가 더 많이 기대되고, 항암제를 사용하지 않는 것보다 CMF 또는 표준 AC 항암제를 투여하는 것이 수술 후 8년째 재발률을 1/3정도 감소시키고, 유방암으로 인한 사망률을 20-25% 감소시키는 것으로 나타났다. 탁산과 아드리아마이신 병합 또는 고용량 요법이 10년 사망률을 평균 1/3 정도 개선한 모습을 보이는 등 항암제의 사용으로 유방암 사망률이 추가적으로 약 15-20% 정도 감소한다고 보고하였으나, 유전자 표현형에 대한 정보가 빠져 있는 것이 단점으로 지적된다. 또, 탁산이 포함된 병합요법이 표준 AC 요법보다는 우월하지만 anthracyclines 요법보다 우월하다고 할 수 없다고 지적했다. 2015년 발표에 따르면, 치료가 시작될 때 폐경기인 환자는 보조 비스포스포네이트 치료를 통해서 골 전이 감소를 기대할 수 있고, 유방암 생존율이 향상된다.

2) 미국 국립보건원 보조요법 가이드라인

2001년 미국 국립보건원National Institutes of Health (NIH)의 NIH Consensus Conference 이후 현재 미국의 NCCN 가이드라인에서는 70세 이하의 침윤성 유방암 환자에서 원발 종양의 크기가 1cm 이상인 경우는 액와 림프절의 전이 유무와 상관 없이 보조항암화학요법을 추천하고 있으며, 호르몬수용체 양성인 환자의 경우는 연령, 폐경 유무, 액와 림프절 전이 여부, 종양의 크기에 상관없이 보조 호르몬 치료를 제시하고 있다. 특히 2006년 가이드라인부터는 HER-2 발현 여부에 따라서 보조 요법을 다르게 제시하고 있다. 가장 최근인 2015년에 개정된 가이드라인은 다양한 표적 항암제의 적용에 대한 정보를 담고 있다.

3) St. Gallen International Expert Consensus Guideline

St. Gallen 회의에서는 에스트로겐수용체, 프로게스테론 수용체, HER-2 등의 발현 여부에 따라서 분류된 환자군별로 사용 가능한 모든 보조 치료를 하도록 권장하고 있으며, 보조항암화학요법의 투여 시기는 근치수술 후 4주 이내에 시작하는 것이 원칙이다. 2015년 회의에서 결정된 보조항암화학요법을 시행하여야 할 상대적 적응증으로는 조직 등급 3, 4개 이상의 액와 림프절 전이, 낮은 호르몬 수용체 염색 결과, 높은 Ki-67 지표, 광범위한 림프혈관 침윤, 35세 미만, 그리고 액와 림프절 전이가 순서대로 선택되었다. Luminal A형은 항암제의 효과가 적을 것으로 판단했지만, 4개 이상의 액와 림프절 전이가 있는 경우에는 필요하다고 보았고 다만 다른 인자들에서는 패널의 50% 미만에서 항암제 사용을 지지했다. Luminal B형에서도 위험 요소가 반영된 경우에만 항암제 치료가 필요하다고 보았으며, 낮은 Oncotype Dx® 점수/ 저위험도 Mammaprint/ 낮은 PAM50 재발 점수인 경우에는 항암제를 배제할 수 있다고 하였다. HER2-음성 Luminal B형에서는 안쓰라사이클린과 탁산이 포함된 항암제의 사용을 권고하였다. 약 반수의 패널들은 용량 밀도요법dose dense regimen이 필요한 고 위험군이 존재할 가능성을 인정하였다. 삼중음성암인 경우에는 안쓰라사이클린과 탁산이 모두 함유된 용법의 채택을 권유하였고, BRCA 돌연변이가 확인된 경우에만 platinum 기반 항암제 사용을 권고하였다. 하지만, 그렇다고 해서 *BRCA* 돌연변이가 있는 환자에서 안쓰라사이클린이나 탁산 기반 요법이 효과가 없다는 의미는 아니다. HER2 과발현형인 경우에는, 병기 2이면서 HER2 표적치료가 필요한 환자에게는 반드시 항암제 치료를 해야 한다고 권고하였다. 또한 이들 항암제에는 안쓰라사이클린이나 탁산이 포함되어야 한다고 하였으며, T1b이상이면서 HER2 결과가 양성으로 확인된 경우(ASCO/CAP 기준에 의해서), HER2 표적치료를 시행해야 한다고 결정하였다. 다만 항암제에 반드시 안쓰라사이클린이 포함되어야 한다는 의견은 약 절반에 그친 반면 2/3이상에서 파클리탁셀과 트라스투주맙 병용요법이 대안이 될 수 있음을 지적하였다. T2 이상이면서 4개의 액와 림프절 전이가 있는 경우에, 트라스투주맙과 퍼투주납 병용요법이 필요하다고 인정한 패널은 1/5 정도에 그쳤다. 병기 2인 HER2 과발현 환자에게, 선행화학요법으로 탁산+트라스투주맙+퍼투주맙 병합을 권유한 비율은 23%에 그쳤지만, '안쓰라사이클린 → 탁산과 HER2 표적치료 병합'을 지지한 응답은 반 수를 넘었다. 삼중음성암에서 선행화학요법 결정에는 대다수가 안쓰라사이클린 → 탁산 요법을 지지했다. 패널의 2/3에서 Luminal A형에서는 보존적 수술이 불가능한 경우에만 선행화학요법을 사용할 것을 권유하였다. 항암제 선정과 관련하여 40세 미만의 여성은 모두 *BRCA* 검사를 진행하여야 한다고 결정하였다. 이번 회의에서는 처음으로 보조항암요법으로서의 비스포스포네이트bisphosphonates의 사용에 대해서 논의하였는데, 보조 내분비요법을 받고 있는 폐경기 이후 여성에서의 사용을 지지한 비율은 58%였지만, 황체호르몬분비호르몬(LHRH)과 타목시펜을 함께 사용하고 있는 폐경기 이전 여성에서는 사용을 지지한 비율이 44%에 그쳤다. 단, LHRH를 사용하지 않는 경우에는 사용하지 말아야 한다. 또, denosumab을 대체제로 사용해서도 안 된다. 표 4-20는 현재 주로 사용되고 있는 보조항암화학요법 제제들이다.

3. 항암제의 용량밀도, 용량강도 및 부작용과 독성

유방암 치료에 사용되는 대부분의 보조항암화학요법은 두 세 가지 약제를 병합 사용하는 복합요법이며 3-4주 간격으로 반복하여 투여한다. 이렇게 여러 약제를 동시에 사용하는 까닭은 독성을 중첩되지 않게 회피함과 동시에 서로 다른 기전으로 암세포를 공격하고자 하는 이론적 배경이 깔려 있다.

1) 용량밀도

용량밀도dose density요법은 항암제의 투여간격을 1-2주로 줄여서 투여하여 항암제의 혈중 농도를 높게 유지하고 항암제에 대한 암세포의 노출시간을 늘려서 치료효과를 극대화하고 내성을 최소화하려는 치료법이다. CALGB

표 4-20. 유방암의 보조항암화학요법

용법	용량(mg/m²)과 투여방법	투여간격(일)	주기
Oral CMF(표준)	Cyclophosphamide 100, PO 1-14일 Methotrexate 40, IV 1, 8일 5-FU 600, IV 1, 8일	28	6
IV CMF	Cyclophosphamide 600, IV 1일 Methotrexate 40, IV 1일 5-FU 600, IV 1일	28	9-12
AC	Doxorubicin 60, IV 1일 Cyclophosphamide 600, IV 1일	21	4
EC	Epirubicin 100, IV 1일 Cyclophosphamide 830, IV 1일	21	6
TC	Docetaxel 75, IV 1일 Cyclophosphamide 600, IV 1일	21	4
Oral CAF	Cyclophosphamide 100, PO 1-14일 Doxorubicin 30, IV 1, 8일 5-FU 600, IV 1, 8일	28	6
IV CAF	Cyclophosphamide 500, IV 1일 Doxorubicin 50, IV 1일 5-FU 500, IV 1일 또는 Cyclophosphamide 500, IV 1, 8일 Doxorubicin 50, IV 72시간동안 5-FU 500, IV 1일	21-28	6
Oral CEF	Cyclophosphamide 75, PO 1-14일 Epirubicin 60, IV 1, 8일 5-FU 500, IV 1, 8일	28	6
IV CEF	Cyclophosphamide 500, IV 1일 Epirubicin 100, IV 1일 5-FU 500, IV 1일	21	6
A-CMF	1-4 주기: Doxorubicin 75, IV 1일 5-8 주기: Cyclophosphamide 600, IV 1일 Methotrexate 40, IV 1일 5-FU 600, IV 1일	21	8
E-CMF	1-4 주기: Epirubicin 100, IV 1일 5-8 주기: Cyclophosphamide 600, IV 1일 Methotrexate 50, IV 1일 5-FU 600, IV 1일	21	8
AC-P	1-4 주기: Doxorubicin 60, IV 1일 Cyclophosphamide IV 600, IV 1일 5-8 주기: Paclitaxel 175, IV 1일	21	8
A-P-C	1-4 주기: Doxorubicin 60, IV 1일 5-8 주기: Paclitaxel 175, IV 1일 9-12 주기: Cyclophosphamide 600, IV 1일	21	12
TAC	Cyclophosphamide 500, IV 1일 Doxorubicin 50, IV 1일 Docetaxel 75, IV 1 일	21	6

9741 연구에서는 2주 간격으로 4회 AC 후 4회 paclitaxel을 시행한 군에서, 기존의 3주 간격으로 4회 AC 후 4회 paclitaxel을 투여한 군보다, 무병 생존율 및 전체 생존율이 유의하게 향상하였다. 그러나 현재까지 임상시험들을 검토해 볼 때 용량밀도요법이 기존의 복합항암화학요법과 비교하여 유의미하게 우수한 치료효과를 보인다는 증거는 없다.

2) 용량강도

용량강도dose intensity요법은 표준용량보다 많은 양의 항암제를 투여하여 치료효과를 높이려는 치료법이다. CALGB 9344 연구에서 anthracycline의 용량을 60, 75, 100mg/m^{2}로 증량시킨 결과 세 군 사이에서 치료효과의 차이를 발견할 수 없었다. NSABP B-22, B-25 연구에서는 anthracycline의 용량은 고정하고 cyclophosphamide의 용량을 600-2,400mg/m^{2}로 증량시켜도 치료효과의 차이를 발견할 수 없었다. 표준용량 이하의 항암제를 투여할 경우 치료효과가 떨어지지만 특정 한계를 넘는 투여량은 치료효과가 증가되지 않고 오히려 부작용만 증가시킨다. 따라서 anthracycline의 경우 450mg/m^2, epirubicin의 경우 750mg/m^{2}인 표준 추천 누적용량을 초과하지 않도록 주의해야 이들 약제의 영구적이고 비가역적인 심근독성으로 인한 사망 등 매우 심각한 부작용의 발현을 방지할 수 있다.

3) 부작용과 독성

현재 사용되는 보조항암화학요법들은 어느 정도의 독성이 있지만 표준용량을 투여하고 적절하게 관리할 경우 항암화학요법으로 인한 독성으로 사망하는 경우는 매우 드물다. 흔하게 나타나는 부작용들은 위장관계 부작용, 피부에 대한 부작용과 골수기능 저하로 인한 부작용으로 나눌 수 있다. 첫째, 위장관계 부작용으로는 오심, 구토와 구내염, 구강건조증과, 점막염, 설사, 변비 등이 있다. Anthracycline (topoisomerase II 억제제이고 항대사제 antimetabolites)의 경우 오심, 구토가 가장 심하여 구내염도 자주 동반된다. 대부분의 구내염은 항암제 주사 후 5-7일 안에 생기며 대개 2주 내에 회복된다. 또한 항암제로 인해 장 점막이 영향을 받으면 수분 흡수가 제대로 되지 않아 설사가 생길 수 있으며 항암제 치료 도중 음식과 수분 섭취가 부족하거나 활동량이 감소하면 변비가 생길 수도 있다. 둘째, 피부에 대한 부작용으로는 탈모, 피부착색과 수족구병 등이 나타날 수 있다. Anthracycline의 경우 탈모는 거의 100%에서 관찰되고 전반적으로 다 빠지는 양상이지만, methotrexate로 인한 탈모는 부분 탈모의 형태로 나타나는 경우가 많다. 탈모는 보통 치료 후 2-3주 안에 시작되고 치료가 종료된 후 6-8주 정도면 머리카락이 다시 나기 시작하지만 회복되는 정도는 환자 개개인의 상황에 따라서 매우 다르다. 항암제로 인해 발적, 부종, 물집, 피부박리, 여드름 등이 생길 수 있고 손톱, 발톱이 진한 갈색이나 검은 색으로 착색되며 쉽게 갈라지고 부서질 수 있다. 셋째, 골수기능 저하로 인한 백혈구, 적혈구, 혈소판 수치가 감소하면서 감염, 출혈과 빈혈이 나타날 수 있다. Docetaxel의 경우에서 가장 흔하게 나타나며 보통 항암제 주사 후 10-14일 사이에 절대 호중구 수치가 가장 많이 떨어진다. 절대 호중구 수가 500개/mL 미만으로 감소하고 동시에 38℃ 이상의 고열을 동반한 열성 호중구 감소증의 경우 감염의 위험성을 방지하기 위해서 광범위하게 그람 음성균을 커버할 수 있는 경험적 항생제를 투여해야 한다. 이때 항암제의 종류에 따라서 환자의 호중구 생산 회복을 돕기 위해서 pegylated G-CSF를 사용하기도 한다. 또 2-3주 후면 적혈구의 생산이 저하되어 빈혈이 올 수 있는데, 이 경우에는 darbepoetin-α 주사를 사용하는 경우도 있다. 전이성 유방암에 단독으로 사용될 경우 45-80%까지 반응을 보이는 Anthracycline의 경우 약물이 심근에 영구히 남게 되므로 축적 용량에 따라서 치명적인 비가역적 심독성이 1.5-3% 나타날 수 있으므로 세심한 주의가 필요하며 정기적인 심근 기능 검사(심장 초음파)를 시행하여야 하며, 지연성 손상이 나타나는 경우도 있으므로 특히 고령 환자의 경우 매우 조심하여야 한다. 또한 1% 미만에서 백혈병이 나타날 수도 있다. Trastu-

표 4-21. 전신보조요법의 선택

	화학호르몬요법 고려		호르몬요법 단독 고려
임상병리학적 요소			
호르몬수용제	저 농도		고 농도
조직학적 등급	3등급	2등급	1등급
분화도	고	중등도	저
림프절 전이	양성(≥4)	양성(1-3)	음성
종양 주위 혈관 침윤	양성		음성
종양의 크기	>5cm	>2cm, ≤ 5cm	≤ 2cm
환자 선호도	모든 치료에 개방		화학요법 거부
다수유전자분석 - 재발 score	고위험도(score ≥ 30)	중간위험도(score 18-30)	저위험도(score ≤ 18)

zumab 또한 심독성을 일으킬 수가 있어 anthracycline과 동시에 사용하는 것은 금기이지만, 단독으로 사용하는 경우에 때로 심장 기능 저하가 나타날 수 있으나 anthracycline 경우와 다르게 일시적으로 나타나는 경우가 대부분이어서 회복되기를 기다렸다가 치료를 재개할 수 도 있다. Paclitaxel의 경우 근육통을 동반한 관절 및 신경 계통의 증상이 빈발하는 반면, docetaxel의 경우는 급격한 체중 증가를 동반하는 체액 저류가 관찰되기도 하므로 이들 항암제 투여 전에 시행하는 전처치 약물 사용을 환자에게 잘 이해시켜야 한다. 항암치료로 인한 체중 증가를 호소하는 환자들도 많은데 체중 증가의 원인으로는 식습관의 변화, 운동량 감소, 대사율의 감소 등이 복합적으로 관여한다. 그 외, 항암제의 혈관 밖 유출, 골다공증, 안면홍조, 질건조증, 기억력의 저하나 집중력 저하 등의 인지장애, 출혈성 방광염, 과민반응 등이 있을 수 있다. 특히, 항암제의 혈관 밖 유출은 피부 괴사와 혈관 손상으로 이어지므로, anthracycline 함유 처방인 경우 치료 시작 전에 케모포트chemoport를 삽입하여 이곳으로 약제를 주사하는 것이 안전하다.

4. 보조항암화학요법 투여 결정

1) 병리학적, 생물학적 예후인자

종양의 크기, 림프절 전이 상태, 호르몬수용체 발현여부, HER-2 유전자, 핵 등급 또는 조직 등급 등 알려진 예후 예측 인자들의 평가를 통해 재발위험도를 평가하여 결정한다(표 4-21). 대부분의 환자에게 적용되고 있는 지침은 인구 기반 통계population-based statistics에 기초하여 작성된다. 지금까지 제시된 여러 가지 임상 지침을 종합하면, 병기 1의 환자는 호르몬 수용체 양성인 경우에 유전자 분석을 고려하고 그에 따른 내분비 치료를 항암치료와 병합할 지 여부에 대해서 판단하도록 하고, 수용체 음성일때 1cm을 초과하면 항암제 치료를 시행하고, 1cm 미만이라면 항암치료를 할 수도 있다고 권장한다. 병기 1에서 1cm으로 초과하는 HER-2 과발현형인 경우에는 항암제와 trastuzumab으로 치료하도록 한다. 병기 2중에 림프절 음성인 경우에는 수용체 양성인 경우에는 유전자 분석을 고려하고, 내분비치료를 항암치료와 병행할지 여부에 대해서 상의하고, 음성인 경우에는 항암치료를 시행하도록 한다. 이때, HER-2 과발현형에서는 병기 1에서와 동일하게 진행한다. 병기 2면서 림프절 전이 양성인 경우와 병기 3이라면, 수용체 양성에서는 항암제 치료 후 내분비 치료를 받도록 하고, 수용체 음성에서는 항암치료를 권장하는데 진행 중이거나 최신 임상 연구 결과를 참고하는 것이 바람직하며, HER-2 과발현형에서는 항암치료와 trastuzumab 처방을 병행하는데, HER-2 이중 표적치료제를 이용하는 선행화학요법을 고려할 수 있다.

온라인 상에서 사용할 수 있는 평가 방법의 하나로 Adjuvant! Online (www.adjuvantonline.com)을 들 수 있는데, 10년 내 유방암 재발과 유방암 관련 사망률에 대한 개인별 위험도를 손쉽게 산출할 수 있게 도와준다. 이는 많은 부분에 있어서 SEER 암 등록 자료에 근거해서 만들어진 모델이다. 여기에 들어간 인자들로는 나이, 동반 질환, ER, 조직 등급, 암의 크기, 림프절 전이 여부 등이 들어가 있다. 이 모델은 암 등록 자료에 근거해서 만들어져서 자체적인 결함을 내포하고 있을 문제점이 내재되어 있고, 35세 미만 젊은 여성의 위험도가 가중되어 있지 않으며, HER-2 값이 빠져 있는 것이 큰 결점으로 지적된다.

2) 국제적 치료권고안

대표적인 예로 NCCN과 St. Gallen Consensus에서 나온 치료권고안이 있으며, 치료방침을 객관적으로 결정하는데 많은 도움을 준다.

3) 유전자 분석연구

(1) Oncotype Dx®

250개의 후보 유전자 중에서 선별하면서 개발된 방법으로, 파라핀고정조직paraffin-fixed tissue을 이용하여 RT-PCR 방법을 통해 21개의 유방암 재발관련 유전자를 분석해서 재발점수Recurrence Score (RS)를 얻을 수 있다. 재발가능성에 따라 저위험군(RS 18), 중간위험군(RS 18-31), 고위험군(RS 31)으로 나눌 수 있다. NSABP B-14(수용체 양성이고 림프절 전이 음성)와 B-20 연구에서 RS는 유의한 예후인자인 것으로 밝혀졌고, 저위험군을 선별하는데 더 효과적으로 알려져 있어서 항암제 치료를 회피할 가능성이 있는 예후가 양호한 환자들을 선별하는데 사용되고 있다. 중간위험군에서 항암치료 시행 여부에 대한 결론을 구하는 협동연구인 TAILORx 임상은 환자 등록이 완료되어서 결과를 기다리고 있다.

(2) Mammaprint®

신선동결조직fresh frozen tissue을 이용하여 70개의 유방암 관련 유전자를 분석해서 항암화학요법이 필요한 고위험군과 항암화학요법이 필요 없는 저위험군으로 분류할 수 있다. 이 검사를 통한 분류는 연구를 통해 원격전이의 위험을 예측할 수 있는 강력한 예후인자임이 확인되었다. 추가적으로 전신보조항암화학요법을 결정할 때는 재발위험도의 정확한 평가가 있어야 하고 임상시험으로 확인된 전신보조항암화학요법의 효과와 사용하려는 약제의 치료효과에 대한 정확한 지식과 풍부한 경험이 필요하다. 또한 면담을 통한 환자들의 선호도를 고려하여 개개인에게 맞는 치료를 제공할 수 있다.

5. Anthracycline을 포함한 보조항암화학요법

1995년 overview 분석은 11개의 연구에서 6,950명의 자료를 분석하여 anthracycline을 근간으로 하는 요법이 CMF 등 non-anthracycline 요법에 비해 작지만 유의한 재발률 및 사망률의 감소를 나타냄을 보고하였으며, 이에 근거하여 2001년 NIH Consensus Conference에서도 anthracycline 요법의 우월성을 명시하였다. 또한 최근 보고된 2000년 overview에서도 14,000명의 자료를 분석하여 동일한 결과를 보여 주었고 재발률의 감소는 5년에 absolute difference 3%, 10년에 4%였다. 이는 고령에서도 젊은 연령과 마찬가지로 동일한 결과였다. 그러나 anthracycline 를 근간으로 하는 요법은 구토, 탈모, 골수억제 등이 대체적으로 심하며 이차성 백혈병, 골수이형성증의 발생빈도가 CMF 요법보다 높은 것으로 보고되고 있다. 그리고 anthracycline 포함요법과 CMF를 비교한 연구들은 대부분 폐경 전 혹은 비교적 젊은 폐경 후 환자와 액와림프절 양성 환자를 대상으로 시행되어 재발 가능성이 낮은 환자에서 반드시 anthracycline을 사용해야 하는지는 논란이 될 수 있다. 실제로 일부 전향적 연구에서는 anthracycline 요법이 CMF를 근간을 하는 요법보다 우월한 결과를 보여주지 못하였으며 재발 위험이 낮은 환자의 경우 anthracycline을 근간으로 하는 요법이 CMF 요법 등과 비교하여 재발률 감소의 정도가 매우 적었다. HER-2의 발현과 보조항암화학요법의 효과를 분석한 연구 들을 살펴보면 NSABP B-15의 연구에서 HER-2 양성 환자의 경우 CMF보다는 AC (anthracycline cyclophosphamide)를 시행하는 것이 더 효과적이었다. 또 CALGB 8541 연구에서는 HER-2 양성환자에서 anthracycline을 고용량 사용한 경우 치료성적의 향상을 나타내었다. 결론적으로 10년 무병생존율이 80-90% 정도의 저위험군 환자에서는 CMF 6회 혹은 AC 4회를 선택할 수 있으며 액와림프절 음성이고 HER-2 양성 등 고위험군의 경우 anthracycline 포함 요법인 FEC(5-fluorouracil+epirubicin+cyclophosphamide), CAF (cyclophosphamide+adriamycin+5-fluorouracil) 6회를 고려하는 것이 적절하겠다.

6. Taxanes 제제를 포함한 보조항암화학요법

전이성 혹은 재발성 유방암에서 taxanes (microtubule 저해제) 계열 항암제(docetaxel, paclitaxel)를 단독 혹은 다른 항암제와 병용하여 사용할 경우 기존의 anthracycline 계열 항암제를 중심으로 하는 요법보다 높은 관해율을 보여주었고 생존 기간의 향상도 보고되어 taxanes 계열 항암제는 유방암에 대해 가장 효과적인 약제로 받아들여지고 있다. 따라서 anthracyclines 저항성 유방암에도 효과적으로 사용된다. 메타분석을 통해서 무병생존율(위험률 0.83; 95% 신뢰구간, 0.79-0.87; p<0.0001), 총생존율(위험률 0.85; 95% 신뢰구간, 0.79-0.91; p<0.0001)로 뚜렷하게 치료 성적이 개선됨을 확인할 수 있었다. 이에 따라서 docetaxel이나 paclitaxel을 유방암의 보조항암화학요법에 사용하여 치료 성적을 향상시키려는 시도가 활발히 진행되었고 일부 연구에서는 좋은 성적을 보고하고 있다. 특히 taxane과 교차내성이 없는 것으로 알려진 anthracycline의 병용요법이 주로 시도되고 있다. 파클리탁셀의 경우에 투여 시기가 매우 중요하며, 자주 투여하는 것이 더 효과가 좋은 것으로 나타난다. Taxane 제제를 보조항암화학요법에 사용하는 방법에는 첫째, anthracycline을 함유하는 요법을 시행한 후 taxane 제제를 사용하는 순차적인 방법sequential approach과 둘째, anthracycline 과 taxane 제제를 동시에 사용하는 병용하는 방법concurrent approach과 셋째, anthracycline을 배제하고 taxane 제제로 대체 하는 방법replacement approach이 있다. 탁산의 사용과 관련되어 유의하게 문제가 되는 영구적인 장애로 남을 수 있는 부작용은 말초신경질환이다. 유방암에서 taxane을 포함하는 대표적인 보조항암화학요법의 무작위 연구결과를 표 4-22에 요약하였다.

1) 순차적 투여

가장 대표적인 연구는 CALGB 9344로서 3,170명의 림프절 양성인 환자를 대상으로 4회 AC를 시행한 군과 4회 AC 요법 후 4회 paclitaxel을 추가한 군을 비교하여 69개월의 추적결과 paclitaxel을 추가한 군에서 무병생존기간 및 전체 생존기간이 유의하게 향상됨을 보고하였고, 호르몬수용체에 따른 분석결과 재발감소의 효과는 호르몬수용체 음성인 경우에 국한되었다. 두 번째 연구는 NSABP B-28로서 3,060명의 림프절 양성 환자를 CALGB 9344와 유사한 방법으로 64개월의 추적결과 paclitaxel을 추가한 군에서 무병생존율이 유의하게 향상하였으나 전체 생존율에는 유의한 차이가 없었다.

2) 동시병용 투여

BCIRG 001 연구에서는 1,491명의 림프절 양성인 환자를 대상으로 6회 CAF를 시행한 군과 6회 TAC (docetaxel+anthracycline+cyclophosphamide)를 시행한 군을 비교하여 55개월의 추적 결과 TAC 군에서 무병생존율 및 전체 생존율이 유의하게 향상하였고 호르몬수용체 분석결과 수용체 양성여부에 상관없이 모든 경우에 증가하였다.

3) 대체 투여

최근 U.S. Oncology group이 1,016명의 조기 유방암 환자를 대상으로 4회 AC를 시행한 군과 4회 TC (docetaxel+cyclophosphamide)를 시행한 군을 비교하여 7년의 추적 결과 TC 군에서 무병생존율 및 전체 생존율이 유의하게 향상하였고 이는 젊은 환자뿐 아니라 65세 이상의 환자

표 4-22. Taxane을 포함한 보조항암화학요법 임상시험 결과

순차적 요법					
임상시험	환자군	대상자수 (명)	연구내용	중앙 추적관찰기간 (개월)	무병생존율, 사망 위험도 (Taxane / No Taxane)
CALBG 9344	림프절 전이 양성	3,121	AC vs. AC-P	60	0.83* / 0.82*
NSABP B-28	림프절 전이 양성	3,060	AC vs. AC-P	60	0.83* / 0.93
PACS01	림프절 전이 양성	1,999	FEC vs. FEC-T	60	0.82* / 0.73*
GEICAM 9906	림프절 전이 양성	1,246	FEC vs. FEC-P	66	0.77* / 0.78
TACT	림프절 전이 양성 또는 림프절 전이 음성 고위험군	4,162	FEC vs. E-CMF vs. FEC-T	51.8	0.97 / 0.98
동시병용 요법 또는 대체 요법					
임상시험	환자군	대상자수 (명)	연구내용	중앙 추적관찰기간 (개월)	무병생존율, 사망 위험도 (Taxane / No Taxane)
BCIRG 001	림프절 전이 양성	1,491	FAC vs. TAC	55	0.72* / 0.70*
ECOG 2197	림프절 전이 양성 또는 림프절 전이 음성 고위험군	2,885	AC vs. AT	59	1.03 / 1.09
U.S. Oncology	림프절 전이 양성 또는 림프절 전이 음성 고위험군	1,016	AC vs. TC	84	0.69* / 0.73*

에서도 우월하였고, 호르몬수용체 발현과 HER-2 상태와 무관하게 전체 환자에서 우월하였다. 결론적으로 액와 림프절 양성이며 호르몬수용체 음성 등 불량한 예후인자가 있는 환자에서는 taxane 제제 포함요법을 고려하는 것이 적절하겠다.

7. 국소 진행성 유방암과 염증성 유방암

연구에 따라서 국소 진행성 유방암의 정의가 다르기는 하지만 많은 경우에 병기 IIb, IIIa, IIIb를 통칭하는 것으로 여겨진다. 1970년대 이전의 경험을 보면, 이들 환자들에게 수술만 시행한 경우 국소재발률이 30-50%이고 사망율이 70% 정도로 매우 안 좋은 성적을 보였다. 염증성 유방암의 경우는 전체 유방암의 1-5% 정도로 매우 드물기는 하지만 가장 좋지 않은 예후를 보이는 종류로 분류된다.

이들 유방암의 치료는 최근에는 다양한 방법을 함께 시행하는 것이 표준이며, 선행화학요법과 유방 전절제술 및 방사선 치료 등 모두 포함된다. 이러한 다학제적 접근으로 5년 생존율이 50% 이상으로 나타나고 있다.

8. 노인 유방암

평균 수명의 연장으로 노인에서의 유방암이 발현되는 빈도도 계속해서 증가할 것으로 예측된다. 이 때 진행된 유방암의 경우에 전신적 치료를 어떻게 적용할 것인지가 관심사가 된다. CALGB (CAncer and Leukemia Group B) 9343연구에서 636명의 70세 이상 이면서 수용체 양성인 직경 2cm 이하이면서 액와 림프절이 음성인 경우 종양 절제술과 타목시펜을 투여한 상황에서 흉벽 방사선 조사를 생략할 수 있는지에 대한 연구를 시행해 보니, 동측 유방내 재발률이 유의한 차이를 보이지 않았다. Fyles등에 의해서 50세 이상이면서 종양의 크기가 5cm 이하인 환자들을 대상으로 캐나다에서 시행되었던 연구를 보면, 역시 크기가 작은 수용체 양성이면서 액와 림프절 음성인 경우에 선택적으로 방사선 조사를 생략해도 무방하다는

표 4-23. HER-2 양성 조기 유방암에서 trastuzumab 보조항암화학요법 임상시험 결과

임상시험	대상자수 (명)	환자군	연구내용	1차 연구 종결점	중앙 추적 관찰기간	무병 생존율	사망 위험도
NSABP B-31	2,043	림프절 전이 양성	AC - P 대 AC - PT (paclitaxel 3주 마다)				
NCCTGN 9831	2,766	림프절 전이 양성	AC - P 대 AC - P - T(순차적) 대 AC - PT(동시병용) (paclitaxel 1주 마다)	무병 생존율	2.9년	0.48	0.65
HERA	5,102	림프절 전이 음성 종양크기 ≥ 1cm	보조항함화학요법 대 보조항함화학요법 - T (순차적 1년) 대 보조항함화학요볍 - T (순차적 2년)	무병 생존율	2년	0.64	0.66
BCIRG 006	3,222	림프절 전이 양성 또는 림프절 전이 음성 고위험군	I: AC - D 대 II: AC - DT 대 III: D + Cisplatin + T (docetaxel 3주마다, 동시병용)	무병 생존율	3년 0.59 (II/I)	0.61 (II/I) 0.66 (III/I)	0.67 (III/I)
FinHer	232	림프절 전이 양성 또는 림프절 전이 음성 고위험군	Vinorelbine 또는 D - FEC 대 Vinorelbine 또는 D - T - FEC	무재발 생존율	38개월	0.42	NS
PACS-04	528	림프절 전이 양성	FEC 대 ET	무병 생존율	48개월	NS	

결론을 얻을 수 있었다. 다만, 이들 고령 환자들에게 전신 항암화학요법을 적용하는 것이 좋은 지 여부에 대한 결론은 아직 유보 상태이고 다양한 결과가 각종 논문을 통해서 보고되고 있다. 2015년 St. Gallen 회의에서는 환자의 연령 제한선을 설정하기 보다는 환자의 전신상태와 동반 질환의 유무 및 종류에 따라서 개별적으로 결정할 것을 권유하였다.

9. 표적치료제 trastuzumab

Human epidermal growth factor receptor (EGFR)는 HER 또는 c-erbB라고 불리는 티로신 활성효소 수용체tyrosine kinase receptor의 일종으로 HER1 (EGFR), HER2(ErbB2/neu), HER3 (ErbB3), HER4 (ErbB4)의 4종류 세포표면 수용체cell surface receptor family로 구성되어 있으면서 단일 또는 이질이합체homo, heterodimer를 형성하는데, HER2+HER3 이합체인 경우 가장 공격적인 것으로 나타난다. 유방암에서는 20-25% 환자에서 과발현된다고 알려져 있고, HER-2가 과발현된 유방암은 예후가 불량하고 재발의 위험성이 높으며 재발 시 내장 장기의 원격전이가 더 흔히 나타나고 에스트로겐 수용체 양성률이 낮은 것으로 알려져 있다. Trastuzumab은 HER-2에 고도로 친화력을 가진 치료용 인간화humanized 단클론 항체로서 HER-2가 과발현(면역조직화학염색 +++ 또는 FISH/SISH 결과 HER-2 유전자 > 2 copy)된 유방암 세포에서 HER-2를 하향조절down regulation시킨다. 보조항암화학요법제로서 trastuzumab의 치료효과에 대한 대규모 임상시험들을 표 4-23에 요약하였다. HERA (HERceptin Adjuvant) 임상시험 결과에 따르면 HER-2 과발현된 환자에서 trastuzumab을 1년간 투여하면 유방암 관련 재발이 46% 감소하고 총 생존율도 34% 개선된다고 알려져 HER-2 양성, 림프절 양

성인 환자에서는 보조항암화학요법과 더불어 trastuzumab을 투여하는 것이 추천되고 있다. 다만 1년 투여와 비교하여 2년을 투여해도 그 효과가 크게 달라지지 않아서 1년을 투여하는 것이 표준으로 자리잡았다. NCCN 가이드라인에 따르면 HER-2 양성 유방암의 경우 림프절이 음성이어도 종양의 크기가 1cm 이상 환자에서는 trastuzumab 보조 요법을 추천하고 있다. 초기에 단독으로 사용된 경우 치료 반응은 환자의 30% 정도에서 나타났고 여러 가지 항암제와 병합하여 사용하는 경우 더욱 효과적이었다. 다만, 3년 추적 결과 약 4.1%의 심근독성이 발현되었다. 치료 시작 때 심분출률이 낮거나 고령이거나 고혈압인 경우 고위험군으로 분류된다.

NSABP B-31과 NCCTG-N9831 임상 연구에 의하면, AC 항암제 투여 이후에 파클리탁셀과 동시에 또는 순차적으로 trastuzumab을 투여해보니, 2년 추적 결과 유방암 관련 재발이 52% 감소하였고, 4년을 추적해 본 결과 재발률 감소가 48%, 총생존율 감소가 33%였다.

BCIRG 006 연구는 anthracycline을 배제할 가능성을 알아보기 위해서, AC 요법 이후에 docetaxel-trastuzumab과 TCH (docetaxel-carboplatin-trastuzumab)의 효과를 비교하였다. 대조군인 AC에 비하여 AC-TH의 위험률은 39%, TCH는 34% 개선되어 두 군간에 유의한 차이를 보이지 않았고, 심독성은 TCH군에서 예상과 같이 낮게 확인되었다.

또 다른 약제로 tyrosine kinase 저해제인 lapatinib, trastuzumab과 항암제가 하나로 통합된 trastuzumab emtasine, HER-2 이합체 형성을 방해하는 pertuzumab등 다양한 표적항암제들이 소개되고 있다.

10. 선행화학요법

보조요법으로서 항암화학요법은 대부분의 경우에 근치적 수술 후에 보조요법으로 사용되고 있는 반면에, 수술 전에 항암제 또는 내분비 치료제를 투여하는 것을 선행요법이라 하는데, 여기서는 선행화학요법을 다루기로 한다.

선행화학요법의 장점으로는 먼저 수술이 불가능한 유방암을 수술이 가능하게 암을 축소시키거나 유방전절제술에서 보존술로의 전환이 가능하도록 해 주는 효과를 기대할 수 있다. 이것에 관한 대표적인 연구로 1,523명의 환자를 대상으로 시행된 NSABP B-18를 들 수 있으며, 사용된 항암제는 AC (doxorubicin + cyclophosphamide) 였다. 수술 후 보조요법으로 적용한 경우와 비교하여, 선행화학요법으로 인한 유의한 생존율 개선은 없었고 동측 유방내 재발률에서도 차이가 없었다. 선행화학요법은 이론적으로 미세한 전이 암세포들을 줄여주고, 약제 내성이 생기기 전에 암을 치료해서 약제 저항성을 줄여주고, 수술로 인한 혈관의 손상 없이 치료를 함으로써 치료 효과를 높일 수 있고 생체 내 약제의 반응성을 평가해 볼 수 있다는 장점이 있다. 이로 인해서 효과가 없을 것으로 판명된 약제를 수술 후 사용하지 않고 환자 개인의 약제 특성을 반영해서 치료할 수 있는 특징이 있다. NSABP B-18연구에 따르면, 선행화학요법의 반응성은 생존율과 연관이 있다고 하는데, 9년간 추적검사를 시행해 보니 수술 전에 병리학적 완전 관해가 있었던 경우에서 무병생존율이 75%로 그렇지 못한 환자들의 58%에 비해서 개선된 결과를 보였다. 다만, 병리학적 완전 관해에 관한 정의가 연구들 마다 상이한 것이 문제로 지적되고 있는데, 처음에는 유방 내부의 암이 완전히 사라지거나 상피내암만 남아 있는 경우까지도 포함하는 경향이 있었으나, 최근 들어서는 유방은 물론 액와 림프절에도 침윤성 그리고 상피내암도 모두 없어야만 완전 관해로 보는 경향이 더 뚜렷하다. 물론 어떤 정의로도 병리학적 완전 관해는 개선된 무재발 생존율 또는 총생존율과 관련이 있다. 이러한 경향은 공격적 성향을 보이는 경우(삼중음성암, HER-2 양성, 호르몬 수용체 음성이면서 선행화학요법에서 trastuzumab을 맞는 환자)에서 더 뚜렷하게 나타난다. 이들 환자들에서 고려해야 할 수술과 관련된 사항은 최초 종양 위치 표시와 감시 림프절 검사 시행시기 결정 등이 있는데, 이는 관련 부분에서 다루기로 한다. 선행화학요법으로 액화 림프절이 완전히 사라지는 경우가 40%까지 보고된다. 따라서 이들 환자들에게 완결 액와림프절 청소술을 시행할 지 여부에 대한 연구가 필요했고, ACOSOG Z1071연구에서 감시 림프절 생검의 위음성률이 12.6%로 기대치인 10%보다 다소 높았으나, 두 가지 방법으로 시행한 경우에서는 10.8%, 3개 이상의 림프절을 검사한 경우는 9.1%로 적정 수준을 보였고, 이는 또 다른 연구인 SENTINA (SENTInel NeoAdjuvant)연구와 SN FNAC (Sentinel Node biopsy Following NeoAdjuvant Chemotherapy) 연구 결과와 비슷한 수준이다. 이들 연구들로부터 모아진 정보로 인해서, 치료 결과에 대한 예측이 가능하다는 것을 알게 되었고, 항암제와 표적항암제를 안전하게 병용 사용할 수 있다는 것도 알 수 있었다. 최근 417명의 환자들을 대상으로 한 Neo-Sphere연구에서는 docetaxel과 함께 두 가지 HER-2 수용체를 동시에 차단하는 효과를 알아 보고자 하였고, trastuzumab 단독군의 완전 관해율 29%에 비하여 pertuzumab과 trastuzumab 병합군에서 완전 관해율이 46%로 뚜렷한 차이를 보였다. 심지어 docetaxel없이 두 가지 표적항암제만 사용한 경우에도 17%의 병리학적 완전 관해율이 보고되어 확대 적용할 가능성을 보았다. 이러한 여러 가지 장점에도 불구하고, 선행화학요법에 내재된 주된 문제점은 유방 전절제술후 방사선요법의 결정이란 측면에서 매우 중요한 항암화학요법 개시 전 예후 예측 정보(액와 림프절 상태 및 유방암의 실제 크기)들을 잃을 수 있다는 점이다.

요약

보조요법으로서의 항암 요법은 유방암 치료에서 국소치료인 수술을 근치 목적으로 시행하고 이후 미세 전이 암세포의 존재에 따른 재발을 최소화 하기 위한 전신적 항암화학요법을 의미한다. 이때 사용되는 항암제는 단독 요법이 아닌 다제 병합 요법을 사용하는데 이는 교차 내성을 방지하고 치료의 효과를 극대화하기 위함이고, 투여 주기는 대개 3-4주 간격으로 보통 4-6 주기에 걸쳐서 투여되는 것이 보통이다. 모든 항암 요법은 독성을 예견해야 하며 그 정도는 환자의 상황과 질병의 상태 및 투여되는 항암제의 종류에 따라서 매우 다양하다. 다만, 알려진 표준 용량을 적절하게 투여하면서 주의하여 관리하는 경우 환자가 항암제의 독성으로 사망하는 등 중대한 합병증이 발생하는 경우는 흔하지 않다. 대부분의 환자에게 무분별하게 항암제 투여를 시행하던 과거와 달리 최근 유방암은 호르몬 수용체와 HER-2 유전자 발현 및 증식 인자 등에 따른 분자 아형과 재발 예측 검사법에 따라서 환자의 재발 위험도를 객관적으로 분석하고 이미 알려진 병리조직학적 예후 예측 인자와 결합하여 종합적으로 환자의 위험도를 평가한 후에 환자 및 보호자와의 심층 면담을 통해서 항암제를 선정하고 치료를 시작하는 것이 적절한 순서이다. 일반적으로 내분비 치료와 항암 요법이 모두 필요한 경우 항암 요법을 먼저 완료하고 내분비 요법을 이후에 시행하는 것이 항암 치료의 기본으로 확립되어 있고, 방사선 요법과 항암 요법을 병행하는 것 또한 환자가 회복하는데 어려움이 있을 수 있어서 보편적으로 시행하는 방식은 아니다. 표적 항암제의 경우는 전신 화학요법을 먼저 완료한 후에 시행하게 되며 이때 방사선 요법과 내분비요법이 필요하면 동시에 시행하는 것도 무방하다. 즉, 환자 개개인의 상황에 따라서 맞춤형 치료를 제공하는 것이 최근은 물론 앞으로 지속적으로 지향해 가는 방법이다.

IX 유방암의 보조호르몬요법

선별 검사를 위해 유방 촬영술을 주기적으로 시행하고, 유방암에 대한 환자들의 인식이 향상됨에 따라 많은 수의 유방암을 조기에 발견할 수 있게 되었다. 즉 조기에 발견 가능하고, 치료 방법들이 발전함에 따라 과거에 비해 유방암의 치료 성적은 날로 향상되고 있다.

보조호르몬요법이란, 에스트로겐이 유방암의 성장에 미치는 영향을 차단하여 유방암의 재발 또는 진행을 막고자 하는 치료법으로, 유방암 절제술 후에 잠재적 미세전이의 성장을 억제하기 위해 항암화학요법 등을 시행하는데, 보조호르몬요법도 항암화학요법과 마찬가지로 보조요법으로 시행할 수 있다. 보조호르몬요법은 에스트로겐의 생성 자체를 억제하거나, 에스트로겐이 표적 기관의 수용체에 부착하는 것을 경쟁적으로 방해하여 에스트로겐의 작용을 억제한다. 그래서 이 치료법은 에스트로겐 수용체 또는 프로게스테론 수용체 양성인 모든 병기의 유방암 환자에서 사용할 수 있다.

1. 유방암의 보조호르몬요법의 역사적 고찰과 이론적 근거

1836년 영국 St. Bartholomew 병원의 Sir Astley Cooper 는 여성의 생리 주기에 따라 유방암의 상태가 달라짐을 발견하고, 유방암의 치료 방법으로써 호르몬 치료를 제안하였다.

유방암에 대한 최초의 호르몬 치료는 양측 난소 절제술로, 1895년에 영국의 외과의사인 Beatson이 진행성 유방암 환자에서 처음으로 이 수술을 시행하여, 흉벽을 침범했던 유방암은 퇴화되고, 환자는 약 4년 동안 무병 상태를 유지하는 등 탁월한 치료 효과를 입증하였다. Huggins 또한 난소절제술의 중요성을 다시 한번 강조했고, 폐경 전 여성의 전이성 유방암에서 부신절제술의 긍정적 효과를 입증하였다. 역사적으로는 1948년에 최초로 유방암 보조요법에 대한 임상시험이 시행되었다(Cole 등, 1975). 이 연구 또한 폐경 전 여성의 진행성 유방암 환자에서 난소절제술을 시행함으로써 종양이 감소된다는 사실을 근거로 이루어졌다. 이와 같이 내분비 개념의 발달과 함께 1960년대까지는 주로 난소절제술, 부신절제술, 뇌하수체 절제술과 같은 수술적인 방법이나 난소에 방사선을 조사하는 방법 등을 통해 에스트로겐의 영향을 근본적으로 차단함으로써 유방암을 치료하여 그 효과를 확인하였다.

1970년대 들어서면서 항에스트로겐 약제가 유방암의 치료에 사용되고, 그 항암효과가 인정되면서 수술에 의해 이루어진 호르몬 치료는 약제에 의한 것으로 많이 바뀌어졌다. 이러한 결과, 현재까지도 가장 대표적으로 사용되는 타목시펜은 전이되거나 진행된 유방암 환자에서 그 효과가 입증되면서 항에스트로겐 제제로 사용되기 시작하였다. 타목시펜은 1986년 림프절 양성인 폐경 후 유방암 환자에서 보조적 치료 요법으로 승인되었고, 점차 그 치료 범위가 넓어지면서 1990년에는 림프절 음성인 폐경 후 환자뿐만 아니라 폐경 전 유방암 환자에서도 보조적 치료 요법으로 승인되어 초기 유방암 환자의 수술 후 보조 요법으로서의 타목시펜 사용이 표준화되었고, 유방암 환자는 아니지만 유방암에 걸릴 가능성이 높은 고위험군 환자에서도 유방암 예방 효과가 확인되어 사용되기도 한다.

2000년대 들어서면서 의학계의 많은 연구 결과들을 바탕으로 여러 가지의 호르몬 치료제제들이 개발되었는데, 폐경 후 유방암 환자의 경우 아로마타제aromatase억제제, 폐경 전 유방암 환자의 경우 황체형성호르몬분비호르몬 Luteinizing Hormone Releasing Hormone (LHRH) 유사물질, 그 밖에 순수한 항에스트로겐제가 개발되어 사용중이며 새로운 내분비요법들에 대한 연구가 주류를 이루고 있다. 또한 분자종양학적 측면으로 여러 가지 표적요법targeted therapy들이 개발되고 있으며, 이러한 연구의 일환으로, HER-2/neu가 과발현되는 유방암 환자에서 trastuzumab을 사용한 연구 또한 진행중이다.

2. 스테로이드 호르몬 수용체

유방암의 호르몬요법은 암에 대한 첫 분자생물학적 표

적요법이라 할 수 있다. 에스트로겐 수용체 혹은 프로게스테론 수용체는 전체 유방암 환자의 약 60%에서 표현되고, 모든 호르몬요법은 이들 에스트로겐 수용체 단백을 표적으로 한다. 프로게스테론 수용체는 그 자체가 치료의 표적은 아니지만, 에스트로겐이 수용체에 결합함으로써 유도되는 물질이므로 에스트로겐 수용체의 기능 상태를 나타내는 하나의 지표로 생각되고 있다.

에스트로겐 수용체는 핵 전사인자nuclear transcription factor이다. 에스트로겐이 에스트로겐 수용체에 결합하면 에스트로겐 수용체는 인산화 과정을 거쳐, 다른 수용체 단량체monomer와 결합하여 이합체dimer를 형성하고, 이 수용체 복합체는 표적 유전자의 촉진자promotor 부위에 결합하여 특정 물질의 전사transcription를 활성화시킨다(그림 4-51).

에스트로겐 수용체는 α와 β의 두 가지 아형으로 존재한다. 에스트로겐 수용체 α는 에스트로겐과 결합하여 특정 유전자의 전사를 활성화시키며, 동시에 다른 유전자들의 전사는 억제한다. 이렇게 유도된 몇몇 유전자들은 종양세포의 성장과 생존에 중요한 단백을 합성하게 된다.

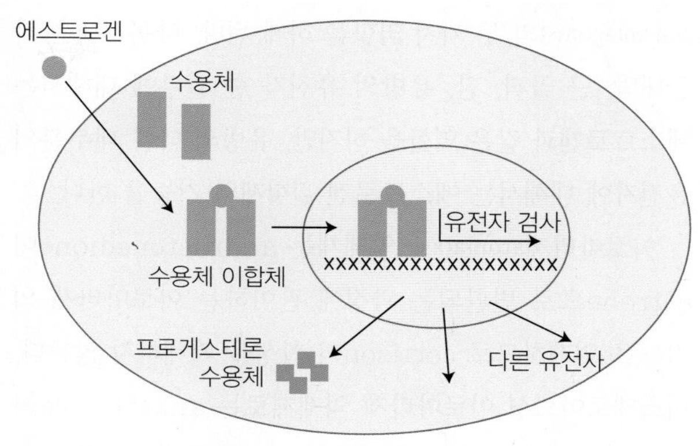

그림 4-51 **에스트로겐과 에스트로겐 수용체의 생리.** 에스트로겐이 세포질 혹은 핵에서 에스트로겐 수용체에 부착하면 리간드ligand로 인해 활성화된 수용체 복합체는 표적 유전자의 촉진자promotor부위에 결합하여 에스트로겐에 반응성이 있는 특정 유전자[예) 프로게스테론 수용체]의 전사transcription를 활성화시킨다. 에스트로겐 수용체에 의해 직접적 혹은 간접적으로 유도된 다른 유전자들도 세포의 성장과 분화에 영향을 미친다.

3. 유방암의 보조호르몬요법

에스트로겐이나 에스트로겐 수용체를 표적으로 하는 내분비 요법은 에스트로겐 수용체를 발현하는 유방암 세포를 선택적으로 공격하고, 여러 다른 약제에 비해 상대적으로 독성이 적은 편이다. 과거 약 30여 년 동안 여러 약제가 개발되었는데, 이들은 에스트로겐의 생성, 에스트로겐과 에스트로겐 수용체의 결합, 그리고 에스트로겐 수용체 자체를 표적으로 한다. 임상적으로 사용 가능한 약제는 다음과 같다(표 4-24). 간단히 특성을 살펴보면, 선택적 에스트로겐 수용체 조절자Selective estrogen receptor modulator (SERM)인 타목시펜tamoxifen이나 토레미펜toremifene은 조직과 세포 또는 유전자의 구성에 따라 에스트로겐 작용제estrogen agonist 혹은 에스트로겐 길항제estro-

표 4-24. 유방암 치료에 사용되는 내분비 요법 약제

분류	종류	사용 적응증
선택적 에스트로겐 수용체 조절자	타목시펜, 랄록시펜, 토레미펜	전이 병변에 보조요법
아로마타제 억제제	아나스트로졸, 레트로졸, 엑세메스탄	전이 병변에 보조요법
순수 항에스트로겐 제제	풀베스트란트	전이 병변에 이차 약제
황체형성호르몬분비호르몬 유사체	고세렐린, 루프로라이드	전이 병변에 보조요법
프로게스테론 제제	메게스트롤	전이 병변에 이차 약제
안드로겐	플루옥시메스테론	전이 병변에 삼차 약제
고용량 에스트로겐	디에칠스틸베스트롤	전이 병변에 삼차 약제

gen antagonist의 두 가지 역할을 하게 된다. 타목시펜은 자궁내막, 근 골격, 간, 유방의 유전자 중 일부에 대해서는 에스트로겐과 같은 역할을 하지만, 유방의 다른 대부분의 유전자에 대해서는 에스트로겐 길항제의 기능을 한다.

아로마타제aromatase 억제제는 androstenedione이 estrone으로 변환되는 과정에 관여하는 아로마타제 의 기능을 억제하므로 cortison의 합성을 저해하지 않는다. 비스테로이드성 아로마타제 억제제로는 anastrozole과 letrozole이 있으며, 가역적으로 아로마타제에 결합한다. 스테로이드성으로는 exemestane이 있고, 비가역적인 복합체를 형성하여 아로마타제를 억제한다.

순수 항에스트로겐 제제도 개발되었는데, 임상적으로 처음 사용된 약제는 fulvestrant이다. 이 약제는 스테로이드성이며, 에스트로겐 수용체에 결합하여 에스트로겐 수용체의 이합체 형성 및 DNA 부착DNA binding을 방해하고, 수용체 단백을 빠르게 분해시킨다. 한 달에 한 번 근육내 주사가 가능하므로 환자가 편리하게 치료를 받을 수 있는 장점이 있다.

폐경 전 여성의 경우 LHRH 유사체를 사용하여 에스트로겐 수치를 낮출 수 있다. LHRH 유사체를 사용할 경우 뇌하수체에서 성선자극호르몬gonadotropin이 조기에 대량으로 분비되므로 뇌하수체의 기능이 마비되면서 정상적인 LHRH에 저항성을 나타내게 된다. 결국 성선자극호르몬의 수치가 감소하고 에스트로겐 수치 또한 급격히 감소하게 된다. Goserelin과 leuprolide를 유방암 환자에게 임상적으로 사용하고 있다.

1) 선택적 에스트로겐수용체 조절자를 이용한 보조요법

(1) 타목시펜

가. 개요

타목시펜은 SERM으로 모든 병기의 호르몬 반응성 유방암을 치료하고, 재발 위험이 높은 환자의 경우에는 유방암의 예방을 목적으로 미국식품의약국Food and Drug Administration (FDA)의 승인을 받았다. 타목시펜은 아직도 유방암 치료의 보조요법에 가장 많이 사용되고 있으며, 에스트로겐 수용체에 에스트로겐 길항 작용을 하여 유방암의 성장을 억제한다.

나. 타목시펜에 대한 연구 종류 및 임상시험 결과

타목시펜에 대한 초기 현대적 연구는 1975년에 시작되어 1977년 NATO trial, 1978년 Scottish trial로 이어졌다. 이러한 초기 연구들은 에스트로겐 수용체 양성과 음성에 대한 정확한 기준이 없었고, 에스트로겐 수용체를 측정하는 방법도 표준화되어 있지 않았기 때문에 그 결과를 해석하는 데에도 어려움이 있었다. 이렇게 에스트로겐 수용체 음성 혹은 에스트로겐 수용체 상태를 알 수 없는 환자들이 다수 연구에 포함되어 있었으나, 두 연구 모두에서 타목시펜 요법군이 대조군에 비해 재발률(24% vs 38%)과 사망률(18% vs 23%)이 더 낮았다. 이러한 연구 결과들은 대규모 메타분석meta-analysis인 EBCTCG (Early Breast Cancer Trialists' Collaborative Group)에서도 확인할 수 있었다. EBCTCG 메타분석은 37,000여명의 환자를 대상으로 한 55개의 무작위 임상시험을 메타분석한 연구로, 타목시펜이 환자의 나이, 폐경 여부, 액와림프절 전이 유무 등과 관계없이 호르몬 수용체 양성인 모든 환자에게 효과가 있으며, 수술 후 5년간 사용한 경우 재발률을 47%, 사망률을 26% 감소시킬 수 있음을 보고했다. 그러나 호르몬 수용체가 음성인 환자에서는 타목시펜의 효과가 없었다(그림 4-52). 또한 에스트로겐 수용체 양성인 폐경 전 여성에서 anthracycline을 기본으로 한 항암화학요법 이후 순차적으로 타목시펜을 복용한 경우 사망률을 약 50% 감소시킬 수 있음을 보고하였다.

다. 타목시펜의 적절한 투여기간

타목시펜의 가장 적절한 투여기간을 알기 위해 많은 임상시험이 시행되었는데, 이 결과 수술 후 2년간 복용하는 것보다는 5년간 투여하는 것이 더욱 효과적이지만 5년 이상을 복용하는 것은 추가적인 이득이 없는 것으로 나타났다.

EBCTCG 메타분석(1998)에서도 에스트로겐 수용체

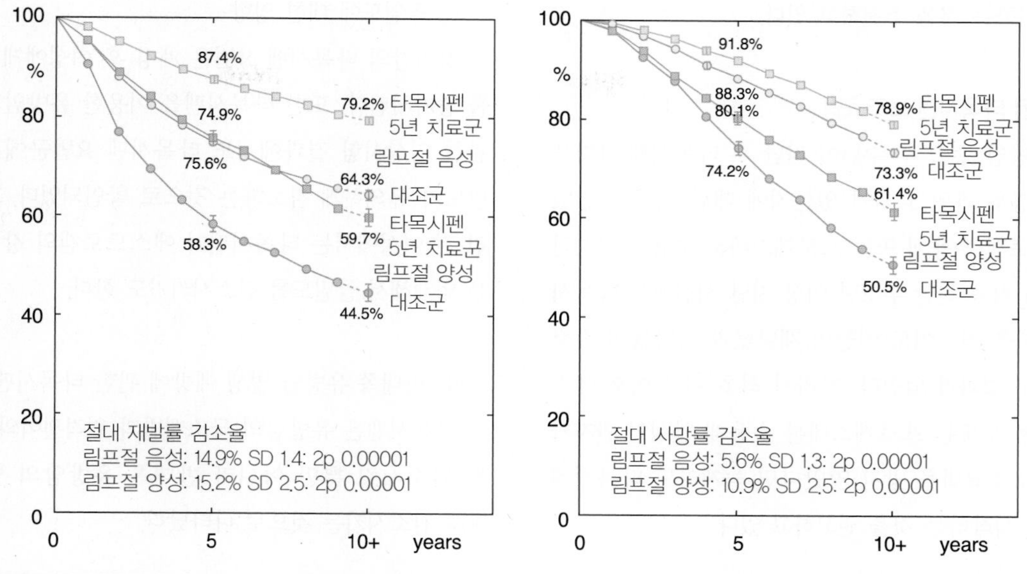

그림 4-52 타목시펜의 복용 기간과 림프절 상태에 따른 무작위 임상시험의 결과. 왼쪽 그림은 재발률에 대한 결과이고, 오른쪽 그림은 사망률에 대한 결과이다(From Tamoxifen for early breast cancer: an overview of the randomized trials. Early Breast Cancer Trialists' Collaborative Group[EBCTCG]. Lancet 351:1451-1467, 1998.).

양성이나 에스트로겐 수용체 미확인 유방암 환자 37,000명을 대상으로 타목시펜 1년, 2년, 5년 복용군을 비교했는데, 1년, 2년 투여군보다 5년 투여군에서 재발률(20±3% ; 28±2% ; 47±3%)과 사망률(12±3% ; 16±4% ; 26±4%)의 감소효과가 더 컸다고 보고했다.

한편, 5년간 타목시펜 요법군과 5년 이상 복용군을 비교한 NSABP (National Surgical Adjuvant Breast and Bowel Project) B-14와 스코틀랜드 보고에 따르면 타목시펜을 5년간 복용한 환자군이 성적이 좋았다. 오히려 타목시펜의 장기간 투여로 인한 합병증, 즉 자궁내막암, 정맥혈전증 등의 발생이 증가함을 보고했다.

타목시펜의 장기간 사용에 관한 두 개의 대규모 연구결과가 발표되었는데 ATLAS (Adjuvant Tamoxifen Longer Against Shorter)와 aTTom (Adjuvant Tamoxifen—To Offer More?), 이 중 ATLAS 연구에서는 10년간 타목시펜을 복용한 군이 5년간 타목시펜을 복용한 군에 비해 15년째에 재발률(21.4% vs 25.1%)과 유방암 사망률(12.2% vs 15.0%)이 더 낮음을 보고하였으나, 반면 10년간 타목시펜을 복용한 군에서 자궁내막암과 심혈관계 합병증이 훨씬 많음을 보고하였다. aTTom 연구에서도 ATLAS 연구와 유사한 결과를 보고하였다. 이전 연구까지는 타목시펜을 5년간 복용(하루에 20mg)하는 것을 표준 치료법으로 권장했지만, 이제는 타목시펜을 5년 완료하고, 환자가 여전히 폐경 전이라면 타목시펜을 5년 추가하여 복용할 것을 권장하고 있다. 만약 환자가 타목시펜을 5년간 복용하고, 폐경이 되었다면, 아로마타제 억제제를 5년 추가하여 쓸 수 있다.

라. 타목시펜의 투여 시기

보조항암화학요법과 보조호르몬요법이 모두 추천되는 경우 투여시기 역시 중요한 문제이다. SWOG 8814 (Intergroup 0100) 연구에서는 보조항암화학요법이 끝난 후에 순차적으로 타목시펜을 복용하는 것이 동시에 사용하는 방법보다 치료 효과가 우월하며, 동시에 사용할 경우 오히려 정맥혈전증의 빈도가 높은 것으로 보고되어, 현재로서는 보조항암화학요법 후 타목시펜을 5년간 순차적으로 투여하는 것을 추천하고 있다.

마. 지연된 타목시펜 보조요법

최초 유방암 수술 후 수년이 지난 후 타목시펜 요법을 시작하는 경우 과연 효과가 있는지에 대한 의문도 있었다. 에스트로겐 수용체 또는 프로게스테론 수용체 양성인 환자들에게 처음 진단 후 2년 이상 지난 시점에서 타목시펜을 투여했을 경우에도 이들의 재발률과 사망률이 감소한다는 연구 결과가 있었다. 따라서 최초 치료 이후 에스트로겐 수용체 또는 프로게스테론 수용체 양성인 환자가 타목시펜 보조요법을 받지 않았다면 늦게라도 타목시펜 보조요법을 시작하는 것을 권고하고 있다.

바. 타목시펜 보조요법의 부가적 이득

타목시펜은 유방에서 유방암 세포의 성장을 억제하지만 다른 기관이나 특정한 유전자에 대해서는 에스트로겐과 같은 성질을 나타내기 때문에 SERM으로 분류된다. 이렇게 타목시펜은 독특한 이중작용을 가지고 있으므로 타목시펜을 사용한 환자들에게 부가적인 이득을 주기도 하지만, 에스트로겐 상승 작용으로 인해 다른 부작용을 유발하기도 하며 타목시펜 저항성의 원인이 되기도 한다.

① 혈중 lipoprotein과 심혈관계 질환에 대한 영향

유방암의 예방에 관한 NSABP P-1연구에서 4년의 추적 관찰기간 동안, 허혈성 심장 질환과 협심증의 발생률에서 타목시펜 요법군과 대조군 사이에는 차이가 없는 것으로 보고하였다. 또한 이미 관상동맥 심장 질환을 가지고 있던 환자들을 대상으로 비교했을 때에도 비슷한 결과가 보였다. 타목시펜은 전체 콜레스테롤과 LDL (low-density lipoprotein) 콜레스테롤의 혈액 내 수치를 감소시키고, 동맥에 대한 직접적인 작용을 하여 동맥경화가 억제되는 것으로 이해되고 있지만, 그 차이는 크지 않은 것으로 나타났다. 그래서 지금까지의 연구 결과를 종합해보면, 타목시펜이 적어도 허혈성 심장 질환 등 심혈관계 질환의 위험도를 최소한 증가시키지는 않는 것으로 확인되었다.

② 골밀도에 대한 영향

장기간의 타목시펜 요법은 폐경 후 여성에게서 골밀도를 증가시킨다. 또한 타목시펜을 이용한 유방암의 예방에 관한 임상시험 결과에서도 타목시펜 요법군에서 골절의 빈도가 유의하게 감소하는 것으로 확인되었다. 그러나 폐경 전 여성에서는 타목시펜이 에스트로겐의 강력한 작용을 억제해서 골밀도를 감소시키기도 한다.

③ 반대쪽 유방암 발생 예방에 관한 타목시펜의 효과

타목시펜은 유방암의 국소재발과 원격전이의 발생빈도를 감소시킬 뿐만 아니라 반대쪽 유방암의 발생도 약 50% 감소시키는 것으로 나타났다.

사. 타목시펜의 독성과 부작용

초기 보조요법연구에서 타목시펜의 독성으로 인해 조기에 투약을 중단했던 환자는 전체 환자의 5%미만이었다. 이처럼 일반적으로 타목시펜은 대부분의 유방암 환자에게 별다른 독성이 없는 것으로 밝혀졌다.

가장 흔히 보고되는 부작용은 폐경 증상이다. 타목시펜을 투여 받는 환자의 약 50%는 약간의 열감을 호소하며, 질분비와 불규칙한 생리 등도 환자들이 흔히 호소하는 부작용이다. 흔하지는 않지만 두통이나 오심, 관절통, 불면증, 무력감, 불안, 초조감 등을 호소하기도 한다. 또한 질건조vaginal dryness, 성교통증dyspareunia, 성욕감퇴 등을 흔히 호소하며 이러한 증상에는 estring 같은 질에스트로겐 도포제가 도움이 될 수 있다.

혈전증의 빈도가 증가한다는 보고가 타목시펜 보조요법 연구에서 있었다(NSABP P-1). 이러한 환자에서는 약제 중단이나 항응고제 투여를 신중하게 고려해야 한다.

타목시펜 장기 투여의 가장 심각한 부작용은 암의 발생과 관련된 부작용으로 자궁내막암의 발생빈도를 증가시킨다. NSABP P-1연구에 따르면 타목시펜 복용군에서 자궁내막암의 상대적 위험도가 2.5배 증가한다고 보고했다. 그러나 대부분은 FIGO (Federation of Gynecology and Obstetrics) 병기 I기 상태에서 발견되었고, 예후가

좋아서 자궁내막암으로 사망한 환자는 없었다. 하지만 이것은 매우 심각한 합병증이므로 정기검진을 통해 증상에 따른 조기 진단이 반드시 필요하다.

아. 타목시펜 보조요법의 요약

5년간의 타목시펜 투여는 에스트로겐 수용체 양성 유방암 환자에서 환자의 연령, 폐경 여부, 액와부 림프절 상태와 관계없이 무병생존율과 전체 생존율을 향상시켰다. 따라서 타목시펜의 절대적 이득이 적고 재발의 위험이 매우 낮은 환자들을 제외한 호르몬 수용체 양성인 모든 환자에서 타목시펜 보조요법은 고려되어야 한다. 또한 이러한 환자에서 골밀도 증가, 혈중 지질 농도 감소, 반대쪽 유방의 유방암 예방 등의 타목시펜의 부가적인 효과 또한 기대할 수 있다. 그러나 정맥 혈전증이나 혈액응고장애가 있는 환자에서는 타목시펜 투여를 피해야 하며, 이러한 환자에서는 아로마타제 억제제의 사용을 고려해야 한다.

2) 폐경 전 여성에서 보조요법으로서의 난소기능억제술

(1) 난소절제술

폐경 전 여성에서 에스트로겐이 생성되는 주요 장소는 난소이므로 에스트로겐 수치를 낮출 수 있는 가장 효과적인 방법은 외과적 또는 내과적 방법을 이용한 난소기능의 억제이다. EBCTCG (2005) 결과에 따르면 폐경 전 여성에서 난소절제술을 받은 환자군은 그렇지 않은 군에 비해 재발률과 사망률이 감소하였으며, 이러한 효과는 약 15년 이상 지속된다고 보고하였다.

난소절제술과 항암화학요법의 효과를 비교한 임상시험들도 시행되었는데 스웨덴 임상시험에서는 폐경 전 에스트로겐 수용체 양성인 유방암 환자에서 난소절제술은 CMF (Cyclophosphamide-methotrexate-5-fluorouracil)요법과 동일한 효과를 보인다고 보고했다.

(2) 난소기능억제제를 이용한 보조요법

LHRH 유사체(Goserelin, Leuprolide, Buserelin)를 지속적으로 투여하면 뇌하수체에 있는 LHRH수용체를 하향조절down regulation하게 되어 뇌하수체에서 생식선자극호르몬의 분비를 억제하여 결국 난소에서 에스트로겐 합성을 억제시킬 수 있다. 이러한 기전으로 LHRH 유사체는 호르몬 반응성 유방암에서 보조 요법과 전이유방암에 대한 치료제로써 처음으로 미국식품의약국의 공인을 받았다.

LHRH 유사체를 항암화학요법과 비교했을 때 항암화학요법이 난소기능을 상대적으로 비가역적으로 억제하는데 비해 LHRH 유사체는 난소기능을 가역적으로 억제한다.

이러한 LHRH 유사체의 효과를 확인하기 위해 여러 임상시험이 이루어졌다(표 4-25).

ZEBRA (Zoladex Early Breast Cancer Research Association) 임상시험은 폐경 전 액와 림프절 양성의 조기 유방암 환자를 대상으로 한 연구로, 연구 초기(1990)에는 호르몬 수용체 상태를 알기 위한 검사를 일상적으로 한 것은 아니었기 때문에 에스트로겐 수용체 양성 및 음성 환자들이 모두 포함되어 임상시험의 결과를 해석하는데 어려움이 있었다. 그러나, 임상시험을 토대로 goserelin을 2년간 투여하여 난소기능을 억제하는 요법은 폐경 전 에스트로겐 수용체 양성 유방암 환자에서 CMF 요법과 유사한 무병생존율을 보이고, 항암화학요법으로 인해 야기되는 독성 및 부작용을 줄이는 것으로 보고되었다.

수술 후 CMF 등의 항암화학요법을 받은 유방암 환자에서 타목시펜 단독 투여, goserelin 단독 투여, 타목시펜과 goserelin의 병용 투여, 그리고 아무것도 치료하지 않은 군을 비교한 연구에서는 goserelin을 투여한 군에서 항암화학요법이나 타목시펜 요법 여부에 관계없이 재발률이 낮은 것으로 보고되었다.

림프절 전이가 양성이며 호르몬 수용체 양성인 유방암에서 CAF (cyclophosphamide-doxorubicin-5-fluorouracil)요법, goserelin 단독요법, CAF+goserelin병용 요법, CAF+goserelin+tamoxifen병용 요법의 효과를 비교한 임상시험에서는 CAF+goserelin+tamoxifen병용 요법군에서 다른 군에 비해 무병생존율이 증가하는 것

표 4-25. 난소기능억제제를 이용한 보조요법에 관한 임상연구

임상시험	치료약제	연구 참여 환자 수	환자군의 특성	결과
ZEBRA[119]	CMF Goserelin	817 823	ER+ or ER-; node=+	Equivalent to CMF in patients with ER+ tumors; inferior for ER
BCSGI VII[126]	Goserelin×2yr CMF CMF → goserelin×18mo	346 360 357	ER+ or ER-; node-	No significant difference in CMF vs. goserelin for ER+ women; CMF → Goserelin showed a trend toward improvement
GaBG IV-B-93(goserelin trial)[123]	CMF×3 cycles (0-3 positive nodes) or EC×4 cycles → CMF ×3 cycles (4-9 positive node) Chemotherapy as above → goserelin×2 years	396 (151 ER+) 384 (160 ER+)	ER+ and ER-; node+ and node-	No significant benefit to addition of goserelin in ER- or ER+
TABLE[118]	CMF×6 cycles Leuprorelin×2 yr	300 299	ER+, node+	No significant difference in disease-free survival Trend toward improved overall survival with leuprorelin
GROCTA-02(Italy)[122]	CMF×6 cycles CMF×6 cycles → tamoxifen/ OFS (permanent or goserelin)	120 124	ER+, node+, or poorly differentiated tumor	No significant difference between CMF and goserelin + tamoxifen
ABCSG[121]	CMF×6 cycles CMF×3 yr + tamoxifen×5 yr	523 511	ER+, node+, or node-	Siginificant improvement in relapse-free survival with goserelin + tamoxifen (p=0.017)
INT-0101 124	CAF×6 cycles CAF×6 cycles → goserelin ×3 yr CAF×cycles → goserelin ×3 yr tamoxifen×5 yr	494 502 507	ER+, node+	Improved disease-free survival (HR 0.74, P 0.01) and TTR (HR 0.73, P 0.01) with endocrine therapy No benefit in OS
ZIPP[125]	goserelin×2 yr tamoxifen×2 yr goserelin + tamoxifen×2 yr No endocrine therapy (after adjuvant XRT or chemotherapy)	469 880 885 476	ER+ or ER-, node+ node-	Comparison of goserelin vs. no adjuvant therapy led to an improvement in event-free survival (HR 0.80, P=0.002) and overall survival (HR 0.71, 95% CI 0.52-0.96)

ABCSG: Austrian Breast and Colorectal Cancer Study Group, CAF: cyclophosphamide, Adriamycin, and 5-fluorouracil, CI: confidence interval, CMF: cyclophosphamide, methotrexate, and 5-flurouracil, EC: epirubicin and cyclophosphamide, ER: estrogen receptor, IBCSG: International Breast Cancer Study Group, INT: Intergroup, TABLE: Takeda Adjuvant Breast Cancer Study with Leuprolide acetate, TTR: time to recurrence, XRT: radiation therapy, ZEBRA: Zoladex Early Breast Cancer Research Association, ZIPP: Zoladex in Premenopausal Patients.

으로 보고되었으며, 특히 40세 이하의 젊은 유방암 환자에서 차이가 큰 것으로 나타났다.

림프절전이가 없으며 호르몬수용체 양성인 유방암에서 CMF 단독 요법과 2년간 goserelin 단독 요법, CMF+ goserelin (CMF 이후 goserelin 18개월)의 병합요법을 비교한 임상시험에서는 병합요법이 단독요법군에 비해 5년 무병생존율이 높은 것으로 보고되었으나 통계적 유의성은 검증되지 않았다.

이상의 결과를 종합해보면 호르몬수용체가 양성인 폐경 전 여성에서 goserelin 등의 난소기능억제제를 투여하

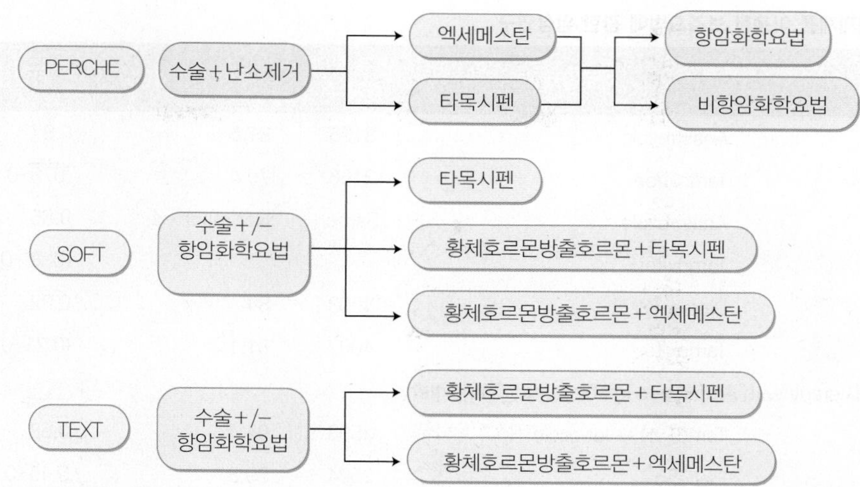

그림 4-53 **폐경 전 조기 유방암 환자에서 난소기능억제제를 이용한 보조요법에 관한 진행중인 임상시험.** 불행히도 the Premenopausal Endocrine Responsive Chemotherapy (PERCHE) trial 은 조기 종료되었다. LHRH, luteinizing hormone releasing hormone agonist; OA, ovarian ablation; SOFT, Suppression of Ovarian Function Trial; TEXT, Tamoxifen and Exemestane Trial

는 것은 CMF 등의 항암화학요법과 거의 동등한 치료효과를 보이는 것으로 나타났으나, 이러한 연구들에서는 CMF보다 효과가 좋은 것으로 알려진 anthracycline 항암화학요법과는 비교 연구가 이루어지지 않아 더 많은 임상시험이 필요할 것으로 생각된다. 항암화학요법 후에 난소기능억제제를 추가로 투여하는 것에 대한 전체적인 효과는 아직 분명치 않다. 더욱 확실한 증거는 계속 진행중인 임상시험의 결과가 발표되면 나올 것으로 생각되지만 (그림 4-53), 이론적으로는 보조항암화학요법 후에도 폐경이 초래되지 않은 여성 중 재발위험도가 높은 환자에서 난소기능억제제의 추가적인 투여가 재발을 감소시키는 치료법의 하나가 될 수 있을 것으로 판단된다.

(3) 폐경 후 여성에서 아로마타제 억제제를 이용한 보조 요법

가. 개요

폐경 전 여성에서는 난소가 에스트로겐 합성의 주된 장소이지만, 폐경 후 여성에서는 안드로겐이 아로마타제 효소로 인해 말초조직에서 에스트로겐으로 전환되어 합성된다. 아로마타제는 유방종양조직, 난소, 태반, 지방, 근육, 뇌, 간에 존재하여 부신수질에서 만들어진 안드로겐을 에스트로겐으로 전환시킨다.

아로마타제 억제제는 두 가지 종류로 분류되는데, 비스테로이드성(type II) 아로마타제 억제제로는 anastrozole과 letrozole이 있고, 가역적으로 아로마타제에 결합한다. 스테로이드성(type I)으로는 exemestane이 있고, 비가역적인 복합체를 형성하여 아로마타제를 억제한다. 이러한 2세대 약제들은 1세대 아로마타제 억제제인 aminoglutethimide보다 혈장과 종양에서 매우 낮은 에스트로겐 수치를 유지하며 투여에 따르는 부작용이 거의 없는 것으로 보고되고 있다.

나. 전이유방암을 대상으로 한 아로마타제 억제제의 효과

전이성 유방암에서 아로마타제 억제제의 위험도와 유용성을 조사한 임상시험들은 아로마타제 억제제가 타목시펜보다 폐경 후 에스트로겐 수용체 양성 환자에서는 더 좋은 효과를 보인다고 보고했다.

다. 아로마타제 억제제를 이용한 보조요법

전이유방암에서 시행된 연구 결과를 근거로 하여 폐경 후 여성에서 보조요법으로 아로마타제 억제제를 사용함으

표 4-26. 아로마타제 억제제를 이용한 보조요법에 관한 임상연구

임상시험	치료약제	연구 참여 환자 수	무병 생존율(%)	위험률(Hazard Ratio)
ATACT[54.][151]	Anastrozole	3125	81.6	0.87
68-mo. follow-up	Tamoxifen	3166	79.4	(078-0.97, P=0.01)
100-mo.follow-up	Anastrozole	Same	Not reported	0.85
	Tamoxifen			(0.76-0.94, P=0.003)
BIG 1-98[99]	Letrozole	4003	84	0.82
51-mo. follow-up	Tamoxifen	4007	81.1	(0.71-0.95, P=0.007)
Trials of Sequential Therapy with Aromatase Inhibitor after Tamoxifen				
NCIC MA. 17[158]	Tam(5 yr) → letrozole	2593	94.4	0.58
30-mo. follow-up	Placebo	2594	89.8	0.45-0.76, P 0.001)
IES[156]	Tam(2-3 yr) → exemestane	2362	85	0.76
56-mo, follow-up	Tamoxifen	2380	80.9	(0.66-0.88, P=0.0001)
ARNO 95/ABCSG[152]	Tam(2 yr) → anastrozole	1618	95.9	0.60
28-mo. follow-up	Tamoxifen	1606	93-2	(0.44-0.81, P=0.0009)

ABCSG. Aoefnae Bmaef and Ceicrectal Cancm Sfody Greup 000NG 95, demidec-Nelcadee 95, ATAC duimrdee, Tameciten ejene erie Cemfrinalien; BIG, Smart Inlemafional Gmup; IES. Inlematienal Ecementane Study, NCIC, Nutienal Cancm Inetitufe of Canada; Tam, tamecifen.

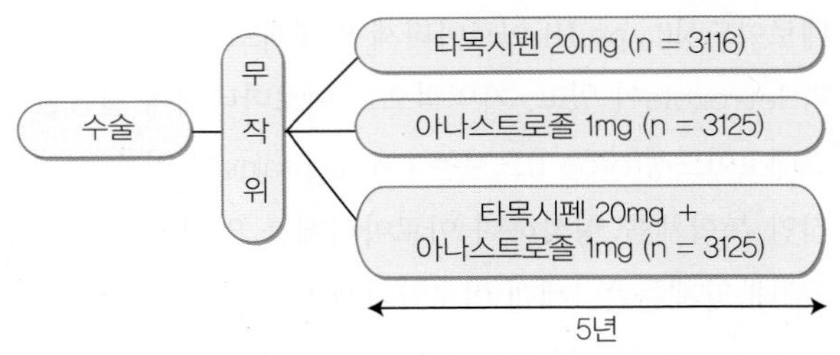

동반연구
- 골밀도 [n=306+control patients]
- 자궁내막검사 [n=285]
- 약동학 [n=357]
- 삶의 질 [n=1105]

그림 4-54 ATAC 임상시험 개요

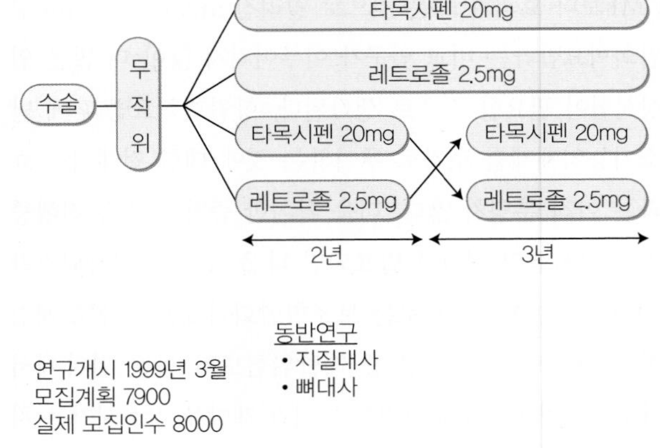

그림 4-55 BIG 1-98 임상시험 개요

로써 타목시펜 요법군에 비해 재발을 유의하게 감소시킨 대규모의 임상시험들이 최근 발표되고 있으며, 이 연구들의 결과를 간단히 요약하면 다음과 같다(표 4-26).

① 처음부터 타목시펜 대신 아로마타제 억제제를 사용하는 경우

anastrozole과 타목시펜을 각각 5년간 사용한 임상시험 결과 anastorozle군에서 유의하게 재발이 감소하고 재발까지의 기간이 증가했음을 보고하였고(그림 4-54), 최근에는 letrozole과 타목시펜을 각각 5년 사용한 임상시험 결과에서도 letrozole군에서 유의하게 재발이 감소하고 재발까지의 기간이 증가하는 것으로 나타났다(그림 4-55).

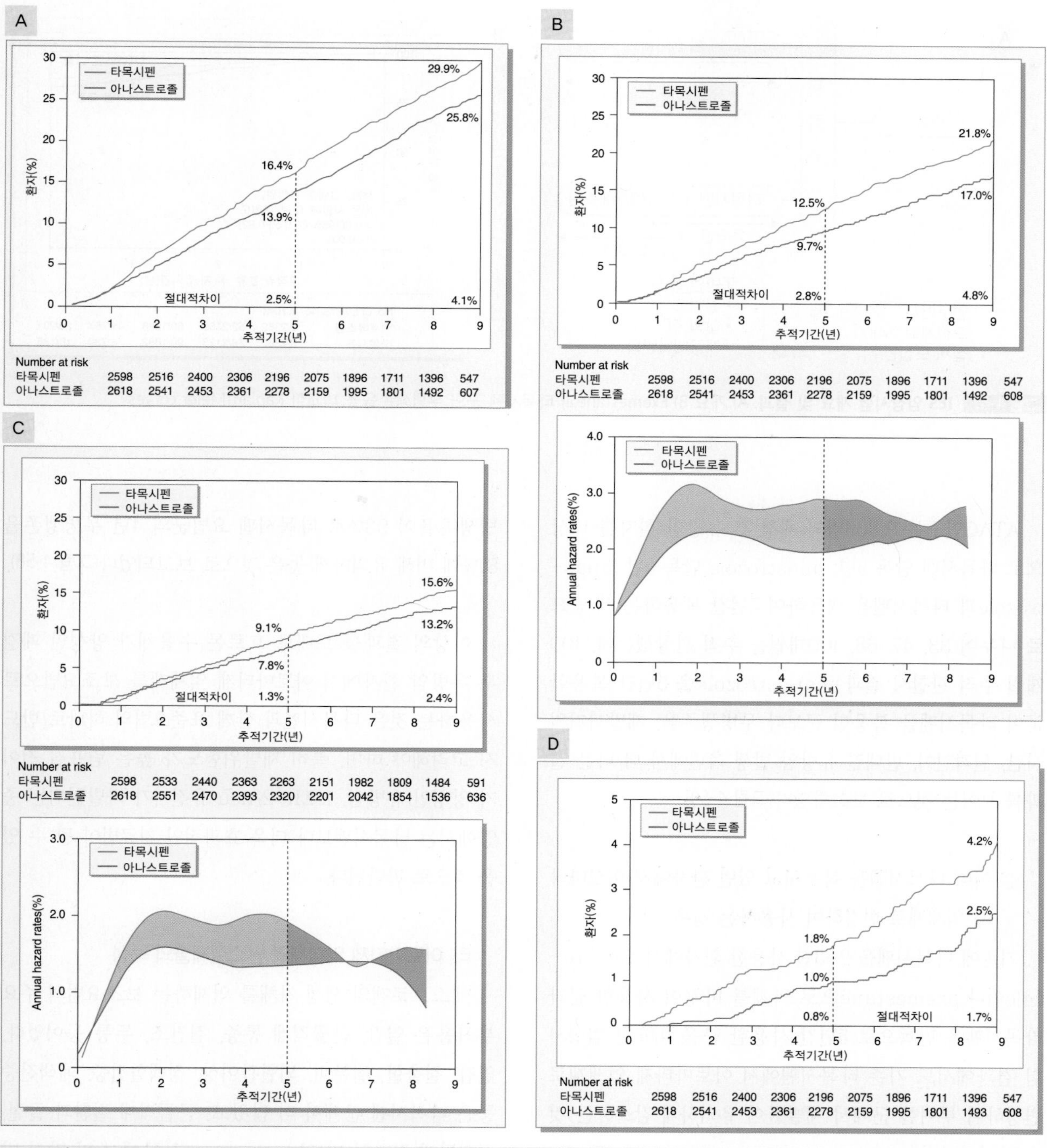

그림 4-56 ATAC 임상시험의 결과. A) 호르몬 수용체 양성인 유방암 환자에서 무병생존율(disease-free survival)에 관한 Kaplan-Meier prevalence curves B) 호르몬 수용체 양성인 유방암 환자에서 재발까지의 시간에 관한 결과 Upper : Kaplan-Meier prevalence curves Bottom : 재발까지의 시간을 나타낸 smoothed hazard curves C) 호르몬 수용체 양성인 환자에서 원격 재발까지의 시간에 관한 결과 Upper : Kaplan-Meier prevalence curves Bottom : 원격 재발까지의 시간을 나타낸 smoothed hazard curves D) 호르몬 수용체 양성인 환자에서 반대측 유방암 발생에 관한 Kaplan-Meier prevalence curves

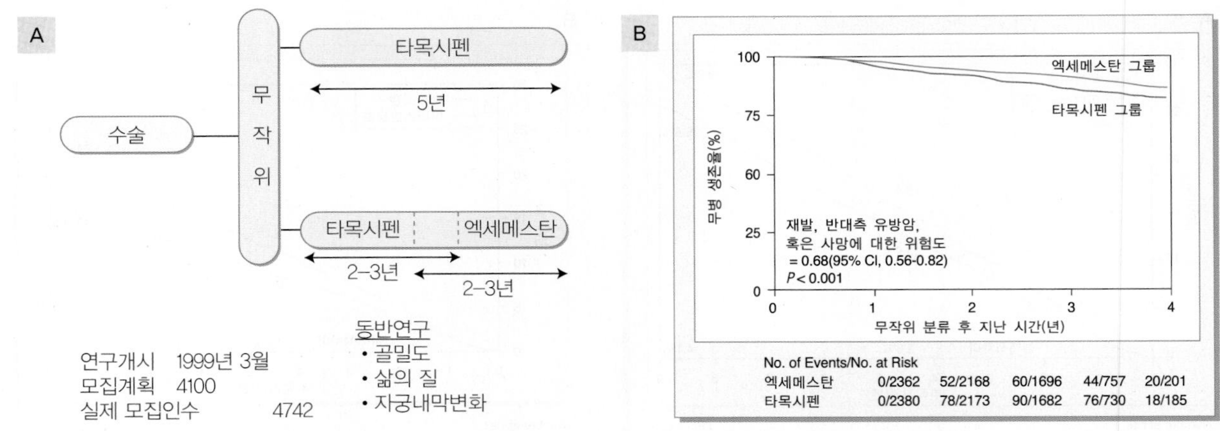

그림 4-57 **IES 임상시험 개요 및 결과.** A) 개요 B) Exemestane과 타목시펜 군의 무병생존율을 비교한 Kaplan-Meier curves

ATAC연구는 9,366명의 폐경 후 유방암 환자를 대상으로 타목시펜 단독 5년, anastrozole 단독 5년, anastrozole과 타목시펜을 병용하여 5년간 복용하는 세 군으로 나누어 33, 47, 68, 100개월을 추적 관찰했는데, 100개월 추적 관찰시 결과는 anastrozole을 5년간 복용한 군이 타목시펜을 복용한 군보다 무병생존율, 재발까지의 시간, 원격전이, 반대편 유방암 발생 측면에서 더 나은 결과를 보이는 것으로 보고하였다(그림 4-56).

② 이미 타목시펜을 복용하고 있던 환자에서 아로마타제 억제제로 변경하여 사용하는 경우

기존에 타목시펜을 2–3년 사용한 환자에서 anastrozole이나 exemestane으로 약제를 바꾸어 사용한 군과 타목시펜을 단독으로 5년간 사용한 군을 비교한 임상시험 결과에서도 기존 타목시펜에서 아로마타제 억제제로 변경하여 투여한 군에서 재발률이 유의하게 감소하는 것으로 나타났다.

③ 타목시펜을 5년간 사용한 환자에서 추가로 아로마타제 억제제를 사용하는 경우

타목시펜을 5년 복용한 후 추가로 연장하여 letrozole을 5년 더 사용한 군에서 28개월의 추적관찰 결과 4년 무병생존율이 93%로 타목시펜 요법군의 4년 무병생존율 87%에 비해 유의하게 높은 것으로 보고되었다(그림 4-58).

이상의 결과를 토대로 호르몬 수용체가 양성인 폐경 후 유방암 환자에서 아로마타제 억제제를 보조요법으로 사용하는 것은 타목시펜과 함께 표준요법의 하나로 반드시 고려해야 하며, 특히 재발위험도가 높은 림프절 전이가 양성인 유방암, HER-2/neu 유전자가 과발현되는 종양에서는 타목시펜보다 더욱 효과적인 치료법이 될 수 있을 것으로 판단된다.

라. 아로마타제 억제제와 난소절제술의 독성

에스트로겐의 생성 자체를 억제하는 보조요법의 주요 부작용은 열감, 근골격계 통증, 질건조, 두통 등이었다. 열감, 질출혈, 질분비, 뇌혈관이상, 정맥혈전증, 폐색전증 등은 타목시펜 군에서 더 많았고, 근골격계 질환과 골절, 심혈관계 질환의 빈도는 anastrozole군에서 더 많이 발견되었다. 아로마타제 억제제를 장기 투여했을 때 골다공증과 이에 따른 골절의 위험도가 증가하지만 이는 bisphosphonate제제의 병용 투여로 예방이 가능하다.

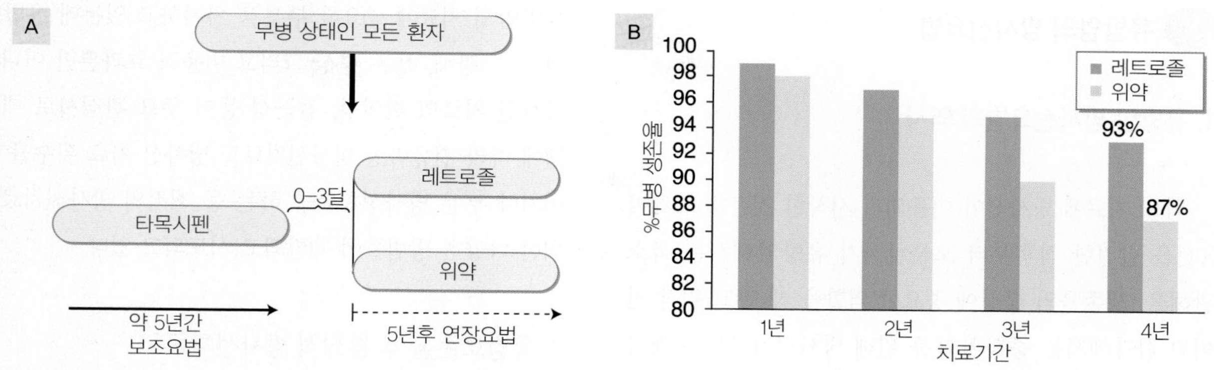

그림 4-58 **MA.17 임상시험 개요 및 결과.** A) 개요 B) Letrozole 요법군과 위약군의 무병생존율의 점진적인 변화

요약

유방은 여성 호르몬인 에스트로겐이 주로 영향을 미치는 여러 기관들 가운데 하나이다. 폐경 전의 여성에서는 난소에서 에스트로겐이 분비되며, 폐경 후의 여성에서는 지방, 근육, 뇌 등의 조직에서 분비되는 아로마타제 효소에 의해 부신에서 만들어지는 남성호르몬인 안드로겐이 에스트로겐으로 전환된다.

따라서 에스트로겐이 유방암에 미치는 영향을 차단하여 유방암의 재발 또는 진행을 막고자 하는 시도가 많이 이루어지고 있으며 이를 유방암의 호르몬 치료라고 한다. 보조 호르몬요법은 에스트로겐의 생성 자체를 억제하거나, 에스트로겐이 표적 기관의 수용체에 부착하는 것을 경쟁적으로 방해하여 에스트로겐의 작용을 억제한다. 유방암의 호르몬 요법에는 약물을 사용하는 방법과 수술이나 방사선 치료 등 약물을 사용하지 않는 방법으로 크게 구분할 수 있다.

현재까지 가장 대표적으로 사용되는 타목시펜은 전이되거나 진행된 유방암 환자에서 그 효과가 입증되면서 항에스트로겐 제제로 사용되기 시작하였다. 점차 그 치료 범위가 넓어지면서 초기 유방암 환자의 수술 후 보조요법으로서의 타목시펜 사용이 표준화되었고, 유방암 환자는 아니지만 유방암에 걸릴 가능성이 높은 고위험군 환자에서도 유방암 예방 효과가 확인되어 사용되기도 한다.

타목시펜 표준사용 기간은 5년으로 인정되고 있다. 타목시펜의 흔한 부작용으로는 안면홍조, 생리 불순, 질 분비 등의 경미한 것들이 대부분이지만, 자궁내막암의 발생 등과 같은 치명적인 합병증도 드물게 발생하기도 합니다. 따라서 타목시펜을 장기간 복용하는 환자들은 매년 이에 대한 정기적인 검진이 필요하다. 또한 타목시펜 복용은 혈전 및 색전증의 빈도를 증가시키는데, 특히 항암제와 함께 이를 복용하는 경우에 흔히 발생하는 것으로 알려져 있어 이에 대한 주의가 필요하다.

폐경 전 유방암 환자의 경우, 난소의 기능을 억제하기 위한 황체형성호르몬분비호르몬 유사물질이 개발되어 사용되며, 그 외에도 에스트로겐 수용체를 감소시켜 에스트로겐이 효과를 발휘할 수 없도록 하는 수용체 억제제의 개발 등 다양한 작용 기전을 갖는 여러 약제들이 개발되어 점차 호르몬요법의 주된 치료법 중의 하나로 자리잡고 있다.

폐경 후 여성에서는 아로마타제 억제제를 사용한다. 2-3년간의 타목시펜 복용 후에 전체 5년 기간의 아로마타제 억제제 복용도 가능하며, 5년간의 타목시펜 제제의 복용 후에 추가 5년간의 아로마타제 억제제의 복용도 가능하다.

아로마타제 억제제의 경우에는 타목시펜에 비해 안면 홍조, 질 출혈, 질 분비, 혈전 및 색전증, 자궁내막암 등의 부작용은 적은 반면 관절통, 근육통, 골다공증, 골절 등 근골격계 부작용은 더 많은 것으로 알려져 있다.

X 유방암의 방사선요법

1. 유방암 방사선요법의 역사

암의 치료에 방사선이 이용되기 시작한 것은 뢴트겐이 X선을 발견한 직후부터 오늘날까지 유방암에서는 국소 관해율, 생존율의 향상에 중요한 역할을 해 왔고 원격 전이된 환자에서는 증상완화를 위해 방사선치료를 시행하고 있다. 피부암 등에 방사선을 쪼이면 암의 크기가 줄어든다는 사실로 방사선을 암의 치료에 이용하기 시작 하였고 퀴리 부부가 라듐이라는 방사성동위원소를 발견한 후 라듐침을 유방암 치료에 주로 이용하다가 1930년대에는 저에너지 외부 방사선치료가 이용되었다. 그러나 저에너지 방사선치료는 방사선의 많은 부분이 피부에 흡수되고 실제의 암조직에는 충분한 양의 방사선이 조사되지 않아 급성 피부손상과 만성 후유증으로 치료효과는 만족스럽지 못하였다.

코발트를 이용한 방사선치료기가 1951년부터 가동되어 피부에 방사선이 흡수되는 양을 많이 줄일 수 있게 되었고 1950년대 초반부터 고에너지 X선과 전자선을 발생시키는 의료용 선형가속기가 개발되면서 현재는 유방암의 방사선치료에 주된 역할을 하고 있다. 선형가속 방사선치료기는 1990년대 부터는 컴퓨터를 이용한 3차원 입체방사선치료 기법이 개발되고 곧 이어 다양한 세기변조 방사선치료 기술이 개발되었고 현재는 환자의 호흡상태에 맞추어 치료하는 호흡동조치료 기술도 개발되어 부작용을 줄이고 표적에 방사선이 균일하게 조사할수 있게 되어 효과적으로 임상에 쓰이고 있다. X선이나 감마선 등 전자기파를 이용한 방사선 치료 또는 전자선을 이용한 방사선치료가 보편화 되어 있으며 중성자치료는 생물학적 효과비는 좋으나 물리적 특성이 좋지 못해 부작용이 많아 거의 사용되지 않고 최근에는 양성자 치료기 그리고 탄소 이온 등의 중입자 방사선치료기도 개발되었으나 유방암에는 제한적으로만 이용되고 있다.

최근에는 유방보존술이 많이 보급되면서 방사선치료가 유방암의 치료에 중요한 부분을 차지하고 있는데 유방암의 국소 관해, 생존 향상 그리고 미용적 효과뿐만 아니라 방사선 치료의 편의성, 접근성 등이 주요 관심사로 대두됨에 따라 전유바앙 방사선치료도 방사선 치료 횟수를 줄이거나 부분 방사선치료를 하는 등 최적의 방사선치료를 위한 다양한 방법들이 개발되고 시도되고 있다.

2. 유방보존술 후 통상적 방사선치료

유방보존술은 초기 유방암의 표준적인 치료로 자리 잡게 되었는데 유방촬영술에 의한 유방암의 정기 검진과 조기검진에 대한 대중의 인식이 높아져서 초기 유방암의 비율이 많아지고 수술, 방사선치료, 그리고 항암치료의 발전으로 유방보존술을 받는 환자의 비율이 비약적으로 높아지게 되었다.

Keynes 등이 1937년에 유방보존술의 이론적인 근거를 제시하였고 유방암을 국소 제거하고 라듐 입자치료를 시행하여 근치적유방절제술과 비슷한 성적을 나중에 발표한 후 여러 가지 초기 보고서들이 유방보존수술 후 방사선치료가 표준 치료가 되는데 길을 열게 되었다.

1970년대 들어 영국에서 전향적 무작위 임상시험을 시작하였고, 유방절제술과 비교하여 유방보존술 및 방사선치료가 1기 유방암에서는 차이가 없지만 2기에서는 차이가 있다고 보고하였으나 방사선치료선량이 통상적인 것에 비해 적었고(35-38Gy), 수술 방법에서도 문제가 있다는 지적을 받았다.

초기의 긍정적인 연구 결과에 따라 유방절제술과 유방보존술을 비교하는 3상 연구가 여러 곳에서 시행되었으며 대규모로 진행된 대표적인 연구가 미국 NSABP에서 시행된 NSABP B-06으로 4cm 이하의 환자를 변형 근치적 절제술을 시행한 환자군, 유방보존술과 액와림프절 절제술 후 방사선치료(전체 유방에 50Gy 조사 후, 10Gy 추가 조사)를 시행한 환자군, 유방보존술과 액와림프절 절제술만 시행한 환자군을 비교한 연구로 유방보존술에서 방사선치료를 안 한 경우 국소재발률이 림프절 전이 상태에 따라 40-50%이지만 방사선치료를 추가한 경우 20년 국소재발률, 액와림프절 재발률이 각각 14.3%, 2.7%이고 유방에서 재발한 경우 구제 유방절제술이 대부분 가능하였으며 유방절제술을 시행환 환자는 각각 10.2%, 4.6%로 무병생존율과 전체 생존율에서 차이가 없었다. 그 다음으로 중요한 연구는 밀란 그룹에서 행하여진 연구로 T1 병기 유방암 환자를 대상으로 한 연구의 20년 추적검사에서도 원격전이나 전체 생존율에서 차이가 없었다.

EBCTCG에서 시행한 17개의 전향적 연구에서 10,801명을 대상으로 시행한 메타분석에 의하면 방사선치료는 국소제어뿐만 아니라 치료가 안되어 원격전이가 되고 유방암에 의한 사망을 줄일 수 있는데 치료 후 5년에 방사선으로 유방암의 국소재발을 막으면 4명 중 1명은 15년 후에 유방암에 의한 사망을 피할 수 있다고 하며 림프절 전이가 있거나 림프절 전이가 없어도 고위험군인 환자에 사망률과 재발률을 낮출 수 있는 절대적인 효과가 있으며 그 외의 림프절 전이가 없는 군에도 중간정도의 재발률과 일부 사망율 감소를 가져 온다고 한다

유방 보존술은 조기 유방암에서 많이 시행하고 있으나 국소진행성 유방암도 선행화학요법을 시행하여 종양의 크기를 줄인 후 시행 할 수 있다. 그러나 유방보존술을 많이 시행하는 추세이지만 가급적이면 유방절제술을 추천하는 경우가 있는데 절대적인 유방보존술의 금기는 임신 중이거나 유방의 광범위 악성 미세석회화가 있는 경우, 유방내에 종양이 광범위하게 퍼져있어 한 번의 절제로 모두 제거 할 수 없으면서 절제면 음성을 만들면 유방모양이 변형이 심할때, 유방보존술을 시행해도 병리조직검사 결과 종양이 제거된 조직 외부로 침습된 소견을 계속 보이는 경우 이며 상대적인 금기 사항은 전에 가슴이나 유방에 방사선치료를 받은 병력이 있는 경우, 결합조직질환 특히 피부경화증, 루푸스 등의 피부 질환이 있는 경우, 종양의 크기가 5cm이 넘는 경우 광범위 병리 조직 경계면 양성인 경우 일부에서 문제가 되고 *BRCA 1/2* 등 유전적인 문제로 돌연변이를 가지고 있어 동측 부위 재발이나 반대측 유방암 발생이 높을 가능성이 있는 경우가 있으며 보조 방사선치료를 받을 여건이 안된 경우, 그리고 환자가 유방 절제술을 받기를 원하는 경우이다.

유방보존술 후 방사선치료는 과거에는 주로 2차원적 치료로 시행하였으나 환자에 따라 내부 구조의 차이가 크기 때문에 정상조직에 방사선량이 집중되고 표적에는 방사선이 더 조사 될 수 있어서 최근에는 3차원적인 치료를 많이 시행하며 3차원적 치료 설계는 컴퓨터단층촬영 모의치료기를 이용하여 해부학적 내부 구조를 파악한 후 치료 설계를 하기 때문에 정상 조직 특히 폐나 심장에 조사되는 방사선량을 감소시켜 방사선으로 인한 부작용 을 감소시키고 있다. 방사선치료가 심장에 미치는 영향에 관해서는 과거 자료를 근거로 한 Darby 등의 연구에서도 방사선량이 많을수록 허혈성 심장질환이나 관상동맥 손상등이 늘어 났으며 최근에는 접선야 방사선치료 방법 등으로 심장에 가는 방사선량이 줄어들고 따라서 심장 손상도 많이 줄어들고 있으며 치료 기술의 발전으로 근접해 있는 허파나 심장 등에 방사선이 피폭되는 것을 줄이기 위해 세기변조 방사선치료나 양성자 치료, 치료자세를 옆으로 또는 엎드려서 시행하는 방법 등을 사용하기도 한다. 치료 기간은 전 유방에 5-6주에 45-50Gy 방사선치료를 시행 후 재발 위험성이 높은 원발 병소 2-3cm 이내의 위치에 추가 방사선치료를 시행한다. 치료 기간이 5-7주로 비교적 길어 노인이나 다른 질병을 가지고 있는 경우, 또는 방사선치료 시설을 장기적으로 다니기 불편한 경우를 위해 보다 짧은 치료기간(3-4주) 안에 끝내는 치료 방법이 영국, 캐나다 등을 중심으로 연구가 진행되었으며 치료 효과 및 미용상의 영향은 5-7주 동안 장기적으로 치료 하는 성적과 비슷한 경과가 나오고 있어 노년층이면서 병기가 낮은 환자들을 중심으로 짧은 기간 치료 하는 방법이 점차 증가 하고 있다.

3. 유방보존술 후 부분 유방 방사선치료

현재 유방보존술 후 방사선치료는 유방 전체를 치료하는 것이 표준치료 방법이지만 종양부위에만 방사선을 조

사하는 부분유방 방사선치료도 시도되고 있다. 유방암의 재발 양상을 관찰해 보면 원발병소가 위치했던 부위나 그 주변이 재발하는 비율은 20-40% 정도로 높으나 다른 부위의 재발은 5% 미만으로 원발병소 주위 재발률이 유방 전체 재발에서 80% 정도를 차지하여 유방 전체에 방사선치료를 필요로 하는 것인가에 대한 의문이 제기되어 왔다. 또한 통상적인 방사선치료는 5-7주 간에 걸친 장시간이 소요되기 때문에 유방보존술을 받기 힘든 환자에게도 방사선치료 기간을 단축하여 유방보존술을 시행하고 항암화학요법을 병용할 때 방사선치료부터 먼저 시행해야 하는 경우 항암화학요법의 시기가 늦어지는 것을 방지할 수 있는 방법으로 다양한 방법의 부분유방 방사선조사가 시행되어 왔다. 현재 사용되고 있는 방법에는 조직내 근접방사선요법, 풍선근접방사선요법, 수술 중 방사선요법, 3차원입체 방사선요법, 세기조절방사선요법, 양성자치료요법 등이 있다.

조직내 근접방사선요법은 종괴절제술강 주변에 여러 개의 카테터를 삽입한 후 그 부위에만 Ir-192 등 방사성동위원소를 이용하여 고선량의 방사선을 조사하는 방법으로 과거부터 유방전체를 방사선조사 후 추가 조사의 목적으로 많아 이용되던 방법에서 확립된 것으로 정도 관리와 안정성이 잘 확립되어 있다. 현재까지 알려진 자료로는 국소재발률이 5% 미만이고 미용효과도 비교적 우수한 성적을 보이고 있다. 그러나 이 방법이 많이 이용되지 못하는 것은 시술방법이 침습적이라는 점과 기술적으로 어렵고 숙련과정이 필요하며 대부분의 병원에서 치료기기가 설치되지 않아서 보편적으로 이용되지 않고 있다.

풍선근접방사선요법은 2002년 미국 식품의약품안전청 Food and Drug Administration (FDA)에서 승인을 받아 많이 사용되는 치료 방법으로 삽입하기 쉽고 균일한 방사선량을 종괴 절제 부위에 조사할 수 있으며 재현성이 뛰어나 부분 유방 방사선치료에서 현재 가장 많이 시용되고 있다. 확장관을 통해 풍선을 팽창시키고 카테터를 통해 Ir-192 동위원소가 종양부위에 머물러서 그 부분에 방사선을 조사하게 되는데 조직 내 근접방사선요법과 달리 시술자에게 방사선피폭이 없는 장점도 있으나 풍선의 삽입으로 종괴절제술강이 변형될 수 있고 풍선표면과 피부와의 거리가 너무 가까운 경우(7mm 이하) 피부에 과도한 방사선이 들어갈 수 있는 단점이 있다. 보통 수술 직후에 시행하거나 수술 후 초음파 가이드로 시술하기도 하며 방사선은 하루 2번씩 34Gy 방사선을 10번에 나누어 치료하므로 1주일이내에 방사선치료가 끝나게 된다. 대표적인 기구가 MammoSite인데 MammoSite의 단점인 카테터가 하나인 것을 극복하고 정상 조직을 더 보호하며 공기나 고인 체액을 배출하는 관을 따로 가지는 등의 새로운 기능을 가진 SenoRx Contura, SAVI, ClearPath 등의 임상시험 중에 있다. 또 2006년에 미국 FDA의 승인을 받은 Xoft Axxent는 Ir-192 동위원소를 사용하는 타 기계와 달리 비슷한 물리적 특성을 가지는 저전압X선 발생장치를 사용하는 방법이며 방사선을 발생하는 동위원소가 필요 없으며 방사선차폐시설이 필요 없다는 장점이 있다. MammoSite는 미국유방외과학회, 미국 근접치료기학회 등에서 다기관 임상시험 중에 있으며 현재까지 결과는 비교적 양호하나 젊은 여성 등에서 문제점이 제기되었다. 그래서 2009년 미국방사선종양학회는 기존의 임상시험에서 시행되었던 치료 대상군에 더 엄격한 기준을 마련하여 부분 유방 방사선치료에 대하여 새로운 가이드라인을 발표하였다.

가이드라인에 따르면 나이는 60세 또는 그 이상이어야 하고 *BRCA 1/2* 돌연변이가 없으며 종양의 크기가 2cm 또는 그 이하의 T1 병기이고 수술 경계면에 최소 2mm 이상, 림프혈관영역침범이 없어야 하고 에스트로겐 수용체가 양성이어야 하며, 다발성이라도 같은 4분구역에 있으면서 총 크기가 2cm을 넘지 않아야 하며, 순수한 관상피내암은 안되고, 림프절 전이가 없어야 하며, 감시림프절이나 액와림프절 절제술을 시행한 상태이어야 하며, 선행화학요법을 시행하지 않은 경우 부분 유방 방사선 치료를 하기에 적당한 것으로 권고하고 있다. 그리고 부분 유방 방사선치료를 하지 말아야 할 군으로 50세 미만의 젊은 여성 유방암, *BRCA 1/2* 돌연변이, 종양의 크기 3cm 이상, 절제면 양성, 림프혈관침범, 한 4분구역 이상이거나 같은 4분구역도 총 크기가 3cm 이상, 관상피내암 크기가 3cm 이상, 림프절 전이가 있거나 림프절 절제술을 시행하지 않은 경우, 선행화학요법을 시행한 경우를 포함하였으며 그 중간에 해당되는 경우 부분 유방 방사선치료에 주의를 해야 할 군으로 분류하고 있다. 유방보존술을 시행한 환자의 약 1/5-1/4 정도가 풍선근접방사선치료에 적합할 것으로 예상되었으나 이 가이드라인에 따르면 더 적은 비율의 환자가 적응증이 되고 유방이 비교적 작고 젊은 여성의 비율이 많은 동양인은 대상이 더 적을 수 있는데 유방의 크기가 작으면 같은 종양의 크기라도 정상유방과 비율 차이가 생겨 종양이 유방의 안쪽에 위치하는 경우 반대측 유방에 피폭되는 방사선량이 증가하고 피부, 폐, 그리고 심장에 들어가는 방사선량도 증가할 수 있어 NSABP B-39/RTOG0413 프로토콜에 따른 선량의 제한을 받기 때문이다.

수술 중 방사선치료은 수술이 끝난 직후 종양이 있었던 부위에 보통 21Gy 정도의 고선량의 방사선을 한 번에 조사하는 방법으로 처음에는 수술 후 외부 방사선치료를 시행할 경우 1-2주간의 추가 방사선치료를 대체하기 위해 개발되었으며 소형화한 움직이는 선형가속기를 이용하는 방법이다. 이 방법은 수술실에서 1회 조사로 방사선치료가 끝나기 때문에 환자에게는 매우 간편한 방법이다. 수술 중 방사선치료의 생물학적 장점은 수술 중에 방사선치료를 시행하므로 방사선치료 효과 증진에 필요한 충분한 산소와 혈액공급이 되고 정상 조직보호와 치료 부위를 눈으로 보면서 확인할 수 있고 수술 후 방사선치료 때문에 항암화학요법의 시기를 조정할 필요가 없다. 그러나 수술 중 방사선치료를 시행하기 때문에 환자의 병리 상태를 정확히 알 수 없다는 것과 1회에 고선량의 방사선이 조사되므로 여러가지 만성 부작용이 발생할 수 있다. Veronesi 등의 연구에 의한 현재까지 결과는 국소 제어율이 좋으며 지방괴사, 섬유화 등이 관찰되나 대부분 회복된다고 한다.

3차원입체 방사선치료와 더불어 부분 유방 방사선치료에 이용되고 있는 세기조절 방사선치료는 조사되는 방사선의 세기를 조절함으로써 방사선을 조사하려는 부위와 정상조직에 원하는 양의 방사선을 조사할 수 있는 방식의 방사선치료이다. 이 방법들은 위에서 언급한 방법들에 비해 비침습적이라서 감염, 출혈 등 카테터와 연관된 부작용이 없으며 방사선이 치료 부위에 비교적 고르게 조사되어 근접방사선치료를 시행할 때 나타나는 부분적인 고선량 조사로 인한 지방괴사 등을 피할 수 있다. 그러나 카테터 삽입을 치료 할 경우 치료 자세변화나 호흡에 의한 움직임에도 비교적 일정한 치료 범위를 유지할 수 있지만 이 방법들은 치료 할 때마다 조사 범위가 달라 질 수 있으므로 호흡 움직임이나 자세변화에 따른 오류에 대한 대책과 치료과정에 대한 정도 관리가 필요하다.

4. 유방절제술 후 방사선치료

유방절제술 후 방사선치료는 국소 부위의 잔존병소를 줄여서 국소제어율을 높일 수 있다는 이론적인 근거로 시행되어 왔다. 그러나 과거에 항암치료가 제대로 시행되지 않던 시절에 저에너지의 구식 장비로 정밀하게 치료가 안되어서 정상조직에 방사선이 많이 조사되고 표적 조직에는 충분한 방사선조사가 안된 치료 결과들은 방사선에 의한 치료 효과와 치료 기술 때문에 생긴 부작용의 효과가 상쇄되어 생존율의 향상을 가져 오지 못했다. Cuzick 등의 메타분석에 의하면 방사선치료로 유방암의 사망이 감소하는 부분이 방사선에 의한 심장 관련 사망률과 균형을 이루어 치료효과를 보지 못했고 새로 발전된 항암화학요법의 출현으로 많이 이용되지 못했다. 그러나 항암요법의 용량을 늘리거나 새로운 약제들이 기존의 치료 결과에 비해 국소제어율이 크게 향상된 결과를 보이지 못하여, 항암치료를 받는 상태에서 추가 방사선치료를 시행하는 효과에 대한 연구가 계속되었다. 덴마크에서 시행한 프로토콜 82b, 82c 연구와 캐나다에서 시행한 전향적 연구에서 일부 고위험군은 항암화학요법으로는 국소제어가 안되어 방사선치료를 추가함으로써 국소재발을 줄이고 생존율의 향상을 가져온다는 결과가 나왔다. 유방절제술 후 방사선 치료 효과를 조사한 모든 전향적 연구 결과를 분석한 EBCTCG에서도 나이나 암의 특성에 관계없이 림프절 전이 양성인 환자에서 방사선치료가 국소재발률을 줄여서 방사선치료를 시행하지 않은 군에 비해 5년 국소제어율 17% 향상을 가져오고 15년 유방암 사망률 5.4% 감소라는 매우 의미있는 결과를 가져왔다. 그리고 EBCTCG의 최근에 나온 22개 전향적연구에서 8,135명을 대상으로한 장기 추적 연구에서 위험군즉 림프절 전이가 4개 이상인 경우 국소 및 전신재발을 많이 줄일 뿐만 아니라 사망률도 9.3% 나 줄이는 큰 효과를 보이고 림프절 전이가 1-3개인 경우도 수술 후 방사선치료로 재발률 줄일 뿐 아니라 유방암 사망률도 7.9% 감소시켜 의미 있게 효과적임을 보여주고 있다.

현재까지 여러 연구 결과로부터 유방절제술 후 림프절 전이가 4개 이상, 종양의 크기가 5cm 이상, 피부 침윤이 있거나 흉벽까지 침윤이 있는 경우 국소재발률이 20% 이상이므로 수술 후 방사선치료를 강력 추천하고 있었다. T1, T2 종양이면서 1-3개의 림프절 전이가 있는 경우국소 재발 위험률은 10-20% 정도로 수술 후 방사선치료 여부에 논란이 있어 왔다. 그러나 위의 EBCTCG 등의 자료를 근거로 최근에는 특히 NCCN 가이드라인에는 4개 이상의 림프절 전이와 마찬 가지로와 림프절 전이가 1-3개인 경우 수술 후 방사선치료를 강력히 권고하고 있으며 이 경우도 가능하면 내유 림프절 부위까지 포함하여 방사선 치료를 권고하고 있다. 유방절제술 후 방사선치료를 시행할 경우 생명에는 지장이 없으나 만성 후유증인 팔의 부종, 섬유화, 어깨가 굳어지고 팔신경얼기 마비 등이 증가할 수 있다. 심장과 폐에 대한 방사선 조사의 후유증은 과거의 치료 방법에 주로 기인하며 오늘날은 3차원적인 치료 방법 또는 세기조절 방사선치료 방법을, 그리고 양성자 등 입자선 치료 등을 사용하면 부작용을 최소화할 수 있다.

5. 액와 림프절, 상쇄골림프절, 내유림프절 방사선치료

액와 림프절 절제술은 병기 결정, 위험도 평가, 그리고 액와 림프절 재발을 막기 위해 시행해 왔고 수술에 의한 국소제어율이 생존율의 향상을 가져온다는 것은 잘 알려진 사실이다. 그러나 부종, 통증, 감각이상, 그리고 어깨 운동 제한 등의 부작용이 문제가 되는데 조기 유방암에서 감시림프절 절제술이 이러한 부작용을 많이 감소시킬 수 있다. 그리고 액와 림프절 방사선치료도 이환률을 적게 하면서 비슷한 치료 성적을 얻을 수 있다. 유방절제술 후 액와 림프절 방사선치료 결과는 NSABP B-04 연구에서, 유방보존술 후 액와 림프절 방사선치료는 퀴리연구소에서 림프절 절제술과 같은 효과를 가진다고 입증하였고 많은 후향적 치료 결과 분석에서도 같은 결과가 나왔다.

이상의 결과들로부터 감시림프절 절제술 상 림프절 전이가 확인되면 추가로 액와림프절청소술을 시행하지만 팔에 대한 부작용을 줄이기 위해 수술 대신 방사선치료를 시행 할 수 있는데 여기에 대한 전향적 연구도 진행되어 왔다. 최근에 결과가 나온 AMAROS trial과 OTOASOR trial은 모두 액와 림프절 재발과 무병 생존율에서 수술, 방사선치료 모두 좋은 효과를 보이고 차이가 없었으며 부종의 발생 비율은 AMAROS 에서는 수술과 방사선치료에서 각각 23%, 11%, OTOASOR에서 각각 15.3%, 4.7%로 방사선치료가 효과는 같으면서 부종의 발생 비율이 많이 감소하는 결과를 보이고 있다. 내유 림프절과 상쇄골 림프절에 대한 방사선치료는 폐, 심장 등에 대한 부작용 때문에 액와림프절 전이가 많거나 내유 림프절 전이가 있는 경우 시행해 왔으나 EORTC 22922-10925 trial, 등으로 액와림프절 전이가 있거나 전이가 없어도 암이 중앙 또는 내측에 있는 경우 방사선치료로 국소재발률 감소 유방암에 의한 사망률 모두 감소 하고 심장, 폐 그리고 식도에 대한 부작용의 차이가 없었다. 후속으로 최근에 발표된 NCIC MA.20 trial, DBCG-IMN trial 에서도 비슷한 결과를 보이고 있어 향후 상쇄골 림프절이나 내유 림프절에 대한 방시선치료 적응증이 증가할 것으로 예상 된다.

6. 선행항암요법과 근치적 수술 후 방사선치료

선행화학요법과 수술 후 방사선치료는 현재까지 연구가 가장 덜 진행된 분야로 후향적 연구를 기초로 하고 있는데 수술 후 병리적 병기 소견이 중요할 뿐만 아니라 치료전 임상적 병기도 중요하다고 알려져 있다. 즉 선행항암치료로 좋은 반응을 보여도 임상 병기 3기 인 경우 국소재발률이 높은데 한 보고에 의하면 완전 관해가 왔어도 국소 재발률이 33%인 경우도 있었다. 아마도 암의 생물학적 특성이나 임상 병기 그리고 항암제에 대한 반응이 국소 재발에 관여하는 것으로 생각된다 향후 추가적인 연구결과가 진행되어야 좀 더 명확해지겠지만 현재는 cT3/4 그리고 또는 cN2/3인 경우는 선행항암요법으로 완전관해가 와도 방사선치료가 필요하며 ypTNM이 T3-4 또는 N2-3인 경우 방사선치료가 필요할 것으로 생각된다. 임상적 병기가 cT1-2N0인데 ypT0-2 ypN0인 경우 유방전절제술을 시행한 경우 아마도 방사선 치료가 추가로 필요하지 않을 것으로 생각되나 SUPREMO trial 연구 결과가 필요하다. cT1-2N1이 선행항암후 ypT0-2 ypN0-1으로 바뀐 경우 방사선치료의 역할이 현재로서는 불확실하나 일반적으로 NSABP 17과 NSABP 28 등의 결과를 참조하여 방사선치료 여부를 정하고 있다.

7. 유방재건술과 방사선치료

유방절제술 후 많은 여성들이 유방재건술을 원하며 방사선치료를 해야 할 경우 여러 가지 문제에 직면하게 되므로 유방외과, 성형외과, 그리고 방사선종양학과 전문의들의 긴밀한 협조가 필요하다. 유방재건술은 인조보형물이나 자가 조직을 사용하며 수술을 할 경우 시행하거나 일정기간이 지난 후, 주로 방사선치료 후 시행하게 된다. 즉시 재건술은 피부감각과 미용에 좋은 점이 있지만 방사선치료를 할 경우 그 장점이 상쇄되고 방사선치료를 계획할 때에도 어려움이 따른다. 즉 이식된 물질 때문에 기하학적인 문제가 발생하여 세기조절 방사선치료와 같은 특수하게 계획된 치료가 아니면 방사선이 만족스럽게 조사되기 어렵다. 그 중에서도 인조보형물을 이용한 경우에는 방사선치료를 시행하기 편하나 섬유화, 구축 등으로 미용상 나쁜 결과를 가져오는 경우가 많다. 자가 조직을 사용하는 경우에도 대체로 방사선치료를 시행 후 시행하는 것이 좋다.

8. 고식적 목적의 방사선치료

유방암 환자는 국소재발이나 원격전이가 되어도 다른 암들과 달리 오랜 기간 동안 생존할 수 있다. 원격전이로 인해 발생할 수 있는 통증이나 골절, 척수 압박 등을 장기적으로 조절하여 주는 것이 환자의 삶의 질을 향상시키는데 필요하다. 광범위한 원격 전이는 생존 기간이 짧을 수 있으나 한 장기에 제한된 부위에만 전이가 있고 전이까지의 기간이 긴 경우 장기 생존할 가능성이 많아 일반 암의 고식적 방사선치료와 같이 단기간의 증상완화 목적의 방사선치료보다는 보다 적극적인 방사선치료가 필요하다. 이러한 경우 다른 암에서 고식적 방사선 치료를 할 때 보다 적극적인 방사선치료를 하거나 짧은 기간에 치료하더라도 새로운 방사선치료 방법을 동원하여 고선량을 부작용을 최소화 하면서 치료하여 증상 완화 기간을 늘릴 수 있다.

요약

방사선치료는 수술, 항암치료와 함께 유방암을 치료하는데 있어서 중요한 역할을 해 왔다. 과거에는 유방절제술 후 고위험군인 환자를 대상으로 재발 방지를 위해 방사선치료를 시행하거나 증상완화를 위해 고식적 목적의 치료가 많았으나 유방 절제술 후 방사선치료도 치료의 기술적인 부족으로 만족스러운 결과를 얻을 수 없었다. 그러나 방사선치료도 고에너지 선형가속기가 개발되고 기술적인 발전을 거듭하여 3차원 입체치료나 세기조절 방사선치료 방법, 양성자 등 입자선을 이용한 방사선 등이 개발되어 정상조직으로 가는 방사선을 줄이고 표적 조직에 충분한 방사선이 조사되도록 하고 있다. 유방보존술이 유방절제술과 같은 치료성적을 보이면서 유방을 보존할 수 있게 되고 조기검진 등으로 조기 유방암의 비율도 높아져서 오늘날에는 방사선치료가 거의 필수적인 유방보존술의 비율이 높아졌다. 종양이 크거나 방사선에 민감한 피부질환, 다발성 유방암 등 일부의 금기증을 제외하고는 유방 보존술이 가능하며 종양이 커도 선행항암화학요법을 시행 후 가능하다. 방사선치료는 전 유방을 치료하는 것이 일반적이나 짧은 기간에 종양이 있던 부위 근처만 치료하는 부분 유방 방사선치료도 일부 환자에 적용되고 있다. 유방절제술 후 림프절전이가 4개 이상이거나 종양의 크기가 5cm보다 큰 고위험군인 경우 흉벽과 림프절 방사선치료가 필요하며 방사선에 의한 국소제어가 생존율 향상에 영향이 입증되었다. 최근에는 액와 림프절 전이가 1-3개 양성인 경우 뿐만 아니라 종양이 중앙이나 안쪽에 위치한 경우에도 수술 후 방사선치료로 폐, 심장 또는 식도에 대한 부작용 증가 없이 치료효과가 있어 유방암에서 방사선치료의 역할이 증가하고 있다.

XI 유방암의 분자생물학적 분류 및 표적치료

유방암은 형태학적 및 면역조직화학적 양상과 임상경과와 관련된 생물학적 특징이 다양한 비균질적인 질환heterogeneous disease이다. 오랜 기간 동안 종양의 조직학적 형태 및 등급, 호르몬수용체의 발현 여부 등에 의해 유방암의 분류가 이루어져 왔었으나, trastuzumab의 개발 이후 오래 전부터 예후 판정 및 치료의 예측인자로 알려져 왔던 인간 성장인자 수용체-2Humanepidermal growth factor Receptor-2 (HER2)의 발현 여부 역시 유방암 환자에 있어서 중요한 병리학적 검사 과정이 되었다. 최근에는 유방암에 대한 유전자 발현 배열법gene expression array을 이용하여 형태학적으로 다양성을 보이는 유방암을 특징적인 유전자 발현 양상 및 예후를 가지는 몇 가지 분자생물학적 아형subtype으로 분류할 수 있게 되었다. 또한, 최근 눈부시게 발달한 분자생물학과 이를 의학에 접목하여 얻은 연구의 결실로 유방암을 비롯한 암에 대한 지식이 많이 늘게 되었으며, 지금 이 순간에도 암과 관련된 엄청난 양의 정보가 쏟아져 나오고 있다. 이 중에는 임상적으로 암의 치료에 적용할 수 있는 매우 유용한 결과가 다수 포함되어 있으며, 이를 바탕으로 표적치료targeted therapy라 불리는 새로운 암 치료법이 개발되고 있다. 이 장에서는 유방암의 분자생물학적 분류와 다양한 표적치료제들에 대해 살펴보기로 한다.

1. 유방암의 분자생물학적 분류

유방암은 생물학적 특징과 임상 경과, 치료에 대한 반응 등에 있어서 매우 다양한 양상을 가진다. 최근에는 유전자 발현배열법gene expression array or cDNA microarray을 이용하여 유방암을 서로 다른 유전자 발현 양상(그림 4-59) 및 특징적인 예후(그림 4-60)를 보이는 몇 가지 아형

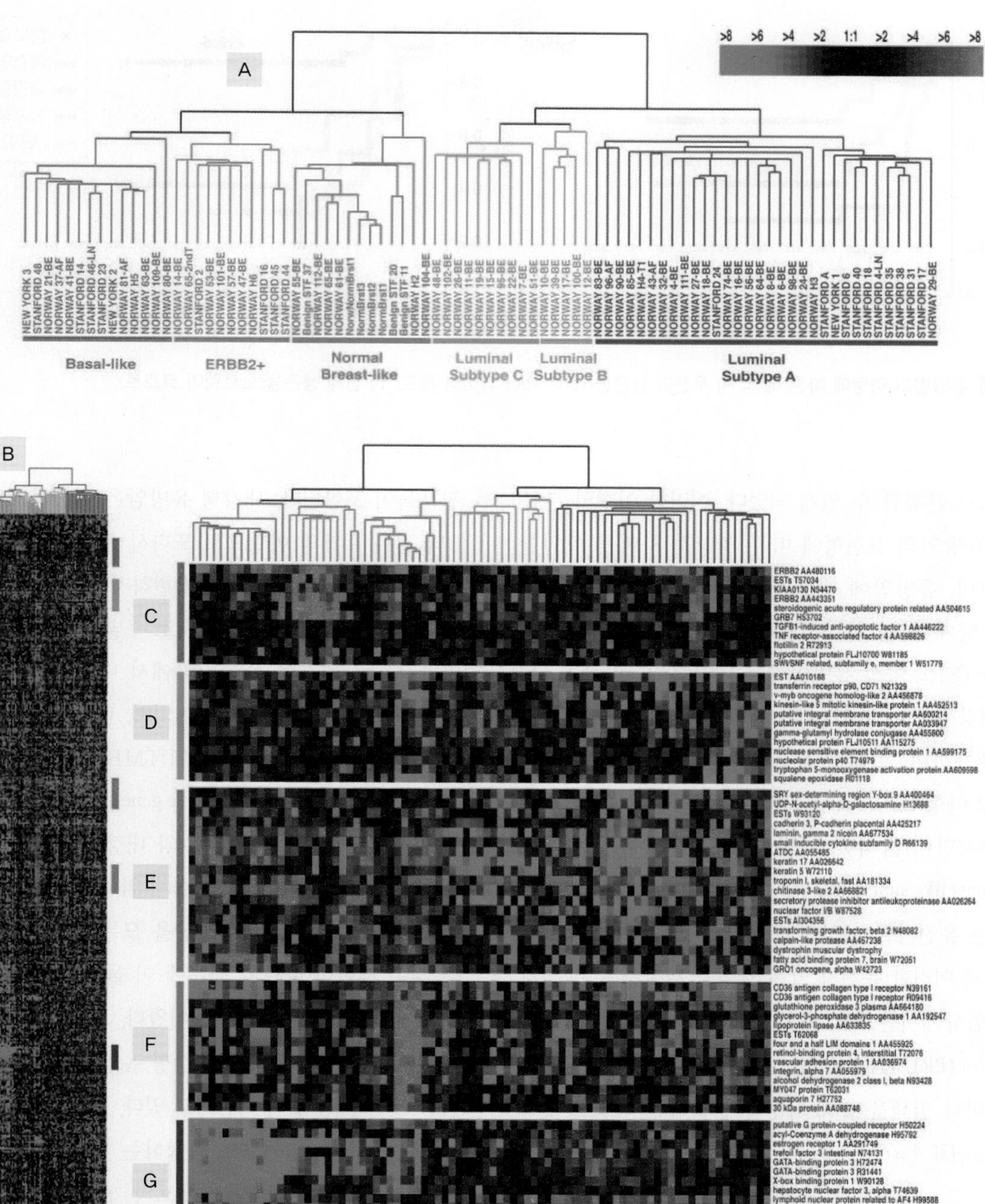

그림 4-59 476개의 상보적 DNA 내인성 유전자 세트를 이용한 계층적 군집법으로 분석한 85례의 표본에 대한 유전자 발현 양상(유방암 78례, 양성 종양 3례, 정상 조직 4례). A) 종양 표본들은 유전자 발현의 차이에 의해 5개(또는 6개)의 아형으로 분류된다: luminal subtype A, luminal subtype B, luminal subtype C, normal breast-like, basal-like, ERBB2+(또는 HER2+). B) 축소한 전체 군집의 도해로 우측의 각 색칠된 막대는 C-G에서 보여주는 부분을 나타낸다. C) ERBB2 증폭절 군집(ERBB2 amplicon cluster). D) 신 미확인 군집(Novel unknown cluster). E) 기저상피세포-농축 군집(Basal epithelial cell-enriched cluster). F) 정상 유방양 군집(Normal breast-like cluster). G) ER을 포함한 내강상피 유전자 군집(Luminal epithelial gene cluster containing ER)

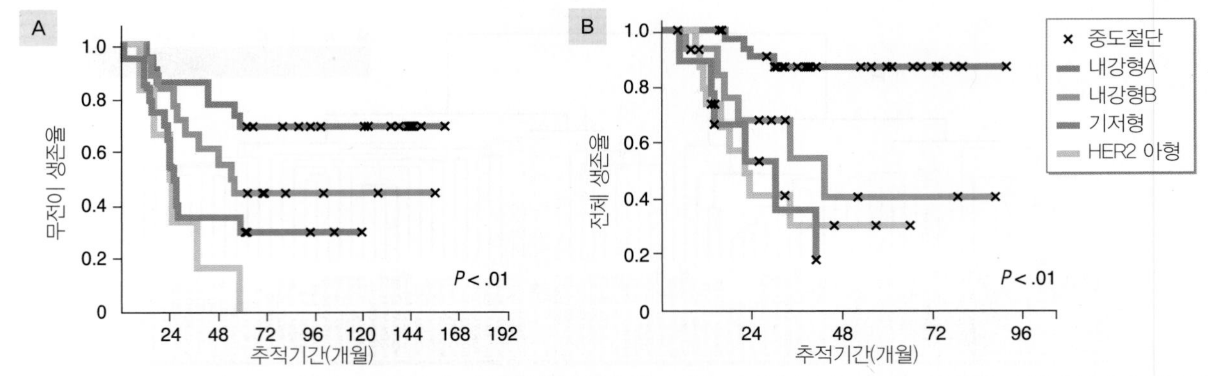

그림 4-60 **유방암의 아형에 따른 예후.** A) 무전이 생존율(van't Veer 데이터 세트). B) 전체 생존율(노르웨이 코호트).

subtype으로 분류할 수 있게 되었다. 이러한 아형의 분류를 통해 유방암의 표현형에 따른 임상적 차이를 확인할 수 있었으며, 유방암에 대한 새로운 생물학적 지식을 확장할 수 있게 되었다. 에스트로겐 수용체estrogen receptor (ER)-양성 유방암에는 내강형Aluminal A subtype와 내강형 Bluminal B subtype와 같은 적어도 두 개의 아형이 존재하며, 반대로 호르몬수용체-음성 유방암에는 HER2 아형HER2 subtype과 기저양 아형basal-like subtype이 존재함이 밝혀졌다. 이 밖에도 정상 유방양 아형normal breast like subtype도 존재한다. 이러한 유방암의 아형 분류는 유전자발현 양상에 따른 분류법이지만, 모든 환자들에게 이러한 유전자 발현 양상을 검사할 수는 없기에 실제 임상에서는 ER, 프로게스테론 수용체progesterone receptor (PR), HER2, Ki-67 등의 대리 지표에 대한 면역조직화학 염색을 통해 아형을 구분하는 방법이 많이 쓰이고 있다(표 4-27).

1) 내강형

(1) 유전자 발현 양상

내강형Luminal subtype 유방암은 호르몬수용체-양성 유방암으로 이루어져 있으며, 유방의 내강상피 구성 요소를 연상시키는 유전자 발현 양상을 보인다. 여기에는 luminal cytokeratin 8/18, ER1, 그리고 LIV1과 FOXA1, XBP1, GATA3, BCL2와 같은 ER의 활성화와 관련된 유전자들이 포함된다. 내강형 유방암은 내강형 A와 내강형 B와 같은 두개의 아형으로 또다시 분류될 수 있으며, 두 아형 모두 호르몬수용체를 발현하지만 유전자 발현 양상이나 임상 경과에 있어서는 서로 구별되는 특징을 갖는다. 일반적으로 내강형 A 유방암에서 내강형 B 유방암보다 ER-관련 유전자가 높게 발현되며, 내강형 B 유방암에서는 특히 v-MYB, GGH, LAPTMB4, NSEP1, CCNE1 같은 증식성 유전자proliferative gene들이 내강형 A에 비해 높게 발현된다. 이는 내강형A와 내강형 B 유방암을 나눌 때 중요한 지표이다. 하지만 실제 임상에서는 높은 비용의 문제 등으로 유전자 발현양상을 모든 환자에게서 검사하는 것은 제한이 따르기 때문에 이 둘을 나누는 실용적인 기준에 대한 많은 연구가 있어왔다. 그 결과 현재 임상에서는 Ki 67 지수, 14%가 내강형 유방암을 A와 B로 구분하는 것이 가장 널리 이용되고 있다. 하지만 Ki 67 지수를 면역 조직 화학 염색으로 측정하는 것은 검사를 위한 항체의 선택이라던지 염색된 세포의 개수를 세는 방법들이 검사 기관마다 다를 수 있기 때문에 검사 결과가 일정하지 않을 수 있다는 문제점을 안고 있다. 따라서 이를 표준화하는 것이 시급한 문제로 인식되고 있다.

(2) 임상적 특징

내강형은 유방암의 아형들 중 가장 흔한 아형으로 내강형 A 유방암의 경우 전체 유방암의 50-60%를 차지하

표 4-27. Surrogate definitions of intrinsic subtypes 대리 지표를 통한 유방암 아형의 분류

Intrinsic subtype	Clinico-pathologic surrogate definition	Notes
Luminal A	Luminal A-like All of: ER and PgR + HER2- Ki-67 'low'	Ki-67 < 14% PgR ≥ 20%
Luminal B	Luminal B-like (HER2 negative) ER+ Her2- And at least one of: Ki-67 'high' Luminal B-like (HER2 positive) ER+ Her2+ Any Ki-67, any PgR	Ki-67 ≥ 14% PgR < 20%
HER2 overexpression	HER2 positive (non-luminal) HER2+ ER and PgR absent	
Basal-like	Triple negative (ductal) ER and PgR absent HER2	There is an 80% overlap between 'triple negative' and 'basal-like' subtype. TNBC also include some special histologcal types

(Saint Gallen International Expert Consensus 2013)

며 내강형 B는 15-20%를 차지한다. 비교적 예후가 좋은 것으로 알려진 관상tubular, 침윤성 관상체모양invasive cribriform, 소엽lobular, 점액mucinous 암종 같은 특이한 유방암들이 이 아형에 속한다. 내강형 B 유방암은 내강형 A에 비해 좀더 공격적 표현형, 고등급, 높은 분열 지수를 가지며 따라서 예후도 내강형 A 유방암에 비해 좋지 않다. 치료 받지 않은 내강형 B 유방암 환자는 HER2 아형의 유방암이나 기저양 아형의 유방암과 비슷한 생존율을 보이는 것으로 알려져 있다.

(3) 치료에 대한 반응

내강형 유방암은 일반적으로 좋은 예후를 갖는다. 그러나 내강형 유방암 내에서도 예후의 차이가 있어서 내강형 B 유방암은 내강형 A 유방암보다 나쁜 예후를 갖는다. 내강형 유방암의 치료에는 항암화학요법 및 호르몬요법이 사용되는데 치료에 대한 반응의 차이가 이러한 예후의 차이에 일부 관여하는것으로 생각되고 있다. 내강형 유방암은 통상적으로 호르몬 치료에는 잘 반응하지만 일반적인 항암 화학 요법에는 잘 반응하지 않는데 호르몬 치료나 항암화학요법에 대한 반응은 내강형 A와 내강형 B 유방암 사이에 차이가 있다. 내강형 B 유방암은 내강형 A 유방암에 비해 타목시펜이나 아로마타제 억제제 같은 호르몬 치료에는 잘 반응하지 않는 반면 수술 전 항암 치료를 시행했을 때 내강형 A 유방암보다 병리학적 완전 관해를 얻을 가능성이 높은 것으로 알려져 있어(내강형 B: 17%, 내강형 A: 7%) 항암 치료에는 상대적으로 잘 반응할 것으로 예상된다. 그리고 RT-PCR 기반의 재발 예측 모델인 21-Gene Recurrence Score Assay (Oncotype DX)에 따르면 내강형 A 유방암은 낮은 Recurrence Score를 가지며 내강형 B 유방암은 높은 Recurrence Score를 가진다. 따라서 조기 유방암에 있어서 증식성이 높은 내강형 B 유방암은 호르몬요법에 추가로 항암화학요법을 하는 것이 도움이 될 것이며, 내강형 A 유방암은 호르몬요법만으로도 적절히 치료될 수 있을 것으로 보인다. 최근 연구에서는 FGFR1, HER1, PI3K 와 Src 같은 대체 성장 인자 신호 전달 경로가 내강형 B 유방암의 높은 증식성과

나쁜 예후와 관련 있다는 것이 알려져 이를 표적으로 하는 치료제를 개발하기 위한 연구가 진행 중이다.

2) HER2 아형

(1) 유전자 발현 양상

임상적으로 HER2 아형의 유방암은 면역 조직 화학 염색에 의해 호르몬 수용체 음성이면서 HER2 단백의 과발현을 보이거나 형광제자리보합법Fluorescencein Situ Hybridization (FISH)에서 HER2 유전자의 증폭을 보이는 유방암을 말한다. 하지만 유전자 발현 배열법에 의한 HER2 아형의 유방암 분류와는 완벽하게 들어맞지는 않는다. 일부 HER2-양성 유방암의 경우 내강형 유전자 군집이 높게 발현되며 ER-양성의 특징을 보이는데 이러한 유방암은 내강형B 유방암의 범주에 속한다. HER2 아형의 유방암은 HER2 게놈 DNA의 증폭에 의하여 HER2 유전자와 GRB7과 같은 HER2 amplicon에 속하는 유전자는 과발현되는 양상을 나타내고 내강형 호르몬수용체 관련 유전자 군집은 낮은 발현을 보인다. 또한, HER2 아형 유방암은 증식 군집의 과발현을 보이며, 75% 가량이 고등급 유방암이며, 40% 이상의 경우에서 TP53 유전자의 돌연변이를 갖는다.

(2) 임상적 특징

HER2 아형은 전체 유방암의 약 5-10% 가량을 차지한다. 비록 trastuzumab과 같은 HER2 표적 치료제의 등장으로 획기적으로 개선되긴 했지만 일반적으로 HER2 아형의 유방암은 불량한 예후를 가진다. 또한, HER2 아형은 고등급인 경우와 저분화 유방암인 경우가 많으며, 내강형 A의 유방암에 비해 약 2배 가량 액와 림프절 전이가 빈번하게 발생하고 뇌전이와 내장 장기 전이 역시 발생빈도가 높다. HER2 아형의 유방암의 예후가 불량한 이유는 기저양 아형과 같은 다른 호르몬수용체-음성 유방암과 마찬가지로 종양세포의 완전 소거complete eradication가 이루어지지 않은 경우에 조기 재발의 위험성이 크기 때문인 것으로 생각된다. 이 아형의 유방암은 환자의 연령 및 인종과 관련성이 없으며, 기존의 알려진 다른 위험인자들과도 관련성이 없는 것으로 알려져 있다.

(3) 치료에 대한 반응

HER2 아형 유방암은 기저양 아형 유방암처럼 수술 전 항암화학요법 후 내강형 유방암에 비해 유의하게 높은 병리학적 완전 관해율pathologic complete response rate을 보인다. HER2 아형 유방암은 anthracycline 같은 특정 세포 독성 항암제에 반응을 잘하며 이는 HER2 유전자 자리locus 근처에 위치한 topoisomerase-2 유전자의 공동증폭coamplification에 의한 것으로 여겨진다. 최초의 HER2 표적 치료제인 trastuzumab은 전이성 유방암에서의 질병 진행을 늦추었을 뿐만 아니라 조기 유방암에서도 기존의 항암화학치료제와 보조적 요법으로 함께 사용했을 때 재발률을 획기적으로 감소시켰다. 하지만 trastuzumab의 잘 확립된 임상적 이득에도 불구하고 그 반응은 일시적이고, 또한 모든 HER2-양성 유방암이 trastuzumab 치료에 반응하는 것은 아니다. PI3K돌연변이와 PTEN의 불활성화나 지속적인 p95 HER2 혹은 HER3 신호 전달등이 trastuzumab 저항성과 관련이 있는 것으로 보인다. 이는 trastuzumab에 저항성을 보이는 HER2-양성 유방암에 대한 복합치료 전략의 표적이 될 수 있을 것이며 이미 HER2/HER3 이합체를 막음으로서 리간드가 유도하는 HER3작용을 차단하는 pertuzumab이 개발되어 임상에서 사용 되고 있다.

3) 기저양 아형

(1) 유전자 발현 양상

기저양 아형basal-like subtype의 유방암은 호르몬수용체와 관련된 내강형 유전자의 낮은 발현과, HER2 유전자 군집의 낮은 발현, 증식 유전자군의 높은 발현 및 기저세포와 유사한 일련의 유전자 군집(cytokeratin 5, 6, 14, 17(CK5, 6, 14, 17)과 같은 basal epithelial cytokeratin과 EGFR, c-kit, vimentin, p-cadherin, fascin, caveolin 1/2, B-crystallin)의 높은 발현을 특징으로

한다. 그리고 다른 아형의 유방암에 비해 TP53 유전자의 돌연변이가 높게 관찰되는 등의 공격적인 특징을 갖는다. 기저양 아형의 대부분이 ER-음성, PR-음성 그리고 HER2-음성인 삼중 음성triple-negative의 특징을 보이기는 하지만, 유전자 발현 배열법에 의해 식별된 기저양 아형과 삼중 음성 유방암이 반드시 일치하는 것은 아니다. 기저형 유방암의 약 90%가 삼중 음성 유방암인 반면, 삼중 음성 유방암에서의 기저양 아형은 약 80-90%라고 알려져 있다. 최근 Lehmann등은 삼중 음성 유방암을 6개의 아형으로 재분류하기도 하였다(2개의 기저양Basal-Like (BL1, BL2), 면역Immunomodulatory (IM), 중간엽Mesenchymal (M), 중간엽 줄기양Mesenchymal Stem-Like (MSL), 내강형 안드로겐 수용체Luminal Androgen Receptor (LAR)).

(2) 임상적 특징

기저양 아형 유방암은 전체 유방암에서 10-20%를 차지하는데 인종과 연령간의 차이가 있어 흑인 인종의 경우 26.4%로 좀 더 비율이 높고 한국인의 경우는 10-15%의 분포를 보이며 좀더 젊은 연령층 특히 폐경전 연령에서 상대적으로 많이 발생한다. 다른 아형의 유방암에 비해 국소 및 원격 재발률이 높으며 림프절 전이보다는 혈행성 전이를 잘한다. 그리고 핵등급과 조직 등급이 높고 종양의 크기가 크다는 특성을 보이는데 이들은 모두 불량한 예후와 관련이 있다. 또한 3년 이내의 초기 재발률이 아주 높은 편이나 이러한 경향은 5년을 기점으로 사라진다. 다른 유형에 비해 *BRCA1* 유전자 돌연변이와 관련성이 높으며 *BRCA1* 유전자의 돌연변이가 있는 여성에게서 유방암이 발생할 경우에는 80% 이상에서 기저양 아형의 유방암이 발생한다.

(3) 치료에 대한 반응 및 예후

기저양 아형 유방암은 삼중 음성의 표현형을 특징으로 하고 있어서 호르몬수용체를 표적으로 하는 호르몬 치료제 및 HER2를 표적으로 하는 trastuzumab과 같은 표적치료제를 사용할 수 없으며, 일반적 항암화학요법이 이 아형의 유방암에 대한 유일한 전신적 치료법이다. 일반적으로 나쁜 예후에도 불구하고 기저양 아형은 기존의 항암화학요법에 잘 반응하는데, 일련의 연구에서 기저양 아형은 비-기저양 아형에 비하여 anthracycline과 taxane 계열 약제를 사용한 신보조적 항암화학요법에 높은 민감도를 보였다. 이는 기저양 아형의 나쁜 예후가 항암제에 대한 초기 내성 때문이기 보다는 삼중 음성의 특징으로 인한 치료 약제의 제한 또는 이 아형의 내재적 생물학적 특성에 기인하는 것을 시사한다. 또한, 기저양 아형의 유방암은 많은 경우에 있어서 손상된 DNA의 복구와 관련된 *BRCA1* 신호전달 경로 활성에 장애를 보이는데, 이러한 경우에는 platinum 제제와 같은 DNA 손상 제제에 잘 반응하는 것으로 알려져 있다.

4) 정상 유방양 아형

정상 유방양 아형의 유방암은 전체 유방암에서 5-10% 정도를 차지한다. 이들은 지방 조직의 특징적인 유전자를 발현하고 예후는 내강형과 기저향 아형 유방암의 중간 정도를 보이며 수술 전 항암요법에는 잘 반응하지 않는 것으로 알려져 있다. 이 아형의 유방암에서는 일반적으로 면역조직 화학 염색에서 ER, PR 그리고 HER2 모두 음성으로 나타나기 때문에 삼중 음성 유방암으로 분류되지만 CK5, EGFR같은 기저양 아형 유방암의 특징적인 유전자 발현은 나타나지 않기 때문에 기저양 아형 유방암과는 다른 아형의 유방암으로 간주되고 있다. 하지만 정상 유방양 아형 유방암의 임상적인 가치에 대해서는 아직 논란 중이다. 최근에는 정상 유방암 아형으로 분류되는 유방암은 유전자 발현배열법을 시행하는 동안 발생할 수 있는 오염으로 인한 아티팩트artifact의 산물이라는 의견도 있어 이에 대해서는 앞으로 보다 많은 연구가 필요하다고 할 수 있다.

2. 유방암의 표적치료

20세기 후반의 의학 발전에 있어서 가장 중요한 것 중

하나는 항암화학요법의 발전이었다. 임신성 융모상피암, 소아 급성 림프구성 백혈병 및 호지킨 및 비호지킨 림프종과 같은 일부 신생물성 질환은 항암화학요법만으로 완치를 기대할 수 있게 되었으며, 유방암과 대장암, 폐암 등과 같은 여러 고형암에서도 수술 후의 보조적 항암화학요법을 통하여 완치 및 생존율의 향상을 얻을 수 있었고, 고식적 항암화학요법을 통하여 환자의 수명을 연장시키고 삶의 질을 향상시킬 수 있었다. 그러나 기존의 항암제는 좁은 치료 지수therapeutic index 및 비선택적 특성으로 인한 높은 독성 등의 한계를 갖고 있었기에 암세포에만 특이적으로 작용을 하는 새로운 치료제의 필요성이 대두되었다. 분자생물학적 연구를 통하여 유방암의 주요 생화학적 경로에 대한 이해가 눈부시게 발전함에 따라 항암화학요법에 있어서 새로운 치료 표적의 발굴 및 표적치료제의 개발이 활발히 이루어지고 있다. 표적치료targeted therapy란 종양 세포만을 특이적으로 확인하고 공격하는 약제 또는 단클론 항체와 같은 물질을 이용하여 종양을 치료하는 항암화학요법의 한 종류로 정의할 수 있다. 즉, 표적치료제는 빠른 속도로 분열하는 모든 세포에 작용하는 기존의 항암제와는 달리 종양의 성장 및 종양신생에 필요한 특정 표적분자target molecule에만 선택적으로 작용함으로써 종양 세포의 성장을 막는 치료제를 말한다. 유방암에 있어서 최초의 표적치료제는 30여년 전에 개발된 선택적 에스트로겐 수용체 조절자Selective Estrogen Receptor Modulator (SERM)인 타목시펜이라 할 수 있다. 이후 HER2 단백을 표적으로 하는 trastuzumab의 개발은 전이성 유방암뿐 아니라 조기 유방암 환자에게서도 가히 혁명적이라 할 수 있는 획기적인 성과를 거둬 분자 표적치료에 있어서 중요한 이정표가 되었다. 이러한 표적치료제에는 단클론 항체monoclonal antibody와 소분자 억제제small molecule inhibitor의 두 가지 종류로 크게 분류될 수 있다. Trastuzumab과 같은 단클론항체는 리간드 또는 수용체 결합 부위와 같은 세포막 밖의 영역에 작용을 하며, lapatinib과 같은 소분자 억제제는 세포 내에서 세포의 성장, 증식, 이동 및 혈관 신생과 같은 분자적 현상을 야기하는 타이로신 인산화 효소tyrosine kinase등에 작용함으로써 수용체 하부의 신호전달 경로를 차단한다. 암의 발생 및 진행 단계에 작용하여 중요한 역할을 담당하는 물질을 표적으로 삼아 그 작용을 억제하여 치료효과를 얻고자 하는 표적치료는 기존의 항암화학요법과 비교할 때 원칙적으로 표적을 가지는 환자만을 치료의 대상으로 삼기 때문에 부작용이 적고 치료 효율을 높일 수 있어 향후 암 치료에 주된 역할을 담당하게 될 것으로 기대되며 현재 다양한 표적치료제들이 개발되어 임상시험이 진행 중에 있다.

1) 내강형 유방암

내강형 유방암에서 치료의 기본이 되는 호르몬 요법은 역사적으로 가장 오래된 표적치료로 볼 수 있다. 1896년 Beatson이 폐경 전 유방암 환자에서 난소 적출술 이후 유방암의 진행이 억제되는 것을 보고하면서 난소호르몬을 억제함으로써 유방암 치료를 할 수 있다는 가능성이 처음 제시되었다. 에스트로겐이 유방암 발생에 중요한 역할을 하며 이를 억제 또는 차단함으로써 치료 효과를 기대할 수 있음이 밝혀 진후 선택적 에스트로겐 수용체 조절자로 작용하는 tamoxifen은 지난 수십 년 간 호르몬 치료의 근간을 이루어 왔다. 조기 유방암에서 보조적 tamoxifen의 5년간 투여를 통해 유방암 재발 위험을 반으로, 사망률은 1/3 줄일 수 있었으며 전이성 유방암의 경우에도 교차 내성이 없는 다른 항호르몬 제제들의 순차적인 투여는 그 치료 효과와 더불어 삶의 질을 유지하면서 세포독성 항암화학요법의 시작을 늦출 수 있게 하였다. 하지만 호르몬 수용체 양성 유방암이라 하더라도 20–25%는 호르몬치료에 처음부터 반응하지 않고 처음에 반응을 보인 경우도 결국에는 대부분에서 호르몬치료에 내성이 나타나게 된다. 여기에는 CCND1 증폭, ESR1 돌연변이, 성장인자 신호전달 경로의 활성화 등이 관여하는 것으로 알려져 있어 이를 극복하기 위한 많은 연구가 이루어지고 있다.

(1) PI3K/mTOR 신호 전달 억제제

성장인자 신호전달 경로의 활성화는 에스트로겐이 존재하지 않더라도 에스트로겐 수용체를 활성화시키는데, 이는 수용체 타이로신인산화 효소 하위 신호 전달 경로 downstream signaling pathway들이 활성화 되면서 발생한다. 이런 상호간섭crosstalk이 호르몬 치료 효과를 약화시키거나 내성을 나타나게 하는 중요한 기전 중의 하나로 알려져 있으며 여러 하위 신호전달경로 중 phosphatidyl-inositol-3-kinase (PI3K)/Akt/mammalian target of rapamycin (mTOR) 신호전달경로가 핵심적인 역할을 담당한다. PI3K는 phosphatidylinositol 4,5-bisphosphate를 활성 신호전달 중간체인 phosphatidylinositol 3, 4, 5-trisphosphate (PI(3, 4, 5)P3)로 변환시키는 효소이다. PI(3, 4, 5)P3는 pyruvate dehydrogenase kinase isozyme 1 (PDK1)를 활성화시키고, 이어서 Akt를 활성화시킨다. mTOR가 PI3K/Akt 경로에 직접적인 지배를 받는지 아니면 더욱 복잡한 과정을 통하여 조절되는지는 아직 확실치 않으나 mTOR가 활성화되면 40S 리보솜단백질인 p70 S6 kinase와 4E-binding protein-1 (4EBP1)을 인산화 및 활성화시켜 세포의 성장, 증식 및 단백질 전사를 촉진시키는데, 유방암을 비롯한 수많은 암종에서 이러한 전달 경로에 대한 억제가 잘 안되고 있는 것으로 확인되고 있으며 이는 유방암의 내분비 치료의 저항성과도 관련있는 것으로 알려져 있다.

따라서 PI3K나 mTOR를 표적으로 하는 신호전달 체계의 억제를 통해 유방암의 내분비 치료 저항성을 극복하고자 하는 여러 연구들이 있어왔다.

가. Everolimus

Everolimus는 대표적인 mTOR 억제제로 비스테로이드성 아로마타제 억제제Nonsteroidal AIs를 투여한 후에도 증상이 재발했거나 악화된 것으로 나타난 호르몬 수용체 양성, HER2-음성 진행성 유방암 환자를 대상으로 한 BOLERO-2 임상 연구에서 everolimus 병용 투여군은 exemestane 단독 투여군에 비해 2배 이상의 무진행 생존기간을 연장시킨 것으로 나타났다(7.4개월 vs. 3.2개월). 따라서 향후 유방암의 호르몬 치료에 있어 그 역할이 크게 기대되고 있으며 또한 trastuzumab 저항성 유방암에서 trastuzumab과의 병용 요법 역시 임상 시험 중에 있다.

나. Buparlisib

PI3K 억제제는 크게 범PI3K 억제제와 PI3K 아형 특이억제제로 대별된다. PI3K family는 I, II, III형 3가지가 있고 I형은 다시 p110α, p110β, p110δ(이상 IA형)과 p110γ (IB형)으로 세분화할 수 있는데, 암의 진행에 주로 관여되는 아형은 PI3K IA형이다. Buparlisib은 대표적인 범PI3K 억제제로 기존의 호르몬 치료에 저항성을 보인 진행성 유방암 환자를 대상으로 한 BELLE-2 임상시험에서 호르몬치료 단독에 비해 buparlisib 병합 시 상승 효과를 나타내는 것으로 나타났지만 그 차이가 크지는 않았다(무진행 생존 기간 6.9개월 vs. 5.0개월). 하지만 액체생검liquid biospy을 통한 순환종양세포circulating tumor cell에서 PIK3CA 돌연변이가 확인된 환자군에서는 buparlisib의 효과가 훨씬 더 좋게 나타났다(무진행 생존 기간 7.0개월 vs. 3.8개월). 이는 향후 비침습적이고 반복적 채취가 가능한 액체 생검을 통해 치료 반응 예측을 위한 강력한 생체 예측인자를 찾아 낼 수 있을 가능성을 시사한다.

(2) CDK 억제제

사이클린 의존성 인산화 효소Cyclin Dependent Protein Kinase (CDK)들은 일종의 serine/threonine 인산화 효소로서 CDK는 세포주기가 진행됨에 따라 다른 단백질과의 결합이나 구조적 변화에 의하여 활성이 조절된다. 이들 중 CDK4/6는 D-type cyclin들과 결합하여 망막아세포종유전자단백질retinoblastoma protein을 인산화함으로써 세포주기가 G1관문을 지나 DNA합성이 이루어지는 S기로 진행되게 한다. 암억제 단백질의 일종인 망막아세포종유전자단백질은 약 30%의 암세포에서 억제되어 있는 등 이들에 의한 세포주기 조절은 암 발생에서 중요한 역할을 한다. 특히 호르몬 수용체 양성 유방암에서의 다양한 종양형성신호oncogenic signaling들은 cyclin D1의 발현과 CDK4/6의 활성화를 촉진시키고 암의 증식을 유도하여 이는 결국 호르몬 치료 저항성을 발생시킬 수 있는 기전이 될 수 있다. Palbociclib은 경구용 선택적 CDK4/6억제제 선택적 억제제로 호르몬 수용체 양성 전이성 유방암 환자를 대상으로 한 2상 임상 연구에서 Palbociclib과 Letrozole의 병용투여군은 Letrozole 단독 투여군에 비해 2배에 가까운 무병 생존기간의 향상을 보여주였다(10.2개월 vs. 20.1개월). 이런 고무적인 결과는 3상 임상 연구에서도 다시 증명이 되어 향후 호르몬요법에 저항성을 보인 전이성 유방암 환자의 새로운 치료 옵션으로 떠오를 것으로 예상이 된다.

(3) 면역 관문 억제제

KEYNOTE 028연구에 포함된 25명의 내강형 유방암 환자에서 PD-1programmed death 1억제제의 안전성과 비교적 좋은 반응율(12%)을 보였지만 내강형 유방암에서의 면역관문 억제제의 역할은 아직 미지수이다. 하지만 향후 면역 관문 억제제immune checkpoint inhibitor의 치료 반응 예측을 위한 PDL-11 programmed death ligand 외의 또 다른 바이오마커를 찾는 연구 등을 통해 그 역할이 확대될 수 있을 것으로 기대된다.

2) HER2 양성 유방암

인간 표피 성장인자 수용체Human Epidermal Growth factor Receptor (HER) family에는 Epidermal Growth Factor Receptor (EGFR), HER2, HER3, HER4의 4가지가 있다. 이들 수용체는 세포막에 걸쳐 존재하며, 세포외부, 세포막, 세포내부 영역으로 구성되어 세포의 증식 등에 관련된 신호를 핵 내로 전달하는 형태의 구조를 갖는다. HER2를 제외한 EGFR, HER3, HER4는 수용체의 세포 외부 영역에 세포 밖의 리간드와 특이적으로 결합할 수 있는 구조를 가지며, 여기에 리간드가 결합하면 신호가 발생하여 세포 내로 전달하는 과정이 시작된다. HER3를 제외한 EGFR, HER2, HER4의 세포 내 영역에는 타이로신 인산화효소의 작용을 갖는 구조를 가지고 있어 이합체를 형성한 HER family 수용체가 세포내부 타이로신 인산화효소의 인산화작용으로 접수된 신호를 핵 내부로 전달하게 된다. 특히 HER2는 전체 유방암의 20-30%에서 발현되며, 리간드와 결합하는 능력은 없지만 다른 수용체들과 이합체를 형성하여 도달된 신호를 증폭하여 전달하는 매우 중요한 역할을 담당한다. HER2단백의 과발현 혹은 HER2/neu 유전자 증폭으로 정의되는 HER2 양성 유방암은 재발률이 높고 예후가 나쁜, 보다 공격적인 표현형aggressive phenotype을 가진다. 따라서 HER2의 작용 억제를 위한 치료제의 개발에 많은 노력이 이루어지고 있다.

(1) Trastuzumab

현재 임상에서 HER2 과발현 유방암 환자에게 사용중인 대표적인 HER2 억제제 trastuzumab은 인체화 단클론항체humanized monoclonal antibody로서 그 작용은 첫째, HER2 수용체의 세포외부 영역의 세포막에 가까운 부위에 결합하여 HER2의 세포외부 영역 구조물의 탈락을 방지함으로써 남은 HER2 구조물인 p95 HER2를 통한 신호활성화를 방지하고 둘째, HER family 수용체 간의 중합체 형성을 방해하여 신호전달을 억제하며 셋째, 항체의존 세포매개 세포독성antibody dependent cell-mediated cytotoxicity 작용을 유도하거나 넷째, 결합한 HER2 수용체를 세포 내로 이입시켜 HER2 수용체를 감소시키는 것으로 알려져 있다. Trastuzumab이 개발되기 전 HER2 양성 전이성 유방암의 중앙 생존 기간median overall survival은 고작 20개월 정도로 낮았으나 trastuzumab이 임상에서 쓰이게 되면서, 단독 요법으로서뿐만 아니라 기존의 항암화학요법과 병용하여서도 유방암의 생존율을 크게 향상 시켰다. 또한수술 후 보조 항암 요법으로trastuzumab을 기존의 항암제와 병용 또는 순차적으로 사용했을 경우에도 무병 생존율 및 전체 생존율이 향상되었다(그림 4-61). 하지만 trastuzumab이 가져온 HER2양성 유방

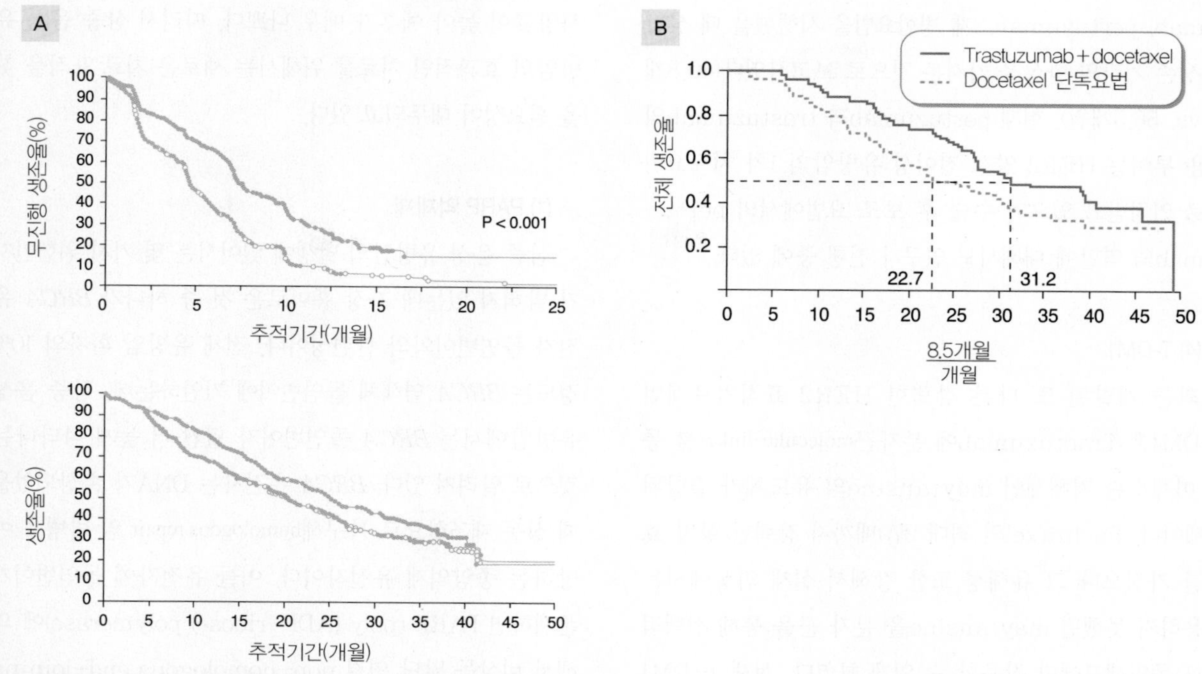

그림 4-61 전이성 유방암에서 trastuzumab의 효과. A) 항암화학요법과 trastuzumab의 병용 군과 항암화학요법 단독 사용 군과의 무진행 생존율 및 전체 생존율 비교, B) Docetaxel과 trastuzumab의 병용군과 docetaxel 단독 사용 군과의 전체 생존율 비교

암 치료에 이런 획기적인 진전을 가져왔음에도 불구하고 trastuzumab의 투여 이후 초기 내성de novo resistance이나 획득 내성acquired resistance 등으로 인해 환자의 50%에서는 1년 이내 질병의 재 진행이나 재발이 발생하게 된다. 이를 극복하기 위해 새로운 HER2 표적 치료제에 대한 많은 연구가 이루어지고 있다.

(2) Lapatinib

소분자 억제제인 Lapatinib은 EGFR과 HER2 수용체의 세포내부 구조물인 타이로신 인산화효소의 ATP결합부위에 선택적, 경쟁적, 가역적인 결합을 형성함으로 신호전달체계 하류로 전달되는 신호를 차단하여 암세포의 증식과 생존을 억제한다. 따라서 EGFR과 HER2 수용체 모두에 억제 효과를 가지게 된다. 현재 lapatinib은 유방암에서 치료 효과가 인정되어 임상에 적용되고 있으며, 특히 HER2 수용체의 세포 외부 구조물이 탈락하여 trastuzumab 치료에 반응을 보이지 않는 p95 HER2 활성유방암의 치료에 효과적이어서 trastuzumab 내성암의 치료제로서 그 역할이 잘 알려져 있다.

(3) Pertuzumab

인체화 단클론항체인 pertuzumab은 HER2 수용체의 세포 외부 영역 II에 결합하여 인간 표피 성장인자 수용체가 이루는 이합체들 중 가장 강력한 신호전달 매개체인 HER2/HER3 이합체를 형성하지 못하게 하여 치료효과를 나타내는 것으로 알려져 있다. Pertuzumab은 현재 임상시험 중이며 단독요법으로는 효과가 제한적이지만 세포 외부 영역 IV에 결합하는 trastuzumab과 상호 보완적인 역할 즉 리간드 의존성 신호전달 혹은 리간드 독립적 신호전달 모두에 대해 통합적인 차단comprehensive blockade을 통해 강력한 상승효과를 나타내는 것으로 알려져 있다. 최근 HER2 양성 전이성 유방암 환자를 대상으로 한 CLEOPATRA 3상 연구에서 기존의 docetaxel과 trastuzumab병합요법과 비교해 docetaxel, trastuzumab, pertuzumab 3제 병합요법을 시행했을 때 상당한 생존 기간의 향상을 가져온 것으로 보고하였다(40.8개월 vs. 56.5개월). 현재 pertuzumab과 trastuzumab의 병용 투여는 HER2 양성 전이성 유방암의 1차 치료요법으로 인정받고 있으며 수술 후 보조 요법에서의 pertuzumab의 역할에 대해서도 연구가 진행 중에 있다.

(4) T-DM1

최근 개발된 또 다른 강력한 HER2 표적치료제인 T-DM1은 Trastuzumab에 분자끈molecular linker를 통해 미세소관 저해제인 maytansine의 유도체가 결합된 제제이다. Paclitaxel의 최대 270배까지 강력한 항암 효과를 가졌으나 그 유해성 또한 강해서 실제 임상에서는 사용하지 못했던 maytansine을 분자 끈을 통해 선택적으로 종양세포에만 작용할 수 있게 하였다. 현재 T-DM1은 trastuzumab저항성을 보인 HER2양성 전이성 유방암에서 2차 치료제로써 그 가치를 인정받고 있다.

(5) 기타

그 밖에도 afatinib이나 neratinib같은 소분자 타이로신 인산화효소 저해제나 mTOR 저해제인 everolimus등의 trastuzumab 저항성 HER2 양성 전이성 유방암에서의 역할에 대해 연구가 진행 중에 있다.

3) 삼중 음성 유방암

면역조직화학염색에서 ER-음성, PR-음성 그리고 HER2-음성인 특징을 가지는 삼중 음성 유방암은 다른 아형의 유방암에 비해 불량한 예후를 보인다. 이는 호르몬 수용체나 HER2를 표적으로 하는 표적 치료제를 사용할 수 없는 등 특별한 치료 방법이 없는 것에 기인하며 따라서 현재까지 비특이적인 항암화학요법이 삼중 음성 유방암의 가장 주된 치료 방법으로 받아들여지고 있다. 비록 수술 전 항암요법에 병리학적 완전 관해를 보이는 환자군은 그나마 예후가 나은 것으로 알려져 있지만 항암화학요법에 잘 반응하지 않는 환자군의 경우 재발의 위험과 사망률이 높아 예후가 매우 나쁘다. 따라서 삼중 음성 유방암의 효과적인 치료를 위해서는 새로운 치료 표적을 찾을 필요성이 대두되고 있다.

(1) PARP 억제제

삼중 음성 유방암의 발생에 있어서는 몇 가지 위험인자가 밝혀져 있는데 가장 흥미로운 것 중 하나가 *BRCA* 유전자 돌연변이와의 관련성이다. 전체 유방암 환자의 10% 정도는 *BRCA* 염색체 돌연변이에 기인하는데, 삼중 음성 유방암에서는 *BRCA* 돌연변이가 훨씬 더 높게 나타나는 것으로 알려져 있다. *BRCA* 유전자는 DNA가 손상되었을 때 상동 재조합으로 복구해homologous repair 암 발병을 예방하는 종양억제 유전자이다. 이들 유전자에 돌연변이가 존재하면 PARP (poly (ADP-ribose) polymerase)에 의해서 비상동 말단 연결 non-homologous end-joining 이나 염기 절단 수리 base excision repair 와 같은, 오류가 많은 대체 경로 복구 기작을 통해 DNA 손상 복구가 이루어 진다. 그렇기 때문에 *BRCA* 유전자 돌연변이 보인자의 경우 평생 유방암 발병 위험이 50-85%로 높아지는 것으로 알려져 있다. *BRCA* 유전자가 돌연변이 되어 이들의 활동이 결여된 유방암에서 PARP의 존재는 오히려 암세포를 증식시키는 역할을 하며 이때 반대로 PARP를 억제하면 암세포는 손상되거나 변형된 DNA가 복구되지 않아 사멸하게 되어 항암효과를 얻게 된다. 이를 합성치사 synthetic lethality라고 한다. 따라서 이런 특성을 이용해 PARP 억제제 단독이나 PARP 억제제와 DNA 손상제제를 병용하여 유방암 치료에 사용할 수 있다. 최근 PARP 억제제인 olaparib을 사용한 2상 임상 연구에서는 *BRCA* 유전자 돌연변이 환자를 대상으로 치료한 결과 47%의 환자에서의 최소 8주 이상의 질병 안정 효과와 12.9%의 반응률overall response rate을 보여주었다고 보고하였다. 이외에도 여러 관련 임상 연구들이 진행 중에 있다.

(2) 면역관문억제제

악성 흑색종과 폐암에서의 성공에 힘입어 유방암을 비

롯한 여러 고형암에서 면역 치료에 대한 관심이 높아지고 있다. 유방암은 오랜기간 면역원성이 없는 질환nonimmunogenic disease으로 여겨져 왔기 때문에 유방암의 면역 치료의 효과에 대해서는 회의적이었다. 하지만 HER2 양성 유방암과 삼중 음성 유방암의 면역원성에 대한 사실이 새로이 밝혀지고 이들의 면역 반응이 예후와 연관이 있다는 연구 결과들이 보고됨에 따라 유방암에서의 면역 치료의 가능성이 새롭게 조명되고 있다. 특히 삼중 음성 유방암에서 면역 관문immune checkpoint 차단을 위해 단클론 항체를 사용한 초기 임상 연구에서 주목할 만한 성과를 거두었다고 보고되었다. 면역 관문이란 자기 관용self tolerance과 부수적인 조직 손상을 최소화하기 위한 주변 조직들의 면역 반응의 기간 및 강도 조절을 유지하는데 필수적인 다양한 억제적 신호 전달 체계이다. 세포독성 T세포는 수지상 세포와 대식세포 같은 항원 전달 세포에서 항원이 제시되면 활성화되며 세포독성 세포에는 PD-1programmed death-1과 CTLA-4cytotoxic T-lymphocyte-associated protein 4라는 수용체가 존재한다. 이러한 수용체의 리간드가 되는 PD-L1과 B7을 항원 전달 세포가 가지고 있으며 PD-1 수용체와 CTLA-4 수용체가 리간드에 의해 자극 되면 세포 독성 T세포의 과잉 반응이 억제되어 면역반응이 조절된다. PD-L1과 B7은 특히 암세포에서 많이 발현되어 있어 적응 면역 반응adapted immune system의 인지를 피하거나 교란하면서 효율적인 면역회피를 가능하게 하여 암의 진행을 촉진시킨다. 이런 상호 작용을 억제하여 면역 체계의 종양 인지 능력 또는 파괴능력을 회복 또는 강화시키는 것이 면역 관문 억제제이다. 최근 발표된 KEYNOTE-012 연구는 진행성 삼중 음성 유방암 환자에서의 PD-1 억제제(pembrolizumab: MK-3475)의 임상적 효과를 최초로 보고하였고 또 다른 소규모 1상 임상 실험은 PD-L1 억제제(MDL3280A)의 투여가 진행성 삼중 음성 유방암 환자의 생존율을 향상시켰다고 보고하였다. 비록 면역억제제가 기존 항암치료나 표적치료의 내성을 개선하고, 효과가 장기간 지속되는 장점이 있지만 이상반응의 문제를 아직 해결하지 못한 문제 등이 남아있는 등 유방암에서의 면역 관문 억제제의 임상적인 유용성에 대해서는 추가연구가 필요한 상황이라고 할 수 있다.

(3) MET 억제제/FGF 억제제

MET (hepatocyte growth factor receptor)나 섬유아세포성장인자Fibroblast Growth Factor (FGF)와 같은 특정 타이로신 인산화 효소 수용체가 삼중 음성 유방암의 치료의 새로운 표적의 가능성으로 주목받고 있다. MET는 유방암의 45%에서 과발현 되어있으며 이 경우 높은 전이율, 고등급의 유방암, 삼중음성 유방암의 높은 빈도 등 나쁜 예후와 연관되어 있음이 알려져 있다. MET 억제제인 cabozantinib이 삼중음성 유방암의 환자유래 이종이식 모델humanized patient-derived xenograft model에서 효과가 있는 것으로 나타났고, 또 다른 MET 억제제인 foretinib의 경우 1상 임상 연구를 통해 안전성과 효과를 보고하기도 하였다. 섬유아세포성장인자와 그 수용체는 세포의 증식, 생존, 이동 그리고 분화에 이르는 광범위한 생물학적 기능을 수행하며, 암의 발생과정과 진행 과정에서도 FGF 신호전달계는 중요한 역할을 한다. 특히 10% 정도의 유방암 환자에서는 상피간엽이행epithelial-mesenchymal transition을 통해 전이를 촉진시키는 역할을 한다고 알려져 있다. 이러한 섬유아세포성장인자 수용체의 표적 치료제로는 선택적 억제제인 AZD4547과 비선택적 억제제인 dovitinib, lucitanib, nintedanib 등이 있으며, 이들은 내강형 아형의 유방암에도 효과를 나타낸다고 알려졌지만 대부분의 관련 연구는 삼중음성 유방암 환자들에게 집중되고 있다.

(4) Bevacizumab

혈관 내피 성장 인자Vascular Endothelial Growth Factor (VEGF)는 가장 잘 알려진 혈관 성장인자로서 내피세포의 증식과 이동 촉진 및 내피세포의 자멸사를 억제하며, 혈관의 투과성증가 및 확장, 세포 외 기질의 재형성을 위한 효소를 유도하는 등의 작용을 하며 암의 진행에 필수적인 역할을 한다. Bevacizumab은 VEGF를 표적으로 하는 인체화 단클론항체로서 여러 항암화학요법 약제와 함께 임상에서 널리 사용되고 있지만 유방암 치료에서 bevacizumab은 생존율 연장에는 효과가 없는 반면 부작용은 심각하게 나타나 미국 식품 의약국은 유방암에 대한 bevacizumab의 적응증을 삭제하기도 하였다. 하지만 최근 연구에서는 삼중 음성 유방암 환자, 특히 ER 발현이 낮고 증식 지표가 나타나거나 TP53 유전자 돌연변이가 있는 등 보다 공격적인 표현형을 보이는 유방암에서는 bevacizumab의 병용 투여가 수술 전 항암화학요법시 병리학적 완전 관해율이 의미있게 높게 나타난 것을 보고하기도 하였다. 따라서 마땅한 표적치료 대안이 없는 삼중 음성 유방암에서의 bevacizumab의 역할에 대해서는 추가적인 연구가 필요할 것으로 여겨진다.

4) 유방암 표적치료제의 개발

지난 수년간 유방암에서 중요한 신호전달 경로들에 대한 많은 지식이 축적되었으며, 이는 분자 표적치료제의 개발로 이어졌다. 표적치료는 약제의 표적 특이성과 악성 표현형을 유발하는 특이적 분자 발암현상을 저해하는 능력에 초점을 맞추고 있다. 이러한 새로운 치료제는 유방암 치료에 있어서 보다 효과적인 비독성 치료제로서의 가능성을 가진다. 그러나 새로운 표적 치료제의 개발은 기존의 세포독성 치료제의 개발에 비해 새로운 기술과 복잡한 개발 전략을 필요로 한다. 여기에는 적절한 환자군의 선택, 실험 물질에 의한 표적분자의 확인, 종양표지자 및 대체표지자 등과 같은 임상적 유용성에 대한 새로운 평가 기준, 과거에 과다 치료를 받지 않은 환자군 등이 포함된다.

유방암은 단일 질환이라기보다는 임상 경과 및 치료에 대한 반응성이 다양한 일련의 질환군이라 할 수 있다. 표적치료제는 기존의 항암요법과는 달리 치료제의 표적을 가지는 일부의 종양에 있어서만 효과를 나타내며, HER2 단백의 과발현 및 유전자의 증폭이 있는 종양에만 작용을 하는 항HER2 제제인 trastuzumab이 대표적인 예이다. 전체 유방암의 25% 가량에서만 HER2가 과발현되어 있으므로 이 약제의 개발에 있어서 전체 유방암 환자군이 대상이 되었다면 trastuzumab의 항암효과를 발견하지 못했을 수도 있다. 이는 표적치료제의 개발에 있어서 적절한 환자군의 선택이 매우 중요함을 의미한다. 종양에 대한 종적 관찰longitudinal monitoring은 표적분자의 확인과 치료 반응성에 대한 표지자 및 종양의 양적 평가에 있어서 매우 중요하다. 이는 순환종양세포Circulating Tumor Cell (CTC)의 분석을 통해서 종양 세포의 발견, 종양의 특성 평가 및 모니터링이 이루어 질 수 있으리라 기대 된다. 따라서 비침습적이고 반복적 채취가 가능한 액체생검은 종적 관찰에 있어서는 침윤적 조직검사를 대치할 수 있을 것으로 보인다.

표적치료제 중 일부는 단독사용 시에 종양의 감소 또는 반응을 기대할 수 없기 때문에 약제의 효과를 판정하는데 있어서 종양의 반응성은 적절하지 못한 기준이 될 수도 있다. 일부의 표적치료제는 단독으로 사용했을 때는 제한된 효과를 나타내나 기존의 항암제 또는 다른 생물학적 제제와 병용 투여시 항암효과를 현저히 증강시킬 수 있다. 또한 이러한 새로운 약제는 이전의 항암화학요법이 과다하지 않았던 환자들에게서 시험되어야 함을 고려해야 한다. 과거에는 허용되는 모든 치료제를 다 사용했음에도 질환의 진행을 보이는 환자들을 대상으로 새로운 약제의 임상적 효과를 평가하였다. 그러나 이러한 환자군은 종양이 모든 약제에 대해 높은 내성을 지니고 있는 상태이므로 새로운 약제의 임상적 유용성을 평가하기에는 적절한 환자군이 아니다. 또한 이러한 환자들에서는 반복적인 종양 조직의 채취 역시 어렵게 된다. 따라서 수술 전 항암화학요법을 통하여 새로운 약제를 시험하는 방법이 점차 많이 이루어지고 있다. 이를 통하여 과다하게 치료받지 않은 환자에 대한 치료, 임상 반응에 대한 조기 예측, 생물학적 표지자 연구를 위한 순차적 종양 조직 채취가 가능해질 수 있다. 또한 새로운 약제를 단기간 사용하는 창실험window study 및 다른 약제와 병용하는 연구 역시 점차 많이 시행되고 있다.

요약

유방암은 생물학적 특징과 임상 경과, 치료에 대한 반응 등에 있어서 매우 다양한 양상을 보이는 비균질적 질환heterogeneous disease이다. 최근 유전자 발현 배열법gene expression array을 이용하여 유방암을 내강형 A, 내강형 B, HER2 아형, 기저양 아형 등의 서로 다른 유전자 발현 양상 및 특징적인 예후를 보이는 몇 가지 아형으로 분류할 수 있었다. 또한, 분자생물학 연구를 통해 유방암의 중요 생화학적 경로에 대한 지식이 축적되면서 표적치료라는 새로운 치료법이 개발되고 있다. HER2 단백을 표적으로 하는 trastuzumab의 개발은 유방암의 표적치료에 있어서 중요한 이정표가 되었으며, 이후에 PI3K/Akt/mTOR 신호전달 경로, Poly (ADP-ribose) polymerase (PARP), Cyclin dependent protein kinase (CDK), immune checkpoint 등의 다양한 표적을 대상으로 하는 표적 치료제가 개발되어 임상시험 중에 있다.

XII 특수한 형태의 유방암

1. 남성의 유방암

남성의 유방암은 흔치 않아 남성에서 발생하는 악성종양의 1%이내에서 발생하는 것으로 알려져 있다. 진단 시의 연령은 60대와 70대가 대부분이나, 어느 연령에서도 발생이 가능하다. 남성유방암의 발생위험인자로는 방사선 노출, 여성호르몬인 에스트로겐의 투여 또는 에스트로겐 과다증과 관련이 있는 질환(간경화증, 클라인펠터 증후군-47, XXY변이) 등이 관련되는 것으로 알려져 있다. 가족력과 관련되었다는 분명한 증거로 여성 친척 중 여러사람에게 유방암이 발생되었다면 남성에서도 유방암의 발생의 가능성이 증가한다. 염색체 13q의 유전자돌연변이인 *BRCA2* 유전자돌연변이의 가계의 남성에서 유방암의 발생의 위험성이 증가한다.

남성의 유방에 나타난 통증이 수반되지 않은 딱딱한 종괴가 있으면 유방암을 의심하고 검사를 실시하여야 한다. 종괴가 흉벽이나 피부에 고착되어 있으면 위험한 증후이다. 병리소견은 침윤성 관암이 90% 정도로 가장 흔하다. 관상피내암은 10% 정도에서 발생한다. 이외에 염증성 유방암과 유두의 파젯병도 남성에서 나타나는 유방암의 소형태이나 남성은 유방의 말단소엽이 충분히 발육될 기회가 없기 때문에 소엽암은 거의 드물다. 림프절 전이와 혈행성 원위부 전이는 여성유방암과 유사한 형태를 보인다. TNM 병기구분은 여성과 동일한 기준을 적용한다. 남성의 유방은 여성에 비해 크기가 작으므로 T병기의 구분이 작은 종괴라도 주변장기의 침범이 가능하여 병기가 높아진다. 따라서 예후인자로 림프절전이 유무와 함께 병변의 크기가 많이 영향을 미친다. DNA ploidy와 S phase가 생존에 미치는 영향은 확실치 않다. 에스트로겐 수용체와 프로게스트로겐 수용체, HER2/neu 유전자의 증폭은 예후에 관여하는 중요한 인자이다. 전반적인 생존율은 여성과 유사하다. 남성유방암이 예후가 불량한 편인 것은 다만 진단시 병기가 진행된 상태로 발견되는 경우가 많기 때문이다.

일차적 표준치료는 우선 변형근치유방절제술로 액와림프절절제술을 포함한다. 치료결과는 여성과 유사하다. 유방보존술로 시행하는 종양절제술 및 방사선치료 또한 여성 유방암과 유사한 결과를 보인다. 최근에 종양의 크기가 작고 임상적으로 액와림프절전이 소견이 없는 경우에는 감시림프절 생검술을 안전하게 시행할 수 있다는 몇몇 결과가 보고되기도 하였다. 림프절전이가 없는 남성의 유방암에 대한 보조요법은 여성과 같은 기준으로 치료를 시행한다. 림프절전이가 있는 경우에는 항암화학요법과 더불어 호르몬 수용체 양성일 경우 타목시펜 또는 기타 내분비요법을 시행하며 이는 여성과 마찬가지로 치료의 결과가 우수하다. 현재 수술 후 보조치료에 대한 대조연구는 없다. 남성유방암의 경우 에스트로겐 수용체 양성인 환자는 약 85%에 달하며 프로게스테론 수용체 양성 환자는 70%에 이른다. 호르몬수용체가 양성인 경우에 내분비요법은 필수적으로 권유된다. 하지만 내분비요법을 받는 남성은 열감hot flash이나 발기불능 등의 증상을 수반할 수 있다. 치료결과는 여성의 유방암과 유사한 결과를 보인다.

국소재발 시에는 외과적 절제술이나 방사선요법을 시행하며 항암화학요법을 동반하여 치료한다. 원위부 전이가 있으면 내분비요법, 항암화학요법 또는 두 요법을 병용한다. 남성 유방암환자의 내분비요법에는 타목시펜, 황체형성호르몬자극호르몬 작용체luteinizing hormone-releasing hormone agonist를 항안드로겐 약물과 병용 또는 단독사용법, 프로게스테론, 아로마타제 억제제 등이 사용된다. 내분비요법은 각 용법을 순차적으로 사용할 수 있으며, 치료가 실패하면 항암치료요법으로 CMF, CAF의 병행요법이 사용된다. 치료의 결과는 여성과 유사하다.

2. 양측성 유방암

유방의 진단방법의 발전과 검진 프로그램의 확산에 따라 유방암이 비교적 조기에 발견되고 있다. 조기검진을 위한 선별적 유방촬영술이 널리 적용된 결과 사망률이 20%나 감소하는 결과를 보였는데 이는 조기검진에 의한 조기유방암의 발견이 늘었기 때문이다. 조기발견이 늘어남에 따라 유방보존술도 상대적으로 늘어났다. 이와 같이 유방보존술의 시행이 확대되고, 유방암 환자의 생존기간이 길어짐에 따라 동측의 잔존유방과 반대측의 유방에 유방암이 발생할 가능성이 높아졌다.

유방암에 대해 유방보존술을 시행하는 동안 재발을 방지하기 위해 깨끗한 절제연을 확보하는 것이 중요하다. 절제연을 확보하기 위해서는 유방 내에서의 유방암의 확산 정도와 유방암의 다발성을 수술 전에 파악하는 것이 중요하다. 유방암의 다발성은 기존의 병리학 연구들에 의하면 약 40-60%에 이르는 것으로 알려져 있다. 동측 유방의 다발성 외에 양측 유방에 유방암이 발생한 양측성 유방암은 일반적으로 2-5%로 알려져 있다. 일정시기 내에 함께 나타난 동시성synchronous 양측성 유방암은 전체 유방암의 1-3%로 드물다. 최근 유방암의 진단과 치료가 발달하여 조기진단이 증가하고 유방암 환자의 장기생존율이 증가함에 따라 동시성 또는 이시성metachronous 양측성 유방암의 빈도가 증가하여 임상적으로 발견하는 양측성 유방암이 10%에 까지 이른다.

유방암의 다발성multiplicity은 같은 사분절quadrant 내에서 다발성이 관찰되면 이는 다소성multifocality으로, 그렇지 않고 다른 사분절에서 다발적으로 일어나면 다중성multicentricity으로 분류한다. 절제된 유방조직에서 관찰한 병리학적 연구에 의하면 13%에서 54%의 다발성이 나타났는데, 얼마나 철저하게 검사가 이루어졌는가에 따라 영향을 받는다. Ohtake 등은 하나의 유방의 관-엽체계Mammary Ductal/Lobular System (MDLS)에 국한하여 유방암이 발생하고 있다고 하였다. 관-엽체계는 독립적 체계로 대부분은 상호간의 연결고리는 없으나 16개의 관-엽체계 중 4개에서 상호간의 연결이 있어 이로 인한 상피내암의 확산의 가능성이 있음을 밝 혔다.

유방보존술 후의 재발은 유방조직 전체를 절제하지 않아 남은 유방에서 유방암이 재발하는 것으로 다발성에 의해 유방암이 재현되는 것이다. 재발은 대부분 수술부위에 발생하며 이것은 절제술이 불완전하게 이루어졌음을 의미한다. 절제술을 시행할 당시 절제연에서 유방암이 발견되지 않았다 하더라도 이것이 완전한 절제가 되었다고 예측하기는 곤란하다. 비교적 일정 시간이 경과한 후 늦게 같은 사분절이 아닌 다른 동측의 유방에 발생한 유방암은 재발성이기 보다는 새로운 원발암으로 본다.

양측성 유방암은1945년 Foote와 Stewart가 처음으로 보고한 이후, 조기진단과 치료의 발달로 인해 양측성 유방암에 대한 중요성이 인식되어 지고 있다.

유방암수술 후 반대측 유방암의 발생은 매년 약 0.7%씩 증가하여 반대측 유방에서 유방암의 발생의 위험도가 29년 째에 이르면 15%에 이른다. 이런 위험성은 일반인에서 유방암이 발생할 위험성 보다 2–7배 높다. 사체해부 보고에 의하면 유방암 환자는 반대측 유방에서의 유방암이 68%에 이르렀다. 또한 예방적으로 반대측 유방절제술을 시행하여 얻은 조직에서 시행한 병리검사에서는 양측성 유방암의 빈도가 13%에서 34%에 이르는데 대부분 비침윤성암이었다. 반대측 유방에서 발견된 종양은 이시성 원발성종양일 수도 있으나 원발성종양에 의한 전이성 종양일 가능성도 있다. 일반적으로 전신전이가 없는 반대측 유방암은 이시성 원발성 유방암으로 구분한다.

양측성 유방암은 발생 시기에 따라 동시성과 이시성으로 구분하는데 이는 일측의 유방암이 발생하여 진단받은 시점을 기준으로 일정기간을 구분하여 비교적 동일기간 내에 발생하는 경우를 동시성이라 하며 그렇지 않고 일정기간을 경과하여 반대측 유방에 발생하였으면 이시성으로 분류한다. 일정기간이라 부르는 기간을 나누는 시점은 보고에 따라 다양하나, 대체적으로 한쪽 유방에 유방암이 진단된 후 6개월 이내에 반대측 유방에 유방암이 발생하였으면 동시성 양측성 유방암으로 구분한다. 이시성 유방암이 동시성 유방암에 비해 보다 흔하여, 동시성 양측성 유방암의 빈도는 0.1–2%이며 이시성 양측성 유방암은 1–12%에 이르는 것으로 보고되어 있다. 최근의 유방암의 진단법이 발전함에 따라 동시성 유방암의 경우가 증가하는 경향이 있다.

양측성 유방암의 발생과 관련된 위험인자로는 논란이 있으나 젊은 나이에 유방암이 발생하는 경우, 유방암의 가족력, 다발성 병변, 소엽성 조직형, *BRCA1* 또는 *BRCA2* 유전자 변이, 편측(일측성) 유방암에서의 다발성, 흉부에 방사선을 조사한 과거력 등이 알려져 있다. 일측성인 조기 유방암의 환자는 생존기간이 길어서 반대측 유방에 유방암이 발생할 가능성이 높다.

동시성 양측성 유방암의 경우 조직학적으로 일치하는 경우는 60% 정도이다. 특이한 것은 이시성 암에 대한 조직학적 특성 중 p53과 HER2는 일차암과 이차암에서 특이한 차이가 없었던 반면 호르몬수용체의 양성률은 상당히 감소한다는 것이다. 동시성인 경우에는 호르몬 수용체의 상태가 일치하는 가능성이 많은 반면, 이시성인 경우 중 특히 이차암의 발생이 늦은 경우에는 호르몬수용체의 상태가 일차암과 다른 경우가 많다.

이시성 양측성 유방암에 비해 동시성 양측성 유방암의 예후는 비교적 좋지 않다. 이시성 유방암의 경우 초기 유방암으로부터 이차성 유방암의 발병기간의 간격이 길수록 짧은 경우에 비해 생존율이 높다. 일측성 유방암에 비해 양측성 유방암이 불량하다고 하나, 동시성 양측성 유방암을 일측성 유방암과 비교하였을 때 생존율의 유의한 차이는 없다는 보고도 있다.

양측성 유방암에 대한 일관된 치료의 방침은 없으며, 양측성 유방암의 환자를 대하게 되었을 때 여러 전문분야의 유방암치료 전문의(유방외과, 종양내과, 치료방사선과, 성형외과, 방사선과, 유전자치료 등)의 협진 하에 환자를 개별적으로 판단하여 개별환자에 맞는 치료를 시행한다.

반대측 유방에서 유방암이 발생하는 것을 예방하기 위해 화학적 예방법의 일환으로 타목시펜이 사용되고 있다. 타목시펜을 사용하면 위약에 비해 위험인자를 지닌 환자의 반대측 유방에서의 유방암의 발생률을 48% 감소시켰으며 호르몬수용체 양성인 환자에서 효과가 있었다. 타목시펜은 *BRCA* 유전자의 변이가 있던 일측성 유방암에서도 양측성 유방암의 발생을 75%나 감소시키는 효과가 있다. 아로마타제 억제제인 아나스트로졸anastrozole은 폐경 후의 여성환자에서 사용하며 반대측 유방암의 발생의 억제효과에 있어서 타목시펜과 유사하거나 오히려 좋은 결과를 나타내는 것으로 알려져 있다. 호르몬요법으로써 난소 제거술은 반대측 유방암의 발생의 위험성을 저하시킨다. 항암화학요법을 시행하여 반대측 유방암의 예방효과를 나타낸 보고는 비교적 적다.

예방적 유방절제술은 유방전절제술, 피하유방절제술, 피부보존유방절제술, 유륜보존유방절제술 등의 수술방법이 이용된다. 예방적 유방절제술은 현재 가족력이 있거나, 유전자 변이가 있는 경우에 시행되고 있다. *BRCA 1/2* 유전자의 변이가 있는 경우에 시행한다.

일측성 유방암이 진단이 되면 다음의 사항을 고려하여 예방적 유방절제술을 선택해야 한다. 우선 유방절제술과 재건술을 시행 후 느낄 신체적, 감정적인 면에서의 부작용, 신체변화, 즉 미적인 면에서의 체형의 변화와 균형미 상실의 가능성, 수술을 시행하면 다시 되돌릴 수 없는 상황, 유방암의 발생가능성이 높은 군에서도 유방절제술을 시행하지 않아도 유방암이 발생하지 않을 수 있다는 점, 유방암이 발생하면 전신전이의 가능성이 있다는 점 등을 환자와 치료자는 충분히 검토하고 의견을 교환한 후 수술에 임해야 한다.

동시성 암은 양측의 유방암을 동시에 치료해야 한다. 동시성 양측성 유방암에 대한 치료로 양측 유방을 함께 절제하게 되는 양측성 유방절제술은 두개의 팀을 구성하여 수술을 진행하나, 하나의 수술팀으로도 수혈의 가능성을 줄이면서 수술이 가능하다. 절제술의 방법으로는 유방절제술–유방절제술, 유방절제술–유방보존술 또는 유방보존술–유방보존술 등의 조합이 모두 가능하다. 유방보존술을 선택하는 기준은 일측성 유방암에서와 같은 적응증과 금기증을 적용하도록 한다. 대부분의 여성은 양측 유방의 모습이 대칭적이고 균일할 것을 원한다. 따라서 일측에 유방절제술이 시행될 경우 반대측 유방도 절제하는 것을 선택하며 재건술을 시행하도록 한다. 유방재건술은 양측 유방이 절제되어 있는 경우 비교적 용이하게 실시할 수 있다. 수술방법에 따른 생존율의 차이는 없다. 유방보존술을 모두 시행하는 경우 일측성 유방암에 대한 보존술과 마찬가지로 우수한 미용효과를 보이며 방사선치료를 병행하도록 한다.

이시성 양측성 유방암의 치료의 방침도 동시성 유방암과 동일한 원칙 하에 실시한다. 일차성 유방암의 치료와 상관없이 반대측 유방암에 대해 개별적으로 유방보존술의 적응증이 되면 시행하고, 그렇지 않으면 유방절제술을 시행하도록 한다. 이시성 양측성 유방암에서도 환자는 균형미를 고려하여 동일한 수술법을 선택하는 경향이 있다. 양측성 유방암에 대한 유방재건술은 일측성 유방암에서와 유사하다. 주로 사용되는 방법은 횡복직근피판술 TRAM falp, 광배근피판술, 보형물삽입술 등이다. 이시성 양측성 유방암에 대한 전신치료방침을 설정하는 것은 더 복잡하다. 일측성 유방암에 대한 치료로 자주 선택이 되는 AC 요법에 의한 치료를 받은 환자에 발생한 이시성 양측성 유방암의 치료로 아드리아마이신을 선택하고자 한다면 축적용량에 유의하여야 한다. 축적용량이 450mg/m^{2}를 초과하는 경우에는 심장독성을 나타낸다. 타목시펜을 사용하던 중 발생한 이시성 양측성 유방암은 더 이상 타목시펜을 사용하더라도 추가적인 이득은 없다. 이런 경우 아로마타제 억제제를 사용할 수 있다. 5년간 타목시펜을 사용한 후 중단하였던 환자에서 나타난 이시성 양측성 유방암에 대해서도 아로마타제 억제제를 타목시펜을 대신하여 사용하도록 한다.

3. 임신과 유방암

유방암은 자궁경부암과 더불어 임신 중 가장 많이 발생하는 악성종양으로 임신한 여성 3,000명 중 1명에서 발생한다. 평균연령은 32세에서 38세로 비교적 늦은 나이에 아이를 가지려는 여성들에서 나타난다. 이 시기의 유방암의 병리소견은 동일연령대의 비임신여성과 유사한 형태를 보인다. 호르몬수용체는 대부분의 임신여성에서는 음성으로 결과를 보이지만 이것은 임신기간 중 혈청내 에스트로겐이 수용체와 결합하기 때문에 나타난 현상이다. 효소 면역세포화학적수용체 검사를 실시하면 상경적 반응검사 보다 민감한 결과를 얻을 수 있다. 한 연구결과에 의하면 임신여성과 비임신여성의 수용체 결과는 유사하였다. 임신 시의 에스트로겐 치가 상승한 결과 상경적 저해가 이루어지므로 리간드 결합검사ligand binding assay에서는 위음성으로 나타나나 면역화학검사를 실시해 보면 호르몬 수용체가 양성으로 나타난다.

임신 또는 수유기의 유방은 자연적 현상으로 크기가

커지며 압통을 수반하므로 멍울을 찾기가 수월치 않게 되어 유방암의 조기진단이 어렵다. 따라서 진단시기가 늦어지는 경우가 많아 일반적으로 증상이 있은 후 5- 15개월에 발견된다. 이와 같이 진단이 지연됨으로 인해 동일 연령대의 비임신 여성에 비해 비교적 높은 병기에서 발견된다. 유방암을 진단하기 위해 임신기 또는 산욕기의 여성은 자가검진을 시행하고 산전검사의 일환으로 의사에 의한 유방검진을 받는 것이 권유된다. 만일 이상소견이 발견되면 진단검사로 초음파검사 또는 유방촬영술을 시행할 수 있다. 유방촬영술을 시행하는 경우 태아에게 방사선이 노출되는 것을 방지하고자 적절한 가리개를 이용하여 방사선 노출을 최소화하도록 한다. 유방촬영술은 분명한 종괴가 있는 경우에 유방암의 위치 및 동반 가능한 유방암을 의심하는 종괴를 확인하고자 시행한다. 유방암이 있어도 유방촬영술의 최소 25%는 위음성 결과를 보이므로, 종괴가 만져지면 진단을 위해 생검술이 필수적이다. 생검술로는 미세침흡인세포검사, 중심침생검술 또는 국소마취하 절제생검술을 시행한다. 유방의 병리소견은 임신으로 인한 변화가 있으므로 병리의사에게 임신과 관련된 정보를 제공하여 가능성이 있는 위양성의 가능성을 배제할 수 있도록 해야 한다.

전반적인 예후는 비임신여성에 비해 불량하다. 이런 결과는 임신기의 진단지연으로 인한 결과에 기인한다. 임신의 중단은 유방암의 치료결과에 아무런 영향을 미치지 못하므로 임신기 유방암의 치료에 필요조건은 아니다. 모체에 대하여 방사선요법이나 항암화학요법을 시행할 경우 임신지속여부를 결정하는데 가장 필수적인 요소는 태아의 연령이다.

병기를 결정하기 위해 검사를 시행하는 경우 태아에게 방사선이 노출되지 않도록 하여야 한다. 특히 동위원소를 이용한 검사를 시행할 때에는 도뇨관을 이용하여 방광에 방사선물질이 저류되지 않도록 하여야 한다. 태아에게 방사능이 미치는 영향에 따른 결과는 방사능의 피폭량 보다 태아의 연령에 의해 결정이 된다. 임신초기(1 삼분기)에 방사능의 노출량이 0.05Gy 이상이면 선천성 기형, 정신지체와 암발생의 위험성 증대 등이 초래된다. 피폭량이 0.05Gy 이하이면 이상을 초래할 가능성이 작아진다. 흉부방사선촬영 등 치료를 결정하기 위한 필수적 검사를 시행하는 동안 복부를 안전가림막을 이용하여 보호하도록 한다. 흉부촬영의 피폭량은 0.00008Gy이다. 골전이검사를 위한 골동위원소조영술은 0.001Gy의 방사능을 노출시킨다. 간에 대한 검사는 초음파술이 권장되며, 뇌전이를 여부를 알기 위한 검사로는 자기공명영상법이 권유된다. 임신에 대한 자기공명촬영술의 영향은 아직 입증되지는 않았지만 쥐를 이용한 실험에 따르면 자기공명촬영시 주입하는 gadolinium이 태반을 통과하여 태체에 기형을 초래하였다는 보고가 있다.

수유를 억제하는 것은 예후를 향상시키지는 못한다. 만일 수술이 계획되면 수유를 억제하여 유방의 크기를 감소시키고 혈관분포를 줄이도록 한다. 사이클로포스파마이드와 메토트렉세이트 등의 항암제는 수유를 중지시킬 수 있으므로 항암화학요법 시에는 수유가 자연적으로 억제되어 항암화학요법 시 육아에 영향을 미치게 된다. 일반적으로 항암화학요법 시에는 모유수유를 하지 않도록 권장한다. 모체의 유방암이 태아에게 전달되어 태아에게 미치는 영향은 없는 것으로 알려져 있으며, 모성 유방암으로 인한 유방암세포의 모성-태아 전달이 보고된 경우는 없다. 유방암을 앓은 과거력이 있는 여성에게 임신이 악영향을 미치지는 않는다. 제한적이긴 하지만 후향적 연구에 의하면 태아에 미치는 악영향도 없었다. 일부에서는 유방암 치료 후 2년이 경과하고 난 다음 임신을 권유하기도 한다. 이와 같은 이유는 조기 재발이 이 시기까지 나타나기 때문이다.

임신 중인 여성에 발생한 유방암 중 조기에 해당하는 제1, 2병기의 환자에 대한 치료로 우선 수술이 우선적으로 선택된다. 치료를 위해 시행하는 방사선 조사는 태아에 영향을 미칠 수 있기 때문이다. 이런 이유로 인해 수술도 변형근치유방절제술이 우선 선택되어야 한다. 유방을 보존하기를 원하는 경우에는 유방보존술을 시행하고 방사선요법은 분만 후에 실시한다. 일부 연구에 의하면 치료가 지연됨으로 인한 위험성의 증대를 보고하는데, 임신 후기에 발견되는 유방암에 대한 방사선요법의 지연으로 인한 위험성은 분만 시까지는 감수할 만한 정도였다. 감시림프절생검은 이론상 방출되는 방사성 동위원소 테크네슘technetium에 의해 태아에 영향을 주기 때문에 액와림프절곽청술이 표준 수술이다. 그러나 최근에 방출되는 테크네슘의 태아에 대한 영향이 안전하다는 보고가 있다. 수술 후 항암치료가 필요한 경우에는 임신 1삼분기에는 태아에 기형이 발생할 가능성이 있으므로 시행하지 않도록 한다. 임신 1삼분기를 지난 후에는 기형 발생의 위험도가 높지 않으므로 항암화학요법을 시행한다. 하지만 항암화학요법으로 인해 조기분만이나 유산이 발생할 수 있다. 항암제로 인해 태아에 미치는 영향에 대한 데이터는 충분하지 않다. 따라서 임신 중의 환자는 태아에 미칠 수 있는 작은 영향이라도 피하기 위해 위험을 감수하고 임신을 지속한 후 치료에 임하는 경향이 있다. 임신 중인 유방암 환자에 대한 호르몬치료에 대한 보고는 제한적이다. 따라서 호르몬치료를 시행해야 할 지에 대한 결론을 내리기 곤란하다. 방사선요법은 어느 시기의 태아에게도 악영향을 미칠 위험성이 있으므로 필요하다고 판단이 되면 분만 후에 시행하도록 한다.

병기 3, 4기에 발견된 임신 중의 유방암에 대한 치료로 항암화학요법은 조기 유방암과 마찬가지로 시행해야 하며, 이는 모체의 여명기간이 제한되어 있기 때문이기도 하다. 보고에 의하면 임신 중 여성의 제3, 4기 유방암은 5년 생존율이 10%에 불과하다. 임신 제1삼분기에서는 태아에 미칠 영향이 크므로 환자와 가족에게 충분히 설명하여 임신지속여부를 결정하도록 한다. 그러나 치료적 유산이 예후를 좋게 하는 것은 아니다.

4. 엽상종양

엽상종양Phyllodes tumor은 섬유상피성 종양으로 종양을 절단하면 잎사귀와 같은 무늬가 나타나기 때문에 엽상종양이라는 명칭을 갖게 되었으며 절단면에 많은 낭종이 관찰되어 과거에는 엽상낭성육종cystosarcoma phyllodes으로 부르기도 하였다. 빨리 자라고 재발을 잘하는 경향이 있다. 양성, 경계성, 악성으로 분류되지만 양성의 경우가 대부분으로 선호되는 명칭은 엽상종양이다.

엽상종양은 드문 유방 종양으로 전체 유방의 종양 중 0.3-1%의 빈도를 보인다. 표면은 매끄럽고 주변조직과 잘 구분되며 잘 움직여진다. 비교적 크기가 큰 상태에서 발견되어 평균 크기가 5cm이다. 간혹 30cm 이상 커진 상태로 발견되는 경우도 있다. 인종 간에 발생의 차이는 없으며, 여성에서 대부분 발생하나 아주 드물게 남성에서 발생한 보고도 있다. 어느 연령에서도 발생이 가능하나, 주로 40-50대에서 발병한다. 청소년기 섬유선종은 엽상종양과 구분이 어려우나 다른 섬유선종과 마찬가지로 양성 종양의 임상 소견을 보인다.

전체 엽상종양에서 차지하는 비율은 양성이 60-75%, 경계성은 15-20%, 악성은 10-20% 정도이다. 양성종양은 전이되지 않지만 급속히 성장하고 국소재발이 많은 특징을 보인다. 악성엽상종양은 다른 악성 육종과 마찬가지로 혈행성 전이를 한다. 불행히도 병리적 소견에 따라 임상적 예후를 결정하기는 곤란하다. 악성엽상종양은 다음의 특징을 지닌다. 1) 다른 원발성 종양에 비해 재발한 종양이 더욱 공격적이거나, 2) 전이가 가장 많은 장기는 폐이며 골, 심장과 간의 순서로 전이가 많다. 3) 전이의 증상은 초기치료로부터 빠르면 수 개월, 늦으면 최장 12년까지 있을 수 있으며, 4) 전이된 환자는 초기치료로부터 3년 이내에 사망에 이른다. 5) 전신전이가 있으면 완치는 불가능하고, 6) 악성엽상종양의 30%는 이로 인해 사망한다.

임상증상으로 단단하고 유동적인 종괴로 나타나며 종괴는 주변 장기와 구분이 잘되며 압통이 없는 특징을 지닌다. 작은 종괴가 급격히 수주간 자라는 형태를 보이며, 우측 유방보다 좌측 유방에 잘 발생한다. 신체검사 소견은 섬유선종과 유사하나, 크기가 크고 빨리 자라는 경향을 보인다. 재발한 종양의 경우 원발 종양에 비해 악성 경향을 지닌다.

광범위국소절제술이 표준치료로 이용이 되는 수술방법

이다. 정해져 있는 절제 범위는 없으나, 주변의 정상조직과 함께 절제할 것이 권유된다. 일부 저자들은 작은 종양(<5cm)은 3cm의 절제연, 5cm 이상 큰 종양은 절제연을 5cm이상 확보할 것이 권유한다. 그러나 실제적으로 절제연을 위와 같이 확보하면 남아 있는 유방의 모양이 유지되지 않으므로 일반적으로는 1cm 절제연을 확보하는 것이 표준적 치료이다. 섬유선종의 수술처럼 종괴만을 벗겨내는 “shelled out” 방법으로 수술을 시행하면 재발의 가능성이 높다. 이외에 구역절제술, 전유방절제술(재건술을 병행할 수 있다)이 치료에 이용된다. 액와림프절절제술은 전이가 의심되는 경우에만 실시한다.

수술 후 보조치료는 시행하지 않으며, 재발하거나 전이된 경우 항암화학요법와 방사선요법의 효과는 기대하기 어렵고, 내분비요법은 사용하지 않는다. 재발이 가능하므로 정기적인 장기추적관찰이 필요하다. 수술 후 적어도 5년 동안 6개월 간격으로 정기검사를 실시하도록 한다.

요약

유방암을 치료하는 동안 마주칠 수 있는 특수한 형태로 흔치 않게 발생하는 남성의 유방암과, 양측 유방에 발생한 유방암, 임신 도중 발견된 유방암, 엽상종양 등이 있다. 염증성 유방암은 유방암의 국소 진행으로 유방주위 림프관 등을 침범하여 유방이 붉게 변하고 국소 발열을 동반하는 염증의 소견을 나타내는 경로서 피부가 오렌지껍질 모양을 나타내는 특징이 있으며 예후가 불량하나 이번 장에서는 기술하지 않았다. 유방암이 남성에서 발생하거나, 양측에 발생하거나, 임신 중 발생하던지 각 병기에 따라 예후가 결정되며 해당 병변의 양태에 따라 현재 시행되는 수술을 포함한 모든 치료가 가능하다. 다만 임신 중에는 태아를 고려하여 치료시기와 방법을 조절한다. 엽상종양은 양성, 경계성 그리고 악성으로 분류되며 국소재발하는 특징을 지닌 병변이다.

참고문헌

[I. 유방의 발생과 해부]

1. 한국유방암학회. 유방학. 3판. 서울: 군자출판사; 2013.
2. Berg JW. The significance of axillary node levels in the study of breast carcinoma. Cancer 1955;8:776-77.
3. Brunnicardi FC, Anderson DK, Billiar, et al. Schwartz's principles of surgery. 10th ed. New York: McGraw-Hill; 2010.
4. Egan RL, McSweeney MB. Intramammary lymph nodes. Cancer 1983;51:1838-184.
5. Harris JR, Lippman ME, Morrow M, et al. Diseases of the Breast. 5th ed. Philadelphia: Wolters Kluwer Health; 2014.
6. Jesinger RA. Breast anatomy for the interventionalist. Tech Vasc Interv Radiol 2014 ;17:3-9.
7. Moffat DF, Going JJ. Three dimensional anatomy of complete duct systems in human breast: pathological and developmental implications. J Clin Pathol 1996;49:48-5.
8. Moosman DA. Anatomy of the pectoral nerves and their preservation in modified mastectomy. Am J Surg 1980;139:883-6.
9. Nathanson SD, Nachna DL, Gilman D, et al. Pathways of lymphatic drainage from the breast. Ann Surg Oncol 2001;8:837-843.
10. Paganelli G, Galimberti V, Trifiro T, et al. Internal mammary node lymphoscintigraphy and biopsy in breast cancer. Q J Nucl 2002;46:138-144.
11. Parks AG. The micro-anatomy of the breast. Ann R Coll Surg Engl 1959;25:235-25.
12. Spratt JS. Anatomy of the breast. Major Probl Clin Surg 1979;5:1-13.
13. Tanis PJ, Nieweg OE, Valdés Olmos RA, Kroon BB. Anatomy and physiology of lymphatic drainage of the breast from the perspective of sentinel node biopsy. J Am Coll Surg 2001;192:399-409.
14. Townsend CM, Beauchamp RD, Evers BM, et al. Sabiston textbook of surgery. 19th ed. Philadelphia: Elsevier; 2012.

15. Turner-Warwick RT. The lymphatics of the breast. Br J Surg 1959;46:574-582.

[II. 유방 질환의 진단]

1. Berg WA, Gutierrez L, NessAiver MS et al. Diagnostic accuracy of mammography, clinical examination, US, and MR imaging in preoperative assessment of breast cancer. Radiology 2004;233:830-849.
2. Dronkers DJ. Stereotactic core biopsy of breast lesions. Radiology 1992;183:631-634.
3. Kerlikowske K, Grady D, Barclay J, et al. Effect of age, breast density, and family history on the sensitivity of first screening mammography. JAMA 1996;276:33-38.
4. Kwak J, Kim E. The usefulness of additional bilateral whole breast US with negative mammographic results in asymptomatic women. J Korean Radiol Soc 2005;53:451-459.
5. Leconte I, Feger C, Galant C, et al. Mammography and subsequent whole sonography of nonpalpable breast cancer: the importance of radiologic breast density. AJR 2003;180:1675-1679.
6. Lee SJ. 2006-2008 Breast cancer facts & figures. Korean Breast Cancer Society 2008.
7. McCready T, Littlewood D, Jenkinson J. Breast self-examination and breast awareness:a literature review. J Clin Nurs 2005;14:570-578.
8. O'Malley MS, Fletcher SW. US Preventive Service Task Force. Screening for breast cancer with breast self-examination. A critical review. JAMA 1987;257:2196-2203.
9. Orel SG, Schnall MD, MR imaging of the breast for the detection, diagnosis, and staging of breast cancer. Radiology 2001;220:13-30.

[III. 유방질환의 병리]

1. 김정연, 조경자, 이승숙 등. 유방 관내암종 및 파제트 병에서 c-erbB-2 단백의 발현. 대한병리학회지 1996;30:972-80.
2. Andersen JA, Carter D, Linell F. A symposium of sclerosing duct lesions of the breast. Pathol Annu 1986;21:145-79.
3. Azzopardi J. Problems in breast pathology. Philadelphia: W. B.Saunders 1979.
4. Beahrs O, Shapiro S, Smart C. Report of the working group to review the national cancer institute: American cancer society breast cancer detection demonstration projects. J Natl Cancer Inst 1979;62:639-709.
5. Black MM, Speer FD. Nuclear structure in cancer tissues. Surg Gynecol Obstet 1959;105:97-102.
6. Bloom HJ, Richardson WW. Histological grading and prognosis in breast cancer: a study of 1409 cases of which 359 have been followed 15 years. Br J Cancer 1957;11:359-77.
7. Dupont WD, Paget DL. Risk factors for breast cancer in women with proliferative breast disease. N Engl J Med 1985;312:146-51.
8. Elston CW, Ellis IO. Pathological prognostic factors in the breast cancer. I. The value of histological grade in breast cancer: experience from a large study with long-term follow-up. Histopathology 1991;19:403-10.
9. Fechner RE. Infiltrating lobular carcinoma without lobular carcinoma in situ. Cancer 1972;29:1539-45.
10. Foote FW Jr, Stewart FW. Lobular carcinoma in situ: a rare form of mammary cancer. Am J Pathol 1941;17:491-6.
11. Hawkins RE, Schofield JB, Fisher C, et al. The clinical and histologic criteria that predict metastases from cystosarcoma phyllodes. Cancer 1992;69:141-7.
12. Hoda SA. Lobular carcinoma in situ and atypical lobular hyperplasia. In: Hoda SA, Brogi E, Koerner FC, Rosen PP, eds. Rosen's breast pathology. 4th edition, Philadelphia: Wolters Kluwer. 2014.
13. Koerner F. Papilloma and related benign lesions. In: : Hoda SA, Brogi E, Koerner FC, Rosen PP, eds. Rosen's breast pathology. 4th edition, Philadelphia: Wolters Kluwer. 2014.
14. Lagios MD. Ductal carcinoma in situ. Pathology and treatment. Surg Clin North Am 1990;70:853-71.
15. Lagios MD. Ductal carcinoma in situ: controversies in diagnosis, biology, and treatment. Breast J 1995;1:68-78.
16. McDivitt RW, Boyce W, Gersell D. Tubular carcinoma of the breast: clinical and pathological observations concerning 135 cases. Am J Surg Pathol 1982;6:401-11.
17. Norris HJ, Tayler HB. Prognosis of mucinous (gelatinous) carcinoma of the breast. Cancer 1965;18:879-85.
18. Ohuchi N, Abe R, Takahashi T, et al. Origin and extension of intraductal papillomas of the breast: a three-dimensional reconstruction study. Breast Cancer Res Treat 1984;4:117-28.
19. Page DL, Dupont WD, Rogers LW, et al. Atypical hyperplastic lesions of the female breast. A long-term follow-up study. Cancer 1985;55:2698-708.
20. Pedersen L, Holck S, Schiodt T, et al. Medullary carcinoma of the breast, prognostic importance of characteristic histopathological features evaluated in a multivariate cox analysis. Eur J Cancer 1994;30A:1792-7.
21. Rakha EA, Ellis IO. Ductal carcinoma in situ. In:Dabbs DJ. Ed. Breast pathology. Philadelphia: Elsevier Saunders. 2012.
22. Rasmussen BB. Human mucinous breast carcinomas and their lymph node metastases: a histological review of 247 cases. Pathol Res Prect 1985;180:377-82.
23. Ridolfi RL, Rosen PP, Port A, et al. Medullary carcinoma of the breast: a clinicopathologic study with 10 year follow-up. Cancer 1977;40:1365-85.
24. Ro JY, Sneige N, Sahin AA, et al. Mucocele like tumor of the breast associated with atypical ductal hyperplasia or mucinous carcinoma: a clinicopathologic study of seven cases. Arch Pathol

Lab Med 1991;115:137-40.
25. Rosen PP, Wang TY. Colloid carcinoma of the breast: analysis of 64 patients with long term follow up. Am J Clin Pathol 1980;73:304.
26. Rosen PP. The pathological classification of human mammary carcinoma: past, present, and future. Ann Clin Lab Sci 1979;9:144-56.
27. Schnitt SJ, Collins LC. Adenosis and sclerosing lesions. In: Biopsy interpretation of the breast. 2nd edition, Philadelphia: Lippincott Williams & Wilkins. 2013.
28. Schnitt SJ, Collins LC. Intraductal proliferative lesions: usual ductal hyperplasia, atypical ductal hyperplasia, and ductal carcinoma in situ. In: Biopsy interpretation of the breast. 2nd edition, Philadelphia: Lippincott Williams & Wilkins. 2013.
29. Schnitt SJ. Benign breast disease and breast cancer risk: morphology and beyond. Am J Surg Pathol 2003;27:836-41.
30. Simpson JF, Schnitt SJ, Visscher D, et al. Atypical ductal hyperplasia. In: Lakhani SR, Ellis IO, Schnitt SJ, Tan PH, van de Vijver MJ, eds. WHO classification of tumours of the breast. Lyon, IARC. 2012.
31. Silverberg SG, Kay S, Chitale AR, et al. Colloid carcinoma of the breast. Am J Clin Pathol 1971;553:355-63.
32. Silverstein MJ, Poller DN, Waisman JR, et al. Prognostic classification of breast ductal carcinoma-in-situ. Lancet 1995;345(8958):1154-7.
33. Tan PH, Jayabaskar T, Chuah KL, et al. Predicting clinical behavior of breast phyllodes tumors: a nomogram based on histological criteria and surgical margins. J Clin Pathol 2012;65:69-76.
34. Tan PH, Thike AA, Tan WJ, et al. Phyllodes tumors of the breast: the role of pathologic parameters. Am J Clin Pathol 2005;123:529-40.
35. Tavassoli FA, Norris HJ. A comparison of the results of long-term follow-up for atypical intraductal hyperplasia and intraductal hyperplasia of the breast. Cancer 1990;65:518-29.
36. Tavassoli FA, Man Y. Morphofunctional features of intraductal hyperplasia, atypical hyperplasia, and various grades of intraductal carcinoma. Breast J 1995;1:155-62.
37. The Consensus Conference Committee. Consensus conference on the classification of ductal carcinoma in situ. Cancer 1997;80(9):1798-802.
38. Wargotz ES, Silverberg SG. Medullary carcinoma of the breast: a clinicopathologic study with appraisal of current diagnostic criteria. Hum Pathol 1988;19:1340-6.

[IV. 유방의 양성질환]

1. 김상희, 조경아, 권태형 등. 유방결핵. 대한외과학회지 1997;53:631-634.
2. 김수형·최진욱·고은영 등. 초음파 유도 맘모톰을 이용한 유방 양성 종양의 절제술. 대한외과학회지 2003;65:279-28.
3. 김주선, 김승기, 김승일 등. 유두분비에 대한 임상적 평가. 대한외과학회지 2001;61:273-27.
4. 노동영, 김지수, 최국진 등. 양성 유방 질환의 임상적 역학적 연구. 대한외과학회지 1993;44:797-80.
5. 류근원, 류진우, 김종석 등. 한국여성의 유방증상. 대한외과학지 1994 ;46 :44-56.
6. 손두민, 이효원, 김태윤 등. Interstitial laser photocoagulation을 이용한 양성 유방 종양의 치료. 한국유방암학회지 2004;7:109-20.
7. 이상달, 남석진, 양정현 등. 유방의 섬유선종에서 발생한 유방암-3예를 통한 분석. 한국유방암학회지 1999;2:95-10.
8. 이우찬, 장일성. 혈선 유두 분비의 임상적 고찰. 대한외과학회지 1993;44:809-81.
9. 진석인, 한세환, 배명노 등. 유방 종물을 주소로 유방검진센터를 방문한 환자에서 검사 및 Triple test의 유용성. 대한외과학회지 2001; 61:21-2.
10. Bundred NJ, Dover MS, Aluwihare N, et al. Smoking and periductal mastitis. BMJ 1993;307:772-773.
11. bunting DM, Steel JR, Holgate CS, et al. Long term follow-up and risk of breast cancer after a radial scar or complex sclerosing lesions has been identified in a benign open biopsy. Eur J Surg Oncol 2011;37(8):709-713.
12. Butler JA, Vargas HI, Worthen N, et al. Accuracy of combined clinical-mammographic-cytologic diagnosis of dominant breast masses. A prospective study. Arch Surg 1990 ;125:893-89.
13. Cabioglu N, Hunt KK, Singletary SE, et al. Surgical decision making and factors determining a diagnosis of breast carcinoma in women presenting with nipple discharge. J Am Coll Surg 2003;196:354-36.
14. carder PJ, Murphy CE, Liston JC, et al. Surgical excision is warranted following a core biopsy diagnosis of mucocoele-like lesion of the breast. Histopathology 2004;45(2):148-154.
15. Catania S, Zurrida S, Veronesi P, et al. Mondor's disease and breast cancer. Cancer 1992;69:2267-227.
16. Ciatto S, Bravetti P, Cariaggi P. Significance of nipple discharge clinical patterns in the selection of cases for cytologic examination. Acta Cytol 1986;30:17-2.
17. Ciatto S, Cariaggi P, Bulgaresi P. The value of routine cytologic examination of breast cyst fluids. Acta Cytol 1987;31:301-30.
18. Dixon JM, ravisekar O, Chetty U, et al. periductal mastitis and ductal ectasia:different conditions with different aetiologies. Br j Surg 1996;83(6):820-822.
19. Dixon JM. Breast infection. In: Dixon JM, ed. ABC of breast disease. 4th ed. London: Wiley-Blackwell 2012:3.
20. Dupont WD, Page DL, Parl FF, et al. long term risk of breast cancer in women with fibroadenoma. N Engl J Med 1994;331(1):10-15.
21. Lewis JT, Hartmann LC, Vierkant RA, et al. An analysis of breast cancer risk in women with single, multiple and atypical papilloma. Am J Surg Pathol 2006;30(6):665-672.

22. Pavious S, musaad S, Roberts S, et al. Corynebacterium species isolated from patients with mastatitis. Cli Infect Dis 2002;35:143.
23. Shouhed D, Amersi FF, Spurrier R, et al. Intraductal papillart lesions of the breast: Clinical and pathological correlation. Am surg. 2012;78(10):1161-1165.
24. Taira N, takabatake D, Aogi k, et al. Phylloides tumor of the breast: stromal overgrowth and histological classification are useful prognosis-predictive factors for local recurrence in patients with a positive surgical margin. Jpn J Clin Oncol 2007;37(10):730-736.

[V. 유방암의 역학]

1. Ahn SH, Hwang UK, Kwak BS, et al. Prevalence of BRCA1 and BRCA2 Mutations in Korean Breast Cancer Patients. J Korean Med Sci 2004;19:269-274.
2. Ahn SH, Son BH, Yoon KS, et al. BRCA1 and BRCA2 germline mutations in Korean breast cancer patients at high risk of carrying mutations. Cancer Lett 2007 8;245:90-95.
3. Ahn SH, Yoo KY, Korean Breast Cancer Society. Chronological changes of clinical characteristics in 31,115 new breast cancer patients among Koreans during 1996-2000. Breast Cancer Res Treat 2006;99:209-214.
4. Albrektsen G, Heuch I, Hansen S, et al. Breast cancer risk by age at birth, time since birth and time intervals between births: exploring interaction effects. Br J Cancer 2005;92:167-175.
5. American Cancer Society. Breast Cancer Facts & Figures 2015-2016.
6. Anderson BO, Yip CH, Ramsey SD, et al. Breast cancer in limited-resource countries: health care systems and public policy. Breast J 2006;12(Suppl. 1);S54-69.
7. Beral V. Breast cancer and hormone-replacement therapy in the Million-Women Study. Lancet 2003;362:419-427.
8. Bonadona V, Lasset C. Inherited predisposition to breast cancer: after the BRCA1 and BRCA2 genes, what next? Bull Cancer 2003;90:587-594.
9. Boyd NF, Guo H, Martin LJ, et al. Mammographic density and the risk and detection of breast cancer. N Engl J Med 2007;356:227-236.
10. Breen N, Cronin K, Meissner HI, et al. Reported drop in mammography: is this cause for concern? Cancer 2007 Jun 15;109:2405-240.
11. Canfell K, Banks E, Moa AM, et al. Decrease in breast cancer incidence following a rapid fall in use of hormone replacement therapy in Australia. Med J Aust 2008;188:641-644.
12. Cauley JA, Lucas FL, Kuller LH, et al. Bone mineral density and risk of breast cancer in older women: the study of osteoporotic fractures. Study of Osteoporotic Fractures Research Group. JAMA 1996;276:1404-1408.
13. Chlebowski RT, Kuller LH, Prentice RL, et al. Breast cancer after use of estrogen plus progestin in postmenopausal women. N Engl J Med 2009;360:573-587.
14. Choi DH, Lee MH, Bale AE, et al. Incidence of BRCA1 and BRCA2 mutations in young Korean breast cancer patients. J Clin Oncol 2004;22:1638-1645.
15. Clarke CA, Glaser SL, Uratsu CS, et al. Recent declines in hormone therapy utilization and breast cancer incidence: clinical and population-based evidence. J Clin Oncol. 2006 Nov 20;24(33):e49-50.
16. Collaborative Group on Hormonal Factors in Breast Cancer. Breast cancer and breast feeding: collaborative reanalysis of individual data from 47 epidemiologic studies in 30 countries, including 50302 women with breast cancer and 96973 women without the disease. Lancet 2002;360:187-195.
17. Collins LC, Baer HJ, Tamini RM, et al. Magnitude and laterality of breast cancer risk according to histologic type of atypical hyperplasia: results from the Nurses' Health Study. Cancer 2007;109:180-187.
18. Coughlin SS, Ekwueme DU. Breast cancer as a global health concern. Cancer Epidemiology Cancer Epidemiol. 2009;33:315-318.
19. Ferley J, Shin HR, Bray F, et al. Estimates of worldwide burden of cancer in 2008:.
20. GLOBOCAN 2012. Estimated cancer incidence, mortality and prevalence worldwide in 2012. Lyon: International Agency for Research on Cancer. Accessed September 1st, 2014. Available from http://globocan.iarc.fr/Pages/fact_sheets_cancer.
21. Han SH, Lee KR, Lee DG, et al. Mutation analysis of BRCA1 and BRCA2 from 793 Korean patients with sporadic breast cancer. Clin Genet 2006;70:496-501.
22. Hartmann LC, Seller TA, Frost MH, et al. Benign breast disease and risk of breast cancer. N Engl J Med 2005;353:229-944.
23. Heiss G, Wallace R, Anderson GL, et al. Health risks and benefits 3 years after stopping randomized treatment with estrogen and progestin. JAMA 2008;299:1036-1045.
24. Hemminki E, Kyyronen P, Pukkala E. Postmenopausal hormone drugs and breast and colon cancer: Nordic countries 1995-2005. Maturitas 2008;61:299-304.
25. Horner MJ, Ries LAG, Krapcho M, et al., eds. SEER Cancer Statistics Review, 1975-2006. National Cancer Institute. Bethesda, MD, http://seer.cancer.gor/csr/1975_2006/, based on November 2008 SEER data submission, posted to the SEER web site, 2009.
26. Hulka BS, Moorman PG. Breast cancer: hormones and other risk factors. Maturitas Maturitas. 2008;61:203-13; discussion 213.
27. Iau PT, Macmillan RD, Blamey RW. Germ line mutations associated with breast cancer susceptibility. Eur J Cancer 2001;37:300-321.
28. Jee SH, Yun JE, Park EJ, et al. Body mass index and cancer risk

in Korean men and women. Int J Cancer 2008;123:1892-1896.
29. Jung KW, Won YJ, Kong HJ, et al. Cancer Statistics in Korea: Incidence, Mortality, Survival, and Prevalence in 2012. Cancer Res Treat. 2015;47:127-141.
30. Kang DH, Yoo KY, Park SK, et al. Cigarette smoking, alcohol consumption, and breast cancer in Korea. Korean J Epidmiol 1998;20:60-69.
31. Kang E, Seong MW, Park SK, et al. The prevalence and spectrum of BRCA1 and BRCA2 mutations in Korean population: recent update of the Korean Hereditary Breast Cancer (KOHBRA) study. Breast Cancer Res Treat 2015;151:157-68.
32. Kang HC, Kim IJ, Park JH, et al. Germline mutations of BRCA1 and BRCA2 in Korean breast and/or ovarian cancer families. Hum Mutat 2002;20:235-239.
33. Kim BY, Lee DG, Lee KR, et al. Identification of BRCA1 and BRCA2 mutations from Korean breast cancer patients using denaturing HPLC. Biochem Biophys Res Commun 2006;349:604-610.
34. Kim Y, Choi JY, Lee KM, et al. Dose-dependent protective effect of breast-feeding against breast cancer among ever-lactated women in Korea. Eur J Cancer Prev 2007;16:124-129.
35. Ko SS; Korean Breast Cancer Society. Chronological changing patterns of clinical characteristics of Korean breast cancer patients during 10 years (1996-2006) using nationwide breast cancer registration on-line program: biannual update. J Surg Oncol. 2008;98:318-323.
36. Korean Breast Cancer Society. Breast Cancer Facts & Figures 2015.
37. Lacroix M, Leclercq G, on behalf of BreastMed Consortium. The "portrait" of hereditary breast cancer. Breast Cancer Res Treat 2005;89:297-304.
38. Lee SY, Kim MT, Kim SW, et al. Effect of lifetime lactation on breast cancer risk: a Korean women's cohort study. Int J Cancer 2003;105:339-393.
39. Min SY, Kim Z, Hur MH, et al. Basic Facts of Korean Breast Cancer in 2013: Results of a Nationwide Survey and Breast Cancer Registry Database. J Breast Cancer 2016; 19: 1-7.
40. Nathanson KL, Weber BL. "Other" breast cancer susceptibility genes: searching for more holy grail. Hum Mol Genet 2001;10:715-720.
41. Oh JH, Noh DY, Choe KJ, et al. Germline mutation of BRCA1 gene in Korean breast and ovarian cancer patients. J Korean Cancer Ass 1995;27:1061-1069.
42. Park B, Ma SH, Shin A, et al. Korean risk assessment model for breast cancer risk prediction. PLoS One 2013;8:e76736.
43. Park SK, Kang DH, Kim Y, et al. Epidemiologic characteristics of the Breast cancer. J Korean Med Assoc 2009;52:937-945.
44. Parkin DM, Bray F, Ferlay J, et al. Global cancer statistics, 2002. CA Cancer J Clin 2005;55;74-108.
45. Parkin DM, Femández LMG. Use of statistics to assess the global burden of breast cancer. Breast J 2006;12(Suppl. 1);S70-80.
46. Parkin DM. Is the recent fall in incidence of post-menopausal breast cancer in UK related to changes in use of hormone replacement therapy? Eur J Cancer 2009;45:1649-1653.
47. Ravdin PM, Cronin KA, Howlader, et al. The decrease in breast cancer incidence in 2003 in the United States. N Engl J Med 2007;356:1670-1674.
48. Seo JH, Cho DY, Ahn SH, et al. BRCA1 and BRCA2 germline mutations in Korean patients with sporadic breast cancer. Hum Mutat 2004;24:350.
49. Son BH, Ahn SH, Lee MH, et al. Hereditary breast cancer in Korea: a review of the literature. J Breast Cancer 2008;11:1-9.
50. Son BH, Kwak BS, Kim JK, et al. Changing patterns in the clinical characteristics of Korean breast cancer patients over the last 15 years. Arch Surg 2006;141:155-160.
51. Stewart B, Kleihues PE. World Cancer Report. Lyon, France: IARC Press, 200.
52. Suh JS, Yoo KY, Kwon OJ, et al. Menstrual and reproductive factors related to the risk of breast cancer in Korea. Ovarian hormone effect on breast cancer. J Korean Med Sci 1996;11:501-508.
53. Torre LA, Bray F, Siegel RL, Ferlay J, Lortet-Tieulent J, Jemal A. Global cancer statistics, 2012. CA Cancer J Clin. 2015;65:87-108.
54. Weber BL, Nathanson KL. Low penetrance genes associated with increased risk for breast cancer. Eur J Cancer 2000;36:1193-1199.
55. Wei F, Miglioretti DL, Connelly MT, et al. Changes in women's use of hormones after the Women's Health Initiative estrogen and progestin trial by race, education, and income. J Natl Cancer Inst Monogr 2005;35;106-112.

[VI. 유방암의 병인]

1. Antoniou A, Pharoah PD, Narod S, et al. Average risks of breast and ovarian cancer associated with BRCA1 or BRCA2 mutations detected in case Series unselected for family history: a combined analysis of 22 studies. Am J Hum Genet 2003;72:1117-1130.
2. Campbell LL, Polyak K. Breast tumor heterogeneity: cancer stem cells or clonal evolution? Cell Cycle 2007;6:2332-2338.
3. Chakravarti D, Mailander PC, Li KM, et al. Evidence that a burst of DNA depurination in SENCAR mouse skin induces error-prone repair and forms mutations in the H-ras gene. Oncogene 2001;20:7945-7953.
4. Clemons M, Goss P. Estrogen and the risk of breast cancer. N Engl J Med 2001;344:276-285.
5. Cleton-Jansen AM, Buerger H, Haar N, et al. Different mechanisms of chromosome 16 loss of heterozygosity in well- versus poorly differentiated ductal breast cancer. Genes Chromosomes Cancer 2004;41:109-116.
6. Courjal F, Theillet C. Comparative genomic hybridization analy-

sis of breast tumors with predetermined profiles of DNA amplification. Cancer Res 1997;57:4368-4377.

7. Cox A, Dunning AM, Garcia-Closas M, et al. A common coding variant in CASP8 is associated with breast cancer risk. Nat Genet 2007;39:352-358.
8. Devanesan P, Santen RJ, Bocchinfuso WP, et al. Catechol estrogen metabolites and conjugates in mammary tumors and hyperplastic tissue from estrogen receptor-alpha knock-out (ERKO)/ Wnt-1 mice: implications for initiation of mammary tumors. Carcinogenesis 2001;22:1573-1576.
9. Dontu G, Abdallah WM, Foley JM, et al. In vitro propagation and transcriptional profiling of human mammary stem/progenitor cells. Genes Dev 2003;17:1253-1270.
10. Easton DF, Pooley KA, Dunning AM, et al. Genome-wide association study identifies novel breast cancer susceptibility loci. Nature 2007;447:1087-1093.
11. Fanale D, Amodeo V, Corsini LR, Rizzo S, Bazan V, Russo A. Breast cancer genome-wide association studies: there is strength in numbers. Oncogene. 2012 Apr 26;31(17):2121-8.
12. Foulkes WD. Inherited susceptibility to common cancers. N Engl J Med 2008;359:2143-2153.
13. Ginestier C, Hur MH, Charafe-Jauffret E, et al. ALDH1 is a marker of normal and malignant human mammary stem cells and a predictor of poor clinical outcome. Cell Stem Cell 2007;1:555-567.
14. Goncalves R, Warner WA, Luo J, Ellis MJ. New concepts in breast cancer genomics and genetics. Breast Cancer Res 2014 ;16(5).
15. Govind AP, Thampan RV. Membrane associated estrogen receptors and related proteins: localization at the plasma membrane and the endoplasmic reticulum. Mol Cell Biochem 2003;253:233-240.
16. Greenman C, Stephens P, Smith R, et al. Patterns of somatic mutation in human cancer genomes. Nature 2007;446:153-158.
17. Han W, Kang D, Park IA, Kim SW, Bae JY, Chung K-W, et al. Associations between Breast Cancer Susceptibility Gene Polymorphisms and Clinicopathological Features. Clin Cancer Res. 2004 Jan 1;10(1):124-30.
18. Hardy J, Singleton A. Genomewide association studies and human disease. N Engl J Med 2009;360:1759-1768.
19. Hunter DJ, Kraft P, Jacobs KB, et al. A genome-wide association study identifies alleles in FGFR2 associated with risk of sporadic postmenopausal breast cancer. Nat Genet 2007;39:870-874.
20. Isola JJ, Kallioniemi OP, Chu LW, et al. Genetic aberrations detected by comparative genomic hybridization predict outcome in node negative breast cancer. Am J Pathol 1995;147:905-911.
21. Kaaks R, Berrino F, Key T, et al. Serum sex steroids in premenopausal women and breast cancer risk within the European Prospective Investigation into Cancer and Nutrition (EPIC). J Natl Cancer Inst 2005;97:755-765.
22. Kallioniemi OP, Kallioniemi A, Piper J, et al. Optimizing comparative genomic hybridization for analysis of DNA sequence copy number changes in solid tumors. Genes Chromosomes Cancer 1994;10:231-243.
23. Key TJ, Appleby PN, Reeves GK, et al. Body mass index, serum sex hormones, and breast cancer risk in postmenopausal women. J Natl Cancer Inst 2003;95:1218-1226.
24. Kim M, Turnquist H, Jackson J, et al. The multidrug resistance transporter ABCG2 (breast cancer resistance protein 1) effluxes Hoechst 33342 and is overexpressed in hematopoietic stem cells. Clin Cancer Res 2002;8:22-28.
25. Kuukasjarvi T, Karhu R, Tanner M, et al. Genetic heterogeneity and clonal evolution underlying development of asynchronous metastasis in human breast cancer. Cancer Res 1997;57:1597-1604.
26. Lavigne JA, Goodman JE, Fonong T, et al. The effects of catechol-Omethyltransferase inhibition on estrogen metabolite and oxidative DNA damage levels in estradiol-treated MCF-7 cells. Cancer Res 2001;61:7488-7494.
27. Levin ER. Cellular functions of plasma membrane estrogen receptors. Steroids 2002;67:471-475.
28. Liehr JG. Is estradiol a genotoxic mutagenic carcinogen? Endocr Rev 2000;21:40-54.
29. Lin J, Gan CM, Zhang X, et al. A multidimensional analysis of genes mutated in breast and colorectal cancers. Genome Res 2007;17:1304-1318.
30. Liu R, Wang X, Chen GY, et al. The prognostic role of a gene signature from tumorigenic breast-cancer cells. N Engl J Med 2007;356:217-226.
31. Meijers-Heijboer H, van den Ouweland A, Klijn J, et al. Low penetrance susceptibility to breast cancer due to CHEK2(*)1100delC in noncarriers of BRCA1 or BRCA2 mutations. Nat Genet 2002;31:55-59.
32. Merlo LM, Pepper JW, Reid BJ, et al. Cancer as an evolutionary and ecological process. Nat Rev Cancer 2006;6:924-935.
33. Missmer SA, Eliassen AH, Barbieri RL, et al. Endogenous estrogen, androgen, and progesterone concentrations and breast cancer risk among postmenopausal women. J Natl Cancer Inst 2004;96:1856-1865.
34. Monje P, Boland R. Subcellular distribution of native estrogen receptor alpha and beta isoforms in rabbit uterus and ovary. J Cell Biochem 2001;82:467-479.
35. Morrison BJ, Schmidt CW, Lakhani SR, et al. Breast cancer stem cells: implications for therapy of breast cancer. Breast Cancer Res 2008;10:210.
36. Muleris M, Almeida A, Gerbault-Seureau M, et al. Detection of DNA amplification in 17 primary breast carcinomas with homogeneously staining regions by a modified comparative genomic hybridization technique. Genes Chromosomes Cancer

1994;10:160-170.
37. Nutter LM, Ngo EO, Abul-Hajj YJ. Characterization of DNA damage induced by 3,4-estrone-o-quinone in human cells. J Biol Chem 1991;266:16380-16386.
38. Onland-Moret NC, Kaaks R, van Noord PA, et al. Urinary endogenous sex hormone levels and the risk of postmenopausal breast cancer. Br J Cancer 2003;88:1394-1399.
39. Osborne C, Wilson P, Tripathy D. Oncogenes and tumor suppressor genes in breast cancer: potential diagnostic and therapeutic applications. Oncologist 2004;9:361-377.
40. Patrawala L, Calhoun T, Schneider-Broussard R, et al. Side population is enriched in tumorigenic, stem-like cancer cells, whereas ABCG2+ and ABCG2- cancer cells are similarly tumorigenic. Cancer Res 2005;65:6207-6219.
41. Pearce ST, Jordan VC. The biological role of estrogen receptors alpha and beta in cancer. Crit Rev Oncol Hematol 2004;50:3-22.
42. Perou CM, Sorlie T, Eisen MB, et al. Molecular portraits of human breast tumours. Nature 2000;406:747-752.
43. Pettersson K, Gustafsson JA. Role of estrogen receptor beta in estrogen action. Annu Rev Physiol 2001;63:165-192.
44. Pharoah PD, Antoniou AC, Easton DF, et al. Polygenes, risk prediction, and targeted prevention of breast cancer. N Engl J Med 2008;358:2796-2803.
45. Polyak K. Breast cancer: origins and evolution. J Clin Invest 2007;117:3155-3163.
46. Rahman N, Seal S, Thompson D, et al. PALB2, which encodes a BRCA2-interacting protein, is a breast cancer susceptibility gene. Nat Genet 2007;39:165-167.
47. Reis-Filho JS, Simpson PT, Gale T, et al. The molecular genetics of breast cancer: the contribution of comparative genomic hybridization. Pathol Res Pract 2005;201:713-725.
48. Renwick A, Thompson D, Seal S, et al. ATM mutations that cause ataxia-telangiectasia are breast cancer susceptibility alleles. Nat Genet 2006;38:873-875.
49. Ried T, Just KE, Holtgreve-Grez H, et al. Comparative genomic hybridization of formalin-fixed, paraffin-embedded breast tumors reveals different patterns of chromosomal gains and losses in fibroadenomas and diploid and aneuploid carcinomas. Cancer Res 1995;55:5415-5423.
50. Robanus-Maandag EC, Bosch CA, Kristel PM, et al. Association of CMYC amplification with progression from the in situ to the invasive stage in C-MYC-amplified breast carcinomas. J Pathol 2003;201:75-82.
51. Roylance R, Gorman P, Harris W, et al. Comparative genomic hybridization of breast tumors stratified by histological grade reveals new insights into the biological progression of breast cancer. Cancer Res 1999;59:1433-1436.
52. Schwendel A, Richard F, Langreck H, et al. Chromosome alterations in breast carcinomas: frequent involvement of DNA losses including chromosomes 4q and 21q. Br J Cancer 1998;78:806-811.
53. Seal S, Thompson D, Renwick A, et al. Truncating mutations in the Fanconi anemia J gene BRIP1 are low-penetrance breast cancer susceptibility alleles. Nat Genet 2006;38:1239-1241.
54. Shipitsin M, Campbell LL, Argani P, et al. Molecular definition of breast tumor heterogeneity. Cancer Cell 2007;11:259-273.
55. Smith P, McGuffog L, Easton DF, et al. A genome wide linkage search for breast cancer susceptibility genes. Genes Chromosomes Cancer 2006;45:646-655.
56. Stingl J, Caldas C. Molecular heterogeneity of breast carcinomas andthe cancer stem cell hypothesis. Nat Rev Cancer 2007;7:791-799.
57. Stingl J. Detection and analysis of mammary gland stem cells. J Pathol 2009;217:229-241.
58. Tanner MM, Tirkkonen M, Kallioniemi A, et al. Amplification of chromosomal region 20q13 in invasive breast cancer: prognostic implications. Clin Cancer Res 1995;1:1455-1461.
59. TCGA Network. Comprehensive molecular portraits of human breast tumours. Nature. 2012 Oct 4;490(7418):61-70.
60. Tirkkonen M, Tanner M, Karhu R, et al. Molecular cytogenetics of primary breast cancer by CGH. Genes Chromosomes Cancer 1998;21:177-184.
61. Valladares A, Salamanca F, Madrigal-Bujaidar E, et al. Identification of chromosomal changes with comparative genomic hybridization in sporadic breast cancer in Mexican women. Cancer Genet Cytogenet 2004;152:163-166.
62. Van der Vegt B, de Bock GH, Hollema H, et al. Microarray methods to identify factors determining breast cancer progression: potentials, limitations, and challenges. Crit Rev Oncol Hematol 2009;70:1-11.
63. Waite KA, Eng C. Protean PTEN: form and function. Am J Hum Genet 2002;70:829-844.
64. Williams JA, Phillips DH. Mammary expression of xenobioticmetabolizing enzymes and their potential role in breast cancer. Cancer Res 2000;60:4667-4677.
65. Wood LD, Parsons DW, Jones S, et al. The genomic landscapes of human breast and colorectal cancers. Science 2007;318:1108-1113.
66. Yager JD and Davidson NE. Estrogen carcinogenesis in breast cancer. N Engl J Med 2006;354:270-282.
67. Yang SH, Liu R, Perez EJ, et al. Mitochondrial localization of estrogen receptor beta. Proc Natl Acad Sci U S A 2004;101:4130-4135.
68. Yu K, Lee CH, Tan PH, et al. Conservation of breast cancer molecular subtypes and transcriptional patterns of tumor progression across distinct ethnic populations. Clin Cancer Res 2004;10:5508-5517.
69. Yue W, Santen RJ, Wang JP, et al. Genotoxic metabolites of estra-

diol in breast: potential mechanism of estradiol induced carcinogenesis. J Steroid Biochem Mol Biol 2003;86:477-486.

[VII. 유방암의 외과적 치료]

1. 양정현, 이해경, 남석진. 유방암 환자 111예에서 액와 림프절 전이상태 예측을 위한 감시림프절 생검법의 효용성. 한국유방암학회지 1998;1:39-4.
2. 최진욱, 이희대, 박병우 등. 유방암 157예에 대한 감시림프절 절제술의 경험. 한국유방암학회지 2002;(1):38-45.
3. 한국유방암학회. 유방암 등록사업 프로그램을 이용한 2004년 전국적인 한국인 유방암 자료분석. 한국유방암학회지 2006;2:151-16.
4. Arriagada R, Le M, Rochard F, et al. Conservative treatment versus mastectomy in early breast cancer: Patterns of failure with 15 years of follow-up data. J Clin Oncol 1996;14:1558-1564.
5. Blichert-Toft M, Rose C, Andersen J, et al. Danish randomized trial comparing breast conservation therapy with mastectomy: Six years of life-table analysis. Danish Breast Cancer Cooperative Group. J Natl Cancer Inst Monogr 1992;11:19-2.
6. Boughey JC, Suman VJ, Mittendorf EA, et al. Sentinel lymph node surgery after neoadjuvant chemotherapy in patients with node-positive breast cancer. JAMA 2913;310:1455-146.
7. Buchholz TA, Somerfield MR, Griggs JJ, et al. Margins for breast-conserving surgery with whole-breast irradiation in stage I and II invasive breast cancer: American Society of Clinical Oncology Endorsement of the Society of Surgical Oncology/American Society for Radiation Oncology Consensus Guideline. J Clin Oncol 2014;32:1502-1506.
8. Cabanas RM. An approach for the treatment of penile carcinoma. Cancer 1977;39:456-46.
9. Fisher B, Anderson S, Bryant J, et al. Twenty-year follow-up of a randomized trial comparing total mastectomy, lumpectomy, and lumpectomy plus irradiation for the treatment of invasive breast cancer. N Engl J Med 2002;347:1233-1241.
10. Fisher B, Jeong JH, Anderson S, et al. Twenty-five-year follow-up of a randomized trial comparing radical mastectomy, total mastectomy, and total mastectomy followed by irradiation. N Engl J Med 2002;347:567-57.
11. Fisher B, Wolmark N, Bauer M, et al. The accuracy of clinical nodal staging and of limited axillary dissection as a determinant of histological nodal status in carcinoma of the breast. Surg Cynecol Obstet 1981;152:765-77.
12. Giuliano AE, Haigh PI, Brennan MB, et al. Prospective observational study of sentinel lymphadenectomy without further axillary dissection in patients with sentinel node-negative breast cancer. J Clin Oncol 2000;18:2553-2559.
13. Giuliano AE, Hunt KK, Ballman KV, et al. Axillary dissection vs no axillary dissection in women with invasive breast cancer and sentinel node metastasis. JAMA 2011;305:569-57.
14. Giuliano AE, Jones RC, Brennan M, et al. Sentinel lymphadenectomy in breast cancer. J Clin Oncol 1997;15:2345-235.
15. Hainsworth PJ, Tjandra JJ, Stillwell RG, et al. Detection and significance of occult metastases in node-negative breast cancer. Br J Surg 1993;80:459-46.
16. Halsted WS. I. The results of operations for the cure of cancer of the breast performed at the Johns Hopkins Hospital from June, 1889, to January, 1894. Ann Surg 1894;20:497-55.
17. Hansen N, Grube B, Giuliano AE. The time has come to change the algorithm for the surgical management of early breast cancer. Arch Surg 2002;137:1131-113.
18. Jacobson J, Danforth D, Cowan K, et al. Ten-year results of a comparison of conservation with mastectomy in the treatment of stage I and II breast cancer. N Engl J Med 1995;332:907-911.
19. Kapteijn BA, Nieweg OE, Petersen JL, et al. Identification and biopsy of the sentinel lymph node in breast cancer. Eur J Surg Oncol 1998;24:427-43.
20. Keuhn T, Bauerfeind I, Fehm T, et al. Sentinel-lymph-node biopsy in patients with breast cancer before and after neoadjuvant chemotherapy (SENTINA): a prospective, multicentre cohort study. Lancet Oncol 2013;14:609-61.
21. Kim T, Giuliano AE, Lyman GH. Lymphatic mapping and sentinel lymph node biopsy in early-stage breast carcinoma: a metaanalysis. Cancer. 2006;106:4-1.
22. Krag DN, Anderson SJ, Julian TB, et al. Technical outcomes of sentinel-lymph-node resection and conventional axillary-lymph-node dissection in patients with clinically node-negative breast cancer: results from the NSABP B-32 randomised phase III trial. Lancet Oncol. 2007;8:881-88.
23. Lucci A, McCall LM, Beitsch PD, et al. Surgical complications associated with sentinel lymph node dissection (SLND) plus axillary lymph node dissection compared with SLND alone in the American College of Surgeons Oncology Group Trial Z0011. J Clin Oncol. 2007;25:3657-366.
24. Lyman GH, Temin S, Edge SB, et al. Sentinel lymph node biopsy for patients with early-stage breast cancer: American Society of Clinical Oncology Clinical Practice Guideline Update. J Clin Oncol 2014;32:1365-138.
25. Martin RC 2nd, Edwards MJ, Wong SL, et al. Practical guidelines for optimal gamma probe detection of sentinel lymph nodes in breast cancer: results of a multi-institutional study. For the University of Louisville Breast Cancer Study Group. Surgery. 2000;128:139-14.
26. McMasters KM, Tuttle TM, Carlson DJ, et al. Sentinel lymph node biopsy for breast cancer: a suitable alternative to routine axillary dissection in multi-institutional practice when optimal technique is used. J Clin Oncol. 2000;18:2560-256.
27. Meyer-Rochow GY, Martin RC, Harman CR. Sentinel node biopsy

in breast cancer: validation study and comparison of blue dye alone with triple modality localization. ANZ J Surg. 2003;73:815-81.

28. Moore C. On the influence of inadequate operations on the theory of cancer. R Med Chir Soc 1867;1:24.
29. Morrow M, Rademaker AW, Bethke KP, et al. Learning sentinel node biopsy: results of a prospective randomized trial of two techniques. Surgery. 1999;126:714-72.
30. Morton DL, Wen DR, Wong JH, et al. Technical details of intraoperative lymphatic mapping for early stage melanoma. Arch Surg 1992;127:392-39.
31. Patey DH, Dyson WH. The prognosis of carcinoma of the breast in relation to the type of operation performed. Br J Cancer 1948;2:7-1.
32. Roumen R, Kuijt GP, Liem IH, et al. Treatment of 100 patients with sentinel-node negative breast cancer without further axillary dissection. Br J Surg 2001;88:1639-164.
33. Rubio IT, Korourian S, Cowan C, et al. Sentinel lymph node biopsy for staging breast cancer. Am J Surg 1998;176:532-53.
34. Schrenk P, Wayand W. Sentinel-node biopsy in axillary lymph-node staging for patients with multicentric breast cancer. Lancet 2001;357:12.
35. Simmons RM, Adamovich TL. Skin-sparing mastectomy. Surg Clin North Am 2003;83:885-89.
36. Tsujimoto M, Nakabayashi K, Yoshidome K, et al. One-step nucleic acid amplification for intraoperative detection of lymph node metastasis in breast cancer patients. Clin Cancer Res. 2007;13(16):4807-481.
37. van Dongen J, Voogd A, Fentiman I, et al. Long-term results of a randomized trial comparing breast-conserving therapy with mastectomy: European Organization for Research and Treatment of Cancer 10801 Trial. J Natl Cancer Inst 2000;92:1143-115.
38. Van Zee KJ, Manasseh DM, Bevilacqua JL, et al. A nomogram for predicting the likelihood of additional nodal metastases in breast cancer patients with a positive sentinel node biopsy. Ann Surg Oncol. 2003;10:1140-115.
39. Veronesi U, Cascinelli N, Mariani L, et al. Twenty-year follow-up of a randomized study comparing breast-conserving surgery with radical mastectomy for early breast cancer. N Engl J Med 2002;347:1227-1232.
40. Veronesi U, Galimberti V, Zurrida S, et al. Sentinel lymph node biopsy as an indication for axillary dissection in early breast cancer. Eur J Cancer 2001;37:454-458.
41. Veronesi U, Paganelli G, Viale G, et al. A randomized comparison of sentinel-node biopsy with routine axillary dissection in breast cancer. N Engl J Med 2003;349:546-55.
42. Wilke LG, McCall LM, Posther KE, et al. Surgical complications associated with sentinel lymph node biopsy: results from a prospective international cooperative group trial. Ann Surg Oncol. 2006;13:491-50.

[VIII. 유방암의 항암화학요법]

1. an't Veer LJ, Dai H, van de Vijver MJ, et al. Gene expression profiling predicts clinical outcome of breast cancer. Nature 2002;415:530-536.
2. Bonadonna G, Brusamolino E, Valagussa P. Combination chemotherapy as an adjuvant treatment in operable breast cancer. N Engl J Med 1976;294:405-410.
3. Bonadonna G, Valagussa P, Moliterni A, et al. Adjuvant cyclophosphamide, methotrexate, and fluorouracil in node positive breast cancer: the results of 20 years of follow-up. N Engl J Med 1995;332:901-906.
4. Citron ML, Berry DA, Cirrincione C, Hudis C, Winer EP, Gradishar WJ, Davidson NE, Martino S, Livingston R, Ingle JN, Perez EA, Carpenter J, Hurd D, Holland JF, Smith BL, Sartor CI, Leung EH, Abrams J, Schilsky RL, Muss HB, Norton L. Randomized trial of dose-dense versus conventionally scheduled and sequential versus concurrent combination chemotherapy as postoperative adjuvant treatment of node-positive primary breast cancer: first report of Intergroup Trial C9741/Cancer and Leukemia Group B Trial 9741. J Clin Oncol. 2003 Apr 15;21(8):1431-9.
5. Citron ML, Berry DA, Cirrincione C. Randomized trial of dose-dense versus conventionally scheduled and sequential versus concurrent combination chemotherapy as postoperative adjuvant treatment of node-positive primary breast cancer: first report of Intergroup Trial C9741/Cancer and Leukemia Group B Trial 9741. J Clin Oncol 2003;21:1431-1439.
6. Clarke M, Collins R, Darby S, Davies C, Elphinstone P, Evans V, Godwin J, Gray R, Hicks C, James S, MacKinnon E, McGale P, McHugh T, Peto R, Taylor C, Wang Y; Early Breast Cancer Trialists' Collaborative Group (EBCTCG): Effects of radiotherapy and of differences in the extent of surgery for early breast cancer on local recurrence and 15-year survival: an overview of the randomised trials. Lancet. 2005 Dec 17;366(9503):2087-106.
7. Cortazar P, Zhang L, Untch M, Mehta K, Costantino JP, Wolmark N, Bonnefoi H, Cameron D, Gianni L, Valagussa P, Swain SM, Prowell T, Loibl S, Wickerham DL, Bogaerts J, Baselga J, Perou C, Blumenthal G, Blohmer J, Mamounas EP, Bergh J, Semiglazov V, Justice R, Eidtmann H, Paik S, Piccart M, Sridhara R, Fasching PA, Slaets L, Tang S, Gerber B, Geyer CE Jr, Pazdur R, Ditsch N, Rastogi P, Eiermann W, von Minckwitz G. Pathological complete response and long-term clinical benefit in breast cancer: the CTNeoBC pooled analysis. Lancet. 2014 Jul 12;384(9938):164-7.
8. Cristofanilli M, Gonzalez-Angulo AM, Buzdar AU, Kau SW, Frye DK, Hortobagyi GN. Paclitaxel improves the prognosis in estrogen receptor negative inflammatory breast cancer: the M. D. An-

derson Cancer Center experience. Clin Breast Cancer. 2004 Feb;4(6):415-9.

9. De Laurentiis M, Cancello G, D'Agostino D, Giuliano M, Giordano A, Montagna E, Lauria R, Forestieri V, Esposito A, Silvestro L, Pennacchio R, Criscitiello C, Montanino A, Limite G, Bianco AR, De Placido S. Taxane-based combinations as adjuvant chemotherapy of early breast cancer: a meta-analysis of randomized trials. J Clin Oncol. 2008 Jan 1;26(1):44-53.

10. DiGiovanna MP, Stern DF, Edgerton S, et al. Influence of activation state of ErbB-2 (HER-2) on response to adjuvant cyclophosphamide, doxorubicin, and fluorouracil for stage II, node-positive breast cancer: study 8541 from the Cancer and Leukemia Group B. J Clin Oncol 2008;26:2364-2372.

11. Early Breast Cancer Trialists' Collaborative Group (EBCTCG), Coleman R, Powles T, Paterson A, Gnant M, Anderson S, Diel I, Gralow J, von Minckwitz G,Moebus V, Bergh J, Pritchard KI, Bliss J, Cameron D, Evans V, Pan H, Peto R, Bradley R, Gray R. Adjuvant bisphosphonate treatment in early breast cancer: meta-analyses of individual patient data from randomised trials. Lancet. 2015 Oct 3;386(10001):1353-61.

12. Early Breast Cancer Trialists' Collaborative Group (EBCTCG). Effects of chemotherapy and hormonal therapy for early breast cancer on recurrence and 15-year survival: an overview of the randomised trials. Lancet. 2005 May 14-20;365(9472):1687-717.

13. Early Breast Cancer Trialists' Collaborative Group. Polychemotherapy for early breast cancer: an overview of the randomised trials. Lancet 1998;352:930-942.

14. Early Breast Cancer Trialists' Collaborative Group (EBCTCG), Peto R, Davies C, Godwin J, Gray R, Pan HC, Clarke M, Cutter D, Darby S, McGale P, Taylor C, Wang YC, Bergh J, Di Leo A, Albain K, Swain S, Piccart M, Pritchard K. Comparisons between different polychemotherapy regimens for early breast cancer: meta-analyses of long-term outcome among 100,000 women in 123 randomised trials. Lancet. 2012 Feb 4;379(9814):432-44.

15. Fisher B, Anderson S, et al. Further evaluation of intensified and increased total dose of cyclophosphamide for the treatment of primary breast cancer: findings from National Surgical Adjuvant Breast and Bowel Project B-25. J Clin Oncol 1999;17:3374-3388.

16. Fisher B, Anderson S, Wickerham DL, et al. Increased intensification and total dose of cyclophosphamide in a doxorubicin-cyclophosphamide regimen for the treatment of primary breast cancer: findings from National Surgical Adjuvant Breast and Bowel Project B-22. J Clin Oncol 1997;15:1858-1869.

17. Gianni L, Pienkowski T, Im YH, Roman L, Tseng LM, Liu MC, Lluch A, Staroslawska E, de la Haba-Rodriguez J, Im SA, Pedrini JL, Poirier B, Morandi P, Semiglazov V, Srimuninnimit V, Bianchi G, Szado T, Ratnayake J, Ross G, Valagussa P. Efficacy and safety of neoadjuvant pertuzumab and trastuzumab in women with locally advanced, inflammatory, or early HER2-positive breast cancer (NeoSphere): a randomised multicentre, open-label, phase 2 trial. Lancet Oncol. 2012 Jan;13(1):25-3.

18. Goldhirsch A, Gelber RD, Piccart-Gebhart MJ, de Azambuja E, Procter M, Suter TM, Jackisch C, Cameron D, Weber HA, Heinzmann D, Dal Lago L, McFadden E, Dowsett M, Untch M, Gianni L, Bell R, Köhne CH, Vindevoghel A, Andersson M, Brunt AM, Otero-Reyes D, Song S, Smith I, Leyland-Jones B, Baselga J; Herceptin Adjuvant (HERA) Trial Study Team. 2 years versus 1 year of adjuvant trastuzumab for HER2-positive breast cancer (HERA): an open-label, randomised controlled trial. Lancet. 2013 Sep 21;382(9897):1021-.

19. Goldhirsch A, Glick JH, Gelber RD. Meeting highlights: international expert consensus on the primary therapy of early breast cancer 2005. Ann Oncol 2005;16:1569-1583.

20. Goldhirsch A, Ingle JN, Gelber RD. et al. Thresholds for therapies: highlights of the St Gallen International Expert Consensus on the primary therapy of early breast cancer. Ann Oncol 2009;20:1319-1329.

21. Goldhirsch A, Wood WC, Gelber RD, et al. Progress and promise: highlights of the international expert consensus on the primary therapy of early breast cancer 2007. Ann Oncol 2007;18:1133-44.

22. Henderson IC, Berry DA, Demetri GD. Improved outcomes from adding sequential paclitaxel but not from escalating doxorubicin dose in an adjuvant chemotherapy regimen for patients with node-positive primary breast cancer. J Clin Oncol 2003;21:976-983.

23. Jeon YW, Lim ST, Choi HJ, Suh YJ. Weight change and its impact on prognosis after adjuvant TAC (docetaxel-doxorubicin-cyclophosphamide) chemotherapy in Korean women with node-positive breast cancer. Med Oncol. 2014 Mar;31(3):84.

24. Jones S, Holmes F, O'Shaughnessy J, et al. Extended follow-up and analysis by age of the U.S. Oncology Adjuvant trial 9735: docetaxel/cyclophosphamide is associated with an overall survival benefit compared to doxorubicin/cyclophosphamide and is well tolerated in women 65 or older. Breast Cancer Res Treat 2007;106(S1):A12.

25. Lim S, Park SH, Park HK, Hur MH, Oh SJ, Suh YJ. Prognostic Role of Adjuvant Chemotherapy in Node-Negative (N0), Triple-Negative (TN), Medullary Breast Cancer (MBC) in the Korean Population. PLoS One. 2015 Nov 12;10(11):e014020.

26. Lim ST, Yu JH, Park HK, Moon BI, Ko BK, Suh YJ. A comparison of the clinical outcomes of patients with invasive lobular carcinoma and invasive ductal carcinoma of the breast according to molecular subtype in a Korean population. World J Surg Oncol. 2014 Mar 13;12:56.

27. Mamounas EP, Bryant J, Lembersky B, et al. Wolmark N. Paclitaxel after doxorubicin plus cyclophosphamide as adjuvant che-

motherapy for node-positive breast cancer: results from NSABP B-28. J Clin Oncol 2005;23:3686-3696.

28. Martin M, Pienkowski T, Mackey J, et al. Adjuvant docetaxel for node positive breast cancer. N Engl J Med 2005;352:2302-2313.
29. Martin M, Rodriguez-Lescure A, Ruiz A, et al. Randomized phase 3 trial of fluorouracil, epirubicin, and cyclophosphamide alone or followed by Paclitaxel for early breast cancer. J Natl Cancer Inst 2008;100:805-814.
30. Paik S, Bryant J, Tan-Chiu E, et al. HER2 and choice of adjuvant chemotherapy for invasive breast cancer: National Surgical Adjuvant Breast and Bowel Project Protocol B-15. J Natl Cancer Inst 2000;92:1991-1998.
31. Paik S, Shak S, Tang G. A multigene assay to predict recurrence of tamoxifen-treated, node-negative breast cancer. N Engl J Med 2004;351:2817-2826.
32. Paik S, Tang G, Shak S. Gene expression and benefit of chemotherapy in women with node-negative, estrogen receptor-positive breast cancer. J Clin Oncol 2006;24:3726-3734.
33. Perez EA, Romond EH, Suman VJ, Jeong JH, Davidson NE, Geyer CE Jr, Martino S, Mamounas EP, Kaufman PA, Wolmark N. Four-year follow-up of trastuzumab plus adjuvant chemotherapy for operable human epidermal growth factor receptor 2-positive breast cancer: joint analysis of data from NCCTG N9831 and NSABP B-31. J Clin Oncol. 2011 Sep 1;29(25):3366-7.
34. Piccart-Gebhart MJ, Procter M, Leyland-Jones B, et al. Trastuzumab after adjuvant chemotherapy in HER2-positive breast cancer. N Engl J Med 2005;353:1659-1672.
35. Roche H, Fumoleau P, Spielmann M. Sequential adjuvant epirubicin based and docetaxel chemotherapy for node-positive breast cancer patients: the FNCLCC PACS 01 Trial. J Clin Oncol 2006;24:5664-5671.
36. Romond EH1, Perez EA, Bryant J, Suman VJ, Geyer CE Jr, Davidson NE, Tan-Chiu E, Martino S, Paik S, Kaufman PA, Swain SM, Pisansky TM,Fehrenbacher L, Kutteh LA, Vogel VG, Visscher DW, Yothers G, Jenkins RB, Brown AM, Dakhil SR, Mamounas EP, Lingle WL, Klein PM, Ingle JN, Wolmark N. Trastuzumab plus adjuvant chemotherapy for operable HER2-positive breast cancer. N Engl J Med. 2005 Oct 20;353(16):1673-84.
37. Slamon D, Eiermann W, Robert N, Pienkowski T, Martin M, Press M, Mackey J, Glaspy J, Chan A, Pawlicki M, Pinter T, Valero V, Liu MC, Sauter G, von Minckwitz G, Visco F, Bee V, Buyse M, Bendahmane B, Tabah-Fisch I, Lindsay MA, Riva A, Crown J; Breast Cancer International Research Group. Adjuvant trastuzumab in HER2-positive breast cancer. N Engl J Med. 2011 Oct 6;365(14):1273-8.
38. Slamon DJ, Godolphin W, Jones LA, et al. Studies of the HER-2/neu proto-oncogene in human breast and ovarian cancer. Science 1989;244:707-712.
39. Smith I, Procter M, Gelber RD, et al. HERA study team. 2-year follow up of trastuzumab after adjuvant chemotherapy in HER2-positive breast cancer: a randomised controlled trial. Lancet 2007;369:29-36.
40. Van de Vijver MJ, He YD, van't Veer LJ, et al. A gene-expression signature as a predictor of survival in breast cancer. N Engl J Med 2002;347:1999-2009.
41. Whelan TJ, Olivotto IA, Parulekar WR, Ackerman I, Chua BH, Nabid A, Vallis KA, White JR, Rousseau P, Fortin A, Pierce LJ, Manchul L, Chafe S, Nolan MC, Craighead P, Bowen J, McCready DR, Pritchard KI, Gelmon K, Murray Y, Chapman JA, Chen BE, Levine MN; MA.20 Study Investigators. Regional Nodal Irradiation in Early-Stage Breast Cancer. N Engl J Med. 2015 Jul 23;373(4):307-16.
42. Yarden Y, Sliwkowski MX. Untangling the ErbB signalling network. Nat Rev Mol Cell Biol 2001;2:127-137.

[IX. 유방암의 보조 호르몬요법]

1. 박민호, 유희선, 노혜원 등. 에스트로겐 수용체 알파 음성 및 프로게스테론 수용체 양성인 유방암 환자에서 에스트로겐 수용체 베타의 발현이 호르몬 치료에 미치는 영향. J Breast Cancer 2009;3:156-162.
2. 박우찬, 이동호, 최승혜 등. 한국인 유방암 환자에서 타목시펜 복용 후 발생한 자궁 내막암 2례. 한국유방암학회지 2003;6:196-200.
3. 이정선, 장미애, 구보경 등. 폐경 전 호르몬수용체 양성인 유방암 환자의 보조요법으로 사용된 난소기능 억제주사 치료 경험. J Breast Cancer 2007;10:134-140.
4. 하헌균, 한원식, 고은영 등. 에스트로겐 수용체 양성 조기 유방암에서 보조호르몬 치료제로서 토레미펜의 효과와 자궁내막에 미치는 영향. J Breast Cancer 2007;4:258-262.
5. Albain K, Barlow W, O'Malley F, et al, for the Breast Cancer Intergroup of North America. Concurrent versus sequential chemohormonal therapy for postmenopausal receptor-positive breast cancer: mature outcomes and new biologic correlates in phase III intergroup trial 0100. Breast Cancer Res Treat 2004; 88(suppl 1):late-breaking abstract 37.
6. Albain KS, Green J, Ravdin PM, et al. Adjuvant chemohormonal therapy for primary breast cancer should be sequential instead of concurrent: initial results from intergroup trial 0100(SWOG-8814). Proc ASCO 2002;21:143a.
7. Baum M, Buzdar A, Cuzick J, et al. ATAC Trialists' Group. Anastrozole alone or in combination with tamoxifen versus tamoxifen alone for adjuvant treatment of postmenopausal women with early breast cancer: first results of the ATAC randomized trial. Lancet 2002;359:2131-2139.
8. Baum M, Buzdar A, Cuzick J, et al. ATAC Trialists' Group. Anastrozole alone or in combination with tamoxifen versus tamoxifen alone for adjuvant treatment of postmenopausal women with early-stage breast cancer: results of the ATAC (Arimidex, Tamoxifen Alone or in Combination) trial effcacy and safety update

analyses. Cancer 2003;98(9):1802-1810.

9. Boccardo F, Rubagotti A, Amoroso D, et al. Anastrozole appears to be superior to tamoxifen in women already receiving adjuvant tamoxifen treatment. Breast Cancer Res Treat 2003;82(suppl 1):S6.
10. Boccardo F, Rubagotti A, Amoroso D, et al. Cyclophosphamide, methotrexate, and _uorouracil versus tamoxifen plus ovarian suppression as adjuvant treatment of estrogen receptor-positive pre-/perimenopausal breast cancer patients: results of the Italian Breast Cancer Adjuvant Study Group 02 Randomized Trial. J Clin Oncol 2000;18:2718-2727.
11. Breast Cancer Trials Committee & Scottish Cancer Trials Office. Adjuvant tamoxifen in the management of operable breast cancer: the Scottish Trial. Report from the Breast Cancer Trials Committee, Scottish Cancer Trials Office (MRC), Edinburgh. Lancet 1987;2:171-175.
12. Bryant J, Wolmark N. Letrozole after tamoxifen for breast cancer ? what is the price of success? N Engl J Med 2003;349:1855-1857.
13. Burstein HJ. Beyond tamoxifen? extending endocrine treatment for early-stage breast cancer. N Engl J Med 2003;349:1857-1859.
14. Castiglione-Gertsch M, O'Neill A, Price KN, et al. Adjuvant chemotherapy followed by goserelin versus either modality alone for premenopausal lymph node-negative breast cancer: a randomized trial. J Natl Cancer Inst 2003;95:1833-1846.
15. Coombes RC, Hall E, Gibson LJ, et al. A randomized trial of exemestane after two to three years of tamoxifen therapy in postmenopausal women with primary breast cancer. N Engl J Med 2004;350:1081-1092.
16. Davidson N, O'Neill A, Vukov A. Effect of chemohormonal therapy in premenopausal, node positive, receptor positive breast cancer: an Eastern Cooperative Oncology Group Phase III Intergroup Trial (E5188, INT-0101). Breast 1999;8:232-233.
17. Davidson N, O'Neill A, Vukov A. Effect of chemohormonal therapy in premenopausal, node positive, receptor positive breast cancer: an Eastern Cooperative Oncology Group Phase III Intergroup Trial (E5188, INT-0101). Breast 1999;8:232-233.
18. Davidson NE, O'Neill A, Vukov A. Chemohormonal therapy in premenopausal node-positive, receptor-positive breast cancer: An Eastern Cooperative Oncology Group phase III intergroup trial (E5188, INT-0101). Proc ASCO 2003;22:5a.
19. Delozier T, Spielmann M, Mac□-Lesec'h J, et al. Short-term versus lifelong adjuvant tamoxifen in early breast cancer (EBC): a randomized trial (TAM-01). Proc ASCO 1997;16:1289.
20. Delozier T, Switser O, Genot JY, et al. Delayed adjuvant tamoxifen: ten-year results of a collaborative randomized controlled trial in early breast cancer(TAM-02 trial). Ann Oncol 2000;11:515-519.
21. Duffy S, Greenwood M. The endometrial cancer data from the ATAC (Arimidex, Tamoxifen, Alone or in Combination) trial indicates a 955 protective effect of anastrozole (arimidex) upon the endometrium. Breast Cancer Res Treat 2003;82:S29.
22. Early Breast Cancer Trialists' Collaborative Group. Ovarian ablation in early breast cancer: overview of the randomised trials. Lancet 1996;348:1189-1196.
23. Early Breast Cancer Trialists' Collaborative Group. Polychemotherapy for early breast cancer: an overview of the randomised trials. Lancet 1998;352:930-942.
24. Early Breast Cancer Trialists' Collaborative Group. Systemic treatment of early breast cancer by hormonal, cytotoxic, or immune therapy: 133 randomised trials involving 31,000 recurrences and 24,000 deaths among 75,000 women. Lancet 1992;339:1-15.
25. Early Breast Cancer Trialists' Collaborative Group. Tamoxifen for early breast cancer: an overview of the randomised trials. Lancet 1998;351:1451-1467.
26. Early Breast Cancer Trialists' Collaborative Group. Effects of adjuvant tamoxifen and of cytotoxic therapy on mortality in early breast cancer: an overview of 61 randomised trials among 28,896 women. N Engl J Med 1988;319:1681-1692.
27. Elwood JM, Godolphin W. Estrogen receptors in breast tumors: associations with age, menopausal status and epidemiological and clinical features in 735 patients. Br J Cancer 1980;42:635-644.
28. Fisher B, Costantino JP, Redmond CK, et al. Endometrial cancer in tamoxifen treated breast cancer patients: findings from the National Surgical Adjuvant Breast and Bowel Project (NSABP) B-14.J Natl Cancer Inst 1994;86:527-537.
29. Fisher B, Costantino JP, Wickerham DL, et al. Tamoxifen for prevention of breast cancer: report of the National Surgical Adjuvant Breast and Bowel Project P-1 study. J Natl Cancer Inst 1998;90:1371-1388.
30. Fisher B, Dignam J, Bryant J, et al. The worth of five versus more than five years of tamoxifen therapy for breast cancer patients with negative lymph nodes and estrogen receptor-positive tumors. J Natl Cancer Inst 1996;88:1529-1542.
31. Francis P, Fleming G & Nasi ML. Tailored treatment investigations for premenopausal women with endocrine responsive (ER+ and/ or PgR+) breast cancer: the SOFT, TEXT, and PERCHE Trials. Breast 2003;12 (Suppl 1) 104:544.
32. Goldhirsch A, Glick J, Gelber RD, et al. Meeting highlights: International Consensus Panel on the Treatment of Primary Breast Cancer. Seventh International Conference on Adjuvant Therapy of Primary Breast Cnacer. J Clin Oncol 2001;19:3817-3827.
33. Goldhirsch A, Glick J, Gelber RD, et al. Meeting highlights: International Expert Consensus on the Primary Therapy of Early Breast Cancer. Ann Oncol 2005;16:1569-1583.
34. Goss PE, Ingle JN, Martino S, et al. A randomized trial of letrozole in postmenopausal women after five years of tamoxifen therapy for early-stage breast cancer. N Engl J Med 2003;349(19): 1793-1802.

35. Goss PE. Preliminary data from ongoing adjuvant aromatase inhibitor trials. Clinical Cancer Research 2001;7:4397s-4401s.
36. Gotto AM. Results of recent large cholesterol-lowering trials and implications for clinical management. Am J Cardiol 1997;79:1663-1666.
37. Gray R, Milligan K, Padmore L, et al. Tamoxifen: assessment of the balance of benefits and risks for long-term treatment. Br J Cancer 1997;76:24.
38. Houghton J, Baum M & Rutqvist L. The ZIPP trial of adjuvant zoladex in premenopausal patients with early breast cancer: an update at five years. Proc Am Society Clin Oncol 2000;19:93a.
39. Jakesz R, Hausmaninger H, Kubista E, et al. Randomized adjuvant trial of tamoxifen and goserelin versus cyclophosphamide, methotrexate, and fluorouracil: evidence for the superiority of treatment with endocrine blockade in premenopausal patients with hormoneresponsive breast cancer - Austrian Breast and Colorectal Cancer Study Group Trial 5. J Clin Oncol 2002;20:4621-4627.
40. Jonat W, Kaufmann M, Sauerbrei W, et al. Goserelin versus cyclophosphamide, methotrexate, and fluorouracil as adjuvant therapy in premenopausal patients with node-positive breast cancer: The Zoladex Early Breast Cancer Research Association Study. J Clin Oncol 2002;20:4628-4635.
41. Kaufmann M, Jonat W, Blamey R, et al. Survival analyses from the ZEBRA study. Goserelin (Zoladex) versus CMF in premenopausal women with node-positive breast cancer. Eur Jou Cancer 2003;39:1711-1717.
42. Klijn JGM and for the ATAC Trialists' Group. The ATAC (Anastrozole, Tamoxifen, Alone or in Combination) trial. An efficacy update, focusing on breast cancer (BC) events, based on median follow-up of 47 months. Proceedings of the American Society of Clinical Oncology 2003;22:85.
43. Knight WA, Osborne CK, McGuire WL. Hormonal receptors in primary and advanced breast cancer. Clin Endocrinol Metab 1980;9:361-368.
44. Locker G, Easterll R. The time course of bone fractures observed in the ATAC (Arimidex, Tamoxifen, Alone or in Combination) trial. Proceedings of the American Society of Clinical Oncology 2003;22:25.
45. McDonald CC, Alexander FE, Whyte BW, et al. Cardiac and vascular morbidity in women receiving adjuvant tamoxifen for breast cancer in a randomised trial. BMJ 1995;311:977-980.
46. Miller WR. Aromatase inhibitors: mechanism of action and role in the treatment of breast cancer. Semin Oncol 2003;30(Suppl. 14):3-11.
47. Mouridsen H, Gershanovich M, Sun Y, et al. Superior efficacy of letrozole versus tamoxifen as first-line therapy for postmenopausal women with advanced breast cancer: results of a phase III study of the International Letrozole Breast Cancer Group. J Clin Oncol 2001;19:2596-2606.
48. Nabholtz JM, Buzdar A, Pollak M, et al. Anastrozole is superior to tamoxifen as first-line therapy for advanced breast cancer in postmenopausal women: results of a North American multicenter randomized trial. Arimidex Study Group. J Clin Oncol 2000;18:3758-3767.
49. National Institutes of Health Consensus Development Conference statement. Adjuvant therapy for breast cancer. November 1-3, 2000. J Natl Cancer Inst Monogr 2001;5-15.
50. Park WC, Current Understanding of Endocrine Therapy for Breast Cancer. 한국유방암학회지 2002;5:212-216.
51. Peto R, Boreham J, Clarke M, et al. UK and USA breast cancer deaths down 25% in 2000 at ages 20-69 years. Lancet 2000;355:1822.
52. Santen RJ, Harvey HA. Use of aromatase inhibitors in breast carcinoma. EndocrineRelat Cancer 1999;6:75-92.
53. Stewart HJ, Forrest AP, Everington D, et al. Randomised comparison of 5 years of adjuvant tamoxifen with continuous therapy for operable breast cancer: the Scottish Cancer Trials Breast Group. Br J Cancer 1996;74:297-299.
54. Stewart HJ, Prescott R, Forrest AP. Scottish adjuvant tamoxifen trial: a randomized study updated 15 years. J Natl Cancer Inst 2001;93(6):456-462.
55. Swedish Breast Cancer Co-operative Group. Randomised trial of two versus five years of adjuvant tamoxifen in postmenopausal early-stage breast cancer. J Natl Cancer Inst 1996;88:1543-1549.
56. Walsh BW. The effects of estrogen and selective estrogen receptor modulators on cardiovascular risk factors. Ann New York Acad Sci 2001;949:163-167.
57. Winer EP, Hudis C, Burstein HJ, et al. American Society of Clinical Oncology Technology Assessment Working Group update: use of aromatase inhibitors in the as adjuvant thuapy for postmenopansal women with wormone recopor-positive breast cancer:status report 2004 J Clin Oncol 2005;23:619-629.

[X. 유방암의 방사선요법]

1. Arthur DW. Vicini FA. Accelerated partical breast irradiation as a part of breast conservation therapy. J Clin Oncol 2005;23:1726-1735.
2. Donker M, Straver ME, van Tienhoven G et al. Radiotherapy or surgery of the axilla after a positive sentinel node in breast cancer (EORTC 10981-22023 AMAROS): a randomised, multicentre, open-label, phase 3 non-inferiority trial. Lancet Oncol 2014;15:1303-1310.
3. Early Breast Cancer Trialists' Collaborative Group (EBCTCG), Darby S, McGale P, Correa C et al. Effect of radiotherapy after breast-conserving surgery on 10-year recurrence and 15-year breast

cancer death: meta-analysis of individual patient data for 10,801 women in 17 randomised trials. Lancet 2011;378:1707-1760.

4. EBCTCG (Early Breast Cancer Trialists' Collaborative Group), McGale P, Taylor C, Correa C et al. Effect of radiotherapy after mastectomy and axillary surgery on 10-year recurrence and 20-year breast cancer mortality: meta-analysis of individual patient data for 8135 women in 22 randomised trials.Lancet 2014;383:2127-2135.
5. Effects of radiotherapy and of differences in the extent of surgery for early breast cancer on local recurrence and 15-year survival: an overview of the randomized trials. Early Breast Cancer Trialists' Collaborative Group. Lancet 2005;366:2087-2106.
6. Fisher B, Anderson S, Redmond CK, et al. Reanalysis and results after 12 years of follow-up in a randomized clinical trial comparing total mastectomy with lumpectomy with or without irradiation in the treatment of breast cancer. N Engl J Med 1995;333:1456-1461.
7. Overgaard M, Hansen P, Overgaard J, et al. postoperative radiotherapy in high risk premenopausal women with breast cancer who receive adjuvant chemotherapy. N Engl J Med 1997;337:949-955.
8. Poortmans PM, Collette S, Kirkove C et al. Internal Mammary and Medial Supraclavicular Irradiation in Breast Cancer. N Engl J Med. 2015;373::317-327.
9. Ragaz J, Olivotto I, Spinelli J, et al. Locoregional radiation therapy in patients with high-risk breast cancer receiving adjuvant chemotherapy: 20 year results of the British Columbia randomized trial. J Natl Cancer Inst 2005;97:116-126.
10. Thorsen LB Offersen BV, Danø H et al. DBCG-IMN: A Population-Based Cohort Study on the Effect of Internal Mammary Node Irradiation in Early Node-Positive Breast Cancer. J Clin Oncol. 2016;34(:314-32.
11. Veronesi U, Cascinelli N, Mariani L, et al. Twenty-year follow-up of a randomized study comparing breast-conservng surgery with radical mastectomy for early breast cancer. N Engl J Med 2002;347:1227-1232.
12. Whelan TJ, Olivotto IA, Parulekar WR,, et al. Regional Nodal Irradiation in Early-Stage Breast Cancer. N Engl J Med. 2015373:307-316.

[XI. 유방암의 분자생물학적 분류 및 표적치료]

1. Abd El-Rehim DM, Ball G, et al. High-throughput protein expression analysis using tissue microarray technology of a large well-characterised series identifies biologically distinct classes of breast cancer confirming recent cDNA expression analyses. Int J Cancer 2005;116:340-350.
2. André F, Bachelot T, Campone M, et al. Targeting FGFR with dovitinib (TKI258): preclinical and clinical data in breast cancer. ClinCancer Res 2013;19:3693-702.
3. André F, Campone M, Hurvitz S, et al. Multicenter phase I clinical trial of daily and weekly RAD001 in combination with weekly paclitaxel and trastuzumab in patients with HER2-overexpressing metastatic breast cancer with prior resistance to trastuzumab. J Clin Oncol , 2008 ASCO Annual Meeting Proceedings (Post-Meeting Edition). Vol 26, No 15S (May 20 Supplement), 2008;1003.
4. Baselga J, Campone M, Piccart M, et al. Everolimus in postmenopausal hormone-receptor-positive advanced breast cancer. N Engl J Med 2012;366:520-9.
5. Baselga J, Gelmon KA, Verma S, et al. Phase II trial of pertuzumab and trastuzumab in patients with human epidermal growth factor receptor 2-positive metastatic breast cancer that progressed during prior trastuzumab therapy. J Clin Oncol; 28:1138-1144.
6. Baselga J, Im SA, Iwata H, et al. PIK3CA status in circulating tumor DNA (ctDNA) predicts efficacy of buparlisib (BUP) plus fulvestrant (FULV) in postmenopausal women with endocrine-resistant HR+/HER2-advanced breast cancer (BC): first results from the randomized, phase III BELLE-2 trial. SABCS, 2015. Abstract S6-01.
7. Baselga J, Semiglazov V, van Dam P, et al. Phase II randomized study of neoadjuvant everolimus plus letrozole compared with placebo plus letrozole in patients with estrogen receptor-positive breast cancer. J Clin Oncol 2009;27:2630-2637.
8. Basso AD, Solit DB, Munster PN, et al. Ansamycin antibiotics inhibit Akt activation and cyclin D expression in breast cancer cells that overexpress HER2. Oncogene 2002;21:1159-1166.
9. Bauer KR, Brown M, Cress RD, et al. Descriptive analysis of estrogen receptor (ER)-negative, progesterone receptor (PR)-negative, and HER2-negative invasive breast cancer, the so-called triple-negative phenotype: a population-based study from the California cancer Registry. Cancer 2007;109:1721-1728.
10. Berry DA, Cirrincione C, Henderson IC, et al. Estrogen-receptor status and outcomes of modern chemotherapy for patients with nodepositive breast cancer. JAMA 2006;295:1658-1667.
11. Bertucci F, Finetti P, Cervera N, et al. How basal are triple-negative breast cancers? Int J Cancer 2008;123:236-240.
12. Blume-Jensen P, Hunter T. Oncogenic kinase signalling. Nature 2001;411:355-365.
13. Bromann PA, Korkaya H, Courtneidge SA. The interplay between Src family kinases and receptor tyrosine kinases. Oncogene 2004;23:7957-7968.
14. Bryant HE, Schultz N, Thomas HD, Lopez E, et al. Specific killing of BRCA2-deficient tumours with inhibitors of poly(ADP-ribose) polymerase. Nature 2005;434:913-917.
15. Burstein HJ, Elias AD, Rugo HS, et al. Phase II study of sunitinib malate, an oral multitargeted tyrosine kinase inhibitor, in patients with metastatic breast cancer previously treated with an anthra-

cycline and a taxane. J Clin Oncol 2008;26:1810-1816.

16. Cantley LC, Neel BG. New insights into tumor suppression: PTEN suppresses tumor formation by restraining the phosphoinositide 3-kinase/AKT pathway. Proc Natl Acad Sci U S A 1999;96:4240-4245.
17. Cantley LC. The phosphoinositide 3-kinase pathway. Science 2002;296:1655-1657.
18. Carey LA, Dees EC, Sawyer L, et al. The triple negative paradox: primary tumor chemosensitivity of breast cancer subtypes. Clin Cancer Res 2007;13:2329-2334.
19. Carey LA, Perou CM, Livasy CA, et al. Race, breast cancer subtypes, and survival in the Carolina Breast Cancer Study. JAMA 2006;295:2492-2502.
20. Carpenter J, Roche H, Campone M, et al. Randomized 3-arm, phase 2 study of temsirolimus (CCI-779) in combination with letrozole in postmenopausal women with locally advanced or metastatic breast cancer. Proc Am Soc Clin Oncol 2005;23:A564.
21. Chandarlapaty S, Scaltriti M, Baselga J, et al. Extracellular cleaved HER2 (p95) confers partial resistance to trastuzumab but not HSP90 inhibitors in models of HER2 amplified breast cancer. J Clin Oncol, 2007 ASCO Annual Meeting Proceedings (Post-Meeting Edition) 2007;25:10515.
22. Dancey JE. Therapeutic targets: MTOR and related pathways. Cancer Biol Ther 2006;5:1065-1073.
23. De Vries TJ, Mullender MG, van Duin MA, et al. The Src inhibitor AZD0530 reversibly inhibits the formation and activity of human osteoclasts. Mol Cancer Res 2009;7:476-488.
24. Dillon RL, White DE, Muller WJ. The phosphatidyl inositol 3-kinase signaling network: implications for human breast cancer. Oncogene 2007;26:1338-1345.
25. Folkman J. Seminars in Medicine of the Beth Israel Hospital, Boston. Clinical applications of research on angiogenesis. N Engl J Med 957 1995;333:1757-1763.
26. Folkman J. What is the evidence that tumors are angiogenesis dependent? J Natl Cancer Inst 1990;82:4-6.
27. Fong PC, Boss DS, Yap TA, et al. Inhibition of poly(ADP-ribose) polymerase in tumors from BRCA mutation carriers. N Engl J Med 2009;361:123-134.
28. Foulkes WD, Stefansson IM, Chappuis PO, et al. Germline BRCA1 mutations and a basal epithelial phenotype in breast cancer. J Natl Cancer Inst 2003;95:1482-1485.
29. Franklin MC, Carey KD, Vajdos FF, et al. Insights into ErbB signaling from the structure of the ErbB2-pertuzumab complex. Cancer Cell 2004;5:317-328.
30. Geyer CE, Forster J, Lindquist D, et al. Lapatinib plus capecitabine for HER2-positive advanced breast cancer. N Engl J Med 2006;355:2733-2743.
31. Goldhirsch, Aron, et al. "Personalizing the treatment of women with early breast cancer: highlights of the St Gallen International Expert Consensus on the Primary Therapy of Early Breast Cancer 2013." Annals of oncology 24.9 (2013): 2206-2223.
32. Gonzalez-Angulo AM, Timms KM, Liu S, et al. Incidence and outcome of BRCA mutations in unselected patients with triple receptor-negative breast cancer. Clin Cancer Res 2011;17:1082-9.
33. Hennequin LF, Allen J, Breed J, et al. N-(5-chloro-1,3-benzodioxol-4-yl)-7-[2-(4-methylpiperazin-1-yl)ethoxy]-5- (tetrahydro-2H-pyran-4-yloxy)quinazolin-4-amine, a novel, highly selective, orally available, dual-specific c-Src/Abl kinase inhibitor. J Med Chem 2006;49:6465-6488.
34. Huang F, Reeves K, Han X, et al. Identification of candidate molecular markers predicting sensitivity in solid tumors to dasatinib: rationale for patient selection. Cancer Res 2007;67:2226-2238.
35. Hudis CA. Trastuzumab--mechanism of action and use in clinical practice. N Engl J Med 2007;357:39-51.
36. Joensuu H, Kellokumpu-Lehtinen PL, Bono P, et al. Adjuvant docetaxel or vinorelbine with or without trastuzumab for breast cancer. N Engl J Med 2006;354:809-820.
37. Kennedy RD, Quinn JE, Mullan PB, et al. The role of BRCA1 in the cellular response to chemotherapy. J Natl Cancer Inst 2004;96:1659-1668.
38. Kong D, Yamori T. Phosphatidylinositol 3-kinase inhibitors: promising drug candidates for cancer therapy. Cancer Sci 2008;99:1734-1740.
39. Lombardo LJ, Lee FY, Chen P, et al. Discovery of N-(2-chloro-6-methyl- phenyl)-2-(6-(4-(2-hydroxyethyl)- piperazin-1-yl)-2-methylpyrimidin-4- ylamino)thiazole-5-carboxamide (BMS-354825), a dual Src/Abl kinase inhibitor with potent antitumor activity in preclinical assays. J Med Chem 2004;47:6658-6661.
40. Maira SM, Stauffer F, Brueggen J, et al. Identification and characterization of NVP-BEZ235, a new orally available dual phosphatidylinositol 3-kinase/mammalian target of rapamycin inhibitor with potent in vivo antitumor activity. Mol Cancer Ther 2008;7:1851-1863.
41. Marhold, Maximilian, Rupert Bartsch, and Christoph Zielinski. "Recent developments and translational aspects in targeted therapy for metastatic breast cancer." ESMO Open 1.3 (2016): e000036.
42. Marty M, Cognetti F, Maraninchi D, et al. Randomized phase II trial of the efficacy and safety of trastuzumab combined with docetaxel in patients with human epidermal growth factor receptor 2-positive metastatic breast cancer administered as first-line treatment: the M77001 study group. J Clin Oncol 2005;23:4265-4274.
43. Miller K, Rosen L, Modi S, et al. Phase I trial of alvespimycin (KOS-1022; 17-DMAG) and trastuzumab (T). J Clin Oncol, 2007 ASCO Annual Meeting Proceedings Part I 2007;25:1115.
44. Miller K, Wang M, Gralow J, et al. Paclitaxel plus bevacizumab

versus paclitaxel alone for metastatic breast cancer. N Engl J Med 2007;357:2666-2676.

45. Miller KD, Chap LI, Holmes FA, et al. Randomized phase III trial of capecitabine compared with bevacizumab plus capecitabine in patients with previously treated metastatic breast cancer. J Clin Oncol 2005;23:792-799.

46. Modi S, Stopeck AT, et al. Combination of trastuzumab and tanespimycin (17-AAG, KOS-953) is safe and active in trastuzumabrefractory HER-2 overexpressing breast cancer: a phase I doseescalation study. J Clin Oncol 2007;25:5410-5417.

47. Moreno-Aspitia A, Morton RF, Hillman DW, et al. Phase II trial of sorafenib in patients with metastatic breast cancer previously exposed to anthracyclines or taxanes: North Central Cancer Treatment Group and Mayo Clinic Trial N0336. J Clin Oncol 2009;27:11-15.

48. Nagata Y, Lan KH, Zhou X, et al. PTEN activation contributes to tumor inhibition by trastuzumab, and loss of PTEN predicts trastuzumab resistance in patients. Cancer Cell 2004;6:117-127.

49. Nanda R, Chow LQ. A phase Ib study of pembrolizumab (MK-3475) in patients with advanced triple-negative breast cancer. SABCS, 2014. Abstract S1-09.

50. Neckers L, Kern A, Tsutsumi S. Hsp90 inhibitors disrupt mitochondrial homeostasis in cancer cells. Chem Biol 2007;14:1204-1206.

51. Noh WC, Kim YH, Kim MS, et al. Activation of the mTOR signaling pathway in breast cancer and its correlation with the clinicopathologic variables. Breast Cancer Res Treat 2008;110:477-483.

52. Noh WC, Mondesire WH, Peng J, et al. Determinants of rapamycin sensitivity in breast cancer cells. Clin Cancer Res 2004;10:1013-1023.

53. Paik S, Shak S, Tang G, et al. A multigene assay to predict recurrence of tamoxifen-treated, node-negative breast cancer. N Engl J Med 2004;351:2817-2826.

54. Paik S, Tang G, Shak S, et al. Gene expression and benefit of chemotherapy in women with node-negative, estrogen receptor-positive breast cancer. J Clin Oncol 2006;24:3726-3734.

55. Paik S. Development and clinical utility of a 21-gene recurrence score prognostic assay in patients with early breast cancer treated with tamoxifen. Oncologist 2007;12:631-635.

56. Park WC, Kim LS, Kim TH, et al. Molecular Targets for Treatment of Breast Cancer. J Breast Cancer 2009;12:229-1234.

57. Peintinger F, Buzdar AU, Kuerer HM, et al. Hormone receptor status and pathologic response of HER2-positive breast cancer treated with neoadjuvant chemotherapy and trastuzumab. Ann Oncol 2008;19:2020-2025.

58. Perou CM, Sorlie T, Eisen MB, et al. Molecular portraits of human breast tumours. Nature 2000;406:747-752.

59. Piccart-Gebhart MJ, Procter M, Leyland-Jones B, et al. Trastuzumab after adjuvant chemotherapy in HER2-positive breast cancer. N Engl J Med 2005;353:1659-1672.

60. Rayson D. A phase II study of foretinib in triple-negative, recurrent/metastatic breast cancer: NCIC CTG trial IND.197 (NCT01147484).J Clin Oncol 2012;30:abstract 1036.

61. Romond EH, Perez EA, Bryant J, et al. Trastuzumab plus adjuvant chemotherapy for operable HER2-positive breast cancer. N Engl J Med 2005;353:1673-1684.

62. Rouzier R, Perou CM, Symmans WF, et al. Breast cancer molecular subtypes respond differently to preoperative chemotherapy. Clin Cancer Res 2005;11:5678-5685.

63. Rugo H, Delord J, Im SA. Preliminary efficacy and safety of pembrolizumab (MK-3475) in patients with PD-L1-positive, estrogen receptor-positive (ER+)/HER2-negative advanced breast cancer enrolled in KEYNOTE-028. SABCS, 2015. Abstract S5-07.

64. Scaltriti M, Rojo F, Ocana A, et al. Expression of p95HER2, a truncated form of the HER2 receptor, and response to anti-HER2 therapies in breast cancer. J Natl Cancer Inst 2007;99:628-638.

65. Serra V, Markman B, Scaltriti M, et al. NVP-BEZ235, a dual PI3K/mTOR inhibitor, prevents PI3K signaling and inhibits the growth of cancer cells with activating PI3K mutations. Cancer Res 2008;68:8022-8030.

66. Slamon DJ, Leyland-Jones B, Shak S, et al. Use of chemotherapy plus a monoclonal antibody against HER2 for metastatic breast cancer that overexpresses HER2. N Engl J Med 2001;344:783-792.

67. Smith I, Procter M, Gelber RD, et al. 2-year follow-up of trastuzumab after adjuvant chemotherapy in HER2-positive breast cancer: a randomised controlled trial. Lancet 2007;369:29-36.

68. Sorlie T, Perou CM, Tibshirani R, et al. Gene expression patterns of breast carcinomas distinguish tumor subclasses with clinical implications. Proc Natl Acad Sci U S A 2001;98:10869-10874.

69. Sorlie T, Tibshirani R, Parker J, et al. Repeated observation of breast tumor subtypes in independent gene expression data sets. Proc Natl Acad Sci U S A 2003;100:8418-8423.

70. Sotiriou C, Neo SY, McShane LM, et al. Breast cancer classification and prognosis based on gene expression profiles from a population-based study. Proc Natl Acad Sci U S A 2003;100:10393-10398.

71. Swain SM, Baselga J, Kim SB, et al. Pertuzumab, trastuzumab, and docetaxel in HER2-positive metastatic breast cancer. N Engl J Med 2015;372:724-34.

72. Thomas SM, Brugge JS. Cellular functions regulated by Src family kinases. Annu Rev Cell Dev Biol 1997;13:513-609.

73. Tripathy D. Targeted therapies in breast cancer. Breast J 2005;11 Suppl 1:S30-35.

74. Turner NC, Ro J, André F, et al. Palbociclib in hormone-receptor-positive advanced breast cancer. N Engl J Med 2015;373:209-19.

75. Verma S, Miles D, Gianni L, et al. Trastuzumab emtansine for

HER2-positive advanced breast cancer. N Engl J Med 2012;367:1783-9.

76. Widakowich C, de Azambuja E, Gil T, et al. Molecular targeted therapies in breast cancer: where are we now? Int J Biochem Cell Biol 2007;39:1375-1387.
77. Yap T, Boss D, Fong P, et al. First in human phase I pharmacokinetic (PK) and pharmacodynamic (PD) study of KU-0059436 (Ku), a small molecule inhibitor of poly ADP-ribose polymerase (PARP) in cancer patients (p), including BRCA1/2 mutation carriers. J Clin Oncol, 2007 ASCO Annual Meeting Proceedings Part I 2007;25:3529.
78. Yeatman TJ. A renaissance for SRC. Nat Rev Cancer 2004;4:470-480.
79. Zhang H, Burrows F. Targeting multiple signal transduction pathways through inhibition of Hsp90. J Mol Med 2004;82:488-499.

[XII. 특수한 형태의 유방암]

1. 강세훈,김성원,강희준 등. 임신과 관련된 유방암. 대한외과학회지 2001;60:380-5.
2. 박연석, 곽범석, 손병호 등. 유방엽상종의 임상병리학적 양상에 따른 국소재발의 위험인자들. 대한외과학회지 2008;74:171-.
3. 박희붕, 이희대, 정우희 등. 유방암의 조직학적 다발성. 대한외과학회지 1994;47:173-8.
4. 신동호, 강한성, 김영철 등. 양측성 유방암에 대한 임상적 고찰. 대한외과학회지 1998;55:350-6.
5. 전명훈, 김범석, 강수환 등. 양측성 유방암의 임상적 고찰. 한국유방암학회지 2005;8:128-33.
6. Abdalla I, Thisted RA, Heimann R. The impact of contralateral breast cancer on the outcome of breast cancer patients treated by mastectomy. Cancer J 2000;6:266-272.
7. Albo D, Ames FC, Hunt KK, et al. Evaluation of lymph node status in male breast cancer patients: a role for sentinel lymph node biopsy. Breast Cancer Res Treat 2003;77:9-14.
8. Anelli TF, Anelli A, Tran KN, et al.: Tamoxifen administration is associated with a high rate of treatment-limiting symptoms in male breast cancer patients. Cancer 1994;74:74-7.
9. Anscher MS, Jones P, Proscitz LR, et al. Local failure and margin status in early-stage breast carcinoma treated with conservation surgery and radiation therapy. Ann Surg 1993;218:22-28.
10. Barnavon Y, Wallack MK. Management of the pregnant patient with carcinoma of the breast. Surg Gynecol Obstet 1990;171:347-52.
11. Beck NE, Bradburn MJ, Vincenti AC, Rainsbury RM. Detection of residual disease following breast-conserving surgery. Br J Surg 1998;85:1273-1276.
12. Beller FK, Nienhaus H, Niedner W, Holzgreve W. Bilateral breast cancer: the frequency of undiagnosed cancers. Am J Obstet Gynecol 1986;155:247-255.
13. Bernstein JL, Thompson WD, Risch N, et al. Risk factors predicting the incidence of second primary breast cancer among women diagnosed with a first primary breast cancer Am J Epidemiol 1992;136:925-936.
14. Berry DL, Theriault RL, Holmes FA, et al. Management of breast cancer during pregnancy using a standardized protocol. J Clin Oncol 1999;17:855-61.
15. Borgen PI, Wong GY, Vlamis V, et al. Current management of male breast cancer. A review of 104 cases. Ann Surg 1992;215:451-7;discussion 457-9.
16. Brooks HL, Priolo S, Waxman. Cystosarcoma phylloides: a case report of an 11-year survival and review of surgical experience. Contemp Surg 1998;53:169-72.
17. Cardonick E, Iacobucci A. Use of chemotherapy during human pregnancy. Lancet Oncol 2004;5:283-91.
18. Chen WH, Cheng SP, Tzen CY, et al. Surgical treatment of phyllodes tumors of the breast: retrospective review of 172 cases. J Surg Oncol 2005;91:185-94.
19. Clark RM, Chua T. Breast cancer and pregnancy: the ultimate challenge. Clin Oncol (R Coll Radiol) 1989;1:11-8.
20. Cocconi G, Bisagni G, Ceci G, et al. Low-dose aminoglutethimide with and without hydrocortisone replacement as a first-line endocrine treatment in advanced breast cancer: a prospective randomized trial of the Italian Oncology Group for Clinical Research. J Clin Oncol 1992;10:984-9.
21. Cole-Beuglet C, Soriano R, Kurtz AB. Ultrasound, x-ray mammography, and histopathology of cystosarcoma phylloides. Radiology 1983;146:481-6.
22. Contarini O, Urdaneta LF, Hagan W. Cystosarcoma phylloides of the breast: a new therapeutic proposal. Am Surg 1982;48:157-66.
23. Cutuli B, Lacroze M, Dilhuydy JM, et al. Male breast cancer: results of the treatments and prognostic factors in 397 cases. Eur J Cancer 1995;31A:1960-4.
24. de la Rochefordiere A, Asselain B, Scholl S, et al. Simultaneous bilateral breast carcinomas: a retrospective review of 149 cases. Int J Radiat Oncol Biol Phys 1994;30:35-41.
25. Dickson RB, Pestell RG, Lippman ME. Cancer of the breast. In: DeVita VT Jr, Hellman S, Rosenberg SA, eds.: Cancer: Principles and Practice of Oncology. 7th ed. Philadelphia, Pa: Lippincott Williams & Wilkins, 2005, pp 1399-1487.
26. Donegan WL, Perez-Mesa CM. Lobular carcinoma: an indication for elective biopsy of the second breast. Ann Surg 1972;176:178-87.
27. Early Breast Cancer Trialists Callaborative Group. Polychemotherapy for early breast cancer: an overview of the randomised trials. Lancet 1998;352:930-942.
28. Elledge RM, Ciocca DR, Langone G, et al.: Estrogen receptor, progesterone receptor, and HER-2/neu protein in breast cancers

from pregnant patients. Cancer 1993;71: 2499-506.

29. Engin K. Prognostic factors in bilateral breast cancer. Neoplasma 1994;41:353-357.
30. Ewertz M, Holmberg L, Tretli S, et al. Risk factors for male breast cancer-a case-control study from Scandinavia. Acta Oncol 2001;40:467-7.
31. Fentiman IS, Fourquet A, Hortobagyi GN. Male breast cancer. Lancet 2006;367:595-604.
32. Fisher ER, Fisher B, Sass R, et al. Pathologic findings from the National Surgical Adjuvant Breast Project(protocol no.4).XI. Bilateral Breast Cancer. Cancer 1984;54:3002-3011.
33. Foote FW, Stewart FW. Comparative study of cancerous and non cancerous breasts. Ann Surg 1945;121:197-222.
34. Fortin A, Laroshelle M, Laverdiere J, et al. Local failure os responsible for the decrease in survival for patients with breast cancer treated with conservative surgery and postoperative radiotherapy. J Clin Oncol 1999;17:101-109.
35. Freedman LM, Buchholz TA, Thames HD, et al. Local-regional control in breast cancer patients with a possible genetic predisposition. Int I Radiat Oncol Biol Phys 2000;48:951-957.
36. Gale KE, Andersen JW, Tormey DC, et al. Hormonal treatment for metastatic breast cancer. An Eastern Cooperative Oncology Group Phase III trial comparing aminoglutethimide to tamoxifen. Cancer 1994;73:354-61.
37. Gallenberg MM, Loprinzi CL. Breast cancer and pregnancy. Semin Oncol 1989;16:369-76.
38. Gattuso P, Reddy VB, Green L, et al. Prognostic significance of DNA ploidy in male breast carcinoma. A retrospective analysis of 32 cases. Cancer 1992;70:777-80.
39. Gelber S, Coates AS, Goldhirsch A, et al. Effect of pregnancy on overall survival after the diagnosis of early-stage breast cancer. J Clin Oncol 2001;19:1671-5.
40. Gershenwald JE, Hunt KK, Kroll SS, et al. Synchronous elective contralateral mastectomy and immediate bilateral reconstruction in women with early-stage breast cancer. Ann Surg Oncol 1998;5:529-538.
41. Giacalone PL, Laffargue F, Bénos P. Chemotherapy for breast carcinoma during pregnancy: A French national survey. Cancer 1999;86:2266-72.
42. Giordano SH, Buzdar AU, Hortobagyi GN. Breast cancer in men. Ann Intern Med 2002;137:678-87.
43. Giordano SH, Cohen DS, Buzdar AU, et al. Breast carcinoma in men: a population-based study. Cancer 2004;101: 51-7. .
44. Giordano SH: A review of the diagnosis and management of male breast cancer. Oncologist 2005;10:471-9.
45. Gogas J, Markopoulos C, Skandalakis P, Gogas H. Bilateral breast cancer. Am Surg 1993;59:733-735.
46. Golshan M, Rusby J, Dominguez F, et al. Breast conservation for male breast carcinoma. Breast 2007;16:653-6.
47. Gradishar WJ, Anderson BO, Balassanian R, et al. Breast Cancer, Version 1.2016. J Natl Compr Canc Netw 2015;13:1475-85.
48. Gullett NP, Rizzo M, Johnstone PA. National surgical patterns of care for primary surgery and axillary staging of phyllodes tumors. Breast J 2009;15:41-4.
49. Gwyn K, Theriault R. Breast cancer during pregnancy. Oncology (Huntingt) 2001; 15: 39-46; discussion 46, 49-51.
50. Harvey JC, Rosen PP, Ashikari R, et al. The effect of pregnancy on the prognosis of carcinoma of the breast following radical mastectomy. Surg Gynecol Obstet 1981;153:723-5.
51. Healey EA, Cook EF, Orav EJ, et al. Contralateral breast cancer: clinical characteristics and impact on prognosis. J Clin Oncol 1993;11:1545-1552.
52. Holdaway IM, Mason BH, Bennett RC, et al. Estrogen receptors in bilateral breast cancer. Cancer. 1988;62:109-13.
53. Hoover HC Jr: Breast cancer during pregnancy and lactation. Surg Clin North Am 70 (5): 1151-63, 1990.
54. Hoover HC. Cystosarcomas of the breast. In: Raaf JH, ed. Soft Tissue Sarcomas: Diagnosis and Treatment. St Louis, Mo: Mosby; 1993:113-21.
55. Hultborn R, Hanson C, Köpf I, et al. Prevalence of Klinefelter's syndrome in male breast cancer patients. Anticancer Res 1997;17:4293-7.
56. Hungness ES, Safa M, Shaunghnessey EA, et al. Bilateral synchronous breast cancer:modes of detection and comparison of histologic features between the 2 breasts. Surgery 2000;128:702-707.
57. Imyanitov EN, Suspitsin EN, Grigoriev MY, et al. Concordance of allelic imbalance profiles in synchronous and metachronous breast carcinomas. Int J Cancer 2002;100:557-564.
58. Isaacs RJ, Hunter W, Clark K. Tamoxifen as systemic treatment of advanced breast cancer during pregnancy-case report and literature review. Gynecol Oncol 2001;80:405-8.
59. Janschek E, Kandioler-Eckersberger D, Ludwig C, et al. Contralateral breast cancer:molecular differentiation between metastasis and second primary cancer. Breast Cancer Res Treat 2001;67:1-8.
60. Jones AM, Mitter R, Poulsom R, et al. mRNA expression profiling of phyllodes tumours of the breast: identification of genes important in the development of borderline and malignant phyllodes tumours. J Pathol 2008;216:408-17.
61. Jones AM, Mitter R, Springall R, et al. A comprehensive genetic profile of phyllodes tumours of the breast detects important mutations, intra-tumoral genetic heterogeneity and new genetic changes on recurrence. J Pathol 2008;214:533-44.
62. Joshi MG, Lee AK, Loda M, et al. Male breast carcinoma: an evaluation of prognostic factors contributing to a poorer outcome. Cancer 1996;77:490-8.
63. Kal HB, Struikmans H. Radiotherapy during pregnancy: fact and

fiction. Lancet Oncol 2005;6:328-33.

64. Kamila C, Jenny B, Per H, et al. How to treat male breast cancer. Breast 2007;16 (Suppl 2:S147-54.

65. Khosravi-Shahi P. Management of non metastatic phyllodes tumors of the breast: Review of the literature Surg Oncol 2011;20:e143-.

66. Kinne DW: Management of male breast cancer. Oncology (Huntingt)1991;5:45-7 discussion 47-8.

67. Kollias J, Ellis IO, Elston CW, Blamey RW. Prognostic significance of synchronous and metachronous bilateral breast cancer. World J Surg 2001;25:1117-1124.

68. Komatsu S, Lee CJ, Hosokawa Y, et al. Comparison of intraductal spread on dynamic contrast-enhanced MRI with clinicopathologic features in breast cancer. Jpn J Clin Oncol 2004;34:515-518.

69. Korde LA, Zujewski JA, Kamin L, et al. Multidisciplinary meeting on male breast cancer: summary and research recommendations. J Clin Oncol 2010;28:2114-2.

70. Kroman N, Mouridsen HT. Prognostic influence of pregnancy before, around, and after diagnosis of breast cancer. Breast 2003;12:516-21.

71. Kuerer HM, Gwyn K, Ames FC, et al. Conservative surgery and chemotherapy for breast carcinoma during pregnancy. Surgery 2002;131:108-10.

72. Leis HP Jr. Bilateral breast cancer. Surg Clin North Am 1978;58:833-842.

73. Lyman GH, Giuliano AE, Somerfield MR, et al. American Society of Clinical Oncology guideline recommendations for sentinel lymph node biopsy in early-stage breast cancer. J Clin Oncol 2005;23:7703-20.

74. Malamos NA, Stathopoulos GP, Keramopoulos A, et al. Pregnancy and offspring after the appearance of breast cancer. Oncology 1996;53:471-5.

75. Matsuo K, Fukutomi T, Tsuda H, et al. Difference in estrogen receptor status, HER2, and p53 comparing metachronous bilateral breast carcinoma. J Surg Oncol 2001;77:31-34.

76. Middleton LP, Amin M, Gwyn K, et al. Breast carcinoma in pregnant women: assessment of clinicopathologic and immunohistochemical features. Cancer 2003;98: 1055-60.

77. Moore HC, Foster RS Jr: Breast cancer and pregnancy. Semin Oncol 2000;27: 646-53.

78. Narod SA, Brunet JS, Ghadirian P, et al. Tamoxifen and risk of contralateral breast cancer in BRCA1 and BRCA2 mutation carriers: a case-control study. Hereditary Breast Cancer Clinical Study Group. Lancet 2000;356:1876-1881.

79. National Comprehensive Cancer Network. Clinical Practice Guidelines in Oncology: Breast Cancer Risk Reduction Version 1.2016.

80. Nettleton J, Long J, Kuban D, et al. Breast cancer during pregnancy: quantifying the risk of treatment delay. Obstet Gynecol 1996;87:414-8.

81. Nicklas AH, Baker ME. Imaging strategies in the pregnant cancer patient. Semin Oncol 2000;27:623-32.

82. Nielsen M, Christensen L, Andersen J. Contralateral cancerous breast lesions in women with clinical invasive breast carcinoma. Cancer 1986;57:897-903.

83. Nystrom L, Larsson LG, Rutqvist LE, et al. Determination of cause of death among breast cancer cases in the Swedish randomized mammography screening trials. A comparison between official statistics and validation by an endpoint committee. Acta Oncol 1995;34:145-152.

84. Ohtake T, Abe R, Kimijima I, et al. Intraductal extension of primary invasive breast carcinoma treated by breast-conservative surgery. Computer graphic three-dimensional reconstruction of the mammary duct-lobular systems. Cancer. 1995;76:32-45.

85. Ohtake T, Kimijima I, Fukushima T, et al. Computer-assisted complete three-dimensional reconstruction of the mammary ductal/lobular systems: Implications of ductal anastomoses for breast-conserving surgery. Cancer 2001;91:2263-2272.

86. Parker SJ, Harries SA. Phyllodes tumours. Postgrad Med J 2001;77:428-35.

87. Petrek JA, Dukoff R, Rogatko A. Prognosis of pregnancy-associated breast cancer. Cancer 1991;67:869-72.

88. Petrek JA. Pregnancy safety after breast cancer. Cancer 1994;74:528-31.

89. Pezner RD, Schultheiss TE, Paz IB. Malignant phyllodes tumor of the breast: local control rates with surgery alone. Int J Radiat Oncol Biol Phys 2008;71:710-3.

90. Polednak AP. Bilateral synchronous breast cancer:A population-based study of characteristics, method of detection, and survival. Surgery 2003;133:383-389.

91. Port ER, Fey JV, Cody HS 3rd, et al. Sentinel lymph node biopsy in patients with male breast carcinoma. Cancer 2001;91:319-23.

92. Ravandi-Kashani F, Hayes TG Male breast cancer: a review of the literature. Eur J Cancer 1998;34:1341-7.

93. Rebbeck TR, Friebel T, Lymch HT, et al Bilateral prophylactic mastectomy reduces breast cancer risk in BRCA1 and BRCA2 mutation carriers: the PROSE study group. J Clin Oncol 2004;22:1055-1062.

94. Ring AE, Smith IE, Ellis PA. Breast cancer and pregnancy. Ann Oncol 2005;16:1855-60.

95. Robbins GF, Berg JW. Bilateral primary breast cancer: A prospective clinicopathological study. Cancer. 1964;17:1501-152.

96. Robinson E, Rennert G, Rennert HS, Neugut AI. Survival of first and second primary breast cancer. Cancer 1993; 71:172-176.

97. Rugo HS. Management of breast cancer diagnosed during pregnancy. Curr Treat Options Oncol 2003;4:165-73.

98. Sasco AJ, Lowenfels AB, Pasker-de Jong P, Review article: epidemiology of male breast cancer. A meta-analysis of published case-control studies and discussion of selected aetiological factors. Int J Cancer 1993;53:538-4.

99. Schwartz GF, Patchesfsky AS, Feig SA, et al. Multicentricity of non-palpable breast cancer. Cancer 1980;45:2913-2916.

100. Spanheimer PM, Graham MM, Sugg SL, et al. Measurement of uterine radiation exposure from lymphoscintigraphy indicates safety of sentinel lymph node biopsy during pregnancy. Ann Surg Oncol 2009;16:1143-.

101. Staren ED, Robinson DA, Witt TR, et al. Synchronous, bilateral mastectomy. J Surg Oncol 1995;59:75-7.

102. Thorlacius S, Tryggvadottir L, Olafsdottir GH, et al. Linkage to BRCA2 region in hereditary male breast cancer. Lancet 1995;346:544-5.

103. Von Schoultz E, Johansson H, Wilking N, et al. Influence of prior and subsequent pregnancy on breast cancer prognosis. J Clin Oncol 1995;13:430-4.

104. Walshe JM, Berman AW, Vatas U, et al. A prospective study of adjuvant CMF in males with node positive breast cancer: 20-year follow-up. Breast Cancer Res Treat 2007;103:177-83.

105. Woo JC, Yu T, Hurd TC. Breast cancer in pregnancy. Arch Surg 2003;138:91-8.

106. Wooster R, Bignell G, Lancaster J, et al. Identification of the breast cancer susceptibility gene BRCA2. Nature 1995;378:789-92.

107. Yang WT, Dryden MJ, Gwyn K, et al. Imaging of breast cancer diagnosed and treated with chemotherapy during pregnancy. Radiology 2006;239: 52-60.

108. Yohe S, Yeh IT. "Missed" diagnoses of phyllodes tumor on breast biopsy: pathologic clues to its recognition. Int J Surg Pathol 2008;16:137-42.

Chapter 05

갑상선, 부갑상선, 부신

Thyroid, Parathyroid, Adrenal gland

I 갑상선의 해부와 생리

1. 역사적 배경

갑상선에 대해서는 처음 Thomas Wharton이 그의 저서 Adenographia(1656)에서 언급하였다. 1776년 Albrecht von Haller는 갑상선을 관duct이 없는 샘이라고 하였고, 후두의 윤활작용과 뇌로 가는 혈류를 끊임 없이 보내는 저장소, 또는 여성의 목을 예쁘게 해주는 기능 등이 있다고 생각하였다. 갑상선종, 즉 goiter라는 말은 라틴어의 목구멍에 해당하는 guttur에서 유래된 말로서, 갑상선이 커진 상태를 말하며, 태운 해조류가 갑상선종에 효과가 있는 것으로 알려져 왔다. 1170년 Roger Frugardi는 처음으로 갑상선종의 수술적 치료를 시도하였다. 내과적 치료가 실패한 경우, 두 개의 관선seatons을 갑상선종에 직각으로 집어 넣어 갑상선종이 분리될 때까지 하루에 두 번씩 조였다. 열린 상처는 소작제를 바르거나 자연치유되게 놓아 두었다. 그래서 갑상선 수술은 전신마취, 소독법 및 지혈술이 발달된 18세기 후반까지는 사망률이 40%가 넘는 위험한 수술로 인식되었다. 갑상선 수술에서 가장 주목할 만한 외과의사는 Emil Theodor Kocher (1841–1917)와 C.A. Theodor Billroth (1829–1894)인데 이들은 수 천 건의 수술을 성공적으로 시행하였다. 환자들의 사망률은 감소되었지만, 그러나 새로운 문제가 발생하였다. 즉 갑상선전절제술을 받은 환자들, 특히 소아환자들이 크레틴병 양상을 보이는 점액수종myxedema에 빠지게 되었다. Kocher는 결국 만성칠식에 이르게 하는 이런 상태를 "cachexia strumipriva"라고 불렀고, 이것의 원인은 수술 시의 기관지의 손상 때문이라고 하였다. 그러나 Felix Semon은 점액수종의 원인은 갑상선 기능상실 때문일 것이라고 추정하였다. 점액수종의 효과적인 치료는 1891년 처음 George Murray가 양의 갑상선 추출물을 환자의 피하에 주사하여 이루어졌는데, 후에 Edward Fox는 경구투여도 같은 효과를 나타냄을 입증하였다. William Halsted는 수술 결과가 수술술기에 따라 달라진다고 처음 주장한 외과의사이다. Kocher는 극단적으로 정교하고 정확한 솜씨로 출혈이 거의 없게 천천히 수술하여 되돌이후두신경이나 부갑상선기능저하증 등의 합병증은 일으키지 않았으나 갑상선을 전부 절제해버려 점액수종에 빠지게 한 반면, Billroth는 출혈에 아랑곳하지 않고 빠르게 수술해 나가, 가끔 부갑상선도 제거하여 부갑상선 기능저하증을 일으켰으나, 보다 많은 갑상선 조직을 남기므로 점액수종에 빠지게 하는 일은 드물었다. 1909년 Kocher는 갑상선의 생리, 병리와 수술의 공로로 노벨상을 수상하였다.

2. 발생

갑상선은 임신 3주경 원시앞창자의 바깥 주머니에서 발생한다. 즉 혀막구멍foramen cecum 근처에서 발생한다. 인두원기pharyngeal anlage 바닥에 있는 내배엽세포가 두꺼워져 내측 갑상선원기가 만들어지며, 설골과 후두가 될 구조의 앞쪽으로 내려온다. 하강할 때 갑상선원기는 갑상설관thyroglossal duct이라는 관에 의해 혀의 막구멍과 계속 연결된다. 후에 갑상선원기를 구성했던 상피세포는 갑상선의 여포세포follicular cell가 된다. 네 번째 아가미 주머니에서 발생하는 외측 갑상선원기 쌍은 약 5주경에 내측원기와 융합된다. 외측원기는 신경외배엽(아가미끝소체ultimobranchial bodies)으로서 칼시토닌을 만드는 부여포세포 parafollicular cell 즉 C 세포가 되어 갑상선의 상부 뒤쪽에 위치하게 된다. 갑상선 여포세포는 약 8주경 뚜렷해 지기 시작해, 약 11주경 콜로이드를 만들기 시작한다.

1) 선천성 결함

(1) 갑상설관낭종과 갑상설관굴

갑상설관낭종thyroglossal duct cyst은 경부에서 발생하는 선천성 기형 중 가장 흔한 질환이다. 임신 5주경 갑상설관 내강은 막히기 시작하여 약 8주경 관이 사라지게 되나, 드물게 전체 혹은 일부 갑상설관이 남아 갑상설관낭종이 된다. 갑상선이 이주하는 통로의 어느 곳이건 갑상설관낭종이 발생할 수 있지만, 약 80%는 설골 근처에서 생긴다. 일반적으로 증상은 없으나, 간혹 입안의 세균에 의해 감염되어 증상을 일으킨다. 갑상설관굴thyroglossal duct sinus은 염증성 낭종이 저절로 터지거나 혹은 배액술에 의해 이차로 피부와 연결되어 생긴다. 조직학적으로 갑상설관낭종은 가성중층섬모원주상피pseudostratified ciliated columnar epithelium와 편평상피로 싸여 있고, 약 20%에서 이소성 갑상선 조직이 발견되기도 한다. 일반적으로 목의 중앙에 약 1–2cm의 뚜렷하고 표면이 매끈하고, 혀를 내밀 때 위로 움직이는 혹이 있으면 갑상설관낭종을 의심할 수 있다. 치료는 "Sistrunk 수술"인데, 재발을 최소화하기 위해 설골의 중앙부위와 함께 낭종을 제거하는 것이다. 때로 정상 갑상선의 존재를 확인하기 위해 갑상선 섬광조영술과 초음파 검사를 시행하지만, 통상적인 갑상선 영상은 필요하지 않다. 약 1%의 낭종에서 암세포가 발견되는데, 이 중 85%가 유두암이다. 간혹 편평세포, Hürthle 세포나 역형성암 등이 발견되지만 아주 드물며, 수질암은 갑상설관낭종에서는 발견된 적은 없다.

(2) 설갑상선

설갑상선lingual thyroid은 내측갑상선원기가 정상적으로 하강하지 못해 일어나는데, 이로 인해 숨막힘, 삼킴 곤란, 기도폐쇄 및 출혈 등을 일으킬 수 있다. 대부분의 환자에서 갑상선 기능저하증이 나타나, 갑상선 호르몬의 투여가 필요하다. 방사성 동위원소 치료 후 갑상선 호르몬 투여를 하기도 한다. 수술적 치료는 거의 필요하지 않지만, 수술이 필요할 경우 갑상선 기능저하증을 피하기 위해 경부 정상 갑상선조직이 존재하는지 수술 전에 평가를 하여야 한다.

(3) 이소성갑상선

정상 갑상선조직은 식도, 기관지와 전종격을 포함한 중앙경부 어느 곳에서나 발견 될 수 있다. 드물게 갑상선조직은 대동맥궁, 대동맥·폐동맥창aortopulomonary window, 상부 심장막의 안쪽 또는 심실 사이막에서 발견되기도 한다. 간혹 갑상선의 하단에서 갑상선 조직이 혀처럼 뻗쳐 나가기도 하는데 특히 큰 갑상선 종이 있을 때 나타난다. 경동맥초carotid sheath와 경정맥의 바깥에 있는 갑상선 조직은 전에 "외측 이소성갑상선"이라 불리었지만, 촉진이나 초음파 검사에서 발견되지 않은 갑상선 미세암이 측경부

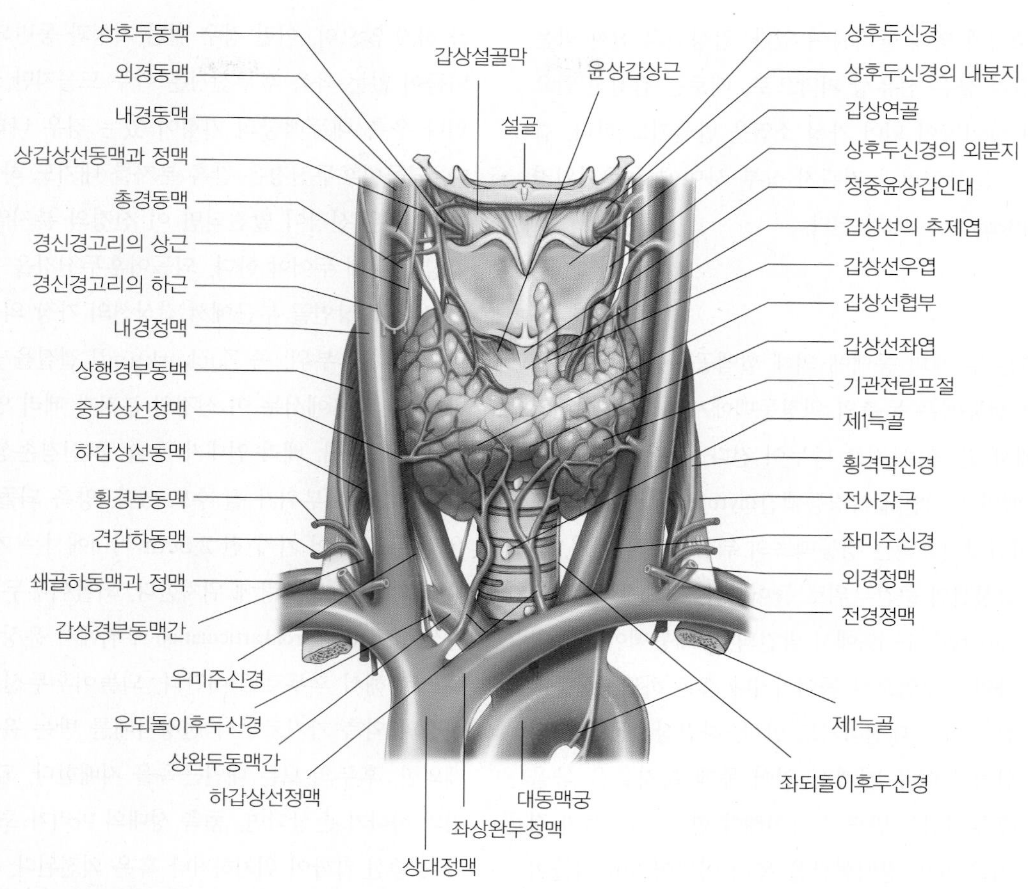

그림 5-1 갑상선과 주위조직의 해부

림프절로 전이된 것이며, Crile이 제시한 것처럼 주갑상선과 융합되지 못해 남아 있는 외측 갑상선원기는 아니다.

2) 피라미드엽

갑상설관은 섬유화 띠로 남을 수도 있지만 정상적으로는 퇴화된다. 약 50-60%의 사람에서는 하단부분은 피라미드엽으로 되어 갑상선의 협부와 연결된다. 정상적으로 피라미드엽은 만져지지 않으나 그레이브스병이나 미만성 결절성갑상선종, 혹은 림프구성 갑상선염 등과 같이 갑상선이 비대해지는 질환에서는 피라미드엽이 커져서 만져지게 된다.

3. 해부

그림 5-1은 갑상선과 주위조직과의 관계를 보여 준다. 어른의 갑상선은 갈색이며 단단하고 띠근육strap muscle 즉 흉골갑상근, 흉골설골근과 견갑설골근의 후방에 위치하고 있다. 정상 갑상선의 무게는 20g 미만이나 체중과 요오드 섭취에 따라 달라질 수 있다. 좌·우 갑상선엽은 갑상연골 근처에 위치하고, 윤상연골 바로 아래에 있는 협부엽에 의해 연결된다. 피라미드엽은 약 50-60%에서 발견된다. 갑상선 좌·우 엽의 상단은 갑상연골의 중간 부근까지 도달하며, 외측으로는 경동맥초, 흉쇄유돌근과 연해 있다. 띠근육은 경신경고리ansa cervicalis에 의해 신경지배를 받는다. 갑상선은 심부경근막deep cervical fascia의 표층

인 성근 조직에 의해 둘러싸여 있다. 갑상선의 진짜 막은 얇고 꽉 달라 붙은 섬유성 피막으로, 때로는 갑상선 안으로 들어가 사이막이 되어 가성 소엽을 만들기도 한다. 갑상선피막은 윤상연골과 기관지 상부 사이에서 두꺼워져 베리 인대Berry ligament가 된다.

1) 혈관

갑상선은 두 개의 동맥에 의해 혈액공급을 주로 받는다. 상갑상선동맥은 동측의 외경동맥에서 나와 갑상선엽의 상단에서 전·후 분지로 나누어 진다. 하갑상선동맥은 쇄골하동맥의 분지인 갑상경동맥간thyrocervical trunk에서 나온다. 하갑상선동맥은 경동맥초의 뒤쪽으로 들어가, 상행하다가 갑상선의 중간부위로 들어간다. 최하갑상선동맥thyroid ima artery은 1–4%에서 발견되며, 대동맥이나 무명동맥에서 나와 협부엽으로 들어가거나 혹은 하갑상선동맥이 없을 경우, 이를 대신하기도 한다. 하갑상선동맥은 되돌이후두신경과 아주 가까이 있어 동맥 분지들을 묶을 때 되돌이후두신경을 반드시 확인해야 한다. 갑상선의 정맥환류는 작은 표면 정맥혈관을 통해 이루어지며 이들이 모여 3개의 정맥, 즉 상·중·하갑상선정맥이 되며, 상갑상선정맥은 상갑상선동맥과 나란히 진행한다. 중갑상선정맥은 일정하게 발견되는 정맥은 아니다. 상·중 갑상선정맥은 직접 내경정맥으로 배출되며, 하갑상선정맥은 간혹 얼기를 만든 후 완두정맥brachiocephalic vein으로 배출된다.

2) 신경

좌측 되돌이후두신경은 미주신경이 대동맥궁을 건너자 마자 바로 분지되어, 뒤쪽으로 동맥관인대ligamentum arteriosum를 싸고 돈 후, 기관–식도고랑tracheoesophageal groove을 따라 목의 내측으로 올라간다. 우측 되돌이후두신경도 미주신경이 우측 쇄골하동맥을 건넌 후 바로 분지되어, 이 동맥의 뒤로 돌아 목의 내측으로 비스듬히 올라간다. 되돌이후두신경들은 상행할 때 분지를 내기도하며, 하갑상선동맥의 앞·뒤로 혹은 이 동맥의 분지 사이로 지나간다. 우측 되돌이후두신경은 약 0.5–1.5%에서 되돌이를 하지 않으며, 이런 경우 혈관 기형과 동반되기도 한다. 되돌이 없는 좌측 후두신경은 아주 드물지만, 완전내장역위나 우측 대동맥궁의 기형이 있는 경우 나타나기도 한다. 되돌이후두신경은 간혹 분지를 내기도 하여, 수술 중 아주 작은 신경이 발견되면 이 신경의 분지일 가능성을 항상 염두에 두어야 한다. 되돌이후두신경을 찾기 위해서는 간혹 윤상연골 부근에서 갑상선의 가장 외측과 뒤쪽으로 튀어나온 부위, 즉 Zuckerkandl 결절을 들어 올려야 한다. 약 25%에서는 이 신경의 분지가 베리 인대 위로 지나가기 때문에, 베리 인대가 수술 중 신경손상을 가장 잘 입을 수 있는 부위가 될 수도 있다. 양측 되돌이후두신경은 후두로 들어 가기 전 2.5cm 이내에서는 거의 모든 경우에 기관–식도고랑에 위치한다. 되돌이후두신경은 윤상갑상관절cricothyroid articulation 부위에서 윤상갑상근의 뒤쪽으로 해서 후두로 들어간다. 되돌이후두신경은 상후두신경의 외측 가지로부터 신경지배를 받는 윤상갑상근을 제외한, 후두의 모든 내인근육을 지배한다. 되돌이후두신경의 하나가 손상되면, 동측 성대의 마비가 초래되어 성대가 정중선 가까이 위치하거나 혹은 외전된다. 다행히 정중선 가까이 위치하면 목소리는 약하지만 정상적 소리가 나며, 외전되면 쉰 목소리와 효과 없는 기침이 발생하게 된다. 양측 신경의 손상은 기도폐쇄를 일으켜 응급 기관지절개술이 필요하기도 하며, 혹은 목소리의 완전 소실을 일으키기도 한다. 만약 양측 성대가 모두 외전 되면 공기의 흐름은 유지되나, 객담배출을 못하는 기침이 계속되어 흡인성폐렴에 걸릴 수도 있다.

상후두신경도 역시 미주신경으로부터 나온다. 두개골의 기저부 근처에서 분지되어 나온 상후두신경은 내경동맥을 따라 내려오다가 설골 위치에서 두 개의 분지로 나누어 진다. 안쪽 가지는 감각신경으로서 성문상후두supra-glottic larynx에 분포한다. 이 신경의 손상은 갑상선 수술 중 아주 드물지만, 손상이 일어나면 폐흡인이 발생한다. 상후두신경의 바깥 가지는 상갑상선혈관을 따라 내려오다가, 윤상갑상근 안으로 들어간다. Cernea 등은 이 신경과 상갑상선혈관과의 위치 연관에 따라 3가지 형으로 나누었

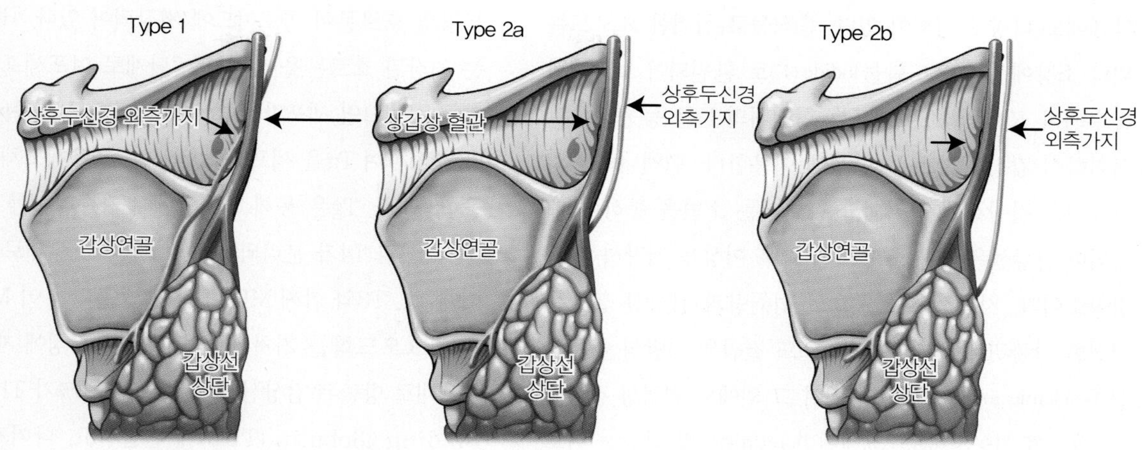

그림 5-2 상후두신경 외측가지의 Cernea 분류. 상후두신경의 외측가지가 상갑상선혈관을 지나는 위치가 갑상선 상단 1cm 보다 위쪽이면 type 1, 1cm 이내면 type 2a, 갑상선 상단 아래로 지나가면 type 2b이다.

다(그림 5-2). 제 2b형이 약 20%를 차지하는데, 신경이 갑상선 상단 아래로 통과하므로 수술로 인해 가장 손상을 잘 입는 경우이다. 그러므로 상갑상선혈관을 한꺼번에 묶는 것은 위험하며, 혈관의 분지들을 윤상갑상근의 외측에서 박리한 후, 갑상선 가까이서 하나씩 묶어야 한다. 상후두신경의 외측 가지는 오페라 가수의 이름을 따라 "Amelita Galla Curci" 혹은 "높은음자리표"신경이라 불리기도 한다. 이 신경의 손상으로 동측 성대의 긴장이 소실되어 높은 음을 내거나, 소리를 지르거나 할 수 없게 되며, 또한 장시간 대화에 쉽게 음성피곤을 느끼게 된다. 갑상선은 상·중 경부교감신경절의 분지로부터 교감신경 지배를 받는다. 이 신경섬유들은 혈관을 따라 갑상선으로 들어가 혈관운동을 담당한다. 부교감신경은 미주신경으로부터 나와 후두신경의 분지가 되어 갑상선으로 들어간다.

3) 림프계

갑상선은 광범위한 그물 같은 림프관을 갖고 있다. 갑상선 내에서 림프관은 협부를 통해 양쪽 엽으로 연결되며, 갑상선주위 조직을 거쳐 림프절로 배출된다. 국소 림프절은 내측으로는 후두 앞prelaryngeal, delphian, 기도 앞pretracheal, 기도 양 옆paratracheal, 갑상선 주위, 되돌이신경 주위, 인두 후방retropharyngeal, 식도 주위(이상 제 6구획), 상부 종격림프절(제 7구획)을 포함하며, 외측으로는 상·중·하 경정맥 림프절(각각 제 2, 3, 4 구획)과 후경삼각posterior triangle(제 5구획)을 포함한다. 제 6구획과 7구획을 포함하는 중앙경부 림프구획은 양측 경동맥초 사이의 림프절을 말하며, 이 동맥의 외측은 측경부 림프구획에 속하게 된다. 갑상선암을 수술하려면 림프절 구획에 대한 상세한 지식이 필요하다. 갑상선암이 림프절 구획들 중 어느 곳이나 전이를 잘 일으키지만, 악하선 림프절(제 1구획)로 전이는 아주 드물다(1% 미만).

4. 갑상선의 생리

성인의 갑상선은 무게가 10–20g으로 인체에서 가장 큰 내분비기관이다. 갑상선의 주세포인 여포세포에서는 thyroxine (T4), triiodothyronine (T3)과 티로글로불린 (Tg)이 합성되며, 여포곁세포parafollicular cells에서는 칼슘 조절 호르몬인 칼시토닌이 합성된다.

1) 요오드의 대사

요오드는 갑상선 호르몬 합성에 필수적인 물질로 해조류, 생선, 우유, 달걀 같은 식품을 통해 공급되며, 아미오다론amiodarone, 기침약, 비타민, 조영제, lugol 액과 같은 약제에도 다량 포함되어 있다. 음식물로 섭취한 요오드는 위와 소장에서 요오드화물iodide (I^-)로 환원되어 소장에서 흡수되며, 갑상선 소포세포는 혈액내의 I^-를 능동적으로 섭취하여 갑상선 호르몬 합성에 이용한다. 혈액내의 I^-의 약 1/3은 갑상선에 섭취되고 나머지는 소변을 통하여 배출되며 갑상선은 체내 요오드의 90% 이상을 저장하는 저장장소이다. 지역적으로 요오드 섭취량과 갑상선 질환은 밀접한 상관관계를 가진다. 요오드 결핍은 지방병성 갑상선종endemic goiter의 원인이 되며 그 외에도 결절성 갑상선종, 갑상선 기능저하증, 크레틴병cretinism 및 갑상선 여포암의 발생이 증가한다. 반대로 요오드 과잉은 그레이브스병과 하시모토 갑상선염을 유발할 수 있다.

2) 갑상선 호르몬의 합성과 방출

갑상선 호르몬 합성은 몇 단계로 이루어 진다(그림 5-3). 첫 단계는 I^-가 세포의 기저막을 통하여 세포내로 능동적으로 이동하는 과정이다. 이 과정에는 세포막에 존재하는 나트륨요오드 공수송체Natrium Iodide Symporter (NIS)가 필요하며 ATP가 필요하다. 다음 단계는 I^-가 세포내에서 요오드(I)로 산화된 후 소포강follicular lumen에 있는 Tg의 티로신tyrosine기와 결합하여 유기화되는 단계이다. 유기화 과정은 세포의 첨부와 콜로이드의 경계에서 일어나며 갑상선과산화효소Thyroid Peroxidase (TPO)에 의하여 촉매된다. Tg은 분자량 660-kDa의 당단백으로서 하나의 분자안에 4개의 티로신 기를 가진다. 유기화 과정을 거쳐 Monoiodotyrosine (MIT)과 Diiodotyrosine (DIT)이 만들어진다. 요오드가 갑상선 세포로부터 여포강내의 콜로이드로 배출되는 과정에는 단백질 pendrin이 관여한다. 세번째 단계는 생물학적 활성이 전혀 없는 MIT와 DIT가 결합하여 활성물질인 T4와 T3를 합성하는 단계이다. 두 분자의 DIT가 결합하여 테트라요오드티로닌tetraiodothyronine, 즉 티록신(T4)을 만들거나, MIT와 DIT가 결합하여 3,5,3'-트리요오드티로닌Triiodothyronine (T3) 혹은 reverse 3,3',5'-트리요오드티로닌(rT3)을 만든다. 이렇게 만들어진 T4와 T3는 여포강내 콜로이드에 저장되는데 정상상태에서 약 2주간 분량의 호르몬이 콜로이드에 저장되어 있다. 네번째 단계는 저장된 호르몬을 분비하는 단계로 여포세포가 TSH의 자극을 받으면 세포막이 콜로이드 안으로 위족pseudopodia을 형성하여 Tg을 세포내로 이입한 후 용해소체lysosome에 융합시킨다. Tg은 용해소체 안에서 가수분해를 거쳐 Tg로부터 T3와 T4가 분리되어 유리 T4, T3 상태로 방출된다. 이때 T4, T3와 함께 MIT, DIT도 방출되며 이 MIT와 DIT는 탈요오드화를 거쳐서 I^-가 호르몬 합성에 재이용된다. 혈액내로 방출된 갑상선 호르몬은 약 80%가 Thyroxine-Binding Globulin (TBG)에 결합하고, 나머지는 Thyroxine-Binding Prealbumin (TBPA) 및 알부민에 결합하여 순환하며 극히 일부분(0.3-0.02%)만 활성형인 유리형 상태로 존재한다. TBG은 임신이나 피임약 복용 등 에스트로겐이 증가하는 경우에 증가하므로 이런 경우 정확한 검사를 위해서는 총 T3, T4 대신 유리 T4, T3를 검사해야 한다. T3는 T4에 비해서 혈청내 농도가 매우 낮지만 약 3-4배의 높은 활성을 가지며 T4보다 단백질에 느슨하게 결합되어서 조직에 쉽게 들어간다. T3의 반감기는 약 8-12시간으로 T4의 반감기 7일에 비해서 매우 짧다.

T4는 갑상선에서만 합성되나 T3는 정상 상태에서 약 20%만 갑상선에서 합성되고 80%는 T4의 탈요오드화에 의하여 만들어진다. T4의 탈요오드화는 혈장, 간, 뇌하수체, 지방조직, 신장, 근육 등에서 일어나며 탈요오드효소인 5'-monodeiodinase에 의한다. 중증 패혈증, 영양실조, 고용량의 스테로이드요법의 경우에는 T4의 말초전환에 장애를 일으켜 갑상선 기능저하증을 일으킬 수 있다.

3) 갑상선 호르몬 분비의 조절

갑상선 호르몬의 합성과 분비는 주로 시상하부-뇌하수체-갑상선 축에 의하여 조절된다. 갑상선 자극호르몬 Thyroid Stimulating Hormone (TSH)은 분자량 28-kDa의 당펩티드로서 뇌하수체 전엽에서 분비되며 갑상선 호르몬의 합성과 분비를 조절하는 가장 중요한 물질이다. TSH는 갑상선의 증식과 분화, 요오드 섭취, 갑상선 호르몬의 합성과 분비를 촉진하며 갑상선의 혈관을 증가시킨

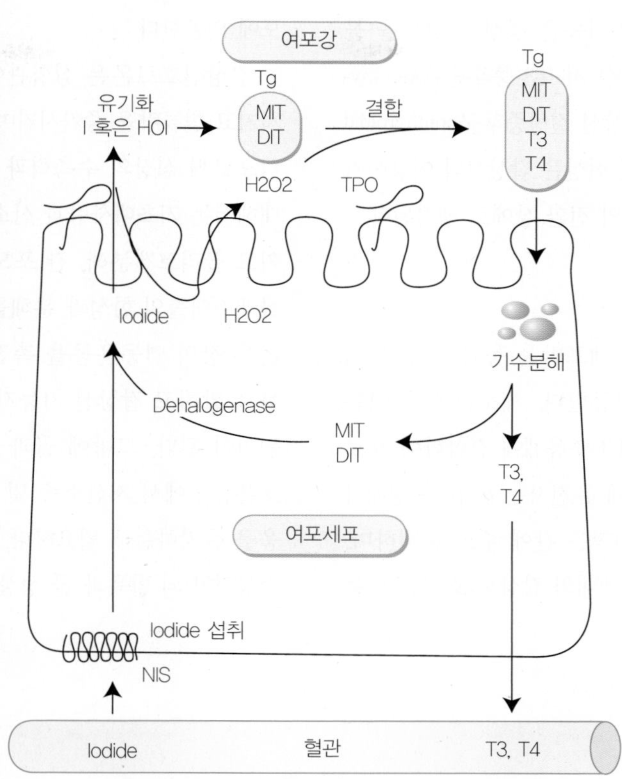

그림 5-3 **갑상선 호르몬의 합성 및 분비.** 혈액내의 요오드화물(I⁻)은 나트륨요오드 공수송체natrium iodide symporter (NIS)에 의하여 세포내로 능동적으로 섭취된 후 세포의 첨부 쪽으로 전기 기울기를 따라 이동한다. 세포의 첨부에서 I⁻는 갑상선과산화효소thyroid peroxidase (TPO)에 의하여 요오드(I)로 산화된 후 여포강 내에 있는 티로글로불린(Tg)의 티로신tyrosine기에 결합하여 유기화가 일어난다. 이 결과 monoiodotyrosine (MIT)과 diiodotyrosine (DIT)이 만들어지고 이들이 서로 결합하여 T4, T3를 합성한다. 이 모든 과정은 TPO의 촉매가 필요하다. 이렇게 합성된 T4와 T3는 Tg에 저장되어 있다가 Tg가 세포내로 이입된 후 용해소체에 의하여 T4, T3가 분리되어 혈액으로 분비된다. MIT와 DIT는 탈요오드화를 거쳐 호르몬 합성에 재이용된다.

다. 또한 TSH는 실험실에서 일부 갑상선분화암 세포주의 성장을 촉진하는 것으로 보고되었다. TSH는 시상하부에서 분비되는 갑상선자극호르몬 유리호르몬Thyrotropin Releasing Hormone (TRH)과 T3의 음성되먹임에 의해서 조절된다. T4는 뇌하수체에서 T3로 전환되어 TSH의 분비를 억제하며, 또 시상하부에서 TRH의 분비도 억제한다.

갑상선은 TSH와 관계없이 스스로 호르몬 합성을 조절하는 자동조절기전을 가지고 있다. 이 기전에 의해서 갑상선은 요오드 섭취량의 변화에도 불구하고 기능을 일정하게 유지할 수 있다. 요오드가 부족할 때에는 요오드 섭취를 증가시키고 T4 대신 T3의 합성을 증가시켜 호르몬 활성도를 높이며, 반대로 요오드 과잉시에는 요오드의 섭취와 갑상선 호르몬의 합성 및 분비가 억제되어 호르몬이 과잉 생산되지 않도록 조절한다. 동물실험에서 한꺼번에 다량의 I⁻를 투여 하면 초기에 유기화가 증가되나 바로 유기화가 억제되어 호르몬 합성이 차단되는데 이 현상을 Wolff-Chaikoff 효과라 한다. 장기간 계속해서 요오드를 투여하면 이 효과가 없어지는 탈출현상을 보인다.

카테콜아민과 융모생식선자극호르몬Chorionic Gonadotropin (hCG)은 갑상선 호르몬의 합성과 분비를 증가시킨다. 임신 여성과 포상기태hydatidiform mole 환자에서는 hCG 증가 때문에 갑상선 호르몬이 증가한다. 이와 반대로 당질코르티코이드는 TSH 분비를 억제하여 갑상선 호르몬 분비를 억제한다. 중증질환에서 T3는 감소하나

TSH가 증가하지 않고 갑상선 기능은 정상인 경우를 볼 수 있는데 이를 병적-정상갑상선 저-T3 증후군sick-euthyroid low-T3 syndrome 혹은 비갑상선 질병증후군nonthyroidal illness syndrome이라 한다. 이런 현상은 갑상선의 이상이기보다 말초조직에서 T4의 T3로의 전환 장애로 생각된다.

4) 갑상선 호르몬의 기능

혈액내의 유리 T4와 T3는 세포막을 통과한 후 특이 단백질과 결합하여 핵으로 이동한다. 세포내에서 T4는 T3로 전환된 후 핵에 들어가 T3 수용체에 결합하여 호르몬 작용을 나타낸다. T3 수용체 유전자는 α, β 두 형태가 있는데 α형은 중추신경계에, β형은 간에 주로 존재하며, 이들 수용체의 발현은 말초 혈액내의 갑상선 호르몬의 농도에 의존한다.

갑상선호르몬은 심혈관에 작용하여 말초저항을 감소시키고 혈류량을 증가시키며 카테콜아민의 작용을 증강시킴으로써 심장의 수축력과 박동수를 증가시킨다. 대사에 대해서는 기초대사량과 산소 소모량 및 열 발생을 증가시키고 글리코겐분해, 간 포도당신합성, 장의 포도당 흡수, 콜레스테롤의 합성과 분해를 증가시킨다. 또 갑상선 호르몬은 장의 연동운동을 촉진하여 그레이브스병에서 설사를 유발하고 갑상선 기능저하증에서는 변비가 발생하는 원인이 된다. 그밖에 골과 단백질의 회전을 증가시키며, 호흡중추에서 저산소증 및 고탄산증에 대한 정상적인 반응을 유지하는데 필요하다. 또한 갑상선 호르몬은 태아의 정상적인 뇌 발육과 골 성장에 필수적이다.

요약

갑상선thyroid이란 용어는 그리스어의 '*thyreoeides*' 즉 '방패모양'이란 단어에서 유래 되었다. 16세기와 17세기에 갑상선의 해부학적 기술이 제대로 이루어졌지만, 갑상선의 기능에 대해서는 20세기가 되어서야 충분히 알려지기 시작하였다. 갑상선의 수술은 19세기 후반에 외과의사이자 생리학자인 Kocher와 Billroth에 의해 발전하였다.

갑상선은 임신 3주경에 발생하며, 약 11주가 되면 콜로이드를 만들기 시작한다. 갑상선의 발생학적 오류로 인해 갑상설관낭종, 갑상설관굴, 이소성갑상선 등의 여러 기형들이 생기기도 한다. 갑상선의 혈관들은 해부학적 구조가 다양하여, 갑상선 수술 시 이 혈관들을 처리할 때 부갑상선의 보존이나, 되돌이 후두신경과 상후두신경의 외측 가지를 다치지 않게 보존하는 것이 중요하다.

갑상선은 갑상선 호르몬(T3, T4)과 칼시토닌을 합성, 분비하는 내분비 기관이다. 갑상선의 주 세포인 여포세포는 요오드를 섭취하여 Tg에 있는 티로신 기와 결합하여 갑상선 호르몬을 합성한다. 콜로이드에 저장된 갑상선 호르몬은 TSH 자극시 혈액으로 방출되어 우리 몸의 대사, 심혈관, 위장관, 근골격계 까지 거의 모든 장기에 영향을 미친다. 갑상선 호르몬은 기초대사량과 열 발생을 증가시키고 심장의 수축력과 박동수, 장 운동과 골 대사를 증가시키며 태아의 정상적인 발육에 필수적이다. 말초혈액 내에서 T3는 T4에 비하여 혈중 농도는 낮으나 활성이 높아 대부분의 T4는 혈장이나 간에서 T3로 전환되어 이용된다. 갑상선 기능은 시상하부-뇌하수체-갑상선 축에 의하여 조절되며 자동조절 기전에 의하여 요오드 섭취량의 변동에도 불구하고 늘 일정하게 유지된다.

II 갑상선 질환의 검사

1. 검사실 검사

1) 혈청 TSH

혈청 TSH 검사는 갑상선기능의 이상 유무를 선별하는 가장 중요한 검사이다. TSH 측정은 방사면역측정법Radio Immunoassay (RIA)과 화학발광면역분석법Chemiluminescence Immunoassay (CLIA)을 이용하며 민감도에 따라 고감도 sensitive, 초고감도ultrasensitive 측정법이 있는데 초고감도 측정법이 근래 주로 이용되고 있다. 이 검사법은 TSH를 0.01μU/mL 이하까지 측정할 수 있는 민감한 검사이다. 특히 임상 증상이 없는 무증상 갑상선 기능항진증 및 기능저하증의 진단에 유용하며 갑상선 억제요법시 T4의 적정용량을 결정하는 데에도 이용된다. 정상에서 TSH는 갑상선 호르몬 농도에 반비례하여 변화하는데 유리 T3, T4의 미미한 증감에도 큰 변화를 나타내는 대수적 역상관 관계를 갖는다.

2) 혈청 T4, T3

총 T4와 총 T3검사는 TBG 등에 결합된 T4, T3와 유리 T4, T3를 함께 측정하는 검사이다. 이 중 총 T3는 갑상선의 기능보다 T4에서 T3로 말초 전환에 좌우되므로 갑상선 기능검사로는 잘 이용되지 않는다. 총 T4는 갑상선 기능 뿐만 아니라 Tg에 의해서도 영향을 받는다. 즉 임신과 같이 Tg가 증가하는 경우에는 갑상선 기능과 무관하게 총 T4가 증가하므로 주의를 요한다. 유리 T4는 갑상선 기능에 대한 정확하고 민감한 검사로 갑상선 기능항진증 초기와 임신 여성의 갑상선 기능검사에 필수적이다. T4에 대한 종말기관 저항성이 있는 경우에는 T4는 증가하나 TSH는 정상을 보일 수 있다(Refetoff 증후군). 유리 T4 검사가 불가능할 때에는 T3 수지흡착법에 의하여 T4치를 간접적으로 측정할 수도 있다. 유리 T3 검사는 혈청 T4가 정상이면서 항진증을 나타내는 T3 갑상선중독증의 진단에 필요하다.

3) TRH 자극검사

TRH 자극검사는 시상하부-뇌하수체 축에 대한 검사로 TRH를 정맥주사한 후 TSH를 측정하는데 정상에서는 15분-35분 후 TSH가 최고치로 상승한다. 갑상선 기능저하증의 원인 감별진단과 갑상선 기능항진증의 치료종결 판정에 이용되며 이차성 갑상선 기능저하증(뇌하수체 부전증)에서는 반응이 저하되고 원발성 갑상선 기능저하증에서는 반대로 TSH가 크게 증가한다.

4) 갑상선 자가항체 검사

갑상선 자가항체에는 항Tg 항체, 항TPO 항체 혹은 항미세소체anti-microsomal 항체, 갑상선자극 면역글로불린 Thyroid-Stimulating Immunoglobulin (TSI) 등이 있다. 항TPO 항체와 항Tg 항체는 자가면역성 갑상선질환의 진단에 필요하며 특히 하시모토 갑상선염 환자의 80-95%, 그레이브스병 환자의 약 80%에서 검출된다. TSI는 TSH 수용체(TSH-R)에 높은 친화력을 가지는 항체로 그레이브스병의 병인과 밀접한 관련이 있다. 그레이브스병의 조기 진단과 항갑상선제 효과의 모니터링에 주로 이용된다.

5) 혈청 Tg

Tg은 정상상태에서는 혈액내에 소량 방출되나 갑상선염과 같은 파괴적 질환과 그레이브스병, 중독성 다결절성 갑상선종과 같은 기능항진상태에서는 크게 증가한다. 임상에서 혈청 Tg 검사는 갑상선 분화암 치료(갑상선 전절제술 및 방사성요오드 치료) 후 재발 유무를 추적하는데 가장 중요한 검사이다.

2. 영상검사

1) 핵의학 영상검사

갑상선의 핵의학 영상검사로는 갑상선 스캔과 ^{18}F-FDG 양전자방출단층촬영(PET)이 있다. 갑상선 스캔은 I^{131}, I^{123}, ^{99m}TcO4 등의 핵종이 주로 이용되며 최근 67GA, 201TL도 일부 활용되고 있다. 방사성 요오드

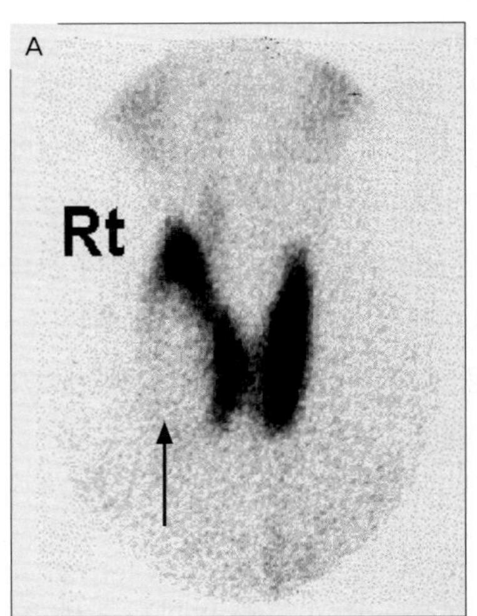

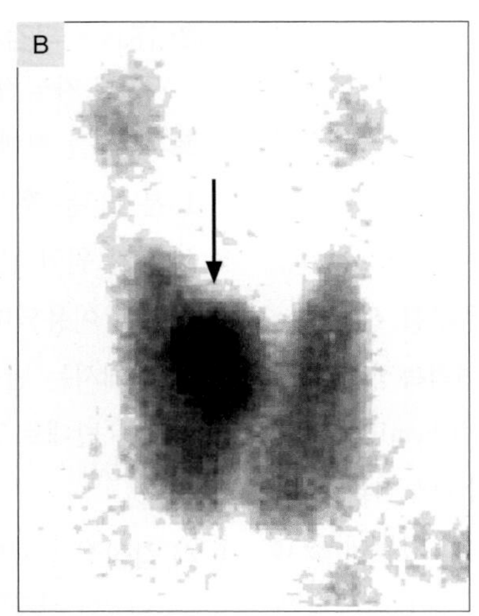

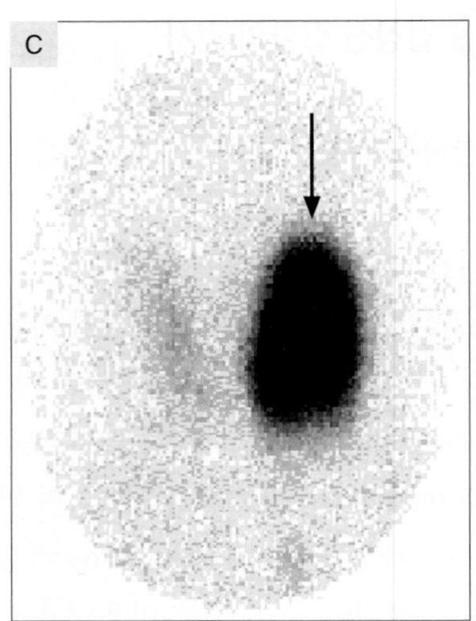

그림 5-4 **갑상선 스캔(99mTC).** A) 우엽의 냉결절, B) 우엽의 열결절, C) 좌엽의 자율성 열결절

(I^{131},I^{123})는 갑상선에서 능동적으로 섭취되어 호르몬 합성에 이용되므로 갑상선의 형태와 기능을 동시에 파악할 수 있는 장점이 있다. 이 중 I^{131}은 반감기가 약 8일로 길어서 스캔까지의 시간이 오래 걸리고(24시간) 높은 베타선을 방출하므로 일상적인 스캔에는 부적당하며 갑상선 분화암 수술 후 동위원소 치료와 재발의 검사에 주로 이용된다. I^{123}은 방사선량이 낮고 반감기가 12–14시간으로 짧아서 혀갑상선종이나 흉골하 갑상선종 같은 이소성 갑상선의 진단에 유용하나 가격이 비싸고 스캔 시간이 오래 걸리는 단점이 있다. ^{99m}TcO4는 갑상선에 섭취되지만 요오드와는 달리 미토콘드리아에 섭취되며 요오드처럼 유기화 되지도 않는다. ^{99m}TcO4의 장점으로는 반감기가 6시간으로 짧고 투여 후 10–20분 후에 스캔이 가능하며 스캔 시간도 짧을 뿐 아니라 해상력이 우수하여 가장 널리 이용되고 있다. 갑상선 스캔의 결과는 주변 정상조직과의 방사능 차이에 따라 냉결절, 온결절, 그리고 열결절로 분류된다. 이 중 기능성 결절(열결절)이 있으면서 이 결절로 인하여 갑상선항진증이 동반된 경우를 중독성 결절toxic nodule이라 하며, 특히 열결절로부터 과분비된 T4와 T3에 의해서 TSH가 억제되어 정상 갑상선 조직의 동위원소 섭취는 거의 보이지 않고 결절만 계속 열결절 소견을 보이는 경우를 자율성 결절이라 한다(그림 5-4). 각각의 경우 악성 위험도는 냉결절이 15–20%로 높고 온결절과 열결절은 5–9%로 낮다.

최근 ^{18}F–FDG PET가 갑상선암의 병기 진단과 수술 후 추적검사에 점차 이용이 늘어나고 있다. 또한 암검진과 종양 병기결정에 PET의 이용이 점차 증가하면서 갑상선에 국소적으로 혹은 미만성으로 대사항진병소가 우연히 발견될 확률이 1–4%이고, 국소성 대사항진병변의 경우 악성 위험도는 14–50%인 것으로 보고되고 있다(그림 5-5).

2) 초음파검사

초음파검사는 비침습적이고 방사능 노출이 없는 검사로 최근 고해상도 초음파 기기를 이용하여 직경 2–3mm의 작은 결절까지 찾아낼 수 있다. 또한 결절의 형태 및 미세구조를 분석하여 세침흡인세포검사Fine Needle Aspiration Cytology (FNAC)가 필요한지 결정하는데 유용하다. 축지가 안되는 결절과 낭종과 고형종이 섞여있는 혼합성 결절을 FNAC 할 때에는 반드시 초음파 유도하에 시행해야 한다(그림 5-6).

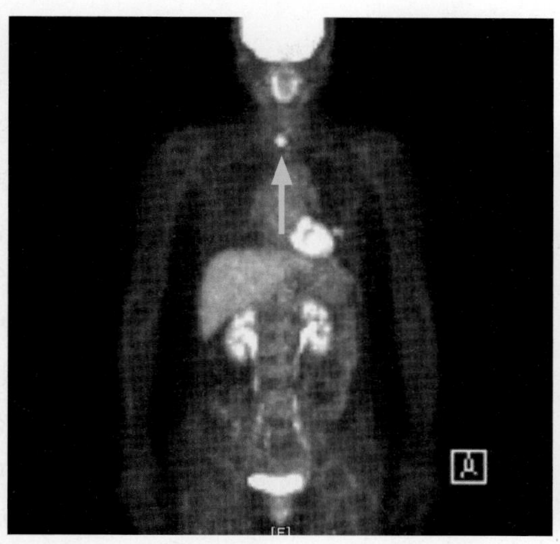

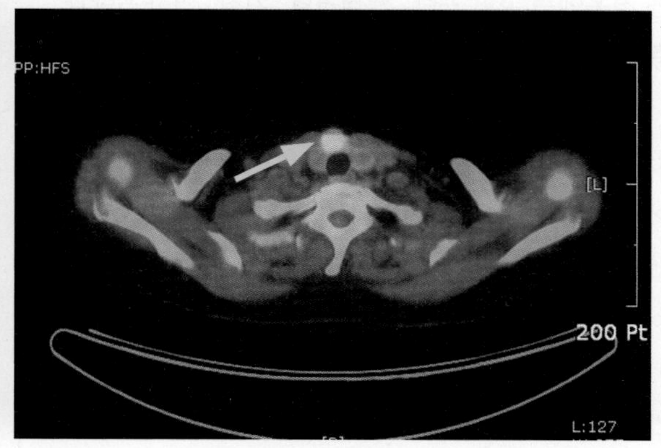

그림 5-5 PET-CT 에서 발견된 갑상선 우연종. 유방암 환자의 수술 전 검사 중 PET-CT에서 발견된 갑상선 우연종으로, FNAC를 시행한 결과 유두암으로 확인되었다.

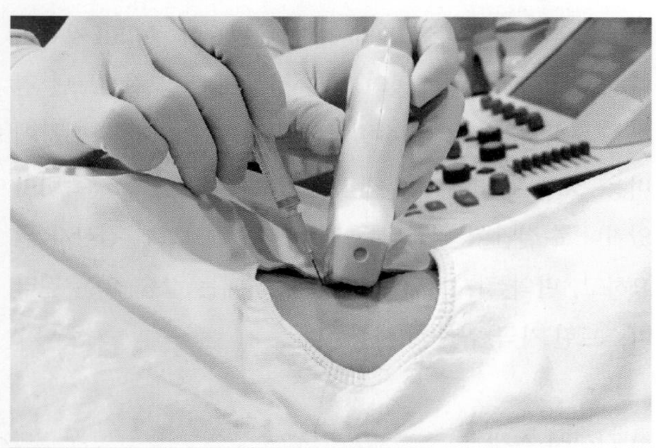

그림 5-6 갑상선 세침흡인세포검사(FNAC). 환자가 누운 자세에서 결절부위에 초음파 탐색자를 위치한 상태에서 23G 주사기를 결절에 삽입하여 바늘을 여러 차례 전진 후퇴를 반복하여 내용물을 흡인한다.

3) 전산화단층촬영과 자기공명영상

전산화단층촬영과 자기공명영상은 일반적인 갑상선 결절의 검사에는 이용되지 않으나 흉골하 갑상선종의 진단과 진행된 갑상선암에서 주변 장기 침범여부를 평가하는데 유용하다. 또한 갑상선암 수술 후 재발유무의 검사에 이용된다. 갑상선암 환자에서 전산화단층촬영을 한 경우에는 조영제에 요오드가 포함되어 있으므로 수술 후 I^{131} 전신스캔을 하거나 동위원소 치료를 계획할 때 요오드 섭취에 장애를 일으킬 수 있는 것을 염두에 두어야 한다.

3. 갑상선 결절의 평가

갑상선 결절은 매우 흔한 질환이다. 근래 고해상도 초음파 사용이 보편화 되면서 인구의 20–70%에서 갑상선에 결절이 발견되고 이 결절은 나이가 증가할수록 증가하여 40세 이상의 50% 이상이 결절을 가진 것으로 보고되고 있다. 갑상선 결절의 중요성은 이 중 5–10%가 암이라는 사실에 근거한다. 부검의 경우 미국의 문헌에 의하면 부검의 6–13%에서 갑상선에 직경 1cm 미만의 미세암이 존재함을 보고하였다. 최근 우리나라 전국 10개 대학병원 및 종합병원에서 건강검진을 위해 내원한 성인 2,575명을 대상으로 갑상선 초음파검사를 시행한 결과 성인의 59%가 갑상선 결절을 가지고 있고 이 중 3.2%가 암이라고 하였다. 이처럼 갑상선 결절 대부분은 양성이지만 일부분은 악성이므로 결절의 악성 여부를 평가하는 것은 대단히 중요한 일이다. 갑상선 결절에 대한 검사로는 병력과 신체검사, 영상검사, 혈액검사 및 세포조직학적 검사 등이 있다.

1) 병력

대부분의 갑상선 결절은 자각증상이 없다. 그러나 결절이 큰 경우에는 호흡곤란, 쌕쌕거림, 기침, 연하곤란과 같은 증상을 유발할 수 있다. 통증은 드물지만 결절 내에 출혈이 있거나 갑상선염의 경우 통증이 있을 수 있고 수질암에서도 둔통이나 불편감을 호소할 수 있다. 쉰 목소리는 암에 의한 되돌이후두신경의 침범을 의심해야 한다. 연령별로는 12세 미만의 어린이, 30세 이하의 젊은이나 60세 이상 노인에서 상대적으로 악성 가능성이 높고, 여자보다 남자에 악성이 흔하다. 두경부 방사선조사의 과거력은 갑성선 유두암과 밀접한 관련이 있는데 어릴 때 경부 방사선조사의 과거력이 있는 경우 갑상선 결절의 약 20–50%가 악성으로 보고되었다. 갑상선 암의 가족력은 갑상선 수질암 및 비수질암의 위험도를 증가시킨다. 갑상선 수질암 환자의 25%는 가족력을 가지며, 제2형 다발성 내분비샘종양Multiple Endocrine Neoplasia (MEN2A, MEN2B)과 가족성 갑상선 수질암의 두 유형이 있다. 코든 증후군 Cowden syndrome, 베르너 증후군Werner syndrome, 가족성 샘종폴립증familial adenomatous polyposis, 모세관확장실조 ataxia telangiectasia와 같은 가족성 질환에서는 갑상선 유두암과 여포암의 발생률이 증가한다.

2) 진찰

갑상선 촉진은 환자의 뒤쪽에서 양손으로 시행하는데 이때 갑상연골 하방에서 만져지는 윤상연골 바로 밑에 갑상선의 협부가 위치하므로 윤상연골을 중심으로 갑상선을 촉진한다. 또한 촉진시 환자에게 침을 삼키게 하면 갑상선 결절과 갑상선 외부의 종물을 감별하는데 도움이 된다. 갑상선에 다발성 결절이 만져지거나 미만성으로 커져있는 경우에는 양성의 가능성이 높고, 결절이 단단하고 주위에 고정되어 있는 경우와 동측 경부 림프절이 커져있는 경우에는 악성을 시사한다. 윤상연골 상방의 갑상선 피라미드엽과 델피림프절delphian node도 반드시 진찰해 보아야 한다.

3) 검사실 검사

갑상선 암을 포함한 대부분의 갑상선 결절에서 갑상선 기능은 정상이다. 따라서 갑상선 기능검사는 결절을 평가하는데 도움이 되지 않는다. 다만 기능성 결절의 경우 암의 가능성은 1%로 매우 낮기 때문에 혈청 TSH 검사는 초기 선별검사로 도움이 된다. 만약 TSH가 감소하였다면 갑상선 스캔으로 열결절인지 검사하여 열결절이라면 악성 가능성이 거의 없기 때문에 FNAC를 생략할 수 있다. 혈청 TSH가 정상이거나 증가하였다면 초음파 검사로 FNAC 여부를 결정한다. 혈청 Tg 검사는 결절의 평가에는 도움이 되지 않으며 분화갑상선암 수술 후 암의 재발 및 전이의 선별검사로서 유용하다. 이 때 Tg에 대한 항체가 존재하는 경우에는 Tg가 실제보다 낮게 측정될 수 있으므로 Tg와 항Tg 항체를 함께 측정하는 것이 좋다. 칼시토닌은 갑상선 수질암의 진단에 필요한 종양표지자이다. 그러나 갑상선 결절의 기본 검사에 혈청 칼시토닌 검사를 포함시키는 것은 수질암의 발생 빈도가 낮기 때문에 비용–효과 측면에서 부정적이다. 단 수질암의 가족력이 있거나 수질암이 의심되는 경우에는 칼시토닌 검사가 필요하고, 만약 칼시토닌 치가 정상일 때는 칼슘 혹은 펜타가스트린 자극 검사를 시행한다.

4) 갑상선 스캔

방사성 요오드나 ^{99m}TC를 이용한 갑상선 스캔은 갑상선 결절의 일반적인 검사로는 이용되지 않으나 혈청 TSH가 감소한 경우 결절의 기능 여부를 평가하고 그레이브스병, 하시모토 갑상선염 등 다른 질환을 감별하기 위하여 필요하다.

5) 영상의학 검사

초음파검사는 갑상선 결절을 평가하는데 필수적인 검사로 촉지되지 않는 결절을 발견하고 낭종인지 감별하며 FNAC가 필요한지 결정하는데 필요하다. 초음파검사를 할 때는 결절의 크기와 모양, 경계, 에코, 내부 구성물, 석회화 유무, 주위 구조물 침범 유무와 림프절을 자세히 살펴야 한다. 대한갑상선학회에서는 ① 앞뒤가 긴 모양taller than wide, ② 침상spiculated 혹은 불규칙한 경계, ③ 고형성분의 현저한 저에코, ④ 미세 및 거대 석회화, ⑤ 경부림프절 종대의 동반 등을 악성의심 소견으로 분류하여 FNA를 권고하였다. 이런 소견을 참조로 할 때 갑상선 초음파검사의 암 진단 정확도는 74–78%로 보고되고 있다. 이처럼 초음파 검사는 갑상선 결절을 평가하여 FNAC의 적응증을 정하는데 필요하고 촉지되지 않는 결절의 정확한 FNAC를 위해서도 반드시 필요하다. 전산화단층촬영과 자기공명영상은 갑상선 결절에 대한 정규적인 검사로는 이용되지 않으나 결절의 크기가 큰 경우나 흉골하 종물의 검사에 유용하다.

6) 세침흡인세포검사

세침흡인세포검사(FNAC)는 갑상선 결절의 악성 여부를 진단하는데 있어서 가장 정확하고 비용–효과적인 방법이다. 결절이 만져질 때에는 손으로 결절을 고정한 상태에서 시행하며, 결절이 촉지되지 않거나 낭종이 혼합된 결절에서는 초음파 유도하에 시행하여야 정확한 검체를 얻을 수 있다. FNAC는 콜로이드 갑상선종, 갑상선염, 유두암, 수질암 및 역형성암의 진단에는 비교적 정확도가 높으나, 여포성 종양에서 양성과 악성을 감별하는 것은 FNAC로는 불가능하다. FNAC의 결과는 2009년 미국립암협회 갑상선 세침흡인검사 컨퍼런스NCI Thyroid FNC State of the Science Conference에서 발표한 Bethesda system에 따라 ① 비진단적, ② 양성, ③ 비정형atypia of undetermined significance or follicular lesion of undetermined significance, ④ 여포종양 혹은 여포종양 의심, ⑤ 악성의심, ⑥ 악성으로 분류한다(그림 5-7). '비진단적' 소견은 검체의 적절성 기준에 미흡한 경우로 전이가 의심되는 림프절을 동반하지 않았다면 초음파 유도하 FNAC를 다시 해야 한다. '양성'으로 나온 경우에는 결절이 커서 수술이 필요한 경우를 제외하고 추적 관찰만으로 충분하며 '악성' 혹은 '악성의심'으로 판독된 경우에는 수술이 필요하다.

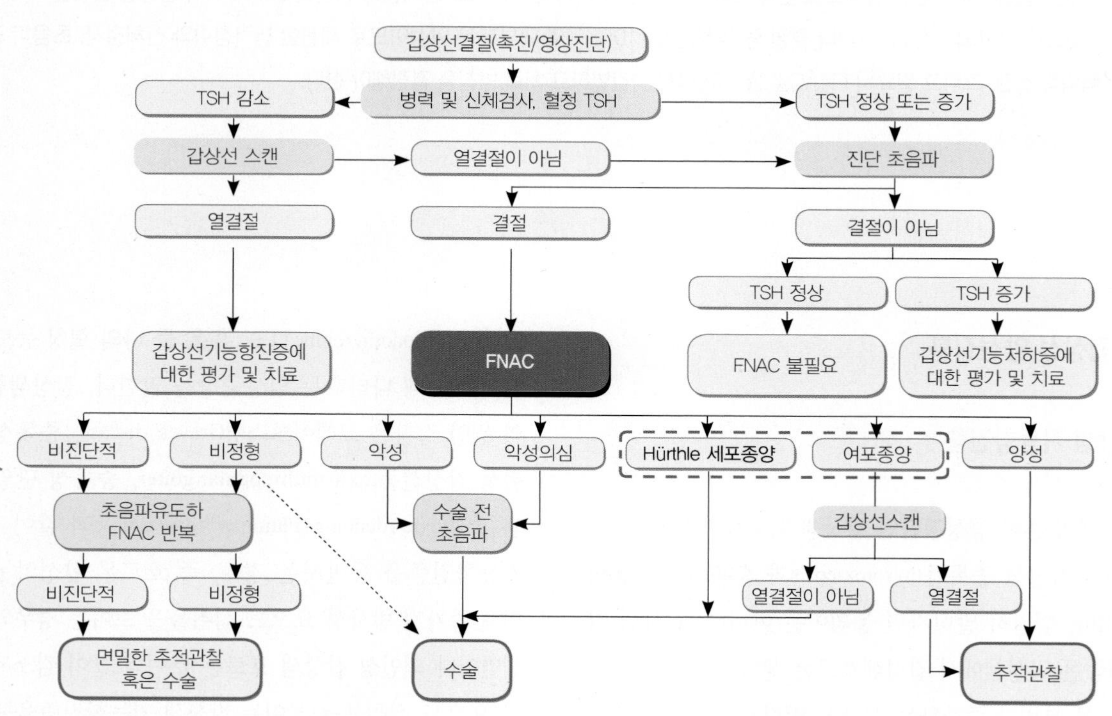

그림 5-7 갑상선 결절의 진단 알고리즘. TSH: thyroid stimulating hormone, FNAC: fine needle aspiration cytology

'비정형'과 '여포종양' 혹은 '여포종양 의심'은 새로 추가된 항목으로 과거에는 여포성 병변과 비정형 소견을 묶어 '미결정'이라는 한가지 범주로 진단했으나 악성위험도가 다르기 때문에 따로 분류되었다. '비정형'은 '여포종양 의심', '악성의심', 혹은 '악성'으로 진단하기에는 불충분한 세포의 구조적 혹은 핵 모양의 이형성을 보일 때 진단되며 악성 위험도는 5-15%로 FNAC를 다시 시행하는 것이 권장된다. 세포학적 판독이 '여포종양' 혹은 '여포종양 의심'인 경우 악성 위험도는 15-30%이다. 이 경우 혈정 TSH치가 정상범위 내에 있더라도 낮은 편이라면 갑상선 스캔의 시행을 고려할 수 있고 스캔에서 결절과 일치하는 자율성 결절이 관찰되지 않는다면 수술을 고려해야 한다. 세포학적 판독이 Hürthle 종양인 경우는 갑상선 스캔은 필요하지 않으며, 갑상선 엽절제술 혹은 갑상선전절제술이 필요하다. "비정형"이나 "여포종양 혹은 여포종양 의심"의 경우에 진단 정확성을 높이기 위하여 많은 분자 표지자들이 연구되었으며 이 중 *BRAF*, RAS, *RET/PTC*, Pax8-PPARγ, galectin-3, cytokeratin-19 등 검사를 고려할 수 있다. FNAC의 정확도를 높이기 위해서는 적절한 검체의 획득과 경험있는 세포병리의사가 필요하다. FNAC의 진단 정확도는 보고자 마다 차이가 있으나 95% 정도로 매우 높으며 위음성율과 위양성율은 각각 약 3%(1-6%)와 약 1%로 보고되고 있다. FNA의 장점은 비용이 저렴하고 합병증이나 통증이 거의 없으며 필요시 쉽게 재검사를 할 수 있다는 점이다.

요약

갑상선 결절은 매우 흔한 질환으로 근래 고해상도 초음파 기기의 보급으로 말미암아 성인의 20-70%가 갑상선 결절을 가지고 있는 것으로 보고되고 있다. 그러나 결절 중 악성은 5~10% 이며 대부분은 양성이므로 세심한 병력청취와 신체검사, 초음파 검사, 핵의학 스캔, 그리고 필요시 FNAC를 통하여 악성을 감별하고 치료 방침을 결정해야 한다.

III 갑상선 양성질환

1. 갑상샘 기능항진증

갑상샘의 흔한 양성질환인 갑상샘 기능항진증hyperthyroidism은 갑상샘 중독증thyrotoxicosis과 혼용되어 사용되고 있지만, 엄밀히 말하자면 동의어는 아니다. 갑상샘 기능항진증은 갑상샘에서 갑상샘호르몬 생합성의 증가로 인해 호르몬 분비가 증가하는 질환을 일컬으며, 갑상샘중독증은 자유 티록신free thyroxine (T4)이나 자유 삼요오드티로닌free triiodothyronine (T3), 혹은 둘 다의 혈청 농도가 증가되었을 때 나타나는 임상증상을 말한다. 갑상샘중독증의 원인 질환은 그레이브스병Graves' disease, 중독성 다결절성 갑상선종toxic multinodular goiter, 중독성 단일 갑상샘 결절toxic adenoma (Plummer's disease) 등과 같이 갑상샘 기능항진증을 동반하는 경우, 즉 호르몬 합성의 증가에 의해 증가된 방사성 요오드 섭취율을 보이는 경우와 갑상샘염이나 외인성 갑상샘 호르몬 투여와 같이 감소된 방사성 요오드 섭취율을 보이는 갑상샘 기능항진증을 동반하지 않는 경우로 분류할 수 있다(표 5-1).

표 5-1 갑상샘 중독증의 원인

갑상샘호르몬 합성 증가(방사성 요오드 섭취율 증가)	이미 합성된 갑상샘호르몬의 방출(방사성 요오드 섭취율 감소)
그레이브스 병(미만성 중독성 갑상샘종) 중독성 다결정성 갑상샘종 중독성 단일 갑상샘 결절(Plummer's 병) 약물 - amiodarone, 요오드 갑상샘암 난소갑상샘종struma ovarii 포상기태hydatidiform mole	갑상샘염 - 하시모토갑상샘염의 급성기 아급성 갑상샘염 인위적 갑상샘중독증 factitious (iatrogenic) thyrotixicosis "햄버거 갑상샘중독증"

갑상샘 기능항진증은 일반적으로 천천히 진행하기 때문에 대부분의 환자들은 발병 후, 수 주 혹은 수 개월이 지나야 증상이 나타나 내원하는 것으로 알려져 있다. 갑상샘기능항진증의 증상은 매우 다양하여 전신의 대부분 기관과 관련된 증상들이 모두 나타날 수 있다. 일반적인 증상으로는 열 불내성heat intolerance, 발한으로 피부가 따뜻하고 습하며, 머리카락이 연하고 가늘어지며, 적절한 칼로리 섭취에도 불구하고 체중감소가 나타날 수 있다. 증가된 아드레날린자극adrenergic stimulation에 의한 증상으로 심한 피로, 두근거림, 불안, 초조감, 운동과다증hyperkinesis, 진전tremors 등이 나타난다. 가장 흔한 소화기 증상으로 장 운동의 증가와 설사가 나타날 수 있으며, 여성의 경우 무월경, 생식능력이 감소하거나 유산이 증가할 수 있다. 어린이의 경우 빠른 성장에 의한 조기 골 성숙이 나타날 수 있으며, 노인의 경우 심방세동, 울혈성 심부전과 같은 심혈관계 합병증으로 나타날 수 있다.

대부분의 경우에서 갑상샘중독증은 원인 질환에 따라 임상양상의 큰 차이를 보이지는 않지만, 환자 개개인의 갑상샘중독증의 기간, 갑상샘의 크기와 모양, 그레이브스병의 갑상샘외 증상 존재 여부 등의 특징을 파악하는 것이 원인 질환을 추정하는데 도움을 줄 수 있다.

1) 미만성 중독성 갑상샘종(그레이브스병)

미만성 중독성 갑상샘종Diffuse toxic goiter은 1835년 아일랜드 의사인 Robert Graves에 의해 기술되면서 그레이브스병Graves' disease이라는 이름으로 불리게 되었다. 갑상샘 기능항진증의 가장 흔한 원인 질환으로 갑상샘중독증과 미만성 갑상샘종diffuse goiter(그림 5-8) 이외에도, 안구돌출증exophthalmopathy, 피부병증dermopathy, 경골전 점액수종pretibial myxedema 등의 갑상샘외 증상들이 나타나는 것이 특징이다. 강한 가족적 소인을 갖는 자가면역질환이며, 여자가 남자보다 약 5배 정도 많고, 40–60세 사이에 가장 많이 발생한다.

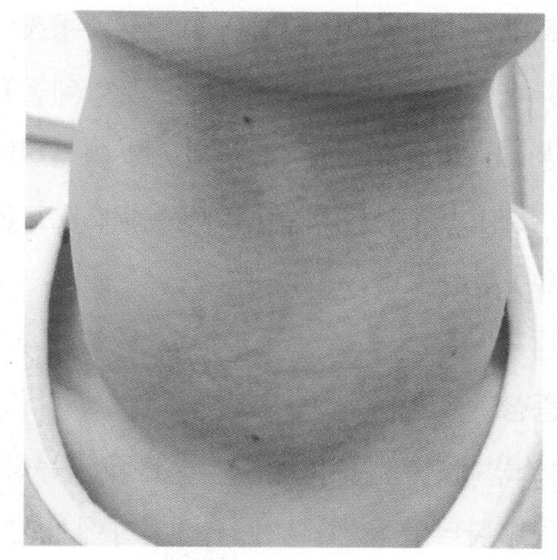

그림 5-8 그레이브스 병 환자의 미만성 갑상샘 종대

(1) 병인론

그레이브스병이 자가면역성 갑상샘 질환 이라는 증거는 첫째, 갑상샘 조직내 림프구침윤 둘째, 혈청 내 갑상샘 자가항체의 존재, 셋째, 세포성 면역 현상의 관찰, 넷째, HLA (Human Leukocyte Antigen)와의 연관성 및 가족성 경향 등을 들 수 있다.

그레이브스병에서 자가면역의 시작에 관한 정확한 병

인론은 알려져 있지 않지만 산후기, 요오드 과잉, 리튬lithium 치료를 받은 경우, 세균이나 바이러스 감염 등이 가능성 있는 방아쇠 인자들로 추정되고 있다. 그레이브스병과 관련되는 HLA 일배체형haplotypes은 백인에서는 HLA-B8, HLA-DR3와 HLADQA1*0501 항원의 빈도가 높고, 한국인에서는 HLA-B13, HLA-DR5, HLA-DR8 항원의 빈도가 높은 것으로 알려져 있다. 한편, HLA-DRB1*0701항원은 이 질환에 대한 보호인자로 작용한다. 일단 면역기전이 시작되면, 감작된 보조 T-림프구는 B-림프구를 자극시켜, 갑상샘 호르몬수용체에 직접 작용하는 항체들을 만든다. 갑상샘 자극 항체들Thyroid Stimulating Antibodies (TSAb)은 갑상세포를 자극하여 그레이브스병의 특징인 갑상샘의 종대와 갑상샘 호르몬의 과잉 합성을 유발한다.

(2) 임상 증상

그레이브스병에서는 앞서 설명한 갑상샘 기능항진증에 의한 증상들이 나타날 수 있으며, 신체검사에서 체중감소와 안면홍조, 따뜻하고 습한 피부, 빈맥, 심실세동, 진전, 근육소실, 근위부 근육의 위축과 과 활동성 건 반사 등을 보인다.

약 반정도의 환자에서 안구병증ophthalmopathy이 나타나고(그림 5-9), 1-2%에서 전경골 부위와 발등에 glycosaminoglycan이 침착 하는 피부병증이 나타나며, 이 같은 증상들의 심각한 정도는 갑상샘 호르몬의 비정상 정도와 관련이 없다. 눈의 증상은 외안근extraocular muscle과 주위 지방조직 내에 만성염증세포의 침윤이 일어나고 세포간질의 수분함량이 증가되어 안와 주위 부종periorbital edema, 결막 부기conjunctival swelling과 울혈congestion에 의한 결막 부종chemosis, 안구돌출proptosis, 하내직근의 침범에 의한 상외측 주시의 제한, 각막염keratitis 등이 나타나며, 심한 경우 시신경 침범에 의해 실명할 수 있다.

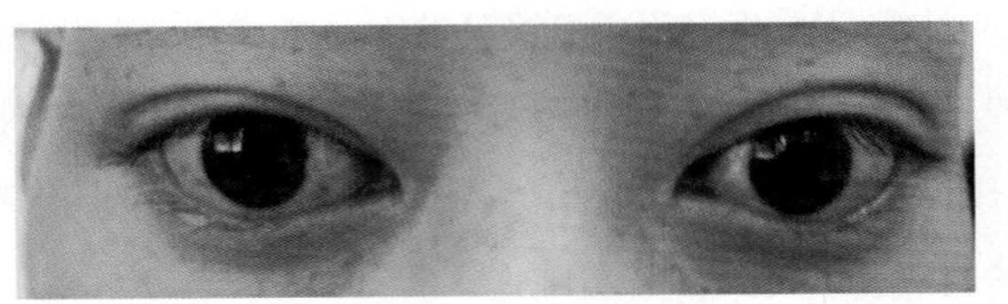

그림 5-9 그레이브스 병 환자의 안구 증상

(3) 진단

유리 T4나 T3 증가가 여부에 상관없이 TSH 감소로 갑상샘 기능항진증은 진단될 수 있으며, 안구증상이 있는 경우 일반적으로 다른 검사가 필요하지는 않다. 안구증상이 없을 때는 ^{123}I 섭취와 스캔 검사을 시행할 수 있으며, 섭취율이 증가하고 스캔에서 갑상샘의 미만성 종대가 관찰되면 그레이브스병으로 진단할 수 있다. 약 75%의 환자에서 항티로글로블린 항체anti-thyroglobulin antibody와 항 갑상샘 과산화효소항체Anti-Thyroid Peroxidase Anibodiy (Anti-TPO Ab) 항체가 증가되어 있으나 특이적이지는 않다. 환자의 약 90%에서는 TSH-수용체항체나 갑상샘 자극항체(TSAb)가 증가되어 있으며, 진단검사로 이용될 수 있다. 안구병증의 평가를 위해서는 자기공명영상(MRI)가 유용하다.

(4) 치료

그레이브스병은 약물치료, 방사성 131요오드radioactive ^{131}I를 이용한 갑상샘 절제ablation, 수술적 갑상샘 절제술이 있다.

가. 약물 치료

항갑상샘제antithyroid medications는 일반적으로 방사성 요오드 요법radioactive iodine ablation (RAI ablation)나 수술을 위한 준비로 투여한다. 항갑상샘제는 Prophylthiouracil (PTU, 100-300mg, 하루 세 번)과 Methimazole (10-30mg, 하루 세 번 혹은 하루 한번)이 있으며, 두 약제 모두 갑상샘 과산화효소를 이용한 요오드의 유기화 과정과 결합 과정을 억제함으로써 갑상샘 호르몬의 생산을 억제한다. 그 밖에 PTU는 말초에서 T4가 T3로 전환되는 것을 억제하기 때문에 갑상샘 중독발증thyroid storm 치료에 유용하다. 두 약제 모두 태반을 통과하여 태아의 갑상샘 기능을 억제할 수 있으며, 수유 시 모유를 통해 아기에게 전달될 수 있다. 하지만, PTU가 태반 통과 위험도가 낮고 Methimazole은 선천성 무형성congenital aplasia을 유발할 수 있어, 산모나 수유 시에는 PTU가 선호된다. 치료 부작용으로는 가역적 과립구 감소증, 피부 발적, 발열, 말초 신경염, 다발성 관절염, 혈관염이 나타날 수 있으며, 아주 드물게 무과립구증, 무형성 빈혈이 발생할 수 있다.

약제의 용량은 TSH와 T4 수준에 따라 조정될 수 있으며, 대부분의 환자에서 복용 후 2주 이내에 증상이 완화되고, 약 6주안에 정상 갑상샘 기능이 된다. 치료 기간에 대해서는 논란의 여지가 남아 있지만, 1년에서 2년 치료한 후 약을 중단했을 때, 약 40–80%가 재발하였다.

갑상샘중독증의 교감신경계 자극 증상을 감소시키기 위해 베타 교감신경 차단제를 사용 할 수 있으며, 이런 약제들은 말초에서 T4가 T3로 전환하는 것을 억제하는 부가적인 효과가 있다. 하지만 천식이나 심부전 환자에게는 사용해서는 안되며, 인슐린을 사용하는 당뇨 환자에서도 저혈당의 경고증상이 없어질 수 있어 조심해야 한다.

나. 방사성 요오드 요법 RAI ablation(^{131}I)

캡슐이나 용액으로 된 방사성 요오드를 섭취하여 갑상샘 세포에 손상을 준 후 소변으로 배출되거나 비방사성 상태로 전환되어 사라지는 치료법으로 가장 큰 장점은 수술과 그에 따르는 합병증을 피할 수 있다는 것과 전체적인 치료 비용이 줄고, 치료가 쉽다는 것이다. 보통 8–12mCi을 경구 투여하며, 치료 후 2개월 이내에 정상 갑상샘 기능이 되지만, 약 50% 정도에서는 치료 후 6개월에 정상 갑상샘 기능이 되고, 나머지는 갑상샘 기능항진증이 지속되거나 갑상샘 기능저하증이 된다. 치료 후에 33% 정도에서 안구병증이 진행할 수 있으며(수술 시 16%), 흡연자에서 흔하다. 임신했거나 수유중인 경우 이 치료의 절대적인 금기이며, 어린이나 사춘기의 젊은 환자, 갑상샘 결절이 있는 환자, 안구병증이 있는 환자는 상대적인 금기이다.

다. 수술

갑상샘의 대부분을 제거하므로 그레이브스병을 완치할 수 있다. 수술 전, 항갑상샘제와 베타 교감신경 차단제로 정상 갑상샘기능으로 조절해야 하며, 수술하는 날까지 치료를 유지해야 한다. 그리고 수술 7–10일전부터 비방사선 요오드(Lugol's iodine, supersaturated potassium iodide, SSKI) 용액을 하루 두 번 3방울씩 경구 투여한다. 이는 갑상샘으로 가는 혈액을 감소시켜 수술을 용이하게 해준다.

갑상샘을 얼마나 제거할 것인가는 원하는 결과에 따라 달라질 수 있지만, 심각한 안구병증이 있거나, 갑상샘암을 동반한 경우, RAI 요법이나 항갑상샘제 사용 후 심각한 부작용을 경험한 환자의 경우, 갑상샘 전절제술total thyroidectomy이 적합하며, 수술 24시간 후, 안구병증은 안정화될 수 있다. 그 밖에 경우에는 갑상샘 아전절제술이 추천될 수 있으며, 약 4–7g의 갑상샘을 남기는 것을 권하고, 어린이의 경우 3g 미만을 권유한다. 갑상샘 아전절제술을 시행한 환자는 후기 갑상샘 기능저하증이나 갑상샘 기능항진증의 재발 가능성이 있으므로 장기간의 추적관찰이 필요하다.

2) 중독성 다결절성 갑상샘종

이 질환도 그레이브스병과 마찬가지로 여자에서 많으며, 평균연령 60대로, 주로 고령에서 발생한다. 비중독성 다결절성 갑상샘종을 갖고 있다가 수년 후에 자발적으로 갑상샘 기능 항진증을 유발하는 경우가 많으며, 증상은 잠재되어 있다가 갑상샘종goiter 치료를 위해 저 용량의 갑상샘 호르몬을 사용할 때 나타난다. 일부에서 T3 중독증이 나타날 수 있으나, 심방세동과 울혈성심부전 등의 증상만 나타나는 경우가 많다. 갑상샘 기능 항진증은 조영제나 부정맥 치료제인 아미오다론amiodarone과 같은 요오드 함유 약제를 사용했을 때 나타날 수 있으며jodbasedow hyperthyroidism, 증상과 징후는 그레이브스 병과 유사하지만, 갑상샘 외 증상은 없다.

혈액검사에서 그레이브스 병과 마찬가지로 TSH가 감

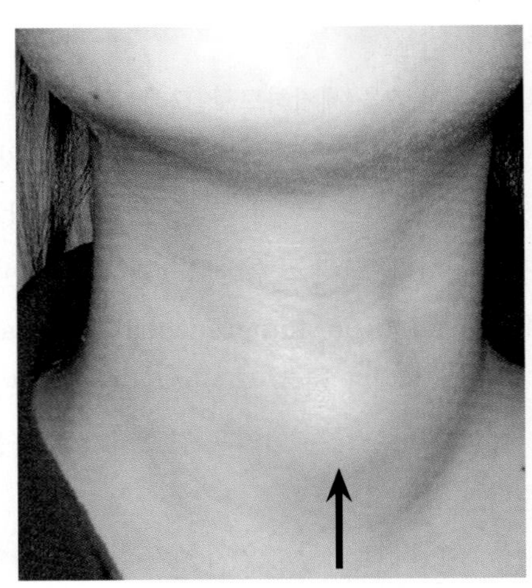

그림 5-10 중독성 단일 갑상샘 결절 환자의 경부 종괴; 오른쪽은 정상이면서 왼쪽에서만 단일 종괴가 만져짐

소되고, 유리 T4, T3가 증가되어 있다. RAI 스캔에서 다발성 결절부위에 RAI섭취가 증가되어 있다.

치료는 갑상샘 아전절제술을 이용한 수술적 치료가 선호되지만, 정상조직이 거의 남아있지 않는 경우 갑상샘 전절제술을 시행할 수 있다. 수술 위험도가 높은 노인에서 기도를 압박할 정도의 갑상샘종이 아니고, 갑상샘암의 가능성이 없을 때, 방사성 요오드 요법으로 치료할 수 있으나, 그레이브스 병보다 섭취율이 낮아서 더 많은 용량이 필요하며, 방사성 요오드 치료에 의한 갑상샘염으로 부기가 발생하면서 급성 기도 압박의 가능성이 있고, 갑상샘종이 남아 있거나, 갑상샘 기능항진증이 재발할 수 있다.

3) 중독성 단일 갑상샘 결절

비교적 젊은 연령에서 발생하고 오랫동안 갖고 있던 단일 결절이 최근에 갑상샘 기능항진증 증상과 함께 크기가 자라서 내원하게 된다. 결절의 크기는 일반적으로 갑상샘 기능항진증이 발생하기 전에 최소 3cm이고, 신체검사에서 반대쪽은 정상이면서 한쪽에서만 단일 종괴가 만져지게 되며(그림 5-10), RAI 스캔에서 단일의 열 결절로 나타난다. 악성인 경우는 매우 드물고, 작은 경우는 항 갑상샘제나 방사성 요오드 요법으로 치료될 수 있으나, 크기가 큰 경우, 갑상샘 엽 절제술 및 협부 절제술이 추천된다.

4) 갑상샘 중독발증

감염, 수술, 외상, 때때로 amiodarone에 의해 유발되는 발열, 중추 신경계성 초조agitation와 우울, 심혈관계 기능부전을 동반한 갑상샘 기능항진증의 상태로 높은 사망률과 관련되며, 중환자실에서 치료되어야 한다. 베타 교감신경 차단제로 T4의 T3 말초 전환을 줄이고 갑상샘항진증 증상을 줄여야 한다. 산소 공급과 혈역학적 지지가 필요하며, 비 아스피린계 해열제를 사용한다. Lugol s iodine이나 sodium ipodate(정맥투여)를 투여하여, 요오드 섭취와 갑상샘 호르몬 분비를 줄여야 한다. PTU 치료로 새로 갑상샘 호르몬이 만들어지는 것을 줄일 수 있고, 말초에서의 T4의 T3 전환을 줄인다. Coricosteroid는 부신의 탈진을 예방하고 간에서의 갑상샘 호르몬 전환을 차단할 수 있다.

2. 갑상샘 기능저하증

말초에서 갑상샘 호르몬의 결핍은 갑상샘 기능저하증과 신생아에서는 신경계 장애와 정신지체가 특징적인 크레틴병Cretinism을 유발할 수 있다. 갑상샘 기능저하증은 펜드레드 증후군Pendreds syndrome과 터너 증후군Turner syndrome에서도 발생할 수 있다. 갑상샘 기능저하증을 유발할 수 있는 상태는(표 5-2)와 같다.

1) 임상 소견

성인에서 갑상샘 기능저하증의 임상 소견은 갑상샘 호르몬 결핍에 의해 유도되는 두 가지 현상으로 나타날 수 있다. 첫째는 전신의 대사과정이 지연되어 나타나는 증상으로 피로감, 체중증가, 한랭 불내성cold intolerance, 변비, 인지기능 둔화, 운동 중 호흡곤란 등의 증상이 발생할 수 있고, 신체검사에서 동작과 말이 느려지고 심부 건반사의 이완기 지연이 발생할 수 있다. 심혈관계 증후로 서맥, 심장비대, 심박출량 감소, 폐부종이 발생할 수 있다. 또한

표 5-2 갑상샘기능저하증의 원인

일차성(TSH 증가)	이차성(TSH 감소)	삼차성
하시모토 갑상샘염 그레이브스 병 치료 위해 시행한 방사성 요오드 요법 갑상샘절제술 후 과도한 요오드 섭취 아급성 갑상샘염 약물 - 항갑상샘제, lithium 요오드 결핍(드묾) 이상호르몬발생dyshormogenesis (드묾)	뇌하수체 종양 뇌하수체 절제	시상하부 기능저하 갑상샘호르몬에 저항성

카로틴carotene의 비타민 A 전환 장애로 인해 피부색이 노란색을 띠게 된다. 둘째로 glycosaminoglycan 등 기질의 축적으로 인해서 피부 및 그 부속물들의 변화에 의한 증상들이 나타날 수 있는데, 피부는 거칠고 건조하며, 모발이 건조하고 쉽게 부서지고, 심각한 탈모와 눈썹의 외측 ⅔가 빠지는 특징적인 눈썹탈모가 발생할 수 있다. 얼굴과 눈 주위 부종이 생기고, 혀가 두껍고 커져서 발음장애가 발생할 수 있다. 그 외 비특이적인 증상으로 난청, 근육통 및 이상감각, 우울증, 월경과다, 성욕 및 생식능력 감소, 관절통, 비특이적 복통 및 복부팽만, 고혈압, 심낭삼출, 유루증 등이 발생할 수 있다.

중추성 갑상샘 기능저하증에서는 동반된 다른 호르몬의 결핍, 즉 성장호르몬이나 부신피질호르몬의 결핍 증상이 겹치므로 갑상샘 기능저하증 증상이 불분명해질 수 있다.

2) 진단

갑상샘 기능저하증의 특징적인 증상이나 증후와 함께 혈액검사에서 T4와 T3가 모두 저하되어 있다면 갑상샘 기능저하증을 진단할 수 있는데, TSH는 일차성 갑상샘 부전에서는 증가되어 있는 반면, 이차성 갑상샘저하증은 TSH가 낮은 것이 특징이다. 하시모토 갑상샘염이나 그레이브스병과 같은 자가면역질환에서는 갑상샘 자가항체들이 증가되어 있고, 결절성 갑상샘종이나 갑상샘 종양이 있는 환자에서도 증가될 수 있다. 갑상샘 기능저하증 환자의 심전도소견으로는 서맥과 저전압이 특징이다. T파가 평평해지거나 T파 역전flattening or inversion of T wave의 소견을 보이며, PR 간격의 연장, QT 간격의 지연, QRS가 넓어지는 소견이 나타난다.

3) 치료

갑상샘 기능저하증의 치료에 사용되는 갑상샘 호르몬제는 갑상샘 추출물인 건조 갑상샘desitecated thyroid, L-T4, L-T3, T4/T3 복합제 등이 있다.

T4가 갑상샘 기능저하증의 최적치료이며, 용량은 환자의 크기나 상태에 따라 하루 50-200㎍을 투여한다. 하루 T4 100㎍으로 시작하는 것이 무난하지만, 노인이나 심장질환을 동반하는 환자, 초 중증 갑상샘 기능저하증이 있는 환자는 25-50㎍ 정도로 저 용량으로 시작해야 한다. 용량은 수주 혹은 수개월에 걸쳐 정상 갑상샘 기능이 될 때까지 천천히 증가시킨다. 치료 전에 반드시 심전도 검사를 시행해야 하고, 임상반응이나 TSH 수준에 따라 용량을 조절한다.

무증상 갑상샘 기능저하증subclinical hypothyroidism(정상 T4, 경도의 TSH증가)에 대한 치료는 아직까지 논란의 여지가 있지만, 무증상 갑상샘 기능저하증과 함께 항 갑상샘 항체가 증가된 환자는 순차적으로 갑상샘 기능저하증이 발생할 수 있으므로 치료를 해야 한다. 점액수종 혼수myxedema coma 환자는 중환자실에서 집중관찰을 하면서 고용량 T4, 300-400㎍을 정주해야 한다.

3. 갑상샘염

갑상샘염Thyroditis은 임상 경과와 조직학적 소견에 따라 급성(화농성, 감염성), 아급성(de Quervain, 육아종성), 자가면역성, 섬유성 갑상샘염(리델 갑상샘염)으로 분류하는데, 자가면역성 갑상샘염은 아급성 림프구성 갑상샘엽(무통성 갑상샘염, 산후 갑상샘 염 포함)과 만성 림프구성 갑상샘염(하시모토 갑상샘염)으로 분류한다.

1) 급성(화농성) 갑상샘염

갑상샘은 혈관분포가 풍부하고, 림프배출이 잘 되며, 피막으로 싸여 있어 외부 조직과 격리되어 있고, 살균효과가 있는 요오드를 많이 함유하면서 과산화수소를 생산하는 조직이기 때문에 세균 감염에 대해 강한 내성을 보인다.

대부분의 급성 화농성 갑상샘염은 기존의 갑상샘 질환, 특히 단순 갑상샘선종, 갑상샘결절, 선종 및 암을 갖고 있던 환자에게 발생하며, 감염은 혈행성이나 림프계 경로를 통하거나, pyriform sinus 누관이나 갑상혀관낭thyroglossal duct cyst를 통한 직접감염, 경부외상 후 감염, 면역결핍환자에서 발생할 수 있다. 흔한 균주는 *Streptococcus pyogenes, Staphylococcus aureus* 등이며, *E. coli, H. influenza*나 혐기성 세균에 의한 경우도 있다.

급성 갑상샘염은 소아에서 더 흔하며, 턱이나 귀로 방사되는 심한 경부 통증, 발열, 오한, 삼킴 통증, 발성장애 등의 증상이 특징적이다. 패혈증, 기도나 식도 파열, 교감신경계 마비 등의 합병증이 발생할 수 있다. 혈액검사에서 백혈구증가증이 있을 때 진단할 수 있고, 갑상샘 호르몬 수치는 대부분 정상이며 염증으로 인한 여포세포의 파괴로 T4가 약간 상승할 수 있으나 갑상샘중독증은 나타나지 않는다. 전산화 단층촬영을 통해 감염의 범위를 확인할 수 있으며, 갑상샘 스캔에서는 침범된 쪽이 냉결절로 나타나고 전체를 침범한 경우 전반적인 음영 감소로 나타날 수 있다. 세침흡입검사를 통해 화농성 가검물을 확인하거나, Gram 염색, 세균배양, 세포검사를 시행할 수 있다.

치료는 항생제를 정맥으로 투여하고 농양을 형성한 경우 배농이 필요하다. pyriform sinus 누관이 있는 경우는 누관이 끝나는 부분을 포함한 완전절제를 해야 재발을 막을 수 있다.

2) 아급성 갑상샘염

아급성 갑상샘염Subacute thyroiditis은 통증을 동반하는 경우와 무통성인 경우로 발생할 수 있다. 정확한 병인은 알려져 있지 않지만 통증성인 아급성 육아종성 갑상샘염 subacute granulomatous thyroiditis (=De Quervain's thyroiditis)는 바이러스 감염에 의해 발생하는 것으로 생각된다. 유전자 소인으로는 HLA-B35가 관련이 있다. 무통성 갑상샘염은 30-40대 여성에서 흔하며, 갑자기, 점진적으로 발생하여 턱과 귀로 방사하는 경부 통증이 특징이며, 종종 상기도 감염이 선행하기도 한다. 갑상샘은 커져있으면서 단단하고 압통이 있다. 병은 4단계의 과정을 거치는데, 처음에 갑상샘 호르몬이 분비되면서 갑상샘 기능항진증이 되었다가 정상 갑상샘기능 단계로 넘어가고, 약 20-30%는 세 번째 단계로 갑상샘 기능저하증을 경험하게 된다. 그런 후, 90%이상의 환자가 마지막 단계인 정상 갑상샘 기능 단계가 된다.

초기에 파괴된 여포세포에서 갑상샘 호르몬이 방출되기 때문에 혈액검사에서 TSH는 감소되어 있고, 티로글로불린(thyroglobulin (Tg)), T4, T3는 증가되어 있지만, 갑상샘 요오드섭취율은 현저히 감소되어 있고, ESR은 증가한다. 갑상샘 통증이 있는 환자에서 24시간 갑상샘 요오드 섭취율이 5%이상이거나 혈중 Tg가 정상이면 아급성 갑상샘염을 배제할 수 있다.

통증성 아급성 갑상샘염은 자가치유질환(self-limited disease)이기 때문에 치료는 대증요법이다. 통증 조절을 위해 Aspirin이나 다른 NSAIDs을 사용할 수 있으며, 심한 경우 스테로이드가 도움이 될 수 있다. 갑상샘 호르몬제 보충이 필요할 수 있으며, 드물지만, 약물치료에 반응하지 않고 지속되거나, 재발하는 경우 갑상샘 절제술을 고려해야 한다.

무통성 갑상샘염은 자가면역성 갑상섬염으로 자연 발생 하거나 산후기에 발생할 후 있다. 산후기에 발생한 경우, 산모는 임신 초기에 높은 TPO 항체 수치를 보이며 출산 후 약 6주 정도에 발생한다. 이 시기에 산모는 임신의 정상 면역내성immune tolerance이 감소하고 항체의 반동성 상승이 나타나기 때문으로 생각된다.

무통성 갑상샘염 역시 30-60세 여성에서 흔하며, 갑상샘은 정상크기이거나 약간 커지고, 약간 단단해지지만 압통은 없다. 혈액검사나 갑상샘 요오드 섭취율은 통증성 갑상샘염과 유사하지만, ESR 증가는 없다. 임상양상은 통증성 갑상샘염과 같고, 증상이 있는 환자는 베타 교감신경 차단제나 갑상샘 호르몬제 보충이 필요할 수 있다. 드물지만, 재발하는 환자나 참을 수 없는 갑상샘염 증상을 경험한 환자는 갑상샘 절제술이나 방사성 요요드 요법을 시행한다.

3) 만성 림프구성 갑상샘염

1912년 하시모토는 만성 갑상샘 질환을 가진 4명의 환자를 부검하여 특징적인 소견, 즉 미만성 림프구 침윤, 섬유화, 여포세포의 위축 및 호산성acidophilic 변화를 관찰하고 "struma lymphomatosa"라고 명명하였다. 하시모토 갑상샘염은 갑상샘의 가장 흔한 염증성 질환이며, 갑상샘 기능저하증을 유발한다. 빈도는 정확히 알 수 없지만 그레이브스병의 빈도와 비슷할 것으로 생각된다. 여자가 남자보다 15-20배 많고, 30-50세 사이에 호발 하지만 전 연령에서 나타난다.

(1) 병인론

하시모토 갑상샘염은 보조 T-림프구의 활성화에 의해 시작되는 자가면역과장에 의해 발생한다. 활성화된 보조 T-림프구는 세포독성 T-림프구를 모을 수 있다. 그 밖에도 갑상샘기능저하증은 Tg, TPO, THS-R와 같은 항원에 대한 자가항체 형성, 자연살세포natural killer cell의 작용, 세포 예정사programmed cell death, 세포고사apoptosis 의해 발생할 수 있다. 만성 갑상샘 염은 요오드 섭취증가나 interferon-α, lithium, amiodarone의 투여에 의해서도 역시 발생할 수 있다. 유전적 소인에 대한 증거로는 하시모토 갑상샘염 환자의 일등 친first-degree relatives에서 갑상샘 자가항체 발생이 증가한다는 사실과 터너 증후군Turner syndrome과 다운 증후군Down syndrome과 같은 특정 염색체 이상을 갖는 환자에서 자가항체와 갑상샘 기능저하증 발생이 사실 등이 제시되고 있다. 관련된 주조직적합성 복합체는 HLA-B8, DR3, DR5가 있다.

(2) 임상소견

가장 흔한 증후는 경도 혹은 중등도로 커지는 단단한 갑상샘이 신체검사 시 만져지거나 통증을 동반하지 않는 종괴가 목 앞쪽에서 만져지는 것이다. 환자의 약 20%정도는 갑상샘 기능 저하증이 있고, 약 5%정도는 갑상샘 기능 항진증으로 나타난다.

전형적인 종대성 하시모토 갑상샘염은 신체검사에서 미만성으로 커진 단단한 갑상샘이 만져지고, 종종 커진 피라미드엽이 만져지기도 한다.

(3) 진단

임상적으로 하시모토 갑상샘염이 의심될 때, TSH 상승과 갑상샘 자가항체가 존재한다면 확진 할 수 있다. 단일 결절이 의심되거나 급속히 커지는 갑상샘 종대를 동반하는 경우 세침흡입세포검사를 시행한다. 갑상샘 림프종이 드물지만 생길 수 있다.

(4) 치료

증상이 있는 갑상샘 기능저하증 환자에게는 TSH치가 정상이 될 때까지 갑상샘 호르몬 보충치료가 필요하다. 무증상 갑상샘 기능저하증의 치료는 논란이 있지만, 고지혈증이나 고혈압등의 심혈관계 위험인자를 갖고 있는 중년의 환자에게는 치료를 권한다. 정상 갑상샘기능 환자에서는 큰 갑상샘 종대의 크기를 줄이기 위해 치료를 하고, 암 의심되는 경우 갑상샘 종대에 의한 기도압박증상이 있는 경우나 미용적으로 변형이 큰 경우 수술적 치료의 적응이 된다.

4) 섬유성 갑상샘염(리델 갑상샘염)

섬유성 갑상샘염fibrous thyroiditis은 갑상샘 실질의 일부 혹은 전체가 섬유 조직으로 대체되면서 주변으로 침윤하는 질환으로 병인론에 대해서는 논란의 여지가 있지만, 조직에 림프구 침윤이 관찰되고 스테로이드 치료에 반응한다는 사실을 근거로 일종의 자가면역질환으로 생각되고 있다. 이는 역시 종격동, 후복막, 안와주위, 안와후방의 섬유화와 관련된 국소경화증후군focal sclerosing syndromes과 관련이 있다. 이 질환은 30−60세 사이의 여성에서 주로 발생하며, 전형적으로 무통성의 단단한 앞 목 종괴가 수주에서 수년간 진행하여 삼킴 곤란, 호흡곤란, 질식, 쉰 목소리 등의 압박증상이 나타난다. 갑상샘이 섬유조직으로 대체되면서 환자는 갑상샘 기능저하증과 부갑상샘 기능저하증이 나타나고, 신체검사에서 갑상샘이 주위 조직과 고정되어 나무처럼 단단하게 만져진다. 갑상샘이 단단하고 섬유화되어 세침흡입검사가 정확도가 떨어지므로 개방 갑상샘 생검open thyroid biopsy이 필요하다.

수술의 주 치료이며, 수술의 주요 목적은 갑상샘 협부를 쐐기절제하여 기도를 감압하고 조직학적 진단을 하는 것이며, 더 광범위한 절제는 추천되지 않는다. 갑상샘 기능저하증은 갑상샘 호르몬 대치요법으로 치료하며, 증상이 지속되는 환자에서 스테로이드치료나 Tamofixen치료 후에 증상의 개선을 보이는 경우도 보고되고 있다.

4. 비독성 갑상샘종

어떠한 형태로든 갑상샘이 커지는 것을 갑상샘종이라 하며, 비독성 갑상샘종Nontoxic goiter의 원인은(표 5-3)과 같다. 갑상샘종은 미만성, 단일결절성uninodular, 다발결절성multinodular으로 나타나 날 수 있다. 대부분 비독성 갑상샘종은 부적절한 갑상샘 호르몬 합성에 의한 이차적인 TSH 상승이나 다른 주변분비paracrine 성장인자에 의해 발생하는 것으로 생각된다. 가족성 갑상샘종은 갑상샘 호르몬 합성에 필요한 효소의 선천적 완전 혹은 부분 결핍에 의해 발생한다. 풍토병 갑상샘종endemic goiter은 특정지역에서 높은 분율로 발생하는 갑상샘종으로 과거에는 요오드결핍이 가장 흔한 원인이었으며, 현재 많이 줄어들기는 했지만, 중앙아시아, 남미, 인도네시아 지역과 같은 요오드 결핍지역에서 인구의 최고 약 90%까지 갑상샘종을 가지고 있다. 하지만 많은 산발성 갑상샘종은 명백한 원인이 규명되지 않았다.

표 5-3 비독성 갑상샘종

분류	병인
풍토성	요오드 결핍, 음식(cassava, 양배추)
약물	요오드, amiodarone, lithium
갑상샘염	아급성, 만성(하시모토)
가족성	효소 결손에 의한 갑상샘호르몬 합성장애
종양	선종, 암종
갑상샘호르몬에 저항성	-

1) 임상 소견

비독성 갑상샘종은 대부분 무증상이며, 크기가 커지면서 호흡곤란, 삼킴 곤란과 같은 압박증상이 나타날 수 있다. 또한 환자들은 목을 자주 가다듬고, 드물지만, 회귀후두신경 손상에 의해 발성장애dysphonia가 나타날 수 있다. 흉골 하 갑상샘종의 경우 흉곽 입구에서 정맥 환류를 막아 안면홍조와 목의 정맥 확장이 나타날 수 있다. 결절이나 낭종이 갑자기 커지면서 출혈이 발생한 경우 급성 통증을 호소할 수 있다. 신체검사에서 갑상샘은 미만성으로 커지거나, 다양한 크기의 결절로 만져지며, 기도의 치우침이나 압박이 나타나기도 한다.

2) 진단

환자는 일반적으로 정상 갑상샘 기능을 나타내며, 몇몇 결절이 기능을 하는 경우, TSH가 감소되거나 갑상샘 기능항진증이 나타날 수 있다. 갑상샘 요오드 섭취검사에서 냉결정과 열결절이 혼재하는 반점형 섭취를 보인다. 다발성결절성 갑상샘종의 약 5-10%에서 악성종양이 보고되고 있기 때문에 세침흡입세포검사를 시행해야 한다. 전산화 단층촬영이 흉골 후 범위나 기도 압박을 평가하는데 도움이 될 수 있다.

3) 치료

대부분의 정상 갑상샘 기능을 갖는 크기가 작고 미만성 갑상샘종은 치료가 필요하지 않다. 일부에서는 큰 갑상샘종의 갑상샘의 성장을 자극하는 TSH 자극을 줄여 갑상샘종의 크기를 감소시킬 목적으로 갑상샘 호르몬 치료를 하기도 한다. 이 같은 치료는 작은 미만성 갑상샘종에 가장 효과적이다. 풍토병 갑상샘종은 요오드 투여로 치료될 수 있다. T4 억제치료에도 불구하고 계속 자라거나, 폐쇄증상이 있을 때, 흉골 하 확장이 있는 경우, 세침흡입검사에서 악성이 의심되거나, 확인된 경우, 미용적인 변형이 심할 때는 수술적 절제가 고려되어야 한다. 일차선택치료는 갑상샘 아전절제술이며, 재발 예방을 위해 일생동안 T4 치료가 필요하다.

요약

갑상샘의 양성질환은 크게 갑상샘 기능항진증, 갑상샘 기능저하증, 갑상샘염과 비독성 갑상샘종이 있다.

갑상샘 기능항진증은 가장 흔한 갑상샘 양성질환으로 갑상샘에서 갑상샘 호르몬 생합성의 증가로 인해 호르몬 분비가 증가하는 질환을 일컫는다. 이와 혼용되어 사용되고 있는 갑상샘 중독증은 자유 티록신(T4)이나 자유 삼 요오드티로닌(T3), 혹은 둘 다의 혈청 농도가 증가되었을 때 나타나는 임상증상을 말한다. 갑상샘 중독증의 원인 질환은 갑상샘 기능항진증을 동반하는 경우, 즉 호르몬 합성의 증가에 의해 증가된 방사성 요오드 섭취율을 보이는 경우와 감소된 방사성 요도드 섭취율을 보이는 갑상샘 기능항진증을 동반하지 않는 경우로 분류할 수 있다. 갑상샘 기능항진증은 일반적으로 천천히 진행하기 때문에 대부분의 환자들은 발병 후, 수 주 혹은 수 개월이 지나야 증상이 나타나 내원하는 것으로 알려져 있다. 갑상샘 기능항진증의 증상은 매우 다양하여 전신의 대부분 기관과 관련된 증상들이 모두 나타날 수 있다. 일반적인 증상으로는 열 불내성heat intolerance, 발한으로 피부가 따뜻하고 습하며, 머리카락이 연하고 가늘어지며, 적절한 칼로리섭취에도 불구하고 체중감소가 나타날 수 있다. 증가된 아드레날린자극adrenergic stimulation에 의한 증상으로 심한 피로, 두근거림, 불안, 초조감, 운동과다증hyperkinesis, 진전tremors 등이 나타난다. 갑상샘 기능 항진증의 치료는 원인질환에 따라 차이가 있을 수 있지만, 약물치료, 방사성 요오드 요법, 수술적 치료를 할 수 있다.

말초에서 갑상샘 호르몬의 결핍은 갑상샘 기능저하증과 신생아에서는 신경계 장애와 정신지체가 특징적인 크레틴병Cretinism을 유발할 수 있다. 갑상샘 기능저하증의 원인질환을 크게 TSH 증가를 보이는 일차성 갑상샘 기능저하증과, TSH 감소를 보이는 이차성 갑상샘 기능저하증, 그리고 시상하부 기능저하나 갑상샘 호르몬 저항성과 같은 삼차성이 있다. 성인에서 갑상샘 기능저하증의 임상 소견은 갑상샘 호르몬 결핍에 의해 유도되는 두 가지 현상으로 나타날 수 있다. 첫째는 전신의 대사과정 지연과 관련된 증상들이 나타날 수 있고, 둘째로 glycosaminoglycan등 기질의 축적으로 인해서 피부 및 그 부속물들의 변화에 의한 증상들이 나타날 수 있다. 갑상샘 기능저하증의 특징적인 증상이나 증후와 함께 혈액검사에서 T4와 T3가 모두 저하되어 있다면 갑상샘 기능저하증을 진단할 수 있으며, 갑상샘 추출물인 건조 갑상샘desitecated thyroid, L-T4, L-T3, T4/T3 복합제 등으로 치료 할 수 있다. 무증상 갑상샘 기능저하증subclinical hypothyroidism(정상 T4, 경도의 TSH증가)에 대한 치료는 아직까지 논란의 여지가 있지만, 무증상 갑상샘 기능저하증과 함께 항 갑상샘 항체가 증가된 환자는 순차적으로 갑상샘 기능저하증이 발생할 수 있으므로

요약 〈계속〉

치료를 해야 한다.

갑상샘 염은 임상 경과와 조직학적 소견에 따라 급성(화농성, 감염성), 아급성(de Quervain, 육아종성), 자가면역성, 섬유성 갑상샘염(리델갑상샘염)으로 분류하는데, 자가면역성 갑상샘염은 아급성 림프구성 갑상샘염(무통성 갑상샘염, 산후 갑상샘염 포함)과 만성 림프구성 갑상샘염(하시모토 갑상샘염)으로 분류한다. 갑상샘염은 그 종류에 따라 다양한 임상양상을 보이며, 원인 질환에 따라 치료가 달라진다.

어떠한 형태로든 갑상샘이 커지는 것을 갑상샘종이라 하며, 미만성, 단일결절성uninodular, 다발결절성multinodular으로 나타나 날 수 있다. 대부분 비독성 갑상샘종은 부적절한 갑상샘 호르몬 합성에 의한 이차적인 TSH 상승이나 다른 주변분비paracrine 성장인자에 의해 발생하는 것으로 생각된다. 비독성 갑상샘종은 무증상인 경우가 많으며, 크기가 커지면서 호흡곤란, 삼킴 곤란과 같은 압박증상이 나타날 수 있다. 환자는 일반적으로 정상 갑상샘 기능을 나타내며, 몇몇 결절이 기능을 하는 경우, TSH가 감소되거나 갑상샘 기능 항진증이 나타날 수 있다. 정상 갑상샘 기능을 갖는 크기가 작고 미만성 갑상샘종은 치료가 필요하지 않다. 일부에서는 큰 갑상샘종의 경우 크기를 감소시킬 목적으로 갑상샘 호르몬를 사용할 수 있으며, 풍토병 갑상샘종은 요오드 투여로 치료될 수 있다. 적응증에 해당하는 경우 수술적 절제가 고려되어야 한다.

IV 갑상선암

1. 갑상선 종양의 분자생물학

원종양유전자들proto-oncognes은 성장인자, 성장인자 수용체, 호르몬, 세포내 변환기단백, 전사인자와 세포주기 조절 단백질 등을 부호화encoding 할 수 있다. 종양유전자는 체세포 돌연변이, 유전자증폭과 유전자재배열 등의 기전으로 인해 원종양유전자로부터 생성되며, 종양유전자의 구성 활성화constitutive activation와 과발현이 초래된다. 그러므로 돌연변이 된 종양유전자는 우성돌연변이로서의 기능을 얻게 된다. 반대로 정상적으로 세포증식과 성장을 제어하는 기능을 하는 종양억제유전자에 돌연변이가 일어나면 제어되지 않는 세포의 증식과 성장을 초래한다. 그러나 이렇게 되기 위해서는 두 사건이 연속적으로 일어나야 한다. 즉 먼저, 돌연변이로 한 쪽 복제된 유전자의 기능이 상실되고, 다음으로 돌연변이, 결손, 염색체 재배열 혹은 유사분열시 재조합 등을 포함한 여러 기전으로 인해, 남은 대립유전자도 기능을 상실해야만 된다. 그래야 종양억제유전자가 기능적으로 열성이 되기 때문이다.

표 5-4는 갑상선종양형성에 관여하는 여러 종양유전자와 억제유전자를 보여준다.

RET 원종양유전자는 갑상선암의 발병기전에 중요한 역할을 한다. 이 유전자는 10번 염색체에 위치하는데 아교세포유래 향신경인자glial-derived neurotrophic factor나 뉴트린 같은 성장인자들과 결합하는 티로신tyrosine 활성효소 수용체를 부호화한다. *RET* 단백은 배아의 신경이나 배설기관에서 유래된 조직에서 발현된다. 그러므로 이 유전자의 손상은 장관신경체계(Hirschprung 병)와 신장 등의 발달장애를 초래한다. *RET* 원종양유전자의 배선돌연변이germ line mutation는 MEN2A, MEN2B와 가족성수질암 등을 잘 일으키고, 체세포 돌연변이는 수질암(30%)과 갈색세포종 등과 같은 신경능선에서 유래되는 종양에서 발견된다. *RET* 유전자의 티로신 활성효소영역은 재배열

을 통해 다른 유전자와 융합될 수도 있다. 이런 융합산물은 암유전자로 기능하여, 유두암의 발병에 관여하기도 한다. 적어도 15개의 *RET/PTC* 재배열이 종양발생의 초기 단계에서 작용하는 것으로 알려져 있다. 어린 나이와 방사선 노출이 *RET/PTC* 재배열의 발생에 독립적인 위험인자로 알려져 있다. 1986년 체르노빌 사태에 의해 방사선에 노출된 소아 유두암 환자의 약 70%가 *RET/PTC* 재배열을 갖고 있는데, 가장 흔한 유전자는 *RET/PTC*1과 *RET/PTC*3이다. 이런 재배열들이 티로신수용체의 구성 활성화를 일으킨다. *RET/PTC*3 유전자는 고체형solid type 유두암과 관련이 있으며, 이 암은 진행된 병기로 나타나며 더욱 공격적인 양상을 보인다. 갑상선 종양형성에 관여하는 다른 티로신 활성효소 수용체들로는 *trk*와 *met* 등이 있다.

티로신 활성효소 수용체의 작용경로 중 근위부 경로는 3 종류의 구아노신 포스파라이제 결합단백인 Ras (H, N과 K)에 의해 조절된다. Ras 돌연변이 암유전자는 갑상선 여포선종과 여포암, 다결절성선종, 유두암과, 역형성암 등에서 20–40%에서까지 발견되며, 종양 생성의 초기에 나타나는 돌연변이로 알려져 있다.

RAF 활성효소는 A–Raf, B–Raf *(BRAF)*, C–Raf 등 세 종류가 있으며, 이 중 *BRAF* 돌연변이는 MAPK 경로의 이상발현으로 인한 종양형성에 관여한다. *BRAF* 돌연변이 중 T1799A (V600E 아미노산 치환)이 가장 흔하다. *BRAF* 돌연변이는 유두암(국내–약 80%, 외국–약 44%)과 역형성암(22%)에서 나타나지만 여포암에서는 나타나지 않아 유두암의 발생기전에 일정 역할을 하는 것으로 보인다. 여러 연구에서 *BRAF* 돌연변이는 암의 크기, 주위조직 침범, 림프절전이 등의 공격적인 소견 들과 관계가 있는 것으로 보고하고 있다.

p53 유전자는 종양억제유전자로서 전사조절인자를 부호화하며, 세포주기를 정지시켜 손상된 DNA를 수리하여 유전체 통합성을 유지하는 역할을 한다. 이 유전자의 돌연변이는 유두암에서는 드물며, 역형성암과 갑상선암 세포주에서는 흔하게 나타난다. 다른 세포주기 조절인자이면서 종양억제 유전자로는 p15, p16 등이 있는데, 이들의 돌연변이는 원발암보다는 세포주에서 흔히 나타난다.

갑상선 전사인자인 PAX8의 DNA 부착영역이 *PPARγ 1*(peroxisome proliferator–activated receptor gamma 1)과 융합되어 나타나는 유전자 *PAX8/PPARγ1*는 여포암을 포함한 여포종양의 생성에 중요한 역할을 하는 것으로 알려져 있다(표 5-4).

2. 갑상선암의 역학

최근 갑상선암은 우리나라에서 특히 여성에서 가장 빠르게 늘어나고 있는 암이다. 2013년 중앙암등록본부의 통계에 의하면, 우리나라 총 암 발생건수는 225,343건 이었고, 이 중 18.9%가 갑상선암이었다. 즉 여자 암환자 중 30.5%, 남자 암환자의 7.4%가 갑상선암이었다. 10만명당 갑상선암(연령표준화) 발생율은 1999년 7.2명에서 2013년 71.3명으로 급격히 증가하였는데, 남자는 2.3명에서 28.8명으로, 여자는 11.9명에서 114.4명으로 크게 증가하였다. 그 결과 2013년 연령군별 암발생 순위를 보면, 갑상선암은 15–34세의 남자에서 1위를, 여자는 15–64세에서 1위를 차지하였다. 이런 갑상선암 발생의 주된 증가원인은 여러 원인이 있지만 주로 민감도가 높은 진단방법에 기인하는 것 같다. 기능이 향상된 초음파기기의 사용과 경부, 흉부 CT 스캔과 PET–CT 스캔 등의 영상장비의 사용증가로 인해 갑상선암이 조기발견 되어, 특히 유두상 갑상선 미세암의 비율이 늘어나고 있다.

현재까지는 갑상선의 방사선 노출만이 갑상선암 발생과 연관된 유일한 위험인자이다. 방사선 노출은 외부적인 것과 옥소동위원소와 같은 내부적인 요소로 나눌 수 있다. 외부적인 방사선 노출은 질병치료를 위한 것부터 핵무기나 원자력발전소 사고 같은 환경적인 노출까지 다양하다.

1) 방사선 노출

방사선 노출과 갑상선암과의 연관은 20세기 중반에 소아 갑상선암이 증가하는 이유를 연구하는 과정에서 밝혀

표 5-4 갑상선 종양에 관여하는 종양유전자와 종양억제유전자

유전자	기능	종양
종양유전자		
RET	티로신 활성효소기능을 갖는 세포막 수용체	산발성, 가족성 수질암, 유두암(*RET/PTC* 재배열)
MET	상동	유두암에서 과발현
TRK	상동	일부 유두암에서 활성화
TSH-R	이종삼합체인 G 단백질과 연관	기능항진성선종
Gsα(gsp)	신호전달물질(GTP 부착)	기능항진성선종, 여포선종
Ras	신호전달 단백질	여포선종과 여포암, 유두암
PAX8/PPARγ1	종양 단백질	여포선종, 여포암
B-Raf (BRAF)	신호전달	유두암, 저분화암, 역형성암
CTNNB1 (β-catenin)	신호전달	저분화암과 역형성암에서 과발현
종양억제유전자		
P53	세포주기 조절인자, G1주기에 정지, 세포자멸사 유도	분화유두암, 여포암, 역형성암
P16	세포주기 조절인자, 싸이클린-의존 활성효소 억제	갑상선암 세포주
PTEN	단백 티로신 인산분해효소	여포선종, 여포암
기타 유전자 변형		
microRNA	작은, 비부호 RNA	유두암과 일부 여포암에서 특정 부류 과발현

지게 되었다. 흉선비대 등의 이유로 경부에 방사선 조사를 받은 소아에서 갑상선암의 발생이 증가하였으며, 방사선 조사와 갑상선암의 발생은 선형 용량-반응관계를 나타내었다. 방사선에 의한 갑상선암 발생의 특징은, 방사선 노출 연령과 위험도는 강력한 역상관 관계를 보이며, 여성이 방사선 노출에 보다 민감하며, 위험도는 처음 방사선 노출 후 수십 년이 지난 후에도 증가한다는 것이다.

(1) 내부 방사선 조사와 갑상선암

체르노빌 사태 이후 소아기의 방사성 옥소에 대한 노출과 갑상선암의 발생과는 연관이 있음이 분명해졌다. 그러나 환자의 치료와 검사에 사용하는 방사성 옥소 131은 안전한 것으로 알려져 있다. 체르노빌 사태에 의한 방사선 노출의 결과, 나이가 어릴수록 암의 발생은 높았으며, 방사선 노출 용량과도 관계가 있었다. 이로 인해 발생한 갑상선암은 조직학적으로 고형성분solid type의 유두암 양상을 보이며, 성장속도가 빠르며, 공격적이고, 주위 조직침범과 림프절 전이를 잘 일으킨다. 방사선 노출에 의한 암 발생기전은 *Ret* 원종양유전자의 체세포 돌연변이에 의한 것으로 나타났다. 옥소 131의 방사선 노출 사고 시 옥소화 칼륨potassium iodide을 바로 섭취하면 갑상선 방사선 노출을 효과적으로 줄일 수 있는 것으로 알려져 있다.

(2) 외부 방사선 조사

앞에서 기술하였듯이 소아기에 흉선비대, 편도, 아데노이드 등의 치료로 방사선 조사를 시행한 경우 갑상선암의 발생이 증가하였다. 갑상선암의 위험도는 방사선 노출용량과 비례하여 증가한다. 방사선 노출된 연령이 독립적인 위험인자이며, 나이가 어릴수록 위험도는 증가한다.

2) 갑상선암 가족력

가족성 선종폴립 증후군과 아형인 Gardner 증후군은 *APC* 유전자의 돌연변이에 의해 우성 유전되는 질환이다. 이 증후군 중 갑상선암은 대장 외에 가장 흔히 발생하는 질환이며, 갑상선암의 위험도는 약 100배 증가한다. 이 증후군에서 나타나는 갑상선암은 35세 이전의 젊은 연령에서 발생하며, 조직학적으로는 체모양 혹은 고형성의 유두암이며, 때로는 방추세포가 나타나는 것이 특징이다. 또 갑상선암과 연관된 다른 가족성증후군으로는 보통염색체 우성유전이면서 다발성 과오종폴립, 점막피부 색소침착과 장 이외의 여러 병변을 보이는 Cowden 병이 있으며, 이 증후군은 단백인산화효소로 기능하는 종양억제 유전자인 *PTEN*의 돌연변이에 기인한다.

비수질암nonmedullay carcinoma의 가족력에 대한 연구들은 또 다른 갑상선암 유전자가 존재함을 뒷받침하고 있으나 아직 확실한 유전자는 밝혀지지 않았다. 갑상선암 환자의 직계가족의 갑상선암 발병률은 5-8배 높다고 알려져 있다. 가족력이 있는 갑상선암의 특징은 림프절전이와 주위조직 침범과 원격전이가 더 많이 나타나며, 재발률도 높아, 보다 공격적인 치료를 요한다.

3) 동반된 갑상선 질환

간혹 갑상선암이 풍토병성·산발성 갑상선종, 양성갑상선결절, 림프구성갑상선염과 그레이브스병 등의 갑상선양성질환을 갖고 있는 환자에서 발생한다. 여러 환자대조군 연구에서는 갑상선종이나 양성결절의 병력이 갑상선암의 강력한 위험인자임을 암시하고 있다. 근래의 유전자 연구들은 체세포돌연변이가 누적되면, 양성종양이 갑상선신생물로 진행되며, 이어 분화성암으로 또 역형성암으로 진행할 수 있음을 제시하고 있다.

4) 호르몬과 생식 인자들

갑상선암은 여성에서 흔하게 발생하는 것으로 보아 호르몬 인자가 발병기전에 관여하는 것 같다. 사춘기나 생식초기에 일어나는 호르몬 변화가 갑상선암의 발생에 중요한 영향을 미치는 것 같고, 초경이 늦을수록, 출산회수가 증가할수록, 또한 처음 출산이 늦을수록 위험도가 증가하는 경향이 있다. 호르몬대체요법이나 임신촉진제는 유의한 위험도가 없는 것으로 나타났다.

5) 식이 요소

(1) 옥소

옥소결핍 풍토병성 갑상선종과 갑상선암이 관계 있다는 이론은 꾸준히 제기되어 왔다. 그러나 옥소의 보충이 갑상선암의 발병률을 감소시키지는 못한다. 풍토병성 갑상선종에서 발생하는 갑상선암의 조직학적 특징은 뚜렷한데, 주로 여포암과 역형성암이 발생한다. 옥소 결핍과 이로 인한 갑상선자극호르몬의 상당 기간의 자극이 여포암과 관련이 있는 것 같다. 옥소의 섭취가 아주 많은 하와이에서는 유두암의 비율이 높은 것으로 보아, 옥소의 과잉 섭취는 유두암의 발생과 연관이 있을 수도 있다.

(2) 다른 식이 요소

대부분의 연구에서 채소, 특히 십자화과의 채소가 갑상선암의 위험도를 감소시키는 것으로 보고하고 있다. 과도한 칼로리의 섭취가 갑상선암과 연관이 있었다는 연구도 있으나, 섭취식품과 갑상선암의 발생과는 명확한 근거가 부족하다.

3. 갑상선암

갑상선암의 90-95%는 소위 여포세포에서 기원하는 분화 갑상선암이며, 유두암papillary carcinoma, 여포암follicular carcinoma, 휘틀 세포암Hurthle cell carcinoma이 이에 속한다. C-세포에서 기원하는 수질암medullary carcinoma은 전체 갑상선암의 약 6% 정도이며 이 중 20-30%는 유전성인 다발성 내분비종양(MEN 2A와 2B)이다. 역형성암anaplastic carcinoma은 가장 치명적인 암이나 다행히도 빈도가 1% 미만 밖에 안 된다.

1) 유두암

미국에서 새로 진단되는 갑상선암의 약 80%가 유두암으로가장 빈도가 높은 갑상선암이다. 일본과 한국은 더욱 높은 빈도를 보여 90-95% 이상이 유두암이다. 김, 미역, 다시마 등 옥소 함량이 높은 식품을 섭취하는 지역에서 발생빈도가 높은 경향이 있으며, 반대로 옥소 결핍 지역에서는 여포암이 상대적으로 많다.

최근 유두암의 빈도가 급격하게 증가하고 있는 것은 고해상도의 초음파검사로 발견되는 작은 미세암microcarcinoma 때문이라고 해석하고 있으나 임상적으로 진행된 암도 증가하는 것으로 보아 방사선이나 돌연변이를 일으키는 화학물질에 노출되는 환경 때문이라는 견해도 있다. 미국의 경우 남녀별로 볼 때 1:2 비율로 여성에서 더 많이 발생하며 진단 시 평균 연령은 30–40세이다. 한국은 이와 달리 남녀비가 1:6.25로 여성에서 압도적으로 많고 호발 연령은 미국과 비슷하여 30대와 40대가 54.2%를 차지한다. 대부분의 환자는 정상 갑상선기능 상태를 보이며 통증 없이 서서히 자라는 갑상선 종괴를 보인다. 최근에는 손으로 촉지 되지 않는 작은 종괴가 초음파검사에서 발견되어 진단되는 경우가 더 많아졌다. 많은 경우는 아니지만 암이 진행되면 연하곤란, 호흡곤란, 발성장애를 보이기도 한다.

측경부 진단 시 환자의 1/3은 임상적으로 나타나는 경부 림프절 전이를 보인다. 15세 이하의 소아는 90% 정도까지 림프절 전이를 보인다. 갑상선보다 측경부 종괴가 먼저 발현된 이소성 갑상선은 임상적으로 나타나지 않은 갑상선암이 측경부 림프절로 전이되어 나타나는 현상으로 해석하고 있다. 진단시 원격전이는 흔하지 않으나 최고 20%까지 보고되고 있으며, 가장 전이가 잘되는 부위는 폐이고 다음으로 뼈, 간, 뇌 순이다.

갑상선 결절이 있는 환자가 25세 이하이거나 60세 이상일 때, 남자일 때, 최근 몇 주 내지 몇 개월 사이에 자라는 속도가 빠를 때, 목소리가 변했을 때는 암을 일단 의심한다. 과거에 두경부에 방사선 피폭 경력이 있거나 갑상선암의 가족력이 있으면 더욱 의심해야 한다. 유두암 환자의 5–10%는 가족력이 있다. 결절을 촉지했을 때 표면이 울퉁불퉁하고 딱딱하며, 고착되어 있고, 측경부 림프절이 커져 있으면 암일 가능성이 높다. 그러나 암의 진단은 어디까지나 갑상선결절이나 림프절의 초음파 유도하 세침 흡인 세포검사ultrasound-guided fine-needle aspiration biopsy (FNAB)에 의한다. 세포진검사에서 *BRAF*유전자 돌연변이나 galectin–3 단백이나 HBHE–1이 면역 조직화학 염색으로 강하게 발현되면 유두암 진단에 도움이 된다. 또한 측경부 림프절 세포 wash out 검사에서 티로글로블린(Tg)이 높게 측정되면 세포검사가 애매하더라도 림프절 전이를 강하게 의심할 수 있다. 유두암이라고 진단이 되면 초음파 검사로 갑상선은 물론 중앙 경부와 측경부 림프절 전이 여부를 알아보아야 한다. 초음파 검사는 중앙 경부 림프절 전이 판단에는 정확도가 다소 떨어진다. 전산화단층촬영이나 자기공명영상은 암의 전체적인 진행상태를 파악하는데 초음파검사와 보완적으로 도움을 준다. 자기공명영상은 연조직 침윤 파악에 더 유리하다.

(1) 병리

육안 소견은 종괴가 침윤성이면서 단단하고 가장자리가 불분명하며, 절단면은 회백색의 과립상 표면을 보인다. 때로는 석회화, 괴사, 또는 낭종 변화를 보이기도 한다. 조직 소견으로는 저배율 소견으로 유두상 돌기 형성을 하는 것이 특징이며 이 유두상 돌기는 단일 종양세포층으로 덮인 central fibrovascular core로 구성되어 있다. 구성세포는 입방형이며 창백하거나 호산성의 풍부한 세포질을 가지고 있으며 핵의 변화가 유두암 진단에 특징적인 것으로 알려져 있다. 핵은 보통 난원형을 보이며 핵막이 불규칙 하고 때로는 깊은 핵주름deep nuclear grooves을 보이기도 한다. 세포질의 함입으로 인한 pseudoinclusion은 흔히 볼 수 있는 현상이다. 핵질nucleoplasm의 소실로 나타나는 'Orphan Annie eyes'는 특징적인 소견이다. 핵의 유사분열 현상은 드물거나 보이지 않는다(그림 5-11). 사립체psammoma body는 세포가 죽어서 작은 석회화가 되어 나타나는 현상으로 유두암의 50%정도에서 동반된다. 전통적으로 사립체가 보이면 유두암이라고 생각해왔으나 드물기는 하지만 양성 갑상선 질환이나 수질암 또는 갑상선으로 전이되어 온 암에서도 나타날수도 있다.

유두–여포 혼합형암이나 유두암의 여포변형은 유두암과 생물학적으로 같은 행동을 보이기 때문에 유두암으로

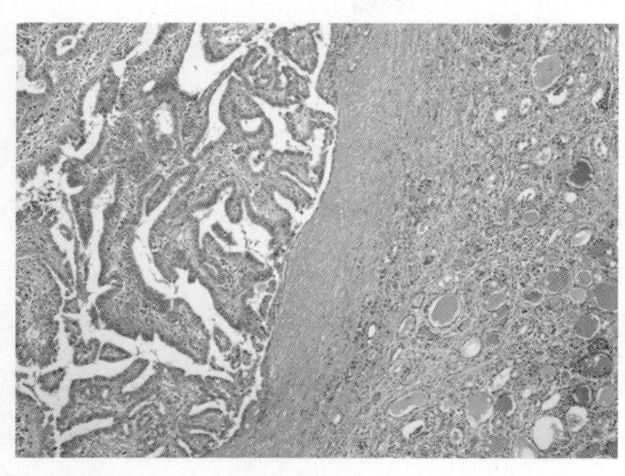

그림 5-11 **전형적 유두암.** 전형적인 유두암은 혈관섬유줄기를 중심으로 유두구조를 보이며 전형적인 핵모양을 보이는 세포로 둘러싸여 있다. (H&E×40)

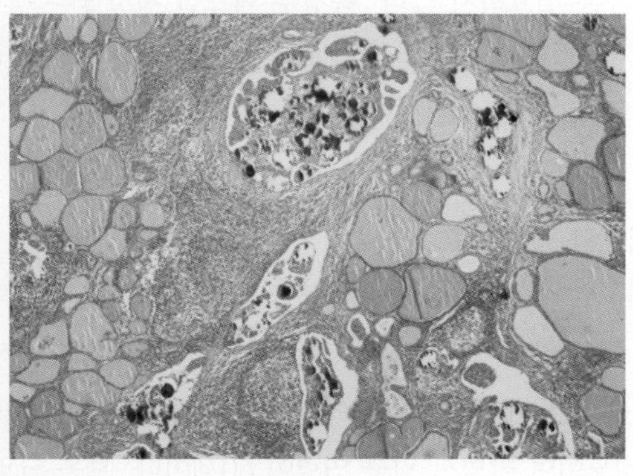

그림 5-12 **미만성 경화성 유두암.** 미만성 경화성 유두암은 유두구조와 섬유화, 많은 사종체의 침착, 림프구 침윤 등을 특징으로 한다. (H&E×40)

분류된다. 유두암은 현미경 소견에서 최고 85%까지 다발성을 보이는데, 다발성을 보이는 유두암은 림프절 전이가 잘 일어나는 경향이 있다. 암이 갑상선 피막을 침범한 경우에도 림프절 전이 빈도는 올라 간다. 유두암의 다른 변형으로 키 큰 세포암tall cell variant, 섬모양암insular variant, 원추형암columnar variant, 미만성경화암diffuse sclerosing variant(그림 5-12), 투명세포암clear cell variant, 섬유주암trabecular variant, 저분화암poorly differentiated 등이 있는데 전체 유두암의 1%정도의 빈도를 보이나 이들은 대체로 예후가 불량하다.

유두 미세암papillary microcarcinoma은 직경 1.0cm 이하의 작은 유두암을 칭하며 과거에는 부검이나 양성 결절 수술 후에 우연히 발견되었으나 최근에는 초음파검사가 널리 사용된 이후로 그 발견 빈도가 매우 높아지고 있다. 임상적으로 발견되는 큰 종양보다 예후가 좋으나 과거에 알려진 것 보다는 더 공격적인 암이라고 인식되고 있다.

(2) 예후지표

일반적으로 유두암은 예후가 양호하여 10년 생존율이 95%를 상회한다. 제시된 여러 가지 예후지표로 환자를 고위험군과 저위험군으로 분류할 수 있는데 대부분의 분류체계가 수술 전 데이터를 기초로 하지 않는다는 단점이 있다. 몇 가지 분자 또는 유전자 마크, 즉 종양 DNA aneuploidy, 표피성장인자 결합의 감소, TSH에 대한 cycline adenosine monophosphate 반응의 감소, N-ras와 gsp 돌연변이의 존재, p53 돌연변이, c-myc의 과잉 표현 등이 있으면 예후가 불량하다. *BRAF* 돌연변이가 있으면 림프절 전이가 잘 일어나고 암의 진행으로 병기가 높아진다.

(3) 수술적 치료

유두암의 일차적 치료는 원발암이 있는 갑상선과 주위로 퍼진 암병소들을 완전하게 절제하는 것이다. 예후지표에서 고위험군으로 분류된 환자 또는 양측엽에 암이 있는 환자들에게는 갑상선전절제술이나 근전절제술을 시행한다. 암 이외의 다른 이유로 일측 갑상선엽과 협부를 절제한 후에 영구 절제표본에서 유두 갑상선 미세암이 발견되었을 때는 혈관 침윤, 다발성 암병소, 절제면의 암 침윤 소견 등이 없으면 더 이상의 추가 수술은 필요 없다.

저위험군의 적절한 수술 범위에 대해서는 아직 견해가 일치되어 있지 않다. 논쟁의 초점은 갑상선의 절제 범위에 따른 치료 결과와 수술 위험도에 있다. 갑상선전절제의 장점은 ① 방사성 동위원소로 잔존 갑상선 조직이나 전이 갑상선암을 찾고 치료하는데 효과적이다, ② 혈청 Tg 측정으로 재발이나 지속되는 암을 찾는데 도움을 받을 수 있고, ③ 반대편 엽에 재발할 소지를 없애고, ④ 재발의 위험을 감소시키고 생존율을 증가시킬 수 있으며, ⑤ 1% 정도의 위험도이지만 저분화암이나 미분화암으로의 전환을 감소시킬 수 있고, ⑥ 합병증의 위험이 증가하는 재수술율을 낮출 수 있다는 것이다. 일엽 절제를 선호하는 이유로는 ① 전절제는 수술 합병증이 높으며, ② 잔여 갑상선 조직에서의 재발율은 5% 미만으로 낮고 이의 대부분은 수술로써 완치되며, ③ 다발성 병소가 예후에 미치는 영향은 미미하고, ④ 일측엽 절제로도 아직까지는 예후가 양호하다는 것 등이다. 그러나 재발한 환자의 33-50%가 결국 사망하고 장기간 추적한 후향적 연구에서 전절제 또는 근전절제술을 받은 환자에서 재발율이 낮고 생존율이 높으며, 저위험군일지라도 생존율이 저하될 수 있다(10-20년 사망률 5%)는 것이 알려지면서 저위험군에 속하는 환자일지라도 수술합병증이 2% 이하가 된다면 전절제나 근전절제술이 권유된다.

개정된 2015년 미국갑상선학회의 가이드라인에 따르면 전절제를 해야 되는 경우를 정리하면 다음과 같다. ① 암의 사이즈가 4cm 될 때, (1-4cm는 일엽절제 또는 전절제를 집도의의 판단에 따라 선택해도 된다) ② 암이 양쪽 갑상선 엽에 있을 때, ③ 육안으로 피막침범이 심할 때(회귀후두신경, 식도, 기도, 근육, 척추근막등 주위 장기 침범이 있을 때), ④ 폐, 뼈, 뇌 등 원격장기로 전이가 있을 때, ⑤ 키큰 세포, 미만성 석회화, 휘틀세포, 저분화(섬모양세포 포함), 림프관 또는 혈관침범 여포암등 경과가 나쁜 암일때, ⑥ 옆 목 림프절 전이가 있을 때, ⑦ 중앙 림프절 전이가 있는데 2mm이상크기가 5개 이상 있을때, ⑧ 기타 수술 후 방사성 요드치료가 필요한 상태라고 판단 될 때는 전절제술을 시행한다. 그러나 1cm 이하의 미세암이고 혈관 침윤이 없으면 더 이상의 수술은 필요 없다. 미세암이라도 ① 반대편엽에 미결정형 결절이 있을 때, ② 국소 또는 원격전이가 있을 때, ③ 두경부에 방사선 치료를 받은 경력이 있을 때, ④ 가족력이 있을 때, ⑤ 환자가 45세 이상일 때는 근전절제나 전절제술이 고려된다. 갑상선 절제를 하는 중에 중앙 경부 림프절이 커져 있는 것이 확인되면 중앙 경부 림프절 청소술을 시행해야 한다. 임상적으로 커진 림프절이 없는 경우는 학자들에따라 다소간의 의견 차이가 있으나 육안으로 커져 있지 않더라도 현미경적으로는 전이가 되어 있을 확률이 높기 때문에 재발률을 감소시키고 생존율을 향상시키기 위해 예방적 중앙 경부 림프절 청소술을 권유한다. 그러나 일부 학자들은 원발암이 작으면(T1, T2) 꼭 그렇게 할 필요가 없다고 주장하기도 한다.

예방적 중앙 경부 림프절 청소술은 부갑상선 기능저하증과 되돌이후두신경 손상 등의 합병증 가능성과 재발률 감소 및 생존율의 증가 사이에서 득실을 잘 따져 봐서 결정해야 한다. 측경부 림프절 청소술은 임상적으로 전이가 증명된 증례에서 변형 근치적 경부 청소술 또는 기능적 경부림프절청소술을 시행한다. 유두암에서 예방적 측경부 청소술은 필요하지 않다. 측경부 림프절 청소술은 광범위하게 전이가 없는 경우 보통 I 구획과 V 구획은 포함하지 않고 II, III, IV 구획의 림프절군 만을 제거한다.

2) 여포암

여포암의 발생빈도는 미국에서는 식수에 옥소를 첨가하고 조직 병리 분류가 향상된 이후로 그 발생빈도가 감소하는 추세에 있다. 여성에 호발하여 여자 대 남자비가 3:1 정도이며 발병시 평균 연령이 50세이다. 보통 단일 결절로 나타나나 10% 정도는 다발성 결절과 공존하기도 한다. 여포암은 유두암과는 달리 림프절 전이는 흔하지 않아 약 5-10% 밖에 안되나 원격전이는 종종 보이며, 약 1-2%의 여포암은 갑상선 기능 항진 증상을 보인다.

세침 흡입 세포 검사로 여포 선종과 여포암의 구별은 불가능하다. 그러므로 수술 전에 원격 전이가 발견되지 않으면 수술 전 진단은 불가능하다. 고령의 남자에서 4cm 이상의 큰 여포종양이 있으면 악성을 의심한다. 세침 흡인 세포 검사의 제한점 때문에 양성과 악성을 구분하기 위해 분자 생물학적 표지자를 찾기 위한 연구가 진행 중에 있으나 아직 임상 응용에는 미흡하다. 여포암의 진단은 조직 소견에서 여포 세포가 종양의 피막이나 혈관 또는 림프관을 침윤한 것이 증명되어야 한다(그림 5-13). 일반적으로 침윤 정도에 따라 미세 침윤형과 광역 침윤형으로 대별된다. 미세 침윤형은 육안적으로 피막침윤이 있으나 현

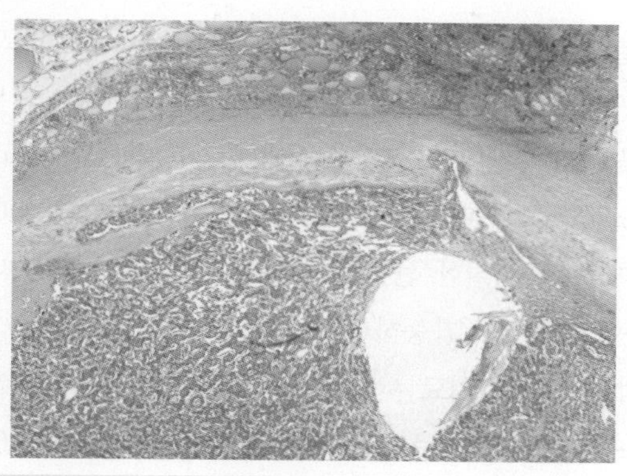

그림 5-13 **미세 침윤형 여포암.** follicular carcinoma, minimally invasive. 비교적 균일한 여포세포의 증식과 잘 형성된 피막으로 둘러싸여 있으며 이 피막이나 혈관을 침윤한 소견을 확인하여 미세 침윤 여포암으로 진단한다. (H&E×40)

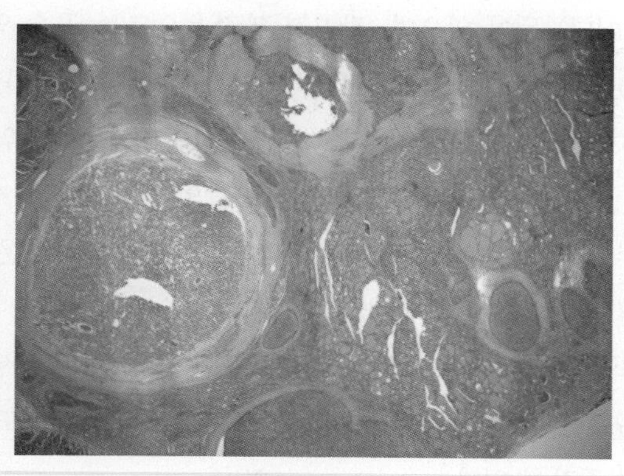

그림 5-14 **광역 침윤형 여포암.** 미세 침윤 여포암과 마찬가지로 비교적 균일한 여포세포의 증식과 광범위 피막 및 혈관 침윤 및 갑상선 실질 내로의 침윤을 보인다. (H&E×40)

미경적으로는 종양이 피막이나 피막 주변 갑상선 실질내의 미세 또는 중급 혈관에 침윤한 것이 보인다. 그러나 이런 침윤은 피막 주변으로만 국한된다. 반면에 광역 침윤형은 큰 혈관과 피막에 광범위한 침윤을 보이며 갑상선 실질 조직은 물론 주변 장기까지 침윤한다. 광역 침윤형은 혈행성으로 폐, 뼈 등 원격 장기로 전이를 일으킬 수 있다(그림 5-14).

수술은 세침 흡인 세포 검사에서 여포성 병변이 보이면 우선 환측엽 절제술을 한다. 이때 약 80%는 양성 선종으로 진단된다. 일부 외과의사는 나이가 많고 크기가 4cm 이상되는 여포종양은 암의 위험성이 50% 이상이 되기 때문에 처음부터 갑상선전절제술을 시행할 것을 권유한다. 수술 중 동결 절편 검사는 보통 도움이 되지 않으며, 암이 피막이나 혈관 침윤이 있거나 또는 주위 림프절 전이가 증명되면 전절제술을 시행한다. 만약 영구 표본에서 여포암으로 확정되면 방사성 옥소전신 촬영으로 전이병소 탐색을 용이하게 하기 위해 완결 갑상선전절제술을 시행한다.

그러나 미세 침윤형은 예후가 양호하기 때문에 완결 전절제술의 필요성에 대하여서는 아직 의견이 일치되지 않고 있다. 림프절 청소술은 전이가 증명된 증례에서만 시행한다.

예후는 유두암보다 불량하여 10년 사망률 15%, 20년 사망률이 30%에 이른다. 일반적으로 진단시 환자의 나이가 50세 이상, 종양의 크기가 4cm 이상, 높은 종양 등급, 심한 혈관 침윤, 원격 전이가 있으면 불량한 예후를 예측한다.

3) 휘틀 세포암

세계 보건 기구의 분류로 휘틀 세포암은 여포암의 아형으로 취급된다. 휘틀 세포암 역시 피막침윤과 혈관 침윤의 소견을 보여야 진단됨으로 세침 흡인 세포 검사로는 진단이 안된다. 휘틀 세포암은 종종 다발성 병변을 보이고 약 30%는 양측성을 나타내며, 보통은 방사성 옥소 흡착이 잘 안 된다. 국소 림프절 전이(25%)와 원격 전이를 잘 하며 10년 사망률이 20%일 정도로 예후가 여포암보다 불량하다. 치료는 여포암의 치료에 준한다.

(1) 방사성 옥소 치료

분화 갑상선암 치료에서 방사성 옥소 치료가 도움이 되는지에 대한 문제는 전향적 무작위 대조 시험을 하지 않았기 때문에 아직 논쟁 중에 있다.

Mazzaferri 등과 DeGroot 등은 수술 후 방사성 옥소 치료가 저위험군 환자에게도 재발을 감소시키며 생존율에도 도움이 된다고 하였다. RAI 스캔은 전이 병소를 탐색하는데 흉부 단순방사선 검사나 전산화단층촬영보다 더 예민하다. 그러나 휘세포 종양을 제외한 거의 모든 분화 갑상선암에서 Tg 측정보다는 덜 예민하다. 옥소 흡착으로 병소 탐색과 치료 효과를 촉진시키기 위해서는 갑상선 조직의 완전 제거가 선행되어야 한다.

전이된 분화 갑상선암은 약 75% 환자에서 전이 병소가 탐색되고 치료될 수 있다. 흉부 단순 방사선검사에서는 보이지 않지만 RAI 스캔에서 흡착되는 미세 폐전이는 약 70%에서 효과적으로 치료되나 육안으로 보이는 큰 전이는 10% 미만의 치료 성공율을 보인다.

방사성 옥소 치료는 병기 3 또는 4의 모든 환자, 45세 미만 병기 2의 모든 환자, 45세 이상 병기 2의 대부분 환자, 병기 1이지만 공격적인 조직 소견, 림프절 전이, 다발성 병소, 갑상선 피막 밖으로의 침범, 혈관 침범 등의 소견을 보이는 환자에게 권유된다.

일반적으로 방사성 옥소 치료를 위해서는 4-6주간 T4 갑상선 호르몬의 투여를 중지하여 TSH를 30μU/mL 이상으로 상승시키고 준비 기간의 마지막 2주 간에는 옥소 제한 식이를 하여 옥소가 효과적으로 잔존 갑상선 조직이나 암세포에 흡착되도록 한다. T4 호르몬의 중지로 환자가 갑상선 기능저하증으로 고통 받는 기간을 줄이기 위해 후기 2주에는 반감기가 짧은 T3로 변경 투여하기도 한다. 또 저용량 옥소 치료의 경우는 갑상선 호르몬 투여를 계속하면서 인공적으로 제조된 rhTSH 주사로 TSH를 30μU/mL 이상으로 올려 치료하기도 한다.

갑상선전절제술 후 1-3mCi의 방사성 옥소 투여 24시간 후에 옥소 흡착이 1% 이하이고 갑상선이 있었던 부위에만 흡착이 있으면 정상 잔존 갑상선 조직이라고 본다. 최근 들어 진단 목적의 방사성 옥소 투여는 기절효과stunning effect를 피하고 고용량 방사성 옥소의 치료 용량을 감소시키기 위해 생략을 하기도 한다. 만약 진단 스캔에서 의미 있는 옥소 흡착이 보이면 저위험군에는 30-100mCi의 방사성 옥소를, 고위험군 환자에게 는 100-200mCi를 투여한다. 만약 혈청 Tg수치는 올라가는데 RAI 스캔은 음성으로 나오면 일단 100mCi를 투여하여 1-2주 후에 다시 스캔을 한다. 이때 1/3환자는 스캔에 양성으로 나오고 혈청 Tg 수치가 감소하는 치료 효과를 보인다. 진단 스캔이 양성이고 혈청 TSH-자극 Tg 수치가 2ng/mL이면 스캔에서 음성으로 나올 때까지 6-12개월 간격으로 방사성 옥소 치료가 필요하다. 한번에 투여할 수 있는 최고 용량은 200mCi이며 최고 누적 용량은 1,000-1,500mCi이다. 치료 전 적절한 선량 측정이 된다면 500mCi까지 단일용량으로 투여 가능하다.

방사성 옥소 치료는 여러 가지 부작용을 야기할 수 있다. 초기 부작용으로는 경부 부종과 동통, 침샘염(10%), 미각 장애, 잔여 갑상선염(70%), 뇌 전이가 있을 때 뇌부종이나 뇌출혈, 성대마비, 구역, 구토(50-450mCi), 골수억제(200mCi), 대상포진, 방사성 방광염, 백혈구 감소증, 내분비 기능 저하, 고환이나 난소의 기능 저하(대부분 가역성이다) 등이 있으며, 장기적 부작용으로는 골수 억제(500mCi), 백혈병(1000mCi), 불임증, 유산율의 증가, 폐섬유화, 만성 침샘염, 미각 장애, 이차암(역형성암, 위암, 간암, 유방암(1000mCi), 폐암, 방광암 등)의 발생 가능성, 부갑상선 기능저하증 등이 있다. 상기한 부작용은 투여된 방사성 옥소의 용량과 상관관계가 있다.

최근 방사성 옥소치료가 저위험군 환자에서는 재발율과 생존율에 미치는 영향이 적으므로 이를 생략해도 된다는 주장이 있다.

(2) 외부 방사선 치료와 항암 화학 치료

외부 방사선 치료는 절제가 불가능한 경우, 국소적으로 침윤하거나 재발한 경우 그리고 뼈 전이가 되어 골절의 위험이 있는 경우에 드물게 사용된다. 또한 뼈 전이로 인한 통증이 방사성 옥소 치료에 반응이 미미하거나 없는 경우에도 사용된다.

갑상선암이 광범위하게 퍼져 있는 경우에 단일 혹은 다병합 항암화학요법을 시도하기도 하나 기대만큼 효과적이지는 않다. 독소루비신Doxorubicin (Adriamycin)과 파클리탁셀paclitaxel (Taxol)이 가장 많이 사용되며, 독소루비신은 외부 방사선 치료시에 방사선 감응도를 높이는 역할도 한다.

갑상선 호르몬(T4) 투여는 갑상선 전절제 혹은 근전절제 후에 갑상선 호르몬을 보충하는 것 외에 잔존 갑상선 암 세포가 뇌하수체 갑상선 자극 호르몬(TSH)의 영향을 받아 재발하는 것을 억제 하려는 목적이 있다. 저위험군 환자는 TSH 수준을 0.1–0.4μU/mL으로 하고, 고위험군 환자는 0.1μU/mL 미만으로 유지한다. 부작용으로는 기능항진 상태에 따른 떨림, 불안증, 수면장애, 열 불내성 등이 초래될 수 있고, 폐경기 이후에는 골 회전율의 증가로 골다공증이 발생할 수 있으며, 고령의 환자들에게는 심방 세동 및 이로 인한 색전증의 위험이 생길 수 있다.

(3) 새로운 표적 치료제들

갑상선분화암 중 전이암 또는 기존의 치료법으로 치료되지 않는(방사성요오드 치료 불응성) 암과 수질암에 대하여 최근 임상시험이 완료되고 미국 및 국내 식약청의 승인된 약물들이 있는데 최근에 개발된 표적 치료제targeted agent들로써, tyrosine kinase 억제제 또는 혈관 신생 억제제들이다. 갑상선 분화암에서는 sorafenib과 lenvatinib이 현재 사용되고 있으며, 갑상선 수질암의 경우에는 vandetanib이 사용되고 있다. 위 약물의 경우 일부환자에서 partial remission을 유도하고 또다른 일부환자에서 stable disease를 유지하게 하는 효과가 있다.

4) 분화 갑상선암 환자의 추적 검사

갑상선전절제술 후에 TSH–억제 Tg 수준이 <2ng/mL, TSH –자극 Tg 수준이 <5ng/mL이면 재발이 없는 것으로 해석한다. TSH –억제 Tg 수준이 >2ng/mL이면 전이 병소나 지속적인 정상 갑상선 조직이 존재하고 있다는 것을 의미한다. 특히 RAI스캔을 준비하기 위해 갑상선 기능저하증 상태를 유도했을 때 혹은 rhTSH를 주사한 후에 증가한다면 더욱 의심한다. 재발하거나 지속적인 암이 있는 경우는 약 95%의 환자에서 TSH –억제 Tg 2ng/mL을 보인다.

Tg와 항Tg 항체는 처음에는 6개월 간격으로 측정하다가 임상적으로 재발을 보이지 않으면 그 다음에는 1년 간격으로 측정한다. 2015년 개정된 미국갑상선학회의 권고안은 TSH 억제 Tg가 1ng/mL이상이거나 TSH 자극 Tg가 10ng/mL이상 혹은 항 Tg 항체가 증가하는 경우에 생화학적 지속되는 암을 의심한다. 항–Tg항체가 증가되어 있는 경우 Tg 측정은 의미가 없으나 연속적으로 항–Tg 항체를 측정하여 이 수치의 증감으로 재발이나 호전을 추측한다. Anti–Tg antibody는 일반 사람에게는 10%에서 나타나고 갑상선암 환자에게는 25%가 발견된다. 첫 수술적 치료 후 TSH–자극 Tg와 경부 초음파 검사가 음성을 보이는 저위험군 환자는 더 이상의 진단적 전신 방사성 옥소 촬영은 필요하지 않다. 그러나 중급 또는 고위험군 환자는 잔존 조직 소멸후 6–12개월 간격으로 전신 방사성 옥소 촬영을 통한 추적검사가 필요하다.

갑상선절제술 후 6–12개월 간격으로 초음파로 갑상선이 있었던 부위, 중앙 경부와 측경부 림프절 검사를 하고, 그 이후에는 환자의 재발 위험도와 Tg의 상태에 따라 3–5년간 매년 검사를 시행한다. RAI 스캔이나 초음파 검사는 음성을 유지하고 있는데 Tg 수준이 높게 측정되면 FDG–PET 스캔으로 재발 부위를 찾아야 한다. FDG–PET 스캔에 나타나는 재발암은 방사성 옥소 치료에 반응이 좋지 않으며 예후도 불량하다.

5) 분화 갑상선암의 위험군 분석

분화 갑상선암의 예후를 정확히 판별하는 것은 분화 갑상선암의 치료 방침을 결정 하는데 매우 중요한 역할을 한다. 이상적인 병기 결정은 수술 전에 결정되어 초기치료부터 치료방침을 결정하는데 도움을 줄 수 있어야 하지만, 현실적으로 병리 소견 없이 갑상선암의 예후를 정확히 예측하는 것은 불가능하여 모든 예후 시스템은 병리 결과가 나온 후 임상 소견과 수술 소견을 종합하여 판단하도록 되어 있다.

(1) 분화 갑상선암의 예후 예측 시스템

분화 갑상선암은 특이하게도 진단 당시의 나이가 예후에 영향을 미치는 중요한 인자임이 오래 전부터 알려져 있다. 이에 대부분의 예후 예측 시스템은 나이를 예후 예측 인자로 고려하고 있으며 대표적인 예후 예측 시스템들은 AGES(표 5-5), AMES(표 5-6), MACIS(표 5-7), 병기(표 5-8), EORTC (European Organization for Research and Treatment of Cancer, 표 5-9) 등이 있다. 이 외에도 10여 가지 이상의 예후 예측 시스템들이 개발되어 왔지만 소개한 시스템들이 가장 흔하게 사용되고 있다. TNM 병기에 의한 15년 생존율은 I병기 99%, II병기 95%, III병기 84%, IV병기 40% 정도로 갑상선 유두암의 양호한 치료 성적을 잘 보여주고 있다.

(2) 각 예후 예측 시스템의 비교

각 시스템에 사용된 임상병리학적 소견을 표 5-10에 비교해 놓았다. 공통적으로 사용되고 있는 요소는 환자의 나이와 종양의 크기, 피막침윤, 그리고 원격전이 유무이며 림프절전이를 중요한 요소를 생각하고 있는 것은 TNM 병기뿐이고, AGES 시스템은 종양의 분화도를, MACIS 시스템은 수술시 완전절제 유무를 중요시하는 특성이 있다.

(3) 예후 예측 시스템의 선택

위에 열거한 병기 시스템들을 사용하면 분화 갑상선암의 예후를 비교적 정확하게 예측할 수 있으며, 이 중에서 현재 가장 많이 사용되고 있는 시스템은 TNM 병기이다. TNM병기는 비교적 단순하고 쉽게 적용할 수 있으며 다른 암에도 많이 사용되기 때문에 다른 암과 비교하기 쉽다는 장점이 있어 가장 많이 사용된다. 그러나 TNM 병기의 한계점은 림프절 전이 유무(N)를 중요한 요소로 생각하기 때문에 임상적인 중요성이 불확실한 현미경적인 림프절 전이 역시 병기에 반영된다는 점이다. 예를 들면 T1N1과 T3N0는 같은 III 병기에 해당되지만 30년 생존율은 92%와 80%로 차이를 보인다. 또 예방적인 림프절절제술을 시행치 않는 Nx 환자에 대해서는 병기 결정이 곤란해진다. 그럼에도 불구하고 TNM 병기는 다른 시스템에 비하여 가장 안정적으로 생존율을 구할 수 있기 때문에 의학자들간의 의사 소통 면에서 가장 합리적인 예후 예측 시스템이라고 할 수 있다.

예후 예측 시스템이 복잡한 경우도 있고(MACIS, EORTC, AGES) 반대로 단순한 경우도 있지만(AMES), 전체적으로는 생존율 예측에 있어 차이가 크지 않기 때문에 임상가들은 재량에 따라 알맞은 시스템을 사용할 수 있다. 다만 실제 임상에 적용할 때에는 어떤 시스템도 완벽하지 않으며 한계가 있음을 이해하는 것이 중요하다.

표 5-5 유두 갑상선암의 AGES 시스템

0.05 × 나이(40세 이상인 경우) 혹은 +0 (40세 미만인 경우), +1(2단계 분화도) 혹은 + 3(3 혹은 4단계 분화도), +1(피막침윤), +3(원격 전이), +0.2 × 종양 크기(최대 직경, cm).

표 5-7 유두 갑상선암 MACIS 시스템

3.1(나이 〈 39세) 혹은 0.08 × 나이(나이 ≥ 40세), + 0.3 × 종양크기(cm), +1(불완전 절제), +1(국소 침윤), +3(원격 전이).

표 5-6 유두 갑상선암의 AMES 시스템

저위험군	고위험군
a) 원격 전이가 없는 모든 젊은 환자(남성 〈 41세, 여성 〈 51세) b) 모든 나이든 환자 : 1. 피막침윤이 최소화되어 있거나 혈관침윤만 있을 때 2. 종양크기<5cm, 그리고 3. 원격 전이가 없는 경우	a) 원격 전이가 있는 모든 환자 b) 모든 나이든 환자 : 1. 주요 피막 침윤 혹은 피막 파괴, 그리고 2. 종양크기 ≥ 5cm

표 5-8 분화 갑상선암의 TNM 병기

	정의
TX	원격 종양의 크기를 모를 때, 그러나 갑상선외 침윤이 없을 때
T1	원발종양 직경 2cm 이하
T2	원발 종양 직경 2cm 초과 4cm 이하
T3	원발 종양 직경 4cm 초과하면서 갑상선에 국한되거나 현미경적 피막침윤이 있을 때
T4a	종양의 크기와 상관 없이 갑상선 피막을 넘어서는 침윤으로 피하 연부 조직이나, 후두, 기도, 식도, 되돌이후두 신경을 침윤했을 때
T4b	종양이 척추골전 근막에 침윤하거나, 경동맥이나 종격 혈관을 침윤 했을 때
NX	수술 시 림프절이 평가되지 않았을 때
N0	림프절 전이가 없을 때
N1a	VI 구획 림프절 전이 시(기도앞, 기도주변, 후두앞 / Delphian 림프절)
N1b	편측, 양측, 반대편 측경부 혹은 종격동 상부 림프절(VII 구획) 전이 시
MX	원격 전이가 평가되지 않았을 때
M0	원격 전이가 없을 때
M1	원격 전이 시

병기		
	환자 나이 45세 미만	환자 나이 45세 이상
Stage I	T, N과 관계없이, MO	T1, N0, M0
Stage II	T, N과 관계없이, M1 T2, N0, M0	T2, N0, M0
Stage III	T3, N0, M0	T3, N0, M0 T1, N1a, M0 T2, N1a, M0 T3, N1a, M0
Stage IVA		T4a, N0, M0 T4a, N1a, M0 T1, N1b, M0 T2, N1b, M0 T3, N1b, N0 T4a, N1b, M0
Stage IVB		T4b, N과 관계없이, M0
Stage IVC		Any T, N과 관계없이, M1

표 5-9 갑상선 유두암의 EORTC 병기

+12 남성일 때
+10 세포 종류가 여포성이거나 저분화암일 때
+10 T범주가 T3일 때(T는 원발 종양의 범위를 의미하며, T3는 종양이 갑상선을 넘어서 주변 조직과 고정되어 있거나 침습할 때를 말한다)
+15 한 곳의 원격 전이가 있을 때
+15 추가로 한 곳 이상의 원격 전이가 있을 때

(4) 분화 갑상선암의 위험군에 따른 고려사항

분화 갑상선암의 저위험군에서는 림프절 전이와 종양 크기가 예후에 거의 영향을 미치지 않는 반면 고위험군에서는 좋지 않은 예후와 아주 밀접한 관계가 있다. 이는 갑상선암에서만 발견되는 특징이다. 이처럼 동일 장기에서 동일한 조직병리학적 소견을 보이는 암이 고위험군과 저

표 5-10 각 예후 예측 시스템의 비교

변수	AGES	AMES	MACIS	TNM	EORTC
환자 인자					
나이	O	O	O	O	O
성별		O			O
병리학적 인자					
크기	O	O	O	O	
조직학적 단계	O				O
갑상선외 침습	O	O	O	O	O
림프절 전이				O	
원격 전이	O	O	O	O	O
수술 인자			O		

위험군에서 판이하게 다른 예후를 가진다는 사실은 설명하기 어려우나, 현재는 똑같은 암처럼 보이지만 실제로는 유전적, 생물학적으로 성질이 전혀 다른 질환이라고 설명하고 있다. 또 이러한 유전적인 결정은 두경부 방사선 노출과 같은 역학적 인자들과 밀접한 관계가 있을 것으로 생각하고 있다.

분화 갑상선암의 저위험군의 치료는 고위험군과는 차별화 되어야 한다는 것이 최근의 일관된 주장이다. 특히 갑상선전절제술, 호르몬 보충요법, 방사성 옥소 치료는 고위험군에서만 선택적으로 적용하는 것이 바람직하다. 또한 향후에도 저위험군 환자들은 건강 검진의 증가와 진단 기술의 발전으로 늘어날 가능성이 높기 때문에, 이러한 환자들을 어떻게 치료하여야 할 것인가에 대한 연구와 논의는 계속되어야 할 것으로 보인다.

6) 수질암

갑상선 수질암은 전체 갑상선암의 5–10% 정도를 차지하는 암으로 갑상선 소포곁세포(부여포세포)parafollicular cells, C cells에서 발생한다. 갑상선 수질암은 산발성과 유전성으로 구분된다. 산발성 갑상선 수질암은 전체 갑상선 수질암의 75%이며, 유전성 갑상선 수질암은 전체 갑상선 수질암의 25%로 다발성내분비선종 및 가족성 갑상선 수질암이 여기에 해당한다.

소포곁세포는 혈청 칼슘농도를 낮추는 역할을 하는 칼시토닌calcitonin을 분비하며 갑상선의 상외측 부위에 집중되어 있다. 갑상선 수질암은 주로 칼시토닌이 집중된 갑상선의 상외측 부위에서 호발하며 협부isthmus에서 발생하는 경우는 드물다.

(1) 임상소견

가. 산발성 갑상선 수질암

환자에 따라 다양한 임상양상을 보인다. 산발성 갑상선 수질암 환자는 40–50대에 호발한다. 산발성 갑상선 수질암 환자의 74–84%에서 결절이 만져지며, 50%의 환자에서 경부 림프절이 만져진다. 주로 갑상선의 단일 결절이 발견되며, 진단 당시 경부 림프절 전이가 흔하다. 드물게 국소 침습을 통한 증상(쉰목소리, 연하곤란, 기침)이 나타날 수 있으며, 10–20%의 환자에서 간, 폐 또는 뼈의 원격전이가 나타난다. 삼분의 일 정도에서 설사를 호소한다. 산발성 갑상선 수질암 환자의 40–50%에서 RET의 체성 돌연변이가 관찰된다. 임상적으로 분명한 산발형 수질암도 RET 배선 돌연변이는 스크리닝 할 필요가 있다.

나. 다발성내분비종양 2형

다발성내분비종양 2형multiple endocrine neoplasm 2 (MEN-2)은 불완전 투과incomplete penetrance를 하는 상염색체 우성 유전질환이다. 환자의 자녀 중 50%에서 유전될 확률이 있고 남녀에 차이가 없다. 미국갑상선학회의 2015년 가이드라인에서 MEN 증후군의 분류 체계가 새로 정립되었다. 다발성내분비종양은 나타나는 임상양상에 따라 다발성내분비종양 2A형(MEN-2)과 다발성내분비종양 2B형(MEN-2B)으로 구분한다. 다발성내분비종양 2A형은 Classical MEN-2A, 태선 아밀로이드증을 동반한 MEN-2A (MEN-2A with cutaneous lichen amyloidosis), 히르슈슈프룽 병을 동반한 MEN-2A (MEN-2A with Hirschsprung's disease)와 가족성 갑상선 수질암Familial Medullary Thyroid Carcinoma (FMTC)의 4개 세부 분류로 나눈다.

① 원인

MEN은 염색체 10번의 돌연변이에 의한 가족성 암증후군이다. RET 원종양유전자의 배선 돌연변이에 따라 MEN-2A 및 MEN-2B의 질환 표현형이 달라진다. RET 원종양유전자는 염색체 10q11.2에 위치하며 주로 RET 암유전자의 돌연변이가 발생하는 위치는 엑손 5, 6, 10, 11, 13, 15 및 16번이다. RET 원종양유전자는 신경능선세포 기원에서 표현되는 타이로신 키나아제 수용체와 연관된 세포막 당단백을 암호화encoding한다. 타이로신 키나아제는 세포 증식, 이동, 분화 및 생존을 조절하는 역할을 한다. 당단백은 세개의 기능적인 영역(세포외영역, 세포막통과영역, 세포질영역)으로 구성되어 있으며, 돌연변이가 발생하는 영역에 따라서 갑상선 수질암의 표현형이 달라진다.

② MEN-2A

표준 MEN-2A 환자는 갑상선 수질암(환자의 98%)과 갈색세포종(환자의 50%) 및 부갑상선 기능항진증(환자의 25%)이 나타난다. 표준 MEN-2A의 유전자 돌연변이는 세포외영역에서 일어난다. 세포외영역 코돈 중에서 609, 611, 618, 620, 630, 634번 돌연변이가 98%로 대부분이며, 634번 코돈의 돌연변이가 전체 표준 MEN-2A 환자의 85%로 제일 흔히 나타난다. 대개 20대에 가장 많이 발생하며, 이것은 일반적으로 산발성 갑상선 수질암이나 갈색세포종이 호발하는 나이에 비해 이른 시기이다. MEN-2A 환자의 갑상선 수질암은 대개 만져지는 갑상선 결절로 진단되며, 진단 당시 절반에서 경부 림프절 전이가 있다. MEN-2A 환자의 갈색세포종은 대개 간헐적인 두통, 심계항진 및 신경과민 등의 경미한 증상을 가지며, 발작성 고혈압은 흔하지 않다. 갈색세포종은 흔히 양측성으로 발생하며, 일측성이라도 반대쪽 부신의 미만성 또는 결절성 증식이 보통 존재한다. MEN-2A 환자의 10-25%에서 고칼슘혈증 및 부갑상선호르몬 수치 증가가 나타난다. 진단 연령은 평균 38세이며, 증상은 산발성 부갑상선 기능항진증 환자와 같으나, 대부분의 환자에서 증상이 없다.

태선 아밀로이드증을 동반한 MEN-2A는 주로 T2-T6 따라 일어나는 태선 아밀로이드증을 동반하는 갑상선 수질암을 특징으로 한다. 태선 아밀로이드증이 갑상선 수질암의 임상 발현보다 우선 일어난다. 한 연구에 따르면 코돈 634번 돌연변이 환자의 36%에서 태선 아밀로이드증 혹은 가려움증이 나타났다.

히르슈슈프룽병을 동반한 MEN-2A 환자는 선천성거대결장증을 동반한 갑상선 수질암으로 정의하며, RET 돌연변이는 주로 코돈 609, 611, 618과 620번에서 나타난다.

가족성 갑상선 수질암은 다른 내분비 질환 또는 특이적인 임상 양상 없이 갑상선 수질암의 가족력을 가지는 경우로 정의한다. 미국갑상선학회의 2015년 가이드라인 이전에는 MEN-2A와 MEN-2B와 대등한 위치의 독립적인 질환으로 구분하였으나 미국갑상선학회의 가이드라인의 변경이후 MEN-2A의 한 세부 분류로 포함되었다. 평균 진단 연령은 MEN-2A 환자에 비해서 늦은 편이다. 가족성 갑상선 수질암의 RET 유전자의 돌연변이 위치는 세포외영역 및 세포내영역 모두 존재한다.

③ MEN-2B

MEN-2B 환자의 95%는 코돈 918번 돌연변이이며,

5%는 코돈 883번 돌연변이이다. MEN-2B 환자는 MEN-2 증후군 중 가장 공격적인 임상 양상을 보인다. MEN-2B는 MEN-2A에 비해서 더 어린 나이에 질병에 이환되는 특징이 있다. 빠른 경우 생후 1년 이내 발생하는 경우도 있으며, 진단 평균 연령은 16세이다. MEN-2B에서의 갑상선 수질암은 환자의 98%에서 나타나며 전이의 가능성이 많고 수술적인 치료가 쉽지 않다. 갈색세포종은 환자의 50%에서 나타나고, 갑상선 수질암보다 늦게 발생한다. 25세를 넘은 MEN-2B 환자의 50%에서 갈색세포종이 진단된다. 부갑상선 기능항진증은 MEN-2A에 비해서 드물다. 마판형 체형(마르고 큰 키에 구개가 높게 아치를 그리며 팔다리가 긴 체형)이 환자의 90%에서 나타난다. 하지만, 진성 마판 증후군과는 다리 MEN-2B 환자는 수정체 편위ectopia lentis 및 심장-대동맥 이상은 나타나지 않는다. 또, 신경절 신경종증이 흔히 나타난다. 혀의 앞 1/3의 신경종이 가장 특징적으며 이외에 입술, 볼점막, 결막 및 눈꺼풀, 안구 내에서도 나타날 수 있다. 신경종증은 위장관에서도 나타나 심한 만성 변비 또는 설사, 복부팽만, 경련성 복부 통증 등을 호소할 수 있다.

(2) 진단

분화 갑상선암의 표준 진단 방법은 미세침흡인세포검사이나, 갑상선 수질암은 수술 전에 여포성 종양으로 판독되는 경우가 많기 때문에 수술 후 병리조직 확인을 통해서 확진이 가능한 경우가 많다. 칼시토닌으로 염색하면 약 80%의 종양에서 양성으로 나타난다. 기저 칼시토닌과 자극 칼시토닌 수치가 진단에 중요한 종양표지자이며, 모든 갑상선 수질암에서 칼시토닌이 비정상적으로 높게 측정되며(정상치: 10pg/mL 이하), 자극검사에서 칼시토닌이 과다 분비된다. 기저 칼시토닌 수치가 100pg/mL 이상이면 갑상선 수질암으로 강력하게 의심 할 수 있다. 수술로 갑상선이 제거되면 혈청 칼시토닌이 감소하거나 소실되므로 수술 후 경과관찰에서 칼시토닌은 중요한 암표지자이다. 수술 후 혈정 칼시토닌이 측정되거나 농도가 증가하면 재발 및 전이를 의미한다. CEA는 또 다른 갑상선 수질암의 표지자이다. 갑상선 수질암의 분화가 불량해지면 칼시토닌 생산 능력을 상실하지만 CEA 생산 능력은 유지되므로 진행성 수질암의 경우는 CEA의 경과 관찰이 유용하다.

(3) 치료

가. 수술적 치료

수술적 절제만이 갑상선 수질암의 유일한 치료법이며, 갑상선전절제술 및 양쪽 중앙경부림프절청소술이 표준 치료이다. 림프절 전이는 종양의 크기와 관련이 있는데, 종양의 크기가 1cm 미만일 경우 11%에서 림프절 전이가 있고, 종양의 크기가 2cm 이상일 경우 60%에서 림프절 전이가 발생한다.

나. 비수술적 치료

갑상선 수질암에서 ^{131}I 방사성 동위원소치료, 항암화학요법과 방사선치료는 좋은 효과를 내지 못하는 것으로 알려져 있다. 하지만 국소 재발의 위험이 높은 경우 또는 절제가 불가능한 원발암(또는 재발암)의 경우에는 시도하여 볼 수 있다. 갑상선 수질암의 발생과 RET 암유전자의 돌연변이와 관련이 알려지면서 Vandetanib과 같은 타이로신 키나아제 억제제thyrosine kinase inhibitor가 치료에 적용되고 있다.

(4) 예후

갑상선 수질암의 전체적인 예후는 분화암과 역형성암의 중간에 속한다. 최근의 연구를 보면 갑상선 수질암의 5년 생존율은 90%이고 10년 생존율은 80%이다. MEN-2A와 FMTC의 경우 산발성 갑상선 수질암과 MEN-2B에 비해서 예후가 좋다. 양호한 예후 인자로는 젊은 나이, 여성, 가족력이 있는 경우, 갑상선에 국한된 병소 등이다. 산발성 갑상선 수질암 환자가 더 예후가 안 좋은 이유는 진단 시 나이가 많고 병소가 진행되었기 때문이다. French Calcitonin Tumor Study Group에서 1952년에서 1996년까지 899명의 갑상선 수질암 환자를 대상으로 예후를 분석한 결과, 다변량 분석에서 나이와 병기가 독립적으로 예후에 영향을 미치는 인자로 밝혀졌다. 생화학적인 완치를 달성하였을 때, 10년 생존율은 97.7%로 아주 우수하다. 생화학적인 완치를 달성하지 못하였더라도 5년 및 10년 생존율은 80%와 70% 정도로 좋은 편이다.

(5) 가족성 수질암 환자 가족구성원의 유전자검사와 예방적 갑상선절제술

가. RET 돌연변이의 유전자 검사

가족성 갑상선 수질암 환자는 그 가족구성원을 대상으로 갑상선 수질암의 스크리닝 검사를 시행해야 한다. 과거 유전자 검사법이 이용되기 전에는 자극 칼시토닌 검사, 24시간 요중 카테콜아민 검사 및 혈중 칼슘, 부갑상선 호르몬 검사 등의 생화학적 검사로 선별검사를 시행하였으나, 최근 유전자 검사법의 발달로 RET 원종양유전자의 돌연변이 보인자를 조기에 확인할 수 있게 되었다. 미국갑상선학회의 가이드라인에 따르면 아래의 경우는 RET 돌연변이 유전자 검사를 하도록 권고한다. i) 가족 가운데 1촌 관계에서 가족성 갑상선 수질암인 경우 ii) 영아나 소아에서 MEN-2B가 진단된 부모 iii) 태선 아밀로이드증 환자 iv) RET 유전자의 엑손 10번 돌연변이가 확인된 히르슈슈프룽병 영아 혹은 소아와 RET 유전자의 엑손 10번 돌연변이를 가지면서 히르슈슈프룽병 증상이 의심되는 성인

나. 예방적 갑상선 절제

RET 유전자 돌연변이를 확인해서 예방적 갑상선 절제prophylactic thyroidectomy를 시행한다. 예방적 갑상선절제는 갑상선 수질암을 완치할 수 있고, 후유증이 거의 없으며, 장기적인 삶의 질에 영향을 미치지 않는 좋은 방법이다. 미국갑상선학회의 2015년 가이드라인에서 RET 유전자 돌연변이에 따라 위험도를 3가지도 분류하였다. 코돈 918번 돌연변이를 가진 환자는 ATA-HST (highest), 코돈 634번과 883번 돌연변이를 가진 환자는 ATA-H (high) 및 나머지 RET 유전자 돌연변이를 ATA-MOD (moderate)로 정의하였다. 예방적 갑상선 절제술의 권고 시기는 RET 돌연변이의 위험도에 따라 다르다. ATA-HST군에 속하는 환자는 생후 1년 이내, ATA-H군에 속하는 환자는 5세 이전 혹은 혈중 칼시토닌 농도를 경과관찰 중에 예방적 갑상선 절제술을 권고한다. ATA-MOD군에 속하는 환자는 혈중 칼시토닌 농도가 상승할 때 예방적 갑상선 절제술을 할 것을 권고하는데, 환아의 부모가 오랜기간 경과관찰을 원하지 않는 경우에는 5살에 예방적 갑상선 절제술을 할 수 있다.

7) 역형성암

(1) 빈도

역형성암anaplastic thyroid carcinoma은 전체 갑상선암의 1-2%를 차지했으나 최근에는 분화갑상선암을 조기에 적절히 치료함으로써 역형성암 전환이 현격히 줄었고 분화갑상선암의 빈도가 급증함에 따라 역형성암의 상대적인 빈도는 0.2-0.3%로 감소했다.

(2) 원인 및 병리

역형성암의 발생 원인에 대하여 여러 이론이 있으나 특정 인자가 밝혀진 바는 없다. 하지만 대부분의 역형성암은 분화갑상선암이나 양성종양과 함께 존재하며, 분화갑상선암으로 수술 받은 과거력이 있는 환자에서 호발하고, 일부 분화갑상선암 내에 역형성암의 작은 병소가 존재하기도 한다는 점에서 분화갑상선암이 역형성암으로 역분화가 일어난다고 생각된다.

역형성암은 중앙부에 괴사나 궤양의 소견을 보인다. 조직학적으로는 방추 세포형, 거대세포형, 편평형, 혼합형 등의 아형으로 분류하지만 예후나 경과, 치료 전략에는 별 영향이 없는 점에서 조직학적 분류보다는 원발성 갑상선 림프종이나 갑상선 수질암과의 감별진단이 중요하다.

(3) 임상양상

역형성암은 일반적으로 장기간 갑상선종 또는 분화갑상선암을 가지고 있거나 치료받은 과거력이 있는 60세 이상의 환자에서 발생한다. 대부분은 갑자기 커진 목의 종괴를 주소로 내원하며 처음 내원 당시 이미 호흡곤란, 연하곤

란, 목소리 변화 등의 경부 압박 증상을 동반하는 경우가 많다. 종괴는 보통 매우 크며 주변 근육이나 기관에 딱딱하고 유착되어 움직이지 않으며 압통이 동반될 수 있다. 진단 당시 원격전이가 30-50%에서 동반되며 폐전이(70-90%), 골전이(6-15%), 뇌 전이(5-13%) 순으로 호발한다.

(4) 진단

일반 갑상선 결절과 마찬가지로 세침 흡인 세포 검사로 진단하며 약 90%에서 진단이 가능하다. 빨리 진행하고 목의 동통을 동반한다는 점에서 갑상선염과의 감별 또한 중요하다. 세침 흡인 세포 검사에서 역형성암이 의심되면 경부와 흉부 전산화 단층촬영을 통해 병변의 범위를 확인한다. PET-CT 촬영 및 골스캔이 도움이 될 수 있다.

(5) 병기

모든 역형성암은 T4이며 림프절 전이 여부에 관계 없이 IV기로 진단한다. 원발 병변이 갑상선 내에 국한되어 있으면 T4a, 갑상선 피막의 육안적 침범이 있으면 T4b로 분류되며, T4a는 IVA기, T4b는 IVB에 해당하고 원격 전이가 있으면 원발 병변과 림프절 전이 여부에 관계 없이 IVC기이다.

(6) 치료

가. 수술

종양이 완전 절제되고 원격전이가 없는 경우에는 드물게 장기 생존이 가능하기 때문에 종괴의 완전 절제가 가능하면 갑상선 전절제술을 포함한 근치적인 절제술을 시행한다. 그러나 국소 침윤이나 원격전이로 인해 근치적 수술이 가능한 경우는 많지 않으며, 국소 침범을 해결하기 위해 기관 절제나 후두절제는 생존율의 향상을 가져오지 않기 때문에 권장되지 않는다.

나. 항암화학요법 및 방사선치료

Paclitaxel, docetaxel과 같은 탁솔계열 약물taxenes이나 adryamycin과 같은 antracycline 약제를 투여하거나 이와 더불어 방사선치료를 병용해서 치료 성적이 좋아진다는 일부 보고들이 있다. 그러나 실제로는 병의 진행이 매우 빠르고 환자의 전신상태가 이들 치료를 견디지 못하는 경우가 많기 때문에 모든 환자에서 적용하기 어렵고 아직까지 아직까지 뚜렷하게 효과적인 항암제는 없는 실정이다.

(7) 예후

일부 원격전이가 없이 경부에 국한되고 근치적 절제가 가능한 경우 장기 생존을 보이기도 하지만, 대부분의 경우에 있어 다양한 치료 방법에도 불구하고 환자는 진단 후 6개월 이내에 사망한다. 특히 근치적 수술이 불가능한 경우에는 국내 보고에 의하면 동반 항암화학 및 방사선요법 치료에도 불구하고 평균 생존기간은 2.6개월에 불과했다. 아직까지는 역형성암은 완치가 거의 불가능한 영역으로 남아있지만, 최근 역형성암의 적절한 치료법을 찾기 위해 역형성암의 발병기전과 치료 타겟에 대한 분자생물학적 연구가 활발하며 향후 성과가 기대된다.

8) 림프종

갑상선 원발성 림프종primary thyroid lymphoma은 전체 갑상선암의 1-5%, 림프절 외 림프종의 2% 미만을 차지하는 매우 드문 암이며 한국에서는 전체 갑상선암 중 1% 미만을 차지한다. 유병률은 100만명당 2명으로 알려져 있다.

(1) 병리

대부분의 갑상선 원발성 림프종은 B-cell type non-Hodgkin 림프종이며 T-cell 림프종은 매우 드물다. B-cell type non-Hodgkin 림프종은 다시 병리학적 특성에 따라 mucosa-associated lymphoid tissue (MALT) 림프종, diffuse large B-cell 림프종과 그 둘의 혼합형인 mixed type의 세 종류로 크게 구분된다.

(2) 임상양상

여자에게 3-4배 더 많이 발생하고, 호발연령은 50-80

대이다. 하시모토 갑상선염이 있는 군은 그렇지 않은 군에 비해 갑상선 원발성 림프종의 발생율에 대한 위험도가 67–80배에 이른다고 알려져 있으며 실제 약 90%의 환자에서 하시모토 갑상선염이 동반된다. 가장 흔한 증상은 목 앞의 만져지는 종괴이며 림프절비대가 동반되기도 한다. 약 30%의 환자에서 경부 압박감, 연하곤란, 호흡곤란, 협착음stridor, 쉰목소리 등의 종괴로 인한 압박증상이 나타난다. 약 10%의 환자에서는 림프종에 특징적인 발열, 야간 발한, 체중 감소 등의 B 증상이 나타난다. 하시모토 갑상선염이 동반되어 있는 경우에도 대부분의 환자의 갑상선 기능은 정상이다.

(3) 진단

여타 갑상선 결절과 마찬가지로 세침 흡인 세포 검사가 표준 진단법이다. 전통적으로는 하시모토 갑상선염 또는 역형성암과 구분하기 위해 open surgical biopsy가 고려되기도 했으나 최근에는 면역 세포 화학 염색 기법의 발달로 세침 흡인 검사만으로도 갑상선 원발성 림프종을 80% 이상의 정확도로 진단할 수 있다. 그러나 여전히 일부에서는 갑상선염과의 구분이 힘들기 때문에 바늘 생검이나 open surgical biopsy가 필요한 경우도 있다. 따라서 세침 흡인 검사에서 진단이 되지 않았다고 하더라도 하시모토 갑상선염의 과거력과 함께 경부 압박을 동반한 갑상선 종괴가 있을 때에는 갑상선 원발성 림프종을 의심하는 것이 중요하다.

(4) 병기

갑상선 원발성 림프종의 병기는 Ann Arbor staging system을 따라 표 5–11과 같다.

표 5-11 갑상선 림프종의 병기

IE 기	갑상선 내에 국한된 질환
IIE 기	갑상선 및 주변 림프절에 국한된 질환
IIIE 기	양측 횡격막 쪽으로 침범된 질환
IVE 기	파종성 질환

(5) 치료

조직학적 형태에 따라 주된 치료가 다르다. 약 90%의 MALT 림프종은 경부에 국한되며(IE기 또는 IIE기) 이러한 경우 수술 또는 방사선치료 가운데 한가지 치료로 완치가 가능하다. 방사선치료에 비해 수술은 생존율의 증가를 가져오지 않고 합병증이 높기 때문에 방사선치료를 주치료법으로 권한다. 그러나 병변이 매우 크거나 경부 압박 증상이 있을 경우에는 방사선치료와 더불어 수술요법 및 화학요법을 겸용한다. diffuse large B–cell 림프종이나 mixed type에서의 표준 치료는 CHOP (Cyclophosphamide, Doxorubicin, Cyclophosphamide and Prednisone)과 CD20 단백질에 대한 단일클론 항체인 rituximab의 병용요법이며 경부압박 증상이 뚜렷할 경우 수술을 함께 고려할 수 있다.

(6) 예후

갑상선 원발성 림프종의 예후에 영향을 미치는 중요한 인자는 조직학적 형태와 병기이다. MALT 림프종은 대부분의 경우 IE기 또는 IIE기에 진단되며 수술 단독 또는 방사선치료 단독으로 완치가 가능하다. 5년 생존율은 대부분의 연구에서 96–100%로 보고된다. 한편 diffuse large B–cell 림프종은 MALT 림프종에 비해 보다 나쁜 예후를 가지며 5년 생존율이 71–75%로 보고된다. Mixed type은 diffuse large B–cell 림프종과 비슷한 예후를 가진다. 1,408명의 갑상선 원발성 림프종 환자를 대상으로 한 미국 국립암센터의 SEER database 기반연구에 따르면 조직학적 형태와 관계 없이 병기에 따른 5년 생존율은 IE기 86%, IIE기 81%, IIIE/IVE기 64%였다. 이 연구에 따르면 80세 이상의 나이, 높은 병기, 수술 또는 방사선 치료를 받지 않은 경우, 그리고 diffuse large B–cell 림프종이 나쁜 예후와 연관이 있는 독립인자이다.

9) 전이암

갑상선은 혈액공급이 풍부한 장기이지만 임상적으로

타장기의 악성 종양이 전이되는 경우는 드물다. 하지만 암으로 사망한 환자들의 부검에서는 1.9–24% 까지 갑상선으로의 전이암이 보고되고 있다. 갑상선의 결절로 발견되어 세침흡인세포검사를 통해 발견되는 전이성 갑상선암은 전체 갑상선암의 0.1–3% 정도이다. 원발장기로 흔한 곳은 신장(48.1%), 대장직장(10.4%), 폐(8.3%), 유방(7.8%), 육종(4.0%) 순이다. 국내에서 가장 많은 수의 전이성 갑상선암에 대한 보고는, 1997년부터 2003년까지 한 대학병원에서 진단된 22명의 전이성 갑상선암 환자에 대한 분석 결과이며, 원발장기는 유방암 5례, 신장 3례, 대장 3례, 폐 3례 정도였다.

(1) 임상양상

종괴로 인한 경부의 압박 증상이 있는 경우도 있지만, 대부분은 증상 없이 검진에서 우연히 발견되거나, 무통성의 경부종괴로 발견된다. 호발연령은 50–60대이고, 갑상선 기능은 대부분 정상 범위이다. 20% 정도에서는 원발암 및 갑상선암의 전이가 동시에 진단된다. 원발성 종양인지 전이성 암인지의 감별은 쉽지 않다. 세침흡인세포검사가 진단에 필수적이지만 악성 여부에 대한 판단 외에 원발암의 병리적 소견을 얻기는 어렵다. 원발암을 진단하기 위해서는 환자에 대한 병력 청취와 초음파, CT 등의 부수적인 검사가 필요하다.

(2) 치료

전이성 갑상선암이 확진된 경우 갑상선 엽절제술 등으로 효과적인 국소 치료가 가능하며, 원발암과 전이성 갑상선암이 동시에 절제된 환자군이 원발암만 제거된 환자군에 비해 유의한 생존률의 증가를 보였음이 보고되고 있다. 하지만 갑상선 전이가 다발성 장기 전이중의 하나로 발현된 경우에는 갑상선 절제 수술은 치료적 의미가 없으므로 수술 전 원발암의 상태를 잘 평가하여야 한다.

요약

갑상선암도 다른 부위에서 발생하는 암과 같이 다단계 암형성 과정을 거치지만 주요 발생기전을 크게 두 가지로 나눌 수 있다. 즉 원종양유전자의 돌연변이 등으로 발생하는 종양유전자의 역할과, 또 하나는 종양억제유전자의 돌연변이로 인한 기능상실이다. 갑상선 암과 관련된 종양유전자로서는 *RET/PTC, TRK, MET, Ras, TSH-R, BRAF*와 *PAX8/PPARγ1* 등이 있고, 종양억제유전자로는 *p53, p16, PTEN* 등이 있다.

방사선에 의한 노출이 갑상선암의 가장 명백한 위험인자이다. 갑상선종이나 양성결절의 병력 역시 유의하게 갑상선암의 위험도를 증가시킨다. 그 외 식이, 호르몬, 직업과 환경인자 등의 발병원인들이 제기되고 있는데 이 인자들의 작용기전은 갑상선자극호르몬을 통한 것으로 생각된다. 또한 유전적인 인자들 즉 가족성 선종폴립 증후군familial adenomatous polyposis과 Cowden 병 등이 갑상선암과 관련되어 있다.

유두 갑상선암과 여포암은 세포 분화도가 좋아 분화 갑상선암이라고 칭하며 모든 갑상선암의 95%정도를 차지한다. 유두암은 옥소섭취가 풍부한 지역에서 빈발하고 여포암은 옥소 결핍지역에서 상대적으로 많이 발생한다. 우리나라는 옥소 풍부 지역으로 유두암이 대부분이고 여포암은 소수에서 볼 수 있다. 유두암은 주로 림프관이나 림프절을 통해 전이하나 여포암은 혈관을 통해 원격전이를 보인다. 유두암은 진단시 이미 높은 림프절 전이 빈도를 보이나 다른 암과는 달리 예후에 큰 영향을 미치지 않는다. 유두암의 진단은 초음파 유도하 세침 인세포 검사가 기본이 되며 *BRAF* 유전자 돌연변이 검사나 galectin-3 단백검사가 도움이 되기도 한다. 여포암은 세포 검사로는 진단이 어려우며 반드시 환측엽을 절제하여 피막이나 혈관 또는 림프관 침윤을 조직 표본에

요약 〈계속〉

서 확인하여야 진단이 가능하다. 유두암의 갑상선 절제범위는 아직 논쟁 중에 있으나 1.0cm 이상의 암이면 전절제를 권유하는 경우가 많다. 그러나 예후지표에서 고위험군에 속하는 경우에만 전절제를 하자는 주장도 있다. 림프절은 중앙 경부는 예방적으로 청소하고 측경부는 전이가 증명된 경우에 청소한다. 여포암은 진단이 확정되면 전절제술이 원칙이나 미세 침윤형이면 환측 엽 절제만 하기도 한다. 수술 후 보조 치료로 방사성 옥소치료와 갑상선호르몬 투여로 갑상선 자극 호르몬 억제 치료를 한다. 유두암은 10년 생존율이 95% 이상으로 매우 양호하나 여포암은 이 보다 나빠서 약 85%의 10년 생존율을 보인다.

갑상선 수질암은 전체 갑상선암의 3-12% 정도를 차지하는 암으로 부여포세포parafollicular C cell에서 발생한다. 산발성 갑상선 수질암은 60-70%이고, 나머지 30-40%는 유전성 암으로, MEN-2A와 MEN-2B 및 가족성 갑상선 수질암이 여기에 해당한다. 수술적 절제만이 갑상선 수질암의 유일한 치료법이며, 갑상선전절제술 및 양쪽 중앙경부림프절청소술이 표준 치료이다. 역형성암은 매우 드문 질환으로 전체 갑상선암 중에서 1-2% 정도를 차지하며, 예후가 불량해 진단 후 수 개월 내에 사망하게 된다. 갑상선의 원발성 림프종은 전체 갑상선암중 0.1-0.7%를 차지하고, 치료 전략이 다른 갑상선의 종양과 완전히 다르므로 항상 림프종을 감별진단으로 고려해야 한다. 전이성 갑상선암은 전체 갑상선암의 0.1-3% 정도이고, 원발 장기로 흔한 곳은 신장, 대장직장, 폐, 유방 순이다.

V 갑상선 수술과 합병증

갑상선 수술의 역사는 매우 오래 되었으나 근대적인 갑상선 수술의 기초는 Theodor Kocher(1841-1917)에 의해서 이루어진 것으로 인정되고 있다. 갑상선 절제 시 혈관을 개별적으로 세심하게 결찰하고 절단함으로써 출혈을 최소화하고 수술시야를 깨끗이 유지하는 기본적 개념이 Kocher에 의해 만들어졌으며 그리하여 갑상선 수술 후 출혈에 의한 사망률을 획기적으로 낮출 수 있었다.

그 이후 갑상선 수술 술기는 계속 발전하여 되돌이후두신경손상, 부갑상선 기능저하 등 합병증의 빈도도 점차 낮아지고 있다. 그러나 아직도 갑상선 수술 시 이러한 합병증을 완벽히 피할 수는 없고 경험이 많지 않은 외과의에게는 큰 부담이 될 수 밖에 없다. 외과의가 갑상선 수술 시 합병증을 최소화할 수 있는 수술 술기를 갖추는 것은 합병증을 낮추기 위해서만 필요한 것이 아니고 갑상선암 수술 시 종양과 림프절을 완벽히 제거하기 위해서도 필요하다.

합병증을 최소화 할 수 있는 술기를 갖추지 못한 외과의는 갑상선암 수술 시 합병증 발생의 우려 때문에 적극적으로 근치적 절제를 하지 못하게 될 수 있고 수술 시 중앙 경부에서의 근치적 절제 여부는 환자의 예후에 큰 영향을 미치게 된다.

이러한 술기를 습득하기 위해서는 올바르고 세밀한 갑상선, 부갑상선, 되돌이후두신경, 상후두신경 외측 분지의 해부와 경부 림프절 절제의 적응증 및 범위, 림프절 청소술의 술기에 대한 이해가 필요하다.

1. 갑상선 절제의 일반적 원칙

갑상선암 환자에서의 갑상선 절제 시 합병증을 최소화하면서 종양을 제거하기 위한 기본 전략이 외과의에 따라 다를 수 있다. 어떤 외과의는 완전한 갑상선전절제를 원칙으로 하고 그러기 위해서 부갑상선 및 분포 혈관과 되돌이후두신경을 육안으로 완전히 확인한 후 보존하고 갑상선 조직을 완전절제 하는 것을 원칙으로 하고 있고 어떤 외과의는 되돌이후두신경을 육안으로 확인하고 부갑상선도 확인하지만 분포혈관을 완전히 확인하지 않고 부갑상선이 접해 있는 갑상선 조직을 일부 같이 남겨서 부갑상선을 안전하게 보존하는 갑상선 아전절제 혹은 근전절제를 하기도 한다. 과거에는 수술 시 부갑상선을 찾으려 시도하는 것조차도 위험하다는 주장도 있었으나 현재에는 받아들여지지 않고 있다.

부갑상선과 그에 분포하는 혈관만을 분리하여 보존하는 것은 기술적으로 매우 어렵고 허혈의 위험이 있는 것은 사실이다. 그러나 부갑상선에 분포하는 혈관의 해부가 다양하기 때문에 근전절제술이나 아전절제술을 해도 모든 부갑상선이 안전하게 보존되는 것은 아니다. 한 예를 들면 하부갑상선에 분포하는 혈관이 하갑상선동맥에서 분지되지 않고 상갑상선동맥에서 길게 하방으로 내려와 하부갑상선에 분지하는 경우가 있는데 이러한 경우 혈관의 주행이 갑상선의 후면이 아닌 측면으로 진행하기 때문에 근전절제나 아전절제가 불가능하다. 따라서 모든 환자에서 부갑상선과 그에 분포하는 혈관을 완전히 육안으로 확인하고 부갑상선과 분포 혈관만을 분리하여 보존하고 갑상선 조직을 완전히 제거하는 것을 기본 원칙으로 하는 것이 바람직하다고 생각되며 아전절제나 근전절제를 하더라도 혈관을 육안으로 완전히 확인하고 하는 것이 바람직하다. 경험이 많지 않은 외과의가 이러한 원칙 하에 수술을 하면 부갑상선에 분포하는 혈관의 해부가 복잡하고 굵기가 매우 가늘기 때문에 처음에는 부갑상선 보존이 아전절제나 근전절제보다 어려울 수 있다. 그러나 경험을 쌓으면서 술기가 습득되면 결국에는 아전절제보다 더 부갑상선 보존율이 높아질 수 있다. 앞으로 기술할 실제 수술 술기는 이러한 원칙 하에 진행되는 갑상선 수술 술기가 될 것이다.

2. 피부절개

피부 절개 위치를 결정하는 데 있어서 고려해야 할 사항은 첫째 갑상선과 종양을 절제하는데 있어서 가장 적절한 절개위치가 어디인가 하는 점과 둘째 수술 후 흉터가 가능한 한 적은 위치가 어디인가 하는 점이다. 경부 전면에는 대체로 자연적인 주름이 상하 두 곳이 있으며 환자에 따라 조금씩 차이는 있으나 상부의 주름은 윤상 연골 근처에 위치하고 하부의 주름은 흉골 상연에서 손가락 굵기 하나 정도 상부에 있으며(그림 5-15), 이 주름에 피부절개를 하는 것이 수술 후 흉터가 적게 하는데 유리하다. 그리고 하부 주름보다는 상부주름에 절개를 하는 것이 흉터를 적게 하는 데는 더 유리하다. 그러나 중앙경부림프절청소술 시에는 상부 주름에 절개를 하였을 때 시야가 좋지 않으므로 종양이 큰 편이고 중앙경부림프절청소술을 철저히 할 필요가 있는 환자나 향후 측경부 림프절 재발 가능성이 높을 것으로 예상되는 환자는 하부 주름에 절개를 하는 것이 바람직하고, 종양이 작고 중앙 구획 림프절 전이 가능성이 낮은 환자에서는 상부 주름에 절개를 하는 것이 미용적으로 더 유리하다. 절개의 길이를 가능한 짧게 하려고 하는 것은 바람직하지 않다. 오히려 충분한 길이로 절개하는 것이 수술 시 피부를 견인할 때 창상 변연에 손상이 덜 하여 수술 후 흉터가 덜 형성될 수 있다. 그러나 종양이 아주 크지 않으면 대부분의 환자에서 절개의 양끝이 흉쇄유돌근 내측연을 넘을 필요는 없다.

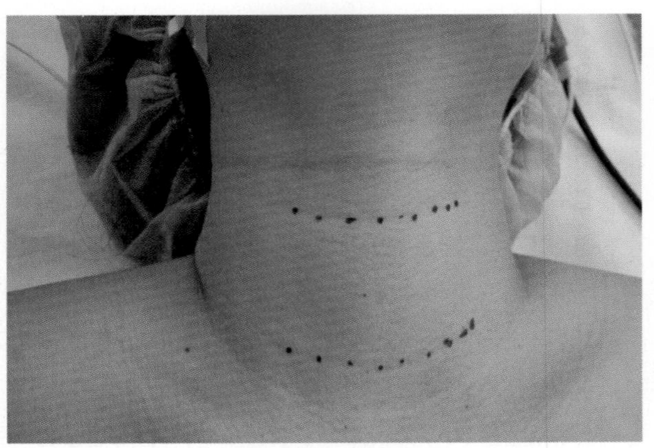

그림 5-15 전경부의 자연적인 피부 주름

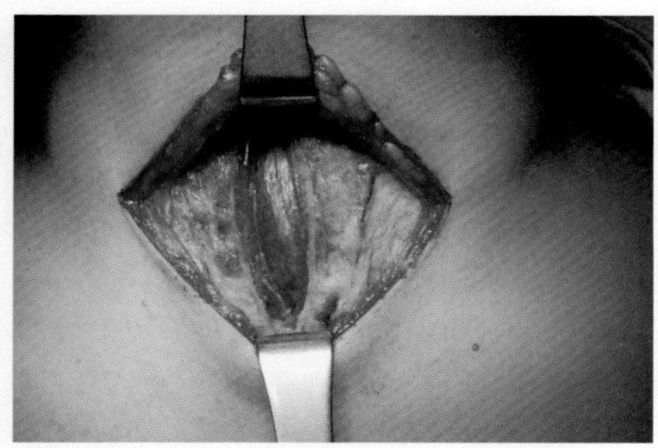

그림 5-16 델피부 절개 후 근막까지 도달한 후 근막의 정중앙을 수직으로 절개하여 갑상선의 협부가 조금 노출된 상태이다.

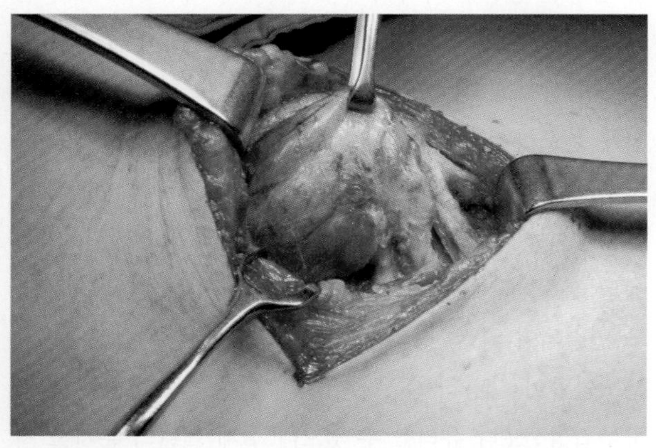

그림 5-17 갑상선 전면의 흉골갑상근과 흉골설골근을 측면으로 견인하면서 갑상선 우엽을 겸자로 잡고 전면으로 견인한 상태이다.

3. 갑상선의 노출

피부를 절개한 후 활경근platysma muscle까지 절개하고 근막이 나타나면 활경근과 근막사이를 박리하여 상하 피부편을 만들어 위로는 설골hyoid bone과 아래로는 흉골상연까지 근막을 노출시킨다(그림 5-16). 근막의 정중앙을 수직으로 절개하고 좌우 흉골갑상근sternothyroid muscle과 흉골설골근sternohyoid muscle을 확인한 후 갑상선과 분리하여 좌우로 벌리고 갑상선을 노출시킨다(그림 5-17). 갑상선을 겸자로 잡고 전방으로 견인하면서 갑상선의 피막에 분포되어 있는 혈관이 잘 보이도록 갑상선에 덮여있는 가피막을 잘 벗겨낸다. 갑상선 상부의 상갑상선동맥과 정맥, 중간정맥, 하갑상선 동맥과 정맥이 모두 확인될 때까지 박리를 진행한다.

4. 부갑상선의 확인

갑상선이 수술 시야에 충분히 노출되면 갑상선의 하부 혹은 상부에서 부갑상선을 확인한다(그림 5-18). 어디에서 시작해도 무방하나 저자는 주로 하부에서부터 시작한다. 하부갑상선 이 수술 시야에 더 쉽게 노출되기 때문인데 외과의에 따라서는 상부갑상선을 먼저 확인하여 잘 보존

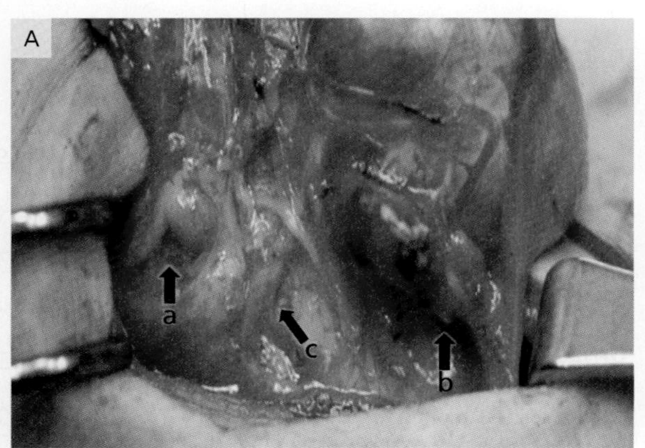

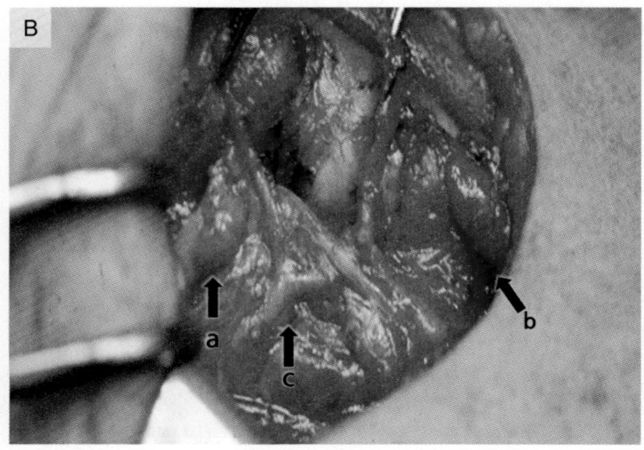

그림 5-18 A) 갑상선을 전방으로 견인한 상태이며 상부갑상선(a)과 하부갑상선(b)이 보이며 하갑상선 동맥(c)에서 혈관이 분포하고 있다. B) 갑상선을 절제한 후 보존된 상(a), 하(b) 부갑상선의 모습이다. 변색 없이 원래 상태대로 잘 보존되었다. 하갑상선 동맥(c)에서 상하 부갑상선으로 분포되는 분지를 겸자로 잡아 견인하고 있다.

되면 하부갑상선은 확인하지 않고 중앙경부림프절청소술을 하는 식으로 수술을 하기도 한다.

하부갑상선의 위치는 다양하기 때문에 상부갑상선에 비하여 찾기가 좀 더 어렵지만 가장 흔히 갑상선 하단과 흉선이 접하는 곳을 중심으로 근처에 위치한다. 그러나 부갑상선이 흉선 내에 묻혀 있는 경우에는 쉽게 육안으로 확인되지 않을 수도 있으나 다행히 대체로 흉선의 상단부에 있는 경우가 많으므로 이 곳을 주의 깊게 살피면 발견되는 경우가 많다. 하부갑상선이 주로 갑상선 하단의 후면에 위치하지만 간혹 갑상선 하단의 전방 쪽으로 치우쳐 있는 경우가 있으므로 가장 흔한 위치에 하부갑상선이 없으면 이러한 부위도 잘 살펴야 하고 부갑상선이 갑상선 피막 내에 위치한 경우도 있어 이러한 부갑상선은 확인이 불가능할 수도 있다.

부갑상선을 찾았으면 분포하는 동맥과 정맥을 잘 관찰하여야 한다. 하부갑상선에 분포하는 동맥은 대부분 하갑상선 동맥에서 분지하나 드물게 상갑상선동맥이나 최하갑상선동맥thyroid ima artery에서 분지하는 경우도 있다. 상갑상선동맥에서 분지하는 경우에는 하부갑상선이 갑상선 하부에서도 전방에 치우쳐 위치하는 경우가 많으므로 이러한 위치에 부갑상선이 있을 때는 이러한 혈관분포의 가능성을 염두에 두어야 한다. 그리고 이러한 경우에는 상갑상선동맥의 굵기가 비교적 굵은 경우가 많다(그림 5-19).

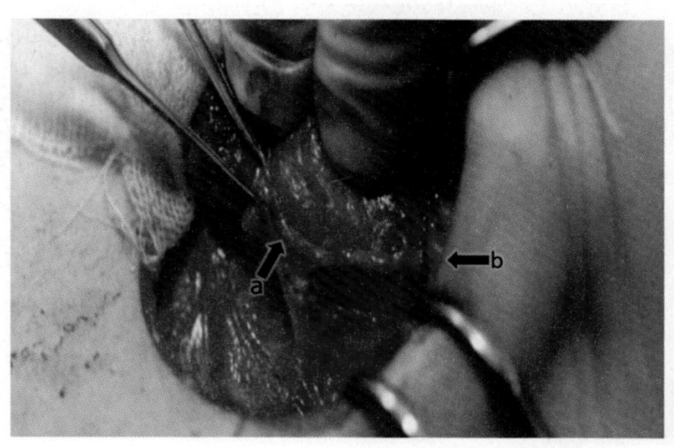

그림 5-19 상갑상선동맥의 분지(a)가 갑상선의 측면을 주행하여 하부갑상선(b)에 연결된 양상을 보이고 있다. 정맥도 같이 주행하고 있다.

정맥의 분포는 하갑상선 정맥이나 중갑상선 정맥에서 분지하게 된다. 두 정맥이 연결되어 있어 어느 정맥을 보존하여도 무방한 경우가 있으나 연결이 확실치 않을 때는 잘 관찰하여 어느 정맥으로 연결되는지 확인하여야 한다.

상부갑상선은 하부갑상선에 비하여 위치의 변화가 심하지 않다(그림 5-18). 대부분 위치하는 곳은 Zucker-kandl tubercle이 시작되는 곳으로 이곳을 중심으로 약간 전방에 위치할 수도 있고 부갑상선 혈관이 길면 후방으로 식도측면에 위치할 수도 있다.

상하로도 약간의 위치 차이가 있을 수 있으나 큰 차이는 나지 않아 대부분 수술시야 내에서 잘 발견되지만 간혹 갑상선 상단부 가까이에 위치하거나 내측으로 베리 인대 가까이 위치하고 있어 처음에는 발견되지 않고 어느 정도 갑상선을 박리한 후에나 확인되기도 한다. 상부갑상선에 분포하는 혈관은 상갑상선동맥에서 분지하기도 하고 하갑상선동맥에서 분지하기도 하며 상갑상선동맥과 하갑상선동맥이 연결된 상태에서 분지되기도 한다. 이외에도 후두, 인두, 기도 등 주위조직에 있는 작은 혈관과도 연결되어 있다. 따라서 상부갑상선이 하부갑상선보다 분포혈관이 다양하여 부갑상선의 혈류를 보존하는 데는 하부갑상선보다 유리할 수 있으나 실제 혈관의 분지를 처리하고 갑상선에서 분리하는 작업은 하부갑상선보다 더 복잡하다.

5. 되돌이후두신경의 확인

되돌이후두신경은 갑상선을 전방으로 견인하고 후방의 혈관과 결합조직을 어느 정도 박리하여야 시야에 노출된다. 되돌이후두신경은 기관-식도 고랑을 따라 평행하게 주행하며 동맥보다는 좀 더 백색을 띠고 통통해 보이지 않아 동맥과 구별이 그다지 어렵지는 않다(그림 5-20). 그러나 간혹 신경이 갑상선 피막에 유착이 있는 경우 갑상선을 강하게 견인하면 신경이 끌려 올라가 주행방향이 달라져서 신경이 아닐 것으로 오인되어 절단되는 사고가 발생할 수 있으므로 항상 절단하기 전에 신경이 아닌지 유

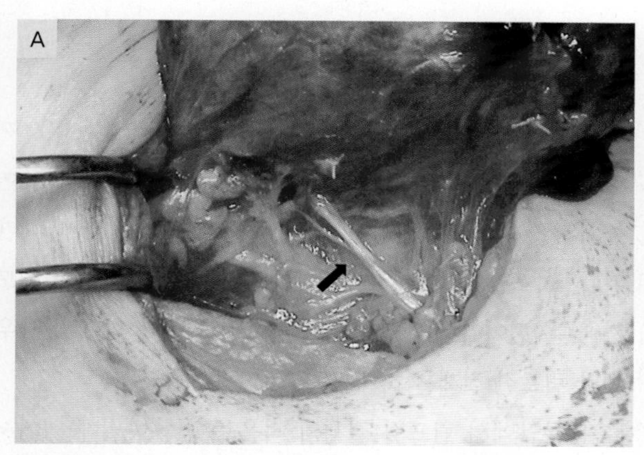

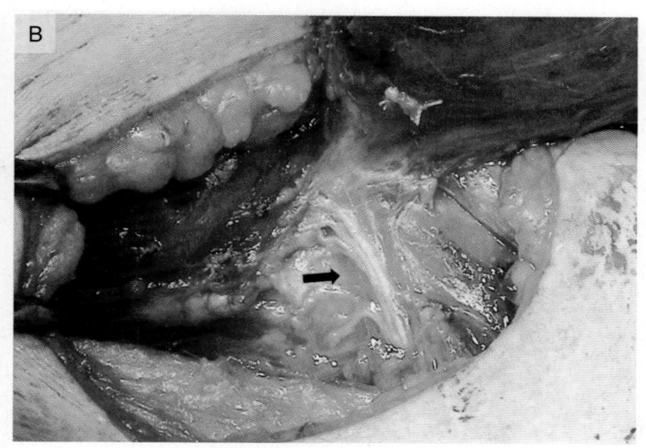

그림 5-20 A) 갑상선을 전방으로 견인한 상태이며 기도의 측면을 따라 되돌이후두신경이 주행하고 있다. B) 되돌이후두신경에서 갈라져 나오는 분지를 볼 수 있다.

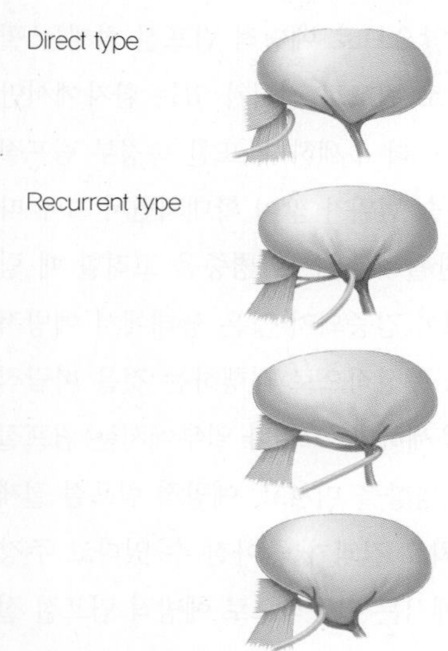

그림 5-21 **비회귀신경의 분류.** 비회귀신경은 미주신경으로부터 분지하여 바로 후두로 들어가는 형태와 하갑상선동맥을 돌아서 후두로 들어가는 형태가 있다.

의하여야 한다.

간혹 우측에서 되돌이후두신경이 쇄골하동맥을 돌아 나오지 않고 쇄골하동맥 상방에서 미주신경으로부터 바로 내측으로 주행하여 후두로 들어가는 비회귀신경non-recurrent nerve이 존재하는 경우도 있다(그림 5-21). 따라서 통상적인 되돌이후두신경의 주행이 보이지 않을 때는 비회귀신경의 가능성을 염두에 두고 신경이 확인되기 전까지는 전후로 주행하는 혈관을 결찰할 때 주의 깊게 관찰하여야 한다. 신경 손상을 가능한 피하기 위해서는 수술 시작부터 신경을 먼저 확인하고 수술을 진행하는 것이 바람직하다. 신경은 어디에서부터 먼저 확인해도 무방하나 신경을 찾기 위해서는 어느 정도 갑상선 후방의 연부조직을 박리해야 하므로 박리 시 비교적 출혈이 덜한 부분을 선택하는 것이 좋고 대체로 하갑상선동맥 하방에서 찾는 것이 비교적 깨끗한 시야에서 신경을 찾을 수 있다. 그러나 이 부분은 신경의 위치가 깊은 편이어서 잘 발견되지 않을 수도 있으며 이곳에서 확인이 되지 않으면 하갑상선동맥의 상방으로 갈수록 신경이 전방에 가까워지므로 시야에 잘 들어올 수도 있다. 신경이 손상 받을 가능성이 가장 높은 부위는 신경이 베리인대를 지나 후두연골로 들어가는 부위이다. 갑상선을 기도로 부터 박리하여 적출할 때 최종적으로 처리하는 곳이 베리 인대인데 신경이 가까이 지나가며 특히 인대 주위에 혈관이 존재하여 인대와 혈관을 결찰하고 절단할 때 신경이 손상되지 않도록 주의하여야 하며 출혈이 있더라도 가급적 전기소작은 하지 않도록 하는 것이 바람직하다.

6. 상후두신경 외측 분지의 확인

상후두신경 외측 분지도 되돌이후두신경과 더불어 갑상선 절제 시 주의하여 잘 보존하여야 하는 신경이며 되

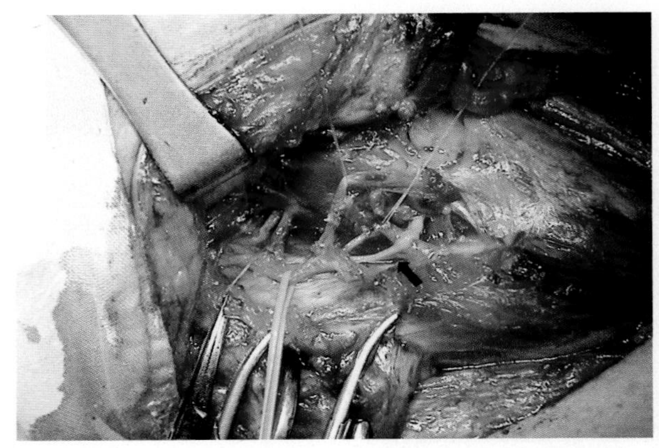

그림 5-22 갑상선 상단에서 상갑상선동맥과 나란히 주행하다가 인두수축근으로 들어가는 상후두신경 외측 분지가 보이고 있다.

돌이후두신경보다 더 가늘고 갑상선의 상단부 주위에 위치하고 있어 수술시야에서도 되돌이후두신경보다 잘 보이지 않기 때문에 더 주의 깊은 관찰이 필요하다.

상후두신경 외측 분지는 상갑상선동맥과 같이 주행하여 내려오다가 내측 인두수축근pharyngeal constrictor muscle으로 들어가게 되는데(그림 5-22) 신경이 상갑상선동맥의 어느 위치에서 내측으로 방향을 바꿔 근육으로 들어가는지에 따라서 갑상선 절제시 손상 받을 위험성이 달라진다. 갑상선 상단을 기준으로 그 상방에서 신경이 내측으로 들어가는 유형보다는 갑상선 상단 이하에서 내측으로 들어가는 유형에서 손상 받을 위험성이 높아진다.

갑상선의 상단을 처리할 때 상갑상선동맥의 분지를 개별적으로 잘 박리하면서 신경이 같이 주행하지 않는지 잘 관찰하면서 따로따로 혈관을 결찰하고 절단하는 것이 바람직하며 상갑상선동맥의 본간을 한꺼번에 결찰하는 것은 바람직하지 않다.

갑상선 수술 시 상후두신경 외측 분지를 보존하기 위해 항상 신경을 육안으로 확인하여야 한다는 의견과 수술시야 내에서만 잘 확인하고 그 이외의 범위에서까지 신경을 확인할 필요는 없다는 의견 사이에 논란이 있으나 일부 환자에서는 신경이 갑상선 수술 시야 밖에서 이미 인두수축근으로 들어가서 수술시 보이지 않을 수도 있다.

7. 경부 림프절 청소술

유두암은 림프절 전이가 흔히 동반되어 많게는 90%까지 전이율을 보고하고 있다. 수질암도 림프절 전이율이 높아서 이 두 가지 갑상선암에서 림프절 절제를 흔히 하게 된다. 여포암이나 휘틀 세포암에서는 림프절 전이의 빈도가 낮은 편이어서 임상적으로 림프절 전이가 확인된 경우에만 림프절 절제를 하게 된다.

유두암에서 림프절 절제의 적응증이나 방법에 있어서 외과의에 따라 의견이 달라서 논란이 계속되고 있다. 우선 예방적 림프절 절제가 환자에게 도움이 되는지에 대해 살펴보면 유두암에서 림프절 전이 유무가 환자의 생존율에 큰 영향을 미치지 않으므로 예방적 림프절 절제는 필요하지 않고 임상적으로 림프절 전이가 있는 환자에서만 시행해도 된다는 의견이 더 우세하다. 또한 측경부 림프절 청소술을 시행하면 수술 범위가 많이 확대되면서 그에 따른 미용적 문제나 동반될 수 있는 합병증을 고려할 때 림프절 청소술의 효용성이 검증되지 않은 상태에서 예방적 측경부 림프절 절제를 통상적으로 시행하는 것은 바람직하지 않다는 의견이 우세하다. 그러나 일부에서는 림프절 전이가 환자의 예후에 영향을 미치고, 예방적 림프절 절제를 함으로써 환자의 치료 결과가 좋아질 수 있다고 주장하고 있다. 특히 일본에서는 전통적으로 예방적 림프절 절제를 통상적으로 시행하여 왔다. 그러나 근래에 일본에서도 측경부 림프절 절제를 통상적으로 하는 것은 문제가 있으며 예방적 림프절 절제를 하더라도 도움이 되는 환자에서만 선택적으로 하는 것이 바람직하다는 의견이 대두되고 있다.

중앙 구획에서의 예방적 림프절 절제에서도 논란이 있는 것은 측경부와 마찬가지여서 예방적 림프절 절제를 주장하는 그룹은 중앙경부림프절청소술을 하더라도 측경부 림프절 절제와 달리 더 수술범위를 확대하지 않고 갑상선 절제를 하면서 같은 수술 범위 안에서 할 수 있고 위치적 특성상 향후 중앙 구획에서 림프절에 재발이 있어 재수술을 해야 할 경우 첫 수술보다 합병증이 발생할 가능성이 높으므로 첫 수술 시 예방적 림프절 절제를 하는 것이 바람직하다고 주장한다. 반면에 예방적 절제가 불필요하다고 주장하는 그룹은 임상적 림프절 전이가 있는 환자에서만 림프절 절제가 필요하고 림프절 전이가 없거나 있더라도 현미경적 림프절 전이는 예후에 아무 영향이 없으므로 예방적 림프절 절제가 도움이 되지 않을뿐더러 부갑상선 손상의 위험성만 높아진다고 주장한다. 림프절 절제의 방법에서도 육안적으로 전이가 있어 보이는 림프절만 제거하는 방법node picking과 계통적으로 림프절이 있는 구역의 연부조직 전체를 절제하는 방법이 있어 외과의마다 다르게 시행되고 있다. 중앙 구획에서 예방적 림프절 절제를 시행하는 것이 바람직한지, 계통적으로 절제하는 것이 바람직한지 여부는 결론을 내리기는 어려우나 중앙 구획이 초음파로 림프절 전이를 진단할 때 측경부에 비해서 민감도가 낮고, 수술 시에도 육안적으로 작은 임상적 림프절 전이를 발견하지 못하는 경우도 있을 수 있으며 재발시 수술이 어려운 점을 고려할 때 예방적 중앙경부림프절청소술을 적극적으로 고려하는 것이 바람직하지 않을까 생각한다.

중앙 구획의 구역은 좌우는 양측 경동맥, 상하는 설골과 흉골의 상연을 경계로 하며 기도측부림프절paratracheal lymph node, 기도전방림프절pretracheal lymph node, 전후두림프절prelayngeal or Delphian node, 갑상선주위림프절perigladular lymph node, 되돌이 후두신경주위 혹은 식도주위림프절paraesophageal lymph node이 이 구역 내에 존재하고 이들을 VI구획 림프절이라 한다. 흉골의 상연과 무명정맥Innominate vein 사이에도 림프절이 존재하며 이를 VII 구획 림프절이라고 하는데 이 구역도 중앙 구획에 포함된다(그림 5-23).

중앙경부림프절청소술은 수술범위는 넓지 않으나 림프절 절제 시 하부갑상선과 하부갑상선에 분포하는 혈관이 손상될 가능성이 있으므로 주의를 요한다. 그러나 잘 관찰하면 림프절이 포함된 연부조직과 부갑상선 및 부갑상선에 분포하는 혈관 사이에 평면plane이 존재하여 이곳을 잘 박리하면 부갑상선이나 혈관의 손상 없이 림프절만 계통적으로 박리하는 것이 가능하다.

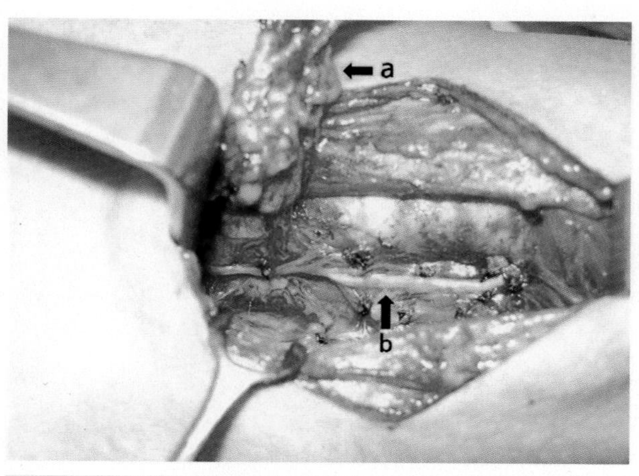

그림 5-23 갑상선을 절제한 후 좌측 중앙 경부 림프절 절제를 하고있다. 림프절을 포함하고 있는 연부조직(a)를 전방으로 견인하면서 계통적으로 림프절을 절제하고 있으며 수술 중 되돌이후두신경(b)을 손상하지 않도록 유의하여야 한다.

측경부의 경계는 내측으로는 경정맥, 외측으로는 승모근의 전연, 상방은 악이복근의 후복posterior belly of digastric muscle, 하방으로는 쇄골의 상연으로 이 구역 안에 상(II 구획), 중(III 구획), 하(IV 구획) 경정맥림프절과 V 구획 림프절(흉쇄유돌근 후연과 승모근 전연, 쇄골 사이의 림프절)이 존재한다. 측경부 림프절 절제 시 주의해야 할 신경은 척수부신경spinal accessory nerve과 횡격막신경이다. 손상을 받으면 견갑부위의 통증과 운동장애, 호흡 시 불편감 등 후유증이 심각하다. 미주신경도 손상되지 않도록 주의하여야 하나 비교적 신경이 굵고 찾기가 용이하여 손상되는 경우는 많지 않다.

측경부 림프절 절제시 주의하여야 할 또 한 가지 구조물은 좌측 측경부 절제 시 만나게 되는 흉관이다. 흉관의 분지를 잘 결찰하지 않으면 유미루chyle leakage가 발생하여 창상 감염 등의 합병증을 초래할 수 있다. 수술 시 흉관을 잘 관찰하여 세심하게 분지를 하나하나 결찰하고 수술 종료 시 다시 한 번 흉관액의 유출이 없는 지 확인하여야 한다.

갑상선 암에 대한 측경부 림프절 절제시에는 가능한 한 흉쇄유돌근, 내경정맥, 척수부신경 등 중요한 구조물

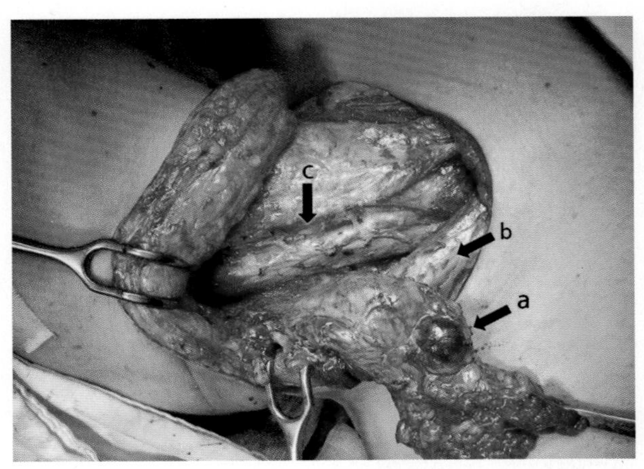

그림 5-24 측경부 림프절 청소술을 시행하고 있다. 전이 림프절(a)을 포함하고 있는 연부조직을 계통적으로 박리하여 절제하고 있으며 흉쇄유돌근(b)과 내경정맥(c)을 보존하고 있다.

은 보존하면서 림프절만 계통적으로 절제하는 기능적 경부 림프절 청소술을 원칙으로 하고 있다(그림 5-24).

8. 갑상선 수술의 합병증

갑상선 수술의 주요 합병증에는 수술 후 출혈, 부갑상선 기능저하증, 되돌이후두신경 손상, 상후두신경외분지 손상이 있다. 이러한 합병증은 갑상선암에 대한 수술인 경우 종양이 신경이나 부갑상선을 침범하여 합병 절제를 해야만 하는 경우 불가피하게 발생할 수도 있으나 수술 시 사고로 발생하는 경우도 있다. 사고로 인한 합병증을 최대한 예방하기 위해서는 앞에서 기술한 수술 기법과 해부에 대한 이해가 필수적이다. 또한 수술의 범위가 클수록 합병증의 빈도는 높아질 수밖에 없으므로 질환의 종류나 갑상선암의 정도에 따라 적절한 수술 범위를 정하여 불필요하게 광범위한 수술로 인한 합병증을 지양하도록 하여야 한다.

1) 출혈

갑상선 주위 경부의 풍부한 혈관 분포로 인하여 수술 후 출혈의 가능성은 항상 있을 수 있고 경부의 특성상 심한 출혈이 있을 경우 조기 발견하지 못하면 호흡 장애로 인하여 사망에까지 이를 수 있으므로 수술 직후에는 어느 합병증보다 출혈 유무에 주의를 기울어야 한다. 수술 시 세심한 지혈로 수술 시야를 깨끗이 유지하는 것은 기본이며 갑상선에 분포하는 혈관의 해부를 잘 알고 있어야 반드시 확인하고 결찰해야만 하는 혈관을 간과하지 않을 수 있다. 만일을 대비하여 수술 후 환자의 체위는 상체를 30도 정도 올린 상태에서 유지하는 것이 바람직하며 가급적 기침은 크게 하지 않도록 지시하는 것이 좋다. 수술창에는 거즈를 덮더라도 폭을 좁게 하여 경부가 가려지지 않도록 해서 부종이나 멍이 생기면 바로 눈에 띌 수 있도록 하는 것이 좋다. 배액관을 삽입하는 것은 출혈의 진단이나 혈종을 배액하는데 큰 도움이 되지 않는다. 일단 출혈을 하면 조기 발견하는 것이 가장 중요하며 모든 환자를 재수술해야 하는 것은 아니고 부종이 심하지 않은 경우에는 관찰해도 되지만 재수술이 필요한지 아닌지 판단하는 것이 실제로 어려우므로 아주 경미한 경우 이외에는 가급적 지혈을 하는 것이 안전을 위해서 바람직하다.

2) 되돌이후두신경 손상

되돌이후두신경의 확인은 그리 어렵지 않아서 조금만 경험이 쌓이면 쉽게 찾을 수 있다. 따라서 사고로 인한 신경 손상은 부주의 때문인 경우가 많다. 갑상선 수술 시 시작부터 종료까지 신경을 계속해서 반복적으로 확인하는 것이 필요하다. 수술 시 신경을 견인하면서 림프절 절제를 하는 외과의도 있으나 권장할 만한 방법이 아니라고 생각된다. 신경에 손상이 오는 원인은 신경의 결찰이나 절단 외에도 단순한 부종이나 혈류감소, 전기소작 등에 의한 열손상도 있다. 부종이나 혈류감소에 의한 마비는 대개 일시적이고 곧 회복되는 경우가 많으나 드물게 수개월 이상 지속되는 경우도 있다. 그러나 신경이 절단된 것이 아니라면 대부분 자연 회복되므로 환자에게 확신을 주고 관찰해도 된다.

신경이 절단되면 영구적인 마비가 불가피하다. 수술 시 절단이 확인되었으면 재접합을 시도한다. 재접합을 해도

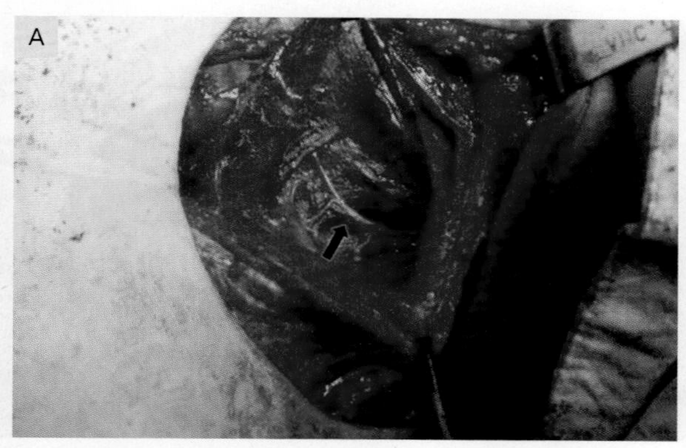

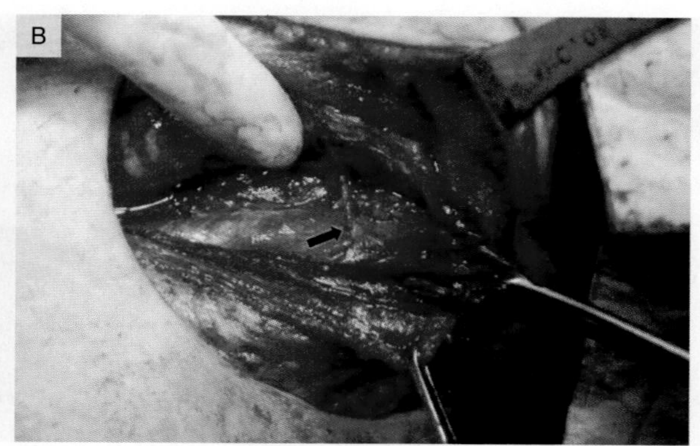

그림 5-25 A) 설하계제신경을 찾는 사진. 흉골갑상근과 흉골설골근 사이를 박리하여 보면 근육의 후연을 따라 설하계제신경이 주행하면서 양 근육에 분지되는 것을 확인할 수 있다. B) 설하 계제신경과 되돌이후두신경을 문합한 사진

성대의 움직임이 원상태로 회복되지는 않지만 마비된 성대의 위치를 내측으로 유지하게 되어 발성에 도움이 된다. 재접합을 하려 해도 신경 사이의 간격이 커서 재접합이 되지 않으면 설하계제신경ansa hypoglossi nerve을 이식하여 되돌이후두신경에 접합을 할 수 있다(그림 5-25). 설하계제신경 이식과 되돌이후두신경 재접합의 결과는 큰 차이가 없으며 두 방법 모두 신경 재건을 하지 않은 환자에 비해서 발성에 뚜렷하게 좋은 효과를 보인다.

좌우 되돌이후두신경이 모두 손상되어 양측 성대가 모두 마비된 경우 좌우 성대 사이의 간격이 좁은 상태에서 고정되면 호흡곤란이 오게 된다. 이러한 경우 기도 절개가 필요하며 영구적인 마비일 가능성이 높으면 성대절개술을 하여 호흡을 할 수 있도록 한다.

3) 상후두신경 외측 분지 손상

상후두신경 외측 분지 손상이 있어도 일상적 대화에서는 큰 이상을 느끼지 못하나 고음이 나오지 않고 오랜 시간 발성이 유지되지 않는 현상이 발생한다. 상후두신경 외측 분지가 되돌이후두신경에 비해 가늘고 수술시야에서 잘 보이지 않는 경우가 있어서 손상 여부가 불확실할 수도 있고 수술 후에도 이상 증상이 뚜렷하지 않아 손상 여부를 모르는 경우도 있을 수 있다. 후두내시경으로도 확인이 어려우며 확실한 손상 여부는 후두근전도 검사를 하여야 알 수 있다. 과거에는 상후두신경외측 분지 손상을 그다지 심각하게 생각하지 않았으나 근래에는 중요한 합병증으로 고려하고 있으며 특히 목소리를 많이 사용하는 직업을 가진 환자에게는 아주 심각한 문제이므로 갑상선 수술 시 상후두신경 외측 분지에 대한 세심한 주의가 필요하다. 일단 손상을 받으면 특별한 치료방법은 없다.

4) 부갑상선 기능저하증

갑상선 절제 후 혈중 칼슘 저하는 흔히 경험하게 되며 부갑상선에 직접적 손상은 없더라도 수술 시 혈액의 희석 등 다른 원인에 의해서도 칼슘 저하는 오게되나 그 정도는 미약하며 임상적으로 혈중 칼슘이 정상 이하로 떨어지는 경우는 대부분 부갑상선 손상 때문이다.

부갑상선 손상은 갑상선 수술 시 부갑상선이 같이 제거되거나 부갑상선이 남아 있어도 혈관이 차단되어 부갑상선에 허혈이 있을 때를 말한다. 갑상선 절제 후 혈중 칼슘 저하의 정도나 저칼슘혈증의 빈도는 보존된 부갑상선의 숫자와 반비례한다. 부갑상선이 2개 이상 정상 보존되면 저칼슘혈증은 거의 발생하지 않으며 1개만 보존되었더라도 부갑상선의 혈류가 원상태로 잘 유지되면 저칼슘혈증이 오는 빈도는 낮으며 발생하더라도 일과성이고 영구적인 저칼슘혈증은 거의 없다. 일과성 저칼슘혈증은 보고자에 따라 10% 미만에서부터 많게는 60%까지 다양한 빈

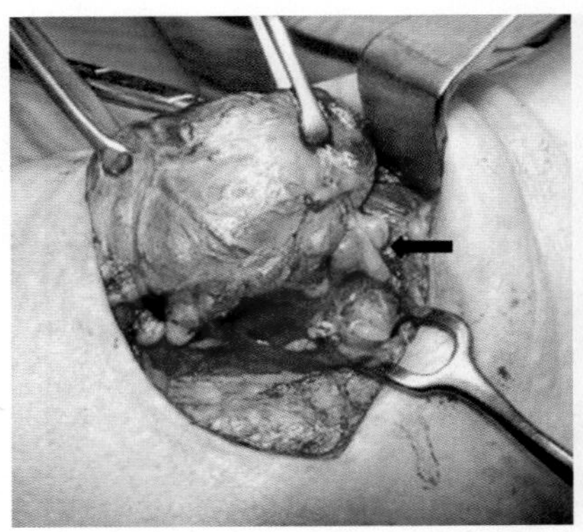
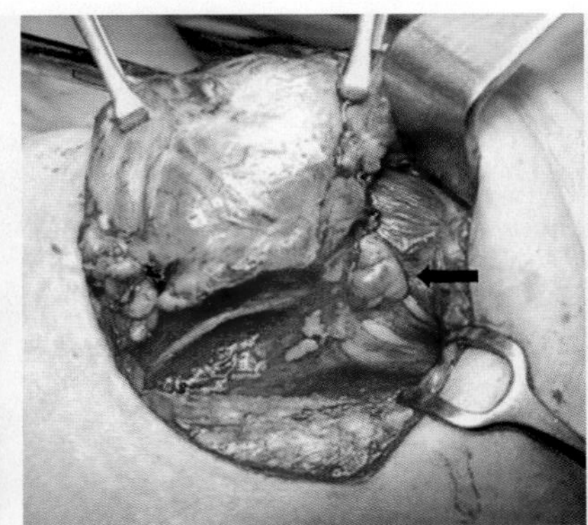
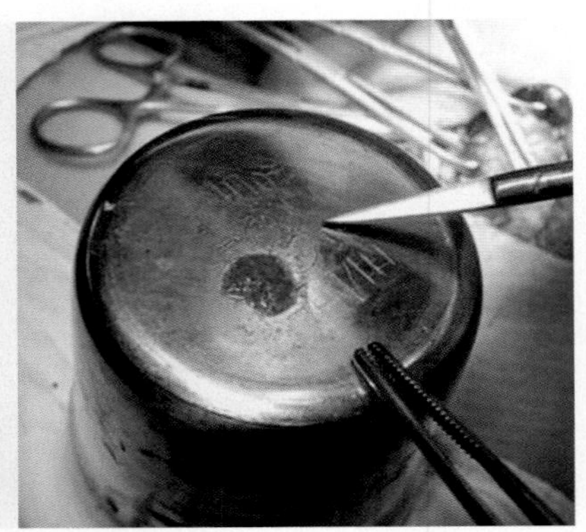

그림 5-26 **상부갑상선 이식.** 상부갑상선을 절제한 후 작은 가위로 반복해서 잘라 죽과 같은 상태로 만들고 있다.

도를 보이는데 그 이유는 일과성 저칼슘혈증을 정하는 기준이 다르기 때문일 수도 있고 살아 남은 부갑상선의 혈류의 차이에 따라서도 부갑상선의 기능이 다를 수 있기 때문이다. 부갑상선이 정상적으로 하나도 보존되지 못하면 영구적 칼슘저하가 오게되며 환자는 경구 칼슘제와 비타민 D를 평생 복용하게 된다.

갑상선 수술 시 부갑상선의 혈관이 잘 보존되지 않아 부갑상선에 변색이 오면 부갑상선을 절제하여 근육에 자가이식을 하게 되며(그림 5-26, 27) 자가이식한 부갑상선이 기능을 발휘하여 혈중 칼슘이 정상으로 유지되는 것은 이식된 부갑상선의 개수나 양에 비례한다. 부갑상선은 오래 지체하지 말고 바로 이식할수록 성공율이 높으며 근육에 심을 때 심는 부위에 출혈이 없도록 유의하여야 한다. 갑상선 수술 후 입원 기간을 단축시키기 위해 모든 환자에게 경구 칼슘제를 처방하기도 하고 수술 후 혈중 칼슘과 부갑상선 호르몬을 통상적으로 측정하기도 하나 저자는 갑상선 절제 시 부갑상선 보존 상태의 확인으로 수술 후 저칼슘혈증의 발생 가능성을 예측할 수 있으므로 부갑상선이 잘 보존된 환자는 검사나 투약의 필요없이 조기 퇴원시키고 부갑상선이 1개 이하로 보존되거나 보존되었어도 혈류가 좋지 않았던 환자에서만 혈중 칼슘과 부갑상선 호르몬을 측정하면서 관찰하고 있다.

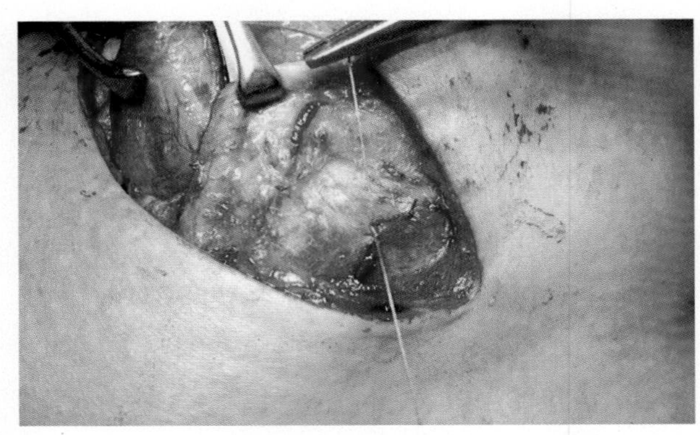

그림 5-27 **죽과 같은 상태로 만든 상부갑상선을 흉쇄유돌근에 심은 후 봉합하고 있는 사진.** 잘게 자른 부갑상선을 여러 곳에 나누어 이식하는 방법도 있으나 저자는 1개의 부갑상선을 1개의 pocket에 이식하고 있다.

요약

현재 갑상선 수술의 대상은 대부분 갑상선암이며 그 중에서도 유두갑상선암 환자가 90% 이상을 차지하고 있다. 유두 갑상선암의 치료는 수술과 방사성 옥소 치료로 이루어지는데 방사성 옥소 치료가 효과적으로 시행되기 위해서는 가능한 한 완전한 갑상선 절제가 필요하다. 그런데 부갑상선은 갑상선 피막에 부착되어 있고 부갑상선 혈관도 갑상선 피막에 부착되어 있으면서 매우 가늘어서 완전한 갑상선 절제를 하면서 부갑상선과 분포 혈관을 분리하여 보존하는 것은 술기 상 쉽지 않다. 부갑상선 보존의 성공률을 높이기 위해서는 부갑상선의 위치와 혈관 분포 등 해부의 이해가 필수적인데 매우 다양한 양상을 보이므로 이에 대한 기본적인 지식이 있어야 실제 수술 시 부갑상선의 손상을 최소화할 수 있다. 되돌이후두신경 손상에 의한 변성도 갑상선 수술 후 발생할 수 있는 중요한 합병증이다.

되돌이후두신경의 해부는 그다지 변화가 심하지 않아서 수술 시확인하는데 있어서 어느 정도 경험이 쌓이면 큰 어려움은 없으나 간혹 비회귀신경이 있을 수 있고 신경이 가늘어서 잘 발견되지 않는 경우가 있으므로 항상 주의가 필요하다. 비록 되돌이후두신경 손상이나 부갑상선 기능저하가 환자의 생명을 위협하는 합병증은 아니지만 유두갑상선암의 예후가 아주 양호하기 때문에 합병증의 빈도가 지나치게 높은 것은 인정받지 못하며 대략 합병증의 빈도가 2%는 넘지 않아야 한다고 생각되어지고 있다.

VI 부갑상선의 해부와 생리

1. 해부

대부분의 사람들은 4개의 부갑상선을 갖는다. 상부갑상선은 주로 윤상연골 부위에서 되돌이후두신경 후방에 위치하며, 하부갑상선은 갑상선의 하단 부위에서 되돌이후두신경 전방에 위치한다. 정상적인 부갑상선은 신생아에서 회색 또는 반투명이지만, 성인이 되면 황금색 내지 적갈색이 된다. 부갑상선의 색은 세포의 치밀도, 지방의 비율, 혈류 분포에 의해 결정된다. 정상적인 부갑상선은 연부조직이나 지방조직에 둘러싸여있고, 타원형이다. 평균적으로 지름은 7mm이고, 각각의 부갑상선 무게는 40-50mg 정도이다. 부갑상선의 혈류공급은 주로 하갑상선동맥으로부터 이루어지지만, 상부갑상선의 20%정도는 상갑상선동맥에서 혈류공급이 이루어진다. 최하위갑상선동맥thyroidea ima artery과 기관, 식도, 인후, 종격동 등에서 분지하는 혈관이 발견되기도 한다. 정맥혈은 동측 상, 중, 하 갑상선 정맥으로 배액된다.

Akerstrom 등은 503례의 부검을 통해 84%의 환자에서 4개의 부갑상선을 발견할 수 있었다.1 13%에서는 4개를 초과하는 과잉선supernumerary을 발견하였는데, 이는 흉선에서 가장 많이 발견되었다. 3%의 환자에서는 4개 미만의 부갑상선을 발견하였다. Gilmour 등도 428례의 부검을 통해 비슷한 결과를 발표하였고, 6.7%에서 과잉선을 발견하였다고 보고하였다.

조직학적으로, 부갑상선은 주세포chief cell와 호산세포oxiphil cell가 지방세포로 구성된 간질내에 배열하고 있는 구조이다. 주세포는 부갑상선호르몬을 생산하며, 유소아에서 부갑상선은 주로 주세포로 이루어진다. 호산세포는 주세포에서 분화하며 주로 청소년기에 나타나서 어른이 되면서 수가 증가한다. 수는 매우 적지만 물투명세포water-clear cell로 알려진 제3의 세포가 존재하고, 이는 주세포에서 분화되며, 글리코젠이 풍부하다. 호산세포와 물투명세포는 부갑상선호르몬의 분비 기능을 가지고 있는 것으로 생각되지만, 정확한 기능은 잘 알려져 있지 않다.

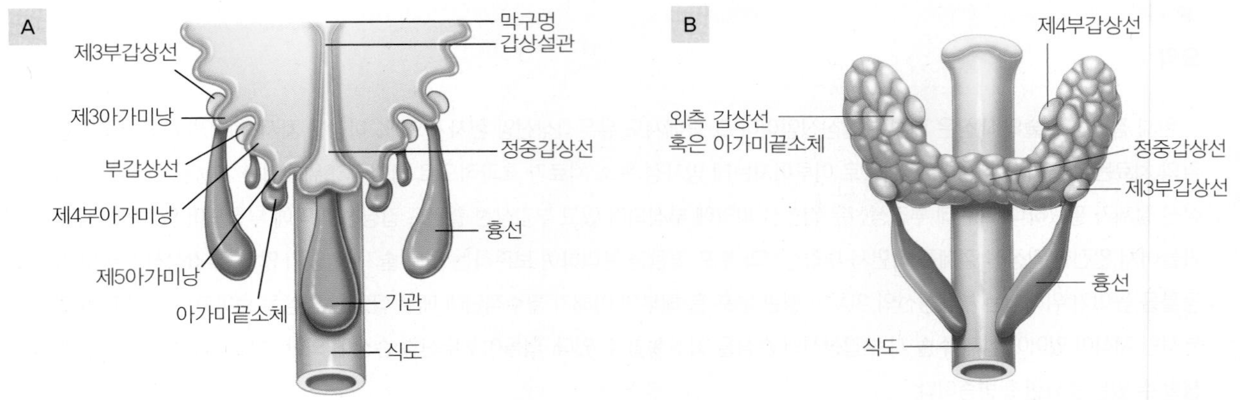

그림 5-28 **부갑상선의 발생.** A) 태생기 아가미낭의 구조이고, B) 갑상선, 부갑상선, 흉선이 하강하여 자리를 잡는 그림이다. 상부갑상선은 제4아가미낭에서 갑상선과 함께 하강하고, 하부갑상선은 제3아가미낭에서 흉선과 함께 하강한다.

2. 발생

발생학적으로 사람에서의 상부갑상선은 갑상선과 마찬가지로 제4아가미낭에서 기원한다. 하부갑상선은 흉선과 함께 제3아가미낭에서 기원한다. 발생학적 기원이 같은 기관은 이후에도 가깝게 위치하는데, 상부갑상선의 80%는 갑상선 상부에 접하여 있으며, 약 1%에서 상부갑상선이 식도 주위에서 발견되며, 드물게 하부갑상선 근처에서도 발견되지만, 이소성 상부갑상선은 거의 존재하지 않는다. 하부갑상선도 함께 기원한 흉선과 발생학적으로 같이 이동하는데, 하부갑상선은 발생학적 이동선이 상대적으로 길어 위치적 변이가 상대적으로 많다. 약 15%에서는 흉선 안에서 발견되며, 드물지만 두개저, 하악각, 상부갑상선의 위에서도 발견되는 경우가 있다. 갑상선내 부갑상선의 빈도는 약 2% 정도이다(그림 5-28).

3. 부갑상선의 생리와 칼슘 항상성

칼슘은 인체내에서 가장 많은 양이온을 구성하고 있으며 세포 밖에서는 총 칼슘 중 50%가 유리된 이온화 상태이며 약 40%는 단백질, 10%는 인이나 구연산 등과 같은 분자와 결합되어 있으며 세포 내에서보다 약 10,000 배 이상 높게 존재한다. 정상적인 혈청에서 총 칼슘 농도는 8.5에서 10.2mg/dL (2.2에서 2.5mmol/L) 사이이며 유리된 이온화된 칼슘 농도는 4.4에서 5.2mg/dL (1.1에서 1.3mmol/L)이다.

세포 밖의 칼슘은 근육 조직에서의 자극-수축 연결이나 신경 계통에서의 시냅스 전송, 응고, 다른 호르몬의 분비에 중요한 역할을 하며 세포 내의 칼슘은 세포 분열, 운동성, 막으로의 수송, 분비에 이차 전달 매체로의 역할을 한다. 칼슘은 세포 밖이나 안에서 엄격히 조절이 되고 있으며 뼈, 신장, 위장관 내에서 부갑상선 호르몬(PTH), 비타민 D, 칼시토닌 등과 복잡한 상호관계로 항상성을 유지하고 있다.

1) 부갑상선 호르몬

부갑상선의 주세포에서 부갑상선 호르몬이 분비되며 이는 11번 염색체에서 preproparathyroid 호르몬prepro PTH로 생성된 후 분열되면서 pro-부갑상선 호르몬, 그리고 마지막에는 84-아미노산 부갑상선 호르몬이 된다. 분비된 부갑상선 호르몬은 2에서 4분의 짧은 반감기를 가지고 있으며 간에서는 활성적인 아미노(N)말단과 비활성적인 카르복시기(C)말단으로 대사된다.

부갑상선 호르몬의 분비는 주로 혈청에서 이온화된 칼슘 농도에 의해 조절되며 부갑상선 호르몬이 주로 작용하는 장기는 뼈, 신장, 그리고 장이다. 혈청내의 칼슘 농도가 감소하면 부갑상선 호르몬은 파골세포를 자극하여 뼈 재흡수를 증가시키고 혈청 내로의 칼슘과 인의 분비를 촉진시킨다. 부갑상선 호르몬의 신장에서 작용은 칼슘의 요세관 재흡수를 증가시키고 인의 요세관 재흡수를 감소시키는 것이다. 부갑상선 호르몬의 작용으로 인해 칼슘이 나트륨과 함께 흡수가 될 뿐만 아니라 칼슘이 원위곡세뇨관에서 분비되는 것도 제한한다. 부갑상선 호르몬과 인저하증은 25-hydroxyvitamin D의 1-hydroxylation을 강화하여(1,25-dihydroxyvitamin D_3) 간접적으로 칼슘이 장에서 흡수되는 것을 촉진 하게 된다.

2) 칼시토닌

칼시토닌은 32-아미노산 단백질로서 칼슘 농도가 높을 때 갑상선의 소포곁세포에서 분비되어 파골세포에 의한 뼈 재흡수를 억제하여 부갑상선 호르몬과 반대 작용을 한다. 신장에서는 인의 재흡수를 막아 인의 분비를 증가시킨다. 인체에서 칼슘 항상성 유지에 대한 칼시토닌의 역할은 작지만 급성 고칼슘 위기의 치료제로, 또한 갑상선 수질암의 표지로써 유용하다.

3) 비타민 D

비타민 D에서 비타민 D_2는 약으로 복용될 수 있으며 비타민 D_3와 함께 광합성에 의해 생성될 수 있다. 이 중에서 비타민 D_3가 가장 중요한 생리적 합성물이며 피부의 7-dehydrocholesterol에 의해 생성이 된다. 비타민 D는 간에서 첫번째 hydroxylation을 거쳐 25-hydroxyvitamin D로 되며 신장에서 두번째 hydroxylation으로 가장 활성화된 형태인 1,25-dihydroxyvitamin D가 된다. 이는 장에서 칼슘과 인의 흡수와 뼈에서 칼슘의 재흡수를 증가시킨다.

요약

대부분의 사람들은 4개의 부갑상선을 가지며 부갑상선의 혈류공급은 주로 하갑상선동맥으로부터 이루어지지만, 상부갑상선의 20% 정도는 상갑상선동맥에서 혈류공급이 이루어진다. 조직학적으로 부갑상선은 주세포와 호산세포로 구성되며, 제3,4아가미낭에서 기원한다. 부갑상선 호르몬은 뼈, 신장, 위장관 내에서 비타민 D, 칼시토닌 등과 복잡한 상호관계로 칼슘 항상성을 유지하는 역할을 한다.

VII 부갑상선 질환

1. 원발성 부갑상선 기능 항진증 및 외과적 치료

원발성 부갑상선 기능 항진증이란 부갑상선 자체의 기능 이상으로 생기는 부갑상선 기능항진증으로, 부갑상선 호르몬parathyroid hormone이 증가하고 혈중 칼슘이 증가하며 인산은 감소한다. 나이가 증가함에 따라 발생률이 증가하고, 여성에서는 500명 중 1명, 남성에서는 2,000명 중 1명에서 발생한다고 알려져 있다.

1) 병인

정확한 병인은 알려져 있지 않으나 과거 저용량의 방사선 조사력, 직사광선 노출, 식습관 및 가족력 등이 있을 수 있다. 또한 치료를 위해 리튬을 복용하게 되면 PTH의 분비에 변화가 생겨 PTH 농도가 높아질 수 있다. 병리학적 원인으로는 부갑상선 선종parathyroid adenoma이 약 80% 이상으로 대부분을 차지하며, 부갑상선 과증식parathyroid hyperplasia이 약 15%, 부갑상선 암parathyroid carcinoma은 약 1-4% 정도로 매우 드물다. 부갑상선 선종은 하부갑상선에서 더 많이 발생하고, 크기는 다양하여 그 무게가 약 2g에 이르기도 하며, 대부분 하나의 부갑상선에 발생하며 두 개 이상에 생기는 경우는 매우 드물다.

2) 임상 증상 및 진단

과거에는 재발성 신장 결석, 소화성 궤양, 정신 이상, 골 통증 등의 증상을 호소하며 내원하는 경우가 많았으나, 최근에는 혈액 검사가 보편화하면서 무증상의 고칼슘혈증으로 우연히 발견되는 경우가 늘어나고 있다. 증가되어있는 혈청 칼슘 수치와 정상적인 PTH 농도 그리고 저칼슘뇨증이면 일차성 부갑상선 항진증을 거의 확실히 진단할 수 있다.

고칼슘증이 확연하게 있거나 비타민 D 부족과 동반되어 있는 경우에서 손과 두개골의 X선 검사에서 낭성섬유뼈염osteitis fibrosa cystica을 확인 할 수 있으며 복부초음파로 신결석을 발견 할 수 있다. 크기가 큰 경우에는 경부에서 촉지되기도 하고 식도 조영술에서 식도벽의 결손으로 보이기도 한다. 크기가 클수록 이에 비례하여 골 병변이 증가한다고 알려져 있다.

3) 수술의 적응증

미국 국립보건원National Institutes of Health에서는 2002년 제 2차 진료권고안 개발 집담회 후 원발성 부갑상선 기능 항진증 환자의 수술적 치료에 대한 새로운 권고안을 발표하였다. 이에 따르면 원발성 부갑상선 기능 항진증의 고칼슘혈증과 관련된 증상과 합병증, 즉 신장 결석, 신경근계 증상, 신경정신과적 증상, 골격계 질환, 췌장염, 소화성 궤양 등을 호소하는 모든 환자는 수술로 치료하는 것이 원칙이며, 증상이 없는 환자에서는 다음의 경우에 수술을 시행하여야 한다고 하였다.

- 심각한 고칼슘혈증(혈청 칼슘 수치가 정상 참고 범위의 상한치보다 1mg/dL 이상 높은 경우)
- 심각한 고칼슘뇨증(24시간 소변 중 칼슘 배출량이 400mg 이상인 경우)
- 크레아티닌 청소율이 동일 연령의 대조군에 비해 30%이상 감소한 경우
- 요추골, 엉덩이뼈, 요골의 원위부에서 골밀도가 최대 골 질량보다 2.5 표준 편차를 초과하여 감소한 경우(t-점수가 -2.5 미만인 경우)
- 환자의 나이가 50세 미만인 경우
- 향후 추적 관찰이 어려운 경우

아울러 만일 위에서 나열한 수술의 적응증에 해당 사항이 없어 원발성 부갑상선 기능 항진증 환자를 내과적으로 치료하려는 경우에는 매 6개월마다 혈청 칼슘 수치를 측정하고 매년 골밀도 검사를 시행할 것을 권장하였다.

4) 부갑상선 선종의 외과적 치료

수술 전 병변의 위치 결정localization을 위한 검사 없이도 95% 이상의 성공률과 2% 미만의 합병증 발생률이 보고될 정도로 일반적으로 부갑상선 절제술은 어렵지 않은 수술로 간주되어 왔다. 최근에는 부갑상선에 대한 미세침흡인 확인과 경부초음파, 자기공명영상(MRI), 전산화단층촬영(CT), sestamibi 스캔, 또는 부갑상선 호르몬농도에 대한 선택적 경정맥 혈액검사selective jugular venous sampling와 같은 방법을 통해 부갑상선 조직의 위치 결정이 더욱 성공적으로 이루어지고 있다(그림 5-29).

부갑상선 선종에 대한 외과적 치료는 전통적 치료법conventional exploration과 표적 탐색적 수술targeted exploration의 두 가지로 나눌 수 있다.

(1) 전통적 수술법(Conventional Exploration)

일반적으로 수술은 전신마취 하에 이루어진다. 환자는 목을 신전시키고 어깨 아래에서 목이 굽어지도록 하며 목이 과신전 되지 않으면서 수술에 알맞게 노출되도록 주의한다. 약 4-5cm 내외의 가로 경부 절개transverse cervical

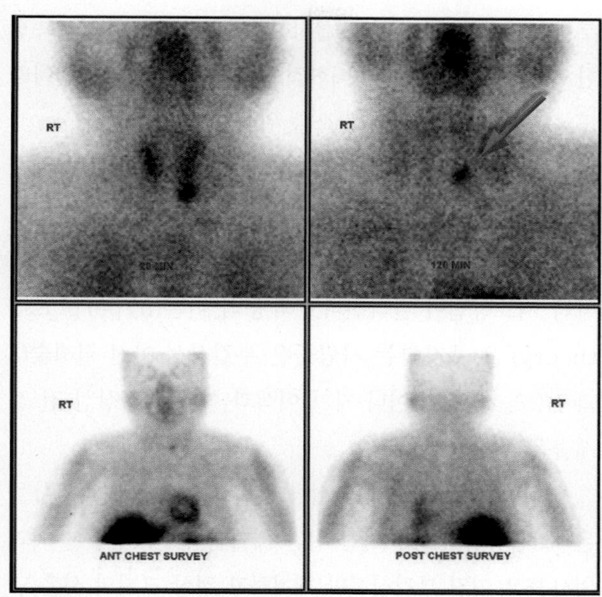

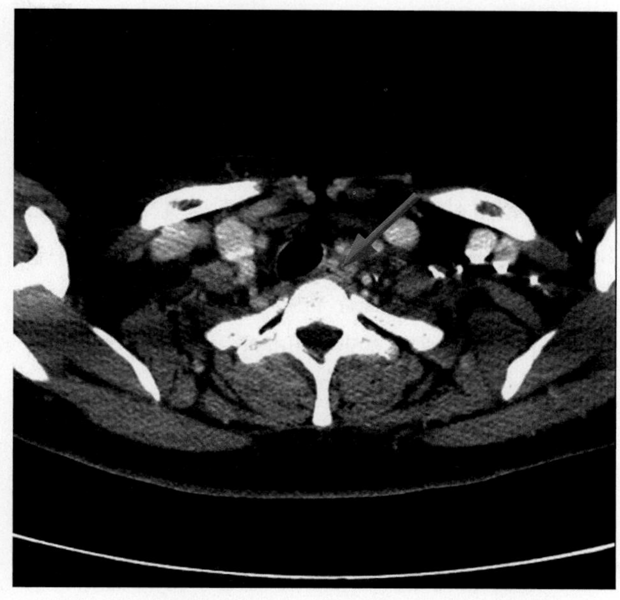

그림 5-29 **43세 원발성 부갑상선 기능항진증 여성환자의 TC-99M MIBI 부갑상선 스캔과 단층촬영.** 좌하부갑상선의 선종 소견이다.

incision를 가하며 갑상선 노출까지는 갑상선 절제술과 방법이 같다.

통계적으로 부갑상선 선종이 우하 부갑상선right lower parathyroid gland에서 더 흔하게 발생하기 때문에, 목의 오른쪽 측면에서 박리를 시작하는 것이 더 선호된다. 띠근육strap muscle은 정중솔기median raphe에서 분리하고, 갑상연골에서부터 복장패임까지 갑상선 피막으로부터 바깥쪽으로 박리해야 한다. 중간갑상선정맥을 결찰하는 것이 대부분 불필요하지만, 갑상선의 충분한 유동성 확보를 위해 중간갑상선정맥을 결찰할 수 있다.

되돌이 후두신경recurrent laryngeal nerve과 하갑상선동맥을 확인하여야 한다. 대부분의 환자에서 되돌이 후두신경은 기관식도 고랑tracheoesophageal groove에 위치하며, 드물게 기관의 외측에 위치할 수도 있고, 더 드물게는 전외측에 존재할 수도 있는데, 전외측에 존재하는 경우 가장 손상받기 쉬우므로 주의하여야 한다.

하부갑상선은 정상적으로 갑상선의 아래와 되돌이 후두 신경의 앞쪽에 있는 갑상선흉선관thyrothymic duct에서 발견되며 이 지역은 부드럽게 박리한다. 이때 하갑상선정맥을 결찰하여야 한다. 상부갑상선의 흔한 위치는 되돌이 후두 신경이 윤상갑상막cricothyroid membrane을 뚫는 곳에서 1cm안이다.

명확하게 커져있는 부갑상선은 절제하고, 남아있는 선을 확인 후 그들의 위치를 기록해야 한다. 일부의 외과의사들은 동결절편frozen section의 확인과 함께 각각의 선의 생검을 시행하지만 이 술기는 불필요하고, 수술 후 부갑상선기능 저하증의 발생 빈도와 연관이 있기 때문에 추천되지 않는다. 대신 25gauge 바늘로 부갑상선을 미세침흡인하여 3cc의 생리식염수로 흡인물을 세척 후 부갑상선 호르몬 수치 검사를 시행하여 부갑상선 조직 여부를 판정할 수 있다. 하지만 커진 선의 제자리 생검 또는 흡인은 잠재적으로 부갑상선 파종parathyromatosis과 연관되어 있기 때문에 널리 추천되지는 않는다.

여러 부갑상선을 침범했을 가능성 때문에 모든 부갑상선을 확인하기 위해 노력해야 하며, 부갑상선은 종종 반대편에 거울 이미지로 위치하기 때문에, 하나의 부갑상선이 위치한 곳이 반대편 부갑상선의 위치를 가르쳐 주는 척도가 되기도 한다.

수술의 방법은 부갑상선이 몇 개 커져있느냐에 달려있다. 사실 다선성 부갑상선 질환의 정의는 육안적으로 보이는 형태학적 특성과 수술중 부갑상선호르몬 모니터링을 통한 기능적 정보를 고려하여 볼 때 아직 논란이 있다. 하지만, 부갑상선기능항진증으로 갑상선절제술을 받은 80-90%환자에서 선 하나만 커져 있었다는 사실은 수술 방법을 선택하는데 도움을 준다. 만약 하나의 선만 커져 있고, 나머지 세 개는 정상 크기라면, 거의 모든 환자에서 커진 하나의 선만 절제하여 치료할 수 있다. 그러나 간혹 질환을 일으키는 선종이 명백하지 않은 상태에서 세개의 정상적인 부갑상선이 존재할 수 있다. 이런 상황에서 적절히 대처할 수 있는 알고리즘의 개발이 필요하다.

만약 하부갑상선에서 선종을 놓친다면, 수술할 구역은, 내측으로는 앞쪽 기도면, 외측으로는 경동맥초, 아래쪽으로는 경부흉부돌기가 되도록 하고 다음 일련의 3가지 수기를 시행한다.

1. 전체 흉선절제술을 시행한다.
2. 동측의 경동맥초를 열어, 적어도 동맥분지 층까지 해당되는 내부를 조사한다.
3. 동측의 갑상선 하극을 수술중 초음파를 통해 조사하고, 선종의 가능성이 있는 갑상선 안쪽 선을 포함한 부분을 절제한다.

만약 상부갑상선에서 선종을 놓친다면, 갑상선의 상극을 포함하는 구역을 조사해야 한다. 특히 후 측방으로, 갑상선의 가장 상극과 안쪽에서 뒤쪽으로 해당되는 부위를 조사한다. 인두 뒤의 판을 잘 보이고 손쓰기 쉽도록 설골에서 종격동 후방까지 넓게 움직여본다. 상부갑상선을 아래로 움직이지 않고도, 잔여 흉선조직 있는 갑상선 위쪽에서 발견할 수 있다. 되돌이 후두신경을 따라 위치하는 기도 식도사이 고랑도 반드시 조사해보아야 한다. 드물게, 사각근 지방패드와 이어진 측면에서 선이 발견되기도 한다.

만약 위의 수기들에도 불구하고 원인이 되는 부갑상선 선종이 여전히 발견되지 않는다면, 확진을 위해 각각의 부갑상선에 대한 생검을 실시하는 것이 좋다. 다른 특정한 상황이 아니라면, 형태학적으로 정상인 부갑상선이라도, 총 부갑상선호르몬 감소를 위해 제거해야 한다.

두개나 세개의 부갑상선이 커진 경우, 이 선종의 존재가 별개의 단위를 나타내는지 단지 비대칭적인 미만성의 과증식을 나타내는지는 아직 논쟁의 여지가 있고, 이에 따라 치료방법이 달라진다. "과증식 이론(hyperplasia theory)"을 주장하는 사람들은 부갑상선 아전 절제술(3과 1/2의 선 제거)이나 자가 이식과 함께 부갑상선 전 절제술을 추천한다.

하지만 선종을 별개의 질병 단위로 여기는 외과의사들은 오직 임상적으로 커진 선만 제거한다. 즉 대부분 외과의사들은 커진 부갑상선만 제거하고 정상 크기의 선은 남긴다. 76명의 환자를 이러한 방법으로 치료하고 140개월 동안 추적 관찰한 결과, 8명이 재발성 고칼슘혈증을 나타냈다. 재발된 증상은 심하지 않았다. 만약 커진 부갑상선이 섬유성으로 보이고, 결합조직형성 반응desmoplastic reaction을 유도하고 다른 목 구조물이나 갑상선과 인접해 있다면 반드시 임상적으로 악성 부갑상선 질환을 의심해 보아야 하고, 부갑상선은 갑상선엽절제술과 함께 일괄 절제되어야 한다. 만약 림프절병증이 있다면 같은 쪽 중앙 림프절 절제central lymph node dissection가 이루어져야 한다. 하지만 이때 부갑상선의 동결절편은 임상적으로 의심되는 악성을 확인하는 데 별 도움이 되지 않는다.

(2) 표적 탐색적 수술

최근 들어 다양한 최소 침습 부갑상선절제술minimally invasive parathyroidectomy이 임상에서 시행 되고 있다. 고전적 방법으로부터의 핵심적 변화는 시술적인 변화라기보다는 전략적인 문제이고, 두 가지의 중요한 이슈로 요약할 수 있다.

1. sestamibi 스캔이나 고해상도 초음파를 통한, 수술 전 선종 위치 결정의 신뢰성과
2. 수술 중 정상 선들에 대한 형태학적 접근이 필요 없는 완치에 대한 판단이다.

이러한 전략의 주요 장점은 국소 마취제와 진정제 사용을 통한 수술로 당일 퇴원도 가능하게 한다는 점과 동결절편의 역할을 크게 줄인다는 점이다. 반면에 이 방법은 수술 전 비용을 증가시키고, 다선병증multigland disease을 가진 일부의 환자들을 놓치기 쉽다. 하지만 다선성 질환의 유병률이 기존의 수술적 방법으로 판단했을 때와 비교하여 부갑상선호르몬의 감시를 통한 기능적인 방법을 통해 결정했을 때와 큰 차이가 없다는 최근의 주목할 만한 연구결과들이 많다.

수술 중 부갑상선 호르몬 모니터링은 정상 부갑상선 호르몬의 반감기가 2.5-4.5분으로 매우 짧기 때문에 10-15분 내에 크게 감소된 값이 측정된다는 원리에 입각한 것이다. 완치cure의 정의에서 가장 흔하게 사용되는 기준은 선 절제술 후 10분 동안 기저치보다 50% 이상 감소되는 것이다. 각각의 환자에게 기준이 되는 기저치는 선종 제거 바로 직전에 재측정한 값으로 한다. 이 방법의 단점은 기저치는 적극적인 절제술로 인해 불완전하게 낮아질 수 있고, 혹은 선 촉진에 의해-부드러운 촉진이라 할지라도-거짓으로 증가될 수 있다는 것이다.

최근 여러 연구에서 비디오-보조 부갑상선 절제술 및 내시경적 부갑상선절제술이 성공적으로 시행되고 있음을 보고하였다. 이들 연구에 따르면 최소 침습 부갑상선절제술이 기존의 전통적 탐색적 수술법과 비교하여 치료 성공률이 향상되었고 합병증 발생율이 감소하였다. 또한, 수술 시간을 절반 가까이 줄일 수 있었다고 보고하였다.

비디오-보조 부갑상선 절제술은 흉골절흔sternal notch 2cm 위로 1.5cm 가로절개가 이루어진다. 띠근육을 중앙선에서 4cm 절개를 하고 병변 부위 쪽 띠근육을 retractor로 당겨 부갑상선을 노출 시킨다. 30도 5mm 내시경을 절개선을 통해 넣은 후 트로카trocar나 가스 주입 없이 수술이 진행된다. 이 접근법의 가장 큰 이점은 병변 가까이에서 직접 접근을 함에 있다(그림 5-30).

내시경적 부갑상선 절제술에는 전방 접근법, 측면 접근법, 경부외 원격 접근법이 있다. 전방접근법은 가운데 trocar를 통해 5mm 내시경이 들어가고 2-3개의 trocar들을 더 사용하게 된다. 수술 공간을 확보하기 위해 넓은

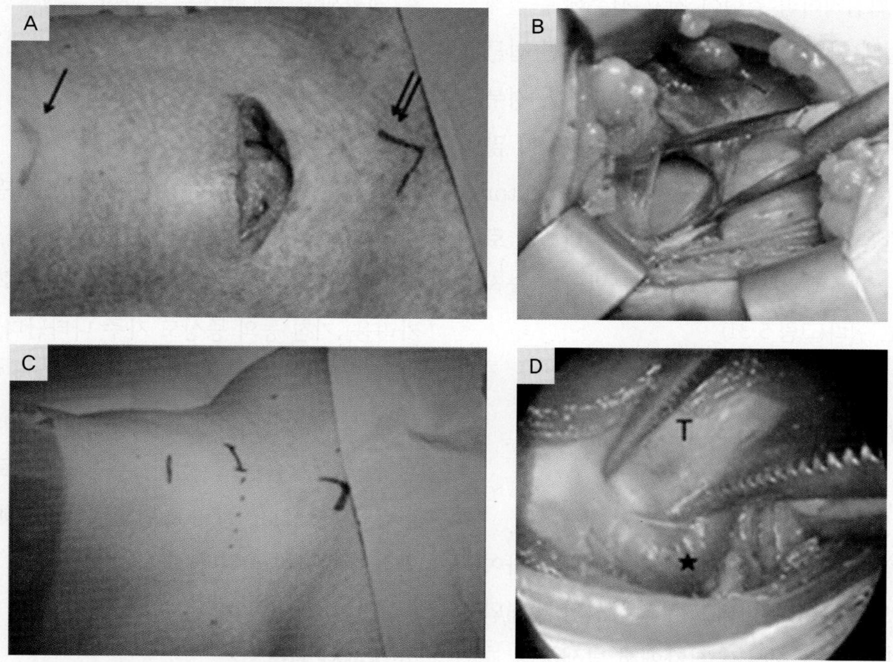

그림 5-30 전통적 탐색 수술법(A, B)과 비디오-보조 부갑상선 절제술(C, D)

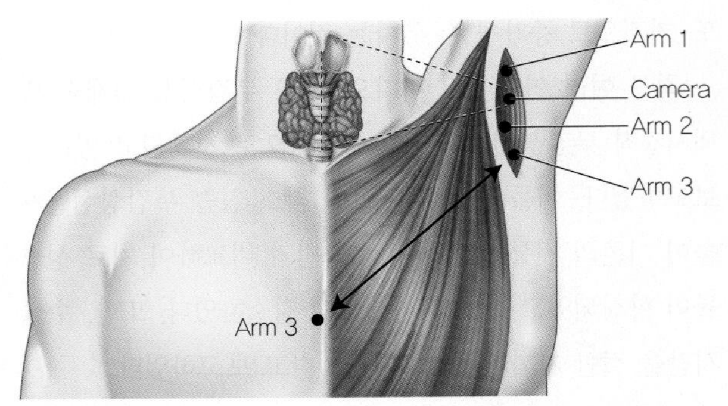

그림 5-31 **로봇 시스템을 이용한 경부외 접근법의 절개선과 trocar 위치**

목근 아래를 박리한 후 수술을 진행하게 된다. CO_2 흡수가 문제가 될 수 있기 때문에 압력이 8mmHg 가 넘지 않도록 가스를 꾸준히 주입한다. 측면 접근법은 갑상선의 측면과 후방에 직접 접근할 수 있으므로 후방에 있는 부갑상선을 수술하기에 좋다. 흉골절흔sternal notch의 3-4cm 위에 위치한 흉쇄유돌근의 전연에 12mm 크기로 가로 경부 절개를 한다. 이 절개선을 통해 추전근막에 다다를 때까지 박리를 하고 절개선 위, 아래 3-4cm 흉새유돌근 전연 부위에 2개의 2.5mm trocar를 삽입한다. 이 접근법은 빠르고 직접적이며 출혈이 적고 선종에 근접해 있는 신경을 더 쉽게 확인 할 수 있다. 하지만 측면 접근법은 양측 탐색을 할 수 없다는 기술적 단점이 있다. 경부외 원격 접근법은 절개선이 경부 바깥에 위치하며 더 많은 박리가 필요하다. CO_2 가스 주입을 하거나 retractor를 통해 수술 공간을 확보하게 된다. 최근에는 다빈치 로봇 수술 시스템을 이용해 경부외 원격 접근법의 기술적 어려움을 극복하고 있다(그림 5-31).

2. 속발성 부갑상선기능항진증

1) 역학 및 병인

속발성 부갑상선기능항진증은 저칼슘혈증에 반응하여 과다한 부갑상선호르몬이 분비되고 부갑상선의 비대와 관련되어 있다. 대개 만성 신부전 환자에서 발생하나 그 외 다양한 원인에 의해 나타나므로 감별진단이 필요하다. 속발성 부갑상선기능항진증은 만성 신장질환 환자의 사망과 삶의 질에 영향을 줄 수 있는 심각한 합병증 중 하나이며, 혈액투석 기간이 10년 이상이면 부갑상선 절제술이 필요한 빈도가 약 10%, 20년 이상에서는 약 30%로 보고된다.

만성 신장질환에서 기인하는 속발성 부갑상선기능항진증의 중요한 병인들은 저칼슘혈증, 고인산염혈증, 활성 비타민 D 결핍, 부갑상선세포내 비타민 D 수용체 및 칼슘감작수용체calcium sensing receptor의 발현 감소, 부갑상선호르몬에 대한 골내성 등이며, 특히 인산염 축적이 부갑상선 세포에 직접적으로 작용하여 부갑상선 세포의 증식과 함께 부갑상선호르몬 분비와 합성을 자극한다고 밝혀졌다.

속발성 부갑상선기능항진증에서의 특징적인 병리 소견은 부갑상선의 비대칭적 및 결절성 비대, 호산세포와 이행호산세포 수의 증가로 요약할 수 있으며, 이러한 부갑상선 증식 양상은 미만성 증식, 미만성 증식내 초기 결절성, 결절성 증식, 단일 결절성 샘 등의 4가지 부류로 구분된다. 무게가 증가할수록 증식의 양상이 미만성에서 결절성으로 전환되고 500mg을 초과한 부갑상선은 거의 언제나 결절성 증식으로 발전된 것이다.

2) 임상증상 및 진단

진행된 속발성 부갑상선 기증항진증은 뼈 질환, 이소성 석회화, 신경근육계와 정신질환, 빈혈, 심부전, 확장된 심근병증양심장 등을 일으키고 근육약화, 흥분, 불면증, 가려움, 기침 등의 증상도 자주 나타난다. 특히 혈관과 심장판막에서의 이소성석회화는 심혈관계 합병증을 일으켜 높은 사망률로 이어진다. 진단은 자세한 병력청취와 신체검사, 교정칼슘농도, 인산, 부갑상선호르몬, 25-수산화 비타민 D2 (D3), 그리고 알칼리인산분해효소치 등을 종합하여 판단하게 된다.

3) 내과적 치료

내과적 치료의 목적은 미만성 증식에서 결절성 증식으

표 5-12. 속발성 부갑상선 기능항진증의 감별진단

위장관 원인	불충분한 식이섭취	
	흡수장애	췌장질환, 염증성 장 질환, 낭성 섬유증, 위장 우회 수술, 부신피질호르몬 치료
비타민 D 관련 원인	햇빛 결손, 식이 제한, 간-담도계 질환, 항 경련제 치료	
비타민 D 의존 또는 내성	구루병 또는 뼈연화증, 저인산염 혈증	
신장	만성 신장 질환	
세포/조직 매개 원인	뼈- 성장	
	유전적 : 가성 부갑상선 기능저하증	
뼈 기아 증후군		
비스포스포네이트 치료		
수유/수유후		
전립선암		

로의 진행을 예방하는 것이며, 이를 위해 병인 인자를 제거하는 것이 중요하다. 먼저 저칼슘혈증을 조절하기 위해서 고농도 칼슘이 포함된 투석액을 사용하고, 칼슘포함인산결합제 즉 탄산칼슘, 아세트산 칼슘을 투여한다. 고인산혈증을 조절하기 위해서는 적절한 혈액투석, 인산염 식이 섭취제한, 인산결합체의 투여가 중요하다. 그러나 기능항진증이 진행되면 언제나 Calcitriol과 비타민 D 유사체들을 사용할 수 있으나 고칼슘혈증과 고인산염혈증이 쉽게 유발되므로 주의해야한다.

최근 칼슘작용제처럼 부갑상선 칼슘 수용체에 작용하는 새로운 약제(Cinacalcet hydrochloride, Sensipar®)들이 임상에 적용되고 있으며, 고칼슘혈증 또는 고인산염혈증을 일으키지 않고 부갑상선호르몬을 현저히 억제한다. 또한 이소성석회화와 심혈관계합병증을 피하기 위하여 혈액투석 환자에서는 칼슘 8.4-9.5mg/dL, 인 3.5-5.5mg/dL, 칼슘-인 곱이 55이하, 부갑상선호르몬 수치가 150-300pg/dL 이어야 한다.

4) 수술적 치료

(1) 적응증

K/DOQI 등에 의해 제시되는 수술 적응증은 1) 완전한 부갑상선호르몬 >500pg/mL, 2) 비대된 부갑상선 발견(가장 큰 샘의 부피가 500mm^3, 또는 직경이 1cm 이상), 3) 고칼슘혈증(>10.2mg/dL) 과/또는 고인산염혈증(>6.0mg/dL) 이며, 이들 3가지 인자에 높은 뼈 전환, 방사선 소견상 섬유뼈염, 심한 증상, 이소성석회화의 진행, 칼시필락시스Calciphylaxis, 뼈소실의 진행, 적혈구생성소에 반응치 않는 빈혈, 확장된 심근병증양 심장 소견들 중 하나가 첨가되면 수술의 절대적인 기준이 된다.

(2) 수술방법

수술방법에는 자가이식 없는 부갑상선 전절제술, 아전절제술, 전절제술과 자가이식술이 있다. 이중 전절제술과 자가이식술이 가장 선호되는데 그 이유는 재발 시 최소 침습 및 국소마취로 부갑상선 조직의 제거가 가능하고, 이식된 부갑상선 조직의 기능을 이식부와 비이식부에서 부갑상선호르몬을 측정 비교함으로써 판단할 수 있으며, 자가이식에 사용된 부갑상선 조직의 양을 쉽게 조절할 수 있다는데 있다. 술 후 지속성 또는 재발 부갑상선기능항진증을 피하기 위해서는 첫 수술 시 모든 부갑상선조직을 찾아내고 제거하는 것이 중요하며, 술 중 조직학적 확진과 부갑상선호르몬 측정이 유용하다.

(3) 술전 영상학적 진단

이소성 부갑상선을 찾아내는데 특별한 관심이 필요하다. 섬광조영scintigram은 종격동내 부갑상선을 찾아내는데 효과적이고 초음파는 갑상선 주변과 갑상선내 부갑상선을 찾아내는데 아주 효과적이다. 200mg 이상이면 초음파로 확인이 가능하다.

(4) 부갑상선 절편의 자가이식

이식 유도 재발 부갑상선기능항진증을 피하기 위하여는 결절성 증식조직보다는 미만성 증식 조직을 선택하는 것이 매우 중요하며, 자가이식방법은 Wells술식이 선호된다. 즉 병리학적 확진 후 1×1×3mm 절편으로 만들어 동정맥루가 없는 아래팔의 완요골근내에 주머니를 만들어 30개 정도, 총 약 90mg을 심어준다.

(5) 술후 치료

자가이식 부갑상선조직은 문헌에 따라 차이는 있지만 일반적으로 2-3주후 기능이 시작되므로, 술 후 혈청 칼슘치가 신속히 떨어질 수 있으며 8.0mg/dL이하이면 보충요법을 시행한다. 특히 술 전 알칼리인산분해효소치가 500IU/L 이상 이었다면 심한 뼈 기아 증후군을 가지고 있으므로, 경구뿐만 아니라 정주칼슘도 투여하여야 한다. 술 후 증상 개선은 극적이며 뼈 및 관절통, 흥분, 불면증, 가려움 및 근육약화증은 신속하게 개선된다.

5) 지속성 및 재발 부갑상선기능항진증

술후 1일째 측정한 intact PTH수치의 최저치가 60pg/mL 이상이면 지속성으로, 초기에는 감소 하였다가 다시 상승한 경우는 재발로 판단하고 재수술이 요구된다. 지속성의 가장 흔한 원인은 종격동내부갑상선이며, 최근에는 흉골절개술보다는 내시경적절제가 시도되고 있다. 재발 시에는 다양한 원인 즉, 자가이식편자체, 경부 및 종격동의 잔존 샘, 부갑상선 조직의 폐 전이, 갑상선 주변에 부갑상선 조직의 착상parathyromatosis을 고려하여야 한다.

3. 삼차성 부갑상선기능항진증

1) 정의 및 원인

부갑상선 조직의 자율기능 상태로 혈중 칼슘 농도와 관계 없이 부갑상선호르몬이 지속적으로 분비되는 현상으로 정의할 수 있으며 가장 흔한 원인은 오래된 만성 신장질환이고 신이식 환자의 6-7%에서 나타난다. 그 외 X 염색체 연결된 저인산염혈성 구루병과 성인발병(보통염색체 우성) 저인산염혈성 구루병에서도 나타날 수 있다.

2) 병리기전

만성 신장질환에 의한 신손상과 고인산염혈증으로 calcitriol 의 생성이 감소되고 부갑상선 조직의 calcitriol 수용체가 감소하면 혈청 칼슘농도에 관계없이 호르몬 분비가 억제되지 못하여 부갑상선조직의 결절성 과증식이 두드러지게 일어난다고 보고되고 있다. 또한 부갑상선 조직의 결절성 전환 부위 세포내 칼슘 감작 수용체의 mRNA 변화 및 단백질 감소도 자율성을 가지는 기전으로 제시되고 있다.

3) 치료

일차적 치료는 cinacalcet과 같은 calcimimetic 을 시행한다. 부갑상선 절제술은 신이식 환자의 1.6-3.0% 에서 필요하다고 보고되며 그 적응증은 부갑상선호르몬의 상승 정도, 고칼슘혈증의 정도 및 지속 기간, 합병증 여부, 이식 신의 기능저하등을 고려하여 결정하게 되는데 일반적으로 신 이식 후 내과적 치료에도 불구하고 일년 이상 부갑상선호르몬의 상승 및 고칼슘혈증이 지속되는 경우, 신이식 수술 시기와 관계없이 합병증으로서 신 결석, 급격히 진행되는 신성 골변성, 연부조직 석회화, 근육 및 골통증 등이 발생된 경우, 이식 신 기능이 급속히 저하되는 경우, 혈중 칼슘농도가 11.5mg/dL 이상인 경우로 보고하고 있다. 수술방법은 전절제술 및 자가이식술과 아전절제술이 표준술식이지만 급격한 부갑상선호르몬의 감소로 인한 신혈류량의 변화가 이식 신의 가능을 저하할 수 있기 때문에 수술 시 이식 신기능을 반드시 고려하여야 하며 그런 의미에서 아전절제술이 추천되고 있다.

4. 가족성 부갑상선기능항진증

여기에는 다발 내분비 종양 1형, 2형, 부갑상선기능항진증-턱종양 증후군(HPT-JT), 가족성 고립 부갑상선기능항진증(FIHPT), 보통 염색체 우성 경증 부갑상선기능항진증(ADMH또는 고칼슘뇨를 가진 가족성 고칼슘혈증), 신생아 중증 부갑상선기능항진증 등이 있다. 다발 내분비샘 종양 증후군과 관련된 가족성 부갑상선기능항진증은 잘 확립된 내분비병증이지만 그렇지 않은 가족성 부갑상선기능항진증은 드물고, 원발성 부갑상선기능항진증의 공격적 형태이다. 따라서 치료법 역시 기저원인에 따라 복합적으로 시행되지만 다발성샘 과증식증, 과다 샘, 재발의 위험 때문에 양측 경부 탐험술이 전통적인 수술방법이다 다발 내분비샘 종양 1형은 아전 부갑상선 절제술 또는 전절제술 및 즉시 자가이식술을 시행하고 다발 내분비샘 종양 2형, 부갑상선기능항진증-턱종양 증후군, 가족성 고립 부갑상선기능항진증 등은 아전절제술 이하의 부갑상선 절제술을 시행한다. 그런데 부갑상선기능항진증-턱종양 증후군에서는 부갑상선암의 위험도가 있어 특별한 주의가 요구된다.

요약

속발성 부갑상선기능항진증은 저칼슘혈증에 반응하여 부갑상선으로부터 과다한 부갑상선호르몬이 분비되고 부갑상선의 비대와 관련되어 있다. 만성 신부전 환자의 대부분에서 속발성 부갑상선기능항진증이 발생되고 그외 다양한 원인에 의해 나타나므로 감별진단이 필요하다 진행된 속발성 부갑상선 기증항진증은 뼈질환, 딴 곳 석회화, 신경 근육계와 정신질환, 빈혈, 심부전, 확장된 심근병증양 심장등을 일으키고 근육약화, 흥분, 불면증, 가려움, 기침 등의 증상도 자주 나타난다. 저칼슘혈증을 조절하는 약물치료가 우선되고, 반응이 없으면 부갑상선절제술이 필요하다. 삼차성 부갑상선기능항진증은 부갑상선 조직의 자율기능 상태로 혈중 칼슘농도와 관계없이 부갑상선호르몬이 지속적으로 분비되는 현상이며, 가장 흔한 원인은 오래된 만성신장질환이고, 일차적 치료는 Cinacalcet과 같은 칼슘조절제를 투여하고 부갑상선절제술이 필요하다.

VIII 부신의 해부와 생리

1. 해부

부신은 기능적으로 완전히 구분되는 두 종류의 내분비선인 피질cortex과 수질medulla로 구성된다. 부신 피질과 수질은 발생 기원이 각각 다르며, 수질은 신경외배엽의 신경능에서 발생되고, 피질은 중배엽 기원인 비뇨 생식기의 융선urogenital ridge으로 부터 발생된다.

정상 부신의 무게는 좌우 합쳐 체중의 약 0.1-0.2%를 차지하며 정상 성인의 경우 각각 4-5g 정도이고 이보다 무게가 증가하면 과 증식, 무게가 감소하면 위축이라고 할 수 있다. 태아기에 부신은 체중의 0.3%를 차지할 만큼 커졌다가 임신 3기에 줄어들기 시작하여 신생아기에 급속히

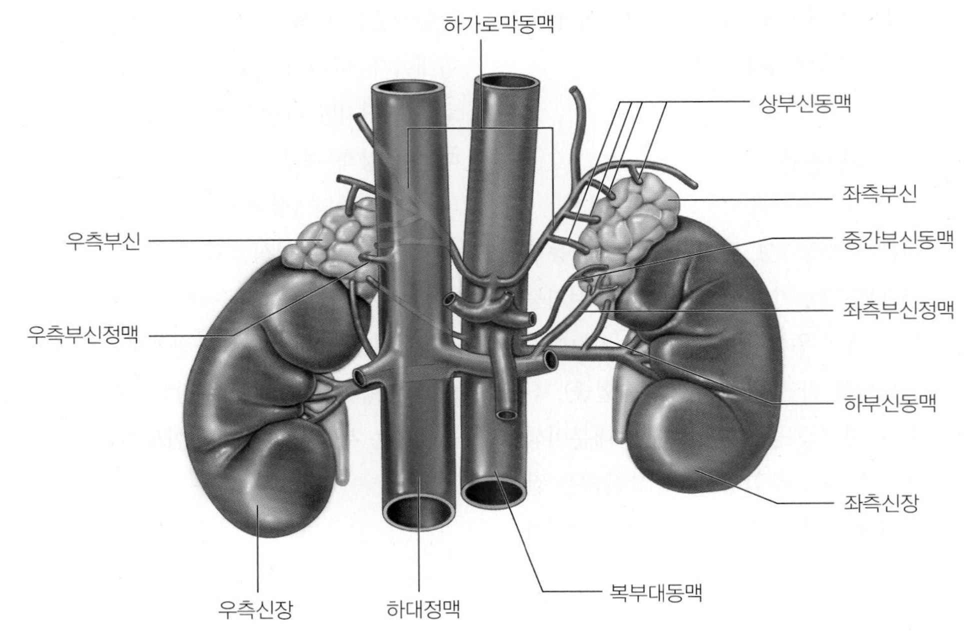

그림 5-32 **부신 주변의 장기와 혈행**

크기가 감소한다. 태아기에 크기가 큰 이유는 확정역definitive zone과 수질사이에 태아역fetal zone이 추가로 존재하기 때문이다.

부신은 하가로막동맥, 신동맥, 대동맥에서 오는 부신동맥으로부터 혈액공급을 받고, 이들 외 늑간동맥 등의 여러 분지들이 피막을 통과한다. 부신문에는 한 개의 중심(부신)정맥이 있고 우측부신정맥은 0.5cm 정도로 짧고, 좌측부신정맥은 2–3cm정도로 길다(그림 5-32).

부신은 혈관조직이 풍부한 장기이며 부신 세포는 혈관내피세포와 인접하여있다. 부신으로 공급되는 동맥은 변이가 많은데, 신동맥이나 대동맥에서 직접 기원하거나 분지된 소동맥이 부신막이나 부신막하부에서 세분되어 세동맥층anteriolar plexus을 형성한다. 세동맥층에서부터 두 가지 형태의 혈관으로 나누어지며 그 하나는 혈관 벽이 얇은 모세혈관 피질동sinus이다. 부신피질 전체에 풍부하게 분포하는 이 혈관은 구심성으로 주행하여 모든 피질세포에 혈액을 공급한다. 이와는 달리 혈관벽이 두터운 수질동맥은 훨씬 수가 적으며 피질을 지나 수질에 직접 혈액을 공급한다. 피질동과 수질동맥을 통한 혈액은 수질에서 혼합되며, 수질에 많은 양의 혈액을 공급하는 것은 피질동이다. 피질동의 혈액은 수질에 있는 하나의 큰 중심정맥으로 모여 배출된다.

2. 부신 피질

부신피질은 조직학적으로 부신수질을 중심으로 동심원 형태의 세 층으로 되어 있다. 각층의 세포는 배열된 위치와 형태, 크기 및 미세구조에 따라 구분이 가능하며, 바깥 사구대zona glomerulosa, 중간 속상대zona fasciculata, 안쪽 망상대zona reticularis로 나눈다.

피질은 출생 전에는 주로 광범위한 수질 곁 태아대juxtamedullary fetal zone로 구성되지만, 출생 후에는 태아층이 위축되기 시작하여 몇 개월 내에 피막하의 사구층, 중간의 다발층 및 안쪽의 그물망층으로 구분된다. 부신 피질의 세포는 사구상층의 직하부에 존재하는 중간대zona intermedia에서 유래한다. 중간대의 세포는 왕성한 유사분열을 일으켜 신체적 요구에 따라 사구층으로 보충되거나 중심으로 이동하여 먼저 다발층 세포로, 뒤이어 그물망층 세포로 변형되게 된다. 정상 피질 세포들은 지방색소와 일부의 스테로이드 전구물질인 콜레스테롤, 에스테르화된 콜레스테롤, 트리글리세리드 및 인지질을 세포질에 많이 갖고 있기 때문에 피질층은 황갈색을 띤다. 사구대층은 부신을 싸고 있는 결체조직막의 바로 아래층이며 환상으로 배열된 세포로 구성된다. 사구대는 피질의 약10-15%를 차지하며, 입방형 내지 기둥 모양의 세포들이 밀집되어 소도islet를 이루고 있다. 사구층 세포는 비교적 작고 둥근 모양이며 세포질에 비해 핵이 크며, 미토콘드리아가 중첩된 주름lamelliform cristae을 가지고 있다. 세포내에 내형질 세망은 드물고 라이보솜과 폴리솜이 세포질 전체에 분포되어 있다. 속상대층은 피질의 80%를 차지하며, 사구층 세포보다 크고 세포질이 풍부하며 미토콘드리아 내에는 관소포상주름tubulovesicular cristae을 가지고 있다. 속상대 세포의 핵은 중심부가 진하게 염색되고 세포질은 미세한 공포로 채워져 있다. 공포내의 지방질은 대부분 콜레스테롤과 콜레스테롤에스테르인데, 표본 제작 시에 유기용매에 녹아서 빈 공간으로 보이기 때문에 투명 세포clear cell 라고도 부른다.

망상대층은 피질의 5-10%에 해당하며 세포는 속상대 세포와 비슷하나, 세포질 내에 공포가 없고 세포질은 짙은 호산성이며 리포푸신색소가 많이 축적되어 있다. 또한, 일반적인 염색에서 어둡고 진하게 염색되므로, 어두운 세포 또는 치밀세포compact cell라 부른다. 미토콘드리아는 길고 관소포상 주름을 가지며 리포푸신 과립lipofuchsin granule과 지질 소적lipid droplet을 가지고 있다. 건강인의 그물망층 세포에서는 글루코코르티코이드와 안드로겐이 주로 만들어 진다. 하지만, 만성 질환과 같은장기적인 스트레스 또는 외부로부터 ACTH를 투여 받으면 속상대 세포들은 공포가 소실되어 망상대 세포로 전환되며, 이는 저장되었던 지방질이 피질스테로이드 합성에 이용되었기 때문이다. 따라서 저장 상태의 다발층 세포가 활성화되어 스테로이드를 생성하기 때문에 속상대와 망상대를 한 개의 기능층으로 볼 수 있다.

3. 부신 수질

부신수질은 전체 부신 무게의 10%를 차지하며, 교감신경-부신수질계로 하나의 기능적 단위를 형성하는 신경분비기관이다. 말초 교감신경계는 신경외배엽에서 분화된 부신수질과 통합된 기능을 수행하기 위하여 교감신경-부신수질계로 하나의 기능적 단위를 형성하고 있다 부신수질을 지배하는 교감신경은 T5에서 L2까지의 신경절을 경유한 신경절 전섬유pregnaglionic fiber로 이루어진 내장신경이다. 수질은 보통 부신의 두부에 가장 풍부하며 미부로 갈수록 적어진다. 부신 수질은 크롬친화세포chromaffin cell와 자율신경절 세포로 구성되어 있으며 이들 세포는 신경능에서 기원한다. 태아기에 신경능neural crest에서 유래한 교감신경아세포sympathogonia는 신경아세포neuroblast와 크롬친화아세포로 분화된 다음 임신 6주경에 신경아세포는 교감신경절을, 크롬친화아세포는 크롬친화세포를 각각 형성하게 된다. 크롬친화아세포는 후에 부신피질을 형성한 중간엽 세포사이로 침습되어 결국 부신수질의 크롬친화세포로 분화한다. 일부 원시 크롬친화아세포는 후에 신경절을 이루게 되는 신경아세포와 밀접한 관계를 유지하며 부신수질 이외 복강 내 전대동맥 교감신경총이나 척추주위쇄paravertebral chain 등 교감신경계에서도 발견되나 출생 후에는 대부분 퇴화된다. 그러나 상당한 수의 잔여세포가 척추 주위 교감신경절과 미주신경, 대동맥궁, 경동맥, 하장간막동맥을 따라 잔존할 수도 있다. 이들 부신 수질 이외의 잔존 세포는 나중에 종양을 만들 수 있다. 부신수질의 크롬친화성세포는 출생 후 3년이 되면 완전히 성숙하게 된다. 크롬친화세포는 불규칙적인 다면형이며 원주형으로 나열되거나 신경, 결체조직 및 혈관으로 둘러싸여 작은 군집을 이루기도 한다. 수질의 혈액 공급은 수질동맥을 통한 직접 경로와 피질 망상층의 모세혈관이 유합되어 형성된 문정맥계에 의해 이루어진다. 이 혈액 내에 함유된 고농도의 코르티솔은 피질-수질 접속부에 풍부하게 분포되어 있는 아드레날린 분비세포로 전달된다. 수질세포는 에피네프린과 노르에피네프린과 같은 카테콜아민과 도파민을 합성하며, 아세틸콜린에 의하여 매개된다. 따라서 이러한 물질의 주요대사물인 메타네프린metanephrine, 바닐만델산vanilmandelic acid (VMA), 3-메토킨-4-히드록시페닐글리콜3-methoxy-4-hydroxyphenylglycole (MHPG) 등이 부신수질에 발생하는 대표 종양인 갈색세포종이나 신경모세포종 환자의 혈중에 증가될 수 있다는 것을 예견할 수 있다. 분비된 호르몬은 동 구조를 거쳐 중심정맥으로 모이고, 좌부신의 중심정맥은 신정맥으로 우부신의 중심정맥은 하대정맥으로 유입된다.

요약

부신은 신장 상부 극에 가까이 후복막에 위치하고 있으며, 4-5gm의 작은 황갈색의 장기이지만 생명 유지에는 필수적인 장기이기도 하다. 부신에는 피질과 수질이라는 서로 기능이 다른 내분비 단위가 혼재하고 있다. 피질은 코르티솔 같은 당질코르티코스테로이드, 알도스테론 같은 광질 코르티코이드, DHEA외에도 약간의 안드로겐 및 에스트로겐를 분비한다. 수질은 주로 에피네프린, 노르에피네프린, 도파민 같은 카테콜아민을 분비한다. 당질코르티코이드는 생명에 필수적이며, 이것들의 분비는 시상하부-뇌하수체-부신 축에 의해 조절된다.

IX 부신질환

1. 부신수질의 질환(갈색세포종)

부신수질에서 발생하는 질병은 주로 종양으로 갈색세포종pheochromocytoma, 신경모세포종neuroblastoma 및 부신경절종functional paragangliomas 등이 대부분이다. 이 장에서는 임상적으로 가장 흔한 갈색세포종을 기술하였다.

1) 갈색세포종의 역사

카테콜아민을 분비하는 종양은 고혈압 환자의 0.1-1%를 차지하는 드문 이차성 고혈압의 하나로서 부신 수질에 발생하는 갈색세포종 및 기능성 부신경절종functional paragangliomas에서 유래한다. 기능성 부신경절종은 주로 목, 종격동, 복부, 골반, 또는 주케르칸들 기관의 교감신경절에서 발생할 수 있다. 갈색세포종은 90%의 경우 부신수질에서 발생하며 좌측보다 우측에서 빈도가 높다고 알려져 있다. 1886년에 Frankel은 급작스럽게 죽은 18세 여성에서 양측 부신 종양을 발견하고 갈색세포종에 대해 처음으로 발표하였으며, 1912년 Pick 등이 이 종양이 크롬산염으로 갈색 또는 적갈색으로 염색되는 특징이 있음을 보고 갈색세포종으로 명명하였다. 1926년에 Mayo와 Roux가 각각 갈색세포종을 수술적으로 제거하는데 처음 성공하였으나, 이후에는 갈색세포종의 수술적 치료를 시도한 125명의 환자 중 33명에서 수술 도중 발생한 심각한 고혈압과 제거 후 저혈압으로 인해 사망한 사례가 발표되었다. 1950년대 초 von Euler등이 갈색세포종 환자의 뇨에서 많은 양의 카테콜아민을 검출함으로서 수술 전 갈색세포종의 진단이 가능해 졌으며, 이후 고혈압과 저혈압의 전처치 방법으로 각각 펜톨아민phentolamine과 노르아드레날린noradrenaline을 사용하여 Priestly등은 61명의 갈색세포종 환자를 수술 하여 이중 51명이 수술 후 생존하였다고 보고하였다. 1960년대에는 Wemer, Sipple등에 의하여 다발성 내분비종이 최초로 보고되었다.

2) 발생률

갈색세포종은 매 년 백만 명당 2-8명의 환자가 발생한다고 보고되며, 800명 정도가 합병증과 관련하여 사망하는데, 부검 결과 75%에서 심근경색, 뇌혈관 질환이 주요한 사망 원인이었다. 또한 30% 정도에서는 수술 중 활력징후의 급격한 변화가 사망의 원인으로 알려졌다.

3) 카테콜아민의 합성과 대사

음식물 또는 혈중의 페닐알라닌의 수산화에 의해 형성되는 티로신은 세포내 티로신 수산화 효소에 의해 도파(이수산화페닐알라닌)로 전환되며 이 과정이 카테콜아민 합성의 반응속도 결정 단계이다. 도파는 도파민으로 전환되고 세포막의 도파민 β-수산화효소에 의해 노르에피네프린이 형성되며, 노르아드레날린은 페닐에타놀아민-엔-메틸 전이효소에 의해 메틸기가 첨가되어 아드레날린으로 전환된다.

말초 교감신경계 및 부신수질에서 카테콜아민은 50-350nm 크기의 저장 입자에 들어있으며, 니코틴성 자극에 의해 세포 외로 유리된다. 교감신경계의 아드레날린성 신경전달 과정에서 노르아드레날린의 일부는 아드레날린 수용체에 결합하고, 일부는 혈액 내로 들어가며, 대부분은 신경절전 신경세포로 재섭취되어 저장된다. 부신수질에서 카테콜아민은 혈액으로 운반되며 재섭취 과정은 중요하지 않다. 혈액 내 카테콜아민의 반감기는 1-2분으로 짧으며 오-메틸화 및 탈아민화 과정을 통해 대사된다. 즉 간장 및 신장 세포내 카테콜-오-메틸 전달효소에 의해 노르메타네프린 및 메타네프린으로 바뀌고, 간장, 신장, 위 및 장의 미토콘드리아내 모노아민 산화효소에 의해 바닐만델산(VMA)이 된다. 바닐만델산의 하루 배설율은 6mg 정도이고, 메타네프린은 1.2mg 정도이다.

대사되지 않은 노르아드레날린 및 아드레날린의 일부가 같은 비율로 배설되며 24시간 소변내 유리 노르아드레날린과 아드레날린은 각각 20-120μg과 5-20μg 정도이다.

카테콜아민의 생물학적 효과는 알파 아드레날린 수용체를 자극함으로써 혈압 상승, 심장 수축력 증가, 글리코겐 분해, 포도당 신생합성, 내장의 이완을 유발한다. 또한 베타 아드레날린 수용체를 자극하여 심박수와 심근수축력의 증가가 일어난다. 따라서 카테콜아민이 과다하게 분비되는 갈색세포종은 생명을 위협하는 고혈압이나 심장의 부정맥을 일으킬 수 있어 치명적일 수 있다.

4) 임상양상

갈색세포종의 80-90%는 단독으로 발병하지만, 일부에서는 다른 질환과 동반하여 발생할 수 있다(표 5-13). 또한, 대부분 가족력이 없지만 다발성 내분비선종 및 신경피부 증후군과 동반된 경우에서는 가족력을 가지기도 하며, 이때는 주로 양측성, 다발성 및 다중심성multicentric으로 발병하는 빈도가 높다.

표 5-13. 갈색세포종과 동반되는 질환

다발성 내분비 선종증 증후군
제 2a형 다발성 내분비 선종증
갑상선 수질암
부갑상선 기능 항진증
갈색 세포종
제 2b형 다발성 내분비 선종증
갑상선 수질암
갈색세포종
부갑상선 기능항진증
마르판(marfanoid) 표현형
내장 신경종증
신경피부증후군
신경섬유종증
Von Hippel Lindau병
모세혈관 확장성 운동 실조증
결절성 경화증
Sturge-Weber 증후군
부신외 신경절종
위 상피세포양 평활근육종
폐 연골종

갈색세포종은, 첫째, 수술로 완치가 가능한 고혈압을 동반하며, 둘째, 8-10%에서 악성이므로 조기 진단이 중요하며, 셋째, 수술, 분만, 마취 및 약물 등에 의해 치명적인 합병증을 초래할 수 있고, 넷째, 가족 내에서 발생하는 다발성 내분비선종증 등의 질환과 연관이 있어 질병을 정확히 이해하고 치료하는 것이 임상적으로 매우 중요하다.

다양한 증상이 나타날 수 있지만, 고혈압이 가장 흔한 증상이다. 고혈압 환자의 약 절반에서는 간헐적인 고혈압과 두통, 발한, 심계항진 등의 전형적인 증상이 동반된다. 혈압은 높게 측정될 수 있지만, 말초혈관으로 측정 시 순간적으로 극도의 혈관수축으로 정확한 측정이 불가능할 수 있다. 치명적인 부작용으로 순간적인 급격한 혈압상승 시 심장의 보상작용이 적절히 이루어지지 않으면 심근 경색이 발생하거나, 에피네프린과 노르에피네프린의 갑작스런 혈관으로의 방출이 종양의 출혈, 괴사 등을 야기할 수도 있다. 급격한 혈압 상승은 수분 내에 최고에 이르며 보통 15분정도 지속되며, 1시간이상 지속될 수 있다. 혈압 상승 후에는 약 50%에서 계속적인 고혈압 상태를 보이며, 혈압은 보통 조절이 안 되고, 가속성 고혈압으로 진행할 수도 있다. 또한 혈압의 변동이 심하여 급격한 저혈압 상태로 변하는 등의 다양한 경과를 보일 수 있다.

그 외의 증상으로는 종양에서 유리되는 과도한 카테콜아민에 의해 급성 심근경색증, 급성 신부전 또는 뇌혈관 장애로 발현되거나, 장의 가성폐색 및 만성변비, 심비대 또는 심근병증에 의한 심부전, 치료에 잘 반응하지 않는 부정맥, 박리성 동맥류 등의 합병증에 의한 증세가 나타날 수 있다. 드물게는 주변장기에 전이 되거나 종양의 성장에 의한 복부압박 및 불편감을 호소하기도 한다. 또한, 증상을 보이지 않고, 영상학적 검사 상 우연히 발견될 수도 있다.

5) 진단

소아 및 청소년의 고혈압, 갈색세포종과 관련된 가족력, 고혈압이 처음 발생한 임산부, 치료에 잘 반응하지 않거나 변동이 심한 고혈압 환자에서는 갈색세포종의 감별 진단을 위한 검사가 반드시 필요하다. 또한, 영상학적 검사 상 우연히 발견된 부신종양의 경우에도 갈색세포종의 가능성을 찾기 위한 생화학적 검사를 반드시 시행하여야 한다(그림 5-33).

(1) 생화학적 진단

가. 24시간 소변의 카테콜아민 대사물 측정

24 시간 소변에서 카테콜아민의 대사물인 바닐만델산(VMA)과 메타네프린(MN)의 증가를 검사한다.바닐만델산의 예민도는 60%로 낮으나 메타네프린의 예민도와 특이도는 각각 90%로 높아서 선별 검사로 유용하다. 카테콜아민 대사물 측정 시 가성 양성 반응을 줄이기 위해 72시간 전에는 식사에 바닐라와 페놀산이 포함되지 않도록 한다. 옥소화 조영제의 한 성분인 메틸글루카민은 투여 72시간까지 대사물 측정 시약을 파괴하여 위음성 반응을 일으킬 수 있다. 또한 라베타롤(α차단제와 β차단제의 복합제제), 신장 기능장애 환자, L-dopa 복용 환자 및 심한 신체적인 스트레스로 호르몬 분비에 변동이 예상되는 경우에는 검사 및 검사 결과의 해석에 신중을 기하여야 한다.

나. 혈장 카테콜아민 측정

혈장의 free metanephrine검사는 갈색세포종 진단 시 99%의 민감도를 보여서 유전적 소인이 있는 환자에게 권고되고 있다. 하지만, 10%의 비교적 높은 위양성율을 보이므로 선별검사로는 적당하지 않다고 보고 있다. 고성능 액체 크로마토그라피(HPLC)를 이용한 혈장 카테콜아민 측정법이 흔히 쓰이고 있다. 채혈 30분전에 정맥내에 삽관하고 가만히 누워 안정한 후 헤파린 함유 시험관에 채혈하며, 즉시 원심 분리하여 측정하기 전까지 혈장을 -80℃에 보관한다. 혈장 노르아드레날린이 450pg/mL이상이고, 아드레날린 120pg/mL이상이며, 다른 원인에 의한 카테콜아민의 상승이 배제되면 진단적 특이도는 95%, 예민도는 85%이다. 혈장 노르아드레날린 또는 소변 메타네프린 배설의 증가는 부신에서 유래하는 종양을 의미하며, 노르아드레날린만을 분비하는 종양은 매우 큰 부신종

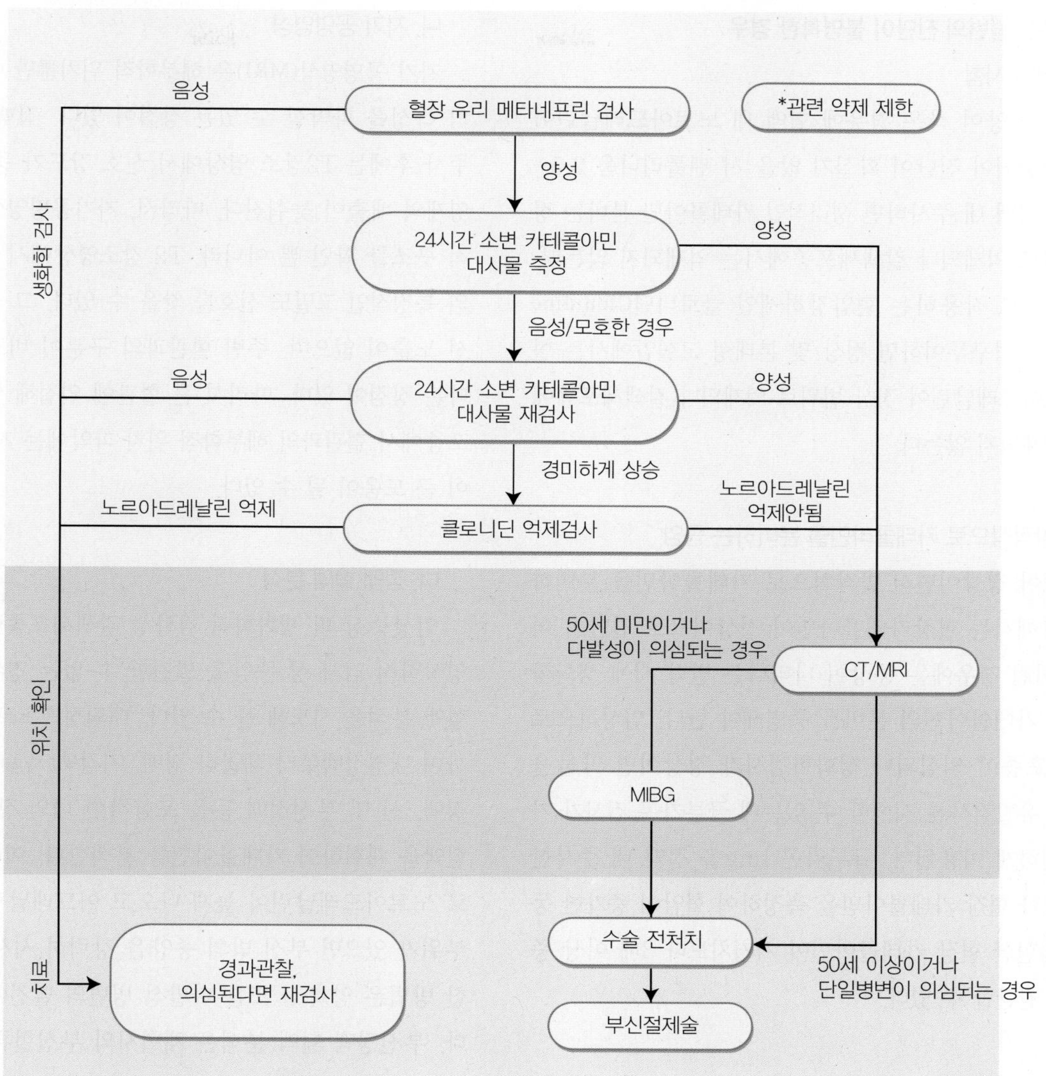

그림 5-33 **갈색세포종의 진단, 국소화 및 치료방침.** 초기에 혈장 카테콜아민을 측정하여 음성인 경우, 진단을 배제할 수 있음. (CT: 전산화 단층촬영 MRI: 자기공명영상 MIBG: 벤질구아니딘 방사성동위원소 주사법)
*교감신경흥분약제, 알파차단제(phenoxybenzamine), 아세트아미노펜, 기타 정신과 약제 등

양이나 부신경절종을 의미한다.

다. 혈소판 카테콜아민 측정

혈소판은 카테콜아민을 포획하여 저장하므로 혈소판에서 카테콜아민의 측정은 혈장 내 수치가 확실하지 않을 때 갈색세포종 진단에 도움이 될 수 있다.

라. 소변 유리 카테콜아민

고성능 액체 크로마토그라피를 이용한 소변 내 유리 노르아드레날린, 아드레날린 및 도파민의 측정으로 갈색세포종의 진단 예민도가 95%까지 증가되었으나 특이도는 이보다 낮다. 소변 내 아드레날린의 측정은 제2형 다발성 내분비선종 가계에서 가족 검색에 유용하다.

(2) 부신 병변의 진단이 불명확한 경우

가. 억제 시험

부신 종양이 작은 경우에 혈액 내 노르아드레날린이 약간 상승되어 진단이 확실치 않을 시 펜톨리니움 2.5-5mg을 정맥 내 주사하면 생리적인 카테콜아민 분비는 정상 범위로 억제되나 갈색세포종에서는 억제되지 않는다. 중추성으로 작용하는 혈압강하제인 클로니딘Clonidine 0.3mg을 경구투여하면 정상 및 본태성 고혈압에서는 혈장 노르아드레날린이 정상 범위로 억제되나 갈색세포종에서는 억제되지 않는다.

나. 발작적으로 카태콜라민을 분비하는 종양

혈압이 정상이면서 발작적으로 카테콜아민을 분비하는 종양에서는 혈장카테콜아민이 정상이므로 진단이 어렵다. 이런 경우에는 증상이 나타나는 발작 시에 생화학적으로 카테콜아민의 분비를 증명해야 한다. 임상적으로 갈색세포종이 의심되나 생화학검사가 정상이면 약물을 사용한 유발검사를 시행할 수 있는데 글루카곤 검사가 가장 안전하게 이용된다. 글루카곤 1mg을 정맥 내 주사한 후 혈압과 혈장 카테콜아민을 측정하여 혈압이 증가한 동안에 채혈한 혈장 카테콜아민이 기저치보다 3배 이상 증가하면 진단할 수 있다.

(3) 영상학적 방법

가. 전산화 단층 촬영술

생화학적으로 카테콜아민의 상승이 증명되면 수술 전에 종양의 위치 확인이 필요하다. 부신 확인 후 부신의 종양이 발견되지 않은 경우에는 복부 대동맥의 분지부에서 횡격막 끝까지 확인 후, 흉부, 목 부위 등의 확인이 필요하다. 최근 해상력이 향상된 촬영에서는 5mm 크기의 작은 갈색세포종도 확인이 가능하여 예민도가 93%까지 보고되어 있다. 조영제 주사로 종괴 밀도의 증가를 볼 수 있으며, 이때 혈압이 상승될 수 있으므로 적절한 α차단제 투여 후에 검사하는 것이 좋다.

나. 자기 공명영상

자기 공명영상(MRI)은 해부학적 위치뿐만 아니라 조직의 특성을 파악할 수 있는 장점이 있다. 정맥 내 조영제 주사 후에는 T2강조 영상에서 신호 강도가 증가되며, 조영제의 배출이 늦춰진다. 따라서, 자기공명영상은 해부학적 구조를 확인 뿐 아니라, T2 강조영상에서 갈색세포종의 특징적인 고밀도 신호를 찾을 수 있다. 그 외에도 방사선 노출이 없으며, 주변 혈관과의 구분이 비교적 정확하다는 장점이 있다. 따라서 큰 혈관에 인접해 있는 갈색세포종에서 혈관과의 해부학적 위치 파악에는 자기공명영상이 큰 도움이 될 수 있다.

다. 정맥 혈액 분석

임상증상 및 생화학적 검사상 갈색세포종이 의심되나 영상학적 검사 상 종양을 발견할 수 없는 경우에는 정맥 혈액 분석을 시도해 볼 수 있다. 대퇴정맥으로 관을 삽입하여 내경정맥부터 쇄골하 정맥, 기정맥azygos vein, 하대정맥, 신 및 부신정맥 등을 포함하여 내외 장골정맥까지 혈액을 채취하여 카테콜아민을 분석한다. 이러한 방법으로 노르아드레날린이 높게 나오고 아드레날린이 정상인 부위가 있으면 부신 밖의 종양을 강력히 시사한다. 이러한 방법은 양측성 또는 다발성 병변의 발견에도 유용하다. 부신정맥 혈액 분석은 채혈시의 부신혈류량, 도관의 위치 및 도관에 의한 기계적 자극에 따라 카테콜아민 치가 달라지므로 절대적 수치보다 아드레날린과 노르아드레날린의 비율이 도움이 된다. 기저 채혈 상태에서 아드레날린:노르아드레날린의 비는 4-10:1이며 아드레날린보다 노르아드레날린이 더 증가되어 비율이 바뀌면 종양이 확인된 것으로 간주한다.

라. 방사성 동위원소 주사법

벤질구아니딘(MIBG)은 갈색세포종에서 약 80-90%의 민감도를 가지며, 특히 MEN2에서 흔히 동반되는 양측성 종양이나, 다발성 종양 외에도 부신 밖 부신경절종 및 전이를 확인하는데 유용하다. 이 검사의 단점은 방사능

iodine 투여 전, 갑상선의 흡수를 막기 위한 전처치가 필요할 뿐 아니라, 투여 후 약 72시간 동안 스캔을 반복해서 촬영하여야 정확한 위치 추적이 이루어지므로 검사가 용이하지 않다. 종양의 약 10%는 이 방법으로도 발견되지 않으며(위음성), 위양성은 1-3%로 드물다. 악성 종양과 가족성 종양에서의 특이도는 100%이다.

마. 수술 중 123I-MIBG을 이용한 위치 확인

MIBG의 섭취가 있으나 다른 영상학적 검사에서는 종괴의 위치 확인이 불가능할 때 수술 전에 4mCi의 MIBG를 투여하고 수술 중에 조직의 방사능을 직접 측정하여 표지된 종양 조직을 수술로 제거하는 방법이다.

6) 수술 전후의 처치

(1) 수술 전 처치

Priestley등이 갈색세포종 수술 전후에 약제를 이용하여 혈압을 안정시킴으로서 사망률을 감소시킬 수 있다는 결과를 발표한 이후, α차단제(페녹시벤자민 계열)가 수술 전 처치로 사용되고 있다. 수술 전 환자의 혈압이 정상화된 경우에도 적절한 전처치가 이루어 지지 않는다면 수술 중에 급격한 혈역동학적 변화가 초래될 수 있다. 따라서, 수술 전에 약 1주간 페녹시벤자민 전처치를 함으로서 이러한 위험성을 예방할 수 있다. 페녹시벤자민은 장시간 반감기를 가지는 비경쟁적 α차단제로서 시작 시 하루에 두 번 10mg 투약하며, 하루 최대 160mg까지 증량이 가능하다. 고혈압이 완전히 조절되고 환자가 약간의 기립성 저혈압을 경험할 때까지 증량한다. 페녹시벤자민의 용량을 조절할 때에는 수액 및 염분을 충분히 공급하여 혈관 내 용적의 감소를 방지해야 한다. 페녹시벤자민의 일반적인 부작용은 코막힘, 권태감, 메스꺼움, 소화불량, 진정작용 등이 있다. 이후 개발된 선택적인 α차단제인 prazosin (minipress)와 doxazosin (cardura)은 페녹시벤자민보다 반감기가 짧으나, 수술 후에 발생 할 수 있는 급격한 저혈압 방지에 효과적이다. β차단제는 수술 약 2-3일전에 빈맥이나 수술 중 발생할 수 있는 부정맥을 방지를 위해 선택적으로 전처치에서 사용될 수 있다. 대표적인 β차단제로는 Propranolol (Inderal)이 있으며 하루에 3번 10mg이 주로 사용된다. 그 외 선택적인 약제로 atenolol (Tenormin), metoprolol (Lopressor)등이 있다. β 차단제를 α차단제에 선행하여 투약하는 것은, α차단제의 사용으로 인해 심각한 혈관수축 및 울혈성 심부전이 야기될 수 있기 때문에 금기이다. α 차단제와 β 차단제의 혼합제제인 labetalol (Trandate)의 사용은 아직 임상적인 시험단계이다.

(2) 수술 중 처치

가능하면 수술 전 처치를 철저히 한 정규수술이 안전하며, 응급으로 진행해야 하는 경우는 수술 중 세심한 관찰이 요구된다. 카테콜아민 유리를 유발하는 마취제나 수술 수기는 사용하지 않아야 한다. 자율신경 작용이 없고 직간접적으로 히스타민 유리를 통해 카테콜아민 유리를 유발하지 않는 베루코니움이 선택되는 근육이완제이며, 부정맥의 위험성이 적은 이소프루란 또는 엔프루란이 흡입마취제로 선택된다. 수술 중 혈압과 심전도 모니터가 필수적이고 일반적으로 비경쟁적 억제제로 완전히 α차단을 하여도 마취유도와 종양조작으로 혈압상승 위기가 유발될 수 있으며, 이때는 펜톨아민을 정맥으로 주사하거나 니트로프루시드를 정맥 주사한다. 부정맥에 대비해서 프로프라노롤과 리도카인 정맥주사제를 준비해야 한다. 수술 전 처치로 α차단을 사용하여 혈장용적이 확장된 경우에는 저혈압에 대해 노르아드레날린 주사를 사용할 필요는 없다.

(3) 수술 후 처치

혈압은 수술실 내에서 수액과 혈액, 혈관수축제 등을 적절히 시용하여 안정화시키는 것이 중요하며, 수술 후 경과 관찰 중 정상 혈압이 잘 유지되는 것을 확인해야 한다. 그러나 지속적인 혈관수축제의 사용은 페녹시벤자민과 부족한 카테콜아민 자극의 결합된 효과가 해결될 때까지만 사용하여야 한다. 종양적출 후에는 체용적 상태에 주의해야하며, α차단 및 혈액 소실 시에 혈액량 감소가 나타날 수 있기 때문에, 중심 정맥압 측정이 수액 요법에 도움이 된다. 위험요소가 있는 경우에는 중환자실에서 24시간 동안 감시해야 하지만, 모든 환자에서 중환자실 관리가 필요하지는 않다. 수술 후 2주째에는 24시간 소변의 메타네프린과 카테콜아민 검사를 하여 종양이 완전히 제거 되었는지 판단이 가능하다. 왜냐하면 수술 후 혈장 및 요중 유리 카테콜아민이 완전히 정상화되는 데는 수일이 걸리며, 이는 갈색세포종에서 유래된 카테콜아민이 교감신경원에 섭취 및 저장되어 있기 때문이다. 약 33%의 환자에서는 고혈압이 남아있으며 이때는 본태성 고혈압일 가능성이 있다.

7) 병리

갈색세포종은 천천히 자라는 종양으로 크기가 다양하며, 무게는 보통 50–200g 정도이지만, 1,000g 이상도 보고되고 았다. 산발성의 경우에는 단일종양이 대부분이나, 가족력이 있는 경우에는 양측성 및 다발성이 흔히 동반된다. 절단면은 대부분 출혈과 괴사를 동반하고 있으며, 낭성괴사도 빈번히 동반된다. 조직 병리 검사 상 갈색세포종은 주로 피막에 둘러 쌓여있으며, 다양한 모양의 크롬 친화성 세포로 구성되어 있다. 육안 검사 상 혈관침투 및 세포 다형성이 확인된 경우에도 악성 여부를 정확히 감별하기는 어렵다. 현미경적으로 종양 세포는 다양한 모양의 크롬친화성 세포로 구성되어 있고, 종양세포의 DNA에서 이수배수체aneuploidy가 관찰되면 30–40%가 악성이다.

8) 특별한 상황

(1) 악성

갈색세포종은 조직병리 검사 상 악성과 양성의 구분이 어렵고, 악성을 구분할 수 있는 세포적 특징이 없다. 악성의 구분은 주변 연조직으로 국소적 침투가 발견된 경우에만 추정이 가능하다. 악성의 경우 원격전이가 가장 흔한 곳은 골, 폐, 간, 복막, 종격동 림프절 등의 순서이다. 평균 5년 생존율은 30–45%로 보고되고 있다. 악성 갈색세포종에서 재발의 여부 확인을 위해서 24시간 소변에서 메타네프린, 카테콜아민을 측정해 볼 수 있으며, MIBG로 위치 확인이 가능하지만, 위음성이 10%에서 발생한다고 알려져 있다. 악성 암종의 재발 시 수술적 치료는 장기간의 예후 개선에 효과적으로 알려져 있으며, 외부 방사선 치료는 원격전이가 된 부위의 통증완화에 효과를 줄 수 있다. 치료적인 iodine을 이용한 MIBG는 전이성 갈색세포종 환자 50–70%에서 종양 크기의 감소 효과를 보였고, 이는 카테콜아민 감소치로 확인되었다. 그 외에도 사이클로포스파마이드cyclophosphamide와 빈크리스틴vincristine, 다카르바진dacarbazine 등의 병합적 화학치료는 악성 갈색세포종에 효과가 있음이 일부 입증 되었으며, 종양과 생화학적 치료 반응 정도는 57%와 79%이었다. 부작용으로는 조혈계, 신경계, 그리고 약물과 관련한 장관계 문제가 있을 수 있다.

(2) 부신 외 갈색세포종(부신경절종 : Paragangliomas)

부신경절종은 40–50%에서 다형성이고, 악성이고, 기능적이며, 부신 갈색세포종과 동반된다. 신경섬유종증, VHL질환, Carney증후군 등의 가족적 질환과 관련이 있다. Mayo Clinic에서 1952년부터 1992년까지 카테콜아민을 생성하는 부신경절종 환자 66명을 수술하였으며, 이 중 14명의 환자에서 복부 및 흉부에서 다발성 재발을 확인하였다. 생존률은 비교적 양호하여, 5년, 10년, 20년의 생존율은 86%, 80%, 80%이었다. 부신경절의 재발 및 생존에 영향을 주는 가장 큰 위험요소는 종양의 크기(5cm 이상), 전이여부, 종양의 침범 정도로 알려져 있다. 방광에 위치하는 부신경절종은 주로 방광삼각 주변에 위치하고 80%이상이 방광경 검사에서 발견된다. 이 중 약 25%는 악성으로 진단되며, 증상으로는 배뇨 이상, 혈뇨가 있다. 치료로 부분적인 방광절제술을 시행한다.

(3) 갈색세포종과 임신

아주 드문 경우이지만 임신 시 갈색세포종이 동반된 경우에는 생명을 위협할 정도의 심각한 위험군으로 분류하는데, 약 40%의 모성 사망률과 40-56%의 태아 사망률이 보고되었다. 정확한 진단이 가장 중요하며, 소변의 카테콜아민과 방사능을 포함하지 않는 MRI 검사가 도움이 된다. 수술 전 처치는 α차단제로는 Prazosin이나 페녹시벤자민을 사용할 수 있다. β차단제를 추가로 쓰는 것은 수술 전 2-3일간 쓰는 것이 추천되는 방법이다. 태아의 안전한 임신 주령에서 갈색세포종 제거 후 즉시 제왕절개를 하는 방법이 권고된다.

(4) 소아

20년간 미국의 주요 소아과 센터에서 약 14명의 소아만이 갈색세포종으로 수술 받았을 정도로 매우 드물게 보고된다. 수술 전 진단 방법과 수술 전 처치 방법은 성인의 갈색세포종과 동일하나 소아의 경우에는 MEN2 증후군 동반, 양측성, 부신 외 종양이 빈발하며, 악성은 드물게 보고된다. 하지만, 수술 후에도 지속성 고혈압의 빈도가 높은 것으로 알려져 있다.

2. 부신피질의 질환

1) 과알도스테론혈증

과알도스테론혈증Conn's Syndrome은 1954년 Jerome Conn 에 의하여 보고된 일측 또는 양측 부신에서의 과도한 알도스테론의 분비에 의한 내분비계 질환으로서 일차적 과알도스테론혈증과 신장동맥의 협착에서부터 울혈성 심부전이나 간경화같이 저혈류 상태등 레닌안지오텐신계의 자극에 의한 이차적 영향으로 나타날 수 있다. 이러한 상태에서 유래되는 이차적 과알도스테론혈증은 원인질환을 해결함으로써 치료 가능하다. 일차적 과알도스테론혈증은 보통 고혈압환자의 8.5-13%에서 나타난다. 원발성 과알도스테론혈증은 보통 저칼륨혈증과 관련이 있지만 대부분의 환자는 정상 칼륨치와 무증상을 보인다. 이 질환의 원인으로 대개 단독의 기능성 부신선종(약 35%)과 양측성(특발성) 비대증(60%)이다. 원인질환으로서의 부신피질암과 글루코코르티코이드 억제성 과알도스테론혈증은 1%보다 적을 정도로 드물다.

(1) 증상 및 증후

환자들은 전형적으로 20대에서 50대의 연령으로 장기간의 여러 약제에도 불구하고 조절하기가 어려운 고혈압을 호소하며 평균 7-11년의 기왕력을 갖고 있다. 저칼륨혈증은 37%에서 나타나며 증상으로서 근력 약화, 다음, 다뇨, 야간뇨, 두통, 피로 등이 있으며 이 중 피로와 근력 약화는 저칼륨혈증과 관련이 있다. 만성적으로 진행된 경우 고혈압의 후유증으로 심장이나 신장 질환이 동반되기도 한다.

(2) 진단 방법

가. 검사실 소견

이뇨제 치료와 칼륨 보충요법에도 불구하고 지속적인 저칼륨혈증(K<3.2mmol/L)를 함께 나타내는 고혈압환자에서는 항상 과알도스테론혈증을 고려하여야 한다. 그러나 과알도스테론증을 확진 받은 환자의 40%에서 수술 전에 정상 칼륨 치를 보였다는 것은 중요한 사실이다. 일단 진단이 의심되면 확진을 위한 추가적인 검사가 필요하다. 즉, 정맥 식염수 부하검사intravenous saline loading test, 구강내 식염수 부하검사oral saline loading test, 스테로이드 억제 검사fludrocortisone suppression test와 captopril challenge test로 확진한다.

검사 전에 환자들은 적절한 전해질 보충요법을 받아야 한다. 항고혈압제는 가능하면 검사 전에 중지하여야 한다. spironolactone, 베타차단제beta blocker, ACE (Angiotensin Converting Enzyme) 길항제 그리고 안지오텐신 II 수용체 차단제는 피해야 한다. 일차적 과알도스테론혈증은 감소된 혈장 레닌활성도Plasma Renin Activity (PRA)와 함께, 증가된 혈장 알도스테론 농도Plasma Aldosterone Concentration (PAC)를 나타낸다. PAC:PRA이 30:1 이상인 경우 확진할 수 있다. 또한 확진하기 위한 검사로서 5일간의 고염분 식사 또는 대체적으로 2-3일간의 저염분 식사 후에 2L의 생리식염수를 누워있는 자세에서 4-6시간에 투여하

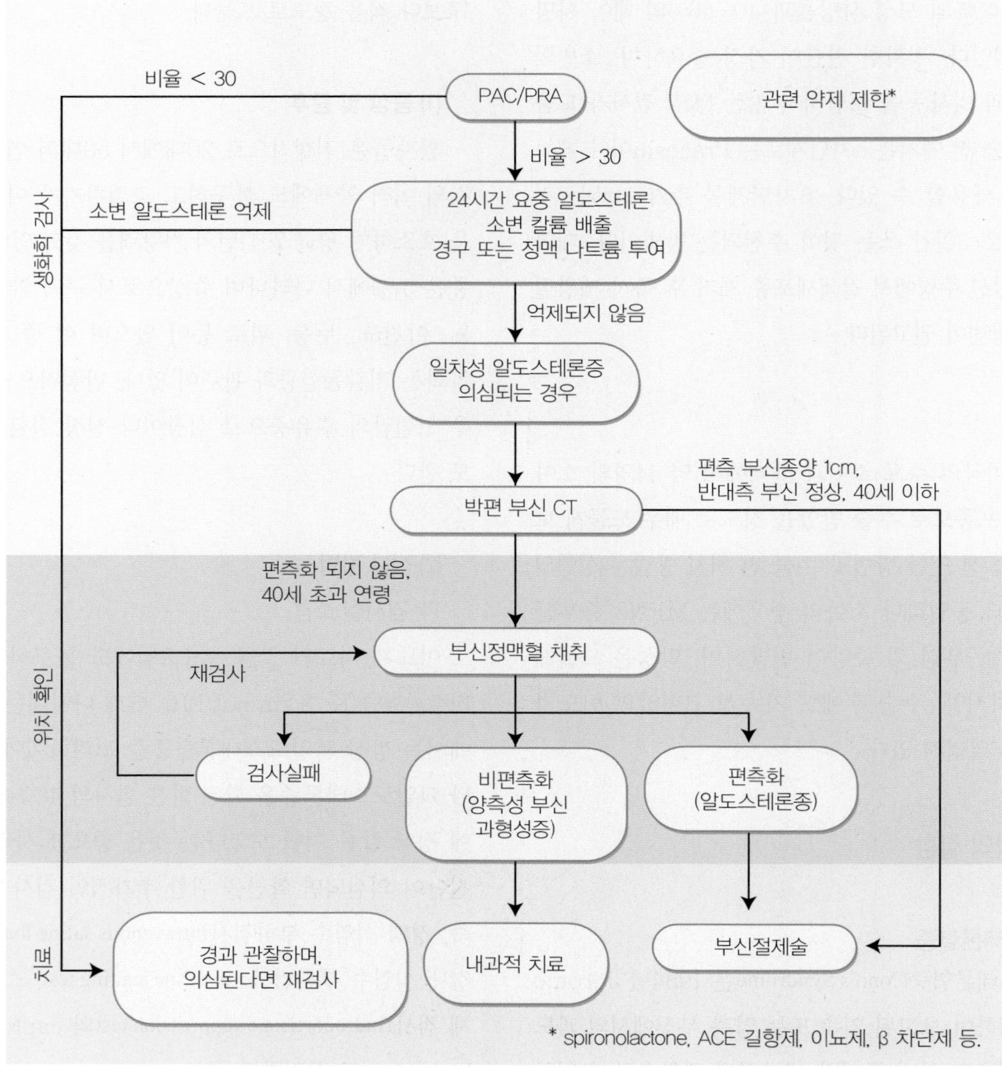

그림 5-34 일차성 과알도스테론증의 진단, 국소화 및 치료방침. PAC (plasma aldosterone concentration, ng/dL). PRA (plasma renin activity, ng/mL · hr)

고, 코티솔, 나트륨, 알도스테론에 대한 24시간 소변 채집 검사를 시행함으로써 수행될 수 있다. 생리식염수 부하 후에 알도스테론은 8.5ng/mL 보다 낮거나 24시간 소변 알도스테론이 14μg 보다 작은 경우 원발성 과알도스테론혈증이 아님을 확진 할 수 있다. 그 외에도 단독의 기능성 부신선종과 양측성(특발성) 비대증을 구별하기 위한 방법으로 소위 hybrid steroid 로서 18-oxocortisol (18oxoF)과 18-hydroxycortisol (18OHF)의 측정이다. 이는 단독 선종의 경우 양측성 비대증이나 우연종에서의 경우보다 대량으로 이들이 분비되어 감별할 수 있다(그림 5-34).

나. 방사선 검사

부신종양의 영상학적 검사로서 0.5cm 간격의 전산화 단층촬영은 90%의 민감도로 알도스테론종을 국소화 할 수 있다(그림 5-35). 전산화 단층촬영으로 일측성 병변과 양측성 병변을 감별할 수 있으며 4cm 이상의 종괴의 경

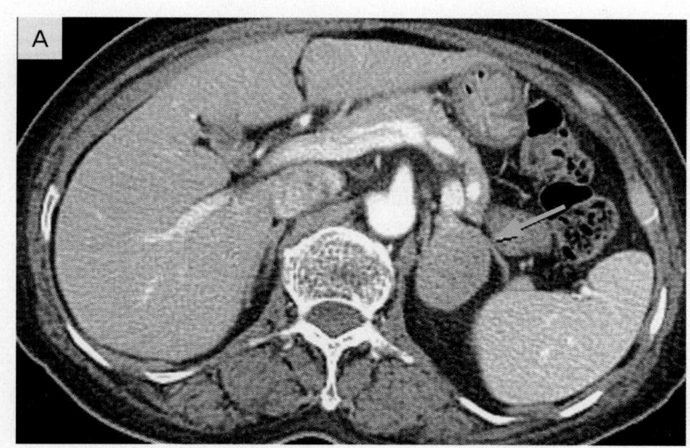

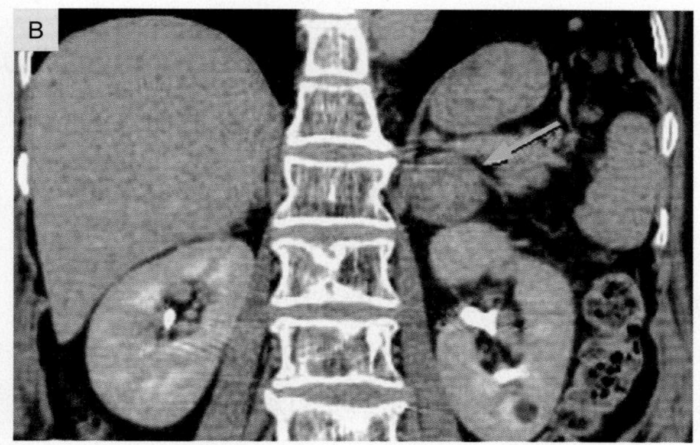

그림 5-35 부신 종양을 나타내는 전산화 단층촬영 영상. A) 좌측 신장전면에 위치한 3cm 크기의 종괴(화살표), B) 대동맥 좌측에 위치한 같은 크기의 종괴(화살표)

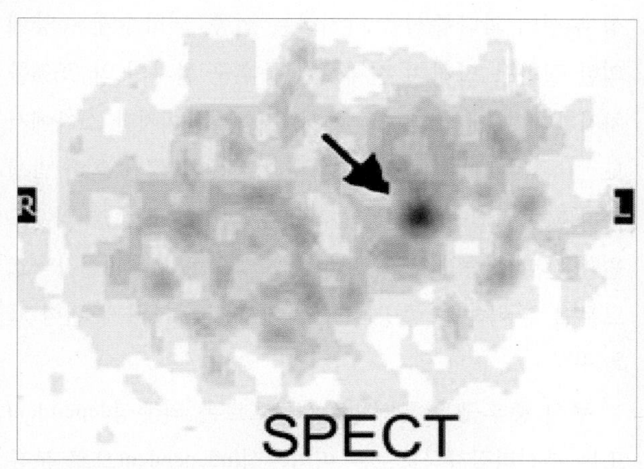

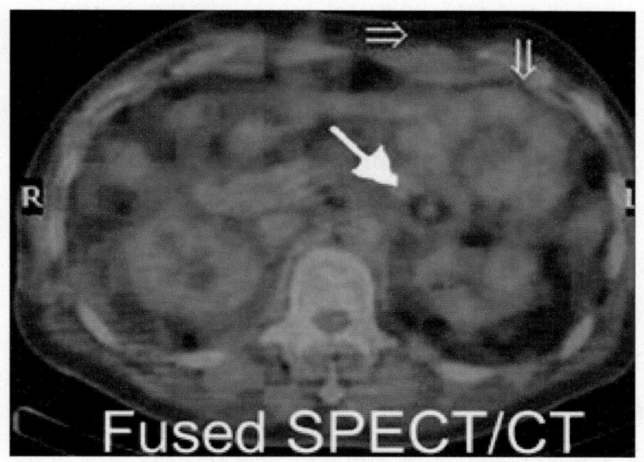

그림 5-36 우측 부신종양을 나타내는 NP-59를 이용한 신티그래피 영상

우는 대개 악성을 시사한다. 0.5-2cm 크기의 일측성 부신종양은 적절한 혈액 검사로 알도스테론종으로 확진할 수 있다. MRI 검사는 민감도는 떨어지나 opposed-phase chemical-shift 영상이 추가되면 특이도는 증가되며 임신부와 조영제를 쓰지 못하는 환자에서 유용하다. 선택적인 정맥 삽관술과 부신정맥에서의 혈액 채취 검사는 알도스테론종을 국소화하는데 95%의 민감도와 90% 특이도를 갖는다. 이 검사에서 부신정맥에 관을 삽입하고 부신피질자극호르몬(ACTH) 주입 후에 알도스테론과 코티솔의 혈액 내 수치를 양측 부신정맥과 대정맥에서 얻는다. 코티솔 수치의 측정으로 말초 혈액의 코티솔 수치보다 10배이상 증가되면 부신정맥에서의 도관의 위치가 정확하게 위치된 것을 의미한다. 양측 부신정맥에서의 알도스테론: 코티솔 비가 4배 이상 차이 나는 것은 일측성의 종양을 가리킨다. 이 검사는 침습적이고 숙련된 중재방사선 전문의가 필요하며 1%에서 부신정맥의 파열을 야기할 수 있다. 그러므로 종양이 국소화되지 않았거나 양측 비대증을 가진 환자에서 알도스테론의 분비가 일측 또는 양측으로 증가되었는지 결정하기 어려운 경우에만 이 방법을 사용하는 것이 좋다. 부신 질환의 다른 기능적 영상 진단방법으로 ^{131}I-6 -iodomethyl noriodocholesterol (NP-59)을 이용한 신티그래피를 사용할 수 있다(그림 5-36). 부신선종은 반대측에 비해 "hot" nodules로 나타나는 반면 부신의 비대는 양측성으로 동위원소의 흡수가 증가된다.

그러나 이 검사는 널리 사용되지는 않는다.

(3) 치료

수술 전에는 고혈압 조절과 적절한 칼륨 공급(3.5mmol/L)이 중요하다. 수술 전 환자들은 대개 spironolactone, amiloride, nifedifine 또는 captopril 로 치료한다. 알도스테론을 생성하는 일측성 종양들은 복강경 또는 후측 절개 접근법의 부신 절제술을 시행하여 치료한다. 수술 전 검사에서 종양이 크거나, 여러 호르몬의 혼합 분비로 종양이 악성으로 의심된다면, 전방 경복부 접근법이 국소적 침습과 원위부 전이의 가능성이 있을 경우에 대비하여 사용된다. 양측성의 부신과다형성으로 인한 이차성 고알도스테론혈증 환자에서는 전체 환자의 20–30%에서만 수술적 치료가 도움이 되므로 내과적 치료 이후에 수술적 치료를 생각하여야 한다. 부신 절제술은 저칼륨혈증을 경감하는데 90% 이상 효과가 있으며, 고혈압 치료에는 70% 이상 효과가 있다. 반면에 50세 이상의 남성과 고혈압의 가족력이 있는 경우, 장기간 지속된 고혈압 기왕력이 있거나 spironolactone에 잘 반응하지 않았던 경우, 다발성의 부신 결절을 보이는 환자들의 경우에는 부신 절제술의 효과가 적다. 어떤 환자들은 수술 후 3개월까지 광물부신피질호르몬을 투여가 필요한 일시적인 저알도스테론혈증을 경험할 수 있다. 흔하지는 않지만, 일측성 부신 절제술을 시행하고 나서 부신기능 저하증이 일어날 수도 있다. 수술적 치료가 적절치 않거나 양측성 종양의 환자에서는 spironolactone이나 eplerenone의 mineralocorticoid 수용체 길항제로 혈압을 조절하게 된다.

2) 쿠싱 증후군

1912년 Harvey Cushing 에 의하여 처음 기술된 쿠싱 증후군Cushing syndrome은 특이한 지방 축적, 무월경, 발기부전, 다모증, 보랏빛 전조, 고혈압, 당뇨 등을 특징으로 한다. 오늘날 쿠싱 증후군은 원인에 관계없이 장기간 지속된 코티솔의 과도한 분비로 인해 야기된 증상과 증후를 말한다. 반면에 쿠싱 질환Cushing's disease은 양측성 부신의 과다증식을 야기하는 선종, 뇌하수체 종양에 의한 질환을 말하며 전체 쿠싱증후군 환자의 약 75%를 차지한다. 대개 40대 어른에서 흔한 질환이지만 소아에서도 일어날 수 있다. 남성보다는 여성들에 훨씬 흔히 발생한다(M:F=1:3–8). 쿠싱 증후군은 뇌하수체 종양 외에도 원발성 부신 종양(15%), 또는 이소성으로 부신피질자극호르몬을 분비하는 종양(<10%)에서도 나타나게 된다(표 5-14).

표 5-14. 쿠싱 증후군의 원인

부신피질자극호르몬 의존성(70%)
뇌하수체 선종 혹은 쿠싱질환(약 70%)
이소성 부신피질자극호르몬 분비 종양(약 10%)
이소성 코르티코트로핀분비 호르몬 분비 종양(약 1%)
부신피질자극호르몬 비의존성(20–30%)
부신 선종(10–15%)
부신 암(5–10%)
부신 비대증 색소침착성 미세결절성 피질 비대증(5%)
기타
가성 쿠싱 증후군
외인성 스테로이드 투여

쿠싱 증후군은 부신피질자극호르몬 의존성dependent 또는 부신피질자극호르몬 비의존성independent으로 분류된다. 고코티솔혈증의 가장 흔한 원인은 외인성 스테로이드의 투여이다. 코르티코트로핀 분비호르몬은 기관지 내 카르시노이드 종양, 갈색세포종, 갑상선수질암 등의 종양에서 분비될 수 있다. 이러한 환자들은 이소성 부신피질자극호르몬을 분비하는 종양의 환자들과 구분하기 힘들지만 코르티코트로핀 분비호르몬 수치를 측정함으로써 감별진단이 가능하다. 우울증, 알코올 중독, 임산부, 만성신부전 환자에서도 코티솔 수치가 높게 나타날 수 있으며 고코티솔혈증의 증상이 나타날 수 있다. 그러나 이런 환자들은 기저 질환을 치료하면 증상이 좋아지며 이런 환자들을 가성 쿠싱 증후군이라 한다.

(1) 증상 및 증후

쿠싱 증후군의 특징적인 증상으로 점진적인 몸통비만

증과 얼굴 지방이 두꺼워지면서 얼굴이 둥글게moon face 되며 이러한 양상은 전체 환자의 80% 이상에서 나타나며 지방축적은 빗장뼈 위쪽과 목 뒤쪽 같은 특이한 곳에 발생하게 되는데 이를 "buffalo hump"라 한다. 보랏빛 선조는 복부에서 보이게 된다. 근위부 근육의 근위축과 함께 복부 또는 팔다리의 근위부에 커다란 자색선을 보이면 진단에 큰 도움이 된다. 그 외에도 포도당 불내성intolerance, 무월경, 성욕 감퇴 및 발기 부전의 내분비 이상이 일어난다. 소아에서 쿠싱 증후군의 특징은 비만과 성장 장애를 보인다. 쿠싱 질환을 지닌 환자는 두통, 시야장애, 범발성 뇌하수체 기능 저하를 나타날 수 있다. 피부의 과도한 색소 침착과 혈액검사에서 부신피질호르몬 증가를 보인다면 이소성 부신피질 자극호르몬분비 종양을 의심할 수 있다. 환자의 70%에서 고혈압을 나타내며 고혈당, 비만 등 다른 합병증과 함께 장애를 초래하여 5배 정도 더 사망률이 증가되는 질환으로 이는 대부분 심혈관계 질환에 따른 이차적인 결과로 나타나게 되므로 반드시 적절한 치료가 이루어져야 한다.

(2) 진단 방법

쿠싱 증후군을 가지고 있다는 의심이 드는 환자에서 검사의 목적은 두 가지이다. 쿠싱 증후군의 진단과 그 원인을 찾아내는 것이다(그림 5-37).

가. 검사실 소견

코티솔의 분비는 간혹 아침과 저녁으로도 차이를 보이기 때문에 혈중 코티솔은 믿을만 한 진단이 될 수가 없다. 정상적으로는 아침에 기상 1시간 후에 가장 높은 수치를 보이며 한밤중에 가장 낮게 감소된다. 쿠싱 증후군은 외부의 호르몬 투여에도 글루코코르티코이드의 증가를 보이며, 일일 변화를 보이지 않는 것이 특징이다. 내분비학회 진료권고안에 의하면 쿠싱증후군의 진단은 세가지의 선별검사 중 두가지 이상의 검사에서 진단할 것을 권하고 있다. 즉, 소변내 유리 코티솔, 늦은 오후의 타액내 코티솔, 1mg 덱사메타손 억제 검사 중 두 가지 이상의 검사에서 이상 시 진단될 수 있다. 24시간 소변 코티솔 수치의 측정은 매우 민감도(95–100%)가 높고, 특이도(98%)가 높은 방법으로 쿠싱 증후군을 진단하는데 중요한 방법이며, 가성 쿠싱 증후군을 진단하는데 있어서 유용하다. 소변에서 유리 코티솔 분비가 100ug/dL 이하이면 고코티솔혈증을 배제할 수 있고 550ug/dL 이상 시 쿠싱증후군의 진단이 가능하다. 늦은 오후에 침샘에서 코티솔을 측정하는 것은 쿠싱 증후근을 진단하는데 있어서 훨씬 높은 민감도를 보이는 검사이며 다른 검사치와 같이 쿠싱증후군 환자에서는 주기적 변화가 소실되어 높은 수치를 보이게 되며 소변내 코티솔 변화가 없거나 약간 증가되어 진단이 어려울 경우에도 진단에 도움이 될 수 있다. 마지막 선별검사로서 1mg 덱사메타손을 밤 11시에 경구 투여하고 다음날 아침 8시에 코티솔 수치를 측정하게 된다. 생리학적으로 정상적인 성인에서는 3ug미만으로 억제되지만, 반면에 쿠싱 질환을 지니고 있는 환자에서는 5ug/L 이상으로 증가된다. 이상의 세 가지 선별검사 중 두 가지 검사에서 이상소견을 보이면 쿠싱 증후군으로 진단될 수 있다.

일단 진단이 되면 다음 검사는 원인을 찾는 것이다. 즉 부신피질자극호르몬에 의존성 또는 비의존성 쿠싱 증후군인지를 구별하는 것이다. 이것은 면역능동 검사법으로 부신피질자극호르몬 수치를 측정하는 것이 가장 좋다. 증가된 부신피질자극호르몬은 쿠싱 질환(15–500pg/mL)으로 인한 부신과다형성 환자와 코르티코트로핀 분비호르몬 분비 종양의 환자에서 관찰된다. 그러나 가장 높은 수치는 1,000pg/mL이상을 보이는 이소성 종양의 경우이다. 반면에 코티솔을 분비하는 부신 종양에서는 낮다(5pg/mL 이하). high–dose dexamethasone suppression test는 부신피질자극호르몬 의존성 쿠싱 증후군(뇌하수체 또는 이소성)의 원인을 감별하는데 사용된다. 2mg 덱사메타손을 6시간 간격으로 2일간 투여하는 전형적인 방법 또는 overnight test (8mg)이 이용되며 24시간 소변 코티솔과 17–hydroxy steroid의 검사가 함께 다음날까지 시행된다. 50%까지 소변 코티솔 수치가 감소되지 않는다면 이소성 부신피질자극호르몬 생성 종양이라

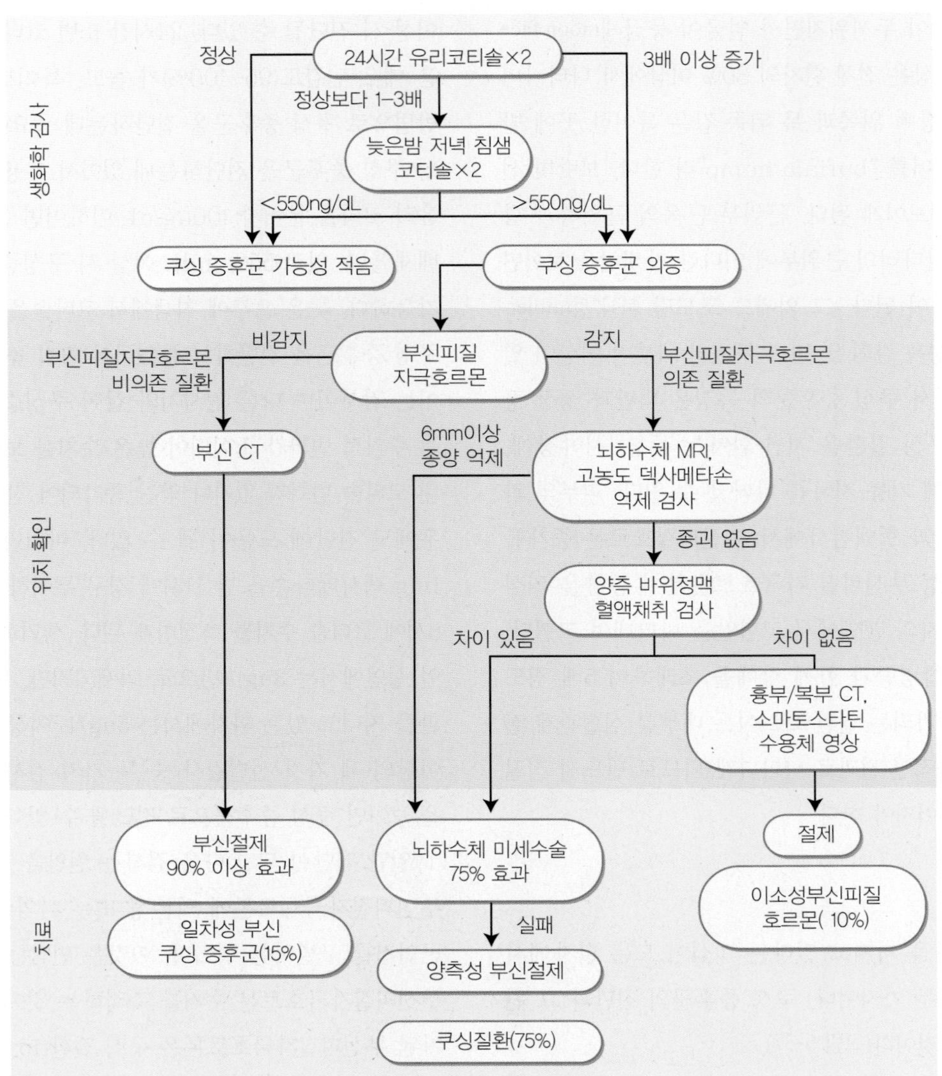

그림 5-37 **내인성 쿠싱증후군의 진단, 국소화 및 치료방침.**

진단할 수 있다. 이소성 종양을 가진 환자가 의심되면 갑상선 수질암을 구별하기 위해 혈장 칼시토닌과 소변에서 카테콜아민 검사를 반드시 해야 한다. 양측성 바위정맥 petrosal vein의 채혈 검사 역시 쿠싱 질환과 이소성 쿠싱 증후군을 구별하는데 도움이 된다.

코르티코트로핀 분비호르몬corticotropin releasing hormone 검사도 쿠싱 증후군의 원인을 찾는데 도움이 된다. 양(ovine)의 코르티코트로핀 분비호르몬을 정맥에 주입하고 1시간 동안 15분 간격으로 연속 측정을 한다. 과코티솔혈증의 일차적인 부신 종양이 원인인 경우는 별 반응(ACTH<10pg/mL)을 보이지는 않지만 부신피질자극호르몬 의존성 쿠싱 증후군은 부신피질자극호르몬의 더 높은 수치(30>pg/mL)를 보인다.

나. 방사선 검사

CT와 MRI의 복부 스캔으로 95%의 민감도로서 부신 종양을 진단할 수 있으며 MRI는 혈관구조를 평가하는데 도움이 된다. 부신 선종은 T2 가중 이미지에서 간보다 더 어둡게 나타난다. NP-59를 사용하는 부신의 동위원소 영상은 부신 선종과 비대증을 구별하는데 사용된다. 부신 선종은 반대편 부신에서의 섭취는 억제하는 반면 NP-59의 섭취는 증강시킨다. 반면에 부신 비대는 양측성 섭취를 보인다. 부신암에서는 "cold" 결절로 보이나 절대적인 것은 아니다. NP-59 스캔은 고코티솔혈증의 원인이 부신에 있는지를 알아보는데 유용하며 일차성 색소침착 미세결절성 비대증primary pigmented micronodular hyperplasia에서도 도움이 된다. 미세절편 CT 스캔은 뇌하수체 종양에서 22%의 민감도를 보인다. 뇌의 MRI검사가 조영제 향상 음영에서 더 민감도가 높긴 하나(33-67%), 작은 선종을 발견하지 못할 수 있다. 부신피질자극호르몬을 분비하는 이소성 종양이 의심되는 환자에서는 먼저 흉부 MRI와 CT를 시행해야 하며, 이 검사에서 병변이 없다면 목과 복부 그리고 골반의 영상 검사를 시행해야 한다.

다. 치료

내시경 부신 절제술은 일측성 부신선종 환자에서 일차적 치료 방법이다. 개복 부신절제술은 6cm이상의 큰 종양 또는 부신암이 의심되는 환자에서 시행한다. 또한 양측성 부신 절제술은 일차성 부신비대증 환자에서 시행 된다.

쿠싱 질환을 지닌 환자에서 치료는 뇌하수체 선종의 나비뼈 통과 절제술이며 80%이상의 성공률을 보인다. 뇌하수체의 방사선 치료는 수술 후 재발하거나 치료 후에도 지속되는 환자에서 이용된다. 또한 photon 또는 감마나이프등 CT 유도하 방사선 치료의 용량을 높일 수 있는 정위적 방사선 수술을 시도할 수 있다. 이러한 치료에 반응을 하지 않는 환자들에서는 약물치료로서 ketoconazole, metyrapone, aminoglutethimide 또는 양측성 부신 절제술을 시행할 수 있다. 이소성 부신피질 호르몬분비 종양의 환자들은 원발성 종양을 치료하여 치료가 가능하다. metyrapone aminoglutethimide 그리고 mitotane을 이용한 내과적 부신 절제술 과 양측성 부신 절제술은 절제가 불가능한 환자에서 고식적인 치료술로 이용된다. 글루코코르티코이드를 분비하는 일차성 부신 선종은 반대편 부신의 기능이 억제되어 있으므로, 수술 전과 수술 후에 스테로이드 투여가 필요하다. 즉, hydrocortisone을 8시간마다 100mg 정맥투여를 24시간동안 시행한다. 단독 병변의 선종의 경우 스테로이드 투여는 수주간의 경과기간을 통하여 조절하게 되지만 경우에 따라 1년 이상 보조 투여요법이 필요한 경우도 있다. 양측성 부신 절제술을 시행받은 환자에서는 평생 투여가 필요하다. 또한 이러한 환자에서는 광물부신피질호르몬 투여가 역시 필요하다. 일차적 부신종양에 의한 쿠싱증후군의 경우 부신절제술 시행 후 90% 이상에서 효과가 있으며 증상의 관해에는 대개 수개월이 걸린다.

3) 부신 피질암

부신암은 백만명 당 1-2명의 발생률을 보이는 드문 종양이다. 이 종양들은 소아와 40대 중년의 연령대에서 높은 발생률을 보인다. 여성들에서는 기능성 종양이 흔한 반면 남성에서는 비기능성 종양의 비율이 높다. 또한 부신 피질암은 후복막에 위치하여 발견시 대부분 진행된 상태이며 윤찬호 등은 전체 환자의 54%가 병기 III기와 15%가 병기 IV기 라고 하였다.

(1) 증상 및 증후

부신암은 50%에서 비기능성 종양이다. 기능성 종양은 코티솔(30%), 안드로겐(10%), 알도스테론(2%), 기타 호르몬(35%)의 분포를 보이며 이러한 환자에서는 쿠싱증후군과 함께 남성화 증상을 동반한다. 비기능성 종양은 대개 복부의 종괴와 복통을 나타내며 흔하지는 않지만 체중 감소, 식욕부진, 구역이 나타날 수 있다.

(2) 진단 방법

진단적 평가는 혈청의 전해질 측정과 함께 1mg 덱사메타손 억제 검사와 코티솔의 24시간 소변 검사, 17-케토스테로이드, 카테콜아민(갈색세포종 감별) 검사를 시행한다. CT와 MRI스캔도 영상 검사로서 시행한다. 영상 검사에서 부신 종양의 크기는 악성을 진단하는데 있어 가장

표 5-15. 부신피질암의 TNM 병기

Stage	TNM 병기
I	T1 , N0, M0
II	T2, N0, M0
III	T3, N0, M0 T1-2, N1, M0
IV	T3-4, N1, M0 Any T, Any N, M1

원발암(T) ; T1, 국소침범 없는 크기 5cm 이하 ; T2, 국소침범없는 크기 5cm 이상; T3, 크기에 관계없이 국소침범 있으나 주변 장기의 침범이 없는 종양, T4. 크기에 관계없이 주변 장기의 침범이 있는 종양

림프절전이(N) ; N0, 주변 림프절 전이가 없는 경우 ; N1, 주변 림프절 전이가 있는 경우

원격전이(M) ; M0, 원격전이가 없는 경우, M1, 원격전이가 있는 경우; AJCC (American Joint Committee on Cancer) cancer staging Manual, 6 판(2002)

중요한 기준이 된다. Copeland 등이 시행한 연구에 따르면 부신암의 92%가 6cm이상이다. 악성을 나타내는 CT 스캔의 특징은 비균질성의 불규칙한 경계, 출혈, 주변 림프 전이 그리고 간전이 이다. 대개 T2 강조 영상에서 밝은 신호강도(부신 병변:간 = 1.2:2.8), 가돌리늄gadolium 조영제의 주입 후에 급격한 병변 음영의 증강 그리고 느린 세척washout은 악성을 의심할 수 있는 소견이다. 또한 주변의 간, 하대정맥과 같은 주변 혈관의 국소전이나 원발성 전이와 같은 경우에도 악성을 진단할 수 있다. 일단 부신 종양이 진단되면, 흉부 그리고 골반의 CT 검사를 병기 설정을 위해 시행해야 한다(표 5-15).

(3) 치료

부신암에서 환자의 예후를 위한 중요한 인자는 충분한 절제이다. 완치적 절제한 환자에서 5년 생존율은 32–48%인 반면, 불완전 절제 환자에서는 평균 생존률이 1년 이하이다.

따라서 부신피질암의 치료는 횡격막, 콩팥, 췌장, 간, 하대정맥 주변 림프절의 절제와 함께 광범위en bloc 절제하는 것이 치료 방법이다. 이를 위해 개복하 부신절제술 또는 흉복부절개(우측)를 통하여 광범위 노출을 가능하게 하여야 하고, 수술 시 피막파열capsule rupture 과 종양 세포의 파종 가능성을 줄이며, 대동맥, 하대정맥, 신장 혈관들을 잘 처리하여야 한다. Mitotane 또는 o,p–ddd 또는 1,1–dichloro–2–(o–chlorophenyl)–2–(p–chlorophenyl) ethane은 살충제 DDT의 유도성 물질로 아드레날린 억제 작용이 있으며 절제 불가능하거나 전이성 질환의 치료에 이용된다. 그러나 이러한 약제는 치료적 효율성은 불분명하며 유효 용량인 1일 2–6g에서 소화기관과 신경에 부작용을 나타내어 아직 상용화 되지 않고 있다. 부신피질암은 대개 간, 폐 또는 뼈로 전이된다. 단독 재발인 경우 수술가능한 경우 종양제거로서 생존율을 높일 수 있다. 항암치료 약제로는 etoposide, cisplatin, doxorubicin 그리고 최근에 paclitaxel을 사용하나 Multidrug resistance Rene (MDR–1)의 발현으로 인해 지속적인 치료 효과는 많지 않다. 부신피질암은 상대적으로 방사선 치료가 효과가 없으나 골전이의 대증적 치료에 사용된다.

4) 성스테로이드 과다증

부신의 안드로겐을 분비하는 부신선종 또는 부신암은 남성화 증후군을 일으킨다. 남성화 종양의 여성 환자들은 다모증, 무월경, 불임과 근위축, 목소리의 변화, 안면 측면에 나는 수염 등 남성화의 증상을 보이는 반면, 남성은 진단이 어려우며 진행된 단계에서 진단이 된다. 남성화를 나타내는 아이들은 성장이 빠르며 얼굴과 치모의 발달, 여드름, 성기의 크기 증가 등의 조숙한 발달이 나타난다. 여성화 종양은 흔하지 않으며 30–40대의 남성에서 발생하며, 여성형 유방, 발기 부전, 고환위축 등의 증상이 나타나다. 이러한 종양이 있는 여성은 불규칙 월경, 기능장애 자궁출혈이 나타나며, 질출혈이 폐경기에도 나타날 수 있다. 이러한 종양을 지닌 여자아이들은 유방이 커지며 이른 초경을 경험하는 성조숙증precocious puberty을 나타나게 된다. 여성화를 나타내는 종양은 대개 악성이지만 남성화를 나타내는 종양은 약 1/3에서 악성을 보인다.

(1) 진단 방법

남성화 종양은 과도한 안드로겐 전구인자인 DHEA를 생성하며 이는 혈중 또는 소변에서 17–케토스테로이드로

측정할 수 있다. 여성화 종양을 가진 환자는 증가된 17-케토스테로이드와 함께 에스트로겐의 증가를 보인다. 안드로겐 생성 종양은 글루코코르티코이드와 같은 다른 호르몬 생성과도 관련이 있다.

(2) 치료

남성화, 여성화 종양은 부신 절제술로 치료할 수 있다. 조직학적으로 악성을 의심하기는 어려우나 국소침범, 재발, 또는 원격전이를 보이면 의심할 수 있다. 악성종양이 진단되면 개복 부신절제술이 추천된다. Mitotane, aminoglutethimide 그리고 ketoconazole 같은 부신억제제도 원격전이를 보이는 환자의 증상을 경감하는데 도움이 된다.

3. 부신절제술

1) 수술 방법의 결정

부신 절제술은 개복술 또는 복강경을 통해 시행된다. 이러한 수술방법의 선택은 종양의 크기나 성상, 외과 의사의 경험에 의존하긴 하지만, 최근에는 부신 수술의 90% 이상이 복강경으로 시행되고 있어 복강경적 부신절제술이 표준 술식으로 인정받고 있다. 복강경을 이용한 부신 수술은 개복 수술과 비교할 때 재원기간 감소, 통증 감소, 출혈량 감소, 수술 후 합병증 감소 등의 장점이 있다. 그러나 종양의 크기가 8cm 이상, 수술 전 진단된 부신피질암, 악성갈색세포종, 국소침범이 의심 되거나 주변 림프절이 커져 있을 때, 재수술 등의 경우에는 질환의 진행 정도를 평가한 후 고식적인 부신절제술을 고려해야 될 수도 있다.

각 수술 방법은 접근하는 방향에 따라 경복막접근법과 후복막접근법으로 나눌 수 있다.

(1) 복강경적 부신절제술

복강경적 부신절제술은 전신 마취 하에 시행하며, 체액 변동이 많을 것으로 예상되는 큰 갈색세포종 환자들에서는 동맥 도관과 중심동맥 도관을 설치한다. 비위관, 도뇨관과 순차적인 압박기구sequential pneumatic compression device를 이용하며, 예방적 항생제의 사용은 수술 전 감염에 취약한 쿠싱 증후군 환자 외에는 필요치 않다.

복강경적 부신절제술은 경복막transabdominal 접근법 또는 후복막retroperitoneal 접근법이 있다. 경복막 접근법은 환자의 자세에 따라 전방anterior 또는 측면lateral 접근법으로 구분할 수 있다. 전방 경복막 접근법은 환자의 자세 변화 없이 양측 부신절제술을 시행할 수 있다는 장점이 있지만 주변 장기가 부신의 노출을 방해하므로 수술 중 시야 확보에 어려움이 있다. 측면 경복막 접근법은 가장 많이 적용되는 수술 방법으로 중력을 이용하여 주변 장기를 부신에서 멀리 떨어뜨려 시야를 쉽게 확보할 수 있다는 장점이 있다.

가. 측면 경복강 접근법

환자는 마취 후 옆으로 누운 자세degree lateral decubitus position (80°)를 취한다. 수술대를 굽히고 수술대에 있는 kidney rest를 올려서 흉곽과 엉덩뼈 능선 사이의 공간을 확보하며 beanbag을 이용해서 환자를 안정된 자세로 고정한다. 넓은 반창고를 이용해서 환자의 흉부, 골반, 하체를 수술대에 고정한다(그림 5-38). 술자와 조수는 환자의 복측에 같이 위치하며 조수가 환자의 머리쪽에 자리한다. 3-4개의 도관을 빗장중간선Palmer's line의 내측과 앞겨드랑이선의 외측, 늑골모서리 2-3cm 하방에 기구간의 간섭을 최소화 하기 위해 적어도 5cm 간격을 두고 위치시킨다. 30도 복강경을 2번째 투관을 통해 삽입한다.

우측 부신 수술 시 fan retractor가 가장 내측 투관을 통해 들어가 간을 들어올려야 한다. Atraumatic grasper와 hook monopolar cautery 또는 energy based device를 두개의 외측 투관을 통해 삽입한다. 적절한 시야 확보를 위해 오른세모인대Rt. triangular ligament를 절개하고 간을 내전시킨다(그림 5-39). Gerota's fascia를 절개하고 신장의 상중부에서 부신을 찾는다.

하대정맥과 부신 사이를 접근할 때는 부신정맥의 변이가 있을 수 있음을 고려해야 한다. 80% 이상의 부신정맥은 하대정맥으로 유입되나 그외 신장정맥, 우간정맥으로

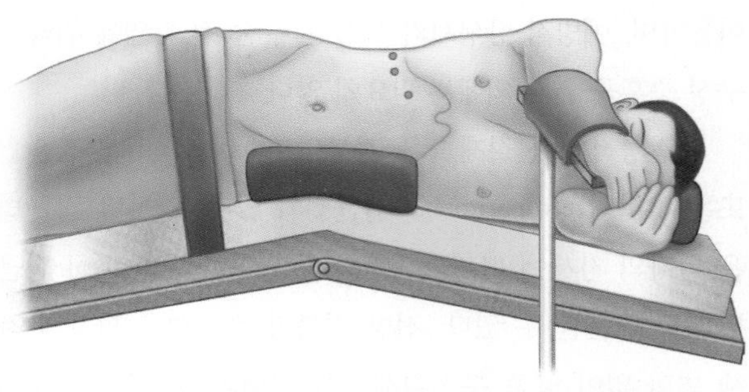

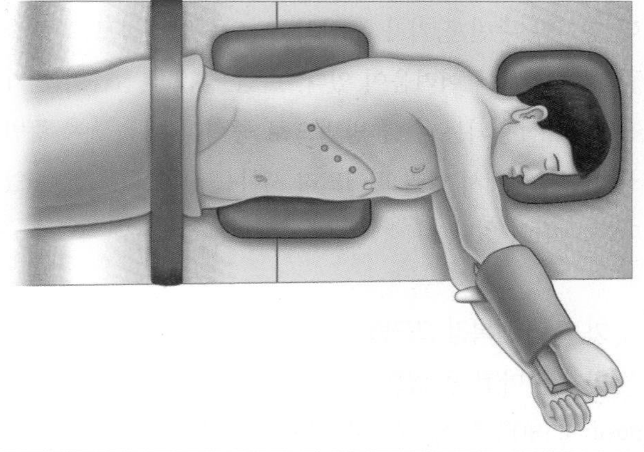

그림 5-38 **측면 경복강접근법(Lateral transabdominal approach)**
3-4개의 도관을 늑골하부에 삽입한다.

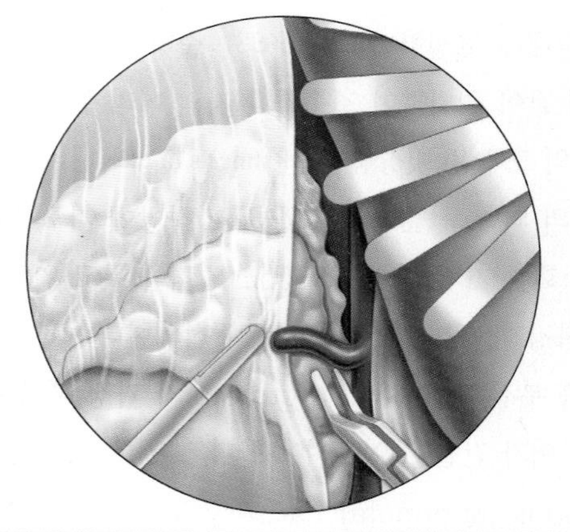

그림 5-39 우측 부신 수술시 fan retractor로 간을 밀어서 절제술 공간을 확보한다.

유입되는 경우도 있다(그림 5-40). 또한 부신정맥의 직접손상, 주변 장기 견인으로 인한 손상, 클립 등에 의한 손상 등이 유발되면 우측 부신정맥의 해부학적 특성 상 대량 출혈을 야기할 수 있으므로 특히 주의해야 한다. 10% 정도의 환자에서 두 개의 부신정맥을 가진 경우도 관찰된다.

좌측 부신 수술은 우선 외창자굽이를 박리하여 하방으로 떨어트리고 비장의 외측인대와 췌장의 꼬리부위 인대를 절개하여 중력을 이용해 내측으로 회전시켜 신장 및 부신 주변의 공간을 확보한다. 부신의 내측을 절개할 때 부신정맥 및 하횡경정맥을 찾을 수 있으며 하횡경정맥은 부신정맥과 합쳐져 신장정맥으로 유입된다. 클립을 이용해서 결찰하며 우측과 마찬가지로 부신의 직접적인 조작으로 인한 출혈로 시야가 나빠지는 것을 막기 위해 atraumatic grasper를 이용해서 주변조직을 견인하거나 거즈를 이용하여 부신을 조작하는 것이 좋다(그림 5-41).

나. 배측후복막 접근법

배측후복막 접근법posterior retroperitoneal approach은 1994년부터 Dr. Martin. K. Walz에 의해 보편적으로 적용되기 시작했다. 복강 내 유착을 피하면서 부신으로의 직접적인 접근이 가능한 방법으로 복부 수술의 기왕력이 있는 환자에서도 시행이 가능하며 양측성 부신 절제술을 시행할 때 환자의 자세를 바꾸지 않고 수술을 시행할 수 있다. 그러나 수술 중 조작공간이 좁으므로 6cm 보다 작은 종양 수술에 적합하다. 환자는 복와위를 취하고 수술대를 굴곡시켜 후측의 늑골모서리와 골반 사이의 공간을 확보한다(그림 5-42). 술자는 병변측에 위치하고 조수는 반대편에 위치한다. 12번 늑골 끝의 하방 2cm에 첫번째 도관을 위치할 절개를 가하고 후복막 공간을 손가락 또는 direct-viewing trocar (e.g. Visiport)를 이용해 넓혀나간다. 나머지 두개의 도관은 첫 도관과 적당한 거리를 두고 erector spinae muscle의 외측경계부위와 뒤겨드랑이선 부위에 위치시킨다. 부신으로의 접근을 위해 복강경 기구는 상내측 30도 방향으로 접근해 나간다. 신장의 상극을 찾아 주변을 박리하여 상극을 아래 방향으로 견인하면 부신을 쉽게 찾을 수 있다. 부신 박리는 paraspinous muscle 주변부터, 부신의 하내측부터 박리를 하면 부신정맥을 쉽게 찾을 수 있다. 상대적으로 우측 수술 시에는 좌측보다 부신정맥이 위쪽에 위치하므로 부신정맥이

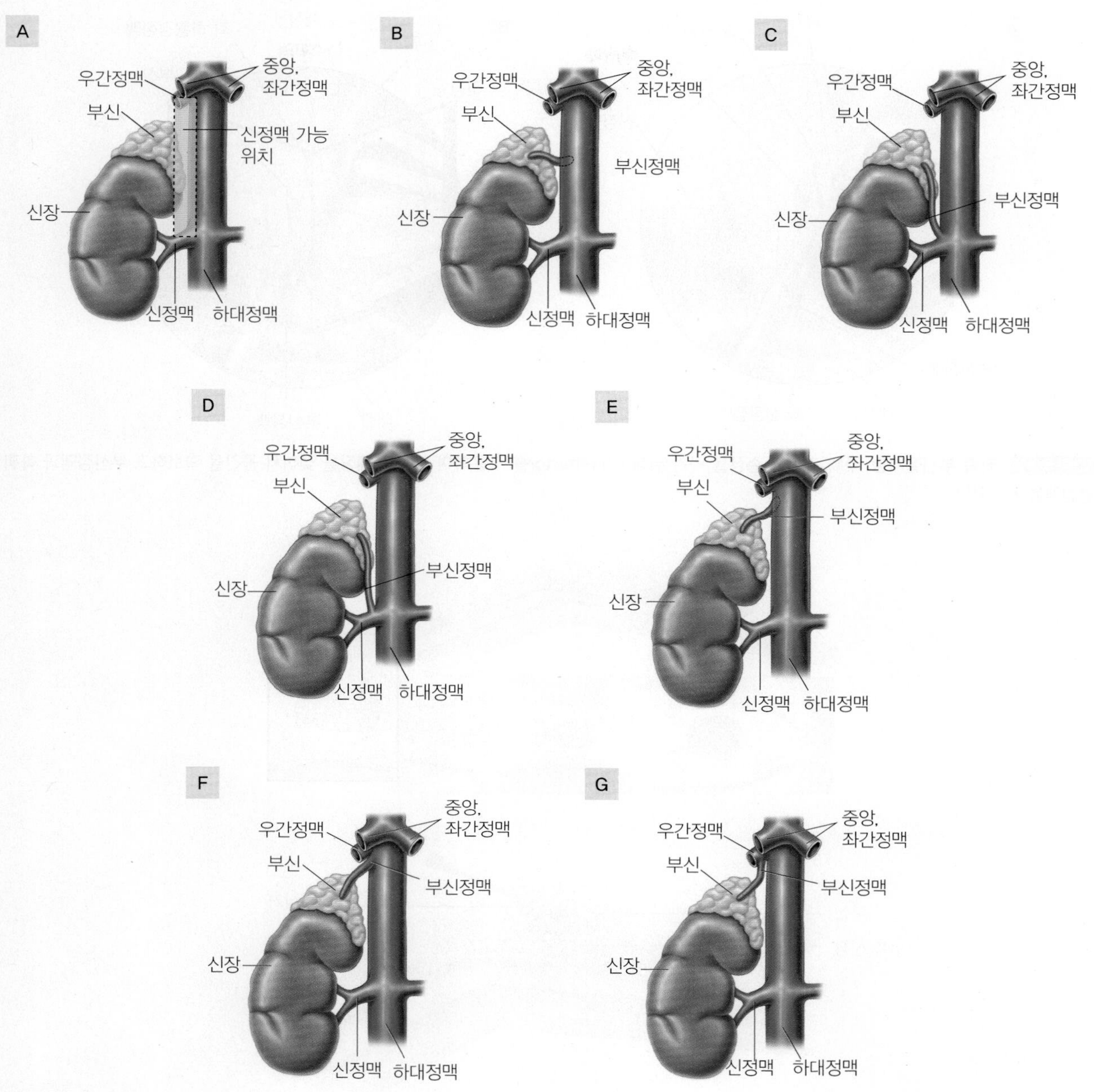

그림 5-40 **부신정맥의 변이.** 80% 이상의 경우 부신정맥에서 하대정맥으로 유입되나 그 외에도 여러 가지 경로의 변이가 있다. A) 우 부신정맥 위치가 가능한 구역(노란 부분), B) 정상 부신정맥 위치(80% 이상), C) 하대정맥 신정맥의 삼분지, D) 신정맥과의 합류, E) 고위 단독 부신정맥, F) 하대정맥 간정맥과의 삼분지, G) 우 간정맥과의 합류

나중에 노출될 수 있다(그림 5-43).

(2) 고식적 부신절제술

고식적인 방법은 전방접근법, 후방접근법, 측면접근법, 흉복부접근법이 있으며 각각의 장단점이 있다. 전방접근법은 외과의에게 익숙한 수술방법이고 복강 내의 다른 장기를 확인할 수 있으며 양측 절제술을 하나의 절개창을 이용할 수 있다는 장점이 있다(그림 5-44). 그러나 상대적

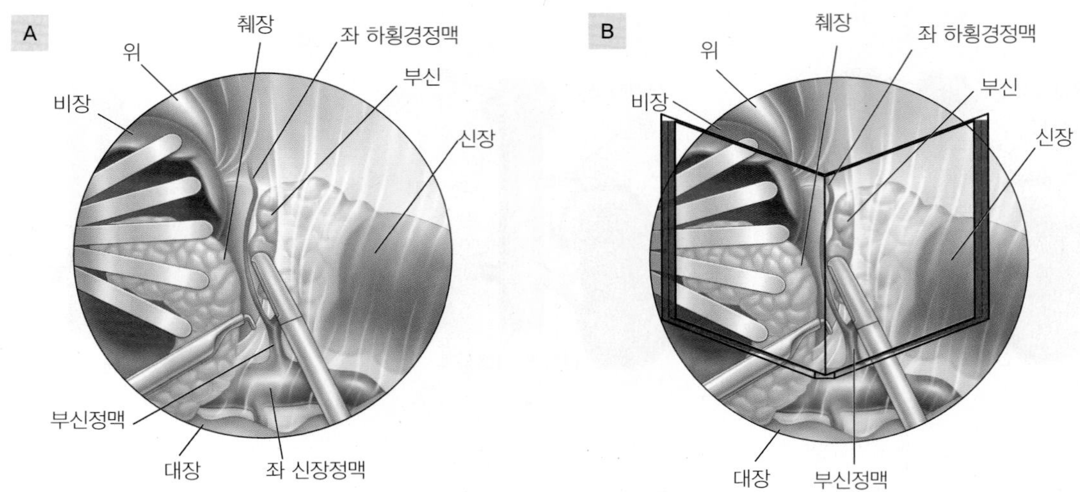

그림 5-41 좌측 부신절제술. 주위 조직의 손상을 막기 위해 fan retractor를 사용하여 비장과 췌장을 젖혀서 공간을 확보하고 부신정맥과 하횡경정맥을 처리한다.

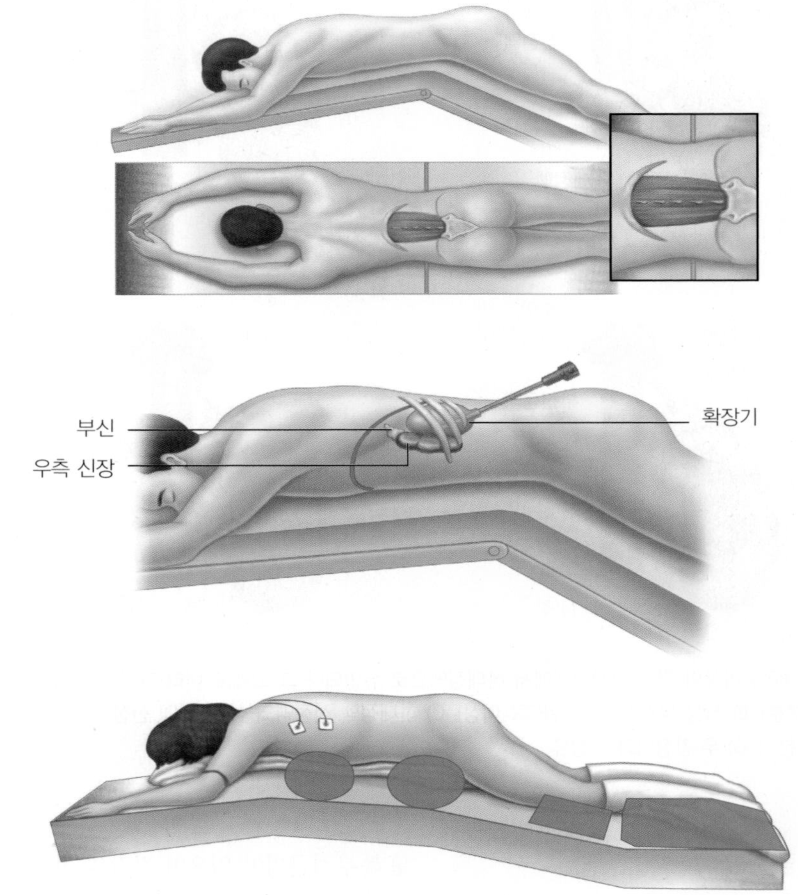

그림 5-42 배측 후복막 접근법(Posterior retroperitoneal approach). 환자는 복와위를 취하고 수술대를 굴곡시켜서 늑골과 골반사이의 공간을 확보한다. 12번 늑골에 평행하게 신장의 아래극 위치에 12mm 투침관을 삽입하고 이산화탄소 가스를 이용하여 공간을 확보하고 수술을 진행한다.

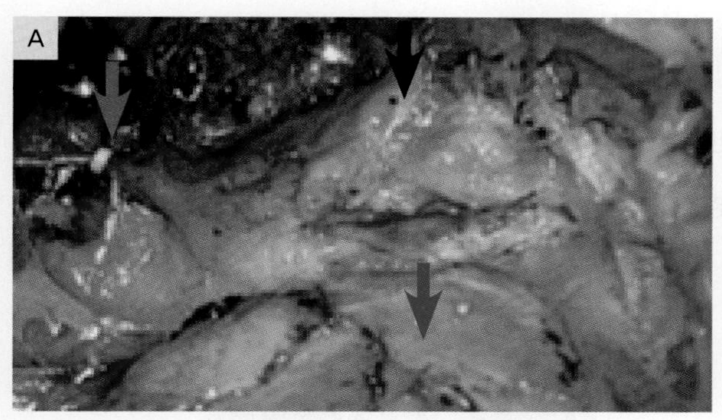

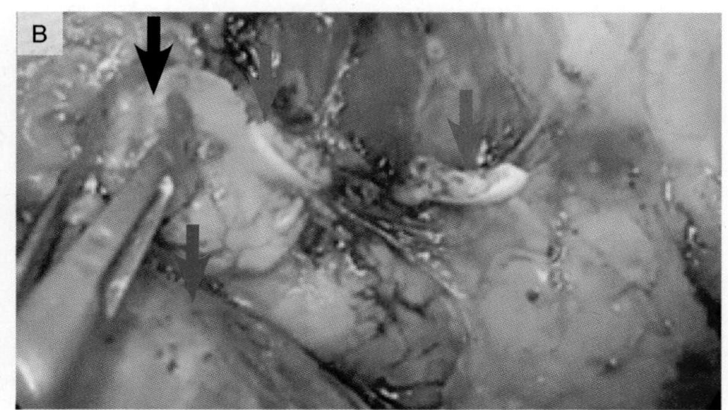

그림 5-43 **배측 후복막 접근법을 통한 부신정맥 처리.** A) 우측부신절제술 B) 좌측부신절제술. (파란화살표: 신장, 검정화살표: 부신, 빨간화살표: 부신정맥)

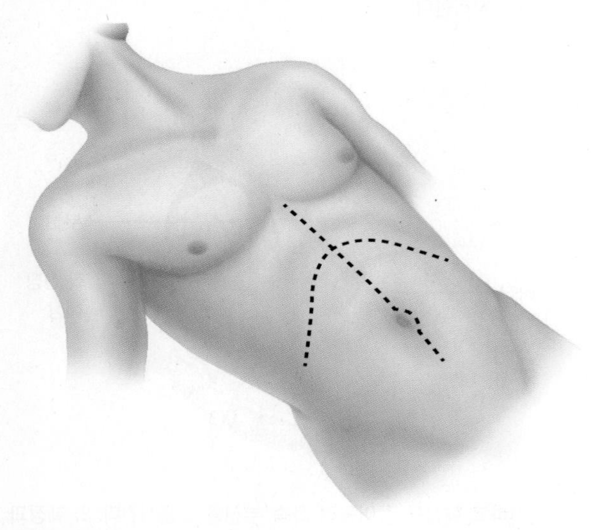

그림 5-44 **고식적 전방접근법의 피부 절개선**

으로 회복이 느리고 비만 환자인 경우 후복막까지의 접근이 어려울 수 있다. 후방접근법은 수술의 기왕력이 있거나, 심폐질환이 심한 환자에서 복부절개창으로 인한 이환율을 줄일 수 있고 회복이 빨라 재원기간이 짧다는 장점이 있지만 상대적으로 수술 공간이 좁아 6cm보다 작은 부신 종양을 가진 경우만 가능하고 양측 부신 수술을 위해서는 절개창을 추가해야 하는 단점이 있다. 외측접근법은 수술 공간을 넓게 확보할 수 있어서 비만인 환자나 종양의 크기가 큰 경우 적합하다. 흉복부접근법은 특히 큰 종양이나 악성 종양 수술 시 광범위 절제가 가능하다는 장점이 있으나 상대적으로 이환율이 높아 환자의 선별이 중요하며 양측 수술은 시행할 수 없다.

가. 전방접근법

중앙 절개창이나 양측 늑골하절개창을 이용하여 부신절제술을 시행 할 수 있다. 중앙 절개창은 부신외 다발성 갈색세포종의 수술 시 적합하다. 우측 부신 수술 시 오른창자굽이를 박리하여 아래로 내리고, 간의 세모인대를 절개하여 우간을 가동화하며 Kocher 술식을 이용하여 십이지장을 내측으로 견인하여 하대정맥과 우측 부신을 노출 시킨다(그림 5-45).

Gerota's fascia를 열고 부신 주변 지방 조직을 박리하여 하대정맥과 부신정맥의 손상을 주의하며 부신정맥을 결찰한다. 부신정맥 유입부 손상시에는 side-biting (Satinsky) vascular clamp를 이용해서 처치한다. 좌측 부신 수술 시 부신은 췌장 꼬리의 뒤쪽, 대동맥의 외측에 위치한다. 큰 종양의 수술 시에 비장, 대장, 췌장을 내측으로 회전시키면 접근하기 좋다. 또한 위결장인대를 통해 그물망주머니lesser sac로 들어가서 부신으로 접근할 수도 있다.

췌장의 꼬리 부위와 복막의 접합부위를 절개하여 위쪽으로 견인하면 신장 상극과 부신의 노출이 가능해지고, 이후는 우측과 마찬가지로 절제한다(그림 5-46).

나. 후방접근법

복강경을 이용한 방법과 마찬가지로 환자는 복와위를

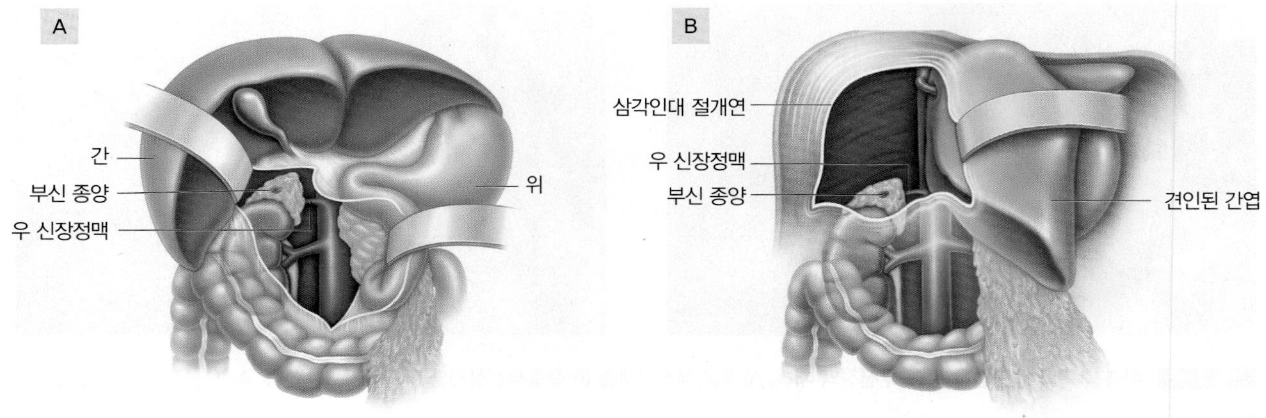

그림 5-45 A) 전방접근법. B) 부신정맥 손상시 하대 정맥에서의 기시부를 노출시키고 처리한다.

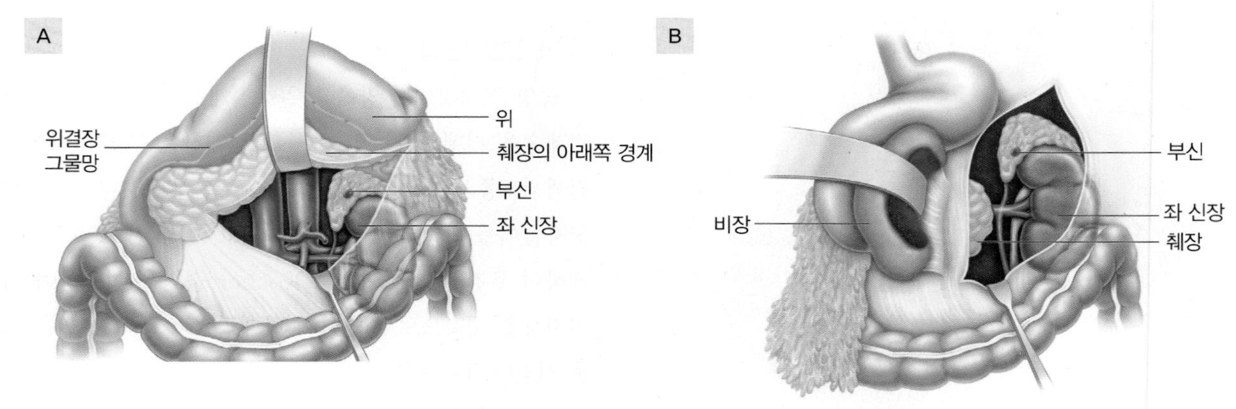

그림 5-46 **전방접근법(좌측 부신).** A) 위결장 그물망과 췌장의 아래쪽 경계를 절개하고 췌장을 들어올려 좌측 부신을 노출시킨다. B) 췌장과 비장을 내측으로 회전시키는 방법으로도 좌측 부신을 노출시킬 수 있다.

취한다. Hockey stick 또는 curvilinear 절개선을 가하고 넓은 등근과 천극인대까지 박리한다(그림 5-47). 12번 늑골은 기저부에서 절제하여 넓은 시야를 확보한다. 11번 늑골을 머리쪽으로 거상하면 가슴막과 횡격막의 lateral arcuate ligament가 노출된다. 가슴막의 손상에 주의하며 머리쪽으로 견인하면 신장과 부신을 확인할 수 있다. 가슴막이 손상되면 양압환기하에 일차 봉합으로 처치하며 폐실질의 손상이 없다면 흉관 삽입은 필요없다. 부신의 위쪽부터 박리를 시작하여 위쪽 혈관을 확인 후 결찰한다. 나머지 부신을 박리하여 종양을 절제하면 빈 공간은 신장 주변 지방조직으로 채워지게 된다. 수술 종료 후 흉부 방사선촬영을 시행하여 기흉 유무를 확인한다.

다. 외측접근법

환자를 옆으로 누운 자세를 취하게 하고 11번 늑골 위치에서 수술대를 굽힌다. 11번과 12번 늑골 사이 또는 늑골하절개창을 이용하며 우측 부신 수술 시에는 늑골 사이 절개가 수술 공간 확보에 용이하다.

라. 흉복부접근법

환자는 옆으로 누운 자세를 취하고 11번째 늑골 위치에서 수술대를 굽힌다(그림 5-48). 늑골 끝부터 복부로 절

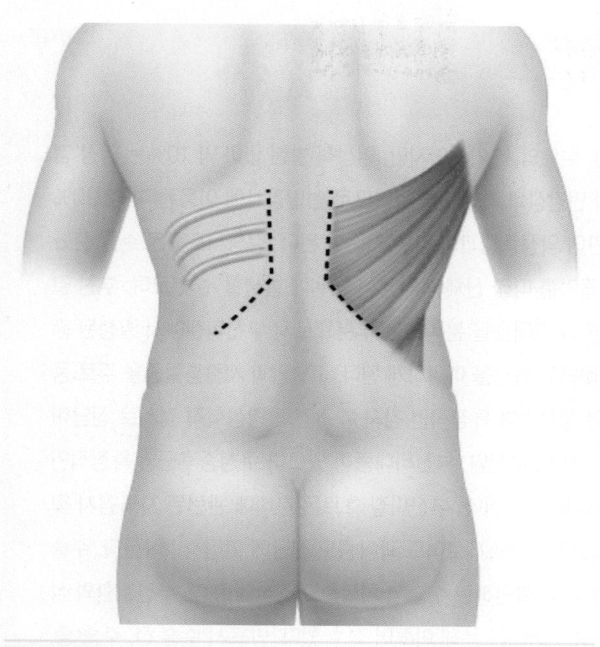

그림 5-47 **후방접근법.** 넓은등근 과 천극인대까지 curvilinear 절개를 사용한다.

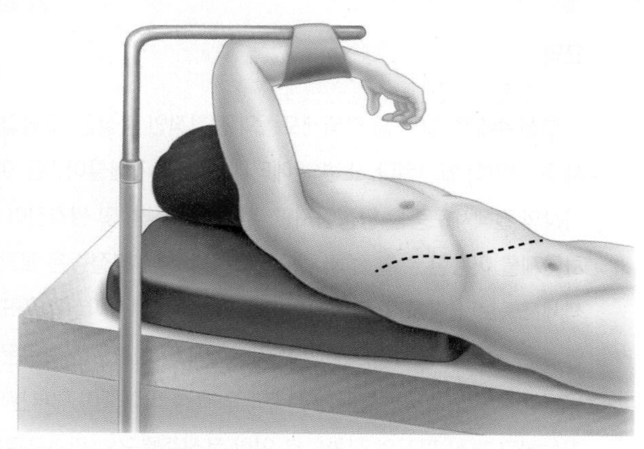

그림 5-48 **흉복부접근법의 절개선**

개창을 만든다. 하대정맥이나 간정맥으로 진행이 된 악성 종양의 경우는 중앙흉골절개를 추가하여 완전절제를 시도할 수 있다.

(3) 수술 후 합병증

복강경 부신절제술의 일반적인 합병증은 창상감염, 요로감염, 심부정맥혈전 등이다. 쿠싱증후군이 있는 환자는 더욱 감염이 절개창 또는 복강내 농양으로 진행되거나 심부혈관의 혈전 발생 확률이 높다. 또한 투침관으로 인한 장기의 손상이나 피하공기증, 기흉 등이 있다. 과도한 거상 및 박리는 하대정맥 및 신장 정맥의 손상 또는 간, 췌장, 비장, 위 등 주위 장기의 손상으로 출혈을 유발 할 수 있다. 수술 후 혈역학적 불안성은 갈색세포종 환자에서 발생할 수 있으며, 양측 부신절제술을 시행한 후 또는 많지는 않으나 일측성부신절제술을 시행받은 환자에서도 부신기능저하증이 생길 수 있다. 투침관의 삽입으로 인한 신경총 손상은 장기적으로 후유증을 나타내며, 만성 통증 증후군, 근쇠약 등을 유발한다. 쿠싱증후군으로 양측 부신 절제를 시행받은 환자의 약 30%는 기존의 뇌하수체 종양이 심화되어 부신피질호르몬 증가, 색소 침착, 시야 장애, 두통, 안외근 마비 등을 초래할 Nelson's syndrome으로 발전할 위험성이 있다.

요약

부신 수질의 질환 중 갈색세포종의 전형적인 증상은. 고혈압, 발한, 두통의 세 가지이지만, 임상적 발현 없이 약 10%는 영상 검사 중 우연히 발견된다. 소변의 메타네프린 및 카테콜아민은 98%의 민감성과 특이도를 보이므로 선별검사에 이용된다. 약 90% 이상의 갈색세포종은 양성이지만, 주위 조직침범 및 원격전이 여부만이 악성종양과의 감별 기준이 된다. 갈색세포종은 수술 전 α 차단제를 이용한 수술 전 처치가 필요하다. 부신경절증은 교감신경 줄기를 따라 신체의 다양한 부위에 발생할 수 있으며, 부신 갈색세포종보다 악성 및 다발성의 빈도가 높다. 부신피질은 알도스테론과 코티솔을 분비하는 부분으로서 부신피질에서 발생된 종양 또는 세포 과증식증으로 인한 비대증에 의해 과도한 호르몬이 분비되어 증상을 야기하게 된다. 고혈압과 저칼륨혈증을 주로 동반하는 과알도스테론증에는 선종과 양측성 비대증이 대부분의 원인 질환이며 특징적인 검사실 소견과 영상학적 검사로 진단이 가능하고 부신 피질의 질환으로 인한 쿠싱증후군의 원인으로는 부신선종, 부신암, 부신비대증이 있으며 쿠싱증후군의 특징적인 둥근 얼굴, 몸통 비만증 및 여러 가지 내분비 이상 소견과 고혈압을 나타나게 된다. 부신피질 호르몬 분비에 관련된 자극검사 및 소변 검사로 진단하게 되며 부신 외 원인과 감별이 중요하다. 부신피질암과 성스테로이드 과다증도 진단에 고려하여야한다. 수술로 치료가 가능한 질환인가를 진단하고 영상학적 검사로서 병변의 위치를 확인하면 수술적 치료를 고려하게 된다, 부신질환의 성공적인 수술은 부신호르몬에 대한 생리적 이해, 해부와 영상의 전반적인 이해를 통해 이루어 질수 있다. 반드시 수술 전, 수술 중, 수술 후 부신 호르몬의 기능적인 상태를 고려한 환자 관리가 필수적이다. 수술적 방법으로 기존의 고식적 부신절제술과 최근 많이 사용되고 있는 복강경 수술방법이 있고 전방 접근법과 후방 접근법으로 다시 나뉘게 되며 각 방법의 장단점을 고려하여 시도하여야 한다.

참고문헌

[I. 갑상선의 해부와 생리]

1. Brent GA. The molecular basis of thyroid hormone action. N Engl J Med 1994;331:847-53.
2. Calzolari F, Misso C, Monacelli M, et al. Non-recurrent inferior laryngeal nerves and sympathetic-inferior laryngeal anastomotic branches: 6 years' personal experience. Chir Ital 2008;60:221-.
3. Cernea CR, Ferraz AR, Nishio S, et al. Surgical anatomy of the external branch of the superior laryngeal nerve. Head Neck 1992;14:380-38.
4. Chopra IJ, Sabatino L. Nature, source, and relative significance of circulating thyroid hormones. In: Braverman LE, Utiger RD, eds. Werner & Ingbar's The Thyroid: A Fundamental and Clinical Text. 8thed. Philadelphia, Lippincott-Raven, 2000:121-35.
5. Dedivitis RA, Camargo DL, Peixoto GL, et al. Thyroglossal duct: A review of 55 cases. J Am Coll Surg 2002;194:274-27.
6. Robbins J. Thyroid hormone transport proteins and the physiology of hormone binding. In: Braverman LE, Utiger RD eds. Werner & Ingbar's The Thyroid: A Fundamental and Clinical Text. 8thed. Philadelphia, Lippincott-Raven, 2000:105-20.
7. Spitzweg C, Heufelder AE, Morris JC. Thyroid iodine transport. Thyroid 2000;10:321-30.
8. Wartofsky L, Burman KD. Alterations of thyroid function in patients with systemic illness: The "euthyroid sick syndrome". Endocr Rev 1982;3:164-217.
9. Yoshida A, Taniguchi S, Hisatome I, et al. Pendrin is an iodide-specific epical porter responsible for iodide efflux from thyroid cells. J Clin Endocrinol Metab 2002;87:3356-61.

[II. 갑상선 질환의 검사]

1. 김성헌, 정소령, 문원진 등. 한국인에서의 갑상선결절과 갑상선암의 유병률: 2004년 전국 규모 갑상선 초음파 진단 결과 분석. J Korean Thyroid Assoc 2009;2(1):33-7.
2. 김원배, 송영기. 갑상선 결절. 대한내분비학회지 2002;17(4):445-9.
3. 김형주, 정파종. 갑상선 결절의 수술적 치료에 있어서 세침흡인세포검사의 진단적 유용도. 대한외과학회지 2000;59(5):590-5.

4. 문원진. 갑상선 결절의 초음파 진단. J Korean Thyroid Assoc 2008;1(1):11-6.
5. 엄태익, 최진욱, 민수기 등. 수술 전 세침흡입 세포검사에서 악성감별이 어려운 갑상선 결절에 대한 Galectin-3 면역조직화학 염색의 진단적 유용성. 대한외과학회지 2004;66(6):462-6.
6. 이가희, 박영주, 궁성수 등. 대한갑상선학회 갑상선결절 및 암 진료 권고안 개정안. J Korean Thyroid Assoc 2010;3(2):65~96.
7. Alexander EK, Heering JP, Benson CB, et al. Assessment of nondiagnostic ultrasound-guided fine needle aspirations of thyroid nodules. J Clin Endocrinol Metab 2002;87:4924-7.
8. Castro MR, Gharib H. Continuing controversies in the management of thyroid nodules. Ann Intern Med 2005;142:926-31.
9. Cibas ES, Ali SZ; NCI Thyroid FNA State of the Science Conference. The Bethesda System For Reporting Thyroid Cytopathology. Am J Clin Pathol. 2009;132(5):658-65.
10. Cooper DS, Doherty GM, Haugen BR, et al. Management guidelines for patients with thyroid nodules and differentiated thyroid cancer. Thyroid 2006;16:109-42.
11. Crile G, Esselstyn CB, Hawk WA. Needle biopsy in the diagnosis of thyroid nodules appearing after radiation. N Engl J Med 1979;301:997-9.
12. Crippa F, Alessi A, Gerali A, et al. FDG-PET in thyroid cancer. Tumori 2003;89:540-3.
13. Franco C, Martínez V, Allamand JP, et al. Molecular markers in thyroid fine- needle aspiration biopsy: A prospective study. Appl Immunohistochem Mol Morphol 2009;17(3):211-5.
14. Hemminki K, Li X. Familial risk of cancer by site and histopathology. Int J Cancer 2003;103:105-9.
15. Kang KW, Kim SK, Kang HS, et al. Prevalence and Risk of Cancer of Focal Thyroid Incidentaloma Identified by 18F-Fluorodeoxyglucose Positron Emission Tomography for Metastasis Evaluation and Cancer Screening in Healthy Subjects. Clin Endocrinol Metab 2003;88:4100-4.
16. Khan N, Oriuchi N, Higuchi T, et al. PET in the follow-up of differentiated thyroid cancer. Br J Radiol 2003;76:690-5.
17. Kim EK, Park CS, Chung WY, et al. New sonographic criteria for recommending fine-needle aspiration biopsy for non-palpable solid nodules of the thyroid. AJR 2002;178:687-91.
18. Kim TY, MD, Kim WB, Ryu JS, et al. 18F-Fluorodeoxyglucose Uptake in Thyroid from Positron Emission Tomogram(PET) for Evaluation in Cancer Patients: High Prevalence of Malignancy in Thyroid PET Incidentaloma. Laryngoscope 2005;115:1074-8.
19. Ludwig G, Nishiyama RH. The prevalence of occult papillary thyroid carcinoma in 100 consecutive autopsies in an American population. Lab Invest 1976;34:320-1.
20. Mazzaferri EL, Robbins J, Spencer CA, et al. A consensus report of the role of serum Tg as a monitoring method for low-risk patients with papillary thyroid carcinoma. J Clin Endocrinol Metab 2003;88:1433-41.
21. Moon WJ, Jung SL, Lee JH, et al. Benign and Malignant Thyroid Nodules: US differentiation: Multicenter Retrospective Study. Radiology 2008;247(3):762-70.
22. Morgan JL, Serpell JW, Cheng MS. Fine-needle aspiration cytology of thyroid nodules: How useful is it? ANZ J Surg 2003;73:480-3.
23. Sampson RJ, Woolner LB, Bahn RC et al. Occult thyroid carcinoma in Olmstead County, Minnesota: Prevalence at autopsy compared with that in Hiroshima and Nagasaki, Japan. Cancer 1974:34:2072~6.
24. Wong CK, Wheeler MH. Thyroid nodules. Rational management. World J Surg 2000;24:934-41.

[III. 갑상선의 양성질환]

1. 이광우. 갑상선 기능항진의 진단과 치료. 대한의학협회지;36(1):46-54.
2. 조보연. 갑상선질환의 자가면역성 병인론. 대한의학협회지;36(1):31-93.
3. 조보연. 임상갑상선학. 제 2 판. 고려의학 200.
4. F. Charles B, Dana KA, Timothy RB, et al. Schwartz's principles of surgery: Benign thyroid disorders. 9th ed. The McGraw-Hill Companies, Inc. 200.
5. Lewis. EB, Robert DM, et al. Werner and Ingbar's the Thyroid: A Fundamental and Clinical Text. 9th ed. Lippincott Williams & Wilkins. 200.

[IV. 갑상선암]

1. 박정수. 나의 갑상선암 여행기. 대한갑상선학회지 2009;2:71-86.
2. A. Graff-Baker, S.A. Roman, D.C. Thomas, R. Udelsman, J.A. Sosa, Prognosis of primary thyroid lymphoma: demographic, clinical, and pathologic predictors of survival in 1,408 cases. Surgery. 2009;146: 1105-15.
3. Ain KB. Anaplastic thyroid carcinoma: a therapeutic challenge. Semin Surg Oncol 1999;16:64-69.
4. Ain KB. Anaplastic thyroid carcinoma: behavior, biology, and therapeutic approaches. Thyroid 1998;8:715-726.
5. Akslen LA, Nilssen S, KvaleG. Reproductive factors and risk of thyroid cancer: a prospective study of 63,090 women from Norway. Br J Cancer 1992;65:772-77.
6. Akslen LA, Nilssen S, KvaleG. Reproductive factors and risk of thyroid cancer: a prospective study of 63,090 women from Norway. Br J Cancer 1992;65:772-774.
7. Amerian Thyroid Association Guidelines Task Force, Kloos RT, Eng C, Evans DB, Francis GL, Gagel RF, Gharib H, Moley JF, Pacini F, Ringel MD, Schlumberger M, Wells SA Jr: Medullary thyroid cancer: management guidelines of the American Thyroid Association. Thyroid 19:565-612, 200.
8. Becker DV, Braverman LE, Dunn JT, et al. The use of iodine as a thyroid blocking agent in the event of a reactor accident. Report of the environmental hazards committee of the American thyroid

association. JAMA 1984:659-66.

9. Becker DV, Braverman LE, Dunn JT, et al. The use of iodine as a thyroid blocking agent in the event of a reactor accident. Report of the environmental hazards committee of the American thyroid association. JAMA 1984:659-661.
10. Brierley JD, Panzarella T, Tsang RW, Gospodarowicz MK, O'Sullivan B. A comparison of different staging systems predictability of patient outcome. Thyroid carcinoma as an example. Cancer 1997;79:2414-23.
11. Byar DP, Green SB, Dor P, et al. A prognostic index for thyroid carcinoma. A study of the EORTC. Thyroid Cancer Cooperative Group. Eur J Cancer 1979;15:1033-1041.
12. Cady B, Rossi R. An expanded view of risk-group definition in differentiated thyroid carcinoma. Surgery 1988;104:947-953.
13. Cady B. Risk Group Analysis for Differentiated Thyroid Carcinoma. In: Randolph GE, editor. Surgery of the Thyroid and Parathyroid Glands. Philadelphia: Elsevier Science 2003.
14. Cha C, Chen H, Westra WH, et al. Primary thyroid lymphoma: can the diagnosis be made solely by fine-needle aspiration? Ann Surg Oncol 2002;9:298-302.
15. Chen H, Nicol TL, Udelsman R. Clinically significant, isolated metastatic disease to the thyroid gland. World J Surg 1999;23:177-180.
16. Cheung L, Messina M, Gill A, et al. Detection of the PAX8-PPAR gamma fusion oncogene in both follicular thyroid carcinomas and adenomas. J Clin Endocrinol Metab 2003;88:354-357.
17. Chung AY, Tran TB, Brumund KT, Weisman RA, Bouvet M. Metastases to the thyroid: a review of the literature from the last decade. Thyroid. 2012;22(3):258-68.
18. Clayman GL, el-Baradie TS. Medullary thyroid cancer. Otolaryngol Clin North Am 2003;36:91-105.
19. Cooper DS, Doherty GM, Haugen BR, et al. Management guidelines for patients with thyroid nodules and differentiated thyroid cancer. Thyroid 2006;16:109-142.
20. Cooper DS, Doherty GM, Haugen BR, et al. Revised American thyroid association management guidelines for patients with thyroid nodules and differentiated thyroid cancer. Thyroid 2009;19:1-48.
21. DeGroot LJ, Kaplan EL, McCormick M, et al. Natural history, treatment, and course of papillary thyroid carcinoma. J Clin Endocrinol Metab 1990;71:414-424.
22. Dijkstra B, Prichard RS, Lee A, et al. Changing patterns of thyroid carcinoma. Ir J Med Sci 2007;176:87-90.
23. Doherty GM, Skogseid B, eds. Surgical endocrinology, Philadelphia: Lippincott, Williams & Wilkins 2003.
24. Elisei R, Alevizaki M, Conte-Devolx B, Frank-Raue K, Leite V, Williams GR: 2012 European Thyroid Association guidelines for genetic testing and its clinical consequences in medullary thyroid cancer. Eur Thyroid J 1:216-231, 201.
25. Enewold L, Zhu K, Ron E, et al. Rising thyroid cancer incidence in the United States by demographic and tumor characteristics, 1980-2005. Cancer Epidemiol Biomarkers Prev 2009;18:784-791.
26. Eng C. Familial papillary thyroid cancer--many syndromes, too many genes? J Clin Endocrinol Metab 2000;85:1755-1757.
27. Franceschi S, Levi F, Negri E, et al. Diet and thyroid cancer: a pooled analysis of four European case-control studies. Int J Cancer 1991;48:395-39.
28. Franceschi S, Levi F, Negri E, et al. Diet and thyroid cancer: a pooled analysis of four European case-control studies. Int J Cancer 1991;48:395-398.
29. Franceschi S, Preston-Martin S, Dal Maso L, et al. A pooled analysis of case-control studies of thyroid cancer. IV. Benign thyroid diseases. Cancer Causes Control 1999;10:583-59.
30. Franceschi S, Preston-Martin S, Dal Maso L, et al. A pooled analysis of case-control studies of thyroid cancer. IV. Benign thyroid diseases. Cancer Causes Control 1999;10:583-595.
31. Frich L, Glattre E, Akslen LA. Familial occurrence of non-medullary thyroid cancer: a population-based study of 5673 first-degree relatives of thyroid cancer patients from Norway. Cancer Epidemiol Biomarkers Prev 2001;10:113-11.
32. Frich L, Glattre E, Akslen LA. Familial occurrence of nonmedullary thyroid cancer: a population-based study of 5673 first-degree relatives of thyroid cancer patients from Norway. Cancer Epidemiol Biomarkers Prev 2001;10:113-117.
33. Gimm O. Surgery for Medullary Thyroid Cancer. In: Oertli D, Udelsman R, editors. Surgery of the Thyroid and Parathyroid Glands. Heidelberg: Springer-Verlag 2007.
34. Grebe SK, Hay ID. Follicular cell-derived thyroid carcinomas. Cancer Treat Res 1997;89:91-140.
35. Greene FL, Page DL, Fleming ID. AJCC Cancer Staging Handbook. 6th ed. New York: Springer-Verlag 2002.
36. H.S. Chang, K.H. Nam, W.Y. Chung, C.S. Park, Anaplastic thyroid carcinoma: a therapeutic dilemma. Yonsei Med J. 2005;46: 759-64.
37. Hay ID, Bergstralh EJ, Goellner JR, et al. Predicting outcome in papillary thyroid carcinoma: development of a reliable prognostic scoring system in a cohort of 1779 patients surgically treated at one institution during 1940 through 1989. Surgery 1993;114:1050-1057.
38. Hay ID, Bergstralh EJ, Grant CS, McIver B, Thompson GB, van Heerden JA, et al. Impact of primary surgery on outcome in 300 patients with pathologic tumor-node-metastasis stage III papillary thyroid carcinoma treated at one institution from 1940 through 1989. Surgery 1999;126:1173-81; discussion 81-2.
39. Hay ID, Grant CS, Taylor WF, et al. Ipsilateral lobectomy versus bilateral lobar resection in papillary thyroid carcinoma: a retro-

spective analysis of surgical outcome using a novel prognostic scoring system. Surgery 1987;102:1088-1095.

40. Hay ID. Selective use of radioactive iodine in the postoperative management of patients with papillary and follicular thyroid carcinoma. J Surg Oncol 2006;94:692-700.

41. Hedinger CE. Histological typing of thyroid tumor. 1st ed. Berlin: Springer-Verlag 1998.

42. Hegerova L, Griebeler ML, Reynolds JP, Henry MR, Gharib H. Metastasis to the thyroid gland: report of a large series from the Mayo Clinic. Am J Clin Oncol. 2015;38:338-42.

43. Hizawa K, Iida M, Aoyagi K, et al. Thyroid neoplasia and familial adenomatous polyposis/Gardner's syndrome. J Gastroenterol 1997;32:196-19.

44. Hizawa K, Iida M, Aoyagi K, et al. Thyroid neoplasia and familial adenomatous polyposis/Gardner's syndrome. J Gastroenterol 1997;32:196-199.

45. Hwang KT, Kim SW, Han W, et al. A Clinical Analysis of Metastatic Tumors to the Thyroid Gland. J Korean Surg Soc 2004;066:367-371.

46. Jukkola A, Bloigu R. Prognostic factors in differentiated thyroid carcinomas and their implications for current staging classifications. Endocrine-Related Cancer 2004;11:571-579.

47. Kato MA, Fahey TJ 3rd. Molecular markers in thyroid cancer diagnostics. Surg Clin North Am 2009;89:1139-1155.

48. Kim MJ, Kim EK, Kim BM, et al. Thyroglobulin measurement in fine-needle aspirate washouts: the criteria for neck node dissection for patients with thyroid cancer. Clin Endocrinol(Oxf). 2009;70:145-151.

49. Kim TY, Kim WB, Gong G, Hong SJ, Shong YK. Metastasis to the thyroid diagnosed by fine-needle aspiration biopsy. Clin Endocrinol (Oxf). 2005;62:236-41.

50. Kolonel LN, Hankin JH, Wilkens LR, et al. An epidemiologic study of thyroid cancer in Hawaii. Cancer Causes Control 1990;1:223-234.

51. Kolonel LN, Hankin JH, Wilkens LR, et al. An epidemiologic study of thyroid cancer in Hawaii. Cnacer Causes Control 1990;1:223-23.

52. Krohn K, Paschke R. Somatic mutations in thyroid nodular disease. Mol Genet Metab 2002;75:202-208.

53. L.D. Green, L. Mack, J.L. Pasieka, Anaplastic thyroid cancer and primary thyroid lymphoma: a review of these rare thyroid malignancies. J Surg Oncol. 2006;94: 725-36.

54. Lang BH, Lo CY, Chan WF, Lam KY, Wan KY. Staging systems for papillary thyroid carcinoma: a review and comparison. Ann Surg 2007;245:366-78.

55. Lee JH, Lee ES, Kim YS. Clinicopathologic significance of BRAF V600E mutation in papillary carcinomas of the thyroid: a meta-analysis. Cancer 2007;110:38-46.

56. Mazzaferri EL, Jhiang SM. Long-term impact of initial surgical and medical therapy on papillary and follicular thyroid cancer. Am J Med 1994;97:418-428.

57. McIver B, Hay ID, Giuffrida DF, et al. Anaplastic thyroid carcinoma: a 50-year experience at a single institution. Surgery 2001;130:1028-1034.

58. Mihai R, Farndon JR. Medullary Carcinoma of the Thyroid. In: Randolph GE, editor. Surgery of the Thyroid and Parathyroid Glands. Philadelphia: Elsevier Science 2003.

59. Moley JF, Shervin N. Medullary Thyroid Carcinoma. In: Clark OH, Duh QY, Kebebew E, editors. Textbook of Endocrine Surgery. 2nd ed. Philadelphia: Elsevier Science 2005.

60. Negri E, Dal Maso L, Ron E, et al. A pooled analysis of case-control studies of thyroid cancer. II. Menstrual and reproductive factors. Cancer Causes Control 1999;10:143-155.

61. Negri E, Dal Maso L, Ron E, et al. A pooled analysis of casecontrol studies of thyroid cancer. II. Menstrual and reproductive factors. Cancer Causes Control 1999;10:143-155.

62. Nikiforov Y, Gnepp DR. Pediatric thyroid cancer after the Chernobyl disaster-pathomorphologic study of 84 cases(1991-19992) from the republic of Belarus. Cancer 1994;74:748-766.

63. Nikiforov Y, Gnepp DR. Pediatric thyroid cancer after the Chernobyl disaster-pathomorphologic study of 84 cases(1991-19992) from the republic of Belarus. Cancer 1994;74:748-766.

64. Nikiforov YE, Rowland JM, Bove KE, et al. Distinct pattern of ret oncogene rearrangements in morphological variants of radiation induced and sporadic thyroid papillay carcinomas in children. Cancer Res 1997;57:1690-169.

65. Nikiforov YE, Rowland JM, Bove KE, et al. Distinct pattern of ret oncogene rearrangements in morphological variants of radiation-induced and sporadic thyroid papillay carcinomas in children. Cancer Res 1997;57:1690-1694.

66. Nikiforov YE. RET/PTC rearrangement in thyroid tumors. Endocr Pathol 2002;13:3-16.

67. Noguchi S, Yamashita H, Uchino S, et al. Papillary microcarcinoma. World J Surg 2008;32:747-753.

68. Papi G, Fadda G, Corsello SM, Corrado S, Rossi ED, Ra- dighieri E, Miraglia A, Carani C, Pontecorvi A 2007 Metas- tases to the thyroid gland: prevalence, clinicopathological aspects and prognosis: a 10-year experience. Clin Endocrinol (Oxf) 66:565-571.

69. Park CS, Min JS. Lateral neck mass as the initial manifestation of thyroid carcinoma. Head Neck 1989;11:410-413.

70. Park YJ, Kim YA, Lee YJ, et al. Papillary microcarcinoma in comparison with larger papillary thyroid carcinoma in BRAF(V600E) mutation, clinicopathological features, and immunohistochemical findings. Head Neck 2010;32:38-45.

71. Pusztaszeri M, Wang H, Cibas ES, Powers CN, Bongiovanni M, Ali S, Khurana KK, Michaels PJ, Faquin WC. Fine-needle aspiration

biopsy of secondary neoplasms of the thyroid gland: a multi-institutional study of 62 cases. Cancer Cytopathol. 2015 ;123(1):19-29.

72. Robbins J, Schneider AB. Thyroid cancer following exposure to radioactive iodine. Rev Endocrin Metab Dis 2000;1:197-20.
73. Robbins J, Schneider AB. Thyroid cancer following exposure to radioactive iodine. Rev Endocrin Metab Dis 2000;1:197-203.
74. Rodriguez JM, Pinero A, Ortiz S, et al. Clinical and histological differences in anaplastic thyroid carcinoma. Eur J Surg 2000;166:34-38.
75. Rosai J. Papillary carcinoma. Monogr Pathol 1993;35:138-165.
76. Rosen IB, Walfish PG, Bain J, et al. Secondary malignancy of the thyroid gland and its management. Ann Surg Oncol 1995;2:252-256.
77. Roti E, Rossi R, Trasforini G, et al. Clinical and histological characteristics of papillary thyroid microcarcinoma: results of a retrospective study in 243 patients. J Clin Endocrinol Metab 2006;91:2171-2178.
78. S.A. Stein, L. Wartofsky, Primary thyroid lymphoma: a clinical review. J Clin Endocrinol Metab. 2013;98: 3131-8.
79. Segev DL, Umbricht C, Zeiger MA. Molecular pathogenesis of thyroid cancer Surg Oncol 2003;12:69-90.
80. Sherman SI, Brierley JD, Sperling M, et al. Prospective multicenter study of thyroid carcinoma treatment: initial analysis of staging and outcome. National Thyroid Cancer Treatment Cooperative Study Registry Group. Cancer 1998;83:1012-1021.
81. Sippel RS, Chen H. Controversies in the surgical management of newly diagnosed and recurrent/residual thyroid cancer. Thyroid 2009;19:1373-1380.
82. Sugino K, Ito K, Mimura T, et al. The important role of operations in the management of anaplastic thyroid carcinoma. Surgery 2002;131:245-248.
83. Thompson LD, Wieneke JA, Paal E, et al. A clinicopathologic study of minimally invasive follicular carcinoma of the thyroid gland with a review of the English literature. Cancer. 2001;91:505-524.
84. Tsang RW, Gospodarowicz MK, Pintilie M, et al. Localized mucosa-associated lymphoid tissue lymphoma treated with radiation therapy has excellent clinical outcome. J Clin Oncol 2003;21:4157-4164.
85. Veness MJ, Porter GS, Morgan GJ. Anaplastic thyroid carcinoma: dismal outcome despite current treatment approach. ANZ J Surg 2004;74:559-562.
86. Verga U, Fugazzola L, Cambiaghi S, Pritelli C, Alessi E, Cortelazzi D, Gangi E, Beck- Peccoz P 2003 Frequent association between MEN 2A and CLA. Clin Endocrinol (Oxf) 59:156-161.
87. Wada N, Nakayama H, Suganuma N, Masudo Y, Rino Y, Masuda M, et al. Prognostic value of the sixth edition AJCC/UICC TNM classification for differentiated thyroid carcinoma with extrathyroid extension. J Clin Endocrinol Metab 2007;92:215-8.
88. Watts NB. Carcinoma metastatic to the thyroid: prevalence and diagnosis by fine-needle aspiration cytology. Am J Med Sci 1987;293:13-17.
89. Wiseman SM, Loree TR, Rigual NR, et al. Anaplastic transformation of thyroid cancer: review of clinical, pathologic, and molecular evidence provides new insights into disease biology and future therapy. Head Neck 2003;25:662-670.
90. Wood K, Vini L, Harmer C. Metastases to the thyroid gland: the Royal Marsden experience. Eur J Surg Oncol 2004;30:583-588.
91. Y.J. Chai, J.H. Hong, H. Koo do, H.W. Yu, J.H. Lee, H. Kwon, S.J. Kim, J.Y. Choi, K.E. Lee, Clinicopathological characteristics and treatment outcomes of 38 cases of primary thyroid lymphoma: a multicenter study. Ann Surg Treat Res. 2015;89: 295-9.
92. You YN, Lakhani V, Wells SA, Moley JF: Medullary thyroid cancer. Surg Oncol Clin N Am 15:639-660, 200.
93. Zheng TZ, Holford TR, Chen YT, et al. Time trend and ageperiod-cohort effect on incidence of thyroid cancer in Connecticut, 1935-1992. Int J Cancer 1996;67:504-509.
94. Zheng TZ, Holford TR, Chen YT, et al. Time trend and age-period-cohort effect on incidence of thyroid cancer in Connecticut, 1935-1992. Int J Cnacer 1996;67:504-50.

[V. 갑상선 수술과 합병증]

1. 홍석준, 이영진, 남순열. 갑상선암에서 되돌이후두신경절제 후 신경재건에 대한 검토. 대한외과학회지 1999;57:670-675.
2. 홍성희, 허학준, 홍석준. 갑상선전절제시술 후 저칼슘혈증 고위험군 환자에 대한 임상적 고찰 / 수술 시 보존된 부갑상선 수와 저칼슘혈증과의 관계. 대한외과학회지 2001;61:572-577.
3. Cernea CR, Ferraz AR, Furlani J, et al. Identification of the external branch of the superior laryngeal nerve during thyroidectomy. Am J Surg 1992;164:634-639.
4. Cernea CR, Ferraz AR, Nishio S, et al. Surgical anatomy of the external branch of the superior laryngeal nerve. Head Neck 1992;14:380-383.
5. Flament JB, Delattre JF, Pluot M. Arterial blood supply to the parathyroid glands: Implications for thyroid surgery. Anat Clin 1982;3:279-287.
6. Grant CS, Hay ID, Gough IR, et al. Local recurrence in papillary thyroid carcinoma: Is extent of surgical resection important? Surgery 1988;104:954-962.
7. Ito Y, Higashiyama T, Takamura Y, et al. Risk factors for recurrence to the lymph node in papillary thyroid carcinoma patients without preoperatively detectable lateral node metastasis: Validity of prophylactic modified radical neck dissection. World J Surg 2007;31:2085-2091.
8. Ito Y, Tomoda C, Uruno T, et al. Preoperative ultrasonographic

examination for lymph node metastasis: Usefulness when designing lymph node dissection for papillary microcarcinoma of the thyroid. World J Surg 2004;28:498-501.

9. Lennquist S, Cahlin C, Smeds S. The superior laryngeal nerve in thyroid surgery. Surgery 1987;102:999-1008.
10. Lundgren CI, Hall P, Dickman PW, et al. Clinically significant prognostic factors for differentiated thyroid carcinoma: a population-based, nested case-control study. Cancer 2006;106:524-531.
11. Nobori M, Saiki S, Tanaka N, et al. Blood supply of the parathyroid gland from the superior thyroid artery. Surgery 1994;115:417-423.
12. Noguchi S, Murakami N, Yamashita H, et al. Papillary thyroid carcinoma: Modified radical neck dissection improves prognosis. Arch Surg 1998;133:276-280.
13. Noguchi S, Noguchi A, Murakami N. Papillary carcinoma of the thyroid. I. Developing pattern of metastasis. Cancer 1970;26:1053-1060.
14. Perzik SL. The place of total thyroidectomy in the management of patients with thyroid disease. Am J Surg 1976;132:480-483.
15. Wada N, Duh QY, Sugino K, et al. Lymph node metastasis from 259 papillary thyroid microcarcinomas: Frequency, pattern of occurrence and recurrence, and optimal strategy for neck dissection. Ann Surg 2003;237:399-407.
16. Welbourn. The history of Endocrine Surgery. 1st ed. New York: Praeger Publishers 1990.

[VI. 부갑상선의 해부와 생리]

1. Akerstrom G, Malmaeus J, Bergstrom R. Surgical anatomy of human parathyroid glands. Surgery 1984;95:14-21.
2. Gauger PG, Agarwal G, England BG, et al. Intraoperative parathyroid hormone monitoring fails to detect doubleparathyroid adenomas: a 2-institution experience.Surgery 2001;130:1005-1010.
3. Gilmour J. The gross anatomy of the parathyroid glands. J Pathol 1938;46:133.
4. Molinari AS, Irvin GL 3rd, Deriso GT, et al. Incidence of multiglandular disease in primary hyperparathyroidism determined by parathyroid hormone secretion. Surgery 1996;120:934-936.
5. Raue F, Haag C, Schulze E, et al. The role of the extracellular calcium-sensing receptor in health and disease. Exp Clin Endocrinol Diabetes 2006;114:397-405.
6. Siperstein A, Berber E, Barbosa GF, et al. Predicting the success of limited exploration for primary hyperparathyroidism using ultrasound, sestamibi, and intraoperative parathyroid hormone analysis of 1158 cases. Ann Surg 2008;248:420-428.
7. Wells SA Jr, Leight GF, Hensley M, et al. Hyperparathyroidism associated with the enlargement of two or the parathyroid glands. Ann Surg 1985;202:533-538.
8. Zolllinger RM Jr, Zollinger R Wr. Parathyroidectomy. Zollinger's atlas of surgical operations, 8th ed. McGraw-Hill, New york 2005.

[VII. 부갑상선 질환]

1. 정웅윤, 정종주, 윤지섭 등 : 신장이식후 발견된 삼차성 부갑상선기능항진증에서 부갑상선 절제술의 치료효과. 대한이식학회지 2007;21:250-256.
2. Akerstrom G, Malmaeus J, Bergstrom R. Surgical anatomy of human parathyroid glands. Surgery 1984;95:14-21.
3. An overview of dialysis treatment in Japan (as of Dc.31, 1997.
4. Block GA, Klassen PS, Lazarus JM, et al : Mineral metabolism, mortality, and morbidity in maintenance hemodialysis patients. J Am Soc Nephrol 2004;15:2208-2218.
5. Block GA, Martin KJ, Francisco ALM, et al : Cinacalcet for secondary hyperparathyroidism in patients receiving hemodialysis. N Engl J Med 2004;350:1516-152.
6. Carling T, Udelsman R : Parathyroid surgery in familial hyperparathyroid disorders. J Int Med 2005;257:27-37.
7. D'Alessandro AM, Melzer JS, Pirsch JD, et al : Tertiary hyperparathyroidism after renal transplantation: operative indications. Surg 1989;106:1049=1055.
8. Demeure MJ, McGee DC, Wilkers W, et al : Results of surgical treatment for hyperparathyroidism associated with renal disease. Am J Surg 1990;160:337-340.
9. Fraser WD : Hyperparathyroidism. Seminar 2009;374:145-158.
10. Fukuda N, Tanaka H, Tominaga Y, et al : Decreased 1,25-dihydroxyvitamine D3 receptor density is associated with a more severe form of parathyroid hyperplasia in chronic uremic patients. J Clin Invest 1993;92:1436-1443.
11. Gagner M. Endoscopic subtotal parathyroidectomy in patients with primary hyperparathyroidism. Br J Surg 83:87.
12. Gauger PG, Agarwal G, England BG, et al. Intraoperation parathyroid hormone monitoring fails detect double parathyroid adenomas: A two-institution experience Surgery 130:1005-101.
13. Gilmour J. The gross anatomy of the parathyroid glands. J Pathol 1938;46:133.
14. Henry JF, Defechereux T, Gramatica L, et al. Minimally invasive videoscopic parathyroidectomy by lateral approach. Langenbecks Arch Surg 384:298-30.
15. Miccoli P, Pinchera A, Cecchini G, et al. Minimally invasive, video-assisted parathyroid surgery for primary hyperparathyroidism. J Endocrinol Invest 20:429-3.
16. Ming T, Suzuki M, Akiba T, et al : Survival of patients undergoing hemodialysis with paricalcitrol or calcitrol. N Engl J Med 2003;349:446-45.
17. Molinari AS, Irvin GL III, Deriso GT, et al. Incidence multiglandular disease in primary hyperparathyroidism determined by parathyroid hormone secretion. Surgery 120: 934-93.
18. National Kidney Fundation. K/DOQI clinical practice guidelines

for bone metabolism and disease in chronic kidney disease. Am J Kidney Dis Suppl 2003;42:S1-S202.

19. Noureldine SI, Lewing N, Tufano RP, et al. The role of the robotic-assisted transaxillary gasless approach for the removal of parathyroid adenomas. ORL J Otorhinolaryngol Relat Spec 76:19-2.
20. Packmann KS, Demeure MJ : Indication for parathyroidectomy and extent of treatment for patients with secondary hyperparathyroidism in hemodialysis patients. Surg Clin North Am 1995;75:465-482.
21. R.Garrel, M.Bartolomeo, M.Mkeieff, et al. Interest of video-assisted minimally invasive surgery in primary hyperparathyroidism. European Annals of Otorhinolaryngology, Head and Neck diseases S1879-7296(16)30055-.
22. Raue F, Haag C, Schulze E, et al: The role of the extracellular calcium-sensing receptor in health and disease. Exp Clin Endocrinol Diabetes 2006;114:397.
23. Rivkees SA, el-Hajj-Fuleihan G, Brown EM, et al : Tertiary hyperparathyroidism during high phosphate therapy of familial hypophosphatemic rickets. J Clin Endocrinol Metab 1992;75:1514-1518.
24. Rothmund M, Wagner PK, Schark C : Subtotal parathyroidectomy versus total parathyroidectomy with autotransplantation in secondary hyperparathyroidism; A randomized trial. Word J Surg 1991;15:74.
25. Salem IN, ZhenG, Ralph PT. Minimally invasive parathyroid surgery. Gland Surgery 4:410-.
26. Sato K, Obara T, Yamazaki K, et al : Somatic mutations of MEN1 gene and microsatellite instability in a case of tertiary hyperparathyroidism occurring during high phosphate therapy for acquired hypophosphatemic osteomalacia. J Clin Endocrinol Metab 2001;86:5564-5571.
27. Sharma J, Weber C : Surgical therapy for familial hyperparathyroidism. Am Surgeon 2009;75:579-584.
28. Siperstein A, Berber E, Barbosa GF, et al. Predicting the success of limited exploration for primary hyperparathyroidism using ultrasound, sestamibi, and intraoperative parathyroid hormone: analysis of 1158 cases. Ann Surg 248:420-.
29. Slatopolsky E, Brown A, Dusso A, et al : Pathogenesis of secondary hyperparathyroidism. Kidney Int Suppl 1997;73;S14-S1.
30. Slatopolsky E, Dusso A, Brown AJ : Control of uremic bone disease: Role of vitamin D analog. Kidney Int 61 Suppl 2002;80;S143-S14.
31. Slatopolsky E, Finch J, Denda M, et al : Phosphorus restriction prevents parathyroid gland growth. High phosphorus directly stimulates PTH secretion in vitro. J Clin Invest 1996;97;2534-254.
32. Tagaki H, Tominaga Y, Tanaka Y, et al : Total parathyroidectomy with forearm autograft for secondary hyperparathyroidism in chronic renal failure. Ann Surg 1988;208:639-644.
33. Tominaga Y : Surgical treatment of secondary hyperparathyroidism due to chronic kidney disease. Upsala J Med Sci 2006;111 (3):227-29.
34. Tominaga Y, Katayama A, Sato T, et al : re-operation is frequently required when parathyroid glands remain after initial parathyroidectomy for advanced secondary hyperparathyroidism in uracemic patients. Nephrol Dial Transplant 2003;18:iii65-7.
35. Tominaga Y, Sato K, Numano M, et al : Histopathology and pathophysiology of secondary hyperparathyroidism due to chronic renal failure. Clin Nephrol 1995;S42-S4.
36. Tominaga Y, Tanaka Y, Sato K , et al : Histopathology, pathophysiology and indications for surgical treatment of renal hyperparathyroidism. Seminar Surg oncol 1997;13;78-86.
37. Weber T, Zeier M, Hinz U, et al : Impact of intraoperative parathyroid hormone levels on surgical results in patients with renal hyperparathyroidism. World J Surg 2005;29:1176-1179.
38. Wells SA Jr, Gunnels JC, Shelburne JD, et al : Transplantation of the parathyroid glands in man.;clinical indications and results. Surg 1975;78:34-4.
39. Wells SA Jr, Leight GF, Hensley M, et al. Hyperparathyroidism associated with the enlargement of two or the parathyroid glands. Ann Surg 202:533-53.
40. Zolllinger RM Jr, Zollinger R Wr Parathyroidectomy. Zollinger's atlas of surgical operations, 8th ed. McGraw-Hill, New york, 364-37.

[VIII. 부신의 해부와 생리]

1. Clark OH. Textbook of endocrine surgeon. 2th ed, W.B Saunders, 2005.
2. Farndon JR. Endocrine surgery. 2nd ed. W. B. sauders. 2001.
3. Lack EE and Gruhn JG. Adrenal glands. In DamjanovI, LinderJ: Anderson's Pathology. 10th ed. St. Louis, mosby-year book, Inc. 1996.
4. Moudgil VK. Phosphorylation of steroid hormone receptors. Biochim Biophys Acta 1990;1055:243-258.
5. Ontí E, Bodwell JE, Munck A. Phosphorylation of steroid hormone receptors. Endocrine Rev 1992;13:105-12.
6. Park CI. Textbook of pathology. 5th ed. Komoonsa Inc 2003.
7. Ravi Munder. Campbell-Walsh Urology. 11th ed, 2016.
8. Smith, Philip W.; Hanks, John B. Endocrinology: Adult and Pediatric. 7th ed, 2016.
9. Winkler H, Apps DK, Fischer-Colbrie R. The molecular function of adrenal chromaffin granules; established facts and unresolved topics. Neuroscience 1986;18:261-290.

[IX. 부신질환]

1. 고석환. 부신 외과 분야의 20세기 회고 및 21 세기 전망. 대한내분비외과학회지 2001;1:20-2.
2. 김기환, 오승근. 부신 기원 쿠싱 증후군. 대한외과학회지1994;46:708-15.

3. 김기환. 오승근. 부신 기원 쿠싱증후군. 대한외과학회지 1994;46:708-71.

4. 김신곤, 최동섭. 부신우연종의 평가와 추적. 대한내분비학회지 2007;22:257-25.

5. 김정철, 윤정한, 제갈영종 갈색세포종의 임상적 고찰. 대한내분비 외과학회지 2003;3:154-16.

6. 김한준, 이광수, 이경근 등. 간전이를 동반한 비기능성 거대 악성갈색세포종. 대한외과학회지 2002;63:345-34.

7. 민진식, 지훈상, 김정호. 갈색세포종 24례에 대한 임상 연구. 대한외과학회지 1988;34:24-28.

8. 박해린, 남석진, 김성주 등. 갈색세포종-술전 진단되지 않은 갈색세포종을 중심으로-. 대한외과학회지 2000;5:635-64.

9. 백세현, 최경묵, 이은종 등. 비전형적 임상증상을 동반한 갈색세포종 4례. 대한내분비학회지 1993;8:356-36.

10. 백용해, 이해경, 남석진 등. 부신종양의 임상적 고찰. 대한내분비외과학회지 2003;3:147-153.

11. 서인영, 계봉현, 김준기 등. 복강경 부신절제술과 개복 부신 절제술과의 비교. 대한외과학회지 2006;70:363-369.

12. 서인영, 계봉현, 김준기 등. 복강경 부신절제술과 개복 부신 절제술과의 비교. 대한외과학회지. 2006;70:363-9.

13. 송병주, 김준기, 박우배 등. 갈색세포종의 임상적 고찰. 대한외과학회지 1988;34:304-318.

14. 신현백, 임혜인, 길원호 등. 갈색세포종의 외과적 치료에서 복강경수술과 전통적인 개복수술간의 비교 분석 대한내분비 외과학회지 2008;8:106-111.

15. 안신기, 안광진, 이은직 등. 갈색세포종의 임상적 고찰. 대한내분비학회지 1991;6:245-253.

16. 윤찬호, 정태식, 정혜승 등. 한국인 부신피질암의 임상 상에 대한 분석. 대한내분비학회지 2006;21:47-5.

17. 윤찬호, 정태식, 정혜승 등. 한국인 부신피질암의 임상상에 대한 분석. 대한내분비학회지 2006;21:47-52.

18. 이명석, 입기권, 최인석 등. 다발성 골전이를 동반한 방광의 악성크롬친화성 세포종 1례. 대한내 분비학회지 1986;1:83-87.

19. 정보인, 최재웅, 김연선 등. 초기 임신 중 갈색세포종 1례. 대한내분비학회지 1991;6:179-186.

20. 정치영, 홍순찬, 이영준 등. 신경섬유종증 환자에서 동시에 발생한 십이지장-공장의 다발성 위장관 간질종양과 갈색세포종. 대한외과학회지 2005;69:74-78.

21. 최동섭. 갈색세포종. 대한내분비학회지 1987;2:13-1.

22. 최수윤, 이잔디, 차진우 등. 부신종양에 의한 쿠싱증후군의 치료경험-임상적 및 잠재성 쿠싱증후군의 비교. 대한내분비 외과학회지 2007;7:16-21.

23. 최수윤, 차진우, 소의영. 갈색세포종의 외과적 치료 11년간 임상경험. 대한내분비외과학회지2007;7:9-15.

24. 최정규, 이우방, 이종훈 등. 무증후성 갈색세포종 1례. 인간과학 1988;12:45-51.

25. 홍석준, 김원배 부신갈색종에 의한 Ectopic ACTH syndrome. 대한내분비외과학회지 2002;2:11 6-119.

26. Bittar DA. Unsuspected pheochromocytoma. Can Anaesth Soc J. 1982;29:183-184.

27. Bravo EL, Gifford RW. Pheochromocytoma: diagnosis localization and management. N Engl J Med 1984;311:1298-130.

28. Bravo EL, Tarazi RC, Fouad FM, et al. Clonidine suppression test: a useful aid in the diagnosis of phaeochrocytoma. N Engl J Med 1981;305:623-626.

29. Brown MJ, Allison DJ, Jenner DA, et al. Increased sensitivity and accuracy of phaeochromocytoma diagnosis achieved by use of plasma adrenaline estimations and a pen tolinium-suppression test. Lancet 1981;1:174-175.

30. Brown MJ. Simultaneous assay of noradrenaline and its deaminated metabolite, dihydroxyphenylglycol, in plasma: a simplified approach to the exclusion of phaeochromocytomain patients with borderline elevation of plasma adrenalineconcentration. Eur J Clin Invet 1984;14:67-72.

31. Clark O H. Textbook of endocrine surgeon. 2th ed. W. B Saunders 2005.

32. Copeland PM. The incidentally discovered adrenal mass. Ann Intern Med 1983;98:940-945.

33. Copeland PM: The incidentally discovered adrenal mass. Ann Intern Med 1983;98:940-5.

34. Espiner EA, Ross DG, Yandle TG et al: Predicting surgically remedial primary aldosteronism: Role of adrenal scanning, posture testing and adrenal vein sampling. J Clin Endocrinol Metab 2003;88:3637-44.

35. Espiner EA, Ross DG, Yandle TG, et al. Predicting surgically remedial primary aldosteronism: Role of adrenal scanning, posture testing, and adrenal vein sampling. J Clin Endocrinol Metab 2003;88:3637-3644.

36. Francis IR, Gross MD, Shapiro B, et al. Integrated imaging of adrenal disease. Radiology 1992;184:1-13.

37. Gordon RD, Stowasser M, Tunny TJ, et al; High incidence of primary aldosteronism in 199 patients referred with hypertension. Clin Exp Pharmacol Physiol; 1994;21:315-8.

38. Guilotteau D, Baulieu J-L, Huguet F, et al. Meta-iodobenzylguanidine adrenal medulla localization: autoradiographic and pharmaceutical studies. Eur J Nucl Med 1984;9:278-282.

39. Hwang I, Chong A, Kim JB et al. adrenal cortical scintigraphy for lateralization of bilateral adrenal nodules inn primary aldosteronism. Korean J Urol 2014;55(8);551-3.

40. Jun YH, Choi YS, Park JS, et al. Adrenal ganglioma treated by laparoscopic surgery . J Kor Surg Asso 2008;75:56-5.

41. Melicow MM. One hundred cases of pheochromocytoma (107tumors) at the Columbia-Prebyterian medical center, 1926-1976 A clinicoopathologic analysis. Cancer 1977;40:1988-200.

42. Ng L, Libertino JM. Adrenocortical carcinoma: Diagnosis, evaluation and treatment. J Urol 2003;169:5-11.

43. Ng L, Libertino JM: Adrenocortical carcinoma: Diagnosis, evaluation and treatment. J Urol 2003;169:5-11.
44. Pecori Giraldi F, Ambrogio AG, De Martin M, et al. Specificity of firstline tests for the diagnosis of Cushing's syndrome: Assessment in a large series. J Clin Endocrinol Metab 2007;92:4123-4129.
45. Pecori Giraldi F, Ambrogio AG, De Martin M, et al; Specificity of firstline tests for the diagnosis of Cushing's syndrome: Assessment in a large series. J Clin Endocrinol Metab 2007;92:4123-9.
46. Putignano P, Toja P, Dubini A, et al. Midnight salivary cortisol versus urinary free and midnight serum cortisol as screening tests for Cushing's syndrome.] Clin Endocrinol Metab 2003;88:4 153-4 15.
47. Putignano P, Toja P, Dubini A, et al: Midnight salivary cortisol versus urinary free and midnight serum cortisol as screening tests for Cushing's syndrome. J Clin Endocrinol Metab 2003;88:4153-7.
48. Raff H, Findling]W. A physiologic approach to diagnosis of the Cushing syndrome. Ann Intern Med 2003;138:980-991.
49. Raff H, Findling JW: A physiologic approach to diagnosis of the Cushing syndrome. Ann Intern Med 2003;138:980-91.
50. Schirpenbach C, Reincke M. Primary aldosteronism: Current knowledge and controversies in Conn's syndrome. Nat Clin Pract Endocrinol Metab 2007;3:220-227.
51. Schirpenbach C, Reincke M: Primary aldosteronism: Current knowledge and controversies in Conn's syndrome. Nat Clin Pract Endocrinol Metab , 2007;3:220-7.
52. Sey Kiat Lim MBBS, MRCS (Edinburgh), MMed (Surgery), FAMS (Urology) and Koon Ho Rha MD, PhD. Campbell-Walsh Urology. 11th ed, 2016.
53. Stewart PM Mineralocorticoid hypertension. Lancet 1999;353:1341-1347.
54. Stewart PM: Mineralocorticoid hypertension. Lancet 1999;353: 1341-7.
55. Strong VE, D'Angelica M, Tang L, et al. Laparoscopic adrenalectomy for isolated adrenal metastasis. Ann Surg Oncol 2007;14:3392-3400.
56. Strong VE, D'Angelica M, Tang L, et al: Laparoscopic adrenalectomy for isolated adrenal metastasis. Ann Surg Oncol 2007;14:3392-400.
57. Young WF. Primary aldosteronism: renaissance of a syndrome. Clin Endocrinol (Oxf) 2007;66(5):607-18.

Chapter 06

동맥, 정맥, 림프계

Artery, Vein, Lymphatics

I 동맥경화의 병태생리

동맥경화성 심장혈관질환은 전 세계적으로 주요 사망 원인으로 알려져 있다. 평균 수명의 증가와 비만, 고혈압, 당뇨병, 고지혈증 등 성인병 질환이 동맥경화를 유발시키고 악화시키게 된다. 동맥경화는 동맥 혈관의 탄력성을 감소시킬 뿐만 아니라, 혈관 내부에 죽종이라는 조직이 생겨 혈관 내경을 좁혀 허혈증상을 유발시키거나 죽종 파열로 인하여 색전을 초래하여 심근경색증, 뇌졸중 및 말초동맥혈관질환의 주요원인이 된다.

동맥경화에서 특징적인 죽상은 다양한 병인론에 의해 발생되기에 이에 대한 이해가 동맥경화와 관련된 질병들을 이해하는 데 도움이 된다. 또한 동맥경화를 유발하는 위험인자에 대한 이해가 필요하기에 본 장에서 기술하도록 하겠다.

1. 죽종

죽상의 형성은 저밀도콜레스테롤이 혈관내막을 통과하여 동맥의 내벽에 도달함으로써 시작된다. 소위 지방줄무늬fatty streaks라고 하는 초기 병변은 유아나 어린이의 대동맥에서 볼 수 있는 것과 같은 노란색의 미세하게 부푼 부위들이다. 이 부위에 축적되어 있는 지질은 대식세포macrophage와 혈관평활근세포vascular smooth muscle cell 내부에서 볼 수 있다. 지질 입자를 함유하고 있는 대식세포를 비만세포foam cell라고 하는데 이러한 초기 병변에서 특징적으로 볼 수 있다. 이러한 초기 병변은 후에 더욱 진행된 죽상을 형성하여 동맥내강으로 자라서 내강을 좁히게 된다.

섬유질플라크fibrous plaque는 손상된 비만세포가 근원지라고 여겨지는 지질 콜레스테롤 에스테르가 주성분인 죽종atheroma의 겉에 캡을 형성하여 덮고 있는 많은 수의 혈관평활근세포와 연결조직으로 구성되어 있다. 이 섬유질 캡은 구조적인 지지판의 역할도 하고 초기 축적물 플라크 내의 찌꺼기들이 동맥내강으로부터 떨어지지 않게 막아주는 기능도 한다. 이 플라크는 울퉁불퉁하고 불규칙한 성장의 흔적을 보이기도 한다. 간헐적인 궤양이나 치유가 나타나기도 한다. 그러나 모든 섬유질플라크가 지방줄무늬에서부터 진행되어 발생한 것인지에 대해서는 확실하지 않다. 그러나 섬유질플라크는 지방줄무늬와 해부학적으로

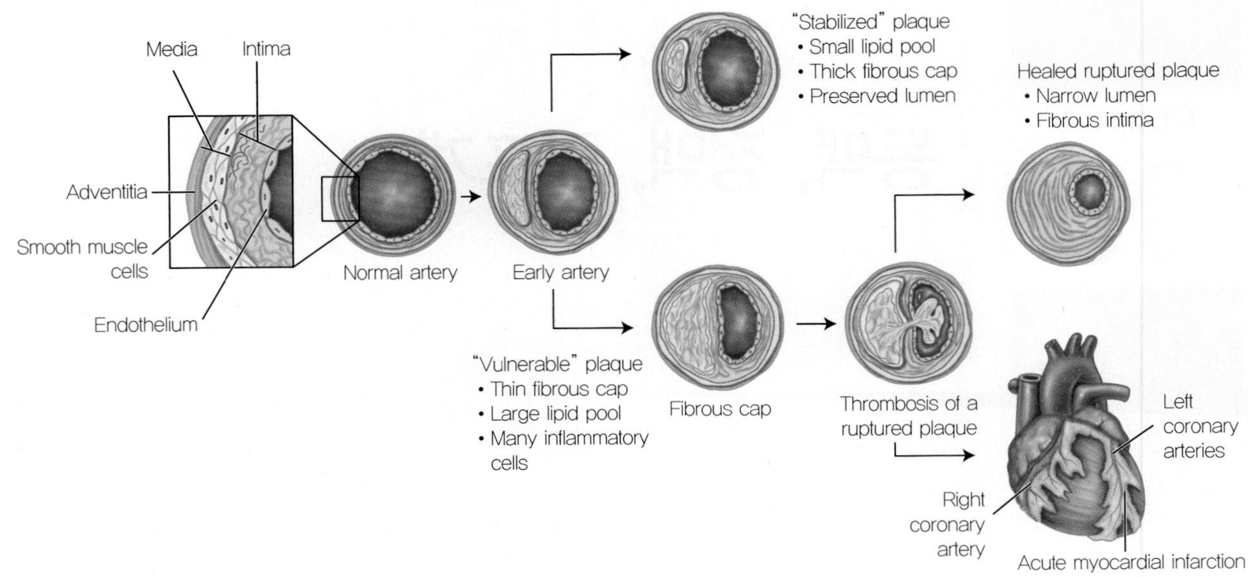

그림 6-1 죽종의 형성 과정. 죽종은 무한정 커지는 것이 아니라 진행하다가 퇴화 과정을 보이게 된다. 불안정한 플라크는 큰 지질핵을 가지면서 얇은(<100mm) 섬유질 캡으로 쌓여 있다. 섬유질 캡이 파열되거나, 내피세포가 손상을 받은 경우, 플라크 내부에 출혈이 발생된 경우에는 동맥 혈관 내부에 혈전이 발생될 수도 있다.

동일한 위치 내에서 지방줄무늬 이후에 나타나며 임상학적으로 확실한 동맥경화에서 특징적으로 나타난다.

죽종은 시간이 경과하면서 점차 커질뿐만 아니라, 석회화, 궤양 또는 괴사상태로 진행되기도 한다. 만일 죽종을 보호하고 있는 섬유질 캡의 부식, 불규칙한 박리현상 또는 파열이 발생되면 내부의 죽종의 찌꺼기가 혈관내부로 나와서 색전 혹은 혈전을 생성하여 허혈증상을 유발하게 된다.

2. 죽종의 발생

1) 상처에 대한 반응 이론

'상처에 대한 반응Response to Injury' 가설에 따르면 처음에는 내피의 박피현상이 죽상 발생의 첫 단계이다. 그러나 최근 연구에 따르면 내피의 박피현상보다는 혈관내피세포의 기능장애가 근본적인 원인이라고 알려져 있다. 이 모델에 따르면 죽상의 형성은 혈관내피세포의 상처에 대한 반응으로 본다. 처음에는 혈관내피세포의 상처 부위에 혈전이 형성되고 혈관평활근세포가 증식되는 치유과정이 일종이 될 수 있다. 혈관내피세포를 손상시키는 원인으로는 고혈압이나 세포독성 물질, 고콜레스테롤혈증hypercholesterolemia, 고호모시스틴혈증hyperhomocystinemia 및 흡연 등을 들 수 있다. 특히 혈류역학적으로 볼 때 죽상은 동맥의 분지부 같이 비정상적인 전단력shear stress에 노출된 부위에 흔히 발생하며, 낮은 전단력low shear stress를 받는 부위에 호발 된다.

2) 지질 가설

이 이론에 따르면 죽상 형성에서 콜레스테롤의 축적은 처음에는 동맥벽에 생긴 우연한 퇴행성 변화에 동반하는 현상으로 여겼다. 이 이론이 설정될 당시에는 혈중콜레스테롤의 정상범위는 평균치에서 표준편차의 두 배 이상 차이 나는 범위 내의 모든 사람을 포함하였다. 따라서 당시 임상의사들은 대부분의 심근경색증 환자들의 경우 이 임의로 정한 정상범위보다 수치가 훨씬 낮은 사람들이었기 때문에 혈청콜레스테롤은 중요하지 않은 것으로 결론지었다. 그러나 Framingham의 연구에서 혈중콜레스테롤 수치가 심장혈관질환의 위험인자라는 것을 보여주었다. 이 연구의 결과에 의하면 임상학적으로 분명히 심장혈관질환 유병률과 혈중콜레스테롤 수치는 지속적인 함수 관계로 나타났고, 그 후 더 폭넓은 연구를 통해 콜레스테롤 수치와 임상학적 위험 관계를 재확인함으로써 결국 전문가들은 혈중콜레스테롤 수치와 심장혈관질환 위험성 간의 명료한 연관관계를 인정하게 되었다. 앞에서 기술한 "상처에 대한 반응" 가설은 내피세포가 손상된다는 것을 전제로 한 것이었다. 그러나 죽상이 발생된 부위에서 내피세포가 전혀 손상되지 않은 경우도 많다. 이것은 단핵구세포들이 손상되지 않은 내피세포에 침투하여 혈관 내막에 정착한 후 콜레스테롤 입자들을 포식하여 비만세포로 됨을 말해주는 것이다. 이러한 과정은 순환되는 저밀도콜레스테롤이 산화 저밀도콜레스테롤로 변환되는 환경에서 가속화된다. 원래의 저밀도콜레스테롤보다 산화 저밀도콜레스테롤이 세포독성이 더 강하며 죽상 형성과 더 밀접한 인자이다.

3) 염증론

이 이론의 죽상 발생은 동맥의 만성염증과정에서 한 단계에 해당한다는 관찰결과에서 비롯되었다. 상처는 형태에 따라서 백혈구와 혈소판에 대한 내피세포의 흡착력을 증가시킨다. 또한 내피세포가 친응고작용을 하여 cytokine과 성장인자의 형성을 유도하며 결국 중막으로부터 내막으로의 혈관평활근세포 이동과 증식을 야기시킨다. 대식세포와 T 림프구는 이 과정에서 대부분의 염증성분들을 조절하는 역할을 한다.

대식세포는 cytokine (tumor necrosis factor-α, interleukin-1, transforming growth factor-β 등), 단백질 분해효소 및 platelet-derived growth factor와 insulin-like growth factor와 같은 성장인자를 만들 수 있다. 아울러 이들은 제2급 조직적합항원class II histocompatibility antigens을 배출하여 T 림프구에 항원을 공급할 수 있게 된다.

3. 플라크의 퇴화

플라크의 퇴화란 혈관내막에 형성된 플라크가 육안으로 인식할 수 있을 만큼 감소한 것을 말한다. 죽상경화의 분명한 퇴화에 관한 기록은 심장혈관상과 말초혈관상 모두의 경우에 있어서 연속대조동맥조영술serial contrast arteriography에 의한 데이터가 있다. 플라크의 퇴화는 흔히 플라크 덩어리의 축소현상으로 여겨지고 있으나 이는 다른 형태로 진행될 수도 있다. 연속혈관조영술에 의해 나타난 내강협착의 감소는 실험적으로 나타난 플라크의 크기와 지질함량의 감소와 동시에 일어난다. 그러나 혈관 내 플라크가 팽창함에 따라 이와 밀접한 관계에 있는 동맥벽의 팽창이 혈관 내에서 팽창하는 플라크의 협착성을 방해는 경향이 있다. 그러한 동맥의 팽창은 혈관 내 플라크의 증가와 일치한 속도로 진행되며 플라크 부위가 평균 약 40%의 단면적을 차지할 때까지 내강협착을 막아준다(그림 6-2).

하지만 플라크가 지속적으로 팽창한다면 동맥이 팽창하는 능력을 앞지르게 되어 협착이 발생되게 된다. 따라서 심각한 내강협착의 발생과 정상적인 단면적의 유지 및

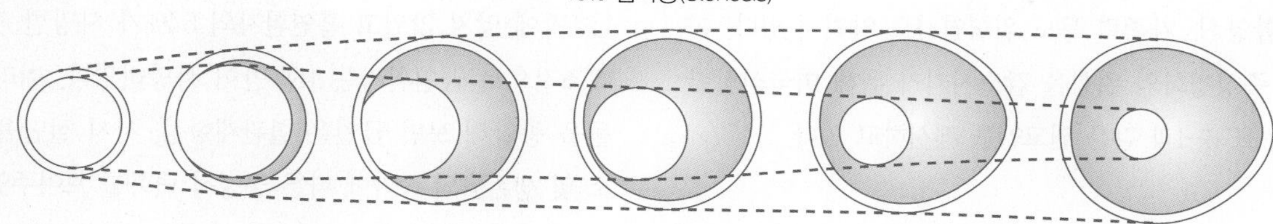

그림 6-2 **플라크 증가에 따른 동맥팽창.** 죽상경화 진행시 플라크가 일정 크기가 될 때까지 동맥팽창 또한 지속되어 내강직경을 유지시켜 준다.

내강 직경의 확장의 시작 등은 플라크의 성장속도와 동맥의 팽창속도에 달려 있다.

4. 불안정 플라크

허혈질환을 유발하는 죽상의 경우 죽상경화 플라크의 존재뿐 아니라 플라크의 안정성이 중요한데, 파열 위험성이 없는 죽상경화 플라크는 큰 플라크가 존재하더라도 혈관 리모델링으로 별다른 문제를 유발하지 않는다. 반면 불안정한 경우 플라크의 파열과 지질체의 노출 그리고 이로 인한 응고기전의 활성화를 초래하여 그로 인해 허혈증상을 유발할 수 있다. 안정적인 플라크와 급성 허혈증상을 유발할 수도 있는 불안정한 플라크를 구별할 수 있는 특징들은 여러 가지가 있다. 불안정한 플라크의 특징은 혈관 평활근세포와 바탕질로 이루어진 섬유질 캡이 얇아지는 것이다. 파열된 플라크를 관찰해 보면 캡이 정상적인 동맥벽과 만나는 병변 가장자리의 캡 부분이 얇아져 있다. 불안정한 플라크의 또 하나의 전형적인 특징은 속 부분이 지질과 세포 찌꺼기 혹은 혈전으로 가득 차 있다. 또 다른 특징으로는 상당한 양의 대식세포의 침투이다. 염증세포에서 방출된 단백분해효소와 엘라스타아제는 이러한 병변에서 볼 수 있는 섬유질 캡을 얇게 하는 역할을 하는 것으로 추측된다.

5. 죽상경화 위험인자

죽상경화의 가장 중요한 독립적 위험인자는 흡연, 고콜레스테롤혈증, 당뇨병 그리고 고혈압으로 알려져 있다. 그 외에도 고령, 남성, 고중성지방혈증, 고호모시스테인혈증, 좌식 생활양식, 가족력 등도 위험인자로 알려져 있다. 이와 같은 죽상경화의 위험을 감소시키기 위해 미국심장학회에서는 표 6-1과 같은 권고안을 제시하고 있다.

표 6-1. 죽상경화 예방을 위한 권장사항

콜레스테롤 조절
목표: Primary-serum LDL 100mg/dL; secondary-HDL 35mg/dL, TG 200mg/dL
방법: Diet: 30% fat, 7% saturated fat, 200mg/day cholesterol; specific drug therapy targeted to lipid profile
체중 조절
목표: 120% of ideal body weight
방법: Physical activity, diet as outlined
흡연
목표: Complete cessation
방법: Behavior modification, counseling, nicotine analogues
혈압
목표: 140/90mmHg
방법: Weight control, physical activity, sodium restriction, antihypertensive drugs
운동량
목표: At least 30minutes of moderate exercise 3 to 4times per week
방법: Walking, cycling, jogging, lifestyle and work activities

1) 흡연

미국에서는 매년 440,000명이 흡연과 관련된 질병으로 사망하고 있으며, 500억 불의 비용이 지출되고 있다. 일반적으로 흡연은 말초혈관질환에 걸릴 가능성을 3배로 높여준다. 또한 간헐적 파행증상이 있는 환자들을 대상으로 한 두 건의 대형 연구사례에서는 금연의 효과가 입증되었다. 이들의 연구결과에 의하면 환자의 11–27%가 권고대로 금연을 이행하였으며 금연 개시 후 3일 내에는 혈관질환에 의한 팔다리장애의 합병증이 감소하지 않았다. 그러나 7일 후에는 지속적으로 흡연을 한 환자의 16%에서는 휴식 시 통증이 지속되었으나 금연을 이행한 환자들에서는 휴식 시 통증이 소멸되었다. 10년 후에는 지속적인 흡연환자의 54%가 심근경색증을 앓았으며 금연환자는 11%밖에 앓지 않았고 흡연환자의 54%가 사망한 것과는 대조적으로 금연환자는 18%만이 사망하였다. 여러 자료들을 종합해 보면 금연은 혈관재형성, 사지 절단율의 감소 및 생존율의 증가에 따른 긍정적 변화를 보여주었다.

2) 고콜레스테롤혈증

미국 성인의 약 50%는 총 혈중콜레스테롤 수치가 200mg/dL 보다 높으며 20%가 240mg/dL보다 높다. 240mg/dL보다 높은 경우는 최고 위험수준으로 간주되며 200-239mg/dL을 일반적인 높은 위험수준으로 본다. 지질이 죽상경화와 연관되어 있다는 많은 증거들이 있으며 식이요법이나 생활습관의 변화만으로 아니면 약물요법과 병행하여 혈청 내 콜레스테롤을 낮추면 죽상경화의 발생을 줄일 수 있다. 특히 콜레스테롤을 운반하는 지질단백이 중요한데, 일반적으로 저밀도지질단백은 죽상경화를 유발하거나 조장하며, 고밀도지질단백은 소위 콜레스테롤의 역운반을 통해 죽상경화를 억제한다고 알려져 있다.

3) 당뇨병

당뇨병은 심장혈관질환에 의한 이환과 사망의 위험을 증가시킨다. 특히 인슐린비의존적 당뇨병 환자들은 중성지방, 저밀도지질단백 및 초저밀도 지질단백 입자의 수준이 높기 때문에 혈관질환의 위험이 높으며, 특히, 더 산화되기 쉬운 저밀도지질단백 입자를 생성하는 경향이 있다. 혈관질환을 촉진시키는 당뇨병의 유해작용에는 동맥 혈관벽 단백질의 무효소당화glycation, 저밀도지질단백 산화의 증진, 미세혈관질환, 세포기능의 변화, 혈전형성의 촉진 및 신장병과 고혈압의 발생을 들 수있다.

4) 고혈압

고혈압은 죽상경화증, 특히 뇌졸중, 허혈성 심장질환과 말초혈관질환의 잘 알려진 위험인자이다. 고혈압이 죽상경화의 발생을 촉진시키는 기전은 여러 가지가 있을 수 있는데 직접적인 물리적인 파탄효과, 혈관작용 호르몬에 주는 영향 및 동맥벽의 반응특성 변화 등이 포함된다. 고혈압이 죽상경화의 발생을 강화 또는 촉진하기는 하지만 고혈압 자체만으로 죽상경화를 발생시키는데 충분하지 못할 것으로 여겨지고 있다.

요약

죽상경화는 혈관질환의 가장 중요한 병인 중의 하나로 심근경색증, 뇌졸중 및 말초혈관질환의 주요 원인이다. 죽상경화의 발병원인에 대해서는 수많은 연구가 진행되어왔으며, 여러 이론들이 제시되었다. 그 중 가장 보편적인 이론은 "상처에 대한 반응response to injury" 가설이다. 이는 동맥 내벽의 손상 또는 기능이상으로 인해 죽상경화가 시작된다는 것이다. 혈관내피세포의 손상 또는 기능이상으로 백혈구와 혈소판이 내피에 흡착하게 되고 각종 cytokine의 분비, 혈관평활근세포의 증식 및 이동이 일어난다. 또한 대식세포가 플라크 내로 침투하여 여러 cytokine을 분비하여 죽상경화를 촉진하고, 플라크내 저밀도콜레스테롤을 포식하여 비만세포로 변형되어 축적된다는 것이다. 이러한 죽상경화의 위험인자로는 흡연, 고콜레스테롤혈증, 당뇨병 그리고 고혈압이 있으며, 이 외에도 고령, 남성, 고중성지방혈증, 고호모시스테인혈증, 좌식 생활양식, 가족력 등도 위험인자로 알려져 있다. 죽상경화를 예방하기 위해서 위험인자들을 잘 조절하는 것이 필수적이다.

II 동맥질환의 진단법

대부분의 증상이 있는 말초동맥질환의 경우에는 자세한 병력 청취와 문진을 통해서 동맥폐색 혹은 동맥협착을 예견할 수 있다. 여기에 도플러를 기본으로 하는 비침습적 검사와 침습적인 혈관조영검사 그리고 CT 혈관조영술, 자기공명 혈관조영술 등을 이용하여 동맥혈관 병변 부위와 병변의 특성을 확인할 수 있게 된다.

1. 비침습적 검사

1) 간접적 동맥 혈류 검사

비침습적 검사로서 간접적 동맥 혈류 검사란 동맥 병변 부위를 직접 육안으로 확인하는 것이 아니라 혈류에 대한 생리 기능적인 검사 결과를 해석함으로서 동맥 병변 유무를 유추할 수 있는 검사들을 말한다.

(1) 발목 상완지수

하지동맥 폐색증 환자에서 가장 널리 이용되는 비침습적 검사 방법이다. 발목 상완지수Ankle-Brachial Index 측정 방법은 양측 상완 동맥의 수축기 혈압과 발목에서의 경골동맥의 수축기 혈압을 측정하여 양측 상지 수축기 혈압 중 높은 것을 분모로 하고 검사하고자 하는 하지의 발목의 수축기 혈압을 분자로 하여 계산한다. 일반적으로 정상인은 1 이상이다(그림 6-3). 동맥 질환에 의한 허혈증상의 중증도과 발목 상완지수는 밀접한 상관관계가 있으며, 파행의 증상이 있는 환자에서는 0.5–0.7이며, 휴식시 통증이나 조직 손실 등 급박성 허혈 상태에서는 0.4 이하를 보여준다. 발목 상완지수는 치료 전 검사뿐만 아니라 치료 후 효과의 판정 및 경과 관찰에도 유용하게 사용된다.

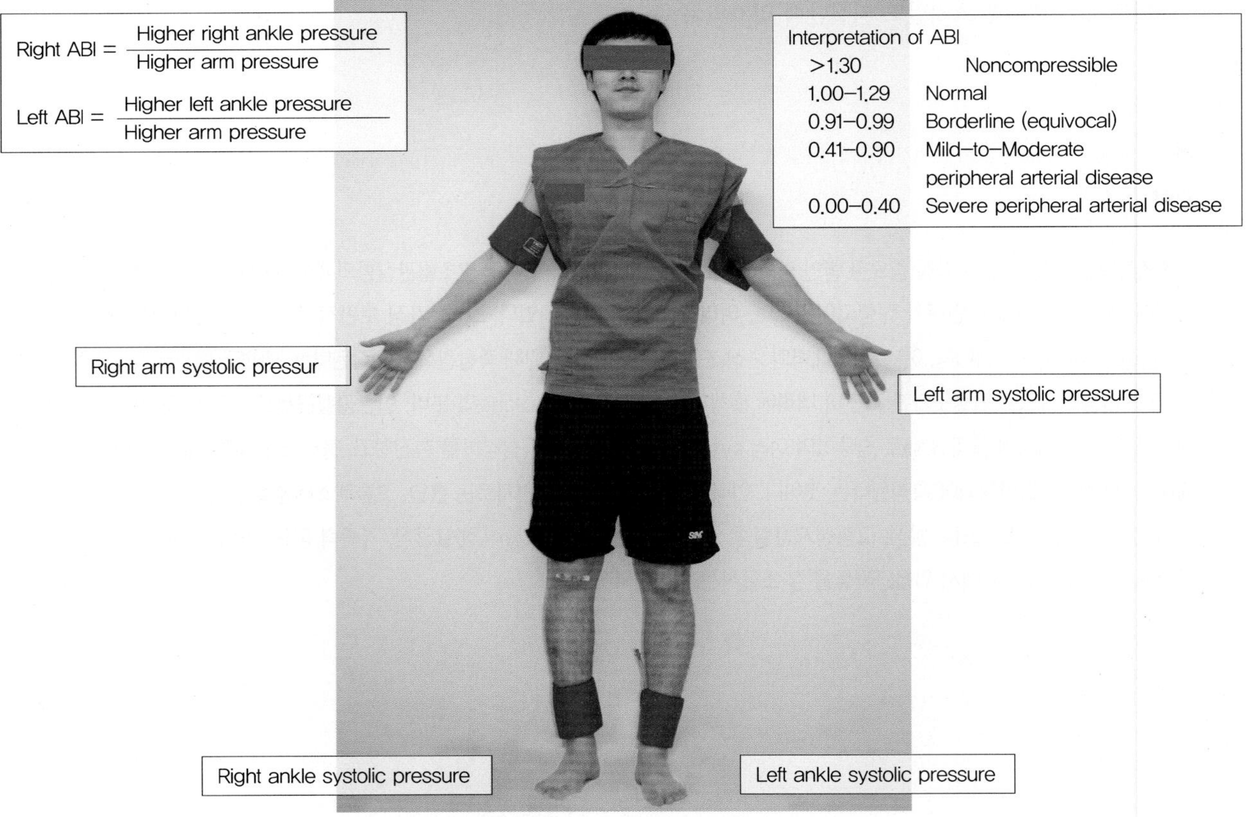

그림 6-3 **발목상완지수 측정법과 해석**

그러나 당뇨병, 신부전 환자 등에서와 같이 발목 동맥 혈관벽에 석회화가 심할 경우에는 발목 수축기 혈압이 비정상적으로 높게 측정되어 위음성의 결과를 보이기도 하니 주의하여야 한다. 따라서 이러한 경우에는 석회화의 영향을 덜 받는 발가락 동맥에서 Toe-Brachial Index (TBI)로 대신할 수 있다. 일반적으로 TBI의 정상 수치는 0.8-0.9이다.

(2) 사지 분절 압력

허벅지 상부와 하부, 무릎관절 하부, 발목, 발바닥의 각각 분절 압력을 측정함으로써 하지의 동맥 질환을 더 완전하게 검사할 수 있고, 이를 통해 병변의 위치 파악에 도움이 된다. 커프를 위의 위치에 감고 도플러 프로브로 혈류를 측정하면서 순차적으로 팽창과 수축시키고 동맥압 비율에서와 같은 방법으로 각 레벨에서의 동맥압 비를 측정한다(그림 6-4). 예를 들어 허벅지 상부의 혈압은 정상인에서 상완 동맥의 혈압보다 높으므로 동맥압 비가 1.0 미만인 경우 대동맥-장골 동맥의 폐색 혹은 협착이 있음을 암시한다. 각 분절의 혈압을 측정하여 그 차이가 30mmHg 이상일 경우 두 분절 간 동맥의 폐색 혹은 협착이 있을 것으로 예상할 수 있다. 그러나 이 검사도 동맥벽의 과도한 석회화가 있는 경우 위음성이 있을 수 있는 단점이 있다. 이 검사는 하지 뿐만 아니라 적적한 크기의 커프를 이용하여 손가락, 발가락의 동맥압을 측정할 수 있고, 발가락의 동맥압은 족부궤양이나 발가락 절단 후 창상 치유 가능성을 예견하는데 도움이 된다. 발가락의 동맥압이 30mmHg 이상이면 90% 이상의 환자에서 창상치유가 됨을 예측할 수 있으나 반면 10mmHg 이하에서는 창상치유가 잘 안 된다고 알려져 있다.

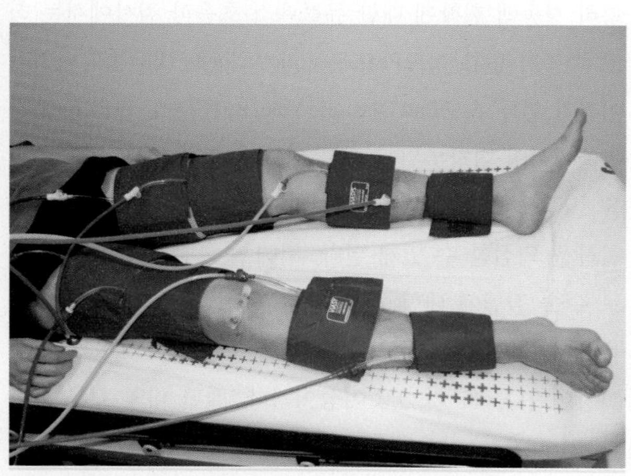

그림 6-4 **하지의 분절 압력 측정법**

(3) 운동 부하 검사

운동 부하 검사는 비특이적인 간헐성 파행 증상을 호소하는 환자에서 척추 질환과 같이 신경적인 원인과 동맥 협착 및 폐색에 의한 허혈질환 등을 감별 진단하는 데 유용한 검사이다. 대퇴 동맥의 병변이 있는 환자는 운동시 증상의 발생과 함께 지속적인 발목 혈압의 감소를 보이게 된다. 운동 부하 검사의 정상 소견은 동맥 질환을 명백히 배제할 수 있다.

(4) 맥박 용적 측정

맥박 용적 측정 검사pulse volume recording는 하지의 혈류 정도를 혈량측정기plethysmography로 측정하는 것이다. 혈량측정기란 커프를 감은 후 커프를 적절하게 팽창시켜 심장의 박동에 따른 하지의 용량 변화를 파형으로 기록하는 것이다. 파형의 분석을 통하여 말초 동맥 질환을 진단하는데, 동맥 질환이 심할수록 파형이 넓어지고 진폭은 낮아진다(그림 6-5).

(5) 도플러 파형 분석

도플러 파형의 분석doppler waveform analysis을 통해 병변의 정도를 분석하는 방법으로 파형이 삼상triphasic이면 정상이고, 중등도의 질환에서는 역류에 해당하는 파형이 사라지고 단조롭게 단파형monophasic으로 변화한다. 그리고 가장 심한 경우에는 파형이 사라지게 된다.

(6) 피부 혈류의 압력 측정

피부 혈류의 압력 측정Skin Perfusion Pressure (SPP), Finger or Toe Pressure 검사는 Raynaud 병과 같이 말단부 동맥 혈관에 국한된 질환 또는 발의 궤양이나 절단부에 대

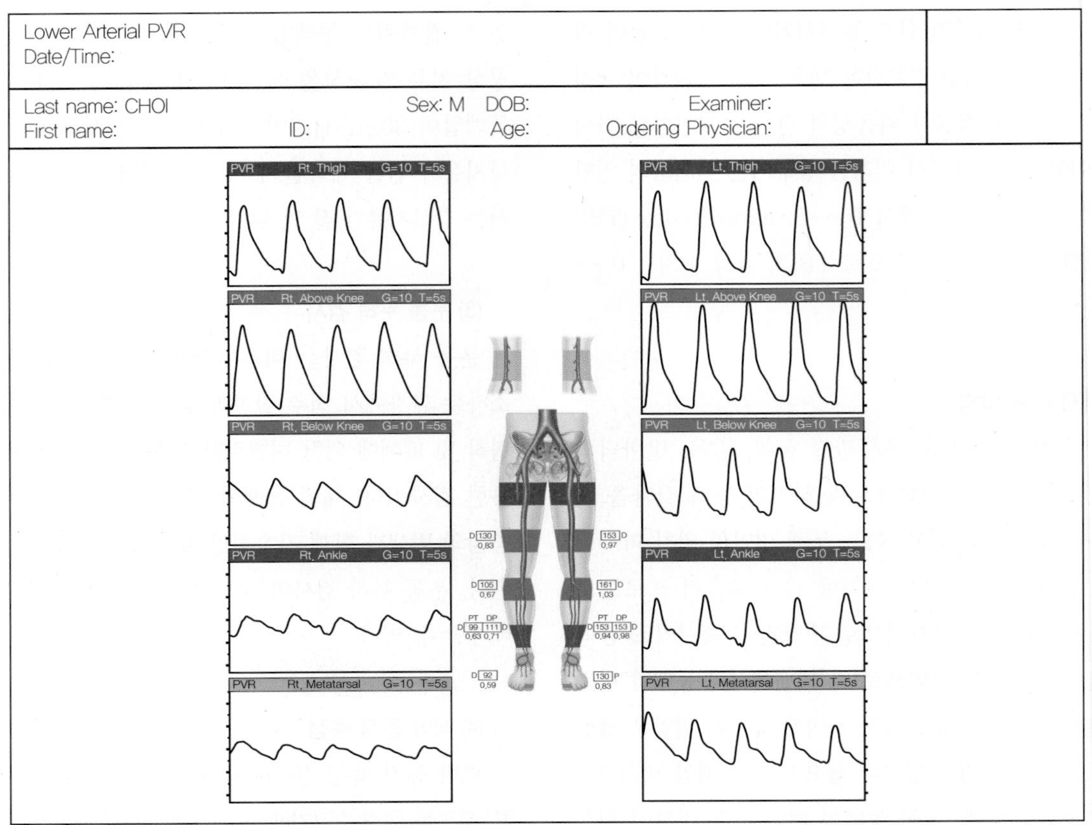

그림 6-5 정상측(좌측)과 대동맥-장골 동맥과 대퇴-슬와 동맥의 병변으로 휴식기 통증이 있는 환자(우측)의 맥박 용적 측정 결과

해 치유 가능성 정도를 예측할 수 있는 검사법이다. 발가락 압력이 30mmHg 이상이면 발의 상처가 성공적으로 치유될 가능성이 90%로 판단할 수 있다. 반면에 발가락 압력이 10mmHg 이하이면 치유 가능성이 낮음을 강하게 시사한다.

2) 직접적 동맥 혈류 검사

비침습적 검사로서 직접적 동맥 혈류 검사란 이 방법은 동맥 병변 부위를 직접 육안으로 확인하는 검사방법으로서 대표적으로 듀플렉스 초음파 검사가 있다.

(1) 듀플렉스 초음파 검사

듀플렉스 초음파 기계는 B-mode의 영상과 도플러 파형의 분석을 할 수 있도록 개발된 기계이다. B-mode는 혈관을 직접적으로 관찰하여 해부학적 정보를 얻을 수 있게 해주고, 좁아진 부위를 관찰하여 속도의 측정을 가능하게 해준다. 듀플렉스 초음파 검사는 전신 모든 혈관을 대상으로 검사가 가능하며 특히 복부 대동맥, 신동맥, 장골동맥, 하지 동맥 등을 평가하는데 유용하다(그림 6-6). 특히 경동맥 협착에 대한 듀플렉스 초음파 검사에서는 최고 수축기 혈류 속도Peak Systolic Velocity (PSV)와 마지막 이완기 혈류 속도End Diastolic Velocity (EDV), 그리고 총경동맥에서의 협착부위에 대한 최고 수축기 혈류 속도의 비율 Vr을 계산하여 Vr이 4보다 크면 임상적으로 유의한 협착을 의심할 수 있게 된다. 서혜부 하방의 동맥간 우회로 수술 절편에 대한 검사도 듀플렉스 초음파 검사가 유용하게 이용된다. 최고 수축기 혈류 속도가 300cm/sec 이상이거나, Vr 가 3.5 이상이거나, 절편 내의 혈류 속도가 40cm/sec 이하일 경우 혈류역학적으로 폐색 혹은 협착된 병변을 시사한다. 듀플렉스 초음파 검사를 이용한 혈관 mapping은 중재 시술이나 우회로술의 적합성 여부를 결정하는데 유용하지만, 하지의 전 동맥을 검사하는 것은 시간이 많이 소모되고, 검사자에 따른 변이가 있다. 듀플렉스 초음파 검사에서 장관 내 공기는 복부 동맥의 평가에 기술적인 제약을 일으키고, 사지의 관류 검사에서도 분절 압력, 맥박 용적 측정과 같이 포괄적인 측정치를 보여주지 못한다는 한계가 있다. 이상을 바탕으로 임상양상에 따라 적절한 비침습적인 검사를 정리하면 표 6-2와 같다.

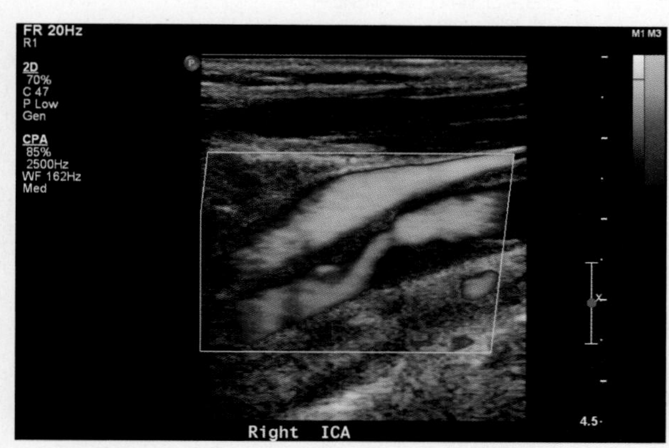

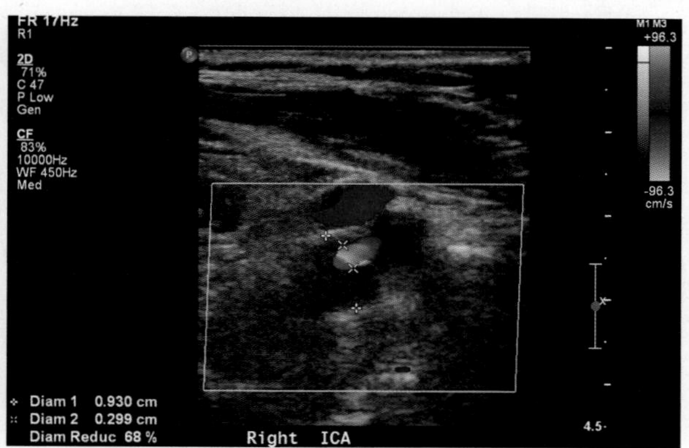

그림 6-6 **경동맥초음파 검사 사진.** 우측 내경동맥에 협착소견이 보인다.

표 6-2. 비침습적 혹은 침습적 혈관 검사의 종류와 장단점

진단검사	장점	단점
발목 상완 지수	말초동맥질환의 진단에 있어서 빠르고 경제적이다.	혈압 측정 시 동맥이 제대로 압박되지 않으면 결과가 부정확할 수 있다. 특히 노인 혹은 당뇨환자에서 부정확한 결과를 나타낼 수 있다.
발가락/상완동맥압비율	• 말초동맥질환의 진단에 있어서 빠르고 경제적이다. • 작은동맥폐색질환이 있을 때 발가락의 관류를 측정할 수 있다.	작은 cuff가 필요하며 정확도를 높이기 위해서 술기의 주의가 필요하다.
분절압력측정	• 말초동맥질환의 진단에 유용하다. • 말초동맥질환의 병변위치를 파악할 수 있다. • 하지 생존, 창상치유를 예측할 수 있다. • 수술 및 중재치료의 효과를 추적 관찰하는데 유용하다.	혈압 측정 시 동맥이 제대로 압박되지 않으면 결과가 부정확할 수 있다. 특히 노인 혹은 당뇨환자에서 부정확한 결과를 나타낼 수 있다.
맥박용적측정	• 외래에서 말초동맥질환의 진단에 유용하다. • 만성팔다리허혈증 환자에서 절단의 위험도를 예측할 수 있다. • 혈류 재건수술 후 관류 정도를 측정한다.	• 동맥압박이 되지 않는 환자의 평가가 어렵다(특히 발목 상완 지수 1.3의 환자). • 먼 쪽 분절의 정확성은 떨어진다. • 다른 비침습적검사보다 정확성이 떨어진다. • 심박출량이 적은 환자에서 정확하지 못하다.
연속 도플러 파형 분석	• 하지 말초동맥질환의 정도, 진행의 평가에 유용하다. • 병변위치를 파악하는데 도움이 된다. • 혈류 재건 수술에 대한 정량적 평가 자료가 된다.	• 협착부위 하방에"Pulse normalization"현상으로 검사의 민감도가 떨어진다. • 해부학적 결과를 보여주지 못한다. • 심하게 동맥이 휘었거나 석회화가 심한 경우에 정확도가 떨어진다. • 장골동맥의 경우 비만, 장내 공기, 동맥의 굴곡에 의해 민감도가 떨어진다.

진단검사	장점	단점
듀플렉스 초음파검사 (Duplex scan)	• 말초동맥질환의 진단에 유용하며 병변위치, 정도를 파악할 수 있다. • 혈관 내 중재적치료 및 수술적 치료의 방법을 선택하는 데 유용하다.	• 근위 대동맥-장골동맥 질환에 있어서 비만, 장내공기에 의해 정확도가 떨어진다. • 석회화가 심한 경우 정확하지 못하다. • 근위부 협착 하방의 병변의 평가에 민감도가 떨어진다. • 인조혈관 우회술의 감시(surveillance)에 있어서 양성예측율이 떨어진다.
운동부하 검사(Toe-tip exercise testing, with preexercise and post-exercise ABIs)	• resting ABI 가 정상일 때 하지의 말초동맥질환 진단에 유용 • treadmill 기계가 없을 때 유용하며 경제적이다.	• 정성적인 결과만을 제공한다. • 운동부하가 적어 증상을 유발하기가 어렵다.
운동부하검사 (Treadmill exercise testing, with and without pre-exercise and postexercise ABIs)	• 가성간헐적파행(pseudoclaudication)감별에 도움 • resting ABI가 정상일 때 하지의 말초동맥질환 진단에 유용 • 간헐적파행증 환자에서 객관적인 결과치를 알 수 있다. • 운동의 안정성을 입증할 수 있고 운동처방 시에 개별적인 자료를 제공할 수 있다. • 간헐적파행의 치료 후 객관적인 결과를 알 수 있다.	검사장비와 숙련된 검사자가 필요하다.
자기공명혈관조영술 (Magnetc resonance angiography)	• 말초동맥질환 환자의 해부학적 구조와 유의한 협착을 평가하는데 유용하다. • 혈관 내 중재적 치료 및 수술적 치료의 방법을 선택하는 데 유용하다.	• 협착의 정도가 과대평가되는 경향 • 금속 스텐트가 삽입된 동맥의 평가는 부정확하다. • MRI 의 금기증 환자에서 사용이 불가능하다(예; pacemakers, defibrillators, intracranial metallic stents, clips, coils, and other devices).
CT 혈관조영술 (CT angiography; CTA)	• 말초동맥질환 환자의 해부학적 구조와 유의한 협착을평가하는데 유용하다. • 혈관 내 중재적 치료 및 수술적 치료의 방법을 선택하는데 유용하다. • 말초동맥질환과 관련된 혈관질환을 진단하는데 유용(동맥류, 슬와동맥 포착증후군, 낭성외막질환)하다. • MRI 금기증 환자에서도 안전하게 영상을 얻을 수 있다. • metal clip, stents 등도 영상에 영향을 미치지 않는다. • 검사시간이 자기공명 혈관조영술에 비하여 짧다.	• single-detector CT 혈관조영술로는 정확한 협착부위를 알기 어렵다. • 공간해상력이 디지털삭감영상에 비하여 낮다. • 정맥 내의 조영효과 혹은 다리의 비대칭 조영증강에 의하여 동맥의 영상이 방해를 받을 수 있다. • 정확도와 유용성에 있어서 자기공명 혈관조영술만큼 확립되지 않았다. • CT 혈관조영술에 의한 치료계획이 catheter angiography에 비하여 확립되지 않았다. • 방사능 노출위험이 있다. • 신기능저하 환자에서 조영제의 사용이 제한적이다.
혈관조영술 (Contrast angiography)	• 혈류 재건술을 필요로 하는 말초동맥질환 환자에서 해부학적 평가를 하는 definitive한 검사법이다.	• 침습적 검사방법으로 출혈, 감염, 혈관내 접근합병증(혈관박리, 혈종), 조영제 알러지 및 신기능 저하, 색전의 위험도가 있다. • 만성허혈증환자에서 혈류가 약하여 tibial-pedal의 영상이 부정확하다. • 무릎관절 아래 동맥의 평가가 digital subtraction angiography로 어렵다. • 조영제의 사용이 반복적이다.

* Tools are listed in order from least invasive to most invasive and from least to most costly.

CLI: indicates critical limb ischemia, PAD: peripheral arterial disease.

2. 침습적 검사

1) 도관 혈관 조영술

동맥혈관 병변을 확인하기 위한 대표적인 침습적 방법이다. 과거에는 치료목적뿐만 아니라 진단목적에도 이용되었으나 시술에 따른 합병증뿐만 아니라(표 6-3) 비침습적 진단 기계들의 발전에 따라 지금은 진단 목적으로 이용되기 보다는 치료 목적으로 주로 이용되고 있다.

특히 도관 혈관 조영술catheter angiography에서 사용되는 조영제는 인체가 해가 될 수도 있으므로 사용에 있어서 주의하여야 한다.

표 6-3. 도관 혈관 조영술의 합병증

카테터와 관련된 합병증
출혈, 혈종 가성동맥류 동정맥루 색전증 혈전증
조영제와 관련된 합병증
과민반응(anaphylactoid reaction) 신독성(Nephrotoxicity)

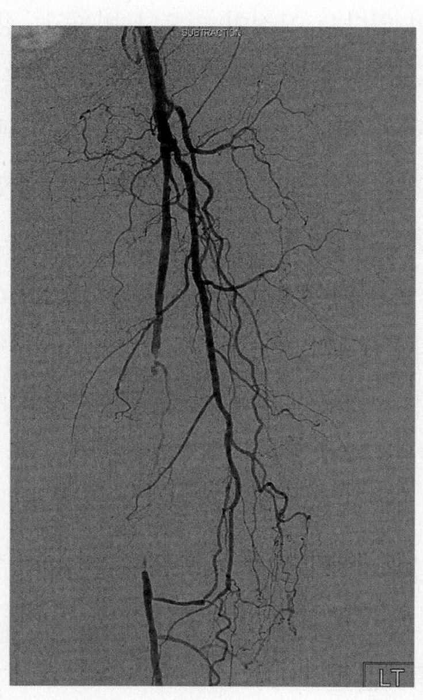

그림 6-7 하지 동맥조영 검사. 좌측 대퇴동맥이 완전 폐색된 소견을 보이고 있다.

(1) 요오드화 조영제

도관 조영술에서 가장 널리 사용되는 것은 수용성 요오드화 조영제iodinated contrast agent이다. 요오드화 조영제는 이온성과 비이온성으로 나누어진다. 고전적인 이온성 조영제는 삼투압이 높아 혈관 내막에 대한 직접적인 독성을 가지고 있다. 많은 환자들이 조영제 주사 시 불편감을 느끼고 약 4%의 환자에서는 과민반응을 일으킨다. 조영제 부작용, 과민반응, 알레르기 등이 있는 환자는 조영제를 필요로 하지 않는 다른 검사를 활용하는 것이 좋다. 조영제의 사용 시 반드시 신독성을 고려해야 하는데, 약 5%에서 발생하며 대부분은 신독성이 일시적이다. 그러나 신기능의 장애가 있거나 당뇨, 탈수, 고령, 최근의 수술 이력이 있는 경우 등 고위험군 환자에서는 20-30%에서 신독성 발생이 가능하기때문에 이들 환자는 검사 전 탈수를 교정하고 48 시간 후 신장기능의 확인이 꼭 필요하다. 논란의 여지가 있으나 신장기능의 손상이 있는 환자에게 N-acetylcysteine을 검사 2일 전후로 600mg씩 주사하는 것이 신장기능의 보호에 도움이 될 수 있다. 비이온성은 신장 독성이 적어 고위험군 환자에게 선택적으로 사용될 수 있으나 월등히 비싼 비용이 문제이다.

(2) CO_2 조영제

CO_2 조영제는 요오드화 조영제의 신독성 문제로 신기능 저하 환자에서 그 활용이 기대된다. 요오드에 대한 과민 반응이 있는 환자, 호흡기 질환이 있는 환자에서도 사용 가능한 장점이 있으나, 영상의 질이 떨어지고, 장간막동맥은 잘 보여지지 않으며, 뇌혈류로의 색전 가능성이 있는 단점이 있다.

(3) Gadolinium 조영제

Gadolinium 조영제는 기존의 요오드화 조영제에 비해 방사선학적으로 더 못하고 MRI에서와 달리 혈관조영술에 사용될 경우 신독성이 더 심한 것으로 알려지고 있

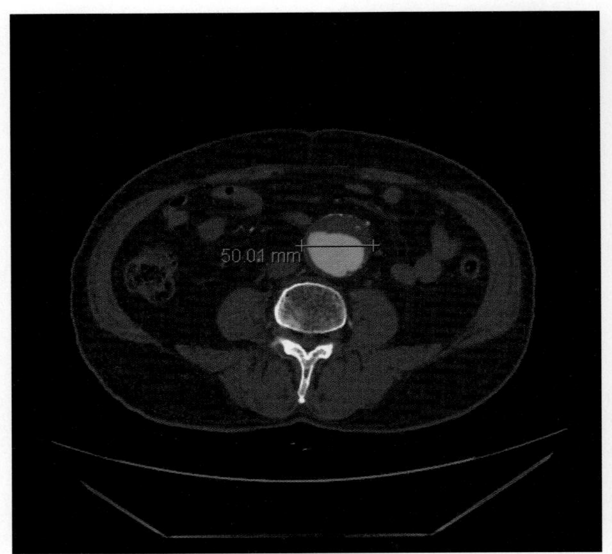

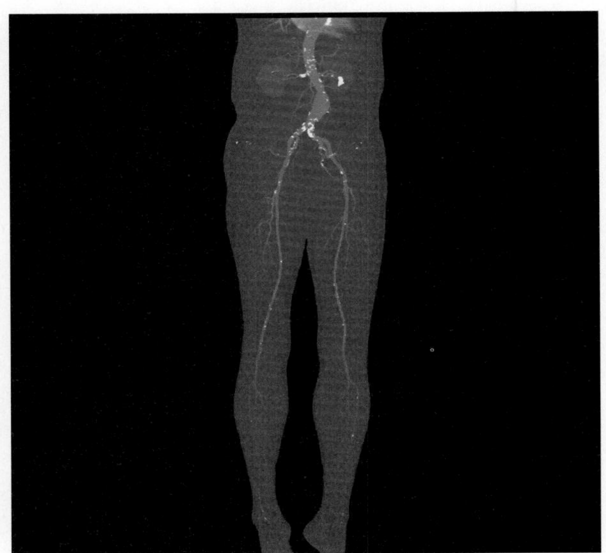

그림 6-8 **CT 혈관 조영술 사진.** 신장동맥 하방에 복부대동맥류 소견이 보이고 있다.

다. 그러므로 용량은 최대한 0.3mmol/kg이고 세심한 주의가 필요하다.

3. CT 혈관 조영술

나선형 CT의 개발은 검사시간을 30초 미만으로 촬영 간격을 줄임으로써 환자의 움직임에 대한 오류를 줄이고 공간 해상력을 개선시켰으며, 영상의 질을 올리게 되었다. 다점multidetector 나선형 CT는 여러 곳에서 영상을 촬영함으로써 더욱더 영상의 질을 높이게 되었다. 영상의 3차원 재건 기술은 특히 심하게 휘어져 있는 혈관이나 동맥류의 진단과 치료에 도움을 준다. 현재 CT 검사는 대동맥류의 진단, 대동맥류의 치료 결과 판정, 혈관 내 stent의 관찰, 외상성 손상의 진단에 유용하게 사용되고 있다(그림 6-8).

4. 자기 공명 혈관 조영술

자기 공명 혈관 조영술Magnetic Resonance Angiography (MRA)은 기술의 급속한 발달로 그 활용분야가 넓어지고 있는 검사이다. 과거 검사의 제약이 많았으나 Gadolinium을 사용하게 되고 검사시간이 단축되었으며, 현재 1mm 간격으로 촬영이 가능하며 3차원 영상 재조합을 통해 혈관 조영술에 비교할 만한 영상을 만들 수 있게 되었다. 현재 MRA는 혈관 기형이나 주요 복부 정맥에 대한 검사의 test of choice 이다. CT 와 비교하였을 때 MRA는 신독성이 없다는 장점이 있으나 비싸고, 장비가 드물며, 폐쇄 공포증에서 사용이 불가능하고, 좁은 영역만 볼 수 있으며 혈관 내 혈전의 확인이 어렵고, 동맥벽의 석회화가 심한 경우 효용성이 제한된다는 단점이 있다. MRA에서 혈관을 조영 증강하는 기전은, 들어오는 혈류의 속도에 의해 영상의 밝기가 달라지는 Time-of-flight (TOF) 원리로서, 그 결과 협착부위가 과도하게 표현되는 단점이 있어, MRA에서 보이는 협착에 대해 기존 혈관 조영술을 통한 확인이 필요하다(그림 6-9).

5. 부위별 동맥혈관 검사

1) 하지의 동맥혈관

듀플렉스 초음파 검사를 통해 장골 동맥, 대퇴 동맥, 경골 동맥까지 검사가 가능하다. 듀플렉스 초음파 검사를

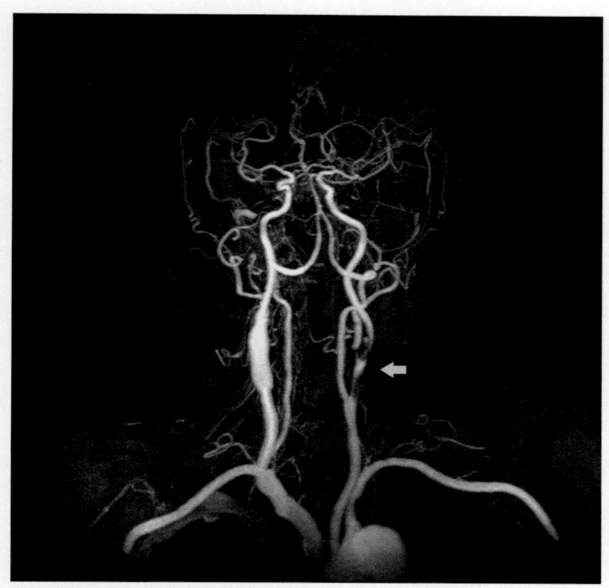

그림 6-9 자기 공명 혈관 조영술 사진. 뇌동맥협착증

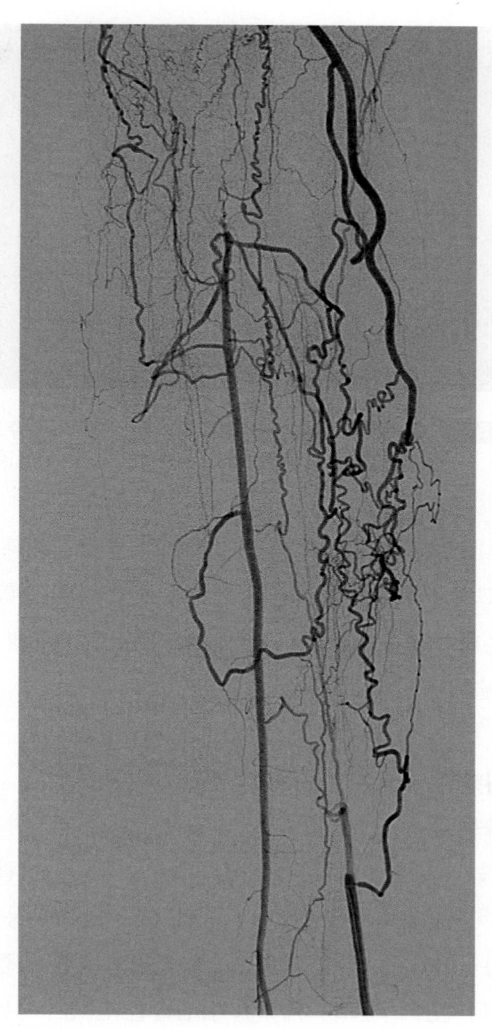

그림 6-10 버거병 동맥조영 검사. 기존의 동맥 혈관이 폐색되어있고 나선형 측부혈관들이 발달되어 있는 소견을 보이고 있다.

통해 병변의 위치나 특성을 확인할 수는 있으나 색전과 혈전을 구분 할 수는 없다. 원위부로의 동맥 우회로술이 계획되어 있는 환자에서 동맥 폐색의 위치뿐만 아니라 근위부와 말단부의 적합한 문합부위 등을 사전에 결정하여 한다. 만일 이 경우 듀플렉스 초음파 검사만으로 정보가 충분하지 못하는 경우에는 CT 혈관 조영술 또는 도관 혈관 조영술등을 추가로 시행할 수도 있다. 도관 혈관 조영술은 버거씨병과 같은 혈관염 질환에서는 여전히 유용한 진단 방법이다. CT 조영술과 같은 비침습적 검사가 추가적인 미세 색전증을 예방하는 차원에서 권장되기도 하나, 도관 혈관 조영술은 직접 혈관 내 압력의 측정이나 미세한 협착의 정도를 확인할 수 있고 진단과 동시에 혈관 내 치료를 진행할 수 있는 장점도 있다(그림 6-10).

2) 상지의 동맥혈관

상지의 동맥혈관은 듀플렉스 초음파 검사를 통해 진단이 가능하지만 쇄골하 동맥과 근위부 액와동맥이 쇄골 등으로 인하여 초음파 접근이 어려운 경우에는 도플러 파형의 관찰로 간접적 진단을 시도하기도 한다. 간혹 손의 X-ray 촬영이 CREST 증후군이나 당뇨나 신부전에 의해 석회화된 혈관을 진단하는데 도움을 주며 흉부 방사선 촬영은 흉곽 유출 증후군의 원인을 찾는데 도움이 된다. 자기공명검사는 대동맥궁의 분지를 관찰하는데 활용되나 맥박에 따른 오류가 발생할 수 있고, CT 조영검사는 상지 및 대동맥궁 병변을 확인하는데 유용하다.

3) 경동맥

경동맥에 대한 병변을 확인하기 위하여 1차적으로 추천되는 검사법은 듀플렉스 초음파 검사법이다. 듀플렉스 초음파 검사는 경동맥 협착증에 대한 내막절제술 혹은 스

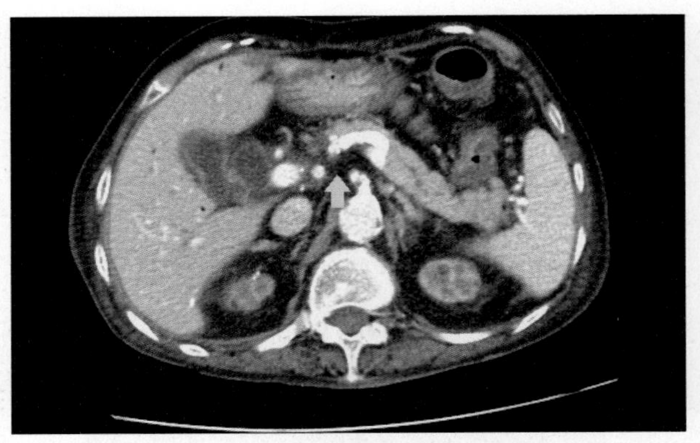

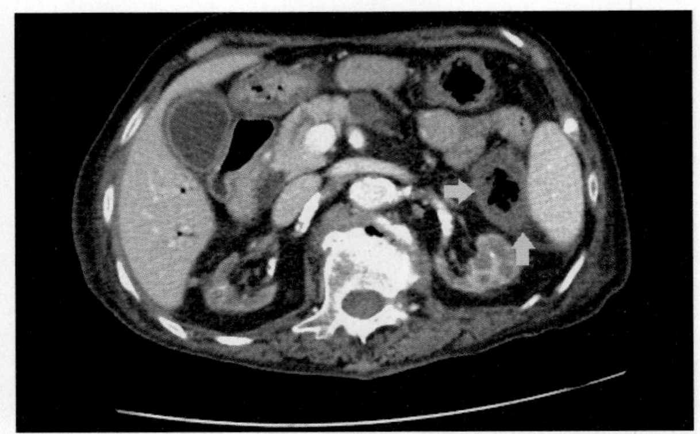

그림 6-11 **CT조영술.** 상장간막동맥이 폐색된 소견을 보여주고 있다.

텐트 삽입술 전 후에 경과 관찰하는데 널리 이용되고 있다. 그러나 협착 부위, 굴곡, 꺽임의 정도 등을 정확하게 알아야 하는 경우에는 CT 혈관조영술 혹은 자기공명 혈관조영술이 도움이 된다.

4) 대동맥

복부 혹은 흉부 대동맥류에 대한 치료를 계획하는 경우에는 동맥류의 크기와 범위, 주요 동맥들과의 관계를 정확히 알아야 하기 때문에 CT 혈관조영술이 유용하다. 그러나 치료 후 경과 관찰에는 듀플렉스 초음파 검사가 추천되지만, 스텐트 그라프트 삽입술을 한 경우에는 CT 혈관조영술이 유용하기도 한다.

5) 장간막 동맥

소장 혹은 대장에 출혈이 있는 경우 내시경을 통해 출혈 부위의 확인이 어렵거나 불확실할 경우 응급상황이 아니라면 방사선 핵종 검사를 할 수 있지만, 출혈이 과도하거나 위급상황이면 도관 혈관 조영술이 추천된다. 방사선 핵종 검사에는 Technetium 99m sulfur colloid 혹은 99mTc 가 부착된 적혈구, 99mTc pertechnetate를 주로 사용하며 소량의 출혈에 대한 감지에는 혈관 조영술보다 우수하다. 혈관 조영술은 출혈 부위를 직접 확인하거나 혈관 기형의 진단이 가능하고 코일 색전술 뿐만 아니라 직접적인 혈관내 치료가 가능하다는 장점이 있다.

복강동맥, 상장간막동맥, 하장간막동맥에 폐색이나 심한 협착이 있을 경우 장 허혈 증상이 유발될 수 있다. 특히 상장간막동맥 폐색으로 인한 급성 복통이 있는 경우 수시간 이내에 진단하고 폐색된 상장간막동맥을 해결하여 주지 못하면 광범위 장궤사가 초래될 수도 있으므로, CT 혈관조영술 혹은 도관 혈관조영술을 통한 조기 진단이 요구된다(그림 6-11).

또한 장간막 동맥류는 CT 혈관조영술을 통해 진단이 쉽게 된다.

듀플렉스 초음파 검사는 장내 가스로 인한 검사에 어려움뿐만 아니라 장간막동맥의 해부학적 위치의 변형으로 인하여 원위부 동맥에 대한 검사에는 한계가 있다.

6) 신장 동맥

신장동맥류뿐만 아니라 신장동맥 협착증에 대하여 진단과 치료 목적으로 듀플렉스 초음파 검사, CT 혈관조영술, 도관 혈관 조영술등이 선택될 수 있다. 듀플렉스 초음파 검사의 경우 복부대동맥에서 분지되는 부위의 신장동맥 부위는 관찰이 용이하지만 원위부 신장동맥에 대한 검사 정확도는 떨어진다. CT 혈관조영술(그림 6-12) 혹은 도관 혈관 조영술은 진단 정확도는 높지만 사용되는 조영제로 인한 신독성으로 신장기능 장애가 유발될 수 있는 단점이 있다.

신독성이 없는 gadolinium을 사용한 자기공명 영상조

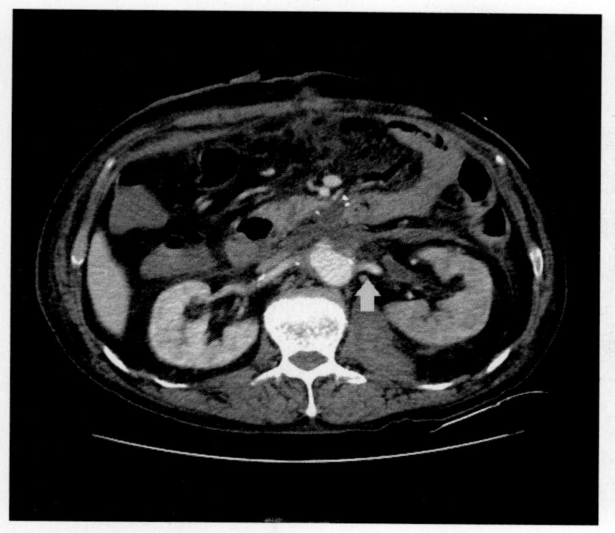

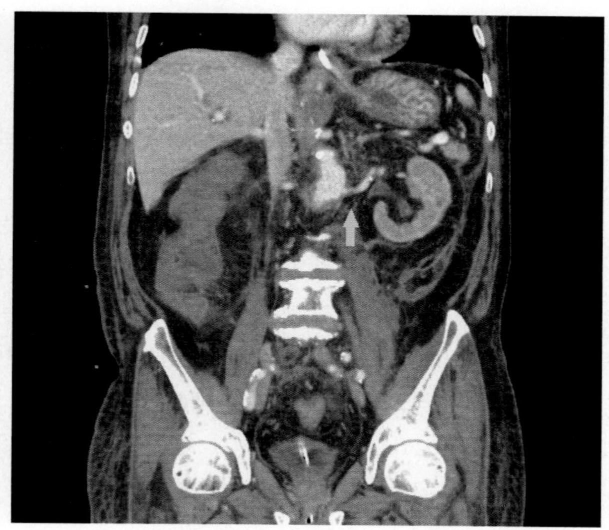

그림 6-12 **CT조영술.** 신장동맥 협착증

영술의 경우에는 신장 동맥 기시부의 병변에 대해서는 높은 정확도를 가지고 있으나 원위부 신장 동맥에 발생하는 섬유근성 이형성에 대해서는 정확도가 낮은 단점이 있다.

7) 외상성 혈관 손상

혈관의 외상성 손상은 여러 원인으로 발생한다. 대부분 병력과 임상 특징이 진단을 제공하고, 만일 환자의 혈압이 낮을 경우 즉각적인 수술적 지혈이 필요하다. 환자가 안정적이라면 검사를 통해 출혈과 손상의 부위를 확인하고 정도를 파악하는 것이 도움이 된다. 이를 바탕으로 치료방법을 결정하는데, 간혹 혈관내 치료를 통해 해결할 수 있다. 흉부 단순 촬영에서 대동맥의 손상은 종격동의 확장, 첨부모자apical cap, 그리고 기관trachea, 기관지, 비위관의 전위 같은 소견을 보인다. 혈관 손상에 대한 판단에는 CT가 많은 도움이 되는데, 초음파에 비해 출혈 부위를 정확히 알 수 있고, 치료 방침을 결정하는데 도움을 준다.

8) 폐동맥

폐동맥에 대한 검사는 폐동맥 색전증이 의심될 경우 또는 폐동맥 고혈압이 의심될 경우에 만성 혈전 색전증을 배제하기 위해 시행한다. 급성 폐동맥 색전증이 의심된다

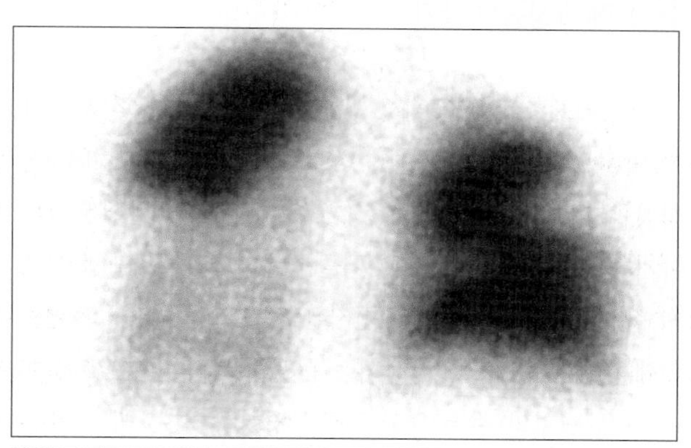

그림 6-13 **VQ scan 사진.** 우폐 하엽에 큰 관류결손부위가 있는 소견을 보여주고 있다.

면 방사선 핵종 환기-관류 검사(그림 6-13)를 하거나 CT혈관 조영술을 하게 된다. 그러나 방사선핵종 환기-관류비는 진단적 가치가 50% 이하이므로 나선형 CT 혈관 조영술이 우수하고, 진단과 동시에 혈전 치료가 필요할 경우에는 도관 혈관조영술이 우수하다. 광범위한 폐색전증이 발생한 경우에는 진단뿐 아니라 혈전용해, 혈전 제거술 등을 동시에 시행하기 위해 도관 혈관 조영술이 더 적절한 검사법이 될 수 있다.

요약

혈관 질환의 진단에서 간접적으로 혈류를 측정하는 방법으로는 발목상완지수 검사, 분절 압력 검사, 운동부하 검사, 맥박 용적 측정, 도플러 파형의 분석, 발가락 압력 측정 등의 방법이 있다. 이들 방법을 통하여 혈관 질환의 선별, 질병의 정도와 병변의 위치 확인, 예후 측정에 도움을 받을 수 있다. 듀플렉스 초음파 검사는 직접적으로 혈류를 측정하는 방법으로 대부분의 혈관을 관찰할 수 있으며, 각종 혈관 질환의 진단에 중심적인 역할을 한다. 도관 혈관 조영술은 조영제 부작용, 과민반응, 도관과 관련된 합병증 등이 있지만, 정확도가 높고, 진단과 동시에 치료가 가능하다는 장점이 있다. CT 혈관조영술과 자기공명 혈관조영술은 최근 기술적인 발달로 적용 범위가 점차 넓어지면서 침습적인 도관 혈관 조영술을 대체해 나가고 있다. 병변의 위치와 각각의 검사의 장단점에 따라 임상적으로 적절한 검사를 선택하는 것이 필요하다.

III 폐쇄성동맥질환

동맥폐쇄증은 서양에서 많이 발생하여 사망환자의 가장 많은 원인으로 알려져 있다. 동맥폐쇄가 진행되면 뇌, 심장, 복부내장 등 중요한 장기 또는 사지의 혈행장애를 야기하므로 심근경색 혹은 뇌졸중에 의하여 사망에 이르게 할 뿐만 아니라 인체의 현저한 기능 장애, 기능 손실로 인해 사회에 큰 경제적, 사회적 문제를 가져올 수 있다. 동맥 폐쇄 병변의 주된 원인은 죽상경화증이며, 이 질환은 고령화 때문에 서구에서는 국가의 가장 우선적인 건강문제로 대두되고 있다.

1. 동맥 폐쇄증 치료의 원칙

1) 내과적 치료

죽상동맥 경화증에 대한 내과적 치료의 목적은 병변의 진행억제와 퇴행, 병변으로 인한 합병증 예방이다. 내과치료의 주된 내용은 동맥 경화증의 위험인자에 대한 치료로 혈중지질치 저하를 목적으로 하는 식이 요법으로부터 시작하여 다양한 약물요법이 사용되고 있다. 최근에는 소장에서 콜레스테롤 흡수억제 혹은 콜레스테롤 에스테르 전이 단백질Cholesterol Ester Transfer Protein (CETP)을 차단함으로써 콜레스테롤의 역이동을 증가시키는 약물 등이 소개되고 있다. 지질 이상의 치료는 일괄적이기 보다는 각 개인 환자에 맞게 선택적으로 사용되는 것이 바람직하다. 미국심장학회와 미국심장협회의 지침에 따르면 말초동맥 폐쇄증을 가진 모든 환자에서 혈중 LDL 콜레스테롤치를 100mg/dL 이하로 유지할 것을 권하고 있으며 특히 고위험군인 당뇨병, 대사성 증후군, 관상동맥 질환이 있는 환자에서는 70mg/dL 이하를 유지할 것을 권하고 있다. 금연은 동맥 질환에서 가장 중요한 내과적 치료의 하나이고, 항혈소판제도 말초혈관 질환의 치료에 매우 중요한 요소이다. 항혈소판제의 사용 목적은 혈전 형성 방지와 색전증 방지이며 이론적으로는 죽상경화증 발병에 혈소판이 작용한다는 점을 감안하여 죽상경화증 진행을 억제하는 것이다. 아스피린은 주된 항혈소판제로 심근경색증의 과거력, 경동맥 병변에 의한 뇌경색, 말초동맥 폐쇄증에서 유익한 효과가 있다는 사실이 입증되었다.

최근 새로운 형태의 항혈소판제인 클로피도그렐clopidogrel, 티클로피딘ticlopidine은 더욱 강력한 항혈소판 효과를 가진다.

2) 동맥 수술의 기본적 술기

동맥폐쇄증의 수술 치료의 역사는 약 50여년에 불과

하다.

동맥재건수술을 가능케한 역사적 사건은 항응고제 헤파린의 발견, 혈관 조영술, 동맥 동종 이식, 인조혈관 개발, 스텐트삽입술, 풍선 혈관성형술 등으로 요약할 수 있으며 특히 봉합사와 수술 기구의 꾸준한 진보가 현대 혈관외과를 가능하게 했다.

동맥 수술의 성패는 혈관을 다루는 섬세하고 특별한 수술술기에 달려 있다고 해도 과언이 아니다. 동맥에 절개를 가할때는 병변이 없는 말랑 말랑한 부위를 택해야 하며, 절개의 방향(종절개 혹은 횡절개)은 혈관의 굵기, 병변의 위치, 시행해야 할 수술 등에 의해 결정된다. 종절개는 절개를 연장하기 쉽고 후에 문합부로 사용하기에 편리하지만 작은 크기의 혈관에서는 봉합했을 때 협착이 생길 수 있으므로 주의를 요한다. 이같은 협착은 정맥 패치를 이용하여 방지할 수 있다. 비교적 큰 혈관(예; 장골동맥, 대퇴동맥)에서는 횡절개가 흔히 이용되는데 주로 카테터 색전 제거술 등에서 이용된다. 횡절개는 협착을 방지할 수 있는 장점이 있는 반면 절개창을 확대할 수 없고 문합부로 사용하기에 곤란하다는 단점이 있다.

혈관 봉합에는 비흡수, 단일섬유 봉합사(예; polypropylene)를 사용하는데 바늘의 크기가 실의 굵기와 거의 같아서 봉합 시 혈관벽에 주는 손상을 최소화하며 바늘 구멍으로의 출혈을 줄일수 있도록 만들어져 있다. 혈관벽 내부의 혈관 내피 세포가 봉합 시의 손상으로 소실되면 그 부위에서 혈전이 형성될 수 있다. 그러므로 혈관 내벽은 가능하면 수술 기구에 닿아서는 안되며 수술 시 이를 지키기 위한 많은 주의가 요구된다. 혈관 수술 시 주의해야 할 또다른 것들은 경화판의 박리로 인한 색전증, 혈관벽 해리, 내막 피판intimal flap 형성 등이 발생하지 않도록 해야한다는 것이다. 이를 위해서는 봉합침이 혈관 내측에서 외측 방향으로 찔러야 하며 혈관벽 전층을 포함하여 봉합하여야 한다. 봉합한 후에는 내경이 좁아지지 않고 약간 외번eversion되어야 하는데, 이는 혈관 외벽의 조직이 혈관내로 말려 들어가면 혈전 형성의 위험이 생기기 때문이다. 이러한 미세한 문제점을 피하기위해서 반드시 확대 안경을 착용하는 것이 통례이다. 혈관 봉합의 방법은 몇 가지가 있지만 큰 혈관에서는 연속continuous 봉합법이, 작은 혈관에서는 단속interrupted 봉합법이 주로 이용된다. 소아에서는 차후에 성장하여 혈관이 자랄 것에 대비하여 단속봉합을 권하고 있다. 혈관 패치 혹은 이식편을 이용한 문합 시에는 주로 연속 봉합이 이용되는데 이때는 동맥 절개창의 양쪽 끝에서 봉합을 시작하여 중간 부위에서 양측의 봉합사가 만나도록 하는 것이 일반적인 방법이다. 가능한 혈전이나 색전을 제거하기 위하여 세척 혹은 역출혈 back bleeding을 시킨 후 봉합을 완성하는 것이 중요하다. 동맥폐쇄증에 대한 수술방법은 동맥 우회로술bypass, 내막 절제술endarterectomy, 경피적 동맥성형술angioplasty/stenting이 있으며, 이들의 적응 및 제한점은 표 6-4에 기술하였다.

동맥 우회로술의 가장 중요한 부분은 유입 동맥과 유출 동맥을 잘 선정하고, 좋은 이식편을 확보하는 것이다. 광범위한 동맥석회화, 과거 동맥 수술로 인한 수술 접근

표 6-4. 동맥 수술 방법의 적응 비교

	좋은 적응증		
	우회로술	내막절제술	경피적 동맥 성형술 혹은 스텐트삽입술
협착 혹은 폐쇄	무관	협착 병변	협착 병변
병변 길이	무관	짧은 병변	짧은 병변
동맥 직경	>2mm	>5-6mm	>4mm
부위	무관	경동맥 분지부, 총대퇴동맥 분지부, 대동맥 분지의 기시부	대동맥 원위부, 장골동맥, 대퇴동맥-슬동맥, 경동맥

의 어려움, 절개창 가까이에 위치한 감염원 등 다양한 변수로 인해 실제 광범위한 죽상경화증을 가진 환자에서 유입, 유출 동맥을 선정하는 것이 쉽지 않을 수 있다. 원칙적으로 유입동맥, 유출 동맥은 병변이 없거나 적은 부위를 택해야 한다. 유입 동맥의 확보가 어려운 환자에서는 혈관내 중재적 시술로 새로운 유입 동맥을 확보할 수 있다. 작은 크기의 혈관(예; 하지 동맥)에서는 자가 정맥, 특히 대복재정맥이 가장 우수한 이식편이며 동측 대복재정맥 사용이 불가능한 환자에서는 반대편의 대복재정맥 혹은 상지정맥을 이식편으로 사용하기도 한다. 직경이 큰 혈관(예; 대동맥, 장골 동맥 등)의 동맥 우회로술에서는 인조혈관을 사용한다. PTFE (polytetrafluoroethylene)와 Dacron이 동맥 대용으로 흔히 이용된다. 동맥 우회로술을 위해 동맥을 차단할 때에는 미리 헤파린 항응고제를 정맥 주사한 상태에서 차단해야 혈행이 감소된 혈관 내의 혈전형성을 방지할 수 있다. 헤파린 70-100units/kg을 일시에 정맥 주사하며 헤파린의 반감기가 60-90분임을 감안하여, 이 시간마다 최초 주입량의 1/2-1/3의 용량을 재주입한다.

2. 급성 하지동맥 폐쇄증

급성혈전증acute thrombosis 혹은 색전증embolism에 의한 하지동맥폐쇄증은 다루기 힘든 질환 중 하나로, 적절한 치료를 시행하더라도 상당히 높은 빈도의 합병증, 사지 절단율(8-22%) 그리고 수술 사망률(10-17%)을 동반한다. 합병증과 사망률을 줄이기 위해서는 신속한 진단과 빠른 혈행 재개가 중요하다.

1) 병태생리와 병인

다른 장기나 조직에 비해 사지의 조직은 허혈증에 상대적으로 잘 견디는 편이다. 급성허혈시 단지 4-8분만 견딜 수 있는 뇌조직이나 17-20분 정도 견딜 수 있는 심장조직과는 달리, 사지는 심한 허혈 상태에서도 5-6시간을 견딜 수 있다. 허혈에 대한 민감도는 사지를 구성하는 조직에 따라 다르다. 피부와 뼈는 허혈에 대해 상대적으로 강한 반면에 신경 조직은 약하기 때문에 급성 허혈증시 신경손상만으로 심각한 후유증을 남길 수 있다. 골격근은 신체부피의 40% 이상을 차지하며 특히 하지 무게의 75%를 차지하고 있다. 골격근이 다른 조직에 비해 휴식시 대사율이 상대적으로 낮기는 하지만 하지의 대사 활동의 90% 이상을 차지한다. 하지 골격근은 휴식시에는 혈류의 71% 를 받고 있으며 재관류시에는 더 많은 혈류가 흐르므로, 허혈-재관류 손상시 발생하는 국소적, 전신적 증상 발생에 중요한 역할을 한다.

(1) 급성동맥색전증

급성허혈증 중 가장 심한 형태는 이전에 막히지 않았던 혈관이 색전에 의해 갑자기 막힐 때 나타난다. 말초동맥색전증embolism의 원인과 빈도는 표 6-5에서 볼 수 있듯이 80%가 심장에서 기원한다. 과거에는 이러한 색전의 원인이 대부분 류마티스 심장질환의 합병증(판막 질환)이었지만, 근래에는 동맥경화성 심장혈관 질환이 주요한 원인으로 대두되었다. 심장기원의 색전 중 가장 흔한 원인은 심방세동으로 주로 심방벽의 혈전이 떨어져 나와 발생한다. 심장 기원 색전의 두번째로 흔한 원인은 급성심근경색인데, 사지 색전증 원인의 1/3을 차지한다. 급성심근경색증 후 발생하는 색전증은 심실벽 혈전이 원인이 된다. 심실벽 혈전은 주로 급성 심근경색 이후 수 시간 이내에 형

표 6-5. 급성 동맥색전증의 원인 및 상대적 빈도

색전의 기원	상대적 빈도
심장	80%
심방세동	50%
심근경색	25%
기타	5%
심장 이외	10%
동맥류	6%
근위 동맥	3%
정맥*	1%
기원 불명(특발성)	10%

* 정맥에서 기원한 동맥 색전증을 모순성 색전증(paradoxical embolism)이라 칭한다.

성되지만, 때로는 수 주 지나서 발생하기도 하며 급성심근경색증 환자의 1/3 이상에서 발생하므로 이들 환자에서는 색전증이 생길 가능성이 있음을 이해하고 있어야 한다. 간혹 말초동맥 색전증이 증상이 없는 심근경색증의 첫 증상으로 나타나기도 한다.

색전의 원인으로 류마티스 판막 질환의 빈도는 감소했지만, 인공 판막을 갖고 있는 환자에서 기원한 색전의 빈도는 증가하고 있다. 인공 심장판막을 가진 환자에서 급성 사지허혈 증상이 나타나면 판막에서 기원한 색전증을 의심해야 하고, 특히 항응고 치료가 잘 되지 않았던 경우에 색전증 발병 가능성이 높다. 세균성 심내막염도 말초동맥 색전증을 유발할 수 있다.

이러한 색전증은 큰 혈관보다는 말단 부위 동맥에서 흔히 발생하며 감염성 합병증을 일으킨다. 정맥을 통한 마약 투여 환자들은 심내막염에 잘 걸리고 색전증의 위험도 높다. 이렇게 작은 색전들은 손가락이나 발가락의 말초 동맥에서 세균성 가성동맥류를 일으킬 수 있다. 심장기원 색전의 드문 원인으로는 심장내 종양(특히 심방 점액종atrial myxoma)이 있다. 색전제거 수술 후 색전의 모양이 일반적인 모양과 다를 때는 심장내 종양을 의심하여 검사를 통해 확진하는 것이 중요하다. 또 하나의 흔치 않은 비전형적인 말초동맥색전증은 모순성 색전paradoxical embolization이다. 이는 심장내 결손증(난원공 개존patent foramen ovale)이 있는 환자에서 심부정맥혈전증이 발생한 경우, 떨어져 나온 정맥혈전이 일반인에서는 폐색전증을 일으키지만 심장내 결손증이 있는 환자에서는 혈전이 심장의 난원공을 통해 동맥 혈류로 흘러 들어가서 동맥 색전을 유발하는 것이다. 말초동맥색전증의 또 다른 원인으로 근위부 동맥 병변이 말초동맥색전증의 원인이 되기도 하는데, 대부분은 대동맥의 죽상경화판에서 기원한다. 이같은 동맥-기원 색전증은 대부분 미세 색전증으로 발가락의 청색증과 통증, 피부괴사를 일으키는 청색 발가락 증후군blue toe syndrome, 망상청피증livedo reticularis, 혹은 일시적인 근육통으로 나타난다. 청색 발가락 증후군은 특징적으로 맥박이 발등 부위까지도 잘 만져지면서 발가락에만 허혈 증상이 나타나는데 최근 동맥 카테터 시술이 증가하면서 이 같은 유형의 미세 색전증을 흔히 볼 수 있고 가끔은 자연적으로 나타날 수도 있다. 일반적으로 발가락 등에 나타나는 미세 색전증atheroembolism, Blue toe syndrome은 급성동맥폐쇄로 분류하지를 않고, 만성동맥폐쇄증 증상의 일환으로 볼수 있다. 미세색전증은 신동맥이나 장간막 동맥을 통해 유입되어 신부전이나 장허혈이 발생할 수도 있다. 드물기는 하지만 동맥-기원 색전증이 급성하지허혈증을 일으킬 정도로 큰 색전일 경우도 있는데, 이는 동맥경화된 대동맥 벽의 혈전, 죽상경화판, 혹은 대동맥류 내의 혈전에서 기원하는 것으로 생각된다. 말초동맥색전증의 10-15%에서는 색전의 원인을 찾을 수 없는데, 문진과 신체 검사, 심장 및 사지의 영상의학적 검사를 한 후에도 원인이 밝혀지지 않으면 특발성으로 분류한다.

심장에서 기원한 색전은 70-90%가 대동맥을 거쳐 하지로 간다. 색전은 혈관내 이동 중 혈관의 내경이 갑자기 좁아지는 동맥분지 부위에 호발하는 경향이 있다. 말초동맥 색전증이 가장 흔히 나타나는 부위는 총대퇴동맥 분지부이며 전체의 40% 이상을 차지한다. 심장기원 색전중 10-15%는 대동맥 분지부에 생기는데 이를 말안장과 같다고 하여 안장색전증saddle emboli이라고도 하며, 이 경우에는 심각한 양측 하지 허혈 및 허혈성 신경 손상 증상이 나타난다. 상지동맥색전증은 전체 말초동맥 색전증의 10%를 차지하는데 대부분은 상완동맥에 발생한다. 심장기원 색전증이 뇌동맥이나 장간막 동맥으로 가는 예는 5% 정도이지만, 일단 발생하면 매우 심각한 결과를 초래한다. 표 6-6은 색전증이 나타나는 부위를 정리하였다.

표 6-6. 급성말초동맥색전증의 호발부위 및 상대적 빈도

부위	빈도(%)
복부대동맥 분지부	10-15
장골동맥 분지부	15
총대퇴동맥 분지부	40
슬와동맥	10
상지동맥	10
뇌동맥	10-15
장간막 동맥, 신동맥	5

(2) 급성동맥혈전증

급성동맥혈전증acute arterial thrombosis은 일반적으로 기존의 죽상경화증이 있던 혈관에서 발생하기 때문에 어느 정도의 측부순환이 발달되어 있어 허혈증상이 색전증에 비해 덜 심하다. 표재 대퇴동맥에서 가장 흔히 발생되며, 죽상경화성 병변이 긴 범위에 걸쳐 존재한다. 슬와동맥류도 급성 혈전증을 잘 유발하여 이로 인해 심각한 허혈증을 초래할 수 있는데, 슬와동맥류 내에서 발생한 혈전으로 인해 경비골동맥 색전증을 유발한 경우에는 허혈증상이 더욱 심하다. 패혈증 또는 혈액 과응고상태의 경우에 원위부 하지동맥 혈전증으로 심각한 허혈증상을 초래할 수 있다. 급성 동맥혈전증과 관련된 혈액 과응고상태로는 고호모시스테인혈증hyperhomocysteinemia, 안티트롬빈 III 결핍증, 루푸스 항응고인자lupus anticoagulant, C 단백 결핍증 등이 있다.

응고인자 V Leiden의 자가 돌연변이에 의해 발생한 활성형 C단백 저항성은 주로 백인에 나타나고 정맥 혈전증과 관련된 경우가 많지만 동맥 혈전증을 유발하기도 한다. 헤파린에 대한 항체가 생긴 환자에서는 헤파린유발성 혈소판감소증Heparininduced Thrombocytopenia (HIT)이 생길 수 있으며 이 질환은 동맥혈전증을 일으키는 것으로 알려져 있다. 항체들은 혈소판 표면에 존재하는 헤파린-혈소판 인자 4 복합체와 교차반응을 일으켜 혈소판이 붙어있는 백색의 과립형 혈전을 유발하고 동시에 혈소판 감소증을 발생시킨다.

동맥 우회로술을 시행했던 환자에서 이식편 혈전증이 발생할 수 있으며, 허혈 증상의 정도는 이식편의 위치나 이전 수술의 적응증에 따라 다르다. 우회로술 후 2개월 이내 발생한 초기 이식편 폐쇄의 경우는 대부분이 수술의 기술적인 문제, 잘못 선정한 이식편 혹은 문합부 등의 이유이고, 수술 후 2년 내 발생한 이식편 폐쇄는 주로 이식편 문합부위나 자가정맥 이식편 내에서 발생한 내막증식증에 기인한다고 알려져 있다.

표 6-7. 급성하지허혈증 환자에서 감별을 요하는 질환

급성동맥 색전증
급성동맥 혈전증
동맥 우회로술 후 이식편 폐쇄
동맥 외상
동맥 해리증
약물에 의한 동맥 수축(예; ergotism)
급성 구획증후군
전신성 쇼크(systemic shock)
심한 심부정맥 혈전증(예; phlegmasia)

2) 임상양상과 검사방법

급성하지동맥폐쇄증의 임상양상은 전통적으로 '5Ps'즉 통증pain, 창백pallor, 맥박소실pulselessness, 감각이상paresthesia, 운동신경마비paralysis이다. 통증은 가장 흔한 증상이며 통증의 정도는 허혈 정도와 관련있는데 주로 폐쇄 부위와 측부순환 정도에 의해 결정된다. 통증은 극심하여 다량의 마약성 진통제로도 조절이 되지 않는 경우도 있다. 하지파행증 등의 증상이 없었던 환자에서 갑자기 발생한 극심한 하지통증은 동맥 색전증을 시사한다. 표 6-7은 급성하지허혈증과 감별을 요하는 질환을 보여주고 있다. 급성동맥혈전증 환자의 경우는 흔히 만성하지동맥폐쇄증의 증상인 하지 파행증의 과거력을 가지고 있다. 의식이 저하된 환자들은 통증을 호소할 수 없는 경우가 많은데 주로 기도삽관된 수술 환자에서 자발성 또는 의인성 동맥혈전증이 발생한 경우이며, 이러한 환자에서는 통증이외에 다른 허혈소견이 있는지에 관심을 가져야 한다.

창백은 흔하지만 허혈정도나 피부색에 따라 다를 수 있다. 색전증으로 인한 급작스럽고 완전한 동맥폐쇄가 발생한 경우 표피내 혈류가 사라지고 차고, 창백한 하지를 보인다. 부분폐쇄인 경우에는 하지를 위로 들어 보면 창백해지고 밑으로 내리고 있으면 붉어지며 모세혈관 충만이 지연되는 현상을 보인다.

급성 동맥 폐쇄증 환자에서 이학적 신체 검사시에 양측하지의 맥박소실 혹은 맥박의 강도를 비교해 보는 것이 중요하며, 이를 통해 동맥 폐쇄의 부위와 허혈정도를 파악한다. 급성 색전증 환자는 폐쇄부위 상부에서는 정상적인 맥박을 보이고 폐쇄부위 하방으로는 맥박이 완전히 사라진다. 폐쇄부위 직상방맥박은 유출 동맥 폐쇄로 인해 수격맥water-hammer pulse 양상으로 더 저명해진것을 만질 수 있다. 반대편 하지에서 정상적인 맥박이 촉지되는 경우는 대부분 급성색전증을 시사한다. 혈전증 환자의 경우에는 죽상경화로 인해 양측하지의 맥박이 감소되거나 소실된 경우가 상대적으로 빈번하다. 도플러 검사가 중요한 역할을 하는데, 비록 단상형monophasic이더라도 도플러 신호가 있다면 이는 원위 동맥이 열려있고 적어도 단기간은 원위부 조직이 생존할수 있음을 시사한다. 반대로 동맥혈류가 전혀 측정되지 않는 경우는 심각한 허혈 상태로 즉각적인 재관류를 하지 않으면 사지를 잃을 위험에 처해 있음을 뜻한다.

하지에서 허혈에 가장 민감한 조직은 신경이며 말초 신경증상이 허혈정도를 나타내는 척도가 된다. 허혈정도가 경미한 경우에는 신경증상은 다소 주관적이며 미미하다. 초기의 감각이상은 발가락 부위의 감각저하 또는 반대편 족부에 비해 환측의 족부에서 가벼운 접촉 또는 바늘로 찔렀을 때 감각이 떨어지는 양상으로 나타난다. 그러나 허혈증이 심해질 경우 족부의 모든 감각이 소실되게 되는데 이는 즉각적 혈행재개가 없을 경우 비가역적 조직 손상이 임박했음을 의미한다. 역설적으로 아주 심각한 허혈증과 완전한 감각 소실이 발생한 경우에는 감각신경 마비로 인해 오히려 통증이 감소되거나 없어진다. 그러므로 급성동맥 폐쇄증 환자에서 통증이 소실된 것을 허혈증상이 호전되었다고 판단해서는 안된다. 운동신경 마비는 신경학적 허혈증상을 나타내는 또 다른 징후이다. 경한 경우는 근력저하 또는 발가락이나 발의 경직을 호소하는데 이는 이학적 검사상 쉽게 관찰된다.

허혈이 진행될수록 마비증상은 점점 심해진다. 급성동맥색전증 환자의 경우 흔히 환측의 하지마비를 호소하며, 대동맥 분지부에 색전증이 발생한 경우에는 양측 하지마비 및 허리 아래 쪽으로 감각소실, 변실금 등이 발생할 수 있다. 중요한 것은 비가역적 허혈증과 가역적 허혈증을 구분하는 것이다. 허혈이 장시간 지속된 경우 하지 근육이 단단해지는 근육 강직이 발생하는데, 이러한 경우는 재관류를 한다고 하여도 기능이 돌아오지 않고 오히려 심각한 전신 합병증을 초래할 수 있으므로, 일차적으로 하지절단을 시행하는 것이 환자의 생명을 구할 수 있는 치료가 될 수 있다(표 6-8). 사지의 급성 동맥 폐쇄시 색전증과 혈전증을 구분하는 것이 중요하며, 주의깊은 병력 청취와 정밀한 이학적 검사만으로도 대부분 감별 진단이 가능하다(표 6-9). 실제 임상에서 혈전증thrombosis과 색전증embolism을 혼동하는 경우가 있을수 있는데, 이 두 질환은 발생기전, 동반질환, 예후, 치료 방법이 다르므로 정확히 구분할 필요가 있다. 만약 두 질환이 동반된 경우, 예를 들면 색전증이 발생한 상황에서 2차적 혈전증이 동반된 경우secondary thrombosis에도 일차적 원인과 동반된 2차적 상황을 분명히 알고 치료에 접근하는 것이 바람직하다.

색전에 의한 동맥폐쇄로 진단된 경우는 수술 전에 통상적인 혈액검사와 흉부 X-선 촬영, 심방세동, 협심증 또는 심근경색 확인을 위한 12 유도-심전도 검사를 시행한다. 동맥색전증은 주로 동맥을 직접 절개하여 색전을 제거하므로 수술 전 동맥조영술은 필요치 않지만, 폐쇄의

표 6-8. 급성허혈증의 임상적 분류

분류(기)	상태	임상 소견		도플러 청취	
		감각 소실	근육 약화	동맥음	정맥음
I기	급박한 위험수준이 아님	없음	없음	들림	들림
II기-a	빨리 치료하면 구제가능	없음 혹은 경미(발가락)	없음	안 들림	들림
II기-b	즉시 치료하면 구제가능	발가락 이상부, 휴식성 통증	경증-중등도	안 들림	들림
III기	조직 손상이나 신경 마비가 불가피함	심한 감각소실	심한 운동마비 혹은 경직	안 들림	안 들림

표 6-9. 급성하지동맥폐쇄증 환자에서 동맥색전증과 동맥혈전증의 감별점

	동맥 색전증(embolism)	동맥 혈전증(thrombosis)
원인질환 혹은 동반질환	심장 질환(심방세동, 심근경색증,심장 판막질환) 대동맥류	죽상경화증에 의한 만성 하지동맥 협착증
죽상동맥 경화증의 위험인자	상대적으로 흔치 않다	흔하다
하지 파행증의 과거력	없다	있다.
동맥 수술 과거력	동맥 색전증 수술	만성 하지동맥폐쇄로 인한 수술 혹은 시술
허혈증상의 특징	급작스럽고, 심한 허혈 증상	기존 허혈증의 급격한 악화 비교적 덜 심하다
반대편 하지	대부분 정상	만성동맥 폐색증이 비교적 흔하다
혈관조형술의 소견	급작스런 동맥 폐쇄 소견 주변 동맥 정상 측부 순환은 없거나 미약	주변 동맥 경화증 병변(석회화, 다발성 동맥협착 병변) 측부 순환이 많음

원인이 확실치 않거나 절개해야 할 부위를 결정할 수 없는 경우에는 동맥조영술을 시행하여 폐쇄의 정확한 위치를 알고 이를 근거로 치료 방법을 결정할 수도 있다. 대부분의 색전증 환자에서는 색전을 제거하여 하지관류를 시킨 후에 발병원인을 찾기 위한 검사로 경식도 심초음파를 시행한다. 흉벽을 통한 심초음파는 이용하기는 편리하지만, 심방내 혈전 발견에 민감도가 떨어진다. 경식도 심초음파는 환자에게 불편감을 줄 수 있지만 심방과 심실벽의 혈전을 발견하는데 민감도가 더 높은 검사이다.

혈전증에 의한 동맥폐쇄증 환자는 동맥의 여러 부위에 광범 위한 죽상동맥경화증을 보이는 경우가 많고, 측부순환이 발달되어 있으며, 동맥조영술에서 유출동맥이 보이지 않는 경우가 많다. 급성 혈전증 환자의 치료방법을 결정하기 위해서는 동맥조영술이 가장 좋은 검사방법이다(그림 6-14). 심한 허혈증을 보이는 환자의 경우는 수술실에서 동맥을 노출시킨 뒤 수술 중 동맥조영술을 시행하기도 한다.

뇌동맥 또는 내장동맥에 발생한 색전증의 진단과 치료는 더욱 어려운데 초진 시 이 같은 질환에 대한 의심을 가지고 병력청취를 해야만 조기 진단이 가능하다. 예를 들어 급성 복증으로 내원한 환자가 심장기원 색전증의 위험인자인 심방세동, 심근경색증 혹은 인공 판막을 가지고 있다면 확진이 되기 전까지는 상장간막 동맥 색전증을 염두에 두고 수술적 치료를 빨리 해야 한다는 계획하에 검사를 진행해야 한다.

3) 치료

(1) 급성동맥색전증의 치료

급성동맥폐쇄증은 원인에 관계없이 즉시 항응고제 투여를 시행한다. 색전제거 수술 중에는 보통 5,000-10,000units의 헤파린을 일시에 정맥주사하고 이후 매 시간당 1,000units씩 추가로 정맥주사한다. 그러나 간기능 저하가 있거나 고령의 환자에서는 헤파린 과용량 투여가 되지 않도록 주의를 요한다. 항응고제 사용의 일차적 목적은 폐쇄부위 원위부의 혈류 감소로 인해 혈전이 생성되는 것을 방지하기 위함이며, 심인성 색전증 환자에서는 심장에서 또다른 색전증 발생을 예방하기 위한 것이다. 색전증 제수술거 후에도 색전증 재발률은 장기간 항응고요법을 시행한 군에서 7%이며, 시행하지 않은 군에서 21%로 유의하게 높게 보고되고 있다.

치료 전에 허혈하지의 구제 가능성이 있는지를 판단하는 것이 중요하다(표 6-8). 드물게는 심각한 허혈이 장시간 지속된 경우 하지의 조직에 비가역적 손상으로 근육 강직 또는 괴사를 보일수 있는데, 이때는 혈행재관류를 목표로 하기보다는 일차적 하지 절단primary limb amputation이 환자의 생명을 구하기 위한 최선의 치료방법이 된다. 그러나

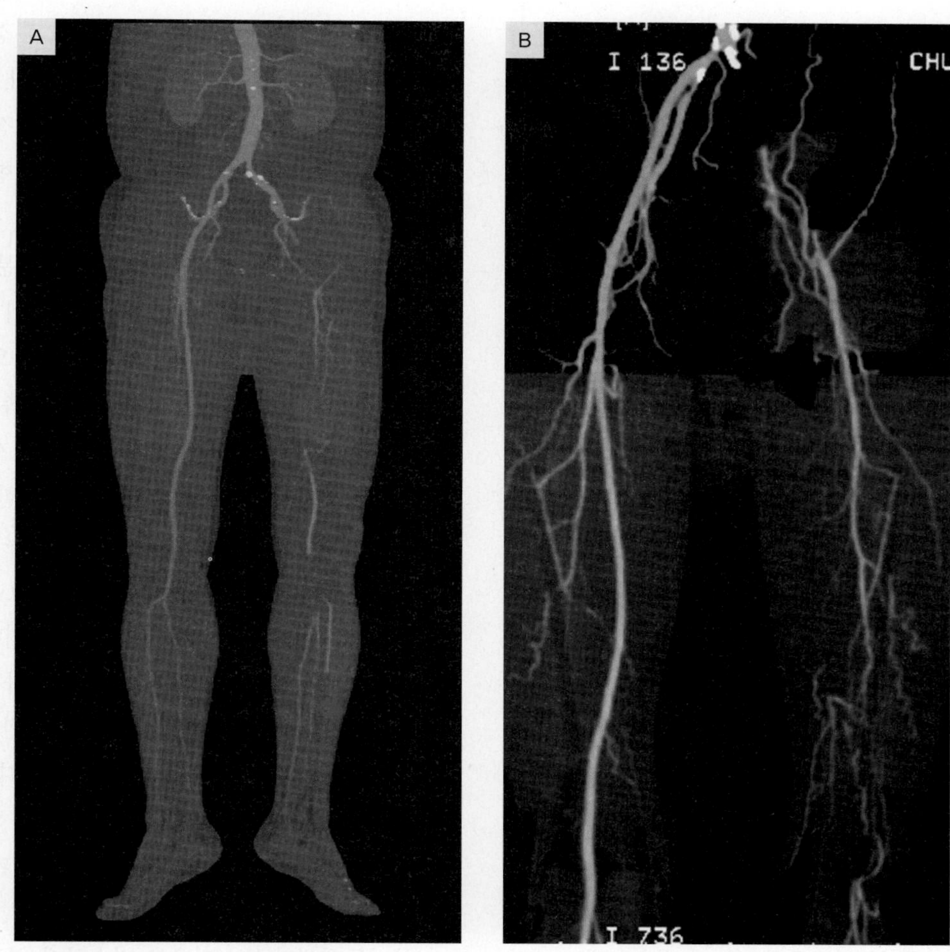

그림 6-14 **급성 하지동맥 허혈증.** A) 급성 하지동맥 색전증, B) 급성 장골동맥 및 하지동맥 혈전증

대부분의 경우에는 혈행재관류를 위한 혈관수술이 가능하므로 최소한의 진단적 검사후 빨리 수술을 시행하는 것이 중요하다.

급성하지동맥색전증 환자의 수술시 피부 소독은 전체 하지를 해야만 수술 중 혈류 재관류가 성공적으로 되었는지를 볼수 있고, 만약 원위 동맥에 대한 또 다른 시술이 필요할 경우 수술적 접근이 가능하다. 대퇴동맥 절개는 국소마취와 정맥마취하에서 가능하다. 그러나 슬와동맥을 박리해야 할 경우에는 척추마취 또는 전신마취가 선호된다.

색전 제거술은 환측 서혜부 피부절개 후 총대퇴동맥, 표재대퇴동맥, 심부대퇴동맥을 모두 박리하여 노출시키고 병변이 없는 정상적인 혈관의 경우에는 대퇴동맥 분지부 직상방에 횡절개를 가하여 Fogarty 풍선 카테타를 이용하여 색전 제거술embolectomy을 시행한다. 그러나 종절개를 통해 더 좋은 시야를 확보할 수 있으며 동맥 절개부 봉합시에는 동맥의 굵기가 가는 경우 패치를 이용하여 협착을 예방할 수 있다. 장골동맥 색전증 환자에서는 대퇴동맥 맥박이 만져지지 않으며, 4번 또는 5번 Fogarty 카테터를 사용하여 색전제거술을 시행한다(그림 6-15).

카테터를 동맥 혈류의 역방향으로 통과시킬 때, 손상을 주지 않도록 조심스런 조작이 필요하다. 카테터를 한번에 밀어넣지 않고 10cm씩 통과시켜 충분한 길이가 들어 갔다고 판단되면 카테터 풍선을 팽창시킨 후 역시 10cm씩 조

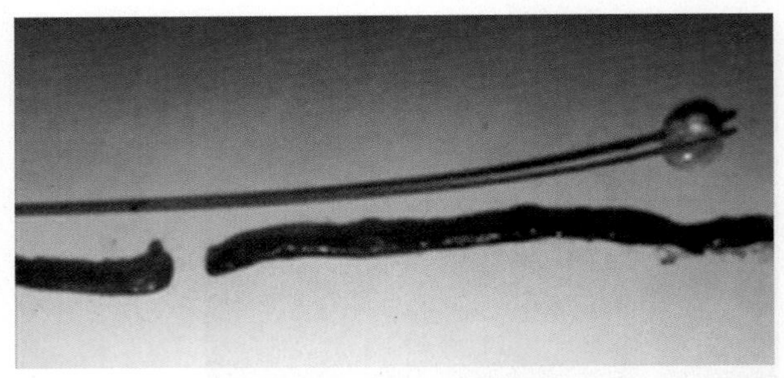

그림 6-15 Fogarty 풍선 카테터을 이용한 색전제거술. 풍선 카테터와 제거된 혈전

심스럽게 카테터를 당겨내어 색전을 제거하고, 충분한 혈류가 확보된 것을 확인 후 원위부 동맥 색전 제거술을 시행한다. 심부대퇴동맥은 3번 카테터를 순방향으로 통과시켜 혈전을 제거한 후 역류혈류backflow를 확인한다. 그 후 표재대퇴동맥의 색전 및 혈전을 같은 방법으로 제거한다. 슬와동맥 또는 그 하부 동맥까지 통과시켜야 할 때도 있다. 일반적으로 대퇴동맥에서 슬와동맥 하방으로 카테터를 삽입하면 비골동맥으로 들어간다. 전경골 동맥이나 후경골동맥을 선택하려면 슬관절 하방의 슬와동맥을 노출시켜야 하지만 최근에는 투시fluoroscopy하에서 유도철선을 이용하여 카테터를 원하는 동맥으로 진입시켜 색전 제거술을 시행할 수 있다. 유입동맥과 유출동맥으로부터 색전제거술이 충분하다고 판단되면, 동맥 절개창을 봉합 후 혈류를 재개통시킨다. 색전 제거술시에 가장 중요한 점은 카테터를 혈관내에서 움직일 때 혈관 내벽 손상을 최소화하는 것이다. 혈관 손상이 심한 경우에는 일시적으로는 혈행이 재개되지만 곧 동맥 내막의 손상 부위에서 혈전이 형성되어 동맥 허혈증이 재발할 수 있다. 슬와동맥이 촉지되고 슬관절 하방 원위부 동맥의 색전이 있는 경우에는 슬관절 하방에서 내측 피부절개를 통해 슬와동맥에 직접 접근할 수도 있다. 가자미근gastrocnemius muscle을 경골로부터 절개하고 비골동맥간tibioperoneal trunk을 노출시킨다. 전경골동맥, 후경골동맥, 비골동맥을 확보하기 위해 전경골정맥은 절단할 수도 있다. 슬와동맥을 종절개한 뒤 3번 카테터를 이용하여 슬와동맥 색전 제거술을 하고, 2번 또는 3번 카테터를 이용하여 전경골동맥, 후경골동맥, 비골동맥을 선택적으로 색전제거술을 시행한다. 이때 풍선 카테타의 크기가 동맥 굵기에 비해 너무 큰 경우 동맥 내막에 손상을 주어서 동맥 수축에 다른 혈전 형성 혹은 내막비후를 초래할 수 있으므로 주의를 요한다. 절개부위를 봉합한 뒤 하지의 재관류를 평가한다. 대부분의 경우에 족부에 맥박과 혈색이 돌아오면 색전제거술이 성공하였음을 의미한다. 카테터로 인한 원위부 동맥 수축으로 정상적 관류가 지연되는 경우에는 수분 후 맥박이 촉지되고 혈색이 돌아올 수도 있다. 색전제거술이 완전히 되지 않았다고 의심되는 경우는 수술중 혈관조영술을 시행한다. 경골 원위부 또는 족부동맥에 폐쇄가 남아 있는 경우는 수술 중 동맥내로 유로키나제urokinase (50,000–250,000U)를 투여하여 혈전을 용해시키거나 원위 경골동맥이나 족부동맥을 절개하여 혈전제거술을 시행한다. 양측 하지허혈증을 보이는 대동맥분지부색전증saddle embolism 환자의 경우에는 양측 대퇴동맥을 동시에 절개하여 치료한다. 양측 대퇴동맥을 동시에 차단하고 절개한 후 카테터를 역방향으로 넣어 색전제거술을 시행하므로 혈전이 반대편 하지로 넘어가는 것을 방지할 수 있다.

상지동맥색전증의 경우도 비슷하게 치료하는데 상지전체를 소독하여 준비한다. 대부분 국소마취하에 주관절elbow joint 직상방에서 종절개를 통해 접근한다. 상완동맥을 조심스럽게 박리하여 횡절개를 가한다. 대부분 색전은 주관절 상방에 위치하므로 3번 카테터를 근위부 및 원위부로 통과시켜 색전을 제거할 수 있다. 쇄골하동맥내 색전은 3번 카테터를 역방향으로 통과시켜 쉽게 제거할 수 있다. 절개창을 봉합한 후 하지에서와 마찬가지로 재관류 상태를 평가한다.

혈전제거 카테터를 정확히 통과시키기 위해 수술 중 투시 유도하에 방향 조절이 가능한 특수한 카테터를 통과시키거나 혈전제거술(특히 인조혈관 폐쇄에 대해 혈전제거술)후 이의 평가를 위해 혈관내시경이 유용하였음을 보고하고 있지만, 보편적 방법은 아니다.

(2) 급성동맥혈전증의 치료

동맥혈전증은 동맥벽의 죽상 경화판에 발생부위 혈전 *in situ* thrombosis이 발생하여 혈관이 갑자기 폐쇄된 경우이므로 색전제거용 풍선 카테터가 동맥 폐쇄부위를 잘 통과하지 않을 뿐 아니라 풍선카테터로 원인 병변을 치료하기 어렵다. 앞서 기술한 바와 같이 혈전성동맥폐쇄의 경우 동맥 폐쇄의 형태와 치료술식을 결정하기 위해 진단적 동맥조영술이 권장되고 있다. CT 혈관조영술만으로는 유출 동맥의 확인이 어려워 잘 안되는 경우가 있으므로 치료 방법 결정에 어려운 경우가 있다. 진단적 동맥조영술시 대부분의 경우에서 혈전성 폐쇄부위는 잘 나타난다.

동맥폐쇄의 부위가 길고, 유입동맥inflow artery과 유출동맥outflow artery이 양호한 경우 가장 좋은 치료법은 동맥우회로술이다. 대퇴동맥으로의 유입 혈류는 환자의 혈관상태에 따라 대동맥-대퇴동맥 우회로술 또는 해부학적 경로 외 혈관우회로술인 대퇴동맥-대퇴동맥 우회로술, 액와동맥-대퇴동맥 우회로술, 장골동맥-대퇴동맥 우회로술과 같은 수술을 통해서 확보될 수 있다. 서혜부 하방 동맥 폐쇄는 자가정맥을 이용한 하지동맥 우회로술이 가장 좋은 치료술식이다. 그러나 혈행 재개가 빨리 이루어져야 하는 심한 허혈증 환자에서 시간이 많이 걸리는 수술은 시행하기 어려운 점이 있다. 짧은 혈전성 폐쇄의 경우 카테터-유도하에 혈전용해제를 주입하여 혈전을 녹이고, 남아있는 혈관의 원인 병변이 확인되면 풍선 혈관성형술로 치료할 수도 있다. 최근 많은 연구들에서 허혈시간이 짧은 급성동맥 혈전증 환자에서 동맥 우회로술을 시행하기 보다는 적극적인 혈전용해제 치료 후 혈전증의 원인이 되는 일차적 동맥 병변을 선택적으로 치료함으로 허혈 시간을 줄이고, 수술의 범위를 축소할 수 있었다고 보고하였다. 동맥조영술에서 우회로술을 시행하기 위한 유출동맥을 확인할 수 없는 경우에는 카테터를 이용한 혈전용해술이 원위부 혈행을 개선시키거나 우회로술을 위한 유출동맥을 보여주는데 도움이 될 수도 있다. 그러나 혈전용해 치료는 시간이 소요되므로 혈행재개가 빨리 이루어져야 하는 심한 허혈증 환자에서 적용하기는 어렵다.

표 6-10. 급성하지허혈증 환자에서 재관류 손상(reperfusion injury) 시 나타날 수 있는 합병증

전신 합병증	저혈압 고칼륨혈증 마이오글로빈뇨 급성 신부전증
국소 합병증	급성 구획증후군(acute compartment syndrome) 허혈성 신경 손상 근육 괴사 혈전증 재발

4) 급성동맥허혈증의 합병증

(1) 재관류 증후군

허혈증이 있는 사지에서 재관류reperfusion시 나타나는 심각한 영향들은 이미 1950년대 Haimovici에 의해 기술되었다. 허혈된 골격근에 혈액 재관류가 되면 세포내 다양한 전해질, 단백질, 효소, 및 여러 성분들이 손상된 근육의 근육속막sarcolemma을 통과해서 혈류로 유입된다. 그로 인한 근-신 증후군myonephropathic syndrome을 야기하며 이때 혈역동학적 불안정hemodynamic instability, 젖산증lactic acidosis, 고칼륨혈증hyperkalemia 등이 나타날 수 있다(표 6-10). 손상된 근육세포에서 유리되어 혈류로 들어간 마이오글로빈myoglobin은 신장을 통해 배설되므로 환자의 소변 색깔은 적혈구 없이도 갈색을 띄우게 된다. 마이오글로빈뇨는 재관류 후 2-4시간 동안 지속될 수 있는데, 이로 인해 신세뇨관이 막히거나 마이오글로빈 자체의 독성에 의하여 급성 신부전이 발생하여 혈청 크레아틴 포스포키나제Creatinine Phosphokinase (CPK) 수치가 10,000units 이상까지 올라갈 수 있다. 그외 심장 수축력이 저하되고 전해질 불균형(특히 고칼륨혈증)에 의해 치명적인 부정맥이 발생할 수 있다.

하지에 심한 허혈이 발생하면 세포막의 기능이상이 생기는데, 이때 재관류가 되면 세포와 간질 모두에 부종이 발생한다. 세포내 부종은 세포막 손상과 세포막에 있는 아데노신 트리포스파타제Adenosine Triphosphatase (ATPase) 기능 부전에 의한 것이며, 간질의 부종은 미세혈관벽에서 전해질, 수분, 단백질에 대한 투과성이 증가되어 나타난다. 부종은 수 분내에 나타날 수 있으며 이후 24시간 동안 점점 심해지며, 하지부종의 정도는 허혈 시간, 기존의 동맥폐쇄질환 유무, 혈행 재개의 적절성에 따라 다르다. 근육 부종이 뼈와 근막으로 구성된 제한된 공간에서 발생하면 급성 구획증후군acute compartment syndrome이 발생하여 간혹 미세혈관 폐쇄에 의해 허혈손상이 연장될 수도 있다.

미세혈관 폐쇄는 혈관 내피세포 부종으로 인해 백혈구와 혈소판이 응집되면서 소위 말하는 무재관류 현상no-reflow phenomenon이 발생한다. 또 혈관폐쇄가 장시간 지속된 환자에서는 근육이나 피부내의 작은 혈관의 혈전을 유발하므로 큰 혈관의 혈류가 재개되더라도 조직 관류가 되지 않을 수 있다.

사지의 재관류가 전신적으로 미치는 영향이나 구획증후군 등은 이미 잘 알려져 있지만, 조직단위에서 허혈-재관류 손상에 대한 이해는 아직도 완전히 밝혀져 있지 않은 상태이다. 허혈손상의 병태생리는 세포 에너지 감소, 산소와 물질의 부적절한 공급, 변화된 이온 구획화, 세포막 투과성 변화 등 여러 다양한 요소들을 포함하고 있으므로 상당히 복잡하다. 최근에는 허혈 손상 보다는 재관류 손상에 더 많은 관심을 갖게되었는데 이는 허혈증 환자에서 발생하는 허혈-재관류 손상ischemia-reperfusion injury은 대부분 산소가 손상된 조직으로 들어갈 때 즉 재관류 시 발생하는 산소유래 유리기oxygen-derived free radical 때문이라고 이해되고 있다. 산소유래 유리기는 NADPH oxidase에 의해 중성구에서 만들어지는데, 이는 산소 분자의 일가 환원univalent reduction으로 생긴 반응성이 매우 높은 물질이다. 대표적인 것은 과산화기superoxide radical, 과산화수소hydrogen peroxide 및 수산기hydroxyl radical 등이다. 이 불안정한 물질들은 인지질막의 지방산의 불포화 결합을 공격하여 세포와 조직의 물리적 그리고 기능적인 결함을 초래한다.

(2) 구획증후군

골-근막으로 이루어진 한정된 공간 안에서 근육 부종이 생기면 구획내 압력이 증가한다. 이러한 압력 증가는 상, 하지 모두에서 발생할 수 있지만, 구획증후군compartment syndrome은 하지 종아리에서 가장 흔히 발생한다. 종아리 부위의 구획은 보통 4개(전방구획, 측방구획, 심부후방구획, 표재 후방구획)로 구분하며, 구획증후군은 이들 중 전방구획에 가장 빈번히 나타나고 그 다음은 측방, 심부후방, 표재후방구획 순으로 발생한다. 대퇴부에서는 전방 대퇴사두근 구획에서 가장 흔하고, 상지에서는 전방 전완구획에 가장 흔히 발생하지만 후방 전완 또는 수부나 상완에도 발생할 수 있다.

구획증후군은 이에 대한 의심과 증상과 징후에 대한 주의 깊은 관찰을 바탕으로 진단할 수 있다. 특히 4-6시간의 심한 허혈 후 재관류된 사지는 구획증후군이 발생할 위험이 높다. 감각 저하 증상을 보이는 경우, 구획증후군의 초기 증상이 아닌지 의심해 보아야 한다. 구획증후군 초기의 특징적인 소견은 이학적 검사로 설명이 되지 않는 극심한 통증이다. 환자는 종아리 부분의 부종으로 심한 동통을 호소하며, 족관절을 움직여 종아리 근육을 수동적으로 신전시켰을 때 심한 불편감을 호소한다. 전방구획증후군의 첫 신경학적 소견은 심부 비골신경deep peroneal nerve 압박으로 인해 첫번째 발가락과 두번째 발가락 사이의 감각 소실이다. 구획증후군이 진행됨에도 불구하고 동맥 맥박은 촉지되고 강한 도플러 신호가 들릴 수 있으므로 이 같은 검사만으로 안전하다고 판단하여서는 안된다. 구획증후군이 의심되면 주사바늘을 구획내 조직에 꽂고 압력측정기를 연결하여 구획내 압력을 측정하는 방법도 사용되고 있다. 이를 위해 고안된 휴대용 압력 측정기가 있다. 약간의 논란은 있으나 일반적으로 구획내 압력이 30mmHg 이상이면 모세혈관 관류 장애를 초래하며 구획내 신경 및 근육 손상이 일어난다고 알려져 있다.

종아리 부종과 경미한 구획압력 증가는 하지 거상만으로 해결될 수도 있지만, 구획내 압력이 아주높거나 신경학적 이상 소견이 나타나면 신속하고 효과적으로 감압을 하여 영구적인 신경 혹은 근육 손상을 피하여야 한다. 하지 종아리 부위에 보통 4개 의 구획으로 나누고 있다(anterior, lateral, superficial posterior, and deep posterior compartments). 종아리 부위에서 구획 감압은 2개의 절개창을 통한 4구획 근막절개술fasciotomy이 선호된다. 내측 피부는 경골의 후방을 따라 종절개를 하고, 근막절개를 통해 표재후방구획과 심부후방구획을 감압한다. 두번째는 종아리 전, 측부에 종절개를 하고 근막까지 절개하여 전방구획, 측방구획을 감압한다. 심한 구획증후군이 있는 환자에서는 근막에 절개를 하자마자 근육이 튀어 나오는 것을 볼 수 있다.

피부 절개창은 하부 근육이 눌리지 않도록 충분히 길게 넣어주는 것이 바람직하다. 장시간(6시간 이상) 심한 허혈이 있었던 환자에서 혈액이 공급이 재개되는 경우에는 구획증후군이 발생할 것을 예상하여 예방적인 근막절개술도 고려할 수도 있다. 예방적 근막절개술은 피부절개를 조금 짧게하고 수술용 가위의 끝을 약간 벌려 피부 밑으로 근막을 따라 절개를 시행한다. 피부절개창은 구획증후군이 더 심해지면 연장할 수 있다. 4구획 근막절개술외 다른 방법으로는 정형외과의들이 선호하는 비골 일부절제 혹은 비골주위의 모든 연부 조직을 박리하는 방비골박리parafibular dissection 등이 있다. 사구획의 모든 근막이 비골에 붙어 있으므로 비골에 붙어있는 부위를 박리하면 종아리 구획을 적절하게 감압시킬 수 있다는 근거에서 이 술식이 이용된다.

3. 만성하지동맥폐쇄증

1) 임상증상과 자연경과

만성하지동맥폐쇄증chronic arterial occlusion이 있는 환자 중 실제 허혈 증상이 나타나는 경우는 일부이며, 대부분은 동맥이 좁아져 있더라도 별다른 불편없이 생활한다. 임상에서 가장 흔히 접하게 되는 만성하지동맥폐쇄증의 원인은 죽상동맥경화증이다. 중요한 점은 이러한 질환은 하지동맥에 생긴 국소적 질환이 아니고 전신을 침범한 동맥질환의 한 부분으로 인식하는 것이다. 실제 말초동맥질환 환자에서 관상동맥질환이나 뇌혈관 질환과 같은 다른 부위 동맥 질환의 유병률은 40–60%이며, 반대로 허혈성 심장병을 가진 환자에서 말초동맥 질환의 유병률도 10–30%에 이른다. 만성하지동맥폐쇄증 환자를 대할 때 또 하나 간과해서는 안될 중요한 사실은 이들 환자는 일반인들보다 여명이 짧다는 사실이다. 말초혈관질환 환자의 생존율은 동맥폐쇄증의 심한 정도 및 발목동맥압지수에 따라 차이가 있다(그림 6-16).

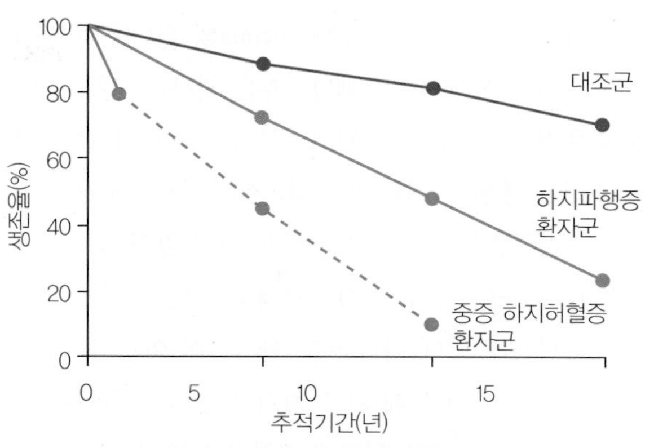

그림 6-16 하지 동맥폐쇄증 환자의 생존율 곡선

병원을 찾는 만성하지동맥폐쇄증 환자의 대표적인 증상은 간헐적 하지 파행증, 휴식시 통증, 치유되지 않는 허혈성 궤양 혹은 족지부 괴사이다. 하지 파행증이란 운동을 할 때(즉, 근육의 혈액 요구량이 증가할 때) 근육 내로 혈액공급이 원할하지 못해 나타나는 일종의 근육통이다. 따라서 이 통증은 운동할때만 나타나고, 운동을 하지 않으면 사라지며, 같은 양의 운동에 의해 같은 부위에서 같은 양상의 통증을 재현할 수 있을 때 파행증이라고 진단할 수 있다. 최근 동맥성 파행증의 자연경과에 대한 대규모 연구에 의하면, 파행증을 가진 환자 군에서 심혈관계 원인에 의한 사망률은 5%로 같은 연령층 인구에 비해 높은 반면, 연간 하지절단의 위험은 1%로 낮다고 보고되었다. 파행증 환자의 절반 이상에서는 운동요법, 체중감량, 죽상경화증 위험인자 교정 등의 보존적 치료로 증상이 개선되거나 악화를 막을 수 있다. 그러나 20–30%의 환자에서는 5년 내에 병변의 진행으로 혈관수술을 요하게 된다.

중증하지허혈증critical limb ischemia의 진단은 환자의 임상적 소견(휴식시 통증, 궤양, 혹은 괴사)과 발목동맥 혈압(혹은 발가락 혈압), 경피산소분압(tcPO$_2$)과 같은 객관적 소견을 종합한 기준으로 정의한다. 휴식시 통증은 중증 하지허혈증의 증상으로 운동을 하지 않아도 나타나는 허혈성 통증이며, 주로 심장에서부터 먼 부위인 전족부fore foot나 발가락에 나타난다. 환자들은 야간에 더 심한 통증을 경험하며 이때 환측 하지를 침대 아래쪽에 늘어뜨리는 자세를 취하게 되면 일시적인 통증의 호전을 보인다. 이 같은 자세를 오래 유지하면 발의 부종, 발적이 나타나므로 세균감염에 의한 염증으로 오진하여 항생제를 투여하는 경우도 있다. 그러나 이들 환자에서 항생제 투여는 치료에 도움이 되지 않는다. 그 외에도 얇은 피부, 위축된 근육(특히 발의 골간근), 희고 두꺼워져서 잘 부서지는 발톱, 발가락 발등의 체모 소실 등 만성적인 혈액공급 부족에 따르는 소견들이 관찰된다. 일반적으로 휴식시 통증을 나타내는 경우는 허혈증상이 진행하여 하지 절단의 위험성이 있으므로 어떤 방법이든지 혈관재건술이 필요하다고 보면 된다. 중증하지허혈증을 보이는 환자들은 조직의 감염이나 괴사의 위험이 높다. 특히, 당뇨병이나 만성신부전을 동반환 환자에서 허혈성하지궤양이 발생하기 쉬운데 이는 세균 감염에 대한 저항력이 낮고 조직 재생력이 낮기 때문이다. 조그마한 손상에도 피부가 손상되고 손상된 피부는 재생되지 않고 만성적인 피부 궤양으로 발전할 수 있다. 인접한 발가락 사이에서 작은 마찰에 의한 접촉성 궤양kissing ulcer이 쉽게 발생한다. 하지 궤양에 세균감염이 되거나, 골수염이 발생하게 되는 경우 치료는 더욱 복잡하며, 궤양의 깊이, 골수염의 유무, 궤양의 위치, 감염증 합병 유무, 신경병증의 유무, 그리고 허혈의 정도 등이 치료에 영향을 미치게 된다.

만성하지동맥폐쇄증 환자에서 허혈 증상의 중증도severity를 평가하기 위하여 고전적으로 Rutherford 분류가 흔히 이용하였는데 이는 임상적인 증상 즉 파행증, 휴식 통증 혹은 조직 결손의 유무와 발목동맥압 지수Ankle brachial index를 이용하여 허혈증의 중증도를 분류하였다.

최근에는 중증하지 허혈증(CLI) 환자의 중증도를 평가하는데 족부상처wound 유무, 허혈ischemia의 정도, 족부감염foot infection 유무 등 세가지 인자를 이용한 새로운 분류 방법(WIFI 분류법)이 제시되었다.

2) 진단

만성동맥폐쇄증의 진단은 증상을 보이는 부위의 혈관검사와 죽상동맥 경화증이 전신성 동맥질환이라는 사실에 근거하여 동반 질환(특히 심장질환)이나 타부위 동맥병변을 진단하는 두가지 측면에서 이루어진다. 여러 침습적, 비침습적 혈관검사로 혈관 병변의 유무, 위치 및 허혈의 정도를 알아내고 이를 바탕으로 환자에게 가장 적절한 치료 방법을 선택할 수 있다. 만성하지동맥폐쇄증의 위험인자들은 흡연, 고혈압, 고콜레스테롤증, 당뇨, 남성으로 일반적인 죽상동맥경화의 위험인자와 동일하고 40-60%에서 심혈관계질환을 동반하고 있다.

말초동맥 수술 후 가장 빈번한 수술사망의 원인은 허혈성 심장질환이므로 하지동맥 폐쇄증 환자에서 시술 혹은 수술 전 심혈관계 질환에 대한 위험성 평가와 β 차단제 등의 투여는 심장질환으로 인한 합병증 및 사망률을 감소시키기 위한 중요한 단계이다. 그러나 안정적인 관상동맥 허혈증상을 가진 환자에서는 말초동맥 수술 전에 시행한 관상동맥 재건술(관상동맥우회술 혹은 스텐트 삽입)이 말초혈관수술 후의 사망률에 도움을 주지 못한다는 사실이 알려져 있으므로 말초동맥질환 환자에서 관상동맥 질환이 있다고 모든 환자에서 교정을 하지는 않는다.

3) 치료

만성동맥폐색증은 급성 동맥폐색증과는 달리 시간을 다투어 치료하지는 않는다.

(1) 대동맥-장골동맥 폐쇄증

복부대동맥의 분지부 즉 복부대동맥에서 양측 장골동맥으로의 이행부위에 죽상경화증에 의한 만성폐쇄성 병변이 비교적 흔히 발견되는데 이 부위의 폐쇄성 병변은

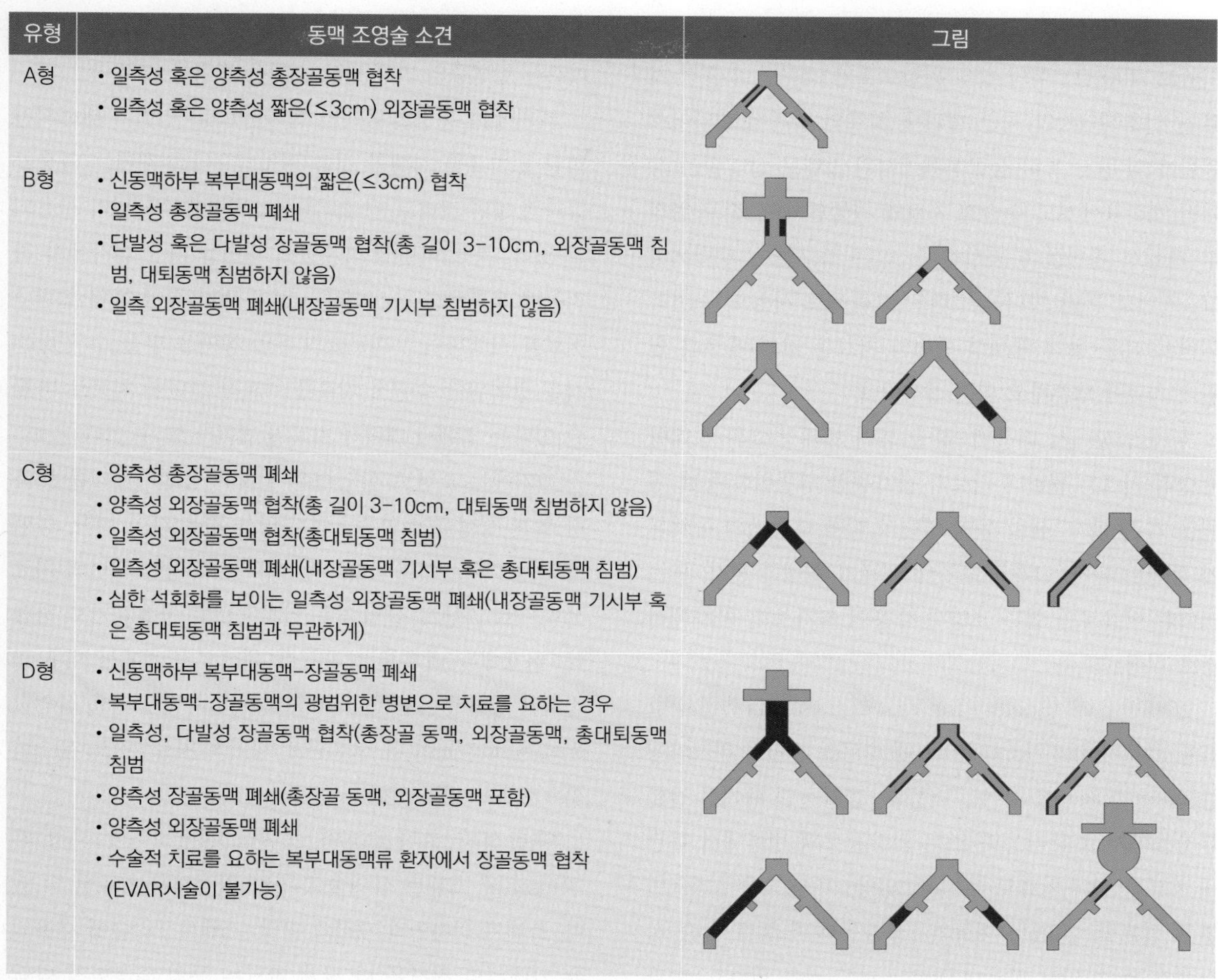

유형	동맥 조영술 소견	그림
A형	• 일측성 혹은 양측성 총장골동맥 협착 • 일측성 혹은 양측성 짧은(≤3cm) 외장골동맥 협착	
B형	• 신동맥하부 복부대동맥의 짧은(≤3cm) 협착 • 일측성 총장골동맥 폐쇄 • 단발성 혹은 다발성 장골동맥 협착(총 길이 3-10cm, 외장골동맥 침범, 대퇴동맥 침범하지 않음) • 일측 외장골동맥 폐쇄(내장골동맥 기시부 침범하지 않음)	
C형	• 양측성 총장골동맥 폐쇄 • 양측성 외장골동맥 협착(총 길이 3-10cm, 대퇴동맥 침범하지 않음) • 일측성 외장골동맥 협착(총대퇴동맥 침범) • 일측성 외장골동맥 폐쇄(내장골동맥 기시부 혹은 총대퇴동맥 침범) • 심한 석회화를 보이는 일측성 외장골동맥 폐쇄(내장골동맥 기시부 혹은 총대퇴동맥 침범과 무관하게)	
D형	• 신동맥하부 복부대동맥-장골동맥 폐쇄 • 복부대동맥-장골동맥의 광범위한 병변으로 치료를 요하는 경우 • 일측성, 다발성 장골동맥 협착(총장골 동맥, 외장골동맥, 총대퇴동맥 침범 • 양측성 장골동맥 폐쇄(총장골 동맥, 외장골동맥 포함) • 양측성 외장골동맥 폐쇄 • 수술적 치료를 요하는 복부대동맥류 환자에서 장골동맥 협착 (EVAR시술이 불가능)	

그림 6-17 만성 대동맥-장골동맥 폐쇄증의 TASC (Trans-Atlantic InterSociety Consensus)

양측 하지 혹은 둔부 파행증, 양측 대퇴동맥 맥박 감소 혹은 소실, 하지 근육 위축, 남성 환자의 약 30%에서는 발기 부전을 호소한다. 이를 최초 보고자의 이름을 따서 Leriche 증후군으로 부르기도 한다. 이들 환자는 만성하지동맥폐쇄증 환자에 비해 약 10년 정도 젊은 나이에 발병한다고 알려져 있다.

대동맥, 장골동맥 만성 폐쇄증을 가진 환자들은 대부분 죽상 경화증 위험인자에 대한 치료 및 운동요법을 통한 보존적 치료가 필요하다. 일상생활이 불가능한 정도의 하지 파행증이 있거나 하지 절단을 초래할 위험이 있는 중증허혈증 환자는 동맥조영술 및 수술적 혹은 혈관내 중재적 시술이 고려된다.

미주혈관외과학회와 유럽혈관외과학회의 혈관질환에 관한 consensus guideline인 Trans-Atlantic Inter-Society Consensus (TASC)에 의하면 만성 대동맥-장골동맥 폐쇄증Aortoiliac occlusive disease은 동맥 조영술에 나타난 병변의 정도에 따라 4가지로 분류된다(그림 6-17). TASC A형은 혈관내 중재적 시술, TASC D형은 수술적 치료, TASC B형 및 C형은 두 가지 치료방법 중 환자의 동반질환과 전신상태를 고려하여 치료법을 결정한다. 이 때 환자에게 혈관내 치료와 수술적 치료에 대한 충분한 사전 설명을 해주고 환자측의 의견도 고려하는 것이 중요하다. 전통적으로 TASC B형의 경우 혈관내 치료가 선호되었고, TASC C형의 경우 위험요소가 적다면 수술적 치료가 선호되었지만 최근 혈관내 치료의 발전에 힘입어서 변화가 있었다. 특히 장골동맥에서의 스텐트 삽입술은 장기적 개존율에서도 수술적 치료와 견줄만하며, 길고 완전한 폐쇄성 병변을 통과시킬 수 있는 기구들이 개발되었고, 스텐트 뿐만 아니라 스텐트 그라프트 사용이 보편화되면서 장골 동맥 폐쇄성 병변의 치료는 거의 대부분 혈관내 치료에 의존하고 있는 실정이다.

현재 임상에서 대동맥-장골 동맥 폐쇄성 질환에 대한 수술적 치료는 혈관내 치료가 불가능한 광범위한 동맥 병변을 가진 환자, 심한 동맥 병변과 함께 대동맥의 동맥류가 동반된 환자, 그리고 혈관내 치료가 실패한 환자, 또는 어떠한 이유로던 혈관 조영제 사용이 불가능한 환자에서 주로 시행된다.

2015년 SVS (Society for Vascular Surgery)에서 발표한 치료지침practice guideline에 따르면 간헐적 하지파행증leg claudication을 보이는 대동맥-장골동맥 폐쇄성 질환 환자들에서 총장골동맥 또는 외장골동맥 병변에서 혈관내 치료를 일차 치료로 추천하고있다. 이 권고안에 따르면 향후 필요할 수 있는 대동맥-장골동맥 우회로 수술 시 장애가 될 수 있는 혈관내 치료는 피할 것을 권하고, 혈관내 치료에 적합하지 않은 광범위한 대동맥-장골동맥 병변이 있는데도 수술에 따른 위험도를 감당할 수 있는 환자, 한차례 이상 혈관내 치료에서 실패한 환자, 그리고 폐쇄성 병변과 동맥류성 변화를 동시에 가지고 있는 환자에서는 수술적 치료를 추천하고 있다.

가. 혈관내 치료

1990년대에 들어서면서 장골동맥에 대한 경피적 혈관성형술Percutaneous Transluminal Angioplasty (PTA)의 효과가 입증되었고 그 후 stent 및 stent graft 삽입술 등 혈관내 치료endovascular treatment의 장비와 기술적 발달과 함께 적응증도 넓어지고 있다. 대부분의 혈관내 치료는 국소마취와 소량의 진정제만 사용한 상태에서 시행할 수 있으며, 입원을 하지 않고도 시행할 수 있을 정도로 시술에 따르는 합병증의 발생 빈도가 낮은 장점이 있다.

과거에는 총장골동맥의 협착stenosis 병변에 대해서만 혈관내 치료를 시행할 것을 권하였으나 현재에는 외장골동맥의 병변 그리고 폐쇄occlusion 병변에서도 널리 사용되고 있다. 특히 다발성 하지동맥 병변을 가진 환자에서 하지동맥 우회로술을 시행하기 전에 먼저 장골 동맥 혈관내 치료를 시행하여 우회로술의 유입 동맥을 만들 수 있다는 것은 광범위한 수술적 치료를 비교적 간단한 치료로 바꿀 수 있다는 점에서 매력적 치료 방법이라 할 수 있다.

과거에는 스텐트 삽입술은 일차적 풍선카테터를 이용한 혈관 성형술이 만족스럽지 않을 경우(잔여 협착, 동맥박리 등) 주로 사용되었으며, 때로는 복잡한 병변의 치료 목적으로 스텐트 삽입술을 일차적으로 사용하기도 하였다. 현재에는 대부분 장골동맥 폐쇄성 병변에서 매우 국소적인 병변이 아닌 한 PTA보다는 일차적 스텐트 삽입술primary stenting이 더 선호되며, 장기적 치료성적도 우수한 곳으로 보고되고 있다.

양측성의 총장골동맥 병변의 경우 PTA 시행 후 "kissing" 스텐트 삽입술로 가장 적절하게 치료될 수 있다. 스텐트 디자인과 재질의 발달, 스텐트삽입술에 사용되는 카테터의 직경을 더 작게 만드는 등의 의공학적 발달에 힘입어 스텐트 초기 개존율의 성적도 향상되고 있다.

스텐트 그라프트(또는 covered stent) 또한 장골 동맥 병변에서 흔히 사용되고 있는데, 주로 석회화가 심하거나 동맥의 확장성 변화가 동반되어 시술 중 동맥 파열의 위험이 있는 환자에서 안전성을 확보하는 좋은 수단이 될 수 있다.

국소적 병변이 아닌 광범위한 대동맥-장골동맥 병변에서도 혈관내 치료의 유용성이 최근 많이 보고 되었는데, 비록 수술적 치료에 비해 상대적으로 일차 개존율은 낮지만, 재시술을 비교적 쉽게 시행할 수 있다는 장점이 있으며, 수술적 치료의 위험성이 높은 환자에서 유용하게 사용될 수 있다고 본다.

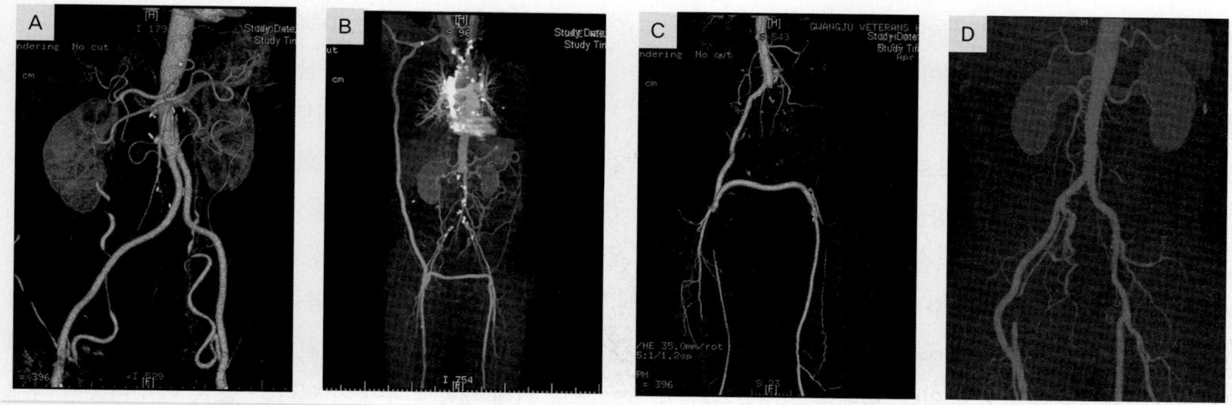

그림 6-18 **만성 대동맥-장골동맥 폐쇄증 환자에서 이용되는 동맥 우회로술.** A) 대동맥-양측 대퇴동맥 우회로술(aorto-bifemoral bypass) B) 액와-양측대퇴동맥 우회로술(axillo-bifemoral bypass). C) 대퇴-대퇴동맥 우회로술(femoro-femoral bypass). D) 우측 장골동맥-대퇴동맥 우회로술(right ilio-femoral bypass)

나. 수술적 치료

대동맥 장골 동맥 폐쇄성 질환 환자에서 수술적 치료 방법은 대부분 혈관내 치료의 적응이 되지 않거나 실패한 경우이다. 환자의 상태 및 병변부위에 따라 대동맥-양측 대퇴동맥간 우회로술aorto-bifemoral bypass과 비해부학적 우회로술extraanaomic bypass 등이 이용된다. 대동맥-대퇴동맥간 우회로술은 광범위한 대동맥 및 양측 장골동맥 폐쇄성 병변을 보이면서 수술을 견딜만한 환자에서 가장 선호되는 수술적 치료법이다. 비해부학적 우회로 수술들은 해부학적 우회로 수술을 하기에 동반질환으로 인해 위험도가 높거나, 복강 내 심한 유착이 예상되는 경우hostile abdomen에서 유용하나 대동맥-대퇴동맥간 우회로술에 비해 상대적으로 장기 개존율이 낮다는 단점이 있다.

① 대동맥-대퇴동맥간 우회로술(그림 6-18A)

대동맥-대퇴동맥간 우회로술aortofemoral bypass은 전신마취 하에 시행하고 수술 방법은 양측 서혜부 절개를 통해 대퇴동맥을 노출한다. 심한 대퇴동맥 폐쇄성 병변을 동반한 환자의 경우, 필요하다면 복부 수술을 시행하기에 앞서 심부대퇴동맥 성형술profundaplasty을 시행한다. 복부 수술은 복강접근법과 후복강 접근법 두 가지가 있으며, 일반적으로 복강접근법이 선호된다. 복부는 정중 절개 후 복강내 다른 장기들의 이상 유무를 먼저 확인한 다음 횡행결장은 환자의 머리쪽으로, 전체 소장은 환자의 우측으로 젖혀놓는다. 트라이츠 인대를 절개하고 십이지장을 우측으로 당겨둔다. 복부 대동맥은 좌신정맥left renal vein 부위까지 충분하게 박리하고 신동맥 하방의 대동맥을 적절한 부위에서 차단한다. 대동맥-대퇴동맥간 우회로술을 위해 Y-자 모양의 인조혈관(PTFE 혹은 Dacron)을 사용하며, 근위부 문합은 단단문합이나 측단문합을 이용한다. 대부분의 경우 단단문합이 선호되며 그 장점은 문합부 하부 대동맥으로 혈류가 통하지 않기 때문에 하지 색전증을 피할 수 있고, 문합부를 후복막으로 감싸기가 용이하며, 수술 후 대동맥-장관루aortoenteric fistula의 발생을 감소시킨다는 점이다. 근위부 대동맥 문합이 완성되면 근위부에 잡아둔 겸자를 풀어 문합부 출혈 유무를 확인 후 미리 만들어 놓았던 후복막의 터널을 통해 인조혈관을 대퇴동맥까지 가져온다. 대퇴동맥이 정상이고 넓은 심부대퇴동맥을 가진 경우는 총대퇴동맥에서 원위부 문합을 만들지만 표재성 대퇴동맥 폐쇄가 있거나 총대퇴동맥 병변이 심한 경우에는 인조혈관-대퇴동맥간 문합부의 끝이 심부대퇴동맥으로 향하도록 문합을 시행하여야 한다. 필요한 경우 심부대퇴동맥의 내막절제술이나 심부대퇴동맥 성형술을 병행할 수도 있다. 문합부의 봉합 시 마지막 봉합을 하기

전 인조혈관내의 혈전 찌꺼기들이 하지동맥으로 유입되지 않도록 세척flushing 시키는 것이 중요하다. 양측 서혜부에서 봉합이 끝나면 근위 문합부와 인공혈관은 후복막 혹은 대망을 이용하여 감싸 주므로 차후 발생할 수 있는 대동맥 문합부-위장 관 루공형성을 예방할 수 있다.

대동맥-대퇴동맥간 우회로술femoro-femoral crossover bypass은 다른 주요 동맥재건술 보다 우수한 개존율을 보인다. 일차개존율primary patency rate은 5년 에 70-88%, 10년에 66-78%로 보고되고 있다. 원위부 하지동맥의 혈관상태가 양호한 경우에 혈관 폐쇄가 동반된 경우에 비해 더 나은 결과를 보인다. 50세 이하이며 대동맥의 크기가 작은 환자는 대동맥 크기가 큰 노인보다 개존율이 낮은 것으로 보고되고 있다. 심부대퇴동맥 병변이 심한 경우는 혈관성형술을 시행한 경우에 개존율이 향상된다. 수술 사망률은 4% 정도이며 환자의 5년 누적 생존율은 70-75% 정도로 알려져 있다. 드물게 대동맥의 말단부 또는 총장골동맥의 근위부 일부만 폐쇄를 보이는 환자가 있다. 이는 주로 50-60대의 여성 흡연자들에서 보이며, 대동맥 분지부에 병변이 국한되어 있다. 이런경우 대동맥-장골동맥 내막절제술을 시행할 수 있다. 이 방법은 인공혈관을 사용하지 않아도 된다는 장점이 있는 반면, 몇 가지 기술적인 어려움이 따를 수 있어 현재는 많은 경우 경피적 혈관성형술로 대체되고 있다. 대동맥-장골동맥 내막절제술은 동맥 확장증이 있거나 대동맥류가 동반된 경우에는 금기이다.

② 비해부학적 우회로술

대동맥-대퇴동맥간 우회로술이 인체 해부학과 일치하는 모양의 수술이라면 동맥 수술의 목적은 혈행 공급로를 만들어 주는 수술이므로 반드시 해부학적 모양과 일치할 필요는 없다. 비해부학적 우회로술extra-anatomic bypass의 대표적인 수술 방법으로는 액와동맥-양측대퇴동맥 우회로술axillo-bifemoral bypass, 대퇴동맥-대퇴동맥 우회로술 femor-femoral bypass이 흔히 이용되고 있다.

a. 액와-대퇴동맥 우회로술(그림 6-18B)

Blaisdell은 대동맥-대퇴동맥 우회로술을 계획한 환자에서 환자의 상태가 예상외로 나빠진 상황에서 인조혈관을 이용하여 비해부학적 우회로술인 액와-대퇴동맥간 우회로술axillofemoral bypass을 처음으로 시행하였다. 액와-대퇴동맥 우회로술의 적응증은 대동맥-장골동맥의 재건수술 후 합병증(이식편 감염증 등), 복부대동맥 재건술의 고위험군, 복부 내 다른 질환(복강내 악성 종양, 염증 등)으로 인해 대동맥 수술이 어려운 경우, 복부대동맥 자체의 병변이 심해 유입부 혈관으로 적절하지 못한 경우 등이다. 수술 방법은 전신마취 후에 환자를 앙와위로 눕히고 팔은 90도 이상 외전시킨다. 액와동맥은 양측 중 맥박이 강하거나 상지 혈압이 높게 나타나는 쪽의 액와 동맥을 사용한다. 양측 액와동맥의 상태가 비슷할 경우는 쇄골하 동맥 병변의 빈도가 낮은 우측 액와동맥을 이용한다. 액와동맥은 액와정맥보다 깊게 위치하고, 경신경총cervical plexus 보다 하방에 위치한다. 액와동맥의 노출을 위해 경우에 따라서는 소흉근pectoralis minor을 절제하는 경우도 있지만 대부분 소흉근을 자르지 않고 수술이 가능하다. 대퇴동맥은 일반적인 방식으로 노출하고, 액와동맥과 대퇴동맥 사이에는 긴 터널링 기구tunneling device를 이용하여 정중액와선을 따라 피하 터널을 만든다. 터널의 위치는 외복사근보다는 밖으로 통하도록 하여야 하며, 장골극의 내측을 경유하는 것이 환자가 앉을 때 이식편 꼬임을 방지할 수있다. 대퇴-대퇴동맥간 터널링은 피하(간혹 복직근 밑)로 만들어 치골상부를 지나도록 만든다. 터널이 완성되면 헤파린을 주입 후 7-8mm 굵기의 인조혈관(ringed PTFE)을 이용해 문합한다. 액와부 문합을 먼저 시행한 후, 동측의 대퇴동맥과 문합을 하며, 연속하여 대퇴동맥간 우회로술을 시행한다. 이때 수술 시간을 줄이기 위해 액와 동맥 수술과 대퇴동맥 수술을 두 팀이 동시에 수술을 시행할 수 있다.

대부분의 액와동맥-대퇴동맥간 우회로술을 시행한 환자는 수술 위험도가 높은 환자이기 때문에 수술 사망률이 높게 보고되는 경향이 있다. 수술 후 5년 일차 이식편 개존율은 보고에 따라 19–79%로 다양하게 보고되고 있으며 2차 개존율은 85% 정도이다. 일반적으로 액와–편측 대퇴동맥 우회로술보다는 액와–양측 대퇴동맥 우회로술의 성적이 더 우수하다고 알려져 있다.

b. 대퇴–대퇴동맥간 우회로술(그림 6-18C)

편측의 장골동맥 폐쇄를 가진 환자에서는 반대측의 대퇴동맥을 유입혈관으로 사용할 수 있다. 대퇴–대퇴동맥간 우회로술femoro-femoral bypass은 일반적으로 전신마취나 척추마취하에 시행되지만, 경우에 따라서는 국소마취하에 시행할 수도 있다.

양측 서혜부는 대퇴동맥과 평행한 방향으로 종절개를 시행하고 혈관을 박리한다. 헤파린을 주입하기 전에 피하터널을 만든다. 이때 수술 후 시간이 경과한 후에 인조혈관의 길이가 늘어나서 문합부 가까이에서 꺽이지 않도록 주의한다. 인조혈관을 이용하여 문합하며 심한 대퇴동맥 병변이 있는 경우에는 심부 대퇴혈관에 문합함으로 하지 혈류를 확보할 수 있다. 대퇴–대퇴동맥간 우회로술의 5년 누적 개존율은 60–80%로, 대동맥 수술의 고위험군 등에서 비교적 간단하면서도 양호한 성적을 보이는 수술 방법으로 평가된다.

c. 장골–대퇴동맥간 우회로술(그림 6-18D)

편측의 장골동맥 폐쇄 환자에서 대퇴–대퇴동맥간 우회로술 외에 장골–대퇴동맥간 우회로술iliofemoral bypass이 이용될수도 있다. 이 수술은 외장골동맥에 폐쇄를 보이며 총장골동맥은 비교적 건강한 경우에 시행될 수 있는 수술 방법이다. 전신마취나 척추마취 후에 하복부의 비스듬한 절개 후 후복막 접근으로 총장골동맥을 노출하고, 대퇴동맥은 일반적으로 시행하는 방법으로 한다. 서혜인대 하방으로 터널링을 시행한 후 헤파린을 정맥 주입한 상태에서 인조혈관과 문합한다. 장골동맥의 문합을 측단문합법을 이용하여 먼저 시행한다. 장골–대퇴동맥간 우회로술의 3년 개통률은 90% 이상으로 보고되고 있다.

(2) 서혜하부 하지동맥 폐쇄증

서혜하부 하지동맥의 만성폐쇄증infrainguinal occlusive disease은 가장 흔한 동맥폐쇄증이다. 대퇴동맥이 막히면 일반적으로 종아리 근육의 파행증을 주증상으로 하지만, 여러 동맥 즉 대퇴동맥, 슬와동맥, 경골동맥의 폐쇄가 동반된 경우는 휴식 시 통증이나 허혈성 조직손상(궤양 혹은 괴사)으로 나타나는 수가 많다. 허혈성 궤양은 초기에는 발꿈치나 발가락의 작은 궤양으로 시작하지만 점차 진행하여 전족부, 발뒤꿈치 전체로 진행한다. 대부분의 흡연자들의 경우 초기에는 대퇴동맥에 국한된 병변을 가지며 파행증을 주소로 내원하는 반면, 당뇨병 환자에서는 슬관절 하부 동맥 침범이 빈번하고 파행증의 증상이 없이 조직괴사를 초기증상으로 내원하는 경우가 흔하다.

파행증을 주소로 내원한 환자의 일차적 치료는 고식적 치료로 죽상경화증의 위험인자의 교정이나 운동요법으로 시작한다. 약물요법으로는 사일로스타졸Cilostazol 등이 많이 사용되고 있지만 심한 파행증 환자의 치료에는 한계가 있다고 평가된다. 일상생활이 어렵고, 직업을 유지하기 힘든 정도의 파행증을 가진 환자라면 동맥조영술과 경피적 혈관성형술을 고려한다. 휴식시 통증을 나타내거나 허혈성 조직괴사의 소견을 보이는 경우는 통증개선과 하지 구제를 위해 수술적 치료도 고려해야 한다. 혈관내 중재적 시술이 고려되는 환자의 경우 동맥 조영술을 통하여 정확한 병변의 위치 및 모양을 파악하는 것이 중요하다. 표재 대퇴동맥에 국한된 병변의 경우에는 흔히 경피적 혈관성형술의 적응이 될 수 있다. 그러나 대부분의 중증허혈증 환자에서는 동맥질환은 병변의 길이가 길어서 총대퇴동맥에서부터 원위동맥으로 동맥우회로술을 시행해야 하는 경우가 많다. 하지동맥 우회로술을 위해서 상부 유입동맥의 혈류가 정상인지 파악하는 것이 중요하며, 필요한 경우 수술이나 장골동맥 혈관성형술을 통하여 유입동맥 병변을 먼저 치료해야 한다. 하지 파행증이 있는 환자에서 유입 혈류의 개선만으로도 증상이 호전되어 서혜하부 하지동맥 재건술이 필요치 않은 경우도 빈번하다. 일반적으로, 서혜하부 하지동맥 우회로술은 일차적으로 혈관

내 치료endovascular treatment를 시행하여 시술이 성공적이지 않거나 시술후 재발한 동맥폐쇄증 환자에서 시행된다. 자가정맥 이식편을 이용하여 좋은 결과를 얻을 수 있으며 동측 하지의 대복재정맥great saphenous vein이 가장 선호되는 자가정맥 이식편이다. 원위문합부가 무릎 상부 동맥이라면 인조혈관을 이용한 동맥우회로술이 이용될 수도 있지만, 무릎 하부의 경비골동맥, 족부동맥까지 우회로술을 시행할 경우는 인조혈관의 성적이 좋지 못하므로 가능한 자가정맥 이식편을 사용하여야 한다.

자가정맥을 이용한 하지동맥 우회로술에서 흔히 사용되는 정맥이식편은 역위 혹은 정위 대복재정맥이다.

가. 역위 정맥 이식편

역위 대복재정맥을 이용한 방법은 전통적인 방법으로 전신마취나 척추마취하에 시행된다. 서혜부에 종절개를 한 후 대퇴동맥을 조심스럽게 박리하여 문합 준비를 마친다. 림프조직이 대퇴혈관 주위에 분포하고 있기 때문에 수술 후 림프 누출이나 저류를 막기 위해서 이부위 박리시 임파관 손상을 주지 않도록 조심하여야 한다. 대복재정맥은 대퇴정맥 유입부에서부터 박리하여 분리한다. 대퇴부에 길게 절개를 하여 박리를 하기도 하고 부분적으로 피부 절개를 하여 박리할 수도 있다. 최근에는 내시경적 방법을 통하여 피부 절개를 최소화하는 방법이 사용되기도 한다. 대복재정맥은 원위부 동맥 문합까지 이어줄 수 있도록 충분히 박리하여야 한다.

무릎관절 상부 슬동맥을 노출하기 위해서는 내측 대퇴부 피부절개를 시행 후 봉공근sartorius muscle의 상연과 내측광근vastus medialis muscle의 하연을 따라 접근한다. 슬동맥은 함께 주행하는 정맥과 신경들로부터 조심스럽게 박리한다. 무릎 하부의 슬동맥은 종아리 내측에서 경골 후연을 따라 종절개를 통하여 근막을 열고 슬와 공간popliteal space으로 접근한다. 무릎 하부의 슬동맥은 비교적 쉽게 주위 조직들로부터 박리할 수 있다.

경비골 동맥간은 가자미근을 경골 접합부에서 절제하여 노출시킨다. 후경골동맥과 비골동맥은 비슷한 방법으로 하부 종아리의 내측 피부절개를 통하여 접근할 수 있다. 가자미근을 경골에서 박리하여야 종아리 속 깊은 내부에 자리하고 있는 후경골동맥을 노출 할 수 있다. 비골동맥은 후경골동맥보다 더 깊이 위치하고 있어 장무지굴근flexor hallusis longus을 뒤쪽으로 견인해야 노출된다. 전경골동맥은 종아리의 전측면 절개를 통하여 접근하며 앞경골근의 외측으로 접근하면 뼈사이막 전면에 위치하는 전경골동맥을 찾을 수 있다. 근위부와 원위부 문합에 필요한 동맥들이 모두 박리되고 나면 대복제정맥을 잘라낸 후 작은 분지는 결찰하고, 파파베린papaverin과 헤파린을 함유한 식염수를 이용하여 조심스럽게 확장시킨다. 5,000–10,000단위의 헤파린을 정맥 주입한 후 대퇴동맥을 차단하고 정맥 이식편의 문합을 위해 동맥에 종절개를 가한다. 대복재정맥은 밸브가 있기 때문에 발쪽의 대복재정맥을 근위문합부에, 서혜부쪽을 원위부 동맥에 문합하는 것을 역위 복재정맥 이식편이라 한다. 이식편은 피하층 혹은 원래 동맥의 해부학적 위치를 따라 위치시킨다. 피하층에 이식편을 위치시키면 술 후 초음파 검사를 이용한 이식편 감시가 용이하고, 이식편에 문제가 있을 경우 수술적 교정이 쉽다는 장점이 있는 반면 창상 감염 시 이식편이 위험에 노출된다는 단점도 있다. 따라서 창상 치유에 문제가 있을 것으로 예상되는 환자에서는 이식편을 깊이 위치 시키는 것이 안전하다. 전경골동맥에서 이식편의 통과 경로는 무릎 내측을 통과하여 무릎 밑의 뼈사이막을 통과하여 전경골 동맥에 도달하거나 대퇴동맥으로부터 직접 하지의 전측방을 따라 직접 전경골동맥에 이르는 경로를 이용할 수 있다. 원위부 문합에서는 동맥이 종아리 내부에 깊은 곳에 위치하기 때문에 낙하산 기법parachute technique을 이용하여 문합하는 것이 선호된다. 문합을 완성하고 혈류를 재개통하기 전에 세척flushing하여 정맥이식편 내에 생길 수 있는 혈전을 제거하는 것이 원칙이다. 원위동맥 문합시 관상동맥확장기coronary dilator를 이용하여 원위부 혈관의 소통을 확인하기도 하지만 문합술이 완성된 후 혈류검사를 하는 것도 중요하다. 최근의 보고에 따르면 역위 자가 대퇴정맥을 이용한 수술의 결과는 매우 우수하여 수술 후 5년에 1차 및 2차 이식편 누적개존율이 각각 75%와 80%로 알려져 있고, 하지 구제율limb salvage rate은 90%로 보고되고 있다.

나. 정위 대복재정맥 우회로술

정위 복재정맥을 이용한 하지동맥 우회로술 *In situ* great saphenous vein bypass은 대복재정맥을 원래 위치에 그대로 두고 이 정맥을 잘라 근위부 동맥에 문합한 다음 기구를 이용하여 정맥 판막을 파괴하여 동맥혈류가 복재정맥을 통해 흐르게 하고, 최종적으로 원위부를 문합하는 방법이다. 이 수술법은 1960년대에 처음 소개되었으나 수술방법이 다소 복잡하고 결과가 일정하지 않아 널리 사용되지 않다가, 1970년대 초 Leather 등이 정맥내 밸브를 제거하는 새로운 방법을 소개한 이후로 점차 많이 사용되게 되었고 최근에는 정맥 이식편 내면의 손상을 줄이기 위한 LeMaitre valvulotome 등이 이용되고 있는 실정이다. 정위 정맥 이식술은 피부절개가 상대적으로 작고, 직경이 굵은 정맥을 근위부 동맥에, 직경이 가는 정맥부위를 원위부 작은 동맥에 문합하므로 혈류역학적인 장점을 가지며, 역위 정맥 이식편reversed vein graft에서와 달리 복재정맥을 몸으로부터 완전히 떼어내지 않고 있는 원래의 위치에 둠으로 복재 정맥의 자양맥관vasa vasorum이 잘 보존된다는 이론적 장점이 있다. 하지만, 이 수술은 반드시 동측 하지의 대복재 정맥이 있을 때에만 가능하며, 기구에 의한 정맥 이식편 내막 손상의 가능성이 있고, 정맥 분지가 결찰되지 않고 남아 있는 경우 동-정맥 루를 형성할 수 있다는 단점이 따른다. 실제 정맥이식편의 장기 개존율 비교에서는 역위 정맥 이식편과 유사한 성적을 가진다.

대퇴정맥으로부터 절단한 대복재정맥은 정맥 절단면을 통해 작은기구를 이용하여 직접 육안으로 보면서 정맥 판막을 제거한다. 대퇴동맥과의 근위부 문합은 일반적인 혈관 문합의 방법대로 시행한다. 정맥이식편으로 동맥혈류가 개통되고 나면 밸브가 있는 정맥부위와 밸브가 없는 부위와는 정맥 확장이 되는 경계면으로 확연히 구분지워진다. 그 다음 판막절개기구valvulotome을 이용하여 동맥혈류가 복재정맥 이식편을 통해 순방향으로 혈류가 흐를 수 있도록 정맥 내 밸브를 제거하여야 한다. 현재 다양한 판막절개기구가 사용가능 하지만 Mills 판막절개기구 같은 간편한 기구가 널리 이용된다. 이 기구는 짧으면서 하키스틱과 같은 모양의 칼날을 가지고 있어서 복재정맥의 분지를 통하여 순차적으로 밸브를 제거할 수 있다. 술식을 조금 더 간편화하고 정확하게 하며 합병증을 줄일 수 있는 몇 가지 변형된 방법이 소개되고 있으며 복재정맥의 원위부 말단을 통해 삽입하여 한번 당겨내면 정맥 밸브를 제거할 수 있는 기구self-centering valvulotome 등이 있다. 복재정맥에는 많은 분지들은 동정맥루의 형성을 막기 위해 결찰되어야 한다. 근래에는 혈관내시경과 코일 색전술의 기술을 이용하여 전체 복재정맥을 노출하지 않고 근위부와 원위부의 피부 절개만으로 수술을 하기도 한다. 최근 보고에 따르면 정위 대복재정맥 이식편의 5년 개존율은 80%이며 하지 구제율은 84-90%이다.

복재정맥을 이용한 우회로술이 끝나고 난 후 이식편 내의 혈류와 유출동맥의 혈류를 도플러를 이용하여 확인하여야 한다. 근위부 이식편, 전체 이식편, 원위부 문합부와 유출동맥 모두를 확인하기 위해 수술 후 동맥조영술을 시행하기도 한다.

기술적 문제들 즉, 혈관내 혈전, 이식편의 뒤틀림이나 꼬임, 잔존해 있는 정맥 밸브 등을 발견할 경우 즉각적으로 교정하여야 한다. 근래에는 수술 중 듀플렉스 초음파 검사를 이용하여 문합부와 이식편의 이상유무를 확인하기도 한다.

다. 인조혈관을 이용한 하지동맥 우회로술

인조혈관은 서혜부 하부의 동맥재건술 특히 원위 문합부가 무릎 위쪽의 슬동맥일 경우에 선택적으로 사용되고 있지만 자가 정맥이식편을 사용할때보다 이식편 개존율은 낮다. 대복재정맥을 얻기위해 대퇴부에 긴 피부절개를 하지 않고 근위부와 원위부의 동맥노출을 위한 작은 피부절개만으로 수술을 시행할 수 있다는 장점이 있고, 수술방법은 역위 대복재정맥 우회로술과 유사하지만 더 간단하다.

표 6-11. 대퇴동맥-슬동맥 우회로술(femoro-popliteal bypass) 후 이식편 5년 개존율 비교

이식편 종류	5년 개존율	
	파행증 환자군	중증 허혈증 환자군
자가정맥	80%	66%
PTFE 이식편, 슬상부	75%	65%
PTFE 이식편, 슬하부	65%	47%

PTFE: polytetrafluoroethylene

문합은 일반적인 혈관 문합법을 사용하며, 동맥의 굵기에 따라 다소 차이가 있으나 일반적으로 6-8mm 직경의 인조혈관 이식편prosthetic graft이 적절하다. 간혹 무릎 하부 슬동맥이나 경골동맥에까지 인조혈관을 사용하는 경우가 있으나, 이 경우는 자가정맥 이식편에 비해 개존율이 좋지 않다는 사실은 명확히 밝혀져 있다(표 6-11).

부득이하게 인조혈관 이식편을 무릎 하부까지 사용해야 하는 경우 이식편 개존율을 높이기 위하여 원위 문합부에 동정맥루 형성, 정맥 cuff 설치 등이 부수적으로 시행되기도 한다.

라. 재우회로술

재건술 후 이식편이 막혀 허혈증상이 재발한 환자에서 서혜하부 하지동맥 재수술은 몇 가지 측면에서 어려움이 있다. 우선 대부분의 경우 동측 대복재정맥은 이미 사용하여 더 이상 사용할 수 없으므로 반대측 하지의 대복재정맥을 사용하여야 한다. 그러나 반대측 하지의 대복재정맥도 과거 관상동맥우회술이나 하지동맥 우회로술에 사용되었을 경우에는 상지정맥이나 소복재정맥을 사용하는 것도 좋은 방법이다. 이 경우는 수술 전 듀플렉스 초음파 검사를 이용하여 이식편으로 사용할 상지정맥과 소복재정맥을 미리 검사하여 굵기를 확인하고 표시해 두면 수술 시 채취가 용이해진다. 이들 정맥들은 대부분 길이가 짧아서 정맥-정맥 문합을 하여 필요한 길이를 만들어 사용하는 경우도 있고, 길이가 충분치 않을 경우는 원위부 대퇴동맥이나 슬동맥을 유입혈관으로 사용하는 것도 한가지 방법이 될 수 있다. 이 방법은 무릎 위의 혈관이 비교적 잘 보존되어 있는 당뇨병 환자들에서 유용한 방법이 될 수 있다. 재수술의 또 다른 어려움으로는 이전 수술로 인한 유입혈관과 유출혈관 주위의 심한 유착으로 수술적 접근이 어려우므로 상부나 하부에 유착이 없는 동맥을 찾아 사용해야 한다는 것이다. 이러한 이유들로 인하여 재우회로술redo bypass surgery을 시행한 경우는 첫 수술보다 결과가 좋지 못하며, 5년 이식편 개존율은 60% 정도이고 하지 구제율은 72% 정도로 보고되고 있다.

마. 하지동맥 우회로술 후 이식편 감시

자가정맥이식편을 이용한 하지동맥 우회로술 후 모든 정맥이식편은 이식편 폐쇄의 위험에 노출되어 있다. 이식편 조기폐쇄는 수술 후 30일 이내 나타나는 폐쇄를 뜻하며 일반적으로 기술적 결함 혹은 수술 계획의 오류가 원인으로 알려져 있다. 기술적 결함은 이식편 꼬임, 꺾임, 눌림 등의 기계적 문제 또는 정위 복재정맥을 이용한 우회로술에서 정맥내 밸브를 완전히 제거하지 못한 상태 등에서 발생한다. 수술계획의 오류란 크기가 작거나 상태가 좋지 못한 정맥을 이식편으로 사용한 경우, 적절하지 못한 유출동맥, 유입동맥을 선정한 경우 등이다. 중기실패는 수술 후 30일에서 2년 사이에 일어나는 이식편 폐쇄를 뜻하며 문합부위나 정맥 밸브가 있던 부위의 내막 과증식intimal hyperplasia에 의해 발생한다. 후기실패는 수술 후 2년 이후에 나타나는 이식편 폐쇄를 뜻하며 대부분 유입혈관이나 유출혈관에 동맥 경화가 진행하여 발생한다. 이식편의 개존상태는 하지의 기능과 구제에 있어서 중요하며 일단 혈전으로 막힌 정맥 이식편은 기능회복이 불가능한 경우가 빈번하기 때문에 수술 후 이식편 감시프로그램을 통하여 이식편 폐쇄가 발생하기 전에 그 원인이 될만한 이식편 혹은 문합부 협착부위를 미리 발견하는 것이 중요하다. 수술 후 듀플렉스 초음파검사는 정맥 이식편의 협착을 찾아내는데 정확한 정보를 제공한다.

주기적인 초음파 검사를 통하여 정맥 이식편이 막히기 전에 협착부위를 발견하고 이를 교정하는 것은 이식편의 장기 개존율을 높이는 방법이다.

바. 경피적 혈관성형술

서혜 하부의 동맥 병변에 대한 Percutaneous transluminal angioplasty (PTA)는 대동맥-장골동맥 병변에 대한 치료에 비해서는 다소 제한적이다. 동맥의 직경이 가늘고, 병변의 부위가 길게 퍼져 있으며, 유출동맥 또한 병적인 상태가 많기 때문에 장골 동맥에서 보다는 성적이 좋지는 않지만 흔히 이용되는 치료 방법이다. 최근 혈관내 치료 기술과 장비의 발달은 대퇴동맥 폐쇄병변을 가진 환자에서 우회로수술과 거의 비슷한 치료 결과를 보고하고 있다. 그리고 무릎 이하 동맥에 대한 PTA와 스텐트 삽입은 최근 적극적으로 시도되고 있다. 치료 결과에 대한 계획된 무작위 대조군 연구는 귀하지만, 환자에 따라서 이러한 치료의 역할은 아주 중요하다. 서혜하부 동맥 병변에 대한 PTA는 중증허혈증 보다는 파행증 환자에서, 긴 병변 보다는 짧은 병변에서, 다발성 병변 보다는 단발성 병변에서 그리고 완전폐쇄보다는 협착을 보일 때 더 좋은 적응이 된다. 중증허혈증(휴식 시 통증, 궤양, 괴사)을 나타내는 경우는 흔히 다발성동맥폐쇄 병변을 보이는 경우가 빈번하며, 슬동맥 하부까지 병변이 진행되어 있는 경우가 많아서 경피적 치료가 용이하지 않은 경우가 상대적으로 더 빈번하다. 장골동맥의 병변에서는 스텐트가 유용한 반면 대퇴동맥과 슬동맥에서는 스탠트 삽입술의 성적이 장골동맥에 비해 낮다고 알려져 있다. 최근 재료공학의 발달에 힘입어 더 유연하고 체내 온도에서 스스로 팽창하는 스텐트나 기존 nitinolstent보다 혈관의 구조 및 움직임에 친화적이고 부러짐fracture율이 적은 재질 혹은, 약물방출 스텐트Drug Eluting Stent (DES) 등이 발전하여 스텐트 개존율 향상에 기여하고 있다. 그러나 하지에서의 동맥내 스텐트는 주변 근육, 인대, 관절운동에 의해 압박, 뒤틀림, 당겨짐과 같은 물리적 힘이 반복적으로 미칠 수 있으므로 인체의 다른 부위 동맥에서의 stent 삽입과 달리 사용에 주의를 요한다. 혈관내 삽입된 스텐트 자체도 이물질이므로 장기간 혈관내에 노출되어 있으면 in stent restenosis (ISR)가 발생할 수 있다. 이 같은 점을 고려하여 스텐트 삽입을 하지 않고 약물처리된 풍선 카테터drug coated balloon를 이용하여 물리적 혈관확장술과 동맥내막증식을 억제하는 국소적 약물치료를 동시에 하려는 치료 방법들이 시되기도 한다.

만성하지동맥폐쇄증 환자를 대상으로 동맥우회로 수술을 1차적으로 시행하는 것이 좋은지 아니면 풍선 확장술 혹은 스텐트삽입술 등 혈관내 시술을 1차적으로 시행하는 것이 좋은지를 비교하는 연구는 후향적 성적 비교는 많았으나 이를 전향적으로 비교한 연구 보고는 많지 않다. 영국에서 발표된 BASIL (Bypass versus Angioplasty in Severe Ischemia of the Leg) 연구는 만성중증하지허혈증환자를 대상으로 동맥우회로 수술과 혈관 내 시술을 비교하는 전향적, 다기관 연구의 대표적인 연구로 영국의 27개 병원이 참여하였다. 이 연구는 서혜인대 하부의 하지동맥에 발생한 죽상경화성 만성 동맥 폐쇄증 환자 중 조기에 치료를 하지 않으면 하지 절단의 위험이 있다고 판단되는 중증허혈증 환자만을 대상으로 “Bypass-surgery first” 환자군과 “Balloon-angioplasty-first” 환자군으로 나누어 치료한 후 장기적인 하지보존 생존율, 환자 생존율, 건강관련 삶의 질을 비교하는 연구였다. 이 연구의 결과는 2005년 중간 보고, 2008년 최종보고를 하였으며 final intention-to-treat analysis의 결과를 소개하면 장기적인 하지보존 생존율과 환자 생존율은 두군간 차이가 없었다. 그러나 2년 이상을 생존한 환자군을 대상으로 두치료군간의 성적을 비교해 본 결과 동맥우회로술을 시행한 환자군에서 유의하게 높은 장기 생존율을 보였다. 동맥 우회로술 시행환자만을 분석한 결과 이식편 종류별로는 자가정맥 이식편과 비교하여 인조혈관 이식편을 사용한 환자에서 유의하게 나쁜 결과를 보였고, 과거 풍선 확장술을 시행한 환자에서 동맥 우회로술을 시행항 결과 풍선 확장술을 시행하지 않은 환자에 비하여 더 나쁜 결과를 보였다. 이 BASIL Trial의 결론은 환자의 여명이 2년 이하로 예상되는 심한 만성하지허혈증 환자에서는 수술 보다는 동맥 풍선 확장술이 그러나 2년 이상의 여명을 가진다고 예상되는 환자에서는 자가정맥 이식편을 이용한 하지동맥 우회로 수술을 1차적 치료 방법으로 사용할 것을 권하고 있다. 그리고 자가정맥 이식편을 사용할 수 없는 환자에서는 인조혈관을 사용하기 보다는 풍선 확장술을 1차적으로 시행할 것을 권하고 있다.

4. 당뇨병 환자에서 동맥 폐쇄성 질환

당뇨병 환자에서 만성하지동맥폐쇄증의 가장 빈번한 원인은 죽상동맥 경화증이지만 비당뇨병 환자와 달리 당뇨성 신경증, 족부 감염증 등을 흔히 동반한다. 당뇨병은 말초동맥폐쇄증의 중요한 위험인자로 알려져 있으며, 일반인에 비해 말초동맥폐쇄성질환의 위험성이 3-4배 높다고 알려져 있다. 당뇨병 환자에서 허혈성 혹은 신경성 족부궤양ischemic or neuropathic foot ulcer, 족부 변형, 족부 감염증은 흔히 당뇨족diabetic foot으로 부르며, 당뇨병 환자의 약 25%는 살아가는 동안 언젠가는 족부궤양이 발생하는 것으로 보고되고 있고 이는 전체 당뇨병 환자에서 년간 2-7%의 빈도로 족부궤양이 발생한다고 볼 수 있다. 당뇨 환자에서 족부궤양의 50%는 감염이 되고 20%는 하지 절단을 요하는 것으로 보고되고 있다. 더구나 당뇨병 환자에서 족부궤양은 일차적으로 궤양치유가 된 후에도 절반 이상에서 재발하는 특징을 보인다. 외상에 의한 하지 절단수술을 제외하면 당뇨족은 가장 빈번한 하지 절단의 원인으로 비외상성 하지 절단의 70-80%를 차지한다. 이는 당뇨병이 없는 환자에서 하지 절단 빈도의 약 15-30배에 이르는 높은 빈도이다. 또한 당뇨병 환자 중 하지 절단수술을 받은 환자의 약 50%에서는 5년 이내 동측 하지를 더 위로 절단하거나 반대편 하지절단을 요하는 것으로 알려져 있다.

당뇨병 환자에서 족부궤양이 발생하였을 때 당뇨성 신경증diabetic neuropathy에 의한 족부궤양인지, 허혈성 족부궤양ischemic foot ulcer인지 혹은 신경변성성 원인과 허혈성 원인이 함께 있는 유형인지 감별진단하는 것이 중요하다(표 6-13). 당뇨병 환자에서 족부궤양의 원인별 빈도는 신경증에 의한 족부궤양neuropathic ulcer 35%, 허혈성 궤양, 15%, 위 두가지 원인이 복합되어 있는 경우가 50%로 가장 빈번하다.

일반적인 동맥경화성 동맥폐쇄증에 의한 족부궤양에서와 달리 당뇨성 족부궤양 환자에서는 당뇨성 신경증diabetic neuropathy 동반 여부를 진단하는 것이 중요하다. 당뇨성 신경증 중 감각 신경 이상을 진단하기 위하여 monofilament test, vibration test 등이 사용되기도 한다.

이와 같이 당뇨족은 혈관 폐쇄성 병변 뿐 아니라 신경병증, 족부 변형, 감염증 등이 동반된 복합적인 병변이므로 진단 및 치료 시 혈관외과뿐만 아니라 내분비 내과, 족부 정형외과, 성형외과, 감염내과, 창상 치료 전문가, 재활의학과 등 여러 분야 전문가들과 협진이 필요하다. 당뇨성 족부궤양의 치료를 위해서는 궤양 부위 창상관리, 체중에 의한 족부압력의 완화offloading, 골수염, 연부 조직 감염증의 관리, 동맥폐쇄증에 의한 허혈증의 치료 등 포괄적인 치료를 요하다. 당뇨족 환자에서 하지 절단의 중요한 중요한 위험인자인 상처wound, 허혈증ischemia, 족부 감염증Foot infection 세 가지 인자를 조합하여 WIfI classification으로 분류하여 족부궤양의 예후 판정에 이용하기도 한다.

당뇨성 족부궤양이 있는 환자에서 전신성 감염증, 빨리 진행하는 봉와직염, 발의 심부 농양, 골수염, 가스 괴저gasgangrene, 혹은 1-2일간 항생제 투여에 반응을 보이지 않는 족부 감염증 등이 있을 때는 입원 치료를 원칙으로 한다. 입원 후에는 혈액 및 궤양의 세균 배양 검사, 광범위 항생제 정맥 주사, 족부 농양이 있는 환자에서는 응급 배농술을 요한다. 이같은 일차적 치료로 전신적 염증 소견이 소실되면 동맥 재건 수술을 시행한 후 족부 재건 수술을 시행하는 것이 일반적인 순서이다. 세균배양검사에 따른 적절한 항생제 투여를 하는데도 불구하고 염증 소견이 소실되지 않는다면 숨어 있는 심부 농양을 찾아 배농하거나 괴저부의 광범위한 절제술 심지어는 환자의 생명을 구하기 위해 하지 절단을 요할 수도 있음을 알아야 한다. 숨어 있는 심부 농양을 찾기 위해서 족부 MRI가 가장 효과적인 진단방법이다. 일반적으로 족부 염증이 있는 환자에서 족부 MRI 촬영을 하는 것이 경제적 측면에서 과도한 진단 방법처럼 보일 수 있으나 환자의 하지 절단위험성을 고려한다면 당연히 시행되어야 할 검사라고 생각된다.

당뇨병 환자에서 동맥 폐쇄증의 특징은 일반인에 비해 죽상동맥 경화증의 발병 시기가 더 젊은 나이에 나타나고, 말초동맥 중 특히 무릎 이하의 경골동맥, 비골동맥 등 작은 크기의 동맥을 흔히 침범하는 경향이 있으며, 비당뇨 환자에서 보이는 동맥 경화증 병변에 비해 동맥벽 석회화가 더 심한 특징을 볼 수 있다. 동맥 석회화가 심한 환자에서는 발목 동맥압ankle blood pressure 측정 시 높게 측정이 되므로 동맥 폐쇄성 질환이 아니라고 생각할 수 있지만 당뇨병 환자에서는 이점을 미리 알고 대처해야 한다.

또 다른 임상적 특징은 하지동맥 폐쇄증 환자에서 흔히 볼 수 있는 발의 피부 색깔이 창백하지 않을 수도 있다. 그 이유는 자율신경을 침범하는 신경병증neuropathy은 피부로 가는 교감신경의 기능을 상실하여 피부 모세혈관 수축의 자가조절 기능이 소실되므로 동맥 폐쇄증이 있음에도 불구하고 발의 피부는 오히려 따뜻하고 창백증을 보이지 않을 수 있다는 점을 주의하여야 한다.

혈관 수술을 하는 외과의사들에 의해 당뇨병 환자들에서 발견된 소견은 이들 환자에서는 무릎과 발목 사이의 동맥은 막힌 경우가 빈번하지만 발목 아래의 족배동맥dorsal pedal artery은 많은 환자들에서 침범되지 않고 비교적 잘 보존되어 있다는 것이다. 이 같은 특징을 이용하여 당뇨병 환자에서는 자가정맥 이식편을 이용한 족배 동맥으로의 하지동맥 우회로술이 시행되고 있으며 이 수술로 인해 하지절단을 감소시킬 수 있다고 보고하고 있다.

족부 감염증은 당뇨족을 가진 환자에서 하지 절단의 중요한 위험인자이므로 족부 감염증의 예방은 당뇨병 환자에서 하지 절단을 막기위해 매우 중요하다. 당뇨병 환자에서 당뇨족을 예방하는 일반적인 방법은 발의 감각 이상, 족부 변형, 동맥 폐쇄를 주기적 검사를 통해 조기에 진단하고, 무엇 보다도 발의 외상을 피하고, 발의 상태에 따라 특수 신발 등을 이용하여 족부궤양이 발생하지 않도록하는 것이 중요하다. 그리고 당뇨병 환자라면 누구나 족부 관리에 대한 교육을 받아야 한다(그림 6-19).

하지동맥 우회로술 후 이식편 개존율을 비 당뇨 환자군과 환자군과 비교할 때 두 군간 유의한 차이는 없지만 하

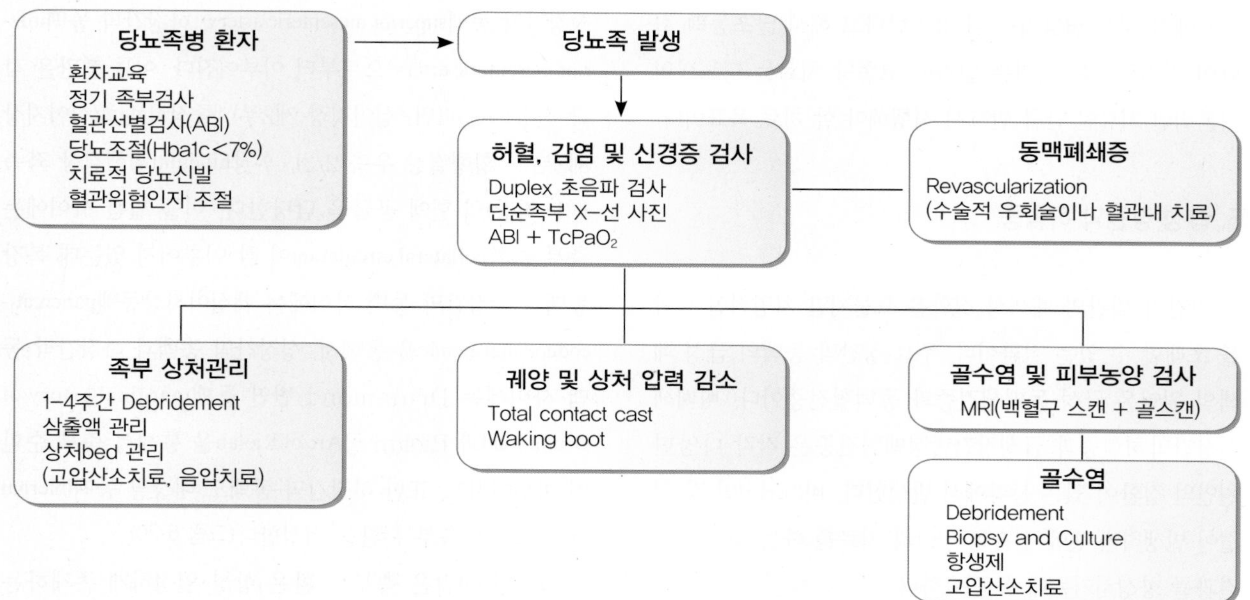

그림 6-19 **당뇨족 예방 및 치료 알고리즘.** ABI (ankle brachial index), $TcPaO_2$ (Transcutaneous oxygen pressure), MRI (Magnetic resonance imaging)

지 절단의 빈도는 당뇨병 환자군에서 유의하게 높은 이유는 동맥 수술의 성공과 무관하게 족부 감염증 등에 의한 하지 절단의 위험성이 당뇨병 환자군에서 높기 때문이라고 생각하고 있다. 그리고 만성 신부전증을 동반한 당뇨병 환자에서 하지동맥 우회로수술 후 이식편 개존율은 신부전증이 없는 환자에 비해 낮다고 알려져 있다. 최근에는 혈관내 치료endovascular treatment의 발전으로 당뇨병 환자의 하지동맥 폐쇄증에서 우선적으로 시도하기도 한다. 그러나 무릎이하 작은 동맥 병변 치료에서 혈관내 치료의 장기적 효과는 아직도 더 지켜보아야 할 것 같다.

혈관 내 치료의 기적술인 면을 보면 수술로서는 접근하기 어려운 족부 동맥궁plantar arch까지 동맥 확장술이 가능하고, antegrade approach가 어려운 환자에서는 retrograde approach(족부측, 원위부 동맥을 천자하여 카테타를 상부 동맥의 폐쇄성 병변부로 접근하는 방법) 등을 이용하여 혈관 내 치료의 기술적 성공률을 높히고 있다.

당뇨병 환자에서 동맥 폐쇄증을 예방하는 것은 혈당조절, 금연, 혈중 콜레스테롤 정상화, 규칙적인 운동 등 일반적인 동맥 경화증 예방 원칙을 따라야 한다. 당뇨병 환자에서 정상 혈당치를 잘 유지한다고 해서 말초동맥 질환이 방지된다는 근거는 없지만 고혈당 치료는 당뇨병의 기본적인 치료인 만큼 반드시 시행해야 할 치료 목표이다.

5. 급성 장간막 허혈증

장간막 혈관의 폐색성 질환은 드물지만 치명적인 결과를 초래할 수 있는 질환이다. 주요 장간막 동맥의 급성 폐색의 원인은 급성 동맥색전증과 동맥혈전증이다. 비폐색성장간막허혈증과 급성장간막정맥혈전증은 각각 다양한 원인의 질환이 있는 상황에서 발생한다. 비가역적인 장 허혈이 발생하기 전에 신속한 진단과 치료를 하는 것이 치료 결과를 향상시키는데 꼭 필요하다.

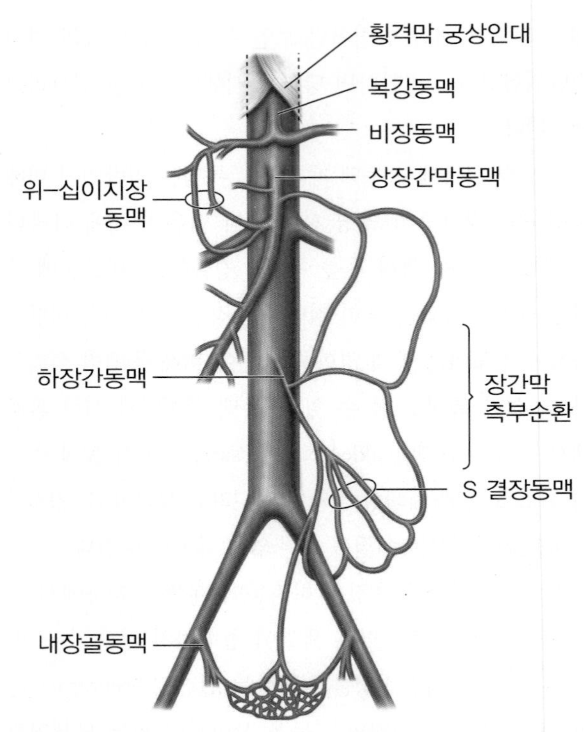

그림 6-20 주요 복강내 동맥들 간의 측부 순환

1) 병태생리

위장관의 동맥혈류는 3개의 혈관(복강동맥celiac axis, 상장간막 동맥superior mesenteric artery, 하장간막 동맥inferior mesenteric artery)으로부터 이루어진다. 이들 혈관은 각각 전장foregut(위–십이지장 제2부), 중장midgut(십이지장 제2부 – 횡행결장 우측 2/3), 후장hindgut(횡행결장 좌측 1/3–직장)의 혈액 공급을 담당한다. 이들 혈관 사이에는 측부 순환collateral circulation이 잘 이루어져 있는데 복강동맥과 상장간막 동맥 사이에는 췌십이지장동맥pancreaticoduodenal arcade을 통해서, 상장간막 동맥과 하장간막 동맥 사이에는 Drummond 변연 동맥marginal artery of Drummond과 Riolan 궁Arc of Riolan을 통해서 측부 순환이 이루어지고, 또한 하장간막 동맥도 내장골 동맥internal iliac artery과 측부 순환을 형성한다(그림 6-20).

그러나 이같은 측부 순환은 항상 일정하게 존재하는 것은 아니므로 급성 혹은 만성 장간막동맥폐색증 환자에서 이 측부 혈행만을 믿어서는 안 된다.

하나 혹은 두 개의 주 장간막 동맥의 점진적인 폐색은 침범되지 않은 혈관으로부터의 측부 혈관이 발달하는 시간이 있다면 문제가 되지 않는다. 반면에 주요 동맥 혹은 큰 측부 혈관 상부의 갑작스런 폐색은 장허혈을 야기하고 심각한 결과를 가져온다. 급성 동맥 폐색은 세포 내 물질과 혐기성 대사에 의한 부산물들을 전신 순환계로 발산하면서 조직 손상을 일으킨다. 장 점막의 손상은 장관 내부에서 독성 물질을 제한 없이 흡수되게 하여 전신적인 영향을 미친다. 장관 전층의 괴사로 장막이 손상된다면 장관 천공과 복막염이 발생한다. 동반된 심장 질환과 전신적인 동맥 경화증은 이 같은 상황에서 환자의 심각성을 증가시킨다. 비폐색성 허혈과 장간막 정맥의 폐색은 보통 심각한, 생명을 위협하는 복부의 또는 전신적 질환과 합병된다.

급성 장허혈증을 일으키는 원인 질환으로는 1) 급성 장간막동맥색전증acute mesenteric artery embolism 2) 급성 장간막동맥혈전증acute mesenteric artery thrombosis 3) 비폐색성장허혈증Nonocclusive Mesenteric Ischemia (NOMI) 4) 급성장간막정맥혈전증acute mesenteric vein thrombosis 네가지 원인을 들수 있다. 이 외에도 소아에서는 장염전midgut volvulus, 외상성 장간막 동맥 손상등이 원인이 되기도 한다.

급성장간막동맥폐색은 가장 흔하게는 심장 기원의 색전으로부터 발생하고 상장간막 동맥이 급성장간막허혈에서 가장 빈번하게 침범되는 혈관이다. 색전성 폐색은 동맥이 분지하면서 동맥구경이 작아지는 부분까지 색전이 밀려들어 가기 때문에 상장간막 동맥 기시부 보다는 약간 원위부에 많이 발생한다. 색전증만큼 흔치는 않지만 장간막 동맥 급성 혈전증도 생길 수 있다. 이는 하지 동맥에서와 마찬가지로 주로 동맥 경화성 병변 부위에서 혈전이 발생하여 장간막 동맥 급성폐색을 일으키므로 동맥 경화성 병변이 빈번한 상장간막 동맥의 기시부에 흔히 발생한다. 위 두 가지 경우 모두 혈류 정체로 인하여 이차적인 혈전secondary thrombus이 막힌 동맥의 근위부 또는 원위부에 생길 수 있다. 급성 색전성 폐색은 발달한 측부 순환이 없으므로 허혈 손상이 더 빨리 진행된다.

급성 비폐색성 장간막허혈증non-occlusive mesenteric ischemia은 주로 패혈증, 심장수술, 심한 심부전증 등 심각한 심혈관계 질환 시에 장간막 동맥의 심한 수축 때문에 발생한다. 특히 혈압을 유지하기 위하여 장시간의 혈관 수축제vasoconstrictor 사용은 이 문제를 더 악화시킬 수 있다. 이 같은 상황이 장시간 지속되면 장관과 장기로 가는 혈류에 장애를 일으킨다. 장간막 정맥의 폐색은 장관의 정맥 혈류의 감소에 의해 장허혈을 유발할 수 있다.

2) 임상 증상과 치료

(1) 급성장간막동맥폐색증

급성장간막동맥폐색증acute mesenteric artery occlusion의 원인으로는 급성 장간막 동맥색전증과 급성 장간막 동맥 혈전증을 들 수 있다. 이들 중 장간막 동맥 색전증이 급성 장간막동맥폐색증의 가장 빈번한 원인이다. 이 경우 심한 복통이 급작스럽게 나타나며 이 질환의 초기에는 특징적으로 복통은 심하지만 복부 검진상 압통이 없거나 미약한 것이 특징이다. 그러나 시간이 경과하여 장 괴사 및 복막염이 발생하면 압통이 나타날 수 있다. 따라서 전반적인 복부 압통, 반발통, 복부 경직은 위험한 징조로 보통 장 괴사를 의미한다. 복통은 종종 허혈에 의한 점막의 파괴로 인한 혈변을 동반할 수 있고, 장관 경련, 설사가 자주 발생한다. 발열, 오심, 구토 그리고 복부 팽만은 흔하지만 비특이적인 증상이다. 그 외 소견으로 백혈구 수치 증가leukocytosis, 대사성 산혈증metabolic acidosis이 나타날 수 있다. 복부 단순 촬영 소견은 장관 벽의 부종, 액체로 차 있는 장관을 보인다. 장간막 동맥 색전증 환자의 약 90%에서는 색전증의 원인으로 심장 질환(부정맥, 급성 심근경색증, 판막 질환)이 있다.

급성장간막동맥폐색증의 치료 앞서 가장 중요한 점은 조기 진단이다. 만약 장 전체가 괴사가 된 후 진단된다면 대부분 환자에서 생명을 구할 수 없고 더 이상 적극적인 치료의 의미가 없기 때문이다. 만약 일부분의 장 괴사가 있고 전반적인 장 허혈이 있는 상태에서 발견 된다면 수술에 의해 상장간막 동맥혈류를 개선하고 괴사된 장을 절제

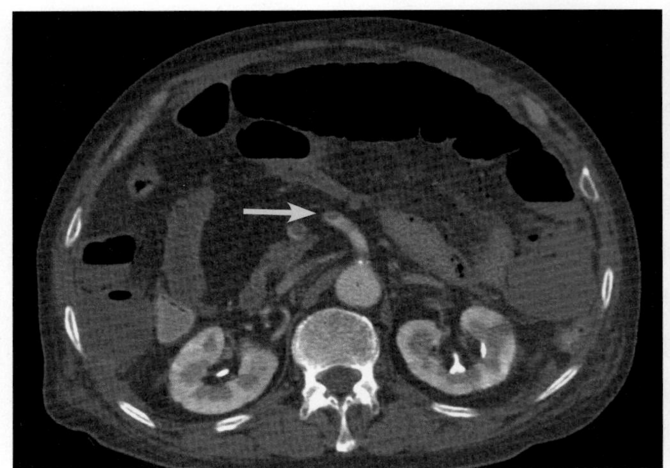

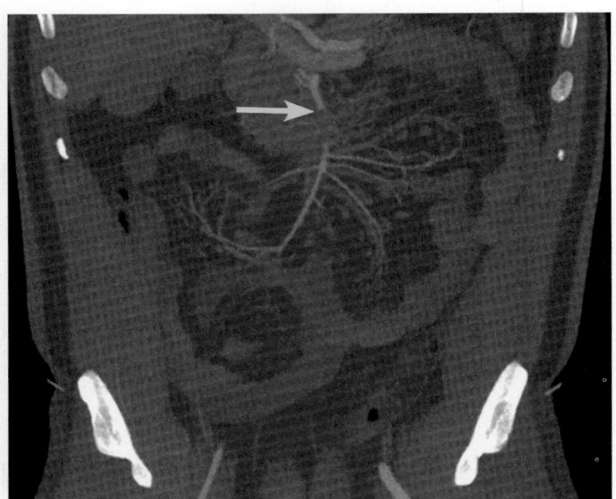

그림 6-21 **급성 상장간막 색전 환자의 CT 혈관 조영술 사진**

하므로 환자를 구할 수 있다.

상장간막동맥폐색증의 원인이 색전증이라면 수술에 의해 상장간막동맥색전제거술superior mesenteric artery embolectomy를 시행한 후 항응고제 치료를 한다. 동맥 조영술 소견에서 장간막 동맥색전증은 전형적으로 상장간막 동맥의 분지인 중결장 동맥mid colic artery 기시부에 나타나는 수가 빈번하며 상장간막 동맥이 대동맥에서 기시하는 부위의 수 cm 이하부에서 급작스런 "cutoff sign" 혹은 "meniscus sign"을 보인다. 그리고 이때는 측부 순환의 발달이 거의 없는것이 특징이다(그림 6-21).

반면에 상장간막동맥혈전증mesenteric artery thrombosis은 상장간막 동맥의 기시부에서 1-2cm 떨어진 부위에서 좁아지는 소견을 보이며 주변 동맥인 대동맥, 신동맥의 협착성 병변이 빈번하고 측부순환이 잘 나타날 수 있다(그림 6-22). 만약 장간막 폐색의 원인이 급성혈전증이라면 원인 동맥 병변을 두고 혈전 제거술 만으로는 정상 혈류를 유지시키기 어렵다. 이때는 혈전 제거 후 장간막 동맥 우회로술을 시행하는데 대동맥을 유입동맥으로 할 수도 있고 장골동맥을 유입동맥으로 할 수도 있다. 만약 장괴사가 심하여 인조혈관 사용 시 인조혈관 이식편의 감염의 우려가 있는 환자에서는 자가정맥을 사용하는 것이 바람직하다. 장괴사가 있는 환자에서도 장허혈이 교정된 후 장 절제술을 시행한다. 수술 종료시까지 장 허혈부위의 색깔이 의심스러우면 복부를 임시적으로 봉합한 후 24-36시간 후 환자를 다시 수술장으로 데려와서 "second look operation"을 하여 장 절제 길이를 최소화 할 수 있다. 급성장간막동맥폐색증 환자에서 수술 사망률을 85%까지 높게 보고한 예도 있지만 신속한 진단, 조기 치료로 사망률을 25%가지 낮게 보고한 보고도 있다.

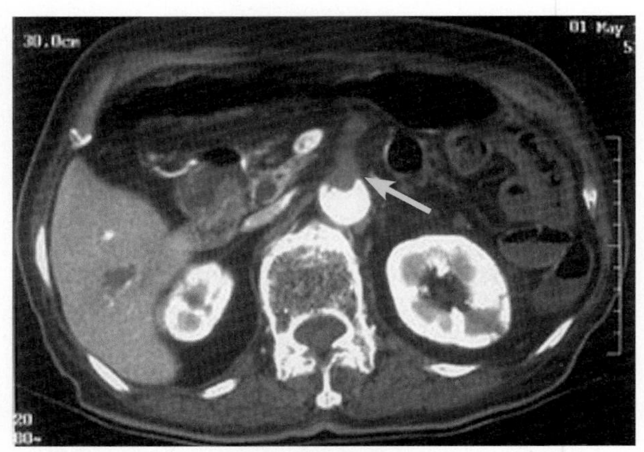

그림 6-22 **급성 상장간막 혈전증 환자의 CT 혈관 조영술 소견.** 상장간막 동맥 기시부 부터 혈전에 의한 동맥 폐쇄(화살표)가 관찰된다.

급성장간막동맥폐색증의 조기 진단은 급성 복통을 호소 하는 모든 환자에서 이 질환을 의심하는 데서부터 시작된다. 수액치료와 항생제 치료가 이루어지는 동안 이 질환 보다 훨씬 빈번한 복통의 원인이 되는 질환인 급성 췌장염, 장관 천공, 대동맥류 파열, 신장 결석과 같은 다른 진단들이 배제되어야 한다. 동맥 조영술로 폐색의 부위를 확인할 수 있으나, 환자가 명백한 임상적 증거를 가지고 있고 혈관 조영술로 수술적 치료를 지연시킬 수 있다고 판단되면 혈관 조영술 없이 수술을 시행할 수도 있다. 그러나 최근 CT 혈관 조영술은 수 분 내에 검사가 가능하므로 대부분 조영증강 복부 CT 검사로 확진되는 수가 많다.

수술은 성공적인 치료의 필수 관문이므로 필요하다면 시험적 개복술에 의해 빠른 시간 내에 확진을 하고, 복강 내 다른 질환을 진단할 수도 있다. 장간막 동맥 폐색증 환자에서는 수술 후에도 지속되는 장간막 동맥 수축으로 인해 장허혈이 지속될 수 있다는 점을 고려하여 상장간막동맥의 입구에 주입 카테터를 거치하고 papaverine과 같은 혈관 확장제를 동맥 내로 주입할 수 있다.

카테터를 통한 혈전 용해술은 혈전성 장간막 폐색의 치료에서 큰 역할을 하지 못한다. 혈전 용해제는 폐색된 혈관을 일시적으로 재관류시킬 수는 있지만 일차적 원인인 장간막 동맥 병변은 근본적인 치료를 요한다. 카테터를 통한 혈전 용해술은 두 가지 한계를 가지고 있는데, 첫째 관류를 재개하기까지 많은 시간을 요하기 때문에 그 동안 허혈이 진행하여 장관의 괴사가 발생할 수 있고 수술적 치료를 지연할 수 있다는 점이며, 둘째 허혈이 발생한 장관의 괴사 여부를 판단할 수 없다는 점이다. 따라서 아주 초기가 아니면 혈전 용해제를 이용한 치료는 어렵다고 판단된다. 최근 혈관내 치료 기술의 발달에 따라 카테터를 이용한 장간막 동맥 혈전 혹은색전제거술이 보고되고 있다. 이 같은 방법은 수술적 치료의 위험성이 높은 환자에서 추천될 수 있는 방법이다.

(2) 비폐색성장간막허혈증

비폐색성장간막허혈증non-occlusive mesenteric ischemia이 발생하는 환자는 주로 심한 심장 기능 저하 혹은 패혈증 등 위중한 질환으로 중환자실 치료를 받는 환자에서 잘 나타난다. 울혈성 심부전, 심인성 쇼크를 동반한 급성 심근 경색, 저 혈량증, 출혈성 쇽, 패혈증, 췌장염, digitalis 또는 epinephrine과 같은 혈관 수축제의 사용과 같은 위험요인 중 하나를 가진 고령 환자에서 급작스런 복통을 호소한다면 비폐색성 장간막 허혈의 진단이 고려되어야 한다.

환자의 의식이 둔화되었거나 기관 삽관tracheal intubation이 되어있을 경우, 혹은 다량의 진통제가 투여된 경우 증상의 발현이 뚜렷하지 않아 진단이 늦어질 수 있다. 비폐색성장간막허혈증에서도 복통이 심하고 이에 비해 복막 자극 증상인 압통은 심하지 않거나 없을 수 있고, 대사성 산혈증이 심할 수 있다. 복부 단순 촬영, 초음파, 복부 CT가 소화성 궤양 천공, 급성 담낭염과 같은 다른 질환을 배제하는데 도움이 된다. 장간막 동맥조영술은 확진을 위해 중요한 검사이다. 특징적으로 혈관 조영술 상 상장간막 동맥 주 동맥의 폐색이 없이 부분적 혈관 수축으로 인해 "염주"("beading of major mesenteric branch") 모양 소견과 장간막 동맥 분지들이 가지치기를 한 나무 모양의 "pruned tree appearance" 소견을 보인다.

비폐색성장간막허혈증 환자에서 장간막 동맥 조영술은 진단을 위한 역할 외에도 카테터를 이용해 papaverine과 같은 혈관 확장제를 상장간막 동맥 내로 주입하여 초기 치료를 가능하게 하는 역할도 한다.

비폐색성장간막허혈증의 치료는 근원 질환의 치료와 함께 수액요법, 혈관 수축제의 중지, 장내세균의 간문맥으로의 이동을 고려한 항생제의 사용, 그리고 혈관 조영술을 통한 혈관 수축의 감시가 치료의 중요한 부분이다. 수술은 임상적으로 악화되는 환자나 장 괴사를 암시하는 복막염의 증세를 보이는 환자에게만 적응이 된다. 치료의 성공은 장간막 부전을 일으킨 기저 질환이 교정될 때에만 가능하므로 비폐색성장간막허혈증의 예후는 나쁘다.

(3) 급성장간막정맥혈전증

급성장간막정맥혈전증acute mesenteric venous thrombosis

표 6-12. 장간막 정맥 혈전증과 관련된 질환

Portal hypertension Liver cirrhosis Congestive splenomegaly
Inflammation Peritonitis Inflammatory bowel disease Pelvic or intraabdominal abscess Diverticular disease
Postoperative state or trauma Splenectomy or other postoperative condtions Blunt abdominal trauma
Hypercoagulable state Neoplasm (colon, pancreas) Oral contraceptives
Pregnancy Migratory thrombophlebitis Antithrombin III, Protein C, S deficiency Peripheral deep vein thrombosis Polycythemia vera Thrombocytosis
Other conditions Renal disease (nephrotic syndrome) Congestive heart failure

은 혈액 과응고증hypercoagulability과 같이 혈액의 문제에 의해 나타날 수 도 있고 다른 질환에 의해 2차적으로 발생할 수 도 있다. 급성장간막정맥혈전증을 야기하는 질환은 주로 간질환, 문맥압항진증portal hypertension, 췌장염, 복강내 염증성 질환, 과응고 질환, 전신적인 저혈류 상태 등이다(표 6-12). 장간막 정맥 혈전증의 임상 증상은 장간막동맥폐색증에서 보다 극적이지 않고, 어떤 경우에는 임상 증상이 경미하여 조기 진단이 힘들다. 복통은 보통 경미하고 압통은 경하거나 모호한 경우가 많다. 복부 CT 소견상 두꺼워진 장벽, 문맥으로의 조영제 이동의 지연, 문맥 조영이 되지 않는 소견을 보일 수 있다(그림 6-23). 혈관조영술에서는 정맥의 울혈과 문맥의 신속한 조영이 안 되는 소견을 보 인다.

장간막정맥혈전증의 기본적인 치료는 수액치료와 항응고치료anticoagulation therapy, 주기적인 검사 등이다. 장 괴

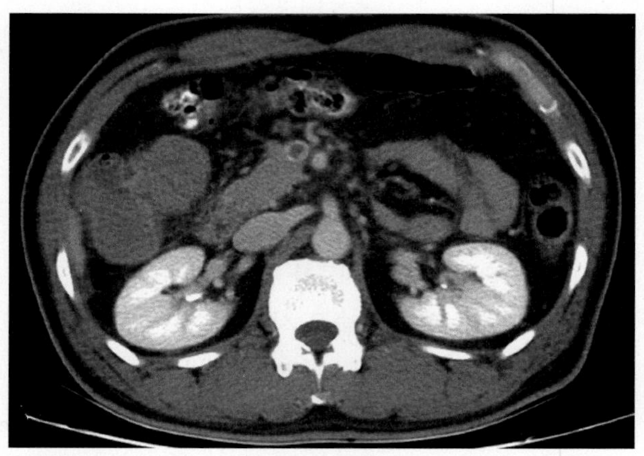

그림 6-23 급성 상장간막 정맥 혈전증의 CT 소견 Halo sign

사로 인해 복막염이 발생할 가능성도 있으므로 복막 자극 증상이 나타나는 환자에서만 선택적으로 장 괴사 유무 확인 그리고 필요하면 장 절제를 위해 시험적 개복술이 필요할 수도 있다. 장간막 정맥 혈전증에서 수술적 혈전 제거술은 성공적이지 못하고 재발의 가능성이 높다. 혈전 용해제 치료는 울혈된 장관의 출혈을 유발할 수 있기 때문에 위험성이 있다. 장간막 정맥은 측부 순환이 발생하고, 혈전의 부분적 또는 완전한 재개통recanalization이 생길 수 있으므로 급성장간막동맥폐색증에 비하여 예후는 좋은 편이다.

6. 만성장간막동맥허혈증

1) 동맥경화증에 의한 만성장간막허혈증

만성장간막동맥허혈증chronic mesenteric ischemia은 거의 대부분 대동맥과 상장간막 동맥 기시부를 침범하는 광범위한 동맥 경화증을 가진 고령의 환자에서 발생하며, 이 질환의 발생 빈도는 이 질환에 대한 지식의 증가와 고령 환자의 증가로 인해 증가하고 있다. 보통 이들 환자에서는 측부 순환이 풍부하기 때문에 3개의 주요 장간막 동맥 중 적어도 2개의 동맥(흔히 복강 동맥과 상장간막 동맥)에 심각한 병변이 있을 때 만성 장허혈 증상이 나타난다. 만성 장허혈 증상은 식사 후에 장간막 동맥으로의 혈류 요구량

이 증가할 때 흔히 나타난다. 식사 후의 혈관 확장은 혈관의 저항을 감소시키지만 근위부 동맥에 폐색 병변이 있는 상황에서 혈류가 증가할 수 없으므로 마치 관상동맥 병변이 있을 때 angina pectoris가 나타나듯이 복부에서는 “intestinal angina”라 불리는 식사 후 일시적인 허혈성 복부 통증이 발생한다. 진행된 만성 장간막 허혈증이 있는 환자는 흔히 식사 후 20–30분 내에 배꼽주위에 발생하는 전형적인 복통의 패턴을 가지고 있다. 복통은 시간이 지나면서 점차 감소하고 다음 식사와 함께 반복된다. 식사가 통증을 야기하므로 환자는 식사량을 줄이고 식사를 두려워하면서food phobia 점차 체중이 감소하게 된다. 그 외 청진 시 복부 잡음, 오심, 구토, 설사, 변비 등 다양한 소견을 보일 수 있고 흡수 부전증malabsorption은 이 질환의 일부로서 드물게 나타난다.

진단은 주의 깊은 병력 청취와 비교적 흔한 질환인 암, 만성 췌장염, 소화성 궤양과 같은 유사 질환들을 배재하는 것으로부터 시작하여야 한다. 종종 이런 질환들을 확인하기 위해 많은 검사가 시행되고, 만성장간막허혈증의 진단이 늦어지는 경우가 흔하다. 듀플렉스 초음파는 상장간막 동맥 근위부나 복강 동맥의 폐색성 질환을 진단하는데 점차 많이 사용되고 있지만 이를 위해서는 숙련된 검사자가 필요하다. 확진을 위한 검사는 혈관 조영술인데, 대부분 세 개의 주요 복부 동맥 중 2개 이상 폐색을 보인다. 그리고 2차적 소견으로 좌측 대장을 따라 구불구불하게 늘어난 측부순환meandering mesenteric artery을 흔히 볼 수 있다(그림 6-24).

만성장간막동맥폐색증 환자에서 상장간막 동맥의 풍선 확장술이나 스텐트 삽입술은 수술적 치료가 어렵거나 위험한 고령의 환자에서 선택적으로 사용될 수 있지만 재협착restenosis이나 재시술reintervention의 빈도가 각각 30–50%, 50%로 높게 보고되고 있다. 만성장간막동맥폐색증의 가장 우수한 성적을 보이는 치료는 수술적 치료이다. 수술은 대동맥을 통한 상장간막 동맥 내막절제술transaortic mesenteric endarterectomy이나 동맥 우회로술이 주된 수술이다. 우회로술은 인조혈관을 이용하여 복강 동

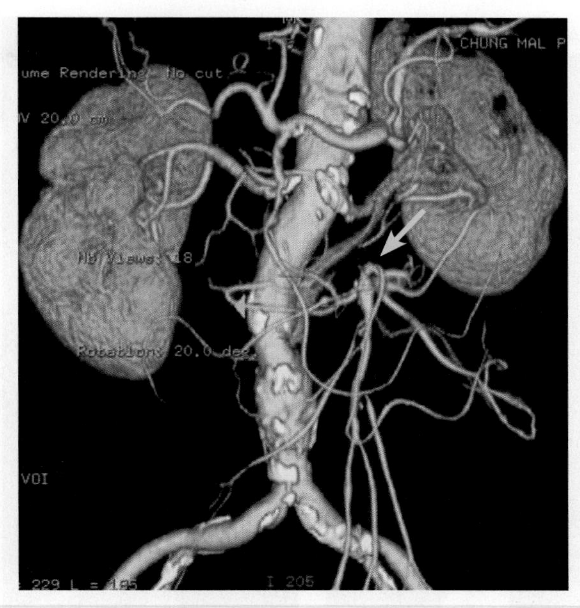

그림 6-24 상장간막 동맥 폐쇄(화살표)에 의한 만성 장허혈증

맥 상부의 대동맥supraceliac aorta을 유입 동맥으로 하여 복강동맥이나 상장간막 동맥으로의 순방향 우회로술antegrade bypass 혹은 신동맥 하방의 대동맥infrarenal aorta 또는 장골 동맥iliac artery을 유입 동맥으로 하여 역방향 우회로술retrograde bypass를 시행할 수 있으며(그림 6-25) 각각의 장단점이 있다. 이식편으로는 대복재 정맥 그리고 인조혈관의 사용 후 결과가 비교적 만족스럽고 성공률도 유사한 것으로 알려져 있다. 일반적으로 수술의 결과는 적절히 선택된 환자에서 증상의 소실과 체중의 회복을 보이며 매우 만족스럽다. 장간막 동맥 우회로술의 장기 개존율은 90%를 넘을 정도로 훌륭하다.

2) 복강 동맥 압박 증후군

복강 동맥 기시부의 협착으로 인한 복부 통증은 정중궁상인대median arcuate ligament에 의한 외부적 압박으로 발생할 수 있다. 이 상태는 복강동맥 압박 증후군 또는 median arcuate ligament 증후군으로 알려져 있다. 복강동맥 압박 증후군은 만성 장간막 허혈의 변이형과 관련되어있다. 그러나 복강동맥의 의미있는 압박은 완전 무증

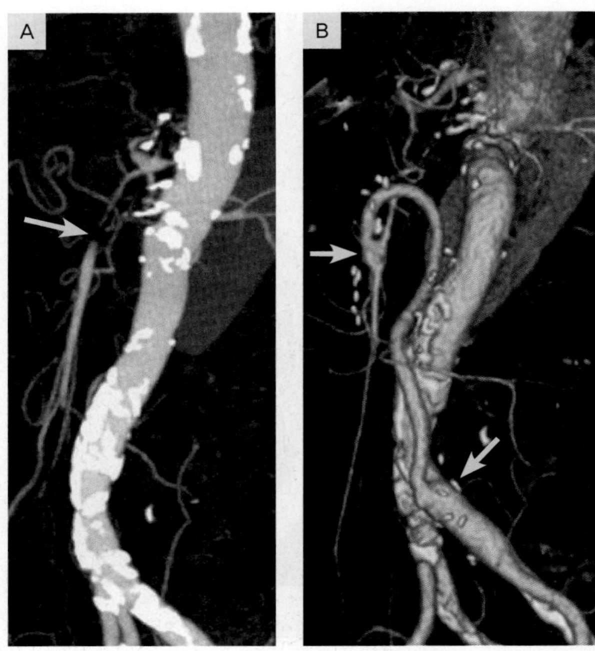

그림 6-25 A) 상장간막 동맥 폐쇄(수술 전 CT 혈관조영술). B) 장골동맥-상장간막 동맥간 역방향 우회로술 retrograde bypass

상의 환자에서도 측방향에서의 대동맥 조영술에서 자주 관찰될 수 있다. 그러므로 이에 대한 치료의 여부는 복부 증상이 이에 적합한가와 복부 증상을 설명할 만한 다른 요인이 없이 복강 동맥 압박을 보이는가를 보고 수술여부를 결정한다. 환자는 복강 동맥 압박의 해소를 통해 증상의 해소를 보장할 수 없다는 것을 알 필요가 있다.

대부분의 환자는 동맥경화증이 없는 20-40세의 젊은 여자 환자이다. 복통은 비특이적이지만 그러나 통증은 상복부에 국한되고 식사에 의해 유발될 수 있다. 치료의 목적은 복강 동맥을 압박하는 인대 구조를 해소하고 만약 이같은 방법으로 복강동맥 혈류 개선을 할 수 없다면 우회로술을 시행하기도 한다. 치료는 매우 선택적으로 시행하며 풍선 확장술, 스텐트 삽입술 등의 방법은 외인적 압박을 받는 환자에서는 성공적이지 못한 경우가 많다. 수술은 정중궁상인대를 잘라주는 방법이 이용된다. 소수의 환자에서는 근위부 복강 동맥에 섬유성 비후를 보일 수 있는데, 이는 외인성 압박을 제거 한 후 혈관내 치료, 짧은 길이의 우회로술이나 패치 혈관성형술로 치료할 수 있다. 통증의 혈역학적인 원인은 항상 명확하지는 않아서, 수술 중에 복강 신경총을 제거하여 어느 정도 치료적 효과를 얻을 수 있다는 보고도 있다.

3) 기타 장허혈증

죽상경화증이 장간막동맥을 침범하는 가장 빈번한 원인인데 기타의 다른 원인으로 장간막허혈증을 유발하는 질환도 있다. 방사선 동맥염radiation arteritis, 결절성 다발성 동맥염poly arteritis nodosa, 홍반성 낭창lupus erythematosus, 가와사키 병Kawasaki's disease, 섬유근성 이형성증 fibromusculodysplasia 등이 있다. 그 외에도 심한 흡연자나 경구 피임제를 복용하는 젊은 여성은 장간막 혈관 내막 과증식증의 위험이 있고, 이것이 장간막 허혈을 일으킬 수 있다.

7. 신동맥 폐색성 질환

신동맥의 폐색성 질환renal artery occlusive disease은 고혈압을 초래할 수 있으며 이를 신혈관성 고혈압renovascular hyperetension이라 칭하고 신혈관성 고혈압은 외과적 혹은 혈관내 시술로 치료가 가능한 고혈압의 원인 중 가장 빈번하다. 미국의 보고에 따르면 신혈관성 고혈압은 전체 고혈압 환자의 5-10%를 차지한다고 알려져 있다. 신혈관성 고혈압은 심장과 혈관에 심대한 영향을 미친다. 근위부 신장 동맥에 협착성 병변이 있는 신장은 종국에는 신경화증nephrosclerosis을 초래하고 반대측 정상 신장도 고혈압에 노출된다.

고혈압은 신장뿐만 아니라 고혈압성 망막병증, 말초 동맥, 관상동맥, 경동맥의 죽상경화증의 진행에도 기여한다. 고혈압으로 인해 심장의 좌심실 비후와 심실 유순도 compliance 감소가 나타난다.

양측성 신동맥 병변을 가진 환자에서는 과혈량증hypervolemia이 고혈압에 동반될 경우, 급성 좌심실 부전에 의한 폐부종pulmonary edema 그리고 갑작스런 고혈압성 위기 hypertensive crisis가 발생할 수 있다.

그리고 신혈관성 고혈압 환자에서 혈압 조절을 위해 부적절한 약물치료(예; angiotension-converting enzyme (ACE) inhibitors)가 행해질 경우 비가역적인 신기능 저하를 일으킬 위험이 있는 질환이다. 드물지만 심한 허혈증이 있는 신장에서 신동맥 재건술이 불가능한 경우에는 신동맥 병변이 있는 측의 신절제술을 시행함으로 고혈압을 치료하고 반대측 신장의 기능을 보호하는데 효과적일 수도 있다.

1) 신동맥 폐색성 질환의 원인

신동맥 폐색성 질환의 약 70%는 죽상경화증에 의해 발생하며 이 병변은 특징적으로 신동맥 기시부에서 발생하고 보통 협착성 병변의 길이는 1cm 미만이다. 이 질환을 가진 환자들에서 볼 수 있는 또 다른 특징은 고령의 남자에서 주로 나타나고, 다른 혈관의 죽상경화증(예; 허혈성 심질환, 말초 동맥 폐색증)을 동반하는 경우가 흔하다.

신동맥 폐색증의 두 번째로 흔한 원인은 섬유근성 이형성증Fibromuscular Dysplasia (FMD)이다. 신동맥에 발생하는 섬유근성 이형성증은 신동맥의 다양한 층(내막, 중막, 외막층)에 특징적인 병변을 만드는 질환이다. 이들 중 가장 빈번한 유형은 중막의 섬유증식증medial fibroplasia으로 병변의 특징은 신동맥의 중막층이 두꺼운 부분과 얇아진 부분이 교대로 나타나며 이 소견은 혈관 조영술에서 이 질환의 전형적 소견인 "염주 모양string of beads"을 나타낸다(그림 6-26). 중막 섬유증식증의 원인은 분명치 않지만 가임기의 여성에서 estrogen 호르몬의 자극에 의해 동맥 평활근 세포smooth muscle cell의 변화, 침범된 혈관에 가해지는 비정상적인 견인력, vasa vasorum 혈류의 손상으로 인한 혈관벽 자체의 허혈증 등과 관련 있는 것으로 설명하고 있다. 신동맥에 나타나는 섬유근성 이형성증은 죽상경화증과는 달리 신동맥 원위부 2/3를 주로 침범하고 우측 신동맥이 좌측보다 더 빈번히 나타난다. 그리고 이 질환은 다산의 경험이 있는 젊은 여성에서 흔히 발생하는 경향을 보인다.

비록 흔치는 않지만 신동맥 협착의 다른 원인으로 신동맥류(주변의 정상 신동맥을 압박하는 경우), 동정맥 기형arteriovenous malformation, 신경섬유종증neurofibromatosis, 신동맥 해리renal artery dissection, 신동맥 외상, 타카야수 병Takayasu's disease, 그리고 신동맥 혈전증 등이 있을 수 있다.

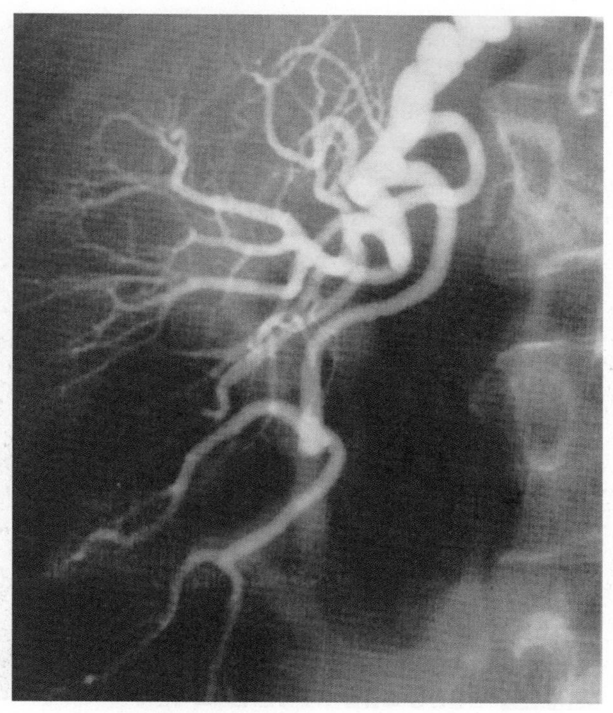

그림 6-26 섬유근 이형성증의 혈관 조영술 사진

2) 신혈관성 고혈압의 기전

근위부 신장 동맥 반경 60% 이상 또는 단면적 75% 이상의 협착으로 신동맥의 관류압이 감소할 때 신장의 수입세동맥afferent arteriole 주위에 위치한 사구체근접부 장치juxtaglomerular cell는 Renin 분비를 증가시킬 수 있다. 저혈압과 세포외 체액extracellular fluid의 감소는 Renin 분비를 자극한다. 전신 순환계로 유입된 Renin은 간에서 안지오텐시노젠angiotensinogen이라는 당단백glycoprotein을 안지오텐신-1angiotensin-1으로 변환시킨다. 그 다음에는 안지오텐신 변환 효소Angiotensin Converting Enzyme (ACE)가 안지오텐신-1을 안지오텐신-2로 변환시킨다. 안지오텐

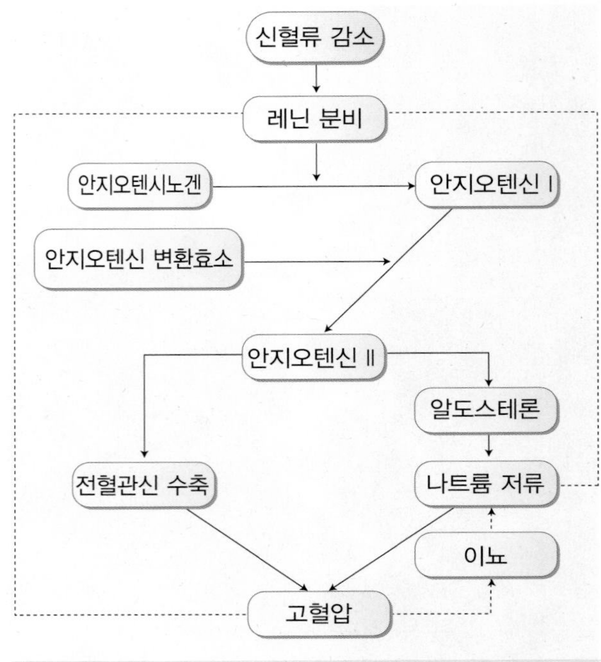

그림 6-27 신혈관성 고혈압에서 레닌-안지오테닌계

신-2의 생산이 신동맥 협착의 가장 중요한 산물이다. 안지오텐신-2는 내장기관, 신동맥, 피하 혈관 등 거의 모든 혈관벽의 평활근 세포에 직접적 작용하여 혈관 수축을 일으킨다. 안지오텐신-2는 다음의 4가지 과정을 통해 혈압 상승 작용을 한다.

(1) 전신적인 혈관 수축을 일으킨다.

(2) 부신 피질adrenal cortex에 작용하여 알도스테론 Aldosteron을 분비시키고 알도스테론은 신장에서 나트륨과 수분저류를 초래한다.

(3) 뇌하수체 후엽에서 항이뇨 호르몬인 바소프레신 vasopressin의 분비를 증가시켜 신장에서 수분 저류를 증가시킨다.

(4) 교감신경에서 노르에피네프린norepinephrin의 분비를 자극하고 신경 말단에서 노르에피네프린의 재흡수를 저해하여 교감신경 작용을 증가시킨다. (그림 6-27)

일측성 신동맥 협착unilateral renal artery stenosis에 의한 신혈관성 고혈압에서는 반대측의 정상 신장이 나트륨을 배설을 증가시켜 증가된 레닌의 작용을 부분적으로 보상할 수 있다. 혈중 레닌renin 수치가 지속적으로 상승해 있더라도 안지오텐신-2 길항제angiotensin II inhibitor를 주입하면 일측성 신동맥 질환에서는 혈압을 낮추는데 효과적이다. 그러나 양측성 신동맥 협착이 있는 환자 혹은 신장이 하나뿐인 환자에서는 반대측 정상 신장에서의 나트륨 배설 증가와 같은 보상기전은 일어나지 않는다. 양측성 신혈관성 고혈압 환자에서는 초기에는 혈중 레닌 증가가 일시적으로 있을 수 있지만 나트륨과 수분의 저류를 통한 체액의 증가로 인해 레닌 분비가 오히려 억제되므로 고혈압이 지속되는 원인이 레닌-안지오 텐신계에 활성화에 의한 혈관 수축보다는 체액 증가가 그 원인인 경우가 많다. 따라서 이들 환자에서는 안지오텐신-2 길항제는 고혈압 치료에 효과적이지 않고 오히려 신기능을 저하시킬 수 있다.

3) 신동맥 폐색증 환자의 임상적 소견

신동맥 폐색성 질환을 진단하기 위해서는 무엇보다도 이 질환의 임상적 특징을 숙지하고 이를 근거로 진단적 검사를 시행하여야 한다.

표 6-13에서는 만성 신동맥 폐색성 질환의 임상적 특징을 정리하였다.

표 6-13. 신혈관성 고혈압 진단을 고려해야 하는 임상 양상

• Severe hypertension, diastolic blood pressure >115mmHg • Refractory hypertension • Malignant hypertension, hypertensive crisis • New onset of sustained hypertension in patients at age < 20years or female age < 50years, either gender at age > 50years • Audible epigstric or flank bruit with hypertension • Moderate progressive or severe hypertension in paitnets with systemic atherosclerosis abd enexplained renal insufficiency • Dramatic control of blood pressure by ACE inhibitor • High serum creatinine with blood pressure improvement after use of ACE inhibitor

(Diagnostic clue of renovascular hypertension)

4) 진단적 검사

신혈관성 고혈압 환자의 진단적 검사는 해부학적으로 신동맥 협착을 확인하고, 신동맥 협착에 따른 신장 실질의 기능 저하를 평가하는 검사들이다. 이들 검사들의 장점과 단점을 알면 신동맥 질환 환자에서 치료 대상 환자를 옳게 선택하는데 도움이 된다. 신혈관성 고혈압 환자의 색출을 위한 선별검사로는 신장 초음파 검사, 신동맥 듀플렉스 초음파 검사duplex ultrasonography, Captopril을 이용한 신주사renal scintigraphy, MRI, CT angiography등이 이용되고 있다.

신장 초음파 검사는 신장의 크기, 수신증, 신낭종 등의 유무를 보기 위해 편리한 검사이다. 신동맥 듀플렉스 초음파 검사renal duplex scanning는 혈관의 실제 모양을 볼 수 있을 뿐 아니라 신동맥 내 혈류속도를 측정blood flow velocity measurement, 동맥혈류 파형 분석waveform analysis도 할 수 있다. 신동맥 듀플렉스 초음파 검사에서 신동맥 협착의 일반적인 진단 기준은 최고 수축기 혈류 속도Peak Systolic Velocity (PSV) > 180cm/s 그리고 신동맥-대동맥 혈류 속도비velocity ratio > 3.5이다. 그러나 실제 많은 예에서 신동맥의 초음파 검사는 복부비만 혹은 장내 가스로 인해 시행과 판독이 쉽지는 않으므로 경험이 많은 전문적인 검사인력이 필요하다. 그리고 신동맥 초음파는 직경의 60% 이상의 협착들은 더 이상 정확한 계측이 어렵고, 검사자체가 검사자에 따라 달라질 수 있다는 제한 점이 있으므로 현재로서는 신동맥 협착의 선별검사screening test로 그 역할이 제한적이다.

신동맥을 고해상도로 관찰하기 위해 나선형 CT 스캔spiral CT scan은 현대 의학에서 가장 빈번히 이용되는 검사 방법 중 하나이다. 통상적인 신동맥 조영술과 CT 혈관조영술은 정확한 검사 방법이지만 조영제를 사용하여야 하므로 조영제 사용에 따른 신독성의 위험이 있다. 그러나 신동맥 수술이나 치료 목적의 시술을 위해서는 신동맥 조영술은 필수적인 검사이다. 먼저 대동맥 조영술을 시행함으로 부accessory 신동맥의 유무를 확인할 수 있고, 양측 신동맥의 기시부를 정확히 볼 수 있다. 신동맥 주위의 측부 혈행collateral circulation의 존재는 신동맥 협착이 있음을 강하게 시사한다. 일반적으로 신동맥 협착 병변을 전후하여 동맥 압력차 ≥ 10mmHg가 있어야 측부 혈행이 발생하고 또한 레닌-안제오텐신계의 활성화가 시작된다. 혈관조영제 사용으로 신기능 저하가 걱정되는 환자에서는 이산화탄소를 이용해 혈관조영술을 시행할 수도 있다.

자기공명 혈관 조영술magnetic resonance angiography은 gadolinium 조영제를 사용하여 고해상도의 영상을 보여줄 수 있기 때문에 신동맥 질환의 진단에 유용한 검사방법이 되었다. 신동맥 기시부의 구부러짐angulation과 경사tilting가 영상의 판독에 장애가 될 수도 있지만, MRI는 신동맥 질환 환자의 평가에 중요한 역할을 할 정도로 정확도가 높다. 비침습성 이라는 점이 매력적인 검사이지만 고비용, 비록 낮지만 gadolinium 조영제의 신독성이 이 검사의 약점이다. 영상 소프트웨어의 지속적인 발전으로 이미지의 해상도가 점차 좋아짐에 따라 MRI 혈관조영술은 심혈관성 고혈압이 의심되는 환자 특히 신장 기능 저하가 우려되는 환자에서 널리 받아들여지는 영상 검사가 되어 있다.

신혈관성 고혈압 환자에서 여러가지의 생리적 검사 방법physiologic tests이 사용되어 왔다. 대퇴 정맥을 통하여 양측 신정맥renal vein 내로 catheter를 넣어 양측 신정맥의 레닌치를 측정, 비교하는 검사rennin activity는 좀 더 침습적인 검사이다. 일측성 신동맥 질환을 가진 경우 신동맥 협착이 있는 쪽의 신정맥혈은 레닌치가 증가되어 있고 반대측 신정맥혈에서는 레닌치가 감소됨을 보인다. 두 신정맥 간 레닌치의 비율Renal Vein Rennin Ratio (RVRR) > 1.5인 경우 신혈관성 고혈압을 시사하고, 신동맥 재건술에 대한 반응이 좋을 것을 예측할 수 있게 해준다. 이 검사는 두 신장 간의 RVRR을 보는 검사이므로 양측성 신동맥 병변이 있는 환자에서는 진단적 가치가 없다고 할 수 있다.

Renal Systemic Rennin Index (RSRI)는 양측 신정맥혈의 레닌치에서 일반 정맥혈에서 측정한 레닌치를 빼고 또 이것을 일반 정맥혈 레닌치로 나누어 계산한다. 이

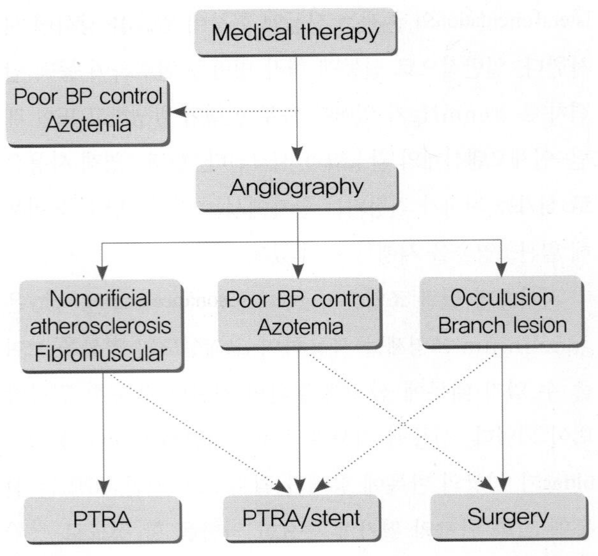

그림 6-28 신동맥 협착 환자의 치료적 접근

수치는 각 신장에서 분비되는 레닌의 정도를 나타낸다. 정상인에서도 신정맥혈에서 측정한 레닌치는 일반 정맥혈에서 보다 24% 정도 높게 측정된다. 따라서 양측 신장으로부터의 레닌은 일반 정맥혈에서 보다 48% 더 높게 나온다. 이 0.48이라는 수치가 신장에서 생산하는 레닌 활성도를 의미한다. 그러나 임상에서 사용하는 많은 고혈압 약제들이 레닌과 혈중 나트륨에 영향을 주므로 레닌의 정확한 측정을 위해서 사용하던 고혈압 약제를 검사 전 3주간 중단하여야 하기 때문에 다소 번거럽고 실제 투약 중단이 어려운 경우가 있기 때문에 실용성 면에서 떨어진 검사 방법이다.

신장의 혈류와 배설능을 보기 위해 방사선동위원소를 이용한 renal scintigraphy가 사용된다. ACE 길항제인 Captopril은 방사선 동위원소 검사의 정확성을 증가시킨다. 병변 측 신장의 안지오텐신 II는 근위부 신동맥 협착이 있는 환자에서 신사구체의 유출세동맥efferent arteriole의 선택적 수축을 일으켜 사구체 여과율을 유지시킨다. ACE 길항제인 Captopril을 투여하여 안지오텐신 II을 차단하면 사구체 여과율이 의미있게 감소한다. Captopril 사용 전후로 신장 스캔을 하여 Captopril 사용 후 사구체 여과율의 의미있는 감소가 보인다면 이는 신혈관 질환을 암시한다. 검사의 정확도는 90-95%이며, 이는 혈관 조영술과 비교할만 하다. 일측성 신동맥 질환에 근거한 이 생리적 검사는 양측성 신동맥 질환이나 혈청 크레아티닌이 3mg/dL 이상일 경우에는 적용 불가능하다.

5) 신혈관성 고혈압의 치료

신혈관성 고혈압의 일차적 치료는 내과적 약물요법이다. 베타 차단제β-blocker, 이뇨제, 혈관 확장제, ACE 길항제 등이 흔히 사용되고 있다. 만일 혈압조절을 위해 2-3개의 약물 용량을 증가시켜야 하거나 항고혈압제 특히 ACE 길항제의 사용으로 신기능이 악화된다면 신동맥 병변에 대한 보다 적극적인 치료가 고려되어야 한다.

(1) 내과적 치료

베타 차단제β-blocker나 칼슘 통로 차단제calcium channel blocker, ACE 길항제ACE inhibitor와 같은 고혈압 치료약제의 사용으로 신혈관성 고혈압 환자의 치료에서 혈압조절이 용이해졌다. 특히 양측성 신동맥 질환이나 반대측 신실질의 병변을 가진 일측성 신동맥 질환에서 난치성 고혈압refractory hypertension은 이들 약제에 이뇨제를 추가함으로써 더 좋은 반응을 보일 수 있다. 만일 신기능이 정상이고, 혈압이 약물요법으로 잘 조절된다면 신혈관성 고혈압에서 내과적 치료를 유지하는 것이 적절하다. 그러나 약물 요법을 통한 고혈압 치료는 흔히 신혈류renal perfusion를 감소시키고, 이것은 점차적으로 허혈성 신병증ischemic nephropathy, 만성 신부전증을 일으킬 수 있다. 특히 ACE 길항제는 신혈관성 고혈압 환자에서 고혈압을 치료하는데 매우 효과적이지만 신장 내 동맥압을 감소시키고 신장 내 혈관의 자가 조절 기능autoregulation을 변화시킴으로써 신기능에 악영향을 미친다. 이같이 고혈압 치료약제가 신기능에 유해한 영향을 미치는 예는 특히 신장이 하나뿐인 환자에서 발생한 신동맥 협착 혹은 양측성 신동맥 질환을 가진 환자에서 흔히 나타난다. 신동맥 폐색성 질환은 신장의 용적과 신기능을 점진적으로 감소시키므로 신장

동맥 혈류를 회복시키는 근본적인 치료가 항고혈압제를 사용한 약물치료보다 장기적으로 좋은 결과를 가져올 수 있다.

(2) 동맥내 시술

신장 동맥에 대한 동맥내 시술endovascular intervention인 경피적 신동맥 풍선성형술Percutaneous Transluminal Renal Angioplasty (PTRA)와 스텐트stent 삽입술은 점차 자주 시행되고 있다. 신동맥 풍선성형술은 대퇴 동맥femoral artery 혹은 상완 동맥brachial artery을 통하여 가이드 와이어guide wire를 대동맥내로 삽입한 후 끝이 휘어진 카테타를 이용해 원하는 신장 동맥에 가이드 와이어와 카테타를 넣고 신동맥 협착부위를 통과시킨 다음, 혈관 성형술을 위한 풍선 카테터balloon catheter를 신동맥내로 삽입하고 신동맥 협착부위에서 풍선을 확장시켜 좁아진 동맥을 넓혀 주는 방법이다.

경피적 풍선 성형술은 섬유근성 이형성증fibromuscular dysplasia 환자(특히 중막 섬유형성 유형medial fibroplasia)의 치료에서 높은 성공률과 낮은 재발률을 보인다. 섬유근성 이형성증 환자는 2/3이상에서 이 경피적 풍선 성형술을 통해 치유되고, 고혈압치료 약제를 사용하지 않고 이완기 혈압을 90mmHg 이하로 유지할 수 있다고 보고되고 있다. 나머지 1/3의 환자에서도 경피적 풍선 성형술 후 대부분의 환자에서는 고혈압치료 약제를 필요로 하지만 고혈압의 의미 있는 호전을 보인다.

신동맥에 죽상 경화성 병변atherosclerotic renal arterial lesion을 가진 환자는 경피적 풍선 성형술만으로는 잘 치료되지 않는 경우가 많다. 왜냐하면 신동맥의 죽상 경화증 병변은 대동맥 질환의 연장으로 신동맥이 대동맥과 연결되는 신동맥 기시부에 국한되어 나타나는 수가 많다(그림 6-29). 이런 상황에서는 풍선성형술이 성공적으로 시행되기 어렵다. 신동맥 기시부 동맥경화증에서 풍선성형술의 기술적 성공률technical success rate은 50% 미만이고, 일차적으로 성공한 경우에도 장기적 성공률은 40% 정도이다. 풍선 확장술 후 스텐트 삽입술을 병행하면 중장기 성공률이 향상될 수 있다고 보고되고 있다. 그리고 신동맥 풍선성형술의 금기증은 신동맥 분지부bifurcation를 침범한 병변과 양측성 신동맥 협착이 있다. 신동맥 폐색renal artery occlusion이 반드시 혈류 재개의 금기증은 아니다. 경피적 치료를 시도하여 와이어가 신동맥의 폐색된 곳을 통과하면 풍선 확장술과 스텐트 삽입술이 성공할 수 있다. 최근 일차적 스텐트 삽입술이 일반화됨에 따라 풍선 성형술과 함께 신동맥내 스텐트 삽입술이 흔히 시행된다(그림 6-30).

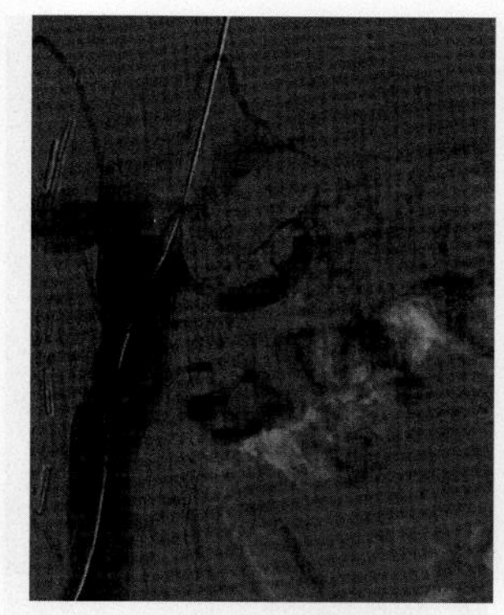
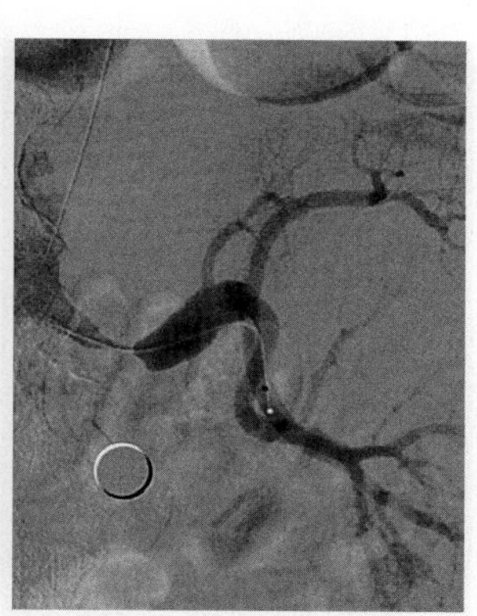

그림 6-29 동맥경화증에 의한 신동맥 협착

신동맥 기시부 이외의 죽상 경화증이나 섬유근성 이형성증에서 대부분의 시술자들은 premounted, low-profile 스텐트를 사용하고, 기술적 성공률은 90-100%에 달한다. 이 같은 혈관내 시술 후 합병증 빈도는 10% 미만이고, 동맥 파열이나 폐색과 같은 심각한 합병증은 1-2% 미만에서 발생한다. 시술 이후에는 아스피린을 장기간 사용하는 것이 표준 치료지침이고, 클로피도그렐clopidogrel과 같은 추가적인 항혈소판제는 아스피린과 함께 흔히 사용되고 있지만 그 역할에 대한 것은 향후 임상 시험이 필요하다. 신장 동맥 스텐트 후 재협착률restenosis rate은 15-17%이고 5년 개존율patency rate은 84.5%로 보고된다.

죽상동맥 경화성 신동맥 협착증을 가진 환자에서 적절히 풍성 확장술과 스텐트 삽입술을 선택하여 시행하였을 때 지난 수년간 전반적으로 좋은 성적을 보고하였는데, 고혈압의 완치율cure은 20-25%, 고혈압의 호전improve이나

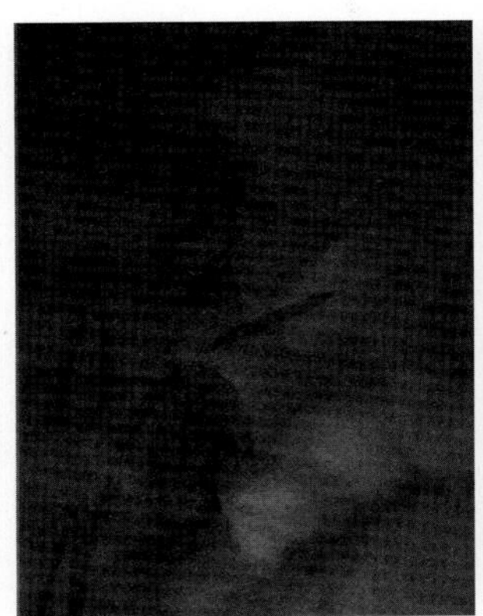
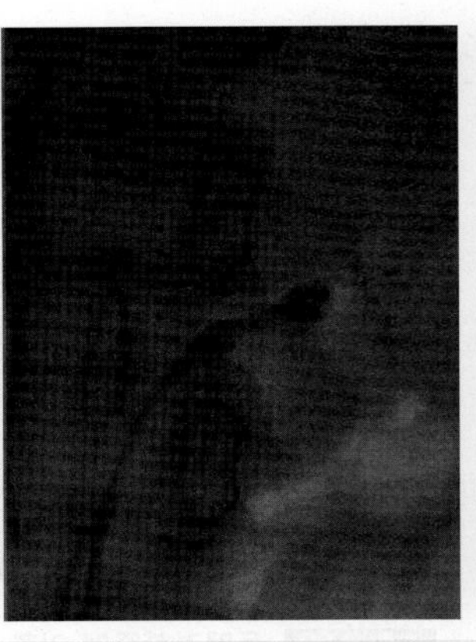
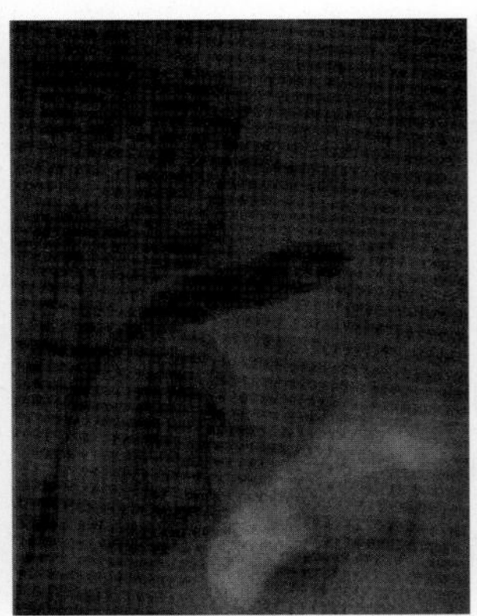
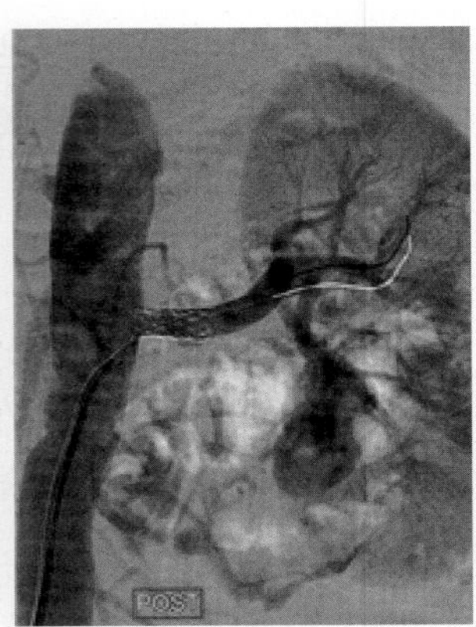

그림 6-30 신동맥 기시부의 협착증 환자에서 시행된 스텐트 삽입술

안정화no change는 50–60%, 치료 실패fail는 15–20%로 보고된다. 죽상경화증에 의한 신동맥 기시부 병변에서 일차적 스텐트 삽입술은 높은 기술적 성공률을 보이고 4년 재협착률은 10–20%로 보고되고 있다.

최근의 보고들에 의하면 신동맥 스텐트 삽입술은 신동맥 기시부 병변ostial lesion 그리고 풍선 성형술 후 재협착restenosis 또는 동맥 박리arterial dissection와 같은 합병증이 발생한 경우에 유용한 것으로 알려져 있다.

(3) 수술적 신동맥 재건술

신장의 길이(장축)가 7–8cm 이상인 경우 혈류 재건 후 신장기능의 회복과 레닌 분비 감소의 가능성이 있는 것으로 알려져 있다. 그러나 신장의 길이가 6cm 미만인 환자에서는 이미 신기능회복이 어렵다고 판단되기 때문에 신절제술이 일차적 치료로 고려될 수 있다. 혈관내 시술endovascular treatment을 이용한 혈류 재건의 성공률이 높고, 신혈관성 고혈압에 대한 ACE 저해제의 효과 때문에 신절제술은 과거에 비하여 흔히 시행되지는 않는다.

신동맥 협착이나 폐색성 병변을 교정하기 위해 다양한 수술적 방법이 이용되고 있다. 수술적 방법의 적절한 선택은 신동맥 협착 부위, 동반된 대동맥 석회화 병변의 위치 및 정도, 외과 의사의 선호도 등과 관련이 있다. 수술 방법으로는 경대동맥 신동맥 내막 절제술transaortic renal endarterectomy, 신동맥 우회로술renal artery bypass, 신절제술 등이 이용된다.

경대동맥 신장동맥 내막 절제술은 신동맥 상부와 하부의 복부대동맥을 차단한 상태에서 신동맥 부위의 대동맥에 절개를 가하여 신동맥 기시부의 죽상 경화반을 제거하는 수술방법으로 일시적이지만 신허혈renal ischemia을 요하고, 수술이 기술적으로도 어렵다. 이 수술은 죽상경화성 병변에는 적절하지만 섬유근육성 이형성증, 원위 신동맥 협착 병변distal renal artery stenosis에는 적용할 수 없다. 신동맥동맥 내막절제술은 주로 복부 대동맥류 또는 대동맥 폐색성 질환의 수술 시 신장 동맥 기시부의 병변을 동시에 교정하는데 흔히 사용될 수 있으며, 이 같은 환자에서는 효과적이고 신속한 방법이다.

신동맥 우회로술은 신동맥 내막절제술보다 더 빈번히 시행되는 표준적 수술적 방법으로 몇 가지 수술 방법이 있다. 신동맥 우회로술 방법의 선택은 복부 대동맥의 병변의 상태에 따라 달라질 수 있다. 복부 대동맥의 죽상경화 혹은 석회화가 심하지 않고, 대동맥 차단 시 대동맥 손상이나 동맥 색전증을 일으킬 위험이 없다면 복부대동맥–신동맥간 우회로술이 표준 수술이다. 자가복재 정맥, polytetrafluoroethylene (PTFE) 혹은 Dacron 등 인조혈관이 모두 우회로술 도관으로 이용될 수 있다(그림 6-31). 단 소아 환자에서는 복재 정맥 이식편 사용 후 정맥 이식편에 동맥류성 확장이 발생할 가능성 때문에 정맥 이식편 사용은 피할 것을 권유한다. 소아환자에서는 대동

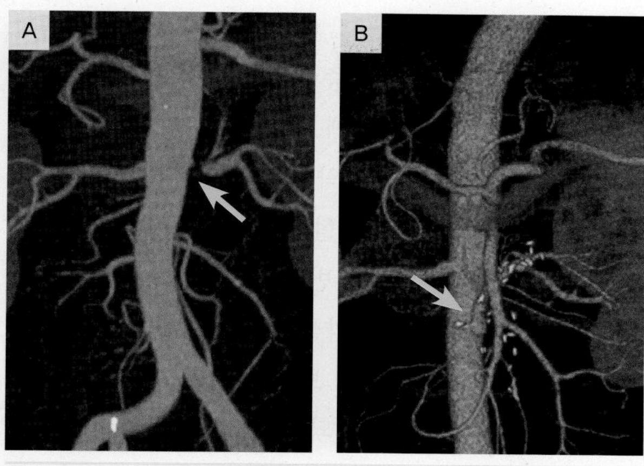

그림 6-31 A) 풍선 성형술에 실패한 좌측 신동맥협착 환자에서 B) 대동맥-좌신동맥간 우회로술(화살표)

맥-신장동맥 우회로술의 이식편으로 내장골 동맥hypogastric artery이 최선의 선택이다.

대동맥이 심하게 석회화되어 대동맥을 유입 동맥으로 사용하기 어려운 환자에서는 비해부학적 우회로술extraanatomic bypass이 이용되기도 한다. 우측 신동맥 재건술을 위해서는 총간동맥common hepatic artery 혹은 위-십이지장 동맥gastroduodenal artery이, 좌측 신동맥 우회로술을 위해서는 비장동맥이 유입동맥으로 이용된다(그림 6-32). 이들 두 수술 방법은 모두 대동맥 차단으로 인한 합병증인 하지 색전증이나 혈역학적 변화에 다른 합병증을 피할 수 있다는 장점이 있다. 비장동맥-좌측 신동맥 우회로술은 비장 동맥을 박리하여 절단한 후 비장 동맥의 단단부를 좌신 동맥에 단-단 문합 혹은 단-측 문합하는 방법이다. 이때 일반적으로 비장 절제술splenectomy은 하지 않고 단위 동맥short gastric artery이 비장의 혈액 공급을 담당하게 둔다. 소아와 섬유근이형성증 환자에서 수술 전후 사망은 드물고, 고령의 동맥 경화 환자에서는 동반된 심장 질환 등으로 인해 0.9-5.8%의 수술 사망률이 보고되어 있다.

이 같은 장관으로 가는 혈관을 이용한 동맥 재건술에서 잊어서는 안될 중요한 점은 수술 전 시행한 혈관 조영술에서 복강동맥celiac artery의 협착성 병변이 없어야만 수술을 시행할 수 있다는 점이다. 그리고 신동맥 재건술은 종종 동반된 대동맥 질환(복부 대동맥 폐색증 혹은 복부 대동맥류)의 치료 목적으로 시행하는 대동맥 수술과 함께 시행될 수도 있다. 대동맥 수술과 신장 동맥 수술을 동시에 시행할 경우 합병증과 사망률이 증가할 것으로 처음에는 예측되었으나 최근의 경험에서 신장 동맥 내막 절제술은 대동맥류 절제술이나 대동맥 우회로술에서 함께 시행해도 사망률을 증가시키지 않았다고 보고하고 있다.

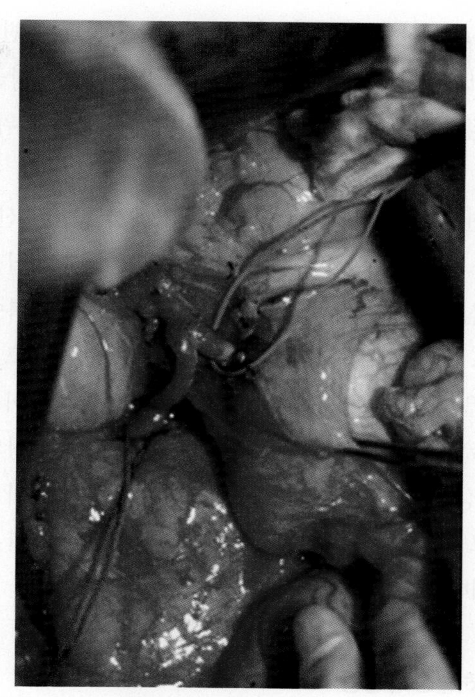

그림 6-32 복재 정맥을 사용한 위십이지장 동맥-우측 신동맥 재건술의 수술 소견

신장 자가이식kidney autotransplantation은 일반적인 수술 방법으로는 수술 시야가 어렵고, 신허혈시간renal ischemic time이 길어질 것으로 판단되는 환자에서 특히 신동맥 분지의 재건술을 요하는 원위 신동맥 병변에서 유용한 수술 방법이 될 수 있다. 원위 신동맥 또는 신동맥 분지를 침범한 병변은 혈관을 노출시키더라도 신장을 제 자리에 둔 채 동맥 재건술을 시행하기가 기술적으로 어렵다. 이 같은 병변의 교정을 위해서는 정맥 이식편을 이용한 미세혈관 문합술이 필요하고 이를 위해서 신장을 절제한 다음 허혈성 장기손상을 막기 위해 차가운 관류액cold perfusion solution을 신동맥을 통해 주입한 다음, 동맥 병변부를 back table에서 교정한 후 신이식과 마찬가지로 장골 정맥과 장골 동맥에 신장 혈관을 문합하여 장골와에 위치시킨다.

심한 일측성 신혈관성 고혈압 환자에서 침범된 신장이 레닌을 생산하지만 만성 허혈로 인해 이미 신장 실질 손상이 심하고(신장 장축의 길이<6cm) 신기능의 회복이 어렵다고 판단될 때, 반대편 신장이 정상 기능을 하고 있다는 것을 확인 후 병변이 있는 신장을 절제하는 것이 적절한 치료 방법이 될 수 있다. 신 절제술은 한쪽 신장의 기능의 정상인 환자에서 신동맥 재건 수술의 위험이 너무 크다고 판단될 때 시행될 수 있는 단순하고 안전한 수술 방법이다.

(4) 허혈성 신병증

신혈관성 고혈압 외에도 신동맥 협착증과 연관된 질환으로 허혈성 신병증ischemic nephropathy이 있다. 미국의 보고에 의하면 죽상경화성 신동맥 협착증 환자의 약 10–15%는 조절이 잘 되지 않는 악성 고혈압 및 허혈성 신병증으로 인한 신부전으로 진행하는 것으로 조사되었다.

죽상경화성 신동맥 협착증 환자에서 허혈성 신병증이 발생하는 기전은 아직까지 명확히 밝혀지지는 않았으나 신동맥 협착으로 인한 신장의 관류저하 외에도 고혈압을 비롯한 죽상경화와 연관된 여러 인자들에 의한 복합적 요인에 기인한다고 생각하고 있으며, 단순히 신동맥 협착정도는 신기능 이나 사구체여과율 감소와는 상관관계가 없는 것으로 알려져 있다. 그러나 죽상경화성 신동맥 협착으로 인한 신장의 지속적 저관류 상태는 신기능 저하에 일부 영향을 미칠 수 있다는 가정하에, 과거 스텐트 삽입술 과 같은 중재적 시술을 통해 이를 교정하려는 노력이 시행되어져 왔으며, 일부 연구에서는 신기능의 호전이나 안정화를 보고하기도 하였지만 신동맥 협착증을 성공적으로 치료한 후에도 신기능악화는 지속되는 경우가 많았으며, 이로 인해 대규모 전향적 무작위연구들이 시행되었고 이들이 바로 ASTRAL trial과 CORAL trial이다.

2009년 발표된 ASTRAL trial의 결과에 의하면 죽상경화증에 의한 신동맥 협착증 환자에서 내과적 약물 치료를 시행했던 환자군과 신동맥 병변을 혈관내 시술endovascular treatment로 치료한 후 약물 치료를 시행했던 환자군을 전향적으로 비교한 결과 혈관내 시술을 시행한 환자군에서 시술과 관련된 합병증 빈도만 증가시켰을 뿐 신기능 호전과 혈압조절 측면에서 약물 치료 환자군 보다 우수한 점을 발견할 수 없었음을 보고하였다. 그후 2014년 CORAL trial 결과가 발표 되었는데, 전체 947명의 환자를 대상으로 평균 43개월간 추적관찰 하면서 신동맥 협착증에 대해 약물치료만을 시행한 환자군과 약물치료와 함께 신동맥 협착증에 대해 스텐트 삽입술을 시행한 환자군에서, 심혈관cardiovascular 또는 신장질환으로 인한 사망, 심근경색, 뇌졸중, 울혈성 심부전, 신기능저하 및 신대체요법renal replacement therapy 필요성 여부에 대한 비교를 한 결과 두 환자군 간에 차이는 없었다고 보고하였다.

따라서 약물 치료에 잘 반응하는 신혈관성 고혈압의 일차적 치료는 내과적 치료임이 입증되었으며, 특히 죽상경화성 신동맥 협착증에 대한 스텐트 삽입술은 허혈성 신병증 효과가 입증되지 않았으므로 이 같은 환자에서 무분별한 경피적 신동맥 시술은 자제되어야 한다고 본다.

8. 두개강외 뇌혈관질환

경부를 통과하여 뇌로 가는 두개강외 동맥은 경동맥, 척추동맥이 각각 한 쌍씩 존재한다. 그리고 이들 동맥은 두개강 내에서 윌리스 환circle of Willis을 형성하여 일종의 측부혈행로를 만들고 있다(그림 6-33).

1) 경동맥 질환

경동맥carotid artery에서 볼 수 있는 질환으로는 죽상경화증이 대부분을 차지 하며 그 외 섬유근 이형성증Fibro-Muscular Dysplasia (FMD), 경동맥류, 경동맥 박리, 타카야수 동맥염, 방사선 동맥염, 경동맥 소체 종양carotid body tumor 등이 있다. 경동맥 질환 치료의 첫째 목표는 뇌졸중

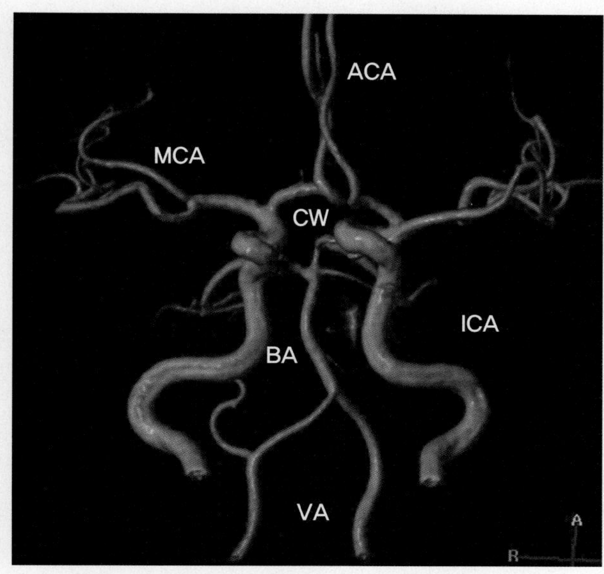

그림 6-33 두개강내 동맥. ACA: Anterior cerebral artery, MCA: Middle cerebral artery, CW: Circle of Willis, ICA: Internal carotid artery, BA: Basilar artery, VA: Vertebral artery

stroke을 예방하는 것이다. 따라서 뇌졸중의 유병률을 이해하는 것은 중요하다. 미국에서 뇌졸중은 심장병과 암에 이어 세 번째 사망의 원인으로 한 해에 800,000명의 인구가 초발 혹은 재발성 뇌졸중을 겪는다고 보고되어 있다. 모든 뇌졸중의 87%가 허혈성 원인으로 발생하며, 이 중 7.6%가 30일 안에 사망하게 된다.

2013년 보건복지부 통계자료에 따르면 한국인의 사망원인별 빈도는 인구 10만 명당 악성신생물(146.5명), 심장질환(52.5명), 뇌혈관질환(51.1명) 순이다. 뇌졸중은 심각하고 장기적인 기능손상의 주요원인이며, 예후를 보면 75% 이상은 뇌졸중 첫 발생 후 1년 이상 생존하며 이들은 마비에 의한 운동장애, 실어증, 언어장애, 우울증 등의 장애를 겪는다. 30% 정도는 장기간의 입원이 필요하며 또 다른 30%는 일상생활에서 많은 도움을 필요로 한다. 그러나 불행하게도, 뇌졸중의 치료는 일반적으로 성공적이지 못하다. 발병초기의 혈전용해 치료의 효과가 보고되고 있으나, 이는 증상 발생 수 시간 내에 큰 병원에서 치료를 받는 소수의 환자들에게만 해당된다. 이러한 상황에도 불구하고 뇌졸중을 확실히 예방하는 법에 대한 일치된 의견은 없다. 미국의 보고에 의하면 허혈성 뇌졸중 환자의 약 8% 경동맥 협착증과 관련이 있으며, 경동맥 폐색의 경우 추가적인 3.5%만이 허혈성 뇌졸중과 연관되어 있는 것으로 조사되었다. 나머지는 심방세동과 고혈압에 의할 것으로 추정된다. 이들 3가지 인자들은 전조증상을 나타내지 않는다. 이들 질환을 조기에 발견하여 적절한 초기 관리를 한다면 뇌졸중을 예방할 수 있으리라 생각한다. 뇌졸중의 원인을 이해하고 효과적으로 예방하는 것은 매우 중요하다.

(1) 뇌졸중의 역학과 경동맥 죽상경화증

프래밍햄 연구Framingham study에 의하면 나이, 흡연, 고혈압, 고콜레스테롤 혈증은 각각 경동맥 죽상경화증의 독립적 위험인자로 분석되고 있다. 그러나 전체 인구에서 심각한 경동맥 질환의 빈도는 8% 정도로 낮게 나타났다. 트롬소 연구Tromso Study에서도 경동맥 질환에 관해서 성별 중 남자가 독립적 위험인자임을 추가로 밝혀냈다. 경동맥 질환의 위험인자와 관련된 다른 연구에서 흡연, 뇌졸중의 가족력, 그리고 비만이 경동맥 질환의 위험인자로 보고하였고, 스마트 연구SMART study에서는 말초동맥 질환이 있는 사람에서 경동맥 질환의 유병률이 50% 높았다고 보고하였다. 뇌졸중 발생률은 65-75세 사이의 인구에서 여자보다 남자에서 높지만 그 이후의 나이에서는 성별에 의한 뇌졸중 발생빈도의 차이는 나타나지 않았다. 뇌졸중에 의한 사망률은 여자에서 더 높은데, 이는 여자가 남자보다 기대 수명이 높기 때문이라고 해석되고 있다. 흑인 여성은 백인에서 보다 첫 뇌졸중의 발생이 거의 2배에 이른다. 또한 미국사회에 흑인 남성과 아시안 여성에서는 낮은 경동맥 협착증의 유병률을 보인다.

(2) 뇌졸중의 병인

뇌졸중은 24시간 이상의 신경학적 결손을 초래하는 급성뇌손상과 관련된 광범위한 용어이다. 감염, 외상, 종양 또는 내인성 신경질환에 의해 일어날 수도 있지만 약 75%는 허혈성이고 이는 고혈압, 심방세동, 뇌혈관 질환의

3가지 원인과 관련되어 나타난다. 뇌졸중은 출혈성과 허혈성으로 분류된다. 미국 자료에 의하면 뇌졸중 원인은 87%가 허혈성 뇌졸중, 10%는 뇌내출혈intracerebral hemorrhage, 3%는 지주막하 출혈subarachnoid hemorrhage로 보고되어 있다. 허혈성 뇌졸중의 절반 이상은 대동맥궁, 경동맥, 척추 동맥을 포함한 두개강의 뇌혈관의 죽상경화증에 의해 초래된다. 국내에서도 2009년에 발표된 건강보험심사평가원 급성기 뇌졸중 적정성 추구 평가결과 자료에 의하면 2008년 한국인에서 뇌졸중의 원인은 허혈성 85.5%, 출혈성 14.5%(뇌내출혈, 8.7%; 지주막하 출혈, 4.2%, 기타 비외상성 뇌출혈 1.6%)로 보고되어 있어서 한국인에서도 뇌졸중의 원인이 서구인에서와 유사한 것을 볼 수 있다. 뇌졸중은 증가 추세이며 그중 뇌출혈의 상대적 빈도는 감소하는 반면 허혈성 뇌졸중인 뇌경색증의 빈도가 증가하는 추세를 보이고 있다. 일반적으로 전체 뇌졸중의 10% 정도는 심방세동에 의한 색전증에 의하며, 이와 유사한 빈도로 좌심실이나 심장판막 질환과 관련된 색전증에 의한다. 만성 고혈압과 관련된 뇌졸중은 일반적으로 대뇌의 소혈관질환에 의해 생긴다.

(3) 병태생리

총경동맥 분지부의 죽상경화증은 허혈성 뇌졸중의 가장 흔한 원인으로 이 부위에 죽상경화증이 잘 생기는 원인에 대해 많은 연구가 있어왔다. 경동맥구carotid bulb의 동맥벽에 대한 전단력으로 인한 혈류 정체나 경동맥 분지의 압력수용체baroreceptor와 화학수용체chemoreceptor 등이 죽상경화판 형성과 연관된다는 보고도 있다.

경동맥 분지부에 발생하는 경화판의 전구병변은 평활근 증식에 의한 동맥내막의 섬유성 비후로 이는 이미 30-40대의 나이에도 나타날 수 있다. 그 후 지방을 탐식한 대식세포가 경화판에서 발견되고, 석회화도 나타난다. 65세 이상 인구의 약 7-12%에서 경동맥 분지부에 경화판이 관찰되지만 대부분은 혈류 통과 장애 혹은 색전증의 원인 병소를 만들지 않기 때문에 임상적 중요성은 없다. 그러나 경화판의 두께가 증가하면서 뇌졸중을 일으킬 수 있는 변화들이 일어난다. 경화판은 파열, 궤양 형성, 경화판 표면의 혈전 형성을 하므로 뇌동맥으로 색전증을 일으켜 뇌졸중을 유발하게 된다. 경화판이 커져 경동맥 내경을 감소시키거나 혈전 형성으로 인해 경동맥 혈류를 완전히 차단할 수도 있다. 윌리스 환의 풍부한 측부혈행 때문에 경동맥 폐쇄가 반드시 뇌졸중을 일으키지는 않는다. 실제로, 경동맥 죽상경화판에서 기인한 색전증이 일과성 허혈성 발작Transient Ischemic Attack (TIA)이나 뇌졸중의 더 빈번한 원인으로 알려져 있다.

(4) 임상 양상

경동맥 분지 질환과 관련된 신경학적 증상은 일과성 허혈성 발작과 뇌졸중stroke으로 구분된다. 24시간 이상 증상이 지속될 경우를 뇌졸중으로, 24시간 이내에 증상이 소실될 경우를 일과성 허혈성 발작(TIA)으로 구분한다. 실제 임상에서 대부분의 일과성 허혈성 발작은 수 초 내지 수 분 동안 짧게 지속되며 이러한 구분은 임상적인 것으로 영상의학적인 소견과 일치되지 않을 수 있다. 또한 일과성 발작을 경험한 환자의 약 30%에서 5년 이내에 뇌졸중stroke이 나타나기 때문에 이러한 허혈성 일과성 허혈 발작증(TIA)은 향후 뇌졸중 발생에 대한 경고신호로 생각되어야 한다.

증상이 있는 대부분의 환자들은 동측 뇌반구 혹은 망막의 허혈과 관련된 증상을 호소한다. 시야 장애는 망막의 허혈에 의해 발생하며 동측 안동맥ophthalmic artery을 통과하는 미세색전에 의해 발생한다. 일시적인 한쪽 시야 상실을 일과성 흑암시amaurosis fugax라고 하는데 이를 경험한 환자들은 "창문의 검은 커튼이 밑으로 내려오며 한쪽 눈 시야를 가리는 듯한 느낌" 혹은 시야의 일부를 가리는 듯한 느낌window shade을 호소한다. 때로는 시야에 밝은 불빛이나 스파크와 같은 증상을

보았다고 호소하는 경우도 있다. 만약 검사자가 최근에 일과성 흑암시를 경험한 환자의 눈을 검사한다면 "홀렌호스트 반Hollenhorst's plaque"이라고 불리는 망막동맥에 걸린 색전을 관찰할 수도 있다. 망막 동맥의 미세 색전은 증

상이 없는 환자에서도 관찰되는 경우가 있다. 홀렌호스트 반이 발견되면 경동맥에 대한 더 정밀한 검사를 해야 함을 의미한다. 또한 경동맥과 관련있는 증상으로는 앞서 언급한 눈증상 외에 dysarthria, dysphasia, aphasia, hemiparesis 등이 전형적인 경동맥과 관련된 신경학적 증상이다. 이러한 전형적인 증상 이외에도 새로 발생한 가벼운 어지러움증, 지남력장애disorientation, 일시적인 기억상실, 언어 장애, 설명되지 않는 의식장애 등의 증상을 호소하는 경우에도 다른 뇌졸중의 위험인자와 함께 경동맥 질환 여부를 철저히 검사해야 한다. 흔치는 않지만 경동맥의 완전 폐쇄나 심한 협착으로 인한 경동맥의 혈류 저하가 뇌반구의 전체적인 허혈을 일으킬 수도 있다.

(5) 경동맥 질환에 의한 뇌졸중 위험도

경동맥 질환을 가진 환자 중 수술이나 다른 치료가 도움이 되는지를 결정하기 위해서 경동맥 질환의 자연경과를 이해하는 것이 중요하다. NASCET (The North American Symptomatic Carotid Endarterectomy Trial)의 분석자료에 의하면 내과적 치료군에서 뇌졸중의 위험도는 직접적으로 경동맥의 협착 정도와 경화판의 두께와 관련이 있는 것으로 나타났다. 18개월간 관찰 후 뇌졸중의 발생 빈도는 경동맥 내강 협착 70-80%, 80-90%, 90-99% 좁아진 환자에서 각각 19%, 28%, 33%였다.

경화판의 크기가 클수록 뇌졸중의 위험도가 높아지는 것은 혈류 감소보다는 경화판에 나타나는 이차적 병변(궤양, 혈전 생성)과 관계되기 때문인 것으로 보인다. 이 개념은 높은 협착과 반복되는 일과성 허혈성 발작을 보이던 환자에서 동맥이 완전히 막히면 증상이 없어지는 것이 관찰되는 것이 설명된다. NASCET 연구결과에서 분명히 알 수 있는 것은 증상이 있는 경동맥 협착증 환자에서 반대측 경동맥 폐쇄가 있는 경우와 혈관조영술상 경동맥 병변의 궤양이 관찰되는 경우에 뇌졸중 발생의 위험이 높다는 것이다.

ACAS (The Asymptomatic Carotid Atherosclerosis Study)는 경동맥 협착을 가진 무증상 환자를 대상으로 시행된 연구이다. 연구에 참가한 대부분의 환자는 중등도 경동맥 협착(60-80%)를 가졌었고, 90% 이상의 경동맥 협착을 가진 예는 소수였다. 이 연구 결과에 의하면 증상은 없지만 60-99%의 경동맥 내강 협착을 보이는 환자에서 내과적 치료군의 뇌졸중 위험도는 5년간 11%, 경동맥 내막절제술을 시행 받은 환자에서는 5.1%로 나타났다. 뇌졸중 발생 위험도는 수술적 치료를 받은 군에서 50% 이상의 위험도 감소가 있었지만, 내과적 치료를 받은 군에서 연간 2% 밖에 되지 않았다는 것도 중요하다. 수술적 치료군에서 뇌졸중 발생 위험도 감소는 여성보다 남성에서 더 의미있게 높았는데, 여성의 수술적 위험도가 컸기 때문으로 분석된다. 흥미롭게도 뇌졸중의 위험은 수술 전의 뇌혈관 조영술 자체와 1%에서 관련되었다고 보고하였다.

NASCET과 ACAS 연구 이전에, 많은 수의 임상의들은 무증상 경동맥 질환 환자의 자연 경과를 관찰하였다. 75% 이상의 경동맥 협착을 가진 총 536명의 무증상 환자를 평균 33개월 관찰했던 7개의 연구에서 뇌졸중의 위험도는 연간 5.4%로 무증상의 경동맥 협착증 환자군은 신경학적 증상이 있었던 환자군과 비교하여 뇌졸중의 위험도가 훨씬 낮지만, 양측 환자군 모두에서 뇌졸중 위험도는 경동맥 협착의 정도와 직접적으로 연관이 있었음을 보고하였다.

(6) 경동맥 검사의 적응증

뇌졸중이나 일과성 허혈성 발작을 경험했던 환자들은 경동맥 질환에 대해 검사를 해야 한다. 증상이 있었던 경동맥 협착증 환자에서 뇌졸중 예방을 위해 수술적 치료나 경동맥 스텐트삽입술을 시행하는 것이 효과적이라는 사실은 이미 잘 알려져 있다. 그러나 이미 심각한 신경학적 증상이 있거나 기대 수명이 짧은 진행된 암환자 등에서 경동맥 질환은 이미 적극적 치료의 대상이 아니므로 적극적인 경동맥 검사의 적응증이 되지 않을 수도 있다.

무증상 경동맥 환자에서 경동맥 검사 대상은 확실히 정해져 있지 않지만, 일반적으로 직경 70-80%이상의 협착이 있으면 치료를 시행할 것을 권하고 있다. 하지만 최근 이들 환자에서 내과적 약물 치료만으로도 뇌졸중 발병을 줄일 수 있음이 밝혀져 이 문제에 관해서는 더 많은 연구가 필요한 부분이다. 그리고 무증상 경동맥 협착증을 진단하기 위해서 청진 시 경동맥잡음cervical bruit이 있거나 관상동맥 질환, 말초동맥 질환, 또는 뇌졸중이나 혈관 질환의 가족력이 있는 환자에서 경동맥 검사를 시행할 것을 권하고 있다. 최근에는 경동맥 질환의 위험도가 있는 환자에서 경동맥 질환에 대한 일괄적 선별검사를 시행하자는 주장이 있으나 일괄적인 선별검사의 한계는 경동맥 질환 위험군을 정하기 어렵고, 진단에 따르는 경제적 부담, 무증상 경동맥 질환의 치료효과에 확신성이 없다는 점이다. 선별검사에 의해 발견된 경도 혹은 중등도의 경동맥 협착증은 당장 수술이 필요하지 않을 지라도 항혈소판제나 지질강하제 사용 및 더욱 철저한 동맥 경화증의 위험인자 조절이 시행되고 있다.

(7) 진단

청진기를 이용한 경부 진찰은 가장 간단하고 경제적인 방법이다. 경동맥 부위에서 들리는 혈류잡음은 경동맥 질환을 암시하지만 민감도 및 특이도가 낮다. 심한 경동맥 협착증이 있는 환자의 70% 미만에서만 경부 청진 시 잡음이 들리고 잡음이 있는 환자의 30%에서는 경동맥 협착증 소견이 발견되지 않는다.

가. 경동맥 협착의 정도 측정

경동맥 협착의 정도를 표현하기 위해 동맥 조영술상 경동맥의 내강이 가장 좁아진 부위 내경을 측정하여 병변이 없는 내경동맥의 직경과 비교하는 방법이 흔히 이용된다. 유럽에서는 경동맥구의 내강을 기준으로 경동맥 협착 정도를 표시한다(그림 6-34).

나. 경동맥 듀플랙스 초음파 검사

듀플랙스 초음파 검사는 경동맥 질환을 평가하는 데 가장 널리 이용되는 검사이며, 특히 70–99%의 심한 내경

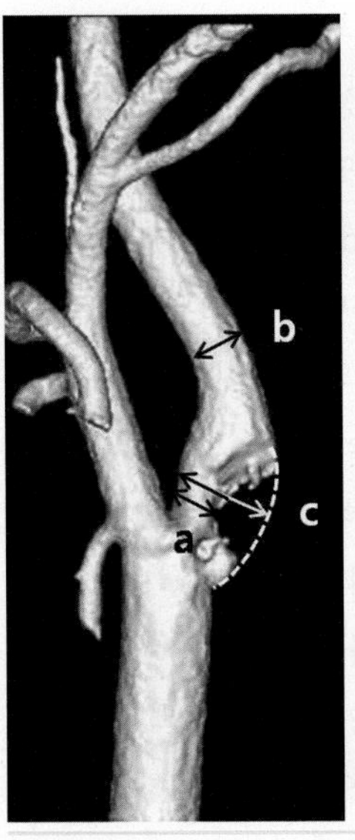

$$\% \text{ Stenosis (ECST)} = \frac{c - a}{c} \times 100$$

$$\% \text{ Stenosis (NASCET)} = \frac{b - a}{b} \times 100$$

그림 6-34 혈관조영술에서 경동맥 협착 정도의 측정.
ECST: European Carotid Stenosis Trial, NASCET: The North American Symptomatic Carotid Endarterectomy Trial

동맥 협착증을 진단하기 위한 제일선의 진단 방법이다 동맥의 내강이 좁을수록 혈류 속도가 빨라지고 분음 광역화spectral broadening가 생긴다(그림 6-35).

초음파장비와 검사실에 따라 진단 기준이 약간씩 달라지기는 하지만, 동맥 협착의 측정에 흔히 이용되는 진단 기준은 표 6-14와 같다.

경동맥의 듀플랙스 초음파 검사는 비침습적이고 안전하며, 즉시 반복적으로 이용할 수 있지만 몇 가지 한계점을 갖는다. 첫째는 이 검사의 결과는 기술자의 능력에 따라 그 정확도가 달라 질 수 있다. 둘째, 경동맥 주행 경로 중 두개강 외의 경동맥에 대한 검사로 제한된다. 즉 경동맥의 시작점인 흉부내 그리고 두개강 내부에 위치한 경동맥에 대해서는 검사가 불가능하다. 그러나 경부에 위치한 경동맥 협착을 평가하는데 경험 많은 초음파 검사자에 의한 검사 결과는 대개 97%의 정확성을 갖는다.

다. 경두개 도플러 검사

경두개 도플러 검사Transcranial Doppler (TCD)는 측두골을 통해 중뇌동맥의 혈류상태를 초음파를 이용해 검사하

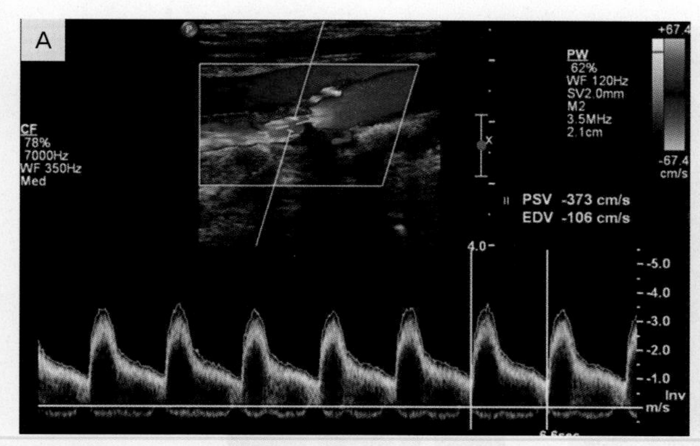

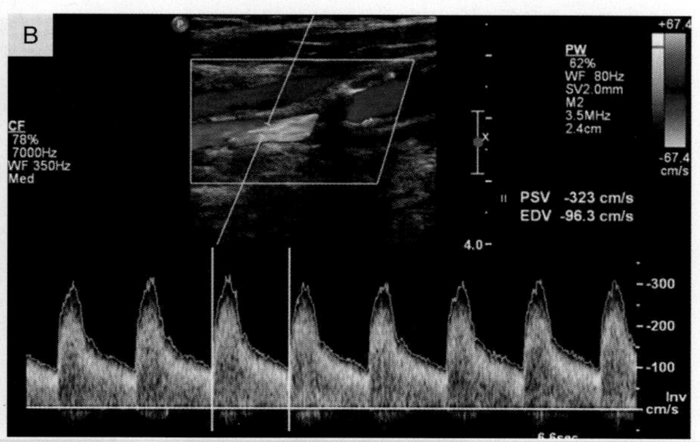

그림 6-35 **경동맥 듀플렉스 초음파 검사.** A) 내경동맥 협착부의 최대혈류속도가 373cm/sec를 보인다. B) 협착 원위부에서 도플러 파형이 심한 분음광역화"spectral broadening"를 보인다.

표 6-14. 듀플렉스 초음파 검사를 이용한 경동맥 협착증의 진단 기준

협착(%)	최대혈류속도	이완기 혈류속도	분음광역화
0-15%	<120cm/sec	NA	None
16-49%	<120cm/sec	NA	Present
50-79%	>120cm/sec	<125cm/sec	Marked
80-99%	>120cm/sec	>125cm/sec	Marked
100%	No flow	No flow	No flow

NA: not applicable

는 방법이다. 중뇌동맥의 색전을 검사하는데 가장 정확하고, 중뇌동맥의 줄어든 혈류를 보고 경동맥 협착증을 의심할 수도 있다. 그러나 이 검사는 검사하는 혈관 부위의 제한된 정보만 얻을 수 있기 때문에 경동맥 질환을 가진 환자에서 일차적인 평가 도구로는 이용되지 않는다. 그러나 경동맥 수술 중 혹은 수술 후 뇌동맥으로의 미세 색전 microemboli을 진단하는데 용이한 검사방법이다.

라. 경동맥 혈관조영술

카테타를 이용한 경동맥 조영술은 한때는 두개강외 혈관의 영상을 보는 유일한 방법이었고 가장 중요한 방법으로 여겨져 왔지만, 오늘날에는 경동맥 질환 진단 목적으로는 잘 이용되지는 않는다. 또한 경동맥 혈관조영술 자체만으로도 약 1%의 뇌졸중 발생빈도를 보고하고 있으며, 이의 발생기전으로 카테터를 조작하는 동안 대동맥궁과 경동맥 혈관 병변 부위에서 떨어져 나가는 색전으로 인해 발생한다. 그외 합병증으로는 혈관조영제를 사용하기 때문에 신기능저하 환자에서 신부전을 유발할 수도 있다. 이러한 이유들로 혈관조영술의 사용은 점차 줄어들고 있지만, 다른 진단적 방법을 시행할 수 없는 상황이거나 혹은 다른 진단적 방법으로 진단이 모호한 경우에는 아직도 그 가치가 높다. 그리고 경동맥 혈관조영술은 경피적 혈관내 치료(경피적 동맥확장술, 스텐트 삽입, 뇌동맥 혈전용해술 등) 시에 반드시 시행되어야 하는 검사이기도 하다(그림 6-36A).

마. 자기공명 혈관조영술

자기공명 혈관조영술(MRA)은 합병증의 위험도가 낮고 두개강내 뇌혈관을 포함한 경동맥 전체를 볼 수 있으며 외래 환자에서도 시행할 수 있는 장점이 있다. 그러나 심박동기를 포함한 다른 금속 물질을 가진 환자에서는 사용의 제한이 있다.

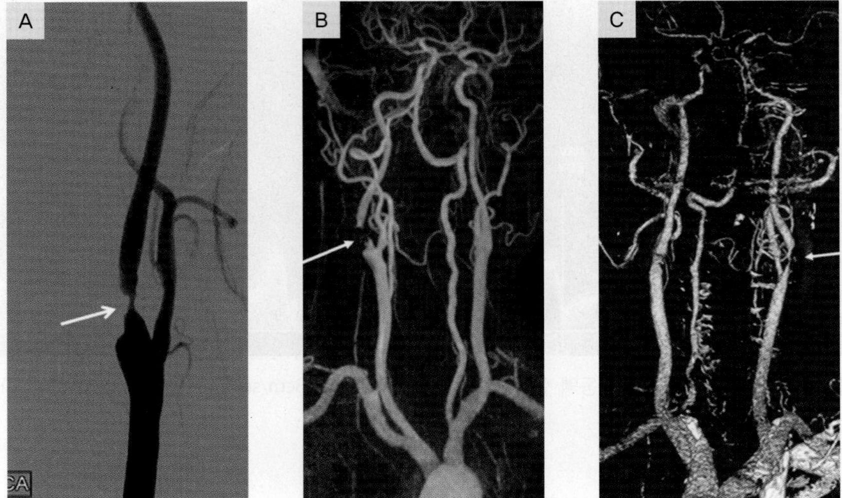

그림 6-36 **경동맥 협착의 영상진단.** A) 경동맥 조영술: 내경동맥 협착(→), B) 자기공명 혈관조영술(MRA): 우측 내경동맥 협착(→), C) CT 혈관조영술(CTA): 좌측 내경동맥 병변(←)

검사시 지시에 잘 따르는 환자에서는 조영제 없이 좋은 이미지를 얻을 수 있다(그림 6-36B). 자기공명 혈관조영술 고유의 문제는 와류가 있는 부위는 실제보다 더 좁게 나타날 수 있다는 것이다. 이러한 이유로 동맥 협착의 정도를 측정하는데는 신뢰도가 낮다. 비이온화 조영제인 가돌리움gadolinium을 사용함으로써, 혈류를 더욱 정확하게 나타낼 수 있고 내강 협착을 평가하는 정확도를 증가시킬 수 있다.

근자에 MRI 검사 시 조영제인 gadolinium의 부작용 중 신원성 전신 섬유증Nephrogenic Systemic Fibrosis (NFS)이라는 희귀한 부작용이 보고되면서 특히 신기능이 아주 나쁜 환자에서 gadolinium조영제를 이용한 MRI 검사가 이같은 전신 섬유화증의 원인으로 밝혀지면서 이에 대한 주의를 하고 있다.

바. CT 혈관조영술

CT 혈관조영술은 간단하고 신뢰도 있는 또 다른 하나의 영상진단 방법으로 뛰어난 입체 영상, 짧은 검사 시간, 높은 정확도를 가지며, 또한 각각의 CT 이미지에 대한 영상 워크스테이션 작업을 통해 양질의 이차원 또는 삼차원으로 재건된 이미지를 만들 수 있어서 이를 통해 경동맥뿐 아니라 대동맥 궁 및 윌리스 환circle of Willis의 병변 및 이들 혈관계의 관계를 정확하게 평가할 수 있는 장점을 지닌다(그림 6-36C). 자기공명 혈관조영술와 같이 CT 혈관조영술도 외래 환자에게도 시행할 수 있다. 금속 물질을 체내에 가진 사람에서도 사용이 가능하지만 상당한 양의 조영제를 사용하기 때문에 신장기능 저하가 있는 환자에서는 신부전의 위험성이 따른다.

(8) 경동맥 협착증의 치료

가. 경동맥 내막절제술

① 적응증

1954년 Eastcott와 Rob에 의해 처음 소개된 경동맥 내막절제술Carotid Endarterectomy (CEA)은 미국에서 가장 흔히 시행되는 혈관 수술 중 하나이다. 심한 경동맥 협착을 가진 환자에서 경동맥 내막절제술이 뇌졸중의 위험도를 낮춘다는 사실이 다기관, 전향적 무작위 연구에서 밝혀짐에 따라 경동맥 수술의 효과는 지난 수십 년간 많이 보고되어 왔었다. 또 경동맥 수술의 증가 추세는 늘어가는 고령 인구, 경동맥 질환을 진단하는 간편한 진단 도구들의 등장과도 연관이 있다. 현재 미국에서는 한 해에 16만 예 이상의 경동맥 내막절제 수술이 행해진다.

경동맥 내막절제술의 적응은 시술에 따르는 위험도와 질병의 자연경과에 의한 뇌졸중 위험도에 의해 결정된다. 현재, 신경학적 증상의 유무와 경동맥 협착 정도는 향후 뇌졸중 위험도의 평가에 이용되는 가장 좋은 척도이다. 다양한 임상적 상황과 동맥 병변에 따른 자연경과를 관찰한 연구 결과들에 기반하여 경동맥 내막절제술의 일반적인 적응증은 50% 이상 직경감소가 있는 유증상 경동맥 협착, 80% 이상 직경감소가 있는 무증상 경동맥 협착이다. 또한 미국혈관외과학회의 권고안에 따르면 경동맥 수술 전후 뇌졸중이나 사망의 위험률이 3% 미만이고, 환자의 기대수명이 적어도 3-5년 이상인 경우에, 60-99%의 무증상 경동맥협착증asymptomatic carotid stenosis에서도 경동맥내막절제술carotid endarterctomy이 고려대상이라고는 하지만, 많은 임상의들은 80% 미만의 무증상 경동맥 협착 환자에서는 경동맥 수술을 하지 않아도 뇌졸중의 발생 위험이 낮으므로 경동맥 내막절제술의 뇌졸중 예방 효과가 별로 없다고 믿는 경향이 있다.

초음파를 포함한 여러 검사에서, 경동맥 내벽 경화판 표면의 궤양, 움직이는 혈전, 한쪽 경동맥을 통해 들어간 혈관 조영제가 윌리스환을 통해 반대편 뇌반구로 넘어가는 소견 등이 경동맥 질환의 치료(내막절제술 혹은 스텐트삽입술)의 적응증으로 이용되기도 한다. NASCET과 ACAS 연구 결과에서 뇌졸중 발생 위험도는 과거 동측의 뇌졸중이나 일과성 허혈성 발작 증상이 있는 환자에서는 무증상 환자보다 훨씬 높다는 것을 명확히 보여주었다. 비록 구체적인 자료가 뒷받침 되지는 않았지만, 대부분의 임상의들은 일과성 허혈발작의 빈도가 많아질수록 뇌졸중 발생 위험도가 증가하고, 따라서 더 확실한 경동맥수술 혹은 혈관내 치료의 적응이 된다고 생각한다.

경동맥 내막절제술은 일반적으로 경동맥이 완전히 폐쇄된 경우에는 적응이 되지 않는다. 왜냐하면 만성적으로 완전히 막힌 내경동맥의 혈전제거술은 수술에 따르는 위험이 크고 경동맥 완전 폐쇄 환자에서는 색전증이 일어날 가능성이 낮아지기 때문이다. 뇌졸중 증상발생의 과거력이 없고, 내경동맥이 완전히 막힌 환자를 흔히 볼 수 있다.

경동맥 내막절제술은 뇌졸중 예방을 목적으로 하는 수술이므로 이 수술의 적응이 되는가를 결정하는 것은 일반적인 병변 치료 목적의 수술과는 다소 차이가 있다. 따라서 수술 전 환자의 전반적인 건강 상태, 동반질환, 연령, 기대수명 등을 고려하여 수술에 따르는 위험성과 환자의 장기적인 뇌졸중 위험도를 비교하는 것이 이 예방적 수술의 이점을 평가하는 데에 중요하다.

결론적으로, 경동맥 수술은 치료에 따르는 뇌졸중과 사망의 위험도가 무증상 환자에서 3% 미만, 유증상 환자에서는 6% 미만일 때 치료의 적응이 된다. 만약 환자를 치료하는 수술팀이 이러한 결과를 달성할 수 없다면 예방 목적의 수술의 이점은 정당화될 수 없다.

② 수술 전 처치

경동맥 질환 환자에서 일단 수술을 시행하기로 결정했다면, 수술 전 필수적인 검사는 병력청취와 신체검사, 심전도, 흉부 X-선촬영과 기본 혈액검사 등이다. 때때로 듀플렉스 초음파 검사 결과만을 이용하여 경동맥 내막절제술을 시행하기도 하지만, 많은 임상의들은 초음파 검사와 함께 다른 영상검사(자기공명 혈관조영술 혹은 CT 혈관조영술)을 함께 본다. 경동맥 내막절제술을 시행하기 전 심한 협심증, 울혈성 심부전, 혹은 심각한 심장 질환을 가진 환자를 제외하고 스트레스 검사 등 광범위 심장검사는 필수적인 검사가 아니다. 아스피린 치료(80-325mg/일)는 일반적으로 경동맥 질환 진단시점부터 시작하고, 수술일과 수술 후에도 지속한다. 이것은 경동맥 수술 후 항혈소판 치료가 뇌동맥 색전증 빈도를 줄일 수 있다는 보고에 기초한 치료이다. 또한 많은 연구들에서 항고지혈증제제인 스타틴statin의 사용이 수술 후 뇌졸중과 같은 주요 심혈관계 합병증을 감소시킨고 보고하고 있으므로 경동맥 내막절제술을 시행 환자들에서 수술 전후의 스타틴의 복용이 추천된다.

③ 마취 및 수술 중 신경학적 감시

경동맥 내막절제술을 위한 마취의 선택은 지난 30년

이상의 논쟁거리로 남아있었다. 부분마취를 주장하는 사람들의 이론적 근거는 경동맥 차단 시 환자가 깨어있는 상태에서 신경학적 상태를 관찰할 수 있다는데 있다. 경부부분 마취하에서 경동맥을 차단했을때 적지만 의미있는 수의 환자군에서 이를 견디지 못하므로 이들 환자에서만 일시적 경동맥 shunt를 삽입이 필요하다. 전신 마취하에서의 경동맥 수술은 경동맥 shunt를 모든 환자에서 사용하거나, 대뇌 허혈증에 대한 신경학적 감시를 하다가 필요하면 선택적으로 사용하는 2가지 방법 중 하나를 택하여 사용한다.

대단위 연구인 GALA trial의 결과를 보면 경동맥 내막 절제술 시 전신마취와 부분마취 수술 30일 이내의 stroke, death, or MI 발생률에 있어 유의한 차이는 없었다고 보고하였다.

경동맥 차단 시 뇌허혈의 감시를 위한 방법으로 직접적 방법(뇌파검사, 유발전 위반응)과 간접적 방법(경동맥 차단 후 압력 측정, 경두개 도플러 초음파, 경정맥 산소분압측정)은 깨어있는 환자에서 경동맥 차단 후 신경학적 상태와 비교했을 때 민감도나 특이도가 떨어진다고 알려져 있다. 예를 들면 뇌파검사를 이용한 뇌기능 감시 시에는 20–25%의 환자에서 경동맥 shunt를 요하였으나, 의식이 있는 상태에서 경동맥 차단을 하였을 때 뇌허혈 증상으로 경동맥 shunt를 요했던 환자의 빈도는 7%로 뇌파검사의 정확성이 낮았음을 보여준다. 반대로 수술 전후 발생하는 뇌졸중은 뇌파검사 상 아무런 이상 소견 없이도 나타난다. 어떤 사람들은 경동맥 차단 후 내경동맥 압력을 측정하여 이것을 경동맥 shunt 삽입의 지표로 사용한다. 경동맥 shunt 삽입의 지표가 되는 내경동맥압에 대해서는 다소 논란이 있지만 일반적으로 차단 원위부 내경동맥의 평균 압력 50mmHg는 경동맥 shunt 없이 경동맥을 차단하여도 안전하다고 간주된다.

부분 마취를 지지하는 사람들은 부분마취하에 경동맥 차단을 했을 때 환자의 신경증상을 쉽게 감지할 수 있기 때문에 수술 후 신경학적 합병증이 더 낮은 빈도로 발생한다고 주장하고 있다. 그리고 심장혈관과 폐질환을 동반한 환자에서 전신마취와 기도삽관이 없기 때문에 좋을 것으로 생각된다. 비록 다수의 보고에서 전신마취에 비해 부분마취가 더 우수한 수술결과를 보였다고 주장 하지만, 대규모 연구에서는 뇌감시하에서 전신마취를 시행하면 신경학적, 심폐 합병증이 유사하게 낮았음을 보고하였다.

경동맥 내막절제술을 위한 마취는 병원마다 선호하는 방법이 있다. 부분마취는 의사소통의 어려움 있거나, 밀폐공포증, 언어장벽이 있는 환자에서는 상대적 금기이다. 실제적인 관점에서 보면, 경동맥 수술에서 마취 방법에 따라 장점과 단점이 따른다. 전신마취의 장점은 환자와 의사에게 보다 편안하게 수술할 수 있는 조건을 제공한다. 이것은 기도 확보가 된 상태이고, 의사를 당황하게 하는 환자의 움직임을 피할 수 있기 때문이다. 폐 혹은 심장질환 같은 동반질환이 있는 환자에서는 부분마취가 전신마취보다 더 안전하다고 생각된다. 그리고 환자가 전신마취를 원하는지 원하지 않는지도 고려되어야 한다.

④ 수술방법

앙와위에서 머리는 수술측 반대 방향으로 돌린 상태에 두고 목은 약간 뒤로 젖히고 반대편으로 돌린 상태에서 수술을 시행한다. 피부 절개는 흉쇄유돌근sternocleidomastoid muscle의 전연을 따라한다. 만약 머리 쪽으로 피부절개를 연장해야 할 필요가 있을 때는 이하선과 귀의 뒤쪽 방향으로 피부절개를 연장한다. 그 다음 활경근plastysma muscle을 절개한 흉쇄유돌근 내연을 따라 정맥 구조물이 보일 때까지 박리한다. 이때 횡방향으로 주행하는 안면정맥, 중 갑상선 정맥 등은 결찰해도 무방하다. 경정맥을 박리하여 외측으로 견인하면 경동맥이 나타난다. 이때 미주신경vagus nerve은 대개 경동맥의 뒤쪽에서 발견되지만 간혹 경동맥의 표면에 위치할 수도 있으므로 주의를 요한다. 경동맥 수술 시 미주신경에 손상을 주지 않는 것이 중요하다. 위쪽으로 박리 시 이하선 아래 부분에 이복근digastric muscle을 확인할 수 있다. 두부측 내경동맥의 더 좋은 시야 확보를 위해 이복근은 절단할 수도 있다. 이때 경부 림프절은 박리하여 외측으로 젖혀둔다. 경동맥 수술 중 나타나는 또 하나의 중요한 신경이 설하신경hypoglossal nerve인데 이 신경은 안면정맥 밑으로 주행한다. 설하신경의 분지인 경신경고리ansa cervicalis는 절단해도 무방한 신경인데 설하신경을 찾기 어려울 때 이 신경을 따라 두부측으로 찾아가면 설하신경의 위치를 찾는데 도움을 줄 수 있다. 안면 정맥을 절단하면 원위 내경동맥에 도달할 수 있다. 내경동맥은 설하신경, 미주신경, 경정맥과 가까이 위치한다. 경동맥 분지부 그리고 내경동맥 기시부의 병변이 있는 환자에서 동맥 병변부로부터 색전증 발생을 막기 위해 동맥 병변부의 박리를 최소화하고 경동맥 차단을 하기 전 정상혈압인지를 확인하고 헤파린 70 to 100units/kg 정맥투여한다.

내막절제술의 가장 보편적인 방법은 총경동맥에서 내경동맥까지 종절개를 가한 후 동맥의 외막층과 중막층 사이를 박리하여 내막 절제술을 시행한다. 또 하나의 내막절제술 방법은 외번법eversion technique이다. 이 방법은 내경동맥과 총경동맥이 만나는 부위에서 내경동맥을 절단한 후 그 절단면을 통해 내경동맥 내막 절제를 뒤집기 방법(외번법)으로 시행하는 방법이다. 이 방법으로 내막 절제술을 시행한 후 내경동맥은 다시 재문합해 준다(그림 6-37).

경동맥 수술 후 뇌졸증의 가장 흔한 원인은 동맥의 재건의 기술적 결함에 의한 경우가 많다. 예를 들면 동맥 병변이 남아있거나, 융기된 내막 피판raised intimal flap, 내강협착, 혈관 겸자로 인한 혈관 벽 손상 또는 동맥 꺾임 과 같은 수술의 기술적 결함이 이 부위에 혈소판의 응집, 혈전형성, 색전증을 유발하여 수술 후 뇌졸증을 야기한다.

경동맥 수술은 동맥내강의 협착이 없고, 잔류 병변이나 내막 피판 등이 없는 혈관을 만드는 것이 중요하다. 특히 내막절제술의 원위부에 잔류 병변이나 융기된 내막 피판이 없는지 확인하기 위해서 경동맥절개는 충분히 길게 하는 것이 중요하며, 내막 절제술을 시행한 부분과 정상 내경동맥과의 이행부에 7-0 봉합사로 고정봉합을 하는 방법과 패치patch를 이용한 경동맥 재건술 등이 이용될 수도 있다(그림 6-38).

⑤ **합병증**

가장 많이 거론되고 있는 경동맥 내막 절제술의 합병증은 뇌졸중이며 뇌졸중 외에도 여러 가지 합병증들이 발생할 수 있다.

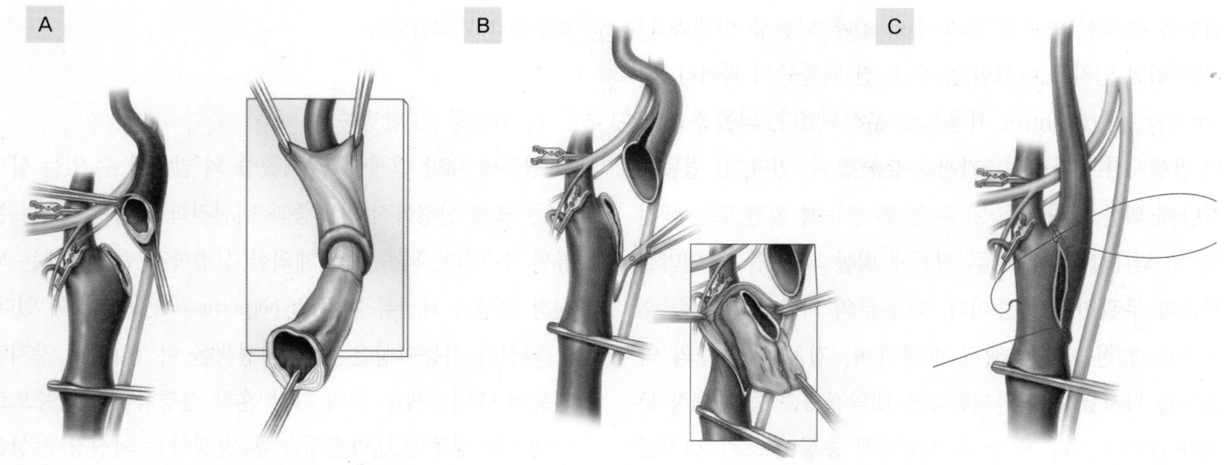

그림 6-37 **외번법(eversion)에 의한 경동맥 내막절제술(Eversion carotid endarterectomy).** A) 내경동맥 절단 후 외번법에 의한 내막제거. B) 총경동맥 내막 병변 제거. C) 설하신경 전면에서 내경동맥 문합

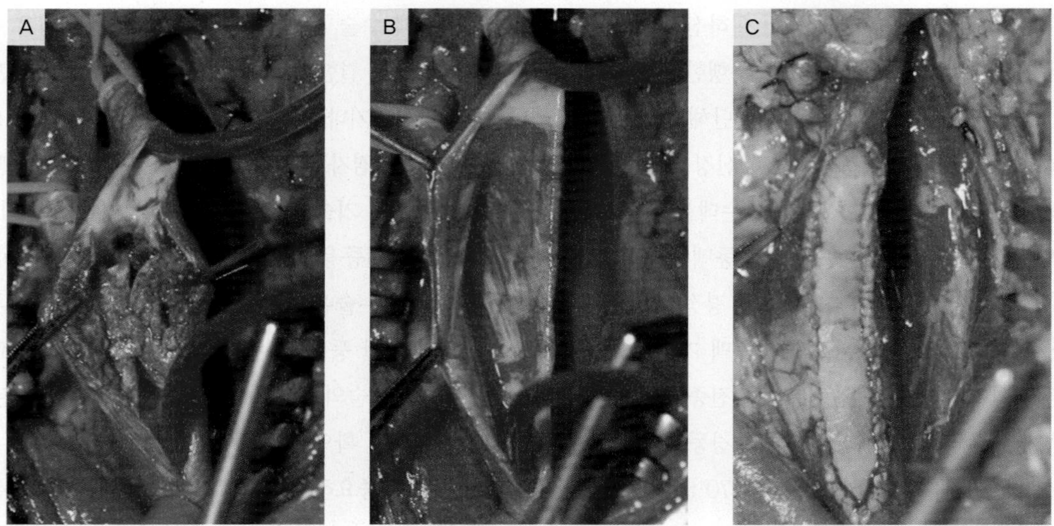

그림 6-38 종절개를 통한 표준적 경동맥 내막 절제술 수술사진. A) 경동맥 내 경화반 병변 및 경동맥 shunt, B) 경동맥 shunt를 이용하여 혈류를 유지시킨 상태에서 내막 절제술 후, C) 패치를 이용한 경동맥 재건술

a. 뇌졸중

경동맥 내막 절제술 후 뇌졸중stroke의 발생률에 대한 연구들은 많이 보고되어 있으나, 수술 전후 뇌졸중의 발생원인에 대한 보고는 흔치 않다. NASCET연구에서는 수술 시 불완전한 내막절제술을 시행하거나 술기의 문제로 발생한 색전증이 뇌졸중의 가장 많은 원인으로 보고하고 있다. 3,026명의 경동맥 내막절제술을 시행한 환자 중 뇌졸중이 발생한 66명(2.2%)을 대상으로 뇌졸중의 발생원인을 분석한 연구한 결과 수술 전후 뇌졸중 발생과 관련된 위험 인자로는 고혈압, 수술 전 뇌졸중의 과거력, 전신마취, 경동맥 shunt 사용으로 분석되었다. 뇌졸중 발생의 발생기전은 다음의 5가지로 분류될 수 있다. 1) 경동맥 차단에 의한 뇌허혈증, 2) 수술 후 경동맥 혈전 또는 색전증, 3) 뇌내출혈, 4) 다른 기전에 의한 뇌졸중, 5) 내막절제술과 무관한 뇌졸중이다. 대부분의 뇌졸중은 수술 후 색전과 혈전증에 의해서 발생하며, 전체 뇌졸중의 약 38%를 차지했다. 혈전색전증은 내막절제술 중 기술적 문제와 관련이 있다. 수술 후 신경학적 증상이 초기 24시간 내에 발생할 때는 혈전성 색전증에 의해 뇌졸중이 발생했을 가능성이 높으며 술 후 24시간이 경과한 후에 신경학적 증상이 발생한 경우는 혈전성 색전증 외의 다른 원인에 의해 뇌졸중이 발생했을 가능성이 높다. 각 개인의 상황에 따라 접근하여야 하지만, 일반적으로 신경학적 문제가 없었던 환자에서 수술 후 24시간 내에 신경학적 손상이 발생한 경우에는 재수술을 고려하여야 한다. 재수술을 받은 환자의 80%에서 동맥내 혈전이 발견되었고 이들은 대부분 수술의 기술적 결함이 그 원인이었다. 재수술 후 70%에서 신경학적 증상은 완전히 혹은 상당부분 호전을 보였다고 보고하였다.

b. 뇌졸중 외 합병증

경동맥 내막 절제술 후 뇌졸중 외 발생할 수 있는 합병증은 크게 신경학적 합병증과 비신경학적 합병증으로 분류할 수 있다. 뇌졸중을 제외한 신경학적 합병증에는 뇌신경 손상과 과관류증후군hyperperfusion syndrome이 있다.

뇌신경 기능이상은 비록 뇌경색을 야기하지는 않지만 경동맥 내막절제술 후의 가장 흔한 신경학적 합병증으로 다행히도 경동맥 내막절제술 후 발생하는 뇌신경 손상은 대부분 일시적인 신경마비이다. 이같은 일시적 뇌신경 손상의 기전으로는 수술시 신경의 절단보다는 수술 중 신경의 과도한 견인 혹은 혈관 겸자에 의한 압박이 그 원인인 것으로 생각된다. 경동맥 수술을 자주 시행하는 혈관외과 의사는 경동맥 주위의 해부구조에 익숙하기 때문에 뇌신경 손상이 잘 일어나지 않지만, 심각한 뇌신경 손상은 주로 경동맥 재수술이나 경동맥 병변이 높게 위치한 경우에서 발생하게 된다. 경동맥 내막 절제술 후 뇌신경 손상의 발생빈도는 3–23%로 보고에 따라 차이가 크다.

그 이유는 뇌신경 손상의 진단 기준의 차이 때문인 것으로 여겨진다. 실제 임상적으로 유의한 뇌신경 손상의 진단은 쉽지 않으며 실제 빈도는 더 낮을 것으로 생각된다. 경동맥 내막 절제술 시 발생할 수 있는 뇌신경 및 경추신경 손상은 설하신경, 미주신경, 후두신경, 안면신경의 하악분지, 설인신경, 척추부신경spinal accessory nerve, 상후두신경, 경부횡신경 및 대이개신경 등이다(표 6-15).

심각한 뇌신경 손상을 피하기 위해서는 경동맥 부위의 뇌신경에 대한 해부학적 지식, 그리고 수술 시 세심한 박리, 자동견인기 혹은 혈관 겸자 사용 시 신경 손상을 주지 않도록 각별한 주의를 해야 한다.

과관류증후군은 뇌내출혈을 유발할 수 있는 합병증으로 경동맥 수술을 하는 외과의에게 가장 염려되는 합병증의 하나로 그 발생빈도 낮지만 심각한 결과를 초래할 수 있기 때문에 주의를 요한다. 과관류증후군의 발생기전은 뇌혈관의 자율조절기능이 없어진 상태에서 경동맥 수술 후 뇌조직의 reactive hyperemia가 그 발병원인으로 여겨지고 있다. 심하지 않은 형태에서는 경미한 뇌부종, 두통, 발작 등의 증상을 나타낸다. 그러나 심한 과관류증후군에서는 혈관파열, 뇌내출혈을 유발하게 된다. 경동맥 내막절제술 후 실제적인 과관류증후군의 발생빈도는 정확히 알려진 바는 없으나, 그 빈도는 0.4–7% 정도로 보고되고 있다. 뇌출혈은 경동맥내막 절제술 후 발생하는 전체 뇌졸중의 약 13–15%를 차지하는 것으로 알려져 있으며, 약 36%의 사망률을 보고하였다. 이와 같이 과관류증후군은 위험한 합병증이므로 이 합병증의 발생위험 인자를 이해하는 것이 중요하다. 과관류증후군 발생 위험인자로는 뇌졸중의 병력(특히 최근 뇌졸중), 심한(90%) 경동맥 협착을 수술한 후, 수술 중 혹은 수술 후 심한 고혈압, 항응고제 사용, 심한 만성 뇌허혈증 환자, 그리고 반대측 경동맥 완전 폐쇄 등을 들 수 있다. 이들 중 고혈압은 과관류증후군 발생에 대한 가장 중요한 위험인자로 생각되며 미국혈관외과학에서도 수축기혈압 140mmHg/이완기혈압 80mmHg 미만으로 유지하는 것을 추천하고 있다. 물론 경동맥 내막 절제술을 시행하는 환자에서 이들 중 한두 가지의 위험 인자는 흔히 동반하지만 실제 이 같은 위험인자를 가지고 있는 모든 환자에서 과관류증후군의 증상이

표 6-15. 경동맥 내막절제술 시 동반될 수 있는 신경 손상과 그에 따른 임상증상

신경	임상증상
설하신경 (Hypoglossal nerve)	혀의 동측으로 비뚤어짐, 혀의 둔감, 불분명 발음, 씹기 및 삼키기 곤란
미주신경 혹은 되돌이 후두신경 (Vagal or recurrent laryngeal nerve)	성대마비, 쉰소리, 기침반사의 기능소실, 기도 폐색(양측손상시)
혀 인두신경 (Glossopharyngeal nerve)	고형음식의 삼키기 곤란, 반복적 흡인, 호흡부전, 영양실조
미주신경의 위 후두 가지 (Superior laryngneal branch of vagus nerve)	목소리 피로, 고음발성장애
얼굴신경의 턱모서리 가지 (Marginal mandibular branch of the facial nerve)	동측 입꼬리 쳐짐
큰 귓바퀴신경 (Great auricular nerve)	동측 귓볼의 감각마비

발생하는 것은 아니다. 그러나 위험 인자를 가지고 있는 환자에서 과관류증후군의 초기증상에 대해 알고 있어야 한다.

수술 후 혈전 혹은 색전에 의한 신경 합병증과 달리 경동맥내막절제술 후 뇌내출혈은 주로 수술 3일 이후에 발생한다. 뇌출혈 환자들은 두통, 발작, 무력감 또는 편마비의 증상을 호소하게 된다. 과관류증후군의 진단을 위해서는 위험인자를 가진 환자들에서 이 합병증에 대한 의심을 하는 것이 무엇보다 중요하다. 심한 전측두엽 두통 혹은 안구통, 또는 발작을 보이는 환자에서 뇌출혈 또는 뇌부종을 진단하는데 전산화 단층촬영이 가장 중요한 검사방법이다. 뇌파검사에서도 이상 소견을 관찰할 수 있다.

과관류증후군의 예방은 실제 용이하지 않지만 위험인자를 가진 환자에서 엄격한 혈압조절, 수술 후 항응고제 혹은 항혈소판제 사용 시 주의, 그리고 신경학적 증상에 대한 보다 면밀한 감시 등을 시행하는 것이 좋다. 경동맥 내막절제술 후 단순한 두통을 호소하는 환자에서는 진통제 투약만으로 충분하다. 그러나 아주 심한 두통을 호소하는 환자에서는 예방적으로 항고혈압제와 항간질제를 투여할 수 있다. 만약 뇌부종이 심하면 이뇨제, 소염제를 사용할 수 있다. 만일 소량의 뇌출혈이 발생하는 경우는 내과적 처치만으로 충분하지만 대량의 뇌출혈이 발생한 경우는 수술이 필요하며 예후는 아주 나쁘다.

비신경학적 합병증으로는 정맥 패치 파열, 수술부위 혈종, 감염성 합병증, 수술 전후 혈압 불안정, 심근경색 등이 있다. 타 수술에서와 달리 경동맥 내막절제술 후 수술부위 혈종은 기도를 압박할 수 있기 때문에 생명을 위협할 수 있는 심각한 합병증으로 보아야 한다. 수술부위 혈종의 발생률은 약 1–4.5%로 보고되고 있다. 이 합병증의 위험인자로는 수술 전후의 고혈압, 수술 시 투여한 헤파린 항응고제의 효과가 남아있거나 수술 후 혈전성 색전증을 예방하기 위해 항응고제를 투여한 경우에 더 많이 나타난다. 한 연구에서는 경동맥 내막절제술을 시행한 후 헤파린 효과를 없애기 위해 프로타민을 사용하지 않은 경우 경부혈종이 더 많이 발생하였다고 보고하고 있다. 경부혈종이 발생한 경우 조기에 발견하여 즉시 수술적으로 혈종을 제거하는 것이 가장 중요하다. 비록 조기에는 혈종이 심각해 보이지 않으나 급작스럽게 커질 수 있으며 이는 기도폐쇄를 유발할 수 있음을 명심하여야 한다. 물론 이들 출혈은 정맥 출혈 혹은 잔여 헤파린 효과에 의한 점상출혈일 가능성이 있지만 수술적 혈종 제거를 하여 확인을 하는 것이 동맥출혈에 따른 치명적인 결과를 막을 수 있다.

경동맥 내막절제술 후 혈압의 불안정은 신경합병증의 발생과 관련이 있어서 재원기간의 증가, 병의료 비용의 증가 및 사망률 증가를 가져오게 된다. 수술 후 고혈압은 약 19%에서 저혈압은 약 20% 정도에서 발생한다고 보고하고 있으며 그와 같은 혈압 불안정의 원인으로 경동맥압력수용체baroreceptor의 기능이상, 수술 중 carotid sinus nerve 혹은 경동맥구 조작에 따른 뇌혈류 자동조절의 이상이 원인으로 추정되고 있다. 수술 후 혈압의 불안정의 잠재적 위험 인자로는 외번 내막절제술 시행, 국소마취 보다는 전신마취하에서의 경동맥 수술 등이다. 특히 경동맥 수술 후 고혈압은 뇌졸중, 심장 합병증, 사망 발생과 연관이 있으므 이를 적극적으로 치료하여야 하며 초기에는 labetalol 같은 베타차단제의 사용이 추천되며, 베타차단제를 사용함에도 고혈압이 조절되지 않을 시에는 hydralazine, nitroglycerin 등이 사용될 수 있다. 경동맥 수술 후 저혈압 및 서맥 발생은 수술 후 합병증과는 큰 관련이 없는 것으로 알려져 있다. 경동맥 내막절제술 후에 적극적인 치료를 통해 혈압을 안정시켜 궁극적으로는 이차적 합병증을 예방하여야 한다. 수술 후 혈압의 불안정은 심혈관 합병증뿐만 아니라, 심한 저혈압의 경우 경동맥 수술 부위의 혈전생성의 위험성을 높이고, 심한 고혈압은 과관류증후군 및 뇌출혈의 위험과 관련이 있다.

경동맥 내막절제술을 시행하는 환자는 기본적으로 전신적인 동맥경화를 가지고 있을 뿐만 아니라 대부분의 혈관수술환자와 같이 흡연, 고령 등 위험인자를 동반한다. 이 같은 상황에서 이들 환자들에서 심폐합병증의 발생 빈도가 높은 것은 놀라운 일이 아니다. 경동맥 내막절제술 후 발생하는 심근경색의 병인은 다소 복잡하다. 수술과 마취는 catecholamine의 분비, 수분이동, 혈압 변동, 일시적인 과응고상태 그리고 빈맥 등을 유발하여 심근에 스트레스를 증가시키게 된다. 흥미로운 것은 경동맥 내막절제술 후 심근경색의 발생률은 0.3-1.6%로 다른 동맥 수술(대동맥 수술이나 하지동맥 수술)보다 낮게 보고되고 있다. 심근경색의 발생률이 낮은 이유는 수술 자체의 침습 정도가 작아서인지, 수분이동이 많지 않아서 인지 또는 환자의 특성 자체가 다른 혈관의 죽상경화증 환자와 달라서인지 명확하게 알 수는 없다. 그러나 대부분의 심각한 관상동맥 질환의 발생에 대비하여 세심히 관찰하고 주의를 한다.

나. 특수한 경우의 경동맥 내막 절제술

① 반대측 경동맥 폐쇄

경동맥 내막절제술 시 반대편 내경동맥의 완전폐쇄가 있는 환자에서는 수술 후 예후는 좋지 않다는 이유로, 최근 경동맥 스텐트를 지지하는 그룹에서는 반대측 내경동맥 완전폐쇄가 동반된 환자를 수술의 고위험군으로 분류하여 경동맥 스텐트 삽입술을 시행할 것을 주장한 바 있었다. 그래서 경동맥 내막절제술 환자에서 반대측 내경동맥의 완전 폐쇄를 동반한 환자군과 반대편 내경동맥 폐쇄가 없는 환자군과의 수술 결과를 비교하는 대규모 연구가 진행되었다. 이 연구의 결과에 따르면 반대측 내경동맥의 완전폐쇄를 동반한 환자군에서 남자, 흡연력, 수술 전 뇌졸중 병력의 빈도가 더 높았다. 그러나 수술 후 뇌졸중의 발생빈도는 반대측 내경동맥의 완전 폐쇄를 동반한 환자군에서 3.0%, 그렇지 않은 군에서 2.1%로 통계적인 차이를 보이지 않았다. 수술 결과를 술 전 증상 유무에 따라 비교한 결과 무증상 환자군에서는 수술 후 뇌졸중 발생빈도가 두 환자군에서 차이가 없었지만(1.8% vs. 1.8%), 유증상 환자군에서는 반대측 내경동맥 폐쇄가 있는 환자군에서 수술 후 더 높은 뇌졸중 빈도(3.7%)를 보였다. 이 환자군에서 수술을 하지 않고 내과적 치료를 하였을 때와 비교했을 때 그래도 수술을 시행한 환자군에서 뇌졸중 빈도가 낮았다. 결론적으로 반대측 내경동맥 폐쇄를 동반한 환자에서도 경동맥 내막절제술을 시행할 경우 수술 전후 뇌졸중 빈도의 증가는 유의하지 않았으며, 이들 환자를 수술의 고위험군으로 분류하여 경동맥 스텐트를 시행하여야 한다는 가설은 옳다고 생각되지 않는다.

② 경동맥 재수술

경동맥 내막절제술 후의 재협착의 발생빈도는 재협착의 정의와 추적조사 기간에 따라 다양하게 보고되고 있으며, 한 메타분석의 의하면 경동맥 내막 절제술 후 재협착의 전반적인 발생빈도는 6-14%이며 연간 재협착 및 폐색의 발생빈도는 1.5-4.5%로 보고하였다. 연구자들은 주로 재협착 발생의 위험인자(흡연, 고콜레스테롤 혈증, 여성, 일차봉합)를 밝히는 데 중점을 두고 있다. 재협착의 임상적 중요성은 아직 명확하지 않다. 재협착의 발생은 초기와 후기로 나뉘어진다. 초기 재협착은 경동맥 내막절제술 후 2-3년 내에 발생하는 것을 말하며 주로 내막절제부의 내막 과증식에 의한다. 후기 재협착은 수술 후 3년 이후에 발생하는 것으로 경동맥 분지부의 동맥경화의 진행으로 발생하게 된다. 경동맥 재협착에서 초기의 내막 과증식 intimal hyperplasia의 경우는 이 경우에는 원발성 동맥경화성 병변과는 달리 혈관벽 궤양이나 혈전에 의한 뇌동맥으로의 색전증 발생 빈도가 낮으므로 임상경과가 비교적 양호한 것으로 보여진다. 재협착이 발생한 경우 재수술을 하게 되면 수술 합병증의 발생 가능성이 높기 때문에 보존적 치료를 하는 것이 기본이다. 경동맥 재수술 시 흔히 볼 수 있는 기술적 위험인자는 유착으로 인한 동맥 박리의 어려움, 정맥 또는 주변 뇌신경 손상, 적절한 내막절제술 시행의 어려움, 내경동맥 원위부 처리의 어려움, 경동맥 shunt 삽입의 어려움 등이 있을 수 있다. 종종 경동맥 재수술의 경우 이차적인 내막절제술이 기술적으로 불가능하여 대체혈관을 이용한 혈관 재건술을 필요로 하게 된다. 그러나 이러한 수술의 어려움에도 불구하고 재수술에 대한 연구들에서는 좋은 결과들을 보고하고 있다. 한 연구기관에서는 전체 82예의 경동맥 재수술 후 합병증의 발생률은 낮은 것으로 보고하며, 합병된 뇌졸중 및 사망률은 3.7%로 보고되고 있다. 영구적인 뇌신경 손상빈도 1.2%였다. 불행하게도 82예 전체의 장기적 결과는 좋지 않아서 4예에서 유의한 재협착이 발생하여 삼차 수술을 시행하였고, 5예에서 완전폐쇄가 발생하였다.

장기적인 결과를 향상시키기 위하여 재수술 시 내막절제술 후 패치 봉합보다는 혈관대체를 하는 경향이 있다. 흥미로운 것은 혈관대체 수술 시 자가 정맥을 사용하는 경우보다 인조혈관을 사용하는 경우 장기 개통률이 우수하였다. 경동맥 재협착은 치료를 요하는 환자가 흔치 않고, 재수술은 기술적 어려움이 따르므로 최근에는 이 같은 환자에서 경동맥 스텐트삽입술이 더 빈번히 고려된다.

③ 내막절제술 시행 시기

일과성 허혈성 발작이나 뇌졸중을 동반한 유증상 환자에서는 무증상 경동맥 협착증 환자에 비해 경동맥내막절제술 후 뇌졸중의 발생빈도가 더 높은 것으로 알려져 있다. 이러한 이유에서 미국심장협회 지침에 따르면 경동맥내막절제술을 시행할 경우 유증상 환자에서 수술 후 뇌졸중 혹은 사망률은 6% 이하, 무증상 환자에서는 3% 이하를 유지할 것을 권고하고 있다. 비록 경동맥 내막절제술이 신경학적 증상이 있는 환자에서 시행하여도 안전하다는 임상연구결과가 있지만 실제로 뇌졸중 증상 발생 후 어느 시기에 수술을 시행하는 것이 가장 좋은가에 대해서는 증상이 발생 한 이후 늦어도 2주일 이내에 수술을 시행할 것을 권고하고 있다. 과거 경동맥내막절제술들에 관한 보고들에서는 급성기 허혈성 뇌졸중 환자에서 조기에 수술하는 것이 허혈성 뇌졸중을 치명적인 출혈성 뇌졸중으로 변환시킬 수 있다는 우려가 보고되어었다. 그러나 이들 초기 보고들을 자세히 분석해보면 이들의 수술 대상 환자 중에는 수술의 적응에서 제외된 심한 뇌졸중이 있거나 급성 내경동맥 폐쇄증 환자들이 포함되어 있었으므로 수술 후 합병증이 증가되는 것은 당연한 결과였다고 생각된다. 이들 환자에서 허혈성 뇌졸중이 출혈성 뇌졸중으로 변환되는 기전은 허혈 또는 경색이 발생된 뇌조직의 혈관은 혈류를 조절하는 자동성을 잃은 상태에서 재관류 또는 과관류로 인하여 뇌내 출혈이 발생하는 것으로 알려져 있다. 이러한 근거를 배경으로 과거에는 급성 뇌허혈이 발생한 후 4–6주가 지난 다음 경동맥 내막절제술을 시행할 것을 권유하였다.

그러나 최근 보고에서는 급성 뇌허혈증 후 조기(<2주)의 경동맥 수술은 안전하고 수술을 기다리는 동안 발생할 수 있는 뇌허혈증 및 경동맥 완전폐쇄의 위험을 감소시킬 수 있다고 주장하고 있다. 또한 전산화단층촬영 및 자기공명영상장치의 발달은 조기 수술을 위한 환자 선택에 도움이 된다. 과거에 발표된 NASCET과 ECST (European Carotid Stenosis Trial)의 자료를 재분석한 보고에서도 조기 경동맥 내막절제술이 안전한 것으로 보고되어 있다.

뇌졸중 후 경동맥내막절제술 시행 시기는 뇌졸중의 심한 정도, 범위, 신경학적 증상의 안정화 여부, 수술 전 CT, MRI 영상에서의 허혈 범위, 경동맥 협착 부위의 심한 정도와 성질 등을 고려하여 수술 시기를 정하도록 권유하고 있다. 일반적으로 아주 심한 뇌졸중은 경동맥 내막절제술의 적응이 될 수 없으므로 일과성 허혈증, minor stroke 환자에서는 증상 발생 후 수술 준비 및 혈압 조절을 하고 1–2주 이내에 경동맥 내막절제술을 시행하는 것이 최근의 추세이다.

④ 경동맥 내막절제술–관상동맥우회술 동시

동맥 경화증은 전신적인 질환이고, 많은 환자들이 여러 부위의 혈관에 병변을 동반하고 있다. 관상동맥과 경동맥 질환을 동시에 가진 환자의 적절한 치료는 아직 논란이 되고 있다.

심근 경색증은 경동맥 내막 절제술 후의 심각한 합병증이면서 수술사망의 원인이고, 뇌졸증은 관상동맥우회술의 심각한 합병증 중 하나이다. 관상동맥우회술을 받는 환자에 대해 시행된 1,800건의 경동맥 초음파 검사에서 심한(>75%) 경동맥 협착을 가진 환자의 빈도는 6.3%로 보고되었다. 그러나 관상동맥우회술 후에 뇌졸증의 원인은 다양하여 경동맥 분지부의 질환뿐만 아니라 상행대동맥 혹은 심장에서 기원한 색전증을 포함한다. 관상동맥과 경동맥 질환을 동시에 가진 환자의 치료는 2번으로 나누어 치료할 수도 있고, 두 수술을 동시에 시행할 수도 있다. 대부분의 연구에서 관상동맥우회술과 경동맥 내막절제술을 동시에 시행할 때 높은 뇌졸중의 빈도와 사망률을 보고 하였다. 그 이유는 2개의 수술로 인한 가중된 위험 때문인지 아니면 이들 환자에서 더 광범위한 죽상경화증의 결과인지는 불분명하다. 최근의 보고들은 후자 쪽을 더 지지한다. 이들 환자에서 가능한 치료 전략은 증상이 있는 쪽을 우선적으로 치료하면서 단계적인 수술staged operation을 하든지, 아니면 동시에 수술하는 것이다. 만약 유증상 경동맥 병변이 있으면서 무증상의 관상동맥 질환이 있는 환자에서는 대부분 관상 동맥질환에 대한 주의를 하면서 경동맥 내막절제술을 먼저 시행한다.

일부에서는 국소마취 하에서 경동맥 내막절제술을 시행하든지, 아니면 경동맥 스텐트삽입술이 이런 경우 적절하다고 믿는다. 만약 불안정형 관상동맥질환이 있으면서 무증상의 경동맥질환이 있는 경우 대부분은 관상동맥 질환의 치료를 먼저 시행한다. 관상동맥우회술이 먼저 시행되어야 하는 환자와 경동맥 폐쇄 직전 또는 유증상 경동맥 병변을 가진 환자들에 대한 관심이 일어나고 있다. 관상동맥우회술 시 심폐기 사용으로 인한 저관류 현상 때문에 심한 경동맥 협착이 경동맥 완전폐쇄로 변할 위험이 있다. 그리고 이 같은 상황에서는 전체적인 뇌저관류 현상이 나타날 수 있다고 생각된다. 이는 특히 양측성으로 심한 경동맥 협착을 가진 환자나 일측 경동맥의 심한 협착과 함께 반대편 경동맥 폐쇄가 동반된 경우에 나타날 가능성이크다. 따라서 이 같은 경우에 경동맥-관상동맥 동시 수술의 적응이 된다.

경동맥-관상동맥 동시 수술은 먼저 흉골을 절개하고 만일 환자가 임상적으로 심장 문제가 악화될 경우에 대비하여 심폐기 사용을 할 수 있도록 준비한 후 경동맥내막절제술을 시행한다. 이 수술에서는 고용량 헤파린을 사용하므로 경동맥 내막 절제술 시 인조 패치보다는 자가정맥 패치를 이용한 경동맥 봉합술이 흔히 이용한다. 그 이유는 인조 패치 사용 후 많은 양의 헤파린을 사용하면 봉합 바늘 구멍을 통한 출혈이 계속될 수 있고, 환자가 관상동맥우회술을 받는 동안 추가의 헤파린을 투여해야 하므로 관상동맥우회술을 하는 동안 경동맥 수술창은 봉합하지 않고 두었다가 관상동맥우회술이 끝난 후 경동맥 출혈을 확인하고 경부 창상을 봉합한다.

다. 경동맥 혈관 성형술과 스텐트삽입술

관상 동맥 질환에서 경피적 풍선 확장술과 스텐트삽입술은 이 질환의 치료에서 주된 치료방법이 되었다. 마찬가지로 이런 경피적 중재 시술은 하지의 동맥 폐쇄 질환에서도 널리 사용되게 되었다. 스탠드삽입술의 장점은 덜 침습적이고, 회복이 빠르며, 큰 절개창이 없으므로 통증이 적고, 창상 합병증이 적으며, 환자가 쉽게 받아들일 수 있다는 점이 있다. 경동맥에 대한 경피적 혈관 성형술과 스텐트삽입술도 기존의 경동맥 내막절제술에 비해 이런 비슷한 장점을 가질 것이라고 예상하는 것이 자연스러워 보인다. 그러나 경동맥 스텐트삽입술의 가장 중요한 문제는 시술 중 유도와이어guide wire나 색전방지기기구embolic protection device등이 경동맥 협착병변을 통과하면서 발생할 수 있는 동맥 색전성 뇌졸중의 위험성이었다. 이에 더하여 경동맥 내막절제술은 관상동맥우회술에 비하여 훨씬 덜 침습적이고, 회복이 쉽다는 점이 다르다. 경동맥 내막절제술은 전신마취 없이도 시행될 수 있고, 수술 후 일상 활동의 제약도 적다. 더구나 경동맥 내막 절제술은 익숙한 외과 의사가 시행할 경우 심각한 합병증이나 사망률이 극히 낮고 수술 결과가 아주 좋다. 이 같은 수술 결과는 지난 50년간의 다기관 연구와 단일 기관 보고에서 이미 입증되어있다. 이같은 이유로 경동맥 스텐트삽입술은 경동맥 내막절제술에 비하여 그다지 큰 장점이 없다고 생각해 왔었다.

경동맥 스텐트삽입술은 다른 혈관에서의 풍선 확장술과 스텐트삽입술과 유사하다. 와이어가 경동맥 협착부위를 통과하고 자가-팽창형 금속 스텐트를 유도와이어를 따라 경동맥 병변부에 위치 시킨 후 스탠드를 펼친다. 그 후 풍선 확장술로 시술은 끝난다(그림 6-39).

시술 중 나타날 수 있는 뇌경색증을 막기 위해 다양한

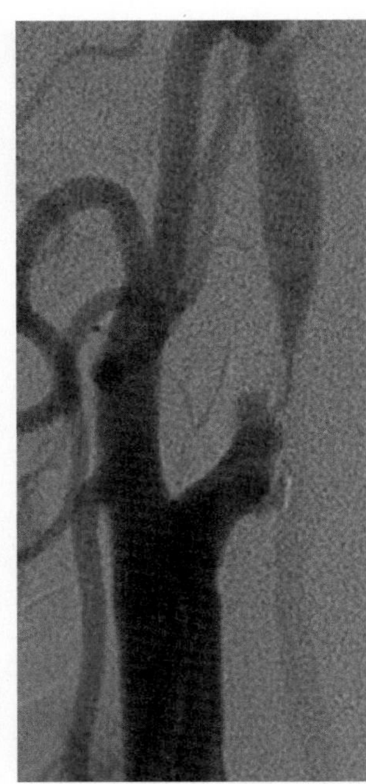
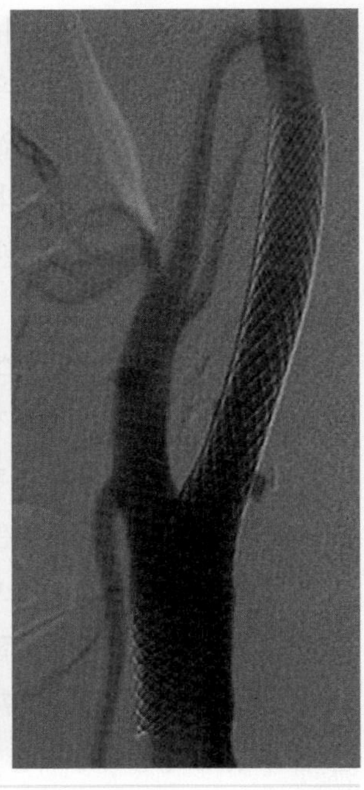

그림 6-39 **경동맥 스텐트삽입술**

필터와 풍선으로 이루어진 뇌 보호 기구(색전 방지 기구 embolic protection device)의 발달은 시술 중의 색전증 발생에 대한 위험을 감소시켰고, 시술성적을 향상시킨 것으로 보인다. 최근 내경동맥의 혈류를 역류시키는 색전 방지기구가 개발되어 주목을 받고 있다. 이 기구의 장점은 시술 중 경동맥내에서 발생한 혈관 부스러기가 뇌 동맥으로 들어 가지 않고 역류시켜 체외로 빼낼 수 있다는 점이다. 그러나 이같은 색전 방지 기구들도 경동맥 스텐트 삽입 시 색전에 의한 뇌졸중을 완전하게 예방하지는 못 한다.

우리가 관심을 가지는 부분은 어떤 환자가 기존의 경동맥내막절제술 대신 경동맥 스텐트삽입술을 하는 것이 좋은가 그리고 경동맥 스텐트삽입술의 효과가 경동맥 내막절제술의 효과만큼 뇌졸중 예방 효과를 갖는가 하는 문제이다.

경동맥 스텐트삽입술은 처음에는 경동맥 내막 절제술의 고위험군 환자에서 적용될 수 있을 것으로 여겨졌다. 여기에서 고위험군은 2가지로 나눌 수 있다. 하나는 경동맥 질환에 동반된 질환의 위험성 때문에 수술의 위험성이 높은 환자(예; 심한 관상동맥 질환, 울혈성 심부전 등), 또 다른 하나의 고위험군은 해부학적으로 경동맥 수술을 하기 어려운 환자군(예; 경부 방사선 치료를 받았던 환자, 경동맥 재수술 환자, 협착 병변의 위치가 두부측으로 너무 높게 위치한 환자 등)이다.

그러나 경동맥 내막 절제술의 고위험군들은 정확하게 규명하기가 어렵다. NASCET 연구의 수술에 대한 고위험으로 분류된 되는 228명의 환자에서 시행된 경동맥 내막 절제술 결과 이 같은 고위험군 환자에서 경동맥 내막 절제술의 성적이 나쁘지 않다는 사실이 보고되었다. 또 다른 연구에서는 13,000예의 경동맥 내막절제술 보고에서 동반된 심폐질환이 수술 후 뇌졸중, 사망, 심장 합병증의 빈도를 증가시키지 않았다는 보고를 하였다. 많은 연구자들이 NASCET과 ACAS 연구에서 경동맥 내막절제술 고위험군으로 간주했던 80세 이상의 고령 환자들이 CREST trial의 중간 보고에 따르면 놀랍게도 경동맥 스텐트를 시행한 80세 이상의 환자에서 시술 후의 뇌졸중과 사망률이 유의하게 높았음을 보고하였다(12.1%). 이 사실은 수술의 고위험군으로 여겨졌던 환자들이 덜 침습적인 중재시술 후 더 높은 합병증의 위험에 있다는 것은 우리의 예측과는 반대되는 사실이다. 여기서 우리가 알아야 할 것은 어떤 환자에서 경동맥 수술보다 경동맥 스텐트삽입술이 더 유리한가를 정하는 것은 단순하지는 않다는 점이다.

경동맥 협착증 환자의 치료 방법으로 경동맥 내막절제술과 경동맥 스텐트삽입술 사이에 어느 방법이 더 우수한 치료 방법인지를 비교한 많은 임상 연구가 보고되어 왔었다. 이 문제에 대한 해답을 주었다고 볼 수 있는 임상연구 결과가 2010년에 발표되었다. 그중 하나는 유럽을 중심으로 진행되어 2010년 3월에 발표된 전향적, 다기관 임상연구인 International Carotid Stenting Study (ICSS)이다. 이 임상 연구는 증상이 있는 경동맥 협착증 환자 1,713명을 대상으로 경동맥 내막절제술과 경동맥 스텐트삽입술의 치료결과를 전향적으로 비교하였다. 그 결과 증상이 있는 경동맥 협착증 환자군에서는 경동맥 내막절제술을 시행한 환자군에서 스텐트삽입술 환자군에서보다 뇌졸중, 술 후 심근경색증 발생 및 수술 사망의 빈도가 낮게 나타났으므로(5.2% vs. 8.5%, p=0.006) 내막절제술이 더 안전한 치료방법이라고 결론지었다. 2010에 발표된 CREST (Carotid Revascularization Endarterectomy versus Stenting Trial)이 발표되었다. 이 연구는 미국과 캐나다에서 117개의 병원이 참여한 대규모의 전향적 임상 연구로 ICSS와 달리 증상이 있는 환자와 증상이 없는 경동맥 협착증 환자 모두를 임상연구 대상으로 하였다. 연구 목적은 역시 경동맥 내막절제술과 경동맥 스텐트삽입술의 치료결과를 전향적으로 비교하고자 하였다. 치료 성적의 비교 내용은 시술전 후 뇌졸중, 심근경색증 발생 및 환자 사망률을 비교하였고 또 다른 하나의 비교 내용은 치료 후 4년 후 치료를 시행한 동측 경동맥 영역에 발생하는 뇌졸중 발생빈도를 비교하였다.

CREST의 결과를 소개하면 허혈성 뇌졸중의 가장 빈번한 원인인 경동맥 협착증의 치료를 위하여 경동맥 내막절제술(CEA)과 경동맥 스텐트삽입술(CAS)의 치료 후 30일 이내 그리고 치료 후 4년간 2가지 치료 방법의 효과 및 안전성을 전향적으로 비교한 대규모 연구였다. 치료 성적의 비교 내용은 치료 후 30일 이내 뇌졸중, 심근경색증 발생률 및 사망률을 비교하였고, 또 다른 하나의 비교 내용은 치료 후 치료를 시행한 동측 경동맥 영역에 10년간 발생하는 뇌졸중 발생빈도를 비교하였다.

연구결과에서 환자가 어느 한 치료군으로 할당된 후부터 4년 동안 뇌졸중, 심근경색증 발생 및 사망률 발생률을 한꺼번에 비교한 결과 두 군 간 유의한 차이는 없었다고 보고하였다(CAS, 7.2% versus CEA, 6.8%, p=0.51). 그러나 이 결과를 좀 더 세분화하여 분석한 결과에 따르면 치료 후 4년간 두 군 간 사망 혹은 뇌졸중 발생률은 스텐트삽입술 환자군에서 더 높았고(CAS 6.4% vs CEA 4.7%, p=0.03), 수술 후 30일 이내 뇌졸중 발생빈도도 스텐트삽입술군에서 높았다(CAS 4.1% vs. CEA 2.3%, P=0.01). 그러나 수술 후 30일 이내 심근경색증 발생 빈도는 경동맥 내막 절제술 환자군에서 더 높은 것으로 조사되었으나 CREST 연구에서는 심근경색증의 정의를 심장효소 증가에 기초하였기 때문에 심근경색증 발생빈도에 대한 비판도 있는 실정이다(CAS 1.1% vs. CEA 2.3%, P = 0.03). 수술 후 30일이 지난 이후 동측 뇌졸중 발생빈도는 두 환자군에서 모두 낮게 나타났으며 두 환자군 간 유의한 차이는 없었다고 보고하였다(CAS 2.0% vs CEA 2.4%, P=0.85).

이 CREST 연구 결과를 종합해 보면 수술 직후 심근경색의 빈도는 경동맥 내막절제술 환자군에서 더 빈번하였고, 뇌졸중 발생 빈도는 경동맥 스텐트삽입술 환자군에서 더 많았음을 보였다. 특히 연령이 70세 이상인 환자에서는 수술적 치료가 더 유리하고 70세 미만의 환자군에서는 스텐트삽입술의 효과가 상대적으로 우수하였음을 보고하였다. 이 같은 환자 연령별 치료결과의 차이는 고령환자에서는 대동맥궁 병변aortic arch lesion이 흔하기 때문에 스텐트삽입술 중 뇌동맥으로의 색전증embolism 발생 위험성이 더 높기 때문이라고 해석된다. 최근에는 70% 이상의 무증상 경동맥 협착증 환자에 대한 약물치료, 경동맥 내막 절제술 및 경동맥 스텐트 삽입술의 치료결과를 비교하는 대규모 전향적 무작위 임상연구인 CREST-2 연구가 진행중으로, 이 연구는 각 군에서 항혈소판 제재의 사용과 혈압조절 및 혈중 LDL 콜레스테롤 목표 수치를 모두 일치시킨 후 초기 뇌졸중 및 사망률에 대한 분석과 4년 동안의 동측 뇌졸중 발생률을 비교하는 연구이다. 따라서 본 연구가 끝나고 그 결과가 나오는 2020년 경에는 무증상의 중증 경동맥 협착증 환자에 대해 보다 객관적인고 근거있는 자료를 통해 치료지침을 세울 수 있을 것이라 기대된다.

2016년 3월에 기존의 4년간의 관찰 기간에 6년을 연장한 CREST 의 10년간의 관찰 결과가 보고되었다. 경동맥 내막 절제술은 아직도 경동맥 협착증 환자에서 주된 치료 방법으로 남아있으므로 혈관외과 영역에서는 필수적으로 익혀야 할 수술 방법의 하나이다. 그러나 경동맥 협착 병변이 너무 높거나 낮아서 수술적 접근이 어려운 경우, 과거 경동맥 수술 후 재협착, 기관절개술, 경부방사선 치료, 동측 경부림프절 곽청술 등으로 수술이 어려운 환자, 혹은 전신상태가 아주 나쁜 중증 환자 등에서도 경동맥 스텐트삽입술은 가능하므로 수술적 치료가 갖지 못하는 장점을 갖고 있는 것은 사실이다. 따라서 환자의 전신상태, 연령, 뇌증상 유무, 경동맥 혈관 조영술 소견 등을 종합적으로 판단하여 치료 방침을 결정하는 것이 중요하다. 그리고 외국에서는 경동맥 내막절제술뿐 아니라 경동맥 스텐트삽입술도 많은 혈관외과 의사들이 직접시술하고 있다는 점을 알아야 한다.

2) 척추–뇌기저 동맥 질환

척추–뇌기저 동맥 허혈증Vertebro-Basilar Insufficiency (VBI)은 경동맥 영역의 허혈보다 그 빈도면에서 훨씬 드물다. 그 이유는 아래와 같다. (1) 뇌기저 동맥은 2개의 척추동맥에 의해 혈류공급을 받고있다. (2) 대부분의 환자에서 후교통 동맥posterior communicating artery, 뇌기저 동맥basilar artery에 훌륭한 측부 순환을 제공한다. (3) 척추 동맥vertebral artery과 뇌기저 동맥의 질환은 드물다. 그럼에도 불구하고 특수한 경우에서 척추–뇌기저 동맥 허혈증은 장애를 가져오고, 뇌졸중, 급사를 일으킬 수 있으며, 허혈성 뇌졸중의 약 25%에서 이러한 척추동맥–뇌기저 동맥병변에 의해 발생하는 것으로 알려져 있다. 척추–뇌기저 동맥 허혈증을 가진 환자는 복시, 조화운동 불능, 언어장애, 쓰러짐과 같은 증상을 보일 수 있다. 그 외 증상으로 어지럼증, 잘 규명할 수 없는 시각장애와 같은 비특이적인 증상을 보이는 환자도 있다. 그러므로 설명할 만한 다른 명확한 원인이 없이 위와 같은 증상을 보이는 환자에서는 척추–뇌기저 동맥 허혈증을 의심할 필요가 있다. 특히 머리를 돌리거나 목을 뒤로 젖힐 때 일시적인 신경증상이 나타난다면 척추–뇌기저 동맥 허혈증을 의심하여야 한다. 소뇌 영역의 뇌졸중은 심각한 시각장애와 언어장애를 야기할 수 있다. 뇌간의 뇌졸중은 치명적일 수 있고, 급작스런 사망의 원인으로 알려져 있다. 대부분의 척추–뇌기저동맥 허혈증은 후뇌를 담당하는 혈관을 통한 혈류의 감소로 인해 발생한다고 알려져 있다. 척추–뇌기저 동맥 허혈증 증상은 보통 해부학적 그리고 생리적인 원인이 둘 다 있어야 나타난다.

(1) 해부학적 고려 사항

척추–뇌기저 동맥 허혈증은 뇌기저 동맥, 후교통 동맥의 폐쇄성 병변뿐만 아니라, 무명 동맥, 쇄골하 동맥, 척추 동맥의 병변으로부터 발생할 수도 있다. 후자의 경우 일반적으로 양측 척추 동맥의 폐쇄가 있어야 발생할 수 있다. 그러나 대동맥에서 한쪽 척추동맥을 통해 뇌기저 동맥의 혈류가 유지된다면 증상이 발생하지 않는다. 그러나 이같은 환자에서 경추의 운동에 의해 척추 동맥이 꺾이거나 압박되어 증상이 나타나기도 한다. 그 외에 척추–뇌기저 동맥 허혈증의 원인으로 해부학적 기형, 동맥 경화증, 척추동맥 해리증, 골기형에 의한 척추 동맥압박(2번–7번 경추의 횡돌기를 통과할 때 골기형에 의해 척추동맥 압박이 생길 수 있음) 등 많은 조건으로 인해 후뇌의 허혈이 발생할 수 있다. 척추 동맥의 기형은 흔하다. 일반인의 10%에서 한쪽 척추동맥이 작거나, 뇌기저 동맥과 연결되지 않거나, 아예 척추동맥이 없는 경우도 있다. 좌측 척추동맥이 대동맥 궁에서 기원하는 등 대동맥궁 기형이 흔하므로 후뇌 순환을 평가할 때 이점들을 고려하여야 한다. 척추–뇌기저 동맥의 동맥 경화증은 어느 지점에서나 발생할 수 있지만, 척추 동맥의 기시부에서 가장 흔하다. 동맥 폐쇄증 환자에서 좌측 쇄골하동맥이 흔하게 침범된다. 쇄골하 동맥의 병변은 상지의 증상을 흔히 야기하지만 때로는 척추–뇌기저 동맥 허혈증을 야기할 수도 있다.

(2) 쇄골하 동맥 도혈 증후군

쇄골하 동맥이나 무명동맥의 기시부 폐쇄는 동측 척추동맥혈류의 역류를 야기할 수 있다. 이 경우 척추–뇌기저 동맥은 동측 상지로 가는 동맥의 측부 순환로로 작용한다. 쇄골하 동맥 도혈 증후군subclavian steal syndrome은 쇄골하 동맥 또는 무명 동맥의 폐쇄로 척추동맥 혈류가 역류하여 척추–뇌기저동맥 허혈증을 일으키는 상태를 뜻한다. 이 증후군의 전형적인 임상증상은 동측 상지 운동을 하면 후뇌허혈 증상이 나타나는데 그 기전은 상지 운동시 뇌간으로부터의 혈류가 척추동맥을 통해 역류하여 상지동맥으로 가기 때문이다. 상지 운동은 침범된 팔의 말초저항을 감소시키고, 동맥 폐쇄 원위부 혈압을 낮춘다. 이것은 척추동맥의 역류를 증가시킨다. 만일 반대측 척추동맥이 이 혈류요구량을 따라가지 못하면, 후뇌 순환계의 혈압이 감소하고 그 결과는 척추-뇌기저 동맥 허혈증이 나타날 수 있다. 반대측 척추동맥을 폐쇄시키는 동작, 혈압을 낮추거나 심박출량을 낮추는 등의 상태에서 증상이 나타날 수 있다.

(3) 생리적 요인

동맥 폐쇄로 인해 뇌기저 동맥으로 소량의 혈류가 유지되고 있는 상황에서, 이 혈류를 감소시킬 수 있는 생리적 변화가 일시적인 신경 증상을 야기할 수 있다. 이것은 부정맥, 혈압 저하, 심박출량의 저하와 같은 심장 문제의 결과일 수도 있다. 앞에서 기술한 내용은 팔 운동에 의해 생리적 변화가 시작되는 전형적인 쇄골하 동맥 도혈 증후군이다. 그러나 동맥 병변이 없으면서도 머리 회전에 의해 척추 동맥이 막히므로 척추-뇌기저동맥 허혈증을 일으키는 것은 또 다른 흔한 원인 중 하나이다.

(4) 진단

척추-뇌기저 동맥 허혈증 진단의 첫 단계는 주의 깊은 병력청취와 신체 검진이다. 어지럼증, 언어장애, 복시, 조화운동 불능, 쓰러짐이 있을 경우 후뇌 순환계의 질환에 대한 검사가 이어져야 한다. 쇄골 주변에서 잡음이 들리면 쇄골하 동맥 또는 척추 동맥의 협착을 암시한다. 양측 상완에서 혈압을 측정했을 때 양측 팔의 혈압의 차이가 25mmHg 이상이거나 한쪽 팔의 맥박이 없거나 감소되어 있다면 쇄골하 동맥 또는 무명 동맥 폐쇄성 질환을 의심할 수 있다. 박동 지연pulse lag 혹은 병변측 요골 동맥의 최대 수축기압의 지연은 근위부 쇄골하 동맥 협착과 이로 인한 척추 동맥 역류 때 볼 수 있는 전형적인 소견이다. 박동 지연은 심장 박동이 반대측 척추동맥을 타고 후뇌부를 통과하여 동측 척추동맥을 타고 역류하여 상지 동맥에 도달하는데 걸리는 혈류통과 시간이 길어지기 때문이다.

Gadolinium을 이용한 자기공명 혈관조영술나 CT 혈관조영술은 대동맥궁으로부터 뇌기저 동맥까지의 혈관을 보는데 유용하다. 척추 동맥과 뇌기저동맥에 대한 더 정확한 영상을 얻기 위해서는 카테터를 이용한 혈관조영술이 필요하다. 특히 척추동맥 기시부 병변을 진단하는데 어려움이 따른다. 왜냐하면 척추동맥은 보통 쇄골하 동맥의 뒤쪽에서 기시하기 때문에 비스듬한 방향의 영상이 필요하고, 보통의 전-후 방향 영상에서는 뚜렷이 보이지 않을 수 있다. 머리의 특별한 자세에서 증상이 발생한다면 경추 횡돌기를 통과하는 척추동맥이 일시적으로 꺾이거나 압박되어 나타날 수 있다. 이 같은 환자에서는 증상이 발생하는 특수한 자세에서 영상을 얻지 않는다면 진단이 안 될 수도 있다.

만일 환자가 척추-뇌기저 동맥 허혈증의 진단에 맞는 해부학적 모양을 확인했다면 다음 검사는 증상을 야기하는 생리적요소를 검사하는 단계이다. 홀터 모니터링과 심장부하 검사가 부정맥과 심근병변을 배제하기 위해 필요할 수 있다. 만일 환자가 척추-뇌기저 동맥 질환을 가지고 있더라도, 증상이 서맥의 기간 동안에만 나타났다면 심장박동조율기만이 증상조절을 위해 필요하다. 고혈압에 대한 과도한 치료가 척추-뇌기저 동맥 허혈증을 일으킬 수도 있다. 마지막으로 저혈당, 고칼륨 혈증, 갑상선 기능저하증, 신경과적 질환 등 비특이적인 증상에 대한 다른 원인들을 배제하여야 한다.

(5) 수술의 적응증

경동맥 질환과는 달리 무증상의 척추-뇌기저 동맥 폐쇄성 질환이 뇌졸중의 위험을 높이거나 사망의 원인이라는 증거는 찾기 힘들다. 이는 뇌간 경색증으로 인한 사망을 확인하기가 쉽지 않다는 점과도 관계가 있다. 실제 후뇌 순환계의 폐쇄성 질환을 가진 많은 환자들은 무증상이고 대개 이와 무관한 원인으로 사망한다는 보고가 있다. 뇌로 가는 혈류의 90%가 전뇌순환계에 의하며, 윌리스 환을 통한 측부 순환이 풍부하기 때문에 대부분의 쇄골하 동맥, 척추 동맥 폐쇄증은 증상없이 잘 견디어 내는 것으로 보인다. 현재 무증상의 척추-뇌기저동맥 질환에 대한 수술적 치료의 정확한 적응증은 없다. 드물지만 심한, 재건할 수 없는 경동맥 질환을 가지면서 후뇌 순환계의 질환을 가진 무증상의 환자에서는 척추동맥의 혈류 개선하기 위한 수술이 뇌의 적절한 혈류를 유지하는 수단이므로 척추동맥 재건술이 정당화될 수 있다.

만일 환자가 척추-뇌기저동맥 허혈증 증상을 호소하면서 경동맥과 척추 순환계 모두에서 폐쇄성 질환을 가지고 있다면, 먼저 경동맥 병변 치료에 초점을 맞추어야 한다. 대부분의 환자가 윌리스 환의 후교통 동맥을 통한 뇌기저 동맥과 그 분지로 훌륭한 측부순환로를 가지고 있으므로 경동맥 혈류 개선이 뇌 전체의 혈류 개선을 하기에 충분하다. 대부분의 경우 척추-뇌기저 동맥 허혈증 증상을 교정하는데 경동맥 내막 절제술만으로 충분할 수 있다. 일반적으로 척추-뇌기저 동맥 질환에서 수술적 치료 또는 중재시술의 적응증은 다음과 같은 조건을 만족하는 경우로 제한하고 있다. 1) 내경동맥 완전 폐쇄와 동측 척추-뇌기저동맥 허혈증상 혹은 경동맥 허혈 증상, 2) 양측 척추동맥 폐쇄성 병변, 3) 경동맥에 혈류를 제한하는 병변이 없거나, 완전히 막혀서 수술이 불가능할 경우, 4) 심장 기원 혹은 대사성 원인의 후뇌허혈증상이 배제된 경우 등이다. 위의 조건들을 만족하는 경우 후뇌 순환을 개선시키는 시술을 통해 증상이 호전될 가능성이 높다.

(6) 수술적 치료법

척추-뇌기저 동맥 허혈증에 대한 다양한 치료 혹은 혈관내시술이 가능하다. 각각의 환자에게 증상을 야기하는 혈관 병변, 치료와 관련된 합병증, 시술 후 내구성 등을 고려하여야 한다. 쇄골하동맥 도혈증후군에 의한 척추-뇌기저 동맥 허혈증은 치료계획을 세우고 방법을 선택하는 좋은 예이다.

가. 쇄골하 동맥 협착 또는 폐쇄증의 치료

무명 동맥 또는 쇄골하 동맥의 폐쇄는 흉골부분 절개를 통한 내막 절제술 또는 인조혈관 간치술로 치료될 수 있다. 그러나 대부분의 환자는 다양한 비해부학적 재건술 혹은 혈관성형술로 치료될 수 있기 때문에 이 같은 수술은 점차 그 시행 빈도가 감소하는 추세이다. 좌측 쇄골하 동맥의 근위부는 가장 접근하기 어려운 동맥인데, 이 동맥이 대동맥궁의 뒤쪽에서 기시하기 때문이다. 특별한 경우를 제외하고는 이 혈관의 직접적인 수술은 추천되지 않는다.

대신 무명 동맥이나 쇄골하 동맥 폐쇄성 질환에서 경피적 혈관성형술과 스텐트삽입술이 성공적이었다. De Vries는 110명의 환자를 경피적 혈관내 시술로 치료하여 93%의 성공률을 보고하였다. 이들 중 증상이 재발하여 재시술을 필요로 하는 재발성 폐쇄가 8건 있었다. 다른 보고도 이와 유사한 결과를 보여주었다. 대동맥궁 혈관의 치료로 혈관내 시술을 선택할 때에는 내구성이 고려되어야 한다.

쇄골하 동맥과 무명 동맥의 질환으로 인한 척추-뇌기저 동맥 허혈증 환자에서 비해부학적 우회로술은 오랫동안 사용되어 왔다. 예를 들면 근위부 쇄골하 동맥 폐쇄에서 동측 경동맥-쇄골하 동맥 우회로술 혹은 쇄골하 동맥-경동맥 전위술subclavian artery transposition to the carotid artery은 안전하고 내구성 있는 수술이다. 동측 경동맥 사용이 적절치 않다면 목의 반대쪽 혈관을 이용할 수도 있다. 반대측 경동맥-쇄골하 동맥 우회로술 또는 쇄골하 동맥-쇄골하 동맥 우회로술은 인조혈관이기도 앞으로 지나가는 것을 막기 위해 인두 뒤쪽으로 주행시킬수도 있다. 또 다른 방법으로는 우회로가 쇄골 앞쪽의 연부 조직으로 지나가도록 하는 액와동맥-액와동맥 우회로술을 시행할 수 있다. 이 수술은 비교적 간단하지만 미관상 문제와 향후 흉골 절개가 필요할 때 그 부위에 우회로술이 통과한다는 단점이 있다. 정맥 이식편은 시간이 지나면서 재협착의 빈도가 높아 인조혈관이 비해부학적 우회로술에 흔히 이용된다.

나. 척추동맥 수술

척추동맥은 그 경로 어느 부위에서나 침범될 수 있지만 죽상경화증의 가장 흔한 침범 부위는 쇄골하동맥으로부터의 기시부이다. 이 동맥은 쇄골 상부 절개를 통해 접근할 수 있다. 사각근 지방scalene fat pad과 림프절은 쇄골과 내측의 경정맥에서 박리하여 두고, 림프액 누출을 막기 위해서는 좌측 흉관은 주의하여 피하거나 결찰하여야 한다. 사각근 전면에 횡격막 신경phrenic nerve이 주행한다. 사각근을 박리하여 자르는 동안 횡격막 신경은 손상이 되지 않도록 주의하여야 한다. 사각근을 자르면 쇄골하동맥을 쉽게 찾을 수 있고, 조금 더 내측을 박리하면 갑상경동맥, 내유방동맥, 척추동맥을 찾을 수 있다. 척추동맥의 협착은 패치 성형술로 교정할 수 있다. 쇄골하동맥에서 척추동맥으로 협착부위를 포함하여"L-자"모양의 절개를 가한 후 복재정맥 패치를 동맥 절개부위에 꿰매어 척추동맥 기시부가 넓어지도록 하는 수술이다. 보통 경화반이 쇄골하동맥으로 자라나가므로 척추동맥의 내막 절제술은 추천되지 않는다.

근위부 척추동맥 협착을 치료하는데 사용되어 온 또 다른 수술 방법은 척추동맥을 절단하여 주위의 경동맥이나 쇄골하동맥에 심어주는 방법vertebral artery transposition과 복재정맥을 이용하여 경동맥이나 쇄골하동맥으로부터 척추동맥으로 우회로술을 시행하는 방법이 있다. 만일 척추동맥이 V2 분절에서 침범되어 있거나 2번 경추에서 6번 경추까지의 횡돌기를 통과하는 부분에서 침범되어 있다면, 경동맥이나 쇄골하동맥으로부터 1번과 2번 경추 사이의 척추동맥까지 우회로술을 시행하는 것이 최선이다. 처음으로 이 시술을 기술하였던 Ramon Burguer는 선택적인 환자에서 훌륭한 결과를 보고하였다. 척추동맥에 대한 풍선 확장술과 스텐트삽입술이 기술된 바 있지만, 시행된 빈도가 적고 결과를 평가하기에는 아직 어렵다.

요약

하지동맥 폐쇄증은 급성과 만성으로 나눌 수 있다. 급성하지동맥폐쇄증은 급성동맥 색전증, 급성동맥 혈전증 등으로 나눌 수 있으며 이들의 원인에 따라 치료 방침이 다르다. 급성하지동맥 폐쇄증의 진단은 임상증상인 "5P", 동맥조영술, CT 동맥조영술, 초음파 검사 등이 이용되며 치료 후 혈류 재개통까지의 시간을 단축시키는 것이 무엇보다 중요하다. 합병증으로 허혈-재관류 손상, 하지구획증후군, 신부전증 등의 합병증을 초래할 수 있다.

만성하지동맥 폐쇄증은 죽상경화증, 혈관염 등에 의해 나타날 수 있으며 병변의 부위에 따라 임상 증상도 다소 다르다. 대동맥이 막히면 양측 하지 뿐 아니라 둔부 파행증, 남성에서의 발기 부전증 등이 초래 될 수 있고, 대퇴통맥 폐쇄시에는 종아리 파행증이, 하퇴부 동맥 폐쇄시에는 발의 파행증이 나타날 수 있다. 동맥 폐쇄 정도가 심해지면 휴식 시 족부 통증 혹은 발가락 괴사 및 허혈성 족부 궤양을 초래할 수 있다.

죽상경화증에 의한 만성하지동맥 폐쇄증은 전신적 혈관 질환의 일부로 생각되어야 하며, 관상동맥, 뇌혈관 질환 등 인체 다른 부위의 동맥 병변에 대한 조사와 함께 동반 질환에 대한 조사가 이루어져야 한다. 만성하지동맥 질환의 치료는 임상증상이 경한 경우에는 죽상경화증 위험인자에 대한 치료, 운동요법 및 약물 요법이, 임상증상이 중증인 경우에는 혈관내 시술 혹은 혈관 우회로술 등 수술적 치료가 이용된다.

장간막동맥 허혈증은 급성 허혈증과 만성 허혈증으로 구분할 수 있으며 이들 중 급성 장간막동맥 허혈증의 원인은 급성색전증, 급성혈전증, 비폐쇄성 장간막 허혈증, 장간막정맥 혈전증 등을 들 수 있다. 급성 장간막 허혈증은 진단이 늦어지면 아주 나쁜 결과를 초래하므로 빠른 진단을 요하며 이를 위해서는 이 병에 대한 사전지식과 의심을 갖는 것이 중요하고 가장 빠른 검사 방법인 CT 혈관조영술을 일차적으로 시행하고 진단이 모호할 경우에는 보다 적극적인 장간막동맥 조영술이 필요하다. 그 원인에 따라 치료방법은 다르다.

요약 〈계속〉

만성 장간막동맥폐색증은 주로 동맥경화증에 의한 경우가 많다. 과거에는 대부분의 환자는 수술적 치료에 의한 동맥우회로술이 사용되었지만 최근에는 장간막 동맥 스텐트 삽입술이 흔히 사용되고 있다. 만성 장간막 동맥 폐쇄성 질환의 치료는 환자의 상태, 수술의 위험도, 다른 동반 질환 유무, 병변의 스탠트 삽입술 가능성 등을 종합적으로 판단해서 결정하며 일반적으로 수술의 위험이 낮고 장기간의 효과를 기대해야 하는경우는 수술적 치료를, 환자의 기대 수명이 짧거나 수술의 고위험군인 경우에는 장간막 동맥 스텐트 삽입술도 시행될 수 있다.

신동맥 폐쇄성 질환의 원인질환은 죽상경화증이 가장 빈번하며 젊은 환자에서는 섬유근성 이형성증, 타카야수 동맥염 등이 원인이 될 수 있다. 신동맥 협착증은 Renin-Angiotensin-Aldosteron 분비 기전에 의해 신혈관성고혈압, 허혈성 신병증 등을 야기할 수 있다. 이 질환은 최근 흔히 이용되는 혈관초음파검사, CT혈관조영술 등 비침습적 영상 검사 방법에 의해 진단이 용이해졌다. 신혈관성고혈압 치료의 일차적 치료는 일반적으로 내과적 약물요법이 흔히 이용되고 있으며, 침습적 치료로 좋은 효과가 예상되는 환자, 내과적 치료에 반응하지 않는 환자, 신기능장애의 우려가 높은 환자에서는 침습적 치료가 이용된다. 침습적 치료는 풍선 카테터를 이용한 신동맥 확장술 혹은 스텐트삽입술이 일차적으로 이용된다. 카테터를 이용한 혈관내 시술이 불가능한 환자, 치료에 실패한 환자 혹은 치료 후 신동맥 재협착이 발생하는 환자에서는 수술적 치료가 이용된다.

두개강외 뇌혈관질환은 동맥 경화증에 의한 경동맥협착증이 가장 대표적인 질환이며 경동맥협착증의 진단은 대표적인 임상 증상인 일과성 뇌허혈증, 일과성 흑암시 등이 있지만 실제 임상에서 많은 환자들이 증상 없이 발견되는 경우가 빈번하다. 증상 없는 경동맥 협착증의 색출은 뇌경색 예방 목적으로도 대단히 중요하다. 이를 위해 흔히 이용되는 진단 방법은 듀플렉스 혈관 초음파 검사, CT 혹은 MRI을 이용한 혈관조영술이 흔히 이용된다. 경동맥 협착증의 치료는 내과적 치료, 경동맥 내막 절제술과 경동맥스텐트삽입술이 이용되고 있으며 각기 치료 방법의 장단점을 갖는다. 두개강외 뇌혈관질환은 경동맥 협착증 외에도 척추동맥 협착증 및 쇄골하동맥 도혈증후군 등이 있다.

IV 비죽상경화성 혈관질환

동맥혈관질환은 나이가 증가하거나 동맥경화와 연관된 위험인자들과 관련되어 있는 경우가 대부분이다. 그러나 혈관염 혹은 비염증성 혈관질환에서도 동맥폐색으로 인한 허혈증상을 유발시킬 수 있고, 동맥류와 같이 치료를 요하는 질환도 보일 수 있다. 따라서 젊은 연령층이거나 동맥경화 위험 인자가 없는 경우에 혈관질환과 관련된 증상이 보이는 경우에는 혈관염 혹은 비염증성 혈관질환을 의심하여 보아야 한다. 본 장에서는 이러한 비죽상경화성 혈관질환에 대하여 기술하였다.

1. 버거병

1) 역학 및 병인

버거병Buerger's disease은 비죽상경화성 동맥혈관질환으로서 하지허혈증상을 보이는 대표적인 질환이라고 할 수 있다. 폐쇄혈전혈관염thromboangiitis obliterans이라고 알려져 있는 버거병은 사지의 소동맥이나 중간 크기의 동맥을 침범하는 염증질환이다. 버거병은 전 세계적인 분포를 보이지만 북미나 유럽인보다는 인도, 일본, 한국, 중동 특히 Ashkenazi 후손의 유대인에서 높은 발병률을 보인다. 버거병은 주로 젊은 남성에 발병하며 여성의 경우 드물게 발

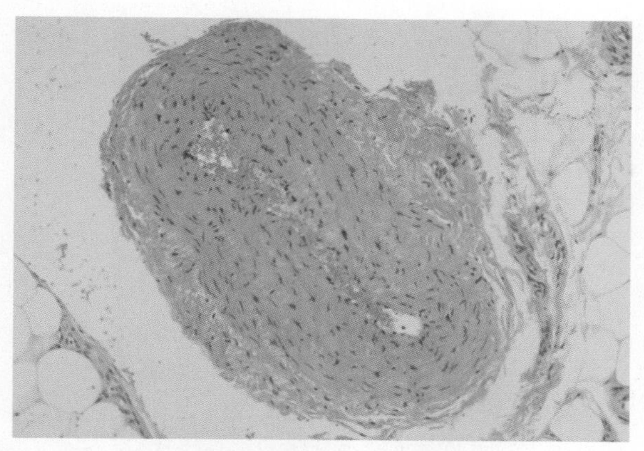

그림 6-40 **버거병의 동맥조직소견.** 동맥혈관벽에 염증성세포가 침윤되어 있으며, 내측탄력판(internal elastic lamina) 는 보존되어져 있으며, 동맥경화에서 보이는 콜레스테롤 침착 혹은 비만세포 등은 보이지 않는다.

병하는 것으로 알려져 있으나, 여성 흡연인구가 늘면서 여성에서 버거병의 발병도 증가하는 것으로 보고되고 있다. 버거병의 정확한 병인은 알려져 있지 않으나, 흡연과 상당히 깊은 관련이 있다. 흡연은 병의 원인일 뿐만 아니라 버거병의 지속, 진행과 재발에 중요한 역할을 한다고 알려져 있다. 버거병 환자에서 채취된 동맥에 대한 조직학적 분석으로는 염증세포침윤이 동반된 심한 동맥내막염, 거대세포 병소 그리고 혈전이 존재한다(그림 6-40). 그러나 동맥경화에서 보이는 죽종은 보이지 않는 특징이 있다.

2) 임상증상

버거병의 증상은 45-50세 이전에 나타나며 사지의 말단부위인 발가락, 발, 다리, 손가락, 손 등에 허혈증상으로 나타나게 된다(그림 6-41). 버거병이 진행되는 경우에는 중소동맥보다 큰 동맥에도 발병될 수도 있다. 다른 동맥질환과 같이 허혈증상은 측부혈관collateral vessel의 상태에 따라 차이가 있게 된다. 버거병 환자는 추위에 예민하게 반응하여 레이노 현상을 보이기도 한다. 초기증상으로 표피정맥에 혈전정맥염thrombophlebitis을 동반하는 경우도 있다. 허혈증상으로는 초기에는 간헐성파행을 보이지만 진행되면서 휴식 시 통증시기를 거쳐 결국에는 발가락, 발 혹은 손가락 등 말단부위 조직이 괴사되는 단계에 이

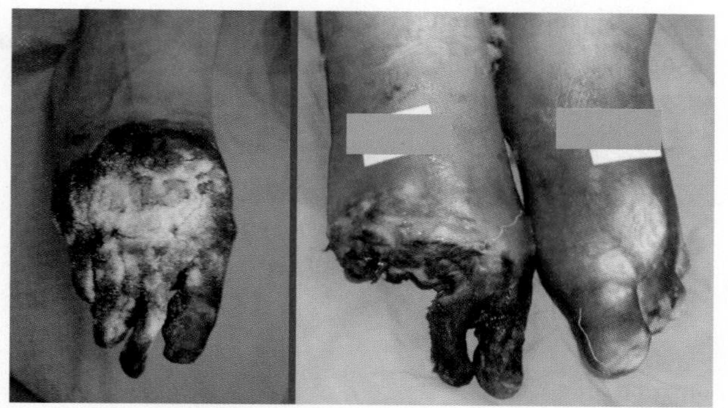

그림 6-41 **버거병 환자에서 발생된 족부괴사 모습**

르게 된다. Shinoya 등의 보고에 의하면 16%의 환자에서는 양쪽 하지에 병변이 존재하며, 41% 환자에서는 3개의 사지, 43%에서는 팔다리 모두 4개의 사지에 병변이 존재한다고 하였다. 한편 "Intractable Vasculitis Syndromes Research Group of Japan" 보고에 의하면 하지 단독 병변의 경우가 75%, 상지 단독 병변의 경우가 5%, 상하지 병변이 동반되는 경우가 20% 정도라고 보고하였다(표 6-16). 드물게 버거병은 복강내 장동맥, 뇌동맥, 관상동맥등을 침범하여 해당 기관의 허혈증상이 유발되기도 한다.

3) 진단

(1) 진단기준

전통적으로 Shinoya 진단기준이 널리 인정되어져 있다. 이 기준에 의하면 5가지의 요소를 진단에 필요로 하고 있다. (1) 흡연력이 있을것 (2) 50세 이전에 발병할 것 (3) 슬관절 이하 동맥에 병변이 있을것 (4) 상지를 침범하거나 이동성 정맥염이 있을 것 (5) 흡연을 제외하고는 동맥경화 위험인자가 없을것. 이 이외에도 보고된 진단기준으로는 Papa and Adar 기준, Mills and Porter 기준, Olin 기준, 일본정부 기준, 유럽연구 기준 등이 있다(표 6-17).

(2) 동맥조영술

버거병에서 보이는 특징적인 소견은 근위부혈관은 동맥경화나 동맥류 또는 다른 색전을 유발할 만한 소견이

표 6-16. 825명의 버거병 환자에서의 동맥 침범 분포(1650상지 1650하지)

하지만 침범한 경우 상지와 하지를 침범한 경우 상지만 침범한 경우	616 (74.7%) 167 (20.2%) 42 (5.1%)
하지(n=783)	
전경골동맥	683 (41.4%)
후경골동맥	667 (40.4%)
발등동맥	349 (21.2%)
비골동맥	304 (18.4%)
슬와동맥	301 (18.2%)
발가락동맥	180 (10.9%)
발바닥동맥	149 (9.0%)
기타	296 (19.8%)
상지(n=209)	
척골동맥	189 (11.5%)
손가락동맥	133 (8.1%)
요골동맥	115 (7.0%)
손바닥동맥	75 (4.5%)
상완동맥	13 (0.8%)
기타	26 (1.6%)

Modified from Sasaki S, et al: Distribution of arterial involvement in thromboangiitis obliterans (Buerger's disease): results of a study conducted by the Intractable Vasculitis Syndromes Research Group in Japan. Surg Today 30:600–605, 2000.

없는 정상형태를 보이며, 상지의 경우 요골동맥과 척골동맥에서 폐색과 가지치기pruning을 볼 수 있고 하지에서는 슬와동맥 이하 분지동맥인 경골 및 비골동맥이 폐색되어져 있고, 그 주위로 나선형의 측부혈관corkscrew-shaped collateral들이 발달되어져 있다. 이러한 소견은 거미발모양 혹은 나무뿌리 모양의 측부혈관으로 표현되는 Martorell's sign 이라고도 한다(그림 6-42).

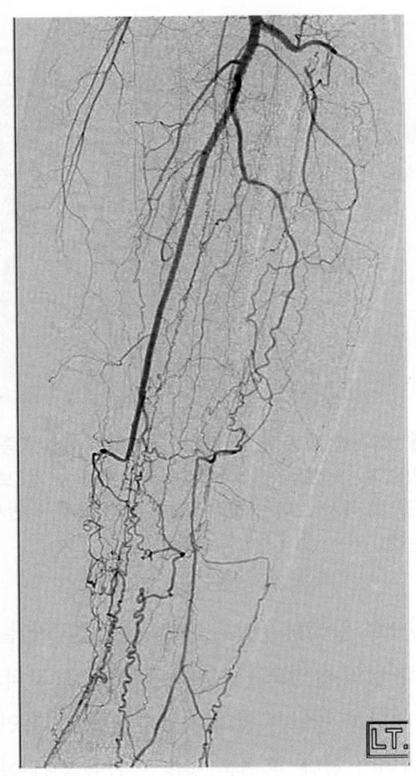

그림 6-42 버거병 환자의 동맥조영술. 슬와동맥 원위부 분지의 동맥폐쇄와 corkscrew모양의 우회혈관이 발달되어 있다.

(3) 비침습적 혈관검사

비침습적 혈관검사는 버거병을 확진하기 위해서보다는 허혈 정도를 측정하는데 그 목적이 있다. 특히 말단부위 궤사로 인하여 절단이 필요한 경우 절단부위 상처가 치유될지 여부를 예견함에도 도움이 될 수 있다.

4) 치료

버거병의 치료의 근간은 금연이다. 재발은 거의 항상 흡연을 재개하는 것과 관련이 있다. 하지만 새로운 허혈성 병변은 담배의 재노출 없이 일어날 수 있다. 금연을 지속할 경우 병의 진행을 휴면상태로 가게 한다. 혈관확장제 혹은 항혈소판제 등 약물들이 버거병의 허혈증상을 개선시키는데 도움이 된다고 알려져 있다. 말초동맥의 수축 현상을 억제하기 위하여 시도되었던 교감신경 차단술은 그 효과가 일시적이거나 효과가 미미하여 최근에는 거의 시행되지 않고 있다. 말단 조직 궤사 등 허혈증상이 심한 경우에는 근위부 동맥과 원위부 동맥이 양호하고, 자가정맥이 좋은 상태에서는 동맥우회로술을 시행하기도 한다. 최근에는 신생혈관 유도를 위해 줄기세포세포 이식과 혈관내피세포 성장인자의 허혈근육내 주사등의 새로운 치료법이 시도되고 있다. 허혈성 병변이 지속되고 괴사가 진행될 경우에는 절단을 하여야 한다. 버거병에서 시도되는 다양한 치료법을 정리하여 두었다(표 6-18).

표 6-17. 버거병의 진단기준에 따른 각 조항의 비교

	Shinoya Criteria	Papa & Adar Criteria	Mills & Porter Criteria (Oregon)	Olin Criteria	Japanese Ministry of Health and Welfare Criteria	The EuropeanTAO Study Group Criteria
발병 시 나이	<50세	<30-40세	<45세	<45세	<50세	<50세
흡연여부	• 흡연 과거력	• 흡연 과거력	• 흡연	• 현재(또는 최근) 흡연	• 흡연 과거력	• 현재 흡연중 또는 흡연 과거력
임상증상	• 원위부 하지 허혈 • 상지 침범 • 반복정맥염	• 원위부 하지 허혈 • 상지 침범 • 반복정맥염 • 레이노 증후군	• 상지 침범 • 반복정맥염 • 레이노 증후군 • 보행중 파행		• 냉감 • 감각이상 • 원위부 상지나 하지의 레이노 증상 • 간헐적 파행 • 휴식 중 발이나 손의 통증 • 통증을 동반한 손가락의 궤양이나 괴저 • 반복표재정맥염	• 원위부 하지 허혈 • 현재 혹은 이전의 표재정맥염 • 현재 혹은 이전의 혈관수축 증상
신체검사			• 분절혈관도플러와 사지혈량측정법, 동맥조영술, 또는 조직병리로 확인된 객관적인 원위부 폐쇄		• 상지나 하지, 또는 발가락이나 손가락 끝의 피부온도감소 • 근위부 맥박은 유지되면서 원위부 맥박이 소실되는 경우 • 동맥도플러로 측정한 발목압지수 감소	
검사					• 정상소견의 일반적 검사	
질병의 위치	• 원위부슬와동맥 폐쇄		• 근위부 슬와동맥 또는 원위부 상완동맥의 병변불침범	• 원위부사지(원위부슬와동맥/원위부상완동맥)의 허혈 • 증상이 비침습적 검사로 확인됨	• 무릎아래 또는 팔꿈치아래	• 원위부 사지 허혈
동맥조영술 소견					• 원위부 혈관(무릎이나 팔꿈치 아래) 다발구역의 폐쇄 • 혈전의 확대로 인한 이차적인 만성동맥폐쇄 • 동맥경화증의 증거(예를들면 동맥벽석회화)가 없음 • 좁아지거나 갑자기 막히거나 구불구불한 침범혈관과 코르크따개 또는 나무뿌리 같은 측부혈관	
제외조건	• 흡연을 제외한 동맥경화증의 위험인자	• 폐쇄성동맥경화증 • 고혈압 • 당뇨 • 고지혈증 • 근위부 색전의 원천 • 콜라겐질환 • 응고항진상태	• 동맥경화증(당뇨, 고지혈증, 고지혈증, 고혈압, 신부전) • 근위부 색전의 원천 • 외상과 국소병변 • 자가면역질환 • 응고항진상태	• 당뇨 • 자가면역질환 • 결합조직질환 • 근위부 색전의 원천 • 응고항진상태	• 다른 혈관병증(필수) • 폐쇄성동맥경화증 • 외상성 동맥혈전증 • 슬와동맥포착증후군 • 전신루푸스나 범발성 피부경화증, 베체트병에 의한 폐쇄성 혈관병증	• 당뇨 • 치료여부와 무관한 고혈압 • 고콜레스테롤혈증 • 심방세동 또는 다른 알려진 동맥색전증의 원인
조직검사		• 환자가 비특이적 특징을 보이거나 버거병과 잘 맞지 않는 경우에만 시행		• 환자가 비특이적 특징을 보이거나 버거병과 잘 맞지 않는 경우에만 시행		

표 6-18. 버거병에서의 치료법

생활습관변화	• 금연 및 간접흡연 피하기 • 니코틴 대체치료 또는 bupropion, varenicline • 운동 • 발 관리(매일 발 위생, 피부보습제 바르기, 발가락 사이에 양모 끼우기, 외상 피하기, 뒤꿈치 보호대, 보조기구, 맨발로 다니지 않기)
내과적 치료	• 표재정맥염과 연조직염을 위한 항생제와 비스테로이드 소염제 • 칼슘통로차단제(혈관수축이 있을 시) amlodipine 이나 nifedipine같은 dihydropyridine계 칼슘통로차단제 또는 알파차단제 • guanethidine을 이용한 경정맥 구역교감신경차단 • 스타틴계 약물(다면적 효과) • 프로스타글란딘 유사체(prostacyclin [prostaglandin I2]와 그 유사체(iloprost, beraprost, treprostinil sodium) • 실로스타졸 • 호모시스테인이 상승한 환자에서 엽산보충 • 혈관내피성장인자 DNA를 담은 플라스미드 유전자 근육내 전달술(phVEGF165)) • 동맥혈류펌프치료 또는 간헐적 공기압박펌프치료 • 선택적 대마유사수용체 차단제
최근 진행되는 1상 및 2상 임상연구	• 면역조절 • 엔도텔린-1수용체차단 • 포스포디에스터레이즈 억제제 • 인간 섬유모세포성장인자2 (FGF-2) 유전자 표현 재조합 센다이 바이러스
혈관내 시술	• 선택적 동맥내 유로카이네이즈와 스트렙토카이네이즈 투여 • 사지구제를 위한 경피적 내막하 혈관성형술
외과적 치료	• 국소 변연절제술 • 동맥재건술 • 미세혈관 피판이식술 • 대망이식술 • 원위부 정맥 동맥화 • 척수신경자극치료 삽입 • 유전자를 이용한 치료적 혈관신생 또는 세포기반 치료 • 사지절단술
임상적으로 승인되지 않은 치료	• 항혈소판제제 • 항응고제제 • 펜톡시필린 • 경구 및 정맥 싸이클로포스파마이드 • 고압산소치료 • 음압상처치료 • 요추 또는 흉추 교감신경차단술 • 골수내 K-wire

표 6-19. 이차성 레이노 현상의 원인

기계적 원인	• 진동 • 동상
동맥질환	• 버거병 • 흉곽출구증후군 • 팔다리동맥 죽상동맥경화증
류마티스 원인질환	• 전신성 홍반성 루푸스 • 류마티스 관절염 • 피부굳음증 • 피부근육염 • 다발근육염 • 쇼그렌증후군 • 타카야수 동맥염 • 거세포 동맥염
내분비 질환	• 카르시노이드 증후군 • 갑상선 기능저하증
혈관경축 질환	• 편두통 • Prinzmetal 협심증
골수증식질환	• 혈소판증가증 • Leukemia • 적혈구증가증 • 한랭글로블린혈증
감염질환	• Parvovirus B 19 • 헬리코박터 필로리균
약물	• Vinblastine • 맥각알카로이드 • Bleomycin

2. 레이노 현상

1862년 Maurice Raynaud는 저온 노출에 의해 발생하는 손가락, 발가락의 허혈 증상을 처음 기술하였다. 레이노 현상Raynaud's phenomenon은 한랭노출 또는 정신적인 스트레스에 의해 사지의 혈관이 과도하게 수축되어 처음에는 손 또는 발이 하얗게 되고 파랗게 변하다가 나중에는 혈관의 확장 작용에 의해 손가락 또는 발가락이 붉은색으로 변하게 되면서 소양감이나 통증을 유발하게 된다. 이러한 증상은 일차성 레이노 현상 혹은 레이노병 이라고 불리는 일차성 형태와 기저원인을 동반하는 이차성 레이노 현상 혹은 레이노 증후군으로 구분할 수 있다(표 6-19).

1) 역학 및 병인

레이노 현상의 발생 빈도는 전세계적으로 약 5% 정도이며 기온이 낮은 나라에서 보다 높게 발생하는 것으로 알려져 있다. 여성에서 남성에 비해 9배 높은 발생빈도를 보이며, 일차성 레이노 현상의 경우에는 유전적 경향을 보인다.

레이노 현상은 소동맥의 혈관수축을 유발하여 증상을 나타내게 되는데, 원인으로는 크게 신경혈관 수준에서 관여하는 국소인자들과, 전신적으로 작용하는 체액성인자로 나눌 수 있다.

(1) 국소인자

가. 신경성 기전

차가운 환경에 노출될 경우 표피의 혈관들은 제2알파 수용체에 의해 수축이 일어난다. 레이노 환자는 제2알파 수용체 자극제에 과민반응을 보이며, 교감신경 활성에 따라 혈관수축이 발생되면 대상 조직으로의 혈류가 급속히 감소하게 되어 허혈 증상이 나타나게 된다. 치료 목적의 교감신경차단술과 제2알파 차단제인 prazosin을 사용할 경우 허혈증상이 호전되는 것은 레이노 현상에서 비정상적인 교감신경의 활성이 관여함을 보여주는 것이다. 또 다른 신경성 인자는 표피신경 말단에서 볼 수 있는 강력한 혈관확장제인 '칼시토닌 유전인자 관련 펩타이드'이다. 면역세포화학 검사에서 일차성과 이차성 레이노 현상을 보이는 환자들의 국소 말단 뉴론에서 '칼시토닌 유전인자 관련 펩타이드'가 감소되어 있음이 알려져 있다.

나. 내피세포층 기전

Endothelin-1은 혈관내피세포에서 유래하는 혈관수축인자로 레이노 환자에서 증가되어 있으며, 일산화질소(NO)는 내인적 혈관확장인자로 레이노 환자들에서 감소된 수치를 보인다.

(2) 체액성 인자

가. 혈소판

활성화된 혈소판은 혈전을 유발하고 혈관수축을 자극하는 인자들을 분비한다. 레이노 환자에서 혈소판 활성화가 증가되어 있으며, thromboxane A2 와 세로토닌의 분비 증가가 동반된다.

나. 에스트로겐

레이노병의 발현빈도가 여성에서 높다는 것은 호르몬과의 관계를 시사한다. 생리주기에 따라 한랭자극에 대한 사지 혈류 반응이 다르게 나타나며 이는 여성호르몬이 원인적 역할을 할 것임을 시사한다.

2) 임상증상

레이노병은 추위나 정신적인 스트레스에 노출되었을 경우 초기에는 과도한 혈관수축으로 수지가 창백해 지는 증상을 보이고, 혈류감소로 인한 청색증을 나타내다가 나중에는 혈관의 확장 작용에 의한 충혈로 손가락이 붉은색으로 변하게 된다. 무감각과 작열통이 동반될 수 있으며 이는 혈류 회복 시 오히려 증상이 악화될 수 있다. 증상은 주로 손가락에 나타나지만 발가락에도 나타날 수 있으며 드물게 코, 귀, 혀 또는 유두 등의 신체 말단에서도 나타날 수 있다. 증상의 정도는 경미한 통증에서부터 말초 조직의 괴사로 절단이 필요한 심각한 경우까지 다양하게 나타난다.

3) 진단

병력청취와 신체검진은 레이노 현상의 이차적 원인을 배제하는데 중요하다. 병력청취에는 약물 사용, 독성물질 노출력, 결체조직질환의 증상 및 전동도구의 사용, 외상에 대한 문진이 필요하다.

다양한 다른 질환을 감별하여야 하며, 때로는 갑상선 기능 검사뿐만 아니라 흉곽출구증후군을 보이는 cervical rib의 존재 여부도 확인이 필요하다. 전신적인 경화증이 의심되는 경우에는 자가항체에 대한 정밀검사가 요구된다. 체열검사기thermogram을 통해 피부 온도의 차이를 확인할 수도 있으며, 혈류량측정기plethysmography를 이용하여 추위 노출 전후의 혈류량을 비교하여 진단에 이용되

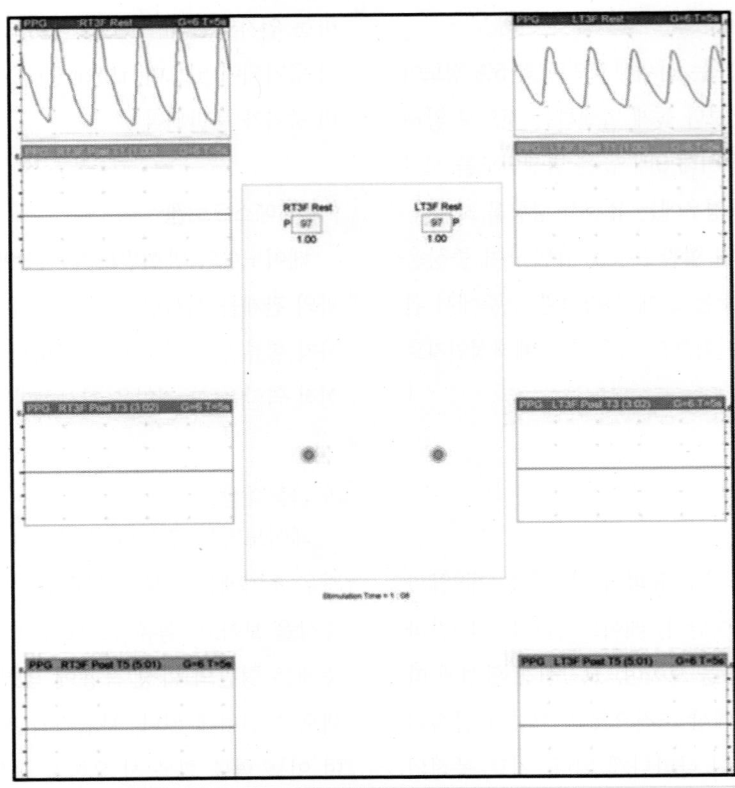

그림 6-43 **레이노드 환자 Photoplethysmography 소견.** 실온에서 정상혈류소견을 보이고 있다가 차가운 환경에 노출한 후에는 혈관수축으로 혈류 흐름이 소멸된 소견을 보여주고 있다.

기도 한다(그림 6-43).

4) 치료

추위나 정서적 스트레스와 같은 악화 인자를 피하여야 하며, 칼슘통로 길항제, 안지오텐신-2 수용체 길항제, 프로스타글란딘 등의 약물을 사용할 수 있으며 외과적 치료로는 교감신경차단술이 시행될 수 있다.

3. 혈관염

혈관염은 동맥벽의 손상을 초래하고 결과적으로 동맥 협착 및 동맥류를 초래하는 혈관벽의 염증성 변화를 의미한다. 혈관염은 질환의 범위가 광범위하며 임상증상 및 조직학적 양상이 서로 상당부분 중첩되어 분류가 복잡하나 주로 이환된 혈관의 크기에 따라 분류한다(표 6-20).

표 6-20. 혈관염의 분류

혈관크기	ANCAs* 음성	ANCAs 양성
대혈관	거대세포 동맥염 타카야수 동맥염	-
중간혈관	카와사키병 결절다발동맥염	-
소혈관	Henoch-Schönlein 자반병 한랭글로불린혈증 혈관염 피부 백혈구파괴 혈관염	베게너 육아종증 Churg-Strauss 증후군

*ANCAs: Antineutrophil cytoplasmic antibodies, 항호중구세포질 항체

1) 타카야수 동맥염

타카야수 동맥염Takayasu's Arteritis은 대동맥과 그 분지에 생기는 드문 육아종성 동맥염으로, 1908년 일본의 안과의사인 Mikito Takayasu가 처음으로 망막의 동정맥 연결과 상지의 무맥박과의 연관성을 기술하였다.

(1) 역학 및 병인

가장 흔한 대혈관 동맥염으로 비교적 젊은 30세 이전의 여성에 호발하여 동맥의 협착 또는 동맥류의 원인이 된다. 병리적으로 타카야수 동맥염은 거대세포 동맥염과 유사하여 심한 괴사성 염증 및 내막층 비후의 소견을 나타내며, 결국 동맥 내강의 협착 및 폐색을 초래하게 되고 혈관벽을 약화시켜 동맥류를 형성하기도 한다. 주로 대동맥궁의 분지동맥에 발생하여 양측 상지의 맥박이 소실되는 증상을 보인다. 또한, 신동맥 협착으로 인해 동맥성 고혈압을 나타내기도 하나 상지 맥박의 소실로 고혈압의 진단을 놓치기도 한다.

(2) 임상증상

초기 염증기에는 근육통, 관절통 그리고 발열, 오한 등의 비전형적인 전신증상을 호소하며 적혈구침강속도(ESR) 및 C-반응 단백이 증가하게 된다. 최종장기의 폐쇄가 일어날 때까지 특별한 임상증상 없어 진단되지 않는 경우가 있다. 임상양상은 침범된 동맥계와 그와 연관된 최종장기에 따라 다양하게 나타나며, 증상 또한 우연히 발견되는 경우부터 말초장기의 허혈성 손상을 보이는 경우까지 다양하다.

(3) 진단

타카야수 동맥염에 대한 진단기준은 여러 가지가 보고되어 있다. 그중 대표적인 진단기준으로는 1990년도에 발표된 미국 류미티스학회에서 제안된 기준과(표 6-21) 1996년 Sharma 등에 의해 제안된 진단기준이 널리 이용되고 있다(표 6-22).

Sharma 등에 의해 제안된 진단기준에서는 주요기준 2개가 있는 경우, 하나의 주요기준과 2개의 부수기준이 있는 경우, 혹은 4개의 소수기준이 있는 경우 진단율의 민감도는 92.5%, 특이도는 95%라고 보고되어져 있다.

적혈구침강속도 검사가 타카야수 동맥염의 염증 상태를 반영 하지만, 그 외의 일반적인 면역 마커 검사는 특이도가 떨어져서 도움이 되지 못한다.

혈관의 이상부위를 알기 위하여 초음파검사, CT 혈관조영술, 자기공명 혈관조영술이 도움이 된다. 특히 급성염증기에서는 동맥혈관벽이 두터워지는데 자기공명 혈관조영술이 혈관벽을 관찰하는데 유용하다(그림 6-44).

(4) 치료

타카야수 동맥염 환자의 대부분은 면역억제제를 통한 염증의 활성화 상태를 안정시키는 것이 필요하지만, 약 12-20% 정도에서는 자연 치유되거나 면역억제제 약물 치료가 필요하지 않는 경우도 있다. Glucocorticoid가 일차적으로 추천되며, 질병 경과에 따라 methotrexate, cyclophosphamide, azathioprine 등과 같은 면역억제제가 필요하기도 한다.

뇌관류저하, 신동맥 협착에 의한 고혈압, 심각한 허혈을 유발하는 고정화된 혈관 병변, 또는 동맥류나 심장판막부전 등에서 외과적 수술이나 혈관중재술을 고려할 수 있다(그림 6-45). 재협착과 동맥류 형성으로 인한 치료실

표 6-21. 미국 류마톨로지학회 1990 타카야수 혈관염 진단기준표

기준	정의
질병발생나이	증상이나 소견이 40세 이전에 발현
사지파행증	운동 중 하지나 상지의 근육피로
상완동맥 맥박감소	양측성 혹은 편측성
양팔 혈압차 10mmHg 이상	양팔에서 측정된 수축기 혈압
쇄골하동맥 잡음	한쪽 혹은 양쪽의 쇄골하동맥이나 대동맥
혈관조영술 이상소견	대동맥, 주 혈관, 근위부 팔다리의 큰혈관의 협착이나 폐쇄; 죽상동맥경화증이나 섬유근이형성증 또는 다른 원인이 아닐것; 주로 국소적이거나 구역 침범함

표 6-22. 타카야수 혈관염의 조정된 진단기준표

기준	정의
3가지 주요 기준	
좌측 중간 쇄골하동맥 병변	좌측 척추동맥 시작점 근위부 1cm에서 원위부 3cm의 중간부분의 심한 협착이나 폐쇄
우측 중간 쇄골하동맥 병변	우측 척추동맥 시작점에서 원위부 3cm의 중간부분의 심한 협착이나 폐쇄
특징적인 Characteristic signs and symptoms of at least 1month in duration	하지파행, 맥박소실이나 맥박차, 측정이 불가하거나 저명한 혈압차이(수축기 혈압차>10mmHg), 발열, 목의 통증, 일시적인 흑암시, 시야흐림, 실신, 호흡곤란, 두근거림을 포함함
10가지 부수적 기준	
상승된 적혈구침강속도	진단 시 또는 환자 병력상 증거가 있을 때 달리 설명할 수 없는 20mm/h 이상의 적혈구침강속도
경동맥통증	편측 혹은 양측의 촉지 시 총경동맥 통증; 목 근육 통증과 감별되어야 함
고혈압	지속적으로 상완동맥 140/90 또는 오금동맥 160/90 이상으로 상승된 혈압
대동맥판 역류 또는 윤상대동맥확장증	청진, 심초음파, 혈관조영술로 확인
폐동맥질환	엽 또는 분절 동맥의 폐쇄 또는 다음; 협착, 동맥류, 불규칙한 내경, 또는 이런 사항들이 폐동맥줄기나 폐동맥에 동반되는 경우
좌측 중간 총경동맥 병변	동맥 시작점에서 2cm 떨어진 곳에 5cm 길이로 중간부분에 심한 협착이나 폐쇄
원위부 팔머리동맥 병변	원위부 1/3부분에 심한 협착이나 폐쇄
하행대동맥 병변	협착, 확장 또는 동맥류, 불규칙한 내경 또는 서로 동반되어 흉부대동맥에 나타나는 경우; 구불구불함만으로는 불충분함
복부대동맥 병변	협착, 확장 또는 동맥류, 불규칙한 내경 또는 서로 동반되어 복부대동맥에 나타나는 경우; 구불구불함만으로는 불충분함
관상동맥 병변	협착, 확장 또는 동맥류, 불규칙한 내경 또는 서로 동반되어 30세 이전에 고지혈증이나 당뇨 등의 죽상동맥경화증의 위험인자 없이 나타나는 경우

패의 가능성이 높은 급성 염증기에는 수술적 치료를 피해야 하며 급성염증이 조절된 후 수술적 치료를 하는 것이 좋다.

2) 거대세포 동맥염

(1) 역학 및 병인

거대세포 동맥염Giant Cell Arteritis은 대동맥과 그 분지에 발생하는 육아종성 염증질환으로 국소적으로 외경동맥의 분지, 척추동맥 그리고 대동맥의 주요 분지를 침범하는 경향이 있고 주로 측두동맥에 많이 침범하여 측두동맥염으로도 불린다. 50세 이상의 노년층에서 호발하며, 주로 외경동맥의 분지에 이환 되어 두통과 턱파행을 유발한다. 여자에서 남성보다 2배 정도 우세하게 발생하며 발병률은 10만 명당 25명 정도이다. 정확한 원인은 모르나 약 50%의 환자에서 류마티스 다발성 근통을 동반하며 현미경상 내막층이 두꺼워지고 부종이 있으며 거대세포가 관찰된다.

(2) 임상증상

편측의 측두엽 또는 후두엽 부위에서 심한 두피 통증이 있으며, 모자를 쓰거나 머리를 깎을 때, 빗질을 할 때 통증은 악화된다. 허혈증상이 동반될 수 있으며 턱파행 또는 드물지만 혀나 사지 파행이 나타나는 경우도 있다. 증상은 때때로 모호한 발열, 오한 등의 전신 증상으로 나타나기도 하며 소수에서는 불명열의 증상으로 병원을 찾기도 한다. 가장 심각한 합병증은 안동맥을 침범하여 망막동맥의 허혈로 비가역적 손상을 초래하여 실명하게 되는 것이다.

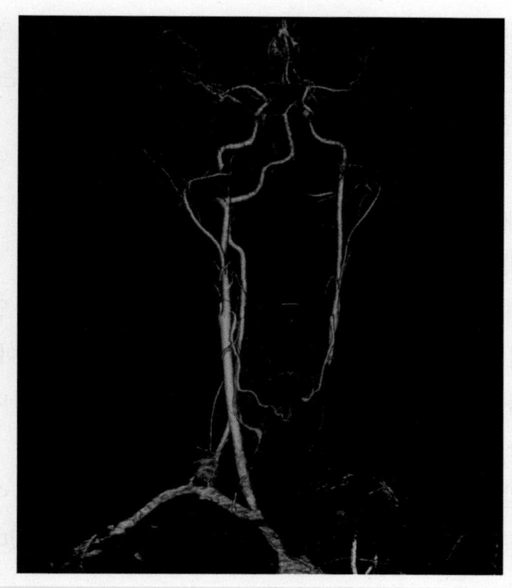

그림 6-44 **타카야수 동맥염 환자의 CT 혈관조영술.** 좌측경동맥과 쇄골하동맥이 분지부부터 폐색되어 있는 소견을 보이고 있다.

(3) 진단

거대세포 동맥염에 대한 진단기준은 1990년에 발표된 미국 류마스학회 진단기준이 널리 이용된다(표 6-23). 거대세포 동맥염을 확진 하기 위해서는 이 기준에서 최소 3개의 요소가 충족되어야 한다.

측두동맥 조직검사를 위해서는 최소 2-3cm의 조직이 필요하며, 활동성 동맥염을 보이는 시기에도 약 20%에서는 정상소견을 보이기도 한다.

(4) 치료

치료의 목적은 통증을 감소시키는 것이다. 일차치료 약제로 corticosteroid 가 추천된다. 주요 대동맥 분지혈관과 관련된 허혈증상이 있는 경우를 제외하고는 수술적 치료가 필요한 경우는 매우 드물다.

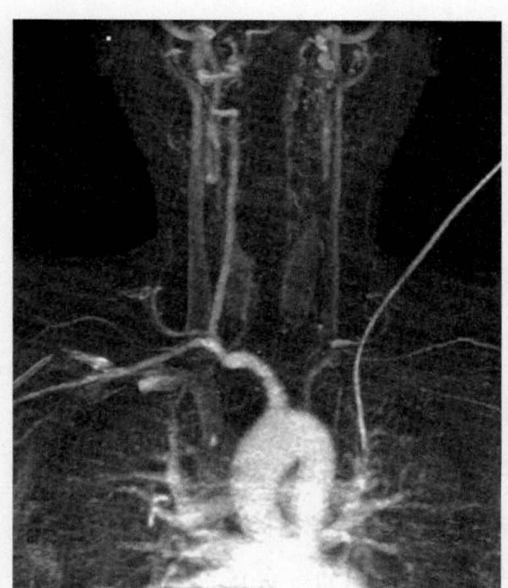

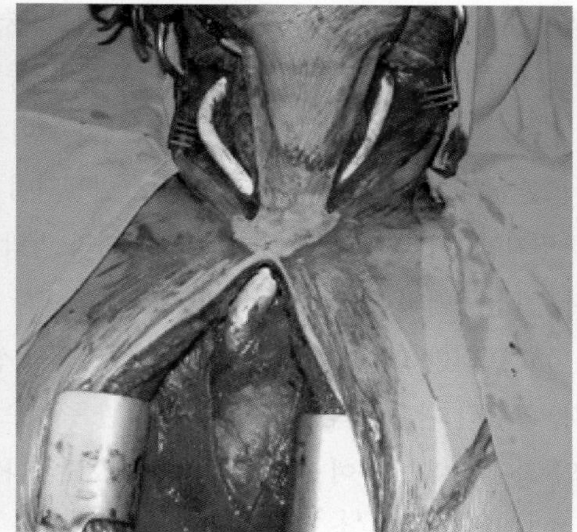

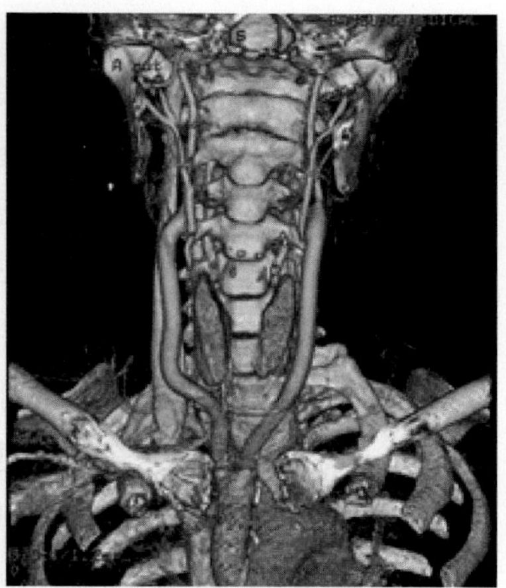

그림 6-45 **타카야수 동맥염 수술 사진.** 양측경동맥 근위부가 폐색된 환자로서 상행대동맥으로부터 양측 경동맥 사이에 Y자형 인공혈관을 이용하여 우회술을 시행한 모습이다.

표 6-23. 미국 류마티스학회의 1990년 거대세포혈관염의 진단기준표

기준	정의
발병 시 나이 50세 이상	증상의 발현이나 소견의 시작이 50세 또는 그 이상
새로 발생한 두통	새로 시작되거나 새로운 형태의 머리의 국소 통증
관자동맥 이상	관자동맥의 촉진 시 압통이나 맥박의 감소, 경동맥 동맥경화증과 무관함
상승된 적혈구침강속도	적혈구침강속도가 Westergren법으로 50mm/hr 이상
동맥조직검사 이상	조직검사에서 주로 다핵화 거대세포가 동반되는 단핵세포 침투가 현저하거나 육아종성 염증소견의 특징적인 동맥 소견을 보임

3) 카와사키병

(1) 역학 및 병인

카와사키병Kawasaki's disease은 주로 중간크기의 동맥에 염증성 반응을 일으키는 혈관질환으로 5세 미만의 영유아에서 호발한다. 1967년 일본 소아과 의사인 Tomisahu Kawasaki에 의해 처음 알려졌으며, 점막피부 림프절 증후군이라고도 불린다. 일본에서 가장 높은 유병률을 보여 유병률은 10만 명당 112명이고, 미국에서는 10만 명당 10.3명의 유병률을 보인다.

(2) 임상증상 및 진단

급성 발열로 증상이 시작되며 안구결막의 충혈, 입술 및 입안 점막의 변화, 부정형 발진, 사지말단의 변화 및 경부 림프절 종창 등의 임상증상을 나타내며 이들 소견은 카와사키병의 진단기준이 된다. 이 질환의 이환율과 사망률의 주된 원인은 범발성 심장염을 포함한 심장 혈관 합병증 때문에 발생한다. 급성기에 적절한 치료가 이루어지지 않을 경우 카와사키병으로 이환된 환자의 약 15-25%에서 관상동맥류가 발생하며, 면역글로불린의 사용으로 관상동맥류의 발병률은 현저히 감소하였지만, 아직도 관상동맥류의 발병률이 약 5%에 이른다. 관상동맥의 염증성 반응은 혈관벽의 전층을 침범하게 되고 이러한 염증성 반응으로 관상동맥의 확장을 일으킨다. 확장된 관상동맥에는 혈액의 흐름이 느려지면서 혈액의 정체를 유발하여 혈전이 생기기 쉬운 조건을 형성하며 혈관내피세포의 손상으로 혈소판응집, 혈소판기능이상과 같은 혈액응고 장애가 생겨 관상동맥의 협착 또는 폐쇄를 일으킨다. 카와사키병으로 진단된 환아는 항상 첫 주에 심전도를 시행하고, 진단 당시와 2-4주 후에 심장초음파를 시행하여 심장합병증의 병발여부를 확인하여야 한다. 아이가 성장함에 따라 동맥류는 대동맥, 장골동맥, 겨드랑동맥, 신동맥 및 장관동맥에 드물게 발생할 수 있다.

(3) 치료

급성기 카와사키병의 치료는 아스피린과 면역글로불린 투여의 병합용법을 한다. 아스피린은 항염증작용과 항혈소판 작용을 한다. 항염증제로 스테로이드의 사용에는 아직 규명된 것이 없다.

4) 베체트병

(1) 역학 및 병리

베체트병Behcet's disease은 주로 지중해 연안국과 일본인에서 호발 한다고 알려져 있다. 터키에서 가장 많이 호발하는데 인구 10만 명당 370-420명 정도 발병한다고 보고되어 있다. 호발 연령은 20-40대이다.

발병 원인은 밝혀져 있지 않으나, 감염 혹은 면역계 이상으로 발병되며 유전적 소인이 있을 것으로 추정하고 있다.

(2) 임상증상

베체트병의 임상증상은 다양하게 나타나는데 대부분 안구, 관절, 혈관, 중추신경계 그리고 위장관 증상을 보인다. 심한 통증을 동반하는 구강조직의 아프타성 궤양은 모든 환자에서 보이게 된다. 남자에서는 음낭과 성기부분에 궤양이 발생되며 여자에서는 외음부에 궤양이 발생된다. 포도막염과 망막혈관염을 동반하는 안구 합병증은 전체 환자의 80%에서 나타나며 실명을 초래하기도 한다. 피부병변으로는 화농성구진 결절홍반, 피부궤양 등이 나타난다. 위장관 증상으로는 염증성 장질환과 유사하며 장궤양은 다발성으로 나타나서 천공되기가 쉽다. 중추신경계 증상은 전체환자의 20% 정도에서 나타나는데, 뇌막염, 간질발작, 신경마비 증상등이 나타난다. 혈관에 병변은 전체환자의 50% 정도에서 나타나는데, 동맥과 정맥계에 혈전 혹은 동맥류가 발생된다. 특히 동맥류는 대동맥에 호발하는데 파열 위험성이 높다.

(3) 진단

베체트병은 특이적인 검사소견이 없으므로 주로 임상증상에 근거하여 진단을 하게 된다. 국제적인 진단기준으로 따르면 재발되는 구강궤양과 함께 다음 증상들 중 2개 이상을 동반하는 경우에 베체트병으로 진단한다. 1) 재발

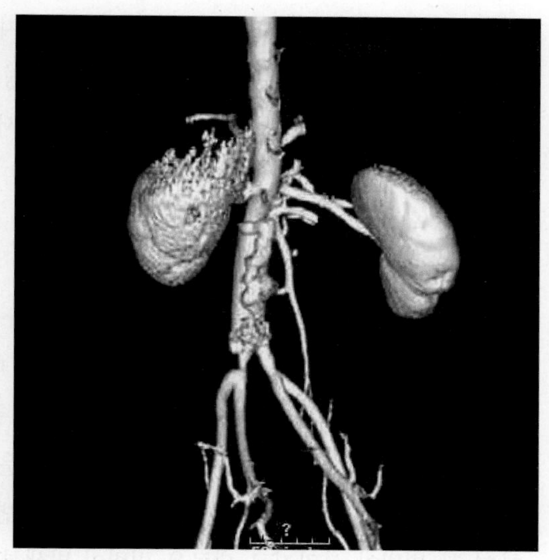
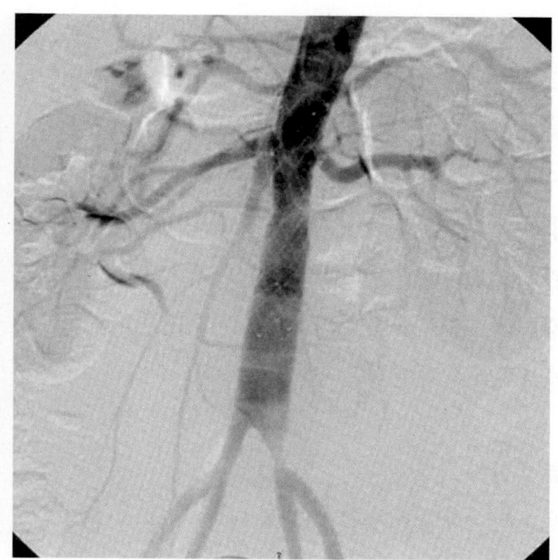

그림 6-46 베체트병. 이전에 시행하였던 인공혈관 문합부위로부터 혈류가 유출되어 스텐트그라프트 삽입술로 교정을 한 모습이다.

되는 성기 궤양 2) 안구증상 3) 피부병변 4) 피부과민성 반응검사 양성(Pathergy test).

(4) 치료

베체트병의 일차적 치료약은 면역억제제이다. 증상에 따라 corticosteroid와 axathioprine, cyclophosphamide 등을 병용하여 투여한다.

동맥류가 커서 파열 위험성이 있는 경우 혹은 동맥폐색으로 허혈증상이 심한 경우에는 수술적 치료가 필요하다. 혈관 수술 시에는 혈관 문합부에 동맥류가 발생되기 쉬우므로 주의하여야 한다(그림 6-46).

5) 결절다발동맥염

(1) 역학 및 병리

결절다발동맥염polyarteritis Nodosa은 중간동맥 또는 소동맥의 전신적 괴사성 동맥염 소견을 보이는 질환으로 동맥류, 혈전, 출혈등으로 인하여 모든 장기에서 동맥 허혈로 인한 괴사를 유발할 수 있는 질환이다. 다른 혈관염 질환과는 달리 결절다발 동맥염은 중년의 남성에서 가장 흔하게 관찰된다. 때로는 다발성으로 장기를 침범하여 매우 심각한 전신 합병증을 유발하기도 한다. 결절다발동맥염의 발생에 B형 및 C형 간염바이러스와 HIV바이러스가 관여한다는 보고가 있다.

표 6-24. 결절다발동맥염의 임상증상

	임상증상
심혈관계	관상동맥염, 심근경색, 심부전
호흡기계	천식, 객혈
위장관계	점막 출혈 및 궤양, 급성 복증
비뇨생식계	혈뇨
신경계	신경염
골관절계	피하결절, 출혈, 하지괴사

(2) 임상증상

젊은 성인에서는 장간막동맥 허혈에 의한 복부통증이 주된 증상이며, 충수돌기염, 담낭염 등 침범된 장기에 따라 다양한 증상을 나타낸다(표 6-24).

(3) 진단

혈액검사에서는 30%의 환자에서 B형 간염바이러스 양성을 보이며 적혈구침강속도가 전형적으로 증가되어 있으며 ANCA는 음성이다. 임상적으로 결절다발동맥염이 의심되면 확진을 위해 종종 조직검사가 필요한 경우도 있다. 동맥조영술에서 장간막동맥 및 신동맥에 다발성의 작은 동맥류가 관찰되면 결절다발동맥염으로 진단할 수 있다. 코카인이나 methamphetamine 등의 정맥주사 약물 중독자에서 나타나는 범발성 동맥염panarteritis과 HIV 환자의 혈관염 소견은 결절다발동맥염과 유사하게 보이나 이들은 경동맥, 대퇴동맥 등의 큰 혈관에도 이환되어 동맥류나 동맥폐색을 유발하는 점이 다르다.

(4) 치료

일차적으로 스테로이드를 사용하나 생명에 위협을 줄 만큼 심각한 상황에서는 azathioprine이나 cyclophosphamide 와 같은 면역억제제를 사용할 수 있다. 동맥염이 바이러스 감염의 양상을 보이는 경우 항바이러스제제의 사용이 필요하다. 또한 바이러스 연관성 혈관염에서 혈장교환술이 고려될 수 있는데, 이는 순환하는 면역복합체의 양을 감소시키는데 효과적이다. 다장기에 침범된 환자의 경우 예후가 나쁘나, 일반적으로 치료군의 5년생존율은 80%이며 재발은 드물다.

6) 베게너 육아종증

(1) 역학 및 병리

신장이나 호흡기의 소동맥을 주로 침범하여 괴사성 또는 육아종성 혈관염을 유발하는 질환으로 어느 연령층에도 발생하며 성별에 따른 유병률의 차이는 없다. 병리학적으로 괴사성 육아종성 혈관염의 형태를 보인다.

(2) 임상증상

3가지의 주요장기 즉 상기도, 폐, 신장에 주로 침범하는 것을 특징으로 한다. 환자의 약 90%가 호흡기 관련증상으로 병원을 찾게 된다. 환자는 코와 부비동의 염증으로 심한 콧물을 호소하게 되는데 결국 연골의 허혈과 이에 따른 합병으로 비중격 천공과 안장코 변형을 보일 수 있다. 상기도를 침범하여 기관지 염증과 경화를 유발하고 이는 천명을 초래하며 잠재적으로 기도협착의 위험성을 가지게 된다. 이러한 합병증들은 특히 어린 환자에게 더 흔하다. 하기도와 관련된 베게너 육아종증의 경우 기침, 객혈, 늑막성 통증 등을 호소한다. 신요로계에서는 사구체신염의 양상을 보인다.

(3) 진단

활동성 베게너 육아종증에서는 약 90%에서 c-ANCA 양성이다. Churg-Strauss 증후군과 현미경적 다발혈관염의 경우 p-ANCA가 양성이다. 흉부방사선 촬영에서 다발성 결절을 보일 수 있고 또한 젖빛유리 침윤과 공동화를 나타내기도 한다. 시간이 지남에 따라 병변은 이동하여 한 병변이 사라지고 새로운 병변이 발생하게 된다. 신장에 이환된 경우 조직검사에서 괴사성 미세혈관성 사구체신염의 소견을 보인다. 그러나 신장 외 다른 조직검사에서도 진단을 할 수 있으며, 호중구가 밀집된 소견과 혈관염을 동반하는 육아종성 괴사성 염증을 나타낸다.

(4) 치료

치료는 스테로이드와 면역억제제를 사용한 병합요법을 시행한다. 스테로이드 단독요법은 비효과적이며 활동성 베게너 육아종증은 생명에 위협적이어서 스테로이드와 cyclophosphamide를 병합하여 치료한다. 병합치료를 할 경우 약 90%에서 호전을 보이며 약 75%에서는 완전 관해를 이루어 약 80%의 생존율을 보인다.

7) Churg-Strauss 증후군

Churg-Strauss 증후군Churg-Strauss syndrome은 폴란드계 미국인 병리학자인 Jakob Churg와 미국인 병리학자인 Lotte Strauss의 이름을 따서 붙여진 이름이다. 100만 명당 3명의 유병률을 보이며 대부분의 환자는 40대 남성이다. 병리학적으로 호산구 침윤이 특징적인 소견이며, 특히 폐 또는 말초신경과 피부를 침범한다. 조직학적으로 소동맥의 괴사성 동맥염이 혈관외적으로는 알러지성 육아종이 동반된다. 초기 임상양상은 전형적으로 비염과 천식, 그리고 호산구증 및 전신적 혈관염의 증상을 보인다. 그러나 진행성 병변의 양상을 보여 결국 폐, 신경, 심장, 소화기계 및 요로계를 침범한다. 혈액검사에서는 호산구의 수치가 증가되어있다. 치료는 일차적으로 스테로이드 단독요법이며, 질환의 정도가 심각한 경우에는 cyclophosphamide를 추가한다.

8) 현미경적 다발혈관염

현미경적 다발혈관염microscopic polyangiitis은 소동맥을 일차적으로 침범하는 질환으로 최근에 결절다발 동맥염과 구분이 되었다. 병리학적으로 결절다발 동맥염과 차이점을 보이는데, 현미경적 다발혈관염이 더 작은 혈관에 이환되어 혈관염을 일으키며 조직학적으로 괴사성 혈관염의 양상을 보이고 면역부산물은 거의 없으며 육아종을 형성하지 않는 특징을 가진다.

주로 신장과 폐를 침범하여 사구체 신염과 객혈의 증상을 동반한다. 또한 복합성 홑신경염 및 발열의 증상을 나타낸다. 진단은 ANCA검사와 임상양상 및 신장조직검사에 근거하여 이루어지며, 치료는 스테로이드와 cyclophosphamide 병합용법을 사용한다.

9) Henoch-Schönlein 자반병

(1) 역학 및 병인

Henoch-Schönlein는 세동맥, 세정맥, 모세혈관과 같은 소혈관의 혈관염을 유발하여 자반, 위장증상, 관절증상 및 신증상을 동반하는 전신혈관 질환이다. 원인은 밝혀져 있지 않으나, 약 50%의 환자에서 상기도 감염이 선행된다. 소아에서 호발하며 호발기는 5세 전후이며 겨울철에 호발하는 것으로 알려져 있다. 병리적으로 면역글로불린 A를 함유하는 면역복합체가 혈관구조물에 침착하는 특징을 나타낸다.

(2) 임상증상

전형적으로 자반, 복통 그리고 관절통의 증세가 나타나며 이러한 증상이 동시에 나타나기도 한다. 자반은 초기에는 두드러기 모양으로 나타나다가 붉은 자반을 형성하고, 이후 적갈색으로 변형되어 수 주간 지속된다. 복통은 배꼽주위의 심한 복통으로 나타나 장중첩증이나 충수돌기염으로 오인될 수 있다. 구토 및 위장관 출혈을 동반하는 경우가 있다. 복부증상이 피부증상에 선행하여 오는 경우도 있다. 환자의 약 2/3에서 무릎과 발목 관절의 부종 및 동통을 동반한다. 신장을 침범하여 혈뇨나 단백뇨를 보이며 심한 경우 신장기능이 저하되어 15% 정도에서는 만성 신염으로 진행 할 수 있다. 드물게 경련, 마비 등의 신경증상을 동반한다.

(3) 진단

Henoch-Schönlein 자반병과 다른 소혈관염을 구별하는 것이 중요하다. Henoch-Schönlein자반병은 대부분의 환자에서 보존적 치료로 충분하지만 다른 소혈관 혈관염의 경우 생명에 치명적일 수 있다. 그러나 Henoch-Schönlein 자반병을 확진할 수 있는 검사방법은 없으며 임상양상에 따라 진단을 하게 된다. 약 50%에서 혈청내 IgA와 IgM이 증가하며 ANCA는 음성이다. 신장을 침범한 경우 혈뇨, 단백뇨를 보이며 신증상이 늦게 나타날 수 있으므로 반복적인 소변검사를 시행하여야 한다.

(4) 치료

Henoch-Schönlein 자반병의 경우 충분한 수분공급 및 통증조절 등의 대증요법으로 치료한다. 그러나 심한 복통 및 중추신경계 합병증을 동반한 경우 스테로이드가 증상완화에 도움이 된다.

10) 피부 백혈구 파괴 혈관염

피부 백혈구 파괴 혈관염cutaneous Leukocytoclastic Angiitis은 가장 흔한 피부 혈관염으로 급성 자반성 피부병변을 나타낸다. 기본적으로 진피 모세혈관 후 소정맥의 염증 소견을 보인다. 일차적으로는 피부를 침범하지만 관절통이나 사구체 신염과 관련될 수 있다. 병인으로는 C형 간염 바이러스의 감염이 관여한다는 의견이 있으며 sulfonamide나 페니실린과 같은 특정약물 치료로 인해 발생할 수 있다. 치료로는 피부방사선 조사로 증상 호전을 보일 수 있고, 심한 관절통과 근육통이 동반된 경우 항히스타민제와 비스테로이드성 항염제를 사용할 수 있다. 심한 피부병변에는 스테로이드를 사용한다.

11) 한랭글로불린혈증 혈관염

한랭글로불린은 저온에 침전이 되는 면역글로불린으로 단일클론 혹은 다클론일 수 있다. 림프성 종양, 형질세포종양 및 만성 감염 등의 질환에서 볼 수 있다. 본태성 복합형 한랭글로불린혈증cryoglobulinemic은 원인 질환이 없이 단순히 한랭글로불린이 존재하는 것이다. 대부분의 경우는 C형 간염 바이러스 감염과 관련되어 있다. 한랭글로불린과 연관된 혈관염은 대략 50세 정도에 나타나고 임상증상으로는 자반성 병변, 관절염, 전신쇠약, 신경병증 및 사구체신염의 증상을 보인다. 사구체신염은 반드시 말기신부전으로 진행하지는 않지만 나쁜 예후와 관련이 있다. 혈청 내 C3는 정상 또는 약간 저하되고, C4는 저하된 수치가 특징적이다. 신장조직검사에서는 사구체내 침착물을 동반한 막증식성 사구체신염의 소견을 보인다. 증상이 심하지 않은 경우는 대증요법으로 치료를 하며, C형 간염 바이러스와 연관된 한랭글로불린증 혈관염의 경우 항바이러스 치료가 도움이 된다.

12) 섬유근육 이형성증

(1) 역학

섬유근육 이형성증fibromuscular dysplasia은 소혈관과 중간동맥을 침범하는 비염증성 비죽상경화성 혈관질환이다. 조직학적으로 가장 심각하게 침범하는 동맥벽의 층에 따라 1) intimal fibroplasias 2) medial hyperplasia 3) medial fibroplasia 4) perimedial dysplasia의 4가지 유형으로 분류한다. 각각의 유형이 역학적으로 약간의 차이가 있으나 가장 흔한 유형은 10대와 30대 여자에게 치중되어 나타난다. 섬유근육 이형성증의 원인은 불확실하다. 제시되고 있는 원인으로는 vasa vasorum으로부터 부족한 관류로 인한 국소허혈, 기계적 손상결과 등이 있으며 갈색세포종, 신경섬유종증, Ehlers-Danlos, Rubella syndrome 등과의 관련성이 제시되고 있다.

(2) 임상증상

증상은 혈관 협착, 박리, 색전, 혈전 또는 연관된 동맥류 파열로 인해 발생하며 가장 흔한 증상은 신동맥 협착에 의한 고혈압과, 경동맥 질환으로 인한 뇌졸중이다. 뇌혈관계를 침범한 경우 주로 양측 내경동맥에 이환된다. 경동맥 질환과 별개로 드물게 척추동맥 침범도 있을 수 있다. 또한 뇌내 딸기 동맥류와의 연관성도 보고되고 있다. 내장혈관이 침범되면 허혈로 인한 증상이 나타나지만 측부 동맥 순환이 있어 경색은 드물다.

(3) 진단

다른 질환의 가능성을 배제하는데 초점을 두고 검사를 하여야 하며, 궁극적으로 이환된 동맥계의 영상검사를 바탕으로 진단하게 된다. 비염증성 과정이기 때문에 혈액검사에는 특별한 소견이 나타나지 않는다. 영상의학 검사는 비침습적 방법으로 듀플렉스 초음파나 전산화단층 혈관조영술 등이 있으며, 침습적 방법으로 혈관조영술이 있다. 조직학적으로 가장 흔한 유형의 혈관조영술 소견은 염주알이 꿰어 있는 듯한 모습string of beads의 소견이다. 듀플렉스 초음파로 경동맥을 검사할 경우 가능한 원위부까지 검사를 하여야 하며 이는 죽상동맥 경화에서 경동맥 분지 근처에 병이 호발하는 것과 달리 섬유근육이형성증은 원위부에도 발생하기 때문이다.

(4) 치료

신혈관 질환에서 고혈압에 대한 초기 내과적 치료가 중요하다. 다른 신혈관 협착 질환에서와 같이 안지오텐신 전환효소 억제제의 투여는 금기다. 약물 치료에 반응하지 않을 경우 경피적 혈관 성형술이 효과적이며 약 20%에서 재협착을 보이나 고혈압의 재발은 더 낮다. 경피적 혈관 성형술이 실패하거나 부적합한 경우 수술적 치료를 시행할 수 있으며 환자가 적절히 선정되고 외과의의 경험이 풍부하다면 매우 효과적인 치료법이 될 수 있다.

13) 홍색사지통증

혈관수축성 질환의 일종으로서 홍색사지통증erythromelalgia은 드문 질환으로 손과 발의 작열통, 열감 그리고 피부홍반의 증상을 특징으로 한다. 이완된 부위가 열에 노출되거나 아래쪽으로 내리고 있을 때 증상은 악화되며, 반면, 이완된 부위를 올리고 있거나 차게 해 줄 때 증상이 호전된다. 이 병은 다른 질환의 이차성으로 나타나며 관련 병태로는 고혈압, 당뇨, 골수증식성 질환, 류마티스성 관절염이나 전신성 홍반성 낭창, 통풍, 척수질환 및 다발성 경화증이 있다. 골수증식성 질환에 수년 선행하여 전조증상으로 나타날 수 있으므로 홍색사지통증을 나타내는 환자에서는 주기적인 혈액검사가 필요하다. 임상증상은 병의 중증도에 따라 다양하며, 기저질환의 치료가 증상의 개선에 도움이 되며, 아스피린과 혈관수축제도 도움이 될 수 있다.

14) 말단청색증

혈관수축성 질환의 일종으로서 말단청색증acrocyanosis은 이환된 신체부위의 체온감소, 청색증의 변화를 보이며 부종과 발한이 동반될 수 있다. 주로 손, 드물게는 발에 이환되며 양측성의 청색증을 지속적으로 나타내나 통증은 동반하지 않는다. 사지혈압은 정상이다. 치료는 환자를 안심시키고 추위에 노출되는 것을 회피하는 지지요법으로 충분하다.

V 동맥류

동맥류는 동맥의 한 부위가 정상 동맥 보다 그 직경이 50% 이상 증가되어 국소적으로 부풀어져 있는 질환이다. 흔히, 진단은 정상동맥의 직경을 비교하기 보다는 연속되는 다른 부위에 비해 동맥의 한 부위가 국소적으로 확장되어 그 직경이 50% 이상 증가되어 있으면 진단하게 된다. 한편, 확장 정도가 직경 50% 미만일 경우는 확장증ectasia으로 표현하며 연속되는 동맥의 직경도 정상동맥보다 그 직경이 50% 이상 증가되어 있으면 거대동맥arteriomegaly로 정의한다.

동맥류는 원인, 형태, 발생 부위 등에 의해 구분을 하는데 원인별로는 퇴행성 변화에 의한 동맥류가, 형태별로는 방추형 동맥류가, 부위별로는 복부대동맥, 특히 신장동맥이 분지된 이하 부위의 복부대동맥류가 흔히 볼 수 있는 동맥류이다. 한편, 동맥벽의 전 층이 불러진 동맥류를 진성동맥류, 일부가 불러진 동맥류를 가성동맥류로 분류하는데 출혈과 관련되어 지금까지 가성동맥류로 분류했던 많은 가성 동맥류는 실제로는 동맥벽의 일부가 동맥류의 벽을 형성한 것이 아니라 동맥 주변의 혈종을 섬유화에 의해 막이 둘러싸고 혈종은 출혈을 야기한 부위와 연결되어 혈류가 유지되는 contained hematoma이다. 이런 가성동맥류는 혈관의 중재시술이 빈번해 지면서 그 발생률이 증가하고 있다.

동맥류는 동맥폐쇄질환과 달리 진단이 되면 증상이 나타나기 전에 예방적으로 치료하는 것이 치료의 원칙인데 이는 동맥류를 치료하지 않고 방치했을 경우 파열에 의한 출혈, 혈전 폐쇄나 색전증에 의한 급성동맥폐쇄증 등의 치명적 합병증이 발생할 수 있기 때문이다. 따라서 치료시기는 동맥류의 자연 경과와 치료 합병증에 대한 정확한 지식이 기반이 되어야 하며 이때 가장 중요한 치료의 지침은 동맥류의 크기이다.

동맥류 치료의 발전은 직접적으로 혈관외과의 발전을 보여 준다. 동맥류에 대한 기술은 이미 Ebers Papyrus(2000 BC)에서도 발견되는데 치료에 대한 기록은 2세기 Antyllus가 처음으로 결찰법에 대하여 보고하였다. 이 치료 방법은 18세기까지 모든 동맥류의 표준 치료 방법이었으며 복부대동맥류도 결찰술로 치료하였다. 19세기부터 동맥류에 대한 수술 치료는 뛰어난 몇몇 외과의사에 의해 발전하는데, 뉴올리언즈의 전설적 외과의사인 Matas(1860–1957)가 1888년 동맥류의 유입동맥과 유출동맥의 혈류를 차단한 후 동맥류를 절개하여 동맥류의 안쪽에서 분지동맥들을 결찰하고 다시 동맥류 벽을 접어서 봉합하는 'endoaneurysmorraphy' 방법을 고안하였고, 1906년 마드리드의 Goyanes는 슬와동맥에 발생한 동맥류를 유입동맥과 유출동맥을 묶고 슬와정맥을 이용하여 원위부로의 혈류를 재건하는 'exclusion and bypass' 방법으로 치료하였다. Carrel(1873-1944)은 동물실험을 통하여 이식편을 이용한 대동맥 치환술을 발전시켰으며 이 업적으로 1912년 노벨상을 수상하였다. 1951년 DuBost가 처음으로 이 방법으로 복부대동맥류를 이식편freeze-dried homograft을 이용하여 치료하였으며, 1953년 Voorhees그룹이 Vinyon-N 인조혈관을 개발하면서 드디어 본격적인 현재의 혈관외과로 발전하게 된다.

1. 복부대동맥류

복부대동맥류는 발생 빈도가 가장 높은 동맥류로 후복막강에 위치하는 복부대동맥의 해부학적 특성 때문에 그 크기가 커져 동맥류가 터질 때까지도 진단이 안 되는 경우가 빈번하며 일단 파열되면 출혈에 의해 치사율이 매우 높아 임상적으로 질환의 발견과 예방적 치료가 의미가 있는 질환이다. 미국 통계에 의하면 15번 째로 흔한 사인이며 55세가 넘는 환자에서는 10번 째로 흔한 사인이다. 파열된 대동맥류의 경우 병원 도착 전 30-50%의 환자들이 사망하여 30-40%의 수술 사망률을 합하면 총 사망률이 80-90%에 이른다. 파열된 경우는 수술방법과 수술 전후 환자 관리가 발전하였음에도 불구하고 사망률이 크게 달라지지 않았으나 예정수술은 수술 사망률이 5% 미만으로 감소되어 복부대동맥류 파열에 의한 사망을 예방하는데 효과적이다.

일반적으로 동맥류는 정상 동맥 직경에 비해 50% 이상 부분적인 확장을 보이는 경우를 말하나 신장동맥 하방 대동맥의 평균 크기는 약 2cm으로 알려져 있어 임상적으로 복부대동맥의 직경이 3cm 이상일 때 그리고 장골동맥 직경이 1.8cm 이상일 때 동맥류로 진단한다. 그러나 대동맥의 직경은 신장, 체중, 체질량지수, 체표면적등과 연관되어

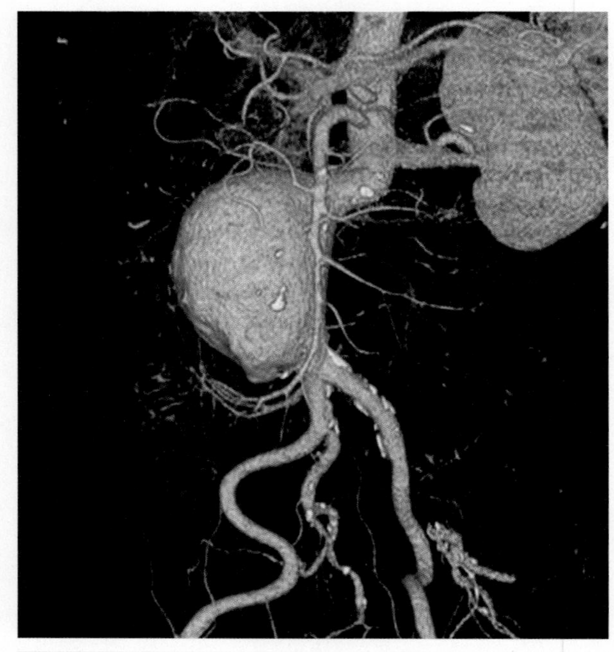

그림 6-47 신동맥 하방에 위치한 약 7cm의 대동맥 동맥류 전산화 단층촬영의 혈관조영 사진

있고, 남성에서 그리고 나이, 신장, 체중, 체질량지수, 체표면적등이 증가할수록 증가하므로 특히 대동맥의 직경이 작은 환자에서는 주변 대동맥 직경에 비해 50% 이상의 확장을 보이는 경우에 진단하는 것이 타당하다.

복부대동맥류는 대부분 거의 대부분에서 방추형이며 신장동맥 하방에서 시작하여 대동맥 분지부까지 침범되는 경우가 많다(그림 6-47). 거의 모든 환자에서 신장동맥 하방의 대동맥을 침범하나 5%에서 신장동맥 상방이 침범되기도 한다. 신장동맥 상방의 단독 동맥류는 매우 드물며 대부분 흉부 혹은 신동맥 하방의 동맥류를 동반한다. 25%에서 장골동맥도 같이 침범되나 단독 장골동맥 동맥류는 매우 드물다(<1%). 대퇴동맥이나 슬와동맥 등의 하지 동맥류는 대동맥류의 환자 3.5% 정도에서 동반된다(그림 6-48).

1) 병인

동맥류성 대동맥의 확장의 원인은 대부분의 환자에서 불명확하며 동맥경화증과의 연관관계도 불확실하나 일반

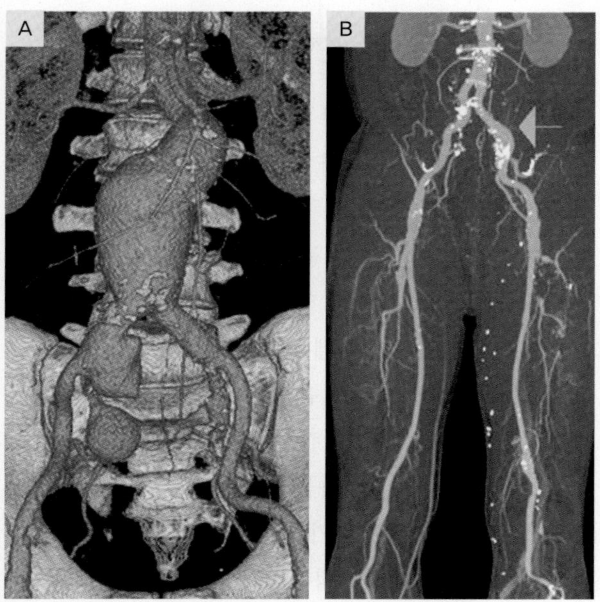

그림 6-48 다른 부위의 동맥류를 동반한 복부 대동맥류의 전산화단층촬영의 혈관조영 사진. A) 장골동맥류, B) 장골동맥류, 대퇴동맥류, 슬와동맥류가 동반되어 있다.

적으로 대동맥류는 동맥경화증의 발생과 관계된 퇴행성 변화에 의해 발생한다고 알려져 있다. 그러나 비슷한 위험인자를 가진 환자에서 동맥류성 변화 대신에 폐색성 질환이 생기는 것은 설명하기 어려우므로 동맥경화성이라는 용어보다는 퇴행성이나 비특이적인 원인에 의해 발생한다고 보는 것이 타당하다.

대동맥류의 조직학적 검사 시 elastin의 분열과 퇴행이 관찰되므로 이러한 소견은 신장동맥 하방의 대동맥류에서 동맥류의 생성과 연관이 있을 것으로 생각된다. 신동맥 하방의 elastin 성분의 감소 외에 동맥류 발생에 영향을 주는 원인은 혈류역학적, 구조적, 자가면역학적 원인들이 있다. 대동맥 분지부의 반사된 파동에 의해 박동성이 증가되고 상부에 비해 유순도가 떨어지는 하방 대동맥 벽의 긴장도가 증가한다. 신동맥 하방 대동맥 벽에는 vasa vasorum이 없기 때문에 대동맥벽의 영양 공급이 떨어져 이러한 퇴행성 변화를 가속화시킨다.

최근 보고에 의하면 자가면역학적 기전이 대동맥류의 형성에 영향을 미친다고 하였는데 흉부대동맥에 비하여 면역반응성 단백이 복부대동맥내에서 더 많이 발현되어 이러한 현상 역시 신장동맥 하방의 대동맥에 대동맥류가 더 흔한 것을 설명해 준다.

대동맥류 조직에서 관찰되는 대동맥 중막의 단백분해 현상은 억제제에 비해 분해효소가 증가되어 있는 것을 시사한다. 최근 대동맥류 벽에 Matrix Metalloproteinases (MMPs)의 발현이 증가되어 있다고 여러 번 보고되었다. 대동맥류벽의 조직학적 검사 시 elastin fiber들의 분절화 및 elastin양의 감소도 관찰될 뿐 아니라 외막과 중막의 만성 염증성 침윤도 관찰되는데 이는 내막에 염증성 반응이 집중되어 있는 대동맥 폐색성질환과 구별되는 점이다. 이러한 혈관 전층의 염증 반응은 동맥류의 발생에 가장 중요한 역할을 하는 것으로 생각되나 염증성 반응의 원인은 아직 밝혀지지 않았다. 또한 복부대동맥류의 발생과 C-reactive Protein (CRP), acute phase protein, interleukin (IL)-6 등 염증지표와의 상관관계를 볼 때 염증은 복부대동맥류 발생에 중요한 역할을 하는 것으로 생각된다. 대동맥벽에서 *Chlamydophila pneumoniae*가 발견되어 감염이 염증 반응의 원인일 수 있다는 주장이 있었다. 가족내 복부대동맥류 병력이 있는 경우 복부대동맥류의 발생 위험도가 증가한다.

흡연은 대동맥류 발생의 주된 위험인자이다. 흡연의 영향은 흡연 기간에 직접적으로 연관되어 있고 금연한 후 기간에 관련하여 위험도가 감소한다. 흡연은 대동맥류 크기 증가에도 관련하므로 금연은 복부 대동맥류 환자에서 가장 중요한 권고사항 중 하나이다.

자가면역적 현상에는 DR-B1 major histocompatibility locus에 있는 allele이 AAA의 발생에 연관이 되어 보인다.

2) Epidemiology

복부대동맥류는 대부분 고령의 백인 남성에 호발하는 질환이다. 50세 이상에서 빈도가 꾸준히 증가하며 남자에서 여자에 비해 2-6배, 흑인에 비해 백인에서 2-3배 호발 한다. 발생빈도는 인구 10만 명당 3-117명 정도로

표 6-25. 복부 대동맥류의 발생, 크기 증가, 파열의 위험인자

증상	위험인자
복부 대동맥류의 발생	흡연 고콜레스테롤혈증 고혈압 남성 가족력
복부 대동맥류의 크기 증가	나이 심장 질환 뇌졸중 과거력 흡현 심장 또는 신장 이식
복부 대동맥류의 파열	여성 FEV1의 감소 최초의 복부 대동맥 직경이 큰 경우 평균 혈압의 증가 현재 흡연 여부(흡연 기간 >> 흡연량) 심장 또는 신장 이식 혈관 벽에 장력과 부하가 많이 걸리는 경우

알려져 있다. 최근 초음파, CT 등의 복부영상검사가 많이 시행되면서 무증상인 대동맥류 환자수가 증가하고 있다. 동시에 대동맥류 질환의 발생 자체도 많이 증가되어 보이는데 1952년에서 1988년도까지 나이를 보정한 복부대동맥류 파열에 의한 사망률 추세를 보았을 때 연간 2.4% 정도 증가되어 보인다. 파열된 복부 대동맥류의 발생에 의한 사망률은 10만 인년당 1–21명 정도이다.

60세 미만의 환자에서 복부 대동맥류의 빈도는 매우 낮으나 나이와 비례하여 발생빈도가 증가한다. 60세 이상 환자에서 발생빈도는 4–9% 정도이지만 이중 57–88%의 환자들은 3.5cm 이하의 크기이다. 50세 이상 환자에서 대동맥류 파열 빈도는 나이가 증가함에 따라 극적으로 증가하는데 Choksy 등에 의하면 50세 이상 남자환자에서 10만 인년당 76명, 여자환자에서 10만 인년당 11명이었고 남녀비는 4.8:1이었다. 파열 당시 나이 중위수는 남자에서 76세, 여자에서 81세였으며 파열 시 대동맥류 크기는 8cm 이상이었으나 약 4.5%에서 5cm 미만이었다. 파열로 인한 사망률은 78%로 병원 도착 전 사망하는 경우가 3/4을 차지한다(표 6-25).

3) 임상양상

대부분의 복부 대동맥류는 파열되기 전까지 증상이 거의 없으며 급성 혹은 만성 복통에 대한 검사 혹은 다른 질환의 진단을 위한 초음파, 복부 CT, MR에서 우연히 발견되는 경우가 대부분이다. 증상이 있는 대동맥류는 파열의 위험성이 높다. 근래 대동맥류가 커진 경우 복부 혹은 등의 통증, 그리고 촉진 시 압통이 있다. 복부 대동맥류는 하방으로의 혈전, 색전증에 의해 발견되기도 한다. 큰 복부 대동맥류는 3–4%에서 출혈과 혈전을 일으킬 수 있는 범발성 혈관내 응고를 일으킬 수 있다.

대동맥류가 파열된 환자들은 복부 혹은 등의 통증, 저혈압, 복부의 박동성 종괴가 있다. 대동맥의 파열 시 전형적으로 심한 출혈과 불안정한 저혈압을 보인다. 그러므로 파열된 대동맥류 환자에서 혈압이 비교적 안정적이라면 출혈이 후복막에 의해 일시적으로 막혀 있을 가능성이 크다. 파열된 동맥류 환자의 생존율은 50% 미만이다. 파열된 동맥류의 증상은 신장, 대장, 게실염, 췌장염, 관상동맥 허혈, 장간막허혈, 담도계질환 등 여러 급성 질환과 비슷할 수 있다. 더불어 출혈로 인한 저혈압이 있는 고령의 환자에서 허혈성 심질환과 유사한 심전도 변화가 보일 수 있다.

염증성 대동맥류는 약 5% 정도 되는데 복부, 혹은 등의 통증, 촉진 시 압통, 체중감소, 적혈구 침강계수의 증가 등이 나타날 수 있다. CT 소견상 대동맥 주변의 염증성 침윤과 요로 폐색을 보일 수 있다.

4) 영상검사

증상이 없는 복부대동맥류는 복부 초음파, CT, MRI 시행 중 우연히 발견되는 경우가 많다.

복부초음파는 선별검사와 진단이후 추적검사로도 적합하며 민감도가 100%에 이른다.

CT는 복부 통증 등 임상증상이 있는 환자에서 복부장기에 대한 자세한 정보를 제공한다는 장점이 있다. 또한 대동맥류의 모양을 보기 용이하며 신장동맥 상방 대동맥류에서 좋은 영상을 얻을 수 있다. 동시에 CT 동맥조영술은 신장동맥, 내장동맥, 장골동맥과의 상관관계와 동맥류의 모양을 알기 용이하다. MR은 CT에 비해 더 정확할 수 있으나 비용이 많이 들고 시행에 제약이 많다.

5) 자연경과

대동맥류의 파열의 위험성은 대동맥류의 직경, 대동맥류의 성장속도, 성별 등의 여러 인자에 영향을 받는다. 대동맥류의 크기는 파열의 가장 강력한 예측 인자로 대동맥류의 직경이 5.5cm 이상일 때 위험성은 급격히 증가한다. Council of the American Association for Vascular Surgery와 Society for Vascular Surgery에서 주장하는 연간 파열 위험성은 4.0cm 미만에서 0, 4.0-4.9cm에서 0.5-5%, 5.0-5.9cm에서 3-15%, 6.0-6.9cm에서 10-20%, 7.0-7.9cm에서 20-40%, 8.0cm이상에서 30-50%이었다. 5cm 미만 복부 대동맥류의 파열은 드물기 때문에 대부분의 혈관외과 의사들은 이 수치를 예정 수술의 적응증으로 삼는다.

복부대동맥류의 성장속도는 파열의 중요한 위험인자 중 하나이다. 한 연구에 의하면 파열된 대동맥류와 비파열된 대동맥류의 성장속도를 비교하였을 때 0.82cm vs 0.42cm/year이었다. 따라서 작은 대동맥류이더라도 6개월 이내에 0.5cm 이상 성장하는 대동맥류는 파열의 위험성이 높을 수 있다.

성장속도는 흡연자에서 더 빠르고 당뇨나 말초혈관 폐색성 질환이 있는 환자에서 느렸다. 어떤 동맥류는 어떤 이유인지는 모르나 일정 기간 동안 일정한 크기를 유지하다가 갑자기 커지는 경우도 있다.

파열의 위험성은 여성에서 남성에 비해 높은데 4.0-5.5cm 크기의 대동맥류에서 파열의 위험성은 여성에서 4배정도 높았으며 5cm 이상 동맥류의 위험성도 여성에서 의미 있게 높았다(18 vs 12%). 이러한 차이점은 대동맥의 정상 직경이 여성에서 작기 때문이기도 한데 5.0-5.5cm의 직경은 여성에서는 아주 늘어난 상태이기 때문일 수 있다. 그 외에도 지속적인 흡연, 조절되지 않는 고혈압, 동맥벽 stress의 증가 등도 파열의 위험인자 일 수 있다.

6) 치료

일단 파열되면 응급수술을 시행하더라도 사망률이 매우 높으므로 파열의 위험도를 따져 수술 여부와 시기를 결정하는 것이 중요하다. 5cm 미만의 작거나 중간 크기의 대동맥류가 있는 환자들은 파열의 위험도가 수술의 위험도보다 낮다. 비록 수술의 적응증은 안되더라도 지속적으로 대동맥류의 크기가 커지는지 추적관찰이 필요하다. 증상이 없는 3.0-5.5cm의 대동맥류 환자는 환자의 생존에 영향을 줄 수 있는 다른 기저질환 등을 고려하여 수술 여부를 결정한다. 4.0-5.5cm의 대동맥류는 5년 내 수술을 시행할 확률이 60-65%, 8년 내 수술 시행할 확률이 70-75% 정도이다. 조기 수술을 시행하였을 때의 장점은 수술 전후 사망률을 상쇄시킬 만큼 좋아야 하겠다.

증상 없는 4.0-5.5cm 정도의 중간 크기의 대동맥류 환자를 어떻게 치료할까에 대한 문제는 2개의 무작위 연구에서 연구된 바 있는데 2007년도에 이 두 연구를 비교한 systematic review에서는 5-8년 사망률 사이에는 큰 차이가 없다고 하였다. UK Small Aneurysm trial에서는 1,090명의 증상 없는 4.0-5.5cm 정도의 중간 크기의 대동맥류 환자들을 무작위로 배정하여 예정 수술을 시행하거나 6개월마다의 초음파 검사로 추적관찰 하다가 5.5cm 이상이 되거나 1년에 1cm 이상 커지거나 증상이 생기면 수술하였다. 두 군 간에 심혈관 질환 위험인자는 비슷하였고 8년간의 추적관찰 후 결론은 30일 수술 사망률이 5.4%로 예정수술군에서 초기 생존율이 낮았으나 3년째 생존곡선이 역전되어 예정수술군에서 사망률이 낮아졌다(43vs 48%). 평균 생존기간은 차이가 없었으며(6.7vs 6.5 years) 예정수술군에서 사망률이 낮은 것은 금연 등 생활습관의 변화가 기여한 것으로 생각된다. 파열 위험성은 남자에 비해 여자에서 3배 정도 높았다. The Aneurysm Detection and Management (ADAM) trial은 4.0-5.4cm 크기의 50-79세의 1,136 환자를 대상으로 시행되었다. 환자는 6주 이내 수술 시행군과 6개월마다의 추적관찰군으로 무작위 배정되었으며 추적후 두 군 간의 사망률에는 차이가 없었다(3 vs 2.6%) 추적관찰군에서 5.5cm 이상 크기가 커지거나 증상이 발생할 경우 예정수술을 시행하였다. 수술사망률은 2.7%였고 4.9년간의 추적관찰 환자 중 62%에서 수술을 시행하였고 대동맥류의 파열은 1.9% (0.6%/year)에서 발생하였다.

American College of Cardiology/American Heart Association (ACC/AHA)에서 2005년에 발표한 권고사항에 따르면 4.0-5.4cm 크기의 동맥류는 매 6-12개월 간격으로 초음파나 CT로 추적관찰 해야 하고 3.0-4.0cm의 복부 대동맥류는 매 2-3년 간격으로 검사해야 한다고 하였다.

또한 ACC/AHA에서는 증상 없는 환자에서 5.5cm 이상일 경우 예정수술을 시행하는 것을 권고하였는데 이 내용은 남자에서 시행한 임상연구에 기초한 것으로 대동맥의 정상직경의 남녀 차를 고려하지 않은 내용이다. 따라서 정상직경에 비해 50% 이상 직경이 증가하거나 6개월에 0.5cm 이상 직경이 증가하는 빠르게 커지는 대동맥류에 대해 수술을 시행하는 것이 바람직할 것으로 생각된다.

결론적으로 크기와 관계 없이 증상이 있는 모든 환자, 증상이 없는 경우 정상직경에 비해 50%이상 직경이 증가하거나 6개월 내 0.5cm 이상 크기가 증가한 경우 수술을 시행하는 것이 권고된다. 신동맥 상방이나 흉복부 대동맥류의 경우 수술에 따른 위험성이 크므로 5.5-6.0cm에서 수술하는 것이 좋고 중간크기의 대동맥류 환자에서라도 장골 혹은 대퇴동맥의 동맥류나 폐색성 질환 혹은 말단혈전색전증이 동반되어 있는 경우 수술을 고려해 볼 수 있다.

(1) 내과적 치료

내과적 치료는 수술의 적응증이 되지 않는 작거나 중간 크기의 대동맥류 환자에서 특히 도움이 된다. 흡연은 대동맥류의 생성, 대동맥류의 성장, 파열 등과 연관된 주된 위험인자이다. 지속된 흡연의 경우 대동맥의 성장을 20-25% 증가시킨다고 하였다. 2005 ACC/AHA guideline에 의하면 대동맥류가 있거나 대동맥류의 가족력이 있는 경우 금연해야 한다고 하였다. 고혈압, 고지혈증 등의 심혈관질환 위험인자를 치료하는 것과 대동맥류의 성장 및 파열의 예방 사이의 관계는 명확하지 않다. 그러나 이런 위험인자를 치료하였을 경우 심혈관 혹은 뇌혈관 질환 사망률을 줄여 생존율을 향상시킬 수 있다. 2005 ACC/AHA guidelines에서는 혈압과 지질을 동맥경화성 질환이 있는 환자와 동일한 수준으로 조절하는 것을 권고하였다. Statin약물에 대한 초기 후향적 연구에 의하면 statin은 대동맥류의 크기 증가를 늦추어 사망률을 감소시키는 효과가 있다고 하였는데 대동맥류 크기 증가를 억제하는 것은 주로 항염증 작용과 연관되어 있는 것으로 생각된다.

2005 ACC/AHA에서는 추적관찰 중인 환자에서 대동맥류 확장을 늦추기 위하여 beta blocker을 사용하는 것을 권고한다.

(2) 수술적 치료

수술적 치료의 적응증이 된다고 판단된 환자의 경우 개복이나 후복막을 통한 수술 혹은 경피적 방법으로 치료할 수 있다.

환자의 수술 위험성이 큰 경우 크기가 작거나 중간 크기의 대동맥류 환자는 수술을 재고하는 것이 좋으며 5.5cm 이상의 크기의 대동맥류 환자의 경우 파열의 위험성 때문에 수술을 고려해야 하는데 경피적 스텐트 삽입술이 치료의 한 방법이 될 수 있겠다.

7) 수술방법

2005년에 발표된 American College of Cardiology/American Heart Association (ACC/AHA)의 권고사항에 따르면 수술방법 결정에 있어 수술위험도가 낮거나 평균 정도인 환자에서는 개복에 의한 수술을, 수술 위험도가 높은 환자에서는 경피적 치료를 권고하였고 수술 위험성이 높지 않은 환자에서도 경피적 치료를 고려할 수 있으나 그 이점이 아직 확립되지 않았다고 하였다.

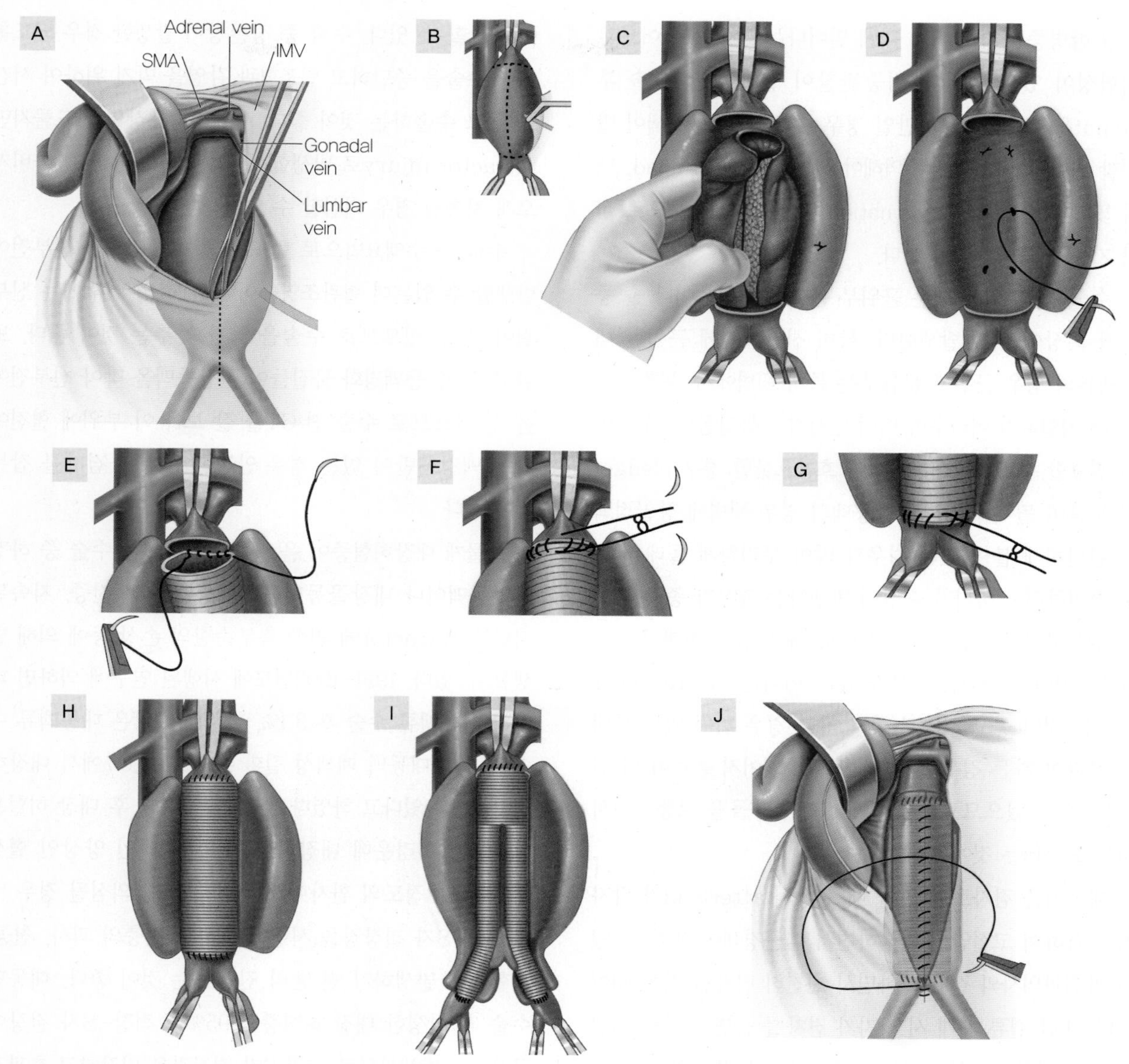

그림 6-49 **복부대동맥류의 개복에 의한 수술적 치료.** I형 인조혈관 (H) 또는 Y형 인조혈관 (I)을 이용하여 절제한 대동맥류를 대체한다.

(1) 개복에 의한 치료

대동맥류는 경복막 혹은 후복막 절개로 수술할 수 있다. 경복막 절개는 빠르게 접근할 수 있고 시야가 넓은 장점이 있지만 폐합병증률이 좀 더 높다.

후복막 절개는 배꼽 직상방 혹은 직하방에서 시행할 수 있으며 개복과 폐복에 시간이 많이 걸리나 폐합병증과 incisional hernia 발생빈도가 낮다. 후복막 절개를 시행할 때에는 rectus의 바깥경계를 따라 11–12번 째 늑골사이 공간까지 연장시켜 신하방, 신상방 대동맥을 노출시킬 수 있으나 반대쪽 신장 혹은 장골 동맥 노출이 어려우며 후복막을 열지 않고서는 동반된 복강내 질환을 치료할 수 없는 단점이 있다.

가. 합병증

심근경색은 대동맥류 수술 후 단일장기로 인한 조기 및 후기 사망률의 가장 중요한 원인이다. 대부분 심근 허혈성 합병증은 초기 2일 내에 일어나는 것이 보통이므로 위험성이 있는 환자는 집중관찰이 필요하다. 수술 후 hematocrit이 28% 미만일 경우 수술 후 심근경색이 발생할 위험성이 크므로 주의해야 하며 적절한 preload, 맥박 및 혈압수 조절, oxygenation, 진통제 사용 등으로 심근 기능을 도와주어야 한다.

수술 중, 후의 출혈은 근위부 문합의 어려움이나 술 중 정맥 손상에 의해 발생한다. 특히 신장동맥에 근접한 대동맥류의 경우 근위부 문합부는 특히 뒷벽에서 출혈이 있을 때 지혈하기 어려우며 이때 일시적인 복강동맥 위 압박이 필요할 수 있다. 대동맥벽이 흐물흐물할 경우 pledget이 도움이 될 수 있다. 장골동맥의 경우 뒷벽에 장골정맥이 단단하게 붙어 있는 경우가 많아 무리하게 둘레를 모두 박리하려고 하다가 손상이 발생하는 경우가 종종 있고 근위부 박리시 마찬가지 기전으로 좌측 신장 정맥이나 큰 요추정맥이 손상되는 경우가 있다. 이때는 suture repair 해주는 것이 좋고 시야가 좋지 않을 경우 위에 있는 동맥을 잘라야 하는 경우도 있다. 체온이 떨어져 출혈이 더 심하게 날 수 있으므로 혈소판과 응고인자들을 보충하면서 체온을 올리는 것이 좋다.

대동맥을 겸자로 잡았을 때 심장의 afterload가 갑자기 증가하여 고혈압이 발생하면서 심근경색이 생길 수 있어 마취과의사와 잘 협조하면서 천천히 겸자를 잡는 것이 좋다. 또한 혈류 재개 시 갑자기 겸자를 풀면 심각한 저혈압이 발생할 수 있고 심근 afterload 감소와 더불어 potassium, 산성 대사물, 심근 억제 인자들이 혈류재개와 더불어 혈류에 유입되면서 심한 저혈압을 유발할 수 있으므로 충분한 수액주입, 혈압감시를 하면서 천천히 겸자를 풀도록 해야 한다. 박리 중 주변 구조물의 손상이 발생할 수 있는데, 큰 대동맥류의 경우 주변 구조물들의 배열이 바뀌면서 요로손상이 발생할 수 있다. 요로손상이 발생한 경우 Double J stent를 pelvis에서 방광에까지 넣어야 하며 요로는 봉합하고 손상부위는 잘 세척한 후 대망을 끌어다 덮어준다. 시야확보를 위해 지나치게 당기다가 비장손상이 발생할 수 있으며 필요할 경우 비장적출술이 필요할 수 있다. 수술 중 장손상이 발생한 경우 되도록이면 수술을 중단하고 인조혈관 감염을 막기 위하여 시간을 두고 수술하는 것이 좋다. 수술 후 췌장염은 드물지만 retractor injury로 발생할 수 있는데 수술 후 장마비가 오래 지속될 경우 의심할 수 있다.

수술 중 수액요법으로 빈도는 많이 줄었으나 신부전이 발생할 수 있는데 혈관조영술이나 CT촬영 이후에는 신부전이 올 수 있으므로 수술을 약간 늦추는 것이 좋다. 또한 수술 중 동맥경화 물질들이 신장동맥을 막아 신부전이 올 수 있으므로 수술 전 CT를 잘 보아 이 부위에 혈전이나 동맥경화반이 있는 경우 안전한 부위에 겸자를 잡는 것이 좋다.

드물게 대장허혈증이 올 수 있는데, 이는 수술 중 하장간막동맥이나 내장골동맥을 결찰하거나 색전증, 지속된 저혈압, retractor에 의한 측부순환의 손상 등에 의해 발생할 수 있다. 1991-1993년도에 시행된 연구에 의하면 파열된 대동맥류 수술 후 3.1%, 파열되지 않은 대동맥류 수술 후 1%, 대동맥 폐색성 질환 수술 후 0.6%에서 대장허혈이 올 수 있다고 하였다. 대동맥류 수술 후 대장 허혈은 발견하기 어려운데 대장허혈증의 전형적인 양상인 혈성 설사는 1/3정도의 환자에서만 나타난다. 의심될 경우 바로 굴곡 S자 결장경을 시행해야 하며 전층의 괴사, 천공, 패혈증이 발생하기 전 빨리 진단하는 것이 좋다. 대동맥 수술 후 발생한 대장 허혈증의 95%는 직장-S자 결장에 국한되어 발생하므로 굴곡 S자 결장경은 민감하고 효과적인 진단 방법이다. 그 외에도 하방으로의 색전증으로 인하여 하지 허혈증 및 청색 발가락 증후군이 올 수 있고 척수허혈로 인한 하반신 마비, 성기능 장애, 심부정맥 혈전증 등이 발생할 수 있다. 수술 후 약 7%에서 후기 합병증이 발생할 수 있는데 혈관 변성에 의한 문합부의 벌어짐 및 가성동맥류 발생, 인조혈관 감염 및 폐색, 대동맥-장 누공 등이 발생할 수 있다.

나. 결과

예정수술의 경우 30일 이내 사망률은 5% 이내이나 파열된 경우 사망률은 54%이다. 5년생존율은 70%, 10년 생존율은 40% 정도이다. 대동맥류 수술 후 사망원인은 동맥경화증에 의한 합병증인 경우가 흔하며 심장병(44%), 암(15%), 다른 부위 동맥류의 파열(11%), 뇌졸중(9%), 폐질환(6%)순으로 알려져 있다.

(2) 경피적 치료

경피적 대동맥류 치료는 수술적 치료를 대체할 수 있는 치료 방법으로 치료 후 단기 이환율과 사망률은 수술 치료를 시행했을 경우와 유사한 것으로 나타났다. 특히 수술과 연관한 위험성이 높은 환자에서 수술 직후 단기 사망률을 훨씬 낮출 수 있으므로 큰 도움이 된다. 그 외에도 중한 합병증, 기관지 삽관 기간, 중환자실 치료 기간, 재원일수를 줄일 수 있고 수혈량 감소, 수술 후 빠른 회복 등의 장점도 있다. 장기적인 이득에 대하여는 아직 논란의 여지가 있는데 DREAM trial 및 다른 연구에 의하면 경피적 치료가 보였던 좋은 단기 성적은 2년이 지나면 더 이상 분명하지 않으며 오히려 endograft의 이동, 꼬임, 대동맥류 파열의 위험 등 추가 시술의 필요성이 증가하게 된다고 하였다. 따라서 경피적 치료를 시행할 경우 추가 시술의 위험성이 있으므로 추적관찰이 더 잘, 오랫동안 이루어져야 한다.

Endograft는 femoral artery를 통해 삽입할 수 있게 해주는 delivery system, graft와 대동맥 사이의 attachment system, graft fabric의 3가지 요소로 구성되어 있다. 모양은 tube 형태와 bifurcated 형태가 있다. 대동맥류의 가장 하방 부위와 대동맥 분지부 사이가 먼 경우에 tube graft를 사용할 수 있다. distal neck이 적당하지 못하여 장골동맥까지 endograft를 위치시켜야 할 때 대동맥에서 한쪽 장골 동맥 사이에 tube graft를 넣을 수 있고 양쪽 장골 동맥에 bifurcated graft를 넣을 수 있다. 대동맥-장골동맥 tube graft 설치 시에는 동시에 양쪽 대퇴동맥간의 우회술 및 한쪽 장골 동맥의 폐색술이 필요할 수 있다.

대부분의 복부대동맥류는 신동맥 하방에 위치하지만 50% 정도의 환자들만 경피적 치료에 적합한 구조를 가지고 있다. 동맥조영술이나 CT로 endograft 시술에 적합한지와 endograft의 적합한 크기와 모양을 결정할 필요가 있다. 동맥조영술 단독으로는 배율과 시차 문제parallax로 인해 제한점이 많다. 동맥조영술 시에는 혈관벽이 아니라 혈관 내부가 조영되므로 정확한 혈관 직경을 알기가 어렵고 혈전, 동맥경화반, 석회화 유무에 대한 정보도 부족하다. 카테터가 동맥류를 가로질러 가므로 정확한 동맥류의 종축 길이도 알기 어 렵다.

CT는 혈관의 안쪽 및 바깥쪽 벽을 볼 수 있으나 부피 평균값이므로 역시 측정에 오차는 생길 수 있다. 또한 혈관이 각형성 되어 있는 경우 혈관의 종축이 영상면과 이루는 각 때문에 혈관 직경 측정이 부정확할 수 있다. 3차원 재건된 CT혈관조영술은 혈관의 종축에 수직으로 혈관을 재건하여 크기 측정을 더 정확하게 할 수 있다.

Endograft는 대동맥류의 크기와 모양이 적합한 환자에서 시행될 수 있는데 근위부와 원위부 attachment site 및 기구를 삽입할 혈관이 적합해야 한다. proximal neck은 더 원위부에 위치한 신장동맥으로부터 대동맥류의 가장 상방까지의 거리로 endograft가 삽입된 후 근위부의 부착되는 부위에 해당한다. 최소한의 길이는 기구에 따라 다르지만 대개 15mm 정도가 권장되며 30mm 이하의 직경이어야 하는데, 경피적 치료에 적합하지 않다고 판단되는 가장 흔한 이유가(>50%) 근위부 neck때문이다. 측정된 길이뿐 아니라 proximal neck의 질적인 측면도 중요한데, 다른 정상 대동맥 직경과 같아야 하며 심한 혈전이나 석회화가 동반되어 있지 않아야 한다. 심한 혈전이나 둘레가 모두 석회화 되어 있는 경우 기구가 잘 부착되지 않을 수 있기 때문이다. distal neck은 대동맥류의 가장 하방부터 대동맥 분지부까지의 거리이다. 이 길이가 충분할 경우 tube형 endograft를 사용할 수 있다. Endograft가 삽입될 근위부와 미부의 혈관 직경이 중요한데 혈관 직경에 비해 endograft 직경이 작을 경우 대동맥류가 충분히 덮이지 않아 대동맥류를 완전히 배제해 내지 못할 확률이 있으며 심하게 큰 endograft를 삽입할 경우 기구가 꼬이거나 혈전 형성, 누출 발생의 위험성이 있다. 이와 같은 맥락에서 EUROSTAR registry 결과에 따르면 대동맥류의 크기가 큰 환자, 특히 대동맥류의 크기가 6.5cm 이상인 환자에서 수술 후 합병증, 수술 후 사망률, 후기 파열, 대동맥류 연관 사망률이 높다고 하였다(Peppelenbosch 등, 2004). 마찬가지로 Cleveland Clinic에서의 연구결과도 5.5cm 이상 크기의 환자에서 24개월간 생존율이 낮고 대동맥류와 연관한 사망률이 높다고 하였다.

Angulation은 neck과 대동맥류의 종축 사이의 각도를 의미한다. 이 각도가 60도 이상일 경우 시술이 어려워지고 시술 후 기구의 꼬임, 누출, 하방이동 현상이 발생할 확률이 높아진다. 따라서 심한 angulation은 endograft 삽입의 금기증 중의 하나이다. 대부분의 환자가 tube endograft에 적합하지 않으므로 하방 부착부위는 장골동맥이 된다. 회사별로 장골동맥의 최소한의 길이와 최고 직경을 정해놓고 있다. 아주 넓거나 짧은 장골 동맥의 경우 endoleak의 위험성이 있다. 총장골동맥은 가장 선호되는 attachment site이나 외장골동맥이 때때로 사용되기도 한다. attachment site가 외장골동맥이 될 경우 내장골동맥이 덮이게 되는데 내장골동맥을 통한 혈액 역류가 동맥류 내부에 흘러들어가서 동맥류가 잘 배제되지 않을 수 있으므로 시술 전 내장골동맥을 막아야 하는 경우가 있다.

대부분의 endograft는 대퇴동맥을 통하여 삽입되는데 최소한 대퇴동맥이 8mm는 되어야 삽입할 수 있다. 부분적인 협착이나 경도의 angulation은 통상적인 기법으로 극복 가능하나 미만성 협착이나 심한 석회화가 동반된 경우 시술이 어려워질 수 있다. 이러한 경우 후복막 접근을 통한 장골동맥 conduit을 이용하여 기구를 삽입할 수 있다.

Accessory renal arteries는 약 30%의 환자에서 있다. Endograft로 accessory renal vessel 을 덮을 경우 부분적인 신장 경색이 올 수 있다. 하장간막동맥은 대동맥류가 있는 환자에서 막혀 있는 경우가 많이 있고 endograft로 하장간막동맥을 막는 것은 대부분의 경우 큰 문제가 되지 않는다. 그러나 하장간막동맥이 열려있고 상장간막동맥에 협착이 있는 경우 하장간막동맥이 장으로 가는 중요한 혈관이 될 수 있어 이러한 경우 endograft는 재고해 보는 것이 좋다(그림 6-50).

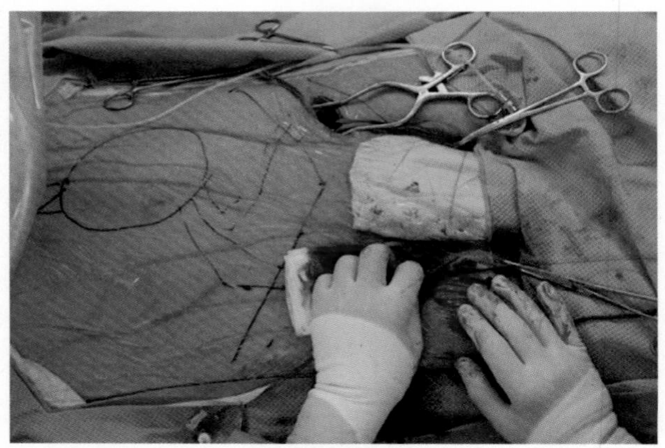

그림 6-50 복부대동맥류의 경피적 치료는 양 대퇴동맥을 박리한 후 이를 이용하여 혈관 이식편을 삽입한다.

가. 추적관찰

경피적 시술 후 대동맥류의 크기에 대해 지속적인 검사가 필요하다. endograft 시술에 특별한 문제가 없었던 경우 복부단순촬영을 퇴원 전, 수술 후 1, 6, 12개월 그 이후로는 매년 시행해야 한다. 복부 단순촬영은 값쌀 뿐 아니라 graft의 연속성과 전체적 모양, 위치, 배열 등을 빠르게 판단할 수 있는 좋은 방법이다. CT도 비슷한 간격을 두고 시행할 수 있는데 대동맥류의 크기와 부피 등을 측정할 수 있으며 endoleak의 유무, 정도, endograft의 이동 등에 관하여 평가할 수 있다. 복부초음파를 이용해서 합병증을 검사해 낼 수도 있으나 통상적인 추적관찰에 권고되지는 않는다. 혈관조영술은 비싸고 침습적이므로 하지 혈류장애, 혈전증, endoleak의 관찰, 대동맥류내의 압력 측정 등 특별한 문제나 목적이 있을 경우가 아니고서는 시행하지 않는다. 지속적인 대동맥류의 팽창이나 endoleak등의 발생 시에는 이러한 검사들을 복합하여 시행하여 추가 시술의 필요성 판단에 도움을 받을 수 있다(그림 6-51).

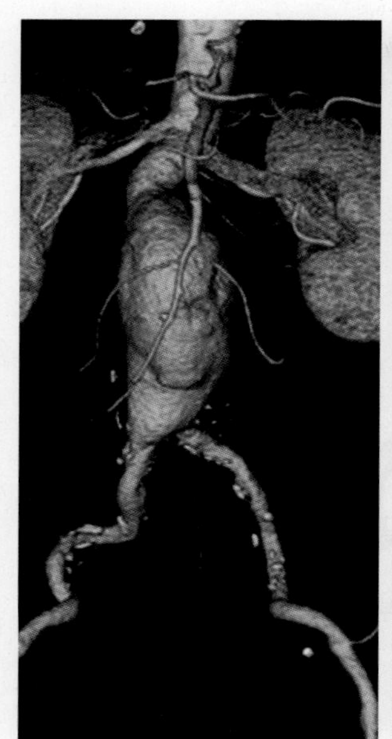
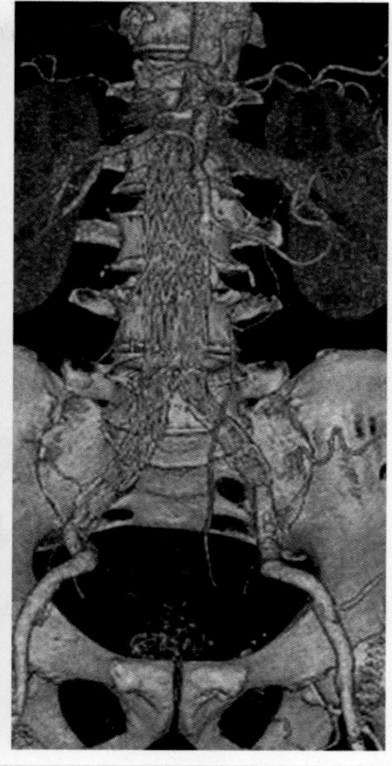

그림 6-51 **복부대동맥류 혈관내 치료 후 전산화 단층촬영 3차원 재건 혈관조영사진**

나. 합병증

합병증은 크게 endograft 시술 중 혈관의 손상, endograft의 부적당한 fixation, 스텐트 자체의 절단 혹은 분리, graft의 분리 등으로 구분할 수 있다. 이러한 문제들은 기구에 따라 다르게 나타나며 이러한 문제 때문에 판매가 중단된 기구들도 있다.

대동맥류가 endograft로 성공적으로 치료된 후에도 대동맥류는 점진적인 변화를 겪는데 내부는 결국 혈전으로 차게 되고 12개월 정도까지 약 50%에서 대동맥류의 크기가 줄어든다. 대동맥류의 모양이 변하면서 endograft의 integrity도 영향을 받을 수 있어 angulation, 꼬임, 혈전, 하방 이동 등의 현상이 발생할 수 있다. 이러한 endograft의 변화는 복부단순촬영으로 발견할 수 있고 의심되면 바로 CT를 찍어 확인하여 후기 실패를 방지해야 한다.

Endoleak은 대동맥류내로 지속적인 혈류가 있는 상태를 지칭하며 대동맥류를 완전히 배제하지 못하였을 경우 발생한다. 치료하지 않으면 대동맥류 확장 및 파열의 위험성이 있다. 치료의 적응증이 되는 형태 및 치료 방법에 대하여는 아직 논란의 여지가 있으나 수술, stent 덧댐, 색전 등의 방법으로 치료할 수 있다. 발생원인에 따라 5가지 형태의 endoleak이 있다. Type I endoleak은 0–10%의 빈도로 발견되며 근위부나 원위부 attachment site가 불완전하게 덮여 발생한다. Attachment site의 혈관보다 작은 size의 endograft를 사용하였거나 부착 부위 혈관에 심한 석회화나 두꺼운 혈전층이 있는 경우에 발생할 수 있다. Type I endoleak은 수술 직후에 발견되는 경우도 있으나 부착부위의 대동맥류가 점진적으로 확장되어 추적관찰 중 발생하는 경우도 있다. Type I endoleak은 발견되면 바로 치료해야 하는데 동맥압에 동맥류가 지속적으로 노출될 경우 점진적인 확장 및 파열이 발생할 수 있으며 저절로 막히는 경우가 드물기 때문이다. 시술 시 발견된 경우 풍선 확장을 하거나 부착부위에 stent를 덧대어 치료할 수 있고 이러한 방법으로 치료되지 않을 경우 개복 수술로 전환할 수 있다.

Type II endoleak은 가장 흔한 형태로 경피적 대동맥류 시술시 10–25%의 빈도로 발생한다. 주변 분지혈관을 통해 대동맥류내로 혈액이 들어오는 상태를 의미하며 시술 후 추적관찰 중 발견되는 경우가 흔하다. 가장 많이 발견되는 형태는 요추동맥을 통한 것이며 그 외에도 하장간막동맥이 원인이 될 수 있다. 작은 측부순환을 통해 endoleak이 발생하는 경우에는 CT 동맥기에 나타나지 않을 수 있어 지연 영상도 필요하다. Type II endoleak의 치료 여부에 관하여는 정립되지 않았는데 30–100%에서 저절로 막히므로 추적관찰을 권유하는 보고도 있고 type II endoleak이라 할지라도 대동맥류내에 전신혈압이 측정되기도 하므로 1개월 정도 기다려 막히지 않으면 추가 시술을 권유하기도 한다.

Type III와 type IV, type V endoleak은 드문 형태이며(White 등, 1998) Type III endoleak은 기구 사이가 벌어지거나 endograft fabric이 찢어지는 경우를 말하고, Type IV endoleak은 fabric의 구멍을 통하여 혈액이 누출되는 상태를 말한다. Type V endoleak은 동맥류의 크기는 증가하지만 영상의학적 검사에서 혈액 누출의 증거

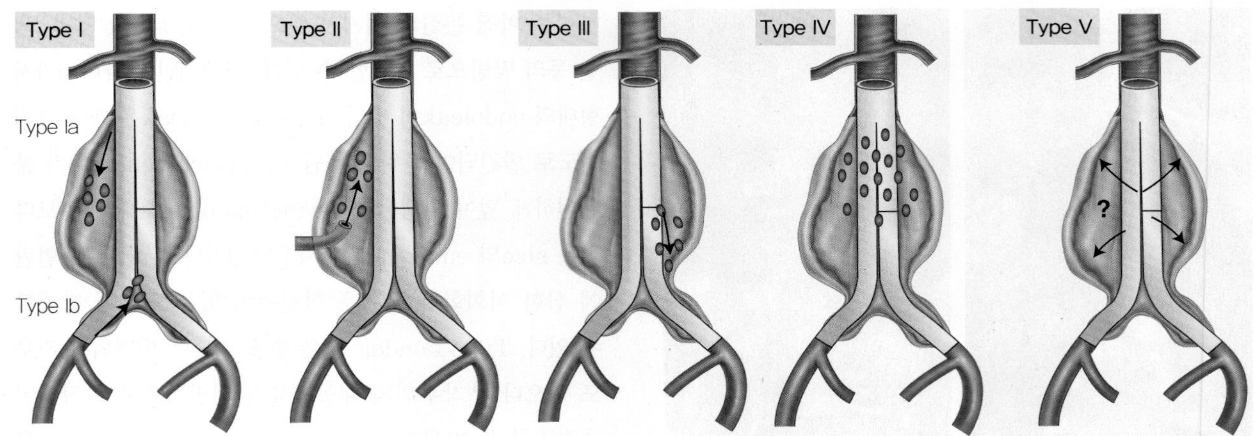

그림 6-52 Endoleak의 type. Endoleak은 원인에 따라 5가지 종류로 나뉜다. Type I에서 Type Ia는 근위부의 혈액유출을 의미하고, Ib는 원위부의 혈액유출을 의미한다.

가 없는 경우를 말한다. Type IV leak은 저절로 막히는 경우가 흔하나 Type III endoleak의 경우에는 추가적인 endograft 설치가 필요하다(그림 6-52).

Endograft 설치 후에는 급성 염증상태가 발생할 수 있는데 이를 Postimplantation syndrome이라 하며 발열, 백혈구증가증, 혈장 C-reactive protein (CRP) 상승, endograft 주변의 공기 등이 나타날 수 있으며 시술 후 일주일에서 10일까지 발생할 수 있다. 내독소 및 interleukin-6 수치 증가 및 혈소판 활성도 증가도 보고된 바 있다. 정확한 원인은 아직 밝혀지지 않았다.

Endograft가 추적관찰 중 이동되는 현상도 발생할 수 있는데 경피적 대동맥류 시술 후 이차적 시술이 필요한 원인 중 가장 중요한 원인이다. 치료하지 않으면 endoleak, 대동맥류 팽창, 파열 등의 합병증이 발생할 수 있다.

다. 결과

경피적 치료의 기술적 성공률은 83–95% 정도이다. 일차적 실패는 대부분 endoleak 때문에 발생한다. 2007년에 시행된 systematic review에 의하면 파열되지 않은 5.0cm 이상 크기의 대동맥류에 대해 시행한 1,532 경피적 치료의 30일 사망률은 수술에 비해 유의하게 낮았다(1.6 vs 4.8%, 비교위험도 0.33, 95% CI 0.17–0.64). EndoVascular Aneurysmal Repair (EVAR) 1 trial에서는 5.5cm 이상의 60세 이상 환자 1,082명에 대해 연구를 시행하였고 30일 사망률이 수술에 비해 유의하게 낮았다(1.6 vs 4.6%, adjusted odds ratio 0.34, 95% CI 0.15–0.74). 재원일수도 경피적 치료군에서 짧았으나(7일 vs 12일), 부가적인 시술이 필요한 경우가 더 많았다(9.8 vs 5.8%). Dutch Randomized Endovascular Aneurysm Management (DREAM) trial에서는 5cm 이상 대동맥류 345명을 대상으로 연구하였고 수술 사망률이 경피적 치료군에서 낮았다(1.2 vs 4.6%, risk ratio 0.26, 95% CI 0.03–1.10). 심장, 폐, 신장 등의 중등도 이상의 전신 합병증률은 개복수술군에서 흔했으며(26 vs 12%), 중등도 이상의 국소합병증률 혹은 설치와 관계된 합병증은 경피적 치료군에서 흔했다(16 vs 9%).

단기적인 생존 측면에 있어 경피적 치료는 특히 수술과 연관된 위험성이 큰 환자에서 훨씬 장점이 있어 보인다. 454명의 예정수술에 관한 연구에 의하면 206건의 경피적 치료와 248건의 개복수술을 비교하였을 때 30일 사망률은 크게 차이가 나지 않았으나(2.4 vs 4.8%) American Society of Anesthesiologists class IV 이상의 수술 위험도가 높은 환자에서 30일 사망률이 훨씬 낮았다고 보고하였다(4.7 vs 19.2%).

장기 성적을 개복수술과 비교하였을 때 시술 후 단기에 보였던 경피적 치료의 장점들은 1-4년 사이에 사라졌으며 이후에 생존율은 비슷했다. 2007년도에 시행된 systematic review에 의하면, DREAM trial 345명의 2년 추적관찰 결과 1년 이후 누적 생존율은 차이가 없었고 9개월 후 이차적 시술이 필요했던 경우는 경피적 치료군에서 높았으나(11 vs 4%, hazard ratio 2.9) 이 시기 이후에는 비슷해 졌다. EVAR-1 trial에서는 4년간의 추적관찰을 통하여 총 생존율을 비교하였는데 경피적 치료를 받은 환자들이 수술을 시행한 환자보다 대동맥류와 연관한 사망률은 낮았으나(4 vs 7%), 추적관찰 중 합병증이 생길 확률이 높았다(41 vs 9%). 최종적으로 이차 시술률까지 포함된다면 경피적 치료군에서 수술 치료군보다 치료 경비가 더 많이 든다.

EVAR-2 trial에서는 수술하기에 적합하지 않은 338명의 환자를 대상으로 경피적 치료와 추적관찰로 무작위 배정하여 분석하였는데, 4년 후 전신상태가 매우 좋지 않은 환자의 경우 모든 원인 및 대동맥류 관련 사망률은 두 군 사이에 차이가 없었다.

EUROSTAR registry에서 2,464명의 환자에 대해 분석한 결과에 따르면 경피적 치료 후 동맥류 파열의 위험성은 1년에 1% 정도라고 하였는데, 이는 수술을 시행하지 않은 4-5cm 동맥류환자의 파열 위험성과 유사하다. 동맥류의 파열은 endoleak이 있거나 endograft가 이동 혹은 꼬임 현상이 발생한 환자에서 더 많이 발생하였다. 사망, 대동맥류파열, 개복수술 전환 등을 포함한 총 실패확률은 1년에 3% 정도로 보고되었다. 또한 EUROSTAR registry에서 1023명에 대해 이차 시술에 대해 분석한 결과 최초 시술 후 평균 14개월 후 18%에서 이차 시술이 시행되었다고 하였다. 이차 시술은 대부분 endograft의 이동이나 대동맥류파열로 인해 시행하였고 이차 시술을 시행하지 않을 확률은 1, 2, 4년에 각각 89, 67, 62%였다.

2. 하지 동맥의 동맥류

하지 동맥의 동맥류는 정상 직경에 비해 50% 직경이 증가한 상태로 정의한다. 대동맥에 비해서는 빈도가 낮으나 하지 동맥은 말초동맥에서 동맥류가 가장 흔히 생기는 부위이다. 대개 55세 이후에 진단되는 경우가 많으며 대퇴, 슬와동맥의 동맥류의 경우 남자에서 약 5배 정도 많이 발생한다. 정확한 병인은 밝혀지지 않았으나 전통적으로 동맥경화성 혹은 퇴행성으로 생긴 것으로 생각되어 왔다. 최근 연구들에 의하면 혈관벽의 단백분해 작용도 동맥류의 발생에 큰 역할을 한다는 증거들이 발견되었다. 이것은 동맥류성 질환들이 대동맥, 대퇴동맥, 슬와동맥에 광범위하게 동시에 생기는 현상을 설명할 수 있다고 생각된다. 그 외에 미만성으로 발생하는 혈관비대증의 한 부분으로 나타나는 경우도 있고 베체트병과 같은 염증성 혈관질환으로 인해 여러 혈관이 동시에 침범되는 경우도 있다.

1) 대퇴동맥의 동맥류

서양기준으로 대퇴동맥의 평균 직경은 남성에서 0.78-1.12cm, 여성에서 0.78-0.85cm으로 임상적으로 2cm 이상일 때 동맥류라고 정의하지만 통상 1.5cm 이상으로 늘어나 있을 경우 동맥류가 있는 것으로 간주된다. 총대퇴동맥을 단독으로 침범한 경우를 I형 동맥류라 하며 총대퇴동맥에서 유래하였으나 심부대퇴동맥의 근위부까지 침범된 경우를 II형 동맥류로 분류한다.

대퇴동맥의 진성동맥류는 상대적으로 드문 편이며 슬와동맥의 동맥류 다음으로 흔한 하지동맥의 동맥류이다. 대개 흡연하는 55세 이상 고령의 남자에서 발생한다. 여성에서는 드물며 남녀비는 28:1이다. 거의 반 정도에서 양측성이고 50-75%에서 대동맥류가 동반되어 있다. 85%에서 총대퇴동맥에 국한되어 있으나 15%에서는 대퇴 혹은 심부대퇴동맥을 침범하기도 한다. 드물게 감염에 의해 진성동맥류가 생기는 경우도 있다.

대개 무증상인 경우가 많으며 샅고랑인대 근방의 덩어리로 만져질 수 있다. 샅고랑인대 근방의 제한된 공간에 생긴 큰 동맥류의 경우 대퇴정맥이나 신경을 압박하여 부종, 통증, 감각이상 등의 증상을 나타낼 수 있다. 급성이나 만성의 혈전증으로 인하여 하방으로 색전현상이 발생하거나 파열될 수 있지만 대동맥류의 경우와 마찬가지로 대부분 크기가 작은 경우가 많고 합병증이 발생하지 않은 경우가 대부분이다. 합병증의 병발은 동맥류의 직경과 혈전의 동반 여부와 관계가 있는데, 5cm 미만의 크기에서 파열은 드물지만 혈전의 발생은 크기와 큰 상관이 없다고 보고되었다. 급성 혈전증은 15% 정도에서 발생하는데 26%의 환자에서는 하방으로의 색전으로 인하여 '청색 발가락 증후군blue toe syndrome'이 발생할 수 있고 경우에 따라 심한 동맥 허혈 현상이 발생하기도 한다. 파열은 드물지만 약 0-24% 정도에서 발생할 수 있다고 알려져 있다.

이학적 검사상 촉진으로 의심할 수 있으며 약 2/3의 환자에서 진단 할 수 있다. Duplex 초음파로 동맥류의 유무를 정확하게 진단할 수 있으며 부가적으로 크기와 혈관벽 속의 혈전동반 여부 및 침범 부위에 대한 정보도 얻을 수 있다. 초음파상 동맥류가 진단된 경우 대동맥이나 슬와동맥에 동맥류가 동반되어 있지 않은지 검사를 해야 한다. CT나 MRI도 진단과 위치파악에 좋은 검사이다(그림 6-53).

치료의 적응증이 되는 정확한 크기는 아직 정해진 바는 없으나 크기가 큰 동맥류 뿐 아니라 2cm 이상의 작은 동맥류의 경우에도 혈전이나 색전을 일으킬 수 있으므로 치료의 대상이 된다. 대부분 무증상이더라도 2.5-3cm의 크기일 경우 수술을 시행하는 것을 권고하고 있다. 그러나 수술의 위험성이 많은 고령의 환자들에서는 크기의 변화에 대해 주시하면서 경과 관찰할 수도 있는데 이러한 경우 주기적인 초음파 검사와 족부 맥박 촉진을 시행해야 한다. 경과관찰 중 증상이 없더라도 크기가 커지거나 하방의 색전현상이 의심될 때는 수술적 치료를 고려하는 것이 좋다. 증상이 있는 모든 환자에서는 수술을 고려하는 것이 좋으며 환자는 증상이 없더라도 하방의 색전현상이 관찰되는 경우 반복적인 색전에 의해 심각한 하지 허혈이 발생할 수 있으므로 수술을 고려하는 것이 좋다.

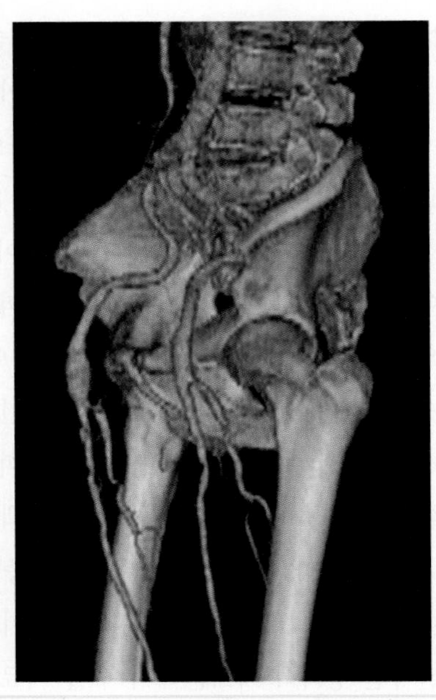

그림 6-53 우측의 총대퇴동맥이 정상적인 총대퇴동맥의 직경보다 50% 이상의 확장이 보이는 직경 약 2.5cm의 대퇴동맥 동맥류의 전산화 단층촬영 3차원 재건 혈관조영사진. 좌측의 총대퇴동맥도 동맥류가 관찰되며 좌측 대퇴동맥의 원위부로 혈전성 폐색이 관찰된다.

대퇴동맥 동맥류의 수술적 치료는 5년 개존율이 80% 정도로 장기성적이 좋은 것으로 알려져 있다.

2) 슬와동맥의 동맥류

슬와동맥의 동맥류는 말초동맥의 동맥류 중 가장 흔하며 약 70%를 차지한다. 대퇴동맥의 동맥류와 마찬가지로 대동맥류나 그 분지의 동맥류가 있는 환자에서 빈도가 증가한다. 정상 슬와동맥의 직경은 0.52-0.9cm 정도로 보고되어 있다. 임상적으로 2cm 정도일 때를 진단기준으로 삼으나 통상 1.5cm 이상일 경우 동맥류가 있는 것으로 간주된다.

1980년에서 1995년까지 보고된 문헌들에 의하면 37.2%에서 무증상이고 55%에서 하지 허혈증상으로 발견되며 주변 구조물의 압박증상이 6.5%, 파열이 1.4%에서 발생한다고 하였다. 증상은 동맥류의 크기와 관련하여 발생하는 경우가 많으며 2cm 미만의 동맥류에서는 증상이 거의 없으나 2cm 이상의 동맥류는 내부에 혈전이 발생하는 경우가 많아 증상 발생 빈도가 높다.

증상은 간헐적 피행증, 말단 혈전 색전증으로 인한 청색 발가락 증후군, 급성 혈전증으로 인한 심한 하지 허혈 증상 등이 있다. 통증은 주변 구조물 압박으로 인하여 발생할 수 있으며 7% 정도에서 종아리 신경 불완전마비로 인한 신경학적 증상이 나타날 수 있다. 정맥의 울혈, 정맥 혈전증도 발생할 수 있다. 드물게 파열될 수 있는데 파열될 경우 통증, 부종, 말초 부종, 급성 정맥 혈전증, 드물게 출혈로 인한 쇼크, 혈관절증, 하지허혈증이 나타날 수 있다. 하지허혈증은 임상 증상 중 가장 흔한 증상으로 약 2/3의 환자에서 발생한다. 혈전 색전증이 발생한 경우 하지절단율이 25%에 이른다.

합병증 병발 시 예후가 좋지 않아 대부분 조기에 수술을 권유하고 있다. 수술의 위험성이 낮은 환자에서 증상이 없더라도 2cm 이상일 경우 수술의 적응증이 되며 수술에 대한 위험성이 높거나 고령의 무증상 환자 중 크기가 2–3cm인 환자는 주의 깊은 추적관찰을 할 수 있다. 크기가 작더라도 내부에 혈전이 동반되어 있거나 증상은 없지만 족부 맥박이 촉지 되지 않는 환자에서는 수술을 고려해야 한다.

최근에는 경피적인 방법에 의한 혈관내 우회술이 시행되기도 하는데 현재까지는 고전적인 수술법 보다는 장기 성적이 좋지 않다. 스텐트 이식편이 무릎 관절을 지나므로 걷거나 움직일 때 슬와동맥의 움직임에 따라 스텐트 이식편의 꼬임현상이 발생 할 수 있다. 따라서 예정수술의 경우 수술의 위험성이 매우 높을 것으로 예상되는 환자를 제외하고는 고전적인 수술법이 추천된다.

급성 하지허혈로 인하여 응급수술을 시행할 때에는 혈전제거술 혹은 수술 중 혈전용해술이 필요할 수 있다. 혈전용해술은 하방 유출 동맥내의 혈전을 수술 전이나 수술 후에 제거하여 수술의 성적을 좋게 할 수 있으나 불완전하게 용해되는 경우가 많고 혈류 재 개시까지 소요되는 시간이 길기 때문에 하지 허혈증이 심할 경우에는 수술을 시행하는 것이 좋다. 혈전용해술 시 발생할 수 있는 심각한 합병증 중 하나는 혈전용해 중 혈전이 혈류가 재개되

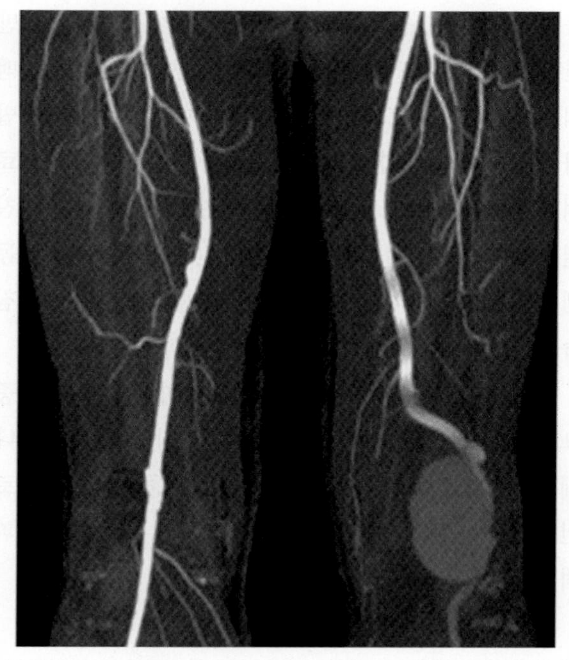

그림 6-54 슬와동맥 동맥류의 전산화 단층촬영 혈관조영사진. 좌측 슬와동맥 동맥류는 혈전으로 폐쇄되어 있으며 우측 슬와동맥에도 작은 동맥류가 관찰된다.

면서 하방으로 내려가서 하지 허혈증이 더 심해 지는 것인데 경미한 경우까지 포함하면 약 13% 정도로 보고되었다. 따라서 혈전용해술은 하지허혈증이 심하지 않아 시간적 여유가 있는 환자에서 선택적으로 시행하는 것이 바람직하다(그림 6-54).

3) 내장동맥의 동맥류

내장동맥의 동맥류는 흔하지 않으며 병인과 병의 자연경과에 대하여는 명확히 알려져 있지 않다. 그러나 임상적으로 파열 및 생명을 위협하는 출혈의 가능성이 있는 중요한 질환이며 약 22%에서 파열되며 약 8.5%의 사망률을 보이는 것으로 알려져 있다. 복강내 동맥류가 호발하는 위치는 비장동맥(60%), 간동맥(20%), 상장간막동맥(5.5%), 복강동맥(4%), 위 및 위그물막동맥(4%), 회장, 공장, 대장 동맥(3%), 췌십이지장 및 췌장동맥(2%), 위십이지장동맥(1.5%), 하장간막동맥(<1%) 순으로 알려져 있다. 약 1/3의 내장동맥 동맥류 환자에서 흉부대동맥, 복부대

동맥, 신장동맥, 장골동맥, 하지동맥 등의 동맥류를 동반한다. 최근 CT나 MR 등의 기술의 발전에 따라 내장동맥의 동맥류 발견 빈도가 증가하였으며 이러한 진단적 방법과 더불어 경피적 혈관내 시술의 발전에 의해 진단과 치료적 방침이 달라지고 있고 선택적 혈관조영술은 치료 방침 결정에 중요한 역할을 하고 있다. 진단적 동맥조영술은 동맥류의 위치와 인근 동맥들과의 관계를 알 수 있고 비침습적인 검사로는 초음파, CT 등을 시행할 수 있다.

수술은 가장 주된 치료 방법으로 특히 파열된 경우 중요한 치료 방법이다. 최근에는 복강내 장기 특히 간이나 췌장내에 있으면서 측부순환이 발달한 동맥류나 파열로 인한 출혈 상황 혹은 우연히 발견된 동맥류의 경우 경피적 혈관 내 시술도 많이 시행되고 있다.

4) 비장동맥 동맥류

비장동맥 동맥류는 내장동맥 동맥류 중 가장 흔하며 약 60%를 차지한다. 혈관촬영상 0.78% 정도에서 우연히 발견되며 부검 시 0.1%에서 10.4% 정도의 빈도로 발견된다. 대부분 2cm 미만이며 낭상이며 80% 이상에서 비장동맥 중간 혹은 말단부위에 위치한다. 비장동맥 동맥류는 남자에 비해 여자에서 4배 정도 흔하며 평균나이는 52(2–93)세이다. 파열의 위험성은 약 3.0%에서 9.6%에서 있는데 파열되었을 경우 사망률은 36%에 이를 수 있으며 13%에서 인접 장기로 파열되어 위장관 출혈을 일으킬 수 있다. 동맥류가 석회화 된 경우 파열의 위험성이 증가된다는 보고는 있으나 명확하지 않고, 가임기 여성에서의 동맥류는 심각한 출혈을 일으킬 수 있는 가능성이 있는데 특히 임신기간 중 발견된 비장동맥류는 파열 가능성이 95%에 이르고 70%에서 산모사망, 95%에서 태아사망이 발생할 수 있다.

비장동맥류 환자들은 대부분 증상이 없고 다른 목적으로 찍은 영상검사상 우연히 발견되는 경우가 많다. 증상이 있는 경우 좌상복부나 명치 근처의 통증이 있을 수 있고 파열된 경우 심한 복통과 저혈량성 쇼크가 발생할 수 있다. 출혈 초기에 혈액은 lesser sac에 고여 혈역학적으로 안정된 상태로 있다가 foramen of Winslow를 통해 복강내로 출혈되어 나올 수 있는데 이를 double-rupture phenomenon이라 한다. 동맥류는 인접 장기나 췌장관을 부식시키면서 터질 수 있는데 이때는 위장관 출혈을 일으킬 수 있다. 간혹 비장 동정맥루를 형성하기도 한다.

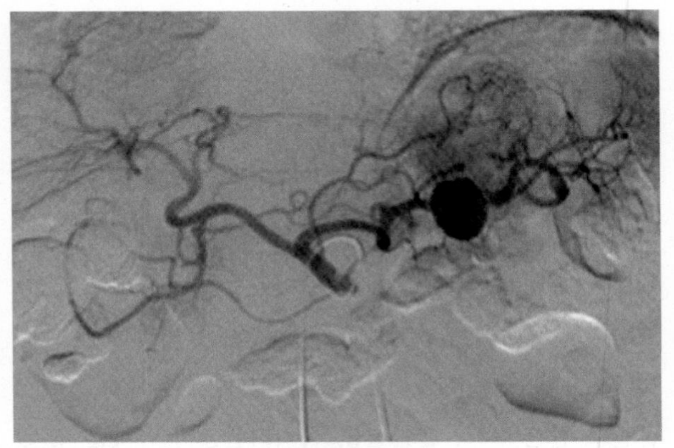

그림 6-55 **비장동맥의 원위부에 위치한 장경 3cm의 비장동맥동맥류의 고식적 혈관조영사진**

증상이 있거나 임신 중 발견한 동맥류, 임신을 계획하고 있는 가임기 여성, 염증을 동반한 가성동맥류는 수술의 적응증이 된다. 증상이 없는 비장동맥류는 수술로 인한 사망률이 0.5% 이하일 때 수술을 고려할 수 있는데 수술 위험성이 낮은 2.0cm 이상의 비교적 큰 비장동맥류 환자에서는 수술을 하는 것이 좋고 수술 위험성이 높으면서 크기가 2.0cm 미만인 경우는 추적관찰하는 것이 좋다.

과거에는 동맥류의 절제 혹은 동맥의 결찰을 시행하는 경우가 50% 이상이었으나 최근 경피적 색전술이 많이 사용되고 있다. 그외 비장동맥 원위부의 가성동맥류는 췌미부절제술 및 동맥류절제술로 치료할 수 있으며 비장동맥의 hilum에 위치하는 동맥류는 비장절제술로 치료할 수 있다(그림 6-55).

5) 간동맥 동맥류

과거에는 비장동맥류가 가장 흔한 내장동맥류였으나 최근 1985–1995년에 발표된 문헌들에 의하면 간동맥 동맥류가 가장 많이 보고되었다(Shanley 등, 1996). 이러한 현상은 최근 진단, 치료 목적으로 많이 시행되는 담도계 시술 중 발생하는 간내 간동맥 손상으로 인한 가성동맥류 발생이나 간외상 환자에서 CT촬영을 많이 하면서 외상성 가성동맥류 진단율이 높아졌기 때문으로 생각된다. 과거에는 감염에 의한 경우가 많았으나 최근에는 그 빈도가 감소하여 3% 정도로 보고되고 있으며 중막 변성, 동맥경화증(30%) 등도 원인이 되며 드물지만 polyarteritis nodosa 같은 동맥염 및 담낭염, 췌장염 등 혈관주위의 염증도 원인이 된다. 가성동맥류는 간동맥 동맥류의 약 50%를 차지한다. 이전에는 80%의 동맥류가 간외 간동맥에 위치하였으나 최근 간내 가성동맥류의 발견 빈도가 증가하면서 간외 간동맥에 발생하는 동맥류의 빈도는 66% 정도로 추정된다 지한다. 대부분 단독 병변이며 총간동맥 혹은 우간동맥에 위치한다. 비장동맥과는 달리 여성에 비해 남성에서 호발하며 대부분 증상이 없다. 가장 흔한 증상은 복통이며(55%) 장관이나 담도의 부식으로 인하여 위장관 출혈이나 혈액담즙증(46%)도 발생할 수 있다. 담도의 압박으로 황달이 나타날 수도 있다(10%).

동맥류가 클 경우 촉지되는 종괴나 복부에 잡음이 들릴 수 있으며 파열로 인한 저혈량성 쇼크(10%)나 위장관출혈이 발생할 수 있다. 간외 간동맥 동맥류는 복강내로 파열되지만 간내 동맥류는 파열될 경우 간담도계로 파열되어 혈액담즙증이 발생할 수 있어 이때는 담도산통, 혈액담즙증, 폐색성 황달의 전형적인 증상들이 나타날 수 있다.

파열의 위험성은 20% 미만이나 파열되었을 경우 사망률이 21%에 이르러 동맥류 발견 시 적극적으로 치료해야 한다. 총간동맥 동맥류는 측부순환이 충분할 경우 혈관재건 없이 동맥류 절제나 혈관 결찰을 시행할 수 있으며 간질환으로 인하여 혈류량이 충분하지 못할 경우 혈관재건이 필요할 수 있다. 고유간동맥의 동맥류는 간으로의 혈류를 유지하는 것이 수술의 관건이며 혈류량이 불충분할 경우 간괴사가 발생할 수 있으므로 혈관 재건이 필요할 가능성이 높다. 아주 큰 간내동맥의 동맥류는 간절제술이 필요할 수 있으며 간괴사의 위험성을 안고 결찰술만 시행할 수 있다. 최근에는 경피적 색전술을 많이 시행하고 있는데 간절제가 필요할 수도 있는 병변에도 사용할 수 있는 안전하고 좋은 시술이나 간괴사, 농양형성, 패혈증이 발생할 수 있고 약 42%에서 재개통되었다는 보고가 있으므로 지속적인 추적관찰이 필요하다(그림 6-56).

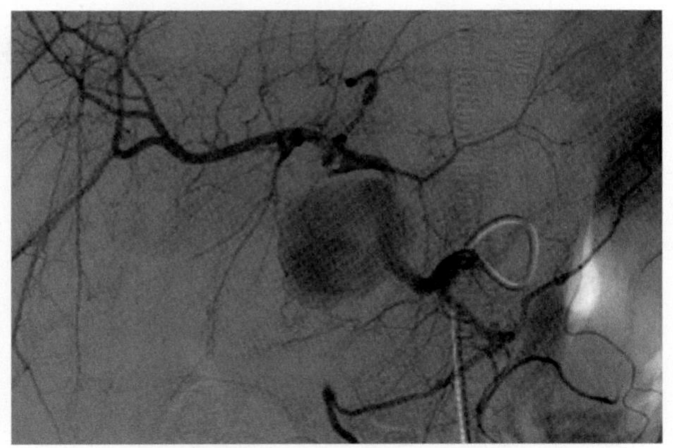

그림 6-56 간이식 이후 발생한 우측 간동맥의 동맥류.

6) 복강동맥의 동맥류

복강동맥의 동맥류는 매우 드물며 내장 동맥류중 약 4% 정도를 차지한다. 중막의 변성과 동맥경화증이 가장 흔한 조직학적 소견이며 과거에는 매독에 의한 감염이 가장 흔한 원인이었으나 관통성 손상이나 대동맥 박리 등에 의해서도 발생할 수 있다. 진단 시 증상이 있는 경우는 약 75% 정도로 보고 되었는데 명치부근의 복통이 가장 흔한 증상이며 그 외에도 위장관 출혈, 황달, 혈담, 복부 종괴가 있을 수 있고 복부에 잡음이 들리기도 한다. 파열의 위험도는 약 13% 정도이고 파열되었을 때 사망률은 거의 100%이다. 따라서 수술 위험성이 많은 작은 크기의 동맥류를 제외하고는 발견되었을 때 치료를 하는 것이 바람직하겠다.

7) 기타 내장동맥의 동맥류

상장간막동맥의 동맥류는 세 번째로 흔하며 약 5.5% 정도에서 발견된다. 대부분 상장간막동맥 근위부 5cm 내에 위치하며 낭상 혹은 방추상이다. 대부분 감염에 의해 발생하며 *nonhemolytic streptococcus*에 의한 아급성 세균성 심내막염에 의한 경우가 많은데 그 빈도는 점차 감소하는 추세이다. 그 외에도 상장간막동맥 박리, 동맥경화증, 담도질환, 췌장염등에 의해서도 발생할 수 있고 췌장염 등의 염증성 질환에 의한 가성 동맥류의 빈도는 증가하는 추세이다.

췌십이지장 및 위십이지장 동맥의 동맥류는 전체의 3.5% 정도이며 급성 췌장염의 합병증으로 발생하는 경우가 많고 7% 정도에서는 감염에 의해 발생한다. 췌장염과의 연관성 때문에 거의 80% 정도에서 증상이 있다. 발견 당시 파열된 경우가 위십이지장동맥류는 56%, 췌십이지장 동맥류는 38% 정도로 발견 시 적극적 치료가 추천된다.

대장 및 하장간막동맥 동맥류는 전체의 2% 미만으로 대개 1cm 미만의 단독 병변이 많다. 원인은 염증(26%), 감염(9%) 등 다양하게 알려져 있다(그림 6-57).

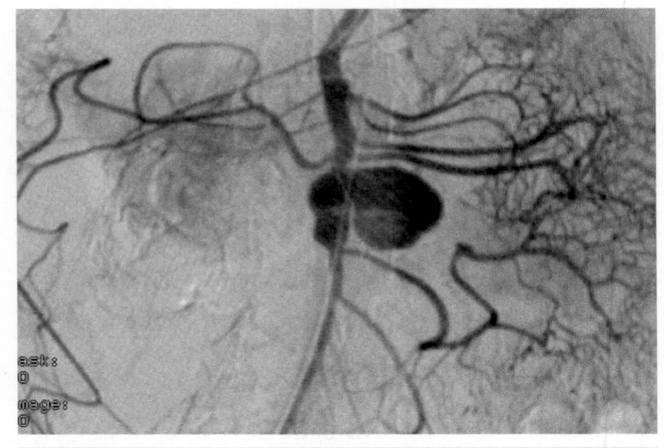

그림 6-57 상장간막동맥의 첫번째 가지에 걸쳐서 발생한 장경 2.5cm의 상장간막 동맥류의 고식적 혈관조영사진

요약

동맥류는 동맥의 한 부위가 정상 동맥보다 그 직경이 50% 이상 증가되어 국소적으로 부풀어져 있는 질환이다. 복부대동맥류는 발생 빈도가 가장 높은 동맥류이며 일단 파열되면 출혈에 의해 치사율이 매우 높아 임상적으로 질환의 발견과 예방적 치료가 의미가 있는 질환이다. 대동맥류의 발생에는 유전과 환경적 원인이 동시에 작용하는 여러 인자들이 관여하는 것으로 생각된다. 대동맥류의 파열의 위험성은 대동맥류의 직경, 대동맥류의 성장속도, 성별 등의 여러 인자에 영향을 받는다. 크기와 관계 없이 증상이 있는 모든 환자, 증상이 없는 경우 정상직경에 비해 50% 이상 직경이 증가하거나 6개월 내 0.5cm 이상 크기가 증가한 경우 수술을 시행하는 것이 권고된다. 심근경색은 대동맥류 수술 후 단일장기로 인한 조기 및 후기 사망률의 가장 중요한 원인이다. 경피적 대동맥류 치료는 수술적 치료를 대체할 수 있는 치료 방법으로 치료 후 단기 이환율과 사망률은 수술 치료를 시행했을 경우와 유사한 것으로 나타났다. Endoleak은 대동맥류 내로 지속적인 혈류가 있는 상태를 지칭하며 대동맥류를 완전히 배제하지 못하였을 경우 발생하며, 제1형부터 4형으로 분류된다. 단기적인 생존 측면에 있어 경피적 치료는 특히 수술과 연관된 위험성이 큰 환자에서 훨씬 장점이 있어 보인다. 하지 동맥은 말초동맥에서 동맥류가 가장 흔히 생기는 부위이다. 대퇴동맥의 진성동맥류는 상대적으로 드문 편이며 슬와동맥의 동맥류 다음으로 흔한 하지동맥의 동맥류이다. 슬와동맥의 동맥류는 말초동맥의 동맥류 중 가장 흔하며 약 70%를 차지한다. 내장동맥의 동맥류는 수술이 가장 주된 치료 방법으로 특히 파열된 경우 중요한 치료 방법이다. 비장동맥 동맥류는 내장동맥 동맥류 중 가장 흔하며 약 60%를 차지한다.

VI 동정맥루

질병관리본부 장기이식관리센터 통계에 따르면 2015년도 전국의 신이식 대기자는 2,564명이다. 2015년도 우리나라의 신이식 건수는 총 1,891명이고, 이 중 생체 신이식은 990명, 뇌사자 신이식은 901명으로 조사되었다. 말기신부전 환자의 증가와 공여 장기의 부족 등의 원인으로 신이식의 한계로 신이식을 받을 때까지 많은 환자들이 혈액투석에 의존하여 생명을 유지할 수 밖에 없는 실정이다. 따라서 접근이 용이하고 충분한 혈류가 보장되는 투석 경로의 확보는 혈액 투석을 받고 있는 말기 신부전환자에게 가장 중요한 문제이므로 적절한 술기 및 수술 전후의 관리에 대한 관심을 가져야하며 동정맥루arteriovenous fistula 개존율에 영향을 미치는 인자에 대해서도 적극적인 연구가 필요하다.

1. 동정맥루 수술 전 준비

동정맥루 조성의 일차 접근 혈관은 요골동맥, 상완동맥, 두정맥, 전주와 정맥들(기저정맥, 두정맥, 전주와정맥)이므로, 일단 진단이 되면 이런 일차 접근혈관들을 잘 보존하는 것이 무엇보다도 우선되어야 한다. 특별히 비우성측 팔의 혈관들을 천자, 삽관, 침습적 감시라인으로 사용하지 않아야 한다. 외래에서는 환자에게도 이런 문제를 교육시키고, 환자가 입원하면 팔에 표시를 하거나 침상에 주의 표시를 해 두는 것이 좋다. 동정맥루는 투석 예측 시기보다 6개월 전에 조성하고, 인조혈관을 이용하는 이식편은 적어도 3-6주 전에 만들어야 한다.

동정맥루는 상지에 만드는 것이 원칙이므로 신체검사는 양측 상지의 표재정맥의 상태와 요골동맥, 척골동맥, 상완동맥의 맥박과 상태를 잘 보아야 한다. 표재정맥은 지혈대를 사용하여 정맥을 확장시키고 관찰하는 것이 좋다. 또 동측의 중심정맥 삽관의 과거력이 있는지를 반드시 확인해야 한다. 신체검사로 불확실한 경우에는 정맥초음파검사나 정맥조영술, 자기공명조영술을 시행하게 된다. 이런 술 전 검사로 정맥의 주행도를 미리 작성하여 동정맥루의 성숙률을 향상시킬 수 있음이 보고되고 있다.

정맥초음파검사는 비침습적인 방법이면서도 혈관의 크기, 협착, 폐색 등을 평가할 수 있어 술 전이나 술 중에 수술 계획을 세우는데 유용하나, 검사 시행자의 숙련도에 따라서 결과에 차이가 날 수 있으며 중심정맥의 상태를 확인하기 어려운 단점이 있다. 높은 비용이 소요되는 자기공명 조영술도 중심정맥을 확인할 수 없다는 단점이 있다. 술전 검사로서 표재정맥은 물론 중심정맥에 대한 평가가 중요한 이유는 동정맥루 대상 환자들은 반복적인 정주 혹은 천자에 의한 정맥의 협착 가능성이 많기 때문이다. 특히 당뇨와 고령 환자가 늘어남에 따라서 표재정맥이 양호하더라도 중심정맥이 협착되어 있는 경우가 많아, 이를 동정맥루에 사용하지 못하는 경우가 많기 때문이다. 따라서 적합한 혈관을 찾기 위해서는 중심정맥을 포함한 전체적인 정맥의 주행도를 나타낼 수 있는 정맥조영술이 보다 정확한 검사라 할 수 있다.

정맥초음파검사는 손목 또는 전완부에 직경 2.5mm 이상의 정맥의 존재 여부, 정맥이 주관절elbow 부위까지 협착이나 폐쇄 없이 주행하는가, 동맥의 직경은 2mm 이상이고 죽상경화증 소견이 없는가, 액와 및 쇄골하정맥의 협착이나 폐쇄 여부, 양측 전완부에 적절한 정맥이 없으면 전주와에 직경 4mm 이상의 정맥이 존재하는가 등을 검사한다.

동정맥루 수술의 일반적인 원칙은 다음과 같다. 1) 팔의 혈관들을 이용하는 것이 원칙이다. 팔에서도 비우성측을 먼저 이용한다. 2) 동정맥루의 위치는 가능한 원위부에 조성한다. 3) 부위는 천자가 용이하고, 투석 중 환자가 편안한 위치라야 한다. 4) 정맥은 긴 배출경로가 있어서 반복 천자하기 좋아야 한다. 5) 동정맥루가 충분히 성숙되기 전에 투석의 필요가 있을 때는 반대측 내경정맥을 통한 투석이 권장된다. 6) 통상적인 동정맥루 수술 시 항응고요법은 필요 없으나 이식편 혈전제거술이나 재수술 시는 필요하다. 7) 이식편을 사용하는 경우는 예방적 항생제를 투여하여 감염을 배제하여야 한다.

2. 자가정맥을 이용한 동정맥루

통상적으로 자가정맥을 이용하여 동정맥루를 만들 수 있는 부위는 팔의 경우 다음과 같다(그림 6-58). 스너프박스Snuff-Box 동정맥루, 요골동맥-두정맥 동정맥루Brescia-Cimino fistula들이 원위부 동정맥루이며, 상완동맥-두정맥 또는 상완동맥-전주와정맥, 기저정맥 이동법basilic vein transposition 등이 근위부 동정맥루이다. 스너프박스 동정맥루는 해부학적 스너프박스에서 요골동맥과 두정맥을 연결하는 것이며, 길고 짧은 두 엄지신근 사이에 위치한다. 이 부위에서는 두정맥을 최소로 박리해 수술할 수 있으며 손목의 꺽임에 영향을 받지 않는 장점이 있고, 요골동맥-두정맥 동정맥루와 개존율에 차이가 없다. 그러나 이 부위의 동맥, 정맥의 직경이 적기 때문에 여성에서는 권장되지 않는다. 요골동맥-두정맥 동정맥루는 일반적으로 동정맥루를 처음 만드는 경우에 가장 많이 선택되는 방법이다(그림 6-59). 비우성측 팔의 손목에서 보통 맥박을 촉지하는 부위에 종으로 약 3-4cm 절개를 하고 먼저 두정맥을 문합에 적절하도록 박리하고 굵기나 개존 여부 등을 확인한다. 정맥의 굵기는 보통 2.5mm 이상이면 문합 연결에 적절하다. 다음에 요골동맥을 문합 길이보다 약간 여유있게 박리하여 상태를 확인한다. 때로는 내부에 동맥경화성 죽종이 발견되는 수도 있다. 이때는 간단한 내막절제술을 하고 사용하거나 혹은 더 상부에서 시행해야 할지를 결정해야 한다. 현재 거의 대부분 정맥의 말단부를 동맥의 측면에 연결하는 방식을 택하고 단단문합 방식이나 측측문합 방식은 이용되지 않는다. 단단문합 연결법은 혈류가 나쁘고, 측측문합 방식은 나중에 손의 심각한 정맥성 고혈압을 초래할 수 있다. 문합은 2.5배율 이상의 확대경 시야하에서 시행되어야 하며 7-0 prolene을 사용하는 것이 보통이고, 양쪽 외측부터 문합을 연속 방법으로 시작하여 문합부 가운데서 결찰하는 것이 보통이다. 문합의 크기는 적어도 8mm 이상 최대 12mm까지가 좋다. 문합이 완료되면 동맥을 먼저 개통시켜서 연결된 정맥이 충분히 확장되게 하고 손끝으로 진동을 촉지하여 문합이 잘 되었음을 확인한다.

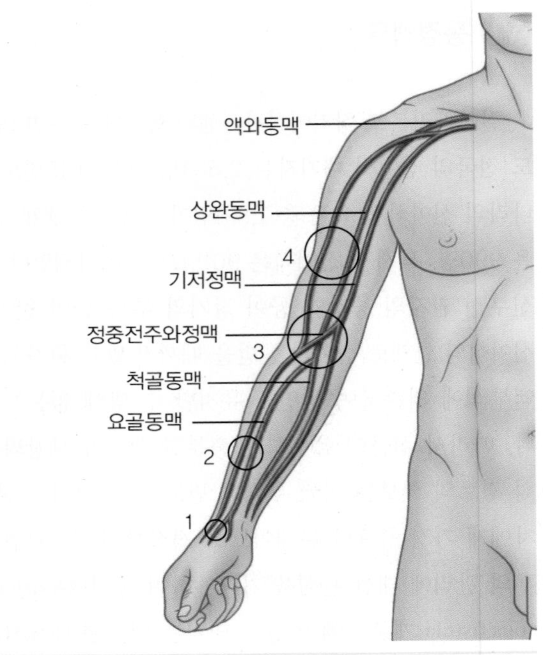

그림 6-58 팔에서 동정맥루 조성에 흔히 사용되는 혈관들의 위치

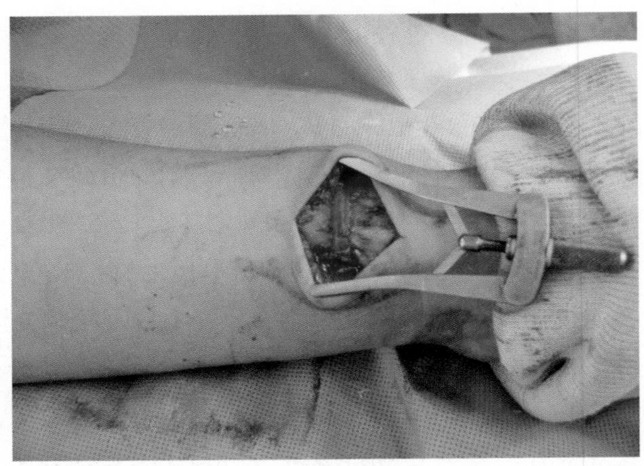
그림 6-59 Radiocephalic fistula

전완부에서 이용할 적절한 두정맥이 없으면 근위부에서 주로 상완동맥을 이용하여 두정맥, 기저정맥 또는 그 사이를 연결하고 있는 전주와정맥과 문합하여 동정맥루를 조성하게 된다(그림 6-60). 기저정맥을 이용할 때는 나중에 천자의 위치나 피부의 상태 등을 고려하여 기저정맥의 위치를 정방으로 이동시켜서 문합하는 소위 기저정맥

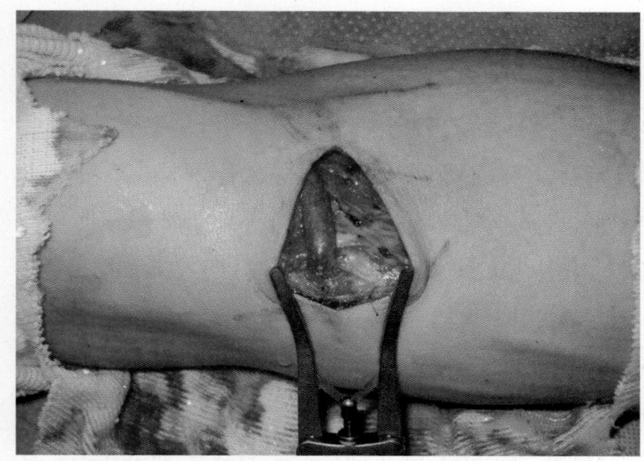

그림 6-60 **Brachiocephalic fistula.**

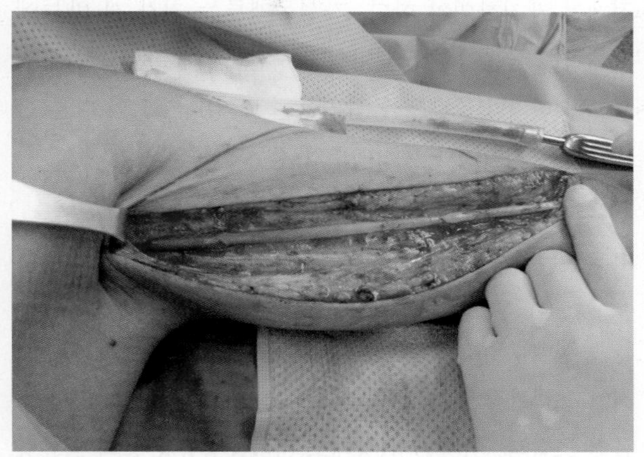

그림 6-61 **Basilic vein transposition.**

이동법을 이용한다(그림 6-61).

이와 같은 근위부에서의 동정맥루 조성 시에는 문합부의 크기에 주의해야 한다. 원위부에서와 같이 12mm까지 크게 하면 연결된 정맥의 동맥류성 확장이 문제될 수 있고, 일부에서는 지나친 고혈류로 심장에 부담이 갈 수 있다. 따라서 문합부의 크기는 8mm 정도가 적절하다. 상완동맥의 박리 시에는 인접한 림프관의 손상을 초래하는 경우가 많으므로 주의해야 한다. 자가정맥 동정루의 합병증 중 가장 흔한 것은 동정맥루의 미성숙이다. 국내외에서 성숙 실패나 조기 폐색율은 평균 15% 내외로 보고된다. 조기 실패의 주원인으로는 여성인 경우와 동측의 중심정맥 삽관의 과거력이 통계적으로 인정되는 주요인자이다. 다음으로는 사용 중 반복적인 천자로 야기되는 정맥부위의 협착이나 혈전성 폐색이 많고, 문합부 협착, 동맥류 등이 주요 합병증이다. 심장기능이 경계선에 있는 환자에서는 혈류가 500mL/min를 초과할 때 심부전이 나타날 수 있다. 이때는 테프론 띠 등으로 문합의 크기를 줄여 주거나 동정맥루를 폐쇄해야 할 때도 있다. 특히 근위부 동정맥루를 가진 환자에서 동맥혈 절취steal 현상으로 원위부 손가락이나 손에서 허혈증상이 발생하기도 한다. 이 환자들의 대부분은 전완부 동맥에 이미 동맥경화성 협착이나 폐색이 있고, 특히 손에서 요골동맥과 척골동맥 간의 연속통로가 잘 형성되어 있지 않은 경우에 더 많이 발생한다. 때로는 손의 심한 부종, 피부 발적 등을 나타내는 정맥성 고혈압이 손에서 나타날 수 있다. 대부분 혈관 문합을 측측으로 한 경우에 나타나며, 손에서 올라가는 정맥혈류가 동정맥루의 높은 압력을 이기지 못하여 일어나는 현상으로 손에서 올라오는 쪽 정맥을 결찰함으로써 해결할 수 있다. 손목 부위 자가정맥 동정맥루 수술 시에 상처 감염은 극히 드물다. 그외 일시적인 감각 이상이나 손가락의 통증 등이 있으나 관찰하면 대부분 소실된다.

3. 인조혈관 이식편

말초정맥이 적당하지 않거나 자가정맥 동정맥루로 이미 다 이용되었을 때는 인조혈관을 이용하는 수 밖에 없다. 사용되는 인조혈관은 술자가 다루기에 편해야 하겠고, 조직내에 잘 적응되어야 하며, 혈전의 빈도가 낮으면서 반복적인 천자에도 잘 견디는 재질이라야 하겠다. 이런 이유로 현재 PTFE (Polyfluorotetraethylene)를 주로 이용하고 있다. 자가정맥 동정맥루와 마찬가지로 수술에 이용할 동맥과 정맥 부위를 잘 선택하는 것이 중요하다. 동맥에서는 충분한 혈류가 나와야 하며, 정맥은 막힘없이 심장까지 잘 소통되어야 한다. 통상적으로 이식편의 직경은 6mm를 사용하고 최근 6- to 8-mm의 순차적 직경을 가진 이식편의 성적이 좋다고 보고된 바도 있다.

만드는 부위는 표준화된 순서는 없으나 가능하면 원위

부부터 이용하는 것이 원칙이다. 예를 들면 전완에서 요골동맥과 전주와정맥 간의 I자형 이식편, 상완동맥과 기저정맥 간의 고리형 이식편을 거쳐 상완에서 상완동맥, 액와동맥과 기저정맥, 액와정맥 간의 I자형 또는 고리형 이식편을 상황에 따라 만들게 된다. 비우성측 팔의 혈관들이 다 이용되었으면 주로 사용하는 팔을 이용하는 수 밖에 없고, 그 이후에는 액와동맥–액와정맥 또는 상완동맥–내경정맥같은 특별한 부위를 이용하기도 한다. 가급적 다리에서 동정맥루를 만드는 것은 피해야 하며, 부득이한 경우 대퇴동맥–대퇴정맥 또는 대퇴동맥–복재정맥 간고리형 이식편을 만들 수도 있다. 그러나 잦은 감염과 혈전성 폐색으로 쇄골하정맥 내에 영구적 카테터를 넣어 투석하는 것보다 못한 경우가 많다.

합병증으로 가장 많은 것은 문합부의 출혈이다. 인조혈관의 특성상 문합부 출혈은 대부분 바늘 구멍에서 발생한다. 따라서 창상을 봉합하기 전에 충분하게 문합부를 압박 지혈하는 것이 좋겠다. 마찬가지로 투석을 마치고 바늘을 제거하였을 때도 출혈이 자주 일어나므로 충분한 시간 동안 정확하게 압박 지혈하는 것이 중요하다. 압박 지혈이 충분치 못하면 가성동맥류가 발생할 수도 있으며, 가성동맥류는 때때로 감염이 되어 이식편 전체를 소실케 하는 원인이 된다. 다음으로 많은 합병증은 이식편내의 혈전 형성이다. 조기 혈전은 주로 기술상의 문제로 일어나며, 이식편의 꼬임이나 뒤틀림, 부적절한 문합으로 발생한다. 때로는 과응고성향이 조기에 혈전성 폐색을 초래하기도 한다. 후기의 혈전성 폐색은 주로 정맥 문합부의 내막증식증으로 인해 발생하거나, 반복되는 천자 부위에서 섬유아세포 등의 내향성 증식으로 인한 소위 백색혈전의 형태로 나타난다. 아직까지 내막증식증의 기계적 또는 약물학적 예방법은 없다. 자가정맥의 경우와 마찬가지로 이식편 협착인 경우에도 경피적 혈관성형술을 먼저 시도하는 것이 바람직하다.

국내외의 보고들을 보면 일차적으로 수술적 교정을 먼저 시행한 경우가 보다 더 높은 개존율을 보였다고 하고 있으나, Vascular Access 2006 Work Group의 보고로는 외과적 술식은 전완부의 혈전성 폐색이 문합부에 가까이 위치할 때는 수술이 먼저 선택되는 것이 좋겠다고 하였으며, 혈관조영실에서 기계적 혈전제거술과 혈전용해술을 병행할 때는 90% 가까운 성공률을 보인다고 하였다. 이때 중심정맥의 협착이 발견되면 동시에 처리할 수 있는 장점이 있다고 하였다. 추적 관리에서 동정맥루의 협착으로 혈류역학적으로 50% 이상의 손실이 있을 때 치료의 적응이 된다.

감염은 또 하나의 중요한 합병증이다. 문합부의 감염이 아니라면 국소적인 절개 배농으로 문제를 해결하기도 한다. 문합부와 이식편 주행 경로의 감염인 경우에는 이식편 전체를 제거하여야 한다. 가성동맥류는 천자 시 바늘에 의해 인조혈관이 손상되어서 발생한다. 치료는 손상 부위를 우회하거나 스텐트를 삽입할 수도 있다. 그 외 다른 합병증들은 자가정맥 동정맥루의 경우와 동일하다.

4. 동정맥루의 감시

동정맥루의 기능 이상을 조기 발견하기 위해서는 주기적이고 객관적인 기능 감시가 요구되며, 초음파 희석법, 도플러 초음파, 이차원 위상대조 자기공명영상 등의 혈류량을 직접 측정하는 방법과 신체검사 소견, 투석 중 정맥압 측정, 동정맥루 내정압 측정, 요소 재순환율 측정, 투석 적절도 측정(Kt/Vurea), 동정맥루 조영술, 자기공명 혈관조영술, 초음파로 혈관의 영상을 얻는 방법 등이 제시되고 있다. 혈액 투석 중 발생하는 동정맥루의 실패는 투석의 지연에 따라 환자의 생명을 위협할 만한 상황이 발생할 수 있고, 이에 따르는 추가적인 시술의 필요성과 비용이 발생할 수 있다. 또한 새로운 동정맥루의 형성에 따른 혈액 투석용 도관 삽관술에 따른 중심정맥 협착증이나 감염 등의 합병증이 발생할 수 있다. 이런 위험성을 피하기 위하여 적극적인 구조요법이 요구되며 수술 또는 경피적 혈관성형술로 협착 또는 혈전으로 폐색된 동정맥루를 교정할 수 있다. 그러나 동정맥루의 구조요법으로 수술적 치료와 경피적 혈관성형술 각각의 치료 효과에 대해 어떤 방법이 더 우수한지 아직 명확한 결론이 확립되지 않았다.

2008년 대한신장학회는 말기 신부전으로 신대체요법을 받고 있는 환자수는 총 41,276명으로 이중 61.5%가 혈액투석을 받고 있으며, 혈액투석을 신대체요법으로 사용하는 환자의 비율도 지속적으로 증가하고 있다고 보고하였다. 이들 혈액투석 환자들에서는 다양한 동정맥루의 합병증이 발생하며, 그중 약 80%가 혈전성 폐색을 포함하는 기능 부전으로 알려져 있다. 적극적인 구조요법은 이 환자들에게 즉각적으로 혈액투석이 가능한 동정맥루를 제공할 수 있다.

NKF-K/DOQI (National Kidney Foundation Dialysis Outcomes Quality Initiative) 지침에 따르면 동정맥루의 협착이 50% 이상이면서 임상적/생리학적 증상이 있으면 구조요법이 필요하며, 가급적이면 혈전성 폐색이 발생하기 전에 시행하는 것을 권고하고 있다.

풍선 혈관성형술이나 수술 중에서 구조요법의 선택은 두 치료법 간의 비교 연구가 부족하여 어느 한 치료법이 우월하다고 할 수는 없으며, 영상의학과 또는 외과의사의 숙련도에 따라 병원의 상황에 맞게 시행하는 것을 권고하고 있다. 수술 방법에 따른 누적 개존율의 차이를 비교하였을 때, 적극적인 수술적 교정이 혈전 제거술 및 기계적 확장술을 시행한 경우와 비교하여 우월한 결과를 보였다. 국내의 보고에서도 단순 혈전제거술만으로는 기능 부전의 원인을 교정하지 못한다고 보았고, 다른 논문에서도 유사한 결과를 보고하며 적극적인 치료를 주장하였다. NKF-K/DOQI 지침에서도 혈전성 폐색이 이미 존재하는 동정맥루에서의 3개월 개존율이 평균 40%에 불과하므로 혈전 발생 전에 협착 부위를 치료하는 것을 권장하고 있다. 또한 혈전 제거 후 즉각적인 동정맥루 조영술을 통하여 협착부위를 진단하고 교정하여야 혈전 재발을 방지할 수 있다고 하였다. 따라서 적극적인 추적관찰을 통하여 혈전 발생 전 동정맥루의 기능 부전을 조기 진단하는 것이 중요하며, 이런 노력들이 혈액투석 환자들의 유병률과 비용 발생을 감소시키는 것으로 알려져 있다.

수부 허혈 증상인 손가락 저림증은 시간이 지나면서 여러 우회로가 발달되어 호전되지만, 증상이 지속되는 경우 방치하면 손가락 괴사, 운동신경 손상으로 인한 운동장애를 초래할 수도 있다. 수부허혈증에 대한 가장 확실한 치료는 동정맥루 결찰이고 이때 동정맥루를 만든 동맥이 좁아지지 않았다면 증상은 바로 회복된다. 그러나 단점은 동정맥루를 다른 부위에 다시 만들어야 하며, 이전 부위나 같은 팔에는 다시 만들기가 어려울 수 있다.

정확한 진단 및 기전을 알기 위해서는 동맥조영술을 시행해서 동정맥루 부위 상방의 근위부 동맥에서부터 정맥까지를 검사하는 것이 중요하다. 심한 동맥혈 절취 현상으로 진단되면 고려할 수 있는 여러 치료 방법들이 있는데 가장 단순한 방법은 동정맥루를 결찰하는 것이다. 이는 절취 현상을 없애고 원위부로 혈류를 복원시키는 것으로, 증상을 바로 개선시킬 수 있으나, 새로운 동정맥루를 만들어야 하는 근본적인 문제가 발생한다. 요골동맥-두정맥 동정맥루인 경우는 동정맥루 하방 요골동맥을 결찰함으로써 척골동맥에서 역행성 혈류를 차단하여 수부 관류를 유지하게 할 수 있다. 이런 경우에는 동정맥루 상방의 요골동맥에 협착성 병변이 없어야 하고 또한 손에서 연속통로가 잘 형성됐음이 전제가 되어야 하겠다. 다른 방법으로 원위부 관류를 유지하도록 하기 위하여 동정맥루에서 정맥편을 좁히는 띠둘림 술식이 제시되었다. 그러나 동정맥루를 통한 혈류는 단순히 직경만의 문제가 아니며 또한 단순 비례가 아니기 때문에 띠둘림 술식을 적용했던 많은 보고에서 동정맥루의 폐색을 초래하여 이 술식은 현재 일반적으로 권장되지 않고 있다. DRIL술식Distal Revascularization Interval Ligation은 동정맥루 형성 후 원위부 혈관계의 저항을 낮추려는 시도로 고안되었다. 즉, 동정맥루 직하방의 동맥을 결찰하고 동정맥루 상방 최소 3-5cm 상방에서 결찰된 동맥 원위부로 우회로를 만들어 주는 것이다. DRIL술식은 원위부의 혈류를 유지시키면서 혈액투석을 유지하는 매우 생리적인 치료법이다.

동정맥루의 개존율은 해부학적 조성 위치와 자가정맥의 사용 여부에 따라 차이가 난다. 과거에 비해 감시와 구제 기술의 발전으로 많이 향상되었다. 요골동맥-두정맥

동정맥루는 2년 개존율이 55%에서 89%까지 보고되고 있고, 상완동맥-두정맥 동정맥루의 2년 개존율은 대략 80%, 기저정맥 이동법의 24개월 개존율은 73%까지 보고되고 있다. 인조혈관 동정맥루의 경우는 자가정맥에 비해 다소 떨어지며, 1년 이차성 개존율이 80%, 2년 개존율이 70% 정도로 보고되고 있다.

요약

혈액투석을 위한 동정맥루 수술 및 관리는 말기신부전증 환자 치료에 중요한 부분이다. 동정맥루 수술은 가급적 사용하기 편하고, 장기간 유지할 수 있는 방법으로 이루어져야 한다. 수술방법은 자가혈관을 이용하는 방법과 인조혈관을 사용하는 방법이 있는데, 수술에 앞서 철저한 신체검진과 영상검사를 통해 가장 적합한 방법으로 이루어져야 한다. 자가혈관을 이용한 동정맥루는 인조혈관을 이용한 수술에 비해 합병증 발생빈도가 낮고, 개존율이 높다. 초음파검사는 저렴하고, 손쉬운 검사법으로 동정맥루 수술 후 협착증에 대한 선별검사로 유용하다.

VII 정맥의 해부와 생리

1. 해부

신체 각 부위의 정맥에 대한 명칭들은 다양하게 표기되고 있어 혼동을 피하기 위해서 용어의 통일을 위해 국제적인 합의가 있어왔고, 2005년 International Union of Phlebology에서 발표된 것을 기준으로 표기하도록 약속하고 있다. 하지 정맥들 즉 대복재정맥, 소복재정맥, 대퇴정맥 등의 영문 명칭으로는 Great Saphenous Vein (GSV), Small Saphenous Vein (SSV), Femoral Vein 으로 각각 표기하여야 한다. 특히 GSV는 Long Saphenous Vein (LSV), SSV는 Lesser Saphenous Vein (LSV) 등과 혼동을 일으킴으로 주의를 요한다. 심지어는 국제적으로 이름이 있는 학술지뿐 아니라 교과서로 이용되는 서적에서 조차 오기되는 경우가 있다.

1) 정맥계의 구성

정맥는 위치에 따라 흉강과 복강에 존재하는 몸통정맥과 팔다리에 분포하는 사지정맥으로 대별된다. 몸통정맥은 사지정맥과 심장을 연결해주며, 대량의 혈액을 담고 있어 혈액의 저장고 역할을 하며, 비교적 일정한 압력으로 유지된다. 사지정맥은 근막을 중심으로 근막 내측에 존재하는 심부정맥deep vein과 근막 외측에 존재하는 표재정맥superficial vein으로 구분되며, 근막을 뚫고 주행하여 심부정맥과 표재정맥을 서로 연결하는 관통정맥perforating vein이 있고, 표재정맥끼리 서로 복잡하게 연결하는 교통정맥communicating vein으로 구성된다.

2) 정맥의 조직

정맥벽은 동맥벽과 같이 내막, 중막, 외막의 3개 층으로 이루어져 있다. 정맥의 내막은 혈관내피세포, 기저막, 탄력판으로 구성되어 있다. 혈관내포세포는 중층이 아닌 단일층으로 이루어져 있으며, 내피세포는 이완인자와 프로스타사이클린을 분비하여 혈소판응집을 막아 정맥내 항혈전 환경을 유지시키는 중요한 역할을 한다. 중막은 평활근세포, 탄력조직, 결합조직으로 구성되는데, 평활근세포는 정맥의 확장과 수축을 통해 직경을 변화시켜 정맥내에 혈액량과 혈류를 결정한다. 정맥의 평활근세포의 숫자는 동맥보다 적고, 큰 정맥이 세정맥에 비해 상대적으로 적다. 외막은 가장 두꺼운 층으로 콜라겐과 자양맥관 그리고 신경섬유를 포함하고 있다. 정맥에는 탄력조직이 상대적으로 적고 외막의 콜라겐성분 때문에, 같은 압력으로 부풀려지면 동맥벽에 비해서 오히려 단단하고 신축성이 적다.

3) 정맥 판막

정맥내 판막은 이첨판으로 되어있고, 정맥판막의 접합면은 판막의 개폐에 유리하도록 피부에 평행하게 배열되어 있어 판막의 개폐 기능을 돕는다. 판막이 정맥벽에 부착되는 부위에는 띠 모양으로 평활근세포가 보강되며, 그 바로 직상방의 정맥벽은 확장되어 정맥판동을 형성한다. 정맥판막의 배열은 근막 외측의 표재정맥에서 근막 내측의 심부정맥 쪽으로, 원위부에서 근위부로 흐르도록 되어 있고, 충분히 늘어날 수 있어서 정맥이 1.5–2배로 확장되어도 기능이 잘 유지된다. 정맥판막은 순방향 혈류에 의해 열리고 역방향 혈류에 의해서 닫히는데, 역류되는 속도가 20–30cm/sec 이상이면 닫히고, 판막이 닫히는데까지 걸리는 시간은 350–1,000msec 정도이며 정맥에 따라 다른 값을 갖는다. 듀플렉스 초음파검사를 이용하여 정맥판막이 닫히는 시간을 측정하면 정맥판막의 기능부전을 진단하는데 도움이 된다. 몸통정맥인 총장골정맥, 하대정맥, 간문맥에는 판막이 없으며, 두개골내 정맥cranial sinus에도 판막이 없다. 외장골정맥에는 7–24%에서 발견되고, 서혜부인대 직하방의 총대퇴정맥에 67%, 심부대퇴정맥과 총대퇴정맥의 연결부에는 약 90%에서 판막이 관찰되고, 그 이하부의 정맥 특히 무릎관절 하방에는 많은 수의 판막이 있다. 대복재정맥과 소복재정맥 내에는 각각 7–13개, 전경골정맥, 후경골정맥, 비골정맥에는 각각 7–20개, 슬와정맥에는 1–2개가 존재한다. 하지에는 총 200여 개의 정맥판막이 존재한다.

2. 하지정맥계

1) 표재정맥

하지의 표지정맥superficial vein은 대복재정맥과 소복재정맥이 있다. 대복재정맥은 내측 복사뼈 앞쪽에서 시작되어, 하지의 내측을 따라 상방으로 주행하여, 서혜부의 난원와fossa ovalis에서 총대퇴정맥과 연결된다. 대복재정맥과 총대퇴정맥이 연결되는 부위를 복재–대퇴정맥 접합부saphenofemoral junction라 하는데, 이곳의 정맥판막 기능부전 시 대복재정맥을 따라 하지정맥류가 발생하는 주원인이 된다. 또한 복재–대퇴정맥 접합부 부근으로 보통 5개의 정맥분지들이 유입되는데 대복재정맥의 정맥류의 재발을 막기 위해서는 수술 시에 이 분지들을 확실하게 결찰하여야 한다. 복재신경은 대복재정맥의 내측에 위치한다. 소복재정맥은 외측 복사뼈 뒤쪽에서 시작되어, 장딴지의 후면의 피하층을 따라 상방으로 연속되고, 장딴지 상부 약 1/3지점에서 2개의 비복근gastrocnemius 사이에서 심부근막을 관통하여 상방으로 주행하다가 슬와에서 슬와정맥과 연결된다. 그러나 소복재정맥의 종점은 슬와보다 상부의 대퇴정맥 등 다양한 경우들이 있다. 비복신경sural nerve은 소복재정맥의 외측에 매우 가깝게 위치하고 있다(그림 6-62).

2) 심부정맥

하지의 심부정맥deep vein은 동맥을 따라 2개씩 쌍comitans을 이루어 주행하고 인접하는 동맥의 명칭에 따라 명명된다. 무릎관절 이하의 주요 심부정맥으로는 전경골정맥, 후경골정맥, 비골정맥이 있고 무릎관절부위에서 슬와정맥으로 유입된다. 많은 장딴지정맥동을 갖는 비복근정맥gastrocnemius vein은 슬와정맥으로 유입되고, 가지미근정맥soleal muscle vein은 후경골정맥과 비골정맥으로 유입된다. 슬와정맥은 대퇴정맥으로 이어지며, 대퇴정맥은 서혜부에서는 심부대퇴정맥과 합쳐져 총대퇴정맥이되고, 이는 다시 서혜부인대를 지나 골반강으로 진입되어 외장골정맥으로 이어진다(그림 6-63).

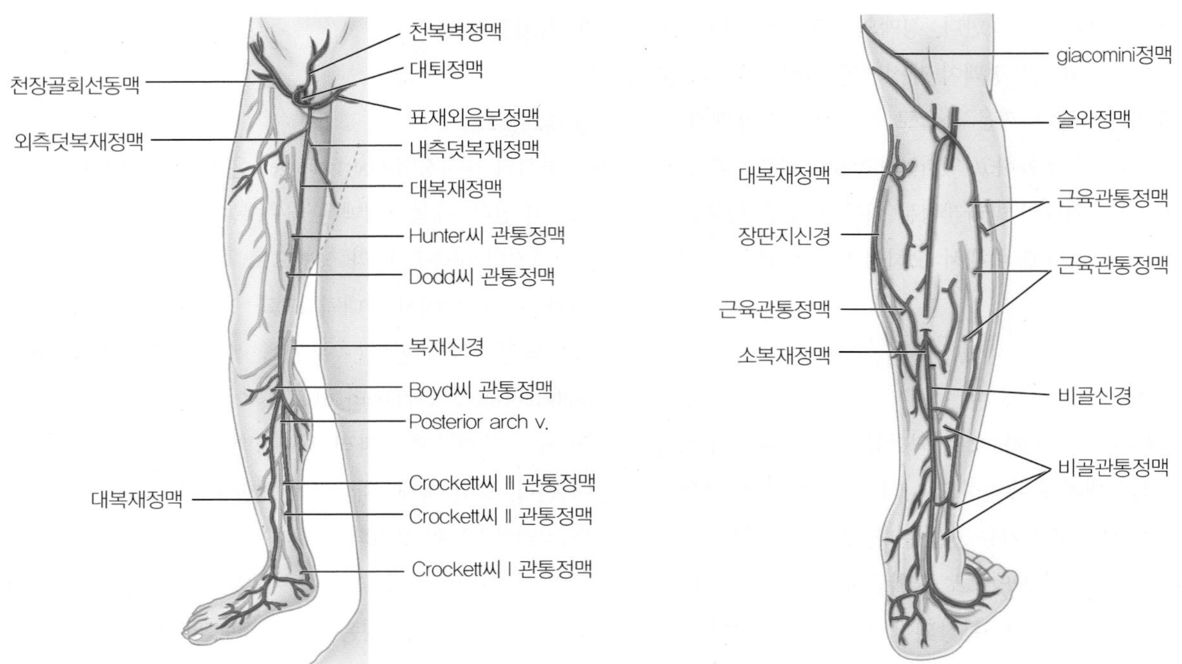

그림 6-62 하지의 표재정맥

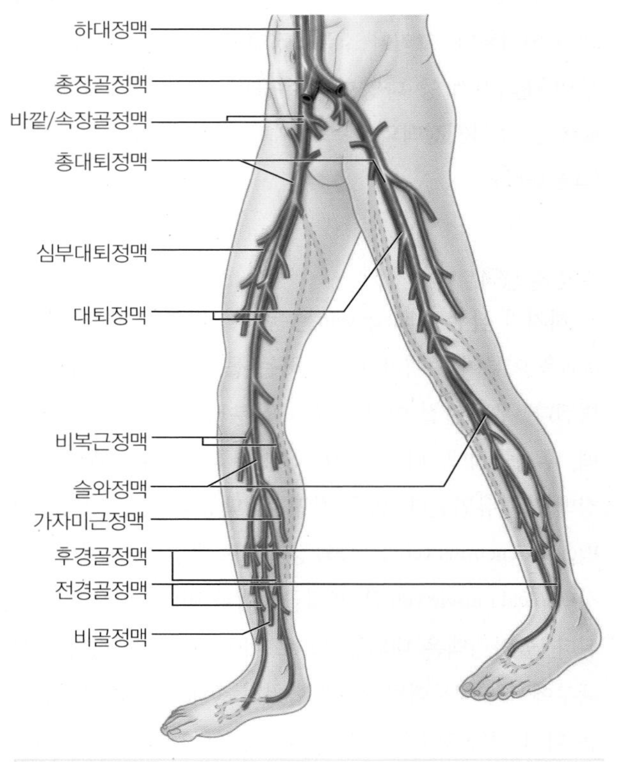

그림 6-63 하지의 심부정맥

3) 관통정맥

관통정맥perforating veins은 근막을 뚫고 주행하며 표재정맥을 심부정맥에 연결하거나 혹은 근육내의 정맥동에 연결하여 표층의 혈류를 심층부로 전달한다. 관통정맥의 60% 이상이 하지에 존재하고, 한쪽 하지에 약 200개의 관통정맥이 존재한다. 역시 2개씩 쌍을 이루어 주행하며, 직경이 2mm 이상 시는 정맥판막을 갖는다. 예외적으로 족부의 관통정맥에는 판막이 없거나, 혈류가 심부정맥에서 표재정맥으로 흐르도록 판막이 배열되어 있다. 임상적으로 중요한 관통정맥으로는 ① Cockett's perforator, ② Boyd's perforator, ③ Dodd's perforator, ④Hunterian perforator 등이 있다. Cockett's perforator는 족저면에서 상방으로 약 6cm, 12cm, 15cm에 비교적 일정하게 위치하고, 대복재정맥의 분지인 후궁상정맥과 후경골정맥을 연결한다. 만성정맥 기능부전증 시 높은 정맥압이 피부쪽에 전달되는 경로로 작용하여 내측 복사뼈 부근에 피부변성의 원인으로 작용한다. Boyd's perforator는 무릎관절 하방 10cm, 정강뼈의 내측 1-2cm에서 대복재정맥과 심부정맥을 연결하고, Dodd's perforator, Hunterian perforator는 대퇴 내부의 하부와 중부에 각각 존재한다.

3. 정맥의 기능

정맥의 기능은 1) 혈액의 저장기능, 2) 혈액의 관류 도관기능, 3) 체온조절 기능, 4) 근육의 펌프기능 등이 있다. 정맥은 순환혈액량의 70%를 정맥내에 저장하는 저장고 기능을 하며, 인체 말단부에서 심장까지 혈액이 관류하는 도관의 기능을 갖는다. 체온조절 기능은 주로 표재정맥이 담당하는데 더울 때는 확장되어 열을 발산시켜 체온조절을 돕는다. 정맥혈의 압력은 몸의 자세, 호흡주기, 활동정도, 혈액량, 온도 등의 다양한 요인에 의하여 영향을 받는다. 누워있는 자세에서는 발목의 정맥압은 12-15mmHg 정도이고, 우심방 압력은 0-5mmHg으로 양측간의 압력차로 혈액은 우심방으로 이동하게 된다. 서 있는 자세에서는 신체 부위에 따라 정맥압이 달라지는데, 우심방을 압력의 기준점으로 할 때, 두개골 내는 약 -10cmH_2O의 음압이 되고, 족부는 발목의 정맥압과 정수압의 합산되어 100-130cmH_2O(73.7-95.8mmHg)에 이른다. 호흡 주기에 따라 정맥혈류의 흐름이 달라지는데, 흡기 시 횡격막이 복부 쪽으로 내려가면 흉강내는 음압이 형성되어 흉강내로의 정맥혈 유입이 증가되고, 복강내는 압력은 증가되면서 하지에서 복강내로의 혈액유입이 저하된다. 호기 시에는 반대로 흉강내 압력은 높아지고 복강내의 압력은 낮아지면서 흡기 시와는 반대되는 현상이 일어나게 된다. 제2의 심장이라고 하는 장딴지 근육수축으로 생기는 펌프작용은 정맥혈류의 흐름에 아주 중요한 기능을 한다. 근육 수축하면 근막 내부에는 250mmHg에 이르는 압력이 형성되어, 장딴지 근육내의 정맥동들이 압박되고, 고여있던 혈액들은 심장 쪽으로 배출된다. 그리고 근육이 이완되면서 정맥동내로 혈액이 다시 유입되는데, 상방으로 배출된 혈액의 역류는 정맥판막이 막아준다. 이렇게 반복되는 것이 근육의 펌프작용이고, 혈액은 표재·말초로부터 심부·심장 쪽으로 이동하게 된다. 몸의 자세와 운동여부도 관통정맥을 통한 혈액의 흐름에 영향을 미치는데, 누워있을 때에는 표재정맥 혈액의 일부가 관통정맥들을 통하여 심부정맥으로 유입되고, 나머지가 복재-대퇴정맥 접합부까지 도달한다. 서서 부동자세를 유지하면 원위부에서 근위부쪽으로 표재정맥과 심부정맥에 동시에 혈액이 충만되면서 혈액은 심장쪽으로 서서히 이동하며, 이때 관통정맥을 통한 혈액의 이동은 비교적 적다. 서서 움직이는 상태로 되면 근의 펌프작용으로 대부분 표재정맥 혈액은 복재정맥의 종점에 이르기 전에 관통정맥을 통하여 심부정맥으로 유입되어 버린다. 발목관절 주위의 정맥내의 압력 변화는 누운 상태에서는 0-15mmHg까지도 감소되지만, 가만히 서 있으면 30-60초 이내에 최고의 정맥압까지 이르고, 보행이 시작되면 몇 걸음 이내에 근육펌프 기능의 영향으로 운동압력인 20mmHg까지 감소하여 운동 중에는 매우 낮게 유지된다.

요약

정맥계는 동맥계에 비해 복잡하고 다양한 해부학적인 형태를 갖고 있으며, 각각의 개체 간에도 많은 차이가 있다. 이러한 해부학적인 특성과 혈류역학적인 내용의 충분한 이해는 정맥질환을 진단하고 치료하는데 많은 도움이 된다.

VIII 정맥질환

1. 심부정맥혈전

정맥혈전색전증은 인체의 심부정맥에 혈전이 발생하는 질환을 일컫는다. 심부정맥 혈전증Deep Vein Thrombosis (DVT)과 폐혈전색전증Pulmonary Embolism (PE)은 같은 범주의 질환 즉 정맥혈전색전증Venous Thromboembolism (VTE)으로 정리되고 있다. 이러한 개념은 PE의 90% 이상이 하지 DVT와 연관되어 있고, DVT 진단 방법이 PE 진단에도 중요하게 사용되며, 두 질환의 치료 방법도 크게 다르지 않다는 것 등에 근거를 두고 있다.

1) 역학

DVT는 잠재적 혹은 비전형적인 증상을 가진 환자들이 많아서 유병률 및 발병률을 정확히 알기는 어려우나, 일반인에서 DVT의 연간 발병률은 100,000명 당 69-139명으로 추정되며, 입원환자의 발병률은 100,000명당 350명으로 일반인보다 높다. 이로 인한 사망 건수는 연간 250,000명에 이른다.

2) 위험인자

1962년 Rudolf Virchow가 최초로 VTE의 병인으로 ① 혈류정체, ② 혈관내막세포손상, ③ 과다응고증을 삼대 원인으로 보고하였는데, 이후 밝혀지고 많은 위험인자들은 크게는 Virchow씨의 삼대 원인 중 하나의 범주로 정리되며, 위험인자들에 대한 연구가 계속되고 있다(표 6-26).

표 6-26. 정맥혈전색전증의 위험인자

혈류정체	입원가료
	여행
외상	수술
유전적 혈액과응고증	C/S 단백 결핍증, 항트롬빈 III 결핍증
	Factor V Leiden
	Prothrombin 20210A
	Increased factor VIII
	Hyperhomocystenemia
후천적 혈액과응고증	40세 이상
	비만
	악성종양
	임신/분만
	경구용 피임약
	에스트로겐 대체요법
	중심정맥도관
	Antipospholipid syndrome
	대퇴도관(Femoral catheters)
	염증성창자병(Inflammatory bowel disease)
	전신성홍반루푸스(Systemic lupus erythematosus)
	하지정맥류
	표재정맥 혈전증의 기왕력
	심부정맥 혈전증의 기왕력

정맥내 혈류정체로 인한 저산소 환경은 혈관내막세포에 손상을 주고, 이러한 혈관내막세포와 활성화된 혈소판과 혈액응고 성분과의 접촉을 연장시켜 DVT 발생을 높인다. DVT는 하지의 장딴지 가지미근정맥 정맥동에서 가장 많이 발생된다. 그러나, 혈류정체가 항상 혈전을 발생시키는 것은 아니고, 다른 위험 인자가 같이 있을 때 혈전을 발생시키는 환경을 제공하는 것으로 여겨지고 있다. 외상에 의해 혈관내막세포가 손상되면 혈전을 촉진하는 조직인자von willebrand 및 섬유결합소fibronectin가 생성되어 혈전기능에 변화가 일어난다. 또한 손상과 관련되는 염증세포들에 의해서 분비되는 인터루킨-1, 종양괴사인자tumor necrosis factor 등도 혈전 발생에 관여한다. 인체는 항상 응고와 항응고 작용이 균형을 이루고 있는데, 이 균형이 무너지면 과다응고증 상태에 빠지게 된다. 과다응고증은 유전적 원인과 후천적인 원인으로 구별되는데, 유전적 원인으로는 C-단백 결핍증, S-단백 결핍증, 항트롬빈 III 결핍증, 제5응고인자 돌연변이 등이 있고, 후천적인 원인으로는 고령, 비만증, 악성종양, 임신 및 여성 호르몬제복용, 외상, 혈류정체, 항지질항체증후군 등이 있다. VTE는 어느 1가지 기전으로만 발생되는 것이 아니라 여러 가지 원

인들이 복합적으로 작용하여 발생된다. 입원환자는 90% 이상에서 1개 이상의 위험인자를 갖는 것으로 보고되고 있다. 외래환자들은 1가지 위험인자를 갖는 경우에 VTE 발생 교차비가 1.26이고, 3가지 이상의 위험인자를 갖는 경우에는 0.88의 높은 발생 교차비를 갖는다고 한다. 수술환자들은 일시적으로 혈액응고기전의 활성화, 섬유소용해기전의 저하, 안정으로 인한 혈류정체 등의 위험인자들과 함께, 중심정맥 카테터, 심장질환, 악성종양, 과다응고증 등이 동반될 수 있어 VTE 발생 위험성이 매우 높게 된다. 외상환자들 중 척추 손상을 입은 환자는 8.59, 대퇴 혹은 경골의 골절이 있는 환자는 4.23의 높은 발생 교차비를 갖는다. 어떤 위험인자을 갖고 있으면서 장시간의 운동제한을 하는 경우에도 VTE의 발생이 높아지는데, 장시간 좁은 공간에서 앉아 비행기 탑승을 한 후 발생되는 이코노미 클래스 증후군economy-class syndrome이 좋은 예라고 하겠다.

3) 임상 양상

하지의 급성 DVT의 임상양상은 혈전 발생위치, 폐색의 정도, 시간의 경과 등에 따라 증상이 다르게 나타난다. 주 증상인 부종은 폐색된 정맥보다 원위부에 나타난다. 장딴지 정맥에 국한된 DVT는 족관절 부근에 약간의 부종이 관찰될 수 있고, 대퇴정맥에 발생되면 무릎 하방까지 진행된다. 총대퇴정맥에서 장골정맥까지 이르면 주요 유출 정맥의 대부분이 막히게 되어 통증, 함요부종pitting edema, 창백blanching이 특징인 백색통증다리염phlegmasia alba dolens이 발생되고, 더욱 진행되면 부행혈관도 막히고 조직내 압력이 더욱 상승되어 동맥혈 유입이 정지되면서 심한 통증을 동반하는 부종, 청색증이 특징인 청색통증다리염phlegmasia cerulea dolens이 된다. 이 상태가 계속 방치되면 정맥울혈성 괴저venous gangrene, 순환 허탈, 쇼크 등이 발생된다.

4) 진단

신속한 진단과 적극적인 치료가 DVT예후를 결정하는 중요한 인자임을 고려하면 보다 빠르고 정확하고 효율적인 진단을 위해서는 정형화된 접근이 필요하다.

(1) 진단적 접근

VTE의 진단은 그 가능성을 의심하는 것이 매우 중요하다. 검사 전 평가를 위한 임상적 모델들로는 Wells기준과 Geneva기준이 있다. 이러한 검사 전 임상가능성 평가는 불필요한 진단 검사를 줄이는데 유용하고 비용절감을 이룰 수 있다.

(2) D-dimer 검사

임상증상이 DVT로 의심되면 우선 간편하게 실시해 볼 수 있는 검사이다. D-dimer는 혈전내 존재하는 섬유소가 플라스민에 의해 분해되어 발생되는 부산물이다. 혈액내 D-dimer 양성 수치는 혈관내 섬유소의 존재를 매우 민감하게 반영하나 특이성은 낮다. 즉, D-dimer는 동맥혈전색전증, 심근경색증, 악성종양, 수술 후 상태, 신질환, 급성·만성 신부전증, 임신, 전자간증preeclampsia, 감염, 최근 외상 파종혈관내응고증Disseminated Intravascular Coagulopathy (DIC), 간질환 등 많은 질환에서 상승되므로, D-dimer가 양성이면 DVT확진을 위한 보다 객관적인 검사가 필요하다. 하지부종의 원인을 일차 감별진단하기 위해서 D-dimer를 검사하고, 음성결과 시 DVT의 가능성은 매우 낮은 것으로 해석가능하다.

(3) 정맥조영술

정맥조영술venography은 혈전과 관련된 증상 유무와 관계없이 DVT 진단에 가장 확실한 진단방법이다. 근래에도 새로운 진단방법이 개발되어 평가가 필요한 경우 절대적 표준 검사로써 대조군의 역할을 하고 있다. 양성 소견으로는 심부정맥이 전혀 조영되지 않거나 정맥내 조영제의 충만결손 등이 있다. 정확한 진단율에도 불구하고, 침습적이고, 조영제에 대한 부작용 등이 있어, 비침습적인 진단 방법으로 대체되어 왔으며, 현재는 혈관내 카테터를 이용한 혈전용해술이 필요한 경우나 정맥 수술 전 정보를 위해서 매우 제한적으로 사용되고 있다.

(4) 듀플렉스 초음파검사

듀플렉스 초음파검사duplex ultrasonography는 급성 DVT 진단 및 추적관찰에 가장 많이 이용되고 있다. 급성 DVT의 양성 소견으로는 ① 정맥의 압축성compressibility 소실, ② 호흡에 따른 혈류변화 소실, ③ 혈관내 저에코 물질, ④ 혈관내 색조충만소실, ⑤ 정맥의 팽창 등의 소견을 보이는데, 이들 중 가장 기본적이고 정확한 소견은 정맥의 압축성 소실이다. 듀플렉스 초음파검사는 간편하고 편리하고 쉽게 사용할 수 있으나, 골반강내의 정맥이나 장딴지정맥에 발생한 혈전증을 진단하는 데는 어려움이 있으며, 검사자의 숙련도에 따라서 결과에 차이가 있는 단점이 있다. 대퇴정맥과 슬와정맥의 급성 DVT의 경우는 대한 민감도와 특이도는 각각 91%, 97%이다.

(5) 컴퓨터단층 정맥조영술

컴퓨터단층 정맥조영술CT venography은 DVT 진단에 널리 사용되고 있다. 2개 이상 연속되는 영상에서 조영제의 충만결손과 함께 정맥벽이 조영제 증강으로 또렷이 보이고, 정맥이 확장된 소견 등을 양성소견으로 한다. 한번의 검사로 PE의 동반여부 및 정맥촬영상에서 관찰하기 어려운 심부대퇴정맥이나 심부장골정맥 등에 혈전 발생 여부를 확인할 수 있고, 혈전의 급성 혹은 만성에 대한 정보도 제공해 준다. 급성 DVT의 경우는 대한 민감도와 특이도는 각각 100%, 96%이다. 그러나 조영제의 사용으로 인한 신독성의 위험이 있고, 조영 방법에 따른 오류가 발생할 수 있다.

(6) 자기공명정맥조영술

자기공명영상을 이용한 정맥조영술에는 신장 독성이 없는 조영제인 Gadolinium를 사용하여 조영증강영상을 얻는 방법Contrast-Enhanced Magnetic Resonance Venography (CE MRV)과 조영제 사용 없이 영상을 얻는 방법들로 T1강조영상, T2강조영상, Time-Of-Flight MRV (TOF MRV) 등이 있다. 확진된 DVT에 대한 민감도와 특이도는 각각 100%, 95%이며, 장딴지 혈전에 대한 민감도와 특이도는 각각 87%, 97%이다. 자기공명영상의 제한점은 밀폐공포, 혈류허상flow artifact, 고비용 등이 있으나 개선되어가고 있고, 듀플렉스 초음파검사가 한계를 갖는 장골정맥, 하대정맥 등에 유용하게 사용될 수 있고, 혈전의 경과에 대한 정보도 제공한다.

(7) 이차 검사방법들

교류저항측정impedance plethysmography을 사용한 혈류량 변화를 측정하여 DVT를 진단하는 방법과, 방사성요오드-섬유소원검사법iodine-125 fibrinogen uptake 등은 현재는 거의 사용되지 않고 있다.

5) 감별진단

발생 초기는 물론 아주 심한 DVT에서도 증상이 없는 경우가 있고, 또한 과거력과 이학적검사도 확실한 정보를 제공해 주지 못하는 경우들이 있다. 하지 부종 또한 다양한 질환들에 의해서 발생되는 비특이적 증상이다. 따라서 DVT를 신속하게 진단하고 적절한 치료를 위해서는 하지 부종이 발생되는 다른 질환들과의 감별이 필요하다. 하지

표 6-27. 하지부종의 원인

전신성 원인	울혈성심장부전증(Congestive Heart Failure; CHF)
	신장증(Nephrosis)
	간경화증(Cirrhosis)
정맥성 원인	심부정맥 혈전증
	만성정맥 부전증(Chronic venous insufficiency)
	May-Thurner syndrome
	정맥손상(Venous injury) (예; intravenous drug abuse)
임파성 원인	일차임파부종(Primary lymphoedema)
	이차임파부종(Secondary lymphoedema) 종양(예; Kaposi's sarcoma, infiltrative cancer) 사상충증(Filariasis) 외상 Pretibial myxoedema

표 6-28. 정맥혈전색전증의 예방 방법

적응증	예방방법
저위험군(소수술, 40세 이하, 동반위험인자(-))	조기 운동
중등도위험 전신마취 수술 위험인자를 동반한 소수술; 대수술, 40세 이상, 동반위험인자(-)	비분획헤파린 또는 탄력스타킹, 또는 간헐적하지압박요법
고위험 전신마취 수술(위험인자를 동반한 소수술, 60세 이상; 대수술, 40세 이상, 동반위험인자(+)	비분획헤파린 또는 간헐적하지압박요법
최고위험 전신마취 수술(다수의 동반위험인자(+))	LDH, 비분획헤파린과 간헐적하지압박요법 병용
선택 고관절치환술	비분획헤파린(수술 전 12h전 투여) 또는 와파린(수술 전 투여 혹은 수술 직후에(INR = 2.5))
선택 무릎관절치환술	비분획헤파린 또는 와파린(INR = 2.5)
엉덩뼈골절수술	비분획헤파린 또는 와파린(INR = 2.5)
신경외과수술	간헐적하지압박요법 with/without 탄력스타킹 그리고 비분획헤파린
외상	탄력스타킹 and/or 간헐적하지압박요법, 가능하면 비분획헤파린
급성척수손상	비분획헤파린 유도 및 지속하거나 와파린(INR = 2.5)으로 전환-재활단계에서

부종의 원인의 3대 원인으로는 전신적 원인, 정맥성 원인, 임파성 원인으로 대별된다(표 6-27).

6) 예방

급성 DVT는 일단 발생되면 후유증과 사망률이 높은 질환이어서 DVT 발생의 고위험군인 경우에는 다양한 예방 방법들이 추천되고 있다. 예방 방법으로는 약물 혹은 기계적인 방법들이 추천되고 있는데, 비분획헤파린Unfractionated Heparin (UFH), 저분자량 헤파린Low-Molecular-Weight Heparin (LMWH), 경구용 항응고제, 간헐적 하지압박요법Intermittent Pneumatic Compression (IPC), 압박스타킹 등이 사용되고 있다. 아스피린 투여만으로는 충분한 효과가 없는 것으로 보고되고 있다. 표 6-28은 VTE의 예방을 위해서 2001년 미국흉부의학회 권고안이다.

7) 치료

급성 VTE의 치료목적은 증상의 완화와 더불어 PE와 관계되는 이환율과 사망률을 막고, 혈전증 후 증후군Post-Thrombotic Syndrome (PTS)을 예방하고, 재발하지 않도록 하는 데 있다. 치료방법에는 항응고제투여, 혈전용해술, 하대정맥 필터삽입술, 수술적 혈전제거술 등이 있다. 항응고제 투여방법은 가장 오래전부터 시도된 방법으로 비분획헤파린(UFH)과 쿠마딘을 이용한 것 이었고, 이후 저분자량 헤파린(LMWH)이 비분획헤파린을 대신해 왔고, 근래에는 새로이 개발 출시되는 경구용 항응고제NOACs (New Oral Anticoagulants)들에 대한 치료효과와 안전성에 대한 검증이 이루어지면서 기존의 DVT 치료법에 대한 지평이 바꾸어 가고 있다.

(1) 항응고요법

가. 비분획헤파린

고식적으로 사용되어온 UFH는 4,000-40,000Da의 분자량을 갖는 황산화 다당류이다. 항트롬빈 IIIantithrombin III (AT III)와 결합하여 인자 IIa(트롬빈), IXa, Xa, XIa, XIIa를 비활성화시켜 항응고 효과를 나타내며, 반감기는 90분 정도 된다. 투여량은 환자의 체중에 따라 정하는 방법(표 6-29)과 표준 고정량을 주사하는 방법이 있는데(표 6-30), 전자가 목표 혈중치에 빨리 도달된다. 체중에 따라 정하는 방법은 80IU/Kg를 초기 유도용량으로 주사한 후, UFH를 수액에 섞어서 18IU/kg의 용량으로 정주

표 6-29. 체중 기준 헤파린의 초기 주사 용법

aPTT (s)	헤파린용량
초회량	80 IU/kg 일시투여 후 18 IU/kg/h로 정주
<35	80 IU/kg 일시투여 후 4 IU/kg/h로 정주
35-45	80 IU/kg 일시투여 후 2 IU/kg/h로 정주
45-70	전과 동일용량으로 투여
71-90	18 IU/kg/h로 정주
>90	한시간 중단 후 3 IU/kg/h로 정주

하면서 6시간마다 활성화 부분트롬보플라스틴 시간activated Partial Thromboplastin Time (aPTT)을 측정하여, 정상 aPTT의 1.5–2.5배가 되도록 유지시킨다. 보통 aPTT가 안정화된 이후에는 1일 단위로 검사를 시행한다. 경구용 항혈전제인 쿠마린은 UFH 투여 후 다음날부터 시작하며, INR (International Normalized Ratio)가 2–3으로 도달될 때까지 4–5일간 병용 투여한 후, INR이 2–3도달 후 2일 후에 UFH는 중단한다. 주된 후유증은 두개골내이나 후복막강 출혈이며, 2파인트 이상의 수혈이 요구되는 대량 출혈은 입원환자의 5% 정도에서 발생된다. 출혈이 있으면 UFH의 투여를 중단해야 하고 중화제로 프로타민설페이트를 투여해야 한다. 프로타민설페이트는 혈중의 잔여 UFH 100IU당 1mg을 투여하며, 저혈압, 서맥, 폐부종, 아나필락시스 같은 합병증이 있으므로, 1–3분 이상에 걸쳐 천천히 투여해야 하며 처음 50mg까지 투여 시는 주의를 요한다. 다른 후유증은 헤파린유발성 혈소판감소증Heparin-Induced Thrombocytopenia (HIT)으로 1–5%에서 발생되고, 이는 헤파린–혈소판 인자 4platelet factor 4의 복합체에 대한 IgG 항체가 형성되어 발생된다. UHF 투여 후 2주 이내에 발생되고, 점막의 반상출혈로부터 장출혈까지 발생될 수 있고, 혈소판 감소에도 불구하고 동맥과 정맥내에 다발성 혈전이 발생될 수 있다. 조기 진단을 위해서는 UFH 투여 3일 이후부터 혈소판을 측정하여 100,000/μL 이하로 감소하면 반드시 투여를 중단해야 하며, 와파린이 INR 2–3에 도달할 때까지 히루딘hirudin이나 아가트로반agatroban과 같은 항응고제를 사용해야 한다. UFH을 고용량 장기적으로 투여하면 뼈의 생성이 억제되고, 뼈의 흡수가 증가되어 뼈감소증osteopenia도 발생된다.

나. 저분자량 헤파린

LMWH은 UFH의 효소적 또는 화학적 해중합depolymerization 반응에 의해서 생성된다. LMWH은 항트롬빈 III과 결합하여 인자 IIa와 인자 Xa을 1:1–1:4의 비율로 비활성화시켜 항응고효과를 나타낸다. 피하에 주사 시 90% 이상의 생체이용률을 보이며, 반감기가 길고 약효가 일정하게 나타나 약물용량에 대한 감시가 필요하지 않은 장점이 있다. 그러나, LMWH은 신장으로 배출되기 때문에 크레아티닌 청소율이 30mL/min 이하인 경우, 50kg 이하의 소아, 120kg 이상의 비만환자, 임산부에서는 용량 조절이 필요하고, LMWH을 투여 후 4시간이 경과된 후 anti–Xa수준을 측정하여, 1.0–2.0IU/mL의 적정 농도를 유지시켜야 한다. DVT의 예방적 목적일 경우에는 1mg/

표 6-30. aPTT 기준 헤파린의 초기 주사 용법

aPTT (s)	정주량		추가조치
	조절율(mL/h)	조절량(IU/24h)*	
45	+6	+5,760	투여량 조절(IU/24h)*
46-54	+3	+2,880	4-6시간 후 aPTT 검사
55-85	0	0	전과동일 용량으로 투여
86-110	-3	-2,880	1시간 동안 헤파린 투여 중단 후 계속 감량하여 4-6시간 투여 후 aPTT 검사
>110	-6	-5,760	1시간 동안 헤파린 투여 중단 후 계속 감량하여 4-6시간 투여 후 aPTT 검사

* 헤파린 농도, 20,000IU in 500mL = 40IU/mL

kg를 하루 1회 투여하고, 치료적 목적일 경우에는 하루 2회를 투여한다. 급성 DVT의 치료성적은 UFH와 유사하고, 현재 enoxaparin (LevenoxTM/ClexaneTM), dalteparin (FragminTM), ardeparin (NorrnifloTM) 등이 임상에서 사용되고 있고, 제품마다 약물역동학적 차이로 인해 사용 용량은 서로 차이가 있다. 프로타민설페이트는 약간의 중화효과를 갖는다. UFH과 마찬가지로 쿠마린으로 대처할 경우에는 5일 정도 병용하여야 한다. LMWH이 UFH보다 출혈, HIT, 뼈감소증의 합병증의 빈도는 낮다. HIT은 2-3%에서 발생되며 일주일에 한 번 정도 혈소판의 숫자를 검사하는 것을 권장하고 있으며, HIT가 발생되면 다나파로이드danaparoid나 히루딘으로 대체하여야 한다.

다. 쿠마린

쿠마린Coumarin은 유일하게 사용되어 왔던 경구용 항응고제이다. 쿠마린은 비타민-K 의존성 응고인자인자 II, Ⅶ, Ⅸ, Ⅹ과 항응고인자 C-단백과 S-단백이 간에서 합성되는 것을 억제한다. 쿠마린의 적정용량감시는 프로트롬빈 시간Prothrombin Time (PT)으로 하는데, 검사실마다 PT를 검사하기 위해 사용하는 시약에 따라 결과치가 다르므로 국제보건기구에서 제시한 INR을 이용해야 한다. 이상적인 혈중 수치에 도달하기까지는 4-5일간이 소요되고, 대개 초회 5mg부터 시작하여 목표치인 INR 2-3에 도달하도록 조절한다. 또한 안정된 항응고 효과를 위해서는 이미 생산된 응고인자인 트롬빈이 소멸되어야 하므로 목표치 도달 후 2일 정도 더 UFH이나 LMWH를 병합 투여해야 한다. 쿠마린의 약효는 간기능, 음식, 나이, 다른 약제 등에 의해서 민감한 영향을 받으므로 환자에게 이에 대한 철저한 교육이 필요하다. 약 40시간의 긴 반감기를 갖고 있어서, 출혈가능성이 높은 침습적인 치료을 시행해야 하는 경우에는 2-3일 이전에 약물 투여를 중단해야 한다. 주요 합병증은 출혈인데, 출혈위험은 INR 상승 정도와 관련이 있고, INR2-3으로 유지할 경우 주요 출혈 발생률은 3% 이하이다. 출혈이 발생되면 쿠마린 투여의 일시 중단이나 약량의 조절이 필요하고, 출혈정도에 따라서 신선동결 혈장을 투여하거나 경구용 혹은 주사용 비타민 K를 투여함으로써 치료가 가능하다. 비출혈성 합병증으로는 피부괴사와 배아병증embryopathy이 있다. 피부괴사는 보통 쿠마린 투여 첫날에 발생하는데, 항응고인자 C-단백 결핍, S-단백 결핍이 있는 환자, 악성종양이 있는 환자 등에서 발생되고, 이런 환자에게 쿠마린의 투여는 기존의 C-단백 결핍, S-단백 결핍의 상태를 더욱 악화시켜 세정맥 등에 모순성 혈전증paradoxical thrombosis을 일으키고, 이로 인해 피부 및 피하지방에 괴사가 일어나게 된다. 이를 예방하기 위해서는 쿠마린 사용 하루 전부터 UFH이나 LMWH를 투여해야 하고, 4-5일 동안은 병행 투여해야 한다. 쿠마린은 태반을 통과하여 태아 기형을 유발하므로 임산부에서의 사용을 제한하고 있고, 임신 중에는 헤파린제제인 LMWH 등을 써야 한다.

라. 새로운 경구용 항응고제

1980년대에는 coagulation factor Xa의 억제제인 경구용 항응고제들(Rivaroxaban; Apixaban; Edoxaban)과, factor II에 작용하는 다비가트렌Dabigatren들이 개발되어, 임상적으로 DVT의 예방과 치료, 재발빈도의 감소에 효과적이고, 출혈의 위험성도 낮출 수 있음을 여러 연구를 통해 밝히고 있다(표 6-31). 기존에 사용되어 왔던 경구용 쿠마린에 비해 첫째로 간기능이나 신장기능에 이상이 없는 환자군에서는 정해진 용량대로 투여할 수 있으며, 둘째로 다른 음식물이나 약물과의 상호작용이 적고, 셋째로 혈중 농도 감시 없이 투여할 수 있고, Rivaroxaban과 apixaban은 heparin의 전처치 없이도 쓸 수 있는 보다 여러 가지 장점을 갖고 있어 사용이 증가되고 있다.

마. 기타

① 펜타사키이드pentasaccharide

혼다파리눅스fondaparinux는 초저분자량 헤파린(ArixtraTM)으로 5-polysaccharide을 갖고 있는 화학적으로 합성된 항응고제이며 AT III에 결합하여 Xa를 억제한다.

표 6-31. Phase III trials of NOAC for VTE

	RE-COVER	RE-COVER II	EINSTEIN-DVT	EINSTEIN-PE	AMPLIFY	HOKUSAI
Medication	Dabigatran vs. Warfarin	Dabigatran vs. Warfarin	Rivaroxaban vs. Wafarin/ Acecoumarol	Rivaroxaban vs. Wafarin/ Acecoumarol	Apixaban vs. Warfarin	Edoxaban vs. Warfarin
Studydesign	randomized double blind non-inferiority	randomized double blind non-inferiority	randomized double blind non-inferiority	randomized double blind non-inferiority	randomized double blind non-inferiority	randomized double blind non-inferiority
Patients	1749 DVT 541 PE 245 both	1750 DVT 595 PE 221 both	3449 DVT	4832 PE	3532 DVT 1359 PE 477 both	4921 DVT only 3319PE
Initial treatment	LMWH/UFH for ≥ 5 days	LMWH/UFH for ≥ 5 days	2 × 15mg for 3 weeks	2 × 15mg for 3 weeks	2 × 10mg for 7 days	LMWH/UFH for ≥ 5 days
Further treatment	2 × 150mg	2 × 150mg	1 × 20mg	1 × 20mg	2 × 5mg	1 × 60/ 1 × 30mg[1)]
Duration of treatment	6 months	6 months	3-12 months	3-12 months	6 months	3-12 months
% time in therapeutic range (average)	59.9%	57%	57.7%	62.7%	61%	63.5%

DVT... deep venous thrombosis, PE... pulmonary embolism, LMWH... low molecular weight heparin, UFH... unfractionated heparin

[1)] lower dose if body weight <60 kg or creatinine clearance 30-50mL/min or treatment with potent P-glycoprotein inhibitors

혈소판과 무관하게 AT III에만 선택적으로 결합하므로 HIT 발생은 드물다. LMWH와 유사한 VTE 예방효과가 있고 출혈 합병증도 차이가 없음이 보고되고 있다. 아직은 미국 식품의약안전청의 승인을 받지 못한 상태이다.

② 히루딘

초기에는 거머리에서 추출되었고, 임상적으로 쓰이고 있는 히루딘과 레피루딘lepirudin은 유전자 조작기술을 이용하여 만들어진 것들이다. AT III와 무관하게 트롬빈에 직접 작용하여 혈전의 생성을 막으며, 혈소판과 결합하지 않아서 HIT가 발생된 환자에서도 사용할 수 있다. 초회 유도량은 0.4mg/kg이고 유지량은 0.15mg/kg/hr이고, 용량 감시는 aPTT로 시행된다. 신장으로 배출되며, 중화제는 없고 혈장교환술로 효과를 볼 수 있다.

③ 아가트로반

합성 항응고제로, 히루딘과 같이 AT III와 무관하게 트롬빈을 직접 억제하여 혈전의 생성을 막으며, HIT환자에서도 효능이 검증되었다. 반감기는 39-51분으로 1-3시간 정주하면 안정된 혈중 수치에 도달되며, 용량 감시는 aPTT로 시행된다. 중화제는 없다.

바. 경구용 항응고제 사용기간

급성 DVT의 재발을 방지하기 위해서는 초기 단계의 UFH이나 LMWH와 쿠마린과의 병용투여가 끝나면, 장기적인 쿠마린 단독 투여요법이 필요하다. 투여기간은 환자에 따라 개별화해야 하며, DVT 위험인자들을 고려해서 결정해야 한다. 표 6-32는 미국 흉부의학회에서 권장하는 내용이다.

표 6-32. 경구용 항응고제의 사용기간

적응증	기간
일차정맥혈전색전증-가역성 위험인자(일시적 절대안정, 에스트로겐 요법, 수술, 외상)	3-6개월
일차특발정맥혈전색전증(First idiopathic VTX* event)	≥6개월
재발성정맥혈전색전증, 일차정맥혈전색전증-비가역성 위험인자(악성종양 또는 과혈액응고증)	12개월에서 평생

(2) 혈전용해요법

UFH을 이용한 DVT의 치료성적이 단기적으로는 혈전 제거율이 좋지 않았고, 장기적으로는 혈전증후군 발생빈도가 높아 보다 강력한 혈전용해제의 전신투여요법이 시도되었다. 그러나 혈전용해제의 전신투여로 혈전용해율은 다소 향상을 보였지만, 급성 증상이나 혈전증후군의 발생 빈도 면에서는 만족스럽지 못하였고, 출혈 부작용이 많았다. 따라서 보다 안전한 투여방법으로 개선이 필요 했고, 새로운 다양한 방법들이 시도되고 있다. 현재 임상에서 사용 가능한 혈전용해제는 Urokinase (UK), recombinant tissue-type Plasminogen Activator (rt-PA), alteplase, reteplase 등이 있으며, 작용 기전은 공통적으로 혈중의 플라스미노겐을 플라스민으로 활성화시키는 것이다. 활성화된 플라스민은 혈전내 섬유소를 분해하여 혈전을 용해시키게 된다. 혈전용해제의 절대 금기로는 내출혈이 있는 경우, 2개월 이내의 뇌출혈, 뇌병변이 있는 경우들이고, 상대적 금기로는 중증 외상, 악성 고혈압, 10일 이내의 대수술, 안구질환, 소화기 계통의 중증 질환이 있을 때이다.

가. 카테터를 이용한 혈전용해술

혈전용해율를 높이고, 정맥판막 기능을 조기 복원하여 혈전증후군의 빈도를 감소시키고, 혈전용해제의 사용량을 줄여서 출혈의 합병증을 낮추기 위하여, 카테터를 이용하여 혈전내에 혈전용해제를 직접 주입하는 혈전용해술Catheter-Directed Thrombolysis (CTD)이 고안되었다. 혈전용해제의 투여량에 대하여는 표준화된 지침이 없으나 UK는 초기에는 고용량 용법으로 4,000units/min으로 시작하여 개통이 시작되면 잔존혈전양에 따라서 1,000-2,000units/min을 투여하다가, 12-16시간 평가에도 잔존혈전이 있는 경우는 저용량 용법인 30,000-50,000uints/h으로 전환하는 방법도 소개되어 있다. 시술중 혈관조영술을 이용한 추적검사는 고용량용법 시는 30분-2시간 간격으로, 저용량용법 시는 환자의 상태에 따라 24시간까지 늘려서 실시한다. 혈전용해술은 보통 96시간 이내까지 시도되며, 이후에 발견되는 정맥내 협착이나 폐색부위를 풍선혈관확장술 및 스텐트삽입술로 교정함으로써 재발의 원인을 제거할 수 있다. 14일 이내 급성 DVT는 용해율이 매우 높은 것으로 보고되고 있으며, 급성 장골-대퇴 DVT의 경우에는 시술성공률이 높고, 1년 개존율이 96%로 보고되고 있으며, 삶의 질도 항응고 요법만 시행한 환자군에 비하여 만족도가 높다. 그러나 혈전용해술이 후기 합병증인 혈전증 후 증후군에 미치는 영향은 전향적이고 무작위적인 대규모 연구를 통하여 검증되어야 할 것으로 보인다.

나. Pharmacomechanical Thromboembolectomy (PMT)

최근에는 CTD보다 적은 혈전용해제를 사용하면서, 시술기간을 단축시키고, 시술의 합병증을 줄이기 위한 PMT 접근법들이 소개되고 있다. 이러한 것들은 다양한 물리적인 힘으로 혈전을 잘게 분쇄하고 혈전용해제로 반응시킨 후, 흡입기구들(Helix Clot Buster; microvena, white bear lake, MN/ AngioJet Rheolytic Thrombectomy System; Posis Medical, Minneapolis, MN)을 이용하여 음압으로 혈전을 제거하는 방법이다. 따라서 전체 시술 시간이 줄어들고 출혈의 위험이 낮아져 혈전용해술의 적응이 되지 않는 환자에서 사용할 수 있다는 장점있다. 하지만 초기 시술 시간이 길어지는 단점이 있다. PMT에 대한 대규모 연구의 결과는 아직 보고된바 없으나 여러 보고들에 의하면 50–90% 정도의 혈전을 제거할 수 있었으며, 부가적으로 시행한 혈전용해술 후에는 90% 이상의 혈전용해가 관찰된다고 한다.

(3) 수술적 혈전제거술

근위부 DVT 환자에서 뇌출혈이나 최근의 대수술 등 항혈전제나 혈전용해술이 금기인 경우에서 청색통증다리염나 정맥울혈성괴저가 임박한 경우에는 하지 구제를 위해서 수술적 혈전제거술을 시행해야 한다. 서혜부의 피부절개 통해 총대퇴정맥을 노출시켜 횡 혹은 종절개를 한다. 원위부 정맥내 혈전의 제거를 위해서 하지를 거상시키고 발쪽부터 서혜부 쪽으로 탄력 고무밴드 등으로 압박을 가하여 혈전을 밀어내는 방법milking thrombectomy이 사용되는데, 근래에는 무릎하방의 전경골정맥을 노출시켜 정맥절개를 통하여 OTW Fogarty catheter를 이용하여 정맥판막의 순방향으로 혈전제거를 하는 방법이 같이 사용되고 있다. 근위부의 혈전을 제거하기 위해서는 정맥용 풍선색전카테터를 하대정맥까지 진행시키고 혈전이 나오지 않을 때까지 수차례 반복하여 제거한다. 혈전제거 후 총대퇴정맥의 절개 부위를 봉합하고, 복재정맥을 표재성 대퇴동맥 측벽에 단측문합하여 일시적인 동정맥루를 조성한다. 일시적 동정맥루의 목적은 혈류를 증가시켜 혈전의 조기재발을 방지하고 혈관내피세포의 재건에 도움을 주고, 측부 혈관의 발달을 증가시키기 위해서이다. 동정맥루는 수술 후 6주경에 수술적 혹은 경피적혈관내 색전술로 막을 수 있다. 혈전제거술이 끝나면 정맥조영술을 실시하여 잔존혈전을 여부를 확인하고 협착부위가 있으면 풍선을 이용한 혈관성형술이나 스텐트를 설치한다. 혈전제거술의 결과는 보고자에 따라서 결과가 상이하지만, 폐색전증 합병률 20%, 수술 사망률 1%, 혈전제거실패율은 12%정도로 보고되고 있다. 일시적 동정맥루를 조성 후 장골정맥개존율이 많이 개선되어 조기 개통률은 80–96% (평균 88%), 2년 이상 개통율은 77–88%(평균 82%)로 보고되고 있다.

표 6-33. 하대정맥 필터의 적응증

절대적 적응증	항응고요법이 금기인 정맥혈전색전증
	적절한 항응고요법에도 불구하고 재발성 정맥혈전색전증
	항응고요법 중 발생되는 후유증
	폐색전제거술 후
	다른 형태의 caval interruption에 실패 시
상대적 적응증	장골-대퇴정맥 뜬(free-floating) 혈전증
	적절한 항응고요법에도 불구하고 진행되는 정맥혈전색전증
패혈성 폐색전증	후유증(pulmonary hypertension and cor pulmonale)을 동반하는 만성폐색전증
	50% 이상 폐동맥의 폐색 시: 추가 색전증 발생 시 위험

(4) 하대정맥 필터

1973년 혈전에 의한 치명적인 PE의 예방을 위하여 Kimray–Greenfield 필터가 최초 소개된 이래 많은 종류의 필터가 만들어져 왔다. 인체의 항응고작용이나 혈전용해술로 필터에 포착되는 혈전은 용해되어 하대정맥 Inferior Vena Cava의 개통이 유지된다. 필터는 투시검사, 혈관내초음파나 듀플렉스 초음파검사 등을 이용하여 목정맥이나 대퇴정맥을 통해 경피적으로 삽입하고 있다. 필터의 절대 적응증은 항응고제 치료가 금기인 경우, 항응고제 치료가 실패한 경우 등이고 기타 적응증은 표 6–33에 정리되어 있다. 시술에 따른 부작용은 하대정맥 폐색 및 관통, 필터의 이주 및 파손 등이 있다. 커다란 혈전에 의해 하대정맥이 폐색되는 경우에는 갑작스러운 저혈압이 발생되는데, PE의 재발에 의한 경우와 감별을 요한다. 최초로 고안된 Greenfield의 스테인레스 스틸 필터의 장기 추적관찰 결과를 보면, 20년 동안 4%에서만 PE이 재발되었으며, 하대정맥 개통율은 96%에 이르고 있다. 영구 필터가 갖는 합병증을 피하고자 짧은 기간만 설치한 후 제거할 수 있는 일시적 하대정맥 필터가 고안되었다. PE의 위험이 일시적일 것으로 예견되는 젊은 연령, 침상 생활로 운동제한, 외상 혹은 정맥 혈전증의 고위험 수술 환자 등에서 일시적 하대정맥 필터삽입술이 시행되고 있으나, 아직 이에 대한 대규모 연구 결과는 없으므로 환자의 선정에 신중을 기해야 한다.

2. 폐색전증

서구의 경우 DVT 환자의 30%에서 폐색전증Pulmonary Embolism (PE)이 발생되고, 무증상을 포함하면 50-60%에서 보고되고 있다. PE의 원인질환은 90% 이상이 하지의 DVT이고, DVT 환자의 5%에서는 치명적 PE가 발생하는 것으로 보고되고 있다. 요즘은 PE을 정맥혈전색전증과 같은 속성을 갖는 질환으로 설명하는데, 이는 병리생태, 위험인자, 진단방법, 치료방법이 크게 다르지 않다는 것에 근거로 두고 있다.

1) 임상 양상

가장 흔한 증상은 약 73% 환자에서의 갑작스러운 호흡곤란이고, 폐경색 시 발생되는 늑막성흉통과 객혈은 각각 66%, 15% 정도에서 나타난다. 기타 증상으로는 기침, 하지 부종, 통증 등이 있다. 흔한 징후는 70% 정도에서 빈호흡(호흡수≥20/분)을 보이며, 기타 수포음, 빈맥 등이 있다. 발열이 수 시간 후에 발생할 수 있으며, 38.3℃ 이상의 고열도 동반될 수 있다.

2) 진단

(1) 진단적 접근

검사전 평가와 D-dimer의 검사는 우선적으로 필요한데, VTE의 경우와 같은 의미를 갖는다.

(2) 혈액검사

동맥혈가스 검사상 저산소혈증, 과호흡에 의한 저탄산혈증, 폐포동맥혈 산소분압차alveolar-arterial PO_2 difference 증가 등의 소견을 보이나 큰 도움은 되지 않는다. 심장 troponin 수치와 혈청 뇌나트륨이뇨호르몬brain natriuretic hormone은 급성 PE에 의한 우심실의 기능 변화를 반영하지만 환자예후의 예측도는 낮은 것으로 보고 있다.

(3) 심전도

심전도 또한 비특이적 소견을 보이고, 유사 증상을 보일 수 있는 심근경색이나 심낭염 등을 배제하는데 더욱 의미를 두고 있다.

(4) 흉부 방사선 검사

대부분의 흉부 방사선 촬영 소견은 미미하며 비특이적인 변화를 보이므로, 갑작스럽게 호흡곤란을 호소하는 환자에서 흉부 방사선검사가 거의 정상이면 PE을 의심하도록 권하고 있다. 무기폐, 폐침윤, 일측 횡격막 거상, 소량의 흉막액이 보일 수 있고, Westermark's sign과 Hampton hump를 보일 수 있으나 진단적이지는 못하다.

(5) 심장초음파

심장초음파는 다른 진단방법 보다 쉽게 시행이 가능하고, 검사상 우심실의 용적과 기능 이상을 진단할 수 있다. 경식도 심장초음파를 이용하면 폐동맥주간pulmonary trunk과 양측 주폐동맥main pulmonary arteries의 근위부 색전증을 90% 이상의 민감도와 특이도로 진단할 수가 있다. 또한 경식도 심초음파는 다른 질환, 즉 우심실 경색, 심내막염, 심장막 눌림증pericardial tamponade, 대동맥박리 등을 배제하는 데 가치가 있다.

(6) 컴퓨터단층 폐혈관조영술

최근 컴퓨터단층 폐혈관조영술CT Pulmonary Angiography (CTPA)은 PE이 의심되면 초기 진단방법으로 선택되고 있다. 비침습적이며, 시간이 적게 걸리고, 용적 정보 획득과 함께 골반 및 하지정맥의 영상도 얻을 수 있는 장점이 있다. 중심 및 구역부위 색전증의 경우에는 민감도와 특이도가 매우 높다. 기타 폐질환들인 폐렴, 폐기종, 폐종양 등의 질환들도 진단하는데 유용한 정보를 제공한다.

(7) 폐환기-관류 스캔

폐관류스캔Lung perfusion Scan (V/Q Scan)은 특이도가 낮고 간접적인 영상 방법으로, 요즘 이차 진단방법으로 조영제에 특이 체질을 갖는 경우에만 시행되고 있는 추세이다. 폐관류스캔은 Technetium99m labeled macroaggergated albumin을 이용하는데, 관류 결손은 크기와 모양, 숫자에 따라서 구분한다. 결과가 음성이면 폐동맥 혈관조영술와 비슷한 정도로, 컴퓨터단층 촬영술보다는 더 정확하게 PE를 배제할 수 있다. 다른 폐질환에서도 관류결손을 볼 수 있으며, 저산소증에 의한 반응으로 혈관수축이 되어도 관류결손이 나타날 수도 있어서 특이도가 떨어지는 단점이 있다. 관류스캔의 특이도를 개선하기 위해서 폐환기스캔을 함께 시행하여 비교한다. 폐환기스캔 Lung Ventilation Scan은 Xenon133(Xe133), Xe127, Krypton81m, Technitium99m aerosol 등을 흡입하여 사용한다. PE은 기본적으로 혈관의 질환이므로 폐환기스캔은 정상이다. 따라서 관류는 결손이 있어도 환기스캔은 정상을 나타내는 환기/관류 불일치가 특징적이다. 폐렴같은 다른 폐질환에서는 환기/관류 불일치는 보이지 않으며, PE에서는 환기스캔의 이상은 드물고 일시적이다. V/Q Scan, X-선 소견, 검사전 임상가능성 평가 결과를 조합하면 PE의 진단 확률을 더욱 높일 수 있다.

(8) 폐동맥조영술

정확성이 가장 높은 절대적 표준검사이지만, 시간이 많이 걸리고, 침습적이며, 가격이 비싸서, 최근 CTPA와 같은 비침습적인 진단 방법들로 대체되고 있다. 하지만 중증 폐색전증의 경우 직접 혈전을 분쇄시키고 흡입하는 시술이 요구되면 제한적으로 폐동맥조영술을 시행한다.

3) 치료

치료로는 UFH이나 LMWH을 이용한 항응고요법, 혈전용해술, 하대정맥 필터삽입술 등이 있으며, 기본적으로 DVT와 동일하다.

(1) 항응고요법

UFH의 투여방법은 환자의 체중에 따라 정하는 방법과 표준고정량을 주사하는 방법이 있고, 조절방법은 DVT와 동일하다. LMWH인 enoxaparine, tinzaparin약제는 PE의 치료에 FDA허가를 얻었고, fondaparinux도 효과가 있음이 입증되었다. 다른 약제로는 경구용 제제로서 ximelagatran (Exanta®)이 있는데, 직접적인 트롬빈 억제제로 초기 치료뿐만 아니라 와파린을 대신해서 장기간의 유지 요법으로 효과가 있는 것으로 밝혀졌다. 이 약물도 FDA 승인은 받지 못한 상태이다. 대부분의 환자들은 헤파린 치료 후 바로 증상이 좋아지며, 환자의 반수 이상은 색전증 이전 상태로 완전 회복된다. 치료의 기간은 급성 DVT환자의 조건으로 결정한다. 사용량과 방법은 DVT의 치료와 동일하다.

(2) 혈전용해술

UK, rt-PA 등의 약물이 중증 PE의 치료에 이용된다. 저혈압을 동반하는 혈류역학적으로 불안정한 환자, 심초음파상 우심실 기능장애, 심한 저산소증 환자, 방사선 영상에서 대량의 혈전을 보일 때 등에서 혈전용해술이 시행된다. 중증의 PE에서는 보다 급속한 주입 방법을 사용하거나, 필요에 따라 CTD가 시행할 수도 있다.

(3) 하대정맥 필터

DVT에서의 적응증과 동일하다.

(4) 수술적 혈전제거술

수술적 혈전제거술은 치료 성적이 그다지 좋지 않아 2004년 발표된 제7차 ACCP Conference 지침에서는 3가지 조건이 있을 때, 즉 중증의 폐색전증, 항응고요법과 소생술에도 불구하고 혈류역학적으로 불안정한 경우, 혈전용해술이 실패하거나 불가능한 경우로만 제한하고 있다.

3. 만성 정맥기능부전

미국에서는 경미한 망상형 혈관이나 정맥류부터 심한 형태인 만성 정맥기능부전에 의한 정맥성 궤양에 이르기까지 정맥성 질환이 성인의 10-35%에서 나타나고 있다. 특히 정맥성 궤양을 보이는 만성 정맥기능부전은 65세 이상의 고령층에서 4%의 높은 유병률을 나타내는 질환으로 치료가 잘 안되고, 재발을 잘하며, 치료 비용이 많이 소요되는 대표적인 만성 질환이다.

주된 증상으로는 하지의 피로감과 무게감이 있으며, 정맥류, 색소침착, 지방피부경화증lipodermatosclerosis 그리고 정맥성 피부궤양 등이 있다. 이러한 증상이나 증후는 정맥혈의 역류, 정맥 폐색, 장딴지 근육 펌프기능 부전 그리고 정맥벽의 탄성도 저하 등에 의해 발생되며 이 중 가장 주된 원인은 정맥혈의 역류이다.

1) 역학 및 병인

정맥은 동맥과는 달리 벽이 얇고 압력이 낮은 도관이며, 상하지 근육의 수축과 판막의 기능으로 말초로부터 심장까지 혈액을 운반한다. 정맥의 판막은 혈액의 역류를 방지하여 정맥혈이 반대 방향으로 흐르지 못하게 한다. 판막의 파손이나 기능부전이 정맥 역류의 원인이며, 정맥 역류로 보행 정맥압ambulatory venous pressure이 상승하여, 이에 따라 만성 정맥기능부전의 증상과 증후가 나타나게 된다.

일차성 정맥 판막 역류는 내재하는 기능 부전의 이유가 없을 때 진단되며, 이차성 정맥 판막 역류는 심부정맥혈전증 같은 원인으로 인하여 발생될 때 진단된다.

2) 진단

(1) 보행정맥압과 정맥 재충만시간

환자를 세운 상태로 주사침을 등쪽 발정맥에 삽입하고 압력변환기에 연결한 후 10번 발가락 운동을 시킨다. 운동 전에는 정맥압이 90mmHg이었으나 하지 운동을 하게 되면 곧 감소하여 운동이 끝날 때에는 정맥 유입량과 유출양이 평행을 이루게 되며 이때의 정맥 압력이 보행정맥압이다. 정상 정맥은 30mmHg까지 보행정맥압이 낮아지나, 혈전후 증후군이나 정맥성 궤양 환자의 보행정맥압 Ambulatory Venous Pressure (AVP)은 75–80mmHg 정도로 낮아지는 정도가 미미하다.

환자의 운동을 정지 시키면 정맥압이 기본선으로 돌아가는데 보행정맥압에서 기본치의 90% 가량 회복되는데 소요되는 시간이 정맥 재충만시간Venous Recovery Time (VRT)이다. 정상 정맥인 경우 정맥 재충만은 서서히 일어나나 만성정맥기능부전에서는 빠른 속도로 충만된다(그림 6-64).

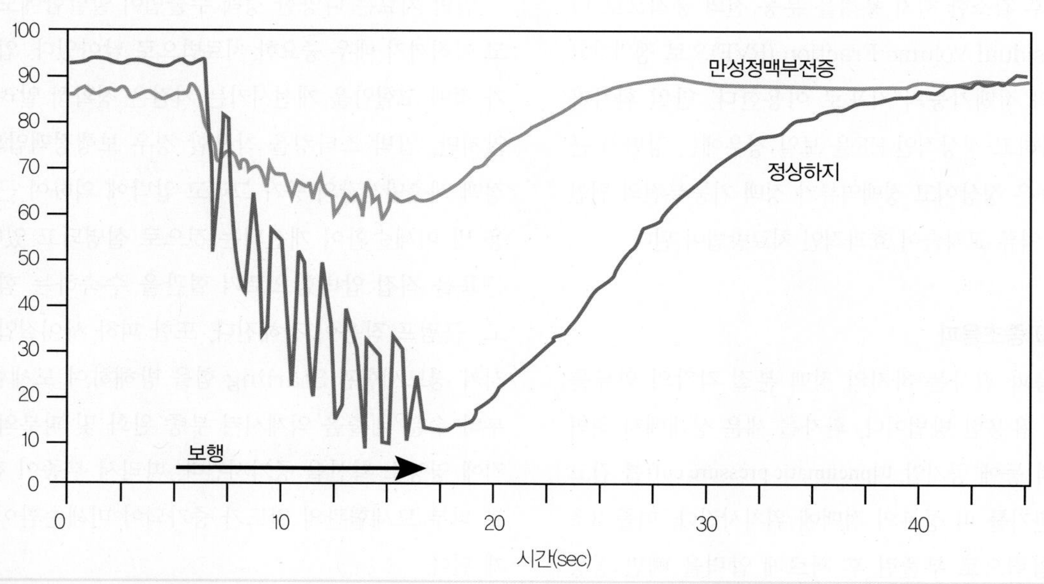

그림 6-64 정상인과 만성정맥기능부전증 환자의 보행정맥압

(2) 혈량측정법

가. 반사식 광전혈량측정법

반사식 광전혈량측정법Photoplethysmography (PPG)은 적외선을 이용하여 피하의 적혈구로부터 반사되어 온 빛을 감지하여 간접적으로 혈액양의 변화를 측정하여 정맥기능을 알아보는 비침습적 방법이다. 정확한 VRT만이 측정될 뿐 역류되는 부위나 근육 펌프 기능은 알 수 없으며, 만성 정맥기능부전에서 VRT이 정상보다 짧게 나타난다.

나. 공기용적 혈량측정법

플라스틱 공기 주머니를 장딴지에 감아 체위변화나 하지 운동에 의해 생기는 하지의 체적변화를 측정하는 방법이며, 정맥 역류뿐만 아니라 근육 펌프 기능 등 전반적인 하지 정맥의 기능을 검사할 수 있다. 먼저 환자를 드러누운 상태에서 하지를 거상하여 정맥혈의 최저치를 기록한 다음에 일으켜 세워 하지용량의 증가를 측정한다. 최대 정맥 용적 증가분을 소요된 시간으로 나눈 값이 Venous Filling Index (VFI)으로 정맥역류의 지표로서 사용된다. 다음엔 환자를 한 번 발가락운동을 시킨 후 나타나는 정맥 용량의 감소를 Ejection Volum (EV)이라고 하며, 하지근 펌프작용의 지표로 이용한다. 계속해서 환자를 10번의 발가락운동을 시킨 후 감소한 하지 용적을 운동 전의 용적으로 나눈 값을 Residual Volume Fraction (RVF)으로 정의하고 하지 전체의 정맥기능의 지표로 이용한다. 만일 환자가 VFI가 증가하고 정상적인 EF을 보일 경우에는 장딴지 근육펌프 기능은 정상이고 정맥역류가 정맥 기능부전의 원인이 되므로, 역류 교정술이 효과적인 치료방법이 된다.

(3) 정맥 이중초음파

이중초음파 검사는 하지의 정맥 분절 각각의 역류를 검사하는데 유용한 방법이다. 환자를 세운 상태에서 허벅지나 장딴지 등에 공기압 띠pneumatic pressure cuff를 감고 초음파 변환기를 띠 상부의 정맥에 위치시킨다. 띠를 3초 동안 기준압력으로 부풀린 후 빠르게 압력을 빼면 정상 판막의 95%는 0.5초 이내에 닫히게 된다. 역류시간이 0.5초 이상의 경우에는 정맥판막기능부전이 있다고 판정하는 것이 일반적이다.

(4) 정맥 조영술

일반적으로 정맥 조영술phlebography은 정맥류와 같은 일차성 정맥 질환의 진단이나 치료에 필요한 검사가 아니나, 심한 정맥기능부전에서는 상행 정맥 조영술은 폐색여부, 그리고 하행 정맥조영술은 특정 판막의 부전을 진단할 수 있는 검사이다.

3) 임상적 중증도의 분류

정맥 질환의 CEAP 분류법은 1994년 American venous forum에서 후원하는 international consensus committee meeting에서 보고 기준으로 소개된 점수체계이다(표 6-34). 임상적 양상clinical presentation, 병인etiology, 해부anatomy, 병태생리학pathophysiology을 기초로 하였으며 정맥부전이 있는 하지를 일관성 있고 자세히 평가할 수 있으며, 치료계획을 세우는데 도움을 준다.

4) 비수술적 치료

(1) 압박 치료

압박 치료는 다양한 정맥 수술법이 발달함에도 불구하고 아직까지 매우 중요한 치료법으로 남아있다. 압박 치료가 정맥 고혈압을 개선시키는 기전은 정확히 알려져 있지 않지만, 압박 스타킹을 착용할 경우 보행정맥압의 감소, 정맥 재충만시간의 증가 그리고 압박에 의하여 근펌프 작용 및 미세순환이 개선되는 것으로 설명되고 있다. 우선 근육을 직접 압박함으로써 혈관을 수축하는 힘이 커지고, 근펌프 작용이 강해진다. 또한 피하 사이질압을 증가시켜 경모세혈관 Starling 힘을 방해하여 모세혈관으로부터 수분 배출을 억제시켜 부종 완화 및 피부와 피하조직에 영양소 확산을 증가시킨다. 따라서 부종이 감소됨으로 피부 모세혈관의 밀도가 증가되어 미세순환이 증가하게 된다.

압박치료의 상대적 금기로는 동맥압이 70mmHg 이하

표 6-34. 하지 만성정맥부전의 CEAP 분류

C	임상 징후(Clinical signs) A; 무증상, S; 증상 발현
Class 0	육안적 또는 촉지되는 징후 없음
Class 1	모세혈관확장증, 망상형 정맥 등
Class 2	정맥류
Class 3	피부변화 없는 부종
Class 4	피부변화(색소침착, 정맥성 습진, 지방피부경화증)
Class 5	치유된 궤양과 동반된 피부변화
Class 6	치유되지 않은 궤양과 동반된 피부변화
E	**병인 분류(Etiologic classification)**
Congenital (E_C)	출생 때부터 정맥질환 원인 존재
Primary (E_P)	확인된 원인 없는 만성정맥질환
Secondary (E_S)	확인된 원인(혈전 후, 외상 후, 등)에 의한 만성정맥질환
A	**해부학적 위치(Anatomic distribution)**
A_{S1-5}	표재성 정맥
A_{D6-16}	심부 정맥
A_{P17-18}	관통 정맥
P	**병태생리학적 기능장애(Pathophysiologic dysfunction)**
P_R	역류
P_O	폐색
$P_{R,O}$	역류와 폐색

로 낮은 경우, 충분한 부행혈관이 없는 급성 심부정맥혈전증, 심한 울혈성 심장부전, 정맥성 궤양으로 진단되지 않는 경우 등이 있다.

가. 탄력 압박스타킹

압박 치료의 가장 흔한 방법은 단계적 탄력 압박스타킹graduated elastic compression stocking이다. 1950년 정맥성 궤양을 갖고있던 Conrad Jobst이 수영장 안에 서있을 때 물에 의한 수압의 차이로 자신의 증상이 완화되는 현상에 착안하여 처음으로 고안하였다. 현재는 다양한 성분과 여러 가지 강도와 길이로 환자 개인에 맞게 제작되어 시판되고 있다.

후향성 조사에 의하면 부종과 염증을 먼저 조절한 후에 30–40mmHg 압력의 무릎 밑 스타킹 착용으로 정맥성 궤양의 93%를 치유하였고, 평균 회복기간은 5개월이었다. 궤양의 재발은 압박스타킹 착용에 잘 협조적인 환자는 5년에 29%였으나, 비협조적인 환자는 3년 안에 100%였다. 최근에는 압박 치료로 정맥성 궤양이 6개월에 약 40–50% 정도 치유되는 것으로 보고되고 있다. 환자를 스타킹 착용에 잘 적응시키기 위하여 착용시간을 점차로 늘리거나, 압력을 초기에는 20–30mmHg 정도 낮추었다가 점차로 높이기도 하고, 착용할 때 불편을 줄이기위해 착용기구를 이용하기도 한다.

나. Paste Gauze (Unna) 부츠

압박의 다른 방법으로는 1896년 독일의 피부과 의사인 Paul Gerson Unna에 의해 고안된 Unna 부츠가 있다. Unna 부츠는 3층의 드레싱으로 구성되어 있으며, 압박치료와 국소치료를 동시에 시행하게 된다. 첫 번째 층은 calamine, zinc oxide, glycerin, sorbitol, gelatin, magnesium aluminum silicate를 함유하는 Dome 반죽 붕대로 단계적 압박하며, 다음은 4인치 거즈로 드레싱하고, 바깥은 탄력붕대로 압박하며 감아준다. 붕대는 건조하면서 견고해져 하지의 부종을 막아준다. 환자는 비교적 편안해 하며 1주일에 한번 정도 교환하면 된다. 단 부피가 크고, 피부 궤양의 관찰이 어려우며, 접촉성 피부염이 발생되면 치료를 중단해야 하는 단점이 있다.

다. 기타 탄력 압박 방법

탄력 압박의 다른 방법으로는 단순 탄력붕대, 다층으로 감싸는 드레싱, 각반 보조기legging orthoses (Circ-Aid) 등이 있다. 각반 보조기는 여러 개의 구부리기 쉬운 견고한 압박밴드로 되어있으며, Unna 부츠와 같이 견고하게 압박을 하면서 매일 쉽게 적용할 수 있는 장점을 가지고 있다.

그 밖에 공기 압력 장치를 이용한 압박 치료가 있으며 동맥부전이나 조절이 안 되는 울혈성 심장기능부전을 제외한 경우에 시행할 수 있는 방법이다.

(2) 피부 대용제

여러 가지 피부 대용제skin substitutes가 상품으로 소개되었거나 임상시험 중이다. 정맥성 궤양에 미치는 작용기전이 밝혀지진 않았지만 상처 치유에 관여하는 다양한 성장인자나 사이토카인의 이송 매체로 작용할 것으로 생각된다.

정맥 궤양의 치유에 많이 쓰이는 피부 대용제인 Aligraf는 이중 층(각질세포가 포함된 표피와 섬유모세포의 진피층)의 살아있는 피부 구조를 가진 제품으로, 크고 깊은(>100mm^2) 그리고 오래된(>6개월) 궤양에 효과가 좋다.

5) 수술적 치료법

(1) 관통정맥 결찰술

하지에서 심부정맥과 표피정맥을 연결하는 관통정맥의 판막 기능 부전은 정맥성 궤양의 원인이 된다. 고전적인 관통정맥 결찰술은 1938년 Linton에 의하여 소개되었으며 수술 창상과 관련된 합병증 때문에 지금은 많이 시행되지 않고 있다. 현재는 최소 침습술의 하나로 내시경적 근막하 관통정맥 결찰술Subfascial Endoscopic Perforator vein Sugery (SEPS)이 내시경 장비의 개발로 발전되어 보편화되었다.

표 6-35. 관통정맥 역류 진단 방법의 정확도

진단방법	민감도(%)	특이도(%)
이학적 검사	60	0
연속파형 도플러초음파	62	4
상행 정맥조영술	60	50
정맥듀플렉스초음파	79	100

SEPS의 적응증은 C4-C6의 진행된 만성 정맥부전증 중 관통정맥의 부전이 있는 경우이다. 깨끗한 육아조직성 개방형 궤양도 적응증이 되며, 부적응증으로는 만성 폐쇄성 동맥질환, 감염성 궤양, 고도비만, 거동불능의 고위험군 환자 등이 있다. 수술 전날 이중초음파를 이용하여 판막 부전이 있는 후방 구획posterior compartment의 관통정맥과 정맥 폐색의 유무 등을 피부에 표시한다perforator mapping. 관통정맥 부전은 이중초음파 검사에서 혈류가 바깥방향으로 0.5초 이상이고 직경이 3mm 이상인 경우에 진단할 수 있다. 작은 관통정맥을 놓칠 수는 있으나 100% 특이성과 가장 높은 민감성을 가지는 검사 방법이다(표 6-35).

환자는 앙와위로 하지를 45-60도 들어 올려 Esmarch 붕대로 방혈시키고 허벅지 압박띠 300mmHg 압력으로 혈행을 차단한 뒤 무릎을 구부린다. 경골내과에서 10cm 원위부 장딴지의 내측 그리고 병변 피부의 근위부위에 10mm 내시경 포트를 근막하에 삽입한 뒤 CO_2 가스를 주입하면서 근막하 층을 박리한다. 발견되는 관통정맥을 이중 클립하고 절단한다. 수술 후 5일 동안 하지를 압박 붕대로 감아 놓는다.

Linton의 절개창을 통한 관통정맥 결찰술의 평균 24%의 창상 합병증에 비해 SEPS는 합병증 유병률이 매우 낮으며 표피정맥 역류의 제거와 동반하여 시행하였을 경우, 1년에 88%의 만족할 만한 궤양 치유율을 보이고 있다. 또한 궤양 재발률도 1년과 2년에 각각 16%, 28% 정도로 낮게 나타난다.

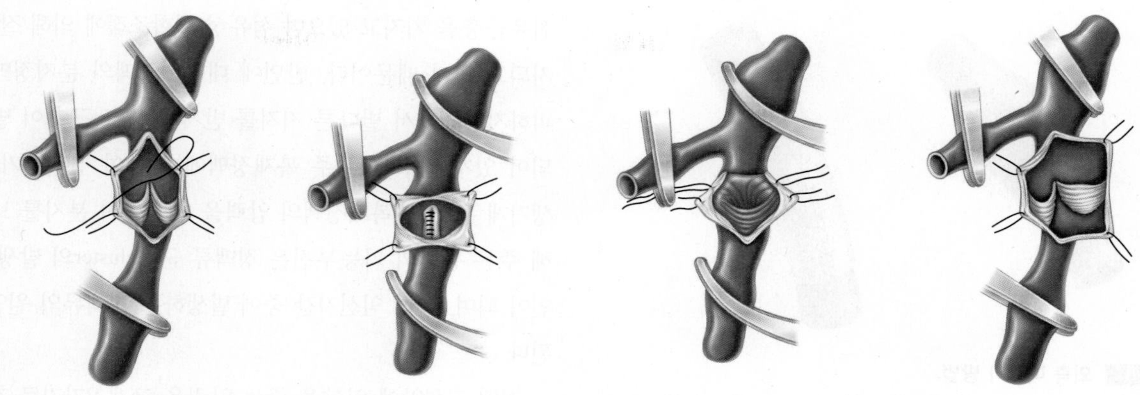

그림 6-65 **기능부전 판막을 보는 다양한 절개방법에 따른 내측 판막성형술들**

(2) 정맥 재건술

심부정맥의 판막 기능부전이 없는 경우에는 복재정맥 발거술과 관통정맥 결찰술이 만성 정맥 기능부전의 치료로 충분하다. 그러나 표피정맥과 심부정맥의 기능부전이 동반되어 있을 경우에는 심부정맥의 판막 재건술이 추가로 필요하게 된다.

가. 내측 판막성형술internal valvuloplasty

이 술식은 다양한 방법으로 정맥을 절개한 뒤 직접 보면서 늘어진 판막을 봉합하여 당겨주는 방법이다. 즉 과다한 판막첨판을 polypropylene 7-0를 이용하여 정맥벽에 고정하여 양 첨판이 서로 만나게 해준다. 약 60-80%의 장기 성공률을 나타내나 궤양이 있는 환자의 40-50%에서는 지속적인 궤양이나 재발을 호소하기도 한다(그림 6-65).

나. 외측 판막성형술external valvuloplasty

판막이 위치한 선을 따라 벽경유intramural 봉합하여 정맥의 절개 없이 판막을 교정하는 술기이다. 직접 절개하여 판막을 교정하는 방법에 비하여 성적이 좋지않은 단점이 있다(그림 6-66).

다. 외측 띠감기external banding

이 술식은 polyester (Dacron)이나 polytetrafluoro-ethylene (PTFE)을 이용하여 판막이 있는 부위의 정맥

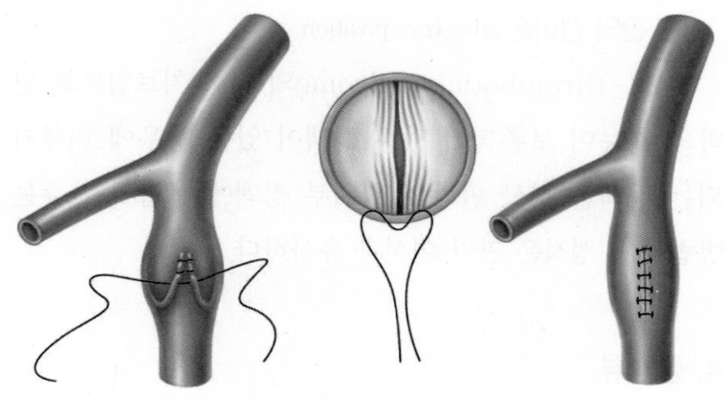

그림 6-66 **외측 판막성형술 방법.**
(Adapted from Rutherford RB. Vascular surgery. 6th ed. Elsevier Saunders 2005, Figure 159-9)

둘레를 감싸 외측 소매를 만드는 방법이다. 판막의 기능이 정상이 될 때까지 정맥의 내강이 좁아지게 땡기게 되며 소매가 움직이지 못하게 정맥 외벽과 고정시켜 준다(그림 6-67).

라. 판막 이식술valve transplantation

정맥 판막의 이식술은 post-thrombotic syndrome과 같이 판막이 파괴된 경우에 시행한다. 상지의 정상 판막이 포함되어 있는 정맥 2-3cm을 먼저 절제한 후, 같은 길이의 대퇴정맥을 제거한 부위에 이식해 준다. 초기 성적은 다른 정맥 판막 재건술과 유사하나 장기 추적 결과는 이식한 정맥 판막에 기능부전이 발생하기 때문이 좋지 않은 것으로 보고되고 있다.

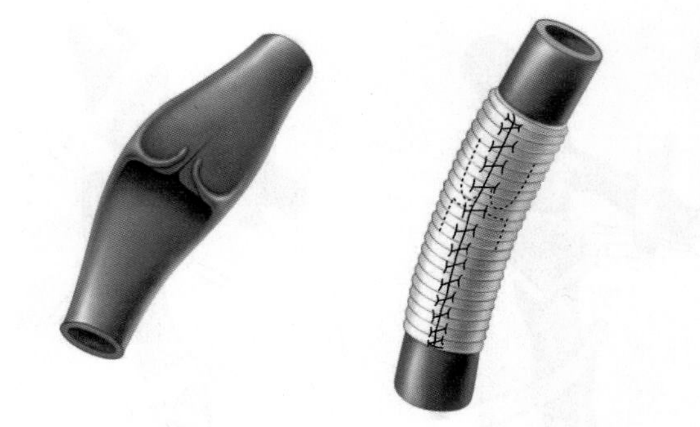

그림 6-67 **외측 띠감기 방법.**
(Adapted from Rutherford RB. Vascular surgery. 6th ed. Elsevier Saunders 2005, Figure 159-12)

마. 판막 전이술valve transposition

Post-thrombotic syndrome의 다른 치료법으로 판막의 기능이 보존되어 있는 정맥이 있는 경우에 역류가 되는 정맥을 정상 판막의 원위부 정맥에 문합시켜 주는 방법이다. 성적은 판막 이식과 유사하다.

4. 정맥류

정맥류는 전체 인구의 약 10%에서 발생하는 비교적 흔한 질환이다. 일차적 정맥 부전primary venous insufficiency의 형태는 늘어나고 구불구불한 정맥류varicose vein, 모세관확장증telangiectasia, 망상형 정맥reticular vein이다. 일반적으로 정맥류는 C2에 해당되며, 직경이 4mm 이상의 촉지가 가능하며, 피하층에 있는, 늘어난 정맥을 가리키며, 모세관확장증은 직경 1mm 이하의 진피내 늘어난 정맥이며, 망상형 정맥은 4mm 이하의 촉지가 않되는 진피 아래 늘어난 정맥으로 모세관확장증과 함께 C1에 해당된다.

1) 병인

정맥류의 병인은 정맥벽의 강도와 성격의 근본적인 변화로 정상 복재정맥에 비하여 아교질collagen의 증가, 탄력소elastin의 감소와 하지에서 표피정맥의 위치에 대한 해부학적 차이가 원인으로 작용한다. 주 복재정맥은 항상 정맥류 질환에 포함되지 않으며 그 원인은 잘 발달된 안쪽 섬유근층을 가지고 있으며 섬유성 결합조직에 의해 잘 지지되고 있기 때문이다. 반면에 대복재정맥의 분지정맥은 피하지방층에서 별다른 지지를 받지 못하고 근층이 발달되어 있지 않으므로 주 복재정맥에 비하여 정맥류가 잘 생기게 된다. 대복재정맥의 압력을 차단하여 분지를 보호해 주는 판막의 기능부전은 정맥류 군집cluster의 발생 원인이 되며, 특히 임신기간 중에 발생하는 정맥류의 원인이 된다.

정맥 고혈압에 영향을 주는 압력은 크게 2가지로 첫째로 중력에의해 생기며, 우심방부터 시작된 혈액 기둥에 의해 발생하는 정수력학적 압력hydtostatic pressure으로 가장 높은 곳은 발목과 발 부위이다. 두 번째 압력은 하지에서 근수축에 의해 발생하는 역학적 압력dynamic pressure이다. 관통정맥의 기능부전이 있으면 운동에 의한 높은 압력(150-200mmHg)이 표피정맥으로 전달되어 표피정맥의 확장되고 늘어나게 된다. 정맥류의 치료는 정맥고혈압의 원인을 정확히 진단하여 정수력학 역류인 경우는 수술적 교정이 필요하며 유체역학 역류인 경우는 관통정맥을 제거해줘야 한다.

2) 위험 인자

정맥류의 위험인자로는 50세 이상의 고령, 여성 성호르몬, 비만, 불활동, 유전, 중력에 의한 수압, 근육 수축에 의한 유체역학적 힘 등이다.

정맥 기능은 호르몬의 변화에 영향을 받는다. 특히 황체에서 유리되는 프로게스테론은 평활근세포를 이완시켜 자궁을 안정시켜주며, 정맥도 이완시켜 판막 기능부전을 초래한다. 프로게스테론이 임신기간 중에 정맥류가 처음 발생하는데 연관이 있지만 에스트로겐 또한 평활근을 이완시키고 콜라젠 섬유를 부드럽게 시켜 정맥류 발생의 중요한 원인으로 작용한다. 에스트로겐과 프로게스테론의 비가 정맥류에 많은 영향을 주는 것으로 보고되고 있다.,

3) 증상

정맥류의 주된 증상으로는 무게감, 불편함, 피로감, 가러움증 등이다. 통증은 둔한게 특징이며 누웠을 때나 이른 아침에는 나타나지 않고 주로 오후나 오래 서있을 때에 발생한다. 이러한 증상들은 심장보다 높게 다리를 올리거나 압박하여 주면 완화되는 것이 특징이다. 정맥혈의 저류로 인하여 일부 충혈이 일어나면 피부염이 발생한다. 여성은 프로게스테론 기에서 에스트로겐 기로 전환되는 생리주기의 초기 때에 증상이 악화된다. 약간의 부종은 자주 나타나며, 좀더 심한 증상으로 혈전성정맥염, 과색소침착, 지방피부경화증, 피부궤양, 출혈 등이 나타날 수 있다.

4) 치료의 적응증

부종, 동통, 피로감, 무게감, 재발성 혈전정맥염, 지방피부경화증, 정맥성 궤양출혈 등 모든 증상 또는 합병증이 있는 정맥류와 미용상 문제점이 있는 경우 치료의 대상이 된다.

5) 치료

(1) 경화요법

경화요법sclerotherapy의 적응증은 3–4mm 이하의 모세관 확장증 또는 망상형 혈관이거나, 복재정맥 역류가 없는 경우의 단독 정맥류, 무릎이하 정맥류, 재발성 정맥류 등이다. 근위부 정맥 역류나 정맥 고혈압이 있는 정맥류는 반드시 이를 먼저 교정하여야 한다.

경화제sclerosing agent는 내피세포에 손상을 주는 약물이다. 고장성 식염수hypertonic saline는 삼투압으로 내피세포를 탈수시키고, Sodium Tetradecyl Sulfate (STS)와 polidocanol과 같은 세제detergent는 세포질 막의 표면 장력을 변화시켜 내피세포를 파괴한다. 모세관 확장증 같은 병변은 11.7–23.4% 고장성 식염수, 0.125–0.250% STS, 0.5% polidocanol을 이용하며, 좀 더 큰 정맥류인 경우에는 23.4% 고장성 식염수, 0.50–1% STS, 0.75–1% polidocanol을 이용한다. 1mL 주사기와 No.30 바늘을 이용하며, 모세관 확장증인 경우에는 주사 양은 부위당 0.1–0.2mL를 초과하지 않으며 10–15초에 걸쳐 천천히 주사한다. 직경이 1–3mm의 정맥은 좀 더 높은 농도로 부위당 0.5mL 이하로 주사한다. 경화제 주사 후 염증이 발생한 정맥벽이 유착되고 혈전 예방을 위하여 20–30mmHg 압박스타킹으로 첫 1주일 동안은 밤낮으로 압박해 주고, 후에는 6주간 착용할 것을 권고한다.

경화요법의 합병증으로는 알러지 반응, 색소침착, 혈전성 정맥염, 심부정맥혈전증, 피부괴사가 있을 수 있다.

색소침착은 혈액이 혈관 밖으로 누출되어 혈철소hemosiderin가 침착되어 발생한다. 예방법으로는 낮은 농도의 경화제 사용, 주사할 때 정맥압이 너무 높지 않게 유지, 시술 후 적절한 압박으로 혈전 생성 방지 등이 있다. 발생한 혈전은 적절히 제거해주며 국소 retinoic acid 연고가 효과 있다고 보고되고 있다. 색소침착의 90%는 시술 후 12개월 후에는 사라진다.

(2) 수술적 치료

직경 4mm 이상의 정맥류를 수술적으로 제거하는 방법이다. 정맥류의 최근 치료의 원칙은 역류 부위를 제거하는 것이다. 대부분의 정맥류에서 역류부위는 복재–대퇴 접합부이며, 이로 인한 이차적인 정맥류만 치료하고 역류부위 치료를 정확히 안하면 높은 재발률을 보이게 된다. 따라서 역류부위와 이차적인 정맥류를 동시에 치료하여야 한다.

가. 보행정맥절제술

보행정맥절제술ambulatory phlebectomy, stab avulsion은 대 또는 소복재정맥의 판막기능부전이 없는 경우에 복재정맥을 보존하면서 자상 찢김stab avulsion 방법을 이용하여 정맥류를 제거하는 술식이다(그림 6-68). 피부 절개창의 크기는 정맥류의 크기, 정맥벽의 두께, 정맥의 주변조직과의 유착정도에 따라 달라지나 보통 2–3mm 정도가 된다. 절개창의 방향은 피부 주름이 수평인 경우를 제외하면 수직으로 만든다. 훅이나 집게를 이용하여 정맥을 뽑아내어 가능한 한 많은 양을 떼어낸다. 정맥의 결찰은 대게 필요없으며 다리를 거상하거나, 자연 혈관수축, 압박 그리고 tumescent 용액의 주사 등으로 출혈은 쉽게 조절

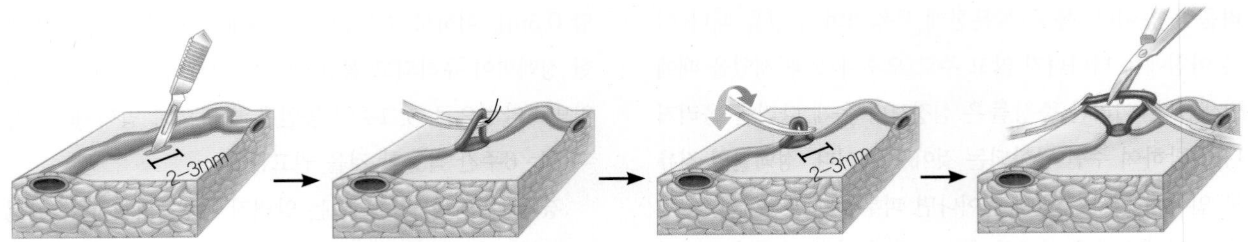

그림 6-68 **보행정맥절제술 방법**

된다. 수술 후 피부 절개창은 테이프나 흡수 봉합사로 봉합해 준다.

나. 복재정맥 결찰술

복재정맥 결찰술saphenous vein ligation은 동맥우회술에 통로로 사용하기 위하여 복재정맥을 보존하면서 정맥류의 원인인 역류를 차단시키기 위하여 복재-대퇴문합부를 결찰만하는 방법이다. 결찰 후에는 복재정맥은 보존할 수 있으나 역류가 다소 지속되고 정수력학hydrostatic 힘이 조절안되기 때문에, 복재정맥 발거술stripping 보다 수술 후에 재발률 및 재수술률이 높은 단점이 있다.

다. 대복재정맥 발거술

대복재정맥을 제거하는 목적은 중력으로 인한 역류의 제거와 복재정맥과 연결되어 있는 관통정맥을 떼어내기 위해서이다. 특히 대복재정맥의 직경이 2cm 이상 늘어난 환자에게 선호되는 술식이다. 무릎아래 관통정맥은 주로 후방부속복재정맥posterior accessory saphenous vein에 있으므로(그림 6-69) 무릎 밑에서 발목까지의 대복재정맥을 제거할 필요는 없다. 또한 복재정맥을 제거할 때 복재신경의 손상을 방지하기 위하여 무릎위 대복재정맥만 제거하며, 발거술 때 정맥 제거 방향을 위에서 아래로 한다. 제거한 후에 혈종을 예방하기 위하여 복재정맥이 있던 부위를 세척하거나 epinephrine 거즈를 일시적으로 넣어둔다(그림 6-70).

발거술의 합병증으로는 반상출혈, 림프류lymphocele, 심부정맥혈전증, 감염, 복재신경 손상 등이 있다.

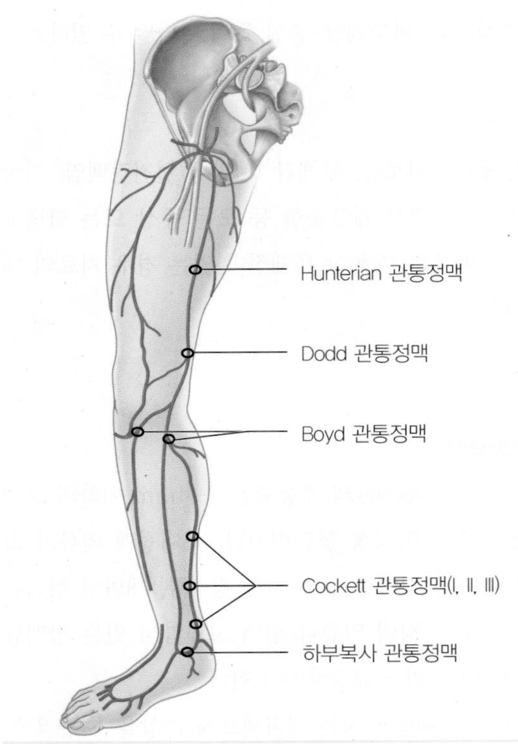

그림 6-69 **하지에서 중요 관통정맥의 명칭과 위치**

라. 고주파 또는 레이저 제거술radiofrequency or laser ablation (RFA or EVLT)

복재정맥을 폐쇄시키기 위한 방법으로 고주파나 레이져의 열을 이용하기도한다. 이 방법은 정맥류 수술의 가장 보편화된 술식으로 최소침습적인 방법으로서 미용상 효과도 타 수술에 비해 좋다. 무릎근처의 복재정맥을 초음파 유도하에 21 gauge 주사침을 삽입한 후 유도철사를 삽입하고 관sheath을 따라 레이져 섬유fiber 또는 RFA 카테터를 복재-대퇴 문합부위 밑까지 삽입한다. 정맥 주위

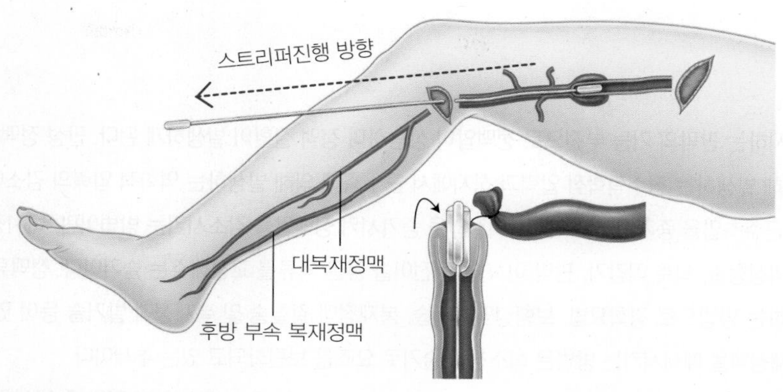

그림 6-70 **무릎 상부에서 대복재정맥발거술 방법**

로 tumescent 용액를 주사한 후 카테터를 하방으로 내리면서 정맥을 치료한다. 이 술식은 특별한 마취가 필요없으며, 입원하지 않고 외래에서 시행가능하며, 하루만에 일상생활로 복귀가 가능한 장점이 있다. 대복재정맥 결찰술 및 발거술과 비교하여 2년 추적검사 결과 정맥 폐쇄율에 차이가 없는 술식으로 보고되고 있다.

대부분의 대복재정맥 기시부의 역류를 동반한 하지정맥류에 시행할 수 있으나 다음과 같은 경우는 부적응증이 될 수 있다.

① 복재정맥이 피부와 근접해있는 경우
② tumescent 마취액 주사 후 피부와 카테터 사이가 1cm 미만인 경우
③ 구불구불한 정맥류로 인하여 카테터나 sheath가 통과되지 않는 경우
④ 복재정맥의 직경이 2.5cm 이상으로 늘어난 경우
⑤ 정맥에 급성혈전이 있는 경우
⑥ 경제적인 이유

마. 수술 후 관리

수술 후 탄력 붕대를 감아 압박해 주어 수술 후 멍이나 혈종의 발생을 예방하며 수술 후 2일째에 풀어 상처 치료 후 압박스타킹을 착용시킨다. 환자에게 수술 후 바로 걷도록 권장하나 1-2주간은 오래 걷거나 서있지 않도록 하며 심한 운동은 피하도록 한다.

바. 수술 후 합병증

① 재발: 정맥 수술의 가장 흔한 합병증으로 수술 후 5년에서 20년 추적조사한 경우 20-80%의 재발을 보이고 있다.
② 신경 손상: 복재신경의 손상이 39%까지 보고되나 대복재정맥 발거술을 무릎까지만 함으로써 7%까지 발생률을 줄였다. 장딴지신경sural nerve은 소복재정맥 결찰하는 경우 흔히 발생한다.
③ 동맥 또는 심부정맥 손상

요약

정맥혈의 역류를 방지하는 판막의 기능 부전으로 정맥압이 상승하며 정맥 질환이 발생하게 된다. 만성 정맥기능부전증의 치료 원리는 혈액 기둥에 의해 발생하는 정수력학적 압력과 하지에서 근수축에 의해 발생하는 역학적 압력의 감소이다. 고탄력스타킹을 이용한 압박요법은 근수축압을 증가시키고 피하사이질압을 증가시켜 정맥압을 감소시키는 방법이며, 내시경을 이용한 근막하 관통정맥 결찰술과 판막성형술, 외측 띠감기, 판막 이식술 및 전이술 등은 역류를 교정해주는 술기이다. 정맥류인 경우 직접 정맥을 폐쇄시키거나 제거하는 방법으로 경화요법, 보행정맥절제술, 복재정맥 결찰술 및 복재정맥 발거술 등이 있다. 특히 고주파나 레이저를 이용하여 복재정맥을 폐쇄시키는 방법은 최소침습 술기로 요즈음 보편화되고 있는 추세이다.

대부분의 정맥손상은 복구가 치료의 원칙이나, 특별한 후유증 없이 단순 결찰술이 가능하며 결찰 후 발생하는 하지 부종은 하지의 거상과 탄력압박 등의 보존적인 치료로 조절이 가능하다.

IX 외상성 혈관손상

1. 서론

2014년 통계청 발표에 따르면, 외상(운수사고와 고의적 자해 포함)에 의한 사망은 한국인 사망의 원인 중 악성신생물, 심장질환, 뇌혈관질환에 이어 네 번째로 흔한 원인이다. 특히 40세 이하에서는 높은 사망률을 보였다. 30–39세에서 외상에 의한 사망률은 33.8%, 20–29세에서는 23.8%, 10–19세에서는 9.3%를 차지했다. 외상 중에서 혈관손상이 차지하는 비율은 대략 3%정도이다. 혈관손상의 원인은 교통사고, 유리에 의한 손상, 칼에 의한 손상, 산업현장에서의 안전사고, 의료행위 중에 발생한 혈관손상, 총상 순으로 교통사고가 가장 흔하다. 그렇지만 교통사고에 대한 정부의 정책과 지속적인 홍보로 외상 중에 교통사고가 차지하는 비율이 1997년 33.3%에서 2007년 15.5%로, 2010년 13.7%, 2012년 12.9%, 2014년 11.2%로 점차 감소하는 추세다. 북미외상센터에서 조사한 결과에 따르면 미국에서 혈관손상의 가장 흔한 원인은 총기에 의한 관통손상으로 35%를 차지하고 있지만, 우리나라에서는 1.4%로 보고되고 있다.

오늘날 외상성 혈관손상의 치료는 지난 20세기 전쟁에서 터득한 경험에서 비롯되었다. 이전의 혈관손상 치료는 전기소작, 압박, 혹은 결찰 등으로 출혈을 제한하는 것이 전부였다. 실제 성공적인 혈관복원에 대한 첫 역사적인 기록은 1759년 William Hunter가 수의사에 의해 자주 이용되던 말 편자봉합술 farrier stitch을 이용하여 상완동맥에 생긴 손상을 복원한 것이다. 정맥을 이용한 복원수술은 20세기에 이루어졌다. 그렇지만 1차 세계대전 당시에는 일반적으로 시행되지 않아 사지 절단율이 72.5%에 이르렀다. 1946년 DeBakey와 Simeone은 2차 세계대전 당시의 2,471명의 혈관수술 경험을 발표하였다. 그들은 출혈을 막기 위해서 혈관결찰이 우수하지만 혈관복원을 하면 사지 절단율을 49%까지 줄일 수 있다고 하였다. 한국전쟁 당시 많은 연구팀이 전쟁 중 발생한 혈관손상에 대한 치료 결과를 향상시키기 위해 노력하였다. 1958년 Hughs는 한국전쟁 당시 혈관복원을 통해 사지 절단율을 13%까지 줄였다는 획기적인 보고를 하였다. 이후 수술 술기의 발전, 손상부터 수술까지 걸리는 시간의 단축, 효과적인 소생술을 통해 사지 절단율이 3–4%로 향상되었다.

2. 손상 기전

혈관손상은 손상 기전에 따라 관통손상, 둔상, 의인성 손상으로 구분할 수 있다. 관통손상은 칼과 같은 날카로운 물건에 의해 찔리는 자상과 총탄에 의한 손상 등이 해당한다. 칼에 의한 자상은 보통 깨끗하고, 연부조직 손상이 대체로 심하지 않다. 총상은 총탄의 속도에 따라 분류할 수 있다. 총탄의 속도가 250m/s보다 느리면 저속, 750-900m/s보다 빠르면 고속으로 분류된다. 저속의 총탄은 지나가는 부위만 손상을 주지만, 고속의 총탄은 빠른 속도로 인해 이차적으로 발생하는 진공 효과 때문에 오염된 물질이 조직 내로 흡입되어 조직오염을 초래할 수 있다. 혈관의 관통손상은 혈관을 완전히 절단시키거나 일부분만 절단할 수 있다. 보통 완전히 절단된 혈관은 곧바로 수축이 일어나고, 혈전이 만들어져 출혈을 제한한다. 그러나 부분적으로 절단된 경우에는 충분한 수축이 이루어지지 않는다. 따라서 부분적으로 절단된 혈관이 완전히 절단된 혈관보다 출혈이 심하다.

둔상에 의한 혈관손상은 교통사고에 의한 이차적인 손상이 가장 흔하다. 대퇴골 골절과 무릎관절의 탈골이 혈관손상을 자주 초래하고, 혈관손상의 10-40%를 차지한다. 둔상에 의한 혈관손상은 손상 정도에 따라 다양하게 나타난다. 경미한 내막 손상에 의해 피판이 형성되는 것부터 혈관벽 전층이 손상되는 것까지 나타난다. 감속 손상은 보통 혈관벽의 변형을 초래한다. 비교적 직경이 작은 혈관은 내막 파열 후 혈전이 형성되지만, 직경이 큰 혈관은 전층이 손상되어 손상된 부위가 혈관외막 만으로 지지되는 경우가 흔하다. 이러한 형태는 전형적으로 흉부대동맥 손상에서 볼 수 있다.

의인성 손상은 침습적 의료행위에 의한 혈관손상을 의미한다. 최근 심혈관계, 뇌혈관계, 말초혈관계 질환에 대한 영상의학적 도관삽입술이 증가함에 따라 의인성 혈관손상이 증가하고 있는 추세이다. 의인성 손상은 치료의 표적 부위와 천자 부위에 발생할 수 있는데, 천자 부위 혈관손상이 더 흔하고 보통 외과적인 치료를 요한다.

표 6-36. 혈관 손상의 임상 양상에 따른 분류

중한 징후	경한 징후
맥박이 촉지 안됨	작은 혈종
진전 혹은 잡음	사고현장에서만 출혈
심한 출혈	저혈압
박동성 혈종	신경손상
원위부 허혈 증상	

3. 진단방법

혈관손상의 진단은 환자가 호소하는 임상 양상, 혈압 측정과 초음파검사와 같은 비침습적인 검사, 혈관조영술과 같은 침습적인 검사, 즉각적인 수술실에서의 탐색으로 이루어질 수 있다. 사지동맥손상의 가장 흔한 임상 양상은 급성 허혈증이다. 전통적으로 동맥손상의 임상 양상은 중한 징후와 경한 징후로 구분하였다. 중한 징후로는 맥박이 촉지되지 않거나, 진전 혹은 잡음이 들리고, 심한 출혈을 보이거나, 박동성의 혈종이 촉지되고, 원위부의 허혈 증상 등이다. 경한 징후로는 작은 혈종, 내원 시 출혈은 없지만 사고 현장에서 출혈이 있던 경우, 저혈압, 신경 손상 등이다(표 6-36).

하나 이상의 중한 징후를 보이는 혈관손상의 경우 즉각적인 검사 및 수술실 탐색을 요한다. 경한 징후를 보이는 사지 혈관손상의 경우 가장 중점적으로 원위부 허혈증에 대한 평가가 이루어져야 한다. 원위부 허혈증에 대한 가장 쉬우면서도 비교적 정확한 방법이 수축기 혈압을 측정하여 비교하는 것이다. 하지 혈관의 경우에는 하지의 수축기 혈압에서 상지 수축기 혈압을 나누는 발목 상완지수Ankle-Brachial Index (ABI)를 계산한다. 이 수치가 1.0 이하면 동맥손상을 의미하고, 즉각적인 검사가 이루어져야 한다. 상지의 경우 양쪽 팔의 수축기 혈압을 측정하여 손상받은 쪽의 수축기 혈압을 손상받지 않는 쪽의 수축기 혈압으로 나누는 동맥압지수Arterial Pressure Index (API)를 계산하여 이 수치가 0.9 이하면 민감도 95%, 특이도 97%로 혈관손상을 의미한다. 초음파검사는 비교적 쉽고, 비침습적으로 시행할 수 있는 검사법이지만, 검사자의 숙련도가 요구되고 검사자에 따라 다른 결과를 보일 수 있다는 단점이 있다. 이런 단점에도 불구하고 최근 숨겨진 혈관손상의 발견과 수술 후 관리에 중요한 역할을 하고 있다. 혈관손상 여부를 확진할 수 있는 표준 검사법은 조영제를 이용한 혈관조영술이다. 혈관조영술은 혈관손상 여부를 정확하게 진단할 수 있지만, 침습적인 검사법이고, 혈관조영술을 시행할 수 있는 모든 여건이 충족되어야 가능하다. 최근 컴퓨터단층촬영 장비 및 검사 후 처리기법의 발달로 즉각적으로 혈관손상 유무를 파악할 수 있다.

4. 치료 방법

모든 혈관손상을 수술적으로 치료해야 하는 것은 아니다. 비폐쇄성 내막피판, 국소협착, 작은 가성동맥류, 작은 동정맥루는 비교적 경한 임상 경과를 보이고, 특별한 치료 없이 호전되거나 완치된다. 이런 무증상의 동맥손상을 “최소 동맥손상”이라고 정의하고 있다. 최소 동맥손상의 경우 단지 10%에서만 시간이 경과함에 따라 악화되거나 수술적 치료를 요한다. 따라서 이런 최소동맥손상을 보이는 환자의 경우 수술적 조치없이 주의 깊은 경과 관찰이 안전하고, 경제적인 치료법이라 할 수 있다.

최근 동맥손상에 있어 혈관내 치료가 빠르게 확산되고 있다. 이는 일부 환자에서 손상된 동맥부위에 스텐트-이식편stent graft을 삽입하여 기존 수술적 치료와 비교하여 손쉽게 치료할 수 있기 때문이다. 이런 스텐트-이식편 삽입술은 혈류역학적으로 안정적이고 출혈을 보이지 않는 경한 환자에서도 시행할 수 있지만, 임상적으로 더 의미있는 경우는 혈류역학적으로 불안정하고 심한 동맥손상에서도 비교적 안전하게 시행할 수 있다는 것이다. 또한 혈관내 치료는 외상 후 늦게 나타나는 합병증인 동정맥루, 가성동맥류를 치료할 수 있다.

혈관손상의 표준치료는 수술적으로 완전하게 교정하는 것이다. 즉각적인 지혈은 손가락이나 거즈 등을 이용하여 압박함으로써 가능하다. 출혈하고 있는 혈관을 눈으로 확인하지 않고 겸자로 잡는 것은 효과적이지 않고, 주위에 있는 주요 신경의 손상을 초래할 수 있기 때문에 피해야 한다. 압박과 겸자 외에 지혈법으로는 출혈부 봉합, 결찰, 혈관복원, 한시적인 션트shunt삽입술 등이 있다. 도관 풍선을 이용한 지혈법은 접근하기 어려운 부위 지혈에 아주 유용한 방법으로 두개골에 근접한 경부, 골반강의 깊은 부위, 서혜부 등에서 이용될 수 있다. 혈관손상의 수술적 치료에서 가장 중요한 것은 출혈하고 있는 부위로 바로 접근하는 것이 아니라, 출혈부 보다 근위부 혈관을 겸자하는 것이다. 사지와 경부의 경우에는 표준 술식으로 근위부 겸자를 사용할 수 있다. 근위부 겸자 부위가 흉부대동맥이라면 적절한 개흉술 선택이 중요하다. 이유는 개흉술에 따라 접근할 수 있는 흉부대동맥 부위가 달라지기 때문이다. 복부의 주요 혈관은 대부분 후복강에 위치해 있다. 따라서 복부의 주요 혈관에 접근하기 위해서는 혈관 전방에 존재하는 장기를 이동시키는 술기가 필요하다.

5. 경부 혈관손상

경부에는 양측에 목혈관신경집에 보호되는 경동맥, 경정맥, 미주신경이 있고, 중앙부에는 기도와 식도가 매우 근접해 있다. 따라서 경부 손상이 있는 경우에는 이러한 구조물의 복합손상이 흔하다. 경부에 팽창하는 혈종은 기도를 압박하여 호흡 곤란을 초래할 수 있으므로 세밀히 관찰해야 한다. 경부에서 가장 흔하게 손상받는 혈관은 경정맥으로 단순 결찰 및 간단한 봉합으로 교정할 수 있다. 경동맥 손상은 경부 관통손상의 6%에서 발생하고, 경부 모든 혈관손상의 22%를 차지한다. 총경동맥이 내경동맥보다 더 흔하게 손상받는다. 의인성 경동맥 손상은 대부분 중심정맥 카테터삽입술 시 발생한다.

경부의 주 혈관이 손상되었을 때 임상 양상은 심한 출혈, 팽창성의 혈종, 편측 신경학적 소실이다. 그러나 일부 환자에서는 주 혈관손상이 있더라도 증상을 보이지 않는다. 따라서 병력 청취나 이학적 검사만으로 혈관손상을 배제할 수는 없다. 경부의 주 혈관손상에서 관찰되는 증상에서 주의깊게 관찰해야 할 2가지는 급속히 팽창하는 혈종과 심한 외부 출혈이다. 급속히 팽창하는 혈종은 기도 삽관이 필요한 경우, 기도가 압박되어 기도 삽관이 어렵거나 불가능할 수 있기 때문이다. 심한 외부로의 출혈은 근위부 결찰 전에 단순 압박이나 도관 풍선을 이용한 지혈이 필요하다.

심한 출혈, 쇼크, 급속히 팽창하는 혈종과 같은 중한 징후를 보이고, 혈류역학적으로 불안정한 상태를 보이는 경부손상은 8-25%를 차지한다. 이런 환자는 진단적 검사 없이 바로 수술실로 옮겨 손상부위 탐색이 이루어져야 한다. 그러나 특별한 증상을 보이지 않고, 혈관손상이 의심되는 경우에는 부위별로 검사방법을 다르게 적용해야 한다. 1969년 Monson 등은 경부를 3개의 해부학적인 구역으로 구분하였고 각각은 1구역(흉골함몰부터 쇄골두 1cm 상방까지), 2구역(1구역 상방부터 하악골 각까지), 3구역(2구역 상방부터 두개골 저까지)이다. 1구역과 3구역의 혈관손상이 의심되는 경우에는 조영제 혈관조영술이 필요하다. 혈관조영술에서 혈관손상이 확인되면 수술적 혹은 혈관내 치료를 통한 교정이 이루어져야 한다. 2구역은 비교적 안전하게 경부를 수술적으로 탐색할 수 있다. 즉 특별한 검사없이 수술실로 옮겨 탐색할 수 있다. 식도 손상 유무를 확인하기 위해서 내시경 혹은 바륨검사 등을 시행할 수 있다.

경부의 혈관손상을 확인하거나 교정하기 위한 표준 피부절개는 경동맥내막절제술 시 시행하는 피부절개와 동일하다. 흉쇄유돌근 전방에 흉쇄유돌근과 나란하게 피부절개를 가한다. 광견근을 절개한 후 흉쇄유돌근 전방을 따라 박리를 진행하면 내경정맥이 노출된다. 안정맥은 내경정맥에서 분지하는데, 보통 총경동맥이 내경동맥과 외경동맥으로 이분되는 부위에 위치한다. 안정맥을 결찰하고 분리하면 경동맥 분기부를 노출시킬 수 있다. 경동맥 손상이 확인되면 표준 술식에 따라 교정한다. 자가정맥 혹은 인조혈관을 사용할 수 있다. 모든 환자에서 뇌로 혈류를 유지하기 위한 션트가 필요한 것은 아니다. 두개골 근처의 내경동맥은 접근하기가 용이하지 않다. 이런 경우에는 이복근 후복을 절개하면 접근하기가 용이하다. 수술 전 이미 편측 뇌 손상이 초래된 경우 경동맥 복원에 대해 논쟁의 여지는 있지만, 최근 보고에 따르면 뇌 손상 여부에 관계없이 경동맥을 복원하는 것이 호응을 얻고 있다. 척추동맥 손상에 의한 출혈의 경우 경추의 가로돌기 사이에서 관찰된다. 척추동맥에서 출혈을 보이는 경우에는 뼈 왁스를 이용하여 가로돌기 구멍을 철저하게 채우면 지혈이 가능하다. 만약 조영제 혈관조영술 시 척추동맥에서의 출혈이 관찰된 경우에는 혈관조영술하 폐색술을 시행하면 좋다. 척추동맥은 수술적으로 접근하기가 어렵기 때문이다.

6. 흉부 혈관손상

흉부 혈관손상은 전체 혈관손상의 10%를 차지한다. 관통 손상이 가장 흔한 흉부 혈관손상의 원인이지만, 감속 손상과 압착에 의한 손상도 주요 흉부 혈관손상의 원인이 된다. 흉강내 주 혈관의 손상은 급격한 혈액손실과 혈류역학적 불안정을 보인다. 따라서 많은 환자가 병원에 도착하기 전에 이미 사망한다.

흉부혈관손상을 시사하는 임상 증상은 심한 흉부의 출혈반, 하지의 맥박이 약하거나 만져지지 않는 경우, 경정맥압이 상승하고 이유 없는 저혈압 등이다. 흉부방사선 촬영상 표 6-37와 같은 소견이 관찰되면 흉부의 혈관손상 가능성이 높다. 흉부 혈관손상을 진단하기 위한 방법

표 6-37. 흉부 혈관 손상을 시사하는 소견

대동맥융기의 소실 혹은 이중 영상
8cm 이상의 종격동 확대
척추주위 무늬의 소실
140도 이상의 좌측 주기관지 하강
대동맥융기의 석화화 층
위비삽입관의 편향
기관지의 편향
흉골, 견갑골, 다발성 늑골, 쇄골의 골절
대동맥폐동맥창의 소실
심첨혈종
심한 좌측 혈흉
횡격막의 둔상

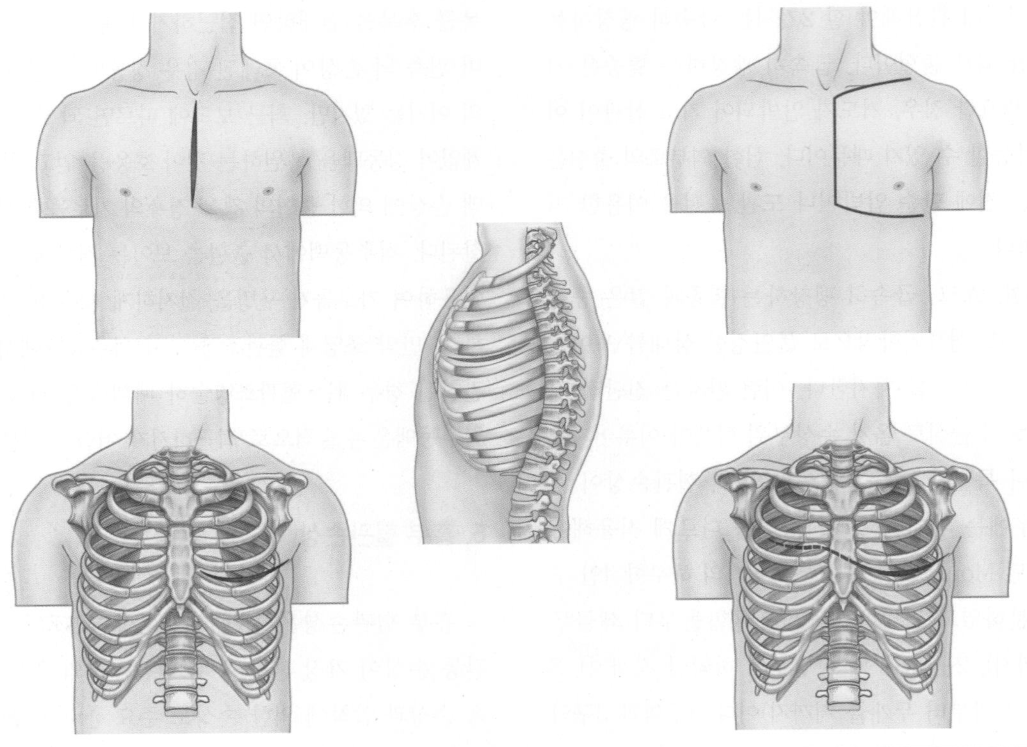

그림 6-71 흉부 혈관손상에서 이용되는 다양한 절개방법

은 단순 흉부 촬영, 조영제 혈관조영술, CT 혈관조영술, 경식도 초음파 등이 이용된다.

복부손상에서는 복벽 중앙절개가 가장 보편적으로 시행되고 있지만, 흉부손상에서의 흉부절개 방법은 다양하다(그림 6-71).

대부분의 흉부 혈관손상은 다량의 출혈을 동반하기 때문에 즉각적으로 시행하는 중앙 흉골절개가 필요하다. 종격동을 노출시키기 위해서는 좌측 전측방 절개를 시행할 수 있고, 이 절개는 흉골절개를 통해 우측으로 연장할 수도 있다. 이 절개는 또한 상부 흉골로 연장할 수 있는데, 이 절개를 통해서 하행 흉부 대동맥을 노출시키기 용이하다. 상행대동맥, 대동맥궁, 무명동맥, 우측 쇄골하동맥, 좌측 총경동맥을 노출시키기 위해서는 흉골 정중절개에 우측 혹은 좌측의 빗장위오목 부위로 연장하면 노출 및 복원에 용이하다.

상행대동맥 손상은 자상에 의해 흔하게 발생하고, 하행대동맥 손상은 보통 총상에 의해 발생한다. 자상에 의한 상행대동맥 손상은 보통 심막 압전과 편측의 혈흉을 보여 비교적 제한된 출혈을 보인다. 상행대동맥 손상의 경우 좌측 전측방 절개를 통해 접근하고, 필요하면 흉골 절개를 통해 우측으로 연장한다. 작은 상행대동맥 손상은 일차봉합으로 교정될 수 있지만 일차봉합이 불가능한 경우에는 PTFE 혹은 Dacron과 같은 인조혈관을 이용하여 교정할 수 있다. 수술 중 지혈은 손가락을 이용한 물리적 지혈, 부분 겸자, 완전 겸자를 통해서 할 수 있다. 둔상에 의해 발생한 상행대동맥 손상은 다량의 출혈로 인해 환자의 85%가 병원에 도착하기 전에 사고현장에서 이미 사망한다. 이 손상은 보통 심폐정지, 심정지를 통해 수술이 이루어진다. 작은 손상이라면 일차봉합이 가능하지만 심한 손상의 경우에는 인조혈관을 통한 교정이 필요하다. 둔상에 의한 대동맥궁 손상은 그림 6-72과 같이 무명동맥을 분리한 후 우회수술로 교정할 수 있다.

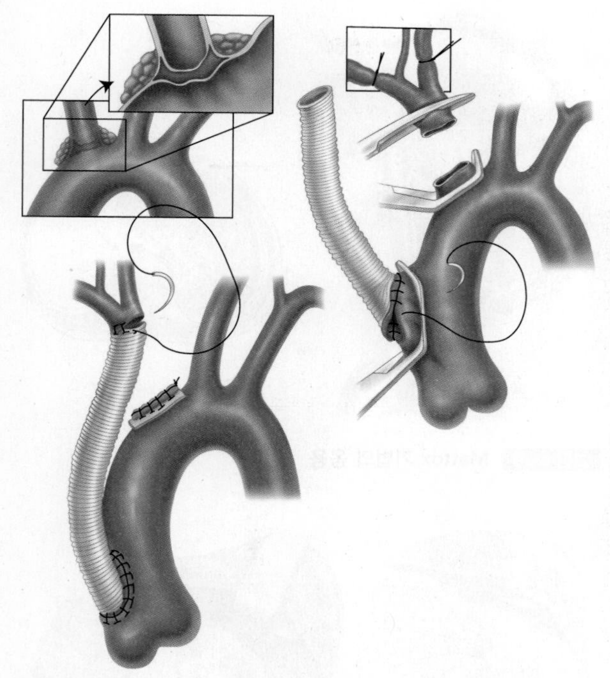

그림 6-72 **대동맥궁 손상의 수술적 교정**

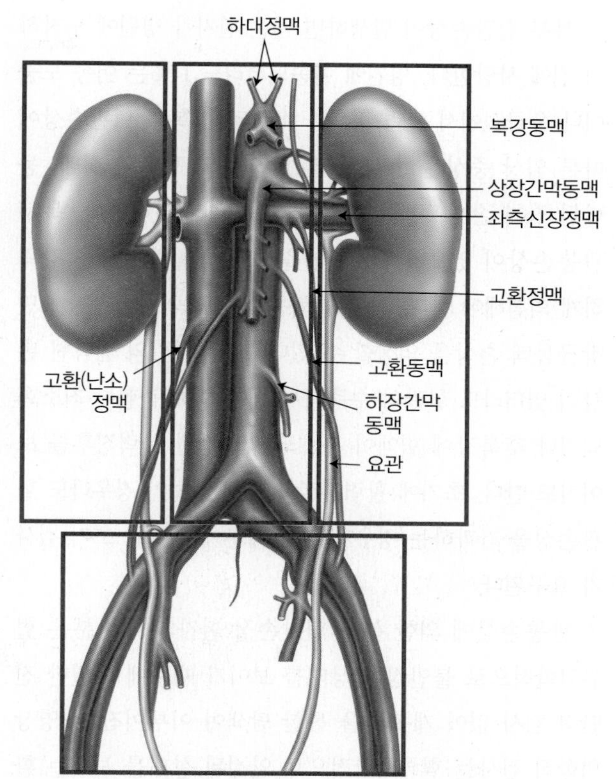

그림 6-73 **후복강의 혈관구역**

하행대동맥 손상은 4번 늑간근 절개를 통한 좌측 후측방을 통해 접근할 수 있다. 교정은 표준적인 대동맥 겸자와 약물을 이용한 중심혈압 상승, 일시적인 션트, 혹은 심방-대퇴 우회술을 통해 시행할 수 있다. 직접적인 일차봉합은 15%의 환자에서만 가능하고, 나머지는 인조혈관을 이용한 교정이 필요하다.

7. 복부 혈관손상

복부 혈관손상은 복부 관통손상의 가장 흔한 사망원인이다. 복부 외상은 복강내 다른 장기의 손상과 동반하기 때문에 수술시 정확한 판단이 요구된다. 사고 현장에서 외상센터가 있는 병원으로의 신속한 이송, 손상 부위의 신속한 판단, 신속한 수술적 교정, 복강의 해부학적 특징 이해, 정확한 수술적 판단이 환자의 생존에 필요한 중요한 요소이다. 복부 혈관손상의 진단과 치료를 위해 복강을 3구역으로 나눌 수 있다(그림 6-73).

1구역은 후복강의 정중앙 부위로 대동맥 열공부부터 천골갑sacral promontory까지이다. 1구역은 다시 상결장간막부와 하결장간막부로 구분한다. 상결장간막부에는 복강동맥, 상장간막동맥, 신동맥과 결장간막 상부의 하대정맥, 상장간막정맥이 포함된다. 하결장간막부는 신동맥 하방의 복부대동맥, 하대정맥이 포함된다. 2구역은 1구역의 좌우측으로 신장, 결장고랑, 신장혈관이 포함된다. 3구역은 골반부 후복강으로 장골혈관이 포함된다.

관통손상이 가장 흔한 복부 혈관 손상의 원인으로 약 90%를 차지한다. 둔상은 손상 기전에 따라 다음과 같이 구분할 수 있다. 급속한 감속에 의한 손상은 교통사고, 추락사고 등에서 발생하는데 복부혈관의 찢겨짐 혹은 내막파열 후 혈전 형성을 초래한다. 직접적인 전후방 압박은 안전띠를 착용한 상태에서의 교통사고와 복부 전방의 직접적인 가격에 의해 발생한다. 직접적인 복부 혈관의 열상은 보통 외상에 의한 골절로 발생한다. 이는 보통 심한 골반뼈 골절에서 발생한다.

복부 혈관손상이 발생하면 많은 환자가 병원에 도착하기 전에 사망한다. 병원에 이송되더라도 14%는 이송 도중이나 응급실에서 활력 징후가 소실된다. 복부 혈관손상에 따른 임상 증상은 손상된 혈관, 외상의 정도와 형태, 동반된 장기 손상, 병원 도착 시간에 따라 달라진다. 복부 관통손상이 있으면서 저혈압을 보이면 혈관손상을 강력하게 의심해야 한다. 좌우 대퇴동맥의 맥박 차이가 있으면 장골동맥 손상을 의심할 수 있다. 복부 혈관의 심각한 손상이 있더라도 혈관의 수축과 혈전에 의해 출혈이 최소화되거나 후복강에 혈액이 봉쇄되면 안정된 활력징후를 보이기도 한다. 초기에 활력징후가 안정을 보인 경우라도 혈관손상을 간과하는 경우가 있기 때문에 세밀한 초기 검사가 요구된다.

관통손상에 의한 복부 혈관손상 환자의 대부분은 혈류역학적으로 불안정한 상태를 보이기 때문에 특별한 진단적 검사 없이 개복술을 통한 탐색이 이루어진다. 영상의학적 검사는 혈류역학적으로 안정된 상태를 보이는 환자에서 시행된다. 단순복부촬영은 위장관 손상에 따른 기복증과 척추골절, 골반골절과 같은 뼈 손상을 검사할 수 있다. 골반뼈 골절이 있으면 혈관손상을 의심해 봐야 한다. CT 검사는 관통상에서는 중요한 역할을 하지 않지만, 복부 둔상에서는 혈종, 가성동맥류, 혈관폐색 등을 탐색하는데 중요한 역할을 한다. 최근 다검출 CT가 소개되면서 촬영시간이 단축되고, 고해상도 영상을 얻을 수 있어서 외상환자에서도 많이 이용된다. 조영제 혈관조영술은 관통상에서는 중요한 역할을 하지 않지만, 둔상에서는 혈관손상의 여부를 확인하고, 색전술을 통해 치료할 수 있어서 이용된다.

주된 복부혈관은 후복강에 위치하고 있기 때문에 개복을 통해 신속하게 혈관에 접근하기가 용이하지 않다. 보통 2가지 기법으로 후복강에 있는 주 혈관에 접근할 수 있다. 좌측 장기정중 이동기법(Mattox 기법)은 우측 신동맥을 제외한 복부대동맥과 그 분지를 노출시킬 수 있다(그림 6-74).

먼저 좌측 결장의 후복벽 부착 부위를 절개하여 좌측

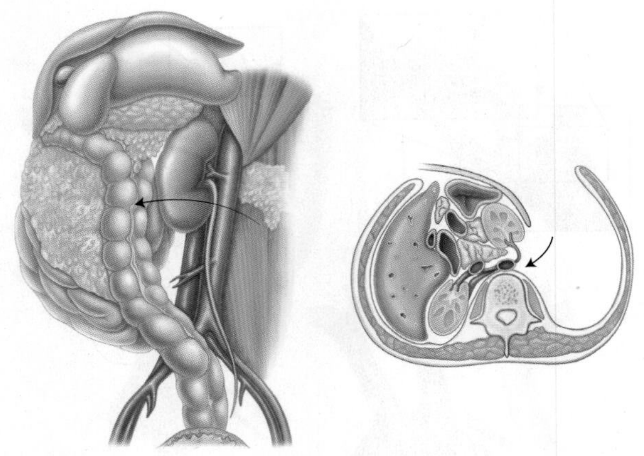

그림 6-74 **Mattox 기법의 응용**

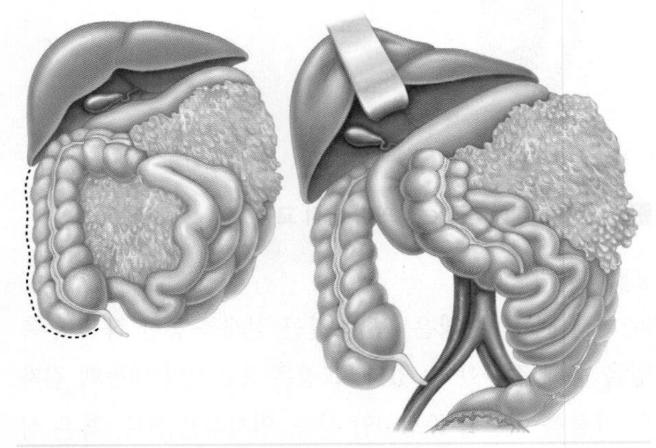

그림 6-75 **확장된 Kocher 기법**

결장, 비장, 췌장을 위쪽으로 들어 올리면서 박리한다. 박리도중 자주 관찰되는 혈종은 박리를 더 용이하게 한다. 박리를 하방으로 진행하여 좌측 장골혈관 전방의 복막을 박리하면 장골혈관을 노출시킬 수 있다. 우측장기 정중이동기법(확장 Kocher 기법)은 우측 결장과 십이지장의 후복벽 고정부위를 절개하여 중앙부위로 박리를 진행하는 방법이다(그림 6-75).

이 기법은 소장 장간막의 후복벽 고정부위를 절개함으로써 좀 더 중앙부까지 노출시킬 수 있는데 이 기법을 Cattell-Braasch기법이라고 한다. 이 기법을 통해 복부대동맥, 하대정맥, 장골혈관, 신장혈관을 노출시킬 수 있다(그림 6-76).

복부대동맥에 오염이 없는 작은 손상이 있으면 일차봉

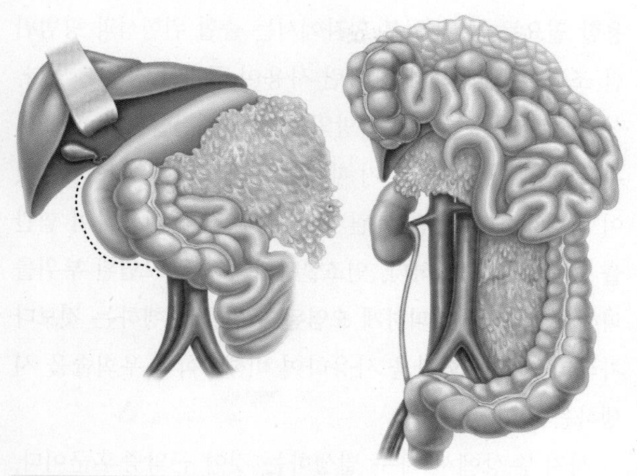

그림 6-76 **Cattell-Braasch 기법**

합으로 교정할 수 있다. 그렇지만 비교적 광범위한 손상은 인조혈관 사용이 불가피하다. 장골혈관 손상은 비교적 높은 사망률과 이환율을 보이는데 이는 겸자 및 결찰이 어렵기 때문이다. 장골동맥의 근위부 결찰은 복부대동맥 분기부 상방에서 이루어져야 하고, 원위부 결찰은 보통 외장골동맥에서 이루어진다. 장골혈관을 적절하게 겸자 혹은 결찰할 수 없을 때에는 "bailout" 요법 혹은 "damage control"을 위해 한시적 션트, 풍선 압전, 혹은 혈관 결찰 등을 사용할 수 있다. 복강이 오염된 상태에서 인조혈관 사용에 대해서는 논란의 여지가 있다. 그렇지만 소장 내용물로 인해 국소적으로 오염된 상태에서는 인조혈관 사용이 하나의 선택일 수도 있다. 만약 대장 내용물로 인해 광범위하게 오염된 상태에서는 인조혈관을 사용할 수 없다. 상장간막동맥의 손상은 동맥으로부터 심한 출혈, 후복강 혈종과 함께 장관 허혈증을 초래한다. 상장간막동맥의 기시부는 Mattox 기법으로 노출시킬 수 있다. 하대정맥 손상은 매우 치명적으로 사망률이 50%에 이른다. 하대정맥은 확대 Kocher 기법으로 노출시킬 수 있다. 간 후방의 하대정맥 손상은 가장 접근하기 어려운 부위로 심한 출혈이 간을 통해 배출되고, 높은 사망률을 보인다. 흉관이나 기관삽관용 관을 이용하여 우심방-하대정맥 션트를 삽입함으로써 지혈과 함께 심장전부하를 유지할 수 있다 (그림 6-77).

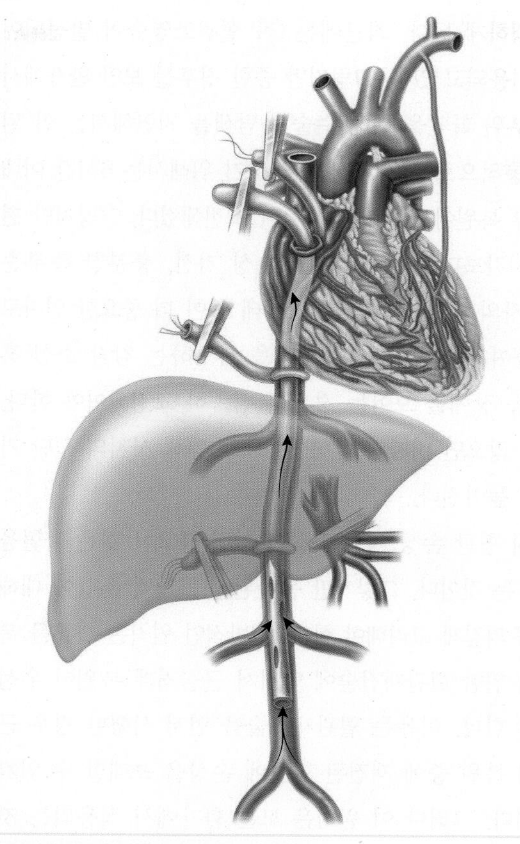

그림 6-77 **우심방-하대정맥 션트**

8. 사지 혈관손상

말초동맥 손상 중 약 90%는 상지 혹은 하지 동맥에 발생한다. 2차 세계대전 이전에는 사지동맥 손상의 주 치료는 결찰이었고, 사지 절단율은 72.5%에 달했다. 이후 소생술의 발전과 수술 기법 및 도구의 발전으로 사지 절단율이 10-15%까지 감소하였다. 그렇지만 동반된 근골격계 손상과 신경손상으로 인해 영구적 장애를 보이는 경우가 20-50%에 이르고 있다.

사지 동맥 손상에 의한 임상 양상은 매우 다양하다. 일부의 환자에서만 명백한 임상 양상, 심한 출혈, 박동성의 혈종, 원위부 맥박 소실 혹은 허혈증 등과 같은 중한 징후를 보이지만, 특별한 징후를 보이지 않는 경우도 많다. 중한 징후를 보이는 경우는 곧바로 수술실로 이동하여 마취하에 탐색이 이루어지지만 대부분은 혈관조영술을 시행하게 된다. 최근에는 CT 혈관조영술이 발전되어 많이 이용되고 있다. 그렇지만 중한 징후를 보인 환자에서 손상 부위 확인을 위해 수술적 탐색을 지연해서는 안 된다. 전통적으로 사지 절단을 피하기 위해서는 6시간 이내에 혈류 복원이 이루어져야 한다고 전해졌다. 그렇지만 현재는 시간보다는 손상 부위, 손상 기전, 충분한 측부순환, 환자의 연령, 혈류역학적 상태 등이 더 중요한 인자로 받아들여지고 있다. 신경손상을 시사하는 감각 소실 혹은 운동 장애를 보이는 경우는 신속히 교정되어야 한다. 그렇지 않으면 비가역적 허혈증으로 인해 사지의 절단 가능성이 높아진다.

사지 혈관 손상 치료에 있어 가장 중요한 것은 출혈을 억제하는 것이다. 그렇지만 동반된 근골격계 손상에 대해서도 주의깊게 고려해야 한다. 일반적인 원칙은 혈류를 복원하기 위한 혈관재건술에 앞서서 근골격계 복원이 우선되어야 한다. 이유는 혈관재건술을 먼저 시행한 경우 근골격계 복원 중에 재건된 혈관에 손상을 초래할 수 있기 때문이다. 그러나 이 원칙은 모든 환자에서 적용되는 것은 아니다. 만약 환자의 사지가 심한 허혈증을 보인 경우에는 혈관재건술이 우선되어야 한다. 사지 동맥재건술에 가장 우선되는 것은 근위부, 원위부 겸자이다. 두 번째는 손상된 혈관을 완전하게 노출시켜 복원 계획을 세우는 것이다. 혈관손상 유무를 판단하기 어려운 경우가 있는데, 가장 중요한 요소는 내막의 연속성이 유지되는 것이다. 중막과 외막의 연속성은 유지되지만 내막손상을 간과한 경우 혈류는 복원되지 않는다.

사지 혈관은 상대적으로 직경이 작기 때문에 단순 봉합은 극히 일부 환자에서만 가능하다. 대부분은 단단문합이나 도관을 이용한 문합을 시행해야 한다. 동맥이 완전히 분리된 경우에는 혈관수축에 의해 단단문합이 어려운 경우가 흔하다. 단단문합 혹은 인조혈관을 이용한 혈관복원을 시행하기 전에 분리된 동맥의 근위부와 원위부로 Fogarty 카테터를 이용하여 혈전을 제거하는 것이 중요하다. 혈전을 제거하여 근위부와 원위부로부터의 혈류를 확인해야 한다. 외상의 경우 혈관문합 중에 헤파린을 사용할 필요는 없다. 일부 환자에서는 출혈 위험성과 광범위한 조직 손상에 의해 헤파린 사용이 금기인 경우도 있다. 상지 혈관과 무릎관절 하방의 동맥을 재건할 경우 인조혈관은 장기 개존율이 낮기 때문에 복재정맥을 이용하는 것이 바람직하다. 혈관 복원 후 주위 조직을 이용하여 혈관을 덮는 것이 중요하다. 인조혈관의 주행은 오염된 부위를 피해야 한다. 불가피하게 오염된 부위를 주행하는 것보다 차라리 긴 인조혈관을 사용하여 비해부학적 우회술을 시행하는 것이 좋다.

사지 손상에서 자주 발생하는 것이 근막증후군이다. 외상에서 근막증후군이 발생하는 원인은 직접적인 근육 손상, 저혈압, 재관류 손상, 손상된 정맥의 결찰 등이다. 흔하게 관찰되는 증상으로는 부종, 감각이상, 통증 등이다. 근막증후군을 진단하기 위한 방법은 도플러 초음파를 이용하여 혈류 유무를 확인하거나 근막내의 압력을 측정하는 것이지만, 두 방법 모두 완전한 방법은 아니다. 가장 중요한 것은 근막절제술에 대한 역치를 낮추는 것이다. 즉 근막증후군의 위험성이 높은 환자에서는 근막절제술을 조기에 시행해야 한다. 근막증후군 위험성이 높은 경우는 정맥과 동맥의 동반 손상, 손상과 혈류재건 사이에 지연된 시간, 광범위한 근골격계와 연부 조직의 손상 등이다. 하지의 근막절개는 2개의 장축 절개로 4개 구획을 개방하는 것이다. 경골 측방 절개를 통해 전방 구획과 측방 구획을 개방시키고, 경골 내측 절개를 통해 천부와 심부의 후방 구획을 개방하는 것이다(그림 6-78).

9. 의인성 혈관손상

최근 심장혈관, 뇌혈관, 사지혈관 및 대동맥질환에 중재적시술이 활발하게 시행되고 있다. 이로 인해 대퇴혈관에 의인성 손상이 증가하고 있다. 중재적 시술로 인한 합병증으로 혈종, 후복강 혈종, 가성동맥류, 동정맥루, 동맥폐색이 발생한다. 혈종은 카테터 제거 후 부적절한 압박으로 인해 피하층으로 출혈이 발생하여 초래된다. 출혈도 문제가 되지만 혈종이 임상적으로 문제가 되는 것은 혈종

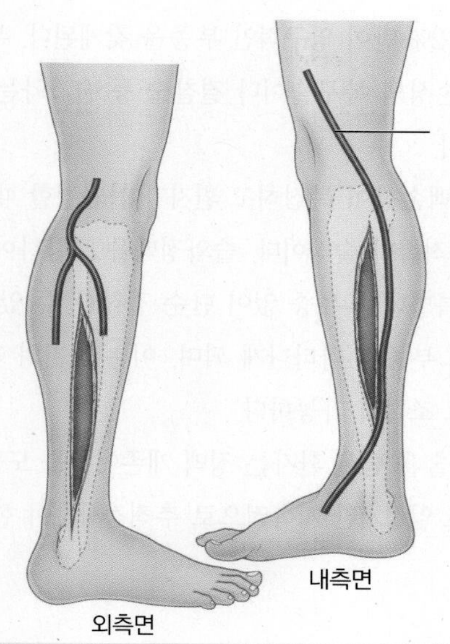

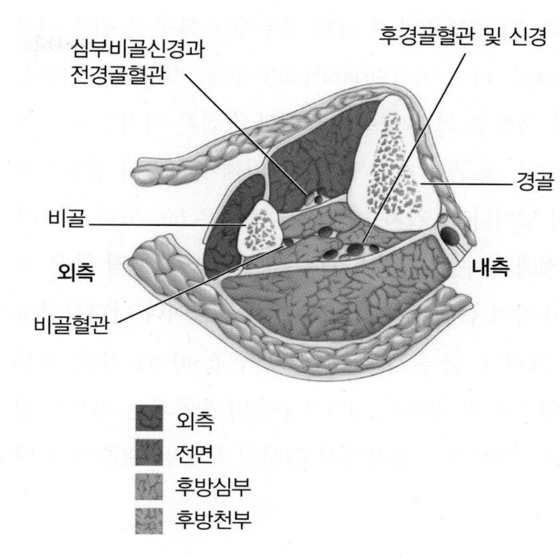

그림 6-78 **하지의 근막절제술**

상방의 피부가 혈종에 의해 압박되어 괴사되는 것과 주위 신경을 눌러 통증을 유발하는 것이다. 작은 혈종은 저절로 사라지지만, 큰 혈종의 경우에는 수술적 교정이 이루어져야 한다. 피부절개는 서혜부의 종절개를 통해 접근할 수 있고, 근위부 혈관겸자는 서혜인대 상방에서 할 수 있지만 출혈부위를 손가락으로 눌러 지혈할 수 있다. 간단한 일차봉합으로 대부분 치유된다.

부적절하게 외장골동맥을 천자하는 경우에는 후복강 혈종이 발생할 가능성이 높다. 후복강으로 출혈이 되면 옆구리, 서혜부 통증이 발생한다. 서혜부로의 출혈이나 혈종은 관찰되지 않고, 옆구리에 출혈반과 저혈압, 쇼크가 발생한다. 활력징후가 불안정하면 곧바로 수술실로 옮겨 외장골동맥의 천자부위를 일차봉합해야 한다.

천자부위를 효과적으로 압박하여 지혈을 했더라도, 수시간 혹은 수일이 지난 후에 박동성의 혈종, 즉 가성동맥류가 발생할 수 있다. 가성동맥류의 진단은 대부분 도플러 초음파로 이루어진다. 도플러 초음파상 특징적인 "Yin-Yang sign"을 볼 수 있다. 가성동맥류는 일차적으로 초음파 탐촉자로 가성동맥류와 동맥의 연결부를 압박하여 치료할 수 있다. 보통 이 시술로 80-90%는 치유된다. 치유되지 않는 가성동맥류는 트롬빈을 초음파 감시하에 주입하거나 수술적인 방법으로 치료할 수 있다.

동정맥루는 상대적으로 총대퇴동맥보다 하방을 천자하는 경우에 발생한다. 즉 천부대퇴동맥 혹은 심부대퇴동맥과 주위정맥을 동시에 천자하여 발생한다. 보통은 무증상으로 시술 후 초음파 검사에서 우연히 발견되지만, 큰 동정맥루의 경우에는 진전과 잡음이 관찰된다. 작은 동정맥루는 대부분 자연 소실되지만, 큰 동정맥루는 수술적으로 교정해야 한다.

동맥폐색은 석회화가 심한 대퇴동맥을 큰 직경의 바늘로 천자하는 경우에 발생한다. 동맥폐색을 초래하는 기전은 내막에 피판이 형성되거나 죽상판의 균열로 초래된다. 치료는 문제가 되는 동맥을 완전하게 노출시킨 후 병변을 확인하고, 일차봉합보다는 팻치를 이용한 동맥성형술을 시행하는 것이 좋다.

10. 정맥 외상

정맥 손상의 빈도는 표재성 대퇴정맥(42%), 슬와정맥(23%), 대퇴정맥(14%) 순이다. 정맥 손상이 국소적인 경우에는 단단문합 또는 측면 정맥교정술lateral venorrhaphy이 가능하며, 환자가 혈역동적으로 안정하면 반드시 복구해야 한다. 더 광범위한 손상일 경우에는 복구를 위해 전치술, panel, 나선 이식편spiral graft 등을 고려하여야 하나, 이러한 복잡한 복구의 적응증이나 장점은 아직도 논란이 되고 있다. 복구를 받은 정맥은 7일째에 39%가 혈전으로 폐색이 일어나고, 간치술을 받은 정맥은 59%였다. 즉, 복잡한 정맥 복구술은 장기 개존율이 낮으며, 가장 좋은 결과는 내강이 좁아지지 않은 측면 복구술이나 단단문합술이다. 그러나 양 술기 간에 사지 구조Salvage율은 모두 100%였으며 이 결과는 정맥복구술의 성공과는 관계가 없다. 또한 정맥손상 환자에서 일시적 부종은 36%에서 나타나며, 단지 2% 만이 영구적인 부종을 갖게된다. 부종의 빈도도 정맥손상의 복구술이나 결찰술 등 술기와는 무관하게 나타난다.

따라서 정맥손상이 복잡하고 환자가 불안정할 때는 단순 결찰술이 적합한 술식이다. 슬와정맥을 포함하여 모든 말초정맥은 특별한 후유증 없이 단순 결찰할 수 있다. 다만 수술 후에 부종이 나타나게 되며, 이는 하지의 거상과 탄력압박으로 조절이 가능하다.

정맥 복구술을 받은 환자는 정맥 개존여부를 도플러나 이중초음파로 일정기간 지속적으로 추적검사해야 한다.

요약

교통사고가 혈관손상의 가장 흔한 원인이다. 혈관손상의 기전으로 관통상, 둔상, 의인성 손상으로 구분할 수 있고, 부분적으로 절단된 혈관이 완전 절단된 혈관보다 출혈이 심하다. 중한 징후가 관찰되면 즉각적인 검사 및 수술실 탐색이 필요하고, 원위부 허혈증에 대한 평가는 발목-상완지수로 간단하게 알 수 있으며, 초음파검사는 쉽고, 비침습적으로 시행할 수 있지만, 검사자 숙련도가 요구되는 반면, 최근 컴퓨터단층촬영 장비의 발달로 객관적이면서, 신속한 혈관손상 유무를 파악할 수 있게 되었다. 각 신체 부위별 혈관손상의 표준치료는 수술적으로 완전하게 교정하는 것이지만, 최근 혈관내 치료의 장비 및 기구의 발달로 최소 침습적이면서 효과적인 치료가 이루어지고 있다.

대부분의 정맥손상은 복구가 치료의 원칙이나, 특별한 후유증 없이 단순 결찰술이 가능하며 결찰 후 발생하는 하지 부종은 하지의 거상과 탄력압박 등의 보존적인 치료로 조절이 가능하다.

대부분의 정맥손상은 복구가 치료의 원칙이나, 특별한 후유증없이 단순 결찰술이 가능하며 결찰 후 발생하는 하지 부종은 하지의 거상과 탄력압박 등의 보존적인 치료로 조절이 가능하다.

X 림프계 해부생리와 림프부종

1. 서론

인체조직은 2개의 분리된 그러나 기능적으로 보완되는 두 종류의 순환계를 갖고 있는데 산소와 영양분을 운반하는 혈관계, 그리고 삼출된 조직액, 고 분자량 단백질, 면역구를 운반하는 림프계로 형성되어 있다. 연속적인 루프를 형성하고 있는 혈관계와 달리 림프계는 일측성 폐쇄구조로 형성되어 있고 모세혈관에서 투과된 단백질 및 풍부한 삼출액, 그리고 림프구를 순환계로 유입시키는 기능을 한다. 림프계의 선천적 부재 혹은 기능 손상등은 조직에 체액 및 단백질이 체류되어 만성 부종, 조직 섬유화 그리고 지방 조직변성, 빈번한 조직 감염을 초래하게 된다. 유방암, 자궁암, 흑색종 근치적 수술 후 흔히 발생되는 이차성 림프부종은 삶의 질을 급격히 악화시키며 현재까지 가장 효과적인 치료법으로 알려진 복합 물리치료 등은 장기간 시행 시 환자의 순응도가 급격히 저하되는 문제가 있다. 현재까지 난치성 림프부종 치료를 위한 새로운 접근방식으로 림프관 신생등에 대한 분자 생물학적 기전 및 림프액 순환 생리에 대한 기초연구가 활발히 진행되고 있다.

2. 림프계 해부

림프계는 간질액을 모으는 림프모세관, 여러 림프모세관이 만나서 전수집림프관precollector 그리고 수집림프관이 되며 수입림프관afferent lymphatics을 통해 림프절로 유입되며 수출림프관efferent lymphatics을 만들고 최종적으로 흉관을 통하여 좌측 쇄골하정맥으로 유입된다. 비혈관 분포구조물인 표피, 체모, 연골, 각막등과 일부 혈관분포 기관인 뇌, 골수, 그리고 망막 등을 제외한 모든 내부기관 및 피부에서는 많은 모세관들이 망상으로 연결되며 촘촘한 림프모세관을 형성한다. 림프모세관은 단층의 내피세포로 구성되어 있으며 기저막이 없고 천공이 있어 세포사이 넓은 간극으로 투과성이 있으며 혈관주위세포나 평활근 세포로 덮여있지 않으나 주위 세포외 기질과 림프내피 세포사이 부착섬유로 연결되어 간질압이 높아지는 경우에도 림프모세관 허탈collapse없이 열린 내경을 유지하게 한다. 림프 수집관부터는 평활근 세포가 둘러싸고 있어 수축이 가능하여 림프액의 이동을 능동적으로 조절할 수 있다(그림 6-79).

1) 하지 및 체간 림프계

대부분의 수집림프관은 족부 배부 및 발목주변에서 시작되어 하지의 내측, 대복재 정맥에 근접하여 서혜부 임파절로 연결되며(그림 6-80) 다른 소 림프계로 족부의 외측 부위에서 종아리 뒤쪽을 따라 슬림프절로 연결된다. 장골림프계는 외장골동맥 내, 외측 및 외 장골정맥 내측 등 세 림프계가 만나서 형성된다. 장골림프계가 연결되어 허리림프관을 형성하는데 대동맥 좌우로 2개의 총으로 주행하며 이는 제1, 2 요추부위 대동맥 우측으로 연해서 유미낭cisterna chili을 형성하는데 이는 단일낭으로 흉관의

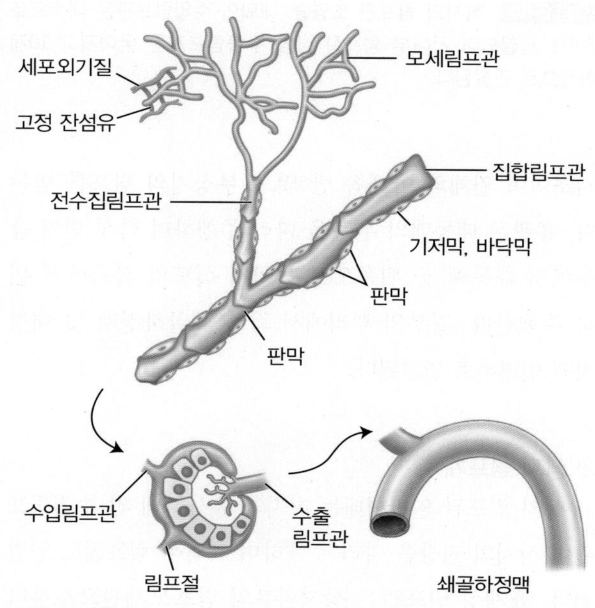

그림 6-79 **림프모세관의 구조.** 림프모세관은 얇은 벽과 넓은 내경을 갖고 있고, 세포외 기질에 고정섬유로 부착되어 있다. 림프모세관은 평활근 세포가 없으나 수집림프관부터 평활근 세포로 둘러싸여 있고 내경에는 밸브가 있다.

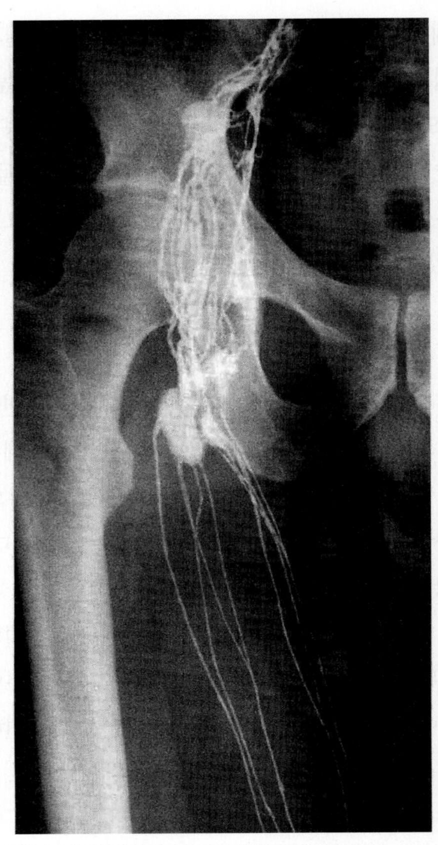

그림 6-80 하지의 림프관 조영술. 대퇴의 수입림프관은 내측으로 7-8개 관찰되며 서혜부 림프절 상방 수출림프관은 굵어지고 10개 이상으로 관찰된다.

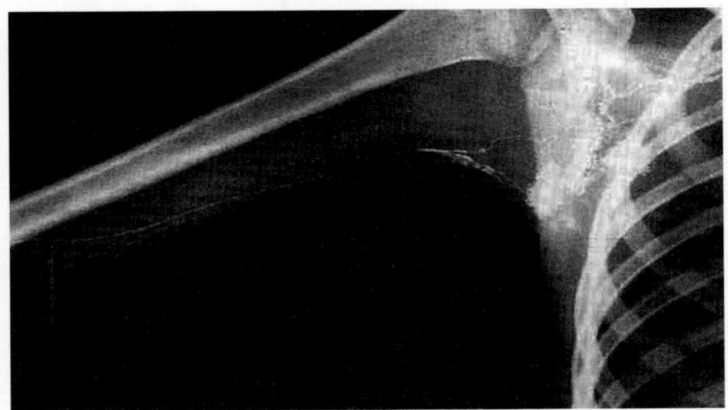

그림 6-81 상지의 림프관 조영술. 팔의 내측연을 따라 림프관이 중심림프절로 연결된다.

시초이며 인체의 아래쪽 반 및 복부장기의 림프를 받는다. 흉관은 대동맥의 우측을 따라 주행하며 다섯 번째 흉추에서 대동맥 궁 뒤쪽으로 돌아서 식도의 좌측에서 위로 주행한다. 경부의 뿌리에서 좌측 쇄골하정맥 및 내경정맥 변연부로 연결된다.

2) 상지 림프계

상지 림프관 일반형태는 하지와 유사한데 긴 수집림프관이 상지의 전장을 따라 주행하며 액와부 림프절로 연결된다. 표재성 림프관은 상지피부의 림프모세관으로부터 림프액을 받는데 상박부 척골측피부정맥basilic vein 및 요골측피부정맥cephalic vein을 따라서 주행하며 일부는 전박부위의 심부근막층으로 들어가 심재성 림프관으로 합류한다(그림 6-81). 상지의 액와부 림프절은 유방암 환자의 외과적 근치수술에 필수적 개념을 갖고 있는데, 림프계의 해부학적 구조 및 이동을 살펴보면 유방 피부의 상피하총subepithelial plexus은 전신의 상피하총과 연결되어 있다. 상피하총은 다시 진피하림프관으로 연결되고 유륜하총subareolar plexus에서 합류된다. 유두와 유륜의 림프액도 유륜하총으로 배액된다. 림프배액은 단방향으로 표면총superficial plexus에서 심부총deep plexus으로 흐른다. 유륜하총에서에서 유즙관주위의 림프관을 통하여 소엽주위총perilobular plexus와 심부피하총deep subcutaneous plexus으로 흐른다. 유방으로부터 시작된 림프액의 대략 97%는 액와림프절로 가고 3%는 내유방림프절로 흐른다. 액와 림프절로 흘러들어간 림프액은 최종적으로 액와림프절의 가장 상내측 부위인 쇄골하 림프절로 배액된다. 내유방림프절의 림프액 역시 최종적으로 쇄골하 림프절로 흐른다.

3. 림프계 순환생리

간질액의 총 수액양은 12L 정도이며 각 림프절로 들어가는 수입 통로로 이동되는 총 림프액은 8L 정도이고 이 중 림프절 미세혈류관을 통하여 4L가 혈액순환계로 유입되며 대부분은 수액이다. 나머지 4L가 수출통로를 통하여 이동되는데 이 곳의 림프액 단백질 농도는 2배 정도 농축되어 있다. 하루에 순환되는 흉관 총 림프액은 1-3L로 알려지고 있으며 이 중 30-50%는 간에서 유래하고 유동 sinusoid간 간격이 넓어 단백질의 투과성이 높아 흉관 혈장 단백농도에 영향을 미친다. 간질에서 림프관으로 림프액이 이동하는 기전은 대부분의 조직에서 정확히 알려지지 않고 있다. 인체 피부에서의 간질액 압력은 -2mmHg (가슴, 상지) +1mmHg (족부)로 측정되며 반면 피부 림프관 내 압력은 2.6mHg로 측정되나 간헐적으로 림프관내 압력이 -7mmHg로 하강된다. 이에 대한 기전으로 주위 동맥 수축등으로 발생된 간헐적 압착 및 림프 수집관 근위부 분절에서 내인성 율동성 수축에 이어서 근위부 림프관 반동recoil 등으로 압력이 하강현상을 부분적으로 설명하며, 이때 발생하는 압력 차에 의해서 초기 림프모세관으로 체액 이동이 이루어지게 된다. 한편 수집림프관에서 일어나는 수축현상은 심장에서와 같이 자동적 박동능에 의하여 발생된다고 추론하고 있다. 즉 장간막 림프관에서 특정 림프 평활근 세포에서 심근세포에서와 유사한 전기생리학적 전류가 관찰되었고 소화관 등의 박동조율기pacemaker 세포 등과 면역조직화학적 특징 및 미세구조가 유사함을 관찰하였다.

4. 림프관 생성의 분자생물학적 기전

림프관의 표식자 및 성장인자들이 발견되면서 림프관의 개체발생학에 대한 두 이론이 대두되고 있다. 구심성 이론centripetal theory은 간엽전구세포lymphangioblast로부터 림프내피세포가 유래된다는 이론이다. 한편 원심성 이론centrifugal theory으로 태생학 초기에 태아의 내경정맥 부위에서 림프내피세포가 자라나서 말초조직으로 이동하면서 림프관을 형성한다는 이론이다. 이 과정에서 발육부전, 즉 초기 내경정맥 림프낭이 주위림프관과의 연결이 안 되는 경우, 경부 낭포성수종cystic hygroma으로 나타날 수 있고, 이는 임상에서 흔히 관찰되는 질환이기 때문에, 원심성이론이 널리 받아들여지고 있다. 설치류 태아의 발생과정에서 림프계는 기능적 혈관계가 완성된 후 시작되는데 lymphatic vessel endothelial hyaluronan receptor-1 (LYVE-1)는 림프내피세포의 초기 표식자로 알려지고 있다. 성인에서는 림프모세혈관에서 높게 발현되나 수집림프관에서는 약하게 발현된다. 림프내피세포로의 분화에 핵심 조절인자는 PROX-1으로 알려지고 있으며 PROX-1 유전자 결핍 쥐에서는 혈관은 정상적으로 생성되나 림프관은 전혀 생성되지 않는 것으로 관찰되었다. 림프관 발아lymphatic sprouting를 위해서는 림프내피세포의 증식, 이동, 생존이 필수적인데 이에 관여하는 인자는 Vascular Endothelial Growth Factor C (VEGF-C), VEGR-D와 VEGFR-3로 알려지고 있다. 림프내피세포에서 PROX-1활성에 의해 발현이 증강되는 대표적인 유전자가 VEGFR-3로 림프관에 발현되면서 태생초기 발현되었던 혈관망에서는 소실된다. 성인에서도 VEGFR-3를 자극하면 림프관 신생이 일어남을 관찰할 수 있었으며 VEGFR-3 유전자변이는 대표적인 선천성 림프부종인 Milroy disease의 원인으로 밝혀지고 있다. 초기 생성된 림프관은 기저막이나 평활근이 없는 형태이나 림프관 성숙과정을 통하여 밸브, 기저막, 평활근세포의 부착이 되며 Angiopoietine-2, EphrineB2, FOXC2 등이 밀접하게 관여하는 것으로 알려지고 있다(그림 6-82).

5. 림프부종

1) 임상적 소견

림프모세관기형, 림프수집관 손상, 그리고 림프관밸브 부재 혹은 이상으로 기인되어 림프액 수송기능이 결여되면 피하조직에 과다한 수분 및 단백질이 축적되고 결국 만성염증 및 섬유화가 진행되어 비가역적인 미관상 문제 및 이에 따른 정신심리적 문제, 그리고 관절운동능력의 저하를 초래하게 된다. 흔히 진행 정도에 따라 3기로 나누는데 임상 1기는 활동 후 함요부종이 관찰되나 수면 후 호전되는 간헐적 단계라면 임상 2기는 부종정도가 심해져서 수면 후에도 계속 지속적으로 나타나고 비오목부종형태로 나타난다. 임상 3기는 피부 및 피하조직의 경화현상

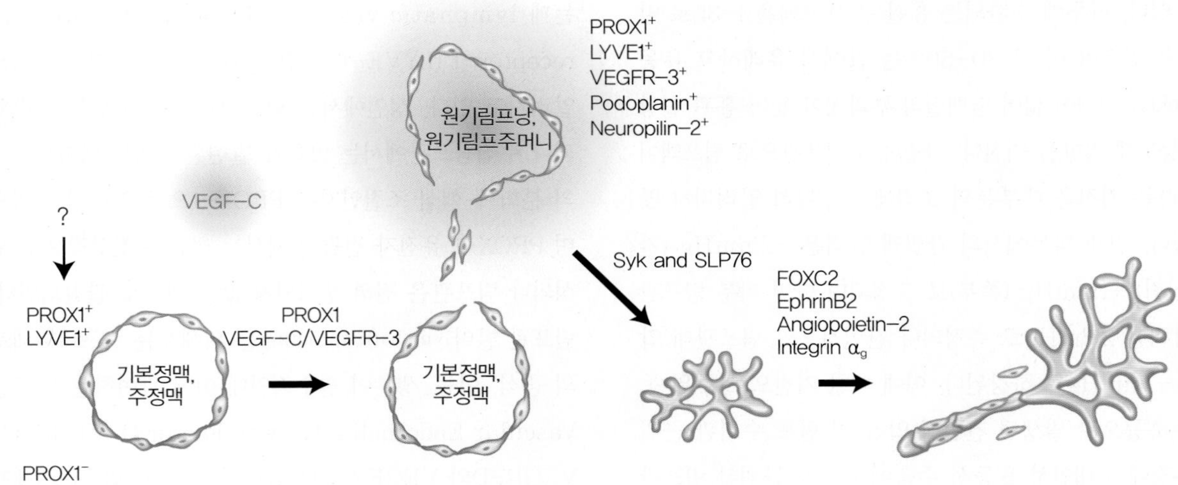

그림 6-82 **백서에서 림프계의 발생.** Cardinal vein에서 림프모세관세포가 PROX1, VEGFR-3 표식자를 보이며 성장인자인 VEGF-C 자극에 의해 증식, 이동을 통해 발아되어 림프낭을 형성된다 이후 혈관에서부터 분리되어 독립적인 림프망을 형성하고 재형성및 성숙과정을 거쳐 림프모세관층을 형성한다.

을 동반하게 되는 비가역적 상태이다(그림 6-83).

2) 원인

(1) 일차성 림프부종

태생기 림프계 조직으로 분화과정에서의 장애로 인하여 정상 림프관의 무형성증aplasia 혹은 저형증hypoplasia등에 의해 발생되는 형태로 증상의 발현은 심한 정도에 따라 출생시, 사춘기, 혹은 그 후에 발현되기도 한다. 유전적 림프부종으로 림프관 신생과정에서 관여되는 분자생물학적 유전자의 이상으로 밀로이병Milroy's disease 등이 대표적이다.

(2) 이차성 림프부종

정상 림프관조직이 후천적으로 림프관 혹은 림프결절이 파괴되었고 이에 대한 보상기전인 우회 순환로의 발달 부재, 반복된 세균감염으로 인한 근위부 림프관의 파괴, 그리고 대식세포의 단백질 분해능 저하 등의 부가적인 악화요인이 추가되어 임상적으로 림프부종이 발생되는 것으로 추정된다. 가장 흔한 원인으로 암수술(유방암. 자궁암)시 동반되는 근치적 림프절제술 및 방사선치료, 반복되는 세균감염, 기생충감염(Filariasis) 등을 들 수 있다.

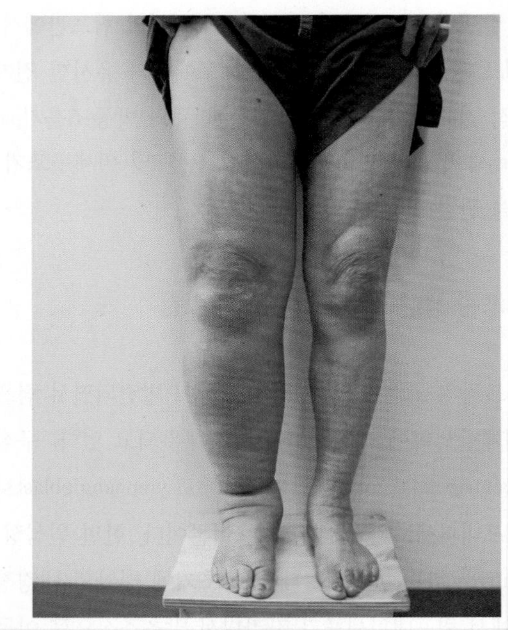

그림 6-83 **우측 하지의 림프부종환자**

3) 진단

전통적인 검사방법인 림프관조영법은 관혈적이고 림프

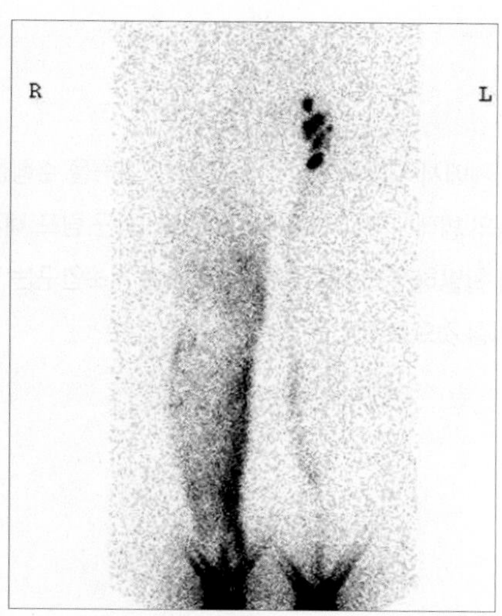

그림 6-84 이차성 림프부종 환자에서의 특징적인 림프신티그라피 소견. 좌측은 내측 림프관이 잘 조영되고 동측 서혜부 림프절 조영이 관찰되나 우측 하지에서는 림프관 및 림프절이 안보이고 진피역류를 뚜렷하게 관찰된다.

관 삽관이 기술적으로 어려워 현재는 널리 이용되지 않고 있다. 림프관섬광조영술lymphoscintigraphy 등을 이용하여 림프부종의 확진 및 림프계 기능의 평가, 그리고 심한 정도를 객관적으로 평가할 수 있다. 림프관섬광조영술은 림프관으로 흡수되는 technetium-labeled colloid를 발가락 사이에 피하 주사한 후 γ-카메라를 이용하여 순차적으로 촬영하는데, 정상적으로 60분 내 하지 내측 림프관 및 서혜부 림프절이 조영되는 것이 정상이다. 림프관내 염증반응이 적고 반복적으로 시행할 수 있어 림프계 해부학적 구조 및 기능을 잘 반영하는 장점이 있다. 림프절이 방사선 섭취되어 직접 조영되는 것이 림프이동의 직접적인 소견이다. 반면 순차적인 영상에서 림프계가 조영되지 않고 주사부위에서 계속 남아 있다면 림프부종의 가장 큰 이상소견이며 방사선 섭취 정도가 낮을수록 림프부종의 심한 정도를 반영한다. 또한 림프관 조영이 약하면서 피부 진피내 림프계층으로 이동되어 나타나는 진피역류dermal backflow도 림프부종의 특징적인 소견이다(그림 6-84).

4) 치료

림프부종의 치료목적은 가능한 부종을 줄여주어서 일상생활로 편안하게 복귀시키며, 림프조직계의 세균의 반복감염을 예방하여 병기의 증가를 억제해야 한다. 효과적인 림프부종의 치료는 대부분 비수술적 치료방법들로 임상 1기-3기에 따라, 혹은 림프부종의 주 침범 부위에 따라서 근위부, 원위부 압박양말착용, 공기압박펌프치료, 복합림프 물리치료법Complex Decongestive Physical Therapy (CDPT)을 혼용한다. CDPT 중 도수림프 마사지법Manual Lymphatic Drainage (MLD)은 림프액이 울혈되어 있는 분절에 가볍고 연속적인 마사지법을 시행하여 정상적인 순환방향 혹은 우회로의 발달을 자극하여 림프액을 이동시키는 원리이다. 먼저 MLD로 울혈된 원위부 림프액을 확보한 후 이어서 고압 고속도의 공기압박치료에 뒤이은 탄력성 혹은 비탄력성 압박붕대 및 양말착용으로 최대한도로 부피를 유지하는 원리이다. 상기 방법으로 임상적 호전외에도 림프관섬광조영술 호전을 입증하여 대부분의 환자에서 비수술적 치료법이 선택적 치료법으로 받아들여지고 있다. 수술적 치료법은 다리 부피감소 치료와 림프액 배액을 촉진시키는 생리적인 치료로 대별된다. 즉, 관절운동 제한을 초래하는 코끼리 다리모양의 사지 부종인 경우 최대한 부종 부피를 감소시키기 위해 두꺼운 만성 피하조직의 기계적 제거로 다양한 수술법이 소개되고 있으며, 한편 현미경을 이용한 림프관-림프관 혹은 림프관-정맥 문합술 등이 시도되고 있다. 그러나 수술적 치료법은 단기 효과는 보고되고 있으나 아직까지 장기적인 효과가 입증되지 못하였다. 선천적 림프관 발생과정 및 후천적 염증과정에서의 후천적 림프관 생성의 분자생물학적 기전등에 대한 폭넓은 이해를 토대로 보다 근본적인 치료전략이 향후 진행중이다. 림프절이식 및 주위 성장인자(VEGF-C) 유전자치료가 전임상 연구에서 뚜렷한 림프관 신생 및 부종감소가 관찰되었고, 이를 토대로 향후 유방절제술 후 팔 부종환자에서 전향적 임상연구로의 진행이 모색되고 있다.

요약

림프계 기능은 세포외 조직액을 혈류로 복귀시키고, 면역감시, 그리고 소화계에서 지방을 흡수하는 중요한 기능을 수행한다. 한편 림프부종, 염증, 그리고 암 전이과정은 림프관 소실, 이상, 림프관 신생등의 병태생리적 기전에 기인된다. 최근 림프 내피세포등에 특이한 표식자가 발견되면서 림프관 신생에 대한 분자생물학적 기전이 활발하게 연구되고 있고, 이러한 기초연구는 난치병인 선천적, 후천적 림프부종, 암전이, 염증 등 임상분야에서 큰 진척이 이루어질 것으로 예상된다.

참고문헌

[I. 동맥경화의 병태생리]

1. 김동익. 혈관외과: 가본의학 200.
2. 김동익. 당뇨족 진단과 치료: 의학문화사. 200.
3. Beckman JA, Creager MA, Libby P. Diabetes and atherosclerosis: epidemiology, pathophysiology, and management. JAMA 2002;287:2570-8.
4. Eo Hyun-Seon, Kim Dong-Ik Apolipoprotein C1 and apolipoprotein E are differentially expressed in atheroma of the carotid and femoral artery J Surg Research 2008;144:132-13.
5. Forrester JS, Shah PK. Lipid lowering versus revascularization: an idea whose time (for testing) has come. Circulation 1997;96:1360-.
6. Glagov S, Weisenberg E, Zarins CK, et al. Compensatory enlargement of human atherosclerotic coronary arteries. N Engl J Med 1987;316:1371-.
7. Hiatt WR, Hoag S, Hamman RF. Effect of diagnostic criteria on the prevalence of peripheral arterial disease. The San Luis Valley Diabetes Study. Circulation 1995;91:1472-.
8. Hirsch AT, Treat-Jacobson D, Lando HA, et al. The role of tobacco cessation, antiplatelet and lipid-lowering therapies in the treatment of peripheral arterial disease. Vasc Med 1997;2:243-5.
9. Jonason T, Bergström R. Cessation of smoking in patients with intermittent claudication. Effects on the risk of peripheral vascular complications, myocardial infarction and mortality. Acta Med Scand 1987;221:253-6.
10. Kim DI, Lee BB, Joh JW, Lee SK, Kim YI, Kim HH Cells in pseudointimal hyperplasia is migrated from extravascular space.
11. J Cardiovascular Surg 1997;37:277-281.
12. Kim Dong-Ik, Eo Hyun-Seon, Joh Jin-Hyun.
13. Differential expression of immunoglobulin kappa chain constant region in human abdominal aortic aneurysm J Surgical Research 2005;127:118-12.
14. Martin MJ, Hulley SB, Browner WS, et al. Serum cholesterol, blood pressure, and mortality: implications from a cohort of 361,662 men. Lancet 1986;2:933-.
15. Neaton JD, Wentworth D. Serum cholesterol, blood pressure, cigarette smoking, and death from coronary heart disease. Overall findings and differences by age for 316,099 white men. Multiple Risk Factor Intervention Trial Research Group. Arch Intern Med 1992;152:56-6.
16. Pedersen TR, Olsson AG, Faergeman O, et al. Lipoprotein changes and reduction in the incidence of major coronary heart disease events in the Scandinavian Simvastatin Survival Study (4S). Circulation 1998;97:1453-6.
17. Ross R. The pathogenesis of atherosclerosis. N Engl J Med 1986;314:488-50.
18. Smith I, Franks PJ, Greenhalgh RM, et al. The influence of smoking cessation and hypertriglyceridaemia on the progression of peripheral arterial disease and the onset of critical ischaemia. Eur J Vasc Endovasc Surg 1996;11:402-.
19. Sueta CA, chowdhury M, Boccuzzi SJ, et al. Analysis of the degree of undertreatment of hyperlipidemia and congestive heart failure secondary to coronary artery disease. Am J Cardiol 1999;83:1303-.
20. Valentine RJ, Kaplan HS, Green R, et al. Lipoprotein (a), homocysteine, and hypercoagulable states in young men with premature peripheral atherosclerosis: a prospective, controlled analysis. J Vasc Surg 1996;23:53-61, discussion 61-.

[II. 혈관질환의 진단]

1. 김동익 정맥학 : 의학문화사. 2007.
2. 김동익, 이병붕, 이철형, 조재원, 이석구, 김용일, 김현학 비침습적혈관 검사법의 임상적 응용 대한맥관외과학회지 1996;12:22-28 .
3. 김동익. 당뇨족 진단과 치료: 의학문화사. 2006.
4. 이경복, 김동익, 조진현, 최윤호, 김선우, 문지영, 이철형, 김도율, 장영삼 한국 정상성인에서의 무증상 경동맥 협착증의 유병률과 위험인.
5. 장항석, 김동익, 허승, 박기혁, 이철형, 김도율, 문지영, 김은숙, 김용일,

이병붕 한국인을 대상으로 한 혈관계의 해부학적 특징 및 혈류 역학적 특징에 관한 연구 대한맥관외과학회지 제13권 제2호 171-175.
6. 정준철, 김동익, 이순정, 조진현, 이철형, 김도율, 이병붕, 김용일 원발성 하지정맥류 치료전후의 정맥혈류역학적 변화에 관한 분석. 대한혈관외과학회지, 1999;15:280-285 .
7. 대한외과학회지 2004;66(5):415-41.
8. Aspelin P, Aubry P, Fransson SG, et al. Nephrotoxic effects in high-risk patients undergoing angiography. N Engl J Med 200;348:491-499.
9. Broeders IA, Blankensteijn JD, Olree M, et al. Preoperative sizing of grafts for transfemoral endovascular aneurysm management: a prospective comparative study of spiral CT angiography, arteriography, and conventional CT imaging. J Endovasc Sur 1997;4:252-261.
10. Davies AH, Brophy C 저, 김동익 역. 혈관외과. 가본의학. 2006.
11. Dormandy JA, Rutherford RB. Management of peripheral arterial disease (PAD).
12. Fillinger MF. Imaging of the thoracic and thoracoabdominal aorta. Semin Vasc Surg 2000;13:247-263.
13. Fillinger MF. New imaging techniques in endovascular surgery. Surg Clin North Am 1999;79:451-475.
14. Haage P, Piroth W, Krombach G, et al. Pulmonary embolism: comparison of angiography with spiral computed tomography, magnetic resonance angiography, and real-time magnetic resonance imaging. Am J Respir Crit Care Med 2003;167:729-734.
15. Hirsch AT, Haskal ZJ, Hertzer NR, et al. ACC/AHA 2005 Practice Guidelines for the management of patients with peripheral arterial disease (lower extremity, renal, mesenteric, and abdominal aortic). Circulation 2006;113: e463-654.
16. Kay J, Chow WH, Chan TM, et al. Acetylcysteine for prevention of acute deterioration of renal function following elective coronary angiography and intervention: a randomized controlled trial. JAMA 2003;289:553-558.
17. Kim DI, Huh S, Hwang JH, Kim YI, Lee BB. Venous dynamics in leg lymphedema. Lymphology 1999;32:11-14, .
18. Kim DI, Lee SJ, Lee BB, Kim YI, Chung CS, Seo DW, Lee KH, Ko YH, Kim DK, Do YS, Byun HS. The relationship between the angiographic findings and the clinical features of carotid artery plaque. Surg Today 2000;30:37-42, .
19. Merten GJ, Burgess WP, Gray LV, et al. Prevention of contrast-induced nephropathy with sodium bicarbonate: a randomized controlled trial. JAMA 2004;291:2328-2334.
20. Prince MR, Yucel EK, Kaufman JA, et al. Dynamic gadolinium-enhanced three-dimensional abdominal MR arteriography. J Magn Reson Imaging 1993;3:877-881.
21. Snow TM, Rice HA. A simple gas injector for carbon dioxide angiography. Clin Radiol 1999;54:842-844.
22. TASC Working Group. TransAtlantic Inter-Society Consensus (TASC). J Vasc Surg 2000;31:S1-S29.
23. Tepel M, van der Giet M, Schwarzfeld C, et al. Prevention of radiographic-contrast-agent-induced reductions in renal function by acetylcysteine. N Engl J Med 2000;343:180-184.
24. Thomsen HS, Almèn T, Morcos SK. Gadolinium-containing contrast media for radiographic examinations: a position paper. Eur Radiol 2002;12:2600-2605.
25. Townsend CM, Beauchamp RD, Evers BM, et al. Sabiston Textbook of Surgery. 18th ed. Saunders Company 2008 .

[III. 폐쇄성 동맥질환]

1. Atkins MD, Kwolek CJ, LaMuraglia GM, et al: Surgical revascularization versus endovascular therapy for chronic mesenteric ischemia: A comparative experience. J Vasc Surg 2007;45:1162-1171.
2. Blum U, Krumme B, Flugel P, et al: Treatment of ostial renal-artery stenoses with vascular endoprostheses after unsuccessful balloon angioplasty. N Engl J Med 1997; 336:459-465.
3. Brown DJ, Schermerhorn ML, Powell RJ, et al: Mesenteric stenting for chronic mesenteric ischemia. J Vasc Surg 2005; 42:268-274.
4. Bush RL, Martin LG, Lin PH, et al. Endovascular revascularization of renal artery stenosis in the solitary functioning kidney. Ann Vasc Surg 2001;15:60-66.
5. Cambria RP, Kaufman JL, Brewster DC, et al: Surgical renal artery reconstruction without contrast arteriography: The role of clinical profiling and magnetic resonance angiography. J Vasc Surg 1999;29:1012-1021.
6. Caps MT, Zierler RE, Polissar NL, et al. Risk of atrophy in kidneys with atherosclerotic renal artery stenosis. Kidney Int. 1998;53:735-742.
7. Chabova V, Schirger A, Stanson AW, McKusick MA, Textor SC. Outcomes of atherosclerotic renal artery stenosis managed without revascularization. Mayo Clin Proc. 2000;75: 437-444.
8. Chade AR, Rodriguez-Porcel M, Grande JP, et al: Distinct renal injury in early atherosclerosis and renovascular disease. Circulation , 2002; 106:1165-1171.
9. Cherr GS, Hansen KJ, Craven TE, et al: Surgical management of atherosclerotic renovascular disease. J Vasc Surg 2002; 35:236-245.
10. Cheung CM, Wright JR, Shurrab AE, et al. Epidemiology of renal dysfunction and patient outcome in atherosclerotic renal artery occlusion. J Am Soc Nephrol. 2002;13:149-157.
11. Cooper CJ, Murphy TP, Cutlip DE, Jamerson K, Henrich W, Reid DM, et al. for the CORAL Investigators. Stenting and medical therapy for atherosclerotic renal-artery stenosis. N Engl J Med 2014;370:13-22.
12. Davidson RA, Wilcox CS: Newer tests for the diagnosis of renovascular disease. JAMA 1992;268:3353-3358.
13. Gloviczki P, Duncan AA: Treatment of celiac artery compression

syndrome: Does it really exist? Perspect Vasc Surg Endovasc Ther 2007;19:259-263.

14. Guzman RP, Zierler RE, Isaacson JA, et al: Renal atrophy and arterial stenosis. A prospective study with duplex ultrasound. Hypertension 1994; 23:346-35.
15. Harward TR, Green D, Bergan JJ, et al: Mesenteric venous thrombosis. J Vasc Surg 1989;9:328-333.
16. Harward TR, Green D, Bergan JJ, et al: Mesenteric venous thrombosis. J Vasc Surg 1989;9:328-333.
17. Henry M, Amor M, Henry I, et al: Stents in the treatment of renal artery stenosis: Long-term follow-up. J Endovasc Surg 1999; 6:42-5.
18. Iannone LA, Underwood PL, Nath A, et al: Effect of primary balloon expandable renal artery stents on long-term patency, renal function, and blood pressure in hypertensive and renal insufficient patients with renal artery stenosis. Cathet Cardiovasc Diagn 1996; 37:243-250.
19. Kasirajan K, O'Hara PJ, Gray BH, et al: Chronic mesenteric ischemia: Open surgery versus percutaneous angioplasty and stenting. J Vasc Surg 2001;33:63-71.
20. Kasirajan K, O'Hara PJ, Gray BH, et al: Chronic mesenteric ischemia: Open surgery versus percutaneous angioplasty and stenting. J Vasc Surg 2001;33:63-71.
21. Klassen PS, Svetkey LP: Diagnosis and management of renovascular hypertension. Cardiol Rev 2000; 8:17-29.
22. Klassen PS, Svetkey LP: Diagnosis and management of renovascular hypertension. Cardiol Rev 2000;8:17-29.
23. Kougias P, El Sayed HF, Zhou W, et al: Management of chronic mesenteric ischemia. The role of endovascular therapy. J Endovasc Ther 2007; 14:395-405.
24. Kougias P, El Sayed HF, Zhou W, et al: Management of chronic mesenteric ischemia. The role of endovascular therapy. J Endovasc Ther 2007; 14:395-405.
25. Kougias P, Lau D, El Sayed HF, et al: Determinants of mortality and treatment.
26. Kougias P, Lau D, El Sayed HF, et al: Determinants of mortality and treatment outcome following surgical interventions for acute mesenteric ischemia. J Vasc Surg 2007;46:467-474.
27. Leertouwer TC, Gussenhoven EJ, Bosch JL, et al: Stent placement for renal arterial stenosis: Where do we stand? A meta-analysis. Radiology 2000; 216:78-85.
28. outcome following surgical interventions for acute mesenteric ischemia. J Vasc Surg 2007;46:467-474.
29. Park WM, Cherry KJ Jr., Chua HK, et al: Current results of open revascularization for chronic mesenteric ischemia: A standard for comparison. J Vasc Surg 2002;35:853-859.
30. Park WM, Cherry KJ Jr., Chua HK, et al: Current results of open revascularization for chronic mesenteric ischemia: A standard for comparison. J Vasc Surg 2002;35:853-859.
31. Park WM, Gloviczki P, Cherry Jr KJ, et al: Contemporary management of acute mesenteric ischemia: Factors associated with survival. J Vasc Surg 2002;35:445-452.
32. Rundback JH, Gray RJ, Rozenblit G, et al. Renal artery stent placement for the management of ischemic nephropathy. J Vasc Interv Radiol 1998;9:413-420.
33. Rundback JH, Gray RJ, Rozenblit G, et al: Renal artery stent placement for the management of ischemic nephropathy. J Vasc Interv Radiol 1998; 9:413-420.
34. Rutherford RB: Atlas of Vascular Surgery: Basic Techniques and Exposures, Philadelphia, WB Saunders, 1993.
35. Shannon HM, Gillespie IN, Moss JG: Salvage of the solitary kidney by insertion of a renal artery stent. AJR Am J Roentgenol 1998; 171:217-222.
36. Sos TA: Angioplasty for the treatment of azotemia and renovascular hypertension in atherosclerotic renal artery disease. Circulation 1991; 83:I162-I166.
37. Suresh M, Laboi P, Mamtora H, Kalra PR. Relationship of renal dysfunction to proximal arterial disease severity in athero- sclerotic renovascular disease. Nephrol Dial Transplant. 2000; 15:631-636.
38. Surowiec SM, Sivamurthy N, Rhodes JM, et al: Percutaneous therapy for renal artery fibromuscular dysplasia. Ann Vasc Surg 2003; 17:650-655.
39. The ASTRAL Trial Investigators. Revascularization versus medical therapy for renal-artery stenosis. N Engl J Med 2009;361: 1953-62.
40. van de Ven PJ, Kaatee R, Beutler JJ, et al: Arterial stenting and balloon angioplasty in ostial atherosclerotic renovascular disease: A randomised trial. Lancet 1999;353:282-286.
41. Vuong PN, Desoutter P, Mickley V, et al: Fibromuscular dysplasia of the renal artery responsible for renovascular hypertension: A histological presentation based on a series of 102 patients. Vasa 2004; 33:13-18.
42. White CJ, Ramee SR, Collins TJ, et al: Renal artery stent placement: Utility in lesions difficult to treat with balloon angioplasty. J Am Coll Cardiol 1997; 30:1445-1450.
43. Zeller T: Renal artery stenosis: Epidemiology, clinical manifestation, and percutaneous endovascular therapy. J Interv Cardiol 2005; 18:497-506.
44. Zierler RE, Bergelin RO, Isaacson JA, et al: Natural history of atherosclerotic renal artery stenosis. A prospective study with duplex ultrasonography. J Vasc Surg 1994; 19:250-257.

[IV. 비죽상경화성 혈관질환]

1. 김동익, 임라주, 임정은, 김종성, 전현정, 장인성, 김병수, 조승우. 하지 허혈동물모델에서 자가전골수줄기세포 이식을 이용한 신생혈관 유도.

대한혈관외과학회지 2005;21(2):113-11.
2. 김동익. 당뇨족 진단과 치료: 의학문화사. 200.
3. 김동익. 혈관외과: 가본의학 200.
4. 박우일, 김동익, 조진현, 이병붕, 신성욱, 도영수. 베체트병에서 보이는 혈관질환. 대한혈관외과학회지 2003;19(2):159-16.
5. 유기은, 이경복, 김동익. 레이노 현상의 임상양상 경과에 대한 후향적 연구. 대한혈관외과학회지 2006;22:1-5.
6. Alimi Y, Mercier C, Pellissier JF, et al. Fibromuscular disease of the renal artery: A new histopathologic classification. Ann Vasc Surg 1992;6:220.
7. Angiogenesis facilitated by autologous whole bone marrow stem cell implantation for Buerger's disease .
8. Brodmann M, Renner W, Stark G, et al. Prothrombotic risk factors in patients with thromboangiitis obliterans. Thromb Res 2000;99:483-486.
9. Dillon MJ, AnsellBM. Vasculitis in children and adolescents. Rheum Dis Clin North Am 1995;21:1115-1136.
10. Dziadzio M, Denton CP, Smith R, et al. Losaltan therapy for Raynaud's phenomenon and scleroderma: clinical and biochemical findings in a fifteen-week, randomized, parallel-group, controlled trial. Arthritis Rheum 1999;42:2646-2655.
11. Hoffman GS, Kerr GS, Leavitt RY, et al. Wegener granulomatosis: an analysis of 158 patients. Ann Intern Med 1992;116:488-498.
12. Jang GY. Cardiovascular complications after Kawasaki disease and its manag. Korean J Pediatr 2008;51:462-467.
13. Jayne D. Update on the European Vasculitis Study Group Trials. Curr Opin Rheumatol 2001;13:48-55.
14. Joh Jin-Hyun, Kim Duk-Kyung, Park Kay-hyun, Kim Dong-Ik. Surgical management of Takayasu's arteritis. J Korean Med Sci 2006;21:20-24 .
15. Kim Dong-Ik, Huh Se-Ho, Lee Byung-Boong. Aortic endarterectomy in Takayasu's arteritis and Leriche's syndrome. J Cardiovascular Surgery 2002;43(5): 751-.
16. Kim Dong-Ik, Kim Mi-Jung, Joh Jin-Hyun, Moon Ji-Young, Shin Sung-Wook, Do Young-Soo, Moon Ji-Young, Kim Na-Ri, Lim Joung-Eun, Kim Ae-Kyung, Kim Hyun-Shun, Kim Byung- Soo, Cho Seung-Woo, Yang Seung-Hye, Park Chan-Jeoung. Shim Jong-Sup.
17. Kurzrock R, Cohen PR. Erythromelalgia: Review of clinical characteristics and pathophysiology. American Journal of Medicine 1991;91:416-422.
18. Lee Kyung Bok, Kim Ae Kyung, Kim Mi Jung, Do Young Soo, Shin Sung Wook, Kim Jong Sung , Park Chan Jeong, Kang Kyung Sung, Kim Byung Soo, Joh Jin Hyun, Oh Won Il, Hong Hye Kyung, Kim Dong Ik. Angiogenesis induced by autologous whole bone marrow stem cells transplantation. International Journal of Stem Cells. 2008;1:64-6.
19. Newburger JW, Takahashi M, Gerber MA, et al. Diagnosis, Treatment, and Long-Term Management of Kawasaki Disease: A Statement for Health Professionals From the Committee on Rheumatic Fever, Endocarditis, and Kawasaki Disease, Council on Cardiovascular Disease in the Young, American Heart Association. Pediatrics 2004;114:1708-1733.
20. Numano F. The story of Takayasu arteritis. Rheumatology 2002;41:103-106.
21. Ohta T, Shinoya S. Fate of the ischaemic lim in Buerger's disease. Br J Surg 1998;75:259-262.
22. Stem Cells 2006;24:1194-1200 .
23. Weyland CM, Goronzy JJ. Medium and large vessel vasculitis. N Engl J Med 2003;349:160-169.

[V. 동맥류]

1. Adam DJ, Mohan IV, Stuart WP et al. Community and hospital outcome from ruptured abdominal aortic aneurysm within the catchment area of a regional vascular surgical service. J Vasc Surg 1999;30:922-8.
2. Anderson PL, Arons RR, Moskowitz AJ et al. A statewide experience with endovascular abdominal aortic aneurysm repair: rapid diffusion with excellent early results. J Vasc Surg 2004;39:10-9.
3. Ashton HA, Buxton MJ, Day NE et al. The Multicentre Aneurysm Screening Study (MASS) into the effect of abdominal aortic aneurysm screening on mortality in men: a randomised controlled trial. Lancet 2002;360:1531-9.
4. Avisse C, Marcus C, Ouedraogo T et al. Anatomo-radiological study of the popliteal artery during knee flexion. Surg Radiol Anat 1995;17:255-62.
5. Bedford PD, Lodge B. Aneurysm of the splenic artery. Gut 1960;1:312-20.
6. Bengtsson H, Bergqvist D. Ruptured abdominal aortic aneurysm: a population-based study. J Vasc Surg 1993;18:74-80.
7. Bjorck M, Bergqvist D, Troeng T. Incidence and clinical presentation of bowel ischaemia after aortoiliac surgery--2930 operations from a population-based registry in Sweden. Eur J Vasc Endovasc Surg 1996;12:139-44.
8. Blankensteijn JD, de Jong SE, Prinssen M et al. Two-year outcomes after conventional or endovascular repair of abdominal aortic aneurysms. N Engl J Med 2005;352:2398-405.
9. Blum U, Voshage G, Lammer J et al. Endoluminal stent-grafts for infrarenal abdominal aortic aneurysms. N Engl J Med 1997;336:13-20.
10. Boijesen E. Anomalies and malformations. In: Baum S, ed. Abrams angiography. Boston: Little, Brown; 1997:1217.
11. Bolke E, Jehle PM, Storck M et al. Endovascular stent-graft placement vs conventional open surgery in infrarenal aortic aneurysm: a prospective study on acute phase response and clinical outcome. Clin Chim Acta 2001;314:203-7.

12. Brewster DC, Cronenwett JL, Hallett JW, Jr. et al. Guidelines for the treatment of abdominal aortic aneurysms. Report of a subcommittee of the Joint Council of the American Association for Vascular Surgery and Society for Vascular Surgery. J Vasc Surg 2003;37:1106-17.
13. Brunkwall J, Hauksson H, Bengtsson H et al. Solitary aneurysms of the iliac arterial system: an estimate of their frequency of occurrence. J Vasc Surg 1989;10:381-4.
14. Busuttil RW, Brin BJ. The diagnosis and management of visceral artery aneurysms. Surgery 1980;88:619-24.
15. Cabellon S, Jr., Moncrief CL, Pierre DR et al. Incidence of abdominal aortic aneurysms in patients with atheromatous arterial disease. Am J Surg 1983;146:575-6.
16. Carr SC, Mahvi DM, Hoch JR et al. Visceral artery aneurysm rupture. J Vasc Surg 2001;33:806-11.
17. Choksy SA, Wilmink AB, Quick CR. Ruptured abdominal aortic aneurysm in the Huntingdon district: a 10-year experience. Ann R Coll Surg Engl 1999;81:27-31.
18. Collin J, Araujo L, Walton J et al. Oxford screening programme for abdominal aortic aneurysm in men aged 65 to 74 years. Lancet 1988;2:613-5.
19. Cormier F, Ferry J, Artru B et al. Dissecting aneurysms of the main trunk of the superior mesenteric artery. J Vasc Surg 1992;15:424-30.
20. Courteny M. Townsend, Jr. et al. Sabiston Text book of Surgery 19th edition. Philadelphia: ELSEVIER SAUNDERS; 2012.
21. Cynamon J. The role of arteriography in endovascular grafting techniques. In: Parodi JC, Veith F, Marin M, eds. Endovascular Grafting Techniques. Philadelphia: Williams & Wilkins; 1999:7.
22. Davidian M, Bebebati J, Powell A. Endovascular grafts for the treatment of abdominal aortic aneurysms: Development of stent grafts, design of devices, and technical results. In: Dolmatch B, Blum U, eds. Stent grafts-current clinical practice. New York: Thieme; 2000:55.
23. Davis RP, Neiman HL, Yao JS et al. Ultrasound scan in diagnosis of peripheral aneurysms. Arch Surg 1977;112:55-8.
24. Dawson I, Sie R, van Baalen JM et al. Asymptomatic popliteal aneurysm: elective operation versus conservative follow-up. Br J Surg 1994;81:1504-7.
25. Dawson I, Sie RB, van Bockel JH. Atherosclerotic popliteal aneurysm. Br J Surg 1997;84:293-9.
26. Dent TL, Lindenauer SM, Ernst CB et al. Multiple arteriosclerotic arterial aneurysms. Arch Surg 1972;105:338-44.
27. Dent TL, Lindenauer SM, Ernst CB et al. Multiple arteriosclerotic arterial aneurysms. Arch Surg 1972;105:338-44.
28. Elliot L.Chaikof et al. The care of patients with an abdominal aortic aneurysm: The Society for Vascular Surgery practice guidelines. J Vasc Surg 2009;50:S2-S4.
29. Endovascular aneurysm repair and outcome in patients unfit for open repair of abdominal aortic aneurysm (EVAR trial 2): randomised controlled trial. Lancet 2005;365:2187-92.
30. Endovascular aneurysm repair vs open repair in patients with abdominal aortic aneurysm (EVAR trial 1): randomised controlled trial. Lancet 2005;365:2179-86.
31. Fisher DF, Jr., Yawn DH, Crawford ES. Preoperative disseminated intravascular coagulation associated with aortic aneurysms. A prospective study of 76 cases. Arch Surg 1983;118:1252-5.
32. Galland RB, Earnshaw JJ, Baird RN et al. Acute limb deterioration during intra-arterial thrombolysis. Br J Surg 1993;80:1118-20.
33. Gooding GA, Effeney DJ. Ultrasound of femoral artery aneurysms. AJR Am J Roentgenol 1980;134:477-80.
34. Gooding GA. Ultrasound of a superior mesenteric artery aneurysm secondary to pancreatitis: a plea for real-time ultrasound of sonolucent masses in pancreatitis. J Clin Ultrasound 1981;9:255-6.
35. Gorich J, Rilinger N, Sokiranski R et al. Treatment of leaks after endovascular repair of aortic aneurysms. Radiology 2000;215:414-20.
36. Goueffic Y, Becquemin JP, Desgranges P et al. Midterm survival after endovascular vs open repair of infrarenal aortic aneurysms. J Endovasc Ther 2005;12:47-57.
37. Graham LM, Hay MR, Cho KJ et al. Inferior mesenteric artery aneurysms. Surgery 1985;97:158-63.
38. Graham LM, Stanley JC, Whitehouse WM Jr. et al. Celiac artery aneurysms: historic (1745-1949) versus contemporary (1950-1984) differences in etiology and clinical importance. J Vasc Surg 1985;2:757-64.
39. Graham LM, Zelenock GB, Whitehouse WM Jr. et al. Clinical significance of arteriosclerotic femoral artery aneurysms. Arch Surg 1980;115:502-7.
40. Greenhalgh RM, Brown LC, Kwong GP et al. Comparison of endovascular aneurysm repair with open repair in patients with abdominal aortic aneurysm (EVAR trial 1), 30-day operative mortality results: randomised controlled trial. Lancet 2004;364:843-8.
41. Hallett JW, Jr., Marshall DM, Petterson TM et al. Graft-related complications after abdominal aortic aneurysm repair: reassurance from a 36-year population-based experience. J Vasc Surg 1997;25:277-84; discussion 85-6.
42. Hallin A, Bergqvist D, Holmberg L. Literature review of surgical management of abdominal aortic aneurysm. Eur J Vasc Endovasc Surg 2001;22:197-204.
43. Halloran BG, Davis VA, McManus BM et al. Localization of aortic disease is associated with intrinsic differences in aortic structure. J Surg Res 1995;59:17-22.
44. Harris P, Brennan J, Martin J et al. Longitudinal aneurysm shrinkage following endovascular aortic aneurysm repair: a source of intermediate and late complications. J Endovasc Surg 1999;6:11-6.

45. Harris PL, Vallabhaneni SR, Desgranges P et al. Incidence and risk factors of late rupture, conversion, and death after endovascular repair of infrarenal aortic aneurysms: the EUROSTAR experience. European Collaborators on Stent/graft techniques for aortic aneurysm repair. J Vasc Surg 2000;32:739-49.
46. Heller JA, Weinberg A, Arons R et al. Two decades of abdominal aortic aneurysm repair: have we made any progress? J Vasc Surg 2000;32:1091-100.
47. Henry M, Amor M, Cragg A et al. Occlusive and aneurysmal peripheral arterial disease: assessment of a stent-graft system. Radiology 1996;201:717-24.
48. Hirsch AT, Haskal ZJ, Hertzer NR et al. ACC/AHA 2005 Practice Guidelines for the management of patients with peripheral arterial disease (lower extremity, renal, mesenteric, and abdominal aortic): a collaborative report from the American Association for Vascular Surgery/Society for Vascular Surgery, Society for Cardiovascular Angiography and Interventions, Society for Vascular Medicine and Biology, Society of Interventional Radiology, and the ACC/AHA Task Force on Practice Guidelines (Writing Committee to Develop Guidelines for the Management of Patients With Peripheral Arterial Disease): endorsed by the American Association of Cardiovascular and Pulmonary Rehabilitation; National Heart, Lung, and Blood Institute; Society for Vascular Nursing; TransAtlantic Inter-Society Consensus; and Vascular Disease Foundation. Circulation 2006;113:e463-654.
49. Hollier LH, Plate G, O'Brien PC et al. Late survival after abdominal aortic aneurysm repair: influence of coronary artery disease. J Vasc Surg 1984;1:290-9.
50. Hollier LH, Stanson AW, Gloviczki P et al. Arteriomegaly: classification and morbid implications of diffuse aneurysmal disease. Surgery 1983;93:700-8.
51. Hong Z, Chen F, Yang J et al. Diagnosis and treatment of splanchnic artery aneurysms: a report of 57 cases. Chin Med J (Engl) 1999;112:29-33.
52. Isselbacher EM. Thoracic and abdominal aortic aneurysms. Circulation 2005;111:816-28.
53. Jarvinen O, Laurikka J, Salenius JP et al. Mesenteric infarction after aortoiliac surgery on the basis of 1752 operations from the National Vascular Registry. World J Surg 1999;23:243-7.
54. Jeans PL. Hepatic artery aneurysms and biliary surgery: two cases and a literature review. Aust N Z J Surg 1988;58:889-94.
55. Johnston KW, Rutherford RB, Tilson MD et al. Suggested standards for reporting on arterial aneurysms. Subcommittee on Reporting Standards for Arterial Aneurysms, Ad Hoc Committee on Reporting Standards, Society for Vascular Surgery and North American Chapter, International Society for Cardiovascular Surgery. J Vasc Surg 1991;13:452-8.
56. Johnston KW. Multicenter prospective study of nonruptured abdominal aortic aneurysm. Part II. Variables predicting morbidity and mortality. J Vasc Surg 1989;9:437-47.
57. Juvonen J, Juvonen T, Laurila A et al. Demonstration of Chlamydia pneumoniae in the walls of abdominal aortic aneurysms. J Vasc Surg 1997;25:499-505.
58. Kalyanasundaram A, Elmore JR, Manazer JR et al. Simvastatin suppresses experimental aortic aneurysm expansion. J Vasc Surg 2006;43:117-24.
59. Kasirajan K, Greenberg RK, Clair D et al. Endovascular management of visceral artery aneurysm. J Endovasc Ther 2001;8:150-5.
60. Katz DJ, Stanley JC, Zelenock GB. Operative mortality rates for intact and ruptured abdominal aortic aneurysms in Michigan: an eleven-year statewide experience. J Vasc Surg 1994;19:804-15; discussion 16-7.
61. Klicks RJ, van Aken PJ. False aneurysm formation of the right common femoral artery: a rare complication of a Salmonella infection. Eur J Vasc Surg 1993;7:747-9.
62. Koch AE, Haines GK, Rizzo RJ et al. Human abdominal aortic aneurysms. Immunophenotypic analysis suggesting an immune-mediated response. Am J Pathol 1990;137:1199-213.
63. Laheij RJ, Buth J, Harris PL et al. Need for secondary interventions after endovascular repair of abdominal aortic aneurysms. Intermediate-term follow-up results of a European collaborative registry (EUROSTAR). Br J Surg 2000;87:1666-73.
64. LaRoy LL, Cormier PJ, Matalon TA et al. Imaging of abdominal aortic aneurysms. AJR Am J Roentgenol 1989;152:785-92.
65. Lawrence PF, Lorenzo-Rivero S, Lyon JL. The incidence of iliac, femoral, and popliteal artery aneurysms in hospitalized patients. J Vasc Surg 1995;22:409-15; discussion 15-6.
66. Lederle FA, Johnson GR, Wilson SE et al. Prevalence and associations of abdominal aortic aneurysm detected through screening. Aneurysm Detection and Management (ADAM) Veterans Affairs Cooperative Study Group. Ann Intern Med 1997;126:441-9.
67. Lederle FA, Kane RL, MacDonald R et al. Systematic review: repair of unruptured abdominal aortic aneurysm. Ann Intern Med 2007;146:735-41.
68. Lederle FA, Wilson SE, Johnson GR et al. Immediate repair compared with surveillance of small abdominal aortic aneurysms. N Engl J Med 2002;346:1437-44.
69. Lederle FA, Wilson SE, Johnson GR et al. Variability in measurement of abdominal aortic aneurysms. Abdominal Aortic Aneurysm Detection and Management Veterans Administration Cooperative Study Group. J Vasc Surg 1995;21:945-52.
70. Lederle FA. Abdominal aortic aneurysm--open vs endovascular repair. N Engl J Med 2004;351:1677-9.
71. Levi N, Schroeder TV. Arteriosclerotic femoral artery aneurysms. A short review. J Cardiovasc Surg (Torino) 1997;38:335-8.
72. Levi N, Schroeder TV. True and anastomotic femoral artery aneu-

rysms: is the risk of rupture and thrombosis related to the size of the aneurysms? Eur J Vasc Endovasc Surg 1999;18:111-3.

73. Long-term outcomes of immediate repair compared with surveillance of small abdominal aortic aneurysms. N Engl J Med 2002;346:1445-52.
74. McDermott VG, Shlansky-Goldberg R, Cope C. Endovascular management of splenic artery aneurysms and pseudoaneurysms. Cardiovasc Intervent Radiol 1994;17:179-84.
75. McWilliams RG, Martin J, White D et al. Detection of endoleak with enhanced ultrasound imaging: comparison with biphasic computed tomography. J Endovasc Ther 2002;9:170-9.
76. Messina LM, Shanley CJ. Visceral artery aneurysms. Surg Clin North Am 1997;77:425-42.
77. Mitchell MB, McAnena OJ, Rutherford RB. Ruptured mesenteric artery aneurysm in a patient with alpha 1-antitrypsin deficiency: etiologic implications. J Vasc Surg 1993;17:420-4.
78. Mortality results for randomised controlled trial of early elective surgery or ultrasonographic surveillance for small abdominal aortic aneurysms. The UK Small Aneurysm Trial Participants. Lancet 1998;352:1649-55.
79. Moulder PV. physiology and biomechanics of aneurysms. In: Webb WR, ed. Aneurysms. Baltimore: Williams & Willkins; 1983:109.
80. Odegard A, Lundbom J, Myhre HO et al. The inflammatory response following treatment of abdominal aortic aneurysms: a comparison between open surgery and endovascular repair. Eur J Vasc Endovasc Surg 2000;19:536-44.
81. Ouriel K, Srivastava SD, Sarac TP et al. Disparate outcome after endovascular treatment of small vs large abdominal aortic aneurysm. J Vasc Surg 2003;37:1206-12.
82. Palmaz JC. Review of polymeric graft materials for endovascular applications. J Vasc Interv Radiol 1998;9:7-13.
83. Patel MI, Hardman DT, Fisher CM et al. Current views on the pathogenesis of abdominal aortic aneurysms. J Am Coll Surg 1995;181:371-82.
84. Peppelenbosch N, Buth J, Harris PL et al. Diameter of abdominal aortic aneurysm and outcome of endovascular aneurysm repair: does size matter? A report from EUROSTAR. J Vasc Surg 2004;39:288-97.
85. Petersen MJ, Cambria RP, Kaufman JA et al. Magnetic resonance angiography in the preoperative evaluation of abdominal aortic aneurysms. J Vasc Surg 1995;21:891-8; discussion 9.
86. Powell JT, Greenhalgh RM. Clinical practice. Small abdominal aortic aneurysms. N Engl J Med 2003;348:1895-901.
87. Prinssen M, Verhoeven EL, Buth J et al. A randomized trial comparing conventional and endovascular repair of abdominal aortic aneurysms. N Engl J Med 2004;351:1607-18.
88. Raimund Erbel et al. 2014 ESC Guidelines on the diagnosis and treatment of aortic diseases. European Heart Journal 2014;35:2873-292.
89. Rasmussen TE, Hallett JW Jr. Inflammatory aortic aneurysms. A clinical review with new perspectives in pathogenesis. Ann Surg 1997;225:155-64.
90. Reed D, Reed C, Stemmermann G et al. Are aortic aneurysms caused by atherosclerosis? Circulation 1992;85:205-11.
91. Reilly MK, Abbott WM, Darling RC. Aggressive surgical management of popliteal artery aneurysms. Am J Surg 1983;145:498-502.
92. Reuter SR, Fry WJ, Bookstein JJ. Mesenteric artery branch aneurysms. Arch Surg 1968;97:497-9.
93. Rosenberg MW, Shah DM. Bilateral blue toe syndrome. A case report. JAMA 1980;243:365-6.
94. Sakthivel P, Shively V, Kakoulidou M et al. The soluble forms of CD28, CD86 and CTLA-4 constitute possible immunological markers in patients with abdominal aortic aneurysm. J Intern Med 2007;261:399-407.
95. Salam TA, Lumsden AB, Martin LG et al. Nonoperative management of visceral aneurysms and pseudoaneurysms. Am J Surg 1992;164:215-9.
96. Schermerhorn ML, O'Malley AJ, Jhaveri A et al. Endovascular vs. open repair of abdominal aortic aneurysms in the Medicare population. N Engl J Med 2008;358:464-74.
97. Shah PK. Inflammation, metalloproteinases, and increased proteolysis: an emerging pathophysiological paradigm in aortic aneurysm. Circulation 1997;96:2115-7.
98. Shanley CJ, Shah NL, Messina LM. Common splanchnic artery aneurysms: splenic, hepatic, and celiac. Ann Vasc Surg 1996;10:315-22.
99. Shanley CJ, Shah NL, Messina LM. Uncommon splanchnic artery aneurysms: pancreaticoduodenal, gastroduodenal, superior mesenteric, inferior mesenteric, and colic. Ann Vasc Surg 1996;10:506-15.
100. Sie RB, Dawson I, van Baalen JM et al. Ruptured popliteal artery aneurysm. An insidious complication. Eur J Vasc Endovasc Surg 1997;13:432-8.
101. Silverberg E, Boring CC, Squires TS. Cancer statistics, 1990. CA Cancer J Clin 1990;40:9-26.
102. Stanley JC, Thompson NW, Fry WJ. Splanchnic artery aneurysms. Arch Surg 1970;101:689-97.
103. Sukhija R, Aronow WS, Sandhu R et al. Mortality and size of abdominal aortic aneurysm at long-term follow-up of patients not treated surgically and treated with and without statins. Am J Cardiol 2006;97:279-80.
104. Teufelsbauer H, Prusa AM, Wolff K et al. Endovascular stent grafting vs open surgical operation in patients with infrarenal aortic aneurysms: a propensity score-adjusted analysis. Circulation 2002;106:782-7.

105. Thompson RW, Geraghty PJ, Lee JK. Abdominal aortic aneurysms: basic mechanisms and clinical implications. Curr Probl Surg 2002;39:110-230.
106. Tilson MD, Ozsvath KJ, Hirose H et al. A genetic basis for autoimmune manifestations in the abdominal aortic aneurysm resides in the MHC class II locus DR-beta-1. Ann N Y Acad Sci 1996;800:208-15.
107. Trastek VF, Pairolero PC, Joyce JW et al. Splenic artery aneurysms. Surgery 1982;91:694-9.
108. Upchurch GR, Zelenock GB, Stanley JC. Splanchnic artery aneurysms. In: Rutherford RB, ed. Vascular surgery. Philadelphia: Elsevier saunders; 2006:1565.
109. van der Vliet JA, Boll AP. Abdominal aortic aneurysm. Lancet 1997;349:863-6.
110. Veith FJ, Baum RA, Ohki T et al. Nature and significance of endoleaks and endotension: summary of opinions expressed at an international conference. J Vasc Surg 2002;35:1029-35.
111. Wachman J, Schoen RE. Intermittent abdominal pain with aneurysm of the middle colic artery. Am J Gastroenterol 1995;90:499-501.
112. Wagner WH, Allins AD, Treiman RL et al. Ruptured visceral artery aneurysms. Ann Vasc Surg 1997;11:342-7.
113. Walsh JJ, Williams LR, Driscoll JL et al. Vein compression by arterial aneurysms. J Vasc Surg 1988;8:465-9.
114. Wassef M, Baxter BT, Chisholm RL et al. Pathogenesis of abdominal aortic aneurysms: a multidisciplinary research program supported by the National Heart, Lung, and Blood Institute. J Vasc Surg 2001;34:730-8.
115. White GH, May J, Waugh RC et al. Type III and type IV endoleak: toward a complete definition of blood flow in the sac after endoluminal AAA repair. J Endovasc Surg 1998;5:305-9.
116. Wills A, Thompson MM, Crowther M et al. Pathogenesis of abdominal aortic aneurysms--cellular and biochemical mechanisms. Eur J Vasc Endovasc Surg 1996;12:391-400.
117. Wilmink AB, Quick CR. Epidemiology and potential for prevention of abdominal aortic aneurysm. Br J Surg 1998;85:155-62.
118. Wolf YG, Fogarty TJ, Olcott CI et al. Endovascular repair of abdominal aortic aneurysms: eligibility rate and impact on the rate of open repair. J Vasc Surg 2000;32:519-523.
119. Yamakado K, Nakatsuka A, Tanaka N et al. Transcatheter arterial embolization of ruptured pseudoaneurysms with coils and n-butyl cyanoacrylate. J Vasc Interv Radiol 2000;11:66-72.

[VI. 동정맥루]

1. 안재현, 안형준, 박호철 등. 말기 신부전 환자에서 동정맥루의 조기 개존율에 영향을 미치는 위험 인자. 대한혈관외과학회지 2008;24:130-134.
2. 우리나라 신대체 요법의 현황. 2009 대한신장학회 추계학술대회 초록집.
3. 이창민, 신병석, 안문상. 혈액투석을 위한 동정맥루 형성술 후 기능 부전 시 구조 요법. 대한외과학회지 2008;74:378-382.
4. 이태승, 하종원, 정중기 등. 동정맥루 조성술 후 발생된 허혈증에서 Distal Revascularization Interval Ligation 술식. 대한혈관외과학회지 2004;20:272-275.
5. 이홍기, 권오정, 곽진영 등. 혈액투석을 위한 동정맥루 수술에 있어서 수술 전 듀플렉스 검사의 이용: 초기 결과. 대한혈관외과학회지 2001;17:63-67.
6. 조용필, 권태원, 김건언 등. 내동정맥루 기능부전의 치료. 대한외과학회지 1998;55:274-281.
7. 최강국, 박재균, 김완성 등. 전완 기저정맥 전위를 이용한 자가 혈관 동정맥루의 조성술. 대한혈관외과학회지 2006;22:114-119.
8. 최용현, 한병근, 김영주 등. 동정맥루 수술 전 시행하는 정맥조영술의 임상적 가치. 대한혈관외과학회지 2004;20:242-249.
9. http://www.kidney.org/PROFESSIONALS/kdoqi/guidelines.cf.
10. Polo JR, Ligero JM, Diaz-Cartelle J. Randomized comparison of 6 mm straight grafts versus 6- to 8- mm tapered grafts for brachio-axillary dialysis access. J Vasc Surg, 2004;40:319-324.
11. Vascular Access. American Journal of Kidney Diseases. 2006;48:S188-S191.

[VII. 정맥의 해부와 생리]

1. 장정환, 김성환. 하지정맥류 최신 진단과 치료. 가본의학서적 200.
2. 조진현. 혈관초음파. 가본의학서적 200.
3. Atlas of Vascular Surgery and Endovascular Therapy. Anatomy and Technique. Elsevier Saunders 201.
4. Goldman MP, Weiss RA, Bergan JJ. Varicose veins and Telangiectasias. 2nd ed. Quality Medical Publishing 199.
5. Goldman MP. Sclerotherapy. 2nd ed. Mosby 199.
6. Haimovici's Vascular surgery. 4th ed. Blackwell science 199.
7. Rutherford RB. Vascular surgery. 6th ed. Elsevier Saunders 200.
8. Sabiston, Textbook of Surgery 18th ed. Elsevier Saunders 200.
9. Schwartz's Principles of Surgery 9th ed. Mc Graw Hill Medical 200.

[VIII. 정맥질환]

1. Cham MD, Yankelevitz DF, Henschke CI. Thromboembolic disease detection at indirect CT venography versus CT pulmonary angiography. Radiology. 2005;234:591-594.
2. DODD H. The Diagnosis and Ligation of Incompetent Ankle Perforating Veins. Ann R Coll Surg Engl. 1964;34:186-196.
3. Fraser DG, Moody AR, Davidson IR, et al. Deep venous thrombosis: diagnosis by using venous enhanced subtracted peak arterial MR venography versus conventional venography. Radiology. 2003;226:812-820.
4. Hosoi Y, Zukowski A, Kakkos SK, et al. Ambulatory venous pressure measurements: new parameters derived from a mathematic

hemodynamic model. J Vasc Surg. 2002;36:137-142.
5. Yoshida S, Akiba H, Tamakawa M. Spiral CT venography of the lower extremities by injection via an arm vein in patients with leg swelling. Br J Radiol. 2001;74:1013-1016.

[IX. 외상성 혈관손상]

1. 김해은, 문인성, 박장상 등. 혈관외상 96례에 대한 임상적 고찰. 대한맥관외과학회지 1995;11:59-72.
2. 정성운, 김영규. 혈관손상의 임상적 고찰. 대한흉부외과학회지 2007;40:480-484.
3. Asensio TA, Chahwan S, Hanpeter D, et al. Operative management and outcomes of 302 abdominal vascular injuries. Ann J Surg 2000;180:528-534.
4. Aucar JA, Hirshberg A. Damage control for vascular injuries. Surg Clin North Am 1997;77:853-862.
5. Barros D'Sa AA. A decade of missile-induced vascular trauma. Ann R Coll Surg Engl 1982;64:37-44.
6. Bongard F, Dubrow T, Klein S. Vascular injuries in the urban battleground: experience at a metropolitan trauma center. Ann Vasc Surg 1990;4:415-418.
7. Burch JM, Richardson RJ, Martin RR, et al. Penetrating iliac vascular injuries: Recent experience with 233 consecutive patients. J Trauma 1990;30:1450-1459.
8. DeBakey ME, Simeone MC. Battle injuries of the arteries in World War II: an analysis of 2,471 cases. Ann Surg 1946;123:534-579.
9. Demetriades D, Asensio JA, Velmahos G, et al. Complex problems in penetrating neck Trauma. Surg Clin North Am 1996;76:661-683.
10. Hirshberg A, Wall MJ Jr, Allen MK, et al. Causes and pattern of missed injuries in trauma. Am J Surg 1994;168:299-303.
11. Hardin WD, O'COnnell RC, Adinolfi MF, et al. Traumatic arterial injuries of the upper extremity: Determinants of disability. Am J Surg 1985;150:266-270.
12. Hughes CW. Arterial repair during the Korean war. Ann Surg 1958;147:555-561.
13. Johansen K, Lynch K, Paun M, et al. Non-invasive Vascular Tests Reliably Exclude Occult Arterial Trauma in Injured Extremities. J Trauma 1991;31:515-519.
14. Mattox KL, Feliciano DV, Burch J, et al. Five thousand seven hundred sixty cardiovascular injuries in 4459 patients: Epidemiologic evolution 1958 to 1987. Ann Surg 1989;209:698-707.
15. Monson DO, Saletta JD, Freeark RJ. Carotid and vertebral artery trauma. J Trauma 1969;9:987-999.
16. Myers SI, Harward TR, Maher DP, et al. Complex upper extremity vascular trauma in an urban population. J Vasc Surg 1990;12:305-309.
17. Thompson PN, Chang BB, Shah DM, et al. Outcome following blunt vascular trauma of the upper extremity. Cardiovasc Surg 1993;1:248-250.
18. Villas PA, Cohen G, Putnam SG III, et al. Wallstent placement in a renal artery after blunt abdominal trauma. J Trauma 1999;46:1137-1139.
19. Weaver FA, Papanicolaou G, Yellin AE. Difficult peripheral vascular injuries. Surg Clin North Am 1996;76:843-859.

[X. 림프계 해부생리와 림프부종]

1. 황지혜, 이강우, 권정아등. 복합적 임파 물리치료후 임파계 기능의 호전. 대한재활의학회지. 22(3):698-704, 199.
2. Aspelund A, Robciuc ME, Karaman S et al. Lymphatic system in cardiovascular medicine. Cir Res. 118:515-530, 201.
3. Browse N, Burnand KG, Mortimer PS. Diseases of the lymphatics. 1st ed, London, Oxford University Press, 200.
4. Foldi E, Foldi M. Conservative treatment of lymphedema of the limbs. Angiology 36:171-180, 198.
5. Hajjiami HM, Petrova T. Development and pathologic lymphangiogenesis: from models to human disease. Histochem Cell Biol. 130:1063-1078, 200.
6. Jussila L, Alitalo K. Vascular growth factor and lymphangiogensis. Physiologic review. 82:673-700, 200.
7. Karkkainen M, Haiko P, Sainio K et al. Vascular endothelial growth factor C is required for sprouting of the first lymphatic vessels from embryonic veins. Nature immunology 5(1):74-80. 200.
8. Karpanen T, A;italo K. Molecular biology and pathology of lymphangiogenesis. Annu Rev Pathol Mech Dis. 3:67-97, 200.
9. Lee BB, Kim DI, Hwang JH et al. Contemporary management of chronic lymphedema-personal experiences. Lymphology 35:450-455, 200.
10. McCloskey KD, Hollywood MA, Thornbury KD et al. Hyperpolarization activated inward current in isolated sheep mesenteric lymphatic smooth muscle. Journal of Physiology. 521:201-211, 199.
11. Renkin EM. Some consequences of capillary permeability to macromolecules: Starling's hypothesis reconsidered. Am J of Physiology 250:H706-710, 198.
12. Szuba A, Shin WS, Struss W. The third Circulation:Radionuclide lymphoscintigraphy in the evaluation of lymphedema. J Nucl Med 44:43-57, 200.
13. Tammela T, Saaristo A, Holopainen T et al. Therapeutic differentiation and maturation of lymphatic vessels after lymph node dissection and transplantation. Nature Medicine 13(12): 1458-1466,200.
14. Zheng W, Aspelund A, Alitalo K. Lymphangiogenic factors, mechanisms, and applications. J Clin Invest. 124(3):878-887, 201.

Chapter 07

소아외과

Pediatric surgery

I 식도폐쇄증과 기관지식도누공증

1. 임상양상

식도폐쇄증esophageal atresia의 빈도는 10,000명 출생에 3명 정도이며 남아에 약간 많다. 환아의 약 33%는 출생시 체중이 정상 이하를 보이며, 60-70%는 동반기형(위장관 기형, 심장기형, 비뇨기계기형, 근골격계기형 및 중추신경계 기형)을 가진다. 다운증후군이나 18번 삼염색체증trisomy 18을 동반한 환아도 있다. 환아의 10%는 VATER기형을 동반하는데 이는 유전적인 것은 아니지만 척추기형vertebral, 혈관계기형cardiovascular, 직장항문기형anorectal, 기관지기형tracheoesophageal, 식도기형esophageal atresia, 척골기형radial 또는 신장기형renal 중에서 한번에 두 개 이상이 같이 발생하는 것을 말한다. 그 변형으로 VACTERL기형이 있는데 마지막의 L은 사지limb를 뜻한다.

태아의 산전진단을 위한 초음파 검사소견에서 위의 음영 감소나 산모의 양수 과다증이 있는 경우에는 식도폐쇄증을 염두에 두어야 한다(그림 7-1). 그러나 산전진단에 대한 최근의 보고에 의하면 산전 초음파를 이용하여 식도폐쇄증을 진단하는 민감도는 단지 42%이고 유용성은 56%에 불과하다고 하였다. 초음파를 이용하여 상부의 식도맹관을 보는 방법도 보고되었으나 결과는 일치하지 않는다.

식도폐쇄증이 있는 신생아들은 대부분 생후 몇 시간 안에 증상을 나타낸다. 가장 초기증상은 입과 코를 통한 과다한 타액분비이며, 이는 후인두에 분비물이 고인 결과로 발생한다(그림 7-2).

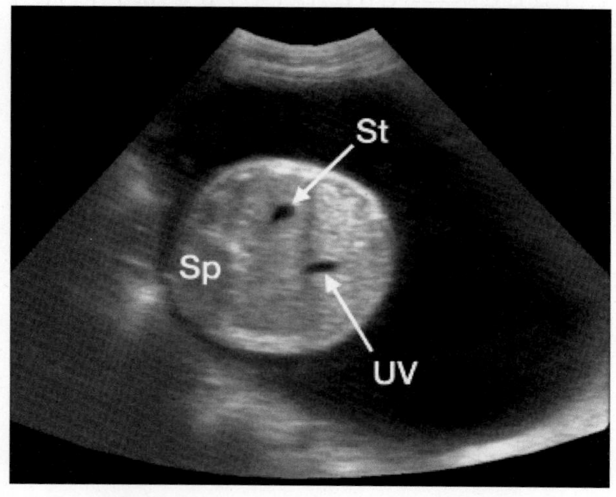

그림 7-1 **식도폐쇄증의 산전초음파.** 매우 작은 위와 양수 과다증이 관찰된다. (Sp: spine, St: stomach, UV: umbilical vein)

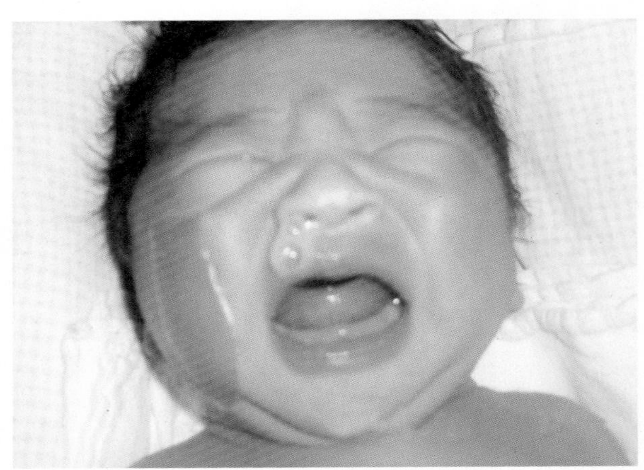

그림 7-2 과다한 타액분비 사진

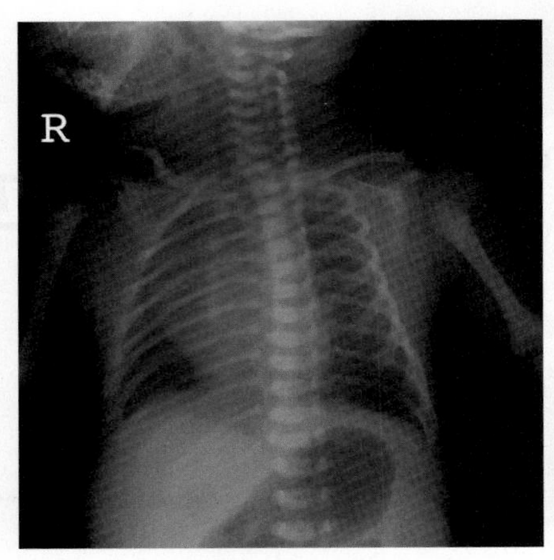

그림 7-3 식도 폐쇄증 환아의 단순 X-선 사진

전형적으로 첫 수유 시에 우유가 역류되고 기침을 동반한 구토가 발생하며, 심하면 질식까지 유발된다. 다른 양상으로는 수유와 상관없는 청색증, 호흡곤란, 기도폐쇄와 동반되는 호흡잡음, 삼키기 힘들어하는 증상들이 관찰되고 입이나 코를 통해 관을 넣었을 때 위까지 진행할 수 없는 경우가 많다. 이러한 증상들은 경구 영양을 시도할 때 더욱 악화된다. 만약 폐쇄된 식도의 하부에 누공이 존재한다면 누공을 통해 위까지 공기가 통과하여 복부는 팽만된다. 복부팽만이 있는 경우, 횡격막은 상승되고 호흡상태는 더욱 악화된다. 대부분의 신생아는 하부식도괄약근이 불완전하므로 결국은 위액이 누공을 통하여 기관지로 역류하게 되고 그 결과 위액 흡인에 의한 화학적폐렴을 일으킨다. 기관지로 타액이 흡인되는 경우는 호흡기 합병증을 더욱 악화시킨다.

2. 진단

환아의 진찰시 폐상태에 대한 평가와 심장, 항문, 사지 그리고 염색체의 이상과 관련한 징후를 찾아볼 수 있다. 홀쭉한 배는 순수한 식도폐쇄증만 있다는 의미이다. 기관지식도누공을 동반한 경우에는 폐에서 하부 식도를 통하여 위로 공기가 들어가서 급성 위팽창을 가져온다.

식도폐쇄증은 직경 3mm 이하의 방사선 비투과 튜브를 입 또는 코를 통하여 넣을 때 약 10cm에서 진행하지 않으면 확진할 수 있다. 이보다 가늘거나 더욱 유연한 카테터를 사용하는 것은 피해야 하는데, 이는 카테터가 상부식도에서 꼬이면서 식도폐쇄가 없는 것처럼 잘못 보일 수 있기 때문이다. 들어간 튜브를 통해 공기를 10mL 정도 주입한 후 목, 흉부, 복부를 모두 포함하는 단순 X-선 사진을 촬영함으로써 상부에 막힌 부위의 위치를 척추뼈 레벨과 연관하여 확인할 수 있다(그림 7-3). 이때 조영제는 흡입을 일으킬 수 있으므로 사용하지 않는다.

방사선 사진으로 그 외에도 중요한 정보를 알 수 있다. 첫째로, 복부에 공기 음영이 있는 경우는 원위 누공이 있음을 의미하며, 공기 음영이 없는 것은 순수한 식도폐쇄를 의미한다. 둘째로, 삽입된 비투과 튜브의 끝은 7번 경추에서 2번 흉추 사이에 있어야 한다. 비정상적으로 너무 높거나 너무 낮은 위치에 있다면, 인두 또는 식도의 천공을 의미한다. 셋째로, 동반된 척추나 흉골의 이상 유무를 확인할 수 있고, 심장기형이나 우 대동맥궁 등을 의심할 수 있다. 복부 가스의 패턴을 보고 소장폐쇄증을 배제할 수 있으며, 폐렴에 대한 평가도 할 수 있다. 이 경우의 폐렴은 주로 상엽에서 일어나고 진단이 지연되거나 수술을 지연시키는 원인이 되기도 한다. 또 미숙아의 경우에는 호흡곤란증후군에 대한 평가도 가능하다. 이러한 초기진단은 신생아를 삼차 소아치료집중센터로 이송하기 전에 일

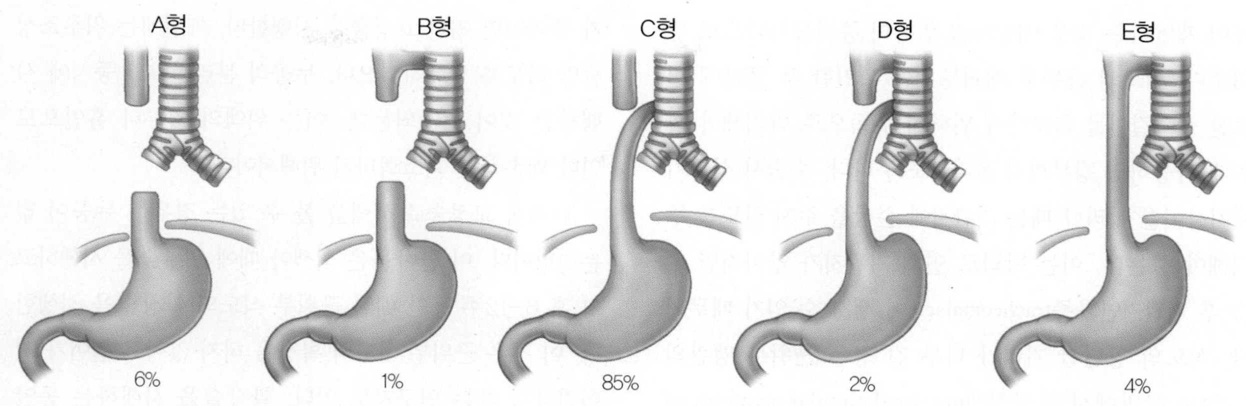

그림 7-4 식도폐쇄증과 기관지식도누공증의 분류

차 혹은 이차 병원에서도 가능하다. 이송 중에는 환아를 따뜻하게 유지하고 직경 3mm 이하의 튜브로 계속적인 흡입을 하며, 머리를 높게 유지하고, 산소포화도를 관찰해야 한다. 필요하면 산소를 공급한다.

식도폐쇄증은 다섯 가지 해부학적 형태로 분류된다(그림 7-4). 근위부 식도폐쇄증과 원위부 기관지식도 누공이 있는 C형proximal esophageal atresia with distal tracheoesophageal fistula이 85%로 가장 많고, 근위부 식도폐쇄증과 누공이 없는 A형proximal esophagea atresia without fistula이 6%이며, 식도폐쇄증이 없고 누공만 있는 E형tracheoesophageal fistula without esophageal atresia이 4%, 근위부 식도폐쇄증과 근위부 기관지식도누공이 있는 B형proximal esophageal atresia with proximal tracheoesophageal fistula이 1%, 근위부 식도폐쇄증과 근위부 원위부 기관지식도 누공이 있는 D형proximal esophageal atresia with double-proximal and distal-tracheoesophageal fistula이 2%이다. 식도폐쇄증과 기관지식도누공증tracheoesophageal fistula을 교정하기 위하여 수술을 할 때 기관지경 검사를 하면 A형을 제외하고 거의 모든 환자에서 누공을 증명할 수 있다.

3. 치료

응급처치는 흡입카테터sump suction catheter를 폐쇄식도의 근위부에 삽입하여 흡인기에 연결하고 계속적으로 구강내 분비물을 제거하는 것이다. 다음에는 환아를 진찰하고 심장, 머리, 신장 등의 초음파검사를 시행하여 동반된 기형이 없는지 확인해야 한다. 초음파검사를 시행하면 대동맥궁aortic arch의 위치를 알게 되어 개흉술을 시행할 때 어느 쪽으로 들어가야 할지 결정하는데 도움이 된다.

수술시기에 대하여 즉각 수술할 것인지 단계적으로 수술할 것인지 대해서는 아직 논란 중이다. 이러한 판단에는 예후에 나쁜 영향을 미치는 저체중출생과 미숙아 상태 여부가 영향을 주며, 수술 전 인공호흡기에 의존하고 있고 생명에 위협을 주는 기형이 있는지 유무도 중요하다. 안정된 심장상태와 안정된 폐상태를 갖는 환아는 개흉술로 바로 교정할 수 있다. 또한 생명에 위협을 주는 기형이 아니고 쉽게 교정할 수 있는 생리적 이상이 있는 경우, 환아가 안정된 후, 수술하는 것이 좋다.

수술은 우측 제4늑간을 통하여 늑막외개흉술extra-pleural thoracotomy로 시행한다. 대동맥궁이 우측에 있게 되면 수술은 좌측에서 할 수 있다. 최근에는 흉강경수술을 시행하기도 한다. 일반적으로 아지고스 정맥azygous vein이 기관지를 지나 상대정맥superior vena cava으로 들어가므로, 아지고스 정맥을 결찰하고 자르면 기관지식도누공을 확인할 수 있다. 누공의 기관지쪽은 5–0 비흡수성 봉합사로 봉합한 후, 식도의 문합부 누출이 발생하여 누공이 재발하는 것을 예방하기 위하여 종격동늑막으로 덮어준다. 식도의 근위부 폐쇄부위를 확인한 후 문합에 필요한 식도길이를 확보하기 위하여 위쪽으로 박리해야 하는데 가능하면 경부까지 올라가도록 한다. 수술시 식도기관지사이를 박리할 때는 기관지에 손상을 주지 않도록 주의해야 하는데, 이는 박리로 인해 기관지가 얇아지면 수술 후 기관지연화증tracheomalacia이 생길 수 있기 때문이다. 식도의 양단간 거리가 너무 긴 경우 근위부 맹관의 1–2cm 상방에서 환상절개proximal circular myotomy of Livaditis를 시행하면 긴장 없는 단단문합이 가능해진다. 이때는 4–0봉합사로 결절 봉합interrupted suture하고 매듭은 밖으로 나오도록 한다. 가는 영양공급용 튜브feeding tube를 입이나 코를 통하여 문합부를 지나 위까지 삽입하면 수술 후 위액을 배액할 수 있고 장관급식을 조기에 시작할 수도 있다. 보통 수술 후 3–5일에 장관 급식을 시작한다. 이러한 방법은 비용 절감에도 상당히 기여하고, 비경구적영양공급을 줄여준다. 수술 후 7일이 되면 식도 조영술을 시행하여 문합부 누출여부와 식도의 구조상 이상 유무를 확인한다. 이상이 없으면 수유를 시작하고 합병증이 없으면 수술 후 7–10일에 퇴원시킨다.

환아의 상태가 불안정하다고 판단되면 지연일차교정이나 단계적 교정을 시행해야 한다. 심장기능부전을 동반한 심한 심장기형, 패혈증, 초자막병hyaline membrane disease, 흡인성폐렴 등으로 폐기능부전증이 있으면 환아상태가 불안정하다고 말한다. 이러한 경우에는 우선 근위부 식도에 튜브를 넣고 흡인기에 연결한다. 일시적으로 스탬 위루술Stamm gastrostomy을 시행하고, 기관지식도 누공을 분리결찰해 누공을 통한 공기 누출을 방지한다. 이후에 상태가 좋아지면 지연 교정술을 시행한다. 예전에는 위루조성술만 하도록 권유하였으나, 누공의 분리결찰도 동시에 시행하는 것이 권장되는데, 이는 위액의 역류나 흡인으로 인한 폐손상을 최소화하기 위해서이다.

단계적 교정술로 혜택을 볼 수 있는 경우는 누공이 없는 A형이다. 이 환아들은 신생아 때에 위루술을 시행하고 그 후 6–12주 동안 매일 근위부 식도의 확장술을 시행한다. 이 경우 근위부 식도의 확장을 하지 않아도 길이가 길어진다고 하는 연구자도 있다. 확장술을 시행하는 동안 흡인기는 계속해야 한다. 이후 개흉술을 시행해 단단문합을 시행함으로써 식도대치술esophageal replacement을 할 필요가 없게 된다.

수술 후 합병증으로는 무기폐, 폐렴, 식도 운동이상, 위식도역류증, 문합부협착, 누출, 기관지연하증 등이 올 수 있다. 늑막외 접근법을 하기 때문에 문합부누출이 되어도 농흉empyema으로 되지는 않으며 누출부위는 자연히 막히는 것이 일반적이다. 협착증은 대부분 확장술로 해결되지만 위식도 역류증 때문에 문합부가 항상 위산에 노출된 상황에서는 호전되지 않는 경우가 많다. 따라서 확장술에도 불구하고 협착이 좋아지지 않으면 항역류수술요법anti-reflux procedure이 필요하다. 식도의 운동장애나 위식도역류로 인한 후기 합병증이 있기 때문에 장기간 추적이 필요하다.

생존률은 안정된 환아에서는 매우 좋으며 단계적 교정을 한 환아도 90–95%에 이른다. 사망원인은 심한 심장기형, 말기 기관지폐형성부전을 동반한 폐기능부전증과 염색체이상이다.

요약

식도폐쇄증이 있는 대부분의 신생아들은 기관지 식도 누공증을 동반하며, 생후 몇 시간 안에 증상을 나타낸다. 초기증상은 과다한 타액분비로, 첫 수유시에 역류와 기침을 동반한 구토, 심하면 질식까지 유발한다. 호흡기 합병증으로 식도기관루를 통해 역류한 위액이 흡인성 폐렴을 일으키며, 복부팽만이 있는 경우 호흡 상태는 더 악화된다. 방사선 비투과 튜브를 넣고 촬영한 X-ray 사진으로 진단하며, 위와 장의 공기 음영으로 원위부의 식도기관루가 있음을 알 수 있고, 복부의 공기음영의 소실로 식도기관루가 없는 단독의 식도폐쇄를 진단한다. 빈도는 10,000명 출생에 3명 정도이며 남아에 약간 많다. 환아의 약 33%는 저체중을 보이며, 60-70%는 동반기형을 가진다. 흡입카테타를 폐쇄식도의 근위부에 삽입하여 구강내 분비물을 제거하는 것이 초기치료이며, 환아의 상태에 따라 안정적인 경우에는 바로 수술치료하고, 불안정한 경우에는 지연일차교정이나 단계적 교정을 시행한다. 수술 후 합병증으로는 무기폐, 폐렴, 식도 운동이상, 위식도 역류증, 문합부협착, 누출, 기관지연하증 등이 올 수 있다. 협착의 경우 확장술에도 불구하고 좋아지지 않으면 항역류수술요법이 필요하다. 생존률은 안정된 환아에서는 매우 좋으며 단계적 교정을 한 경우에도 90-95%에 이른다.

II 선천성횡격막탈장증

선천성횡격막탈장증congenital diaphragmatic hernia (CDH)은 횡격막을 형성하는 늑막복막주름pleura-peritoneal fold에 생긴 결손foramen of Bochdalek을 통하여 복강내 장기가 흉강으로 올라가는 현상으로 보통 태생기 8-10주 사이에 생기며 횡격막의 뒤쪽 옆쪽에 2-3cm 크기로 구멍이 발생한다. 흉강 내로 탈장된 장기는 흉강 내에서 공간을 차지하면서 폐를 눌러 폐의 정상적 형성을 저해한다. 이때 폐는 정상아에 비하여 크기도 작고 탈장된 쪽의 폐는 그 반대쪽 보다 더 심하게 피해를 입는다. 폐의 혈관구조에도 이상이 오는데 세동맥부터 폐포의 모세혈관까지 평활근이 두꺼워진다. 이로 인해 폐동맥압이 상승되고, 그 결과 우좌단락right-to-left shunting이 발생한다.

빈도는 2,200명 출생에 한 명 정도이며 남아에 많이 생긴다. 환아는 흔히 만산에 체중 3kg 내외이며, 왼쪽에 80%, 오른쪽에 20%가 생기고 양쪽에 생기는 것은 1-2%에 불과하다. 선천성 횡격막탈장증은 산전초음파를 이용해서 빠르면 임신 15주 정도에도 진단할 수 있는데, 일반적으로 임신 25주 이후에 생기면 생존률이 상당히 높고, 25주 이전에 생기면 생존률이 낮아진다. 또한 간과 위가 흉강으로 탈장되는 경우에도 생존률이 낮아진다. 산모의 양수과다증은 임신 마지막 3개월 때 나타난다. 선천성횡격막탈장증 환아를 가진 산모는 신생아집중치료실과 소아외과 전문가가 있는 삼차의료기관으로 옮겨서 분만을 하도록 해야 한다.

환아의 44-66%는 다른 선천성기형을 가지고 있으며, 4-16%는 염색체이상도 가지고 태어난다. 동반기형은 생존률에 심각한 영향을 주며, 폐와 심장, 위장관계에 잘 온다. 탈장증이 있는 동측의 폐는 형성장애로 인해 기관지 형성이 정지되어 기관지수가 감소하지만 폐포수는 정상이다. 태어난 직후 증상이 없다가 24-48시간 지나서 증상이 나타나는 허니문기간honeymoon period을 갖는 경우는 예후가 좋으며, 이는 폐형성 장애가 경미하기 때문이다. 증상은 출생 후에 삼킨 공기에 의해 위장관내 공기가 증가하여 나타난다. 위장관이 흉곽으로 탈장되어 있으므로 대개의 환아는 장관의 회전이상intestinal malrotation을 동반한다. 그러므로 수술 시 복부로 접근하는 것이 좋다. 그

외에도 위장관에 의한 압박으로 심장기형이 오기도 한다.

1. 진단

선천성횡격막탈장증 환아의 치료는 산전진찰부터 시작된다. 산전진찰에서 고위험군으로 판정이 나면 소아외과 전문의가 있는 병원으로 이송한다. 다른 동반기형이 있는지 검사하여야 하며, 이 동반기형이 환아에게 미치는 영향과 분만 후에 필요한 치료의 형태와 수준에 대하여 준비해야 한다. 산전에 태아수술로 횡격막탈장증을 교정하고 만삭에 출산을 유도하기도 하지만 그 성공률은 미지수이다. 환아는 분만 즉시 또는 약간 후에 호흡부전을 나타내는데, 이는 삼킨 공기가 흉강에 있는 위장관을 팽창시키면서 일어난다(그림 7-5). 팽창된 위장관은 동측의 폐를 압박하여 종격동의 이동이 일어나고 그 결과 반대쪽 폐의 환기 기능도 방해 받게 된다. 호흡곤란과 빠른 호흡, 청색증을 보이며 가슴이 심하게 함몰retraction되고 배는 비교적 홀쭉하게 된다. 청진상 장음이 가슴에서 들릴 수 있다. 환아는 심한 저산소증과 호흡성 산혈증을 보인다. 심하면 대사성 산혈증도 같이 올 수 있다. 전후면 그리고 측면 가슴 사진을 찍어보면 공기가 차 있는 장관이 흉강 내에 있

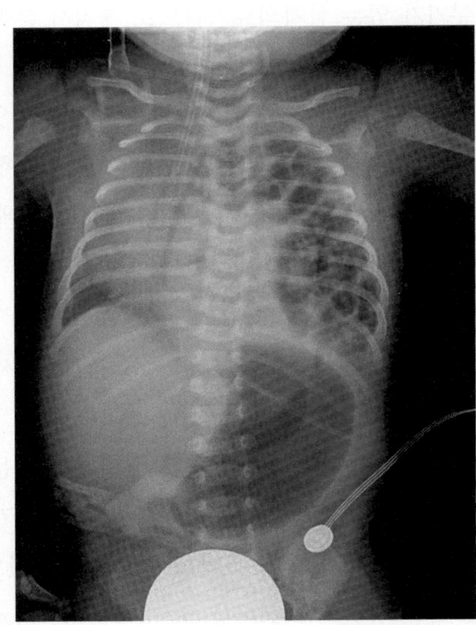

그림 7-5 **선천성횡격막탈장증 환아의 단순 X-선 사진**

는 것을 볼 수 있는데 이 소견으로 진단된다.

횡격막의 다른 기형도 호흡이상을 가져올 수 있으며, 모르가그니 탈장Morgagni hernia이라고 하는 앞쪽의 흉골옆parasternal 탈장과 횡격막거상증eventration of diaphragm이 포함된다. 모르가그니 탈장은 소아에서는 드물며 증상은 호흡곤란과 횡행결장이 결손부위에 끼어서 생기는 복통이나 흉골하 통증이다. 90%가 오른쪽에 생기고 8%는 왼쪽에 2%가 양쪽에 생긴다. 측면 흉부X-레이 사진에서 전방 종격동에 공기가 차 있는 모양이 보인다. 초음파검사나 대장조영술을 시행하여 흉부에 결장이 올라가 있는 것을 확인하면 확진된다. 감돈, 염전, 교액이 될 위험이 있으므로 진단 즉시 교정해야 하며 복부접근법이 좋다.

2. 치료

치료는 세 단계로 나누어 생각하는데, 첫 단계는 환아의 상태를 안정시키고 수술 전 처치를 하는 것이고, 두 번째 단계는 수술을 시행하는 것이며, 세 번째 단계는 수술 후 호흡순환대사 보조요법과 영양공급을 하는 것이다.

환아는 즉시 기관내 삽관을 한 후 인공호흡기로 대량의 산소를 공급하면서 호흡을 도와주어야 하지만 과다한 호흡지지는 피해야 한다. 입위관orogastric tube을 삽입하여 위 속의 공기를 빨아낸다. 이러한 조치에도 불구하고 호흡상태가 좋아지지 않으면 기흉의 가능성을 염두에 두어야 한다. 기흉은 일반적으로 반대쪽 폐에 생기는데 흡기압력이 높을 때 발생한다. 우측척골동맥에서 동맥혈가스분석을 지속적으로 한다. 동맥관전preductal 혈액가스분석을 위하여는 제대동맥삽관이 좋은 방법이고, 중심정맥을 확보하는 방법으로 제대정맥을 이용할 수도 있다.

환아는 폐동맥의 근육이 발달되어 있고 폐혈관계는 감소되어 있으므로 폐동맥고혈압은 거의 모든 경우 생기게 된다. 고진동환기법high-frequency ventilation을 쓰면 압력손상을 최소화할 수 있다. 동맥관전 산소포화도를 90% 이상으로 유지해야 하며, 동맥관후 포화도는 심각한 산혈증(pH 7.25 이하)이 없거나 이산화탄소분압($PaCO_2$)이 60토

르torr를 넘지 않으면 무시한다. 적절한 산소섭취가 가능하여 100% 흡입산소에서 산소분압(PaO_2)이 100토르 이상으로 유지되고, 폐포에서 환기작용이 원활하여 이산화탄소 분압을 60토르 이하로 유지할 수 있고 환아의 상태가 안정되면 횡격막 결손에 대한 조기교정을 시도한다. 그러나 24시간 이상 기다릴 수도 있다.

신생아집중치료 상황에서 결손이 있는 쪽의 흉골하절개로 개복술을 시행한다. 이 방법은 흉강내의 장기를 복강 내로 복원하기가 쉽고 필요하면 장의 회전 이상으로 생긴 라드 띠Ladd band를 동시에 절제할 수 있는 잇점이 있다. 장기를 흉강에서 복원할 때 비장과 간이 손상되지 않도록 조심해야 한다. 탈장낭이 있는지 잘 관찰해서 있으면 절제해준다. 결손부위 후연은 보통 신장와renal fossa 윗쪽에 있다. 육안으로 폐의 형성부전 정도를 평가할 수 있고, 강제적으로 폐를 확장시켜서는 안된다. 외과의사의 선호에 따라서 흉관을 삽입하고, 3-0 또는 2-0 비흡수봉합사로 횡격막 결손부위를 봉합한다. 결손부위가 커서 봉합 부위에 긴장이 너무 많이 가거나 아예 횡격막이 없는 경우에는 합성 패치polytetrafluoroethylene patch (Goretex®)를 이용해 결손부위를 막아준다. 결손부위가 클 때는 식도부위에서 재발이 많기 때문에 이 부위의 봉합에 특별한 주의를 기울일 필요가 있다. 복벽은 탱탱하지 않게 닫아야 하는데, 복강이 너무 작은 경우에는 피부나 실라스틱 silastic을 이용해서 일시적인 복벽 탈장ventral hernia을 만들어주고 환아가 성장한 후에 교정수술을 시행한다.

수술 후에는 온도조절이 잘 되어 있는 집중치료실에서 경과를 관찰하여야 한다. 환아는 기관삽관이 되어 있는 상태에서 호흡산소압(FiO_2) 1.0을 유지하면서 산소분압이 일정기간 150토르 이상이 되도록 해야 한다. 허니문 현상을 피하기 위하여 48-72시간에 걸쳐 서서히 고농도 산소흡입을 줄여나가야 하는데 허니문 현상이란 처음에는 순탄한 경과를 취하다가 갑자기 폐혈관 수축이 와서 생명을 위협할 수 있는 지속적인 폐동맥고혈압이 발생하는 것을 말한다. 출생후 24시간이 지난 후에야 진단이 되는 경우가 있으며 이런 환아는 황격막 결손을 막아주면 모두 생존한다. 횡격막탈장증 환아의 사망률은 폐의 형성부전증의 정도와 정비례하며 특히 반대편 폐에도 형성부전증이 있거나 심장기형이나 염색체이상이 있는 경우에는 사망률이 더욱 증가한다.

최근에는 체외생명지지요법Extra Corporeal Life Support (ECLS)이 빠르게 발달함에 따라 새로운 치료가 가능해졌다. 산소화지수oxygenation index가 40토르 이상이면 사망위험률은 80%이므로 체외생명지지요법의 적응증이 된다(그림 7-6). 일반적으로 체외생명지지요법은 두개의 관을 이용하지만, 환아의 심장 수축력이 약하지 않고 전신적 저혈압이 없다면 한개의 관venovenous cannula으로 시행할 수도 있다. 한 개의 관을 사용하는 경우에는 동정맥 관류 arteriovenous perfusion를 안 해도 되고 경동맥 결찰을 피할 수 있다. 체외생명지지요법을 통하여 환아의 전신상태가 호전되면 3-5일 후에 체외생명지지요법을 유지한 상태로 수술하고 수술 후에 뗀다. 성공적으로 수술한 후에도 지속적 폐고혈압이 생기는 환아는 체외생명지지요법으로 치료할 수 있다. 금기사항이 없는 환자로 체외생명지지 요법 치료를 받은 경우의 생존률은 70-90%에 이른다.

체외생명지지요법의 금기는 재태기간 34주 이하거나, II -V도의 두개강내 출혈, 다른 동반기형이 심해서 생존할 가능성이 없는 경우, 또는 불가역성 폐질환이 있는 경우이고, 양쪽에 폐형성부전증이 있는 경우에는 체외생명지지요법으로도 좋아지지 않는다.

수술 후에 생길 수 있는 문제는 위식도역류증, 만성폐질환, 성장부진, 단기 및 장기적 신경발달 장애 등이다. 거의 대부분에서 위장관 운동에 변화가 오며, 식도나 위에서 잘 안 내려가는 증상delayed gastric emptying이 발생한다. 만성 폐질환은 생존자의 절반 정도에서 생기고 그 중 절반은 한 살 이내에 재입원하게 된다. 신경발달을 보면 수술을 받고 살아난 환아의 30%는 신경축외extraaxial 수분축적이 있고, 12%는 경련장애가 있으며, 21%는 보청기가 필요하고, 45%는 유아기에 심각한 신경발달장애(대부분 운동신경)를 보인다.

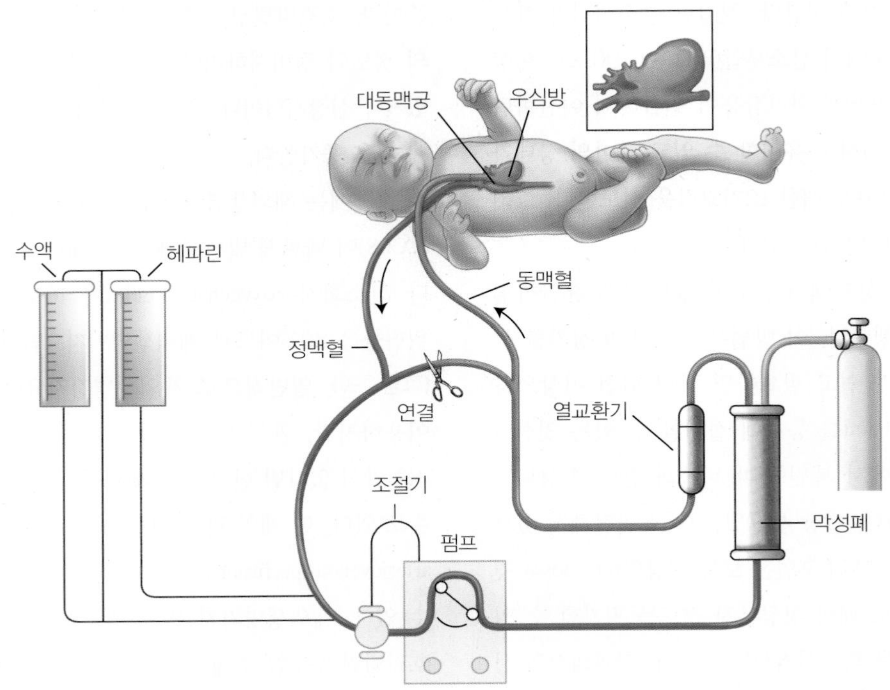

그림 7-6 체외생명지지요법

요약

선천성횡격막탈장증은 늑막복막주름에 생긴 결손부위를 통하여 복강내 장기가 흉강으로 올라가는 현상으로, 보통 태생기 8-10주 사이에 생기며 횡격막의 뒤쪽 옆쪽에 2-3cm 크기로 구멍이 생긴다. 흉강 내로 탈장된 장기는 폐의 정상적 형성을 저해한다. 빈도는 2,200명 출생에 한 명 정도이며 남아에 많이 생긴다. 환아는 흔히 만산에 체중 3kg 내외이며, 왼쪽에 80%, 오른쪽에 20%가 생기고 양쪽에 생기는 것은 1-2%에 불과하다. 환아의 44-66%는 다른 선천성 기형을 가지고 있으며, 4-16%는 염색체이상도 가지고 태어난다. 일반적으로 임신 25주 이후에 생기면 생존률이 상당히 높고, 25주 이전에 생기면 생존률이 낮아진다. 태어난 직후 증상이 없다가 24-48시간 지나서 증상이 나타나는 허니문기간을 갖는 환아는 예후가 좋다. 대개의 환아는 장관의 회전이상을 동반하므로 수술 시 복부로 접근하는 것이 좋다. 신생아집중치료 상황에서 결손이 있는 쪽의 흉골하절개로 개복술을 시행한다.

결손부위가 커서 봉합 부위에 긴장이 너무 많이 가거나 아예 횡격막이 없는 경우에는 합성 패취를 이용해서 결손부위를 막아준다. 환아사망률은 폐의 형성부전증 정도와 정비례하며 특히 반대편 폐도형성부전증이 있거나 심장기형이나 염색체이상이 있는 경우 사망률은 더 증가한다. 최근에는 체외생명지지요법이 빠르게 발달함에 따라 새로운 치료가 가능해졌으며, 성공적으로 수술한 후에도 지속적 폐고혈압이 생기는 환아는 체외생명지지요법을 사용할 수 있다. 수술을 받고 살아난 환아의 30%는 신경축외 수분축적, 12%는 경련장애, 21%는 보청기 필요, 45%는 유아기에 심각한 신경발달장애를 보인다.

III 비후성 유문협착증

1. 서론

비후성 유문 협착증은 유아기 위장폐쇄의 가장 흔한 원인으로서 출생아 중 1:300명의 발생 빈도를 보이며 생후 3-6주 사이에 가장 흔하게 발견된다. 발생 원인은 아직 밝혀지지 않았으며 위장의 윤상 근육층의 비후성 변화로 위장의 원위부가 폐쇄되어 비담즙성 분출성 구토가 나타나며, 반복되는 구토로 인해 탈수와 전형적인 저염소혈증성 저칼륨혈증성 대사성 염기증을 유발한다. 이 질환은 유문근 절개술을 통해서 완치가 가능하며, 내과적인 방법으로는 치료되지 않는다.

2. 원인

원인은 아직 밝혀지지 않았으며 다양한 요소들이 관여하는 것으로 추정되고 있다. 유전적 요소와 환경적 요소가 복합적으로 관여되고 있으며, 위장관의 발생과정상 문제는 아닌 것으로 추정되고 있다. 스칸디나비안 백인에서 가장 높은 빈도를 보이며 아프리카계 미국인과 중국인에서 가장 낮은 빈도를 나타내어 인종적 요소가 관여하는 것으로 추정되고 있다. 남아가 여아보다 4-5배 정도 호발하며, 가족력이 있는 첫 아이에서 높은 발병율이 관찰되었다. 한국의 경우 정확한 통계자료는 없으나 남녀비는 5:1의 비율을 보였으며, 생후 3-6주 사이에 가장 많이 관찰되었다. 동일한 질병의 병력이 있는 부모일 때 발병률이 높으며 같은 가계 내에서 여러 세대에 걸쳐 발견되어 가족력이 이 질환의 발생 요소로서 추정되었다. 유아기 초기에 항생제인 에리스로마이신 투여가 이 질환의 발병과 연관이 있을 것으로 추정되었다.

유문부는 육안소견상 창백하고 단단한 근육종괴를 나타내며 길이 약 2-2.5cm, 직경 1-1.5cm의 크기를 나타낸다. 조직학적 소견 상 위장 근육층 중 중간층인 윤상층의 비후와 증식을 보이며 점막층의 비후소견을 보이는데 이와 같은 변화로 인해서 유문부의 부분적 혹은 완전한 폐쇄가 일어나게 된다. 면역조직화학적 분석 상, 이 근육에서는 섬유세포, 피브로넥틴, 당단백 콘드로이틴 황산, 데스민, 엘라스틴과 교원질이 증가된 소견을 보인다.

3. 임상 양상

특징적인 임상소견은 생후 3-6주 사이에 나타나는 비담즙성 분출성 구토이며 이 증상이 출생 시 혹은 태아시기에 관찰되기도 한다. 초기에는 구토증상이 심하지 않고 자주 나타나지 않아 정상 신생아에서 나타나는 수유 후 게우는 증상과 비슷하게 보일 수 도 있지만 시간이 경과하면서 수일-수주 사이에 심해져서 매번 수유할 때마다 분출성 구토증상이 나타난다. 가끔 구토물에 출혈이 관찰되기도 하며, 갈색을 보이기도 하며 위염 혹은 식도염으로 인해 원두커피를 간 것과 같은 양상을 나타내기도 한다. 구토 직후 바로 먹으려 하며 구토가 반복됨에도 불구하고 구토 직후에 왕성한 식욕을 보이며, 수유와 구토가 반복되면서 심한 탈수증이 발생하게 된다. 구토 이외에 열이 나거나 다른 아픈 증상은 관찰되지 않는다. 진단이 지연되면 계속되는 구토로 인해 심한 탈수가 발생하여 활력이 떨어지며, 특징적인 전해질 불균형 소견인 저염소혈증성 저칼륨혈증성 대사성 염기증이 나타난다. 그 이유는 소변의 산도는 초기에는 매우 높으나 시간이 경과할수록 감소하는데 저염소혈증이 심해지면서 신장의 원위 세뇨관에서 나트륨 이온의 재교환으로서 수소 이온이 이용되기 때문이다. 경우에 따라 심한 설사를 하기도 하나 이런 증상은 장기간의 구토로 인한 영양결핍에 의한 증상이며 장염이 동반된 상태를 의미하기도 한다. 항문을 통하여 가스를 적게 배출하는 경우는 위장폐쇄가 완전한 것을 의미한다. 전체의 약 2-5%에서 간접 고빌리루빈이 증가하여 황달이 나타나며 황달 치가 15-20mg/dL 까지 증가할 수 있다. 이와 같은 황달은 글루크로닐 트랜스퍼라제 효소 부족에 의한 이차적인 현상으로 추정된다. 미숙아에서의 유문협착증은 정상아보다 약 2주정도 늦게 나타난다. 미숙아는 구토의 양상이 분출성이 아닌 경우도 있으며 병의 진행이 늦어서 진단이 매우 늦어지는 경우가 많으므로 주의해야 한다.

4. 진단

진단 시 중요한 점은 환자의 연령과 특징적인 증상을 염두에 두면서 구토증상이 심한 유아에서 이 질환을 의심하는 것이며 진단적 검사를 통해서 확진 하는 게 필요하다. 생후 3-6주의 영아에서 비담즙성 분출성 구토를 보이는 경우 강하게 의심해야 하며 좌상복부의 연동운동의 육안 소견, 혈액검사상 저염소혈증성 저칼륨혈증성 대사성 염기증은 이 질환의 전형적인 소견이다. 우상복부에서의 세심한 이학적 검사로 올리브열매 모양의 유문부 종괴를 촉진하는 것은 매우 중요한 진단 소견으로 촉진되는 이학적 소견만으로 전체의 약 75%에서 확진 할 수 있다. 촉진하기 위해서는 환아를 진정시켜야 하며 인공 젖꼭지를 물리거나 5% 포도당액을 이용한 소량의 식이를 먹이면서 시도한다. 위장이 확장된 경우는 유문부 종괴를 촉진하기 어려우므로 비위관을 삽입하여 위 내용물을 흡입해 낸 후 촉진을 시도한다. 환아는 앙와위로 한 후 하지는 굽혀서 복근이 이완되도록 한 후 상복부를 만져야 한다. 만일 촉진되지 않으면 구토의 다른 원인을 생각해야 한다. 감별해야 할 소화기 질환은 위식도 역류, 위유문부 경련, 유문부 막pyloric web, 중복 장관, 유문부 혹은 전정부의 유문근의 이소성 췌장 조직등이 있으며 방사선 검사가 감별에 도움이 된다. 그 외에 식품 알레르기, 부신생식기 증후군, 뇌압이 증가하는 경우, 대사성 질환이다.

비후성 유문 협착증이 의심되나 올리브 열매 모양의 종괴가 촉진 되지 않는 경우 복부초음파를 시행한다. 복부 초음파는 가장 흔한 초기 영상 진단일 뿐 아니라 비후성 유문 협착증의 진단에 가장 중요한 표준방법이 되었으며 약 95%의 정확도를 보인다. 진단 기준은 유문근 두께 4mm 이상, 유문관 길이 16mm 이상인 경우이다(그림 7-7). 복부 초음파 검사 전에 종괴를 촉진하려는 시도는 초음파 검사의 결과에 영향을 미치지 않는다. 만일 초음파를 통해 진단하기 어려운 경우 상부 소화기 촬영이 가장 추천되는 방법이다. 상부소화기촬영 소견 상 유문관이 길어진 모양과 위전정부를 관찰 해야 하며 이와 같은 간접적인 소견으로 유문부 근육이 확장된 것을 추정해야 한다. 만일 바륨이 위장에서 빠져 나가지 않는 경우 유문부경련을 의심해야 하며 검사 종료된 후 흡인성 폐염을 방지하기 위해 위안에 남아있는 조영제를 흡인해 내야 한다.

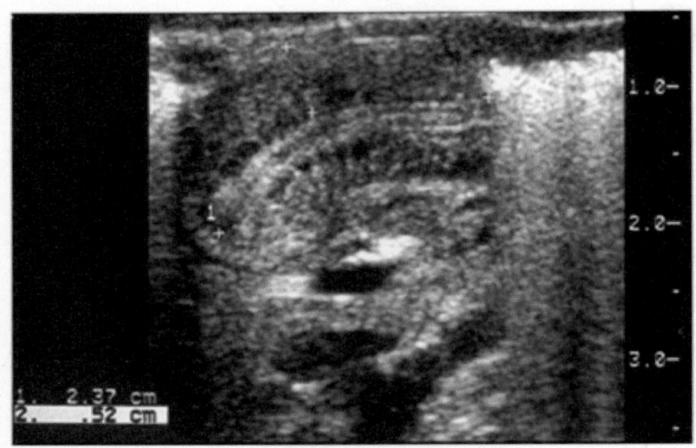

그림 7-7 비후성 유문 협착증의 초음파 소견.
근육층 두께: 0.52cm, 유문관 길이: 2.37cm

5. 치료

유문 협착증은 수술적 치료를 통해 완치되는 질환이다. 그러나 수술 전에 심한 탈수와 전해질 불균형 상태의 우선적인 교정이 급하며 중요한 일로서 내과적 응급 상태로 간주하고 수액치료를 빠른 시간 내에 시작해야 한다. 전신마취와 수술 전에 전해질 불균형 상태와 대사성 염기증에 대한 교정이 반드시 시행되어야 한다. 혈청 내 이산화탄소 양에 따라서 전해질 불균형 정도를 경도(<25mEq/L), 중등도(26-35mEq/L), 심도(>35mEq/L)의 3가지 경우로 구분할 수 있다. 수액치료는 탈수와 전해질 불균형의 정도에 따라서 결정되어야 하며 대부분의 환아는 치료 후 24시간 이내에 정상적인 범위로 회복되도록 해야 한다. 심한 전해질 불균형 상태에서 수액치료를 급격하게 시도한 경우 오히려 심한 수액 전해질 이동을 유발하여 경기와 같은 다른 합병증을 유발할 수 있으므로 주의해야 한다. 대부분 유문 협착증 환아는 위장관의 완전 폐쇄상태는 아니지만 수술 전까지 경구 식이는 중단하고 금식 상태를 유지해야 한다. 비위관 삽입 후 위장관 감압을 할 경우 추가적인 위액의 손실을 유발하여 수분과 전해질 불균형을 더 악화 시킬 수 있기 때문에 이 점을 고려해야 한다.

수액치료시 대부분의 유아는 5% 포도당 수액과 0.45% 생리식염수에 KCl 20mEq/L를 혼합하여 투여한다. 만일 심한 저칼륨증이 동반된 경우는 30mEq/L를 혼합한다.

일반적으로 초기 수액치료 후 소변 배출양을 확인하기 전에는 칼륨의 투여를 하지 않는 것이 좋다. 예외적인 경우는 초기에 급성 신장 기능 저하가 있거나 혹은 신장의 이상이 확인된 경우이다. 수액치료를 시작한 후 적당한 소변 배출양(>1mL/kg/hr)을 확인해야 한다. 수액 치료 시 저나트륨혈증이 문제되는 경우는 매우 드물다. 다른 수액치료 방법으로서 생리식염수를 치료 초기에 볼러스로 투여(30분–1시간 이내)하기도 하나 이와 같은 투여에 의해 저칼륨혈증을 더 촉진시키며 나트륨의 양을 과다하게 증가 시킬 수 있으므로 주의해야 한다. 수액치료의 양은 탈수정도에 맞게 시행되어야 한다. 수액치료의 초기 비율은 정당한 수액 상태가 될 때까지 정상 유지수액양의 1.25–2배 정도가 되는 게 좋다. 염화 칼륨의 농도는 저칼륨혈증의 정도에 따라 결정되어야 하며 40mEq/L 이상 되어서는 안 된다. 중탄산염은 30mEq/dL이하가 되도록 치료하는데 중탄산염 수치는 체내 수분의 양과 염화 칼륨의 정상화 되는 것 보다 늦게 회복된다. 염화 암모늄의 투여 혹은 희석된 염산의 투여는 거의 필요하지 않다. 간접고빌리루빈혈증에 대한 치료는 대부분 특별히 필요하지 않으며 성공적인 수술 후에는 고빌리루빈혈증은 서서히 소실된다.

수술방법은 Fredet-Ramstedt 유문근절개술이며 수술 후에 증상 소실 효과가 확연하게 나타나며 유병률이 매우 낮다. 수술실에서 마취유도를 시작하기 전에 위내의 내용물을 흡입해서 제거하는 것이 중요하다. 만일 수술 전에 바륨을 이용한 상부소화기 검사를 한 경우에는 수술 전후의 폐흡입을 방지하기 위해 위세척 등을 해서라도 제거해야 한다. 표준적인 수술 경로는 우상복부에 약 2.5–3cm의 횡절개를 하는 것이다. 이 절개는 간연의 직상방에 하게 되며 복직근 상부 혹은 외측에 하게 된다. 복직근 위의 근막은 횡절개되며, 복직근은 외측으로 밀어내거나 종으로 근 절개를 한다. 이와 같은 절개 외의 다른 수술경로는 상제대 만곡 피부 절개를 한후 정 중앙 근막을 통하는 방법이다. 이런 경우 간연을 위쪽으로 밀어낸 후 유문부 근처의 위만곡을 노출시킨 후 위장을 젖은 거즈로 잡은 후 유문부를 아래쪽, 외측으로 당겨서 절개창 밖으로 노출시킨다. 십이지장 혹은 유문부를 직접 수술기구로 잡는 경우 손상을 줄 수 있으므로 주의해야 한다. 노출한 비후된 유문부의 전면부 표면에 수술칼을 이용하여 얕은 절개창을 만든다. 이 절개창은 유문 정맥pyloric vein of Mayo의 직근위부에서 시작하여 유문부와 위 전정부가 만나는 곳을 지나서 근위부 위장쪽으로 약 1–2cm 정도 더 올라가도록 시행 하는 것이 좋다. 그 이유는 불완전 근절개술로 인한 수술 후 구토증상이 있는 경우 위장쪽 절개창이 충분하지 않아서 발생하기 때문이다. 이 절개창을 만든 후 예리하지 않은 수술기구(수술칼의 뒷 끝 무딘 부분 혹은 소형 수술 겸자의 끝부분)를 이용하여 근육층의 근 섬유 주행을 따라서 서서히 벌려주는 근절개술을 시행한다. 근절개술시 십이지장 점막층의 천공이 일어나지 않도록 주의해야 하며 천공의 방지하기 위해서는 유문근의 원위부 일부는 약간 남기듯이 근절개술을 시행하는 게 좋다. 유문근의 절개는 점막하층이 약간 솟아나올 때까지 시행해야 한다. 근절개술을 마친 후 유문부를 복강내로 넣기 전에 십이지장 혹은 위장에서 누출여부를 반드시 확인해야 한다. 유문근 절개술이 완전히 되었는지를 확인하기 위해서는 절개된 근육의 끝 부분을 잡고 횡으로 움직여서 근육이 따로 움직이는 것을 확인해야 한다. 절개된 유문부 근육 혹은 점막하층에서의 출혈은 대부분 정맥성 출혈이므로 특별한 지혈조치를 하지 않아도 복강 내로 들어간 후 지혈이 된다. 최근에는 복강경적 유문근 절개술이 많이 시행되며 그 결과는 개복술을 통한 결과와 유사하다.

유문근 절개술시 점막이 손상되어 천공이 발생한 경우 천공부는 가는 흡수성 봉합사를 이용하여 비연속 봉합해야 하며 봉합 후 대망을 그 위에 위치하도록 한다. 다른 방법은 천공부위 봉합 후 유문부 절개부위를 봉합한 후 유문부를 돌려서 처음 유문근절개술의 180도 맞은편에 근절개술을 다시 하는 방법이다. 천공 봉합수술 후 비장관을 24시간정도 유지하여 감압을 시도하며 그 결과는 대부분 양호하다.

수술 후의 식이 방법은 기관에 따라 차이가 난다. 대부분의 환아는 최소한 수술 후 4시간 경과 후에 식이를 시작할 수 있다. 수술 전에 장출혈이 있었던 경우는 수술 후 6-12시간 후에 시작 하는 게 좋다. 처음에는 소량의 물이나 5% 포도당 액으로 시작하며 잘 적응하면 분유 혹은 모유 수유를 시작한다. 수유 양을 점차적으로 늘리면서 수액의 투여는 중지할 수 있게 된다. 수유량은 서서히 증가 시키는 것이 안전하며 너무 급격히 증가 시키게 되면 수술 후 구토증상이 심하게 나타날 수 있다. 기관마다 정해진 수유량 식이표에 따라서 투여하는 경우가 대부분이다. 대부분의 유아는 수술 후 24-48시간이내에 퇴원할 수 있다. 숙련된 소아외과의에 의해 시행된 유문근절개술 후의 합병증은 거의 없다. 구토는 초기 수술 후 시기에 흔하게 관찰되는데 대부분 위식도 역류 혹은 위 연동운동의 부조화, 위 무기력 상태 등에 의한다. 수술 후 3-4일이 지난 후에 관찰되는 구토는 불완전한 유문근절개술 혹은 십이지장 점막의 천공을 의미한다. 이런 경우 조영술을 시행하여 천공에 의한 누출을 확인 할 수는 있으나 유문근절개술의 완전성 여부는 확인할 수 없다. 수술 후 비후된 유문부 근육이 소실되기까지는 수주의 시간이 필요하다. 수술 후 1주일 경과 후에도 지속되는 구토가 있는 경우는 재수술을 고려해야 한다. 유문근 절개술의 합병증은 천공률이 약 2.3%, 창상과 관련된 합병증이 약 1%의 발생을 보이며 매우 드물게 사망한 예도 보고되었다. 유문근 절개술 후 장기간 경과해도 문제는 거의 없으며, 위운동기능과 유문부의 형태도 차이가 없는 것이 관찰되었다. 위운동 저하가 관찰된 보고가 있었으나 전체적으로 볼 때 유병률은 매우 낮으며 후유증은 거의 없다.

요약

비후성 유문협착증은 생후 4주 전후에 발생하는 질환으로 아직 원인 불명이다. 반복되는 비답즙성구토로 인해 저염소성 저칼륨성 대사성 염기증이 발생한다. 특징적인 발생 연령과 증상으로 임상적 진단은 쉬우며, 복부 초음파를 통해서 쉽게 확진된다. 수액치료가 우선적으로 시행되어야 하며, 전신상태가 호전된 후 수술을 시행한다. 개복 혹은 복강경적 유문근 절개술이 시행되고 있으며 수술 후 성적은 매우 양호하다. 수술 시 십이지장천공이 되지 않도록 주의를 요한다.

IV 쓸개길폐쇄증

1. 영유아 황달에 대한 접근

정상분만 신생아의 약 60%는 황달이 오는데 그 이유는 혈색소hemoglobin의 농도가 상대적으로 높고, 혈색소의 화학산물을 수용성인 직접빌리루빈으로 접합conjugation시키는 효소인 글루쿠론산 전이효소glucuronyl transferase의 활성도가 낮기 때문이다. 이를 신생아의 생리적황달neonatal physiologic jaundice이라고 하며 생후 5–7일이면 보통 사라지게 된다. 만약 신생아 황달이 생후 2주 이상 지속되면 이를 병적황달pathologic jaundice이라고 부르는데 다른 원인이 존재하기 때문이며 이를 확인하여야 한다. 신생아 병적황달의 원인은 쓸개길폐쇄증biliary atresia, 온담관낭choledochal cyst, 농축담즙증후군inspissated bile syndrome 등과 같이 쓸개즙 정체가 원인이 되는 경우, 용혈성빈혈과 같이 혈청 혈색소가 증가하는 경우, 간염을 일으키는 여러 바이러스성 질환, 선천상 간 효소의 결함이 있는 유전성질환 등이 그 원인이 된다. 외과의사에게 중요한 병적황달은 쓸개즙의 정체를 일으키는 병이며 이중 국내 발생빈도가 높은 쓸개길폐쇄증과 온담관낭에 대하여 살펴보기로 하겠다.

2. 쓸개길폐쇄증의 정의, 발생빈도, 원인

쓸개길폐쇄증이란 간외쓸개길extrahepatic bile duct이 주산기perinatal period부터 서서히 폐쇄되어가는 질환progressive obliterative cholangiopathy으로 치료를 하지 않는 경우 간섬유화, 간경화, 간기능부전 등을 초래하여 생후 2세 이전에 사망하게 되는 치명적인 질환이다. 이 질환은 아시아권, 특히 한국, 중국, 일본 등에 흔한 질환으로 여아에게 자주 발생한다. 국내 발생 빈도는 정확한 통계는 없으나 건강보험심사평가원의 수술 청구권 자료에 의하면 2007년 쓸개길폐쇄증에 대한 국내 수술 청구건(행위코드: M32120, M32130)이 53건임을 보아서 연간 40–50명 내외가 국내 발생한다고 추정되며, 같은 기간 국내 출생아 수(2007년 통계청 자료; 493,189명)를 고려하면 국내 발생 빈도는 출생아 10,000명당 1명 발생한다고 할 수 있겠다. 쓸개길폐쇄증의 원인으로 1) 발생학적, 2) 유전적, 3) 허혈성, 4) 바이러스, 5) 독성 물질 등이 그 원인이라는 여러 가설이 제시되고 있으나 아직 명확하게 규명되지 못하였다. 최근 쓸개길폐쇄증의 원인에 대한 연구결과는 그 근본 원인이 무엇이든지 자가면역성질환의 일종일지도 모른다는 가능성을 크게 시사하여 주고 있다. 즉 아직 명확하게 규명되지 못한 어떤 원인이 쓸개길 상피세포 항원에 변화를 초래하면, 이에 따라 T-cell 주도의 세포면역기전이 쓸개길 상피세포를 공격하여 쓸개길이 파괴되면서 염증이 생기고, 염증 손상inflammatory injury에 대한 반응으로 문맥주위 섬유화periportal fibrosis가 일어난다는 것이다. 이런 발병기전은 주산기부터 시작되어 출생 후에도 계속 지속되는 것으로 생각된다. 쓸개길폐쇄증의 형태적 분류는 그림 1과 같이 3가지로 분류한다. 쓸개길폐쇄증은 임상적으로 태아형과 영유아형으로 분류하기도 한다. 태아형은 다비장증polysplenia, 십이지장전문맥preduodenal portal vein, 좌우바뀜증situs inversus과 같이 다른 형태적 기형을 동반하는 경우이며 예후가 나쁘다. 이에 반해 영유아형은 동반기형이 없이 쓸개길폐쇄증만이 있는 경우로 태아형보다 예후가 좋은 편이다. 쓸개길폐쇄증 대부분이 영유아형으로 발생하고 있는 것은 다행스러운 일이다.

3. 임상증세

쓸개길폐쇄증의 증세는 건강해 보이는 신생아 혹은 영유아가 회색 혹은 흰색의 무쓸개즙성 대변acholic stool을 출생 직후부터 보이거나 출생 후 노란 변을 보다가 서서히 흰색 혹은 회색의 변을 보는 것으로 시작되며 신생아황달이 소실되지 아니하고 2주 이상 지속되면서 점점 심화되는 것이다. 초기에는 간 기능이 정상이며 환자는 외관상 건강하게 보인다. 병이 진행하게 되면 간이나 비장이 복부에서 만져지고 복수가 생기게 된다. 간 기능의 저하가 동반되는 말기에 가면 영양불량과 성장지연이 나타나게 된다. 간섬유화로 인한 간문맥상승이 초래되면 식도정맥류가 생기고 이로 인한 출혈을 동반하게 되며 이로 인하여 사망하기도 한다. 치료를 하지 않게 되면 결국 환자는 생후 2세 이전에 간 기능상실로 모두 사망하게 된다.

4. 진단

폐쇄성황달과 무쓸개즙성 대변 등은 쓸개길폐쇄증 이외에도 신생아간염과 온담관낭의 일부 환자에서도 볼 수 있으며 따라서 이들 질환과 쓸개길폐쇄증의 감별진단이 중요하다. 이 중 온담관낭은 초음파 등으로 쓸개길폐쇄증과의 감별진단이 어렵지 않으나 신생아간염과 쓸개길폐쇄증과의 감별진단은 어려운 경우가 많다. 쓸개길폐쇄증 진단의 대원칙은 조기 수술이 예후에 매우 중요하므로 다른 원인이 확인되지 않는 한 이 병의 가능성을 가진 폐쇄성황달을 가진 영유아의 경우는 그 원인이 최종 확인할 때까지, 혹은 쓸개길폐쇄증이 배제될 때까지 진단과정을 계속하여야 한다는 것이다.

1) 혈청학적 검사

쓸개길폐쇄증이 있는 환자는 혈청 빌리루빈이 상승하며 이중 직접빌리루빈이 전체 빌리루빈의 50% 이상을 차지하고, 감마-글루타밀 펩티드전이효소gamma glutamyl transpeptidase (γ-GTP)가 상승되어 있는 전형적인 폐쇄성황달의 혈청 검사 소견을 보인다. 만약 혈청검사 상 폐쇄성황달의 소견을 보이는데 γ-GTP가 정상이라면 쓸개길폐쇄증의 가능성은 희박하다. 그러므로 폐쇄성황달을 가진 영유아에서 혈청검사를 시행할 경우는 γ-GTP검사를 반드시 같이 하여야 할 것이다. 폐쇄성황달의 영유아에서 만약 γ-GTP가 정상인 경우는 ARC 증후군(Arthrogly-coposis, Renal tubular acidosis, Cholestasis syn-drome), PFIC (Progressive Familial Intrahepatic cholestasis), Inborn errors of bile acid synthesis등 정상 γ-GTP와 동반하는 더 심각한 폐쇄성활달 질환의 가능성을 염두에 두어야 한다. 혈청 아미노전이효소trans-aminase의 수치도 간 손상 정도에 따라서 상승하여 보통 정상의 2-3배 이상으로 상승되어 있으나 병의 초기에는 정상에 가까울 수도 있다. 혈청학적 검사에는 신생아간염의 원인이 되는 감염성 질환과 감별하기 위하여 신생아간염의 흔한 원인에 대한 TORCH 검사(toxoplasmosis, rubella, cytomegalovirus, herpes virus)를 같이 시행한다.

2) 복부초음파

복부초음파는 무담즙성 대변과 폐쇄성황달을 가진 영유아에서 1차적으로 시행되는 영상검사방법이다. 복부초음파를 통하여 온담관낭이 관찰되면 쉽게 쓸개길폐쇄증을 감별진단에서 배제 할 수 있다. 복부초음파로는 영유아의 미세한 쓸개길 자체를 직접 관찰하는 데는 한계가 있다. 그러나 복부초음파는 쓸개길폐쇄증으로 인한 다른 간접적 변화를 관찰함으로써 진단에 유용하다. 복부초음파로 관찰 할 수 있는 쓸개길폐쇄증의 간접적 변화는 담낭의 변화와 간문맥주위 섬유화이다. 쓸개길폐쇄증의 경우 담낭은 보통 위축되어 있고, 식이를 섭취하였을 때 보이는 담낭의 수축이 관찰되지 않는 경우가 많다. 그러나 그림 7-8의 B, 그림 7-9와 같은 형태의 쓸개길폐쇄증의 경우는 쓸개가 위축되어 있지 않은 경우도 있다. 위에서 언급하였듯이 쓸개길폐쇄증은 정도의 차이는 있으나 문맥주위 섬유화가 존재하고 이 것이 문맥 갈림부bifurcation of portal vein에서 삼각형 섬유화 종괴를 형성하게 된다. 이 삼각형 종괴가 초음파에서 관찰되는 경우를 삼각건 징후 triangular cord sign라고 하며 쓸개길폐쇄증의 가능성을 시사하여 주는 중요한 초음파 소견으로 자랑스럽게도 한국에서 그 개념이 정립되어 국제적으로 알려진 중요한 쓸개길폐쇄증의 초음파 소견이다(그림 7-10).

3) 방사선동위원소촬영

간에서 분비되는 방사선동위원소를 정맥에 주사하여 동위원소가 쓸개즙과 함께 창자로 분비되는 것을 보는 검

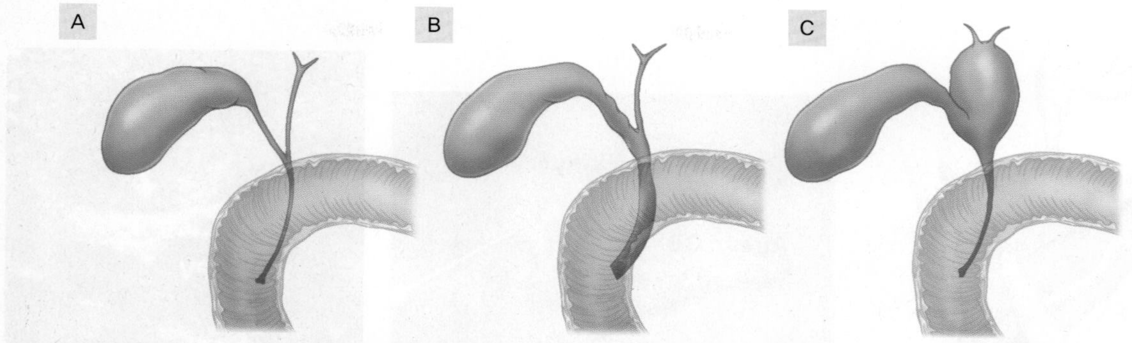

그림 7-8 담도폐쇄증의 형태적 분류. A) 간외쓸개길(extrahepatic bile duct)이 모두 막힌 형태로 가장 흔함. B) 간외쓸개길 중 온간관(common hepatic duct)은 막히고 쓸개관(cystic duct) 및 온쓸개관(common bile duct)은 개통되어 있는 형태. C) 간문맥부위에 낭종을 형성한 형태

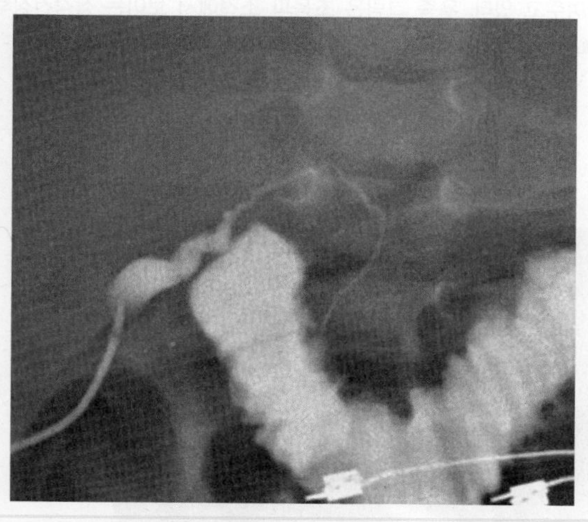

그림 7-9 생후 60일의 쓸개길폐쇄증 환자에서 촬영된 수술적 담관조영술 사진. 온간관(common hepatic duct)은 막히고 쓸개관(cystic duct) 및 온쓸개관(common bile duct)은 개통되어 있는 그림 7-8의 B의 형태를 보여주고 있다.

사방법으로 동위원소가 창자로 내려가는 것이 보이면 쓸개길폐쇄증을 진단에서 배제할 수 있다. 그러나 신생아간염의 경우에도 쓸개즙의 분비가 원활하지 않는 경우에는 쓸개길이 비록 존재하여도 동위원소가 창자로 내려가는 것을 볼 수 없으므로 동위원소가 창자로 내려가는 것이 보이지 않는다고 해서 반드시 쓸개길폐쇄증이라고 말 할 수는 없다.

4) 간 조직검사

이는 간을 바늘로 찔러서 간 조직을 얻어 이를 현미경으로 관찰하는 것이다. 이 방법의 한계점은 신생아간염과 쓸개길폐쇄증의 초기나 말기에는 두 질환에서 모두 비슷한 조직학적 소견을 보이기 때문에 두 질환을 명확히 가려내지 못하는 경우가 많다. 또한 간 조직을 얻는 과정에서의 위험성을 감수하여야 하며 판독을 얻기까지 시간이 걸려 진단이 늦어질 수도 있다.

5) 자기공명 담도촬영술

초음파나 조직학적 검사와 같은 다른 진단방법이 쓸개길폐쇄증으로 인한 이차적 변화에 의존하는 데 비하여 해상도가 높은 자기공명 담도촬영술은 영유아의 가느다란 쓸개관을 직접 관찰할 수 있는 방법이다. 또한 초음파에서 삼각건 징후로 관찰되는 문맥주위 섬유화의 존재 및 정도도 동시에 확인이 가능하다(그림 7-11). 시술자의 기술과 경험에 영향을 받을 수 밖에 없는 초음파와 달리, 자기공명담도촬영술은 상대적으로 객관적 검사이며 초음파가 지닌 비침습적 장점도 동시에 가지고 있다. 자기공명 담도촬영은 쓸개길폐쇄증 진단에 대한 민감도와 특이도 모두 높으며 앞에서 언급한 초음파의 삼각건징후와 마찬가지로 한국에서 그 개념이 정립되었다. 그러나 환자를 진정시켜야 하며, 고가의 검사와 병원의 경험에 의한 촬영조건 차이가 문제점으로 남아 있다.

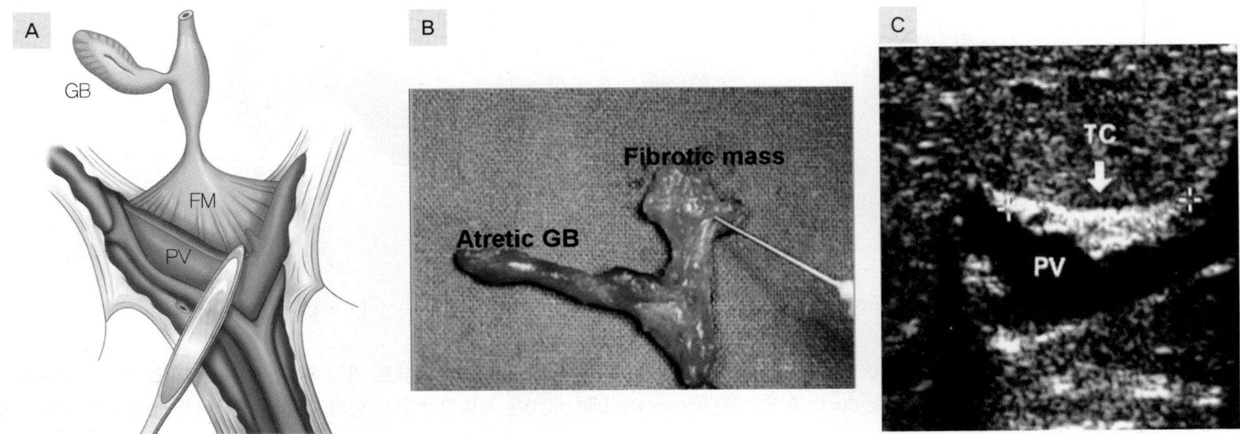

그림 7-10 생후 36일 담도폐쇄증 환아에서의 나타난 초음파상 삼각건 징후. 좌측 그림은 문맥 갈림부에 형성된 삼각형의 섬유화 종괴를 나타낸 모식도이다. 가운데 그림은 수술 중 제거 된 조직으로 섬유화 종괴를 보여주고 있다. 우측 그림은 초음파 소견에서 보이는 삼각건징후를 보여주고 있다. (GB; gallbladder, PV; portal vein, FM; fibrotic mass, TC; triangular cord) (사진제공: 계명의대 박우현, 최순옥 교수)

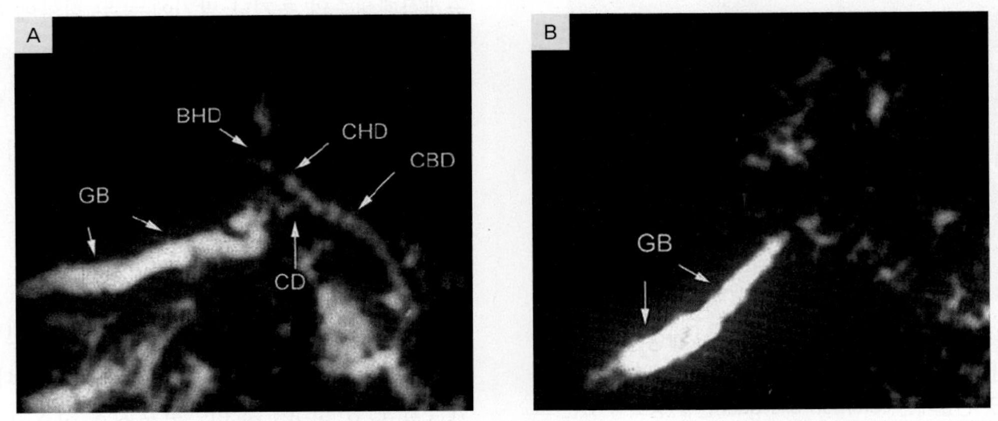

그림 7-11 쓸개길폐쇄증 진단에서의 자기공명담도촬영술. A) 신생아간염으로 확진 된 생후 69일의 여아에서 시행된 자기공명담도촬영 사진으로 간외쓸개길 및 간내쓸개길이 모두 존재함을 잘 보여주고 있다. B) 쓸개길폐쇄증으로 진단 된 생후 64일의 남아에서 시행한 자기공명담도촬영 사진으로 간외쓸개길이 쓸개 이외는 보이지 않는다. (GB), gallbladder (GB), cystic duct (CD), common bile duct (CBD), common hepatic duct (CHD), bifurcation of intrahepatic ducts (BHD). (사진 제공: 연세대학교 의과대학 한석주 교수)

6) 수술적 담관조영술

위에서 언급한 여러 진단 방법으로도 간외 쓸개길이 증명되지 않는 경우에는 최종적으로 개복술을 하여 쓸개의 내강이 존재하는 경우 쓸개에 관을 삽입하여 수술적 담관조영술을 하여 최종 확진하게 된다. 그러나 일부 쓸개길폐쇄증 환자는 쓸개 내강마저도 소실되어 담관조영술 자체가 불가능하며 이런 경우는 쓸개길폐쇄증으로 최종 진단하여도 무방하겠다.

5. 치료

쓸개길폐쇄증의 진단을 개복 시 마지막으로 확인 한

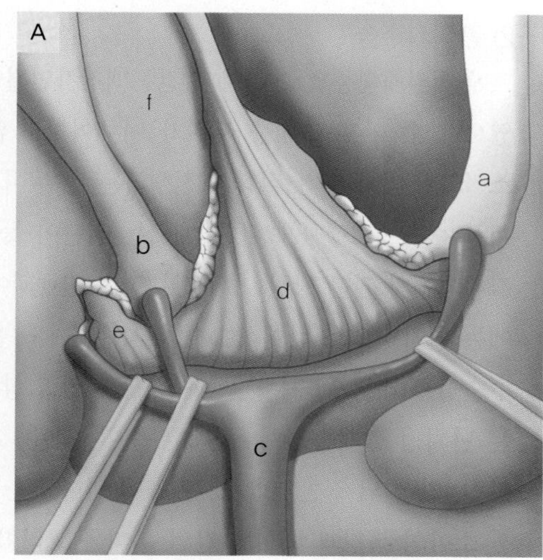

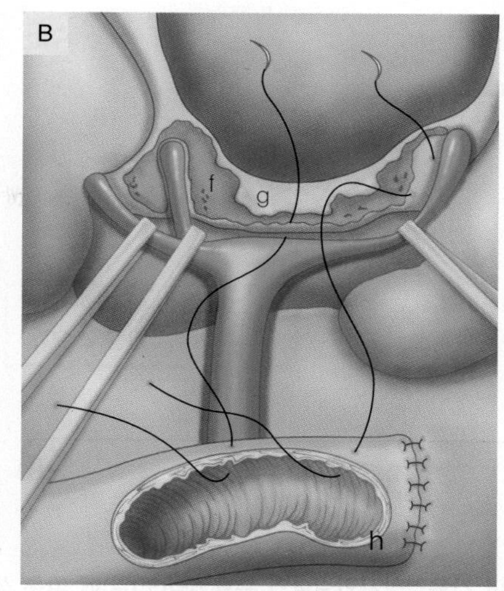

그림 7-12 쓸개길폐쇄증 수술 중 확대 간문맥창자연결술(extended portoenterostomy). A) 문맥 및 간동맥을 양쪽으로 잡아 당긴 상태에서 문맥의 제 2분지까지 최대한 노출시켜 문맥이 갈라지는 부위에 존재하는 섬유종괴를 최대한 노출시킨다. B) 섬유종괴를 간 실질부위까지 절제하여 쓸개세관이 최대한 연결될 창자의 내강에 포함되도록 한다. (a) ligamentum teres hepatis; (b) gallbladder bed; (c) portal vein; (d) portal fibrous mass; (e) fibrous mass between right portal vein branches; (f) remnant of portal fibrous mass; (g) surface of liver parenchyma; (h) proximal end of the ileocolic segment.

후에는 일본의 모리오 카사이Morio Kasai 교수가 개발한 간문맥창자연결술Kasai portoenterostomy를 1차 수술로 시행하는 것이 원칙이다. 만약 위의 카사이 간문맥창자연결술후의 경과가 좋지 않아서 황달의 소실과 간 기능의 개선이 이루어 지지 않는 경우는 소아 간이식을 2차로 시행하게 된다. 따라서 카사이 간문맥창자연결술과 소아 간이식이 보편화 된 현대의학에서는 쓸개길폐쇄증은 과거와 달리 불치의 병이 아니다. 그러나 위의 두 수술 방법을 시행하여도 쓸개길폐쇄증은 치료를 종결하는 완치의 개념은 아니며 평생을 관리 하여야 하는 질환이다. 그 이유는 간문맥창자연결술후의 성공하더라도 쓸개관염cholangitis등의 합병증이 올 수 있으며, 간섬유화는 많은 환자에서 지속된다. 간이식 역시 수술 후 면역 억제제의 투여와 이로 인한 여러 합병증이 발생 할 수 있다. 이런 이유로 쓸개길폐쇄증은 지속적 관리가 필요한 병이라고 하겠다.

1) 카사이 간문맥창자연결술

카사이 간문맥창자연결술은 1959 일본 소아외과 의사인 카사이 교수에 의하여 개발된 수술방법이다. 이 수술방법은 쓸개길폐쇄증 환자의 간문맥부위에 미세한 쓸개세관bile ductile들이 집중하여 열려 있다는 사실에 입각하여 여기에 장을 연결하여 쓸개즙의 통로를 확보하여 주는 것이다(그림 7-12). 이 수술에서 가장 중요한 포인트는 눈에 보이지 않는 쓸개세관이 열려있는 간문맥 부위를 정확히 찾아서 장을 연결하여 주는 것이다. 이를 위하여서는 초음파상 삼각건으로 보이는 간문맥 부위의 삼각형 섬유화종괴triangular fibrous mass를 정확히 절제하여야 한다(그림 7-10, 12). 만약 쓸개세관이 열려 있지 않은 부분에 장을 연결하여 주는 경우는 수술의 효과를 보지 못하게 된다. 카사이 간문맥창자연결술의 성공여부는 보통 수술 후 6개월 내에 황달이 소실되는지 여부로 판단한다. 이 수술의 성공 여부를 결정하는 요소는 다양하나 일반적으로 1) 수술 시 연령, 2) 수술 시 간 손상 정도 3) 간문맥창자연결술에 포함되는 쓸개세관 수와 직경 4) 수술자의 숙련도 등에 의하여 결정된다. 이중 가장 중요하고 변화 없는 예후 인자는 수술시의 연령이다(그림 7-13). 카사이 간문맥창자연결술 후 황달의 소실은 약 60–80% 에서 볼 수 있다. 앞에서 언급하였듯이 비록 카사이 간문맥창자연결술이

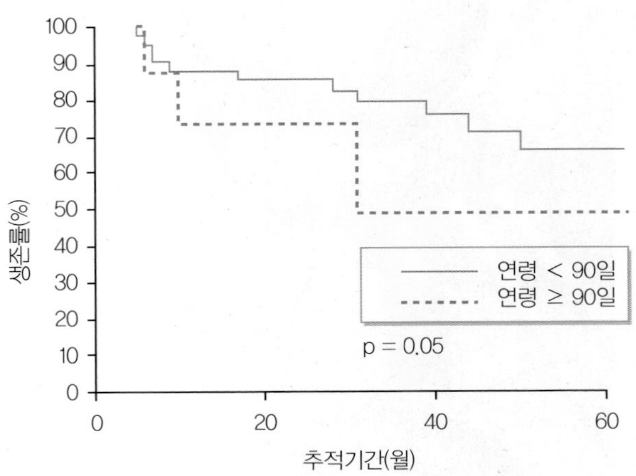

그림 7-13 카사이 간문맥창자연결술의 수술연령(90일)에 따른 생존율 곡선(Kaplan- Meier method, 세브란스어린이 병원 자료)

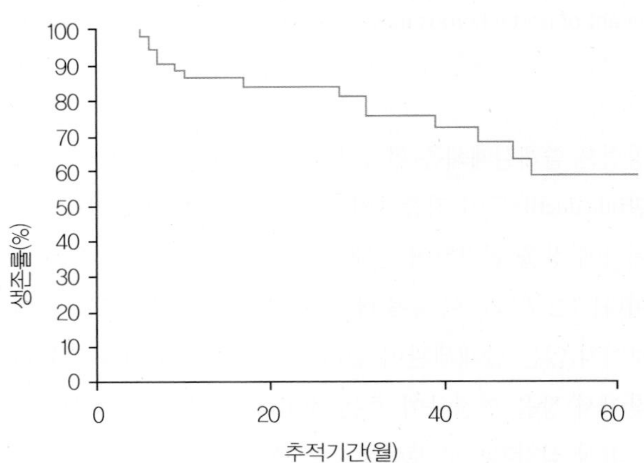

그림 7-14 카사이 간문맥창자연결술 후의 자신의 간을 가지고 생존하는 생존율 곡선(Kaplan- Meier method, 세브란스어린이 병원 자료)

수술 후 지속적인 관리가 필요한 고식수술palliative operation이라고 하여도 그 성적을 보면 약 50-80%의 환자는 10년 이상 자신의 간을 가지고 양질의 삶을 살아가고 있으므로 쓸개길폐쇄증의 1차 수술방법으로 시행되어야 한다(그림 7-14). 그러나 이들 생존 환자에서 남아 있는 문제는 지속적인 간섬유화 등 간 자체의 병리가 약 70%에서 계속적으로 진행하며, 쓸개관염이 합병되게 된다.

2) 간이식수술

쓸개길폐쇄증으로 카사이 간문맥창자연결술을 시행하였으나 수술 후 쓸개즙 분비가 이루어지지 않고 황달이 소실되지 않으며 간 질환이 진행되는 경우 이차적으로 간이식수술을 시행하게 된다. 때로는 진단이 늦어져서 쓸개길폐쇄증의 진단 당시 이미 간부전이 진행되어 있을 경우에는 일차적으로 간이식수술을 시행하기도 한다. 간이식수술을 고려하게 되는 진행된 간 질환의 임상적 증상으로는 난치성 쓸개즙정체, 정맥류 출혈, 복수, 간 합성기능부전, 간성 뇌 질환, 성장장애 등이 있다.

소아의 복강과 이식될 간의 부피를 고려할 때, 뇌사자로부터의 분할 간이식split-liver transplantation, 혈연간 생체부분 간이식living-related liver transplantation, 또는 감소면적 간이식reduced-size liver transplantation이 소아 간이식에서 적합한 수술 방법이 될 수 있다. 면역억제제와 수술 술기의 발달 및 바이러스, 박테리아, 곰팡이 등에 대한 예방 또는 치료제의 개발에 따라 영아의 간이식수술 성적은 크게 향상되어 5년 생존율이 최근 80% 이상 보고되고 있다.

6. 합병증

1) 쓸개관염

카사이 간문맥창자연결술후의 가장 큰 문제가 되는 것은 쓸개관염인데 이는 카사이 간문맥창자연결술 후 장내 세균총에 노출 된 쓸개세관으로의 미생물의 상행성 감염이 원인이 된다. 쓸개관염은 수술 후 2년까지 잘 오며 그 후에는 잘 오지 않는 경향이 있으나, 약 40-60%의 환자가 한 번 이상의 쓸개관염을 경험하게 된다. 쓸개관염이 오면 환자는 고열, 무쓸개즙성 대변, 복통, 황달의 재발을 호소하며, 혈청 검사 상 담즙정체성 황달의 소견이 악화되고, 혈청의 염증 지표가 상승되는 소견을 보인다. 이 때 항생제 투여 등 적절한 치료를 받지 못하면 쓸개즙 분비가 다시 멈추고 간 기능이 저하되게 된다. 쓸개관염을 예방하기 위한 여러 방법이 시도되고 있으나 아직 확실하게 이를 예방하는 방법은 없다고 하겠다.

2) 간 문맥압항진증

간 문맥압항진증은 황달이 없는 환자에서도 발생하게 된다. 그 빈도는 약 30-70%에서 발생한다고 보고되고 있으며 가장 문제가 되는 것은 식도정맥류와 이로 인한 출혈이다. 출혈은 식도정맥류가 있는 환자의 약 20-60%에서 생긴다고 한다. 그 외에도 간 문맥압항진증은 비장비대로 인한 혈소판 및 백혈구 감소 등을 초래할 수도 있다

3) 그 외의 합병증

쓸개즙은 소화관에서의 지방의 흡수와 지용성 비타민의 흡수에 필요한 요소이므로 쓸개길폐쇄증에서는 이들 영양소의 결핍이 초래된다. 따라서 쓸개길폐쇄증 환자에게는 지용성 비타민과, 중쇄중성지방Medium Chain Triglyceride (MCT)이 포함된 분유를 공급하는 것이 좋다.

7. 예후

대한 소아외과 학회에서 2002년 302예의 쓸개길폐쇄증 환자를 장기 추적한 결과 약 73%의 환자가 장기간 생존하고 있었다. 이 중 65%의 환자가 간 이식 없이 카사이 간문맥창자연결술만으로 장기간 생존하고 있었으며 8%의 환자는 간이식을 받은 상태에서 장기간 생존하고 있었다. 이 보고에 따르면 국내 쓸개길폐쇄증 환자 전체 장기 추적 사망률은 약 27%였다.

요약

정상분만 신생아에서 약 60%에서 오는 신생아황달(physiologic jaundice)과 치료가 필요한 병적황달pathologic jaundice의 감별이 중요하며 이 중 쓸개즙 정체성 황달cholestatic jaundice이 오는 쓸개길폐쇄증, 온담관낭, 농축담즙증후군 등이 외과의사에게 중요하다. 이중 간외쓸개길이 출생 전후에 미상의 원인으로 서서히 폐쇄되어가는 쓸개길폐쇄증은 국내에 상대적으로 많다. 쓸개길폐쇄증의 증세는 신생아 혹은 영유아가 회색 혹은 흰색의 무쓸개즙성 대변(acholic stool)을 출생 직후부터 보이거나 출생 후 노란 변을 보다가 서서히 흰색 혹은 회색의 변을 보는 것으로 시작되며 황달이 소실되지 아니하고 점점 심화되며, 병이 진행하게 되면 결국 간 기능 문제로 2세 이전에 사망하게 된다. 현재는 국내의 진단기술 및 치료기술의 발달로 조기 진단되어 1차 수술인 카사이 간문맥창자연결술을 시행 받거나, 2차 수술인 소아 간이식을 시행 받음으로써 그 생존율이 크게 향상되었다.

V 온담관낭

1. 정의 및 분류

온담관낭choledochal cyst이란 담관이 다양한 모양으로 비가역적으로 확장irreversible dilatation된 것을 말한다. 여기서 담관의 비가역적 확장이란 종양이나 담석이 원인이 되어 일어나는 담관의 가역적 확장과 구별되어야 함을 의미한다. 온담관낭의 분류는 Alonso-Lej 등이 3가지 형태로 분류한 이후, Todani 등이 다시 분류한 5가지의 분류가 있고 그 외 다양한 변형이 존재하고 있으나, 현재 임상에서는 Todani씨의 분류가 가장 많이 쓰이고 있다(그림 7-15). 2003년 대한소아외과에서 조사한 348예의 소아 온담관낭의 보고서에 따르면 Todani씨 분류 제I형이 71.3%로 가장 많았으며, 그 다음으로 제IV형으로 약 28%, 제2형은 약 1% 순으로 발생한다고 보고하고 있다. 온담관낭

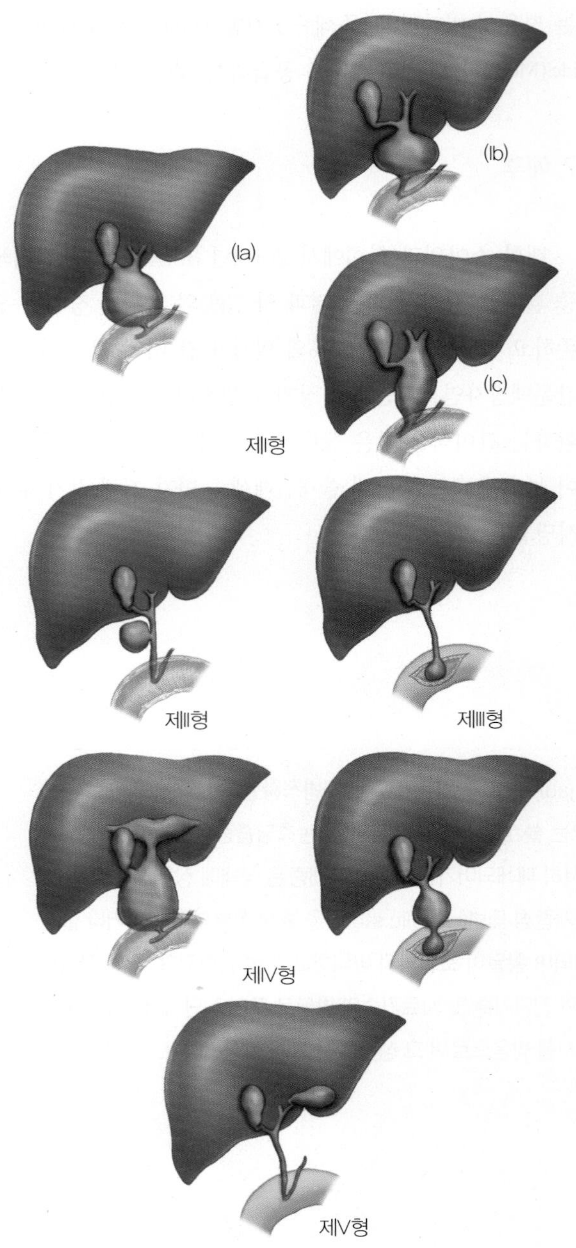

그림 7-15 온담관낭의 Todani씨 분류법. 제I형: 간외담관이 주머니 모양, 혹은 방추형으로 확장된 경우로 다시 3가지 형태로 분류한다. 가장 발생 빈도가 높다. 제II형: 간외담관이 곁주머니(diverticulum) 모양으로 확장된 경우이다. 제III형: 간외담관이 십이지장으로 탈출되면서 확장되는 경우이다(choledochocele). 이를 다시 2가지 형태로 분류하기도 한다. 제IV형: 간내 혹은 간외쓸개관 혹은 두 가지 모두가 다발성으로 확장되는 경우이다. 다시 이를 2가지 형태로 분류하기도 한다. 제V형: 단발성 혹은 다발성으로 간내쓸개관만 확장 된 경우이다. 이를 Caroli씨 병(Caroli's disease)이라고 부른다.

을 가진 환자는 담관의 확장 이외에도 다양한 형태의 췌담관계의 형태적 이상을 동반하고 있는 경우가 많으며 온담관낭에서 보이는 담관의 확장은 췌담관계의 다양한 형태적 이상 중 하나가 확연하게 나타나는 것이라고 생각된다. 비록 위의 5가지 분류에 속하는 모든 담관의 비가역적 확장이 현재 온담관낭이라는 동일병명아래 있지만 일부는 서로 다른 병이라고 보아도 좋을 정도로 그 임상 양상이 다르며 원인도 다르다.

2. 원인

현재까지 나온 이론 중 어느 하나도 모든 형태의 온담관낭의 원인을 만족하게 설명하여 주지는 못하고 있다. 그 이유는 위에서 언급하였듯이 분류에 따라 그 발생기전은 서로 다르기 때문이다. 온담관낭의 발병기전을 설명하는 이론 중 가장 유명한 이론은 Babbit 등이 처음 주장한 공동통로 이론common channel theory이다. 공동통로 이론이란 췌담관합류이상anomalous pancreaticobiliary duct union (APBDU)이 존재하고 이로부터 발생하는 췌장액의 담관으로 역류pancreaticobiliary reflux함으로써 온담관낭이 발생한다는 이론이다. 그 기전을 자세히 살펴보면 췌관과 담관이 십이지장의 벽에 존재하는 Oddi씨 조임근sphincter of Oddi의 외부에서 합류하게 되면 이로 인하여 공동통로 common channel가 생기게 된다. 평상시에는 담관보다 압력이 높은 췌장관의 췌장액이 이 통로를 통하여 담관으로 역류가 일어나게 되며, 이 때 췌장액에 노출 된 담관벽은 췌장액의 소화효소작용으로 점차 약화되게 된다. 또한 췌장액과 담즙이 혼합되어 생긴 단백마개protein plug가 담즙과 함께 흘러내려가다가 공동통로를 막으면 담관 내 압력이 상승하고, 이로 인하여 이미 췌장액의 효소로 약화 된 담관벽이 팽창하게 되며, 환자는 이때 복통과 췌장염, 간염, 황달 등의 증세가 나타나게 된다. 초기에는 단백마개가 쉽게 십이지장으로 빠져나가므로 위의 증세가 사라지기도 하나, 결국 이런 과정이 반복되어 비가역적으로 담관이 확장되게 되어 온담관낭이 생기게 된다(그림 7-16). 이

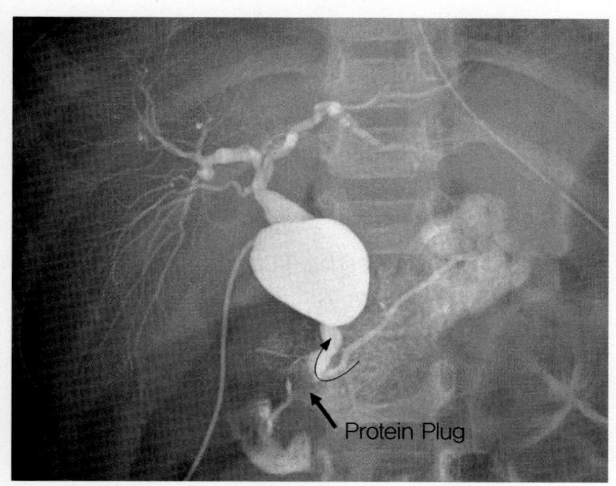

그림 7-16 온담관낭 발생의 공동통로 이론을 뒷받침 하는 수술적 담관조영술. Type Ic의 온담관낭을 가진 3세 남아의 수술적 담관조영술 사진으로 단백마개로 인한 공동통로의 부분적 폐쇄(화살표)를 보여주고 있으며, 췌장액의 담관으로의 역류(pancreaticobiliary reflux, 곡선 화살표)가 일어날 수 있는 상태를 보여 주고 있다. 이 환자는 심한 급성복통이 발생하였으며 혈청 검사 상 AST 250IU/L (정상: 13.0-34.0), ALT 257IU/L (정상: 5.0-46.0), total bilirubin 1.8mg/dL (정상: 0.2-1.2), direct bilirubin 1.2mg/dL (정상: 0.1-0.4), gamma-GT 305IU/L (정상: 12.0-54.0), amylase 258U/L (정상: 30-115), lipase 182U/L(정상: 5.0-60.0)의 소견을 보여 Babbit이 주장한 "공동통로이론(common channel)"을 뒤받침하여 주고 있다. (사진제공: 연세의대 한석주 교수)

이론은 가장 흔한 Todani 분류 제Ic형의 발생기전을 잘 설명하여 주고 있으나 다른 형태의 온담관낭의 발생기전은 설명하지 못하고 있다. 제Ic형의 온담관낭은 공동통로가 대부분 존재하며 온담관낭에서 채취한 담즙의 췌장효소가 증가되어 있는 경우가 많다. 이는 공동통로를 통하여 췌장액이 담관으로 역류되고 있음을 입증하고 있는 것이다. 동물실험에서도 공동통로를 인위적으로 만들 경우 사람의 제Ic형과 비슷한 담관확장이 발생함이 이미 입증된 바 있어 이 이론의 신빙성을 뒷받침 하여 주고 있다. 이 이론에 따라 췌담관합류이상이 있고 증세는 있으나 담관이 본격적으로 확장되기 전 단계의 형태를 불완전 온담관낭forme fruste choledochal cyst이라고 특정하기도 한다. 어린 영아에서 주로 발견 되는 주머니 형태의 제Ia형의 경우 담즙에서 췌장효소의 증가를 볼 수 없는 경우가 대부분이다. 이 형태에서는 오히려 늘어난 담관과 췌장관과의 연결이 거의 막혀있는 경우가 많으며, 이 경우는 췌장액이 담관으로 역류가 일어나기 힘든 구조이다. 따라서 이 형태는 공동통로 이론 이외의 다른 발생기전이 태아기 담관형성 단계부터 작용하고 있다고 생각하고 있다. 제V형인 Caroli 씨병Caroli's disease은 보통염색체열성 유전성이 있고 다낭신polycystic kidney disease을 동반하므로 유전적으로 담관의 원시발생부터 문제가 생기는 관판기형ductal plate malformation의 일종이라고 생각하고 있다.

3. 임상양상

온담관낭은 남자보다 여자에게 3-4배 흔하며, 서양인보다는 한국, 중국, 일본과 같은 동양인에 더 흔하다. 국내 발생빈도의 정확한 통계는 없으나 건강보험심사평가원의 2007년 수술 청구권 자료에 의하면 담관낭종수술(행위코드: M32060)의 청구 건이 229예임을 보아서 연간 200-300명 내외가 국내에 발생한다고 추정된다. 온담관낭은 원칙적으로 선천성 질환이나 그 증세가 나타나서 진단되는 연령은 다양하다. 과거에는 성인에서 진단되는 경우가 많았으나 현재는 진단기술의 발달로 어린 나이에서 진단되는 경우가 늘고 있다. 또한 산전 초음파의 일반화로 제Ia형 같은 경우는 산전에 진단되기도 한다.

과거에는 복통, 복부덩어리, 황달을 온담관낭의 세 징후triad of choledochal cyst라고 하여 중요하게 생각하였다. 그러나 초음파 같은 진단기술이 발달하여 온담관낭이 과거보다 일찍 진단되는 현대에 와서는 위의 세 징후에 대한 중요성은 많이 감소하였다. 2003년 대한소아외과 조사에 의하면 소아 온담관낭에서 전형적 세 징후가 모두 있었던 경우는 불과 2%이다. 온담관낭에서 가장 흔한 증세는 복통이다. 위 조사에 의하면 약 64%의 환자가 복통을 호소하였다고 한다. 복통의 양상은 초기에는 심하지 않으며 단기간에 사라지지만 시간이 지남에 따라 그 빈도, 강도, 지속시간이 증가한다. 위의 조사에 의하면 황달은 약 30%에서 온다고 하는데 이는 담관이 담백마개 등으로 막힘으로써 일어나는 현상이다. 이때 간염과 췌장염을 시사하는 혈청학적 소견이 보이는데 이로 인하여 일부 환자에서는 단순 간염이나 췌장염으로 오진되는 경우도 있다. 그러나 혈청학적 검사에서 쓸개길 폐쇄를 시사하는 소견이 있는 경우가 많으므로 혈청학적 검사로 온담관낭을 충분히 의심할 수 있다. 적절한 치료를 하지 않고 시간이 지나면 담도염과 췌장염이 동반되면서 환자는 고열을 동반하게 된다. 일부 환자에서는 실제 췌장염은 없는 상태에서 역류 된 췌장효소가 점막이 탈락 된 온담관낭의 벽을 통하여 체내로 흡수되어 혈청 췌장효소만 상승한다. 이를 위췌장염fictitious pancreatitis이라고 부르는데 주의할 것은 이런 경우 온담관낭에서 심한 췌장염이 합병된 것으로 오인하여 수술을 연기 할 필요는 없다. 일부 환자에서는 완전한 담관폐쇄로 무담즙성의 잿빛 대변을 보기도 한다. 위 조사에서 복부덩어리는 약 16%의 환자에서만 만져졌다고 보고하고 있다. 복부 덩어리가 만져지는 경우는 주로 유아에서 발견되는 Ia에서인데 이는 다른 온담관낭과 달리 이 형태에서는 담관이 주머니 모양으로 심하게 확장되기 때문이다. 그러나 일부 환자에서는 췌장염의 합병증으로 췌장연조직염pancreatic phlegmon이 오거나 췌장가성낭종이 생겨 이것이 덩어리로 만져지기도 한다. 위 조사에서 15%의 환자는 특별한 증세 없이 다른 이유로 초음파 등을 하다가 우연히 발견된 경우였으며 이 중 절반이 산전 초음파로 진단된 경우이다. 이렇게 무증상의 온담관낭이 진단되는 경우가 증가하는데 그 이유는 태아 및 소아의 초음파 검사의 해상도의 향상과 이들 검사가 소아에서 보편화되었기 때문이다. 일부 환자에서는 온담관낭이 천공되어 담즙성복수가 생기기도 하는데 이 때 주의할 것은 온담관낭의 천공으로 생긴 담즙성 복수는 이차 세균 간염이 없는 경우에는 복막염증세가 없으므로 단순 복수로 오진할 수 있으므로 주의를 요한다. 온담관낭을 치료하지 않고 방치하면 담즙의 찌꺼기와 단백마개가 결국 돌을 형성하게 되며, 췌장염, 담도염, 간경화, 간부전을 초래하게 된다. 췌장염의 합병증으로 췌장연조직염, 췌장가성낭종을 형성하기도 한다. 보다 중요한 것은 온담관낭이 장기간 방치되면 간, 담도, 췌장의 악성종양을 조기에 유발한다는 사실이다.

4. 진단

온담관낭은 복부초음파 혹은 컴퓨터 단층 촬영 상 담관이 확장되어 있고 원위부에 담관의 일시적 확장을 초래할 만한 병변이 없음을 확인하므로 일차 진단이 가능하다. 그러나 많은 온담관낭에서는 담관의 원위부를 단백마개가 막고 있는 경우가 많은데 이 경우 종양이나 결석으로 인한 확장과 다르게 온담관낭 특유의 부분적 확장을 동반하므로 구별이 가능하다(그림 7-16). 치료 방침을 결정하기 위한 형태적 분류가 필요하고 담관의 자세한 해부학적 구조 및 췌장관과 주위 혈관과의 관계를 알기 위하여 1 차 진단 후 추가로 복부전산단층촬영, 그리고 내시경역행췌담관조영술을 시행하거나 자기공명췌담관조영술을 시행하게 된다. 자기공명췌담관조영술의 해상도가 향상 된 현재는 침습적이고 췌장염 유발의 위험성이 있는 내시경역행췌담관조영술의 필요성이 줄어들고 있다. 온담관낭이 진단되어 개복을 하면 먼저 수술적 담관조영술operative cholangiography을 하여 정확한 해부학적 구조를 파악하는 것이 중요하다. 그 이유는 온담관낭은 다양한 췌담관계의 기형을 동반하기 때문이며 수술 중 이를 최대한 파악 한 후 수술이 진행되어야 하기 때문이다(그림 7-17). 온담관낭의 진단에 있어서 주의할 점은 산전 초음파 상 type Ia의 온담관낭 형태로 보이는 일부 환자의 경우 실제 환자의 병은 온담관낭이 아니고 쓸개길폐쇄증이 낭종성 변화biliary atresia with cystic degeneration를 오인 진단하는 경우가 있다는 것이다. 이 두 개의 질환은 전혀 다른 병이며 치료방법과 예후도 다르므로 산전에 온담관낭으로 진단 된 경우라도 출산 후 진단 과정을 보다 철저히 하여 정확하게 감별되어 적절한 치료가 시행되어야 한다.

5. 치료

온담관낭의 치료는 온담관낭의 유형에 따라 다르므로

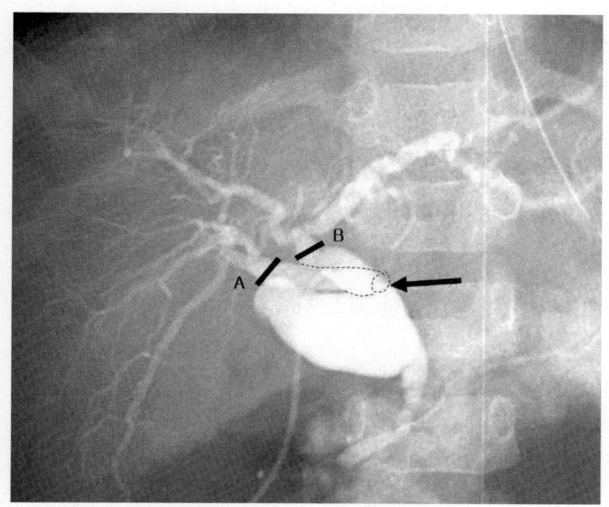

그림 7-17 **Type Ic의 온담관낭과 간내담도의 기형이 동반 된 2년 7개월의 여아의 수술적 담관조영술 사진.** 우측 간내담관이 온담관낭 내에서 격벽을 만들면서 늘어난 온담관낭의 좌측벽으로 연결되는 담관의 기형을 보여주고 있다(화살표). 이 환자에서는 우측 간내담관과 좌측 간내담관을 분리 절개하여(굵은 선 A, B) 이를 각각 공장에 연결하였다. (사진제공: 연세의대 한석주 교수)

일괄적으로 이야기 할 수는 없다. 온담관낭중 빈도가 가장 많은 제I형의 치료를 설명하면 다음과 같다. 제 I형의 치료는 병적인 조직을 최대한 절제하고 소장을 이용하여 담즙의 통로를 장을 이용하여 만들어 주는 것이다. 온담관낭의 병적인 조직은 섬유화가 진행되어 있고 점막이 탈락되어 있는 조직이다. 따라서 이 부분을 남기고 여기에 장을 연결하게 되면 연결부위의 협착 발생 빈도가 높게 되며, 이로 인한 담도염 등의 합병증이 발생하게 된다. 더 중요한 것은 불완전한 절제가 되면 남아있는 병적인 부분에서의 암의 발생 가능성을 완전히 차단하지 못하게 된다. 완전 절제를 위해서는 온담관낭과 동반된 담관의 여러 변형에 대한 해부학적 구조의 이해가 선행되어야 한다. 이를 위해서는 수술 전 여러 영상검사와 수술 중 시행하는 담관조영술이 많은 도움이 된다. 병적인 부위를 최대한 절제하면서 담즙의 통로를 재건하고 장기적인 합병증이 발생하지 않기 위하여서는 여러 요소를 고려하여 적절한 절제선이 결정되어야 한다. 근위부 절제선을 결정함에 있어서는 간내 담관의 여러 기형을 고려하여 할 것이다(그림 7-17). 원위부 절제선을 결정함에 있어서는 췌장관에 최대한 가깝게 절제선이 선택되어야 한다. 그 이유는 불완전하게 절제된 췌장에 묻힌 원위부 담관에서 장기적으로 결석이 형성되고 이로 인하여 복통과 췌장염이 발생되기 때문이다(그림 7-18). 그러나 이보다 더 중요한 것은 원위부 온담관낭이 불완전 절제 되는 경우 남아 있는 조직에서 악성종양이 발생하기도 한다는 것이다. 최근 국내에도 온담관낭의 원위부를 불완전하게 절제하여 악성 종양이 발생된 경우의 보고가 점차 증가하고 있음은 시사하여 주는

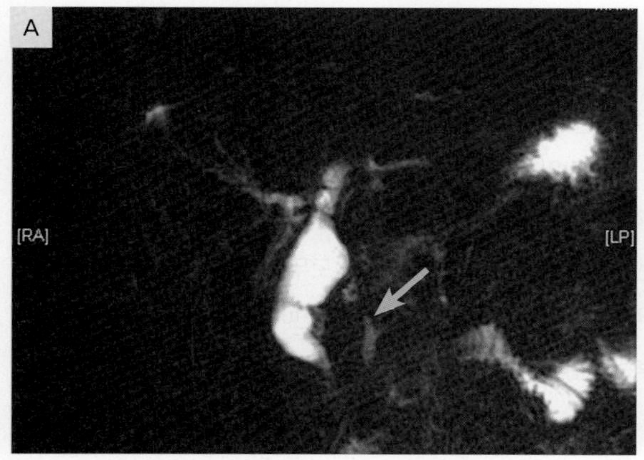

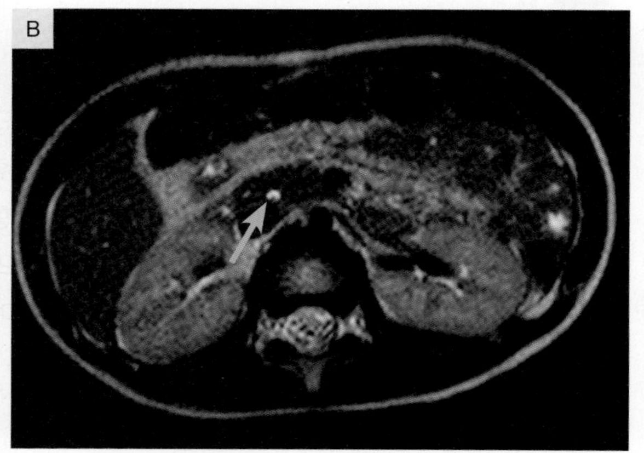

그림 7-18 **원위부 온담관낭이 불완전 절제된 부위에 담석이 생긴 환자의 자기공명췌담관조영술 사진.** Type I의 온담관낭을 수술 받은 적이 있는 4년 11개월 된 여아로 수술 후에도 반복되는 복통으로 췌장염을 진단 받고 시행한 자기공명췌담관조영술 상 온담관낭의 원위부가 불완전 절제되어 있음이 확인되었으며(A, 화살표), 그 안에 담석이 존재함이 확인되었다(B, 화살표). (사진 제공: 연세의대 한석주 교수)

바가 많다. 주의하여야 할 것은 원위부 온담관낭을 절제할 때 무리한 절제를 시행하다가 췌장관의 손상을 주지 않도록 조심하여야 한다. 온담관낭이 염증을 동반하는 경우에는 주위 조직과 박리가 쉽지 않으며 이때는 온담관낭을 반으로 절단하여 근위부와 원위부를 나누어서 절제하는 것이 좋다. 온담관낭을 절제 후 담즙의 통로는 현재는 대부분 루엔와이 공장담관문합술Rouex-en-Y hepaticojejunostomy를 시행한다. 이때 담즙의 통로로 이용되는 공장의 길이는 장내 세균의 역류로 생기는 담도염을 줄이기 위하여 충분한 길이를 사용하는 것이 좋다. 과거에는 십이지장을 담관에 직접 연결하기도 하였으나 이 방법은 십이지장 내용물이 담관 내 역류하여 여러 문제가 생기므로 최근에는 잘 시행되지 않는다. 제II형, 제IV형의 온담관낭 역시 확장 된 간외 담관을 절제하고 제I형과 같은 원칙으로 수술을 시행한다. 제III형의 경우는 각각의 모양에 따라 다양한 수술방법을 선택하여야 한다. 제V형인 Caroli씨병의 경우 원칙적으로 간내 담관의 원시 형성 과정에 문제가 있는 것이므로 간이식을 하여야만 완치된다고 하겠으나 확장된 간내 담관이 간의 한 엽에만 국한 되어 있는 경우는 병변부위의 간엽절제술을 시행 할 수 있다. 산전에 혹은 신생아 시기에 발견되고 증세가 발현되지 않는 온담관낭의 수술 시기에 대하여서는 아직도 충분한 공감대가 형성되지는 않고 있다. 그러나 신생아 시기에도 온담관낭의 수술이 비교적 안전하며 연령에 비례하여 간의 손상 정도가 증가하기 때문에 조기수술이 현재 권장되고 있다. 최근에는 온담관낭의 수술 시 개복을 하지 않고 복강경이나 로봇을 이용한 최소 침습수술이 시행되기도 한다.

6. 예후

온담관낭은 적절한 치료(수술)를 하면 예후가 좋은 질환이다. 2003년에 시행한 대한 소아외과학회의 조사에 의하면 수술 후 조기 합병증의 빈도는 8.5%였으며 수술 후기 합병증이 발생한 경우는 7.7%였다. 수술 후 사망한 예는 없었으며 약 3% 만이 상복부 불쾌감 내지 복통을 수술 후에도 가지고 있다고 보고되었다. 그러나 적절한 치료가 조기에 시행되지 않는 경우에는 담도염과 그 합병증, 췌장염과 그 합병증, 간의 손상과 간 기능부전 등을 초래할 수 있으며 악성종양이 발생 할 수 있다.

요약

온담관낭이란 여자, 그리고 동양인에 흔한 담관의 비가역적으로 확장된 상태를 말하며 원위부 폐쇄로 인한 담관의 가역적 확장과 구별되어야 한다. 온담관낭의 분류는 Todani씨의 5가지 분류가 가장 많이 쓰이고 있으며 이 분류에 따르면 제I형이 가장 많다. 온담관낭은 담관의 확장 이외에도 다양한 형태의 췌담관계의 형태적 이상을 동반하고 있는 경우가 많으며 공동통로 이론을 뒷받침하는 췌담관합류이상이 존재하는 경우가 많으나 이 이론만으로는 모든 온담관낭의 발병기전을 모두 설명 할 수 없다. 온담관낭은 복통, 복부덩어리, 황달, 간염, 췌장염, 담관염등을 일으키며, 무엇보다 췌담관계 악성 종양의 원인이 되므로 조기진단과 조기수술을 하여 되도록 완전 절제하여야 하며 수술이 성공할 경우 예후는 좋은 편이다.

VI 장중첩증

1. 서론

장중첩증은 장관에서 근위부가 원위부 장관으로 중첩되어 들어가는 상태를 말한다. 장중첩증은 유아와 학동전 아동에서 두 번째로 가장 흔한 급성복증이며 급성 소장폐쇄증의 빈번한 원인이다. 회장 말단부에서 시작하는 경우가 많으며 원위부인 결장으로 진행하게 된다.

장중첩증은 유소아중 1-4/2,000의 빈도로 발생한다. 남아에서 호발하며 남녀비는 약 2:1 혹은 3:2의 비율을 나타낸다. 장중첩증이 발생하는 연령은 출생 전 태아에서부터 10대 후반까지 사이에서 광범위하게 발생한다. 이중 75%정도는 2세이내에 발생하며 40% 이상이 3개월에서 9개월사이에 발생한다. 한국의 경우 정확한 통계는 없으나 35년간 발행된 대한외과학회에 발표된 소아외과 제목 논문 68편중 5466예를 대상으로 하여 가장 많은 소아외과 질환중의 하나 인 것을 간접적으로 알 수 있으며, 서구의 경우와 같이 남아에서 발생율이 더 높으며 1세 이하에서 호발하며, 특발성이 많았으며 남녀의 비율은 2.1:1로 조사되었다. 장중첩증은 태아에서도 관찰되며 결과적으로 신생아기에 회장폐쇄증으로 나타나는데 재태기중의 발생 원인은 아직 밝혀지지 않았다. 신생아기의 장중첩증은 전체의 0.3%에서 발생하는데 이런 경우 연령이 많은 소아에서의 장중첩증과 같이 병리적 선두점이 있을 가능성이 높다.

2. 병태생리와 원인

장중첩증은 장의 연동운동에 따라 근위부가 중첩되어 원위부 장관안으로 장간막과 함께 원위부 장관 안으로 따라 들어가게 되어 장간막 혈관이 눌려 혈류가 감소하게 된다. 이와 같은 변화는 감입부에 심한 국소적 부종을 유발하게 되며, 정맥 압박, 울혈이 일어나며, 장중첩부위 점막에서 점액과 혈액이 나오게 되어 전형적 증상인 혈성점액성 대변이 발생하게 된다. 이와 같은 변화가 지속되면 장관의 울혈은 더 심해지게 되어 결국 장관의 허혈성괴사가 일어나게 된다. 이와 같은 변화는 실험을 통해서 관찰되었으며 실험 결과상 감입부의 가장 바깥 층이 괴사가 가장 먼저 일어나게 되며 감입부의 가장 안쪽 층은 나중에 괴사가 일어난다. 허혈성 괴사는 72시간 이상 지속될 때 발생하며, 계속 진단이 안되고 진행되면 장폐쇄, 천공, 패혈증이 발생하여 5일이내에 사망하게 된다.

장중첩증은 4가지의 큰 형태로 나뉘어 지는데, 그 4가지는 일반적, 특이적, 해부학적, 그외의 것이다. 일반적 원인의 두가지는 원인은 영구적(80%), 일시적(20%)이며, 특이적 형태는 특발성(95%), 원발성(4%), 수술 후(1%)이며, 해부학적 분류상 회장결장형(85%), 회장회장결장형(10%), 충수돌기결장형, 맹장회장형 혹은 회장회장형(2.5) 등이다. 그외의 분류에는 재발성(5%), 신생아기(0.3%)가 포함된다.

가장 흔하게 볼 수 있는 있는 특발성의 경우 최근의 바이러스 감염 등에 의해 말단부 회장의 Peyer's patch가 두꺼워져서 발생하는 것으로 추정하고 있다. Peyer's patch는 대부분 장간막 반대편의 장관 벽에 위치하나 회장 원위부로 갈수록 Peyer's patch는 회장의 둘레 전체에 걸쳐 있게 된다. 만일 바이러스 감염이 되면 Peyer's patch가 비후되며, 특히 장연동운동에 의해 장 내강이 좁아지게 되면서 이 부분이 선두점으로 되어 장중첩증이 발생하게 된다. 장관의 연동운동에 의해 비후된 부위가 원위부쪽으로 들어가게 되어 장중첩이 발생하게 되는데 생후 6-24개월 사이에 발생하는 특발성 장중첩증은 특별한 원인이 발견되지 않는다. 환자의 최근 병력에서 바이러스성 장염, 상부소화기 감염, 로타바이러스 백신 주사 후 에도 관찰이 보고 되었는데, 소아 장중첩증 환자에서 바이러스 감염과 확실하게 관련성이 있는 경우는 약 20%정도이며, 아데노바이러스와 로타바이러스와 관계가 있다.

병리적 선두점pathologic lead point가 있는 장중첩증은 소아 장중첩증중 최대 약 12%에서 관찰되며 환아의 나이가 많을수록 발생율이 높아진다. 따라서 특발성으로 발생

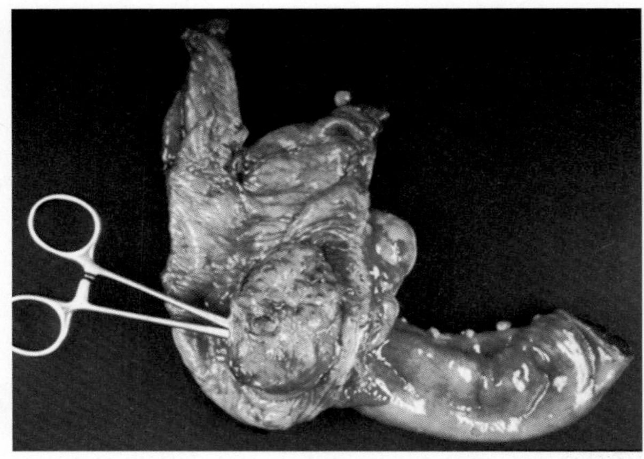

그림 7-19 악성 임파종에 의한 장중첩증

하는 연령 범위를 지난 경우는 병리적 선두점이 있는지 반드시 확인해야 한다. 가장 흔한 원인은 멕켈씨 게실이며, 그 외에 용종, 충수돌기, 임파종과 같은 장의 신생물, 혈소판 비감소성 자반증henoch schonlein purpura와 관련된 점막하 출혈, 이소성 췌장 혹은 위장조직, 낭종성 장관 중복증 등이 있다. 대부분의 원발성 장중첩증은 특발성과 유사하게 관장을 통한 방법으로 정복된다. 병리적 선두점의 진단은 복부 초음파 검사와 관장 정복술시의 영상소견이다.

수술 후 장중첩증은 수술 후 초기에 소장폐쇄증으로 나타나며, 장시간 복부 수술을 한 경우에 많이 발생한다. 선두점은 존재 하지 않으며, 복부 외의 수술 후에도 발생할 수 있다. 진단에 중요한 점은 수술 후 초기에 장폐쇄증이 나타날 경우 수술 후 장중첩증을 의심할 수 있는 경각심을 가지는 것이다(그림 7-19).

장중첩증의 발생은 계절에 따른 빈도의 차이를 보이는데 기관에 따라서 다양한 결과를 나타내며 또한 같은 기관이라도 시대에 따라 차이를 나타낸다. 대부분의 경우 바이러스감염과 상관관계가 있는 계절적 차이를 보이고 있다. 1950년대 후반에는 5, 6월에 연중 일회의 가장 높은 발생을 보였으나 최근에는 1월과 7월에 발생하는 두 개의 최고발생의 경향을 보이는데 여러 연구의 결과에서 공통적으로 가장 많이 발생하는 계절은 일년 중 5, 6, 7월이다.

3. 임상 양상

장중첩증은 2개의 전형적인 증상인 복통, 구토 중 한가지 혹은 두개의 전형적인 소견인 복부 종괴와 직장 출혈이 있는 경우 의심을 해야 한다. 대부분 증상 발현 후 24시간 이내에 진단되며, 재발성인 경우는 더 쉽게 진단되어 8시간 이내에 진단된다.

진단에 중요한 점은 급성 경련성 복통여부이다. 일반적으로 그 외의 다른 증상과 징후로 알려져 있는 구토, 장출혈, 복부종괴는 장중첩증을 확진하는데 도움이 되는 소견이다. 따라서 4가지 전형적인 증상과 사인이 모두 나타나기를 기대한다면 진단이 지연되기 쉽다. 그러나 4가지 증상과 사인이 나타나는 경우는 전체의 30%정도밖에 되지 않는다. 또한 4가지 중 3가지이 나타나는 경우는 40%밖에 되지 않으며 2가지가 있는 경우는 20%, 한가지 증상이 있는 경우는 10% 밖에 되지 않는다 전체의 20%정도에서는 설사와 같은 장염 증상이 먼저 나타나 진단이 어려운 경우도 있다.

가장 흔한 전형적인 증상은 간헐적으로 나타나는 심한 급성 경련성 복통으로 전체의 약 85%에서 나타난다. 통증이 발생하면 다리를 배쪽으로 굽히게 되며, 수 분간 지속되는데 경련성 복통이 지난 후 환아는 조용해 지며, 창백하거나 땀을 흘리면서 정상적인 활동상태로 돌아간다. 표현을 할 수 있는 소아는 복통을 호소하며 그 위치를 지적한다. 중요한 점은 유소아의 약 15%에서 확실한 복통을 호소하지 않는 점이다. 따라서 복통이 없는 경우라도 반드시 장중첩증을 없다고 할 수는 없다. 두 번째로 흔한 증상은 담즙성 구토이며, 유아에서 더 흔하게 나타나며 구토증상이 없어도 장중첩증을 배제할 수는 없다.

복부 종괴와 직장 출혈은 가장 흔하게 나타나는 전형적인 임상소견이다. 복부종괴는 소시지모양의 종괴로 표현되며 우상복부에서 촉지되는데 횡행결장을 따라서 심와부를 지나 좌측으로 연결되어 만져진다. 종괴는 경미한 압통이 동반되며 환아가 복통이 나타나는 사이에 환자가 비교적 편하게 누워있을 때 만져진다. 통증이 동반되지 않는 경우는 시간이 많이 경과한 후 쇼크, 창백, 안절 부절하며 심하게 아픈 상태로 발견되기도 한다. 이런 증상이 나타날 때 복부 종괴가 처음 발견되기도 하며, 가끔 종괴가 복부에서 육안상 발견되기도 한다. 장중첩증이 계속 진행되어 직장수지검사상에서 촉진되는 경우도 전체의 5%에서 관찰되기도 한다. 직장 출혈은 복부 종괴 보다는 더 흔하게 나타나는데 유아에서는 95%, 소년기에서는 65%가 나타난다고 하였다. 장중첩증이 발생한 후 대변을 배설할 때 출혈이 나타나며 점액질의 모양을 나타나게 되어 특징적인 혈성점액성 대변을 나타내어 "건포도 젤리Currant Jelly"라고 표현하기도 한다. 직장 출혈이 나타나면 대부분 병원을 신속히 방문하게 된다. 대개 복통이 나타난 후 직장출혈이 나타나게 되는 경우가 많다. 장중첩증이 산통성 통증과 혈성점액성 대변이 장중첩증에서 흔히 나타난다는 것을 잘 알지만 직장출혈이 나타나지 않을 수 도 있다는 것을 모르기 때문에 진단이 지연되는 경우가 많다. 직장 출혈이 처음 발견되는 경우가 대부분 직장 수지검사 상에서만 나타나는 경우가 많고, 잠혈로 나타날 수 도 있으므로 장중첩증이 의심되는 경우는 반드시 잠혈검사를 해야 한다. 직장 출혈은 일반적으로 가장 늦게 나타나는 사인이다.

4. 진단

장중첩증의 정확한 진단은 임상적으로 약 50% 정도에서 내려진다. 정확한 진단은 영상진단 검사에 의한다. 이용되는 검사 방법으로는 단순 복부촬영, 복부 초음파, 복부 전산화 단층촬영, 대장 조영술이다.

장중첩증이 의심되는 경우 단순 복부촬영의 역할은 아직 명확하지 않다. 최대 약 50%정도에서 장중첩증이 확인될수 있다고 하였다. 단순 복부 촬영 소견상 결장 전체에 걸쳐서 공기 음영이 보이거나 대변이 차 있는 경우 장중첩증을 배제할수 있다. 단순 촬영에서 장중첩증의 특징적인 소견은 meniscus sign과 targen sign이다. 그외에 장중첩증의 비특이적 소견으로서 공기음영이 없는 맹장과 같이 우측 복부에 연부종괴 소견이 보이는 경우이다. 최근에는 복부 초음파가 널리 시행되고 있기 때문에 단순 복부 촬영은 진단에 반드시 필요한 검사는 아닌 것으로 생각되나 만일 복막염이나 장천공이 있는 경우에는 단순 촬영이 큰 도움이 된다.

복부 초음파 검사는 장중첩증의 진단에 매우 유용하여, 숙련된 검사자에 의한 경우 100%의 정확한 진단율을 보인다. 장중첩증의 특징적인 초음파 소견은 장중첩증의 병변을 종으로 놓여진 모습인 경우는 거짓신장징후pseudokidney sign 혹은 횡으로 보일 때 표적 징후target sign, 도넛 징후 소견이다. 복부 초음파 검사의 장점은 이동이 용이하여 간편하며, 비침습적이며, 방사선 조사가 없는 점이다. 또한 Duplex 초음파 검사를 이용하면 장의 생존여부도 알 수 있으며, 병리적 선두점을 다른 조영술 검사 혹은 공기 관장 보다도 더 정확히 알아낼 수 있고 복강내의 다른 질환을 감별하는데 용이한 점이다.

바륨 대장 조영술은 1980년대에 복부 초음파 진단 방법이 광범위하게 이용되기 전까지는 장중첩증의 진단에 가장 중요한 수단이었다. 이 방법은 아직도 이용되고 있으며, 신속하고, 저렴하며 100%의 진단 정확도를 보이는 방법이다. 또한 진단이 내려지면 바로 치료수단으로 이용되며, 초음파 검사와는 달리 언제나 이용될 수 있는 장점도 있다. 그러나 침습적 방법이며, 방사선 조사를 받아야 하는 단점이며, 장중첩증이 의심되어 조영술을 시행한 경우 50% 이상이 음성으로 보고되어 진단율이 낮은것도 문제로 지적되었다. 이런 경우 복부 초음파검사가 진단에 더 유용한 방법이다.

5. 치료

장중첩증의 치료는 응급실 도착 직후부터 시작되어야 하며 치료 초기부터 외과의사가 참여해야 한다. 초기에 수액공급이 충분히 되어야 하며 구토 증상이 있으면 비위장관을 삽입하여 위내용물을 흡입해 낸다. 혐기성 세균에 예민한 항생제의 정맥 투여를 시작 하며 개복수술시 필요할 지 모를 수혈을 위한 교차적합검사를 시행한다. 초기

소생술을 시행함과 동시에 전신 상태 평가와 복막염의 발생 여부를 관찰하여 복막염이 없는 경우는 영상진단학적 정복술을 시행하며 복막염이 존재하는 경우, 전신 상태가 좋지 않은 경우, 혈역학적인 불안정성이 있는 경우는 응급 개복술이 필요하다.

장중첩증이 의심될 때 바륨 대장 조영술과 정복술 혹은 공기를 이용한 정복술은 진단과 치료방법으로서 가장 좋은 선택이다. 이런 검사 시 장천공의 발생에 매우 유의해야 하는데, 복막염 소견이 있거나 혈역학적인 불안정성이 있는 경우는 피해야 한다. 최근에는 공기 압력을 이용한 공기 정복술이 더 많이 시행되고 있다. 압력을 이용한 정복술의 성공률은 80%이상이며, 정복 여부는 종괴가 없어지며, 가스가 근위부 회장으로 들어가는 소견을 보면 확인할 수 있다. 환아에게 방사선 조사의 위험을 줄이기 위해서 복부 초음파로 관찰하면서 생리식염수를 이용한 정복술을 시행하기도 한다. 재발율은 약 11%이며, 대개 첫 24시간 이내에 관찰된다. 재발한 경우 수압정복술을 시행한다. 세 번째 재발한 경우는 수술을 고려해야 한다.

전신상태가 안정적인 경우에 공기 정복술은 진단과 치료목적으로 시행된다. 이 방법은 장중첩증의 비수술적 치료 뿐 아니라 진단법으로도 선호된다. 공기는 압력계를 통해서 주입되며, 압력은 정확하게 측정되어야 한다. 대부분의 경우 압력은 처음에 50mmHg의 저압력으로 시작하며 120mmHg 이상을 넘어서는 안된다. 성공적인 정복은 폐쇄부 원위부에 있던 장관 내 가스가 분출되거나 증상의 소실이 관찰되는 것으로 확인할 수 있다. 만일 이 두 가지 소견이 관찰되지 않으면 아직 정복되지 않은 것으로 생각해야 한다. 이 방법은 매우 쉽게 시행할 수 있으며 신속히 할 수 있다. 또한 바륨 정복보다 청결하며 방사선 피폭이 적으며 조금 더 편안하며, 천공이 된다 해도 천공부위가 작으며 복강내 오염도 적은 장점이 있다. 이 방법의 단점은 공기를 회장 말단부까지 넣기가 어려우며, 천공이 되는 경우 긴장성 기복이 되는 점이다.

만일 비수술적 정복이 성공적이면 환자의 상태를 관찰한 후 경구를 통한 수분 섭취 여부를 결정한다. 만일 정복이 성공적이지 않았으나 환자가 안정적이면 방사선적 정복술을 재시행 할 수 있는데 그 시점은 첫 방사선적 정복술 후 수 시간 이내이어야 한다. 또한 공기정복술이 실패한 경우 바륨 정복술이 이용될 수 있는데 영상진단학적 정복술의 전체적 성공률은 60-90% 정도이다.

관장 정복을 시도한 후 최소한 수 시간 정도 관찰해야 하며 환자의 상태를 관찰하여 정복의 성공여부를 관찰해야 한다. 만일 장중첩증이 조기에 발견되었으며, 구토증상이 없는 경우, 관장 정복이 성공적이고 쉬웠던 경우, 환아가 협조적일 때, 환자의 집이 병원과 가까울 때는 환아는 입원할 필요 없이 귀가 시킬 수 있다. 대부분의 환자는 병원에 입원시켜야 하며 추가적인 치료를 받아야 한다. 관장 정복이 성공한 후 환아는 미음으로 식이를 시작할 수 있으며, 수액 투여는 점진적으로 감소시킨다. 만일 환아가 소장폐쇄증이 있었다면 비 장관 삽입을 하여 장기능이 정상적으로 돌아올 때까지 관찰한다. 장 기능이 정상적으로 돌아올 때까지는 수시간 이상의 시간이 필요하다. 따라서 이런 환자의 경우는 비위관을 하루 밤 이상 유지 하는 것이 좋다. 환자가 열이 없는 경우 그람 음성균과 혐기성균에 대한 항생제투여를 할 필요가 없다. 정복 후 열이 있는 경우는 패혈증이 있는 것을 의미할 수도 있으며 이런 경우는 항생제 투여를 48시간 이상 시행한다.

수술의 적응증은 수압 정복술에 실패한 경우 혹은 수회의 재발이 있는 경우, 장천공, 복막염 소견이 의심되어 수압 정복술을 시행할 수 없는 경우, 완전 소장 폐쇄증, 소장내에 폐쇄 병변이 의심되는 경우를 들 수 있다. 장절제술은 도수 정복되지 않을 때, 정복 후 장관의 생존 징후가 불확실하거나 없는 경우, 병리적 선두점이 있을때 시행한다.

전신마취 후 절개는 대개 우측복부에 횡절개를 하며 장중첩이 많이 진행된 경우 상복부 정중앙 절개를 할 수 있다. 절개위치는 장중첩증의 크기와 위치를 생각한 후 결정해야 한다. 대부분의 경우 장중첩증이 우측에 위치하지만 심한 경우일수록 장중첩증이 원위부로 진행되어 복부 좌측에 위치하게 된다. 따라서 개복 전에 종괴를 촉지하여 위치를 확인한 후 절개 부위를 결정해야 한다. 복강

내로 들어갈 때 복수가 검붉은 색을 보일 때는 장의 괴사를 시사한다. 절개 후 장중첩증 부위를 찾아 절개창을 통하여 밖으로 노출시킨 후 도수 정복을 시행한다. 도수 정복은 일정한 힘을 서서히, 치약을 짜듯이 원위부에서부터 힘을 가하는 것이며, 근위부 장을 잡아 뽑아서는 안된다. 정복 후 중첩되었던 장은 대개 검푸른색을 나타내며, 충혈과 부종이 동반되어 있어, 병변 부위의 생존 여부를 판단해야 한다. 허혈성 괴사가 없는 경우는, 정복 후 5-10분정도 경과 후 검푸른색의 병변 부위는 회복되어 정상범위의 육안소견을 보이게 된다. 만일 정복된 장의 생존 여부가 불확실하면 그 부분은 절제되어야 한다. 도수 정복 후 병리적 선두점 존재여부를 확인해야 하며, 특히 회장 회장형인 경우는 더 유의해야 한다. 충수돌기도 중첩증에 포함되거나 영향을 받는 경우가 빈번하여 충수돌기절제술을 같이 시행하기도 한다. 만일 육안 상 괴사가 발생한 경우는 절제 후 일차문합을 시행한다. 최근에는 복강경을 이용한 정복술이 많이 시행되고 있다. 이 방법은 3-5mm 포트를 좌우 하복부에 삽입 후, 먼저 괴사 여부를 확인한 후 장중첩증 원위부를 잡아 당겨 정복을 시행하게 된다. 이 방법은 개복을 통한 도수 정복시에는 금기 방법이므로 신중하게 시행해야 한다. 복강경이 불완전하게 정복된 장중첩증의 존재를 확인하기 위한 첫 번째 검사 방법이 되기도 하는데 이런 경우 정복을 쉽게 할 수 있게 도울 수 있어서 큰 절개를 피할 수 있다.

수술 후 수액 공급은 수술 후 마비성 장폐쇄가 회복될 때까지 지속한다. 장운동의 회복을 확인 한 후 옅은 유동식으로 시작하며 식이는 점차 고형식으로 환자의 적응여부를 관찰하며 서서히 진행시킨다. 회복과정에서 주의해야 할 점은 재발성 장중첩증이 5-10% 정도에서 발생하는 점이며 수압을 이용한 정복술 혹은 수술적 정복 후나 같은 유병률을 나타낸다. 재발성 장중첩증이 의심되는 경우는 공기정복술을 다시 시행하는데 대부분 성공적으로 정복이 된다. 3-4번 이상의 중첩증이 된 경우는 병리적 선두점을 염두에 두고 조영술을 통해서 확인해야 한다. 세 번째 재발 후에는 대부분 개복술을 시행하여, 병리적 선두점이 발견되면 제거한다.

과거에 비해 비수술적 치료의 발전으로 성공률은 약 90%정도로 향상되었다. 재발성 장중첩증은 8-15%에서 발생한다. 수압 혹은 공기 관장 정복 후 약 10%에서 발생하며 수술적 도수 정복 후에는 약 3%에서 발생하며 장절제 후에는 재발이 관찰되지 않았다. 재발성 장중첩증의 경우 정복률은 약 95%로서 높았는데 그 이유는 조기에 진단되며 중첩이 되었다 해도 느슨하게 발생하기 때문인 것으로 추정된다. 장중첩증은 1920년대에는 60%정도의 높은 사망률을 보였으나 1940년대 후반에는 약 3%정도의 사망률 감소를 보였으며 최근에는 개발 도상국가에서의 소아 장중첩증의 사망률은 매우 낮아서 1%이하를 보인다.

요약

장중첩증은 근위부 장이 원위부로 중첩되어 장 폐쇄가 일어나는 상태를 말한다. 가장 흔하게 볼수 있는 특발성 장중첩증은 생후 12개월 전후에 발생하는 형태이며, 원발성은 병리적 선두점이 있어 발생하는 것을 말한다. 특발성의 경우 구토, 복부종괴, 직장출혈(currant jelly color)의 세가지 증상이 나타나는데, 이 모든 증상이 동시에 나타나지 않아 진단이 지연되는 경우가 많아 주의해야 한다. 따라서 특징적인 나이의 소아에서 유사한 증상이 나타나면 강한 의심을 가지고 다음 단계의 진단검사를 시행해야 한다. 원발성의 경우는 대개 생후 2세 이후에 발생하는 장중첩증의 경우 의심할수 있다. 멕켈씨 게실이 가장 흔한 원인이며 용종, 충수돌기, 임파종에 의해 발생한다. 원발성의 경우는 반드시 수술적 절제를 하여 확인해야 한다. 장중첩증이 의심되는 경우 복부 초음파, 복부 전산화 단층촬영이 시행될수 있으며, 진단과 치료를 위한 공기 혹은 바륨 정복술이 시행된다. 관장 정복이 안되는 경우 개복 혹은 복강경적 응급수술을 시행하여, 도수 정복을 시행하고, 정복이 되지 않는 경우는 절제술을 시행한다.

VII 장폐쇄증

선천성 장관 무공증에 의한 폐쇄증은 소화기 장관의 어떤 부분에서도 발생할 수 있으며 대부분의 경우 태생기에 장혈관 폐쇄에 의해 장관이 부분적으로 괴사되어 발생하는 것으로 생각되고 있다. 장무공증의 유병률은 출생아 1/2,000-1/5,000의 빈도를 보이며, 성별간 발생빈도 차이는 보이지 않는다. 신생아의 장관 폐쇄증은 태변배설장애, 복부 팽만, 담즙성 구토, 모체의 양수과다증이 나타나며, 이 중 한가지 소견이 관찰되더라도 장관 폐쇄증을 의심하고 원인을 추정해 봐야 한다. 원인의 추정 시 폐쇄 높이를 추정하는 것이 중요한데 환자의 복부 소견과 복부 단순 촬영 소견으로 가능하다. 즉 장관의 원위부 폐쇄일수록 복부 팽만이 심하며, 복부 단순 촬영소견상 다발성 공기 액체층 소견이 광범위하게 관찰된다.

1. 십이지장 폐쇄증

1) 서론

십이지장은 신생아 장 폐쇄증 중 가장 흔하게 발생하는 곳이며, 전체의 약 50%정도를 차지한다. 십이지장 폐쇄증은 신생아중 1/6,000-1/10,000의 발생빈도를 보인다. 한국의 경우 정확한 통계는 없으나 십이지장 폐쇄증은 선천성 소장 폐쇄증 중 약 34%를 차지하였다. 십이지장 폐쇄증의 발생원인은 원위부에 발생하는 장관 폐쇄증과는 달리 십이지장 발생과정 중 재소통recanalization 과정의 이상으로 발생하는 것으로 추정되고 있다.

선천성 폐쇄증은 내인성과 외인성 원인에 의해서, 혹은 완전폐쇄(81%)와 부분적 폐쇄(19%)가 나타난다. 내인성 폐쇄는 불완전 혹은 완전 폐쇄증을 일으키는 다양한 두께의 막 구조에 의하거나 장관이 완전히 분리되어 발생한다. 외인성 폐쇄의 원인은 환상 췌장, 전 십이지장 간문맥, 장회전 이상, 장염전 등이 있다. 내인성 폐쇄는 1, 2, 3형으로 나뉜다(그림 7-20). 제 1형은 전체의 92%에서 나타나며 점막과 점막하층으로 구성된 막 구조에 의해 장이 폐쇄된다. 이 막 구조가 얇은 경우 폐쇄 증상이 지속되면서 막 구조가 원위부로 길게 늘어나게 되면 풍향계 변형 windsock deformity의 육안소견이 관찰된다. 즉 막의 기저부는 십이지장 제2부에 있는데 막이 늘어나면서 원위부로 밀려나게 되어 십이지장 제3, 4부가 늘어나게 보이므로 폐쇄부위가 실제 부위보다 훨씬 원위부로 보이게 된다. 제 1형에서의 막 구조 두께는 다양하여 아주 얇은 경우부터 수 mm의 두께를 나타낸다. 폐쇄성 막 구조인 경우 완전한 폐쇄를 일으키며 중앙에 천공이 있는 경우에는 불완전 폐쇄를 일으킨다. 제2형은 약 1%에서 관찰되며 짧은 섬유질 끈 구조가 폐쇄된 원위부, 근위부 십이지장을 연결하고 있는 형태이며 이런 경우 장간막이 존재한다. 제3형은 폐쇄가 일어난 부위 사이에 연결되는 구조가 없으며 장간막이 존재하지 않는 형태이다.

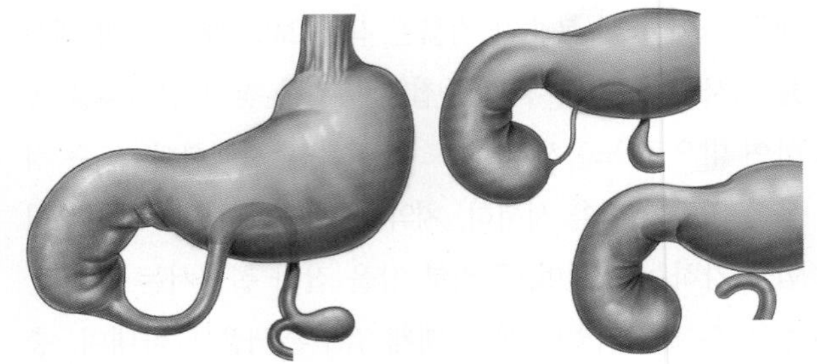

그림 7-20 십이지장 폐쇄증의 분류

내인성 폐쇄는 막 구조에 의해 폐쇄가 되는 것으로서, 십이지장의 어떤 부분에서도 발생할 수 있지만 85%에서 십이지장의 제1부와 제2부 사이에서 발생한다. 이 막 구조의 내측을 통하여 총수담관 말단부가 개구하므로, 개구부인 팽대부는 폐쇄부위의 근위부 표면에 위치하므로 수술 시 주의해야 한다. 환상 췌장의 경우, 환상 췌장 자체에 의해 폐쇄가 나타나기도 하지만, 환상 췌장이 있는 내부에 십이지장 폐쇄 혹은 협착이 실제 주 원인이기도 하다.

십이지장 폐쇄증은 약 30%에서 다운 증후군, 삼염색체 증후군을 동반하며 심장, 신장, 식도, 항문기형질환도 흔하게 동반된다.

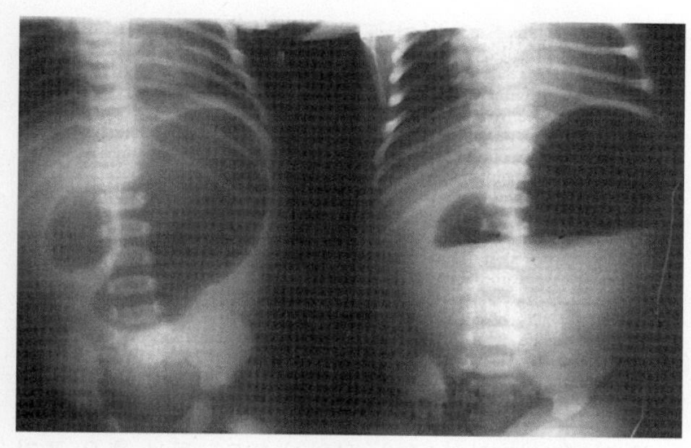

그림 7-21 **십이지장 폐쇄증의 단순 복부 촬영 소견인 'double bubble' sign**

2) 진단

십이지장 폐쇄가 의심되는 경우 가장 먼저 유념해야 할 점은 중장염전이 동반되어 있는지 여부를 확인하는 점이다. 급성 중장 염전이 의심되는 경우는 심한 중증으로서 응급 수술이 필요하다. 모체의 양수과다증이 약 30-65%에서 관찰되며 양수과다증에 의해 조기 진통을 유발할 수 있기 때문에 환자의 약 50%정도가 미숙아 상태이다. 출생 직후부터 반복되는 담즙성 구토는 십이지장 폐쇄가 있는 신생아의 특징적인 소견이다. 십이지장 폐쇄증에서 담관이 폐쇄 부위의 근위부로 개구하는 경우가 전체의 85%이므로 담즙성 구토를 나타낸다.

위장관의 원위부가 폐쇄된 상부 소화기 폐쇄인 경우 약간의 상복부 팽만은 나타날 수 있으나 전체적인 복부 팽만은 관찰되지 않는다. 비위관을 삽입하여 30mL 이상이 흡입되면 장관 폐쇄를 의미한다.

십이지장 폐쇄증은 단순 복부 촬영소견상 "double bubble" 소견으로 쉽게 진단될 수 있다. 이 소견은 십이지장 폐쇄증의 특징적인 소견으로서 십이지장 제2부의 폐쇄에 의해 위장과 십이지장 원위부에 공기음영이 보이는 것을 말한다(그림 7-21) 원위부 장관의 공기 음영이 보이지 않는 소견은 완전 폐쇄를 나타내는 소견이며 이런 경우는 확진을 위한 더 이상의 진단 검사는 필요하지 않다. 만일 원위부에 공기 음영이 관찰될 때는 중장 염전의 동반여부를 알기 위해 신속히 상부 소화기 촬영을 시행해야 한다. 만일 임상적으로는 십이지장 폐쇄증이 의심되나 "double bubble" 소견이 명확하지 않을 때는 비위관을 통해 공기를 30-60mL 주입하면 double bubble 소견이 나타날 수 있으므로 도움이 된다. Type I에서 부분적 폐쇄가 된 경우 증상이 늦게 나타날 수 있다. 이런 경우 첫 증상이 수유기에서 고형식이로 넘어가는 시기에 나타날 수 있으며 늦게 나타나는 경우는 유아기를 지나서 유년기 아동, 드문 경우에는 성인에서 발견되는 경우도 있다.

단순 복부 촬영 상 십이지장 폐쇄소견이 의심되면 조영술 촬영 없이 바로 근치적 수술을 진행해야 한다. 조영술이 필요한 경우는 내인성 십이지장 폐쇄증과 중장 염전을 감별하기 위해서이다. 조영술에서 십이지장 제3부에서 "부리모양 효과beaking effect"가 관찰되면 중장 염전을 의심하고 급히 수술을 준비해야 한다. 그 외에 조영술이 진단에 도움이 되는 경우는 유아와 소아에서 만성 부분적 폐쇄증의 증상이 있는 경우이다.

3) 치료

선천성 십이지장 폐쇄증의 첫 치료는 비위관 삽입 후 위장관 배액과 수액치료이다. 탈수 정도를 파악하여 수액치료를 시작해야 하며, 배액 된 장액은 동일한 양의 수액을 세포외 체액과 유사한 농도의 수액으로 보충해야 한다. 수술준비 시 중장염전이 아니라면 수술준비는 급하게 하지 않아도 된다. 극저 미숙아의 경우 신체의 크기와 폐 상태에 따라 수술을 연기하는 경우가 있으며 그런 경우는 위장관 배액, 경정맥 영양요법이 수 주간 필요하기도 한다.

수술은 우상복부에 간연과 배꼽 사이의 중간 지점 높이에 약간 중앙선 쪽으로 치우쳐 횡절개를 통해서 가장 쉽게 접근할 수 있다. 개복 후 우결장과 간만곡을 내측으로 박리하여 이동시킨 후 십이지장 원위부가 잘 보이게 하며, 십이지장 제3, 4부를 노출시켜, 장간막의 기저부와 트라이츠 인대를 완전히 노출시키도록 한다. 전체 십이지장이 노출되면 십이지장 폐쇄의 정확한 형태를 확인하기 용이하며, 이때 십이지장 2부에서 환상췌장의 동반 여부도 확인해야 한다. 완전 폐쇄 혹은 거의 완전 폐쇄에 가까운 십이지장 폐쇄증인 경우 크고, 늘어지고, 두꺼워진 구형으로 원위부 십이지장이 육안상 관찰된다. 제1형은 확장된 십이지장의 원위부와 공기가 없이, 작은 직경의 원위부 십이지장 소견이 관찰된다. 제2형 혹은 제3형인 경우는 박리도중 장이 연결되어 있지 않은 것을 알 수 있다.

근위부 십이지장이 심하게 확장되어 있는 경우 수술 후 장운동의 빠른 회복을 위해서 직경을 감소시켜 주는 테이퍼링 십이지장 성형술을 시행하는 것이 좋다. 봉합 주름잡기suture plication 혹은 GIA를 이용한 방법, 혹은 장의 측면 절제를 한 후 봉합하는 방법이 이용될 수 있다. 테이퍼링시 총수담관, 췌장, 팽대부에 손상을 주지 않게 하기 위해 테이퍼링 부위는 장의 전면 혹은 전면외측에 오게 해야 한다.

원위부와 근위부 십이지장이 외관상 단절 없이 연결되어 있을 때는 폐쇄된 부위와 가까운 원위부를 횡절개하여 문합을 시행하는데, 그 이유는 이 부위가 장 문합에 가장 적당하기 때문이다. 만일 폐쇄의 원인이 막에 의한 경우는 우회술 보다는 막구조를 제거해야 한다. 막구조 제거시에는 근위부 십이지장을 포함하여 절개한 후 제거하는 것이 용이하다. 막 구조를 제거할 때는 막 구조가 얇거나, 폐쇄원인의 확실한 원인으로 생각될 때 시행한다. 만일 팽대부가 막 구조의 내측에 있거나, 잘 보이지 않는 경우는 막구조의 외측만을 제거해야 하며, 제거 후 십이지장 봉합은 횡 방향으로 시행한다.

우회문합술을 시행할 경우 십이지장–십이지장 문합술이 가장 적합한 술식이다. 우회문합술의 선택에서 "다이아몬드 문합"이 "단순 문합"보다 더 많이 시행되고 있다. "다이아몬드 문합"은 폐쇄부위를 기준으로 하여 근위부에 횡절개, 원위부에 종절개를 하여 문합하는 방법으로 문합부위를 더 넓게 확보하기 위해서 고안되었다. 십이지장–공장 문합술은 십이지장–십이지장 문합술 다음으로 선택할 수 있는 술식으로, 환아의 해부학적 구조상 십이지장–십이지장 문합술을 시행하기 어렵거나 환자가 미숙아인 경우 선택할 수 있다. 십이지장–공장문합술은 십이지장–십이지장 문합술과 거의 동일한 결과를 나타내고 있다. 근위부 공장의 한 부분을 선택하여 십이지장에 접근시키는데 이때 횡행 결장의 장간막을 통과시켜서 시행한다. 문합하려는 장관의 장간막 반대편에 각 장관의 지름 정도에 해당하는 길이만큼 절개를 하여 문합술을 시행한다. 문합 전에 팽대부의 위치를 반드시 확인해야 한다. 만일 제3형과 같은 경우는 폐쇄된 원위부 장의 직경이 너무 작으므로 생리식염수를 장관 내로 주사하여 장의 직경이 확장되도록 한 후 시도하면 좋다. 문합시 10Fr. 튜브 혹은 폴리관을 근위부인 위장내부와 원위부인 공장까지 삽입하여 또 다른 폐쇄의 원인이 될 수 있는 막 구조가 있는지 여부를 확인해야 하며, 회장의 통과여부를 확인하기 위해서는 생리식염수를 튜브를 통하여 통과시켜 본다. 문합이 완료된 후 비위관의 끝은 위장 내에 위치하도록 한다. 위루술은 일상적으로 시행하지 않는다. 위공장 문합술은 변연궤양, 맹계제증후군과 같은 후기 합병증의 발생빈도가 많기 때문에 시행해서는 안 된다.

수술 후 위장관 배액술을 지속하며 수액과 전해질 투여, 경정맥 영양요법을 시행해야 한다.

4) 합병증

수술 후 초기의 가장 흔한 문제는 지속적인 장 운동 저하로 인해 장시간 금식이 지속되는 것이다. 이런 경우는 장운동 활성제를 투여해도 별 효과가 없으며 일반적으로 수술 후 2–3주 이내에 회복되지 않으면 상부 소화기 촬영을 시행한다. 상부 소화기 촬영으로 문합 상태, 문합 후 협착 가능성, 다른 부위의 폐쇄 가능성, 연동운동을 확인할 수 있다. 만일 장의 연동 운동 회복이 장시간 지연되나 특별한 폐쇄원인이 없다고 판단되는 경우는 근위부 십이지장에 다른 테이퍼링 십이지장성형술을 추가적으로 시행해야 한다. 추가적인 수술은 방사선 검사를 통한 소견과 장관의 기능을 고려해서 결정해야 한다. 막에 의한 폐쇄인 경우 특히 길고, 늘어진 막 구조에 의해서 원위부 폐쇄부위가 지나치게 늘어난 경우 문합 부위를 잘못 선택하여 문합 시 문제가 될 수 있다. 또한 다발성 폐쇄인 경우 문제가 될 수 있다. 이와 같은 문제점을 위해 수술 시 문합 전에 카테터를 원위부, 근위부로 충분히 삽입하여 확인하는 것이 중요하다. 후기 합병증은 십이지장 확장증, 장관 운동 이상, 위식도역류 등이 있으며 약 12-15%에서 발생한다. 십이지장 폐쇄증의 최근 생존율은 90% 이상이다.

2. 공장회장폐쇄증

1) 서론

신생아 장폐쇄증의 주요 원인으로서 완전 폐쇄가 되는 경우는 95%이며, 협착인 경우는 5% 정도이다. 발생 빈도는 지역간 차이가 있어 1:330-1:1,500정도의 차이를 보인다. 이 질환은 환아의 엄마가 슈도에페드린을 단독으로 혹은 아세트아미노펜과 병용 복용한 경우, 편두통이 있는 엄마가 주석산 맥각ergotamine tartrate과 카페인을 임신기간 중 복용한 경우에 발생 위험이 높다. 임신후기의 태아에 장간만 혈관 이상 즉 염전, 장중첩증(그림 7-22), 내부 탈장, 복벽 결손 기형에 의해 장간막이 눌리는 경우에서 발생한다. 대부분의 공장회장 폐쇄증은 단독기형이 많으며 다른 기관이나 장기에는 문제 없는 경우가 많다.

소장의 폐쇄증은 공장과 회장에 같은 비율로 발생한다. 단독으로 발생하는 경우가 대부분이나 다발성인 경우는 6-20%정도이며 근위부 공장에서 주로 나타난다. 공장회장 폐쇄증은 4가지로 나뉜다(그림 7-23) 제1형Type I은 막 구조에 의한 폐쇄로서 장관의 벽과 근육층은 정상이며 장간막이 온전한 경우를 말한다. 제2형Type II은 완전히 폐쇄된 장이 섬유성 띠에 의해 연결된 경우를 말한다. IIIa형은 두 끝이 장간막의 V형 결손으로 분리된 상태로서 가장 흔한 형태이다(그림 7-24) IIIb형은 "apple-peel" 형태 혹은 크리스마스 트리 모양을 보이는데 무공부위 이하의 혈류 공급은 회장결장동맥 혹은 우측결장동맥으로부터 역으로 공급받는다. IV형은 다발성 무공증을 말하

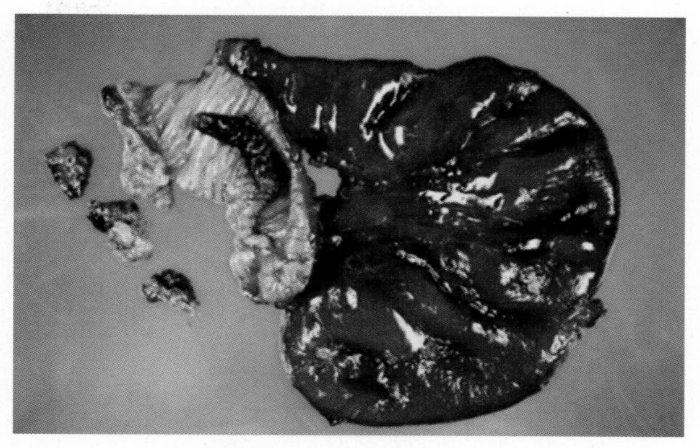

그림 7-22 회장폐쇄증 수술 후 폐쇄부위의 육안소견. 태아에서 발생한 장중첩증의 흔적

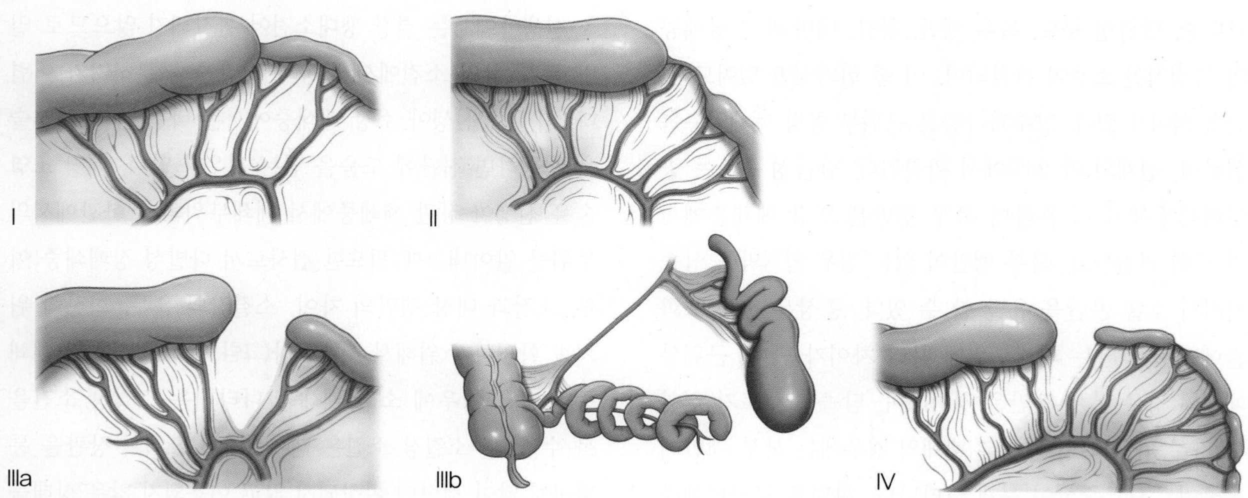

그림 7-23 공장회장폐쇄증의 육안상 분류

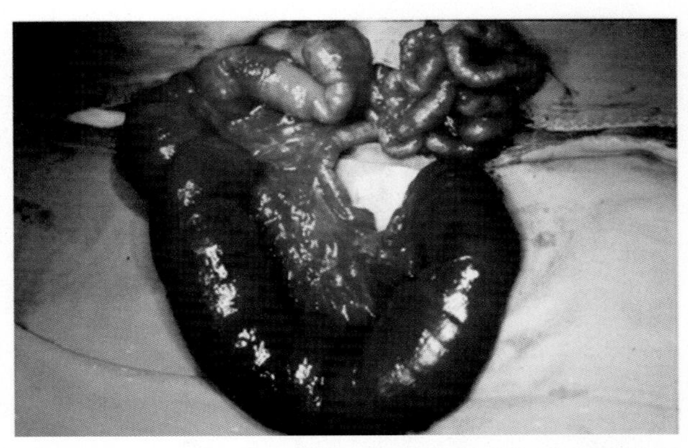

그림 7-24 가장 흔한 회장폐쇄증(제IIIa형)의 육안 소견

며 '소시지 줄string of sausage, string of beads' 모양을 보인다. 다발성 소장 폐쇄증은 10-15%에서 나타나며 동반기형은 매우 적으나 낭포성 섬유증이 약 10%에서 동반 된다. 모체에서 양수과다증이 있는 경우 산전 초음파 검사를 통하여 소장폐쇄증, 염전, 태변성 복막염을 알아낼 수 있으며 소장 폐쇄의 경우 회장 폐쇄증 보다는 십이지장 폐쇄증을 더 쉽게 알아낼 수 있다. 산전 진단상의 소장 폐쇄증이 의심되는 소견은 다발성으로 팽창된 소장과 증가된 장 연동 운동이 관찰되는 경우이다.

2) 임상 양상 및 진단

신생아에서 공장회장 폐쇄증이 있는 경우 모체의 양수과다증, 담즙성 구토, 복부 팽만, 황달, 태변 배설 장애등의 특징적인 소견이 관찰되며, 이 중 한가지만 있어도 진단적 의미가 있다. 양수과다증은 근위부 공장 폐쇄일수록 심하며, 전체의 약 24%에서 관찰된다. 담즙성 구토는 공장폐쇄증에서 더 흔하며 복부 팽만은 회장 폐쇄증에서 더 흔히 관찰된다. 복부 팽만이 있는 경우 횡격막을 상승시켜서 호흡 곤란을 유발 할 수 있다. 증상은 전체 소화관에서 위치하는 폐쇄부위에 따라 차이가 난다. 근위부 폐쇄인 경우 복부 팽만은 경미하며, 담즙성 구토가 심하고 자주 나타나며, 원위부 폐쇄의 경우에는 복부 팽만이 심하며, 구토 증상이 늦게 나타난다. 황달은 공장폐쇄증의 약 32%에서 관찰되며 회장 폐쇄증에서는 약 20%에서 관찰된다. 소장폐쇄증에서 관찰되는 황달은 간접 빌리루빈의 증가에 의한다.

진단방법으로 처음 시행할 수 있는 방법은 앙와위와 직립위(우측 측와위)에서의 단순 복부 방사선 촬영이다. 영상 소견에서 공기유영층의 확인, 복강 내 유리 공기음영을 구분할 수 있으며 폐쇄 부위의 원위부, 근위부 여부를 구분할 수 있다. 공장회장 완전 폐쇄증은 방사선 검사로 확진 될 수도 있다. 근위부 공장 폐쇄증인 경우 공기액체층은 적으며 이 지점으로부터 공기음영은 보이지 않는다. 원위부 폐쇄증일때 복부 팽만이 심해지며, 다발성 공기 액체층이 많이 관찰되며 폐쇄부위는 더 확장된 장으로서 나타난다. 임상양상과 단순복부 촬영 소견상 다발성 공기액체층 등으로 소장의 완전 폐쇄가 의심되면 대장 조영술과 같은 추가 검사 없이 수술을 시행한다. 복막 석회화는 약 12%에서 관찰된다. 이 소견은 태변성 복막염이 있음을 시사하며, 재태기 동안의 장 천공을 의미한다. 그 외에 장관 내 석회화를 보이기도 하는데 이런 소견은 출생 전 염전을 의미하기도 한다. 거대한 낭종성 태변성 복막염인 경우, 단순 촬영에서 태변성 가성낭종 내에 크기가 큰 공기액체층이 관찰되기도 한다. 이와 같은 소견은 태아 말기에 장 천공이 있었음을 시사하는 소견이다. 진단이 불확실하거나 원위부 장관 폐쇄증이 의심될때는 대장 조영술을 시행한다.

신생아에서는 결장 팽대소견이 관찰되지 않으므로 일반 복부 촬영 소견에서 소장과 결장을 구분하기가 어렵다. 따라서 신생아 소장 폐쇄증에서는 바륨 대장 조영술을 시행하면 진단에 도움을 얻는 경우가 많다. 대장 조영술은 신생아 장관 폐쇄증에서 폐쇄부위의 소화관에서의 부위를 알아내는데 필요한 검사로서 다발성 장폐쇄증 여부, 소장과 대장 팽만의 차이, 소결장의 유무, 회장의 위치를 확인하기 위해서 시행한다(그림 7-25) 공장회전 폐쇄증의 많은 경우에 소장 폐쇄를 나타내는 소결장 소견을 볼 수 있다. 소결장 소견은 태아시기에 장액이 장관을 통과하지 않아 결장이 확장되지 않고 이용되지 않은 상태를 의미한다. 드물게 공장회장 폐쇄증이 있음에도 소결장 소

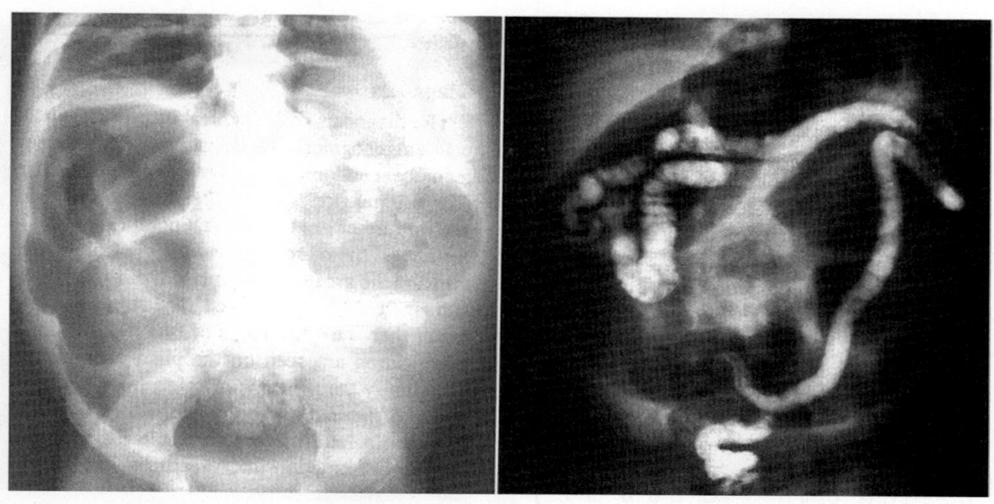

그림 7-25 **회장폐쇄증의 단순 복부 소견에서 확장된 소장 소견과 대장 조영술 소견상 소결장 소견**

견을 보이지 않고 정상 소견을 보이는 경우가 있는데 이런 경우는 자궁 내 혈관 이상이 임신 말기 후반부에 발생한 경우이다. 특히 이런 경우는 자궁 내 장중첩증에 의한 경우에 나타난다. 공장회장 폐쇄증의 경우 상부소화기 촬영은 완전폐쇄가 의심될 때 시행하며 대부분 시행하지 않는다. 만일 대장 조영술을 시행하여 소결장 소견이 보이지 않으면 Hirschsprung씨병, 소좌결장증후군, 태변성 마개 증후군을 의심해야 한다.

신생아에서 공장회전 폐쇄증과 유사하게 나타나는 질환은 다양하다. 감별 진단해야 할 질환들은 중장염전과 장회전 이상, 태변성 장 폐쇄증, 장 중복증, 내부 탈장, 결장 폐쇄증, 전결장 무신경절증, 장관 신경이형성증 등을 들 수 있다. 패혈증과 동반된 마비성 장폐쇄증에 의해서도 유사한 증상이 나타나서 주의해야 한다. 합병증이 동반되지 않은 태변성 장폐쇄증의 경우 공장회장 폐쇄증의 경우와 같이 장이 확장된 소견과 공기음영은 적거나 거의 없는 소견을 보이는 경우가 있다. 이런 경우는 단순 복부 촬영상 Neuhauser' sign (ground-glass appearance) 혹은 soap-bubble sign of Singleton이라는 소견이 관찰될 수 있다. 이와 같은 환아는 합병증이 동반되지 않는 태변성 장 폐쇄증이므로 자세한 평가를 통해서 불필요한 수술을 피할 수 있으며 가스트로그라핀 관장을 통해서 치료될 수 있다. Hirschsprung시 병과의 감별을 위해서는 바륨 대장조영술이 이용된다.

3) 치료

치료의 초기부터 저체온증을 주의해야 하며, 상급병원으로 이동하게 되는 경우 가능하면 이동식 보육기 안에 환아를 넣는 것이 중요하다. 비위관(10Fr.)을 삽입하여 위 내용물을 흡입하여 담즙의 존재 여부를 확인해야 한다. 확인 후 비위관은 위장에 삽입한 상태로 유지하여 환아가 구토와 더 이상의 장관 확장이 되는 것을 방지해야 한다. 이와 같은 준비는 환아를 전문 병원으로 이송할 때 기본적인 처치이며 매우 중요한 준비과정이다. 이와 같은 준비는 방사선 검사를 시행할 때 도 유지해야 하며 환아를 전송할 때는 경험 있는 의료인이 반드시 동행해야 한다.

치료 초기에 환아의 체중을 측정한 후 수술 중 출혈에 대비한 수혈을 준비 하기 위해 채혈을 한다. 적당한 정맥 주사 투여와 수술 후 영양 공급등을 위해 정맥 투여경로를 확보한다. 제대정맥에 주사용 카테터를 기본적으로 삽입 하는 것은 패혈증의 위험이 많기 때문에 피하는 것이 좋으며, 호흡 기능에 문제가 있을 때는 동맥혈 가스분석을 위하여 동맥 경로도 확보한다. 준비가 된 후 환아의 탈수 정도를 파악하여 수액공급을 시작한다. 내원 전의 구토등으로 환아는 대부분 탈수 상태이며, 탈수 정도에 맞는 수액 치료를 바로 시작해야 한다. 초기 수액은 링거 주사액 혹은 5% 포도당 생리식염수 수액으로 투여해야 한다. 탈수의 정도에 따라서 10-20mL/kg의 양을 30분-1시간 사이에 투여해야 한다. 복막염이나 심한 복부 팽만이 있는 경우에는 20mL/kg, 만일 천공이 동반되어 있지 않은 경우는 10mL/kg의 양을 투여하며 이는 복강내의 공간에 고인 수분 혹은 폐쇄된 근위부 장관의 수액 부족에 대한 것이다. 비위관을 통해서 나오는 담즙성 배액 역시 같은 양의 링거 주사액 혹은 세포외체액과 유사한 수액으로 보충한다. 환자의 수분 부족분에 대한 공급 후에는 유지하기 위한 수액으로서 0.25% 혹은 0.33-10% 포도당 수액을 공급한다. 비타민 K는 기본적으로 투여한다. 또한 정맥 항생제 투여한다. 이와 같은 수술 전 준비는 환자의 중증도에 따라 결정되며 약 1-4시간 사이에 완료되도록 한다.

공장회장 폐쇄증에 대한 수술은 신속히 시행되어야 한다. 수술 방법은 병변의 소견과 각 환자의 상태에 따라서 결정되며 병인학적 형태, 장회전 이상, 염전, 태변성 장폐쇄증, 태변성 복막염, 환자의 전신상태 여부에 따라서도 결정된다. 또한 환자에서 복벽 결손증과 동반된 여부등도 중요하다. 수술시 문제가 되는 점은 원위부와 근위부사이의 직경 차이가 많이 나서 문합이 어려운 점이다. 문합은 단 측면문합으로 연결되며, 원위부 장관은 물고기 입fish-mouth 모양으로 문합한다. 근위부 장관의 확장이 심한 경우는 문합 후 장기능 이상으로 기능적 장폐쇄증이 생길 수 있으므로, 심하게 팽창된 근위부 장관은 문합 전에 절제 하거나 , 장의 길이가 짧은 경우에는 확장된 장을 절제하지 않고 테이퍼링 성형술을 시행한 후 문합을 할 수 있다. 어떤 경우이건 일차적 문합술이 우선적으로 시행되어야 하나 문합이 어려운 경우에는 장루술을 고려해야 한다. 이와 같은 경우는 염전이 동반된 경우, 태변성 복막염이 동반된 경우, 합병증이 동반된 장폐쇄증인 경우에서와

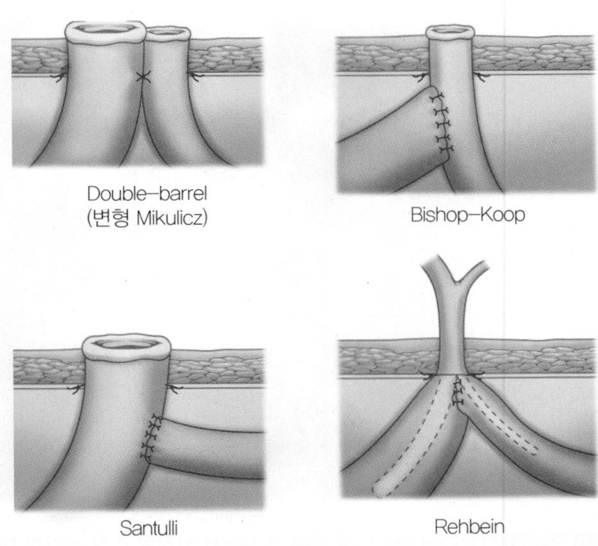

그림 7-26 합병증이 동반된 소장폐쇄증에서 시행될 수 있는 장루술의 종류

같이 문합후 누출의 위험이 높은 경우를 말한다. 이런 경우에는 Bishop-Koop 형태, Santulli 형태, Rehbein 형태, Double-barrel 형태 등의 장루술(그림 7-26) 등이 선택될 수 있다. 간혹 장관 무공증으로 확장된 장관 맹단의 염전에 의한 괴사 혹은 이차적 허혈이 발생한다. 이와 같은 경우는 회장루술과 점액 누관을 설치해야 하며 장관문합은 환아가 안정된 후 시행해야 한다. 다발성 소장 폐쇄증의 경우는 수술 시 가능한 한 장의 길이는 많이 남기는 노력이 필요하다.

수술 후에도 금식을 유지하며 수액 공급을 한다. 환아의 자세는 상체를 약 30도 정도 세워 누이며, 유지수액은 80-100mL/kg/d의 양을 투여하는데 수액은 10% D/W 0.25% 혹은 0.33%의 수액을 투여한다. 염화 칼륨의 투여는 소변 배설이 되는 것을 반드시 확인한 후 투여해야 하며, 2-3mEq/kg/d로 투여하며 40mEq/d를 넘지 않도록 한다. 비위관을 통해서 나오는 장액이 투명하면 위액이 나온 것으로 추정되어 0.45% 생리식염수와 5% 포도당수액이 혼합된 수액을 투여하며, 담즙이 혼합된 장액이 배액되면 5% 포도당수액과 링거 주사액을 투여한다. 소변양은 1mL/kg/hr를 유지한다. 환아의 장운동이 회복되

며 위의 배액이 투명해지며 양이 감소하면 비위관 제거후, 식이를 시작하는데 물부터 시작하여 농도가 짙은 분유로 바꾸면서 양을 증가시킨다. 신생아는 120calories/kg/d의 열량이 필요하다. 장절제 후 유당 불내증lactose-intolerance은 흔하게 발생하며, 만일 large curd formula인 경우는 문합 부위에서 milk-curd obstruction이 생겨 문제가 된다. 또한 회맹판이 절제되었거나, 다발성 장폐쇄증 등으로 단장 증후군이 위험이 있는 경우에는 이에 맞는 치료를 해야 하며, 장기간 경정맥 영양요법을 시행하기도 한다.

4) 결과

공장회장 폐쇄증의 초기 사망의 가장 흔한 원인은 폐염, 복막염 혹은 패혈증과 관련된 감염이며 가장 심각한 수술 후 합병증은 문합 부위의 기능성 장폐쇄증과 문합부 누출이다. 그 외에 유병률과 사망률에 영향을 주는 인자는 동반기형, 호흡기능 저하, 미숙아, 단장 증후군, 수술 후 장폐쇄증등이다. 과거에는 생존율이 약 60%로 매우 낮았으나 최근의 생존율은 90%이상이며, 단장 증후군이 가장 심각한 후유증이다.

요약

선천성 장폐쇄증은 소장의 부위에 따라서 십이지장, 공장, 회장으로 나뉘어서 볼 수 있다. 가장 흔한 공장회장 폐쇄증의 경우 태생기 장간막 혈관의 이상에 의한 허혈성 변화에 의해 발생하는것으로 추정되고 있다. 대부분 출생직후부터 나타나는 담즙성구토, 태변 배설 지연, 복부 팽만, 산모의 양수 과다증이 있는 경우 의심해야 한다. 십이지장 폐쇄증의 경우는 복부 방사선 소견상 특징적인 double-bubble sign이 보이면 쉽게 진단할 수 있으며, 이 소견을 나타내는 다른 질환과도 감별해야 한다. 공장회장 폐쇄증은 십이지장 폐쇄증과는 달리 복부팽만이 심하며, 선천성 거대결장증과의 감별을 위해 바륨대장조영술을 시행하기도 한다. 치료는 십이지장 폐쇄증의 경우 개복술을 통한 십이지장-십이지장 문합술이 최선이며, 공장회장 폐쇄증의 경우 폐쇄부위 절제후 단단 문합술을 시행한다. 남게 되는 장의 길이가 짧은 경우, 확장된 장이 수술 후 연동운동이 돌아오지 않는 경우등 다양한 경우가 있으며, 상황에 맞는 적절한 술식을 선택하여야 한다. 동반기형, 호흡기능 저하, 미숙아, 단장 증후군, 수술 후 장폐쇄증등이다. 과거에는 생존율이 약 60%로 매우 낮았으나 최근의 생존율은 90%이상이며, 단장 증후군이 가장 심각한 후유증이다.

VIII 히루쉬스푸룽병

1. 역사

이 질환에 대한 첫 기술은 17세기로 거슬러 올라가 Frederic Ruysch가 장폐쇄로 사망한 5세 아이에서 이루어졌으며, 1800년에 Battini가 다시 기술하였으며 1887년에 코펜하겐의 Harald Hirschsprung이 복부팽만, 변비, 구토를 보이는 2예의 유아를 계통적으로 보고하여 선천성거대결장증을 히루쉬스푸룽병이라고 칭하게 되었다. 20세기가 되기까지는 이 질환을 가진 환자는 영양실조와 장염으로 대부분 사망하였는데 이는 원인을 잘 이해하지 못하였기 때문이었다. 1901년에 Tittel에 의하여 원위부 결장에 무신경절이 있다는 것이 밝혀졌고, 1946년에 와서야 Ehrenpreis에 의하여 이 질환의 병태가 하부장관의 벽내신경총(아우어바흐Auerbach 신경총 및 마이스너Meissner 신경총)의 선천적 결여인 장관무신경절증intestinal aganglionosis인 것이 확인되어 진단과 치료에 큰 진전을 보였고 이것은 동결절편검사에 의한 확진으로 수술 시 병변 부위를 확인하는 단서를 마련해 주었다. 1949년에는 Swenson이 New England Journal of medicine에 항문괄약근을 유지하면서 직장과 S상결장을 절제해 주는 것이 적절한 치료임을 발표하였다.

2. 원인

이 질환의 원인에는 확실하지 않은 점이 많지만 다음과 같은 유전적인 요소가 중요시되고 있다.

1) 유전설

신경절은 태생 13주에 생기기 시작하며, 근위부 장관에서 시작하여 원위부 장관으로 자란다. 따라서 히루쉬스푸룽병 환자에서는 원위부 장관의 신경절이 충분히 발달하지 못하여 장관폐색 등의 증세를 일으킨다. 이 질환에는 가족발생이 3%의 빈도로 나타나며 전결장에 무신경절이 침범한 증례에서는 12.3%에서 가족력이 있어 유전성인 것이 많다. 특별한 실험동물을 이용한 연구로 이 질환이 유전성으로 발생하는 것이 알려져 있고 체염섹체열성호모의 형식으로 유전되어 동일가계의 27%에 발현한다. 그러나 일반적으로는 이 질환의 발생률은 낮고 다수의 유전자와 다수의 환경인자에 의해 결정되는 다인자유전이다. HD유전자라고 표현되는 것에는 여러 가지가 있으나 그 중 중요한 것으로는 RET 유전자가 있으며 이외에도 GDNF, endothelin 등이 연관되어 있고 Trisomy-21, Goldberg-Shprintzen 증후군, Smith-Lemli-Opitz 증후군, 신경모세포종과의 연관성도 보고되어 있다.

2) 혈행장애설

Earlam은 장벽 내 신경절세포가 허혈에 약하고 약 4시간의 혈행장애로 파괴되기 때문에 히루쉬스푸룽병이 발생된다는 장관의 혈행장애설을 발표하였다.

3. 태생

장관의 벽내신경은 태생초기에 미주신경의 신경모세포가 소화관의 근위부에서 점차적으로 하강한다는 두미이동설craniocaudal migration theory이 널리 믿어지고 있다. 이에 따르면 태생 6주에 식도 위분문부에 신경모세포가 나타나 태생 7주에 위, 소장전반부, 태생 8주에 소장전체, 태생 12주에 직장하단에 걸쳐 분포가 완료된다. 이 때문에 이 질환의 벽내신경절의 결여는 항상 항문관으로부터 위의 여러가지 형태로 나타난다. 상하의 장관이 정상이고 중앙에 결여된 건너뛰기 병변skip lesion은 대체로 받아들여지고 있지 않다.

4. 발생빈도

발생빈도를 전국통계로 보면 약 4,500명에 한 명꼴로 발생한다. 출생 시 평균체중은 3.2kg으로 저체중 출생아는 5%에 지나지 않고, 대부분 성숙아에서 보인다. 남녀의 비는 3:1로 남아에 많이 보이지만 흥미있는 것은 무신경절부가 소장에 파급된 광역형에서는 남녀비가 0.8:1로 여아에서 많이 나타난다. 국내에서 시행한 전국조사에서도 발생빈도는 5,000명에 한 명이며 남녀의 빈도는 3.3:1이었다.

5. 유형분류

무신경절부의 범위를 보면 직장에 국한된 것이 25.6%, 에스결장까지가 53.8%로 합계 79.4%가 직장과 에스결장에 무신경절부가 있는 단역형short segment type이고 그 외 약 20%가 에스결장을 넘어서 상방까지 무신경절부가 있는 장역형long segment type이다. 전결장에 이상이 있는 경우(전결장형) 가 5.1%, 나아가 소장까지 무신경절부가 파급되는 소장광역형이 3.5%를 차지한다.

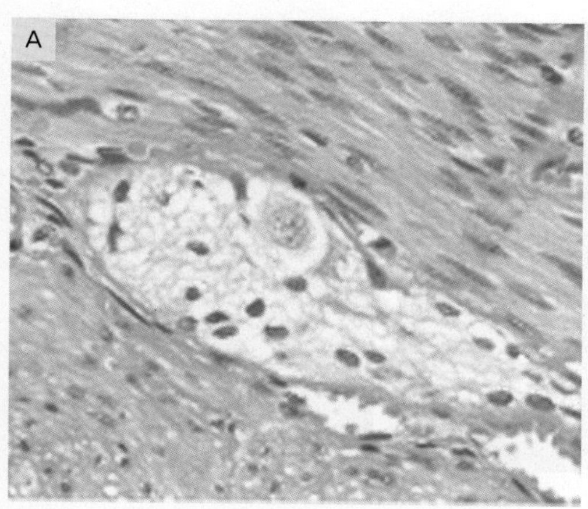

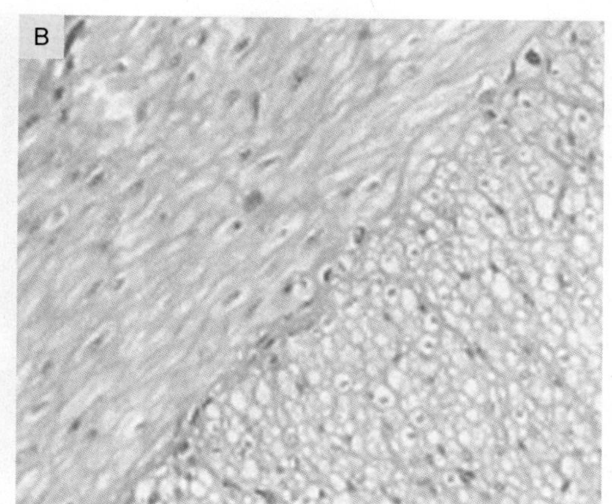

그림 7-27 **대장근층의 신경절.** 정상에서 보이는 신경절이 히루쉬스푸룽병에서는 보이지 않는다. A) 신경절(+), B) 신경절(-)

6. 동반기형, 합병증

이 질환 환아의 동반기형은 11.1%에서 나타나며 가장 많은 것은 다운 증후군Down syndrome(2.9%) 과 심장기형(2.1%) 이며, 이들을 동반한 환아는 사망률이 높아 다운 증후군이 있는 경우 27.7%, 심장기형이 있는 경우 31.7%, 그리고 양자를 같이 동반한 경우에는 38.1%의 높은 사망률을 보인다. 이러한 동반기형은 이 질환의 수술 전후에 나타나는 장염과 더불어 주된 사망원인이 되고 있다. 합병증으로는 장염이 가장 많은데, 이는 특히 장역형에서 잘 생기며 근치수술 후에도 발생하고 수술 후 협착과도 깊은 관계가 있다.

7. 병태생리

이 질환의 병태생리로는 무신경절부의 연동결여와 항문관의 무이완증achalasia이 중요하다. 하부장관에서 선천성으로 벽내 신경총이 없는 부위는 대장조영검사에서 협소부로 나타나며, 연동운동이 없어 통과장애, 장마비 증세를 나타낸다. 또 하나의 중요한 병태생리로서 내항문괄약근부, 즉 항문관의 무이완증을 들 수 있다. 직장에 풍선을 삽입한 후 확장하면 정상인에게는 항문관이 이완되고 배변이 쉽게 되는 반사를 보이지만, 이 직장항문관반사가 없어 무이완 상태를 보이며 때로는 수축된다. 직장항문과 반사의 결여는 1967년 로손Lawson과 닉슨Nixon에 의해 확인된 이래, 이 질환의 진단에 널리 사용되고 있다. 하지만 이 방법도 100% 정확하지는 않고 미숙아에게는 정상일지라도 반사가 소실되어 나타나는 경우가 있고 인공항문 조성술 후에는 의양성 반사가 출현하는 수도 있다.

진단에는 병리조직학적소견이 가장 중요하며, 헤마톡실린과 에오진H&E 염색으로 검사하였을 때, 정상장관에서는 윤상근종주근의 양근층간에 아우어바흐 신경총이 보이지만, 히루쉬스푸룽병에서는 양근층간에 신경절세포가 없고 곳곳에 외개성의 무수신경속이 보인다(그림 7-27).

8. 증상

신생아기에 태변배출이 지연되며(생후 2,3일에 관장으로 대변을 보는 수가 많다). 복부팽만(출생시에 발견되어 점차 심해짐), 구토(생후 2,3일부터 보이는 담즙성 구토) 등의 급성장마비 증세로 발현하는 경우가 많다. 생후 1일에 약 50%, 1주일 이내에 80%가 발견되며 일반적으로 중증이 될 때까지 방치하면 치사율이 높다.

영유아기가 되면 점차 거대결장을 나타내며 변비와 복부팽만이 심하다. 복벽정맥긴장, 장운동불량, 장잡음의 항진, 복통, 횡격막거상, 근골주행의 수평화, 영양실조가 생

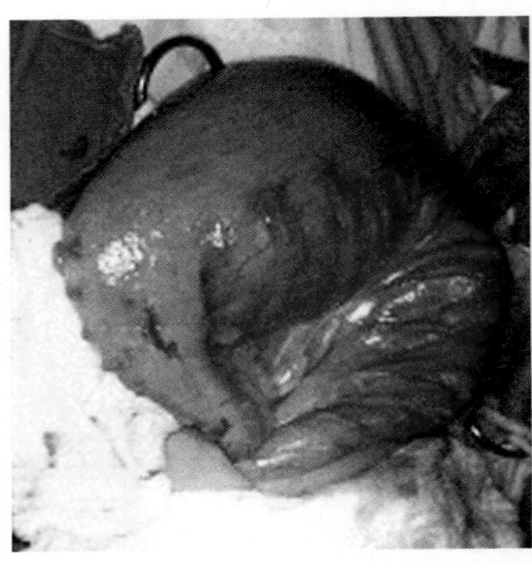
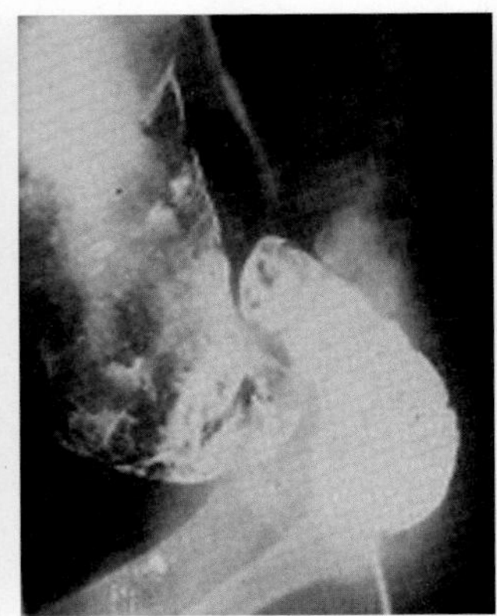
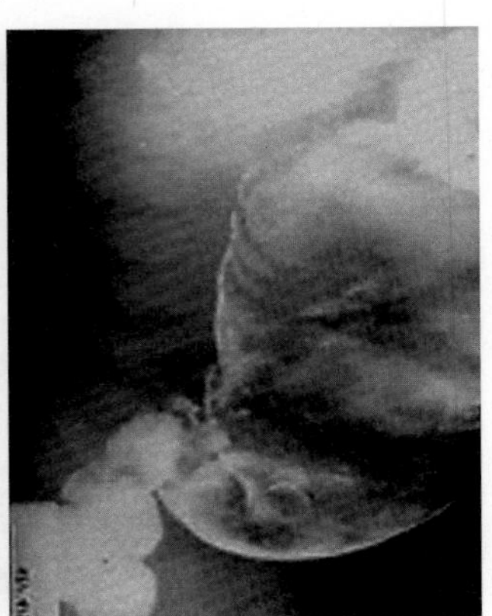

그림 7-28 **히루쉬스푸룽병의 육안적 소견과 영상의학 검사소견**

긴다. 치료하지 않으면 일년이내에 80%가 사망한다.

장염은 이 질환의 중요한 합병증으로 발열, 복부팽만, 구토, 악취가 있는 수성설사가 보인다. 장염발생 예에서는 장염의 분비형 IgA가 적어서 장관의 국소적인 면역기능의 미숙성과 저하를 나타낸다.

9. 진단

1) 이학적검사

신생아기부터 보이는 태변배출지연, 복부팽만, 구토가 있고 항문부 시진상 쇄항이 없으면 이 질환을 의심한다. 태변배출이 안되는 신생아는 이 질환을 가진 환아의 90%에 이른다. 배변장애로 인하여 만성적인 변비를 보이는 것이 대부분이며 심한 경우에는 10%의 환아에서 장염을 동반한다. 장염은 장내의 정체로 인한 이차적인 세균번식에 의하며 *Clostridium difficile*와 *Rotavirus*가 많이 관여하는 것으로 알려져 있다. 또 이 질환의 95%는 성숙아로 남아는 여아의 약 3배로 발생하는 것을 염두에 둔다.

2) 영상의학검사

단순복부촬영 검사에서 소장가스의 증가와 공기액체층air fluid level이 보이며 결장가스도 증가되어 있다. 대장조영술을 시행하여 직장하부의 무신경절부에 해당하는 협소로부터 상방에 확장된 정상벽내신경총의 존재를 발견한다. 장관의 구경변화caliber change가 중요시되지만 구경변화는 생후 1주일부터 점차 출현하여 생후 1개월에는 확실하게 된다(그림 7-28).

또한 이 질환의 80%를 차지하는 단역형에서는 구경의 변화가 관찰되지만 무신경절부가 직장하부에 국한되어 있는 초단역형에서는 거대결장을 나타내어 협소부를 보이지 않고 , 무신경절부가 전결장에 있는 전결장형에서는 거대결장을 나타내지 않고 정상보다 약간 가는 직장을 보이며 회장부가 확장된다. 무신경절부가 회장의 대부분에 있는 소장광역형에서는 대장조영상 미세결장microcolon을 나타낸다. 소장폐쇄에서 보이는 대장조영상의 미세결장 소견과 유사하고 감별은 곤란하지만 히루쉬스푸룽병에서는 대장조영술시 직장의 확장이 보이지 않는다는 점이 장폐쇄와 다르다.

3) 직장항문내압측정법

정상아에서는 직장을 인위적으로 확장하면 내항문괄약근의 이완이 보이고 항문관내압이 하강하지만 히루쉬스푸룽병에서는 하강하는 경우가 없다. 이러한 직장내괄약근반사(또는 직항항문관반사)의 유무를 검사하는 것은 안전하고 쉬운 방법이다(그림 7-29). 이 검사법은 만성변비를 보이는 6개월 이상된 환아에서 유용한 방법이다.

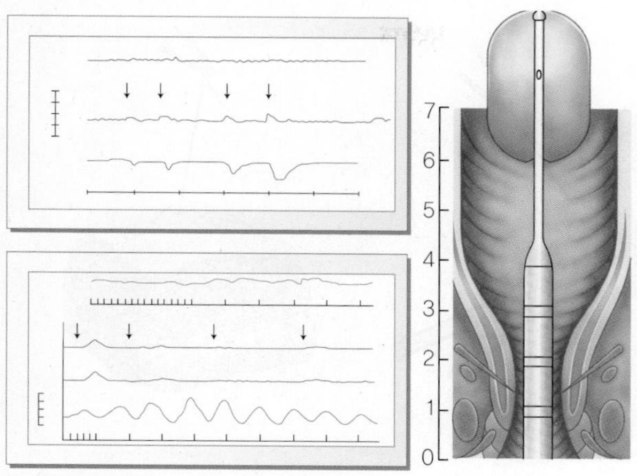

그림 7-29 직장항문내 압측정법. 정상에서는 직장내 압력이 증가하면 항문관 압력이 감소하나 히루쉬스푸룽병에서는 같이 압력이 증가한다.

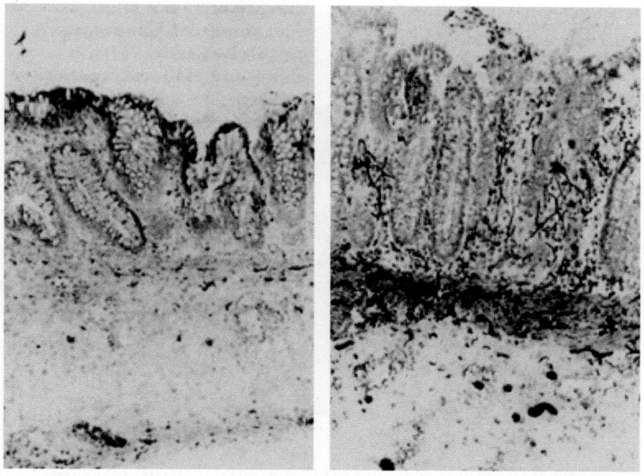

그림 7-30 아세틸콜린 에스터라제 염색. 정상과 달리 히루쉬스푸룽병에서는 신경조직이 많이 염색된다.

4) 조직화학적검사

신경절이 없는 장관의 아세틸콜린 에스터라제Acetylcholinesterase (AChE) 활성도가 높은 점에 착안하여 직장흡인생검에 의해 얻어진 직장의 점막 및 점막하층을 염색하여 AChE 양성의 신경섬유의 유무에 의해 진단하는 방법이다. 흡입생검에 의해 직장점막고유층 및 점막하층을 채집하며 근층이 포함되지 않기 때문에 장천공의 위험이 없어 마취없이 시행할 수 있다. 정상아에게는 점막고유층에 거의 AChE 양성신경섬유가 없으며 점막하층에 특히 미미하게 보이지만, 히루휘스푸룽병에서는 점막고유층 및 점막근판에 굵고 세밀한 AChE 양성신경섬유를 다수 보인다(그림 7-30).

5) 직장생검

직장벽을 채취하여 벽내신경총의 유무를 병리조직학적으로 검사하는 것이 가장 신뢰할 수 있는 진단법으로 직장후벽에서 채취한다. 정상아에 있어서도 치상선부근에는 벽내신경총이 없기 때문에 신생아에게는 치상선에서 1.5cm 이상, 유아 2.0cm 이상, 1-3.세 2.5cm 이상, 4-10세는 3cm 이상의 직장벽을 충분히 절제하는 것이 중요하다(그림 7-31). 불충분한 직장생검은 오진의 원인이 된다. 이 방법은 이론적으로는 가장 뛰어나지만 신생아에게는 직장의 시야가 좁고 출혈, 직장협착, 감염 등의 합병증을 일으키기 쉽다.

10. 치료

내과적으로 관장, 생리식염수를 이용한 장세척이 시행되며 일시적 효과를 얻고 있다. 수술은 신생아에게는 인공항문조성술을 시행하고 2차적으로 근치수술을 시행한다. 인공항문은 보통 정상장관의 하단부에 만든다. 장세척을 매일 시행하다가 1차수술로 근치수술을 시행하는 수도 있다. 이 질환의 치료는 무신경절의 절제라는 근치수술을 필요로 하며, 보존적치료를 시행하다가 1차 수술로 근치수술을 하거나 신생아기에 인공항문을 만들고 발육을 기다려 2차적으로 근치수술을 시행하는 법이 있다. 이는 무신경절의 범위, 장염합병의 유무, 어떠한 근치수술을 택하는지, 수술자의 기량이나 취향에 따라 다르다. 단역형이고 장세척 관장이 효과가 있는 경우에는 보전적으로 치료하면서 아동의 발육을 기다려 비교적 빠른 유아기에 두하멜Duhamel 수술이나 소아베Soave 수술 등의 근치수술을 시행한다. 장역형이고 장세척의 효과가 없는 경우에는

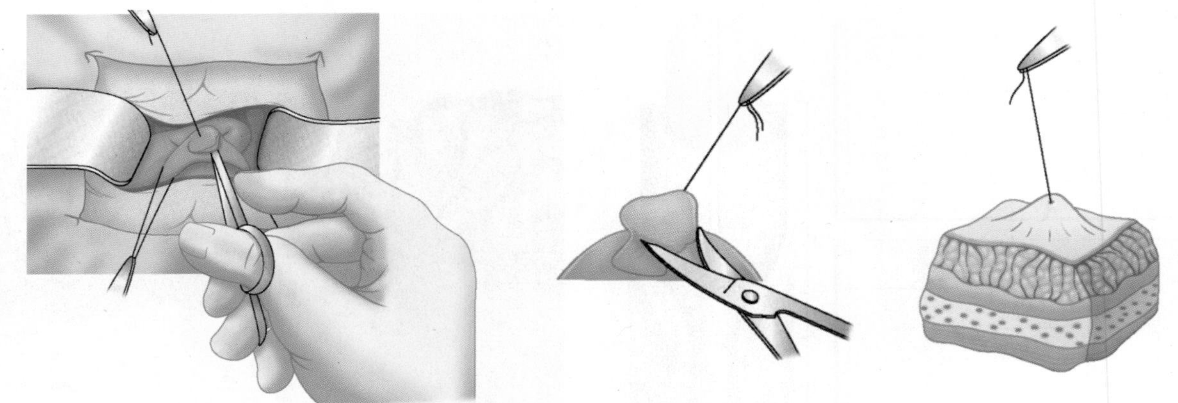

그림 7-31 **직장생검.** 0.5cm넓이의 근육을 3cm 가량 절제한다.

우선 정상 장관의 최하단에 인공항문을 만들고 2차로 근치수술을 시행한다.

근치수술방식은 크게 분류하여 스웬슨Swenson 수술(abdomino-perineal "pull through" procedure), 두하멜Duhamel 수술(recto-rectal transanal "pull through" procedure), 소아베Soave 수술(nonsuture technique of anal colon anastomosis) 의 세가지가 있으며 직장하부에 무신경절부가 국한된 경우에는 직장근절개술anorectal myectomy, 전결장형 및 소장광역형에 대해서는 마틴Martin 수술이 시행되고 있다. 우리나라에서 시행되는 근치수술법 중 가장 많이 시행되는 것이 두하멜 수술(30.7%) 이며 다음이 소아베 수술(20.1%)이다.

1) 스웬슨 수술

신경절여부와 하부확장결장을 약 20cm 절제한 후 항문연부터 약 1cm 상방의 직장부에 상부결장과 직장을 단단문합한다. 가장 이론적인 방법이지만 수술범위가 크다. 직장후벽의 내항문괄약근을 일부 절제하고 수술 후의 이완불능을 방지하는 새로운 방법이 사용된다(그림 7-32B).

2) 두하멜 수술

직장을 복막아래에서 절제하고 매몰봉합한다. 병변부의 결장후부절제 후 상부의 결장을 직장후벽과 선골간의 박리부에서 끌어내리고 직장과 끌어내린 결장을 측측문합한다. 수술수기가 간단하고 3개월 이상의 유아에게도 응용할 수 있고 직장전벽의 박리를 하지 않기 때문에 수술 후 배뇨, 생식기장애가 없다. 직장맹관부에 분변의 저류를 일으키는 수가 있기 때문에 맹관을 만들지 낳는 방법이 좋다(그림 7-32A).

3) 소아베 수술

복막하부의 직장은 점막만을 절제하여 근층을 남긴다. 병변부를 절제한 후 상방의 결장을 끌어 내려 항문연에 고정한다. 직장부는 근층이 2중으로 되며, 골반신경총의 파괴가 없다. 근층이 두층으로 되어 항문협착을 일으키기 쉽기 때문에 결장과 직장을 1차적으로 문합한 후 문합부협착을 방지하기 위하여 근육절개술을 시행한다(그림 7-32).

4) 항문직장근절개

직장하부에 국한된 초단역형에 대해 직장후벽의 내항문괄약근을 폭 5mm, 길이 5cm 정도 점막하에서 절제하는 방법이다. 간단한 수술방식이지만 재발이 많다.

5) 전결장형 및 소장광역형의 치료

장폐쇄의 증세가 있어 개복한 뒤에 처음으로 시진 및 생검을 통해 진단되는 경우가 많다. 정상장관의 최하부에

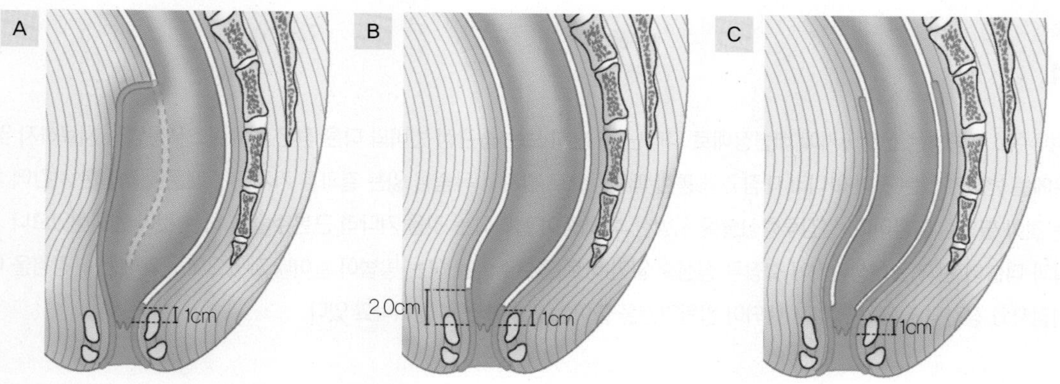

그림 7-32 **근치수술의 유형.** 가장 많이 시행되는 세가지 유형의 도식. A) Duhamel, B) Swenson, C) Soave

장루를 만들고 영양수액이나 성분영양법을 병용하여 수술 후 관리를 시행한다. 근치수술방법으로는 두하멜 수술의 변형인 마틴 수술, 즉 무신경부인 에스결장 약 10cm와 끌어내린 정상 소장으로 긴 측측문합을 시행하는 방법이 가능한 수분을 흡수하여 설사를 막는 방법으로 가장 잘 쓰인다.

6) 결장루를 설치하지 않는 신생아기의 소아베 pull through 수술

1990년 이후 결장루를 설치하지 않고 신생아기에 소아베 pull through 수술을 시행하는 방법이 시작되어 근래에는 많은 병원에서 이 방법을 사용하고 있다. 결장루를 설치하지 않기 때문에 결장루와 연관된 합병증이 없고, 조기에 근치수술이 되어 환아와 가족에게 경제적, 사회적인 장점이 많은 수술방법이다. 신경절의 유무를 확인하는데 있어서 약간의 문제점이 발생할 수 있어, 적절한 환아를 선택하는 것이 중요하다.

7) 복강경을 이용한 pull through 수술

복강경을 이용한 치료는 1980년대 이후 최소침습방법으로 시작되었으며 점차 많은 병원에서 이 방법을 사용해 가고 있다. 이 수술법을 처음 기술한 것은 1995년에 Georgeson에 의한 것이었다. 복강경을 이용하여 조직검사를 시행하여 병변부위를 정한 후 장간막을 절제하여 pull through 할 부위를 준비하고 회음부를 통하여 꺼낸 후 항문에 결찰하여 수술을 마친다. 개복수술에 비하여 입원기간이 단축되는 장점이 있으며, 단기간 혹은 장기간의 성적은 개복수술과 동일하다.

11. 예후

히루쉬스푸룽병의 예후는 최근 현저히 향상되었지만 병소의 범위에 따라서 다르다. 즉 전결장형이상을 제외한 이 질환의 근본수술은 사망률이 1.8%에 지나지 않고 각종 수술방법간의 차이는 없다. 이에 비해 전결장이상이 있는 경우는 사망률은 40%이다. 소장광역형에서도 회장까지 무신경절부가 있는 것은 약 50%가 생존하지만 공장까지 무신경절부가 있으면 사망률이 90%에 이른다.

요약

히루쉬스푸룽병은 신생아기에 배변장애로 나타난다. 흔히 보는 습관성 변비와 다른 점은 히루쉬스푸룽병을 치료하지 않고 둘 경우에는 변비만 있는 것이 아니라 대장염을 통한 패혈증으로 환자의 목숨을 잃는 결과를 가져오기 때문에 적절한 시간에 치료를 하는 것이 필요한 질환이다. 결장루형성술을 시행한 후 체중이 늘어나는 것을 기다려 근본수술을 하는 것이 원칙이었으나 기구의 발달과 더불어 현재는 신생아기에 결장루 형성술 없이 바로 근본수술을 하는 방법이 늘어나고 있으며 근래에는 복강경을 이용한 조직검사와 장간막 절제가 많이 시행되어 입원기간을 줄이는 방법이 점차 늘어나고 있다.

IX 항문 출혈

소아에서 위장관 출혈은 토혈, 흑색변, 혈변이나 대변에 피가 묻어나는 형태로 나타날 수 있다. 어른보다 다양한 원인에 의해 위장관 출혈이 일어날 수 있기 때문에 소아 환자가 항문을 통해 피가 보인다고 내원했을 때에는, 가장 먼저 활력 징후를 확인한 뒤, 환자의 연령을 고려해 그 원인을 찾도록 한다.

1. 신생아기(출생-1개월)

이 시기의 가장 흔한 항문 출혈의 원인은 항문 열상, 괴사성 장염, 중장 염전증이다. 치열에 의한 출혈은 대량 출혈보다는 대변이나 화장지에 피가 묻어나는 정도의 출혈을 보이며, 변비가 동반되어 있는 경우가 많다. 딱딱한 변이 직장 점막 및 항문에 상처를 입혀 일어나는 현상이다. 변 완화제와 좌욕으로 대부분 저절로 호전된다. 미숙아나 저출생체중아에서 위 잔유물이 늘어나고, 담즙성 구토와 복부 팽만이 동반되면서 잠혈 혹은 육안적으로 짙은 혈액이 변에 보이는 경우 괴사성 장염을 의심해야 한다. 건강하던 신생아가 갑자기 담즙성 구토를 보이면 중장 염전증을 의심해야 하며, 혈변이 동반되는 경우 장 점막 괴사를 시사하는 소견으로 볼 수 있기 때문에 빠른 검사와 치료를 요한다.

그 외 분만시 흡입된 엄마의 혈액, 신생아기 출혈성 질환, 선천성 혈소판 감소성 자반증, 패혈증이나 신생아 뇌막염등과 같은 중한 질병에 따르는 스트레스성 위궤양이나 출혈성 위염, 세균 감염성 설사, 우유에 의한 장염 등에 의해서도 올 수 있다. 분만시 흡입된 엄마의 혈액과의 감별을 위해서는 환자의 대변을 이용한 Apt test가 시행되며, 엄마의 혈액인 경우 짙은 갈색으로 변하게 된다.

2. 영아기(1-12개월)

신생아기 이후의 가장 흔한 출혈의 원인은 항문 열상이다. 대부분 대량 출혈보다는 대변이나 화장지에 피가 묻어나는 정도의 출혈을 보이며, 변비가 동반되어 있는 경우가 많다. 딱딱한 변이 직장 점막 및 항문에 상처를 입혀 일어나는 현상이다. 식이 섬유가 많은 음식을 포함하도록 이유식을 권장하여 변비를 예방하고, 좌욕을 시키면 저절로 호전된다.

우유 알레르기에 의한 장염은 묽은 혈변 또는 혈액으로 나타나며, 심한 경우 다량의 출혈을 일으키기도 하므로 내시경을 통한 감별진단이 필요할 수 있다. 장중첩증은 3개월에서 3세 사이의 환아에서 흔한 직장 출혈의 원인으로 2세 이하의 환자가 75-80%를 차지한다. 대변은 잠혈로 나타날 수도 있고, 다량의 점액성 혈변을 보일 수도 있다. 진단을 위해 초음파를 시행하고, 환자의 활력 징후가 안정적이면 공기나 바륨을 이용한 정복술을 먼저 시도해 볼 수 있다. 정복에 실패하거나, 천공이 발생하거나, 복막염이 의심될 때에는 수술을 시행하도록 한다. 장 이상 회전증 및 중장 염전은 90%가 1세 이내에 증상을 발현하므로, 신생아기 뿐 아니라 영아에서도 직장 출혈의 원인으로 고려해야 한다. 장 중복증에 동반되는 이소성 위점막이 직장 출혈을 일으킬 수 있는데, 이는 Technetium-99m pertechnetate scan에서 음영이 증가하는 부분이 있으면 의심할 수 있다. 멕켈 게실에서도 scan 상 음영이 증가하지만, 이 연령에서는 장중복증에 의한 출혈의 빈도가 멕켈 게실에 비해 높다.

3. 유아기(1-5세)

다량의 하부 위장관 출혈이 발견되었을 때에는 반드시 멕켈 게실을 고려해야 한다. 이는 게실 내에 존재하는 이소성 위점막이나 췌장 점막이 산을 분비하여 회장에 궤양을 일으키기 때문이다. Technetium-99m pertechnetate scan으로 진단하는데, 이 검사의 민감도는 85%, 특이도는 95% 정도이므로 위양성의 가능성을 염두에 두어야 한다. 유아기에는 연소성 용종에 의한 혈변이 흔하다. 내시경을 시행하여 진단할 수 있고, 용종과 함께 입술 등 점막 피부 증에 색소 침착이 동반되는 경우 Peutz-Jeghers syndrome 을 고려하도록 한다. 그 외에도, 장의 혈관종, 장중첩증, 장 중복증, 감염성 설사, 용혈성 요독 증후군, Henoch-Schönlein purpura, 십이지장 궤양 등에 의한 출혈이 일어날 수 있다.

4. 학동기(6세-18세)

학동기 아동에서 직장 출혈이 발견되는 경우 용종과 관련된 질환 뿐 아니라, 염증성 장질환(궤양성 대장염, 크론병 등) 을 염두에 두어야 한다. 염증성 장질환은 외국에 비해서 빈도가 낮은 편이나 꾸준히 증가하고 있는 추세이므로, 동반되는 증상에 대해 자세한 병력 청취가 필요하다. 위염, 소화성 궤양, 식도 정맥류 등에 의한 출혈은 흑색변이 대부분이지만, 장운동이 증가된 경우나 출혈량이 많은 경우 선홍색 출혈로 나타날 수 있다.

요약

소아에서 위장관 출혈은 어른보다 다양한 원인에 의해 일어날 수 있기 때문에 소아 환자가 항문을 통해 피가 보인다고 내원했을 때에는, 가장 먼저 활력 징후를 확인한 뒤, 환자의 연령을 고려해 그 원인을 찾도록 한다. 가장 흔한 원인은 원인은 항문 열상이며, 변 연하제 와 좌욕으로 대부분 저절로 호전된다. 그 외에 괴사성 장염, 중장 염전증, 장중첩증, 멕켈 게실, 용종 등이 흔한 외과적 질환이다. 괴사성 장염, 중장 염전증, 장중첩증 등은 병의 진행이 매우 바르기 때문에 신속한 진단과 치료가 요구된다.

X 항문직장기형

항문직장기형은 항문막힘증을 기본으로 원위부 직장과 비뇨생식기계 사이에 비정상적인 연결이 있는 선천기형으로 기형의 정도에 따라 다양한 형태와 예후를 보인다. 항문직장기형을 갖고 태어나는 신생아들을 치료하는 소아외과 의사들은 막중한 책임을 가진다. 왜냐하면 신생아 수술은 생존만이 아니라 평생 동안 기능적인 장애가 없이 정상적으로 살아 갈 수 있도록 해야 하기 때문이다. 발병률은 출생 4,000–5,000명 당 한 명으로 알려져 있고, 우리나라에는 고종황제와 명성황후의 왕자가 항문직장기형으로 사망했다는 기록이 첫 공식기록으로 보인다.

1. 태생학

임신 6–7주에 요로–직장 격막urorectal septum이 아래로 내려 오면서 배설강cloaca을 비뇨생식기계와 직장항문관으로 나누게 된다. 이후 배설강막cloacal membrane과 만나게 되고, 배설강막이 흡수되면서 정상적인 비뇨생식기계와 직장항문이 형성된다. 이 과정에 이상이 생기면 여러 형태의 항문직장기형이 발생한다.

2. 분류

직장항문기형은 직장, 질, 요도가 한 구멍으로 나오는 잔류 총배설강persistent cloaca 같이 심한 경우부터 항문이 정상 위치보다 약간 전방으로 치우쳐 있는 회음부 누공perineal fistula 사이에 다양한 형태로 존재할 수 있어 인위적으로 분류하는데 어려움이 있다.

예전에는 직장맹관과 항문올림근levator ani musculature의 위치 관계에 따라 고위형, 중위형, 저위형으로 분류하였으나, 예후나 치료 방침과는 거리가 있는 분류이다 – Wingspread 분류(1984). 뿐만 아니라 같은 기형을 두고도 분류가 달라 질 수 있다. 직장맹관의 위치는 환자의 머리가 지면을 향하도록 하고 폐쇄된 직장의 말단 부위로 기체가 상승하도록 수 분간 기다린 후, 골반 측면에서 방사선을 조사하여 확인하였다. 하지만 맹관 내의 태변에 의하여 장내 기체가 맹관 말단부까지 못 갈 수 있고, 환자가 울 때 치골직장근이 수축하여 말단부 기체의 위치가 변할 수도 있으며, 환자의 자세에 따른 검사의 부정확 등으로 인해 현재는 거의 하지 않는다.

표 7-1. 항문직장기형의 Krickenbeck 분류

Major clinical groups	Rare/regional variants
Perineal (cutaneous) fistula	Pouch colon
Rectourethral fistula Prostatic Bulbar	Rectal atresia/stenosis Rectovaginal fistula H fistula
Rectovesical fistula	Others
Vestibular fistula	
Cloaca	
No fistula	
Anal stenosis	

Alberto Peña는 후방 시상 접근에 의한 항문직장성형술Posterior Sagittal Ano Recto Plasty (PSARP)을 통하여 이 기형의 다양한 해부학적 형태를 직접 눈으로 확인하고 각각의 예후를 분석하였다. 이를 통하여 진단, 치료 및 예후를 고려한 누공의 위치에 따른 분류를 제창하였고, 2005년에 Krickenbeck 분류(표 7-1)가 제시되었다. 이에 따르면 주요 군은 누공이 회음부, 망울부 요도bulbar urethra, 전립선부 요도prostatic urethra, 방광, 질전정부 등에 있는 경우, 잔류 총배설강기형, 루가 없는 경우, 항문 협착 등이 있다. 가장 흔한 기형은 남아에서는 직장–요도 누공이며, 여아에서는 직장–질전정부 누공이다. 누공이 없는 형태는 약 5% 정도이고 Down 증후군과 연관이 있다. 드문 기형으로는 항문관은 있으나, 직장은 막혀 있는 경우rectal atresia도 있다. 직장협착도 있을 수 있는데, 대개는 천추 전방 종괴, 천추의 굽은 칼 모양의scimitar 결손과 동반되어 있다(Currarino's triad). 질과의 누공은 질전정부 누공이나 잔류 총배설강을 과거에 잘못 기술한 것으로 생각되며, 거의 존재하지 않는 것으로 알려지고 있다. H 누공

은 항문은 정상적으로 있으면서 질전정부와 누공가 있는 형태이다.

3. 동반 기형

일반적으로 직장항문기형이 높을수록 다른 기형이 잘 동반된다. 비뇨생식기계, 척추, 위장관계 등에서 기형이 동반되며, 이 중 비뇨생식기계 기형이 가장 흔하다. 그러므로 VATER (Vertebral, Anorectal, Tracheao-Esophageal, Renal or radial limb) 또는 VACTERL (Vertebral, Anorectal, Cardiac, Tracheao-Esophageal, Renal, Limb) 연관 기형을 염두에 두어야 한다. 비뇨생식기계의 이상은 50%에서 동반되며, 초음파 검사가 가장 유용한 선별 검사이다. 잔류 총배설강persistent cloaca이나 직장-방광 누공이 있을 때는 90%에서, 직장-요도 누공이나 직장-질전정부 누공은 약 30%에서, 회음부 누공은 약 10%에서 비뇨기계 기형이 동반된다. 천추골 기형과 항문직장기형의 기능적인 예후와는 연관이 되는데 5개의 천추골 중 하나가 없는 것은 별 문제가 되지 않으나, 두 개 이상의 무형성은 예후가 좋지 않다. tethered cord는 25%에서 동반되는 것으로 알려져 있으며, 생후 3개월 까지는 초음파검사로 진단이 가능하고 이후에는 천추골의 골화ossification로 인해 MR 스캔이 필요하다. tethered cord의 동반은 항문직장기형의 중증도, 천추골의 발달, 척추기형, 회음부 근육의 발달 등과 맞물려 있어, 그 자체로 배변기능에 영향을 미치는 지는 확실하지 않다.

4. 진단 및 초기 처치

항문직장기형은 출생 후 기본적으로 시행되는 신생아 이학적 검사에서 정상위치에 항문이 없는 것을 봄으로써 쉽게 알 수 있다. 직장항문기형의 신생아기 접근의 요점은 우선 생명을 위협하는 동반기형이 있는지 확인하고 적절한 처치를 하는 것과, 신생아기에 바로 항문성형술을 할 것인지 아니면 일차로 결장조루술을 하고 추후에 교정 수술을 할 것인지를 판단하는데 있다.

회음부 시진을 통해 회음부의 모양과 태변이 배출되는 누공의 존재와 위치를 확인함으로써 80-90%에서 진단과 치료 방침을 정할 수 있다. 회음부에서 태변(그림 7-33A)이나 상피 진주epithelial pearl (담즙이 섞이지 않은 태변(그림 7-33B)), 물통 손잡이 변형bucket handle deformity(그림 7-33C)를 발견하면 회음부 누공을 진단할 수 있다. 남아에서 직장-요로 누공이 있으면 소변에 태변(그림 7-34)과 공기가 섞여 나오고, 소변검사에서 편평상피세포를 볼 수 있고 사진상 방광에 공기음영이 보일 때가 있다. 남아의 성기에 물에 적신 작은 가제를 올려 두면 소변에 태변이 섞

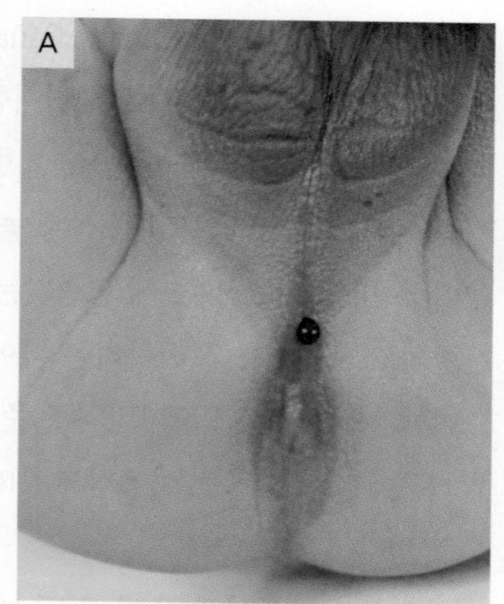

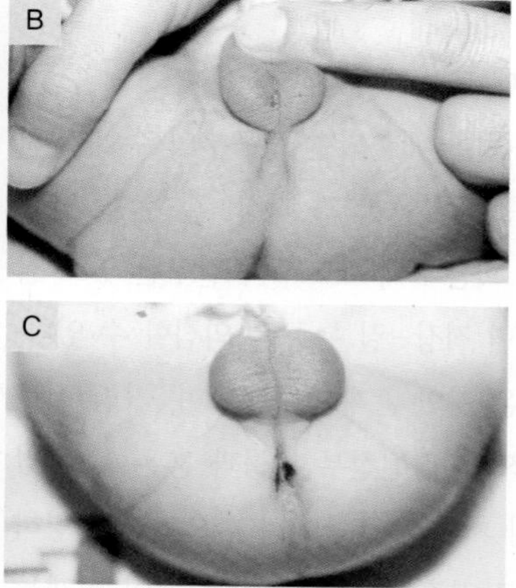

그림 7-33 **회음부 누공의 징후.** A) 정중솔기의 태변 B) 정중솔기의 상피 진주 C) 물통 손잡이 변형

그림 7-34 **직장-요로 누공.** 회음부 누공의 징후는 보이지 않으며, 요도 끝에 태변이 보인다.

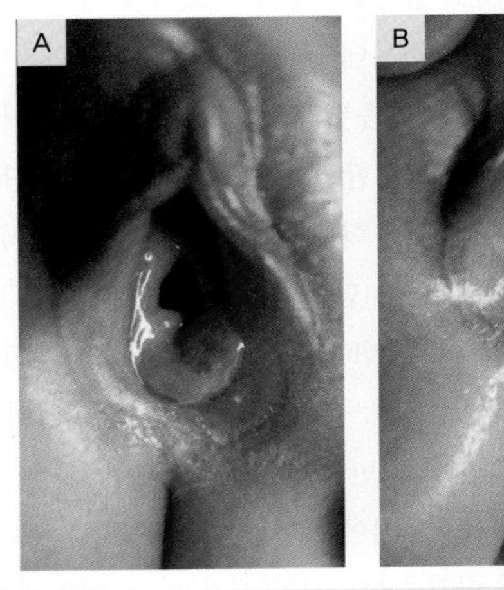

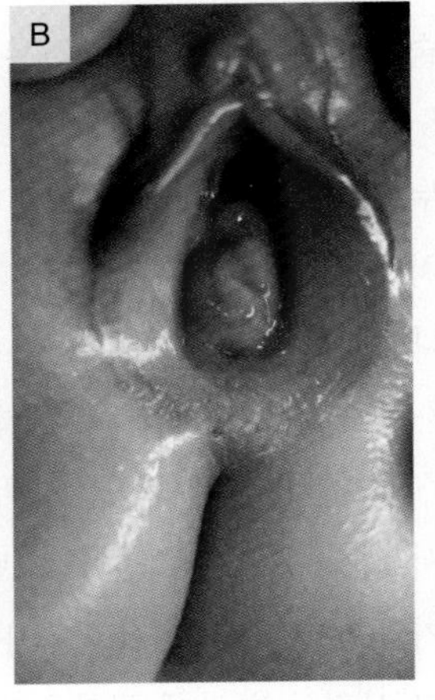

그림 7-35 **직장-질전정부 누공.** A) 요도와 질이 보이고, 처녀막 아래에 구멍이 의심된다. B) 처녀막을 제치니 질 전정부에 누공이 보인다.

여 나오는지 확인하는데 도움이 된다.

여아의 외음부로 태변이 배출되면 개구부의 수와 위치로 직장-질전정부 누공(그림 7-35)과 직장-질 누공, 잔류 총배설강을 감별한다. 회음부에 요도구와 질구만 있고 질구에서 태변이 배출되면 직장-질 누공을 의심할 수 있다. 그러나 직장-질 누공은 거의 존재하지 않으며, 가끔 질구 아래에 누공이 있는 직장-질전정부 누공과 혼돈할 수 있으므로 태변이 질구의 처녀막 안쪽에서 나오는지 분명히 확인해야 한다. 그리고 간혹 질구로 보이는 것이 실제는 전정부 누공이고 요생식동이 분리되지 않아 질과 요도가 서로 만나 요도구에 개구하거나, 아예 무질증이어서 외음부에 개구부가 둘만 있을 수 있을 수 있으므로 감별하여야 한다. 잔류 총배설강은 외음부의 크기가 작고 개구부가 하나만 있으며, 수질증이나 늘어난 방광으로 인해 복부팽만이 흔히 동반된다.

회음부 시진 시 주의할 점은 좁은 누공을 통해 태변이 외부로 배출되기 위해서는 복압과 직장의 압력이 골반내 수의근의 저항보다 커야 한다는 것이다. 그러므로 누공의 유무 및 위치에 대한 판단은 출생 후 적어도 16-24시간까지 지켜 본 후에 하고, 기다리는 동안에 동반기형에 대한 검사를 한다. 약 24시간 이후에도 누공의 증거가 없는 환자들은 방사선 검사로 직장 맹단이 항문으로 얼마나 내려와 있는지를 조사하는데, 검사의 객관성에 대해 신중해야 한다.

5. 수술적 치료

항문직장기형의 교정은 크게 항문성형술과 직장의 pullthrough 수술로 나눌 수 있다. pullthrough 수술의 요체는 항문직장기형과 동반된 누공를 제거하고, 직장을 괄약근의 중심에 놓아 정상 배변기능을 도모하는 것이다. sacroperineal, abdominoperineal, abdominosacro-perineal pullthrough 등이 시도되었으나, 비뇨생식기계나 괄약근의 구조에 대한 해부학적 수술시야 확보가 충분치 않았다. 1980년 Alberto Peña는 후방 시상 접근을 통하여 괄약근을 정중앙에서 절개함으로써, 주요 구조물들을 직접 확인하면서 항문직장기형과 동반된 누공를 제거하고, 직장을 괄약근의 중심에 놓을 수 있었다. 이를 통하여 pullthrough 수술에 합병되는 비뇨생식기계의 손상을 줄이고 배변기능을 획득하는 데에 큰 진전이 이루어 졌으며, 현재는 항문직장기형의 표준수술로 자리매김하였다. 최근에는 복강경을 이용한 pullthrough 수술도 시도되고 있다.

항문성형술이 적응이 되는 예는 한 번의 수술로 교정이 완료되지만, 다단계 수술은 일반적으로 장루 형성, 후

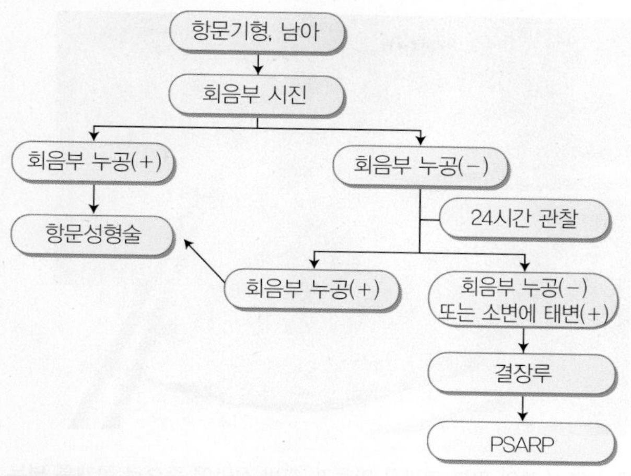

그림 7-36 항문직장기형 남아의 치료논리체계.
(PSARP: posterior sagittal anorectoplasty)

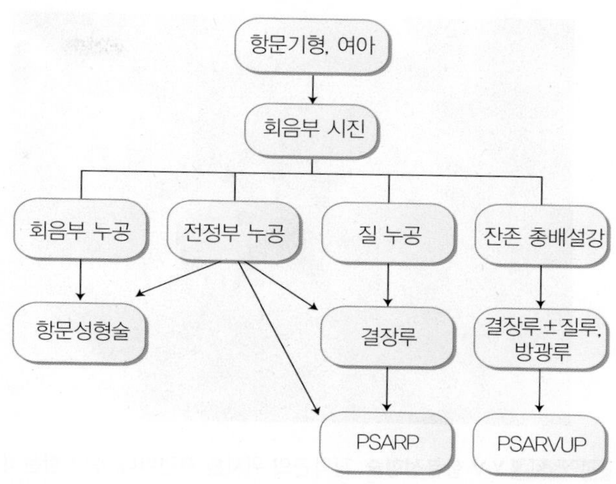

그림 7-37 항문직장기형 여아의 치료논리체계.
(PSARP: posterior sagittal anorectoplasty, PSARVUP: posterior sagittal anorectovaginourethroplasty)

방 시상 접근에 의한 항문직장성형술(PSARP), 장루 복원의 3단계 수술을 요한다. 최근에는 여러 선천성 기형의 치료를 좀 더 조기에, 가능하면 다단계 수술 보다는 한 번의 수술로 교정하려는 시도가 많이 되고 있다. 고위기형의 직장항문기형도 여러 번에 걸친 마취와 수술을 한 번으로 줄이고, 장루 관련 합병증을 피하기 위해 신생아기에 바로 교정수술을 시행하기도 한다. 그러나 일기식 수술은 신생아들이 해부학적으로 미성숙하고, 기형의 정확한 해부학적 구조를 가장 명확히 알 수 있는 원위부 대장조영술distal colostography 없이 수술하기에 질, 방광, 요도, 그리고 정관 등의 주위조직에 손상을 줄 수 있고, 상부에 장루가 없으므로 수술창이 대변으로부터 안전하지 못해 창상감염과 창상파열의 위험이 높다. 그러므로 아직은 신생아기에는 결장루를 설치하는 3기식 접근이 일반적이며, 후방 시상 접근에 의한 항문직장성형술 시기의 선택은 술자의 경험에 달렸지만 합병증과 그에 따른 결과를 고려해서 신중히 결정해야 한다.

항문직장기형의 교정에 있어 가장 중요한 것은 항문성형술을 할 것인가, 장루를 우선 만든 후 다단계 수술을 할 것인가를 결정하는 것이다(그림 7-36, 37). 회음부 시진상 회음부 피부 누공, 태변, 상피 진주epithelial pearl, 물통 손잡이 변형bucket handle deformity 등이 보이거나, 항문이 앞쪽에 있는 경우, 항문이 제 위치에 있으나 얇은 막으로 덮여 있는 경우에는 항문성형술로 충분하다. 하지만 출생 직후에 이런 소견들이 없다고 하여 바로 장루를 만들지 말아야 한다. 복압이나 대장 내의 압력이 골반내 수의근의 저항을 이기고 태변을 회음부나 요도로 밀어 내려면 16시간 내지 24시간이 필요하기 때문이다. 이 시간 동안 전술한 소견들이나 요도로 태변이 나오는 지를 면밀히 관찰하면서, 필요하다면 방사선 검사를 통하여 항문 위치의 피부와 직장 맹단부의 거리를 측정한다. 24시간 이후에도 전술한 소견들이 보이지 않거나 피부와 직장 맹단부의 거리가 1cm 이상이면 장루를 포함한 다단계 수술을 고려하여야 한다. 요도로 태변이 나온다면 이는 직장요도루가 있음을 의미하므로 역시 다단계수술을 고려하여야 한다. 직장-질전정부 누공의 경우 일단계 또는 다단계 수술에 관하여 이견이 있다. Alberto Peña는 질전정부 누공은 여아에서 가장 흔한 형이면서 아주 좋은 예후를 보임에도 불구하고, 장루 없이 일단계 교정수술 후의 합병증으로 고생하는 예가 많다면서 3단계 수술을 주장하였다.

1) 항문성형술

회음부 누공이 있는 환자에서 정상항문의 위치는 회음

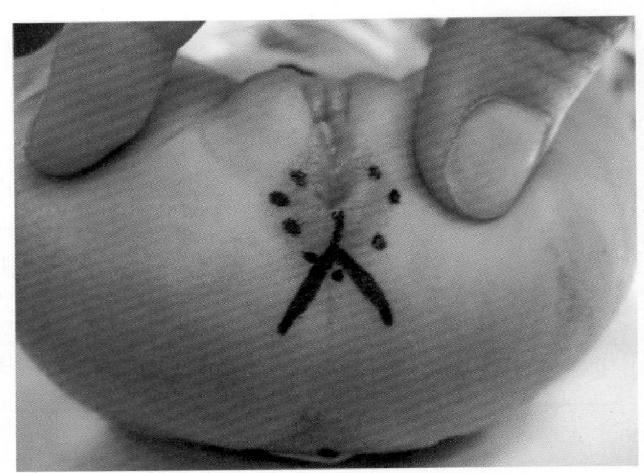

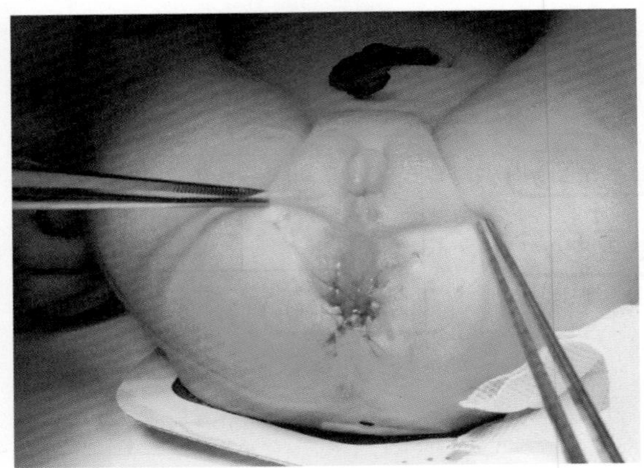

그림 7-38 **Y-V 항문성형술.** 괄약근의 위치를 확인한다. 후방 항문피부선에서 역 V 형의 피부 피판을 만들고, 후방 점막에 종으로 절개를 넣는다. 점막 절개부로 피부 피판을 끌어서 위치시킨다.

부의 모양을 보거나 근자극기를 이용하여 괄약근의 수축 양상을 보면 쉽게 확인할 수 있다. 누공이 항문위치와 가까울 때는 단순한 cutback 술식이나, 피판을 이용하여 항문의 크기를 뒤쪽으로 넓혀주는 술식 만으로도 충분하다. 피부누공을 정상 항문 위치까지 절개한 후, 항문 점막과 피부를 봉합하고 누공은 열어lay-open 둔다. 누공이 항문으로부터 앞쪽으로 많이 떨어져 있을 때는 대변으로 인한 질과 요도의 오염을 방지하기 위해, 누공을 약간 박리한 후 항문을 괄약근 내에 위치시키고 회음체perineal body를 넓게 재건하는 항문전위술이나 축소 항문직장성형술을 한다. 신생아기 항문의 크기는 헤가(Hegar) 확장기 12번 정도이므로, 새 항문의 크기는 상처 치유과정의 협착을 고려하여 이보다 약간 크게 만드는 것이 좋겠다. 항문협착에 대비한 피판의 이용방법에 따라 여러 변형이 있다. 후방 점막에 종으로 절개를 넣고, 후방 항문피부선에서 역 V 형의 피부 피판을 만들어 점막 절개부로 끌어서 위치시키는 방법이 무난하다(그림 7-38).

봉합사는 조직반응이 적은 비흡수성 실이 추천되나 발사를 해야 하는 번거로움이 있으며, 요즘은 흡수성 봉합사도 조직반응이 적어 무방하리라 생각된다. 수술은 진단 후 빨리 하는 것이 좋다. 저위형의 기형에서 진단이 늦어져 결장이 천공될 수 있으며, 또한 태변 내 균의 성장colonization에 의한 상처 합병증을 예방하기 위함이다. 회음부 피부 누공이 있으면서 항문거근 상방에 직장이 위치했던 보고가 있으므로, 항문성형술 전에 누공의 방향을 탐식자로 확인하는 것이 좋다.

2) 장루형성

대장루는 하행결장과 S결장의 이행부에 하는 것이 추천된다. 횡행결장보다 이 곳에 장루를 만드는 것은 다음과 같은 장점이 있다. ① 장루 원위부 장의 감압과 세척이 용이하다. ② 요도루가 커 원위부 장으로 소변이 유입될 때 쉽게 장루를 통하여 배출된다. ③ 장루탈출prolapse이 적다. ④ 장루 원위부 장조영술distal colostography이 용이하다. ⑤ 장루 원위부 장 길이가 2차 수술시 pullthrough에 충분하다. 루프형에 비해 이중 말단형 장루는 근위부에서 원위부로 변이 넘어 가는 것을 막아 요로감염이나 원위부 장에 변이 차는 것 등을 줄일 수 있다고 하나, 큰 차이는 없는 듯 하다.

좌하복부에 적절한 위치를 선정하여 복강으로 접근한 후, S-결장을 들어 올린다. taeniae coli로 결장임을 알 수 있으며, 대망이 붙어 있지 않은 것으로 S-결장임을 확인할 수 있다. 결장의 팽대가 심한 경우에는 S-결장이 우측으로 가 있는 경우가 종종 있으므로 절개창을 연장하여 S-결장을 찾아야 한다. S-결장의 근위부와 원위부의 방향을 확인하고, 장루는 가능한 한 근위부에 위치시킨다. 장루 위치에 절개를 가하여 장을 감압하고, 장루를 복벽에 고정시킨 후 남은 수술절개창을 봉합한다. 이 때 장루의 협착이나 탈출이 생기지 않도록 장루 창상의 크기를 적절하게 해야 한다. 또한 히르쉬스프룽씨병에서와는 달리 장벽의 비후가 없기에 복벽에 고정시 장벽이 찢어져 변이 복강 내로 새지 않도록 유의한다.

잔류 총배설강은 여아의 항문직장기형 중 가장 고위기형으로 외음부의 크기가 작고 개구부가 하나만 있다. 잔류 총배설강은 항문폐쇄 이외에, 소변 역류로 인한 수질증, 늘어 난 질이 방광 경부를 압박하여 방광의 확장과 수신증을 동반하고 있을 때가 많다. 이를 간과하면 요로성 패혈증이나 대사성 산증에 빠질 위험이 높다. 그러므로 결장조루술을 시행하기 전에 반드시 복부 및 골반 초음파 검사로 수질증과 수신증의 유무를 확인하여 필요하면 결장루를 설치할 때 질루vaginostomy나 방광루cystostomy를 같이 시행하도록 한다. 대부분의 수신증은 질이 확장되면서 앞쪽의 방광 삼각부를 압박하여 요관에서 방광으로 소변의 흐름에 장애를 초래하여 생기고 수질증을 배액하면 대부분 해결된다.

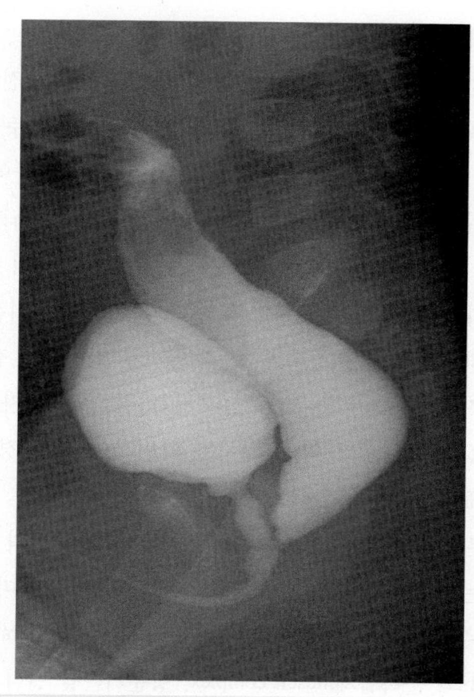

그림 7-39 장루 원위부 장조영술. 장루 원위부를 통해 측와위에서 수용성 조영제를 괄약근의 수축상태를 이길 수 있는 압력으로 주입하였다. 직장은 맹관으로 끝나고, 직장-요도 누공이 보인다. 사진은 정상 항문 표식자, 천추골, 장루, 방광과 요도를 포함하여 한 장에 촬영한다.

3) 장루 원위부 장조영술(그림 7-39)

장루 원위부 장조영술은 pullthrough 수술 전에 필히 해야 한다. 이를 통하여 직장–요도 누공의 존재유무와 위치를 확인하여 수술시 비뇨기계 손상을 최소화 할 수 있다. 또한 직장 맹관의 직경과 길이, 항문이 위치할 피부와의 거리를 알 수 있어 수술계획 수립에 도움을 준다. 장루 원위부 장에 요관을 넣고 관의 풍선을 부풀린 후, 뒤로 당겨 장루의 구멍을 막는다. 정상 항문위치에 표식자를 붙인 후, 측와위에서 수용성 조영제를 괄약근의 수축상태를 이길 수 있는 압력으로 주입하여, 요도루를 통하여 방광을 채우고 환아가 소변을 볼 때까지 진행한다. 사진은 정상 항문 표식자, 천추골, 장루, 방광과 요도를 포함하여 한 장에 촬영한다. 영상의학과 의사가 이 검사에 익숙하지 않다면 소아외과 의사가 함께 검사에 참여하는 것이 중요하다. 이 검사에서 요도루가 보이지 않았다면 조영제의 압력이 괄약근을 이길 만큼 충분하지 않거나, 변이 루를 막고 있을 가능성이 있으므로 재촬영을 요한다. 배뇨방광요도촬영(VCUG)이나 방광경 검사가 누를 확인하는데 도움이 되기도 한다.

4) 후방 시상 접근을 통한 항문직장성형술

항문직장성형술을 언제 할 것인가는 논란이 있다. Alberto Peña는 생후 4 내지 8주에 할 것을 추천하고 있다. 이는 장루를 오래 갖고 있지 않아도 되고, 환자가 수술의 기억이 없으며, 항문확장이 어릴 때에 더 쉽고, 항문을 일찍 제 위치에 놓음으로써 향후의 배변감각에 도움을 줄 수 있으리라는 가정 때문이다. 하지만 더 중요한 것은 동반기형 유무, 환아의 발육 상태, 외과의의 수술 숙련도 등이다. Peña의 첫 번째 보고에서의 최소 연령은 8개월이었으며, 132예의 항문직장성형술을 보고할 때에도 대부분 환아의 연령은 1세 이상이었다.

수술 전 장 세척과 예방적 항생제를 투여한다. 전신마취 후 요관을 넣는데 누공이 큰 경우에는 요관이 누공을 통하여 직장으로 들어 갈 수 있으나, 이는 수술 중에 누공을 확인하고 요도를 통하여 방광에 위치시키면 되므로 상관이 없다. 요관은 수술 중 요도를 확인하고 이의 손상을 피하는데 필요하며, 수술 후 요관의 창상치유 기간 동안 스텐트의 역할을 한다. 가슴과 골반부에 패드를 깐 다음, 엉덩이를 약간 든 엎드린 자세를 취한다. 근자극기(100-240mA)로 괄약근 위치를 확인하여 전후 경계에 실로 표시해 둔다.

피부 절개는 후방 정중선에서 앞으로는 괄약근의 약간 앞 또는 질전정부까지, 뒤로는 누의 위치에 따라 천미골까지 갈 수도 있다. 피하지방을 거쳐 부시상 근섬유parasagittal fibers와 근복합체muscle complex, 항문거근을 만나게 된다. 항문직장성형술은 신경들이 양 옆에서 나와 중앙선을 넘지 않는다는 데에 기초하며, 괄약근 정중앙에 직장을 위치시키는 것이 중요하므로, 근육자극(20-40mA)을 통하여 정중앙에서 위의 근육들을 절개하면서 접근한다. 대개의 경우 이 단계에서 직장을 확인할 수 있으나, 직장-방광 누공이나 잔류 총배설강 기형에서는 개복이 필요할 수도 있다.

직장을 확인하면 맹관의 원위부 후방 중앙에서 직장을 종으로 조금 열고 누공을 찾는다. 절개된 직장벽과 누공의 근위부 직장 점막에 여러 개의 견인사를 건다. 이 견인사들을 모두 모아 하나의 감자로 잡고 균등한 힘을 직장에 가하면서 누공의 근위부에서 직장과 요도 또는 질과의 분리를 시작한다. 누공 주위는 직장과 요도 또는 질이 공통벽을 갖고 있으므로 직장의 점막하층으로 분리를 시작하여 0.5 내지 1cm 정도 진행하면 각각 독립된 벽이 있는 공간을 만나게 된다. 이 때 박리는 우선 직장의 후방을 근복합체muscle complex, 항문거근과 박리하고, 양 측면, 전면의 순서로 반복하는 것이 요도 또는 질과의 박리에서 경계를 확인하는 데에 도움이 되며, 식염수를 직장의 앞 공간에 주입하여 박리할 공간을 더 확보할 수도 있다. 때때로 질 안으로 헤가 확장기를 넣어 보거나 요관을 만져 봄으로써 박리 위치를 확인하는 것이 질이나 요도의 손상을 피하는 데 도움이 된다. 누공을 봉합할 때에는 요관의 게실이나 협착이 발생하지 않도록 주의한다.

직장의 분리가 끝나면 견인사를 당겨 정상 항문 위치까지의 길이가 충분한 지를 알아 본다. 직장의 박리는 복막을 열고 복강 내까지도 가능하다. 부족한 길이는 직장 외벽의 신경혈관띠neurovascular band를 짜르면 보충할 수 있다. 다음으로는 직장의 부피가 괄약근 안에 위치할 수 있는 지를 가늠하고, 필요하다면 직장 후벽 일부를 절제할 수도 있다. 박리된 직장을 항문거근 내에 위치시킨 후 항문거근을 복원한다. 근복합체의 위치를 다시 한 번 근육자극기로 확인하고, 근복합체 앞 쪽의 공간을 봉합하여 회음체를 복원한다. 직장을 근복합체 내에 위치시키고 근육의 후변을 복원한다. 이 때 직장 후벽을 포함하여 봉합하는 것이 추후의 직장탈출을 예방하는 데에 도움이 된다. 또한 항문거근과 근복합체가 이루는 각이 부드럽게 이행되도록 헤가 확장기를 통하여 이행부 각angulation을 확인하는 것이 좋다. 수술 후 항문이 안으로 살짝 딸려 들어가 점막과 피부와의 봉합부가 보이지 않을 정도로 직장의 긴장도를 유지하면서 여분의 직장은 절제하고 항문을 만든다. 후방의 피하조직과 피부를 봉합한다.

5) 복강경을 이용한 항문직장성형술

대장루가 있는 상태에서 복강경을 통하여 직장-요도 누공이나 직장-질 누공을 찾고, 누공의 최말단 부위까지 박리하여 절제한다. 회음부의 괄약근은 전기자극으로 중심부를 찾고 중심부를 통하여 복강내에서 보면서 헤가 확장기를 삽입하여 괄약근 내로 통과시킨다. 헤가 확장기가 통과한 자리로 원위부 결장을 끌어 내려 회음부에 항문을 만들어 준다.

6) 수술 직후 관리와 장루 복원

항문직장성형술시 광범위 항생제를 사용하며, 직장-요도 누공이 있었던 예는 5 일간 요관을 거치시키는 것이 추천된다. 요관이 빠져 버린 경우에는 다시 요관을 삽입하려는 시도는 하지 않는 것이 좋으며, 요관 없이 소변보기가 가능한지를 관찰하여 불가능한 경우에는 경피적 치골상 방광루 조성술percutaneous suprapubic cystostomy을 한다. 잔류 총배설강의 경우에는 10–14 일간 요관을 유지한다. 좌욕은 술 후 3내지 4일째부터 한다. 개복을 하지 않았다면 근위부에 장루가 있으므로 경구 섭취는 마취 회복 후부터 가능하다.

항문성형술이나 항문직장성형술 2주 후에 항문의 크기를 측정하고 항문 확장을 시작한다. 항문의 이상적인 크기는 헤가 확장기로 생후 1–4개월에는 12번, 생후 4–8개월에는 13번, 생후 8–12개월에는 14번, 1–3세에는 15번, 3–12세에는 16번, 12세 이상에는 17번이 적당하다. 항문 확장 횟수는 통증 없이 쉽게 확장기가 삽입될 때까지 매일 2회씩 시행하며, 앞에서 기술한 이상적인 크기에 도달하면 인공항문을 복원한다. 수술 후 협착은 2개월까지 급속히 진행되므로 장루 복원은 이 시기 이후가 좋다. 그 이후에도 적어도 첫 1개월간은 매일 1회, 다음 1개월간은 3일 간격으로 1회, 그 다음 1개월간은 1주일에 2회, 그 다음 1개월간은 1주일에 1회, 마지막으로 그 다음 3개월간은 1개월에 1회씩 시행하는 것이 바람직하다.

6. 예후

정상적인 배변 기능 획득이 목표이며, 변실금과 변비가 중요한 합병증이다. 예후에 영향을 미치는 인자로는 기형의 정도, 천추골의 발달, 회음부 근육의 발달, 동반기형 등이 중요하다. Peña의 1,192 예에 대한 보고를 보면, 자발적 배변은 77%에서 가능하나, 설사 때를 제외하고 변을 묻히는 경우soiling도 없이 자발적 배변을 하는 예는 39%, 전혀 변을 못 가리는 경우는 25%이다. 그러므로 수술 후 여러 분야의 지속적인 통합 관리가 필요하다.

요약

항문직장기형은 항문막힘증을 기본으로 원위부 직장과 비뇨생식기계의 이상을 보이는 선천기형으로 기형의 정도에 따라 다양한 형태와 예후를 보인다. 항문직장기형의 신생아기 접근의 요점은 우선 생명을 위협하는 동반기형이 있는지 확인하고 적절한 처치를 하는 것과, 항문성형술만으로 충분한지, 또는 결장조루술 후 단계적 수술이 필요한지를 판단하는 것이다. 이 기형의 치료 성적은 1980년 Alberto Peña가 후방 시상 접근에 의한 항문직장성형술(Posterior Sagittal AnoRectoPlasty, PSARP)을 소개한 이후 크게 향상되었다. 후방 시상 접근을 통하여 괄약근을 정중앙에서 절개하고, 주요 구조물들을 직접 확인하면서 항문직장기형과 동반된 누공을 제거하고, 직장을 괄약근의 중심에 놓음으로써 비뇨생식기계의 손상을 줄이고 배변기능을 획득하는 데에 큰 진전이 이루어 졌으며, 현재는 항문직장기형의 표준수술로 자리매김하였다. 기형의 중증도, 척수나 척추의 문제, 엉덩이 근육의 발달 정도 등이 예후에 영향을 미치나, 정확한 조기 진단과 정교한 수술이 배변, 배뇨, 성기능에서의 최선의 결과를 가져 올 것이다.

XI 탈장

1. 서혜탈장

서혜탈장은 영유아와 소아에서 볼 수 있는 가장 흔한 질환중 하나이다. 서혜탈장은 소아연령에서 수술을 해야 하는 질환중 가장 많은 경우이다. 태생기 또는 출생 후에 초상돌기processus vaginalis가 전부 또는 일부가 막히지 않아서 서혜부에 여러가지 문제를 일으키는데, 이 문제들은 서혜탈장, 음낭탈장, 교통성 음낭수종, 정삭 음낭수종, 초상막 수종 등이다(그림 7-40). 서혜탈장의 빈도는 재태기간에 따라 다른데 미숙아의 경우 30%까지 발생하고, 만삭의 경우 1–2%에서 발생하나, 4.4%까지 보고한 경우도 있다. 서혜탈장은 여아보다 남아에 6배 많으며, 가족성 경향이 있다고도 하고, 1/3에서 6개월이내 발생한다. 오른쪽이 많은 이유는 오른쪽 고환이 늦게 내려오고, 오른쪽 초상돌기가 늦게 막히기 때문이다. 임상적으로는 오른쪽에 60%가 생기며, 왼쪽에는 30%이고, 양측성이 10%이다. 양측성 서혜탈장은 미숙아에 더 많다. 서혜탈장에서 문제가 되는 위험인자는 장관이 감돈되어 혈류가 차단되는 교액상태가 되어, 장관이 괴사를 일으키는 경우이다. 장관이 감돈되는 비율은 미숙아나 1세 이내의 소아들이 일반 소아 연령군에 비하여 많다. 감돈으로 인한 장폐쇄증으로 장관절제를 요하는 장의 괴사는 6개월 이내의 소아에 더 많다. 때로는 감돈만 되어 있는 탈장을 정복하여, 응급수술 상황을 선택수술 상황으로 돌릴 수 있는 때도 있다. 진정제를 주고 손으로 탈장부위를 부드럽게 눌러서 정복을 시도하면 70%에서 성공할 수 있다. 감돈된 상태에서 수술을 하면 수술 후 합병증은 20% 이상 되는데, 선택수술을 하면 수술 후 합병증이 1–2%에 불과하다. 이러한 경

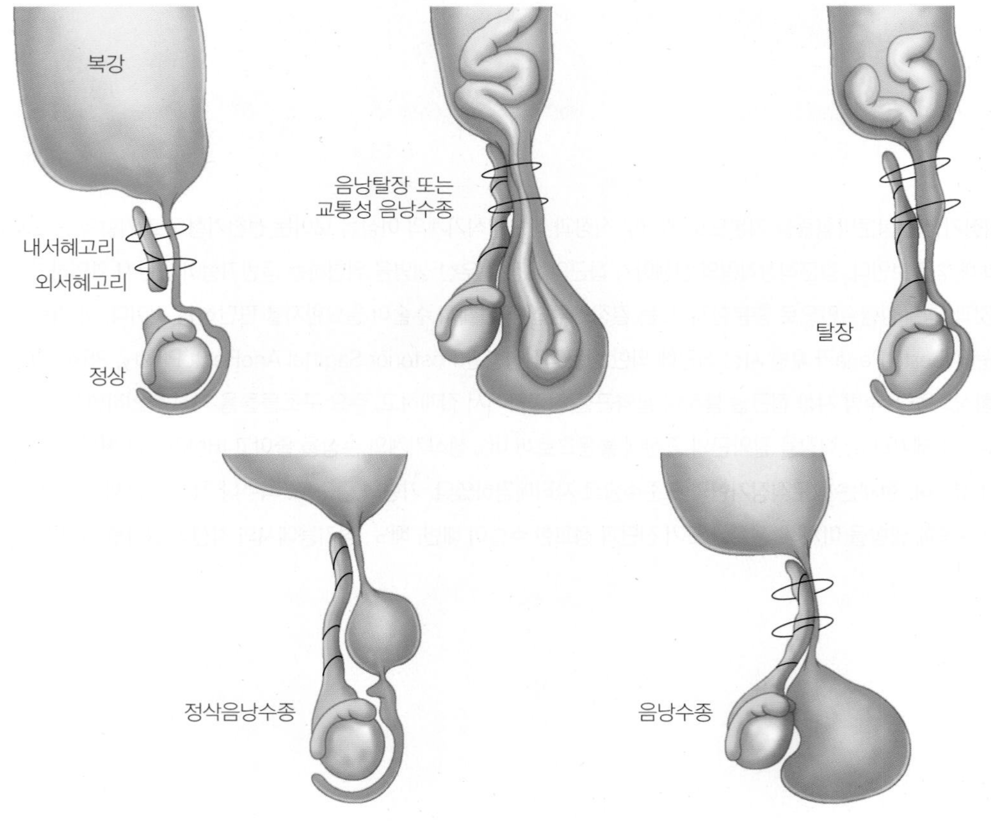

그림 7-40 서혜탈장과 음낭수종의 분류

우를 생각할 때 서혜탈장은 진단 즉시 합병증이 생기기 전에 수술해야 한다. 미숙아에서 신생아 집중 치료실에서 서혜탈장이 생기는 경우는, 환아들이 퇴원하기 전에 탈장교정술을 시행해야 한다.

정류고환 환아가 처음 6개월 동안에 생식세포가 그 용적이 줄어든다는 것을 감안하여 고환 고정술orchiopexy도 1세 때에 조기로 해주어야 한다. 정류고환 환아의 90%는 서혜탈장을 동반하므로 고환고정술을 시행할 때 탈장교정수술도 같이 해야 한다. 뇌수종으로 뇌실 복막 단락술ventriculoperitoneal shunt을 하거나 복막 투석을 하는 환아는 복압이 올라가므로, 그 전에는 몰랐던 서혜탈장이 생기는 빈도가 높아진다. 서혜탈장의 빈도를 증가시키는 경우는, 이러한 질환은 빨리 파악하여 심각한 합병증이 생기기 전에 치료를 하도록 해야 한다. 소아에서 대부분의 경우 간접 서혜탈장이므로 탈장낭을 내서혜고리internal ring부위에서 고위결찰하는 것으로 서혜탈장이 교정된다. 내서혜고리가 너무 큰 환아는 내서혜고리의 내측 하방에 있는 복횡근 근막transversalis fascia을 정낭혈관이 압박 하지 않을 정도로 조여서 내서혜고리를 적당히 좁혀 주기도 한다.

서혜탈장을 수술할 때 반대편도 수술을 할 것인가 하는 문제는 40년 이상 벌여온 논쟁이다. 양쪽을 동시에 수술해야 한다고 주장하는 사람들은 한쪽만 수술하는 경우 반대쪽에도 생기지 않게 수술해야 한다고 하며, 반대측 탈장이 특히 2세 이하의 소아에서 자주 생기기 때문이라고 한다. 그러나 이를 반대하는 사람들은 한쪽의 서혜탈장을 수술하고 난 후, 반대쪽에 실제로 탈장이 생기는 일은 거의 없다고 주장한다. 실제로 서혜탈장이 한쪽에만 있는 경우, 무조건 반대쪽을 수술하는 것은 문제가 있다. 그 문제 중 하나가 정삭혈관spermatic vessel 또는 정관vas deferens에 손상을 줄 위험이 있다는 것이며, 그렇게 되면 나중에 고환이 위축되어 불임에까지 이를 수 있는 것이다. 반대쪽의 탈장 유무를 알아내는 방법들이 몇 가지 개발되었는데, 그렇게 함으로써 반대편을 수술하는 것을 피할 수 있다. 진단적복강경은 그 민감도가 98%이며, 특이도는 100%에 이른다. 이 방법은 실제로 탈장이 있는 쪽을 수술할 때 탈장낭을 통하여 70° 짜리 내시경으로 볼 수 있으며 그렇게 하면 따로 배꼽을 통하여 복강경을 시행할 필요가 없다. 또 한가지 문제는, 이러한 방법으로 초상돌기가 열려 있는 것을 알았다 해도 어느 경우에 수술을 해야 하는지 하는 것이다. 초상돌기가 열려있다 해도 그런 환아의 8-16%만이 실제 임상적으로 탈장 증세를 보이기 때문이다. 복강경 검사를 하면 확실히 반대쪽 초상돌기가 닫혀있는 환아는 알 수 있으므로 불필요한 수술을 피하게 된다. 유아와 소아에서 나중에 생기는 탈장에 대하여 분석한 데이터를 보면 무조건적으로 반대편을 수술하는 것은 의미가 없다는 것을 암시하고 있다. 복압이 올라간 환아나 결체조직의 병이 있는 환아 등 선택적으로 해야 한다. 다른 질병이 없는 정상 영유아나 소아는 대개 입원시키지 않고 외래에서 수술을 시행할 수 있다. 이 방법은 안전하고 효과적이며 환아가 잘 견딘다. 또한 입원으로 생길 수 있는 심리적 상처를 피할 수 있고, 교차감염을 줄이며, 비용면에서도 유리하다. 소아를 위한 외래 수술 시설은 유능한 마취의사와 간호사가 있어야 하고 환경이 쾌적 하고 소아에 적합한 감시장치와 필요하면 수술 후에 입원시킬 수 있는 시설이 갖추어져 있어야 한다.

탈장환아라도 입원을 해야 하는 경우가 있다. 출생직후의 신생아로 호흡기보조가 필요한 경우 기관지폐형성부전 환아, 미숙아병력, 무호흡이나 서맥의 병력, 심한 선천성 심장질환, 발작이 있는 환아들은 수술 후에 입원시켜야 한다.

감돈탈장으로 인한 수술은 소아에서는 비교적 자주 보는 수술이며 소아외과 의사가 하는 가장 어려운 수술일 수 있다. 많은 소아외과 의사들은 서혜부 절개로 이 수술을 우선 감돈된 장관의 생존유무를 주의 깊게 평가한다. 그 후에는 탈장을 환원시키고 통상적인 탈장 수술을 한다.

2. 음낭수종

음낭수종hydrocele은 복막초상돌기가 액체로 차 있는 상태 이다. 원발성 음낭수종은 특별한 원인없이 발생하며, 빛이 잘 통과translucent하고, 통증이 없는 종괴 모양이며, 이 종괴 때문에 고환 및 부고환이 잘 촉지되지 않는다. 이차적 음낭수종은 부고환염, 결핵, 볼거리, 외상 등의 원인에 의해 생긴 장액성 삼출물로 인해 발생한다. 교통성 음낭수종때는 음낭과 복강이 통해 있어서 수분이 이동할 수 있기 때문에 음낭의 크기가 바뀔 수 있다. 정삭의 수종은 흔히 서혜관에 구형의 종괴로 나타난다. 대부분의 경우 음낭수종은 복강과 조그맣게 통해 있으므로 음낭수종낭을 외과적으로 절제하고 고위 결찰해야 된다. 가끔 여성에서는 난소와 나팔관을 포함하는 활주 탈장sliding hernia으로 나타난다. 이 경우는 즉시 수술로 복원해야 하는데 서혜관 내에서 난소가 염전torsion될 위험이 있기 때문이다. 고환초막tunica vaginalis 수종은 보통 생후 6개월이면 자연히 없어진다. 6개월이 지난 후에도 계속 있으면, 복강하고 통해 있을 가능성이 많으므로 수술을 해야 한다. 나이가 많은 소아에서는 종양, 외상 또는 염증 때문에 후천성 음낭수종도 생길 수 있는데 수종 절제술을 해야 할 경우도 있다. 소아의 음낭수종은 모두 서혜부 절개로 수술한다.

3. 대퇴탈장

대퇴탈장femoral hernia은 소아에서는 드물며 그 빈도는 0.4–1.1%이다. 성인에서와는 달리 성별은 남녀 똑같다. 소아에서는 나이가 들수록 대퇴탈장이 점진적으로 많아지는데, 그 이유는 논란이 있다. 일설로는 선천적으로 후방 서혜벽이 쿠퍼 인대에 좁게 붙은 결과 대퇴윤femoral ring이 넓어져서 탈장이 된다고 한다. 치골결절 아래 옆쪽으로 종창이 나타나는데, 소아에서 이것을 확인하기란 쉬운 일이 아니며 이상 징후와 증상이 다양할 수 있다. 서혜탈장으로 수술할 때 탈장낭을 찾지 못한다든지 탈장 재발이 의심되는 환아에서는 대퇴탈장의 가능성을 의심해야 한다.

소아에서 대퇴탈장의 치료법은 여러가지가 제시되었다. 단순히 결찰하고 탈장낭을 결제하는 것으로는 충분치 않다. 이환율을 줄이는 관건은 조기선택수술로 낭을 확인하여 결찰하고 대퇴윤을 꿰매어 주는 것이다. 꿰매어 주는 과정은 서혜부 절개로 병합건conjoined tendon을 쿠퍼 인대에 붙여주는 방법과 대퇴부 접근법으로 서혜인대를 치골인대나 치골근막에 꿰매어 주는 방법이다.

4. 제대탈장

제대탈장umbilical hernia은 제대고리umbilical ring의 결손이 원인이다. 탈장낭은 복막의 안쪽 피복이며 제대피부의 아래쪽에 붙어있다. 제대탈장은 여성과 흑인에 많다. 제대탈장은 80%가 자연 소멸되는데, 결손부의 크기가 2cm 이상이면 저절로 닫히지 않는다. 서혜탈장과 달리 소아에 생기는 제대탈장은 합병증이 거의 없다. 위험이 적은 병이기 때문에 자연치유를 기대하고 2년 관찰하는 것이 합리적이다. 2년을 기다려도 없어지지 않거나 증상이 생기면 제대탈장 복원술을 시행한다. 서혜탈장 수술을 하기 위하여 전신마취 하게 되면 제대 탈장을 같이 수술해준다.

5. 정류고환

정류고환undescended testis은 만삭아의 1–2%에서 나타난다. 실제빈도는 재태기간에 따라 상당히 달라진다. 미숙아의 경우 30%까지도 된다. 정류고환은 이환된 고환의 조직학적 및 형태학적 변화를 동반하는데 6개월 때부터 시작해서 용적이 줄어 들고 생식세포의 결핍이 온다. 또다른 조직학적 변화는 레이디그Leydig 세포의 위축, 세관tubule의 직경 감소 및 정조세포spermatogonia의 수의 감소가 2세 때까지 계속된다. 미숙아의 정류고환은 한살 전에 내려오는 수가 있으므로, 그런 경우 한살 때까지는 기다려 보아야 한다. 감별진단으로는 신축성고환 retractile testis, 이소성고환, 단일고환증monorchism이 있다. 이소성고환은 고환이 외서혜고리를 통해 빠져 나온 후에 비정상적 자리에 위치하는 것이다. 이소성고환ectopic testis은 정상적인 고환기능과 환아의 만족감 및 미용적 이유로 외과적 교정을 하여야 한다.

요약

서혜탈장은 영유아와 소아에서 흔히 보는 질환으로 소아연령에서 수술을 해야 하는 가장 많은 경우이다. 태생기나 출생 후에 초상돌기가 전부 또는 일부가 막히지 않아서 서혜부에 여러가지 문제를 일으 키는데, 이 문제들은 음낭탈장, 원위부는 막히고 근위부에 탈장낭이 있는 것, 교통성 음낭수종, 정삭 음낭수종, 초상막 수종 등이다. 서혜 탈장의 빈도는 재태기간에 따라 다른데 미숙아의 경우 30%까지 발생하고, 정상 출생아의 경우 1-2%라고 하지만 4.4%까지 보고된 경우도 있다. 여아보다 남아에 6배 많으며, 1/3에서 6개월이내 발생한다. 임상적으로는 오른쪽에 60%가 생기며, 왼쪽에는 30%이고, 양측성이 10%이다. 오른쪽이 많은 이유는 오른쪽 고환이 늦게 내려오고, 오른쪽 초상돌기가 늦게 막히기 때문이다. 양측성 탈장은 미숙아에 더 많다. 서혜탈장에서 문제가 되는 위험인자는 장관이 감돈되어 혈류가 차단되는 교액상태이다. 장관이 감돈되는 비율은 미숙아나 1세 이내의 소아들이 일반 소아 연령군에 비하여 많다. 감돈으로 인한 장패쇄증으로 절제를 요하는 장의 괴사는 6개월 이내의 소아에 더 많다. 소아에서는 대부분의 경우 간접 서혜탈장낭을 내서혜고리 부위에서 고위결찰하는 것으로 해결된다. 내서혜고리가 너무 큰 환아는 내서혜고리의 내측 하방에 있는 복횡근 근막을 정낭혈관이 압박되지 않을 정도로 조여서 내서혜고리를 적당히 좁혀준다. 다른 질병이 없는 정상아나 나이가 있는 소아는 대개 입원시키지 않고 외래에서 수술을 시행할 수 있다. 입원을 해야 하는 경우는 출생 직후의 신생아로 호흡기보조가 필요한 경우, 기관지폐형성부전 환아, 미숙아병력, 무호흡이나 서맥의 병력, 심한 선천성 심장질환, 발작이 있는 환아들로 이들은 수술 후에 입원시켜야 한다. 감돈탈장으로 인한 수술은 소아에서는 비교적 자주 보는 수술이며 소아외과 의사가 하는 어려운 수술일 수 있다. 많은 소아외과 의사들은 서혜부 절개로 우선 감돈된 장관의 생존유무를 주의 깊게 평가한다. 그후에는 탈장을 환원시키고 통상적인 탈장 수술을 한다.

XII 악성종양

1. 신경모세포종

신경모세포종은 소아복부악성종양중 가장 많다. 이 종양의 발생빈도는 10,000-15,000인에 한명꼴이다. 종양발생은 2세이하, 특히 1세미만에 많고 남녀차는 없다. 신체각부위의 교감신경절을 중심으로 발생하고 경부, 후종격, 후복막, 골반강의 교감신경절 부신수질로부터 발생한다. 특히 부신수질로부터의 발생이 많아 전체의 65%에 달하며 좌측에 많다.

1) 원인

신경모세포종의 기원은 태생기의 신경절neural crest에서 기원한다. 신경절로부터 신체각부위의 교감신경절(부신수질을 포함)이 형성되며 각각의 교감신경절세포의 기원은 미분화한 신경모세포neuroblast이며 이 신경모세포가 성숙, 분화하지 않고 한군이 되어 존재하고 결국은 종양성 증식을 나타내게 되어지는 것이 신경모세포종이다. 종양은 암적색괴사 또는 회백색충실성의 종양이고 국소침윤, 국소임파절전이, 원격전이를 일으키는 것이 많다. 원격전이는 골수, 골(장관골, 골반, 두개골 등), 안와, 원격임파절, 간, 피하조직 등에 많이 가며 폐로의 전이는 말기에만 일어난다. 골수전이는 골수천자로 종양세포가 발견되는 경우이고 골전이는 X 선조영상 명확하게 전이를 보이는 것을 말한다. 골수전이는 골전이의 전구상태로 생각된다.

조직학적으로 신경모세포종(협의)과 신경절모세포종의 두종류로 크게 구분한다. 이밖에 양성의 신경절세포종이

표 7-2. 신경모종군종양의 조직분류

신경절세포종(ganglioneuroma)
신경절모세포종(ganglioneuroblastoma)
a. 고분화형
b. 혼합형
c. 저분화형
신경모세포종(neuroblastoma)
a. 화관세섬유형
b. 원형세포형

존재한다. 이것들의 세종류의 종양은 신경아종군종양이라고 총칭된다(표 7-2). 이 종양에 관련이 깊은 종양으로 primitive neuro-ectodermal tumor 또는 아스킨 종양 Askin's tumor가 있다. 신경모세포종과 다른 점은 cathe-cholamime 대사계가 없는 것, 원격전이가 다른부위에 생기는 것 등이다.

신경모세포종의 종양세포의 염색체에는 일정한 특징이 있는 소견이 보인다. 그래서 이 종양의 예후양호군(1세미만증례, stage I, II, IV-S)의 종양세포는 사배수tetraploid 또는 삼배수triploid 등 고이배수hyperdiploid의 염색체소견을 나타내는 것이 많고 예후불량군(stage IV, 1세 이상의 stage III)에서는 1번염색체단완의 이상 또는 이중미세염색체Double Minutes (DM), 동질염색부위Homogeneously Staining Region (HSR)가 출현하는 일이 많다. N-myc은 신경모세포종에 특유한 암유전자로 정상의 50배 전후의 증폭이 관찰된다. 수술시에 채취한 신경모세포종의 종양조직에서는 약 38%의 N-myc 증폭이 증명되었다. 이러한 증폭이 보이는 것은 예후불량군인 stage III 또는 stage IV기로 국한되어 있어 예후양호군인 stage I, II, IV-S에는 예외적으로 관찰된다.

2) 증상

신경모세포종의 임상증상으로는 원발병소에 의한 증상, 원격전이에 의한 증상, 종양대사산물에 의한 증상이 있다.

주증상은 복부종괴, 발열, 설사, 안면창백, 구토, 하지통, 안구돌출, 피하결절, 간종대 등이다. 보통 이 종양의 50% 내지 70%에서 복부종괴가 촉지되며 표면은 요철이 많고 딱딱하다. 고혈압은 25% 전후에 있고 대부분은 catecholamine의 생성결과이나 때로는 종양이 신장문부에 침윤한 결과 신장혈관이 압박되어 신인성고혈압이 되는 경우도 있다. 상종격동 또는 경부원발신경모세포종의 경우에는 같은 측의 Horner 증상을 보이는 일이 있다. 안와전이의 경우에는 안구돌출을 초래하기 전에 안검출혈로 증상이 나타나는 일이 많다. 종격신경모세포종의 경우 호흡곤란 또는 연하장애를 초래하는 일이 있다. 종격신경모세포종 또는 후복막원발신경모세포종의 경우 척추관내로의 침윤를 초래하는 일이 있고(dumbell type), 척추압박의 결과 양측의 하지마비가 초래된다. 빈혈은 골수전이의 결과에 의한 것이 많다. 급성소뇌성운동실조가 이 종양의 증상로 보고되어 있다. 이밖에 급격한 설사를 초래하는 일이 있는데 이것은 종양으로부터의 vasoactive intestinal polytpeptide 생성의 결과라고 생각된다.

안구돌출, 안검출혈, 하지통 등은 각기 원격전이에 의한 증상이다. 안면창백, 빈혈, 식욕부진 등은 전신증상이며 진행된 예에서 보인다. 피하결절과 간종대는 신생아 또는 생후 2-3개월까지의 신경모세포종증례에 특징적이다.

3) 생화학적검사와 집단검진

신경모세포종은 catecholamine 대사계를 갖고 있는 경우가 많다. Catecholamine은 대사경로에 의해 epi-nephrine, norepinephrine을 생산하고 이것들의 대사산물인 Homovanillic Acid (HVA) 또는 Vanillyl Man-delic Acid (VMA)를 소변중에 배설한다.

그러나 실제로는 catecholamine 대사계를 가지는 신경모세포종은 전체의 70%이며, catecholamine 대사계를 가지고 있어도 전예가 epinephrine, norepinephrine의 생산이 된다고는 볼수 없으며 dopamine의 단계로부터 HVA 배설의 방향으로 이행하는 증례도 적지 않다. VMA 를 배설하는 종양은 HVA를 배설하는 증례보다 분화되어 있다고 생각되며 예후도 양호하다.

Neuron Specific Enolase (NSE)는 이 종양의 좋은

종양 marker이고 혈청치를 radio-immunoassay로 측정하여 진단 또는 경과를 보는데 유용하다. 소아의 혈청 NSE 의 정상치는 14.6ng/mL 이하이다. 신경모세포종증에 의한 혈청 NSE 치의 최고치의 평균은 270ng/mL이다. 다른 소아악성종양에 관해서도 NSE 치가 약양성을 나타내는 일이 있고 진단에 사용하는 경우에는 이 점을 염두에 둘 필요가 있다.

혈청 LDH치 또는 ferritin치는 특이성이 부족한 종양 marker이지만 이 종양의 marker로는 넓게 사용되고 있다.

NSE치, LDH치, ferritin치와 예후간에는 일정한 관계가 있다.

이 종양이 많은 경우에 소변중에 VMA를 배설하고 있는 것을 이용하여 mass screening이 넓게 시행되고 있다. 소변 한방울을 종이나 용기에 받아 발색방법이나 HPLC 법에 의해 VMA의 존재를 검사하는 일이다. 이 mass screening으로 17,000 예에 한 명꼴로 이 질환이 발견된다. 이 검사로도 발견되지 않는 증례도 간혹 있으나 검출된 증례는 병기가 악화되지 않은 증례가 많다.

4) 진단

먼저 정맥성신우촬영을 시행한다. Wilms' tumor의 경우에는 신우자체의 변형이 보이지만 이 종양은 신우의 외하방압박상 또는 요관변위 등의 소견이 보인다. 이 종양은 부신수질원발이 많기때문에 신우는 외측, 또는 외하방으로 압박되며, 부신이외의 후복막교감신경절원발의 경우에는 이환측 요관의 변위소견만 보인다. 단순촬영에서는 세과립상의 석회화상이 보이는 일이 많다.

이 종양이 의심되는 경우에는 필히 전신의 골촬영을 시행하고 골전이의 유무를 검사한다. 전이의 호발부위는 두개골, 안와, 상완골, 대퇴골, 경골, 척추, 골반 등이다. 골흡수파괴상, 골막성반응(장관골), 봉합부전 등이 보인다. 골 scintigraphy, MIBG scan도 병용한다.

CT scan도 종양의 넓이나 임파절전이를 아는데 유용하다. CT scan은 화학요법에 의한 치료를 행하는 경우 경과를 보는데 꼭 필요하다. 대동맥촬영은 수술을 시행하는 경우에 하고 절제난이도 등을 추정하는데에 유용하다.

치료를 시작하는데에는 이 종양의 진단을 확립하는 것이 필수적이다. 소변 중의 VMA, HVA의 양성소견, 또는 골수천자에서 골수중에 신경모세포종의 종양세포가 존재하면 이 종양이 진단된다. 골수전이의 증명에는 Giemsa 염색의 소견만이 진단의 대상이었으나 최근에는 monoclonal 항체에 의한 조직화학적검사가 사용되고 있다.

예후인자로는 N-myc 증폭의 유무, 개복 또는 전이소의 생검에 의해 이것을 시행하는 것이 바람직하다.

5) 병기분류

이 질환의 예후는 병기분류에 의하여 결정된다. 따라서 치료시작전에 병기분류의 어디에 속하는 가를 결정하는 일이 극히 중요하고 병기에 의해 다른 치료가 시행되고 있다.

미국에서는 Evans에 의해 1971년 제창된 병기분류가 널리 사용되고 있다. 일본에서는 표 7-3에 표시된 분류가 사용되며 stage IV는 골전이를 나타내는 IV A와 골수전이를 나타내는 IV B로 구분되는 점이 우수하다.

최근에는 미국, 유럽, 일본간에 international staging system이 만들어졌다.

표 7-3. 신경모세포종의 병기분류

stage I	종양이 원발장기에 국한된 것
stage II	종양이 국소침윤 또는 국소임파절전이를 동반하는 것, 정중선을 넘지 않는 것
stage III	종양이 정중선을 넘거나 반대측의 임파절전이가 있는 것
stage IV A	골, 실질장기, 원위임파절원격전이를 동반하는 것
stage IV B	원발병소가 stage III 로 원격전이가 골수, 피하, 간에 국한된 것
stage IV S	원발병수가 stage I 또는 II 로 원격전이가 간, 피하, 골수에 국한된 것

6) 치료

다른 종양의 경우처럼 수술과 방사선요법과 화학요법이 사용된다. 치료방침은 stage 별로 세워지며 이 질환에서는 특수하게 연령인자가 첨가될 필요가 있고 stage III에서는 1세미만의 증례와 1세이상의 증례에서는 다른 치료 방침이 선택된다.

먼저 stage I과 II 증례에 대해서는 환자의 연령에 관계없이 수술과 방사선요법이 우선된다. 특히 stage I 에서는 방사선요법이 생략되는 경우가 많다. 수술로 종양이 전적출되며, 방서선요법에 의해 잔류종양microscopic residual이 치료된다. 방사선요법은 1,500rad(1세 미만)에서 4,000rad (5세 이상)가 사용된다. 수술중 열린 부위를 통하여 방사선요법을 사용하는 방법으로 위와 같은 양의 방사선을 조사하는 방법도 시행된다. stage I 또는 II 증례에 대한 수술 후의 화학요법으로 부작용이 적은 James요법(vincristine 1.5mg/M^{2}와 cyclophosphamide 300mg/M^{2}의 격주교대요법) 또는 이것과 비슷한 방법이 시도된다.

stage IV S기 또는 1세 미만의 stage III기에서는 (stage IV S기는 거의 1세 미만이다) 자연치유경향을 염두에 둔 화학요법을 중심으로 치료가 시행된다. stage IV S기는 간에 광범위한 전이가 있으므로 근치적절제는 불가능하고 stage III기에서는 정중선을 넘은 종양의 침윤이 있어 단시간내에 전적출이 쉽지 않다. James 요법이나 이것보다 조금 강한 화학요법을 충분히 시행하여 수술 후의 방사선요법은 stage III의 증례에 대하여 시행한다. stage IV S의 경우에는 간에 소량의 방사선조사를 시행하는 수도 있다. 1세미만의 증례에서는 부작용이 심한 화학요법은 되도록 피하는 것이 좋다.

전연령을 통하여 stage IV A, 1세 이상의 stage III, stage IV B 증례는 종양의 근치적절제도 불가능하고 예후는 나쁘다. 치료로는 우선 강력한 화학요법을 시행한다. 화학요법에는 cyclophosphamide 대량요법, cyclophosphamide의 5일간 연속투여에 adriamycin과 cisplatinum을 주는 방법과 최근에는 표 7-4에 표시한 A1 protocol이 많이 사용된다. 표4에 표시한 것 이상의 항종양제에는 DTIC, melphalan, ACNU가 있고 aclacinomycin A도 유효하다. A1 protocol을 세번 사용하면 뚜렷하게 종괴의 쇠퇴가 보인다. 이 시점에서 처음으로 종괴적출술second look surgery을 시행한다. 2기 수술로의 종양적출은 유착에 의해 결코 쉬운 것은 아니지만 시간을 기다려 종양조직의 전적출을 시도한다. 동시에 수술중방사선조사(1,500rad)를 시행한다. 계속하여 A1 protocol에 의한 화학요법을 시행하거나, 잔류종양이 있을 때에는 melphalan 대량요법과 자가골수이식요법을 시행하는 것이 최근의 치료법이다. 진행성신경모세포종에 대한 강력한 치료가 시행되지만 부작용의 조사와 대책이 충분히 시행되어야 한다.

표 7-4. 진행성신경모세포종에 대한 화학요법

A1 프로토콜	day	1	2	3	4	5
cyclophosphamide	1,200mg/m^2	▼				
vincristine	1.5mg/m^2	▼				
adriamycin	40mg/m^2			▼		
cisplatine	90mg/m^2					▼

7) 예후

예후는 연령과 병기에 의해 결정된다. 일반적으로 1세 미만은 예후가 좋고 1세 이상이면 예후가 나쁘다. 병기분류에 따라서는 stage I IV S II III IV B IV A의 순으로 예후가 나빠진다. 치료시작후 3년이상 경과하여 종양의 재발이 없는 것을 완전치유로 간주하며 전체적으로 치유율은(2년 생존률) 45% 전후이다.

2. 윌름 종양

1) 개념

후신발모체metanephric blastoma에서 기원하는 악성종양으로 신모아종nephroblastoma으로도 불려지며 1899년 상세한 검토를 토대로 질환개념을 정리한 Max Wilms 의

표 7-5. 윌름종양(신모종)의 조직분류

I	신모형 nephroblastic type a. 소소아형 focal nephroblastic subtype b. 대소아형 diffuse nephroblastic subtype c. 복합아형 complex subtype
II	상피형 epithelial type
III	간엽형 mesenchymal type
IV	부전형 abortive type a. 신명세포육종 clear cell sarcoma of kidney b. 신횡문근육종양종양 malignant rhabdoid tumor of kidney c. 기타 others

명칭을 현재까지 사용한다.

이 종양에서는 합병기형이 많다. 무홍채증aniridia, 편측비대, 거대설증, 요로생식계 기형 등의 동반기형의 유무를 점검하여야 한다. WAGR (Wilms' tumor, Aniridia, Genital anomalies, gental Retardation) 증후군은 유전성이 있는 것으로 세포 유전학자들의 주목을 받았다. 이 증후군의 유전자분석에 의해 11번 염색체 단완의 중간부 소실11p 13 deletion이 밝혀졌다. 이 장소에는 암의 발생을 억제하는 antioncogene이 존재하여 이 유전인자를 잃음으로해서 암이 발생한다고 하였다.

이 종양의 치료, 연구의 역사에 관해서 NWTS (National Wilms' Tumor Study)가 있다. 이 조직은 1969년 미국에서 전국 규모로 시작된 group study로 현재까지 NWTS-1, 2, 3와 이 종양의 병태해명, 치료법의 개선에 이바지한 바가 크다.

2) 병리

윌름 종양은 소아의 가장 흔한 악성 신장종양으로 전체 소아고형종양의 2위를 차지한다. 이 종양은 신장의 어느 부위에서도 발생하며 양측성은 5%이고, 4%는 동시성으로 발생한다. 신장 내에서 종괴는 주위를 압박하는 것처럼 발육하고 신우를 압박변형시킨다. 정상 신장조직과의 경계는 확실하다.

종괴는 신장피막 내에 있으므로 주위조직으로의 침윤이 일어나지 않고 따라서 종괴의 절제가 불가능한 일은 거의 없다. 병리조직학적으로는 신모조직blastemal 및 이것보다 여러가지 정도의 분화된 상피조직epithelial과 간질조직mesenchymal으로 되어있다.

초기 NWTS의 연구결과에 따르면 윌름종양은 조직학적으로 예후가 양호한 아형과 불량한 아형으로 구분된다. NWTS-1, NWTS-2은 악성도가 높고 예후가 불량한 아형을 조직학적불량군Unfavorable Histology (UH)으로 보고하였으며 역행성anaplasia 및 육종성sarcomatous 윌름종양(신명세포육종clear cell sarcoma)과 횡문근육종rhabdoid tumor이 이에 속한다.

3) 증상

신장피막 내에 발생하여 증상없이 장기간 지나므로 종괴가 대단히 클 수 있다. 일본소아외과학회의 집계를 정리해보면 초발증상으로 종괴촉지가 특히 많다(54%). 신우로 침투하지 않으면 혈뇨는 없다. 다른 통계에서는 20% 정도이다. 그 밖에 복부팽만(10%), 복통(10%), 발열(6%), 구토(2%) 등이다. 고혈압을 동반하는 보고가 많아 주의깊게 혈압측정을 하는 것이 중요하다.

무통성 종괴이기 때문에 복부타박을 계기로 발견되는 일도 많다. 발병연령의 분포를 보면 318예 중 0세 22.3%, 1세 24.8%로 2세 미만이 약반수를 차지한다. 2세 17.0%, 3세 14.8%로 4세 미만이 거의 80%를 차지하고 있다.

4) 진단

무통성의 복부종괴로 신경모세포종, 기형종, 기타의 신장종괴와의 감별진단이 필요하다. 이학적소견으로는 윌름종양은 일반적으로 복부한쪽에 위치하며 확실한 윤곽과 매끄러운 표면을 가지고 있다. 초음파검사는 비침습적으로 종괴의 질적진단을 확실히 할수 있다. 기계의 진보에 의해 screening 검사 뿐 아니고 최종진단에 도달할 수 있는 검사수단이 되었다.

영상의학검사로는 단순복부사진으로 종괴음영을 보며 때로는 주변부에 원형의 석회화가 보인다. 흉부단순사진에서 전이병소의 유무를 주의깊게 본다. 경정맥신우조영이 매우 중요하고 신장내종괴의 특징으로 신우의 변형, 병위에 의해 최종진단된다. 혈관조영은 편측성종괴에서 필요하다. CT의 역할은 최근 대단히 중요하게 되었다.

양측성종괴를 의심할 경우에는 이것에 대한 검사가 대단히 중요하다. 초음파검사 또는 CT의 검사소견으로 항상 반대측의 신장의 변형, 정맥내혈전, 간전이등의 유무에 세심한 주의를 기울여야 한다.

5) 치료

치료성적의 향상의 요소로 되어있는 수술, 화학요법, 방사선요법 각각의 역할이 중요하다.

수술로는 복부의 큰 횡절개가 권장된다. 조기정맥결찰처리에 관해서는 NWTS-1, NWTS-2에 근거하여 효율성이 통계적으로 없다. 따라서 위험이 큰 증례에서는 시행하지 않아도 좋다. 임파절전이예의 예후는 나쁘기 때문에 수술적으로 충분히 곽청술을 시행하여야 한다. 양측성종괴가 약 5%에 달하므로 병변측 신장종괴를 적출하기 전에 반대측신장에 대한 검사가 꼭 필요하다.

수술적치료의 소견을 근거로하여 병기를 결정하고(표 7-6), 이것에 의해 방사선요법, 화학요법의 계획을 세운다. 현재 참고하여야할 것으로는 NWTS-3 protocol 이 있다. NWTS-1, 2의 성적검토에 의해 Actinomycin-D (AMD), Vincristine (VCR), Adriamycin (ADR)의 병용요법이 우수한 것이 알려졌다. 유아에서는 예후가 보다 좋기때문에 신중한 선택이 필요하다. NWTS에서는 50% dose로 시작되는 시도가 있다. 성적양호군favorable histology (FH)에서는 방사선치료량을 감소하는 등 치료후의 장애를 적게하기 위한 노력이 NWTS에서 시행되고 있다.

한편 육종성 윌름종양 및 역형성 종양 등의 UH에서는 적극적인 수술 후 요법이 시행된다. 조직학적예후불량인자로의 UH를 결정할수 있는 것은 NWTS의 최대 성과중 하나이다. 양측성종양에서는 신장의 부분절제, 부분적인 방사선조사, 강력한 화학요법등의 증례에 대한 강력한 치료가 필요하다. NWTS의 성적에 비하면 아직까지 치료성적은 좋지않다.

표 7-6. Wilms 종양의 병기분류

I 기	신장에 국한되어 있고 완전적출됨
II 기	신장주변으로 침습되었으나 완전적출됨
III 기	복강 내 국한되어 있으나 비혈행성전이된 잔류종양이 있음
IV 기	복강이외의 혈행성전이 혹은 림프전이가 있음
V 기	양측성

6) 치료성적

윌름종양의 치료성적향상은 세계적으로 최고수준의 성적으로 향상되었는데, 보스톤 소아병원의 전체생존률을 보면 over-all survival rate는 1920년 8%, 1930년 30%, 1940년 40%, 그리고 actinomycin-D의 사용에 의하여 1960년 81%가 되었고 현재에는 90% 이상의 생존률을 기록하는 치료가 잘 되는 종양이다.

3. 간암(간악성종양)

1) 개념

소아간암primary liver carcinoma in infancy and childhood는 일반적으로 영유아기에 보여 태생종양의 성격이 강한 간모종hepatoblastoma과 간암에 유사한 성인형adult type 간암으로 구별된다.

간모종은 embryonal hepatoma, hepatic mixed tumor, teratoid mixed tumor, malignant adenoma, teratoma 라고도 칭해지며 성인형간암은 embryonal hepatoma, hepatocarcinoma, hepatocellular carcinoma, liver cell carcinoma, hapatoma 등으로 불리워진다. 간모종은 소아간암의 대부분을 차지하며 조직학적으로 고분화형, 저분화형, 미숙형 의 세아형으로 세분된다.

소아의 간종양 70-80%가 악성종양이며 대부분은 간암이다. 성별로는 남아에 많고 연령별로는 3세이하의 영유아에 간아종이, 5세이상의 연장아에는 성인형간암이 많다.

2) 유형, 병태

원발성간암은 육안적형태상 결절형nodular type, 괴상형 massive type, 미만형diffuse type 으로 분류되어 간아종은 괴상형을 나타내 국소적인 것이 많고 간경화를 동반하는 일이 드믈다. 간아종은 피막을 가지고 정상간조직을 압박하면서 커지는 원심성증식의 양식을 취하면 간정맥의 침습이 보여 폐전이를 초래하기 쉽고 임파절전이도 보인다.

3) 조직학적분류와 생화학적특징

조직학적으로는 종양세포의 형태에 의해 고분화형, 저분화형, 미숙형으로 분리되고 각각의 세포의 수적인 우세에 의해 조직형이 결정된다.

a) 간아종고분화형
b) 간아종저분화형
c) 간아종미숙형
d) 성인형
e) 담관세포암

그밖의 특징으로는 혈청 AFP가 높게 나타나며 HBS 항원양성은 적다. 드물지만 HCG를 분비하여 성조숙증을 보이는 수도 있다.

4) 증상

초기증상으로 많은 것이 복부종괴로 74예(38.9%), 다음이 복부팽만 41예(21.6%), 복통 26예(13.7%), 발열 19예(10.0%), 간종대 17예(8.9%)였으며 그밖에 구토, 식욕부진, 설사, 빈혈, 체중감소 등이 있었다. 드물게 골절 또는 성조숙증으로 발견되는 일도 있다. 복부종괴는 우상복부(우엽의 간암), 심와부(좌엽의 간암)에 촉지되며 호흡하면 이동하며 압통은 없다.

5) 진단

흉부 X 선사진, 초음파진단, CT, 간 scintigraphy, 혈관조영 등의 검사를 시행하여 간종대와 종양을 보며, 종양이면 간내의 것인지, 간내의 것이라면 악성인지 간암에서 어느부위에 위치하며 절제가 가능한 것인지 등을 진단한다.

a) 흉부 X 선사진: 질환측의 횡격막거상, 폐전이의 유무를 본다.
b) 신우조영: 신장의 압박 또는 신우의 변형은 보이지 않는다.
c) 초음파진단: 종양은 간내에 있고 solid pattern 또는 mixed pattern 을 보이고 근처는 폭이 좁은 불규칙한 모양으로 보인다.
d) CT 검사: 간내종양의 성상, 크기, 수, 주위 간실질 또는 혈관과의 관계에 관해서 명확하게 하는 것이 가능하다.
e) 간 scintigraphy: 최근에는 CT, 초음파진단의 개발에 의해 진단적가치는 낮아졌다. 간절제후의 재생간의 상태를 알기위해서는 유용하다.
f) 혈관조영: 간동맥조영과 하대정맥조영을 시행한다. 종양의 지배동맥, 간동맥의 주행이상, 종양의 질적진단 또는 간내병소의 진전도를 알게 된다. 종양에의 영양혈관은 비교적 두껍고 종양외측으로의 압박, 굴곡과 다수의 불규칙한 종양혈관음영 또는 조영제의 저류, tumor stain 등을 볼 수 있다. 혈관종과의 감별에 유용하다. 하대정맥조영으로 종양과 하대정맥과의 관계를 알아보아 중요하다.

종양의 절제가 가능한지, 잔존간으로의 간동맥분포, 종양의 하대정맥으로부터의 박리가 가능한지 등을 수술전에 알아볼수 있는 중요한 검사법이다.

생화학검사로는 간내의 종양이 간암인지를 진단하기 위해서는 혈청의 AFP 측정은 빠뜨릴 수 없다. 소아간암에서는 AFP치가 높고 주위할 것은 신생아, 유아에서는 정상에서도 AFP치가 높다. 예를들어 생후 2개월의 유아 정상치는 1,000ng/mL로 생후 10개월 경에 성인치에 도달한다. 근치수술 후 AFP 치의 하강은 반감기가 3-5일인 증례에서 치류의 가능성이 높다고 되어있고, 간절제술 후 간암재발의 조기발견을 위하여 AFP는 중요한 검사이다.

HBS 항원 또는 항체의 양성예는 적다. LDH 또는 총콜레스테롤치가 높은 일이 많다.

6) 치료

간모종은 종양피막을 가지며 간경화가 있는 경우가 적고 괴상형을 나타내므로 종양의 절제율이 높다. 간경화가 없는 경우에는 3구역segment 까지는 쉽게 절제가 된다. 수술 후의 간기능장애는 1주만에 정상이 되며 6개월이 되면 정상크기에 도달한다. 간동맥은 variation이 있기 때문에 주의하여야 한다. 절제할수 없는 것은 간동맥결찰 또는 간동맥내 항암제주입 등에 의해 종양을 수축시켜 second look operation으로 절제를 시도한다. 폐전이를 초래한 원발성간암은 일반적으로 간절제의 적응은 되지 않지만 때로는 항암제에 감수성이 높은 것에서는 폐전이가 없어지는 수도 있어 수술적응이 전혀 안된다고는 할수 없다.

그밖의 수술방법으로는 간절제가 불가능한 경우에 여러가지의 고식적 방법이 사용된다. 간동맥결찰법, canulation 법은 종양으로 유입되는 간동맥을 결찰하는 방법과 위십이지장동맥으로부터 총간동맥에 canulation 을 시행하여 항암제를 주입하는 방법이 있다. 점진적문맥차단과 간동맥결찰법은 점진적으로 우측 혹은 좌측 문맥을 차단하는 방법으로 고유간동맥결찰, tubing을 시행하고 국소적 또는 전신적인 항암제를 투여한다. 문맥결찰법은 효과가 없고 거의 시행되지 않는다. 간이식은 소아간암에 대해 간이식이 드물게 시행되지만 수술 후의 폐전이 또는 재발 등을 초래하여 치료성적은 좋지 않다.

성인형간암의 치료에는 화학요법, 방사선요법 모두 효과가 없다. 방사선요법은 간모종의 경우에도 효과가 없다. 최근에는 화학요법이 효과가 있다는 보고도 있다. 약제로는 mitomycin C, vincristine sulfate, cyclophosphamide, adriamycin, cisplatin, actinomycin D, 5-fluorouracil 등이 사용되며 보고에 따라 항암제가 다르고 하여 어느 약제가 좋은지는 아직 불명하다.

7) 치료성적, 예후

소아의 경우 50% 이상에 간절제가 시행되어 20-30%가 장기생존한다. 간절제에 의한 수술사망은 15-30%이고 사망원인은 크게 출혈과 이차성쇼크 또는 심장마비이다. 양측폐로의 전이가 잘되며 전이율은 17-40%이다. 간문부임파절로의 전이는 6-13%이다. 치료를 안하면 3개월 이내에 사망하며 방사선치료나 항암제를 투여한 증례도 거의 6개월이내에 사망한다. 일반적으로는 원격전이가 없고 원발종양이 완전하게 절제된 증례에서 장기생존이 보인다. 전체의 장기생존율은 0-39%(평균생존율:24%), 절제예의 생존율은 0-58%(평균생존율 49%)이다.

8) 병기분류

소아간암에서의 병기분류는 원발부위와 점유구역, 원발종양의 국소진전, 혈관침투, 임파절전이, 원격전이에 의해 결정된다.

stage I은 종양이 1구역에 국한하여 종양피막내에 있는 것, stage II는 종양이 2구역에 국한하든지 종양피막을 넘어서 종양이 노출되든지, 간내혈관계내에 종양색전이 있든지, 간십이지장인대의 임파절에 전이가 있는 것, stage III 는 A, B로 나뉘어져 A는 종양이 3구역을 차지하든지, 간외의 혈관에 종양색전이 있는것, B는 종양이 4구역을 차지하며 종양색전과 임파절전이는 있으나 원격전이가 없는 것, stage IV는 원격전이가 있는 것을 말한다. 예후는 stage I, II, III A는 비교적 양호하며 stage III B, IV는 불량하다.

4. 배세포성종양(기형종군종양)

1) 특징

두경부로부터 선미부까지 정중선에 발생한다. 병리조직학적으로는 성숙기형종, 미숙기형종, 악성기형종으로 크게 분류되며, 미숙기형종은 기형종을 구성하는 세포는 미숙하지만 악성은 없다. 침윤은 없고 양성상박에 없으나 성숙한 세포는 없다. 소아악성기형종은 난황낭암, 정자종,

이형세포암 등으로 대표되며 발생부위는 고환, 난소, 선미부, 후복막강, 종격동의 순으로 많다. 난황낭암은 AFP를 생산하고 섬모암은 HCG를 생산하여 치료후의 예후판정에 유용하다.

고환, 난소에 생기는 기형종의 병리조직상은 성인예와 다르고 난황낭암이 압도적으로 많다(115예 중 87예:76%). 발병연령은 5-6세 이하가 80%를 차지한다. 더우기 고환 악성기형종은 발견이 빠를수록 예후가 좋다고 알려졌으나, 난소등 발견이 늦은 부위의 악성기형종에서는 예후가 나쁘다.

병기분류는 국소진전, 임파절전이, 혈관침투, 원격전이에서 다음과 같이 분류된다. I기: 원발장기 또는 종양피막내에 국한된다. II기: 원발종양 또는 임파절전이가 같은측 주위의 임파절주위에 국한한다. III기: 인접장기에 국한 또는 다수의 임파절전이(횡격막을 넘지 않는다.), IV기: 원격전이 이하에서는 소아에 대표적인 기형종에 관하여 서술한다.

(1) 선미부기형종

출생후, 선미부에 보인다. 성숙형 또는 미숙형의 조직을 보인다. 소아기형종 중에서 아령모양을 보이는 특이한 외관을 갖는 대표적인 기형종이다. 성별로는 여자에 많고 남아의 두배가량 된다. 이 종양의 악성율은 24%이며 생후 2개월 미만에서는 14%, 2개월 이상에서는 44%로 높다.

악성선미부기형종은 생후 5-6개월 경에 나타나고 병형이 골반강외로 돌출하는 것, 골반강내에 위치하는 것, 골반내외에 존재하는 것등이 있다.

가. 증상

① 성숙, 미숙형 선미부기형종

출생직후부터 선미부에서 외하방으로 나타나는 아령형의 종양으로 큰 크기로 하여 분만장애를 일으키는 일이 있다. 성숙형에서는 AFP는 음성이고 미숙형에서도 분비되지 않는다.

② 악성선미부기형종

골반내외를 점거하기위해 여러가지의 직장, 방광, 골반신경총, 척추압박증상를 나타낸다. 배변곤란, 빈뇨, 보행장애 등의 증상로 발견된다. 5-6개월 이후 1세를 지나서 발견되는 일이 많다. 병리조직학적으로 대부분이 난황낭암으로 AFP를 생산한다.

나. 진단

성숙, 미숙형의 아령기형종은 특이한 형태로하여 확실하다. 초음파검사에서 성숙, 미숙형에서는 cyst 와 solid 가 혼재한 mixed pattern을, 악성에서는 irregular solid pattern을 보인다. CT 검사, 혈관조영에 의해 악성기형종에서는 S상결장, 직장, 방광, 요관의 압박상이 두드러지고 주혈관의 압박, 전이상을 보인다. 중선골동맥이 종양혈관에 있는 일이 많다.

다. 치료

아령형기형종에서 선미회음에 도달하는 approach에 의해 후방에서 심부, 표재외괄약근을 확인하면서 괄약근을 손상시키지 않게 종양을 절제한다. 종양은 경계가 명확하고 절제가 쉽지만 미골을 포함해 절제하지 않으면 안된다. 예후는 불량하다.

악성기형종에 관해서는 선미회음만 아니라 복부의 approach가 필요하다. 골반강내에 돌출침윤하는 종양은 복부의 approach에 의해 종양에 들어가는 주혈관박리, 결찰에 의해 주위조직을 떼어내고 충분히 임파절을 곽청한 후 jack-knife position으로 선골회음 approach에 의해 직시하에 괄약근을 확인하면서 종양을 절제한다. 거대종양에 관해서는 화학요법을 먼저 시행하여 축소시킨후 절제술을 시행한다. 약제로는 vincristine, adriamycin, cyclophosphamide 등이 사용되며 최근에는 cisplatinum (CDDP)을 첨가한 강력한 화학요법이 시행된다. 근래에는 CDDP, VBL (vinblastine), BLM (bleomycin) 등의 PVB 요법이 시행된다.

원발병소에 대해 방사선요법도 시행되지만 종양의 진행

도 및 절제의 정도에 의해 골반 내 중요 장기에의 영향도 고려하여 시행한다.

(2) 생식선기형종

생식선기형종의 약 반수는 성숙 또는 미숙기형종이다. 고환의 악성기형종은 거의 4-5세 이하에 있는 것에 반해 난소의 악성기형종은 소아기에 발병한다. 병리조직학적으로는 고환의 악성기형종은 성인과 다르고 90%이상(72/77)이 난황낭암이며, 난소의 악성기형종은 약 50%가 난황낭암으로 다른 것들은 태아성암, 미분화태종 등이다.

가. 진단

고환에 생기는 종양은 쉽게 만져져서 조기진단이 가능하고(41/47 예는 진단시 stage I) 따라서 예후도 양호하지만 난소에 생기는 것은 조기진단이 어렵고 진행된 예가 반수이상을 차지한다(14/25 예가 stage III 이상).

조기진단으로 악성기형종이 의심되는 경우에는 즉시 AFP를 측정하는 동시에 초음파진단으로 난소부의 종양을 보는 것이 중요하다. 신생아에서는 난소의 follicular cyst가 있으며 신생아의 follicular cyst는 자연히 소실되는 일이 있어 낭포성이라면 즉시 수술을 시행하지 않고 경과를 관찰하는 것이 필요하다.

나. 치료

성숙기형종은 절제에 의하여 예후가 좋다.

고환악성기형종에서는 서혜관을 충분히 열고 서혜윤을 절개하여 고환동, 정맥을 신장기저부까지 박리절제한다. 후복막강 임파절을 곽청하며 정소내로의 전이가 많으므로 정소주위조직을 포함하여 근치적고환절제를 시행한다. 수술 후에 화학요법과 방사선요법을 시행한다.

난소악성기형종은 조기증례에 대하여는 한쪽 난소의 보전을 고려하여 수술 후의 방사선 요법 시에는 기능보존에 주의한다. AFP, -HCG 등의 종양 marker를 자주 측정하고 화상진단을 정기적으로 하여 종양의 재발을 방지하지 않으면 안된다. 진행증예에 대하여는 종양절제가 제일 중요하나 거대종양에서는 방사선, 화학요법을 시행하고 종양혈관으로의 직접화학요법과 종양의 수축을 기다려 절제술을 시행한다. dysgerminoma에서는 방사선요법이 대단히 중요하고 난황낭암에서는 강력한 화학요법과 방사선요법이 필요하다.

(3) 후복막강, 종격동기형종

영유아기의 복부종양으로 혹은 폐단순 X 선촬영에서 종격동종양으로 우연히 발견된다. 양자 모두 선미부에서 발생하는 기형종 중 하나라고 생각되어진다. 후복막강기형종은 여자에게서 남자의 2-3배 정도 많고 성숙, 미숙기형종이 대부분으로 악성은 극히 적다. 종격동기형종에 관하여도 악성예는 드물고 흉선조직에서 발생하든지 종격동에서 발생한다. 남자에게 많이 발생하고 여자에게 적게 발생한다.

가. 진단

후복막강기형종은 복부종괴를 주증상로 하며 악성기형종을 생각하게하는 검사소견은 보이지 않는다. 단순복부 X선에서 석회화상이 가끔 보이며 Wimls 종양과의 감별이 필요하다. 정맥성신우촬영, 화상진단과 각종 홀몬생산을 보여 진단이 된다.

종격기형종은 증상이 없는 것이 많고 검진등으로 우연히 발견되는 일이 적지 않다. 악성예에서는 기관, 후두 등의 압박증상, 호흡곤란 등의 증상를 보이는 경우가 많다.

나. 치료

양성에서는 적출술만으로 양호하다. 후복막에 생기는 미숙기형종에서도 재발하는 일이 있다고 보고되므로 완전적출이 필요하다. 악성후복막기형종은 화상진단으로 동·정맥혈관조영이 적출술, 화학요법시행등에 유용하다. 종격악성기형종에서는 주위주요장기, 신경손상을 가급적 피하고 종양, 임파절곽청을 시행하는 것이 중요하다.

5. 횡문근육종

소아의 연부조직에 발생하는 악성종양중에서 가장 빈도가 높은 질환이다. 이 종양은 두경부(안와, 인후강, 중이)에 특히 많고 이어서 비뇨생식기(질, 자궁, 방광, 전립선), 사지, 체부, 후복막, 담도, 간 등에 발생한다. 발생연령은 10세 이하가 70%를 차지하며 2–5세에 가장 많다. 영유아기에는 비뇨생식기 또는 두경부에 많고, 청년기에는 체부나 방고환부에 많고, 사지나 안와 등은 어느 연령에서도 보인다. 성별로는 남자에 조금 많다.

1) 병리

육안적으로는 단단한 실질종양으로 국한적으로 보이지만 피막화되어 있지는 않고 주위조직에 침투해 있는 경우가 많다. 그러나 포도육종에서는 외견상 포도모양을 나타낸다. 조직학적으로는 태아형, 포소형, 다형형, 혼합형으로 분류되며 Intergroup Rhabdomyosarcoma Study (IRS)에서는 특수미분화형, 조직기원불명육종의 두유형이 첨가되었다. 태아형 embryonal type의 빈도가 가장 높고(63%), 영유아에 많고 비뇨생식기에서 80% 이상, 두경부에서 60% 이상, 체부를 제외한 부위에서는 50%를 차지한다. 포도상육종은 방광, 질, 자궁, 담도 등의 부위에 발생하고 외견상 포도모양을 보이나 조직학적으로는 태아형과 차이가 없고, 6세 이하 특히 1세 이하에 많다. 포소형alveolar type은 19% 정도되며 체부 또는 사지에 호발하며 6세 이상에 많다. 다형형pleomorphic type은 사지 또는 체부에 많으나 소아에서는 드믈다. 혼합형mixed type은 상술한 조직형이 두가지 이상 존재하는 것이다.

2) 증상

임상증상, 임상소견은 종양의 발생부위 또는 전이의 유무에 따라 다르다. 체부, 사지, 방고환부에 발생한 것은 종괴가 주된 증상이다. 안와에서는 안구돌출, 안검하수, 안검부종, 비인강에서는 비성, 비출혈, 기도폐쇄, 연하장애, 부비강에서는 부비강염증상, 비출혈이 있다. 중이에서는 혈성눈물, 만성중이염증상, 안면신경마비, 외이도의 용종모양의 종괴가 보인다. 방수막부위에서는 중추신경으로 직접침윤하여 뇌신경마비, 수막염증상, 호흡마비 등을 보인다. 후복막영역에서는 복부종괴, 때로는 장관 또는 요로의 통과장애를 초래한다. 질 또는 자궁에서는 혈성질분비물, 외음부의 포도상종괴, 치골상부종괴등이 보인다. 종괴는 국소에 침윤성으로 발달하는 동시에 주위나 원격임파절, 폐, 골, 골수, 뇌, 척추 등으로 전이를 초래하기 쉽고 각각의 증상, 소견이 보인다.

임파절전이의 빈도는 방고환, 비뇨생식기, 사지의 것이 많고 체부, 두경부에서는 적고 안와에서는 거의 없다.

3) 진단

임상적으로 이 종양이 의심되지만 감별해야할 연부종양이 적지 않고 조직학적진단이 필요하다. 종양의 점거부위, 진전상태의 파악이 치료방침을 결정하는 중요한 것이다. 이 때문에 검사로는 초음파검사, CT가 유용하고 그밖에 X선 검사, scintigraphy, 골수생검 등도 시행된다. 후복막, 복강, 골반부의 종양에서는 경정맥성신우조영 또는 방광조영, 때로는 혈관조영이 필요하다.

병기분류로 국소진전도, 임파절전이, 원격전이를 참고하여 Ia기: 원발근육내, 조직, 장기내에 국하나, Ib기: 주위에 국한, II기: 원격전이이외의 임파절전이(횡격막을 넘지 않음, 사지에서는 같은 측), III기: 광범위한 침윤, IV기: 원격전이로 분류하고 있다. IRS에서는 절제정도도 첨가한 group 분류(표 7-6)을 사용하고 있다.

4) 치료

치료법의 진보는 치료성적의 현저한 향상을 이루었다. 이것은 IRS에 의한 것이 크고 치료법은 수술, 화학요법, 방사선요법 등의 병용치료가 원칙으로 되어 있다. 현재의 치료목표는 후유증을 남기지 않고 혹은 최소한으로 남기고 치유시키는 일이고, 예후에 영향을 주는 종양의 조직형, 발생부위, 병기 등을 고려한 적절한 치료를 시행하는 것이 필요하다. IRS–II에 관한 병기별 치료방식의 개요를

표 7-7. 횡문근육종의 병기분류와 치료방침(IRS)

group I 국한성이며 완전절제된 것 a) 원발근육 또는 장기내에 국한 b) 원발근육 또는 장기외로 침윤	standart VAC 요법(2년) 화학요법 or VA 요법(48주)
group II a) 육안적으로 절제, 현미경적잔류 화학요법(주위임파절전이 없음) b) 주위로 침윤, 완전절제된 것(주위임파절전이는 있거나 없음) c) 주위침윤과 주위임파절전이 없고 육안적으로 절제했으나 현미경적잔류 있는것	intensive VA 요법(48주) or pulse VAC 요법(52주) 방사선요법
group III 불완전절제 또는 생검에서 화학요법 육안적잔류가 있는 것	pulse VAC 요법(2년)
group IV 진단시 전이가 있는 것	pulse VADRAC 요법(2년) 방사선요법

표 7-7에 나타내었다.

수술적치료는 완전절제가 원칙으로 정상조직을 포함하여 en bloc으로 절제한다. 형태적으로 큰 결손이나 기능장애를 초래할 위험이 있을 경우에는 수술 전에 화학요법이나 방사선요법을 우선하는 경우도 있다. 화학요법은 VAC 법(vincristine, actinomycin-D, cyclophosphamide)이 많이 쓰이며 진행된 예에서는 여기에 adriamycin을 첨가한 VADRAC법이나 cis-platinum, VP-16 등을 포함한 강력한 화학요법이 시도된다. 방사선요법은 일반적으로 현미경적잔종(group II)에서는 45-50Gy, 육안적잔존(group III, IV)에는 50-60Gy를 조사하며 유아 또는 정상조직부위에는 조사량을 감소시킨다.

5) 발생부위에 따른 치료방침

(1) 안와

생검뒤 방사선요법과 화학요법, 안검부에서는 종양적출을 한다. 재발된 예에서는 안구적출을 한다.

(2) 두경부

심재성의 종양이나 경부에서는 일반적인 치료방법이 사용되지만 표재성으로 미용적인 문제가 있는 것은 수술 전에 화학요법이나 방사선요법을 고려한다. 방수막부종양에서는 중추신경계로 진전하기 쉬워 원발병소의 방사선조사와 함께 수막강으로 항암제를 투여한다. 수막 내 침윤이 있으면 화학요법과 함께 두개에 방사선조사를 첨가한다.

(3) 비뇨생식기

화학요법에 잘 반응하기때문에 생검후의 화학요법(때로는 방사선요법)에 의해 절제범위를 축소시키는 것이 가능하다. 방광에서는 절제범위를 축소해 기능을 가지는 방관재건을 시도한다. 질이나 자궁에서는 질부분절제, 단순자궁절제로 난소의 유지와 질재건을 기도한다. 방고환부에서는 근치적고환절제술과 후복막임파절생검, 전이가 있으면 후복막방사선조사를 첨가한다. 음낭에의 침윤, 국소에 종양이 남아있으면 전음낭방사선조사를 위해 반대측고환을 복부피하에 이동시킨다.

(4) 사지, 체부

조기의 광범위국소절제가 특히 유효하다. 그러나 사지절단은 방사선조사가 골의 발육에 심하게 장애를 남기는 부위, 확실한 국소진전예, 재발예 등에서 시행된다. 주위임파절곽청은 임상적으로나 생검상 전이가 있는 경우에 시행된다. 하지에 생긴것은 서혜부임파절전이가 있으면 후복막임파적곽청술을 시행한다.

6) 예후

최근의 치료성적은 현저하게 좋아져 IRS에서는 약 70%의 전체생존율을 보인다. 그러나 종양의 조직형, 원발부위, 병기등에의해 예후가 영향을 받는다. 조직형에서는 태아형의 예후는 비교적 양호하며 특히 포도상육종은 좋다. 포소형은 예후가 나쁘다. 과거의 조직형과는 별도로

cytologic anaplasia, monomorphous round cell pattern의 존재는 예후를 나쁘게 한다. 원발부위별의 예후(2년 생존율)는 안와가 특히 좋아 77%, 비뇨생식계 68%이다. 안와이외의 두경부는 44% 이지만 그중 표재성인 것이 예후가 좋고 심재성비방수막부, 방수막부가 특히 나쁘다. 경부도 이외로 좋지 않다. 체부에서는 50%, 사지는 40%이다. 후복막, 복강내장기의 것은 더욱 예후가 나쁘다.

병기분류에 의한 예후를 IRS-I의 성적(3년생존율)에서 보면 group I: 82-84%, group II: 62-70%, group III: 57%, group IV: 29%이다. 그후의 IRS-II의 성적은 더욱 향상을 보이고 있다. 한편 일본의 1971-1980년 성적(2년 생존율)은 35%(stage I: 70%, stage II: 21%, stage III: 20%, stage IV: 6%)로 불량하다. 그러나 이후의 병합치료의 보급으로 치료성적은 좋아지는 것으로 사료된다.

6. 악성임파종

악성임파종은 신체각부의 임파절로부터 발생하지만 크게 나누어 Hodgkin병과 비 Hodgkin 임파종으로 나뉜다. 이 비율은 약 1:5로 비 Hodgkin 임파종이 많다. 소아외과 의사가 부위로 보아 비전형적인 악성종양을 보았다면 우선 악성임파종을 의심하는 것이 좋다. AFP, VMA, HVA, NSA 등의 종양 marker는 모두 악성임파종에서는 음성이다. 화상진단에서는 67Ga scintigraphy에 의한 양성율이 높다.

외과의사의 역활은 진단의 결정을 위해 생검을 시행하는 일에 있다고 해도 과언은 아니지만 진단과 병기의 결정은 동시에 시행할 필요가 있으므로 종양의 생검과 골수천자가 동시에 시행된다. 광학현미경과 전자현미경 생검만으로는 충분하지 않아 marker 검사(E rosette, sIg, CALLLA 등에 의해 B-cell type, T-cell type 등으로 나눈다) 또는 염색체검사(t(8:14) 등)가 필요하여 필히 혈액과의 전문의에게 연락한다.

1) 비 Hodgkin 임파종

경부(12%), 종격동(26%), 복부(33%), 그밖의 말초임파관에 발생하며 소아예의 70-80%가 stage III-IV이다. 경부발생 예에서는 Waldeyer ring 또는 쇄골상와의 임파절, 복부발생예에서는 장간막임파절 또는 회맹부의 Peyer 판 등에 발생한다. 조직형으로는 lymphoblastic, undifferentiated Burkitt, undifferentiated non Burkitt, histiocytic (large cell)이 있고 이중은 주로 T cell type은 대부분 B cell type이다. 부위에 관해서는 B cell type은 복부원발, T cell type은 종격원발, non T, non B는 임파절에서 생기는 것이 많다.

비 Hodgkin 임파종과 급성임파성백혈병과의 사이에 이행을 나타내는 것이 있으므로 주의할 필요가 있다. 골수천자는 필히 행한다.

2) Hodgin 병

주로 10세 이후에 나타나며 남자에 약간 많고 90%가 경부임파절에서 생기며 뒤이어 종격동에 생긴다. Waldeyer ring 이나 Peyer 판에는 드믈다. 조직학적으로는 lymphochtic predominance, nodular sclerosis, mixed cellularity, lymphocytic depletion 으로 분류되며 예후는 lymphocytic predominance type이 양호하고 nodular sclerosic type과 mixed cellularity type이 다음으로 좋다. 특징적인 Reed-Sternberg 세포가 가끔 보인다.

비 Hodgkin 임파종에 반해서 Hodgkin 병의 경우에는 병변이 국한되어 있는 경우가 많다.

3) staging laparotomy, 기타 외과적 처치

Hodgkin 병의 경우에는 staging laparotomy가 시행된다. 종격원발예중 중증예의 경우에는 호흡관리를 할 필요가 있는 일도 있다. 복부원발 예에서는 장절제후에 진단이 된다.

4) 치료

비 Hodgkin 임파종에 대한 COMP (cyclophosphamide, vincristine, methotrexate, prednisone), Hodgkin 병에 대한 MOPP (HN2,vincristine, procarbazine, prednisone) 등 여러가지의 화학요법이 있지만 조직형에 따라서 사용되는 화학요법이 다르기 때문에 그의 선택은 전문의에게 맡겨야 한다.

치료시작시의 요산신증을 예방하기 위하여 대량수액, allopurinol, acetazolamide를 사용한다.

5) 예후

최근의 현저한 치료성적의 향상이 있었으며 비 Hodgkin 임파종의 경우에는 병기가 진행되어 있어도 완전치유가 되는 일이 있으므로 어떤 경우에도 최선의 치료를 하는 것이 중요하다.

요약

소아의 악성종양은 성인에서 발생하는 악성종양과 많은 면에서 차이가 난다. 성인에서는 발암물질에의 노출과 함께 유전자가 4-5개 이상 관여하여 최초의 변이로부터 진단 가능한 종양으로 자라는데 5년 이상의 시간이 걸리는데 비하여, 소아에서는 5세 이하에서도 악성종양이 흔하게 발견되어 성인의 발생기전과는 다르다고 생각된다.

따라서 발암물질에의 노출보다는 선천적인 요인 즉 유전인자의 변이가 더 중요하게 작용한다. 병리적인 모습이 대부분 소원형세포small round cell 모양을 보이기 때문에 분화가 나쁠 경우에는 원인 장기를 찾기도 어렵다. 예후에 있어서도 성인에서 보이는 질병의 병기 이외에도 환아의 나이, 발생장소, 병리소견, 유전자소견 등이 직접적인 관련을 보이는 것도 성인의 악성종양과 다른 점이다.

소아에서 있었던 집단검진에 대해서 언급하였고, 대표적인 악성종양인 신경모세포종, 윌름 종양에 관한 진단, 치료 방법을 기술하였다.

참고문헌

[I. 식도폐쇄증과 기관지식도누공증]

1. Crisera CA, Connelly PR, Marmureanu AR, et al. Esophageal Atresia with tracheoesophageal fistula: Suggested mechanism in faulty organogenesis. J Pediatr Surg 1999;34:204-208.
2. Holcomb GWIII, Rothenberg SS, Bax KMA, et al. Thoracoscopic repair of esophageal atresia and tracheoesophageal fistula: A multiinstitutional analysis. Ann Surg 2005;242:422-430.
3. Konkin DE, O'Hali WA, Webber EM, et al. Outcomes in esophageal atresia and tracheoesophageal fistula. J Pediatr Surg 2003;38:1726-1729.
4. Kovesi T, Rubbin S. Longterm complications of congenital esophageal atresia and/or tracheoesophageal fistula. Chest 2004;126:915-925.
5. Petrosyan M, Estrada J, Hunter C, et al. Esophageal atresia/tracheoesophageal fistula in very low-birth-weight neonates: improved outcomes with staged repair. J Pediatr Surg 2009;44:2278-2281.

[II. 선천성횡격막탈장증]

1. Chiu P, Hedrick H. Postnatal Management and long-term outcome for survivors with congenital diaphragmatic hernia. Prenat Diagn 2008;28:592-603.
2. Done E, Gucciardo L, Van Mieghem T, et al. Prenatal diagnosis,

prediction of outcomes and in utero therapy of isolated congenital diaphragmatic hernia. Prenat Diagn 2008;28:581-591.
3. Downard CD. Congenital diaphragmatic hernia: an ongoing clinical challenge. Curr Opin Pediatr 2008;20:300-304.
4. Gosche JR, Islam S, Boulanger SC. Congenital diaphragmatic hernia: searching for answers, Am J Surg 2005;190:324-332.
5. Smith NP, Jesudason Ec, Featherstones NC, et al. Recent advances in congenital diaphragmatic hernia. Arch Dis Child 2004;90:426-428.

[IV. 쓸개길폐쇄증]

1. 윤찬석, 한석주, 박영년 등. 간외담도폐쇄에 대한 Kasai 술식 후 생존결과 및 예후인자. 소아외과 2006;12: 202 -21.
2. 최금자, 김성철, 김신곤 등. 담도폐색증 -대한소아외과학회회원 대상 전국조사-. 소아외과 2002;8:143-15.
3. Choi S, Park W, Lee H, et al. 'Triangular Cord': A Sonographic Finding Applicable in the Diagnosis of Biliary Atresia. J Pediatr Surg 1996;31: 363-366.
4. Davenport M, Puricelli V, Farrant P, et al: The Outcome of the Older (>100 days) Infants with Biliary Atresia. J Pediatr Surg 2004;39:575-58.
5. Dillon P, Belchis D, Tracy T, et al. Increased expression of intracellular adhesion molecules in Biliary atresia. Am J Pathol 1994;145:263-267.
6. Endo M, Katsumata K, Yokoyama J, et al. Extended Dissection of the Portahepatis and Creation of an Intussuscepted Ileocolic Conduit for Biliary Atresia. J Peidatr Surg 1983;18:784- 79.
7. Endo M, Katsumata K, Yokoyama J, et al. Extended Dissection of the Portahepatis and Creation of an Intussuscepted Ileocolic Conduit for Biliary Atresia. J Peidatr Surg 1983;18:784- 79.
8. Han SJ, Kim MJ, Han A, et al. Magnetic Resonance Cholangiography for the Diagnosis of Biliary Atresia. J Pediatr Surg 2002;37: 599-604.
9. Kim M, Park NP, Han SJ, et al. Biliary Atresia in Neonates and Infants: Triangular Area of High Signal Intensity in the Porta Hepatis at T2-weighted MR Cholangiography with US and Histopathologic Correlation. Radiology 2000, 215: 395-40.
10. Schoen BT, Lee H, Sullivan K, et al. The Kasai Portoenterostomy: When Is Too Late? J Peidatr Surg 2001;36:97-99.

[V. 온담관낭]

1. 박진영, 장수일. 담관 낭종의 불완전한 절제 후 발생한 악성종양 1예. 소아외과 2005;11(부록):3.
2. 성혜영, 이인석, 조유경 등. 잔존 총담관에 발생한 다발성 결석. 대한내과학회지 2009;77:227 -23.
3. 손석우, 한애리, 한석주 등. 소아에서 총담관낭과 췌담도합류이상. 대한외과학회지 1999;57:739-744,.
4. 정재희, 송영택. 총담관낭 환아에서의 담즙성 복막염. 소아외과 1998;4:156-162 주대현. Forme Fruste 담관낭종(FFCC) 1 예. 소아외과 2008;14:78-18.
5. 최금자, 김대연, 긴상윤 등. 담관낭종 -대한소아외과학회회원 대상 전국조사-. 소아외과 2003;9:45-5.
6. Ahn SM, Jun JY, Lee WJ, et al. Laparoscopic Total Intracorporeal Correction of Choledochal Cyst in Pediatric Population. J Lapa & Adv Tech 2009;19: 683-68.
7. Alonso-Lej F, Revor WB, Pessagno DJ. Congenital choledochal cyst, with a report of 2, and an analysis of 94 cases. Surg Gynecol Obstet Int Abstr Surg 1959;108:1-3.
8. Babbitt DP. Congenital choledochal cyst: new etiological concept based on anomalous relationship of the common bile duct and pancreatic bulb. Ann Radiol 1969;12:231-23.
9. Han SJ, Han A, Kim M, et al. The role of sphincteroplasty in adverse effect of anomalous pancreaticobiliary duct union in an animal model. Pediatr Surg Int 2007;23:225-23.
10. Lee SC, Kim HY, Jung SE, et al. Is excision of a choledochal cyst in the neonatal period necessary? J Pediatr Surg 2006;41:1984-.
11. Sinha S, Sarin YK: Extra hepatic biliary atresia associated with choledochal cyst: A diagnostic dilemma in neonatal obstructive jaundice. J Neonatal Surg 2013;1;2:1.
12. Stringel G, Filler RM. Fictitious pancreatitis in choledochal cyst. J Pediatr Surg 1982;17:359-6.
13. Suzuki M, Shimizu T, Kudo T, et al. Usefulness of nonbreath-hold 1-shot magnetic resonance cholangiopancreatography for the evaluation of choledochal cyst in children. J Pediatr Gastroenterol Nutr. 2006;42:539-4.
14. Todani T, Watanabe Y, Narusue M, et al. Congenital Bile Duct Cysts ; Classification, Operative Procedures, and Review of Thirty-Seven Cases Including Cancer Arising from Choledochal Cyst. Am J Surg 1977;134:263-26.
15. Todani T, Watanabe Y, Toki A, et al. Co-existing biliary anomalies and anatomical variants in choledochal cyst. Brit J Surg 1998;85:760-76.

[VI. 장중첩증]

1. 홍정. 대한외과학회지에 보고된 소아외과 질환에 대한 통계 분석. 대한외과학회지 1995;49:573-577.
2. Beasley SW, Auldist AW, Stokes KB. The diagnostically difficult intussusceptions: Its characteristics and consequences. Pediatr Surg Int 1988;3:135-138.
3. Blakelock RT, Beasley SW. The clinical implications of non-idiopathic intussusceptions. Pediatr Surg Int 1998;14:163-167.
4. Daneman A, Myers M, Schuckett B, et al. Sonographic appearances of inverted Meckel diverticulum with intussusceptions. Pediatr Radiol 1997;27:295-298.
5. Daneman A, Navarro O. Intussusception Part 1: A review of diagnostic approaches. Pediatr Radiol 2003;33:79-85.

6. Dennison WM. Acute intussusception in infancy and childhood. Glasgow Med J 1948;29:71-80.
7. Ein SH, Alton D, Palder SB, et al. Intussusceptions in the 1990s: Has 25 years made a difference? Pediatr Surg Int 1997;12:374-376.
8. Ein SH, Stephens CA, Minor A. The painless intussusception. J Pediatr Surg 1976;11:563-564.
9. Ein SH, Stephens CA. Intussusception: 354 cases in 10 years. J Pediatr Surg 1971;6:16-27.
10. Ein SH, Venogopal S, Mancer K. Ileocaecal atresia. J Pediatr Surg 1985;20:525-528.
11. Grosfeld JL, O'Neill JA, Jr., Folkalsrud EW, et al. eds. Pediatric Surgery. 6th ed. Philadelphia: Mosby Elsevier, 2006.
12. Gross RE. Intussusception. In The Surgery of Infancy and Childhood. Philadelphia, WB Saunders, 1953.
13. Kia KF, Mony VK, Drongowski RA, et al. Laparoscopic vs open surgical approach for intussusceptions requiring operative intervention. J Pediatr Surg 2005;40:281-284.
14. Montgomery EA, Pokek EJ. Intussusception, adenovirus, and children: A brief reaffirmation. Hum Pathol 1994;25:169-174.
15. Mulcahy DL, Kamath KR, deSilva LM, et al. A two part study of the aetiological role of rotavirus in intussusceptions. J Med Virol 1982;9:51-55.
16. Parkkulainen KV. Intrauterine intussusception as a cause of intestinal atresia. Surgery 1958;44:1106-1111.
17. Pracros JP, Tran-Mina VA, Morin DE, et al. Acute intestinal intussusceptions in children: Contribution of ultrasonography (145 cases). Ann Radiol 1987;30:525-530.
18. Ratcliffe JF, Fong S, Cheong I, et al. The plain abdominal film in intussusception: The accuracy and incidence. Pediatr Radiol 1984;22:110-111.
19. Ravitch MM: Intussusception in Infants and Children. Springfield, IL, Charles C Thomas, 1959.
20. Ravitch MM: Intussusception. In Welch KJ, Randolph JG, Ravitch M, et al (eds): Pediatric Surgery, 4th ed. Chicago, Year Book, 1986.
21. Schmit P, Rohrschneider WK, Christmann D. Intestinal intussusceptions survey about diagnostic and nonsurgical therapeutic procedures. Pediatr Radiol 1999;29:752-761.
22. Senocak ME, Buyukpamakcu N, Hicsonmez A. Ileal atresia due to intrauterine intussusceptions caused by Meckel's diverticulum. Pediatr Surg Int 1990;5:64-66.
23. Strang RP. Intussusceptionin infancy and childhood: A review of 400 cases. Br J Surg 1959;46:484-495.
24. Todani T, Tabuchi K, Tanake S. Intestinal atresia due to intrauterine intussusceptions: Analysis of 24 cases in Japan. J Pediatr Surg 1975;10:445-451.
25. Wayne ER, Campbell JB, Kosloske AM, et al. Intussusception in the older child-suspect lymphosarcoma. J Pediatr Surg 1976;11:789-794.
26. West KW, Grosfeld JL. Intussusception in infants and children. In Wyllie R, Hyams JS (eds):Pediatric Gastrointestinal Disease. Philadelphia, WB Saunders, 1993.
27. Young DG: Intussusception. In O'Neill JA Jr. Rowe MI, Grosfeld JL, et al (eds): Pediatric Surgery. 3rd ed. Chicago, Year Book, 1998.
28. Zanardi LR, Haber P, Mootrey GT, et al. Intussusception among recipients of rotavirus vaccine: Reports to the vaccine adverse event reporting system. Pediatrics 2001;107:E97.

[VII. 장폐쇄증]

1. 김인구, 김상윤, 김신곤 등. 선천성 장폐쇄증: 대한소아외과학회 정회원을 대상으로 한 전국조사. 대한소아외과학회지 1999;75:75-81.
2. Adzick NS, Harrison BR, deLormier AA. Tapering duodenoplasty for megaduodenum associated with duodenal atreia. J Pediatr Surg 1986;21:311-312.
3. Alexander F, DiFiore J, Stallion A. Triangular tapered duodenoplasty for the treatment of congenital duodenal obstruction. J Pediatr Surg 2002;37:862-864.
4. Arey LB. Developmental Anatomy: A Textbook and Laboratory Manual of Embryology. 7th ed. Philadelphia, WB Saunders, 1974.
5. Black PR, Meuller D, Chow J, et al. Mesenteric defect as a cause of intestinal volvulus after malrotation and as the possible primary etiology of intestinal atresia. J Pediatr Surg 1994;29:1339-1343.
6. Dalla Vecchia LK, Grosfeld JL, West KW, et al. Intestinal atresia and stenosis: A 5-year experience with 277 cases. Arch Surg 1998;133:490-497.
7. Davis DL, Poynter CWM. Congenital occlusions of intestine with report of a case of multiple atresias of jejunum. Surg Gynecol Obstet 1922;34:35.
8. de Lorimier AA, Fonkalsrud EW, Hays DM. Congenital atresia and stenosis of the jejunum and ileum. Surgery 1969;65:819-827.
9. Dewan LA, Guiney EJ. Duodenoplasty in the management of duodenal atresia. Pediatr Surg Int 1990;5:253-254.
10. Escobar MA, Ladd AP, Grosfeld JL, et al. Duodenal atresia and stenosis; Long-term follow-up over 30 years. J Pediatr Surg 2004;39:867-871.
11. Evans CH. Atresias of the gastrointestinal tract. Surg Gynecol Obstet 1951;92:1-8.
12. Fonkalsrud EW, DeLorimier AA, Hays DM. Congenital atresia and stenosis of the duodenum: A review compiled from the members of the Surgical Section of the American Academy of Pediatrics 1969;43:79-83.
13. Graham JN, Marin-Padilla M, Hoefnagel D. Jejunal atresia associated with Cafergot ingestion during pregnancy. Clin Pediatr 1983;22:226-228.

14. Gray SW, Skandalakis JE. Embryology for Surgeons: The Embryological Basis for the Treatment of Congenital Defects. Philadelphia, WB Saunders, 1986.
15. Grosfeld JL, Ballantine TVN, Shoemaker R. Operative management of intestinal atresia and stenosis based on pathologic findings. J Pediatr Surg 1979;14:368-375.
16. Grosfeld JL, Clatworthy HW Jr. Intrauterine midgut strangulation in a gastroschisis defect. Surgery 1970;67;519-520.
17. Grosfeld JL, Clatworthy HW Jr. The nature of ileal atresia due to intrauterine intussusceptions. Arch Surg 1970;100:714-717.
18. Grosfeld JL, O'Neill JA, Jr., Folkalsrud EW, Coran AG. eds. Pediatric Surgery. 6th ed. Philadelphia: Mosby Elsevier, 2006.
19. Hutton KA, Thomas DF. Tapering duodenoplasty. Pediatr Surg Int 1988;3:132-134.
20. Imai Y, Nishihima E, Muraji T, et al. Fusion of intussusceptum and intussuscipiens in intrauterine intussusceptions. A rare type of intestinal atresia. Pathol Int 1999;9:962-967.
21. Kimura K, Mukohara N, Nishihima E, et al. Diamond-shaped anastomosis for duodenal atresia. An experience with 44 patients over 15 years. J Pediatr Surg 1990;25:977-979.
22. Kimura K, Perdzynski W, Soper RT. Elliptical seromuscular resection for tapering the proximal dilated bowel in duodenal or jejunal atresia. J Pediatr Surg 1996;31:1405-1406.
23. Kimura K. Tsugawa C, Ogawa K, et al. Diamond-shaped anastomosis for congenital duodenal obstruction. Arch Surg 1977;112:1262-1263.
24. Kummaran N, Shankar KR, Lloyd DA, et al. Trends in the management and outcome of jejuno-ileal atresia. Eur J Pediatr Surg 2002;12:163-167.
25. Ladd AP, Grosfeld JL, Pescovitz OH, et al. The effect of growth hormone supplementation on late nutritional independence in pediatric patients with short bowel syndrome. J Pediatr Surg 2995;40:442-445.
26. Rowe MI, Buchner D, Clatworthy HW Jr. Wind sock web of the duodenum. Am J Surg 1968;116:444-449.
27. Sherman JO, Schulten M. Operative correction of duodenomegaly. J Pediatr Surg 1974;9:461-464.
28. Wang NL, Yeh ML, Chang PY, et al. Prenatal and neonatal intussusceptions. Pediatr Surg Int 1998;13:232-236.
29. Weber TR, Lewis JE, Mooney D, et al. Duodenal atresia: A comparison of techniques of repair. J Pediatr Surg 1986;21:1133-1136.
30. Werler MM, Sheehan JE, Mitchell AA. Maternal medication use and risks of gastroschisis and small intestinal atresia. Am J Epidemiol 2002;155:26-31.
31. Young JS, Goco I, Pennell T. Duodenoplasty and reimplantation of the ampulla of vater for megaduodenum. Am J Surg 1993;59:685-688.

[VIII. 히루쉬스푸룽병]

1. Coran AG, Adzick NS, Krummel TM, Laberge JM, Shamberger RC, Caldamone AA. Hirschsprung disease. Pediatric Surgery 7th Ed 2012;1265-1278.
2. Duhamel B. A new operation for the treatment of Hirschsprung's disease, Arch Dis Child 1960;35:38-39.
3. Ikeda K et al. Diagnosis and treatment of Hirschsprung's disease in Japan. Ann Surg 1984;199:400-405.
4. Ikeda K et al. Total colonic agangliosis with or without small bowel involvement : An analysis of 137 patients. J Pediatr Surg 1986;21:319-322.
5. Ikeda K. New techniques in the surgical treatment of Hirschsprung's disease. Surgery 1967;61;503-508.
6. Martin LW et al. A method for elimination of the blind rectal pouch in the Duhamel operation for Hirschsprung's disease. Surgery 1967;62:951-953.
7. Okamoto E et al. Embryogenesis of intramural ganglia of the gut and its relation to Hirschsprung's disease. J Pediatr Surg 1967;2:437-443.
8. Soave F. Hirschsprung's disease, a new surgical technique. Arch Dis Child 1964;39:116-124.
9. Spitz L, Coran AG Hirschsprung disease Operative Pediatric Surgery 7th Ed 2013:560-58.
10. Swenson O et al. Resection of rectum and rectosigmoid with preservation of the sphineter for benign spastic lesion producing megacolon. Surgery 1948;24:212-220.
11. Ziegler MM et al. Hirschsprung disease. Operative Pediatric Surgery 2nd Ed 2014;571-591.

[IX. 항문 출혈]

1. 김성철, 김대연, 김인구. 눈으로 배우는 소아외과. 군자출판사 200.
2. 안효섭 편. 홍창의 소아과학. 9판. 대한교과서㈜ 200.
3. Grosfeld JL, O'Neill JA Jr, Fonkalsrud EW, et al, eds. Pediatric surgery. 6th ed. St. Louis: Mosby 200.
4. O'Neill JA Jr, Grosfeld JL, Fonkalsrud EW, et al, eds. Principles of pediatric surgery. 2nd ed. St. Louis: Mosby 200.
5. Townsend CM, Beauchamp RD, Evers BM, et al, eds. Sabiston textbook of surgery: the biological basis of modern surgical practice. 18th ed. Philadelphia: W.B. Saunders Company 200.

[X. 항문직장기형]

1. 김성철, 김대연, 김인구. 눈으로 배우는 소아외과. 군자출판사 200.
2. 김성철. 항문직장기형의 교정. 소아외과 2006;1:107-11.
3. 김재천. 항문직장기형-수술 후 관리 및 기능적 결과. 소아외과 2006;1:115-12.
4. 박귀원. 항문직장기형. 소아외과 2006;1:86-9.
5. 이남혁. 항문직장기형-진단과 신생아기 처치. 소아외과 2006;1:99-10.
6. 한석주. 항문직장기형의 해부와 분류. 소아외과 2006;1:91-9.

7. Ashcraft KW, Holder TM, eds. Pediatric surgery. 2nd ed. Philadelphia: W.B. Saunders Company 199.
8. deVries PA, Peña A. Posterior sagittal anorectoplasty. J Pediatr Surg 1982;17:638-64.
9. Freeman NV, Burge DM, Griffiths DM, et al, eds. Surgery of the newborn. NewYork: Churchill Livingstone 199.
10. Grosfeld JL, O'Neill JA Jr, Fonkalsrud EW, et al, eds. Pediatric surgery. 6th ed. St. Louis: Mosby 200.
11. Levitt MA, Peña A. Anorectal malformations. Orphanet Journal of Rare Diseases (http://www. OJRD.com/content/2/1/33) 2007;2:3.
12. O'Neill JA Jr, Grosfeld JL, Fonkalsrud EW, et al, eds. Principles of pediatric surgery. 2nd ed. St. Louis: Mosby 200.
13. Peña A, deVries PA. Posterior sagittal anorectoplasty: important technical considerations and new applications. J Pediatr Surg 1982;17:796-81.
14. Peña A, Hong A. Advances in the management of anorectal malformations. Am J Surg 2000;180:370-37.
15. Peña A, Levitt MA, Hong AR, et al. Surgical management of cloacal malformations; a review of 339 patients. J Pediatr Surg 2004;39:470-47.
16. Peña A. Atlas of surgical management of anorectal malformations. New York: Springer-Verlag 1980.
17. Peña A. Current management of anorectal anomalies. Sur Clin North Am 1992;72: 1393-141.
18. Peña A. Surgical treatment of high imperforate anus. World J Surg 1985;9:236-24.
19. Townsend CM, Beauchamp RD, Evers BM, et al, eds. Sabiston textbook of surgery: the biological basis of modern surgical practice. 18th ed. Philadelphia: W.B. Saunders Company 200.

[XI. 탈장]

1. Cox JA. Inguinal hernia of childhood. Surg Clin North Am 1985;65:1331-1342.
2. Jones VS, Cohen RC. Two decades of minimally invasive pediatric surgery-taking stock. J Pediatr Surg 2008;43:1653-1659.
3. Kelley Jr RE, Wenger A, Horton Jr C, et al. The effects of a pediatic unilateral inguinal hernia clinical pathway on quality and cost. J Pediatr Surg 2000;35:1045-1048.
4. Levitt MA, Ferraraccio D, Arbesman MC, et al. Variality of inguinal hernia surgical technique: A survey of North American Pediatic Surgeons. J Pediatr Surg 2002;37:745-751.
5. Wiener ES, Touloukian RJ, Rodgers BM, et al. Hernia survey of the section on surgery of the American Acasdemy of Pediatrics. J Pediatr Surg 1996;31:1166-1169.

[XII. 악성종양]

1. Coran AG, Adzick NS, Krummel TM, Laberge JM, Shamberger RC, Caldamone AA. Hirschsprung disease. Pediatric Surgery 7th Ed 2012;1265-1278.
2. Crist W et al. Intrathoracic soft tissue sarcomas in children. Cancer 1217 1982;50:598-604.
3. Exelby PR et al. Liver Tumors in Children in the Particular Preference to Hepatoblastoma and Heaptocellular Carcinoma: American Academy of Pediatrics Surgical Section Survey-1974, J Pediatr Surg 1975;10:329-337.
4. Gaiger AM et al. Pathology of rhabdomyosarcoma. Intergroup Rhabdomyosarcoma Study, 1972-78. Natl Cancer Inst Monogr 1981;56:19-27.
5. Hays DM. Rhabdomyosarcoma and other soft tissue sarcomas. Pediatric Surgical Oncology, Grune & Stratton 1986.
6. Iwafuchi M et al. Hepatoma in Chilidren-a clinical analysis on 15 cases, Jpn J Surg 1981;11:454-459.
7. Jones PG et al. Tumors of Infancy and Childhood. Blackwell Scientific Publications Oxford 1976.
8. Kundson AG Jr. Hereditary cancer, oncogenes, and antioncogenes. Cancer Res 1985;45:1437.
9. Leape LL et al. Surgical treatment of Wilms'tumor. Ann Surg 1978;187:351.
10. Makino S et al. Effects of cyclophosphamide, cis-platinum, nitrosourea (ACNU), melphalan and dacarbazine on a cytogenetically highly malignant neuroblastoma xenograft. Med Pediatr Oncol 1986;14:36-40.
11. Maurer HM et al. The Intergroup Rhabdomyosarcoma Study : update, November 1978. Natl Cancer Inst Monogr 1981;56:61-68.
12. Maurer HM et al. The Intergroup Rhabdomyosarcoma Study: a preliminary report. Cancer 1977;40:2015-2026.
13. Maurer HM. Rhabdomyosarcoma. Clinical Pediatric Oncology, Mosby 1984.
14. Maurer HM. The Intergroup Rhabdomyosarcoma Study II: Objectives and study design. J Pediatr Surg 1980;15:371-372.
15. Maurer HM. The Intergroup Rhabdomyosarcoma Study. The Cancer Bulletin of the University of Texas M D Anderson Hospital and Tumor Institute at Houston 1982;34:108-112.
16. Nakagawara A et al. Hepatoblastoma producing both alpha-fetorotein and human chorionic gonadotropin. Cancer 1985;56:1636-1642.
17. NWTS Writing Committee. Biology and management of Wilms' tumor, in Cancer in the Young, Levine AS (Ed), Masson 1982.
18. Othersen HB Jr. Wilm's tumor in Pediatric Surgery 4th ed, Welch KJ et al (Ed), Year Book Medical Publ 1986.
19. Palmer N. Histopathology and prognosis in rhabdomyosarcoma (IRSI). Am Soc Clin Oncol Meeting Abstract 1982.
20. Ramsay N et al. Acute hemorrhage into Wilms'tumor. Pediatrics 1977;91:763.
21. Seeger R C et al. Association of multiple copies of the N-mycon-

cogene with rapid progression of neuroblastomas. N Engl J Med 1985;313:1111-1116.

22. Spitz L, Coran AG Hirschsprung disease Operative Pediatric Surgery 7th Ed 2013:560-58.
23. Tourdone MF et al. Tumors of the Kidney, in Cancer in Children 2nd ed, Voute PA et al (Ed), Springer, Verlag 1986.
24. Tsuchida Y et al. Evaluation of alpha-fetoprotein in early infancy. J Pediatr Surg 1978;13:155-156.
25. Tsuchida Y et al. Serial determination of serum neuron-specific enolase in patients with neuroblastoma and other pediatric tumors. J Pediatr Surg 1987;22:419-424.
26. Tsuchida Y. Markers in childhood solid tumors, In Hays, D. M. (ed) : Pediatric Surgical Oncology. Grune and Stratton Inc, New York 1986.
27. Ziegler MM et al. Hirschsprung disease. Operative Pediatric Surgery 2nd Ed 2014;571-59.

Chapter 08

탈장, 복벽, 피부와 연부조직

Hernia, Abd. wall, Skin and Soft tissue sarcoma

I 서혜 탈장

1. 역사

탈장을 뜻하는 hernia라는 말은 파열을 뜻하는 라틴어에서 파생되었으며, 둘러싸는 벽의 결함을 통하여 장기나 조직이 비정상적으로 튀어나온 것으로 정의된다. 서혜탈장inguinal hernia의 치료 역사는 바로 외과학의 역사이고, 서혜 탈장 치료의 진화는 외과 수술분야의 기술적 발달과 맥을 같이 한다. 서혜 탈장 수술의 역사는 많은 발전단계를 거쳐 왔는데, 크게 고대 시기(고대부터 15세기), 탈장학 태동 시기(15-17세기), 해부학적 개념의 정립 시기(17-19세기), 탈장 결손 부위를 환자의 조직만으로 봉합했던 조직위주 교정술 시기(19-20세기 중반), 그리고 인공 그물막을 사용하는 무긴장 교정술 시기(20세기 중반-현재) 등의 5단계로 나눌 수 있다. 현대 탈장 수술의 5가지 원칙인 무균 탈장 수술, 탈장주머니의 고위 결찰, 내서혜륜의 조임, 서혜관 후벽의 보강 및 재건, 그리고 무긴장 교정술은 이런 발전 단계를 거치면서 확립되었다.

서혜탈장 수술에 영향을 미친 가장 의미 있는 발전은 기존의 탈장 수술에 인공 그물막이 도입된 것과 복강경이 외과 수술에 적용된 것이다. 절개 수술이던 복강경 수술이던 탈장 교정술의 종류에 관계없이 현재 서혜 탈장 교정술은 서혜 해부학적 구조에 대한 철저한 이해를 기본으로 한다.

2. 역학

서혜 탈장 교정술은 외과에서 가장 흔하게 시행되는 수술 중의 하나이며, 외과 수술 술기의 기초 중의 하나라 할 수 있다. 미국에서는 2003년도에 약 80만례의 서혜 탈장 수술이 시행되어졌다고 추정되고 있으며, 우리나라도 국민건강보험공단에서 발간한 2008년도 주요 수술 통계에 의하면 서혜 탈장이 다빈도 수술 질환별 순위 20위 중 13위를 차지하였으며, 2008년에 약 3만례의 수술이 시행되어진 것으로 조사되었다.

탈장이 가장 흔히 발생되는 부위는 복벽이며, 이 중 서혜 탈장이 전체 탈장의 약 75%를 차지한다. 복벽 탈장은 건막과 근막이 근육에 의하여 지지를 받지 못하는 곳, 즉 서혜부, 대퇴부, 배꼽, 백색선, 반달선 하방 및 예전 피부

절개선 등에 발생한다.

서혜 탈장은 탈장 내용물의 서혜관 통과 경로에 따라 직접 탈장과 간접 탈장indirect hernia으로 나뉜다. '간접'의 의미는 장과 복강 내 내용물이 복벽의 결손 부위를 통해 직접 튀어 나오는 것이 아니라, 내서혜륜internal inguinal ring을 통과하여 개방성 초상 돌기patent processus vaginalis를 따라 서혜관을 지나 외서혜륜external inguinal ring을 통과한 다음 음낭 쪽으로 튀어 나오는 것을 의미하고, 반면 '직접' 탈장은 서혜관 결손 부위의 바로 안쪽, 앞쪽으로 직접 튀어 나가는 것을 의미한다. 때로 신체검사에서 간접 서혜탈장과 직접 서혜탈장을 구별하기 쉽지 않은데, 수술 방법은 같기 때문에 수술 전 감별이 그리 중요한 것은 아니다. 한 환자에서 직접 탈장과 간접 탈장이 같이 존재하는 경우 판탈롱 탈장pantaloon hernia이라 한다.

복벽 탈장의 대부분은 서혜 탈장이고, 연령, 성별에 관계없이 가장 흔한 탈장은 간접 서혜 탈장이다. 서혜 탈장 발생의 남녀비는 약 7–10:1로 남자에서 많고, 남성에서 간접 서혜 탈장은 약 2:1로 직접 서혜 탈장보다 흔하다. 여성에서 직접 서혜 탈장은 매우 드물다. 그러나 대퇴 탈장과 배꼽탈장 발생의 남녀비는 각각 10:1과 2:1로 여성에서 많이 발생한다. 약 70%의 대퇴 탈장 교정술은 여자 환자에서 시행되지만, 남자와 마찬가지로 여성에서 가장 흔한 서혜 탈장은 간접 서혜 탈장이고, 여성에서 서혜 탈장 교정술의 빈도는 대퇴 탈장 교정술의 5배에 달한다. 남성에서 대퇴 탈장은 드물다. 대퇴 탈장 환자의 경우 여성의 10%, 남성의 50%에서 서혜 탈장이 있거나 앞으로 발생할 가능성이 있다.

간접 서혜 탈장과 대퇴 탈장 둘 다 오른쪽에 호발하는 것으로 알려 졌는데, 간접 서혜 탈장의 경우 오른쪽 복막 초상돌기가 늦게 내려와 왼쪽보다 늦게 닫히는 것과 관련 있으며, 대퇴 탈장의 경우 에스상 결장이 왼쪽 대퇴관을 막아주는 효과와 관계가 있다고 알려져 있다.

남성에서 서혜 탈장은 1세 이전, 또 40세 이후 이렇게 두 차례의 발생의 증가를 보이는데, 이러한 연령에 따른 서혜 탈장의 발생은 예전에 서혜 탈장 수술을 받지 않았던 25세 이후 남성 1883명을 대상으로 한 Abramson 연구에 잘 나타나 있다. 연구 결과에 따르면 현재 유병률은 약 18%, 평생 서혜 탈장이 발생할 위험도는 24%였다. 연령별로 나누면 25–34세까지는 평생 유병률 15%, 75세 이상은 47%의 평생 유병률을 보였다. 여성 평생 유병률은 5% 미만이었다.

3. 원인

서혜 탈장은 선천적 혹은 후천적 요인에 의하여 생길 수 있는 질환이다. 논란은 있지만, 성인에서의 서혜 탈장은 복벽의 후천적 결함에 의하여 발생된다고 보는 견해가 대부분이다. 서혜 탈장의 정확한 원인 규명을 위한 많은 연구가 이루어졌지만, 발생의 위험 요소는 한가지가 아닌 여러 인자가 복합적으로 작용하는 것으로 보이며, 그 중 가장 큰 요인은 복벽 근육의 약화이다. 복벽 근육 및 근막을 약화시킬 수 있는 일반적인 요인들로는 노령, 비만, 운동 부족, 다산 등이 있고, 이러한 일반적 요인들 이외에 다음의 인자들이 관련될 수 있다.

1) 해부학적 요인

(1) 근두덩구멍 또는 근치골공(그림 8-1)

근두덩구멍Myopectineal Orifice (MPO) of Fruchaud 또는 근치골공은 복부와 다리를 연결하는 유일한 통로로 중요한 신경, 혈관 등이 통과한다. 경계는 아래로 쿠퍼 인대의 치골, 위로 내복사근과 횡복근 근막의 아치형 섬유들, 외측으로 장요근iliopsoas, 내측은 복직근의 외연으로 구성된다. 복부의 가장 아래쪽에 위치하고 횡복근막으로만 싸여 있으며, 이 막이 복부와 하지를 분리하는 유일한 구조물이다. 따라서 이 부위는 근육이 받쳐주지 못하고 막 하나로 복압을 견뎌야 하기 때문에 내재적으로 약하여, 모든 서혜부 탈장, 즉 직접 서혜 탈장, 간접 서혜 탈장, 대퇴 탈장의 발생 장소가 된다.

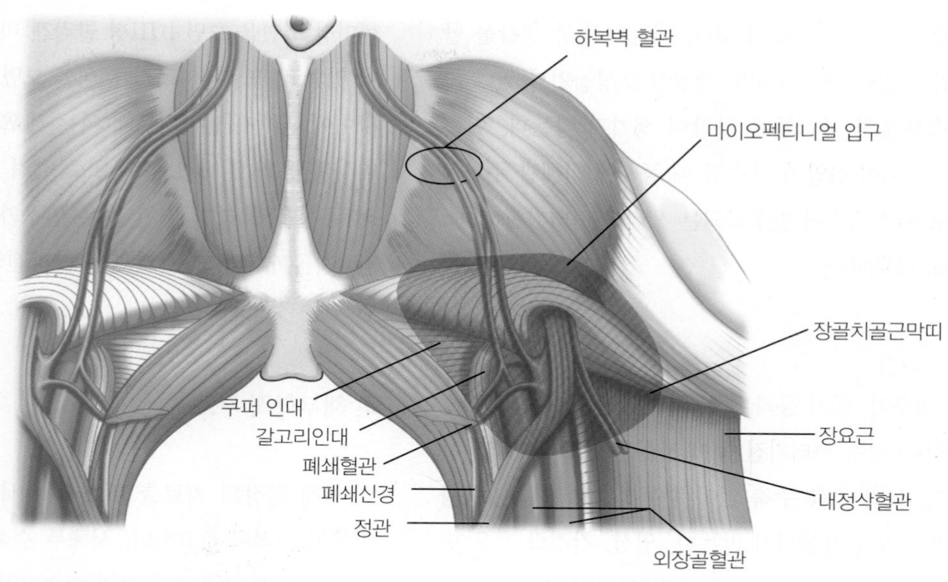

그림 8-1 **마이오펙티니얼 입구 안쪽에서 바라본 구조(Myopectineal orifice of Fruchaud).** 근치골공 삼각: 장골치골근막띠에 의하여 위 아래 삼각으로 나뉨. 위 삼각: A 바깥삼각-간접탈장. B 안삼각-직접탈장, 아래 삼각. C 대퇴삼각-대퇴 탈장

(2) 진화에 따른 해부학적 요인

복벽의 궁상선arcuate line 하방에는 후방복직근막posterior sheath of rectus muscle이 없고, 인간이 직립자세를 하고 두발 보행을 함으로써, 서혜관은 더 넓어지고 잡아 당겨져서 기능적 해부학적인 면에 변화를 가져오게 되었다. 또한 직립 자세가 되면 복강 내 구조물의 무게가 직접 아래로 쏠리면서, 중력에 의한 스트레스가 하복부에 전달되어 점점 약해진다. 그러나 전 인류의 5% 미만에서만 서혜 탈장이 발생하므로 이 한가지 요인만으로 모든 것을 설명할 수는 없다.

2) 선천적 요인-개방성 초상돌기

소아 탈장의 대부분을 차지하는 선천성 탈장의 원인은 정상 발달의 지연 때문이다. 정상 발달 과정에서 고환은 임신 3개월에 요추부에서 복막과 횡복근막 사이에서 발생하여 고환길잡이인 gubernaculum을 따라 음낭으로 하강을 하며, 이때 복막의 일부가 붙어 돌기처럼 튀어 나와 서혜관을 지나고 궁극적으로 초상돌기가 된다. 임신 36-40주 사이에 초상돌기는 닫히고 내서혜륜에서의 복막 구멍은 막히게 된다. 이러한 막힘 과정이 일어나지 않는 경우 개방성 초상돌기Patent Processus Vaginalis (PPV) 상태가 되어 탈장이 발생할 수 있으며, 바로 이것이 미숙아에서 간접 서혜 탈장의 발생률이 높은 이유이다. 개방성 초상돌기가 출생 당시 닫혀 있지 않았더라도 태어난 이후에도 시간이 지나면서 닫힘 현상은 지속될 수 있는데, 대부분은 생후 첫 몇 달 이내에 닫히게 된다. 개방성 초상돌기가 유소아 간접 서혜탈장의 주요 원인이므로 내서혜륜에서의 단순 결찰로 치료가 끝난다. 성인에서는 개방성 초상돌기를 단순 결찰만 하는 경우 재발률이 높으므로 성인 서혜탈장의 원인으로 개방성 초상돌기 이외에, 단순 결찰만으로는 해결되지 않는 다른 원인이 있음을 알 수 있다. 선천성 간접 서혜탈장이 있는 소아는 개방성 초상돌기가 있다. 그러나 개방성 초상돌기가 있다고 해서 반드시 탈장이 있다는 것은 의미하는 것은 아니며, 앞으로 탈장이 반드시 생긴다는 것을 의미하는 것도 아니다.

3) 근육과 관련된 요인-셔터기전

복벽하부가 구조적으로 약하게 만들어졌지만 인체에는

그걸 보강할 수 있는 기전이 있다. 매일의 정상 생활을 할 때도 복압이 많이 올라가지만, 개방성 초상돌기가 있다 하더라도 대부분의 사람들은 탈장이 생기지 않는다. 이는 복근이 수축되어 복압이 상승될 때 동시에 서혜관 주변의 건막 구조가 수축되어 활성화되는 생리적 셔터기전shutter mechanism 때문이다.

4) 복압의 상승

기침, 힘주기, 들기 등과 같이 복벽의 근육이 능동적으로 수축하는 경우 셔터기전 등이 자동적으로 활성화되는데 비하여, 복벽 근육 수축 없이 수동적으로 복압이 증가되면 보호기전이 작동되지 않는다. 임신, 간경화 같은 만성복수, VP shunt나 복막투석 때 잘 생길 수 있다.

5) 유전적 요인 및 선천성 대사 이상

탈장을 일으킬 수 있는 유전적 요인은 다양한데, 가족력으로 나타날 수도 있고, 또는 다양한 결합조직 질환의 한 부분일 수도 있다. 마판Marfan 증후군이나 고관절 탈구, 다낭성신질환 등의 질환을 가진 환자들의 약 43%에서 탈장이 발생한다는 보고가 있다. 가족력이 있는 경우 일차성 서혜 탈장 발생 가능성이 8배 증가하는 것으로 보고되었다.

6) 흡연

비흡연자의 15–19%에 비해서 흡연자의 서혜 탈장 발생 확률은 26–41%이다. 흡연 시 금속단백분해효소metalloproteinase가 활성화되어 콜라겐, 엘라스틴, 젤라틴 등을 분해하는 것으로 보인다. 만성 폐색성 폐질환이 있는 경우 직접 서혜 탈장의 발생 위험도가 의미 있게 증가하였다.

7) 콜라겐 이상

섬유모세포fibroblasts 활동의 최종 결과물이 바로 콜라겐이다. I형과 III형이 상처 치유와 탈장 발생에 중요한데, III형은 상처 치유 초기에, I형은 성숙되고 강한 콜라겐으로 주로 창상의 장력에 기여한다. 서혜 탈장 환자 조직의 현미경 소견을 보면 I/III형 콜라겐 비가 의미 있게 감소되어 있었고, 또 다른 조직 분석을 보면 동맥류와 탈장 발생 사이에 관계가 발견되는데 이는 세포외 기질 단백의 이상 대사 반응과 관계 있는 것으로 알려 졌다. 탈장의 생물학적 특성을 밝히기 위한 많은 연구가 이루어져야 하겠지만, 지금까지의 연구 결과는 콜라겐의 유전적 결함이 관련 있는 것으로 나타난다.

4. 해부학적 구조

서혜 탈장의 치료를 위해서는 서혜부 해부학에 대한 전문적 지식이 필요하다. 서혜부 수술에 필요한 해부학적 구조의 이해는 종래의 절개 수술처럼 복벽 앞 층에서부터 시작하여 보다 깊은 층으로 진행되는 관점에서의 해부학적 이해와 복강경 탈장교정술처럼 복벽의 가장 안쪽에서 시작하여 바깥쪽으로 진행되는 관점에서의 해부학적 이해가 모두 필요하다. 대부분의 서혜부 탈장이 남성에서 발생하기 때문에 남성의 일반적인 서혜부 해부학적 구조에 대하여 기술하고자 한다.

1) 개복 수술을 위한 전방접근 관점에서의 해부학(그림 8-2, 3, 4)

(1) 복벽

전복벽은 복부 장기를 덮고 있는 여러 층의 복잡한 건막층으로 구성되어 있다. 배꼽 상방에서는 얕은 근막은 한 층인데 반하여 배꼽 하방에서는 얕은 지방층인 Camper's fascia, 깊은 막층인 Scarpa's fascia 두 겹으로 나뉘게 된다. 피부 및 피하지방층을 열면 서혜부를 지나는 천장골회선혈관superficial circumflex iliac vessels, 천복벽혈관superficial epigastric vessels, 혹은 외음부혈관external pudendal vessels 등을 만날 수 있으나, 절개가 크지 않은 경우 천복벽혈관만 볼 수 있다.

(2) 외복사근 건막

피하지방인 Scarpa 근막 밑에는 아래쪽 안쪽으로 향

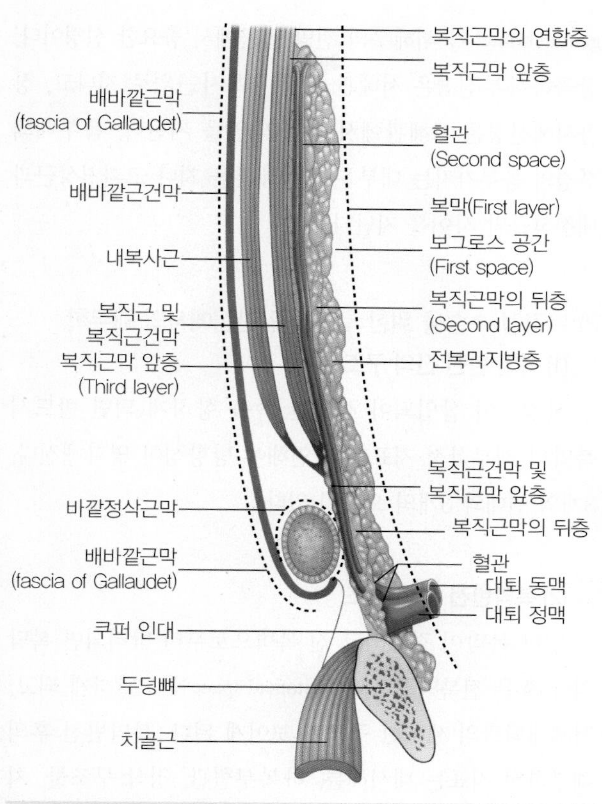

그림 8-2 **해부학적 복벽 구조**

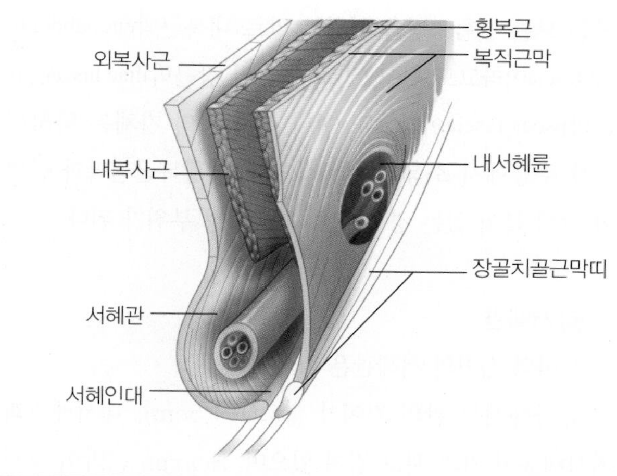

그림 8-3 **서혜부 시상 절단면**

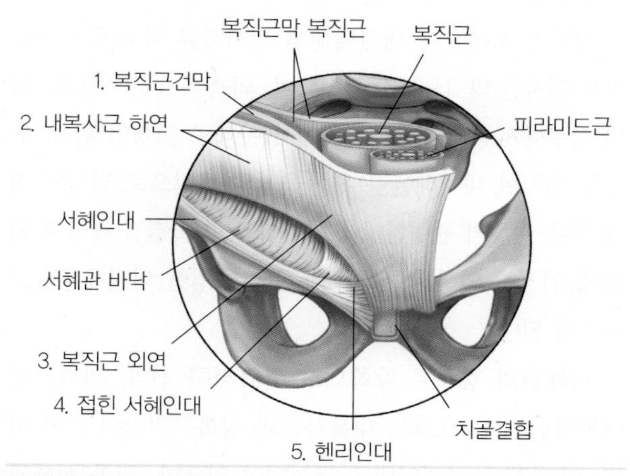

그림 8-4 **연합 부위**

하는 외복사근external oblique muscle 건막이 있다. 외복사근 건막이 서혜관의 표층 경계가 되며, 아래로 내려가 서혜 인대가 된다. 이 건막은 또한 열공 인대lacunar ligament와 접힌 서혜 인대reflected inguinal ligment를 형성한다. 외복사근 건막은 치골 결절의 1–1.5cm 상방 외측에서 갈라지면서 삼각형 모양의 외서혜륜이 된다.

(3) 서혜인대

서혜인대는 Poupart's ligament라고도 하며 외복사근 건막의 아래 부분이 접힌 구조로 전상장골가시anterior superior iliac spine부터 치골 결절까지 뻗어 있다. 서혜인대는 서혜관의 경계를 쉽게 알 수 있게 해줄 뿐 아니라 여러 탈장 교정술에 사용되는 견고한 구조물이다. 또 장요근을 횡단하며 아래쪽으로 연결되는데 그 밑으로 대퇴혈관과 신경이 골반강을 지나 대퇴부로 내려간다.

(4) 내복사근

내복사근은 장요근에서 기시되며, 하방의 섬유는 아래쪽으로 향하면서 일부는 건막의 아치를 만들어 서혜관의 위쪽 경계가 되고, 또 다른 일부는 횡복근과 만나 고환거상근cremaster muscle이 된다.

(5) 횡복근 건막 및 횡복근막

횡복근육과 횡복근 건막transversus abdominis aponeurosis의 내구성과 연속성이 서혜부 탈장 방지에 가장 중요하다. 횡복근막trasversalis fascia은 복근과 복막 사이에 존재하는 모든 결합조직을 일컫는 말로 내복근막endoabdominal fascia이라고도 하고, 장소에 따라 장근막iliac fascia, 요근막psoas fascia이라고도 한다. 횡복근막 자체는 약하여 탈장 수술에서 소용없는 조직이지만, 횡복근건막과 근막이 같이 붙어 있는 경우에는 좋은 고정 부위가 된다.

(6) 서혜관

유아와 성인의 서혜관은 차이가 있다.

유아에서는 관의 길이가 짧고(1-1.5cm), 내서혜륜과 외서혜륜이 거의 서로 겹쳐 있으며, Scarpa 근막이 두꺼워 외복사근 건막으로 오인되기도 한다. 근막과 건막 사이에 또 다른 지방층이 있을 수 있으므로 지방이 보이는 한 외복사근 건막은 아니다.

성인의 서혜관은 내서혜륜과 외서혜륜 사이에 비스듬하게 위치한 약 4-6cm 길이이며, 외측에서 내측으로, 몸의 심부에서 바깥쪽으로, 위에서 아래로 진행이 된다. 심부에 위치한 내서혜륜은 횡복근막의 구멍으로 남성의 정삭 혹은 여성의 원형인대가 통과하고, 치골결절 직상방 외측에 위치한 외복사근건막의 작은 구멍인 외서혜륜으로 나오게 된다.

서혜관의 경계는 앞쪽으로 외복사근 건막, 외측으로 내복사근, 위쪽으로는 내복사근과 횡복근건막의 궁상 아치, 아래쪽은 서혜인대로 구성되어 있으며, 뒤쪽 서혜관 바닥은 대부분 횡복근막과 횡복근건막의 융합에 의하여 만들어지는데 약 1/4의 환자에서는 횡복근막으로만 되어 있다. 하셀바크 삼각Hesselbach's triangle은 서혜관 바닥의 경계로 위, 바깥쪽으로 하복혈관, 안쪽으로 복직근막, 서혜 인대가 아래쪽의 경계가 되며 직접 탈장이 빠져 나오는 장소이고 간접 탈장은 이 삼각의 외측에서 발생한다. 그러나 간접 탈장의 크기가 점점 커질수록 서혜관 바닥이 침범되어 손상된다.

(7) 전방 접근에서 보이는 신경

장골하복부신경iliohypogastric nerve, 장골서혜신경ilioinguinal nerve 및 음부대퇴신경genitofemoral nerve의 음부가지genital branch가 서혜부의 전방 접근에서 중요한 신경이다. 장골하복부신경은 서혜관 상방 내복사근위로 지나고, 장골서혜신경은 서혜관에서 정삭의 앞을 지난다. 음부대퇴신경의 음부가지는 대부분 내서혜륜을 지나 고환거상근과 내정삭근막 사이를 지난다.

2) 복강경 수술을 위한 후방접근 관점에서의 해부학

(1) 복막 반전 전의 구조

복강경이 삽입되어 서혜관 쪽을 향하게 되면 반드시 복막의 해부학적 지표를 확인해야 방향성이 명확해진다. 3개의 인대와 3개의 오목이 있다.

(2) 복막반전 후의 구조

일단 복막이 절개되고 전 복벽으로부터 박리되면 복막외극 혹은 전복막공간preperitoneal space에 도달하게 되고, 서혜대퇴관의 세세한 구조가 보이게 된다. 복막반전 후의 해부학적 지표는 내서혜륜, 하복부혈관, 정삭 구조물, 치골결합, 장골치골근막, 쿠퍼 인대와 대퇴관 등이다(그림 8-5).

가. 하복벽혈관

하복벽혈관의 내측, 장골치골근막iliopubic tract 상방의 지역이 바로 직접탈장이 생기는 곳이고, 하복벽혈관의 외측, 장골치골근막띠 상방의 공간이 바로 간접탈장이 발생하는 곳이다. 대퇴 탈장은 앞쪽으로 장골치골근막, 뒤로 상치골 가지 사이의 결손 부위를 통하여 발생한다.

나. 횡복근막

횡복근막transversalis fascia은 복막의 바로 앞에 있다. 이 막은 옆과 뒤쪽으로 내복근막endoabdominal fascia과 내골반근막endopelvic fascia까지 이어져서 복막외 강화층 extraperitoneal reinforcing layer을 형성한다. 횡복근근막은 두 층이며, 앞층과 뒤층 사이의 공간을 혈관공간이라 하고 여기에는 하복벽혈관이 위치한다. 앞층은 횡복근과 그 건막에 연결되어 있고, 뒤층은 불규칙하고 두꺼운 섬유조

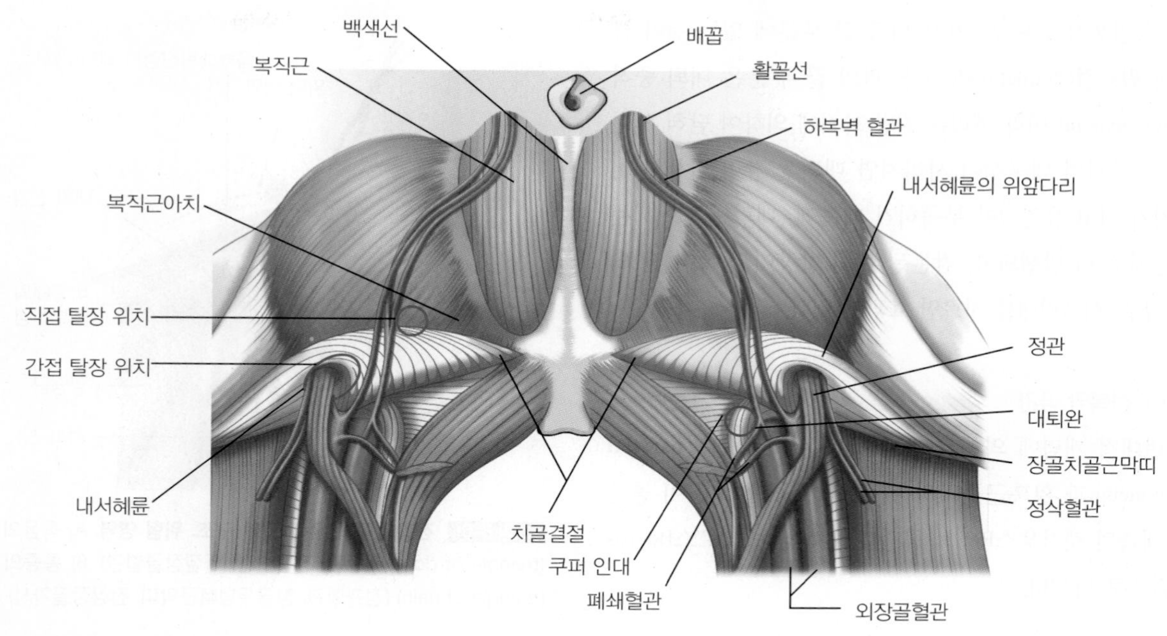

그림 8-5 **서혜부 안쪽 구조**

직으로 이루어져 있는데, 복막과 분리되어 있으며 복막전근막preperitoneal fascia이라고도 한다. 하복벽혈관들과 심서혜부정맥총은 바로 이 앞층과 뒤층 사이에 위치하며, 복막외 복강경 탈장교정술은 뒤층과 복막사이의 공간에서 시행한다.

다. 장골치골 근막띠

전상장골가시에서 시작되어 쿠퍼 인대에 붙는 근막이다. 이 구조물은 서혜인대의 전 길이에 걸쳐 서혜인대와 평행하게, 그러나 더 깊은 안쪽에 위치한다. 이 근막띠는 전방접근에 의한 수술에서는 보이지 않으나 후방접근 시나 복강경 수술 시에 잘 보인다. 장골치골근막띠iliopubic tract는 내측으로 통과하면서 내서혜륜의 하연을 형성하는데 도움을 주고, 계속 이동하면서 대퇴관의 전측, 내측의 경계를 형성하게 된다. 요추신경총lumbar plexus의 많은 신경 가지들이 장골치골근막띠 바로 아래에서 발견되기 때문에 복강경 탈장교정술 시 중요한 지표가 된다. 장골치골근막띠 하방, 고환혈관의 바깥쪽으로 인공그물막 고정을 하는 경우 이 신경들을 손상시킬 수 있다.

라. 쿠퍼 인대

치골근선pectineal ligament이라고도 알려져 있으며, 반짝이는 섬유성 구조물로 상치골 가지를 덮고 있다. 치골결절의 골막에 붙어 있는 열공 인대lacunar ligament의 외측으로 여겨진다. 이는 진정한 의미의 인대가 아니라 섬유성 골막, 횡복근, 장골치골근막, 내복사근, 복직근 등으로부터 나온 섬유 조직들이 서로 융합되어 형성된 조직이다. 가장 중요한 해부학적 지표 중 하나로 절개나 복강경을 통한 탈장 교정술 모두에서 강한 고정이 가능한 구조물이다.

마. 대퇴관, 대퇴초

복벽의 앞쪽에서 보면 대퇴 공간은 서혜인대 하방에서 볼 수 있다. 대퇴관femoral canal은 잠재공간이며, 이를 통하여 대퇴 탈장이 발생하게 된다. 대퇴 구멍은 매우 질긴 조직에 의하여 경계가 지어지는데, 뒤쪽 경계는 장골근막과 쿠퍼 인대이고, 앞쪽 경계는 안쪽으로는 장골치골 근막띠, 바깥쪽에서는 서혜인대이다. 내측 경계는 횡복근 건막과 횡복근막, 외측으로는 대퇴정맥과 연결조직 등이 포함된다. 대퇴관의 정상 내용물은 원형 전복막 조직과 지방 및 림프절 등으로, 가장 위쪽 끝 부분에 있는 것이 클로켓 림프절Cloquet node이다. 관의 끝 부분은 대퇴 중격septum femorale이라 불리는 지방 조직에 의하여 닫혀 있는데 이 중격의 내구성이 사라지면 대퇴 탈장이 발생한다. 크기가 작고 유연성이 부족하기 때문에, 대퇴 구멍에서는 감돈이 흔히 발생되고, 감돈된 대퇴 탈장이 정복이 안 되는 경우, 서혜인대를 자르면 효과가 있다.

바. 전복막 공간

현대적 개념에 의한 전복막 공간은 벽측 복막parietal peritoneum과 횡복근근막의 뒤층 사이 공간이다. 이 공간은 내측의 렛지우스Retzius공간과 외측의 보그로스Bogros공간으로 나뉜다.

① 렛지우스 공간

렛지우스 공간은 전복막강의 가장 내측 중앙에 위치하며, 앞쪽으로 횡복근근막과 치골이, 뒤쪽으로는 방광이 있고, 골반의 근육 저부부터 배꼽까지 연장되는 잠재적 공간이다. 외측으로는 하복벽혈관위치에서 횡복근 근막에 의하여 경계가 지어진다.

② 보그로스 공간

보그로스Bogros 공간은 하복벽혈관들을 따라 있는 횡복근근막의 융합선으로부터 바깥쪽 외측 영역으로 뻗어 있다.

사. 장치근막활

장골근과 요근 근막이 결합된 섬유성 띠조직으로 서혜인대 밑 공간을 외측과 내측의 혈관공간으로 나누는데, 외측의 혈관공간에는 장요근, 대퇴 신경 및 외측대퇴피부신경이 지나고, 내측의 혈관공간에는 대퇴 혈관, 음부대퇴 신경이 통과한다.

아. 전복막강의 혈관

전복막 박리 시 하복벽혈관이 항상 박리 면의 앞쪽에

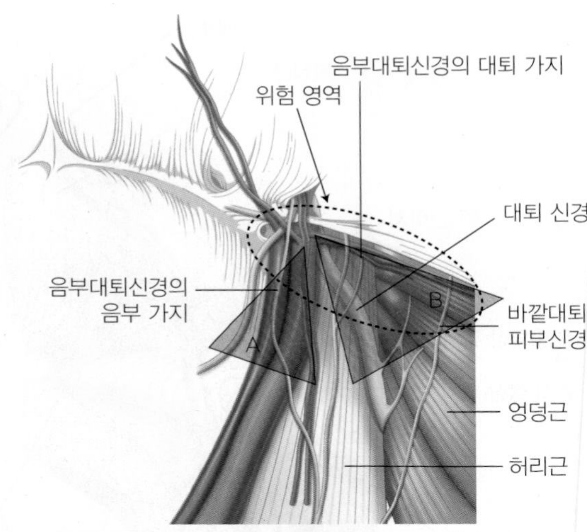

그림 8-6 전통안쪽의 우측 서혜 구조. 위험 영역. A) 죽음의 삼각(triangle of doom) (정관, 정관혈관, 바깥장골혈관). B) 통증의 삼각(triangle of pain) (정관혈관, 장골두덩뼈근막띠, 전상장골가시)

있어야 한다. 즉 수술 시 박리공간의 상방에서 하복벽혈관이 보여야 한다.

① 죽음의 삼각(그림 8-6)

복막을 젖히고 삼각의 경계인 정관vas deferens과 정삭혈관, 내서혜륜을 확인한다. 정삭 구조물 뒤쪽에 장골혈관이 있기 때문에 정관 뒤쪽을 박리하는 것은 매우 위험하다. 1991년 Spaw가 이 영역을 '죽음의 삼각triangle of doom'으로 기술하였다.

② 죽음의 왕관

하복벽동맥은 쿠퍼 인대 앞을 지나는 폐쇄동맥에 문합분지를 내기도 하는데 때로 이 분지가 커서 이상폐쇄동맥aberrant obturator artery으로 불리며, 열공인대lacunar ligament와 쿠퍼 인대 위를 지난다. 이러한 폐쇄동정맥 사이의 문합은 간혹 '죽음의 왕관corona mortis' 혹은 '죽음의 고리circle of death'라 알려진 출혈의 원인이 되기도 한다.

자. 전복막강의 신경

① 음부대퇴신경genitofemoral nerve

요근 앞을 통과하여 음부가지(고환거상근, 음경과 고환

의 피부)와 대퇴가지(대퇴삼각의 피부)로 나뉘어 음부가지는 정삭과 함께 내서혜륜을 통과한다.

② 외측대퇴피부신경lateral femoral cutaneous nerve

장골근의 앞, 장골치골근막 밑을 지나 대퇴의 전측부를 담당한다. 이 신경은 인공그물막이 놓이는 위치에서 비교적 표면에 나와 있으므로 이 신경의 손상을 막기 위하여 인공그물막의 측면에는 스테이플러 등 어떤 고정도 하지 않는 것이 좋다.

③ 대퇴신경femoral nerve

대퇴의 신전구획extensor compartment을 담당하는 요부신경총lumbar plexus 중 가장 큰 신경분지로 요근에서 나와 전복막강로 들어가 장골치골근막띠를 통과한다. 신경이 깊은 곳에 있어서 손상의 가능성은 떨어지지만, 손상 시 대퇴 신전근육femoral extensor muscle의 심한 통증과 허약이 관찰된다.

④ 장골서혜신경과 장골하복부신경ilioinguinal nerve & iliohypogastric nerves

전복막강보다 더 표면에 있기 때문에 복강경 수술 시보다는 전방접근 교정술시 더 흔히 손상을 받으며, 손상 시 서혜부와 하복벽의 통증이 특징이다.

차. 동통의 삼각

위로는 장골치골근막띠, 내측으로는 정삭혈관으로 둘러싸인 위험 공간으로 모든 요부신경총 가지들이 존재하므로, 이 공간에 스테이플을 사용하거나 봉합을 하는 경우 일시적 혹은 영구적 신경손상 및 근육들의 쇠약이 나타날 수 있다.

5. 분류

서혜부 탈장의 분류 목적은 다양한 탈장의 치료 결과를 비교하는 것을 표준화함으로써 질환에 대한 이해를 높이고 의사 소통을 원활히 하는데 있으나 아직도 많은 분류방법이 불완전하고 논란의 여지가 많다.

많이 사용하는 분류방법은 Gilbert 분류, Nyhus 분류, Schumperlick 분류 체계이다. 이중 현재 가장 많이 사용하는 것은 Nyhus 분류 체계이다(표 8-1). 분류 체계는 사용하기 편하고 객관적이어야 하며, 또한 절개술과 복강경 수술 사이의 다양한 해부학적 관점까지도 모두 고려할 수 있어야 한다.

표 8-1. Nyhus 분류체계(Nyhus Classification of Groin Hernia)

Type I	간접 탈장; 내서혜륜 정상; 유소아 탈장, 일부 성인 탈장
Type II	간접 탈장; 내서혜륜 늘어나 있으나 서혜관 바닥의 손상은 없는 상태; 하복벽혈관의 위치 변동이 없음; 음낭으로 내려오지 않음
Type III	서혜관 바닥의 손상이 있는 경우 A: 직접 탈장, 크기와 관계없음 B: 간접 탈장, 크기가 커서 서혜관 바닥의 손상이 있는 경우; 간접 활주 탈장, 음낭탈장, 판탈롱 탈장 포함 C: 대퇴 탈장
Type IV	재발성 탈장 A: 직접 탈장 B: 간접 탈장 C: 대퇴 탈장 D: 혼합 탈장

6. 진단

1) 병력

서혜 탈장은 우연히 발견된 돌출이나 통증, 혹은 탈장의 감돈이나 교액과 같은 외과적 응급 상황까지 다양하게 나타난다. 가장 주된 증상은 서혜부의 돌출이다. 돌출 증상이 통증이나 불편감을 동반할 수 있지만 감돈이나 교액이 생기지 않는 이상 그리 심한 통증은 호소하지 않는다. 만일 돌출 소견 없이 통증을 호소한다면 다른 원인도 생각해 봐야 하며, 탈장 이외의 다른 종물도 서혜부에 생길 수 있기 때문에 감별 진단이 중요하다. 그러나 신체검사만으로도 탈장과 다른 종물과의 감별 진단이 대부분 가능하다.

2) 신체검사

(1) 시진

서혜부의 신체검사는 환자를 세운 상태, 그리고 누운 상태에서 모두 시행한다. 검사자는 서혜부를 보고 만지면서 비대칭성, 돌출, 종물 등의 여부를 관찰한다. 기침을 시키거나 발살바 수기를 쓰면 돌출이 증가되어 탈장을 쉽게 진단할 수 있다.

(2) 촉진

가. 실크 글로브 증후

실크 글로브 증후silk glove sign란 치골 결절 위에서 수술 장갑을 낀 다음 정삭 구조를 만지면 손가락 밑에서 실크 다발을 굴리는 듯한 느낌이 드는 것으로, 탈장이 없는 부위보다 두껍게 만져진다.

나. 세손가락 검사

집게 손가락을 내서혜륜에, 가운데 손가락을 외서혜륜에, 반지 손가락을 대퇴 구멍에 위치시키고 기침이나 발살바 수기를 시켰을 때 집게 손가락에서 느낌이 오면 간접탈장, 가운데 손가락에서 느껴지면 직접탈장, 반지 손가락에서 느껴지면 대퇴 탈장으로 진단이 가능하다.

다. 함입검사

음낭의 피부에 여유가 있으므로 집게 손가락을 음낭 피부 안으로 함입시켜 외서혜륜을 지나 서혜관 안에 넣고 기침이나 발살바 수기를 시키면 손가락 끝에서 탈장의 움직임이 촉지될 수 있다. 서혜관의 외측에서 내측으로 움직이는 돌출물이 있다면 간접탈장을 의미하고, 서혜관 바닥의 깊은 곳에서부터 위로 나온다면 직접탈장을 의심할 수 있다.

라. 구멍폐쇄 검사

누운 자세에서 내서혜륜의 위치를 엄지손가락으로 막은 다음 환자를 일으켜 세우고 기침이나 발살바 수기를 시킬 때 돌출이 없거나 느껴지지 않으면 간접탈장, 돌출이 되면 직접탈장으로 진단할 수 있다.

3) 서혜부 종물의 감별 진단

림프종, 고환 종양, 후복막 육종, 고환의 정맥류, 부고환염, 고환 염전, 수종, 이소고환증ectopic testis, 미하강고환, 림프절 및 대퇴 동맥류 혹은 가성동맥류 등과 감별해야 한다.

4) 영상검사

진단이 애매모호한 서혜부 탈장, 즉 비만 환자나 신체검사에서 돌출을 볼 수 없는 탈장, 재발성 서혜부 탈장들은 영상학적 검사가 도움이 될 수 있다. 초음파는 비침습적이고 숨어 있는 탈장을 진단하는 데 있어서 높은 민감도와 특이도를 보인다. CT와 MRI는 서혜부의 해부학적 구조를 자세히 볼 수 있고, 서혜부 탈장뿐 아니라 감별 진단에 유용한 이미지를 제공하지만 진단에 일상적으로 사용하지는 않는다. 때로 복강경이 진단과 치료에 사용될 수 있다.

7. 마취

개복 전방접근 탈장 수술 시 국소마취, 부위마취regional, 전신마취를 모두 사용할 수 있는 반면, 복강경 수술은 보통 최적의 복강 확장과 환자의 편의를 위해 전신마취를 사용한다. 따라서 전신마취와 기복의 영향을 견딜 수 없는 고 위험군의 환자에서는 복강경 수술에 제한이 있을 수 있다.

8. 치료

1) 비수술적 치료

모든 탈장의 궁극적 치료는 수술이다. 대부분 증상이 있는 서혜부 탈장이 발견되면 바로 수술을 권유하는데, 그 이유는 그냥 두면 탈장의 결손 부위는 점차 커지면서 약해지고, 또 감돈과 교액의 가능성이 있기 때문이다. 그러나 증상이 아주 경미하거나 없는 환자에서는 조심스럽게 관찰하면서 기다리는 전략watchful waiting도 큰 문제가 없는 것으로 6개의 무작위 다기관 전향적 연구에서 보고되었다. 10년에 가까운 추적기간 동안 기다리는 관찰군에서 탈장 감돈의 비율은 0.03%로 매우 낮았다. 기다리다가 수술을 받은 환자의 비율이 궁극적으로는 25%에 달했지만, 수술과 관련되어 나타나는 수술의 위험도나 합병증의 증가는 예방적 수술군에 비하여 차이가 없었다고 보고하면서, 무증상 혹은 경미한 증상의 서혜부 탈장이 있는 노인에서는 조심스럽게 지켜보는 것도 안전하고 받아들일 만한 방법이고, 또 수술을 연기한다고 해서 환자가 더 합병증의 위험이 높아지는 것은 아니라는 결론을 지었다. 비록 대부분의 환자에서 증상이 나타나고 수술이 필요하였지만, 증상이 경미하거나 또는 증상이 없는 서혜부탈장의 경우 watchful waiting을 하더라도 합병증이 낮으므로 하나의 치료법으로 추천할 수 있겠다. Watchful waiting을 선택한 경우 환자와 충분히 상의를 하여 수술 시기를 결정하는 것이 좋다. 또한 watchful waiting 전략은 여성에 발생한 서혜탈장이나 대퇴탈장에 적용해서는 안된다. Watchful waiting 연구는 남성을 대상으로만 이루어졌고, 대퇴탈장의 경우 합병증 발생이 높기 때문이다.

2) 수술적 치료

서혜부 탈장의 치료는 접근 방법에 따라 개복 또는 복강경수술로 나뉘고, 개복 서혜부 탈장 수술은 수술이 서혜관 바닥의 앞 또는 뒤에서 시행되었느냐에 따라 세분될 수 있다.

(1) 개복술

가. 전방 접근 조직교정술

조직교정술tissue-based repair은 현재 높은 재발률로 거의 사용되지 않지만, 인공막 사용이 금기시 되는 경우, 즉 수술창이 오염되었거나 장관의 절제, 인공막의 정관 유착으로 인한 무정자증이 생길 가능성이 우려되는 경우 등에 사용된다. 그 중 숄다이스 수술Shouldice repair은 인공그물망을 사용하지 않고 조직으로만 복구하는 조직 위주의 수술 방법으로는 최근까지도 가장 많이 사용되고, 무장력 복구 방법과 비교해 봤을 때 비슷한 성공률을 보인다. 숄다이스 수술은 서혜관의 바닥을 연속봉합법을 사용하여 여러 층으로 겹쳐 꿰매는 것이 특징이다. 여러 층의 연속봉합 방법은 장력을 여러 층에 고르게 배분할 수 있는 장점과 단속 봉합방법시 꿰맨 사이에서 발생하는 탈출을 막을 수 있다는 장점이 있다. 이 방법은 잘 선택된 환자에서는 매우 낮은 재발률과 높은 환자의 만족도를 보여준다. 이외 횡복근과 내복사근 건막의 아치를 서혜인대에 봉합하는 바시니 수술Bassini repair과 횡복근건막을 쿠퍼 인대에 단속봉합법으로 꼬매는 맥베이 수술McVay repair 등이 있다. 맥베이 수술은 간접, 직접 서혜 탈장과 대퇴 탈장을 동시에 확인할 수 있다는 장점이 있다. 최근 조직교정술로 Desarda 수술이 대두되고 있고, Lichtenstein 수술과 재발이나 통증에서 차이가 없다고 보고되고 있으나, 아직 더 많은 연구가 필요하다.

나. 전방 접근 인공 그물막 수술법

① 리히텐슈타인 무긴장 수술(그림 8-7)

인공 그물막을 사용하는 무긴장 교정술은 서혜부 탈장의 표준 수술이다. 수술 시 나타나는 긴장이 재발의 주원인이었다는 것이 인식된 이후 인공막을 사용하여 결손부위를 보강하고 있는데, 이 개념은 처음 Lichtenstein에 의하여 널리 알려졌다.

② 플러그와 패치수술

리히텐슈타인 수술의 변형으로 원추모양의 플러그를 내서혜륜에 넣고 펼치면 우산을 거꾸로 뒤집은 것처럼 펴지면서 내서혜륜을 막고, 또 다른 인공그물막을 사용하여 서혜관 바닥을 보강한다.

③ Prolene Hernia System (PHS)

PHS 인공막은 개복수술로 전방접근의 장점과 전복막강 후방 접근의 장점을 동시에 구현한 제품이다. 3가지 요

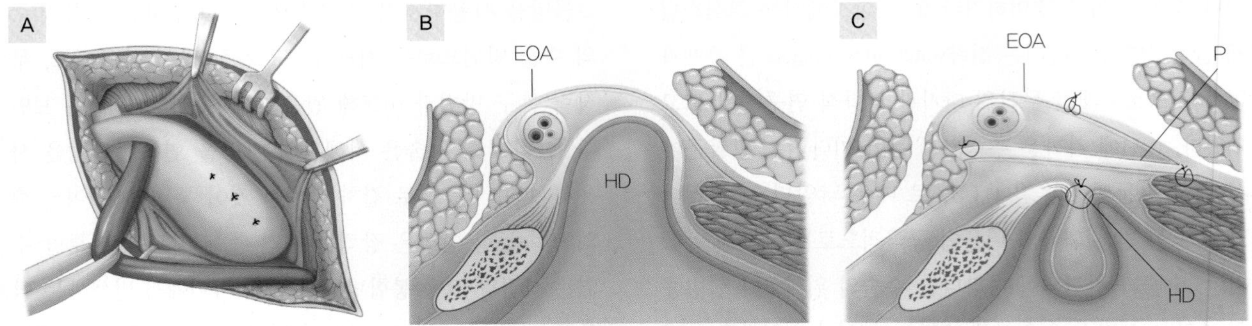

그림 8-7 리히텐슈타인 탈장 교정술. A) 내측으로 인공그물막을 두덩뼈결절 2cm 내측 앞배곧은집에 고정, 옆으로 서혜인대에 고정; 인공그물막의 끝부분을 절개하여 정삭을 둘러싼 후 단속 봉합으로 고정, B), C) 측면에서 보면 인공그물막이 정삭과 탈장 결손부위 사이에 위치. (EOA: 외복사근막, HD: 탈장 결손부, P: 인공막)

소를 가지고 있는 두 층의 인공막으로 샌드위치 기법을 이용한다. 둥근 아래 층의 underlay와 위층의 onlay patch가 중간의 기둥인 connector에 의하여 연결되어 있다. 아래 인공막판은 복강경 수술의 후방 접근처럼 전복막 공간을 보강하고, 중간의 연결 기둥은 플러그와 같이 내서혜륜을 막아 주며, 위 인공막판은 리히텐슈타인 수술처럼 서혜관의 후벽을 보강해 준다.

④ 전복막 수술

전복막 수술preperitoneal approach은 횡복근막 뒤쪽의 전복막강을 통하여 탈장 수술을 시행하는 것으로, 인공그물막을 탈장 내용물과 결손 부위 사이로 넣음으로써 복압이 상승되었을 때 서혜관 후벽이 인공막을 받쳐주는 역할을 하므로 더 이롭다. Read-Rives 수술법과 Rives, Stoppa or Wnatz 수술법 등이 있다. 개복수술로 전복막강에 접근했던 이 개념이 복강경 수술에 응용되었다.

(2) 복강경 탈장교정술

복강경 탈장교정술은 전복막 접근을 하는 무긴장 탈장교정술의 하나이다. 탈장 치료에서 복강경 수술과 개복수술의 가장 중요한 차이는 해부학적인 것으로, 복강경 수술은 결손 부위의 뒤쪽에 인공그물막을 배치하고, 개복수술의 경우 복벽 결손 부위의 앞쪽을 교정하는 것이다. 즉 복강경 수술의 경우, 서혜부의 모든 탈장을 일으키는 마이오펙티니얼 입구를 크기가 큰 인공막을 사용하여 막아줌과 동시에 복압이 자연스럽게 인공막을 눌러 제자리에 있게 만들어 준다. 통증이 매우 적고 회복이 빠르며, 서혜부의 해부학적 구조가 더 잘 보이고, 모든 탈장 발생부위를 막을 수 있으며 또한 창상 감염이 적다는 것이 장점이다. 단점으로는 수술시간이 길고, 기술적으로 어려우며, 비용이 많이 든다는 것이나 수술 후 통증이 적고 재발률이 적으며, 회복이 빨라 사회활등으로의 복귀가 빠르다는 것을 감안하면 큰 차이는 없다.

복강경 수술의 여러 금기가 있을 수 있는데, 복강경 수술은 일반적으로 전신마취 하에 행해지기 때문에 환자들은 전신마취와 동시에 기복pneumoperitoneum을 혈역학적으로 견딜 수 있어야 한다. 또한 예전에 하복부 수술, 예를 들면 전립선절제술이나 다른 이유로 하부정중절개를 넣고 수술을 했던 경우는 복강경 수술면인 전복막강에 흉터, 즉 유착된 조직이 있기 때문에 복강경 서혜 탈장 수술의 상대적인 금기가 된다.

가. 복강경 경복막 전복막 수술(TAPP)

탈장이 한쪽이던 양쪽이던 3개의 투관침을 사용하여 수술이 가능하다. 배꼽에 12mm 투관침을, 배꼽 하방 양측 아래 사분역lower quadrant에 하복벽혈관을 손상시키지 않도록 주의하면서 각각 5mm 투관침을 꼽는다. 12mm 투관침은 10mm 카메라를 넣고 수술하다가 인공막을 복강에 삽입할 때 사용한다. 투관침을 복강 내에 넣고 이산화탄소 가스를 넣어 복압을 약 12-15mmHg로 유지하면서 처음 방광, 정중 및 내측 배꼽인대, 외장골혈관, 하복벽혈관 등을 확인하고 탈장을 찾아 낸다. 내측배꼽인대를 잡고 탈장 결손 부위 약 3-4cm 상방의 복막에 절개를 가하여 외측으로 전상장골가시에 도달할 때까지 수평으로 박리한다. 얇게 박리된 복막을 아래로 당겨 전복막층의 원형조직을 노출시킨 다음, 전복막강을 더 박리하여 정삭 구조물이 노출되도록 한다. 치골결합을 찾아 그 외측으로 쿠퍼 인대를 확인한다. 직접탈장의 탈장 주머니는 복막 박리 중 환원이 가능하고, 간접탈장의 탈장 주머니는 반드시 정삭 구조물로부터 박리하여 분리한다. 정삭과 탈장 주머니를 건드리기 전에 정삭의 혈관과 정관을 반드시 확인하고, 박리 중 기구로 정삭 구조를 직접 잡는 경우 손상이 올 수 있으므로 조심한다. 탈장 주머니는 일반적으로 정삭 구조물의 앞에 위치하므로, 잡아서 위로 들어올리면서 탈장 주머니를 정삭으로부터 분리시키는데 이때 정삭의 지방종이 발견되면 같이 제거한다. 탈장 주머니는 완전 환원시키거나 혹은 많이 달라붙어 있거나 음낭까지 내려간 경우 중간을 잘라 정삭 구조물에 손상이 가지 않도록 한다. 복막은 정관과 정삭 혈관이 삼각형으로 벌어지는 곳까지 박리하고, 잘 박리되었으면 약 10×15cm (4×6 in) 인공그물막이 마이오펙티니얼 입구를 완전히 덮도록 위치시키고 움직이지 않도록 고정시킨다. 인공그물막을 전복막강에서 잘 편 다음, 복막을 봉합사나 spiral tacks을 이용하여 닫는데, 복강경 경복막 전복막 수술Transabdominal Preperitoneal Procedure (TAPP) 중 시간이 많이 걸리고 제일 어려운 부분 중의 하나가 복막의 재봉합이다. 복막이 다 닫히지 않고 인공막이 노출되는 경우 복막 결손을 통해 장이 탈출되거나 혹은 인공막이 장과 달라붙고 파고 들어 후에 장폐색이나 장루 등의 문제가 발생될 수 있으므로 되도록이면 완전히 봉합하도록 한다. 이 과정이 끝나면 가스를 빼고 투관침을 제거한 다음 상처를 봉합한다.

복강 내 장기 손상 가능성이나 복막의 봉합이 어렵다는 단점에도 불구하고 TAPP 수술이 유용한 경우가 있는데, 다른 질환으로 복강경 수술을 하면서 동시에 탈장 수술을 해야 할 경우, 혹은 탈장이 크거나, 진단이 애매모호한 경우, 전에 하복부 수술을 받은 병력이 있는 경우 등이다. 복강 내에서 보는 해부학적 구조가 TEP보다 쉽고, 수술 공간이 넓어 외과의가 수술하기 편하다는 점도 있다.

나. 복강경 전복막 탈장 수술

복강경 전복막 탈장 수술Totally Extraperitoneal Procedure (TEP)과 복강경 경복막 전복막 수술Transabdominal Preperitoneal Procedure (TAPP)과의 차이는 전복막강에 접근하는 방식이다. TEP은 복직근과 후복직근초 사이의 공간에서 수술하므로 복강 안으로 들어가지 않는다. 따라서 복강 내 장기나 혈관 손상의 가능성이 떨어지고, 또한 투관침이 후복직근초를 뚫지 않으므로 투관침을 통한 탈장이 잘 생기지 않으며, 복막 봉합을 할 필요가 없으므로 TAPP보다 빠르다. TEP 수술을 할 때도 복막이 찢어져 복강 내 장기가 노출될 수 있으나 이런 부위는 간단히 tacks, sutures나 endoloop 등으로 봉합 가능하다. 수술이 전부 전복막강 내에서 이루어진다면 장 폐색이나 장으로의 인공그물막 침식 가능성은 거의 없다.

배꼽 직하방에 절개를 가하여 전복직근초를 노출시키고 백색선에서 약간 떨어진 전복직근초를 열어 복직근을 바깥쪽, 위쪽으로 당겨 후복직근초를 확인한 다음, 복직근과 후복직근초 사이로 풍선 박리기dissecting balloon를 삽입한다. 풍선 박리기를 치골 결합까지 진입시키고 풍선을 확장하여 전복막강이 박리되면 풍선 박리기를 빼고 풍선 투관침을 삽입한 후 복압을 12-15mmHg 유지하도록 이산화탄소를 주입한다. 두 개의 다른 투관침을 하복부 중앙선에서 하나는 치골 상방에, 또 하나는 배꼽 투관침과 치골 상방 투관침의 중간 부위에 삽입한다. 환자를 트렌델렌버그 위치로 놓고 TAPP와 동일한 방법으로 수술을 진행하는데, 수술 중 복막이 열리면 복강 내로 가스가 들어가 복막이 부풀어 오르면서 전복막강의 수술 공간이 줄어 들기 때문에, 복막이 찢어진 부위를 봉합사로 닫은 다음 수술을 진행하거나 TAPP로 전환할 수도 있겠지만,

전환하는 경우는 드물다. 수술 중 열린 복막은 장유착이나 인공그물막 침식을 막기 위하여 봉합하여야 한다. 인공그물막 배치가 끝나면 인공그물막의 이동이 없는 지 눈으로 확인하면서 가스를 서서히 빼고 투관침을 제거한 다음 전복직근초를 봉합한다.

3) 응급수술

응급 서혜 탈장 교정술의 적응증은 감돈 탈장, 교액 탈장 및 활주 탈장 등이다. 장폐색의 합병증이 없는 감돈 탈장은 반드시 외과적 응급 상황은 아니다. 그러나 일단 환자가 서혜 탈장 감돈이나 활주 탈장에 따른 장폐색 소견을 보인다면 수술적 처치가 필요하다. 환자의 증상은 주로 구토, 변비, 복부 팽만 등이며, 장의 구멍이 초기에는 막혀 있지 않았더라도 시간이 지나면서 장의 부종이 생겨 장폐색이 발생할 수 있다.

소장폐색의 가장 흔한 이유는 예전 수술로 인한 유착이지만, 수술 병력이 없는 복부에서 소장 폐색의 소견이 보이면 먼저 소장암과 서혜 탈장을 감별해야 한다. 애매모호한 경우는 CT같은 방사선 검사를 시행하여 초기에 폐색의 원인을 밝히고, 이도 안되면 폐색의 원인을 진단하고 치료도 할 수 있는 진단적 복강경을 시행한다.

감돈 탈장의 경우 수술 하기 전 우선 정복술을 시도한다. 환자를 진정시키고 트렌델렌버그 위치로 놓은 다음 외서혜륜 위치에서 탈장 주머니를 엄지와 집게 손가락으로 잡고 탈장 주머니를 음낭 쪽으로 밀어주면서 다른 한 손으로는 음낭에 압력을 가하여 결손 부위를 향하여 밀어준다. 탈장 주머니의 가장 원위부인 음낭 쪽에서만 압력을 가하면 내용물이 버섯 모양처럼 되어 환원을 방해한다. 정복이 실패하면 수술을 시행하는데, 치료 논리체계의 초기에 복강경이 고려될 수 있다. 그러나 대부분의 외과의는 감돈 탈장의 경우 기존의 개복 수술을 선호한다. 감돈 탈장에 혈액 순환이 안 되면 교액 탈장이 된다. 탈장되어 돌출된 부위를 만졌을 때 매우 아프고, 피부에 발적이 나타나면 교액 탈장이 의심되므로 정복술을 시도하지 말아야 한다. 정복술을 시행하여 성공하면 괴사된 장이 복강 내로 들어가 찾기가 쉽지 않기 때문이다. 장의 생존 가능성이 애매모호할 때는 개복 혹은 복강경을 통하여 확인한다. 드물게 응급 탈장 수술을 위하여 서혜관에 들어갔을 때 탈장 소견이 보이지 않으면 대퇴 탈장을 의심하고 반드시 확인하여야 한다.

4) 정규수술

외과에 영향을 미친 가장 최근의 패러다임 변화는 복강경 수술의 도입이다. 긴 복부 절개 후 행해졌던 거의 모든 복부 수술이 이제 복강경 수술로 대치되고 있다. 많은 연구에 의하면 원발성 단측성 서혜 탈장을 복강경 수술을 하는 경우 무장력 개복 수술에 비하여 재발률은 같지만 수술 후 통증이 적고, 회복 기간 및 정상 활동으로의 복귀가 빠른 것으로 나타났다. 그러나 복강경 탈장교정술을 하기 위해서는 최신의 기구와 전문성이 있어야 한다. 따라서 원발성 단측성 탈장의 경우 무긴장 개복 수술 혹은 여건이 된다면 복강경 수술도 가능한 반면 양측성이거나 재발성 서혜 탈장에 대해서는 복강경 수술이 개복수술보다 좋다는 것에 대부분의 외과의가 동의한다. 재발성 탈장에서 복강경 수술을 하는 경우 뒤쪽으로 접근을 하기 때문에 첫 개복 탈장 수술에 의한 앞쪽 조직의 유착 부위를 피할 수 있고, 실제 손을 대지 않은 조직면에서 수술 할 수 있어 유리하다. 최근에는 재발된 서혜 탈장은 손대지 않은 공간으로 접근을 하라고 하는데, 즉 첫 수술이 개복 전방 접근술이었다면 후방 접근이나 복강경 수술로 하고, 마찬가지로 전복막 수술이 재발된 것이라면 개복 전방접근으로 수술을 시행하는 것이 이론적으로 유리하다(그림 8-8).

9. 결과

탈장 수술 성공의 중요한 측정 수단은 탈장의 재발률 이외에도 환자의 삶의 질을 나타내는 만성 통증의 정도와 정상 활동으로의 복귀 등을 통하여 평가된다. 대부분의 탈장 증상이 통증이 없는 돌출이므로 무증상의 재발을

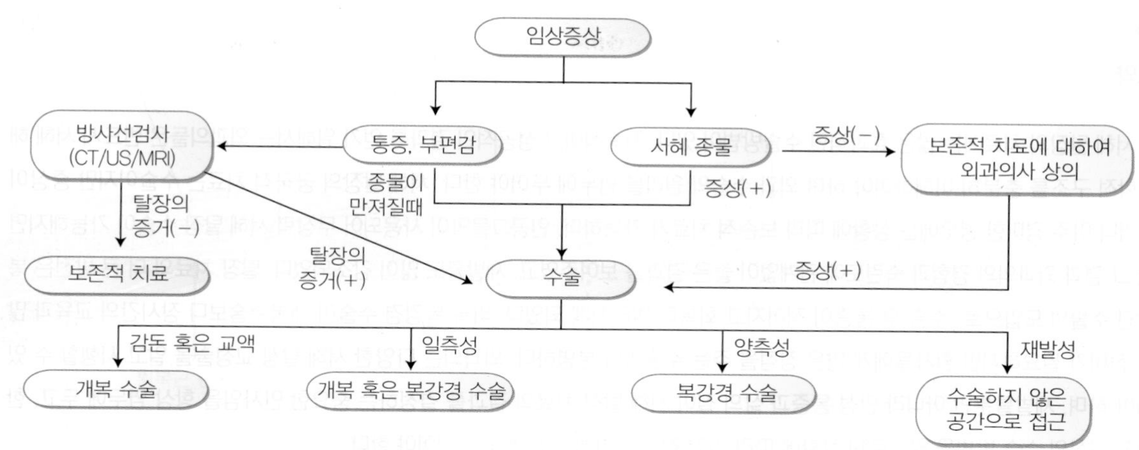

그림 8-8 **서혜 탈장의 치료 논리체계 algorithm**

일으키는 수술법보다는 재발은 일으키지 않지만 상당한 만성 통증을 유발하는 수술법이 임상적으로 더 문제가 있다. 조직위주 교정술의 재발률은 어떤 수술 방법이냐에 따라 매우 다양하지만, 비교적 큰 규모의 분석을 보면 그 중 Shouldice 수술법이 가장 우수하다. Shouldice 수술을 많이 하는 외과의의 경우 재발률이 약 1% 정도로 나타나고, 경험이 적은 외과의의 경우 그 보다는 더 하지만, 전체적으로 Bassini 수술의 8.6%나 McVay 수술의 11.2%보다는 확실히 낮게 나타난다.

무긴장 탈장교정술은 숙련도에 관계없이 수술 결과가 좋아 개복 전방접근 탈장 수술 방법의 표준으로 받아들여졌다. 무장력 수술이 도입된 후 재발률이 현저히 줄어 전체적인 재발률은 0.2-3.5%였고, 합병증은 어떻게 정의되느냐에 따라 4.5-33%까지 다양하였다. 복강경 탈장교정술의 재발률은 학습곡선 이전은 약 2-5%, 학습곡선이 지난 후에는 약 0.1-0.3%로 보고 되었다. 그러나 재발률은 추적 기간이 오래될수록 증가되기 때문에 위 연구들의 추적 기간은 10-12개월로 너무 짧다는 단점이 있다. 5년 이상의 장기 추적 연구에 의하면 조직위주의 수술과 리히텐슈타인 수술의 5년 재발률은 각각 약 7%와 3% 정도였으나, 5년 이후 장기 추적 결과 리히텐슈타인의 재발률은 큰 증가 없이 비슷하였지만, 조직위주 수술 방법은 계속적으로 재발률이 증가되었다. 숄다이스 수술의 경우 11년 추적 조사 결과 약 11.1%의 재발률을 보였다. 복강경 수술의 경우 약 8년 동안의 추적 기간동안 재발률 약 4.2%, 개복 무긴장 수술의 경우 약 4.9%로 두 군간의 차이는 없는 것으로 보고하였다. 재발의 가장 흔한 원인으로는 다른 탈장을 찾지 못하거나 교정시 과도한 긴장을 주는 경우, 인공막의 크기나 위치가 부적절한 경우 등의 수술적 요인이며, 그 이외에도 만성 기침이나 수술 부위의 감염 등이 영향을 줄 수 있다.

재발한 경우 대부분 육안적으로 관찰이 가능한 돌출 형식으로 나타나지만 장액종seroma, 정삭의 지방종lipoma of the cord 등과 감별이 필요하기도 하며, 이때 초음파나 CT, MRI 등이 도움이 된다. 재발한 탈장의 경우의 수술 방법은 처음 시행한 수술과 다른 방법으로 접근 하는 것이 좋다. 이전 수술이 개복 수술이라면 전복막 접근법pre-peritoneal approach이 좋으며, 이전 수술이 전복막 접근이었다면 앞쪽에서 접근하는 개복 수술 방법이 추천된다.

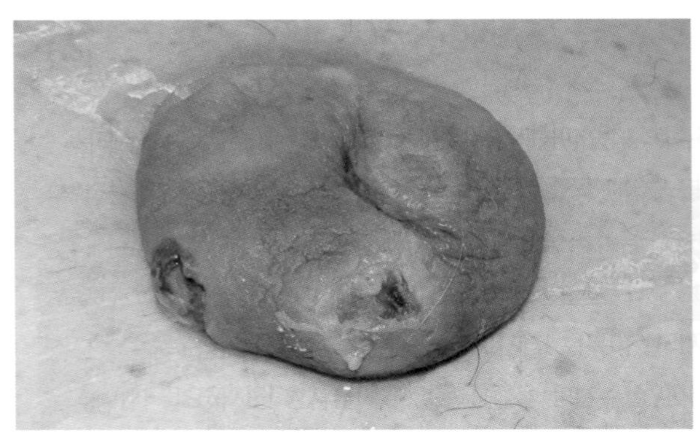

그림 8-10 **배꼽 탈장의 궤양.** 복수가 있는 간경화 환자에서 배꼽 탈장낭의 피부에 궤양이 발생하였다. 복수의 누출을 볼 수 있다.

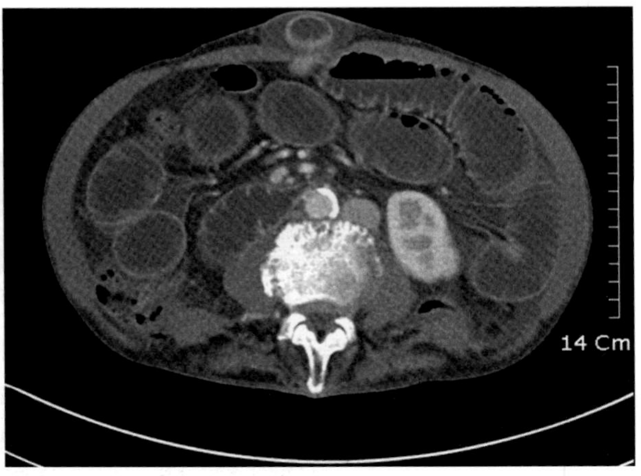

그림 8-11 **배꼽 탈장의 교액.** 비교적 결손부 크기가 작은 배꼽 탈장은 교액 혹은 감돈되기 쉽다. 배꼽의 결손부로 돌출된 소장의 점막이 선명히 보여서 감돈이 아니고 교액된 것을 알 수 있다.

CAPD (Continuous Ambulatory Peritoneal Dialysis) 관을 가지고 있거나, 반복된 임신이 원인이 되어 발생한다. 성인에서는 배꼽이 완전히 막히지 않아서 발생하는 것보다는 완전히 막혔던 배꼽이 내부 요인에 의해서 다시 넓어져서 발생한다. 여자에서 흔하여 남녀 사이의 발생 비율이 3:1에 달한다. 성인의 배꼽탈장은 자연적으로 닫힐 가능성이 없어 수술적 교정이 필요하다.

간경화에 의해 심한 복수가 있는 환자의 배꼽탈장은 복수가 탈장낭 피부에 압력을 가해 피부가 얇아지고, 궤양을 일으켜, 탈장낭 피부를 괴사에 이르게 하고 탈장낭이 터져 복수의 누출이 있거나 복막염으로 진행되기도 한다(그림 8-10). 간경화로 복수가 심한 환자의 수술은 수술 후 유병률과 사망률이 높고, 수술 창상으로 복수의 누출이 될 수 있으며, 간성혼수로 진행하기도 하고, 창상 감염을 일으키기 쉽고, 재발의 가능성도 높으며, 식도 정맥류가 있으면, 정맥류가 터져서 출혈을 일으키기도 한다. 복수가 많은 환자는 수술 전 일시적으로 복막 투석관을 삽관하여 수술 전후의 복수 조절에 이용하기도 한다.

배꼽탈장의 결손 부위는 다른 탈장에 비해 작아 감돈되는 빈도가 높고(그림 8-11), 합병증이 나타날 때까지 기다리면 사망률이 높아지고 유병률도 높아짐으로 발견 즉시 수술할 것을 권유한다. 증상이 있거나, 탈장이 큰 경우, 감돈된 탈장, 탈장을 싸고 있는 피부가 얇아지거나, 복수가 잘 조절되지 않으면 꼭 수술해야 한다. Marsman 등의 보고에 의하면 배꼽탈장을 수술을 하지 않고 지켜보면 77% 환자에서 합병증이 발생하고, 69% 환자에서 감돈이 일어났다고 보고하였다.

2) 창상 탈장

수술한 부위에 발생하는 창상 탈장은 가장 흔한 복벽 탈장 중 하나이다. 개복 수술 창상의 약 20%에서 창상 탈장이 발생한다고 보고되고 있다.

(1) 창상 탈장 발생에 영향을 주는 요소들

가. 복부 절개

복벽에 절개를 넣는 방법에 따라 창상 탈장의 빈도가 달라진다. 탈장은 횡행절개나 비스듬한 절개가 정중 절개보다 탈장이 적게 발생하고, 복직근과 복사근이 만나는 반월선을 절개하는 측복직근절개pararectal incision에서 가장 탈장 발생 빈도가 높다.

나. 해부학적 봉합

해부학적으로 같은 층끼리 확인하여 같은 층끼리 봉합하면서 전체적인절개창을 봉합하는 것이 절개창 전체를 한 층으로 봉합하는 것보다 수술 후 창상 탈장의 발생이 적다.

다. 적절한 봉합사의 사용

수술을 위해 절개한 상처는 섬유모세포가 자라 들어가 상처가 치유되고 아교질이 형성되고 재편성된다. 복벽에 미치는 힘의 방향에 따라 아교질이 배열하여 절개창이 가장 튼튼하게 되는데 1년이 걸린다. 약 80%정도로 회복되는데는 6개월이 걸린다. 복부 절개창을 봉합하는 봉합사는 이 6개월간을 견딜 수 있어야 한다.

라. 봉합 술기

절개창을 봉합할 때, 한 바늘 한 바늘을 작고 촘촘하게 하고 봉합사를 단단히 결찰하는 것이 절개창이 잘 봉합되는 것으로 생각하는 경우가 있다. 이렇게 하면 봉합사 사이가 너무 촘촘하여 조직에 혈액순환이 나빠지고 조직괴사가 발생하여 절개창이 벌어질 수 있다.

마. 장력

과도한 장력이 걸리는 절개창을 봉합하는 것은 좋지 않다. 복벽의 복사근들은 봉합한 부위를 각각 반대쪽으로 끌어 당긴다. 이 장력이 봉합부에 압력으로 작용해 혈액 순환이 나빠지고 조직괴사를 일으킬 수 있다.

바. 감염

절개창 주위의 단순한 염증에서 근막염, 혹은 주위 조직의 궤사를 동반하는 염증까지 여러 상황이 있을 수 있다. 만성 감염증이 꼰 다섬유 봉합사 주위에 발생하면 치료하기가 어렵다. 감염원인 세균이 꼬아진 봉합사 섬유 사이에 숨어 있다가 계속 감염을 일으키기 때문이다. 그리고 감염된 조직은 부종이 발생하여 조직의 강도가 떨어져 봉합사를 견디지 못하여 봉합사가 조직을 찢게 된다.

사. 비만

지방이 많은 조직은 강도가 떨어져서 봉합사를 잘 가지고 있지 못하고, 비만에 의해 복강내 지방축적이 많아져서 복압이 올라가면 굉장한 힘이 봉합면에 걸려서 봉합사가 조직을 찢고 복벽의 결손이 발생한다.

아. 환자와 연관된 요인들

부신 피질 호르몬 사용, 영양상태 불량, 만성 폐쇄성 폐질환, 경구복용 항응고제 등이 영향을 미친다. 환자의 과체중과 나이도 창상 탈장 발생과 관계가 있다. 그리고 복부 대동맥류를 수술한 사람도 창상 탈장이 발생하기 쉽다. 대동맥류의 발생과 결합조직의 이상이 관계가 있어서 창상탈장과도 관계가 있다고 설명하고 있다. 비슷한 상황으로 아교질에 이상이 있는 Marfan 증후군, Ehlers-Danlos 증후군들이 있다.

3) 외상성 탈장

자동차의 운행이 많아지면서, 자동차 사고가 외상성 탈장의 가장 큰 원인이 되고 있다. 복부 둔상에 의해 복벽의 근육이나 근막에 결손이 생기고 복강 내 장기가 이 결손을 통해 돌출하여 발생한다. 복벽의 근육이나 근막이 다치더라도 탄력이 좋은 피부는 대부분 손상을 입지 않고 정상인 경우가 많다. 복강 내 장기의 손상은 외상성 탈장과 흔히 동반된다. 흔한 외상성 탈장은 장골iliac bone 근처에서 발생하는 요부 탈장과 횡격막 탈장이 있다.

외상성 탈장의 진단에서 가장 중요한 것은 발생의 가능성을 의심하는 것이다.

외상성 복벽 결손의 교정 시기의 결정은 동반된 복강 내 장기의 손상에 따라 달라진다. 외상환자에서는 활력증상의 안정이 가장 중요함으로 복벽 결손의 교정은 연기될 수 있다.

4. 복벽 탈장 교정의 기본

1) 적응증과 금기

모든 복벽 결손은 탈장 교정술의 적응증이다. 의사를 찾아오는 복벽 탈장 환자는 다양한 증상을 호소하면서 찾아온다. 환자의 호소를 충분히 이해하는 것은 외과의에게 중요하다. 수술 전에 환자와 충분한 대화를 하여 환자의 일차적인 문제를 해결해야 한다. 복벽 결손의 교정은 환자가 호소하는 것을 해결하고, 앞으로 나타날 수 있는 문제들을 예방하기 위해 시행되어야 한다. 심폐기능의 이상이 교정술의 가장 흔한 금기 사항이며, 복강 내 감염이 있는 환자는 감염의 치료를 우선하여야 한다.

2) 수술 전 준비

외과의는 수술 전에 환자의 과거력을 잘 알고 있어야 한다. 이전의 수술에서 창상 감염은 있었는지, mesh 사용 후 감염은 있었는지 등이 교정술 후 창상 감염을 예방하기 위한 중요한 정보이다. 비위관nasogastric tube과 폴리도뇨관은 마취가 시행된 후 삽입한다.

3) 수술 후 조치

수술 후 환자가 안정적 이라면, 폴리 도뇨관과 비위관은 수술 후 가능한 한 빨리 제거한다. 일반적으로 개복 교정술 후에는 비위관은 수술 1일 후에 제거한다. 그리고 복대는 혈종이나 장액종 형성을 줄이는 효과는 확실하지 않으나 움직이는 동안 통증을 감소시켜서 환자가 움직이는데 도움이 된다. 복대는 수술 후 약 8주동안 유지하는 것을 권장한다. 수술 후 복압의 상승을 가져올 수 있는 큰 기침, 재채기, 무거운 물건 들기, 구토, 변비와 심한 운동을 피해야 한다.

5. 개복 탈장 교정술

개복 탈장 교정술open ventral hernia repair은 mesh가 놓이는 위치에 따라 다음과 같이 구분된다.

1) Onlay 술식

Mesh가 피하지방층과 복벽의 근막 사이에 위치한다(그림 8-12). 이 술식은 다른 술식보다 비교적 시행하기 쉬운 편이며, mesh를 복벽 위 어떤 곳에도 놓을 수 있다. 이 술식에서 mesh를 위한 공간 확보를 위해 피하지방의 피판을 만들어야 하는데, 이를 위해서 피하지방과 복벽근의 근막사이를 넓게 박리해야 한다. 이 박리에 의해 피판으로 가는 혈액이 차단될 수 있고, 장액종과 혈종이 형성되기 쉽다. 이 술식의 약점 중 하나는 mesh를 적절하게 고정하기 쉽지 않다는 것이다. Transfascial fixation을 사용할 수 없어 mesh를 복벽의 근막에 많은 봉합을 하여 고정하여야 한다(그림 8-13). 이 술식의 장점은 mesh가 장관과 직접 접촉하지 않는 것이다. 이 술식은 sublay 나 underlay 술식보다 재발율이 높고 창상 감염도 잘 발생한다. 복강 내 압력이 mesh를 고정하는데 도움을 주지 못한다.

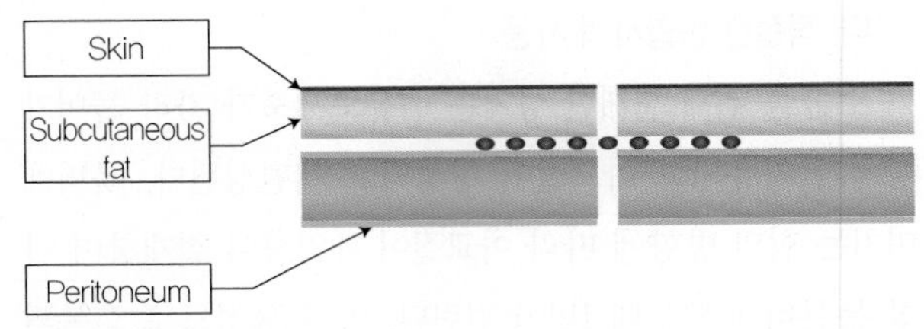

그림 8-12 Onlay mesh 술식. Mesh는 피하지방층과 복벽의 전근막 사이에 위치한다.

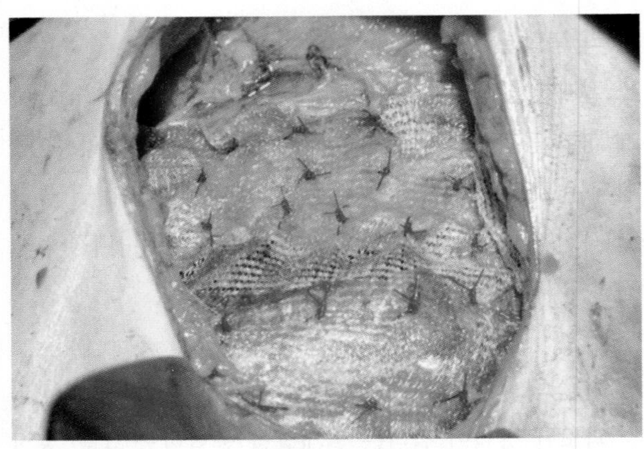

그림 8-13 Onlay mesh 술식을 이용한 외상성 요부탈장의 교정. 단순 prolene mesh가 복벽의 전근막에 다수의 interrupted sutures로 고정되어 있다.

2) Inlay 술식

mesh가 놓이는 위치는 결손부의 안에 위치한다(그림 8-14). 결손부의 주변과 mesh 사이에 겹쳐지는 부분이 없어서 재발 가능성이 높다. 이 술식은 복벽 탈장 교정술로 추천되지 않는다.

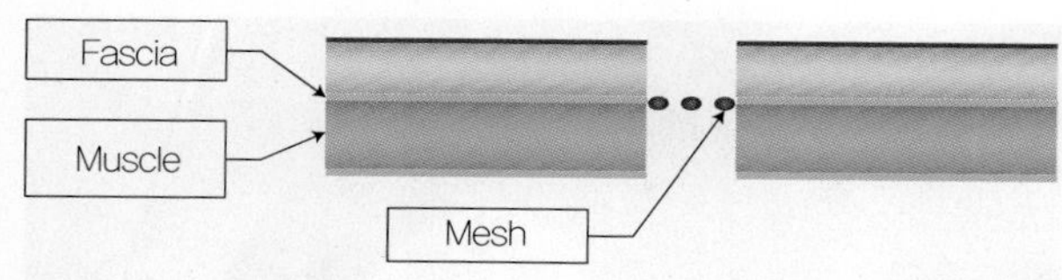

그림 8-14 Inlay mesh 술식. Mesh가 복벽 결손 사이에 위치한다. Mesh가 결손부와 겹쳐지는 부분이 없어서 재발률이 높다.

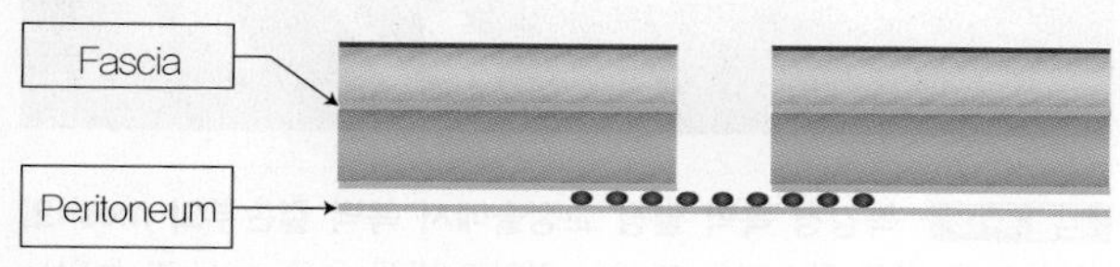

그림 8-15 Sublay mesh 술식. Mesh는 복벽 근육과 복막이나 혹은 복근 후근막 사이에 위치한다.

3) Sublay 술식

mesh가 복직근과 복직근 후근막사이나, 복막 앞 전복막 공간에 놓이게 된다(그림 8-15). 이 술식은 정중선에 발생한 복벽 탈장의 교정에 적합하다. 복벽 탈장 교정술의 가장 이상적이 술식이 이 술식이다. 복압이 mesh를 고정하고, mesh는 복강 내 장기와 접촉이 없기 때문이다. 때로는 복벽 탈장 교정술 도중에 장관을 절제하는 상황이 발생하는데, 이 술식은 장관 절제 시 사용해야 하는 생물학적 mesh를 사용하지 않아도 시행해볼 수 있는 술식이다. 정중선 이외의 장소에서 발생한 복벽 탈장에는 사용하기 어렵다. 복직근의 후근막은 정중선을 따라 절개선을 넣으면 비교적 쉽게 복직근과 분리할 수 있다(그림 8-16).

4) Underlay 술식

IPOM (intraperitoneal onlay mesh) 술식과 같은 의미이다. 이 술식에서 mesh는 복막의 아래, 복강 쪽에 놓이게 되고(그림 8-17), mesh는 복압에 의해 고정된다. 복강 내에 mesh가 위치함으로 장관 유착이나 장 천공을 유발할 수 있는 일반적인 plain polypropylene 혹은 polyester mesh를 사용하여서는 안되고, expanded Polytetrafluoroethylene (ePTFE), composite mesh나 생물학적 mesh를 사용해야 한다. composite mesh는 한 면은 일반적인 mesh이고 다른 면은 장의 유착이 일어나지 않는 물질로 이루어져 있다. Mesh의 고정은 transfascial fixation이나 tack을 단독 혹은 같이 사용한다(그림 8-18).

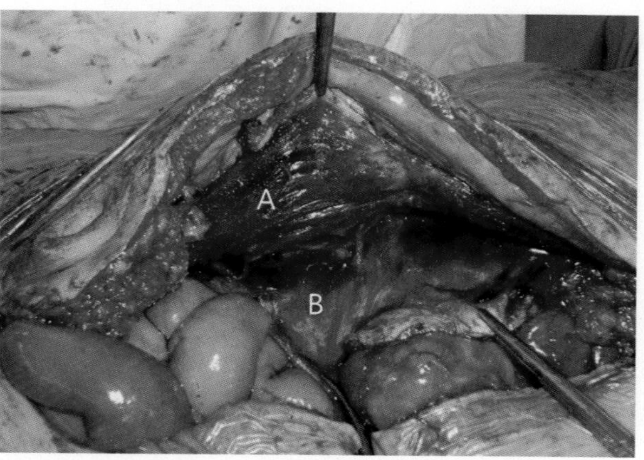

그림 8-16 Sublay mesh 술식을 위한 복직근 근육과 복직근의 후근막의 분리. A) 복직근 근육의 후면 B) 복직근 후근막은 전면

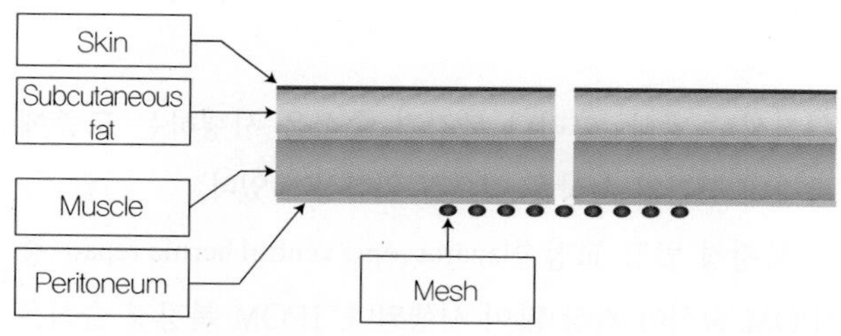

그림 8-17 Underlay mesh 술식(IPOM; intraperitoneal onlay mesh). Mesh는 복막아래 복강 쪽에 위치한다. Mesh가 복강 내 장기와 접촉한다.

6. 복강경 탈장 교정술

다른 외과 수술 분야와 다르게 복강경 복벽 탈장 교정술은 전체 복벽 탈장 교정술의 약 1/3에서 시행되어 복강경 수술의 비율이 다른 분야보다 낮은 편이다. 복강경 술식은 개복 술식에 비해서 입원 기간이 짧고, 재수술의 가능성이 적고, 창상이 벌어지는 일이 적으며, 창상 감염의

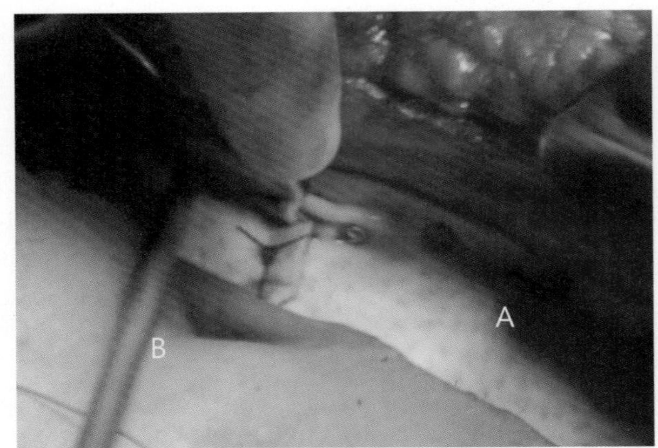

그림 8-18 **Underlay mesh 술식에서 mesh의 고정.** Mesh의 주변을 1cm 폭으로 접어 올려, 이 부분에 tack이나 transfascial fixation을 사용하여 복벽에 mesh를 고정한다. A) 생물학적 mesh B) Tacker

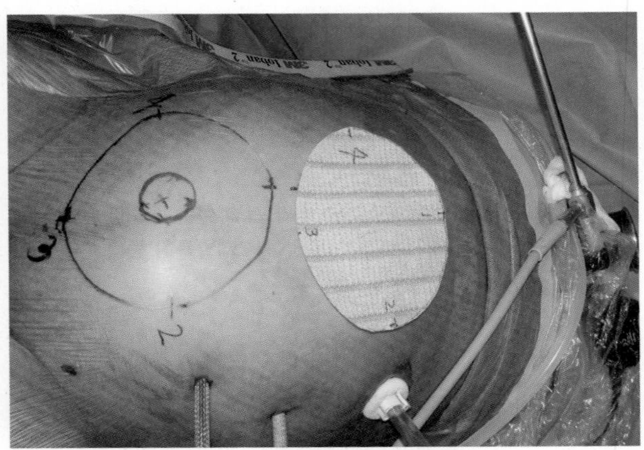

그림 8-19 **복강경 복벽 탈장 교정술에서 복벽 결손부와 mesh의 위치.** 안쪽 원은 결손부을 표시한 것이고 바깥 원은 mesh가 놓이는 위치를 표시한 것이다. mesh와 복벽의 번호는 transfascial fixation의 위치이다.

위험성도 낮다. 그러나 복강경 술식을 시행하는 도중에 복강내 장기의 손상을 일으킬 위험성이 있다.

복강경 탈장 교정술laparoscopic ventral hernia repair 중 IPOM 술식이 가장 많이 시행된다. IPOM 복강경 술식은 카메라와 기구를 삽입하는 trocar의 적절한 위치 선정, 복강 내 유착의 박리 그리고 mesh의 삽입과 고정의 순서로 진행된다.

환자에 따라 복벽 결손부의 위치에 따라 외과의는 적절하게 trocar를 삽입하는 위치와 숫자, 환자의 수술 자세를 결정하여야 하는데, 될 수 있으면 trocar의 위치는 결손부에서 멀리 위치하는 것이 좋다(그림 8-19). 대부분 30° 카메라를 사용한다. 유착의 박리는 가위를 사용하거나 전기 소작기을 이용할 수 있다. 그러나 전기 소작은 가능한 한 적게 사용하는 것이 복강 내 장기 손상의 가능성을 줄여준다. 탈장낭으로 돌출된 탈장 장기들은 복강 내에서 당기면서, 피부쪽에서 눌러서 밀어 넣으면서 빼내게 된다. 유착 박리 특히 창상 탈장에서 유착 박리는 탈장 교정술 중 가장 신중하게 시행하여야 하는 과정이다.

일반적인 IPOM 술식에서는 복강 내에 mesh가 위치함으로 이 술식에서는 장관 유착이나 장 천공을 유발할 수 있는 일반적인 plain polypropylene 혹은 polyester

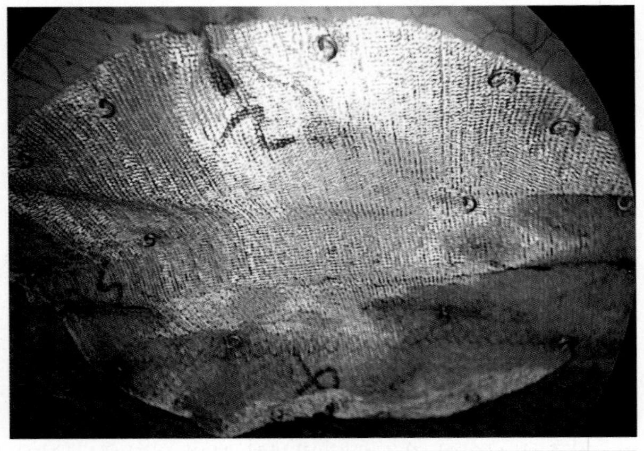

그림 8-20 **복강경 underlay (IPOM; intraperitoneal onlay mesh) 술식의 결과.** 복합 mesh가 복벽에 tack과 transfascial fixation으로 고정되어 있다.

mesh를 사용하여서는 안되고, expanded Polytetrafluoroethylene (ePTFE), composite mesh나 생물학적 mesh를 사용해야 한다. Mesh의 고정은 transfascial fixation이나 tack을 단독 혹은 같이 사용한다(그림 8-20).

일부 선택된 소수의 환자에서 TAPP (Transabdominal Preperitoneal) 술식이나 TEP (Totally Extraperitoneal) 술식을 사용할 수 있다. 이 술식들은 정중선에 발생한 복벽 결손에서는 사용이 어렵고, 결손부의 크기가 크면 사용하기 어렵다. 서혜부 탈장에서와 같이 방법으로 이 술식들을 시행한다. 복강에 직접 들어가지 않음으로 복강 내 장기들이 손상되지 않으며, 복강 내의 장기들이 mesh와 직접 접촉을 하지 않아 mesh와 장기 사이에 유착이 발생하지 않는 장점이 있다. 그러나 IPOM보다 수술에 사용하는 공간이 좁아서 수술 시행에 어려움이 있다.

7. 요소 분리 술식

복벽 결손의 크기에 따라 교정술의 선택은 달라진다. 크기가 작으면 복벽 결손이 일차 봉합으로 완전히 닫힐 수 있으나, 결손부위가 크면 봉합이 되지 않아서 mesh를 사용하여 결손부위를 막아주게 된다. 결손 부위가 완전히 닫히는 것을 일차봉합primary closure, 창상 부위가 완전히 봉합되지 않은 상채에서 mesh를 이용하여 결손 부위를 막아주는 것을 bridging이라고 한다. 일차봉합에 비해 bridging은 재발률이 높고, 교정 후 재발되는 시간도 짧으며, 술 후 합병증의 가능성도 높다. 일차 봉합을 시행함으로 복직근이 중앙선으로 모여서 백선이 다시 만들어지고, 그에 따라 호흡이 개선되며, 생리적인 복압이 유지된다.

1) 전형적 요소 분리 술식

전형적 요소 분리 술식conventional component separation technique은 복부 탈장의 결손부를 일차봉합하기 위해 제일 먼저 고안된 술식이다. 1990년 Ramirez에 의해 만들어졌다. 반월선을 따라 외복사근을 복직근에서 분리한 후 정중선을 다시 봉합하는 술식이다(그림 8-21). 외복사근을 복직근에서 분리하면 복직근이 정중선 쪽으로 이동하는데, 배꼽 주위에서는 한쪽에서 8cm, 상복부와 하복부에서는 한쪽에서 3–4cm 정도 복직근이 중앙선으로 이동한다. 복벽의 피하지방층을 복근의 전근막에서 분리하는데 넓은 범위의 절개가 필요하다. 합병증으로는 피하지방을 분리하여 만든 피판의 혈액공급 차단에 의한 피판의 괴사(그림 8-22), 감염, 혈종과 장액종의 발생이 다른 술식보다 많다.

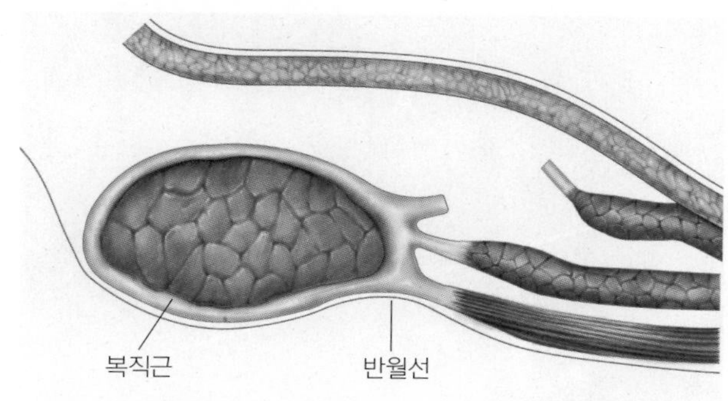

그림 8-21 기본 요소분리술식. 피하지방층과 복벽 전근막 사이를 박리한 후, 외복사근의 근막이 복직근과 만나는 곳(반월선)에서 외복사근의 근막을 분리하고, 외복사근과 내복사근 사이의 공간을 확보한다.

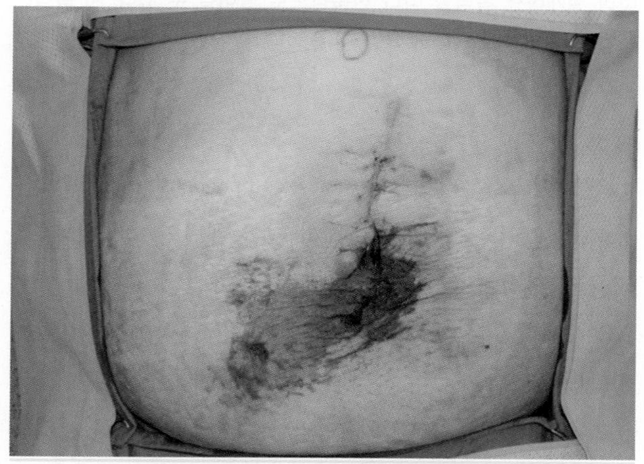

그림 8-22 전형적 요소 분리 술식 후 합병증으로 발생한 피부괴사. 피하지방층과 복벽의 근육을 넓은 범위로 분리해야 함으로 perforator가 손상을 받아 피판의 혈액순환이 차단되어 발생한다.

2) Perforator 보존 요소 분리 술식

Perforator 보존 요소 분리 술식perforator preserving component separation technique은 전형적인 요소 분리 술식에서 발생하는 피판의 혈액 차단이 없도록 하기 위해서 고안된 술식이다. 배꼽 주위에 있는 심재성 아래복벽혈관과 표재성 아래복벽혈관 사이를 연결하는 perforator를 보존하기 위해 광범위한 피하지방층과 복벽 사이의 절재를 하지 않는다. 분리된 절개창을 통해서 반월선 부위만을 박리하여, 복직근과 외복사근 사이를 분리한다.

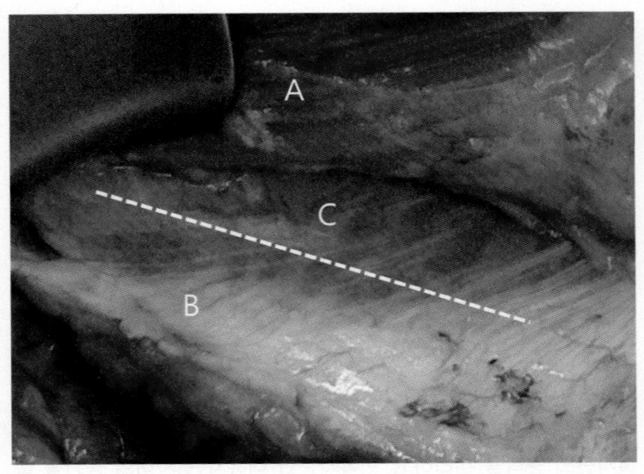

그림 8-23 **후방 요소 분리 술식.** 복직근의 후방 근막을 복직근과 분리한다. 상복부에서 횡복근을 특히 잘 볼 수 있다. 횡복근을 점선 따라 절개하면 복막을 따라 선복강으로 들어갈 수 있다. A) 복직근 후면 B) 복직근 후방근막 앞면 C) 횡복근

3) 후방 요소 분리 술식

후방 요소 분리 술식posterior component separation technique은 앞의 두 술식과는 전혀 다른 개념의 술식이다. 복직근의 후방 근막과 복직근을 분리하면 복직근의 상부 1/3에 해당하는 부분에서 복직근 후방 근막에 붙어 있는 횡복근을 확인 할 수 있다(그림 8-23). 여기에서 횡복근을 분리하면 복직근의 후방 근막과 복막이 한 층으로 분리되어 전복강으로 들어갈 수 있다. 위로는 횡격막, 아래로는 골반강, 외측으로 후복강으로 들어간다. 넓은 mesh를 사용할 수 있어서, 광범위한 부분을 보강할 수 있다.

4) 복강경 요소 분리 술식

복강경 요소 분리 술식laparoscopic component separation technique은 복강경을 이용한 perforator 보존 술식이다. 외복사근과 내복사근 사이의 공간을 복강경을 이용해서 만든다. 카메라를 넣는 위치는 복강경 요소 분리 술식 후 개복으로 탈장교정술을 시행할지 혹은 요소 분리 술식 후 계속 복강경 복벽 탈장 교정술을 시행할지에 따라 적당하게 정한다. 외복사근과 복직근이 만나는 반월선을 확인하고 피부에 이것을 표시하여, 외복사근을 복직근에서 분리할 때, 피부방향에서 피부에 표시한 반월선을 눌러주어 복강경으로 방향을 결정하는데 도움을 주도록 한다. 복강경 요소 분리 술식의 효과가 최대가 되는 것은 2–3일이 지나야 한다. 이 술식 후 복벽 탈장 교정은 개복술로도, 복강경 술식으로도 할 수 있다.

8. 술 후 합병증

1) 재발

Mesh없이 시행하는 개복 탈장 교정술이 mesh를 사용하는 술식보다 재발률이 높은 것으로 보고되고 있다. Mesh 고정 방법에 따라 tack이나 staple만 사용하는 것이 transfascial fixation을 사용하는 것보다 재발률이 높다. 최근 경향은 mesh의 고정은 transfascial fixation과 tack을 동시에 사용하는 것이다.

2) 감염

감염을 일으키는 병원균은 피부에 존재하는 정상균총들이다. 감염을 방지하기 위해서 수술 시작 전에 복부를 Ioban으로 싸서 mesh와 피부가 직접 접촉할 수 없게 만든다. 그리고 예방적 항생제를 사용하고, 혈종이나 장액종이 발견되더라도 증상이 없으면 흡인하지 않는다.

감염이 일어나면 polypropylene과 polyester를 사용한 경우에는 배액을 원활히 하고 항생제를 사용하면 감염에서 회복된다. 그러나 ePTFE는 감염이 되면 mesh를 제거해야만 한다.

3) 장액종

대부분 수술 후 장액종이 발견되지만 증상이 있는 경우는 드물다. 어느 정도 시간이 지나면 흡수되어 없어진다. 장액종 발생을 방지하기 위해서 수술 후 복대 사용을 권장한다. 복대를 사용하면 장액종의 크기와 지속 기간이 짧아지기도 하지만, 대부분의 환자에서 복대를 사용하더라도 장액종은 발생한다. 환자가 불편감을 호소하면 흡인하기도 하지만, 반복되는 흡인으로 장액종의 감염이 일어날 수 있다.

4) 통증

특히 transfascial fixation을 시행한 환자에게서 많이 볼 수 있다. 통증의 원인으로 신경이 봉합사에 끼이거나, mesh를 고정하는 봉합사의 결찰을 너무 세게 하여 봉합사 사이의 근육에서 괴사가 발생하여 통증이 생긴다고 설명하고 있다. 그러나 가장 적절한 설명은 수술 초기에 mesh가 아직 주위 조직에 잘 결합되지 않았을 때, 환자가 움직이면 근육과 mesh가 따로 움직이고 힘이 transfascial fixation에 집중되게 되어 이 부분에 통증을 느낀다는 설명이다. 통증은 시간이 가면서 사라지는데, 필요하면 진통제를 사용하거나 부신 피질호르몬을 사용할 수도 있다.

5) 유사 재발

유사 재발psuedorecurrence은 복벽 탈장을 교정한 자리가 교정 전과 비슷하게 다시 부풀어오를 는 증상을 보이는 것이다. CT를 찍어서 탈장낭의 위치, mesh의 위치 그리고 복벽의 구조를 살핀 후, 재발과 유사 재발을 감별할 수 있다. 유사재발은 복벽 탈장의 일차 봉합을 시행이 불가능하여 bridging을 시행한 환자에서, mesh의 크기가 결손부보다 커서 mesh가 팽창되어 재발과 비슷한 양상을 보이는 것이다. 임상증상만 가지고는 재발과 확연히 구분하기는 어렵다. 복벽 결손이 큰 경우에 잘 발생한다.

요약

복벽 탈장 교정술은 외과 영역 수술 가운데 많이 시행되는 수술 중 하나이다. 복벽 탈장은 교정하지 않으면 미용적으로 문제가 될 뿐 아니라, 복벽 생리적 작용에도 영향을 미쳐 복벽의 정확한 기능을 방해 하게 된다. 복강은 흉강과 골반강 사이에 있으며, 양측의 복직근, 외복사근, 내복사근, 그리고 횡복근으로 둘러쌓여 있다. 배꼽 탈장은 병적 비만이나 간 경화등에 의해서 복강내 복수가 많아지거나하여 복압이 계속 증가한 상태가 유지되면 발생한다. 성인의 배꼽 탈장은 자연적으로 치유되는 일은 없고 수술적 교정이 필요하다. 창상 탈장은 가장 흔한 복벽 탈장으로 수술 후 복벽에 발생하는 탈장이다. 창상 탈장은 환자에 연관된 요소와 복벽 봉합 술기등의 영향으로 발생 빈도가 결정된다. 탈장 교정술은 개복성 교정술과 복강경 교정술로 나눌 수 있다. 우선 개복 탈장교정술은 mesh가 놓이는 위치에 따라 onlay 술식, inlay 술식, sublay 술식, 그리고 underlay 술식으로 구분 한다. 이것들 중 가장 바람직한 술식은 sublay 술식으로 mesh와 복강내 장기가 직접 접촉을 하지 않음으로 mesh에 의한 합병증이 없다. 복강경 탈장 교정술은 다른 부위에서의 복강경 수술과 마찬가지로 수술 후 합병증이 적고, 회복이 빠르며, 생업으로 돌아가는 시간이 짧다. 복강경 탈장 교정술은 mesh가 놓이는 위치에 따라, mesh가 복강내에 위치하는 underlay(IPOM; Intraperitoneal Onlay Mesh), 복벽 근육과 복막 혹은 후 복근 후 근막 사이에 mesh가 놓이는 sublay 술식이 있다. Sublay 술식에는 TEP (Totally Extraperitoneal), TAPP (Transabdominal Preperitoneal) 술식이 포함된다. 복벽 탈장 교정술을 시행하는 긍국적인 목표는 교정술을 시행함으로, 복벽의 미용적인면, 기능적인 면을 회복하는 것이다. 그러나 복벽의 결손부가 크면, 복벽 결손부가 끌려 오지 않아서 mesh를 사용하지 않고는 결손부를 봉합할 수가 없다. 이 때 사용하는 방법이 요소 분리 술식으로 요소 분리 술식을 사용하면, 결손부의 양 끝을 봉합할 수 있게 된다. 전통적인 방법으로 요소 분리 술식을 사용하면 넓은 부위의 피판 형성이 필요하여, 피판의 혈액 차단이 굉범위하게 일어나서 피판의 괴사가 일어 날 수 있다. 그런 이유로 perforator를 유지하기 위한 perforator 유지 술식, 복강경 요소 보존 술식, 후방 요소 분리 술식등을 이용하여 복벽 탈장 교정술을 시도한다. 복벽 결손 교정술 후 발생하는 합병증으로는 재발, 감염, 장액종, 수술 후 통증 그리고 유사 재발등이 있을 수 있다.

III 기타 탈장 및 합병증

1. 기타 탈장 및 특수한 경우

1) 대퇴탈장

대퇴륜femoral ring의 크기와 모양, 복강내의 압력이 대퇴부 탈장을 발생시키는 요인이 된다. 대퇴 정맥과 쿠퍼 인대가 대퇴륜의 아래쪽과 바깥쪽의 경계가 되고, 장치골도iliopubic tract가 앞쪽 및 안쪽의 경계가 된다. 대퇴륜 주위가 단단한 구조물들로 이루어져 있어서 교액 및 감돈이 쉽게 발생하므로 대퇴탈장은 반드시 교정해 주어야 한다. 대퇴탈장은 다른 서혜부 탈장 수술 때문에 발생할 수 있으며, 정상적으로 대퇴륜 주위의 지방질이 많은 임파선 및 결합조직들이 실제의 대퇴탈장과 구별하기가 어렵기 때문에 수술 시 발견하지 못하였을 가능성도 있다. 최근의 복강경을 이용한 탈장 교정에서 대퇴부 탈장의 유병률이 더 높게 보고되는데, 이 때문인 것으로 생각된다. 장의 교액이 동반된 경우에서는 인공막 mesh를 이용한 수술은 금기가 되므로 쿠퍼 인대 접근법이 선호된다.

2) 여성에서의 서혜부 탈장

여성에서의 서혜부 탈장은 남성에 비해 유병률이 낮으며 전체 서혜부 탈장 수술의 10% 정도를 차지한다. 그렇지만 여성 탈장의 10% 정도가 대퇴 탈장으로 남성이 1%인 것과 비교 했을 때 10배나 많아서 의미가 있다(그렇지만 여성에서도 간접 탈장이 대부분을 차지하는 것은 사실이며, 직접 탈장은 드물다). 여성에서는 피부와 대음순labium major 때문에 서혜부를 직접 검사하기가 용이하지 않아서 잠재적인 탈장occult hernias이 중요한 의미를 가진다.

수술의 적응증은 남성과 여성에서 차이가 없다. 대퇴부 탈장은 교액이나 감돈이 생길 가능성이 높기 때문에 추적 관찰 하는 것 보다는 수술로써 치료하여야 한다. 수술 방법의 선택은 수술자의 경험에 따라 달라 질 수 있다. 여성의 탈장 수술에서 원인대round ligament를 절제하는 것은 internal ring을 완전히 닫아 주기 위해서 많이 시행되고 있고 가능한 술식이다. 임신중 탈장은 1,000-3,000 임신 중 1번 꼴로 나타나며 가장 좋은 치료 방법은 출산 후에 교정하는 것이다.

3) 소아탈장

소아탈장은 초상돌기processus vaginalis가 잔존해서 생기는 것으로 알려져 있고 대부분이 간접 탈장이다. 거의 1-5%에서 태어나면서 탈장을 가지고 있다고 한다. 유병률은 미숙아나 저체중 출생인 경우에서 더 증가한다. 우측 탈장이 좌측에 비하여 2배 정도 많은데 이는 우측 고환이 더 늦게 내려오는 것 때문인 것으로 알려져 있으며 양측성인 경우는 10%에 해당한다. 소아 탈장은 대부분 서혜부나 음낭에 종괴로 나타나는데 음낭수종, 안내려간 고환undescending testis, 정맥류varicocele, 고환 종양 등과 감별하여야 한다. 소아에서의 감돈탈장은 많게는 20%까지 보고 되고 있어 성인에서와는 다르게 각별한 주의가 필요하다. 대부분 단단하고 압통을 가진 서혜부의 종괴 양상으로 나타나며, 75-80%에서 성공적으로 도수정복이 되므로 초기에 안정 및 트렌델렌버그Tredelenburg 자세, 얼음찜질 및 조심스런 밀어 넣기 등을 시도해야 한다. 응급 수술의 경우 정규수술에 비하여 고환 경색testicular infarction이나 고환 위축testicular atrophy 등을 포함한 합병증이 발생할 가능성이 20배 이상 높으나, 6시간 안에 호전이 없거나, 복막 증후 혹은 전신적인 독성toxic 증후가 있을 때에는 응급 수술을 시행 하여야 한다.

4) 명확한 탈장 없이 서혜부 통증이 있는 환자

명확한 탈장 없이 서혜부에 통증을 유발할 수 있는 여러가지 상황들이 있다. 이는 대부분 하키선수나 축구 선수, 미식축구선수 등 주로 운동 선수 들에서 많이 발견이 되어 운동선수 탈장sportsman's hernia라고 불리기도 하지만 운동을 하지 않는 사람에게서도 나타나기도 한다. 저자들에 따라서 서혜부에 통증이 있는 일련의 경우를 운동선수 탈장 이라고 하기도 하며, 다른 이들은 영상학적 진단이나 시험적 개복으로 잠복 탈장이 발견된 경우에 국한 시

표 8-2. 장 수술 후 만성 서혜부 통증 증후군이 생길 수 있는 인자

명확한 인자(Definite factor)
재발성 탈장 수술 전 통증 돌출이 없었던 탈장 젊은 사람 초기 통증 점수가 높은 경우 업무로 복귀까지 4주 이상 걸린 경우 이차 보상이 있는 경우(workman's compensation)
연관이 있어 보이는 인자(Probable factor)
수술 전 정신적 상태 다른 수술 후 발생한 만성 통증
예측이 어려운 인자(Not predictive factor)
성별 수술 후 다른 합병증

키기도 한다.

대부분의 환자에서 1–6개월에 걸쳐 조금씩 심해지는 통증을 호소하며 10%에서는 특별한 상황 이후에 갑자기 발생하는 통증을 호소한다. 감별 진단은(표 8-2)에서 보는 것과 같이 너무 광범위하여 정확한 진단을 하기란 어려운 일이다. 내전근 인대adductor tendon 부근이나 치골 결절에 통증이 국한되는 경우에서는 이학적 검사가 도움이 되기도 한다. CT나 초음파, 복강경적 접근이나 시험적 개복, MRI 등이 시행 될 수 있으며, MRI가 근육 파열이나 치골염osteitis pubis, 윤활낭염bursitis, 긴장골절stress fracture 등을 감별할 수 있는 장점이 있다. 혹자는 잠복 탈장이 서혜 주위 통증의 가장 흔한 원인이라고 하는 반면 다른 저자들은 잠복 탈장은 거의 없었다고 하는 등 그 유병률에 대해서는 차이가 매우 크다. 하지만 내전근육복합체 adductor muscle complex의 긴장이 가장 흔한 원인이라는 것이 일반적이다. 명확히 수술적으로 교정 해야할 부위가 없는 경우에서는 휴식, 항소염제, 얼음찜질, 스트레칭 및 근력강화운동 등의 보존적인 치료가 우선시 되어야 한다. 보존적인 치료가 실패한 경우에서는 수술적 치료가 필요할 수 있다. 선택된 군에서의 내전근 인대의 힘줄절단 tenotomy이 효과적이다. 시험적 개복술에서 탈장 통로의 후복벽에 비특이적 결손으로 잠복탈장이 의심되는 경우에는 Bassini 형식의 재건술이나 복강경적 혹은 보철물 prosthetic 교정을 시행할 수 있다. 아직까지 체계적인 발생 기전이 없기 때문에 어느 방법이 가장 좋은 치료라고 하기가 어렵다.

최근에는 체계적인 지도를 받는 어린나이의 운동선수가 늘어나며 발생연령이 낮아지는 경향이 있어 이에 대한 대책과 치료의 가이드라인이 필요하다 할 수 있다.

5) 활주탈장

활주탈장sliding hernia는 탈장낭의 벽에 내장 일부가 나와 있는 탈장을 말하며 대부분 대장이나 방광이 연관되어 있다. 대부분 간접 탈장에서 발생하지만 대퇴부 탈장이나 직접 탈장에서도 나타나기도 한다. 8% 정도의 탈장에서 관찰되며 발생율은 나이가 듦에 따라 증가 한다(30세 이전에는 거의 찾아 보기 어렵다). 탈장 수술 시 이를 발견하지 못하고 탈장낭을 자르거나 결찰할 경우에는 큰 문제가 될 수 있으므로 주의하여야 한다.

6) 복수

복수ascites가 있는 환자는 영양결핍, 혈액 응고장애, 복강내 압력 증가 및 복수 유출leak의 위험 등이 있기 때문에 세심한 주의가 필요하다. 복수가 있는 환자에서는 대부분 복수의 압력에 의해서 이차적으로 탈장 입구가 넓어져 있어서 감돈이나 교액이 있는 경우는 드물다. 또한 서혜부에 피부 짓무름erosion이 나타나는 경우도 매우 드물어서 정규 수술이 추천되지 않는다. 수술은 복수가 조절 되거나 증상이 있는 경우에서만 시행하는 것이 좋으나, 대퇴탈장의 경우에서는 교액의 가능성이 높기 때문에 예외로 한다.

7) 명명되어 있는 탈장 증후군

특정한 장기가 탈장과 연관 되어 있는 경우를 말하며, 그 치료는 아직 논란의 여지가 있다. 예를 들어 1735년에 Amyand가 서혜부위에 절개를 가하여 11세 소년의 충수를 절제하였다. 사실 정확한 명칭은 충수류appendicocele이지만 그 이후 대부분 Amyand의 탈장이라고 불리게 되었다. 이러한 경우 충수를 그대로 둘지 아니면 제거해야 할지는 아직까지도 논란거리다. 비슷하게 Littre의 탈장은 대퇴부 탈장에서 멕켈 게실Meckel's diverticulum이 같이 있는 경우를 말한다.

2. 탈장수술 후의 합병증

1) 만성 서혜부 통증

많은 탈장이 수술 전 통증이 없는 서혜 종물만을 증상으로 오기 때문에 수술 후 발생하는 통증은 극히 중요한 관심사이다. 만성 서혜부 통증은 수술 전에 비하여 자주 발생하는 통증이 3개월 이상 지속되는 경우로 정의하며, 발생율은 0-53%까지 다양하게 보고가 되고 있기는 하지만 평균 25% 정도이다. 원인으로는 신경죄임, 조직의 반흔 및 인공그물막 유착 등이 있다. 최근의 연구 결과는 많은 환자들이 실제 만성 통증을 경험한다는 것이다. 스웨덴의 탈장등록체계 연구에 의하면 개복수술 후 2-3년 뒤 약 31%가 어느 정도 통증을 느낀다고 하였고, 약 6%에서는 일상 생활이 힘들 정도의 통증을 호소하였다. 체계분석을 한 경우 약 11%의 환자가 만성 통증을 느끼고 이중 1/4이상의 환자가 중등도 이상의 통증을 느끼는 것으로 보고 되었다. 복강경 수술의 경우 9.8-22.5%까지 매우 다양한 결과를 보여 주고 있다.

통증은 크게 체성통증과 내장통증, 신경병적 통증으로 나눌 수 있다. 체성통증은 가장 흔하며 인대나 근육의 손상 때문에 나타나며 내장 통증은 배변이나 사정등과 연관되어 나타나는 것으로 교감신경총 손상으로 올 수 있다.

신경병증 통증은 타거나 찢어지는 듯한 국소적이고 날카로운 통증으로, 신경의 손상이나 포획 혹은 죄임 등에 의하여 나타난다. 장골서혜신경ilioinguinal nerve, 장골하복신경iliohypogastric nerve의 손상은 주로 앞쪽에서 접근하는 개복 탈장교정인 경우에 잘 발생한다. 복강경적 교정시에는 음부대퇴신경genitofemoral nerve의 음부genital 및 대퇴부femoral 가지, 외측대퇴피부신경lateral femoral cutaneous nerve의 손상이 발생할 수 있어서, 이를 최소화 하기 위해서는 장치골도iliopubic tract의 바깥 부분 아래쪽으로는 고정을 피하는 것이 좋다. 대퇴신경의 손상은 극히 드물며 거의 대부분이 수술적 잘못으로 발생한다.

만성 서혜부 통증을 일으킬 수 있는 인자들은 여러 가지가 있다(표 8-2). 통증은 대부분 걷거나, 골반을 과신전시킬 때, 성관계 시에 악화되며 소염제나 국소 신경차단 등의 보존적 치료가 도움이 된다. 체성통증은 일반적으로 쉬거나, 비스테로이드성 소염제 복용 혹은 환자를 안심시키면 호전된다. 신경병증 통증은 비스테로이드성 소염제 등을 투여하지만, 또 신경쪽으로 직접 스테로이드나 마취제를 주입하는 방법도 있다.

대부분 1년 이내에 증상이 저절로 호전 되므로 재수술은 1년 이후까지 증상이 지속될 경우에 고려해 볼만 하다고 한다. 대부분 서혜 탈장 수술 후 만성 통증을 호소했던 100명의 환자를 대상으로 했던 연구에서, 내서혜륜 근처에서 신경절단술을 시행한 결과 72%에서 호전이 있었고, 3%에서만 호전이 없었다고 보고하였다. 그러나 수술방에서 나오자 마자 환자가 극심한 통증을 호소할 때에는 흉터조직scar tissue이 형성되기 전에 빨리 수술을 하는 것이 낫다.

2) 허혈성 고환염

정삭은 혈관 분포가 많아 혈종 형성이 잘 되고, 과도하게 건드리는 경우 허혈 현상이 올 수 있다. 전 음낭이 검푸른 색을 띠는 음낭혈종을 경험할 수도 있다. 이런 혈종들은 보통 정삭 혈관들에서 늦게 출혈되어 나타날 수 있는데 자연 소실된다. 환자를 안심시키고 가끔씩 온찜질과 냉찜질을 하도록 하면 도움이 될 수 있다. 좀더 심한 손상이 오면 약 1% 미만에서 허혈성 고환염이 오거나 고환의 위축이 나타난다.

허혈성 고환염ischemic orchitis은 탈장 수술 후 1-5일 후에 발생하는 고환에 염증성 변화로 정의되며 재발 탈장 수술 후에 더 빈번히 발생한다. 보통 증상은 미열을 동반한 고환 부위에 통증으로 나타나며, 고환이 커지고 단단해진 것을 만져 볼 수 있다. 이러한 증상들은 6-12주까지 지속될 수 있으며 고환 위축testicular atrophy으로 이어지기도 한다. 그 발생 기전이 명확히 이해되고 있지는 않지만 정삭 주위를 박리하면서 고환에서 배액되는 정맥에 혈전이 생기면서 발생한다는 것이 일반적인 주장이다. 따라서 수술 중 정삭주위의 불필요한 박리를 피하는 것이 좋다. 또한 원래 정삭에 다른 질환이 있었던 경우나 재발 탈장의 경우, 탈장낭이 큰 경우에서 원위부를 박리하는 경우 더 잘 발생할 수 있다. 고름을 형성하는 경우는 극히 드물며 대부분 소염제나 음낭 거상 등의 보존적인 치료로 호전이 된다. 항생제나 스테로이드를 사용하기도 하는데 그 효과는 아직 불분명하며 고환 절제술이 필요한 경우는 거의 없다.

3) 장액종

장액이 국소적으로 축적되는 것을 말하며 인공막을 사용한 경우에서 잘 생기게 되는데 이는 이물 반응에 의한 생리적인 현상으로 이해된다. 탈장낭이 음낭까지 내려와 있는 큰 경우나 감돈탈장 수술 후에 잘 생기며 대부분 자연적으로 사라지게 된다. 반복적인 흡입 천자는 오히려 인공막에 세균감염을 일으킬 수 있기 때문에 증상을 없애주는 목적이 아니라면 추천되지 않는다. 장액종seroma은 일반적으로 일주 이내에 발생하여 환자들이 초기 재발로 혼동하기도 한다. 따뜻한 물 찜질이 흡수에 도움이 된다.

4) 혈종

음낭 부위에 발생하는 혈종은 대부분 고환거상근 혈관cremasteric vessel, 안정삭 혈관internal spermatic vessel, 혹은 하복벽혈관inferior epigastric vessel의 분지부에서 발생하는 지연성 출혈에 의해 생긴다. 대부분 보존적인 치료로 호전되고 혈종 제거가 필요한 경우는 거의 없으므로 환자를 안심시키는 것 이 중요하다. 상처에 생기는 혈종은 탈장 수술 후 발생하는 흔한 합병증 중 하나이며 대부분 저절로 호전된다. 하지만 너무 큰 경우에서는 수술방으로 옮겨 혈종을 제거하고 출혈부위를 찾아 지혈시켜 주는 것이 좋다. 후복막 혈종은 탈장수술 그 자체 때문에 주로 발생하며 쿠퍼 인대 주위 및 외장골혈관 external iliac vessel의 분지 등의 손상으로 발생한다. 복강에 큰 혈종이 있는 경우 장마비가 올 수 있으며 출혈양이 생각보다 많을 수 있으므로 주의하여야 한다. 하지의 허혈증상등 큰 혈관의 손상이 의심될 때에는 응급 혈관촬영술arteriography 및 혈관 봉합술이 시행되어야 한다.

5) 수종

남겨진 원위부 탈장 주머니가 수종을 잘 생기게 하는지에 대해서는 논란이 있다. 탈장 수술 후 수종이 발생했다면 치료는 원발성 수종과 동일하다.

6) 상처 감염

탈장 수술 후 상처 감염률은 개복 교정의 경우에서는 1-2%정도에서 발생하며 복강경을 이용한 교정 시에는 이보다 더 낮다. 탈장 수술은 무균 수술이기 때문에 발생율은 대부분 환자의 기저질환에 영향을 받는다. 탈장 수술에서의 예방적 항생제의 사용은 불필요하다는 것이 일반적 이지만 기저질환이 동반된 경우에서는 절개 직전에 한 번의 예방적 항생제를 사용하는 것이 추천된다. 인공막을 삽입하는 경우라고 해서 감염의 위험이 증가 되는 것이 아니기 때문에 예방적 항생제가 필요한 것은 아니다. 최근 6,705명의 환자를 분석한 Cochrane Database review에서 항생제를 사용한 군과 사용하지 않은 군의 상처 감염률은 각각 1.4%와 2.9%로 나타나 큰 차이는 없었다. 이전의 탈장 절개창에 감염이 있는 경우나 만성적인 피부감염증이 있는 경우 등에서는 수술 전에 이를 먼저 교정하는 것이 좋다. 인공막을 사용하지 않은 경우에서의 상처 감염은 여타 다른 수술에서의 상처 감염과 같은 방법으로 소독 및 필요에 따라서 항생제를 사용하는 방법으로 치료할 수 있다. 인공막을 사용한 경우에서도 같은 방법으로 치료하나 경우에 따라 인공막을 제거해야 할 수도 있다. 상처 감염이 생긴 경우가 그렇지 않은 경우에 비하여 재발률이 높다.

7) 방광 손상

방광 손상은 개복 탈장 교정에서는 잘 발생하지 않고 복강경적 교정이나 후복막으로 접근 하는 경우에 발생할 수 있으며 이전에 전립선 수술과 같이 Retzius 공간을 수술한 적이 있는 경우에서 위험도가 증가한다. 방광 손상이 발생하였을 경우에는 흡수사를 이용하여 두겹으로 봉합 후 요도관foley catherter을 삽입한 후 방광 조영술cystogram상 유출이 없을 때까지(10–14일 정도) 유지시켜야 한다. 복강경을 이용한 복강내 접근법 시에 방광 손상은 드물기는 하나 가능한 일이며, 대부분 방광이 팽창된 상태에서 발생하고 치료 방법은 같다. 복강경적 탈장 교정시에 모든 환자에서 요도관을 삽입하는 것은 논란의 여지가 있다. 요도관을 삽입함으로써 방광 손상의 위험을 줄일 수 있고 수술 공간을 좀 더 확보 할 수 있다는 장점이 있으나, 방광 손상 자체가 워낙 드물고, 항상 요도관을 삽입하는 경우에서 오히려 요폐urinary retention 등의 비뇨기적 합병증이 더 많이 발생한다는 보고도 있다. 또한 수술중에 요도관을 삽입하였다가 수술이 끝난 후 제거하는 방법도 사용하는데 이 역시 소변 잔류가 발생한다. 따라서 특별한 경유를 제외 하고는 일상적인 요도관 삽입은 피하는 것이 좋을 것으로 생각된다.

8) 복강경을 이용한 경우에서의 합병증

후복강 부위에서 발생한 혈관 손상은 매우 위험하며 복강내 접근법이나 전복막 접근법 모두에서 발생할 수 있다. 뚫개trocar 손상에 의한 후복막 혈관 손상은 사망률이 9–36%까지 되므로, 혈관 손상이 인지 되었을 경우에는 투관침을 빼지 말고 그대로 두어 혈관을 눌러 놓은 다음 빨리 개복을 해서 손상된 혈관을 찾아 봉합해 주어야 한다. 장간막나 그물막 손상 시에도 마찬가지의 방법으로 치료하도록 한다. 복벽에 있는 혈관 손상도 발생할 수 있는데 대부분 하복벽혈관 손상이다. 가스 색전증gas embolism도 매우 드물지만 veress needle을 사용하는 경우에서 0.003%에서 나타나며, 최근에는 기복증을 조절 하는 장치의 발달과 전기소작기electrocautery의 사용으로 그 빈도가 많이 줄어 들었다.

복강경적 탈장 교정 시에 장 손상은 일반적인 다른 복강경 수술 시에 발생하는 것에 비하면 드물다. 장 손상은 발생시 복막염 및 패혈증으로 발전할 수 있으므로 주의를 요한다. 마찬가지로 처음에 사용하는 veress needle에 의한 손상이 가장 많으며 의심될 때에는 needle을 빼지 말고 다른 곳으로 접근하여 손상된 부위를 파악하여 봉합해 주어야 한다. 복강경으로 봉합하는데 익숙하지 않은 경우에서는 조그만 절개를 넣던지 아니면 개복해서 봉합하도록 한다.

투관침을 넣을때에 복벽의 작은 혈관이나 근육등이 손상을 받아 혈종이 발생할 수 있다.

두 번째 투관침을 넣을때 에는 반드시 하복벽혈관에 주의하여야 한다. 배꼽 주위의 자리에 발생하는 탈장은 1% 정도이며, 다른 자리도 투관침 직경에 따라 탈장이 발생할 수 있다. 최근에는 대부분 5mm가 넘는 자리는 봉합을 하기 때문에 점차 줄어들 것으로 기대된다.

탈장 수술 후의 장폐쇄는 개복술의 경우에서는 거의 발생하지 않기 때문에 복강경적 탈장 교정의 단점 중 하나로 지적되고 있다. 장폐쇄는 대부분 TAPP 접근법에서 문제가 되며 따라서 이 점은 이론적으로 발생 가능성이 낮은 TEP에서는 장점이 된다. 대부분 복막을 적절하게 닫아주지 못하여 인공막과 장이 맞닿으면서 전복막 공간으로 장이 들어와 발생하는 것으로 생각된다. 투관침을 넣었던 상처로의 탈장에 의한 장폐쇄 역시 발생할 수 있으나 최근 술기가 발달하면서 줄어들 것으로 생각된다. 유착에 의한 지연성 장폐쇄는 매우 드물다.

여타의 복강경 수술과 마찬가지로 복강경적 탈장 교정 후에도 횡격막 장애가 발생할 수 있다.

이것은 일시적인 횡격막신 경의 마비로 발생하며 경우에 따라 일시적인 인공 호흡기가 필요할 수도 있다.

9) 기타 합병증

인공막을 사용한 탈장 교정에서는 인공막 자체 때문에 합병증이 발생 할 수 있다. 수술 후 인공막 주변에 흉터조직이 생기면서 인공막 자체에 보통 20%정도의 위축이 발생할 수 있기 때문에 수술 시 이를 염두해 두어야 한다. 장과 인공막이 직접적으로 맞닿을 경우에서는 장 폐쇄나 샛길이 형성될 수 있다. 거부반응은 발생할 수 있으나 극히 드물며, 대부분 환자가 얘기하는 과민반응은 실제로는 감염인 경우가 많다.

치골염osteitis pubis은 탈장 수술시 치골 부위의 골막에 u자못staples이나 봉합사가 남은 경우에 발생할 수 있다. X-ray나 뼈 스캔, MRI 등이 진단에 도움이 된다. 어떤 원인이든지 일단은 일반적인 보존적 치료가 도움이 되며 복부와 엉덩이 근육을 강화시켜주는 물리치료가 도움이 된다. 이러한 방법으로도 호전이 없을 시에는 시험적 개복을 통해 남아있는 봉합사나 u자못을 제거 해 줄 수 있으며, 만일 특별한 문제를 찾지 못했을 경우에서는 소파술이나 치골결합symphysis의 쐐기 절제가 도움이 될 수 있다.

탈장 수술 후 정관의 협착으로 인해 사정장애dysejaculation가 발생할 수 있으며 이는 대부분 보존적 치료로 호전된다. 양측성 탈장 수술 후 불임증은 극히 드물지만 심각한 합병증이며, 어떤 수술 방법에서도 나타날 수 있지만 최근 인공막을 이용한 교정이 많아지면서 점차 그 빈도가 늘어날 것으로 추정된다. 만일 수술 중 육안적으로 정삭이 절제가 되었고 불임증이 문제가 될 소지가 있다면 반드시 단단 문합술을 시행하여야 한다.

탈장 수술 후 가장 흔한 합병증 중 하나는 요폐이다. 요폐의 발생에는 마취제의 종류, 수술 후 통증, 마약성 진통제의 사용, 수술 전 원래 가지고 있던 방광 배출구 폐쇄, 그리고 수술 동안 수액을 너무 많이 주어서 발생하는 방광 팽창 등이 원인이 된다. 가장 흔한 것은 마취효과이다. 국소마취로 수술했던 880명 의 환자에서 소변저류율은 0.2%였으나, 전신마취나 척추마취로 수술했던 200명의 환자에서는 약 13%의 소변저류율을 보였다. 또한 건강하고 젊고 근육질인 체격의 환자에서 더 잘 발생한다. 치료는 정상 배변이 가능할 때까지 요도관을 삽입하는 것이다.

장 마비는 개복 교정과 복강경적 교정 모두에서 발생할 수 있으나 복강경적 교정에서 더 빈번히 발생하며, 그 원인이 아직 명확하지 않기 때문에 그 발생 여부를 예측하기는 어렵다. 대부분 통증 조절과 보존적인 치료로 호전된다. 흡입성 폐렴이나 심폐적 합병증의 발생 가능성은 여타 수술들과 같다.

요약

대퇴탈장은 교액 및 감돈이 쉽게 발생하므로 수술하지 않고 지켜보는 것은 바람직하지 않다. 여성에서는 남성에서 보다 대퇴탈장의 비율이 더 높기는 하나 여전히 가장 흔한 탈장은 간접 탈장이다. 최근 술기의 발달로 탈장 수술 후 재발은 1% 내외로 보고되고 있고, 탈장 수술 후 재발뿐 아니라 만성 서혜부 통증 등 다른 합병증에 대한 관심이 높아지고 있다. 소아에서의 탈장은 초상돌기가 잔존해서 발생하는 것으로 알려져 있으며 미숙아나 저체중 출생인 경우에 그 유병률이 높다. 수술의 원칙은 고위결찰이며 진단되지 않은 반대측의 시험적 개복에 대해서는 논란의 여지가 있으며 최근에는 초음파를 이용한 진단이 널리 시행되고 있다. 스포츠탈장은 주로 운동선수에게 많이 발견되며 명확한 탈장 없이 서혜부위에 통증이 있는 경우가 있는데 그 원인에 대해서는 이견이 많고 감별진단이 너무 많아 아직까지 명확한 치료 원칙이 없는 상황이다.

Ⅳ 복벽

근육과 근건막으로 만들어진 통구조물로써 복벽은 상부는 늑골, 하부는 골반골, 후방은 척추에 부착하여, 복강내 장기를 보호하고 있다.

1. 발생학

복벽의 형성은 태생기 초기에 시작하여, 중간창자 midgut가 닫힐 때 형성되는 몸체가슴막somatopleure에서 발생한다. 몸체 가슴막은 이차적으로 양측 척추에서 발생된 중배엽에 의해 형성되며, 앞쪽 중앙에서 합쳐져 복직근abdominal rectus muscle을 형성한다. 복직근은 태생 7주에 3개의 층으로 분리되어 횡복근transversus abdominis muscle, 내복사근internal oblique muscle 및 외복사근external oblique muscle과 건막을 형성한다. 또한, 뒤쪽으로는 톱니근serratus muscle이 형성된다. 배꼽이 최종적으로 완성되는 것은 출생시 탯줄이 완전히 분리될 때이고 배꼽테 umbilical ring는 일반적으로 스스로 닫히지만, 닫히지 않는 경우 배꼽탈장을 유발하기도 한다.

2. 해부학적 구조

복벽은 피부, 피하조직, 표재 근막(캠퍼 근막Camper's fascia, 스카파 근막Scarpa's fascia), 외복사근, 내복사근, 횡복근, 횡복근막, 복막전 지방조직preperitoneal adipose tissue, 복막peritoneum으로 구성된다(그림 8-24). 복부의 피부는 다른부위와 큰 차이점이 없으나 전반적으로 털이 발달된 경우가 많다. 피하조직은 부드러운 지방조직으로 되어 있으며 나이가 들수록 증가한다. 복벽에는 섬유성 결합조직이 거의 없으므로 복벽 절개창을 봉합할 때 거의 힘을 받지 못한다. 표재근막은 섬유성 결합조직으로, 캠퍼 근막과 스카파 근막으로 되어 있다. 스카파 근막은 섬유성 결합조직을 포함하고 있어 외복사근의 근막과 혼동하기 쉽고, 절개창 봉합 시 힘을 받지 못하나 미용면에서 도움

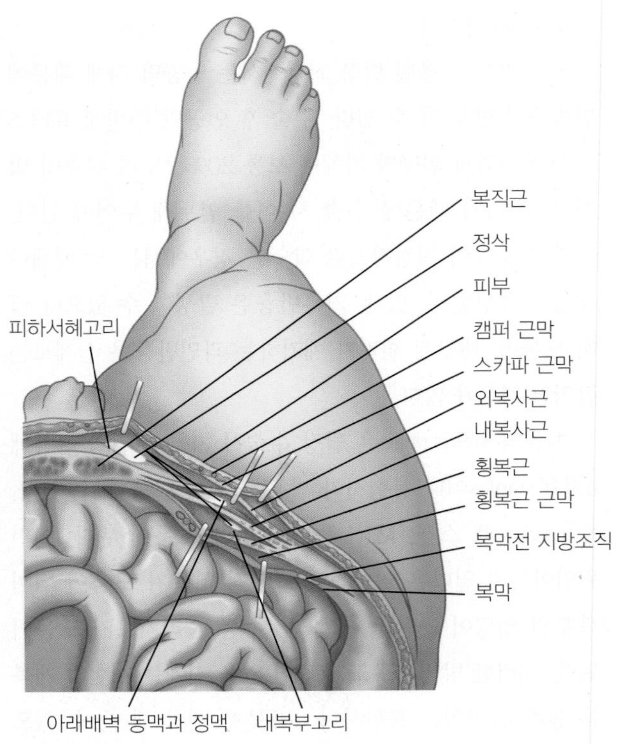

그림 8-24 **복벽의 9층 구조**

을 준다.

복부근육은 3개의 근육으로 이루어져 있으며 모두 앞쪽 중앙으로 널찍한 건막을 발달시켜 복직근의 근집을 형성한다. 외복사근은 가장 크고 단단하며, 좌, 우측 두 개가 대칭적으로 형성된다. 근섬유는 아래쪽 7번째 늑골, 흉요부근막thoracolumbar fascia, 장골능iliac crest의 외순 external lip, 그리고 치골결절pubic tubercle에 부착된 서혜인대에서 기시하며, 앞쪽 복벽의 정중선에 위치한 백선에 부착된다. 쇄골 중앙선linea semilunaris을 기준으로 몸의 정중선 쪽으로는 근섬유가 편평한 건막aponeurosis을 형성하며, 이는 복직근을 지나 복직근의 근집을 형성한다. 이때 외복사근의 건막은 복벽 중앙부위에서 내복사근 건막과 복횡근 건막과 함께 전방과 후방의 복직근 근집을 형성한다. 이 외 복사근 건막은 아래측으로 서혜관의 전벽을 이루고, 곡선모양으로 후방으로 구부러져 상전장골극anterior superior iliac spine에서 치골결절까지 걸쳐 있는 인대를

형성하는데 서혜인대inguinal ligament 혹은 Poupart's 인대라고 한다. 서혜인대 아래로 대퇴동맥, 대퇴정맥, 장골근iliacus muscle, 장요근psoas muscle 등이 지난다. 대퇴탈장은 서혜인대 밑을 지나 빠지고, 서혜탈장은 서혜인대 앞위쪽으로 나온다. 서혜인대의 가장 아랫부분의 두껍고 강한 부위를 선반부위shelving portion라 하며, 이를 이용하여 바씨니Bassini 또는 리히텐슈타인Lichtenstein 무긴장 탈장 복원술을 한다. 라쿠나인대lacunar ligament (Gimbernat's ligament)는 서혜인대가 치골에서 상부가지로 뻗어 내려간 부위를 말한다. 외서혜고리external (superficial) inguinal ring는 정삭이 음낭으로 내려가는 부위를 말하며, 서혜인대가 치골에 붙은 부위에서 외복사근 건막에 생긴 구멍이다.

내복사근은 장골능의 중간순intermediate lip, 흉요부근막, 서혜인대의 외측 절반부위에서 기시하며 외복사근과 반대 방향으로 주행하다가 아래 5번째 늑골에 부착한다. 마찬가지로 쇄골 중앙선을 기준으로 몸의 정중선 쪽으로는 편평한 건막을 형성하고, 건막의 가운데 층이 갈라져서 복직근을 앞뒤로 싸고 백선에 붙는다. 주목할 점으로 반원주선semicircular line of Douglas 상부로는 건막이 복직근의 앞 뒤를 감싸며 지나 백선에 부착하고, 반원주선 하부로는 복직근 뒤쪽으로는 없고 앞으로만 지나 백선에 부착한다. 서혜인대의 바깥쪽 절반에서 시작되는 근섬유들은 하행하여 치골 결합부와 치골 결절사이의 치골에 부착된다. 하부 근섬유의 일부는 내서혜고리internal (deep) inguinal ring 부위에서 정삭을 둘러싸고 음낭으로 내려와 고환에 부착되어 정삭의 고환거상근cremaster muscle을 이룬다. 연합힘줄conjoind tendon (falx inguinalis)이란 내복사근과 횡복근 건막궁aponeurotic arch이 합쳐져 만든 힘줄이며, 5-10%에서 볼 수 있고, 이 횡복근건막궁이 치골에 부착하면 서혜부 낫힘줄falx inguinalis이라 한다.

횡복근은 3개의 복부 근육 중 가장 약하다. 기시부는 내복사근과 같이 하부 5개 늑골, 장골능의 내순, 흉요부근막, 서혜인대의 외측 1/3이며, 근섬유는 횡축으로 주행하고, 그 건막은 중앙 백선에 주입되는데, 반원주선 상부 2/3는 복직근의 뒤쪽을 지나 백선에 부착하고, 하부 1/3은 복직근 앞쪽을 지나 백선에 부착한다. 서혜인대에서 발생된 근섬유는 하행하여 내복사근과 같이 치골에 부착하면서 이 두 근섬유가 연합힘줄이라는 공통의 힘줄을 형성한다. 횡복근 건막궁이 하셀바하 삼각지Hasselbalch's triangle의 상부에 존재하며 바씨니Bassini나 쿠퍼인대Cooper's ligament 복원술시에 중요한 랜드마크가 된다. 하셀바하 삼각지는 안쪽이 복직근 외연, 아래쪽이 서혜인대, 바깥쪽이 하복벽혈관이 이루는 삼각형으로 직접direct 서혜탈장이 나오는 장소이다. 이 횡복근과 횡복근 근막사이로 복벽을 지지하는 동맥, 정맥 신경들이 존재하게 된다. 흉추신경 6번째에서 12번째까지와 첫 번째 요추 신경의 전방 1차 분지가 복벽에 분포되어 있으며 10번째의 흉추신경의 앞쪽 표재성 분절은 배꼽을 포함한 피부 분절에 분포하고, 7번째의 흉추신경과 9번째의 흉추신경의 외측 표재성 분절은 흉부와 외측 복벽을, 12번째의 흉추신경과 첫번째의 요추신경의 외측 표재성 분절은 엉덩이 부분에 분포한다.

횡복근 근막transversalis fascia은 복강 전체를 덮고 있는 층으로써 내복근막endoabdominal fascia이라고도 한다. 따라서 이 층에 결함이 생기면 탈장이 발생하게 된다. 횡복근 근막은 서혜인대 아래쪽 깊숙한 곳에서는 굵은 장골치골근막띠iliopubic tract가 되어 장골능의 앞 위쪽 기시부로부터 치골결절까지 연결되는데 서혜탈장의 수술 시 중요한 역할을 하게 된다.

복막전 지방조직은 횡복근 근막과 복막 사이에 위치하며 지방 조직이 풍부하다. 4개의 태생학적 구조물(umbilical vein, umbilical artery, urachus)이 남아 있으며, 하복벽혈관을 포함하고 있다. 이 혈관은 외장골혈관external iliac vessel으로부터 기시하여 복직근에 분포하게 된다. 퇴화된 배꼽동맥은 복막에 주름을 만들어 좌우측 두 개의 내측배꼽인대medial umbilical ligament를 만들며, 정중앙에는 퇴화된 요막관urachus이 방광으로부터 배꼽까지 정중배꼽인대median umbilical ligament라는 섬유성 끈을 형성한다. 배꼽 위쪽 중앙부에는 간장의 낫인대falciform ligament가 있으며, 이 인대는 간장의 두 엽사이로 외복막 지방층이 깊숙이 돌출하고 있고, 이곳에는 배꼽정맥이 퇴화된 간

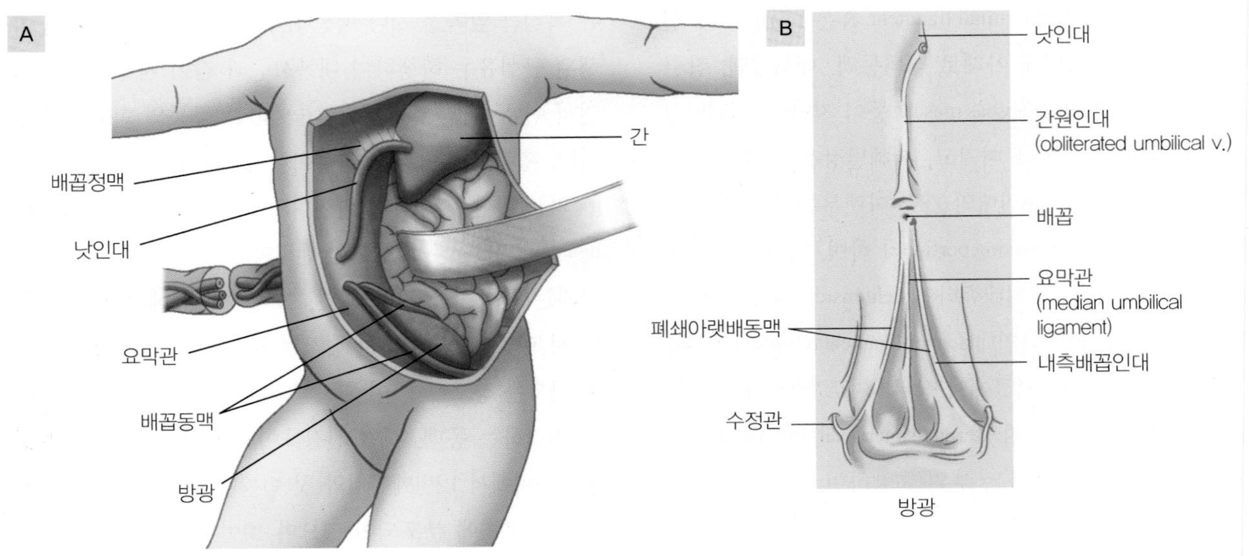

그림 8-25 **배꼽**. A) 태아 때 배꼽으로부터 위로는 배꼽정맥이, 아래로는 두개의 배꼽동맥과 요막관이 위치한다. B) 위로는 간원인대(폐쇄배꼽정맥)와 아래로는 중앙배꼽인대(폐쇄요막관)와 내측배꼽인대(소위 측면배꼽인대, 폐쇄배꼽동맥에서 유래)를 보여주는 복막 공간에서의 시야

원인대ligamentum teres hepatis가 있다(그림 8-25).

벽측복막parietal peritoneum은 복벽의 가장 내측이며 단순편 평중피세포simple squamous mesothelium로 덮여 있다. 절개 창 봉합 시 힘을 받지는 못하나 복강 내 감염에 대하여는 방어 능력을 보인다.

복직근 및 복직근집rectus sheath은 중앙 백선에 의해 좌우로 갈라져 있으며 5번째 늑골에서부터 치골까지 연결되어 있고 좌우 각 근육은 3개의 근획tendinous inscriptions에 의해 분절되어 있다. 이 근육은 복벽을 지탱할 뿐 아니라 척추를 굽히는 동작에 중요한 역할을 한다. 복직근은 세 복근에서부터 나온 건막에 의해 덮여 있다. 복직근의 근집은 배꼽과 치골 중간 부위에 하배벽혈관이 들어가는 시점에 있는 초생달 모양의 더글라씨 반환상선semicircular line of Douglas을 중심으로 상하 다른 구조를 보인다. 즉 이 반환상선 상부에서는 복직근의 뒤쪽 건막을 3개의 복부 근육 중 내복사근의 건막과 횡복근 건막이 형성함으로써 매우 단단한 구조로 되어 있으나, 반환상선 하부의 뒤쪽은 단지 얇은 횡복근 근막만으로 이루어져 있어 매우 취약한 구조를 지니게 된다. 복직근은 정중앙에서 합쳐지게 되는데 이것을 백선이라 하며, 흉골의 검상돌기에서 시작하여 아래쪽으로 내려가며 배꼽부위 아래쪽에서는 매우 가늘어진다.

서혜관은 서혜인대 상방에 있는 내서혜고리와 외서혜고리사이의 4cm 길이의 통로이다. 이 통로속에는 남자의 정삭, 여자는 자궁원삭round ligament of uterus이 있다. 정삭 내에는 고환거근, 덩굴정맥얼기pampiniform plexus of veins, 고환동맥, 음부대퇴신경의 음부분지, 정관, 복막초상돌기 등이 있다.

복벽의 림프공급은 비교적 단순하게 분포하고 있어, 배꼽 위쪽에서는 림프액이 동측 액와 림프절로 유입되며, 배꼽 하부에서는 동측의 표재성 서혜부 림프절로 유입된다. 혈액 공급은 복벽의 상부는 내흉부동맥internal thoracic artery의 분지인 상복벽동맥superior epigastric artery에 의해 공급되며, 하부는 외장골동맥external iliac artery의 분지인 하복벽동맥에 의해 공급된다. 하부 복벽의 표재 부위는 대퇴동맥의 작은 분지들에 의해 공급된다(그림 8-26).

탯줄의 구성은 배꼽동맥과 배꼽정맥, 요막allantois, 배꼽창자간막관 잔류물omphalo-mesenteric duct, 와르톤 젤리

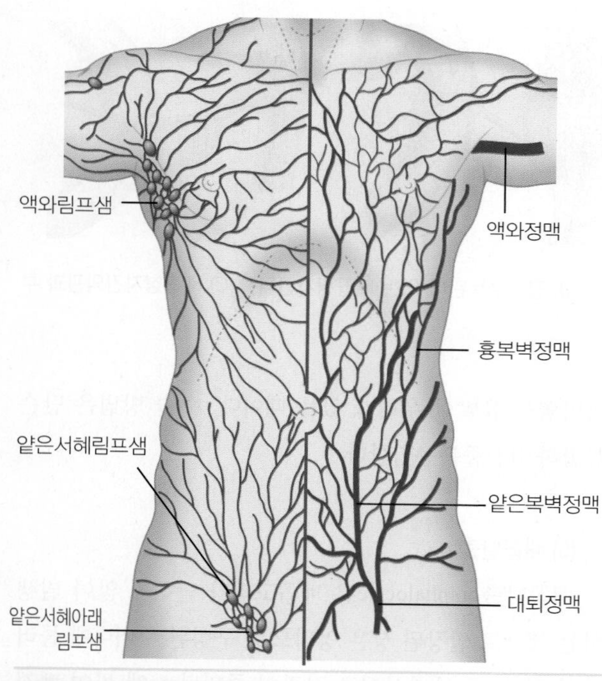

그림 8-26 복벽에서 정맥과 림프의 배액

Wharton's jelly, 그리고 양막으로 되어 있다. 요막은 뒤창자hindgut와 연결되었다가 연결이 없어지면서 요막관urachus이 된다. 요막관은 정중배꼽인대medianl umbilical ligament가 되고, 두 개의 배꼽동맥은 내측배꼽인대medial umbilical ligament가 된다.

3. 복벽 질환

1) 선천성 기형

(1) 복직근분리

복직근분리diastasis recti는 가장 흔한 해부학적 기형이다. 백선과 복부 근육층의 결합이 약하게 됨으로써 좌우 복직근사이의 상복부 정중선이 튀어나오는 형태이다. 선천적 기형이기는 하나 오히려 후천적인 요소인 나이, 비만, 임신 등에 의해 잘 나타난다. 신체검사로 알 수 있으나 CT 검사로 보다 정확히 진단할 수 있고 복벽 탈장과 감별할 수 있다. 상복벽탈장이 같이 있지 않은 한 굳이 수술적 치료는 필요 없으나 미용상으로 안 좋거나 복근의 기능을 하지 못할 정도인 경우 적응증이 될 수 있다.

(2) 배꼽창자간막관 잔류물

배꼽창자간막관omphalomesenteric duct은 태생 초기에 중간창자midgut와 난황낭yolk sac을 연결하는 관으로 정상적으로는 소실되나 일부 남아 있는 경우 여러 증상을 야기한다. 배꼽폴립umbilical polyp은 배꼽창자간막관의 점막이 배꼽주위에 남아 있어 나타나며 작은 융기물의 형태를 보이는 것으로 배꼽육아종과 혼돈되나 실버나이트레이트silver nitrate로 소작하였을 때 소실여부에 따라 구별된다. 배꼽폴립은 점막 잔유물을 외과적으로 제거해주어야 치료가 가능하다.

배꼽동umbilical sinus은 배꼽창자간막관의 배꼽쪽 끝이 소실되지 않고 남아 있는 경우이며 배꼽폴립과 유사하게 보이나 자세히 보면 동sinus을 발견할 수 있다. 동조영술sinogram로 모양을 확인할 수 있으며 치료는 외과적 제거이다. 배꼽창자간막관의 완전잔류persistence of entire omphalomesenteric duct는 배꼽을 통해 장 내용물이 나오게 되며 이 경우에는 개복술을 하여 배꼽창자간막관을 완전히 제거하여야 치료가 가능하다. 배꼽창자간막관의 잔류낭종cystic remnant은 대부분 증상없이 지나기도 하나, 장폐쇄나 장염전 등의 급성복증을 나타내기도 한다. 이러한 증상이 나타나도 개복술 하기 전에는 진단이 어렵다. 멕켈 게실은 배꼽창자간막관의 장쪽 끝이 소실되지 않고 남아 있는 경우이며 장의 전층이 존재하는 진성게실true diverticulum을 보인다(그림 8-27).

(3) 요막관기형

요막관urachal은 발생기 때 방광과 배꼽 사이에 존재하는 구조물로써 출생시 자연 소실된다. 그러나 이것이 소실되지 않는 경우 여러 증상을 나타내게 된다. 요막관루urachal fistula는 배꼽으로 소변이 흘러나오게 되며 외과적 제거로 치료가 가능하나 수술 전 반드시 요도의 원위부 폐쇄 여부를 확인한 후 시행하여야 한다. 요막동urachal sinus은 요막관의 배꼽 쪽 끝이 폐쇄되지 않아 생기며 만성적

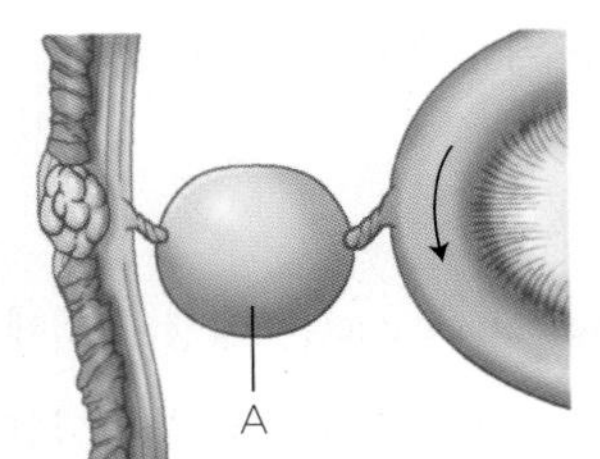

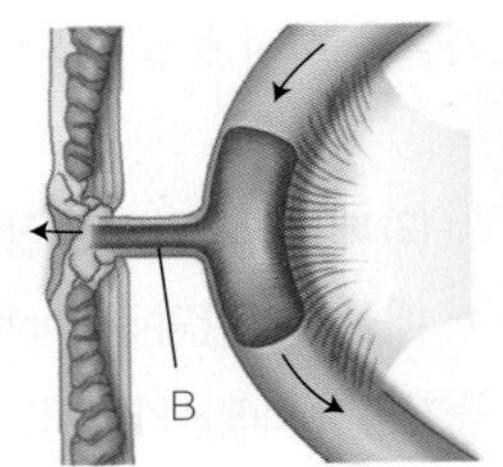

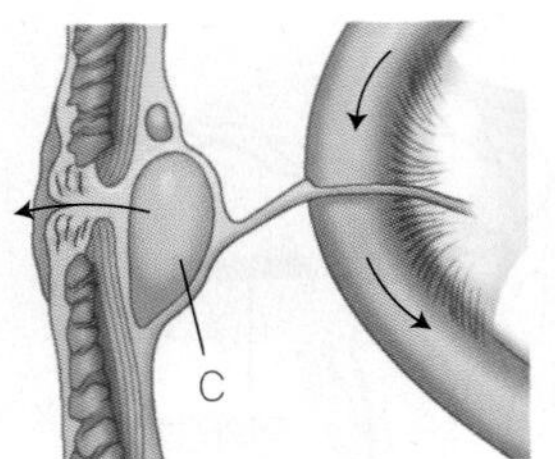

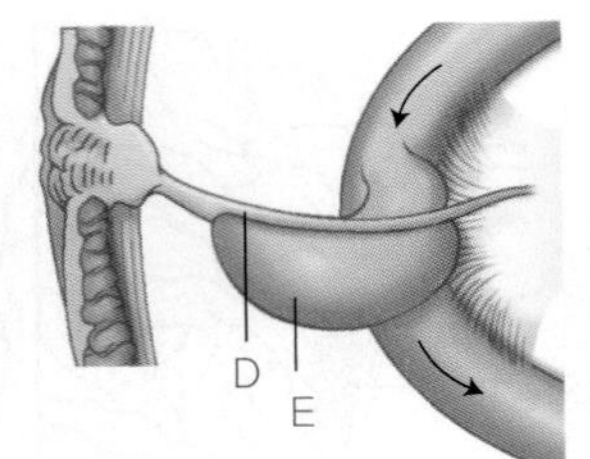

그림 8-27 **배꼽창자간막관이 지속되어 나타나는 기형**. A) 배꼽창자간막관낭. B) 장피부누관이 있는 배꼽창자간막관. C) 배꼽창자간막관과 부비강. D) 소장과 배꼽 뒤쪽면 사이의 섬유화된 줄. E) 메켈 게실

으로 배꼽으로 배액이 된다. 염증이 빈번히 발생하며 외과적 제거로 치료한다.

요막관 낭종urachal cyst은 배꼽 하방의 복부종물로 만져지거나 감염되어 농양의 형태로 발견된다. 방광게실 bladder diverticulurn은 요막관의 원위부 끝이 완전히 폐쇄되지 않아 나타나며 반복적인 요로 감염을 일으킨다. 방광경 검사나 방광촬영술로 진단되며 치료는 외과적 절제로 가능하다.

(4) 배꼽탈장

탯줄이 떨어지는 시기는 출생 후 7–8일이며, 배꼽고리 umbilical ring가 닫히지 않아 복강내용물이 배꼽으로 나오는 것이 배꼽탈장이다. 탯줄탈장이란 탯줄이 분리하기 전에 장이 빠져나오는 것이다.

배꼽을 보강하는 것은 간장의 원인대round ligament, 요막관urachus, 배꼽동맥, 그리고 리켓 배꼽근막Richet's umbilical fascia인데 이것들이 약해지면 배꼽탈장이 된다. 원인대는 배꼽정맥이 남아서 만든 것이며, 요막관은 정중배꼽인대를 만들며, 배꼽동맥은 내측배꼽인대를 만들며, 리켓 근막은 횡복근 근막이 배꼽으로 확장한 것이다. 배꼽탈장은 흑인에 많다. 신생아의 10%에서 생기는데 미숙아에서 흔하다. 신생아 배꼽탈장 수술은 될 수 있는 대로 하지 않고 2년 내지 3년 기다리면 자연봉합된다. 성인 배꼽탈장의 원인은 임신, 비만, 복수, 복부팽만을 통한 복강내 압력증가, 복막투석 등이다. 수술적응증은 큰 크기의 배꼽탈장, 감돈된 탈장, 탈장부위 피부가 점점 얇아지는 경우, 또는 조절 안 되는 복수가 있는 경우 자연 천공되어 복막염을 유발할 우려가 있을 때이다. 수술 방법은 단순봉합하거나 중복봉합한다.

(5) 배꼽탈출

배꼽탈출omphalocele은 배꼽고리가 닫히지 않아 발생하는 것으로 탈장된 장은 양막으로 구성된 주머니에 둘러싸여 있다. 즉 탯줄사이로 장관이 주머니sac에 싸여 빠져나오는 것으로 많이 나올수록 예후가 나쁘다. 탯줄이 싸고 있는 양상이고, 간장까지 동반되어 빠지기도 한다. 주머니의 바깥쪽은 양막이고, 안쪽은 복막이다. 출생아 5,000명에 1명 발생하며, 미숙아에 흔하며, 동반기형이 많다.

(6) 배벽갈림증

배벽갈림증gastroschisis은 배꼽측면의 복벽결손으로 인한 기형으로 이 결손 부위로 장이 튀어나오게 되며 탈장된 장은 주머니가 없는 상태이다. 탯줄의 오른쪽으로 빠져나와 소장이 노출되어 있다. 주머니는 없다. 노출된 소장은 양수(pH 7)에 불어서 유착되어 있으며, 아교와 같은 물질에 싸여 있는 경우가 많고 충혈되어 짧아져있다. 분만 후 저체온증 위험 때문에 빨리 수술해야 하며 수분 소실이 많아 수액 요법을 2.5배 정도 더 줘야 하며, 노출이 오래되면 감염의 위험성이 높다. 배꼽탈출보다 장관계 폐쇄증이 많지만, 동반 기형은 더 적어 비교적 예후가 좋다. 40%가 미숙아이고, 25%가 10대 산모에서 태어나며, 동반기형은 10%에서 동반한다. 진단은 산전초음파 검사에 서 알 수 있으며, 배벽갈림증으로 제왕절개 수술을 할 필요는 없다. 수술은 복벽을 일자 봉합술 하는 것이 좋으나 폐순환계에 부담을 줄 우려가 있으므로 단계적 수술을 권장하고 있다. 단계적 수술은 싸일로dacron-reinforced silo, silastic silo로 복벽탈장ventral hernia을 만들어 주고 복강이 어느 정도 자란 다음 6살 정도에 복원술을 해준다.

2) 복벽 감염

복벽은 가끔 심한 세균성 괴저증이나 괴사성 근막염necrotizing fasciitis의 발병 장소가 된다. 괴사성 근막염은 주로 노인에서 많이 발생하며 호기성과 혐기성 세균의 복합감염으로 피부, 피하 조직 및 복벽 근막을 광범위하게 침범해 생명을 위협하는 중증의 감염 질환이다. 직장주위 농양이나 소변의 요도외유출 등이 원인이 될 수 있으나, 원인이 없는 경우도 많다. 치료는 조기에 광범위한 괴사조직 제거이며 감염부위는 밖으로 노출시켜 치료하여야 한다. 적절한 항생제 투여는 필수적이다. 배꼽염증omphalitis은 배꼽주위의 위생상태가 불량한 것에 기인하므로 청결하게 유지함으로써 치료가 가능하다. 그러나 신생아 때의 감염은 간문맥 혈전증을 유발할 수 있으므로 전신적 항생제 투여가 병행되어야 한다.

3) 복직근 근접혈종

복직근 근집혈종rectus sheath hematoma은 복직근 근집내에 출혈이 일어나는 것은 복벽에 외상이나 손상 후에 잘 오고, 기침에 의해 혈종이 발생하며 임신에 의해 생길 수도 있다. 혈종자체는 심각한 질환이 아니나 종종 급성 복증과 감별이 되지 않을 때가 있다. 항응고제를 복용하는 환자에게서 많이 발생하며 하복벽동맥inferior epigastric artery이 복직근 근집에 들어가는 부위인 반환상선semicircular line of Douglas에 주로 발생한다. 반원주선 하부에 생긴 경우는 건막이 없어 정중선을 넘어반대쪽으로까지 확대되어 커진다. 증상은 급성 복증과 유사하며 통증을 수반한 종괴가 촉진될 수 있다. 복강 내에 존재하는 종괴인 경우는 복직근 수축으로 통증 감소 소견을 보이나 복직근 건막 혈종인 경우는 통증 변화가 없고(Fothergill's sign), 통증은 복부근육 운동시 더 심해진다. 압통이 복직근 근집부위에 있으며, 60%에서 종괴가 만져진다. 반상출혈이 배꼽주위에 있으면서 복부에 반상출혈이 있으면 쿨렌 징후Cullen's sign라 하고, 출혈 후 시일이 지나면 옆구리에 푸른멍이 나타나는 것을 그레이 터너 징후Grey Turner's sign라 한다. 진단은 복부초음파나 전산화단층 촬영으로 가능하다. 치료는 경중에 따라 달라서 혈종이 작고 한쪽에 치우쳐 있으며 커지지 않는다면 지켜보면서 휴식을 취하고 진통제만 투여해도 좋아지지만, 양측에 걸쳐 크기가 큰 경우는 입원하여 응고제제 또는 경우에 따라서는 수혈과 같은 보존적 치료를 할 수 있다. 하지만 출혈이 지속되고 혈종의 크기가 점점 커지며 신체 증후에 변화가 있게 되면 수술적 치료를 해야 하는데 우선 혈종을 제거하고 출혈되는 혈관을 모두 결찰해야 한다. 또는 동맥 색전술을 시행할 수도 있다.

4. 복벽종양

1) 양성종양

대부분의 종양이 양성이며 모든 복벽의 구성 인자로부터 발생할 수 있다. 지방종이 가장 많으며 섬유종, 혈관종 및 신경섬유종들이 있다.

2) 유건종

유건종desmoid tumor은 조직학적으로는 복벽의 근막에서 발생하는 양성섬유종이나 제거 후에도 계속적인 재발을 하는 특성을 갖고 있기 때문에 임상적으로 악성섬유종증이라 한다. 돌발적으로 발생하기도 하지만 가족성 선종성 용종증 같은 유전질환에서 발생하기도 한다. 근막에서 발생하면 표재성이라하고 근육이나 건막에서 발생하면 심부성이라 한다. 표재성 유건종은 듀피트렌스 섬유종증Dupytren's fibromatosis이라 하고, 서서히 자라며 크기가 작고 심층부에까지 침범하지 않으나, 심층부의 종양은 빨리 자라며 크기가 크며 재발을 잘한다. 발생장소에 따라 어깨관절 주변부, 복부, 복강으로 구분하기도 하고, 복강내 발생하는 종양은 가족성 선종성 용종증과 관련하여 장간막에 생기는 경우이다. 발생빈도는 인구 백만명 중 2명 내지 4명에서 발생하며, 가족성 선종성 용종증이 있으면 1,000배 빈도가 증가한다. 임신 중인 젊은 여자에게서 잘 발생하고 출산 후에 발견하는 경우도 많다. 피임약이 발생에 관계있는 것으로 보아 종양에 에스트로겐 수용체가 있고 에스트로겐이 종양 발생에 역할을 한다. 간혹 복부손상 때문에 발생하기도 한다. 진단은 통증이 없는 복부 종괴인데 주변 장기를 압박해서 장기나 신경혈관계의 압박 때문에 증상이 나타나기도 한다. 자기공명영상으로 진단하며, 수술 전 조직검사를 하여 진단할 수도 있다. 조직학적으로 양성이지만 광범위한 침윤을 보이기 때문에 재발을 막기 위하여 광범위한 국소절제가 필요하며, 광범위 절제 후에도 재발률이 40% 이상이며, 원거리 전이는 일어나지 않는다. 절제면에 종양이 없다는 것이 확인이 안되면 방사선 치료를 병행하는 것도 좋은 결과를 얻을 수 있다.

3) 복벽육종

원발성 복벽육종abdominal wall sarcoma은 전체 육종발생의 10%이다. 조직학적으로 지방육종, 섬유육종, 평활근육종, 횡문근육종, 악성 섬유 조직종malignant fibrous histiocytoma이 있다. 증상은 해부학적 위치, 종양의 등급, 크기, 조직학적 양상에 따라 다르게 나타난다. 유건종과 같이 복부 육종은 무통성의 종괴이다. 감별진단을 해야 하는 질환이 많으나 표재성 근막 아래 정복되지 않는 직경 5cm 이상으로 최근에 갑자기 크기가 커졌으며 복벽에 고정되어 있고 복강내 장기에도 고정되어 있으면 육종으로 진단할 수 있다. 자기공명영상으로 진단하며 확진을 위해서는 조직검사를 하여야 한다. 절제면에 종양 침윤이 없는 광범위 절제만이 치료법이다.

4) 전이성 종양

전이성 종양은 신체 어느 부위의 암에서도 전이가 가능하며 특히 하복부의 경우 난소나 전립선에서부터 전이되는 경우가 많으며 복부내 장기 외에도 폐, 유방 등에서도 전이가 나타날 수 있다.

요약

외과의사에게 복벽은 수술을 위한 실제 문이기도 하다. 하지만, 복벽의 구조가 간단하지 않기 때문에 그 병태생리를 제대로 이해하기는 쉽지 않다. 복벽은 여러 층으로 되어 있으면서도 부위별로 다른 구조로 되어 있기 때문에 정확히 알고 접근하여야 합병증 발생도 줄고 다른 여러 복벽질환을 제대로 치료할 수 있다.

복잡한 복벽 구조만큼 복벽의 질환들도 다양한데 대부분의 복벽질환은 해부학적 특성과 연관되어 생기므로 특히 해부학적 구조를 이해하는 것이 중요하다. 대표적으로 여러 복벽 탈장, 특히 서혜부 탈장에서는 탈장 복원술시 서혜부의 해부학적 구조를 정확히 알아야 탈장복원술이 제대로 될 수 있다. 또한, 복강내 수술 후 폐복시에도 여러 종류의 절개창을 닫게 되는데 이때도 복벽의 해부학적 구조를 알아야 그로 인해 생길 수 있는 절개창 탈장, 창상 열개, 내장적출 등과 같은 합병증의 발생을 줄일 수 있다.

V 복막

1. 해부학

복막은 중피mesothelium라고 불리는 중배엽성 기원의 단일 편평세포층으로 구성되며 얇은 결합조직을 덮고 있다. 표면적은 1.0–1.7m^2이다. 남성의 경우, 복강은 폐쇄되어 있고 여성은 자궁관 구멍으로 연결되어 있다. 복막은 벽측과 내장측으로 구분된다. 벽측 복막은 복벽의 앞쪽, 옆쪽, 뒤쪽 면과 횡격막의 아래쪽 면, 그리고 골반을 싸고 있다. 장측 복막은 복강내 장기들(위, 공장, 회장, 횡행결장, 간, 지라)의 대부분의 면과 후복강 장기들(십이지장, 좌우결장, 이자, 신장, 부신)의 앞쪽을 싸고 있다.

복강은 11개의 인대와 장간막에 의해 공간이 세분된다. 복막 인대나 장간막은 관상인대, 간위인대, 간십이지장인대, 낫인대, 위결장인대, 십이지장–결장인대, 위비장인대, 비장신장인대, 횡격막결장인대와 횡행결장사이막, 소장간막을 포함한다(그림 8-28). 이러한 구조물들은 배를 9개의 공간으로 나눈다(좌, 우 횡격막하공간, 간하부공간, 장간막 위공간, 장간막아래공간, 좌, 우 결장측면, 골반, 작은 공간). 이러한 인대, 장간막, 복강내 공간들이 복강의 액체들의 흐름을 결정하고 이로 인해 감염질환이나 악성질환의 전파를 예상하는데 유용하다. 예를 들어 소화궤양으로 인한 십이지장 천공으로 생긴 액체(그리고 농양의 형성)는 간아래공간, 오른쪽 결장측면, 그리고 골반으로 퍼진다. 장측 복막의 혈액 공급은 내장혈관에 의해 받지만 벽측 복막은 늑간혈관, 늑골하혈관, 요골혈관, 장골혈관의 가지들에 의해 받는다. 태생학적으로 복강은 원시 체강primitive coelom으로부터 분화되며, 발생기 소화기관에 의해 2개의 공간으로 분리되어 형성된다. 몸 중배엽somatic mesoderm은 체강의 벽쪽을, 내장쪽 중배엽 splanchnic mesoderm은 내장쪽을 형성하게 된다. 태생기 때 2개의 체강은 배쪽으로 발달되어 중앙부위에서 만나 하나의 체강을 형성한다. 내장은 양측이 모두 내장쪽 중배엽으로 쌓이게 되며 몸 중배엽과 이중으로 겹치는 부위는 장간막을 이루게 된다.

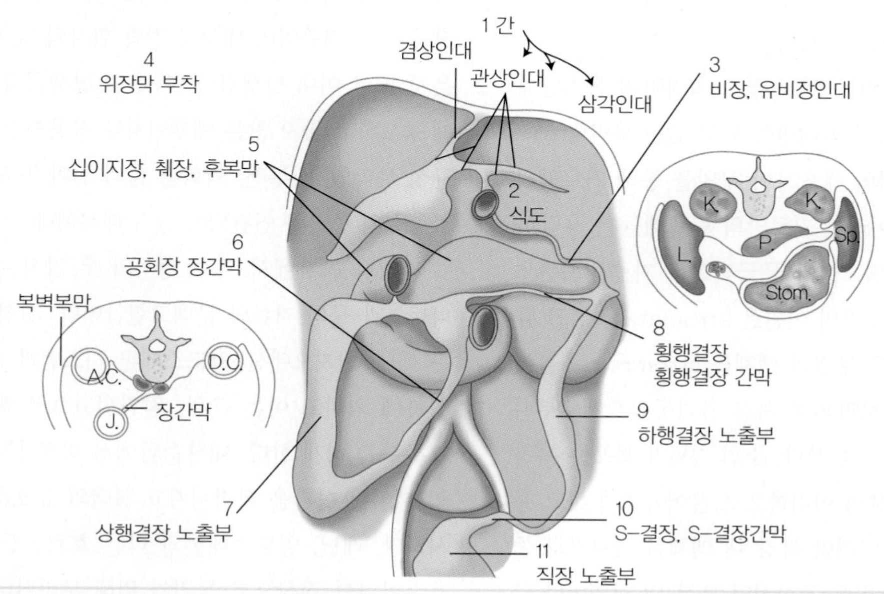

그림 8-28 성인에서 복막 인대와 장간막 반향(reflection). 여러 지지대들은 복부를 9개의 공간으로 분할시킨다. 우측과 좌측 횡격막 아래, 간 아래, 장간막 위와 아래, 우측과 좌측 대장 주위 홈, 골반, 그물망의 활액낭(shown in *inset on right*)

2. 생리학

복막은 양방향의 반투과성 막이며 복강내 액체의 양을 조절하고 복강내 세균의 이동과 제거를 촉진하며, 염증세포가 미소혈관계에서 복강으로의 이동을 가능하게 한다. 정상적으로 복강 내에는 100mL 이내의 무균성 장액이 있다. 복막 중피의 미세융모는 표면적을 증가시키고 복강내의 액체들이 림프계와 간, 전신 순환으로 빨리 흡수되도록 한다. 복강 내 액체의 양은 경화, 콩팥증후군, 복막암종증 같은 질환의 경우엔 수 리터로 증가하기도 한다. 등장성 생리 식염수는 복강내에서 초기 평형이 이루어 질때 까지 한시간에 약 30-35mL가 흡수되며, 고장 식염수의 경우 혈관 내에서 복강내로 수분이 시간당 약 300-500mL가 이동되어 탈수 현상을 야기할 수 있다. 복강내 혈액은 주로 횡격막 아래 면의 림프관을 따라 흡수되는데 약 70%가 혈액 내로 도달되어 정상적인 혈액 순환에 참여한다. 공기 및 여러 기체도 흡수되는데 개복술 시 들어간 공기는 약 4-5일이면 완전히 흡수된다. 복막 투석은 이러한 복막의 양측성 투과 기능을 이용한 것으로써 수분, 전해질 및 대사 산물을 제거할 수 있으며, 또한 여러 약물을 복막투석으로 제거할 수 있다.

복강 내 액체의 순환은 어느 정도 횡격막의 움직임에 의해 유도된다. 횡격막의 아래면을 싸고 있는 복막(stromata라고 불리는) 내의 세포사이 구멍을 통해 가로막의 림프계와 연결된다. 이러한 가로막의 림프계들은 흉막하의 림프를 걸쳐 부위림프절과 궁극적으로 가슴림프관으로 흐른다. 호기시 가로막의 이완은 stromata를 열고 흉강내 음압은 세균 같은 물질과 액체를 stromata로 들어오게 한다. 흡기시 가로막의 수축은 종격동림프계로부터 가슴림프관으로 흐르도록 한다. 소위 가로막 펌프는 복강내 액체를 가로막을 향해 머리쪽으로 끌어올리게 하고 흉강 림프계로 보낸다. 이러한 복강 내 액체를 가로막과 중심림프계로 보내는 순환은 전반적인 복부 내 감염이나 급성 자궁관염을 가지고 있는 환자에서 Fitz-Hugh-Curtis 증후군에 의한 간주위염에 의해 빠르게 패혈증이 나타나는 것과 합치된다.

복막과 복강은 감염에 대해 5가지 방법으로 대처하며 이는 1) 세균은 복강내로부터 가로막stroma이나 림프계로 급속히 제거된다. 2) 복강내 대식세포는 주변 미세혈관계로부터 백혈구를 복강내로 이동시키게끔 하는 염증전 매개물질을 분비한다. 3) 복강내 비만세포의 탈과립은 히스타민과 다른 혈관작용물질을 분비하여 국소적인 혈관확장과 보체와 면역글로불린을 포함하는 단백질이 풍부한 액체의 복강 내로의 혈관외유출을 유도한다. 4) 복강내 액체의 단백질은 식균하여 보체연쇄반응을 활성화하고 중성구와 대식세포매개 포식작용과 파괴를 활성화한다. 5) 세균은 섬유소 물질 안에 격리되고 농양을 형성함으로써 감염이 전반적으로 퍼지는 것을 막는다.

3. 복수

복수는 복강 내의 액체의 병적인 축적이다. 복수형성의 주요한 원인들과 병리생리적인 기반들은 표 8-3에 정리되어 있다. 간경화는 미국에서 복수의 가장 흔한 원인이며 전체 사례의 85%를 차지한다. 복수는 간경화의 가장 흔한 합병증이며 대상성 경화 환자의 50%에서 진단받은지 10년 이내 발생한다. 복수의 발생은 간경화 환자에게 중요하고 좋지 않은 예후인자로 작용하는데 그것은 세균성 복막염, 신부전, 악화된 삶의 질과 2-5년 이내 죽을 가능성의 증가와 연관되어 있기 때문이다.

간경화 환자에서 복수 형성의 두 가지 주요한 요인은 나트륨과 물의 저류와 문맥고혈압이다. 신성 나트륨 저류는 레닌-안지오텐신-알도스테론 시스템과 교감신경의 활성화에 의하고 이는 근위, 원위세관으로 하여금 나트륨 재흡수를 하게 한다. 내장순환에서 비정상적인 산화 질소의 분비는 혈관을 확장시키고 혈액의 유효순환량을 감소시킨다. 레닌, 알도스테론과 다른 호르몬들은 혈액의 유효순환량을 정상으로 돌리기 위해 분비된다. 문맥고혈압은 간경화 환자에서 굴후혈관이 콜라겐의 침착에 의해 막혀서 발생한다. 간의 굴모양혈관과 내장혈관계의 정수압

표 8-3. 기저질환의 병태생리에 따른 복수형성의 주된 원인

문맥 고혈압
간경화
간경화가 없는 경우
간문맥 이전에서의 정맥 폐쇄
만성 장간막 정맥 혈전
다발성 간전이
간문맥 이후에서의 정맥 폐쇄
버드-키아리(Budd-Chiari) 증후군
심장
울혈성 심부전
만성 심막의 심장압박
긴축성 심막염
악성종양
복막 암종
원발성 복막 종양
원발성 복막 중피종
장액성 암종
전이성 암종
위장관 암종(위암, 대장암, 췌장암)
비뇨생식기 암종(난소암)
후복막 림프관의 폐쇄
림프종
림프절 전이(고환암, 흑생종)
장간막 기저부에서 림프관의 폐쇄
위장관 암양종
그 외 기타
담즙 복수
간 또는 담도계 수술 후
간 또는 담도계 외상 후
췌장 복수
급성 췌장염
췌장 가성 낭종
유미성 복수(Chylous ascites)
후복막 림프관의 손상
후복막 박리 후
후복막 림프절 절제
복부 대동맥 동맥류 봉합술
둔상 또는 관통하는 외상
악성 종양
후복막 림프관 폐쇄
장간막 기저부에서 림프관 폐쇄
선천성 림프관 기형
원발성 림프관 형성 부전
복막염
결혈성 복막염
점액수종
신증후군
결체조직 질환에서 장막염

의 증가로 인해 미세혈관계로부터 세포외로 혈관유출이 생긴다. 복수는 이러한 액체를 전신 순환으로 돌려보내려는 림프계의 한계를 넘어선 결과이다.

간경화는 없지만, 간문맥이나 간정맥이 막히는 경우(문정맥혈전이나 Budd-Chiari 증후군 같은) 또한 미세혈관계의 정수압을 증가시켜 복수 형성을 촉진한다. 심부전 환자에 있어 바소프레신과 레닌-안지오텐신-알도스테론의 분비로 나트륨과 물의 저류가 발생하지만 앞서와 비슷한 수압에 의한 메커니즘으로 심부전 환자에서 복수가 발생한다.

악성종양이 있는 환자에게 복수는 다음과 같은 3가지 메커니즘 중 한 가지에 의해 발생한다. 1) 다발성 간 전이가 문맥정맥계를 좁게 하거나 막음으로써 문맥 고혈압을 유발한다. 2) 복강 내에 산재된 악성 세포들이 암종증에서처럼 복강내에 단백이 많이 함유된 액체를 분비한다. 3) 림프종 같이 종양에 의해 후복막강의 림프계가 막혀서 주요 림프계가 파열되고 유미가 복강 내로 흘러든다. 그 외에도 복수의 생성이 의인성이나 감염에 의해 주요 이자관, 쓸개관, 림프관이 파열된 후 이자액, 쓸개즙, 림프액이 흘러나온 결과일 수 있다.

1) 임상적 접근

복수는 병력과 복부의 생김새에 의해 진단된다. 명백하게 심장, 콩팥 질환이나 악성 종양 같은 간염이나 간 경화의 위험인자를 찾는다. 옆구리에서 둔탁음이 들리며 전체적으로 튀어나온 배는 복수가 있음을 의미한다. 타진에 의해 둔탁음이 들릴 때는 이미 1.5L의 복수가 존재한다. 손바닥 홍반, 복부 곁순 환가지의 확장, 다발성 거미혈관종과 같은 간 경화의 신체진찰 소견도 확인해야 한다. 심장에 의한 복수를 가진 환자는 현저한 목 정맥 확장과 다른 울혈성 심부전의 소견을 가지고 있다.

2) 복수 분석

복수천자하여 분석하는 것은 복수의 병인을 결정하는데 가장 빠르고 효과적인 방법이어서 새롭게 발생한 복수를 가지고 있는 모든 환자에게 복수천자가 시행된다. 초기에 복수천자하는 또 다른 중요한 적응증은 복수가 있는 환자가 복통이나 압통, 발열, 뇌증, 저혈압, 신부전, 산증, 백혈구 증가증 같은 감염의 증상과 징후를 보일 때이다. 복수천자는 대부분의 환자에서 안전하게 시행될 수 있고 간경화나 경미한 응고장애를 가지고 있는 환자에게서도 마찬가지이다. 복수천자는 대부분 아랫배에서 시행되는데 좌하엽이 선호된다. 초음파 유도하에 시행하는 것은 비만이나 복강경의 과거력이 있는 환자에게 유용하다. Runyon은 진행하고 있는 파종혈관내응고나 임상적으로 명백한 섬유소용해만이 복수천자의 금기라고 하였다. 그는 125명의 간 경화 환자로부터 229번 이상의 복수천자를 시행하였음에도 단 한 건의 혈액복막이 있었고, 사망, 감염 같은 사례는 없다고 하였다. 복부 혈종은 단지 2%에서 발생하였고 이중 절반만이 수혈을 필요로 하였다.

복수의 진찰은 육안적 관찰부터 시작된다. 정상적인 복수는 약간 노란색이고 투명하다. 백혈구가 $5,000/mm^3$ 이상으로 존재하면 액체가 탁한 반면 $1,000/mm^3$보다 적으면 거의 투명하다. 복수 내 피가 섞여 있다면 아마도 외상성 천자에 의한 것이며 그 경우 즉시 항응고제가 들어있는 튜브에 옮기지 않으면 응고될 것이다. 외상성이 아닌 피가 섞인 복수의 경우 복강 내에서 이미 필요한 인자들이 소모되어 응고되지 않을 것이다. 유미성복수에서처럼 복수에 있는 지질은 오팔색으로 보이는데 탁한 것부터 완전히 불투명한 것까지 나타난다. 만약 냉장고에서 48-72시간 동안 있었다면 지질은 대개 없어진다.

복수의 실험실 검사에서 가장 유용한 검사는 세포수와 종류, 그리고 복수 내 알부민과 총단백함량을 아는 것이다. 합병증이 없는 간경화 환자에서 복수 내 세포는 $500/mm^3$보다 적으며 이 중 절반은 중성구이다. 중성구가 $250/mm^3$ 이상이면 급속 감염이 진행중이란 걸 의미하고 가장 흔한 원인은 자발성 세균성 복막염이다. 이 경우 총 백혈구 수와 절대적인 중성구 수 모두 증가하고 중성구는 대개 전체 세포수의 70% 이상을 차지한다.

혈청-복수 알부민 차(SAAG)는 다양한 복수를 분류

표 8-4. 혈청-복수에서 알부민 비율에 따른 복수 분류

높은 비율(≥1.1g/dL)	낮은 비율(<1.1g/dL)
간경화	복막 암종
알콜성 감염	결핵성 복막염
심 복수	췌장 복수
다발성 간전이	담도 복수
전격성 간부전	신증후군
버드-키라이(Budd-Chiari) 증후군	수술 후 림프관 누출
간문맥 혈전	결체조직 질환에서 장막염
점액수종	질병들

하는데 가장 좋은 방법이다. SAAG은 혈청과 복수에서 알부민을 측정한 후 혈청에서 복수의 수치를 뺀 값이다. 만약 SAAG가 1.1g/dL 이상이라면 환자는 문맥 고혈압을 가지고 있을 것이다. SAAG가 1.1g/dL보다 적다면 문맥 고혈압이 없다는 걸 의미한다. 둘의 차이가 큰 경우와 적은 경우의 예가 표 8-4에 있다. 이 측정방법으로 문맥 고혈압의 존재유무를 예측하는 정확도는 97%이다.

3) 간경화 환자에서 발생한 복수의 치료

간경화로 인해 복수가 생긴 환자를 치료하는 표준적인 프로토콜은 나트륨 제한, 이뇨제, 복수천자를 통한 단계적인 접근이다. 약물요법의 첫 번째 목표는 콩팥을 통한 나트륨 배출이 나트륨 섭취보다 많은 상태로 만드는 것이다. 그럼으로써 세포외액의 부피가 줄어들고 상태를 호전시킨다. 대부분의 간경화로 인한 복수 환자에게 나트륨 섭취 제한은 2g/day이다. 환자가 얼마나 따르는지는 24시간 소변 나트륨 배출을 측정하면 알 수 있다. 식이제한을 하고 소변으로 나트륨을 78mmol/day 이상 배출하는 환자는 몸무게가 줄어든다. 만약 소변을 통한 나트륨 소실이 78mmol/day 이상임에도 체중이 증가한다면 위에서 말한 것 이상으로 나트륨을 섭취하고 있단 걸 의미한다. Spironolactone과 furosemide은 100:40의 비율로 주어질 때 정상 칼륨농도를 유지하며 나트륨뇨를 촉진할 것이다. 대개 spironolactone (100mg/day)와 furosemide (40mg/day)로 시작한다. 이러한 요법으로 소변 나트륨을 증가시키고 몸무게를 줄이는데 효과적이지 않다면

100:40의 비율을 유지하며 약물용량을 증가시킨다.

나트륨 제한과 이뇨제 요법에도 반응하지 않는 환자의 경우 5L 이상의 많은 용량의 복수천자가 도움이 된다. 이런 상황은 환자의 10% 미만에서 발생한다. 복수천자 시 정맥내 알부민 주입(6-8g/L의 복수가 제거됐을 시)은 많은 용량의 복수가 갑자기 없어졌을 때 발생할 수 있는 혈관내 부피 감소와 신부전 증상을 최소화할 수 있다. 이뇨제와 소금제한을 계속하는 것은 복수천자 후 다시 복수가 생기는 걸 막거나 늦출 수 있다. 어떤 이들은 많은 양의 복수천자와 상관없이 주마다 알부민을 주입하는 것이 소금 제한과 이뇨제 요법과 병행될 때 불응성 복수에 유용하다고 제안한다. 목정맥경유간속문맥전신순환지름술(TIPS), 복막정맥간지름술, 그리고 궁극적으로 간 이식은 불응성 복수를 치료하기 위해 사용된다.

4) 유미성 복수

유미성 복수chylous ascites란 복강 내 유미chyle가 모이는 것이고 다음 3가지 메커니즘 중 한 가지에 의해 발생한다. 1) 창자간막의 기저나 가슴 림프관 팽대에서부터 주요 림프계가 막혀서 유미가 늘어난 창자간막 림프계로부터 삼출된다. 2) 복부나 상처입은 후복막의 림프계로 인해 림프계와 복강내 샛길을 통해 직접 누출된다. 3) 눈에 보이는 샛길이나 가슴관 막힘 없이 후복강 내 거대한 림프계의 벽을 통해 유미가 삼출된다. 성인의 경우, 유미성 복수의 가장 흔한 원인은 복부 내 악성종양으로 인해 림프계가 창자간막 기저나 후복강에서 막힌 경우이다. 유미성 복수는 난소, 대장, 콩팥, 전립샘, 이자, 위의 악성 종양과도 관계있지만, 악성과 연관된 가장 흔한 원인은 림프종이다. 카르시노이드 종양은 창자간막의 기저부를 직접 침범해 치밀한 섬유화를 통해 막음으로써 유미성 복수를 유발한다. 유미성 복수는 또한 복부대동맥 수술이나 후복막 림프절 제거와 같은 수술로 인해 발생할 수 있다. 둔기외상과 관통상 또한 특히 어린이의 경우에서 유미성복수의 중요한 원인이다. 어린이에게서 유미성 복수는 선천적인 림프계 기형에 의해 발생할 수 있는데 원발 림프 형성저하증은 하지림프부종, 유미성 가슴증, 유미성 복수를 유발할수 있다.

유미성 복수를 가지고 있는 환자는 대부분 통증없이 복부팽창을 느낀다. 영양실조와 호흡곤란은 전체 50%에서 발생한다. 복수천자를 하면 특징적인 우유빛의 액체가 보이고 높은 단백과 지방 함량을 보인다. SAAG는 대개 1.1mg/dL보다 적고 중성지방은 혈장보다 2-8배 높다. CT, 림프신티그래피, 림프혈관조영술로 막힌 곳의 위치를 알 수 있다.

유미성 복수가 있는 환자의 치료는 영양상태를 유지하거나 개선시키고 유미 형성을 줄이고 기저 질환을 치료하는 것을 포함한다. 저지방, medium-chain 중성지방 식이와 이뇨제 병합은 후복막 림프절 제거로 생긴 성인의 유미성 복수치료에 성공적으로 사용되고 있다. Long-chain 중성지방 섭취를 줄이는 것은 그들의 대사물이 유미미립으로 내장 림프계로 가기 때문에 유미의 흐름을 감소시킬 수 있다. 반면, medium-chain 중성지방은 장세포에 의해 직접 흡수되고 내장 혈관을 통해 유리지방산과 글리세롤의 형태로 간으로 이송된다. 전비경구적영양은 소마토스타틴과 병용하든 하지 않든 후복막 림프계의 누출이 있는 환자를 치료하는데 효과적으로 사용된다. 복수천자는 일시적으로 유미성복수로 인한 호흡곤란과 복부 불편감을 해소할 수 있다. 하지만 반복된 복수천자는 저단백혈증과 영양실조를 유발한다. 복막과 정맥간 샛길을 통해 유미성복수를 치료하는 방법은 실망스럽다. 비수술적인 방법으로 개선되지 않는 환자의 경우 수술적으로 복부와 후복막강을 탐색해볼 수 있다.

5) 담즙

감염되지 않은 담즙은 비교적 자극이 적어 복막액의 분비를 촉진시켜 담즙 복수를 야기하며 담즙의 흡수로 인한 경증의 황달을 보일 뿐이며 비교적 전신상태는 양호하게 유지된다. 그러나 감염된 담즙은 심한 복막염을 유발하며 즉각적인 외과적 치료가 필요하다. 대부분의 담즙성 복막염은 수술 후 발생하나 영아에서는 자연적 담도 파열이 있어 영아 황달의 두 번째 많은 원인이 된다.

6) 혈액

복강 내 출혈의 가장 많은 원인은 간이나 비장의 손상에 의한 것이다. 복강 내 혈액의 2/3는 흡수되어 혈액 순환에 참여되나 수술 후 발생한 출혈은 감염의 위험성이 많아 가능하면 제거하는 것이 좋다. 실험적 결과에 의하며, 복강내 헤모글로빈은 세균의 복강 내 청소를 방해함으로써 복막염에 대한 면역기능을 감소시킨다는 보고가 있다.

7) 소변

요로 손상에 의해 나타나며, 감염이 없는 경우 증상 없이 복부 팽만을 초래한다. 그러나 대부분 동반 손상이나 기본 질환에 의해 감염이 일어나게 되므로 이러한 경우 수술적 치료가 필요하다.

8) 공기

기복증pneumoperitoneum은 소화기관의 천공이나 수술 후 나타나며, 기계적 양압호흡을 할 때 나타날 수 있다. 치료는 원인을 발견하여 제거하여야 한다.

9) 태변

신생아의 장은 무균성 태반을 포함하고 있으며, 간혹 임신 중 태아의 장이 파열되어 태변meconeum이 복강 내로 유출되어 여러 현상을 야기한다. 장 파열 시기가 오래된 경우 별 증상없이 지내다 후에 섬유화 유착을 일으켜 장 폐쇄 등을 초래하기도 하며 X-선 사진상 석회화를 발견할 수도 있다. 최근에 장이 파열된 경우, 태변성 가성낭종을 이루어 복강내 종괴로써 촉지되기도 하며, 복수를 유발하는 경우에는 즉각적인 외과적 치료를 요하기도 한다. 이렇게 태아의 장이 파열되는 원인은 장폐쇄이며 태변성 장 마비meconium ileus나 섬유성 낭종cystic fibrosis에 기인되기도 한다.

4. 복막염

복막염은 복막과 복강의 감염이며 국소적 혹은 전체적인 감염에 의해 가장 흔하게 발생하는 감염이다. 원발성 복막염은 세균성, 클라미디아, 진균, 혹은 미코박테리아 감염에 의해 발생하며 위장관계의 천공없이 발생한다. 반면 이차성 복막염은 위장관계의 천공에 의해 발생한다. 이차성 복막염의 흔한 경우는 소화 궤양 질환, 급성 맹장염, 대장 게실염, 그리고 골반 감염 질환에 의한다.

1) 자발성 세균성 복막염

자발성 세균성 복막염Spontaneous Bacterial Peritonitis (SBP)은 수술적으로 치료할 수 있는 복부 내 감염의 근원없이 복수에 생긴 세균성 감염으로 정의한다. 대부분 간경화와 연관되어 있지만 SBP는 콩팥증후군이나 더 적은 경우지만 울혈성 심부전에 의해서도 발생할 수 있다. 복수가 있는 환자에서 높은 함량의 단백이 발견되는 건 복막암종증 같은 경우를 제외하고는 극히 드물다. SBP의 가장 흔한 원인균은 호기성 장 내 세균무리인 대장균과 폐렴막대균이다. 소아의 경우 콩팥성, 간성 복수, A군 사슬알균, 황색포도알균, 폐렴사슬알균이 흔하다. SBP의 기전은 불확실하다. 하지만 감염의 발생에 위장관계로부터 세균의 전위가 중요한 역할을 한다고 알려져 있다. 간 경화 환자에서 국소적이고 전신적인 면역 기증저하가 효과적인 옵소닌화와 포식작용, 전위된 세균을 죽이는 것을 방해한다. Gomez 등은 간 경화 환자에서 대식세포의 Fc γ 수용체 부전이 발생하고 이로 인해 효과적인 포식작용이 되지 않는다고 했다. 다른 이들은 복수의 낮은 옵소닌 작용은 대식세포와 중성구 모두에 양쪽 모두에 의해 효과적으로 세균을 포식하고 죽이는 작용이 되지 않는다고 했다.

SBP의 진단은 복수에 중성구가 $250/mm^3$ 이상 있는 것과 임상적으로 복통, 발열이나 낮은 단백을 지닌 복수와 백혈구 증가증이 일치함으로 내릴 수 있다. 복수를 그람 염색하여 증명하는 건 매우 드문 경우이며 복수에서 세균이 배양될 때까지 기다려서 적절한 항생제 치료가 늦어지는 경우 감염과 사망의 위험이 증가한다.

복수 감염을 가지고 있다고 의심되는 환자에겐 3세대 세팔로스포린 같은 광범위 항생제 치료가 즉시 시행되어야 한다. 이 제재는 복막염을 흔히 일으키는 95%의 균무리를 치료한다. 일단 항생제 감수성 결과가 나오면 좁은 범위의 항생제를 사용할 수 있다. 항생제 치료에 빠르게 반응하고 있다면 대개 반복된 복수 천자 분석은 필요치 않다. 만약 조절과 증상, 복수 분석, 치료에 대한 반응이 전형적이지 않다면 복수천자를 반복하는게 이차성 복막염을 확인하는데 도움이 될 수 있다. 특히 그람 음성 장세균을 포함한 다양한 세균 감염이 항생제 치료에 잘 반응하지 않는다면 이차성 복막염이 존재함을 의미한다.

SBP에 의한 감염을 알아차리고 신속히 치료했을 경우 즉각적인 사망률은 낮다. 그러나 위장관계 출혈이나 간신증후군을 포함한 간부전의 다른 합병증들이 발생한 경우 SBP 진단시 병원에 입원 중이던 많은 환자들의 경우에도 사망할 수 있다. SBP의 발생은 간경화의 자연사에 중요한 지표가 된다. 1년, 2년 생존율이 각각 30%, 20%이다. 몇몇 최근의 무작위 대조시험에 의한 연구결과들에 의하면 알부민에 의한 혈관 팽창이 SBP를 가지고 있는 환자들의 순환기능을 향상시키고 간신증후군과 사망률을 감소시킨다고 한다.

2) 결핵성 복막염

결핵은 세계의 빈곤한 지역에서 흔하고 미국이나 다른 선진국에서도 발생이 증가하고 있다. 1985년 이후 미국과 유럽에서 결핵 환자의 수는 이민자, 난민, 후천성면역결핍증 환자의 수가 증가함에 따라 급수적으로 증가하였다. 어떤 이들은 결핵성 복막염과 알코올성 간경화, 그리고 만성 신부전이 상관이 있다고 한다. 결핵성 복막염은 림프, 비뇨기계, 뼈와 관절, 좁쌀 결핵, 수막에 이어 6번째로 흔한 폐외결핵이다. 결핵성 복막염의 대부분은 이전에 폐에 결핵이 있고 혈행성으로 전파되어 잠복해 있던 지속적인 복막 질환의 재활성화에 의해 발생한다. 전체 발생의 약 1/6은 활동성 폐결핵과 연관되어 있다.

질환은 점진적으로 발생하는데 환자는 증상을 수주에서 수개월까지 느낀다. 복수형성으로 인해 복부가 부어오르는 증상이 가장 흔하며 전체의 80%에 해당한다. 유사하게 대부분의 환자는 국소적이지 않고 애매한 복통을 호소한다. 미열과 야간발한, 체중 감소, 식욕부진, 권태감 같은 체질적인 증상은 60%에서 나타난다. 요독증, 간 경화, 그리고 후천성면역결핍증 같은 만성적인 상태가 동시에 존재하면 이러한 증상을 구별해내기 어렵다. 촉진시 결핵성 복막염이 있는 환자의 절반 정도에서 압통이 있다. 대부분의 환자에서 투베르쿨린 피부 검사 양성반응이 나오는 반면 이 중 절반에서만 비정상적인 가슴 X선 사진 소견을 보인다. 복수 SAAG는 1.1g/dL 미만이며 복수에 단백 함량은 높다. 복수의 현미경적 검사에서 적혈구가 보이며 많은 수의 백혈구가 보이는데 이 중 대부분은 림프구이다.

복부 초음파나 CT 소견은 진단을 돕지만, 진단을 내리기에 민감도와 특이도가 부족하다. 초음파는 복수에서 고음영의 움직이는 조그마한 가닥이나 미립자를 발견하는데 도움이 될 수 있다. CT는 림프절병증이 있어 두꺼워지거나 결절이 있는 창자 사이막을 보거나 그물막이 두꺼워진 것을 보는데 도움이 된다.

진단은 복강경하에 복막 생검을 함으로써 이루어진다. 90% 이상의 경우에 복강경으로 보면 장측과 벽측 복막에 산재된 수많은 하얀 결절들(5mm)을 볼 수 있다. 이 결절들의 조직학적 검사는 건락 육아종을 나타낸다. 복부 장기들과 벽측 복막 사이에 많은 수의 유착이 발생한다. 복강 내를 보는 육안적 소견은 암종증이나 사르코이드증, 그리고 크론병과 비슷하기 때문에 생검의 중요성이 강조된다. 직접 보지 않고 피부를 경유하여 하는 생검은 직접 생검하는 것보다 훨씬 확률이 낮으며 개복하여 생검을 하는 것은 복강경하 생검으로 진단할 수 없을때나 복강경이 안전하게 시행될 수 없을 때를 위해 보류한다. 복수의 현미경적 검사는 항산균이 3% 미만으로 확인되고 배양검사는 20% 미만에서 양성이다. 게다가 미코박테리아 배양 검사는 진단적으로 사용하기에 너무 시간이 오래 걸려(8주까지 걸린다) 제한적이다.

결핵성 복막염 치료는 항결핵제로 한다. 폐결핵을 치료하는 똑같은 요법은 결핵성 복막염에도 효과가 있다. 이소니아지드와 리팜핀을 매일 9달 동안 복용하는 것이 공통적으로 사용되는 효과적인 방법이다.

3) 원발성 복막염

명백한 복강내 감염원이 없이 발생하는 복강내 염증을 칭하며 어린이와 여자에 많이 발생한다. 여자의 경우 나팔관을 통해 감염이 이루어지는 것으로 생각되며 어린이의 경우 신생아나 4, 5세 경에 많이 발생한다. 일반적으로 급성 복증, 발열, 및 백혈구 증가가 보이며, 어린이의 경우 발병 직전 상기도나 귀의 염증을 앓은 병력이 있는 경우가 있으나 이 역시 속발성 복막염과 감별하기는 쉽지 않아 개복 후에 진단이 가능한 경우가 많다. 그러나 어린아이의 경우 신증후군이나 홍반 루푸스 병이 있는 경우 원발성이라고 진단하여도 좋다. 원발성 복막염의 세균주는 주로 용혈성 연쇄상구균*hemolytic streptococcus*이나 폐렴연쇄구균*pneumococcus*이므로 복강내 천자를 통하여 속발성 복막염과 감별할 수 있다. 간 질환으로 인한 복수 환자의 경우 이러한 원발성 복막염의 가능성이 크다. 그러나 최근들어 이러한 원인균의 종류는 그람 양성균에서 그람 음성균으로 변화하는 경향이 있으므로 복수 천자만으로 원발성과 속발성을 구별하기는 매우 어려운 형편이다.

4) 무균성 복막염

일반적으로 화학물질이나 이물질에 의해 발생하며 이차적으로 세균성 감염이 따르게 된다. 화학 물질이라 함은 체액의 종류인 담즙, 태변, 위내용물 등을 말한다. 이 물질은 외상에 의하거나 수술시 사용한 봉합사, 스펀지 등의 외과적 물질이 대부분이다. 수술 장갑에 묻혀 있는 전분에 의하여 복막염이 발생할 수 있다 하나, 수술 전 이를 주의 깊게 씻어 이러한 합병증을 줄일 수 있다.

5) 농양, 유착

많은 복막염은 복강내 농양이나 유착을 초래한다. 전반적 복막염의 경우 해부학적으로 깊고 낮은 부위인 골반부 및 결장측구paracolic gutter에 농양이 형성되며 국소적 복막염의 경우 국소 농양을 형성한다. 복강내 유착은 심한 경우 복강 면적 자체가 적어져 장 폐쇄를 초래하며 생명에 위협을 줄 수 있다. 끈모양의 유착이 많으며, 이것은 복막으로부터 생성된 섬유질에 의해 초래된다. 복막으로부터 분비된 섬유질은 대부분 흡수되나 일부는 섬유모 세포에 의해 잠식당해 유착을 초래한다. 실험적으로 스테로이드를 사용하여 섬유소용해소fibrinolysin를 감소시켜 유착을 줄일 수 있다고 하나 임상적으로는 적용 되지 않고 있다. 유착 현상은 복막 자극에 의한 반응으로 수술 시 세밀한 기법만이 이러한 유착을 방지시킬 수 있다 하겠다.

6) 만성 복막 투석과 연관된 복막염

미국에서 만성 신부전 환자 중 8%가 복막투석을 한다. 복막염은 만성적으로 이동하며 복막투석을 받는 환자에서 생기는 가장 흔한 합병증이며 매 1-3년마다 1건 정도 발생한다. 스코트랜드에서 1999년부터 2002년 사이에 실시한 모든 복막투석을 받는 환자를 대상으로 하는 연구에 따르면 복막투석을 하면 19.2개월마다 한 번씩 복막염이 발생한다고 한다. 중요한 점은 불응성이나 재발성 복막염은 기술적인 문제에 의해 가장 흔히 발생하며 전체의 43%가 기술적인 문제와 관련있다.

환자들은 복통, 발열이 있고 투석액은 혼탁하며 백혈구가 $100/mm^3$ 이상이고 이 중 50% 이상이 중성구이다. 그람염색은 약 10%에서 40%의 경우에만 원인균을 발견한다. 감염의 약 75%는 그람 양성균에 의해서이고 표피포도알균이 약 30-50%를 차지한다. 황색 포도알균, 그람 음성 막대균, 그리고 진균도 복막 관련 복막염의 중요한 원인균이다.

복막투석과 관련된 복막염은 복강내 항생제로서 치료되고 가장 흔히 사용되는건 1세대 세팔로스포린이다. 전체적으로 감염의 75%가 배양검사에서 민감한 항생제에 의해 치료된다. 코아귤라제 음성 포도알균의 치료율은 거의 90%에 이르며 상대적으로 황색 포도알균, 그람음성 막대균, 진균의 치료율은 각각 66%, 56%, 0%이다. 재발성 혹은 지속성 복막염은 투석 카테터를 제거하고 혈액투석으로 재개해야 한다.

5. 복막의 악성 신생물

복막의 악성 신생물은 종양이 기원하는 위치에 따라 원발성과 이차성으로 구분된다. 복막의 원발성 악성종양은 드물고 악성 중피종과 육종이 포함된다. 복막 대부분의 악성종양은 위장관계(특히 위, 대장, 이자)로부터 복막 경유 전이이거나 드물게 복막외 전이(예; 유방)이다. 전이성 암이 광범위하게 벽측, 장측 복막에 퍼져 있을 때 이러한 복막 전이는 암종증carcinomatosis라고 한다.

1) 악성 복막 중피종

복막에 생기는 가장 흔한 악성종양은 악성 중피종이다. 이 희귀한 종양에 걸린 환자의 평균 수명은 4-12개월이다. 이러한 안 좋은 예후는 발견 당시 이미 상당히 진행한 단계이기 때문이다. 환자는 복통, 복수, 체중 감소를 호소한다. 50-70%의 환자들은 석면에 노출된 경험이 있다. 그물막은 광범위하게 침범되고 상복부 덩이로 발견된다. CT를 통해 창자사이막이 두꺼워지고 복막과 종양 내 출혈, 그리고 복수를 확인할 수 있다. 개복술을 하면 장액성 삼출액 소견부터 점액다당류가 풍부한 점액성 액체 소견까지 보인다. 종양은 모든 복막 표면을 침범하는 경향이 있으며 종양은 큰 덩이를 만든다. 복막가성 점액종과 달리 간, 소장, 방광과 복벽 같은 복부 내 장기들을 국소적으로 침범하는 게 흔하다.

위, 이자, 난소 같은 복부 내 장기들로부터 기원하는 광범위한 복막 전이와 악성 중피종을 구별하는 것은 어려울 수 있다. 조심스럽게 퍼져 있는 형태를 조사하고 조직학적으로 검사하는 것이 이런 구별을 가능하게 한다. 게다가 악성 복막 중피종은 대개 복부에 남아있는 반면 진행된 단계의 복부내 암들은 흔히 폐나 복부 외 장기들에 전이한다. 중피종이 하나 혹은 양쪽 흉막강을 침범한다면 혈행성 전파이다.

수술적으로 완벽하게 제거하기 위해 복막제거술과 함께 침범된 장기를 제거해야 한다. 수술과 항암화학요법을 병용하는 것이 도움이 된다. Eltabbakh와 동료들이 후향적으로 조사한 보고에 따르면 15명의 환자들을 세포감소수술과 항암화학요법을 하였더니 평균 수명이 29개월이었다고 한다. 방사선 단독은 성공하기 어렵고 이환율이 높다. 시스플라틴과 미토마이신C를 사용한 복강내 항암화학요법 또한 성공하기 어렵다. 완벽하게 반응하는 환자들이 보고되지만, 재발이 대개 빠르다. Park 등은 세포감소수술에 이어 복막에 고온의 시스플라틴을 주입하면 평균적으로 26개월간 진행하지 않으며 80%에서 2년 넘게 생존하였다고 한다. Loggie 등은 세포감소수술과 복막 내 고온의 미토마이신C를 12명에게 사용하여 평균 수명이 34.2개월이었고 이후 45개월까지 추적검사 하였다고 한다.

2) 복막가성점액종

복막가성점액종pseudomyxoma peritonei은 복강 내 드문 악성종양으로 난소나 맹장부 충수암종의 파열로 발생한다. 이 질환의 경우 복막은 점액을 분비하는 종양으로 덮이고 복막은 반고형 점액과 큰 방형성 낭성 덩이로 채워진다. 복막가성점액종은 흔히 50세에서 70세의 여성들에게 발생한다. 상당히 진행할 때까지 흔히 증상이 없으며 환자들은 종종 그들의 건강의 황폐화가 오랜기간동안 이루어졌다고 느낀다. 증상은 수많은 비특이적인 증상들과 복통, 복부 팽창이 있다. 신체진찰상 움직임이 없는 둔탁함과 팽창된 복부가 보인다. 만져지는 복부 덩이가 있을 수 있으며 특히 맹장 기원일 때 그러하다. CT로 보면 작은 창자는 뒤로 물러가 있고 액체 농도의 물질들이 방사형으로 모여 있으며 복부 내 장기들은 인접한 복막의 전이에 의해 조개모양으로 눌려 있다. 개복술하에서 보면 수 리터의 노랗고 회색의 점액성 물질들이 그물막과 복막 표면에 보인다.

이 환자들의 치료는 점액과 복강내 액체를 배액하고 원발성, 이차성 종양물질을 세포감소수술하고 복막제거술과 그물막제거술을 하는 것이다. 충수돌기암에서 기원하는 종양들의 경우 우반결장절제술이 또한 시행된다. 난소암은 복식전체자궁절제술을 하고 양측 난관난소절제와 세포감소수술을 한다. 쉽게 가늠할 수 없는 기원인 경우 오른결장절제술과 그물막 절제술을 하고 양측 난소 절제와 세포감소수술을 한다. 수술 후엔 복강내 5-플루오로유라실, 미토마이신C와 옥살리플라틴을 주입하고 복강내로 dextran sulfate와 조직플라스미노겐 활성제(유로키나제) 같은 점액용해제를 주입한다. 비록 2/3의 환자에서 재발하지만, 서서히 진행하여 5년, 10년 생존율이 각각 50%, 20%이다. 몇몇 연구에선 공격적인 세포감소수술과 복강내 5-플루오로유라실, 미토마이신C를 사용하여 10년 생존율이 80%라고 한다.

요약

복막은 단일 편평세포로 구성된 얇은 결합조직으로 복강을 여러개의 공간으로 나눈다. 복막은 양방향의 반투과성 막이며 복강내 액체의 양을 조절하고 복강내 세균의 이동과 제거를 촉진한다. 복강내에는 간질환, 악성 종양, 심장질환 등에 의해 복수가 차는 경우가 흔하다. 복수천자하여 분석하는 것은 복수의 병인을 결정하는데 가장 빠르고 효과적인 방법이어서 새롭게 발생한 복수를 가지고 있는 모든 환자에게 복수천자가 시행된다. 그 외에도 복강내에는 다양한 이유로 유미성 복수, 답즙, 혈액, 소변, 공기, 태변 등이 고일 수 있다. 복막에 발생하는 복막염의 종류로는 자발성 세균성 복막염, 결핵성, 원발성 복막염, 무균성 복막염 등이 있다. 복막의 악성 신생물은 종양이 기원하는 위치에 따라 원발성과 이차성으로 구분된다. 복막의 원발성 악성종양은 드물고 악성 중피종과 육종이 포함된다. 복막 대부분의 악성종양은 위장관계(특히 위, 대장, 이자)로부터 복막경유 전이이거나 드물게 복막 외 전이(예; 유방)이다. 전이성 암이 광범위하게 벽측, 장측 복막에 퍼져 있을 때 이러한 복막 전이는 암종증라고 한다.

VI 그물망

1. 해부학

대, 소 그물망omentum은 섬유소 지방 조직으로 되어 있고 복강 내 내용물들을 보호해 준다. 발생 과정을 보게 되면 처음에 대 그물망은 두 층으로 되어 있고 비장이 그 사이에 있게 되는데 후에 두 층은 서로 융합되어 위비인대를 형성한다. 또한, 융합된 두 층은 위의 대만곡에 길게 붙어서 아래로 뻗어 있는데 밑면은 횡결장의 윗부분에 고정되어 있게 되고 이렇게 연결된 것이 위결장 인대가 된다. 아래로 뻗은 대 그물망은 골반까지 내려간다. 혈액 공급은 우측, 좌측 위대망막gastroepiploic 동맥으로부터 받고 마찬가지로 우측, 좌측 위대망막 정맥으로 흘러 문맥으로 들어간다.

소 그물망은 간십이지장 인대와 간위 인대로 불리기도 하는데 발생 초기에는 간과 소화관 앞부분들을 연결해 준다. 해부학적으로 총담관, 문맥, 간동맥이 소 그물망의 아래 바깥쪽 경계가 된다.

2. 생리학

대, 소 그물망과 장간막에는 림프관과 혈관이 매우 발달되어 있다. 복강 내 감염의 경우 그물망은 복강 내 대식세포의 생산지인 동시에 이물질이나 세균을 제거하는 기능을 가지고 있다. 연구에 의하면 그물망에는 근육에서보다 두 배 이상의 조직 요소들이 존재하게 되는데 복강 내에서 염증, 감염, 외상이 있는 곳에서 응고 기전을 활성화시킨다. 또한, 섬유소를 생산하여 손상을 받거나 염증이 있는 곳에 그물망이 단단하게 부착하게 한다.

3. 염전 및 경색

원발성 그물망 염전torsion은 매우 드물고 그 원인이 알려져 있지 않다. 그러나 속발성 염전은 유착, 그물망 낭종 또는 종양 등에 의해 발생한다.

우측 또는 좌측 하복부에 많이 발생하는데 메스꺼움의 증상이 있을 수 있으나 장과 동반되는 증상들은 드물며 신체검사상 빈맥, 약간의 체온 상승, 촉지되는 종괴와 함께 압통과 반사통이 있다. 급성 충수 돌기염, 급성 담낭염, 난소 낭종이 꼬였을 때와 유사하며 CT나 초음파 상에서는 밀집된 지방 조직의 염증성 종괴로 보이나 일반적으로 방사선적 검사에서 진단은 어렵고 개복 후에 진단이 이루어진다. 그물망 경색infarction은 주로 그물망 염전에 의해 발생하고 그 외의 원인으로는 혈전, 그물망 혈관의 혈전염, 외상, 그물망 정맥의 폐색이 있는 경우에 발생할 수 있다.

치료는 급성 충수 돌기염, 급성 담낭염과 감별이 어려워 진단적 복강경이 도움되고 국소적 그물망 절제로 완치된다.

4. 그물망 낭종

그물망 낭종omental cysts은 림프 내피세포로 싸여 있는 낭종성 림프종이며, 청소년이나 젊은 성인에서 보통 증상 없이 지내나 불명확한 복부 불편 등을 호소하기도 하며, 우연히 발견한 복부종괴로 진단된다. 이 낭종은 장의 앞쪽에 위치하므로 잘 움직이며, 압통이 없다. 신체검사상 자유롭게 움직이는 복강 내 종괴로 촉지되며 CT나 초음파상 그물망에서 유래된 낭성 종괴로 보인다. 단순 절제로 치료가 가능하므로 복강경으로 쉽게 치료가 가능 하다.

5. 그물망 종양

원발성 종양은 드물고 양성 종양으로는 지방종, 점액종, 섬유상 종양이 있다. 악성 종양으로는 지방육종, 평활근육종leiomyosarcoma, 섬유육종, 횡문근육종rhabdomyosarcoma, 중피종이 있다. 반면 그물망에 전이성 병변은 빈번하다. 난소종양을 비롯하여 위, 소장, 대장, 췌장, 담도계, 비뇨기계 종양에서 그물망으로 많이 전이가 된다.

6. 그물망 이용

그물망은 혈관과 림프관이 풍부한 관계로 그 이용 범위가 매우 넓다. 장 문합 시 봉합 부위의 상처 치유를 돕고 봉합 유출을 예방하기 위하여 연결 부위에 그물망으로 감싸준다.

사지의 림프 부종을 치료하기 위하여 그물망을 이용하는 것은 그 치료 효과에 대하여 논란이 있다. 십이지장이나 식도 천공봉합 시 또는 췌공장 문합 시에도 이용되며, 또한 요도나 혈관재건술시에도 사용된다. 비장이나 간 절제 후 그물망 부착포graft를 이용함으로써 혈액 응고 촉진 및 담즙 유출을 막을 수 있다.

요약

대, 소 그물망은 섬유소 지방 조직으로 되어있고 복강 내 내용물들을 보호해 준다. 대, 소 그물망에는 림프관과 혈관이 매우 발달되어 있다. 복강 내 감염의 경우 그물망은 복강 내 대식세포의 생산지인 동시에 이물질이나 세균을 제거하는 기능을 가지고 있다. 그물망에 발생할 수 있는 질환으로는 염전 및 경색, 그물망 낭종, 지방종, 점액종, 섬유상 종양 등의 양성 종양과, 지방육종, 평활근육종, 섬유육종, 횡문근육, 중피종 등의 악성 종양이 있다. 그물망은 혈관과 림프관이 풍부한 관계로 그 이용 범위가 매우 넓어 장 문합 시 봉합 부위의 상처 치유를 돕고 봉합 유출을 예방하기 위하여 사용되거나, 그외에도 요도나 혈관 재건술시 등에도 사용된다.

VII 장간막

1. 해부학

발생 초기 모든 소화관은 공통 장간막mesentery에 의하여 후복벽에 고정되어 있다. 발생 도중 소화관은 반시계 방향의 회전과 복강 내 환원을 통하여 제 위치에 자리잡게 되는데 이 과정에서 십이지장, 맹장, 상행결장, 하행결장의 장간막은 수축하고 후복막과 통합되어 장기를 고정시키는 역할을 하지만, 공장, 회장, 횡행결장, 구불결장의 장간막은 잔존하고 복강내에 위치하여 현재와 같은 유동성이 있는 장간막으로 남게 된다. 소장의 장간막은 얇은 두 개의 층으로 되어 있으며 Treiz 인대에서 시작하여 회맹판 방향으로 우측으로 비스듬하게 후복벽에 부착되어 있다. 두 층 사이는 결체조직으로 채워져 있으며 공장과 회장을 담당하는 상장간막혈관superior mesenteric vesse과 그 분지, 림프관, 림프절, 신경들이 분포한다. 횡행 결장의 장간막은 대장의 간 만곡부에서 비장 만곡부까지 이어져 있으며 중결장혈관middle colic vessel이 포함되어 있고 구불결장의 장간막은 좌측 장골동맥을 따라 직장 방향으로 뻗어 있는데 하장간막 혈관inferior mesenteric vessel, 상직장 혈관superior hemorrhoidal vessel등이 분포한다.

2. 급성 장간막 림프절염

장간막 림프절염mesenteric lymphadenitis은 우하복부의 통증이 있으면서 장간막의 림프절 비대가 동반되지만, 정상 충수 소견을 보이는 질환이다. 장간막 림프절은 주로 원위부 소장에 분포하는데, 발병 시 우하복부 통증, 압통 등 급성 충수염과 매우 유사한 증상과 임상경과를 보여 초기에 급성 충수염과의 감별이 필요하다. 이 질환은 남녀가 같은 비율로, 소아나 청소년기에 가장 높은 빈도로 발병한다. 바이러스, 세균, 기생충, 진균 감염 등 다양한 원인들이 이 질환의 병리에 관여하고 있으며 특히 *Yersinia enterocolitica*가 소아에서의 발병과 밀접한 관련이 있다. 발병 전 가까운 근래의 상부 호흡기 감염력이 진단에 도움이 될 수 있다.

급성 장간막 림프절염의 증상은 급성 충수염의 초기 증상과 유사하여 우하복부로 이동하는 배꼽 주위의 급성 통증이 있고, 오심, 구토, 식욕 부진의 증상이 동반 될 수 있다. 신체검사에서는 우하복부의 압통, 반발통 및 복근 강직을 보인다. 일반적으로 환자의 체온과 백혈구 수는 정상 혹은 약간 상승된다.

진단은 급성 충수염 의심 하에 수술하는 과정에서 정상의 충수 및 장간막 림프절의 팽대 등 육안적 수술 소견

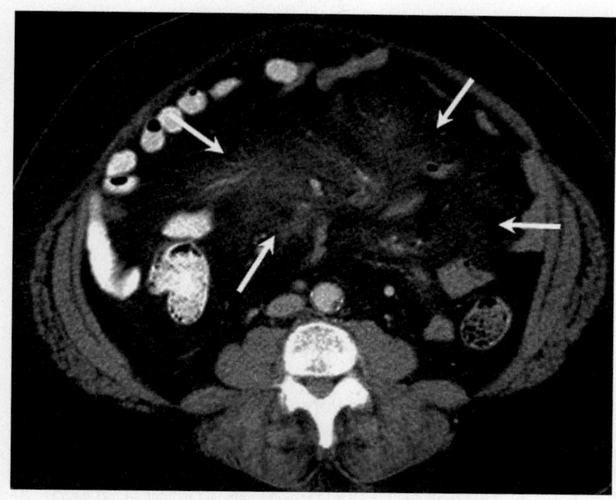

그림 8-29 **장간막 지방층염의 CT 소견.** 소장 장간막의 선상 침윤 소견을 보인다(misty mesentery sign). 혈관은 지방층에 둘러싸여 있으나 편위를 일으키지 않았으며 림프절 종창은 관찰되지 않는다.

을 통해 진단되는 경우가 많다. 팽대된 림프절을 절제하여 균 배양 및 병리 검사를 시행하면 질병의 원인에 대한 정보를 얻을 수는 있지만 일반적으로 시행하지 않는다. 대부분의 경우 수액 치료 등 보존적 치료로 호전되며 세균 감염인 경우 적합한 항생제 투여가 도움이 될 수 있다.

3. 경화성 장간막염

경화성 장간막염sclerosing mesenteritis은 장간막 지방층염mesenteric panniculitis, 장간막 이영양증mesenteric lipodystrophy라고도 부르는, 드물게 발생하는 장간막의 염증성 질환으로 조직학적으로 장간막의 경화, 섬유화, 지방괴사, 만성 염증, 그리고 국소 석회화가 특징이다. 여성보다 남성에서 2배 가량 흔하게 발생하며 주로 50세 이상에서 진단된다. 대부분의 환자에서 증상이 없고 다른 질환의 진단을 위한 영상검사에서 우연히 발견된다. 증상이 있는 경우, 복통이나 오심, 구토, 복부 팽만 등 장폐쇄의 증상이 가장 흔하고 50%이상의 환자에서 복부 종괴가 만져진다. 혈액검사는 대부분 정상 소견이지만, 적혈구 침강속도와 C-반응 단백이 상승할 수 있다.

경화성 장간막염은 장간막 지방의 성상을 변화시킬 수 있는 염증성 및 종양성 질환과의 감별이 필요한데, 특히 복막 암종증, 유암종, 장간막 및 후복막 육종과의 감별이 중요하다. CT는 장간막의 비후 및 종괴를 발견할 수 있는 유용한 검사로 경화성 장간막염의 CT 소견은 다음과 같다. 1) 정상 장간막과 경계의 구분이 비교적 잘되는 (tumoral pseudocapsule) 장간막의 기저부에서 발생한 지방성 종괴 2) 장간막 혈관을 둘러싸는 정상 지방조직 (fat ring sign) 3) 혈관 침윤 및 주행의 편향을 일으키지 않으면서 지방 종괴를 관통하는 정상 장간막 혈관 4) 주위의 장을 침윤하지 않으면서 위치를 이동시키는 복강 내 종괴 이 질환의 확진을 위해서는 개복 혹은 복강경을 통해 해당되는 장간막의 생검이 필요하며, 국소적인 종괴로 보이는 경우, PET CT가 장간막 종양과 감별하는데 효과적이다.

경화성 장간막염 환자의 대부분은 자연적으로 증상 호전을 보이지만, 그렇지 않은 경우에는 스테로이드, 항염증제, 면역억제제가 증상과 영상 소견을 호전시킬 수 있다고 보고되고 있다. 정확한 진단을 내리기 어려운 경우나 장폐쇄가 있는 경우에는 수술적 치료의 적응증이 된다.

4. 장간막 낭종

장간막 낭종은 인구 10만 명 중 1명 미만으로 발생하는 장간막의 양성질환으로 40대에 주로 발생하며 여성에서 더 흔하다. 원인은 명확하지 않지만, 장간막 림프관의 퇴화, 선천성 기형 등 발달과정과 관련된 몇 가지 이론이 제기되고 있다. 낭종의 내용물은 맑은 장액성 삼투액 또는 림프액이며 소장(60%) 및 대장(40%)의 장간막 어느 곳에도 발생할 수 있다.

장간막 낭종의 증상은 크기에 따라 다르며, 무증상인 경우도 있지만, 낭종의 파열, 염전, 낭종 내 출혈 등으로 인한 급성 통증, 낭종이 주위 구조를 압박하거나 가역적 염전에 의한 간헐적 복통, 그 외 식욕부진, 구역, 구토, 피로, 체중감소 등 비특이적인 증상을 유발할 수 있다.

신체 검사에서 환자의 좌-우로만 이동하는 복부 종괴가 촉진되는데(Tillaux's sign) 이는 모든 방향으로 자유롭게 이동하는 대망 낭종과 구별된다.

장간막 낭종의 진단에는 복부초음파, CT, MRI가 모두 이용되고 있는데, 영상 소견상 낭종은 대부분 고형 성분 없이 단방낭unilocular으로 보인다. 드물게 다발성multiple 또는 다방낭multilocular 소견을 보이는 경우도 있는데 이러한 경우는 낭성 기질종양cystic stromal tumor 혹은 중피종mesothelioma과 같은 낭성 성분을 일부 포함하는 고형 종양과 구별하기 어렵다. 장간막 낭성림프관종mesenteric cystic lymphangioma은 복통이 있는 환자에서 여러개의 큰 낭종 소견을 보이는데, 거의 대부분 절제 후에 재발해 치료가 어렵다.

단순 장간막 낭종은 증상이 있는 경우 수술적 절제를 시행한다. 대개 낭종 벽이 장간막 혈관 및 장관 벽과 유착되어 있지 않기 때문에 비교적 쉽게 근치적 적출술이 가능하다. 하지만, 낭종을 배액만 한 경우에는 재발의 가능성이 높기 때문에 흡인aspiration, 상개절제술unroofing 및 주머니형성술marsupialization 등은 권장되지 않는다. 매우 큰 낭종인 경우 복강 내 배액을 시행하기도 하지만 이러한 경우 낭종이 완전히 절제되지 않았기 때문에 낭종의 내용물과 낭종의 내벽을 주의깊이 관찰하고, 내벽의 조직학적 검사를 시행해야 한다.

5. 장간막 종양

장간막에 발생하는 가장 흔한 종양은 복강 내 장기에서 발생한 선암의 직접 침윤, 림프전이 또는 복막전이에 의한 이차성 종양인데, 종양 자체 또는 종양의 결합조직형성desmoplastic reaction으로 장간막의 변형, 고정 및 유착이 생겨 장폐쇄를 유발할 수도 있다.

장간막의 원발성 종양은 매우 드문데, 장간막의 양성 종양은 주로 장간막의 결체 조직에서 발생하는 지방종, 낭성림프관종, 데스모이드 종양 등이 있고 악성 종양은 그물막omentum에서 발생하는 종양과 유사하여 지방육종, 평활근육종, 악성 섬유조직구종, 지방모세포종 그리고 림프관육종 등이 있다.

장간막 원발성종양 중 가장 흔한 종양은 데스모이드 종양인데 이 종양은 조직학적으로는 양성으로 분류되지만, 주변 장기를 침범하는 특성 때문에 임상적으로는 악성으로 분류한다.

장간막 데스모이드 종양은 전체 산발성 데스모이드 종양의 10% 미만을 치지하지만, 특별히 가족성 선종성 용종증Familial Adenomatous Polyposis (FAP) 환자에서는 흔하게 나타난다. FAP 환자에서 발생한 데스모이드 종양의 70%는 복강 내에서 발생하며, 이 중 50%에서 70%이 장간막에 발생한다. 특히 가드너 증후군에서 FAP과 데스모이드 종양이 많이 동반되며 데스모이드 종양의 가족력이 있는 FAP환자의 25%에서 데스모이드 종양이 발생한다.

장간막 데스모이드 종양은 공격적인 성향을 보이지만, 경과 중에 성장속도가 변화하는 생물학적특징을 보인다. 실제로 초기에 급속한 성장을 보이다가 이후에 안정화되면서 퇴화하기도 한다. 이 종양은 주위의 중요한 구조물과의 위치 관계 및 주변 장기로의 침윤 가능성 때문에 장폐쇄, 허혈, 천공, 수신증 심지어 대동맥 파열과 같은 수술적 치료를 필요로 하는 심각한 합병증이 발생할 수 있지만, 실제로 복강 내 데스모이드 종양 환자의 10년 생존율은 60-70%에 이른다.

복강 내에 발생한 데스모이드 종양의 재발율은 다른 곳에 발생한 경우보다 높게 보고되어 일부 환자에서 근치적 수술이 가능하다 해도 57-86%로 보고된다. 이 질환의 높은 재발율과 장기적인 생존을 고려할 때 일부에서는 경미한 증상을 보이는 환자에서는 sulindac과 같은 약한 독성 물질이나 항에스트로겐 치료를 병행하며 주의 깊은 관찰을 하는 것을 최선의 치료로 제안하기도 한다. 최근 target-specific biologic therapy의 하나로 만성 골수성 백혈병의 치료제로 알려진 Imatinib을 복용한 데스모이드 종양 환자에서 부분 반응partial response을 보이거나 진행을 정지시킨 것이 보고되어 수술적 절제의 대안으로 고려해 볼 수 있다.

6. 복강 내 탈장

발달 과정의 이상에 의한 복강 내 탈장internal hernias의 일반적인 기전은 다음과 같다. 1) 장간막이 후복막에 고정되는 과정 중의 이상으로 인한 장관의 비정상적인 위치(예; 결장간막탈장 혹은 십이지장주위탈장) 2) 비정상적으로 큰 복강 내 구멍foramina (예; Winslow foramen에 의한 탈장, 방광위탈장) 3) 불완전한 장간막과 비정상적인 결손(예; 장간막탈장)

결장간막 탈장mesocolic hernias 혹은 십이지장 주위 탈장Paraduodenal hernias은 소장이 결장간막 뒤로 탈장이 되는 드문 선천성 탈장이다. 우측 결장간막 탈장은 발달 과정에서 중간창자고리가 상장간막동맥 주위를 회전하지 않아 소장의 대부분이 상장간막 동맥의 위측에 위치한 상태에, 맹장과 근위부 대장은 정상적인 반시계방향회전을 통해 우하복부 복막에 고정하게 되면서 소장이 우측 결장간막 뒤쪽에서 빠져 나오지 못하게 되어 발생한다. 회-결장, 우결장, 중결장 혈관이 탈장 낭의 앞쪽 벽에 놓이게 되고 상장간막 동맥이 탈장 목의 내측 경계를 따라 주행하게 된다. 좌측 결장간막 탈장은 태아기에 하장간막정맥과 하행결장간막의 후복막 부착부위 사이로 소장이 탈장되어 발생하고 하장간막동맥과 정맥이 탈장 낭의 전반을 차지한다. 결장간막 탈장의 75%가 좌측에 발생한다. 결장간막 탈장(십이지장주위 탈장)환자는 대부분 급성 혹은 만성 소장 폐쇄 증상을 보인다. 바륨 영상검사에 소장이 좌측 혹은 우측으로 치우쳐져 있다. 정맥 조영을 한 CT에서는 장간막 혈관이 치우쳐 있고 장관 폐쇄 소견이 있을 수 있다. 우측 결장간막 탈장의 수술은 우측 대장과 맹장을 따라서 외측 복막 반전부lateral peritoneal reflection를 좌측으로 절개하면서 시행한다. 탈장의 목 부분을 절개하는 것은 상장간막 혈관에 손상을 줄 가능성이 있어 위험하다. 좌측 결장간막 탈장의 수술은 하장간막정맥의 우측면을 따라 후복막 부착부위와 유착을 절개하면서 하장간막정맥 아래 소장 탈장을 교정한다. 이후 하장간막정맥은 장간막 기저부의 좌측으로 정상적인 위치에 놓이도록 하고 탈장의 목 부위는 하장간막정맥의 가까이에서 후복막과 봉합해야 한다.

장간막 탈장mesenteric hernias은 소장이나 결장 장간막의 비정상적인 구멍으로 탈장이 된 것으로 회결장 경계부위에 가장 흔하게 나타난다. 후천성 복강내 탈장acquired internal hernias은 수술이나 외상으로 장간막에 비정상적인 결손이 만들어진 경우인데, 위-공장 문합술, 결장루, 회장루 또는 장절제술 등의 수술 후에 장간막 결손을 충분히 봉합하지 않아 발생하는 경우가 가장 많다. 장간막 결손으로 인해 탈장의 목이 압박되거나 탈장된 구역의 꼬임에 의한 장폐쇄가 나타날 수 있기 때문에 치료는 수술적으로 탈장을 교정하고 장간막의 결손을 봉합하는 것이다.

요약

장간막은 위장관을 후복벽에 고정시키는 역할을 하며 주요 동맥, 정맥, 림프절, 신경 조직 등을 포함하고 있다. 장간막 림프절염은 주로 원위부 소장에 발생하여 급성 충수염과 감별이 필요하며 보존적 치료로 대부분 호전된다. 경화성 장간막염은 장간막의 괴사, 만성 염증, 섬유화 등을 유발하는 드문 질환으로 CT 검사상 장간막의 비후 및 종괴 소견을 보이며 복강내 종양 등과의 감별을 위하여 수술적 생검이 필수적이나 예후가 좋은 편이다. 장간막 낭종은 장액성 삼투액 등을 포함한 장간막의 양성 종양으로 대개 단발성으로 발생하고 수월하게 근치적 적출술을 시행할 수 있다. 장간막의 악성 종양은 타 장기에서 발생한 종양의 침윤, 복막파종 등에 의한 이차성 종양이 가장 흔하며 원발성 종양은 매우 드물다. 원발성 종양 중에서는 데스모이드 종양이 가장 흔하다. 복강 내 탈장은 발달 과정 중의 이상이나 외상, 수술 등 후천적 원인에 의한 장간막 결손으로 인해 발생하며 장폐쇄를 유발할 수 있어 수술적으로 탈장을 교정하고 결손을 봉합해야 한다.

VIII 후복막

1. 해부학(그림 8-30)

후복막 공간은 횡격막부터 골반저까지 복막의 뒷부분과 후측 복벽 사이의 공간을 말한다. 이 공간의 경계는 위쪽으로는 횡격막, 뒤쪽으로는 척추와 장요근iliopsoas muscle, 아래쪽으로는 항문거근levator ani이며 이 공간에는 지방조직, 부신, 신장, 요관, 난소와 상부 질, 정낭과 정관, 방광, 십이지장, 상행 및 하행결장, 상부 직장, 췌장, 대동맥, 대정맥, 장골 혈관, 림프관 등이 위치하고 있다. 후복막은 종격동, 서혜부, 하지, 전복벽과 연결되어 있어 후복막 질환이 이러한 부위로 진행하기 쉬우며 특히 뒤쪽 및 외측의 경계가 단단하기 때문에 후복막 종양이 복강을 향해 앞쪽으로 퍼지는 경향이 있다.

2. 후복막의 수술적 접근

대동맥, 대정맥, 장골 혈관, 신장, 부신 등은 후복막 공간을 통해 수술적 접근이 가능하여 부신 절제술, 신장 절제술, 대동맥류 교정술, 신장 이식 등이 후복막 접근을 통해 이루어진다. 복강 내 접근과 비교하여 후복막 접근법의 장점은 다음과 같다. 1) 수술 후 장마비가 적어 조기 경구 식이 섭취 및 빠른 퇴원이 가능하다. 2) 복강 내 유착을 일으키지 않아 수술 후 장 폐쇄 등의 합병증이 적다. 3) 수술 중 증발에 의한 수분 손실 및 혈관 내 체액의 변동이 적다. 4) 무기폐와 폐렴과 같은 호흡기 합병증이 적다.

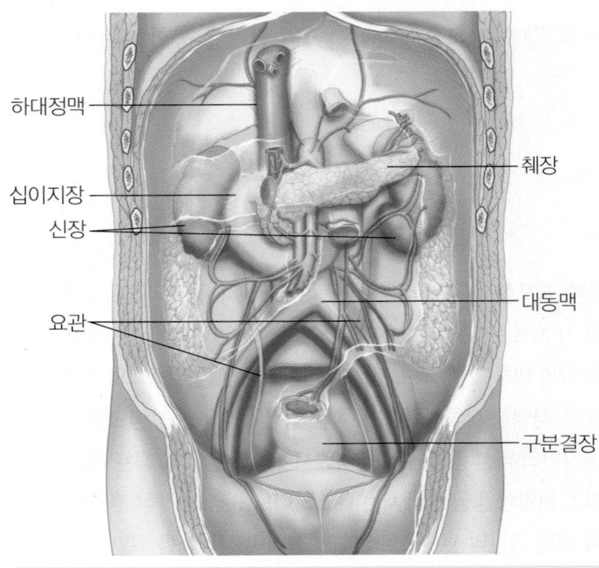

그림 8-30 후복막의 해부학

3. 후복막 농양(표 8-5)

후복막 농양retroperitoneal abscess에는 혈행성 전파에 의한 일차성 농양 및 인접 장기의 감염에 의한 이차성 농양이 있다. 복막의 후방 반전부posterior reflection of peritoneum가 복강 내의 감염이 후복막으로 전파되는 것을 차단하기 때문에 후복막 감염의 주 원인은 후복막 내부 혹은 후복막에 인접한 장기인 경우가 대부분이다. 후복막 농양은 신장 및 위장관의 염증이 원인인 경우가 대부분이며, 신장의 경우는 신장 결석 또는 비뇨기계 수술과 관련된 감염이 원인이 되고, 위장관의 염증은 충수염, 게실염, 췌장염 그리고 크론병 등이 주 원인이다.

후복막 농양의 원인 균은 원인이 되는 질환에 따라 다르다. 신장이 원인인 경우에는 대부분 *Proteusmirabilis*, E. coli 과 같은 그람 음성균의 단일균에 의해 발생하고, 위장관 감염과 관련된 경우에는 다성균이 원인이 되어 *E. coli*, *Enterobacter species*, *enterococci* 및 *Bacteriodes*와 같은 혐기성 균이 관여한다. 면역력이 약한 환자나 저개발국에서 이주해 온 환자에서는 척추에 발생한 결핵이 후복막 농양의 중요한 원인이 될 수 있다.

후복막 농양 환자의 흔한 증상은 복통, 옆구리 통증, 발열, 오한, 피로, 체중감소 등이다. 요근 농양이 있는 환자에서는 엉덩이, 서혜부 및 무릎으로 연관통증이 나타날 수 있고, 경우에 따라 배꼽 주변이나 옆구리에 홍반이 관찰되기도 한다. 증상은 대개 1주일 이상 지속되고, 임상적으로 중증인 경우에는 패혈증의 징후가 나타나기도 한다.

표 8-5. 후복막 농양의 원인과 상대적 발생 빈도

원인	발생빈도(%)
신장 질환	47
위장관 질환(게실염, 충수염, 크론 병 등)	16
원격 감염원으로부터의 혈행성 전파	11
수술 후 합병증	8
골 감염(척추 결핵 등)	7
외상	4.5
악성 종양	4
기타 원인	3

후복막 농양 환자들은 신장 결석, 당뇨, 사람면역결핍 바이러스(HIV) 감염 및 악성종양 등의 질병을 동반하는 경우가 많다.

신체 검사 상 복부 종괴가 촉지될 수 있으며 혈액 검사에서 백혈구 증가 등의 급성 염증 소견을 보인다. 복부 CT가 후복막 농양을 진단하는데 가장 좋은 검사로, 후복막에 염증으로 둘러싸인 저음영의 종괴 소견을 보이는데, 이러한 병변의 3분의 1에서는 가스가 보이기도 한다. CT 촬영을 통해 농양의 위치 및 연결된 장기와의 관계에 대한 정보를 얻을 수 있어 감염의 원인을 파악할 수 있다.

후복막 농양의 치료는 적절한 항생제의 사용 및 충분한 배액이다. 영상 유도하 경피적 배액술이 이 영역에서 유용하지만, 경피적 배액이 실패하거나 불가능한 경우에는 후복막 접근을 통한 수술적 배액술이 필요하다. 후복막 농양은 상당히 진행될 때까지 증상이 없을 수도 있어 진단이 늦어지는 경우가 있으며, 후복막은 염증의 진행을 차단할 만한 적절한 해부학적 장벽이 없어 주위로 진행이 빠르기 때문에 적절한 배액술을 시행하여도 약 25-50%의 높은 사망률을 보인다.

4. 후복막 혈종

후복막 혈종은 복부 대동맥류 및 내장 동맥류가 있는 환자에서 둔상 혹은 관통상에 의해 주로 발생하며 급, 만성 항응고 요법이나 섬유소 용해 치료 후에도 발생한다.

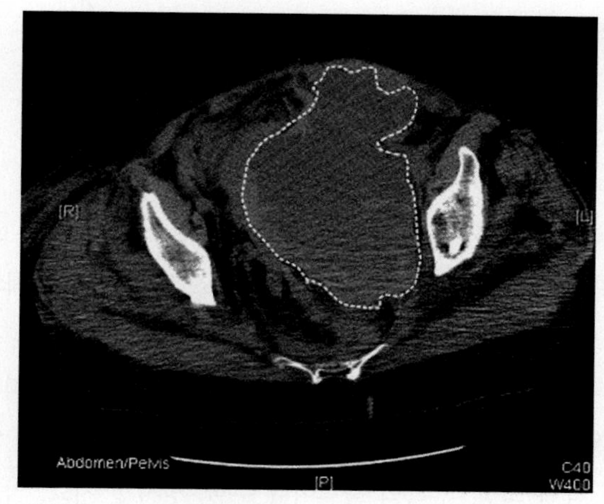

그림 8-31 항 응고요법 시행중인 환자에서 발생한 자발성 후복막 혈종 환자의 CT

드물게 혈우병 등 출혈성 질환이 원인이 될 수도 있다.

증상은 주로 복부 및 옆구리 통증인데, 서혜부나 음순 또는 음낭으로 통증이 방사되기도 한다. 출혈되는 양과 속도에 따라서 급성 혈액 손실의 임상 소견이 나타나며, 심한 경우 쇼크에 이를 수 있다. 신체 검사에서 촉지성 복부 종괴 및 장마비 소견이 있을 수 있으며 20-30%의 환자에서 대퇴 신경 병증이 발생한다. 옆구리에 다발성 점상 출혈이 보일 수 있으며(Grey Turner's sign), 이는 대개 후복막 출혈 24시간 이후에 나타난다.

혈액 검사에서는 급·만성 혈액 손실과 혈소판 부족, 프로트롬빈 시간과 부분 프로트롬빈 시간의 연장 등 혈액 응고 장애를 보인다. 고아밀라제 혈증이 보이는 경우 췌장 및 십이지장의 손상을 의심할 수 있다. 소변 검사에서 미세 혈뇨는 흔하게 나타난다.

CT는 후복막 혈종의 진단에 가장 유용한 방법인데, 후복막 농양이 저음영의 종괴로 보이는 반면, 후복막 혈종은 후복막 조직과 경계가 뚜렷한 고음영의 종괴로 나타난다. CT촬영은 후복막 혈종의 원인, 동반 손상, 주변 장기와의 관계를 동시에 파악할 수 있다는 장점이 있다.

항응고 요법이 원인이 되어 발생한 후복막 혈종은 순환 혈액양의 회복 및 응고 장애 교정이 최선의 치료가 될 수 있지만, 출혈의 원인에 따라 동맥 촬영술을 통한 동맥

색전술이나 진단적 수술과 지혈이 필요한 경우도 있다.

5. 후복막 섬유증

후복막 섬유증retroperitoneal fibrosis는 후복막 섬유 조직의 과증식을 동반한 만성염증 질환으로 복부 대동맥과 장골동맥 주위의 섬유화가 측면으로 진행하여 요관과 같은 주위 구조를 둘러싼다. 70% 이상이 원인이 밝혀지지 않은 특발성이며(Ormand disease), 30%는 다양한 약물, 감염 외상, 후복막 출혈이나 수술, 방사선 치료, 악성 종양 등이 원인이 되어 나타난다. 특발성으로 나타나는 경우 염증성 복부 대동맥류가 동반되는 경우가 많다. 섬유화는 대개 양측 신동맥과 천추 사이의 체간 중심부 및 척추 주위에 발생하여 대동맥과 하대정맥, 요관을 둘러싸며 진행하는 경향을 보인다. 섬유화의 진행은 대개 대동맥 이분부bifurcation 부근에서 발생하여 위쪽으로 진행하며, 약 15%에서 췌장 주위, 십이지장 주위, 골반 그리고 종격동 등 후복막 외로 확대되기도 한다.

특발성 후복막 섬유증은 전신 자가면역 질환의 하나로 보고되고 있으며, 남성이 여성보다 2배에서 3배 많이 발생하고, 환자들의 평균 연령은 50-60세이다. 환자들은 양쪽 등과 복부의 국소적인 통증 및 하지 부종을 호소한다. 음낭의 부종이 흔하여 정계 정맥류나 음낭수종이 발생한다. 대부분의 환자에서 이러한 국소적인 증상과 동반하거나, 이에 앞서 피로, 미열, 체중 감소, 근육통 등의 전신증상이 나타난다. 혈액검사에서 질소혈증을 보일 수 있으며, 80-100%의 환자에서 적혈구 침강속도, C-반응 단백 등 급성기 반응 물질의 농도가 상승한다. 이러한 비특이적인 임상 양상 때문에 증상이 시작된 이후에도 진단이 늦어지는 경우가 많다.

후복막 섬유증이 의심되는 환자에서 초음파 검사를 최초로 시행할 수 있는데 저에코 또는 동일에코의 종괴가 요관을 침범하거나 수신증이 있으면 진단할 수 있다. 정맥신우조영술에서는 요관이 내측 편위 및 외인성 압박, 수신증의 소견을 보인다. 후복막 섬유증을 진단할수 있는 가장 신뢰할 만한 영상은 CT 와 MRI 이다. 조영을 하지 않은 CT에서 하복부 대동맥과 장골 동맥 주위에 균일한 섬유성 판plaque이 관찰되며, 질병 초기의 MRI에서는 급성 염증으로 인한 높은 수분함량과 과세포성hypercellularity의 결과로 T2 강조영상에서 고신호강도를 보이게 된다.

특발성 후복막 섬유증 환자의 일차적인 목표는 후복막 염증과 섬유화를 막고, 요관 폐쇄를 완화하거나 방지하며, 전신 염증 반응을 억제하여 질병으로 인한 전신적인 임상 양상을 호전시키는 데 있다. 스테로이드가 주로 사용되고 있으며 반응이 없는 경우에 cyclophosphamide, azathioprine, methotrexate, cyclosporine, tamoxifen 등의 면역억제제가 사용된다. 임상 소견과 영상검사를 통해 후복막 섬유증이 진단되면 일시적인 요관 스텐트를 삽입하고 약물치료를 하는 것이 권고된다. 수술적 치료는 대개 요관의 폐쇄를 완화하기 위한 목적으로 요관 박리술, 요관의 복강내 전위 등이 시행된다. 복부 대동맥류가 동반된 경우, 대동맥류의 직경이 4.5-5cm 이상이면 치료가 필요하다.

특발성 후복막 섬유증의 예후는 좋은 편이어서 5년 생존율은 90-100%에 이른다. 하지만, 장기간 이후 재발이 보고되고 있어 평생의 추적 관찰이 필요하다.

6. 후복막 악성종양

후복막 악성 종양은 다음과 같은 원인에 의해서 발생한다. 1) 신장, 부신, 대장, 췌장과 같은 후복막 장기에서 발생한 원발성 악성 종양의 피막외 성장extracapsular growth, 2) 잔존 배아조직에서 발생한 원발성 배아세포 종양, 3) 후복막 림프계에서 발생한 악성 종양(예; 악성 림프종), 4) 원격 장기에서 발생한 악성 종양의 후복막 림프절로의 전이, 5) 후복막 연부조직에서 발생한 악성 종양(예; 육종, 데스모이드 종양)

후복막의 가장 흔한 원발성 종양은 육종이다. 전체 연부조직 육종의 약 15%정도가 후복막 육종이고 가장 흔한 조직형은 지방육종과 평활근육종이다. 방사선 조사가 육종의 위험인자로 알려져 있으며 방사선과 연관된 육종은 방사선에 노출되고 약 10년 후 발병한다. 대부분의 후복막 육종환자는 종양의 크기가 상당히 클 때까지 무증상의 복부 종괴 소견을 보인다. 환자의 절반에서 복통을 호소하고 드물게 위장관 출혈, 조기 포만감, 구역, 구토, 체중 감소, 하지 부종 등의 증상을 나타낸다. 종양에 의한 신경압박으로 하지 마비, 감각이상 등의 증상도 보일 수 있다. CT와 MRI를 통해 종양의 크기, 정확한 위치, 주요 혈관과의 관계, 폐나 간으로의 전이 여부 등을 알 수 있다.

후복막 육종의 치료 목표는 침범된 주위 장기를 포함하여 광범위 일괄 절제를 하는 것이다. 림프절 전이는 드물기 때문에(<5%) 림프절 전이의 증거가 없으면 림프절 절제술은 필요하지 않다. 종양의 크기, 조직학적 등급, 완전 절제 여부가 후복막 육종의 예후를 결정하는 요인들이다. 국소 재발은 수술 후 약 50%, 원격전이는 20-30%에서 발생한다. 방사선 및 항암 치료는 생존에 크게 영향을 미치지 못하며 재발 환자의 국소 조절 및 증상 완화를 위해 제한적으로 사용된다.

요약

후복막은 복막의 뒷부분과 후측 복벽 사이의 공간이며 다양한 후복막 장기들이 위치하고 있다. 후복막 장기와 인접 장기의 감염 등으로 후복막 농양이 발생할 수 있으며 신장 질환과 위장관 질환이 대표적인 원인이다. 후복막 농양은 경피적 배액술이 유용하지만, 빠른 확산으로 인해 사망률이 높다. 후복막 혈종은 외상 및 항응고 요법이 주로 원인이 되어 발생한다. CT 촬영으로 진단할 수 있으며 활력 징후가 안정된 환자에서는 보존적 치료가 가능하다. 후복막 섬유증은 섬유 조직의 과증식을 동반한 염증성 질환으로 대부분 특발성이고 요관을 주로 침범하여 비뇨기계 합병증을 동반할 수 있다. 후복막에서 발생하는 악성 종양은 후복막 연부 조직에서 발생하는 후복막 육종이 가장 흔하며 수술적 완전 절제가 예후에 중요하다.

IX 피부

피부는 체표면 모두를 덮고 점막과도 연속성을 지니는 체중의 약 15%를 차지하는 인체에서 가장 큰 기관이다. 피부는 3개의 조직학적 층으로 구성되며 외부로부터 각각 표피epidermis, 진피dermis 그리고 하피hypodermis로 구분된다. 표피와 부속기관은 발생학적으로 외배엽 기원인 반면, 나머지 두 층은 중배엽 기원이다. 표피는 여러 겹stratified의 상피세포로 구성되는데 이들의 대부분은 케라틴세포keratinocyte이다.

1. 표피의 주요 세포

표피세포 전체의 90-95%를 차지하고 주로 케라틴 5와 14를 발현하는 케라틴 세포는 기저막 위에 위치하며 기계적 장벽을 제공하고, 멜라닌 세포는 자외선에 대한 장벽을, 랑게르한스Langerhans 세포는 면역학적 장벽을 제공한다. 표피세포에서 케라틴이라고 불리는 세포의 내부골격은 표피의 기능에 있어서 중요한 역할을 한다. 머켈Merkel 세포는 신경내분비와 상피세포 모두의 모습을 보인다. 남녀 모두의 10% 정도에서 젖꼭지 표피 내부에 존재하는 토커Toker 세포는 파젯씨 유방암의 전구세포라고 여겨 지기도 한다.

2. 피부와 피하조직의 손상

1) 외상 손상 및 교상

모든 피부 감염에서 가장 흔한 원인 균주는 포도상 구균이다. 깨끗한 열상은 일차적으로 봉합할 수 있으나 적절한 시간에 대해서는 정해진 기준은 없고, 더럽거나 감염된 상처는 지연 봉합으로 치유하기 위해 적절한 관류 후 열어 놓아야 한다. 괴사된 피부는 제거하고 부분층 피부이식으로 덮는다. 인간 교상에서 발견되는 가장 흔한 그람 염색 양성 감염성 균주는 *Streptococci, Staphylococcus aureus, Staphylococcus epidermidis* 이고, 혐기성 균주는 *Peptococcus, Peptostreptococcus, Bacteroides*와 *Eikenella corrodens*(통성 혐기성균facultative anaerobe)이며, 대개 10^5 이상의 많은 박테리아에 의해서 오염되고 따라서 일차 항생제로는 이들을 모두 치료할 수 있는 1세대 cephalosporin과 함께 페니실린 치료 또는 앰피실린과 클라불라닉산 주사요법이다. 클린다마이신을 대신 쓸 수 있지만, *Eikenella*에 대한 추가 요법이 필요하다. 개 교상의 가장 흔한 호기성 균주는 *Pasteurella multocida, Staphylococcus, α-hemolytic streptococci, Neisseria* 그리고 *Corynebacterium*이고, 혐기성 균주로는 *Fusobacterium, Porphyromonas, Prevotella, Propionibacterium, Bacteroides*와 *Peptostreptococcus*이다. 면역력이 저하된 환자들에서 이들 균주에 의한 문제가 심각해 진다. 고양이에 의한 교상인 경우 개와 비슷하지만, *Pasteurella*가 높은 빈도로 나타난다. 이러한 교상의 치료는 충분한 세척, 죽은 조직의 제거와 항생제를 포함한다.

2) 부식성 물질

알칼리 또는 산 용액이나 정맥 주사의 의인성 부작용으로 일어날 수 있다. 알칼리 물질은 지방을 비누화시켜서 더 깊이 침투되게 하고 피부 손상을 증대시키므로 흐르는 물로 해당 부위를 빨리 세척하는 것이 중요하며, 증상 경감을 위해 필요하다면 적어도 2시간 이상 관류를 지속한다. 산성 물질에 의한 피부손상의 정도는 알칼리에 의한 것 보다는 깊지 않고 농도, 접촉 기간, 양, 침습도에 달려 있다.

치료는 유발 물질에 대한 중화에 기초하여 이루어지지만, 관류 이전에 중화처치를 하는 것이 생리 식염수 등을 이용한 세척보다 더 못한 결과를 초래할 수 있다는 것을 명심해야 한다. 일차적 치료는 물 또는 생리 식염수로 세척하는 것이며 산인 경우 최소 30분 이상, 알칼리의 경우 2시간 지속한다. 이후 국소치료는 화상에 준하여 치료를 진행하게 된다. 다만, 감염이 명확한 경우가 아니라면 항생제 투여는 금지한다. 특별한 치료를 요하는 경우로 에어컨에서 냉매로 쓰이는 불화수소hydrofluoride 화상이 있는데, 불소fluorine 이온과 결합시키기 위해서 글루콘산 칼슘calcium gluconate을 주사하는 것이 필요하다. 동맥으로 주사하면 통증을 완화시키고 동맥을 괴사로부터 보호해 준다, 반면 정맥으로 주사하는 경우 흡착된 칼슘을 고갈시킬 수 있다. 국소 탄산칼슘calcium carbonate과 4급 암모늄 화합물quaternary ammonium compounds을 이용하면 불용성 플루오라이드염 형성을 촉진하여 유리 플루오라이드를 불활성화 시켜서 제독할 수 있다. 2.5% 국소 칼슘 카보네이트 젤로 30분 이상 노출 부위를 마사지하면 플루오라이드 이온을 해독하고 통증을 경감시킨다. 이러한 방법으로 심각한 저칼슘증과 저마그네슘증 및 그로 인한 결과인 부정맥까지 예방할 수 있다.

어른에서 정맥으로 주입하는 동안 용액이 주변 조직으로 새는 가장 흔한 부위는 손등으로, 신전근 건이 노출되어 기능을 잃는 결과를 만든다. 또 흔한 위치는 팔오금antecubital fossa과 발등, 신생아의 두피이다. 유아에서 괴사를 일으키는 가장 흔한 정맥주입용액은 고농도 덱스트로즈용액, 칼슘, 바이카보네이드와 경정맥 영양이다. 어른에서 새는 흔한 주입약제는 항암제인 독소루비신doxorubicin이다. 이 부위에 차거나 더운 찜질을 하는 것은 추가적인 손상을 초래할 수 있으므로 금한다. 국소 항생제 도포가 수술이 가능할 때까지 유용할 수 있다.

3) 욕창

미세순환이 가능할 정도(30mmHg)를 초과하는 압력이 가해지면 발생하는 욕창의 치료를 위해서는 압력을 낮추기 위한 특별한 쿠션과 침대, 치유를 촉진하기 위한 영양적 지지가 필요하다. 가장 흔한 부위는 좌골조면ischial tuberosity이고 이후 전자trochanter, 천골sacrum, 발뒤꿈치의 순서로 많이 나타난다. 근육은 상대적으로 더 많은 대사 요구량이 있으므로 피부보다 허혈성 손상에 더 민감하다. 2기 손상(표피 또는 진피까지 침범된 부분 손상 – 물집 또는 함몰 형성crater) 이나 3기 손상(근막까지 도달하였으나 침범하지는 않고 인접 조직 밑으로 파고들지 않는 전층 손상)인 경우에는 괴사 조직을 제거하고 2차 치유가 되도록 기다릴 수도 있다. 궤양의 예방을 위해 해당부위를 면밀히 주의하고 마비된 환자는 자주 자세를 바꾸어 준다. 공기 매트리스와 젤 쿠션은 압력을 낮추어 욕창의 빈도를 감소시키며, 이러한 방법이 고위험군 환자를 돌보는 데 있어서 비용 효과적이다. 창상 치료에 사용되는 AlloDerm® 은 창상 강도를 유지하거나 회복에 도움을 줄 수는 있지만, 피부 대용으로 사용할 수 있는 Integra® 또는 Biobrane®처럼 피부 이식편을 지지하는 진피 기질dermal matrix로 사용할 수 없다.

4) 방사선 노출

피부 손상을 일으키는 방사선으로는 급성 손상을 일으키는 공업적 사고, 암을 치료하기 위한 치료적 방사선과 햇빛 및 직업적 노출 같은 만성 방사선 손상이 포함된다. 햇빛 또는 자외선은 방사선 노출의 가장 흔한 양상이다. 자외선 스펙트럼은 파장에 따라서 UVA(400–315nm), UVB(315–290nm), UVC(290–200nm)로 나뉘지만, UVB가 주된 원인이다. 증식을 하는 기저 케라틴세포, 모낭 줄기세포, 멜라닌세포 등이 방사능에 가장 예민하다. 다른 영향이 배제된 경우라면, 대부분 10–14일 정도에 상피 재생이 시작된다.

3. 감염성 질환

1) 박테리아에 의한 광범위 연부조직 감염

푸르니에 괴저Fournier's gangrene는 급속하고 빠르게 진행하는 외성기, 골막이나 복벽 부위의 가스성 감염으로 정의된다. 동정되는 가장 흔한 미생물은 그람–양성 균주인 A군 *Streptococci, Enterococci, coagulase–negative Staphylococci, S. aureus, S. epidermidis*와 *Clostridium*종들과 그람–음성 균주로 *E. coli, Enterobacter, Pseudomonas*종, *Proteus*종, *Serratia*종과 *Bacteroides, Vibrio* 등이 있다. 괴사성 연부조직 감염발생의 위험인자는 당뇨, 영양실조, 비만, 만성 알콜중독, 말초혈관질환, 만성림프구성백혈병, 스테로이드 사용, 신장부전, 간경화와 자가면역결핍질환이다. 환자에게는 일반적으로 진행성 패혈증 및 쇼크로 인한 급성 신장부전을 예방하기 위해 과량의 수액요법이 필요하다. 항생제는 ß–lactam부터 사용하면서 MRSA도 함께 치료하고, vancomycin이 치료의 주종을 이루지만 메치실린–민감성 포도상구균(MSSA)에서는 ß–lactam보다 효과가 떨어진다. MRSA에 대한 대체 요법으로는 linezolid, daptomycin, tigecycline 또는 telavancin이 사용된다. clindamycin도 포도상구균에 사용 가능하지만 저항성이 생길 수 있고, 20%에서 설사가 생길 수 있다. 괴사조직제거술débridement은 모든 피부, 피하조직, 근육을 포함하며 더 이상의 감염 증거가 없을 때까지 확장해서 시행해야 한다.

2) 모소낭

좌골–미골 부위의 감염된 모소낭pilonidal cyst은 주로 젊은 성인에게서 발생하고 남자에서 4배 더 흔하다. 급성 모소낭농양은 절개 배농해야 한다.

3) 비정형항산균

피부병을 일으키는 것으로 알려진 항산균은 *Mycobacterium fortuitum*복합체, *Mycobacterium ulcerans*와 *Mycobacterium marinum*이다. 비정형항산균 *Atypical Mycobacterium*에 의한 피부질환은 종종 면역억제와 관련이 있다.

4) 바이러스

(1) 인간유두종바이러스

납작하지만 약간 융기된 편평 사마귀가 안면부, 하지와 손에 나타난다. 성병 사마귀는 외음부, 항문과 음낭 주변의 축축한 부위에서 자란다. 사마귀는 말린malin, 포도필럼podophyllum, 페놀-질산phenol-nitric acid을 포함한 다양한 화학물로 제거할 수 있으며, 전기치료electrodesiccation를 이용한 소작술 또는 냉동치료도 산발성 병변에 사용될 수 있다. 성병 사마귀를 일으키는 바이러스는 대부분 인간유두종바이러스*Human Papilloma Virus (HPV)* 6형과 11형이다.

(2) 인간면역결핍바이러스

인간면역결핍바이러스에 감염된 경우에 다양한 피부질환을 보인다. 질환이 진행하면 외과 수술 후 창상합병증의 위험성도 증가하게 된다. 아직까지 이런 현상에 대한 원인은 정확히 밝혀지지 않았으나 CD4 양성 T세포의 감소, 기회 감염, 낮은 혈청 알부민, 영양부족을 가능한 원인으로 생각하고 있다. 인간면역결핍바이러스 감염환자와 정상 대조군 간의 비교 연구에 따르면 감염이 있는 환자들의 창상에서 탄성 감소, 강도 감소, 최대 신장력 저하가 나타난다고 한다. 이러한 변화로 인하여 기초적인 치유과정에 문제가 발생하고 그 결과 콜라겐 침착과 상호 연결에 문제가 발생한다고 알려져 있다.

5) 염증 질환

(1) 화농성 한선염

액와, 서혜부, 회음부perineal, 유방 등 발생학적으로 젖꼭지가 생길 수 있는 부위에 주로 발생한다. 대개 초기에 발견되면 클린다마이신을 사용해 볼 수 있다. 이에 반응하지 않는 경우 외과적 절제를 고려한다. 재발률은 부위에 따라서 50%에 달할 수 있다.

(2) 괴저성 농피증

20-50대 여성에서 많이 나타나지만 흔하지 않으며, 염증성 장질환, 류머티스 관절염, 혈액암 또는 단클론 면역글로불린혈증monoclonal gammopathies등과 흔히 병발한다. 주로 하지에 발생하는 비화농성 농포sterile pustule로 나타나지만, 그 외 신체 부위에도 나타날 수 있으며, 2차 감염이 흔하다. 치료는 유발 질환에 따라 다르지만, 스테로이드나 칼시뉴린 억제제 사용이 필요하다. 기저질환을 찾는 것이 치료에 있어 중요한데, 이는 내과적 치료를 병행하지 않은 외과적 치료는 합병증이 흔하게 발생하기 때문이다.

(3) 포도상 구균성 열상 피부증후군과 중독성 표피 융해 그리고 스티븐-존슨 증후군

포도상 구균성 열상 피부증후군Staphylococcus Scalded Skin Syndrome (SSSS)과 중독성 표피 융해Toxic Epidermal Necrolysis and Steven-Johnson syndrome (TENS)는 비슷한 임상양상을 보이는데 피부의 홍반 및 수포형성, 때로 광범위한 피부소실 등이 발생하고, 면역기능이 억제된 환자들이 위험하다. TENS의 경우 상기도 감염이 완화되는 선행기간 이후에 피부 증상이 나타난다. 대칭적으로 나타나는 피부 병변에 측면에서 힘을 가하면 표피가 기저층에서 분리되는 니콜스키 징후Nikolsky sign가 나타난다. 7-10일 정도 심해지다가 1-3주에 걸쳐서 상피가 다시 회복된다. SSSS는 소아에서 비강이나 중이가 포도상구균에 감염되었을 때 생성되는 내독소에 의해 발생한다. TENS는 방향족 항경련제, 설포나마이드sulfonamide, 알로퓨리놀, 페니토인phenytoin, 바비튜레이트barbiturate와 테트라사이클린tetracycline, oxicams(비스테로이드성 항염증제)과 네비라핀 같은 특정 약제에 대한 면역반응으로 생각된다. 치료는 화상에서처럼 수액과 전해질을 보충하며 상처를 치료하는 것이다. 10% 이하의 표피 이탈환자는 스티븐-존슨Steven-Johnson증후군으로 분류되는 반면에 전체 체표면적의 30% 이상이 이환된 경우는 TENS로 분류된다. 스티븐-존슨 증후군에서는 호흡 및 소화기관의 표피 탈피로 인해 호흡부전 및 소장 흡수장애가 함께 나타난다. TENS 환자들은 상처로 인한 합병증을 감소시키기 위해 화상센터에서 치료되어야 한다. 생물학적 드레싱의 반영구적 치료는 하부표피가 점차적으로 재생될 수 있도록 하지만 스테로이드는 효과적이지 않다. 항Fas 항체가 들어 있는 면역글로불린을 정맥으로 투여하는 것이 치료로 여겨진다. 하지만, 아직까지 이 치료에 대한 엇갈리는 보고들이 있는 상황이다. 따라서 혈장교환술plasmapheresis로 사이토카인을 줄여 주거나 사이클로스포린, 사이클로포스파마이드 그리고 항 TNF-α 항체를 사용한다.

4. 양성 종양

1) 낭종(표피, 진피, 모낭)

육안적으로 각각을 구분하기 어렵다. 낭종은 보통 증상이 없지만, 터지고 국소 염증을 일으키면 감염되고 농양이 형성된다. 따라서 절개 배농이 급성 감염성 낭종에 필요하며, 농양이 해결된 후 낭종의 벽은 반드시 모두 절제되어야 한다.

2) 각화증

지루성 각화증keratosis은 노인의 흉부, 등과 복부에서 흔하게 발생하며 일반적으로 생검과 치료는 필요하지 않다. 태양광 각화증actinic keratosis은 얼굴, 상박부와 손등 같이 태양에 노출되는 부위에서 발생한다. 이들은 전암성 병변으로 생각되고, 시간이 지나면서 편평 상피세포암이 발생할 수 있다. 치료는 국소절제나 국소 5-프루로우라실5-fluorouracil 도포이며, 발생한 악성병변은 전이가 거의 없다.

3) 모반

후천성 멜라닌세포 모반의 대부분은 퇴화된다. 선천성 모반은 훨씬 드물고, 크고 털을 많이 포함하며 1-5%에서 악성 멜라닌세포종이 발생한다. 일차봉합 또는 정상주변 피부의 팽창과 피부이식과 함께 몇 년에 걸쳐서 단계적으로 절제하는 것이 치료방법이다.

4) 혈관 종양

(1) 혈관종(모세혈관, 해면상)

혈관종은 생후에 바로 생기는 양성 혈관 신생물이다. 혈관종은 생후 1년간 커질 수 있고 90% 이상이 시간이 흐르면서 원상태로 돌아간다. 빠르게 커지는 병변에서는 프레드니손prednisone 또는 인터페론 alpha-2a를 사용한다. 조기 사춘기 이후에 남아있는 혈관종은 일반적으로 없어지지 않아 외과적 절제가 권고된다.

(2) 혈관 기형

포도주색 모반port-wine stain은 납작하고 무딘 적색의 모세혈관 기형이고, 몸통, 사지 등에도 나타날 수 있지만, 얼굴의 삼차심경이 분포하는 부위에 가장 흔히 발생하며, 스터지-웨버 증후군Sturge-Weber syndrome의 일부로서 나타나기도 한다. 동정맥기형은 고혈류 병변이며, 큰 기형은 심비대와 울혈성 심부전을 일으킬 수 있다. 치료는 선택적인 색전술을 동반한 혈관조영술이나 완전한 외과적 절제이다. 사구체종양은 심한 통증을 일으키는 청회색 결절이며 가장 흔한 부위는 손톱아래이다. 이 종양은 사구체를 만들고 조직학적으로 신사구체의 동맥부위를 닮았다. 통증을 완화시키기 위해서는 종양의 절제가 필요하다.

5) 연부조직 종양

연경섬유종(쥐젖)은 겨드랑이, 체부, 눈꺼풀에 위치한 유경성 혹이다. 이 병변들은 보통 작고 항상 양성이다. 피부섬유종은 일반적으로 1-2cm 크기의 고립된 결절로 대부분 다리와 몸통 측면에 존재한다. 병변이 2-3cm로 클 때에는 악성여부를 확인하기 위해 절제생검이 필요하다. 지방종은 피하층에 생기는 가장 흔한 신생물로서 체부에 가장 흔히 발생하지만 신체 어디서나 발생할 수 있다. 진단과 정상 피부형태를 회복시키기 위해 절제를 시행한다.

6) 신경종양

피부의 양성신경종양은 우선적으로 신경초에서 생긴다. 신경섬유종은 산발성으로 하나만 생길 수도 있으나 까페오레 반점cafe'-au-lâit spot과 상염색체 우성유전과 연관된 폰 레클링하우센병von Recklinghausen's disease에서는 여러 개가 발생한다. 이 병변은 신경에 붙은 딱딱하고 분리된 결절들이다. 신경초종은 머리와 사지의 말초신경에서 보이는 고립성 종양으로 국소통증 또는 신경분포대로 퍼지는 통증을 일으키는 분리된 결절들이다. 과립세포종양은 피부 혹은 더 흔하게 혀에 발생하며 일반적으로 고립형 병변이다. 종종 주변의 가로무늬근을 침습하며 신경집세포Schwann's cell로부터 파생되는 과립세포로 이루어져 있다.

5. 악성종양

표피 세포에서 발생하는 피부의 악성종양의 발현 빈도는 기저세포암, 편평세포암, 흑색종의 순이다.

1) 병인

자외선 노출이 피부암의 발생과 연관이 있고 편평 상피세포암은 아래 입술에 훨씬 더 흔하다. 멜라닌이 피부암 발생을 저지하는 역할을 가진다고 보고된다. 타르, 비소와 질소 겨자 같은 화학물질이 발암인자로 알려져 있다. 화상 흉터(Marjolin 궤양), 물집성 질환과 욕창 등 만성 자극에 노출된 피부병변은 편평 상피세포암으로 진행할 수 있다. 항암화학요법이나 장기 이식 후 면역억제제로 인한 전신적인 면역결핍은 피부암 증가와 관련이 있다.

2) 기저세포암

결절낭성 또는 결절궤양형이 전체의 70%를 차지하며 종종 중심궤양을 포함한다. 표재성 기저세포암basal cell careinoma은 체부에 흔하고 육안적으로 보웬병Bowen's disease과 구분하기 어렵다. 기저세포암의 드문 형은 기저편평형이고 이 병변은 편평세포암처럼 전이될 수 있으므로 적극적으로 치료해야 한다. 다른 형은 반상경피중형, 선양, 침투형 암이다. 기저세포암은 일반적으로 천천히 자라서 이로 인한 전이와 사망은 아주 드물다. 큰 암종, 뼈나 주변조직을 파고드는 병변, 공격적 조직학적 유형(반상, 침윤성, 기저편평형)의 경우에는 정상피부에서 4mm 경계로 외과적 절제에 의해 잘 치료된다. 환자의 66%는 3년 이내에 나머지는 최초 치료로 부터 5년 이내에 재발하므로 매년 온 전신을 잘 확인하면서 추적해야 한다.

3) 편평 상피세포암

편평 상피세포암squamous cell careinoma은 표피의 케라틴 세포로부터 발생한다. 기저세포암보다 드물지만 주변조직으로 침투하고 빨리 재발하기 때문에 더욱 파괴적이다. 이전 보고들과 반대로, 보웬병은 다른 전신적인 악성종양에 대한 표지자가 아니다. 국소 재발하는 병변은 4mm 이상이고 전이되는 병변은 10mm 이상이다. 화상흉터에서 생기는 종양, 만성 골수염의 부위와 이전 손상부위에서 생기는 암은 빨리 재발한다. 외이에 위치한 병변은 종종 재발하고 국소 림프절을 조기에 침범한다. 햇빛 손상부의 편평상피세포는 덜 공격적으로 행동하므로 국소절제만 필요로 한다. 직경이 2cm 미만인 병변은 4–6mm 경계를 가지고 절제되어야 한다. 전이 질환은 나쁜 예후인자이고, 10년 생존율은 약 13%이다.

4) 악성 흑색종

흑색종의 중요한 임상양상은 불규칙하고 융기된 표면과 불분명한 경계를 가진 색소성 병변이지만, 약 5–10%의 흑색종은 비색소성이다.

(1) 병인

흑색종의 90% 이상은 피부에서 발견되지만 4%는 원발병소를 찾을 수 없고 전이병소로 발견된다. 흑색종 환자가 유의하게 모반과 이형성 모반이 많다는 사실은 잘 알려져 있다. p16/cdk4,6/Rb 그리고 p14ARF/HMD2/p53 종양 억제 경로와 RAF-MEK-ERK 및 PI3K-Akt 발암 경로가 강하게 연관되어 있다. 6-14%의 흑색종이 가족형 양상으로 나타나는 것으로 보고되었다. 멜라닌세포가 악성 표현형으로 변이되면 표피면에 대하여 방사상으로 성장한다. 방사상 성장 단계에서 진피의 미세침습이 관찰된다 하더라도 전이는 일어나지 않으며 오직 진피 내에서 흑색종 세포가 섬을 이룰 때 전이가 관찰된다.

(2) 종류

빈도가 흔한 순서는 표재 확장형, 결절형, 악성 흑자 흑색종lentigo maligna, 선단 흑자성acral lentiginous 흑색종 순이다. 흑색종의 70%를 차지하는 가장 흔한 형태는 표재확장형이다. 결절형은 흑색종의 15-30%이다. 공격적인 병변이지만, 결절형 환자의 예후는 같은 깊이에서 표재 확장형 병변 환자와 같다.

흑색종의 4-15%인 악성 흑자 흑색종은 대부분 노인의 목, 얼굴과 손 등에서 생긴다. 진단되기 전에 꽤 큰 병변이 되는 양상을 보이나 침습성 성장이 늦게 일어나기 때문에 가장 좋은 예후를 보인다. 오직 5-8%의 흑자 흑색종이 침습성 흑색종으로 발달하는 것으로 보고된다. 선단 흑자형은 가장 드물고, 백인의 흑색종에서 4-15%를 차지하며, 손바닥, 발바닥, 조갑하부에서 발생한다. 흑인에서는 흑색종이 상대적으로 드물지만 선단 흑자형은 흑인에서의 모든 흑색종의 29-72%를 차지한다. 조갑하 병변은 후방 조갑 접힘부의 청흑색 탈색으로 나타나며 엄지손가락이나 발가락에 가장 흔하다. 근위부나 가장자리 조갑 접힘 부위의 부가적인 색소 발현은 조갑하 흑색종을 진단하는데 도움이 된다.

(3) 예후인자

종양의 두께, 궤양 및 유사분열 정도mitotic rate가 악성 흑색종 생존율을 예측하는데 가장 중요한 인자들이다. 감시 림프절에 전이암이 도달한 경우에는 전이 림프절 개수, 암의 두께, 유사분열 정도 및 궤양과 환자의 나이가 예후를 결정한다. 새 병기 시스템은 AJCC 흑색종 조직에 쓸 수 있는 큰 데이터베이스의 분석에 기초하여 다른 조직학적 양상 및 궤양과 함께 Clark의 침윤도를 대부분 대체하였다. 락트산 수소이탈효소Lactic Dehydrogenase (LDH) 수치가 상승하면 나쁜 예후와 관련이 있다. 구역 림프절에서의 암의 존재는 나쁜 예후인자이다. 림프절 전이가 있을 때 15년 생존율은 가파르게 떨어진다. 원격전이는 중요한 예후 인자로 원격 전이가 있는 경우의 중간 생존기간은 2-7개월이고, 전이의 개수와 위치와 관련이 있다.

가. 해부학적 위치

조직학적 유형과 침습 깊이에 상관없이, 사지의 흑색종은 두부, 경부나 체부의 흑색종보다 나은 예후를 보인다(사지의 국소병변에 대한 10년 생존율 82%, 안면부 병변 생존율 68%). 남자에서 대부분의 흑색종은 체부에 발생하고(45%), 여자의 흑색종의 대부분은 하지에 발생한다(42%).

나. 궤양

궤양의 존재는 나쁜 예후를 나타낸다. 국소 질병(stage 1)이지만 궤양성 흑색종 환자의 10년 생존율은 50%이라서 궤양 없는 같은 병기에서의 78%와 비교된다. 최근의 보고에서는 증가하는 혈관형성의 결과로 종양에 궤양이 생긴다고 하였다.

다. 성별

많은 연구들에 따르면 여자가 남자에 비해 나은 생존율을 보인다. 두께, 나이, 위치 등을 보정하였을 때 여자는 남자보다 높은 생존율을 가진다(1기에서의 10년 생존율은 여성과 남성에서 각각 80%, 61%이다).

라. 조직학적 유형

일반적으로 암종의 두께, 성별, 나이나 다른 것을 일치시켰을 때 예후에 있어서 조직학적 종류간에 유의한 차이는 없다. 흑자 흑색종은 깊이를 교정한 후에도 나은 예후를 가지고, 선단 흑자 병변은 나쁜 예후를 가진다. 비록 다른 예후인자를 조정했을 때 다양한 유형의 흑색종이 유사한 과정을 가진다 하더라도 선단 흑자 흑색종은 재발하기까지 짧은 간격을 가진다.

(4) 치료

흑색종의 치료는 주로 외과적으로 이루어지며, 대부분의 흑색종은 원발 종양의 절제만으로 치료된다. 방사선 치료, 국소 전신 항암요법, 면역치료는 제한된 환경 하에서 효과적이다. 의심되는 모든 병변은 절제 생검을 시행해야 하며 적절한 정상 피부 경계를 확보하면서 절제하여야 한다. 제자리 흑색종의 적절한 절제연에 대한 체계적인 연구가 없지만 대개 0.5–1cm이면 충분하다고 생각된다. 하지만 해부학적으로 가능한 부위라면 1cm 절제연을 확보하는 것이 바람직하다. 주변 조직은 모든 림프 연결관을 제거하기 위해 근막 아래까지 제거되어야 한다. 만약 심부 근막이 종양에 의해 침투되지 않았다면 근막을 제거하는 것은 재발이나 생존률에 영향을 미치지 않는다. 감시림프절 생검은 위험한 인자(>0.75mm, >1 유사분열/mm, 궤양)를 가진 두께가 1–4mm 정도인 경우에 권장된다.

임상적으로 의심되는 모든 림프절은 구역 림프절 절제로 제거되어야 한다. 만약 가능하다면, 병변과 구역 림프절 사이의 림프절들은 연결해서 제거되어야 한다. 림프관 절단은 특히 하지에서의 만성 부종의 문제를 일으킨다. 많은 증거들이 전이 발생의 위험이 높은 환자들에게 림프절 절제술 후 생존율이 향상된 것을 제시하였다. 악성 흑색종에서 감시림프절 절제술은 받아들여지는 외과적 방법이다. 만약 동결절편검사를 통해 미세전이가 확인된다면 완전림프절 절제술이 시행된다. 흑색종이 다른 부위로 퍼지는 경우에는 중간 생존율은 7–8개월이고 5년 생존율은 5%미만이다. 가장 흔한 전이 병소는 간과 폐이다.

흑색종의 비수술적인 치료에 있어서 기대되는 분야는 면역학적 치료이다. 인터페론 α–2b는 AJCC 병기 IIB/III의 치료에 있어서 유일하게 미국 식품의약청의 승인을 받은 보조치료법이다. 환자 대부분이 일차용량의 조정을 필요로 하였고 24%가 치료를 중단했다. 최근 각광을 받는 치료들로는 BRAF 억제제(sorafenib), 항PD1 항체와 CLTA 항체(ipilimumab), 고용량 인터루킨–2등이 있다.

5) 기타 악성종양

(1) 메르겔 세포암(피부의 일차성 신경내분비암)

25%에서 동시성 또는 이시성 편평세포암과 연관이 있다. 예후는 악성 흑색종보다 나빠서 국소 재발률은 높고 50%에서 원위부 전이가 일어나므로 1–3cm 안전연을 확보하는 광범위 국소 절제를 시행한다. 예방적 구역 림프절 절제와 보조적 방사선요법 또는 항암제 치료가 권고된다.

(2) 유방 이외 파젯병

유방에서 발병하는 경우와 유사한 피부병변이다.

(3) 부속기 암

드문 형태로 아포크린, 외분비선과 피지형 암종을 포함하며 국소적으로 파괴적이고 원위부 전이에 의해 사망할 수 있다.

(4) 혈관육종

저절로 출혈하거나 외상없이 나타나는 물집으로 표현되고 대부분 두피, 안면부 및 경부에 생기거나 방사선 치료를 받은 부위나 유방절제술 이후 상지 만성 림프부종으로 생길 수 있다(스튜어트–트레비스 증후군Stewart-Treves syndrome). 조기 병변인 경우에 완전 절제로 치유되기도 하나, 5년 생존율이 20% 이하로 예후가 나쁘다.

(5) 카포시 육종

주로 사지에 탄력있는 푸른 결절로 나타나지만 어디에서도 다발성으로 생길 수 있다. 고전적인 카포시 육종은 동유럽이나 사하라 사막 이남의 아프리카의 사람들에서 보인다. 카포시 육종의 다른 변이는 후천성면역결핍증후군이나 항암치료로 인한 면역 억제 환자에서 보고되었다.

주로 동성애 남자에서 발생하고 정맥주입 약제 중독자나 혈우병 환자에서는 발생하지 않으며, 헤르페스양 바이러스의 동시감염과 연관이 있다. 치료는 방사선 치료가 주종을 이루나 복합 항암치료는 병을 조절하는데 있어서 효과적이다.

(6) 융기성 피부섬유육종

융기성 피부섬유육종dermatofibrosarcoma protuberans은 가끔 감염된 켈로이드로 오인되기도 하는 주로 몸통에 나타나는 거대 결절 병변이다. 국소 재발이 흔하지만 완전하게 절제하면 완치되기도 한다.

(7) 섬유육종

섬유육종은 피하지방에서 발견되는 딱딱하고 불규칙한 덩어리이고 완전하게 절제되지 않으면 원위부로 전이한다. 절제 후 생존율은 약 60%이다.

(8) 지방육종

주로 대퇴부 심부 근육에서 생기지만 드물게 피하 조직에서도 생긴다. 치료는 광범위 절제이고 전이 병소는 방사선 치료를 시도한다.

6) 유전성 증후군과 연관된 피부암

기저세포암은 기저세포모반증후군Gorlin's syndrome, 지선모반nevus sebaceous of Jadassohn과 연관이 있고, 편평세포암은 수포성 표피박리증epidermolysis bullosus, 전신홍반성루프스lupus erythematosus, 사마귀양 표피이형성증epidermodysplasia verruciformis, 거대한 우췌상 병소와 연관이 있다. 색소성 건피증xeroderma pigmentosum 환자는 유전자 이상으로 인한 편평상피세포암이 가장 흔하지만, 기저세포암, 흑색종과 급성백혈병도 발병한다. 이형성모반은 흑색종의 전구질환이다.

요약

피부에 발생하는 질환은 다양하며, 유전적 성향을 보이는 질환도 있으며 악성종양도 함께 나타난다. 일반적으로 많이 발현되는 양성종양은 임상적 의미가 크지 않지만 악성 질환인 경우에는 광범위한 절제술을 요하는 경우도 있다. 대개는 적절한 안전연을 확보한 가운데 완전히 제거하는 것이 치료의 시작이며 질환의 종류에 따라서 추가적으로 보조적인 치료가 필요한 경우도 있다. 다양한 피부 질환을 정확하게 진단하기 위해서는 조직 검사가 필수이며, 육안적 관찰만으로 진단을 정확하게 내리는 것은 쉽지 않으며 정확도가 떨어져서 권장하지 않는다.

X 연부조직육종

1. 서론

연부조직육종soft tissue sarcoma은 전체 성인 종양의 1% 정도를 차지하는 드문 종양으로, 간엽 조직mesenchyme에서 기원하는 것으로 알려져 있다. 분류는 매우 다양해서 현재까지 50가지가 넘는 조직학적 유형이 밝혀졌으며, 각 유형에 따라 매우 특징적인 자연 경과를 가진다. 다양한 연부조직육종이 가지는 공통적인 특징으로는 림프절 전이가 드물고 대부분의 재발 양상은 국소 재발 또는 혈행성 전이 양상을 보인다는 점이다. 호발 부위로는 사지가 40% 이상으로 가장 흔한 발생 부위이며, 내장, 후복막, 복강 및 흉강 등의 순으로 발생한다. 오랫동안 수술적 절제술만이 거의 유일한 치료 방법이었으나, 최근 사지 육종을 중심으로 다양한 수술 전후 방사선요법 및 항암화학요법이 적용되면서 생존율의 향상을 보이고 있다.

2. 원인 및 분자유전학적 특징

대부분의 연부조직육종은 그 원인이 아직 밝혀지지 않고 있지만, 일부 육종에서는 유전성 질환, 방사선 노출, 림프부종, 외상, 화학물질 등이 원인 인자로 추정되고 있다.

1) 유전요인

신경섬유종증, 가족성 선종성 용종증, 리프라우마니 증후군Li-Fraumani sydrome 등 일부 유전성 질환에서 연부조직육종이 호발하는 것으로 알려져 있다. 유전적 변이에 의한 연부조직육종 발생은 크게 특정 유전자 변이에 의한 형태와 불특정 다수 유전자 변이에 의한 형태로 나눌 수 있다.

특정 유전자 변이의 예로는 KIT, PDGFRA 돌연변이에 의한 위장관간질종양Gastrointestinal Stromal Tumor (GIST) 발생이나 APC/β-catenin 돌연변이에 의한 데스모이드 종양desmoid tumor 등이 있다. 불특정 다수 유전자 변이의 예로는 p53과 RB1 유전자가 대표적이다. 육종 발생에 있어서 p53 유전자 불활성화 기전은 잘 알려져 있지 않으며 MDM2 증폭과 연관되어 있다고 판단된다.

2) 방사선 노출

방사선 노출에 의한 연부조직육종으로는 골육종, 악성 섬유성 조직구종Malignant Fibrous Histiocytoma (MFH), 혈관육종 등이 흔하며, 젊은 연령 때 노출될수록 육종 발생의 위험도가 높고, 비교적 나쁜 예후를 보이는 것으로 알려져 있다.

3) 림프부종

림프부종에 의한 연부조직육종의 대표적인 예로는 유방절제술 또는 방사선 조사 후 팔의 림프부종에서 발생하는 림프육종이다. 이러한 육종은 방사선 조사 범위 밖에서도 발생한다는 점에서 방사선 노출에 의한 육종과는 구별된다.

4) 외상 및 화학물질

외상이 연부조직육종 발생의 직접적 원인인지에 대해서는 아직 논란이 많다. 외상에 의한 육종 발생의 예로는 분만 후 복부 데스모이드 종양, 과도한 운동 또는 관절수술 후 각종 연부조직종양이 증가한다는 보고 등이 있다. 연부조직육종의 발생에 관여한다고 알려진 화학물질로는 페녹시아세틱산phenoxyacetic acid, 다이옥신dioxin, 토로트라스트thorotrast, 비소arsenic 등이 각종 역학 조사에서 보고된 바 있다.

3. 병리

연부조직육종은 일반적으로 양성 또는 악성으로 발현하나, 때로는 경계성borderline으로 나타나기도 한다. 양성 대 악성 비율은 100대 1 정도로 양성 종양이 압도적으로 많으나, 양성과 악성 간의 구별은 쉽지 않으며, 특히 작은 생검조직만을 이용할 경우 그 구별은 더욱 어려워진다. 악성의 경우 혈행성 전이가 흔한 반면 림프절 전이는 3% 내외로 드문 것으로 알려져 있다.

1) 육종의 성장양상(그림 8-32)

일반적으로 육종은 '원심형 성장centrifugal growth' 양상으로 진행하며, 이로 인해 육종의 주변부가 기존의 해부학적 구조물에 도달하면 '미는 경계pushing border'를 형성하게 된다. 또한 고등급의 빠른 성장을 보이는 육종의 경우, 압착 구역compression zone의 바깥쪽으로 부종과 신생혈관을 동반한 특징적인 '반응 구역reactive zone'을 형성하기도 하는데, 이 반응 구역에는 위성 병변satellite lesion,

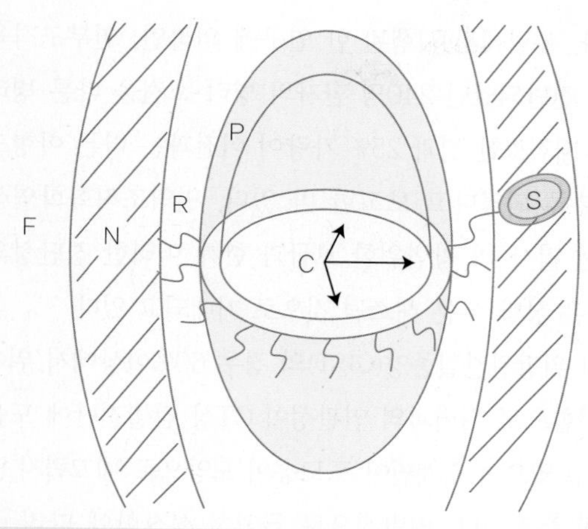

그림 8-32 연부조직육종의 성장 양상. C) 원심형 성장(centrifugal growth), P) 가성캡슐(pseudocapsule), R) 반응 구역(reactive zone), S) 도약 전이(skip metastasis), N) 정상 조직(normal tissue), F) 근막 경계(fascial boundary)

다결절 병변multinodular lesion 등이 존재하여 '종양의 손가락fingers of neoplasm'이라고도 불린다. 이와 같은 압착 구역과 반응 구역의 혼재로 인해 수술 시 적절한 절제연을 혼동할 수 있으며, 이는 국소 재발의 중요한 원인으로 알려져 있다. 때로는 미세결절micronodule이 반응 구역 바깥의 정상 조직에 분포하는'도약 전이skip metastasis'가 발생할 수도 있다.

특정한 구획compartment 내에서 발생한 육종은 대부분 그 구획 내에서만 성장하며, 뼈나 신경 등 주변 구조물로의 직접 침습은 매우 드물게 나타난다. 원격 전이는 주로 혈행성으로 발생하며 림프절 전이는 극히 드물다.

2) 육종의 유형(그림 8-33)

50여 개 이상의 유형 중 전체적으로는 지방육종, 악성 섬유성 조직구종, 평활근육종이 가장 흔하다. 최근 악성 섬유성 조직구종은 UPS (Undifferentiated Pleomorphic Sarcoma)로 일부 병리학자에 의해 달리 명명되기도 한다. 발생 빈도는 종양의 발생 위치에 따라 차이를 보이는데, 사지에서는 지방육종과 악성 섬유성 조직구종이, 복강-후복막에서는 지방육종과 평활근육종이, 내장기관에서는 위장관간질종양과 평활근육종이 가장 흔한 것으로 알려져 있다. 연령에 따라서도 호발 유형이 존재하는데, 유아기에서는 배아횡문근육종embryonal rhabdomyosarcoma이, 35세 이하 청년층에서는 윤활막육종synovial sarcoma이, 고령에서는 지방육종과 악성 섬유성 조직구종이 가장 흔한 것으로 알려져 있다.

하나의 유형은 또 다시 다양한 성장 양식을 가지는 아형으로 나누어지기도 한다. 예를 들면, 지방육종의 경우 고분화형well differentiated, 역분화형dedifferentiated, 복합형myxoid, 원세포형round cell, 다형성pleomorphic의 5개의 아형으로 나누어지며 각각의 아형은 서로 다른 임상 경과를 보인다.

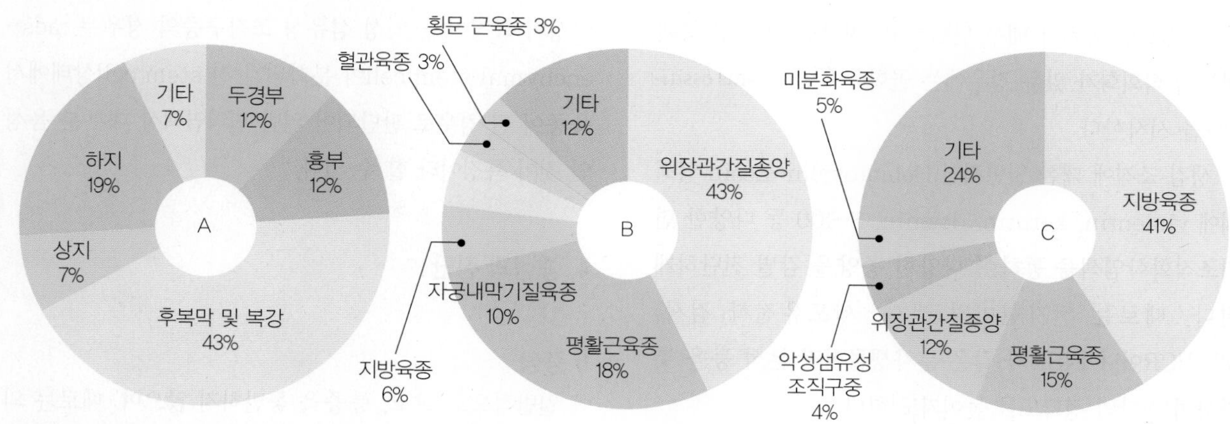

그림 8-33 연부조직육종의 발생장소 및 복부육종의 조직학적 유형(1996-2015년 국내 대학병원에서 원발성 육종 수술을 시행한 2376명 대상). A) 발생장소, B) 복강내육종의 조직학적 유형 C) 후복막육종의 조직학적 유형

3) 육종의 등급

등급은 연부조직육종의 가장 중요한 예후 인자 중 하나이다. 등급을 결정하는 인자로는 세포충실도, 조직학적 유형 및 아형, 분화도, 다형성, 괴사, 세포분열 숫자 등이 관여하는데 이중 세포분열 숫자와 괴사 정도가 가장 중요한 것으로 알려져 있다. 하지만 아쉽게도 현재까지 등급 체계는 표준화되어 있지 않다. 대표적인 등급 체계로는 브로더스Broders의 4분류 시스템, 미국암연구소의 3분류 시스템, 프랑스 암센터 육종연구연합French Federation of Cancer Centers Sarcoma Group (FNCLCC)의 3분류 시스템 등이 있으나, 같은 시스템을 적용하는 경우에도 병리학자 간 등급 결정에 있어서 많은 견해 차이를 보이고 있다. 뒤에 자세히 기술하겠지만, 2010년부터 시행되는 제7판 UICC/AJCC TNM 병기시스템에서는 새롭게 FNCLCC의 3분류 시스템을 등급 분류의 기준으로 적용하고 있다.

4) 감별 진단

연부조직육종의 감별 진단에 있어서는 육종 내 유형 간의 감별뿐만 아니라, 각종 양성 종양, 원발성 및 전이성 암종, 림프종, 흑색종 등을 감별해야 한다. 작은 종괴의 경우 가장 흔한 연부조직종양인 지방종을 가장 먼저 고려해야한다. 특히 복벽에 발견되는 지방덩어리인 경우 지방종을 의심할 수 있으나 복강내에 혹은 후복막에 발생한 경우는 지방육종을 반드시 의심하여야 한다. 외상의 과거력이 있으며, 종괴가 매우 단단하고, 방사선 검사 상 종괴 내부의 석회화가 있는 경우에는 골화근육염myositis ossificans을 시사한다.

생검 조직에 대한 일반적인 Hematoxylin-Eosin 염색 외에 vimentin, keratin, desmin, S-100 등 다양한 면역조직화학염색을 통하여 다양한 종양을 감별 진단하게 된다. 때로는 전자현미경 검사, 세포유전학 검사, RT-PCR이나 FISH와 같은 분자생물학적 분석 등을 추가하여 진단의 정확도를 높이기도 한다.

하지만 이러한 노력에도 불구하고 병리학적 아형의 감별진단에 있어서는 병리학자 간에 상당한 불일치를 보이고 있다. 유럽에서 시행된 한 연구에 의하면, 연부조직육종으로 진단되었던 240명 환자의 병리 소견을 다른 병리학자가 재검토한 결과 25% 가량이 이전과는 다른 아형으로 재분류 되었다고 보고한 바 있다. 면역조직화학염색 및 유전 검사 의 광범위한 보급과 함께 이러한 진단상의 어려움은 상당 부분 해소될 것으로 기대되고 있다.

먼저 위장관간질종양(GIST)의 경우 60%이상에서 위에서 발생함으로 위벽과의 연관성이 CT상 감별진단에 도움을 줄 수 있으며 경계면이 포도송이 모양으로 매끄럽지 않은 것이 특징이다. 일반적으로 급격히 성장함에 따라 중심부의 괴사가 흔히 관찰된다. 면역조직화학염색상 c-kit (CD117), DOG1, CD34 등이 양성으로 나오는 것이 특징이다. 지방육종의 경우 복강내나 후복막에서 발생시 고분화형과 역분화형의 혼합형태로 주로 나타나며 복합형 myxoid인 경우 사지에서 일차적으로 발생한 후 이차적으로 복강내나 후복막에 전이되는 경우를 흔히 볼 수 있다. 복강내나 후복막에 발생하는 지방육종의 경우 고분화형과 역분화형이 대부분을 차지함으로 면역조직화학염색상 MDM2나 CDK4 양성이 특징적이며, FISH에서 MDM2 양성으로 진단할 수 있다.

악성섬유성 조직구증, 평활근육종, 악성말초신경초종 등은 CT상 구분되기 매우 어렵고 조직검사결과 평활 근육종인 경우 vimentin, desmin, SMA (Smooth Muscle Actin)에 양성이며 악성말초신경초종의 경우 S-100 양성이 특징이다. 악성 섬유성 조직구증의 경우는 mesenchymal stem cell이 분화되기 전 stem cell상태에서 육종이 된 경우로 판단되어 일반 면역염색상 대부분 음성인 것이 특징이라 할 수 있다.

4. 증상과 진단

1) 증상

일반적으로 크고, 통증을 동반하지 않으며, 때로는 외상 후에 발견되기도 한다. 종괴의 크기는 복강내나 후복막에서 발견되는 경우 10cm를 넘어서 발견되는 경우가 매우 흔하다. 신체 검진에서의 핵심은 양성과 악성의 감별, 뼈나 신경, 혈관 침범 가능성 여부, 조직 검사 시행 가능성 평가 등이다.

후복막 또는 복강내 육종의 경우 복부 종괴 외에 위장관 출혈, 부분 장폐색, 신경학적 증상 등도 발생 가능하나, 검진에서 발견되는 경우가 흔하다.

2) 조직 생검

일반적으로 종괴가 증상을 동반하거나, 크기가 증가하거나 5cm 이상인 경우, 또는 이전에 없었던 종괴가 4주 이상 지속되는 경우 연부조직육종의 가능성을 고려하여 조직 생검을 시행하는 것이 추천된다. 조직 생검의 방법으로는 절개술 또는 절개침생검Tru-cut needle core biopsy이 추천되며, 가급적 종괴의 중심부에서 시행하는 것이 바람직하다.

(1) 사지 육종

사지의 종괴를 절개 생검할 경우에는, 가급적 세로 절개longitudinal incision를 시행하여야 향후 근치적 절제를 시행할 때 이전의 절개선이 완전히 포함될 수 있다. 절제 생검은 보통 3cm 이하의 피부 또는 피하 종괴의 경우에만 제한적으로 시행하며, 이 경우에도 근치적 재절제술의 시행 가능성을 염두에 두고 절개선을 선정해야 한다. 세침흡입생검은 종괴의 초기 진단 방법으로서의 가치는 제한적이지만, 재발의 진단에서는 중요한 의미를 가진다.

절개침생검은 사지 육종의 유형과 등급을 절개 생검과 유사한 정도로 정확히 판정할 수 있는 진단법으로 최근 활발히 시행되고 있다. 한 연구보고에 의하면, 사지 연부조직육종의 절개침생검 검사의 종양 악성도, 등급, 조직학적 아형에 대한 진단 정확도는 각각 95%, 88%, 75%로 나타나서 절개생검의 결과와 유의한 차이가 없었다고 하였다. 절개침생검은 쉽고 안전하게 시행될 수 있어서 최근 그 적용이 점차 증가하고 있다.

(2) 복부와 후복막육종

복부 및 후복막 육종의 경우 진단은 대개 전산화단층촬영나 자기공명영상으로 이루어지며, 세침생검이나 절개침생검은 림프종이나 위장관간질종양과 같이 수술적 절제 외에 다른 치료 방법을 선택할 수 있는 경우에만 제한적으로 시행되고 있다. 대부분의 복부 및 후복막 연부조직육종의 경우에는 영상 검사로 육종의 유형을 예측한 후, 절제가 불가능하거나 수술 전 항암방사선치료의 적응이 되는 경우를 제외하고는 바로 개복적 절제술을 시행하는 것이 일반적이다.

3) 영상의학검사

연부조직육종의 방사선 치료의 목적은 크게 두 가지이다. 첫째는 원발암의 경계와 절제 가능성을 평가하기 위함이고, 둘째는 원격전이 존재 여부를 평가하기 위함이다.

(1) 원발암의 평가

주로 사용되는 검사 방법으로는 MRI와 CT가 있는데, 사지 육종의 경우 MRI가 CT에 비해 종양과 주변 구조물 간의 경계를 판정하는데 더 우수한 것으로 인정되고 있다. 하지만 MRI와 CT 간의 정확도를 비교한 연구에서는, 종양의 근육, 뼈, 관절, 신경, 및 혈관 침범 여부의 정확도에 있어서 두 검사 간에 차이가 없었으며, 두 가지 검사를 모두 시행하더라도 한 가지 검사만 시행한 경우에 비해 추가적인 정확도의 증가는 없었다고 보고하고 있다.

반면 복부 또는 후복막육종의 경우, CT보다 촬영 시간이 긴 MRI에서는 환자의 호흡, 장 운동, 맥박 등으로 인한'motion artifact'가 발생하므로 나선형 CT 검사가 우선적으로 선호된다.

(2) 전이 병변의 평가

사지 육종의 경우 폐가 가장 흔한(70%) 원격 전이 장소이므로, 크기가 작고 표재부에 위치한 육종의 경우 단순흉부촬영을, 크기가 크면서 고등급 육종의 경우 단순흉부촬영과 함께 흉부전산화단층촬영을 시행한다. 반면 복부 또는 후복막육종의 경우 간이 가장 흔한 원격 전이 장소이므로, 복부 CT 또는 MRI 등으로 원발암 평가와 함께 원격 전이 여부를 평가할 수 있다.

(3) 양전자방출단층촬영

양전자방출단층촬영(PET) 검사가 기존의 CT나 MRI에 비해 가지는 장점은, 종양의 등급 판정과 치료 반응도 예측이 가능하다는 점 이다. 사지 육종이나 소아 육종의 경우 수술 전 항암치료의 효과 평가 시 방사선적인 종양의 크기 변화보다 PET에 의한 평가가 환자의 예후를 더욱 잘 예측할 수 있다고 한다. 또한 PET 검사는 재발성 고등급 육종의 전이 병변 확인에도 우선적으로 시도되고 있다.

5. 병기

1) 개요

연부조직육종의 가장 중요한 예후 인자는 등급으로 알려져 있다. 따라서 연부조직육종의 병기 분류는 일반적인 고 형암에서 사용되는 TNM 병기가 아닌, G 등급grade가 포함된 'GTNM 병기' 시스템을 사용한다. T 병기의 경우 종양의 크기와 위치를 함께 고려하여 결정되며, 림프절 전이가 흔하지 않기 때문에 N 병기는 N0와 N1의 두 가지로만 분류하고 있다. 술전항암방사선요법 후 수술을 시행한 경우나, 재발성육종의 경우 원발성 종양에서와 동일한 원칙으로 병기를 재설정한다. 육종의 유형, 위치, 뼈나 신경, 혈관 침범 등도 예후와 관련된 중요한 인자로 알려져 있으나, TNM 병기 시스템에서는 포함시키지 않고 있다.

위장관간질종양의 경우 제7판부터는 별도의 TNM 병기 시스템이 만들어져서 시행되고 있다. 뇌나 경질막dura mater 등 중추신경계에서 발생한 육종은 여기서 기술하는 병기 시스템의 적용을 받지 않으며, 현재 TNM 병기는 없는 상태이다.

한 가지 고려할 점은, 연부조직육종의 TNM 병기는 주로 사지 육종에서 얻어진 자료를 토대로 하여 제안되어 왔다는 점이다. 따라서 복부 또는 후복막 육종의 경우에는 여기서 기술하는 TNM 병기가 그다지 큰 의미를 가지지 못하는 경우가 많다. 대부분 논문에서 예후에 가장 중요한 요소로 얼마나 완전히 혹은 정확히 제거할 수 있었는가임을 주장하고 있다.

2) 제7판 UICC/AJCC TNM 병기 시스템

2010년부터 적용되는 제7판 UICC/AJCC TNM 병기 시스템은 2002년의 제6판과 다음과 같은 변화를 보이고 있다.

(1) 등급grade 결정에 있어서 이전의 4등급 시스템에서 FNCLCC의 3등급 시스템을 사용하기로 하였고, (2) stage I, II가 종양의 크기에 따라 각각 stage Ia, Ib, stage IIa, IIb로 세분되었고, (3) N1이 stage IV에서 stage III로 재분류되었다(표 8-6).

(1) 등급

FNCLCC의 육종 등급 분류는 ① 분화도(표 8-7), ② 유사분열 수, ③ 괴사 정도의 3가지의 점수에 의해 결정된다.

분화도의 경우, 육종이 정상 또는 성숙 중간엽 조직mature mesenchymal tissue과 유사할 경우 1점, 명확한 조직학적 유형을 보일 경우 2점, 윤활막 육종, 배아 육종, 미분화 육종 등의 경우 3점을 준다. 유사분열 수의 경우, 10개의 고배율 필드(10HPF) 상 0–9개의 유사분열이 관찰될 경우 1점, 10–19개의 유사분열이 관찰될 경우 2점, 20개 이상의 유사분열이 관찰될 경우 3점을 준다. 괴사 정도는 괴사가 없을 경우 0점, 50% 이하의 종양 괴사가 관찰될 경우 1점, 50% 초과의 종양 괴사가 관찰될 경우 2점을 준다. 이렇게 하여 구해진 최종 점수가 2–3점인 경우 grade 1, 4–5점인 경우 grade 2, 6–8점인 경우 grade 3로 정의하게 된다(표 8-8).

(2) T 병기

이전 TNM 시스템과 변화 없이 종양의 크기와 위치에 따라 분류하는데, 크기가 보다 중요한 인자로 작용한다.

표 8-6. 연부조직육종의 제7판 UICC/AJCC TNM 병기 시스템

Histologic grade (G) based on differentiation, mitotic count, and tumor necrosis (FNCLCC system)				
GX	Grade cannot be assessed			
G1	Grade 1 (FNCLCC score 2-3)			
G2	Grade 2 (FNCLCC score 4-5)			
G3	Grade 3 (FNCLCC score 6-8)			
Primary tumor (T)				
TX	Primary tumor cannot be assessed			
T0	No evidence of primary tumor			
T1	Tumor 5cm or less in greatest dimension			
T1a	Superficial tumor			
T1b	Deep tumor			
T2	Tumor more than 5cm in greatest dimension			
T2a	Superficial tumor			
T2b	Deep tumor			
Regional lymph nodes (N)				
NX	Regional lymph nodes cannot be assessed			
N0	No regional lymph node metastasis			
N1	Regional lymph node metastasis			
Distant metastasis (M)				
M0	No distant metastasis			
M1	Distant metastasis			
	T1a, T1b	T2a, T2b	N1	M1
G1, GX	Ia	Ib		
G2	IIa	IIb	III	IV
G3		III		

즉 T1은 5cm 이하, T2는 5cm 초과이며, T1a와 T2a는 종양이 완전히 피하층에만 국한되어 있고, 근막의 침범이 없는 표재종양을 의미하며, T1b와 T2b는 근막, 근육, 피부 등을 침범한 심부종양을 의미한다. 두경부, 흉강내, 복강내 및 후복강 육종은 모두 심부로 분류된다. 많은 후복강 육종이 5cm 이상인 점을 고려하면, 실제로 대부분의 복부 및 후복강 육종은 실제로 T2b 하나로만 분류된다고 할 수 있겠다.

특이한 점은 이전 TNM 병기 시스템과는 달리, 실제적으로 a, b의 차이는 최종 병기에 영향을 미치지 않는다는 점이다. 즉, G-병기에 따라 T1a/b는 stage Ia 또는 IIa로, T2a/b는 Ib 또는 IIb 또는 III로 분류되고, a, b에 따른 최종 병기는 차이가 없다.

표 8-7. FNCLCC 시스템의 종양분화도 점수

Histologic Type	Tumor Differentiation Score
Well-differentiated Liposarcoma	1
Myxoid Liposarcoma	2
Round cell Liposarcoma	3
Pleomorphic Liposarcoma	3
Dedifferentiated Liposarcoma	3
Fibrosarcoma	2
Myxofibrosarcoma	2
MFH, pleomorphic type (patternless pleomorphic sarcoma)	3
Giant-cell and inflammatory MFH * (pleomorphic sarcoma, NOS, with giant cells or inflammatory cells)	3
Well-differentiated leiomyosarcoma	1
Conventional leiomyosarcoma	2
Poorly differentiated/pleomorphic/epithelioid leiomyosarcoma	3
Biphasic/monophzxic synovial sarcoma	3
Poorly differentiated synovial sarcoma	3
Pleomorphic rhabdomyosarcoma	3
Mesenchymal chondrosarcoma	3
Extraskeletal osteosarcoma	3
Ewing sarcoma/PNET**	3
Malignant rhabdoid tumor	3
Undifferentiated (spindle cell and pleomorphic) sarcoma	3

Grading of malignant peripheral nerve sheath tumor, embryonal and alveolar rhabdomyosarcoma, angiosarcoma, extraskeletal myxoid chondrosarcoma, alveolar soft part sarcoma, clear cell sarcoma, and epithelioid sarcoma is not recommended.
* MFH is now referred to as undifferentiated pleomorphic sarcoma.
** PNET, primitive neuroectodermal tumor

표 8-8. FNCLCC 시스템의 등급 파라미터의 정의

Grade	CRITERION
Tumor Differentiation	
Score 1	Sarcoma closely resembling normal adult mesenchymal tissue (e.g., well-defferentiated liposarcoma)
Score 2	Sarcoma for which histologic typing is certain (e.g., myxoid liposarcoma)
Score 3	Embyonal and undifferentiated sarcoma; sarcoma of uncertain type
Mitosis Count	
Score 1	0-9/10 HPF
Score 2	10-19/10 HPF
Score 3	≥20/10 HPF
Tumor Necrosis (Microscopic)	
Score 0	No necrosis
Score 1	≤50% tumor necrosis
Score 2	>50% tumor necrosis
Histologic Grade	
Grade 1	Total score 2, 3
Grade 2	Total score 4, 5
Grade 3	Total score 6, 7, 8

(3) N 병기와 M 병기

이전 TNM 시스템과 변화 없이 국소 림프절 전이가 있는 경우 N1, 원격 전이가 있는 경우 M1으로 분류하는데, N1인 경우 이전과는 달리 stage III로 최종 분류되고, M1인 경우 변화 없이 stage IV로 최종 분류된다.

6. 치료

1) 사지 및 표체부 육종

사지 및 표체부 육종의 치료의 근간은 물론 수술적 절제술이지만, 최근에는 수술과 함께 수술 전후 방사선치료 및 항암화학요법을 추가함으로써 국소재발 및 전체 생존율을 향상시키고, 기능보존수술을 가능하게 하려는 노력이 시도되고 있다.

(1) 수술

사지 육종 치료에 있어서는 가장 중요하고 우선적인 치료법은 수술적 절제이다. 하지만 어떠한 수술법이 가장 적절한가라는 문제는 수술 전후 방사선치료 및 항암화학요법의 적용 문제와 함께 현재도 논란이 계속되고 있는 부분이다. 가능하다면 기능보전수술을 시행하는 것이 추천되는데, 이는 종양의 완전 절제가 가능하다면 기능보전수술을 시행하더라도 수술 후 국소 재발이나 생존율에 영향을 미치지는 않는다고 알려져 있기 때문이다.

수술적 절제의 목표는 1-2cm 정도의 정상 절제연을 가지고 최대한 기능을 보존하면서 종양을 완전 절제하는 것이다. 주요 신경이나 혈관은 가급적 보존시켜야 한다. 육종은 뼈 침범을 거의 하지 않으므로, 뼈 절제 즉 사지 절단은 가급적 피해야 한다. 1960년대에는 절반 가량의 사지 육종 수술이 사지 절단이었음에 비해, 현재는 절단술은 5% 미만으로 시행되고 있다고 한다. 사지 절단은 전이의 증거가 없으면서, 절단을 할 경우 장기 생존이 기대되고, 적절한 재활이 예상되는 환자들만을 대상으로 선택적으로 시행되어야 한다.

(2) 방사선치료

사지 육종이 5cm 이상의 병변이면서 고등급인 경우, 국소재발을 줄이기 위한 목적으로 수술 후 방사선치료가 추천된다. 육종이 저등급일지라도 수술 절제연 양성인 경우 또한 수술 후 방사선치료를 고려할 수 있다. 반면 종양이 5cm 미만이거나 저등급이면서 1cm 이상의 수술 절제연을 확보한 경우에는 추가적인 방사선치료는 추천되지 않는다.

이와 같은 치료 방침은 1990년대에 미국 국립암센터와 메모리얼 슬로언 케테링 병원에서 시행된 두 개의 무작위 전향적 임상시험 결과에 근거한다. 즉, 고등급 또는 5cm 이 상의 사지 또는 표체부 육종에서 수술 후 근접방사선

치료 또는 수술 후 외부 방사선치료를 시행하면, 비록 환자의 전체 생존율에는 영향을 미치지 않으나, 수술 후 국소 재발률은 유의하게 감소시킨다고 한다. 하지만 수술 후 방사선치료를 시행하는 경우, 비록 일시적이기는 하나, 근력 저하, 부종, 가동관절범위 축소 등의 삶의 질 저하가 발생한다는 점을 주의해야 한다.

방사선치료를 수술 전에 시행하고자 하는 시도도 있다. 수술 전 및 수술 후 방사선치료를 비교한 무작위전향적 임상시험 결과에 의하면, 수술 전 방사선치료는 수술 창상 합병증 발생을 유의하게 증가시켰지만 수술 후 국소 재발률에 있어서는 두 군 간에 유의한 차이는 없었다고 한다. 수술 전과 수술 후 방사선치료의 삶의 질에 대한 연구에서는, 치료 6주 후에는 수술 전 방사선치료가 보다 나쁜 결과를 보였지만 1년 후에는 두 군 간에 차이가 없어졌다는 전향적 연구결과가 보고되었다.

(3) 항암화학요법

사지 육종에 있어서 항암화학요법의 효과는 육종의 조직학적 유형에 따라 큰 차이를 보인다. 유윙Ewing 육종이나 횡문근육종의 경우 진단 당시 미세전이 비율이 높고 항암제에 잘 반응하므로 수술 전후 항암화학요법으로 생존율 향상을 기대할 수 있다. 10cm 이상의 사지 육종의 경우 보조적 항암화학요법을 통해 유의하게 수술 후 생존율 향상을 보인다는 메타 분석 결과도 보고된 바 있다.

하지만 그 이외의 육종에 있어서의 수술 전후 항암화학요법의 역할은 매우 제한적이다. 항암제로는 현재 독소루비신doxorubicin (adriamycin)과 아이포스파마이드ifosfamide의 복합 요법이 가장 흔히 쓰이고 있다. 하지만 현재까지 보조적 항암화학요법을 평가한 대부분의 무작위전향적 임상시험에서는 수술 단독군에 비해 생존율 향상을 보고하는데 실패하고 있다.

2) 후복막 및 내장 육종

후복막 및 내장 육종은 전체 연부조직육종의 34% 정도를 차지한다. 후복막의 경우 지방육종(40%)이 가장 흔하며, 평활근육종, 악성섬유성 조직구증, 악성말초신경초종, 섬유육종 등의 순으로 호발한다. 내장 육종의 경우 위장관간질종양, 평활근육종, 데스모이드종양 등의 순으로 많다. 약 55%의 후복막 지방육종이 고분화, 저등급의 육종이며, 40% 정도가 미분화, 고등급의 조직학적 특성을 보인다. 수술의 근치도 외에 가장 중요한 예후 인자는 조직학적 등급으로 알려져 있다.

(1) 수술

수술은 후복막 및 내장 육종의 가장 중요한 치료법이다. 기술적 이유로 합병 절제를 하는 경우는 흔하나, 실제 육종이 주변 장기를 직접 침범하는 경우는 흔하지 않으나 추가적인 합병 절제를 함으로써 생존율이 증가한다는 보고가 최근 발표되고 있다. 후복막 육종의 경우 주로 신장, 대장, 췌장, 주요 혈관 등이 주된 합병 절제 기관으로 알려져 있으며, 장관의 합병절제가 흔히 동반되기 때문에 수술 전 장세척을 시행하는 것이 추천되며, 종양이 신장 또는 요관과 인접한 경우에는 수술 전 요관 스텐트를 삽입하는 것이 안전하다.

실제 수술에 있어서 적절한 수술 시야가 매우 중요하다. 이를 위해 일반적인 정중 개복 외에, 흉복부 절개, 복직근 절개, 서혜부인대 절개 등 다양한 방법을 고려하여야 한다. 조직학적 유형에 따라, 지방육종의 경우 주변 장기를 침윤하기보다는 압박하는 경향을 보이며, 주로 저혈관성이므로 절제가 비교적 용이한 것으로 알려져 있으며, 특징적으로 불완전 절제가 시행된 경우라도 장기 생존이 가능하다는 보고도 있다.

보고된 원발 병변의 완전 절제율은 65% 정도이고, 완전 절제 후 국소 재발은 40-50%에서 발생하며, 이 경우 재절제율은 50% 정도라고 한다.

(2) 방사선치료 및 항암화학요법

사지 육종과는 달리 후복막 및 내장 육종에서의 방사선 치료의 역할은 아직 논란이 많은데, 그 이유는 종양 주변에 장, 신장, 간, 척수 등 주요 장기가 위치하기 때문에 충분한 양의 방사선을 조사하기가 대단히 힘들기 때문이다. 이를 극복하기 위한 방안으로 수술 전 종괴에 의해 주요 장기가 주변으로 밀려 있을 때 방사선을 조사하는 수술 전 방사선 치료가 시도되어 일부 낙관적인 데이터가 보고되고 있다.

글리벡imatinib mesylate에 잘 반응하는 위장관간질종양을 제외하고는, 항암화학요법 역시 사지 육종에 비해 후복막 및 내장 육종에서는 매우 제한적으로 시도되고 있다.

3) 국소 재발성 육종

국소 재발성 육종은 이전 수술에 의해 수술면이 파괴되어 있고, 재발 종양의 공격적인 특성 등으로 인해 원발성 육종에 비해 수술적 절제가 힘들고 수술 후 재발이 더 흔한 것으로 알려져 있다. 하지만 절제가 가능한 국소 재발성 육종의 치료 원칙은 역시 수술적 절제이다. 적절한 재수술이 시행될 경우 2/3 정도에서 장기 생존이 가능한 것으로 알려져 있다. 국소 재발 시 수술 시점의 선정은 어려운 문제인데, 일반적으로 육종은 국소 재발하더라도 상당 기간 경과 관찰이 가능한 것으로 알려져 있다.

재발성 후복막 육종 역시 재절제술이 치료 원칙이지만, 많은 경우 다시 국소 재발을 하게 되며 반복적인 재절제술이 요구되는 경우도 상당수 있게 된다. 재절제율은 재발 횟수에 따라 감소하는데, 일차 재발의 완전절제율은 50% 정도이지만, 이차, 삼차 재발로 갈수록 완전절제율은 42%, 33%로 감소하게 된다고 한다. 국소 재발성 후복막 육종의 수술의 주변 장기 절제율도 50% 내외로 알려져 있다. 국소 재발성 육종의 예후는 완전 절제 여부와 등급에 따라 차이를 보이는데, 완전 절제의 경우 48개월, 부분 절제의 경우 21개월, 비절제의 경우 15개월의 중간생존기간을 보이며, 저등급과 고등급에서 각각 30개월과 15개월의 중간생존기간을 보인다고 한다.

4) 전이성 육종

전체 연부조직육종의 절반 가까이가 최종적으로 전이성 또는 절제 불가능한 국소 재발성으로 진행한다. 전이성 육종의 중간생존기간은 불과 12개월 정도로 보고되고 있다. 절제가 가능한 전이성 육종의 경우, 수술적 절제가 고려되며 완전 절제가 이루어진 경우 20–30%의 환자가 5년 이상 생존할 수 있다고 한다. 방사선치료는 고식적 의미로서 주로 적용되며, 항암화학요법은 다양한 약제가 시도되고 있지만 뚜렷한 생존율의 향상을 보고하지 못하고 있다.

(1) 수술

사지 또는 체부 육종의 20% 정도에서 폐전이가 발생하며, 이 중 대부분이 폐단독전이로 발현한다. 한 연구보고에 의하면, 폐단독전이의 경우 58%에서 개흉술이 시도되었고, 이중 58%에서 완전 절제가 가능하였으며, 완전 절제가 시행된 환자의 경우 23%의 3년 생존율을 보였다고 한다. 반면, 불완전 절제는 수술을 시행하지 않은 군에 비해 생존율의 증가를 보이지 않았다. 즉, 폐단독전이 육종에서는 수술적 절제를 고려해 볼 수 있으며, 일부 환자에서는 장기 생존이 가능한 것으로 생각된다.

(2) 항암화학요법

절제 불가능한 폐전이 또는 폐외 전이 육종 환자는 일반적으로 매우 나쁜 예후를 보이며, 전신적 항암화학요법이 거의 유일한 치료법이다. 하지만 이 경우 항암화학요법의 효과에 대해서는 논란이 많으며, 완치적 의미가 아닌 보존적 의미로 보아야 한다. 비교적 높은 반응률을 보이는 약제로는 독소루비신doxorubicin, 아이포스파마이드ifosfamide, 다카바진dacarbazine 등이 있으나, 이중 어느 것도 생존율의 향상을 보이지는 못한다. 복합요법으로는 MAID (Mesna, Adriamycin, Ifosfamide, Dacarbazine), CyVADIC (Cyclophosphamide, Vincristine, Doxorubicin, Cacarbazine) 등이 시도되고 있으나, 단독요법에 비해 유의한 생존율의 향상을 보이지는 못하고 있다.

반면 위장관간질종양의 경우는 c-kit 타이로신 키나제tyrosin kinase의 억제제인 글리벡imatinib mesylate의 도입으로 인해 의미있는 생존율의 향상을 가져오고 있다. 글리

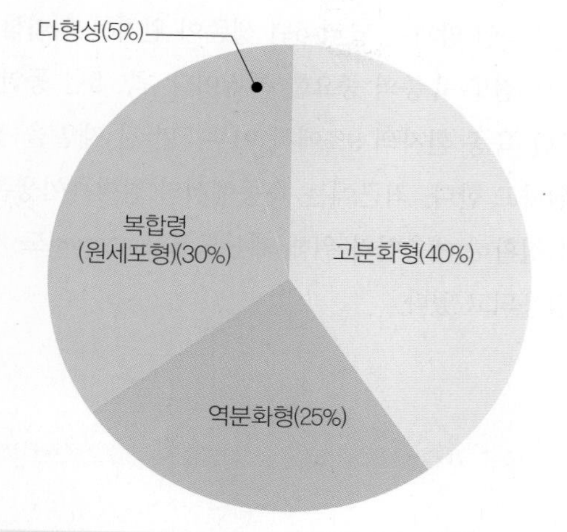

그림 8-34 **지방육종의 아형 및 특징**

벡은 또한 일부 데스모이드종양에서도 효과가 있는 것으로보고되고 있다.

7. 지방육종의 분자생물학적 표적 치료

지방육종은 치료의 반응에 따라 뚜렷이 구분되는 4가지 아형이 있다(그림 8-34). 고분화형은 항암치료에 잘 반응하지 않고 국소 재발을 잘하는 경향이 있는 가장 낮은 등급의 악성지방육종이다. 역분화형은 몇몇의 경우에서 항암치료에 반응하지만, 높은 국소재발율과 재발 환자의 20-30%에서 전신 전이 함께 보이는 특징이 있다. 고분화형과 역분화형의 약 90% 이상의 경우에서 CDK4 및 MDM2 유전자의 증폭 또는 과발현을 보인다. CDK4, MDM2 저해제가 고분화형, 역분화형 지방육종의 치료에 효과를 나타내는 초기 임상시험이 보고되고 있다. 원세포형 지방육종은 후향적 연구에서 trabectedin에 효과가 있는 것으로 보고되어 현재 미국 식품의약국승인 검토 중에 있다. 다형성 지방육종은 지방육종의 5-15%를 차지하고 하지에 호발하는 특성이 있으며, 예후가 좋지 않아서 높은 국소 재발율과 함께 약 35%의 환자에서 전신전이를 보인다. 절제불가능한 전이성 다형성 지방육종 39명 중 항암치료후 평균 62개월 추적 관찰한 후향적 연구에서 12명의 환자에서 부분 관해 이상(완전관해 1명, 부분관해 11명)의 반응을 보고 하였지만, 아직 표적치료에 관한 연구는 잘되어 있지 않다.

지방 육종의 이질적 특성에도 불구하고 분자 생물학의 발전으로 인해 지방육종 아형간에 뚜렷한 차이를 보이는 메커니즘의 이해로 표적치료 개발이 진행 중이나 여전히 임상에 적용하기 위해서는 더 많은 연구가 필요하다.

8. 예후

1) 사지 연부조직 육종

1,041명의 사지 연부조직육종 환자를 전향적으로 관찰한 연구결과에 의하면, 사지 연부조직육종의 5년 생존율은 76%이며, 국소 재발의 예후 인자로는 연령(50세 이상), 재발의 증상, 절제연 양성 여부, 조직학적 유형 중 섬유육종 또는 악성말초신경초종 등이 있었다. 반면 원격 재발의 예후 인자로는 육종의 크기(5cm 이상), 위치(심부) 및 등급(고등급), 재발의 증상, 평활근육종 등이 있었다. 또한 무병생존에 영향을 미치는 인자로는 종양의 크기, 등급, 위치 외에 재발의 증상, 절제연 양성 여부, 다리의 육종, 평활근육종 또는 악성말초신경초종 등이 관찰되었다.

2) 후복막 연부조직육종

500명의 후복막 연부조직육종 환자의 장기 생존을 분석한 결과에 의하면, 원발성 육종의 전체 중간생존기간은 72개월이었으며, 국소 재발성 육종은 28개월, 전이성 육종은 10개월로 나타났다. 국소 재발의 예후 인자로는 종양의 등급과 지방육종 유형이, 원격 재발 및 무병생존의 예후 인자로는 종양의 등급과 절제연 양성 여부로 나타나, 사지 육종과는 달리 종양의 크기나 위치 등은 환자의 예후와 무관함을 보고한 바 있다.

3) 재발 양상 관련 특성

연부조직육종의 재발 양상에 있어서 흥미로운 점은 국소재발의 양상이 전체 생존율에 영향을 미친다는 것인데, 일차수술 후 16개월 이전에 5cm 이상으로 국소 재발한 경우의 4년 무병생존율은 18%인 반면, 수술 후 16개월 이후에 5cm 이하로 국소 재발한 경우의 4년 무병생존율은 81%로 유의한 차이를 보인다는 결과가 보고된 바 있다. 또한 재발까지의 기간에 있어서 조기 재발은 종양의 등급과 관련되고, 후기 재발은 종양의 크기와 관련되는 것으로 알려져 있다.

일반적인 암과는 달리 5년 생존이 완치를 의미하는 않는다는 점도 육종의 중요한 특징이다. 즉, 5년 동안 무병생존한 육종 환자의 9%에서 이후 5년 간 재발을 경험하게 된다고 한다. 최근에는 육종에서의 질병특이생존율을 보다 정확히 예측하기 위해 계산도표nomogram도 개발되어 활용되고 있다.

요약

연부조직육종은 간엽 조직에서 기원하는 종양으로 전체 성인 종양의 1% 정도를 차지하는 드문 종양이다. 대부분의 육종의 발생 원인은 아직 명확하지 않으나, 일부 육종에서는 유전성 질환, 방사선노출, 림프부종, 외상, 화학물질 등이 원인 인자로 추정되고 있다. 조직학적 유형은 50가지가 넘으며 각 유형에 따라 특징적인 자연 경과를 가지지만, 림프절 전이가 드물고 대부분 국소재발 또는 혈행성 전이를 한다는 공통점을 가진다. 발생 부위에 있어서 사지가 40% 이상으로 가장 흔한 발생 부위이며, 내장, 후복막, 복강 및 흉강 등의 순으로 흔하다. 전체적으로는 지방육종, 악성 섬유성 조직구종, 평활근육종이 가장 흔하며, 사지에서는 지방육종과 악성 섬유성 조직구종이, 복강-후복막에서는 지방육종과 평활근육종이, 내장기관에서는위장관간질종양과 평활근육종이 가장 흔하다. 양성 대 악성 비율은 100 대 1 정도로 양성 종양이 많으나, 조직생검을 이용한 양성과 악성 간의 구별이 쉽지 않은 경우도 흔하다. 가장 흔한 임상 증상은 무통성의 종괴이며, 후복막 또는 내장 육종의경우 복부 종괴, 위장관 출혈, 부분 장폐색, 신경학적 증상 등도 발생할 수 있다. 확진을 위한 조직 생검의 방법으로는 절개술 또는 절개침생검이 추천되며, 가급적 종괴의 중심부에서 시행하는 것이 바람직하다. 원발암의 절제 가능성 및 원격전이 존재 여부를 평가하기 위한 방사선 검사로는 CT 또는 MRI가 주로 시행되는데, 사지 육종의 경우 MRI가, 복부 및 후복막 육종의 경우 CT가 보다 선호된다. 병기 분류는 일반적인 고형암에서 사용되는 TNM 병기가 아닌, G (grade)가 포함된‘GTNM 병기’시스템을 사용하며, T 병기 결정에는 종양의 크기와 위치가 함께 고려된다. 사지 육종의 경우 수술적 절제와 함께 수술 전후 방사선치료 및 항암화학요법을 추가함으로써, 최대한 기능을 보존하면서 국소재발 및 전체 생존율을 향상시키려는 노력이 시도되고 있다. 위장관간질 종양을 제외한 후복막 및 내장 육종의 경우 수술적 절제가 거의 유일한 치료법이며, 방사선요법이나 항암화학요법의 효과는 아직 제한적이다. 절제가 가능한 국소 재발성 육종의 치료 원칙은 재절제이며, 완전 절제가 시행될 경우 2/3 정도에서 장기 생존이 가능하다. 원격전이가 폐에만 국한된 경우 수술적 완전 절제로 일부 환자에서 장기생존을 기대할 수 있으나, 폐외 전이의 경우 효과적인 치료법이 없는 상태이다. 사지 육종의 무병생존에는 종양의 크기, 등급, 위치, 재발의 증상, 절제연 양성 여부 등이 관여하며, 후복막 육종의 경우에는 종양의 등급과 절제연 양성 여부 등이 관여한다.

참고문헌

[I. 서혜탈장]

1. 국민건강보험공단. 2008 주요수술통계: 다빈도 수술 20위. 2008.
2. Abramson JH, Gofin J, Hopp C, et al. The epidemiology of inguinal hernia. A survey in western Jerusalem. J Epidemilo Community Health 1978;32:59.
3. Franz MG. The biology of hernia formation. Surg Clin North Am 2008;88:1.
4. Finley RK Jr., Miller SF, Jones LM. Elimination of urinary retension following inguinal herniorrhaphy. Am J Surg 1991;57:486; discussion 488.
5. Fitzgibbons RJ Jr., Giobbie-Hurder A, Gibbs JO, et al. Watchful waiting vs repair of inguinal hernia in minimally symptomatic men: A randomized clinical trials. JAMA 2006;295:285.
6. Flich J. Alfonso JL, Delgado F, et al. Inguinal hernia and certain risk factors. Eur J Epidemiol 1992;8:277.
7. Gilbert AI. Sutureless repair of inguinal hernia. Am J Surg 1992;163:331.
8. Hay JM, Boudet MJ, Fingerhut A, et al. Shouldice inguinal hernia repair in the male adult: The gold standard? A multicenter controlled trial in 1578 patients. Ann Surg 1995;222:719.
9. Jamadar DA, Jacobson JA, Morag Y, et al. Sonography of inguinal region hernias. Am J Roentgenol 2006;187:185.
10. Junge K, Rosch R, Klinge U et al. Risk factors related to recurrence in inguinal hernia repair: a retrospective analysis Hernia 2006;10:309-15.
11. Kapiris SA Laparoscopic TAPP hernia repair: a 7-year two-center experience in 3017 patients. Surg Endosc 2001;15:972-5.
12. Klinge U, Binnebosel M, Mertens PR. Are collagens the culprits in the development of incisional and inguinal hernia disease? Hernia 2006;10:472.
13. Lau WY. History of treatment of groin hernia. World J Surg 2002;26(6):748-759.
14. Lau H, Fang C, Yuen WK, et al. Risk factors for inguinal hernia in adult males: A case-control study. Surgery 2007;141:262.
15. Lee BC, Rodin DM, Shah KK, et al. Laparoscopic inguinal hernia repair during laparoscopic radical prostatectomy. BJU Int 2007;99:637.
16. Liebl BJ, Schmedt CG, Schwarz J, et al. A single instituition's experience with Transperitoneal laparoscopic hernia repair. Am J Surg 1998;175:446-452.
17. Madura JA, Madura JA 2nd, Copper CM, et al. Inguinal neurectomy for inguinal nerve entrapment: An experience with 100 patients. Am J Surg 2005;189:283.
18. Nienhuijs S, Staal E, Strobbe L, et al. Chronic pain after mesh repair: a systematic review. Am J Surg 2007;194(3):394-400.
19. Nyhus LM. Indivisualization of hernia repair: A new era. Surgery 1993;114:1.
20. Olmi S, Scaini A, Erba L, et al: Laparoscopic repair of inguinal hernias using an intrapertoneal onlay mesh technique and a Parietex composite mesh fixed with fibrin glue (Tissucol). Personal technique and preliminary results. Surg Endosc 2007;21:1961.
21. Rutkow IM. Demographic and socioeconomic aspects of hernia repair in the United States in 2003. Surg Clin North Am 2003;83:1045.
22. Rutkow IM. Epidemiologic, economic, and sociologic aspects of hernia surgery in the United States in the 1990s. Surg Clin North Am 1998;78:941.
23. Sanchez-Manuel FJ, Lozano-Garcia J, Seco-Gil JL. Antibiotic prophylaxis for hernia repair. Cochrane Database Syst Rev 2007;3:CD003769.
24. Sarli L, Pietra N, Choua O, et al. Laparoscopic hernia repair: A prospective comparison of TAPP and IPOM techniques. Surg Laparosc Endosc 1997;7:472.
25. Schulman A, Amid P, Lichtenstein I. The safety of mesh repair for primary inguinal hernias: Results of 3,019 operations from five diverse surgical sources. Am Surg 1992;58:255.
26. Schultz C Laparoscopic inguinal hernia repair. Surg Endosc 2001;15:582-584.
27. Shin D, Lipshultz LI, Goldstein M, et al. Herniorrhaphy with polypropylene mesh causing inguinal vasal obstruction: A preventable cause of obstructive azoospermia. Ann Surg 2005;241:553.
28. Skandalakis JE, Colborn GL, Weidman TA, et al. eds. Skandalakis's surgical anatomy: The embryologic and anatomic basis of modern surgery: inguinal anatomy. Athens: PMP 2004.
29. Spaw AT, Ennis BW, Spaw LP. Laparoscopic hernia repair: The anatomic basis. J Laparoendosc Surg 1991;1:269.
30. T. Bisgaard M, Bay-Nielsen IJ, Christensen and H. Kehlet. Br J Surg.
31. Voyles CR, Hamilton BJ, Johnson WD, et al. Meta-analysis of laparoscopic inguinal hernia trials favors open hernia repair with preperitoneal mesh prosthesis. Am J Surg 2002;184:6.
32. Zinner MJ, Ashley SW, eds. Maingot's Abdominal Operation; Inguinal hernia. 11th ed. McGraw-Hill Professional 2007.

[II. 복부탈장]

1. Ahonen-Siirtola M, Rautio T, Ward J, Kossi J, Ohtonen P, Makela J. Complications in Laparoscopic Versus Open Incisional Ventral Hernia Repair. A Retrospective Comparative Study. World journal of surgery 2015;39:2872-7.
2. Alexander AM, Scott DJ. Abdominal Wall Reconstruction Laparoscopic Ventral Hernia Repair. Surg Clin North Am 2013;93:1091-110.
3. Alexander AM, Scott DJ. Laparoscopic Ventral Hernia Repair. Surg Clin North Am 2013;93:1091-110.1. Booth JH, Garvey PB, Baumann DP, Selber JC, Nguyen AT, Clemens MW, et al. Primary

Fascial Closure with Mesh Reinforcement Is Superior to Bridged Mesh Repair for Abdominal Wall Reconstruction. J Am Coll Surg 2013;217:999-1009.

4. Awaiz A, Rahman F, Hossain MB, Yunus RM, Khan S, Memon B, et al. Meta-analysis and systematic review of laparoscopic versus open mesh repair for elective incisional hernia. Hernia : the journal of hernias and abdominal wall surgery 2015;19:449-63.
5. Barreto L, Khan AR, Khanbhai M, Brain JL. Umbilical hernia. Bmj 2013;347:f4252.
6. Bisgaard T, Kehlet H, Bay-Nielsen MB, Iversen MG, Wara P, Rosenberg J, et al. Nationwide study of early outcomes after incisional hernia repair. Br J Surg 2009;96:1452-7.
7. Burger JW, Luijendijk RW, Hop WC, Halm JA, Verdaasdonk EG, Jeekel J. Long-term Follow-up of a Randomized Controlled Trial of Suture Versus Mesh Repair of Incisional Hernia. Ann Surg 2004;240:578-85.
8. Cengiz Y, Israelsson LA. Incisional hernias in midline incisions: An eight-year follow up. Hernia 1998;2:175-7.
9. Christoffersen MW, Olsen BH, Rosenberg J, Bisgaard T. Randomized clinical trial on the postoperative use of an abdominal binder after laparoscopic umbilical and epigastric hernia repair. Hernia : the journal of hernias and abdominal wall surgery 2015;19:147-53.
10. Clay L, Gunnarsson U, Franklin KA, Strigard K. Effect of an elastic girdle on lung function, intra-abdominal pressure, and pain after midline laparotomy: a randomized controlled trial. Int J Colorectal Dis 2014;29:715-21.
11. Coleman JJ, Fitz EK, Zarzaur BL, Steenburg SD, Brewer BL, Reed RL, et al. Traumatic abdominal wall hernias: Location matters. The journal of trauma and acute care surgery 2016;80:390-7.
12. Coleman JJ, Fitz EK, Zarzaur BL, Steenburg SD, Brewer BL, Reed RL, et al. Traumatic abdominal wall hernias: Location matters. The journal of trauma and acute care surgery 2016;80:390-7.
13. DeNote G, Insraeli R. Periumbilical perforator sparing components separation. In: Rosen M, editor. Atlas of abdominal wall reconstruction: Saunders; 2012. p. 139-70.
14. Ecker BL, Kuo LE, Simmons KD, Fischer JP, Morris JB, Kelz RR. Laparoscopic versus open ventral hernia repair: longitudinal outcomes and cost analysis using statewide claims data. Surg Endosc 2016;30:906-15.
15. Gleysteen JJ. Mesh-reinforced ventral hernia repair: preference for 2 techniques. Arch Surg 2009;144:740-5.
16. Hamidian Jahromi A, Skweres J, Sangster G, Johnson L, Samra N. What we know about management of traumatic abdominal wall hernia: review of the literature and case report. Int Surg 2015;100:233-9.
17. Heller L, NcNichols CH, Ramirez OM. Component separations. Semin Plast Surg 2012;26:25-8.
18. Holihan JL, Nguyen DH, Nguyen MT, Mo J, Kao LS, Liang MK. Mesh Location in Open Ventral Hernia Repair: A Systematic Review and Network Meta-analysis. World J Surg 2016;40:89-99.
19. Lowe JB, Garza JR, Bowman JL, Rohrich RJ, Strodel WE. Endoscopically Assisted "Components Separation" for Closure of Abdominal Wall Defects. Plast Reconstr Surg 2000;105:720-30.
20. Luijendijk RW, Hop WCJ, van den Tol MP, de Lange DCD, Braaksma MMJ, IJzermans JNM, et al. A Comparison of Suture Repair with Mesh Repair for Incisional Hernia. N Engl J Med 2000;343:392-8.
21. Luijendijk RW, Hop WCJ, van den Tol MP, de Lange DCD, Braaksma MMJ, IJzermans JNM, et al. A Comparison of Suture Repair with Mesh Repair for Incisional Hernia. N Engl J Med 2000;343:392-8.
22. Malangoni MA, Rosen MJ. Hernias. In: Townsend jr. CM, Beauchmp RD, Evers BM, Mattox KC, editors. Textbook of surgery; 2012. p. 1114-40.
23. Malangoni MA, Rosen MJ.: Hernias in Townsend CM, Beauchamp RD, Evers BM. et al. (eds): Textbook of surgery. The biological basis of modern surgical practive 18th ed. Philadelphia: Saunders 2008.
24. Marsman HA, Heisterkamp J, Halm JA, Tilanus HW, Metselaar HJ, Kazemier G. Management in patients with liver cirrhosis and an umbilical hernia. Surgery 2007;142:372-5.
25. Mehrabi M, Jangjoo A, Tavoosi H, Kahrom M, Kahrom H. Long-term outcome of rives-stoppa technique in complex ventral incisional hernia repair. World J Surg 2010;34:1696-701.
26. Melvin WS, Renton D. Laparoscopic ventral hernia repair. World J Surg 2011;35:1496-9.
27. Novitsky YW, Elliott HL, Orenstein SB, Rosen MJ. Transversus abdominis muscle release: a novel approach to posterior component separation during complex abdominal wall reconstruction. Am J Surg 2012;204:709-16.
28. Ooms LS, Verhelst J, Jeekel J, Ijzermans JN, Lange JF, Terkivatan T. Incidence, risk factors, and treatment of incisional hernia after kidney transplantation: An analysis of 1,564 consecutive patients. Surgery 2016;159:1407-11.
29. Orenstein SB, Novitsky YW. synthetic mesh choices for surgical repair. In: Rosen MJ, editor. Atlas of abdominal wall reconstruction. Philadelphia: Elsevier/Saunders; 2012. p. 322-9.
30. Porrero JL, Cano-Valderrama O, Marcos A, Bonachia O, Ramos B, Alcaide B, et al. Umbilical Hernia Repair: Analysis After 934 Procedures. The American surgeon 2015;81:899-903.
31. Rosen MJ, Jin J, McGee MF, Williams C, Marks J, Ponsky JL. Laparoscopic component separation in the single-stage treatment of infected abdominal wall prosthetic removal. Hernia 2007;11:435-40.
32. Schumpelick V, Klinge U, Junge K, Stumpf M. Incisional abdomi-

nal hernia: the open mesh repair. Langenbeck's Archives of Surgery 2004;389:1-5.

33. Singh NK, Khalifeh MR, Jonathan B. Abdominal wall reconstruction. In: Neligan PC, editor. Plastic surgery. 3rd ed; 2013. p. 279-96.e2.
34. Slater NJ, Bleichrodt RP, van Goor H. Wound dehiscence and incisional hernia. Surgery (Oxford) 2012;30:282-9.
35. Slater NJ, Knaapen L, van Goor H. Abdominal wall defects: pathogenesis, prevention and repair. Surgery (Oxford) 2015;33:206-13.
36. Slater NJ, Knaapen L, van Goor H. Abdominal wall defects: pathogenesis, prevention and repair. Surgery (Oxford) 2015;33:206-13.
37. Suhardja TS, Atalla MA, Rozen WM. Complete abdominal wall disruption with herniation following blunt injury: case report and review of the literature. Int Surg 2015;100:531-9.
38. Thorek P.: Abdominal walls in Thorek P.(ed):Anatomy in surgery. 3rd ed. New York: Springer-Verlag 1985.
39. Tse GH, Stutchfield BM, Duckworth AD, Beaux AC, Tulloh B. Pseudo-recurrence following laparoscopic ventral and incisional hernia repair. Hernia 2010;14:583-7.
40. Yamada T, Okabayashi K, Hasegawa H, Tsuruta M, Abe Y, Ishida T, et al. Age, Preoperative Subcutaneous Fat Area, and Open Laparotomy are Risk Factors for Incisional Hernia following Colorectal Cancer Surgery. Annals of surgical oncology 2016;23 Suppl 2:S236-41.

[III. 기타 탈장 및 합병증]

1. Amid PK. How to avoid recurrence in Lichtenstein tension-free hernioplasty. Am J Surg 2002;184:259.
2. Bendavid R. Complications of groin hernia surgery. Surg Clin North Am 1998;78:1089.
3. Bendavid R. Femoral hernias in females: Facts, Figures and fallacies, in Bendavid R (ed): Prostheses and Abdominal Wall Hernias. Austin, Tx: Landes Publishing 1994, p82.
4. Chen KC, Chu CC, Chou TY, et al.: Ultrasonography for inguinal hernias in boys. J Pediatr Surg 1999;34:1890.
5. Condon RE, Nyphus LM. Complications of groin hernia, in Condon RE, Nyphus LM (eds): Hernia, 4th ed. Philadelphia: Lippincott 1995.
6. Erez U, Rathause V, Vacian I, et al.: Preoperative ultrasound and intraoperative findgings of inguinal hernias in children: A prospective study of 642 children. J Pediatr Surg 2002;37:865.
7. Haskell DL, Sunshine B, Heifetz CJ. A study of bladder catheterization with inguinal hernia iperations Arch Surg 1974; 109:378.
8. Hurst RD, Butler BN, Soybel DI, et al.: Management of groin hernias in patients with ascites. Ann Surg 1992; 216:696.
9. Liu SK, Rassai H, Krasner C, et al. Urinary catheter in laparoscopic cholecystectomy: is it neccessory? Surg Laparosc Endosc Percutan Tech 1999;9:184.
10. Poobalan AS, Bruce J, Smith WC, et al. A review of chronic pain after inguinal herniorrhaphy. Clin J Pain 2003;19:48.
11. Rowe MI, Copelson LW, Clatworthy HW. The patent processus vaginalis and the inguinal hernia. J Pediatr Surg 1969;4:102.
12. Skinner MA, Grosfeld JL. Inguinal and umbilical hernia repair in infants and children. Surg Clin North Am 1993;73:439.
13. VoitkAJ, Tsao SG. The umbilicus in laparoscopic surgery. Surg Endosc 2001;15:878.
14. Yerkes EB, Brock JW, Holcomb GW, et al. Laparoscopic evaluation for a contralateral patent processus vaginalis: part III. Urology 1998;51:480.

[IV. 복벽]

1. Brasfield RD, Das Gupta TK. Desmoid tumors of the anterior abdominal wall. Surgery 1969;65:241.
2. Goodman P, Balachandran S. CT evaluation of the abdominal wall. Crit Rev Diagn Imaging 1992;33:461-493.
3. Stiles QR, Raskowsk HJ, Henry W. Rectus sheath hematoma. Surg Gynecol Obstet 1965;12:331.

[V. 복막]

1. Altemeier WA, Culbertson WR, Fullen WD, et al. Intraabdominal abscesses. Am J Surg 1973;125:70.
2. Beahrs OH, Judd ES Jr, Dockerty MB. Chylous cysts of the abdomen. Surg Clin North Am 1950;30:1081.
3. Birtch AG, Coran AG, Gross RE. Neonatal peritonitis. Surgery 1967;61:305.
4. Shear L, Swartz C, Shinaberger JA, et al. Kinetics of peritoneal fluid absorption in adult man. N Engl J Med 1965;272:123.

[VI. 그물망]

1. Adams JT: Primary torsion of the omentum. Am J Surg 1973;126:102.
2. Marschall MA, Cohen M. The use of greater omentum in reconstructive surgery. Surg Annu 1994;26:251-268.
3. Samson R, Pasternak BM. Current status of surgery of the omentum. Surg Gynecol Obstet 1958;107:1.

[VII. 장간막]

1. Daskalogiannaki M, Voloudaki A, Prassopoulos P et al. CT evaluation of mesenteric panniculitis: prevalence and associated diseases. Am J Roentgenol.2000;174:427-431.
2. Emory T, Monihan J, Carr NJ et al. Sclerosing mesenteritis, mesenteric panniculitis, and mesenteric lipodystrophy: a single entity? Am J Surg Pathol.1997;21:392-398.
3. Hebra A, Brown MF, McGeehin KM et al. Mesenteric, omental

and retroperitoneal cysts in children: a clinical study of 22 cases. South Med J. 1993;86:173-176.

4. Horton KM, Lawler LP, and Fishman EK: CT findings in sclerosing mesenteritis (panniculitis): Spectrum of disease. Radiographics 2003; 23: pp. 1561-156.
5. Issa I, Baydoun H. Mesenteric panniculitis: various presentations and treatment regimens. World J Gastroenterol.2009;15:3827-3830.
6. Maingot, Rodney, Zinner, et al, eds. Maingot's Abdominal Operation. 11th ed. New York: McGraw-Hill 2007.
7. Martin LC, Merkle EM, and Thompson WM: Review of internal hernias: Radiographic and clinical findings. AJR Am J Roentgenol 2006;186: pp. 703-71.
8. Nieuwenhuis MH, Mathus-Vliegen EM, Baeten CG, et al: Evaluation of management of desmoid tumours associated with familial adenomatous polyposis in Dutch patients. Br J Cancer 2011;104: pp. 37-4.
9. O'Brien MF, Winter DC, Lee G et al. Mesenteric cysts-a series of six cases with a review of the literature. Ir J Med Sci. 1999;168:233-236.
10. Ogden WW, Bradburn DM, Rives JD. Panniculitis of the mesentery. Ann Surg.1960;151:659-66.
11. Sakorafas GH, Nissotakis C, Peros G. Abdominal desmoid tumors. Surg Oncol 2007;16:131-42.
12. Smith AJ, Lewis JJ, Merchant NB, et al: Surgical management of intra-abdominal desmoid tumours. Br J Surg 2000;87: pp. 608-61.
13. Takiff H, Calabria R, Yin L et al. Mesenteric cysts and intra-abdominal cystic lymphangiomas. Arch Surg. 1985;120:1266-1269.
14. Tan JJ, Tan KK, Chew SP. Mesenteric cysts: an institution experience over 14 years and review of literature. World J Surg 2009;33:1961-5.
15. Wat SY, Harish S, Winterbottom A, et al. The CT appearances of sclerosing mesenteritis and associated diseases. Clin Radiol 2006;61:652-8.
16. Zissen R, Metser U, Hain D et al. Mesenteric panniculitis in oncologic patients: PET-CT findings. Br J Radiol.2006;79:37-43.

[VIII. 후복막]

1. Cerfolio RJ, Morgan AS, Hirvela ER et al. Idiopathic retroperitoneal fibrosis: is there a role for postoperative steroids? Curr Surg. 1990;47:423-42.
2. Chan YC, Morales JP, Reidy JF, et al. Management of spontaneous and iatrogenic retroperitoneal haemorrhage: conservative management, endovascular intervention or open surgery? Int J Clin Pract 2008;62:1604-13.
3. Gilkeson GS, Allen NB. Retroperitoneal fibrosis. A true connective tissue disease. Rheum Dis Clin North Am. 1996;22:23-3.
4. Higgins PM, Bennett-Jones DN, Naish PF et al. Non-operative management of retroperitoneal fibrosis. Br J Surg. 1990;8:206-222.
5. Maingot, Rodney, Zinner, et al. Ashley, Stanley W., eds. Maingot's Abdominal Operation. 11th ed. New York: McGraw-Hill 2007.
6. Martorana D, Vaglio A, Greco P, et al: Chronic periaortitis and HLA-DRB1*03: Another clue to an autoimmune origin. Arthritis Rheum 2006; 55: pp. 126-13.
7. Marzano A, Trapani A, Leone N et al. Treatment of idiopathic retroperitoneal fibrosis using cyclosporine. Ann Rheum Dis. 2001;60:427-42.
8. Mendenhall WM, Zlotecki RA, Hochwald SN, et al: Retroperitoneal soft tissue sarcoma. Cancer 2005; 104: pp. 669-67.
9. Menichetti F, Sganga G. Definition and classification of intraabdominal infections. J Chemother 2009;21 Suppl 1:3-4.
10. Ormond JK. Bilateral ureteral obstruction due to envelopment and compression by an inflammatory process. J Urol. 1948;59:1072-1079.
11. Pryor JP, Piotrowski E, Seltzer CW et al. Early diagnosis of retroperitoneal necrotizing fasciitis. Crit Care Med. 2001;29:1071-107.
12. Schwarzbach MH, Hohenberger P. Current concepts in the management of retroperitoneal soft tissue sarcoma. Recent Results Cancer Res 2009;179:301-19.
13. Shibata D, Lewis JJ, Leung DH, et al: Is there a role for incomplete resection in the management of retroperitoneal liposarcomas? J Am Coll Surg 2001; 193: pp. 373-37.
14. Swartz RD. Idiopathic retroperitoneal fibrosis: a review of the pathogenesis and approaches to treatment. Am J Kidney Dis 2009;54:546-53.
15. Thomas DM, O'Sullivan B, Gronchi A. Current concepts and future perspectives in retroperitoneal soft-tissue sarcoma management. Expert Rev Anticancer Ther 2009;9:1145-57.
16. Vaglio A, Palmisano A, Corradi D, et al. Retroperitoneal fibrosis: evolving concepts. Rheum Dis Clin North Am 2007;33:803-17.
17. Vaglio A, Salvarani C, and Buzio C: Retroperitoneal fibrosis. Lancet 2006; 367: pp. 241-25.
18. Woodburn KR, Ramsay G, Gillespie G et al. Retroperitoneal necrotizing fasciitis. Br J Surg. 1992;79:342-344.

[IX. 피부]

1. Balch CM, Soong SJ, Shaw HM, et al. An analysis of prognostic factors in 8500 patients with cutaneous melanoma, in Balch CM, Houghton AN, Milton GW, et al, eds. Cutaneous melatnoms. 2nd ed. Philadelphia: JB Lippincott 1992, p165.
2. Beitler AJ, Ptaszynski K, KarpelJP. Upper airway obstruction in a women with AIDS-related laryngeal Kaposi's sarcoma. Chest 1996;109:836.
3. Bonifas JM, Rothman AI, Epstein EH Jr. Epidermolysis bullosa simples: Evidence in two families for keratin gene abnormalities. Science 1991;254:1202.

4. Caravatti EM. Acute hydrofluoric acid exposure. Am J Emerg Med 1988;6:143.
5. Chanda JJ. Extramammary Paget's disease: Prognosis and relationship to intermalmalignancy. J Am Acad Dermatol 1985;13:1009.
6. Cunningham JD, Silver L, Rudikoff D. Necrotizing fasciitis: A plea for early diagnosis and treatment. Mt Sinai J Med 2001;68:253.
7. Elliot DC, Kufera JA, Myers RAM. Necrotizing soft tissue infection. Risk factors for mortality and strategies for management, Ann Surg 1996;224:672.
8. Escalonilla P. Esteban J, Soriano ML, el al. Cutaneous manifestations for infections by nontuberculous mycobacteria. Clin Exp Dermatol 1998;23:214.
9. Goyal JL, Rao Va, Srinivasan R, et al. Oculocutaneous manifestations in xeroderma pigmentosa. Br J Ophthalmol 1994;78:295.
10. Greene MH. The genetics of hereditary melanoma and nevi. 1998 update. Cancer 1999;86:2464.
11. Herbert K, Lawrence JC. Chemical burns. Burns 1989;15:381.
12. High AS, Robinson PA. Novel approaches to the diagnosis of basal cell nevous syndrome. Expert Rev Mol Diagn 2002;2:321.
13. Kopf AW, Hellman LJ, Rogers GS, et al. Familial malignant melanoma. JAMA 1989;256:1915.
14. Koutsky L. epidemiology of genital human papillomavirus infection. Am J Med 1997;102:3.
15. Langley RG, Fitzpatrick TB, Sober AJ. Clinical characteristics, in Balch CM, Houghton AN, Sober AJ, et al, eds. Cutaneous melanoma. 3rded.St.Louis:QualityMedicalPublishing1998.
16. Langstein HN, Duman H, Seeling D, et al. Retrospective study of the management of chemotherapeutic extravasation injury. Ann Plast Surg 2002;49:369.
17. Lee KAP, Opeskin K. Fatal alkali burns. Forensic Sci Int 1995;72:219.
18. Luande J, Henschke CI, Mohammed N. The Tanzanian human albino skin: Nature history. Cancer 1985;55:1823.
19. Luce EA. Oncologic considerations in nonmelanotic skin cancer. Clin Plast Surg 1995;22:39.
20. MacKie RM. Incidence, risk factors and prevention of melanoma. Eur J Cancer 1998;34(Supple3):S3.
21. MacKinnon MA. Hydrofluoric acid burns. Dermatol Clin 1988;6:67.
22. Marks R, Kopf AW. Cancer of the skin in the next century. Int J Dermatol 1995;34:445.
23. Matsuno K. the treatment of hydrofluoric acid burns. Occup Med 1996;46:313.
24. Nemes Z, Steinert PM. Bricks and mortar of the epidermal barrier. Exp Mol Med 1999;31:5.
25. Novick M, Gard DA, Hardy SD et al. Burn scar carcinoma: A review and analysis of 46 cases. J Trauma 1977;17:809.
26. O' Connor WJ, Brodland DG. Merkel cell carcinoma. Dermatol Surg 1996;22:262.
27. Palenque E. Skin disease and nontuberculous atypical mycobacteria. In J Dermatol 2000;39:659.
28. Reintgen DS, McCarty KM Jr, Cox E, et al. Malignant melanoma in black American and white American populations. A comparison review. JAMA 1985;248:1856.
29. Tyring S, Conant M, Marini M, et al. Imiquimod: An international update in therapeutic uses in dermatology. Int J Dermatol 2002;41:810.
30. Vassar R, Coulombe PA, Degenstein L, et al. Mutant keratin expression in transgenic mice causes marked abnormalities resembling a human genetic skin disease. Cell 1991;64:365.
31. Weitzul S, Eichhorn PJ, Pandya AG. Nontuculous mycobacterial infections of the skin, Dermatol Clin 2000;18:359.
32. Wollina U. Clinical management of pyoderma gangrenosum. Am J Clin Dermatol 2002;3:149.
33. Yuen KY, Ma L, Wong SSY, e al. fatal necrotizing fasciitis due to Vibrio damsel. Scand J infect Dis 1993;25:659.

[X. 연부조직육종]

1. 김지수, 한원식, 노동영, 외. 후복막육종. 대한암학회지 1998;30:370-377.
2. 정인목, 노동영, 최국진, 외. 사지의 연부조직 육종. 대한암학회지 1993;25:276-287.
3. Abbas Manji, G., et al. "Application of molecular biology to individualize therapy for patients with liposarcoma." Am Soc Clin Oncol Educ Book: 2015;213-21.
4. Alvegard TA, Berg NO. Histopathology peer review of high-grade soft tissue sarcoma: the Scandinavian Sarcoma Group experience. J Clin Oncol 1989;7:1845-1851.
5. American Joint Committee on Cancer. AJCC Cancer Staging Manual. 7th ed. New York: Springer 2010.
6. Baldini EH, Goldberg J, Jenner C, et al. Long-term outcomes after function-sparing surgery without radiotherapy for soft tissue sarcoma of the extremities and trunk. J Clin Oncol 1999;17:3252-3259.
7. Bennicelli JL, Barr FG. Chromosomal translocations and sarcomas. Curr Opin Oncol 2002;14:412-419.
8. Cha C, Antonescu CR, Quan ML, et al. Long-term results with resection of radiation-induced soft tissue sarcomas. Ann Surg 2004;239:903-909.
9. Davis AM, O'Sullivan B, Bell RS, et al. Function and health status outcomes in a randomized trial comparing preoperative and postoperative radiotherapy in extremity soft tissue sarcoma. J Clin Oncol 2002;20:4472-4477.
10. Demetri GD, von Mehren M, Blanke CD, et al. Efficacy and safety of imatinib mesylate in advanced gastrointestinal stromal tu-

mors. N Engl J Med 2002;347:472-480.

11. DeVita VT, Lawrence TS, Rosenberg SA. Cancer; Principles and practice of oncology. 8th ed. Philadelphia: Lippincott Williams & Wilkins 2008.
12. Eilber FC, Brennan MF, Eilber FR, et al. Chemotherapy is associated with improved survival in adult patients with primary extremity synovial sarcoma. Ann Surg 2007;246:105-113.
13. Enneking WF, Spanier SS, Malawer MM. The effect of the Anatomic setting on the results of surgical procedures for soft parts sarcoma of the thigh. Cancer 1981;47:1005-1022.
14. Fong Y, Coit DG, Woodruff JM, et al. Lymph node metastasis from soft tissue sarcoma in adults. Analysis of data from a prospective database of 1772 sarcoma patients. Ann Surg 1993;217:72-77.
15. Guillou L, Coindre JM, Bonichon F, et al. Comparative study of the National Cancer Institute and French Federation of Cancer Centers Sarcoma Group grading systems in a population of 410 adult patients with soft tissue sarcoma. J Clin Oncol 1997;15:350-362.
16. Heinrich MC, McArthur GA, Demetri GD, et al. Clinical and molecular studies of the effect of imatinib on advanced aggressive fibromatosis (desmoid tumor). J Clin Oncol 2006;24:1195-1203.
17. Heslin MJ, Lewis JJ, Woodruff JM, et al. Core needle biopsy for diagnosis of extremity soft tissue sarcoma. Ann Surg Oncol 1997;4:425-431.
18. Jaques DP, Coit DG, Hajdu SI, et al. Management of primary and recurrent soft-tissue sarcoma of the retroperitoneum. Ann Surg 1990;212:51-59.
19. Kattan MW, Leung DH, Brennan MF. Postoperative nomogram for 12-year sarcoma-specific death. J Clin Oncol 2002;20:791-796.
20. Kim HS, Lee J, Yi SY, et al. Liposarcoma: exploration of clinical prognostic factors for risk based stratification of therapy. BMC Cancer 2009;9:205.
21. Kim YB, Shin KH, Seong J, et al. Clinical significance of margin status in postoperative radiotherapy for extremity and truncal soft-tissue sarcoma. Int J Radiat Oncol Biol Phys 2008;70:139-144.
22. Kotilingam D, Lev DC, Lazar AJ, et al. Staging soft tissue sarcoma: evolution and change. CA Cancer J Clin 2006;56:282-291.
23. Lewis JJ, Leung D, Woodruff JM, et al. Retroperitoneal soft-tissue sarcoma: analysis of 500 patients treated and followed at a single institution. Ann Surg 1998;228:355-365.
24. Modified from Coindre JM, Trojani M, Contesso G, et al. Reproducibility of a histopathologic grading system for adult soft tissue sarcomas. Cancer 1986;58(2):30.
25. O'Sullivan B, Davis AM, Turcotte R, et al. Preoperative versus postoperative radiotherapy in soft-tissue sarcoma of the limbs: a randomised trial. Lancet 2002;359:2235-2241.
26. Panicek DM, Gatsonis C, Rosenthal DI, et al. CT and MR imaging in the local staging of primary malignant musculoskeletal neoplasms: Report of the Radiology Diagnostic Oncology Group. Radiology 1997;202:237-246.
27. Pisters PW, Harrison LB, Leung DH, et al. Long-term results of a prospective randomized trial of adjuvant brachytherapy in soft tissue sarcoma. J Clin Oncol 1996;14:859-868.
28. Pisters PW, Leung DH, Woodruff J, et al. Analysis of prognostic factors in 1,041 patients with localized soft tissue sarcomas of the extremities. J Clin Oncol 1996;14:1679-1689.
29. Rubin BP, et al. Protocol for the Examination of Specimens From Patients With Tumors of Soft Tissue. College of American Pathologists, June 2012. Modified from Guillou L, et a.
30. Sarcoma Meta-analysis Collaboration. Adjuvant chemotherapy for localised resectable soft-tissue sarcoma of adults: meta-analysis of individual data. Lancet 1997;350:1647-1654.
31. Singer S, Antonescu CR, Riedel E, et al. Histologic subtype and margin of resection predict pattern of recurrence and survival for retroperitoneal liposarcoma. Ann Surg 2003;238:358-370.
32. Sørensen SA, Mulvihill JJ, Nielsen A. Long-term follow-up of von Recklinghausen neurofibromatosis. Survival and malignant neoplasms. N Engl J Med 1986;314:1010-1015.
33. Stojadinovic A, Leung DH, Allen P, et al. Primary adult soft tissue sarcoma: time-dependent influence of prognostic variables. J Clin Oncol 2002;20:4344-4352.
34. Yang JC, Chang AE, Baker AR, et al. Randomized prospective study of the benefit of adjuvant radiation therapy in the treatment of tissue sarcomas of the extremity. J Clin Oncol 1998;16:197-203.

찾아보기

국 문

ㄱ

ㄴ

ㄹ

ㅁ

ㅂ

ㅅ

ㅇ

ㅈ

ㅋ

영 문

A

B

C

D

E

F

G

H

I

J

K

L

M

N

O

P

R

S

T

U

V

W

X

Y

Z

기 타